٢٠٠٢

2002

AL-MAWRID

المورد

دار العلم للملايين
مؤسسة ثقافية للتأليف والترجمة والنشر

شارع مار الياس، بناية متكو، الطابق الثاني
هاتف: ٣٠٦٦٦٦ - ٧٠١٦٥٥ - ٧٠١٦٥٦ (٠١)
فاكس: ٧٠١٦٥٧ (٠١)
ص.ب ١٠٨٥ بيروت - لبنان

الطبعة السادسة والثلاثون ٢٠٠٢

مُنير البعلبكي
عضو مجمع اللغة العربية بالقاهرة

المورد

قاموس انكليزي - عربي

AL-MAWRID

A Modern English_Arabic Dictionary

by

Munir Ba'albaki

DAR EL-ILM LIL-MALAYEN
دار العلم للملايين - بيروت

2002
٢٠٠٢

«إنّي رَأيْتُ أنّهُ لا يَكْتُبُ أحَدٌ كِتاباً في يَوْمِهِ إلاّ قالَ في غَدِهِ : لَوْ غُيِّرَ هَذا لَكانَ أحْسَنَ ، وَلَوْ زِيدَ هذا لَكانَ يُسْتَحْسَن ، وَلَوْ قُدّمَ هَذا لَكانَ أفْضَل ، وَلَوْ تُرِكَ هَذا لَكانَ أجْمَل . وَهَذا مِن أعْظَمِ العِبَرَ ، وَهُوَ دَلِيلٌ عَلى اسْتِيلاءِ النّقْصِ عَلى جُمْلَةِ البَشَر» .

العماد الأصفهاني

«يَتُوقُ كلّ مَن يُؤلّفُ كِتاباً إلى المديح . أمّا مَن يُصَنّفُ قامُوساً فَحَسْبُهُ أن يَنْجوَ من اللّوم» .

الدكتور جنسن

تصدير

— ١ —

باسم العزيز القدير الذي وفقني إلى إنجاز هذا المُعجم . وكنتُ أحسب ذلك متعذّراً أو مجاوراً للمتعذّر ، أستهلّ هذا التصدير . رافعاً إليه جلّ وعلا آياتِ الحمدِ والثّناء لِما أمدّني به — طوالَ سنواتٍ سبعٍ أنفقتُها في تأليفه وطبعه — من قوةٍ كانت هي عوْني في متاهات هذه الرحلة الجاهدة ومُثبّتي كلّما وَهَنَ العزمُ مني وتعاظمني ثِقَلُ المهمة التي نَذَرْتُ نفسي لأدائها ، وكانت هي مَلاذي كلّما نازَعَتْني النّفْسُ الضّعيفةُ إلى التخفف من الأمرِ كلّهِ بِطيّ ما تمّ لي تحبيرُهُ من دفاتر وجُذاذات راضياً منَ الغنيمة بمجرّد الإياب . . .

— ٢ —

وبعد ، فقد قُدِّر لي أن أنصرف منذُ ثلاثين عاماً إلى العمل في حقل التّرجمة من الانكليزية إلى العربيّة انصرافاً كاملاً أو يكاد ، حتى لَيَبلغ ما نقلتُه إلى لُغَةِ الضّاد نحواً من سبعين كتاباً في مختلِفِ الفنونِ والموضوعات . وإنما استعنتُ على ذلك ، باديء الأمر ، بمعجم قديم من منشورات المطبعة الأميركيّة في بيروت . ثمّ هدَتْني الأيامُ إلى قاموس المرحوم الدكتور خليل سعادة الصادر في القاهرة عام ١٩١١ . ثمّ إلى القاموس العصري للمرحوم الأستاذ الياس انطون الياس . وقد صدرت طبعته الأولى في القاهرة عام ١٩١٣ . ثم إلى قاموس النهضة للمرحوم العلاّمة اسماعيل مظهر وقد صدر في القاهرة أيضاً منذ عشر سنوات أو يزيد . فكان فرَحي بالاهتداء إليها عظيماً ، وكانت فائدتي من ذخائرها أعظم . . . بَيْدَ أنّ هذه المعاجم الثلاثة ، على جلال قَدْرِها وضخامة ما أُنفِق في وَضْعِها من جهدٍ محمودٍ ، كانت بعيدةً بِنِسَب متفاوتة عن الوفاء بحاجة المشتغل في حقل التّرجمة بخاصة . فقد كنت كثيراً ما أستهدي بها في حلّ ما يَعْرِض لي من مشكلات فتهديني مرّةً وتُقصِّر عن هِدايتي مرّةً . فأُضطَر إلى العودة إلى الأمهات الانكليزية — الانكليزية أبحث فيها عن ضالّتي . . . وكان من دأبي ، منذ أول عهدي بالتّرجمة ، أن أدوّن على هوامش معاجمي الانكليزية — العربيّة مختلفَ الكلمات والتعابير الاصطلاحيّة التي أقع عليها في تلك الأمهات كي لا أُضطرّ إلى العودة إليها إذا ما عرضت لي تلك المشكلات نفسها كرّةً أخرى ؛ وهكذا اجتمعت لي ذخيرةٌ ملحقةٌ بكلٍّ من هذه المعاجم يسّرت لي عملي في حقل التّرجمة ووفّرت عليّ كثيراً من الوقت والجهد اللذين كنتُ أُنفقهما في مراجعة الأمهات الانكليزية .

وكرّت الأعوام إثرَ الأعوام وأنا خالي الذهن من فكرة تأليف معجم انكليزي عربي جديد يكون بمثابة حلقة إضافيّة في تلك السلسلة الذهبية النفيسة . كان كلّ ما هدفتُ إليه هو تقييد الكلمات والمعاني التي أغفلَها سعادة والياس ومظهر لكي تكون مرجعاً لي وحدي أذلّل به مصاعب عملي اليوميّ المتلاحق ؛ ولم يقم في وهمي لحظةً أن حصيلة ذلك سوف تكون نواةً لمعجَم أطلعُ به على الناس في يوم من الأيام . . .

— ٣ —

ولكنّ نفراً من إخواني وزملائي ما لبثوا أن اطلعوا على ما اجتمع لديّ من هذه المستدركات فاقترحوا عليّ أن أنصرف عن التّرجمة وأتفرّغ لوضع هذا المعجم الجديد شعوراً منهم بحاجة الناس الماسّة إليه ، بعد أن تكاثر طلاّب اللغة الانكليزية في كلّ صقع من أصقاع العرب ، واتسعت دائرة العلم الحديث اتّساعاً جعل المعاجم الانكليزية العربيّة المتداوَلة عاجزةً عن الوفاء بمطالب العصر . وما زالوا يلحّون عليّ في ذلك وأنا أتردّد بين إقدام وإحجام حتى عَقَدْتُ العزمَ آخر الأمر على النهوض بهذا العِبء الثقيل وليس لي من عُدّة أتسلّح بها غير ثقة أولئك الاخوان والزملاء . وغير الإيمان بأن مثل هذا الصنيع — لو قُدِّر لي أن أُؤدّيه على الوجه المنشود — خليقٌ به أن يدفع عجلة الثقافة العربيّة المعاصرة سنواتٍ إلى الأمام .

وهكذا رُحْتُ أجمع كلّ ما يقع تحت يديّ من المعاجم الأميركيّة والانكليزية ، والمعاجم الانكليزية العربيّة ، والمعاجم الثنائية اللغة التي قَصَرَها أصحابها على علمٍ بِعَيْنِهِ أو فنّ بِعَيْنِهِ – كمعاجم النبات والحيوان والطب والحرب الخ . – ومن المصطلحات التي أقرّها مجمع اللغة العربيّة بالقاهرة في مختلف العلوم والفنون ، والجداول القاموسيّة التي خُتِمَت بها بعض الكتب العلميّة المعرّبة في السنوات الأخيرة ، وهي كثيرة لا تكاد تُحْصَى . . حتى إذا اجتمعت لَدَيّ أدوات العمل كلّها شرعت في التأليف مستعيناً بالله . إنّهُ نعْمَ المولى ونِعْمَ النّصير .

— ٤ —

وإذ كنتُ أعلمُ عِلمَ اليقين مدى ما يستشعرُهُ المثقّفُ العربي من مرارةٍ وخيبة أمل كلّما استنجد بالمعاجم الانكليزية العربيّة فعجزت عن نجدته ، وما يلقاه من عَنَتَ العودة إلى المعاجم الانكليزيّة بحثاً عن ضالته فقد نَصَبْتُ لنفسي منذ اللحظات الأولى هدفاً طَموحاً هو أن أقدّم إليه معجماً شاملاً يغنيه عن العودة المستمرة إلى تلك الأصول التماساً لمادّة لم يقع عليها في المعاجم الانكليزيّة العربيّة أو بحثاً عن معنى بعينِهِ من معاني مادة أخرى أغفَلَتْهُ هذه المعاجم وإن لم تُغْفِل النصّ على المادة نفسها . . . ويوفّر عليه فوق ذلك عناء التساؤل عن المقابل العربي لتلك المادّة ، أو المصطلح العربي لذلك المعنى ، وبالتالي عناء الاجتهاد في وضعه أو صوغِهِ على أيّ وجهٍ تيسّرَ له .

وقد فرض عليّ هذا الهدفُ الطَّموحُ أمْرَيْن أساسيّين : أولهما أن لا تقلّ موادّ « المورد » عن مئة ألف مادة تمثّل الكثْرةَ الكاثرةَ من متن اللغة الانكليزية ومن مصطلحات العلم الحديث وفنون الحضارة الانسانيّة ، مع قَصْدٍ إلى التوسّع والاستقصاء يتيح للمُراجع أن يجد بين معاني كلّ مادّة من هذه الموادّ ذلك المعنى الخاص الذي يبحث عنه . وثانيهما أن يُصْطَنَعَ في تأليفه منهجٌ واضحٌ يُلتزم من أول الطريق حتى نهايتها التزاماً دقيقاً ، وفقاً لأحدث القواعد المتبعة في الصناعة المعجمية . والحقّ أنّ المنهج الذي اصطنعتُهُ عند المباشرة بالعمل خضع بعد ذلك لضروب من التعديل والتطوير هدَفَتْ كلّها إلى جعله في مستوى المناهج المعتمدة في أشهر المعاجم الاميركية والانكليزية ، وأن ضروب التعديل والتطوير هذه كانت تتلاحق واحداً بعد آخر خلال التأليف بحيث لم يستكمل المنهجُ شكلَهُ النهائيّ إلاّ بعد أن بَلَغْتُ الحرفَ الرابع . ممّا اضطرّني إلى إعادة كتابة الحرف الأول ثلاث مرات ، وإعادة كتابة الحرف الثاني مرتين وإعادة كتابة الحرف الثالث – وهو من أطول حروف المعجم – وفقَ هذا الشكل المتكامل .

— ٥ —

وإنما يقوم هذا المنهج ، في شكله النّهائيّ ذاك ، على عدة أركان . أولها إتْباعُ المادة بمختلف الصّوَر التي تُرْسَم بها في بعض الأحيان . وبالنصّ على طريقة لفظها * مصوّرةً برموز خاصةٍ يجد المُراجِع مفتاحها في الصفحات التالية ، وعلى نوعها الصّرفيّ (اسم ، صفة . فعل متعدّ ، فعل لازم الخ.) ، وعلى اللغة التي أُخِذَتْ منها اللفظةُ إن كان لها أصلٌ أجنبيّ ** ، وإتْباعُ ذلك كلّه عند الاقتضاء بصورة أو أكثر لجمعها مع الإشارة إلى طريقة لفظ الجمع في كثير من الأحيان .

— ٦ —

وثانيها سَرْدُ المعاني تبعاً لترتيب أنواع الكلمة الصّرفيّة المنصوص عليها في رأس المادة بحيث أبدأ بمعاني الاسم ثم بمعاني الفعل أو الصفة أو الحال الخ . إذا كان ذلك التّرتيب جارياً على هذا النحو ، أو أبدأ بمعاني الفعل أو بمعاني الصفة أو الحال الخ . إذا كان التّرتيب المذكور يقضي بذلك . . . مع اصطناع علامة (§) للفصل بين مختلف الأنواع الصرفيّة واصطناع علامة (×) للفصل بين الفعل اللازم والفعل المتعدي ، أو بين الفعل المتعدي والفعل اللازم .

---

* إلا في أحوال نادرة جداً .

** وبخاصة حين تكون اللفظة ذات أصل عربي . وسوف أعمد الى مزيد من التحقيق في هذا الجانب من المنهج في الطبعات القادمة ان شاء الله .

— ٧ —

وثالثها ترتيب المعاني كلها على أساس التسلسل التاريخي ، إلا في الأحوال التي يتعذّر فيها ذلك ، بحيث يكون في ميسور المراجع أن يتتبع تطوّر الكلمة منذ أقدم العهود حتى يوم الناس هذا ، وتتجلّى له من خلال ذلك صورة الحضارة الانسانيّة وهي تَدْرُج في معارج التقدّم والارتقاء . فإذا كان بين هذه المعاني ما هو مُمات أتبعتُهُ بـ (ا.م) ٭ ، أو ما هو قديم ولكنه غير مُمات اتبعتُهُ بـ (ا.ق) ٭٭ ، أو ما هو نادر الاستعمال أتْبَعْتُهُ بـ (ا.ن) ٭٭٭ وإذا كان بينها ما هو عاميّ أتبَعْتُهُ بـ (ع) ، مميزاً في كثير من الأحيان بين ما هو من عامية الانكليز وبين ما هو من عامية الأميركيين ، مقيّداً الأول بـ (عب) ٭٭٭٭ ، والثاني بـ (عأ) ٭٭٭٭٭ . وقد اعتمدت في ذلك كلّه على معجمي وبستر واكسفورد الكبيرين اللذين تفرّدا باصطناع هذه الطريقة التاريخيّة الفذّة التي تُعتَبر معجزةً من معجزات الصناعة المعجمية في العصر الحديث .

— ٨ —

ورابعُ هذه الأركان تصنيفُ معاني المادة الواحدة وتقسيمُها إلى أُسَر أو زُمَر بحيث تجتمع المعاني الشقيقة أو الأشباه والنظائر — على لغة القُدامى — في حيّز واحد . وقد جعلتُ لكلّ أسرة أو زمرة رقماً متسلسلاً ، وميّزت ما يندرج تحته من مدلولات بحروف أبجديّة («أ» ، «ب» ، «ج» ، «د» ، «هـ» ، «و» الخ .) . وقد اعتمدتُ هنا ، في المقام الأول ، على معجم وبستر الدّولي الجديد الذي انفرد دون سائر المعاجم بهذه الطريقة البارعة .

— ٩ —

وخامسُها عدمُ تدوين أيّ معنى من المعاني أو أيّ مدلول من المدلولات إلاّ بعد مراجعة مختلف الشواهد التي أوردتْها المعاجم الأميركية والانكليزية في مَعْرِض شَرحِهِ وإيضاحِهِ . ومن هنا رحتُ أستقري هذه الشواهدَ وأعارضُ بعضها ببعضها الآخر في كثير من الأحيان ؛ حتى إذا أحَطْتُ بكامل أبعاد المعنى وظلالِهِ — كما تتجلّى في تلك الشواهد — اختَرْتُ أو وَضَعْتُ له ما يقابله في العربيّة وأنا مطمئنّ إلى أن ما اختَرْتُ أو وَضَعْتُ هو أقرب شيء إلى المراد ، إن لم يكن هو المراد عينه . ولو قد نَهَجَ أصحاب المعاجم الانكليزية العربية السابقة — وكلهم جديرٌ بأن يُسلك في عِداد الأئمة الأعلام — هذا النهج إذن لوفّروا على أنفسهم وعلى جمهرة المثقفين كثيراً من العثرات الموسفة . إذ لا يخفى أن مجرد ترجمة المرادفات الجامدة التي توردها المعاجم الانكليزية-الانكليزية المتداولة مقابلَ لفظة بعينها ، وهي مرادفات قد تحتمل جمهرةً من المدلولات ، مَدْعاةٌ للوهم وإساءة الفهم ، في حين أن التماس المدلول على ضوء الشواهد النابضة بالحياة يقي المرءَ مواطنَ الزَّلَل ، وما أكثرها ، ويمكّنه من إنزال الأشياء في منازلها الصحيحة .

— ١٠ —

وقد قادني هذا الالتزام إلى التزام آخر يُعتبر سادس أركان المنهج المعتمد في هذا المعجم . ذلك بأنّني استيقنت منذ اللحظة الأولى أن المقابل العربي مهما يكن دقيقاً قد لا يكفي لتوضيح المراد أو لحصره في الحدود التي رسَمَتْها له المعجمات الانكليزية - الانكليزيّة . ومن ثَمّ أخذتُ نفسي بضرورة إتْباعَ المدلولات في أكثر موادّ «المورد» بأمثلة انكليزية حيّة اقتبستُها من مختلف المعاجم ، مع شيء من التعديل حيناً ، ومن غير ما تعديل حيناً ، وحَصَرْتُها بين أهِلّةٍ تدلّ عليها . وقد تَوَخَّيْتُ أن تكون هذه الأمثلة واضحةً معبّرةً تقطع الطريق على كل لَبْس وتتبيّن معها أدقّ الفروق والظلال على نحو يضع بين يدَي المُراجع أسرار اللغة الانكليزية كلّها . وبذلك جاء هذا المعجم معلّماً للّغة الانكليزية يستعين به من شاء الكتابة بهذه اللغة ، إلى جانب كونه قاموساً يرجع إليه مَن شاء الاهتداء إلى معنى كلمة من الكلمات أو تعبير من التعابير .

٭ استعمال ممات .

٭٭ استعمال قديم .

٭٭٭ استعمال نادر .

٭٭٭٭ عامية بريطانية .

٭٭٭٭٭ عامية أميركية .

— ١١ —

وإذ كانت مصطلحات العلم الحديث والحضارة المعاصرة من أهمّ ما يطلبه المستنجد بالمعاجم الانكليزية العربيّة ، من ناحية ، ومن أبرز ما يفتقده فيها ، من ناحية ثانية ، فقد حرصتُ على إثبات كلّ ما يحتاج إليه المثقف العربي من هذه المصطلحات مستعيناً بما سبقني إليه علماؤنا الأجلاّء ، كلّ في حقل اختصاصه (كالفريق المعلوف في علم الحيوان والعلاّمة الشهابيّ في علم النبات) ، وببعض المعاجم الفنية التي صدرت مؤخّراً في الجمهورية العربيّة المتحدة (كمعجم المصطلحات الفنيّة) وفي الجمهورية العربية السورية (كالمعجم العسكري في نسختِهِ الانكليزية) ، وبما أقرّه منها مجمع اللغة العربيّة بالقاهرة ونَشَرَه في مطبوعاته المختلفة .

ولكنّ هذه الأسفار ، على غزارة مادتها ، لا تنتظم غير جانب يسير من الألفاظ العلمية والحضارية التي يزخر بها أيّ معجم انكليزيّ أو أميركي جامعي . ولا تشتمل بصورة أخصّ ، طبعاً ، على ما تحفل به معجمية الحياة اليوميّة المعاصرة من آلاف الألفاظ التي تكاد تشكّل وحدها قاموساً مستقلا يضمّ بين جنباتِهِ لغة المطعَم والمشرَب ، والرقص واللّهو ، والموسيقى والتمثيل ، والطباعة والصحافة ، والسينما والاذاعة والتلفزيون الخ . . . ومن أجل ذلك عمدتُ إلى الاجتهاد في وضع المصطلَح ، معتمداً التعريب حيناً ، والترجمة والاشتقاق والنحت حيناً آخر ، مراعياً في ذلك كلّه جانبيّ الدقة واليُسْر في وقت معاً . وهكذا تمّ لي وضع بضعة آلاف من المصطلحات أرجو أن يكون التوفيق قد حالفني في معظمها ؛ وهي على أية حال مجرَّد جهدٍ متواضع قصدتُ فيه إلى إثبات قدرة العربيّة على الحركة وعلى الوفاء بمطالب الحياة في مختلف وجوهها ومظاهرها . ولم أكتفِ بذلك ، بل أخذتُ نفسي في أكثر الأحوال بإتْباع المصطلَح — سواءٌ أكان من وضعي الشخصي أو مما وقعتُ عليه في المصادر التي اعتمدتها — بشرحٍ موجز يعطي القارىء فكرةً ، ولو بسيطةً ، عن حقيقة معناه مُرْدِفاً ذلك كلّه برمز يشير إلى العلم أو الفنّ الذي يندرج تحتَهُ المصطلَح . فإذا كانت اللفظة من لغة الكهرباء مثلاً أتبعتُها برمز خاصّ هو (كب) . وإذا كانت من لغة الكيمياء أتبعتُها بهذا الرمز (ك) ، وإذا كانت من لغة علم النبات أتبعتُها بالرمز (نب) ، وهكذا . . . مما أضفى على « المورد » مسحةً موسوعيةً تَعْوِزُ ما سبقه من معاجم انكليزية عربيّة ، بل تَعْوِزُ كثيراً من المعاجم المتخصصة في علمٍ أو فنٍ بعينِهِ كبَعض المعاجم الطبية وما إليها حيث اكتفى مؤلّفوها الأفاضل بإيراد المصطلَح من غير شرح أو تعريف . وذلك هو الركن السابع من أركان المنهج المعتمد في معجمي هذا .

— ١٢ —

بقي أن أشير إلى أنني عُنِيتُ عناية خاصّةً بالنصّ على البوادىء واللواحق التي تطرأ على أوائل الكلمات الانكليزية وأواخرها بوصفها مفتاحاً لا يُستغْنَى عنه في فهم آلاف الكلمات المركبة سواءٌ أوَرَدَتْ ضمن دفتي « المورد » أو لم تَرِدْ (باعتبار أنها من الكثرة بحيث يضيق عن حصْرها أيّ معجم مهما طال واتّسع) . وقد حاولتُ ههنا أيضاً ، إلا في أحوال نادرة ، إضفاء الحياة على الشروح بإيراد أمثلة ناطقة تزيد المُرادَ بياناً وجلاءً .

كما عُنِيتُ بالتعابير الاصطلاحيّة idioms التي يحارُ الطلاب والمترجمون ، عادةً ، في فهم مغالقها ، وبالألفاظ العاميّة التي تَغْلِبُ على آثار الكتاب القصصيين المعاصرين من انكليز واميركيين ، والتي يُعتَبَرُ خُلُوُّ أيّ معجم منها نقصاً فاضحاً وتقصيراً معيباً .

— ١٣ —

وطبيعيّ أن يؤدّي هذا المنهج الطَّموح إلى تضخّم المعجم إلى حدّ يكاد يقضي بإخراجه في جزءين . وهو أمرٌ أثبتَتْ السوابق على اختلافها أنّه غير مستصوَبٍ من الناحيتين العملية والاقتصادية . وإذ كنتُ قد عقدتُ العزمَ منذ البدء على إخراجه في مجلد واحد فقد رُحْتُ أنعِم النظر في المعاجم الأميركيّة والانكليزية محاولاً اكتشاف الوسائل التي جعلَتْها قادرةً على حشد مثل هذه المادة الضخمة بين دفتين اثنتين ليس غير . فتجلّت لي جملةٌ من تلك الوسائل ما لبثْتُ أن تبنّيْتُها بعد أن وجدتُها كفيلة بإبعاد شبح التجزئة عن « المورد » . وليس ههنا مجال تفصيل القول في ذلك كلّه فلسوف يكتشفهُ القارىء بنفسه في سهولة ويُسْر . ولكني أحبّ أن أنصّ بخاصةٍ على أني لجأتُ ، تحقيقاً لهذه الغاية ، إلى ما يُعرَف بأسلوب الإحالة ، وقِوامُهُ الاجتزاء بشرح واحدٍ ليس غير من الألفاظ المترادفة ، والاكتفاء عند الكلام على شقيقاتها بالقول إنها مرادفةٌ لها مستعيناً على ذلك بعلامة المساواة (=) المعروفة ، مع تخصيصٍ لبعض المعاني دون بعضها الآخر إذا اقتضى الأمر ذلك . ومن حسنات هذا الأسلوب أنّه يغني عن تكرار الشروح ، موفراً بذلك مساحاتٍ من المعجم تزيد في قدرتِهِ على الاستيعاب والإحاطة ، وأنّه يُطلِع المُراجِع ، بطريقة عفوية ، على مرادف الكلمة أو على صورة أخرى من صوَر رسمها وكتابتها .

فإذا اتفق أن كانت الكلمة ذات معانٍ كثيرة تشتمل في ما تشتمل على معنىً مرادف لمعنى كلمةٍ ثانية أو لبعض معانيها أو كلها أحلْتُ القارىء إلى هذا المعنى أو تلك المعاني بالذات في صُلْب المادة نفسها . وفي هذه الحال كنت أُوردُ الكلمة المحال إليها بحرف روماني أبيض مسبوقةً برقم المعنى المتسلسل وغيرَ محصورةٍ بين هلالين . فحيثما وجدتَ ضمن شروح مادةٍ ما رقماً مُتْبَعاً بكلمة انكليزيّة غير محصورة بين هلالين فاطلب هذه الكلمة في موضعها . ولا يخفى ما في هذا الصنيع من توفيرٍ إضافي للصفحات ، إذ قد تكون للكلمة المحال إليها معانٍ كثيرة يَشْغَلُ تكرارها حيزاً كبيراً .

ليس هذا فحسبُ ، بل لقد عمدتُ كلّما رغبتُ في إعطاء المُراجِع شرحاً إضافياً للفظةٍ ما ، إلى تكليفِهِ مراجعةَ لفظةٍ أخرى تشتمل على مزيد من التفصيل مستخدماً هذا الرمز (را .) . كما عمدتُ عند الكلام على المصادر وأسماء الفاعل إلى الاكتفاء بالقول (مص كذا) أو (فا كذا) تجنّباً لتدوين عشرات المصادر وأسماء الفاعل ضمنَ المادة الواحدة . . .

حتى إذا تمّ لي ذلك اخترتُ لطباعة « المورد » طريقة « الأوفست » المستحدثة فاستطعت بهذا أن أجعل العمود الواحد يتّسع ، لأوّل مرّة في المعاجم الانكليزية العربيّة ، لواحد وخمسين سطراً تعجّ بالشروح المُدْرَجة بأصغر جسم مطبعيّ ممكن ، مع مراعاة جانب الوضوح والنصاعة ، حتى لا يجد المُراجِع أيّ عَنَتٍ في قراءته. وإذ كنت أعلم أنّ كثيراً من القراء يؤثرون الحرف الكبير على الحرف الصغير ، مهما يكن واضحاً وناصعاً ، فقد رأيت من الخير أن يُخْرَجَ « المورد » في طبعتين متطابقتين ، إحداهما بالحرف الدقيق وبقَطْع عاديّ ، والأخرى بالحرف العادي وبقَطْع ضخم بحيث يختار كلّ قارىءٍ الطبعةَ التي يفضّل .

وبعد فهو ذا « المورد » أضعهُ ، وقد أصبح بنعمة الله حقيقةً واقعةً ، بين أيدي الباحثين والمدرسين وعامة المثقفين راجياً أن يَلْقَى لديهم بعض الرضا وحسن القَبول وأن لا يضنّوا عليّ بأية ملاحظة أو تصويب فالعصمة لله وحده ، والمرء قليلٌ بنفسه كثيرٌ بأخيه .

ولا أستطيع قبل اطّراح القلم إلا أن أُزجي الشكرَ خالصاً إلى كلّ من ساعدني في تصحيح التجارب الطباعيّة وفي إضفاء اللمسات الفنية الأخيرة على كلّ صفحة من صفحات « المورد » قبل دفعها إلى التصوير ، حتى جاء على الشكل الذي يراه القارىء من التدقيق وحسن الإخراج ... وإلى ادارة المطابع الأهلية اللبنانيّة وموظفيها وعمالها الذين عملوا جاهدين، طوال سنتين كاملتين، في تنضيد حروف « المورد » وتصحيحها وتصويرها وطبعها ... وإلى دار العلم للملايين التي لم تدّخِر أيّ وُسْع ولم تبخل بأية تضحية من أجل إبرازه إلى النور بهذه الحلة القشيبة التي تُعتبَر مفخرةً من مفاخر النّشر العربي الحديث .

بيروت في ٢٠ حزيران ١٩٦٧

منير البعلبكي

إرشادات عامة

١ ــ بعد أن تقرأ الكلمة الانكليزيّة وطريقة لفظها وأنواعها الصرفيّة اقرأ الشرح من **اليمين** إلى **اليسار** متبّعاً تسلسل الأرقام . **فإذا** وقعتَ خلال ذلك على شاهد انكليزي لم يَنْتَهِ في نفس السطر فتابع القراءة من **أيمن** السطر التالي لا من **أيسره** .

خذ مادة **admit** مثلا . إنّك تجدها في « المورد » جاريةً على هذا النحو :

admit[ăd mĭt'](*vt.*) (١) «أ» يسمح بِـ . «ب» يفسح مجالاً لِـ
(to ~ يسلّم بِـ (٢) (This law ~ *s* no exceptions.)
. «أ» يقبله في (٣) the force of an argument)
(This theater ~ *s* 700 يتّسع لِـ (٤) «ب» يمنحه حق الدخول
(She ~ *ted* her responsibility.) يعترف بِـ (٥) persons.)

أمّا قراءتها فتكون وفقاً للترتيب التالي :

admit [ăd mĭt'] (*vt.*)

*

(١) «أ» يسمح بِـ . «ب» يفسح مجالاً لِـ
(This law ~ *s* no exceptions.)

*

(٢) يُسَلّم بِـ
(to ~ the force of an argument)

*

(٣) «أ» يقبله في . «ب» يمنحه حق الدخول

*

(٤) يتّسع لِـ
(This theater ~ *s* 700 persons.)

*

(٥) يعترف بِـ
(She ~ *ted* her responsibility.)

٢ – إذا كان للمادة الواحدة أكثر من رسم واحد . أي أكثر من طريقة « إملاء » واحدة ، ووَرَدَ الرَّسْمان في السطر نفسه على غير ما يقتضيه التّرتيب الأبجدي مفصولاً ما بينهما بلفظة *or* فمعنى ذلك أن طريقة الرسم الأولى قد تكون أكثر شيوعاً من طريقة الرسم الثانية وان لم تكن بالضرورة مفضَّلة عليها . أما حين يُفصَل بين طريقتين في الرسم أو أكثر بلفظة ***also*** فمعنى ذلك أن طريقة الرسم التي تلي هذه اللفظة أضعف من التي قبلها .

٣ – القاطعة الممالة (~) التي تجدها في ثنايا الأمثلة الانكليزية في كلّ مادة تقريباً وفي مسارد التعابير الاصطلاحيّة **idioms** تنوب مناب المادة المقصودة بالشرح ، أي مناب الكلمة المنضَّدة بالحرف الأسود في أول الكلام .

ففي هذه المادة مثلاً :

affectionate [ə fĕk'shən ĭt] *(adj.)* (١) محبّ ؛ حنون (your ~ mother) (٢) رقيق (an ~ embrace).

اقرأ المثلين وكأنهما منضَّدان على هذا الشكل :

(your *affectionate* mother)
(an *affectionate* embrace)

٤ – المواد المركبة قد أنزلت في هذا المعجم في منازلها الطبيعية . فإذا كنت تبحث عن مادة **big game** مثلاً فاطلُبْها في موضعها الطبيعي بعد مادة **bigarreau** وليس ضمن مادة **big** . وإذا كنت تبحث عن مادة **bill of attainder** فاطلُبْها في موضعها الطبيعي بعد مادة **billionaire** وليس ضمن مادة **bill** . فإذا افتقدت أيما مادة مركبة في موضعها الطبيعي فاطلبها ضمن المادة الرئيسية فلعلّك واجدُها هناك .

٥ – إذا وجدت إحدى الموادّ مُرِدَفَةً بكلمتين انكليزيتين أو أكثر وقد نضّد بعضٌ من حروف هذه الكلمات بالحرف المائل وبعضها بالحرف الروماني العادي فمعنى ذلك أن المادة المذكورة مركبة من مجموع تلك الحروف المائلة كما ترى في مادة **lox** مثلاً :

lox [lŏks] *(n.)* [*l*iquid *ox*ygen] . الاكسجين السائل

٦ – هذه العلامة (§) تفيد معنى الانتقال من أحد الأنواع الصّرفية (اسماً كان هذا النوع أو فعلاً أو نعتاً أو حالاً الخ.) إلى نوع آخر . اما هذه العلامة (×) فتفيد معنى الانتقال من صيغة الفعل اللازم إلى صيغة الفعل المتعدّي أو من صيغة الفعل المتعدي إلى صيغة الفعل اللازم .

مِفتاح اللفظ

إن الفاصلة العليا الغليظة (') كما في كلمة courtroom [kōrt'rōōm'] تفيد أن المقطع الذي يسبقها يُلفَظ بنبرة مشدَّدة.
أما الفاصلة العليا الرقيقة (') فتفيد أن المقطع الذي يسبقها يُلفَظ بنبرة مخففة*.

ă .... at; map
ā .... date; mate
â .... aware; care
ä .... car; part
ȧ .... à bas; aperitif
b .... bad; rib
ch .... cheek; beach
d .... dim; dice
ĕ .... egg; end
ē .... ease; me
f .... fill; cliff
g .... god; big
h .... hill; holy
ĭ .... in; give
ī .... bite; like
j .... jar; edge
k .... kill; mark
kh .... تُلفظان كما في كلمة *buch* (بوخ) الالمانية.
l .... land ; ball
m .... mile; loom
n .... no; in
ng .... king; sing
ŏ .... bond; lot
ō .... bone; old
ô .... orphan; ball
œ .... تُلفظان كما في كلمة *feu* الفرنسية .

oi .... boil; boy
ŏŏ .... look; good
ōō .... boot; cool
ou .... out; found
p .... paper; crop
r .... red; try
s .... sea; ass
sh .... shall; dash
t .... tell; net
th .... thing; bath
tȟ .... this; brother
ŭ .... under; love
ū .... unity; acute
û .... urgent; turn
v .... victory; give
w .... were; away
y .... yellow; yet
Y .... تُلفظ كما في كلمة *tu* الفرنسية .
z .... zinc; lazy
zh .... vision; pleasure
ə .... تُلفَظ كما تُلفَظ :
ال *a* في كلمة alone
وال *e* في كلمة system
وال *i* في كلمة easily
وال *o* في كلمة gallop
وال *u* في كلمة circus

---

* اعتمدنا في تحقيق اللفظ على معجم وبستر ومعجم «ذي اميركان كوليدج ديكشينري» The American College Dictionary

المختصرات المعتمدة

١. المختصرات العربية

آ	آلات
آثا	علم الآثار
أج	علم الأجنة
أح	علم الأحياء
احص	علم الاحصاء
اد	علم الإقتصاد
أر	علم الأرصاد
اس	الإسلام
اسك	اسكتلندية ؛ بلغة اسكتلندة.
اع	علم الاجتماع
ا.ق	استعمال قديم
ا.ك	أحياناً كثيرة
الك	الكترونيات
ا.م	استعمال ممات
ا.ن	استعمال نادر
بح	بحرية
بر	بريطانيّة ؛ بلغة الانكليز خاصةً.
بص	علم البصَريات
بك	علم البكتريا
بل	علم البلاغة
بلو	بلورات
ت	علم التشريح
تا	تاريخ
تأ	تأمين
تج	تجارة
تر	علم التربية
تلفز	تلفزيون
جب	علم الجبر
جر	جراحة
جغ	جغرافية
جن	جندية
جي	علم الجيولوجيا
ح	علم الحيوان
حز	حرارة
حش	حشرات
دب	دبلوماسية
ر	رياضيات
را	راجِعْ
رار	رادار
رب	رياضة بدنيّة
رد	راديو
رم	رسم
ز	زراعة
سن	سينما
سي	سيارات
ص	صناعة
صح	صحافة
صخ	علم الصخور
صو	صوتيات
صي	صيدلة
ض	علم الضوء
ط	علم الطب
طا	طائر
طخ	مطبخ
طع	طباعة
طي	طيران
ع	عامية
عأ	عامية أميركية
عب	عامية بريطانيّة
عد	عادةً
عر	علم العروض
عم	فن العمارة
فا	اسم فاعل من ..
فج	فنون جميلة
فز	علم الفيزياء
فزن	فيزياء نووية
فس	علم الفسيولوجيا
فف	فلسفة
فل	علم الفلك
فو	فوتوغرافيا أو تصوير فوتوغرافي
ق	قانون
قا	قابِلْ ؛ قارِنْ

قد	قانون دولي
ك	علم الكيمياء
كب	علم الكهرباء
كث	الكنيسة الكاثوليكيّة
كح	كيمياء حيوية
كف	كيمياء فيزيائيّة
كن	الكنيسة
ل	علم اللغة
لا	علم اللاسلكي
مث	ميثولوجيا ؛ أساطير
مج	مجمع اللغة العربية بالقاهرة
مس	مسك الدفاتر
مص	مصدر
مض	علم الأمراض
مع	علم المعادن
مغ	مغنطيسية
مق	علم المنطق
مك	علم الميكانيكا
مل	ملاحة
مو	موسيقى
نب	علم النبات
نج	تجارة
نص	نصرانيات
نف	علم النفس
هن	علم الهندسة

٢ . المختصرات الانكليزية :

adj.	adjective
adv.	adverb
Ar.	Arabic
art.	article
aux.	auxiliary
Brit.	British
cap.	capital
Chin.	Chinese
conj.	conjunction
def.	definite
F.	French
fem.	feminine
G.	German
Gk.	Greek
Hin.	Hindi
i.	intransitive
indef.	indefinite
interj.	interjection
It.	Italian
Jap.	Japanese
L.	Latin
n.	noun
n. pl.	noun plural
part.	participle
Per.	Persian
Pg.	Portuguese
pl.	plural
prep.	preposition
pres.	present
pron.	pronoun
Russ.	Russian
Scot.	Scottish
sing.	singular
Skt.	Sanskrit
Sp.	Spanish
t.	transitive
Turk.	Turkish
v.	verb
vi.	verb intransitive
vt.	verb transitive

ثبت المراجع

١. اهم المراجع الانكليزية :

— WEBSTER'S THIRD NEW INTERNATIONAL DICTIONARY OF THE ENGLISH LANGUAGE; LONDON 1961.

— WEBSTER'S SEVENTH NEW COLLEGIATE DICTIONARY; SPRINGFIELD, MASSACHUSETTS, U.S.A. 1965.

— THE SHORTER OXFORD ENGLISH DICTIONARY; OXFORD 1964.

— THE AMERICAN COLLEGE DICTIONARY; NEW YORK 1965

— NEW COLLEGE STANDARD DICTIONARY BY FUNK AND WAGNALLS; NEW YORK 1953.

— CASSELL'S NEW ENGLISH DICTIONARY; LONDON 1960.

— COLLINS NEW ENGLISH DICTIONARY; LONDON 1964.

— THORNDIKE ENGLISH DICTIONARY; LONDON 1961.

— THE ADVANCED LEARNER'S DICTIONARY OF CURRENT ENGLISH; LONDON 1963.

٢. اهم المراجع العربية :

ـ مجموعة المصطلحات العلمية والفنية الّتي أقرّها مجمع اللغة العربيّة بالقاهرة .

ـ معجم الحيوان للفريق أمين المعلوف ، القاهرة ١٩٣٢ .

ـ المعجم الفلكيّ للفريق أمين المعلوف ، القاهرة ١٩٣٥ .

ـ معجم الألفاظ الزراعية للأمير مصطفى الشهابي . القاهرة ١٩٥٧ .

ـ معجم المصطلحات الحراجية للأمير مصطفى الشهابي . دمشق ١٩٦٢ .

ـ قاموس التّربية وعلم النفس للدكتور فريد جبرائيل نجار . بيروت ١٩٦٠ .

ـ المعجم العسكري ، انكليزي ـ عربي . دمشق ١٩٦١ .

ـ معجم المصطلحات الفنية للقوات المسلّحة بالجمهورية العربية المتحدة ، القاهرة ١٩٦٢ .

ـ معجم شرف الطبي ، القاهرة ١٩٢٦ .

ـ المعجم الطبي للدكتور يوسف حتي . بيروت ١٩٦٧ .

ـ قاموس سعادة للدكتور خليل سعادة . القاهرة ١٩١١ .

ـ القاموس العصري لالياس انطون الياس . القاهرة ١٩٦٣ .

ـ قاموس النهضة لإسماعيل مظهر . القاهرة (؟) .

ـ الفريـد في المصطلحات الحديثة لقسطنطين ثيودوري . بيروت ١٩٥٩ .

ـ المعجم الوسيط لمجمع اللغة العربيّة بالقاهرة . القاهرة ١٩٦١ .

ـ المرجع لعبد الله العلايلي ، بيروت ١٩٦٣ .

ـ الرائد لجبران مسعود . بيروت ١٩٦٤ .

ـ المنجد للأب لويس المعلوف . بيروت ١٩٦٠ .

وغيرها كثير.

جديد في طبعة عام ٢٠٠٢

في هذه الطبعة عدد غير قليل من الكلمات الجديدة نورد في ما يلي بعضاً منها، على سبيل المثال لا على سبيل الحصر، وقد أثبتنا إلى جانب كل منها السنة التي وُلدت فيها.

annus horribilis *(n.)* (ca. 1985)

bad hair day *(n. phrase)* (ca. 1991)

bail bandit *(n.)* (ca. 1992)

BSE *(abbr.)* (1987)

cut and paste *(vt.)* (ca. 1984)

800 number *(n.)* (1979)

e-mail *(n.; vt.)* (1983)

hard disc *(n.)* (1978)

karaoke *(n.)* (1981)

khoum *(n.)* (1973)

mad cow disease *(n.)* (1988)

superstring *(n.)* (1983)

touch pad *(n.)* (1979)

touch screen *(n.)* (1974)

وثمة عشرات من الكلمات الجديدة الأخرى منثورة في ثنايا هذه الطبعة من «المورد».

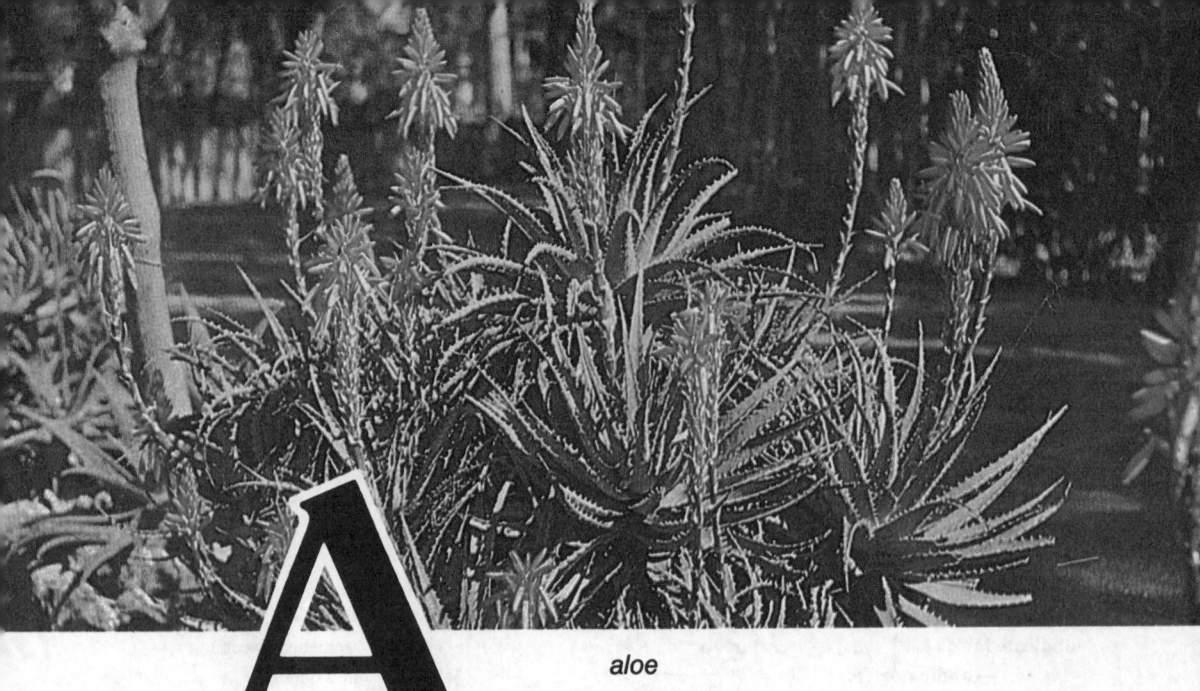

aloe

A

a [ā] *(n. often cap.)* (١) الحرف الأول في الأبجدية الانكليزية . (٢) شيء مُعْتَبَرٌ ذا مقام أوّل (من حيث الترتيب أو الطبقة) (٣) « أ » درجة أو علامة مدرسية تُشْعِرُ بأن عمل الطالب ممتاز . «ب» طالبٌ يُمنَح هذه الدرجة (٤) شيء على صورة حرف **A** .

a [ā] *(indef. art.)* (١) أداة تنكير بمعنى « واحد » أو « ما » (~ book) (٢) نَفْس ؛ من نَفْس (pencils all of ~ length) (٣) أيّ ؛ كلّ (~ man who is sick can't work.) (٤) كلّ ؛ في كلّ (twice ~ month) .

a- بادئة معناها : (١) في ؛ على (*a*bed) (٢) في حالة كذا (*a*fire) (٣) بطريقة معينة (*a*loud) .

a- *or* an- بادئة معناها : لا ؛ بلا ؛ من غير (*a*sexual ; *an*astigmatic) .

aardvark

aardvark [ärd'värk'] *(n.)* خنزير الأرض ؛ أبوذقن : حيوان ثدييّ افريقيّ من آكلات النمل .

aardwolf [ärd'wo͝olf'] *(n.)* ذِئب الأرض ؛ العِسْبار ؛ العِسْبار : سَبُعٌ من فصيلة الضباع .

ab- بادئة معناها : بعيدٌ عن (*ab*normal) .

A. B., (١) بكالوريوس في الآداب (٢) ملاّح محنّك .

aba [ä'bə] *(Ar.)* عَباءة .

abaca [ä'bä kä'] *(n.)* (١) قِنَّب مانيليا (٢) الأبق ؛ موز النسيج (الشجرة التي تعطي قِنَّب مانيليا) .

aback [ə băk'] *(adv.)* إلى الوراء ؛ إلى الخلف . بُغاجأً ؛ يُؤخَذ على حين غِرّة . , ~ to be taken

abacus [ăb'ə kəs] *(n.)* pl. -ci *or* -cuses (١) طبلية تاج العمود (عم) (٢) المِعْداد (مج) : مِعَدٌّ لتعليم الأطفال العدّ .

abacus 2

Abaddon [ə băd'ən] *(n.)* (١) الجحيم . (٢) مَلاك الجَحيم .

abaft [ə băft'] *(prep. ; adv.)* (١) في مؤخَّر كذا § (٢) عند أو نحو مؤخَّر المركب .

abalienate *(vt.)* يحوِّل (ممتلكاتٍ أو لقباً الخ .) إلى شخص آخر .

abalone [ăb'ə lō'nĭ] *(n.)* أُذُن البحر: حيوانٌ بحريّ من الرخويات .

abandon [ə băn'dən] *(vt. ; n.)* (١) يتنازل عن (٢) يهجر ؛ يترك (٣) يتخلّى عن (٤) يُسْلِم (to ~ a city to a conqueror) (٥) ينغمس في ؛ يستسلم لِـ (٦) «أ» يُقْلِع عن . «ب» يقطع (الأملَ) § (٧) تهتُّك ؛ انغماس في الملذات (٨) حماسة ؛ امتلاء بالحيوية أو المَرَح (~ cheered with) .

abandoned [ə băn'dənd] *(adj.)* (١) مهجور ؛ مخذول ؛ متخلّى عنه (٢) «أ» متحرّر من كل قيد . «ب» خليع ؛ متهتّك .

abandonee *(n.)* المتنازل له ؛ المتخلّى له (ق) .

abandonment *(n.)* (١) تنازُلٌ عن (٢) هَجْرٌ ؛ تَرْكٌ ؛ تخلٍّ عن (٣) انغماس في ؛ استسلامٌ لِـ (٤) تَهتُّك (٥) حماسة .

à bas [ȧ bä'] *(F.)* فَلْيَسْقُطْ !

abase [ə bās'] *(vt.)* (١) يُنزل رتبة شخص (٢) يُذِل ؛ يحقِّر .
— **abasement** *(n.)* — **abaser** *(n.)*

abash [ə băsh'] *(vt.)* يُخْجِل ؛ يُرْبِك ؛ يُضْعِف ثقة شخص بنفسه أو سيطرتَه عليها .
— **abashment** *(n.)*

abashed *(adj.)* مخجول ؛ مُرْتَبك .

abatable *(adj.)* قابلٌ للالغاء أو الإنقاص أو التخفيف الخ .

abate [ə bāt'] *(vt.; i.)* (١) يُلغي ؛ يُبْطِل (٢) يضع حداً لـ (٣) «أ» يُنقِص ؛ يخفّف . «ب» يُنزِل من قيمة شيء (٤) يحذف (٥) يحْرِم × (٦) يَضْعُف ؛ يَخْمُد (٧) «أ» يصبح لاغياً . «ب» يَنْقُص (من حيث المقدار أو القيمة) .

abatement *(n.)* (١) مص abate (٢) مبلغٌ يُسْقَط من قيمة الضريبة .
plea in ~, الدفع ببطلان الاجراءات القانونية في دعوى (ق)

abatis [ăb'ə tĭs] *(n.)* الحِظار : عائقٌ من أشجار مقطوعة يُسَدّ به الطريق .

A battery *(n.)* بطارية «أ» ؛ بطارية ألفا (رد) .

abattoir [ăb'ə twär'] *(F.)* مَجْزَر ؛ مَسْلَخ .

abaxial [ăb ăk'sĭ əl] *(adj.)* بعيدٌ عن المحور .

abbacy [ăb'ə sĭ] *(n.)* رئاسة دَيْر .
abbatial [ə bā'shəl] *(adj.)* (١) دَيْرِيّ (٢) متعلق برئيس (أو برئيسة) دير .
abbé [ăb'ā] *(F.)* الأبّ : راهب فرنسي .
abbess [ăb'ĭs] *(n.)* الأمّ : رئيسة دير للراهبات .
abbey [ăb'ĭ] *(n.)* (١) دير للرهبان أو للراهبات . (٢) رهبان أو راهبات دير (٣) كنيسة كبيرة ، عادة ، كانت في ما مضى ديراً (*Westminster Abbey*) .
abbot [ăb'ət] *(n.)* رئيس دير للرهبان .
abbotship *(n.)* رئاسة دير للرهبان .
abbreviate [ə brē'vĭ āt] *(vt.)* (١) يختصر ؛ يُوجز (٢) يختزل (ر) .
abbreviated *(adj.)* (١) مختصَر ؛ موجز (٢) مُختَزَل (ر) .
abbreviation *(n.)* (١) اختصار (٢) شكل مختصر لكلمة أو عبارة .
abbreviation of fractions اختزال الكسور (ر) .
ABC *(n.)* (١) الألفباء (٢) مبادىء علم أو موضوع ما .
abdicable [ăb'də kə bəl] *(adj.)* ممكنٌ التنازلُ عنه .
abdicate [ăb'də kāt'] *(vt. ; i.)* يتنازل أو يتخلّى (عن عرش أو منصب رفيع أو حق) .
— abdicator *(n.)*
abdication *(n.)* تنازلٌ (عن عرش أو منصب رفيع أو حق) .
abdomen [ăb'də mən] *(n.)* (١) بَطْنٌ ؛ جَوْف . (٢) الجزء الأخير من جسم حشرة الخ .
abdominal [ăb dŏm'ə nəl] *(adj.)* بَطْني ؛ جَوْفيّ .
abdominal auscultation *(n.)* التَّسمُّع البطنيّ (مج) : تسمعٌ الطبيب إلى الأصوات الحادثة في البطن كوسيلة لتشخيص الداء .
abdominous [-'ə nəs] *(adj.)* ضخم البطن .
abduce [ăb dūs'] *(vt.)* يُبْعِد ؛ ينحّي .
abducent [ăb dū'sənt] *(adj.)* مُبْعِد (~ muscles) .
abducent nerve *(n.)* العَصَبُ المُبْعِد (مج) .
abduct [ăb dŭkt'] *(vt.)* (١) يخطف (وبخاصة امرأةً) . (٢) يُبْعِد عن المركز الأصلي (فس) .
abduction *(n.)* (١) خَطْف (٢) إبعاد عن المركز الأصلي (فس)
abduction splint *(n.)* جَبيرة الإبعاد (مج) : جَبيرة يُراد بها إبعاد العضو عن الجسم .
abductor *(n.)* (١) الخاطف ؛ المختطِف (٢) المُبْعِد عن المركز الأصلي (فس) (٣) عَضَلَة مُبْعِدَة (ت) .
abeam [ə bēm'] *(adv.)* مقابلاً لمنتصف جانب السفينة .
abecedarian [ā'bĭ sĭ dâr'ĭ ən] *(n. ; adj.)* (١) تلميذ يتعلم حروف الهجاء (٢) المبتدىء § (٣) أبجديّ (٤) ابتدائيّ ؛ أوّلي .
abecedary *(adj.)* = abecedarian.
abed [ə bĕd'] *(adv.)* (١) في الفراش (٢) طريح الفراش .
abele [ə bēl'; ā'bəl] *(n.)* الحَوْر الأبيض (نب) .
abelmosk *(Ar.)* حَبّ المِسك : نبات تُستعمل بذوره في صناعة العطور .
aberrance *or* **aberrancy** *(n.)* (١) ضَلال ؛ زَيْغ ؛ انحراف . (٢) شذوذ
aberrant [ăb ĕr'ənt] *(adj. ; n.)* (١) ضالّ ؛ زائغ ؛ منحرف (٢) شاذّ § (٣) شيء شاذّ عن المألوف (٤) شخص شاذّ السلوك .
aberrant artery *(n.)* الشريان الزائغ (مج) .
aberration [ăb'ə rā'shən] *(n.)* (١) ضَلال ؛ زَيْغ ؛ انحراف ؛ وبخاصة عن طريق الحق أو عما هو طبيعي أو سَويّ (٢) الزَّيْغ («بص» و«فل») (٣) اضطراب عقليّ (٤) عضوٌ أو فَرْدٌ شاذّ .
~ **of light** انحراف الضوء (بص) .
abet [ə bĕt'] *(vt.)* يُغْري ؛ يُحرِّض (على الشرّ والإثم) .
—abetment *(n.)* **—abettor** *or* **abetter** *(n.)*
ab extra [ăb ĕk'strə] *(L.)* مِنَ الخارج .
abeyance [ə bā'əns] *(n.)* (١) لا فعالية موقّتة (٢) تعطيل أو تعليق موقّت .
in ~, معطّل أو معلّق موقّتاً .
abeyant [ə bā'ənt] *(adj.)* معطّل ؛ معلّق .
abhor [ăb hôr'] *(vt.)* يمقت بشدّة ؛ يشمئزّ من .
— abhorrer *(n.)*
abhorrence [-'əns] *(n.)* (١) مَقْت ؛ اشمئزاز (٢) شيء بغيض .
abhorrent *(adj.)* (١) ماقت ؛ مشمئز (٢) مضادّ ؛ متنافٍ مع (~ to our principles) (٣) بغيض (pride, ~ as it is) .
abidance *(n.)* (١) مص abide (٢) التزام بِ ؛ تقيّدٌ بـ .
abide [ə bīd'] *(vi. ; t.)* (١) يبقى (~ with me) . (٢) يقيم ؛ يسكن (٣) يَثْبُت ؛ يبقى صامداً أو مخلصاً لِـ . (٤) ينتظر (~ somebody's coming) (٥) يواجه أو يقبل بغير اعتراض أو جَزَع (to ~ one's doom) (٦) يتحمّل (I can't ~ such people.) .
to ~ by (١) يلتزم ؛ يتقيّد أو يفي بِ . (٢) يتحمّل (النتائج الخ .)
abiding *(adj.)* ثابت ؛ باق ؛ دائم (an ~ faith) .
abigail [ăb'ə gāl'] *(n.)* أمة ؛ جاريةٌ ؛ وصيفة .
ability [ə bĭl'ə tĭ] *(n.)* (١) «أ» قُدْرَة ؛ مقدرة . «ب» براعة ؛ مهارة (٢) «أ» موهبة طبيعية . «ب» مهارة مكتسبة .
ab initio [ăb ĭ nĭsh'ĭ ō] (*L.*) من البداية .
ab intra [ăb ĭn'trə] (*L.*) مِنَ الداخل .
abiogenesis *(n.)* التولّد التلقائي أو الذاتي (أح) .
abiogenetic; -al *(adj.)* خاصّ بالتولّد التلقائي أو الذاتي (أح) .
abject [ăb'jĕkt] *(adj.)* (١) مُذِلّ ؛ مُقْنِط ؛ مدقِع (~ poverty) (٢) دنيء ؛ خسيس (an ~ liar) .
— abjectness *(n.)*
abjure [ăb jo͝or'] *(vt.)* (١) «أ» يَعِد أو يُقْسِم (أمام الجمهور) بالتخلّي عن معتقد أو حق أو ولاء أو مسلك خاطىء . «ب» يشجب معتقداً كان يدين به ؛ يرتدّ عن (٢) يجتنب .
— abjuration *(n.)* **— abjuratory** *(adj.)*
ablactate [ăb lăk'tāt] *(vt.)* يَفْطِم ؛ يَفْصِل عن الرضاع .
ablation [ăb lā'-] *(n.)* استئصال (بالجراحة خاصة) .
ablaze [ə blāz'] *(adv. ; adj.)* (١) مشتعلاً . § (٢) متوهج ؛ ملتهب (٣) متلهّف (٤) شديد الغضب .
able [ā'bəl] *(adj.)* (١) قادر (~ to perform military service) (٢) قدير (an ~ manager) (٣) بارع : دالّ على البراعة (an ~ speech) .
-able *also* **-ible** لاحقة معناها :
(١) قابل لِـ (break*able*) (٢) عُرْضَةٌ لِـ (perish*able*) (٣) صالح لِـ (eat*able*) .
able-bodied *(adj.)* قويّ البِنية .
able-bodied seaman *(n.)* ملاّح محنّك .
abloom [ə blo͞om'] *(adj. ; adv.)* (١) مُزْهِر § (٢) في حالة إزهار .
abluent [ăb'lo͞o ənt] *(adj. ; n.)* (١) مطهر § (٢) دواء مطهر .

ablution [ăb lōō'-] *(n.)* (١) وضوء ؛ غَسْل . (٢) ماء الوضوء أو الغَسْل .
ably [ā'blĭ] *(adv.)* بمقدرة ؛ ببراعة ؛ بمهارة .
abnegate [ăb'nə gāt'] *(vt.)* (١) يتخلّى عن (٢) ينكر .
abnegation *(n.)* (١) تخلٍ عن(٢)نكران؛ وبخاصة: نكران الذات .
abnormal [ăb nôr'məl] *(adj.)* شاذّ ؛ غير سَوِيّ .
abnormality [- măl'ə tĭ] *(n.)* (١) شذوذ (٢) شيء شاذّ .
abnormally *(adv.)* على نحوٍ شاذّ أو غيرِ سويّ .
abnormal psychology *(n.)* سيكولوجيا الشاذّين .
abnormity *(n.)* (١) شذوذ (٢) monstrosity
aboard [ə bōrd'] *(adv.; prep.)* على متنِ سفينة أو قطار أو طائرة. close ~, قُرْبَ ، بجانب .
abode *past and past part. of* abide.
abode [ə bōd'] *(n.)* (١) إقامة ؛ مُقام (٢) مسكَن ؛ مقرّ .
abolish[ə bŏl'ish]*(vt.)* (١) يلغي ؛ يُبْطِل (٢)يمحو ؛ يقضي على.
abolishable *(adj.)* ممكنٌ إلغاؤه أو إبطالُه أو القضاء عليه .
abolishment *(n.)* (١) إلغاء ؛ إبطال (٢) محو ؛ قضاءٌ على .
abolition [ăb'ə lĭsh'ən] *(n.)* إلغاء ؛ إبطال ؛ وبخاصة : إبطال الاسترقاق .
abolitionism *(n.)* الإلغائية ؛ الإبطالية ؛ وبخاصة : مبدأ (أو سياسة) إبطال الاسترقاق .
abolitionist *(n.)* الإبطاليّ : المؤيّد لمبدأ إبطال الاسترقاق .
abomasal *(adj.)* مِنفحيّ: خاصّ بالمِنْفَحَة(ر. المادة التالية).
abomasum [ăb'ə mā'səm] *(n.)* pl. **-sa** : المِنْفَحَة (مج) المعدة الرابعة أو الحقيقية للحيوانات المجترّة .
A-bomb [ā'bŏm'] *(n; vt. ; i.)* (١) قنبلة ذرّية . § (٢) يضرب بقنبلة ذرية .
abominable [ə bŏm'ə nə bəl] *(adj.)* (١) بَغيض ؛ مَقيت (٢) رديء (~ food) .
abominable snowman *(n.)* الانسان الثلجي : حيوان (دبّ غالباً) قيل إنه موجود في جبال هملايا العليا .
abominate [ə bŏm'ə nāt'] *(vt.)* يُبْغِض أو يمقت بشدّة .
abomination *(n.)* (١) شيءٌ بغيض (٢) مَقْت شديد .
aboral *(adj.)* بعيدٌ عن الفم (ح) .
aboriginal [ăb'ə rĭj'ə nəl] *(adj.)* (١) أُروميّ ؛ بدائيّ (٢) متعلّق بأهل البلاد الأصليين القدماء .
aborigine [ăb ō rĭj'ə nē'] *(n.)* (١) الأروميّ : واحد من سكان البلاد الأصليين القدماء . (٢) *pl.* : الأروميّات : النباتات والحيوانات الأصلية في منطقة ما .
abort [ə bôrt'] *(vi ; t.)* (١) تُجهض (المرأةُ) . (٢) يتوقف عن النموّ ؛ ينمو نموّاً ناقصاً (أح) (٣) يخفق (في تحقيق مهمة عسكرية) ×(٤) يُجهض (المرأةَ) (٥) يضع حداً له قبل الأوان (to ~ a disease) .
aborticide [-'tə sīd'] *(n.)* (١) إجهاض (٢) وسيلة إجهاض .
abortifacient [-tə fā'shənt] *(adj. ; n.)* (١) مُجْهِض . § (٢) وسيلة إجهاض .
abortion [ə bôr'shən] *(n.)* (١) إجهاض ؛ إسقاط . (٢) الجَهيض ؛ السِّقْط (٣) توقّف نموّ عضو قبل الاكتمال (٤) «أ» عضو غير مكتمل النموّ. «ب» مشروع الخ. يقصرّ عن بلوغ درجة الاكتمال ؛ مشروعٌ جهيض . self-induced ~, الإجهاض الذاتي (مج) .
therapeutic ~, الإجهاض العلاجيّ (مج) .
abortionist *(n.)* المجهِض ؛ وبخاصة: الجهّاض ؛ محترف الاجهاض.
abortive [-'tĭv] *(adj.)* (١) مُخْفِق ؛ جهيض (٢) ناقص النموّ (٣) مجهِض ؛ مسبّب للاجهاض (٤) مساعدٌ على وقف سير المرض (٥) مُتَمَلْمَلِص : قصير الأجل خفيفُ الوطأة من غير تكشّف عن أعراض سَريرية ظاهرة (صفة للمرض أو لسَيْره) .
abound [ə bound'] *(vi.)* (١) يكثُرُ ؛ يغزُر ؛ يسود (the discontent which ~s in the world) (٢)«أ» يزخر (Iraq ~s in oil.) «ب» يعجّ بـ (The hut ~s with rats.) .
about *(adv.; prep.)* (١) حول (built a fence ~ the garden) (٢) «أ» حوالى ؛ نحو (~ an hour) «ب» تقريباً (~ frozen) (٣) هنا وهناك ؛ في مواطن عدة (٤) على مقربة ؛ في الجوار (The rumor was ~ that he was sick.) (٥) «أ» بالاتجاه المعاكس (There's no one ~.) «ب» بالترتيب المعاكس (the other way ~) (to face ~) § (٦) في المتناول (had no money ~ him) (٧) على وشك أن (~ to speak) (٨) عن ؛ بشأن (a story ~ a lion) to be up (out) and ~, يغادر الفراش ويزاول عمله (بعد مرض) . turn (and turn) ~, واحداً بعد آخر ؛ بالدور .
about-face *(n.)* تغيير كامل ومفاجيء في الاتجاه أو الموقف أو المسلك أو وجهة النظر .
above [ə bŭv'] *(adv. ; prep. ; n. ; adj.)* (١) فوق . (٢) قبلُ ؛ آنفاً (in the paragraph ~) § (٣) أسمى من : فوق (A leader should be ~ mean actions.) (٤) وراء متناول : فوق (things ~ comprehension) (٥) أكثر من (~ a ton) § (٦) المذكور آنفاً (The ~ shows a loss.) § (٧) سابق ؛ متقدّم (the ~ explanation) . to be ~ oneself يُسْرِف في الغرور .
aboveboard *(adv. ; adj.)* (١) علانية ؛ جِهاراً ؛ من غير خداع أو إخفاء (Honest men deal ~.) § (٢) صريح ؛ مستقيم (Her actions are open and ~.) .
aboveground *(adj. ; adv.)* (١) فوق سطح الأرض (٢) على قيد الحياة .
above-mentioned; above-named *(adj.)* مذكورٌ آنفاً .
ab ovo [ăb ō'vō] *(adv.)* من البداية .
abracadabra *(n.)* (١) تعويذة (٢) كلامٌ غيرمفهوم .
abradant [ə brā'dənt] *(adj. ; n.)* = abrasive.
abrade [ə brād'] *(vt. ; i.)* (١) «أ» يكشط ؛ يحكّ ؛ يبري . «ب» يَسْحَج ؛ «يَجْلُف» (The skin on John's knees was ~d by his fall.) (٢) يُثير ×(٣) ينكشِط الخ .
abranchial; abranchiate *(adj.)* لاخَيْشوميّ (ح) .
abrasion [ə brā'zhən] *(n.)* (١) «أ» كَشْط ، حكّ . «ب» سَحْج ؛ «جَلْف» (٢) السَّحْجَة : منطقة من الجلد أو الغشاء المخاطي أصابها سَحْجٌ أو «جَلْف» .
abrasive *(adj. ; n.)* (١) كاشط ؛ حاكّ § (٢) مادة كاشطة.
abreact [ăb'rĭ ăkt'] *(vt.)* يحرّر من عقدة نفسية
abreaction *(n.)* إزالة العُقَد (بطرائق التحليل النفسي) .
abreast [ə brĕst'] *(adv.)* (١) جنباً إلى جنب . (٢) متمشياً مع (to keep ~ of the times in science)

ă at; ā date; â care; ä car; ĕ egg; ē me; ĭ in; ī bite; ŏ lot; ō bone; ô orphan; oi boil ŏŏ good; ōō boot; ou out; ŭ under; ū unity; û urgent; th thing; *th* this; zh vision; ə = *a* in alone, *e* in system, *i* in easily, *o* in gallop, *u* in circus.

abridge [ə brĭj'] *(vt.)* (١) يحرم من (ا.ق) (٢) يقصّر (٣) يختصر . مختَصَر ؛ موجَز

abridged *(adj.)* (an ~ edition) .

abridgment *or* **abridgement** [ə brĭj'-] *(n.)* (١) اختصار (٢) المُختَصَر ؛ الموجَز .

abroach [ə brōch'] *(adj. ; adv.)* (١) مبزول (صفةٌ لدنّ الخمرة الخ.) § (٢) مبزولا (٣) في حال ناشطة ؛ على قدم وساق.

abroad [ə brôd'] *(adv. ; adj.)* (١) باتّساع ؛ فوق مساحة واسعة (A tree spreads its branches ~.) (٢) خارجَ البيت (to walk ~) (٣) خارج حدود «بلدٍ ما» (to live ~) (٤) في كل اتجاه (News quickly spread ~.) (٥) مخطىء أو منحرف عن السبيل الصحيح (I am only a little ~.) .

abrogate [ăb'rə gāt'] *(vt.)* يُبْطِل ؛ يلغي .
— **abrogation** *(n.)* — **abrogative** *(adj.)*

abrupt *(adj.)* (١) أبتر ؛ منقطع فجأة (~ plant filaments) (٢) «أ» مفاجىء ؛ غير متوقَّع (the cause of your ~ departure) «ب» حادّ ؛ خطِر (The road was full of ~ turns.) «ج» فظّ ؛ جافّ (~ manner) «د» غير مترابط (an ~ literary style) (٣) شديد التحدّر (an ~ descent) .

abruption [ə brŭp'-] *(n.)* انقطاع أو توقف مفاجىء .

abruptly *(adv.)* على نحوٍ أبتر أو مفاجىء أو خطر أو فظّ الخ .

abruptly pinnate ريشيّ أبتر : ريشيّ الترتيب ولكن بدون الورقة الوسطى في الطَّرَف (نب) .

abruptness *(n.)* فُجاءة ؛ فظاظة ؛ عدم ترابط ؛ شدّة تحدّر .

abscess [ăb'sĕs] *(n.)* خُرّاج ؛ خُرّاجة .

abscessed *(adj.)* مُصابٌ بخُرّاج .

abscissa [ăb sĭs'ə] *(n.)* الإحداثيّ السينيّ (ر) .

abscission [ăb sĭzh'ən] *(n.)* (١) قَطْع ؛ بَتْر (٢) انقطاع مفاجىء (٣) انفصال الأزهار أو الأوراق أو الثمار بفِعْل بعض الخلايا الواقعة في الغصن أو اللحاء (نب) .

absconce *(n.)* مصباح قاتم للمنضدة (كث) .

abscond [ăb skŏnd'] *(vi.)* يفِر (سرّاً ثم يستخفي) .

absence [ăb'səns] *(n.)* (١) غياب (٢) فقدان ؛ انعدام .

absence of mind *(n.)* الذهول ؛ شرود الذهن .

absent [*adj.* ăb'sənt; *v.* ăb sĕnt'] *(adj. ; vt.)* (١) غائب . (٢) مفقود ؛ لا وجود له (Revenge is ~ from his mind.) (٣) ذاهل § (٤) يغيب أو يتغيَّب عن .

absentee [ăb'sən tē'] *(n.)* (١) الغائب ؛ المتغيِّب (٢) المالك المتغيِّب : مالكٌ مقيمٌ في بلاد أو في مقاطعة بعيدة عن أطيانه .

absentee ballot *(n.)* الاقتراع الغيابيّ : اقتراع يمكّن الناخب المتغيِّب من التصويت مسبقاً بواسطة البريد .

absenteeism *(n.)* التغيُّبيّة ؛ التغيّب المتطاول : «أ» تغيّب المالك تغيباً متطاولا عن أملاكه . «ب» تغيّبٌ مزمنٌ عن العمل الخ .

absentminded *(adj.)* ذاهل ؛ شارد الذهن .

absentmindedness *(n.)* الذهول ؛ شرود الذهن .

absent voter *(n.)* الناخب المتغيِّب : ناخب يضطره ابتعادٌ قاهرٌ عن دائرته الانتخابية إلى عدم الاشتراك، بشخصه، في الانتخابات.

absinthe *or* **absinth** [ăb'sĭnth] *(n.)* الأفسِنْتين : «أ» عشبة معمِّرة تستعمل في الطب للهضم والإدرار، وتستعمل في صنع شراب كحولي يُسمّى باسمها . «ب» شراب مُسْكِر .

absinthism *(n.)* التسمّم الأفسِنْتينيّ : حالة مَرَضية ناشئة عن الافراط في تناول الأفسنتين .

absinthium *(n.)* (١) الأفسِنْتين (را absinthe *a*) . (٢) أوراق الأفسنتين المجفّفة المستعملة طبّيّاً (صي) .

absolute [ăb'sə lōōt', - lūt] *(adj. ; n.)* (١) «أ» كامل (So ~ she seems and in herself complete) «ب» صِرْف (~ alcohol) (٢) مُطْلَق : «أ» استبدادي ؛ غير مقيد بدستور (~ monarchy) . «ب» غير مقيَّد بشروط (~ freedom) «ج» غير نسبي (~ knowledge) (٣) ثابت ؛ لا ريب فيه (~ proof) (٤) أساسي ؛ جوهري § (٥) *cap.* : المُطْلَق ؛ الحقيقة المطلقة (فف) .
— **absoluteness** *(n.)*

absolute ceiling *(n.)* الارتفاع الأقصى المطلق (طي) .

absolutely *(adv.)* (١) بكل ما في الكلمة من معنى ؛ مئة بالمئة (~ impossible) (٢) على نحو جازم أو قاطع (He refused ~.) (٣) من غير ريب (ع) .

absolute monarchy *(n.)* المَلَكيّة المُطْلَقة .

absolute temperature *(n.)* درجة الحرارة المطلقة (فز) .

absolute value *(n.)* القيمة المطلقة (ر) .

absolute zero *(n.)* الصفر المطلق : درجة حرارة فَرَضية تتّسم بفقدان الحرارة فقداناً كاملا وتعادل ٢٧٣٫١٦ درجة مئوية تحت الصفر أو ٤٥٩٫٦٩ درجة فهرنهايت تحت الصفر .

absolution *(n.)* (١) حلّ من واجب أو تبعة (٢) غفران (كن) .

absolutism *(n.)* (١) «أ» الاستبدادية : نظرية سياسية تقول بأن السلطة المطلقة يجب أن تُناط بحاكم واحد أو أكثر. «ب» حكومة استبدادية (٢) المناداة بضرورة الحكم الاستبدادي.

absolutist *(n.)* المؤيد للاستبداد أو الحكمِ المطلق .

absolutory; absolvatory *(adj.)* إحلاليّ ؛ غُفْرانيّ .

absolve [ăb sŏlv'; -zŏlv'] *(vt.)* (١) يحِل من واجبٍ أو تبعة (٢) يَغْفِر .

absorb [ăb sôrb'; -zôrb'] *(vt.)* (١) يمتص ؛ يتشرب . (٢) يستغرق في (~*ed* in thought) .

absorbability *(n.)* الامتصاصية ؛ التشربية ؛ قابلية الامتصاص .

absorbable *(adj.)* قابلٌ للامتصاص أو التشرّب .

absorbency *(n.)* المُمْتصّية ؛ الماصيّة : كون الشيء ممتصاً أو ماصاً.

absorbed *(adj.)* مستغرق ؛ منهمك .

absorbent *(adj. ; n.)* (١) ممتص ؛ ماص § (٢) شيء ممتص .

absorbing *(adj.)* مستغرق للانتباه أو مستحوذٌ عليه ؛ مُمْتِع جداً (an ~ tale) .

absorption *(n.)* (١) امتصاص (٢) استغراق ؛ انهماك .

absorption band *(n.)* شريط الامتصاص (ض) .

absorption coefficient *(n.)* مُعامِل الامتصاص (ض) .

absorption control *(n.)* التحكّم في الامتصاص (رد) .

absorption spectrum *(n.)* طَيْف الامتصاص (ض) .

absorptive *(adj.)* ممتصّ ؛ ماص .

absorptivity *(n.)* المُمْتَصّية : كون الشيء ممتصاً .

abstain [ăb stān'] *(vi.)* يُمْسِك أو يمتنع عن .

abstainer *(n.)* المميك ؛ المتنع (وبخاصة عن المُسْكِرات) .

abstemious [ăb stē'mĭ əs] *(adj.)* (١) معتدل أو غير مُسْرِف (وبخاصة في الطعام والشراب وضروب الملذات) (٢) مُتَناوَلٌ باعتدال (an ~ diet) (٣) مُتَّسِم بالاعتدال (an ~ life) .

abstention *(n.)* إمساك أو امتناع عن . . .

abstentious *(adj.)* مُمْسِكٌ أو ممتنعٌ عن . . .

ă at; ā date; â care; ä car; ĕ egg; ē me; ĭ in; ī bite; ŏ lot; ō bone; ô orphan; oi boil; ŏŏ good; ōō boot; ou out; ŭ under; ū unity; û urgent; th thing; *th* this; zh vision; ə = *a* in alone, *e* in system, *i* in easily, *o* in gallop, *u* in circus.

absterge [ăb stûrj'] (vt.)   (١) يطهّر ؛ بنظّف (٢) يطهّر الامعاء بحقنة شرجية .

abstergent (adj. ; n.)   (١) مطهّر ؛ منظّف (٢) مادة مطهّرة .

abstinence [ăb'stə nəns] (n.)   تقشّف ؛ امتناع عن بعض المآكل وعن المسكرات .
— **abstinent** (adj.)

abstract [adj. ăb'străkt, ăb străkt'; n. ăb'străkt; v. ăb-străkt' for 9—12, ăb'străkt for 13] (adj. ; n.; vt.)   (١) مجرّد (٢) عويص (~ problems) (٣) مثالي (~ truth) (٤) تجريدي (Beauty is ~.) (٥) نظري (~ justice) (٦) خلاصة (an ~ of a speech) غير تطبيقي (~ science) (٧) فكرة الخ . (٨) أثر في تجريديّ (٩) يفصل أو يزيل (to ~ the) (١٠) (to ~ metal from ore) (١١) يسرق notions of time, of space, or of matter) (١٢) يَصْرف الانتباه عن (١٣) يُلخّص .
in the ~,   نظرياً ؛ تجريدياً .
the ~,   المثل الأعلى .

abstracted (adj.)   ذاهل ؛ شارد الذهن .

abstractedly (adv.)   بذهول ؛ بشرود ذهن .

abstractedness (n.)   ذهول ؛ شرود ذهن .

abstract expressionism (n.)   التجريدية التعبيرية : مذهب في الرسم يتسم بالخطوط المتموّجة والأشكال الشاذّة والسطوح المغالى في زخرفتها .

abstraction [ăb străk' shən] (n.)   (١) «أ» تجريد (مج) «ب» فكرة تجريدية ؛ تعبير تجريدي (٢) ذهول (٣) لوحة فنية تجريدية .

abstractionism (n.)   التجريدية : «أ» رسم لوحات فنية تجريدية . «ب» مبادئ الفن التجريدي أو مثله العليا .

abstractive [-'tĭv] (adj.)   (١) تجريدي (٢) تلخيصي .

abstractly (adv.)   على نحو تجريدي أو نظري .

abstract noun (n.)   اسم المعنَى (ل) .

abstract number (n.)   العدد المجرّد (ر) .

abstract of title (n.)   صورة موجزة عن سنَد التمليك (ق) .

abstriction (n.)   الانفصام (مج) : تكوّن الأبواغ في اللازهريات (نب) .

abstruse [ăb strōōs'] (adj.)   (١) عويص ؛ مبهَم (٢) عميق .
— **abstrusely** (adv.) — **abstruseness** (n.)

absurd [ăb sûrd'; -zûrd'] (adj.)   مناف للعقل ؛ سخيف ؛ مضحك .

absurdity (n.)   (١) سُخْف (٢) شيء سخيف أو مناف للعقل .

absurdly (adv.)   على نحو سخيف أو مضحك أو مناف للعقل .

absurdness (n.)   سُخْف ؛ منافاة للعقل .

abulia [ə bū'lĭ ə] (n.)   فَقْدُ الإرادة (نف) .

abundance (n.)   (١) وَفْرة (٢) غزارة (blessings in ~) (٢) فَيْض (an ~ of good things) (٣) عَدَد وافر (~ who want bread) .

abundant [ə bŭn'dənt] (adj.)   وافر ؛ غزير .

abundantly (adv.)   بوفرة ؛ بغزارة .

abundant number (n.)   العدد الزائد (ر) .

abuse [v. ə būz'; n. ə būs'] (vt. ; n.)   (١) يشتم (٢) يسيء استعمال (حقّ أو سلطة) (٣) يظلم ؛ يسيء معاملة فلان (٤) pl. مساوىء ؛ مفاسد ؛ تعسّفات (the

~s of bad government) (٥) إساءة استعمال أو معاملة (٦) سِباب (٧) إيذاء جسدي .

abusive [ə bū'sĭv] (adj.)   (١) اعتسافي ؛ فاسد (an ~ use of power) (٢) بذيء (٣) موذٍ جسدياً .

abut [ə bŭt'] (vi. ; t.)   (١) يتاخم (٢) يرتكز على ؛ يناكب (٣)× يجعله متاخماً لـ أو مرتكزاً على .

abutilon (n.)   الأبوطيلُون : نبات من فصيلة الخبازيات .

abutment (n.)   (١) متاخمة ؛ محاذاة (٢) ملتقى شيئين متاخمين (٣) دعامة ؛ كتف ؛ كتف قنطرة (عم) .

abuttals (n. pl.)   تخوم ؛ حدود .

abutting (adj.)   متاخم : محاذٍ ؛ ملاصق .

abysm [ə bĭz'əm] (n.) = abyss.

abysmal (adj.)   (١) سحيق ؛ لا قعْر له (٢) مُطْبِق (~ ignorance) .

abyss [ə bĭs'] (n.)   (١) جهنم (٢) اللاتكوّن (في ما قبل الخليقة) (٣) هاوية (٤) اللُّجّ : معظم الماء حيث لا يُدْرَكُ قعره .

abyssal [-'ĺə] (adj.)   (١) لا يُسبَر غوره (٢) أعماقي : متعلّق بأعماق المحيط .

Abyssinian (adj. ; n.)   (١) حبشي ؛ أثيوبي (٢) شخص حبشيّ .

A. C.,   «تمّ» (مج) : تيار متناوب (كب) .

acacia [ə kā'shə] (n.)   (١) سنْط ؛ أقاقيا (نب) (٢) صمغ عربي .

academe [ăk'ə dem'] (n.)   (١) معهد (٢) بيئة أكاديمية .

academic [-děm'ĭk] (adj. ; n.)   (١) «أ» جامعي (~ costume) «ب» نظري ؛ غير عملي (an ~ thinker) «ج» أكاديميّ : مبنيّ على الدراسة الرسمية في معهد أو جامعة (٢) أكاديميّ : ذو علاقة بالأدب أو الفن لا بالدراسات التقنية أو المهنية (٣) مُصْطَلَحيّ ؛ تقليدي : متفق مع قواعد أو تقاليد مذهب أدبي أوفني (٤) تجريدي (an ~ question) (٥) الأكاديميّ : «أ» عضو كلية أو جامعة . «ب» شخص أكاديمي الثقافة أو النظرة إلى الأشياء .

academical (adj. ; n.)   (١) أكاديميّ (٢) pl. اللباس الجامعيّ .

academician [ə kăd ə mish'ən] (n.)   (١) المجمعيّ : عضو مجمع علمي أو أدبي أو فنيّ (٢) الأكاديميّ : «أ» أحد أتباع تقليد فني أو فلسفي معيّن أو أحد المروّجين للفكرات التي يقوم عليها هذا التقليد . «ب» academic .

academy [ə kăd'ə mĭ] (n.)   (١) cap. أكاديمية أفلاطون (٢) الأكاديمية : «أ» مدرسة ثانوية أهلية أو خاصة . «ب» معهد لتدريس فن أو علم معيّن . (٣) مجمع (فني أو علمي أو أدبي) .

acanth- or **acantho-**   (acanthous) بادئة معناها : شوك .

acanthaceous [ăk'ən thā'shəs] (adj.)   (١) شائك (٢) أقَنْثِيّ : من الأقَنثيّات Acanthaceae وهي فصيلة من ذوات الفلقتين (نب) .

acanthocephalan (n. ; adj.)   (١) الشائكة الرأس : دودة من شائكات الرؤوس Acanthocephala وهي طائفة من الديدان الخيطية (٢) شائكة الرأس .

acanthoid [ə kăn'thoid] (adj.)   شوكيّ ؛ شائك .

acanthopterygian (n. ; adj.)   (١) الشائكة الزعانف : سمكة من شائكات الزعانف Acanthopterygii وهي رتبة من السمك ذات زعانف شائكة (٢) شائكة الزعانف .

acanthous [ə kăn'thəs] (adj.)   شائك .

ă at; ā date; â care; ä car; ĕ egg; ē me; ĭ in; ī bite; ŏ lot; ō bone; ô orphan; oi boil ōō good; ōō boot; ou out; ŭ under; ū unity; û urgent; th thing; th this; zh vision; ə = a in alone, e in system, i in easily, o in gallop, u in circus.

acanthus [ə kăn'thəs] *(n.)* pl. - **thuses** *also* **-thi** (١) الأقَنثا ؛ الأقَنثُوس : نبات شائك من فصيلة الأقَنثيّات (٢) زخرف شبيه بأوراق الأقنثا (عم).

acanthus 2

a cappella ; a capella *(adv. ; adj.)* بدون مصاحبة من الآلات الموسيقية (مو).

Acapulco gold *(n.)* ذَهَبُ أكابولكو: ضَرْبٌ من المَرْهوانة.

acariasis [ăk'ə rī'ə sĭs] *(n.)* الجَرَبُ القُراديّ : حِكّةٌ سَبَّبُها حيوانٌ من القُراديات.

acarid [ăk'ə rĭd] *or* **acaridan** [ə kăr'ə dən] *(n. ; adj.)* (١) القُراديّ ؛ القُمَّليّ : حيوان من القُراديات **Acaridae** وهي رتبة من العنكبوتيات § (٢) قُراديّ ؛ قُمَّليّ.

acaroid [ăk'ə roid'] *(adj.)* قُراداني : شبيه بالقُراد.

acarpelous *or* **acarpellous** *(adj.)* عديم القُرَيْبلة أو الخِبَاء (نب).

acarpous [ā kär'pəs] *(adj.)* لاثمريّ ؛ عديم الثمر (نب).

acatalectic *(adj. ; n.)* كامل التفاعيل (عر)

acaudal [ā kô'dəl] *or* **acaudate** *(adj.)* لاذيليّ ؛ عديم الذيل (ح).

acaulescent [ăk'ô lĕs'-] *or* **acauline** [ā kô'lĭn] *(adj.)* لاساقيّ ؛ عديم الساق (نب).

accede [ăk sēd'] *(vi.)* (١) «أ» ينضم (إلى معاهدة أو حزب). «ب» يوافق ؛ يقبل (٢) يتبوّأ منصباً الخ.

accelerando *(adv. ; adj.)* (١) بتسارع تدريجي (مو). § (٢) متسارع تدريجياً (مو).

accelerate [ăk sĕl'ə rāt'] *(vt. ; i.)* (١) يُعجِّل (to ~ growth) (٢) يعجِّل ؛ يُعاجل ؛ يُسرِّع (فز) × (٣) يتسارع ؛ يزداد سرعة.
— **accelerative** *(adj.)*

accelerated *(adj.)* مُعَجَّل ؛ مُسَرَّع (فز).

acceleration *(n.)* (١) «أ» تعجيل ؛ تسريع . «ب» تعاجُل ؛ تسارع (فز) (٢) العَجَلة (مج) : تغيّر في السرعة أو نسبة ذلك التغيّر (فز).

acceleration of gravity *(n.)* تعاجل (تسارع) الجاذبية.

accelerator *(n.)* المعاجل ؛ المسرِّع : «أ» عَصَبٌ أو عضلة تسرع أداء عمل ما (ت). «ب» دوّاسة البنزين (سي). «ج» مادة تزيد في سرعة التفاعل (ك).

accelerometer *(n.)* المِعْجَل (مج): جهاز لقياس التعاجل (طي).

accent [*n.* ăk'sĕnt; *v.* ăk'sĕnt, ăk sĕnt'] *(n ; vt.)* (١) لهجة (٢) نبرة (صو) (٣) العلامة النطقية : حركة تستعمل في الكتابة أو الطباعة للدلالة على نبرة اللفظ (٤) توكيد (٥) توكيد لبعض النغمات (مو) (٦) «أ» توكيد يوضع على جزء من عمل فني. «ب» جزء مؤكَّد عليه من العمل الفني (٧) حركة أو إشارة توضع على حرف أو عدد (ر) § (٨) ينبِّر : يلفظ حرفاً أو مقطعاً بقوة أعظم أو جرْس مختلف (٩) يَشْكُل الكلمةَ الخ. (١٠) يؤكِّد.
— **accentual** *(adj.)*

accent mark *(n.)* (١) علامة نطقية (را accent 3). (٢) رمز التوكيد: رمز يستعمل للدلالة على التوكيد الموسيقي (مو).

accentuate [ăk sĕn'choo āt'] *(vt.)* (١) ينبِّر : يضع التوكيد عند اللفظ على حرف أو مقطع (٢) يَشْكُل الكلمة الخ. (٣) يؤكِّد ؛ يُبْرِز.

accept [ăk sĕpt'] *(vt. ; i.)* (١) يتقبَّل ؛ يرضى. (٢) يُقرّ ؛ يوافق على (٣) «أ» يسلّم بِـ . «ب» يصدّق. «ج» يفهم (٤) يلبّي (دعوة) ؛ يقبل منصباً (٥) يقبل الحوالة (فيدفع قيمتها).

acceptability; acceptableness *(n.)* المَقْبوليّة.

acceptable [ăk sĕp'tə bəl] *(adj.)* مقبول ؛ مَرْضيّ.

acceptance [ăk sĕp'təns] *(n.)* (١) قبول ؛ موافقة الخ (٢) مقبولية (٣) «أ» قبول الحوالة. «ب» الحوالة المقبولة (٤) معنى اللفظة المقبول عادة عند الجمهور.

acceptant [ăk sĕp'tənt] *(adj.)* راغبٌ في القبول.

acceptation *(n.)* (١) قبول ؛ استحسان. (٢) acceptance 4.

accepted *(adj.)* (١) مقبول (٢) مستحسَن (أو مسلَّم بصحته) عند الجمهور.

accepter; acceptor *(n.)* (١) القابل (٢) قابل الحوالة.

access [ăk'sĕs] *(n.)* (١) نوبة (مرض) (٢) فورة (اهتياج) (٣) «أ» الاذن بالدخول على شخص أو القدرة على ذلك. «ب» حرية الوصول الى شيء او الاقتراب منه أو استعماله. «ج» وسيلة الوصول أو الاقتراب : مَدْخَل. «د» وصول ؛ دنو ؛ اقتراب (٤) نموّ ؛ تكاثر.

accessibility *(n.)* (١) المَوْصِلية : إمكانية الوصول الخ. (٢) سهولة المنال.

accessible [ăk sĕs'ə bəl] *(adj.)* (١) ممكنٌ الوصول إليه أو الحصول عليه (٢) سهل المنال (all the data ~ A telephone should be put where it will be ~.) (٣) متقبِّل أو قابلٌ لـ (~ to bribery) (٤) منفتح ؛ منفتح لتأثير كذا (a mind ~ to reason)

accession [ăk sĕsh'ən] *(n.)* (١) «أ» تكاثر ؛ تعاظم ؛ نماء (an ~ of wealth). «ب» إضافة ؛ شيء مَزيد (a list of ~s to a library) (٢) رضى ؛ موافقة ؛ قبول (٣) دنوّ ؛ اقتراب (٤) تبوّؤ ؛ تسنّم ؛ ارتقاء (~ to the throne) (٥) نوبةٌ أو اهتياج مفاجىء.

accessorial [ăk'sə sōr'-] *(adj.)* إضافي ؛ ثانوي.

accessory *also* **accessary** [ăk sĕs'ə rĭ] *(n.)* (١) «أ» ملحق ؛ شيء ثانوي. «ب» شيءٌ كمالي (يضاف للزينة وما إليها) (٢) «أ» مَن يساعد على جريمة (من غير أن يكون حاضراً فعلا) أو يحرّض عليها. ويُدْعى أيضاً ~ *before the fact* «ب» مَن يخفي مجرماً وهو يعلم أنه مجرم، ويُدْعى أيضاً ~ *after the fact*

accessory *(adj.)* (١) مساعِد ؛ ثانوي (٢) إضافيّ : موجود بمقادير قليلة أو بصورة ثانوية (an ~ mineral in a rock).

accidence [ăk'sə dəns] *(n.)* علم الصرف (ل).

accident [ăk'sə dənt] *(n.)* (١) مصادفة (٢) «أ» حادث مفاجىء (مشؤوم عادة). «ب» نكبة (٣) عَرَض ؛ صفة غير جوهرية.

accidental [ăk'sə dĕn'təl] *(adj. ; n.)* (١) عَرَضي ؛ غير جوهري (٢) اتفاقي ؛ غير مقصود § (٣) عَرَض ؛ صفةٌ غير جوهرية (٤) علامة التحويل الموسيقي (مج).

accidentally *(adv.)* مصادفةً ؛ من غير قصْد.

accipiter *(n.)* صقر. — **accipitrine** *(adj.)*

acclaim [ə klām'] *(vt. ; i. ; n.)* (١) يصفق ؛ يهتف أو يهلّل لِـ (٢) ينادي به (مَلِكاً الخ.) § (٣) تصفيق ؛ هتاف الخ.

acclamation *(n.)* (١) تهليل ؛ صياح ابتهاج (٢) التصويت التهليلي : تصويت انفعالي تأييداً لمشروع برلماني وذلك من طريق

التصفيق والهتاف لا من طريق إحصاء الأصوات .

acclamatory [ə klăm'ə tōr'ĭ] *(adj.)* تهليلي .

acclimate [ə klī'mĭt] *(vt. ; i.)* (١) يؤقلم ×(٢) يتأقلم .

acclimatization *(n.)* (١) أقلمة (٢) تأقلم .

acclimatize [ə klī'mə tīz'] *(vt. ; i.)* = acclimate.

acclivity [ə klĭv'ə tĭ] *(n.)* حدب ؛ مرتقى ؛ حدور صاعد .

acclivous *(adj.)* متصعد ؛ متحدر صعداً .

accolade [ăk'ə lād';-läd'] *(n.)* (١)معانقة ؛احتضان (٢) حفلة الاحتضان : حفلة تقام عند منح المرء رتبة فارس (٣) وسام ؛ مدالية الخ .

accommodate [ə kŏm'ə dāt'] *(vt. ; i.)* (١) يلائم ؛ يكيف (٢) يوفق بين ؛ يسوي (الخلافات) (٣) «أ» يجهز ؛ يزود . «ب» يقرض . «ج» يؤوي . «د» يتسع لـ (Our hotel can ~ 700 guests.) (٤) يؤدي خدمة إلى (to ~ a friend) ×(٥) يتكيف مع .

— accommodative *(adj.)*

accommodating *(adj.)* لطيف ؛ مجامل ؛ لين العريكة .

accommodation [ə kŏm'ə dā'-] *(n.)* (١) كل ما يؤمن الراحة أو يشبع الحاجة ، مثل : «أ» .pl عد : أسباب أو وسائل الراحة والتسلية (بما فيها المبيت والطعام) . «ب» قطار الخ. يقف في جميع المحطات تقريباً . «ج» قرض (٢) «أ» تجهيز ؛ تزويد . «ب» تكييف ؛ تكيف . «ج» توفيق ؛ تسوية «للخلافات» (٣) مجاملة ؛ نزوع إلى مساعدة الآخرين (٤) تكيف العين (فس) (٥) كمبيالة إسعاف ؛ كمبيالة صورية (تج) .

accommodation ladder *(n.)* السلم المدلاة : سلم خفيفة تدلى من جانب السفينة لتمكين ركابها من النزول إلى الزوارق أو الصعود منها إلى السفينة .

accommodation paper (**bill,draft** *or* **note**) كمبيالة اسعاف ؛ كمبيالة صورية (تج) .

accommodationist *(n.)* المتكيف : من يكيف نفسه وفقاً لرأي مخالف .

accommodator *(n.)* الخادم البديل : بديل يحل محل خادم نظامي .

accompaniment [ə kŭm'pə nĭ mənt] *(n.)* (١) مصاحبة ؛ مرافقة ؛ مسايرة (٢) الدور المصاحب : دور ثانوي في العزف أو الغناء يؤدى تقوية للآلة الرئيسية أو الصوت الرئيسي أو تكملة لهما (مو) (٣) المتمم : شيء ثانوي يضاف بغية التكميل أو التزيين أو إحداث الانسجام (٤) شيء ملازم .

accompanist *also* **accompanyist** *(n.)* العازف (أو المغني) المصاحب .

accompany [ə kŭm'pə nĭ] *(vt. ; i.)* (١) يرافق ؛ يلازم . (٢) يصاحب : يؤدي دوراً مصاحباً في العزف أو الغناء (را. accompaniment 2) (٣) يرفق .

accomplice [ə kŏm' plĭs] *(n.)* شريك (في جريمة) .

accomplish [ə kŏm'plĭsh] *(vt.)* (١) ينجز ؛ يتم . (٢) يبلغ ؛ يجتاز ؛ يكمل (~*ed* sixty years) .

accomplished *(adj.)* (١) منجز ؛ متمم (٢) ضليع ؛ بارع (an ~ scholar) (٣) كيس ؛ مصقول (اجتماعياً) ؛ مجيد للفنون الاجتماعية كالموسيقى والرقص والرسم الخ. (an ~ young lady)

accomplishment *(n.)* (١) إنجاز ؛ إتمام (٢) المنجز : مأثرة أو عمل بارع (the ~*s* of scientists) (٣) كياسة .

accord [ə kôrd'] *(vt. ; i. ; n.)* (١) يلائم أو يوفق بين . (٢) يمنح ؛ يضفي على (to ~ due praise) ×(٣) ينسجم ؛ يتفق ∮ (٤) اتفاق (٥) مطابقة (٦) انسجام (٧) ائتلاف (مو) (٨) اتفاق أو تفاهم دولي .

of one's own ~, طوعاً . من غير إكراه .

with one ~, بالإجماع .

accordance [ə kôr ' dəns] *(n.)* (١) انسجام ؛ مطابقة . (٢) منح (the ~ of a privilege) .

in ~ with وفقاً أو طبقاً لـ .

accordant *(adj.)* ملائم ؛ موافق ؛ مطابق ؛ منسجم مع .

according as *(conj.)* وفق ما ؛ بقدر ما ؛ حسبما .

accordingly *(adv.)* (١) وفقاً لذلك (٢) وهكذا ؛ وعلى ذلك ؛ وإذن .

according to *(prep.)* وفقاً لـ ؛ بحسب .

accordion [ə kôr'dĭ ən] *(n. ; adj.)* (١) اكورديون (مو) ∮ (٢) أكورديوني : قابل للطي مثل الاكورديون (an ~ map *or* door)

accordion

accost [ə kôst'] *(vt.)* يبادره بالكلام ؛ يدنو منه ويخاطبه .

accouchement [ə kōōsh'mənt] *(F.)* ولادة ؛ نفاس .

accoucheur [ăk'ōō shûr'; å kōō shoer'] *(F.)* طبيب مولد .

account [ə kount'] *(n. ; vt. ; i.)* (١) حساب ؛ محاسبة . (٢) رواية ؛ وصف (Don't always believe newspaper ~*s*) (٣) تفسير لسلوك المرء (يقدمه إلى رئيسه الخ.) (٤) «أ» قيمة ؛ أهمية (things of no ~) . «ب» ربح ؛ فائدة . «ج» اعتبار ؛ تقدير (٥) «أ» بيان بالأسباب أو الدوافع الخ . «ب» تقرير. «ج» سبب (٦) حساب في بنك ∮ (٧) يقدم بياناً عن (٨) يعتبر (~*s* herself lucky) × (٩) يعلل ؛ يفسر (Her illness ~*s* for her absence.) (١٠) يتسبب في مقتل شخص الخ . أو للقاء القبض عليه (The posse ~*ed* for three of the bandits.)

on ~, على الحساب .

on ~ of بسبب كذا .

on any ~, on no ~, مهما يكن السبب ؛ بأية حال ؛ مطلقاً .

on my ~, بسببي ؛ من أجلي .

on one's own ~, (١) لفائدته أو لمصلحته الخاصة . (٢) على مسؤوليته .

to call to ~, (١) يناقشه الحساب (٢)يوبخ ؛ يقرع .

to make little ~ of لا يقيم له كبير وزن .

to take into ~, يدخله في اعتباره أو حسابه ؛ يحسب حساب كذا .

to turn into ~, يستفيد من ؛ يستغل (خبرته الشخصية الخ .) استغلالا صالحاً .

accountability *(n.)* (١) مسؤولية ؛ حساب (عن أعمال معينة) (٢) التفسيرية : قابلية التفسير أو التعليل .

accountable [ə koun'tə bəl] *(adj.)* (١) مسؤول ؛ عرضة للمحاسبة (٢) ممكن تفسيره أو تعليله .

— accountableness *(n.)*

accountancy [-'tən sĭ] *(n.)* المحاسبة ؛ علم المحاسبة .

accountant *(n.)* (١) المسؤول أو المعرض للمحاسبة . (٢) المحاسب (في شركة) .

account book *(n.)* دفتر حساب أو محاسبة .

accounting *(n.)* فن أو علم تدوين الحسابات وتفسيرها .

accouter *or* **accoutre** [ə kōō'tər] *(vt.)* يجهّز ؛ يزوّد بالملابس والسّلاح وبخاصة للخدمة العسكرية .

accouterment *or* **accoutrement** *(n.)* (١) «أ» تجهيز . «ب» تجهّز (٢) *pl.* عد : عتاد ؛ تجهيزات (جن) .

accredit [ə krĕd'ĭt] *(vt.)* (١) يجيز ؛ يقرّ (٢) يفوض ؛ يعتمد رسولا أو موفداً (٣) يشهد (بأن معهداً تعليمياً الخ . يفي بمطالب أو شروط معيّنة) (٤) يصدّق ؛ يؤمن بصحة شيء (He ~*ed* stories of apparitions.) (٥) ينسب أو يعزو إلى (a discovery ~*ed* to Marconi) .

accredited *(adj.)* مجاز ؛ معتمَد ؛ مفوَّض .

accrete [ə krēt'] *(vi. ; t.)* (١)ينمو ملتحماًمع غيره ×(٢)يُلحِم .

accretion [ə krē'-] *(n.)* (١) ازدياد ؛ تعاظُم (من طريق النموّ العضوي أو بواسطة إضافات خارجية تدريجية) (٢) إضافة خارجية أو غريبة (The last part of the legend is a later ~.) (٣) التنمّي الالتحامي : التحام عضوين منفصلين طبيعياً (كالأصابع) ونموّهما معاً .

accrual [ə krōō'əl] *(n.)* (١) تراكم ؛ تكاثر (٢) شيء متراكم .

accrue [ə krōō'] *(vi.)* (١) يصبح حقّاً أو مطلباً شرعياً . (٢) ينشأ من طريق النموّ أو كنتيجة (Ability to think will ~ to you from good habits of study.) (٣) يتراكم (If you put money in the bank, interest ~*s*.)
— **accruement** *(n.)*

acculturation *(n.)* التثاقُف : تبادلٌ ثقافي بين شعوب مختلفة ؛ وبخاصة : تعديلات تطرأ على ثقافة بدائية نتيجة لاحتكاكها بمجتمع أكثر تقدّماً .

accumbent *(adj.)* (١) منحنٍ للأمام (~ posture) . (٢) متكيء (نب) .

accumulate [ə kū'myə lāt'] *(vt. ; i.)* (١) يكدّس ؛ يركُم . (٢) يجمع ×(٣) يتكدّس ؛ يتراكم .

accumulation *(n.)* (١) تكديس (٢) تراكم (٣) شيء متراكم .

accumulative *(adj.)* تراكمي . - **ness** *(n.)*

accumulator *(n.)* (١) فا accumulate (٢) ممتص الصدمات (ملك) (٣) المِركَم : حاشدة أو بطارية مختزِنة .

accuracy [ăk'yə rə sĭ] *(n.)* (١) ضبْط (مج) ؛ صحة (٢) دقة .

accurate [ăk'yə rĭt] *(adj.)* (١) مضبوط ؛ صحيح (٢) دقيق .

accurately *(adv.)* على نحو مضبوط أو صحيح أو دقيق .

accursed *or* **accurst** *(adj.)* (١) ملعون (٢) بغيض ؛ كريه .

accusal [ə kū'zəl] *(n.)* = accusation.

accusant ; accuser *(n.)* المتّهِم : موجّه التهمة .

accusation [ak'yŏŏ zā'-] *(n.)* (١) اتّهام (٢) تهمة موجَّهة .

accusative case *(n.)* حالة النصب ؛ حالة المفعول به (ل) .

accusatorial *(adj.)* متّهِمي : خاصّ أو متعلق بمتّهِم (ق) .

accusatory *(adj.)* اتّهامي ؛ منطوٍ على اتّهام .

accuse [ə kūz'] *(vt. ; i.)* يتّهِم ؛ يوجه تهمة .

accused *(adj. ; n.)* (١) متّهَم § (٢) المتّهَم ؛ المدعى عليه .

accustom [ə kŭs'təm] *(vt.)* يعوّد .

accustomed *(adj.)* (١) معتاد ؛ مألوف (in his ~ place) (٢) متعوِّد (~ to doing good) . to get ~ to يتعوّد أمراً أو يألفه .

ace [ās] *(n. ; adj.)* (١) آص ؛ واحد (في زهر النرد أو ورق اللعب أو حجر الدومينو) (٢) ذرّة ؛ كمية قليلة جداً (٣) طيار يُسقط خمس طائرات عدوّة على الأقلّ (٤)المتفوّق في فن ما § (٥) ممتاز ؛ من الطراز الأول . within an ~ of على قيد شعرة من . . .

-aceae لاحقة معناها : نباتات من فصيلة كذا (Rosaceae) .

aceldama *(n.)* حقل الدم : مكان تجري فيه مذبحة .

acellular *(adj.)* لا خلَوي : غير مكوّن من خلايا .

acentric *(adj.)* لا مركزي : غير ذي مركز .

-aceous لاحقة معناها : (١) «أ» حافل بـ (carbon*aceous*) . «ب» مؤلف من (set*aceous*) . «ج» شبيه بـ (herb*aceous*) (٢) خاص بطائفة من الحيوانات متميزة بشكل معيّن (crust*aceous*) .

acephalous [ā sĕf'ə-] *(adj.)* (١) عديم الرأس (٢) بلا زعيم .

acerate *or* **acerose** *(adj.)* إبريّ ؛ إبريّ الشكل .

acerb *(adj.)* (١) حامض الطّعم (٢) فظّ .

acerbate [as'ər bāt'] *(vt.)* يثير ؛ يُغضب .

acerbity [ə sûr'bə tĭ] *(n.)* (١) حموضة (٢) فظاظة .

acervate [ə sûr'vĭt; -vāt] *(adj.)* عنقوديّ الشكل (نب) .

acet- *or* **aceto-** بادئة معناها : «أ» حمض الخلّ . «ب» خلّي .

acetabular *(adj.)* حُقّي : خاص بالحُقّ الحرقفيّ (ت) .

acetabulum *(n.)* التجويف الحُقّي (مج) ؛ الحُقّ الحرقفيّ (ت) .

acetal *(n.)* الأسيتال : سائل طيار عديم اللون (ك) .

acetaldehyde *(n.)* الأسيتالديهيد : سائل عطر طيّار عديم اللون (ك) .

acetamide *(n.)* الأسيتاميد : أميدُ حمض الخلّ (ك) .

acetanilide *or* **acetanilid** *(n.)* الأسيتانيليد : مركّب أبيض متبلّر يُشتق من الأنيلين وحمض الخلّ ويُستخدم بخاصة لوقف الألم أو الحمى (ك) .

acetate [ăs'ə tāt] *(n.)* خلات ؛ أسيتات (ك) .

acetic [ə sē'tĭk; ə sĕt'ĭk] *(adj.)* خلّيّ (ك) .

acetic acid *(n.)* حمض الخلّ ؛ حمض الخلّيك (ك) .

acetification *(n.)* (١) تخليل (ك) (٢) تخلُّل (ك) .

acetifier *(n.)* (١) المخلّل (٢) جهاز التخليل .

acetify [ə sĕt'ə fī] *(vt. ; i.)* (١) يخلّل ×(٢) يتخلّل ؛ يصبح خلا .

acetimeter *(n.)* = acetometer.

aceto- = acet-.

acetometer *(n.)* مقياس حمض الخلّ (ك) .

acetone *(n.)* الأسيتون ؛ الخلّون : سائل طيار ملتهب عديم اللون (ك) .

acetophenetidin *(n.)* الأسيتوفينيتيدين : مركّب أبيض متبلّر يُستخدم لتلطيف الألم أو الحمّى (ك) .

acetose ; acetous *(adj.)* خلّي أو حامض كالخلّ .

acetyl [ăs'ə tĭl] *(n.)* الأسيتيل (ك) .

acetylate ; acetylize *(vt.)* يؤستِل : يُدخل الاسيتيل على (ك) .

acetylation *(n.)* الأستَلة : إدخال الأسيتيل على مركّب (ك) .

acetylene *(n.)* الأسيتيلين : غاز عديم اللون يستخدم في التلحيم (ك) .

Achates [ə kā'tēz] *(n.)* صديق مخلص .

ache [āk] *(vi. ; n.)* (١) يتوجّع : يؤلم ألماً متواصلا خفيفاً (٢) يكتئب ؛ يبتئس (٣) يتوق توقاً (His whole body ~*d*.) موجِعاً § (٤) ألم متواصل خفيف .
— **achy** *(adj.)*

achene [ā kēn'] *(n.)* الفقيرة ؛ الثمرة الفقيرة : ثمرة يابسة مُطبَقة وحيدة البزرة (كالكستنا ونحوها) .

ă at; ā date; â care; ä car; ĕ egg; ē me; ĭ in; ī bite; ŏ lot; ō bone; ô orphan; oi boil ŏŏ good; ōō boot; ou out; ŭ under; ū unity; û urgent; th thing; th this; zh vision; ə = *a* in alone, *e* in system, *i* in easily, *o* in gallop, *u* in circus.

Acheron [ăk'ə rŏn'] *(n.)* الجحيم أو نهرٌ فيه .
à cheval [a shə vål'] *(F.)* (١) على ظهر الجواد (٢) منفرج الساقين .
achievable *(adj.)* ممكنٌ إنجازُهُ أو إحرازُهُ .
achieve [ə chēv'] *(vt. ; i.)* (١) يُنجز ؛ يتِمّ .
(٢) يكتسب ؛ يُحرز ×(٣) يبلغ هدفاً .
achievement *(n.)* (١) إنجاز (٢) مأثُرة ؛ مُنْجَزٌ عظيم .
Achilles' heel *(n.)* عَقِب أخيل : موقعٌ غير منيعٍ .
Achilles' tendon *(n.)* وَتَر أخيل ؛ وتر العرقوب (ت) .
achlamydeous *(adj.)* عارٍ (مج) : ليس له غلاف زهري (نب) .
achromatic [ăk'rə măt'ĭk] *(adj.)* أكْروماتيّ : «أ» كاسرٌ للضوء من غير أن يحلّله (an ~ telescope) . «ب» غير قابل للتلوين بسهولة (أح) . «ج» ماصح ؛ لا لونيّ ؛ لا لون له .
achromatic lens *(n.)* عَدَسَة أكروماتية أو لالونيّة (بص) .
achromatin *(n.)* الاكروماتين : جزء من نواة الخليّة لايتلون بسهولة
achromatism *(n.)* الأكروماتية ؛ اللالونْية .
achromatous *(adj.)* عديم (أو ناقص) اللون (~ blood) .
achromic; achromous *(adj.)* لا لونيّ ؛ عديم اللون .
acicula [ə sĭk'yə lə] *(n.)* pl. **- e** *or* **-s** شوكة (أو بلّورة) ابرية الشكل .
acicular ; aciculate ; aciculated *(adj.)* ابريّ الشكل .
acid [ăs'ĭd] *(adj. ; n.)* (١) «أ» حامض . «ب» لاذع ؛ قارص ؛ حادّ (٢) حَمْضيّ (٣) غنيّ بالسّليكا § (٤) حَمْض (مج) ؛ مادة حمضيّة .
acid-fast *(adj.)* صامدٌ للحَمْض : يصعب نَزْع لونه بالأحماض .
acidhead [ăs'ĭd hĕd'] *(n.)* المدمن على تعاطي ال«أل . أس . دي» .
acidic *(adj.)* (١) مُحْمِض ؛ مشكّل حَمضاً (٢) حَمْضيّ .
acidification *(n.)* (١) تحميض (٢) تحمّض .
acidifier *(n.)* (١) المحمِّض (٢) مادة تزيد حَمْضِيّة التربة .
acidify [ə sĭd'ə fī] *(vt. ; i.)* (١) يُحمّض : يحوّل إلى حامض ×(٢) يتحمّض .
acidimeter *(n.)* المِحماض : مقياس الحَمْضيّة (ك) .
acidimetry *(n.)* المِحماضيّة : قياس الحمضيّة ؛ تقدير الأحماض .
acidity [ə sĭd'ə tĭ] *(n.)* (١) الحَمْضيّة ؛ الحامِضِيّة .
(٢) فَرْط الحمضية .
acidness *(n.)* حموضة .
acidosis [ăs'ə dō'sĭs] *(n.)* الحُماض (مج) : حالة غير سويةٍ تقلّ فيها قلوية الدم والأنسجة (مض) .
acid precipitation *(n.)* الترسيب الحمْضي : مطر عالي الحمضيّة .
acid test *(n.)* امتحان قاسٍ أو حاسم .
acidulate [ə sĭj'ə lāt] *(vt.)* يستحمض ؛ يُحمّض قايلا .
acidulent; acidulous *(adj.)* (١) حامض قليلا (٢) قاس .
aciform [ăs'ə fôrm] *(adj.)* إبَرِيّ الشكل .
acinaciform *(adj.)* سَيْفيّ الشكل .

acinaciform leaf

aciniform [ə sĭn'ə-] *(adj.)* عنقوديّ الشكل .
acinous *or* **acinose** *(adj.)* مُعَنَّب : مؤلّف من عِنَبات .
acinus [ăs'ə nəs] *(n.)* pl.**-ni** العِنَبَة : أحد الكُيَيْسات في غدّة عنقودية .
ack-ack *(n.)* مدفع مضادّ للطائرات ؛ نيران مضادة للطائرات .
acknowledge [ăk nŏl'ĭj] *(vt.)* (١) يعترف بـ (٢) «أ» يعبّر عن شكره لـِ . «ب» يُشعر بأنّه استلم شيئاً (to ~ a letter) (٣) يسلّم (بصحة شيء) .
acknowledged *(adj.)* مقبول أو معترف به (عند الجمهور) .
acknowledgment *also* **acknowledgement** *(n.)* (١) اعتراف (٢) «أ» شكر . «ب» إشعار باستلام (٣) تسليم (بصحة شيء) .
aclinic line *(n.)* خط اللاّانحراف : خط الاستواء المغنطيسي حيث لا تنحرف إبرة البوصلة .
acme [ăk'mĭ] *(n.)* ذِروَة ؛ قمة ؛ أوْج .
acne [ăk'nĭ] *(n.)* العُدّ (مج) : حَبّ الشباب .
acolyte [ăk'ə līt'] *(n.)* (١) قَنْدَلفت ؛ مساعدٌ للكاهن في قداس (٢) مساعد ؛ معاون .
aconite [ăk'ə nīt] *(n.)* (١) البِيْش ؛ الأقونِيطُن : عشب سامّ (٢) جذور البِيْش المجفّفة (وكانت تُتّخذ مُسكّناً)
aconitum [ăk'ə nī'təm] *(n.)* = aconite.
acorn [ā'kôrn] *(n.)* البلّوطة : جَوْزَة البلّوط .
acotyledonous *(adj.)* لافِلْقِيّ ؛ عديم الفِلْقة (نب) .
acoustic [ə kōōs'tĭk]; **acoustical** *(adj.)* صوتيّ ؛ سَمْعيّ .
acoustician [ăk'ōō stĭsh'ən] *(n.)* مهندس الصوت .
acoustics [ə kōōs'tĭks] *(n.)* (١) علم الصوت . (٢) **acoustic** أيضاً : السَّمْعانيّة : مجموع الخصائص التي تحدّد قيمة مسرحٍ الخ. من حيث وضوحُ السّماع .
acquaint [ə kwānt'] *(vt.)* يُطْلِع ؛ يُخْبِر ؛ يعرِّف .
acquaintance *(n.)* (١) «أ» معرفة شخصية . «ب» اطّلاع . (٢) أحد معارف المرء .
— **acquaintanceship** *(n.)*
acquainted [ə kwān'tĭd] *(adj.)* مطّلع على ؛ مُلِمّ بـ .
acquiesce [ăk'wĭ ĕs'] *(vi.)* يَقْبَل ؛ يذعن .
acquiescence [-'əns] *(n.)* قبول ؛ إذعان .
acquiescent [-'ənt] *(adj.)* ميّال للقبول والإذعان .
acquirable *(adj.)* ممكن إحرازُهُ أو اكتسابُهُ .
acquire [ə kwīr'] *(vt.)* يُحْرِز ؛ ينال ؛ يكتسب .
acquired *(adj.)* مُكْتَسَب (~ characters)
acquired immune deficiency syndrome = AIDS.
acquirement *(n.)* (١) إحراز ؛ اكتساب (٢) براعة .
acquisition [ăk wə zĭsh'-] *(n.)* (١) اكتساب (٢) شيء مكتَسَب .
acquisitive *(adj.)* اكتسابيّ ؛ مولع بالاكتساب .
acquisitiveness *(n.)* الاكتسابيّة : شدة الحرص على الاكتساب .
acquit [ə kwĭt'] *(vt.)* (١) يسدّد دَيْناً (ا.ق) (٢) «أ» يُحِلّ (من التزام) . «ب» يبرّئ (من تهمة) (٣) يُبْلي بلاء حسناً (~*ed* himself well in battle) .
acquittal [ə kwĭt'əl] *(n.)* (١) إعفاء (٢) تبرِئة .
acquittance *(n.)* (١) مص acquit (٢) صكّ بتسديد الدين .
acr- *or* **acro-** بادئة معناها : (١) أقصى ؛ طرف (٢) قمة ؛ ذروة .
acre [ā'kər] *(n.)* (١) *pl.* : أراضٍ ؛ أطيان . (٢) الأكْر : مقياس للمساحة يساوي ٤٨٤٠ ياردة مربعة أو نحو أربعة آلاف متر مربّع (٣) *pl.* : مقادير وافرة (ع) .
acreage [-ĭj] *(n.)* (١) المساحة الأكْرية (٢) أكْرات .
acrid [ăk'rĭd] *(adj.)* (١) حِرّيف (٢) لاذع ؛ قارص .
acridine *(n.)* الأكريدين : مُرَكّب تصنع منه الأصباغ والعقاقير .
acridity; acridness *(n.)* (١) حَرافَة (٢) لَذْع .
acriflavine *(n.)* الأكريفلافين : صِبغ أصفر لتطهير الجراح .
acrimonious [ăk'rə mō'-] *(adj.)* لاذع ؛ قارص ؛ قاسٍ .
acrimony [-'rə-] *(n.)* حِدّة ؛ لَذْع ؛ قَسْوَة .

acro- = acr-.

acrobat [ăk'rə băt'] *(n.)* (١) بهلوان . (٢) القُلَّب ؛ الحُوَّل .

— **acrobatic** *(adj.)*

acrobatics *(n.)* (١) البهلوانيات : ألاعيب البهلوان . (٢) حِيَل بارعة .

acrocarpous *(adj.)* مثمر عند قمة الساق الرئيسية (نب) .

acrodrome *or* **acrodromous** *(adj.)* طَرَفيّ الأعصاب أو العروق: أعصابه أو عروقه الرئيسية منتهية في طرف الورقة (نب).

acromegaly [ăk'rō mĕg'ə lĭ] *(n.)* عِظَم الأطراف (مج) : مرض مزمن يتميز بتضخم اليدين والقدمين والوجه لخلل في الغدة النخامية .

— **acromegalic** *(adj. ; n.)*

acronym [ăk'rə nĭm] *(n.)* اللفظة الأوائلية : كلمة مركبة من أوائل حروف كلمات أخرى . (مثل loran من long range navigation) .

acropetal [ə krŏp'ə təl] *(adj.)* قِمّيّ التعاقب (مج) : نامٍ من أسفل إلى أعلى نحو القمة (نب) .

acrophobia *(n.)* رهاب المرتفعات : هلع مرضي من الأماكن المرتفعة .

acropolis [ə krŏp'ə lĭs] *(n.)* الأكروبولِس : (١) الجزء الأعلى المحصَّن من مدينة اغريقية . (٢) *cap.* : قلعة أثينا .

across [ə krôs'] *(adv.; prep.)* (١) عَبْرَ ؛ من جانب إلى آخر . (٢) نحو أو في الجانب الآخر من . (٣) فوق ؛ على .

with arms ~, متصالب الذراعين .

acrostic [ə krôs'tĭk] *(n.)* (١) قصيدة إذا جُمعت حروف أوائل أبياتها أو أواخرها شكلت كلمة أو عبارة . (٢) acronym (٣) سلسلة كلمات متساوية الطول مرتّبة بحيث تكون قراءتها عمودياً مطابقة لقراءتها أفقياً .

— **acrostic** *(adj.)*

acrotism *(n.)* انعدام النبض أو ضَعْفُه (مض) .

acryl [ăk'rĭl] *(n.)* الأكريل (ك) .

acrylic [ə krĭl'ĭk] *(adj.)* أكريليّ : اكريليك (ك) .

act [ăkt] *(n. ; vt. ; i.)* (١) عمل ؛ فعل ؛ صَنيع . (٢) *cap.* : قانون ؛ قرار ؛ مرسوم (٣) صكّ (an ~ of sale) (٤) «أ» فصل (من مسرحية) . «ب» تظاهر بـ § (٥) «أ» يمثّل (على المسرح) . «ب» يتظاهر بـ (to ~ outraged virtue) (٦) يمثّل دور كذا وكأنه على المسرح (to ~ the man of the world) (٧) يتصرف بطريقة ملائمة لـ (~ your age) × (٨) يعمل؛ يفعل (٩) «أ» يقوم بمهمة ما. «ب» يسدّ مسدّ . (١٠) يحدِث أثراً أو تغييراً في (١١) يَصْلُح للتمثيل .

in the ~; in the very ~, متلبِّساً بالجرم المشهود .

to ~ as *or* for يقوم بمهمة ليست هي مهمته في الأصل ؛ يسدّ مسدّ ؛ يعمل كـ .

to ~ on يطيع أو يعمل وفقَ كذا .

to ~ the fool يتصرف كالمجنون .

to ~ up (١) يعمل بطريقة شاذة أو غير متوقعة (٢) يسلك سلوكاً تمرّدياً الخ .

actable *(adj.)* (١) ممكن تمثيلُه (مسرحياً) (٢) ممكن تطبيقُه (عملياً) .

actin- *or* **actino-** بادئة معناها : شعاع ؛ أشعة .

acting [ăk'tĭng] *(adj. ; n.)* (١) نائب ؛ نائب مَنابَ غيره موقتاً (~ governor) (٢) «أ» صالح للتمثيل (an ~ play) «ب» مُعَدّ للاستخدام في التمثيل؛ مزوّد بتوجيهات للممثلين (an ~ version of a play) § (٣) فن التمثيل المسرحي الخ .

actinic [ăk tĭn'ĭk] *(adj.)* أكتينيّ (را . actinism) .

actinic rays *(n. pl.)* الأشعة الأكتينية .

actinism *(n.)* الأكتينية : قُدْرة في الطاقة المُشعّة على إحداث التغيرات الكيميائية .

actinium *(n.)* الأكتينيوم : عنصر إشعاعي النشاط (ك) .

actinology *(n.)* الأكتينولوجيا : علم أشعة الضوء ، وبخاصة من حيث آثارها الكيميائية .

actinometer *(n.)* الأكتينومتر : جهاز لقياس قوة الاشعاع .

actinomorphic *(adj.)* مُنْتَظَم : ممكن تقسيمه قسمين متماثلين (نب) .

actinomyces *(n.)* الحارش : طفيلي بكتيري يولّد في الماشية مرض الحارش .

actinomycosis *(n.)* مَرَض الحارش : مرض ناشيء عن بعض الطفيليات يُحدث في لسان البقرة خاصة وفي فكّيها قروحاً وأوراماً .

actinon *(n.)* الأكتينون: عنصر غازي ثقيل إشعاعي النشاط (ك) .

actinozoan *(n. ; adj.)* (١) الحيوان الشعاعي : ضرب من الحيوانات البحرية § (٢) شعاعيّ .

action [ăk'shən] *(n.)* (١) دعوى (أمام القضاء) . (٢) تأثير (٣) الأداء: طريقة العمل أو أسلوبه (٤) «أ» عمل ؛ فعل «ب» *pl.* : تصرف ؛ سلوك . «ج» نشاط ؛ فعالية (٥) «أ» معركة . «ب» العمل : سلسلة الأحداث التي تشكّل الأثر الأدبي .

killed in ~, قُتِل في المعركة .

to go into ~, يشرع في القتال .

to take ~, يشرع في عمل ما .

to take *or* bring an ~ against يقيم الدعوى على فلان .

actionable *(adj.)* موجِب لإقامة دعوى (ق) .

activate [ăk'tə vāt] *(vt. ; i.)* (١) يُنشّط ؛ وبخاصة : يجعله حسّاساً للضوء أو ذا نشاط إشعاعي الخ . (٢) يُعِدّ ؛ يجهز : يزوّد وحدة عسكرية بالضباط والعتاد للقتال × (٣) يَنْشَط .

— **activation** *(n.)* — **activator** *(n.)*

activated carbon *(n.)* الكربون المنشّط .

active [ăk'tĭv] *(adj.)* (١) عمليّ ، فعليّ (~ help) . (٢) رشيق ؛ سريع (an ~ gait) (٣) جاهِد : متطلّب جهداً (~ sports) (٤) عامل (an ~ club member) (٥) معلوم (an ~ verb) (٦) دائر ؛ قائم فعلاً (~ hostilities) (٧) فاعل : ميّال إلى الاستفحال (~ tuberculosis) (٨) فعّال (~ powers of the mind) (٩) ناشط ؛ مفعم بالنشاط (an ~ life) (١٠) رائج (an ~ market) .

— **actively** *(adv.)* — **activeness** *(n.)*

active service *(n.)* الخدمة الفعلية : خدمة في الميدان (جن) .

activism *(n.)* مذهب الفعاليّة : مذهب يؤكد على ضرورة اتخاذ الاجراءات الفعّالة أو العنيفة (كاستعمال القوة لتحقيق الأغراض السياسية) .

— **activist** *(n. ; adj.)* — **activistic** *(adj.)*

activity [ăk tĭv'ə tĭ] *(n.)* (١) نشاط (٢) حيوية (٣) فعّالية ؛ فاعلية (٤) ضرب من ضروب النشاط أو حقل من حقوله (social *activities*) .

act of God حادثٌ محتوم ؛ قضاء وقدر (ق) .

actor [ăk'tər] *(n.)* (١) الفاعل ؛ العامل (٢) الممثّل المسرحيّ الخ .

ă at; ā date; â care; ä car; ĕ egg; ē me; ĭ in; ī bite; ŏ lot; ō bone; ô orphan; oi boil o͝o good; o͞o boot; ou out; ŭ under; ū unity; û urgent; th thing; *th* this; zh vision; ə = *a* in alone, *e* in system, *i* in easily, *o* in gallop, *u* in circus.

actress [ăk'trĭs] *(n.)* الممثلة المسرحيّة الخ .

actual [ăk'cho͞o əl] *(adj.)* (١) «أ» فعلي . «ب» واقعي . «ج» حقيقي (~ costs) (٢) حاليّ (the ~ position of the moon).

actuality *(n.)* (١) الفِعليّة : كون الشيء فعلياً (٢) حقيقة ؛ واقع (*actualities* of life).

actualize *(vt. ; i.)* (١) يحقّق (أمراً) ؛ يجعله أمراً واقعاً . ×(٢) يتحقّق .

actually *(adv.)* (١) «أ» فعلاً . «ب» حالياً (٢) في الواقع ؛ حقاً.

actuary [ăk'cho͞o ĕr'ĭ] *(n.)* الخبير بشؤون التأمين .

actuate [ăk'cho͞o āt'] *(vt.)* (١) يشغّل (ماكينة) . (٢) يدفع ؛ يحرك ؛ يحثّ (~*d* by selfish motives).

actuator *(n.)* (١) فا actuate (٢) المُشغِّل الميكانيكي : وسيلة لتشغيل شيء أو ضبطه بطريقة آلية (بدلا من القيام بذلك باليد) .

acuity [ə kū'ə tĭ] *(n.)* حِدة .

aculeate [ə kū'lĭ ĭt; -āt] *(adj.)* شائك ؛ شوكي .

acumen [ə kū'mən] *(n.)* فِطنة (business ~).

acuminate [*adj.* ə kū'mə nĭt', - nāt' ; *v.* ə kū'mə nāt'] *(adj. ; vt. ; i.)* (١) مُستدِق الطَّرَف («نب» و«ح» الخ.) § (٢) يجعله (أو يُصبح) مستدقّ الطَّرَف .

acuminate leaf

acupuncture *(n.)* الوخز بالإبرة (لمعالجة المرض أو تخفيف الألم) .

acute [ə kūt'] *(adj.)* (١) حادّ (an ~ angle; an ~ disease) (٢) حادّ الذهن ؛ ذكي ؛ مرهف الملاحظة (an ~ observer) (٣) قاسٍ ؛ مبرّح (~ pain) (٤) شديد ؛ خطير (an ~ shortage) . **— acutely** *(adv.)* **— acuteness** *(n.)*

ad [ăd] *(n.)* إعلان (وهي مختصر advertisement) .

A. D. (**Anno Domini**) ب . م . : سنة كذا بعد الميلاد .

adage [ăd'ĭj] *(n.)* مَثَل ؛ قولٌ مأثور .

adagio [ə dä'jō; - zhĭ ō'] *(adv. ; adj. ; n.)* (١) بتمهّل . § (٢) متمهّل § (٣) الأمْهَل (مج): علامة موسيقية للتمهّل (٤) حركة أو قطعة موسيقية بطيئة (٥) رقصة باليه ثنائية .

Adam [ăd'əm] *(n.)* (١) آدم (٢) النزعة البشرية إلى الإثم (وتدعى أيضاً the old ~) .

adamant [ăd'ə mănt'] *(n. ; adj.)* (١) الأدَمَنْت : حجرٌ صُلْب زُعم أنه لا يُقطَع (ويُظَنّ أنه الألماس) (٢) كل مادة شديدة الصلابة § (٣) صُلْب ؛ عنيد (٤) قاسي الفؤاد ؛ مقدودٌ من صخر .

adamantine *(adj.)* (١) أدَمَنْتي (٢) صلب ؛ عنيد (٣) ماسيّ الصّلابة أو اللمعان .

Adam's apple *(n.)* الحَرْقَدَة ؛ تفاحة آدم ؛ عُقدة الحنجرة (ت).

Adam's needle *(n.)* إبرة آدم ؛ اليُكّة الخَيْطيّة (نب).

adapt [ə dăpt'] *(vt. ; i.)* (١) يكيّف ؛ يُهايىء . ×(٢) يتكيّف ؛ يتهايأ .

adaptability *(n.)* المُتكيّفيّة ، التكيّفيّة ، التّهايُئيّة .

adaptable *(adj.)* (١) متكيّف ؛ متُهايىء : قابلٌ للتكيّف أو التهايُؤ (٢) قابلٌ للتكييف أو المهايأة .

adaptation *(n.)* (١) تكييف (٢) تكيُّف (٣) تهايُؤ أو تكيف مع البيئة (٤) شيءٌ مكيَّف أو معدَّل ؛ وبخاصة : نسخة من كتاب الخ. كُيِّفت أو عُدِّلت لتفي بغرضٍ معيّن (كتقريب الكتاب إلى أفهام الطلاب الخ .) .

adapter *(n.)* (١) المكيِّف الخ . (٢) الوَصِيْلة . المُهايِئة ؛ أداة للربط بين جزئين من جهاز أو لتكييف جهاز لأغراضٍ لم يُجعَل لها في الأصل .

adaption *(n.)* = adaptation.

adaptive *(adj.)* (١) مكيِّف ؛ مُهايِىء (٢) تكيّفيّ ؛ تهايُؤيّ .

add [ăd] *(vt. ; i.)* (١) يُضيف ؛ يَضمّ (٢) يُضيف قائلاً (٣) يجمع (الأعداد) ×(٤) ينضاف ؛ ينضمّ ؛ ينجمع (٥) يزيد في (to ~ to one's grief) . **— addable** *or* **addible** *(adj.)*

addax [ăd'ăks] *(n.)* المهاة : بقرة وحش كبيرة .

addax

addend [ăd'ĕnd] *(n.)* المضاف : عَدَدٌ يضاف إلى غيره (ر) .

addendum [ə dĕn'dəm] *(n.)* pl.-da (١) إضافة ؛ ضميمة (٢) مُلحق لكتاب الخ. (٣) طرف سنّ الترس (مك).

adder [ăd'ər] *(n.)* (١) المضيف ؛ الضامّ ؛ الجامع (٢) أفعى ؛ صِلّ .

adder's-tongue *(n.)* لسان الحيّة : نوعٌ من السَّراخس ورقُه كلسان الحيّة (نب) .

addict [*v.* ə dĭkt'; *n.* ăd'ĭkt] *(vt. ; n.)* (١) يُدمِن شيئاً ؛ وبخاصة : يُدمِن مخدراً (٢) يغري بتعاطي مخدر (٣) يكرّس (نفسَه) لِ (to ~ oneself to science) § (٤) المدمن .

addicted [ə dĭk'tĭd] *(adj.)* مُدْمِنٌ (أمراً أو عادة) .

addiction *(n.)* إدمان ؛ وبخاصة : إدمان المخدّرات .

addictive *(adj.)* (١) مسبّب الادمان (٢) إدمانيّ : متَّسِم بالإدمان.

adding machine *(n.)* ماكينة الجمع ؛ الالة الجامعة .

Addison's disease *(n.)* داء أديسون : مرض ناشىء عن اضطراب الغدّة الكظرية ويتميّز بالوهن الشديد والهزال وانخفاض ضغط الدم الخ .

addition [ə dĭsh'ən] *(n.)* (١) زيادة (٢) إضافة ؛ جَمْع (٣) ملحق ؛ شيء مضاف ؛ وبخاصة : أجنحة أو غرف تضاف إلى مبنى . in ~ to بالاضافة إلى .

additional [-'ən əl] *(adj.)* إضافي (~ information) .

additive [ăd'ə tĭv] *(adj. ; n.)* (١) جَمْعيّ ؛ إضافيّ . § (٢) المُضافة : مادة تضاف إلى أخرى بمقادير صغيرة لإعطائها خصائص مرغوباً فيها أو لطمس خصائصها البغيضة .

addle [ăd'əl] *(adj.; vt. ; i.)* (١) فاسد (~ eggs) . (٢) مشوَّش § (٣) يُفسِد (٤) يشوّش ×(٥) يفسد (٦) يتشوش.

address [*v.* ə drĕs'; *n.* ə drĕs', ăd'rĕs] *(vt. ; n.)* (١) يوجّه (٢) ينصبّ أو ينكبّ على (She ~*ed* herself to the work in hand.) (٣) يخاطب ؛ يوجّه كلامه إلى (He ~*ed* himself to the chairman.) § (٤) يعَنْوِن (الرّسالة) (٥) لباقة ؛ براعة (handled the matter with ~) (٦) أسلوب الحديث مع شخص آخر (a man of pleasing ~) (٧) *pl.* عد : مغازلة (٨) خطبة ؛ خطاب (٩) عنوان الشخص أو المؤسسة أو الرسالة . to pay one's ~*es* to a lady يتقدم لخطبتها .

addressee [ə drĕ sē'] *(n.)* (١) المخاطَب (٢) المرسَل إليه .

adduce [ə dūs'] *(vt.)* يورِد ؛ يقدم ؛ يُدلي بِ .

adducent *(adj.)* مقرِّب ؛ مقرب نحو المحور (~ muscles) .

adduct [ə dŭkt'] *(vt.)* يقرّب نحو المحور الرئيسي (فس) .

adduction *(n.)* (١) إيراد (دليلٍ) (٢) تقريب نحو المحور (فس) .

-ade لاحقة معناها : (١) عَمَلٌ (cannon*ade*) .
(٢) نِتاج ؛ وبخاصة : شرابٌ حلو (lime*ade*) .

aden - *or* adeno- بادئة معناها : غدّة (*adeno*ma) .

adenoid;-al *(adj.)* (١) غُدّيّ (٢) غُدّانيّ : شبيه بالغُدَد .

adenoids *(n.pl.)* الزائدة الأنفية : نسيجٌ لنفاوي متضخم يعوق التنفس .

adenoma [ăd'ə nō'mə] *(n.)* الورم الغُدّي (مج) :
ورم غير خطير ذو طبيعة غُدّيّة أو أصل غُدّي (مض) .

adenomatous *(adj.)* وَرَمِيّغُدّيّ : متعلّق بورمٍ غُدّي .

adenosine *(n.)* الأدينوسين (كح) .

adept [*n.* ăd'ĕpt; *adj.* ə dĕpt'] *(n. ; adj.)* خبير ؛ ماهر .

adequacy ; adequateness *(n.)* كفاية ؛ وفاءٌ بالمراد .

adequate [ăd'ə kwĭt] *(adj.)* كافٍ ؛ ملائم ؛ وافٍ بالمراد .

adequately *(adv.)* على نحوٍ كافٍ أو ملائم أو وافٍ بالمراد .

adhere [ăd hĭr'] *(vi.)* (١) يشايع ؛ يخلص الولاء لِـ .
(٢) «أ» يلتصق . «ب» يلتحم (٣) يلتزم ؛ يتقيّد بِـ .

adherence [-'əns] *(n.)* (١) مشايعة ؛ موالاة ؛ إخلاص .
(٢) التصاق ؛ التحام (٣) التزام ؛ تقيّد بِـ .

adherent *(adj. ; n.)* (١) دَبِق ؛ لزج ؛ سريع الالتصاق .
(٢) مُلتحِم (أح) § (٣) المشايع ؛ الموالي (٤) النصير .

adhesion [ăd hē'zhen] *(n.)* (١) التصاق (٢) التحام (أح) .

adhesive [ăd hē'sĭv] *(adj. ; n.)* (١) دَبِق ؛ لَزِج ؛ سريع
الالتصاق § (٢) مادة دبقة أو سريعة التماسك (كالغراء والاسمنت) .

adhesive tape *(n.)* الشريط اللاصق أو العازل .

ad hoc *(L.)* خاصّ ؛ مُنشأ لغرض خاصّ (an ~ committee) .

ad hominem *(L.)* مُوجّه إلى مشاعر المرء أو أهوائه لا إلى عقله .

adiabatic *(adj.)* أدياباتيّ : ثابت الحرارة ؛ واقع
من غير خسارة للحرارة أو اكتساب لها (فز) .

adieu [ə dū'; ə dōō'; ȧ dyœ'] *(interj.)* وداعاً !

ad infinitum *(L.)* إلى ما لا نهاية ؛ من غير حدّ .

ad interim *(L.)* (١) في غضون ذلك (٢) موقّتاً ؛ لفترة
(appointed to serve ~) (٣) موقّت (an ~ report) .

adios [ä dyôs'] *(Sp.)* = adieu.

adipose [ăd'ə pōs'] *(adj. ; n.)* (١) دُهنيّ (~ tissues) .
§ (٢) الدهن الحيواني المخزون في أنسجة الجسم الدهنية .
— adiposity *(n.)*

adit [ăd'ĭt] *(n.)* (١) دخول (٢) مَدخل ؛
وبخاصة : سَرَبٌ أو حَفيرٌ أفقيّ (إلى منجم) .

adjacency *(n.)* (١) شيء متاخم (٢) متاخمة ؛ تجاور .

adjacent [ə jā'sənt] *(adj.)* (١) قريب (٢) متاخم ؛ مجاور .

adjacent angles الزاويتان المتجاورتان (هن) .

adjectival [ăj ĭk tī'vəl; ăj'ĭk tĭ vəl] *(adj.)* نَعتيّ .

adjective [ăj'ĭk tĭv] *(adj. ; n.)* (١) نعتيّ ؛ وصفيّ
(the ~ use of a noun) (٢) محتاج إلى مادة مُثبّتة (~ dyes)
(٣) إجرائيّ ؛ متعلق بالاجراءات (~ law) § (٤) نَعت ؛ صفة .

adjoin [ə join'] *(vt. ; i.)* (١) يَضُمّ (٢) يجاور ؛ يحاذي .

adjoining *(adj.)* مجاور ؛ محاذٍ (the ~ room) .

adjourn [ə jûrn'] *(vt. ; i.)* (١) «أ» يُؤجِّل ، يُرجِىء .
«ب» يفضّ (اجتماعاً) ×(٢) ينفضّ (Congress ~*ed* at four o'clock.)

adjournment *(n.)* (١) «أ» تأجيل . «ب» فَضّ .
(٢) «أ» تأجّل . «ب» انفضاض .

adjudge [ə jŭj'] *(vt.)* (١) يحكم (قضائياً) ؛ يقضي بِـ .
(٢) يعتبر (It was ~*d* wise to avoid war.) (٣) يمنح
قضائياً (The prize was ~*d* to the captor.) .

adjudicate *(vt. ; i.)* (١) يحكم (قضائياً) ؛ يقضي بِـ .
×(٢) يقضي بين الناس .

adjudication *(n.)* (١) قضاء ؛ إصدار حكم قضائي (٢) حكم
قضائي ؛ وبخاصة : حُكم بتفليس شخص .

adjunct [ăj'ŭngkt] *(n. ; adj.)* (١) المُلحَق (٢) المساعد .
§ (٣) مساعد (~ professor) .

adjunction *(n.)* ضمّ ؛ إلحاق . **-tive** *(adj.)*

adjuration *(n.)* (١) قَسَمٌ (٢) استحلاف (٣) مناشدة .

adjure [ə jŏŏr'] *(vt.)* (١) يستحلف (٢) يناشد .

adjust [ə jŭst'] *(vt. ; i.)* (١) يُسَوّي (to ~ accounts
or differences) (٢) «أ» ينظّم . «ب» يكيّف . «ج» يعدّل .
«د» يضبط (٣) يحدّد المبلغ الواجب دفعه تعويضاً عن
خسارة (تأ) ×(٤) يتكيّف (٥) ينضبط .
— adjustable *(adj.)* **— adjuster ; adjustor** *(n.)*

adjustment *(n.)* (١) مص adjust (٢) أداة ضبط
أو تعديل (the ~ of a microscope) (٣) توافق (نف) .

adjutancy *(n.)* وظيفة الضابط المساعد للقائد .

adjutant [ăj'ə tənt] *(n.)* (١) ضابط مساعد للقائد .
(٢) المعاون .

adjutant bird *(n.)* أبو سُعْن : طائر
من اللقالق .

adjutant bird

adjuvant [ăj'ə vənt] *(adj. ; n.)* (١) مساعِد § (٢) المساعِد : مادة إضافية
لجعل الدواء أشدّ تأثيراً (ط) .

ad lib *(L.)* من غير قيد أو حدّ .

ad lib *(adj. ; vt. ; i.)* (١) مرتَجَل § (٢) يرتجل .

ad libitum *(L.)* كما يهوى المرء (إشارة موسيقية
تفيد أن طريقة الأداء متروكة لاختيار العازف) .

adman *(n.)* وكيل إعلانات أو مشتغلٌ بها .

admeasure [ăd mĕzh'ər] *(vt.)* (١) يقيس (٢) يحدّد الحصّة .

admeasurement *(n.)* (١) قياس (٢) تحديد الحصة .

administer [ăd mĭn'əs tər] *(vt. ; i.)* (١) يدير ؛ يدبّر .
(٢) «أ» يقيم العدل . «ب» يمنح الأسرار (كن) . «ج» يعطي
دواء . «د» يعاقب . «ه» يحلّف × (٣) يقدّم مساعدة
(٤) يصفّي أملاك متوفى ؛ يدير أملاك قاصر (بتكليف من محكمة) .

administrate *(vt.)* = administer.

administration *(n.)* (١) مص administer .
(٢) إدارة (٣) *cap.* : حكومة .

administrative *(adj.)* (١) إداري (٢) حكومي ؛ تنفيذي .

administrator *(n.)* (١) المصفّي (أو المدير) المنتدَب : شخص
مكلّف من قِبَل المحكمة بتصفية أملاك متوفى أو إدارة أملاك
قاصر (ق) (٢) المدير ؛ رَجُل الادارة (٣) كاهن مكلّف
بادارة أبرشية موقتاً .

admirable [ăd'mə rə-] *(adj.)* رائع ؛ باهر ؛ ممتاز .

admirably *(adv.)* على نحوٍ رائع أو باهر أو ممتاز .

admiral [ăd'mə rəl] *(Ar.)* (١) أمير البحر ؛ أميرال .

ă at; ā date; â care; ä car; ĕ egg; ē me; ĭ in; ī bite; ŏ lot; ō bone; ô orphan; oi boil ŏŏ good; ōō boot; ou out;
ŭ under; ū unity; û urgent; th thing; th this; zh vision; ə = *a* in alone, *e* in system, *i* in easily, *o* in gallop, *u* in circus.

(٢) أميرة الفَراش : ضربٌ من الفَراش .

admiralty *(n.)* إمارة البحر ؛ اميرالية .

admiration *(n.)* (١) إعجاب (٢) موضع إعجاب (She was the ~ of everyone.)

admire [ăd mīr'] *(vt.)* (١) يُعْجَب بـِ (٢) يُكْبِر .

— **admirer** *(n.)* — **admiring** *(adj.)*

admissible *(adj.)* (١) مقبول ؛ مسموحٌ أو مسلَّم به (٢) جدير بالقبول .

— **admissibility** *(n.)*

admission [ăd mĭsh'ən] *(n.)* (١) «أ» تسليم (بقضية لم ينهض دليلٌ حاسمٌ على صحتها) . «ب» اعتراف (بصحة شيء) (٢) «أ» إدخال . «ب» حقّ الدخول أو الإذن به . «ج» رسم الدخول (٣) قبول .

admit [ăd mĭt'] *(vt.)* (١) «أ» يسمح بـِ . «ب» يفسح مجالاً لـِ (This law ~s no exceptions.) (٢) يسلّم بـِ (to ~ the force of an argument) (٣) «أ» يقبله في . «ب» يمنحه حق الدخول (٤) يتّسع لـِ (This theater ~s 700 persons.) (٥) يعترف بـِ (She ~ted her responsibility.)

admittance *(n.)* (١) دخول (٢) «أ» قبول . «ب» الإذن بالدخول .

admitted *(adj.)* مُسلَّم أو مُعترف به .

admittedly *(adv.)* على نحو لا يمكن إنكاره ؛ باعتراف الجميع .

admix [ăd mĭks'] *(vt.)* يَشوب (مج) ؛ يمزج ؛ يخلط .

admixture [- 'chər] *(n.)* (١) «أ» مَزْج ؛ خَلْط . «ب» امتزاج ؛ اختلاط (٢) «أ» المزاج : ما يضاف إلى غيره بالمزج . «ب» نتيجة المزج : مزيج .

admonish [ăd mŏn'ish] *(vt.)* (١) يذكّر بـِ ؛ يحثّ على أداء (to ~ someone about his obligations) (٢) يلوم ؛ يعاتب (٣) ينصح أو يحذِّر .

admonisher *(n.)* (١) المذكِّر الخ . (٢) اللائم (٣) الناصح ؛ المحذِّر .

admonition *(n.)* (١) تذكير (٢) لوم ؛ عتاب (٣) نُصْح ؛ تحذير .

admonitor *(n.)* = admonisher.

admonitory *(adj.)* (١) تذكيريّ (٢) لوميّ (٣) نُصْحيّ ؛ تحذيري .

adnate [ăd'nāt] *(adj.)* مندمج (مج) : نامٍ متحداً مع عضوٍ مختلف عنه («نب» و«أح») .

ad nauseam *(L.)* حتى الغَثَيان ؛ إلى حدّ التقزز .

ado [ə dōō'] *(n.)* لَغَط ؛ ضجة ؛ اهتياج . much ~ about nothing ضجة صاخبة من أجل شيء تافه .

adobe [ə dō'bĭ] *(n.)* (١) لَبِن (٢) طينٌ يُصنع منه اللَّبِن (٣) مَبْنًى من لَبِن .

adolescence *(n.)* (١) المراهَقة (٢) سِنّ المراهقة .

adolescent [ăd'ə lĕs'ənt] *(adj. ; n.)* مُراهِق .

Adonis *(n.)* (١) أدونيس (مث) (٢) شابٌ فائق الجمال .

adopt [ə dŏpt'] *(vt.)* (١) يتبنّى (وبخاصة ولداً) (٢) يتّخذ ؛ يختار (٣) يُقرّ (The House ~ed the report.) .

— **adopter** *(n.)* — **adoption** *(n.)*

adoptive *(adj.)* (١) خاص او متعلّق بالتبنّي . (٢) بالتبنّي (an ~ father *or* son) .

adorable *(adj.)* (١) جدير بالعبادة أو التوقير أو الحبّ (٢) فاتن إلى حدّ بعيد (an ~ child) .

adoration *(n.)* (١) عبادة (٢) توقير (٣) هيام ؛ افتتان .

adore [ə dōr'] *(vt.)* (١) يعبد (٢) يوقِّر (٣) يهيم بـِ .

adorn [ə dôrn'] *(vt.)* يزيّن ؛ يزخرف ؛ يحلّي .

adornment *(n.)* (١) تزيين ؛ زخرفة (٢) زينة ؛ حِلْية .

ad rem *(L.)* ضمن نطاق الموضوع .

adrenal [ə drē'nəl] *(adj.)* (١) مُجاور للكُلْية (٢) كُظْريّ .

adrenalectomy *(n.)* استئصال إحدى الغدّتين الكُظْريّتين أو كلتيهما (جر) .

adrenal gland *(n.)* الكُظْر : الغدّة فوق الكُلْيَة (ت) .

adrenalin *(n.)* (١) الكُظْرين : هرمون تُفْرِزه الغدّة الكُظْرية (٢) الأدرينالين : عقّار متبلّر أبيض محتوٍ على الكُظْرين ويُستعمل منبّهاً للقلب .

adriamycin *(n.)* الأدريياميسين : ضرب من المضادّات الحيوية .

adrift [ə drĭft'] *(adv. ; adj.)* (١) طافٍ من غير مرساة (٢) تحت رحمة الرياح والتيارات ؛ على غير هدى ؛ بلا هدف .

adroit [ə droit'] *(adj.)* (١) حاذق يدوياً (٢) بارع ؛ داهية .

— **adroitly** *(adv.)* — **adroitness** *(n.)*

adscititious [ăd'sə tĭsh'əs] *(adj.)* إضافيّ .

adscript *(adj.)* (١) مرتبط بالأرض (~ serfs) (٢) مكتوبٌ بَعْدُ .

adsorb [ăd sôrb'] *(vt.)* يَمْتَزّ (مج) : يكثّف جُزَيْئات الغاز ويلصقها بسطحه الصلب .

— **adsorption** *(n.)*

adsorbent *(adj. ; n.)* مُمْتَزّ : مكثِّف لجزيئات الغاز الخ .

adulate [ăj'ə lāt'] *(vt.)* يتزلّف ؛ يتملّق ؛ يداهن .

— **adulation** *(n.)* — **adulator** *(n.)*

— **adulatory** *(adj.)*

adult [ə dŭlt'; ăd'ŭlt] *(adj. ; n.)* (١) بالغ ؛ راشد . (٢) خاصّ بالبالغين § (٣) البالغ سنّ الرشد .

adulterant *(n. ; adj.)* (١) الغاشّة : مادة تُستعمل في الغش . § (٢) غاشّ (~ processes) .

adulterate [*v.* ə dŭl'tə rāt; *adj.* ə dŭl'tər it, -rāt] *(vt. ; adj.)* (١) يَمْذُق (مج) : يغشّ (to ~ milk with water) § (٢) مغشوش ؛ زائف (٣) adulterous .

adulteration *(n.)* (١) مَذْقٌ ؛ غِشّ (٢) سلعة مغشوشة .

adulterer [ə dŭl'tər ər] *(n.)* الزّاني .

adulteress [ə dŭl'tər ĭs] *(n.)* الزّانية .

adulterine *(adj.)* (١) مغشوش ؛ مزيَّف (٢) غير شرعي .

adulterous *(adj.)* زِناويّ : خاص بالزنا أو ميال اليه .

adultery [ə dŭl'tə rĭ] *(n.)* زِناً .

adulthood *(n.)* (١) حالة البلوغ (٢) سِنّ البلوغ .

adumbrate *(vt.)* (١) يشير أو يرمز إلى (وبخاصة إلى حادثة ستقع) (٢) يظلّل .

adunc; aduncous *(adj.)* أعقف ؛ معقوف .

adust [ə dŭst'] *(adj.)* (١) محروق ؛ مسفوع (٢) كئيب .

ad valorem *(L.)* حَسَبَ القيمة (كالرسم الجمركي يحدَّد على أساس القيمة المنصوص عليها في الفاتورة) .

advance [ăd văns'; -väns'] *(vt. ; i. ; n. ; adj.)* (١) يدفع إلى أمام (٢) يعجّل نموّ شيء أو تقدمه (٣) يحسّن ؛ يرقّي (٤) يُسلّف (٥) يقدّم (رأياً أو اقتراحاً) (٦) يزيد ؛ يرفع (to ~ the price) × (٧) يتقدّم (Troops ~d.) (٨) يتحسن ؛ يترقّى (٩) يرتفع (من حيث المقام أو الأهمية أو السعر الخ.) . § (١٠) تقدّم (١١) تحسّن ؛ ترقٍّ (١٢) ارتفاع (في القيمة أو السعر أو الكمية) (١٣) «أ» عرض للصداقة أو التفاهم . «ب» خطوة إلى الأمام (١٤) «أ» تسليف

ă at; ā date; â care; ä car; ĕ egg; ē me; ĭ in; ī bite; ŏ lot; ō bone; ô orphan; oi boil; ŏŏ good; ōō boot; ou out; ŭ under; ū unity; û urgent; th thing; *th* this; zh vision; ə = *a* in alone, *e* in system, *i* in easily, *o* in gallop, *u* in circus.

(an ~ payment) «ب» سُلْفة § (١٥) مُنْجَز أو مدفوع مقدَّماً
(the ~ section of a train) (١٦) أماميّ .
in ~, مقدَّماً ؛ سلفاً .
advanced *(adj.)* (١) مقدَّم أو موضوع في المقدّمة (with foot ~) (٢) متقدِّم في السنّ أو في تحصيل العلم (٣) عالٍ (~ studies) (٤) تقدُّمي (~ views) .
advancement *(n.)* (١) مص advance (٢) تقدّم (٣) ترقية ؛ تعزيز .
advantage [ăd văn'tĭj] *(n.; vt.)* (١) أفضليّة (٢) مصلحة ؛ فائدة (٣) ميزة ؛ حَسَنَة § (٤) يفيد .
to ~, بطريقة تُظهر مزايا الشيء .
to take ~ of an opportunity ينتهز فرصة .
to take ~ of somebody يخدعه ؛ يحتال عليه .
advantageous *(adj.)* مفيد؛ مساعد ؛ مؤاتٍ .
advantageously *(adv.)* على نحو مفيد أو مساعد أو مؤاتٍ .
advection *(n.)* حركة الهواء الأفقية (المحدثة تغيّراً في الحرارة الخ.)
advent [ăd'vĕnt] *(n.)* (١) *cap.* : أيام الآحاد الأربعة السابقة للميلاد (نص) (٢) *cap.* : مجيء المسيح إلى العالم ثانية (٣) حلول ؛ ورود (~ of spring) .
Adventism *(n.)* المجيئية ؛ السَّبْتيّة : المذهب القائل بأن مجيء المسيح ثانية ونهاية العالم أمسيا قريبَيْن .
Adventist *(adj.; n.)* مَجيئيّ ؛ سَبْتيّ .
adventitious [ăd'vən tĭsh'əs] *(adj.)* (١) عَرَضيّ (٢) طارىء؛ عارض ؛ أحمق : ناشىء في موضع من النبات لم يُؤلَف ظهوره فيه (an ~ bud) .
adventive [ăd vĕn'tĭv] *(adj.; n.)* (١) غير بلدي («نب» و«ح») (٢) adventitious 2 § (٣) نبات أو حيوان غير بلدي .
adventure [ăd vĕn'chər] *(n.; vt.; i.)* (١) مغامرة ؛ مجازفة (٢) خبرة أو تجربة مثيرة (٣) مغامرة أو مجازفة مالية § (٤) يغامر ؛ يجازف .
adventurer *(n.)* المغامر ؛ المجازف (في الحرب أو التجارة) .
adventuresome *(adj.)* = adventurous.
adventuress [ăd vĕn'chər ĭs] *(n.)* المغامرة ؛ وبخاصة : المرأة الساعية إلى اكتساب الرزق أو المنزلة الاجتماعية بأساليب مشبوهة .
adventurous [-'chər-] *(adj.)* (١) مُغامر ؛ جسور (٢) خطِر ؛
adverb [ăd'vûrb] *(n.; adj.)* (١) حال ؛ ظَرْف (ل) § (٢) حاليّ ؛ ظَرْفيّ (ل) .
adverbial [ăd vûr'bĭ əl] *(adj.)* حاليّ ؛ ظَرْفيّ (ل) .
ad verbum *(L.)* حرفياً ؛ حرفاً بحرف .
adversarial *(adj.)* مُخاصِم ؛ مُعادٍ ؛ مُناوئ .
adversary [ăd'vər sĕr'ĭ] *(n.)* خَصْم ؛ عدوّ .
adversative *(adj.; n.)* (١) استدراكي § (٢) حرف استدراك (ل) .
adverse [ăd vûrs'] *(adj.)* (١) مُعادٍ ؛ مناوىء (~ to slavery) (٢) معاكس ؛ غير ملائم أو مؤاتٍ (~ winds) (٣) مقابل (the ~ page) (٤) متجه نحو الجذع (~ leaves)
adversity *(n.)* شدّة ؛ مِحْنة ؛ ضرّاء ؛ حظّ عاثر .
advert [ăd vûrt'] *(vi.)* يشير ؛ يلفت الانتباه إلى .
advert [ăd'vərt] *(n.)* إعلان (عب) .
advertent [ăd vûr'tənt] *(adj.)* متيقّظ ؛ مُنْتَبِه .
— **advertence; advertency** *(n.)*

advertise [ăd'vər tīz'] *(vt.; i.)* (١) يُعْلِم ؛ يحيطه علماً بـ (I ~ *d* him of my intention.) (٢) يعلن (بواسطة الصحافة الخ.)
advertisement *(n.)* (١) الاعلان عن السلع الخ. (٢) إعلان.
advertising *(n.)* (١) الإعلان عن السلع الخ. (٢) إعلانات. (٣) صناعة الإعلان.
advice [ăd vīs'] *(n.)* (١) نصيحة (٢) *pl.* عد: أنباء. وبخاصة عن التجارة أو الشؤون الخارجية (late ~*s* from Italy)
advisable *(adj.)* مُسْتَصْوَب؛ مُسْتَحْسَن.
— **advisability** *(n.)*
advise [ăd vīz'] *(vt.; i.)* (١) «أ» ينصح. «ب» يحذّر. «ج» يوصي أو يشير (على شخص) بـ (He ~ *d* secrecy.) (٢) يعْلِم ؛ يُخْطِر (The merchant was ~*d* of the risk.) ×(٣) يتشاور مع (to ~ with friends).
advised *(adj.)* (١) مدروس ؛ مرويّ فيه (٢) مطّلِع على .
advisedly *(adv.)* بأناة ؛ بِرَوِيّة ؛ عن عمد .
advisement *(n.)* روية ؛ تفكير طويل (took a matter under ~)
adviser *or* **advisor** *(n.)* (١) الناصح الخ. (٢) المرشد ؛ المشير.
advisory *(adj.; n.)* (١) استشاري § (٢) تقرير (عن الأحوال الجوية).
advocacy; advocation *(n.)* دفاع ؛ تأييد.
advocacy journalism *(n.)* صحافة الرأي: الصحافة التي تدعو الى قضية أو تعبّر عن وجهة نظر.
advocate [*v.* ăd'və kāt'; *n.* ăd'və kĭt',- kāt'] *(vt.; n.)* (١) يدافع عن ؛ يؤيد § (٢) المحامي (أمام القضاء) (٣) المؤيد (لقضية أو اقتراح) .
adynamia [ăd'ə nā'mĭ ə] *(n.)* الوَهَن ؛ ضَعْف الحيوية .
adynamic *(adj.)* (١) وَهَنيّ (مج) : خاصّ بالوَهَن . (٢) واهن ؛ ضعيف .
adytum [ăd'ə təm] *(n.)* pl. **adyta** (١) المَقْدِس : موضع مقدّس في المعابد القديمة لا يدخله إلا الكهنة (٢) حَرَم .
adz *or* **adze** [ădz] *(n.; vt.)* (١) قَدوم . § (٢) يقطع أو يَنْجر بالقَدوم .

adz

aëdes [ā ē'dēz] *(n.)* بعوضة الحمّى الصفراء وحمّى الضَنْك .
aedile [ē'dīl] *(n.)* المحتسب : موظف روماني مكلّف بالاشراف على الأشغال العامة والألعاب والشرطة والتموين
Aegean [ē jē'ən] *(adj.)* إيجي : منسوب إلى بحر إيجه .
aegis [ē'jĭs] *(n.)* (١) دِرْع (٢) حماية (٣) رعاية .
Aeneolithic *(adj.)* اينيوليثي : خاصّ بفترة انتقالية بين العصر الحجري الحديث (Neolithic Age) وعصر البرونز استُعْمِل فيها بعض النحاس (جي) .
aeolian [ē ō'lĭ ən] *(adj.)* (١) *cap.* : عولسيّ : منسوب إلى عولس إله الرياح (٢) ريحيّ .
aeolian harp *or* **aeolian lyre** *(n.)* قيثارة عولس ؛ قيثارة الريح (مو) .

aeolian harp

aeolotropic *(adj.)* = anisotropic 1.
Aeolus [ē'ə ləs] *(n.)* عولس: إله الرياح .
aeon [ē'ən; ē'ŏn] *(n.)* دهر ؛ فترة لانهائية .
aer- *or* **aero-** بادئة معناها: «أ» هواء. «ب» غاز. «ج» طيران.
aerate [âr'āt; ā'ə rāt] *(vt.)* (١) يُشْبِع الدم بالأكسجين

ă at; ā date; â care; ä car; ĕ egg; ē me; ĭ in; ī bite; ŏ lot; ō bone; ô orphan; oi boil oo good; ōō boot; ou out; ŭ under; ū unity; û urgent; th thing; th this; zh vision; ə = a in alone, e in system, i in easily, o in gallop, u in circus.

(بواسطة التنفس) (٢) يهوّي : يُشْبع بالهواء (٣)يُغوّز : «أ» يُشْبع بالغاز . «ب» يجعله فوّاراً .

aerator *(n.)* (١) فا aerate (٢) المُهَوِّية: جهاز للإشباع بالهواء.

aerial [*adj.* âr'-, ā ir'- ; *n.* âr'-] *(adj. ; n.)* (١) «أ» هوائي ؛ جوّي . «ب» شاهق (٢) «أ» لطيف ؛ رقيق. «ب» خياليّ ؛ أثيري (٣) طيرانيّ: خاص أو متعلق بفن الطيران § (٤) الهوائي ؛ الأنتين (رد) (٥) رمية للكرة في اتجاه « هدف » الخصم .

aerialist *(n.)* البهلوان الجوّي (وبخاصة بالأرجوحة الطائرة) .

aerial ladder *(n.)* سُلّم مطافيء ميكانيكي (مركّب على سيارة) .

aerial perspective *(n.)* منظور جوّي (مج) .

aerial photograph *(n.)* صورة جوية (مأخوذة بالطائرة) .

aerial railway *(n.)* السكّة المعلّقة : شريط أو سلك يمدّ من نقطة إلى أخرى عبر الأنهار أو الأودية لنقل الأثقال .

aerial surveying *(n.)* المَسْح الجوي .

aerial torpedo *(n.)* الطربيد الطائر : قنبلة ضخمة مجنّحة .

aerie [ăr'ĭ; ĭr'ĭ] *(n.)* (١) وكر نَسْر الخ . (٢) بيتٌ فوق مُرتفَع .

aerification *(n.)* (١) تهوية ؛ تشبيع بالهواء (٢) تشبّع بالهواء .

aeriform *(adj.)* (١) هوائي ؛ غازيّ (٢) وهميّ .

aerify *(vt.)* (١) يهوّي ؛ يُشْبِع بالهواء (٢) يحوّل إلى بخار .

aero [âr'ō] *(adj.)* طيراني : خاص بالطيران (an ~ club) .

aero- = aer - .

aerobatics *(n. pl.)* بهلوانيات جوية .

aerobe [âr'ōb] *(n.)* الميكروب الحَيْهَوائي (مج): بكتير لا يعيش إلا بوجود الأكسجين .

aerobic [â rō'-] *(adj.)* حَيْهَوائيّ : عائش أو ناشط أو حادثٌ في حال وجود الأكسجين فقط .

aerobics [â rō'bĭks] *(n. pl.)* الرياضة الأكسجينية ؛ الرياضة الهوائية : تدريب بدني يقوّي جهاز التنفس والدورة الدموية .

aerobic respiration *(n.)* التنفس الهوائي (مج) .

Aerobie [ā rô'bē] *(n.)* لعبة على شكل حَلقة تُرمى في الهواء .

aerobiosis *(n.)* الحَيْهَوائية: الحياة بوجود الهواء أو الأكسجين .

aerodrome [âr'ə drōm'] *(n.)* مطار .

aerodynamic *(adj.)* ايرودينامي : متعلّق بالديناميكا الهوائية .

aerodynamics *(n.)* الايرودينامِيات : الديناميكا الهوائية : فرع من علم الديناميكا يبحث في حركة الهواء والسوائل الغازية الأخرى وفي القوى المؤثرة في الأجسام المتحركة عبر الهواء الخ .

aerogram *or* **aerogramme** *(n.)* رسالة جوية .

aerography *(n.)* = meteorology.

aerolite *also* **aerolith** *(n.)* نَيْزك جوّي (فل) .

aerology *(n.)* (١) meteorology (٢) علم الهواء .

aeromechanic *(n. ; adj.)* (١) خبير أو مهندس طيران . § (٢) ميكانيكيّ جوي : خاص بالميكانيكا الجوية .

aeromechanics *(n.)* الميكانيكا الجوية : علم توازن الهواء أو حركته .

aeromedicine *(n.)* الطبّ الجوّي : فرع من الطبّ يبحث في الأمراض والاضطرابات الناشئة عن الطيران . وفي المشكلات الفسيولوجية والنفسية المتصلة بها .

aerometer *(n.)* ميزان الهواء : أداة لقياس وزن الهواء أو كثافته .

aeronaut [âr'ə nôt'] *(n.)* (١) الملاّح الجوي (٢) المسافر جوّاً .

aeronautical *or* **aeronautic** *(adj.)* طيرانيّ : متعلق بعلم الطيران .

aeronautics *(n.)* الطَّيَرانيّات : علم أو فن الطيران .

aeroneurosis *(n.)* العُصاب الجوّي (ط) .

aeroplane *(n.)* طائرة (عند الانكليز خاصة) .

aerosol [âr'ə sōl] *(n.)* الهباء الجوي ؛ دخان ؛ ضباب .

aerospace *(n.)* جوّ الأرض والفضاء الذي وراءه .

aerosphere *(n.)* الهواء المحيط بالأرض .

aerostat [âr'ə stăt'] *(n.)* مُنطاد ؛ سفينة هوائية .

aerostatics *(n.)* الايروستاتيات : علم توازن الهواء والغازات الأخرى وتوازن الأجسام المغمورة فيها .

aery *(adj. ; n.)* (١) aerial (٢) § aerie .

Aesculapian *(adj. ; n.)* (١) طِبّي § (٢) طبيب .

aesthete [ĕs'thēt] *(n.)* مُحبّ الجمال . وبخاصة في الفن .

aesthetic [ĕs thĕt'ĭk] *or* **aesthetical** *(adj.)* (١) «أ» جَماليّ . «ب» فنّي (٢) محبّ للجمال .

aestheticism *(n.)* (١) الجماليّة : القول بأن مبادىء الجمال أساسية وبأن المبادئ الأخرى ، كمبادىء الخير الخ . مشتقة منها . (٢) التعبّد للفنّ والموسيقى والشعر . واللامبالاة بالشؤون العملية .

aesthetics [ĕs thĕt'ĭks] *(n.)* (١) علم الجمال (٢) وصف وتفسير الظواهر الفنية والتجربة الجمالية بواسطة العلوم الأخرى (كعلم النفس وعلم الاجتماع والتاريخ الخ .) .

aestival [ĕs'tə vəl] *(adj.)* صَيْفيّ .

aestivate [-vāt'] *(vi.)* يتصيّف : يقضي الصيف في حالة خَدَر وفَقْد حس (ح) .

aestivation *(n.)* (١) التصيُّف (مج) : قضاء الصيف في حالة خَدَر (ح) (٢) الالتفاف الزَّهْري (مج) : حالة الأوراق الزهرية من حيث ترتيبها في البرعم (نب) .

afar [ə fär'] *(adv.)* (١) من بُعْد (٢) بعيداً .

afeard *or* **afeared** *(adj.)* خائف (ع) .

affability; affableness *(n.)* الأُنس ؛ الدّماثة ؛ عذوبة المعاشرة .

affable [ăf'ə bəl] *(adj.)* أنيس ؛ دمث ؛ عَذْب المعاشرة .

affably *(adv.)* بأنس ؛ بدماثة ؛ على نحو مُتّسم بعذوبة المعاشرة .

affair [ə fâr'] *(n.)* (١) *pl.* : شؤون تجارية أو مِهْنية أو عامة (٢) مسألة ؛ أمر ؛ شأن (٣) **affaire** أيضاً : «أ» علاقة غرامية قصيرة الأجل ، علاقة جنسية غير شرعية . «ب» مسألة (أو فضيحة) تثير قلقاً أو جدلا عامّين .

affaire d'amour; affaire de cœur *(F.)* مسألة غرامية .

affaire d'honneur *(F.)* مسألة شرف ، وبخاصة : مبارزة .

affect [ə fĕkt'] *(n. ; vt.)* (١) شعور ؛ عاطفة § (٢) يولع بِـ (٣) يتظاهر بِـ (٤) «أ» يتكلّف ؛ يتصنع . «ب» يقلّد ؛ يحاكي (٥) ينزع إلى (٦) يختار ؛ يفضّل (٧) يألف ؛ يوجَد عادة في (وبخاصة للحيوانات والنباتات) (٨) يؤثّر في (٩) يحرّك المشاعر .

affectation *(n.)* (١) تظاهر بِـ (٢) تكلّف ؛ تصنّع ؛ تعمّل .

affected [ə fĕk'tĭd] *(adj.)* (١) ميّال إلى (well ~ toward a project) (٢) متكلّف (an ~ accent) (٣) متصنع (an ~ lady) (٤) متأثر (He was deeply ~ by...) (٥) مُصاب بِـ (~ with gout) .

affecting *(adj.)* مؤثّر ؛ مثير للعواطف (an ~ sight) .

affection [ə fĕk' shən] *(n.)* (١) عاطفة ؛ شعور (٢) تعلّق ؛ حبّ (٣) الوجدان (نفس) (٤) ميل ؛ نزوع (٥) تأثير ؛ تأثّر (٦) «أ» حالة جسدية . «ب» مرض (pulmonary ~) «ج» صفة ؛ خاصيّة (Figure, weight, etc. are ~s of bodies.) — **affectional** *(adj.)*

ă at; ā date; â care; ä car; ĕ egg; ē me; ĭ in; ī bite; ŏ lot; ō bone; ô orphan; oi boil oo good; ōō boot; ou out; ŭ under; ū unity; û urgent; th thing; th this; zh vision; ə = *a* in alone, *e* in system, *i* in easily, *o* in gallop, *u* in circus.

affectionate [ə fĕk'shən ĭt] *(adj.)* (١) محبّ ؛ حنون (your ~ mother) (٢) رقيق (an ~ embrace).
affective *(adj.)* (١) عاطفي (٢) مؤثّر ؛ مثير للعاطفة .
afferent *(adj.)* مُورِد : ناقلٌ نحو مركز عصبيّ (فس) .
affiance [ə fī'əns] *(n. ; vt.)* (١) ثقة ؛ اعتماد (٢) خِطْبة. § (٣) يخطب (فتاة) .
— **affianced** *(adj.)*
affiant [ə fī'ənt] *(n.)* شاهد محلّف (وبخاصة خطيّاً) .
affidavit [ăf'ə dā'vĭt] *(n.)* شهادة خطيّة بقَسَم (ق) .
affiliate [*v.* ə fĭl'ĭ āt'; *n.* ə fĭl'ĭ ĭt, -āt'] *(vt. ; i. ; n.)* (١) «أ» يضمّ إلى ؛ يدمج (~*d* organizations) . «ب» يتبنّى ولداً. «ج» ينتسب كعضو (~*d* herself with the local club) (٢) «أ» يتتبّع أصل شيء. «ب» يحدّد أبوة ولد غير شرعي. «ج» ينسب ولداً إلى فلان (٣) ينضم أو ينتسب إلى § (٤) مؤسسة فرعية الخ .
— **affiliation** *(n.)*
affined [ə fīnd'] *(adj.)* متصل أو مرتبطٌ بـ .
affinity [ə fĭn'ə tĭ] *(n.)* (١) مصاهرة (٢) صلة ؛ نَسَب (٣) «أ» الانجذاب : صلة روحية بين شخص وآخر (وبخاصة من الجنس الآخر) . «ب» شخص من الجنس الآخر ذو جاذبية خاصة (٤) الأُلْفَة : قوة تحمل ذرات الأجسام المختلفة في طبيعتها على الاتحاد لتشكّل مركّباً ما (ك) (٥) «أ» شَبَه . «ب» القرابة (مج) : صلة بين الطوائف البيولوجية تنطوي على شبه في البِنْيَة العامة وتدلّ على وحدةِ أصلٍ (أح) .
affirm [ə fûrm'] *(vt. ; i.)* (١) يُثْبِت ؛ يوءكّد . (٢) تُقِرّ (المحكمةُ العليا) حكماً صادراً عن محكمة دنيا (ق) ×(٣) يجزم ؛ يقرّر (٤) يشهد أو يعلن موءكّداً (أمام محكمة ولكن من غير قَسَم) .
—**affirmable** *(adj.)*
— **affirmance** *(n.)*
affirmation *(n.)* (١) «أ» إثبات ؛ توكيد . «ب» شيء مُثْبَت أو موءكّد (٢) شهادة يوءديها في المحكمة (تحت طائلة العقوبة في حال الكذب) شخص يرفض أداء اليمين لاعتبارات ضميرية أو دينية الخ .
affirmative *(adj. ; n.)* (١) إيجابي ؛ غير سلبيّ (an ~ answer) § (٢) إيجاب (Fifty votes were in the ~.) (٣)قضية مُوجَبَة (مق) (٤) الجهة الموءيّدة (لقضية تُبحث في مناظرة) .
affix [*v.* ə fĭks'; *n.* ăf'ĭks] *(vt. ; n.)* (١) يُلصق (طابعاً على رسالة الخ .) (٢) يُضيف (توقيعاً إلى وثيقة الخ .) (٣) يضع (ختمه على) § (٤) لاحقة أو بادئة (تزاد على كلمة) (٥) ملحق ؛ إضافة .
afflatus [ə flā'təs] *(n.)* وَحْي ؛ إلهام .
afflict [ə flĭkt'] *(vt.)* يُحزن ؛ يبتلي ؛ يُوجِع .
affliction *(n.)* (١) حزن ؛ أسى ؛ ألم (٢) بلوى ؛ مَرَض الخ .
afflictive *(adj.)* مُحزِن ؛ مُوءْس ؛ موءلم .
affluence *(n.)* (١) وفرة ؛ فيض (٢) غنى ؛ بحبوحة (٣) تدفّق .
affluent [ăf'lōō ənt] *(adj. ; n.)* (١) وافر (٢) غنيّ (an ~ person) (٣) فيّاض ؛ متدفق (an ~ fountain) § (٤) نُهَيْر ؛ رافد .
afflux *(n.)* (١) تدفّق (٢) دَفْق (an ~ of blood) .
afford [ə fōrd'] *(vt.)* (١) يتحمّل (could not ~ the loss) (٢) يقدر على شراء شيء (He can't ~ a car.) (٣)يعطي ؛ ينتج (Olives ~ oil) (٤) يمنح ؛ يزود بـ ، وبخاصة كنتيجة طبيعية (A good life ~*s* consolation in old age.)
afforest [ə fôr'ĭst] *(vt.)* يُشجِّر ؛ يحرج .
affranchise [ə frăn'chīz] *(vt.)* يحرّر ؛ يعتق .
affray [ə frā'] *(n.)* شِجار ؛ عراك صاخب .
affright [ə frīt'] *(vt. ; n.)* (١) يروّع § (٢) ذُعر .
affront [ə frŭnt'] *(vt. ; n.)* (١) يهين (٢) يتحدى (to ~ death) § (٣) إهانة .
affusion *(n.)* سَكْبٌ ؛ صَبّ .
afghan [ăf'gən] *(n. ; adj.)* (١) *cap.* : الأفغانيّ : أحد أبناء أفغانستان (٢) *cap.* : اللغة الأفغانية (٣) بطانيّة ملوّنة (٤) سجادة كبيرة § (٥) *cap.* : أفغانيّ .
afghani *(n.)* الأفغاني : وحدة النقد الأفغاني .
afield *(adv.)* (١) في الحقل أو اليه (٢) خارجَ الوطن (٣) شارداً.
afire [ə fīr'] *(adj. ; adv.)* (١) مشتعل § (٢) مشتعلاً .
aflame *(adj.; adv.)* (١) مشتعل ؛ ملتهب § (٢) مشتعلاً ؛ ملتهباً .
afloat [ə flōt'] *(adj. ; adv.)* (١) «أ» طافٍ ؛ عائم «ب» في البحر ؛ على متن السفينة (٢) ذو اكتفاء ذاتي (٣) «أ» ذائع ؛ شائع (A rumor is ~.) . «ب» جارٍ على غير هدى (Our affairs are all ~.) . «ج» مغمور بالماء (The decks are ~.) § (٤) طافياً ؛ عائماً الخ .
aflutter [ə flŭt'ər] *(adj.)* (١) مرفرف (٢) مهتاج عصبياً .
afoot [ə fŏŏt'] *(adv.)* (١) مشياً على القدمين (٢) جارياً مجراه.
afore [ə fōr'] *(adv.; prep. ; conj.)* = before.
aforementioned; aforesaid *(adj.)* مذكورٌ آنفاً .
aforethought *(adj. ; n.)* (١) مُبيَّت ؛ مُدبَّر §(٢) تعَمُّد .
aforetime *(adv. ; adj.)* (١) سابقاً § (٢) سابق .
a fortiori *(L.)* بالأحرى ؛ من باب أوْلى .
Afr- or Afro- بادئة معناها : افريقيّ (*Afro*-Asiatic) .
afraid [ə frād'] *(adj.)* (١) خائف (٢) متأسف (I am ~ I can't lend you £ 200.) (٣) راغبٌ عن ؛ غير راغب في (~ of hard work) .
afreet *or* **afrit** *(Ar.)* عِفريت (في الأساطير العربية) .
afresh [ə frĕsh'] *(adv.)* من جديد ؛ كرةً أخرى .
African [ăf'rə kən] *(adj. ; n.)* (١) افريقي (٢) زنجيّ .
Africanist *(n.)* العالِم باللغات أو الثقافات الافريقية .
Afrikaner *(n.)* الافريقاني : شخص جنوبأفريقي من أصل أوروبي.
Afro-American *or* **Aframerican** *(adj. ; n.)* أميركي من أصل افريقي وبخاصة من أصل زنجي .
aft [ăft ; äft] *(adv. ; adj.)* (١) قربَ أو نحو أو في موءخّرِ سفينةٍ أو ذيل طائرة § (٢) خلفيّ .
after [ăf'tər ; äf'-] *(adv. ; prep. ; adj.)* (١) في ما بعد (٢)في الموءخرة (He came tumbling ~.) § (٣) خَلْف ؛ وراء (٤) بَعْدَ ؛ عقِب (٥) في إثر (ran ~ her) (٦) وفقاً لـ ؛ بمُقتضَى ؛ بحسب (~ their intrinsic value) (٧) على غرار (to make a picture ~ Rubens) (٨)بشأن ؛ عن (to inquire ~ a person) § (٩) تالٍ ؛ قادم (in ~ years) (١٠) خلفيّ (the ~ cabin).
He was named ~ his father سُمّي باسم والده (تيمّناً به) .
to take ~, يُشْبِه (فلاناً) .
afterbirth *(n.)* المَشيمة ؛ الحَبْل السّرّي ؛ «الخلاص» .

ă at; ā date; â care; ä car; ĕ egg; ē me; ĭ in; ī bite; ŏ lot; ō bone; ô orphan; oi boil ŏŏ good; ōō boot; ou out; ŭ under; ū unity; û urgent; th thing; t͟h this; zh vision; ə = *a* in alone, *e* in system, *i* in easily, *o* in gallop, *u* in circus.

afterbrain *(n.)* = metencephalon.

aftercare *(n.)* العناية بالناقهين.

afterclap *(n.)* الضّربة التّلْويّة : حادثة غير مرتقبة (بغيضةٌ عادة) تتلو مسألة يُفترض أنها منتهية.

afterdamp *(n.)* الغاز السّمّيّ المتخلّف : مزيجٌ غازيّ سامّ يبقى ، بعد انفجار ما ، في منجم.

aftereffect *(n.)* العُقْبول ؛ النتيجة المتلكّئة : «أ» نتيجة تعقب سببها بعد فترة قصيرة. «ب» نتيجة ثانوية تظهر (في حالات التخدير الخ.) بعد أن يكون الأثر الأول قد زال.

afterglow *(n.)* (١) الشّفَق : حمرة تُرى في الأفق بُعَيْدَ المغيب (٢) انعكاس لمجد قديم او عاطفة قديمة.

afterimage *(n.)* الصّورة التّلْويّة : إحساسٌ بصريّ عادةً يحدث بعد أن يكون المنبّه الخارجيّ الذي سبّبَهُ قد كفّ عن العمل.

afterlife *(n.)* (١) الآخرة ؛ الحياة بعد الموت (٢) الشيخوخة.

aftermath *(n.)* (١) الجزّة الثانية (من عشب) (٢) عقبول ؛ نتيجة ؛ آثار حادثة ما ؛ وبخاصة : آثار كارثة.

aftermost *(adj.)* (١) الأقرب إلى مؤخر السفينة (٢) الأخير.

afternoon *(n.; adj.)* (١) الأصيل ؛ بعد الظهر (٢) الجزء الأخير من (the ~ of life) § (٣) أصيليّ (~ shadows).

afterpains *(n. pl.)* الحسّ (مج) : الألم بعد الولادة.

afterpart *(n.)* جزء تالٍ ؛ جزء خلفيّ.

afterpiece *(n.)* المسرحية التّلْويّة : تمثيلية قصيرة (هزليةٌ عادةً) تقدَّم بعد المسرحية الرئيسية.

aftershave *(n.)* كولونيا بعد الحلاقة.

aftertaste *(n.)* المذاق المتخلّف (الباقي في الفم بعد طعام أو شراب).

afterthought *(n.)* الفكرة التّلْويّة : فكرة تخطر في البال في ما بعد ؛ تفسير أو جواب أو وسيلة تخطر في البال متأخّرة.

aftertime *(n.)* المستقبَل.

afterward *or* **afterwards** *(adv.)* بعدئذٍ ؛ في ما بعد.

afterworld *(n.)* الآخرة ؛ العالم الآخر.

again [ə gĕn'; ə gān'] *(adv.)* (١) ردّاً على (to answer ~) (٢) ثانية ؛ من جديد (٣) من ناحية ثانية (٤) وفوق ذلك ؛ وإلى هذا.
 ~ and ~, تكراراً ؛ مرة بعد مرّة.
 now and ~, أحياناً.
 as much (many) ~, مضاعفةً ؛ بنسبة الضّعف.

against [ə gĕnst'; ə gānst'] *(prep.)* (١) تُجاه ؛ قُبالة ؛ نَحْوَ (٢) «أ» ضدّ (~ reason) «ب» من (protection ~ thieves) (٣) بالمقابلة ؛ بالمغايرة مع (Pine trees were black ~ the morning sky.) (٤) استعداداً لِـ (money saved ~ a rainy day) (٥) «أ» على (The rain was beating ~ the window.) «ب» إلى ؛ على (to lean ~ a wall) (٦) «أ» مقابل ؛ ضد (thirty votes ~ twenty). «ب» لقاء ؛ مقابل (to draw ~ merchandise shipped).

agama [ăg'ə mə] *(n.)* العَضْرَفوط ؛ أم حُبَيْن ؛ الحُبَيْنة : جنس من العِظاء (ح).

agamic *or* **agamous** *(adj.)* لاتزاوجي (مج) ؛ لا تناسلي.

agamogenesis *(n.)* التكاثر اللاتزاوجيّ (أح).

agapanthus *(n.)* الأغابنثوس ؛ زهرة الحُبّ : نبات من الزنبقيات.

agape [ə gāp'] *(adj.; adv.)* (١) فاغر الفم (٢) مندهش ؛ مندهشاً.

agar [ä'gär] *(n.)* الأغرة : مادة هلامية تستخلص من الطحالب البحرية.

agaric *(n.)* الغاريقُون : جنس فُطور من فصيلة الغاريقونيات (نب).

Aga saga *(n.)* قصّة أو رواية شعبيّة ريفيّة.

agate [ăg'ĭt] *(n.)* (١) عقيقٌ ؛ يَشْبٌ (٢) شيء مصنوع من عقيق أو مزوّدٌ به . مثل : مِصْقَلة تجليد الكتب (٣) حرف طباعي (٥,٥ بنط).

agate line *(n.)* السّطر الإعلاني : وحدة لقياس المساحة الإعلانية.

agateware *(n.)* (١) الخزف العقيقي : خزف معرّق ومرقّش بحيث يشبه العقيق (٢) الآنية العقيقية : آنية منزلية فولاذية أو حديديّة مطليّة بالمينا بحيث تشبه العقيق.

agave [ə gā'vĭ] *(n.)* الأغاف الأميركي ؛ الصّبّار الأميركي (نب).

age [āj] *(n.; vi.; t.)* (١) «أ» عُمْرٌ ؛ سِنّ . «ب» متوسط عمر الفرد أو النوع (The ~ of the horse is from 25 to 30 years.) «ج» سنّ الرّشد. «د» دور (أو طور) من أدوار الحياة. «هـ» شيخوخة (Her eyes were dim with ~.) (٢) «أ» جيل (the ~ of machinery) «ب» عصر (~s yet unborn) «ج» دهر ؛ فترة طويلة (I haven't seen him for an ~.) (٣) عصر (جي) § (٤) يَشيخ ؛ يَهْرَم (٥) يَنْضَج الخ. ×(٦) يُهْرِم (Fear ~d her overnight.) (٧) يُعتّق الخ.
 of ~, راشد ؛ بالغ سنّ الرّشد.
 to come of ~, يبلغ سنّ الرّشد.
 under ~, قاصر ؛ غير بالغ سنّ الرّشد.

-age لاحقة معناها : (١) مجموع (mile*age*). (٢) «أ» عمل ؛ عملية (marri*age*). «ب» نسبة كذا أو مقداره (dos*age*) (٣) بيت ؛ مأوى (orphan*age*) (٤) حالة ؛ وضع ؛ منزلة (bond*age*) (٥) رَسْم ؛ أجرة (post*age*).

aged *(adj.)* (١) «أ» هَرِمٌ ؛ مُسِنّ . «ب» بالغٌ سِنّاً معيّنة (a man ~ fifty years) (٢) شيخوخيّ : خاص بالشيخوخة.

ageless *(adj.)* (١) دائم الشباب (٢) أبديّ ؛ سرمدي.

agelong [āj'lông'] *(adj.)* دائمٌ دَهْراً : سَرْمَديّ.

agency [ā'jən sĭ] *(n.)* (١) قوة (Electricity is a mysterious ~.) (٢) واسطة (by the ~ of friends) (٣) وكالة (تمثل شركة ما) (٤) مكتب تجاريّ (an advertising ~) (٥) قِسم إداري (من حكومة).

agenda [ə jĕn'də] *(n. pl.)* sing. **-dum** برنامج ؛ جدول أعمال.

agent [ā'jənt] *(n.)* (١) عامل ؛ قوة (natural ~s). (٢) عامل («ك» و «فز» و «أح») (٣) موظف (وبخاصة في الشرطة وقوى الأمن) (٤) أداة ؛ وسيلة (٥) وكيل ؛ ممثّل.
 —agential *(adj.)*

Agent Orange *(n.)* العامل البرتقاليّ : مبيدٌ للأعشاب.

agent provocateur [a zhän' prô vô kȧ tœr'] *(F.)* العميل المحرّض : شخص يُستأجر للاندساس بين أعضاء جماعة ما أو بين أشخاص مشبوهين لتحريضهم — بعد تظاهره بالعطف على أهدافهم — على ارتكابِ أعمال تعرضهم للعقوبة.

age-old *(adj.)* دُهريّ : قديم جداً.

ageratum *(n.)* الفتَيتة : عشبة اميركية من المركّبات (نب).

aggiornamento *(It.)* تحديث : عصرنة ؛ تطوير.

agglomerate [*v.*-'ə rāt'; *adj.*; *n.*-'ər ĭt] *(vt.; i.; adj.; n.)* (١) يكتّل ؛ يكبّب ؛ «يُكَبْتِل» ×(٢) يتكتّل ؛ يتكبكب § (٣) مكتّل § (٤) كتلة (٥) الرّاهصة البركانية : صخرة مؤلّفة من شظايا بركانية متفاوتة الأحجام.

agglomeration *(n.)* (١) «أ» تكتيل ؛ تكبيب. «ب» تكتّل ؛

تكبّب (٢) كتلة ؛ « كبتولة » (٣) ضواحي المدينة.

agglutinate[*v.*ə glōō'tə nāt'; *adj.* -'tə nĭt](*vt.*;*i.*; *adj.*) (١) يغرّي: يلْصِق بالغراء ×(٢) يتغرّى؛ يلتصق § (٣)مُغرًى.

agglutination (*n.*) (١) تغرية (٢) تغرّ (٣) كتلة ناشئة من اتحاد عناصر مختلفة (٤) التلازُن (بك).

agglutinative (*adj.*) (١) مغرٍّ (٢)مُغرّى (٣)مُلْزِن (بك).

agglutinin (*n.*) المُلْزِن (مج) : مادة مُلْزِنة (بك).

aggrandize [ăg'rən dīz'] (*vt.*) (١)يكبّر؛يوسع (٢)يبجّل؛ يعظّم (٣) يبالغ.

—aggrandizement (*n.*)

aggravate [ăg'rə vāt'] (*vt.*) (١) يفاقم : يجعل الشيء أسوأ أو أشدّ خطورة (٢) يثير ؛ يُغضب (ع).

aggravating circumstances ظروف مشددة للعقوبة (ق).

aggravation (*n.*) (١) مُفاقَمة (٢) تفاقم (٣) عمل أو ظرف مُفاقم أو مشدد (٤) إثارة.

aggregate [*adj.*,*n.*ăg'rə gĭt,-gāt';*v.*-gāt'](*adj.*;*n.*;*vt.*; *i.*) (١) كليّ ؛ إجماليّ (the ~ amount of indebtedness) § (٢) مجموع ؛حاصل (the ~ of all the gifts) § (٣) يجمع ؛ يكتّل (٤) يبلغ في مجموعه كذا (The money collected will ~ £ 2000.) ×(٥) يتجمّع ؛ يتكتّل. in the ~, إجمالا ؛ على وجه الاجمال.

aggregation (*n.*) (١) تجميع (٢) تجمّع (٣) مجموعة.

aggress [ə grĕs'] (*vi.*) يبْغي ؛ يعتدي؛ يبادىء بالعدوان.

aggression [ə grĕsh'ən] (*n.*) (١) العُدْوان: هجوم لم يَسبقه استفزازٌ يبرره (٢) التعدّي أو الافتئات (على حقوق الآخرين).

aggressive (*adj.*) (١) عُدْواني (٢)مناضِل؛مكافح (٣)مغامر.

aggressor (*n.*) الباغي ؛ المعتدي ؛ المُبادىء بالعدوان.

aggrieve [ə grēv'] (*vt.*) (١) يُحزن (٢) يظْلم.

aggrieved (*adj.*) (١) محزون (٢) مظلوم ؛ مضطهَد.

aghast [ə găst'] (*adj.*) (١) مشدوه (٢) مذعور.

agile [ăj'əl] (*adj.*) (١) رشيق ؛ خفيف الحركة (٢) ذكي ؛ سريع الخاطر.

—agility (*n.*)

aging *pres. part. of* age.

agio [ăj'ĭō] (*n.*) (١) فرق القيمة (بين نوع من العملة وآخر) (٢) صِرافة (٣) عمولة الصّرافة.

agiotage (*n.*) (١) صناعة الصّرافة (٢) مضاربة بالأسهم المالية.

agitate [ăj'ə tāt'] (*vt.* ; *i.*) (١) يثير ؛ يحرك؛ يهز؛ يخض (٢) يهيج ؛ يُقلق (٣) يناقش ؛ يناظر ×(٤) يهيّج : يحاول إثارة الشعور العام.

agitation (*n.*) (١) إثارة؛إهاجة الخ. (٢) اهتياج؛ تهيّج.

agitator (*n.*) (١) المهيج : داعية يستهدف إثارة الشعور العام في ما يتصل بقضية سياسية الخ. (٢) الخضّاضة ؛ المزّاجة : دعاية (وبخاصة للمبادىء اليسارية).

agitprop (*n.*)

agleam [ə glēm'] (*adj.*) مومض ؛ ذو وميض.

aglitter [ə glĭt'ər] (*adj.*) متألق ؛ متلألىء.

aglow [ə glō'] (*adj.*) متوهج ؛ متّقد.

agnail [ăg'-] (*n.*) (١) الدّاحوس: تقرّحٌ حول الظفر (٢) hangnail.

agnate [ăg'nāt] (*n.* ; *adj.*) نسيب من ناحية الأب.

agnation (*n.*) قرابة العَصَب : قرابةٌ من ناحية الأب.

agnomen (*n.*) pl. **agnomina** كُنْية ؛ لقب.

agnostic [ăg nŏs'tĭk] (*n.* ; *adj.*) (١) اللاّأدْريّ : من يعتقد بأن وجود الله وطبيعته وأصل الكون أمورٌ لاسبيل إلى معرفتها § (٢) لاأدريّ.

agnosticism (*n.*) اللاّأدريّة، مذهب اللاّأدريّين.

Agnus Dei [ăg'nəs dē'ī] (*L.*) (١) صلاة تُتلى أو تُنشد للمسيح كمُخلّص (٢) حَمَلُ الربّ: صورة حَمَلٍ ترمز للمسيح.

ago [ə gō'] (*adj.* ; *adv.*) (١) ماضٍ § (٢) منذ ؛ في الماضي.

agog [ə gŏg'] (*adj.* ; *adv.*) (١) متلهفٌ ؛ متشوّق to be all ~ to know what happened) § (٢) بتلهّف.

a-go-go (*n.*) اليأجوجة؛ المأجوجة: نادٍ ليليّ للرقص على أنغام الموسيقى الصاخبة.

agon [ăg'ōn] (*n.*) صراع ؛ وبخاصة : صراعٌ بين الشخصيات الرئيسية في مسرحية.

agonal (*adj.*) نَزْعي : متعلّق بالنّزْع أو سكرة الموت.

agonic (*adj.*) (١) غير مُشكّل زاوية (٢) انطباقيّ؛ لا انحرافيّ.

agonic line (*n.*) خط الانطباق؛خطّ اللاانحراف المغنطيسي (مج).

agonist (*n.*) (١) المشارك في صراع (٢) عضلة يتحكم بها انقباضُ عضلة أخرى (فس).

agonistic ; -al (*adj.*) (١) سباقيّ : متعلق بالمسابقات الرياضية عند الاغريق (٢) ميال للصراع أو الجدل (٣) متوتّر.

agonize[ăg'ə nīz'] (*vt.* ; *i.*) (١) يعذب ×(٢) «أ»يحتضر. «ب» يتعذب عذاباً شديداً (٣) يناضل.

agony [ăg'ə nĭ] (*n.*) (١) «أ» كرْب ؛ألمٌ مبرح. «ب» النّزْع ؛ سكرة الموت (٢) صراع عنيف (٣) نوبة مفاجئة من الابتهاج الخ.

agony column(*n.*) عمود الاعلانات الشخصية (وبخاصة في مايتصل بالمفقودين من الأنسباء أو الأصدقاء) في صحيفة يومية.

agora [ăg'ə rə] (*n.*) pl. **-s** *or* **-e** الأغورا : الساحة العامة في مدينة اغريقية.

agoraphobia (*n.*) رُهاب الخلاء : خوفٌ مَرَضيّ من الأرض الفضاء.

agouti

agouti [ə gōō'tĭ] (*n.*) الأغوطيّ : حيوان أميركي استوائي من القوارض ، قصير الشعر والأذنين ، بحجم الأرنب.

agrafe *or* **agraffe** (*n.*) إبزيم زينيّ للثياب.

agrarian [ə grâr'ĭ ən] (*adj.* ; *n.*) (١) أرضيّ ؛ حقليّ ؛ زراعيّ ؛ ذو علاقة بالأراضي الزراعية أو بالفلاّح ومصالحه § (٢) المنادي بإعادة توزيع الأراضي الزراعية توزيعاً عادلاً.

agrarianism (*n.*) حركة الاصلاح الزراعي: حركة تنادي بإعادة توزيع الأراضي الزراعية توزيعاً عادلا أو برفع مستوى الفلاح الاقتصادي.

agree [ə grē'] (*vi.* ; *t.*) (١) يوافق على (٢) يتفق (مع فلان في الرأي) (٣) ينسجم مع (٤) يتفق (القومُ) على ؛ يتوصلون إلى تسوية (٥)ينطبق على (٦)يتطابق (.Both copies ~) (٧) يلائم (climate ~*s* with him) ×(٨) يقرّ ؛ يسلّم بِ (.I ~ that he is the ablest of us).

agreeable [ə grē'ə bəl] (*adj.*) (١) مقبول ؛ سائغ. (٢) مستعدّ للموافقة (Are you ~ to the proposal?) (٣) متناغم اومنسجم مع.

—agreeability (*n.*)

— agreeableness (*n.*)

agreed (*adj.*) متفقٌ عليه (met at the ~ time).

agreement [ə grē'mənt] (*n.*) (١) مصدر agree (٢) «أ» اتفاق. «ب» انسجام (٣) «أ» اتفاقية. «ب» معاهدة

agrestic *(adj.)* (١) ريفيّ ؛ فلاّحي (٢) غير مصقول أو مهذّب .
agricultural *(adj.)* زراعي .
agriculture [ăg'rə kŭl'chər] *(n.)* زراعة .
agriculturist *or* **agriculturalist** *(n.)* (١) المزارع . (٢) الخبير الزراعي .
agrimony *(n.)* الغافِث : نبات من الفصيلة الوردية .
agriology *(n.)* الدراسة المقارنة لعادات الشعوب البدائية .
agrology *(n.)* علم التّربة (وبخاصة من حيث علاقتها بالمحاصيل).
agronomist *(n.)* المهندس الزراعي ؛ الاختصاصي بعلم الزراعة .
agronomy *(n.)* الهندسة الزراعية ؛ علم الزراعة .
aground *(adj.; adv.)* (١) جانح ؛ مرتطم بالأرض (٢) على الأرض . The ship ran ~, جنَحَت السفينة .
ague [ā'gū] *(n.)* (١) الملاريا ؛ البُرَداء (٢) قُشَعْريرة .
ah [ä] *(interj.)* آه : صوت ابتهاج أو تحسّر أو ازدراء .
A.H., سنة كذا بعد الهجرة (٦٢٢ م .) .
a.h., امبير – ساعة (كب) .
aha [ä hä'] *(interj.)* آها : صوت اندهاش أو انتصار أو سخرية .
ahead [ə hĕd'] *(adv.)* (١) في طليعة (~ of the others) (٢) متقدّماً (an hour ~) (٣) إلى الأمام ؛ قُدُماً .
ahimsa *(n.)* الأهيمسا : المذهب الهندوسي والبوذي القائل بالامتناع عن إيذاء أيّما كائن حيّ .
aid [ād] *(vt. ; i. ; n.)* (١) يعاون ؛ يساعد § (٢) «أ» معاونة ؛ مساعدة . «ب» معونة (٣) «أ» لمعاون ؛ المساعِد . «ب» أداةٌ مساعِدةٌ (٤) إتاوة يدفعها تابع إقطاعيّ إلى متبوعه .
aide [ād] *(n.)* المعاون ؛ وبخاصة : ضابطٌ معاون لآخر أكبر منه .
aide-de-camp [ād'də kămp'] *(F.)* = aide.
aide-mémoire [ĕd mĕ mwȧr'] *(F.)* مفكّرة (مج) .
AIDS *(n.)* الأيْدْز : داء خبيث ينشأ عن الشذوذ الجنسي ويتميّز بنقص المناعة المكتسبة.
aigrette [ā'grĕt] *(n.)* (١) البَلَشون الأبيض (ط) . (٢) الرأسيّة : حلية للرأس تصنَع من ريش أو جواهر .
aiguille [ā gwēl'] *(F.)* (١) كتلة صخرية (أو قمة جبل) إبريّة الشكل (٢) مِثْقَب حجارة .
aikido *(Jap.)* الأيكيدو : ضرب من المصارعة اليابانية .
ail [āl] *(vt. ; i.)* (١) يُوجِع ؛ يزعج × (٢) يتوعك ؛ يمرض .
ailanthus *(n.)* الإيلَنْطُس ؛ شجرة السماء : شجر استوائي (نب).
aileron [ā'lə rŏn'] *(n.)* الجُنَيْح : جزء متحرك من جناح الطائرة يُصْطَنَع لحفظ التوازن الجَنْبِي .
ailment *(n.)* (١) اعتلال جسدي أو مرضٌ مزمن (٢) قلقٌ .
aim [ām] *(vi. ; t. ; n.)* (١) يسدِّد ؛ يصوب (سلاحاً الخ .) . (٢) «أ» يتوق ، يطمح إلى . «ب» يسعى ؛ يحاول (They ~ to save something every month.) (٣) يشير إلى (When the teacher said that, he was ~*ing* at Mary.) (٤) «أ» يوجّه (to ~ a satire at some vice) . «ب» يعتزم أمراً § (٥) «أ» تسديد ؛ تصويب . «ب» دقة سلاحٍ ما أو فعاليته (٦) قصد ؛ غرض ؛ هدف .
aimless *(adj.)* بلا هدف · —**aimlessly** *(adv.)*
air [âr] *(n. ; vt.)* (١) «أ» هواء . «ب» نسيم . (٢) «أ» فراغ . «ب» قطع علاقات مفاجىء (ع) (٣) هواء مضغوط (٤) «أ» الأثير . «ب» راديو ؛ تليفزيون (went on the ~) (٥) «أ» سيماء ؛ مظهر خارجي . «ب» كبرياء مصطنعة (to put on ~s) . «ج» جوّ ؛ حالة سائدة (an ~ of poverty) (٦) نغمة ؛ لحن § (٧) يهوّي ؛ يعرض للهواء (٨) يَعْرِض على الملأ (٩) يُعرب عن (١٠) يذيع (بالراديو الخ ...) in the ~, (١) من غير أساسٍ أو واقع (٢) منتشر ؛ ذائع . to walk on ~, يشعر بسعادة بالغة .
air bag *(n.)* الكيس الهوائيّ : كيس قابل للانتفاخ يقي ركّاب السيارة من أذى الصّدمات .
air base *(n.)* قاعدة جوية (للطائرات العسكرية) .
air bladder *(n.)* المثانة الهوائية (في الأسماك) .
airborne [âr'bōrn] *(adj.)* مُجَوْقَل : منقول جواً أو بالطائرات .
air brake *(n.)* (١) مِكْبَح هوائي (يعمل بالهواء المضغوط) . (٢) جُنَيْح (لتخفيض سرعة الطائرة) .
airbrush *(n.)* المِرذاذ الهوائي : نضّاحة تعمل بالهواء المضغوط لرشّ الدهان السائل ، فوق سطح ما .
airburst *(n.)* انفجار قنبلة في الجو .
air coach *(n.)* طائرة لنقل الركاب (بأسعار مخفّضة) .
air-condition *(vt.)* (١) يجهّز بآلات لتكييف الهواء (٢) يكيف الهواء (بتلك الآلات). —**air-conditioner** *(n.)*
air-conditioned *(adj.)* مكيف الهواء .
air conditioning *(n.)* تكييف الهواء .
air-cool *(vt.)* يبرد (اسطواناتِ محرّك) بالهواء .
aircraft *(n.)* سفينة هواء (سواء أكانت مُنطاداً أو طائرة) .
aircraft carrier *(n.)* حاملة طائرات .
aircrew *(n.)* الرَّكْب الجوّي : مجموع العاملين في طائرة .
airdrome [ăr'drōm'] *(n.)* مطار .
airdrop *(n.)* الانزال الجوّي : انزال مؤن أو جند بالمظلات .
air-drop *(vt.)* يُنزِل جوّياً (را . airdrop) .
air-dry *(adj.)* جافّ جداً (بحيث يمتنع اي تبخّر إضافيّ منه) .
Airedale [âr'dāl'] *(n.)* الأَرْدِيْل : ضرب من كلاب الصيد الضخمة .

Airedale

air express *(n.)* (١) نقل الرّزم بالطائرات . (٢) الرِّزَم المجوقلة : رِزَم منقولة جوّاً .
airfield *(n.)* (١) المَهْبِط : أرض الهبوط في مطار (٢) مطار .
airflow *(n.)* جريان الهواء : تيارات هوائية يُحدثها اندفاع الطائرة .
airfoil *(n.)* السطح الانسيابيّ الحامل : كل سطح (كالجناح أو الجُنيح) مُعَدّ للمساعدة على رفع الطائرة أو ضبط حركتها من طريق الاستفادة من تيار الهواء الذي تندفع عبره .
airfone *or* **airphone** *(n.)* الهاتف الجويّ : هاتف يمكّن المرء من الاتصال بمكتبه وهو على متن الطائرة .
air force *(n.)* سلاح الطيران ؛ الأسطول الجوّي الحربيّ .
airframe *(n.)* هيكل الطائرة (أو الصاروخ) ؛ بَدَنُ الطائرة .
air gun *(n.)* (١) مدفع هوائي (يعمل بالهواء المضغوط) . (٢) مدفعة برشام هوائية (٣) airbrush .
air hole *(n.)* (١) مَنْفَذ هوائي (٢) جَيْب هوائي ؛ «مَطَبّ» .
airily *(adv.)* بحيوية ؛ بابتهاج ؛ بمَرَح ؛ برقّة الخ .
airiness *(n.)* ابتهاج ؛ مَرَح ؛ رقة الخ . (را . airy) .
airing *(n.)* (١) تَهْوِيَة (بقصد التجفيف الخ .) (٢) نزهة .
air lane *(n.)* مَجاز جوّي (تسلكه الطائرات عادة) .
airless *(adj.)* (١) خِلْوٌ من الهواء أو من الهواء الطلق (٢) ساكن .
air letter *(n.)* (١) رسالة جوية (٢) ورقة رسائل للبريد الجوّي .

airlift *(n.)* (١) خط تموين جوي (٢) جسرٌ جوّي.

air line *(n.)* (١) خطّ جوّيّ (٢) شركة خطوط جوية .

airliner *(n.)* الطائرة الخطية : طائرة (تعمل على خط جوي معيّن).

airmail *(n. ; vt. ; adj.)* (١) بريد جوي § (٢) ينقل بالبريد الجوي § (٣) جوي : مُرسَل (أو خاص) بالبريد الجوي

airman *(n.)* طيّار ، ملاّح جوي (عسكري أو مدني) .

airmanship *(n.)* المهارة في قيادة الطائرات .

air mass *(n.)* الكتلة الهوائية : كتلة من الهواء تمتدّ مئات الأميال أو آلافها أفقياً وقد يبلغ ارتفاعها أحياناً ارتفاع الستراتوسفير (أر) .

air mile *(n.)* الميل الجوي (١١٥٤، ٦٠٧٦ قدماً) .

air-minded *(adj.)* مُولَع بالطيران أو بالسفر جوّاً .

airmobile *(adj.)* مُجوقَل : منقول جوًّا [بالحوّامات].

airplane [âr'plān'] *(n.)* طائرة .

air plant *(n.)* = epiphyte.

air pocket *(n.)* جَيْب هوائي ؛ « مَطَبّ » .

air police *(n.)* شرطة الجوّ : الشرطة العسكرية في سلاح الطيران.

airport *(n.)* ميناء جوّي ؛ مطار .

airpost *(n.)* = airmail.

airproof *(adj. ; vt.)* (١) صامِدٌ للهواء § (٢) يجعله صامداً للهواء.

air pump *(n.)* (١) مفرغة هوائية (٢) مضخّة هوائية .

air raid *(n.)* غارة جويّة .

air sac *(n.)* (١) كيس هواء (٢) الكيس الهوائي : تجويفٌ (من تجاويف عدّة) في جسم الطائر متصل بالرئتين (٣) مثانة هوائية (في الأسماك) .

airscrew *(n.)* مِدْسَرة ؛ مِروحة الطائرة (بر) .

airshaft *(n.)* عمود هوائي (للتهوية) .

airship *(n.)* مُنطاد ذو مُحرّك .

airsick *(adj.)* مُصاب بدُوار الجوّ .

airspace *(n.)* المجال الجوّي (لدولة معيّنة) .

airspeed *(n.)* السرعة الديناميّة الهوائيّة : سرعة الطائرة بالنسبة إلى الهواء تمييزاً لها عن سرعتها بالنسبة إلى الأرض .

airstream *(n.)* = airflow.

airstrip *(n.)* مَهْبِط طائرات .

airtight *(adj.)* (١) سَدُودٌ للهواء (مج) ؛ مُحْكَم السدّ . (٢) خالٍ من نقاط الضعف (التي قد يستفيد منها العدوّ) .

air-to-air *(adj. ; adv.)* من الجوّ إلى الجوّ : من طائرة منطلقة في الجو إلى أخرى (rockets ~) .

airway *(n.)* (١) منفذ هواء (في منجم أو إلى الرئتين) . (٢) «أ» خط جوي . «ب» شركة خطوط جوية (٣) قناة ذات ذبذبة لاسلكية معيّنة (للاذاعة الخ) .

airwoman *(n.)* الطيّارة : امرأة تعمل في الملاحة الجوية .

airworthy *(adj.)* صالحٌ للطيران أو الملاحة الجوية .

airy [âr'ĭ] *(adj.)* (١) «أ» هوائيّ . جوّي . «ب» شاهق . «ج» مُنجَز في الجوّ (٢) وهميّ ؛ خيالي (٣) «أ» بهيج ؛ مرِح . «ب» رشيق ؛ رقيق (٤) مُهَوّى ؛ طلق الهواء. (٥) متصنّع ؛ متكبّر .

aisle [īl] *(n.)* (١) ممشى (بين كراسي كنيسة أو قاعة أو عربة قطار) (٢) الجناح : جزء جانبيّ من الكنيسة مفصول عن صحنها بصفّ أعمدة .

ait [āt] *(n.)* جُزَيْرة ؛ جزيرة صغيرة (عب) .

aitchbone *(n.)* (١) العظم الحَرْقَفيّ (في الماشية بخاصة) (٢) قطعة من لحم البقر تشتمل على العظم الحَرْقفي .

ajar *(adv. ; adj.)* (١) مفتوحٌ جزئياً (left the door ~) § (٢) غير منسجم مع (He is ~ with the world.)

akimbo [ə kĭm'bō] *(adj. ; adv.)* (١) مُستَخصِر : واضعٌ يدَه على خاصرته § (٢) استخصاراً .

akin [ə kĭn'] *(adj.)* (١) قريب ؛ نسيب (٢) مجانس ؛ مماثل .

Akkadian [ə kā'dĭ ən] *(n. ; adj.)* (١) الأكّاديّ : أحد الساميين الذين قطنوا أواسط العراق قبل عام ٢٠٠٠ ق.م. (٢) اللغة الأكّادية : لغة ساميّة قديمة استعملت في العراق من حوالى القرن الثامن والعشرين إلى القرن الأول ق.م. § (٣) أكاديّ.

-al لاحقة معناها : (١) متعلّق أو متّسِم بِـ (autumn*al*; fiction*al*) (٢) عمل ؛ عملية (arriv*al*) .

a la *or* **à la** [ä'lä] *(F.)* وفقاً لِـ ؛ بحسب (~ mode) .

alabaster [ăl'ə băs'tər] *(n.)* مَرْمَر .

alabastrine *(adj.)* مَرمَريّ .

a la carte *(adj. ; adv.)* بالصحن ؛ بثمن مستقلّ لكل لون من ألوان الطعام .

alacrity [ə lăk'rə tĭ] *(n.)* خِفّة ؛ رشاقة ؛ نشاطٌ مبتهِج . **—alacritous** *(adj.)*

a la mode [ä lə mōd'] *(adj.)* (١) على آخر زيّ . (٢) تعلوه البوظة أو المثلوجات .

alarm [ə lärm'] *(n. ; vt.)* (١) هجوم مباغت (٢) «أ» إنذارٌ بخطر «ب» أداة الإنذار بخطر (٣) ذُعر § (٤) ينبّه إلى خطر (٥) يُرعِب (٦) يزعج ؛ يثير . **—alarmed** *(adj.)*

alarm clock *(n.)* المُنبِّه : ساعةٌ مُنبِّهة .

alarm clock

alarmism *(n.)* الإخطارية : إثارة المخاوف والتنبيه إلى الخطر من غير داعٍ . **—alarmist** *(n. ; adj.)*

alas [ə lăs' ; ə läs'] *(interj.)* واحَسْرتاه !

alate [ā'lāt] *also* **alated** *(adj.)* مجنّح ؛ ذو أجنحة أو نحوها .

alb [ălb] *(n.)* الألب : ثوب كهنوتي أبيض طويل (يرتديه الكاهن القائم بالقدّاس) .

alb

albacore [ăl'bə kōr'] *(n.)* البَكورة : سمكٌ بحري كبير من فصيلة السُّقمُريّ .

Albanian [ăl bā'nĭ ən] *(n. ; adj.)* (١) الألبانيّ : أحد أبناء ألبانيا (٢) اللغة الألبانية § (٣) ألبانيّ .

albatross [ăl'bə trôs'] *(n.)* القَطْرَس : طائرٌ بحريّ كبير .

albatross

albeit [ôl bē'ĭt] *(conj.)* ولو ؛ وإن يكن .

albescent [ăl bĕs'ənt] *(adj.)* (١) مُبْيَضّ : آخذٌ في البياض (٢) ضارب إلى البياض .

albinism *(n.)* المَهَق (را albino) .

albino [ăl bī'nō ; -bē'-] *(n.)* الأمهَق : شخص أو حيوان لَبَنيّ البشرة أبيض الشعر قرنفليّ العينين . **—albinic; albinotic** *(adj.)*

Albion [ăl'bĭ ən] *(n.)* انكلترة (بلغة الشعْر) .

albite [ăl'bīt] *(n.)* الألبيت : فَلْسْبار أبيض (مع) .

album [ăl'bəm] *(n.)* (١) «ألبوم» تواقيع أو طوابع أو صُوَر فوتوغرافية أو أسطوانات مسجلة (٢) مختارات أدبية أو موسيقية .

albumen [ăl bū'mən] *(n.)* (١) الآح : بياض البيضة (٢) زُلال .
albumin [ăl bū'mən] *(n.)* زُلال (كح) .
albuminoid *(adj. ; n.)* (١) شبه زُلالي ؛ بروتيني § (٢) بروتين زُلالي .
albuminous; albuminose *(adj.)*
albuminuria [ăl bū'mə nyŏŏr'ĭ ə] *(n.)* البول الزلالي (مج) .
alburnum *(n.)* = sapwood.
alcazar [ăl'kə zär'] *(Ar.)* قصر أو قلعة اسبانية .
alchemic; -al *(adj.)* خيميائي : ذو علاقة بالكيمياء القديمة .
alchemist *(n.)* الخيميائي : المشتغل بالكيمياء القديمة .
alchemy [ăl'kə mĭ] *(Ar.)* (١) الخيمياء : الكيمياء القديمة ، وكانت غايتها تحويلَ المعادن الخسيسة إلى ذهب ، واكتشاف علاجٍ كلي للمرض ووسيلة لإطالة الحياة إلى ما لا نهاية . (٢) تحويل شيءٍ مبتذل إلى شيءٍ نفيس أو القُدْرة على ذلك .
alcohol [ăl'kə hôl'] *(Ar.)* كُحول (مج) ؛ غَوْل .
alcoholic *(adj.; n.)* (١) كحولي (٢) سكّير § (٣) السكّير .
alcoholism *(n.)* الكحولية : «أ» إدمانُ المسكرات . «ب» التسمم بالكحول، وبخاصة نتيجةً للاسراف في الشراب .
alcoholize *(vt.)* يكَحْلِل : يمزج أو يشبِع بالكحول .
alcoholometer *(n.)* المِكْحال : مقياس الكحولية .
alcoholometry *(n.)* قياس الكحولية .
Alcoran [ăl'kō rän'] *(Ar.)* القرآن الكريم .
alcove [ăl'kōv] *(n.)* (١) فجوة في جدار غرفة (لوضع سرير أو مجموعة كتب الخ .) (٢) مُخْتَلى مظلَّل (في حديقة) .
Alcyone [ăl sī'ə nē'] *(n.)* نيّر الثريّا ؛ عقد الثريا (فل) .
Aldebaran [ăl dĕb'ə rən] *(Ar.)* الدَّبَران ؛ الثَّور (فل) .
aldehyde [ăl'də hīd'] *(n.)* الألْدِهيد (ك) .
alder [ôl'dər] *(n.)* جارُ الماء : شجر حَرَجِيّ يألف الماء .
alderman *(n.)* (١) نائب الملك : حاكمٌ يتولى إدارة إقليم أو مقاطعة نيابة عن ملك انكلوسكسوني (٢) عضو مجلس تشريعي لمدينة .
ale [āl] *(n.)* (١) المِزر : شراب من نوع الجعة . (٢) مهرجان ريفي انكليزي يكون فيه المِزر هو الشراب الرئيسي .
aleatory [ā'lĭ ə tōr'ĭ] *(adj.)* (١) منطوٍ على مخاطرة ؛ متوقف (من حيث الربح أو الخسارة) على المصادفة (an ~ contract) (٢) حظّي : ذو علاقة بالحظ ، وبخاصة بالحظ السيء .
alee [ə lē'] *(adj.; adv.)* على أو نحو جانب السفينة البعيد عن الريح .
alehouse *(n.)* حانة المِزْر أو الجعة .

alembic

alembic [ə lĕm'bĭk] *(Ar.)*: (١) الإمبيق ؛ الإنبيق : أداة كيمائية للتقطير (٢) كل ما يحوّل أو يصفّي .
alert [ə lûrt'] *(adj. ; n. ; vt.)* (١) يقِظ (٢) نشيط ؛ رشيق § (٣) «أ» إنذارٌ (بغارة جوية) . «ب» مدة وضع هذا الانذار موضع التنفيذ § (٤) ينبّه أو يحذّر (من غارة أو هجوم قريب) .
—alertness *(n.)*
on the ~, متيقّظ ؛ محترس من الخطر
aleurone [ə lŏŏr'ōn] *(n.)* الأليرون (مج) : مادة بروتينية حُبَيْبِية الشكل في بذور بعض النباتات .
alewife *(n.)* pl. **alewives** *(n.)* (١) صاحبة (أو مديرة) حانة مِزْر أو جعة (٢) الألْوِيف : سمك من فصيلة الرَّنكة .
Alexandrian *(adj.)* (١) اسكندريّ : منسوب إلى الاسكندر الكبير (٢) هِلّيني .
Alexandrine *(n.)* الاسكندري : بَيْتٌ سُداسيّ التفاعيل (عر) .
alexia [ə lĕk'sĭ ə] *(n.)* العَمَى القِرائيّ : اضطراب مُخّي يتميّز بالعجز عن القراءة .
alexin [ə lĕk'sĭn] *(n.)* الدّاحر: مادة في مصل الدّم مهلكة للبكتيريا .
alfalfa [ăl făl'fə] *(n.)* فِصْفِصَة ؛ فِصّة (نب) .
alforja [ăl fôr'jə] *(n.)* = saddlebag.
alfresco *(adv. ; adj.)* في الهواء الطلق ؛ (to dine ~ ; an ~ café)
alg- or algo- بادئة معناها : ألَمٌ (algophobia) .
alga [ăl'gə] *(n.)* pl. **-e** *also* **-s** طُحْلُب (مج) ؛ أُشْنَة .
algebra [ăl'jə brə] *(Ar.)* الجبْر ؛ علم الجَبْر (ر) .
algebraic ; -al *(adj.)* جَبْريّ : متعلق بعلم الجبر (ر) .
algebraic equation *(n.)* المعادلة الجبرية (ر) .
algebraic expression *(n.)* التعبير الجبْري (ر) .
algebraic function *(n.)* الدالّة الجبرية (ر) .
algebraist *(n.)* العالم بالجبر ؛ المتخصّص بعلم الجبر .
Algerian *(n. ; adj.)* (١) الجزائريّ : أحد أبناء الجزائر . § (٢) جزائري .
-algia لاحقة معناها : ألمٌ (neuralgia) .
algicide *(n.)* مبيد الطحالب: مادة مبيدة للطحالب .
algo- = alg-.
algoid [ăl'goid] *(adj.)* طُحْلُباني : شبيهٌ بالطحْلب .
Algol [ăl'gŏl] *(Ar.)* رأس الغُول (فل) .
ALGOL *(n.)* الغول: لغة رياضية تستخدم في برمجة العقول الألكترونية .
algolagnia *(n.)* الشَّبَق الإيلامي أو التألّمي : تلذُّذ المرء بتعذيبه للآخرين أو بتعذيب الآخرين له .
algology [ăl gŏl'ə jĭ] *(n.)* علم الطحالب .
algometer *(n.)* الألغومتر : أداة لقياس حساسية المرء للألم الناشيء عن الضغط .
algophobia *(n.)* رُهاب الألم : الخوف المَرَضيّ من الألم .
algorism ; algorithm *(Ar.)* الحساب : نظام العَدّ العربي أو العَشْريّ .
ali- بادئة معناها : جناح (aliform) .
alias [ā'lĭ əs] *(adv.; n.)* (١) المعروف بكذا § (٢) اسم مستعار .
alibi [ăl'ə bī] *(n. ; vi. ; t.)* (١) «أ» دَفْعٌ بالغَيْبة : ادّعاء المتّهم أنه كان في مكان آخر عند وقوع الجريمة. «ب» كونُ المتّهم في مكان آخر عند وقوع الجريمة (٢) عُذْر § (٣) يقدّم عذراً . × (٤) يبرِّىء المتّهم لكونه في مكان آخر عند وقوع الجريمة.
alidade [ăl'ə dād'] *(Ar.)* العِضادة : «أ» جزء من الاسطرلاب . «ب» جزء من أداة لمسح الأراضي .
alien [āl'yən] *(adj. ; n. ; vt.)* (١) «أ» غريب . «ب» أجنبيّ . (٢) مغاير ؛ مخالف (ideas ~ to our way of thinking) § (٣) شخصٌ أجنبيّ § (٤) يبْعِد ؛ ينفّر (٥) يحوّل أو ينقل (الممتلكات) إلى شخص آخر .
alienable *(adj.)* قابل للتحويل: ممكن تحويل ملكيّته الى شخص آخر .
alienate [āl'yə nāt'] *(vt.)* (١) يحوّل أو ينقل (الممتلكات) إلى شخص آخر (٢) يُبْعِد ؛ ينفّر (٣) يَصْرِف أو يحوِّل عن (to ~ capital from its natural channels) .
alienation *(n.)* (١) تحويل مِلكيةِ شيء إلى شخص آخر . (٢) تنفير ؛ إبعاد (٣) اختلال عقلي (٤) عزْلة (٥) انسلاخ ؛ انسلاب

alienee *(n.)* المحوَّل إليه : مَنْ تُحَوَّل إليه مِلكية شيء .
alienist *(n.)* الطبيب العقليّ : طبيب الأمراض العقلية .
alienor *(n.)* المحوِّل : مَنْ يحوِّل ملكية شيء إلى شخص آخر .
aliform [ăl'ə fôrm'; ā'-] *(adj.)* جَناحيّ الشكل (مج) .
alight [ə līt'] *(vi. ; adj. ; adv.)* (١) يترجّل (من عربة الخ.) (٢) يحطّ (الطائر) على (٣) يجد (أو يقع على) بالمصادفة § (٤) مشتعل ؛ مضطرم § (٥) مشتعلاً .
align *also* **aline** [ə līn'] *(vt. ; i.)* (١) يَصُفّ ؛ يَرْصُف . (٢) ينظّم القوى لنصرة قضية أو مقاومتها ×(٣) يصطفّ ؛ يتراصف (٤) ينحاز أو يتحيّز إلى .
alignment *also* **alinement** *(n.)* (١) مص align أو aline مثل : رَصْف ؛ انحياز الخ. (٢) خط مستقيم (بين نقطتين أو أكثر) (٣) تخطيط لطريق أو سكة حديد .
alike [ə līk'] *(adv. ; adj.)* (١) بالطريقة نفسها ؛ على قدم المساواة (treat all customers ~) § (٢) سواء ؛ متشابه ؛ متماثل (The darkness and the light are both ~ to thee.)
aliment [n. ăl'ə mənt; v. -mĕnt'] *(n. ; vt.)* (١) غذاء ؛ قوت § (٢) يقيت ؛ يُعيل .
—**alimental** *(adj.)*
alimentary *(adj.)* (١) غذائي : متعلق بالغذاء أو بالتغذية . (٢) مُغَذٍّ .
alimentary canal *(n.)* القناة الغذائية أو الهضمية (ت) .
alimentation *(n.)* (١) تغذية ؛ إقاتة (٢) تَغَذٍّ ؛ اقتيات .
alimentative *(adj.)* = nutritive.
alimony [ăl'ə mō'nĭ] *(n.)* نفقة الزّوجة المطلقة (ق) .
Alioth *(n.)* الجون ؛ الحَوْر ؛ الألية (فل) .
aliphatic [ăl'ə făt'ĭk] *(adj.)* أليفاتي ؛ دُهْنِيّ (ك) .
aliquant [ăl'ə kwənt] *(adj.)* قاسم غير تامّ (كالخمسة بالنسبة إلى الرقم ١٦ . فهي تقسمه ولكن مع باقٍ) .
aliquot [ăl'ə kwət] *(adj.)* قاسم تامّ (كالخمسة بالنسبة إلى الرقم ١٥ ، فهي تقسمُه من غير باقٍ) .
aliunde [ā'lĭ ŭn'dĭ] *(adv. ; adj.)* من مصدرٍ أو مكان آخر .
alive [ə līv'] *(adj.)* (١) حيّ ؛ على قيد الحياة (٢) ناشط ؛ مُتّقد (keep the fire ~) (٣) واعٍ ؛ مدرك (~ to the danger) (٤) نشيط ؛ مفعم بالحيوية (٥) مليء أو زاخر بـ (The lake was ~ with fish.)
alizarin [ə lĭz'ə rĭn] *(n.)* الأليزارين : صبغ أحمر يُحضَّر من قطران الفحم (وكانوا يستخرجونه قديماً من الفُوّة) .
alkahest [ăl'kə hĕst'] *(n.)* الحلاّل : مادةٌ سعى أصحاب الكيمياء القديمة إلى الحصول عليها زاعمين أنها قادرة على حلّ جميع المواد إلى عناصرها .
alkalescent [ăl'kə lĕs'ənt] *(adj.)* قِلويّ إلى حدّ ما .
alkali [ăl'kə lī] *(n. ; adj.)* *(Ar.)* (١) قِلْيٌ ؛ قَلِيّ (ك) . (٢) فِلز قِلْوِيّ § (٣) قِلْوِيّ .
alkalify *(vt. ; i.)* (١) يقلّي : يجعله قِلويّاً ×(٢) يتقلّى : يصبح قِلويّاً .
alkali metal *(n.)* فلزّ قِلْوِيّ (كالليثيوم والصوديوم الخ.) .
alkalimeter *(n.)* مقياس القِلْوِيّة .
alkaline [ăl'kə līn'; -lĭn] *(adj.)* قِلْوِيّ .
alkalinity *(n.)* القِلْوِيّة (مج) : الحالة القِلْوِيّة .
alkalinization *(n.)* التّقلية (مج) : جَعْل الشيء قِلْوِيّاً .
alkalinize *(vt.)* يقلّي (مج) : يجعله قِلْوِيّاً .
alkaloid *(adj. ; n.)* (١) شِبْقَلِيّ ؛ شبه قِلْوِيّ §(٢) مركّب شبقلي .
alkalosis *(n.)* القُلاء (مج) : ازدياد في قِلْوِيّة الدم والأنسجة .
alkanet *(n.)* (١) شِنجار ؛ رِجل الحمام ؛ خس الحمار (نب) . (٢) صِبغ أحمر يستخرج من جذور الشّنجار .
all [ôl] *(adj. ; adv. ; pron. ; n.)* (١) كلّ ؛ جميع . (٢) مُستهلَك بكامله (The beer was ~.) § (٣) تماماً ؛ بكل ما في الكلمة من معنى (sat ~ alone) (٤) لكل فريق (The score is three ~.) § (٥) كل شيء (Is that ~ ?) § (٦) كل ما يملكه المرء (to lose one's ~)
~ alone وحده تماماً ؛ من غير مساعد .
~ along (١) على طول كذا (٢) دائماً ؛ منذ البدء .
~ but تقريباً .
~ clear اشارة زوال الخطر .
~ day long طوال النهار .
~ in ~, (١) كلّ شيء ؛ الكل في الكل (٢) تماماً .
~ one to me سِيّان عندي .
~ over Asia في طول آسية وعرضها .
~ right هذا حسن ! أنا موافق !
above ~, قبل كل شيء .
after ~, (١) ومع ذلك (٢) برغم كل شيء .
at ~, البتة ؛ مطلقاً ؛ بأية حال .
for ~ that برغم ذلك .
for good and ~, إلى الأبد ؛ نهائياً .
in ~, جملةً ؛ في المجموع .
not at ~, (١) مطلقاً (٢) لا شكر على واجب .
to be ~ over ينتهي ؛ ينفضّ (الاجتماع) .
to be ~ over (up) with (١) يلمّ به الخراب . (٢) يشرف على الموت .
Allah [ăl'ə ; ä'lə] *(n.)* الله .
all-American *(adj.)* (١) مؤلّف برمّته من عناصر أميركية . (٢) ممثّل للولايات المتحدة الأميركية ككل ؛ وبخاصة : مختار بوصفه الأفضل في الولايات المتحدة الأميركية (٣) خاص بالأمم الأميركية كمجموعة .
all-around *(adj.)* (١) متعدّد البراعات (٢) عامّ ؛ شامل .
allay [ə lā'] *(vt.)* (١) يهدّئ (الغضبَ) (٢) يسكّن (الألم) .
allegation [ăl'ə gā'-] *(n.)* ادعاء ؛ زَعْم .
allege [ə lĕj'] *(vt.)* (١) يدّعي ؛ يزعم (٢) يحتجّ ؛ يتذرّع بـ .
allegiance [ə lē'jəns] *(n.)* (١) ولاء (للدولة) (٢) اخلاص (لقضية) .
allegiant [ə lē'jənt] *(adj.)* صادق الولاء .
allegoric; allegorical *(adj.)* مجازيّ ؛ استعاريّ .
allegorize *(vt.)* (١) يعبّر بالمجاز أو الاستعارة (٢) يفسّر مجازياً .
allegory [ăl'ə gōr'ĭ] *(n.)* (١) مجاز ؛ استعارة (٢) قصة رمزية .
allegretto *(adj. ; n.)* (١) عاجل (مج) ؛ سريع (مو) . § (٢) قطعة أو حركة عاجلة (مو) .
allegro [ə lā'grō] *(adj. ; n.)* (١) أعجَلُ (مج) ؛ أسرَعُ (مو) . § (٢) قطعة أو حركة شديدة العجلة (مو) .
allelomorph *(n.)* الفَرْدة ؛ الخَلْفة : ضربٌ من الجينات (أح) .
alleluia [ăl'ə lōō'yə] *(interj.)* هلّلويا : سبّحوا الرب (نص) .
allemande [ăl'ə mănd'] *(n.)* رقصة ألمانية أو موسيقاها .
allergen *(n.)* باعثة الاستهداف أو التجاوب : مادة تثير الحساسية .

allergic *(adj.)* (١) «أ» استهدافي ؛ تجاوبي ؛ حسّاسي . «ب» مثير للاستهداف أو التجاوب أو الحساسية (٢) «أ» شديد الحساسية لـ (ع) . «ب» نفورٌ من (ع) .

allergy [ăl'ər jĭ] *(n.)* (١) الاستهداف (مج) ؛ التجاوب : شدة حساسية الجسم لبعض المواد والأوضاع (٢) نفور .

alleviate [ə lē'vĭ āt'] *(vt.)* يخفف ؛ يسكّن ؛ يلطّف .
—alleviation *(n.)* **—alleviative; -tory** *(adj.)*

alley [ăl'ĭ] *(n.)* (١) ممشى (تكتنفه الأشجار) في حديقة . (٢) مجاز ضيق طويل ذو أرضية خشبية ناعمة لِلُعبة البولنغ (٣) زُقاق (٤) بِلْية ؛ كِلّة (را . marble 2a) .

alleyway *(n.)* (١) زُقاق (٢) مجازٌ ضيق .

All Fools' Day *(n.)* أول نيسان (ابريل) ؛ يوم الكذب .

all fours *(n. pl.)* (١) الأربع : «أ» قوائم الحيوان الأربع . «ب» ذراعا الانسان ورجلاه (٢) seven-up

Allhallows *(n.)* عيد جميع القديسين (نص) .

allheal *(n.)* الشافية الكليّة : أيٌ من نباتات عديدة تستعمل في الطبّ الشعبيّ خاصّة .

alliaceous *(adj.)* ثوماني ؛ بَصَلاني : شبيه بالثوم أو البَصَل .

alliance [ə lī'əns] *(n.)* (١) اتحاد (٢) زواج ؛ مصاهرة (٣) حِلْف (بين الدول) (٤) القرابة : صلة ناشئة عن تشابه الخصائص (the ~ between religion and morals) .

allied [ə līd' ; ăl'īd] *(adj.)* (١) مُتَّحِد : مرتبطٌ بعضُهُ ببعض (~ banks) (٢) متحالف ؛ حليف (~ nations) (٣)شقيق : تجمع بينه صفات أو خصائص أو سلالة مشتركة (~ animals) .

alligator

alligator [ăl'ə gā'tər] *(n.)* (١) القاطور : تمساح أميركا (٢) جلد قاطوري (مصنوع من جلد القاطور) (٣) الآلة القاطورية : آلة ذات فكّ قويّ متحرك كفكّ القاطور (٤) نصير لموسيقى « السوينغ » الدارجة .

alliterate *(vi. ; t.)* يجانس استهلالياً (را . المادة التالية) .

alliteration [ə lĭt'ə rā'shən] *(n.)* الجناس الاستهلالي : تكرير حرفٍ أو أكثر في مستهلّ لفظتين متجاورتين (مثل threatening throngs) .

allium [ăl 'ĭ əm] *(n.)* الثّوم : جنس الثوم من فصيلة الزنبقيات ، ويشمل الثوم المعروف والبصل والكرّاث الخ .

allocate [ăl'ə kāt'] *(vt.)* (١) يوزع ؛ يقسم ؛ يخصص (٢) يحدد أو يعين (موقعَ شيء) .

allocation *(n.)* (١) مص allocate (٢) حصة .

allocution [ăl'ə kū'shən] *(n.)* خُطبة رسمية (تنطوي عادة على نصح أو تحذير الخ .) .

allogamy *(n.)* الإخصاب الخَلْطيّ (مج) (نب) .
—allogamous *(adj.)*

allomerism *(n.)* الأَلُومَرِيّة : قابلية التغير في البِنْية الكيمائية من غير تغيّر في الشكل البلّوري .

allomorphism *(n.)* = allotropy .

allonym *(n.)* الاسم المُنْتَحَل : اسم شخص آخر ينتحلُه مؤلّف .

allopath *(n.)* الألوباثي : طبيب يعالج بالألوباثيا .

allopathic *(adj.)* ألوباثي (را . allopathy) .

allopathy [ə lŏp'ə thĭ] *(n.)* الألوباثيا : طريقة في التطبيب تقوم على استعمال علاجات تُحْدِث آثاراً مختلفة عن تلك التي أحدثها المرض المعالَج .

allot [ə lŏt'] *(vt.)* (١) يخصّص ؛ يوزّع (حصصاً) . (٢) يخصّص لغرض معيّن (to ~ money for a new college) .

allotment *(n.)* (١) تخصيص ؛ توزيع حصص (٢) حصة .

allotrope [ăl'ə trōp'] *(n.)* الشكل المتأصل (ك) .

allotropic *(adj.)* تأصليّ : موجود بشكلين مختلفين أو أكثر (ك) .

allotropy [ə lŏt'rə pĭ]; **allotropism** *(n.)* التأصّل : وجود مادة (وبخاصة عنصر) بشكلين مختلفين أو أكثر (ك) .

allottee *(n.)* المُخَصَّص له : من تُفْرَد له حصةٌ ما .

all-out *(adj.)* كامل ؛ شامل ؛ مستخدِم جميع الطاقات المتوفرة (an ~ effort) .

allover [*adj.* ôl'ō'vər ; *n.* ôl'ō'vər] *(adj; n.)* (١) شامل ؛ مُغَطٍّ السطحَ كله § (٢) نسيج مطرّز أو مطبوعٌ أو مزدان برسمٍ يغطي سطحه كله (٣)رسم مكرّر (على نسيج) بحيث يغطي السطح كله .

allow [ə lou'] *(vt. ; i.)* (١) يخصص لـ (to ~ a person £ 300 for expenses) (٢) يُفْرِد ؛ يُنقِص ؛ يُدْخل في حسابه كذا (to ~ an hour for changing trains) (٣) يسلّم بـ ؛ يقرّ بصحة شيء (~ *ed* the claim) (٤) يجيز ؛ يدع ؛ يترك (to ~ a door to stand open) ; (no smoking ~*ed*) (٥) «أ» يرى ؛ يعتقد (ع) . «ب» يعتزم أمراً (ع) ×(٦) يأخذ بعين الاعتبار (to ~ for shrinkage) .

allowable *(adj.)* جائز ؛ مباحٌ ؛ مشروع .

allowance [ə lou'əns] *(n.)* (١) نصيب ؛ حصة . (٢) مُخصّص ؛ علاوة ؛ بدل (٣) إنقاص ؛ حَسْم (the ~ for breakage) (٤) التفاوت ؛ التسامح (مك) (٥) إباحة ؛ إجازة (the ~ of slavery) (٦) إقرار أو تسليم بـ (the ~ of a claim) to make ~*s* for يلتمس له عذراً ؛ يُدْخل في حسابه الظروف المخففة .

alloy [*n.* ăl'oi, əloi'; *v.* ə loi'] *(n. ; vt.)* (١) الأُشابة (مج) : خليط من معدنين أو أكثر (Brass is an ~ of copper and zinc.) (٢)معدن خسيس ممزوج بمعدن نفيس (There is some ~ in this gold.) (٣) مزيج (من الخير والشرّ الخ .) § (٤)يزيِّف ؛ يزَغْل (٥) يوشِّب : يخلط المعادن .

all right *(adv. ; adj.)* (١) حسن جداً ؛ نعَم . (٢) من غير ريب § (٣) صحيح ؛ مُرْضٍ (٤) سليم ؛ معافى (Are you ~ ?) .

all-round = all-around.

All Saints' Day *(n.)* عيد جميع القديسين (أول نوفمبر) .

allseed *(n.)* البَزْراء : نبتة من نباتات عديدة كثيرة البزور .

All Souls' Day *(n.)* عيد الموتى (في ٢ نوفمبر)

allspice *(n.)* فلفل افرنجي ؛ فلفل حلو .

allude [ə lo͞od'] *(vi.)* يلمّح ؛ يُلمع إلى ؛ يشير مداورة .

allure [ə lo͞or'] *(vt. ; n.)* (١) يُغْري ؛ يَفْتن § (٢) إغراء .
—allurement *(n.)* **—alluring** *(adj.)*

allusion [ə lo͞o'zhən] *(n.)* (١) تلميح ؛ إلماع (٢) إشارة ضمنية أو غير مباشرة .
—allusive *(adj.)*

alluvial *(adj. ; n.)* (١) طَمْييّ ؛ غَرِينيّ §(٢)راسب غَرِينيّ .

alluvion [ə lo͞o'vĭ ən] *(n.)* (١) فيضان (٢) طَمْي ؛ غَرِيْن (٣) «أ» تزايد تدريجيّ في اليابسة بسبب انحسار المياه عن الشاطئ . «ب» الأرض المكتسبة نتيجة لذلك .

ă at; ā date; â care; ä car; ĕ egg; ē me; ĭ in; ī bite; ŏ lot; ō bone; ô orphan; oi boil o͝o good; o͞o boot; ou out; ŭ under; ū unity; û urgent; th thing; th this; zh vision; ə = *a* in alone, *e* in system, *i* in easily, *o* in gallop, *u* in circus.

alluvium *(n.)* pl. -s *or* -via : طَمْي ؛ غَرين .

ally [*v.* ə lī' ; *n.* ăl'ī , ə lī'] *(vt. ; i. ; n.)* : (١) يصاهر بين : يجمع من طريق الزواج (٢) يحالف بين : يربط بين دولتين أو أكثر بمعاهدة (٣) يقيم علاقة ما بين شيئين ×(٤) يتحالف مع § (٥) دولة حليفة (٦) حليف . نصير .

almagest [ăl'mə jĕst'] *(n.)* : المَجَسطي : *cap.* (١) كتاب شهير في الفلك لبطليموس (٢) أيّ من كتب عديدة وضعت في القرون الوسطى في علم التنجيم أو الخيمياء (الكيمياء القديمة) الخ .

alma mater [ăl'mə mä'tər] *(n.)* : الكليّة الأُمّ : الكلية التي تخرّج منها المرء .

almanac [ôl'mə năk'] *(n.)* : تقويم ؛ روزنامة .

almighty [ôl mī'tĭ] *(adj. ; n.)* : (١) *cap.* أك : كليّ القدرة (٢) ذو سلطة غير محدودة (نسبياً) § (٣) *cap.* : الله (تسبقها أداة التعريف *the*) .

almond [ä'mənd ; ăm'ənd] *(n.)* : (١) لوز (نب) (٢)لوزة .

almond-eyed *(adj.)* : لوزيّ العينين : ذو عينين ضيّقتين بيضاويتين .

almond green *(n.)* : الأخضر اللوزيّ : لون أخضر مصفرّ .

almoner *(n.)* : وكيل الصدقات : موظّف مكلّف بتوزيع الصدقات .

almost [ôl'mōst; ôl mōst'] *(adv.)* : تقريباً .

alms [ämz] *(n. sing. or pl.)* : صَدَقة ، صَدَقات .

almshouse [ämz'-] *(n.)* : مأوى ، ملجأ (للفقراء) .

almsman *(n.)* : فقير يعيش على الصدقات .

aloe [ăl'ō] *(n.)* : الألوة ؛ الصبِر : نبات يستخرج من بعض أنواعه عصارة مرّة تدعى **aloes** وتستعمل في الطبّ كمُسهِل .

aloft [ə lôft'] *(adv.)* : (١) عالياً (٢) طائراً (٣) عالياً فوق ظهر السفينة ، عالياً بين الأشرعة والصواري .

aloha [ə lō'ə] *(interj.)* : (١) هالو : هتاف ترحيب (٢) وداعاً .

aloin [ăl'ō ĭn] *(n.)* : الألووين : مُسهِل مُرّ يستخرج من الألوة (را . aloe) .

alone [ə lōn'] *(adj. ; adv.)* : (١) متوحّد ، منفرد بنفسه (~ with one's thoughts) (٢) فقط ، فحسب ، وحده (Man shall not live by bread ~.) (٣) فذّ ، لا يضارَع (She is ~ in worth.) § (٤) وحده ، دون غيره (He ~ can do it.) (٥) وحيداً ، بمفرده (left her in the house ~) .

along [ə lông'] *(prep. ; adv.)* : (١) على طول كذا ، في موازاة كذا (to sail ~ the coast) § (٢) إلى الأمام (move ~) (٣) من شخص إلى آخر (word was passed ~) (٤) معه ؛ برفقته (brought his sister ~) (٥) بقربه ؛ في متناوله (He had his gun ~.) .

along of *(prep.)* : بسبب كذا ، بسبب من كذا (ع) .

alongshore *(adv.)* : قرب الشاطئ أو على طوله أو بمحاذاته .

alongside *(adv. ; prep.)* : بجانب كذا ، جنباً إلى جنب مع .

aloof [ə lo͞of'] *(adv. ; adj.)* : (١) بعيداً ، بمعزل (stood ~) § (٢) متحفّظ ، غير مبدٍ اهتماماً أو عطفاً .

alopecia [ăl'ə pē'shĭ ə] *(n.)* : مَرَط ، سقوط الشَّعر ؛ صَلَع .

aloud [ə loud'] *(adv.)* : (١) بصوت عالٍ (to cry ~) . (٢) جهاراً : بنبرة الصوت الطبيعية وليس همساً (to read ~) .

alow [ə lō'] *(adv.)* = below.

alp [ălp] *(n.)* : جبل شاهق .

alpaca [ăl păk'ə] *(n.)* : (١) الألبكة : حيوان ثديي جنوبأميركي شبيه بالخروف طويل الصوف ناعمه (٢) صوف الألبكة أونسيج منه .

alpaca

alpenglow *(n.)* : الشَّفَق الألبيّ : وهج ضارب إلى الحُمرة يُرى ، حوالى الغروب أو الشروق ، فوق قمم الجبال .

alpenhorn *or* **alphorn** *(n.)* : البوق الألبيّ : بوق خشبي طويل يستعمله الرعاة السويسريون .

alpenstock *(n.)* : العصا الألبية : عصا طويلة في أسفلها حديدة مستدقة الرأس يُستعان بها على تسلّق الجبال .

alpestrine [ăl pĕs' trĭn] *(adj.)* : (١) ألبيّ : منسوب إلى جبال الألب (٢) صُرُوديّ : نام على المنحدرات العالية .

alpha [ăl'fə] *(n.)* : (١) ألفا : الحرف الأول من الأبجدية اليونانية . (٢) بداية (٣) النجم الرئيسي أو الأشدّ تألّقاً في كوكبة (فل) .

alpha and omega *(n.)* : البداية والنهاية .

alphabet [ăl'fə bĕt] *(n.)* : (١) الألفباء (٢) مبادئ علم ما .

alphabetic; -al *(adj.)* : (١) أبجديّ (٢) مرتّب حسب الأبجدية .

alphabetically *(adv.)* : أبجدياً ، وفقاً للترتيب الأبجدي .

alphabetization *(n.)* : (١) الأبجدة : ترتيب الأسماء الخ . وفقاً للأبجدية (٢) قائمة ألخ . مرتبة أبجدياً .

alphabetize *(vt.)* : يُؤَبْجِد : «أ» يزوّد بأبجدية . «ب» يرتّب أبجدياً .

alpha iron *(n.)* : الحديد الألفي (مج) ، حديد ألفا : صورة من صُوَر الحديد تكون في درجات الحرارة التي لا تزيد على ٩١٠° مئوية .

alpha particle *(n.)* : الدقيقة الألفية ، دقيقة ألفا (فز) .

alpha rays : الأشعة الألفية ، أشعة ألفا (فز) .

Alpine [ăl'pīn; -pĭn] *(adj. ; n.)* : (١) *not cap.* اك : «أ» ألبيّ : ذو علاقة بجبال الألب . «ب» شاهق (٢) *not cap.*: صُرُوديّ : نام في منحدرات الجبال (٣) ألبينيّ : ذو علاقة بفرع من العرق القوقازي يتميز أبناؤه المتوسطو الطول العِراض الرؤوس ببياض البشرة وامتلاء الجسم § (٤) الألبيّ : شخص ذو خصائص جسمية ألبينيّة .

Alpinism *(n.)* : تسلّق الألب (أو أيّ جبل شاهق) .

Alpinist *(n.)* : متسلّق الألب (أو أيّ جبل شاهق) .

already *(adv.)* : (١) الآن (It's finished ~.) . (٢) في ذلك الحين (When I called,he had ~ left the house.) (٣) سابقاً ، قبل الان (I've been there ~.) .

alright [ôl rīt'] = all right.

Alsatian [ăl sā'shən] *(adj. ; n.)* : (١) الزاسيّ : منسوب إلى الألزاس (في فرنسة) أو إلى الزاشيا (وهي حيّ في لندن) § (٢) الألزاسيّ : أحد سكان الألزاس أو ألزاشيا (٣) German shepherd

also [ôl'sō] *(adv.)* : أيضاً ، كذلك .

also-ran *(n.)* : (١) فرس (أو كلب) يحلّ في مرتبة بعد المرتبة الثالثة (في سباق) (٢) متسابق لا يحالفه النصر .

Altaic [ăl tā'ik] *(adj.)* : ألطائيّ : «أ» متعلق بجبال ألطاي في آسية الوسطى «ب» متعلق بأسرة من اللغات تنتظم التركية والمنشورية والمغولية .

Altair [ăl tä'ĭr] *(Ar.)* : النّسر الطائر (فل) .

altar

altar [ôl'tər] *(n.)* : المَذْبَح : مذبح الكنيسة .

altar boy *(n.)* : القَنْدَلَفْت : خادم الكاهن في قداس .

altarpiece *(n.)* : نقش خلف مذبح الكنيسة وفوقه .

altar rail *(n.)* : حاجز المذبح (في كنيسة) .

altazimuth *(n.)* التلسكوب السَّمْتِيّ الارتفاعي : تلسكوب منصوب بحيث تمكن إمالتُه أفقياً وعمودياً .

alter [ôl'tər] *(vt. ; i.)* (١) يُبدِّل ؛ يغيِّر ؛ يعدِّل (٢) يَخْصي. ×(٣) يتبدَّل ؛ يتغيَّر .

—alterable *(adj.)* مُبَدَّل ؛ مغيَّر .

alterant [ôl'tər ənt] *(adj. ; n.)*

alteration *(n.)* (١) تبديل ؛ تغيير ؛ تعديل (٢) تبدُّل ؛ تغيُّر .

alterative *(adj. ; n.)* (١) مبدِّل ؛ مغيِّر ؛ معدِّل (٢) مغيِّر : محوِّل تدريجياً من حالة مَرَضيّة إلى حالة سليمة (ط) § (٣) المغيِّر : دواء مغيِّر .

altercate [ôl'tər kāt'; ăl'-] *(vi.)* يتشاحن ؛ يتشاجر .

altercation *(n.)* مشاحنة ؛ مشاجرة ؛ مُشادَّة (كلامية) .

alter ego *(n.)* (١) نفس ثانية ؛ أنا ثانية (٢) صديق موثوق .

alternate [*v.* ôl'tər nāt' , ăl'-; *adj.* , *n.* ôl'tər nĭt, ăl'-] *(vt. ; i. ; adj. ; n.)* (١) يناوب ؛ يعاقب ؛ ينجز بالدور أو على التعاقب ؛ يجعله يتناوب أو يتعاقب ×(٢) يتناوب ؛ يتعاقب § (٣) «أ» متناوب ؛ متعاقب. «ب» متبادَل (~ acts of kindness) (٤) متبادِل ؛ متعاقِب (مج) : منتظم إفرادياً على مستويات مختلفة من جانبي المحور (~ leaves) § (٥) البديل . to read the ~ lines يقرأ سطراً ويترك سطراً .

alternate leaves

alternate angles الزوايا المتبادلة (ر) .

alternately *(adv.)* بالتناوب ؛ بالتعاقب ؛ مراوحةً .

alternating current *(n.)* التيار المتردِّد أو المتناوب (كب) .

alternation *(n.)* (١) مناوبة ؛ معاقبة (٢) تناوُب ؛ تعاقب .

alternative [ôl tûr'nə tĭv ; ăl-] *(adj. ; n.)* (١) خِياريّ ؛ متيحٌ المجالَ للاختيار (~ plans) § (٢) خيار ؛ تخيير بين أمرين (the ~ of remaining neutral or attacking) (٣) البديل : أحد الأمرين المُخيَّر بينهما (They chose the ~ of attacking.) (٤) مَعْدًى ؛ مَناص (We had no ~ but to attack.)

—alternatively *(adv.)*

alternative school المدرسة البديلة : مدرسة برامجُها غير تقليدية

alternator *(n.)* المُنَوِّبة ؛ المُردِّد ؛ مولِّد التيار المتردد (كب) .

althorn

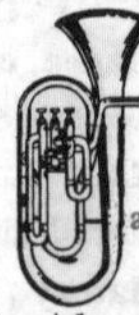

althorn [ălt'hôrn'] *(n.)* الصور : آلة موسيقية.

although *also* **altho** [ôl *th*ō'] *(conj.)* مع انّ ؛ برغم انّ .

altimeter *(n.)* الألتيمتر : مقياس الارتفاع .

altimetry *(n.)* قياس الارتفاعات .

altimeter

altitude [ăl'tə tūd'] *(n.)* (١) الارتفاع : «أ» الارتفاع الزاويّ لجرم سماويّ فوق الأفق (فل) . «ب» الارتفاع العمودي لشيء ما فوق سطح البحر . «ج» المسافة العمودية من قاعدة الشكل الهندسي إلى رأسه (هن) (٢) «أ» علوّ . «ب» *pl.*: مرتفعات ؛ أعالٍ (٣) ذروة (المجد أو العظمة الخ) .

alto [ăl'tō] *(n. ; adj.)* (١) الألتو : «أ» أعلى الأصوات في غناء الرجال. «ب» أخفض الأصوات في غناء النساء (٢) «أ» المغني بأعلى الأصوات. «ب» المغنية بأخفض الأصوات (٣) «أ» كمانٌ أوسط . «ب» althorn § (٤) ألْتُوِيّ : منسوب إلى الألتو (٥) مرتفع .

altocumulus *(n.)* القَنزَع : تشكّل سُحُبيّ صُوفيّ المظهر مؤلَّف من غيوم كروية ضاربة إلى البياض (أر) .

altogether [ôl'tə gĕ*th*'ər] *(adv.)* (١) تماماً ؛ بكل ما في الكلمة من معنى (~ bad) (٢) جملةً ؛ في مجموعه (amounted ~ to sixty dollars) (٣) بالاجمال ؛ على الجملة (~, it wasn't a very satisfactory journey.) .

alto-relievo *or* **alto-rilievo** *(n.)* المرتفع البُروز : نَقشٌ تكون صُوَرُه بارزة بنسبة تعادل نصف ثخانتها على الأقل .

altostratus *(n.)* الطاخر ؛ الطُخْرُور : تشكّل سُحُبيّ شبيه بالسُّمْحاق cirrostratus ولكنه أدكَن منه وأقلّ ارتفاعاً.

altruism [ăl'trōō ĭz'əm] *(n.)* إيثار ؛ غَيْرِيّة ؛ حبّ الغير .

altruist *(n.)* الغَيْرِيّ ؛ مُحِبّ الغير (ضدّ : الأناني) .

altruistic *(adj.)* غَيْرِيّ ؛ محبّ للغير (ضدّ : أناني) .

alum [ăl'əm] *(n.)* الشَّبّ (مج) : حَجَرُ الشَّبّ .

alumina *(n.)* الألومينا : أكسيد الألومنيوم (ك) .

aluminate *(n.)* ألومينات (ك) .

aluminiferous *(adj.)* ألومنيومي : محتوٍ على ألومنيوم .

aluminium [ăl'yə mĭn'ĭ əm] *(n.)* = aluminum.

aluminize *(vt.)* يُلَوْمِن : يعالج أو يكسو بالألومنيوم .

aluminous *(adj.)* (١) شَبّيّ : منسوب إلى الشَّبّ . (٢) ألومنيومي : منسوب إلى الألومنيوم .

aluminum [ə lōō'mə nəm] *(n.)* الألومنيوم (مع) .

alumna [ə lŭm'nə] *(n.)* pl.**-e** خريجة كلية أو جامعة .

alumnus [ə lŭm'-] *(n.)* pl. **-ni** خريج كلية أو جامعة .

alumroot *(n.)* الهُوشِيرَة : نبات من الفصيلة القَلْبية .

alunite [ăl'yə nīt'] *(n.)* الألونيت (مع) .

alveolar [ăl vē'ə lər] *(adj.)* سِنْخيّ (ت) .

alveolar artery *(n.)* الشريان السِّنْخيّ (مج) .

alveolate *(adj.)* مُنَخْرَب : ذو خلايا كقرص العسل .

alveolus [ăl vē'ə ləs] *(n.)* pl. **-li** (١) نقرة ؛ سِنخ . (٢) حجيرة هواء في الرئة .

alvine [ăl'vĭn;-vīn] *(adj.)* بطنيّ ؛ معَويّ .

always [ôl'wāz ; -wĭz] *(adv.)* دائماً ؛ أبداً .

alyssum *(n.)* الآلوسِن : نبات ذو زهر أبيض أو أصفر .

am [ăm] *(v.)* أكون (I ~) .

A. M. *or* **a. m.** [*ante meridiem*] *(L.)* ق.ظ : قبل الظهر .

A.M. = **M.A.**

ama *(Jap.)* الغواص ؛ الغواص الياباني (على اللآلئ بخاصة).

amadou [ăm'ə dōō'] *(n.)* الصُّوفان : مادّة اسفنجية تستخدم في الجراحة ولإخراج النار من حجر القَدْح.

amain [ə mān'] *(adv.)* (١) بكلّ قوّة (٢) «أ» بأقصى السرعة . «ب» بعَجَلة فائقة . «ج» فجأة (٣) كثيراً ؛ إلى حدّ بعيد (pleased ~) .

amalgam [ə măl'gəm] *(n.)* (١) المَلْغَم (مج) : زئبق ممزوج بمعدن آخر أو بمعادن أخرى (٢) مزيج .

amalgamate [ə măl'gə māt'] *(vt. ; i.)* (١) يُمَلْغِم (مج) ؛ يَدْمِج ×(٢) يتملغم (مج) ؛ يندمج .

amalgamated *(adj.)* مُمَلْغَم (مج) .

amalgamation *(n.)* (١) المَلْغَمَة (مج) (٢) التَّملغُم (مج).

amalgamator *(n.)* (١) المُمَلْغِم (٢) المِلْغام : آلة تُستعمل في المَلْغَمَة .

ă at; ā date; â care; ä car; ĕ egg; ē me; ĭ in; ī bite; ŏ lot; ō bone; ô orphan; oi boil oo good; ōō boot; ou out; ŭ under; ū unity; û urgent; th thing; *th* this; zh vision; ə = *a* in alone, *e* in system, *i* in easily, *o* in gallop, *u* in circus.

amanita *(n.)* الأمانيت : فطر من فصيلة الغاريقونيات سامّ غالباً.

amantadine *(n.)* الأمنتدين : عقار مضادّ للفيروسات .

amanuensis [ə măn' yōō ĕn'sĭs] *(n.)* pl. **-ses** (١) كاتب الاملاء : كاتب يدوّن ما يُملَى عليه (٢) الناسخ (٣) السكرتير .

amaranth [ăm'ə rănth'] *(n.)* (١) نبتة (خيالية) لا تذبل . (٢) القطيفة ؛ سالف العروس (نب) (٣) «أ» اللون الأرجواني الداكن . «ب» اللون القرنفلي الضارب إلى الأرجواني .

amaranthine *(adj.)* (١) قطيفيّ ؛ شبيه بالقطيفة (را . amaranth) (٢) «أ» لا يذبل . «ب» سرمدي ؛ خالد (٣) ارجواني .

amarelle [ăm'ə rĕl'] *(n.)* الإجّاص الكرزيّ (نب) .

amaretto *(n.)* المُلَوَّز : شراب مُسْكِر لوزيّ النكهة .

amaryllis [ăm'ə rĭl'is] *(n.)* الأمارِلّس : نبات من النرجسيات .

amass [ə măs'] *(vt.)* (١) يجمع (ثروة الخ.) (٢) يكدّس .

amateur *(n. ; adj.)* (١) الهاوي (ضد : المحترف) (٢) مَن تُعوِزه الخبرة والبراعة في فنّ أو علم § (٣) هاوٍ ؛ لا محترف .

amateurish *(adj.)* (١) غير مُتْقَن جداً (٢) غير خبير أو بارع .

amative *(adj.)* مفطور على الحبّ (أو على شدة الانفعال الجنسي) .

amativeness *(n.)* النزوعُ إلى الحُب (أو الانفعال الجنسي) .

amatol [ăm'ə tŏl'] *(n.)* الأماتول : مادة متفجرة .

amatory *or* **amatorial** *(adj.)* غراميّ (poems ~) .

amaurosis *(n.)* الكُمْنَة (مج) : عمى جزئيّ أو كليّ .

amaze [ə māz'] *(vt.)* يُذْهِل ؛ يشْدَه .

amazement [ə māz'-] *(n.)* انذهال ؛ انشداه .

amazing [ə mā'zĭng] *(adj.)* مُذْهِل ؛ مدهِش .

amazon [ăm'ə zŏn'] *(n.)* (١) *cap.* : الأمازونيّة : امرأة من عرق خرافي من المحاربات زعمت الأساطير الاغريقية أنهن كنّ يقمن قرب البحر الأسود (٢) امرأة طويلة قوية مسترجلة .

amazonian *(adj.)* (١) قويّة ؛ مسترجلة ؛ نزّاعة إلى الحرب . (٢) *cap.* : أمازونيّ : منسوب إلى نهر الأمازون .

ambassador [ăm băs'ə dər] *(n.)* (١) سفير (٢) رسولٌ أو ممثّل مفوّض .
—**ambassadorial** *(adj.)*

ambassadress [-'ə drĭs] *(n.)* (١) سفيرة (٢) زوجة سفير .

amber [ăm'bər] *(n. ; adj.)* (١) كَهْرَمان (مج) (٢) لون الكهرمان : الأصفر الضارب إلى الحمرة § (٣) كهرمانيّ .

ambergris *(n.)* العَنْبَر : مادة شمعية توجد طافية في شواطىء البحار الاستوائية ، ويُظَنّ أنها تنشأ في أمعاء الحيتان (وهي تُستعمل في صناعة العطور) .

ambi- بادئة معناها : كلا ؛ كلتا (*ambi*dextrous) .

ambidexter *(adj. ; n.)* (١) أضْبَط : قادر على استعمال كلتا يديه بسهولة متساوية (٢) منافق ؛ ذو وجهين § (٣) الأضبط (٤) المنافق ؛ ذو الوجهين .

ambidexterity *(n.)* (١) الضَّبَط : قدرة المرء على العمل بكلتا يديه بسهولة متساوية (٢) براعة فائقة (٣) نفاق .

ambidextrous [ăm'bə dĕk'strəs] *(adj.)* (١) أضبط (را . ambidexter 1) (٢) بارع إلى حدّ استثنائي (٣) منافق ؛ مُخادع ؛ ذو وجهين .

ambience *or* **ambiance** [ăm'bē-] *(n.)* جو ، محيط ؛ بيئة .

ambient [ăm'bĭ-] *(adj.)* مكتنف ؛ محيط بِ . (air ~) .

ambiguity [ăm'bə gū'ə tĭ] *(n.)* (١) «أ» غموض . «ب» التباس (٢) كلمة غامضة ؛ تعبير ملتبِس .

ambiguous [ăm bĭg'yōō əs] *(adj.)* (١) غامض (٢) ملتبِس .

ambiguously *(adv.)* على نحوٍ غامض أو ملتبس .

ambiguousness *(n.)* (١) غموض (٢) التباس .

ambisextrous *(adj.)* (١) مُعدّ لكلا الجنسين (clothing ~) (٢) جامعٌ لكلا الجنسين (an ~ party)

ambit [ăm'bĭt] *(n.)* (١) نطاق ؛ مدى (٢) حدود .

ambition [ăm bĭsh'ən] *(n. ; vt.)* (١) طموح . (٢) مَطْمَح (The crown was his ~.) § (٣) يطمح إلى.

ambitious [ăm bĭsh'əs] *(adj.)* (١) طَموح (٢) دالّ على طموح (an ~ attempt) (٣) شديد التّوق (I was not ~ of seeing this ceremony.)

ambivalence *(n.)* ازدواجية ؛ تناقُض ؛ تضارُب ؛ تأرجُح .

ambivalant *(adj.)* (١) متناقض ؛ متضارب (٢) متأرجح .

ambiversion *(n.)* تكافؤ الانبساط والانطواء (نف) .

ambivert *(n.)* متكافىء الانبساط والانطواء : شخص يجمع في ذات نفسه خصائص كلّ من المنبسط (extrovert) والمنطوي (introvert) معاً (نف) .

amble [ăm'bəl] *(vi. ; n.)* (١) يرهُو (الفرسُ) : يسير بتمهّل (٢) يمشي (أو يركَب) متمهّلا § (٣) رَهْو ؛ سيرٌ متمهّل .

ambler *(n.)* (١) الرَّهْوان : الفرس الذي يسير رَهْواً (٢) المتمهّل في السّير .

amblyopia *(n.)* الكَمَش : إظلام البصر من غير علّة عضوية ظاهرة .

ambrosia [ăm brō'zhə] *(n.)* (١) «أ» طعام الآلهة. «ب» عطر الآلهة (٢) شيء طيّب المذاق أو الرائحة إلى حدّ بعيد .

ambrosial *(adj.)* (١) «أ» كطعامِ أو عطر الآلهة . «ب» طيب المذاق أو الرائحة إلى حدّ بعيد (٣) إلهيّ ؛ جدير بالآلهة .

ambry [ăm'brĭ] *(n.)* (١) خزانة (أو حجرة) لحفظ المؤن أو آنية الطعام الزجاجية والخزفية (٢) خزانة للطعام .

ambulacral *(adj.)* قِنابيّ (را . ambulacrum).

ambulacrum *(n.)* pl. **-cra** القِناب : إحدى المناطق المثقّبة التي تبرز من خلالها الأقدامُ الأنبوبية (في السمك النجميّ الخ.).

ambulance [ăm'byə ləns] *(n.)* (١) مستشفى الميدان : مستشفى متنقّل يرافق الجيش (٢) سيارة (أو طائرة الخ .) إسعاف .

ambulance chaser *(n.)* متصيّد عربات الاسعاف : محامٍ يحرّض ضحايا الحوادث على إقامة الدعوى للمطالبة بالتعويض.

ambulant [ăm'byə lənt] *(adj.)* متنقّل ؛ متجوّل .

ambulate [-lāt'] *(vi.)* يتنقّل ؛ يتجوّل .

ambulatory *(adj. ; n.)* (١) خاصّ بالمشْي أو قادرٌ عليه أو مُعَدّ لأجله (٢) متنقّل ؛ متجوِّل (٣) قابل للتغيير (will ~) (٤) غير ملازمٍ الفراش ؛ قادرٌ على التجوّل (patient ~) § (٥) ممشى مسقوف (في كنيسة الخ .) .

ambuscade [ăm'bəs kād'] *(n. ; vi. ; t.)* (١) كمينٌ . § (٢) يكمن لـِ × (٣) يهاجم من مَكْمَنٍ .

ambush [ăm'bōōsh] *(vt. ; i. ; n.)* (١) يهاجم من مكمن . × (٢) يكمن لِـ § (٣) كمين ؛ مكمن .

ameba ; amebic, etc. = amoeba ; amoebic, etc.

amebiasis [ăm ĭ bī'ə sĭs] *(n.)* الاميبيّة : داء المتمورات (مض) .

amebic dysentery *(n.)* الزُّحار الاميبيّ (مض) .

ameer [ə mĭr'] *(Ar.)* أمير .

ameliorate [ə mēl'yə rāt'] *(vt. ; i.)* (١) يُحسّن × (٢) يتحسّن .

amelioration *(n.)* (١) تحسين (٢) تحسّن .

ameliorative *(adj.)* تحسينيّ ؛ مُحسِّن .

amen [ā'mĕn';ä'-] *(interj. ; adv.)* (١) آمين § (٢) حقاً .

amenable [ə mē'nə bəl] *(adj.)* (١) مسؤول . (٢) مذعان ؛ سهل الانقياد (٣) عرضة لِـ (~ to criticism) .

—amenability; amenableness *(n.)*

amend [ə mĕnd'] *(vt. ; i.)* (١) يعدّل (٢) يحسّن (٣) ينقّح ×(٤) يصلح نفسه .

amendable *(adj.)* قابل للتعديل أو التحسين أو التنقيح

amendatory *(adj.)* تعديليّ ؛ تحسينيّ ؛ تنقيحيّ .

amende honorable *(F.)* تعويض الشرف : اعتراف رسمي بالاساءة مع اعتذار مُذِلّ يقدَّم إلى مَنْ أسيء إليه أو إلى مَن تعرّض شرفه للاهانة .

amendment *(n.)* تعديل ؛ تحسين ؛ تنقيح .

amends [ə mĕndz'] *(n. sing. or pl.)* تعويض ؛ ترضية . to make ~, يقدم تعويضاً أو ترضية .

amenity [ə mĕn'ə tĭ ; - mē'nə-] *(n.)* (١) لطافة (the ~ of the climate) (٢) سبب من أسباب الراحة أو المتعة (٣) *pl.* عد : لياقة ؛ لياقات .

amenorrhea [ā mĕn'ə rē'ə] *(n.)* انحباس الطمث : انقطاع الطمث انقطاعاً غير سويّ (مض) .

a mensa et thoro *(L.)* تعبير معناه الحرفي : « من المائدة والفراش » ، ومعناه القانوني طلاق بين الرجل والمرأة يظلاّن بموجبه زوجاً وزوجة ولكنهما يُحلاّن من واجب العيش معاً.

ament [ăm'ənt; ā'-] *also* **amentum** *(n.)* العَسيل : عنقود زهري سنبليّ الشكل (نب) .

aments

amentia [ā mĕn'shə] *(n.)* خَبَل ؛ بلاهة.

amerce [ə mûrs'] *(vt.)* (١) يغرم (٢)يعاقب.

amercement *(n.)* (١) تغريم (٢) غرامة (٣) عقاب .

American [ə mĕr'ə kən] *(n. ; adj.)* (١) الأميركي : «أ» هندي أحمر من هنود أميركة الشمالية أو الجنوبية . «ب» أحد أبناء أميركة الشمالية أو الجنوبية . «ج» أحد مواطني الولايات المتحدة الأميركية § (٢) أميركيّ .

Americana *(n. pl.)* مجموعة من الوثائق أو الكتب أو الحقائق عن أميركة .

American English *(n.)* الانكليزية الأميركية : اللغة الوطنية للكثرة من سكان الولايات المتحدة الأميركية (بوصفها متميزة عن « الانكليزية البريطانية » ولكنها غير مختلفة عنها إلى حدّ يجيز اعتبارها لغة مختلفة) .

American Indian *(n.)* الهندي الأميركي : أحد هنود أميركة الحمر .

Americanism *(n.)* (١) اصطلاح أميركي (٢)الولاء للولايات المتحدة الأميركية (٣) «أ» عادة أو سِمَة مميزة للولايات المتحدة الأميركية . «ب» المبادىء الأساسية التي ترتكز عليها الثقافة الوطنية الاميركية .

Americanist *(n.)* العالم بلغات أو ثقافات سكان أميركة الأصليين.

Americanization *(n.)* (١) أَمْرَكَة (٢) تأمرُك .

americanize *(vt. ; i. often cap.)* (١) يُؤَمْرِك ×(٢) يتأمرك.

American plan *(n.)* الخطة الأميركية : نظام متّبَع في الفنادق يتقاضى بموجبه من النزلاء مبلغ محدّد لقاء المبيت والطعام مجتمعَين.

americium *(n.)* الأمريسيوم : عنصر فلزيّ إشعاعيّ النشاط .

Amerind *(n.)* الأمرندي : هندي من هنود أميركة الحمر .

amethyst [ăm'ə thĭst] *(n.; adj.)* (١) الجَمَشْت : حجر كريم أرجوانيّ أو بنفسجي (٢) اللون الأرجواني أو البنفسجي § (٣) أرجواني ؛ بنفسجيّ .

—amethystine *(adj.)*

ametropia [ăm'ə trō'pĭ ə] *(n.)* تيهُ البصر (مض) .

Amharic *(n.; adj.)* (١) الأمهرية : لغة الحبشة الرسمية § (٢) أمهري .

amiability *(n.)* أُنس ؛ لُطف ؛ وُدّ .

amiable [ā'mĭ ə bəl] *(adj.)* (١) أنيس ؛ لطيف ؛ ودود (~ to the guests) (٢) وُدّيّ (an ~ mood) .

amiableness *(n.)* = amiability.

amianthus *or* **amiantus** *(n.)* الأمْيَنْت : اسبستوس حريري ناعم (مع) .

amicable [ăm'ə kə bəl] *(adj.)* حُبيّ ؛ سِلميّ (an ~ settlement)

—amicability *(n.)*

amicable numbers الأعداد المتحابّة (ر) .

amicably *(adv.)* حُبيّاً ؛ سِلمياً .

amice [ăm'ĭs] *(n.)* الأكتافيّة : ثوب يلقيه الكاهن على كتفيه .

amicus curiae *(L.)* صديق المحكمة : شخص ليس طرَفاً في النزاع يتطوّع لتقديم النصح إلى المحكمة في قضية تنظر فيها (ق) .

amid [ə mĭd'] *(prep.)* وَسْطَ ؛ بين .

amidase *(n.)* الأميداز : أنزيمة أو خميرة تفكّك الأميدات (كح) .

amide [ăm'īd ; -ĭd] *(n.)* الأميد : مركّب ناتج عن إحلال مجموعة حامض عضويّ محلّ ذرة هيدروجين في جُزَيء النشادر .

amido [ə mē'do] *(adj.)* (١) أمِيدِيّ (ك) (٢) أمينيّ (ك) .

amidol *(n.)* الأميدول : ملح متبلّر عديم اللون يُستخدم في إظهار الصور الفوتوغرافية (ك) .

amidships *(adv.)* في وسط السفينة أو نحو وَسَطها .

amidst [ə mĭdst'] *(prep.)* = amid.

amigo [ä mē'gō] *(Sp.)* صَدِيق .

amine [ə mēn'] *(n.)* الأمين : مركّب ينتج من إحلال مجموعة أو أكثر من مجموعات الأرِيل محلّ هيدروجين النشادر (ك) .

amino *(adj.)* أمينيّ : منسوب إلى الأمين (ك) .

amino acid *(n.)* الحامض الأمينيّ (ك) .

amir [ə mĭr'] *(Ar.)* أمير .

amiss [ə mĭs'] *(adj. ; adv.)* (١) خاطىء (٢) ناقص § (٣) بطريقة خاطئة الخ . (to speak ~). to take ~, يستاء ؛ يمتعض .

amitosis [ăm'ə tō'sĭs] *(n.)* الانقسام اللافتيلي أو البسيط (مج): انقسام الخلية المباشر من غير تكوين للصبغيات (أح) .

amitotic *(adj.)* لافتيلي (مج) : متعلق بالانقسام اللافتيلي (أح) .

amity [ăm'ə tĭ] *(n.)* صداقة ؛ تفاهم (وبخاصة بين الدول) .

ammeter *(n.)* الأميتر (مج): أداة لقياس التيار الكهربائي بالأمبير .

ammine [ăm'ēn ; ə mēn'] *(n.)* (١)الأمين: جُزَيء النشادر كما يكون في المركبات الأمينية (ك) (٢)مركّب أمّيني (ك) .

ammino *(adj.)* أمّينيّ : منسوب إلى الأمّين (ك) .

ammo [ăm'ō] *(n.)* = ammunition.

ammonia [ə mōn'yə] *(n.)* (١) نُشادِر (ك) (٢) ماء النشادر .

ammoniac [ə mō'-] *(n. ; adj.)* (١) أمونياك § (٢)نُشادِريّ.

ammoniacal *(adj.)* نُشادِريّ: مؤلّف من نشادر أو شبيه به.

ammoniate *(vt.)* يُنَشْدِر : يعالج أو يمزج بالنُشادِر .

ammonia water *(n.)* ماء النُشادِر ؛ محلول النُشادر .

ammonify *(vt. ; i.)* (١) ينشدِر: «أ» يمزج أو يُشبع بالنشادر. «ب» يحول إلى مركبات نشادرية × (٢) يَتَنَشْدَر.

ammonite [ăm'ə nīt'] *(n.)* الآمُونِيَّة : صدفة متحجِّرة ملتفّة من أصداف بعض الرَّخويات المنقرضة .

Ammonite *(n. ; adj.)* (١) العَمّوني : أحد أفراد شعب ساميّ كان يقطن شرقيّ الأردن § (٢) عَمّوني .

ammonium [ə mō'nĭ əm] *(n.)* الأمونيوم (ك) .

ammonium chloride *(n.)* كلوريد الأمونيوم (ك) .

ammonium nitrate *(n.)* نترات الأمونيوم (ك) .

ammonium sulfate *(n.)* سلفات أو كبريتات الأمونيوم (ك) .

ammonoid *(n.)* = ammonite.

ammunition [ăm'yə nĭsh'ən] *(n.)* ذخيرة حربية .

amnesia [ăm nē'zhə] *(n.)* (١) فقدُ الذاكرة (بسبب من صدمة أو حمّى) (٢) فجوة في ذاكرة المرء .

amnesty [ăm'nəs tĭ] *(n. ; vt.)* (١) عفوٌ عام . § (٢) يصفح : يصدر عفواً عاماً عن .

amnion [ăm'nĭ ən] *(n.)* pl. **-s** *or* **-nia** السَّلَى (مج) : الغشاء الداخلي الذي يحيط بالجنين مباشرة («ت» و«ح») .

amniotic cavity *(n.)* التجويف النُّخطي (مج) (ت) .

amniotic fluid *(n.)* النُّخط : السائل الذي يملأ السَّلى ويحيط بالجنين في الرحم (ت) .

amoeba [ə mē'bə] *(n.)* pl. **-s** *or* **-e** المتمورة ، الأميبة (مج) : حُيَيْوين وحيد الخلية يتغير شكله باستمرار (ح) .

amoeba

amoebiasis *(n.)* = amebiasis.

amoebic *aslo* **amoeban** *(adj.)* متموِّر ؛ أميبيّ (مج) .

amoeboid *(adj.)* أميبانيّ ؛ تموُّرانيّ ؛ شبيه بالأميبة .

amok [ə mŭk'; ə mŏk'] *(n.; adj. ; adv.)* (١) سُعُر مصحوب بنزعة إلى القتل أو الهجوم § (٢) مسعور سُعْراً مصحوباً بنزعة إلى القتل § (٣) بسُعْرٍ مصحوب بنزعة إلى القتل . to run ~ , يندفع الى الشارع كالمجنون (ويقتل كل من يصادفه)

amole [ə mō'lā] *(n.)* الأمول : «أ» جذور نباتات يستعاض بها عن الصابون . «ب» كلّ نبتة يستعاض بجذورها عن الصابون .

among [ə mŭng']; **amongst** *(prep.)* وسطَ ؛ بين ؛ في ما بين .

amoral [ā môr'əl; ă-] *(adj.)* (١) ليس أخلاقياً ولا لاأخلاقياً ؛ لا صفة أخلاقية له (٢) فاقدٌ لحسّ المسؤولية الأخلاقية .

amorist [ăm'ə rĭst] *(n.)* زير نساء .

Amorite *(n. ; adj.)* (١) العَمُوري : واحد من أبناء شعوب ساميّة متعددة عاشت في العراق وسورية وفلسطين خلال الألف الثالث والألف الثاني ق.م. § (٢) عمّوري .

amorous [ăm'ə rəs] *(adj.)* (١) مفطورٌ على الحب أو ميّال إليه (an ~ disposition) (٢) عاشق (٣) دالّ على الحبّ (an ~ sigh) (٤) حُبّيّ ؛ غزلي (~ poetry) .

amorousness *(n.)* الحُبّيَّة ، العِشْقيَّة ، الغَزَليَّة .

amorphism *(n.)* (١) اللاتبلورية ، اللاشكلية (٢) الفوضوية .

amorphous [ə môr'fəs] *(adj.)* (١) غير متبلورٍ ؛ لا متبلر (مج) ، لا شكل له (٢) غير منظّم .

amortization *(n.)* (١) استهلاك الدَّين : إيفاء الدين بأفراد مبالغ دوريّة تخصّص لتسديده (٢) المال المخصّص لهذا الغرض.

amortize [ăm'ər tīz] *(vt.)* يستهلك الدينَ (بأفراد مبالغ دوريّة تخصّص لتسديده) .

amortizement *(n.)* = amortization.

amount [ə mount'] *(vi. ; n.)* (١) يبلغ كذا (bill ~ *ed* to 50 dollars) (٢) يعادل ؛ يساوي (acts that ~ to treason) § (٣) مجموع ؛ حاصل الجمع (٤) مبلغ ؛ مقدار ؛ كمية.

amour [ə mo͞or'] *(n.)* علاقة غرامية أو علاقة غرامية غير شرعية.

amour propre [ȧ mo͞or prô'pr] *(F.)* احترام الذات .

ampelopsis *(n.)* الكَرْمية ؛ الشِّبْكَرْمة : نبات مُعترش من فصيلة الكَرْميات .

amperage *(n.)* الأمبيرية : قوة التيار الكهربائي مَقيسَةً بالأمبير .

ampere [ăm'pĭr] *(n.)* الأمبير : وحدة لقياس قوة التيار الكهربائي.

ampere-hour *(n.)* امبير – ساعة ؛ أمبير ساعيّ (كب) .

ampere-turn *(n.)* امبير – لفّة (كب) .

amphi- *or* **amph-** بادئة معناها : كلا ؛ كلتا ؛ من كلا النوعين ؛ من كلا الجانبين (*amphi*bious) .

amphibian [ăm fĭb'ĭ ən] *(n. ; adj.)* (١) القازب (مج) ؛ البَرْمائي : واحد القوازب أو البرمائيات **Amphibia** ، وهي حيوانات تستطيع العيش في الماء وعلى اليابسة ، كالضفادع وما إليها (٢) الطائرة البرمائية : طائرة مُعَدّة للاقلاع من البرّ أو البحر وللهبوط في أيّ منهما على السواء § (٣) قازِب ؛ برمائيّ .

amphibiology *(n.)* علم القوازب (مج) : علم البرمائيات .

amphibiotic *(adj.)* بريّ في مرحلة من وجوده مائيّ في الأخرى.

amphibious [ăm fĭb'ĭ əs] *(adj.)* (١) برمائيّ : «أ» قادرٌ على العيش في البرّ والماء (~ plants) . «ب» متعلّق بكلا البرّ والماء أو مُعَدّ لهما . «ج» منفذٌ بالتعاون بين قوى بحرية وبرية وجوية مُهيّأة للغزو . أيضاً : مدرَّب على هذا الغزو أو منظّم من أجله (٢) ثنائيّ الطبيعة أو الصفة أو النوع .

amphibiousness *(n.)* القَزوب (مج) ؛ البرمائية .

amphiboles *(n.pl.)* الأمفيبولات (مع) .

amphibolic *(adj.)* (١) أمفيبوليّ (مع) (٢) مبهم ؛ ملتبس ؛ غير مؤكد .

amphibology *(n.)* (١) إبهام ؛ التباس (٢) جملة الخ . مبهمة.

amphibolous *(adj.)* مُبْهَم ؛ مُلْتَبِس ؛ مُحتمِل معنَيَيْن .

amphicarpic *(adj.)* مُزْدَوِج الثمر (من حيث الشكل أو أوان النضج) .

amphipod [ăm'fə pŏd] *(n. ; adj.)* (١) المُزْدَوِج الأرجُل : حيوان من مزدوجات الأرجل **Amphipoda** وهي رتبة من القِشريات لها سبعة أزواج من الأرجل § (٢) مُزْدَوِج الأرجل.

amphistylar *(adj.)* مُعَمَّد (ذو أعمدة) من الجانبين (عم) .

amphitheater ; amphitheatre *(n.)* (١) مُدرَّج (٢) أرض منبسطة أو منحدرة برفق تكتنفها الكثبان من جميع جهاتها .

amphitheatric *or* **amphitheatrical** *(adj.)* مُدَرَّجيّ .

amphora [ăm'fə rə] *(n.)* *pl.* **-e** الأمْفُورَة : قارورة ضيقة العنق ذات عروتين كان الاغريق والرومان يضعون فيها الخمر أو الزيت الخ .

amphora

ample [ăm'pəl] *(adj.)* (١) مُتَسِع ؛ فسيح (٢) وافر (٣) مسهب (an ~ narrative) .

ampleness *(n.)* (١) اتّساع ؛ سعة (٢) وفرة (٣) إسهاب.

amplexicaul *(adj.)* مُعانِق (مج) : معانق أو مطوِّق للسّاق (~ leaves) .

ampliation [ăm plĭ ā'shən] *(n.)* توسيع (ا.ن) .

amplification *(n.)* (١) توسيع (٢) «أ» إسهاب ؛ إفاضة . «ب» مبالغة (٣) كلام مُسْهَب (٤) تضخيم ؛ تكبير (كب)

amplificatory *(adj.)* (١) توسيعي (٢) إسهابيّ (٣) تضخيميّ.

amplifier *(n.)* (١) فا amplify (٢) المضخم؛ المكبر (كب).

amplify [ăm'plə fī'] *(vt. ; i.)* (١) يوسّع (٢) يُطيل الوصفَ الخ. (٣) يبالغ (٤) يضخّم؛ يكبّر (كب) ×(٥) يُسْهِب؛ يُطْنِب.

amplitude [ăm'plə tūd'; -tōōd'] *(n.)* (١) اتّساع (٢) وفرة (٣) مدى؛ نطاق (٤) سعة (فز) (٥) قيمة الذروة (كب).

amplitude modulation *(n.)* تضمين الذروة (رد).

amply [ăm'plĭ] *(adv.)* (١) بسَعَة (٢) بوفرة (٣) بإسهاب.

ampul [ăm'pŭl] *or* **ampoule** [ăm'pōōl] *(n.)* الأنبولة (مج): وعاء زجاجي صغير مختوم يحتوي على جرعة واحدة من محلول يُحقَن تحت الجلد (ط).

ampulla [ăm pŭl'ə] *(n.)* pl. **-e** (١) قارورة (عِطر أو خمر أو زيت مقدّس) (٢) جراب؛ قازوزة (مج) (أح).

amputate [ăm'pyōō tāt'] *(vt.)* يَبْتُر (عضواً بعملية جراحية).

amputee *(n.)* الأبتر: مَن بُتر عضوٌ من أعضائه بعملية جراحية.

amuck [ə mŭk'] = amok.

amulet [ăm'yə lĭt] *(n.)* تَميمَة؛ تَعْويذَة؛ حِجاب.

amuse [ə mūz'] *(vt.)* (١) يُلْهي؛ يُسَلّي (٢) يُضْحِك.

amusement *(n.)* (١) لهو (٢) تَسْلِيَة؛ كل ما يسلّي.

amusement park *(n.)* حديقة الملاهي.

amusing; amusive *(adj.)* (١) مُلْهٍ؛ مُسَلٍّ (٢) مُضْحِك.

amygdala *(n.)* (١) لوزة (٢) اللوزة (مج): إحدى لوزتي الحلق.

amygdalate *(adj.)* لوزيّ: شبيه باللوز أو مصنوعٌ منه.

amygdalin *(n.)* الأميغْدالين: غلوكوسيد موجود في اللوز المرّ (ك).

amygdaloid [ə mĭg'də loid'] *(n. ; adj.)* (١) المُلَوْز: صخر بركانيّ مشتمل على تجاويف صغيرة ملأى بالرواسب من مختلف المعادن (صخ) § (٢) amygdaloidal أيضاً: «أ» لوزيّ الشكل. «ب» مُلَوَّز (~ rocks).

amyl [ăm'ĭl] *(n.)* الأميل (ك).

amyl- *or* **amylo-** بادئة معناها: نَشاء (*amylolysis*).

amylaceous [ăm'ə lā'shəs] *(adj.)* نَشَويّ.

amyl alcohol *(n.)* الكحول الأميليّ (ك).

amylase *(n.)* الأميلاز: خميرة في اللّعاب والعصارة البنكرياسية تساعد على تحويل النشا إلى سكر.

amylene *(n.)* الأميلين (ك).

amyloid *or* **amyloidal** *(adj.)* (١) نَشَويّ: محتوٍ على نشا (٢) نَشَوانيّ: شبيه بالنّشا.

amyloid *(n.)* (١) طعام نَشَويّ (٢) مادة شبيهة بالنّشا.

amylolysis *(n.)* تحوّل النّشا إلى سكّر (بفعل الخمائر خاصةً).

amylopsin *(n.)* الأميلُوبسين: خميرة في العصارة البنكرياسية تحوّل النّشا إلى سكّر (كح).

amylose *(n.)* الأميلوز: «أ» سُكّر عُداديّ كالنّشا والسيلولوز. «ب» أحد المركّبات المختلفة الناشئة عن تحليل النشا بالماء.

amylum [ăm'ə ləm] *(n.)* نشا؛ نشاء.

an [ăn] *(indef. artic. ; conj.)* (١) أداة تنكير تسبق الألفاظ المبدوءة بحرف علّة (~ artist) § (٢) and.

an- بادئة معناها: لا؛ بلا؛ من غير (*an*hydrous).

-an *or* **-ian** *also* **-ean** لاحقة معناها: (١) منسوب إلى كذا (Americ*an*) (٢) شخص بارع أو متخصص في كذا (histori*an*).

ana *(adv. ; n.)* (١) من كلٍّ بمقدار متساوٍ (تُستعمل في الوصفات الطبية) § (٢) «أ» مجموعة من أقوال شخص ما. «ب» مجموعة حكايات أو معلومات طريفة عن شخص أو موطن.

ana- بادئة معناها: «أ» فوق؛ إلى فوق. «ب» إلى الوراء. «ج» ثانية؛ من جديد. «د» كثيراً؛ بإفراط.

-ana لاحقة معناها: مجموعة معلومات عن موضوع ما (Americ*ana*).

Anabaptism *(n.)* القول بتجديد العِماد (نص).

Anabaptist *(n.)* القائل بتجديد العِماد: عضوٌ في طائفة بروتستانتية نشأت في أوروبة بُعَيْد عام ١٥٢٠ وتميّزت بالشروط القاسية التي وضعتها لعضوية الكنيسة، وبإصرارها على إعادة تعميد البالغين ورفض عماد الأطفال (نص).

anabasis [ə năb'ə sĭs] pl. **-ses** *(n.)* (١) زحف عسكري؛ حملة عسكرية (٢) انسحاب عسكري خطر أو عسير.

anabatic *(adj.)* صاعد؛ مندفع إلى فوق (an ~ wind).

anabolic *(adj.)* ابتنائيّ (را. المادة التالية).

anabolism *(n.)* الابتناء (مج): عملية تمثيل المواد الغذائية وتحويلها إلى أنسجة حيوانية أو نباتية (أح).

anachronism [ə năk'rə nĭz'əm] *(n.)* (١) المفارقة التاريخية (كأن تقول إن يوليوس قيصر استعمل التلفون أو إن نابليون ركب طائرة) (٢) شيء يوضع أو يَحْدث في غير زمانه الصحيح.

anachronistic *(adj.)* منطوٍ على مفارقة تاريخية.

anaconda *(n.)* الأناكُنْدَة: أفعى جنوبأميركية ضخمة من فصيلة البُواء.

anadem [ăn'ə dĕm'] *(n.)* إكليل (من الزهر الخ.).

anadromous [ə năd'rə məs] *(adj.)* مُصْعِد: صاعد من البحار إلى الأنهار لكي يلقي بيوضه.

anaemia [ə nē'mĭ ə] *(n.)* = anemia.

anaerobe *(n.)* المُتَعَضّي اللاهوائي (را. anaerobic).

anaerobic *(adj.)* لاهوائي (مج): «أ» قادرٌ على الحياة من غير حاجة إلى اكسجين. «ب» متعلّق بالمتعضّيات اللاهوائية أو ناشيء عنها (~ fermentation).

anaesthesia ; anaesthetic = anesthesia; anesthetic.

anaglyph [ăn'ə glĭf] *(n.)* نَقْشٌ ضئيل البروز.

anagoge *or* **anagogy** *(n.)* التأويل الباطني أو الروحي (لنص ديني).

anagram [ăn'ə grăm'] *(n. ; vt.)* (١) الجناس التصحيفيّ: تغيير يُجرَى في ترتيب أحرف كلمة ما بغيةَ تشكيل كلمة جديدة (*Galenus* is an ~ of *angelus*.) (٢) *pl.*: لعبة يشكّل فيها اللاعبون كلمات جديدة بتصحيف الكلمات الأخرى أو إضافة بعض الأحرف إليها § (٣) يجانس تصحيفياً: يعيد ترتيب أحرف كلمة ما لكي يشكّل كلمة جديدة (٤) يعيد ترتيب حروف نصٍّ ما لكي يكتشف رسالة محجوبة.

anagrammatize *(vt.)* يجانس تصحيفياً.

anal [ā'nəl] *(adj.)* شَرَجيّ؛ إستيّ.

anal canal *(n.)* القناة الشَّرَجية (ت).

analects ; analecta *(n. pl.)* منتخبات أدبية.

analeptic *(adj. ; n.)* مقوٍّ؛ منشّط؛ منعش § (٢) دواء مقوٍّ.

analgesia *(n.)* فَقْد الألم: اللاشعور بالألم من غير فقدٍ للوعي (ط).

analgesic *(adj. ; n.)* مُسكّن (مج)؛ مُفْقِدٌ للألم.

analogic ; -al *(adj.)* (١) قياسي (٢) تشابهي (٣) تناظري.

analogous [ə năl'ə gəs] *(adj.)* (١) مُشابه؛ مُناظر (٢) مُتشابه.

analogue *or* **analog** [ăn'ə lôg'] *(n.)* (١) النظير؛ المماثل

(٢) المتناظر ؛ العضو المتناظر : عضوٌ مماثل في الوظيفة لعضو في حيوان أو نبات آخر ولكنه مختلفٌ عنه في البِنْيَة والأصل ، كالخيشوم في السمكة يتناظر مع الرئة في ذات الأربع (أح) .

analogue computer *(n.)* الحاسبة بالقياس : ضرب من الآلات الحاسبة .

analogy *(n.)* (١) قياس التمثيل (مق) (٢) تشابه جزئي (٣) التناظر الوظيفي (أح) .

analphabet *(n.)* الأميّ : من لا يعرف القراءة والكتابة .

analysand *(n.)* المحلَّل نفسياً : شخص مُخْضَعٌ للتحليل النفسي .

analyse *(vt.)* = analyze .

analysis [ə năl'ə sĭs] *(n.)* pl. **-ses** (١) تحليل (٢) إعراب (ل) . (٣) موجَز ؛ مُختصَر (٤) psychoanalysis.

analyst [ăn'ə lĭst] *(n.)* (١) المحلِّل (٢) المحلِّل النفسي .

analytic [ăn'ə lĭt'ĭk] *(adj.)* (١) تحليلي (٢) بارع في التحليل (a keenly ~ man) (٣) إعرابي ؛ مُعْرَب (~ languages) (٤) صحيح بالضرورة ، لأن إنكاره ينطوي على تناقض (All spinsters are unmarried.) (٥) خاص بالتحليل النفسي .
— analytical *(adj.)*

analytic geometry *(n.)* الهندسة التحليلية (ر) .

analytics *(n.)* (١) التحليل المنطقي (٢) الهندسة التحليلية.

analyzable *(adj.)* قابلٌ للتحليل ؛ ممكنٌ تحليلُه .

analyze [ăn'ə līz'] *(vt.)* (١) يحلّل (٢) يُعْرِب (٣) يحلّل نفسياً (بطريقة التحليل النفسي).
—analyzation *(n.)*

anamnesis *(n.)* pl. **-ses** (١) تذكُّر (٢) سوابق المريض .

ananas *or* **anana** *(n.)* = pineapple.

anandrous *(adj.)* عديم الأسْدِية : عديم الأعضاء الذكرية (نب) .

Ananias [ăn'ə nī'əs] *(n.)* (١) حنانيا : رجل سَقَط ميتاً بسبب الكذب (نص) (٢) الكذّاب .

ananthous [ă năn'thəs] *(adj.)* لازَهري : عديم الزَّهر (نب) .

anapest *(n.)* الأنَبَسْط : وزنٌ (أو بحرٌ) من أوزان الشعر .

anaphase [ăn'ə fāz'] *(n.)* الطور الانفصالي (مج): أحد أطوار الانقسام الفتيلي أو غير المباشر لنواة الخليّة ، عندما تتباعد أنصاف الصُّبَيْغِيّات بعضها عن بعض ويتّجه كل نصف نحو أحد قطبيْ الخليّة (أح) .

anaphora *(n.)* الأنَفَرَة : تكرار اللفظة الواحدة في أوائل جملتين أو بيتين متعاقبين (أو أكثر) وبخاصة لغرض بلاغيّ (بل) .

anaphrodisia *(n.)* الجُفُور (مج): فَقْد أو نَقْص شهوة الجِماع .

anaphrodisiac *(adj. ; n.)* مُجْفِر: مُفْقِدٌ أو مُنْقِصٌ شهوةَ الجماع § (٢) المَجْفَرَة (مج): دواء مجْفِر .

anaphylaxis *(n.)* العُوار ؛ الإعوار (مج) : فَرْط الحساسية لمفعول بروتين غريب سبق إدخاله إلى الجسم بالحَقْن الخ .

anaplasty *(n.)* = plastic surgery.

anarch [ăn'ärk] *(n.)* الفوضويّ ؛ الزعيم الفوضوي .

anarchic [ăn är'kĭk] *or* **anarchical** *(adj.)* فَوْضَوِيّ .

anarchism [ăn'ər kĭz'əm] *(n.)* الفَوْضَوِيّة : «أ» نظرية سياسية تقول بأن جميع أشكال السلطة الحكومية غير مرغوب فيها ولا ضرورة لها البتّة، وتنادي بإقامة مجتمع مرتكز على التعاون الطَّوعي بين الأفراد والجماعات. «ب» الدعوةُ إلى المبادىء الفوضوية أو العَمَلُ وَفقَها .

anarchist [ăn'ər kĭst] *(n. ; adj.)* (١) الفَوْضَوِيّ : «أ» الثائر على السلطة الحاكمة أو النظام القائم . «ب» المؤمن بالفوضوية أو الداعي لها، وبخاصة : المستخدِمُ العُنْفَ لقَلْب النظام القائم § (٢) فوضويّ .
—anarchistic *(adj.)*

anarchy [ăn'ər kĭ] *(n.)* (١) «أ» فقدان الحكومة أو عدم وجودها . «ب» فوضى سياسية أو اجتماعية ناشئة عن ذلك . «ج» مدينةٌ فاضلة أو مجتمع مثاليّ لا حكومة فيه ويتألف من أفراد متمتعين بالحرية الكاملة (٢) فوضى (٣) الفوضوية .

anastigmat *(n.)* العدسة المُصَحِّحة أو اللامُشَوِّهة (بص) .

anastigmatic *(adj.)* لاستيغميّ ؛ مصحِّح ؛ لا مُشَوِّه (بص) .

anastomosis *(n.)* pl. **-ses** (١) التفَمُّم : (مج) : «أ» التحام بين الأوعية الدموية (فس) . «ب» التحام الأغصان أو العروق (نب) (٢) تلاقٍ ؛ تواصل ؛ تشابك (بين خطين أو نهرين الخ .) (٣) شبكة .

anastrophe [-'trə fĭ] *(n.)* العَكْس أو قَلْب الترتيب المألوف لكلمات الجملة (بل) .

anathema [ə năth'ə mə] *(n.)* (١) «أ» الحِرْم: مَنْعُ الأسقف شخصاً ما من شركة المؤمنين (كن) . «ب» لعنة (٢) المحروم أو الملعون (كنسياً) (٣) شخص (أو شيء) بغيض .

anathematize *(vt.)* يَحْرِم (من شَرِكة المؤمنين) ؛ يلعن .

Anatolian [ăn'ə tō'lĭ ən] *(n. ; adj.)* (١) الأناضوليّ : أحد أبناء الأناضول (٢) اللغات الاناضولية : مجموعة من لغات الأناضول المنقرضة التي تُعتبر أحياناً فرعاً من أسرة اللغات الهندية الأوروبية § (٣) أناضوليّ .

anatomic ; -al *(adj.)* تشريحي : متعلق بعلم التشريح .

anatomist *(n.)* (١) العالِم بالتشريح (٢) «أ» المشرِّح «ب» المحلِّل .

anatomize [ə năt'ə mīz'] *(vt.)* (١) يشرِّح (٢) يحلّل .

anatomy [ə năt'ə mĭ] *(n.)* (١) علم التشريح: دراسة التركيب الداخليّ للمتعضّيات (٢) رسالةٌ في علم التشريح (٣) تشريح الحيوانات أو النباتات لدراسة تركيبها الداخلي (٤) التركيب البِنْيَويّ (وبخاصة لمُتعضٍّ أو لأحد أجزائه) (٥) تحليل (٦) «أ» هيكل عظْمي . «ب» شخص نحيلٌ جداً .

anatropous *(adj.)* مقلوبُ البُيَيْضَة ، منعكس البُيَيْضَة (نب) .

-ance لاحقة معناها : (١) عمل ؛ عملية (assist*ance*) . (٢) حالة (protuber*ance*) (٣) مقدار أو درجة (conduct*ance*) .

ancestor [ăn'sĕs tər] *(n.)* سَلَفٌ ؛ جدٌّ أعلى .
— ancestress *(n. fem.)*

ancestral *(adj.)* سَلَفيّ: ذو علاقة بالأسلاف أو مستمَدّ منهم .

ancestry [ăn'sĕs trĭ] *(n.)* (١) سلسلة النسب ؛ وبخاصة : محتِدٌ كريم أو أرستوقراطي (٢) أسلاف .

anchor [ăng'kər] *(n. ; vt. ; i.)* (١) مِرْساة (٢) المُعْتَمَد أو المرتَكَز ؛ المَلاذ (Hope is his ~.) (٣) المُثَبِّت : كل ما يمسك أو يثبّت شيئاً بإحكام § (٤) يُرْسِي (السفينة) (٥) يثبّت ×(٦) يرسو (٧) يَثْبُت (في موضعه) .

anchor

at ~, مُرْسٍ .
to cast (drop) ~, يلقي المرساة .
to weigh ~, يرفع المرساة (استعداداً للإبحار) .

anchorage [ăng'kər ĭj] *(n.)* (١) «أ» إرساء . «ب» رُسُوّ . (٢) مَرْسًى ، مَرفأ (٣) رسوم الإرساء (٤) مَلاذ أو وسيلة أمان.

anchoress *or* **ancress** *(n.)* الناسكة ؛ الزاهدة .

anchorite *also* **anchoret** *(n.)* الناسك ؛ الزاهد .

anchorperson *(n.)* منسِّق الأخبار [في الاذاعة والتلفزيون] .

anchovy [ăn'chō vĭ] *(n.)* البَلَم ؛ الآنشوفة : سمك صغير يشبه الرِّنكة .

ancien régime [än syăn' rĕ zhēm'] *(F.)* (١) النظام القديم : نظام فرنسة السياسي والاجتماعي قبل ثورة ١٧٨٩ (٢)نظام أو أسلوب بائد .

ancient [ān'shənt] *(adj. ; n.)* (١) قديم ؛ وبخاصة : يرقى إلى ما قبل زوال الامبراطورية الرومانية الغربية في عام ٤٧٦ ب.م. (٢) عتيق (٣) «أ» جليل . «ب» عتيق الزيّ (~ history) § (٤) شيخ عجوز (٥) «أ» *pl.* : شعوب التاريخ القديم المتمدينة . «ب» أحد الكتاب الكلاسيكيين القُدامى .

anciently *(adv.)* قديماً ؛ في الزمن الغابر .

ancientness *(n.)* قِدَمٌ ؛ عِتق .

ancilla *(n.)* pl. **-e** (١) خادمة (٢) المساعد ؛ المعاون .

ancillary [ăn'sə lĕr'ĭ] *(adj.)* مساعد ؛ ملحق ؛ إضافي .

ancipital [ăn sĭp'ə təl] *(adj.)* ذو حدَّين (~ stems) .

ancon [ăng'kŏn] *(n.)* (١) مِرفق (٢) المِرفق : نتوء مِرفقيّ الشكل (عم) .

-ancy لاحقة معناها : حالة (compli*ancy*) .

ancylostomiasis *(n.)* الأنسيلوستوما : فقر دم حادّ ناشىء عن امتصاص بعض الديدان الطفيلية للدمّ من المعي الدقيق (ط) .

and [ănd] *(conj.)* وَ ؛ واو العطف .

Andalusian *(adj. ; n.)* (١) أندلسي § (٢) الأندلسي : أحد أبناء الأندلس .

andalusite [ăn'də lōō'sīt] *(n.)* الأندلسي (مع) .

andante [ăn dăn'tĭ] *(adv.; adj. ; n.)* (١) ببطء معتدل (مو). § (٢) معتدل البطء (مو) § (٣) قطعة أو حركة معتدلة البطء (مو).

andiron [ănd'ī'ərn] *(n.)* المِنْصَب : مِسْنَدٌ للحطب المشتعل.

andr- *or* **andro-** بادئة معناها : (١) إنسان (٢) ذَكَرٌ .

androecium [ăn drē'shĭ əm] *(n.)* pl. **-cia** الحَشَمُ ؛ الكُشُّ ؛ العَطِيْل : مجموع أعضاء التذكير في النبات (نب) .

androgen *(n.)* منشّط الذكورة (مج) (كح) .

—**androgenic** *(adj.)*

androgynous *(adj.)* (١) خُنثَويّ (٢) متضمِّنٌ الأعضاءَ الذكَرية والأنثوية في العنقود نفسه (نب) .

android *(adj. ; n.)* (١) ذو شكل بشري § (٢)انسان أوتوماتيكي .

Andromeda [ăn drŏm'ə də] *(n.)* (١) آندروميدا : أميرة حبشية شُدَّت بالسلاسل إلى جُرُف عال لكي يلتهمها غولٌ ، ولكن بيرسيوس أنقذها وتزوجها(مث) (٢)المرأة المُسَلْسَلَة(فل).

-androus لاحقة معناها : ذو عدد معيَّن من الأسْدِية (mon*androus*) .

anear [ə nĭr'] *(adv. ; prep.)* = near.

anecdotage *(n.)* (١) القَصّ : سَرْد الحكايات والنوادر (٢) الحكايات والنوادر (٣) شيخوخة (ع) .

anecdotal *(adj.)* قصصيّ أو مشتمل على حكايات ونوادر .

anecdote [ăn'ĭk dōt'] *(n.)* حكاية ؛ نادرة .

anelectric *(adj.)* لاكهربائي ؛ غير متكهرب بالاحتكاك (فز) .

anem- *or* **anemo-** بادئة معناها : ريح (*anemo*meter) .

anemia [ə nē'mĭ ə] *(n.)* (١) الأنيميّة (مج) : فقر الدم (٢) فقدُ الحيوية .

anemic [ə nē'mĭk] *(adj.)* (١) أنيميّ : متعلّق بفقر الدم (٢) مصابٌ بفقر الدم (٣) ضعيف ؛ فاقدٌ الحيوية .

anemograph *(n.)* مِرْسَمَة الريح (مج) : مقياس مسجّل لشدّة الريح أو سرعتها .

anemography *(n.)* الأنيموغرافيا : فن قياس وتسجيل شدة الريح أو سرعتها .

anemology *(n.)* الأنيمولوجيا : علم الريح وظواهرها .

anemometer

anemometer *(n.)* المِرياح : مقياس شدة الريح أو سرعتها .

anemometry *(n.)* المَرْيَحة : قياس شدة الريح أو سرعتها

anemone [ə nĕm'ə nē'] *(n.)* (١) شقّار ؛ شقائق النعمان(نب). (٢) sea anemone .

anemophilous *(adj.)* ريحي التلقيح (مج) : ملقّح بما تحمله الريح من لَقَح (نب) .

anemophily *(n.)* التلقيح الريحي (مج) : تلقيحٌ بما تحمله الريح من لَقَح (نب)

anemoscope *(n.)* مِكشاف الريح : أداة تكشف عن وجود الريح واتجاهها .

anent [ə nĕnt'] *(prep.)* عن ؛ حول ؛ فيما يتعلق بـ .

aneroid [ăn'ə roid'] *(adj.)* لاسائلي ؛ غير متضمّن سائلا .

aneroid barometer *(n.)* البارومتر اللاسائلي ؛ البارومتر المعدني .

anesthesia [ăn'əs thē'zhə] *(n.)* الخُدار(مج) : فقدان الحِس . مبحث التخدير (ط) .

anesthesiology *(n.)*

anesthetic *(adj. ; n.)* (١) مخدِّر (٢) مخدَّر § (٣) عقار مخدِّر أو مسكّن .

anesthetist *(n.)* المخدِّر : طبيب الخ . يعطي المريض مخدِّراً .

anesthetize *(vt.)* يخدّر ؛ يعطي مخدِّراً .

aneurysm *also* **aneurism** *(n.)* الأنورسْما (مج) : تمدُّد الأوعية الدموية (مض) .

anew [ə nū'] *(adv.)* (١) ثانيةً ؛ من جديد (wrote (~ the story (٢) بشكل جديد (~ edited).

anfractuosity *(n.)* (١) تعرج ؛ التواء (٢) ممرّ متعرّج .

anfractuous [ăn frăk'chōō əs] *(adj.)* متعرج ؛ ملتوٍ .

angary [ăng'gə rĭ] *(n.)* حقّ الدولة المحاربة في الاستيلاء على ممتلكات الدول المحايدة أو استخدامها أو تدميرها (قد) .

angel [ān'jəl] *(n.)* (١) مَلاك (٢) امرأة كالملاك جمالا ورقّة (٣) المموِّل (أو الداعم بنفوذه) مسرحية أو حملة أو مرشّحاً (ع) (٤) عملة ذهبية انكليزية قديمة .

angelfish [ān'jəl fĭsh'] *(n.)* السمك الملائكي : «أ» سمك ذو زعانف تنتشر كالأجنحة. «ب» سمك استوائي شائك الزعانف براق الألوان .

angel cake *or* **angel food cake** *(n.)* الكعكة الملائكية : كعكة رقيقة بيضاء تصنع من الدقيق والسكّر وبياض البيض .

angelic; -al *(adj.)* (١) ملائكي (٢) سماويّ .

angelica [ăn jĕl'ə kə] *(n.)* حشيشة المَلاك (نب) .

Angelus [ăn'jə ləs] *(n.)* (١) صلاة التبشير : صلاة تؤدّى إحياء لذكرى تجسّد المسيح (كث) (٢) ناقوس التبشير : دقّة جرس تدعو الكاثوليك إلى أداء صلاة التبشير .

anger [ăng'gər] *(n. ; vt. ; i.)* (١) غضبٌ § (٢) يُغْضِب ×(٣) يغْضَب .

angi- *or* **angio-** بادئة معناها : وعاء (*angio*logy).

angina [ăn jī'nə] *(n.)* (١) الخُناق (٢) الخُناق الصدري.

angina pectoris *(n.)* الخُناق الصدري (ط) .

angiocardiography *(n.)* تصوير القلب وأوعيته الدموية (شعاعياً).

angiology *(n.)* مبحث الأوعية الدموية واللنفاوية (ت) .

angioma *(n.)* الورم الوعائي : ورم مؤلف من أوعية دموية أو لنفاوية.

angiosperm *(n.)* كاسية البزور : نبتة من كاسيات البزور **Angiospermae** وهي نباتات تكون بزورها في مبيض مُغْلَق .

—angiospermous *(adj.)*

angle [ăng'gəl] *(n. ; vt.)* (١) زاوية (٢) صِنارة (ا.ق). (٣) وجهة نظر (a new ~ on the problem) (٤) مظهر ؛ وجه ؛ جانب (considered all ~*s* of the question) § (٥) يُصنّر : يصيد السمك بالصنارة (٦) يحتال للحصول على (Mary ~ *d* for an invitation to his party by flattering him.) × (٧) يقدم الخبرَ الصحفيّ من وجهة نظر خاصة أو مغرِضة .

angled [-'gəld] *(adj.)* مزوّى ؛ ذو زاوية أو زوايا .

angle iron *(n.)* الحديد الزاوي أو المزوّى .

angle of attack زاوية الهبوب (طي) .

angle of contact زاوية التماس (مج) .

angle of depression زاوية الانخفاض (مج) .

angle of elevation زاوية الارتفاع (مج) .

angle of friction زاوية الاحتكاك (مج) .

angle of incidence زاوية السقوط («طي» و«فز») .

angle of reflection زاوية الانعكاس (ض) .

angle of refraction زاوية الانكسار (ض) .

angler [ăng'glər] *(n.)* (١) فا angle؛ وبخاصة: المصنّر: الصائد بالصنارة (٢) أبو الشص : سمك بحري ذو رأس ضخم مسطح وفم عريض . على رأسه شبه طُعْم يغري به صغار الأسماك .

angler

Angles [ăng'gəlz] *(n.)* الآنجلز : شعب جرماني غزا إنكلترة ، مع السكسون والجوت ، في القرن الخامس للميلاد ، ومن اسمهم اشتُقّت لفظتا « انكلترة » و « الانكليز » .

angleworm *(n.)* = earthworm.

Anglian *(adj. ; n.)* (١) آنجلي : منسوب إلى الآنجلز (را. Angles) § (٢) الآنجلي : واحد الآنجلز (٣) المجموعة الشمالية والشرقية من اللهجات الانكليزية القديمة .

Anglican *(adj. ; n.)* (١) انجليكاني: خاصّ بالكنيسة الانكليزية. (٢) انكليزيّ § (٣) الانجليكاني : أحد أتباع الكنيسة الانكليزية.

anglicism *(n.)* (١) اصطلاح لغوي انكليزي (٢) عادة أو سمة خاصة بالانكليز (٣) التعلق بالعادات أو الأفكار الانكليزية .

Anglicist *(n.)* العالِم باللغة الانكليزية والأدب الانكليزي .

Anglicize *(vt.; i.)* (١) ينكْلِز : يجعله انكليزيّ الصفة أو الشكل. ×(٢) يتنكلز : يصبح انكليزيّ الصفة أو الشكل .

Anglify [ăng'glə fī'] *(vt.)* = Anglicize.

angling *(n.)* مص angle؛ وبخاصة : التصنّر : الصيد بالصنارة.

Anglo- بادئة معناها : انكليزي أو انكليزي و . . .

Anglo-French *(adj. ; n.)* (١) انجلو فرنسي ؛ فرنسي انكليزيّ . § (٢) الفرنسية الانكليزية : اللغة الفرنسية كما استعملت في انكلترة خلال القرون الوسطى .

Anglomania *(n.)* الهَوَس الانكليزي : التعلّق المفرط بالمؤسسات والعادات الانكليزية أو احترامها أو محاكاتها .

Anglo-Norman *(adj.)* (١) انجلو نورماني : «أ» خاص بالفترة التي حكم فيها النورمان انكلترة (١٠٦٦ — ١١٥٤ ب. م.) . «ب» خاص بالنورمان الذين استوطنوا انكلترة أو بذُريّتهم أو بلهجتهم الفرنسية § (٢) الانجلو نورماني : أحد النورمان الذين استوطنوا انكلترة بعد عام ١٠٦٦ أو أحد ذراريهم (٣) Anglo-French.

Anglophile *or* **Anglophil** *(n.)* المُحبّ لإنكلترة أو للانكليز .

Anglophobe *(n.)* المُبغض لانكلترة أو للانكليز .

Anglophobia *(n.)* شدة البغض لانكلترة أو للانكليز .

Anglophone *(adj. ; n.)* ناطق بالإنكليزية .

Anglo-Saxon *(n. ; adj.)* (١) الانجلوسكسوني : أحد سكان انكلترة الجرمان قبل الفتح النورماني عام ١٠٦٦ (٢) الانكليزي ؛ وبخاصة : شخص متحدر من الانجلوسكسون (٣) لغة الانجلوسكسون (٤) اللغة الانكليزية § (٥) انجلو سكسوني ؛ انكليزيّ .

angora [ăng gōr'ə] *(n.)* الأنقُرة : وبَر أرنب (أو معزاة) أنقرة أو غزْلٌ (أو نسيج) مصنوع منه .

Angora cat *(n.)* هرة أنقرة : هرّة أهليّة طويلة الوبَر .

Angora goat *(n.)* معزاة أنقرة : معزاة طويلة الوبر حريريّتُه .

Angora rabbit *(n.)* أرنب أنقرة : أرنبٌ أبيض طويل الوبر ناعمُه.

angostura [ăng'gəs tyoor'ə] *(n.)* الأنغوستورة : «أ» لحاء مرير لشجرة جنوبأميركية يستعمل كمُقوٍّ . «ب» شراب مُسْكِر مُنكّهٌ بهذا اللحاء .

angrily *(adv.)* بغضب ؛ على نحوٍ غاضب .

angry [ăng'grĭ] *(adj.)* (١) غاضب (٢) متوعّد بغضب (an ~ sky) (٣) ملتهب (an ~ sore) .

angst *(n.)* ذُعر؛ قلق؛ حصر نفسي.

angstrom unit *(n.)* وحدة آنغستروم (فز) .

anguilliform *(adj.)* انقليسيّ الشكل . على شكل الانقليس .

anguine [ăng'gwĭn] *(adj.)* (١) أفعواني (٢) كالأفعى .

anguish [ăng'gwĭsh] *(n. ; vt. ; i.)* (١) الكرب : ألمٌ مبرح جسديّ أو نفسي § (٢) يصيب بكرب ×(٣) يعاني كرباً .

anguished *(adj.)* (١) مكروب : مصابٌ بكربٍ (٢) ناشىء عن كرب أو مصحوبٌ به .

angular [ăng'gyə lər] *(adj.)* (١) زاوي : منسوب إلى الزاوية. (٢) مزوّى : ذو زاوية أو زوايا (٣) جلف ؛ خشن (٤) شديد النحول ؛ بارز العظام .

angular advance *(n.)* التقدّم الزّاويّ (مك) .

angular cutter *(n.)* المقطع الزاويّ (مك) .

angular distance *(n.)* المسافة الزاوية (ر) .

angularity *(n.)* (١) الزاويّة : كون الشيء زاويّاً الخ . (٢) *pl.* : زوايا حادة .

angular momentum *(n.)* كمية التحرك الزاويّ (مج) .

angular velocity *(n.)* السّرعة الزاويّة (مج) .

angulate *(adj.)* مزوّى ؛ ذو زوايا (~ leaves) .

angulation *(n.)* (١) التزْويَة : جعل الشيء ذا زوايا . (٢) شكلٌ زاويّ .

angusti- بادئة معناها : ضيّق (*angusti*foliate) .

angustifoliate *(adj.)* ضيّق الأوراق (نب) .

anhydride [ăn hī'drīd;-drĭd] *(n.)* الأندريد (مج) : مركّب يشتقّ بفصْل عناصر الماء من مادة ما .

anhydrite [-'drīt] *(n.)* الأنهيدريت (مع) .

anhydrous [-'drəs] *(adj.)* لامائيّ (ك) .

anil [ăn'ĭl] *(n.)* (١) النِيلة ؛ العِظْلِم (نب) (٢) اللون النيلي .

anile [ăn'īl] *(adj.)* عجائزيّ ؛ خَرِف (~ ideas) .

aniline *or* **anilin** [ăn'ə lĭn] *(n.)* الأنيلين : سائل زيتيّ سامّ يستخرج من قطران الفحم ويُستخدَم في صنع الأصباغ والعطور .

aniline dye *(n.)* (١) الصِبْغ الانيليني : صِبْغٌ يُصنَع من الانيلين (٢) صبغ عضوي اصطناعيّ .

anility *(n.)* (١) خَرَف (٢) فكرةٌ خَرِفَة ؛ تصرّفٌ خرِف .

animadversion [ăn'ə măd vûr'zhən] *(n.)* (١) ملاحظة انتقادية (٢) انتقادٌ مُعادٍ .

animadvert [-vûrt'] *(vi.)* ينتقد (انتقاداً قاسياً أو معادياً) .

animal [ăn'ə məl] *(n. ; adj.)* (١) حيوان § (٢) حيوانيّ (٣) بهيميّ ؛ جسديّ ؛ شهوانيّ .

animal charcoal *(n.)* الفحم الحيوانيّ : فحم حيواني المنشأ يُصْنَع من العظام عادة .

animalcular *(adj.)* حُيَيْويني : خاص بالحُيَيْوينات .

animalcule [ăn'ə măl'kūl] *(n.)* الحُيَيْوين : حيوان ميكروسكوبي لا يُرى بالعين المجردة .

animalculum [-'kyə ləm] *(n.)* pl **-la** = **animalcule.**

animal heat *(n.)* الحرارة الحيوانية : حرارة تنشأ في جسم الحيوان الحيّ من طريق التأكسد ضمن الخلايا (فس) .

animal husbandry *(n.)* الزراعة الحيوانية : فرع من الزراعة يعنى بتربية الدواجن .

animalism *(n.)* (١) الحيوانية ؛ البهيمية (٢) المذهب الحيواني : مذهب يقول بأن البشر ليسوا غير مجرد حيوانات .

animality *(n.)* (١) الحيوانية : الطبيعة الحيوانية (٢) البهيمية الجانب الحيواني من الطبيعة البشرية (٣) عالَم الحيوان .

animalization *(n.)* الحَيْوَنَة أو التحَيْوُن .

animalize [ăn'ə mə līz'] *(vt.)* يُحَيْوِن : «أ» يمثّل أو يبْرِز في شكل حيواني . «ب» يجعله بهيمياً ؛ يثير الغرائز الحيوانية في .

animally *(adv.)* (١) على نحوٍ حيواني (٢) جَسَديّاً .

animal magnetism *(n.)* المغنطيسية الحيوانية ؛ التنويم المغنطيسي .

animal spirits *(n.)* حيوية الشباب ؛ مَرَح العافية .

animate [*v.* ăn'ə māt'; *adj.* ăn'ə mĭt] *(vt. ; adj.)* (١) يشجّع (٢) يحيي ؛ ينفخ الحياة في (٣) ينشّط ؛ يقوّي (٤) يدفع إلى العمل § (٥) حيّ ؛ ذوحياة (٦) مُفعَم بالحيوية .

animated *(adj.)* (١) «أ» حيّ . «ب» مفعم بالحيوية والنشاط . (٢) lifelike (٣) متحرك : مصنوع على شكل رسوم متحركة .

animated cartoon *(n.)* الرسوم المتحركة : فيلم سينمائي مؤلف من سلسلة من الرسوم كلٌّ منها مختلف اختلافاً طفيفاً عن الرسم الذي قبله والرسم الذي بعده .

animating *(adj.)* مُحْيٍ ؛ منشّط ؛ منعش ؛ مثير .

animation *(n.)* (١) إحياء ؛ إنعاش (٢) حياة ؛ حيوية ؛ نشاط (٣) «أ» الرسوم المتحركة . «ب» إعداد الرسوم المتحركة .

animator *(n.)* (١) فا animate (٢) صانع الرسوم المتحركة .

animism [ăn'ə mĭz'əm] *(n.)* (١) الأرواحية ؛ مذهب حيوية المادة : الاعتقاد بأن لكل ما في الكون ، وحتى للكون ذاته ، روحاً أو نفساً (٢) الاعتقاد بأن الروح أو النفس هي المبدأ الحيويّ المنظِّم للكون .

—animist *(n.)* **—animistic** *(adj.)*

animosity [ăn'ə mŏs'ə tĭ] *(n.)* حقد ؛ عِداء .

animus [ăn'ə məs] *(n.)* (١) نيةّ ؛ مَيْل (٢) عِداء .

anion [ăn'ī'ən] *(n.)* الأنيون : أيون الدالف المصعديّ (مج) ؛ سالب الشحنة .

—anionic *(adj.)*

anis- *or* **aniso-** بادئة معناها : متباين (*aniso*tropic) .

anise [ăn'ĭs] *(n.)* أنِيسُون ؛ آنيسون ؛ يانسون (نب) .

aniseed *(n.)* بِزر الأنيسون أو اليانسون .

anisette [ăn'ə zĕt'] *(n.)* شراب الانيسون أو اليانسون .

anisogamous *or* **anisogamic** *(adj.)* متباين الأمشاج : متميّز باندغام مَشيجين مختلفين أثناء التلاقح (~ reproduction) .

anisogamy *(n.)* تزاوج الأمشاج المتباينة (را . المادة السابقة) .

anisomerous *(adj.)* لامتساوعدداً (مج) : صفة للزهرة التي يختلف فيها عدد الأوراق الزهرية في كل من محيطاتها (نب) .

anisometric *(adj.)* متباين الأجزاء ؛ غير متجانس الأجزاء .

anisometropia *(n.)* اختلاف مدى العينين (مج) .

anisotropic *(adj.)* (١) متباين الخواص (مج) : خواصه ليست واحدة في جميع الاتجاهات (فز) (٢) متباين الأوضاع : متخذ أوضاعاً مختلفة استجابةً للمنبهات الخارجية (نب) .

ankerite *(n.)* الأنكريت : دُلُمَيْت محتوٍ على كثير من الحديد (مع) .

ankh [ăngk] *(n.)* الأَنْك : صليب على شكل حرف T في أعلاه عُروة ، يرمز إلى الحياة (عند قدماء المصريين بخاصة) .

ankle

ankle [ăng'kəl] *(n.)* الكاحل : رُسْغ القَدَم .

anklebone *(n.)* عظم الكاحل (ت) .

anklet [ăng'klĭt] *(n.)* (١) خَلْخال . (٢) الكاحليّ : «أ» جورب قصير (ينتهي فُوَيْق الكاحل) . «ب» حذاء خفيض (للنساء والأطفال) ذو سَيْر أو سيور تطوّق الكاحل .

ankylose (١) يُقَسِّط : يصيب بالقَسَط أو تصلّب المَفصِل ×(٢) يَقْسُط : يُصاب بالقَسَط .

ankylosis *(n.)* القَسَط (مج) : تصلّب المَفصِل أو التصاقه .

anlage [än'lä gə] *(n.) pl.* **-gen** (١) البُداءة (مج) : مجموعة من الخلايا يبدأ فيها تكوّن عضو النبات أو الحيوان (٢) نزعة ؛ مَيْل .

anna [ăn'ə] *(n.)* الآنة : وحدة النقد السابقة في بورما والهند وباكستان وهي تساوي ١/١٦ من الروبية .

annalist *(n.)* الحَوْليّ : مؤرخ يسجل الأحداث عاماً فعاماً .

annalistic *(adj.)* حَوْليّ : خاص بتدوين الأحداث عاماً فعاماً .

annals [ăn'əlz] *(n. pl.)* (١) الحوليّات : تاريخ للأحداث يسردها عاماً عاماً (٢) سجلات التاريخ (٣) سجلّ بنشاطات منظمة ما .

anneal [ə nēl'] *(vt.)* (١) يحمّي (الزجاج) لتثبيت الألوان عليه . (٢) يلدّن (بالتحمية ثم بالتبريد) (٣) يقوّي ؛ يصلّب .

annelid [ăn'ə lĭd] *(n. ; adj.)* (١) الدودة الحَلَقِيّة (مج) : دودة يتكون جسمها من حلقات متتالية § (٢) حَلَقيّ .

—annelidan *(n. ; adj.)*

Annelida *(n. pl.)* الحَلَقيات (مج) : فصيلة من الديدان تشمل العلق والخراطين أو ديدان الأرض وتتميّز بأجسامها المؤلفة من حلَقات متتالية (ح) .

annex [*v.*ə nĕks'; *n.*ăn'ĕks] *(vt. ;n.)* (١) يُلْحق ؛ يضمّ ؛ يضيف (٢) يستولي على (ع) § (٣) مُلحق ؛ ذيل (an ~ to a treaty) (٤) بناء إضافيّ (تابعٌ لمبنى رئيسي) .

annexation *(n.)* (١) الإلحاق ؛ الضمّ (٢) المُلْحَقِيّة : كون الشيء ملحَقاً (٣) ملحق ؛ ذيل .

annexment *(n.)* ملحق ؛ ذَيْل .

ă at; ā date; â care; ä car; ĕ egg; ē me; ĭ in; ī bite; ŏ lot; ō bone; ô orphan; oi boil o͝o good; o͞o boot; ou out; ŭ under; ū unity; û urgent; th thing; t͟h this; zh vision; ə = *a* in alone, *e* in system, *i* in easily, *o* in gallop, *u* in circus.

annihilable *(adj.)* ممكنٌ إبطاله أو محقهُ أو إبادتهُ .

annihilate [ə nī'ə lāt'] *(vt.)* (١) يُبْطِل (٢) يمحق . يُبيد .

annihilation *(n.)* (١) إبطال ؛ إلغاء (٢) مَحْق ؛ إبادة .

anniversary [ăn'ə vûr'sə rĭ] *(n. ; adj.)* (١) ذكرى سنوية ؛ عيدٌ سنوي § (٢) سنوي : محتفَلٌ به سنوياً في موعد لا يتغيّر (٣) خاص بذكرى سنوية (an ~ gift).

anno Domini *(L.)* في سنة كذا للميلاد .

anno Hegirae *(L.)* في سنة كذا للهجرة .

anno mundi *(L.)* في سنة كذا للخليقة أو لخلق العالم .

annotate [ăn'ō-] *(vt. ; i.)* يُحشّي : يعلّق الحواشي (على كتاب) .

annotation *(n.)* (١) التحشية : تعليق الحواشي (٢) حاشية (تفسيرية) .

annotator *(n.)* المحشّي ، معلّق الحواشي ؛ الشارح .

announce [ə nouns'] *(vt. ; i.)* (١) يُعلِن (رسمياً) ؛ يُبلِغ ؛ يذيع (٢) يدل على ؛ يُلمع إلى ؛ ينمّ عن (His feeble efforts ~*d* his degenerate spirit.) (٣) يُعلِن حضورَ شخص أو وصولَه (The butler ~*d* each guest in a loud voice.) ×(٤) يعمل مذيعاً (في الراديو أو التلفزيون) .

announcement *(n.)* (١) إعلان ؛ إبلاغ (٢) بلاغ .

announcer *(n.)* فا **announce** ، وبخاصة : المذيع (في الراديو أو التلفزيون) .

annoy [ə noi'] *(vt. ; i.)* (١) يزعج ؛ يضايق ؛ يُغضب . (٢) يؤذي ×(٣) يكون مصدرَ إزعاج.

annoyance *(n.)* (١) إزعاج الخ . (٢) انزعاج الخ . (٣) مصدر إزعاج (Some visitors are an ~.) .

annoying *(adj.)* مزعج ؛ مضايق (~ habits) .

annual [ăn'yōō əl] *(adj. ; n.)* (١) سنوي (٢) حَوْليّ : يعيش عاماً أو موسماً واحداً (~ plants) § (٣) نشرة سنوية (٤) قداس سنويّ عن روح ميت (٥) دفعة سنوية (٦) نباتٌ حَوْليّ .

annually *(adv.)* سنوياً ؛ كل سنة ؛ كل عام .

annual ring *(n.)* الحَلْقة السنوية (مج) : طبقة من الخشب تتكوّن في الشجرة سنة بعد سنة وبها يمكن تقدير عمر النبات .

annuitant [ə nū'ə tənt] *(n.)* السّناهيّ : من يتلقّى سُناهيةً .

annuity [ə nū'ə tĭ] *(n.)* (١) السُّناهية : مرتَّب أو دخْلٌ سنويّ يتلقّاه المرء مدى الحياة عادة (٢) حق تلقّي السناهية أو الالتزام بدفعها .

annul [ə nŭl'] *(vt.)* (١) يَمحَق (٢) يلغي ؛ يُبطل ؛ يفسخ.

annular [ăn'yə lər] *(adj.)* حَلْقيّ (مج) : على شكل حَلْقة.

annular eclipse *(n.)* الكسوف الحَلْقي (فل) .

annular ligament *(n.)* الرِّباط الحَلْقي (ت) .

annulate *or* **annulated** *(adj.)* مُحلَّق : مشكَّل من حلقات .

annulation *(n.)* (١) تشكيل الحلَقات (٢) حَلْقة .

annulet [ăn'yə lĭt] *(n.)* (١) حُلَيْقة (٢) حِلْية حَلْقية (عم) .

annulment *(n.)* (١) إبْطال ؛ إلغاء (٢) بُطْلان .

annulose *(adj.)* محلّق : ذو حلقات أو مؤلَّف منها .

annulus [ăn'yə ləs] *(n.)* pl. **-li** *also* **-luses** : حَلْقة ؛ وبخاصة : خلَدَة أو تركيب حَلقيّ (أح) .

annunciate [ə nŭn'shĭ āt'; -sĭ-] *(vt.)* = announce.

annunciation *(n.)* (١) إعلان ؛ إبلاغ (٢) *cap.* عيد : بشارة الملاك جبريل لمريم بحبلها بالمسيح (نص) (٣) *cap.* : عيد البشارة (نص) .

annunciator *(n.)* (١) المبلغ ؛ المُعلِن (٢) المُعلِنة : لوحة تدلّ خادم الفندق الخ . على رقم الحجرة التي قرع منها الجرس .

annus horribilis [ă'nəs hŏ rē'bĭ lĭs] *(n.)* سَنَةٌ مُرَوِّعة .

anode [ăn'ōd] *(n.)* الأَنُود : القطب الموجب من بطارية الخ . (كب) .

anodize *(vt.)* يُؤَنّود : يكسو الألومنيوم بطبقة من أكسيد الألومنيوم .

anodyne [ăn'ə dīn] *(adj. ; n.)* (١) مسكّن § (٢) عقّار مسكّن .

anoint [ə noint'] *(vt.)* (١) يدهن بمرهم (٢) يمسح بالزيت (على سبيل التكريس) (٣) يضرب ؛ يجلد الخ .

anointed *(adj.)* (١) مدهون بمرهم (٢) ممسوح بالزيت : مكرّس . (٣) مضروب ؛ مجلود (أو مستحقّ ذلك) .

anointment *(n.)* (١) دَهْن بمرهم (٢) مَسْحٌ بالزيت : تكريس .

anomalous *(adj.)* شاذّ ؛ غير سوي .

anomaly [ə nŏm'ə lĭ] *(n.)* (١) الحاصّة : البعد الزاويّ لكوكب سيّار عن أقرب نقطة له إلى الشمس (فل) (٢) شذوذ ؛ خروج عن القياس (٣) شيء شاذّ .

anon [ə nŏn'] *(adv.)* (١) حالا (ا.ق) (٢) قريباً (ا.ق) . (٣) في وقت آخر .

anonym *also* **anonyme** [ăn'ə nĭm] *(n.)* (١) شخص (وبخاصة كاتب) غير مسمّى (٢) كتابٌ غُفْلٌ (لا يحمل اسم مؤلِّفه) (٣) اسمٌ مستعار .

anonymity *(n.)* الغُفْلِيّة : كونُ الشيء غُفْلاً من الاسم .

anonymous *(adj.)* (١) غير مُسمّى : مجهول (an ~ author) (٢) «أ» غُفْلٌ من الاسم (an ~ book) · «ب» مجهول (أو غير معيّن) المصدر (~ gifts) (٣) غير ذي شخصية مميّزة (~ houses).

anopheles [ə nŏf'ə lēz] *(n.)* بعوضة الملاريا .

anorak [ä'nə räk'] *(n.)* = parka.

anorexia *(n.)* الحَلْفة : فَقْد الشهوة إلى الطعام .

anorthite *(n.)* الأنورثيت : فَلْسبار أبيض أو محمرّ أو ضاربٌ إلى الرمادي يكون في كثير من الصخور النارية (مع) .

anosmia [ăn ŏz'-] *(n.)* الخَشَم (مج) : فَقْد حاسّة الشمّ (مض) .

another [ə nŭth'ər] *(adj. ; pron.)* آخر ؛ ثان . love one ~, أحبّوا بعضُكم بعضاً .

anoxemia *(n.)* الأنوكسيميا : عدم تأكسُد الدم (ط) .

anoxia *(n.)* الأنوكسيا : نقص أكسيجين الأنسجة (ط) .

Anseres *(n. pl.)* رُتبة الإوزّ : رتبة من الطيور المائية تشمل الإوزّ والبطّ والتمّ أو الإوزّ العراقي (ح) .

anserine [ăn'sə rīn' ; -sər ĭn] *(adj.)* (١) إوزّيّ . (٢) شبيه بالإوزّ (٣) أبله ؛ أحمق .

answer [ăn'sər ; än'-] *(n. ; vi. ; t.)* (١) جواب . (٢) ردّ . استجابة § (٣) يجيب ؛ يردّ على (٤) يكون (أو يعلن نفسَه) مسؤولا عن (I will ~ for his safety.) (٥) يُعوّض عن (٦) ينطبق على (~*ed* to the description) (٧) يدفع الثمن (to ~ for one's sins) (٨) × يفي بالغرض (This will ~ the purpose.) (٩) يحلّ أو يقدّم حلا لِـ (١٠) يطابق (to ~ a description) to ~ back يجيب بفظاظة .

answerable *(adj.)* (١) مسؤول (She is ~ to me for all her acts.) (٢) ملائم (ا.ق) (٣) ممكنٌ دَحْضُه .

ant [ănt] *(n.)* نملة .

ant- = anti-

anta [ăn'tə] *(n.)* pl. **-s** *or* **-e** عمودٌ على جانبَيْ مدخل (عم) .

antacid [ănt ăs'ĭd] *(adj. n.)* (١) مضادٌّ للحموضة . § (٢) دواء مضادٌّ للحموضة .

antagonism *(n.)* (١) خصومة ؛ عداء (٢) تنافر . (٣) تضادّ (أح) .

antagonist *(n.)* (١) خَصْم ؛ عدو (٢) عامل مُضادّ فسيولوجياً ؛ وبخاصة : «أ» دواء مقاومٌ لفعل دواء آخر . «ب» عضلة مقاومة لأخرى (فس) .

antagonistic *(adj.)* مخاصم ؛ معادٍ ؛ مضادّ .

antagonize [ăn tăg'ə nīz'] *(vt.)* (١) يخاصم ؛ يعادي ؛ يقاوم . (٢) يثير العداوة أو الكراهية (His speech ~*d* half the voters.)

antalgic *(adj. ; n.)* (١) مسكّن § (٢) دواء مسكّن للألم .

antarctic *(adj.)* قُطبيجنوبيّ : متعلق بالقطب الجنوبي .

Antarctica *(n.)* أنتاركتيكا : قارة غير مأهولة تقع حول القطب الجنوبي .

Antarctic Circle *(n.)* الدائرة القطبية الجنوبية (جغ) .

Antares *(n.)* قَلْبُ العقرب : نيّر العقرب (فل) .

ant bear *(n.)* دبّ النمل : حيوان أميركي استوائي ضخم من آكلات النمل .

ante [ăn'tĭ] *(n. ; vt. ; i.)* (١) رهان يتعيّن على لاعب البوكر أن يضعه بعد الاطلاع على أوراقه ولكنْ قبل أن يسحب أوراقاً جديدة (وأحياناً قبل أن يطّلع على أوراقه) (٢) ثَمَنٌ § (٣) يُراهِن قبل الاطلاع على أوراقه الخ . (٤) «أ» يدفع نصيبَه من . «ب» يدفع .

ante- بادئة معناها : «قَبْل» زماناً أومكاناً .

anteater

anteater [ănt'-] *(n.)* آكل النمل : واحد من عدة حيوانات تأكل النمل مثل «دبّ النمل» و «خنزير الأرض» الخ .

antebellum *(adj.)* كائنٌ أوواقعٌ قبل الحرب .

antecede [ăn tə sēd'] *(vt.)* يَسْبِق ؛ يتقدَّم .

antecedence [ăn'tə sē'dəns] *(n.)* سَبْق ؛ تقدُّم .

antecedency [ăn'tə sē'dən sĭ] *(n.)* أسبقية .

antecedent [ăn'tə sē'dənt] *(adj. ; n.)* (١) سابق ؛ سالف ؛ متقدِّم (an ~ event) § (٢) الاسم الخ . الذي يعود إليه الضمير (مثل Tom في قولك I saw *Tom* and spoke to him.) (٣) الحدّ الأول للنسبة (ر) (٤) العنصر الشرطي في قضية منطقية (مق) (٥) السابقة : حادثة أو حالة سابقة (٦) *pl.* : «أ» ماضي المرء . «ب» أسلاف ؛ أجداد .

antechamber *(n.)* (١) حجرة الانتظار (٢) حجرة مؤدّية إلى حجرة رئيسية .

antedate *(vt. ; n.)* (١) يؤرِّخ (شيئاً) بتاريخ سابق (٢) يردّ إلى زمن متقدم (to ~ a historical event) (٣) يتقدّم أو يسبق زمنياً § (٤) تاريخ متقدِّم .

antediluvian *(adj. ; n.)* (١) سابقٌ لعهد الطوفان (٢) عتيق أو بدائي (~ ideas) § (٣) «أ» شخص عجوز أو متمسك بالقديم الخ . «ب» شيء عتيق الزيّ الخ .

antelope

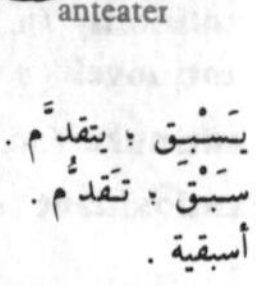

antefix *(n.)* حلية معمارية في إفريز مبنى (عم) .

anteflexion *(n.)* انحناء إلى أمام (في الرحم) .

antelope [ăn'tə lōp'] *(n.)* (١) الظبي ؛ بقر الوحش (٢) جلده المدبوغ .

antemeridian *(adj.)* صَباحي : متعلّق بما قبل الظهر .

ante meridiem [ăn'tĭ mə rĭd'ĭ-] *(L.)* قبل الظهر (اختصارها A.M. أو a. m.) .

antemortem *(adj.)* سابقٌ للموت (an ~ confession) .

antemundane *(adj.)* سابق للخليقة أو لخَلْق العالم .

antenatal *(adj.)* (١) جَنينيّ : ذو علاقة بالجنين (٢) واقعٌ قبل الولادة ؛ حادث خلال الحمل .

antenna [ăn tĕn'ə] *(n.)* pl. **-e** *or* **-s** (١) الزُبانَى : قرن الاستشعار عند الحشرة (حش) (٢) الهوائيّ (رد) .

antennule [-'ūl] *(n.)* الزُبَيْنية : (مج) قُرَين استشعار (حش) .

antependium *(n.)* pl. **-s** *or* **-dia** غطاء للجزء الأمامي من المذبح (كن) .

antepenult *also* **antepenultima** *(n.)* المقطع الثالث قبل الأخير من كلمة (مثل *syl-* في لفظة monosyllable) .
—antepenultimate *(adj. ; n.)*

anterior [ăn tĭr'ĭ ər] *(adj.)* (١) «أ» أماميّ . «ب» abaxial (٢) سابق ؛ سالف (an ~ age) .

anteriority *(n.)* (١) الأمامية (٢) الأسبقية ؛ الأقدمية .

anteroom [ăn'tĭ rōōm'] *(n.)* = antechamber.

anth- = anti-.

anthelmintic *(adj. ; n.)* (١) طاردٌ لديدان الامعاء § (٢) دواء طاردٌ لديدان الامعاء .

anthem [ăn'thəm] *(n.)* (١) ترنيمة (دينية) (٢) نشيد .

anthemion

anthemion *(n.)* pl. **-mia** حليةٌ زهرية الأشكال (عم الخ .) .

anther [ăn'thər] *(n.)* المِئْبَر (مج) : جزءالسَّداة المحتوي على اللقاح (نب) .
—antheral *(adj.)*

antheridium *(n.)* pl. **-ia** الانثريدة ؛ المِئبرية (مج) : عضو التذكير في اللازهريات (نب) .
—antheridial *(adj.)*

anthesis [ăn thē'sĭs] *(n.)* تفتّح الزهرة أو مُدّتُه (نب) .

ant hill *(n.)* كثيب النمال : كثيب تنشئه النمل عند حَفْرمساكنها .

antho- بادئة معناها : زهرة (*antho*phagous) .

anthocyanin *(n.)* الانثوسيانين : أحد الأصباغ الذائبة في العصير الحلوي والتي تسهم في تلوين الأوراق والأزهار بالزرقة والحمرة .

anthologist *(n.)* الجامع المتخيّر (للمقتطفات الأدبية) .

anthologize *(vt.)* يجمع أو ينشر في مجموعة من المقتطفات الأدبية .

anthology *(n.)* مقتطفات أدبية مختارة .

anthophore

anthophagous *(adj.)* مُغْتَذٍ أو مُقتاتٌ بالأزهار .

anthophore *(n.)* الحامل التويجيّ (نب) .

anthotaxy *(n.)* الترتيب الزهري : ترتيب الأزهار في عنقود زهري (نب) .

anthracene *(n.)* الانثراسين : مادة هيدرو كربونيةفي قطران الفحم .

anthracite [ăn'thrə sīt'] *(n.)* فحم الانثراسيت .

anthrax *(n.)* الجمرة (مج) : مرض مُهلك من أمراض الماشية (وقد يصاب به الانسان) .

anthrop- *or* **anthropo-** بادئة معناها : الإنسان .

anthropocentric *(adj.)* مرْكزيبَشري : «أ» مُعْتَبِرٌ أن الانسان هو حقيقة الكون المركزية . «ب» مفتَرِضٌ أن الانسان هو غاية الكون القصوى . «ج» مُفَسِّرٌ كل شيء بِلُغَة القيم والخبرات الانسانية .

anthropogenesis *(n.)* علم أصل الانسان وتطوّره .

anthropography *(n.)* الانثروبوغرافيا ؛ علم الانسان الوصفيّ .

ă at; ā date; â care; ä car; ĕ egg; ē me; ĭ in; ī bite; ŏ lot; ō bone; ô orphan; oi boil; ŏŏ good; ōō boot; ou out; ŭ under; ū unity; û urgent; th thing; th this; zh vision; ə = *a* in alone, *e* in system, *i* in easily, *o* in gallop, *u* in circus.

فرع من علم الانسان يصف خصائص الأعراق وتوزّعها الجغرافيّ .

anthropoid [ăn'thrə poid'] *(adj. ; n.)* (١) شبيهٌ بالانسان . (٢) شبيه بالقرد § (٣) قِرْدٌ شبيهٌ بالانسان .

Anthropoidea *(n. pl.)* or **anthropoid apes** أشباه الانسان : مرتبة من القردة العليا الشديدة الشبه بالانسان .

anthropologist *(n.)* الانثروبولوجيّ : العالم بعلم الانسان .

anthropology *(n.)* الانثروبولوجيا ؛ علم الانسان : علم يبحث في أصل الجنس البشري وتطوره وأعراقه وعاداته ومعتقداته .

anthropometry *(n.)* الانثروبومترية : فرع من الانثروبولوجيا يبحث في قياس الجسم البشري .

anthropomorphic *(adj.)* (١) مجسِّم : موصوف أو مُتصوَّر في شكل بشري أو بصفات بشرية (deities ~)(٢) مجسِّم : خالعٌ صفاتٍ بشرية على غير الانسان وبخاصة على الآلهة .

anthropomorphism *(n.)* التجسيم ؛ التشبيهية : «أ» خلع الصفات البشرية على الله . «ب» عَزْوُ الصفات البشرية إلى غير العاقل .

anthropomorphize *(vt. ; i.)* يجسِّم : ينسُب الصفات البشرية إلى .

anthropomorphosis *(n.)* تحوُّلٌ إلى شكل بشريّ .

anthropophagous *(adj.)* آكلٌ لحمَ البشر .

anthropophagus *(n.)* pl. **-gi** الآكل لحومَ البشر .

anti [ăn'tī ; ăn'tĭ] *(n.)* المقاوِم: من يقاوم خطة أو فكرة أو حزباً .

anti- بادئة معناها : (١) مقاوِمٌ لـ (antislavery). (٢)مضادٌّ لِـ (*anti*aircraft) (٣) عدوّ؛ كاذب ؛ زائف (*anti*christ) (٤) نقيض ، عكس (*anti*climax) (٥) لا ؛ غير (*anti*logical) .

antiacid *(n.)* المقاوم للأحماض (ك) .

antiaircraft *(adj. ; n.)* مضاد للطائرات .

antianxiety *(adj.)* مُضادّ للحُصار أو القلق (~ drugs) .

anti ballistic missile *(n.)* مُضادّة القذائف البالستية .

antibiosis *(n.)* التضادّية : تضادّ بين متعضيين يؤدي إلى إتلاف أحدهما .

antibiotic *(adj. ; n.)* مُرْدٍ ؛ مضادّ للجراثيم (كالبنسلين) .

antibody *(n.)* الجسم المضادّ : مادة تتكون في الجسم لمقاومة البكتيريا .

antic *(adj. ; n.)* (١) غريب (ا.ق) § (٢) مهرج (٣) سلوك غريب .

anticatalyst *(n.)* اللاحفّاز : مادة تعوق التفاعل الكيميائي (ك) .

antichrist *(n.)* (١) عدوّ للمسيح (٢) *cap.* : المسيح الدجّال .

anticipate [ăn tĭs'ə pāt'] *(vt.)* (١) يدفع (دَيْناً) قبل استحقاقه (٢) يستبق تنفيذ رغبات الآخرين الخ (He tries to ~ all my wishes.) (٣) يستعمل أو ينفق (المالَ) قبل الحصول عليه (A man who ~s his income can never become rich.) (٤) يسبق غيرَه (Death ~d the executioner.) (٥) يُحبِط بعملٍ مسبق (to ~ arrest by flight) (٦) يعجّل في حدوث أمر (The lazy office boy ~ d his dismissal by stealing stamps.) (٧) يتوقّع .

anticipation *(n.)* مص anticipate ، وبخاصة: توقُّع ؛ حدس . thanking you in ~, شاكراً لك سلفاً (صيغة تختم بها رسالة مشتملة على طلب) .

anticipative *(adj.)* (١) نزّاع إلى التوقّع (٢) منطوٍ على توقّع (an ~ look) .

anticipatory *(adj.)* توقّعي (an ~ glance) .

anticlerical *(adj.)* مقاوِمٌ للاكليروس (أو لتدخلهم في الشؤون العامة) .

anticlimax *(n.)* هبوط مفاجىء (وبخاصة من الرفيع إلى التافه) .

anticlinal [ăn tĭ klī'-] *(adj.)* احديدابي (جي) .

anticline [ăn'tĭ klīn] *(n.)* الحُنَيْبِرة ؛ الطيّة المُحدَّبة (جي) .

anticoagulant *(n.)* مانعُ التخثّر (مج) : مادة تعوق تخثّر الدم .

anticyclone *(n.)* الإعصار المضادّ (أو المنطقة التي يدور فيها) .

antidotal *(adj.)* تِرياقيّ ؛ مضادٌّ للسمّ .

antidote [ăn'tĭ dōt'] *(n.)* تِرياق .

antielectron *(n.)* الألكترون المضادّ : البوزيترون (فزن) .

antiferment *(n.)* مضادّ التخمّر : كل مادة مضادة للتخمر .

antifertility *(adj.)* مانعٌ للحمل (agents ~) .

antifreeze *(n.)* مقاوم التجمّد : مادة تضاف إلى السائل لخفض نقطة تجمّده .

antifriction *(n.)* المزلّق : مادة مضادّة للاحتكاك أو مخفّفة له .

antigen [ăn'tə jən] *(n.)* مُولِّد المُضادّ (مج) : مادة ينشأ عن حقنها في الجسم أجسامٌ مضادّةٌ لها .

antihelix *(n.)* الوَتَرَة : غُضَيْرِيف مُنْحَنٍ في أعلى الأذن الخارجية .

antiknock [ăn tĭ nŏk'] *(n.)* مانعة الخبط : مادة تمنع الخبطَ في محرك داخليّ الاحتراق .

antilogarithm *(n.)* مقابل اللوغاريتم (ر) .

antimacassar *(n.)* غطاء لظهر الكرسي أو ذراعيه .

antimagnetic *(adj.)* مقاوم للمغنطيسية (an ~ watch).

antimalarial *(adj. ; n.)* مضادّ للملاريا .

antimonial; antimonic; antimonious *(adj.)* إثْمِديّ .

antimony [ăn'tə mō'nĭ] *(n.)* أنتيمون (مج) ؛ إثْمِد .

antineoplastic *(adj.)* مضادّ للأورام (الخبيثة) .

antineutrino or **antineutron** *(n.)* النيوترون المضادّ .

antinode *(n.)* بَطْنُ المَوْجَة (فز) .

antinomy *(n.)* (١) تناقض القوانين أو المبادىء (٢) تناقض .

antinovel *(n.)* اللاروايَة : رواية تنقصها عناصر الرواية التقليدية .

antinuke *(adj.)* مُعارضٌ لاستخدام المُفاعلات النَّووية .

antioxidant *(adj. ; n.)* (١) مقاومٌ للتأكسُد § (٢) مادة مقاومة للتأكسد .

antipasto *(n.)* = hors d'œuvre.

antipathetic; -al *(adj.)* (١) مفطورٌ على كُرْه شيء . (٢) «أ» بغيض ؛ كريه ؛ مُنفِّر . «ب» متنافر (مج) ؛ نافر .

antipathy [ăn tĭp'ə thĭ] *(n.)* (١) كراهية (فِطْرِيّة) . (٢) تعارض غَرَزِيّ (their ~ of temperament) (٣) شخص أو شيء بغيض إلى المرء .

antiperiodic *(adj. ; n.)* (١) مانعٌ الدَّورية : مانعٌ لتكرر نوبات المرض الدَّورية (في الحمّيات المتقطّعة الخ .) § (٢) دواء مانعٌ للدَّورية .

antipersonnel *(adj.)* ضد الأشخاص : مُعَدٌّ للاستعمال ضدّ الأفراد لا ضدّ خطوط الدفاع أو المصفّحات (bombs ~) .

antipetalous *(adj.)* ذو أسْدِية مقابلة للبتلات (نب) .

antiphlogistic *(adj. ; n.)* (١) مضادٌّ للالتهاب § (٢) عقّار مضادّ للالتهاب .

antiphon *(n.)* الترنيمة التجاوبية : ترنيمة تُرتَّل بالمناوبة التجاوبيّة .

antiphonal *(n. ; adj.)* (١) antiphonary § (٢) تجاوبيّ .

antiphonary *(n.)* كتاب التراتيل أو الصلوات (كن) .

antiphony *(n.)* المجاوبة الصوتية (مج) [بين مجموعتين من المنشدين]

antipodal *(adj.)* (١) واقع على الجانب المقابل من الكرة الأرضية . (٢) متناقض (characters ~) .

antipode [ăn'tə pōd'] *(n.)* نقيض .

antipodes [ăn tĭp'ə dēz'] *(n. pl.)* (١) الأجزاء الواقعة على الجهة المقابلة من الكرة الأرضية (٢) سكان تلك الأجزاء .

antipollution *(n.)* مضادّة التلوّث: مادة مانعة للتلوّث .

antipope *(n.)* البابا الزائف (نص) .

antiproton *(n.)* البروتون المضادّ (فزن).

antipyretic *(adj. ; n.)* مقاومٌ أو مانعٌ للحمّى .

antipyrine [ăn'tĭ pī'rĭn] *(n.)* الانتيبيْرين : مركّب أبيض متبلّر يستخدم لتسكين الألم (صي) .

antiquarian [ăn'tə kwâr'ĭ ən] *(adj. ; n.)* (١) أثريّ . (٢) متّجر بالكتب القديمة او النادرة § (٣) antiquary .

antiquary *(n.)* الجامعُ أو الدارسُ للعاديّات أو الأشياء الأثرية .

antiquate [ăn'tə kwāt'] *(vt.)* يجعله مهجوراً أو عتيق الزيّ .

antiquated *(adj.)* (١)مهجور ؛ مُمات (٢)عتيق الزيّ (٣)مُسِنّ .

antique [ăn tēk'] *(adj. ; n.)* (١) عتيق ؛ قديم (٢) عتيق الزيّ ؛ من طراز عتيق § (٣) أثرٌ قديم .

antiquity [ăn tĭk'wə tĭ] *(n.)* (١) العصور القديمة . وبخاصة العصور السابقة للقرون الوسطى (٢) عِتَق ؛ قِدَم (٣) *pl.* : «أ» آثار العصور القديمة . «ب» شؤون متعلقة بثقافة العصور القديمة أو بالحياة فيها (٤) أبناء العصور القديمة .

antirrhinum [ăn tə rī'-] *(n.)* أنف العجل ؛ زهرة الحَطَم (نب) .

anti-Semite *(n.)* اللاساميّ : المعادي لليهود .

anti-Semitic *(adj.)* لاسامي : معادٍ لليهود .

anti-Semitism *(n.)* اللاساميّة : المعاداة لليهود .

antisepsis [ăn tə sĕp'sĭs] *(n.)* تطهير (للجرح الخ .) .

antiseptic *(adj. ; n.)* مانع للعفونة (مج): مضادّ للفساد ؛ مطهِّر .

antisepticize *(vt.)* يطهّر (جرحاً الخ .) .

antiserum *(n.)* المصل المضادّ : مصل محتوٍ على أجسام مضادة للبكتيريا .

antislavery *(n. ; adj.)* (١) مقاومة الرِّق §(٢) مقاوم للرّق .

antisocial *(adj.)* لا إجتماعي : «أ» معادٍ لمصلحة المجتمع (Murder is an ~ act.) . «ب» نَفورٌ من الاختلاط بالآخرين.

antispasmodic *(adj. ; n.)* مضاد للتشنّج .

antispeculation *(n.)* مضادّ للمضاربة (في الأسواق المالية) .

antisubmarine *(adj.)* مضادّ للغواصات (أو مدمّر لها) .

antitank *(adj.)* مضادّ للدبابات (أو مدمّر لها) .

antithesis [ăn tĭth'ə sĭs] *(n.)* pl. **-ses** (١) تضادّ ؛ تناقض . (٢) نقيض (٣) طِباق (بل) (٤) النقيضة : المرحلة الثانية من مراحل عملية ديالكتيكية أو جدلية (فف) .

antithetic;-al *(adj.)* (١) تضادّي ؛ طباقيّ (٢) متناقض .

antitoxic *(adj.)* (١) مضادّ للسُّمّ (٢) انتيتُكْسِيي .

antitoxin [ăn'tĭ tŏk'sĭn] *(n.)* (١) الانتيتُكْسِين : جسمٌ مضادّ يتكوّن في الجسد نتيجة لحقنه بذِيفانٍ أو سُمَيْنٍ toxin معيّن (٢)مصل انتيتُكْسِيي (يستخدم لإحداث المناعة ضدّ الدفتيريا الخ .).

antitrades *(n. pl.)* المضادّة للتجارية : رياح تهبّ في اتجاه معاكس لاتجاه الرياح التجارية وعلى مستوى أعلى من مستواها .

antitragus *(n.)* مقابل الوَتِدة : بروز في الاذن الخارجية (ت).

antitrust *(adj.)* مقاوم للتروستات أو للتجميع الضخم للرساميل .

antiviral *(adj.)* مضادّ للفيروسات.

antitype *(n.)* المرموز إليه (كحادثة في « العهد الجديد » من الكتاب المقدس مرموز إليها في « العهد القديم ») .

antivitamin *(n.)* مضادّ الفيتامين : مادّةٌ تجعل الفيتامين غير فعّال.

antler [ănt'lər] *(n.)* قَرْن الوعل أو شُعْبَةٌ منه .

ant lion *(n.)* لَيْث عِفْرِين: حَشَرَة يأكل دُعموصُها النمل.

antonym [ăn'tə nĭm] *(n.)* المُطابِقَة : كلمة ذات معنى مناقضٍ لمعنى كلمة أخرى (*"Good"* is the ~ of *"bad"*.) .

antrorse [-trôrs'] *(adj.)* أماميّ الاتجاه (مج) : متّجهٌ إلى أعلى أو إلى أمام (نب) .

antrum *(n.)* pl. **-tra** جيبٌ أو تجويفٌ (في العظم) .

Anura *(n.pl.)* اللاذنبيّات ؛ البَرّاوات (مج) : البرمائيات التي لا أذناب لها . كالضفادع الخ . (أح) .

anuran [ə nyŏŏr'ən] *(adj.)* لا ذَنَبيّ ؛ أبتر (أح) .

anuresis; anuria *(n.)* الزُّرام : انحباس البول (ط) .

anuric *(adj.)* زُراميّ : متعلق بانحباس البول .

anus [ā'nəs] *(n.)* الشَّرج (مج) : الإسْت (ت) .

anvil [ăn'vĭl] *(n.)* (١) سِندان الحدّاد (٢) عُظَيْمَة السّندان (في الأذن) .

anxiety [ăng zī'ə tĭ] *(n.)* (١) قَلَقٌ (٢) تلهُّف أو توق شديد (~ to succeed) (٣) الحَصَر النفسي (نف) .

anxiety neurosis *(n.)* الحُصار ؛ العُصاب الحَصَريّ (نف) .

anxious [ăngk'shəs] *(adj.)* (١) قَلِق البال (٢) مصحوب بالقَلَق أو مثيرٌ للقلق (~ cares; These are ~ times.) (٣) متلهّف ؛ توّاق (~ to please) .
—**anxiously** *(adv.)* —**anxiousness** *(n.)*

anxious seat *or* **bench** *(n.)* (١) مقعد القلق : مقعد قرب منبر الوعظ في كنيسة . محفوظٌ للقَلِقين على حياتهم الدينية الراغبين في تعزيز إيمانهم (٢) حالةُ قلَقٍ .

any [ĕn'ĭ] *(adj. ; pron. ; adv.)* (١) أيّ ؛ أيّما (Ask ~ man you meet.) (٢) كل (needs ~ help he can get) § (٣)«أ» أيّ شخص (He does better than ~ before him.) «ب» أحد (unknown to ~) (٤) أيّ شيء أو مقدار §(٥) إلى أيّ حدّ أو مدى (Has the sick child improved ~ ?) .

anybody *(pron. ; n.)* (١) أيّ إنسان § (٢) شخصٌ ذو شأن (He'll never be ~.) .

anyhow *(adv.)* (١) كيفما اتفق (٢) بأية حال .

anymore *(n. ; adv.)* (١) أيّ شيء إضافيّ (Do not give me ~.) § (٢) بعد الآن (Do not think ~ about it.) .

anyone *(pron.)* أيّ شخص ؛ أيّ إنسان .

anyplace *(adv.)* = anywhere.

anything *(pron.)* أيّ شيء ؛ أيّ شيء كان .

anything but *(adv.)* البتة ؛ بأية حال (The victory was ~ secure.) أي لم يكن النصر مضموناً البتة .

anyway *(adv.)* (١)بأية طريقة كانت ؛ بأية حال ؛ على كل حال ؛ مهما يحدث (٢) بإهمال ؛ كيفما اتفق .

anyways *(adv.)* = anyway I.

anywhere *(adv.)* (١) في أيّ مكان (٢) إلى أيّ مكان .

anywise *(adv.)* بأية طريقة ؛ بأية حال .

Anzac [ăn' zăk] *(n.)* جندي من أستراليا أو نيوزيلندة .

A one; A I *(adj.)* ممتاز ؛ من الطراز الأول .

aorta [ā ôr'tə] pl.**-tas** *or* **-tae** *(n.)* الوتين ؛ الشريان الأوُرْطي .

aortic *or* **aortal** *(adj.)* وتينيّ ؛ أورْطي (ت) .

aoudad [ä'ŏŏ dăd'] *(n.)* كبش شمال افريقية الملتحي .

à outrance *(F.)* إلى أبعد حدّ؛ حتى الموت.

ap- = apo-

apace [ə pās'] *(adv.)* بسرعة (Ill news spreads ~.) .

Apache [ə păch'ĭ] *(n.)* (١) الأباش : شعب هندي أحمر (في الجنوب الغربي من الولايات المتحدة الأميركية) (٢) الأباشي : أحد الأباش .

apache [ə päsh'] *(n.)* قاطع طريق باريسيّ .

apanage [ăp'ə nĭj] *(n.)* = appanage.

aparejo [ä'pä rĕ' hô] *(n.)* سَرْجٌ (لفرس تحميل) .

apart [ə pärt'] *(adv. ; adj.)* (١) منفرداً ، بمعزل (to live ~) (٢) على حدة (each argument considered ~) (٣) جانباً (كقولك : joking *apart* أي : إذا وضعنا المزاح جانباً وتكلّمنا جدّيّاً) (٤) بعيداً بعضهم عن بعض (Keep the children ~.) (٥) إلى أجزاء (كقولك to take a watch ~ أي يفكّك ساعة) § (٦) مستقلّ ؛ منفصل (a class ~). يميّز بين شيء وآخر to know ~,

apart from *(prep.)* بصرف النظر عن (~ these reasons) .

apartheid [ä pärt'hīt] *(n.)* سياسة التمييز العنصريّ .

apartment [ə pärt'mənt] *(n.)* (١) غرفة أو شقّة للسكن . (٢) مبنى مؤلف من عدة وحدات سكنية .

apartment building *or* **house** = apartment 2.

apathetic; -al *(adj.)* (١) فاتر الشعور (٢) لا مبالٍ .

apathy [ăp'ə thĭ] *(n.)* (١) فتور الشعور (٢) لامبالاة .

apatite [ăp'ə tīt] *(n.)* الأباتيت (مع) .

ape [āp] *(n. ; vt.)* (١) قرد (٢) مقلّد § (٣) يقلّد .

apeak *(adv. ; adj.)* في وضع عمودي أو شبه عمودي .

ape-man *(n.)* الانسان القرد : أحد الرئيسيات Primates التي تؤلف حلقة متوسطة بين الانسان والقردة العليا .

aperçu [á pĕr sy'] *(F.)* (١) لمحة خاطفة (٢) خلاصة .

aperient [ə pĭr'ĭ ənt] *(adj. ; n.)* مُسْهِل ، مُليِّن .

aperiodic *(adj.)* (١) لانظامي أو دوري ؛ غير منتظم الحدوث (٢) لادوريّ (an ~ fever) : غير ذي ذبذبات دورية (فز) .

aperitif [á pĕ rē tĕf'] *(F.)* المُشَهِّي : قليل من شراب مُسكر يتناول قبل الطعام لفتح الشهيّة .

aperture [ăp'ər chər] *(n.)* فتحة ، ثقب ، منفذ .

apetalous *(adj.)* لابتلي ، لا تويجيّ (مع) : لا بتلات أو تويجيات له (نب) .

apex [ā'-] *(n.)* pl. **-es** *or* **apices** (١) قمة (٢) رأس (هن) .

aph- = apo-

aphaeresis *or* **apheresis** *(n.)* الترخيم الاستهلاليّ : إسقاط حرف أو أكثر من أول الكلمة . كما في *coon* بدلاً من *raccoon* .

aphanite *(n.)* الأفانيت : ضربٌ من الصخر الناريّ .

aphasia *(n.)* الحُبْسة : فقد القدرة على الكلام نتيجة لأذى أصاب الدماغ (مض) .

aphelion [ə fē'lĭ ən] *(n.)* pl. **-lia** الأوج (مج) : النقطة التي يكون فيها الكوكب السيّار أبعد ما يمكن عن الشمس (فل) .

aphesis *(n.)* الترخيم الاستهلاليّ العِلّيّ : إسقاط حرف العلة من أول الكلمة . كما في *lone* بدلاً من *alone*.

aphid; aphis *(n.)* الأرقة ، المنّة : حشرة تمتص عصارات النبات .

aphis lion *(n.)* أسد الأرق أو المنّ : يرقانة آكلة للأرق أو المنّ (حش) .

aphonia *(n.)* فقد الصوت (نتيجة لشلل في الحبال الصوتية) .

aphorism [ăf'ə rĭz'əm] *(n.)* حكمة ؛ مَثَل ؛ قولٌ مأثور .

aphotic *(adj.)* مظلم (~ region of the ocean depths) .

aphrodisiac [ăf'rə dĭz'ĭ ăk'] *(adj. ; n.)* (١) مثير للشهوة الجنسية § (٢) عقار أو طعام مثير للشهوة الجنسية .

Aphrodite [ăf'rə dī'tĭ] *(n.)* أفروديت : «أ» إلاهة الحبّ والجمال عند الاغريق (مث). «ب» فراشة أميركية سمراء منقّطة بالأسود .

aphyllous *(adj.)* لاورقي (مج) : لا ورق له (نب) .

apian [ā'pĭ ən] *(adj.)* نحلي : خاصّ بالنحل .

apiarian *(adj.)* نحلي : خاصّ بالنحل أو بتربيته .

apiarist *(n.)* النحّال : المشتغل بتربية النحل .

apiary *(n.)* المنحلة : مكان تربية النحل أو مجموعة من خلاياه .

apical *(adj.)* قِمّي (مج) : ذو علاقة بالقمة أو واقع عند القمة .

apices [ăp'ə sēz'] *pl. of* apex.

apiculate *(adj.)* سُفَيْنِيّ (مج) : مُنْتَهٍ طرفه بسُفَيَّة أو سفاة صغيرة (وهي زائدة دقيقة تنتهي بها قمة الورقة في بعض النبات) .

apicultural *(adj.)* نحالي : خاص بالنحالة أو تربية النحل .

apiculture *(n.)* النحالة : تربية النحل .

apiece [ə pēs'] *(adv.)* (١) لكلّ ، لكل فرد (gave the boys a shilling ~) (٢) لكلّ قطعة (costing a dollar ~) .

Apis [ā'pĭs] *(n.)* أبيس : العجل المقدّس عند قدماء المصريين .

apish [ā'pĭsh] *(adj.)* (١) قِرْديّ ، كالقرد . (٢) «أ» مقلّد . «ب» شديد التصنّع .

apivorous *(adj.)* مُقتات بالنحل ، آكل للنحل .

APL [ā pē ĕl'] آي . بي . أل : لغة مُعدّة لبرمجة الكومبيوتر .

aplanatic *(adj.)* أبلاناتي ، لازيغي (an ~ lens) .

aplasia *(n.)* الأبلازيا : ضمور ناشئ عن قصور النمو في نسيج أو عضو .

aplite [ăp'līt] *(n.)* الأبليت : ضرب من الغرانيت (صخ) .

aplomb [ə plŏm'] *(n.)* (١) انتصاب ، وضع عمودي (٢) ثقة بالنفس ، رباطة جأش .

apnea *or* **apnoea** [ăp nē'ə] *(n.)* (١) انقطاع النفس ، وقوف التنفس (٢) اختناق .

apo- بادئة معناها : (١) بعيداً عن (*apo*gee) (٢) منفصل (*apo*carpous) (٣) مركّب من (*apo*morphine) .

apocalypse [ə pŏk'ə lĭps] *(n.)* (١) *cap.* : سفر الرؤيا . (٢) كشف ، رؤيا نبوئية .

apocalyptic;-al *(adj.)* (١) خاص بسفر الرؤيا (٢) رؤيوي : شبيه بسفر الرؤيا أو برؤيا ، وبخاصة من حيث الروعة أو الغموض .

apocarpous *(adj.)* منفصل الأخبية أو القربلات (نب) .

apochromatic *(adj.)* أبوكروماتي : مفرط اللالونية (بص) .

apocope *(n.)* الترخيم : حذف الصوت أو المقطع الأخير من كلمة .

apocrypha [ə pŏk'rə fə] *(n. pl.)* (١) *cap.* : الأبوكريفا : أربعة عشر سفراً تلحق أحياناً بـ «العهد القديم» من الكتاب المقدّس ولكن البروتستانت لايعترفون بصحتها (٢) كتابات مشكوك في صحتها أو في صحة نسبتها إلى من تعزى إليهم من المؤلفين .

apocryphal *(adj.)* (١) *cap.* : أبوكريفاوي : ذو علاقة بالأبوكريفا (٢) مشكوك في صحته أو في نسبته إلى مؤلفه .

Apoda *or* **Apodes** *(n. pl.)* القطعاوات : عديمات الأرجل (ح) .

apodal [ăp'ə dəl] *or* **apodous** *(adj.)* (١) لاقدمي (مج) : عديم الأرجل (ح) (٢) عديم الزعانف الحوضية (كالانقليس وغيره) .

apodictic [ăp'ə dĭk'tĭk] *(adj.)* قاطع ، دامغ .

apogamic or apogamous *(adj.)* لا إلقاحيّ (نب) .

apogamy [ə pŏg'ə mĭ] *(n.)* فقدان الإلقاح : فقدان خاصيّة التناسل الشقّيّ في بعض النباتات ونشوء أحياء جديدة منها دون تلاقح الأمشاج (نب) .

apogee [ăp'ə jē'] *(n.)* (١) نقطة الأوج : أبعد نقطة عن الأرض في مدار القمر (٢) ذروة ؛ أوج .

—apogean *(adj.)*

Apollo [ə pŏl'ō] *(n.)* (١) أبولّو : إله الشعر والموسيقى والجمال الرجوليّ عند الاغريق (٢) شابّ فائق الجمال .

Apollo

—Apollonian *(adj.)*

Apollyon [ə pŏl'yən] *(n.)* أبوليون : ملاك الهاوية أو الجحيم .

apologetic; -al *(adj.)* (١) دفاعيّ (من طريق الكلام أو الكتابة) (٢) اعتذاريّ ؛ تبريري .

apologetics *(n.)* علم الدفاع عن العقائد المسيحية .

apologia [ăp'ə lō'jĭ ə] *(n.)* = apology.

apologist *(n.)* المدافع عن دين أو قضية أو مؤسسة (بالقول أو الكتابة).

apologize [ə pŏl'ə jīz'] *(vi.)* (١) يعتذر (عن خطأ) (٢) يدافع (من طريق الكلام أو الكتابة) .

apologue [ăp'ə lôg'] *(n.)* خرافة أخلاقيّة المغزى .

apology [ə pŏl'ə jĭ] *(n.)* (١) دفاع (كلاميّ أو كتابيّ) . (٢) اعتذار (عن خطأ) (٣) بديل موقّت (a sad ~ for a hat).

apomorphine *(n.)* الأبومورفين : مادة صُنعيّة شبه قلوية تُحضّر من المورفين .

aponeurosis *(n.)* لُفافة ؛ غشاء عضليّ ؛ وتر عريض (ت) .

apophthegm [ăp'ə thĕm'] *(n.)* حكمة ؛ قول مأثور .

apophysis [ə pŏf'ə sĭs] *(n.)* pl. **-ses** نتوء («ت» و «نب») .

apoplectic *(adj.)* (١) سكتيّ : ذو علاقة بداء السكتة . (٢) مسكوت : مصاب بداء السكتة أو معرّض له .

apoplexy [ăp'ə plĕk'sĭ] *(n.)* السكتة (مج) : السكتة الدماغية .

aport *(adv. ; adj.)* على أو نحو الجانب الأيسر من السفينة .

aposiopesis [ăp'ə sī'ə pē'sĭs] *(n.)* انقطاع مفاجىء في الجملة ، وكأنّ المتكلم غير راغب في التعبير عمّا يدور في خلده .

apostasy [ə pŏs'tə sĭ] *(n.)* الردة (مج) : ارتداد عن عقيدة أو دين.

apostate [ə pŏs'tāt; -tĭt] *(n.; adj.)* مرتدّ (عن عقيدة أو دين).

apostatize [-'tə tīz'] *(vi.)* يرتدّ (عن عقيدة أو دين) .

a posteriori [ā pŏs tĭr'ĭ ōr'ī] *(adj. ; adv.)* (١) استدلاليّ : قائم على دراسة الوقائع المتفرقة والحالات الخاصّة بغية استخلاص المبادىء العامة منها (مق) § (٢) استدلاليّاً (مق) .

apostil or apostille [ə pŏs'tĭl] *(n.)* حاشية ؛ هامش .

apostle [ə pŏs'əl] *(n.)* (١) رسول ؛ حواريّ (٢) رائد إصلاح أخلاقيّ عظيم .

—apostleship *(n.)*

Apostles' Creed *(n.)* قانون الإيمان المسيحي (المنسوب إلى الرسل الاثني عشر) ومطلعه : « أؤمن بالله الآب الكلي القدرة » .

apostolate *(n.)* رسالة الحواريّ (أو الرسول) أو وظيفته .

apostolic; -al *(adj.)* (١) «أ» رسوليّ . «ب» رسليّ (٢) بابويّ .

apostolic delegate *(n.)* القاصد الرسولي : ممثل البابا في بلد ليس بينه وبين الفاتيكان علاقات دبلوماسية رسمية .

Apostolic Father *(n.)* الأب الرسولي : أحد آباء الكنيسة في القرن الأول والثاني ب.م.

Apostolic See *(n.)* الكرسي الرسولي أو البابوي .

apostrophe [ə pŏs'trə fĭ] *(n.)* (١) الفاصلة العليا : علامة (') التي تفيد الحذف أو الاضافة أو الجمع (٢) المناجاة : توجيه الخطاب إلى شخص غير موجود عادة أو إلى شيء تجريديّ مشخّص ، لغرض بلاغيّ (بل) .

apostrophize *(vt. ; i.)* (١) يضع فاصلة عليا (را . apostrophe 1) (٢) يناجي (را . apostrophe 2) .

apothecaries' measure المكاييل الصيدلانية : نظام من الوحدات يستخدم في تركيب الأدوية السائلة (صي) .

apothecaries' weight الموازين الصيدلانية : نظام من الموازين يستخدم في مزج العقاقير وتحضير الوصفات الطبية (صي) .

apothecary [ə pŏth'ə kĕr'ĭ] *(n.)* (١) الصيدليّ (٢) صيدلية .

apothecium *(n.)* وعاء الأبواغ (في الأُشنة وبعض الفطور) (نب) .

apothegm [ăp'ə thĕm'] *(n.)* = apophthegm.

apotheosis [ə pŏth ĭ ō'sĭs] *(n.)* (١) تأليه (٢) تمجيد . (٣) مثل أعلى ممجّد (He was the very ~ of chivalry.)

apotheosize [-'ĭ ə sīz'] *(vt.)* (١) يؤلّه (٢) يمجّد .

appall also appal [ə pôl'] *(vt.)* يرعب ؛ يروع .

appalling *(adj.)* مرعب ؛ مروع (an ~ accident) .

appanage [ăp'ə nĭj] *(n.)* (١) إقطاعة (أو مال أو ممتلكات) يخصصها ملك أو أمير للقاصرين من أفراد أسرته (٢) حصّة المرء المخصصة له (٣) *pl.* عد : لوازم ؛ ملحقات طبيعية أو ضرورية (She had three houses, a yacht, and all the other ~ s of wealth.) (٤) مقاطعة تحكمها دولة أخرى .

apparatus [ăp'ə rā'təs] *(n.)* (١) عدّة ؛ أدوات (٢) جهاز .

apparel [ə păr'əl] *(vt. ; n.)* (١) يكسو (٢) يزيّن ؛ يجمّل § (٣) جهاز السفينة (من أشرعة ومراس ومدافع) (٤) كساء المرء أو ملابسه الخارجية (٥) «أ» مظهر . «ب» كل ما يكسو أو يجمّل .

apparent [ə păr'ənt] *(adj.)* (١) مرئيّ ؛ ظاهر (٢) واضح ؛ جليّ (٣) ذو حقّ لا ينازَع في وراثة عرش أو لقب (the heir ~) (٤) ظاهريّ (the ~ motion of the sun).

apparently *(adv.)* (١) بوضوح ؛ بجلاء (٢) ظاهرياً .

apparition [ăp'ə rĭsh'ən] *(n.)* (١) «أ» كل ما يظهر ؛ وبخاصة إذا كان غريباً أو غير متوقّع . «ب» شبح (٢) ظهور (the sudden ~ of the Spaniards).

apparitor [ə păr'ə tər] *(n.)* المباشر (في محكمة) .

appeal [ə pēl'] *(vt. ; i. ; n.)* (١) يتّهم بجريمة (٢) يستأنف الدعوى × (٣) يستغيث بـ ؛ يناشد (٤) يلجأ أو يحتكم إلى (to ~ to force) (٥) يعجب ؛ يروق لـ (This color ~ s to me.) § (٦) استئناف (لدعوى) (٧) اتهام بجريمة (٨) استغاثة ؛ مناشدة (٩) احتكام إلى (an ~ to reason *or* to force) (١٠) إغراء ؛ فتنة (The game has lost its ~.).

appealable *(adj.)* قابل للاستئناف .

appealer *(n.)* المستأنف ؛ المناشد ، المحتكم إلى .

appear [ə pĭr'] *(vi.)* (١) يظهر للعيان (٢) يمثُل (أمام القضاء) (٣) يبدو (٤) يتّضح (٥) يصدُر (His novel ~ed last year.).

appearance [ə pĭr'əns] *(n.)* (١) ظهور (٢) مثول (أمام القضاء) (٣) هيئة ؛ مظهر خارجي (٤) apparition 1 .

to judge by ~ s يحكم بحسب الظواهر

to put in (make) an ~, يحضر ؛ يبرز ؛ يمثل .

appeasable *(adj.)* قابل للتهدئة أو التسكين الخ .

appease [ə pēz'] *(vt.)* (١) يهدىء (٢) يسكّن (٣) يُشبِع

(to ~ a person's curiosity) (٤) يسترضي ؛ وبخاصة : يسترضي عدواً على حساب المبادىء الأخلاقية اجتناباً لشره أو عدوانه (An attempt to ~ Hitler was made at Munich in 1938.)
—appeasement *(n.)*

appellant [ə pĕl'ənt] *(n. ; adj.)* (١) المستأنف (لدعوى) . § (٢) استئنافي .

appellate [ə pĕl'ĭt] *(adj.)* استئنافي : «أ» متعلق باستئناف الدعاوى (ق) . «ب» له صلاحية النقض .

appellation *(n.)* (١) تسمية (ا.ق) (٢) لقب ؛ كنية .

appellative [ə pĕl'ə tĭv] *(n. ; adj.)* (١) اسم عام (غير علم) . (٢) اسم ؛ لقب § (٣) عام : غير علم (ل) (٤) وصفي .

appellee [ăp'ə lē'] *(n.)* المستأنف ضده (ق) .

appellor *(n.)* المتهم : المتهم غيره بجريمة (ق) .

append [ə pĕnd'] *(vt.)* (١) يلحق ؛ يضيف (٢) يذيل .

appendage [ə pĕn'dĭj] *(n.)* (١) ملحق ؛ ذيل . (٢) اللاحقة (مج) : عضو أو جزء ثانوي أو إضافي (أح) .

appendant; appendent *(adj. ; n.)* ملحق ؛ مضاف ؛ تابع لِـ .

appendectomy *(n.)* استئصال الزائدة الدودية (جر) .

appendices [ə pĕn'də sēz'] *pl. of* appendix.

appendicitis [ə pĕn'də sī'-] *(n.)* التهاب الزائدة الدودية (ط) .

appendicular *(adj.)* زائدي : ذو علاقة بزائدة («ت» و «أح») ؛ وبخاصة : ذو علاقة بالزائدة الدودية (~ inflammation) .

appendix [ə pĕn'dĭks] *(n.)* pl.-dixes *or* -dices (١) ذيل ؛ ملحق (٢) الزائدة (ت) : وبخاصة : الزائدة الدودية .

apperceive [ăp'ər sēv'] *(vt.)* يدرك بالترابط : يفسر معرفة أو فكرات جديدة الخ . في ضوء ما هو معروف مسبقاً (نف) .

apperception *(n.)* (١) وعي الذات الاستبطاني (٢) الادراك بالترابط .

appertain [ăp'ər tān'] *(vi.)* يتعلق بـ ؛ يختص بـ .

appetency [ăp'ə tən sĭ] *or* **appetence** *(n.)* (١) شهوة . (٢) أُلفة طبيعية (بين المواد الكيميائية الخ .) (٣) نزعة غريزية .
—appetent *(adj.)*

appetite [ăp'ə tīt] *(n.)* (١) شهية (الى الطعام) (٢) شهوة ؛ ميل فطري او مكتسب (an ~ for reading) .

appetizer *(n.)* المشهي : طعام أو شراب يتناول قبل الطعام لإثارة الشهية .

appetizing *(adj.)* مشهٍ : مثير أو فاتح للشهية .

applaud [ə plôd'] *(vi. ; t.)* (١) يصفق (استحساناً) . ×(٢) يصفق لِـ (to ~ an actor) (٣) «أ» يطري (to ~ one's conduct) «ب» يستحسن ؛ يعبر عن موافقته على (I ~ your decision.)

applause [ə plôz'] *(n.)* (١) تصفيق (استحساني) . (٢) «أ» إطراء . «ب» استحسان .

apple [ăp'əl] *(n.)* (١) تفاحة (٢) شجرة التفاح .

applejack *(n.)* شراب مسكر يصنع من عصير التفاح .

apple of discord *(n.)* سبب التحاسد أو الشقاق .

apple of the eye *(n.)* بؤبؤ العين أو إنسانها .

apple-pie *(adj.)* ممتاز ؛ كامل (~ order) .

appliance [ə plī'əns] *(n.)* (١) استعمال ؛ تطبيق (٢) أداة .

applicable *(adj.)* ملائم ؛ قابل للاستعمال أو التطبيق .

applicant *(n.)* طالب الوظيفة (أو المال أو المساعدة الخ .) .

application [ăp'lə kā'-] *(n.)* (١) استعمال ؛ تطبيق (٢) انكباب (~ to one's studies) (٣) طلب (an ~ for employment) (٤) الوضعة : علاج موضعي (hot and cold ~s) (٥) قابلية التطبيق العملي .

applicative *(adj.)* عملي : قابل للاستعمال أو التطبيق .

applicator *(n.)* قضيب (خشبي أو زجاجي) رفيع ، ملفوف على طرفه شيء من القطن . يستخدم لإدخال دواء ما إلى الأنف أو الحنجرة الخ .

applicatory *(adj.)* = applicative.

applied [ə plīd'] *(adj.)* تطبيقي (~ art) .

appliqué [ăp'lə kā'] *(n. ; adj. ; vt.)* (١) الأبليكة : «أ» زخرفة للملابس تتم بخياطة رسوم من قماش أو إلصاقها على قماش آخر . «ب» الزخارف المستخدمة لهذا الغرض § (٢) مؤبلك : مزخرف بهذه الطريقة (~ work) § (٣) يؤبلك : يزخرف على هذا النحو .

appliqué

apply [ə plī'] *(vt. ; i.)* (١) «أ» يستعمل . «ب» يخصص لغرض معين (to ~ a sum of money to pay a debt) (٢) يطبق عملياً (مبدءاً أو قانوناً) (٣) يضع أو ينشر على (to ~ medicaments to a diseased part of the body) (٤) ينكب على ×(٥) يصح في ؛ ينطبق على (٦) يقدم طلباً .

appoint [ə point'] *(vt.)* (١) «أ» يحدد (وقتاً الخ .) . «ب» يعين ؛ يوظف (He was ~*ed* postmaster.) (٢) يجهز بـ (a well- ~*ed* house).

appointee [ə poin tē'] *(n.)* المعين (في وظيفة ما) .

appointment [ə point'mənt] *(n.)* (١) تعيين ؛ توظيف . (٢) وظيفة ؛ منصب (٣) موعد (an ~ to meet at four o'clock) (٤) *pl.* عدد : أثاث ؛ تجهيزات .

apportion *(vt.)* يقسم ؛ يوزع ؛ يحصص (وفقاً لقاعدة) .

apportionment *(n.)* تقسيم ؛ توزيع ؛ تحصيص (وفقاً لقاعدة) .

appose *(vt.)* (١) يضم ؛ يضيف إلى (٢) يضع جنباً إلى جنب .

apposite [ăp'ə zĭt] *(adj.)* ملائم ؛ مناسب ؛ في محله (an ~ remark) .

apposition *(n.)* (١) ضم ؛ إضافة (٢) بدل ؛ عطف بيان (ل) . (٣) التراكب ؛ النمو التراكبي (مج) (أح) .

appositive *(n. ; adj.)* (١) بدل ؛ عطف بيان (ل) § (٢) بدلي .

appraisal; appraisement *(n.)* تثمين ؛ تقييم ؛ تخمين .

appraise [ə prāz'] *(vt.)* يثمن ؛ يقيم ؛ يخمن .

appreciable [ə prē'shĭ ə bəl] *(adj.)* ممكن تقديره أو إدراكه .

appreciate [ə prē'shĭ āt'] *(vt. ; i.)* (١) يقدر (شيئاً) حق قدره (His great ability was not ~*d*.) (٢) يعجب إعجاباً عظيماً بـ ؛ يكون شديد الحساسية للقيم الجمالية في كذا (to ~ music) (٣) يدرك إدراكاً كاملاً (to ~ a difficulty) (٤) يزيد في قيمة شيء ؛ يرفع الثمن (New buildings ~ the value of land.) × (٥) يرتفع ثمنه (This land has ~*d* greatly since the new road was built.)
—appreciator *(n.)* **—appreciatory** *(adj.)*

appreciation [ə prē'shĭ ā'shən] *(n.)* (١) قدر الشيء حق قدره (٢) إعجاب (٣) إدراك (٤) ارتفاع في الثمن .

appreciative [ə prē'shĭ ā'tĭv] *(adj.)* قادر الشيء حق قدره (an ~ audience) .

apprehend [ăp'rĭ hĕnd'] *(vt.)* (١) يعتقل ؛ يقبض على .

(٢) «أ» يعي ؛ يدرك . «ب» يخشى (٣) يفهم .

apprehensible [ăp'rĭ hĕn'sə bəl] *(adj.)* ممكنٌ فهمه .

apprehension [ăp'rĭ hĕn' shən] *(n.)* (١) «أ» فَهْمٌ . «ب» ادراك (٢) اعتقال (٣) خشية ؛ خوفٌ من شرّ مرتقَب .

apprehensive [ăp'rĭ hĕn'sĭv] *(adj.)* (١) سريع الفهم أو الإدراك (٢) خائف ؛ قلق ؛ مُرتَقِبٌ شراً (~ of *or* for one's safety) .

apprehensiveness *(n.)* (١) سرعة فهمٍ أو إدراك (٢) خوف ؛ قلق ؛ ارتقاب شرٍ .

apprentice [ə prĕn'tĭs] *(n. ; vt.)* (١) «أ» الغُلام المُمَهَّن : صبيٌ يُمَرَّن ، عند صانع ما ، على حرفة ما ، وفقاً لشروط عقد . «ب» المتمهن : من يتعلّم بالاختبار العمليّ صنعة أو فنّاً على يدي عمّال ذوي براعة (٢) المبتدىء ؛ شخص قليل الخبرة § (٣) يمهّن : يجعله غلاماً مُمَهَّناً (His father ~*d* him to a carpenter.).

apprenticeship *(n.)* (١) التمهّن : التدرّب على صنعة وفقاً لشروط عقد (٢) مدة التمهّن (وتبلغ أحياناً سَبْعَ سنوات) . وتوسعاً : سَبْعُ سنوات .

appressed [ə prĕst'] *(adj.)* لاطىء (مج): منبطحٌ أو منطبقٌ على سطح عضوٍ آخر («نب» و «ح») .

apprise *also* **apprize** [ə prīz'] *(vt.)* يُخْبِر ؛ يُعْلِم .

apprize [ə prīz'] *(vt.)* = appraise.

approach [ə prōch'] *(vt. ; i. ; n.)* (١) «أ» يدنو أو يقترب من (~*ed* the city) . «ب» يناهز (My son is ~*ing* manhood.) (٢) يضاهي (~*ing* Milton as a poet) (٣) يُدْني ؛ يقرّب (٤) يفاتح (شخصاً في موضوع) ؛ يقدم اقتراحاً إلى (~*ed* his employer about an increase in salary) (٥) يباشر العمل في × (٦) يدنو ؛ يقترب (The storm ~*es*.) § (٧) دنوّ ؛ اقتراب (٨) ممرّ ؛ مجاز ؛ طريق (All the ~*es* to the castle were guarded by soldiers.) (٩) طريقة لفهم موضوع ما الخ . (The best ~ to Shaw is through Ibsen.) . easy (difficult) of ~, سهلٌ (أو صعبٌ) بلوغُهُ أو الاجتماع به والتحدث إليه . to make ~*es* to somebody يحاول أن يثير اهتمامه أو يلفت انتباهه ، أو يتقرّب إليه .

approachable *(adj.)* (١) ممكنٌ بلوغه أو الوصول إليه (٢) ممكنٌ الاجتماع به أو التحدّث إليه .

approbate [ăp'rə bāt'] *(vt.)* يوافق أو يصدّق على .

approbation *(n.)* (١) استحسان (٢) تصديقٌ على .

approbative *or* **approbatory** *(adj.)* مُسْتَحسِن ؛ استحساني .

appropriate [*v.* ə prō'prĭ āt; *adj.* ə prō'prĭ ĭt] *(vt.; adj.)* (١) يستولي على (٢) يخصّص أو يُفْرِد لغرضٍ معيَّن (The money was ~*d* for road building.) (٣) يأخذ من غير إذن ؛ ينتحل (She often ~*s* my ideas.) § (٤) ملائم ؛ مناسب (an ~ example) .

—**appropriative** *(adj.)* —**appropriator** *(n.)*

appropriately *(adv.)* على نحوٍ ملائم أو مناسب .

appropriateness *(n.)* ملاءَمة ؛ مناسبَة ؛ موافقَة .

appropriation [ə prō'prĭ ā'shən] *(n.)* (١) استيلاءٌ على . (٢) تخصيص لغرضٍ ما (٣) شيء ، وبخاصة مالٌ ، مخصَّص لغرضٍ ما .

approval [ə prōō'vəl] *(n.)* موافقة ؛ استحسان ؛ تصديقٌ على . goods on ~, سِلَعٌ قابلةٌ للارجاع إن لم تُعجِب .

approve [ə prōōv'] *(vt. ; i.)* (١) يوافق على ؛ يستحسن . (٢) يصدّق على × (٣) يطري أو يكون له رأيٌ حسنٌ في (to ~ of him) .

approved *(adj.)* موافَق عليه ؛ مستحسَن ؛ مصدَّق عليه .

approximate [*adj.* ə prŏk'sə mĭt; *v.*-'sə māt'] *(adj. ;vt. ;i.)* (١) تقريبيّ (٢) متقارِبٌ بعضُه من بعض (~ leaves) § (٣) يُدْني ؛ يقرِّب (٤) يقارب ؛ يناهز (beauty that ~*s* perfection) × (٥) يدنو أو يقترب من (Her description of what happened ~*d* to the truth.)

approximately *(adv.)* تقريباً ؛ على وجه التقريب .

approximation [ə prŏk'sə mā'shən] *(n.)* (١) «أ» تقريب. «ب» اقتراب (٢) تقدير تقريبي ؛ قيمة تقريبية .

approximative *(adj.)* تقريبي .

appurtenance [ə pûr'tə nəns] *(n.)* (١) حقّ أو امتياز فرعي (كحقّ الطريق أو المرور) تابع أو ملازم لحقّ رئيسي (٢) اللاحقة ؛ الملحق : شيء تابع لشيء آخر .

appurtenant [ə pûr'tə nənt] *(adj. ; n.)* (١) مُلحَق ؛ تابع . § (٢) appurtenance .

apractic *or* **apraxic** *(adj.)* عَمَهيّ : خاص بالعَمَه الحركيّ .

apraxia *(n.)* العَمَهُ الحَرَكيّ : فقْدُ القدرة على القيام بحركات متّسقة معقّدة (ط) .

après *(F.)* = after.

après moi le déluge [à prĕ mwà' lə dĕ lyzh'] *(F.)* من بعدي الطوفان (كلمة منسوبة إلى لويس الخامس عشر) .

apricot [ā'prə kŏt; ăp'rə-] *(n.)* (١) «أ» المشمش . «ب» شجرة المشمش (٢) لون المشمش .

April *(n.)* أبريل ؛ نيسان : الشهر الرابع في التقويم الغريغوري .

April fool *(n.)* ضحية كذبة نيسان .

April Fools' Day *(n.)* يوم كذبة نيسان .

a priori [ā prī ōr'ī ; ä prĭ ōr'ĭ] *(L.)* (١) استنتاجي : متقدِّم من القاعدة العامة إلى الحالة الخاصة (٢) «أ» بديهي . «ب» افتراضي (٣) بداهةً (can be known ~) .

apron [ā'prən] *(n. ; vt.)* (١) مِئْزَر ؛ وِزْرَة ؛ «مَرْيَلَة» . (٢) شيء كالمئزر مثل «أ» غطاء العربة المشمّع (يقي الساقَيْن من المطر) . «ب» غطاء معدني لوقاية أجزاء الماكينة ؛ وقاء . «ج» ذلك الجزء من خشبة المسرح الواقع أمام الستارة المُسْدَلَة . «د» كل أداة لحماية سطح الأرض (كضفّة نهرٍ الخ .) من فعل المياه الجارية . «هـ» ساحة المطار § (٣) يزود بمئزر .

apropos [ăp'rə pō'] *(adj. ; adv.; prep.)* (١) ملائم ؛ مناسب ؛ في محله ؛ شديد الصلة بالموضوع (~ remarks) § (٢) على نحو ملائم الخ (٣) وبالمناسبة ... ؛ وعلى ذكر كذا . (~, it is amusing to note...) § (٤) في ما يتصل بِ .

apropos of *(prep.)* في ما يتصل بـ ؛ في ما يتعلّق بـ .

apse [ăps] *(n.)* (١) جزء ناتىء نصفُ دائريّ (عادة) من مبنى ؛ وبخاصة من كنيسة (عم) (٢) apsis .

apsidal angle *(n.)* الزاوية القَبَوية (مج) : الزاوية بين مسافتين قَبَويتين .

apsis [ăp'sĭs] *(n.)* pl. **-sides** (١) القبَا (مج) : كل نقطة على مسارٍ مركزي يكون بُعدها عن مركز القوة أكبر أو أصغر ما يمكن . وهما نقطتان أو أوجان : higher apsis الأوج الأعلى

والأوج الأدنى lower apsis (٢) apse 1 ·

apt [ăpt] *(adj.)* (١) «أ» ميّال إلى I am ~ to ... hurry. «ب» عرضةٌ لـ ؛ قابل لـ (Cast iron is ~ to break.) (٢) حَرِيّ ؛ جدير (٣) ملائم ؛ مناسب (an ~ reply) (٤) شديد الذكاء (~ pupils) ·
—**aptly** *(adv.)* —**aptness** *(n.)*

Aptera *(n.pl.)* اللاجناحيّات ؛ عديمات الأجنحة (ح) .

apteral [ăp'tər əl] *(adj.)* لاجَناحيّ ؛ عديم الجناح (ح) .

apterous [ăp'tər əs] *(adj.)* (١) apteral (٢) من غير امتدادات غشائية (an ~ stem).

apteryx [ăp'tər ĭks] *(n.)* pl.**-es** الكِيوي: طائر لاجَناحيّ ·

aptitude [ăp'tə tūd'; -tōōd'] *(n.)* (١) «أ» قابلية ؛ استعداد. «ب» ذكاء (٢) أهلية ؛ جدارة .

apus *(n.)* سَمامَة ؛ خطّاف جَبَليّ (طا) .

aqua [ăk'wə; ä'kwə] *(n.)* pl. **aquae** [ăk'wē; ä'kwē] ماء؛ وبخاصة : محلول مادة طيّارة في الماء (صي) .

aquacade *(n.)* المهرجان المائي: حفلة رياضية قوامُها التباري في السباحة أو الغطس على أنغام الموسيقى.

aquafortis [-fôr'tĭs] *(n.)* حامض النتريك ؛ ماء الفضّة (ك) .

aqualung *(n.)* الرئة المائية : جهاز للتنفس تحت الماء .

aquamarine [ăk wə mə rēn'] *(n. ; adj.)* (١) زبرجد (مع). (٢) لون أزرق مخضر § (٣) أزرقُ مخضر .

aquaplane [ăk'wə plān'] *(n.)* اللوح المائي : لوح خشبي عريض يُشدّ الى مؤخر زورق بخاري منطلق بسرعة ويمتطيه المرء واقفاً على سبيل الترييض.

aqua pura *(L.)* ماءٌ زلال (صي) .

aqua regia [rē'jĭ ə] *(n.)* الماء الملكيّ : مزيج من حامض النتريك وحامض الهيدروكلوريك (ك) .

aquarelle [ăk'wə rĕl'] *(n.)* الرسم المائي : صورةٌ بالألوان المائية.

aquarellist *(n.)* الرسّام المائي : فنان يرسم الصور بالألوان المائية .

aquarist *(n.)* صاحب مَرْبى مائي .

aquarium [ə kwâr'ĭ əm] *(n.)* pl. **-s** *or* **-ia** المَرْبى المائي (مج) : «أ» حوضٌ صِنْعيّ لحفظ أو عَرْض الأسماك والحيوانات والنباتات المائية الحيّة . «ب» مؤسسة تُحفَظ أو تُعرَض فيها أمثال هذه المجموعات المائية.

Aquarius [ə kwâr'-] *(n.)* برج الدّلو؛ السّاقي؛ ساكب الماء (فل).

aquatic [ə kwăt'ĭk ; ə kwŏt'-] *(adj. ; n.)* (١) مائي : «أ» يألف الماء أوينمو أو يعيش فيه. «ب» مُنْجَز في الماء أو على الماء § (٢) حيوان أونبات مائي (٣) *pl.* : ألعاب رياضية مائية .

aquatint [ăk'wə tĭnt'] *(n. ; vt.; i.)* (١) الحفْر المائيّ: طريقة في النقش على الصفائح النحاسية بواسطة الأحماض تستهدف حَفْر الفُسْحات لا الخطوط ،وتمكّن عند الطباعة من الحصول على صُوَر شبيهة بالرسوم المعدّة بالألوان المائية (طع) (٢) «كليشيه» محفورة بهذه الطريقة §(٣) ينقش أو يحفر بهذه الطريقة .

aquavit *(n.)* الأكوافيت : شراب اسكندينافي مُسْكِر .

aqua vitae [vī'tē] *(n.)* ماء الحياة : «أ» كحول . «ب» شراب كحوليّ ، كالبراندي أو الويسكي .

aqueduct [ăk'wə dŭkt'] *(n.)* (١) قناة «لجرّ المياه» (٢) قناة (ت) .

aqueous [ā'kwĭ əs ; ăk'wĭ-] *(adj.)* (١) مائيّ (٢) ذو علاقة بالرطوبة المائية للعين (ت) .

aqueduct

aqueous humor *(n.)* الرطوبة المائية للعيَيْن (ت) .

aquiculture *(n.)* تربية المائيات : تربية الحيوانات والنباتات المائية.

aquifer *(n.)* طبقة صخرية مائية (جي).

Aquila [ăk'wə lə] *(n.)* برج العُقاب (فل) .

aquilegia [ăk'wə lē'jĭ ə ; ä'kwə-] *(n.)* الحَوْضيّة ؛ الأنقوليّة ؛ زهرة الحوض (نب) .

aquiline [ăk'wə līn ; -lĭn] *(adj.)* (١) نَسْرِيّ : ذو علاقة بالنَّسر أو شبيهٌ بالنّسر (٢) أعقف ؛ معقوف (an ~ nose).

Arab [ăr'əb] *(n. ; adj.)* (١) العَرَبيّ : واحدُ العَرَب . (٢) جواد أو فرس عربيّ § (٣) عربي .

arabesque [ăr'ə bĕsk'] *(n. ; adj.)* (١) الأرابِسْك؛ النَّسَق العربي (في الزخرفة) : فن الزخرفة العربيّ (٢) وَضْعٌ من أوضاع رقص «الباليه» يقف فيه الراقص على إحدى قدميه ، مادّاً إحدى ذراعيه إلى الأمام راداً القدم والذراع الأخرَيَيْن إلى الوراء . §(٣) أرابِسْكيّ .

arabesque

Arabian [ə rā'bĭ ən] *(adj. ; n.)* عرَبيّ §(٢) العرَبيّ .

Arabian coffee *(n.)* شجرة البنّ العربي (نب)

Arabic [ăr'-] *(adj.; n.)* (١) عرَبيّ §(٢) العرَبيّة: اللغة العربية.

Arabica coffee *(n.)* البنّ العربي.

Arabic numerals *or* **Arabic figures** : الأرقام العربية الأرقام الهندية الأصل التي أدخلها العرَب إلى أوربة ابتداء من القرن التاسع للميلاد ، وهذه صورتها 0,1,2,3,4,5,6,7,8,9.

Arabist [ăr'əb ĭst] *(n.)* المستعرِب : عالِمٌ ثقةٌ في كل ما يتصل بالعرب وبلاد العرب أو باللغة العربية والأدب العربي .

arable [ăr'ə bəl] *(adj. ; n.)* (١) مُنْزرَع ؛ صالح للزراعة (~ lands) § (٢) أرض منزرعة

arachnid [ə răk'nĭd] *or* **arachnidan** [ə răk'-] *(n. ; adj.)* (١) العنكبوتيّ : واحد العنكبوتيات **Arachnida** وهي طائفة من المفصليات تشمل العناكب والعقارب والقُمّل الخ. § (٢) عنكبوتيّ.

arachnoid [ə răk'noid] *(n. ; adj.)* (١) العنكبوتية : الغشاء العنكبوتي في الدماغ (ت) §(٢) عنكبوتي : «أ» متعلق بالعنكبوتيات (ح). «ب» مكسوّ بشعيرات أو ألياف دقيقة (نب) . «ج» ذو علاقة بالغشاء العنكبوتي في الدماغ (ت) .

Aramaean *or* **Aramean** [ăr ə mē'-] *(n.;adj.)* (١) الآراميّ: واحد الآراميين وهم شعب ساميّ عاش في الألف الثاني قبل الميلاد في سوريا وشمالي العراق (٢) الآرامية : لغة الآراميين § (٣) آراميّ.

Aramaic [ăr'ə mā' ĭk] *(n.; adj.)* (١) الآرامية: اللغة الآرامية. § (٢) آراميّ .

arapaima [ăr'ə pī'mə] *(n.)* الأربيمة : سمكة من أضخم الأسماك النهرية يبلغ طولها أحياناً خمسة عشر قدماً .

araucaria [ăr'ô kâr'ĭ ə] *(n.)* الأرُوكارية : شجرٌ جنوبأميركي أو أُستر الي من الفصيلة الصنوبرية .

arbalest *or* **arbalist** [är'bə lĭst] *(n.)* القوس القَذوف : سلاح حربي من أسلحة القرون الوسطى كانوا يستخدمونه لقَذْف السّهام والكُرات والحجارة الخ .

arbiter [är'bə tər] *(n.)* الحَكَم ؛ الوَسيط .

arbitrable [är'bə trə bəl] *(adj.)* قابلٌ للتحكيم : في المستطاع إحالتُه إلى حَكَمٍ يفصل فيه.

arbitrage of exchange : موازنة سعر الصّرْف (مج) : عملية تقوم بها البنوك من طريق شراء الأوراق الأجنبية موضوع الصّرْف من الجهات التي هبطت فيها أثمانها وبيْعها ، في الوقت نفسه تقريباً ، في الجهات التي ارتفع فيها السعر .

arbitral [är'bə trəl] *(adj.)* تحكيمي .

arbitrament [är bĭt'rə mənt] *(n.)* (١) الفصل في النزاع (يقوم به حَكَمٌ مكلّف بذلك) (٢) حُكم المحكَّم (في نزاع) .

arbitrarily *(adv.)* على نحو اعتباطي أو تحكّمي أو استبدادي .

arbitrariness *(n.)* الاعتباطية ؛ التحكّمية ؛ الاستبدادية .

arbitrary [är'bə trĕr'ĭ] *(adj.)* (١) اعتباطي ؛ تحكّمي ؛ كيفيّ (٢) استبداديّ (an ~ government) .

arbitrate [är'bə trāt'] *(vi. ; t.)* (١) يفصل في نزاع (بوصفه حَكَماً) ×(٢) يحكّم : يعرض نزاعاً على حَكَمٍ يفْصِل فيه .
—**arbitrative** *(adj.)*

arbitration [är'bə trā'shən] *(n.)* التحكيم .

arbitrational *(adj.)* تحكيميّ .

arbitrator [är'bə trā'tər] *(n.)* الحَكَم ؛ المحكَّم ؛ الوسيط .

arbitress [är'bə trĭs] *(n.)* المحكَّمة : امرأة تحكّم في نزاع .

arbor *or* **arbour** [är'bər] *(n.)* التعريشة : مكان مُظلّل بالأغصان المتشابكة (في حديقة) .

arbor [är'bər] *(n.)* (١) محور العجلة (مك) (٢) شِياق ؛ شاقة (مك) (٣) *pl.* **arbores** : شجرة .

arboraceous *(adj.)* = arboreal.

Arbor Day *(n.)* يوم التشجير : يومٌ مخصَّص لغَرْس الأشجار .

arboreal [är bōr'ĭ əl] *(adj.)* (١) شَجَريّ : ذو علاقة بالشجر أو شبيهٌ بالشجر (٢) ساكنُ الأشجار .

arbored *or* **arboured** *(adj.)* مشجَّر أو تكتنفهُ الأشجار .

arboreous [är bōr'ĭ əs] *(adj.)* (١) كثير الأشجار (٢)شَجَرانيّ : شبيه بالشجرة (في الخصائص أو النموّ أو التركيب أو المظهر) (٣) ساكنُ الأشجار .

arborescence *(n.)* الشَّجَرانيَّة : كون الشيء شجرانياً أي شبيهاً بالشجرة في الخصائص أو النمو أو التركيب أو المظهر .

arborescent [är'bə rĕs'ənt] *(adj.)* شَجَرانيّ : شبيهٌ بالشجرة من حيث الخصائص أو النموّ أو التركيب أو المظهر .

arboretum [är'bə rē'təm] *(n.)* pl.**-tums** *or*-**ta** المَشْجَر : موضع تُزرع فيه الأشجار والشُّجَيرات لأغراض علمية أوتعليمية .

arboriculture [är'bə rə kŭl'chər] *(n.)* الشِّجارة : زراعة الأشجار والشُّجيرات ، وبخاصة للتزيين .

arboriculturist *(n.)* الشَّجّار : زارع الأشجار والشجيرات للتزيين بخاصة .

arborization [är'bər ə zā'shən] *(n.)* (١) التَّشجُّر : تشكّلٌ على صورة شَجَرانيَّة (شبيهة بالشجرة) (٢) شكلٌ متشجّر (كما في بعض المستحاثات أو المستحجرات) .

arborize *(vi.)* يتشجّر : يتفرع أويتغصّن بحرّية وعلى نحومتكرر .

arborous [är'bər əs] *(adj.)* شجريّ : ذو علاقة بالأشجار .

arborvitae [är'bər vī'tē] *(n.)* شجرة الحياة : شجرة دائمة الخضرة من الفصيلة الصنوبرية تزرع للتزيين ولإقامة الأسيجة .

arbour [är'bər] *(n.)* التعريشة : مكان مظلّل بالأغصان المتشابكة (في حديقة) .

arbutus [är bū'təs] *(n.)* القَطْلَب ؛ قاتل أبيه : شجيرة أو شجرة من فصيلة الخَلَنجيّات ذات أزهار بيضاء أو قرنفلية .

arc [ärk] *(n. ; vi.)* (١) القوس : «أ» جزء من دائرة أو خط منحنٍ (هن) . «ب» دَفْقٌ منحنٍ من نورٍ ساطع يتشكل من طريق مرور التيار عبر فجوةٍ بين مُوصِّلَيْن (كب) . «ج» جزء من دائرة يمثّل المَسارَ الظاهري لجرم سماوي (فل) (٢) كل ما هو قَوْسيّ الشكل ‖ (٣) يشكل قوساً كهربائياً (٤) يتخذ مَساراً أو مجرى قوسيّ الشكل .

arcade

arcade [är kād'] *(n.)* (١) مبنى أو رواق مقنطر (٢) ممرٌ مقنطر (بين الدكاكين الخ.) (٣) عَقْدٌ أو صف قناطر (عم) .

arcaded *(adj.)* مُقَنْطَر : مزوّد بقناطر(عم) .

Arcadia [är kā'dĭ ə] *(n.)* (١)أركادية : منطقة جبلية في بلاد اليونان اشتهرت بأنها موئل الرعاة البسطاء القانعين بما قسم لهم (٢) موطن مسرةٍ وسكينة : نعيم .

Arcadian [är kā'dĭ ən] *(n. ; adj.)* (١) الأرْكاديّ : أحد سكان أركادية في بلاد اليونان (٢) اللهجة الأرْكاديّة : لهجة من لهجات اللغة اليونانية القديمة كان ينطق بها الأركاديون (٣) مَن يحيا حياة بسيطة وادعة ‖ (٤) أركاديّ : منسوب الى اركادية (٥) ريفي ؛ رَعَويّ ؛ بسيط ؛ ساذج .

Arcady [är'kə dĭ] *(n.)* = Arcadia.

arcane [ärkān'] *(adj.)* سري ؛ مُلْغَز .

arcanum [är kā'nəm] *(n.)* pl. **-na** (١) سر ؛ معرفة سريّة مقصورة على فئة قليلة من الخاصة (٢) **elixir** .

arc-boutant [år bōō tän'] *(n.)* الزافرة : نصف قنطرة يدعم بها جدار (عم) .

arch [ärch] *(n. ; vt. ; i. ; adj.)* (١) قنطرة ؛ قَوْس (عم) (٢) شيء شبيهٌ بالقنطرة ، وبخاصة : «أ» قَوْس القدم . «ب»قوس السّماء (٣) مَدْخَل أو مجاز تحت قنطرة ‖ (٤) يُقَنْطِر أو يزود بقنطرة (٥) يقوس ؛ يجعله على شكل قنطرة أو قوس ×(٦) يشكّل قنطرة أو قوساً (٧) يتقوّس ‖ (٨) رئيسي (the ~ rebel) (٩) ماكر ؛ خبيث(an ~ smile) .

arch- بادئة معناها : رئيس ؛ رئيسي(*arch*angel) .

-arch لاحقة معناها : رئيس ؛ زعيم (matri*arch*) .

archae- *or* **archaeo-** *also* **archeo-** بادئة معناها : (١) بدائي (*archaeo*pteryx) (٢) قديم (*archaeo*logy) .

archaeological [är'kĭ ə lŏj'ə kəl]*or* **archaeologic** *(adj.)* آثاري : ذوعلاقة بعلم الآثار .

archaeologist *(n.)* الآثاري : العالِم بالآثار .

archaeology [är'kĭ ŏl'ə jĭ] *(n.)* (١) علم الآثار القديمة . (٢) آثار حضارة أو شعب ما .

archaeopteryx [är'kĭ ŏp'tər iks] *(n.)* الطائر الأولي (مج): طائر بدائي منقرض شبيه بالزّحافات .

archaic [är kā'ĭk] *(adj.)* قديم ؛ مهجور ؛ ممات .

archaism [är'kĭ iz'əm] *(n.)* (١) استعمال الألفاظ أو الأساليب المهجورة (٢) «أ» أسلوب مهجور . «ب» لفظة مهجورة .
—**archaist** *(n.)* —**archaistic** *(adj.)*

archangel [ärk'ān'jəl] *(n.)* (١) الملاك الرئيسيّ : ملاك من ملائكة الطبقة الأولى أو العليا . (٢) حشيشة الملاك (نب) .

archanthropine *(n.)* إنسان بدائي (كإنسان جاوة الخ) .

archbishop [ärch'bĭsh'əp] *(n.)* رئيس الأساقفة (كن) .

archbishopric [ärch'bĭsh'əp rik] *(n.)* مقرّ (أو أبرشية أو

منصب) رئيس الأساقفة .

archdeacon [ärch'dē'kən] *(n.)* رئيس الشمامسة (كن) .

archdiocese [ärch'dī'ə sēs'] *(n.)* أبرشية رئيس الأساقفة .

archducal [ärch'dū'kəl ; - dōō'-] *(adj.)* أرشيدوقي : ذو علاقة بأرشيدوق أو بأرشيدوقية .

archduchess [ärch'dŭch'ĭs] *(n.)* الأرشيدوقة : «أ» زوجة أرشيدوق . «ب» أميرة من الأسرة الامبراطورية النمسوية (سابقاً) .

archduchy [ärch'dŭch'ĭ] *(n.)* الأرشيدوقية : مقاطعة يحكمها أرشيدوق أو أرشيدوقة .

archduke [ärch'dūk' ; - dōōk'] *(n.)* الأرشيدوق : أمير من أمراء الأسرة الامبراطورية النمسوية (سابقاً) .

Archean Era *(n.)* الدهر السحيق (جي) .

arched [ärcht] *(adj.)* (١) مُقَنْطَر : ذو قنطرة أو قناطر . (٢) قَنْطَرِيّ الشكل .

archegonial *(adj.)* أرشيجونيّ : ذو علاقة بالأرشيجونة .

archegonium [är'kə gō'nĭ əm] *(n.)* pl. **-nia** الأرْشيجونة : حاملة البُيَيْضة : مولّدة البُيَيْضة في بعض النباتات الدنيا .

archenemy[ärch'ĕn'ə mĭ] *(n.)* عدو رئيسي ؛ وبخاصة : الشيطان ، عدوّ الجنس البشريّ .

archenteron [är kĕn'tə-] *(n.)* الأركنترون : مَعْي بدائي (أج) .

archeo- = archae-.

archeologic ; archeological *(adj.)* = archaeological.

archeologist *(n.)* = archaeologist.

archeology *(n.)* = archaeology.

Archeozoic Era *(n.)* الدهر العتيق (جي) .

archer [är'chər] *(n.)* (١) الرامي : رامي السهام . (٢) برج الرامي (فل) .

archery [är'chə rĭ] *(n.)* (١) الرماية : الرمي بالسهام (٢) سلاح الرامي : الأقواس والسهام (٣) جماعة الرماة .

archespore [är'kə spōr'] *or* **archesporium** *(n.)* الخلية البوغية : الخلية أو مجموعة الخلايا التي تنتج الأبواغ بعد انقسامات متتالية (نب) .

—archesporial *(adj.)*

archetypal *or* **archetypical** *(adj.)* طِرازيَبْدَئي : متعلق بالطراز البدئي (را. archetype) .

archetype [är'kə tīp'] *(n.)* الطِراز البَدْئي ؛ النموذج الأصلي (را. prototype) .

archfiend [ärch'fēnd'] *(n.)* شيطان رئيسي ؛ وبخاصة : إبليس .

archi- *or* **arch-** بادئة معناها : (١) رئيسي (٢) بدائي ؛ أصلي ؛ أوّلي .

archidiaconal [är'kĭ dī ăk'ə nəl] *(adj.)* ذو علاقة برئيس الشمامسة أو بمنصبه (كن) .

archiepiscopal [är'kĭ ĭ pĭs'kə pəl] *(adj.)* ذو علاقة برئيس الأساقفة أو بمنصبه (كن) .

archil [är'kĭl; -chĭl] *(n.)* الأرخيل : «أ» صِبْغ بنفسجي يُستخرج من الأُشْنة . «ب» أشنة يُستخرج منها الأرخيل .

archimandrite [är'kə măn'drīt] *(n.)* الأرشمندريت : كاهن في الكنيسة الشرقية يلي الأسقف في المرتبة . وبخاصة : رئيس دير كبير أو رئيس مجموعة أديرة .

Archimedean [är'kə mē'dĭ ən] *(adj.)* أرخميدِسي : منسوب إلى أرخميدس

Archimedean screw

Archimedean screw *(n.)* لولب أرخميدس : أداة لولبية تستخدم لرفع المياه (لأغراض الري) .

archipelagic [är'kə pə lăj'ĭk] *(adj.)* أرخبيلي : «أ» ذو علاقة بأرخبيل . «ب» واقع في أرخبيل .

archipelago [-pĕl'ə gō] *(n.)* الأرْخَبيل : مجموعة جزر .

architect [är'kə tĕkt'] *(n.)* (١) المهندس المعماري (٢) المخطّط والمنفّذ لمشروع ضخم أو عسير .

architectonic [är'kə tĕk tŏn'ĭk] *(adj.)* معماري : «أ» خاص بفن العمارة أو منطبق على أصول هذا الفن . «ب» شبيه بالعمل المعماري من حيث التركيب أو النظام .

architectonics *also* **architectonic** *(n.)* (١) علم العمارة . (٢) مخطّط عام .

architectural [är'kə tĕk'chər əl] *(adj.)* معماري : «أ» خاص بفنّ العمارة أو منطبق على أصول هذا الفنّ . «ب» متّسم بخصائص فنّ العمارة .

architecture [är'kə tĕk'chər] *(n.)* (١) فن العمارة (٢) تشييد ؛ بناء (٣) مبنى (٤) مبانٍ (٥) أسلوب البناء (the ~ of Rome) .

architrave [är'kə trāv'] *(n.)* (١) العتب : عارضة مرتكزة على عمود (عم) (٢) حلية معمارية فوق (وعلى جانبي) باب أو أي فتحة مربّعة .

archival [är kī'vəl] *(adj.)* أرشيفي : «أ» ذو علاقة بالسجلات . «ب» متضمَّن في السجلات .

archives [är'kīvz] *(n.pl.)* الأرشيف : «أ» سجلات ؛ محفوظات . «ب» مكان حفظ السجلات الخ .

archivist [är'kə vĭst] *(n.)* أمين الأرشيف ؛ القيّم على السّجلات والمحفوظات .

archivolt [är'kə vōlt] *(n.)* النقوش المُطيفة : نقوش فوق قنطرة الخ . وعلى جانبيها (عم) .

archly [ärch'lĭ] *(adv.)* بمكر ؛ بخُبْث .

archness [ärch'-] *(n.)* مكر ؛ خبث .

archon [är'kŏn] *(n.)* (١) الأرخون : الحاكم الأول (في أثينا القديمة) (٢) الحاكم ؛ الرئيس .

archpriest [ärch'prēst'] *(n.)* الكاهن الأول ؛ كبير الكهنة .

archway [ärch'wā'] *(n.)* (١) المدخل أو المجاز المقنطر : مدخل أو مجاز تحت قنطرة (٢) القنطرة نفسها .

-archy لاحقة معناها : حُكْم (mon*archy* أي حكم الفرد) .

arciform *(adj.)* منحنٍ ؛ متقوس ؛ على شكل قوس .

arc lamp *or* **light** *(n.)* (١) المصباح القوسيّ : مصباح ينبعث فيه النور الساطع من قوس كهربائي (٢) النور القوسيّ : النور المنبعث من مصباح قوسيّ .

arcograph [är'kə grăf] *(n.)* المِقْواس : أداة لرسم الأقواس (هن) .

arctic [ärk'tĭk; är'tĭk] *(adj. ; n.)* (١) قُطْبيشمالي : ذو علاقة بالقطب الشمالي § (٢) الأقطار القطبية الشمالية (٣) كالوش أو حذاء فوقيّ مطاطيّ دافىء صامدٌ للماء .

Arctic Circle *(n.)* المنطقة القطبية الشمالية (جغ) .

Arcturus [ärk tyŏŏr'əs; -tŏŏr'-] *(n.)* السِّماك الرامح (فل) .

arcuate [är'kyŏŏ ĭt; -āt'] *or* **arcuated** *(adj.)* مُقوّس : منحنٍ على شكل قوس .

-ard لاحقة معناها : المسرف في (drunk*ard*) .

ardeb [är'dĕb] *(Ar.)* الإردَبّ : كيل مصري كبير لتقدير الحبوب .

ardency [är'dən sĭ] *(n.)* (١) غَيْرَة ؛ حماسة (٢) توقُّد . (٣) توهُّج .

ardent [är'dənt] *(adj.)* (١) غيور ؛ متحمس (٢) متَّقد ؛ حارّ جداً (٣) متوهِّج .

ardently *(adv.)* (١) بغَيْرة ؛ بحماسة (٢) باتقاد (٣) بتوهّج .

ardent spirits *(n.pl.)* مُسْكِرات قوية (كالبراندي والويسكي) .

ardor *or* **ardour** *(n.)* (١) غَيْرَة ؛ حماسة (٢) حرارة ملتهبة .

arduous [är'jo͞o əs] *(adj.)* (١) شاقّ (an ~ task) . (٢) جَهِيْد (an ~ effort) (٣) شديد التحدّر ؛ صعب المرتقى (an ~ path) (٤) قاسٍ (an ~ winter).

are [är] *pres. 2d sing. or pres. pl. of* be.

are [âr; är] *(n.)* الآر : مئة متر مربع أو ١١٩,٦ ياردة مربعة .

area *(n.)* (١) مساحة (an ~ of 500 square meters) . (٢) منطقة (desert ~s of North Africa) (٣) نطاق ؛ مجال ؛ دائرة (the whole ~ of science) (٤) فناء الدار (٥) مجاز مؤدٍّ إلى قبوٍ أو إلى جزء من المبنى واقع تحت الأرض .

areal *(adj.)* مساحيّ .

areaway [âr'ĭ ə wā'] (١) area 5 (٢) ممرّ بين الأبنية .

areca [ăr'ə kə ; ə rē'-] *(n.)* الأريقة : شجرة من الفصيلة النخلية .

arena [ə rē'nə] *(n.)* المُجتَلَد : «أ» الجزء المتوسط (الخاص بالمتصارعين) من مدرج روماني . «ب» ميدان تنافس أو صراع (the ~ of politics) .

arenaceous [ăr'ə nā'shəs] *(adj.)* (١) رمليّ : مؤلَّف من رمل . (٢) رَمْلانيّ : شبيه بالرمل (٣) رمليّ : ينمو أو يعيش في الرمل .

arena theater *(n.)* المسرح المدوّر : مسرح يجري التمثيل الخ . في وسطه ويجلس النظارة في مقاعد تحيط به من جميع أقطاره .

arenicolous [ăr'ə nĭk'-] *(adj.)* رمليّ : ينمو أو يعيش في الرمل .

aren't [ärnt] = are not.

areola [ə rē'ə lə] *(n.)* pl. **-lae** *or* **-las** (١) حَلَقَة مُلَوَّنة (كالتي تكون حول حلمة الثدي البشري) (أح) (٢) فجوة ؛ فُرْجَة (كالتي تكون بين خيوط النسيج الضامّ) (أح) .

areole [âr'ĭ ōl'] *(n.)* = areola.

areometer *(n.)* مِكثاف السوائل (مج) : آلة تطفو في السوائل تُستخدم لتعيين كثافتها أو ثقلها النوعي (فز) .

Ares [âr'ēz] *(n.)* آريز : إله الحرب عند الاغريق .

arête [ə rāt'] *(n.)* نتوء صخريّ في جبل .

argal [är'gəl]; **argali** [är'gə lĭ] *(n.)* الأرغل : كبش بريّ آسيوي ضخم يتميّز بقرنيه الطويلين .

argal

argent [är'jənt] *(n. ; adj.)* (١) فضة (ا.ق) § (٢) فضيّ .

argental [är jĕn'təl] *(adj.)* (١) فضيّ : «أ» منسوب إلى الفضة . «ب» محتوٍ على فضة . (٢) فِضّانيّ : شبيه بالفضة .

argenteous [är jĕn'tĭ əs] *(adj.)* = silvery.

argentic [är jĕn'tĭk] *(adj.)* فضيّ : متعلق بالفضة أو محتوٍ عليها .

argentiferous [är'jən tĭf'ər əs] *(adj.)* مُنْتِج فضةً أو محتوٍ عليها .

argentine [är'jən tĭn ; -tīn'] *(n. ; adj.)* (١) فِضّة (٢) أيّ مادة شبيهة بالفضة § (٣) فضيّ : «أ» منسوب إلى الفضة . «ب» محتوٍ على فضة (٤) فِضّانيّ : شبيه بالفضة .

argentous [är jĕn'-] *(adj.)* فضيّ : محتوٍ فضةً أحاديّة التكافؤ .

argil [är'jĭl] *(n.)* الأرجيل : صَلْصال ؛ وبخاصة : طين الخزّاف .

argillaceous [är jə lā'shəs] *(adj.)* أرجيليّ ؛ صَلْصاليّ ؛ طينيّ .

argillite [är'jə līt'] *(n.)* الأرجيليت : صخر رسوبيّ صلصاليّ .

Argive [är'jīv; -gīv] *(adj. ; n.)* (١) آرغوسيّ : منسوب إلى آرغوس **Argos** وهي مدينة قديمة في الجنوب الشرقي من بلاد اليونان (٢) يوناني ؛ إغريقيّ § (٣) الآرغوسي : أحد أبناء آرغوس (٤) شخص يوناني .

Argo [är'gō] *(n.)* برج السفينة (فل) .

argol [är'gəl] *(n.)* الطَّرطير الخام : راسب متبلّر محمرّ أو ضارب إلى الرماديّ يكون في قعر برميل الخمر .

argon [är'gŏn] *(n.)* الأرغون : عنصرٌ غازيّ عديم الرائحة واللون يوجد في الهواء وفي الغازات البركانية ويُستعمل بخاصة لملء المصابيح الكهربائية والأنابيب الالكترونية (ك) .

argonaut [är'gə nôt'] *(n.)* مغامر جادّ في البحث عن شيء ؛ وبخاصة : أحد الذين هاجروا إلى كاليفورنيا عام ١٨٤٨ عند اكتشاف الذهب فيها .

argosy [är'gə sĭ] *(n.)* (١) سفينة تجارية كبيرة (٢) أسطول تجاري .

argot [är'gō ; -gət] *(n.)* الأُرْغة : لغة خاصة أو عامية تصطنعها فئة أو طبقة اجتماعية . وبخاصة : «أُرْغة» اللصوص والمشردين التي ابتدعوها لإخفاء أغراضهم .

argotic [är gŏt'ĭk] *(adj.)* أُرْغَويّ : ذو علاقة بالأُرْغة .

arguable *(adj.)* قابل للجدل والمناقشة أو للأخذ والردّ .

argue [är'gū] *(vi.; t.)* (١) يجادل ؛ يناقش (٢) يتجادل أو يتنازع مع (to ~ with someone) × (٣) يُظهِر ؛ ينم عن (Her clothes ~ poverty.) (٤) يناقش مسألة (The council ~d the cause.) (٥) يحاول أن يبرهن (George was *arguing* that poverty was a blessing.) (٦) يُقْنِع (They ~d me into going.) .

argument [är'gyə mənt] *(n.)* (١) برهان ؛ حُجّة (٢) مناقشة ؛ مناظرة (٣) خلاف ؛ نزاع (٤) خلاصة (٥) الإزاحة الزاويّة (ر) .

argumentation *(n.)* (١) جَدَل (٢) مناقَشَة ؛ مناظرة .

argumentative [är'gyə mĕn'tə tĭv] *(adj.)* (١) جَدَليّ . (٢) خِلافيّ : يحتمل الخلاف والمناقشة (٣) دالّ على (His silence is ~ of guilt.) (٤) مُولَعٌ بالجدل .

Argus [är'gəs] *(n.)* (١) آرغوس : عملاق ذو مئة عين كان مكلَّفاً بحراسة العجلة «إيو» ، وقد حُوِّلت عيونه بعد موته إلى ذيل الطاووس (مث) (٢) حارسٌ يقِظ .

Argus-eyed [är'gəs īd'] *(adj.)* يَقِظ ؛ شديد الانتباه .

argy-bargy *(n.)* جدال ؛ نزاع ؛ نقاش حادّ .

arhat *(n.)* الأرْهَت : كاهن بوذيّ بلَغ النِّرْفانا .

aria [ä'rĭ ə ; âr'ĭ ə] *(n.)* نَغَم ؛ لحنٌ (مو) .

Arian [âr'ĭ ən] *(adj. ; n.)* (١) آريوسيّ : منسوبٌ إلى آريوس ، وهو كاهن اسكندريّ (ت عام ٣٣٦ م) قال بأن الابن (المسيح) غير مساوٍ للآب (الله) في الجوهر (٢) آريّ § (٣) الآريوسيّ : أحدُ أتباع آريوس (٤) شخص آريّ .

-arian لاحقة معناها : (١) مؤيِّد لـ (٢) مُحْدِث .

arid [ăr'ĭd] *(adj.)* (١) جافّ ؛ مسفوعٌ بالحرارة (٢) مجدب ؛ قاحل (٣) غير مشوِّق أو ممتع .

aridity; aridness *(n.)* (١) جفاف (٢) قُحولة (٣) خلوّ من التشويق أو المتعة .

Ariel [âr'ĭ əl] *(n.)* أرِيْل : القمر الداخلي من أقمار أورانوس الأربعة .

Aries [âr'ēz ; ĭ ēz'] *(n.)* برج الحَمَل (فل) .

arietta [ăr'ĭ ĕt'ə] ; **ariette** [ăr'ĭ ĕt'] *(n.)* نغم أو لحن قصير .

aright [ə rīt'] *(adv.)* على نحوٍ قويم أو صحيح .

aril [ăr'ĭl] *(n.)* الجَفْت: الغلاف الخارجي لبعض البزور (نب).

-arious لاحقة معناها: خاص أو متعلق بـ (gregar*ious*).

arise [ə rīz'] *(vi.)* (١) ينهض (٢) ينشأ (٣) يظهر للوجود أو للعيان (٤) يرتفع.

arisen *past part. of* arise.

aristocracy [ăr'ə stŏk'rə sĭ] *(n.)* الأرستقراطية: «أ» حكومة النبلاء أو النخبة أو الطبقة العليا ذات الامتيازات. «ب» جماعة النبلاء. «ج» حكومة الأخيار: حكومة مؤلفة من خير العناصر في بلد ما. «د» الطبقة العالية (أو الأرستقراطية).

aristocrat [ə rĭs'tə krăt] *(n.)* الأرستوقراطي: «أ» أحد أبناء الطبقة الأرستوقراطية؛ وبخاصة: أحد النبلاء. «ب» من يحذو حَذْوَ أبناء الطبقة الأرستوقراطية في تصرفه أو تفكيره. «ج» مؤيّد الأرستوقراطية.

aristocratic *also* **aristocratical** *(adj.)* أرستوقراطيّ: «أ» ذو علاقة بالأرستوقراطية أو مؤيد لها. «ب» فخم؛ أنيق؛ لائق بالأرستوقراطيين. «ج» ذو علاقة بحكومة النبلاء أو النخبة أو الطبقة العليا.

Aristotelian *or* **Aristotelean** *(adj.; n.)* (١) أرسطُوِيّ؛ ارسطوطاليسيّ: منسوب إلى أرسطو أو فلسفته § (٢) الأرسطوويّ: أحد أتباع ارسطو.

Aristotelianism *(n.)* الفلسفة الأرسطُووِيّة أو الأرسطوطاليسية.

arithmetic *(n.; adj.)* (١) علم الحساب. § (٢) **arithmetical** أيضاً: حسابيّ.

arithmetician *(n.)* الخبير في علم الحساب.

arithmetic mean *(n.)* الوسط الحسابي أو العددي (ر).

arithmetic progression *(n.)* المتوالية الحسابية أو العددية (مج).

-arium لاحقة معناها: «أ» شيء متعلّق بـ (honor*arium*). «ب» مكان مخصّص لـ (aqu*arium*).

ark [ärk] *(n.)* (١) «أ» فُلْك (سفينة) نوح. «ب» حِمى؛ مأمن. «ج» لعبة أطفال شبيهة بفلك نوح (٢) تابوت العهد (عند اليهود) (٣) صندوق (٤) مبنى ضخم غير مُستوفٍ أسباب الراحة (ع).

arm [ärm] *(n.; vt.; i.)* (١) ذراع (٢) لسان البحر الداخلُ في البرّ (٣) يد الكرسيّ أو الأريكة (٤) كُمّ (٥) قوة؛ سلطة (the ~ of the law) (٦) سلاح؛ وبخاصة: سلاحٌ ناري (٧) شعبة من الجيش، كسلاح الفرسان أو المشاة (٨) *pl.*: «أ» حرب. «ب» الخدمة العسكرية §(٩) يسلّح: «أ» يزوّد بالأسلحة. «ب» يزوّد بكلّ ما يقوّي أو يصون. «ج» يحصّن خُلُقياً (١٠) يَصْلي: يهيّء أو يجهّز للعمل (to ~ a bomb) ×(١١) يتسلّح.

- ~ in ~, ذراعاً بذراع؛ متشابكَيْ الذراعَيْن.
- at ~'s length على مدى الذراع.
- infant in ~s طفلٌ رضيع؛ طفلٌ في القِماط.
- to bear ~s يخدم كجنديّ.
- to keep somebody at ~'s length يتحفظ في علاقاته معه.
- to rise up in ~s / to take up ~s } يستعدّ للقتال (حقيقة أو مجازاً).
- under ~s تحت السّلاح: مسلّح ومستعدّ للقتال.
- up in ~s (against) (١) ثائر على (٢) محتجّ بشدة على.
- with open ~s بحرارة؛ بحماسة؛ بترحاب.

armada [är mä'də; -mā'-] *(n.)* (١) *cap.*: الآرمادا؛ الآرمادا التي لا تُقْهَر: أسطول حربي وجّهَتْهُ اسبانيا عام ١٥٨٨ لمقاتلة الانكليز، فدمّرت العواصف والأسطول الانكليزيّ معظمهُ (٢) أسطول (من السفن أو الطائرات الحربية) (٣) قوة عظيمة (من المصفحات الخ.).

armadillo [är'mə dĭl'ō] *(n.)* المُدرَّع: حيوان ثدييّ جنوبأميركي من الدرداوات لرأسه وجسمه درعٌ من الصفائح العَظْميّة الصغيرة يستطيع أن ينكمش فيه على صورة كُرَة. إذا ما هُوجِم أو خَشِيَ الأذى.

armadillo

Armageddon [är'mə gĕd'ən] *(n.)* (١) هَرْمَجَدّون: الموضع الذي ستجري فيه المعركة الفاصلة بين قوى الخير وقوى الشرّ (نص) (٢) معركة فاصلة كُبْرى.

armament [är'mə mənt] *(n.)* (١) قوّات حربيّة. (٢) «أ» جِماع قوة الأمة العسكرية. «ب» سلاح أو عُدّة حربية. «ج» دِرْع؛ وِقاء (٣) تسلّح.

armamentarium *(n.)* (١) عُدّة الطبيب (٢) مجموعة.

armature [är'mə chər] *(n.)* (١) دِرع (٢) الوقاء: غلاف واق لحيوان أو نبات (A turtle's shell is an ~.) (٣) دِرْع الكَبْل (كب) (٤) عضو الانتاج (كب) (٥) حافظة المغنطيس (مغ).

armchair [ärm'châr'] *(n.; adj.)* (١) كرسيّ ذو ذراعين. §(٢) نظريّ؛ غير عمليّ (an ~ strategist).

armed [ärmd] *(adj.)* مُسَلَّح: «أ» مزوّد بالسلاح. «ب» مدعوم بالقوة المسلّحة (~ peace; ~ neutrality).

armed forces *(n. pl.)* القوّات المسلّحة.

Armenian [är mē'nĭ ən; -mēn'yən] *(n.; adj.)* (١) الأرمنيّ: أحد أبناء أرمينيا (٢) الأرمنية: لغة الأرمن §(٣) أرمنيّ.

armet [är'mĕt] *(n.)* الخوذة المدرّعة: خوذة ذات صفائح أمامية لوقاية الوجه.

armful [ärm'fŏŏl'] *(n.)* ملء الذراع أو الذراعين.

armhole [ärm'hōl'] *(n.)* (١) إبْط (٢) تقويرة الذراع (في ثوب).

armiger [är'mə jər] *(n.)* (١) حامل الدروع: تابع الفارس أو خادمه الذي يحمل دروعه (٢) شخصٌ يلي الفارس رتبة.

armillary [är'mə lĕr'ĭ] *(adj.)* مُحلَّق: مؤلّف من حلَقات.

armillary sphere *(n.)* المُحلّقة؛ ذات الحلَق: آلة فلكية قديمة مؤلّفة من حلقات تمثّل مواقع الدوائر الرئيسية في الكرة السماوية (فل).

arming [är'mĭng] *(n.)* (١) تسلّح؛ تسليح (٢) الجزء المتمّم: جزء يُلْحق بشيء لكي يتمّمه أو يجعله صالحاً للعمل.

arming press *(n.)* مكبس لطبع النقوش أو الحروف على جلدة الكتاب.

Arminian [är mĭn'ĭ ən] *(adj.; n.)* (١) أرمينيّ: منسوب إلى أرمينيوس (١٥٦٠ – ١٦٠٩) وهو لاهوتيّ هولندي بروتستانتي انتقد تعاليم كالفن (وبخاصة في مسألة القضاء والقدر) وقال بإمكانية الخلاص لجميع البشر §(٢) الأرمينيّ: أحد أتباع أرمينيوس.

armipotent [är mĭp'ə tənt] *(adj.)* جبّار في الحرب.

armistice [är'mə stĭs] *(n.)* هُدْنة.

armless *(adj.)* أعزل؛ بلا سلاح.

armlet [ärm'lĭt] *(n.)* (١) سوارٌ (أو نحوُه) لأعلى الذراع. (٢) لسان بحر صغير (داخلٌ في البرّ).

armoire [är mwär'] *(n.)* خزانة كبيرة (ذات أبواب ورفوف).

armor *or* **armour** [är'mər] *(n.; vt.)* (١) دِرْع.

(٢) صفائح معدنيّة واقية تدرّع بها السفن الحربية والمصفحات والطائرات (٣) «أ» وقاية . «ب» وِقاء (٤) القوّات والعربات المدرّعة . §(٥) يدرّع : يغطي بدرع أو بصفائح معدنية .

armorbearer *(n.)* حامل الدرع: تابع يحمل درع المحارب .

armor-clad *(adj. ; n.)* (١) مُدَرَّع §(٢) المدرَّعة : سفينة حربية .

armored *or* **armoured** [är'mərd] *(adj.)* مدرَّع ؛ مصفَّح .

armored car *(n.)* سيارة مصفَّحة (جن) .

armored forces *or* **troops** قوّات مصفَّحة (جن) .

armorer *or* **armourer** [är'mər ər] *(n.)* (١) صانع الدروع أو الأسلحة (٢) مُصْلِح الأسلحة النارية أو مُختَبِرها.

armorial *(adj.)* خاص بشِعار النبالة .

armorial bearings = coat of arms.

armory *or* **armoury** [är'mə rĭ] *(n.)* (١) «أ» أسلحة . «ب» موارد (٢) مستودع أسلحة (٣) مصنع أسلحة .

armour [är'mər] *(n. ; vt.)* = armor.

armpit [ärm'pĭt'] *(n.)* إبْطٌ (ت) .

arms [ärmz] *(n. pl.)* (١) أسلحة (٢) قتال ؛ حرب . (٣) coat of arms .

arm wrestling *(n.)* المصارعة الذراعية: مصارعة يجلس فيها المتباريان وجهاً لوجه ويحاول كل منهما أن يلوي ذراع خصمه إلى أدنى.

army [är'mĭ] *(n.)* (١) جيش (٢) جماعة منظّمة (the Salvation *Army*) (٣) حشد أو جمع غفير. relieving ~, جيش التبديل ؛ جيش النجدة .

arnica [är'nə kə] *(n.)* (١) زهرة العُطاس : عشبة من الفصيلة المركّبة ذات زهر أصفر (٢) دواء سائل مستخرج من أزهار (أو أوراق أو جذور) هذه العشبة المجففة تمسح به الرضوض الخ.

aroma [ə rō'mə] *(n.)* (١) شذا ؛ عبير (٢) نكهة .

aromatic [ăr'ə măt'ĭk] *(adj. ; n.)* (١) «أ» عِطري . «ب» قوي الرائحة. «ج» ذو نكهة خاصة (٢) أروماتيّ (ك) §(٣) نبات أو دواء عطري الرائحة (٤) مُركب أروماتيّ (ك) .

aromatize [ə rō'mə tīz'] *(vt.)* (١) يعطِّر : يجعله عطريّ الرائحة. (٢) يُؤَرْمِت : يُحوّل إلى مركّب أروماتيّ أو أكثر (ك) .

arose [ə rōz'] *past of* arise .

around [ə round'] *(adv. ; prep.)* (١) حَوْلَ (٢) في مكان قريب (to travel ~) (٣) هنا وهناك (to wait ~ awhile) (٤) طوالَ (mild the year ~) (٥) حوالى (~ a million).

around-the-clock *(adj.)* متواصل؛ دائم ٢٤ ساعة.

arouse *(vt. ; i.)* (١) يوقظ (٢) يثير ؛ يستحثّ ×(٣) يستيقظ.

arpeggio [är pĕj'ĭ ō ; -pĕj'ō] *(n.)* (١) توقيع النغمات (على وتر) توقيعاً متعاقباً بسرعة (٢) وتَرٌ مُوَقَّع عليه توقيعاً متعاقباً بسرعة.

arpent [är'pənt ; ȧr pän'] *(n.)* الأرْبَنت : وحدة قياس فرنسية قديمة للطّول تساوي ٦٣ ياردة وربع تقريباً .

arquebus [är'kwə bəs] *(n.)* القَرَبِينة : بندقية قديمة الطراز .

arrack [ăr'ək] *(Ar.)* العَرَق : مشروب مُسْكِر .

arraign [ə rān'] *(vt. ; n.)* (١) يستدعي إلى المحكمة (للاجابة عن تهمة) (٢) يتّهِم §(٣) استدعاء إلى المحكمة (للاجابة عن تهمة) (٤) اتّهام .

arraignment [ə rān'mənt] *(n.)* (١) استدعاء إلى المحكمة (للاجابة عن تهمة) (٢) اتّهام .

arrange [ə rānj'] *(vt. ; i.)* (١) يرتّب ؛ ينظّم (٢) يتخذ الاستعدادات أو الترتيبات الضرورية لِـ (Can you ~ to be here at nine o'clock?) (٣) يسوّي الخلافَ (When we met, we ~*d* our differences.) (٤) يعدّل (أو يكيّف) قطعة موسيقية لتلائم أصواتاً أو آلاتٍ لم تُجعَلْ لها في الأصل.

arrangement [ə rānj'mənt] *(n.)* (١) ترتيب ؛ تنظيم (٢) تسوية (٣) *pl.* عدد : استعدادات (made ~*s* for a journey) (٤) شيء منظّم بطريقة ما : نظامٌ ؛ نَسَق (a floral ~) (٥) تعديل (أو تكييف) قطعة موسيقية بحيث تلائم أصواتاً أو آلات لم تُجعَل لها في الأصل .

arrant [ăr'ənt] *(adj.)* (١) متشرد (an ~ thief) . (٢) بكل ما في الكلمة من معنى (an ~ fool) (٣) رديء جداً .

arras [ăr'əs] *(n.)* (١) قماش مُزَرْكَش (تُكْسَى به الجدران أو الأثاث) (٢) ستارة الخ. من قماش مزركش .

array [ə rā'] *(vt. ; n.)* (١) ينظّم ؛ وبخاصة : ينظم صفوف الجند في المعركة (٢) يُلْبِس ؛ يكسو ، وبخاصة على نحوٍ غنيّ أو جميل §(٣) نظام ؛ ترتيب (Troops were formed in battle ~.) (٤) جماعة من الجند الخ. (٥) عددٌ كبير (٦) مجموعة أعداد مرتبة (٧) ملابس أو ثياب (تتميّز خاصة بالغنى والجمال) .

arrears [ə rērz'] *(n. pl.)* المتأخرات : أعمال غير منجزة في موعدها أو ديون استحقت ولم تدفع . to be in ~ with the rent . متأخر في دفع أجرة المسكن

arrearage [ə rēr'ĭj] *(n.)* (١) تخلّف (عن دفع دَيْن الخ) . (٢) arrears .

arrest [ə rĕst'] *(vt. ; n.)* (١) يُوقِف ؛ يكبح ؛ يصدّ (تياراً أو نموّ مرض) (٢) يعتقل ؛ يلقي القبض على (٣) يلفت (to ~ the attention) §(٤) إيقاف ؛ كبْح ؛ صدّ (٥) اعتقال (٦) المكبَح ؛ الكابح (ملك) . under ~, موقوف ؛ معتقل .

arresting [ə rĕs'tĭng] *(adj.)* رائعٌ ؛ لافتٌ للنظر .

arrhythmia [ə rĭth'mĭ ə] *(n.)* عدم اتّساق النَّبْض (ط) .

arrhythmic [ə rĭth'mĭk] ; **-al** *(adj.)* غير متّسِق أو منتظم .

arrière-pensée [ȧ ryĕr pän sĕ'] *(F.)* الفكرة المُبْطَنَة ؛ الباعث الخفيّ : فكرة كامنة (أو باعث كامن) وراء الفكرة المُعْلَنة (أو الباعث المُعْلَن) .

arris [ăr'ĭs] *(n.)* الحافّة الحادّة : حافة حادّة تتشكّل من التقاء سَطْحَيْن ، وبخاصة في النقوش المعمارية (عم) .

arrival [ə rī'vəl] *(n.)* (١) وصول ؛ وفود ؛ قدوم ؛ مَقْدَم (the time of ~) (٢) توصُّل أو انتهاء إلى (~ at a conclusion) (٣) الوافد ؛ القادم . شخصاً كان أم شيئاً (news brought by the last ~)

arrive [ə rīv'] *(vi.)* (١) يَصل ؛ يفِد ؛ يَقْدَم ؛ يجيء . (٢) يتوصّل أو ينتهي (إلى اتفاق الخ .) (٣) يَبْلغ (to ~ at manhood) (٤) يحين (The time has ~*d*.) (٥) ينجح ؛ يوفّق إلى النجاح (a genius who had never ~*d*) .

arrivé [ȧ rē vā'] *(F.)* من يُوفّق فجأة إلى النجاح أو إلى اكتساب السلطة أو الشهرة .

arriviste [ȧ rē vēst'] *(F.)* مُحْدَث النِّعْمَة .

arroba [är rô'bä] *(Ar.)* الرُّبع : «أ» وحدة وزن اسبانية قديمة تساوي ٢٥ رطلا انكليزياً تقريباً وتستعمل في بعض بلدان اميركا اللاتينية . «ب» وحدة وزن برتغالية قديمة تساوي ٣٢ رطلا انكليزياً تقريباً وتستعمل في البرازيل .

ă at; ā date; â care; ä car; ĕ egg; ē me; ĭ in; ī bite; ŏ lot; ō bone; ô orphan; oi boil; o͝o good; o͞o boot; ou out; ŭ under; ū unity; û urgent; th thing; t͟h this; zh vision; ə = *a* in alone, *e* in system, *i* in easily, *o* in gallop, *u* in circus.

arrogance [ăr'ə gəns] *(n.)* تكبّر ؛ عَجرَفَة ؛ غَطْرَسَة .
arrogant [ăr'ə gənt] *(adj.)* متكبّر ؛ متعجرف ؛ متغطرس .
arrogantly *(adv.)* بتكبّر : بعجرفة ؛ بغطرسة .
arrogate [ăr'ə gāt'] *(vt.)* (١) ينتحل : يدّعي (شيئاً) لنفسه بغير حق (٢) ينحل : يعزو إلى آخر بغير حق .
arrogation *(n.)* انتحال أو نحل (را . arrogate).
arrondissement [ȧ rôn dēs män'] *(F.)* (١) القضاء : أكبر المناطق الادارية التي تنقسم إليها محافظة (أو مديرية) من المحافظات الفرنسية (٢) الدائرة : منطقة إدارية من مناطق مدينة فرنسية كبيرة .
arrow [ăr'ō] *(n.)* (١) سَهْم (٢) إشارة شبيهة بالسّهم .
arrowhead [ăr'ō hĕd'] *(n.)* (١) رأس السهم (٢) السّهمية ؛ السّاجيتارية : جنس نباتات مائية أوراقها شبيهة برؤوس السّهام .
arrowroot [ăr'ō rōōt] *(n.)* (١) المَرَنْطة ؛ الآرُوروت : نبات يستخرج من جذوره نشاء مُغذّ (٢) نشاء المَرَنْطة .
arrowwood [ăr'ō wōōd] *(n.)* شجيرة السّهام : إحدى شجيرات متعددة قاسية الأغصان كانوا يتّخذون منها السّهام .
arrowy [ăr'ō ĭ] *(adj.)* (١) سَهْمي : مؤلَّف من سهام (٢) سَهْماني : «أ» شبيه بالسهم . «ب» سريع ؛ رشيق ؛ ثاقب .
arroyo *(n.)* (١) غدير ؛ نُهَيْر (٢) قناة صغيرة (جافة عادة) .
arsenal [är'sə nəl] *(Ar.)* (١) «أ» دار الصناعة : مؤسسة لصنع الأسلحة . «ب» مستودع أسلحة . «ج» مجموعة أسلحة (٢) مخزن ؛ مستودَع .
arsenate *(n.)* الزّرنيخات : ملح الحامض الزّرنيخي (ك) .
arsenic [*n.* är'sə nĭk; ärs'- ; *adj.* är sĕn'ĭk] *(n. ; adj.)* (١) زرنيخ § (٢) زرنيخي .
arsenical [är sĕn'ə kəl] *(adj. ; n.)* (١) زرنيخي . § (٢) *pl.* الزّرنيخيّات : مجموعة من العقاقير ومبيدات الحشرات محتوية على زرنيخ .
arsenide [är'sə nīd' ; -nĭd] *(n.)* الزّرنيخيد (ك) .
arsenious *or* **arsenous** *(adj.)* زرنيخي .
arsenite [är'sə nīt'] *(n.)* الزّرنيخيت (ك) .
arsine [är sēn' ; är'sēn ; -sĭn] *(n.)* (١) الأرسين : غاز ملتهب عديم اللون شديد السّمّيّة ذو رائحة كرائحة الثوم (٢) أحد مشتقات الأرسين .
arson [är'sən] *(n.)* إحراق المباني (وغيرها من الممتلكات) عمداً .
arsonist *(n.)* مُحرِق المباني الخ . عمداً (أو المُحاول إحراقها) .
art [ärt] *(n.)* (١) مهارة (٢) «أ» فنّ . «ب» الفنون الجميلة (٣) طريقة ؛ مبادىء (٤) مكر ؛ حيلة .
-art = **-ard.**
artel *(Russ.)* الأرْتل : مزرعة تعاونية .
Artemis [är'tə mĭs] *(n.)* آرتميس : إلاهة القمر والقنص عند الاغريق (مث) .

Artemis

artemisia [är'tə mĭz'ĭ ə ; -mĭsh'-] *(n.)* الأرْطَماسيا : نبات من الفصيلة المركّبة لأوراقه رائحة قوية (نب) .
arteri- *or* **arterio-** بادئة معناها : «أ» شريان · (*arterio*sclerosis) «ب» شرياني و... (*arterio*venous) ·
arterial [är tĭr'ĭ əl] *(adj. ; n.)* (١) شرياني : ذو علاقة بالشرايين (٢) شريانيّ التركيب : ذو مجرى رئيسي وتشعّبات متعددة (~ drainage) (٣) رئيسي (an ~ road) § (٤) طريق رئيسية (بين المدن) .
arterialize [är tĭr'ĭ ə līz'] *(vt.)* يُشَرْيِن : يحوّل (الدّمَ الوريدي) إلى دم شرياني بفعل الأكسجين في الرئتين (فس) .
arteriolar *(adj.)* شُرَيّيني : متعلق بِشُرَيّين أو شريان صغير .
arteriole *(n.)* الشُّرَيّين : شريان صغير (ت) .
arteriosclerosis [är tĭr'ĭ ō sklə rō'-] *(n.)* تَصَلّب الشّرايين .
arteriovenous *(adj.)* شريانيّوريدي : متعلق بالشرايين والأوردة معاً (ت) .
arteritis [är'tĭ rī'tĭs] *(n.)* التهاب الشريان ؛ التهاب الشرايين (ط) .
artery [är'tə rĭ] *(n.)* (١) شريان (ت) (٢) شريان المواصلات : نهر أو طريق رئيسية .
artesian well [är tē'zhən] *(n.)* البئر الارتوازيّة : بئر تُحفَر بمِثقب فينفجر ماؤها فوق الأرض .
artful [ärt'fəl] *(adj.)* (١) بارع : مُنْجَز ببراعة أو فنّ أو دالّ عليهما (٢) صُنْعي ؛ اصطناعي (٣) «أ» داهية . «ب» ماكر .
arthr- *or* **arthro-** بادئة معناها : مَفْصِل .
arthralgia [är thrăl'jə] *(n.)* عُصاب المَفْصِل : ألمٌ في مَفْصِلٍ أو أكثر (مض) .
—arthralgic *(adj.)*
arthritis [är thrī'tĭs] *(n.)* التهاب المفاصل (مض) .
—arthritic *(adj.)*
arthrology *(n.)* مَبْحَث المفاصل : عِلم المَفاصِل .
arthropathy *(n.)* مرضٌ مَفْصِلي .
arthropod [är'thrə pŏd'] *(n. ; adj.)* (١) المَفْصِليّ : واحد المَفْصِليّات **Arthropoda** وهي شعبة من الحيوانات اللافقارية مفصلية الأجسام والأطراف كالحشرات والعناكب الخ . (ح) § (٢) مَفْصِليّ (مج) .
arthropodal *or* **arthropodous** *(adj.)* مَفْصِليّ .
artichoke [är'tə chōk'] *(Ar.)* خَرْشَف ؛ خُرْشُوف ؛ أرضي شوكي (نب) .

artichoke

article [är'tə kəl] *(n. ; vt.)* (١) بَنْد ؛ فِقرة ؛ مادة (في عَقد أو نحوه) (٢) مقالة (٣) أداة تعريف أو تنكير (٤) شيء ؛ صنف § (٥) يُقيِّد بشروط عَقد (to ~ an apprentice) .
articular [är tĭk'yə lər] *(adj.)* مَفْصِليّ ؛ مَفاصلي .
articulate [*adj.* är tĭk'yə lĭt; *v.* är tĭk'yə lāt] *(adj. ; vt. ; i.)* (١) «أ» ملفوظ بوضوح . «ب» بيّن ؛ واضح . «ج» ناطق (٢) مَفْصِليّ ؛ ذو مفاصل (~ animals) § (٣) يُبيِّن ؛ يلفظ بوضوح (٤) يُمَفصِل ؛ يَربط بِمَفصِل أو مفاصل ×(٥) يتمفصل : يتحد أو يرتبط بمَفصِل أو نحوه .
articulated *(adj.)* (١) مُمَفصَل ؛ مزوّد بمفاصل (٢) ملفوظ بوضوح (٣) مترابطٌ باتّساق أو انتظام .
articulation [är tĭk'yə lā'shən] *(n.)* (١) المَفصَلة : الربط بمفاصل أو نحوها (٢) التمفصُل : الارتباط بمفاصل أو نحوها (٣) مَفْصِل (مج) (٤) «أ» نُطق ؛ لَفظ . «ب» صوت ساكن ؛ حرف صحيح أو صامت (ل) .
artifact *or* **artefact** [är'tə făkt'] *(n.)* (١) شيء من صنع الانسان أو من نتاج براعته (٢) نِتاج صُنْعيّ أو اصطناعي .
artifice [är'tə fĭs] *(n.)* (١) حيلة (٢) مكر ؛ خداع . (٣) «أ» وسيلة أو أداة بارعة . «ب» براعة .
artificer [är tĭf'ə sər] *(n.)* (١) الصّنّاع : الصانع البارع . (٢) الصانع ؛ المخترع .

ă at; ā date; â care; ä car; ĕ egg; ē me; ĭ in; ī bite; ŏ lot; ō bone; ô orphan; oi boil ōō good; ōō boot; ou out; ŭ under; ū unity; û urgent; th thing; t͟h this; zh vision; ə = *a* in alone, *e* in system, *i* in easily, *o* in gallop, *u* in circus.

artificial [är'tə fĭsh'əl] *(adj.)* (١) صُنْعيّ ؛ اصطناعيّ . (٢) زائف (٣) متكلَّف .

artificial horizon *(n.)* أداة الأُفق الصُّنعي أو الاصطناعيّ : يستعين بها الطيارون على معرفة زاوية الشمس أو زاوية نجمٍ ما حين يتعذر عليهم رؤية الأفق الحقيقيّ .

artificiality [är'tə fĭsh'ĭ ăl'-] *(n.)* (١) «أ» الصُّنْعية ؛ الاصطناعية «ب» زَيْف . «ج» تكلّف (٢) شيء صنْعي أو زائف أو متكلف .

artificially *(adv.)* على نحوٍ صُنْعيّ أو زائف أو متكلّف .

artificial respiration *(n.)* التنفس الصُّنْعيّ أو الاصطناعي .

artillerist *(n.)* المِدفعي أو البارع في استخدام المدافع .

artillery [är tĭl'ə rĭ] *(n.)* (١) المِدفعية (٢) سلاح المدفعية . (٣) عِلم المدفعية : عِلم استعمال المدافع .

artilleryman *(n.)* المِدْفعي : جندي في سلاح المدفعية .

artiodactyl [är'tĭ ō dăk'tĭl] *(n. ; adj.)* (١) المزدوِج الأصابع : حيوان من مزدوِجات الأصابع **Artiodactyla** وهي رتبة من الثدييات ذات أصابع مزدوجة (اصبعيْن أو أربع) كالجمل أو الثور § (٢) مزدوِج الأصابع .

artiodactylous *(adj.)* مزدوِج الأصابع .

artisan [är'tə zən] *(n.)* الحِرَفي : الصانع الماهر .

artist [är'tĭst] *(n.)* (١) الفنّان : «أ» المشتغل بالفنّ ، رسّاماً كان أو نحاتاً أو ممثلاً أو مغنياً الخ . «ب» من يتكشف في عمله عن ذوق فنيّ رفيع (٢) المخادع ؛ المحتال .

artiste [-tēst'] *(F.)* الفنّان ، وبخاصة : المغنّي ؛ الممثل ؛ الراقص .

artistic [är tĭs'tĭk] *or* **artistical** *(adj.)* (١) فنّي : «أ» ذو علاقة بالفن والفنانين . «ب» مُنْجَزٌ ببراعة أو ذوق رفيع (٢) مولَع بالفنون ؛ ذو تقدير للجمال .

artistry [är'tĭs trĭ] *(n.)* الفنّية : ذوق الفنّان أو براعته .

artless [ärt'lĭs] *(adj.)* (١) غِرّ ؛ جاهل ؛ غير بارع (٢) مصنوع بغير براعة (٣) ساذج ؛ بريء (٤) بسيط ؛ طبيعي (~ beauty)

—**artlessly** *(adv.)* —**artlessness** *(n.)*

arty [är'tĭ] *(adj.)* متطفّل على الفن (ع) .

arum [ăr'əm] *(n.)* اللُّوف : نبات من فصيلة القلقاسيات أو اللُّوفيّات (نب) .

arum

arundinaceous *(adj.)* (١) قَصَبيّ : متعلق بالقَصَب (٢) قَصَبانيّ : شبيهٌ بالقصب .

-ary لاحقة معناها : (١) موضع كذا (ovary) . (٢) مجموعة كذا (dictionary) (٣) متعلق أو خاصّ بكذا (missionary) (٤) متّسِمٌ بكذا (secondary) (٥) شخص منسوبٌ إلى كذا أو منهمكٌ في كذا (notary) .

Aryan [âr'ĭ ən ; -yən ; är'-] *(adj. ; n.)* (١) آريّ ؛ هندي أوروبيّ : متعلق بأسرة اللغات الهندية الأوروبية التي تحدرت منها معظم اللغات الأوروبية أو متعلّقٌ بالناطقين بتلك الأسرة من اللغات § (٢) الآريّة : اللغة القبتاريخية prehistoric التي اشتقت منها معظم اللغات الأوروبية (٣) الآريّ : «أ» شخص منسوب إلى الجماعات القبتاريخية الناطقة بالآرية . «ب» شخص يُفترض أنه متحدر من هذه الجماعات .

as [ăz] *(conj. ; adv. ; pron. ; prep.)* (١) كأنّ ؛ وكأنّ (looks ~ she had seen a ghost) (٢) مِثْل (good ~ gold) (٣) مثلما (Do ~ we do.) (٤) عندما ؛ أثناء (She came up ~ I was speaking.) (٥) برغم ؛ على الرغم (Brave ~ he was, the danger made him afraid.) (٦) «أ» بسبب ؛ لأنّ . «ب» لما كان ؛ بما أن (stayed home ~ he had no car) (~ she wasn't ready in time we went without her.) (٧) بحيث (so clearly guilty ~ to leave no doubt) § (٨) إلى درجة مساوية لكذا (٩) مثلاً (Some animals, ~ dogs, eat meat.) (١٠) الذي ؛ التي الخ § (I had the same troubles ~ you had.) (١١) كما (He is careful ~ his work shows.) § (١٢) كـ . (Her face was ~ a mask.) (١٣) بوصفه كذا (He was respected both ~ a judge and ~ a man.)

~ a rule عموماً ؛ عادة .
~ far ~, بقدرِ ما .
~ it is في الواقع ؛ في الحقيقة .
~ it were إذا جاز التعبير .
~ long ~, ما دام .
~ of في ؛ ابتداء من (تاريخٍ معيّنٍ) .
~ soon ~, حالما .
~ soon ~ possible بأسرع ما يمكن .
~ regards; ~ respects في ما يتعلق بـ .
~ to *or* for في ما يتعلق بِ .
~ well أيضاً .
~ well ~, بالاضافة إلى ؛ أيضاً .
~ yet حتى الآن .
so ~ to (١) لكيْ (٢) بحيث .

as [ăs] *(n.)* pl. **asses** الآس : «أ» نقدٌ روماني قديم «ب» وحدة وزْن .

asafetida *or* **asafoetida** *(n.)* الحِلْتيت : صمغ راتينجيّ يستخرج من جذور بعض النباتات وكان يستعمل كعلاج للتشنج .

asbestos *also* **asbestus** [ăs bĕs'təs; ăz-] *(n.)* الأسْبِسْتوس ؛ الحرير الصخري : معدن لا يحترق ولا يوصّل الحرارة ويكون على شكل خيوط تتخذ منها الأقمشة والأدوات غير القابلة للاحتراق .

ascariasis *(n.)* (١) الداء الصَّفَريّ : داء ناشيء عن الصَّفَريات أو حيّات البطن (٢) إصابة بالصَّفَريات .

ascarid [ăs'kə rĭd] *(n.)* الصَّفَرية ؛ حيّة البطن : دودةٌ من الصَّفَريات **Ascaridae** وهي ديدانٌ سِلْكية يُصاب ببعضها المِعَى البشري (ح) .

ascaris *(n.)* pl. **ascarides** = ascarid.

ascend [ə sĕnd'] *(vi. ; t.)* (١) يصعد ؛ يرتفع ؛ يعلو ؛ يطلع . (٢) يترقّى : يرجع إلى عهدٍ ماضٍ (Our inquiries ~ to the remotest antiquity.) × (٣) يتسلّق (to ~ a hill, a tree, a ladder) (٤) يرتقي (to ~ the throne).

—**ascendable** *or* **ascendible** *(adj.)*

ascendance *or* **ascendence** *(n.)* = ascendancy.

ascendancy *or* **ascendency** *(n.)* سطوة ؛ حُكْم ؛ هَيْمَنة .

ascendant *aslo* **ascendent** [ə sĕn'dənt] *(n. ; adj.)* (١) الطالِع (في اصطلاح المنجمين) (٢) سيطرة ؛ سيادة (٣) سَلَفٌ § (٤) مسيطر ؛ سائد (٥) صاعد ؛ طالع

in the ~, في صعود : آخذٌ نجمُهُ في اللمعان ؛ مكتسبٌ سيطرة تتعاظم على نحو موصول .

ascending [ə sĕn'dĭng] *(adj.)* صاعد ؛ طالع .

ascending colon *(n.)* القولون الصاعد (ت).

ă at; ā date; â care; ä car; ĕ egg; ē me; ĭ in; ī bite; ŏ lot; ō bone; ô orphan; oi boil o͝o good; o͞o boot; ou out; ŭ under; ū unity; û urgent; th thing; t͟h this; zh vision; ə = *a* in alone, *e* in system, *i* in easily, *o* in gallop, *u* in circus.

ascending order *(n.)* الترتيب التصاعدي .

ascending powers *(n.pl.)* القوى الصاعدة (ر) .

ascension [ə sĕn'shən] *(n.)* (١) صعود (٢) *cap.* : صعود المسيح إلى السماء (نص) (٣) *cap.* : عيد الصعود (نص) .

ascensional *(adj.)* صعودي : متعلق بالصعود أو ميّال إليه .

Ascension Day *(n.)* عيد الصعود ؛ خميس الصعود (نص) .

ascensive [ə sĕn'sĭv] *(adj.)* صاعد أو ميّال للصعود .

ascent [ə sĕnt'] *(n.)* (١) «أ» صعود . «ب» تسلّق . «ج» مُرتَقًى ؛ حدورٌ صاعد «د» درجة الحدور الصاعد (The road has an ~ of four degrees.) (٢) تقدّم (٣) عودة إلى الماضي .

ascertain [ăs'ər tān'] *(vt.)* يتحقّق من (بالتجربة أو الاختبار) .

ascertainable *(adj.)* ممكنٌ التحقّق منه .

ascetic [ə sĕt'ĭk] *(adj. ; n.)* (١) زُهْدِيّ : خاصّ بالزهد أو الزهّاد (٢) زاهد ، متنسّك ، متقشّف § (٣) الزاهد ، الناسك .

ascetical [ə sĕt'ə kəl] *(adj.)* زهديّ ؛ تَنَسُّكِيّ ؛ تقشّفيّ .

asceticism [ə sĕt'ə sĭz'əm] *(n.)* زهد ؛ تنسّك ؛ تقشّف .

asci [ăs'ī] *pl. of* ascus.

ascidian [ə sĭd'ĭ ən] *(n. ; adj.)* (١) الزِّقّيّ : حيوان مائيّ من الزِّقّيات **Ascidiacea** § (٢) زِقّيّ (ح) .

ascidium [ə sĭd'ĭ əm] *(n.)* pl. **ascidia** اللاحقة الزِّقّيّة ؛ العضو الزِّقّيّ : جزء من النبتة شبيه شكلُه بشكل الزِّق أو الإبريق .

ascites [ə sī'tēz] *(n.)* الحَبَن : الاستسقاء الزِّقّي (مج) : تجمّع سائلٍ مَصْليّ في البطن (ط) .

ascitic [ə sĭt'ĭk] *(adj.)* حَبَنِيّ ، استسقائيّ (ط) .

ascitic fluid *(n.)* السِّقْي : ماء الاستسقاء (مج) .

Asclepius *(n.)* آسكليبيوس : إله الطب عند الاغريق (مث) .

asco- بادئة معناها : زِقّ ؛ كيس (*ascocarp*) .

ascocarp [ăs'kə kärp'] *(n.)* الثمرة الزِّقّيّة (نب) .

ascogonium *(n.)* pl. **-nia** عضو التأنيث (في بعض الفطور الزِّقّيّة) .

ascomycete [ăs'kə mī sēt'] *(n.)* الفُطْر الزِّقّي (مج) : أحد الفطريات الزِّقّيّة **Ascomycetes** وهي ضربٌ من الفطريات تتكوّن أبواغه داخلَ زِقاق (نب) .

ascorbic acid *(n.)* = vitamin C.

ascospore [ăs'kə spōr'] *(n.)* البَوْغ الزِّقّيّ : أحد الأبواغ التي يشتمل عليها الزِّق في الفطريات الزِّقّيّة (را . ascomycete) .

ascot [ăs'kət] *(n.)* الأُسْكُتّة : عقدة رقبة عريضةُ الطرفين .

ascot

ascribable *(adj.)* ممكنٌ عَزْوُهُ أو نسبته إلى شيء آخر .

ascribe [ə skrīb'] *(vt.)* يعزو ؛ ينسب إلى .

ascription [ə skrĭp'shən] *(n.)* عَزْوٌ ؛ نِسْبَة .

ascus [ăs'kəs] *(n.)* pl. **asci** الزِّق (مج) : محفظة غشائية تتكوّن في داخلها الأبواغ (في الفطريات الزِّقّيّة) .

-ase لاحقة معناها : أنزيمة ؛ خميرة (*lactase*) .

asepsis [ə sĕp'sĭs ; ā-] *(n.)* (١) طهارة ؛ خلوّ من الجراثيم . (٢) طرائق التطهير (من الجراثيم) .

aseptic [ə sĕp'tĭk ; ā-] *(adj.)* مطهَّر ؛ معقَّم .

asexual [ā sĕk'shōō əl] *(adj.)* (١) عديم الجنس ؛ عديم الأعضاء التناسلية (٢) لا تزاوجيّ (مج) .

asexual generation *(n.)* التولّد اللاتزاوجي .

Asgard [ăs'gärd ; äs'-] *or* **Asgarth** [ăs'gärth] *(n.)* مَثْوى الآلهة (في الميثولوجيا السكندينافية) .

ash [ăsh] *(n.; vt.)* (١) رماد (٢) رماد بركانيّ (جي) (٣) شحوب كشحوب الموتى (٤) «أ» شجرة الدردار . «ب» خشب الدّردار § (٥) يُرمِّد : يحوِّل إلى رماد .

ashamed [ə shāmd'] *(adj.)* خَجِل ؛ خجلان ؛ مستحٍ من .
—**ashamedly** *(adv.)* —**ashamedness** *(n.)*

ash can *(n.)* (١) وعاء معدني للرماد أو للنفايات (٢) قنبلة الأعماق (را . **depth charge**) .

ashcan *(adj.)* واقعيّ في وصفه لحياة المدن (~ school of artists)

ashen [ăsh'ən] *(adj.)* (١) رماديّ : «أ» مؤلّف من رماد . «ب» رماديّ اللون (٢) شاحب كشحوب الموتى (٣) دَرْداريّ : «أ» ذو علاقة بشجرة الدردار . «ب» مصنوع من خشب الدردار .

ashery *(n.)* مصنع البوتاس .

ashes [ăsh'ĭz] *(n. pl.)* (١) خرائب (the ~ of an ancient empire) (٢) رماد الجثة المُحْرَقة (٣) رُفات .

Ashkenazim *(n. pl.)* الأشكينازيم : اليهود الغربيون .

ashlar *or* **ashler** [ăsh'lər] *(n.)* (١) حجر مربّع (٢) حجر مربّع منحوت (٣) مبنًى مشيَّد من حجارة مربّعة أو منحوتة .

ashore [ə shōr'] *(adv. ; adj.)* على أو إلى الشاطئ .

ashram *(n.)* (١) الأشرم : مُعتزَل خاص بحكيم أو فيلسوف هندي (٢) مُعتزَلٌ دينيّ .

Ashtoreth [ăsh'tə rĕth] *(n.)* = Astarte.

ash tray *(n.)* المِرْمَدة : منفضة رماد السجاير .

Ash Wednesday *(n.)* أربعاء الرماد : أول أيام الصوم الكبير (نص) .

ashy [ăsh'ĭ] *(adj.)* (١) رماديّ : «أ» متعلق بالرماد . «ب» مؤلف من رماد (٢) مكسوّ بالرماد (٣) شاحب كشحوب الموتى .

Asia [ā'zhə; ā'shə] *(n.)* آسية ؛ قارة آسية .

Asian [ā'zhən ; ā'shən] *(adj.; n.)* (١) آسيويّ : ذو علاقة بالقارة الأسيوية أو بشعوبها أو مميز لهما § (٢) الاسيويّ : أحد أبناء آسية .

Asian influenza *(n.)* الأنفلونزا الاسيوية (مض) .

Asiatic [ā'zhĭ ăt'ĭk ; ā'shĭ-] *(adj. ; n.)* = Asian.

Asiatic cholera *(n.)* الكوليرا الاسيوية (مض) .

aside [ə sīd'] *(adv. ; n.)* (١) جانباً (moved the table ~) (٢) على انفراد (They took him ~.) § (٣) كلام يقال على انفراد (كالملاحظة التي يبديها ممثلٌ على المسرح والتي يُفْتَرَض في الممثلين الآخرين أن لا يسمعوها) .
joking ~, جدّياً ؛ من غير هزل .
to speak ~, يتكلم بحيث لا يسمعه الآخرون .

aside from *(prep.)* (١) علاوة على ؛ بالاضافة إلى (٢) لولا .

asinine [ăs'ə nīn] *(adj.)* (١) حِماريّ : «أ» ذو علاقة بالحمار . «ب» شبيه بالحمار (٢) «أ» أبله . «ب» عنيد .
—**asininity** *(n.)*

ask [ăsk ; äsk] *(vt. ; i.)* (١) يسأل (٢) يطلب (٣) يلتمس (٤) يتطلب (This job ~s time.) (٥) يدعو (to ~ guests) .
to ~ after يستخبر عن صحة فلان .
to ~ for trouble | to ~ for it يتصرف بحماقة بحيث يتعرض لبلاء ما .
to ~ the banns ينشر إعلاناً عن الزواج (في كنيسة) .

askance [ə skăns'] *or* **askant** [ə skănt'] *(adv.)* (١) شَزْراً ؛ بانحراف ؛ بطَرَف العين (٢) بازدراء ؛ بارتياب ؛ باستنكار .

askew [ə skū'] *(adv. ; adj.)* (١) بانحراف (hang

(an ~ arch) منحرف (٢) § a picture ~)

aslant [ə slănt' ; ə slänt'] *(adv. ; adj. ; prep.)* (١) بانحراف. §(٢) منحرف §(٣) فوقَ شيءٍ أو عَبْرَه بانحراف .

asleep [ə slēp'] *(adj. ; adv.)* (١) نائم (٢) ميّت (٣)خدِر (My hand is ~.) (٤) ساكن؛ عديم الفعالية §(٥) نائماً الخ.

aslope [ə slōp'] *(adj. ; adv.)* (١) منحدر ؛ مائل . §(٢) بانحدار ؛ على نحوٍ مائل .

asocial [ā sō'shəl] *(adj.)* (١) أنانيّ (٢) لااجتماعي : مُجْتَنِبٌ الاختلاطَ بالناس .

asp [ăsp] *(n.)* الناشِر ؛ الصِّلّ المِصْري : أفعى صغيرة سامة .

asparagine *(n.)* الهِلْيَوْنين: شبْه قِليْ الهِلْيَوْن .

asparagus

asparagus[ə spăr'ə gəs]*(n.)* الهِلْيَوْن: نبات من الفصيلة الزنبقية .

aspartame *(n.)* الأسبارتيم: مادة مُحَلِّية.

aspartic acid *(n.)* الحامض الاسبرتيك : حامض أمينيّ يكون في البروتينات (كح) .

aspect[ăs'pĕkt]*(n.)* (١)مَظْهر (٢)هيئة ؛سيماء (both ~s of a question) وجه (٣) (serious in ~) (٤) واجهة ؛ مُطَلّ (The hospital has a southern ~.)

—aspectual *(adj.)*

aspect ratio *(n.)* النِّسبة الباعيّة : «أ» نسبة مربّع أقصى امتداد السطح الانسيابيّ الحامل (را. airfoil) إلى مساحة الجناح الاجمالية (طي) . «ب» نسبة عرض الصورة التلفزيونية إلى ارتفاعها (تلفز) .

aspen [ăs'pən] *(n. ; adj.)* (١) الحَوْر الرَّجْراج : ضربٌ من الحور ترتعش أوراقه إذا هبَّ عليها أرقّ النسيم §(٢) حَوْرِيّرَجْراجيّ: ذوعلاقة بالحور الرجراج (٣) مرتعش.

asper *(n.)* الجديد : عملة تركية قديمة تساوي ١/١٢٠ من القرش .

asperges [ə spûr'jēz] *(n.)* (١) النَّضْح بالماء المقدَّس: رشّ المذبح والكهنة والمصلّين بالماء المقدس قبل قدّاس الأحد (نص) (٢) ترنيمة ترتَّل أثناءَ قيام الكاهن بهذا الطقس الديني (نص)

aspergillum [ăs'pər jĭl'əm] *(n.)* pl. **-gilla** *or* **-gillums** المِنْضَحة : مِرَشّة الماء المقدس (نص) .

asperity [ăs pĕr'ə tĭ] *(n.)* (١) قسْوة (٢) خشونة (٣) حِدّة.

asperse [ə spûrs'] *(vt.)* يَنْضَح ؛ يرُش ؛ وبخاصة : يَنْضَح بماء مقدّس (٢) يذم ؛ يقذف ؛ يطعن في أو على .

aspersion [ə spûr'zhən ; -shən] *(n.)* (١) نَضْحٌ ؛ رشّ ؛ وبخاصة بماء مقدّس (٢) قذف ؛ طعن ؛ تشهير

asphalt [ăs'fôlt ; -fălt] *(n. ; vt.)* (١) أسْفَلْت ؛ قِيْر ؛ زفت § (٢) يُسَفْلِت ، يُقيِّر ، يزفّت : يكسو بالاسفلت أو القير أو الزفت .

—asphaltic *(adj.)*

asphaltite *(n.)* الأسفَلْتيت؛ القيريت؛ الزِفتيت.

asphaltum [ăs făl'təm] *(n.)* = asphalt.

asphodel

asphodel [ăs'fə dĕl] *(n.)* البَرْوَق ؛ البَرْواق : نبات من الفصيلة الزنبقية ذو زَهر أبيض أو قرنفلي أو أصفر (نب) .

asphyxia [ăs fĭk'sĭ ə] *(n.)* اختناق (بسبب فقدان الأكسجين) .

asphyxiant [ăs fĭk'sĭ-] *(adj. ; n.)* (١)خانِق §(٢)مادةخانقة.

asphyxiate [ăs fĭk'sĭ āt'] *(vt. ; i.)* (١) يَخْنُق (بسبب من قلة الاكسجين) × (٢) يختنق .

aspic [ăs'pĭk] *(n.)* (١) الناشر : الصِّل المصري : أفعى صغيرة سامة (ا. م) (٢) الهلام اللحمي : هُلام يُصْنَع من اللحم وعصير الطماطم (٣) خُزامَى عريضة الورق (نب) .

aspidistra

aspidistra [ăs'pə dĭs'trə] *(n.)* الدُّرَيْقة ؛ الأسبيدِسْتْرة : نبات من الفصيلة الزنبقية ذو أوراق كبيرة دائمة الخضرة .

aspirant [ə spīr'ənt] *(n. ;adj.)* (١)الطّماح (إلى المجد الخ.) §(٢) طَموحٌ .

aspirate [*v.* ăs'pə rāt ; *n.* , *adj.* ăs'pə rĭt] *(vt. ; n.; adj.)* (١) يلفظ بملء النَّفَس أو بصوت كصوت حرف ***h*** (٢) يَسْفُط : يَسْحَب الغاز (من وعاء) ، أو الدم أو الصديد (من الجسم) §(٣)حرف ***h*** أو صَوْتُه (٤) مادة مُزالة بالسَّفْط §(٥)ملفوظ بملء النفَس أو بصوت كصوت حرف ***h*** .

aspiration [ăs'pə rā'shən] *(n.)* (١) النُّطْق بملء النَّفَس أو بصوت كصوت حرف ***h*** (٢) السَّفْط : سَحْب الغاز (من وعاء) أو الدم أو الصَّديد (من الجسم) (٣) تَنَفُّس (٤) طموح (٥) المَطْمَح : ما يُطْمَح إليه .

aspirator [ăs'pə rā'tər] *(n.)* السَفّاطة : أداة لسحب الغاز من وعاء أو الدم أو الصديد من الجسم.

aspiratory [ə spīr'ə tōr'ĭ] *(adj.)* (١) تَنَفُّسيّ (٢)سَفْطيّ : متعلّق بالسَّفْط (را. aspiration 2).

aspire [ə spīr'] *(vi.)* (١) يتوق ؛ يطمح إلى (٢) يرتفع ؛ يحلّق .

aspirin [ăs'pə rĭn] *(n.)* (١) الأسبرين (٢) قرص اسبرين .

asquint [ə skwĭnt'] *(adj. ; adv.)* (١) شَزْر §(٢) شَزْراً .

ass [ăs] *(n.)* (١) حمار (٢) شخص أبله أو أحمق أو عنيد .

to make an ~ of يَسْتَحْمِر فلاناً ؛ يعامله معاملة الحمير ؛ يجعله موضوع سخرية .

to make an ~ of oneself يتصرف بحماقة (جاعلا من نفسه سخرية للناس) .

assafetida *or* **assafoetida** *(n.)* = asafetida.

assagai [ăs'ə gī'] *(n.)* = assegai.

assail [ə sāl'] *(vt.)* (١) يهاجم بعنف (٢) يُغير على .

assailable *(adj.)* ممكنٌ مهاجمتُهُ أو الاغارة عليه .

assailant [ə sā'lənt] *(n. ; adj.)* (١) المُهاجِم ؛ المُغير. §(٢) مهاجِم.

assassin [ə săs'ĭn] *(n.)* (١) **cap.** الحشّاش : واحد من الحشّاشين في عهد الحروب الصليبية (٢) السفّاك : القاتل المستأجَر أو القاتل بدافع من تعصّب .

assassinate [ə săs'ə nāt] *(vt.)* (١) يغتال (٢) يشوّه (سمعة شخص الخ.)

—assassinator *(n.)*

assassination *(n.)* اغتيال ؛ قَتْل ؛ مقْتَل .

assault [ə sôlt'] *(n. ; vt. ; i.)* (١) «أ» هجوم ؛ انقضاض . «ب» تَهجّم (٢) اعتداء أو محاولة اعتداء (٣) اغتصاب ؛ وبخاصة : اغتصاب امرأة §(٤) «أ» يهاجم ؛ ينقضّ على . «ب» يتهجّم على (٥) يغتصب (امرأة) .

assault and battery *(n.)* الضَّربُ والجَرْح (ق) .

assault boat *(n.)* زورق الانقضاض : زورق صغير ممكنٌ حَمْلُهُ أو نَقْلُه يُسْتَخْدَم في الحرب لعبور الأنهار والبحيرات وغير ذلك من الأغراض العسكرية .

assay [*v.* ə sā' ; *n.* ə sā' , ăs'ā] *(vt. ; n.)* (١) يجرّب ؛ يختبر ؛ يفحص (٢) يحاول (٣) يحلّل (المعادن أو العقاقير)

§(٤) تجربة ؛ محاولة (ا.ق) (٥) تحليل (المعادنِ أو العقاقير) (٦) «أ» مادة يراد تحليلها. «ب» نتيجة التحليل.

assegai [ăs'ə gī] *(n.)* رمحٌ نحيل (تستعمله بعض القبائل الافريقية).

assemblage [ə sĕm'blĭj] *(n.)* (١) «أ» جَمْعٌ أو حَشْدٌ (من الناس). «ب» مجموعة (٢) «أ» تجميع. «ب» تركيب (٣) تجمعٌ ؛ التقاء.

assemble [ə sĕm'bəl] *(vt. ; i.)* (١) يجمع ؛ يحشد (٢) يركِّب (أجزاء آلة) ×(٣) يجتمع.

assembly [ə sĕm'blĭ] *(n.)* (١) اجتماع (٢) *cap.*: جمعية تشريعية ؛ وبخاصة: مجلس النواب (٣) تجميع (٤) إشارة التجمع: إشارة بالطبل أو غيره تدعو الجند إلى الاجتماع (جن) (٥) «أ» تركيب أجزاءِ آلة أو جَمْعُها. «ب» المُجَمَّعة: مجموعة أجزاء آلية مجمَّعة.

assembly line *(n.)* نظام التجميع: تجميع الماكينات والأدوات والعمال بحيث ينجز كل عامل عملية خاصة على سلعة ناقصة. وهكذا إلى أن يتم صُنْع السلعة على الوجه المطلوب.

assemblyman *(n.)* عضو جمعية تشريعية.

assemblywoman *(n.)* امرأة عضوٌ في جمعية تشريعية.

assent [ə sĕnt'] *(vi. ; n.)* (١) يوافق على. يصدِّق على. §(٢) موافقة ؛ تصديق على. with one ~, بالإجماع.

assentation [ăs'ĕn tā'-] *(n.)* موافقة ؛ وبخاصة بتذلّل.

assentor [ə sĕn'tər] *(n.)* (١) فا assent (٢) أحد المقترعين – بالاضافة إلى صاحب الاقتراح والمثني عليه – الذين لا بدّ من موافقتهم للتصديق على تسمية مرشح من المرشحين (ق انكليزي).

assert [ə sûrt'] *(vt.)* (١) يؤكِّد ؛ يجزم بِـ. (٢) يدافع عن حقّ أو زعم (أو يُصِرّ عليهما). to ~ oneself يفرض على الآخرين الاعتراف بحقوقهِ أو مركزه.

assertion *(n.)* (١) توكيد: جَزْم (٢) إصرار على حقّ أو زعم.

assertive [ə sûr'tĭv] *(adj.)* (١) ميال إلى التوكيد والجزم (an ~ fellow) (٢) جازم (spoke in an ~ tone).

assertory [ə sûr'tə rĭ] *(adj.)* باتّ ؛ جازم.

asses' bridge = pons asinorum I.

assess [ə sĕs'] *(vt.)* (١) يحدِّد نسبةَ ضريبةٍ الخ. أو مقدارَها. (٢) «أ» يفرِض ضريبة الخ. وفقاً لنسبة معيَّنة. «ب» يُخضِع لضريبة أو رسم (٣) يخمِّن أو يقيِّم (المتلكات أو الدخل) لأغراضٍ ضريبيَّة (٤) يعيِّن أهمية كذا أو حجمه أو قيمته.

assessable *(adj.)* خاضعٌ للضريبة: ممكن فرض الضريبة عليه.

assessment [ə sĕs'mənt] *(n.)* (١) مص assess وبخاصة: تخمين أو تقييم (الممتلكات أو الدخل) لأغراضٍ ضريبية (٢) القيمة الضريبيَّة المقدَّرة: ضريبة.

assessor [ə sĕs'ər] *(n.)* (١) المساعِد المستشار (٢) القاضي (٣) مخمِّن الضرائب.

asset [ăs'ĕt] *(n.)* (١) شيء نافع أو ثمين: مصدرُ قوة (Character is an ~.) (٢) *pl.*: موجودات؛ أصول (تج).

asseverate [ə sĕv'ə rāt] *(vt.)* يُعلِن مُقسِماً ؛ يؤكِّد بجزم.

asseveration [- ə rā'shən] *(n.)* توكيدٌ بقَسَم ؛ توكيد جازم.

assiduity [ăs'ə dū'ə tĭ ; -dōō'-] *(n.)* (١) اجتهاد ؛ كدّ ؛ مواظبة (٢) *pl.*: ملاطفةٌ أو مجاملة مستمرة لشخصٍ ما ؛ اهتمام شخصي متواصل بامرىء معين.

assiduous [ə sĭj'ōō əs] *(adj.)* (١) مجتهدٌ ؛ كادٌّ ؛ مواظِبٌ على (in her duties ~) (٢) دائم الملاطفة أو المجاملة لشخص ما (Few can be ~ without servility.).

—assiduously *(adv.)* **—assiduousness** *(n.)*

assign [ə sīn'] *(vt. ; n.)* (١) يتخلى عن (ممتلكات أو حقوقٍ الخ.) بطريقة شرعية (٢) يعين في منصِب ؛ يختار لمهمة (٣) يعين (المدرس) درساً (٤) يحدِّد (يوماً أو موعداً الخ.) (٥) يعزو ؛ ينسب ؛ يُرجع ؛ يردّ (to ~ a reason) (٦) يخصِّص ؛ يخصِّص لِـ (These rooms have been ~ed to us.) §(٧) *pl.* عد: الشخص المتخلّى له عن ممتلكاتٍ أو حقوقٍ أو المرشَّح لذلك (my heirs and ~s).

assignable [ə sī'nə bəl] *(adj.)* (١) ممكنٌ التخلّي عنه أو تحويل مِلْكيته إلى شخص آخر (٢) قابلٌ للتعيين أو التحديد أو التخصيص (٣) ممكنٌ عزوُه أو نسبتُه إلى.

assignat [ăs'ĭg năt'] *(n.)* الأسينيّة: إحدى الأوراق النقدية التي أصدرتها حكومة الثورة الفرنسية (١٧٩٠ – ١٧٩٥).

assignation [ăs ĭg nā'shən] *(n.)* (١) مص assign وبخاصة: تخصيص ؛ تخصيص لِـ (٢) تعيين موعد لقاء ؛ وبخاصة: لقاء غرامي غير شرعي.

assignee [ə sī nē' ; ăs'ə nē'] *(n.)* (١) المعهود إليه بواجب ما (كوكيل تفليسة الخ.) (٢) المعيَّن للعمل باسم شخص آخر (٣) المتنازَل له (عن ممتلكاتٍ أو حقوقٍ الخ.).

assigner *or* **assignor** *(n.)* فا assign بجميع معانيها.

assignment [ə sīn'mənt] *(n.)* (١) مص assign. (٢) «أ» مهمَّة ؛ واجب محدَّد. «ب» دَرْسٌ مفروض على الطلاب (?What is today's ~) (٣) تنازل عن ممتلكات ؛ وبخاصة لمصلحة الدائنين.

assimilate [ə sĭm'ə lāt'] *(vt. ; i.)* (١) يمثّل الطعامَ (بعد هضمه) (٢) يستوعب: «أ» يفهم فهماً جيداً. «ب» يمتصّ (The community ~d persons of many nationalities.) (٣) يجعله مشابهاً لِـ (to ~ our law to the law of Scotland) (٤) يشبِّه (~d the career of a conqueror to that of a simple robber) ×(٥) يتمثَّل (Some foods ~ more readily than others.) (٦) يُشْبِه أو يُصبح مشابهاً لِـ.

—assimilable *(adj.)*

assimilation [ə sĭm'ə lā'shən] *(n.)* مص assimilate. وبخاصة: «أ» تمثيل الطعام أو تمثّله. «ب» استيعاب ؛ امتصاص.

assimilative [ə sĭm'ə lā'tĭv] *(adj.)* تمثيليّ أو ممثّل للطعام.

assimilatory [ə sĭm'ə lə tōr'ĭ] *(adj.)* = assimilative.

assist [ə sĭst'] *(vt. ; i. ; n.)* (١) يساعد؛ يعين (٢) يحضُر ؛ يشهَد (to ~ at a public meeting) §(٣) مساعَدة.

assistance [ə sĭs'təns] *(n.)* (١) المساعَدة: إسداء العَوْن. (٢) عَوْن ؛ مساعدة.

assistant [-'tənt] *(n. ; adj.)* (١) المُساعِد؛ المُعين §(٢) مساعِد.

assize [ə sīz'] *(n.)* (١) قانون (٢) قانون يحدِّد الموازين والمكاييل أو أسعار السِّلَع المبيعة في السّوق (٣) جلسة (تعقدها هيئة قضائية أو إدارية) (٤) *pl.* عد: «أ» جلسات دورية يعقدها في كل اقليم من الأقاليم الانكليزية قضاةُ محكمة عليا بغيةَ الفصل في الدعاوى المدنية والجنائية. «ب» مكان أو زمان انعقاد مثل هذه المحكمة. «ج» المحكمة نفسُها.

associable [ə sō'shĭ ə bəl] *(adj.)* قابل للتداعي الذهني .

associate[*v.* ə sō'shĭ āt'; *n., adj.* -ĭt, -āt'] *(vt.; i.; n; adj.)* (١) يزامل ؛ يصادق ؛ يرافق (٢) يضمّ ؛ يوحّد (٣) يربط ذهنياً بين شيء وآخر ×(٤) يتزامل ؛ يتصادق ؛ يعاشر (٥) ينضم ؛ يتحد §(٦) زميل ؛ صديق ؛ رفيق §(٧) «أ» مزامل ؛ مرافق . «ب» مساعد ؛ غير متمتع بكامل الحقوق والامتيازات (an ~ professor) .

association [ə sō sĭ ā'shən ; -shĭ-] *(n.)* (١) «أ» مزاملة ؛ مصادقة ؛ مرافقة . «ب» تزامل ؛ تصادق ؛ ترافق (٢) جمعية (٣) اتحاد (٤) شيء مترابط في الذاكرة أو الخيال مع شخص أو شيء آخر (٥) تداعي المعاني أو الخواطر أو الأفكار (نف) .

association football *(n.)* لعبة كرة القدم (رب) .

associative *(adj.)* ترابطيّ : متعلق بتداعي المعاني أو الخواطر (نف) .

associative law *(n.)* قانون الترتيب ؛ قانون ترتيب الحدود (ر) .

assonance [ăs'ə nəns] *(n.)* سَجْع ؛ توازن (ل) .

assonant *(adj. ; n.)* (١) مسجوع أو سجعيّ §(٢) لفظ أو مقطع متساجع مع آخر .

assort [ə sôrt'] *(vt. ; i.)* (١) يصنف أو ينسّق (وفقاً للنوع أو الصنف) (٢) يزوّد بمختلف أنواع السّلع × (٣) يتجانس ؛ يتلاءم (Her dress ~*ed* with her complexion.) .

assorted [ə sôr'tĭd] *(adj.)* (١) مصنّف ؛ منسّق (٢) منوّع ؛ مُشكَّل (٣) متجانس (an ill-*assorted* couple) .

assortment [-'mənt] *(n.)* (١) «أ» تصنيف ؛ تنسيق . «ب» تناسق (٢) تشكيلة ؛ مجموعة منوعة .

assuage [ə swāj'] *(vt.)* (١) يسكّن ؛ يلطّف (to ~ pain) (٢) يهدئ (to ~ a passion) (٣) يُشبع ؛ يطفىء ؛ ينقع (to ~ appetite *or* thirst) .

assuasive [ə swā'sĭv] *(adj.)* مسكّن ؛ ملطّف الخ .

assume [ə sōōm'] *(vt.)* (١) يأخذ على عاتقه ؛ يتولى القيام بـ (to ~ new duties) (٢) يتّخذ (The amoeba ~*s* various shapes.) (٣) يَلْبس (~*d* her spectacles) (٤) ينتحل ؛ يغتصب (to ~ a right to oneself) (٥) يتظاهر بـ (She ~*d* ignorance.) (٦) يفترض ؛ يعتبره أمراً مفروغاً منه (They ~*d* that the train would be on time.) .

assumed *(adj.)* (١) كاذب ؛ زائف ؛ مزعوم (٢) مفروض أو مسلّم بصحته (٣) منتحَل ؛ مغتصَب .

assuming [ə sōō'-] *(adj.)* (١) مدّعٍ (بوقاحة) (٢) متغطرس .

assumption [ə sŭmp'shən] *(n.)* (١) *cap.* : «أ» رفع مريم العذراء إلى السماء بعد موتها . «ب» عيد يحيي هذه الذكرى (١٥ أغسطس) (٢) مص assume . مثل «أ» تولٍ . «ب» اتّخاذ . «ج» انتحال . «د» تظاهر بـ . «هـ» افتراض (٣) ادعاء ؛ عجرفة .

assumptive *(adj.)* (١) مُفترَض أو مسلَّم بصحته (٢) مدّعٍ أو متغطرس

assurance [ə shōōr'əns] *(n.)* (١) عهد ؛ توكيد . (٢) ثقة (She had full ~ of his honesty.) (٣) سلامة ؛ أمن (٤) تأمين على الحياة (٥) شجاعة ؛ ثقة بالنفس ؛ اعتماد على النفس (٦) وقاحة

assure [ə shōōr'] *(vt.)* (١) يؤكّد (٢) يُطَمْئِن أو يُقْنِع (He tried to ~ her that flying was safe.) (٣) يكفل ؛ يضمن (That ~*s* the success of our work.) (٤) يثبّت ؛ يدعم (to ~ a person's position) (٥) يؤمّن (على الحياة الخ) .

assured [ə shōōrd'] *(adj. ; n.)* (١) «أ» واثق ؛ على ثقة . «ب» مقتنع (٢) «أ» أكيد ؛ ثابت . «ب» مضمون (you may rest ~ that...) (٣) «أ» جريء ؛ واثق من نفسه . «ب» وقح (٤) مؤمَّن عليه §(٥) الشخص المؤمَّن (على حياته أو ممتلكاته) .

assuredly *(adv.)* (١) يقيناً ؛ من غير ريب (٢) بثقة .

assurer *or* **assuror** [ə shōōr'ər] *(n.)* المؤمِّن (تأ) .

assurgent [ə sûr'jənt] *(adj.)* صاعد ؛ طالع .

Assyrian [ə sĭr'ĭ ən] *(n. ; adj.)* (١) الأشوري : واحد الأشوريين (٢) اللغة الأشورية §(٣) أشوري .

Assyriologist *(n.)* العالِم بتاريخ الأشوريين ولغتهم .

Assyriology *(n.)* العِلم بتاريخ الأشوريين ولغتهم .

Astarte [ăs tär'tĭ] *(n.)* عَشْتَروت : إلاهة الخصب والحب عند الفينيقيين (مث) .

astatic [ā stăt'ĭk] *(adj.)* (١) لا إستاتي ؛ لا سكوني : غير ثابت أو مستقر (٢) لااتجاهي : عديم (أو ضعيف) النزعة إلى اتخاذ اتجاه ثابت أو محدد (فز) .

astatic equilibrium *(n.)* التوازن المطلق أو اللاإستاتيّ (مك) .

astatic needle *(n.)* الابرة المُعطَّلة (مج) : مجموعة من إبرتين مغنطيسيتين أو أكثر مركّبة بحيث لا يكون للمغنطيسية الأرضية أيّ أثر في توجيهها (فز) .

astatine *(n.)* الأستاتين : عنصر كيميائي إشعاعي النشاط .

aster [ăs'tər] *(n.)* الأسْطَر ، النَّجْميّة ؛ زهرة النجمة (نب) .

-aster لاحقة معناها : (١) نجْم (٢) شيء رديء أو تافه .

asteria *(n.)* عين الهر : حجر كريم متميز بخاصيّة « النجميّة » أو « الكوكبيّة » (را . asterism 2) .

asteriated *(adj.)* متنجّم ؛ متكوكب : متميّز بخاصيّة «النجميّة» أو « الكوكبيّة » (را . asterism 2) .

asterisk [ăs'tər ĭsk] *(n.; vt.)* (١) المُنجِّمة ؛ العلامة النجميّة : علامة طباعيّة كهذه (*) تفيد الحذف أو الشك § (٢) يَسِم بمنجّمة أو بعلامة نجميّة .

asterism [ăs'tə rĭz'əm] *(n.)* (١) «أ» كوكبة (فل) . «ب» مجموعة صغيرة من النجوم (٢) النجميّة ، الكوكبيّة : خاصيّة في بعض المعادن المتبلّرة تجعلها تتكشّف عن صورة مضيئة نجميّة الشكل (٣) المنجّمات الهرمية : ثلاث منجّمات مرتّبة على صورة هرم (⁂ أو ⁂) وبخاصة للفت الأنظار إلى مقطع تال .

astern [ə stûrn'] *(adv.)* (١) في مؤخرة كذا (٢) في أو نحو مؤخر السفينة أو الطائرة (٣) إلى الخلف ، باتجاه خلفيّ .

asternal [ā stûr'nəl] *(adj.)* لاقصّيّ : «أ» غير متّصل بالقصّ أو عظم الصّدر («ت» و «ح») . «ب» لا قصّ له (ح) .

asteroid [ăs'tə roid'] *(n. ; adj.)* (١) السُّيَيّر ، الكُوَيْكِب : واحد من آلاف الكواكب السيارة الصغيرة الواقعة بين المريخ والمشتري (٢) نجم البحر (را . starfish) § (٣) «أ» نجمي الشكل . «ب» شبيه بنجم البحر أو ذو علاقة به .

asthenia [ăs thē'nĭ ə] *(n.)* الوَهْن (مج) : الضّعف وفقْدُ القوة .

asthenic [ăs thĕn'ĭk] *(adj.; n.)* (١) وَهْنيّ : ذو علاقة بالوَهْن . (٢) واهن ؛ ضعيف §(٣) شخص واهن أو ضعيف .

asthma [ăz'mə ; ăs'-] *(n.)* النَّسَمة (مج) ؛ داء الرَّبْو .

asthmatic [ăz măt'ĭk ; ăs-] *(adj. ; n.)* (١) رَبْوي : متعلق

بداء الربو (٢) مربوء : مصاب بالربو §(٣) المربوء : شخص مصاب بالربو .

astigmatic *(adj.)* لانقطي ، لا بؤري ، لا استجمي (بص) .

astigmatism [ə stĭg'mə tĭz'əm] *(n.)* اللاانقطية ، اللابؤرية ، اللاإستجمية : علة في العين (أو العدسة) تجعل الأشعة المنبعثة من نقطة من الشيء لا تجتمع في نقطة بؤرية واحدة ، وبذلك يبدو ذلك الشيء للعين على نحو غير واضح (بص) .

astir [ə stûr'] *(adv. ; adj.)* (١) في حركة ، في اهتياج أو هرج ومرج (The village was ~ when the enemy forces got near.) (٢) خارج الفراش ، مغادر فراشه أو سريره : مستيقظ (You are ~ early this morning.) .

astomatous *(adj.)* عديم الفم ، لا فم له («ح» و «نب») .

astonish [ə stŏn'ĭsh] *(vt.)* يُدهش ، يُذهل ، يَشده .

astonished *(adj.)* مُدهَش ، مُذهَل ، مشدوه .

astonishment *(n.)* (١) دَهَش ، ذهول (٢) المثير للدهش .

astound [ə stound'] *(vt. ; adj.)* (١) يَصعق ، يُذهل بشدة . §(٢) مصعوق (ا.ق) .

astounding *(adj.)* صاعق : مُذهِل بشدة .

astr- = astro-.

astrachan [ăs'trə kən] *(n.)* (١) astrakhan (٢) *cap.* : تفاح .

astraddle [ə străd'əl] *(adv. ; adj.)* منفرج الساقين .

Astraea [ăs trē'ə] *(n.)* أستريا : إلاهة العدالة عند الاغريق (مث) .

astragal [ăs'trə gəl] *(n.)* (١) عظم الكاحل (ت) (٢) حلية معمارية صغيرة محدبة ذات سطح مدور (عم) .

astragalus [ăs trăg'ə ləs] *(n.)* pl. **-li** = astragal.

astrakhan [ăs'trə kən] *(n.)* الأستراخان : «أ» فرو الحملان الصغيرة . ويتميز بصوفه الجعد الطويل . «ب» نسيج متجعد الوبر كصوف هذه الحملان .

astral [ăs'trəl] *(adj.)* (١) نجمي (٢) نجمي الشكل (أح) . (٣) «أ» وهمي . «ب» رفيع .

astray [ə strā'] *(adj. ; adv.)* (١) ضال ، شارد (٢) مخطىء .
- to go ~, يَضل ، ينحرف عن الصراط المستقيم .
- to lead ~, يُضل ، يُضلل .

astrict [ə strĭkt'] *(vt.)* (١) يوثق (٢) يقيد (أخلاقياً أو شرعياً) .

astride [ə strīd'] *(adv. ; adj. ; prep.)* منفرج الساقين .

astringent [ə strĭn'jənt] *(adj. ; n.)* (١) عقول ، قابض ، زام للأنسجة الحية (٢) صارم ، قاس §(٣) العقول : مادة تجعل أنسجة الجسم تنقبض وبذلك يخف الافراز أو النزف (ط) .

astro- بادئة معناها : نجم ، سماء ، فلكي (*astro*logy) .

astrocyte *(n.)* الخلية النجمية : خلية على شكل نجمة (ت) .

astrodome *(n.)* قبة رصد النجوم : قبة شفافة في سطح الطائرة الأعلى يستطيع الملاح رصد النجوم من خلالها .

astrogation *(n.)* الملاحة البينكوكبية : الملاحة الجوية في الفضاء البينكوكبي (را interplanetary) .

astrolabe [ăs'trə lāb'] *(n.)* الأسطرلاب : آلة فلكية قديمة لقياس ارتفاع الشمس أو النجوم (فل) .

astrolabe

astrologer *(n.)* المنجم : المشتغل بعلم التنجيم .

astrologic ; -al *(adj.)* تنجيمي : ذو علاقة بعلم التنجيم .

astrology [ə strŏl'ə jĭ] *(n.)* علم التنجيم .

astronaut *(n.)* الفضائي ، رائد الفضاء : ملاح يقوم برحلة في الفضاء البينكوكبي (را interplanetary) .

astronautics *(n.)* الملاحة الفضائية : الملاحة في الفضاء البينكوكبي .

astronavigation *(n.)* الملاحة الفلكية .

astronomer [ə strŏn'ə mər] *(n.)* الفلكي : العالم بعلم الفلك .

astronomical *or* **astronomic** *(adj.)* (١) فلكي . (٢) ضخم أو هائل إلى حد لا يصدق ، كبير كالأرقام المستعملة في الحسابات الفلكية (~ figures) .

astronomy *(n.)* (١) علم الفلك (٢) رسالة في علم الفلك .

astrophotography *(n.)* الفوتوغرافيا الفلكية : تصوير الأجرام السماوية فوتوغرافياً .

astrophysical *(adj.)* فيزيائيفلكي : متعلق بالفيزياء الفلكية .

astrophysicist *(n.)* الفيزيائيفلكي : العالم بالفيزياء الفلكية .

astrophysics [ăs'trō fĭz'ĭks] *(n.)* الفيزياء الفلكية : فرع من علم الفلك يدرس الخصائص والظواهر الفيزيائية للأجرام السماوية .

astucious [ăs tū'shəs ; -tōō'-] = astute.

astute [ə stūt'] *(adj.)* ذكي ، داهية ، ماكر .

astylar [ā stī'lər] *(adj.)* لاعمدي : غير ذي أعمدة (عم) .

asunder [ə sŭn'-] *(adv. ; adj.)* (١) إرباً (torn ~) . §(٢) متباعد أحدهما عن الآخر (wide ~ in meaning) .

asylum [ə sī'ləm] *(n.)* (١) الحرم ، المقدس : مكان (كالكنيسة) لا تنتهك حرمته كان المدينون والمجرمون يفزعون إليه ، في العصور الخالية (٢) ملتجأ آمن (٣) حق اللجوء السياسي (تمنحه للاجئين السياسيين دولة أو سفارة أو أية هيئة ذات حصانة ديبلوماسية) (٤) «أ» مأوى (للعميان) . «ب» ملجأ (للأيتام) . «ج» بيمارستان (لمرضى الأمراض العقلية) .

asymmetric ; -al *(adj.)* لا متماثل ، لا متناسق ، لامتساوق .

asymmetry [ā sĭm'ə trĭ] *(n.)* اللاتماثل ، اللاتناسق ، اللاتساوق .

asymptomatic *(adj.)* صامت ، لاعرضي : غير متكشف عن أعراض يلحظها المريض بنفسه (ط) .

asymptote [ăs'ĭm tōt] *(n.)* الخط المقارب (ر) .

asymptotic ; -al *(adj.)* مُقارِب .

asynchronism [ā sĭng'krə-] *(n.)* اللاتزامن ، اللاتواقت .

asynchronous *(adj.)* (١) لا متزامن ، لا متواقت . (٢) لا تزامني ، لا تواقتي .

at [ăt] *(prep.)* (١) عند (~ noon) (٢) في (~ home) . (٣) إلى ، نحو (aim ~ the target) (٤) على (laughed ~ him) (٥) في حالة (~ war) (٦) بسبب (impatient ~ the delay) (٧) بواسطة ، من طريق (Smoke comes out ~ the chimney.) (٨) بـِ ، بسعر (He sells them ~ two dollars each.) (٩) وفقاً أو تبعاً لـ (~ will) .
- ~ last أخيراً .
- ~ least على الأقل .
- ~ once (١) حالا ، في الحال (٢) في وقت واحد ، في آن معاً .
- ~ that بالاضافة إلى ذلك ، علاوة على ذلك .
- ~ (the) most على الأكثر .
- Let it go ~ that تقبل ذلك من غير مناقشة إضافية .
- What are you ~ ? ما الذي تفعله ؟

atabal *or* **attabal** [ăt'ə băl] *(Ar.)* طبل مراكشي .

atabrine [ăt'ə brĭn] *(n.)* الأتبرين : ضرب من الكينين (صي) .

ataman [ăt'ə mən] *(n.)* pl. **-mans** = hetman.

ă at; ā date; â care; ä car; ĕ egg; ē me; ĭ in; ī bite; ŏ lot; ō bone; ô orphan; oi boil ŏŏ good; ōō boot; ou out;
ŭ under; ū unity; û urgent; th thing; th this; zh vision; ə = *a* in alone, *e* in system, *i* in easily, *o* in gallop, *u* in circus.

ataractic *(adj. ; n.)* مهدّئ للأعصاب
atavism [ăt'ə vĭz'əm] *(n.)* التأسّل (مج) : الرُّجْعَى : عودةٌ إلى صفات الأسلاف التي ابتعدت عنها الأنسال السابقة (أح).
ataxia [ə tăk'sĭ ə] *(n.)* (١) اختلاط ؛ لانظام (٢) الهزَع : التخلّج : عدم القدرة على تنسيق الحركات العضلية الارادية (ط).
ataxic *(adj.)* هزَعي ؛ تخلّجي : منسوب إلى الهزَع أو التخلّج .
ate [āt] *past of* eat.
ate [ā'tĭ] *(n.)* (١) *cap.* : آيتي : إلاهة إغريقية زعموا أنها كانت تحمل الآلهة والبشرَ على القيام بالأعمال الموسومة بالحماقة والتهور (٢) الغريزة العمياء أو الطموح المتهور أو الحماقة المفرطة التي تُورِد البشرَ مواردَ التهلُكة.
-ate لاحقة معناها : (١) متعلق بـ (collegi*ate*) (٢) ذو ؛ متميّز بِـ (branchi*ate*) (٣) شبيه بِـ (stell*ate*) (٤) يُصبح (matur*ate*) (٥) يجعله كذا (activ*ate*) (٦) يُحْدِث (ulcer*ate*) (٧) يزوّد بِـ (capacit*ate*) (٨) يمزج أو يعالج بـ (camphor*ate*) (٩) منصب ؛ وظيفة ؛ رتبة (caliph*ate*).
atebrin [ăt'ə brĭn] *(n.)* = atabrine.
atelier [ăt'əl yā] *(F.)* (١) المَرْسَم ؛ المَصْوَر ؛ الاستديو : المكان الذي يعمل فيه المصور أو الرسّام الخ . (٢) مَشْغَل ؛ وَرْشة .
atheism [ā'thĭ ĭz'əm] *(n.)* الإلحاد : إنكار وجود الله .
atheist [ā'thĭ ĭst] *(n.)* المُلْحِد ؛ مُنكِر وجود الله .
atheistic ; -al *(adj.)* إلحاديّ ؛ إنكاريّ (لوجود الله) .
atheling [ăth'əl ĭng] *(n.)* أميرٌ أو شخص من سلالة ملكيّة .
Athena [ə thē'nə] *or* **Athene** [ə thē'nĭ] *(n.)* : أثينا : إلاهة الحكمة والفنون والصنائع النسوية عن الاغريق .

athenaeum *or* **atheneum** *(n.)* (١) مَجْمَع أدبي أو علمي (٢) مكتبة عامة ؛ حجرة مطالعة .
Athenian [ə thē'nĭ ən] *(n. ; adj.)* (١) الأثينيّ : أحد أبناء مدينة أثينا § (٢) أثينيّ : منسوب إلى أثينا .
atheoretical *(adj.)* لانظريّ : غير مبنيّ على النظريات .
athermancy *(n.)* اللامُنْفِذيّة للاشعاع الحراري (فز) .
athermanous *(adj.)* لامُنْفِذ (غير مُنْفِذ) للاشعاع الحراري .
atherosclerosis [ăth ə rō sklə rō'-] *(n.)* تصلّب الشرايين (مض)
athirst [ə thûrst'] *(adj.)* (١) ظامئ (ا.ق) (٢) تائق إلى .
athlete [ăth'lēt] *(n.)* الرياضيّ ؛ اللاعب الرياضي .
athlete's foot *(n.)* قدَم الرياضي : مرض جلديّ مُعْدٍ يصيب الأقدام ، ناشئ عن فُطْرٍ ينمو في السطوح الرطبة .
athletic [ăth lĕt'ĭk] *(adj.)* (١) رياضيّ (٢) نشيط ؛ قويّ .
athletic-looking *(adj.)* رياضيّ الجسم (an ~ man) .
athletics [ăth lĕt'ĭks] *(n. pl.)* الألعاب الرياضية .
athodyd *(n.)* [aero-*thermodynamic duct*] المحرّك المَسْهَدَاري : محرّك طيران ذو مَسْلَك للهواء ديناميّ حراريّ .
at home *(n.)* يوم استقبال الزوّار (في المنزل) .
athwart [ə thwôrt'] *(adv. ; prep.)* (١) بانحراف ؛ بالعرض . (٢) عَبْرَ ؛ من جانب إلى جانب § (٣) ضدّ .
atilt [ə tĭlt'] *(adj. ; adv.)* (١) مائل § (٢) على نحوٍ مائل . (٣) مسدّداً الرمح .
-ation لاحقة معناها : (١) عمل ؛ عملية (ador*ation*) (٢) نتيجة عمل ما (discolor*ation*).
-ative لاحقة معناها : (١) ذو علاقة بـ (quantit*ative*). (٢) ميّال إلى (talk*ative*) .

Atlantean [ăt'lăn tē'ən] *(adj.)* (١) «أ» أطلسي : ذو علاقة بـ «أطلس» الجبّار (را . atlas I) أو شبيهٌ به . «ب» قوي (٢) أطلنتسيّ : منسوب إلى جزيرة أطْلنتِس (را . Atlantis).
Atlantic [ăt lăn'tĭk] *(n. ; adj.)* (١) المحيط الأطلسي § (٢) أطلسي : «أ» متعلق بالمحيط الأطلسي . «ب» متعلق بـ «أطلس» الجبار (را . atlas I) .
Atlantis [ăt lăn'tĭs] *(n.)* أطْلنْتِيس : جزيرة خرافية في المحيط الأطلسي ، غربي جبل طارق ، زعموا أنها غارت في أعماق المحيط .
atlas [ăt'ləs] *(n.)* (١) «أ» *cap.* : أطلس : جبار (أو نِصْف إله) أُجْبِر على حَمْل السماء على كتفيه . «ب» من يحمل عبئاً ثقيلا (٢) الأطلس : «أ» مُصَوَّر جغرافي ؛ مجموعة خرائط جغرافية مجلدة . «ب» مجموعة من لوائح أو صور أو رسوم بيانية الخ مجلّدة (٣) الفَهْقَة : فَقْرةُ العنق الأولى (ت) (٤) الأطلس : ضربٌ من النسيج الشرقي (٥) تمثال أو تمثال نصفيّ لرَجُل ، يُستَخدَم كعمود تدعيمي (عم) .
atman [ăt'mən] *(n.)* الأتمَن : (١) الروح ؛ النَّفْس (٢) الذات الكونية التي انبثقت منها جميع النفوس (في الديانةالهندوسية) .
atmometer *(n.)* المِبْخار : أداة لقياس نسبة التبخر .
atmo- بادئة معناها : بُخار (*atmo*sphere) .
atmosphere [ăt'məs fĭr'] *(n.)* (١) الجوّ ؛ الغلاف الجوّي : كتلة غازية تحيط بجرم سماوي (٢) الهواء (٣) الجَوّيّة : وحدة ضَغْط تعادل ضغط الهواء عند سطح البحر أو ١٤,٦٩ رطلا انكليزياً في الانش المربع (٤) جوّ (an ~ of freedom) . جوّي .
atmospheric ; -al *(adj.)*
atmospherics *(n. pl.)* (١) الظواهر الجويّة الكهربائية (التي تُحدث ضروب التشويش في جهاز الراديو اللاقط) (٢) الطُفيليّات الجوية : مختلف ضروب التشويش الناشئة عن الظواهر الجوية الكهربائية .

atoll

atoll [ăt'ŏl] *(n.)* الجزيرة المرجانية : جزيرة مرجانية حَلَقيّة الشكل تحيط بجسم مائي ضَحْل متصل بالبحر .
atom [ăt'əm] *(n.)* (١) ذرة أو مقدار بالغ الصِّغَر (٢) الذَّرّة : أصغر جزء في عنصر ما ، يصحّ أن يدخل في التفاعلات الكيمائية («فز» و «ك») (٣) الذرّة بوصفها مصدراً للطاقة
atom bomb *or* **atomic bomb** *(n.)* القنبلة الذرية .
atom-bomb *(vt.)* يقذف او يدمّر بقنبلة ذرية .
atomic [ə tŏm'ĭk] ; **-al** *(adj.)* (١) ذَرّيّ (٢) شديدُ الصِّغَر .
atomic age *(n.)* العصر الذرّي : العصر الذي استُخْدِمت فيه الطاقة الذرّيّة ، للمرة الأولى ، في حَقلَي الحرب والصناعة .
atomic cocktail *(n.)* الكوكتيل الذَّرّي : مادة ذات نشاط إشعاعي تُعطَى مع الماء ، من طريق الفم ، للمصابين بالسرطان .
atomic energy *(n.)* الطاقة الذرية .
atomicity *(n.)* (١) «أ» التكافؤ (ك) . «ب» الذَّرّية : عددُ الذرات في جُزَيْء عنصر ما (٢) الذَّرّيّة : كون الشيء مؤلّفاً من ذرات .
atomic mass *(n.)* الكتلة الذريّة (ك) .
atomic mass unit *(n.)* وحدة الكتلة الذريّة (ك) .
atomic number *(n.)* العدد الذَّرّي : عددٌ يُستخدم في وصف عنصر كيميائي ما وتبيان علاقته بالعناصر الأخرى (ك) .
atomic pile *(n.)* المُفاعِل الذَّرّي .
atomics [ə tŏm'ĭks] *(n.)* الذَّرّيات : فرع من الفيزياء النووية

ă at; ā date; â care; ä car; ĕ egg; ē me; ĭ in; ī bite; ŏ lot; ō bone; ô orphan; oi boil o͝o good; o͞o boot; ou out; ŭ under; ū unity; û urgent; th thing; t͟h this; zh vision; ə = *a* in alone, *e* in system, *i* in easily, *o* in gallop, *u* in circus.

يبحث في الطاقة الذرية والانشطار النووي الخ .

atomic theory *(n.)* النظرية الذرّية : النظرية القائلة بأن المادة كلها مؤلفة من ذرات (فف) .

atomic weight *(n.)* الوزن الذَّرّي: وَزْن ذرَّة من ذرات عنصر كيميائي (ك) .

atomism [ăt'ə mĭz'əm] *(n.)* المذهب الذَّرّي : مذهب يقول بأن الكون مؤلف من ذرّات (فف) . **—atomist** *(n.)*

atomistic *(adj.)* (١) «أ» ذرّي. «ب» خاص بالمذهب الذري (٢) «أ» مؤلف من عناصر بسيطة كثيرة . «ب» متنافر الأجزاء (an ~ society).

atomistics *(n.)* علم الذرَّة: علم يبحث في الذرَّة أو في استخدام الطاقة الذرية .

atomization *(n.)* (١) التَّرذيذ: التحويل إلى رذاذ. (٢) التَّذْرِية (مج): الفَصْل إلى ذرّات .

atomize [ăt'ə mīz'] *(vt.)* (١) يُرذِّذ : يحوِّل (سائلا) إلى رذاذ دقيق (٢) يُذَرّي : يَفْصِل إلى ذرّات .

atomizer [ăt'ə mī'zer] *(n.)* المِرذاذ : أداة لتحويل العطر (أومبيدات البكتيريا) إلى رذاذ.

atomizer

atom smasher *(n.)* محطِّم الذرَّة .

atomy *(n.)* ذرّة؛ شيء بالغ الصِّغر.

atone [ə tōn'] *(vi.; t.)* يعوِّض أو يكفِّر عن .

atonement [ə tōn'mənt] *(n.)* (١) «أ» تعويض أو تكفير عن. «ب» كفَّارة (٢) *cap.*: آلام المسيح وموته (تكفيراً عن خطايا البشر).

atonic [ə tŏn'ĭk] *(adj.; n.)* (١) واهن؛ ضعيف (٢) غير مشدَّد (an ~ syllable) § (٣) مقطع أو حرف غير مشدَّد (٤) حرف غير صوتيّ (٥) مسكِّن للاهتياج.

atony [ăt'ə nĭ] *(n.)* (١) وَهَن؛ ضَعف (ط) (٢) عدم تشديد النبرة (عند التلفظ بمقطع) .

atop [ə tŏp'] *(prep.)* في أعلى كذا (~ the house) .

-ator لاحقة معناها : الفاعل ؛ القائم بـ (arbitr*ator*) .

atrabilious [ăt'rə bĭl'yəs] *(adj.)* (١) كئيب (٢) رديء الطبع .

atrial *(adj.)* (١) رَدْهِيّ : خاص بالقاعة المركزية في منزل رومانيّ. (٢) أُذَيْنِيّ (ت) .

atrium [ā'trĭ əm] *(n.)* pl. **atria** *or* **atriums** (١) الرَّدْهة : القاعة المركزية في منزل روماني (٢) أُذَيْن القلب (ت) .

atrocious [ə trō'shəs] *(adj.)* (١) أثيم ؛ شرير جداً . (٢) وحشيّ (٣) سفّاح (٤) شنيع ؛ فظيع ؛ مروع (٥) «أ» كريه ؛ بغيض . «ب» رديء جداً .

atrocity [ə trŏs'ə tĭ] *(n.)* (١) وحشية ؛ شناعة ؛ فظاعة ؛ رداءة بالغة (٢) عمل شرّير أو وحشيّ أو فظيع أو رديء جداً.

atrophic *(adj.)* (١) ضُموريّ (٢) ضامر ؛ مهزول .

atrophied [ăt'rə fĭd] *(adj.)* ضامر ؛ مهزول .

atrophy [ăt'rə fĭ] *(n.; vi.; t.)* (١) الضُّمور (مج) : توقُّف النموّ من قلة التغذية أو عدم الاستعمال § (٢) يَضْمُر ×(٣) يصيب بالضمور .

atropine [ăt'rə pēn'; -pĭn] *or* **atropin** *(n.)* الأتروبين : مادة شبه قلوية سامة . بيضاء متبلّرة . تستخرج من حشيشة «ست الحسن» وتستخدم لتوسيع الحدقة وفي معالجة التشنّج .

atropism *(n.)* التسمّم الاتروبيني : التسمّم بالاتروبين (مض).

attach [ə tăch'] *(vt.; i.)* (١) يحجز أو يصادر (كوسيلة لوفاء الدَّين) (٢) يلتحق (بحزب أو حملة الخ .) (٣) يحبّ

يتعلّق بـ؛ يولع بـ (He was deeply ~*ed* to her.) (٤) يربط؛ يضمّ؛ يُرْفِق؛ يُلْصِق (٥) يُلْحِق بأمر رسمي (Major Ali has been ~*ed* to our regiment.) (٦) يعلّق (أهمية) على (I don't ~ any importance to that event.) ×(٧) «أ» يتصل بـ؛ يصاحب؛ يلازم (No honor ~*es* to this position.) «ب» يقع على (No blame ~*es* to him.).

attaché [ăt'ə shā'] *(n.)* مُلْحق (ثقافي الخ .) في سفارة .

attaché case *(n.)* حقيبة صغيرة (للأوراق والوثائق بخاصة) .

attachment [ə tăch'mənt] *(n.)* (١) حَجْز؛ مصادرة؛ وبخاصة : حجز ممتلكات المدعى عليه قبل استصدار الحكم ضده (ق) (٢) مودّة؛ صداقة (٣) أداة مُلْحَقَة بـ (~*s* to a reaping machine) (٤) رابط (٥) «أ» رَبْط . «ب» ارتباط .

attack [ə tăk'] *(vt.; i.; n.)* (١) يهاجم (٢) يتهجّم على؛ يحمل على (٣) يعتري ؛ يصيب (Fever ~*ed* her.) (٤) يشرع في عمل شيء أو دراسته (She ~*ed* her dinner at once; They next ~*ed* the problems of democracy.) ×(٥) يشنّ هجوماً § (٦) مهاجمة (٧) هجوم (٨) شروع في عمل (٩) الاستهلال : طريقة البدء في عمل (كالعزف على البيان أو كقذف الكرة في بعض الألعاب) (١٠) نوبةُ (قلبٍ أو كبِدٍ أو حمًّى الخ .) . **—attacker** *(n.)*

attain [ə tān'] *(vt.; i.)* (١) يحرز (٢) يحقّق (to ~ one's ends) (٣) يبلغ ؛ يصل إلى (to ~ a ripe old age).

attainable [ə tā'nə bəl] *(adj.)* ممكنٌ إحرازه أو تحقيقُه الخ .

attainder [ə tān'dər] *(n.)* (١) تجريد المرء من الحقوق المدنية (نتيجة للحكم عليه بالاعدام أو بالحرمان من حماية القانون) (٢) خِزي ؛ عار .

attainment [ə tān'-] *(n.)* (١) إحراز ؛ تحقيق ؛ بلوغ . (٢) المُحْرَز ؛ المَكْسَب : كل ما يحرزه المرء أو يكسبه من علم أو فن أو براعة (literary and scientific ~*s*) .

attaint [ə tānt'] *(vt.; n.)* (١) يجرّد امرءاً من الحقوق المدنية § (٢) attainder .

attainture [ə tān'chər] *(n.)* = attainder.

attar [ăt'ər] *(Ar.)* عِطْر ؛ وبخاصة : عطرُ الورد أو زيتُه .

attemper [ə tĕm'pər] *(vt.)* (١) يلطّف أو يخفّف بالمزج . (٢) يعدِّل الحرارةَ (٣) يسكّن ؛ يهدئ (٤) يكيِّف ؛ يلائم.

attempt [ə tĕmpt'] *(vt.; n.)* (١) يحاول (٢) يحاول الاعتداء على (to ~ a person's life) § (٣) محاولة (٤) محاولة اعتداء .

attend [ə tĕnd'] *(vt.; i.)* (١) يخدم ؛ يقوم على خدمة فلان (٢) يسهر (الطبيب) على صحة فلان (٣) يلازم ؛ يصاحب (a cold ~*ed* with fever) (٤) يشهد ؛ يَحضُر (to ~ a meeting) ×(٥) ينكبّ على (~ to your work) (٦) يصغي إلى (~ to the voice of my supplications.) (٧) يُعْنَى بـ ؛ يولي الأمرَ عنايته (I'll ~ to that.). محفوفٌ أو مكتَنَفٌ بالمصاعب ~*ed* with difficulties .

attendance [ə tĕn'dəns] *(n.)* (١) مص attend (٢) حاشية؛ بطانة (٣) «أ» النظارة؛ الحضور . «ب» عدد المجتمعين في مناسبة ما. medical ~ , عناية الطبيب ؛ الخدمات التي يقدّمها الطبيب إلى المريض .

attendant [ə tĕn'dənt] *(n.; adj.)* (١) المرافق ؛ الخادم . (٢) شيءٌ ملازمٌ أو مصاحب (٣) المشاهد ؛ الحاضر : من يشهد أو يحضر اجتماعاً الخ . § (٤) حاضِر (hearers)

(٥) ملازم ؛ مصاحب ؛ ناشىء عن (~ evils).

attention [-'shən] *(n.)* (١) انتباه (called his ~ to). (٢) عناية ؛ اهتمام (Your letter will receive early ~.) (٣) لطف ؛ كياسة (~ to a stranger) (٤) *pl.* : مجاملة أو ملاطفة . طمعاً في الفوز بقلب امرأة (to pay ~*s* to a lady). to come to (stand at) ~, يقف منتصباً ساكناً (جن).

attentive [ə tĕn'tĭv] *(adj.)* (١) يقيظ ؛ منتبه (٢) لطيف ؛ مجامل ؛ وبخاصة : ملاطف لامرأة طمعاً في الفوز بقلبها .

attentiveness *(n.)* (١) يقظة ؛ انتباه (٢) لطف ؛ مجاملة .

attentively *(adv.)* (١) بيقظة ؛ بانتباه (٢) بلطف ؛ بمجاملة .

attenuant [ə tĕn'yōō ənt] *(adj. ; n.)* (١) مرقِّق ؛ مخفِّف (لسائل ما) § (٢) دواء أو عامل مرقّق للدم الخ . (ط).

attenuate *(vt. ; i. ; adj.)* (١) يُنحِل ؛ يُهزِل (٢) يُوهِن ؛ يُضعِف ؛ يُخفِّض (٣) يرقّق ؛ يخفّف ؛ يجعله أقلّ كثافة × (٤) يَهْزُل . يضعُف ؛ يرقّ § (٥) موهون ؛ مضعوف ؛ مُرَقَّق (٦) مستدقّ تدريجياً (~ leaves) .

attenuated *(adj.)* موهون ؛ مضعوف ؛ مرقّق ؛ مُخفَّف .

attenuation *(n.)* (١) توهين ؛ ترقيق ؛ تخفيف (٢) وَهْنٌ الخ .

attest [ə tĕst'] *(vt. ; i.)* (١) يَشْهَد على (His works ~ his industry.) (٢) يصدّق على ؛ يعلن صحة أمر (The notary ~*ed* the signature.) (٣) يحلّف شخصاً اليمينَ .

—attester ; attestor *(n.)*

attestation *(n.)* (١) مص attest (٢) شهادة (٣) برهان؛ دليل.

attic [ăt'ĭk] *(n.)* العِلِّيَّة : موضع واقع تحت سطح المنزل مباشرة .

Attic [ăt'ĭk] *(adj. ; n.)* (١) «أ» اغريقي. «ب» أثينيّ (٢) بسيط ؛ صافٍ ؛ كلاسيكيّ (~ taste) § (٣) الاغريقي وبخاصة : الأثيني (٤) الاتيكيّة : لهجةُ أثينا القديمة ؛ اليونانية الفصحى .

Attic bird *(n.)* هزار؛ عندليب .

Attic faith إيمانٌ لا يتزعزع .

atticism [ăt'ə sĭz'əm] *(n.)* (١) الخاصيةُ الأتيكية : خاصية من خواص التعبير أو الأسلوب الأثيني (٢) تعبير محكمٌ أنيق .

attic order *(n.)* أعمدة مربّعة صغارٌ في أعلى المبنى (عم) .

Attic salt *or* **wit** *(n.)* ظرف ؛ دُعابة مهذّبة

attire [ə tīr'] *(vt. ; n.)* (١) يُلبس أو يكسو أو يزيّن (وبخاصة لمناسبة هامة) § (٢) ملابس ؛ وبخاصة : ملابس فاخرة أو مزخرفة (٣) قرنا الأيّل .

attitude [ăt'ə tūd'] *(n.)* (١) وَضْع جسمانيّ (٢) موقف.

attitudinize [ăt'ə tū'də nīz'] *(vi.)* يتكلّف وضعاً أو موقفاً .

attorn [ə tûrn'] *(vi.)* يرضى بأن يبقى مستأجراً الأرضَ نفسها بعد انتقال ملكيّتها إلى مالك جديد .

attorney [ə tûr'nĭ] *(n.)* (١) الوكيل (٢) المحامي . power, letter, *or* warrant of ~, تفويض شرعي ؛ وكالة رسمية .

attorney at law *(n.)* المحامي

attorney general *(n.)* النائب العام (ق) .

attract [ə trăkt'] *(vt. ; i.)* (١) يجذب (٢) يلفت (الانتباهَ) . (٣) يفتِن ؛ يخلب .

—attractable *(adj.)*

attraction [ə trăk'shən] *(n.)* (١) جَذْب (٢) فتنةٌ ؛ جاذبية . (٣) المَفْتَن : كل ما يفتِن أو يخلب اللب (the ~*s* of big cities) (٤) تجاذب (فز) .

attractive [-'tĭv] *(adj.)* جذّاب ؛ فاتن ؛ ساحر .

attractively *(adv.)* على نحوٍ جذّاب أو فاتنٍ أو ساحر .

attractiveness *(n.)* جاذبية ؛ سحرٌ ؛ فتنة .

attrahent [ăt'rə hənt] *(adj.)* جاذب ؛ جذّاب .

attributable *(adj.)* ممكنٌ عَزْوُه أو نسبتُه إلى .

attribute [*v.* ə trĭb'ūt; *n.* ăt'rə-] *(vt. ; n.)* (١) يعزو أو ينسب إلى § (٢) خاصيّة ؛ صفة مميزة (٣) رمز (٤) نعت ؛ صفة (ل).

attribution *(n.)* (١) عَزْو ؛ نسْبَة (٢) «أ» شيء مَعْزُوّ . «ب» صفة مَعْزُوّة .

attributive *(adj. ; n.)* (١) عَزْويّ (٢) وصفيّ . § (٣) نعت (ل) .

attributive adjective *(n.)* نعتٌ حقيقيّ (ل) .

attrited *(adj.)* بالٍ أو متآكِلٌ بالاحتكاك .

attrition [ə trĭsh'ən] *(n.)* (١) ندَم ناشىء عن خوف العقوبة (كث) (٢) «أ» احتكاك . «ب» البِلى بالاحتكاك ؛ تآكلٌ بالاحتكاك (٣) إنهاك (a war of ~) .

attune [ə tūn'] *(vt.)* (١) يدَوْزِن الأوتار (٢) يناغم أو يساوق .

atypical [ā tĭp'ə kəl] *(adj.)* شاذّ ؛ غير قياسيّ ؛ غير سَوِيّ .

aubade [ō bȧd'] *(F.)* (١) أغنية (أو قصيدة) ترحيب بالصباح (٢) موسيقى الصباح .

auburn [ô'bərn] *(adj. ; n.)* (١) أصْحَر : أسمر محمرّ § (٢) الصحرة : اسمرار محمرّ .

Aubusson [ō by sôn'] *(F.)* الأوبوسّون : ضربٌ من النسيج الغليظ المشغول باليد والممثّل لمشاهد طبيعية .

au contraire [ō kôn trĕr'] *(F.)* على العكس .

au courant [ō kōō rän'] *(F.)* حسن الاطّلاع ؛ مُطّلع على ماجريات الأمور .

auction [ôk'shən] *(n. ; vt.)* (١) مزاد علنيّ § (٢) يبيع بالمزاد العلني .

auction bridge *(n.)* ضرب من البريدج (من ألعاب الورق) .

auctioneer *(n. ; vt.)* (١) الدلاّل : البائع بالمزاد العلني . § (٢) يبيع بالمزاد العلني .

audacious [ô dā'shəs] *(adj.)* (١) مغامر ؛ جريء (٢) متهوِّر . (٣) وقح .

—audaciousness *(n.)*

audaciously *(adv.)* (١) بجراءة (٢) بتهوُّر (٣) بوقاحة أو قِحة .

audacity [ô dăs'ə tĭ] *(n.)* (١) جَراءة (٢) تهوّر (٣) وقاحة .

audibility *(n.)* المَسْمُوعية : كونُ الشيء مسموعاً أو ممكناً سَماعُه .

audible [ô'də bəl] *(adj.)* مسموع ؛ ممكنٌ سماعه بوضوح .

audience [ô'dĭ əns] *(n.)* (١) سماع ؛ استماع (٢) مقابلة رسمية (مع شخص ذي مقام رفيع) (٣) حرية الكلام أو الفرصة المتاحة للكلام أمام شخص أو جماعة (The committee will give him an ~ to hear his plan.) (٤) «أ» النظارة : جماعة المشاهدين . «ب» جمهور القراء أو المستمعين (٥) أتباع ؛ أنصار ؛ جمهور .

audience room *(n.)* قاعة المقابلات الخ . الرسمية .

audient [ô'dĭ ənt] *(adj.)* سامع ؛ مصغٍ .

audile [ô'dīl] *(adj. ; n.)* (١) سمعيّ § (٢) شخص تكون الصور السمعية واضحة في ذهنه أكثر من الصور البصرية (نف) .

audio [ô'dĭ ō'] *(adj. ; n.)* (١) سمعيّ § (٢) ارسال الصوت أو استقباله (٣) الجزء الخاص بالصوت من التجهيزات التلفزيونية .

audio- بادئة معناها : (١) سَمْع (*audio*meter) . (٢) سمعي و ... (*audio*-visual) .

audio frequency *(n.)* التردّد السمعيّ («فر» و «إلك») .

audiometer *(n.)* الِمسْماع : مقياس قوة السّمع أو مسموعية الأصوات .

audion *(n.)* الأوديون : الصّمام الترميوني (رد) .

audio-visual *(adj.)* سَمْعِيبَصَري ؛ سَمْعِيّ بَصَريّ : «أ» متعلق بالسمع والبصر معاً . «ب» مستخدِم كلا السمعِ والبصرِ في التعليم .

audiphone *(n.)* المِسْمَع : أداة لتوجيه الصوت إلى العصب السّمْعيّ بُغْيَةَ تمكين الصّمّ من السّماع .

audit [ô'dĭt] *(n. ; vt.)* (١) تدقيق أو فحص رسمي للحسابات التجارية (٢) بيان نهائي عن نتيجة هذا التدقيق § (٣) يدقّق (الحسابات) (٤) يَحْضر الدروس كمستمِع .

audition [ô dĭsh'ən] *(n.; vt. ; i.)* (١) القدرة على السمع أو حاسة السمع (٢) الاستماع ؛ وبخاصة بُغْيَةَ النقد أو التقييم (٣) تجربة الأداء : تجربة يُخْضَع لها المُغنّي أو الممثّل لتقدير مدى براعته في الأداء § (٤) يُخْضِع (مغنياً أو ممثلاً) لتجربة أداء × (٥) يقدّم (المغنّي أو الممثّل) تجربة أداء .

auditive [ô'də tĭv] *(adj.)* سَمْعيّ .

auditor [ô'də tər] *(n.)* (١) المستمع ؛ المصغي (٢) فاحص الحسابات (٣) طالب مستمع (في جامعة) .

auditorium [ô'də tōr'ĭ əm] *(n.)* (١) قاعة الاستماع (في كنيسة أو مسرح أو مدرسة الخ .) (٢) مبنى الاجتماعات العامة .

auditory [ô'də tōr'ĭ] *(adj. ; n.)* (١) سَمْعيّ § (٢) النظارة : جماعة المشاهدين او المستمعين (٣) auditorium .

auditory nerve *(n.)* العَصَب السمعي (ت) .

au fait [ō fā'] *(F.)* خبير ؛ بارع ؛ مُلِمّ بالوقائع .

Aufklärung [ouf'klĕ'rōōng] *(G.)*= enlightenment 2.

au fond [ō fôn'] *(F.)* جوهرياً ؛ من حيث الجوهر أو الأساس .

auf Wiedersehen [ouf vē'dər zā'ən] *(G.)* إلى اللقاء .

Augean [ô jē'ən] *(adj.)* قذر أو فاسد إلى أبعد حدّ .

auger [ô'gər] *(n.)* (١) مِثْقَب (النجار) . (٢) بَريمَةُ حفرٍ (للأرض) .

augers

aught [ôt] *(adv. ; n.)* (١) البتّة ؛ بأية حال . §(٢) صِفْر ؛ لا شيء .
for ~ I know (care) لَسْتُ أعرف (أو أبالي) البتة .

augite [ô'jīt] *(n.)* الأوجيت (مع) .

augment [*v.* ôg mĕnt' ; *n.* ôg'-] *(vi. ; t. ; n.)* (١) يزداد ×(٢) يزيد § (٣) زيادة (٤) بادئة صرفية *(a)* تُستخدم في اللغات الآرية القديمة للدلالة على الزمن الماضي (ل) .

augmentation [-tā'shən] *(n.)* (١) زيادة (٢) ازدياد .

augmentative *(adj. ; n.)* (١) «أ» قادر على الزيادة . «ب» قابل للازدياد (٢) مُعَزِّز قوّةَ كلمة (an ~ affix) (٣) معزِّز قوةَ فكرة (an ~ word) § (٤) عنصر أو لفظ مُعزِّز لقوة كلمة أو فكرة .

augmented [ôg mĕn'tĭd] *(adj.)* مَزِيد (مو) .

au gratin [ō grä'tən] *(F.)* مطهو أو مخبوز بجبن وكِسَر خبز .

augur [ô'gər] *(n. ; vt. ; i.)* (١) العَرّاف ؛ المُتنبّىء بالمغيَّب . §(٢) يتكهّن (٣) يكون دلالة على ×(٤) يتنبأ بالمستقبل .
to ~ ill يكون نذيراً بـ
to ~well يكون بشيراً بـ

augury [ô'gyə rĭ] *(n.)* (١) عِرافة ؛ كِهانة ؛ تنبّؤ (٢) دلالة (على المستقبل) : بشير ؛ نذير .

august [ô gŭst'] *(adj.)* مَهيب ؛ جليل .

August [ô'gəst] *(n.)* أغسطس ؛ آب : الشهر الثامن في التقويم الغريغوري .

Augustan [ô gŭs'tən] *(adj.)* أغسطسيّ : «أ» متعلق بأغسطس قيصر (أول امبراطور روماني) أو بعصره أو مميّز لهما . «ب» متعلق بالعهد الكلاسيكي المُحْدَث في انكلترة أو مميّز له .

Augustinian [ô'gə stĭn'ĭ ən] *(adj. ; n.)* (١) أغسطيني : متعلق بالقديس أغسطين (٣٥٤ — ٤٣٠ ب.م) أو بتعاليمه أو بأي من الرهبنات المنتسبة إليه § (٢) الأغسطيني : «أ» أحد أتباع القديس أغسطين . «ب» راهب أغسطينيّ .

au jus [ō zhy'] *(F.)* مقدَّم على المائدة مع العصارة المتحلّبة عند شيّه (~ meat) .

auk [ôk] *(n.)* الأَوْك : طائر قصير العنق والجناحين من طيور البحار الشمالية .

auk

auklet [ôk'lĭt] *(n.)* الأُوَيْك : أوْك صغير (ر. auk) .

au lait [ō lā'] *(F.)* بالحليب ؛ محتوٍ على حليب .

auld [ôld] *(adj. chiefly Scot.)* = old.

auld lang syne [ôld' lăng sīn'] *(Scot.)* (١) الأيام الخالية ؛ وبخاصة : الأيام ذات الذكريات العزيزة على قلب المرء (٢) صداقة قديمة أو طويلة .

au naturel [ō nȧ ty rĕl'] *(F.)* (١) على الطبيعة (٢) عارٍ (٣) مطهوّ مع قليل من التوابل .

aunt [ănt ; änt] *(n.)* (١) عمة أو خالة (٢) زوجة العم أو الخال .

auntie ; aunty *(n.)* (١) صيغة التحبّب من aunt . (٢) زنجية عجوز .

aur- or **auri-** بادئة معناها : أُذُن (*auri*scope) .

aura [ôr'ə] *(n.)* (١) شذا ؛ عبير (٢) هالة أو جوّ مميز (an ~ of sanctity) (٣) حركة الهواء عند نقطة مكهربة (كب) (٤) النَّسْمة : شعور بمثل تيار هواء بارد أو غيره يسبق نوبة من نوبات الصرع أو الهستيريا (مض) .

aural [ôr'əl] *(adj.)* أُذُنيّ ؛ سمعي : متعلق بالأذن أو بحاسة السمع .

aureate [ôr'ĭ ĭt] *(adj.)* (١) ذهبيّ اللون أو البريق (٢) طنان (بل) .

aureole [ôr'ĭ ōl'] or **aureola** [ô rē'ə lə] *(n.)* هالة .

aureomycin *(n.)* الاوريومايسين : عقّار مضاد للجراثيم .

au revoir [ō rə vwȧr'] *(F.)* إلى اللقاء .

auri- = aur-.

auric [ôr'ĭk] *(adj.)* ذهبيّ : متعلّق بالذهب أو محتوٍ عليه (ك) .

auricle [ôr'ə kəl] *(n.)* (١) الصِّوان (مج) : الجزء الخارجي الغضروفيّ من الأذن (ت) (٢) أُذَيْنُ القلب الأيمن أو الأيسر (ت) (٣) الأُذَيْنيّة : لاحقة شبيهة بالأذن («نب» و «ح») .

auricula [ô rĭk'yə lə] *(n.)* (١) الأُذَيْنِيّة : زهرة الربيع الأُذَيْنِيّة (نب) . (٢) auricle .

auricular [ô rĭk'yə lər] *(adj.)* (١) أُذُنيّ ؛ سَمْعيّ . (٢) سِرّيّ ؛ مهموس به (~ confession) (٣) أُذُنيّ الشكل (٤) أُذَيْنِيّ : ذو علاقة بأحد أُذَيْنَي القلب (ت) .

auriculate ; -d *(adj.)* (١) أُذَيْنِيّ : ذو لواحق أو نتوءات شبيهة بالأذن ؛ ذو نتوءات مستديرة عند القاعدة (an ~ leaf) (٢) أُذُنانيّ : شبيه بالأُذن .

auriferous *(adj.)* تِبْريّ : حامل ذهباً أو محتوٍ على ذهب .

Auriga *(n.)* ذو الأعنّة ؛ مُمْسك الأعنّة ؛ العَنّاز (فل) .

auriscope *(n.)* مِكشاف الأذن (مج) : منظارٌ لفحص الأذن .

aurist [ôr'ĭst] *(n.)* طبيب الآذان .

aurochs [ôr'ŏks] *(n.)* الأُرْخُص : ثور بريّ أوروبي شبه منقرض .

aurochs

aurora [ô rōr'ə] *(n.)* فجرٌ أو مَطْلَع .

—**auroral ; aurorean** *(adj.)*

aurora australis *(n.)* الشفق القطبي الجنوبي (أر) .

aurora borealis

aurora borealis *(n.)* الشفق القطبي الشمالي (أر) .

aurous *(adj.)* ذهبي : «أ» محتوٍ ذهباً . «ب» مشتقّ من الذهب .

aurum [ôr'əm] *(n.)* ذهب (ك) .

auscultate *(vt.; i.)* يتسمّع : يفحص الصدر بالتسمّع (ط) .

auscultation *(n.)* التَّسَمُّع (مج) : فحص الصدر بالتسمّع (ط) .

auspicate [ô'spə kāt'] *(vt.)* يُدشِّن .

auspice [ô'spĭs] *(n.)* (١) تكهّن ، وبخاصة بمراقبة طيران الطير . (٢) بشير بخير ، نذير بشرّ (والمعنى الأول أغلب) (٣) *pl.* : رعاية (under the ~*s* of the United Nations) .

auspicious [ô spĭsh'əs] *(adj.)* ميمون ، سعيد ، مبشّر بالنجاح .

austenite *(n.)* الأوستينيت (مع) .

austere [ô stĭr'] *(adj.)* (١) قاسٍ ، صارم (٢) قاتم ، كالح . (٣) متزمّت ، متقشّف (٤) بسيط جداً ، عارٍ عن كل زينة .

austerity [ô stĕr'ə tĭ] *(n.)* (١) قسوة ، صرامة ، قتام ، تزمّت ، بساطة بالغة (٢) عملٌ متّسِمٌ بالقسوة أو الصرامة أو التزمّت الخ (٣) تقشّف .

Austr- *or* **Austro-** بادئة معناها : (١) أستراليّ و ... (*Austro*-Malayan) (٢) نمساوي و ... (*Austro*-Hungarian).

austral [ô'strəl] *(adj.)* (١) جنوبيّ (٢) *cap.* : استراليّ .

Australian [ô strāl'yən] *(n. ; adj.)* (١) الأستراليّ : أحد أبناء أستراليا (٢) الأسترالية : إحدى لغات أستراليا الأصلية § (٣) أستراليّ.

Austrian *(n. ; adj.)* (١) النمساوي : أحد أبناء النمسا § (٢) نمساويّ .

Austro- = Austr-.

autacoid [ô'tə koid'] *(n.)* هرمون (فس) .

autarchy [ô'tär kĭ] *(n.)* (١) السيادة المطلقة (٢) الحكم المطلق ؛ حكومة الفرد (٣) **autarky** .

autarky [ô'tär kĭ] *(n.)* (١) الاكتفاء الذاتي (اد) (٢) سياسة وطنية تهدف إلى تحقيق الاكتفاء الذاتي .

authentic [ô thĕn'tĭk] *(adj.)* (١) موثوق به ، جدير بالتصديق (an ~ report) (٢) أصيل ، حقيقي (an ~ document) .

authenticate [ô thĕn'tə kāt'] *(vt.)* (١) يوثّق ، يجعله موثوقاً به ؛ يضفي عليه صفة شرعية (٢) يثبت أصالة شيء أو صحة نسبته إلى المؤلف أو الفنّان (to ~ a portrait) .

—**authenticated** *(adj.)* —**authentication** *(n.)*

authenticity *(n.)* (١) الموثوقية : كون الشيء موثوقاً به . (٢) أصالة ، صحة .

author [ô'thər] *(n.)* (١) المؤلِّف (٢) المُبدِع ، الموجِد ، الخالق .

authoress *(n.)* (١) المؤلِّفة (٢) المبدعة ، الموجِدة .

authoritarian [ə thôr'ə târ'ĭ ən] *(adj.; n.)* (١) فاشِستيّ : «أ» ذو علاقة بضرب من الحكم يُخضِع فيه الفرد وحقوقه إخضاعاً كاملا لمصلحة الدولة . «ب» مؤيّد لمبدإ إخضاع الفرد وحقوقه إخضاعاً كاملا لمصلحة الدولة § (٢) الفاشستيّ : المؤيّد لهذا المبدأ .

—**authoritarianism** *(n.)*

authoritative [ə thôr'ə tā'tĭv] *(adj.)* (١) رسميّ ؛ ذو سلطة أو صادر عن سلطة مختصة (~ orders) (٢) آمر ، جازم ، ديكتاتوريّ (spoke in ~ tones) (٣) موثوق ، جدير بالاعتماد والقبول (~ reports ; from an ~ source) .

authority [ə thôr'ə tĭ] *(n.)* (١) «أ» نصّ مستشهدٌ به . «ب» مُستنَد ، مَرجِع ، مصدر النص . «ج» سابقة ، قرار يُتَّخذ سابقة . «د» شهادة . «هـ» خبير ، ثقة (٢) «أ» سلطة . «ب» حقّ (٣) *pl.* عد : الحكومة ، السُّلطات (٤) سلطان ، اعتبار ، نفوذ يبعث الاحترام والثقة (٥) «أ» أساس . «ب» وزن ، قوة مقنعة .

authorization *(n.)* (١) تفويض (٢) ترخيص ، إجازة ، إقرار (٣) رخصة .

authorize [ô'thə rīz'] *(vt.)* (١) يُفوِّض ، يمدّ بسلطة (Parliament (٢) يرخّص ، يجيز (an ~*d* representative) (٣) يُقِرّ ~*d* the spending of more money on....) (customs ~*d* by time) .

authorized *(adj.)* (١) مُفوَّض ، مزوّد بسلطة (٢) مُجاز ، مرخَّصٌ به .

authorship [ô'thər shĭp'] *(n.)* (١) التأليف ، صناعة الكتابة . (٢) أصل الكتاب أو مؤلِّفُهُ الحقيقي (Nothing is known of the ~ of the Arabian Nights.) (٣) إيجاد ، إبداع ، خلْق.

autism *(n.)* التوحّد : الاسترسال في التخييل هرباً من الواقع (نف) .

auto [ô'tō] *(n.)* سيّارة .

auto- بادئة معناها : (١) ذاتيّ (*auto*suggestion) . (٢) ذاتيّ الحركة : أوتوماتيكيّ (*auto*truck) .

autobahn [ou'tō bän] *(G.)* طريقٌ ألمانيّة عريضة (لا حدّ لسرعة السيارات فيها) .

autobiographer *(n.)* المترجِم لنفسه ، الكاتبُ سيرتَهُ بقلمه .

autobiographic ; -al *(adj.)* سيريذاتي : متعلق بسيرة المرء الذاتية أي بقصة حياته مكتوبةٌ بقلمه .

autobiography *(n.)* السيرة الذاتية : قصة حياة الكاتب بقلمه .

autobus *(n.)* الأوتوبوس : سيارة كبيرة لنقل الركاب .

autocade [ô'tə kād'] *(n.)* موكب سيارات .

autocatalysis *(n.)* الحفز الذاتي (ك) .

autochthon [ô tŏk'thən] *(n.)* pl.**-s** *or* **-es** (١) أحد أبناء البلاد الأصليين (٢) أحد الحيوانات أو النباتات الأهلية في منطقة ما .

autochthonous [ô tŏk'-] *(adj.)* أصليّ ، أهليّ ، بلديّ .

autoclave [ô'tə klāv'] *(n.; vt.)* (١) المِحَمّ ؛ المِعقَام : وعاء معدني مُحكَم القفل يُستَخدَم للتعقيم بواسطة البخار المحمّي والضغط (٢) قِدْر للطبخ بالضغط § (٣) يعقّم أو يطبخ بإحدى هاتين الأداتين .

autocracy [ô tŏk'rə sĭ] *(n.)* الأوتوقراطية : «أ» حكومة الفرد المطلقة . «ب» حكم الفرد . «ج» جماعة أو دولة خاضعة لحكم فرد ذي سلطان مطلق .

autocrat [ô'tə krăt'] *(n.)* المستبدّ ، الحاكم المطلق .

autocratic ; -al *(adj.)* أوتوقراطي ، استبداديّ ، مطلق .

auto-da-fé [ô tō də fā'] *(n.)* فعل الإيمان : الاحتفال الذي يرافق إصدار الحكم بالموت من قبَل محكمة من محاكم

ă at; ā date; â care; ä car; ĕ egg; ē me; ĭ in; ī bite; ŏ lot; ō bone; ô orphan; oi boil oo good; ōō boot; ou out; ŭ under; ū unity; û urgent; th thing; t͟h this; zh vision; ə = *a* in alone, *e* in system, *i* in easily, *o* in gallop, *u* in circus.

التفتيش على امرىء متهم بالهرطقة والذي يُتْبَع بتنفيذ الحكم من جانب السلطات الزمنية . وتوسعاً : إحراق المُهَرْطق .

autodyne *(n.; adj.)* (١) الفعل الذاتي (رد) § (٢) أوتوداينيّ ، ذاتيّ الفعل

autoerotism [ô'tō ĕr'ə-] *(n.)* (١) الإهاجة الذاتية : إشباع الشهوة الجنسية من طريق لمس المرء أعضاءه التناسلية دون أيما استثارة خارجية (٢) التهييج الذاتي : تهييج جنسي ينشأ من غير مثير خارجيّ ظاهر أو معروف .

—autoerotic *(adj.)*

autogamic; autogamous *(adj.)* ذاتيّ الإخصاب («نب» و«ح») .

autogamy [ô tŏg'ə mĭ] *(n.)* الإخصاب الذاتيّ («نب» و «ح») .

autogenesis *or* **autogeny** *(n.)* التولّد الذاتيّ (أح) .

autogenetic *(adj.)* (١) متولّد ذاتياً (أح) (٢) تولّديذاتيّ : متعلق بالتولّد الذاتي (أح) .

autogenous *(adj.)* (١) ذاتيّ التولّد (٢) ناشىء ضمن الفَرْد نفسه ؛ وبخاصة : مُسْتَمَدّ من المريض نفسه (an ~ vaccine) .

autogiro *also* **autogyro** [ô'tə jī'rō] *(n.)* الأوتوجيرو : ضرب قديم من طائرات الهليكوبتر .

autograph [ô'tə grăf' ; -gräf'] *(n. ; vt.)* (١) مخطوطة أصلية (مكتوبة بخط المؤلف) (٢) توقيع المرء أو إمضاؤه § (٣) يكتب بخط يده (٤) يوقّع في أو على .

autohypnosis *(n.)* التنويم المغنطيسي الذاتي : تنويم مغنطيسي مُحْدَثٌ تلقائياً .

autoimmunity *(n.)* المناعة الذاتية .

autoinfection [ô'tō ĭn fĕk'-] *(n.)* الخَمَج الذاتيّ (ط) .

autoinoculation [ô'tō ĭn ŏk'yə lā'-] *(n.)* التلقيح الذاتيّ .

autointoxication [ô'tō ĭn-] *(n.)* التسمم الذاتيّ (ط) .

autoloading *(adj.)* نصف أوتوماتيكيّ (~ firearms) .

autologous *(adj.)* مستمدّ من الفرد نفسه .

autolysin *(n.)* المحلّل الذاتي : مادة تُحْدِث الانحلال الذاتي (كح) .

autolysis *(n.)* الانحلال الذاتيّ ، الانهضام الذاتي (كح) .

automat [ô'tə măt] *(n.)* المطعم الآليّ : مطعم يستخدم أجهزة أوتوماتيكية لتقديم الطعام إلى الزبائن بمجرد وضعهم القطع النقدية المطلوبة في ثقب .

automata [ô tŏm'ə tə] *pl. of* automaton.

automate *(vt.)* (١) يُشغّل أوتوماتيكياً (٢) يُؤَتْمِت : يجعله أوتوماتيكياً .

automatic [ô'tə măt'ĭk] *(adj.; n.)* (١) أوتوماتيكيّ ، آليّ ، ذاتي الحركة § (٢) آلة أوتوماتيكية ، وبخاصة : سلاح ناري أوتوماتيكي .

automaticity *(n.)* الأوتوماتيكية : كون الشيء أوتوماتيكياً .

automatic pilot *(n.)* الرُّبّان الأوتوماتيكي : أداة لتسيير الطائرات والسفن أوتوماتيكياً .

automation *(n.)* الأتْمَتة : «أ» تقنية يُستطاع بها جَعْل عملية ما أوتوماتيكيةً أو تشغيل جهاز ما أوتوماتيكياً . «ب» كون الجهاز مُشْغَلاً أوتوماتيكياً . «ج» إدارة الأجهزة بالوسائل الميكانيكية أو الالكترونية التي تحل محلّ حواس الملاحظة عند الانسان وتوفّر عليه عناء التقرير وبَذْل الجهد .

automatism *(n.)* (١) الذاحَرَكية : كون الشيء أوتوماتيكياً أو ذاتيّ الحركة (٢) عمل أوتوماتيكيّ أو لاإراديّ (٣) المذهب الأوتوماتيكي : القول بأن جميع نشاطات الحيوان والانسان تتحكم بها أسبابٌ فسيولوجية (فف) (٤) العمل العضلي اللاإرادي (فس) (٥) العمل اللاإرادي ، كالسير أثناء النوم الخ . (نف) (٦) التلقائية الفنيّة : اجتناب التفكير الواعي بغية إتاحة المجال للفكرات والمشاعر اللاواعية والمكبوتة للتعبير عن نفسها فنياً (فج) .

automatization *(n.)* = automation.

automatize *(vt.)* يُؤَتْمِت : يجعله أوتوماتيكياً أو ذاتيّ الحركة .

automaton [ô tŏm'ə-] *(n.)* pl. **-s** *or* **-ta** (١) إنسان أوتوماتيكي (٢) آلة ذاتية الحركة (٣) شخص يعمل بطريقة روتينية أو آلية .

automobile *(adj. ; n.)* (١) ذاتيّ الحركة § (٢) سيّارة .

automotive [ô'tə mō'tĭv] *(adj.)* (١) ذاتيّ الحركة أو الدفع . (٢) سيّاراتيّ : متعلق بتصميم السيارات أو صنعها أو بَيْعها أو إعمالها .

autonomic *(adj.)* (١) مستقل : متمتع بالحكم الذاتي (٢) لاإرادي («فس» و«ت») (٣) تلقائي : ناشىء عن أسباب أو عوامل داخلية (نب).

autonomist *(n.)* الاستقلاليّ : المنادي بالحكم الذاتيّ .

autonomous [ô tŏn'ə-] *(adj.)* (١) «أ» استقلاليّ . «ب» مستقل ؛ متمتع بالحكم الذاتي (٢) مستقلّ بذاته (أح) (٣) تلقائي (نب) .

autonomy [ô tŏn'ə mĭ] *(n.)* الاستقلال ، الحكم الذاتيّ .

autoplasty *(n.)* الجراحة التعويضية الذاتية : الجراحة الترقيعية بواسطة أنسجة مأخوذة من الجسم ذاته .

—autoplastic *(adj.)*

autopsy [ô'tŏp sĭ] *(n. ; vt.)* (١) تشريح الجثة (لتحديد سبب الوفاة) § (٢) يشرِّح الجثّة .

autoradiograph; autoradiogram *(n.)* صورة إشعاعية ذاتية.

autoradiography *(n.)* التصوير الاشعاعيّ الذاتيّ .

autostop *(n.)* الاستيقاف ، الاستركاب ، نداء السيارات .

autosuggestion *(n.)* الايحاء الذاتي (نف) .

autotransformer *(n.)* المحوِّل الذاتيّ (كب) .

autotroph *(n.)* مُتَغَذٍّ ذاتيّ التغذية .

autotrophic *(adj.)* ذاتيّ التغذية : مُغْتَذٍ نفسَه بنفسه (نب) .

autotruck [ô'tō trŭk'] *(n.)* شاحنة ، سيارة شحن .

autoxidation *(n.)* التأكسد الذاتيّ (ك) .

autumn [ô'təm] *(n. ; adj.)* (١) فصل الخريف (٢) الكهولة ، خريف العمر § (٣) خريفيّ (~ fruits) .

autumnal [ô tŭm'nəl] *(adj.)* خريفيّ .

autumnal equinox ; autumnal point *(n.)* الاعتدال الخريفيّ ، نقطة الاعتدال الخريفيّ (فل) .

autunite [ô'tə nīt] *(n.)* الأوتونيت : معدن أصفر إشعاعيّ النشاط .

auxiliary [ôg zĭl'yə rĭ ; -zĭl'ə-] *(adj. ; n.)* (١) مساعد (an ~ verb) (٢) إضافيّ (~ troops) (٣) احتياطيّ (an ~ engine) § (٤) المساعد ؛ شخص أو شيء مساعد (٥) فعلٌ مساعد (ل) (٦) *pl.* : قوّات أجنبية في خدمة دولة محاربة (٧) سفينة إضافية .

auxiliary circle *(n.)* الدائرة المساعدة (ر) .

auxiliary verb *(n.)* الفعل المساعد (ل) .

auxin [ôk'sĭn] *(n.)* الأكسين : مادة عضوية تعدّل أو تنظم نموّ النباتات وبخاصة تكوّن الجذور الخ . وتوسعاً : هرمون نباتي (نب).

avail [ə vāl'] *(vi. ; t. ; n.)* (١) يفيد ؛ ينفع § (٢) فائدة ؛ نفع .

of no ~, غير مفيد ؛ غير نافع .

to ~ oneself of يفيد من ؛ يستفيد من .

to no ~ ; without ~, على غير طائل .

availability *(n.)* (١) مُسْتَفادية (٢) مُتاحية ؛ تيسّر ؛ وجود . (٣) أملٌ بالنجاح في الانتخابات (٤) شيء مُتاح أو متيسّر .

available [ə vā'lə-] *(adj.)* (١) قانونيّ (an ~ plea) (٢) مُسْتَفاد ، مُنتفَع به (٣) متاح ؛ متيسّر ؛

موجود ؛ في المتناوَل (٤) ذو أمل بالنجاح في الانتخابات لاعتبارات غير اعتبارات الكفاءة والأهلية .

avalanche [ăv'ə lănch'; -länch'] (*n.*; *vi.*; *t.*) (١) التيْهور : كتلة ضخمة من ثلج أو جليد أو صخر الخ . تنهار بسرعة على جانب جبل (٢) كل ما يُشبه التيْهور من حيث المفاجأة والقدرة على إيقاع الأذى (an ~ of misfortunes) § (٣) ينهار مثل تيْهور ×(٤) يغمر .

avalanche

avant-garde [ȧ vän gärd'] (*F.*) (١) الروّاد : الطليعيون ، وبخاصة في الفن ، الذين يبتدعون أو يطبّقون فكرات أو أساليب جديدة أو أصيلة (٢) جماعة من المتطرفين في أيّ حقل .

avarice [ăv'ə rĭs] (*n.*) حبّ اكتساب المال واختزانه : جَشَعٌ ؛ بخل .

avaricious [ăv'ə rĭsh'əs] (*adj.*) محبٌ لاكتساب المال واختزانه : جَشِع ؛ بخيل .

avast [ə văst'] (*interj.*) قف ! كُفّ عن ! إبقَ ! (مل) .

avatar [ăv'ə tär'] (*n.*) (١) تجسّد الآلهة (في الفلسفة الهندوسية) . (٢) تجسّد فكرة أو فلسفة في شخص معيّن .

avaunt [ə vônt'] (*interj.*) إذهبْ ! أُغرُبْ ! إنصرف ! (ا.ق) .

ave [ä'vĭ ; ä'vā] (*interj.*; *n.*) (١) سلاماً ، السلام عليك (٢) وداعاً . § (٣) *cap.* عد : السلام المريمي (را . Ave Maria) .

Ave Maria *also* **Ave Mary** (*n.*) السّلام المريميّ : تحية جبريل للعذراء (ليكن سلامٌ لكِ يا مريم الخ .) .

avenaceous [ăv'ə nā'shəs] (*adj.*) شوفانيّ : متعلّق بالشوفان .

avenge [ə vĕnj'] (*vt.*; *i.*) (١) ينتقم لـ ؛ يثأر لـ . ×(٢) ينتقم ؛ يثأر .

avenger (*n.*) المنتقم ؛ المُثئِر ، الآخذ بالثأر .

avens [ăv'ĭnz] (*n.*) حشيشة المُبارك : عشب من الفصيلة الوردية ذو زهر أبيض أو أرجواني أو أصفر (نب) .

aventail (*n.*) الجزء الأمامي المتحرك من الخوذة .

aventurine [ə vĕn'chə rĭn] (*n.*) الأفنتورين : «أ» ضرب من المرو أو الكوارتز مرقّش بنُكَتٍ لامعة من المَيْكة وغيرها . «ب» زجاج أسمر غير شفاف محتوٍ على نُكَتٍ ذهبية اللون .

avenue [ăv'ə nū ; -nōō'] (*n.*) (١) سبيل ؛ وسيلة إلى (Hard work is the best ~ to success.) (٢) طريق مشجّر ؛ وبخاصة : طريق مُفضية إلى بيت ريفيّ كبير واقع على مبعدة من الطريق العامة (٣) الجادّة : شارع عريض حسَن المنظر .

aver [ə vûr'] (*vt.*) (١) يُثْبت (ق) (٢) يؤكد ؛ يجزم .

average [ăv'ər ĭj; ăv'rĭj] (*n.*; *adj.*; *vi.*; *t.*) (١) المعدَّل ؛ المتوسط § (٢) متوسّط (The ~ age of the boys in our class is fourteen.) (٣) عاديّ (~ intelligence) § (٤) يبلغ مُعدَّلُهُ (The gain ~*d* out to 15%.) ×(٥) يعمل بمعدَّل كذا (My father ~*s* eight hours' work a day.) (٦) يوجد المعدَّل (If you ~ 12, 13, and 11 you get 12.) (٧) يقسم (بين عدد من الأشخاص) على نحو متناسب (They ~*d* their gains according to what each had put in.)

averment (*n.*) (١) إثبات (ق) (٢) تأكيد ؛ جزم (٣) توكيد .

Avernus [ə vûr'nəs] (*n.*) جهنّم ؛ الجحيم .

averse [ə vûrs'] (*adj.*) (١) كارِهٌ أو مُبغِضٌ لِـ ؛ نَفورٌ من . (٢) مبتعد عن الجذع (ضدّ *adverse*) .

—**aversely** (*adv.*) —**averseness** (*n.*)

aversion [ə vûr'zhən] (*n.*) مقت ؛ كُره ؛ بغض شديد .

avert [ə vûrt'] (*vt.*) (١) يُحوّل بَصَرَه عن (٢) يتجنب ؛ يتفادى .

Aves [ā'vēz] (*n. pl.*) الطيور (مج) .

Avesta [ə vĕs'tə] (*n.*) الأفستا : كتاب الزّرادشتيين المقدس .

avgas (*n.*) [*aviation gasoline*] بنزين الطائرات .

avian [ā'vĭ ən] (*adj.*) طَيْريّ : ذو علاقة بالطيور .

aviarist (*n.*) المَطْيَريّ : صاحبُ المَطْيَر (را . المادة التالية) .

aviary [ā'vĭ ĕr ĭ] (*n.*) المَطْيَر : قفص كبير لحفظ الطيور .

aviate [ā'vĭ āt ; ăv'-] (*vi.*) يطير بطائرة الخ .

aviation [ā'vĭ ā'- ; ăv'ĭ-] (*n.*) (١) الطّيَران ؛ الملاحة الجوية . (٢) الطائرات الحربية (٣) صناعة الطائرات .

aviator [ā'vĭ ā'tər ; ăv'-] (*n.*) الطيّار ؛ الملاّح الجوي .

aviatrix *also* **aviatress** (*n.*) الطيّارة : امرأة تقود طائرةً .

aviculture [ā'vĭ kŭl'chər] (*n.*) تربية الطيور .

aviculturist (*n.*) مُربّي الطيور .

avid [ăv'ĭd] (*adj.*) (١) طمّاع ؛ شَرِه ؛ شديد التوق إلى . (٢) حادّ ؛ شديد (~ hunger) .

avidin (*n.*) الأفيدين : بروتين في الآح أو بياض البيضة .

avidness (*n.*) طمع ؛ جشع ؛ شره الخ .

avidity [ə vĭd'ə tĭ] (*n.*) طمع ؛ جَشَع ؛ شَرَه الخ .

avifauna [ā'və fô'nə] (*n.*) طيور منطقة ما أو فترة ما .

avigation [ăv'ə gā'shən] (*n.*) الملاحة الجوية .

avion [ȧ vyôn'] (*F.*) الطائرة .

avionic (*adj.*) متعلق بألكترونيات الطيران (را . المادة التالية) .

avionics (*n.*) الكترونيات الطيران : «أ» تطوير وإنتاج الأدوات الكهربائية والالكترونية لاستخدامها في الطيران وما إليه . «ب» هذه الأدوات الكهربائية والالكترونية نفسُها .

avitaminosis (*n.*) داء ناشىء عن نقص الفيتامينات .

avocado [ăv'ə kä'dō] (*n.*) الأفوكاتة ؛ شجرة المحامي : نبات أميركي استوائي مثمر من فصيلة الغاريّات ذو ثمر شبيه بالإجاص (نب) .

avocado

avocation [ăv'ə kā'shən] (*n.*) (١) هواية (٢) مهنة .

avocet [ăv'ə sĕt] (*n.*) النّكّات : طائر مائي طويل الساقين ذو منقار نحيل طويل ملتوٍ عند طرفه إلى أعلى .

avocet

avoid [ə void'] (*vt.*) (١) يُبْطِل ؛ يلغي (ق) (٢) يتجنّب ؛ يتفادى .

avoidable (*adj.*) ممكنٌ إبطاله أو اجتنابُه أو تفاديه .

avoidance (*n.*) (١) إبطال ؛ إلغاء (ق) (٢) اجتناب ؛ تفادٍ .

avoirdupois [ăv'ər də poiz'] (*n.*) (١) ثُقْل افواردوبْوا (را . المادة التالية) (٢) وزن ؛ ثِقَل .

avoirdupois weight (*n.*) ثُقْل أفواردوبْوا : نظامٌ من الموازين يستخدم في بريطانية وأميركا لوزن جميع السّلع ما عدا الأدوية والمعادن الثمينة والحجارة الكريمة ، وهو يعتبر الرطل مؤلفاً من ١٦ أونسة .

à votre santé [ȧ vô'tr sän tē'] (*F.*) على صحتك (تقال عند شرب الأنخاب) .

avouch [ə vouch'] (*vt.*) (١) يؤكّد ؛ يجزم (٢) يضمن ؛ يكفل . (٣) «أ» يعترف (بشخص أو شيء) . «ب» يُقرّ .

avow [ə vou'] *(vt.)* (١) يقرّ ؛ يعترف بـ
(٢) يجاهر بـ (to ~ oneself to be a Moslem) .
—**avower** *(n.)*

avowal [ə vou'əl] *(n.)* (١) إقرار ؛ اعتراف (٢) مجاهرةٌ بـ .

avowed [ə voud'] *(adj.)* معلَن ؛ مصرح أو معترَف به (an ~ enemy) .
—**avowedly** *(adv.)*

avulsion [ə vŭl'shən] *(n.)* (١) «أ» فصل ؛ نزع ؛ تمزيق . «ب» الجزء المفصول الخ . (٢) «أ» انفصال مفاجىء لأرضٍ ما عن ممتلكات شخصٍ وانضمامها إلى أرض شخصٍ آخر نتيجةً لتغير مفاجىء في مجرى نهر الخ . (ق) . «ب» الأرض المنفصلة على هذا النحو والباقية ملكاً لصاحبها الأول .

avuncular *(adj.)* عمّيّ ؛ خاليّ : منسوب إلى العمّ أو الخال (~ affection) .

await [ə wāt'] *(vt. ; i.)* (١) ينتظر ؛ يتوقع ؛ يترقب (٢) ينتظره كذا ، يكون مهيّئاً أو معدّاً له كذا (A surprise ~s him.) .

awake [ə wāk'] *(vi. ; t. ; adj.)* (١) يستيقظ (٢) ينتهض (٣) يعي ؛ يدرك (awoke to the danger) × (٤) يوقظ (٥) يُنهض § (٦) يقظان (٧) متنبه ؛ يقظ .

awaken [ə wā'kən] *(vt. ; i.)* (١) يوقظ ؛ ينبه × (٢) يستيقظ .

awakening *(n. ; adj.)* (١) إيقاظ (٢) يقظة (٣) نهضة § (٤) مستيقظ (the ~ city) (٥) موقِظ الخ . (an ~ discourse)

award [ə wôrd'] *(vt. ; n.)* (١) يعطي (بحكم قضائي الخ .) (٢) يمنح (to ~ prizes) § (٣) حُكْم (صادرٌ عن قاضٍ أو هيئة محكّمين) (٤) جائزة (٥) مكافأة .

aware [ə wâr'] *(adj.)* واعٍ ؛ مدركٌ ؛ مطّلعٌ على .

awash [ə wŏsh'] *(adj.)* (١) مغسول بالأمواج : تتلاطم الأمواج فوقه لعدم ارتفاعه عن مستواها (rocks ~ at high tide) (٢) متقاذَف : تتقاذفه الأمواج (٣) مغمورٌ بالماء .

away [ə wā'] *(adv. ; adj.)* (١) بعيداً (~ from the fire) (٢) جانباً ؛ باتجاه آخر (Turn your eyes ~.) (٣) على أرض الخصم (Is our next basketball match at home or ~ ?) (٤) باستمرار ؛ بغير انقطاع (to work ~) (٥) من غير تردد (to fire ~) § (٦) غائب (She is ~ from home.) (٧) بعيدٌ (65 miles ~) (٨) جارٍ على أرض الخصم (It's an ~ match.) .
~ with you! أُغرُب ! إذهبْ عني !
cannot ~ with لا يطيق ، لا يحتمل .

awe [ô] *(n. ; vt.)* (١) رُعب (ا.م) (٢) روْع ؛ خشية ؛ رهبة من الله أو تجاه شيء مقدّس أو جليل أو مكتنَف بالأسرار § (٣) يروِّع (The majesty of the temple ~d us.) .

aweary *(adj.)* مرهَق ؛ مجهَد ؛ متعَب (بلغة الشعر) .

aweather [ə wĕth'ər] *(adv.)* نحو الريح (مل) .

aweless [ô'lĭs] *(adj.)* = awless.

awesome [ô'səm] *(adj.)* (١) مرعِب (٢) موقِع في النفس روْعاً أو رهبة .

awestricken ; awestruck *(adj.)* ممتلىء رعباً أو روْعاً أو رهبةً .

awful [ô'fəl] *(adj.)* (١) مُرعِب أو مُوقع في النفس رهبةً أو خشية (٢) «أ» مروع ؛ خائف (ا.م) . «ب» ممتلىء رهبةً أو خشيةً (٣) شنيع ؛ بغيض أو رديء جداً (~ manners) (٤) ضخم ؛ هائل ؛ مفرِط (an ~ nuisance) .

awfully *(adv.)* (١) على نحوٍ مُرْعِب أو مُوقع في النفس رهبةً أو خشية (٢) على نحوٍ شنيع أو بغيض أو رديء جداً (٣) إلى أبعد حدّ (~ cold) .

awhile [ə hwīl'] *(adv.)* لحظة ؛ هنيهة ؛ فترة قصيرة .

awkward [ôk'wərd] *(adj.)* (١) أخرق : «أ» غير بارع أو لبق ؛ وبخاصة في استعمال اليدين أو الأدوات . «ب» تعوزه الرشاقة في الحركة أو التعبير . «ج» غير قابل للاستعمال على نحوٍ مريح أو وافٍ بالغرض (~ tools) . «د» بشع ؛ سمج ؛ يعوزه التناسب (an ~ shape) (٢) غير ملائم أو مناسب (an ~ time) (٣) مُربِك ؛ حَرِج (an ~ predicament) (٤) خطِر ؛ متطلّب شيئاً من الحذر (There's an ~ step there.) (٥) صعب المراس (an ~ customer) .
an ~ customer شخص أو حيوان صعب المراس (ع) .

awkwardly *(adv.)* على نحوٍ أخرق أو سمج أو مربك أو غير ملائم الخ .

awl [ôl] *(n.)* مِخرَز ؛ مثقاب (للجلد أو الخشب) .

awless [ô'lĭs] *(adj.)* غير هيّاب ؛ غير وجِل .

awl-shaped *(adj.)* مِخرَزيّ الشكل .

awn [ôn] *(n.)* الحَسَكة : حسكة السنبلة أو نحوها (نب) .

awned *(adj.)* محسَّك : ذو حسكة كحسكة السنبلة أو نحوها .

awning [ô'nĭng] *(n.)* الظُلّة : ما يُظلِّل النافذة الخ . من الشمس .

awning

awnless *(adj.)* لا محسَّك : بلا حسكةٍ كحسكة السنبلة أو نحوها .

awoke *past and past part. of* **awake** .

awry [ə rī'] *(adj. ; adv.)* (١) منحرف ؛ موروب § (٢) بانحراف الخ .
Our plans have gone ~, أخفقت خططنا .

ax *or* **axe** [ăks] *(n. ; vt.)* (١) فأس (٢) صَرْف من الخدمة (He got the ~.) § (٣) يقطع أو يفلق الخ . بفأس (٤) يزيل أو يقتل (وكأنّما يفعل ذلك بفأس) (٥) يخفِّض (النفقات الخ .)
to have an ~ to grind يكون لديه هدف شخصي يسعى إلى تحقيقه أو يحمله على الاهتمام بأمر .

axes of coordinates محاور الاحداثيات (ر) .

axial [ăk'sĭ əl] *or* **axal** *(adj.)* مِحْوَريّ : «أ» ذو علاقة بالمحور . «ب» مشكّل محوراً . «ج» واقعٌ عند المحور .

axil [ăk'sĭl] *(n.)* إبط النبات : الزاوية التي بين غصن (أو ورقة) وبين الساق التي انبثق منها (نب) .

axil

axile [ăk'sĭl ; -sīl] *(adj.)* = **axial.**

axilla [ăk sĭl'ə] *(n.)* pl. **-e** *or* **-s** (١) إبط (ت) (٢) إبط الطائر (٣) **axil** .

axillar *(n.)* ريشة الإبط : ريشة نابتة من إبط الطائر .

axillary [ăk'sə lĕr'ĭ] *(adj. ; n.)* (١) إبطيّ : «أ» ذو علاقة بالإبط (ت) . «ب» واقعٌ عند إبط النبات أو نامٍ منه (نب) § (٢) **axillar** .

axiology *(n.)* عِلم القِيَم (ويشمل الأخلاق والدين وعلم الجمال) .

axiom [ăk'sĭ əm] *(n.)* (١) حقيقة مقرّرة (٢) بديهية (مج) .

axiomatic ; -al *(adj.)* بَدهيّ ؛ بديهيّ .

axis [ăk'-] *(n.)* (١) مِحوَر (٢) حِلف (٣) فقرة العنق الثانية .
~ **of symmetry** محور التماثل (هن) .

axle [ăk'səl] *(n.)* الجُزْع (مج) : محور العجلة أو الدولاب (ملك) .

axletree *(n.)* مِحور العربة : قضيب يربط بين عَجَلَتَيْ عربة .

axman [ăks'mən] *(n.)* الحطّاب .

Axminster *(n.)* الأكْسْمِنِسْتَر : ضرب من السجاد يُحاك آلياً .

axolotl

axolotl [ăk'sə lŏt'əl] *(n.)* سَمَنْدَر أو سَمَنْدَل المكسيك (ح) .

axon *also* **axone** *(n.)* المِحوار : مِحور عصبيّ (ت) .

axonal *or* **axonic** *(adj.)* مِحْوارِي : ذو علاقة بمحور عصبيّ (ت) .

axseed *(n.)* الأُكَيْلِيل ؛ القورونيلّة : عشبٌ قرنفلي الزهر (نب) .

ay ; aye [ā] *(adv.)* دائماً ؛ إلى الأبد (for ~) .

ay , aye [ī] *(adv. ; n.)* (١) نعم § (٢) الموافق ؛ المؤيّد (The *ayes* were in the majority.) .

aye-aye

aye-aye [ī'ī'] *(n.)* الأَيْآي : ضرب من قِرَدة مدغسقر بحجم الهر تقريباً .

az- = azo- .

azalea [ə zāl'yə] *(n.)* الأزالِيَة ؛ الصحراوية (نب).

azedarach [ə zĕd'ə răk'] *(n.)* الأَزادَرَخْت (نب) .

azimuth [ăz'ə məth] *(Ar.)* السَّمْت ؛ زاوية السَّمت (فل) .

azimuthal equidistant projection *(n.)* الإسقاط السَّمْتِيّ المتساوي الأبعاد .

azo- بادئة معناها : نيتروجين (*azo*temia) .

azoic [ə zō'ĭk] *(adj.)* (١) عديم الحياة (٢) ذو علاقة بدهر اللاحياة (جي) .

Azoic Era *(n.)* دَهْر اللاحياة (جي) .

azote [ăz'ōt ; ə zōt'] *(n.)* الآزوت ؛ النيتروجين (ك) .

azotemia *(n.)* تَنَتْرُج الدم : فَرْط الأجسام النيتروجينية في الدم نتيجة لخللٍ في الكُلْيَة (ط) .

azoth [ăz'ŏth] *(n.)* زئبق (عند أصحاب الكيمياء القديمة) .

azotic [ə zŏt'ĭk] *(adj.)* آزوتيّ ؛ نيتروجينيّ (ك) .

azotize *(vt.)* يؤزِّت ؛ يُنَتْرِج : يمزج بالآزوت أو النيتروجين (ك) .

azoturia *(n.)* البِيلة الآزوتية : فَرْط البِيلة أو غيرها من المواد النيتروجينية في البول (ط) .

Azrael [ăz'rĭ əl] *(n.)* عِزرائيل : مَلاك الموت .

Aztec [ăz'tĕk] *(n. ; adj.)* (١) الأزْتَكِيّ : أحد أفراد شعب متمدّن حكم المكسيك قبل أن يفتحها الاسبان عام ١٥١٩ (٢) اللغة الأزتكيّة § (٣) أزْتَكِيّ : ذو علاقة بالأزتكيين أو بلغتهم .

azure [ăzh'ər ; ā'zhər] *(n. ; adj.)* (١) اللازَوَرْدِيّ : الأزرق السماوي (٢) السماء الصافية § (٣) لازَوَرْديّ : أزرق سماويّ .

azurite [ăzh'ə rīt] *(n.)* اللازَوَرْد : «أ» معدن أزرق . «ب» حجرٌ كريم مُشتقّ من هذا المعدن .

azygo- بادئة معناها : مفرد .

azygous *or* **azygos** *(adj.)* مُفْرَد («ح» و«نب») .

azyme *or* **azym** *(n.)* خبزٌ فطير (غير مختمر) .

azymous *(adj.)* فطيرٌ ؛ غير مختمر .

ă at; ā date; â care; ä car; ĕ egg; ē me; ĭ in; ī bite; ŏ lot; ō bone; ô orphan; oi boil; o͝o good; o͞o boot; ou out; ŭ under; ū unity; û urgent; th thing; th this; zh vision; ə = *a* in alone, *e* in system, *i* in easily, *o* in gallop, *u* in circus.

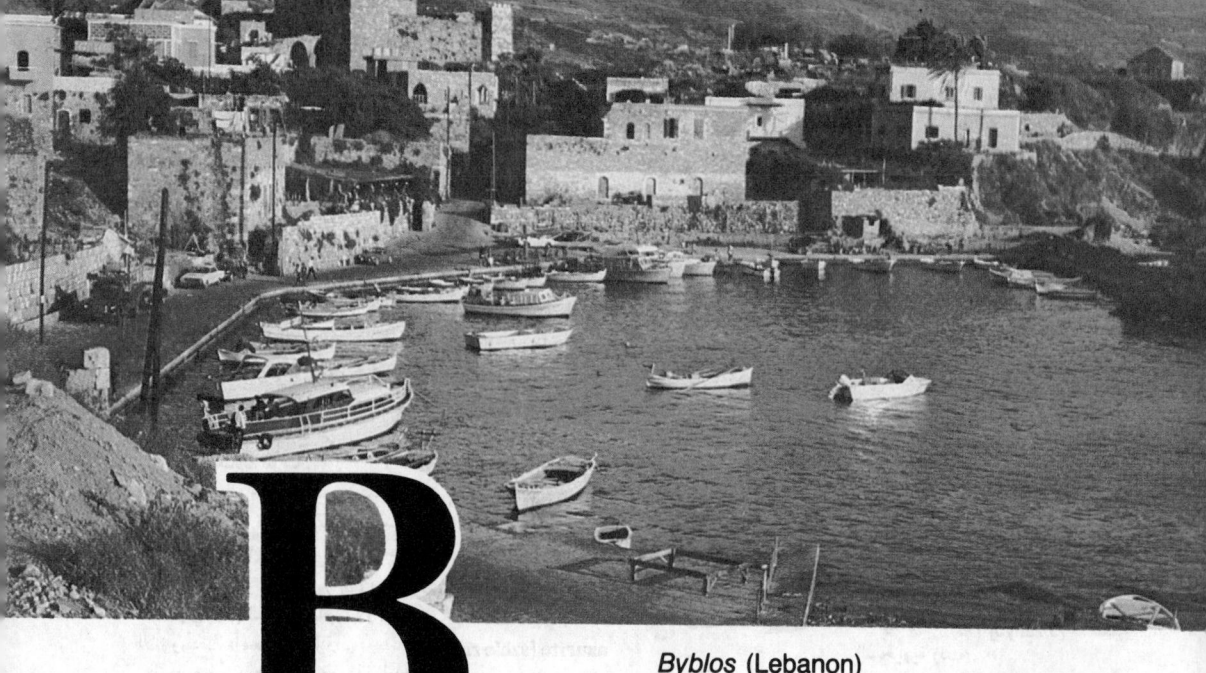

B

Byblos (Lebanon)

b [bē] *(n. often cap.)* (١) الحرف الثاني في الأبجدية الانكليزية . (٢) شيء « مُعْتَبَر » ذا مقام ثانٍ (من حيث الترتيب أو الطبقة) (٣) «أ» درجة أو علامة مدرسية تُشعر بأن عمل الطالب حَسَن ولكنه دون الممتاز . «ب» طالب يُمنح هذه الدرجة (٤) شيء على صورة حرف B .

B.A. بكالوريوس في الفنون أو الآداب .

baa [bă ; bä] *(vi. ; n.)* (١) يثغو (الخروف) § (٢) ثُغاء .

baal [bā'əl] *(n. often cap.)* البَعْل : أحد الأبعال أو الآلهة المحلية عند الكنعانيين والفينيقيين .

babassu *(n.)* الباباسيّ : ضربٌ برازيليّ من النخيل (نب) .

babbitt [băb'ĭt] *(n. ; vt.)* (١) بطانة من معدن «بابت» للمِحْمل أو لكرسيّ التحميل § (٢) يبطّن أو يزوّد بمعدن « بابت » .

Babbitt [băb'ĭt] *(n.)* البابيْتيّ : رجل أعمال أو صاحب مهنة متعلّق من غير تفكير بمُثُل الطبقة الوسطى الاجتماعية والأخلاقية .

babbitt metal *(n.)* معدن « بابت » : مزيج معدني أبيض مضادّ للاحتكاك مؤلّف من نحاس وأنتيمون وقصدير ، وهو يستخدم بخاصة لتبطين المحامل أو كراسيّ التحميل .

Babbittry *(n.)* البابيتيّة : التعلّق بمُثُل الطبقة الوسطى الاجتماعية .

babble [băb'əl] *(vi. ; t. ; n.)* (١) «أ» يتكلم كالطفل أو كالمعتوه (على نحو يعوزه الوضوح والمعنى والترابط) . «ب» يثرثر : يتكلم بحماقة أو بإسراف (٢) يَخِرّ (a *babbling* stream) ×(٣) يفشي بحماقة أو من غير تفكير (to ~ a secret) §(٤) هذيان أو كلام غير مفهوم (٥) ثرثرة (٦) خرير .

—**babblement** *(n.)* —**babbler** *(n.)*

Babcock test *(n.)* اختبار بابكوك : اختبارٌ يُجرَى لتحديد نسبة الدهن في اللبن ومشتقاته .

babe [bāb] *(n.)* (١) «أ» طفل رضيع . «ب» فتاة ؛ امرأة (ع) . (٢) الغِرّ : شخص ساذج قليل الاختبار .

babel [bā'bəl] *(n.)* (١) *cap.* : مدينة بابل (٢) جَلَبة أو اختلاط أصوات (٣) بَلْبَلَة .

babirusa [băb'ə rōō'sə] *(n.)* البابيروسّة : خنزير الهند (ح) .

baboon

baboon [bă bōōn'] *(n.)* الرُّبّاح : سعدان افريقي وآسيوي ضخم قصير الذيل ، قبيح المنظر .

babu *(n.)* (١) سيّد هندوسي (٢) هندي على شيء من المعرفة باللغة الانكليزية .

babul [bä bōōl'] *(n.)* السَّنْط العربي : ضرب من شجر السَّنْط يُستخرج منه الصمغ العربي .

babushka [bə bōōsh'kə] *(n.)* (١) البَبُشْك : منديل للرأس يطوى عادةً على شكل مثلث (٢) غطاء للرأس يشبه البَبُشك .

baby [bā'bĭ] *(n. ; adj. ; vt.)* (١) «أ» طفل ؛ طفلة ؛ رضيع . «ب» أصغر أفراد الأسرة أو الجماعة (٢) شخص يتصرّف كالأطفال (٣) «أ» فتاة ؛ امرأة (ع) . «ب» شخص ؛ شيء (ع) § (٤) أطفاليّ : خاصّ بالأطفال أو ملائم لهم (a ~ carriage) (٥) طفليّ (a ~ face) (٦) صغير (a ~ car) § (٧) يدلّل أو يعامل كالأطفال أو بعناية .

baby blue-eyes *(n.)* الناموفيلة ؛ زهرة الأحراج : عشب أميركي ذو زهر أزرق مُرقّش بنقط داكنة (نب) .

baby farm *(n.)* المَحْضَن : موضع للعناية بصغار الأطفال لقاء أجر .

babyhood *(n.)* الطفولة ؛ سنّ الطفولة .

babyish *(adj.)* طفليّ ؛ صبيانيّ (~ behavior) .

Babylon [băb'ə lən ; -lŏn] *(n.)* (١) مدينة بابل (٢) مدينة كبيرة منغمسة في الترف والآثام .

Babylonian *(n. ; adj.)* (١) البابليّ : أحد أبناء بابل (٢) البابلية : اللغة البابلية § (٣) بابليّ (٤) «أ» مُترَف . «ب» آثم .

baby's breath *(n.)* = gypsophila.

baby-sit *(vi.)* يَحضن : يُعنَى بالأطفال وبخاصة خلال غياب ذويهم مدة قصيرة .

baby-sitter *(n.)* الحاضن : شخص يُستأجَر (للّيلة واحدة عادةً) للعناية بالأطفال أثناء غياب ذويهم .

baccalaureate [băk'ə lôr'ĭ ĭt] *(n.)* (١) البكالوريا ؛ شهادة البكالوريا (٢) عظة توجّه إلى صفّ متخرج (في حفلة التخريج) .

baccarat [băk'ə rä'] *(n.)* البكاراه : لعبة قمار بورق اللعب .

baccate *(adj.)* (١) كثمر العُلَّيق (٢) حامل ثمرَ عُلَّيق (نب) .

Bacchae [băk'ē] *(n. pl.)* (١) رفيقات باخوس إله الخمر في

رحلاتـه في الشرق (مث) (٢) النسوة المشاركات في عيد باخوس (مث).

bacchanal [băk'ə nəl] *(adj. ; n.)* (١) باخوسي : منسوب إلى باخوس إله الخمر § (٢) «أ» الباخوسي : أحد أتباع باخوس ؛ وبخاصة : المحتفل بعيد باخوس . «ب» العربيد (٣) حفلة عربدة وتهتك .

bacchanalia[băk'ə nā'-]*(n.)* (١).*cap*: عيد باخوس : مهرجان روماني يُقام تكريماً لباخوس إله الخمر (٢) حفلة سكر وتهتك .

bacchanalian *(adj. ; n.)* (١) خاص بعيد باخوس أو بحفلات السكر والتهتك (٢) عربيد § (٣) شخص معربد أو منغمس في مرح صاخب .

bacchant [băk'ənt]*(n.)* (١) الباخوسي : أحد كهنة باخوس ، إله الخمر ، أو عابديه (٢) المتهتك العربيد .

bacchante [bə kăn'tĭ] *(n.)* الباخوسية : إحدى كاهنات باخوس أو عابداته .

bacchic [băk'ĭk] *(adj.)* (١) *cap.* : باخوسي (٢) عربيد .

Bacchus [băk'əs] *(n.)* باخوس : إله الخمر عند الرومان .

bacciform [băk'sə-] *(adj.)* شبيه بثمر العليق .

bach [băch] *(vi.)* يتعزب : يحيا حياة العزاب (ع) .

bachelor [băch'ə lər]*(n.)* (١) الفارس الحدث : فارس طري العود يخدم تحت لواء فارس آخر (٢) حامل البكالوريا (٣) العزب ؛ الأعزب .

bachelor-at-arms *(n.)* = bachelor I.

bachelorhood ; bachelorship *(n.)* العزوبة ؛ العزوبية .

bachelor's button *(n.)* الأزرارية : أي من نباتات متعددة (كالأقحوان) أزهارها شبيهة بالأزرار .

bacillary [băs'ə lĕr'ĭ] *or* **bacillar** *(adj.)* (١) عصوي ؛ عصوي الشكل (٢) عصيي ؛ باسيلي : ذو علاقة بعصية أو باسيل (را . bacillus) .

bacillus [bə sĭl'əs] *(n.)* pl. **-cilli** (١) العصية ؛ الباسيل : بكتير عصوي الشكل (٢) بكتير ؛ وبخاصة : بكتير مسبب لمرض .

back [băk] *(n. ; adv. ; adj. ; vt. ; i.)* (١) ظهر (٢) قفا . (٣) مؤخر (٤) جسم الإنسان كله (the clothes on his ~) (٥) القدرة على حمل الأعباء (٦) «أ» الظهير (في كرة القدم) . «ب» موقع الظهير من الملعب § (٧) إلى الوراء ، مكاناً أو زماناً (to step ~ ; to look ~ on one's youth) (٨) خلف (the houses ~ of the railway station) (٩) في أو إلى موضعه أو وضعه الأصلي (Put the book ~ on the shelf; Call that boy ~.) (١٠) بالمقابل ، كجواب على (to hit ~ ; to talk ~) § (١١) خلفي (~ door) (١٢) متأخر ؛ مستحق ولم يُدفع (~ rent ; ~ taxes) (١٣) خلفي الاتجاه (~ current) (١٤) ماضٍ ، سابق ؛ قديم (a ~ number of a magazine) § (١٥) يسند ؛ يدعم (١٦) يظهر ؛ يوقع على ظهر .. (to ~ a bill) (١٧) يُرجع إلى الوراء (to ~ a car) (١٨) يبطن بـ (~*ed* with sheet iron) (١٩) يراهن على (to ~ a horse in the race) (٢٠) يشكل مؤخرة كذا (Cliffs ~ the beach.) × (٢١) يرجع القهقرى (The horse ~*ed* suddenly.) .

~ and forth جيئةً وذهوباً .

behind one's ~, بغير علمه ، في غيابه .

to ~ down يتنازل عن مطلب .

to ~ out يحنث بوعده .

to be on one's ~, يكون طريح الفراش .

to break a person's ~, يُنقض ظهره بالعمل .

to put one's ~ into something يعمل بجد لإنجازه .

with one's ~ to the wall في وضع حرج ؛ مكره على الدفاع عن نفسه .

backache [băk'āk'] *(n.)* ألم في الظهر .

backbite [băk'bīt] *(vi. ; t.)* يغتاب (شخصاً) .

backbiter *(n.)* المغتاب : من يغتاب شخصاً .

backboard *(n.)* الظهار : لوح خشبي موضوع عند ظهر شيء ما أو مشكل ظهر ذلك الشيء .

backbone [băk'bōn'] *(n.)* (١) «أ» العمود الفقري (ت) . «ب» الأساس أو الجزء الأهم (من شيء ما) (٢) عزيمة ؛ قوة في الشخصية (He lacks ~.) (٣) ظهر الكتاب (الحامل عادةً عنوانه واسم مؤلفه واسم ناشره) .

to the ~, بكل معنى الكلمة ؛ مئة في المئة .

backboned *(adj.)* (١) فقاري : ذو عمود فقري (٢) ثابت ؛ ذو عزم .

backbreaking *(adj.)* قاصم للظهر .

backdate *(vt.)* (١) يؤرخ بتاريخ سابق (٢) يجعل له مفعولاً رجعياً .

backdoor *(n. ; adj.)* (١) باب خلفي § (٢) سري .

backdrop [băk'drŏp'] *(n.)* ستارة المسرح الخلفية .

backed *(adj.)* (١) مؤيد (٢) مظهر (ككمبيالة) ؛ مقبول . (٣) ذو ظهر (a high-*backed* chair) .

backer [băk'ər]*(n.)* (١) النصير : المناصر (لحركة سياسية الخ .) (٢) المراهن على فرس .

backfall [băk'fôl'] *(n.)* (١) سقوط على الظهر (٢) ما يسقط على ظهره (٣) وقعة على الظهر (في الملاكمة) .

backfield *(n.)* (١) الخلفيون : لاعبو المواقع الخلفية (في كرة القدم) (٢) المواقع الخلفية (من الملعب) .

backfire *(n. ; vi.)* (١) اشتعال الوقود قبل الأوان (في محرك سيارة) مما يجعل الكباس يعمل في الاتجاه الخاطىء (٢) النار الخلفية : نار تُضرم خصيصاً (في موضع من الغابة) لحماية سائر الغابة من نار تتهددها § (٣) يشتعل قبل الأوان (سي) (٤) يوقف انتشار النار في غابة بانحراق مساحة معينة أمامها (٥) يعطي عكس النتائج المرجوة (The plot ~*d*.) .

back-formation *(n.)* (١) النحت الارتجاعي : نحت كلمة من أخرى تبدو وكأنها مشتقة منها (كنحت لفظة *typewrite* من لفظة *typewriter*) (٢) المنحوتة الارتجاعية : لفظة منحوتة على هذا النحو .

backgammon[băk'găm'ən]*(n.)* النرد ؛ لعبة الطاولة .

backgammon

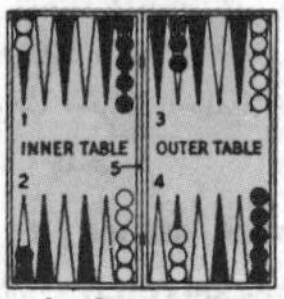

background [băk'ground']*(n.)* الخلفية (مج) : «أ» خلفية الصورة : كل ما يظهر في الساحة الخلفية منها . «ب» خلفية القماش : وجهه المزدان بالرسوم ونحوها (cloth with white spots on a green ~) «ج» الجذور الاجتماعية أو السياسية المفسرة لحادثة أو وضع (the ~ of the war) . «د» تجارب المرء وثقافته وبيئته السابقة .

in the ~, بعيداً عن الأنظار ؛ بعيداً عن الأضواء .

background music *(n.)* الموسيقى الخلفية : الموسيقى المصاحبة للحوار أو للأحداث (في شريط سينمائي أو مسرحية مذاعة) .

backhand *(n. ; adj. ; vt.)* (١) ضربة بقفا (أو ظاهر) اليد . (٢) خط مائل حروفه إلى اليسار § (٣) backhanded

§ (٤) يضرب الخ . بظاهر اليد .

backhanded *(adj.)* (١) مُسَدَّد الخ . بظاهر اليد . (٢) مائلٌ إلى اليسار (٣) أخرق : تعوزه البراعة أو الرشاقة (٤) تهكّمي أو غامض (a ~ compliment) .

backing [băk'ĭng] *(n.)* (١) الظِّهارة : كل ما يُكْسَى به ظهر شيء لدعمه أو تقويته (٢) عَوْن ؛ مساعدة (٣) جماعة المؤيدين .

backlash [băk'lăsh'] *(n.)* (١) الحركة الارتجاعية : حركة ارتجاعية عنيفة مفاجئة (مك) (٢) الحرتقة : ارتجاج أجزاء الماكينة بسبب من البلى أو قلّة التماسك (مك) .

backless *(adj.)* عديم الظهر ؛ لا ظهر له (a ~ gown) .

backlog [băk'lôg'] *(n. ; vi.)* (١) الحطبة الخلفيّة : حطبة ضخمة تُجْعَل في مؤخّر نار الموقد (٢) سناد ؛ دعامة ؛ احتياطيّ (٣) ركام من أعمال غير منجزة أو من مواد معدّة للمعالجة الصناعية § (٤) تراكمَ (الأعمالُ غير المنجزة الخ) .

back matter *(n.)* اللَّحَق : المادة التي تلي مادة الكتاب الرئيسية .

back number *(n.)* (١) عددٌ قديم (من مجلة الخ .) (٢) «أ» شخص محافظ أو متمسك بالأساليب والطُّرز القديمة (ع) . «ب» شيء عتيق الطِّراز (ع) .

backrest *(n.)* يِسنادة خلفيّة (مك) .

backsaw *(n.)* منشار ظَهْر : منشارٌ مُقَوّىً بظَهْر معدني .

back seat *(n.)* (١) مقعد خلفيّ (٢) منزلة ضئيلة الشأن .

backset [băk'sĕt] *(n.)* = setback.

backsheesh [băk'shēsh] *or* **backshish** *(n.)* = baksheesh.

backside [băk'sīd'] *(n.)* (١) مؤخّر ؛ مؤخَّرة (٢) كَفَلٌ .

backslide [băk'slīd'] *(vi.)* (١) يرتدّ عن الطريق القويم ؛ ينغمس في المعاصي (٢) يتخلى عن إيمانه أو تفتر حماسته له .

backspin *(n.)* التدويم الخلفيّ : حركة الكرة على نحوٍ رَحَويٍّ خلفيّ .

backstage [băk'stāj'] *(adv. ; adj.)* (١) «أ» خلفَ الستارة (في مسرح) . «ب» وراء الكواليس . «ج» في حُجُرات المسرح الخاصة بتغيير الملابس وعمل الماكياج . «د» نحو مؤخّر المسرح (٢) سرّاً § (٣) واقع خلفَ الكواليس أو في حجرات المسرح الخاصة بتغيير الملابس الخ . (٤) متعلق بحياة الفنانين الخاصة .

backstairs *(n. ; adj.)* (١) سُلّم خلفيّ (٢) طريقة ملتوية أو غير شريفة أو غادرة § (٣) سرّي ؛ خفيّ (٤) شائن ؛ قذر .

backstay [băk'stā] *(n.)* (١) يِسنادة خلفيّة (مك) (٢) الشِّكال الخلفيّ : حبل مُرْتَدّ من أعلى الصاري إلى جانب السفينة أو مؤخّرها .

backstop [băk'stŏp'] *(n. ; vt.)* (١) المِصدّ الخَلْفي : «أ» جدار أو حاجز من أسلاك لمنع كرة البايسبول من الذهاب إلى أبعد مما ينبغي . أيضاً : اللاعب الذي يصدّ الكرة أو يوقفها . «ب» أداة (كالسقّاطة أو الماسكة) للحؤول دون حدوث الحركة الخلفية أو الارتجاعية (مك) § (٢) يَصُدّ (٣) يسند ؛ يدعم .

back street *(n.)* الشارع الخلفيّ : شارع ثانوي خلف شارع رئيسي .

backstretch *(n.)* أول المطاف : الجزء المقابل لنهاية المطاف homestretch من حلبة سباق الخيل ؛ الجزء الأشدّ بعداً عن جمهور المشاهدين (من حلبة سباق الخيل) .

backstroke [băk'strōk'] *(n.)* (١) ضربة بقفا اليد أو ظاهرها . (٢) الظَّهرية : ضربة في الماء يقوم بها المرء وهو يسبح على ظهره .

backswept *(adj.)* مُرْتَدّ أو مائل إلى الوراء .

backsword [băk'sōrd'] *(n.)* سيف وحيد الحدّ أو الضاربُ به .

backswordman *(n.)* الضارب بسيف وحيد الحدّ .

back talk *(n.)* ردٌّ وقح (يوجهه صغير إلى كبير) .

backtrack [băk'trăk'] *(vi.)* (١) يرجع من حيث أتى (٢) يغيّر موقفه ؛ ينهج نهجاً معاكساً .

backward [băk'wərd] *or* **backwards** *(adv.)* (١) إلى الوراء (٢) عكسياً ؛ باتجاه عكسيّ (٣) «أ» نحو الماضي . «ب» في الماضي (٤) إلى أسوأ .

backward *(adj. ; n.)* (١) ارتجاعيّ ؛ عكسيّ الاتجاه (a ~ movement *or* journey) (٢) خلفيّ (Into some ~ corner of the brain) (٣) متخلّف (a ~ country) (٤) متأخّر عن أوانه (a ~ season) (٥) خجول ؛ متردّد (~ in giving people his views) § (٦) الجزء الخلفيّ أو الماضي .

—**backwardly** *(adv.)* —**backwardness** *(n.)*

backwash [băk'wŏsh'] *(n.)* (١) الانجراف الخلفيّ : حركة الماء أو الهواء الخلفيّة الناشئة عن فعل المجاذيف أو أية قوة أخرى دافعة (٢) aftermath 2 .

backwater *(n.)* (١) مياه تُصدّ عن سبيلها أو يُدْفَع بها إلى الوراء (٢) حالة ركود (٣) موضع خلفيّ منعزل .

backwoods *(n. pl.)* (١) الغابات الخلفية : غابات (أو مناطق غير مأهولة) على الحدود (٢) منطقة نائية متخلفة ثقافياً .

backwoodsman *(n.)* أحد سكان الغابات الخلفية الخ .

backyard *(n.)* الفِناء الخلفيّ .

bacon [bā'kən] *(n.)* لحمُ خنزير مملّحٌ أو مُقدَّد .

to bring home the ~, ينجح ؛ يفوز بالجائزة .

to save one's ~, ينجو من أذىً أو خسارة .

bacteremia *(n.)* تجرثُمُ الدم : وجود البكتيريا في الدم .

bacteri- *or* **bacterio-** بادئة معناها : جراثيم .

bacteria [băk tĭr'ĭ ə] *(n. pl.)* جراثيم ؛ بكتيريا .

bacterial *(adj.)* جرثومي ؛ بكتيري .

bactericidal *(adj.)* مُبيد (أو قاتِلٌ أو مُهلِكٌ) للجراثيم .

bactericide [băk tĭr'ə sīd'] *(n.)* مُبيد الجراثيم .

bacterin [-'tə rĭn] *(n.)* الجُرثومين ، البكتيرين : لقاحٌ محضّرٌ من البكتيريا أو الجراثيم .

bacteriologic ; -al *(adj.)* جراثيمي (مج) ؛ بكتيريولوجي .

bacteriologist *(n.)* العالم الجراثيمي (مج) ؛ البكتيريولوجي .

bacteriology *(n.)* علم الجراثيم (مج) ؛ علم البكتيريا .

bacteriolysis [-tĭr'ĭ ŏl'ə sĭs] *(n.)* حَلّ الجراثيم .

bacteriophage [-'ĭ ə fāj'] *(n.)* مُلْتَهِم الجراثيم (كح) .

bacteriostasis *(n.)* تثبيت الجراثيم ، تجميد الجراثيم : كبح نموّ الجراثيم بدون قتلها .

bacterium [-'ĭ əm] *(n.)* pl. **-ria** جُرثوم ؛ بكتير .

bacterization *(n.)* (١) جَرْثَمة ؛ بَكْتَرَة (٢) تجرثُم ؛ تَبَكْتُر .

bacterize [-'tə rīz] *(vt.)* يُجَرْثِم ؛ يُبَكْتِر .

bacteroid ; -al *(adj.)* جُرثوماني : شبيه بالجرثوم .

Bactrian camel *(n.)* جمل ذو سنامَين .

baculiform *(adj.)* عَصَويّ الشكل ؛ على شكل عصا .

bad [băd] *(adj. ; adv. ; n.)* (١) رديء ؛ سيّء ؛ طالح . (٢) فاسد (The egg was ~.) (٣) كريه (a ~ smell) (٤) بذيء (~ language) (٥) طائش (a ~ shot) (٦) حافل بالأخطاء (~ grammar) (٧) شرير ؛ غير مطيع (a ~ boy) (٨) مزعج ؛ غير سارّ (~ news) (٩) مؤذٍ (~ for the eyes) (١٠) قاسٍ ؛ شديد (~ cold) (١١) آسف ؛ نادم (to feel ~ about an error) (١٢) مريض ؛ متوعك

الصحة (to feel ~) (١٣) زائف (a ~ dollar) (١٤) باطل
(a ~ claim) (١٥) § على نحو رديء ؛ بطريقة سيئة (ع)
(Take the ~ with the good) (١٦)§ الطالح ؛ الرديء
(١٧) وضع سيئ الخ .

—badness (n.)

~ at   غير بارع في

~ debt   دين ميّت ؛ دَين لن يُدفع أبداً

from ~ to worse   من سيء إلى أسوأ

in ~ temper   في غضب شديد

not ~,   حسَن ؛ مقبول

to go ~,   يتلف ؛ يَفسُد

to go to the ~,   يحل به الخراب الخ

bad blood (n.)   حقد ؛ ضغينة ؛ سخيمة .

bade past of bid.

badge [băj] (n. ; vt.)   (١) شارة (تُحْمَل دلالة على الانتساب إلى حرفة أو مدرسة أو نادٍ أو تُمنح تقديراً لمنجزات معيّنة) (٢) علامة مميزة (٣) § بسِم (بشارة أو علامة مميزة) .

badger [băj'ər] (n. ; vt.)   (١) الغُرَيْر : حيوان ثديي قصير القوائم يحتفر في الأرض أوجرة يسكن فيها (٢) فرو الغُرَيْر (٣) § يضايق على نحو موصول .

badger I.

bad hair day (n. phrase) .   يوم التّعس : يوم يبدو فيه كل شيء خطأ(ع)

badinage [băd'ə näzh'] (n.)   مِزاح ؛ هَزْل .

badly [băd'li] (adv.)   (١) على نحو رديء (~ made) (٢) على نحو خطير (~ wounded) (٣) على نحو فاضح أو مُخزٍ (~ beaten at basketball) (٤) إلى أبعد حدّ ؛ على نحو مُلِح (to need or want ~) .

badminton (n.)   البَدْمِنْتُن : تنيس الريشة (رب) .

Baedeker [bā'də kər] (n.)   الدليل : كتاب لإرشاد السيّاح .

baffle [băf'əl] (vt. ; i. ; n.)   (١) يحيّر ؛ يربك ؛ يعيي (٢) يصدّ ؛ يعوق (٣) يمنع الموجات الصوتية من أن يتداخل بعضها ×(٤) يناضل عبثاً أو على غير طائل (٥)§ «أ» تحيير ؛ إرباك ؛ صدّ . «ب» حيرة ؛ ارتباك الخ . (٦) جدار أو حاجز لمنع تدفق الغازات وغيرها (٧) وسيلة لمنع الموجات الصوتية من أن يتداخل بعضها في بعض .

bag [băg] (n. ; vi. ; t.)   (١) «أ» كيس . «ب» حقيبة . «ج» حافظة نقود (٢) شيء كالكيس : «أ» جيب في جسم حيوان أو حشرة (the honey ~ of a bee) «ب» ضَرْع البقرة الخ . «ج» الجزء المنتفخ من شيء كالقماش الخ (the ~ of a sail) «د» ثوب فضفاض (٣) § «هـ» pl. سروال (٣) محتويات الكيس الخ (٤) «أ» محصول الصيد «ب» غنائم . «ج» مجموعة أشخاص أو أشياء (٥) امرأة قذرة الملبس (ع) (٦) § (٧) يتنفخ (مثل كيس فارغ) X (٨) ينفخ (يضع في كيس (١٠) يصيد؛ يقتل (١١) يستولي على .

~ and baggage   بِرُمّتِه ؛ بقضّه وقضيضه .

in the ~,   مضمون ؛ مؤكّد ؛ في الجيب .

to let the cat out of the ~,   يفشي سرّاً من غير قصد .

bagasse [bə găs' ; bă găs'] (n.)   ثُفْل قصب السكّر .

bagatelle [băg'ə telle] (n.)   (١) شيء تافه (٢) البغاتيلة : لعبة تشبه البليارد .

bagful (n.)   ملء كيس ؛ وبخاصة : مقدار كبير .

baggage [băg'ij] (n.)   (١) أمتعة ؛ حقائب سفر (٢) أمتعة الجيش (٣) نظريات أو عادات بالية (٤) «أ» بَغِيّ ؛ مومس .

«ب» فتاة ؛ امرأة شابة .

bagging [băg'ing] (n.) .   نسيج قنبي لصنع الأكياس .

baggy [băg'i] (adj.) .   فضفاض أو منتفخ أو متدلٍّ كالكيس .

bag lady (n.) = shopping-bag lady.

bagman [băg'mən] (n.)   (١) تاجر متنقّل أو متجوّل (٢) من يقبض أو يوزّع أموالاً غير شرعية لحساب شخص آخر .

bagnio [băn'yō] (n.)   (١) سجن (م.ر) (٢) ماخور ؛ بيت دعارة . (٣) حمّام أو حمّام عمومي .

bagpiper

bagpipe ; bagpipes (n.)   مزمار القربة (مو) .

bagpiper (n.)   الزمّار أو العازف بمزمار القربة .

baguette or **baguet** [bă get'] (n.)   (١) حلية معمارية صغيرة محدّبة نصف دائرية (عم) (٢) «أ» جوهرة مستطيلة الشكل ضيّقتُه . «ب» شكل مستطيل ضيّق .

bah [bä] (interj.) .   باه : هتاف يفيد معنى الازدراء .

Bahai [bə hä'ē] (n. ; adj.)   (١) البهائي (٢) أحد أتباع البهائية Bahaism وهي حركة دينية نشأت أول ما نشأت بين شيعة إيران ، في القرن التاسع عشر . (٢)§ بهائي .

baht [băt] (n.) .   الباهْت : وحدة النقد في تايلاند .

bail [bāl] (n. ; vt. ; i.)   (١) «أ» كفالة . «ب» إطلاق سراح بكفالة . «ج» الكفيل (٢) حاجز (لفصل الأفراس في اصطبل) (٣) المنزَحَة : دلو لطرح المياه من سفينة (٤) مقبض الدلو أو الغلاية (٥) مثبّتة الورقة على أسطوانة الآلة الكاتبة §(٦) يودع (بضاعة) عند شخص آخر (٧) يكفل موقوفاً (بغية إطلاق سراحه مؤقتاً) (٨) يُطلق سراح موقوف بكفالة (٩) يساعد على النجاة من مأزق (بتقديم عون مالي عادةً) (١٠) يَنزَح أو يطرح الماء من سفينة (بواسطة دلو) ×(١١) يهبط من الطائرة بمظلة عظيمة (تتبعها out عادةً) .

out on ~,   مُطلَق السراح بكفالة .

to ~ a person out   يكفل موقوفاً بغية إطلاق سراحه مؤقتاً .

to go ~ for a person

to surrender to one's ~,   يمثل أمام المحكمة بعد إطلاق سراحه بكفالة .

bailable [bā'lə bəl] (adj.) .   (١) ممكن إطلاق سراحه بكفالة(ف) (٢) ممكن قبول كفالة بشأنه (a ~ offence) .

bail bandit (n.) .   مجرم الكفالة : من يرتكب جريمة بعد إطلاق سراحه بكفالة .

bailee [bā'lē'] (n.) (ف) .   المُودَع لديه : مَن تودع عنده بضاعةً ما .

bailer (n.)   (١) النازح : مَن يطرح الماء من سفينة بواسطة دلو الخ . (٢) المِنزَحة : دلو الخ . لطرح الماء من سفينة .

bailey [bā'li] (n.)   (١) سُور القصر (٢) الفِناء المطوّق بالسور .

bailiff [bā'lif] (n.)   (١) «أ» مساعد مأمور التنفيذ أو «الشريف» . «ب» حاجب محكمة ؛ رسول محكمة (٢) وكيل المزرعة .

bailiwick [bā'lə wik] (n.)   (١) منطقة نفوذ مساعد مأمور التنفيذ أو «الشريف» . (٢) حقل اختصاص المرء أو عمله .

bailment (n.)   (١) إطلاق سراح بكفالة (٢) إيداع بضاعة .

bailor (n.)   المُودِع : من يودع بضاعة عند شخص (ف) .

bailout (n.)   الإسعاف: إنقاذ مؤسسة من مأزق مالي .

bailsman [bālz'mən] (n.)   الكافل ؛ الضامن .

Bairam [bī räm'] (n.)   (lesser ~) أو عيد الفطر عيد الأضحى (greater ~) .

bairn [bârn ; bärn] (n.)   طفل ؛ ابن ؛ ابنة (اسك) .

ă at; ā date; â care; ä car; ĕ egg; ē me; i in; ī bite; ŏ lot; ō bone; ô orphan; oi boil ōō good; ōō boot; ou out; ŭ under; ū unity; û urgent; th thing; ŧħ this; zh vision; ə = a in alone, e in system, i in easily, o in gallop, u in circus.

Left column

bait [bāt] (*vt. ; i. ; n.*) (١) يضايق ؛ يعذّب ؛ يبرهق بهجمات متواصلة
(٢) يحرّض (الكلب) على مهاجمة الطريدة (٣) يهاجم (الكلب طريدةً) ويمزّقها (٤) «أ» يزوّد بطُعم ؛ «ب» يُغري ؛ يُغْري ؛ يأسر (٥) يعلف (الخيل) أثناء الرحلة × «ب» يقف التماسًا للطعام والراحة ، أثناء الرحلة (ا.ق) (٧) طُعم (السمك الخ) .) «ب» طُعم سامّ (لإبادة الحشرات المؤذية الخ) (٨) إغراء (٩) توقف أثناء الرحلة (التماسًا للطعام والراحة) .

baiza (*n.*) البَيزة : جزء من ألف من الريال العُماني .

baize [bāz] (*n.*) البَيز : نسيج أخضر تُكسى به موائد البليارد .

bake [bāk] (*vt. ; i. ; n.*) (١) «أ» يَخْبز . «ب» يحمّص .
× (٢) «أ» ينخبز . «ب» ينحمّص (٣) «أ» خَبْز . «ب» تحميص .

bakehouse [bāk'hous'] (*n.*) مَخْبز ؛ فرن .

bakelite [bā'kə līt'] (*n.*) الباكليت : مادة بلاستيكية تصنع منها أقلام الحبر والتلفونات ومقابض المظلات الخ .

baker [bā'kər] (*n.*) (١) الخبّاز (٢) فرن صغير قابل للنقل .

baker's dozen (*n.*) دزّينة الخبّاز (١٣ بدلاً من ١٢) .

bakers' yeast (*n.*) خميرة الخبّازين : ضرب من خمائر الخَبز .

bakery [bā'kə rī] (*n.*) (١) مَخْبز ؛ فرن (٢) دكان بيع الخبز والكعك .

bakeshop (*n.*) = bakery.

baking [bā'-] (*n.*) (١) «أ» خَبْز . «ب» تحميص (٢) الخَبزة ؛ الكمية المخبوزة دفعةً واحدة .

baking powder (*n.*) ذُرور الخَبْز : ذُرور يُستعمل خميرةً في الخَبْز .

baking soda (*n.*) صودا الخَبْز ؛ بيكربونات الصودا .

baksheesh [băk'shēsh] (*n.; vt.; i.*) (١) «أ» بقشيش ؛ حُلوان ؛ راشن . «ب» صَدَقة (٢) يُعطي بقشيشًا أو صدقة .

balalaika [băl'ə līʹkə] (*n.*) البالالايكة : آلة موسيقية روسية شبيهة بالغيتار .

balalaika

balance [băl'əns] (*n.; vt.; i.*) (١) ميزان (٢) وزن ؛ قوة أو نفوذ مقابل أو موازن (٣) ميزان الساعة : عجلة رقّاصة متذبذبة لتعديل حركة الساعة (٤) «أ» توازن . «ب» تعادل الجانبين السلبي والإيجابي من حساب (تج) (ج) الرصيد (٥) تساوق ؛ انسجام (٦) اتّزان (عقلي أو عاطفي) (٧) موازنة ؛ مقارنة (٨) يزن (٩) يرصد الحساب : «أ» يحسب الفرق بين جانبيه السلبي والإيجابي . «ب» يسدّد الحساب أو يدفعه (١٠) يوازن ؛ يعادل (١١) يقارن (١٢) يُساوق ؛ يُحْدث التساوق أو الانسجام بين الأجزاء × (١٣) يتوازن ؛ يتعادل (١٤) يتردّد ؛ يترجّح ؛ يهتزّ ؛ يتذبذب . to strike a ~ , (١) يرصد الحساب : يحسب الفرق بين جانبيه السلبي والإيجابي (٢) يتوصل الى تسوية عادلة .

balanced (*adj.*) متوازن ؛ في حالة اتّزان .

balanced sentence (*n.*) الجملة المتوازنة : جملة متوازنة الفقرات .

balance of power توازن القوى (بين الدول) .

balance of trade الميزان التجاري : الفرق بين صادرات بلد ووارداته .

balancer (*n.*) (١) الموازن ؛ وبخاصة : «أ» مُوازِن الحشرة .
«ب» الموازن الالكتروني (٢) بهلوان (را . ٥ halter) .

balance sheet (*n.*) الميزانية ؛ بيان الميزانية ؛ البلانشو (تج) .

balance wheel (*n.*) عجلة الموازنة ، وبخاصة في ساعة .

balata [băl'ə tə] (*n.*) (١) البَلاطة : شجر أميركي استوائي ضخم .

Right column

(٢) عصارة شجر «البلاطة» ؛ البَلاطة المجفّفة .

balboa [băl bōʹə] (*n.*) البَلْبُوَرة : عملة فضية بانامية .

balbriggan [băl brĭg'ən] (*n. ; adj.*) (١) البَلْبِريغَن : نسيج قطني تصنع منه الجوارب والملابس التحتانية (٢) بَلْبِريغَني .

balconied (*adj.*) ذو شُرْفة أو شُرُفات (a ~ house) .

balcony [băl'kə nī] (*n.*) (١) شُرْفة
(٢) البلكون : شرفة داخلية في مسرح .

bald [bôld] (*adj. ; vi.*) (١) أصلع
(a ~ head ; a ~ person) (٢) أجرد
(~ mountains) (٣) «أ» بسيط ؛ غير مزخرف
(a ~ style of writing)
(a ~ statement) (٤) جافّ ؛ غير مشوّق «ب»
of the facts) (٤) صريح ؛ مكشوف
(a ~ lie) (٥) ذو بياض في الرأس
(a ~ eagle) (٦) يَصْلع ؛ يصبح أصلع الخ .

—baldness (*n.*)

balcony 1.

baldachin [băl'də kĭn] *or* **baldachino** (*n.*) (١) البغدادي :
نسيج حريري مطرّز ومقصب بخيوط ذهبية (٢) مظلّة (تُحمل في المواكب الدينية) (٣) مظلة (معدنية أو خشبية أو حجرية) فوق مذبح كنيسة أو قبر .

balderdash [bôl'dər dăsh'] (*n.*) هُراء .

bald-faced (*adj.*) (١) أبيض الوجه أو ذو علامات بيضاء على الوجه (~ animals) (٢) صريح ؛ مكشوف (a ~ lie) .

baldhead (*n.*) = baldpate .

bald-headed (*adj. ; adv.*) (١) ذو علامة بيضاء على الرأس
(٢) بتهور (to go at it ~) .

baldly (*adv.*) بصراحة شديدة ؛ وبغير كياسة .

baldpate (*n.*) (١) شخص أصلع (٢) الصَّوّاي الأميركي : ضرب من البط في رأسه بياض .

baldric [bôl'drĭk] (*n.*) حمالة ؛ حمالة السيف ؛ حزام الكتف .

bale [bāl] (*n. ; vt.*) (١) أذى أو شرّ عظيم (٢) حزن ؛ شقاء
(٣) بالة ؛ إبّالة ؛ رزمة بضاعة ضخمة (٤) يرزم على شكل بالة .

baleen [bə lēn'] (*n.*) البَلِين : عظم فكّ الحوت .

balefire [bāl'fīr'] (*n.*) (١) نار الابتهاج : نار تُضرم في الهواء للتلقي ابتهاجًا (٢) نار الإنذار (٣) نار لإحراق جثة ميت .

baleful [bāl'-] (*adj.*) (١) مؤذٍ ؛ مهلِك (٢) مشؤوم .

baling (*n.*) حزمٌ (للبضائع) في بالات .

balistraria (*n.*) فتحة (في حصن) لإطلاق السِّهام .

balk [bôk] (*n. ; vt. ; i.*) (١) شقة أرض مستطيلة تُترك من غير حراثة (٢) رافدة ؛ عارضة خشبية (٣) عائق (to proceed without ~s) (٤) «أ» خطأ ؛ غلطة . «ب» عَجْز اللاعب عن إتمام حركة بَدَأها (٥) «ب» يصدّ ؛ يعوق ؛ يُحْبِط (٦) يُضايع ؛ يعوق ؛ يُحْبط (to ~ an opportunity) (٧) يحرن × (٨) «أ» يتوقف فجأة (He ~ed at making the speech.)
«ب» يَحْرُن (الفرس) .

—balker (*n.*)

Balkan [bôl'kən] (*adj.*) بَلْقاني : منسوب إلى البَلْقان .

Balkanization (*n.*) بَلْقَنَة أو تَبَلْقُن (را . المادة التالية) .

Balkanize (*vt.*) يُبَلْقِن : يجزّئ منطقة إلى دويلات متعادية .

balkline [bôk-] (*n.*) (١) خط الانطلاق (رب) (٢) خط مستقيم يُرسم عبر مائدة البليارد وتوضع خلفه الكُرات عند بدء اللعب .

balky [bô'kĭ] (*adj.*) حرون (a ~ horse) .

ball [bôl] (*n. ; vt. ; i.*) (١) «أ» كرة . «ب» الكرة الأرضية .

«ج» رصاصة ، قذيفة . «د» جزء مستدير أو ناتىء من جسم الانسان ؛ وبخاصة : الضَّرَّة ، النتوء المستدير عند قاعدة إبهام اليد أو القدم (٢) لعبة من ألعاب الكرة ، وبخاصة : البايسبول (٣) حفلة راقصة (٤) نزهة § (٥) يكوّر ، يكتّل ×(٦) يتكوّر ، يتكتّل .

~*ed* up مُشَوَّش .
~ of the eye بؤبؤ العين أو إنسانها .
to give a ~, يقيم حفلة راقصة .
to have the ~ at one's feet يكون فوزه شبه مضمون .
to keep the ~ rolling يبقي الحديث الخ . دائراً .
to play ~, (١) يتعاون ، يظهر روحاً تعاونية . (٢) ينشط (٣) يستهل اللعب أو يستأنفه بعد توقف .
to start *or* set the ~ rolling يستهل أمراً ، وبخاصة : يستهل الحديث .

ballad [băl'əd] *(n.)* (١) أغنية بسيطة (٢) قصيدة قصصية صالحة للغناء (٣) أغنية شعبية ؛ وبخاصة : أغنية راقصة عاطفية .

ballade [bə läd' ; bȧ lȧd'] *(n.)* (١) قصيدة ذات ثلاثة مقاطع يتألف كل مقطع منها من ثمانية أبيات أو عشرة (٢) لحن موسيقيّ شعريّ الطابع مُعَدّ عادة للبيان أو للأوركسترا (مو) .

balladmonger *(n.)* (١) الناظم للقصائد القصصية الصالحة للغناء أو المتكسّب بها (٢) النظّام : شاعر غير موهوب .

ball and chain *(n.)* (١) الكرة المُسَلْسَلَة : كرة حديدية ثقيلة تُشَدّ إلى قَدَم السجين بسلسلة (٢) قَيْد ثقيل .

ball-and-socket joint *(n.)* (١) وُصْلَة كُرَوِيّة ، مَفْصِل كرويّ (مك) (٢) المفصِل الكرويّ الحُقّيّ : مَفصِل يدور بحرّية تامة مؤلف من كرة تدخل في حُقّ (ت) .

ball-and-socket joint I

ballast [băl'əst] *(n. ; vt.)* (١) الصابورة ، ثِقْل الموازنة : ثِقل يستخدم في سفينة أو منطاد حفظاً لتوازنهما (٢) حصىً لرصف الطرق § (٣) يزوّد بصابورة (٤) يفرش بالحصى .

ball bearing *(n.)* مَحْمِلُ الكُرَيّات : جزء من الماكينة تدور فيه أجزاؤها المتحركة دوراناً سَلِساً على كرات معدنية مرنة (مك) .

ball cock *(n.)* المَحْبِس الكرويّ : أداة من صمام وكرة طافية عند طرف مُخْلٍ ، بحيث يؤدي ارتفاع الكرة أو هبوطها إلى إغلاق الصمام أو فتحه (وذلك منعاً لفيضان الماء من برميل الخ .) .

ballerina [băl'ə rē'nə] *(n.)* الباليرينا : راقصة الباليه .

ballet [băl'ā; bă lā'; bȧ lĕ'] *(n.)* (١) رقص الباليه (٢) موسيقى الباليه (٣) فرقة من فرق الباليه . **—balletic** *(adj.)*

balletomane [bă lĕt'ə măn'] *(n.)* الشديد الولع بالباليه

ball-flower

ball-flower *(n.)* الزهرة الكُرَوِيّة : حلية معمارية تتألف من كرة في داخل زهرة جوفاء دائرية (عم) .

ballista

ballista[bə lis'tə] *(n.)* pl. **-e** : المَنْجَنِيق : آلة حربية قديمة لرمي القذائف .

ballistic *(adj.)* باليستيّ ، قَذْفيّ ، قَذائفيّ .

ballistic missile *(n.)* القذيفة البالستيّة : قذيفة ذاتية الدفع .

ballistics *(n.)* المقذافية : علم يدرس قوانين حركة القذائف .
exterior ~, المقذافية الخارجية (تدرس حركة القذائف بعد انطلاقها) .
interior ~, المقذافية الداخلية (تدرس حركة القذائف ضمن ماسورة المدفع الخ .) .

ballonet [băl'ə nĕt'] *(n.)* حُجَيْرَة المنطاد : حُجَيْرة هواء أو غاز في داخل مُنطاد تُستخدم للتحكّم في ارتفاعه وهبوطه .

balloon I.

balloon [bə lōōn'] *(n. ; vt. ; i.)* (١) مُنطاد ، بالون (٢) بالون الأطفال : كيس مطاطي قابل للنفخ يلعب به الأطفال (٣) بالون الحوار : الإطار المطوّق للكلمات التي يُفتَرَض أنها صادرةٌ من فم إحدى الشخصيات (في قصص الأطفال المصوّرة بهذه الطريقة) § (٤) ينفخ ×(٥) يصعد أو يسافر بمنطاد (٦) ينتفخ (٧) يتزايد بسرعة .

balloonist *(n.)* المُنْطاديّ : «أ» راكب المنطاد . «ب» قائد المنطاد .

balloon sail *(n.)* الشراع المُنْطاديّ : شراع خفيف ضخم تنشره اليُخوت ، بالاضافة إلى الشراع الخفيف العاديّ أو عوضاً عنه .

balloon tire *(n.)* الدولاب المنطاديّ : دولابٌ عريض منخفضُ الضغط .

ballot [băl'ət] *(n. ; vi.)* (١) «أ» كُرَيّة تستخدم في الاقتراع السرّي . «ب» ورقة الاقتراع (٢) «أ» اقتراع سرّي . «ب» اقتراع ، تصويت . «ج» حقّ الاقتراع (٣) مجموع أصوات المقترعين (There was a large ~.) § (٤) يقترع (٥) يُجري قُرْعَةً .

ballot box *(n.)* صندوق الاقتراع (السرّي) .

ballottement [bə lŏt'mənt] *(n.)* (١) النَّهْزُ الجنيني : ضغط بالاصبع على جدار الرحم كوسيلة لتشخيص الحَمْل (٢) النَّهْزُ الكُلَويّ : طريقة مماثلة تستخدم في تشخيص الكُلْية العائمة (ط) .

ballroom [bôl'rōōm'] *(n.)* قاعة الرقص .

ball valve *(n.)* الصِّمام الكرويّ : صِمَامٌ تتحكم به كرةٌ ترتفع بضغط السوائل من تحتها وتهبط بفعل الجاذبية (مك) .

bally [băl'ĭ] *(adj. ; adv.)* صيغة توكيد لا معنى محدداً لها .

ballyhoo [băl'ĭ hōō'] *(n. ; vt. ; i.)* (١) دعاية صاخبة أو مثيرة أو مبالغ فيها § (٢) يعلن بأساليب صاخبة .

ballyrag [băl'ĭ răg'] *(vt.)* = bullyrag.

balm [bäm] *(n.)* (١) البَلَسان : راتينج يُستخرَج من بعض الأشجار الاستوائية (٢) البَلْسَم : مرهم عطري (٣) أيّ من أشجار عطرية مختلفة كالحَبَق والتَرَنجاني ونحوه (٤) رائحة عطرة (٥) كلّ شافٍ أو مسكّن للألم .

balm of Gilead بَلْسَم جِلْعاد : «أ» شجر من الفصيلة البخوريّة عطِرُ الأوراق . «ب» راتينج عطِر مستخرج من هذا الشجر . «ج» عاملٌ مسكّن أو شاف .

balmoral [băl môr'əl] *(n.)* البَلْمُورَل : «أ» حذاءٌ بِشَرِيط . «ب» تَنُورة تحتيّة صوفية . «ج» *cap.* عد : قبعة اسكتلندية مستديرة .

balmy [bä'mĭ] *(adj.)* (١) بَلْسَميّ ، شافٍ ، مسكّن . (٢) معتدل ، منعش (weather ~) (٣) عَطِر (٤) مخبول .

balneal [băl'nĭ əl] *(adj.)* حمّاميّ ، استحماميّ .

balneology *(n.)* علم الحمّامات : علم استخدام الحمّامات ومياه الينابيع المعدنية لأغراض طبية .

baloney [bə lō'nĭ] *(n.)* (١) bologna (٢) هراء .

balsa [bôl'sə ; bäl'-] *(n.)* (١) البَلْزا : شجر أميركي استوائي ذو خشب خفيف قويّ يُستعمل في صنع الأطواف والطائرات (٢) طَوْف ، رَمَث ، وبخاصة : طَوْف مصنوع من خشب البلزا .

balsam [bôl'səm] *(n.)* (١) البَلْسَم : «أ» مادة زيتية راتينجية عطرة تسيل من بعض الأشجار . «ب» مستحضر راتينجي عطريّ الرائحة (٢) «أ» شجرة تعطي بلسماً . «ب» المِجْزاعة ،

البَلْسَمِينة (نب) (٣) الشافي ؛ المسكِّن .

balsamic [bôl săm'ĭk] *(adj.)* (١) بلسمي ؛ محتوٍ على بلسم . (٢) مسكِّن ؛ ملطِّف ؛ شافٍ .

balsamiferous *(adj.)* بَلْسَمِيّ : مُنْتِجٌ بَلْسَماً .

balsam of Peru *(n.)* بَلْسَم بيرو : بلسم يستخرج من شجر «بَلْسَم بيرو» الأميركي ، يُستخدم في الطب وصناعة العطور .

balsam of Tolu *(n.)* بَلْسَم طُولُو : بلسم يُستخرج من شجر «بلسم طولو» ، يستخدم لمداواة السعال وفي صناعة العطور .

Baltic [bôl'tĭk] *(adj. ; n.)* (١) بَلْطِيّ : «أ» متعلق ببحر البلطيك أو بدُوَل ليتوانيا ولاتفيا واستونيا . «ب» متعلق باللغات البلطية §(٢) اللغات البلطيّة : مجموعة من اللغات الهندية الأوروبية تشمل اللاتفيانية، والليتوانية والبروسية القديمة .

baluster [băl'ə stər] *(n.)* عمود درابزين (عم) .

balustrade[băl'ə strād'] *(n.)* درابزين .

balustrade

bambino [băm bē'nō] *(n.)* (١) طفل . (٢) صورة ليسوع الطفل .

bamboo [băm boo'] *(n. ; adj.)* (١) الخَيْزُران : نبات من فصيلة النَّجيليّات تُتَّخذ أعواده عِصِيّاً ويستخدم في البناء وصنع الأثاث §(٢) خَيْزُرانيّ .

bamboo

bamboozle [băm boo'zəl] *(vt.)* (١) يَخْدَع (٢) يُرْبِك .

ban [băn] *(vt. ; n.)* (١) يلْعَن (ا.ق) . (٢) يَحْرِم : يلفظ اللعنة الكنسية على ... (ا.ق) (٣) يحظر (to ~ a meeting) §(٤) دعوة الملك لتابعيه من النبلاء وغيرهم — في عهد الاقطاع — إلى الخدمة العسكرية (٥) حِرْم (من الكنيسة) (٦) لعنة (٧) تحريم (٨) إدانة ، وبخاصة من جانب الرأي العام .

banal [bā'nəl] *(adj.)* (١) مُبْتَذَل ؛ تافه (٢) عاديّ .

banana [bə năn'ə] *(n.)* (١) موز (٢) شجرة الموز .

banana republic *(n.)* جمهورية الموز: دُوَيلة فقيرة من دويلات المناطق الاستوائية نظامُ الحكم فيها ديكتاتوريّ .

bananas *(adj.)* = crazy.

band [bănd] *(n. ; vt. ; i.)* (١) قَيْد (٢) رباط (~ of matrimony) (٣) «أ» شريط ، عصابة . «ب» حِزام (٤) قَبّة ؛ ياقة (وبخاصة لرجال الدين والقانون والجامعات) (٥) طَوْق (a white cup with a gold ~) (٦) «أ» عُصبة ؛ زُمرة . «ب» فرقة (موسيقية) . «ج» عصابة لصوص (٧) النطاق : نطاق من الذبذبات أو الأطوال الموجيّة (رد) §(٨) يربط بشريط أو عصابة الخ . (٩) يزيّن بطوق (١٠) يرتبط بجماعة (١١) يجمع ؛ يوحّد ×(١٢) يتحد ؛ يعتصب .

bandage [băn'dĭj] *(n. ; vt.)* (١) عِصابة ؛ ضِمادة . §(٢) يضمّد .

bandanna *or* **bandana** *(n.)* منديل كبير مزدان بالرسوم .

bandbox *(n.)* علبة قبّعات أو ياقات الخ .

bandeau [băn dō'] *(n.)* pl. **-x** عِصابة للجبين أو للشعر .

banderole *or* **banderol** [băn'də rōl'] *(n.)* (١) راية صغيرة . (٢) شريط أو عصابة مكتوبٌ عليها كلام ما الخ .

bandicoot [băn'də koot'] *(n.)* البَنْدِقُوط : فأر هنديّ ضخم .

bandit [băn'dĭt] *(n.)* pl. **-dits** *or* **-ditti** لصّ ؛ قاطع طريق .

banditry *(n.)* (١) اللصوصية ؛ قَطْع الطرق (٢) قطّاع طرق .

bandmaster [bănd'măs'tər] *(n.)* قائد فرقة موسيقية .

bandog *(n.)* الكلب المقيّد : كلب يقيّد بالسلاسل لضراوته .

bandolier *or* **bandoleer** [băn də lĭr'] *(n.)* حزام عريض للكتف ذو جيوب يوضع فيها الرصاص عادة .

bandoline [băn'də lēn'] *(n.)* البندولين : مستحضر صمغيّ لإبقاء الشعر أملس أو مجعّداً أو مموّجاً .

bandore [băn dōr'] *or* **bandora** *(n.)* البَنْدُور : آلة موسيقية وترية شبيهة بالغيتار (مو) .

band saw *(n.)* المنشار الحِزاميّ أو الشريطيّ : منشار على شكل حزام فولاذي مسنّن يدور على بكرتين (ملك) .

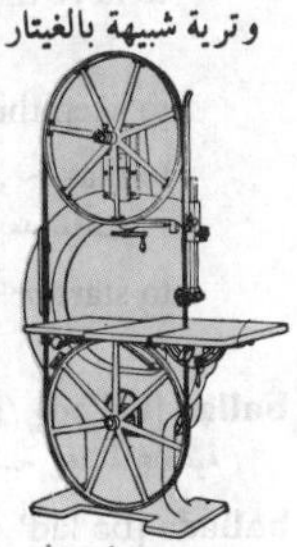

band saw

bandsman [băndz'-] *(n.)* عضو فرقة موسيقية .

bandstand *(n.)* مِنصّة لفرقة موسيقية تعزف في الهواء الطلق .

bandwagon *(n.)* عربة الموسيقى : عربة تحمل فرقة موسيقية في استعراضات السيرك أو في احتفالات الأحزاب السياسية .
to jump on *or* climb aboard the ~, ينحاز الى حزب أو مرشح تشير جميع الدلائل إلى أنه هو صاحب الحظّ الأوفر في الفوز .

bandy [băn'dĭ] *(vt. ; n. ; adj.)* (١) يتقاذف كرة (٢) يتبادل (to ~ blows *or* words) (٣) يُذيع أو ينقل من شخص إلى شخص (to ~ a story about) § (٤) الباندي : لعبة شبيهة بلعبة الهوكي §(٥) متقوّس (~ legs) (٦) متقوّس الساقين .

bandy-legged *(adj)* متقوّس الساقين .

bane [bān] *(n.)* (١) «أ» سمّ . «ب» موت ؛ هلاك ؛ خراب . (٢) مصدر أذى أو خراب : لعنة .

baneful *(adj.)* (١) سامّ (ا.ق) (٢) مُهْلِك ؛ مُميت .

bang [băng] *(vt. ; i. ; n. ; adv.)* (١) يضرب بعنف (٢) يغلق بقوّة (٣) يقص شعر الناصية قصاً مستقيماً فوق الجبين ×(٤) يقرع (الباب) بشدّة (٥) يُحْدِث ضجّةً عالية (The gun ~*ed.*) (٦) يطلق النار باستمرار (~*ing* away at the enemy) § (٧) ضربة عنيفة (٨) ضجة داوية (٩) حركة مفاجئة (١٠) نشاط ؛ حيوية (١١) شعر مقدم الرأس مقصوصاً فوق الجبين § (١٢) بعُنْف ؛ بِدَوِيّ ؛ فجأةً .
to go over with a ~, تَلَقّى (الحفلةُ الخ) نجاحاً عظيماً .

bangalore torpedo *(n.)* نَسيفة بانغالور : أنبوب حديديّ طويل مشتمل على مواد متفجرة ، يُستخدَم لنسف الأسلاك الشائكة ولتفجير الألغام الدفينة (جن) .

bangkok *(n.)* (١) قشّ بانكوك (٢) قبعة مصنوعة منه .

bangle [băng'gəl] *(n.)* سوار (للمعصم) أو خلخال (للقدم) .

Bang's disease *(n.)* مرض بانغ : مرض معدٍ من أمراض الماشية .

bangtail *(n.)* (١) ذيل مَجزُوز (٢) جواد سباق .

bang-up *(adj.)* ممتاز ؛ من الطراز الأول (ع) .

banian [băn'yən] *(n.)* (١) banyan (٢) البانيانيّ : تاجر هندوسي من طائفة اجتماعية معينة تمتنع عن أكل اللحم (٣) البَنْيان : قميص أو سترة فضفاضة تُلبس في الهند .

banish [băn'-] *(vt.)* (١) ينفي ؛ يُبعد عن الوطن (٢) يطرد ؛

—banisher *(n.)* يطرِّح ؛ يتخلّص من .

banishment *(n.)* (١) نَفْي ؛ إبعاد (٢) طَرْد ؛ اطّراح .

banister *or* **bannister** *(n.)* (١) عمود درابزين (٢) درابزين.

banjo [băn'jō] *(n.)* البانجو : آلة موسيقية .

banjo

bank [băngk] *(n. ; vt. ; i.)* (١) رُكام ؛ كومة . (٢) مُنْحَدَر ؛ جُرُف (٣) منحدر في قاع نهر أو بحر (حيث يشكل الوحل أو الرمل كتلةً) (٤) ضِفّة (٥) مقعد خشبيّ طويل (٦) «أ» صَف. «ب» صفّ مجاذيف . «ج» صفّ مفاتيح (في أُرغن أو آلة كاتبة) (٧) مجموعة مصاعد (في مبنى) (٨) جزء فرعيّ من رأسيّة أوعنوان (٩) مَصْرِف ؛ بنك (١٠) مدير نادٍ للقمار أو لعبة من ألعاب القمار (١١) «البنك» : الصندوق الذي يدفع منه مدير لعبة القمار خسائره § (١٢) يقيم سداً حول (١٣) يغطّي النار برماد أو بوقود جديد بحيث تشتعل ببطء ولمدّة أطول (١٤) يرْكم ؛ يكوم (١٥) يَصُف (١٦) يُميل (الطائرة) جانبياً (١٧) يُودِع في مَصْرِف ×(١٨) يتراكم (١٩) تميل (الطائرةُ) جانبياً (٢٠) يتعامل مع مصرف (٢١) يتكل على.

~ of issue بنك الإصدار .

to break the ~, يُفْلِس « البنكَ » : يربح كل ما في صندوق مدير لعبة القمار من مال .

bankable *(adj.)* مقبول في بنك ؛ قابل للصرف في بنك .

bank account *(n.)* الحساب المصرفي : حساب في بنك .

bank bill *(n.)* الحوالة المصرفية (يسحبها بنك على بنك آخر) .

bankbook *(n.)* دفتر الحساب المصرفي

bank discount *(n.)* الحسم المصرفي (على كمبيالة) .

banker [băngk'ər] *(n.)* (١) المصرفي: صاحب البنك (٢) مدير لعبة من ألعاب القمار (٣) رجل أو مركب يُستخدم في صيد سمك القُد (٤) مائدة يشتغل عليها النحّات أو البنّاء .

banker's bill *(n.)* = bank bill.

bank holiday *(n.)* يوم عطلة رسمية (تعطّل فيه المصارف) .

banking [băngk'ing] *(n.)* الصناعة المصرفيّة أو البنكيّة .

banking house *(n.)* مؤسسة مصرفية ؛ شركة مصرفية .

bank money *(n.)* الأوراق المالية (شيكات وحوالات الخ) .

bank note *(n.)* الورقة المصرفية (مج) ؛ الورقة النقدية .

bank rate *(n.)* سعر الحسم (الذي يحدّده البنك المركزي) .

bankrupt [băngk'rŭpt] *(vt. ; n. ;adj.)* (١) «أ» يُفْلِس (شخصاً). «ب» يُفْقِر § (٢) المفلس: العاجز عن دفع ديونه (٣) المفتقر لشيء ما افتقاراً كاملاً § (٤) مفلس (٥) إفلاسيّ (~ laws) (٦) مفتقر لشيء افتقاراً كاملاً .

to go ~, يُفْلِس ؛ يعجز عن الدفع.

bankruptcy [-'rŭpt sĭ] *(n.)* (١) إفلاس (٢) افتقار كامل .

banksia [băngk'sĭ ə] *(n.)* البَنْكْسِيّة : شجرة أو شجيرة استرالية .

banksia

banner [băn'ər] *(n. ; adj.)* (١) راية ؛ عَلَم ؛ لواء (٢) شعار (٣) رأسيّة (عنوان أو ترويسة) بأحرف ضخمة ممتدة على عرض الصفحة (صح) . § (٤) ممتاز ؛ متفوق على غيره (a ~ year for crops) .

banneret *(n.)* قائد الفرسان .

banneret *also* **bannerette** *(n.)* راية صغيرة .

bannerol *also* **banner roll** *(n.)* = banderole.

bannock [băn'ək] *(n.)* البَنُّوكَة : كعكة من دقيق الشوفان أو الشعير .

banns [bănz] *(n. pl.)* إعلان عن زواج (وبخاصة في كنيسة) .

banquet [băng'kwit] *(n. ; vt. ; i.)* (١) مأدُبة § (٢) يقيم مأدبةً لـ . ×(٣) يستمتع بالطعام او الشراب .

banquette [băng kĕt'] *(n.)* (١) منصة في داخل متراس أو خندق (يعتليها الجند عند إطلاقهم النار) (٢) مَقعد طويل مُنجَّد .

bantam [băn'təm] *(n.; adj.)* (١) البَنْطَم : دجاج صغير الحجم. (٢) شخص ضئيل الجسم محبّ ، عادةً ، للخصام والعراك (٣) jeep § (٤) صغير ؛ ضئيل الجسم (٥) محبّ للخصام والعراك.

bantamweight *(n.)* ملاكم من وزن البَنْطَم (لا يزيد وزنه على ١١٨ باونداً) .

banter [băn'-] *(vt.; i.; n.)* (١) يُمازح ×(٢) يمزح § (٣) مُزاح .

banteringly *(adv.)* بمُزاح ؛ بممازحة .

bantling [bănt'lĭng] *(n.)* طفل صغير ؛ وبخاصة : ابن زنا .

Bantu [băn'tōō] *(n. ; adj.)* (١) البانتو : مجموعة كبيرة من الشعوب الزنجية في افريقية الاستوائية والجنوبية (٢) لغات البانتو : مجموعة من اللغات الافريقية يُنطق بها جنوبيّ خطّ ممتدّ من الكامرون إلى كينيا § (٣) بانتوويّ.

banyan [băn'yən] *(n.)* الأَثْأَب ؛ تين البنغال : شجر ضخم من أشجار جزائر الهند الشرقية .

banyan

banzai [băn'zäē'] *(n.; adj.)* (١) هُتاف نصر يابانيّ . § (٢) متهوّر ؛ انتحاري .

banzai attack *(n.)* الهجوم الانتحاريّ : ضرب من الهجوم الجماعي اليائس ابتدعه الجنود اليابانيّون .

baobab *(n.)* الباؤُوباب ؛ التَبلْدِيّ: شجر استوائيّ عريض الجِذْع .

baptisia *(n.)* البَبْتيزْيا : نباتٌ شمالأميركي مُزْهِر .

baptism [băp'tĭz əm] *(n.)* (١) المعمودية ؛ العِماد (نص) . (٢) أول تجربة يواجهها المرء في حياة جديدة .

baptismal [băp tĭz'-] *(adj.)* معموديّ: خاصّ بالمعمودية (نص).

baptism of fire *(n.)* معمودية النار : «أ» أول معركة يخوضها الجنديّ. «ب» مِحنة قاسية ؛ اختبار عسير .

baptist [băp'tĭst] *(n. ; adj.)* (١) المعمِد ؛ المَعْمَداني : مَنْ يعمّد أو يُنَصِّر (٢) *cap.* المعمدانيّ: أحد أتباع مذهب بروتستانتيّ يقول إن المعموديّة يجب أن لا تتمّ إلا بعد أن يبلغ المرء سناً تمكّنه من فهم معناها § (٣) *cap.* : مَعمدانيّ .

baptistery *or* **baptistry** [băp'-] *(n.)* بَيْت المعمودية : مبنى (أو جزء من كنيسة) يُجرَى فيه التعميد (نص) .

baptize [băp tīz'] *(vt. ; i.)* (١) يُعمِّد : يغطّس طفلاً في الماء (أو ينضحه بالماء) رمزاً لتطهيره من الخطيئة وإدخاله في كنف الكنيسة (٢) يطهّر روحياً (٣) يعطي الطفل اسم التنصير (أي اسمه الصغير) عند المعمودية .

bar [bär] *(n. ; vt. ; prep.)* (١) «أ» قضيب (معدنيّ الخ .) «ب» رِتاج ؛ مزلاج . «ج» المُصَبَّع: قطعة مستطيلة (من صابون أو شوكولا) . «د» سبيكة ذهب (٢) «أ» عائق ؛ حاجز ؛ عقبة . «ب» سدّ . «ج» بوّابة المكوس (٣) «أ» إبطال لزعم أو دعوى (ق) . «ب» اعتراض مُبْطِل لزعم أو دعوى (ق) (٤) «أ» حاجز في محكمة (يفصل مقاعد القضاة

او المحامين عن مقاعد النظارة) . «ب» قَفَصُ المحكمة (حيث يقف المتّهمون) (5)«أ» محكمة . «ب» جماعة المحامين «ج» مهنة المحاماة (6) «أ» خطّ . «ب» شعاع . شريط ؛ عصابة ؛ قَلَم . (7) مَشْرَب ؛ بار ؛ حانة (8) قَدْر (مج) ؛ فاصلة موسيقية (9) البار : وحدة لقياس الضغط تساوي مليون «داين» في السنتيمتر المربع (10) يُحكِم إقفال باب بمزلاج (11) يسُدّ ؛ يعترض (12) يعلم أو يسم بخطوط الخ . (13) يمنع ؛ يحظر (14) ما عدا (~ one) من غير استثناء

~ none
to be tried at (the) Bar يحاكَم محكمة علنية
to be called to the Bar
to go to the Bar يصبح محامياً
to read for the Bar يَدرُس المحاماة

barb [bärb] (n. ; vt.) (1) «أ» شوكة (في نصل السهم أو صنّارة الصيد) . «ب» تعليق لاذع (2) غطاء للرأس (في القرون الوسطى) يطوق الذقن ويغطي العنق (3) «أ» لحية ؛ عِذار «ب» البَرْبَل : زائدة رفيعة متدلّية من السمكة (4) «شعرة» من «شعرات» عراق (قصبة) ريشة الطائر (5) أسَلة (نب) (6) ضرب من الجياد السريعة عربيّ الأصل (7) ضرب من الحمام شبيه بحمام الزاجل (8) يزوّد (السهم أو الصنّارة) بشوكة .

barbarian [bär bâr'-] (adj. ; n.) (1) أجنبي ؛ وبخاصة يوناني (2) همجيّ ؛ غير متمدّن (3) شخص أجنبيّ أو همجيّ

barbaric [bär băr'ik] (adj.) (1) همجيّ ؛ غير متمدّن (2) مُسرِف فيه من غير ذوق (~ decorations) .

barbarism [bär'bə riz'əm] (n.) (1)«أ» استعمال الكلمات التي تتنافى والفصاحة.«ب»«كلمة أوعبارة غيرفصيحة (2)همجية ؛ تخلّف .

barbarity (n.) (1) barbarism (2) وحشية (3) عمل وحشي .

barbarize (vi. ; t.) (1) يصبح همجيّاً ×(2) يجعله همجيّاً .

barbarous (adj.) (1) غير فصيح (كلاماً أوكتابة) . (2) همجيّ ؛ غير متمدّن (3) وحشيّ .

Barbary ape (n.) قرد المغرب ؛ قرد شمالي أفريقيّ لا ذَنَب له .

barbate [bär'bāt] (adj.) (1) مُلتَحٍ ؛ ذو لحية (2) أهلب : قاسي الشعيرات طويلها (نب) .

Barbary ape

barbecue [bär'bə kū] (n. ; vt.) (1) خنزير أوثورالخ : يُشوى جملةً واحدةً (2) مناسبة اجتماعية يقدم فيها لحم هذا الخنزير أو الثور (3) يشوي خنزيراً أو ثوراً جملةً واحدةً كما تُشوى الشاورما (4) يطهو اللحم أو السمك شرائح رقيقة في صلصة خل حرّيفة .

barbed wire also **barbwire** (n.) أسلاك شائكة

barbel [bär'bəl] (n.) (1) البُنّيّ ؛ البَرْبيس : سمك نهري من فصيلة الشَّبّوطيّات (2) البَرْبَل : زائدة استشعارية رفيعة متدلّية من السمكة .

barbell (n.) الثُّقْلة : قضيب في كل من طرفيه أقراص حديدية يُستخدم في رياضة رفع الأثقال .

barbellate (adj.) قصير الشعيرات قاسيها («نب» و«ح») .

barber [bär'bər] (n. ; vt. ; i.) (1) الحَلّاق (2) يَحلِق لـ .

barberry (n.) البَرْباريس : شجيرة شائكة ذات زهر أصفر .

barbet [bär'bit] (n.) (1)كلب طويل الشعر متجعّده (2) طير استوائي ضخم الرأس ذوشعرات شائكة عند قاعدة المنقار .

barbette [bär bĕt'] (n.) «أ» منصّة (أو مرتفع من الأرض) داخل حصن تُطلَق منها النار . «ب» منصّة للغرض نفسه في سفينة حربية .

barbican [bär'bə kən] (n.) . حصن أمامي (للدفاع عن مدينة) .

barbital [bär'bə-] (n.) البَرْبيتال : ذرور أبيض متبلور يُتّخَذ منوّماً.

barbiturate [bär bich'-] (n.) (أ) ملح حامض البربيتوريك (ك) . «ب» أحد مشتقات حامض البربيتوريك ويستخدَم كمسكّن أو منوّم .

barbule [bär'būl] (n.) (1) لُحَيّة : لحية صغيرة . (2) barbel 2 (3) شُعَيّرة (في عراق أو قصبة ريشة الطائر.) .

barbwire (n.) = barbed wire.

barcarole or **barcarolle** [bär'kə rōl'] (n.) البَرْكارول : «أ» أغنية ينشدها بحارة البندقية . «ب» لحن موسيقي مستوحى منها .

barcelona chair (n.) كرسي بَرْشلونة : كرسيّ جلديّ بلا ذراعين .

bard [bärd] (n.) (1) «أ» شاعر قبليّ ينظم القصائد في مآثر الأبطال وينشدها . «ب» شاعر ملحميّ أو بطوليّ (2) شاعر .

bard or **barde** (n. ; vt.) [Ar.] (1) البَرْدَعة : بردعة الفرس (2) يُبَرْدِع : يُجهّز فرساً برَدَعة .

bardolater (n.) الشديد الإعجاب بشكسبير .

bare [bâr] (adj. ; vt.) (1) عارٍ . «ب» حاسر الرأس «ج» أعزل . «د» أجرَد (2) باد ؛ ظاهر (a ~ hillside) للعيان ؛ غير محجوب (3) خلوّ (من الأثاث وغيره) (4) مجرّد (5) ضئيل (can't buy even the ~ necessaries of life) جدّاً (6) صريح ؛ عارٍ ؛ غير (elected by a ~ majority) مزخرف (the ~ truth) (7) يُبدِي ؛ يكشف عن (8) يفضي بسريرة نفسه (to ~ one's heart) . يكشف عن أمرٍ أو سِرّ
to lay ~ ,

bareback (adv.) (1) bareback (2) (~ riding) على فرس غير مُسرَج .

barebacked (adv. ; adj.) غير مُسرَج .

barefaced (adj.) (1) سافِر (2) وقح (a ~ lie) .

barefoot or **barefooted** (adv. ; adj.) حافي القدمين .

bare-handed (adj.) (1)صِفْرُ اليدين (2)بلا قفّازات (3)أعزل .

bareheaded (adj. ; adv.) حاسر الرأس .

barelegged [bâr'lĕg'id] (adj.) عاري الرجلين ؛ بلا جوارب .

barely [bâr'li] (adv.) (1)بالجهد ؛ «بالكاد» ؛ بشقّ النفس (2) بصراحة (a question ~ put) (He ~ escaped.) (3) على نحو هزيل (a ~ furnished home) .

barfly (n.) سكّير يُكثر من التردد على الحانات .

bargain [bär'gin] (n. ; vi. ; t.) (1) التَّصافق : اتفاق على بيع أو مقايضة (2) صفقة ؛ وبخاصة : صفقة رابحة (3) يساوم (4) يتفق ×(5) يقايض
a bad ~ , صفقة خاسرة
a good ~ , صفقة رابحة
a hard ~ , صفقة المغبون
into the ~ , أيضاً ؛ بالإضافة إلى
to ~ for , يتوقّع ؛ ينتظر
to strike (close, conclude, settle) a ~ , يعقد صفقة

barge [bärj] (n. ; vt. ; i.) (1) البَرَج : «أ» مركب لنقل البضائع «ب» زورق بخاري مخصص لقائد أسطول «ج» مركب كبير للرحلات والمهرجانات والاحتفالات الخاصة . «د» houseboat (2) ينقل بِبَرَج ×(3) يقحم نفسه .

bargee [bär jē'] *(n.)* = bargeman.

bargeman [bärj'-] *(n.)* البَرْجي: قائد البَرْج (را barge) أو أحد نُوتيّته .

baric [băr'ĭk] *(adj.)* باريومي: منسوب إلى الباريوم (ك) .

barilla [bə rĭl'ə] *(n.)* (١) الحُرُض ؛ الحُرُض: نبات كانوا يستخرجون منه كربونات الصودا (٢) قِلْي الحَرْض .

barite [bâr'īt] *(n.)* الباريت: صخر قوامُه كبريتات الباريوم .

baritone *(n.)* الجَهير الأوّل (مج): صوت رجاليّ أعلى من الجهير وأدنى من الصّادح (مو) .

barium [bâr'ĭ əm] *(n.)* الباريوم (ك) .

barium sulphate *(n.)* كبريتات الباريوم (ك) .

bark [bärk] *(vi.; t.; n.)* (١) ينبح (الكلبُ) (٢) ينبح كالكلب (٣) يَسْعُل (ع) (٤)× يعلن بصوت عالٍ شبيه بالنّباح (٥) يقشُر ؛ ينزع اللحاء (٦) يكسو باللّحاء (٧) يدبُغ (٨) يخدش أو «يجلُف» ركبتَه (نتيجةً لزلّة أو سقطة) §(٩) نُباح (١٠) «أ» لِحاء الشجر. «ب» لحاء الدباغين (١١) البَرْك: مركب بثلاثة صوارٍ .

to ~ up the wrong tree يخطىء القصد ؛ يلاحق شخصاً (أو هدفاً) غير الذي يقصده .

bark II.

barkeeper [bär'-] *(n.)* الخمّار: صاحب الحانة أو مديرها .

barkentine [bär'kən tēn'] *(n.)* البَرْكنتين: مركب بثلاثة صوارٍ .

barker [bär'-] *(n.)* (١) النبّاح (٢) شخص يقف أمام دكان أو مسرح ويدعو السابلة، بصوت جهير، إلى الدخول (٣) «أ» اللحّاء: مَن يَنْزِع لحاء الشجر. «ب» اللحّاءة: ماكينة لنزع اللحاء عن خشب الأشجار .

barking [bär'-] *(n.)* مص bark وبخاصة: «أ» عواء «ب» نَزْع اللحاء .

barky [bär'kĭ] *(adj.)* لِحائي: مكسوّ باللّحاء ؛ شبيه باللّحاء .

barley [bär'lĭ] *(n.)* شعير .

barleycorn *(n.)* (١) حبة شعير (٢) مقياس قديم للطول يساوي ثلث انش .

barley sugar *(n.)* سُكّر نبات

barm *(n.)* خميرة البيرة ؛ خميرة تتشكّل على البيرة أثناء تخمّرها .

barmaid [bär'mād'] *(n.)* الساقية: نادلة في حانة .

barman [bär'-] *(n.)* الساقي ؛ المَشْرَبيّ (في حانة) .

Barmecidal *or* **Barmecide** *(adj.)* وهميّ ؛ خيالي .

Barmecide feast *(n.)* (١) وليمة وهمية (٢) تظاهر فارغ بالكرم

barmy [bär'mĭ] *(adj.)* (١) مُزْبِد: كثير الرغوة (٢) مجنون .

barn [bärn] *(n.)* (١) الهُري: مخزن الحبوب (٢) حظيرة للماشية (٣) مبنى لإيواء العربات .

barnacle [bär'nə kəl] *(n.)* (١) البَرْنَقيل: «أ» ضربٌ من الإوزّ. «ب» حيوانات بحرية قِشْريّة من رتبة هُدّابيات الأرجل تعلق بالصخور (٢) شيء أو شخص دَبِق (٣) كلاّبة (لأنف الفرس الحرون) (٤) *pl.*: نظّارات (ع) .

barn-door *(n.)* باب مخزن الحبوب (وهو يتميّز بالضخامة) .

not able to hit a ~ , ضعيف جداً في الرماية .

barnstorm [bärn'-] *(vi.)* (١) يطوف في المناطق الريفية مقدماً الحفلات المسرحية (٢) يقوم بحملة سياسية أو بجولة خطابية في الأرياف (٣) يتنقل من مكان إلى مكان، وبخاصة: يقود طائرته في رحلات يراد بها الاستمتاع بمشاهدة الريف الخ. من الجوّ .

barnyard [bärn'-] *(n.)* فِناء محاذٍ لمخزن الحبوب الخ .

baro- بادئة معناها: ثِقل ؛ ضغط (barometer) .

barogram *(n.)* الباروغرام: ما تُسجله مِرسمة الضغط .

barograph *(n.)* الباروغراف؛ مِرسمة الضغط (مج): بارومتر أوتوماتيكي التسجيل .

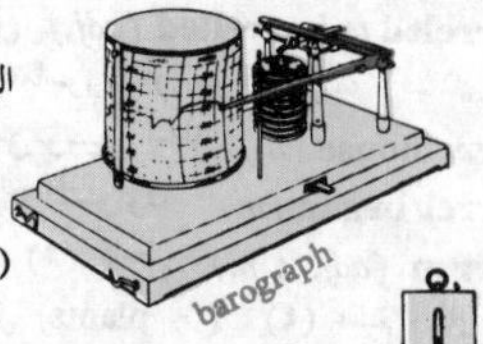

barograph

barometer *(n.)* (١) البارومتر؛ مقياس الضغط الجويّ (مج) (٢) كل ما يسجّل التغيّرات (في الرأي العام الخ .)

barometer

barometric pressure *(n.)* الضغط البارومتري (مج) .

baron [băr'ən] *(n.)* (١) البارون ؛ النبيل (٢) قُطْب (في حقل من حقول النشاط) .

baronage *(n.)* (١) جماعة البارونات (٢) البارونية: رتبة البارون .

baroness *(n.)* (١) البارونة (٢) زوجة البارون .

baronet [-'ən ĭt] *(n.)* (١) البارونيتية: رتبة وراثية أودرجة شرف تحت البارون وفوق الفارس (٢) البارونيت: حامل هذه الرتبة .

baronetage *(n.)* (١) baronetcy (٢) جماعة البارونيتات .

baronetcy [băr'ən ĭt sĭ] *(n.)* = baronet I.

baronial *(adj.)* (١) باروني: منسوب إلى البارون (٢) لائق ببارون .

barony *(n.)* البارونيّة: «أ» رتبة البارون أو أراضيه. «ب» أطيان .

baroque [bə rōk'] *(adj.; n.)* (١) باروكيّ: خاصّ أو متعلّق أو مُتّسِم بأسلوب في التعبير الفني سادَ في القرن الـ ١٧ بخاصة. وهو يتميز على الجملة بدقة الزخرفة وغرابتها أحياناً وباصطناع الأشكال المنحرفة أو الملتوية (في فنّ العمارة) وبالتعقيد والصور الغريبة الغامضة (في الأدب) (٢) مزخرف على نحو مفرط أوغريب (٣) غير مُتّسق الشكل (pearls ~) §(٤) «أ» طراز أوأسلوب باروكي. «ب» أثر فني من هذا الطراز أو بهذا الأسلوب .

baroscope *(n.)* الباروسكوب: أداة لتبيان تغيّرات الضغط الجوي

barouche [bə rōōsh'] *(n.)* البَروشة: مركبة ذات أربع عجلات ومقعدين متقابلين وغطاء قابلٍ للطي .

barque ; barquentine *(n.)* = bark II ; barkentine.

barrack [băr'ək] *(n.; vt.; i.)* (١) *pl.* عد: ثُكْنة (٢) بناء ضخم بسيط مكتظّ § (٣) يؤوي في الثكنات (٤) يهتف ضد لاعب أو فريق أو للاعب أو فريق .

barracoon *(n.)* (١) مَحجر الأرقاء (٢) مَحجر المجرمين .

barracuda [-kōō'də] *(n.)* البَرَكُودة: سمك بحريّ ضخم ضارٍ .

barrage [bə räzh'] *(n.)* (١) خزّان ؛ سدّ (٢) سدّ من النيران: حاجز من نيران المدفعية يستخدم لمنع العدوّ من التقدم أو لتمكين القوات الناشطة خلف تلك النيران من أن تعمل بأقلّ قَدْرٍ ممكن من الاصابات (٣) وابل (a ~ of questions) .

barramunda *or* **barramundi** *(n.)* البَرَمُون: سمك نهري .

barranca [bə răng 'kə] *(n.)* وادٍ ضيق متحدّر الجنَبات .

barratry [băr'ə trĭ] *(n.)* (١) شراء المناصب أو بيعها (في الكنيسة أو الدولة) (٢) إهمال متعمّد من قبل ربّان السفينة أو بحّارتها (٣) الاسراف في إقامة الدعاوى

—barrator *(n.)*

barred [bärd] *(adj.)* (١) مُزلّج: مُدعّم بمزلاج أو أكثر (٢) مسدود (٣) ممنوع (٤) مقلّم ؛ مخطّط (fabrics ~) .

barrel [băr'əl] *(n.; vt.; i.)* (١) برميل (٢) «أ» ملء برميل . «ب» مقدار ضخم (٣) أسطوانة ؛ جزء أسطواني ، مثل: «أ» ماسورة البندقية. «ب» أنبوبة قلم الحبر الخ. (٤) جِذْع

ă at; ā date; â care; ä car; ĕ egg; ē me; ĭ in; ī bite; ŏ lot; ō bone; ô orphan; oi boil ŏŏ good; ōō boot; ou out; ŭ under; ū unity; û urgent; th thing; *th* this; zh vision; ə = *a* in alone, *e* in system, *i* in easily, *o* in gallop, *u* in circus.

حيوان من ذوات الأربع § (٥) يُبَرْمِل : يعبىء في بَرميل ×(٦) ينطلق بسرعة فائقة .

barrel chair *(n.)* الكرسي البرميليّ : كرسيّ منجّد عالي الظهر مدوّره .

barreled *or* **barrelled** *(adj.)* (١) مُبَرْمَل : مُعبّأ في براميل. (٢) برميليّ الشكل (٣) ذو ماسورة أو أنبوبة .

barrelhouse *(n.)* (١) حانة حقيرة (٢) ضرب من موسيقى الجاز.

barrel organ *(n.)* الأرغن اليدوي : أرغن يطوف به المتسوّلون .

barren *(adj. ; n.)* (١) عاقر (a ~ woman) (٢) قاحل (~ lands) (٣) غير مثمر (~ plants) (٤) عقيم ؛ فارغ (~ reveries) (٥) غير ممتع أو جذّاب (٦) عاطلٌ عن ؛ محروم من (~ of all grace) (٧) متبلّد العقل § (٨) أرضٌ قاحلة

—barrenness *(n.)*

barrette [bə rĕt'] *(n.)* مِشْبَك لشعر المرأة .

barricade [băr'ə kād'] *(n. ; vt.)* (١) متراس (٢) حاجز ؛ عقبة § (٣) يسدّ أو يعترض بمتراس الخ .

barrier [băr'ĭ ər] *(n.)* (١) حاجز (٢) عائق (٣) حدّ ؛ تخم (٤) قلعة أو مدينة محصّنة على الحدود .

barring *(prep.)* باستثناء، في ما عدا، إلا إذا حال حائلٌ دون كذا.

barrister [băr'ĭs tər] *(n.)* محامٍ (في المحاكم العليا) .

barroom [bär'-] *(n.)* البار : حجرة فيها مَشْرَب لبيع المُسكِرات.

barrow [băr'ō] *(n.)* (١) جبل ؛ رابية (٢) ركام من تراب أو حجارة فوق قبر قديم (٣) خنزير مخصيّ (٤) عربة يد .

bartender [bär'tĕn'dər] *(n.)* المَشْرَبيّ ؛ السّاقي (في حانة) .

barter *(vi.; t.; n.)* (١) يُقايِض § (٢) مقايضة (٣) المقايَض به.

bartizan [bär'tə zən] *(n.)* برج ناتىء (من جدار) .

baryta [bə rī'tə] *(n.)* الباريتا : «أ» أكسيد الباريوم. «ب» باريوم (ك)

barytone [băr'ə tōn'] = baritone.

basal [bā'səl] *(adj.)* (١) قاعديّ : «أ» ذو علاقة بالقاعدة أو واقعٌ عندها «ب» ناشىء من قاعدة السّاق (~ leaves) (٢) أساسيّ.

basalt [bə sôlt'] *(n.)* البازَلْت: حجرٌ قاسٍ داكن بركانيّ الأصل .

basaltic *(adj.)* بازَلتيّ : منسوب إلى البازلت .

bas bleu [bä blœ'] *(n.)* = bluestocking.

bascule [băs'kūl] *(n.)* = seesaw 3.

bascule bridge *(n.)* جسرٌ متحرّك أو قلاّب .

base [bās] *(n. ; vt. ; adj.)* (١) أساس ؛ قاعدة ؛ أسفل الشيء . (٢) العنصر الأساسي في مزيج (٣) «أ» منطلَق ؛ نقطة الانطلاق . «ب» قاعدة بحرية أو جوية (٤) الهدف (في الهوكي وبعض الألعاب الرياضية) (٥) قاعدة المثلث (هن) (٦) الأساس (ر) (٧) القاعدة : ما يتفاعل مع حامض ليشكّل ملحاً (ك) § (٨) يَبْني على أساس كذا (Direct taxation is ~*d* upon income.) § (٩) دنيء ، حقير (~ conduct) (١٠) خسيس ؛ قليل القيمة (~ metals) (١١) رديء أو زائف (~ coin) (١٢) عاميّ ؛ غير فصيح (~ Latin) .

baseball [bās'bôl'] *(n.)* البايسبول ؛ كُرة القاعدة (من ألعاب الكُرة).

baseboard *(n.)* (١) لوح القاعدة : لوحٌ خشبي يشكل قاعدة شيء ما (٢) إزار الحائط (مج) : طوق خشبيّ محيط بالجدران الداخلية للغرفة مما يلي أرضيتّها مباشرة .

baseborn *(adj.)* (١) «أ» وضيع المولد . «ب» نَغِل ؛ غير شرعيّ (٢) حقير ؛ دنيء .

baseless *(adj.)* (١) لا أساس له (a ~ claim) (٢) لا مبرّر له .

base line *(n.)* (١) الخطّ القاعديّ : خطٌّ رئيسي يُتّخذ (أو يمثّل) قاعدةً (٢) الخط الخلفي (في كل من طرفي ملعب التنس).

basely *(adv.)* بدناءة ؛ بحقارة ؛ على نحوٍ مُخزٍ أو غير مشرِّف .

basement [bās'-] *(n.)* (١) الدور التحتاني : جزء من البناية واقعٌ تحت الأرض كلياً أو جزئياً (٢) الجزء الأسفل أو القاعديّ .

basenji *(n.)* البازنجي : كلبُ صيدٍ افريقيّ صغير نادراً ما ينبح .

base pay *(n.)* الراتب الأساسي (مجرّداً من الضمائم المختلفة)

bash *(vt.; i.; n.)* (١) يضرب بعنف (٢) يسحق § (٣) ضربة عنيفة.

bashaw [bə shô'] *(n.)* = pasha.

bashful [băsh'fəl] *(adj.)* خجول ؛ حَيِيّ .

bashfulness *(n.)* خَجَل ؛ حياء .

bashi-bazouk [băsh'ĭ bə zōōk'] *(n.)* (١) الباشبوزوق : واحد من أفراد قوة عثمانية اشتهر أفرادها بالوحشية وإثارة القلاقل (٢) شخص متمرّد مثير للقلاقل .

basic [bā'sĭk] *(adj. ; n.)* (١) أساسي (٢) قاعديّ («ك» و «مع» و «جي») § (٣) شيء أساسي .

basically [bā'sĭk lĭ] *(adv.)* أساسياً ؛ جوهرياً .

Basic English *(n.)* الانكليزية الأساسية : نظام مُبسَّط لتعليم اللغة الانكليزية لا يزيد عدد مفرداته على ٨٥٠ كلمة .

basicity [bā sĭs'-] *(n.)* (١) القاعديّة (ك) (٢) درجة القاعدية (ك).

basidial *(adj.)* دِعاميّ : ذو دِعامة (را . basidium) أو متعلّق بها.

Basidiomycetes *(n.pl.)* الدِّعاميّات ؛ الفُطور الدِّعامية (نب).

basidiospore *(n.)* البَوْغ الدِّعاميّ : بَوْغ ناشىء عن دعامة (نب).

basidium [bə sĭd'-] *(n.)* *pl.* **-sidia** الدِّعامة : عضوٌ ينشأ في أعلاه بَوْغُ الفطور الدِّعاميّة (نب) .

basifixed *(adj.)* قاعديّ : متّصل بالقاعدة أو مُثبَّتٌ بها (نب) .

basify *(vt.)* يُقعِّد ؛ يُقلّي : يجعله قاعدياً أو قلوياً (ك) .

basil [băz'əl] *(n.)* الحَبَق ؛ الرَّيحان : نباتٌ من الشَّفَويّات .

basilar *or* **basilary** *(adj.)* قاعديّ ؛ واقعٌ عند القاعدة .

basilic [-'ĭk] *(adj.)* (١) مَلَكيّ ؛ ملوكي (٢) باسيليقي .

basilica [bə sĭl'ə kə] *(n.)* الباسيليقا : «أ» مبنى روماني مستطيل في أحد طرفيه جزء ناتىء نصفُ دائريّ . «ب» كنيسة قديمة مبنية على هذا الشكل . «ج» كاتدرائية كاثوليكية ذات امتيازات

basilic vein *(n.)* الباسِليق (مج) : وريد ضخم في العَضُد (ت).

basilisk [băs'ə lĭsk ; băz'-] *(n.)* البازيليسق : «أ» زحّافٌ خرافيّ شبيه بالعظاءة مُهلِكٌ الأنفاس والنظرات . «ب» عظاءة أميركية .

basilisk

basin [bā'sən] *(n.)* (١) «أ» حوض، طَسْت. «ب» ملء حوض (٢) ما يشبه حوض الماء، مثل : بركة ؛ حوض سفن (٣) حوضُ النهر أو البحيرة أو المحيط (٤) الجَفْنة : وعاء خزفي للتبخير أو للتسخين (ك) .

basinet [băs'ə nĭt ; - nĕt'] *(n.)* خُوذة فولاذية خفيفة .

basis [bā'sĭs] *(n.)* pl. **-ses** (١) أساس (٢) عنصر أساسيّ (٣) مبدأ أساسيّ .

bask [băsk ; bäsk] *(vi.)* (١) يستدفىء ؛ يتشمّس (٢) يتنعّم بـ .

basket [băs'kĭt] *(n.)* (١) سلّة (٢) إصابة (في كرة السلّة) .

basketball [- bôl'] *(n.)* كرة السلّة (رب) .

basket case *(n.)* الحالة السَّلّية : «أ» شخص بُترت أطرافه. «ب» المُقعَد؛ العاجز عجزاً كلياً.

basket hilt *(n.)* المَقبِضُ السَّلّيّ : مَقبِض سيفٍ ذو غطاء على شكل سلّة .

basket-of-gold *(n.)* الألوسن الحجريّ؛ سلّة الذهب : نبات أصفر الزهر .

ă at; ā date; â care; ä car; ĕ egg; ē me; ĭ in; ī bite; ŏ lot; ō bone; ô orphan; oi boil ŏŏ good; ōō boot; ou out; ŭ under; ū unity; û urgent; th thing; *th* this; zh vision; ə = *a* in alone, *e* in system, *i* in easily, *o* in gallop, *u* in circus.

basketry *(n.)* (١) السِّلالة : صناعة السلال ونحوها (٢) سِلالٌ الخ .

basket weave *(n.)* النَّسْج السَّلّي : أسلوب في نسج القماش تتشابك فيه الخيوط كتشابك عيدان السلّة .

basophil *or* **basophile** *(n.)* الخليّة المستَقْعِدة : خليّة سريعة الاختضاب بالأصباغ القاعدية (أح) .

basophilic *(adj.)* مُسْتَقْعِد : سريع الاختضاب بالأصباغ القاعدية (أح) .

Basque [băsk] *(n. ; adj.)* (١) الباسكيّ : واحد « الباسك » أو الباسكيين وهم شعب مجهول الأصل يقطن مناطق البرانس (البيرينية) الغربية في فرنسة واسبانية (٢) الباسكيّة : لغة الباسكيّين (٣) *not cap.* : صدرة نسائيّة ضيّقة § (٤) باسكيّ .

bas-relief [bä'rĭ lēf'] *(n.)* نقشٌ ضئيل البروز .

bass [bās] *(adj. ; n.)* (١) جهير (مج) : عميق وخفيض . § (٢) الجهير : «أ» صوت عميق وخفيض . «ب» مغنٍّ جهير الصوت .

bass [băs] *(n.)* الفَرْخ ، القاروس ، ذئب البحر (سمك) .

bass drum [bās] *(n.)* الطبلة العظمى (مو) .

basset [băs'ĭt] *(n. ; vi.)* (١) الباسِت : كلب طويل الجسم قصير القوائم . (٢) البارز : الحرف البارز فوق سطح الأرض من طبقة جيولوجية (جي) § (٣) يبرز على السطح .

bass horn [bās] *(n.)* = tuba.

bassinet [băs'ə nĕt'] *(n.)* المَهد السَّلّي : سرير للأطفال شبيه بالسلة .

basso [băs'ō] *(n.)* الجهير : مغنٍّ عميق الصوت خفيضُه .

bassoon [bă sōōn'] *(n.)* الزَّمْخَر (مج) : مزمار ذو أنبوبة خشبية مزدوجة وفمٍ معدنيّ ملتوٍ .

basso-relievo *also* **basso-rilievo** *(n.)* = bas-relief.

basswood [băs'-] *(n.)* (١) الزَّيزفون الأميركي (٢) خَشَبُه .

bast [băst] *(n.)* (١) لِحاء (نب) (٢) ليف (من لحاء الأشجار بخاصة) تُصْنَع منه الحبال والحُصُر .

bastard [băs'tərd] *(n. ; adj.)* (١) ابن زنا ، ولد غير شرعي . (٢) شيء زائف أو شاذّ أو رديء أو مشكوكٌ في أصله § (٣) نغِل ، غير شرعي (٤) هَجِين (٥) ذو شكل أو حجم غير سَوِيّ (٦) كاذب ، زائف .

bastard file *(n.)* المِبْرَدُ النَّغِل : مِبْرد نصف خشن .

bastardize [-'tər dīz'] *(vt.)* (١) يُنَغِّل : يعلن أو يثبت أنه غير شرعي (٢) يَحُطّ من شأنِه .

bastardly [-lĭ] *(adj.)* (١) نغِلٌ ، غير شرعي (٢) زائف .

bastardy *(n.)* (١) النَّغُولة ، اللاشرعية (٢) الإنغال : إنجاب ولدٍ غيرِ شرعي .

baste [bāst] *(vt.)* (١) يطرّي (اللحمَ) بالزبدة المائعة أو نحوها (وبخاصة أثناء طَهْوِه) (٢) يُسَرِّج (في الحياطة) (٣) «أ» يَجْلِد . «ب» يعنّف بقوّة .

bastille *or* **bastile** [băs tēl' ; bȧs tē'y] *(n.)* سِجْن .

Bastille Day يوم الباستيل : يوم سقوط الباستيل (١٤ تموز ١٧٨٩)

bastinado [băs'tə nā'dō] *(n. ; vt.)* (١) ضربة بالعصا . (٢) «أ» ضربٌ بالعصا . «ب» ضربٌ بالفَلَقة ، جلدٌ بالعصا على أخمصَي القدمين (٣) عصاً § (٤) يضرب بالعصا ، وبخاصة على أخمصَيِ القدَمين .

basting [bās'tĭng] *(n.)* (١) «أ» تطرية اللحم بالزبدة المائعة أو غيرها (وبخاصة أثناء طهوه) . «ب» السائل المستخدم في هذه التطرية (٢) «أ» التَّسْريج (في الحياطة) . «ب» خيط التسريج (٣) ضَرْبٌ عنيف بالعصا .

bastion [băs'chən ; - tĭ ən] *(n.)* (١) البَسْتِيْن : جزء ناتىء من حصنٍ (٢) منطقة محصّنة ، موقع محصّن (٣) مَعْقِل .

bat [băt] *(n. ; vt. ; i.)* (١) النَّبُّوت : عصاً غليظة (٢) ضربةٌ عنيفة (٣) المِضْرب : مِضْرب كرة البايسبول أو الكريكيت أو البنغ بونغ (٤) «أ» ضربُ الكرة (بالمضرب) . «ب» دَوْر اللاعب في الضَّرْب . «ج» الضارب : اللاعب الضارب للكرة بمضربِه (٥) شظيّة من آجُرّ (٦) نسبة السرعة (٧) خُفّاش (٨) مَرَح صاخب أو مُعَرْبِد (to go on a ~) § (٩) يضرب الكرة (بالمضرب) (١٠) يناقش أو يدرس بتفصيل (١١) تَطْرِف عينُهُ ، وبخاصة من دهش أو انفعال × (١٢) يأخذ دوره في ضرب الكرة بالمضرب (١٣) يهيم على وجهه ، يطوف من غير هدف .

bat 7.

at a rare ~, بسرعة فائقة (ع) .

not ~ an eyelid (١) لا يُغمِض له جفن (٢) لا يُظهِر أيّ اندهاش .

batch [băch] *(n. ; vi.)* (١) خَبْزَة ، عَجْنَة (٢) الكمية المعدّة أو المطلوبة لعملية واحدة (أو المنتجة بعملية واحدة) (٣) دُفْعَة (a ~ of prisoners) § (٤) يتعزّب : يحيا حياة العزّاب .

bate [bāt] *(vt. ; i.)* (١) يخفّض صوتَه أو يحبس أنفاسَه من خوفٍ أو قلق (٢) يخفّض (الأجور الخ .) × (٣) يصفّق (الصقرُ) بجناحيه بفروغ صَبْر .

bateau *also* **batteau** [bă tō'] *(n.)* pl. -x مركب صغير .

batfowl [băt' foul'] *(vi.)* يُعَشِّي الطير : يصطاد الطيور ليلاً بأن يَبْهَرَ عينَيْها بضوء قويّ ثم يوقعها في شَرَك .

bath [băth ; bäth] *(n. ; vt. ; i.)* (١) «أ» غَسْل ، اغتسال ، استحمام . «ب» الماء الخ . المستخدَم في ذلك . «ج» مَغْطَس ، حوض الاستحمام (٢) حمّام : «أ» موضع الاغتسال أو الاستحمام . «ب» مستحضَر ، مثل سائلٍ حامضيّ ، يُغْمَر فيه شيء . «ج» *pl.* عد : موضع كثير الينابيع المعدنية يرتاده الناس § (٣) يحمّم × (٤) يستحمّ .

bath- *or* **batho-** بادئة معناها : عُمْق (*batho*meter) .

Bath brick *(n.)* آجُرّ باث : ضربٌ من الآجر تُصْقَل به المعادن .

bath chair *(n.)* كرسيّ المرضى : كرسيّ ذو عجلات خاصّ بالمَرضى .

bathe [bāth] *(vt. ; i. ; n.)* (١) يغسِل ، يحمّم (٢) يبلّل . (٣) يغمر (بالماء الخ .) × (٤) يغتسل ، يستحم (٥) يَسْبَح (التماساً للمتعة الخ .) (٦) ينغمر § (٧) bath (٨) سباحة أو اغتسال في البحر الخ .

bathhouse [băth'-] *(n.)* (١) حمّام عمومي (٢) مبنى على الشاطىء ينتظم حُجُرات يغيّر فيها السابحون ملابسهم .

bathinette [băth ə nĕt'] *(n.)* مغطس للأطفال قابل للحَمْل والنقل .

bathing [bā'thĭng] *(n.)* اغتسال (أو سباحة) في البحر الخ .

bathing cap *(n.)* قَلَنْسُوَة السباحة : قلنسوة من المطّاط لوقاية شعر المرأة من البَلَل (أثناء السباحة) .

bathing dress *or* **suit** *(n.)* ثوب السباحة .

bathing machine *(n.)* كوخ السباحة : كوخ متنقّل على عجلات يُدْفَع إلى الشاطىء حيث يغيّر فيه السابحون ملابسهم .

batho- = bath-.

batholith *(n.)* الباثوليّة : كتلة ضخمة من صخر ناريّ توقّفت في ارتفاعها عند نقطة ما تحت سطح الأرض (جي) .

bathometer [bə thŏm'-] *(n.)* المِعماق : أداة لقياس عمق المياه .

ă at; ā date; â care; ä car; ĕ egg; ē me; ĭ in; ī bite; ŏ lot; ō bone; ô orphan; oi boil ŏŏ good; ōō boot; ou out; ŭ under; ū unity; û urgent; th thing; th this; zh vision; ə = a in alone, e in system, i in easily, o in gallop, u in circus.

bathos [bā'thŏs] *(n.)* (١) **anticlimax** (٢) تفاهة في الأسلوب . (٣) عاطفية مُفْرِطة أو كاذبة .

bathrobe [băth'rōb'] *(n.)* بُرْنس حمّام .

bathroom [băth'rōōm'] *(n.)* (١) حمّام (٢) مرحاض .

bathtub [băth'tŭb'] *(n.)* حوض استحمام ؛ « بانيو » .

bathy- بادئة معناها : (١) عميق ؛ عُمق (٢) متعلق بأعماق البحر .

bathyal *(adj.)* = deep-sea.

bathymetric; -al *(adj.)* قياسأعماقي : متعلق بقياس الأعماق .

bathymetry *(n.)* قياس الأعماق : قياس أعماق المياه في البحار .

bathyscaphe *(n.)* غواصة الأعماق : غواصة معَدّة لريادة الأعماق .

bathysphere *(n.)* كُرة الأعماق : جهاز غَوْص كرويّ لدراسة الحياة في أعماق البحار .

batik [bə tēk'] *(n. ; adj.)* (١) التطبيع الباتيكي : طريقة اندونيسية في تطبيع الأقمشة أو تلوينها يدوياً بتغطية الأجزاء التي لا يُراد صَبْغها بطبقة شمعية (٢) المُطبَّع الباتيكيّ : قماش ملوّن بهذه الطريقة (٣) رسم أو شكل مطبوع على القماش بطريقة التطبيع الباتيكي §(٤) «أ» باتيكي . «ب» زاهي الألوان .

bating [bāt'ĭng] *(prep.)* باستثناء ؛ ما عدا .

batiste [bə tēst'] *(n.)* الباتيستة : قماش قطني أو كتاني رقيق .

batman [băt'-] *(n.)* المِرْسال : جنديّ يخدم ضابطاً بريطانياً .

baton [bă tŏn'; bȧ tôn'] *(n.)* (١) هراوة الشرطيّ (٢) عصا المارشال وغيره (٣) المِخْصَرة : عصا قائد الفرقة الموسيقية .

batrachian [bə trā'kĭ ən] *(n.; adj.)* (١) الضِّفدعي ؛ البرْمائيّ : حيوان من الضّفدعيات أو البرمائيات **Batrachia** وهي طائفة من الفقاريات (ح) §(٢) ضِفْدَعيّ ؛ برْمائيّ .

batsman [băts'-] *(n.)* ضارب الكرة ، وبخاصة في الكريكت (رب) .

battalion [bə tăl'yən] *(n.)* (١) كتيبة (جن) (٢) جماعة منظّمة .

batten [băt'ən] *(n. ; vi. ; t.)* (١) الشّريحة : لوح خشبيّ تفرش بأمثاله أرضية الحجرة الخ . (٢) عارضة خشبية §(٣) «أ» يَسْمَنُ . «ب» يحيا بترف على حساب الآخرين ×(٤) يُسَمِّن (٥) يفرش بشرائح (٦) يثبّت بعوارض خشبية .

batter [băt'ər] *(vt. ; i. ; n.)* (١) «أ» يضرب بقوة واستمرار ؛ يسحق . «ب» يقصف بالقنابل (٢) يهاجم بعنف وعلى نحوٍ متكرر (٣) يُبلي أو يعطب بالضرب أو بالاستعمال العنيف (٤) يُحدِّر خلفياً ×(٥) ينحدر (الجدارُ) خلفياً من قاعدته §(٦) مَخِيض لبنٍ وبيْض الخ . (٧) «أ» موضع بالٍ أو معطوب على صفحة حَرْف مطبعي أو كليشيه . «ب» العيب الناشىء عن ذلك عند الطباعة (٨) انحدار خلفيّ (عم) (٩) ضارب الكرة (رب) .

battering ram *(n.)* الكَبْش : آلة حربية كان القدماء يستعملونها لدك أسوار المدن المحاصرة .

battering ram

battery [băt'ə rĭ] *(n.)* (١) «أ» ضَرْب . «ب» اعتداء (٢) «أ» مِدفَعيّة . «ب» سَرِيّة مدْفعِيّة (جن) . «ج» حِصْن الخ . مجهز بمدفعية ثقيلة (٣) الحاشدة (مج) : البطارية الكهربائية (٤) مجموعة أشياء متماثلة أو مترابطة (a ~ of lenses) .

batting [băt'ĭng] *(n.)* (١) ضَرْب بالمِضْرب (في ألعاب الكرة) أو طريقة ذلك (٢) الحَشْوة : رقاقات من قطن أو صوف يُحشى بها اللحاف وغيره .

battle *(n.; vi.; t.)* (١) معركة (٢) كفاح §(٣) يقاتل (٤) يكافح .

battle array *(n.)* ترتيب القتال ؛ ترتيب الوحدات (جن) .

battle - ax

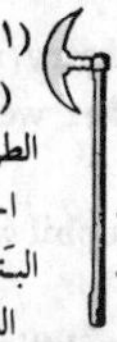

battle-ax *or* **battle-axe** *(n.)* (١) فأس الحرب . (٢) امرأة مشاكسة .

battle cruiser *(n.)* الطرّاد : ضرب من السفن الحربية شديد السرعة .

battledore *(n.)* البَتْلَدور : مِضْرب الشّطْكوك (را . shuttlecock) .

battledore

battlefield; battleground *(n.)* ساحة القتال .

battle group *(n.)* مجموعة القتال : وحدة عسكرية تتألف عادةً من خمس سَرايا (جن) .

battlement [băt'əl mənt] *(n.)* الشّرفة المُفَرَّجة : جدار ذو فتحاتٍ على سطح حِصْن يطلق منها النار .

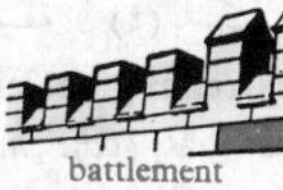

battlement

battleplane [băt'əl plān'] *(n.)* طائرة حربية .

battle royal *(n.)* (١) «أ» مشاجرة جماعية ؛ وبخاصة : مباراة بين أكثر من متلاكمين . «ب» صراعٌ عنيف (٢) مناقشة حامية .

battleship *(n.)* بارجة ؛ دارعة ؛ سفينة حربية .

battlewagon *(n.)* (١) **battleship** (٢) امرأةٌ عدْوانية (ع) .

battue [bă tōō'; - tū'] *(n.)* (١) إثارة الطرائد من مكامنها (ليصيدها القنّاص) (٢) قتلٌ من غير تمييز للعزّل الآمنين .

batty [băt'ĭ] *(adj.)* (١) خُفّاشي ؛ كالخفّاش (٢) معتوه (عا) .

batwing *(adj.)* خُفّاشيّ الجناح : شبيه بجناح خفاش .

bauble [bô'bəl] *(n.)* (١) دُمْية للأطفال (ا.م) (٢) حلية رخيصة تافهة (٣) شيء أو شخص تافه .

baudrons [bô'drənz] *(n.)* هرّة ؛ قطة .

baulk [bôk] = balk.

bauxite [bôk'sīt] *(n.)* البوكسيت : صخر يستخرج منه الألومنيوم .

Bavarian [bə vâr'-] *(n.; adj.)* (١) الباڤاري : أحد أبناء باڤاريا (٢) الباڤارية : اللهجة الألمانية الخاصة بباڤاريا والنمسا §(٣) باڤاريّ .

bawbee *or* **baubee** [bô bē'; bô'-] *(n.)* (١) «أ» عملة اسكتلندية صغيرة . «ب» نصف بنس انكليزي (٢) شيء تافه .

bawd [bôd] *(n.)* (١) صاحب أو صاحبة ماخور (٢) مومس .

bawdry *(n.)* (١) فِسْق ؛ فجور (٢) بذاءة .

bawdy [bô'dĭ] *(adj.)* فاسق ؛ فاجر ؛ داعر .

bawdy house *(n.)* ماخور ؛ مَبْغى ؛ بيت دعارة .

bawl [bôl] *(vi ; t. ; n.)* (١) يصيح ؛ يزعق ×(٢) ينادي على البضاعة (٣) يوبخ بقسوة §(٤) صيحة عالية طويلة .

bay [bā] *(adj. ; n. ; vi. ; t.)* (١) كُمَيْت ؛ كستنائيّ اللون (a ~ mare) §(٢) فرسٌ كُمَيْت (٣) الكُمْتة : اللون الكستنائي (٤) غار (نب) (٥) «أ» اكاليل غار . «ب» *pl.* عد : مجد ؛ شهرة (٦) الفسحة بين عمودين (عم) (٧) جزء رئيسي من مبنىً أو نحوه ، مثل : «أ» حجرة في الهُرْي أو مخزن الحبوب . «ب» مشْرَبيّة ؛ نافذة ناتئة . «ج» جانب من السفينة يتّخذ مستشفى (the sick ~) «د» الحَوْز : حُجَيْرة في طائرة (an engine ~ ; a bomb ~) (٨) خليج (٩) نُباح §(١٠) ينبح ×(١١) ينبح على (١٢) يُكْرِهُ عدُوّاً على الدفاع عن نفسه (١٣) يطارد وهو ينبح .

at ~, في وضع حرِجٍ يضطرّ معه إلى الدفاع عن نفسه بضراوة .

to bring to ~, يُكْرِهُ (عدوّاً) على الدفاع عن نفسه ، يجعل الفرار مستحيلاً .

ă at; ā date; â care; ä car; ĕ egg; ē me; ĭ in; ī bite; ŏ lot; ō bone; ô orphan; oi boil ŏŏ good; ōō boot; ou out; ŭ under; ū unity; û urgent; th thing; t͟h this; zh vision; ə = *a* in alone, *e* in system, *i* in easily, *o* in gallop, *u* in circus.

to keep *or* hold at ~ ،يصُدّ ؛ يمنع العدوّ من التقدّم

bayadere *(n. ; adj.)* (١) البايَدير : قماش مقلّم أفقياً بألوان شديدة التغاير § (٢) بايَديري : مقلّم على هذا النحو .

bayberry *(n.)* الميريقة ؛ الشمعية : نبات شمالأميركي .

bayonet [bā'ə nĭt] *(n. ; vt.)* (١) حربة § (٢) يطعن بالحربة .

bayou [bī'ōō] *(n.)* نُهَير ؛ رافد .

Bay Stater *(n.)* الماساتشوستسي : أحد أبناء ولاية ماساتشوستس .

bay window *(n.)* المَشربيّة : نافذة ناتئة .

bay window

bazaar [bə zär'] *(n.)* (١) سوق شرقية . (٢) «أ» دكّان . «ب» department store (٣) سوق خيريّة .

bazooka [bə zōō'kə] *(n.)* البازوكة : سلاح خفيف يُحمل على الكتف تُطلق منه الصواريخ على الدبابات ونحوها .

B battery *(n.)* بطارية «ب» (كب) .

BCG vaccine *(n.)* لِقاح بكج : لقاح ضدّ السلّ .

B complex *(n.)* = vitamin B complex.

B.C. (before Christ) ق.م : قبل المسيح أو الميلاد .

bdellium [dĕl'ĭ əm; -yəm] *(n.)* (١) المُقْل : مادة ورَد ذكرها في التوراة واختُلف في ماهيتها . فقال بعضهم إنها صمغ وقال آخرون إنها حجر كريم أو لؤلؤة (٢) صمغ راتينجيّ شبيه بالمُرّ .

be [bē] *(vi.)* (١) يكون . (٢) يوجد . (Try to ~ just.) (٣) يُصبح (What is he going to ~ when he grows up?) (٤) يبقى (Don't ~ long.) (٥) يذهب ؛ يجيء (Have you ever *been* to Beirut ?)

be- بادئة معناها : (١) من جميع الجهات *(besprinkle)* . (٢) كلياً ؛ تماماً *(bedazzle)* (٣) يجعله ؛ يصيّره *(becalm)* (٤) يعامله معاملة كذا *(befriend)* .

beach [bēch] *(n. ; vt.)* (١) شاطىء رملي (٢) منطقة ساحلية . § (٣) يدفع أو يسحب مركباً إلى الشاطىء .

beach break *(n.)* موجة تتكسّر قرب الشاطىء الرمليّ .

beachcomber *(n.)* (١) مُتسكّع الشواطىء . وبخاصة : رجل أبيض متسكّع في جزر المحيط الهادي (٢) موجة طويلة مقبلة من الأوقيانوس .

beachhead *(n.)* (١) رأس جسر ساحليّ : جزء من شاطىء معادٍ تستولي عليه طليعة جيش لتمكين القوات المغيرة من الهبوط إلى اليابسة (٢) foothold 2.

beach wagon *(n.)* = station wagon.

beachy [bē'chĭ] *(adj.)* مُرمِل ؛ حَصِب : مكسوّ بالرمل أو بالحصى .

beacon [bē'kən] *(n. ; vt. ; i.)* (١) نار (على تلّة أو برج) للتحذير أو الإرشاد (٢) «أ» منارة . «ب» مرشد لاسلكي ؛ مرشد إشعاع لاسلكي (لهداية الطائرات) § (٣) يهدي ؛ يرشد (٤) يزوّد بمنارة أو مرشد لاسلكي × (٥) يضيء كالمنارة الخ .

bead [bēd] *(n. ; vt. ; i.)* (١) خرزة (٢) *pl.* عِقد (٣) *pl.* سُبحة (٤) كُريّة ، مثل : «أ» قطرة عرَق أو دم . «ب» فُقّاعة (في شراب أو على سطحه) . «ج» قمحة أو علامة التسديد (في سلاحٍ ناريّ) . «د» دَرزة لِحام (٥) حِلية محدّبة (عم) § (٦) يزوّد أو يزيّن أو يكسو بـ beads (٧) يَنظِم خرزات سُبحة × (٨) يتخذ شكل خرزاتٍ أو قطراتٍ .

to draw a ~ on *or* upon يصوّب النار إلى .

to say, tell, *or* count one's ~*s* يسبّح ؛ يتلو صلواته مستعيناً بسُبحة .

beadhouse [bēd'-] *(n.)* مأوى التسبيح : مأوى للفقراء يُكرَّه نزلاؤه على الدعاء إلى الله أن يُجزل الثواب لمنشئه .

beading [bē'dĭng] *(n.)* (١) شيء مؤلف من خرزات أو مزدان بها . (٢) زخرفة خرزيّة (في ثوب الخ .) (٣) حلية محدّبة (عم) .

beadle [bē'dəl] *(n.)* الشمّاس ؛ شمّاس الكنيسة (نص) .

beadledom *(n.)* تظاهر بالسلطة أو ممارستها على نحوٍ أحمق (من جانب موظف ثانويّ الخ .) .

beadroll [bēd'rōl] *(n.)* (١) لائحة ؛ مسرد (٢) سُبحة .

beadsman *(n.)* (١) المصلي أو المصلي المستأجر : من يتلو الصلوات وبخاصة من أجل غيره لقاء أجر (٢) نزيل ملجأ للفقراء .

beadwork [bēd'wûrk'] *(n.)* = beading 2 ; 3.

beady [bē'dĭ] *(adj.)* (١) خرزي ؛ وبخاصة : صغير مدور يموز ببريق الرغبة أو الطمع (~eyes) (٢) ذو خرزات أو فقاقيع الخ .

beagle [bē'gəl] *(n.)* البيجَل : كلب صيد صغير القوائم ناعم الوبَر .

beagle

beak [bēk] *(n.)* (١) «أ» مِنقار ؛ وبخاصة : منقار طير من الجوارح . «ب» أنف (ع) (٢) كل مُستدقّ الطرَف شبيه بالمنقار (٣) قاضٍ (عب) (٤) مدرّس أو مدير مدرسة (عب) .

beaked *(adj.)* (١) ذو منقار (٢) منقاريّ الشكل ؛ أعقف .

beaker [bē'kər] *(n.)* (١) كأس كبيرة أو محتوياتها (٢) كوب الصيدليّ .

beam [bēm] *(n. ; vt. ; i.)* (١) عارضة أو رافدة خشبية أو حديدية . (٢) عاتق الميزان أو المحراث (٣) الدعامة الأفقية الرئيسية الخشبية أو المعدنية ، في مبنى أو سفينة (٤) عرْض السفينة الأعظم (مل) (٥) الجذع الرئيسي لقرن الوعل (٦) ذراع متذبذب في محرّك بخاري (ملك) (٧) «أ» شعاع . «ب» حزمة أشعة (٨) بارقة (a ~ of hope) (٩) إشراقة ؛ ابتسامة (with a ~ of delight) (١٠) إشارة لاسلكية (تُرسَل لإرشاد ربابنة الطائرات) § (١١) يُرسل أشعة (١٢) يوجه رسالةً لاسلكية أو برنامجاً إذاعياً في اتجاه معين (programs ~*ed* at France) × (١٣) يُشِعّ (١٤) يبتسم بابتهاج .

off the ~, (١) في غير الاتجاه المحدّد بإشارات الهداية اللاسلكية (٢) خطأ ؛ غير صحيح (ع) .

on her *beam*-ends على جانبها (الضمير عائد للسفينة) ؛ مائلة إلى حدّ تكاد معه أن تنقلب .

on one's *beam*-ends على شفير الإفلاس .

on the ~, (١) في الاتجاه المحدّد بإشارات الهداية اللاسلكية (٢) صحيح ؛ مضبوط (ع) .

on the port ~, على الجانب الأيسر من السفينة .

on the starboard ~, على الجانب الأيمن من السفينة .

beamy [bē'mĭ] *(adj.)* (١) مُشِعّ ؛ مشرق (٢) عريض ؛ ضخم .

bean [bēn] *(n.)* (١) لوبيا ؛ فاصوليا ؛ فول (٢) حبّة . (٣) رأس ؛ دماغ (ع) (٤) فَنيّ (بر) (٥) دولار (ع) .

full of ~*s* في أحسن حال ؛ ممتلىء نشاطاً .

I haven't a ~, ليس معي فلس .

to give somebody ~*s* يعاقبه ؛ يوبّخه .

beanbag *(n.)* كيس قماشيّ صغير مملوء بحبات الفول يُتخذ لعبةً للأطفال .

beanfeast *(n.)* مأدبة سنوية يقيمها ربّ العمل لعماله .

beanie [bē'nĭ] *(n.)* قبعة صغيرة لا حافةَ لها .

bean pole *(n.)* (١) عمود تتسلق عليه النباتات المتعرشة (٢) شخص

طويل نحيل .

bear [bâr] *(vt.; i.; n.)* (١) يحتمل (٢) يقدّم ؛ يعطي ؛ يدلي بـ (to ~ witness) (٣) ينشر (إشاعةً الخ .) (٤) يسلك ؛ يتصرف (to ~ oneself with dignity) (٥) يقود ؛ يواكب (They *bore* the hero home.) (٦) تلد (to ~ quintuplets) (٧) ينتج ؛ يحمل (to ~ leaves) (٨) يحتوي على (٩) يطيق (more than he could ~) (١٠) يتحمّل ؛ يقبل (to ~ responsibility) (١١) يحتمل (Your words ~ two interpretations.) (١٢) يَثْبُتُ أو يَصْمُد لـ (Her claim doesn't ~ close examination.) (١٣) يستحق (The joke doesn't ~ repeating.) (١٤) يَدْفَع ؛ يردّ (١٥) «يحمل» (The boat was *borne* backward by the wind.) (١٦) يمارس سلطةً الخ . (to ~ rule) (to ~ the signs of blows) (١٧)× ينطلق ؛ يشقّ طريقه (The boat *bore* north.) (١٨) يقع (The land *bore* due north of the boat.) (١٩) ينعطف (road ~s to the left) (٢٠) يتصل بـِ ؛ يؤثّر في (matters that ~ upon the welfare of the community) (٢١) يثمر § (٢٢) دُبّ (٢٣) شخص أخرق أو فظّ (٢٤) المضارب على الهبوط : من يتعاقد على بيع أسهم أو سلع تُسلَّم في المستقبل آملاً أن يشتريها قبل موعد التسليم بسعر أرخص .

bear 22.

to ~ a hand يساعد ؛ يمدّ يد المساعدة .
to ~ away the palm يبزّ ؛ يتفوّق على الأقران .
to ~ away the prize يكسب الجائزة .
to ~ down يهزم ؛ يتغلّب على .
to ~ down (*or* up) on يندفع نحو .
to ~ in mind يتذكّر ؛ يضع نصبَ عينيه .
to ~ heavily on يتكيء بتثاقل على .
to ~ hard on the poor يثقل على الفقراء ؛ يكون ثقيل الوطأة عليهم .
to ~ somebody out يوافق فلاناً أو يقرّه على .
to ~ out what somebody says يؤيّد ما يقوله فلان .
to ~ resemblance to يشبه ؛ يشابه .
to ~ up to يدنو من .
to bring all one's energies to ~ upon a task يحشد كل طاقاته لأداء مهمة ما .
to ~ with somebody يعامله أو يصغي إليه بأناة .
It was gradually *borne* upon me that... لقد بدأتُ أعتقد ، لقد انطبع في ذهني تدريجياً أن . . .

bearable [bâr'ə bəl] *(adj.)* مُحتَمَلٌ ، ممكنٌ احتمالُه .
bearberry [bâr'bĕr'ĭ] *(n.)* عنبُ الدبّ (نب) .
beard [bĭrd] *(n.; vt.)* (١) لحية (٢) حسَك السُّنبلة (٣) شوكة (في نصل الرّمح أو صنّارة الصيد) § (٤) يجعل له لحيةً الخ . (٥) يُمسِك بلحيته أو يجذبها (٦) يتحدّى .
bearded *(adj.)* (١) مُلتَحٍ ؛ ذو لحية (٢) ذو حسك أو شوكة .
beardless *(adj.)* (١) أمرد ؛ لا لحية له (٢) شابّ .
bearer [bâr'ər] *(n.)* الحامل ، مثل : «أ» الحمّال ؛ العتّال . «ب» شجرة تحمل ثمراً (a good ~) «ج» حامل الرسالة أو الشيك.
bearer bonds *or* securities سندات أو أوراق مالية تدفع لحاملها.
bear garden *(n.)* حديقة الدببة : «أ» موضع لتمرين الدببة أو عرضها . «ب» موضع تشيع فيه الفوضى والاضطراب .
bear grass *(n.)* اليُكّة : نبات أميركي من الفصيلة الزنبقية (نب) .
bearing [bâr'ĭng] *(n.)* (١) المِشيَة ؛ الوقفة ؛ الجلسة : طريقة المرء في المشي أو الوقوف أو الجلوس (a man of dignified ~) (٢) «أ» الإثمار أو زمنُه ؛ إنجاب الأولاد (a tree or woman past ~) «ب» محصول (٣) الاحتمال ؛ القدرة على الاحتمال (٤) سِناد ؛ سطح ارتكاز (عم) (٥) مَحمِل ؛ كرسي تحميل (مك) (٦) اتجاه (٧) وجه (considered the matter in all its ~s) (٨) صلة ؛ علاقة (What she said has no ~ on the subject.) (٩) تأثير (It had no ~ on the result.) (١٠) معنى ؛ مغزى (The ~ of his remark was unnoticed.) (١١) رمزٌ مميز لشعار النبالة (armorial ~s) .
to lose one's ~s (١) يَضِلّ سبيله ؛ يفقد اتجاهه (٢) يُشدَه .
bearish [bâr'ĭsh] *(adj.)* (١) دُبّي ؛ كالدب (٢) فظّ .
bear leader *(n.)* معلم خاص أو رفيق سفر لشاب أرستقراطي .
bear's-ear *(n.)* الأُذَينة ؛ زهرة الربيع الأُذَينية (نب) .
bear's-foot *(n.)* = hellebore.
bearskin *(n.)* (١) جلد الدب أو فروه (٢) قبعة من جلد الدب أو فروه .
beast [bēst] *(n.)* (١) بهيمة ؛ حيوان (٢) الطبيعة البهيمية أو الحيوانية (٣) شخص حقير ؛ شخص تتحكم به طبيعته البهيمية .
beastings *(n.)* = beestings.
beastly [bēst'lĭ] *(adj.; adv.)* (١) بهيميّ (٢) قذر ؛ لا أخلاقي . (٣) بغيض ؛ كريه (What ~ weather !) § (٤) بإفراط ؛ إلى حد بغيض (She was ~ drunk.) .
beat [bēt] *(vt.; i.; n.; adj.)* (١) يضرب على نحو متكرر ، مثل : «أ» يضرب بتكرار على نحو موجع . «ب» يدوس أو يمشي على «ج» يضرب بجناحيه . «د» يخفق البيض . «هـ» يقرع طبلاً (٢) «أ» يردّ ؛ يصدّ (The attackers were ~*en* back.) «ب» يسحق ؛ يسحن . «ج» يشقّ طريقاً بدَوْس متكرر . «د» يجوب أرجاء الغابة مُثيراً الطرائد من مكامنها . «هـ» يطرّق (المعادنَ) (٣) «أ» يهزم ؛ يتغلب على . «ب» يبزّ ؛ يتفوق على . «ج» يحيّر ؛ يَشْدَهُ . «د» يُرهق ؛ يُنهِك . «هـ» يَخدَع (٤) «أ» يَسْبِق . «ب» يحرز سَبْقاً صحفياً . ×(٥) «أ» ينبضُ (القلبُ) . «ب» تَتِكُّ (الساعةُ) . «ج» يدوّي (الطبلُ عند قرعه) (٦) يَطرُق (البابَ) (٧) يفوز ؛ ينتصر (٨) يتقدّم بصعوبة . § (٩) «أ» ضربة . «ب» نقرة . «ج» نبضة . «د» تكّة (١٠) ترقيم الميزان (مو) (١١) طريق المرء المعتادة (a watchman's ~) (١٢) سَبْق صحفي (١٣) طفيليّ لا خلاقَ له (١٤) شخصٌ وجوديّ السلوك أو الملبس § (١٥) مُرهَق (١٦) خاص بوجوديّ السلوك أو الملبس.
to be off *or* out of one's ~, يؤدّي عملاً لم يألفه ؛ يقوم بعمل مختلف عن عمله المعتاد .
to ~ about the bush يحوم حول الموضوع .
to ~ somebody down يحمله على تنزيل أسعاره .
to ~ it ينصرف مستعجلاً (ع) .
to ~ the record يحطّم الرقم القياسي .
to ~ a retreat (١) يقرع الطبل داعياً إلى التراجع (٢) يتراجع ؛ ينسحب .
to ~ time يقيس الوقت (في الموسيقى) بأداء

ă at; ā date; â care; ä car; ĕ egg; ē me; ĭ in; ī bite; ŏ lot; ō bone; ô orphan; oi boil; ŏŏ good; ōō boot; ou out; ŭ under; ū unity; û urgent; th thing; th this; zh vision; ə = a in alone, e in system, i in easily, o in gallop, u in circus.

حركات نظامية باليدين الخ .

beaten [bē'tən] *(adj.)* (١) مضروب (٢) مُطرَّق ~ silver) (٣)مطروق؛ مألوف (~ path) (٤)مهزوم (٥)مُرْهَق.

beater [bē'tər] *(n.)* (١) فا beat (٢) مثير الطرائد من مكامنها (في الصيد) (٣) مخْفقة البيض.

beatific[bē'ə tĭf'-] *(adj.)* (١)شديدالابتهاج أو السعادة (٢)مُبْهِج.

beatify [bĭ ăt'ə fī'] *(vt.)* (١)يُسْعِد إلى أبعد الحدود (٢) يطوب : يَعُدّ أحدَ الموتى في عِداد الأبرار الذين سينعمون بالخلود وبالسعادة المقيمة (كث).
—**beatification** *(n.)*

beating [bē'-] *(n.)* (١) مص beat (٢) جَلْد (٣) هزيمة.

beatitude [bĭ ăt'ə tūd'] *(n.)* (١) طُوبىَ ؛ غبطة ؛ سعادةٌ بالغة. (٢) كل مقطع في خطبة المسيح على الجبل يبدأ بِ « طوبى لِ . . »

beatnik *(n.)* الوجوديّ السلوك أو الملبس الخ .

beau [bō] *(n.)* (١) المتأنق (٢) زير النِساء (٣) المحِبّ؛ العاشق.

Beau Brummell [brŭm'əl] *(n.)* رجل شديد التأنق.

Beaufort scale *(n.)* سُلَّم بوفورت (لتبيان قوة الريح).

beau geste [zhĕst'] *(F.)* (١) بادرة كريمة (٢)بادرة كريمة متكلَّفة.

beau ideal *(F.)* المثل الأعلى في الكمال أو الجمال .

beau monde [bō'mŏnd'] *(F.)* دنيا المجتمع « الراقي » .

beauteous [bū'tĭ əs] *(adj.)* = beautiful.

beautician [bū tĭsh'ən] *(n.)* المُجمِّل : المشتغل في مؤسسة للتجميل.

beautification [bū'tə fə kā'-] *(n.)* تجميل.

beautifier *(n.)* المُجمِّل ؛ المحسِّن .

beautiful [bū'tə fəl] *(adj.)* جميل ؛ وسيم .

beautify *(vt. ; i.)* (١) يُجمِّل ×(٢) يَجْمُل : يصبح جميلا .

beauty [bū'tĭ] *(n.)* (١) جَمال (٢) شيء جميل (٣) حسناء .

beauty shop, parlor *or* **salon** *(n.)* مؤسسة (أودار) تجميل.

beauty sleep *(n.)* نوم الحُسْن : النوم قبل منتصف الليل .

beauty spot *(n.)* (١) patch 2 (٢) شامة ؛ خال . (٣) «أ» الوحمة : علامة خَلْقيّة على الجسد . «ب» لطخة طفيفة (٤) موقع يطل على مشاهد جميلة .

beaux arts [bō zär'] *(F.)* الفنون الجميلة .

beaux esprits [bō zĕs prē'] *pl. of* bel esprit.

beaver [bē'vər] *(n.)* (١) «أ» قُنْدُس ؛ بِيدَسْتَر ؛ سَمُّور : حيوان من القواضم ثمين الفرو . «ب» فروُ القُنْدُس (٢) «أ» قبعة من فرو القندس . «ب» silk hat (٣) نسيج صوفيّ ثقيل (٤) لِفاعُ الخوذة : جزء متحرك في أسفلها ؛ يقي الذقن والفم (٥) حافّة الخوذة (الناتئة في مقدّمتها).

beaver

bebop [bē'bŏp] *(n.)* البِيبُوب : ضرب من موسيقى الجاز .

becalm [-käm'] *(vt.)* (١)يُوقِفُ مركباً لقلة الريح (٢)يهدّئ.

became [bĭ kām'] *past of* become.

because [bĭ kôz'] *(conj.)* لأنّ ؛ بسبب من .

beccafico [bĕk'ə fē'kō] *(n.)* عُصفور التين: طائر أوروبيّ غرِد.

béchamel [bĕ shȧ mĕl'] *(n.)* البوشاميل : صَلْصة بيضاء (طخ).

bechance [bĭ chăns'] *(vi. ; t.)* = befall.

becharm [bĭ chärm'] *(vt.)* يفتن ؛ يسحر .

bêche-de-mer [bĕsh də mĕr'] *(n.)* (١) خيار البحر (حيوان بحري) (٢) لغة مشتركة مبنيّة على أساس الانكليزية يُتكلَّم بها في غينيا الجديدة وأرخبيل بسمارك وجزر سليمان .

beck [bĕk] *(n. ; vt.)* (١) جدول ؛ غدير (٢) انحناءة احترام (اسك) (٣) إيماءة ؛ إشارة § (٤) يومىء أو يشير إلى .
to be at a person's ~ and call يكون رهنَ إشارة فلان أو طوْعَ أمره .

becket [bĕk'ĭt] *(n.)* المُشْبِتَة : أداة (وبخاصة حبلٌ في طرفه عقدة) لتثبيت شيء في مكانه .

beckon [bĕk'ən] *(vt. ; i. ; n.)* (١) يومىء ؛ يشير (إلى شخص). (٢) يدعو ؛ يغري (The water ~s me.) §(٣) إيماءة .

becloud *(vt.)* (١) يحجبه بالغيوم (٢) يجعله مظلماً أو غامضاً .

become [bĭ kŭm'] *(vi. ; t.)* (١) يصبح (٢) يحلّ بِـ (تتبعها of) §(٣) يلائم (This dress ~s you.) (٤) يليق بـ (It does not ~ you to complain.)

becoming *(adj.)* (١) ملائم ؛ مناسب ؛ لائق (٢) جذّاب .

becomingly *(adv.)* على نحو ملائم أو لائق أو جذّاب .

Becquerel rays أشعة بيكريل : أشعة مادة ذاتِ نشاط إشعاعيّ .

bed [bĕd] *(n. ; vt. ; i.)* (١) «أ» سرير . «ب» فراش الزوجية . «ج» العلاقة الزوجية . «د» مَضْجَع . «هـ» نوم . «و» ميعاد النوم . «ز» فراش ؛ حَشيّة . «ح» التجهيزات والخدمات الضرورية للعناية بنزيل مستشفى أو فندق (٢) مَسْكَبَة ؛ مَزْهَر (في حديقة) (٣) قاع النهر أو البحر الخ . (٤) أساس ؛ قاعدة ؛ وبخاصة : طبقة حجارة تُجْعَل أساساً للطريق أو للسكة الحديدية (a road ~) (٥) طبقة (a ~ of clay) §(٦) يزوِّد بسرير الخ . (٧) يضعه في السرير أو يقوده إليه (٨) يشاطر شخصاً فراشَه (٩) يغرس في مَسْكَبَة ؛ ينظّم في مساكب (١٠) يقيم ؛ يؤسس (~ *ded* on rock) ×(١١) ينام ؛ يضطجع (١٢) يشكّل طبقةً (جي).
a double ~, سرير (يتسع) لشخصين .
a single ~, سرير (يتسع) لشخص واحد .
as you make your ~ so you must lie on it | عليك أن تتقبّل نتائج أعمالك
~ and board طعام ومنامة .
to get out of ~ on the wrong side | يلازمه الغضب وسوء المزاج طوال النهار .
to take to (keep) one's ~, يلزَم فراشه بحكم المرض .

bedaub [bĭ dôb'] *(vt.)* (١) يلوث (٢) يثقلُه بالزينة أو المديح .

bedazzle *(vt.)* (١) يعشّي ؛ يبْهر العين (٢) يفْتِن ؛ يَسْحَر .

bedbug [bĕd'bŭg'] *(n.)* بَقّة الفراش (مج) .

bedchamber [bĕd'chām'-] *(n.)* حُجرة النوم .

bedclothes [-'klōz'] *(n. pl.)* شراشف ؛ بطانيات الخ .

bedding [-'ĭng] *(n. ; adj.)* (١) «أ» فراش . «ب» شراشف ؛ بطانيات (٢) أساس (٣) ما يتّخذ فراشاً للحيوان (كالتبن الخ .) §(٤) ملائم للزرع في مساكب الحدائق وغيرها (~ plants) .

bedeck [bĭ dĕk'] *(vt.)* يزيّن ؛ يزخرف .

bedehouse [bēd'-] *(n.)* = beadhouse.

bedesman [bēdz'-] *(n.)* = beadsman.

bedevil [bĭ dĕv'əl] *(vt.)* (١) يَسْحر ؛ يَفْتِن (٢) يُفْسِد (٣) يُعذّب (٤) يشوّش ؛ يُفسِد نظام شيء .

bedew [bĭ dū' ; -dōō'] *(vt.)* يندي ؛ يبلّل ؛ يُخضِّل .

bedfast [bĕd'făst' ; -fäst'] *(adj.)* طريح الفراش .

bedfellow *(n.)* (١) الضجيع : من يقاسمك الفراش (٢) رفيق .

Bedford cord *(n.)* نسيج بدفورد : نسيج مضلّع طوليّاً .

bedim [bĭ dĭm'] *(vt.)* يُغَشِّي ؛ يحجب بشبه سحابة .

bedizen [bĭ dī'zən] *(vt.)* يكسو أو يزيّن بغير ذوق .

bedlam [bĕd'ləm] *(n.)* (١) مجنون (ا.م) (٢) مستشفى للمجاذيب (ا.ق) (٣) هرج ومرج أو مكان يسوده الهرج والمرج .

bedlamite [bĕd'lə mīt'] *(n.)* المعتوه ؛ المخبول ؛ المجنون .

bed linen *(n.)* بياضات السرير : أغطيتُهُ وأكسيةُ وسائده الخ .

bed molding *(n.)* حِلْيَة تحت نتوء شديد (عم) .

bedouin [bĕd'ōō ĭn] *(n.; adj.)* (١) البدويّ : عربيّ من البادية . (٢) المترحّل §(٣) بدويّ ؛ مترحّل .

bedouinism *(n.)* البداوة ؛ حالة الترحّل .

bedpan [bĕd'păn] *(n.)* (١) نونيّة السرير : نونيّة صغيرة لاستعمال المرضى في فُرُشهم (٢) مِدفئة السرير .

bedplate *(n.)* فرْشَة ؛ لوح القاعدة ؛ لوح الأساس (ملك) .

bedpost [bĕd'pōst] *(n.)* أحد أعمدة السرير .

bedraggle [bĭ drăg'əl] *(vt.)* يوسّخ ، وبخاصة بالجرّ في الوحل .

bedridden [bĕd'-] *or* **bedrid** *(adj.)* طريح الفراش .

bedrock [bĕd'-] *(n.)* (١) صخر الأديم (مج) : الصخر الصَّلْد الواقع تحت التربة الخ . (جي) (٢) الطبقة السفلى ؛ النقطة الدنيا (٣) أساس وطيد (٤) أعماق الشيء ؛ أعماق الحقيقة .

bedroll *(n.)* الفراش اللفيف : فراش يُلَفّ كي يُحْمَل .

bedroom [bĕd'rōōm'] *(n.)* حُجرة النوم .

bedside *(n. ; adj.)* (١) جانب السرير : موقع إلى جانب السرير ، وبخاصة سريرِ مريض أو محتضَر §(٢) خاصّ بجانب السرير .

bedsore *(n.)* قرحة الفراش : قرحة في الظهر ناشئة عن ملازمة الفراش .

bedspread [-'sprĕd] *(n.)* غطاء السرير (ويكون مزخرفاً عادةً) .

bedspring *(n.)* نابض السرير : نابض (راسُّور) أو مجموعة نوابض لجعل حشيّة السرير مريحةً .

bedstead [bĕd'stĕd] *(n.)* هيكل السرير .

bedstraw *(n.)* قشّ السرير : نباتٌ كانوا يَحْشون به الفُرُش .

bedtime [bĕd'-] *(n.)* وقت النوم ؛ موعد الرقاد .

bedward *or* **bedwards** *(adv.)* نحو الفراش ؛ إلى الفراش .

bee [bē] *(n.)* (١) نَحْلَة (٢) اجتماع للعمل أو التسلية الخ .

a ~ in one's bonnet *or* head هاجس يستحوذ على تفكير المرء لا سبيل إلى التخلص منه .

beebread *(n.)* خبز النحل : لَقَح يجمعه النحل ويتّخذ منه طعاماً .

beech [bēch] *(n.)* (١) الزّان ؛ المُرّان (نب) (٢) خشب الزان .

bee eater *(n.)* الوَرْوار ؛ الخُضَيْراء ؛ الخُضَّار : طائر طويل المنقار .

bee eater

beef [bēf] *(n.; vt.; i.)* pl. -s *or* -ves (١) لحم البقر (٢) ثور ؛ بقرة (٣) عضلات ؛ قوة عضلية (ع) (٤) وزن الإنسان (٥) شكوى (ع) §(٦) يزيده قوةً ×(٧) يشكو ؛ يتذمر (ع) .

beefalo *(n.)* البقجاموس : حيوان مُهَجَّن من البقرة والجاموس .

beefeater [bēf'ē'tər] *(n.)* (١) «أ» آكل لحم البقر . «ب» شخص بدين (٢) أحد أفراد الحرس الملكي الانكليزي (٣) طير البقر : ضرب من الزرازير يقع على ظهور البقر .

beefsteak [-'stāk'] *(n.)* شريحة لحم بقريّ : « بفتيك » .

beefsteak fungus *(n.)* فُطْر الكبد ؛ كبد الثور : فُطْر أحمر .

beef tea *(n.)* مرق لحم البقر (يقدَّم للمرضى) .

beef-witted *(adj.)* أبله ؛ ضعيف العقل .

beefy [bē'fĭ] *(adj.)* (١) بَدين ؛ سمين (٢) قوي .

beehive [bē'hīv'] *(n. ; adj.)* (١) قفير ؛ خليّة نحل (٢) مكان مزدحم §(٣) قفيريّ الشكل (a ~ oven) .

beekeeper [bē'kē'pər] *(n.)* النحّال ؛ مُربّي النحل .

beeline *(n.)* الخطّ المباشر ؛ أقرب المسالك (كذلك الخط الذي تسلكه النحلة العائدة إلى القفير) .

Beelzebub *(n.)* (١) بَعْلَزَبُول : رئيس الشياطين (٢) شيطان .

been [bĭn] *past part. of* be.

beer [bĭr] *(n.)* جِعَة ؛ بِيْرَة .

beer and skittles شرابٌ ومتعة (بر) .

beerhouse *(n.)* حانة الجعة : حانة لبيع الجعة ونحوها .

beery [bĭr'ĭ] *(adj.)* (١) جَعَوِيّ : «أ» منسوبٌ إلى الجعة . «ب» كالجعة مذاقاً أو رائحة (٢) ناشىء من الجعة أو متأثر بها (٣) تفوح منه رائحة الجعة (~ taverns) .

beestings [bēs'tĭngz] *(n. pl.)* اللِّبَأ : أول حلبة ، وبخاصة من البقرة ، بعد الولادة .

beeswax [bēz'-] *(n.; vt.)* (١) شمع العسل §(٢) يفرك أو يصقل بشمع العسل .

beet [bēt] *(n.)* (١) شَمَنْدَر ؛ بَنْجَر (نب) (٢) جِذر الشمندر .

beetle [bē'təl] *(n.; adj.; vt.; i.)* (١) خُنْفَساء (٢) مدقّة (٣) مطرقة خشبيّة (للقماش) §(٤) ناتىء ؛ بارز §(٥) «أ» يدق . «ب» يضرب بمطرقة ×(٦) ينتأ .

beetle-browed *(adj.)* كثّ الحاجبين أو بارزُهما .

beetlehead ; -ed *(n.)* شخص أبله .

bee tree *(n.)* شجرة النّحْل : شجرة جوفاء تتخذ النحل منها قفيراً .

beeves *pl. of* beef.

befall [-fôl'] *(vi.; t.)* (١) يَحْدُث ؛ يقع (٢) يصيب ؛ يَحْدُث لِ .

befell *past of* befall.

befit [bĭ fĭt'] *(vt.)* (١) يلائم ؛ يناسب (٢) يليق بِ .

befitting [bĭ fĭt'ĭng] *(adj.)* (١) ملائم ؛ مناسب (٢) لائق .

befog [bĭ fŏg'] *(vt.)* (١) يلفّه بالضباب ؛ يجعله ضبابيّاً (٢) يحيّر ؛ يشدّه .

befool [bĭ fōōl'] *(vt.)* (١) يعاملُه كما يُعامَل المجانين (٢) يخدع .

before [bĭ fōr'] *(adv.; prep.; conj.)* (١) قبلُ ؛ من قبل ؛ سابقاً §(٢) أمامَ (~ my very eyes) (٣) في حضرة (stood ~ the judge) (٤) قبلَ (~ the war) (٥) فوق ؛ في مرتبة أعلى (to put quantity ~ quality) §(٦) قبلَ أن (You must finish your work ~ you go home.)

beforehand *(adv. ; adj.)* (١) مقدَّماً ؛ سلفاً (Let me know ~.) §(٢) «مُسْبَق» ؛ منجز أمراً قبل موعده ، مسارع إلى دفع ما عليه قبل استحقاقه .

beforetime *(adv.)* سابقاً ؛ قديماً ؛ في ما مضى (ا.ق) .

befoul [bĭ foul'] *(vt.)* يلوّث ؛ يوسّخ .

befriend [bĭ frĕnd'] *(vt.)* (١) يصادق (٢) يساعد ؛ يناصر ؛ يؤيّد .

befuddle [-fŭd'əl] *(vt.)* (١) يخبّل بالمسكرات الخ . (٢) يربْك .

beg [bĕg] *(vt. ; i.)* (١) يستعطي ؛ يستجدي (٢) «أ» يلتمس (العفوَ الخ .) «ب» يتوسّل أو يتضرّع إلى (٣) يسلّم أو يفترض جدلاً ×(٤) يعتذر عن أداء ما وعد به ؛ ينكل بما عاهد عليه (They promised to come and help but have since ~*ged* off.)

began [bĭ găn'] *past of* begin.

ă at; ā date; â care; ä car; ĕ egg; ē me; ĭ in; ī bite; ŏ lot; ō bone; ô orphan; oi boil ŏŏ good; ōō boot; ou out; ŭ under; ū unity; û urgent; th thing; th this; zh vision; ə = *a* in alone, *e* in system, *i* in easily, *o* in gallop, *u* in circus.

beget [bĭ gĕt'] *(vt.)* (١) يُنجب (ولداً) (٢) يولّد؛ يسبّب.

beggar [bĕg'ər] *(n.; vt.)* (١) شحّاذ؛ متسوّل (٢) فقير مُعْدِم. (٣) جامع تبرّعات (لمشروع خيري) (٤) فتى؛ شخص §(٥) يُفقر (٦) يجلّ عن (~*s* description).

beggarly [bĕg'ər lĭ] *(adj.)* (١) مُعْدِم؛ فقير جداً (٢) حقير.

beggary [bĕg'ə rĭ] *(n.)* (١) عُدْم؛ فَقْر مُدْقِع (٢) طبقة المتسوّلين (٣) استجداء؛ استعطاء.

begin [bĭ gĭn'] *(vi.; t.)* (١) يبدأ؛ يشرع؛ يأخذ في (٢) ينشأ. ×(٣) يبدأ (عملاً)؛ يستهلّ (٤) «أ» ينشئ؛ يؤسّس. «ب» يبتدع؛ يخترع.

to ~ the world يدخل مُعْتَرَك الحياة (بعد التخرج).

to ~ with أولاً.

beginner *(n.)* (١) المبتدئ؛ القليل الخبرة (٢) من يبتدئ أو يستهلّ أمراً.

beginning [bĭ gĭn'-] *(n.)* (١) ابتداء (٢) بداية؛ مستهل؛ مَطْلَع (٣) مرحلة ابتدائية (the ~*s* of French poetry) (٤) اصل؛ مصدر؛ علّة (God is the ~ of all things.)

begird [bĭ gûrd'] *(vt.)* (١) يطوّق برباط أو نطاق (٢) يحيط بـ.

begone [bĭ gôn'] *(vi.)* إمضِ؛ انصرِفْ؛ أُغْرُبْ.

begonia [bĭ gōn'yə] *(n.)* البَغُونِيَة: عشب استوائي (نب).

begonia

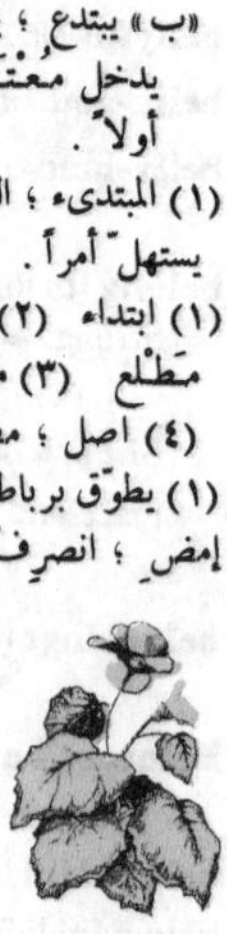

begot [bĭ gŏt'] *past; past part. of* beget.

begrime [bĭ grīm'] *(vt.)* يلوّث أو يوسّخ بالسُّخام.

begrudge [bĭ grŭj'] *(vt.)* (١) يحسده على (٢) يضنّ عليه بـ.

beguile [bĭ gīl'] *(vt.)* (١) يضلّل؛ يخدع (٢) يسلبه (مالاً) بالحيلة أو الخداع (٣) يُمضي أو يزجّي وقت الفراغ بضروب التسلية (٤) يُلْهي؛ يسلّي.

— **beguilement** *(n.)* — **beguiler** *(n.)*

beguine [bĭ gēn'] *(n.)* (١) البِيغِين: رقصة شعبية جنوبأميركية تشبه الرومبا (٢) موسيقى البيجين.

begum [bē'gəm] *(n.)* البِيْجوم: سيدة مسلمة رفيعة المقام.

begun [bĭ gŭn'] *past part. of* begin.

behalf [bĭ hăf'] *(n.)* (١) مصلحة؛ منفعة (٢) دفاع؛ تأييد.

in ~ of لأجل؛ لمصلحة.

in this ~, من هذه الناحية (من المسألة أو الموضوع).

on ~ of (١) «أ» بالنيابة عن. «ب» بالأصالة عن النفس (٢) لأجل؛ لمصلحة.

on my ~, عليّ؛ من ناحيتي.

behave [bĭ hāv'] *(vt.; i.)* (١) يسلك؛ يتصرف (٢) يسلك سلوكاً حسناً (Did the child ~?).

~ yourself! تأدّبْ! كن لطيفاً!

behavior *or* **behaviour** [-'yər] *(n.)* سلوك؛ تصرُّف.

behaviorism *(n.)* السلوكية: نظرية أو طريقة تقول بأن دراسة سلوك الانسان والحيوانات الظاهر هو موضوع علم النفس الحقيقي.

behead [bĭ hĕd'] *(vt.)* يَقْطَع رأسه؛ يضرب عنقه.

beheld [bĭ hĕld'] *past; past part. of* behold.

behemoth [bĭ hē'məth; bē'ə-] *(n.)* (١) البَهيموث؛ فرس البحر (٢) شخص أو حيوان ضخم قويّ (ع).

behest [bĭ hĕst'] *(n.)* أمر؛ وصية.

behind [bĭ hīnd'] *(adv.; prep.; n.)* (١) في المؤخرة (٢) إلى الوراء (٣) متأخر في (~ in his payments) §(٤) خلفَ؛ وراء (٥) متخلف عن (She is ~ her brother in her work.) §(٦) الجزء الخلفي (٧) مؤخّرة؛ عجيزة.

~ time متأخر.

~ the scenes سرّاً.

~ the times (١) عتيق الزيّ؛ بطُل استعماله (٢) رجعيّ أو ذو أفكار بالية.

behindhand *(adj.; adv.)* (١) متأخّر (٢) متخلّف (٣) مَدين. §(٤) في حالة تأخّر أو تخلّف أو دَيْن.

behold [bĭ hōld'] *(vt.; interj.)* (١) ينظر؛ يشاهد (٢) يلاحظ. §(٣) أنظُرْ؛ لاحِظْ.

— **beholder** *(n.)*

beholden *(adj.)* مَدين بالفضل (~ to you for...).

behoof [bĭ hōōf'] *(n.)* مصلحة؛ منفعة؛ فائدة.

behoove [bĭ hōōv'] *or* **behove** *(vt.; i.)* ينبغي؛ يتعيّن؛ يتوجّب.

beige [bāzh] *(n.; adj.)* (١) البيج: «أ» نسيج من صوف طبيعي غير مصبوغ. «ب» لون الصوف الطبيعي §(٢) بيجيّ: بلون الصوف الطبيعي.

being [bē'ĭng] *(n.)* (١) «أ» كينونة؛ وجود. «ب» الكائن. «ج» الكائنات. «د» الحياة (٢) شخصية (٣) جوهر (٤) شخص.

for the time ~, في الوقت الحاضر.

in ~, موجود.

bejewel [bĭ jōō'əl] *(vt.)* يرصّع بالجواهر.

bel [bĕl] *(n.)* البل: وحدة لقياس منسوب القدرة (تساوي ١٠ ديسيبل).

belabor *or* **belabour** *(vt.)* (١) يضرِب (٢) يهاجم أو يسخر من.

belated [bĭ lā'tĭd] *(adj.)* متأخر (عن الوقت المعتاد).

belay [bĭ lā'] *(vt.; i.; n.)* (١) «أ» يثبّت (حبلاً) بلفّه حول وتد. «ب» يثبّت (٢) قِفْ! كفى! §(٣) صخرة الخ. تُلَفّ حولها الحبال (لتسهيل تسلّق الجبال).

belaying pin *(n.)* وتِد التثبيت: وتد تُلَفّ حوله الحبال لتثبيتها (مل).

belch [bĕlch] *(vi.; t.; n.)* (١) يتجشّأ (٢) يقذف بقوّة. §(٣) «أ» تجشّؤ. «ب» قَذْفٌ بقوّة (٤) المقذوف (من نار أو دخان).

beldam *or* **beldame** [bĕl'dəm] *(n.)* عجوزٌ شمطاء.

beleaguer [bĭ lē'gər] *(vt.)* (١) يُحاصِر (بجيش) (٢) يطوّق.

bel esprit [bĕl ĕs prē'] *(F.)* شخص موهوب أو عظيم الذكاء.

belfry [bĕl'frĭ] *(n.)* برج الجَرَس (في كنيسة).

belga [bĕl'gə] *(n.)* البَلْجَة: وحدة نَقْد بلجيكية تساوي ٥ فرنكات بلجيكيّة.

Belgian [bĕl'-] *(n.; adj.)* (١) البلجيكي: أحد أبناء بلجيكة (٢) فرس بلجيكيّ §(٣) بلجيكيّ.

Belial [bē'lĭ əl] *(n.)* (١) الشيطان (٢) ملاكٌ ساقط.

belfry

belie [bĭ lī'] *(vt.)* (١) يعطي فكرةً خاطئةً عن (His words ~ his true feelings.) (٢) يكذّب؛ يناقض (His deeds ~ his words.) (٣) يخيّب (He ~*d* our hopes.)

belief [bĭ lēf'] *(n.)* (١) «أ» إيمان. «ب» ثقة. «ج» تصديق. (٢) مُعْتَقَد؛ عقيدة.

believable *(adj.)* قابل للتصديق؛ ممكنٌ تصديقه.

believe [bĭ lēv'] *(vi.; t.)* (١) «أ» يؤمن بـ. «ب» يثق بـ. ×(٢) يعتقد (٣) يصدّق.

— **believer** *(n.)*

belike [bĭ līk'] *(adv.)* ربما؛ في أغلب الظن (ا.ق).

belittle [-'əl] *(vt.)* (١) يُصغّر (٢) يقلّل من شأنه؛ يستخفّ به.

bell [bĕl] *(n. ; vt. ; i.)* (١) جَرَس ؛ ناقوس (٢) صوت الجرس (٣) كأس الزهرة (نب) (٤) الجرس : كل ما هو جَرَسيّ الشكل . مثل: «أ» طرف الأنبوبة المتّسع . «ب» طرف آلة النفخ الموسيقية المتّسع (٥) glockenspiel (٦) جُوَار ؛ خُوار §(٧) يجرِّس: «أ» يزوِّد بجَرَس . «ب» يجعلهُ جَرَسيّ الشكل ×(٨) يتجرّس : يتخذ شكل جرسٍ (٩) يجأر ؛ يخور .

to ~ the cat يعلّق الجرس في عنق الهرة : يُقدم على عمل خطِر من أجل إنقاذ الآخرين .

belladonna [bĕl'ə dŏn'ə] *(n.)* البَلاّدونّة : حشيشة ست الحسن.

bellbird *(n.)* الطائر الناقوسيّ : أيّ من طيور مختلفة يشبه صوتها صوتَ الناقوس .

bellbird

bellboy [bĕl'-] *(n.)* خادم فندق أو نادٍ .

bell buoy *(n.)* العوّامة الجَرَسيّة: عوّامة لإرشاد السفن ذات جرس تقرعه الأمواج .

belle [bĕl] *(n.)* الفاتنة ؛ الحسناء : امرأة ذات جمال ساحر .

belles lettres [bĕl lĕt'r] *(n.pl.)* الأدب المَحْض ؛ الأدب بوصفه فناً جميلاً ، وبخاصة الشعر والمسرحية والرواية .

— **belletrist** *(n.)* — **belletristic** *(adj.)*

bellflower *(n.)* الجُرَيس: جنس زهرٍ من الفصيلة الجُرَيسيّة .

bell founder *(n.)* سبّاك الأجراس أو النواقيس.

bell foundry *(n.)* مَسْبَك نواقيس الكنائس .

bellhanger *(n.)* مركِّب الأجراس أو مُصلحها .

bellhop [bĕl'hŏp'] *(n.)* = bellboy.

bellicose [bĕl'ə kōs'] *(adj.)* ميّال للقتال ؛ مُولَع بالقتال .

bellied *(adj.)* (١) ذو بطن (٢) بطِين: عظيم البطن (٣) منتفخ .

belligerence [bə lĭj'ər-] *(n.)* (١) حبّ القتال (٢) قتال ؛ حرب.

belligerency [-ən sĭ] *(n.)* حالة الاشتراك الفعلي في الحرب .

belligerent [-ənt] *(adj.; n.)* (١) «أ» محارب : مشترك اشتراكاً فعلياً في الحرب (the ~ powers) «ب» متعلق بالدول المحاربة أو بالأفراد المحاربين (٢) مولع بالقتال §(٣) دولةٌ محاربة أو أحد أفراد قوّاتها .

bell jar *(n.)* ناقوس زجاجيّ (ك) .

bell jar

bellman [bĕl'-] *(n.)* (١) قارع الناقوس (٢) منادي البلدة أو حارسها .

bell metal *(n.)* مَعْدِن الأجراس : خليط من نحاس وقصدير تُصنَع منه الأجراس .

bell-mouthed *(adj.)* ناقوسيّ الفم : ذو فم كفَم الجرس .

Bellona [bə lō'nə] *(n.)* بيلونا : إلاهة الحرب عند الرومان (مث) .

bellow [bĕl'ō] *(vi. ; t. ; n.)* (١) يخور (الثور الخ) . (٢) يجأر ؛ يرفع الصوتَ عالياً ×(٣) يجأر بـ ؛ يقول بصوتٍ عالٍ عميق §(٤) «أ» خُوار . «ب» جُؤار .

bellows [bĕl'ōz] *(n. sing. and pl.)* (١) مِنفاخ ؛ كِير . (٢) الرئتان (٣) الجزء الجلدي المتمدِّد من آلة التصوير .

bellows fish *(n.)* فَرَس البحر : سمكة بحرية طويلة الخطم عريضة الجسم .

bellpull *(n.)* (١) مَقْبِض الجرس: مَقبض متصل بحبل أو سلك لقرع أجراس الأبواب (٢) حبل الجرس .

bellpush *(n.)* زِرّ الجرس : زرّ يُقرَع بواسطته جرسٌ كهربائيّ .

bellwether *(n.)* (١) الكَرّاز: كبش يتقدم القطيع (٢) زعيم .

bellwort [bĕl'wûrt'] *(n.)* (١) bellflower (٢) اللهويّة : زَهرة اللهاة : عشب ذو زهرات صفراء متدلّية ناقوسيةِ الشكل .

belly [bĕl'ĭ] *(n. ; vt. ; i.)* (١) «أ» بطن . «ب» رَحِم . «ج» المعدة وملحقاتها . «د» الشهوة إلى الطعام . (٢) الجوف : الجزء الداخلي من شيء (٣) السطح المنتفخ من شيء (the ~ of a flask) (٤) «أ» جزء من الشراع ينتفخ عند هبوب الريح . «ب» الجزء اللحيم من عَضَلَة §(٥) يَنْفُخ ×(٦) ينتفخ .

bellyache *(n. ; vi.)* (١) مَغْص §(٢) يشكو بمرارة .

bellyband *(n.)* حِزام ؛ وبخاصة : حزام بطن الفَرَس .

belly-bound *(adj.)* مُعْتَقَل البَطن ؛ مصاب بإمساك .

belly button *(n.)* السُرّة : سُرّة البطن .

bellyful *(n.)* مِلءُ بطنه أو رغبته : مقدار كبير مُتخِم .

belly-god *(n.)* الأكول ؛ الشَرِه ؛ النهِم ؛ عابدُ بطنِه .

belly-land *(vi.)* يحطّ (الطائرةَ) على البَطْنيّة (عندما يتعطل جهاز الهبوط) .

belong [bĭ lông'] *(vi.)* (١) يخصّ (٢) ينتسب أو ينتمي إلى (Which club do you ~ to ?) (٣) يلائم (Strong meat ~s to them that are of full age.) (٤) يتمتع بالصفات الاجتماعية الضرورية للاندماج في جماعةٍ ما (She's smart and jolly and everything, but she doesn't ~.) (٥) يقطن ؛ يسكن (Do you ~ here ?) .

belongings [bĭ lông'-] *(n. pl.)* (١) أمتعة ؛ ملابس ؛ ممتلكات. (٢) ملحقات ؛ توابع (٣) أسرة ؛ أنسباء (ع) .

Belorussian *(n. ; adj.)* (١) البيلوروسي: أحد أبناء بيلوروسيا في الاتحاد السوفياتي (٢) لغة البيلوروسيين §(٣) بيلوروسي .

beloved [bĭ lŭv'ĭd] *(adj. ; n.)* محبوبٌ ؛ عزيز ؛ أثير .

below [bĭ lō'] *(adv. ; prep.)* (١) تحت (٢) «أ» على الأرض (here ~) . «ب» في أو إلى الجحيم (٣) في الدور أو الطابق الأسفل من (down ~) (٤) أدناه ؛ في أدنى الصفحة أو في صفحة تالية (See the statistics ~.) (٥) دون ؛ أقل من (~ the average ; ~ three dollars) §(٦) ممّا لا يليق بـ (It is ~ your dignity to do that.) .

belt [bĕlt] *(n. ; vt. ; i.)* (١) حِزام ؛ زُنّار (٢) السَّيْر : حزام يربط ما بين دولابين أو أكثر لنقل الحركة أو تغيير اتجاهها (٣) «أ» نطاقٌ من أشجار أو حدائق . «ب» منطقة صالحة لزراعة محصول معيّن (the corn ~) (٤) لكمة أو ضربة بجُمع اليد (ع) §(٥) يطوِّق أو يثبّت أو يزوِّد بحزام أو سير الخ . (٦) «أ» يجلد . «ب» يضرب (٧) يغنّي بقوة ×(٨) يندفع أو يعمل بهمّة أو بعنف .

below the ~, بطريقة مخالفة للعُرف أو لقواعد اللعبة (في الملاكمة الخ .)

to tighten one's ~, يشدّ الحزام ؛ يقتصد في الطعام .

belted *(adj.)* (١) مطوَّق بسَيْر الخ . (٢) متدلّ من حزام .

belt highway ; belt line *(n.)* الطريق المطوِّقة: خطّ مواصلات يطوِّق مدينة أو منطقة الخ .

belting [bĕl'tĭng] *(n.)* (١) سيور (٢) مواد لصنع السيور. (٣) جلْد أو ضَرْبٌ بالحزام (gave the servant a good ~) .

beluga [bə lōō'gə] *(n.)* الدُلْفين الأبيض : دُلْفين ضخم .

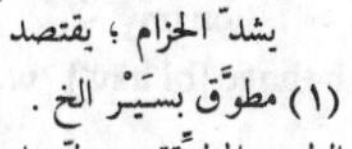

beluga

belvedere [bĕl'və dĭr'] *(n.)* (١) مبنى مطلّ على منظر رائع (٢) البلفيدير : ضربٌ من السيجار .

bema [bē'mə] *(n.)* المَقْدِس: جزء من كنيسة يشتمل على المذبح .

bemaul [bĭ môl'] *(vt.)* يَضرب بعنف .

bemazed *(adj.)* مشدوه ؛ متحيّر ؛ مرتبك .

bemire [bĭ mīr'] *(vt.)* يلوّث بالوحل أو نحوه .

bemoan [bĭ mōn'] *(vt. ; i.)* يتحسّر أو ينوح على .

bemock *(vt.)* يسخر من ؛ يهزأ بِ ؛ يتهكم على .

bemuse [bĭ mūz'] *(vt.)* يُربِك ؛ يَشْدَه ؛ يُذْهِل .

ben [bĕn] *(n.)* الغرفة الداخلية (من منزل ذي غرفتين باسكتلندة) .

bench [bĕnch] *(n.; vt.; i.)* (١) البنك : مقعد طويل لشخصين أو أكثر (٢) «أ» مقعد القاضي الخ . «ب» منصب القاضي (was elected to the ~) «ج» محكمة . «د» هيئة المحكمة (٣) النَّضَد : «أ» دكة النجّار الخ . «ب» مائدة تشكّل جزءاً من آلة . (٤) مُنْبَسَط مرتفعٌ من الأرض (٥) «أ» مِنصّة (يُعرض عليها كلبٌ في معرِض للكلاب) . «ب» معرض كلاب § (٦) يزوِّد ببنوك أو مقاعد الخ . (٧) يُجْلِس، وبخاصة على مقعد القضاء (٨) يُخرِج لاعباً من اللعب (٩) يعرض (الكلابَ) على منصة × (١٠) يَجْلس على مقعد القضاء .

bench mark *(n.)* الصُوَّة : علامة تُجعَل على صخر الخ . لكي يُهتَدَى بها في أعمال المساحة .

bench show *(n.)* مَعْرِض الكلاب (وغيرها من الحيوانات الصغيرة) .

bench warrant *(n.)* أمرٌ قضائي (صادرٌ عن محكمة أو قاضٍ) .

bend [bĕnd] *(vt. ; i. ; n.)* (١) يوتّر (قوساً) ؛ يشدّ وترَ القوس . (٢) يلوي ؛ يثني ؛ يحني (٣) يوثق أو يثبّت (حبلاً أو شراعاً) (٤) يُخضِع (to ~ someone to one's will) (٥) يعقد العزم (He's *bent* on mastering French.) (٦) يوجّه الذهن أو الجهد الخ. (She couldn't ~ her mind to her studies.) × (٧) «أ» يلتوي ؛ ينثني ؛ ينحني . «ب» ينحني خضوعاً أو احتراماً . «ج» يَخْضَع (٨) يعمل بهمة ونشاط § (٩) ليّ ؛ ثَنْي ؛ حَنْي (١٠) التواء ؛ انثناء؛ انحناء (١١) منعطَف (في طريق) (١٢) عقدة في حبل .

bender *(n.)* (١) فا bend (٢) مَرَحٌ صاخب (٣) ستة بنسات .

bending moment *(n.)* عَزْمُ الثني (مج) : عزم الازدواج الذي يعمل على ثَنْي الجسم (مك) .

beneath [bĭ nēth'] *(adv. ; prep.)* (١) تحت § (٢) دونَ ؛ أدنى رتبةً من (٣) غير جديرٍ بِ .

benedict [bĕn'ə dĭkt] *(n.)* المتزوّج حديثاً (بعد عزوبة طويلة) .

Benedictine [bĕn ə dĭk'-] *(n.; adj.)* (١) الراهب البنيديكتي ؛ الراهبة البنيديكتيّة: راهب الخ من أتباع القديس بنيديكت (٢) الخمر البنيديكتية : خمر منسوبة إلى الرهبان البنيديكتيين § (٣) بنيديكتي .

benediction [bĕn'ə dĭk'shən] *(n.)* (١) مَنْح البَرَكة . (٢) بَرَكة ؛ وبخاصة : بَرَكة يمنحها الكاهن بعد الصلاة (نص).

benefaction [bĕn'ə făk'-] *(n.)* (١) إحسان (٢) تبرع ؛ هِبة.

benefactor [bĕn'ə făk'-] *(n.)* المُحْسِن ؛ المتبرع بهبةٍ خيرية.

benefactress [- trĭs] *(n.)* المُحْسِنَة : المتبرعة بهبة خيرية .

benefic [bə nĕf'ĭk] *(adj.)* = beneficent.

benefice [bĕn'ə fĭs] *(n.; vt.)* (١) «أ» رتبةٌ كنسية ذات دَخْل . «ب» دَخْل هذه الرتبة (٢) إقطاعة § (٣) يمنحه رتبة كنسية ذات دَخْل .

beneficence [bə nĕf'ə səns] *(n.)* = benefaction.

beneficent [-sənt] *(adj.)* (١) مُحْسِن؛ خَيِّر ؛ رحيم (٢) مفيد

beneficial [bĕn'ə fĭsh'əl] *(adj.)* (١) مفيد؛ نافع (٢) مستفيد؛ صاحب حق في الاستفادة من كذا (the ~ owner of an estate).

beneficiary [-'ĭ ĕr ĭ] *(n.)* (١) «أ» المستفيد . «ب» المستفيد من وصية أو عقد تأمين الخ . (٢) صاحب رتبة كنسية ذات دَخْل .

benefit [bĕn'ə fĭt] *(n. ; vt. ; i.)* (١) «أ» فائدة ؛ نفع . «ب» عون ؛ مساعدة (٢) «أ» إعانة مالية عند الشيخوخة أو المرض أو البطالة . «ب» مبلغ يُدفع أو خدمة تُقدَّم بموجب تقاعد أو عقد تأمين الخ . (٣) حفلة خيرية § (٤) يفيد × (٥) يستفيد .

to give a person the ~ of the doubt يُبَرِّئُه لفقدان الأدلة الكافية لإدانته .

benefit of clergy (١) الحصانة الاكليركية : امتياز قديم كان رجال الدين يحاكمون بموجبه أمام محاكم اكليركية خاصة (٢)موافقة الكنيسة.

benefit society *or* **association** *(n.)* جمعية تعاونية (تهدف إلى مساعدة أعضائها وأفراد أُسرهم في حال المرض أو الوفاة الخ .)

benevolence [bə nĕv'ə ləns] *(n.)* (١) الخيرية : النزعة إلى عمل الخير (٢) صَدَقة ؛ هِبَة (٣) تبرّع إلزاميّ للملك (تا انكليزي).

benevolent *(adj.)* (١) «أ» خيِّر ؛ كريم . «ب» مطبوع على حب الخير (٢) خيريّ : هادفٌ إلى النفع العام لا إلى الربح .

Bengalese [bĕn'gə lēz'] *(adj.; n.)* (١) بنغاليّ : متعلق بالبنغال أو بشعبه أو بلغته § (٢) البنغاليّ : أحد أبناء البنغال (٣) البنغاليون.

Bengali [bĕn gô'lĭ ; bĕng-] *(n. ; adj.)* (١) البنغاليّ : احد ابناء البنغال (٢) البنغالية : لغة البنغال § (٣) بنغاليّ .

bengaline [bĕng'gə lēn'] *(n.)* البَنْغالين: نسيج مضلّع .

Bengal light *(n.)* الضوء البنغاليّ : نور أزرق (أو نار زرقاء) يُستعمل في المسارح وفي الألعاب النارية .

benighted [bĭ nī'tĭd] *(adj.)* (١) أدركه الليلُ ؛ داهمه الليل (~ travelers) (٢) جاهل (a ~ heathen) .

benign [bĭ nīn'] *(adj.)* (١) لطيف ؛ كريم (a ~ old lady) (٢) عذب ؛ رقيق (a ~ smile) (٣) معتدل (a ~ climate) (٤) حميد ؛ غير خطِر (a ~ tumor) .

benignant [bĭ nĭg'nənt] *(adj.)* (١) رؤوف ؛ عطوف (a ~ sovereign) (٢) نافع (٣) حميد ؛ غير خطر .

benignity [-'nə tĭ] *(n.)* (١) لطف؛ كرم؛ رقة (٢) سلامة عاقبةٍ (٣) عملٌ كريم الخ .

benison [bĕn'ə zən ; - sən] *(n.)* = benediction.

benjamin [bĕn'jə mən] *(n.)* (١) benzoin I (٢) المجزاعة؛ البَلْسَمِينَة ؛ وبخاصةٍ مجزاعة الحدائق (نب) .

bennet [bĕn'ĭt] *(n.)* حشيشةُ المُبارَك (نب) .

bent [bĕnt] *(adj.; n.)* (١) منحنٍ ؛ مَحْنِيّ (٢) مصمّم على . § (٣) نزعة؛ مَيْل (٤) القدرة على الاحتمال (٥) bent grass .

bent grass *(n.)* المَرْجيّة ، النَّجيل : نبات من النَّجيليات .

benthic *or* **benthal** *or* **benthonic** *(adj.)* قاعيّ ؛ أعماقيّ : خاص بقاع البحر أو أعماق المحيط .

benthos *(n.)* (١)قاع البحر (٢)القاعيات : حيوانات ونباتات قاع البحر .

benumb [-nŭm'] *(vt.)* (١) يَشُلّ (٢) يُخدِّر ؛ يجعله خدِراً .

benzene [bĕn'zēn] *(n.)* البنزين ؛ البنزول : سائل ملتهب يستخرج من قطران الفحم ويُستعمل في صنع اللدائن والسكّرين والأسبيرين .

— **benzenoid** *(adj.)*

benzine [bĕn'zēn ; bĕn zēn'] *(n.)* البنزين : سائل ملتهب يُشتق من البترول ويستخدم كمنظف وكوقود للمحركات .

benzoic acid *(n.)* حَمض الصمغ الجاوي ؛ حَمض البنزويك(ك).

ă at; ā date; â care; ä car; ĕ egg; ē me; ĭ in; ī bite; ŏ lot; ō bone; ô orphan; oi boil oŏ good; ōō boot; ou out; ŭ under; ū unity; û urgent; th thing; th this; zh vision; ə = *a* in alone, *e* in system, *i* in easily, *o* in gallop, *u* in circus.

benzoin [bĕn′zoin ; - zō ĭn] (n.) : اللُّبان الجاوي ؛ المِيعَة (١)
صمغ عطر يُستعمل كبَخور ويستخدم في الطب وفي صناعة
العطور (٢) الأصطُرَك ؛ اللُّبنى : شجرة تُنتج المِيعَة .

benzol [bĕn′zōl] (n.) : البَنْزُول (را benzene) .

bequeath [bĭ kwēth′] (vt.) : يورث بوصية (١) يُسلِّم (٢)
تراثاً إلى الذريّة .

bequest [-kwĕst′] (n.) : توريث بوصية (٢) إرثٌ بوصيةٍ (١) .

berate [bĭ rāt′] (vt.) : يوبّخ أو يعنف بقسوة .

Berber [bûr′bər] (n. ; adj.) : البربريّ : واحد البربر (١)
البربريّة : لغة البربر (٢) بربريّ (٣) .

berceuse [bĕr sœz′] (F.) : lullaby (١) لحن هادئ(مو) (٢) .

bereave [bĭ rēv′] (vt.) : يَسلُب ؛ يحرم من (١) يُفقده (٢)
(الموتُ) أمّه أو أباه أو ولده .

— bereavement (n.) .

bereft (adj.) : (~ of hope) محروم من ؛ مجرّد من ~ of reason : معتوه ؛ مخبول .

beret [bə rā′] (F.) : البيريه : قَلَنْسُوَة مستديرة مسطّحة ليّنة .

beret

berg [bûrg] (n.) = iceberg .

bergamot [bûr′gə mŏt′] (n.) : البَرْغَمُوت (١)
«أ» ضَرْب من الليمون إجّاصيّ الشكل يُستعمل
زيت قشره في صنع العطور . «ب» زيت البَرْغَمُوت أو روحه .

beriberi [bĕr′ĭ bĕr′ĭ] (n.) : داء ينشأ البري بري (مج) :
عن نقص الفيتامين ب في الغذاء ، ويصحبه ضعف وهزال .

berkelium (n.) : البَرْكِيليوم : عنصر فلزي إشعاعيّ النشاط (ك) .

Berkshire [bûrk′shĭr] (n.) : البَرْكْشير : سلالة من الخنازير السود .

berlin [bər lĭn′] (n.) : البَرْلينة (١)
«أ» مركبة كبيرة مقفلة ذات أربع
عجلات . «ب» سيارة في مؤخر

berlin

مقعد سائقها زجاجٌ حاجزٌ متحرك (٢) الصوف البرليني .

Berlin wool (n.) : الصوف البرليني : صوف ناعم للحبك الخ .

berm or **berme** [bûrm] (n.) : مجاز ضيّق ؛ سطيحة ضيّقة .

Bermuda bag (n.) : حقيبة برمودا : حقيبة يد مدورة
أو بيضوية الشكل ذات مقبض خشبيّ .

Bermuda grass (n.) : عشب برمودا : عشب من أعشاب المراعي .

berretta [bə rĕt′ə] (n.) = biretta .

berried [bĕr′ĭd] (adj.) : حامل ثمر عُلّيْق (١) عُلّيْقيّ (٢)
كثمر العُلّيْق (٣) ذو بَيْض (a ~ lobster) .

berry [bĕr′ĭ] (n. ; vi.) : الثمرة (٢) توت ؛ ثمر العُلّيْق (١)
اللبّية : ثمرة بسيطة لبّية أو لحيمة (كالعنب أو الطماطم
أو الموز) (٣) حبّة أو بزرة يابسة (the coffee ~) (٤) بيضة
سمكة أو جرادة بحر (٥) يحمل ثمر عُلّيْق ؛ ويجني ثمر عُلّيْق الخ .

berrylike (adj.) : عُلّيْقيّ : شبيه بثمر العليق (١) صغير مدوّر (٢) .

berseem (Ar.) : برسيم ؛ قُرط ؛ نَفَل اسكندري (نب) .

berserk or **berserker** (n.) : البَرْسَرْكيّ : واحد من محاربين
اسكندنافيين قدماء عُرفوا بقتالهم المسعور .

berserk (adj. ; adv.) : مسعور ؛ شديد الاهتياج (١) يُسْعِر (٢) .

berth [bûrth] (n. ; vt. ; i.) : مسافة كافية (بين سفينة
وأخرى الخ.) (١) مرْسَى (٢) مَضْجَع (في سفينة أو قطار أو
طائرة) (٣) عمل ؛ وظيفة (٤) يرسي السفينة (٥) يؤمّن
مضجعاً لـ ؛ × (٦) ترسو (السفينة) (٧) .
to give a wide ~ to : يبتعد عن ؛ يتجنب .

bertha [bûr′-] (n.) : البَرْثة : قبة عريضة مدوّرة تغطّي الكتفين .

Bertillon system [bûr′tə lŏn ; - tē yôn′] (n.) : نظام بَرْتِيون :
طريقة للتعرف إلى هويّة الأشخاص وبخاصة المجرمين بواسطة
سجل للمقاييس الفردية والعلامات الفارقة وبصمات الأصابع الخ .

beryl [bĕr′əl] (n.) : البِريل : حجر كريم أخضر عادةً .

beryllium [bĭ rĭl′ĭ əm] (n.) : البِيريليوم : عنصر فلزي نادر (ك) .

beseech [bĭ sēch′] (vt. ; i.) : يلتمس ؛ يتوسّل ؛ يتضرّع .

beseem [bĭ sēm′] (vt. ; i.) : يليق بـ .

beset [bĭ sĕt′] (vt.) : يرضّع (١) يزعج (٢) يقلق (٣) يهاجم
من جميع الجهات (٤) يُحْدِق بـ ؛ يكتنف .

besetting (adj.) : مُحْدِقٌ أو مائل أو مُغْرٍ باستمرار .

beshrew [bĭ shrōō′] (vt.) : يلعن ؛ يدعو على (ا.ق) .

beside [bĭ sīd′] (prep.) : يقرب ؛ عند ؛ بجانب (١)
(٢) بالمقارنة مع ؛ بالنسبة إلى (Her work is poor ~ yours.)
(٣) بالإضافة إلى ؛ علاوة على (٤) خارج عن ؛ لا صلة له بـ
(This discussion is ~ the question.)
~ oneself : خارج عن طوره ؛ محتدم غيظاً .

besides (prep. ; adv.) : عدا (١) (There were three ~
of us ~ Mary.) (٢) بالإضافة إلى ؛ علاوة على (We have
many ~ these.) (٣) § وفوق ذلك ؛ وإلى ذلك (I don't like
this album ; ~ , it's too expensive)

besiege [bĭ sēj′] (vt.) : يحاصر (مدينةً الخ) (١) يطوّق (٢)
— besieger (n.) . يحيط بـ (٣) يمطر بالمطالب أو بالأسئلة .

besmear [bĭ smĭr′] (vt.) : يلطّخ ؛ يلوّث .

besmirch [- smûrch′] (vt.) : يلوّث (١) يلطّخ السمعة (٢)
يسوّد أو يلوّث بالسُخام .

besmut [bĭ smŭt′] (vt.) : يلوّث بالسُخام .

besom [bē′zəm] (n.) : يكنسة ؛ مقشّة (١) السِيتيسُس (٢)
القُوْطِينْسُوس : شجيرة طويلة الأغصان ، صفراء الزهر (نب) .

besot [bĭ sŏt′] (vt.) : يخبّل ؛ يسلب العقل (١) يُسْكر (٢) .

besought [bĭ sôt′] past ; past part. of beseech .

bespangle [bĭ spăng′gəl] (vt.) : يزيّن بالتزرير أو اللمع .

bespatter [bĭ spăt′ər] (vt.) : يوحّل ؛ يلوّث برشاش الماء (١)
يوحل (٢) يلوّث .

bespeak [bĭ spēk′] (vt.) : يحجز (غرفة في فندق الخ) (١)
«ب» يوصي على شيء مقدّماً (٢) يطلب مقدّماً (to ~ the
reader's patience) (٣) يخاطب ؛ يوجه الخطاب إلى (٤) يَنُمّ
عن ؛ يدل على (Your words ~ a kindly heart.) .

bespoke past ; past part. of bespeak .

bespoke (adj.) : موصىً عليه (~ shoes) (١)
مُعدّ للسلعة بناءً على طلب أو توصية (~ tailors) (٢) .

bespread [bĭ sprĕd′] (vt.) : ينشر على ؛ يغطّي بـ .

besprinkle [bĭ spring′kəl] (vt.) = sprinkle .

Bessemer converter (n.) : محوّل بِسَمِر : فرن يُستخدم في إنتاج
الفولاذ وفقاً لطريقة بِسَمِر .

Bessemer process (n.) : طريقة بِسَمِر (في إنتاج الفولاذ) .

best [bĕst] (adj. ; adv. ; n. ; vt.) : أفضل ، أحسن (١)
(٢) مُعْظَم (٣) § على أحسن وجه (the ~ part of a day)
(٤) أكثر ما يكون (John works ~ in the morning.)
(George is the ~ hated man in Sidon.)
(٥) § الأفضل (٦) الحالة الفضلى (٧) غاية الجهد ؛ أقصى
الجهد (Do your ~ .) (٨) ثياب المرء الفضلى (٩) § يهزم ؛

يتفوق على .

at ~, في أحسن الأحوال .

~ man وكيل أو شاهد العريس .

~ seller الكتاب الأكثر رواجاً (في فترة معيّنة) .

in one's Sunday ~, مُرتدٍ أحسن ملابسه .

to be at one's ~, يكون في أحسن أحواله .

to have *or* get the ~ of it ينجح ؛ يفوز .

to make the ~ of it (of a bad business) يبتهج أو يبذل غاية جهده رغم المصاعب .

to make the ~ of one's time يستفيد من وقته على أحسن وجه .

to make the ~ of one's way ينطلق بأقصى سرعته .

bestial [bĕs'chəl ; bĕst'yəl] *(adj.)* (١) بهيمي (٢) وحشي .

bestiality [bĕs'chĭ ăl'ə tĭ; - tĭ ăl'-]*(n.)* (١) البهيمية ؛ الوحشية . (٢) الانغماس في الشهوات البهيمية (٣) علاقة جنسية شاذة بين إنسان وحيوان .

bestialize [bĕs'chə līz' ; bĕst'yə-] *(vt.)* يجعله بهيمياً الخ .

bestiary [bĕs'tĭ-] *(n.)* مؤلّف رمزي عن الحيوانات وعاداتها .

bestir [bĭ stûr'] *(vt.)* يثير ؛ يحثّ ؛ يحرض .

bestow [bĭ stō'] *(vt.)* (١) يستعمل (٢) يضع (٣) يمنح ؛ يهب .

bestowal *(n.)* (١) مص bestow (٢) مِنحة ؛ هبة .

bestraddle [bĭ străd'əl] *(vt.)* = bestride.

bestrew [bĭ strōō'] *(vt.)* (١) يكسو بشيء منثور (They ~*ed* the road with flowers.) (٢) ينثر (٣) يتناثر .

bestride [-strīd'] *(vt.)* (١) يركب مباعداً ما بين رجليه (٢) يتخطّى .

bet [bĕt] *(n. ; vt. ; i.)* (١) «أ» رهان . «ب» مراهنة (٢) ما يُراهن عليه (The black horse is the best ~.) § (٣) «أ» يراهن على . «ب» يراهن (فلاناً) × (٤) يراهن (I never ~.)

I ~, أنا واثق (ع) .

You ~, في استطاعتك أن تكون واثقاً (ع) .

beta [bā'tə ; bē'-] *(n.)* (١) البيتا ؛ الباء : الحرف الثاني في الأبجدية اليونانية (٢) الثاني في سلسلة .

beta iron *(n.)* حديد بيتا ؛ الحديد البائيّ .

betake [bĭ tāk'] *(vt.)* (١) يذهب (٢) يعمد أو يلجأ إلى .

beta particle *(n.)* دقيقة بيتا ؛ الدقيقة البائية (فز) .

beta rays أشعة بيتا ؛ الأشعة البائية (فز) .

betatron *(n.)* البيتاترون : جهاز لتسريع الألكترونات (فز) .

betel [bē'təl] *(n.)* التَّنْبول ؛ التانبول ؛ التامول : نبات متسلّق .

Betelgeuse [bē'təl jōōz'] *(Ar.)* مَنكِب الجوزاء (فل) .

betel nut *(n.)* بزرة الفَوْفَل (را . المادة التالية) .

betel palm *(n.)* الفَوْفَل ؛ الكَوْثَل : شجر من النخليّات (نب) .

bête noire [bāt' nwär'; bĕt nwär'] *(F.)* بُعبُع .

bethel [bĕth'əl] *(n.)* (١) بقعة مقدسة (٢) كنيسة للبحّارة .

bethink *(vt.)* (١) يفكّر ؛ يتأمّل (٢) يتذكّر (٣) يعتزم ؛ يقرّر .

betide [-tīd'] *(vt. ; i.)* (١) يُصيبه كذا × (٢) يَحْدث ؛ يقع .

betimes *(adv.)* (١) باكراً (٢) عاجلاً (٣) قبل فوات الأوان .

betise [bĕ tēz'] *(F.)* (١) حماقة (٢) عملٌ أحمق .

betoken [bĭ tō'kən] *(vt.)* (١) يدلّ على (٢) ينذر بـِ .

béton [bĕ tôn'] *(n.)* إسمنت ؛ باطون ؛ خرسانة .

betook [bĭ tŏŏk'] *past of* betake.

betray [bĭ trā'] *(vt.)* (١) يضلّل ؛ يغرّر بـِ ؛ يخدع (٢) يخون (٣) يُفشي سراً (٤) ينمّ عن ؛ يدل على (His mistakes ~*ed* his ignorance.) (٥) يُظهر ؛ يُبدي (No one ~*ed* any wish to quarrel.)

— betrayal *(n.)*

— betrayer *(n.)*

to ~ oneself يكشف عن خُلُقه الحقيقي أو خططه الحقيقية الخ .

betroth [bĭ trōth'] *(vt.)* يخطب (فتاة) .

betrothal [bĭ trō'thəl ; - trô'thəl] *(n.)* خِطبة ؛ «خُطوبة» .

better [bĕt'ər] *(adj. ; adv. ; n. ; vt. ; i.)* (١) أعظم ؛ أكبر (the ~ part of an hour) (٢) أحسن صحيّاً (He's ~ today.) § (٣) أفضل ؛ أحسن § (٤) على نحو أفضل (٥) أكثر (~ than a mile to town) § (٦) الشيء الأفضل (the ~ of two choices) (٧) المراهِن § (٨) يحسّن ؛ يرقّي (٩) يبزّ ؛ يتفوق على × (١٠) يتحسّن .

~ off أكثر غنىً ؛ في حال أفضل .

for ~ or worse في مختلف الأحوال والظروف .

for the ~, نحو الأفضل .

had ~, يجب ؛ ينبغي ؛ يكون من الحكمة أن ..

one's ~ half زوجة المرء (ع) .

one's ~*s* من هم أكثر منك خبرةً أو أعلى مقاماً ...

the sooner the ~, خير البرِّ عاجلُه .

to get the ~ of يتغلّب أو يتفوّق على ؛ يَهْزِم .

to know ~, (١) يكون أعقل أو أكثر حكمةً من أن ... (٢) يرفض تصديق زعمٍ .

to think ~ of يغيّر رأيه ؛ يعْدِل عن القيام بعملٍ .

betterment [bĕt'ər-]*(n.)* (١) تحسين ؛ إصلاح (٢) تَحَسّن .

betting *(n.)* رِهان ؛ مُراهَنة .

bettor *or* **better** *(n.)* المُراهِن .

betula *(n.)* البَتُولا ؛ شجر القضبان : شجر حَرَجي من الفصيلة البَتُوليّة .

betulaceous [bĕch'ōō lā'shəs] *(adj.)* بَتُولي : من البتوليّات أو الفصيلة البتوليّة **Betulaceae** وهي من ذوات الفلقتين (نب).

between [bĭ twēn'] *(prep. ; adv.)* بين ؛ في ما بين .

~ the devil and the deep (blue) sea بين نارين .

~ ourselves في ما بيننا ؛ السرّ لن يتجاوزنا .

far ~, (١) في فترات متباعدة (٢) متباعدٌ بعضه عن بعض (من حيث الموقع أو المكان) .

in ~, (١) في الوسط (٢) وسط كذا .

betweenbrain *(n.)* = diencephalon.

betweentimes; betweenwhiles *(adv.)* من وقت إلى آخر .

betwixt [bĭ twĭkst'] *(prep. ; adv.)* = between.

betwixt and between بَيْنَ بَيْنَ (ع) .

bevatron [bĕv'-]*(n.)* البيفاترون : جهاز لتسريع البروتونات (فز) .

bevel [bĕv'əl] *(adj. ; n. ; vt. ; i.)* (١) مائل ؛ مشطوب ؛ «مشطوف» § (٢) شُطْبَة ؛ سطح مائل ؛ حافة مائلة أو مشطوبة (٣) مِسطار الزوايا ؛ زاوية التخطيط المائل § (٤) يُميل ؛ يَشْطُب ؛ «يشطُف» حافة الزجاج الخ . × (٥) يَميل ؛ ينحدر .

beveled ; bevelled *(adj.)* مشطوب ؛ «مشطوف» الحافة .

bevel gear *(n.)* التِرس المخروطي (مك) .

bevel square *(n.)* كُوس الزوايا : أداة يستعملها النجارون لتخطيط الزوايا أو لاختبار دقة السطوح المشطوبة أو «المشطوفة» .

beverage [bĕv'ər ĭj] *(n.)* شراب ؛ وبخاصة : كل شراب غير الماء .

bevy [bĕv'ĭ] *(n.)* (١) جماعة (٢) سِرب .

bewail [bĭ wāl'] *(vt. ; i.)* يَنْدُب ؛ ينوح أو يتفجّع على .

bewailing *(n. ; adj.)* (١) نَدْب ؛ مناحة §(٢) نادب ؛ نائح .

beware [bĭ wâr'] *(vi. ; t.)* يحترس ؛ يحذَر .

bewilder [bĭ wĭl'dər] *(vt.)* يُذْهل ؛ يُربك ؛ يُحيّر .

bewildered *(adj.)* منذهل ؛ مرتبك ؛ متحيّر .

bewildering *(adj.)* مُذْهِل ؛ مُرْبك ؛ مُحيّر .

bewilderment [bĭ wĭl'dər-] *(n.)* انذهال ؛ ارتباك .

bewitch [bĭ wĭch'] *(vt.)* (١) يَسْحَر (٢) يَفْتِن ؛ يَخْلِب اللبّ .

bewitching *(adj.)* ساحر ؛ فاتن ؛ سالبٌ للّبّ .

bewitchment *(n.)* (١) سحر ؛ فتنة (٢) انسِحار ؛ افتتان .

bey [bā] *(n.)* (١) «أ» البيْه ؛ البك : حاكم مقاطعة ثانوية في الامبراطورية العثمانية . «ب» بيه ؛ بك : لقب تشريف (في تركيا ومصر سابقاً) (٢) الباي : لقب حكام تونس القدماء .

beyond [bĭ yŏnd'] *(prep.; adv.; n.)* (١) وراء (٢) إلى ما بعدَ (stayed ~ the time limit) (٣) فَوْق ؛ وراء نطاق أو متناول كذا (~ human comprehension) (٤) غير ؛ سوى (He had nothing ~ his pension.) §(٥) أبْعد (as far as the house and ~) §(٦) الآخرة ؛ العالم الآخر .

~ compare ممتاز ؛ لا يضاهى .

~ one's reach وراء متناوله ؛ في غير متناوله .

~ oneself = beside oneself.

It is ~ me. إنه فوق فهمي ؛ أنا لا أستطيع أن أفهمه .

the back of ~, مكانٌ ناءٍ أو منعزل (ع) .

to live ~ one's income يُنفِق أكثرَ من دَخْله .

bezant [bĕz'ənt] *(n.)* (١) البيزَنْط : عملة ذهبية بيزنطية قديمة . (٢) حلية معمارية على شكل قرص مسطّح (عم) .

bezel [bĕz'əl] *(n.)* (١) حافة الإزميل الخ . (٢) «أ» موضع الفَصّ من الخاتم . «ب» موضع الزجاجة من الساعة .

bezique [bə zēk'] *(n.)* البيزيك : ضربٌ من لعب الورق .

bezoar [bē'zōr] *(n.)* (١) ترياق (ا.م) (٢) حصاة في أمعاء الحيوانات ، وبخاصة المجترّة منها ، كان يُظَنّ أن لها خصائص سحرية ، وأنها ترياق ضدّ السمّ .

bezoar antelope *(n.)* الظبي الهندي ؛ ظبي الهند (ح) .

bezoar goat *(n.)* البزْل ؛ البازن ؛ ماعز ايران البرّي (ح) .

bhang *or* **bang** [băng] *(n.)* قنّب هندي أو مخدر منه .

bi- بادئة معناها : (١) ثنائي ؛ مُزْدوَج (*bi*angular) . (٢) حادثٌ أو صادرٌ مرّتين كل ... (*bi*monthly) (٣) إلى قسمين (*bi*sect) (٤) ثاني (*bi*carbonate) .

biangular [bī ăng'-] *(adj.)* ثنائي الزاوية ؛ ذو زاويتين .

biannual [bī ăn'-] *(adj.)* نصف سنوي ؛ حادثٌ مرتين في السنة .

biannually *(adv.)* مرّتين في السنة .

bias [bī'əs] *(n.; adj.; adv.; vt.)* (١) خطّ درْز الخ منحرف أو موروب فوق نسيج (٢) «أ» نزعة . «ب» محاباة ؛ انحياز ؛ تحامل §(٣) منحرف ؛ مائل §(٤) على نحو منحرف أو مائل أو مورووب §(٥) يؤثّر في ؛ يوجّه في اتجاه معيّن .

biased *or* **biassed** *(adj.)* (١) منحرف ؛ مورووب (٢) متحيّز .

biauricular; biauriculate [bī ô rĭk'-] *(adj.)* ذو أذينين .

biaxial [bī ăk'-] *(adj.)* ثنائي المحور ؛ ذو محورين .

bib [bĭb] *(vt.; i.; n.)* (١) يَشْرب (ا.ق) §(٢) «صدرية» الطفل (توضع تحت ذقنه أثناء الطعام) (٣) الجزء الأعلى من المئزر .

bib and tucker *(n.)* ملابس ؛ ثياب (ع) .

bibacious *(adj.)* سِكّير ؛ مدمنٌ شربَ الخمر .

bibber [bĭb'ər] *(n.)* السكّير ؛ المدمن شربَ الخمر .

bibcock *also* **bibb cock** *(n.)* حنفيّة فُوّهتها مائلة إلى أدنى .

bibelot [bĭb'lō] *(n.)* (١) تحفة فنية صغيرة (٢) كتيّب أنيق الحجم .

Bible [bī'bəl] *(n.)* الكتاب المقدس : العهدان القديم والجديد (نص) .

biblical *(adj.)* كتابيّ ؛ توراتيّ : خاص أو متعلق بالكتاب المقدس (نص) .

biblicism *(n. often cap.)* الكتابيّة : التمسك بحرفية الكتاب المقدس .

biblicist *(n.)* الكتابيّ : المتمسّك بحرفية الكتاب المقدس أو العالِم به .

biblio- بادئة معناها : (١) كتاب (٢) الكتاب المقدس .

bibliofilm [bĭb'lĭ ə fĭlm'] *(n.)* = microfilm.

bibliographer *(n.)* البيليوغرافي : العالم بالبيليوغرافيا .

bibliographic; -al *(adj.)* ببليوغرافي : منسوب إلى البيليوغرافيا .

bibliography [bĭb'lĭ ŏg'-] *(n.)* البيليوغرافيا : «أ» فن وصف الكتب والمخطوطات أو التعريف بها . «ب» مَسْرَدٌ نقديّ بالكتب المتصلة بموضوع أو حقبة أو مؤلِّف ما . «ج» بيان بمؤلفات كاتب أو بمطبوعات دار للنشر «د» ثَبْت المراجع .

bibliolater *(n.)* (١) المُجِلّ للكتب (٢) المغالي في إجلال الكتاب المقدس مفسّراً تفسيراً حرفياً .

bibliolatry *(n.)* المغالاة في إجلال الكتاب المقدس .

bibliomancy *(n.)* الاستخارة (أو فتح البخت) بالكتب .

bibliomania *(n.)* شدّة الولع باقتناء الكتب .

bibliomaniac *(n.)* الشديد الولع باقتناء الكتب .

bibliopegy [bĭb'lĭ ŏp'ə jĭ] *(n.)* فنّ تجليد الكتب .

bibliophile [bĭb'lĭ ə fīl ; - fĭl] *(n.)* محبّ الكتب أو جامعها .

bibliopole *or* **bibliopolist** *(n.)* بائع الكتب النادرة .

bibliotheca *(n.)* (١) مكتبة (٢) قائمة كتب .

bibliotics *(n.)* دراسة الخطّ والوثائق وأدوات الكتابة (وبخاصة لتقرير صحة وثيقة ما) .

bibulous [bĭb'yə-] *(adj.)* (١) ماصّ ؛ ممتصّ (٢) مدمنٌ الخمر .

bicameral [bī kăm'ər əl] *(adj.)* ذو مجلسين تشريعيين .

bicapsular *(adj.)* ثُنائي المحفظة (مج) ؛ ذو جِرْوين أو عُلَيبتين (نب) .

bicarbonate [bī kär'-] *(n.)* ثاني كربونات ؛ ثاني فَحْمات (ك) .

bicarbonate of soda ثاني كربونات الصودا (ك) .

bice [bīs] *(n.)* صبغ أو دهان أخضر أو أزرق .

bicellular *(adj.)* ثنائي الخليّة ؛ ذو خليّتين (أح) .

bicentenary [bī sĕn'tə nĕr'ĭ] *(adj. ; n.)* = bicentennial.

bicentennial [bī sĕn tĕn'ĭ əl] *(adj. ; n.)* (١) دائمٌ (أو مؤلف من) مئتي سنة (٢) حادثٌ أو واقعٌ كلَّ مئتي سنة §(٣) الذكرى المئوية الثانية : ذكرى مرور مئتي سنة على .

bicentric *(adj.)* ثنائي المركز ؛ ذو مركزين .

bicephalic ; bicephalous *(adj.)* ثنائي الرأس ؛ ذو رأسين («نب» و «أح») .

biceps *(n.)* العضلة ذات الرأسين (في أعلى الذراع أو مؤخّر الفخذ) .

bichloride *(n.)* ثاني كلوريد ؛ وبخاصة : ثاني كلوريد الزئبق (ك) .

bichromate [bī krō'-] *(n.)* ثاني كرومات ؛ وبخاصة : ثاني كرومات الصوديوم أو البوتاسيوم (ك) .

bicipital *(adj.)* (١) ذو رأسين (٢) خاصّ بالعضلة ذات الرأسين .

bicker [bĭk'ər] *(vi. ; n.)* (١) يتشاحن ؛ يتخاصم (٢) يعدو ؛ يندفع ؛ يعجّل (٣) يرتعش §(٤) شِجار .

ă at; ā date; â care; ä car; ĕ egg; ē me; ĭ in; ī bite; ŏ lot; ō bone; ô orphan; oi boil; ŏŏ good; ōō boot; ou out; ŭ under; ū unity; û urgent; th thing; t͟h this; zh vision; ə = *a* in alone, *e* in system, *i* in easily, *o* in gallop, *u* in circus.

bicolor ; bicolored *(adj.)* ثنائي اللون ؛ ذو لونَيْن .
biconcave [bī kŏn'-] *(adj.)* ثنائي التقعّر ؛ مُقعَّر الوجهَيْن .
biconvex [bī kŏn'-] *(adj.)* ثنائي التحدّب ؛ مُحدَّب الوجهَيْن .
bicorn [bī'-] *or* **bicorned** *(adj.)* ذو قرنين ؛ هلاليّ الشكل .
bicornuate [bī kôr'nyōō ĭt ; -āt'] *(adj.)* ذو قرنين .
bicorporal *or* **bicorporeal** *(adj.)* ثنائي الجسم ؛ ذوجسمين .
bicron [bī'-] *(n.)* البيكرون : جزء من بليون من المتر (فز) .
bicuspid [bī kŭs'pĭd] *(adj.)* *or* **bicuspidate** ذو نَصْلَين أو طَرَفَين مستدقين (كبعض الأسنان والأوراق) .
bicuspid *(n.)* الضاحكة : إحدى الضواحك وهي أربعة أضراس تلي الأنياب في الفك الأعلى وأربعة مثلها في الفك الأسفل (ت) .
bicycle [bī'sə kəl] *(n. ; vi.)* (١) دراجة هوائية §(٢) يركب دراجة .
bicycler ; bicyclist *(n.)* الدرّاج : راكب الدرّاجة الهوائية .
bicyclic *also* **bicyclical** *(adj.)* ثنائي الدورة ؛ مؤلف من دورتين ؛ منتظم في حلقتين (كأسْدِية الزهرة) .
bicylindrical *(adj.)* ذو سَطْحَين أُسْطُوانيَّيْن .
bid [bĭd] *(vt. ; i. ; n.)* (١) يأمر ؛ يُصْدِر أمراً إلى (٢) يدعو (إلى حفلة الخ .) (٣) «أ» يَعْرِض . «ب» يعطي أو يعرض سعراً (في مزايدة أو مناقصة) : يزايد أو يناقص §(٤) أمْر (٥) عطاء (في مزايدة أو مناقصة) (٦) دعوة (ع) (٧) محاولة .
The plan ~ *s* fair to succeed . الخطة تبشّر بالنجاح
to ~ against يعرض ثمناً أعلى
to ~ defiance to يعلن أنه يتحدى (خصماً) .
to ~ (a person) good-bye, good-night, welcome, farewell, etc. يودّعه أو يحيّيه بإحدى هذه الصيغ
to ~ up يرفع السّعر (بعَرْض ثمنٍ أعلى) .
to make a ~ for يحاول الحصول على . . .
biddable [bĭd'ə bəl] *(adj.)* طيّع ؛ مطيع ؛ سهل الانقياد .
bidden [bĭd'ən] *past part. of* bid.
bidder *(n.)* (١) الآمر (٢) العارض ثمناً (٣) المزايد (٤) الداعي .
bidding [bĭd'ĭng] *(n.)* (١) أمر (٢) مزايدة (٣) دعوة .
biddy *(n.)* (١) «أ» دجاجة . «ب» فَرْخة (٢) خادمة (٣) امرأة .
bide [bīd] *(vi. ; t.)* (١) يبقى (٢) ينتظر (٣) يقيم في . ×(٤) يواجه ؛ يقاوم (ا.ق) (٥) يتحمّل (ع) .
to ~ one's time ينتظر فرصة ملائمة .
bidentate *(adj.)* ثُنائي السن : ذو سِنّيْن أو نحوهما .
biennial [bī ĕn'ĭ əl] *(adj. ; n.)* (١) حَوْلي : «أ» حادث أو واقع كل سنتين (~ games) . «ب» دائم أو عائش حَوْلَين ؛ وبخاصة : نام خُضَرِيّاً في العام الأول حتى إذا دخل في عامه الثاني أثمر ومات §(٢) حادث أو نبات حولي .
biennium *(n.)* pl. **-ums** *or* **-nia** فترة سنتين .
bier [bĭr] *(n.)* نَعْش ؛ تابوت .
biestings [bēs'tĭngz] *(n. pl.)* = beestings.
bifacial [bī fā'shəl] *(adj.)* ثنائي الوجه ؛ ذو وجهين .
bifarious *(adj.)* مرصوف في صفّين عموديين (كالأوراق على غصن) .
biff *(n. ; vt.)* (١) ضربة ؛ لكمة (عا) §(٢) يضرب ؛ يلكم (عا) .
bifid [bī'-] *(adj.)* أشْرَم : مشقوق إلى قسمين أو فلقتين متساويتين .
bifilar [bī fī'-] *(adj.)* ثنائيّ السلك ؛ ذو سلكين أو خيطين .
biflagellate *(adj.)* ثنائي السَّوْط : ذو سَوْطَين (ح) .
biflex [bī'flĕks] *(adj.)* مُلْتَوٍ في موضعين .
biflorate ; biflorous *(adj.)* حامل زهرتين (نب) .
bifocal [bī fō'-] *(adj. ; n.)* (١) ثنائيّ البؤرة ؛ ذو بؤرتين . §(٢) عدسة ثنائية البؤرة (٣) *pl.* : النظارة الثنائية البؤرة : نظارة ذات عدستين ثنائيتي البؤرة للبصر القريب والبصر البعيد .
bifold *(adj.)* مضاعَف .
bifoliate [bī fō'-] *(adj.)* ذو ورقتين أو وُرَيْقتين (نب) .
bifoliolate *(adj.)* ذو وُرَيقتين . (كبعض الأوراق المركّبة) .
biforked [bī'fôrkt] *(adj.)* ذو شعبتَيْن أو فرعين .
biform [bī'fôrm] *(adj.)* ثنائيّ الشكل ؛ جامعٌ شكلين .
bifurcate [bī'fər kāt'] *(vt. ; i. ; adj.)* (١) يقسم إلى شعبتين . ×(٢) يتفرّع إلى شعبتين §(٣) ذو شعبتين أو فرعين .
bifurcation *(n.)* (١) «أ» تشعيب ؛ تفريع . «ب» تشعّب ؛ تفرّع . (٢) «أ» نقطة التشعّب أو التفرّع : مفْرِق . «ب» شعبة ؛ فرعٌ .
big [bĭg] *(adj. ; adv.)* (١) قويّ ؛ شديد (a ~ storm) . (٢) كبير ؛ ضخم (a ~ fleet) (٣) حامل ؛ حبلى ؛ وبخاصة : على وشك الوضع (with child ~) (٤) «أ» منتفخ . «ب» مُتْرَع (eyes ~ with tears) (٥) جَهْوَريّ (a ~ voice) (٦) «أ» رئيسي . «ب» بارز ؛ عظيم ؛ ذوشأن أونفوذ (the ~ man of his town) (٧) حاسم (the ~ moment) (٨) متفاخر ؛ متمدّح (a ~ talker) (٩) كريم ؛ نبيل ؛ كبير (a ~ heart) §(١٠) بتفاخر ؛ بتمدّح ؛ بتبجّح (to talk ~) .
bigamist [bĭg'ə mĭst] *(n.)* المُضَارّ ، المُضارّة : المتزوج من امرأتين (أو المتزوجة من رجلين) في وقتٍ واحد .
bigamous [bĭg'ə məs] *(adj.)* (١) «أ» مُضَارّ : متزوّج على ضُرّ (من امرأتين في وقت واحد) . «ب» مضارّة : متزوجة على ضُرّ (من رجلين في وقت واحد) (٢) ضُرّي : ذو علاقة بالمُضارّة .
bigamy [bĭg'ə mĭ] *(n.)* المضارّة ، التزوج على ضُرّ (من امرأتين أو من رجُلين في وقت واحد) .
bigarreau [bĭg'ə rō'] *(n.)* البيغارو : ضرْب من الكرز (نب) .
big buck *(n.)* مبلغ كبير (من المال) .
big game *(n.)* (١) كبار الحيوانات أو الأسماك (المطارَدة أو المَصِيْدة) (٢) هدفٌ عظيم (محفوف بالخطر) .
biggin *or* **bigging** [bĭg'ĭn] *(n.)* مَبْنى ؛ مَنْزِل .
biggin [bĭg'ĭn] *(n.)* (١)قبعة الطفل(عب) (٢)قلنسوة النوم (عب) .
biggish *(adj.)* كبيرٌ بعضَ الشيء ؛ كبير نسبياً .
bighead *(n.)* (١) ورم يصيب أنسجة رأس الخروف (٢)غُرور (ع) .
— bigheaded *(adj.)*
bighearted [bĭg'här'tĭd] *(adj.)* كريم ؛ ذو قلب كبير .
bighorn [bĭg'-] *(n.)* كَبْش الجبال الصخرية .

bighorn

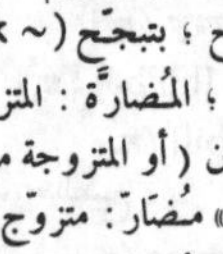

bight [bīt] *(n. ; vt.)* (١) أُنشوطة أوعقدة في حبل (٢) «أ» منعطف ، وبخاصة في نهر أوسلسلة جبال . «ب» منعطف في شاطىء . «ج» خليج §(٣) يثبّت بأنشوطة حبل .
big money *(n.)* (١) مقدار كبير من المال (٢) أرباح طائلة .
bigmouthed *(adj.)* (١) كبير الفم (٢) صخّاب .
bigness *(n.)* (١) كِبَر ؛ ضخامة ؛ عِظَم (٢) حَجْم (ع) .
bignonia *(n.)* البِغْنونِيَة : نبات أميركي مُعْتَرِش جميل الزهر .
bigot [bĭg'ət] *(n.)* المتعصب لدين أو حزبٍ أو رأي .
bigoted [bĭg'ə tĭd] *(adj.)* متعصب ؛ شديد التعصّب .
bigotry [bĭg'ə trĭ] *(n.)* تعصّب أعمى .

big shot *(n.)* شخص عظيم الشأن (ع) .

big-ticket *(adj.)* غالٍ ؛ مرتفع الثمن .

big top *(n.)* (١) الخيمة الكبرى في سِيرْك (٢) سِيرْك .

big tree *(n.)* السُّكْويَة العظيمة : شجرة ضخمة من الصنوبريات

bigwig [bĭg'wĭg'] *(n.)* شخص عظيم الشأن (ع) .

bihourly [bī our'lĭ] *(adj.)* حادث مرّة كل ساعتين .

bijou [bē'zhōō] *(n. ; adj.)* (١) جوهرة ؛ حلية §(٢) صغير وأنيق .

bijouterie [bē zhōō'tə rĭ] *(n.)* جواهر ؛ حليّ .

bijugate *(adj.)* ثنائي الازدواج : ذو زوجين من الوُرَيقات (نب) .

bike [bīk] *(n. ; vi.)* (١) وكر زنابير (٢) حشدٌ من الناس . (٣) درّاجة هوائية §(٤) يركب درّاجة .

— biker *(n.)*

bikeway *(n.)* طريق الدراجات : طريق خاصّ بسباق الدرّاجات .

bikini [bē kē'nē] *(n.)* البيكيني : ثوب سباحة للسيّدات مؤلف من قطعتين تبقيان معظم الجسد عارياً .

bilabial [bī lā'bĭ əl] *(adj. ; n.)* (١) ملفوظ أو متعلق بكلتا الشفتين §(٢) صوت أو حرف ملفوظ بكلتا الشفتين .

bilabiate [bī lā'-] *(adj.)* ثنائيّ الشفة ؛ ذو شفتين (نب) .

bilander [bĭl'- ; bī'-] *(n.)* البِلَنْدَر : مركبٌ تجاري صغير .

bilateral [bī lăt'ər əl] *(adj.)* (١) ذو جانبين (٢) ثنائيّ (a ~ treaty) (٣) متعلق بكلا الجانبين (~ symmetry) .

bilberry *(n.)* العِنَبيّة ؛ عنب الدبّ ؛ عنب الأحراج (نب) .

bilbo [bĭl'bō] *(n.)* (١) سيف (٢) قيد طويل لأقدام السجناء .

bile [bīl] *(n.)* (١) الصَّفراء ؛ المرّة : مادة يفرزها الكبد وتُختزَن في المرارة (فس) (٢) النكد أو سوء الطبع .

bile duct *(n.)* قناة الصَّفراء (مج) ؛ القناة الصَّفراوية (ت) .

bilestone [bĭl'stōn'] *(n.)* الحصاة الصفراوية (ط) .

bilge [bĭlj] *(n. ; vi. ; t.)* (١) جوف البرميل أو الجزء المنتفخ منه . (٢) جوف المركب (٣) ماء آسن متجمّع في جوف المركب (٤) هراء §(٥) «أ» يصاب (جوفُ المركب) بأذى . «ب» يترشّح المركبُ (بسبب من هذا الأذى) (٦) ينتفخ ×(٧) يصيب (جوفَ المركب) بأذى (٨) ينفخ .

bilge water *(n.)* الماء الآسن (المتجمّع في جوف المركب) .

bilgy *(adj.)* كريه الرائحة ؛ رائحته شبيهة برائحة الماء الآسن .

bilharzia *(n.)* البِلْهَرْسيّ ؛ البِلْهَرْسية ؛ البلهارسيا (مض) .

biliary [bĭl'ĭ ĕr'ĭ] *(adj.)* صَفْراويّ : خاص بالصَّفراء (فس) .

bilingual [bī lĭng'gwəl] *(adj. ; n.)* (١) ثنائيّ اللغة : «أ» مطبوع بلغتين (a ~ dictionary) . «ب» ذو لغتين ؛ ناطق بلغتين (a ~ nation) §(٢) الثنائيّ اللغة : شخص يجيد التكلم بلغتين .

bilious [bĭl'yəs] *(adj.)* (١) صفراويّ : خاص بالصفراء أو ناشىء عنها (٢) مصفور ؛ مكبود : مصاب بفَرْط إفراز الصفراء أو باختلال في وظيفة الكبد (٣) صفراويّ المزاج ؛ متشائم .

biliteral *(adj.)* ثنائيّ الحروف .

bilk [bĭlk] *(vt. ; n.)* (١) يغشّ ؛ يخدع (٢) يتهرب من دفع دَيْن (٣) يتجنّب §(٤) حيلة (٥) الغشّاش ؛ المخادِع (٦) المتهرب من دفع الدَّين .

bill [bĭl] *(n. ; vi. ; t.)* (١) منقار (٢) طَرَفُ مِخْلَب المِرْساة (٣) ضرب من السلاح استعمل في القرن ١٨ يتألف من قناة منتهية بشفرة على شكل كُلاّب (٤) مِنْجل (لتشذيب الأغصان بخاصة) (٥) «أ» وثيقة . «ب» مذكّرة . «ج» رسالة (٦) مشروع قانون (٧) شكوى مقدّمة إلى محكمة (٨) قائمة ؛ بيان بـ (٩) فاتورة ؛ فاتورة بالحساب (١٠) إعلان (١١) «أ» إعلان عن حفلة مسرحية . «ب» برنامج ؛ حفلة (good ~ at the theater) (١٢) ورقة نقدية (١٣) كمبيالة §(١٤) «أ» يقرع أو يفرك منقاراً بمنقار . «ب» يبدي مودّة ×(١٥) يُدخل في فاتورة ؛ يُعِدّ فاتورة بـ (١٦) يُقدِّم أو يرسل فاتورة إلى (١٧) يُعْلِن (New actors were ~ed for this week.) (١٨) يُنَزِّله في برنامج .

bill 1.

billboard [-'bōrd'] *(n.)* لوحة إعلانات .

billed *(adj.)* (١) ذو منقار (٢) مُفَوْتَر : مُسجَّل في فاتورة أو مُزَوَّد بفاتورة (٣) معلَنٌ عنه .

biller *(n.)* (١) المُفَوْتِر (٢) المُفَوْتِرَة : آلة مُعَدّة للفواتير .

billet [bĭl'ĭt] *(n. ; vt.)* (١) «أ» امر رسمي بايواء جندي في بيت احد المواطنين . «ب» البيت المختار لإيواء هذا الجندي (٢) وظيفة ؛ مهمة (٣) قطعة خشب (٤) قضيب حديدي أو فولاذي الخ . (٥) واحدٌ من سلسلة «قضبان» قصيرة تشكل حليةً معمارية §(٦) يعيِّن للجندي بيتاً (من بيوت المواطنين) ينزل فيه (٧) يؤوي .

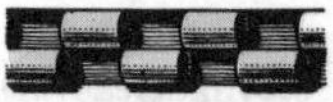

billets 5.

billet-doux [bĭl'ĭ dōō'] *(F.)* رسالة غَرام .

billfish [-'fĭsh'] *(n.)* الخَرْمان : سمك طويل المنقار .

billfold [-'fōld'] *(n.)* محفظة جيب (للأوراق النقدية) .

billhead *(n.)* ورقة مطبوع في رأسها اسم المؤسسة وعنوانها .

billhook [-'hōōk'] *(n.)* مِنْجل (لتشذيب الأغصان بخاصة) .

billiard *(adj. ; n.)* (١) بِلياردي §(٢) إصابة (في البليارد) .

billiards [bĭl'yərdz] *(n.)* البِليارد ؛ لعبة البِليارد .

billing [-'ĭng] *(n.)* (١) ترتيب اسم الممثل (أي الموقع النسبي الذي يحتله) في برنامج أو إعلان عن حفلة (A star gets top ~.) (٢) إعلان عن حفلة مسرحية يشتمل على أسماء الممثلين الخ .

billingsgate *(n.)* لغة السُّوقة : لغة يغلب عليها طابَع البذاءة .

billion [bĭl'yən] *(n.)* البليون : «أ» الف مليون (في فرنسة والولايات المتحدة الأميركية) . «ب» مليون مليون (في انكلترة وألمانية) .

billionaire *(n.)* البِلْيُونيّ : من تبلغ ثروته بليون دولار الخ أو أكثر .

bill of attainder قرار بتجريد شخص من ممتلكاته وحقوقه المدنية بسبب من إدانته بالخيانة العظمى والحكم عليه بالموت .

bill of credit سند أو صك على الدولة .

bill of debt سند ؛ كمبيالة (تج) .

bill of divorce ورقة الطلاق .

bill of exchange (١) تحويل ؛ حوالة (٢) كمبيالة ؛ سُفْتجة .

bill of fare (١) قائمة الطعام (في فندق أو مطعم) (٢) برنامج .

bill of health براءة الصحة : شهادة تعطى لربان السفينة تبيّن حالة الركاب والبحّارة الصحية عند الاقلاع من المرفأ .

bill of lading بوليصة الشحْن .

bill of rights ميثاق الحقوق : خلاصة الحقوق الأساسية لشعب ما ؛ وبخاصة : *cap* : مشروع قانون الحقوق (تا انكليزي) .

bill of sale عقْد أو سند البَيْع .

billon *(n.)* البِلُّون : مزيج من فضة أو ذهب ومعدن خسيس .

billow [bĭl'ō] *(n. ; vi. ; t.)* (١) موجة عظيمة (٢) كتلة (من سحابٍ أو دخان الخ .) متدحرجة مثل الموج §(٣) يتلاطم كالموج (٤) ينتفخ ×(٥) ينفخ .

billowy [bĭl'ō ĭ] *(adj.)* (١) متلاطم كالأمواج (٢) منتفخ .

billposter or billsticker *(n.)* مُلْصِق الإعلانات .

billy [bĭl'ĭ] *(n.)* (١) هِراوة، وبخاصة : هراوة الشرطيّ (٢) غلاية أو ركوة (للشاي الخ .) (٣) رفيق ؛ زميل ؛ أخ (ع) .

billycock *(n.)* قبعة لِبّادية مستديرة (بر) .

billy goat *(n.)* ذَكَرُ الماعز .

bilobate *also* **bilobated** *or* **bilobed** *(adj.)* ذو فَصّين (نب) .

bilocular *or* **biloculate** *(adj.)* ذو خليتين أو حُجَيْرتين .

biltong [bĭl'tŏng'] *(n.)* قَديد اللحم (في جنوب افريقية) .

bimanous [bĭm'ə nəs ; bī mā'-] *(adj.)* ذو يدَين (ح) .

bimanual *(adj.)* مصنوعٌ بكلتا اليدين أو مُقتَضٍ استعمالهما معاً .

bimester [bī mĕs'-] *(n.)* فترة شهرين .

bimestrial *(adj.)* (١) دائم شهرين (٢) حادثٌ كل شهرين .

bimetallic *(adj.)* (١) مستخدِم نظامَ المعدِنين أو ذو علاقة به أو مبنيّ على أساسه (٢) ثنائيّ المعدِن ، مؤلّف من معدنين .

bimetallism [bī mĕt'ə-] *(n.)* نظام المعدِنين : نظامٌ يجعل لكل من النقود الذهبية والفضية قوة إبراء مطلقة بعد تحديد النسبة بينهما .

bimillenary *or* **bimillenial** *(n.)* (١) فترة ألفيَ سنة . (٢) الذكرى الألفية الثانية : ذكرى انقضاء ألفي سنة على حدثٍ ما .

bimillenary *(adj.)* خاص بالذكرى الألفية الثانية (لحدث ما) .

bimolecular *(adj.)* (١) ثُنائيّ الجُزَيْئيّ ؛ مؤلف من جُزَيْئين (ك) . (٢) خاص بجُزَيْئين (ك) .

bimonthly [bī mŭnth'lĭ] *(adj. ; adv. ; n.)* (١) حادثٌ أو صادر كل شهرين (٢) نصف شهريّ : حادثٌ أو صادرٌ مرتين في الشهر §(٣) مرّةً كل شهرين (٤) مرتين في الشهر §(٥) مجلة تصدر كل شهرين مرة (٦) مجلة نصف شهرية .

bimotored *(adj.)* ذو محركين ؛ مزوّد بمحركين .

bin [bĭn] *(n. ; vt.)* (١) صندوق أو نحوه لخزن الحنطة أو الفحم الخ . §(٢) يضع في صندوق كهذا .

bin- بادئة معناها : مزدوج ؛ ثنائيّ (*bin*aural) .

binary [bī'nə rĭ] *(adj. ; n.)* (١) شَطْريّ (مج) ؛ مزدوج ؛ ثنائيّ §(٢) شيء ثنائيّ ؛ وبخاصة : نجم ثنائيّ .

binary compound *(n.)* مركّب ثنائيّ العنصر (ك) .

binary fission *(n.)* الانقسام الشَّطْريّ (أح) .

binary star *(n.)* النجمُ الثنائيّ : نجمان يدوران حول مركز جاذبيةٍ مشترك (فل) .

binate leaf

binate [bī'nāt] *(adj.)* مضاعَفٌ ؛ زَوْجيّ النموّ (نب) .

binaural [bĭn ôr'əl] *(adj.)* (١) ذو أُذُنَين (٢) متعلق بكلتا الأذنين أو مُنطوٍ على استعمالهما معاً .

bind [bīnd] *(vt. ; i. ; n.)* (١) «أ» يَربِط ؛ يُوثِق . «ب» يقيّد ؛ يعوق عن الحركة . «ج» يُلزِم (٢) «أ» يَحزِم . «ب» يَعصِب . «ج» يضمّد (جرحاً) (٣) يجعله يتماسك (٤) يَعقِل البطنَ أو يُمسِكُه بعد إسهال (٥) «أ» يجلّد (كتاباً) . «ب» يقي أو يمتّن أو يزخرف بحاشية (to ~ the edge of a carpet) (٦) يجعله مُلزِماً (to ~ a bargain) (٧)× يتماسك ؛ يصبح صلباً (٨) رباط (٩) «أ» رَبْط . «ب» ارتباط (١٠) مأزق .

to ~ oneself to يعد أو يتعهد بِ .

to ~ over يُلزِم ، تحت طائلة العقوبة ، بِ ...

binder [bīn'dər] *(n.)* (١) فا bind وبخاصة : مجلِّد الكتب . (٢) رِباط (٣) مادة تساعد على التماسك والالتحام (كالزفت أو الاسمنت) (٤) عقد موقّت أو غير رسمي (٥) غلاف تُجمَع بين دفتيه أوراق متناثرة أو مجلاّت غير مجلّدة .

(٦) الحصّادة الحازمة : آلة تحصد وتحزم في آنٍ معاً (ز) .

bindery [bīn'də rĭ] *(n.)* معمل التجليد ؛ معمل تجليد الكتب .

binding [-'dĭng] *(n. ; adj.)* (١) مص bind (٢) رِباط . (٣) جلدة الكتاب (٤) حاشية لتقوية أو تزيين طرف القماش أو السجادة الخ . §(٥) مُلْزِم (a ~ engagement)

binding post *(n.)* مَربِط توصيل (كب) .

bindweed [bīnd'-] *(n.)* اللَّبلاب وغيره من النباتات المعترشة .

bine [bīn] *(n.)* (١) ساق النبتة المُنفتِل (٢) لبلاب (نب) .

binge [bĭnj] *(n.)* (١) مَرحٌ صاخب (٢) حفلة ؛ حفلة سمر .

bingo [bĭng'-] *(n.)* البنغو : لعبة من ألعاب الحظ والمقامرة .

binnacle [bĭn'-] *(n.)* بيت الإبرة : صندوق البوصلة (في سفينة) .

binocle [bĭn'ə kəl] *(n.)* البينوكل ؛ المنظار الثنائيّ : منظار ذو عينيّتين .

binoculars 2

binocular [bə nŏk'-] *(adj. ; n.)* (١) «أ» متعلق بكلتا العينين . «ب» مستخدِم كلتا العينين (~ vision) «ج» ثنائيّ العينين ؛ ذو عينيّتين (a ~ microscope) §(٢) *pl.* أيضاً : مجهر أو تلسكوب أو منظار أوبرا ثنائيّ العينيّتين .

binomial [bī nō'mĭ əl] *(adj. ; n.)* (١) ثنائيّ التسمية : ذو اسمين ، الأول يشير إلى الجنس والثاني يشير إلى النوع («ح» و«نب») (٢) ذو حدَّين ؛ ثنائيّ الحدّ (ر) §(٣) تسمية ثنائية («ح» و«نب») (٤) ذات الحدَّين : معادلة ذات حدَّين (ر) .

binomial equation *(n.)* ذات الحدَّين : معادلة ذات حدَّين (ر) .

binuclear *or* **binucleate ; -d** *(adj.)* ثنائيّ النواة ؛ ذو نواتين .

bio- بادئة معناها : حياة أو أحياء (*bio*logy) .

bioassay *(n. ; vt.)* (١) الاختبار الأحيائي : تقدير لقوة عقّار ما ، من طريق دراسة الآثار التي يخلّفها في كائن حيّ (كالفأرة الخ .) §(٢) يجري اختباراً أحيائياً على .

biocatalyst *(n.)* الحَفّاز الأحيائي : مادة تُسرِّع العمليات البيولوجية .

biochemical *(adj.)* كيمينحيويّ ؛ كيميائي حيوي .

biochemist *(n.)* الكيمينحيويّ : العالِم بالكيمياء الحيوية .

biochemistry [bī ō kĕm'-] *(n.)* الكيمياء الحيوية : كيمياء تُعنى بدراسة المركبات والعمليات الكيميائية في الكائنات الحية .

biogenesis *also* **biogeny** *(n.)* (١) النشوء الأحيائي : نشوء الحياة من حياة سابقة (٢) نظرية النشوء الأحيائيّ : نظرية تقول بأن الكائنات الحية لا تنشأ إلا من كائنات حية أخرى .

biogenic *(adj.)* نُشوئيحيويّ : ناشىء بفعل الكائنات الحية .

biogeographic; -al *(adj.)* جغرافيحيويّ : متعلق بالجغرافيا الحيوية .

biogeography *(n.)* الجغرافيا الحيوية : فرع من البيولوجيا يدرس توزّع الحيوانات والنباتات الجغرافيّ .

biographer [bī ŏg'-] *(n.)* كاتب سيرة ؛ مترجم حياة .

biographical *or* **biographic** *(adj.)* (١) سِيَريّ : متعلق بسيرة شخص أو حياته (٢) سِيَريّ : مَعنيّ بالسِّيَر (a ~ dictionary) .

biography [bī ŏg'-] *(n.)* السِّيرة : ترجمة حياة شخص .

biologic *or* **biological** *(adj.)* أحيائيّ ؛ بيولوجي .

biologic; -al *(n.)* المستحضَر الأحيائي : مستحضر كيمينحيويّ (كاللقاح الخ .) يستخدم طبياً .

biological warfare *(n.)* الحرب البيولوجية : حرب تُستخدم فيها الكائنات الحية (كالجراثيم) ضدّ الانسان أو الحيوان أو النبات .

biologism *(n.)* الأحيائية : الأخذ بالتعليلات البيولوجية في تحليل الأوضاع الاجتماعية .

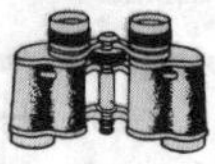

biologist *(n.)* الأحيائيّ ؛ البيولوجي ؛ المتخصص في علم الأحياء .
biology [bī ŏl'ə jĭ] *(n.)* علم الأحياء ؛ البيولوجيا : علم الحياة أو الكائنات الحية في جميع أشكالها وظواهرها .
biomedicine *(n.)* الطبّ الأحيائي : فرع من الطبّ يُعْنى بدراسة قدرة الإنسان على العيش في المُرَكَّبات الفضائية وما إليها.
biometry [bī ŏm'ə trĭ] *(n.)* (١) قياس الحياة: حُسْبان الديمومة المحتملة للحياة البشرية (٢) **biometrics** أيضاً : البيولوجيا الإحصائية: علم الاحصاء مطبَّقاً على المشاهدات البيولوجية .
bionomics [bī'ō nŏm'ĭks] *(n.)* = ecology.
biopsy *(n.)* استئصال نسيج من الجسد الحيّ ودراسته مجهرياً (ط) .
bioscope [bī'ō skōp] *(n.)* مِسْلاط (بروجكتور) سينمائي .
bioscopy *(n.)* الكَشْف الحَيَوي: فحص الجسد لمعرفة أهُوَ حيّ أم لا .
-biosis لاحقة معناها : طريقة الحياة (aero*biosis*) .
biosphere *(n.)* (١) المحيط الحيويّ : ذلك الجزء من العالم الذي يمكن للحياة أن توجد فيه (٢) الكائنات الحية ومحيطُها .
biosynthesis *(n.)* التخليق الحيوي: إنتاج مركّب كيميائي من قِبَل كائنٍ حيّ (كح) .
biota [bī ō'tə] *(n.)* نباتات منطقة (أو حقبة) وحيواناتُها .
biotechnology *(n.)* التكنولوجيا أو التقنية الحيوية : فرع من التكنولوجيا أو علم التقنية يُعْنَى بتطبيق المُعْطَيات البيولوجية والهندسية على المشكلات المتعلقة بالانسان والآلة .
biotic *or* **biotical** *(adj.)* حَيَوي؛ وبخاصة ناشىء عن كائنات حية.
biotin *(n.)* البيوتين: فيتامين يكون في الخميرة والكبد وصفار البيض.
biotite *(n.)* البيوتيت: ميكة (را mica) سوداء أو داكنة .
biotype *(n.)* الطراز الأحيائي : مجموعة من المُتَعَضِّيات لها نفس الخصائص الوراثية (أح) .
biparous *(adj.)* (١) مُتْئِم : مُنتِجٌ وليدين في بطنٍ واحد (ح) . (٢) ثنائي التغصّن (نب) .
bipartisan [bī pär'tə zən] *(adj.)* (١) متعلّق بحزبين (٢) ممثِّل لحزبين (٣) مؤيَّد من حزبين (a ~ foreign policy) .
bipartite [bī pär'tīt] *(adj.)* (١) «أ» ذو قسمين . «ب» ثنائيّ ؛ بين فريقين (a ~ treaty) (٢) منشطر ؛ مُنشق ثنائياً : منقسم إلى قسمين حتى القاعدة تقريباً (~ leaves) .
biped [bī'-] *(n.; adj.)* (١) حيوان ذو قدمين § (٢) ذو قدمين .
bipedal [bī'pə dəl] *(adj.)* ذو قدمين (كالانسان) .
bipetalous [bī pĕt'əl əs] *(adj.)* ذو بتَلتَين (نب) .
biphase [bī'fāz'] *(adj.)* ثنائي الطَّور (كب) .
biphenyl *(n.)* البيفينيل : هيدروكربون أبيض متبلّر (ك) .
bipinnate [bī pĭn'āt] *(adj.)* مزدوجة الترييش : صفة للورقة حين تكون ريشية الشكل وتكون وُرَيْقاتها كذلك (نب) .
biplane [bī'-] *(n.)* طائرة ذات السَّطحين: ذات جناحين أحدهما فوق الآخر .

bipod [bī'-] *(n.)* المِنصَب الثنائيّ : مِنصَب للمدفع الأوتوماتيكي ذو قائمتين .
bipolar [bī pō'lər] *(adj.)* (١) ثنائيّ القطب ؛ ذو قطبَيْن (a ~ dynamo) (٢) خاص بكلتا المنطقتين القطبيتين .
biquadratic [bī'kwŏd răt'ĭk] *(n.; adj.)* (١) المعادلة الرباعية : معادلة من الدرجة الرابعة (ر) § (٢) مضاعَفُ التربيع (ر) .
biracial *(adj.)* ثُنائيعِرقي: متعلق بأعضاء من عِرقَين مختلفين .
birch *(n.; vt.)* (١) البتولا ؛ شجر القضبان (٢) خشب البتولا . (٣) عصا التأديب : قضيب من البتولا لمعاقبة التلامذة § (٤) يَجلد.

bird [bûrd] *(n.; vi.)* (١) طَيْر ؛ طائر ؛ عصفور (٢) شخص . (٣) shuttlecock (٤) صفير الاستهجان الخ . (to get, *or* give one, the ~) (٥) صَرْف من الخدمة (٦) قذيفة موجّهة § (٧) يصيد الطيور أو يوقعها في شَرَك (٨) يراقب جوارح الطير في بيئتها الطبيعية .
a ~ in the bush . عصفور في الأجمة (أو على الشجرة)
birdbrain *(n.)* شخص أبله أو أحمق .
birdcall *(n.)* (١) صوت الطائر (٢) أداة لمحاكاة صوت الطير .
bird colonel *(n.)* زعيم ؛ كولونيل (ع) .
bird dog *(n.)* كلب مدرَّب على المساعدة في صَيْد الطيور .
birder *(n.)* (١) صائد الطير ؛ وبخاصة لبيعها في السوق (٢) من يراقب جوارح الطير في بيئتها الطبيعية .
birdhouse *(n.)* بيت الطائر : صندوق يتّخذ لإيواء الطيور .
birdie [bûr'dĭ] *(n.)* طُوَيْر ؛ طائر صغير .
birdlime [bûrd'līm'] *(n.)* (١) الدابوق : مادة لزجة تُطْلَى بها الأغصان لالتقاط صغار الطير (٢) شَرَك .
bird louse *(n.)* قُمّل الطير : قُمّل يتطفل على الطيور بخاصة .
birdman *(n.)* (١) المُتّجر بالطيور (٢) الطيّار ؛ الملاّح الجوي (ع) .
bird of paradise طائر الفردوس : طائر جميل الريش .
bird of passage (١) طير من الطيور القواطع أو المهاجِرة . (٢) شخص لا يطيل المكث في مكان واحد .
bird of prey طيرٌ جارح ، طَيْر من الطيور الجوارح .
bird pepper *(n.)* الفُلَيْفِلَة الدَّغَليّة (نب) .
birdseed *(n.)* حَبّ الطير : خليط من الحَبّ يقدَّم طعاماً للطيور .
bird's-eye *(adj.; n.)* (١) تحليقيّ ، مأخوذ من علٍ (a ~ view of a city) (٢) عامّ (a ~ view of modern history) (٣) ذو نقط وعلامات شبيهة بأعين الطير § (٤) عين الطائر : نبات ذو زهرات صغيرة مدوّرة (٥) نمط في نسج القماش يتميّز برسوم صغيرة شبيهة بالعيون (٦) قماش منسوج على هذا النحو .
bird's-foot *(n.)* رِجْل الطير : نبات أوراقه أو أزهاره كرِجْل الطائر .
bird's-foot trefoil *(n.)* قرن الغزال : نبات عشبيّ .
birdwoman [bûrd'-] *(n.)* الطيّارة : قائدة الطائرة (ع) .
bireme [bī'-] *(n.)* البَيْرِم: مركب بِصفَّيْ مجاذيف من كلّ جانب .
biretta [bə rĕt'ə] *(n.)* البيريتة : قلنسوة مربّعة يعتمر بها رجال الدين الكاثوليك .
birl [bûrl] *(vt.; i.)* يدحرج زَنْد خشب طافياً في الماء بالدّوس عليه .

biretta

birr *(n.)* (١) قوة ؛ اندفاع ؛ نشاط (٢) أزيز .
birr *(n.)* البِرّ: وحدة العملة في إثيوبيا (الحبشة).
birth [bûrth] *(n.; vt.; i.)* (١) ولادة ؛ مولد (٢) «أ» أصل ؛ مَنْبِت (of German ~) . «ب» مَحْتِد كريم (٣) الفطرة (a poet by ~) (٤) نشوء ؛ منشأ § (٥) يُحدِث ؛ يولِّد (ع) × (٦) تَلِد (ع) .
birth certificate *(n.)* شهادة الميلاد أو المولد .
birth control *(n.)* تحديد النَّسْل ؛ ضَبط النسل .
birthday *(n.)* (١) مولِد (شخص أو شيء) (٢) عيد ميلاد .
birth defect *(n.)* العِلّة الخِلْقية: علّة مصاحِبة منذ الولادة .
birthmark *(n.)* الوَحْمة : علامة خَلْقيّة على الجسد .
birthmate *(n.)* اللِّدة: من وُلِد معك في نفس المكان والزمان .
birthplace [bûrth'plās'] *(n.)* مَسْقَط الرأس .
birthrate *(n.)* نسبة المواليد (إلى مجموع السكان في مدة معيّنة) .

birthright *(n.)* حقّ البكورية؛ حقّ المولد: حق أو امتياز عائدٌ لشخصٍ ما لكونِهِ بكرَ أبيه أو بسبب ولادته في بلدٍ معيّن الخ.

birthroot *(n.)* الإطرِلِّيُون؛ الزهرة الثلاثية: زهرة من الفصيلة الزنبقية.

birth sin *(n.)* الخطيئة الأصلية (نص).

birthstone *(n.)* جوهرة المولد: حجر كريم (بينه وبين أحد شهور السنة ارتباط رمزي) يزعم بعض الناس أنه يحمل الحظ السعيد إلى من يتحلّى به من مواليد ذلك الشهر.

birthwort *(n.)* (١) الزَّراوَنْد: نبات يُستعان به في الطب الشعبيّ لتسهيل الولادة (نب) (٢) birthroot.

bis [bĭs] *(adv.)* (١) مرّتين (٢) مرةً أخرى؛ أعِدْ.

biscuit [bĭs'kĭt] *(n.)* (١) بَسْكويت (٢) فَخّار أو خزَف غير مصقول أو مزجّج (٣) لون أسمر شاحب.

bise [bēz] *(n.)* البيز: ريح شمالية باردة جافة في فرنسة وسويسرة.

bisect [bī sĕkt'] *(vt.; i.)* (١) يشطُر؛ ينصِّف ×(٢) يَنْشعب شعبتين؛ يتفرّع (الطريقُ) إلى فرعين.

bisection *(n.)* (١) شَطْر؛ تنصيف (٢) نِصف؛ شَطْر.

bisector [bī sĕk'tər] *(n.)* المنصِّف؛ منصِّف الزاوية (هن).

biserrate *(adj.)* مزدوج التسنّن: مسنّن كالمنشار مع تسنّنٍ في الأسنان نفسها (نب).

bisexual [bī sĕk'-] *(n.; adj.)* (١) خنثى §(٢) ثنائيّ الجنس.

bishop [bĭsh'əp] *(n.)* (١) أسقُف؛ مطران (٢) الفيل: بَيْدَق من بيادق الشطرنج (٣) شراب مُسْكِر حارّ.

bishop bird *(n.)* الشُرشور الأحمر (طا).

bishopric *(n.)* (١) أسقفية؛ أبرشية (٢) منصب الأسقف أو مقرّه.

bismuth [bĭz' məth] *(n.)* البزموت: عنصر فلزيّ (ك).

bison [bī'sən] *(n.)* البيسون؛ الثور الأميركي.

bison

bisque [bĭsk] *(n.)* (١) البيسك: «أ» حساء دَسِم يُصْنَع من الأسماك الصدفية أو من لحم الطيور أو الأرانب. «ب» حساء يُصْنَع من خُضَر مهروسة مصفّاة. «ج» ضرب من «البوظة» يحتوي على مسحوق البندق أو الجوز (٢) فخّار أو خزَف غير مصقول أو مزجّج.

bissextile [bī sĕks'tĭl] *(adj.; n.)* (١) كَبِيسِيّ: مشتمل على اليوم الإضافيّ من أيام السنة الكبيسة (February is the ~ month.) (٢) كَبِيسة؛ مشتملة على يوم إضافي (a ~ year) §(٣) سنةٌ كبيسة.

bister *or* **bistre** [bĭs'-] *(n.)* البِسْتَر: «أ» صِبغ أسمر داكن يصنع من السُخام ويستخدم في الرسم. «ب» لون أسمر داكن.

bistort *(n.)* البَطْباط: عصا الراعي: نبات ذو خصائص طبية.

bistoury [bĭs'-] *(n.)* مِبضَع أو مِشرَط ضيّق صغير (جر).

bistro [bĭs'trō] *(n.)* (١) «أ» حانة صغيرة. «ب» مطعم صغير «ج» نادٍ ليليّ (٢) «أ» الخمّار. «ب» صاحب الفندق (ع).

bisulcate *(adj.)* مشقوق (a ~ hoof).

bisulfate; bisulphate *(n.)* ثاني كبريتات (ك).

bisulfide; bisulphide *(n.)* ثاني كبريتور (ك).

bisulfite; bisulphite *(n.)* ثاني كبريتيت (ك).

bit [bĭt] *(n.; vt.)* (١) «أ» شيء يُعَضّ عليه أو يُمسك بالأسنان، مثل: الحَكَمَة، الشكيمة: الحديدة المعترضة في فم الفرس من اللجام. «ب» فم البيبة أو الغليون (٢) الجزء أو الحرف القاطع من أداة، مثل «أ» حدّ الفأس. «ب» لسان المِسْحاج أو فأرة النجار. «ج» اللقمة: الجزء اللولبيّ الدوّار من المِثْقَب. «د» *pl.*: فكّا الكمّاشة أو المِسْحبة (٣) الكابح؛ كل ما يكبح (٤) لسان أو سنّ المفتاح (٥) لُقمة (٦) كِسْرة؛ مقدار ضئيل (٧) «أ» قطعة نقد صغيرة (a threepenny ~). «ب» ثُمْنُ الدولار أو اثنا عشر سنتاً ونصف السنت (٨) شيء صغير أو غير هام؛ مثل: «أ» فترة قصيرة (Wait a ~.). «ب» دور صغير (في مسرحية أو شريط سينمائي) §(٩) يَشْكُم الفرسَ (١٠) يكبح (١١) يُلْسِن المفتاح: يجعل له لساناً أو سنّاً.

spiral bits

a ~ at a time; ~ by ~, ببطء؛ تدريجياً؛ قليلاً قليلاً.
a long ~, ١٥ سنتاً (ع).
a short ~, عشرة سنتات (ع).
I don't care a ~, أنا لا أبالي البتّة أو على الإطلاق.
to do one's ~, يقوم بقسطه من الواجب (مهما ضؤل).
to give a person a ~ of one's mind يصارحه برأيه فيُظْهِر له أخطاءه ويوبّخه الخ.

bit *past of* bite.

bitartrate [bī tär'trāt] *(n.)* ثاني طرْطرات (ك).

bitch [bĭch] *(n.; vt.; i.)* (١) «أ» الكلبة: أنثى الكلب. «ب» أنثى الذئب أو الثعلب (٢) امرأة، وبخاصة: بغيّ؛ مومس؛ عاهرة (٣) شكوى (ع) §(٤) يُفْسِد (ع) (٥) يَخْدع (ع) (٦) يشكو (ع).

bite [bīt] *(vt.; i.; n.)* (١) «أ» يَعَضّ. «ب» يَقْضَم (٢) يَلْدَغ؛ يَلْسَع (٣) يقطع؛ يمزّق (٤) يقرص أو يوجع إيجاعاً شديداً (٥) «أ» يُمسك أو يتشبّث بِ؛ يعمل بفعالية «ب» يستحوذ على؛ يترك انطباعة عميقة في (٦) يأكل؛ يتآكل (Acid ~s metal.) (٧) يَخْدَع ×(٨) يلذع (٩) «أ» تأكل (السمكةُ) الطُّعْمَ. «ب» ينخدع (١٠) يَلْصَب؛ يَتَشَبّث أو يعمل بفعالية فوق كذا §(١١) «أ» عَضّ؛ قَضْم؛ لَدْغ؛ لَسْع. «ب» عضة؛ قَضْمة؛ لَسْعَة (١٢) «أ» لقمة. «ب» طعام. «ج» وجبة طعام مختصرة (١٣) ألمٌ شديد (١٤) تأكّل (الحوامض للمعدن) (١٥) إقبال السمكة على الطُّعم (١٦) اللَّصَب: تشبّث فكّي الملزمة بالخشب أو دوران عجلات السكة بفعالية على قضبانها.
— **biter** *(n.)*
to ~ the dust *or* ground يخرّ صريعاً.

bitewing *(n.)* رَقيقة العضّ: فيلم معَدّ لأخذ صورة بأشعة اكس لتيجان الأسنان العليا والسفلى معاً.

biting *(adj.)* (١) شديد؛ قارص (٢) لاذع؛ ساخر.

bitstock *(n.)* مِلْفاف الثَّقْب: مقبض لإدارة المِثْقاب.

bitt [bĭt] *(n.; vt.)* (١) مَرْبِطُ الحبال: عمود معدني أو خشبيّ فوق ظهر المركب تُشَدّ إليه الحبال §(٢) يثبّت بمربِطٍ للحبال (مل).

bitten [bĭt'ən] *past part. of* bite.

bitter [bĭt'ər] *(adj.; n.; vt.; i.)* (١) مُرّ (٢) قارص؛ موجع (٣) قاسٍ (٤) ساخر؛ لاذع (٥) مرير؛ دالّ على الأسى أو الألم (٦) عنيف؛ متهوّر؛ متعصب (٧) لدود §(٨) مَرارة (٩) شراب مُسْكِر عادةً يُعَدّ بتقطير بعض الأعشاب *pl.*: أو الأوراق أو البزور أو الجذور المرّة ويُتّخذ لتسهيل الهضم (١٠) جِعَةٌ مُرّة §(١١) يجعله مرّاً ×(١٢) يصبح مرّاً.
— **bitterly** *(adv.)* — **bitterness** *(n.)*

bitter end *(n.)* (١) النهاية القصوى مهما تكن موجعة أو مهلكة

ă at; ā date; â care; ä car; ĕ egg; ē me; ĭ in; ī bite; ŏ lot; ō bone; ô orphan; oi boil ŏŏ good; ōō boot; ou out;
ŭ under; ū unity; û urgent; th thing; th this; zh vision; ə = a in alone, e in system, i in easily, o in gallop, u in circus.

(fought to the ~) (٢) الطرف الأقصى (من حبل في سفينة).

bittern 1.

bittern [bĭt'ərn] *(n.)* (١) الواق: طائرٌ من فصيلة مالكِ الحزين (٢) زيت الملح: سائل زيتيّ مُرّ الطعم يتخلّف عند تبلّر الملح المستخرج من مياه البحر.

bittersweet *(n.; adj.)* (١) شيء حلوٌ مرّ؛ وبخاصة: مُتْعَة مشوبةٌ أو ممزوجة بألم (٢) «أ» المَغْدُ الحلو المرّ: نبات عشبيّ من الفصيلة الباذنجانية. «ب» الكالَسْطروس المتسلّق؛ الحرابيّة (أو شجرة الحراب المتسلّقة) §(٣) «أ» حلوٌ مُرّ. «ب» خاص بنوع من الشوكولا يشتمل على قليل من السكّر (٤) لذيذٌ مؤلم.

bitterweed *(n.)* الحشيشة المرّة: نبات تستخرج منه موادّ مرة.

bitty *or* **bittie** *(adj.)* صغير؛ ضئيل (ع).

bitumen [bĭ tū'mən] *(n.)* قار؛ حُمَر؛ بِتيومين.

bituminize *(vt.)* يقيّر: يحوّل إلى قار أو يعالج بالقار.

bituminous *(adj.)* قاريّ؛ حُمَريّ؛ بِتيوميني.

bituminous coal *(n.)* الفحم القاريّ أو الحُمَريّ أو البِتيوميني.

bivalence [bī vā'-] *(n.)* ثُنائية التكافؤ (ك).

bivalent [bī vā'lənt] *(adj.)* ثنائيّ التكافؤ (ك).

bivalve [bī'-] *(adj.; n.)* (١) ذو صِمامَيْن؛ ذو مِصْراعين (نب). (٢) ذو صدفتين (ح) §(٣) حيوان ذو صدفتين.

— **bivalved ; bivalvular** *(adj.)*

bivouac [bĭv'o͞o ăk] *(n.; vi.)* (١) «أ» معسكر موقّت في العَراء. «ب» مثوى موقّت (٢) «أ» مَبِيتٌ في معسكر (ليلةً واحدة). «ب» إقامة موقّتة §(٣) يعسكر في العراء.

biweekly [bī wēk'-] *(adj.; n.)* (١) نصف شهري (٢) نصف اسبوعي §(٣) مجلة نصف شهرية أو نصف اسبوعية.

biyearly *(adj.)* (١) biennial (٢) biannual.

bizarre [bĭ zär'] *(adj.)* غريب؛ عجيب؛ شاذّ.

bizonal *(adj.)* متعلق بالشؤون المشتركة بين منطقتين إداريتين.

blab [blăb] *(vt.; i.; n.)* (١) يفشي سراً (وبخاصة من طريق الكلام بغير تحفّظ) ×(٢) يثرثر §(٣) الثرثار (٤) ثرثرة.

blabber *(vi.; n.)* (١) يثرثر §(٢) ثرثرة (٣) الثرثار.

black [blăk] *(adj.; n.; vt.; i.)* (١) أسود (٢) زنجيّ (٣) مُتّشِح بالسواد (the ~ knight) (٤) مُتَّسِخ؛ قذِر (٥) مظلم (٦) شرّير (٧) شائن (٨) قاتم؛ متشائم (٩) مُعادٍ (~ looks) (١٠) صِرْف؛ من غير حليب أو كريما (~ coffee) §(١١) صِبغ أسود (١٢) «أ» سواد. «ب» لطخة سوداء (١٣) شيء أسود. وبخاصة: ثوب الحداد (to be in ~) (١٤) شخص زنجي (١٥) ظلمة تامة أو شبه تامة §(١٦) يسوّد؛ يطلي بالسّواد (١٧) يَصْقُل (الحذاء) بدهان أسود (١٨) يُسْكِت (أو يشوّش على) إذاعة من إذاعات الراديو ×(١٩) يَسْوَدّ.

to ~ out (١) يصبح مكتنفاً بالظلام (٢) يفقد الوعي أو الذاكرة الخ. موقّتاً (٣) يطفىء أو يحجب الأضواء كلها وقايةً من غارة جوية (٤) يَكْبُتُ (الرأي او الخبر الخ.) من طريق المراقبة على المطبوعات الخ.

to look ~ at him. ينظر إليه نظرة معادية أو غضبى.

blackamoor [-'ə mo͝or] *(n.)* الشديد السُّمْرة؛ وبخاصة: الزنجي.

black-and-blue *(adj.)* أسودُ مزرقّ (من أثر سقطة أو لكمة).

black and white *(n.)* (١) كتابة؛ طباعة (٢) «أ» رسم أو طبع بالأبيض والأسود. «ب» أثر مرسوم أو مطبوع على هذا النحو.

in ~, بوضوح؛ بصورة كتابية.

black art *(n.)* سِحْر؛ شَعْوَذَة.

black-a-vised *also* **black-a-viced** *(adj.)* داكن البَشَرة.

blackball *(n.; vt.)* (١) الكُرَيّة السوداء: كرة سوداء صغيرة تلقى في صندوق الاقتراع كناية عن صوت سلبي (٢) تصويت سلبيّ (ضدّ قبول شخص في عضوية مؤسسة) §(٣) يصوت ضدّ.. وبخاصة: لمنع قبول شخص في عضوية مؤسسةٍ (٤) يقاطع.

black bass *(n.)* البَلَكْبَس: ضرب من السمك النهري الأميركي.

black bear *(n.)* الدبّ الأسود: دبّ أميركي كثيف الوبر أسودُهُ.

black belt *(n.)* المنطقة السوداء: منطقة غالبية سكانها من الزنوج.

blackberry *(n.)* ثمر العُلَّيْق أو نَبْتَتُه تَحْمِلُه.

black bile *(n.)* السّوداء: أحد الأخلاط الأربعة التي اعتقد القدماء أنها تتحكم في المزاج (والسّوداء عندهم تسبب الكآبة).

blackbird *(n.)* الشُّحْرُور: طائر أسود حسن الصوت.

black body *(n.)* الجسم الأسود: سطح يمتص كامل الطاقة المُشعّة.

blackboard *(n.)* سبّورة؛ لوح اسود.

black book *(n.)* السجلّ الأسود: لائحة بأسماء اللامرغوب فيهم.

black buck

black buck *(n.)* الظبي الأسود: الظبي الهندي.

blackcap *(n.)* أبو قَلَنْسُوَة (طائر).

black-capped *(adj.)* أسودُ أعلى الرأس.

blackdamp *(n.)* ثاني أكسيد الكربون (ويكون على شكل غاز بمناجم الفحم).

black death *(n.)* الطاعون الأسود (تفشّى في أوروبة وآسية في القرن ١٤).

black diamond *(n.)* الماس الأسود: الفحم الحجري.

black dog *(n.)* كآبة (to be under the ~).

blacken *(vi.; t.)* (١) يَسْوَدّ ×(٢) يسوّد (٣) يذمّ؛ يشوّه السمعة.

blackened *(adj.)* مُسوَّد: مغطّى بالفلفل والبهارات.

black eye *(n.)* (١) كدمة حول العين (من أثر لطمة) (٢) خزي؛ عار.

blackface *(n.)* (١) «أ» ممثل يقوم بدور زنجي. «ب» ماكياج للقيام بدور زنجيّ (٢) حرف مطبعي أسود أو ثخين.

blackfellow *(n.)* أحد سكان أستراليا البدائيين.

blackfish *(n.)* = tautog.

black flag *(n.)* راية القُرْصان (وتمثل جمجمةً وعظمتين متصالبتين).

blackfly *(n.)* القِرْس؛ السُّكَيْت: ضرب من البعوض.

Blackfoot *(n.)* هندي أحمر (من قبيلة «ذوي الأقدام السّوداء»).

blackguard *(n.; vi.; t.)* (١) الوغد (٢) البذيء اللسان. §(٣) يتصرّف كالأوغاد ×(٤) يذمّ. «ب» يوجه كلاماً بذيئاً إلى.

blackhead *(n.)* (١) أسود الرأس: كل طائر حول رأسه سواد. (٢) بثرة في الوجه سوداء الرأس (٣) مرض يصيب الدِّيَكة الرومية (في أكبادها وأمعائها).

black heart *(n.)* القلب الأسود: «أ» ضرب من شجر الكرز ثمره أسود يشبه شكله شكل القلب. «ب» مرض من أمراض البطاطا وغيرها تَسْوَدّ بسببه أنسجتها الداخلية.

blackhearted *(adj.)* شرير؛ أسود القلب.

blacking [blăk'-] *(n.)* دهان أسود (للأحذية والمواقد الخ.).

blackish *(adj.)* مُسْوَدّ؛ أسودُ بعض الشيء؛ ضاربٌ إلى السواد.

blackjack *(n.; vt.)* (١) إبريق للجعة الخ. (٢) هراوة مكسوّة بالجلد (٣) راية القرصان (٤) ضرب من شجر البلّوط الأميركي (٥) ضرب من لعب الورق §(٦) يَضْرِب بهراوة مكسوّة بالجلد.

black knot *(n.)* العُقْدة السوداء: داء فُطْريّ يصيب الكرز وغيره

ويتخذ شكل كتل سوداء شبيهة بالعُقَد على أغصان الشجرة .

black lead *(n.)* = graphite.

blackleg [-'lĕg'] *(n.)* (١) الساق السّوداء : مرض مُعْدٍ يصيب صغار الماشية ، بخاصة ، في أعالي قوائمها (٢) المقامر المحترف (٣)مُفسِد الاضراب : شخص يُستأجَر للحلول محل عامل مُضرِب.

black letter *(n.)* الحرف الأسود : حرف قوطيّ ثخين استخدمه الطابعون الأوروبيون القُدامى وهو يُستخدَم أحياناً للطبع بالألمانية.

black-letter *(adj.)* (١) مطبوع بالحرف الأسود (٢) مشؤوم .

blacklist *(n. ; vt.)* (١) اللائحة السوداء §(٢) يُدْرِج فيها .

black magic *(n.)* السحر الأسود: سحر يُصْطنَع لأغراض شريرة .

blackmail *(n. ; vt.)* (١) الابتزاز التهديديّ: ابتزاز المال بتهديد المرء بالفضيحة خاصةً (٢) المال المبتزّ بالتهديد §(٣)يبتز بالتهديد.

Black Maria *(n.)* عربة السجناء: عربة لنقل السجناء من السجن وإليه.

black mark *(n.)* النقطة السوداء (دلالة على التقصير أو سوء السلوك) .

black market *(n.)* السوق السوداء .

black-market *(vi. ; t.)* يبيع أو يشتري في السوق السوداء .

black measles *(n.)* الحَصْبة السوداء، الحصْبة الخبيثة (مض) .

blackness *(n.)* سواد ؛ ظُلمة الخ .

blackout *(n.)* (١) «أ» إطفاء الأنوار كلّها (على خشبة المسرح) . «ب» فترة التعتيم (تُفرَض خلال غارة جوية) (٢) «أ» فقدان الوعي أو الذاكرة الخ . موقتاً . «ب» كَبْت (للرأي أو الخبر الخ .) من طريق الرقابة على المطبوعات .

blackpoll *(n.)* دُخَلة أميركية يتميز ذكرها بسواد أعلى رأسه (طا) .

black sheep *(n.)* الحروف الأسود: شخص تافه من أسرة محترمة.

Blackshirt *(n.)* ذو القميص الأسود: عضو في منظمة فاشستية يرتدي أفرادها قمصاناً سوداء .

blacksmith [blăk'smĭth] *(n.)* الحدّاد .

blacksnake *(n.)* (١) الحية السوداء : حية أميركية سوداء غير سامة. (٢) سَوْط من جلد مضفور .

blackthorn *(n.)* بُرْقوق السّياج : بُرْقوق شائك أبيض الأزهار (نب).

black tie *(n.)* لباس سَهْرة نصف رسمي للرجال .

blacktop *(n. ; vt.)* (١) زِفتُ الطُرق §(٢) يزفّت (طريقاً) .

black vomit *(n.)* (١) قيْء أسود (٢) الحمّى الصفراء (مض) .

black walnut *(n.)* (١) الجوز الأسود (نب) (٢) خشبه أو ثمره .

blackwater fever *(n.)* حمّى البول الأسود (تتميز ببول دام).

black widow *(n.)* الأرملة السوداء : انثى ضرب من العناكب الأميركيّة السامّة من عادتها أن تلتهم ذكَرَها .

bladder [blăd'ər] *(n.)* (١) مَثانة (ت) (٢) كيس يُملأ هواءً .

bladdernut *(n.)* العنقودية، الإستافيلية : شُجيْرة أميركية أو ثمرها .

bladder worm *(n.)* البرقانة المثانية : يرقانة الدودة الشريطية .

bladder wrack *(n.)* الفوقَس الحُوَيْصلي: طُحْلب أسود(نب).

bladdery *(adj.)* (١) ذو مثان (٢) شبيه بالمثانة .

blade [blād] *(n.)* (١) «أ» ورقة نبات ؛ وبخاصة : ورقة عشب . «ب» النصل : الجزء العريض من ورقة النبات (٢) شيء شبيه بنصل النبات ، مثل : «أ» راحة المِجذاف : جزؤه المسطّح العريض . «ب» ريشة المروحة . «ج» العظم الكتِفي (ت) . «د» نصل اللسان : جزؤه الأعلى المسطّح (٣) «أ» شفرة المدية أو السيف . «ب» سيف . «ج» المسايف؛ البارع في المُسايفة . «د» شخص طائش . «هـ» إحدى القطعتين الطويلتين اللتين تنزلق عليهما مزْلجة الجليد .

— bladed *(adj.)*

blah [blä] *(n.)* هُراء (عا) .

blain [blān] *(n.)* بَثْرة ؛ «فقفُولة» (مض) .

blamable *also* **blameable** *(adj.)* مستحق لِلَّوْم .

blame [blām] *(vt. ; n.)* (١) يلوم ؛ يوبّخ (٢) يعتبره مسؤولاً عن §(٣) لوم ؛ ملامة (٤) مسؤولية خطأ أو فشل .

blamed *(adj. ; adv.)* (١)لَعين (a ~ fool) §(٢) جداً ؛ بإفراط .

blameful [blām'fəl] *(adj.)* مستحقّ للّوْم .

blameless [blām'lĭs] *(adj.)* بريء ؛ طاهر الذّيل .

blameworthy [-'wûr'thĭ] *(adj.)* مستحقّ للّوْم .

blanch [blănch] *(vt. ; i.)* (١) يُبَيِّض : «أ» يبيّض (أوراق النبات) أو يمنعها من الاخضرار بحَجْب النور عنها . «ب» يعالج بالماء الحار أو البخار لكي يبيّض أو ينتزع القشرة عن .. «ج» يُكسبُ الفضة (قبل سكّها) بريقاً أبيض ، بواسطة الحوامض. «د» يكسو (صفيحة من حديد أو فولاذ) بطبقة من القصدير (٢) يجعله شاحباً (من مرض أو خوف) ×(٣) يَبْيَض ، يَشْحُب .

blancmange [blə mänzh'] *(n.)* نوع من المُهَلَّبيّة .

bland *(adj.)* (١) رقيق؛ لطيف (a ~ smile) (٢) عليل (a ~ breeze) (٣) غير حِرّيف (٤)غير منبّه (~ medicines) .

blandish [blăn'-] *(vt.)* يتملّق ؛ يُداهِن .

blank [blăngk] *(adj.; n.; vt.)* (١) أبيض أو شاحب (٢) «أ» مشدوه (She looked ~.) . «ب» مُرْبك (~ dismay) «ج» أجوف ؛ خلوٌ من المعنى (a ~ stare) . «د» خلوٌ من التعبير أو الانفعال (a ~ face) (٣) «أ» خلوٌ من المتعة أو التنوع أو التغيّر (~ hours) . «ب» فارغ ؛ عقيم ؛ غير مثمر (a ~ day) . «ج» غُفْل ؛ خالٍ من الكتابة (~ paper) . «د» مشتمل على فراغ يُملأ . «هـ» أبيض ؛ على بياض (a ~ check) (٤) تامّ ؛ مُطْلَق (~ stupidity) (٥) «أ» غير مُنْجَز أو مشغول (a ~ key) «ب» مُصْمَت : لا أبواب أو نوافذ أو أية فتحات أخرى فيه (a ~ wall) (٦) مُرْسَل ؛ غير مُقفّى (~ verse) §(٧) «أ» فراغ . «ب» ورقة ذات فراغات تُملأ (٨) «أ» موطن فارغ أو خلوٌ من الخصائص التي تضفي عليه سيمة التنوّع . «ب» فترة خلوٌ من الأحداث الهامة أو المثيرة (٩) قلب الرّمية : نقطة الهدف المركزية (١٠) «أ» الغُفْل : قطعة معدنية غير مشغولة (مُعَدّة لكي تصبح بمزيد من الشغل أداةً ما ، كمفتاح أو نحوه) . «ب» الخرطوشة الخُلَّبيّة : خرطوشة تحتوي على بارود فقط من غير رصاصة (١١) «أ» ورقة يانصيب خاسرة . «ب» نتيجة مخيّبة للأمل (١٢) شِعر مُرْسَل أو غير مُقفّى §(١٣) يمحو (١٤) يَسُدّ (to ~ off a tunnel) (١٥) يمنع خصمه من إحراز إصابة .

— blankness *(n.)*

blank endorsement *(n.)* التحويل الغُفْل: تحويل لا يُذْكَر فيه اسم المُحوَّل إليه فهو يُدْفَع لحامله .

blanket [blăng'kĭt] *(n. ; vt. ; adj.)* (١) حِرام ؛ بطانيّة . (٢) دِثار ، وبخاصة : الثوب الرئيسي عند بعض الهنود الحمر (٣) طبقة رقيقة منبسطة (a ~ of snow) §(٤) يغطّي بحِرام (٥) «أ» يغطّي بحيث يُعتّم أو يكبت أو يطفيء . «ب» يشوّش ؛ يُفسِد (to ~ radio signals by powerful interference) (٦) يشمل §(٧) شامل (a ~ insurance policy) .

a wet ~, شخص يُفسِد، بكآبته ، سرورَ الآخرين .

blanketflower *(n.)* = gaillardia.

blankly [-'lĭ] *(adv.)* (١) بانشداه أو على نحوٍ خالٍ من التعبير (٢) بصراحة (٣) بكل معنى الكلمة ؛ من كل وجه (~ atheistic).

blare [blâr] *(vi. ; t. ; n.)* (١) يَبْوُق ؛ يُدوّي × (٢) يُعْلِن

أو يُطلِق بصوت عال (~d out a warning) §(٣)«أ» البُواق: صوت البوق. «ب» دَوِيّ (٤) بريق باهر.

blarney [blär'nĭ] *(n.; vt.; i.)* (١) تملّق؛ مداهنة §(٢) يتملّق.

blasé [blä zā'] *(adj.)* (١) سئيم من الملذات (٢) مُتْخَم؛ لا مبالٍ.

blaspheme [-fēm'] *(vt.; i.)* (١) يجدِّف على (الله) (٢) يَسُبّ.

blasphemous [blăs'-] *(adj.)* (١) مجدِّف (٢) تجديفيّ؛ كفريّ.

blasphemy *(n.)* (١) التجديف (على الله) (٢) التألّه: ادعاء المرء حقوق الإله أو صفاته (٣) سلوك ينمّ عن عدم احترام للمقدسات.

blast [blăst] *(n.; vi.; t.)* (١) هبّة؛ عصفة (ريح أو هواء). (٢) نفخة؛ صفرة (في بوق أو صافرة) (٣) «أ» نفخة (من الفم أو المنفخ). «ب» تيار هوائي (لصهر المعادن) (٤) آفة؛ وبخاصة من آفات الحيوان أو النبات (٥) «أ» انفجار عنيف. «ب» لغم (لنسف الصخور بخاصة) (٦) سرعة؛ طاقة §(٧) يُحدث صوتاً ثاقباً (٨) «أ» يضع لغماً أو متفجرة. «ب» يطلق النار على (٩) يشن هجوماً عنيفاً (١٠) يذبُل؛ ييبَس ×(١١) «أ» يُذبِل؛ يصوّح. «ب» يصيب بآفة (١٢) «أ» ينسف؛ يدمر. «ب» يقضي (على آمال شخص) (١٣) ينفخ (في بوق الخ.).

in *or* at full ~, عامل بكل طاقته.

to ~ off ينطلق؛ يرتفع في الهواء.

-blast لاحقة معناها: جرثومة؛ خليّة؛ طبقة خلَويّة.

blasted *(adj.)* (١) «أ» ذابل. «ب» مدمَّر (بفعل متفجرة أو صاعقة) (٢) لعين؛ بغيض (٣) عاطل عن الورق (a ~ tree).

blastema [blăs tē'mə] *(n.)* البلاستيمة: الأساس البدائي لعضوٍ لم يتشكّل بعد والذي منه ينمو ذلك العضو (اج).

blast furnace *(n.)* الفرن العالي: أتون صهر المعادن.

blastie [blăs'tĭ] *(n.)* قزم؛ شخص ضئيل الجسم بشع (اسك).

blasting *(n.)* (١) نَسْف بمتفجّرات (٢) إذبال؛ ذبول.

blastoderm *(n.)* أدمة البلاستولة؛ جدار البلاستولة (أج).

blast-off *(n.)* انطلاق (صاروخ الخ.).

blastogenesis *(n.)* التبرعم؛ التوالد بالتبرعم.

blastomere *(n.)* الخليّة البلاستوليّة (أج).

blastopore *(n.)* فم الجسترولة: فتحة المعي البدائي (أج).

blastosphere *(n.)* = blastula.

blastula [blăs'choo͞ lə] *(n.)* pl. -s *or* -e البلاستُولة: شكل من أشكال الجنين في مراحل التطور الباكرة عند كثير من الحيوانات (أج).

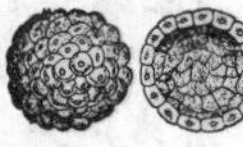

blastula

blat [blăt] *(vi.; t.)* (١) يثغو ×(٢) يقول بصوت عال أو بحماقة.

blatant [blā'-] *(adj.)* (١) صخّاب؛ كثير الصياح (٢) سَمِج؛ وقح؛ محاول لفت الأنظار بسلوك يعوزه الذوق (a ~ reformer) (٣) صارخ؛ شديد الوضوح (a ~ error) (٤) ثاغ (~ herds).

blather *(vi.; n.)* (١) يتكلم بحماقة §(٢) كلام أحمق.

blatherskite *(n.)* الثرثار؛ المهذار؛ الجعجاع.

blaw [blô] *(vt.; i. chiefly Scot.)* = blow.

blaze [blāz] *(n.; vi.; t.)* (١) «أ» لهَب؛ لهيب. «ب» وهَج. «ج» حريق؛ وبخاصة: اندلاع النار فجأة (٢) انفجار مفاجىء للانفعال أو الغضب (٣) بريق؛ تألق (٤) *pl.* جهنم (ع) (٥) الغُرّة: علامة بيضاء على وجه الفرس أو البقرة أو أي حيوان آخر (٦) علامة تُحدَث في الشجرة بقَطْع جزء من لحائها §(٧) يلتهب؛ يتقد؛ يتوهج (٨) يلمع؛ يتألق (٩) ينفجر غضباً ×(١٠) يُحرِق؛ يُضرم النار في (١١) يذيع أو ينشر في الآفاق (١٢) يُعلّم الشجرة بقَطْع جزء من لحائها (١٣) يرود؛ يقود؛ يسبق إلى عمل شيء ويُظهر للآخرين كيف يعملونه.

in a ~, ملتهب؛ مشتعل؛ ناشبة فيه النار.

to ~ away يطلق النار بسرعة وعلى نحو متكرر.

blazer [blā'zər] *(n.)* (١) فا blaze (٢) كلّ شديد التوقّد أو التوهج (٣) سترة فضفاضة يرتديها لاعبو التنس وغيرهم.

blazon [blā'zən] *(n.; vt.)* (١) «أ» شعار النبالة (عند فرسان القرون الوسطى وأشرافها). «ب» وصفٌ أو رسمٌ لشعار النبالة (٢) وصف؛ وبخاصة: وصفٌ متباهٍ §(٣) يذيع أو ينشر في الآفاق؛ وبخاصة: يتباهى بِـ (٤) «أ» يصِف (شعار نبالة) بتعابير فنية. «ب» يمثّل (شعار نبالة) بالرسم أو بالحفر (٥) يزركش.

blazonry *(n.)* (١) «أ» وصف أو رسم لشعار النبالة (عند فرسان القرون الوسطى وأشرافها). «ب» شعار النبالة (٢) زخرفة.

bleach [blēch] *(vt.; i.; n.)* (١) يُقصّر: يبيّض (قماشاً) بالتعريض للشمس أو باستخدام بعض المواد الكيمائية ×(٢) يحُول (اللون) §(٣) تقصير؛ تبييض (٤) مادة التقصير: مادة كيميائية للتقصير (٥) درجة الحوْل: درجة البياض الناشيء عن التقصير.

bleacher *(n.)* (١) «أ» القصّار: من يقصّر أو يبيّض (القماش). «ب» القصّارة: جهاز التقصير (٢) *pl.* عد: مدرّج مكشوف (رب).

bleachery *(n.)* المقصَرة: مؤسسة (أو موضع) لتقصير الأقمشة.

bleaching powder *(n.)* مسحوق التقصير؛ مسحوق التبييض.

bleak [blēk] *(adj.; n.)* (١) أجرد؛ مكشوف؛ منعزل؛ معرض للرياح (٢) قارس؛ بارد جداً (٣) كئيب §(٤) السمك الأبيض: سمك نهري تُستخرج من حراشفه مادةٌ يصنع منها اللؤلؤ الكاذب.

blear [blĭr] *(vt.; adj.)* (١) «أ» يدمع العينين أو يقرحهما. «ب» يعشي البصر. «ج» يخدع §(٢) دامع؛ غائم (~ eyes).

blear-eyed *(adj.)* (١) دامع أو غائم العينين (٢) ضعيف البصر.

bleary [blĭr'ĭ] *(adj.)* (١) غائم، من إرهاق أو رقاد (~ eyes) (٢) غير واضح المعالم (٣) متعَب حتى الإجهاد.

bleat [blēt] *(vi.; t.; n.)* (١) «أ» يثغو (الخروف). «ب» يتكلم بحماقة. «ج» يتكلم بنبرة شاكية ×(٢) يقول بحماقة أو بنبرة شاكية § (٣) ثُغاء (٤) كلام أحمق أو شاك.

bleb *(n.)* (١) بثْرة (٢) فقّاعة؛ نفّاخة ترتفع على سطح الماء.

bleed [blēd] *(vi.; t.; n.; adj.)* (١) «أ» يستدمي (الرجل): ينزف دماً. «ب» يجود بدمه (يُجرح أو يقتل) وبخاصة في المعركة (٢) «أ» يدمَى (الجرح). «ب» يتفطر حزناً (٣) ينزف (الدم الخ.) (٤) تتحلّب الشجرة (٥) يدفع مالاً ابتُز منه ابتزازاً (٦) يفيض: يُطبَع بحيث يغطّي جانباً أو أكثر من جوانب الصفحة عند القطع أو «التحرير» (تتبعها off عادةً) ×(٧) يفصِد (٨) يبتز مالاً من (٩) يستخرج العصارة (من شجرة) (١٠) يستنزف (١١) «أ» يفيض: يجعل «الكليشيه» تغطي جانباً أو أكثر من جوانب الصفحة عند القطع أو التحرير (طع). «ب» يقطع أو «يحرر» صفحة بحيث «تفيض» المادة المطبوعة §(١٢) رسْم «فائض» (١٣) صفحة مقطوعة أو «محررة» بحيث «يفيض» الرسم على جانب منها أو أكثر (١٤) الجزء المقطوع أو المحرر من صفحة «فائضة» §(١٥) فائض. مطبوع بحيث تغطي صورةٌ فيه جانباً من جوانبه أو أكثر (a ~ page).

bleeder *(n.)* (١) المنزوف: من يسيل دمه (٢) النزفيّ المزاج.

bleeding *(adj.; n.)* (١) «أ» دامٍ. «ب» متحلّب (٢) متفطّر

القلب (حزناً) §(٣) «أ» نَزْف. «ب» نزيف؛ رعاف. «ج» فَصْد.

bleeding heart *(n.)* القَلْب الدامي (نبات).

blemish *(vt.; n.)* (١) يشوّه؛ يلطّخ §(٢) عَيْب؛ شائبة.

blench *(vi.; t.)* (١) ينكص؛ يتراجع (٢) يَشْحُب ×(٣) يبيّض.

blend [blĕnd] *(vt.; i.; n.)* (١) يمزج؛ وبخاصة: يُوَلِّف أي يخلط أصنافاً من الشاي أو التبغ أو الكحول الخ. للحصول على صنف معيّن (٢) يدمج شيئين بحيث يتعذر تبيّن الخط الفاصل بينهما ×(٣) يتمازج؛ يندمج (٤) ينسجم؛ يأتلف §(٥) مزيج؛ «توليفة» (a ~ of coffee) (٦) كلمة منحوتة.

blende *(n.)* (١) رِكاز الزنك (٢) أيّ من الكبريتيدات الأخرى (ك).

blended whiskey *(n.)* الويسكي المُوَلَّفة.

blender *(n.)* المُوَلِّف: من يمزج أصنافاً من الشاي أو التبغ الخ.

blenny [-'ĭ] *(n.)* البُلَيْنِيّ: سمك صغير يألف الشواطىء الصخرية.

blephar- or blepharo- بادئة معناها: جفن العين.

blepharitis *(n.)* التهاب جَفْنَي العين (مض).

blesbok [blĕs'bŏk'] *(n.)* البَلَسْبَك، الظبي الأغرّ: ظبيٌ جنوبأفريقي ضخم في وجهه غرة بيضاء عريضة.

bless [blĕs] *(vt.)* (١) يكرّس؛ يجعله مقدّساً (٢) يرسم إشارة الصليب على (٣) يبارك؛ يسأل الله أن يُسْبِغ نعمتَه على (٤) يُمجّد (٥) يُسْعِد؛ يُنعِم على (٦) يَحْمي؛ يصون؛ يحفظ. ~ me!; ~ my soul! يا إلهي!

blessed or blest *(adj.)* (١) مقدّس (٢) سعيد؛ منعَم عليه؛ وبخاصة: ناعم بالسعادة الروحية (٣) مُسْعِد (٤) لعين؛ مزعج.

blessing [blĕs'ĭng] *(n.)* (١) «أ» مباركة. «ب» موافقة (٢) بركة؛ نِعمة؛ عطية إلهية (٣) تمجيد؛ عبادة.

blether [blĕth'ər] = blather.

blew [bloo] *past of* blow.

blight [blīt] *(n.; vt.; i.)* (١) آفة زراعية (٢) مُتْلِفَة؛ مَفْسَدَة؛ آفة (٣) تلفٌ؛ فساد §(٤) يُؤَوِّف؛ يفسد؛ يُصيب بآفة ×(٥) يُؤاف (الزرعُ): تصيبه آفة.

blimp [blĭmp] *(n.)* (١) مُنْطاد مراقبة صغير (غير جاسئ). (٢) شخص ساذج مفرط المحافظة في نظرته إلى شؤون البلاد العامة.

blind [blīnd] *(adj.; adv.; n.; vt.; i.)* (١) «أ» ضرير؛ مكفوف. «ب» خاص بالعميان (٢) «أ» متهوِّر (haste ~). «ب» أعمى (faith ~) (٣) «أ» مُتّسِم بفقدانٍ كامل للحس (stupor ~). «ب» سكران؛ مخمور (٤) ظلاميّ؛ منجَزٌ في الظلام أو وسط السحب (flying ~) (٥) «أ» غير مقروء أو واضح (writing ~). «ب» يُعْوِزه العنوان الكامل أو المقروء (mail ~). «ج» محجوب؛ مستتر؛ غير ظاهر (a ~ ditch) (٦) «أ» مُصْمَت: لا نافذة أو باب فيه (a ~ wall). «ب» غير نافذ؛ مسدود من جانب واحد (a ~ street) §(٧) «أ» على نحو أعمى. «ب» إلى حدّ فقدان الحِسّ (drunk ~) §(٨) شيء حاجبٌ للنور، مثل: «أ» مِصراع النافذة. «ب» ستارة النافذة. «ج» الغِمامة: جزء من اللجام يحول بين الفرس وبين النظر جانبياً (٩) مَكْمَن الصيّاد الخ. (١٠) «أ» وسيلة تضليل أو إغواء. «ب» عميل لشخص آخر متستّر §(١١) «أ» يُعْمي. «ب» يَبْهر. (١٢) «أ» يعتّم: يجعله مظلماً. «ب» يخدع (١٣) يُخفي (to ~ the real state of affairs) (١٤) يكسِف؛ يفوق غيره بهاءً أو جمالاً ×(١٥) يقود (السيّارة) بتهوّر.
a ~ alley (١) زقاق مسدود أو غير نافذ (٢) مركز أو وضع لا يُتيح فرصةً للتقدم أو التحسّن. to go ~, يُكَفّ بصرُه؛ يصاب بالعمى.

blind date *(n.)* (١) الموعد الأول: موعد لقاء بين رجل وامرأة لم يسبق لهما أن اجتمعا من قبلُ (٢) أحد المشاركَيْن في موعدٍ أول.

blinded *(adj.)* (١) مَعْمِيّ؛ مبهور؛ مُعْتَم الخ. (٢) مصرع: مزوَّد بمصاريع نوافذ (٣) مُوصَد المصاريع.

blinder *(n.)* غِمامة الفرس (تحول بينه وبين النظر جانبياً).

blindfish *(n.)* السمك الأعمى: سمك صغير لا يُبصِر.

blindfold [blīnd'fōld] *(vt.; n.; adj.)* (١) يَعْصِب العينين. (٢) يُعْمي أو يُضِلّ §(٣) عِصابة للعينين §(٤) «أ» معصوب العينين. «ب» جارٍ بعينين معصوبتين (a ~ test) (٥) متهور.

blind gut *(n.)* الأعور؛ المِصْران الأعور (ت).

blindly *(adv.)* (١) على نحو أعمى؛ «على العمياني» (٢) بتهوّر.

blindness *(n.)* (١) عمىً (٢) جهل؛ حماقة؛ تهوّر.

blindman's buff *(n.)* الغُمَيْضَة: لعبة يحاول فيها لاعبٌ معصوب العينين أن يُمْسِك بلاعب آخر ويُعلِن مَنْ هو.

blind spot *(n.)* (١) النقطة العمياء: نقطة في شبكة العين غير حسّاسة للضوء (ت) (٢) المنطقة العمياء: منطقة في إدراك المرء يَعْجز معها عن الفهم أو التمييز (٣) البقعة العمياء: بقعة يكون فيها استقبال الموجات اللاسلكية رديئاً بشكل ملحوظ (رد).

blindstory *(n.)* الدَّوْر المُصْمَت: دورٌ أو طابق لا نوافذ فيه (عم).

blind tiger *(n.)* مكان لبيع المُسْكِرات بطريقة غير مشروعة (ع).

blindworm *(n.)* العظاية العمياء: عظاية يُعتقد أنها عمياء (ح).

blink [blĭngk] *(vi.; t.; n.)* (١) ينظر بعينين طارفتين نصف مفتوحتين (٢) تَطْرِف العينُ (~ *ing* in the strong light)، وبخاصة على نحو متكرر أو مختلج (٣) يُومِض (٤) «أ» يَخْزُر: ينظر خلسةً أو بلامبالاة. «ب» ينظر بدَهَش أو ذعر ×(٥) «أ» يجعل العينَ تَطْرِف. «ب» يفتح عينيه ويغمضهما بسرعة. (٦) يتعامى عن (to ~ the facts) §(٧) لمحة؛ نظرة (اسك) (٨) وَمِيض (٩) فتح العينين وإغماضهما على نحوٍ لا إرادي (٩) الوميض الجليدي (را iceblink).

blinkard *(n.)* (١) الأعشى؛ ضعيف البصر (٢) الأبله؛ القليل الإدراك.

blinker [blĭngk'ər] *(n.; vt.)* (١) الضوء الوامض: ضوء متقطّع للتحذير الخ. (٢) blinder §(٣) يضع على عينَي الفرس غِمامتَيْن.

blintze or blintz *(n.)* كعكة رقيقة محشوة بالجبن أو المربّى.

blip *(n.)* صورة على شاشة، وبخاصة في الرّادار.

bliss [blĭs] *(n.)* (١) منتهى السعادة (٢) النعيم؛ الجنة.

blissful *(adj.)* (١) مسبّب منتهى السعادة (٢) سعيد.

blister [blĭs'tər] *(n.; vt.; i.)* (١) نَفْطة؛ بَثْرة؛ قَرْح (٢) كل ما يشبه النفطة أو البثرة (٣) «أ» عامل من عوامل التنفّط أو التبثّر. «ب» داءٌ مُنفِّط يُصيب النبات §(٤) يُنَفِّط؛ يبثّر؛ يُقرّح (٥) يعاقِب، وبخاصة بالجَلْد (٦) يلذع (بالنقد أو السخرية) ×(٧) يتنفّط؛ يتبثّر؛ يتقرّح.

blister beetle *(n.)* الذُّرّاح: حشرة تُجفَّف وتُسحق ثم تُذَرّ على الجلد لإحداث البثور فيه.

blister gas *(n.)* الغاز المُنفِّط: غاز سام يحرق أنسجة الجسم أو يحدث فيها بثوراً (يُستعمل في الحرب الكيميائية).

blister rust *(n.)* بَثْرة الصنوبر: مرضٌ يبثّر شجر الصنوبر.

blister steel *(n.)* الفولاذ المنفَّط أو المبثَّر.

blithe [blīth] *(adj.)* (١) مَرِح (٢) سعيد؛ مبتهج.

blither [blĭth'-] *(vi.)* يتكلم بحماقة (a ~ *ing* idiot) .

blithesome [blĭth'-] *(adj.)* مَرِح (a ~ nature) .

blitz [blĭts] *(n. ; vt.)* (١) حرب خاطفة (٢) غارة جوية . (٣) حملةٌ غيرُ عسكرية سريعةٌ مركّزة §(٤) يهاجم (عدواً) بطريقة الحرب الخاطفة .

blitzkrieg [-'krēg'] *(n.)* (١) حربٌ خاطفة (٢) قَصْفٌ كاسحٌ مفاجىء (٣) حملة مفاجئة كاسحة (بالدعاية الخ .) .

blizzard [blĭz'ərd] *(n.)* عاصفة ثلجية عنيفة .

bloat [blōt] *(vt.; i.; n.)* (١) يَنْتَفخ (٢) يملأه غروراً (٣) يدخّن السمك : يقدّده بالدخان ×(٤) ينتفخ §(٥) الثَّمِل ؛ السكران (ع) (٦) مرض من أمراض الماشية يصيبها بانتفاخ بطنيّ .

bloater [blō'tər] *(n.)* سمك «رنجة» مملّح ومدخّن .

blob [blŏb] *(n. ; vt.)* (١) نقطة (من شمع أو دهان أو حبر أو سائل) (٢) صوت كصوت انفجار الفقاقيع أو كصوت السمكة المتخبّطة في الماء §(٣) يلطّخ بنقطة حبر الخ .

bloc [blŏk] *(n.)* كتلة ؛ جبهة .

block [blŏk] *(n. ; vt.)* (١) «أ» كتلة خشبية أو حجرية . «ب» قالب (للقبعات الخ .) . «ج» الوَضَم : خشبة غليظة يقطع عليها الجزار اللحم (٢) شخص أحمق أو أبله (٣) «أ» عقبة ؛ عائق . «ب» سدّ ؛ انسداد (٤) «أ» بكرة (لرفع الأثقال) . «ب» ذاتُ البَكَر (٥) منصّة الدلاّل (في مزاد علني) (٦) «أ» مجموعة ؛ زمرة . «ب» مقدار ضخم من أسهم شركة . «ج» مجموعة مؤلفة من أربعة طوابع متلاصقة . «د» مبنى ضخم مقسّم إلى وحدات مستقلة . «هـ» صف من بيوت ومحلات تجارية متلاصقة . «و» ساحة مدينة (٧) كليشيه (طع) §(٨) «أ» يسدّ . «ب» يعترض سبيل كذا . «ج» يعوق (لاعباً عن اللعب الخ .) . «د» يُحْبِط (خطةً) (٩) يجمّد (مبلغاً من المال بقرار رسمي) (١٠) يقَوْلب (قبعةً الخ .) (١١) يخدّر العَصَب (١٢) يضع الخطوط الكبرى لكذا .

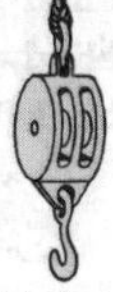

block 4 a

a chip of the old ~, ولدٌ يشبه أباه مظهراً أو خُلُقاً .

blockade [blŏ kād'] *(n. ; vt.)* (١) حِصار (٢) قوّة محاصِرة . (٣) عقبة §(٤) يحاصر (٥) يعوق ؛ يعترض سبيل كذا .

blockade-runner *(n.)* مُخترق الحصار : (مركباً كان أو شخصاً) .

blockage [blŏk'ĭj] *(n.)* (١) سدّ ؛ اعتراض سبيل (٢) انسداد .

block and tackle *(n.)* البَكّارة : بكرات وحبال لرفع شيء ما .

blockbuster *(n.)* قنبلة ضخمة شديدة الانفجار (تلقى من طائرة) .

blockhead [blŏk'hĕd'] *(n.)* الأحمق ؛ الأبله .

blockhouse *(n.)* المَعْقِل : حِصْن صغير لاتقاء نيران العدو .

blockish [blŏk'ĭsh] *(adj.)* أحمق ؛ أخرق ؛ ككتلة خشبية .

block letters (١) حروف خشبية (٢) حروف منفصلة .

block plane *(n.)* مِسْحَجة ؛ مِسْحاج (نج) .

block signal *(n.)* الإشارة الهادية (في السكة الحديدية) .

block system *(n.)* نظام الإشارات الهادية (في السكة الحديدية) .

blocky [blŏk'ĭ] *(adj.)* (١) ممتلىء الجسم ؛ قصيرٌ بدينٌ (٢) متّسم برُقَع ضوءٍ وظلٍّ غير متساوية التوزيع (فو) .

bloke [blōk] *(n.)* رجل ؛ فتى ؛ شخص (عب) .

blond *also* **blonde** *(adj. ; n.)* (١) «أ» أشقر . «ب» شقراء . §(٢) «أ» الأشقر الشعر والبشرة . «ب» الشقراء .

blood [blŭd] *(n. ; vt.)* (١) «أ» دم . «ب» عصارة النبات (٢) حياة . (٣) «أ» سُلالة . «ب» سُلالة ملكيّة (a prince of the ~) «ج» قرابة أو تحدّر من جدّ مشترك (related by ~) «د» أنسباء . «هـ» مَحْتِد كريم أو نبيل (a gentleman of ~ and breeding) (٤) «أ» سفك دماء . «ب» قَتْل (٥) «أ» الطبيعة البشرية (The frailty of men's ~) «ب» مِزاج (a man of hot ~) «ج» الخليع ؛ الفاسق ؛ المنغمس في الملذات §(٦) يُدْمي (كلبَ الصيد) مشهد الدم (٧) يحنك ؛ يُمرّس .

~ -and-thunder مثير : مليء بالأحداث المثيرة .

~ is thicker than water. «الدم لا يصير ماءً» .

in cold ~, ببرود ؛ عمداً .

to make bad ~ between persons. يوقع الشقاق بينهم .

blood bank *(n.)* بنك الدم ؛ مَصْرِف الدم .

bloodbath *(n.)* حمّام الدم : مَجْزَرَةٌ رهيبة .

blood count *(n.)* تعداد الدم : تعداد الكريات الحمراء والبيضاء في مقدار معيّن من الدم .

bloodcurdling *(adj.)* مروّع ؛ رهيب إلى حدّ فظيع .

blooded *(adj.)* (١) أصيل ؛ صافي الدم (٢) ذو دمٍ من نوع معيّن .

blood group *(n.)* فئة الدم ؛ زُمْرة الدم .

bloodguilty *(adj.)* قاتل ؛ سافك للدماء .

blood heat *(n.)* درجة الحرارة الطبيعية (عند الانسان) .

bloodhound *(n.)* الدَّمُوم : كلب ضخم لتعقّب طريدي العدالة .

bloodily *(adv.)* بقسوة ؛ بطريقة دموية أو متعطشة إلى الدماء .

bloodless *(adj.)* (١) فاقد الدم ؛ شاحب (٢) أبيض : غير مصحوب بإراقة دم (a ~ victory) (٣) تعوزه الحيوية أو الرأفة .

bloodletting *(n.)* (١) فَصْد (٢) إراقة دم .

bloodline *(n.)* (١) سلسلة الأسلاف المباشرين (وبخاصة في شجرة نسب) (٢) سلالة ؛ عِترة (وبخاصة من الحيوانات) .

bloodmobile *(n.)* سيارة الدم : سيارة لجمع الدم من المتبرعين به .

blood money *(n.)* (١) ثمن الدم : مال يتلقاه القاتل المستأجَر أو يتلقاه من يرشد السلطة إلى مقرّ مجرم فارّ (٢) دِيَة القتيل .

blood plasma *(n.)* بلازما الدم : الجزء السائل من الدم البشري

blood platelet *(n.)* اللُّوَيْحَة : لُوَيْحة الدّم (فس) .

blood pressure *(n.)* ضغط الدم (على جدران أوعيته) .

bloodred [blŭd'rĕd'] *(adj.)* قانٍ ؛ أحمر كالدم

blood relation *or* **relative** *(n.)* القريب قرابة دم أو عَصَب .

bloodroot *(n.)* الدَّمَوِيّة : نبات أميركي من الفصيلة الخَشْخاشيّة .

blood sausage *(n.)* السُّجُق الدامي (المحتوي على نسبة كبيرة من الدم)

bloodshed *or* **bloodshedding** *(n.)* إراقة الدماء

bloodshot *(adj.)* محتقِن بالدم (~ eyes) .

bloodstain [blŭd'stān'] *(n.)* لطخة دم .

bloodstained *(adj.)* (١) ملطّخ بالدم (٢) قاتل : ملطّخة يداه بالدم .

bloodstone *(n.)* حجر الدم : عقيق مُخضرّ ذو نُقَط حمراء .

bloodsucker *(n.)* (١) عَلَقَة (٢) مبتزّ مال الغير (٣) الطفيليّ .

blood test *(n.)* فَحْص الدم .

bloodthirsty *(adj.)* وحشيّ ؛ سفّاح : متعطش إلى الدم .

blood transfusion *(n.)* نَقْل الدم (من شخص إلى آخر بالحقن) .

blood type *(n.)* فئة الدم ؛ زمرة الدم .

blood-type *(vt.)* يحدّد زمرة الدم (عند شخص ما) .

blood vessel *(n.)* الوعاء الدموي : «أ» شريان . «ب» وريد (ت) .

bloody [blŭd'ĭ] *(adj. ; vt.)* (١) دمويّ (٢) ملطّخ بالدم . (٣) دامٍ (a ~ battle) (٤) «أ» ميّال إلى سفك الدماء .

ă at; ā date; â care; ä car; ĕ egg; ē me; ĭ in; ī bite; ŏ lot; ō bone; ô orphan; oi boil oo good; ōō boot; ou out;
ŭ under; ū unity; û urgent; th thing; th this; zh vision; ə = *a* in alone, *e* in system, *i* in easily, *o* in gallop, *u* in circus.

«ب» وحشيّ ؛ لا يرحم (٥) قانٍ (٦) لعين ؛ مُخْزٍ ؛ حقير (a ~ shame) §(٧) يلطّخ بالدم .

bloody shirt *(n.)* قميص عثمان : قميص القتيل الملطّخ بالدم يُعرَض على رؤوس الأشهاد للتحريض على الأخذ بالثأر .

bloom [blōōm] *(n.; vi.; t.)* (١) كتلة حديد مطرّقة تطريقاً أوّلياً . (٢) كتلة زجاج ذائب (٣) قضيب حديدي أو فولاذي (٤) «أ» زهرة . «ب» زهرات نبتة ما . «ج» إزهار ؛ تفتّح (roses in ~) . «د» فترة إزهار (٥) أوج ؛ ريعان ؛ عُنْفُوان (٦) «أ» الغبار السّطحيّ : طبقة ذرورية رقيقة تكون على بعض الثمار والأوراق . «ب» طبقة شبيهة بالغبار السطحي . «ج» تورّد الخدين . «د» وهج ناشىء عن شيء يعكس على كاميرا التلفزيون مقداراً من الضوء أكثر مما ينبغي (٧) عبير الخمر §(٨) يُزْهِر (٩) يكون في ريعان الجمال والنشاط الخ . (١٠) يتورّد (١١) يبرز أو يحدث على نحو غير متوقع أو بمقدار أو درجة تثير الدّهَش ×(١٢) يجعله مزهراً الخ . (١٣) يجعله مشعاً .

bloomer [blōō'mər] *(n.)* (١) نباتٌ مُزْهِر (٢) شخص بالغٌ أوج الكفاءة أو النضج (٣) «أ» غلطة شنيعة (ع) . «ب» إخفاق (ع) . «ج» المخفِق (ع) (٤) البلُمَر : «أ» ثوب نسائي مؤلف من تنورة قصيرة وسروال طويل فضفاض مزرّر حول الكاحل . «ب» *pl.* : سروال فضفاض مزموم عند الركبتين كانت تلبسه النساء عند ممارستهن الألعاب الرياضية . «ج» *pl.* . سروال تحتاني شبيه بهذا ترتديه البنات بخاصة .

blooming *(adj.)* (١) مُزْهِر ؛ مُنوِّر (٢) مزدهر (٣) ناضر (الصحة أو الجمال) (٤) لعين ؛ حقير (You ~ idiot !) .

bloomy *(adj.)* (١) مُثقَل بالأزهار (٢) مكسوّ بالغبار السطحيّ .

blooper *(n.)* غلطة شنيعة مُربِكة .

blossom [blŏs'əm] *(n.; vi.)* (١) زهرة الشجرة المثمرة . (٢) «أ» زهرات نبتة ما . «ب» إزهار ؛ تفتّح (٣) فترة (أو مرحلة) شبيهة بفترة تفتّح الزهرة §(٤) «أ» يُزْهِر «ب» يزدهر . «ج» يتطوّر . «د» يبرز إلى الوجود . — **blossomy** *(adj.)*

blot [blŏt] *(n.; vt.; i.)* (١) «أ» لطخة . «ب» بقعة حبر . «ج» وصمة ؛ شائبة (٢) مَحْو ؛ شَطْب (٣) موطن ضعف في عمل أو مناقشة §(٤) يلطّخ (٥) يكسِف ؛ يجعله مظلماً (٦) ينشّف الحبرَ (بورق نشّاف الخ .) (٧) يمحو ×(٨) يتفشّى : ينتشر (الحبرُ) محدثاً بقعةً متفشّية (٩) يتشرّب الحبرَ على نحوٍ متفشّش .

to ~ out (١) يمحو (٢) يُخفي (٣) يدمّر أو يقتل .

blotch [blŏch] *(n.; vt.)* (١) عيب ؛ شائبة ؛ لطخة (٢) بقعة حبر الخ . (٣) بثرة §(٤) يلطّخ ؛ يبقّع ؛ يبثّر .

blotter [blŏt'ər] *(n.)* (١) «أ» ورقة نشاف . «ب» النشّافة : أداة خشبية الخ . يطوّق جزؤها الأسفل بالورق النشّاف (٢) دفتر تسجّل عليه المبيعات أو الأحداث موقّتاً في انتظار نقلها إلى السجلات الدائمة .

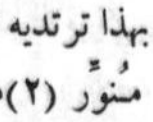

blotter

blotting paper *(n.)* النشّاف : ورقٌ نشّاف .

blouse [blous; blouz] *(n.)* (١) البُلُوزة : قميص خارجي فضفاض يرتديه النساء والأولاد (٢) الوزرة : ثوب العامل .

blow [blō] *(vi.; t.; n.)* (١) يَهُبّ ؛ يَعْصِف (٢) «أ» ينفخ بمنفاخ . «ب» ينفخ على . «ج» تطلق آلةُ النفخ الموسيقية صوتاً . «د» يَصْفِر (٣) يتباهى ؛ يتفاخر (ع) (٤) يَلْهَث (٥) يطير مع الريح (٦) «أ» يحترق (الصّمام أو المصباح الكهربائي) «ب» ينفجر (دولابُ السيارة) (٧) يُزْهِر ؛ ينوّر ×(٨) ينفخ (بالغرور الخ .) (٩) ينشر ؛ يذيع ؛ يفشي (١٠) يسوق بتيار هوائي (١١) يعزف (على آلة نفخ موسيقية) (١٢) يُحْدِث الفقاقيعَ أو يشكّل (الزجاجَ) بالنفخ (١٣) تَسْرأ : تلقي (الذبابةُ) بَيْضَها على (١٤) يَنْسِف (١٥) «أ» يرهق فرساً إلى حدّ اللّهاث . «ب» يَدَع الفرس يستردّ أنفاسه (١٦) «أ» ينفق المال بطيش أو تبذير . «ب» يدعو بسخاء (I'll ~ you to a steak.) (١٧) يسبب احتراق صمام كهربائيّ الخ . (١٨) يقطّع بشدّة الضغط على (١٩) يلعن (it! ~) (٢٠) يغادر، وبخاصة على جناح السرعة (He *blew* town.) §(٢١) عاصفة (٢٢) «أ» تفاخُر . «ب» المتفاخر (ع) (٢٣) نَفْخ (في آلة موسيقية الخ .) (٢٤) «أ» مرحلة النفخ (مع) . «ب» مقدار المعدن المنقّى خلال هذه المرحلة (٢٥) «أ» إزهار ؛ تفتّح . «ب» كتلة أزهار منوّرة (٢٦) ضربة ؛ لطمة (٢٧) مصيبة ؛ كارثة (٢٨) هجوم .

to ~ hot and cold يتقلّب ؛ يفعل شيئاً تارةً ونقيضَه أخرى .

to ~ in يصل أو يجيء مصادفةً أو على غير توقّع (ع) .

to ~ the nose يتمخّط .

to ~ out (١) تنطفىء الشمعة الخ . (٢) يحترق الصّمام الكهربائي (٣) يطفىء شمعةً الخ .

to ~ over (١) ينقضي ؛ يخمد (٢) يُنْسَى .

to ~ up (١) ينفخ دولاباً الخ . (٢) يكبّر (صورةً فوتوغرافية) (٣) ينسف (٤) يوبّخ ؛ يعنّف (٥) يهبّ (٦) ينفجر (٧) يفقد السيطرة على أعصابه (٨) ينتفخ (٩) يتعاظم ؛ يشتدّ .

to come to ~s يتضارب ؛ يتقاتل .

to have (go for) a ~ , يغادر المنزل طلباً للهواء الطلق .

to strike a ~ for يؤيد ؛ يناصر ؛ يقاتل من أجل .

blow-by-blow *(adj.)* مفصّل بدقّة (a ~ account) .

blower *(n.)* (١) فا blow (٢) المتفاخر ؛ المتبجّح (٣) مروحة (ملث) .

blowfish *(n.)* السمكة المنتفخة (را puffer 2) .

blowfly *(n.)* الذبابة السَّرُوء : ذبابة تضع بيضها على اللحم الخ .

blowgun *(n.)* بندقية النفخ : أنبوب تطلق منه القذائف بالنفخ بالفم .

blowhard *(n.)* المتفاخر ؛ المتبجّح .

blowhole *(n.)* (١) أحد مِنْخَرَيْ الحوت (٢) الثقب الجليدي : ثقب في الجليد تقصد إليه الحيتان وعجول البحر لكي تتنفّس .

blown [blōn] *(adj.)* (١) متفتّح (٢) منتفخ (٣) نفخيّ : مُشكَّل بالنفخ (glass ~) (٤) مُرْهَق ؛ لاهث (٥) مَسْرُوء : ملوّث ببيض الذباب .

blowoff [blō'ôf'] *(n.)* (١) تيّارُ بخارٍ أو ماء منطلق من منفذ . (٢) أنبوب لتصريف هذا التيار (٣) المتفاخر ؛ المتباهي .

blowout [blō'out'] *(n.)* (١) «أ» مائدة سخيّة . «ب» حفلة سمر كبرى (٢) «أ» انفجار دولاب أو عجلة . «ب» ثقب في دولاب (٣) انطلاق الهواء أو البخار الخ . فجأة أو بعنف .

blowpipe *(n.)* (١) الحِمْلاج : قصبة نفخ لإذكاء النار . (٢) أنبوب النفخ : أنبوب معدني طويل يستخدم لتشكيل الزجاج (٣) blowgun (٤) أداة لتنظيف تجويف (ط) .

blowtorch *(n.)* موقِد اللّحام : وابور لِحام المعادن .

blowtube *(n.)* (١) blowgun (٢) blowpipe 2 .

blowup [blō'ŭp'] *(n.)* (١) انفجار (٢) «أ» ثورة غضب . «ب» توبيخ (٣) صورة فوتوغرافية مكبّرة (٤) إفلاس .

blowy [blō'ĭ] *(adj.)* عاصف ؛ كثير الريح .

ă at; ā date; â care; ä car; ĕ egg; ē me; ĭ in; ī bite; ŏ lot; ō bone; ô orphan; oi boil ŏŏ good; ōō boot; ou out; ŭ under; ū unity; û urgent; th thing; t͟h this; zh vision; ə = a in alone, e in system, i in easily, o in gallop, u in circus.

blowzy [blou'zĭ] *(adj.)* (١) أشعث ، منفوش (٢) متورد الخدّين .

blubber [blŭb'ər] *(n.; vi.; t.; adj.)* (١) «أ» دُهْن الحُوت . «ب» بدانة ، سِمَن (٢) انتحاب § (٣) ينتحب (٤) يورِّم الوجه أو يخضِّله بالدموع × (٥) يقول وهو ينتحب § (٦) منتفخ ، غليظ .

blubbery [-'ə rĭ] *(adj.)* (١) منتفخ (٢) مترهِّل (٣) سمين .

blucher [bloo'kər ; - chər] *(n.)* البلوخر : ضرب من الأحذية .

blucher

bludgeon [blŭj'ən] *(n. ; vt.)* (١) هِراوة . § (٢) يضرب بالهراوة (٣) يُكرِه على .

blue [bloo] *(adj. ; n. ; vt. ; i.)* (١) أزرق (٢) «أ» ضاربٌ إلى الزرقة . «ب» مُزْرَقّ (من بردٍ أو لطمة) (٣) «أ» كئيب (to feel ~) . «ب» مُوْرِث للكآبة أو اليأس (Things looked ~.) (٤) مُرتَدٍ ثوباً أزرق الخ . أزرق (٥) مثقَّفة (a ~ lady) (٦) قاسٍ أو متزمِّت أخلاقياً (~ laws) (٧) بذيء (~ jokes) § (٨) الزرقة ، اللون الأزرق (٩) «أ» صِبغ أزرق . «ب» نِيْل (١٠) «أ» ثوبٌ أزرق . «ب» شخص منتسب إلى منظمة لباسها الرسمي أزرق (١١) «أ» السماء . «ب» البحر (١٢) شيء أزرق (١٣) جورب أزرق § (١٤) يُزرِّق × (١٥) يتزرَّق .

— **bluely** *(adv.)* — **blueness** *(n.)*

a bolt from the ~, مفاجأة ، شيء غير متوقع البتة .

once in a ~ moon نادراً وبصورة استثنائية .

out of the ~, على نحوٍ غير متوقَّع .

to ~ one's money ينفق ماله بتبذير (ع) .

blue baby *(n.)* الوليد الأزرق : طفل مزرقّ البشرة وبخاصة من عِلّة خِلْقيّة في القلب .

bluebeard *(n.)* القاتل زوجاتِه واحدةً بعد أخرى .

bluebell *(n.)* (١) الجُرَيْس : عشبة ذات أزهار زرقاء . (٢) الوَهْلَنْبِرْجِية الفتّانة : نبات ذو زهرات زرقاء شبيهة بالأجراس .

blueberry *(n.)* (١) العِنَبيّة : نبات من فصيلة الخَلَنجيات ذو ثمر أزرق أو ضارب إلى السواد يؤكل (٢) ثمر العِنَبيّة .

bluebird *(n.)* العصفور الأزرق : طائر شمالأميركي مغرِّد .

blue-black *(adj.)* أسْوَد مزرق ، أزرق داكن جداً .

blue blood *(n.)* (١) النبالة (٢) النبيل .

blue-blooded *(adj.)* نبيل ، ارستوقراطي المولد .

bluebonnet *(n.)* (١) «أ» القلنسوة الزرقاء : قلنسوة عريضة مدوَّرة من صوف أزرق (كان يعتمر بها أهل اسكتلندة). «ب» المعتمر بقلنسوة زرقاء ، وبخاصة : الاسكتلنديّ (٢) cornflower .

blue book *(n.)* الكتاب الأزرق : «أ» كتاب تصدره الحكومة حول قضية ما . «ب» دليل أو سجلّ بأسماء الأعلام والمشاهير . «ج» دفتر امتحانات أزرق الغلاف لطلاب الكليات .

bluebottle *(n.)* (١) cornflower (٢) ذبابة ضخمة زرقاء البطن .

blue cat *(n.)* السِلَّوْر الأزرق : سمكة أميركية ضخمة زرقاء .

blue cheese *(n.)* الجبن الأزرق : ضرب من جبن الروكفورت .

blue chip *(n.)* السهم الموثوق أو المُربح (في البورصة).

blue-chip *(adj.)* ناجح ، مُربح (~ stocks) .

bluecoat *(n.)* ذو السُترة الزرقاء : «أ» شخص مُرتدٍ سترة زرقاء . «ب» جندي اتحادي أيامَ الحرب الأهلية الأميركية . «ج» شرطيّ .

blue-collar *(adj.)* عمّاليّ : خاص أو متعلق بالطبقة الكادحة .

blue devils *(n. pl.)* حزن ، كآبة ، قنوط .

bluefish *(n.)* القَنْبَر : سمك أعلاه مزرقّ وأدناه فضيّ اللون .

blue flag *(n.)* الراية الزرقاء ، السَوْسن الكثير الألوان (نب) .

blue flu *(n.)* الإنفلونزا الزرقاء : تمارض جماعيّ يقوم به ضباط الشرطة تحقيقاً لمطلب معين .

bluegrass *(n.)* الكَلَئيّة ، وبخاصة : الكَلَئيّة المَرْجيّة (عشب) .

blue gum *(n.)* = eucalyptus.

bluejack *(n.)* البلوط الرمادي : ضرب أميركي من شجر البلوط .

bluejacket *(n.)* بحّار من رجال الأسطول .

blue jeans *(n. pl.)* رداء سِرواليّ أزرق (را 3 overall) .

blue mold *(n.)* البِنِسيليّة ؛ العفن الأزرق : ضربٌ من الفُطر .

blue moon *(n.)* فترة طويلة جداً .

bluenose *(n.)* ذو الأنف الأزرق : المؤيِّد لقانون أخلاقي صارم .

blue-pencil *(vt.)* يعدِّل ، يوجز ، ينقِّح ، يحذف الخ .

blue peter *(n.)* راية الإقلاع : راية زرقاء ترفع عند الإقلاع (مل) .

bluepoint *(n.)* مَحارٌ صغير (من الرخويات البحرية) .

blue point *(n.)* هِرّ سياميّ (را Siamese cat) .

blueprint *(n.)* (١) الطبعة الزرقاء : صورة فوتوغرافية بسيطة عن رسم ميكانيكي او تصميم معماري (٢) مخطَّط ، برنامج عمل .

blue ribbon *(n.)* (١) العصابة الزرقاء : عصابة زرقاء تُمنَح للمجلّي في مباراة (٢) الجائزة الأولى .

blue-ribbon *(adj.)* رفيع المستوى (a ~ committee) .

blues [blooz] *(n. pl.)* (١) كآبة (٢) أغنية كئيبة زنجية الأصل . (٣) الثوب الرسمي الأزرق لرجال الأسطول الأميركي .

blue-sky *(adj.)* ضئيل القيمة أو عديمها (~ stock) .

blue-sky law *(n.)* قانون لتنظيم بيع الأسهم المالية الخ .

bluestocking *(n.)* امرأة مثقفة ، امرأة ذات اهتمامات فكرية أو أدبية .

bluestone *(n.)* الحجر الأزرق : حجر رمليّ مُزْرَقّ يُبْنى به .

blue streak *(n.)* شيء منطلق بسرعة (ع) .

bluet [bloo'ĭt] *(n.)* الهَصْطونيّة : نبات أميركيّ ازرق الزهر .

blue vitriol *(n.)* الزاج الأزرق : كبريتات النحاس .

blueweed *(n.)* العُشْبة الزرقاء : عشب شائك أزرق الزهر .

bluff [blŭf] *(vt. ; i. ; n. ; adj.)* (١) يخدع ، «يبلف» . (٢) يوفَّق إلى أمرٍ ما بالمخادعة (He ~*ed* his way.) § (٣) «أ» خداع ، مخادعة . «ب» الخدّاع (٤) جُرُفٌ عالٍ § (٥) «أ» مسطّح المقدمة عريضها . «ب» شديد التحدر (٦) صريح .

to call somebody's ~, يدعوه إلى تنفيذ تهديده أو وعيده .

bluing *or* **blueing** [bloo'ĭng] *(n.)* النِّيْل : صِباغ أزرق .

bluish *or* **blueish** [-'ĭsh] *(adj.)* مزرقّ ، ضارب إلى الزرقة .

blunder [blŭn'dər] *(vi.; t.; n.)* (١) يتخبَّط ، يمشي باضطراب وارتباك (٢) يخطىء خطأً فاضحاً × (٣) يقول شيئاً بحماقة أو اضطراب § (٤) خطأ فاضح .

— **blunderer** *(n.)*

to ~ upon something يعثر على شيء مصادفةً .

blunderbuss *(n.)* (١) بندقية قصيرة (٢) الأبله ، الكثير الأخطاء .

blunge [blŭnj] *(vt.)* يَجْبُل الطينَ الخ .

blunt [blŭnt] *(adj.; vt.; i.)* (١) «أ» عديم الحس . «ب» متبلّد الذهن (٢) كليل ، غير حادٍّ أو ماضٍ (a ~ knife) (٣) فظّ § (٤) يُثَلِّم ، يجعله كليلاً × (٥) يتثلّم ، يصبح كليلاً .

— **bluntly** *(adv.)* — **bluntness** *(n.)*

blunt arrow *(n.)* السّهم الكليل : سهم غير ماضٍ لقتل الطير بلا تشويه .

blur [blûr] *(n. ; vt. ; i.)* (١) لطخة (٢) شيء ضبابيّ أو غير واضح (٣) ضبابيّة ، لا وضوح § (٤) يلطّخ (٥) يجعله غير

واضح (٦) يُعْشي البصر ×(٧) يصبح غير واضح .

blurb [blûrb] *(n.)* (١) دعاية مغالًى فيها (٢) التعريف بالكتاب : وصف الناشر لمحتويات الكتاب مطبوعاً على غلاف جلده الورقي .

blurt [blûrt] *(vt.)* يقول أو يفشي من غير تفكير .

blush [blŭsh] *(vi. ; t. ; n. ; adj.)* (١) يحمرّ وجهه (خجلاً أو ارتباكاً) (٢) يستحي (٣) يتورّد ×(٤) يُحمِّر ؛ يورِّد §(٥) نظرة ؛ وهلة (at first ~) (٦) احمرار الوجه (خجلاً أو ارتباكاً) (٧) تورّد §(٨) مُحمَرّ ؛ متورّد .

blushful *(adj.)* (١) متورِّد ؛ ورديّ (٢) خجول (٣) مُخْجِل .

blushing *(n. ; adj.)* (١) احمرار الوجه خجلاً §(٢) خَجِل ؛ متورّد .

bluster [blŭs'tər] *(vi. ; t. ; n.)* (١) «أ» تعصف (الريح) . «ب» يكون (الجوّ) عاصفاً (٢) «أ» يتحدث بصخب أو عنف . «ب» يتهدّد ؛ يتوعد (بتبجح) . ×(٣) يقول (أو يُطْلِق) بصخب متبجح (to ~ out threats) (٤) يُكره (أو يحقق) بالتهديد والوعيد (to ~*ed* all princes into obedience) §(٥) «أ» عاصفة . «ب» هدير أمواج . «ج» نوبة غضب الخ . (٦) تهديد؛ وعيد؛ تبجح .

— **blusterer** *(n.)* — **blusterous; blustery** *(adj.)*

boa [bō'ə] *(n.)* (١) الأصَلة ؛ البُواء : أفعى كبيرة (٢) لفاع طويل زغبيّ (من فرو أو ريش أو نسيج رقيق) .

boa

boa constrictor *(n.)* الأصَلة العاصرة : بُواء أميركية استوائية تتميز بضخامتها وقوتها الماحقة .

boar [bōr] *(n.)* (١) خنزير ذكر (٢) عِفْر ؛ خنزير بري .

board [bōrd] *(n.; vt.; i.)* (١) جانب ؛ حافة (ا.م) (٢) جانب السفينة (٣) «أ» لوح خشب . «ب» *pl.* : خشبة المسرح (٤) «أ» مائدة ؛ طاولة (ا.ق) . «ب» مائدة طعام . «ج» طعام بسعر محدّد (في الأسبوع أو الشهر) . «د» منصّة المحكمة الخ . «هـ» مجلس ؛ هيئة (a ~ of directors) (٥) «أ» لوح خشبي مستطيل مُعَدّ لغرض خاص (an ironing ~) . «ب» لوحة (إعلانات) . «ج» رقعة (a chess*board*) (٦) كرتون؛ ورق مقوّى §(٧) يدنو من السفينة ليهاجمها (ا.ق) (٨) يركب متن سفينة أو قطار الخ . (٩) يكسو بألواح خشبية (١٠) يقدّم الطعام (والمنامة عادةً) إلى شخص معين بسعر محدّد في الأسبوع أو الشهر ×(١١) يتناول طعامه بسعر محدد في الأسبوع أو الشهر .

above ~, بصراحة؛ من غير مواربة .

on ~, على متن السفينة أو القطار الخ .

on the ~*s* (١) على خشبة المسرح (٢) ممثل .

to go by the ~, (١) يسقط على جانب المركب . (٢) «أ» يُهمَل أو يُتخلّى عنه . «ب» يخفق إخفاقاً كاملاً .

to sweep the ~ (١) يكسب جميع المال الموجود على مائدة القمار (٢) ينجح نجاحاً عظيماً ويكسب كل شيء .

to tread the ~*s* يمثّل في مسرحية .

boarder *(n.)* (١) القاوي: المتناولُ طعامَه (في منزل شخص آخر) بسعر محدّد في الأسبوع أو الشهر (٢) تلميذ داخليّ .

board foot *(n.)* القدم اللّوحيّ: وحدة قياس تساوي ١٤٤ إنشاً مكعباً .

boarding *(n.)* (١) ألواح خشبية (٢) شيء مصنوع من خشب ، كسياج أو أرضية غرفة (٣) القِواء: تناول الطعام (مع المنامة عادة) في منزل شخص آخر لقاء تعويض أسبوعي أو شهري محدد .

boardinghouse *(n.)* المَثْوى (مج) : بيت يقدّم الطعام (والمنامة عادةً) للنزلاء بثمن أسبوعي أو شهري محدد .

boarding school *(n.)* مدرسة داخلية .

board measure *(n.)* القياس اللّوحيّ : نظام لقياس ألواح الخشب بالقدم اللوحي (را . board foot) .

board wages (١) طعام ومنامة يُقدّمان بدلاً من الراتب . (٢) أجر الكفاف : أجر لا يكاد يغطّي نفقات الطعام والمنامة (٣) بدل الطعام (يُدفع إلى خادم لا يتناول طعامه في بيت مخدومه).

boardwalk *(n.)* مَمْشًى خشبيّ (وبخاصة على شاطىء) .

boarish *(adj.)* خنزيري ؛ بهيمي ؛ وحشي .

boast [bōst] *(vi. ; t. ; n.)* (١) يتَباهى ؛ يتفاخر ؛ يتبجح ×(٢) يفتخر أو يعتز بـ (٣) ينحت (تمثالاً) بصورة مبدئية §(٤) تباه ؛ تفاخر ؛ تبجح (٥) المَفْخَرَة : ما يُفْتَخَر به .

boaster *(n.)* (١) المتفاخر؛ المتباهي (٢) ازميل النحات .

boastful *(adj.)* (١) متبجح ؛ محبّ للتبجح (٢) متّسم بالتبجح .

boat [bōt] *(n.; vi.; t.)* (١) مركب ؛ زَوْرَق . (٢) سفينة (٣) الفنجان المركبي : فنجان على شكل مَرْكب §(٤) يركب زورقاً ×(٥) ينقل بمركب.

boat 3

boater *(n.)* (١) فا boat (٢) قبعة قش (ع) .

boating [bō'tĭng] *(n.)* ركوب الزوارق، وبخاصة على سبيل المتعة .

boatman *(n.)* النوتيّ؛ المراكبيّ .

boat race *(n.)* سباق الزوارق .

boatswain [bō'sən ; bōt'swān'] *(n.)* عريف الملاحين .

boat train *(n.)* قطار السفينة: قطارٌ ينقل الركاب من السفينة وإليها .

bob [bŏb] *(vt. ; i. ; n.)* (١) يضرب أو يقرع برفق (٢) «أ» يهز (to ~ the head) «ب» يعبّر بهزة رأس (to ~ a greeting) (٣) يقص الشعرَ قصيراً ×(٤) يتمايل ؛ يتذبذب (٥) ينشأ أو يبرز فجأة أو على نحو غير متوقع (to ~ up again) (٦) يحني الرأس احتراماً (٧) يحاول العض على شيء بالنواجذ (to ~ for apples) (٨) يصيد السمك ، وبخاصة في الجليد §(٩) «أ» تمايلٌ ، ذبذبة . «ب» هزة رأس الخ . «ج» رقصة (اسك) (١٠) ضَرْبة (ا.م) (١١) عنقود ؛ حزمة (١٢) «أ» كتلة (من ديدان الخ .) تُتّخذ طُعماً في الصيد بالصنارة . «ب» فلّينة صنارة الصيد . «ج» عقدة أو عقصة من عصائب أو غَزْل أو شَعْر . «د» قصة شعر قصيرة للنساء أو الأطفال (١٣) الثّقل : ثِقلٌ أو كرة تكون في طرف البندول وذيل الفادن وذيل الطائرة الورقية الخ . (١٤) شيء تافه (١٥) شِلْن (ع) (١٦) bobsled .

— **bobber** *(n.)*

bobbery *(n.)* اضطراب ؛ فوضى (to raise a ~) .

bobbin [bŏb'ĭn] *(n.)* وَشيعة ؛ مَكّوك ؛ بكَرة .

bobbinet [bŏb'ə nĕt'] *(n.)* تخريم أو وشي (ميكانيكيّ الصنع) .

bobble *(vt.; i.; n.)* = fumble.

bobby [bŏb'ĭ] *(n.)* شرطيّ (عب) .

bobby pin *(n.)* دبّوس شعر مسطّح مُحكَم الانطباق .

bobby socks *or* **bobby sox** *(n. pl.)* جورب قصير للفتيات .

bobby-soxer *or* **bobby-socker** *(n.)* فتاة مراهقة .

bobcat [bŏb'-] *(n.)* البَبْكَت: وَشَق (را . lynx) شمالأميركي .

bobolink [bŏb'ə lĭngk] *(n.)* المِمْراح : طائر أميركي من الطيور القواطع أو المهاجرة معروف بتغريده المرح .

bobolink

bobsled [bŏb'slĕd'] *(n. ; vi.)* (١) الزلاّجة : «أ» مِزلجة قصيرة تُقْرَن عادة بأخرى مماثلة . «ب» مزلجة مزدوجة على هذا النحو §(٣) ينزلق

(على الجليد) بزلاّجة .

bobstay *(n.)* حبل أو سلسلة لتثبيت الدَّقَل المائل (مل) .

bobtail [bŏb'tāl'] *(n. ; adj. ; vt.)* (١) ذيل قصير أو أبتر . (٢) فرس أو كلب قصير الذيل أو أبتَرُهُ (٣) شيء مختصر § (٤) «أ» أبتر . «ب» ناقص ، غير تام § (٥) يقصّر ذيل الفرس الخ .

bobwhite [bŏb'hwīt'] *(n.)* حَجَلٌ (طا) .

bocaccio [bō kä'chō] *(n.)* البوكاتش : سمك في سواحل كاليفورنيا .

boccie *or* **bocci** *(n.)* ضرب إيطالي من لعبة البولنغ .

bock [bŏk] *(n.)* جعة الربيع : جعة قوية داكنة تخمّر في الربيع .

bode [bōd] *past ; past part. of* bide.

bode [bōd] *(vt. ; i.)* يدلّ على ؛ يبشّر بخير أو ينذر بشر .

bodega [bō dē'gə] *(Sp.)* حانة ؛ خمّارة .

bodice [bŏd'ĭs] *(n.)* الصِّدار : الجزء الأعلى من ثوب المرأة .

bodied *(adj.)* ذو جسد (long-*bodied*) .

bodiless [bŏd'ĭ lĭs] *(adj.)* (١) غير ذي جسد (٢) غير مادي .

bodily [bŏd'ə lĭ] *(adj. ; adv.)* (١) ماديّ (٢) جسديّ . § (٣) «أ» جملةً ، من غير تجزيء «ب» كلّهم في وقت واحد .

boding [bō'dĭng] *(n. ; adj.)* (١) «أ» بشير بخير . «ب» نذير بشر § (٢) «أ» مبشّر بخير . «ب» منذرٌ بشرّ .

bodkin [bŏd'kĭn] *(n.)* (١) خنجر صغير (ا.م) (٢) مِخرز القماش الخ . (٣) دبوس شعر زينيّ (٤) المِلتك : أداة لإدخال التكّة (أو الشريطة) في بيتها (٥) مِخرَز المنضّد : أداة شبيهة بالمِخرز يرفع بها منضّد الحروف حرفاً ما ابتغاء إصلاح خطأ ما (طع) (٦) شخص ثالث محشور بين شخصين (ع).

to ride *or* sit ~ , يركب أو يجلس منحشراً بين شخصين .

Bodoni [bə dō'nĭ] *(n.)* البُودونيّ : ضرب من الحرف المطبعي .

body [bŏd'ĭ] *(n. ; vt.)* (١) «أ» جسد ، جسم ، بَدَن . «ب» جثة . «ج» شخص . «د» الشَّخْص (ق) (٢) «أ» جذع الانسان : جسمه ما عدا الرأس واليدين والرجلين . «ب» جاع الشجرة (٣) الجزء المركزي أو الأساسي . «أ» صحن الكنيسة : جزؤها المخصص للمصلّين . «ب» بدَن السيارة أو الطائرة . «ج» هيكل السفينة (٤) «أ» بدن الثوب : جزؤه المغطي للجذع . «ب» متن الوثيقة أو جزؤها الرئيسي مجرّداً من العنوان والمقدمة والملاحق . «ج» نصّ مطبوع (٥) كتلة (a ~ of cold air) (٦) «أ» مجموعة (a ~ of laws) . «ب» جماعة (large *bodies* of unemployed men) . «ج» قوة ؛ جماعة من الجند (a ~ of troops) . «د» هيئة (a legislative ~) (٧) قوام ؛ كثافة ؛ قوة النكهة (wine of a good ~) (٨) بدن الحرف (طع) § (٩) يجسّد : يزوّد الشيء بجسد أو نحوه .

in a ~, كلّهم معاً ؛ على نحو جماعيّ .

body corporate *(n.)* شخصٌ معنويّ ؛ شخصية اعتبارية (ق) .

bodyguard *(n.)* (١) حرَس (٢) حاشية ؛ بطانة .

body politic *(n.)* الأمة (بوصفها وحدة سياسيّة خاضعة لحكومة) .

body snatching *(n.)* سرقة الجثث من القبور (لتشريحها) .

Boer [bōr] *(n. ; adj.)* (١) البُوَيريّ : شخص جنوبأفريقي من أصل هولندي § (٢) بُوَيْريّ : منسوب إلى البويريين أو « البوير » .

bog [bŏg] *(n. ; vi.)* (١) مستنقَع § (٢) يغوص في مستنقع .

to be *or* get ~*ged* down يعجز عن التقدّم .

bogey *or* **bogy** *or* **bogie** *(n.)* (١) شَبَح (٢) غول ؛ بعبع .

bogeyman *(n.)* بُعْبع ؛ وبخاصة : بُعْبُع الأطفال .

boggle [bŏg'əl] *(vi. ; n.)* (١) يجفل (رعباً) (٢) يتردّد . (٣) يعمل بغير براعة § (٤) إجفال (٥) تردّد (٦) عملٌ غير متقن .

boggy *(adj.)* سَبِخٌ ؛ مستنقعي .

bogie *also* **bogey** *or* **bogy** *(n.)* عربة نقل منخفضة .

bogle *also* **boggle** *(n.)* (١) شبح (٢) بُعبع ؛ غول .

bogus [bō'gəs] *(adj.)* زائف ؛ مزيّف ؛ كاذب .

bogwood *(n.)* خشبُ السنديان الابنوسيّ الأسود .

bohea [bō hē'] *(n.)* الشاي الأسود .

Bohemia [bō hē'mĭ ə] *(n.)* (١) بوهيميا : منطقة تسكنها جماعة من الكتاب والفنانين العائشين حياةً بوهيمية (٢) دُنيا البوهيميين .

Bohemian [bō hē'mĭ ən] *(n. ; adj.)* (١) البوهيميّ : أحد أبناء بوهيميا في تشيكوسلوفاكيا (٢) البوهيمية : لغة ابناء بوهيميا (٣) *not cap.* عد : «أ» المتشرّد المترحل ؛ وبخاصة : الغَجَريّ . «ب» الفنان البوهيمي : كاتب أو رسّام الخ . يحيا حياة بوهيمية لا تقيم وزناً للأعراف والقواعد الاجتماعية § (٤) بوهيميّ .

Bohr theory *(n.)* نظرية «بور» : نظرية في الكيمياء الفيزيائية تقول بأن الذرة مؤلفة من نواة موجبة الشحنة يدور حولها الكترون أو أكثر .

boil [boil] *(vi. ; t. ; n.)* (١) «أ» يغْلي (الماءُ) . «ب» تغلي (القِدْرُ) (٢) يهتاج (البحرُ) (٣) يفور غضباً × (٤) «أ» يغلي (الماءَ) . «ب» يسلق (٥) يشكّل أو يفصِل (السكرَ أو الملحَ) بالغَلْي § (٦) «أ» غَلْيٌ . «ب» غلَيان (٧) بَثْرة ؛ حبّة .

to ~ down (١) ينْقص بالغَلْي (٢) يختصر .

to ~ over (١) يفور أثناء الغليان (٢) ينفجر غاضباً .

boiler [boi'lər] *(n.)* (١) فا boil (٢) «أ» غلاّية . «ب» مِرجَل .

boilermaker *(n.)* (١) صانع الغلاّيات (٢) ويسكي تُوخَذ بعدها جعة .

boiling *(n. ; adj.)* (١) غَلْي ، غليان § (٢) «أ» غالٍ . «ب» مهتاج .

boiling point *(n.)* نقطة الغليان (١٠٠°م. ؛ ٢١٢° ف) .

boisterous *(adj.)* (١) شديد ، عاصف (٢) صخّاب ؛ مسترسل في مرح صاخب .

bola [bō'lə] *(n.)* البُولا : سلاح مؤلف من كُرتين (حجريتين أو حديديتين أو أكثر مشدودة إلى حبال) يُرشَق به الحيوانُ فيأسره .

bola

bolar [bō'lər] *(adj.)* طينيّ ؛ صَلصاليّ .

bold [bōld] *(adj.)* (١) جريء ؛ مقدام ؛ جَسُور (٢) وقِح . (٣) شديد التحدّر (~ cliffs) (٤) واضح (~ handwriting) (٥) مُنضّد بحرف مطبعي أسود أو ثخين .

— boldly *(adv.)* **— boldness** *(n.)*

boldface *(n.)* (١) حرف أسود أو ثخين (٢) الطباعة بحرف أسود .

bold-faced *(adj.)* (١) وقح (٢) منضّد بحرف أسود أو ثخين (طع) .

bole [bōl] *(n.)* (١) جِذع ؛ ساق (نب) (٢) طين .

bolero [bō lâr'ō] *(n.)* البوليرو : (١) رقصة اسبانية أو موسيقاها (٢) سترة فضفاضة تبلغ الخَصْر طولاً .

boletus *(n.)* البُولِيطُس : فُطْر بعضهُ يؤكل وبعضه سام (نب) .

bolide [bō'līd] *(n.)* الشّهاب المتفجّر : نَيْزَك ضخم متفجّر .

bolivar [bŏl'ə vər] *(n.)* البوليفار : وحدة النقد الفنزويلي .

boliviano [bô lē'vyä'nô] *(n.)* البوليفيانو : وحدة النقد البوليفي .

boll [bōl] *(n.)* المَحْبَب : المحفظة المشتملة على حبات النبات .

bollard [bŏl'-] *(n.)* مَرْبِط الحبال : عمود تشدّ إليه حبال المركب .

boll weevil [bōl] *(n.)* خُنفساء القطن (ح) .

bollworm [bōl'wûrm'] *(n.)* دودة القطن والذرة وغيرهما .

bolo [bō'lō] *(n.)* مدية كبيرة طويلة (تُستعمل في الفيليبين) .

bologna [bə lōn'yə] *(n.)* سُجُق او نقانق بولونيا .

bolograph [bō'-] *(n.)* المدوَّنة البولومترية : ما يسجّلهُ البولومتر .

bolometer *(n.)* المِحرّ الإشعاعي : مقياس الطاقة الإشعاعية الحرارية .

boloney [bə lō'nĭ] *(n.)* = baloney.

Bolshevik [bŏl'shə vĭk] *(n.; adj.)* (١) البَلْشَفيّ : عضو في الجناح المتطرف من الحزب الديموقراطي الاجتماعي الروسيّ الذي استولى على السلطة في الثورة الاشتراكية (١٩١٧ – ١٩٢٠) (٢) الشيوعي : عضوٌ في الحزب الشيوعي § (٣) «أ» بَلْشَفيّ . «ب» شيوعيّ .

Bolshevism *(n.)* (١) البَلْشَفِية : مذهب أو برنامج البلاشفة الداعي إلى الإطاحة بالرأسمالية من طريق العنف (٢) الشيوعية الروسية .

Bolshevist [bŏl'shə vĭst] *(n.; adj.)* = Bolshevik.

Bolshevize *or* **bolshevize** *(vt.)* يُبَلْشِف : يجعله بَلْشَفِياً .

bolster [bōl'stər] *(n.; vt.)* (١) وسادة ، مِخَدَّة (٢) المِسْنَد : نتوء مستدير في تاج العمود الأيوني (عم) (٣) «أ» السِّناد : جزء من الآلة يسند شيئاً فيها أو يشكّل حاملاً له . «ب» الحشيّة : جزء من الآلة يراد به تخفيف الضغط ، أو منع البِلى بالحكّ ، أو إخماد الضجّة (مك) § (٤) يسند ؛ يدعم الخ .

bolt [bōlt] *(n.; vi.; t.; adv.)* (١) «أ» سهم قصير «ب» هجوم ؛ جهد ؛ حجّة . «ج» صاعقة (٢) «أ» رِتاج ، مِزلاج . «ب» لسان القُفل (٣) «أ» «ثوب» قماش (طوله ٤٠ ياردة) . «ب» لفافة ورق جدران (طولها ١٥ أو ١٦ ياردة) (٤) نافورة (a ~ of water) (٥) مسمار مُلَوْلَب أو مُصَوْمَل (٦) «أ» كتلة خشبية معدّة للنّشر أو القطع . «ب» جزء قصير مستدير من كتلة خشبية (٧) مص bolt ، وبخاصة : «أ» فرار . «ب» انفصال المرء عن حزبه السياسيّ الخ . § (٨) ينطلق ؛ يندفع (٩) يفرّ ؛ يهرب (١٠) يُرْتَج ؛ يُثبّت بالرتاج (The door ~*s* on the inside.) (١١) ينفصل عن حزبه السياسي أو يقاومه × (١٢) يطلق ناراً أو قذيفة (ا.ق) (١٣) يقول شيئاً من غير تفكير (١٤) «أ» يثبّت (أو يُحكم الإغلاق) بالرتاج . «ب» يثبّت بمسمار مُصَوْمَل (١٥) يلفّ القماش أو ورق الجدران (على شكل ثوب أو لفافة) (١٦) يزدرد (الطعام) (١٧) «أ» ينخل الطحين . «ب» يتنخّل ؛ يتفحّص § (١٨) فجأة .

~ from the blue مفاجأة مذهلة .

~ upright كالسهم استقامةً .

to ~ a person in *or* out يوصد الأبواب بالمزاليج لكي يبقي شخصاً في الداخل أو في الخارج .

to make a ~ for it. يعدو فراراً من خطر أو نحوه (ع)

to shoot one's ~, يبذل قُصارى جهده .

bolter [bōl'-] *(n.)* (١) فا bolt (٢) المُنْخُل : أداة أو ماكينة لنخل الطحين الخ . (٣) فَرَس نزّاعٌ إلى الفرار (٤) مقترع يرفض تأييد حزبه .

bolthead [bōlt'-] *(n.)* رأس المسمار ؛ رأس المسمارِ المُصَوْمَل .

boltrope *(n.)* حبل تُخاط به جوانب الشراع بغية تمتينها .

bolus [bō'ləs] *(n.)* (١) قرص (من أقراص العلاج) (٢) مُضْغة .

bomb [bŏm] *(n.; vt.)* (١) قنبلة (٢) وعاء للغازات المضغوطة . (٣) كتلة مكوّرة من حمم بركانية (٤) وعاء لمادة إشعاعية النشاط § (٥) يقذف بالقنابل .

bombard *(vt.; n.)* (١) يقذف بالقنابل (٢) يُمْطِر بوابل من الأسئلة ونحوها (٣) يُقنْبِل : يقذف بالألكترونات أو بأشعة ألفا (فز) § (٤) مِدفع قديم .

— bombardment *n.*

bombardier [-bər dĭr'] *(n.)* (١) المِدْفعيّ (٢) القاذف : ملاّح طائرة قاذفة للقنابل يُعمِل جهاز إطلاق القنابل .

bombardon [bŏm'bər dən] *(n.)* آلة موسيقية من آلات النّفخ .

bombast [bŏm'băst] *(n.)* كلامٌ مُنمّق طنّان .

bombastic *also* **bombastical** *(adj.)* مُنَمّق ، طنّان .

bombazine *(n.)* البَمْبازين : نسيج رقيق كان يُتّخَذ للحِداد .

bomb bay *(n.)* حَوْز القنابل ؛ حُجَيرة القنابل (في طائرة) .

bombe [bônb] *(F.)* قنبلة الحلوى : قالب مستدير من حلوى مثلوجة .

bombed *(adj.)* ثَمِل ؛ مخدر ؛ مخمور .

bomber [bŏm'ər] *(n.)* (١) فا bomb (٢) قاذفة القنابل (طي) .

bombinate *(vi.)* يَطِن ؛ يئِزّ .

bombproof *(adj.)* صامدٌ للقنابل : منيعٌ لا تقوى عليه القنابل .

bombshell [bŏm'shĕl'] *(n.)* (١) قنبلة (٢) مفاجأة مذهلة .

bombsight [bŏm'sīt] *(n.)* مصوِّبة القصْف : أداة لضبط إلقاء القنابل من طائرة بحيث تصيب الهدف .

bonaci [bō nä sē'] *(n.)* البوناسي : سمك بحريّ أسود .

bona fide [bō'nə fī'dĭ] *(adj.)* (١) صادق ؛ لا خداع فيه . (٢) مخلص (٣) أصليّ ؛ غير زائف .

bonanza [bō năn'zə] *(n.)* (١) كتلة ضخمة من رِكاز الذهب أو الفضة (في منجم) (٢) منجم ثراء ؛ حظ سعيد (to strike a ~).

Bonapartism [bō'nə-] *(n.)* البونابرتيّة : «أ» مشايعة الامبراطورين الفرنسيين ، نابوليون الأول ونابوليون الثالث ، أو أسْرتيهما . «ب» حركة سياسية على رأسها قائد عسكري مطلق الصلاحية مدعوم ، ظاهرياً ، بتأييد شعبي كبير .

—Bonapartist *(n.; adj.)*

bonbon [bŏn'bŏn'] *(n.)* البُنْبُون : ضربٌ من المُسكَّرات .

bond [bŏnd] *(n.; vt.; i.)* (١) عبدٌ رقيق (ا.م) (٢) قَيْد ؛ وثاق (٣) ميثاق (٤) «أ» حبل ؛ رباط . «ب» الوُصلة : قوة تشدّ بعض الذرّات إلى بعضها في جُزَيْء (ك) . «ج» مادةٌ رابطةٌ أو مُلْصِقة (٥) رابطة (ولاء أو صداقة أو عاطفة) (٦) «أ» التزام ؛ تعهّد . «ب» كفالة . «ج» الكافل ؛ الضامن . «د» سنَدٌ أو وثيقةُ بدَيْن . «هـ» صكّ تأمين (٧) مِدْماك (بناءٍ) . § (٨) يُدَمّك ؛ يجعل الحجارة مداميكَ زيادةً في قوّة البناء (٩) يَرْهَنُ (١٠) يحجز (البضائع في الجمرك) إلى أن تُدفَع الرسوم المفروضة عليها (١١) يجعله يتماسك × (١٢) يتماسك .

— bonder *(n.)*

in ~, محجوز في الجمرك (إلى أن تدفع الرسوم المفروضة)

in ~*s* (١) في السجن (٢) تحت نير العبودية .

to take out of ~. يُخرِج البضائع من الجمرك

bondage [bŏn'dĭj] *(n.)* عبودية ؛ استرقاق .

bonded *(adj.)* (١) مضمون بسندات (~ debt) (٢) محجوز في الجمرك إلى أن تدفع الرسوم المفروضة عليه (~ goods).

bonded warehouse *(n.)* مُحتَجَز الجمرك : مخزن في الجمرك تُحتجَز فيه البضائع إلى أن تُدفع الرسوم المفروضة عليها .

bonderize *(vt.)* يُبَنْدِر : يطليه بالفوسفات وقاية له من التآكل .

bonderized steel *(n.)* الفولاذُ المُبَنْدَر (را . المادة السابقة) .

bondholder [bŏnd'hōl'dər] *(n.)* حامل السَّنَد أو السَّنَدات .

bondmaid *(n.)* (١) أمَة ؛ جارية (٢) امرأة ملزمة بالعمل بدون أجر .

bondman *(n.)* (١) عبد ؛ رقيق (٢) رجل مُلزَم بالعمل بدون أجر .

bond paper *(n.)* ورق السَّنَدات : ورق أبيض ممتاز .

bond servant *(n.)* = bondman.

bondsman *(n.)* (١) عبدٌ ؛ رقيق (٢) الكافل، الضامن .

bondstone *(n.)* حجر الرِّباط : حجر يمتد خلال الجدار تقويةً له .

bondwoman *(n.)* pl. **-women** أمة ؛ جارية .

bone [bōn] *(n.; vt.; i.)* (١) «أ» عَظْم . «ب» عاج . (٢) *pl.* «أ» : هيكل عظمي. «ب» *pl.* : جَسَدٌ (٣) «أ» قطعة مستطيلة من عاج أو فولاذ يُقَسَّى بها مِشَدٌّ أو ثوب . «ب» *pl.* : زهر النرد §(٤) ينزع العظم أو الحسك (to ~ a turkey; to ~ a fish) (٥) يزوِّد مِشَدّاً أو ثوباً بقطع مستطيلة من العاج ×(٦) يدرس بإجهاد ؛ يحشو رأسه بالمعلومات ؛ «يصُمّ» .

to make no ~*s* about doing something لا يتردّد في .... ؛ لا يجد في القيام بكذا حرَجاً .

to the ~, تماماً ؛ إلى أبعد حدّ .

will not make old ~*s* لن يُعمِّر طويلاً .

bone ash *(n.)* الرَّماد العظميّ: رماد العظام المحروقة .

bone black *(n.)* الفحم العظميّ: مادة سوداء يُحْصَل عليها بإحراق العظام في أوعية مقفلة .

bone china *(n.)* الخزف العظميّ: خزف أبيض شبه شفّاف يُصْنع من الرَّماد العظميّ.

bonehead *(n.)* شخص أحمق عنيد .

bone meal *(n.)* مسحوق العظام (يُتَّخذ سماداً أو طعاماً للماشية) .

boner [bō'-] *(n.)* (١) فا bone (٢) غلطة شنيعة أو مضحكة .

bonesetter *(n.)* مُجبِّر العظام . — **bonesetting** *(n.)*

bonfire [bŏn'fīr'] *(n.)* المَشْعَلة : نارٌ تُضرَم في الهواء الطلق .

bong *(n.; vt.; i.)* (١) رنين الجرس §(٢) يرنّ ؛ يقرع .

bonhomie *also* **bonhommie** [-'ə mē'] *(F.)* رقة ؛ أنس ؛ وداعة .

boniface [bŏn'ə fās'] *(n.)* صاحب فندق أو مطعم أو ناد ليلي .

bonito [bə nē'tō] *(n.)* البِينِيت : سمك من فصيلة الأسقمريّ .

bon mot [bôn mō'] *(F.)* قولٌ بارع ؛ ملاحظة ظريفة .

bonne [bôn] *(F.)* (١) خادمة (٢) مربية (أو حاضنة) للأطفال.

bonnet [bŏn'ĭt] *(n.; vt.)* (١) قلنسوة ، وبخاصة : قلنسوة نسوية أو أطفالية تشدّ بشريط تحت الذقن. (٢) «أ» وُصْلة في شراع . «ب» غطاء محرك السيارة المعدني. «ج» طربوش المدخنة (٣) القلنسوة : غطاء معدني واق لغرف الصمامات أو للأسطوانات الخ. (ملك) §(٤) يُقَلْنِس: «أ» يُلبسه قلنسوة . «ب» يزوّده بغطاء واق .

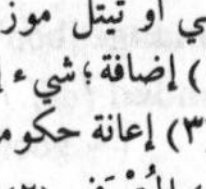

bonnet 1.

bonny *also* **bonnie** [bŏn'ĭ] *(adj.)* (١) جميل ؛ وسيم . (٢) رائع ؛ ممتاز (٣) ممتلئ صحة . — **bonnily** *(adv.)*

bontebok [bŏn'tĭ bŏk'] *(n.)* ظبيٌ أو تيتل مُوَزَّر (ح) .

bonus [bō'nəs] *(n.)* (١) إضافة ؛ شيء إضافيّ (٢) علاوة للموظفين. (٣) إعانة حكومية لصناعة ما (٤) رِبحٌ (تأ) .

bon vivant [bôn vē vän'] *(n.)* (١) المُترَف (٢) المولع بالطيِّب من المآكل.

bon voyage [bôn vwȧ yȧzh'] *(F.)* رحلةً سعيدةً !

bony *or* **boney** [bō'nĭ] *(adj.)* (١) عظميّ (٢) كثير العظام أو الحَسَك (a ~ fish) (٣) «أ» ناتىء العظام . «ب» نحيل .

bony labyrinth *(n.)* التِّيه العظميّ (في الأذن) .

bonze [bŏnz] *(n.)* راهب بوذيّ (وبخاصة في اليابان والصين) .

boo [bōō] *(interj.; n.; vi.; t.)* (١) صوت ازدراء أو استهجان . §(٢) يطلق هذا الصوت .

boob [bōōb] *(n.)* المغفّل ؛ المعتوه ؛ السّاذج (ع) .

booboisie *(n.)* البُوبُوازِيَة : طبقة المغفّلين والسذّج .

boo-boo *(n.)* (١) رَضّة ؛ قَرْح (٢) غلطة شنيعة .

boob tube *(n.)* (١) التلفزة (٢) جهاز تلفزيون.

booby [bōō'bĭ] *(n.)* (١) المغفل، الأبله (٢) الأطيش: طائر بحري مشهور بالبلاهة (٣) أضعف الطلاب؛ أسوأ اللاعبين الخ.

booby hatch *(n.)* (١) مستشفى المجاذيب (٢) مخفر شرطة (٣) سجن

booby trap *(n.)* (١) الشَّرَك العابث: شرَكٌ يتألف من دلو ماء موضوع فوق باب بحيث يندلق على من يفتح ذلك الباب . (٢) شَرَكُ الغَفْلَة : قنبلة مخبوءة متصلة بشيء لا يثير الريبة فهي تنفجر عندما يمس ذلك الشيءَ شخصٌ قليل الاحتراس .

booby trap car *(n.)* السيارة الملغومة، السيارة المُفَخَّخة.

boodle [bōō'dəl] *(n.)* (١) حشْدٌ (من الناس) (٢) رشوة .

book [bŏŏk] *(n.; vt.; i.; adj.)* (١) «أ» كتاب . «ب» دفتر تجاري . «ج» دفتر شيكات أو بطاقات . «د» باب أو جزء من كتاب (٢) *cap.* : الكتاب المقدّس (نص) (٣) «أ» جميع التهم الممكن توجيهها إلى متهم. «ب» مسؤولية ؛ حساب (٤) «أ» كلمات الأوبرا أو المغنّاة . «ب» مخطوطة المسرحية (٥) رُزمة (من أوراق التبغ الخ.) (٦) سجلّ المراهنات (وبخاصة في سباق) §(٧) يسجّل ؛ يدوِّن (٨) يحجز مقدَّماً (~*ed* seats for the theater) ×(٩) يسجّل اسمَهُ §(١٠) كُتُبِيّ: مستقىً من الكتب (١١) دفتريّ : ظاهر في الدفاتر (~ profit) .

one for the ~ *(s)* عملٌ أو حادثٌ جدير بالتسجيل .

to bring to ~, يناقشه الحساب.

bookbinder *(n.)* المجلِّد: مجلِّد الكتب .

bookbindery *(n.)* مصنع تجليد (الكتب) .

bookbinding *(n.)* التجليد: تجليد الكتب .

bookcase *(n.)* خزانة كتب .

book end *(n.)* مِسْنَد الكتب : مِسْنَد يوضع عند نهاية صفّ كتب لتثبيته في مكانه .

book ends

bookie [bŏŏk'ĭ] *(n.)* وكيل المراهنات (على جياد السباق) .

bookish [bŏŏk'ĭsh] *(adj.)* (١) كُتُبِيّ : ذو علاقة بالكتب . (٢) مولع بالكتب والمطالعة (٣) ميّال إلى الاعتماد على المعرفة المستمدة من الكتب لا على التجربة العملية .

book jacket *(n.)* سِترة الكتاب: قميص الكتاب .

bookkeeper [-'kē'pər] *(n.)* كاتب الحسابات (في شركة الخ.) .

bookkeeping [-'kē'pĭng] *(n.)* مَسْك الدفاتر (تج) .

booklet [bŏŏk'lĭt] *(n.)* كُتَيِّب ؛ كُرّاسة .

bookmaker *(n.)* (١) الناشر (٢) المصنِّف : مَنْ يجمع موادّ كُتُبه من مؤلفات الآخرين (٣) bookie .

bookman [bŏŏk'-] *(n.)* (١) litterateur (٢) بائع الكتب .

bookmark *(n.)* المُؤَشِّرة : شريطةٌ أو نحوها توضع بين صفحتي كتاب اشارةً إلى موضع بعينه .

bookmobile *(n.)* المكتبة السيّارة: سيارة تقوم بمهمة مكتبة متجوِّلة.

bookplate *(n.)* رُقعة الكتاب : رُقعة أو «اتيكيت» تلصق على كتاب مسجّلاً عليها اسمُ صاحبه أو موضعه في مكتبة .

book review *(n.)* مراجعة الكتاب: مقال عن كتاب صدر حديثاً .

bookseller *(n.)* الكُتُبِيّ : بائع الكتب .

bookshelf *(n.)* (١) رفُّ كتب (٢) مجموعة صغيرة من الكتب .

bookshop *(n.)* المكتبة: محلٌّ تجاريّ لبيع الكتب .

bookstack *(n.)* مجموعة رفوف (في مكتبة) .

bookstall *(n.)* كشك الكتب (في شارع أو محطة أو مطار الخ) .

bookstand *(n.)* كشك الكتب .

bookstore *(n.)* المكتبة : محلّ تجاريّ لبيع الكتب .

book value *(n.)* القيمة الدفتريّة : القيمة المُثبتة في دفاتر المؤسسة (تج)

bookworm *(n.)* (١) عثة الكتب (٢) المكرّس نفسَه للمطالعة .

boom [bōōm] *(n.; vi.; t.)* (١) ذراع التطويل : عمود يستخدم لإطالة قاعدة الشراع (مل) (٢) ذراع المِرفاع أو الرافعة (ملك) (٣) ذراع الميكروفون (٤) «أ» حبل أو سلسلة حديدية أو مجموعة من الأخشاب المتصلة الطافية يراد بها اعتراض سبيل الملاحة أو تطويق مجموعة من الكتل الخشبية الطافية . «ب» المرفأ العائم : المنطقة المطوّقة على هذا النحو (٥) عاتق الطائرة (٦) «أ» دويّ (المدافع) . «ب» هدير (الأمواج) . «ج» طنين أو أزيز (النحل الخ .) (٧) اتّساع أو تعاظم سريع ، مثل : «أ» نموّ في شعبية مرشّح سياسي أو جهودٌ تُبذَل من أجل ذلك. «ب» ازدهار مدينة أو منطقة. «ج» ازدهار اقتصادي § (٨) «أ» يدوّي. «ب» يهدر . «ج» يطنّ ؛ يئزّ (٩) يندفع بدويّ أو زخم (١٠) يزدهر ×(١١) يعلن بِدويّ (The clock ~*ed* out eleven.) (١٢) يسبّب ازدهار كذا (١٣) يروّج لقضية أو نتاج جديد.

boomerang [bōō'mə răng'] *(n.; vi.)* (١) البُمَرنْغ : قطعة خشب ملويّة أو معقوفة يتّخذ منها سكان استراليا الأصليون قذيفةً يرشقون بها هدفاً ما . ومن أصناف البُمَرنْغ ضَربٌ يرتدّ إلى الرامي (٢) الكيد المرتد : خطة (أو عمل أو قول) يرتد أذاها إلى نَحْر صاحبها §(٣) يرتدّ (الكيدُ) إلى نحر صاحبه.

boomerangs

boon [bōōn] *(n.; adj.)* (١) عطيّة ؛ هِبة ؛ هدية (ا.ق) . (٢) نِعمة (the ~ of life) §(٣) مَرِح (a ~ companion).

boondoggle [bōōn'dŏg əl] *(n.; vi.)* (١) كلّ أداة يدويّة الصنع (كحزام أو غمد خنجر أو مقبض فأس) (٢) جديلة العنق : حبل من جلد مجدول يطوّق به الكشّافون أعناقهم (٣) عمل تافه أو ضئيل القيمة §(٤) يقوم بعملٍ تافه أو ضئيل القيمة (ع).

boor [bōōr] *(n.)* (١) فلاّح (٢) Boer (٣) «أ» ريفيّ ساذج . «ب» شخص فظ أو جِلف.

boorish [bōōr'ĭsh] *(adj.)* ريفيّ ؛ غير مثقف ؛ جِلف.

boost [bōōst] *(vt.; n.)* (١) يرفع (شخصاً يحاول أن يتسلّق) بدفعه من تحت (٢) يزيد ؛ يرفع (to ~ prices) (٣) يدعم أو يؤيد بحماسة وعزم (٤) يعزز ؛ يقوّي («كب» و «ملك») §(٥) دفعٌ إلى فوق (٦) زيادة (٧) عون ؛ تشجيع .

booster [bōō'stər] *(n.)* (١) فا boost (٢) نصير متحمّس . (٣) المُعزِّز : «أ» أداة إضافية لزيادة القوة أو الطاقة أو الضغط . «ب» مضخّم للتردّد اللاسلكي في جهاز مستقبل من أجهزة الراديو أو التلفزيون . «ج» مادة تعزز فعالية العلاج ؛ وبخاصة : جرعةٌ من عامل مُمَنّع تضاف رغبةً في تعزيز المناعة .

boot [bōōt] *(n.; vi.; t.)* (١) غنيمة (ا.ق) (٢) «أ» جَزمة أو حذاء عالي الساق . «ب» حذاء أو وقاء للساق يتخطى الكاحل (٣) «أ» غطاءٌ واقٍ . «ب» مئزر أو غطاء لمقعد الحوذيّ (٤) الدَّهَق : أداة تعذيب تُعصَر بها الساق (٥) صندوق السيارة (لوضع الأمتعة) (٦) رفسة (٧) تسريح ؛ صَرْف ؛ طرد (٨) مجنّد في الأسطول البحري مُخْضَع لتدريب أساسي §(٩) ينتعل (١٠) «أ» يرفس . «ب» يطرد (١١) يعذّب بالدَّهق.

to ~, علاوةً على ذلك ؛ بالإضافة إلى ذلك .
to get the ~, يُصْرَف من الخدمة الخ .
to give somebody the ~, يصرفه من الخدمة .
to wipe one's ~*s* on يُعامله بطريقة مُهينة .

bootblack [bōōt'blăk'] *(n.)* ماسح الأحذية .

boot camp *(n.)* معسكر لتدريب مجنّدي الأسطول البحري .

booted [bōō'-] *(adj.)* مُنتَعِل حذاءً (وبخاصة لركوب الخيل) .

bootee *(n.)* (١) حذاء قصير (٢) جورب صوف محبوك (للأطفال) .

Boötes [bō ō'tēz] *(n.)* العوّاء : راعي الشّاء (فل) .

booth [bōōth] *(n.)* (١) سقيفة (للماشية أو للعمال) (٢) «أ» كُشْك (لبيع السلع أو عرضها) . «ب» حُجَيرة للتلفون أو للمِسْلاط أي أداة تسليط الصوَر على شاشة السينما . «ج» حُجَيْرة الاقتراع (في انتخابات عامة) . «د» مائدة بين مقعدين طويلين مرتفعي الظهر (في مطعم) .

bootjack [-'jăk'] *(n.)* خالعة الأحذية : أداة لخلع الحذاء من الرِّجل.

bootlace *(n.)* = shoelace.

bootleg [-'lĕg'] *(n.; vt.; i.; adj.)* (١) الجزء العلوي من الجزمة . (٢) moonshine 3 §(٣) يصنع أو يبيع أو ينقل (شراباً مسكراً) بطريقة مخالفة للقانون (٤) «أ» يُنتج أو يبيع على نحو غير شرعي . «ب» يُهَرِّب §(٥) مصنوعٌ أو مَبيع أو منقول بطريقة غير شرعية (٦) غير شرعي . — **bootlegger** *(n.)*

bootless *(adj.)* باطل ؛ غير مجدٍ أو مفيد (~ prayers) .

bootlick *(vt.; i.)* يتملّق بتذلّل . — **bootlicker** *(n.)*

boots [bōōts] *(n.)* خادم في فندق (يمسح الأحذية ويحمل الأمتعة الخ.) .

boot tree *(n.)* قالب الأحذية (لتوسيعها أو لحفظ شكلها) .

booty [bōō'tĭ] *(n.)* (١) غنيمة (٢) كَسْبٌ عظيم .

booze *(vi.; n.)* (١) يسرف في الشراب §(٢) شراب مُسْكِر . (٣) مَرَحٌ صاخب .

boozy [bōō'zĭ] *(adj.)* (١) سكران ؛ ثَمِل (٢) سِكّير .

bop *(vt.; n.)* (١) يَضْرِب §(٢) ضربة (٣) ضربٌ من الجاز (مو) .

bora *(n.)* البُورة : ريح جافة باردة تهبّ على سواحل الأدرياتيّ .

boracic [bə răs'ĭk ; bō-] *(adj.)* = boric.

borage [bûr'ĭj] *(n.)* لسان الثور : عشب أوروبي أزرق الزهر .

borate [bōr'āt] *(n.)* البورات : ملح حمض البوريك (ك) .

borated *(adj.)* مُبَوْرَق : مُشْبَع بالبُورَق أو بحمض البوريك .

borax [bōr'-] *(n.)* البُورَق : مسحوق أبيض متبلّر (ك) .

Bordeaux [bôr dō'] *(n.)* خمر بوردو .

Bordeaux mixture *(n.)* خليط بوردو : سائل مبيد للحشرات .

bordel ; bordello *(n.)* مَبغى ؛ بيت بغاء ؛ ماخور .

border [bôr'dər] *(n.; vt.; i.)* (١) حافة ؛ جانب ؛ حاشية . (٢) تَخْم ؛ حدّ (٣) رقعة ضيقة من أرض مزروعة في محاذاة جانب من حديقة أو ممشى (٤) حاشية ؛ «كنار» (٥) حاشية زخرفية تحيط برسم أو صفحة (طع) §(٦) يجعل له حاشيةً أو «كناراً» (٧) يتاخم ؛ يحاذي (٨) يحدّ ؛ يشكل حداً أو تخماً لـ ×(٩) يقارب ؛ يجاور ؛ يشابه (~*s* on the ridiculous) .

borderer [bôr'dər ər] *(n.)* أحد سكان الحدود .

borderland *(n.)* (١) «أ» حدّ ؛ تخم . «ب» منطقة حدود . (٢) حالة مائعة متوسطة بين حالتين .

border line *(n.)* حدّ ؛ تَخْم ؛ خط فاصل .

borderline *(adj.)* (١) واقع على تَخْم بلد أو قُرْبَه (٢) متوسط ؛ وبخاصة : واقعٌ عند الخط الفاصل بين السّويّ واللاّسَويّ (نف) (٣) مقارِبٌ أو مجاورٌ للاّمُحْتَشِم (٤) غير ثابت ؛ مختلَف فيه .

bore [bōr] *past of* bear.

bore [bōr] *(vt.; i.; n.)* (١) يَثْقُب (بمِثْقَب أو نحوه) ؛ يجوِّف . (٢) يحفِر (٣) يُضجِر ؛ يُبْرِم × (٤) يُحْدِث ثقباً . (٥) ينثقب (This timber does not ~ well.) (٦) يشق طريقه بجهد § (٧) ثُقْب (٨) «أ» تجويفٌ (داخليّ طوليّ أسطوانيّ) . «ب» ماسورة البندقية (٩) عِيار ؛ قُطر داخلي (١٠) «أ» شخص مُضْجِر أو ثقيل الظلّ . «ب» مصدر إزعاج (١١) ارتفاع المدّ بشكلٍ عنيف ومفاجيء .

~*d* to death ضَجِرٌ إلى أبعد الحدود .

boreal *(adj.)* (١) شماليّ (٢) شَمْأليّ : متعلق بريح الشمال .

Boreas [bōr'ĭ əs] *(n.)* (١) بورياس : إله الشمال أو ريح الشمال في الميثولوجيا الاغريقية (٢) ريحُ الشمال مشخَّصةً .

boredom [bōr'dəm] *(n.)* ضَجَرٌ ؛ سأمٌ ؛ بَرَم .

borer [bōr'ər] *(n.)* فا bore ، مثل : «أ» الثقّاب . عامل يُحْدث في المعادن الخ . ثقوباً . «ب» المِثْقَب : أداة الثقب . «ج» دودة السفن (را . shipworm) . «د» الثَقّابة : حشرة تثقب الأجزاء الخشبية من النبات .

boric [bōr'ĭk] *(adj.)* بوريك ؛ بورونيّ أو محتوٍ على بورون .

boric acid *(n.)* حمض البوريك (ك) .

boring [bōr'ĭng] *(n.; adj.)* (١) الثَقْب بمثقب (٢) ثُقْب . (٣) الثُقابة : ما يُزال بالثَقب (من شظايا أو نِثار الخ .) § (٤) ثاقب (a ~ tool *or* insect ; a ~ look) (٥) مُضْجِر .

born [bôrn] *past. part. of* bear.

born [bôrn] *(adj.)* (١) مولود (٢) بالفطرة (a ~ poet) .

borne [bōrn] *past part. of* bear.

bornite [bôr'nīt] *(n.)* البورْنيت (مع) .

boron [bōr'ŏn] *(n.)* البورون : عنصرٌ لافلزيّ يكون في البُوْرَق (ك) .

borough [bûr'ō] *(n.)* (١) القَصَبة : «أ» مدينة انكليزية تتمتع بحكم محلي ذاتي . «ب» مدينة انكليزية ذات ممثلين في البرلمان (٢) «أ» بلدة أميركية (أصغر من مدينة) . «ب» أحد الأقسام الإدارية الخمسة لمدينة نيويورك .

borrow [bŏr'ō] *(vt.; i.)* (١) يستعير (٢) يقتبس (٣) يَسْرِق . (٤) يعير (ع) .

—**borrower** *(n.)*

borsch *or* **borscht** *(n.)* البُرْش : حساء خُضَر روسيّ .

bort [bôrt] *(n.)* البُورْت : «أ» رديء الماس . «ب» كُسارة الماس .

borzoi [bôr'zoi] *(n.)* البُرْزيّ : كلبٌ روسيّ لمطاردة الذئاب .

boscage *also* **boskage** [bŏs'kĭj] *(n.)* أيْكة ؛ أجَمة ؛ دَغَل .

bosh [bŏsh] *(n.)* (١) هُراء ؛ كلام فارغ (٢) شيء تافه .

bosk *or* **bosque** [bŏsk] *(n.)* = boscage .

bosket *or* **bosquet** [bŏs'kĭt] *(n.)* = boscage.

bosky [bŏs'kĭ] *(adj.)* (١) أجَميّ أو مكسوّ بالآجام (٢) ظليل .

bosom [bo͝oz'əm] *(n.; adj.; vt.)* (١) صَدْر ؛ وبخاصة : ثديا المرأة . (٢) صدر الثوب : جزؤه المغطّي للصدر (٣) حِضْن (٤) قلب ؛ صميم ؛ وَسَط § (٥) صَدْريّ ؛ متعلق بالصدر (٦) حميم (a ~ friend) § (٧) يكتم (٨) يُخفي (٩) يعانق .

bosomy *(adj.)* (١) ناهد (~ hills) (٢) ناهد الثديين .

boss 2b.

boss [bôs] *(n.; vt.; adj.)* (١) حَدَبة ؛ سنام (٢) «أ» عقدة أو زر زينيّ (في درع) . «ب» السُرّة : حلية معمارية ناتئة (٣) وثار ناعم للصقل (في صناعة الخزف والزجاج) (٤) الجزء المضخَّم من عمود الإدارة (مك) (٥) الشَخْيص : كتلة صخرية شاخصة (جي) (٦) الرئيس ؛ وبخاصة : رئيس العمال (٧) «أ» المفوَّض : سياسيّ ذو سيطرة على المسؤولين في حزبه في منطقة معيَّنة . «ب» المدير المطلق الصلاحية (في مؤسسة) (٨) بقرة ؛ عجل § (٩) يرصّع بعُقَد أو أزرار زينية (١٠) يصقل بوِثار ناعم (١١) يوجِّه ؛ يناظر (١٢) يأمر ؛ يُصدر الأوامر إلى § (١٣) رئيس ؛ مقدَّم (a ~ printer) (١٤) ممتاز .

bossy [bôs'ĭ] *(adj.; n.)* (١) محدَّب (٢) مرصَّع بأزرار زينيَّة . (٣) دكتاتوريّ : نزّاع إلى السيطرة § (٤) بقرة ؛ عجل .

Boston *(n.)* البُسْطُن : «أ» لعبة من ألعاب الورق . «ب» رقصة .

Boston bag *(n.)* حقيبة بوسطن : حقيبة يد مزدوجة المِقْبَض .

Boston cream pie *(n.)* فطيرة بوسطن : كعكة محشوة بالكريما .

Boston ivy *(n.)* لَبْلابة (أو كَرْمة) عذراء ثلاثية الورق (نب) .

Boston terrier *or* **Boston bull** *(n.)* كلب بوسطُن : كلب صغير ناعم الشعر قصيره .

Boston terrier

Boswell [bŏz'-] *(n.)* مترجم الأصدقاء : مَن يكتب سيرةَ صديق له الخ .

bot *also* **bott** *(n.)* النَغَفَة : يرقانة النُبْر (را . botfly) .

botanical *or* **botanic** *(adj.; n.)* (١) نباتيّ § (٢) عقّار نباتيّ .

botanist [bŏt'ə nĭst] *(n.)* النباتيّ ؛ عالِم النبات .

botanize [bŏt'ə nīz'] *(vi.; t.)* (١) يجمع النباتات لدراستها علمياً . (٢) يدرس النباتات دراسة علمية × (٣) يرُوْد (الحقولَ) لدراسة نباتاتها علمياً .

botany [bŏt'ə nĭ] *(n.)* (١) علم النبات (٢) الحياة النباتية لبلد أو منطقة ما (٣) بيولوجيا نبتة ما أو فصيلة نباتية ما .

botch [bŏch] *(vt.; n.)* (١) يرقَع بطريقة خرقاء أو غير متقَنة . (٢) يُفْسِد بعمل سقيم أخرق (٣) يعمل أو يعبِّر بطريقة خرقاء § (٤) عمل غير متقَن (Her baking was a complete ~.) (٥) رقعة غير متقنة (٦) بَثْرة ؛ قَرْح .

— **botcher** *(n.)*

botchy [bŏch'ĭ] *(adj.)* (١) مرقَّع (٢) غير متقَن .

botfly [bŏt'flī] *(n.)* النُبْر : ذبابةٌ من ذوات الجناحَيْن تتطفّل يرقاناتها على تجاويف الحيوانات الثديية أو أنسجتها .

both [bōth] *(adj.; pron.)* كِلا ؛ كِلتا .

both [bōth] *(conj.; adv.)* معاً ؛ على حدّ سواء .

bother [bŏth'ər] *(vt.; i.; n.)* (١) يُربِك (٢) يُزعج ؛ يضايق . (٣) يُقلِق × (٤) يقْلَق (٥) يزعج نفسه § (٦) «أ» انزعاج . «ب» قلق (٧) مصدر انزعاج أو قلق (٨) ضجة ؛ جلبة ؛ اهتياج (وبخاصة حول مسألة تافهة) .

~ it! ; ~ the flies! Oh, ~ you! هتاف يدلّ على الانزعاج أو نفاد الصبر .

botheration *(n.)* (١) إزعاج الخ . (٢) انزعاج الخ . (٣) شيء مزعج .

bothersome [bŏth'ər-] *(adj.)* مزعِج ؛ مضايق .

bo tree [bō] *(n.)* = pipal.
botryoidal [bŏt'rĭ oi'-] *or* **botryoid** *(adj.)* عُنْقُودي .
bottle [bŏt'əl] *(n. ; vt.)* (١) «أ» زجاجة ؛ قنّينة . «ب» زِقّ ؛ قِرْبة (٢) الخمر ؛ معاقرة الخمر (٣) حليب الزجاجة : حليب معبأ في زجاجات يستعاض به عن لبن الأم § (٤) يعبّىء في زجاجات (٥) يُعلّب الخُضَر أو الفاكهة (بر) (٦) يكظم ؛ يكبح (٧) يَحْصُر ؛ يحجز (to ~ up an enemy's fleet) .
bottle club *(n.)* نادي الزجاجة : مؤسسة خصوصية عادةً تقدم المسكرات إلى زبائنها بعد ساعات الإقفال الرسمية .
bottleneck [bŏt'-] *(n. ; adj. ; vt.)* (١) طريق ضيقة . (٢) المُخْتَنَق : نقطة ازدحام في طريق (٣) impasse § (٤) ضيّق (a ~ harbor) § (٥) يعوق أو يوقف .
bottom [bŏt'əm] *(n. ; adj. ; vt. ; i.)* (١) «أ» أدنى ؛ أسفل . «ب» قاعدة ؛ السطح السفلي . «ج» عجيزة ؛ كَفَل . «د» المَقْعَدة : الجزء الذي يُقعَد عليه من الكرسي (٢) «أ» قعر ؛ قاع . «ب» سافلة المركب : جزؤه الذي يكون تحت الماء . «ج» مركب ؛ سفينة (٣) «أ» حضيض ؛ قرار . «ب» صميم ؛ أعماق . «ج» *pl.* عد : بنطلون البيجاما (٤) *pl.* عد : أرض منخفضة معشوشبة في محاذاة مجرى مائي (٥) أساس ؛ مصدر (٦) قدرة (الفرس الخ.) على الاحتمال § (٧) الأدنى ؛ الأسفل (~ prices) (٨) أساسي (the ~ cause) (٩) قاعي : يألف القاع (~ fish) (١٠) الأخير (his ~ dollar) § (١١) يجعل له مقعدة الخ . (١٢) يؤسسه على ؛ يبنيه على (to ~ a chair) (~*ed* upon solid principles) (١٣) يَسْبر الغور (١٤) يبلغ قرار الشيء ؛ يفهمه فهماً كاملاً × (١٥) يقوم ؛ ينهض على .
at ~, في الواقع ؛ جوهرياً ؛ أساسياً .
to knock the ~ out of an argument. يدحض حجة .
bottomless *(adj.)* (١) لا قعر أو أساس أو مَقْعَدة له (٢) «أ» عميق جداً . «ب» مستغلق على الفهم . «ج» غير محدود .
bottom line *(n.)* (١) النقطة الجوهرية (٢) النتيجة الأخيرة .
bottommost *(adj.)* الأسفل ؛ الأخير ؛ الأعمق ؛ أساسيّ جداً .
bottomry *(n.)* عقد يرهن بموجبه صاحب المركب مركبَهُ مقابل مال يقترضه للقيام برحلة .
botulism *(n.)* تسمّم ناشىء عن أكل لحم أو سمك فاسدَيْن .
bouclé *or* **boucle** [bōō klā'] *(n. ; adj.)* (١) «أ» النسيج العكِف : نسيج محبوك بحيث يبدو له سطح ذو عرى وتجاعيد طفيفة . «ب» الغزل المستخدَم في إعداد هذا النسيج § (٢) عكِف : منسوج أو محبوك بحيث يبدو له سطح ذو عرى الخ .
boudoir [bōō'dwär] *(F.)* البُدْوار : مَخْدع السيدة أو حجرة لُبْسها .
bouffant [bōō fän'] *(F.)* منتفخ (a ~ skirt) .
bouffe [bōōf] *(n.)* = opéra bouffe.
bougainvillea *(n.)* البوغنفيلية : نبات أميركي مُعْتَرِش .
bough [bou] *(n.)* غُصن ؛ وبخاصة : فَرْع ؛ غصن رئيسي .
bought [bôt] *past ; past. part. of* buy.
bought [bôt] *(adj.)* جاهز (~ clothes) .
boughten *(adj.)* مشترى : غير مصنوع في المنزل (~ shirt) .
bougie [bōō'ĭĭ] *(n.)* (١) شمعة (٢) «أ» شمعة الاستقصاء : أداة نحيلة ليّنة تُدخل في قناة من قنوات الجسد لأغراض تشخيصية أو توسيعية (ط) . «ب» تحميلة ؛ فتيلة (ط) .
bouillabaisse [bōōl'yə bās'] *(n.)* حساء السمك .
bouillon [bōōl'yŏn ; bōō yôn'] *(F.)* مَرَق ؛ حساء غير مركّز .
boulder [bōl'dər] *(n.)* الجُلْمود : صخر ضخم أكسبتْه المياه أو الأحوال الجوية شكلاً مدوّراً .
boule [bōō'lē] *(n.)* مجلس شيوخ أو نواب (عند الاغريق) .
boulevard [bōōl'ə-] *(n.)* الجادّة : شارع عريض تكتنفه الأشجار .
boulevardier *(n.)* (١) الجادّي : من يكثر التردّد على جادّات باريس (٢) man-about-town .
bouleversement [bōōl věrs män'] *(F.)* انقلاب ؛ اضطراب .
boulle *(n.)* = buhl I.
bounce [bouns] *(vi. ; t. ; n. ; adv.)* (١) يثب كالكرة ؛ يرتدّ . (٢) ينهض بسرعة (من لكمةٍ أو هزيمة) (٣) يرتدّ مرفوضاً من قِبَل المصرف (His checks ~.) (٤) يثب فجأةً (٥) يدخل أو يخرج بجلبة أو غضب (to ~ into *or* out of a room) × (٦) يجعله يثب (to ~ a ball) (٧) يَطْرُد ؛ يصرف (من الخدمة) § (٨) ضربة قوية مفاجئة (٩) ارتداد ؛ وثبة مفاجئة (١٠) تبجّح (١١) حيوية ؛ حماسة ؛ نشاط (١٢) طَرْد ؛ صَرْف § (١٣) فجأة .
bouncer [boun'sər] *(n.)* (١) فا bounce (٢) «أ» المتبجح . «ب» الكذّاب . «ج» كذبة ضخمة (٣) شيء ضخم (The fish was a ~.) (٤) رجل يستخدم في مسرح أو فندق لإخراج الأشخاص غير المرغوب فيهم (ع) .
bouncily *(adv.)* بمَرَح ؛ بحماسة ؛ بحيوية ؛ بنشاط .
bouncing [boun'sĭng] *(adj.)* (١) ممتلىء الجسم ؛ قويّ ؛ نشيط (a ~ baby) (٢) ضخم ؛ مغالىً فيه (a ~ lie) (٣) متبجح .
bouncy *(adj.)* (١) متحمّس ؛ مَرِح (٢) رَجوع ؛ مَرِن .
bound [bound] *past ; past part. of* bind.
bound [bound] *(adj. ; n. ; vt. ; i.)* (١) قاصد إلى ؛ متّجه نحو (The ship is ~ for China.) (٢) مقيَّد ؛ مكبَّل ؛ مُوثَق (٣) مؤكّد ؛ محتوم (a plan ~ to succeed) (٤) مُلْزَم أدبياً أو قانونياً (duty-*bound*) (٥) مصاب بإمساك (٦) مجلَّد (a ~ volume) (٧) مصمِّم على (She is ~ to go.) § (٨) *pl.* عد : حدود (the ~*s* of space and time) (٩) قيد ؛ حدّ (ambition without ~) (١٠) *pl.* عد : منطقة حدود (١١) *pl.* : نطاق (within the ~*s* of reason) (١٢) وثبة ؛ قفزة (١٣) ارتداد (الكرة) § (١٤) يقيد ؛ يكبح (١٥) يحيط بـ ؛ يَحُدّ ؛ يؤلف حدود كذا (١٦) يعيّن حدود كذا × (١٧) يثب ؛ يقفز (١٨) يرتدّ (كالكرة) (١٩) يتاخم ؛ يقع على حدود كذا (England ~*s* on Scotland.) .
~ up in *or* with (١) غير منفصل عن ؛ متصل به اتصالاً لا ينفصم (٢) شديد التعلّق أو الولع بـ .
by leaps and ~*s* بسرعة فائقة .
in ~*s* مباح الدخول إليه .
out of ~*s* محظور الدخول إليه .
boundary [boun'də rĭ] *(n.)* تَخْم ؛ حدّ .
bounden [-'dən] *(adj.)* (١) مَدِين (ا.ق) (٢) مُلزِم ؛ إلزامي .
bounder [boun'-] *(n.)* شخص مَرِح صخّاب يُعْوِزه التهذيب (ع)
boundless *(adj.)* لانهائي ؛ غير محدود (the ~ ocean) .
bounteous [boun'-] *(adj.)* (١) كريم ؛ جواد (٢) وافر ؛ سَخيّ .
bountiful [boun'tə fəl] *(adj.)* = bounteous.
bounty [-'tĭ] *(n.)* (١) سخاء (٢) هِبَة سَخيّة (٣) محصول ،

وبخاصة : محصول غلال (٤) جائزة أو منحة حكومية .

bouquet [bō kā'; bo͞o-] *(n.)* (١) باقة أزهار (٢) عبير ؛ شذى .

bourbon [bo͝or'bən] *(n.)* (١) *cap.* البوربوني : أحد أفراد أسرة فرنسية مالكة حكمت فرنسة من ١٥٨٩ إلى ١٧٩٣ ومن ١٨١٤ إلى ١٨٣٠ . (٢) الشديد المحافظة على القديم ؛ المتطرف في مقاومة كل جديد (٣) وَرْد بوربون : ضرب من الورد شائك الأغصان مُعَنْقَد الأزهار (٤) البوربون : ضرب من الويسكي .

bourg [bo͝org] *(n.)* مدينة أو قرية .

bourgeois [bo͝or zhwä'] *(n. ; adj.)* (١) البورجوازي : أحد أفراد الطبقة المتوسطة ؛ وبخاصة : التاجر §(٢) بورجوازي : «أ» متعلق بأبناء المدن أو الطبقة المتوسطة أو مميز لهم أو لها . «ب» متّسِم بالانغماس في المصالح المادية . «ج» محافظ . «د» تسيطر عليه المصالح التجارية الصناعية : رأسمالي .

bourgeoise [bo͝or zhwäz'] *(n.)* امرأة بورجوازية .

bourgeoisie [-zē'] *(n.)* البورجوازية (كطبقةٍ ونظام) .

bourgeon [bûr'jən] = burgeon.

bourn ; -e *(n.)* (١) حدّ ؛ تخم (ا.ق) (٢) هدف (ا.ق) (٣) غدير (٤) عالَم .

bourrée [bo͞o rā'] *(n.)* البوريه : رقصة فرنسية قديمة أو موسيقاها .

bourse [bo͞ors] *(n.)* المَصْفَق : بورصة أو سوق مالية .

bourtree *(n.)* خابور ؛ خمّان أسود أو كبير (نب) .

bouse [bous ; bouz] *(vt.)* يرفع ببكرة وحبال (مل) .

bouse [bo͞oz] *(n. ; vt. ; i.)* (١) شراب مُسْكِر (٢) مرحٌ صاخب §(٣) يشرب الخمر ؛ وبخاصة : يُسْرِف في الشراب .

boustrophedon *(n.; adj.)* (١) البَطْرَقة : طريقة قديمة في الكتابة تجري فيها السطور من اليمين إلى اليسار ثم من اليسار إلى اليمين على التوالي §(٢) بَطْرَقيّ .

bout [bout] *(n.)* (١) مباراة (في الملاكمة الخ) (٢) قتال (٣) فترة (a drinking ~) (٤) نوبة (a ~ of fever) .

boutique *(n.)* دكان (وبخاصة لبيع السلع النسوية بالتجزئة) .

boutonniere [-nyâr'] *(n.)* زهرة العروة (تعلّق في عروة السترة) .

bovid [bō'vĭd] *(adj.)* بَقَرِيّ : ذو علاقة بالبَقَريات (ح) .

bovine [bō'vīn] *(adj.; n.)* (١) بَقَرِيّ (٢) بليد §(٣) ثور .

bow [bou] *(vi. ; t. ; n.)* (١) يذعن (٢) ينحني (احتراماً أو خضوعاً أو خجلاً) (٣) يحني رأسه (تحيةً أو موافقةً) ×(٤) يحني (٥) يُخْضِع ؛ يَسْحق (٦) يعبّر عن شيء بالانحناء (to ~ one's thanks) §(٧) انحناءة (احترام أو خضوع أو موافقة أو تحية) (٨) «أ» مقدَّم السفينة أو الطائرة . «ب» المجذاف الأمامي . «ج» المجذِّف الأمامي (الأقرب إلى مقدَّم المركب) .

bow [bō] *(n. ; adj. ; vi. ; t.)* (١) «أ» التواء ؛ انحناء . «ب» قوس . «ج» قوس قُزَح (٢) «أ» القوس : أداة لرمي السهام . «ب» النبّال : رامي السهام (٣) «أ» حَلْقَة المفتاح أو المقص الخ . «ب» عُقْدَة أنشوطيّة . «ج» bow tie . «د» إطار عدستي النظارة . «هـ» أحد ذراعي النظارة (٤) «أ» قوس الكمان . «ب» نقْرة بهذا القوس §(٥) متقوس (legs ~) §(٦) ينحني ؛ يتقوس (٧) يعزف على الكمان ونحوه ×(٨) يحني ؛ يقوس .

to ~ out ينسحب ؛ يتراجع .

to draw the long ~, يبالغ ؛ يغالي .

to have two strings to one's ~, أن تكون لدى المرء أكثر من خطة واحدة .

bow compass [bō] *(n.)* الفرجار القوسيّ أو النابضيّ .

bowdlerize [boud'lə rīz'] *(vt.)* يهذّب كتاباً (بحذف بعض العبارات أو المقاطع غير المستساغة أخلاقياً أو تعديلها) .

bowel [bou'-] *(n.)* (١) *pl.* عد : أمعاء (٢) *pl.* عد : أحشاء .

bower [bou'ər] *(n. ; vt.)* (١) كوخ ريفيّ ؛ منزل صيفيّ (٢) boudoir (٣) تعريشة (٤) (في بستان) مرساة (في مقدّم السفينة) (٥) عازف الكمان §(٦) يعرِّش : يُحيط بتعريشة .

bowery [bou'ə rĭ] *(adj.; n.)* (١) «أ» ذو تعاريش . «ب» شبيه بتعريشة (٢) ظليل §(٣) مزرعة (٤) شارع المتشرّدين : شارع تكثر فيه الحوانيت الرخيصة والمراقص وبُؤَر القمار الخ .

bowfin [bō'fĭn'] *(n.)* البَوْفِن : سمك نهري أميركي .

bowhead [bō'-] *(n.)* البَوْهَد : حوت البحار القطبية الشمالية .

bowie knife [bō'ĭ] *(n.)* المدية الغِمدية : مدية ضخمة طويلة الشفرة ذات غمد .

bowie knife

bowknot [bō'nŏt'] *(n.)* عقدة أنشوطيّة .

bowl [bōl] *(n. ; vi. ; t.)* (١) «أ» زُبْدِية (مج) ؛ سلطانية . «ب» طاس الخمر (٢) تجويف ؛ وبخاصة : الجزء الأجوف من الملعقة أو البيبة (الغليون) (٣) مدرّج (للألعاب الرياضية) (٤) «أ» كرة (من كرات البولنغ) . «ب» *pl.* : لعبة البولنغ (٥) جزء أسطواني لتخفيف الاحتكاك (مك) §(٦) «أ» يلعب البولنغ . «ب» يدحرج كرة البولنغ (٧) ينطلق (في عربة) بخفة ورشاقة ×(٨) «أ» يضرب بشيء منطلق بسرعة . «ب» يشْدَه (بمفاجأة مذهلة) .

to ~ over (١) يصرعه أو يطرحه أرضاً . (٢) يُربكه أو يوقعه في ورطة يائسة .

bowlder [bōl'dər] *(n.)* = boulder.

bowleg [bō'-] *(n.)* (١) تَقَوّس السّاقَين (مض) (٢) ساق متقوسة .

bowlegged [bō'lĕg'ĭd ; bō'lĕgd'] *(adj.)* متقوس الساقَين .

bowler [bō'-] *(n.)* (١) فا bowl (٢) البَوْلر : قبعة مستديرة سوداء .

bowline *(n.)* (١) الكَرّ : حبل شراع السفينة (٢) عقدة غير منزلقة .

bowling [bō'lĭng] *(n.)* البولينْغ : لعبة بالكرات الخشبية .

bowling green *(n.)* مَرْج البولينْغ : مرج معدّ للعب البولنغ .

bowman *(n.)* (١) النبّال : رامي السهام (٢) المجذِّف الأمامي .

bow oar *(n.)* المجذاف الأمامي : المجذاف الأقرب إلى مقدَّم المركب .

bow pen *(n.)* الفرجار القلمي : فرجار قوسي في إحدى ساقيه قلم .

bow saw *(n.)* منشار قوسي ؛ منشار بلدي .

bowse [bous; bouz] *(vt.)* يرفع ببكرة وحبال .

bowsprit [bou'-] *(n.)* الدقَل المائل : عمودٌ ضخم منبثق من مقدَّم المركب (مل) .

bowsprit

bowstring [bō'strĭng'] *(n.)* وتَر القوس .

bow tie [bō] *(n.)* الأُرْبة الفَراشية : رباط رقبة فَراشيّ الشكل .

bow window [bō] *(n.)* المَشْرَبِيّة القَوْسية : نافذة ناتئة مدوَّرة .

bow tie

bowwow [bou'wou] *(n.)* (١) «أ» نُباح . «ب» كلب (٢) احتجاج الخ . صاخب .

bowyer [bō'yer] *(n.)* القوّاس : صانع أقواس الرماية .

box [bŏks] *(n.; vt.; i.)* (١) «أ» صندوق ؛ علبة . «ب» مقعد الحوذي . (٢) هدية في علبة (٣) مقصورة (في مسرح أو حافلة سكة حديدية) (٤) زريبة لفرس (في اصطبل أو عربة) (٥) كشك ؛

كوخ (٦) الصندوق: تجويف واقٍ (ملك) (٧) الإطار: نبذة منضّدة ضمن إطار (صح) (٨) ورطة، مأزق (٩) لكمة، وبخاصة: على الأذن (١٠) شُجَيْرة البَقْس أو خشبها §(١١) يُصَنْدِق: «أ» يصون بصندوق (ملك). «ب» يعبّىء في صندوق (١٢) «أ» يلكم. «ب» يلاكم ×(١٣) يتلاكم.

in a ~, في مأزق أو ورطة.

to ~ off يقسّم إلى مقصورات أو حُجيرات ضيّقة.

to ~ up يحجز أو يمنع من الخروج.

box calf *(n.)* البوكس: جلدُ عجلٍ مدبوغٌ بأملاح «الكروم».

box camera *(n.)* الكاميرا الصندوقية: آلة تصوير صندوقية الشكل.

boxcar *(n.)* الشاحنة الصندوقية: شاحنة من شاحنات السكّة الحديدية مسقوفة ذات أبواب جانبية منزلقة.

box coat *(n.)* (١) معطف الحوذيّ (٢) معطف فضفاض.

boxer [bŏk'sər] *(n.)* (١) الملاكم (٢) صانع الصناديق أو معبّئها (٣) البَكْسَر: كلب متوسط الحجم قصير الشعر.

Boxer *(n.)* البوكسريّ: عضو جمعية سرية صينية قديمة.

boxing [bŏk'sĭng] *(n.)* (١) الصَّنْدَقة: التعبئة في صندوق. (٢) **casing** (٣) المواد المستعملة في صنع الصناديق (٤) الملاكمة.

Boxing Day *(n.)* يوم الإهداء: يوم ٢٦ ديسمبر التالي لعيد الميلاد وفيه تقدّم الهدايا إلى سعاة البريد وغيرهم من المستخدَمين.

boxing glove *(n.)* قُفّاز الملاكمة.

box kite *(n.)* الطيارة الورقيّة الصندوقية: طيارة ورقية مؤلّفة من علبتين مستطيلتين مفتوحتين من جانبين.

box kite

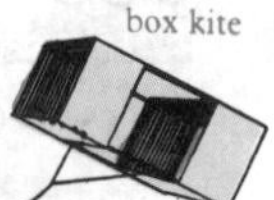

boxlike *(adj.)* صندوقيّ: صندوقيّ الشكل.

box lunch *(n.)* الغداء المُصَنْدَق: وجبة طعام خفيفة توضب في عُلبة بحيث يَسْهل تناولها في النزهات إلخ.

box office *(n.)* (١) شباك التذاكر (في مسرح أو سينما) (٢) «أ» نجاح المسرحية الخ. في اجتذاب مشتري التذاكر. «ب» كل ما يعزز هذا النجاح.

box score *(n.)* (١) النتيجة المؤطَّرة: خلاصة وقائع المباراة الرياضية ونتائجها مجدولةً ضمن إطار (في صحيفة) (٢) خلاصة.

box seat *(n.)* (١) مقعد الحوذي (٢) «أ» مقعد في مقصورة مسرح الخ. «ب» موقع ملائم لرؤية شيء.

box stall *(n.)* الزَّريبة الأُحادية: زريبة مربّعة عادة لفرس الخ.

boxthorn *(n.)* عَوْسَج، خَوْلان (نب).

boxwood *(n.)* (١) خَشَب البَقْس (٢) البَقْس (نب).

boxy *(adj.)* صُندوقانيّ: شبيه بصندوق.

boy [boi] *(n.)* (١) «أ» غُلام، صبيّ. «ب» ابن، ولد. «ج» شاب. «د» محبوب (٢) شخص، رَجُل (٣) خادم.

boyar *also* **boyard** [bō yär'] *(n.)* البُويار: واحد من طبقة النبلاء في الروسيا أو رومانيا سابقاً.

boycott *(vt.; n.)* (١) يقاطع (شخصاً أو شركة الخ.) §(٢) مقاطعة.

boyfriend *(n.)* (١) صديق (٢) رفيق (لفتاة أو امرأة) (٣) خليل.

boyhood *(n.)* (١) «أ» الصِّبا. «ب» زمن الصِّبا (٢) الصِّبيان.

boyish [-'ĭsh] *(adj.)* (١) صبياني (٢) غير ناضج.

boy scout *(n.)* الكشّاف: عضوٌ في منظمة كَشْفيّة.

bra [brä] *(n.)* = brassiere.

brabble *(vi.; n.)* (١) يتشاحن، يتشادّ §(٢) مُشاحنة، مُشادة.

brace [brās] *(n.; vt.; i.)* (١) زَوْج، اثنان (٢) الِملْفاف: مَقْبِض يُدار به المِثقاب (٣) مِشْبَك، شِكال، دعامة، سِناد، رِباط، مقوّم (٤) *pl.*: حمالة البنطلون (٥) الحاصرة: إحدى هاتين العلامتين { } في الطباعة (٦) شيء مثير للنشاط أو مقوٍّ للمعنويات §(٧) يربط بأحكام (١. ن) (٨) يُوتّر (to ~ the nerves, a bow, a drum) (٩) ينشّط، ينعش (١٠) «أ» يزوّد بسناد أو رباط أو مقوّم الخ. «ب» يقوّي، يثبّت ×(١١) يتشجّع، يستجمع قواه (تتبعها *up*) (١٢) يستعد.

braces 4.

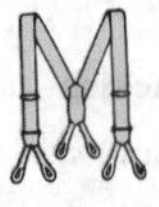

brace and bit *(n.)* المِثْقَب اللفّاف.

brace and bit

bracelet [brās'lĭt] *(n.)* (١) سوار (٢) *pl.* عد: قَيْد لليدين.

bracer [brā'sər] *(n.)* (١) وقاءٌ للذراع أو الرّسغ (في رماية السهام) (٢) كل ما يثبّت، وبخاصة: شرابٌ منبّه.

brachial [brā'kĭ əl] *(adj.)* عَضُديّ (مج)، ذراعيّ.

brachial artery *(n.)* الشّريان العَضُديّ (مج).

brachialgia [brā kĭ ăl'-] *(n.)* العُضاد: ألمٌ في أعصاب العضد (مض).

brachiate [brā'kĭ ĭt; -āt'] *(adj.)* زَوجيّ الأغصان: ذو أغصان نامية أزواجاً متعاقبة (نب).

brachio- بادئة معناها: ذراع، عَضُد (*brachio*pod).

brachiopod [brā'kĭ ə pŏd'] *(n.; adj.)* (١) العَضُديّ الأرجل: واحد من عَضُديات الأرجل **Brachiopoda** وهي شعبة من اللافقاريات البحرية (ح) §(٢) عَضُديّ الأرجل.

brachium [brā'kĭ əm] *(n.)* عَضُد (ت).

brachy- بادئة معناها: قصير (*brachy*dactylous).

brachycephalic *or* **brachycephalous** *(adj.)* قصير الرأس.

brachycephaly *(n.)* قِصَر الرأس.

brachycranial *also* **brachycranic** *(adj.)* قصير الجمجمة.

brachycrany *(n.)* قِصَرُ الجمجمة.

brachydactylous *(adj.)* قصير الأصابع (إلى حد غير سويّ).

brachydactyly *(n.)* قِصَر الأصابع (إلى حدّ غير سَوِيّ).

brachypterous [brə kĭp'tər əs] *(adj.)* قصير الجناحين.

brachyuran [brăk'ĭ yŏŏr'ən] *(n.; adj.)* (١) القصير الذيل: حيوان من قصار الذيل **Brachyura** وهي رتبة من القشريات تشمل السراطين §(٢) قصير الذيل.

brachyurous [brăk'ĭ yŏŏr'əs] *(adj.)* قصير الذيل (ح).

bracing [brā'sĭng] *(adj.)* مُقوٍّ، منشِّط.

bracken [brăk'ən] *(n.)* (١) سرخس (نب) (٢) أجَمة سرخس.

bracket [brăk'ĭt] *(n.; vt.)* (١) الكتَيِّفة، الثّليثة: سِنادٌ خشبيّ أو معدنيّ مثلّث الشكل يكون تحت رفّ الخ. (٢) «أ» الرفّ الكتيفي أو الثّليثي: رفّ مدعوم بكتَيِّفة أو ثَليثة. «ب» حاملة المصباح (المنبثقة من جدار) (٣) «أ» المعقف: إحدى هاتين العلامتين [ ] في الطباعة. «ب» الهلال: إحدى هاتين العلامتين ( ) (٤) الفئة: فئة من دافعي الضرائب مصنّفة وفقاً للدّخل (The high-income ~) §(٥) يحصر ضمن مُعقّفَين أو هلالين أو نحوهما (٦) يكتّف: يزوّد أو يدعم بكتائف (٧) «أ» يقرن: يجمع بين شيئين على

bracket 1.

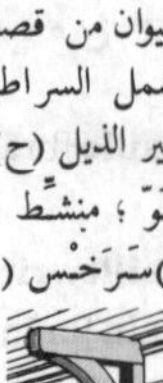

اعتبار أنهما من طبقة واحدة . «ب» يصنِّف .

brackish *(adj.)* (١) مُوَيْلِح : مالحٌ قليلاً (٢) كريه ؛ مُغْثٍ .

bract *(n.)* القِنابة ؛ القُنَّابة : ورقة في قاعدة زهرة أو ساق زهرة (نب) .

bracteal ; bracteate; bracted *(adj.)* قِنابيّ ؛ مُقَنَّب .

bracteole *also* **bractlet** *(n.)* القُنَيْبَة : قينابة صغيرة (نب) .

brad [brăd] *(n.; vt.)* (١) مسمار (رفيع) صغير الرأس أو عديمُه . §(٢) يُثبّت بمسامير قصيرة الرؤوس .

bradawl [brăd'ôl'] *(n.)* المِخْراز : مِثْقَب لإحداث ثُقَيبات في الخشب تمهيداً لدقّ المسامير القصيرة الرؤوس فيه .

bradycardia *(n.)* بطء القلب (مج) .

brae [brā ; brē] *(n.)* مُنْحَدَر تلٍ الخ .

brag [brăg] *(vi.; t.; n.; adj.)* (١) يتفاخر ؛ يتباهى . ×(٢) يتفاخر بِـ § (٣) تفاخرٌ ؛ تباه (٤) المفخرة : ما يُتفاخر به (٥) المتفاخر ؛ المتبجّح (٦) البراغ : ضربٌ قديم من ألعاب الورق يشبه البوكر §(٧) رائع ؛ من الطراز الأول ؛ جديرٌ بأن يفاخَر به (a ~ crop) .

— **bragger** *(n.)* — **braggy** *(adj.)*

braggadocio [-ə dō'shĭ ō'] *(n.)* (١) المتبجح (٢) تبجّح .

braggart [brăg'ərt] *(n.; adj.)* (١) المتبجح §(٢) متبجّح .

brahma [brä'mə] *(n.)* البَرامي : دجاج مكسوّ القوائم بالريش .

Brahma [brä'mə] *(n.)* البْراهما : الذات العليا ؛ العلّة الأولى ؛ روح الكون العليا وجوهره (في الفلسفة الهندوسية) .

Brahman [-'mən] *(n.)* البَرَهْميّ : أحد أفراد طبقة الكهنوت العليا عند الهندوس .

Brahmanism *(n.)* البَرَهْمانيّة : النظام الدينيّ والاجتماعي الهندوسي .

Brahmin [brä'-] *(n.)* (١) Brahman (٢) مثقّف من أبناء الطبقة العليا .

braid [brād] *(vt.; n.)* (١) يَجْدِل ؛ يَضْفُر (٢) يَعْقِص (الشعرَ) بعصابة الخ . (٣) يمزج (٤) يزركش بشريط زينيّ §(٥) «أ» شريط زينيّ مجدول . «ب» جديلة ؛ ضفيرة (٦) كبار ضباط الأسطول البحري .

braiding *(n.)* (١) جدْل ؛ ضَفْر الخ . (٢) جدائل ؛ ضفائر ؛ أشرطة زينية (٣) المجدول : كلّ ما يصنع من مادة مجدولة .

brail [brāl] *(n.; vt.)* (١) حبل الطيّ : حبل مشدود إلى زاوية الشراع يُستخدَم (لطيّه أو جَمْعِه الخ .) § (٢) يطوي الشراع أو يَجمَعُه (بحبل الطيّ) .

braille [brāl] *(n. often cap.)* طريقة بْرَيْل : طريقة في الكتابة خاصةٌ بالعميان تستخدم أحرفاً مؤلفة من نقاط نافرة .

braillewriter *(n.)* آلة بْرَيْل الكاتبة : آلة للكتابة بطريقة بْرَيْل .

brain [brān] *(n.; vt.)* (١) دماغ ؛ مخ (٢) *pl.* عد : فهم ؛ ذكاء ؛ مقدرة عقلية (٣) «أ» شخص شديد الذكاء . «ب» *pl.* عد : المخطِّط أو الموجّه الأول (لمؤسسة أو مشروع) § (٤) يقتل (بسحق الجمجمة) (٥) يضرب على الرأس .

to beat *or* cudgel *or* rack *or* puzzle one's ~*s* يقدح زناد فكره .

braincase *(n.)* قِحف الدماغ ؛ عُلبة الدماغ (ت) .

brainchild *(n.)* بنت الفكر : واحدة من بنات أفكار المرء .

brainfag *(n.)* كلال الدماغ ؛ الإجهاد العقلي .

brain fever *(n.)* الحمّى الدماغية ؛ حمّى الدماغ .

braininess *(n.)* ذكاء .

brainless [brān'lĭs] *(adj.)* أبله ؛ متبلّد الذهن .

brainpan [brān'păn'] *(n.)* = braincase.

brainpower *(n.)* (١) المقدرة العقلية (٢) ذوو المقدرة العقلية .

brainsick [-'sĭk'] *(adj.)* (١) معتوه (٢) ناشىء عن اختلال العقل .

brainstorm *(n.)* (١) نوبة جنون عابرة (٢) فكرة بارعة مفاجئة .

brain trust *(n.)* هيئة الخبراء : مجموعة من الخبراء تُسْدي المشورة وتساعد في رسم سياسةٍ ما .

— **brain truster** *(n.)*

brainwash *(vt.; n.)* (١) يغسل دماغ فلان §(٢) غَسْل الدماغ .

brainwashing *(n.)* (١) غَسْل الدماغ : اشباع الذهن بمجموعة من الأفكار السياسية ، بدلاً من مجموعة سابقة ، بواسطة التعذيب العقليّ بخاصة (٢) إقناع بواسطة الدعاية الخ .

brain wave *(n.)* (١) الموجة الدماغية : «أ» ذبذبة إيقاعية بين أجزاء الدماغ تفضي إلى تدفق تيار كهربائي . «ب» التيار الكهربائي الناشىء عن ذلك (٢) فكرة بارعة مفاجئة .

brainy [brā'nĭ] *(adj.)* ذكيّ .

braise [brāz] *(vt.; n.)* (١) يُدَمِّس : يطهو ببطء في قِدْر مقفلة . §(٢) المَرْجان ؛ الفَرِّيدي (سمك) .

brake [brāk] *(n.; vt.; i.)* (١) الهاشمة : أداة أو آلة تسحق الأجزاء الخشبية من الكتان أو القِنّب لفصل الألياف عنها (٢) آلة لِليّ الصفائح المعدنية أو طيّها أو تشكيلها (٣) كمّاحة (مج) ؛ مِكبح ؛ فَرْمَلَة (٤) البَرِيكَة : عربة كبيرة ذات أربع عجلات (٥) أجَمَة (٦) البطارس ؛ الدِّيشار : ضرب من السَّرخس (نب) §(٧) يفصل أليافَ الكتّان أو القنّب بالهاشمة (٨) «أ» يكمح ؛ يكبح ؛ يُفرمل (سيارة الخ .) . «ب» يزوِّد بكماحة أو مِكبح ×(٩) ينكمح ؛ ينكبح .

brake horsepower *(n.)* القدرة الحصانية الفَرْملية (مك) .

brakeload *(n.)* الحِمْل الفَرْمَليّ (مك) .

brakeman *or* **brakesman** *(n.)* الكبّاح : عامل المكبح .

brake wheel *(n.)* عجلة الفَرْمَلة (مك) .

braking power *(n.)* القدرة الفَرْمَليّة (مك) .

bramble *(n.; vi.)* (١) عُلَّيْق (نب) §(٢) يجمع العُلَّيق .

brambling [brăm'blĭng] *(n.)* الشُّرشور الجبليّ (طا) .

brambly *(adj.)* (١) كثير العُلَّيق (٢) عُلَّيْقيّ ؛ شائك .

bran [brăn] *(n.)* نُخالة .

branch [brănch] *(n.; vi.; t.)* (١) غُصْن (٢) «أ» رافد ؛ نُهَير . «ب» طريق فرعية (٣) فرع ؛ شعبة §(٤) يتغصّن : يُطلع أغصاناً (٥) يتفرع ؛ يتشعّب ×(٦) يطرّز على شكل أغصان أو أزهار (٧) يقسم ؛ يفرع .

branched *(adj.)* مُتفرع ؛ مفرع ؛ ذو فروع .

branchia [brăng'kĭ ə] *(n.)* pl. **-e** خيشوم السمكة .

branchial [brăng'-] *(adj.)* خَيْشوميّ ؛ خياشيميّ .

branchiate [brăng'kĭ ĭt ; -āt'] *(adj.)* ذو خياشيم .

branchiopod [brăng'kĭ ə pŏd'] *(n.; adj.)* (١) الخيشوميّ الأقدام : واحد من خيشوميات الأقدام **Branchiopoda** وهي رتبة من القشريات في أقدامها خياشيم §(٢) خيشوميّ الأقدام .

branchlet *(n.)* الغُصَيْن : غُصْن صغير .

branchy *(adj.)* كثير الأغصان أو الفروع .

brand [brănd] *(n.; vt.)* (١) جَمْرَة (٢) سيف . (٣) «أ» الوَسْم : كيّ الخراف الخ . لإحداث علامة فيها تدل على مالكها . «ب» ماركة ؛ علامة تجارية (٤) «أ» سِمة العار : سمة بالحديد المحمّى كانوا يَسِمون بها المجرمين . «ب» مِيسَم .

ă at; ā date; â care; ä car; ĕ egg; ē me; ĭ in; ī bite; ŏ lot; ō bone; ô orphan; oi boil; o͝o good; o͞o boot; ou out; ŭ under; ū unity; û urgent; th thing; t͟h this; zh vision; ə = *a* in alone, *e* in system, *i* in easily, *o* in gallop, *u* in circus.

«ج» وصمة عار. (٥) صنف (a ~ of tea) §(٦) يَسِم بالنار أو بعلامة تجارية أو بسِمَة العار (٧) يطبَع على نحوٍ لا يُمحى.

brandied *(adj.)* ممزوجٌ أو مُنكَّهٌ بالبراندي.

branding iron *(n.)* الميسَم: أداة يُوسَم بها.

brandish [brăn'dĭsh] *(vt. ; n.)* (١) يلوِّح (بالسيف الخ.) §(٢) تلويح مهدِّد.

brandling *(n.)* دودة أرض (يتخذمنها الصيادون بالصنارة طعماً للأسماك).

brand-new *or* **bran-new** *(adj.)* جديد تماماً.

brandy [brăn'dĭ] *(n. ; vt.)* (١) البراندي: شرابٌ مُسكِر يُستقطَر من عصير العنب (أو التفاح أو الخوخ الخ.) المختمِر §(٢) يُبَرنِد: يمزج أو يُنكِّه أو يحفظ بالبراندي.

branks [brăngks] *(n. pl.)* لجام السليطات: ضربٌ من اللجام كانوا يصطنعونه لمعاقبة النسوة السليطات.

brannigan *(n.)* (١) مرح صاخب معربِد. (٢) شجار.

branny [brăn'ĭ] *(adj.)* نُخالي: محتوٍ على نُخالة أو شبيهٌ بها.

brant [brănt] *(n.)* البرنتية: إوزة بريّة.

brant

brash [brăsh] *(n. ; adj.)* (١) شظايا صخرية أو جليدية (٢) نوبة مرض (ع) (٣) عاصفة أو وابلٌ من المطر (ع) §(٤) هشّ؛ قصيم؛ سهل الكسر (~ wood) (٥) متهور أو مندفع (٦) وقح.

brasier [brā'zhər] *(n.)* = brazier.

brass [brăs ; bräs] *(n. ; adj.)* (١) الصُّفر: النحاس الأصفر (٢) «أ» *pl.* عد: آلات النفخ الموسيقية النحاسية. «ب» لوحة تذكارية نحاسيّة. «ج» آنية أو تجهيزات معدنيّة برّاقة. «د» خراطيش فارغة مستهلكة. «هـ» بطانة المِحمَل النحاسية أو البرونزية (ملك) (٣) وقاحة (ع) (٤) كبار الضباط (عا) (٥) نقود (عب) §(٦) نحاسيّ.

brassage [brăs'ĭj] *(n.)* رسم السكّة: رَسْم سكّ العملة.

brassard; brassart *(n.)* العِضاد: درعٌ للذراع أو عصابة للعَضُد.

brass band *(n.)* الفرقة النحاسيّة (تعزف بآلات نفخ موسيقية).

brassbound *(adj.)* (١) نحاسيّ الحواشي (٢) «أ» عبدٌ للتقاليد. «ب» متشبّث برأيه. «ج» وقِح.

brass hat *(n.)* (١) ضابط كبير (٢) ذو مكانة رفيعة في الحياة المدنية.

brassie *or* **brassy** [brăs'ĭ] *(n.)* البراسيّة: عصا غولف نحاسية النعل.

brassiere [brə zĭr'] *(n.)* صُديريّة للثديين.

brassily *(adv.)* بوقاحة؛ بصفاقة.

brassiness *(n.)* وقاحة؛ صفاقة.

brass tacks *(n. pl.)* وقائع؛ حقائق أساسية.

brassware [brăs'wâr'] *(n.)* آنية نحاسية؛ أدوات نحاسية.

brass winds *(n. pl.)* آلات النفخ الموسيقية النحاسيّة.

brassy [brăs'ĭ] *(adj.)* (١) نحاسي (٢) نحاسي اللون (٣) وقِح.

brat [brăt] *(n.)* (١) طفل؛ وبخاصة: طفلٌ مزعج (٢) مئزر (ع).

brattice [brăt'ĭs] *(n.)* فاصل (من خشب أو قماش) في منجم.

bravado [brə vä'dō] *(n.)* تبجّحٌ أو تظاهرٌ بالشجاعة.

brave [brāv] *(adj. ; n. ; vt.)* (١) شجاع (٢) أنيق؛ حَسَن المظهر (٣) رائع؛ ممتاز (This ~ new world) §(٤) شخص شجاع؛ وبخاصة: محاربٌ من الهنود الحمر §(٥) يواجه أو يتحمّل بشجاعة (to ~ misfortunes) (٦) يتحدّى.

bravery [brā'və rĭ] *(n.)* (١) شجاعة (٢) حُسن البِزّة أو المظهر.

bravo [brä'vō] *(interj. ; n. ; vt.)* (١) مَرْحى! §(٢) مرحى: هتاف استحسان (٣) قاتلٌ مستأجَر §(٤) يُمَرْحي: يستحسن عملاً بقوله: مَرْحى!

bravura [brə vyŏŏr'ə] *(n.)* (١) لحن موسيقي يحتاج إلى براعة في الأداء (٢) أداء بارع متّسم بالثقة بالنفس.

brawl [brôl] *(n. ; vi.)* (١) شِجار (٢) هدير (٣) البَرْوَلة: رقصة قديمة مصحوبة بغناء §(٤) يتشاجر (٥) يهدر؛ (كمياه نهر مندفعة بسرعة فوق الحجارة).

— brawler *(n.)*

brawn [brôn] *(n.)* (١) «أ» عضلات قوية. «ب» قوة عضلية. (٢) لحم الخنزير (وبخاصة حين يكون مسلوقاً ومحفوظاً بالخلّ).

brawny *(adj.)* (١) قوي؛ مفتول العضل (٢) قاسٍ؛ متورم وصُلب.

bray [brā] *(vi. ; t. ; n.)* (١) ينهَق ×(٢) يقول بصوتٍ منكَر كصوت الحمار (٣) يسحَن (بالهاون) (٤) ينشُر (الطابع الحبرَ أو يمدّه) رقيقاً (بمِدحاة يدوية) §(٥) نهيق.

brayer *(n.)* المِدحاة اليدوية: مِدحاة يدوية لمدّ الحبر أو نشره رقيقاً على صفحة من أحرف منضّدة (لاستخراج تجربة مطبعية عادةً).

braze [brāz] *(vt.)* (١) يُقسّي (٢) يُنحّس: «أ» يجعله نحاسياً. «ب» يكسو أو يزيّن أو يلحم بالنحاس الأصفر.

brazen [brā'zən] *(adj. ; vt.)* (١) نحاسيّ (٢) نحاسيّ اللون أو الرنين (٣) وقح؛ صفيق §(٤) يواجه بتحدٍّ أو وقاحة.

brazen-faced *(adj.)* وقِح؛ صفيق الوجه.

brazenly *(adv.)* بوقاحة؛ بصفاقة.

brazier [brā'zhər] *(n.)* (١) النحّاس (٢) كانون؛ مَجْمَرة.

Brazil nut *(n.)* جوز البرازيل: جوزُ شجرة برازيلية مثلّث الشكل.

brazilwood *(n.)* (١) خشب البرازيل: خشبٌ من أشجار أميركية تستخرج منه أصباغ حمراء وأرجوانية (٢) صِبغ خشب البرازيل.

breach [brēch] *(n. ; vt. ; i.)* (١) خرق لقانون أو نقضٌ لعهد الخ. (٢) «أ» كَسْر؛ صدْع. «ب» ثغرة. «ج» انقطاع في العلاقات الودية (٣) وثبة الحوت من الماء §(٤) يُحْدِث صدعاً (الخ.) (٥) يخرق؛ ينقض ×(٦) يثب (الحوتُ) من الماء.

to stand in the ~, (١) يتحمّل الثقل الأعظم من الهجوم (٢) ينهض بالقسط الأعظم من العمل الشاق.

to throw *or* fling oneself into the ~, يمدّ يد المساعدة إلى من يُحدق بهم بلاءٌ أو خطر.

breach of faith نقضٌ لعهد؛ نكث بوعد.

breach of promise نكثٌ بوعد (وخاصة بوعد بالزواج).

breach of the peace إخلال بالأمن العام (بإحداث الشغَب الخ.).

bread [brĕd] *(n. ; vt.)* (١) خبز (٢) كِسْرة خبز (٣) قوت؛ رزق (٤) خبز القربان (نص) §(٥) يكسو بكِسَر الخبز.

~ buttered on both sides ظروفٌ مواتية؛ رخاء.

to break ~, (١) يتناول الطعام (٢) يناول أو يتناول القربان المقدس.

to know which side one's ~ is buttered on يعرف أين هي مصلحته.

bread and butter *(n.)* (١) شرائح خبزٍ مفروشة بالزبدة (٢) رِزق.

bread-and-butter *(adj.)* (١) واقعيّ (٢) معتمَدٌ كمصدر ثابت من مصادر الدخل (٣) مرتزِق (٤) صبيانيّ؛ مراهق (٥) معبِّر عن الشكر على حسن الضيافة (a ~ letter).

bread and cheese *(n.)* الكَفاف (من الرزق).

bread and wine *(n.)* العَشاء الرباني؛ القربان المقدس (نص).

ă at; ā date; â care; ä car; ĕ egg; ē me; ĭ in; ī bite; ŏ lot; ō bone; ô orphan; oi boil ŏŏ good; ōō boot; ou out; ŭ under; ū unity; û urgent; th thing; th this; zh vision; ə = *a* in alone, *e* in system, *i* in easily, *o* in gallop, *u* in circus.

breadbasket *(n.)* (١) سلة خبز (٢) المعدة (ع) (٣) منطقة مُنتِجة للحبوب .

breadfruit 1.

breadfruit *(n.)* (١) ثمرة الخبز : ثمرة شجر من فصيلة الخبزيات ذي ثمارٍ كبيرة تشتمل على لبٍّ نشَوِيّ يُستعمل كالخبز (٢) شجرة الخبز (نب) .

breadstuff [brĕd'stŭf'] *(n.)* (١) حنطة أو طحين (٢) خبز .

breadth [brĕdth] *(n.)* (١) عَرْض (٢) قطعة ذات عرض معيّن (a ~ of cloth) (٣) اتساع (٤) سعة في أفق التفكير .

breadthways *or* **breadthwise** *(adv.)* عرضاً ؛ بالعَرْض .

breadwinner *(n.)* (١) المعيل : كاسب الرزق لعياله (٢) مَوْرِد رزق .

break [brāk] *(vt.; i.; n.)* (١) «أ» يكسر . «ب» يجرح (to ~ the skin) . «ج» يجرح (٢) ينتهك ؛ ينقض (to ~ a law *or* promise) (٣) «أ» يقتحم (to ~ the door in) «ب» يشقّ طريقه . «ج» يفرّ من (to ~ jail) . «د» يخرق ؛ يثقب (٤) يفسخ ؛ يحَلّ (٥) يفرّق أو يبدّد الشمل (٦) «أ» يَسحَق (to ~ a rebellion) . «ب» يروض (to ~ a horse) «ج» يُمرّس ؛ يعوّد (على الشدائد) . «د» يُضْعِف ؛ يُرهق ؛ يُنهك (٧) «أ» يفلس ؛ يوقعه في الإفلاس (to ~ a bank) «ب» يُنزِل رتبتَه (٨) «أ» يكسر إضراباً . «ب» يحطِّم ؛ يتفوق على (to ~ a record) (٩) يدحض (to ~ an alibi) (١٠) يخفض السعر تخفيضاً كبيراً (١١) يوقف أو يضع حداً لِ (١٢) يقطع الصمت أو التيار الكهربائي الخ . (١٣) «أ» يجزّىء ؛ يستبدل بالقطعة النقدية قطعاً صغيرة (to ~ a five-dollar bill) . «ب» يشقّ سطح كذا (fish ~*ing* water) . «ج» يحمله على الإقلاع عن (to ~ anyone of a bad habit) (١٤) «أ» يفضي بمكنون صدره إلى . «ب» يُبلّغ ؛ يذيع (to ~ news gently) (١٥) «أ» يحل (مسألة الخ .) . «ب» يحلّ (رموز الشيفرة الخ .) (١٦) يغيّر اتجاه شيء تغييراً ملحوظاً × (١٧) «أ» يَذيع أو يبرز للعيان فجأةً . «ب» يَشِيع على نحو مثير (The bribery scandal *broke.*) (١٨) «أ» يَطْلُع ؛ يبزغ (Day was ~ *ing.*) «ب» ينفجر (The storm *broke.*) «ج» تهب (His anger *broke.*) «د» ينبثق (السمك) من تحت سطح الماء (١٩) «أ» ينكسر . «ب» يتكسّر (الموج) (٢٠) يَصْحو (when the weather ~*s*) (٢١) يتراجع بغير نظام (The enemy *broke* before them.) (٢٢) «أ» يضْعُف ؛ ينهار (*broke* under questioning) «ب» ينسحق (بالأسى أو الألم أو الخيبة) . «ج» تتعطّل (الآلة) (٢٣) ينخفض (سعرُه أو قيمتُه) انخفاضاً كبيراً (٢٤) «أ» يقطع الصلة بـ (He has *broken* with the past.) . «ب» يقطع علاقات الصداقة مع فلان (٢٥) «أ» ينحرف فجأةً . «ب» يرتفع أو ينخفض بشدّة . «ج» تتغيّر طبقة الصوت تغيّراً ملحوظاً . «د» يصبح أجشّ (كصوت غلام عند البلوغ) (٢٦) ينقطع عن العمل أو النشاط فترة قصيرة (٢٧) ينقسم ؛ يتفرع (Our cases ~ up into four types.) (٢٨) يَحْدُث § (٢٩) «أ» كَسْر . «ب» ثُلْمة ؛ ثغرة (٣٠) «أ» اندفاع ؛ انطلاق . «ب» محاولة هرب (a ~ for freedom) (٣١) «أ» انبلاج (the ~ of dawn) . «ب» بدء السباق (٣٢) انقطاع (a ~ in friendship *or* conversation) (٣٣) «أ» البياض : سطر أو سطران فارغان بين فقرتين . «ب» *pl.* : علامة الحذف : ثلاث نقط (...) تدلّ على شيء محذوف . «ج» انقطاع متعمَّد في برنامج إذاعي أو تلفزيوني (a ~ for the commercial) (٣٤) «أ» تغيّر (waiting for a ~ in the bad weather) «ب» تغيّر ملحوظ في الموضوع أو المسلك أو المعاملة . «ج» تغيّر مفاجىء في الصوت أو الاتجاه (٣٥) راحة قصيرة (من عمل) (٣٦) هبوط مفاجىء وشديد في الأسعار (٣٧) هفوة ؛ زلة (٣٨) حظ سعيد .

to ~ away (١) ينفصل (عن رفاقه الخ .) (٢) يُقلع عن عادة (٣) يفرّ ؛ يُفْلِت .

to ~ camp يقوّض الخيام ويستأنف الرحيل .

to ~ even يخرج من مباراة أو عمل تجاري لا له ولا عليه ؛ يدير عملاً من غير ربح أو خسارة .

to ~ down (١) يُعطّل (٢) يَحُلّ أو يحلّل (مركّباً كيميائياً) (٣) يدمّر ؛ يسحق (٤) تتعطّل (الآلة) (٥) ينحلّ ؛ يتفكك (٦) تعتلّ (الصحةُ) (٧) تُخفق (الخطة) .

to ~ free *or* loose يُفلت ؛ يفرّ .

to ~ ground (١) «أ» يحرث . «ب» يحفر الخنادق (٢) يبدأ العمَل .

to ~ the ice يمهّد السبيل ؛ يقوم بالخطوات الأولى ؛ يتغلّب على الصعوبات الأولى ويستهلّ الحديث الخ .

to ~ in (١) يقتحم (بيتاً أو مبنىً) عنوةً (٢) يقاطع أثناء الحديث (٣) يبدأ عملاً (٤) «أ» يروض . «ب» يتغلب على قساوة سلعة جديدة .

to ~ off يتوقّف فجأة .

to ~ open يفتح (قفلاً الخ .) عنوةً .

to ~ out (١) «أ» يصاب بطفح جلدي . «ب» يبرز الطفحُ على الجلد (٢) تندلع (الحربُ الخ .) (٣) يهيّىء للعمل أو الاستعمال .

to ~ through يخترق (خطوطَ العدوّ) .

to ~ up (١) يقطع (استمرارَ شيء أو تسلسله) . (٢) يُنهي ؛ يضع حداً لِ . (٣) يحطّم (٤) ينتهي ؛ يتفرق (٥) تتحطّمُ السفينةُ (على الصخور) (٦) يَفْقِد رباطة جأشه أو عزيمَتَهُ أو معنوياته .

to ~ wind يُخرِج ريحاً (من الأمعاء) .

to ~ with يتخاصم مع .

breakable *(adj.; n.)* (١) قابلٌ للكَسْر § (٢) شيء قابلٌ للكسر .

breakage [brā'kĭj] *(n.)* (١) كَسْر (٢) مقدار الكسر : مقدار الأشياء المكسورة (٣) «أ» حسم الكسر : حسم لقاء الخسارة الناشئة عن السلع المكسورة . «ب» تعويض الكسر : تعويض عن الأذى اللاحق بالسلع المكسورة أثناء النقل .

breakaway *(n.; adj.)* (١) انفصال (عن) § (٢) منفصل .

breakbone fever *(n.)* = dengue.

breakdown [brāk'-] *(n.)* (١) تَعَطُّلُ (آلة عن العمل) (٢) انهيار جسديّ أو عقليّ أو عصبيّ (٣) «أ» انحلال . «ب» تحليل (ك) (٤) تصنيف (إلى زُمَر) (٥) رقصة شعبية صاخبة .

breaker [brā'kər] *(n.)* (١) فا break (٢) الكسّارة : آلة أو مصنع لتكسير الصخور (٣) المتكسّرة : موجة تتكسّر على الصخر (٤) برميل ماء صغير (في مركب) .

breakfast [brĕk'fəst] *(n.; vi.; t.)* (١) الفَطور : طعام الصباح § (٢) يتناول الفَطور × (٣) يقدّم الفَطور إلى .

breakneck *(adj.)* خَطِر إلى أبعد حدّ (~ speed) .

breakout *(n.)* (١) تحرر عنيف من قيد (٢) هجوم لكَسْر طوق أو حصار (جن).

breakthrough *(n.)* (١) «أ» اختراق. «ب» اختراق لحصون العدو. (٢) تقدّم مفاجىء في المعرفة أو التقنيّة.

breakwater *(n.)* حائل الأمواج : جدار أو حاجز لوقاية المرفأ أو الشاطىء من عَزْم الأمواج.

bream [brēm] *(n.; vt.)* (١) الأبراميس : سمك من فصيلة الشَّبُّوط §(٢) ينظّف (قعر السفينة) بالتحمية والقَشْط.

bream

breast [brĕst] *(n.; vt.)* (١) ثَدْي ؛ نَهْد . (٢) صَدْر (٣) مقدَّم الشيء أو صدرُهُ (٤) القلب ؛ المشاعر §(٥) يقاوم ؛ يواجه ؛ to make a clean ~ of يعترف بكل شيء

breast drill

breastbone *(n.)* القَصّ : عظم الصدر المغروزُ فيه أطرافُ الأضلاع من الجانبين (ت).

breast drill *(n.)* مِثْقَب الصدر : مثقب ذو صفيحة يضغط العامل بصدره عليها أثناء الثَّقْب.

breast-feed *(vt.)* يُرْضِع (طفلاً من الثدي لا من زجاجة).

breastpin [brĕst'pĭn] *(n.)* بروش ؛ دبوس صدر.

breastplate [-'plāt'] *(n.)* (١) دِرْع الصدر (٢) رداء مرصَّع بالجواهر كان يرتديه الكاهن الأكبر عند اليهود (٣) صفيحة الصدر : صفيحة في مثقب يضغط العامل بصدره عليها عند استخدامه مِثْقَب صدر (٤) طوق الصَّدْر : جزء من طقم الفرس أو عُدّته يحيط بالصَّدر (٥) صُدْرة السلحفاة.

breastwork *(n.)* متراس مُرتجَل (يبلغ ارتفاعه ارتفاعَ الصدر).

breath [brĕth] *(n.)* (١) نَفَس (٢) عبير الأزهار (٣) «أ» تنفس. «ب» لحظة ؛ برهة قصيرة (٤) نَسْمة (a ~ of air) (٥) صوت ؛ همسة (٦) شيء تافه (٧) روح ؛ حياة.

below *or* under one's ~, يهمس ؛ بصوت مهموس.

in the same ~, في نفس اللحظة.

to hold *or* catch one's ~, يحبس أنفاسه خوفاً الخ.

to waste one's ~, يتكلم بدون جدوى.

breathe [brēth] *(vi.; t.)* (١) ينشر عبيرَه (أ.م) (٢) يتنفّس (٣) يحيا (٤) يستريح أو يستردّ أنفاسه (٥) يهبّ (الهواء) برفق ×(٦) يَزْفر ؛ ينفث (dragons *breathing fire*) (٧) ينفخ (able to ~ life in a stone) (٨) «أ» يلفظ ؛ يهمس ؛ ينبس بـ. «ب» يُبْدي ؛ يُظهر ؛ يعبّر عن (Other articles ~ the same spirit.) (٩) يريح ؛ يساعد (فرساً) على استرداد أنفاسه.

to ~ a vein يفصد وريداً.

to ~ freely يستشعر الطمأنينة.

to ~ one's last يموت ؛ يلفظ نَفَسَه الأخير.

breather [brē'thər] *(n.)* (١) فا breathe (٢) استراحة (٣) تمرين رياضي (ع) (٤) مُتَنَفَّس ؛ منفذ (للهواء).

breathing [brē'thĭng] *(n.)* (١) تنفّس (٢) «أ» نَفَس. «ب» لحظة (٣) استراحة قصيرة.

breathless [brĕth'lĭs] *(adj.)* (١) «أ» عديم النَّفَس. «ب» ميْت. (٢) «أ» لاهث. «ب» مُلْهَث : مُرهق إلى حدّ اللّهاث (a ~ ride) (٣) حابسٌ أنفاسَهُ خوفاً أو توقعاً أو اندماجاً (~ listeners) (٤) ساكن ؛ خِلْوٌ من النسمات (~ air).

breathtaking *(adj.)* (١) مُلْهِث (٢) مثير.

breathy *(adj.)* أنفاسيّ : مصحوبٌ أو مُتّسِمٌ بإطلاق أنفاس مسموعة.

breccia [brĕch'-] *(n.)* البَرِيشة : صخر مؤلّف من شظايا زاويّة متلاحمة (جي).

brecciate [brĕch'-] *(vt.)* يُبَرِّش : يُحوّل إلى بَرِيشة.

bred [brĕd] *past; past part. of* breed.

breech [brēch] *(n.)* (١) *pl.*: «أ» بنطلون قصير (لركوب الخيل الخ). «ب» بنطلون (٢) عَجيزة ؛ كَفَل (٣) مؤخرة البندقية : جزؤها الواقع خلف الماسورة (٤) أسفل البكرة (مك).

breechblock *(n.)* مِغلاق المؤخرة : قطعة معدنية متحركة تُغْلِق مؤخرة الماسورة في بعض الأسلحة النارية (جن).

breechclout *or* **breechcloth** *(n.)* = loincloth.

breeches buoy *(n.)* بِنطال الإنقاذ : بنطلون خَيْشيّ قصير مثبَّت إلى حزام الخ. (لإنقاذ الناس من على متون السفن الغارقة).

breeches buoy

breeching [brĭch'ĭng; brē'-] *(n.)* طَوْق المؤخّرة : ذلك الجزء من طقم الخيل أو عُدّتها الذي يطوق مؤخّرة الفرس.

breechloader *(n.)* البندقيّة المؤخَّرية : بندقية تُلقَّم من مؤخّرتها.

breed [brēd] *(vt.; i.; n.)* (١) «أ» يُفَقِّس. «ب» يلد ؛ ينتج. «ج» يُنْسِل (٢) يُحْدِث ؛ يُسبّب ؛ يولّد (to ~ discontent) (٣) يستولد : «أ» يستولد النباتات بالالقاح الاصطناعي. «ب» يحسّن نوع الماشية بالاستيلاد الموجَّه. «ج» ينشىء (صفاتٍ مرغوباً فيها) من طريق الاستيلاد (٤) «أ» يربّي (الماشيةَ الخ.). «ب» يُنشِّىء (المرءَ) على (٥) يُلْقِح ؛ يُعَشِّر (٦) يستولد: يحدث عنصراً قابلاً للانشطار بأن يقذف عنصراً غير قابل للانشطار بنيوترونات من عنصر إشعاعيّ النشاط (فزن) × (٧) يتوالد ؛ يتناسل §(٨) سلالة (من الحيوان أو النبات) (٩) نَسْل ؛ ذرّية (١٠) صنف ؛ نوع.

breeder *(n.)* (١) «أ» فا breed. «ب» المسبِّب ؛ المُحْدِث. (٢) حيوان أو نبات يُستخدَم للاستيلاد.

breeding *(n.)* (١) مص breed (٢) «أ» تربية. «ب» تهذيب.

breeze [brēz] *(n.; vi.)* (١) «أ» نسيم. «ب» سهولة ؛ يُسر (The horse won in a ~.) (٢) همسة ؛ إشاعة (٣) اهتياج ؛ شجار (٤) السقّاط : نُفاية الفحم §(٥) يهبّ (النسيمُ) (٦) ينطلق بسرعة.

breezily *(adv.)* بمرح ؛ بابتهاج.

breezy [brē'zĭ] *(adj.)* (١) منسم : كثير النسمات (٢) منسَّم : يكثر هبوب النسيم عليه (a ~ corner) (٣) مرح ؛ مبتهج.

bregma [brĕg'mə] *(n.)* يافوخ ؛ بافوخ (ت).

Bren gun [brĕn] *(n.)* رَشّيش بِرن (جن).

brent [brĕnt] = brant.

brethren [brĕth'rĭn] *pl. of* brother.

Breton [brĕt'ən] *(n.; adj.)* (١) البريتانييّ : أحد أبناء مقاطعة بريتانيْ في شمال غربي فرنسة (٢) البريتانيّة : لغة مقاطعة بريتانيْ السَّلْتيّةُ §(٣) بريتانيي.

breve [brēv] *(n.)* المقصِّرة : علامة (˘) توضع فوق حرف علّةٍ دلالةً على أنه قصير أو غير ممدود.

brevet [brə vĕt'] *(n.; vt.)* (١) البراءة الفَخْرية : براءة تُرفّعُ الضابطَ إلى رتبة أعلى من غير زيادة بالراتب §(٢) يرفّع فخرياً.

brevi- بادئة معناها : قصير (*brevi*pennate).

breviary *(n.)* (١) مختصر ؛ موجز (٢) كتاب صلوات يومية.

ă at; ā date; â care; ä car; ĕ egg; ē me; ĭ in; ī bite; ŏ lot; ō bone; ô orphan; oi boil; o͝o good; o͞o boot; ou out; ŭ under; ū unity; û urgent; th thing; th this; zh vision; ə = *a* in alone, *e* in system, *i* in easily, *o* in gallop, *u* in circus.

brevier [brə vīr'] *(n.)* حرف مطبعي قياس ٨ بنط .

breviped *(adj.; n.)* (١) قصير الرجلين §(٢) طائر قصير الرجلين .

brevipennate *(adj.)* قصير الجناحين (birds ~) .

brevity [brĕv'ə tĭ] *(n.)* (١) قِصَر (٢) إيجاز (في الكلام أو الكتابة) .

brew [broo] *(vt.; i.; n.)* (١) يخمّر (الجعة الخ.) (٢) يُحْدِث ؛ يدبّر (to ~ trouble) × (٣) يتكوّن ؛ يتشكل ؛ يتجمّع (A storm is ~ *ing.*) §(٤) شرابٌ مخمَّر .

brewage [broo'ĭj] *(n.)* (١) تخمير (الجعة الخ .) (٢) شراب مخمَّر .

brewer *(n.)* فا brew ، وبخاصة : مخمِّر الجعة أو صانعها .

brewer's yeast *(n.)* خميرة الجعة ؛ خميرة البيرة .

brewery [broo'-] ; **brewhouse** *(n.)* مصنع الجعة .

brewing *(n.)* (١) تخمير (الجعة) (٢) الكمية المخمّرة دفعةً واحدة .

brewis [broo'ĭs] *(n.)* مَرَق ؛ حساءٌ رقيق (ع) .

briar ; briarroot = brier ; brierroot.

briard [brē'är'] *(F.)* البِرْيار : كلب فرنسيّ ضخم أسود .

bribable *(adj.)* قابلٌ للرشوة ؛ قابلٌ لأن يُرْشَى .

bribe [brīb] *(vt.; i.; n.)* (١) يرشو §(٢) رشوة .

bribee *(n.)* المرتشي : آخذ الرشوة ؛ قابل الرِّشوة .

briber *(n.)* الراشي : مُعْطي الرشوة ؛ مقدِّم الرشوة .

bribery [brī'-] *(n.)* (١) الرَّشْوُ : إعطاء الرَّشوة (٢) الارتشاء .

bric-a-brac [brĭk'ə brăk'] *(n.)* الطُّرَف : تحفٌ زينيّة ذات عِتْق أو طرافة (كالزهريات ، والخزف الصيني القديم ، والتماثيل الصغيرة) .

brick [brĭk] *(n.; adj.; vt.)* (١) «أ» آجرّة ؛ قرميدة . «ب» آجرّ ؛ قرميد (٢) شخص حُلو المعشر (٣) كتلة مستطيلة مضغوطة (a ~ of ice cream) § (٤) آجُرّي ؛ قرميديّ §(٥) يُقَرْمِد : يفرش أو يحيط أو يبني بالقرميد .

brickbat *(n.)* (١) كِسرةُ آجرّ (٢) ملاحظة جارحة ، نقد لاذع .

brickkiln [brĭk'kĭl' ; - kĭln'] *(n.)* أتون لشيّ الآجرّ .

bricklayer *(n.)* البنّاء الآجرّيّ : من يبني بالآجرّ .

bricklaying [brĭk'lā'ĭng] *(n.)* البناء بالآجُرّ .

brickle *(adj.)* قَصِف ؛ قَصِم ؛ سَريع الانكسار (ع) .

brickwork *(n.)* (١) مبنىً آجرّيّ (٢) بناء أو تشييدٌ بالآجُرّ .

brickyard *(n.)* فِناء الآجر : موضعٌ يُصْنَع فيه الآجُرّ .

bridal [brī'dəl] *(adj.; n.)* (١) زفافيّ §(٢) زفاف ؛ عُرس .

bridal wreath *(n.)* الإكليل ؛ الإكليليّة : شجيرة من الفصيلة الوردية .

bride [brīd] *(n.)* العَروس .

bridecake *(n.)* كعكة العُرس .

bridegroom [brīd'groom'] *(n.)* العريس .

bridesmaid [brīdz'mād'] *(n.)* إشبينة العروس .

bridesman *(n.)* إشبين العريس .

bridewell *(n.)* (١) إصلاحيّة (٢) سجن .

bridge [brĭj] *(n.; vt.)* (١) جِسْر (٢) شيء كالجسر شكلاً أو وظيفةً ، مثل : «أ» قصبة الأنف . «ب» جسر النظارتين : ذلك الجزء من النظارتين الذي يجمع بين العدستين والذي يستقر على قصبة الأنف . «ج» مشط العود أو الكمان : القطعة الرافعة لأوتار العود أو الكمان . «د» منصّة ربان السفينة (٣) جسر أسنان (٤) أداة لقياس المقاومة أو المعاوقة الكهربائية (كب) (٥) البريدج : لعبة من ألعاب الورق §(٦) يُجسِّر : يقيم جسراً على نهر الخ .

to burn one's ~s ينسف جسوره : يقطع الطريق على كل إمكانية من إمكانيات التراجع .

bridgeboards

bridgeboard *(n.)* ركيزة السلّم : إحدى دعامتين مُسَنَّنتين تستقر عليهما درجات السلّم الخشبيّ المُوَصِّل بين طابقين من بيت .

bridgehead *(n.)* رأس الجسر : «أ» تحصينات تصون طرف الجسر الأقرب إلى العدوّ . «ب» موقع متقدِّم يُسْتَوْلَى عليه في أراضي العدوّ ويُتَّخَذ مُنطَلَقاً لتقدّم جديد .

bridgework *(n.)* (١) بناء الجسور (٢) جسر (أو جسور) أسنان .

bridle [brī'dəl] *(n.; vt.; i.)* (١) لِجام (٢) مِكْبَح (٣) شموخٌ بالأنف (غروراً أو ازدراء الخ .) §(٤) «أ» يُلْجِم . «ب» يكبح ×(٥) يشمخ بأنفه .

bridle path, road, *or* **way** *(n.)* ممرٌّ خاص بجياد الركوب .

Brie [brē] *(n.)* البْري : جبنٌ أبيض طريّ مملّح .

brief [brēf] *(adj.; n.; vt.)* (١) وجيز ؛ قصير الأمد (٢) موجز ؛ مختصر §(٣) رسالة بابوية (٤) «أ» مذكّرة . «ب» خلاصة (٥) «أ» أمر قضائيّ . «ب» مذكرة بأهم وقائع الدعوى ونقاطها القانونية (٦) *pl.* عد: سروال تحتانيّ قصير §(٧) يوجز ؛ يلخّص (٨) يوكّل محامياً (٩) يعطي تعليمات نهائية أو أساسية (١٠) يُطْلِع .

in ~, قُصارى القول ، بكلمات قليلة .

to hold a ~ for يؤيّد أو يدافع عن .

briefcase *(n.)* محفظة جلدية مسطّحة (لنقل الأوراق والوثائق) .

briefless *(adj.)* لا موكّلين عنده (a ~ lawyer) .

brier [brī'ər] *(n.)* (١) «أ» ورد بري . «ب» كتلة متشابكة من الورد البري . «ج» ساق أو غصن شائك (٢) خَلَنْج شجريّ (نب) (٣) بيبة أو غليون من جذر الخَلَنْج الشجري .

brierroot [brī'-] *(n.)* جذر الخَلَنْج الشجريّ أو بيبة مصنوعة منه .

brierwood [brī'ər wood'] *(n.)* = brierroot.

brig [brĭg] *(n.)* (١) شراعية بصاريَيْن (٢) «أ» سجن في سفينة حربية . «ب» سجن (ع) (٣) جِسر (ع) .

brig 1.

brigade [brĭ gād'] *(n.; vt.)* (١) لواء (جن) (٢) فرقة (a fire ~) §(٣) يشكّل لواءً (جن) (٤) ينظّم (في جماعة أو مجموعة) .

brigadier [brĭg'ə dīr'] *(n.)* = brigadier general.

brigadier general *(n.)* عميد ؛ قائد لواء (جن) .

brigand [brĭg'ənd] *(n.)* لص . قاطع طريق .

brigandage [-'ən dĭj] *(n.)* لصوصية ؛ قَطعُ طُرُق .

brigandine [-'ən dēn'] *(n.)* دِرع مزرودة ؛ درعٌ من زَرَد .

brigantine [-'ən tēn'] *(n.)* شراعية (مركب شراعي) بصاريَيْن .

bright [brīt] *(adj.; adv.)* (١) «أ» نيّر ؛ ساطع . «ب» مشرق (the ~ side of things) . «ج» وضّاء بالبهجة والسعادة (~ faces) (٢) متألّق فتنةً وسحراً (~ beauty) (٣) زاهٍ (~ colors) (٤) «أ» ذكيّ (a ~ girl) . «ب» بارع (a ~ remark) (٥) مبتهج ؛ مَرِح (to keep ~ in spite of one's misfortunes) (٦) صافٍ ؛ رائق (a ~ wine) (٧) باسم (a ~ future) §(٨) على نحوٍ نيّرٍ أو ساطع الخ .

— **brightly** *(adv.)* — **brightness** *(n.)*

bright *(n.)* *(usu. used in pl.)* لون ساطع .

brighten [brī'tən] *(vi.; t.)* (١) يسطع ؛ يُشرق الخ . (٢) يبتهج . ×(٣) يجعله ساطعاً أو مشرقاً (أو يزيده سطوعاً وإشراقاً) (٤) يُبهج .

Bright's disease *(n.)* مرض برايت : مرض من أمراض الكِلْيَة .

ă at; ā date; â care; ä car; ĕ egg; ē me; ĭ in; ī bite; ŏ lot; ō bone; ô orphan; oi boil; oo good; oo boot; ou out; ŭ under; ū unity; û urgent; th thing; th this; zh vision; ə = *a* in alone, *e* in system, *i* in easily, *o* in gallop, *u* in circus.

brightwork *(n.)* الأجزاء المعدنية المصقولة أو المَطليّة (في سيارة الخ.) .
brill [brĭl] *(n.)* البَرِيْل : سمكٌ أوروبيٌ مُفَلْطَح .
brilliance; brilliancy *(n.)* (١) تألُّق ؛ إشراق (٢) ألمعية ؛ ذكاء .
brilliant [brĭl'yənt] *(adj.; n.)* (١) «أ» متألِّق (a ~ star) . «ب» مشرق ، باسم (~ prospects) (٢) لامع ؛ مبرِّز (a ~ scientist) (٣) ألمعيّ ؛ متّقد الذكاء (a ~ mind) (٤) رائع ؛ مثير للإعجاب (a ~ achievement) § (٥) ماسة متألقة (٦) أصغر الحروف المطبعية (حوالى ٣ ١/٢ بنط) .
brilliantine [brĭl'yən tēn] *(n.)* اللَّمَعِين : «أ» مستحضر زيتيّ لتلميع الشعر . «ب» قماش صقيل قطنيّ أو صوفي .
Brill's disease *(n.)* مرض بْرِيل : مرض مُعْدٍ يُعتبَر شكلاً غير حادّ من أشكال حمّى التيفوس (ط) .
brim *(n.; vi.; t.)* (١) حافة ؛ حَرْف § (٢) يَطفح × (٣) يُتْرِع .
brimful [brĭm'fŏŏl'] *(adj.)* مُتْرَع ؛ طافح .
brimmer [brĭm'ər] *(n.)* كأس الخ. مُتْرَعَة .
brimstone [brĭm'stōn'] *(n.)* = sulfur.
brindle [brĭn'-] *(n.)* حيوان رماديّ الإهاب موشّح بخطوط داكنة .
brindled *or* **brindle** *(adj.)* رمادي موشّح بخطوط داكنة .
brine [brīn] *(n.; vt.)* (١) «أ» ماء شديد الملوحة . «ب» محلول ملحيّ (٢) مياه البحر (٣) بحر ؛ أوقيانوس (٤) دموع § (٥) ينقع أو يشبع بماء شديد الملوحة .
Brinell hardness *(n.)* الصَّلادة البْرينيليّة : صلابةُ المعدن مقيسةً بكُرَةٍ فولاذية تُضغَط عليه .
Brinell machine *(n.)* ماكينة برينيل (لقياس صلابة المعادن) .
Brinell number *(n.)* رقم الصَّلادة البرينيليّة .
bring [brĭng] *(vt.)* (١) يجلب ؛ يحمل ؛ يُحْضِر ؛ يجيء بِ . (٢) «أ» يجتذب . «ب» يُقنع ؛ يُغري . «ج» يُكره ؛ يُجبِر . «د» يواكب ؛ يرافق (٣) «أ» يُحْدِث . «ب» يورد ؛ يقدّم ؛ يُدلي بِ (to ~ an argument) (٤) يُغِلّ ؛ يعود على صاحبه بسعرٍ معيّن .
- to ~ about يُحْدِث ؛ يُسبِّب .
- to ~ back يعيد (إلى الذاكرة) .
- to ~ down (١) «أ» يصرع . «ب» يُسقِط (طائراً) بطلق ناريّ (٢) يُذِلّ (٣) يُنْزِل (السعرَ) .
- to ~ forth (١) يُحْدِث ؛ يولِّد (٢) يُثْمِر ؛ يحمل ثمراً .
- to ~ forward (١) يقدِّم (برهاناً) (٢) يثير (قضيةً) .
- to ~ home to يوضح ؛ يبيّن ؛ يجعله يُدرك .
- to ~ in (١) يغلّ ؛ يعود على صاحبه بكذا . (٢) يرفع (المحلفون قرارهم) إلى المحكمة (٣) يجعل (البئر البترولية) مُنتجة .
- to ~ off (١) يُنقِذ (٢) ينجح في محاولة .
- to ~ on يُحْدِث ؛ يسبّب .
- to ~ out (١) يُظهِر ؛ يُوضح (٢) ينشر (كتاباً) . (٣) يقدِّم رسمياً (فتاة الخ.) إلى المجتمع (٤) يقدِّم (على المسرح) .
- to ~ over يستميل ؛ يجتذب .
- to ~ round (to) يعيد (شخصاً) إلى الوعي (بعد إغماء) .
- to ~ to (١) يعيد إلى الصحة أو الوعي (٢) يوقف (سفينةً) .
- to ~ to an end يُنهي ؛ يضع حداً لِ .
- to ~ to pass يسبّب ؛ يُحْدِث .
- to ~ through يساعد أو يُنقِذ .
- to ~ to terms يُكرِهُه على الموافقة أو التسليم .
- to ~ under (١) يُخضع (٢) يُدرِج (تحت خانة أو فئة) .
- to ~ up (١) يربّي ؛ يثقّف (٢) يوقف فجأة . (٣) يَعرِض ، يقدّم (اقتراحاً الخ.) للمناقشة (٤) يتقيّأ (٥) يقف فجأة .

brininess *(n.)* مُلوحة .
brink *(n.)* (١) حَرْف ؛ حافة (٢) شفير (~ of war) .
briny [brī'nĭ] *(adj.; n.)* (١) مالح § (٢) البحر .
brio *(n.)* حيوية ؛ نشاطيّة ؛ اندفاع ؛ حرارة .
brioche [brē'ōsh] *(n.)* البَرْيُوش : خبزٌ مُحلّى يُعَدّ مع قليل من الزبدة والبيض .
briolette [brē'ə lĕt'] *(n.)* ماسة بيضوية (أو إجاصيّة) الشكل .
briquette *or* **briquet** [brĭ kĕt'] *(n.)* قالب (آجريّ الشكل) من فحم حجريّ الخ .
brisance [brē zäns'] *(n.)* قوة القَصْم : القوة التدميرية لمتفجرة .
brisk [brĭsk] *(adj.; vt.; i.)* (١) رشيق ؛ خفيف ؛ سريع (a ~ breeze; a ~ walk) (٢) «أ» فوّار أو شديد الفوران (~ cider) «ب» حادّ (a ~ flavor) «ج» قويّ النكهة (~ tea) (٣) منعش (~ weather) (٤) ناشط (~ trading) § (٥) ينعش ؛ ينشّط × (٦) ينتعش ؛ يَنْشَط (The market ~*ed* up.) .
— **briskly** *(adv.)* — **briskness** *(n.)*
brisket [brĭs'kĭt] *(n.)* (١) صدر الحيوان (٢) لحم صدر الحيوان .
brisling *or* **bristling** [brĭs'lĭng] *(n.)* الصَّابوغة : سمك كالسردين .
bristle [brĭs'əl] *(n.; vi.; t.)* (١) الهُلْب : ما غَلُظ وصَلُب من الشعر (كشعر الخنزير) § (٢) يَقِفُ (الشعرُ) ؛ ينتصب بخشونة . «ب» يوقف شعرَه بخشونة (The hog ~*d* up.) (٣) يتّخذ مظهراً أو موقفاً عدوانياً × (٤) يجعله ينتصب (كهُلْب خنزير غاضب) (٥) يزوده بالهلب ونحوه .
- ~*d* with difficulties محفوفٌ بالمصاعب .
- to ~ with bayonets يَعُجّ بالحِراب .

bristletail *(n.)* هُلْبيّة الذنب : حشرة لاجَناحيّة في مؤخّرها هُلْبان .
bristly *(adj.)* (١) هُلْبيّ ؛ كثّ ؛ خشِن (٢) أهلب : خشن الشعر .
bristol [brĭs'təl] *(n.)* البرستول : ورق مقوّىً صقيل .
brit *or* **britt** [brĭt] *(n.)* سمكة رِنكة الخ . صغيرة .
britannia metal *(n.)* معدن بريطانيا : سبيكة قصدير ونحاس الخ .
Britannic [brĭ tăn'ĭk] *(adj.)* بريطانيّ .
britches *(n. pl.)* = breeches.
Briticism [brĭt'ə sĭz'əm] *(n.)* الاصطلاح البريطاني : لفظة أو عبارة تجري على ألسنة البريطانيين بخاصة (The word *lift* is a ~ for *elevator*.)
British [Brĭt'ĭsh] *(n.; adj.)* (١) «أ» البريطانية : لغةُ البريطونيين (را . Briton) . «ب» British English (٢) البريطانيون : أبناء بريطانيا أو الكومنولث البريطاني § (٣) بريطانيّ .
British English *(n.)* الانكليزية البريطانية : اللغة الإنكليزية المميِّزة لإنكلترة والمتميزة عن انكليزية الولايات المتحدة الأميركية .
Britisher [brĭt'ĭsh ər] *(n.)* = Briton 2.
British thermal unit *(n.)* الوحدة الحرارية البريطانية : مقدار الحرارة اللازم لرفع حرارة باوندٍ واحدٍ من الماء درجة فهرنهايتية واحدة .
Briton [brĭt'ən] *(n.)* (١) البريطوني : أحد أبناء واحدٍ من الشعوب

التي سكنت بريطانيا قبل الغزوات الانكلوسكسونية (٢) البريطاني : أحد أبناء أو رعايا بريطانيا ؛ وبخاصة : الانكليزي .

britska *or* **britzska** *(n.)* مركبة ذات غطاء يُطْوَى .

brittle [brĭt'əl] *(adj. ; n.)* (١) قَصِف (مج) ؛ قَصِم ؛ هَشّ ؛ سريع الانكسار (٢) زائل ؛ سريع الزوال (~ dreams) (٣) سريع الانفعال (a ~ temper) § (٤) الحلوى القَصِفَة : سُكَّر يُغْلَى ثم يضاف إليه جوز أو لوز ويقطَّع رقائقَ قَصِفة.

brittleness *(n.)* قصافة (مج) ؛ قَصامة ؛ هشاشة ؛ سرعة الانكسار .

broach [brōch] *(n. ; vt. ; i.)* (١) شيء مستدق ، مثل : «أ» سَفُّود ؛ سيخ . «ب» مثقاب . «ج» مِبْزَل أو مخرز (لفتح البراميل) «د» برج مستدق (عم) . «هـ» ازميل البنّاء (٢) بروش ؛ دبّوس زينيّ § (٣) «أ» يَبْزِل (البرميلَ) . «ب» يسفح (الدم) (٤) يثقب أو يوسّع ثقباً (٥) «أ» يفتح الموضوع أو يطرُقُه . «ب» يفتتح (منجماً أو محلاً) (٦) يدير المركبَ فجأةً نحو الريح ×(٧) يستدير (المركبُ) فجأةً نحو الريح .

broad [brôd] *(adj. ; adv. ; n.)* (١) عريض (٢) فسيح (the ~ sea) (٣) واسع (~ experience) (٤) واضح ؛ بيِّن (a ~ hint) (٥) «أ» مطلَق العنان ؛ لا يعرف حداً أو قيداً (~ mirth) «ب» بذيء (~ jokes) (٦)متحرر ؛ رحب الأفق (~ views) (٧) رئيسيّ ؛ عام ؛ عريض (the ~ aspects of the case) § (٨) تماماً ؛ بكل ما في الكلمة من معنى ~ awake § (٩) الجزء العريض من شيء ما (١٠) امرأة (ع) .
—**broadly** *(adv.)* —**broadness** *(n.)*
~ daylight وضح النهار .

broad arrow *(n.)* السهم العريض : «أ» سهم عريض النصل . «ب» علامة سهمية توضع على المخازن والممتلكات الحكومية البريطانية وعلى ملابس المحكوم عليهم .

broad arrow

broadax *or* **broadaxe** *(n.)* فأس ضخمة عريضة الشفرة .

broad bean *(n.)* فول ؛ باقِلّى ؛ باقِلاء (نب) .

broadbill *(n.)* (١) عريض المنقار : أيّ من طيور مختلفة عريضة المنقار (٢) أبو سيف : سمك بحري طويل المنقار .

broadbrim *(n.)* (١) قبعة عريضة الحافة (كالتي يعتمر بها الكويكرز أو «الأصحاب») (٢) *cap.* الصاحبيّ : واحدُ الكويكرز.

broadbrush *(adj.)* عامّ ؛ غير محدَّد أو دقيق .

broadcast [brôd'kăst'] *(vt. ; i.; n.; adj.)* (١) ينثر (الحبَّ) (٢) ينشر (إشاعة) (٣) يذيع (الأخبار أو الموسيقى الخ .) بالراديو أو التلفزيون ×(٤) يتحدث أو يمثل في برنامج إذاعي أو تلفزيوني § (٥) إذاعة الصوت أو الصور بالراديو أو بالتلفزيون (٦) برنامج إذاعي § (٧) منثور في جميع الجهات (٨) مذاع بالراديو أو بالتلفزيون (٩) واسع الانتشار (~ discontent) (١٠) إذاعي .

broadcloth *(n.)* (١) جُوْخ (٢) قماش قطني أو حريري (للقمصان) .

broaden [brô'dən] *(vi. ; t.)* (١) يتّسع ؛ يَعْرُض ×(٢) يوسّع ؛ يُعرِّض .

broad gauge *(n.)* السكة الحديدية العريضة .

broad-gauge; -d *(adj.)* (١) عريض (٢) واسع أفق التفكير .

broad jump *(n.)* القفز الطويل (رب) .

broadleaf *(n.)* العريض الأوراق : تبغ عريض صالح لصنع السيجار .

broadleaf ; - leafed ; - leaved *(adj.)* عريض الأوراق .

broadloom [brôd'-] *(adj.)* منسوج على نول عريض .

broad-minded *(adj.)* متحرِّر ؛ متسامح ؛ واسع أفق التفكير .

broadside [brôd'-] *(n. ; adv.)* (١) جانب السفينة (البارز فوق سطح الماء) (٢) سطح عريض أو متّصل (٣) نشرة مطويّة (٤) «أ» المدافع المنصوبة على جانب السفينة «ب» نيران هذه المدافع منطلقةً في وقت معاً . «ج» وابلٌ من الشتائم أو النقد § (٥) وجانبُ السفينة نحو شيء معيّن أو نقطة معيّنة (٦) دفعةً واحدة (٧) كيفما اتفق .

broadsword *(n.)* السيف العريض : سيف عريض الحد .

broadtail *(n.)* = karakul.

broadwife *(n.)* زوجة عبد رقيق يملكه مالكٌ آخر .

brocade *(n. ; vt.)* (١) قماش مقصّب أو مطرَّز § (٢) يقصِّب ؛ يطرِّز .

brocaded *(adj.)* مقصَّب ؛ مطرَّز (بخيوط الحرير أو الذهب أو الفضة) .

brocatelle *(n.)* البِرْكاتِل : نسيج مقصَّب على نحو بارز .

broccoli *or* **brocoli** *(n.)* البَرْكولي : ضرب من القنّبيط .

brochette [brō shĕt'] *(n.)* سَفُّود ؛ سيخ .

brochure [brō shŏŏr'] *(n.)* كرّاسة ؛ بحث موجز .

brocket [brŏk'ĭt] *(n.)* (١) الشادن : ولد الظبي (٢) البَرْكَت : ظبي جنوبأميركي صغير .

brogan [brō'gən] *(n.)* المَداس : حذاء غليظ .

brogue [brōg] *(n.)* (١) البَرُوغ : «أ» حذاء ايرلندي غليظ . «ب» حذاء خفيض متين للاستعمال اليومي (٢) «أ» اللهجة الإيرلندية (في النطق بالانكليزية) . «ب» نبرة ؛ لهجة .

broider [broi'dər] *(vt.)* = embroider.

broil [broil] *(vt. ; i. ; n.)* (١) يَشْوِي (٢) يحمّي ؛ يسخّن ×(٣) يُشْوَى (٤) يَحْمَى (٥) يتشاجر § (٦) «أ» شَيّ الخ . «ب» انشواء . «ج» حرارة لاهبة (٧) شِواء (٨) شِجار .

broiler [broi'lər] *(n.)* (١) «أ» الشوّاء . «ب» مِشْواة . «ج» فروج (٢) نهار قائظ (٣) المشاغب : مثير المشاجرات الخ .

broke [brōk] *past ; past part. of* break.

broke [brōk] *(adj.)* مُفْلِس .

broken [brō'kən] *(adj.)* (١) مُهشَّم (٢) «أ» مكسور . «ب» وعر . «ج» مُخْلَف ؛ منكوث به (a ~ promise) «د» متقطّع (~ sleep) . «هـ» متقلِّب (~ weather) (٣) «أ» مُوهَن ؛ مُضْعَف . «ب» مروَّض ؛ مذلَّل ؛ مطوَّع (a ~ horse) . «ج» مُنسحِق (a ~ spirit) «د» مُفْلِس . «هـ» مُنْزَل الرتبة (٤) محطَّم ؛ غير سليم (~ English) (٥) ناقص ؛ غير كامل (a ~ set) .
a ~ home بيت منشق أو خرِب : أسرة فَصَلَ الطلاق ما بين ركنيها فعَدِم الأولاد فيها كل رعاية .

broken-down *(adj.)* (١) غير صالح للعمل (a ~ horse) (٢) معطّل أو بال (a ~ machine) (٣) معتل الصحة (٤) مفلس.

brokenhearted *(adj.)* مسحوق الفؤاد (أسىً أو يأساً) .

broken wind *(n.)* رَبْو الخيل .

broker [brō'-] *(n.)* (١) سمسار ؛ وسيط (٢) تاجر للسلع المستعملة (بر) .

brokerage *(n.)* (١) السَّمْسَرة : عمل السمسار (٢) عمولة السمسار .

bromate *(n. ; vt.)* (١) البرومات : ملح الحامض البرومي (ك) § (٢) يُبَرْوِم : يمزج بالبروم .

bromic [brō'-] *(adj.)* برومي : محتوٍ على بروم أو متعلق به (ك) .

bromic acid *(n.)* الحامض البروميّ (ك) .

bromide *(n.)* (١) البروميد (ك) (٢) شخص مضجِر (ع) . «ب» فكرة أو ملاحظة مبتذلة (ع) .

ă at; ā date; â care; ä car; ĕ egg; ē me; ĭ in; ī bite; ŏ lot; ō bone; ô orphan; oi boil ŏŏ good; ōō boot; ou out; ŭ under; ū unity; û urgent; th thing; *th* this; zh vision; ə = *a* in alone, *e* in system, *i* in easily, *o* in gallop, *u* in circus.

bromidic [brō mĭd'ĭk] *(adj.)* مضجِر ؛ مبتذل ؛ غير ممتع .

brominate [brō'-] *(vt.)* يُبَرْوِم : يعالج أو يمزج بالبروم (ك) .

bromination *(n.)* البَرْوَمَة : المعالجة أو المزج بالبروم (ك) .

bromine [brō'mēn; -mĭn] *(n.)* البروم ؛ البرومين (ك) .

bromism *(n.)* البرومية : حالة مرضية جلدية ناشئة عن الإسراف في استعمال البروم أو مركّباته (مض) .

bromo *(n.)* البرومو : مستحضر فوار يُتّخذ مسكّناً أو علاجاً للصداع .

bronch- *or* **broncho-** بادئة معناها : شُعَبِيّ .

bronchi [brŏng'kī] *(n. pl.)* (١) الشُّعْبَتان : شعبتا القصبة الهوائية (ت) (٢) الشُّعَيْبات : تفرّعات الشّعبتين في الرئة (ت) .

bronchia [brŏng'kĭ ə] *(n. pl.)* الشُّعَيْبات القصبية (ت) .

bronchial [-'kĭ əl] *(adj.)* شُعَبِيّ (مج) .

bronchial asthma *(n.)* النسمة الشُّعَبِيّة ؛ الربو الشعَبِيّ (مض) .

bronchial tube *(n.)* الشُّعْبَة : إحدى شُعْبَتَي القصبة الهوائية أو أيٌّ من شُعَيْباتها (ت) .

bronchiectasis *(n.)* توسّع الشّعَب (مج) .

bronchitis [brŏng kī'tĭs] *(n.)* الالتهاب الشُّعَبِيّ (مج) .

bronchopneumonia *(n.)* الالتهاب الشُّعَبِيّ الرئوي (مج) .

bronchoscope [brŏng'kə-] *(n.)* المِشعاب : أداة أنبوبية لفحص شُعْبَتَي القصبة الهوائية ولإخراج الأجسام الغريبة منهما .

bronchus [brŏng'kəs] *(n.)* pl. **-chi** الشُّعْبَة : إحدى شعبتي القصبة الهوائية (ت) .

bronco *(n.)* البَرَنْق : جواد أميركي قَزَم غير (أو نصف) مروّض .

brontosaur ; brontosaurus *(n.)* البرونتصور : دَيْنوصور أميركي ضخم بائد (ح) .

brontosaur

bronze [brŏnz] *(n. ; vt.)* (١) البرونز (مع) (٢) تمثال برونزي . (٣) اللون البرونزي §(٤) يُبَرْنِز : يجعله بلون البرونز .

Bronze Age *(n.)* عصر البرونز : فترة من فترات الحضارة الإنسانية تميّزت باستخدام الأدوات البرونزية ، ويُعتقد أنها استهلّت في أوروبة حوالى ٣٥٠٠ ق.م ، وفي آسية الغربية ومصر قُبيل ذلك .

bronzing *(n.)* (١) التَّبَرْنُز : تلوّنٌ بلون البرونز (٢) البَرْنَزَة .

bronzy *(adj.)* برونزيّ : برونزيّ اللون ؛ بلون البرونز .

brooch [brōch; brōōch] *(n.)* البروش : دبوس زِينِيّ .

brood [brōōd] *(n.; vt.; i.; adj.)* (١) «أ» الحَضْنَة ؛ الفَقْسَة : نتاج الحَضْنَة أو الفَقْسَة الواحدة . «ب» صغار الأمّ الواحدة (من الحيوان والإنسان) (٢) جنس ؛ نوع §(٣) «أ» تَحْضُن (الدجاجة الخ .) بيضها ليفقس . «ب» يجلس في سكينة (٤) يطيل التفكير في (٥) يكتئب §(٦) استيلاديّ : مُعَدّ للاستيلاد (a ~ mare) .

brooder *(n.)* (١) فا brood (٢) المَفْقَسَة : موضع مُدَفّأ لفَقْس البيض صُنْعياً .

broody *(adj.)* (١) حَضُون (a ~ hen) (٢) نزّاع إلى التأمّل .

brook [brōŏk] *(n.; vt.)* (١) جدول ؛ غدير §(٢) يتحمّل ؛ يطيق .

brooklet [brōŏk'-] *(n.)* الجُدَيْل (مج) : جدولٌ أو غدير صغير .

broom [brōōm] *(n.; vt.)* (١) رَتَم ؛ وَزّال (نب) (٢) مِكنسة ؛ مِقشّة §(٣) يَكْنُس الخ .

broomcorn *(n.)* ذُرَة المكانس : ذرة تُصنع المكانس من عثاكيلها .

broomrape *(n.)* الجَعْفيل ، أسَد العَدَس : نبات طفيلي .

broomstick *(n.)* [-'stĭk'] *(n.)* عصا المِكنسة الطويلة .

brose [brōz] *(n.)* البْرُوز : طعام يُعدّ بصبّ سائل مغليّ على الدقيق .

broth [brôth] *(n.)* مَرَق ؛ حساء رقيق .

brothel [brŏth'əl; brŏth'-] *(n.)* ماخور ؛ مَبْغًى ؛ بيت دعارة .

brother [brŭth'ər] *(n.)* (١) أخ (٢) صديق ؛ زميل (٣) راهب .
~*s* in arms رفاق السّلاح .

brotherhood *(n.)* (١) أخُوَّة (٢) إخاء (٣) أخَوِيّة أو رَهْبَنَة ، منظّمة ؛ نقابة صنّاع (٤) أبناء المهنة الواحدة (the legal ~) .

brother-in-law *(n.)* (١) أخو الزوج أو الزوجة (٢) زوج الأخت (٣) زوج أختِ الزوجةِ أو أختِ الزوج .

brotherly *(adj.; adv.)* (١) أخويّ §(٢) أخوياً .

brougham [brōō'əm] *(n.)* البْرُهام : ضربٌ من العَرَبات والسيّارات .

brought [brôt] *past ; past part. of* bring.

brow [brou] *(n.)* (١) «أ» حاجب العين . «ب» جبين (٢) حافة المنحدر أو أعلاه (٣) طلعة ؛ سيماء ؛ ملامح .
to knit one's ~*s* يقطب جبينَه .

browbeat [brou'bēt] *(vt.)* يُرْهِب بالصياح أو بالعبوس .

brown [broun] *(adj.; n.; vi ; t.)* (١) أسمر أو بُنّيّ وبخاصة : أسمر البشرة (٢) مسفوع (بالتعرّض للشمس) §(٣) اللون الأسمر أو البُنّيّ §(٤) يَسْمَرّ ×(٥) يُسَمِّر .
to do ~, يخدع ؛ يمكر بـ (ع) .

brown alga *(n.)* الطحلب الأسمر (نب) .

brown-bag *(vt.; i.)* يتزوّد : يحمل غداءَهُ معه إلى مقرّ عمله [في كيس ورقيّ أسمر عادة] .

brown Betty *(n.)* حلوى مخبوزة (تُصنع من تفاح وخبز وتوابل) .

brown coal *(n.)* = lignite.

brownie [brou'nĭ] *(n.)* (١) جنيّة سمراء صغيرة (تزعم الأسطورة أنها تساعد سراً في أداء الأعمال المنزلية) (٢) الجُرْموزة : طفلةٌ عضوٌ في فرقة كشفية للبنات . (٣) كعكة شوكولا بالبندق .

brownie point *(n.)* تقدير يُكتسب بتملّق الرؤساء .

brownish *(adj.)* مُسْمَرّ : ضارب إلى السُّمْرة .

brownout [broun'-] *(n.)* تعتيم جزئي .

Brownshirt *(n.)* (١) ذو القميص الأسمر : عضوٌ في قوات الصاعقة الهتلرية (٢) النازيّ .

brownstone *(n.)* الحجر الأسمر : حجر رملي أسمر .

brown study *(n.)* استغراق عميق (في التفكير) .

browse [brouz] *(vt.; i.; n.)* (١) ترعى (الماشيةُ العشبَ) . (٢) يتصفّح كتاباً (أو كتباً في مكتبة) (٣) يستعرض السلع المعروضة للبيع §(٤) أماليد أو أوراق غضّة (تَصلح طعاماً للماشية) .

brucellosis [brōō sə lō'sĭs] *(n.)* الحمى المتموجة (مض) .

brucine [brōō'sēn] *(n.)* البروسين : مادة شبه قلوية سامة (ك) .

bruin [brōō'ĭn] *(n.)* دُبّ .

bruise [brōōz] *(vt.; i.; n.)* (١) يَرُضّ ؛ يَكْدِم (٢) يَخْدِش ؛ يجرح (الشعورَ الخ .) (٣) يَسْحَن (الأدوية أو الأطعمة) ×(٤) يَتَرَضّض ؛ ينكدم ؛ يزرقّ من ضربة أو وقعة الخ . (٥) ينخدش ؛ ينجرح (His feelings ~ easily.) §(٦) رَضّة ؛ كَدْمة (٧) خَدْش (للشعور أو الإحساس) .
to ~ along يركب الخيل على نحو متهور .

bruiser [-'zər] *(n.)* (١) فا bruise (٢) الملاكم (٣) رجل فظّ .

bruit [brōōt] *(n. ; vt.)* (١) إشاعة (ا.ق) §(٢) ينشر إشاعةً .

brumal [brōō'məl] *(adj.)* شِتَوِيّ (ا.ق) .

brume [brōōm] *(n.)* ضباب ؛ «غطَيْطَة» .

brummagem [brŭm'ə jəm] *(adj.; n.)* (١) زائف ؛ كاذب ؛

مُبَهرَج ولكنه رخيص §(٢) شيء زائف الخ.

brunch [brŭnch] *(n.)* الفَطرَغد: وجبة طعام نصف صباحية تقوم مقام الفطور والغداء معاً (فَطور + غداء).

brunet [broo nĕt'] *(adj.; n.)* (١) أسمر (٢) أسود (~ eyes) §(٣) رجل أسمر.

brunette [-nĕt'] *(adj.; n.)* (١) brunet § (٢) امرأة سمراء.

brunt [brŭnt] *(n.)* الوطأة العظمى (من هجوم أو نقد).

brush [brŭsh] *(n.; vt.; i.)* (١) أجَمَة؛ دَغَل (٢) أغصان مقطوعة (٣) «أ» فرشاة (للتنظيف أو للرسم). «ب» صناعة الرسّام أو براعته (٤) شيء كالفرشاة. مثل: «أ» ذيلٌ كثيف؛ وبخاصة: ذيل الثعلب. «ب» ريشُ القبّعة (٥) الفَرجون: قطعة كربون أو نحاس توصل الكهرباء من الجزء الدوّار من المحرك أو المولّد إلى الدارة الخارجية (كب) (٦) تنظيف بالفرشاة (٧) مَسّ رفيق (٨) جولة سريعة في الريف (على صهوة جواد) (٩) مناوشة؛ معركة قصيرة §(١٠) ينظف أو يفرك أو يرسم بالفرشاة (١١) يَصْرِف؛ يتخلص من (ed him off~) (١٢) يمسّ برفق، أثناء السير ×(١٣) يمرّ به مروراً سريعاً (١٤) ينطلق بخفة (بحيث لا يكاد يُلحَظ).

to ~ aside *or* away — لا يبالي بِ.

to ~ the tears — يكفكف الدموع.

to ~ up — (١) يصقل (٢) يدرس أو يتمرن (ليستعيد براعةً مفقودة).

brush discharge *(n.)* التفريغ الفَرجوني (كب).

brushed *(adj.)* مزُأبَر: ذو زِئبِر (a ~ fabric).

brush-off *(n.)* رفض أو صَرفٌ نهائيّ أو فظّ (عا).

brushwood *(n.)* (١) أغصان مقطوعة (٢) أجمة؛ دَغَلٌ.

brushy [brŭsh'ĭ] *(adj.)* (١) كثير الأغصان المقطوعة (٢) كثّ.

brusque *also* **brusk** [brŭsk] *(adj.)* فَظّ؛ جافٍ.

brusqueness; brusquerie *(n.)* فظاظة.

Brussels sprouts

Brussels sprout *(n.)* (١) الكُرُنب المسوّق: ضرب من الكُرُنب أو الملفوف يتميز بالرؤوس الصغيرة النامية على ساقه (٢) أحد الرؤوس نفسها.

brut [bryt] *(F.)* غير حلو: محتوٍ على أقل من ١,٥ بالمئة سُكّراً.

brutal [broo'-] *(adj.)* (١) وحشي (a ~ attack). (٢) قاسٍ (~ weather) (٣) مُوجِع: دقيق أو صحيح إلى حدٍّ مؤلم (the ~ truth).
—**brutally** *(adv.)*

brutality [-tăl'ə tĭ] *(n.)* (١) وحشيّة (٢) عملٌ وحشيّ.

brutalize [-' tə līz'] *(vt.; i.)* (١) يوحّش: يصيّره وحشياً (٢) يعامل بوحشية (War ~s men.) ×(٣) يتوحش: يصبح كالوحش.

brute [broot] *(n.; adj.)* (١) بَهيمة (٢) شخص وحشيّ (٣) صفات الإنسان أو رغباته البهيمية §(٤) بهيميّ (٥) أعجم؛ غير عاقل (a ~ beast) (٦) أعمى: غير ذي حياة أو إدراك (the ~ powers of nature) (٧) شبيه بالبهيمة صفةً أو عملاً أو غريزةً، مثل: «أ» وحشيّ. «ب» شهوانيّ.

brutish [broo'-] *(adj.)* (١) بهيميّ (٢) وحشيّ (٣) فظّ (٤) أحمق.

bryology [brī ŏl'ə jĭ] *(n.)* (١) علم الطحالب (٢) طحالب منطقة ما.

bryony [brī'ə nĭ] *(n.)* الفاشِرا: نبات من الفصيلة القرعية عريض الورق.

bryophyte [brī'ə fīt] *(n.)* نبات طُحْلُبيّ.

bryozoan [brī'ə zō'ən] *(n.; adj.)* (١) الحيوان الطُحْلُبيّ: حيوان مائيّ من أشباه الديدان §(٢) حيوانيطُحلُبيّ.

BSE [bē ĕs'ē] جنون البَقَر: مرض الدُماغ الإسفنجيّ البقريّ.

bubal [bū'bəl] *(n.)* الثَيتَل: نوعٌ من بقر الوحش.

bubble [bŭb'əl] *(n.; vi.; t.)* (١) فُقّاعة (في سائل أو في جسم صلب شفاف) (٢) «أ» وَهمٌ. «ب» مسألة تافهة خادعة. «ج» مشروع وهمي (٣) «أ» بَقبَقة (الماء الغالي). «ب» خرير §(٤) «أ» يبقبق. «ب» يُزبِد (٥) يتدفق مُحدِثاً خريراً (٦) يفور ×(٧) يخدع (ا.ق) (٨) يجعله مزبداً أو ذا فقاقيع (٩) يساعد طفلاً على التجشؤ بفَركِ ظهره أو بالتربيت عليه.

to ~ over — (١) يَطفَح (٢) يتحمّس بشدة.

bubble and squeak *(n.)* بطاطا وكُرُنب مَقليَّيْن معاً.

bubble gum *(n.)* العِلكة الفقّاعية (يُطلَق منها ما يشبه الفقاقيع).

bubbler *(n.)* نبع فوّار (يُشرَب منه بدون أكواب).

bubbly *(adj.; n.)* (١) فوّار (٢) فقّاعيّ §(٣) شامبانيا.

bubo [bū'bō] *(n.)* الدَبْل (مج): ورمٌ في غدة لِنفاوية.

bubonic plague *(n.)* الطاعون الدَبْليّ (مج).

buccal [bŭk'-] *(adj.)* (١) وَجنيّ: متعلق بالوجنة (٢) فَميّ.

buccaneer *(n.)* (١) قرصان (٢) مغامر في السياسة أو التجارة.

buccinator [bŭk'sə nā'-] *(n.)* العضلة المبوِّقة: عضلة رقيقة تشكّل جدار الخدّ وتساعد على النفخ في البوق الخ. (ت).

bucentaur [bū sĕn'tôr] *(n.)* البوَصنطور: «أ» كائن خرافيّ نصفه ثورٌ ونصفه بشر. «ب» قارب كان يستعمله أمراء البندقية (بإيطاليا) في بعض المناسبات الرسمية.

buck [bŭk] *(n.; vi.; t.; adj.)* (١) ذكر الحيوان؛ وبخاصة: ذكر الوعل أو الظبي (٢) «أ» رجل. «ب» هندي أحمر (ع). «ج» زنجيّ. «د» شابٌ متأنّق (٣) ظبي (٤) جلد الغزال أو شيء مصنوع منه (٥) دولار (ع) (٦) sawhorse §(٧) يَثِبُ (الفرسُ) أو يَتَشبّو (٨) تثب (العربة) وترجّ أو «تنخع» (٩) يناضل من أجل النجاح (غير مبالٍ بالاعتبارات الأخلاقية أحياناً) (١٠) يصبح أكثر ابتهاجاً ونشاطاً (تتبعها up) (١١) يتبجّح (بر) ×(١٢) يطرح (الفرسُ) راكبه أرضاً (أو يحاول ذلك) (١٣) يقاوم بعناد؛ يعارض بشدة (١٤) يجعله أكثر ابتهاجاً أو نشاطاً (تتبعها up) §(١٥) من الدرجة الدنيا في فئة عسكرية ما (~ sergeant).

to pass the ~ — يحوّل المسؤولية أو الملامة إلى شخص آخر.

buckaroo *or* **buckeroo** [bŭk'ə roo'] *(n.)* = cowboy.

buckbean *(n.)* نَفَل الماء: نبات ذو زهرات بيضاء أو أرجوانية.

buckboard *(n.)* البَكبُرد: عربة بأربع عجلات لمقعدها نابض.

bucket [bŭk'ĭt] *(n.; vt.; i.)* (١) دلو (٢) كل ما يشبه الدلو، وبخاصة: قادُوس الناعورة (٣) مقدار كبير §(٤) يرفع أو يحمل بدلو (٥) «أ» ينطلق بالفرس بسرعة خاطفة. «ب» يسوق بسرعة خاطفة ×(٦) يندفع؛ يستعجل.

bucket brigade *(n.)* الكتيبة الدَلوية: سلسلة من أشخاص يعملون على إطفاء حريق بإمرار دِلاء الماء من يد إلى يد.

bucket seat *(n.)* مقعد لشخص واحد (يُطوى إلى أمام ويستعمل في السيارات والطائرات).

bucket shop *(n.)* مكتب المضاربة (على الأسهم المالية).

buckeye [bŭk'ī] *(n.)* قَسطَل الفرس؛ كستناء الحصان (نب).

buck fever *(n.)* حُمّى الطَرَد: اهتياج عصبي يصيب صيّاداً

تعوزه الخبرة عند رؤيته الطرائد .

buckhound [bŭk'-] *(n.)* كلبُ الظِّباء : كلب لصيد الظِّباء .

buckish [bŭk'-] *(adj.)* (١) متأنّق في الملبس (٢) مندفع .

buckle [bŭk'əl] *(n. ; vt. ; i.)* (١) إبزيم (٢) حلية معدنية أو خرزية على شكل إبزيم §(٣) يثبّت بإبزيم (٤) يلوي ؛ يغضّن ×(٥) يلتوي ؛ ينثني ؛ ينبعج (تحت تأثير قوة ضاغطة) . to ~ (down) to ينكبّ على العمل .

buckler [bŭk'lər] *(n.; vt.)* (١) تُرْس §(٢) يحمي ؛ يدافع عن .

buck passer *(n.)* المتهرب من تحمّل المسؤولية .

buckra [bŭk'rə] *(n.; adj.)* (١) رجل أبيض (بلغة الزنوج) . §(٢) أبيض ؛ قوي ؛ حسن (بلغة الزنوج) .

buckram [bŭk'rəm] *(n.; adj.; vt.)* (١) البَقْرَم : قماش قاسٍ لتجليد الكتب §(٢) بقرمي §(٣) يقوي بالبَقْرَم .

bucksaw

bucksaw [bŭk'sô'] *(n.)* منشار يدوي .

buckshee [bŭk'shē] *(n.; adj.)* (١) بقشيش . §(٢) مجاني (ع) .

buckshot *(n.)* خُرْدق الأيائل : خردق كبير لصيد الأيائل وكبار الطرائد .

buckskin *(n.)* (١) جلد الغزال الخ . (٢) جلد متين ليّن مصفرّ أو ضارب إلى الرمادي (٣) نسيج صوفيّ أبيض (٤) *pl.* : بنطلون من جلد الغزال الخ . (٥) فرس لونه كلون جلد الغزال .

buckthorn *(n.)* النَّبْق المُسْهِل (نب) .

bucktooth [bŭk'-] *(n.)* سنّ ناتئة (من أسنان الفم) .

buckwheat *(n.)* (١) الحنطة السوداء : نبات يقدّم حبّه علفاً للحيوانات وقد يُطْحَن ويُؤكَل (٢) حبّ الحنطة السوداء أو دقيقها .

bucolic [bū kŏl'ĭk] *(adj.; n.)* (١) رَعَوِيّ : ذو علاقة بالرعاة . (٢) ريفيّ §(٣) قصيدة رعوية (٤) فلاّح ؛ راعٍ ؛ ريفيّ .

bud [bŭd] *(n.; vi.; t.)* (١) بُرْعم (٢) شخص أو شيء غير ناضج (٣) «أ» أخ (ع) . «ب» فتاة أو صبيّ (ع) §(٤) يتبرعم : «أ» يُطلع النّبات براعمه . «ب» يبدأ في النّموّ ×(٥) يُبَرْعِم : يجعله يتبرعم .
in ~, متبرعم : ذو براعم .

Buddha [bŏŏd'ə] *(n.)* بُوذا : «أ» غوتاما بوذا مؤسس الديانة البوذية (٥٦٣ ؟ – ٤٨٣ ؟ ق.م) . «ب» مَنْ بلغ حالة الكمال الروحي عند البوذيين . «ج» صورة الخ . تمثّل غوتاما بوذا .

Buddhahood *(n.)* حالة الكمال الروحي (في البوذية) .

Buddhism [-'ĭz əm] *(n.)* البوذية : ديانة (في آسية الشرقية والوسطى) نشأت من تعاليم غوتاما بوذا القائلة بأن الألم جزء لا يتجزأ من طبيعة الحياة وبأن في استطاعة المرء الخلاص منه بالتطهير الذاتي العقلي والأخلاقي .

Buddhist *(n.; adj.)* (١) البوذيّ §(٢) بوذيّ .

budding *(n. ; adj.)* (١) تَبَرْعُم §(٢) ناشىء .

buddle *(n.)* اداة لتصويل الاتربة المعدنية بالماء الجاري .

buddleia [bŭd lē'ə] *(n.)* البُدْليّة : نبات استوائي تزييني .

buddy [bŭd'ĭ] *(n.)* رفيق ؛ زميل (وبخاصة في السلاح) .

budge [bŭj] *(vi.; t.; n.)* (١) يتزحزح ×(٢) يزحزح §(٣) فرو .

budgerigar [bŭj'-] *(n.)* الطائر الطيّب : ببغاء استرالية .

budget [bŭj'ĭt] *(n.; vt.; i.)* (١) كيس (٢) مجموعة (٣) ميزانية §(٤) يُدْخِل في ميزانية ×(٥) يضع ميزانية .

budgetary [-'ə tĕr'ĭ] *(adj.)* ميزانيّ : متعلق بالميزانية .

budgeteer *or* **budgeter** *(n.)* واضع الميزانية .

budgie *(n.)* = **budgerigar.**

buff [bŭf] *(n.; adj.; vt.)* (١) جلد الجاموس (٢) سترة عسكرية الخ . من جلد الجاموس (٣) لون أصفر برتقالي (٤) عصا الصقل ؛ عجلة التلميع : عصا أو عَجَلة مكسوّة بالجلد تستخدم للصقل أو التلميع (٥) 3 fan (٦) § مصنوع من جلد الجاموس (٧) أصفر برتقاليّ § (٨) يصبغ بلون أصفر برتقاليّ (٩) يصقل ؛ يلمع (١٠) يخفف الصدمة .

buffalo

buffalo [bŭf'ə lō'] *(n.; vt.)* (١) جاموس . § (٢) يُربك ؛ يحيّر (٣) يُرهب ؛ يهول على .

buffalo grass *(n.)* عشب الجاموس : عشب اميركي من أعشاب المراعي .

buffalo robe *(n.)* جلد الجاموس الأميركي مدبوغاً مع صوفه ومبطناً بالقماش (يُتّخذ بساطاً أو غطاءً للسرير) .

buffer [bŭf'ər] *(n.)* (١) الصاقل ؛ الملمع (٢) عصا الصقل ؛ عجلة التلميع (را . buff 4) (٣) المِصَدّ : مخفف الصدمة (في سيارة أو قطار) (٤) حاجز بين شيئين ، مثل «أ» buffer state «ب» شخص يتولى عن غيره مهمة القيام بالشؤون الروتينية المزعجة .

buffer state *(n.)* الدُّوَيْلَة الحاجزة : دُوَيلة محايدة واقعة بين دولتين فهي تحول دون تصادمهما .

buffet [bŭf'ĭt] *(n.; vt.; i.)* (١) ضربة (باليد أو بجُمْعها) . (٢) صدمة عنيفة §(٣) يَضْرِب (باليد أو بجُمْعها) (٤) يقارع ؛ يقاوم ×(٥) يناضل (٦) يشقّ طريقه ، وبخاصة في ظروف عسيرة .

buffet [bə fā'; bŏŏ-] *(n.)* (١) صِوان السُّفْرة (مج) : خزانة أدوات المائدة (٢) المَقْصَف : «أ» مطعم في محطة للسكة الحديدية . «ب» طعام على مائدة يتناوله المدعوون وقوفاً خادمين أنفسهم بأنفسهم .

buffing wheel *(n.)* عجلة الصَّقل .

bufflehead

bufflehead *(n.)* زَغْباء الرأس : بطة أميركية صغيرة كثيرة زَغَب الرأس .

buffo [bŏŏ'fō] *(n.)* المُهرج ؛ وبخاصة : مغنٍّ يقوم بالأدوار الهزلية في مغنّاة أو أوبرا .

buffoon [bə fōōn'] *(n.)* المُهرج ؛ المضحك .

buffoonery *(n.)* (١) تهريج المهرج أو نكاته (٢) هَزْل ماجن .

buff stick *(n.)* عصا الصقل (را . buff 4) .

buff wheel *(n.)* عجلة الصقل (را . buff 4) .

bug [bŭg] *(n.)* (١) «أ» بَقّ ؛ بقّة . «ب» كلّ حشرة تقريباً (ع) . (٢) علّة في جهاز (eliminating the ~*s* in television) (٣) جرثوم مُحْدِث مرضاً أو المرضُ الناشىء عنه (٤) «أ» شخص مخبول ؛ فكرة حمقاء (ع) . «ب» شخص متحمس (٥) جهاز تنصّت خفيّ .

bugaboo; bugbear *(n.)* (١) بُعبُع (٢) مصدر قلق أو ذعر .

bugger [bŭg'-] *(n.)* (١) اللّوطيّ (٢) «أ» شخص تافه . «ب» فتى .

buggery *(n.)* اللّواطة : مضاجعة الذكور .

buggy

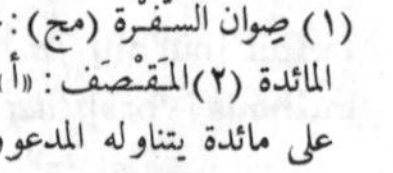

buggy [bŭg'ĭ] *(n.; adj.)* (١) البوجيّة : عربة خفيفة وحيدة المقعد يجرها عادة جواد واحد §(٢) حافل بالبقّ .

bughouse *(n.; adj.)* (١) مستشفى المجاذيب (ع) §(٢) مخبول (ع) .

bugle [bū'gəl] *(n.; vi.; t.)* (١) بوق (٢) خرز زجاجي طويل §(٣) يبوّق : ينفخ في بوق ×(٤) يدعو (بالنفخ في بوق) .

bugler *(n.)* البوّاق : النافخ في البوق .

bugloss [bū'glŏs] *(n.)* البُوغْلُصُن ؛ لسان الثور (نب) .

buhl [bo͞ol] *(n.)* (١) خشب مطعّم بمعدن أو صدف أو عاج . (٢) أثاث مزيّن بهذا الخشب .

build [bĭld] *(vt.; i.; n.)* (١) يبني ؛ يشيّد ؛ يقيم (٢) يوجِد أو ينشىء تدريجياً وبجهد (to ~ up a practice) (٣) يعزز ؛ يحسّن وضعَ كذا ×(٤) يعمل في صناعة البناء (٥) يستفحل ؛ يأخذ سبيله نحو الذروة (Tension is ~ *ing* up.) (٦) يعتمد؛ يتكل (You can ~ on his honesty.) §(٧) بِنْيَة .

builder [bĭl'dər] *(n.)* (١) الباني ؛ وبخاصة : البنّاء (٢) مادة (كرماد الصودا الخ .) تضاف إلى الصابون لتقوية فعله التنظيفي .

building [-'dĭng] *(n.)* (١) مبنًى (٢) صناعة البناء .

buildup [bĭl'-] *(n.)* (١) إنشاء ؛ إقامة (٢) تعزيز (٣) نمو ؛ تعاظُم ؛ اشتداد ؛ استفحال (٤) دعاية واسعة .

built [bĭlt] *past ; past part. of* build.

built-in [bĭlt'ĭn] *(adj.)* مُبَيَّت : مبنيّ في داخل الجدار .

built-up *(adj.)* (١) مركّب (من أجزاء أو طبقات مشدود بعضها إلى بعض) (٢) مكتظّ بالمباني .

bulb [bŭlb] *(n.)* (١) «أ» بَصَلَة النبات . «ب» نبتة نامية من بصلة (٢) شيء بصليّ الشكل ؛ مثل : «أ» بُصَيْلَة الترمومتر أي مستودع الزئبق فيه . «ب» المُنْتَفَخ : الجزء الزجاجيّ من المصباح الكهربائيّ . «ج» مصباح كهربائيّ متوهّج الضياء .

bulb I.

bulbar [bŭl'-] *(adj.)* بَصَليّ ؛ وبخاصة : متعلق بالنخاع المستطيل .

bulbar paralysis *(n.)* الشَلَل البَصَليّ (مج) .

bulbiferous [-bĭf'ər əs] *(adj.)* مُبْصِل : مُنتِج بَصَلات .

bulbil [bŭl'bĭl] *(n.)* بُصَيْلَة (نب) .

bulbous [-'bəs] *(adj.)* (١) «أ» ذو بصلة . «ب» نامٍ من بصلة . (٢) منتفخ ؛ بصلي الشكل .

bulbul [bo͝ol'bo͝ol] *(Ar.)* البُلْبُل (طا) .

bulbul

Bulgar [bŭl'gər ; bo͝ol'gär] *(n.)* = Bulgarian.

Bulgarian [bŭl gâr'-] *(n.; adj.)* البلغاري : أحد أبناء بلغاريا . (٢) البلغارية : لغة البلغاريين السّلافية §(٣) بلغاريّ .

bulge [bŭlj] *(n.; vi.; t.)* (١) bilge I (٢) انتفاخ ؛ نتوء ؛ بروز (٣) أفضليّة (to have the ~ on...) §(٤) ينتفخ ؛ يتورّم ؛ ينتأ ×(٥) ينفخ ؛ يورِّم ؛ ينتىء .

bulgy [bŭl'jĭ] *(adj.)* منتفخ ؛ متورم ؛ ناتىء .

bulimia [bū lĭm'ĭ ə] *(n.)* الضُوْر ؛ الشَرَه المَرَضيّ .

bulk [bŭlk] *(n. ; vi. ; t.)* (١) حَجْم (of great ~) . (٢) جسم ؛ جَسَد ؛ وبخاصة : جسم بَشَريّ ضخم (٣) شحنة غير معبأة في صناديق أو أكياس (٤) معظم الشيء (the ~ of a debt) §(٥) يكون ذا حجم أو وزن أو أهمية (٦) يَعْظُم ؛ يَضْخُم ؛ ينتفخ ×(٧) يضخّم ؛ يجعله منتفخاً (٨) يرَكّم السمك الخ.

in ~, (١) غير معبأ في صناديق أو زجاجات الخ . (٢) بمقادير كبيرة .

bulkhead [-'hĕd] *(n.)* الحاجز ؛ الفاصل الإنشائي : «أ» أحد الحواجز التي تقسم السفينة إلى حُجَيْرات . «ب» جدار لمقاومة ضغط الصخور أو للوقاية من الماء أو النار أو الغاز الخ . «ج» باب خارجيّ أفقيّ فوق سلّم مؤدية إلى قبو المؤن .

bulky [bŭl'kĭ] *(adj.)* (١) ضخم (٢) يصعب تحريكه أو نقله .

—**bulkiness** *(n.)*

bull [bo͝ol] *(n. ; adj. ; vt. ; i.)* (١) ثور (٢) ذَكَر بعض الحيوان (a ~ elephant) (٣) شـخص كالثور ضخامةَ جسم أو ارتفاعَ صوت (٤) المضارب على الصعود (في البورصة) (٥) bulldog (٦) شرطيّ ؛ بوليس سري (ع) (٧) *cap.* : برج الثور (فل) (٨) بيان أو أمر رسميّ بابوي (٩) إرادة ملكية أو امبراطورية (١٠) غلطة لغوية مضحكة (١١) «أ» تبجّح . «ب» هراء §(١٢) ذكَريّ (١٣) «أ» ثوريّ : ذو علاقة بالثور . «ب» شبيه بالثور (١٤) ضخم ؛ كبير (١٥) آخذ في الصعود (a ~ market) §(١٦) يحاول رفع الأسعار في السوق المالية (to ~ a market) (١٧) يخدع ، وبخاصة من طريق التبجّح والتفاخر (ع) ×(١٨) يتبجّح (ع) .

a ~ in a china shop : ثورٌ في محل لبيع الخزف : شخص تعوزه البراعة واللباقة في مكان يقتضيهما .

to take the ~ by the horns : يمسك بالثور من قرنيه : يواجه المشكلة بشجاعة .

bulla [bo͝ol'ə] *(n.)* (١) «أ» ختم رصاصي بابوي . «ب» ختم ذهبي الخ . كان يستعمله الاغريق والملوك الجرمانيون القدامى (٢) بَثْرة .

bullace [bo͝ol'ĭs] *(n.)* خَوخ ؛ بُرقوق (نب) .

bullate [bo͝ol'āt] *(adj.)* مُبَثَّر ؛ مغضّن (a ~ leaf) .

bullbat [bo͝ol'băt'] *(n.)* = nighthawk I.

bulldog [bo͝ol'dôg'] *(n. ; adj. ; vt.)* (١) البُلْدُغ : كلب قويّ جريء ضخم الرأس قصير الشعر (٢) مسدّس قصير الماسورة (٣) مُرافق المراقب أو المُناظر (في جامعتي اكسفورد وكمبريدج) §(٤) بُلْدُغيّ : شبيه بِبُلْدُغ أو مميِّز له (~ tenacity) § (٥) يهاجم مثل بُلْدُغ .

bulldog

bulldoze [bo͝ol'dōz] *(vt.)* (١) يُرْهِب (بالعنف أو بالتهديد) . (٢) يزيل أو يمهّد الخ . بجرّافة (٣) يشق (طريقَه) بقوة .

bulldozer [-'dō'-] *(n.)* (١) فا bulldoze (٢) جَرّافة لشق الطرق .

bullet [bo͝ol'ĭt] *(n.)* (١) كرة صغيرة (ا.ق) (٢) رصاصة .

bullethead *(n.)* (١) رأس مدوّر (٢) ذو رأس مدوّر (٣) العنيد ؛ الأحمق .

bulletin [bo͝ol'ə tən] *(n.; vt.)* (١) بلاغ ؛ نشرة (٢) مجلة (ناطقة عادةً بلسان مؤسسة أو جمعية) §(٣) يعلن ببلاغ أو نشرة .

bulletin board *(n.)* لوحة البلاغات أو النشرات أو البيانات .

bulletproof *(adj.)* صامد للرصاص : لا يخترقه الرصاص .

bullet train *(n.)* القطار السّهمي : قطار سريعٌ جداً .

bullfight [-'fīt] *(n.)* مصارعة الثيران .

bullfinch *(n.)* (١) الدّغناش : عصفور مغرّد (٢) سياج مرتفع .

bullfrog *(n.)* ضفدع ؛ وبخاصة : ضفدع أميركي كبير .

bullhead *(n.)* (١) البُلْهَد : سمك ضخم الرأس (٢) الأحمق ؛ العنيد .

bullheaded *(adj.)* (١) ضخم الرأس عريضُه (٢) عنيد ؛ أحمق .

bullion [bo͝ol'yən] *(n.)* (١) سبيكة (ذهبية أو فضية) (٢) حاشية (من خيوط ذهبية أو فضيّة) .

bullish [-'ĭsh] *(adj.)* (١) ثَوْراني : شبيه بثور (٢) عنيد ؛ أحمق . (٣) «أ» مؤدّ إلى ارتفاع الأسعار ، في السوق المالية (~ news) . «ب» آخذ في الصعود (a ~ market) «ج» متفائل .

bullnecked [-'nĕkt'] *(adj.)* غليظ الرقبة قصيرُها .

bullock [bo͝ol'ək] *(n.)* (١) عِجْل (٢) ثور مَخْصيّ .

bullpen *(n.)* (١) زريبة ثَوْر أو ثيران (٢) مُعْتَقَل مؤقت .

bullring *(n.)* حَلَبة مصارعة الثيران ؛ ساحة مصارعة الثيران .

bullroarer *(n.)* (١) ذات الخُوار : «أ» قطعة خشبية رقيقة مشدودة إلى سَيْر جلديّ تُدَوَّر به في الهواء مُحْدِثَة صوتاً هادراً .

«ب» لعبة أطفال مماثلة (٢) خطيب جهوري الصوت (عا).

bull's-eye [bo͝olz'ī'] *(n.)* : (١) عين الثور : «أ» قرص زجاجي سميك (على سطح السفينة أوجانبها لتمكين النور من النفاذ إليها). «ب» حلوى مكورة قاسية (٢) «أ» قلب الرمية : نقطة الهدف الرئيسية. وأيضاً : شيء مركزي أو حاسم. «ب» الرصاصة التي تصيب قلب الرمية. وأيضاً : رمية صائبة ؛ ضربة موفقة (٣) «أ» عدسة على صورة نصف كرة. «ب» فانوس مزود بمثل هذه العدسة (٤) كوة.

bull's eye 1 a.

bullshot *(n.)* البلشوت: شراب مسكر قوامه الفودكا.

bullterrier *(n.)* البلتريز: كلب قوي أبيض قصير الشعر.

bull tongue *(n.)* لسان المحراث: شفرة في المحراث تشق الأثلام.

bullwhip *(n.)* سوط مضفور.

bully [bo͝ol'ĭ] *(n.; adj.; adv.; interj.; vt.; i.)* (١) المتنمر ؛ المستأسد (على من هم أضعف منه) (٢) حامي العاهرة (٣) زميل؛ رفيق (عب) (٤) لحم بقر معلب أو مخلل §(٥) ممتاز (a ~ horse) (٦) مرح §(٧) جداً ؛ الى حد بعيد §(٨) حسن! مرحى! برافو! §(٩) يتنمر (على من هم أضعف منه).

bully beef *(n.)* لحم بقر معلب أو مخلل.

bullyrag [-răg'] *(vt.)* (١) يرهب بالتهديد الخ. (٢) يغيظ ؛ يناكد.

bulrush [bo͝ol'-] *(n.)* (١) الديس : عشب مائي من الفصيلة السعدية (٢) التيفا: عشبة البرك (٣) بردي (نب).

bulwark [bo͝ol'wərk] *(n.; vt.)* (١) حصن ؛ متراس. (٢) breakwater (٣) وقاء من خطر (٤) *pl.* عد : جانب السفينة الممتد فوق سطحها العلوي §(٥) «أ» يحصن. «ب» يحمي.

bum [bŭm] *(n.; vi.; t.; adj.)* (١) «أ» المتبطل السكير. «ب» مرح صاخب معربد (٢) طنين (ع) (٣) عجيزة ؛ كفل (ع) §(٤) يطن ؛ يئز (٥) «أ» يتسكع متشرداً. «ب» يسرف في الشراب. «ج» يتطفل على ×(٦) ينال بالاستجداء (سيكارة أو نقلة بالسيارة الخ.) §(٧) رديء ؛ غير صالح.

bumble [bŭm'bəl] *(vi.; t.)* (١) يطن ؛ يئز (٢) يتلعثم. (٣) يمشي باضطراب ×(٤) يعمل بطريقة خرقاء.

bumblebee *(n.)* الطنانة : نحلة ضخمة شديدة الطنين أثناء طيرانها.

bumboat [bŭm'-] *(n.)* قارب التموين: قارب لبيع المؤن والسلع للمراكب الراسية في المرفأ أو بعيداً عن الشاطىء.

bumkin [bŭm'kĭn] *(n.)* ذراع التطويل (را. boom 1).

bump [bŭmp] *(vt.; i.; n.)* (١) يضرب ؛ يصرع. (٢) «أ» يصدم ؛ يرطم. «ب» يؤذي بالارتطام بشيء صلب (I've ~ed my head.) (٣) «أ» يزيحه من مكانه. «ب» يحل محله (بفضل الأسبقية عادةً) (٤) يدقدق (صفيحة معدنية) ×(٥) يرتطم بـ (٦) يتخبط (مرتفعاً ومنخفضاً) في طريق وعرة §(٧) ضربة أو صدمة قوية (٨) «أ» نتوء. «ب» ورم.

to ~ into يلتقي به (وبخاصة مصادفةً).

to ~ off يقتل (ع).

bumper [bŭm'pər] *(n.; adj.; vt.; i.)* (١) فا bump (٢) كأس مترعة (٣) شيء ضخم إلى حد استثنائي ؛ وبخاصة : كذبة كبيرة (ع) (٤) المصد : مخفف الصدمة (في سيارة) §(٥) غزير أو وافر جداً (~ crops) §(٦) يترع ×(٧) يشرب الأنخاب.

bumpkin [bŭmp'kĭn] *(n.)* شخص ريفي شديد الارتباك.

bumpkin or **bumkin** *(n.)* ذراع التطويل (را. boom 1).

bumptious [bŭmp'shəs] *(adj.)* مغرور (إلى حد مستهجن).

bumpy [bŭm'pĭ] *(adj.)* (١) «أ» وعر (a ~ road). «ب» متخبط في طريق وعرة (a ~ ride) (٢) كثير المهاوي أو المطبات (~ air).

bun [bŭn] *(n.)* (١) كعكة محلاة قليلاً (٢) كعكة الشعر : شعر معقود على شكل كعكة فوق قفا العنق (٣) مقدار مسكر من شراب.

buna [bo͞o'nə ; bū'-] *(n.)* البونة : مطاط صنعي.

bunch [bŭnch] *(n.; vt.; i.)* (١) نتوء ؛ حدبة ؛ سنام (ا.ق). (٢) «أ» عنقود ؛ عذق. «ب» حزمة ؛ باقة (٣) مجموعة §(٤) يضم ؛ يحزم ×(٥) ينضم ؛ يجتمع (٦) ينتأ ؛ ينتفخ.

bunchy *(adj.)* (١) ناتىء ؛ منتفخ (٢) معنقد أو عنقودي الشكل.

bunco [bŭng'kō] *(n.; vt.)* (١) لعبة خادعة يسلب فيها فريق من المتواطئين شخصاً غريباً §(٢) يخدع ؛ يسلب.

buncombe [bŭng'kəm] *(n.)* (١) خطابة يراد بها إرضاء الجمهور وانتزاع التصفيق (٢) «أ» كلام يعوزه الصدق. «ب» هراء.

bunco steerer *(n.)* الغشاش ؛ المخادع ؛ النصاب (ع).

bund [bŭnd] *(n.)* (١) سد (٢) رصيف ميناء مطوق بسد. (٣) «أ» جمعية سياسية. «ب» جمعية أميركية ألمانية موالية للنازية.

bundle [bŭn'dəl] *(n.; vt.; i.)* (١) «أ» حزمة. «ب» رزمة ؛ صرة. «ج» مبلغ كبير من المال (ع) §(٢) يحزم ؛ يرزم ؛ يصر (٣) يلقي في الأدراج من غير ترتيب (٤) يبعث أو يرسل على وجه السرعة (His father ~*d* him off to school.) ×(٥) يذهب على وجه السرعة (We ~*d* off.).

to ~ up يكسو أو يكتسي بملابس مدفئة.

bung [bŭng] *(n.; vt.)* (١) «أ» الإسكابة : سدادة لثقب البرميل. «ب» ثقب البرميل §(٢) يسد (٣) «أ» يرض ؛ يكدم (badly ~*ed* up). «ب» يورم (٤) يقذف بقوة (to ~ bombs).

bungalow [bŭng'gə lō'] *(n.)* البنغل : بيت من طابق واحد (وبخاصة في الريف أو على شاطىء البحر).

bunghole [bŭng'hōl] *(n.)* ثقب البرميل (لإفراغه أو ملئه).

bungle [-'gəl] *(vt.; i.; n.)* (١) يعمل بغير إتقان §(٢) عمل غير متقن.

bungler *(n.)* العامل الأخرق : عامل غير بارع.

bungling *(adj.)* أخرق ؛ غير بارع (a ~ workman).

bunion [bŭn'-] *(n.)* ورم ملتهب (في المفصل الكبير من إبهام القدم).

bunk [bŭngk] *(n.; vi.; t.)* (١) «أ» سرير مبيت (في جدار سفينة). «ب» سرير (ع) (٢) معلف (٣) هراء §(٤) ينام (في سرير مبيت بجدار أو في سرير غير مريح) ×(٥) يزود بسرير مبيت.

bunker [bŭng'kər] *(n.; vi.; t.)* (١) مستودع للفحم الحجري وغيره (في سفينة) (٢) غرفة محصنة تحت الأرض (جن) (٣) «أ» الشرك: مرتفع أو منخفض رملي في مجاز الغولف (لإعاقة اندفاع الكرة). «ب» عقبة ؛ مشكلة §(٤) يملأ مستودع السفينة بالفحم الحجري ×(٥) يخزن في مثل هذا المستودع (٦) «أ» يضرب كرة الغولف بحيث تقع في شرك. «ب» يوقع في المتاعب.

bunkhouse *(n.)* مبنى بسيط مزود بسرر ساذجة لعمال البناء.

bunko [bŭng'kō] = bunco.

bunkum [bŭng'kəm] *(n.)* = buncombe.

bunny [bŭn'ĭ] *(n.)* (١) أرنب (ع) (٢) سنجاب (ع).

Bunsen burner [bŭn'sən] *(n.)* مصباح بنزن (مج) ؛ حارق أو موقد بنزن : أداة مكونة من أنبوبة في أدناها ثقوب صغيرة يدخل إليها الهواء فيمتزج بالغاز محدثاً شعلة زرقاء حامية جداً.

bunt [bŭnt] *(vt. i.; n.)* (١) ينطح (٢) يضرب كرة البايسبول برفق بحيث تتدحرج مسافةً قصيرة ليس غير §(٣) نَطْحَة (٤) «أ» ضَرْب أو ضَرْبة برفق (في البايسبول) . «ب» كرة مضروبة برفق (٥) منتصف الشراع (٦) مرض يصيب الحنطة .

bunting [bŭn'tĭng] *(n.)* (١) الدُّرْسة : طائر من العصافير . (٢) «أ» قماش تُصْنَع منه الرايات «ب» رايات .

buntline [bŭnt'-] *(n.)* حبل مشدود إلى أدنى الشراع .

buoy [boi ; bōō'ĭ] *(n. ; vt. ; i.)* (١) الطافية : عوامة لإرشاد السفن (٢) life buoy § (٣) يزوِّد أو يعلِّم بالطوافي (to ~ a channel) (٤) «أ» يعوِّم : يُبقيه طافياً على وجه الماء . «ب» يدعم ؛ يثبِّت ×(Hope ~s him up.) (٥) يطفو ؛ يعوم .

buoy 1.

buoyancy [boi'ən sĭ; bōō'yən sĭ] *(n.)* (١) الطَّفَوِيَّة : قابلية الطَّفْو في الماء (٢) التعويميَّة : قدرة السائل على إبقاء الأجسام عائمةً فيه (٣) مَرَح ؛ بِشْر ؛ ابتهاج .

buoyant [boi'ənt; bōō'yənt] *(adj.)* (١) قابلٌ للطَّفْو (٢) قادرٌ على التعويم (٣) مرح ؛ مبتهج (٤) مُبهِج ؛ منشِّط .

bur [bûr] = burr.

Burberry *(n.)* البَرْبيريّ : نسيج صوفيّ تُصْنَع منه السُّترات .

burble [bûr'bəl] *(vi.; n.)* (١) يبقبق ؛ يخِرّ (٢) يثرثر . §(٣) بقبقة ؛ خرير (٤) ثرثرة .

burbot [bûr'bət] *(n.)* البَرْبُوط : سمك نهري من فصيلة القُدّ .

burden [bûr'dən] *(n. ; vt.)* (١) «أ» حِمْل . «ب» واجب . (٢) عبء (٣) حَمْل الأثقال (a ship *or* beast of ~) (٤) حمولة السفينة (a ship of a hundred tons ~) (٥) قرار الأغنية (مو) (٦) الفكرة الرئيسية (the ~ of his book) §(٧) «أ» يُثقل ؛ يلقي عليه حملاً ثقيلاً . «ب» يُرْهِق .

burden of proof *(n.)* عبء الإثبات : إلزام أحد الفريقين بإقامة الدليل على صحة ادعاءٍ ما ، وإلا خسر القضية (ق) .

burdensome [bûr'dən səm] *(adj.)* ثقيل ؛ مُرْهِق .

burdock [bûr'-] *(n.)* الأرْقَطيون : نبات شائك من الفصيلة المركّبة .

bureau [byŏŏr'ō] *(n.)* pl. **-s** *also* **-x** (١) «أ» منضدة للكتابة (ذات أدراج وسطح مائل) . «ب» خزانة خفيضة ذات مرآة وأدراج للملابس (٢) مكتب (travel ~) (٣) دائرة رسميّة .

bureaucracy [byŏŏ rŏk'rə sĭ] *(n.)* الدَّواوينيّة : «أ» حكومة تتركز السلطة فيها بأيدي جماعات من الموظفين . «ب» أصحاب السلطة من موظفي هذه الحكومة . «ج» تركّز السلطة في أيدي جماعات من الموظفين الإداريين . «د» روتين حكوميّ مغالىً فيه .

bureaucrat [byŏŏr'ə krăt'] *(n.)* الدَّواوينيّ : «أ» عضوٌ في حكومة بيروقراطية . «ب» موظف يؤدي عمله بطريقة روتينية جامدة .

burette *or* **buret** [byŏŏ rĕt'] *(n.)* السَّحّاحة (مج) : أنبوبة زجاجيّة مدرَّجة تستخدم في سحّ السوائل أو قياسها .

burg [bûrg] *(n.)* (١) مدينة محصَّنة (٢) مدينة .

burgee [-'jē] *(n.)* علَم مثلث الشكل (يحمل اسم المركب التجاري) .

burgeon [bûr'jən] *(n. ; vi.)* (١) بُرْعم §(٢) «أ» يتبرعم : يُطلع البراعم . «ب» يُزهر (٣) يزدهر ؛ ينتشر بسرعة .

burger *(n.)* البَرْجَر : سندويشة من لحم مقليّ أو مشويّ .

burgess [bûr'jis] *(n.)* (١) مواطن من مدينة انكليزية ذات ممثلين في البرلمان (٢) ممثل لهذه المدينة أو لجامعة ما في البرلمان البريطاني .

burgh [bûrg; bŭr'ō] *(n.)* بلدة اسكتلندية متمتعة بحكم محلي ذاتي .

burgher [-'gər] *(n.)* مواطن ، وبخاصة في مدينة متمتعة بحكم محلي ذاتي .

burglar [bûr'glər] *(n.)* لصّ (يسطو على المنازل ليلاً) .

burglarious *(adj.)* سَطْويّ : ذو علاقة بالسطو على المنازل ليلاً .

burglarize [-'glə-] *(vt.)* يَسْطو (على المنازل ليلاً) .

burglary [-'glə rĭ] *(n.)* السَّطْو (على المنازل ليلاً) .

burgle [bûr'gəl] *(vt.)* = burglarize.

burgomaster [bûr'-] *(n.)* عمدة المدينة (في هولندة وألمانية الخ .)

burgonet *(n.)* البَرْجونية : خوذة خفيفة .

burgoo [bûr'gōō] *(n.)* البُرْجُو : «أ» عصيدة من دقيق الشوفان . «ب» حساء كثيف كثير التوابل (عا) . «ج» نزهة يقدَّم فيها هذا الحساء (عا) .

burgonet

Burgundy [bûr'-] *(n.)* البُرغندية : خمر تُصنع في بُرغنديا بفرنسة .

burial [bĕr'ĭ əl] *(n.)* (١) قَبْر (٢) دَفْن .

burial ground *(n.)* مَقْبَرة ؛ مدفن ؛ قرافة .

burier [bĕr'ĭ ər] *(n.)* الدافن ؛ الدفّان .

burin [byŏŏr'ĭn] *(n.)* المِنْقاش : أداة للنقش في المعادن أو الرخام .

burke [bûrk] *(vt.)* (١) يخنق (لكي يعود فيبيع الجثة للمشتغلين بالتشريح) (٢) يطمس (to ~ a rumor) (٣) يتجنّب (to ~ an issue) .

Burkitt's lymphoma *(n.)* لنفوم بَرْكِت : ورمٌ لنفاويّ خبيث يصيب أطفال إفريقيا الوسطى بخاصة (ط) .

burl [bûrl] *(n. ; vt.)* (١) عقدة في خيط أو قماش (٢) «أ» النامية الجذعيّة : نامية شبيهة بالقبّة تكون على جذع شجرة . «ب» قشرة خشبية زينيّة ذات نوام جذعية §(٣) يزيل العُقد (من القماش) .

burlap [bûr'lăp] *(n.)* الخَيْش : نسيج قنّبيّ غليظ .

burlesque [bər lĕsk'] *(n. ; adj. ; vt. ; i.)* (١) سخرية (بالكاريكاتور عادةً) (٢) تقليد أو محاكاة (لكتاب أو لكلام أو مسلك شخص الخ .) بقصد السخرية والإضحاك (٣) برنامج منوّعات مسرحي خفيف §(٤) هزلي ؛ مضحك §(٥) يقلّد أو يحاكي (على سبيل السخرية) × (٦) يَسْخر (بطريقة الكاريكاتور) .

burley [bûr'lĭ] *(n.)* البَرْلي : تبغ أميركي رقيق الأوراق .

burly [bûr'lĭ] *(adj.)* (١) ضخم الجسم ؛ قويّ البنية (٢) فظّ .

bur marigold *(n.)* = sticktight 1.

Burmese [bər mēz'] *(n.; adj.)* (١) البورميّ : أحد أبناء بورما . (٢) البورمية : لغة البورميين §(٣) بورميّ .

burn [bûrn] *(vi.; t.; n.)* (١) «أ» يشتعل . «ب» يحترق . (٢) «أ» يتّقد (الوجهُ الخ .) . «ب» يتصوّح (النباتُ) . «ج» يموت على الكرسي الكهربائي . «د» يتوهّج . «هـ» يتميّز غيظاً الخ . (٣) يضيء ؛ ينير (٤) يقترب اقتراباً شديداً من اكتشاف شيء مخبوء أو معرفة الجواب (في ألعاب التسلية) ×(٥) «أ» يُحرق . «ب» يعمل بوقود معيّن (This furnace ~s gas.) «ج» يُحدث بالإحراق أو بالحرارة (~*ed* a hole in the rug) (٦) «أ» يَسْفَع . «ب» يصنع أو يقسّي بالنار (to ~ bricks) «ج» يكوي ؛ يداوي بالكيّ (٧) يبدِّد ؛ يُتْلف (money to ~) (٨) يجتاز بسرعة فائقة (to ~ up the road *or* the miles) (٩) «أ» يثير ؛ يُغضب ؛ يزعج (ع) . «ب» يخدع ؛ يغش §(١٠) حَرْق (١١) إحراق أو احتراق الخ . (١٢) جدول ؛ غدير (بر) .

to ~ a person out يُكرهه على الخروج بإحراق المبنى الذي يعتصم فيه .

to ~ away يواصل الاشتعال ؛ يذوب كالشمعة بالاشتعال

to ~ one's boats *or* bridges يقطع على نفسه طرق

البَراجع جميعاً .
to ~ one's fingers يورط نفسه في بلاء غير مرتقب بسبب من تدخله في شؤون الآخرين.
to ~ the wind يعدو أو ينطلق بسرعة لا تصدق.

burner [bûr'nər] *(n.)* (١) فا burn (٢) المَضْرَم : ذلك الجزء من الموقد (أو المصباح) الذي يحدث فيه اللهب.

burnet [bûr'nĭt] *(n.)* المُرقِئة: عشب من الفصيلة الوردية(نب).

burning [-'nĭng] *(n.; adj.)* (١) «أ» إحراق . «ب» احتراق . §(٢) مشتعل؛ متّقد؛ ملتهب ؛ متوهج (٣) مُحرِق ؛ مُلهِب .

burning bush *(n.)* الأُوفونيموس : شُجيرة أميركية (نب) .

burning glass *(n.)* العدسة الحارقة أو المحرقة .

burnish [bûr'-] *(vt.; n.)* (١) يَصقُل ؛ يلمّع §(٢) بريق ؛ لمعان.

burnisher [-ər] *(n.)* المِصقَلة : أداة للصَّقْل.

burnoose *or* **burnous** [bər nōōs'] *(n.)* البُرنُس : رداء رأسُهُ منه .

burnoose

burnsides *(n.)* البَرنْسيديّة: لحية ذات شاربين خدّيين وشارب . أما الذقن فتكون فيها حليقة تماماً.

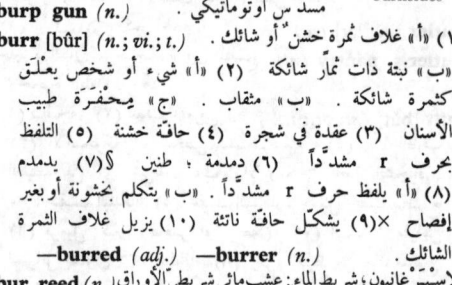

burnt [bûrnt] *past* ; *past part. of* burn.

burnsides

burp *(n.; vi.; t.)* (١) تجشّؤ §(٢) يتجشّأ ×(٣) يساعد طفلاً على التجشّؤ (بفرك ظهره أو بالتربيت عليه) .

burp gun *(n.)* مسدّس أوتوماتيكي .

burr [bûr] *(n.; vi.; t.)* (١) «أ» غلاف ثمرة خشن أو شائك . «ب» نبتة ذات ثمار شائكة (٢) «أ» شيء أو شخص يعلَق كثمرة شائكة . «ب» مثقاب . «ج» مِحفَرة طبيب الأسنان (٣) عقدة في شجرة (٤) حافّة خشنة (٥) التلفظ بحرف r مشدّداً (٦) دمدمة ؛ طنين §(٧) يدمدم (٨) «أ» يلفظ حرف r مشدّداً . «ب» يتكلم بخشونة أو بغير إفصاح ×(٩) يشكّل حافّة ناتئة (١٠) يزيل غلاف الثمرة الشائك . —**burred** *(adj.)* —**burrer** *(n.)*

bur reed *(n.)* الإسبرغانيون؛ شريط الماء: عشب مائي شريطي الأوراق.

burro [bûr'ō] *(n.)* حمار ؛ وبخاصة : حمار صغير .

burrow [bûr'ō] *(n.; vi.)* (١) جُحر ؛ وجار (٢) ملجأ . §(٣) يحفر جُحراً في الأرض (٤) يقيم في جُحر (٥) يختبىء (٦) ينقّب (في الكتب والمراجع) .

burry [bûr'ĭ] *(adj.)* خشن ؛ شائك (~ wool) .

bursa [bûr'sə] *(n.)* كيس ؛ وبخاصة : كيس مَصْلي (ت) .

bursar [bûr'sər] *(n.)* أمين الصندوق (في كلية أو دير) .

bursary [bûr'sə rĭ] *(n.)* (١) خزانة المال (في كلية أو دير) (٢) منحة مالية لطالب محتاج .

burse [bûrs] *(n.)* (١) محفظة دراهم (٢) منحة جامعية .

bursiform [bûr'sə fôrm'] *(adj.)* كيسيّ الشكل (ت) .

bursitis [bər sī'tĭs] *(n.)* التهاب كيسي (مض) .

burst [bûrst] *(vi.; t.; n.)* (١) ينفجر (٢) يتفطّر (حزناً) (٣) «أ» يندفع (داخلاً أو خارجاً) بقوة أو فجأة (She ~ into the room.) «ب» يبرز للعيان فجأة (The sea ~ upon our view.) (٤) يطفح بِـ (barns ~*ing* with grain) ×(٥) يفجّر (٦) يُحدِث بالتفجير أو بمثله (to ~ a hole through the wall) §(٧) انفجار (٨) تفجّر عاطفي مفاجىء (٩) بروز مفاجىء للعيان (١٠) جهد عنيف مفاجىء (١١) سلسلة طلقات نارية ناشئة عن ضغطة واحدة على الزناد (١٢) نتيجة الانفجار ؛ وبخاصة : هبّات دخان ترافق انفجار القنبلة . —**burster** *(n.)*
to ~ into tears ينفجر بالبكاء .
to ~ open يفتح (البابَ الخ .) بالقوة .
to ~ out يأخذ في الكلام فجأة وبعنف .

burthen [bûr'thən] = burden.

bury [bĕr'ĭ] *(vt.)* (١) يَطْمر (٢) يدفن (٣) «أ» يغيّب (خنجراً في صدر فلان) . «ب» يخفي (*buried* his face in his hands) (٤) ينغمر (*buried* in grief) (٥) يتناسى (to ~ an injury).

burying *(n.)* مصدر bury ، وبخاصة : دفن ؛ مواراة الميّت التراب.

burying ground *(n.)* مقبرة ؛ مدفن ؛ قَرافة .

bus [bŭs] *(n.)* pl. **buses** *or* **busses** (١) الأوتوبوس : سيارة عمومية كبيرة لنقل الركاب على خطّ معيّن (٢) قضيب أو أنبوب موصل (كب) .

bus [bŭs] *(vi.; t.)* (١) ينتقل بالأوتوبوس (٢) يشتغل مساعدَ نادل (في مطعم) ×(٣) ينقل بالأوتوبوس .

busboy *(n.)* مساعد النادل؛ وبخاصة : رجل أو صبيّ مهمته رفع الأطباق الوسخة عن المائدة الخ. (في مطعم) .

busby [bŭz'bĭ] *(n.)* قَلْبَق .

busby

bush [bŏŏsh] *(n.; vt.; i.)* (١)«أ» شُجيرة ؛ جَنبة ؛ وبخاصة : شجيرة خفيضة كثيفة الأغصان. «ب» أجمة ؛ دَغَل (٢) منطقة كثيرة الآجام (٣) «أ» حانة (ا.م) . «ب» إعلان (Good wine needs no ~.) (٤) «أ» خصلة شعر كثة . «ب» ذنب الثعلب (٥) بطانة معدنية الخ. لتخفيف البِلى بالاحتكاك (مك) §(٦) يكسو أو يقي بشجيرات كثيفة الأغصان (٧) يزوِّد ببطانة معدنية ؛ يبطّن بالمعدن ×(٨) يتغصّن أو يمتدّ على نحو كثيف .

bushed *(adj.)* (١) أجَميّ ؛ مكسوّ بالآجام أو نحوها (٢) مُرْهَق .

bushel [bŏŏsh'əl] *(n.; vt.)* (١) البوشل : مكيال للحبوب الخ. يساوي ٨ غالونات أو نحو ٣٢ ليتراً ونصف الليتر §(٢) يُصلح أو يعدّل (الملابس) .

bushelman *(n.)* مساعد خياط (يُصلح أو يعدّل الملابس) . —**bushelwoman** *(n.)*

Bushido [bōō'shē dô'] *(n.)* البوشيدو : «أ» القانون الأخلاقي للفرسان والمحاربين اليابانيين . «ب» الاستماتة في سبيل الامبراطور .

bushing [bŏŏsh'ĭng] *(n.)* = bush 5.

bushman [bŏŏsh'-] *(n.)* (١) *cap.* البُشْمان : أحد أفراد شعب من القنّاصين المترحّلين في افريقية الجنوبية (٢) «أ» الحطاب. «ب» قاطن الأدغال .

bushmaster *(n.)* سيّدة الأدغال : حية أميركية كبيرة سامة .

bushranger *(n.)* (١) رَجُل الأدغال (٢)لصّ الأدغال(في استراليا).

bushwhacker [-'hwăk-] *(n.)* (١) أليف الأدغال (٢) مقاتل على طريقة حرب العصابات .

bushwhacking *(n.)* (١) اختراق الأدغال (٢) حرب عصابات.

bushy [bŏŏsh'ĭ] *(adj.)* (١) مُدْغِل ؛ ملتفّ الأشجار . (٢) كثّ ؛ كثيف .

busily [bĭz'ə lĭ] *(adv.)* بهمّة ؛ بانكباب ؛ بنشاط .

business [bĭz'nĭs] *(n.)* (١) «أ» مهنة . «ب» عمل . «ج» مهمّة .

(٢) «أ» مشروع تجاري أو صناعي . «ب» تجارة (٣) مسألة ؛ قضية (a strange ~) (٤) حركة أو عمل (كأشعال سيكارة الخ.) يقوم بهما الممثل المسرحي خلقاً للجوّ أو تعبيراً عن حالة (٥) شأن (You have no ~ to do that.) حقّ (٦) (none of your ~).
to mean ~, يَجِدّ ؛ يكون جاداً .
to send (a person) about his ~, يسأله أن ينصرف ؛ يأمره بأن لا يتدخل .

business address *(n.)* العنوان التجاري .

business administration *(n.)* إدارة الأعمال (تج) .

business college *(n.)* المدرسة التجارية : مدرسة تدرب طلابها على الجانب المكتبي من التجارة (كالاختزال والطبع على الآلة الكاتبة).

business hours *(n. pl.)* ساعات العمل (في مكتب).

businesslike *(adj.)* فعّال ؛ جدّي ؛ عمليّ ؛ نظاميّ .

businessman *(n.)* (١) رجل أعمال (٢) صاحب مؤسسة تجارية .

businessperson *(n.)* رجل (أو سيّدة) أعمال .

busk [bŭsk] *(vt. ; n.)* (١) يهيّىء ؛ يُعِدّ § (٢) «أ» ضلع المِشَدّ : ضلع من معدن أو عظم لتثبيت المِشد . «ب» مشدّ .

buskin [bŭs'kĭn] *(n.)* (١) جزمة نصفية (تبلغ منتصف الساق) (٢) «جزمة» ينتعلها ممثلو التراجيديا الاغريقية (٣) تراجيديا ؛ مأساة .

buskin 2

busman [bŭs'-] *(n.)* سائق الأوتوبوس .

busman's holiday *(n.)* العطلة العاملة : عطلة يتابع فيها المرء ، مختاراً ، عمله النظاميّ المعتاد .

buss [bŭs] *(n. ; vt. ; i.)* (١) قُبلة (ع) § (٢) يقبّل (ع) .

busses [bŭs'ĭz] *pl. of* bus.

bust [bŭst] *(n. ; vt. ; i.)* (١) تمثال نِصفيّ (٢) «أ» صدر ؛ وبخاصة : ثدْيا المرأة (٣) لكمة عنيفة (ع) (٤) «أ» إخفاق تام . «ب» إفلاس . «ج» أزمة اقتصادية (٥) حفلة سكر وعربدة § (٦) يلكم (٧) يكسر (٨) يصيب بالإفلاس (٩) يُنزل الرتبة العسكرية الخ. (١٠) يطرده من الكلية لإخفاقه في دروسه (١١) يروّض × (١٢) ينفجر (١٣) يُفلس (١٤) «أ» يخفق «ب» يُطرَد من الكلية لإخفاقه في دروسه .

bustard [bŭs'tərd] *(n.)* الحُبارى ؛ دجاجة البرّ (ط) .

bustard

buster [bŭs'tər] *(n.)* (١) غلام ضخم الجسم . (٢) «أ» محراث . «ب» مروّض خيل (٣) عاصفة جنوبية هوجاء (٤) سقطة شديدة (ع) .

bustle [bŭs'əl] *(vi.; t.; n.)* (١) يستعجل ؛ ينطلق بسرعة واهتياج (Everyone was *bustling* about.) × (٢) يستحثّه أو يحمله على الانطلاق بسرعة واهتياج (She ~*d* her children off to school.) § (٣) نشاطٌ صاخب أو مهتاج (a strange ~ and disturbance in the world) (٤) أرداف مستعارة (للنساء) .

busty *(adj.)* عامرة الصدر ؛ كبيرة الثديين .

busy [bĭz'ĭ] *(adj. ; vt. ; i.)* (١) مشغول (٢) «أ» ناشط (a ~ life) «ب» متّصل الحركة (~ hands) (٣) فضوليّ (a ~ ape) (٤) معقّد (a ~ design) § (٥) يُشْغِل × (٦) ينشغل .

busybody [bĭz'ĭ-] *(n.)* الفضولي ؛ المتدخل في شؤون غيره .

busyness *(n.)* (١) انشغال (٢) نشاط (٣) فضول .

busy signal *(n.)* إشارة الانشغال : إشارة تدل على أن رقم مَن تخاطبه تلفونياً مشغول .

but [bŭt] *(conj. ; prep. ; adv. ; n.)* (١) لولا أن ... (would have protested ~ that he was afraid) (٢) أنه .. (I never ... (٣) إلاّ و ... (There is no doubt ~ he won.) go past my old school ~ I think of him.) (٤) إلاّ أن (They all (٥) لكن (I cannot ~ admire your skill.) (no one (٦) إلا ؛ غير ؛ سوى § went ~ I didn't.) (She left ~ an hour (٧) فحسب ؛ فقط § there ~ me) ago.) (٨) مجرد (He is ~ a child.) § (٩) المطبخ أو الغرفة الخارجية من منزل مؤلف من حجرتين (اسك) (١٠) اعتراض ؛ استثناء ؛ شرط (without any ifs or ~s).
~ for your help لولا مساعدتك .
~ then ولكنه من الناحية الثانية . . .

butadiene [bū'tə dī'ēn] *(n.)* البيوتاديين : هيدروكربون غازيّ ملتهب يستعمل في صنع المطاط الاصطناعي (ك) .

butane [bū'tān] *(n.)* البيوتان : مركّب غازيّ ملتهب يكون في البترول .

butcher [bo͝och'ər] *(n. ; vt.)* (١) «أ» الجزار . «ب» تاجر اللحوم (٢) السفّاح (٣) البائع . وبخاصة في قطار أو مسرح (a candy ~) § (٤) يذبح (الحيوانات لبيع لحومها في السوق) (٥) يقتل ؛ يسفك الدم ظلماً (٦) يُفسد بعمل غير متقن .

butcherbird *(n.)* النُّهَس : طائر من الفصيلة الصُّرَدية .

butcherly [bo͝och'ər lĭ] *(adj.)* وحشيّ ؛ دمويّ .

butcher's-broom *(n.)* الآس البري الشائك (نب) .

butchery [bo͝och'ə rĭ] *(n.)* (١) مَسْلَخ (٢) الجِزارة : صناعة الجزار أو عمله (٣) سفك الدماء ؛ القتل الجماعيّ .

butler [bŭt'lər] *(n.)* (١) الساقي (٢) كبير الخدم .

butler's pantry *(n.)* حجرة الساقي : حُجَيْرة بين المطبخ وحجرة الطعام .

butt [bŭt] *(n.; vt.; i.)* (١) نَطْحة (٢) هدف ؛ مرمى . (٣) الأضحوكة : شخص يُسْخَر منه (٤) «أ» الطرف الغليظ من أي شيء . «ب» الأرومة : أصل الشجرة . «ج» عقِب البندقية (٥) عقِب السيكارة ؛ كل عقب يُطرح (٦) برميل كبير (للخمر أو الجعة) (٧) البُتّ : مقياس للسوائل يساوي ١٢٦ غالوناً (٨) الجزء الغليظ من جلد مدبوغ § (٩) ينطح (١٠) يناكب ؛ يوصل (يصل طرفي شيء) بالتناكب × (١١) يتاخم (١٢) ينتأ (١٣) يتدخّل (ع) .

butte [būt] *(n.)* هضبة منعزلة شديدة التحدّر .

butter [bŭt'ər] *(n. ; vt.)* (١) زُبْدة (٢) مُرَبّى «يدهن به الخبز» (apple ~) (٣) مداهنة (ع) ؛ تملّق (ع) § (٤) «أ» يدهن (الخبز) بالزبدة . «ب» يداهن ؛ يتملق (ع) .

butterball *(n.)* (١) شخص بدين (٢) bufflehead .

butter bean *(n.)* الفاصولية الليْمية : ضرب أميركي من الفاصولية .

buttercup *(n.)* الحَوْذان : عشب ذو زهر أصفر ؛ وبخاصة : «أ» الحوذان الحِرِّيف أو زرّ الذهب . «ب» الحوذان البَصَليّ .

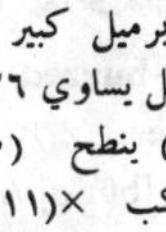

buttercup

butterfat [bŭt'ər făt] *(n.)* زُبْد الحليب .

butterfingered *(adj.)* (١) رِخْو الأصابع : عرضة لأن تسقط الأشياء من بين أصابعه (٢) مُهْمِل .

butterfingers *(n.)* (١) الرخو الأصابع (را. المادة السابقة) . (٢) المُهمِل .

butterfly [bŭt'ər flī] *(n.)* (١) فراشة (٢) شخص موكَل باتّباع الملذّات .

butterfly bush *(n.)* = buddleia.

butterfly fish *(n.)* عروسة البحر : سمكة زاهية الألوان .

butterfly valve *(n.)* الصِّمام المِرْوَحي (ملك) .

butterfly weed *(n.)* الصِّقْلاب العُسْقولي (نب) .

butterine [bŭt'ə rēn'] *(n.)* الزُّبْدة الصناعية .

buttermilk *(n.)* المَخيض ؛ مخيض اللبن .

butternut *(n.)* (١) الجوز الأرمد: ضرب أميركي من الجوز (نب) . (٢) «أ» *pl.* : رداء سروالي (را . overall 3) . «ب» جندي من جنود الولايات الأميركية الجنوبية المنشقة (خلال الحرب الأهلية) .

butterscotch *(n.)* حلوى من سكّر أسمر وزبدة .

butter tree *(n.)* شجرة الزُّبد: نبات يُستخرج من بذوره مادة كالزبدة .

butterwort *(n.)* صائد الذباب : عشبٌ تفرز أوراقه مادة لزجة تأسر الذباب .

buttery [bŭt'ə rĭ] *(n.; adj.)* (١) حجرة بمنزل لحفظ المؤن والخمور . (٢) محل لبيع الطعام والمشروبات في جامعة §(٣) زُبْدانيّ : شبيه بالزبدة (٤) مُزبَّد : محتوٍ على زبدة أو مدهون بها (٥) متملّق .

butt joint *(n.)* الوُصْلة التناكبيّة ؛ وُصْلة التناكب (نج) .

buttock [bŭt'ək] *(n.)* (١) الرِّدْف ؛ أحد الرِّدفين (٢) *pl.* : كَفَل ؛ عَجُز ؛ رِدْفان .

button [bŭt'ən] *(n.; vt.; i.)* (١) زِرّ (٢) «أ» بُرْعُم . «ب» نبتة فُطر صغيرة (٣) «أ» زرّ كهربائي . «ب» *pl.* : خادم (في فندق) (٤) كُرَيّة معدنيّة تتخلّف بعد الصَّهر (٥) طابع الذقن ؛ نُقرة في الذقن (ع) §(٦) يزرِّر (قميصاً الخ .) (٧) يزوِّد أو يزيِّن بأزرار ×(٨) يَتَزَرَّر (My collar won't ~.)

buttonball [bŭt'ən bôl'] *(n.)* الدُّلْب (شجر) .

buttonbush *(n.)* القافالنثوس الغربي : شجيرة شمالأميركية .

buttonhole [bŭt'ən hōl'] *(n.; vt.)* (١) «أ» عروة . «ب» زهرة في عروة السترة §(٢) يجعل له عُرىً (٣) يُمْسِك به من عروة ثوبه (أو من تلابيبه) ؛ يكرهُهُ على الاستماع .

buttonhole stitch *(n.)* قُطبة العُروة (في الخياطة) .

buttonhook *(n.)* المزرِّرة : كلاّبة لتزرير القفّازات والأحذية الخ .

buttonmold *(n.)* القرص الزِّرّي: قرص يكسى بالقماش ليشكِّل زرّاً .

buttonwood *(n.)* (١) الدُّلْب (نب) (٢) خشب الدلب .

buttony [bŭt'ən ĭ] *(adj.)* (١) مزيَّن بأزرار (٢) زِرّانيّ : شبيهٌ بالزِّر .

buttress [bŭt'rĭs] *(n.; vt.)* (١) الكتيف : دعامة حائط أو مبنى (٢) «أ» كتيف الجبل الخ . أو الجزء الناتىء منه . «ب» نتوء عظميّ في حافر الفرس §(٣) «أ» يدعم بكتف (عم) . «ب» يدعم .

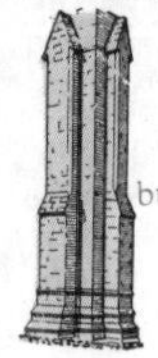

buttress 1.

butt weld *(n.)* اللِّحام التناكبيّ : وُصْلة تناكب تُصْنَع باللحام .

butyl [bū'tĭl] *(n.)* البُوتيل (ك) .

butylene [bū'tə lēn'] *(n.)* البوتيلين (ك) .

butyraceous [bū'tə rā'shəs] *(adj.)* (١) زُبْدانيّ: شبيهٌ بالزبدة . (٢) زُبْدِيّ : منتج مادةً شبيهة بالزبدة .

butyrate [bū'tə rāt] *(n.)* زُبْدات (ك) .

butyric [bū tĭr'-] *(adj.)* زُبْدِيّ: منسوب إلى الزبدة أو مشتق منها .

butyric acid *(n.)* الحامض الزّبديّ (ك) : سائل عديم اللون كريه الرائحة يتشكّل في الزبدة الفاسدة .

butyrin [bū'-] *(n.)* الزُّبْدين: دهن يوجد في اللبن بمقادير قليلة (ك) .

buxom [bŭk'səm] *(adj.)* ممتلئة الجسم ؛ عامرة الصدر ؛ مفعمة بالصحة على نحو جذّاب (a ~ woman) .

buy [bī] *(vt.; n.)* (١) يشتري (٢) يفتدي (٣) يرشو . (٤) يقبل ؛ يؤمن بـ (I don't ~ that nonsense.) §(٥) شراء (٦) صفقة ؛ صفقة رابحة (This stock is a good ~.) .

to ~ back يشتري شيئاً كان قد باعه .

to ~ in (١) يشتري مقداراً وافراً من . (٢) يشتري سلعتَه نفسها (في المزاد العلني) بأن يدفع فيها سعراً أعلى من كل ما دُفع فيها (لكي يحول دون بيعها بسعر منخفض أكثر مما ينبغي) .

to ~ off يتخلص (من فِرْية كاذبة أو من أذى أحد المبتزين للمال بالتهديد) بدفع الأموال .

to ~ one out يشتري كامل حصة فلان في شركة الخ . (بحيث يحلّ محلّه فيها) .

to ~ over يرشو (فلاناً) .

to ~ up يشتري المحصول أو أكبر قدر ممكن منه .

buyer [bī'ər] *(n.)* (١) المشتري (٢) وكيل المشتريات (لمحلّ تجاري) .

buzz [bŭz] *(vi.; t.; n.)* (١) يَطِن ؛ يئزّ (٢) يغمغم ؛ يهمس (٣) يضجّ أو يمتلىء بغمغمات مختلطة (The room ~*ed* with excitement.) (٤) ينتقل بسرعة واهتياج من مكان إلى آخر (٥) يذهب ؛ ينصرف (to ~ along *or* off) ×(٦) يجعله يطنّ أو يئزّ (a fly ~*ing* its wings) (٧) ينشر إشاعةً (٨) يتلفن لِـ (٩) يُسِفّ في الطيران حتى ليكاد يلامس السطوح أو الرؤوس (Planes ~*ed* the crowd.) (١٠) يشرب حتى الثمالة ؛ يشرب حتى آخر نقطة § (١١) طنين ؛ أزيز (١٢) «أ» غمغمة مختلطة . «ب» إشاعة (١٣) مخابرة تلفونية .

buzzard [bŭz'ərd] *(n.; adj.)* (١) الصَّقْر الجَرّاح أو الحوّام (٢) «أ» شخص جدير بالازدراء ؛ شخص أبله أو جبان الخ . §(٣) أبله : أحمق .

buzzard

buzz bomb *(n.)* = robot bomb.

buzzer *(n.)* فا buzz ، وبخاصة : الطنّان : جهاز شبيهٌ بالجرس الكهربائي .

buzz saw *(n.)* المنشار الأزّاز : منشار دائري صغير ذو أزيز .

buzzwig [bŭz'-] *(n.)* (١) لِمّة مستعارة ضخمة كثّة (٢) شخص معتمر بمثل هذه اللمّة (٣) شخص ذو شأن .

buzzword *(n.)* الكلمة الطّنّانة ؛ العبارة الطّنّانة .

by [bī] *(prep.; adv.)* (١) بجانب ؛ بقرب (a house ~ the river) (٢) بِـ ؛ بواسطة (We came ~ train.) (٣) من طريق (They went to Japan ~ Siberia.) (٤) في اتجاه كذا ؛ نحو (north ~ east) (٥) عبر كذا ؛ (مروراً) به (I go ~ her house every day.) (٦) في ساعة معيّنة أو قبلها ؛ في موعد لا يتجاوز ساعة معيّنة (He will be here ~ two o'clock; ~ then) (٧) في ؛ خلال (~ night) (٨) بِـ (~ force) (٩) من قِبل ؛ من جانب (regretted ~ all) (١٠) وفقاً لِـ ؛ بحسب (~ the rules) (١١) مكتوب بقلم (This novel is ~ Dickens.) (١٢) بِـ ؛ مضروباً في (6 ~ 4) §(١٣) على مقربة من (It's near ~.) (١٤) عبر نقطة قريبة من شيء معين (The car drove ~.) (١٥) جانباً (Put it ~ for the moment.) .

~ and ~, قريباً ؛ عما قريب .

~ and large على العموم ؛ على الجملة .

~ oneself (١) وحده (٢) من غير مساعدة .
~ the ~, ~ the bye, ~ the way وبالمناسبة ؛ «وعلى فكرة» ؛ والشيء بالشيء يذكر .
day ~ day يوماً فيوماً .
piece ~ piece قطعةً قطعةً ؛ بالتسلسل .
to stand ~ somebody يؤيده ؛ يناصره ؛ يقف إلى جانبه .

by *or* **bye** [bī] *(adj.)* جانبيّ ؛ فرعيّ ؛ ثانوي ؛ عَرَضيّ .
by-and-by *(n.)* المستقبَل (in the sweet ~) .
by-bidder *(n.)* شخص مكلّف بالمزايدة (لرفع الأسعار في مزاد علني) .
by-blow *(n.)* (١) ضربة غير مباشرة (٢) ولد غير شرعي .
by-child *(n.)* ابن سِفاح ؛ ولد غير شرعي (ع) .
bye [bī] *(adj.)* جانبيّ ؛ فرعي ؛ عَرَضيّ .
bye-bye [bī'bī'] *(interj.)* وداعاً (ع) .
by-election *also* **bye-election** *(n.)* انتخاب فرعي (عند وفاة نائب) .
bygone *(adj.; n.)* (١) ماضٍ ؛ وبخاصة : مُبْطَل الزيّ ؛ عتيق الزيّ ؛ مهجور §(٢) شيء ماضٍ (٣) الماضي .
Let ~s be ~s : إصفَح وانْسَ الماضي : عفا الله عما سلف .
bylaw *or* **byelaw** [bī'lô] *(n.)* القانون الداخلي .
by-line *(n.)* (١) خطّ ثانويّ (وبخاصة في السكة الحديدية) . (٢) سطر في رأس المقالة يشير إلى كاتبها (صح) .
byname [bī'nām] *(n.)* (١) اسم ثانوي (٢) كنية ؛ لقب .
bypass [bī'păs'] *(n.; vt.)* (١) طريق جانبي ، وبخاصة حول مدينة . (٢) مجرى جانبيّ (٣) مجزّيء التيار (كب) §(٤) يتجنّب (العقبات) بأن يسلك طريقاً جانبياً (٥) يُجري (سائلاً) في مجرى جانبيّ (٦) يهمل أو يتجاهل .
bypast [bī'păst'] *(adj.)* = **bygone.**
bypath [bī'păth'] *(n.)* = **byway.**
byplay [bī'plā'] *(n.)* عملٌ أو كلامٌ جانبيّ (وبخاصة على المسرح) .
by-product *(n.)* (١) حصيلة ثانية ؛ مُنْتَج جانبيّ (في الصناعة) . (٢) نتيجة ثانوية (وأحياناً غير متوقعة أو مقصودة) .
byre [bīr] *(n.)* زريبة (للأبقار) .
byroad [bī'rōd'] *(n.)* = **byway.**
Byronic [bī rŏn'-] *(adj.)* بايرونيّ : خاصّ ببايرون أو بشعره .
byssus [bĭs'əs] *(n.)* (١) قماش ناعم (من أقمشة العصور القديمة) . (٢) كتلة ألياف حريرية تلتصق بواسطتها بعض الرّخويات بالصخور .
bystander [bī'-] *(n.)* المتفرج (على حادثة من غير أن يشارك فيها) .
bystreet [bī'strēt'] *(n.)* شارع فرعي .
byte *(n.)* البَيْتة : مجموعة أرقام ثُنائية متجاورة تعتبرها الحاسبة الالكترونية وحدة وتكون عادة أقصر من كلمة .
byway [bī'wā] *(n.)* (١) طريق فرعيّ (غير مطروق كثيراً) . (٢) مظهر أو حقل (من حقول البحث) ثانويّ أو شبه مجهول .
byword [bī'wûrd'] *(n.)* (١) مَثَل ؛ قول مأثور (٢) نموذج ممثّل لنوع أو فئة (٣) موضع سخرية (His cowardice made him a ~ to all his friends.) (٤) كلمة أو عبارة متداولة .
bywork [bī'-] *(n.)* العمل الجانبيّ : عمل ثانوي يقوم به المرء إلى جانب عمله الإضافي (في أوقات الفراغ) .
Byzantine [bĭz'ən tēn' ; -tīn'] *(n. ; adj.)* (١) البيزنطي : أحد أبناء بيزنطة §(٢) بيزنطيّ : «أ» متعلق بمدينة بيزنطة القديمة أو مميّز لها . «ب» متعلق بطراز العمارة البيزنطية أو متّسم بخصائصه . «ج» متعلق بالكنيسة الأرثوذكسية الشرقية أو بطقوسها .
Byzantium [bĭ zăn'shi əm ; -tĭ əm] *(n.)* بيزنطة : مدينة يونانية قديمة على البوسفور بنى الامبراطور قسطنطين في موقعها (عام ٣٣٠ ب.م) مدينة القسطنطينية (وقد عُرِفت في العهد العثماني بالآستانة ؛ وتُعرف اليوم باستانبول) .

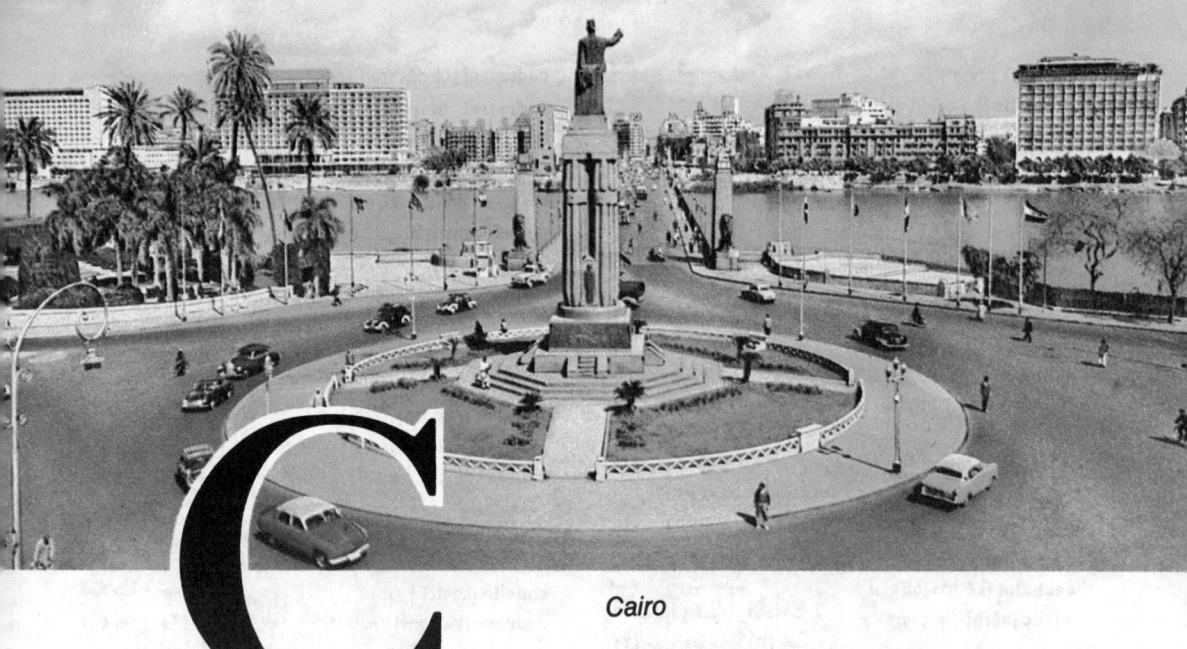

Cairo

C

c [sē] *(n. often cap.)* (١) الحرف الثالث من الأبجدية الانكليزية . (٢) «أ» مئة . «ب» مئة دولار(ع) (٣) شيء مُعْتَبَرٌ ذا مقام ثالث (من حيث الترتيب أو الطبقة) (٤) «أ» درجة أو علامة مدرسيّة تُشعِر بأن عمل الطالب متوسط . «ب» طالب يُمنَح هذه الدرجة (٥) شيء على صورة حرف **C** .

Caaba [kä'bə] *(Ar.)* الكعبة ؛ بيت الله الحرام (إس) .

cab [kăb] *(n.)* (١) القاب : مكيال عبرانيّ قديم (٢) «أ» مركبة أجرة ذات جواد واحد . «ب» سيارة أجرة (٣) «أ» الجزء المغطّى من القاطرة (حيث يقف السائق والوقاد) . «ب» جزء مماثل في شاحنة أو تراكتور الخ .

cabal [kə băl'] *(n. ; vi.)* (١) عُصْبة أو جمعية سريّة . (٢) مؤامرة ؛ مكيدة §(٣) «أ» يؤلف عصبة سرية . «ب» يتآمر .

cabala [kăb'ə lə ; kə bä'-] *(n. often cap.)* (١) القبّالانية : فلسفة دينية سريّة ، عند أحبار اليهود وبعض نصارى العصر الوسيط ، مبنيّة على تفسير الكتاب المقدّس تفسيراً صوفياً (٢) «أ» مُعْتَقَد صوفي . «ب» مذهبٌ أو علم سريّ .

—cabalist *(n.)* **—cabalistic** *(adj.)*

caballero [kăb'əl yâr'ō] *(n.)* (١) سيّد اسبانيّ (٢) فارس .

cabana [kä bä'nä; -'nyä] *(n.)* كوخ (وبخاصة على الشاطئ) .

cabaret [kăb ə rā'] *(n.)* (١) حانة(ا.ق) (٢) «أ» الملهى : مقهى أو مطعم يقدّم برامج غناء أو رقص . «ب» برنامج غناء أو رقص .

cabbage [kăb'ĭj] *(n.; vt.; i.)* (١) كُرُنْب ؛ ملفوف(نب) . (٢) بنكنوت؛ عملة ورقية (ع) (٣) شيء مسروق أو مختلس؛ وبخاصة : أجزاء من القماش «يختلسها» الخياط عند تفصيله ثوباً §(٤) يسرق (Your tailor ~s whole yards of cloth.)

cabbage palm *(n.)* السابال النَّخيليّ (نب) .

cabbage palmetto *(n.)* = cabbage palm.

cabbala *or* **cabbalah** [kăb'ə lə] *(n.)* =cabala.

cabby *or* **cabbie** [kăb'ĭ] *(n.)* = cabdriver.

cabdriver *(n.)* سائق مركبة (أو سيارة) أجرة

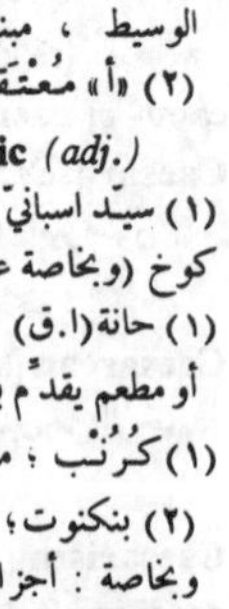

cabbage palm

caber [kā'bər] *(n.)* جذعٌ يُقذف به على سبيل تجربة القوة .

cabin [kăb'ĭn] *(n.; vi.; t.)* (١) القَمْرة : «أ» حجرة خصوصية لشخص أو أكثر، في سفينة . «ب» حجرة تحت ظهر المركب الصغير للركاب أو النوتية . «ج» حجرة في الطائرة للأحمال أو الملاحين أو الركاب (٢) كوخ (٣) cab 3 §(٤) يقيم في كوخ أو نحوه ×(٥) يحبس .

cabin boy *(n.)* غلام السفينة : غلام يشتغل خادماً في سفينة .

cabin class *(n.)* الدرَجة القَمْرية : درجة أعلى من الدرجة السياحية وأدنى من الدرجة الأولى (في سفينة للركاب) .

cabinet [kăb'ə nĭt] *(n. ; adj.)* (١) خزانة (للنفائس الخ .) (٢) «أ» حجرة خصوصية صغيرة . «ب» حجرة عَرْض صغيرة في متحف (٣) «أ» *cap.* عد : مجلس الوزراء . «ب» المجلس الاستشاري لحاكم ولاية الخ . «ج» اجتماع لمجلس الوزراء (بر) §(٤) ذو قيمة أو جمال أو حجم يجعله ملائماً للوضع في حجرة خصوصية أو للحفظ في خزانة صغيرة (a ~ edition of Dickens) (٥)وزاري : خاص بمجلس الوزراء (procedure ~) (٦)خصوصيّ ؛ سريّ (٧) مستخدَم في صنع الموبيليا أو مُعَدّ لذلك (wood ~) .

cabinet file *(n.)* المِبرد النجّاري ؛ مِبرد النجّارين .

cabinetmaker *(n.)* نجار الموبيليا ؛ نجّار الأثاث الفاخر .

cabinetwork *(n.)* (١) موبيليا ؛ أثاث فاخر (٢) صناعة الموبيليا .

cable [kā'-] *(n. ; vt. ; i.)* *(Ar.)* (١) «أ» مَرَسة ؛ قَلْس ؛ حبل غليظ . «ب» سلك ؛ سلسلة معدنية (٢) الطول الكَبْليّ (را . cable length) (٣) «أ» الكَبْل : حزمة أسلاك معزول بعضُها عن بعض ضمن غلاف واقٍ (للابراق من غواصة عادةً) . «ب» البرقية الكَبْلية : برقية مرسلة بكبل من كُبول الغواصات §(٤) يثبّت بأمراس أو أقلاس (٥) يزود بأمراس الخ . ×(٦) يُبرق بكبل .

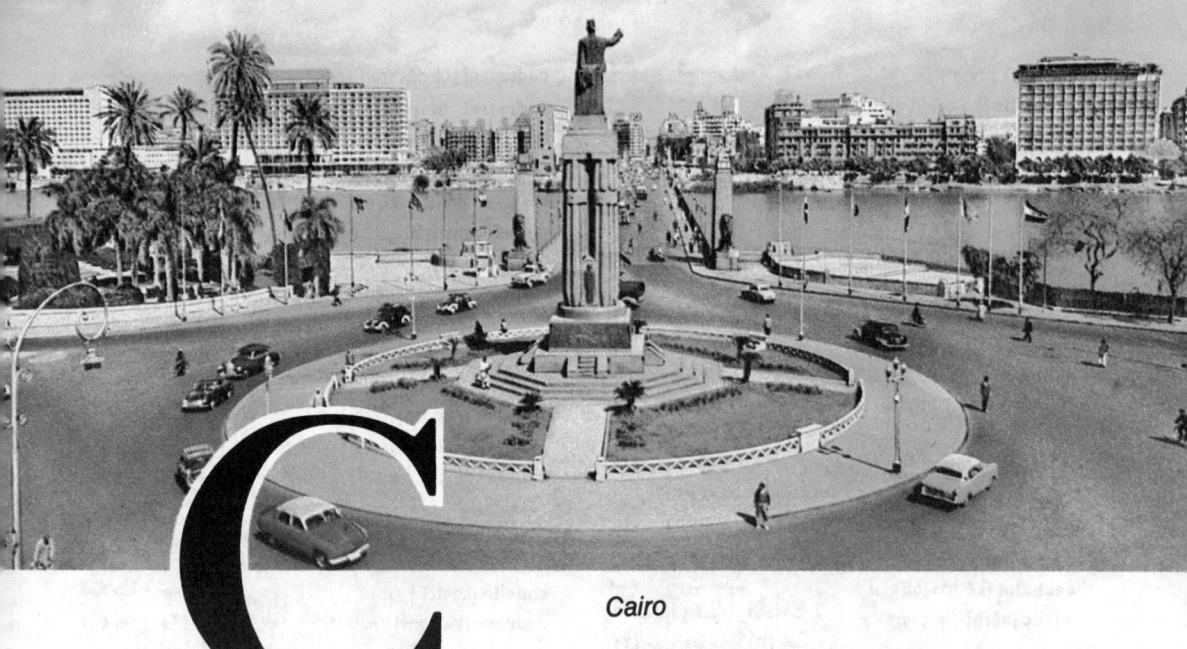

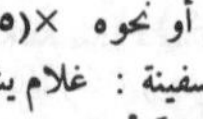

cable 3 a.

cablegram *(n.)* البرقية الكَبْلية : برقية مرسلة بكَبْل من كبول الغواصات .

cable length *(n.)* الطول الكَبْليّ : وحدة بحرية للطول (٧٢٠ قدماً في الأسطول الأميركي، و٦٠٨ أقدام في الأسطول البريطاني) .

cable railway *(n.)* السكّة الكَبْلية ؛ سكة الحديد المعلّقة .

cablet [kā'blĭt] *(n.)* مُرَيْسَة ؛ قُلَيْس ؛ حبل غير غليظ .

cabman [kăb'mən] *(n.)* = cabdriver.

cabob [kə bŏb'] *(n.)* كَباب ؛ لحم مشويّ .

caboodle [kə bōō'dəl] *(n.)* جماعة ؛ مجموعة .

caboose [kə bōōs'] *(n.)* (١) مطبخ (على ظهر السفينة) . (٢) المِذنَب : الحافلة الأخيرة في قطار للشحن (يستعملها عماله) .

cabotage *(n.)* (١) الملاحة الساحلية (٢) جَعْلُ النقل الجوي ضمن حدود بلد ما مقصوراً على الطائرات الوطنية .

cabrilla [kə brĭl'ə] *(n.)* القُشْر : أيّ من فصيلة سمك من العظميات المعروفة بـ « القُشريات » .

cabriole [kăb'rĭ ōl'] *(n.)* القائمة البُرْثنيّة : قائمة محفورة من قوائم الموبيليا تنتهي على شكل براثن الحيوان .

cabriolet [kăb'rĭ ə lā'] *(F.)* الكَبْرِيلَة : «أ» مركبة ذات عجلتين وجواد واحد وسطح جلديّ يُطْوَى . «ب» سيارة ذات سطح قابل للطيّ .

cabstand *(n.)* مَوْقف مركبات أو سيارات الأجرة .

ca'canny [kä kăn'ĭ] *(n.)* تراخٍ في الإنتاج (مُتعمَّد من قِبل العمال) .

cacao [kə kā'ō] *(n.)* (١) شجرة الكاكاو (٢) كاكاو .

cacao butter *(n.)* زُبدالكاكاو : مادة دهنية تستخرج من بزور الكاكاو .

cachalot [kăsh'ə lŏt'] *(n.)* العَنْبَر : حوت عظيم .

cache [kăsh] *(n. ; vt.)* (١) مَخبأ (للمؤن والأدوات) . (٢) شيء مخبوء §(٣) يخبّىء .

cachectic [kə kĕk'tĭk] *(adj.)* دَنِف : مصاب بالدَّنَف .

cachet [kă shā' ; kăsh'ā] *(F.)* (١) خَتْم (تذيَّل به رسالة) (٢) طابع أو صفة مميِّزة (٣) برشامة (صي) (٤) «أ» رسم أو كلام على غلاف (إحياءً لذكرى بريدية) . «ب» شعارٌ يُضمَّن في الختم البريديّ .

cachexia [kə kĕk'sĭ ə] *or* **cachexy** *(n.)* الدَّنَف : اعتلال عام مصحوب بهزال ، بسبب من مرض عضال كالسرطان (مض) .

cachinnate [kăk'ə nāt'] *(vi.)* يُقهقه ، يُغرِب في الضحك .

cachou [kə shōō'] *(n.)* حبة سكّرية (لتعطير النَّفَس) .

cachucha [kä chōō'chä] *(n.)* الكَتْشُوشة : رقصة اسبانية مَرِحة .

cacique [kə sēk'] *(n.)* (١) زعيم قبيلة (في المكسيك) (٢) الكاسِك : طائر استوائي من طيور المكسيك والأميركتين الوسطى والجنوبية .

cackle [kăk'əl] *(vi.; n.)* (١) تُقوقي (الدجاجةُ) (٢) يضحك على نحو متقطع (٣) يثرثر بجلَبة §(٤) القَوْقَأة : صوتُ الدجاج (٥) ثرثرة .

—cackler *(n.)*

caco- بادئة معناها : رديء ، فاسد (cacography) .

cacodemon [kăk'ə dē'mən] *(n.)* شيطان ؛ روح شريرة .

cacoëthes [kăk' ō ē'thēz] *(n.)* (١) هَوَس ؛ دافع لايقاوم ؛ عادة سيئة (٢) قرحة خبيثة (ط) .

cacogenesis *(n.)* فساد الأعراق ؛ تفسّخ الأعراق .

cacogenics *(n.)* (١) دراسة فساد الأعراق (٢) فساد الأعراق .

cacography *(n.)* (١) خط رديء (٢) تهجئة خاطئة .

cacomistle [kăk'ə mĭs'əl] *(n.)* (١) أُسَيْد الجَبَل : حيوانٌ لاحم يشبه الراكون ولكنه أصغر منه وذيلُه أطول (٢) فَرو أُسَيد الجَبَل .

cacomistle

cacophonous [kə kŏf'-] *(adj.)* متنافر النغمات .

cacophony [kə kŏf'ə nĭ] *(n.)* تنافر النغمات .

cactaceous [-tā'shəs] *(adj.)* صَبّاريّ : متعلق بالفصيلة الصَّبّارية .

cactus [kăk'-] *(n.)* pl. **-ti** *or* **-tuses** صَبّار ؛ «صُبَيْر» (نب) .

cad [kăd] *(n.)* (١) الوَغْد ، النَّذْل (٢) ابن المدينة (عب) .

cadastral [kə dăs'trəl] *(adj.)* مَسْحِيّ ؛ مِساحيّ .

cadastral map *(n.)* الخريطة المِساحية .

cadastral survey *(n.)* المساحة التفصيلية (للأملاك والعقارات) .

cadastre *or* **cadaster** *(n.)* سِجِلّ الأراضي الممسوحة .

cadaver [kə dăv'ər ; -dā'vər] *(n.)* جُثّة ؛ جِيفَة .

cadaverous [-'ər əs] *(adj.)* (١) «أ» جِيفيّ «ب» جيفانيّ : شبيه بالجيفة (٢) شديد الشحوب (٣) مهزول ؛ شديد النحول .

caddie *or* **caddy** [kăd'ĭ] *(n. ; vi.)* (١) الكادِي : «أ» غلام يساعد لاعب الغولف بأن يحمل المضارب ويبحث عن الكرة . «ب» أداة صغيرة ذات عجلات لنقل الأشياء التي قد يتعذّر حملها باليد §(٢) يساعد لاعب الغولف بوصفه كادِياً .

caddish [kăd'ĭsh] *(adj.)* خَسيس ؛ سافل .

caddy [kăd'ĭ] *(n.)* عُلَيْبة ؛ علبة صغيرة (وبخاصة للشاي) .

cade [kād] *(adj.; n.)* (١) «أ» مُرَبّى على اليد بعد أن تركته أمه (a ~ lamb) . «ب» مُدلَّل §(٢) برميل (ا.ق) (٣) العَرْعَر الكادِيّ : عَرْعَرٌ يستخرج من خشبه سائل قِطرانيّ أسود يستخدم في معالجة الأمراض الجلدية .

cadelle [kə dĕl'] *(n.)* الظّلاميّة ؛ خنفساء الدقيق .

cadence [kā'dəns] *(n.)* (١) إيقاع (٢) مَحَطّ ؛ نغمة ختامية (٣) إيقاع الخَطْو (a ~ of 120 steps per minute) .

cadency *(n.)* = cadence.

cadet [kə dĕt'] *(n.)* (١) «أ» ابنٌ أو أخٌ أصغر . «ب» الابن الأصغر (٢) الطالب العسكري : طالب في كلية حربية (٣) المبتدىء (في مهنة ما) (٤) الدَّيُّوث : القوّاد(ع) . **—cadetship** *(n.)*

cadge [kăj] *(vi.; t.)* (١)«أ» يتطفّل . «ب» يتسوّل (٢) ينال بالتسوّل .

cadger *(n.)* (١) الطفيليّ (٢) المتسوّل .

cadi *or* **kadi** [kä'dĭ] *(Ar.)* القاضي الشرعي (إس) .

cadmium [kăd'-] *(n.)* الكادميوم : عنصر فلزيّ أبيض يشبه القصدير .

cadmium orange *(n.)* البرتقاليّ الكادميوميّ : لون أصفر برتقاليّ .

cadre [kä'dər] *(n.)* (١) إطار (٢) ملاك ؛ كادر .

caduceus [kə dū'sĭ əs] *(n.)* pl. **-cei** (١) صولجان هِرْمس رسول الآلهة (٢) شعار مهنة الطبابة : صولجان تلتف عليه حيّتان وفي أعلاه جناحان .

caduceus 2.

—caducean *(adj.)*

caducity [kə dū'-] *(n.)* (١) سرعة الزوال (٢) شيخوخة .

caducous [-'kəs] *(adj.)* (١) «أ» متساقط . «ب» مُبْتَسَر السقوط ؛ مبكّر التساقط (نب) (٢) سريع الزوال .

caecum [sē'kəm] *(n.)* الأعور : المصران الأعور (ت) .

caen- *or* **caeno-** = cen-.

Caesar [sē'zər] *(n.)* (١) القيصر : لقب الأباطرة الرومان بعد أوغسطوس قيصر (٢) *not cap.* عد : «أ» امبراطور . «ب» ديكتاتور . «ج» السلطة المدنية أو الحاكم الزمني .

Caesarean [sĭ zâr'-] *(adj.; n.)* (١) قَيْصَريّ §(٢) القيصرية ؛ العملية القيصرية : عملية فتح البطن واستخراج الجنين من الرحم عند تعذّر الولادة .

Caesarism *(n.)* القيصرية : الدكتاتورية السياسية أو الطغيان العسكري .

caesium [sē'zĭ əm] *(n.)* = cesium.

caespitose [sĕs'pə tōs'] *(adj.)* مُعنقَد : نامٍ على شكل عناقيد الخ .

caesura [sĭ zhōōr'ə] *(n.)* (١) وَقْف عند منتصف بيت شِعر . (٢) وَقْف ؛ انقطاع .

ă at; ā date; â care; ä car; ĕ egg; ē me; ĭ in; ī bite; ŏ lot; ō bone; ô orphan; oi boil; ŏŏ good; ōō boot; ou out; ŭ under; ū unity; û urgent; th thing; th this; zh vision; ə = *a* in alone, *e* in system, *i* in easily, *o* in gallop, *u* in circus.

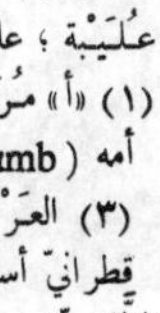

café [kă fā'] (*F.*) (١) قهوة (٢) مقهى ؛ مطعم ؛ ملهى أو نادٍ ليلي .
café au lait [ō lā'] (*n.*; *adj.*) (١) قهوة بالحليب (٢) لون بنيّ فاتح § (٣) بنيّ فاتح .
café noir [nwär'] (*F.*) القهوة السوداء : قهوة بلا حليب .
cafeteria [kăf'ə tîr'ĭ ə] (*n.*) القَفْطير : مطعم بلا نُدُل .
caffeine [-'ēn] (*n.*) الكافيين ؛ البُنِّين : المادة المُنبِّهة في البنّ والشاي .
caftan [kăf'tən ; käf tän'] (*n.*) قُفْطان .
cage [kāj] (*n.*; *vt.*) (١) «أ» قَفَص (للطير والحيوان) . «ب» شيء كالقفص شكلاً أو وظيفةً (٢) «أ» حُجَيْرَة ذات قضبان (للسجناء) . «ب» معسكر (لأسرى الحرب) (٣) سلّة (في كرة السلة ونحوها) (٤) مبنى كبير (للألعاب الرياضية) § (٥) يضع أو يحبس في قفص الخ .
cageling [kāj'lĭng] (*n.*) طائر في قفص .
cagey *also* **cagy** [kā'jĭ] (*adj.*) حذِر ؛ محترِس .
cahier [kä yā'] (*n.*) (١) «أ» تقرير . «ب» مذكّرة (توجه إلى الحكومة أو إلى جمعية مصحوبةً بعريضةٍ، عادةً) (٢) دفتر .
cahoots [kə hōōts'] (*n. pl.*) اتفاق ؛ تعاون وثيق .
caiman [kā'mən] (*n.*) الكَيْمَن : تمساح أميركي استوائي .
Cainozoic [kī'nə zō'ĭk ; kā'-] = Cenozoic.
caïque [kä ēk'] (*n.*) (١) الكَيِك : زورق طويل (في البوسفور) . (٢) مركب شراعي .
cairn [kârn] (*n.*) ركام من حجارة يُنصَب للذكرى أو كَعَلَم أو صُوَّة .
Cairo [kī'rō] (*n.*) القاهرة .
caisson [kā'sən] (*n.*) (١) «أ» صندوق متفجرات . «ب» عربة ذخيرة أو مدفع (٢) القَيْسون : «أ» حُجرة صامدة للماء تُستخدم في البناء تحت المياه . «ب» أداة لانتشال مركبٍ غريق . «ج» جزء غائر مزخرف (في سقف الخ) .
caisson disease (*n.*) شلل الغوّاص : داء يتميز بالشلل وبآلام عصبية ناشئٌ عن الانتقال فجأةً من جوٍّ عالي الضغط إلى جوٍّ عاديّ الضغط .
caitiff [kā'tĭf] (*adj.*; *n.*) وغد ؛ خسيس ؛ حقير ؛ جبان .
cajeput (*n.*) = cajuput.
cajole [kə jōl'] (*vt.*) يتملّق ؛ يداهن ؛ يتزلف إلى .
cajolery [kə jō'lə rĭ] (*n.*) تملّق ؛ مداهنة ؛ تزلّف .
cajuput [kăj'ə pət] (*n.*) (١) بلْقاء كاجيبوت (نب) . (٢) زيت أخضر زكيّ الرائحة يستقطر من ورقها .
cake [kāk] (*n.*; *vt.*; *i.*) (١) كعكة (٢) «أ» قطعة ؛ كتلة متراصة (a ~ of soap, ice, etc.) . «ب» قشرة صلبة أو قَصمة (٣) الأبله ؛ المغفّل (عب) § (٤) يكسو أو يُلبِس بقشرة (٥) يحشو × (٦) يتخذ شكل كتلة متراصة (Mud ~*d* on her shoes.) .
a piece of ~ . شيء هيّن أو سائغ جداً .
~*s* and ale قَصْفٌ ؛ لهوٌ صاخب .
to take the ~ (١) يفوز بقصب السَّبْق (٢) يتفوّق .
cakewalk [-'wôk] (*n.*) رقصة زنجية أو محاكاةٌ لها .
Calabar bean (*n.*) لوبياء كالابار (نب) .
calabash [kăl'ə băsh'] (*n.*) (١) قَرْع ؛ يقطين (٢) قرعة أو يقطينة يابسة (تُتّخذ زجاجةً أو طاسة) .
calaboose [kăl'ə bōōs'] (*n.*) سِجن (ع) .
caladium [kə lā'-] (*n.*) الكَلَدْوم : نبات أميركي ذو أوراق جميلة .
calamander (*n.*) القَلَمَنْدَر : خشب بندقيّ اللون مقلّم بالأسود .
calamine [kăl'ə mīn] (*n.*) الكالامين : «أ» سليكات الزنك المائية (ك) . «ب» كربونات الزنك (ك) .

calamitous [-lăm'-] (*adj.*) فاجع : مسبّب كارثةً أو مصحوب بها .
calamity [kə lăm'-] (*n.*) (١) بؤس (٢) نكبة ؛ كارثة ؛ فاجعة .
calamus [kăl'ə məs] (*n.*) pl. **-mi** (١) «أ» الوَجّ ؛ الأقورون ؛ عِرق أكَر : نبات عَطِر الجذور . «ب» جذر الوَجّ (٢) القَلَم (مج) : ساق الريشة الأجوف .
calash [kə lăsh'] (*n.*) الكَلاش : «أ» عربة خفيفة منخفضة ذات غطاء يُطْوى . «ب» غطاء الكلاش . «ج» قبعة نسوية شبيهة بغطاء العربة القابل للطيّ .

calash c.

calcaneal (*adj.*) عَقِبيّ : ذو علاقة بالعقِب أو كعب الرِّجل .
calcaneum [kăl kā'-] (*n.*) pl. **-nea** = calcaneus.
calcaneus (*n.*) pl. **-nei** العَقِب ؛ الكعب : عظم مؤخر القدم .
calcar [kăl'kär] (*n.*) pl. **-ia** مهماز (أح) .
calcarate [kăl'-] (*adj.*) مُمَهْمَز : مزوّد بمهماز (أح) .
calcareous [kăl kâr'-] (*adj.*) كلسيّ ؛ جيريّ .
calceiform [kăl'sĭ ə-] (*adj.*) خُفّيّ الشكل .
calceolate [kăl'sĭ ə lāt'] (*adj.*) = calceiform.

calcarate foot

calces [kăl'sēz] *pl. of* calx.
calcic [kăl'sĭk] (*adj.*) كِلسيّ ؛ جيريّ .
calcicole (*n.*) النبات الكلسيّ : نبات ينمو عادةً في أرض كلسية .
calciferol [kăl sĭf'ə rōl'] (*n.*) الكلسيفرَول : فيتامين د ٢ .
calciferous (*adj.*) (١) مشكّل أملاحَ الكلسيوم (٢) محتوٍ على كربونات الكلسيوم .
calcification (*n.*) (١) «أ» تكليس . «ب» تكلس (٢) جزء متكلّس .
calcifuge (*n.*) النبات اللاكلسي : نبات لا ينمو عادةً في أرض كلسية .
calcify [kăl'-] (*vt.*; *i.*) (١) يكلّس : يحوّل إلى كلس × (٢) يتكلس .
calcimine [kăl'-] (*n.*; *vt.*) (١) طلاء أبيض أو ملوّن § (٢) يدهن به .
calcination (*n.*) (١) تكليس ؛ تكلّس (٢) إحراق .
calcine [-'sīn] (*vt.*; *i.*) (١) يكلّس : يحوّل إلى كلس . (٢) يحرق × (٣) يتكلّس .
calcite [kăl'sīt] (*n.*) الكالسيت : كربونات الكلسيوم المتبلّرة (ك) .
calcium [kăl'sĭ əm] (*n.*) الكَلْسيوم (ك) .
calcium carbide (*n.*) كربيد الكلسيوم (ك) .
calcium carbonate (*n.*) كربونات أو فحمات الكلسيوم (ك) .
calcium hydroxide (*n.*) هيدروكسيد الكلسيوم (ك) .
calcium light (*n.*) ضوء الكلسيوم : نور أبيض ساطع .
calcium phosphate (*n.*) فوسفات الكلسيوم (ك) .
calcspar (*n.*) الكالكسبار : كربونات الكلسيوم المتبلّرة (ك) .
calculable (*adj.*) (١) ممكن إحصاؤه (٢) مُعتَمَد ؛ جدير بالاعتماد .
calculate [kăl'kyə lāt'] (*vt.*; *i.*) (١) يحسب (رياضياً) . (٢) يظن ؛ يحسب ؛ يعتقد (٣) يُعِدّ ؛ يكيّف أمراً بحيث يفي بغرض معين (This advertisement is ~*d* to attract the attention of students.) (٤) يقصد ؛ يتعمّد × (٥) يقدِّر ؛ يجري حساباً ؛ يفكّر في النتائج (Strong passions never ~.) (٦) يعتمد ؛ يتكل على .
calculated (*adj.*) (١) «أ» محسوب (رياضياً) . «ب» مدروس ؛ مرويّ فيه (٢) مُعَدّ أو مُكيَّف بحيث يؤدي غرضاً معيناً (٣) مقصود ؛ متعمَّد .
calculating (*adj.*) (١) حاسب (a ~ machine) (٢) «أ» حذِر . «ب» ماكر ؛ أناني .

calculation 144 call

calculation *(n.)* (١) «أ» حُسبان ؛ إجراء للحساب . «ب» حساب . (٢) روية ؛ تفكير مروّى فيه ؛ حَذَر .

calculator *(n.)* (١) فا calculate مثل : «أ» آلة حاسبة . «ب» من يستخدم الآلة الحاسبة (٢) مجموعة جداول (تسهّل إجراء حساب ما) .

calculous [kăl'kyə-] *(adj.)* (١) حَصَويّ (٢) مصابٌ بحصاة كِلْويّة الخ .

calculus [kăl'kyə ləs] *(n.)* pl. **-li** *also* **-luses** (١) حصاة (في المثانة أو الكلْية الخ .) (٢) حساب التفاضل والتكامل (ر) .

renal ~, الحصاة الكلْوية ؛ حصاة الكلْية .

urinary ~, الحصاة البولية .

calculus of variations حساب التغاير (ر)

caldron [kôl'drən] *(n.)* مِرجَل ؛ خِلقين .

calèche *(n.)* الكَلاش : «أ» عربة ذات غطاء يُطوى . «ب» قبعة نسوية .

calefacient [kăl'ə fā'shənt] *(adj.; n.)* (١) مسخِّن ؛ مُدفِئ . §(٢) علاج مُحمِر (كلصقة الخردل الخ .) .

calefaction [-făk'-] *(n.)* (١) تحمية ؛ تسخين (٢) حماوة .

calefactory [kăl'ə făk'tə rĭ] *(adj.; n.)* (١) مُحِر ؛ مُحْدِث حرارة §(٢) حجرة جلوس مدفأة (في دير) .

calendar [kăl'ən dər] *(n.; vt.)* (١) «أ» تقويم . «ب» روزنامة . (٢) لائحة ؛ قائمة (٣) بيانٌ جامعة (بر) §(٤) يسجّل ؛ يُدْرِج في لائحة الخ .

calendar clock *(n.)* الساعة الروزنامية (تبيّن أيام الأسبوع والشهر أيضاً) .

calendar day *(n.)* الفترة من منتصف الليل إلى منتصفه التالي .

calendar month *(n.)* الشهر الشمسي : أحد شهور السنة الشمسية .

calendar year *(n.)* السنة الشمسية (بدؤها أول يناير ونهايتها ٣١ ديسمبر) .

calender [kăl'ən dər] *(n.; vt.)* (١) المِصقلة : ماكينة لتمليس الورق (أو القماش الخ .) أو صقله (٢) درويش متسوّل §(٣) يصقل أو يملّس (الورق أو القماش) .

calendrical *also* **calendric** *(adj.)* تقويميّ ؛ روزناميّ .

calends [kăl'əndz] *(n.)* غُرّة الشهر أو أوّله (في التقويم الروماني القديم) .

at *or* on the Greek ~, في ميقات لن يحين أبداً .

calendula [kə lĕn'jə lə] *(n.)* الآذَرْيُون : نبات زهريّ .

calenture [-'ən chər] *(n.)* حُمّى القَيْظ : حمّى استوائية .

calf [kăf ; käf] *(n.)* pl. **calves** *or* **calfs** (١) عِجْل (٢) جلد العجل (٣) فتىً غرّ (٤) كتلة جليد (منفصلة من جبل جليديّ عائم) .

calf [kăf ; käf] *(n.)* pl. **calves** رَبْلَة (أو بطّة) الساق .

calf love *(n.)* غرام المراهقة : حب سريع الزوال يستشعره صبيّ أو فتاة لشخص من الجنس الآخر .

calfskin [kăf'skĭn'] *(n.)* جِلْد عِجْل .

caliber *or* **calibre** [kăl'ə bər] *(n.)* (١) العيار : «أ» قُطْر الرصاصة أو القذيفة . «ب» القُطْر الداخلي لماسورة المدفع أو السلاح الناري (٢) قطر جسم مستدير ؛ وبخاصة : القطر الداخلي لأسطوانة جوفاء (٣) الوزن : درجة المقدرة العقلية أو الصفة الخلقية ؛ منزلة المرء أو مكانته (a man of excellent ~) .

calibrate [kăl'ə brāt'] *(vt.)* يُعاير ؛ يُدرّج ؛ يقوّم : يفحص أو يحدد أو يقوّم عيار الشيء أو «تدريجات» مقياس مدرّج .

calibration *(n.)* معايرة ؛ تدريج ؛ تقويم .

calices [kăl'ə sēz'] *pl. of* calix.

caliche [kä lē'chē] *(n.)* القشرة الكلسية : قشرة من كربونات الكلسيوم تتشكّل على التربة الصخرية في المناطق القاحلة (جي) .

calico [kăl'ə kō'] *(n.; adj.)* (١) كاليكو ؛ شيت ؛ خام (قماش قطني) (٢) حيوان منقّط الإهاب (كفرس الخ .) §(٣) مصنوع من كاليكو الخ . (٤) منقّط بالألوان .

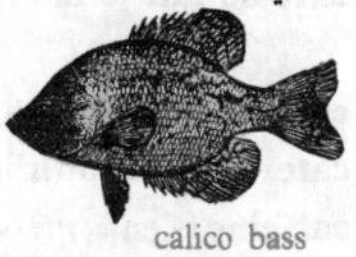

calico bass

calico bass *(n.)* القَلَقْبَاس : سمكة نهرية أميركية تؤكل .

calico bush *(n.)* = mountain laurel.

calico printing *(n.)* تطبيع الأقمشة القطنية .

calif; califate = caliph; caliphate.

californium *(n.)* الكَلِيفورنيوم : عنصر إشعاعيّ النشاط (ك) .

caliginous [kə lĭj'ə nəs] *(adj.)* ضبابيّ ؛ مُعتِم ؛ قاتم .

calipash [kăl'ə păsh] *(n.)* الكالِيْباش : مادة هُلامية ضاربة إلى الخضرة تلي غطاء السلحفاة العُلْوي (وتعتبر من طيّب الطعام) .

calipee [kăl'ə pē'] *(n.)* الكاليبيّة : مادة هلامية ضاربة إلى الصفرة متصلة بغطاء السلحفاة السفليّ (وتعتبر من طيّب الطعام) .

caliper

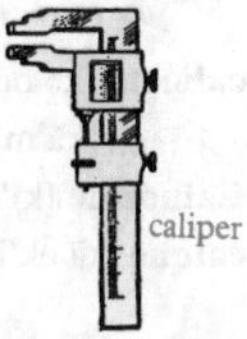

caliper *or* **calliper** [kăl'ə pər] *(n.; vt.)* (١) المِسْماك : أداة لقياس سماكة الشيء أو ثخانته (٢) سماكة أو ثخانة (الورق أو الكرتون أو الشجرة) §(٣) يقيس بالمِسْماك .

caliph [kā'lĭf ; kăl'ĭf] *(Ar.)* الخليفة : خليفة المسلمين .

caliphate [kăl'ə fāt ; -fĭt] *(Ar.)* الخلافة ؛ الخلافة الإسلامية .

calisthenic *(adj.)* جمبازي : منسوب إلى الألعاب الجمبازية .

calisthenics [kăl'əs thĕn'ĭks] *(n.)* الألعاب الجمبازية : تمارين رياضية يراد بها تقوية الأجسام وإكسابها تناسقاً جميلاً .

calix 2.

calix [kā'lĭks ; kăl'-] *(n.)* pl. **calices** (١) كأس ؛ وبخاصة : كأس القداس (كن) (٢) كأس الزهرة .

calk [kôk] *(vt.; n.)* (١) يجلْفِط : «أ» يسدّ حزوز السفينة الخ . «ب» يسدّ شقوق الصهريج أو النافذة أو المرجل (٢) يزوِّد بمانعة للانزلاق §(٣) مانعة الانزلاق : جزء ناتئ من نعل الفرس أو من كعب الحذاء (لمنع الانزلاق) .

calker *(n.)* (١) الجلْفاط : من يسدّ حزوز السفينة الخ . (٢) أداة جلفطة .

call [kôl] *(vi.; t.; n.)* (١) «أ» يصيح ؛ يصرخ . «ب» يصوّت الطائر أو الحيوان . «ج» يتطلّب ؛ يقتضي ؛ يستلزم (His plan will ~ for a lot of money.) «د» يتلفن لـ (I'll ~ you up tomorrow.) (٢) يعرّج على ؛ يقوم بزيارة قصيرة لـ (He ~ *ed* on me ; He ~ *ed* at Habib's house.) ×(٣) «أ» ينادي ؛ يدعو . «ب» يتلو بصوتٍ عالٍ (to ~ the roll) «ج» يعلن (to ~ a halt) «د» يستدعي (to ~ a witness) «هـ» يدعو إلى (to ~ a strike) «و» يدعو إلى الانعقاد (to ~ Congress into session) «ز» ينظر في (His case will be ~*ed* in court today.) «ح» يوقظ . «ط» يجتذب الطريدة بمحاكاة صوتها المميّز . «ي» يطالب بدفع دَيْن (The bank ~*ed* his loan.) «ك» يطلب إبراز السندات للدفع (٤) «أ» يسمّي ؛ يدعو . «ب» يعتبر (Do you ~ Arabic an easy language?) §(٥) «أ» صيحة . «ب» محاكاة لصوت الطريدة رغبةً في اجتذابها . «ج» أداة لمحاكاة هذا الصوت (a duck ~) «د» صوت الطائر أو الحيوان المميّز (٦) تلاوة للأسماء بصوت عالٍ (a roll ~) (٧) «أ» نداء . «ب» دعوة «ج» استدعاء . «د» طلب (٨) زيارة قصيرة (٩) حاجة ؛ ضرورة ؛ مبرِّر

ă at; ā date; â care; ä car; ĕ egg; ē me; ĭ in; ī bite; ŏ lot; ō bone; ô orphan; oi boil o͝o good; o͞o boot; ou out; ŭ under; ū unity; û urgent; th thing; th this; zh vision; ə = *a* in alone, *e* in system, *i* in easily, *o* in gallop, *u* in circus.

(١٠) مخابرة تلفونية (١١) عقد يمكّن المرء من شراء مقدار معيّن بسعر محدّد أو لمدة محدودة (١٢) «أ» دعوة إلى دفع دَين . «ب» دعوة إلى إبراز السندات الخ. لدفع قيمتها .

a place (house) of ~, موطن يزار باستمرار .

a port of ~, مرفأ تتوقف فيه السفينة فترة قصيرة .

at *or* on ~, قابل للاسترداد عند الطلب (كقرض الخ.) .

~ of the sea نداء البحر : الشوق إلى ركوب البحر .

to ~ attention to يلفت النظر إلى .

to ~ back (١) يستردّ ؛ يسترجع ؛ يسحب . (٢) يتلفن بدوره (جواباً على مخابرة الخ .)

to ~ down (١) يستنزل (اللعنات) على (٢) يوبّخ .

to ~ for (١) يقتضي ؛ يتطلّب ؛ يستلزم . (٢)يعرج على شخص (لكي يذهب معه إلى مكان آخر).

to ~ forth (١) يستجمع أو يحشد (كامل قواه الخ .) (٢) يُحدث ؛ يسبّب .

to ~ in (١) يستردّ ؛ يأمر بإعادة كذا . (٢) يسحب من التداول (٣) يستدعي (طبيباً الخ.)

to ~ in question يبدي ارتيابه (في حقيقة أمرٍ ما) .

to ~ into being يوجد ؛ يخلق .

to ~ (somebody) names يشتم ؛ يهين .

to ~ off يلغي ؛ يوقف ؛ يأمر بإيقاف .

to ~ on (١) يسأل ؛ يطلب من (٢) يعرج على ؛ يزوره زيارة قصيرة .

to ~ out (١) يصرخ (من ألم أو دهش الخ .) . (٢) يستنجد (٣) يستدعي (للخدمة العسكرية الخ .) (٤) يتحدّى ؛ يطلب للمبارزة .

to ~ over (names) يتلو قائمة أسماء ليعرف الغائبين .

to ~ a spade a spade يسمّي الأشياء بأسمائها مهما كانت جارحة ؛ « يقول للأعور أعور بعينه » .

to ~ to mind, *or* memory يتذكّر .

to ~ to order يدعو إلى الهدوء والتقيّد بالنظام .

to ~ up (١) يوقظ من النوم (٢) يعيد إلى الذاكرة . (٣) يدعو إلى الالتحاق بالجيش أو الأسطول (٤) يطالب بدفع دَين (٥) يتلفن لـ .

to ~ upon (١) يدعو ؛ يناشد (٢) يزوره زيارة قصيرة .

calla [kăl'ə] *(n.)* الكالة : نبات من اللوفيات .

callant [kä'lənt] *or* **callan** [-'lən] *(n.)* ولد ؛ غلام (اسك).

call-board *(n.)* = bulletin board.

callboy [kôl'boi'] *(n.)* (١) خادم في فندق (٢) غلام يدعو الممثلين للظهور على المسرح (عندما يحين موعد ذلك) .

caller *(n.; adj.)* (١)فا **call** وبخاصة : زائر زيارة قصيرة §(٢)طازج.

callet *(n.)* بغيّ ؛ مومس ؛ عاهرة (اسك).

call girl *(n.)* بغيّ التلفون : مومس يُتّفق على الاجتماع بها تلفونياً.

call house *(n.)* ماخور يُتّفق على الاجتماع بمومساته تلفونياً .

calligrapher ; calligraphist *(n.)* الخطّاط .

calligraphy [kə lĭg'-] *(n.)* (١) الخطّ ؛ خطّ اليد (٢) حُسن الخطّ.

calling [kô'lĭng] *(n.)* (١) مص **call** (٢) دعوة (٣) دافع باطني إلى أداء عمل ما (٤) حرفة ؛ مهنة .

calling card *(n.)* بطاقة زيارة .

calliope [kə lī'ə pē'] *(n.)* (١) *cap.* كاليوب : إلاهة الفصاحة والشعر الملحمي عند الإغريق (٢) آلة موسيقية مؤلفة من سلسلة من الصفّارات (يُعزف عليها بالضغط على مفاتيح) .

calliopsis [kăl'ĭ ŏp'sĭs] *(n.)* = coreopsis.

callipash [kăl'ə păsh'] *(n.)* = calipash.

calliper [kăl'ə pər] *(n. ; vt.)* = caliper.

callisthenics [kăl'əs thĕn'ĭks] *(n.)* = calisthenics.

Callisto [kə lĭs'tō] *(n.)* القمر الخامس من أقمار المشتري (فل).

call loan *(n.)* قرض الطلب : قرض واجب الإعادة عند الطلب.

call money *(n.)* مال مُقتَرَض (أو مُعدّ للاقراض) شرط إعادته عند الطلب .

call number *(n.)* رقم الكتاب (يشير إلى موضعه في مكتبة) .

callosity [kə lŏs'ə tĭ] *(n.)* (١) صلابة (٢) قسوة الفؤاد . (٣) callus 1 .

callous [kăl'əs] *(adj. ; vt.)* (١) «أ» صُلب . «ب» جاسىء . (٢) قاسي الفؤاد §(٣) يجعله صُلباً الخ .

callow [kăl'ō] *(adj.)* (١) لا ريش له (٢) غِرّ ؛ قليل الخبرة .

call rate *(n.)* سعر الفائدة على القروض القابلة للاسترداد عند الطلب.

call to quarters دقّة الرجوع (تدعو الجند للعودة إلى الثكنة).

callus [kăl'əs] *(n.)* (١) الجُسأة : جزء من الجلد أو اللحاء متصلّب أو غليظ (٢) الدُّشبُذ (مج) : مادة التئام العظام المكسورة (٣) نسيج ليّن يتشكّل على جراحات النبات .

calm [käm ; kälm] *(n. ; adj. ; vi. ; t.)* (١) سكون الرياح أو الأمواج (٢) سكون ؛ هدوء §(٣) ساكن ؛ هادىء (a ~ sea) (٤) رصين ؛ رزين (a ~ manner) § (٥) يَسكُن : يهدأ ×(٦) يُسكّن ؛ يهدّئ .

calmative [kăl'mə tĭv] *(adj. ; n.)* مسكّن (ط) .

calmness *(n.)* (١) سكون ؛ هدوء (٢) رصانة ؛ رزانة ؛ رباطة جأش.

calomel [kăl'ə-] *(n.)* الكالوميل : ذرور يُتّخذ مُسهلاً للمعدة .

caloric [kə lôr'ĭk] *(n. ; adj.)* (١) السيّال الحراريّ : شكل مفترَض من أشكال المادة كان القدماء يعزون إليه ظاهرة الحرارة (٢) حرارة (ا.ق) §(٣) حَراريّ (٤) سُعْري .

calorie [kăl'ə rĭ] *(n.)* سُعْر ؛ كالوري ؛ وحدة حرارية .

calorific [kăl'ə rĭf'ĭk] *(adj.)* (١) **caloric** (٢) مُولّد للحرارة.

calorimeter *(n.)* المِسعَر (مج) ؛ الكالوريمتر : جهاز لقياس كمية الحرارة (الناشئة عن الاحتكاك أو الانفجار الخ .)

calorimetric; -al *(adj.)* مِسعَريّ ؛ كالوريمتريّ .

calorimetry *(n.)* المِسعَرية ؛ الكالوريمترية : قياس كمية الحرارة.

calory [kăl'ə rĭ] *(n.)* = calorie.

calotte [kə lŏt'] *(n.)* قلنسوة (لرجال الدين الكاثوليك) .

caloyer [kăl'ə yər] *(n.)* راهب من الكنيسة الشرقية .

calpac *or* **calpack** [kăl'păk] *(n.)* القَلْبَق : غطاء للرأس .

caltrop *also* **calthrop** *(n.)* (١) واحد من نباتات مختلفة شائكة الرؤوس أو الثمار، وبخاصة : الحَسَك والحَسَك البرّي (نب) (٢) الكَلْتروب : كرة حديدية ذات أربعة رؤوس شائكة تُلقى في طريق الفرسان لتعوق تقدّمهم (جن) .

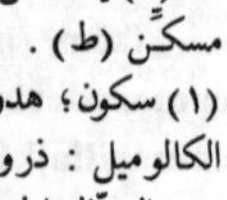

caltrop 2.

calumet [kăl'yə mĕt'] *(n.)* القَلُموت : بيبة (غليون) طويلة .

calumniate *(vt.)* (١) يفتري على (٢) يشوّه سمعته (بالافتراء) .

calumnious ; calumniatory *(adj.)* افترائي .

calumny [kăl'əm nĭ] *(n.)* افتراء (لتشويه السمعة) .

calvados *(n.)* الكَلْفادوس : شراب مُسكر يُستقطر من لبّ التفاح.

calvary [kăl'və rĭ] *(n.)* (١) *cap.* : الجُمْجُمة : الموضع الذي صُلب فيه المسيح (٢) تمثال للمسيح المصلوب (٣) عذابٌ نفسيّ .
calve [kăv ; käv] *(vi.)* (١) تُنتج (البقرة) عجلاً (٢) يَنْشعب (الجبل الجليدي العائم) بحيث تنفصل عنه كتلة جليدية أو أكثر .
calves [kăvz ; kävz] *pl. of* calf.
Calvinism [kăl'və nĭz'əm] *(n.)* الكالفينيّة : مذهب كالفين ، اللاهوتي الفرنسي البرتستانتي (١٥٠٩ – ١٥٦٤) ، القائل بأن قدَر الإنسان مرسومٌ قبل ولادته .
Calvinist *(n.)* الكالفينيّ : أحد أتباع مذهب كالفين .
Calvinistic *(adj.)* كالفينيّ : منسوب إلى مذهب كالفين .
calvities [kăl vĭsh'ĭ ēz'] *(n.)* صَلَعٌ .
calx [kălks] *(n.)* pl. **calxes** *or* **calces** (١) الكِلس (مج) : ما تخلّف من تكليس المعادن (٢) كُسارة الزجاج ونفايتهُ .
calyceal *(adj.)* كأسيّ : منسوب إلى كأس الزهرة (نب) .
calyces [kăl'ə sēz'] *pl. of* calyx.
calycine [kăl'ə sĭn ; -sīn'] *(adj.)* (١) كأسيّ : منسوب إلى كأس الزهرة (٢) كأسانيّ : شبيه بكأس الزهرة .
calycle [kăl'ə kəl] *(n.)* = epicalyx.
calyptra [kə lĭp'trə] *(n.)* القَلَنْسُوَة : «أ» الغطاء الغشائي لعُلَيْبَة الطّحْلب أي للغلاف المشتمل على بذوره . «ب» غلاف زهرةٍ أو ثمرةٍ شبيهٌ بالقلنسوة .

calyx *a.*

calyx [kā'lĭks; kăl'ĭks] *(n.)* الكأس : «أ» كأس الزهرة أو لفافتُها الخارجية . «ب» عضوٌ كأسيّ الشكل (ح) .

cam

cam [kăm] *(n.)* حَدَبَة ، كامَة (ملك) .
camaraderie [kä'mə rä'də rĭ] *(F.)* صداقةٌ حميمة .
camarilla [kăm'ə rĭl'ə] *(n.)* (١) البطانة : مجموعة من المستشارين غير الرسميين (يحيطون بملك) (٢) العصبة النافذة : زمرةٌ من الأشخاص المتمتعين بسلطات سياسية خفيّة أو غير رسمية .
camas *or* **camass** [kăm'-] *(n.)* الكَماسية : نبات من الفصيلة الزنبقية .
camber [kăm'bər] *(vi. ; t. ; n.)* (١) يحدَوْدب × (٢) يُحدِّب قليلاً § (٣) احديداب (الطريقِ أو ظهرِ السفينة) .
camber beam *(n.)* الرافدة أو العارضة المحدودبة (عم) .
cambial *(adj.)* قُلْبيّ : متعلّق بالقُلْب (را cambium.) .
cambist *(n.)* (١) الصيرفي (٢) دليل لعملات وموازين ومقاييس بلدان مختلفة مع معادلاتها .
cambium [kăm'bĭ əm] *(n.)* pl. **-s** *or* **-bia** القُلْب : طبقة من نسيج خلوي ليّن واقعة بين لحاء الشجرة وخشبها (نب).
Cambrian [kăm'-] *(n. ; adj.)* (١) الكَمْبْريّ : أقدم أزمان الدهر القديم (جي) (٢) الويلزي : أحد أبناء ويلز § (٣) كَمْبريّ (٤) ويلزي .
cambric [kām'-] *(n.)* الكَمْبْريكيّ : قماش قطني أو كتاني أبيض ناعم .
cambric tea *(n.)* الشاي الكَمْبْريكيّ : شراب ساخن من حليب وشاي .
came [kām] *past of* come.
camel [kăm'əl] *(n.)* (١) جَمَل (٢) أداة لانتشال السفن الغريقة .
Arabian ~, البعير العربي : جمل ذو سنام واحد .
Bactrian ~, القَرْعَوْس : جملٌ ذو سنامين .
she-~, ناقة .
cameleer [-ə lĭr'] *(n.)* (١) الجمّال (٢) جنديّ من الهجانة .
camellia *also* **camelia** [kə mēl'yə] *(n.)* (١) الكاميلية : شجيرة أو شجرة بيضاء الزهر أو حمراوه (٢) زهرة الكاميلية .
camelopard *(n.)* (١) زرافة (٢) *cap.* : كوكبة الزّرّاف (فل).
camel's hair *(n.)* (١) وَبَر الجمال (٢) نسيج من وبر الجمال .
camel's-hair *(adj.)* مصنوع من وبر الجمال .
Camembert [kăm'əm bâr'] *(n.)* الكَمَمْبَر : نوعٌ من الجبن .
cameo [kăm'ĭ ō] *(n.)* (١) حجرٌ كريم ذو نقش بارز . (٢) نقش بارز على حجر كريم .
camera [kăm'ər ə] *(n.)* (١) غرفة ؛ وبخاصة : مكتب القاضي . (٢) الكاميرا : آلة التصوير .
in ~, (١) في مكتب القاضي (٢) سرّاً .
cameral [kăm'ər əl] *(adj.)* متعلق بمكتب القاضي .
camera lucida [lōō'-] *(n.)* الكاميرا الضيائية أو الاستجلائية (بص) .
cameraman *(n.)* المصوِّر ؛ وبخاصة : المصوّر السينمائي .
camera obscura [ŏb skyŏŏr'ə] *(n.)* الحُجْرة المظلمة (بص) .
cami-knickers *(n. pl.)* القميص المُسَرْوَل : لباس نسويّ تحتانيّ وحيد القطعة مؤلف من قميص بلا كمّين وسروال قصير مزموم عند الركبتين .
camion [kăm'-] *(n.)* (١) كميون ، شاحنة (٢) bus .
camise [kə mēs'] *(Ar.)* قميص .
camisole [kăm'ə sōl'] *(n.)* القَميصول : «أ» سترة نسوية قصيرة . «ب» لباس نسويّ تحتانيّ قصير من غير كمّين .
camlet [kăm'-] *(n.)* (١) الحَمْلَة : «أ» نسيج آسيوي وسيطيّ من وبر الجمل الخ . «ب» نسيج أوروبي من حرير وصوف (٢) ثوبٌ مخيط من الحملة .
camomile [kăm'ə mīl] *(n.)* = chamomile.
camorra *(n.)* عصابة السوء : زمرة تجمع أفرادَها غايات غير شريفة .
camouflage [kăm'ə fläzh'] *(n. ; vt.)* (١) التَمْويه : إعطاء الأعتدة الحربية الخ . مظهراً زائفاً ينخدع به العدوّ (٢) تعمية ؛ خداع § (٣) «أ» يموِّه . «ب» يعمّي ؛ يخدع .
camp [kămp] *(n. ; vi. ; t.)* (١) «أ» مُخيَّم . «ب» معسكَر . «ج» بلدة حديثة النشأة (حول منجم الخ .) . «د» خيمة ؛ كوخ (٢) «أ» جندٌ الخ. مُعَسكِرون . «ب» زمرة تجمع أفرادَها مُثُل وعقائد مشتركة (٣) حياة الجندية أو الخدمة العسكرية § (٤) يقيم مخيّماً (٥) يخيّم ؛ يُعَسْكِر : يقيم موقتاً في مخيّم أو معسكر (تتبعها *out*) (٥) يرابط × (٦) يُنْزِل (جنداً) في معسكَر . **—camper** *(n.)*
campaign [kăm pān'] *(n. ; vi.)* (١) حملة (عسكرية أو سياسية أو اجتماعية أو تجارية) § (٢) يُدير حملةً أو يشترك فيها . **—campaigner** *(n.)*
campaign ribbon *(n.)* عصابة الحملة : عصابة ملوّنة تشير إلى الحملة التي اشترك فيها حاملها .
campaniform *(adj.)* جَرَسيّ الشكل .
campanile [-nē'lĭ] *(n.)* pl. **-niles** *or* **-nili** برج أجراس (منفصل عن الكنيسة عادةً) .
campanology *(n.)* (١) عِلم الأجراس. (٢) أصول سبك الأجراس وقَرْعها الخ .
campanula [kăm păn'yə lə] *(n.)* = bellflower.
campanulate *(adj.)* = campaniform.

campanile

camp bed *(n.)* سرير صغير (يُطْوَى ويُنْقَل) .
campestral *(adj.)* (١) حقليّ : متعلق بالحقول (٢) ريفيّ .
camp fever *(n.)* حمّى المعسكرات : التيفوس .

campfire *(n.)* (١) نار المخيَّم (٢) حفلة سمر (للجند والكشافة) .
campfire girl *(n.)* عضوٌ في منظمة وطنية للبنات .
camp follower *(n.)* (١) تَبَع المعسكر : من يلتحق بمعسكر أو جيش من غير أن تكون له صفة رسمية به ، كغسّالة الخ . وبخاصة : مومس (٢) اللامنضوي : تابعٌ أو مريدٌ غير منتسبٍ رسمياً إلى المنظمة التي يناصرها .
camphene [kăm'fēn] *(n.)* الكمفين : مادة شبيهة بالكافور (ك) .
camphine *(n.)* الكمفين : مزيج متفجّر من الكحول وزيت التربنتينا .
camphire [kăm'fīr] *(n.)* حِنّاء .
camphor [kăm'fər] *(n.)* كافور .
camphorate [kăm'fə rāt'] *(vt.)* يُكَفْوِر : يُشبع بالكافور .
camphor ball *(n.)* كُرَيّة الكافور : كرة صغيرة من كافور ونفتالين الخ . للوقاية من العثّ .
camphoric *(adj.)* كافوريّ : ذو علاقة بالكافور أو مشتق منه .
camphor ice *(n.)* مستحضر شمعيّ يُعدّ من كافور وشمع أبيض الخ .
camphor oil *(n.)* زيت الكافور .
camphor tree *(n.)* شجرة الكافور : شجرة ضخمة دائمة الخضرة .
campion [-'pĭ ən] *(n.)* اللُخْنيس الاكليلي ، المنثور البرّي (نب) .
camp meeting *(n.)* اجتماع ديني يُعقد في الهواء الطلق أو في خيمة .
campo [kăm'pō] *(n.)* سهل مُعْشَوشِب (في أميركة الجنوبية) .
camporee *(n.)* الكَمْبُوري : مهرجان محليّ لكشافي منطقة معينة .
campo santo [käm'pô sän'tô] *(n.)* مدفن ، مقبرة .
campstool [kămp'stōōl'] *(n.)* مقعد خفيف يُطوى .
campus [kăm'pəs] *(n.)* (١) حَرَم الجامعة : أرض الجامعة أو الكلية ومبانيها (٢) مَرْج الجامعة : المنطقة المعشوشبة وَسَط أرض الجامعة .
campylotropous *(adj.)* مُنْطوٍ ، مُنحني البُيَيْضة (نب) .
camshaft [kăm'shăft; -shäft'] *(n.)* عمود الحدَبات (مك) .
cam wheel *(n.)* العَجَلة الحدَبيّة (مك) .
can [kăn] *(n. ; vi. ; t.)* (١) «أ» كأس . «ب» صفيحة أو وعاء معدني (للزيت أو الحليب أو الرماد أو النفايات) . «ج» علبة (مشتملة على طعام محفوظ) (٢) سجن (ع) (٣) قنبلة الأعماق (٤) مدمِّرة § (٥) يستطيع ؛ يقدر (٦) يُمْكن ×(٧) «أ» يضع في علبة . «ب» يعلّب (الفاكهة أو الأسماك الخ .) (٨) «أ» يطرد من المدرسة (ع) . «ب» يصرف من الخدمة (ع) (٩) يوقف أو يضع حداً لِـ (ع) (١٠) يسجّل على أسطوانة أو شريط (~ned music) .
Canaanite [kā'nə nīt] *(n. ; adj.)* (١) الكنعاني : واحد الكنعانيين وهم شعب ساميّ سكن فلسطين وفينيقية ابتداءً من عام ٣٠٠٠ ق.م. تقريبا § (٢) كَنْعاني .
Canada thistle *(n.)* شَوْك الحقول ، قُصْوان الحقول (نب) .
Canadian French *(n.)* الفرنسية الكَنَدية : لغة أبناء كندا الفرنسيين .
canaille [kə nāl' ; kȧ nä'y] *(n.)* الغوغاء ، الرَّعاع .
canal [kə năl'] *(n.; vt.)* (١) قناة § (٢) يشق قناةً (خلاله أو عَبْره) .
canaliculus *(n.)* pl. **-li** القُنَيّة (مج) : قناة صغيرة في العظم الخ .
canalization *(n.)* (١) مص canalize (٢) شبكة قنوات .
canalize [kə năl'īz] *(vt. ; i.)* (١) «أ» يشقّ خلاله قناةً أو قنوات . «ب» يجعل من النهر قناةً أو نحوها (٢) يُقَنّي : «أ» يجعل للعاطفة الخ . منفذاً أو مُتَنَفَّساً . «ب» يوجّه نحو مجارٍ مختارة ×(٣) يجري في قناة .
canapé [kăn'ə pĭ; -pā'] *(F.)* خبز محمّص مفروش بالجبن أو الكافيار

canard [kə närd'] *(n.)* إشاعة كاذبة (تُطلق لتضليل الجمهور) .
canary [kə nâr'ĭ] *(n.)* (١) رقصة فرنسية قديمة (٢) الكاناري : خمر جزائر الكاناري (٣) الكَناريّ : طائر حسن الصوت أصفر الريش (٤) اللون الأصفر الفاتح (٥) المُخْبِر ؛ المُبلّغ ؛ الواشي المحترِف .
canary seed *(n.)* = birdseed.
canary yellow *(n.)* الأصفر الفاتح : اللون الأصفر الفاتح .
canasta [kə năs'tə] *(n.)* الكَنَسْتة : لعبة بورق الشدّة .
cancan [kăn'kăn] *(F.)* الكَنْكان : رقصة غير محتشمة (فرنسية الأصل) .
cancel [kăn'səl] *(vt. ; n.)* (١) «أ» يشطب . «ب» يحذف (٢) يُلغي ، يُبطل (٣) يختزل (ر) (٤) يعطّل (طابعاً بريدياً أو أميرياً) بخطوط متوازية عادةً (منعاً لاستعماله ثانيةً) § (٥) شطبٌ ، حذفٌ ، إلغاء (٦) «أ» فقرة الخ . مشطوبة أو محذوفة . «ب» فقرة أو صفحة حُذِف منها شيء .
cancellate; cancellous *(adj.)* مَشاشي (مج) ، مساميّ ، إسفنجيّ .
cancellation *(n.)* (١) شطبٌ ، حذف (٢) علامات الشطب أو الحذف (٣) شيء محذوف .
cancer [kăn'sər] *(n.)* (١) *cap.* : برج السرطان (فل) (٢) السرطان : ورم خبيث يتلف أنسجة الجسم السليمة (٣) آفة مهلكة .
cancerate *(vi. ; t.)* (١) يتسرطن : يصبح سرطانياً . ×(٢) يُسَرْطِن : يجعله سرطانياً .
cancered *(adj.)* مُسَرْطَن : مُصاب بالسرطان .
cancerous *(adj.)* (١) سرطانيّ (٢) مُصابٌ بالسرطان (٣) عُضال .
cancroid [kăng'kroid] *(adj.; n.)* (١) سرطاني : «أ» شبيه بالسرطان البحري . «ب» شبيه بمرض السرطان § (٢) ضرب من سرطان الجلد (مض) .

candelabra [kăn'də lä'brə;-lā'-] *(n.)* = candelabrum.
candelabrum [-'brəm] *(n.)* pl. **-bra** *also* **-brums** شمعدان زينيّ ذو شُعَب .
candent [kăn'dənt] *(adj.)* متوهّج (من شدة الحرارة) .
candescence *(n.)* توهّج ، وَهيج (من شدة الحرارة) .
candescent [kăn dĕs'ənt] *(adj.)* = candent.
candid [kăn'dĭd] *(adj.)* (١) أبيض (٢) نزيه ، غير متحيّز (٣) صريح .
candidacy ; candidature *(n.)* الترشّح : كون المرء مرشحاً لمنصب .
candidate [kăn'də dāt ; -dĭt] *(n.)* المرشح (لمنصب الخ .) .
candid camera *(n.)* كاميرا صغيرة (لأخذ الصورة الخاطفة) .
candied [kăn'dĭd] *(adj.)* (١) مُلبَّس أو مكسوّ بالسكّر (٢) محوَّل إلى سكّر (~ honey) (٣) معسول ، متملّق (~ words) .
candle [kăn'dəl] *(n.; vt.)* (١) شمعة (٢) الشمعة : وحدة لقياس قوة الضوء § (٣) يفحص البيضة (بوضعها بين العين والضوء) .
not fit to hold a ~ to لا يدانيه أو يقارَن به .
not worth the ~ لا يستحق كلّ هذا العناء أو الإنفاق .
to burn the ~ at both ends يبذل جهداً عظيماً ؛ يعمل مبكّراً جداً وحتى ساعة متأخرة من الليل .
candle coal *(n.)* = cannel coal.
candle-foot *(n.)* شمعة — قَدَم (وحدة إضاءة) .
candleholder *(n.)* = candlestick.
candlelight *(n.)* (١) «أ» ضوء الشمعة . «ب» إضاءة صُنعية (٢) الغَسَق .
Candlemas *(n.)* عيد تطهير مريم العذراء (٢ فبراير) .
candlepower *(n.)* القدرة بالشمعة : شدّة الضوء مقيسةً بالشمعة .

ă at; ā date; â care; ä car; ĕ egg; ē me; ĭ in; ī bite; ŏ lot; ō bone; ô orphan; oi boil ŏŏ good; ōō boot; ou out; ŭ under; ū unity; û urgent; th thing; th this; zh vision; ə = *a* in alone, *e* in system, *i* in easily, *o* in gallop, *u* in circus.

candlestick [kăn'dəl stĭk'] *(n.)* شمعدان .

candlewick *(n.)* (١) فتيل الشمعة (٢) «أ» غزل قطني للتطريز . «ب» تطريز بهذا الغزل .

candlewood *(n.)* الخشب الشمعي : خشب راتينجي يتخذ مشاعل أو يستعاض به عن الشموع .

candor *or* **candour** [kăn'dər] *(n.)* (١) صراحة ؛ إخلاص أو صدق (في إبداء الرأي) (٢) لا تحيز .

candy [kăn'dĭ] *(n.; vt.; i.)* (١) سكر نبات (٢) حلوى (كالكراميل والشوكولا الخ.) §(٣) يسكر : يحفظ الفاكهة بغليها في السكر (٤) يحلي (٥) يبلره على شكل سكر ×(٦) يكتسي بالسكر (٧) يتبلر على شكل سكر .

candytuft *(n.)* الأندلسية ؛ زهرة الأندلس (نب) .

cane [kān] *(n.; vt.)* (١) «أ» قصب ؛ خيزران . «ب» قصبة ؛ خيزرانة (٢) قصب السكر (٣) «أ» عصا ؛ عكاز . «ب» rattan 1 §(٤) يضرب بعصاً أو خيزرانة (٥) يقشش (كرسياً) .

canebrake [kān'-] *(n.)* أجمة قصب ؛ أجمة خيزران .

canella [kə nĕl'ə] *(n.)* قرفة .

caner *(n.)* المقشش : مقشش الكراسي .

cane sugar *(n.)* سكر القصب : سكر مستخرج من قصب السكر .

cangue [kăng] *(n.)* الكنغ : نير خشبي ثقيل كانت أعناق المجرمين تطوق به في الصين .

cangue

Canicula [kə nĭk'yə lə] *(n.)* الشعرى اليمانية (فل) .

canicular *(adj.)* شعراني : «أ» متعلق بالشعرى (فل) . «ب» متعلق بأيام الشعرى .

canine [kā'nīn ; kə nīn'] *(adj.; n.)* (١) كلبي : «أ» متعلق بالكلاب أو بالكلبيات **Canidae** وهي فصيلة تشمل الكلاب والذئاب وبنات آوى والثعالب . «ب» شبيه بالكلب (٢) نابي : متعلق بالناب §(٣) ناب (٤) كلب .

canine tooth *(n.)* ناب .

Canis Major [kā'-] *(n.)* الكلب الأكبر (فل) .

Canis Minor [kā'-] *(n.)* الكلب الأصغر (فل) .

canister *(n.)* (١) علبية ؛ علبة صغيرة (٢) قذيفة شظايا . (٣) علبية قناع الغاز : علبة معدنية خفيفة مثقبة تشتمل على مادة تمتص أو تصفي سموم الهواء .

canker [kăng'kər] *(n.; vt.; i.)* (١) الآكلة : قرحة أكالة (في الفم بخاصة) (٢) «أ» داء يصيب قوائم الخيل . «ب» داء يصيب النبات فيهلكه ببطء (٣) كل آفة مفسدة أو مهلكة (٤) ورد بري §(٥) يقرح (ا.م) (٦) يفسد ؛ يتلف ببطء ×(٧) يتقرح ؛ يتآكل (٨) يفسد .

cankerous *(adj.)* (١) قرحي ؛ أكالي : كالقرحة الأكالة . (٢) أكال ؛ مهرئ .

cankerworm *(n.)* القادحة : يرقة ضارة بالأشجار المثمرة وغيرها .

canna [kăn'ə] *(n.)* القنا : عشب استوائي مزهر عريض الأوراق .

cannabin [kăn'ə-] *(n.)* القنبين : راتينج سام يستخرج من القنب الهندي .

cannabis [kăn'ə-] *(n.)* (١) قنب (٢) الحشيش : مخدر مستخرج من القنب الهندي .

canned [kănd] *(adj.)* (١) معلب (fish ~) (٢) مسجل (music ~) (٣) سكران (ع) .

cannel coal *(n.)* الفحم الوقاد : فحم حجري يحترق بسرعة وتوهج .

canner [kăn'ər] *(n.)* المعلب : من يعلب الأغذية لحفظها .

cannery [kăn'ə rĭ] *(n.)* المعلب : معمل لتعليب اللحم والسمك والفاكهة .

cannibal [kăn'ə bəl] *(n.; adj.)* (١) الآكل لحم البشر : إنسان متوحش يأكل لحم البشر (٢) حيوان يأكل لحم حيوان من جنسه §(٣) متعلق بأكلة لحوم البشر أو شبيه بهم (٤) آكل لحم البشر .

cannibalism *(n.)* (١) «أ» أكل لحم البشر . «ب» أكل الحيوان لحم حيوان من جنسه (٢) وحشية .

cannibalize [kăn'ə bə-] *(vt.; i.)* (١) يفكك (آلة) لكي يتخذ من أجزائها قطع تبديل لآلة أخرى (٢) يقوي أو يعزز بأجزاء أو أشخاص من وحدة أخرى ×(٣) «أ» يأكل (الانسان) لحم البشر . «ب» يأكل (الحيوان) لحم حيوان من جنسه .

cannikin [kăn'ə kĭn] *(n.)* (١) عليبة صفيحية (٢) كأس .

canning [kăn'ĭng] *(n.)* التعليب : حفظ الأغذية في علب مختومة .

cannon [kăn'ən] *(n.; vi.; t.)* (١) مدفع (٢) حكمة ؛ شكيمة (را . bit 1 *a*) (٣) عروة الجرس المعدنية (التي بها يعلق) (٤) إصابة (في البليارد وغيره) (٥) قصبة قائمة الفرس §(٦) يطلق النار من مدفع (٧) يسجل إصابة (في البليارد) .

cannonade [kăn'ə nād'] *(n.; vt.; i.)* (١) رشق بالمدافع . §(٢) يهاجم بالمدفعية .

cannonball *(n.; vi.)* (١) قنبلة ؛ قذيفة مدفع (٢) قطار سريع §(٣) ينطلق بسرعة فائقة .

cannon bone *(n.)* قصبة قائمة الفرس (ح) .

cannoneer [kăn'ə nĭr'] *(n.)* المدفعي .

cannonry [kăn'ən rĭ] *(n.)* (١) رشق أو مهاجمة بالمدافع (٢) مدفعية .

cannot [kăn'ŏt ; kă nŏt'] = can not.

cannula [kăn'yə lə] *(n.)* pl. **-s** *or* **-e** قنية ؛ إبرة محتفرة (لإدخال سائل إلى الجسد أو إخراجه منه) .

cannular [kăn'yə-] *or* **cannulate** [-lāt'] *(adj.)* أنبوبي .

canny [kăn'ĭ] *(adj.)* (١) حكيم ؛ بعيد النظر (٢) حذر . (٣) مقتصد ؛ بخيل (٤) بارع (٥) هادئ ؛ مريح (٦) جميل ؛ جذاب .

canoe [kə no͞o'] *(n.; vi.; t.)* (١) الكنو : زورق طويل خفيف ضيق يقاد بمجذاف (را . paddle) أو أكثر §(٢) يجذف (يجذف) كنواً (٣) ينطلق بكنو ×(٤) ينقل بكنو .

canon [kăn'ən] *(n.)* (١) شريعة ؛ قانون كنسي (٢) جزء من القداس يلي صلاة التقدمة (كن) (٣) «أ» لائحة بالأسفار المعترف بأنها تؤلف الكتاب المقدس . «ب» قائمة بأسماء القديسين . «ج» آثار المؤلف الموثوق بصحتها (٤) كاهن (من هيئة كهان كاتدرائية) (٥) «أ» مبدأ مقرر ؛ قاعدة مقررة . «ب» محك ؛ معيار . «ج» مجموعة مبادئ أو قواعد الخ . (٦) الإتباع (مو) (٧) حرف مطبعي ضخم (٤٨ بنطاً) .

cañon [kăn'yən] *(n.)* = canyon.

canonical [kə nŏn'ə kəl] *(adj.)* (١) قانوني ؛ ذو علاقة بالقوانين الكنسية أو موافق لها (٢) قويم (٣) معترف به ؛ مقبول .

canonical hours *(n. pl.)* ساعات الصلاة والعبادة اليومية السبع .

canonicals *(n. pl.)* الحلة الكهنوتية (يرتديها الكاهن أثناء الصلاة في الكنيسة) .

canonist [kăn'ən ĭst] *(n.)* العالم بالقانون الكنسي .

canonize [kăn'ə nīz] *(vt.)* (١) يطوب : يعلن قداسة الشخص بعد وفاته ؛ يضمه إلى قائمة القديسين (٢) يمجد ؛ يعامله معاملة القديسين (٣) يقر ؛ يجيز ؛ يعترف بـ .

canon law *(n.)* القانون الكنسي .

canopic jar

canopic jar *or* **vase** *(n.)* وعاء فخاري يشبه الجزء الأعلى منه رأساً بشرياً (كان قدماء المصريين يحفظون فيه أحشاء الجثث المحنطة) .

Canopus [kə nō'pəs] *(n.)* . سُهَيل (فل) .

canopy [kăn'ə pĭ] *(n.; vt.)* (١) «أ» ظُلّة (فوق سرير أو عرش أو فوق شخص ذي منزلة رفيعة أو شيء مقدس) . «ب» الجزء الأعلى المتغصّن من الغابة . «ج» **awning** (٢) غطاء أو نتوء زينيّ على شكل سقف(عم) (٣) السماء (٤) «أ» الغطاء الشفاف لركن الطيار . «ب» قُبة البراشوت §(٥) يظلّل بظُلّة أو نحوها.

canorous [kə nōr'əs] *(adj.)* رخيم ؛ موسيقي .

cant [kănt] *(n.; vt.; i.; adj.)* (١) الزاوية الخارجية (لمبنى) . (٢) حركة مفاجئة تطيح بشيء (٣) قَذْفٌ أو رمي مفاجىء (٤) سطح منحرف أو موروب (٥) مَيْل ؛ انحراف ؛ انحدار (٦) إنشاد الشحاذين (٧) لغة خاصة بأهل حرفة أو طبقة (كاللصوص الخ .) (٨) رياء ؛ نفاق §(٩) يَشْطُب ؛ «يشطف» حافة الزجاج الخ . (١٠) يُمِيل (١١) يقذف بحركة مفاجئة (١٢) يوجّهه وجهة جديدة × (١٣) يَميل ؛ ينحرف ؛ ينحدر (١٤) يتسوّل ؛ يشحذ (١٥) يتكلم بلهجة الشحاذين الانتحابية المنغّمة أو باللغة الخاصة بأهل حرفة ما (١٦) ينافق ؛ يتظاهر بالتقوى §(١٧) مشطوب أو «مشطوف» الحافة (١٨) مائل ؛ منحرف ؛ موروب (١٩) منافق .

cant [kănt] *(adj.)* مَرِح (عب) .

can't [kănt ; känt] = can not.

cantabile [kän tä'bē lĕ] *(adv.)* بطريقة غنائية (مو) .

Cantabrigian [kăn'tə brĭj'-] *(n.;adj.)* (١) الكمبريدجي : «أ» طالب في جامعة كمبريدج أو خرّيج منها . «ب» أحد أبناء مدينة كمبريدج §(٢) كمبريدجي .

cantalever ; cantaliver *(n.)* = cantilever.

cantaloupe [kăn'tə lōp] *(n.)* = muskmelon.

cantankerous [kăn tăng'-] *(adj.)* مشاكس ؛ مُحبّ للخصام .

cantata [kən tä'tə] *(n.)* الكَنْتاتة : قصة تنشدها المجموعة على أنغام الموسيقى من غير تمثيل .

cantatrice [kän'tä trē'chĕ] *(n.)* مُغَنِّية .

cant dog *(n.)* = peavey.

canteen [kăn tēn'] *(n.)* (١) الكانتين : «أ» مخزن عسكري . «ب» ملهى مجاني للجند (في مدينة ، قرب معسكر أو قاعدة عسكرية) . «ج» مطعم موقّت أو متنقّل (٢) صندوق لأدوات المائدة (يستعمله الجند والنازلون في مخيّمات) (٣) المَزادة : حافظة الماء وغيره من السوائل (يستعملها الجند الخ .) .

canter [kăn'tər] *(n.; vi.; t.)* (١) فا cant وبخاصة : «أ» الشحّاذ المتشرّد . «ب» المنافق (٢) خَبَبٌ §(٣) يخبّ (الفرس) ×(٤) يُخبّ (الفرس) : يحمله على الخبب .

Canterbury bell *(n.)* جُرَيْس كانتربوري : نبات جرَسيّ الزهر .

cantharis *(n.)* pl. **cantharides** الذُرّاح ؛ الأُخَيضر (حش) .

cant hook *(n.)* الكُلاّب المائل : مَخْل خشبيّ ذو كُلاّب حديدي متحرك يستخدم لإمالة الأحطاب الكبيرة أو قلبها .

canthus [kăn'thəs] *(n.)* pl. **-thi** المُوق : موق العين (ت) .

canticle [kăn'tə kəl] *(n.)* (١) أنشودة ، وبخاصة : ترتيلة دينية . (٢) *cap., pl.* : نشيد الأنشاد (من أسفار العهد القديم) .

cantilever bridge

cantilever crane

cantilever [kăn'tə-] *(n.)* الكابول : دعامة ناتئة مُثبّتة من طرف واحد .

cantilever bridge *(n.)* الجسر الكابولي .

cantilever crane *(n.)* المِرْفاع الكابولي .

cantillate *(vt.)* ينشد ؛ يتلو بنغمة موسيقية .

cantina [kăn tē'nə] *(n.)* (١) خُرْج (٢) حانة .

cantle [kăn'-] *(n.)* (١) شَطْر ؛ جزء . (٢) قَرَبُوس السَرج الخلفي .

canto [kăn'tō] *(n.)* النشيد : أحد الأقسام الرئيسية من قصيدة طويلة .

canton *(n.; vt.)* (١) إقليم ؛ ولاية ؛ كانتون (في سويسرة بخاصة) (٢) جزء ؛ قسم (٣) الرّبع الأعلى (الأقرب إلى السارية) من علَم أو راية §(٤) يجزّىء ؛ يقسم ؛ وبخاصة : يقسم إلى أقاليم أو كانتونات (٥) يُنْزِل ؛ يؤوي (الجندَ الخ .) .

—cantonal *(adj.)*

canton crepe *(n.)* كريب كانتون : قماش حريري رقيق متغضّن .

canton flannel *(n.)* فلانيلة كانتون : قماش قطني على أحد سطحيه زِئْبِر أو زغَب .

cantonment [-'mənt] *(n.)* معسكر (كبير عادةً) .

cantor [kăn'tər] *(n.)* قائد جوقة الترتيل (في كنيسة) .

cantus [kăn'təs] *(n.)* (١) أنشودة (٢) موسيقى كنسية .

canty [kăn'tĭ ; kän'-] *(adj.)* مَرِح ؛ مبتهج (عب) .

Canuck [kə nŭk'] *(n.)* (١) الكَنَدي : أحد أبناء كندا (٢) الكندي الفرنسي : كنديّ من أصل فرنسي (٣) Canadian French

canvas *also* **canvass** [kăn'vəs] *(n.)* (١) قماش القِنَّب (تصنع منه الأشرعة والخيام) (٢) شراع ؛ أشرعة (٣) قطعة من قماش القنّب مستعملة لغرض معيّن (٤) خيمة ؛ خيام (٥) «أ» قماشة معدّة للرسم الزيتي . «ب» لوحة زيتية على قماش (٦) الكنفا : نسيج غليظ متباعد الخيوط (مستخدم في شُغْل الإبرة) (٧) أرض حَلْبة الملاكمة أو المصارعة .

under ~, (١) في الخيام (٢) منشورة الشراع .

canvasback [kăn'vəs băk] *(n.)* بطة برية أميركية .

canvass *also* **canvas** [kăn'vəs] *(vi.; t.; n.)* (١) «أ» يفحص بدقة . «ب» يدقق في أصوات المقترعين (للتأكد من صحتها) . «ج» يناقش (٢) يطوف في مدينة (التماساً لأصوات الناخبين أو لعرض السلع على التجار أو لتأمين الاشتراكات لمجلة الخ .) §(٣) فحص ، تدقيق (٤) طواف في مدينة (التماساً للأصوات الانتخابية أو الاشتراكات الخ .) .

canvasser *(n.)* فا canvass ، وبخاصة ، المطوِّف في مدينة التماساً للأصوات أو الاشتراكات أو ترويجاً للسلَع .

cany *(adj.)* (١) قصبيّ (٢) حافل بالقصب .

canyon [kăn'-] *(n.)* وادٍ ضيّق (متحدر الجنبات يجري في أدناه جدول) .

canzone [kän tsō'nĕ] *(n.)* (١) قصيدة غنائية (٢) لحن قصيدة غنائية .

canzonet [kăn'zə nĕt'] *(n.)* أغنية خفيفة مرحة .

caoutchouc [kōō'chŏŏk ; kou chŏŏk'] *(n.)* المطّاط .

cap [kăp] *(n.; vt.)* (١) قَلَنْسُوَة ؛ قبعة ؛ غطاء للرأس . (٢) «أ» غطاء القنينة الخ . «ب» طبقة من مطاط جديد تُصهر على السطح البالي من دولاب السيارة (٣) قمة ؛ ذروة (٤) كبسولة ورقية أو معدنية (مشتملة على متفجرات) §(٥) يزود أو يغطي بقلنسوة أو غطاء (٦) يُتِمّ ؛ يكمّل (٧) يبزّ (٨) يعلو ؛ يتوج .

~ and gown اللباس الجامعي .

~ in hand بتذلّل .

to ~ the climax يتخطّى الذروة ؛ يتجاوز الحدّ.

to set one's ~ at *or* for تحاول جذبه أو إغراءه.

capability [kā'pə bĭl'-]*(n.)* (١) قدرة ؛ مقدرة (عقليّة خاصةً). (٢) قابلية أو إمكانية للتحسّن (٣) *pl.* : كفاءات قابلة للتطوير.

capable [kā'pə bəl] *(adj.)* (١) «أ» قابلٌ لـ. «ب» شرير إلى حدّ يجعله موهّلاً لـ (~ of murder) (٢) قادرٌ على ؛ موهّل لـ (٣) بارع ؛ كفوء (a very ~ teacher).

capacious [kə pā'shəs] *(adj.)* رَحْب ؛ واسع ؛ فسيح.

capaciousness *(n.)* رحابة ؛ سعة.

capacitance [kə păs'ə təns] *(n.)* سَعَة ؛ مواسعة (كب).

capacitate [-'ə tāt']*(vt.)* (١) يمكّن (٢) يزوّد بسلطات شرعية.

capacitive [-'ə tĭv] *(adj.)* سَعَوِي : متعلق بالسعة (كب).

capacitor [kə păs'ə tər] *(n.)* المكثِّف (كب).

capacity [kə păs'ə tĭ] *(n.)* (١) سعَة ؛ استيعاب (٢) طاقة الإنتاج القصوى (٣) سعة ؛ مواسعة (كب) (٤) الأهلية (ق). (٥) «أ» قدرة. «ب» قدرة عقلية ؛ مدارك (٦) قابليةٌ لـ (٧) صفة ؛ وصف ؛ وظيفة (in his ~ as guide).

filled to ~, مُتْرَع ؛ مُفْعَم.

cap-a-pie [kăp'ə pē'] *(adv.)* من قمة الرأس إلى أخمص القدم.

caparison [kə păr'-]*(n.; vt.)* (١) غطاء مزركش لسَرْج الفرس. (٢) ملابس فاخرة §(٣) يغطي (السَّرجَ) بغطاء مزركش (٤) يكسو بملابس فاخرة.

cape [kāp] *(n.)* (١) الرأس : أرض داخلة في البحر (٢) الكاب : رداء خارجي بلا كُمَّيْن يُطْرَح على الكتفين.

capelin [kăp'ə lĭn]*(n.)* الكَبْلِين : سمك صغير من فصيلة الهِفّ.

Capella [kə pĕl'ə] *(n.)* العَيّوق (فل).

caper [kā'pər]*(vi.; n.)* (١) يَطْفُر : يَثِبُ مَرَحاً §(٢)طَفْرَة. (٣) حيلة أو مَزْحَة (٤) الكَبَرُ : نباتٌ تُخلَّل أزهاره وثماره (٥) *pl.* : براعم الكَبَرِ الخضراء المخلّلة.

to cut ~*s* ; to cut a ~, (١) يرقص بمرح. (٢) يتصرّف بحماقة.

capercaillie[kăp'ər kāl'yĭ]*(n.)* الطَّيْهُوْج الكبير ؛ ديك الخَلَنْج (طا).

capeskin *(n.)* الجلد الكابيّ: جلد ضأن خفيف مَرِن (من جلود خراف رأس الرجاء الصالح) تُصنَع منه القُفّازات الخ.

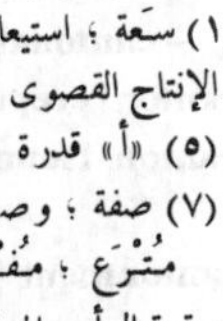

capercaillie

Caph [käf] *(Ar.)* الكفّ الخضيب (فل).

capias [kā'pĭ əs ; kăp'ĭ-] *(n.)* أمرٌ قضائيّ باعتقال متهم.

capillaceous [kăp'ə lā'shəs] *(adj.)* شَعْرِيّ.

capillarity [kăp'ə lăr'-]*(n.)* الشَّعرية؛ الخاصة الشَّعرية (فز).

capillary [kăp'ə lĕr'ĭ] *(adj.; n.)* (١) شَعْري: «أ» رفيع جداً. «ب»متعلق بالخاصة الشَّعرية (فز) §(٢) أنبوب أو وعاء شَعري.

capillary action *(n.)* الفِعْل الشَّعري (فز).

capillary attraction *(n.)* التجاذب الشَّعْري (فز).

capillary tube *(n.)* الأنبوب الشَّعْريّ: أنبوب رفيع الثقب جداً.

capillary vessel *(n.)* الوعاء الشَّعْري (ت).

capital [kăp'ə təl] *(n. ; adj.)* (١) «أ» رأس مال ؛ رِسْمال. «ب» الرأسماليون أو طبقتهم. «ج» مصدر ربح أو قوة (٢) حرف استهلالي ؛ حرف كبير (مثل B في Beirut) (٣) عاصمة؛ حاضرة (٤) تاج العمود (عم) §(٥) «أ» عقوبتُهُ الموت (a ~ crime). «ب» متضمّن إعداماً (كقولك *capital* **punishment** أي العقوبة القصوى: عقوبة الإعدام). «ج» خطير إلى أبعد الحدود (a ~ error) (٦) استهلاليّ ؛ كبير (~ letters) (٧) رئيسي (٨) رِسْماليّ (~ goods) (٩) ممتاز (a ~ dinner).

capital 4

fixed ~, الرِّسمال أو رأس المال الثابت (مج) : رسمال يستخدم في الانتاج أكثر من مرة دون أن يتغير شكله كالآلات.

productive ~, الرِّسمال أو رأس المال المنتِج : الثروة الناتجة عن عمل سابق والمستخدمة في إنتاج ثروة أخرى.

to make ~ out of a rival's mistakes يفيد من أخطاء أحد المنافسين (معززاً بذلك قوته أو نفوذه).

capitalism [kăp'ə tə lĭz'əm]*(n.)* (١) الرأسمالية: تركز الثروة بما تمثله من قوة ونفوذ في أيدي القلّة (٢) النظام الرأسمالي: نظام اقتصاديّ مبنيّ على المِلكية الخاصة، والمنافسة، وإنتاج السلَع للربْح.

capitalist [kăp'ə təl ĭst]*(n.; adj.)* (١) الرأسماليّ: شخص ذو رأسمالٍ ضخم موظفٍ في المشاريع الاقتصادية (٢) المثري ؛ الغنيّ (٣) المؤيِّد للنظام الرأسمالي §(٤) رأسماليّ.

capitalistic *(adj.)* رأسماليّ: «أ»متعلّق بالرأسمالية أو بالرأسماليين. «ب» مؤيد للرأسمالية.

capitalize [kăp'ə tə līz'] *(vt. ; i.)* (١) يكتب أو يطبع بحرف استهلاليّ أو كبير (٢) يحوّل إلى رأس مال (٣) يموّل (to ~ a business) ×(٤) يُفيد من (to ~ on another's mistakes).

—capitalization *(n.)*

capital levy *(n.)* ضريبة الرساميل: ضريبة تفرض على رأس المال الشخصي أو الصناعي (بالإضافة إلى ضريبة الدخل وغيرها).

capitally [kăp'ə tə lĭ] *(adv.)* (١) بطريقة تنطوي على الحكم بالاعدام (to punish ~) (٢) على نحوٍ مُهْلِك (٣) على نحوٍ أساسيّ (~ important) (٤) على نحوٍ ممتاز أو رائع (~ done).

capital ship *(n.)* سفينة القتال الرئيسية.

capital stock *(n.)* رأس مال الشركة (مقسَّماً إلى أسهم).

capitate [kăp'ə tāt'] *(adj.)* هاميّ: على صورة رأس؛ وبخاصة: «أ»متجمّع في رأس(~ flowers). «ب»متضخّم وكرويّ(~ stigma).

capitation [kăp'ə tā'-]*(n.)* ضريبة الرؤوس؛ ضريبة الأعناق.

capitol [kăp'-] *(n.)* (١) *cap.* : الكابيتول : هيكل جوبيتر القديم في رومة (٢) مبنى البرلمان (٣) *cap.* : الكابيتول : مبنى الكونغرس الأميركي بواشنطن.

Capitoline [kăp'ə tə līn'] *(adj. ; n.)* (١) كابيتوليّ : ذو علاقة بالكابيتول (في رومة) أو بالإله جوبيتر §(٢) الكابيتولين : إحدى تلال رومة القديمة السبع.

capitular [kə pĭch'ə lər] *(adj.)* خاص بجماعة إكليريكية.

capitulary [-'ə lĕr'ĭ] *(adj. ; n.)* (١) خاص بجماعة اكليريكية أو ماسونية §(٢) عضو جماعة اكليريكية الخ. (٣) *pl.* : مجموعة شرائع.

capitulate [kə pĭch'ə lāt'] *(vi.)* (١) يستسلم ؛ وبخاصة بشروط معيّنة (٢) يذعن ؛ يكفّ عن المقاومة.

capitulation[kə pĭch'ə lā'-] *(n.)* (١) ملخّص ؛ خلاصة (٢)معاهدة (٣) *pl.* : الامتيازات الأجنبية (٤) «أ» استسلام بشروط. «ب» اتفاقية استسلام.

capitulum [kə pĭch'ə ləm]*(n.)* (١) عقدة أو عجرة (في طرَف

ă at; ā date; â care; ä car; ĕ egg; ē me; ĭ in; ī bite; ŏ lot; ō bone; ô orphan; oi boil o͝o good; o͞o boot; ou out; ŭ under; ū unity; û urgent; th thing; t͟h this; zh vision; ə = *a* in alone, *e* in system, *i* in easily, *o* in gallop, *u* in circus.

عظم) ؛ رأس العظم (ت) (٢) الرُّوَيْس : شكل من أشكال الازهرار يتألف من عنقود من الزهيرات اللاطئة (نب).

capon [kā'pŏn] *(n.)* ديكٌ مخصيّ مسمَّن (للأكل).

caponize [-īz] *(vt.)* يَخْصِي ديكاً الخ.

caporal [kăp'ə răl'] *(n.)* ضربٌ من التبغ.

capote [kə pōt'] *(n.)* (١) معطف ذو غطاء للرأس (٢) قبعة نسوية أو أطفالية (٣) « كبّوت » العربة.

capper [kăp'ər] *(n.)* (١) فا cap (٢) «أ» الطُّعْم : مَنْ يُستخدَم لإيقاع شخص آخر في شرك. «ب» شخص مكلّف بالمزايدة (لرفع الأسعار في مزاد علني).

capping [kăp'ĭng] *(n.)* (١) مص cap (٢) غطاء.

capreolate [kăp'rĭ ə lāt] *(adj.)* (١) ذوحوالق : ذوخيوط يتعلق بواسطتها بالقضبان من تعاريشه (نب) (٢) شبيهٌ بالحوالق (ت).

capric acid [kăp'rĭk] *(n.)* حمض الكَبْرِيك (ك).

capriccio [kə prē'chĭ ō'] *(n.)* (١) نَزْوة (٢) حيلة أو مزحة (٣) لحن موسيقي ذو طابع حرّ غير نظامي.

caprice [kə prēs'] *(n.)* (١) نَزْوَة؛ هوىً مفاجىء (٢)الحُوَليّة : مَيْلٌ إلى التقلّب في الرأي (بلا سبب ظاهر) (٣) capriccio 3.

capricious [kə prĭsh'əs] *(adj.)* نَزْوِي ؛ قُلَّب ؛ حُوَّل.

Capricorn [kăp'rə kôrn'] *(n.)* الجَدْي : برج الجدْي (فل).

caprification *(n.)* تأبير التين : التلقيح الصنعي للتين.

caprifig [kăp'rĭ fĭg'] *(n.)* التين البري ؛ تين التأبير (نب).

caprine [kăp'rīn ; -rĭn] *(adj.)* ماعِزِي : متعلق بالماعز.

capriole [-'rĭ ōl] *(n. ; vi.)* (١) طَفْرة ؛ وثبة (٢) شَبّة § (٣) يَشِبّ (الفرس).

caproic acid [kə prō'ĭk] *(n.)* حمض الكبروئيك (ك).

caprylic acid *(n.)* حمض الكَبْرِيليك (ك).

capsicum [kăp'sĭ kəm] *(n.)* فُلَيْفِلة ؛ فِلْفِل.

capsize[kăp sīz'] *(vi.;t.)* (١) ينقلب ×(٢) يقلب.

capstan [kăp'stən] *(n.)* الرَّحَوِية (مج) : أداة يديرها الملاحون رافعين بها الأثقال أو المراسي.

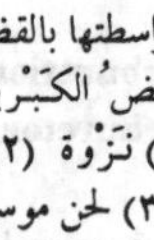

capstan

capstone *(n.)* (١) الجزء الأعلى (المنحدِر) من جدار (٢) قمة ؛ أوج.

capsular *(adj.)* (١) عُلَيْبِيّ (٢) محفوظ في عُلبية أو كبسولة.

capsulate [kăp'sə lāt] *(adj.)* مُكَبْسَل : محفوظ في كبسولة.

capsule [kăp'səl] *(n.; adj.)* (١) غشاء ؛ كيس (ت) (٢) الجِرْو ؛ العُلَيْبة : غلاف البزور الجاف الذي ينفتح عند النضج (٣) الكبسولة (مج) ؛ البرشامة : وعاء هلامي من قطعتين بداخله دواء (٤) كلام موجز إلى أبعد حد (٥) غلاف معدني رقيق لفم زجاجة ذات سدادة فلينية (٦) عُلَيْبة ؛ غلاف أو غطاء صغير §(٧) مركّز ؛ شديد الإيجاز ؛ بالغ الصغر (a ~ review).

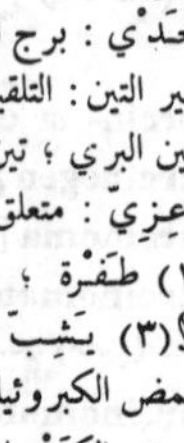

capsule 2.

captain [kăp'tən ; -tĭn] *(n.; vt.)* (١) «أ» نقيب؛ رئيس (جن) «ب» رُبّان ؛ قبطان . «ج» قائد عسكري بارز . «د» قائد فرقة رياضية (٢) زعيم ؛ قائد § (٣) يقود.

caption [kăp'shən] *(n. ; vt.)* (١) عنوان (لفصل أو مقال أو صفحة) (٢) تعليق أو شرح (لصورة في مجلة الخ.) (٣) عنوان فرعي (في السينما) § (٤) يُعَنْوِن الخ.

captious [kăp'shəs] *(adj.)* (١) «أ» عيّاب. «ب» يصعب ارضاؤه. (٢) مُغْرِض أو صادرٌ عن حبّ للمماحكة (a ~ remark) (٣) إرباكي ؛ أُحبولي : مرادٌ به الإرباك أو الإيقاع في الشَرَك وبخاصة في الجدل والمحاجّة (~ questions).

captivate [kăp'tə vāt'] *(vt.)* يفتن ؛ يسبي ؛ يأسر.

—captivation *(n.)* **—captivator** *(n.)*

captive [kăp'tĭv] *(adj.; n.)* (١) «أ» مأسور ؛ أسير. «ب» حَبيس ؛ مقيّد. «ج» تملكه أو تديره شركة صناعية أو مصلحة عامة سداً لحاجاتها هي لا لتزويد السّوق بنتاجه (a ~ coal mine) (٢) أسري : ذو علاقة بالأسر (٣) مفتون ؛ متيَّم §(٤) الأسير (٥) المفتون ؛ المتيَّم.

captive balloon *(n.)* المُنطاد المقيَّد : منطاد مشدود إلى الأرض بحبل (يستخدم للمراقبة والاستكشاف).

captivity [kăp tĭv'-] *(n.)* (١) أسر (٢) عبودية (٣) مدة الأسر.

captor [kăp'tər] *(n.)* الآسِر ؛ المعتقِل.

capture [kăp'chər] *(vt. ;n.)* (١) «أ» يستولي على. «ب» يأسر ؛ يقبض على. «ج» يفوز بـ ؛ ينتزع (to ~ a prize) «د» يجذب الانتباه §(٢) أسْرٌ ؛ اعتقال (٣) «أ» أسير. «ب» غنيمة.

capuche [kə pōōsh'] *(n.)* الكَبّوشة : قَلَنْسُوة بُرْنُس ، وبخاصة تلك التي يتميز بها الآباء الكبوشيون.

capuchin [kăp'yŏŏ chĭn] *(n.)* (١) أبٌ أو راهب كَبّوشي (٢) بُرْنُس نِسْوي (٣) الكَبّوشيّ ؛ القرد المقَلْنَس : قرد جنوبأميركي يكسو رأسَهُ شعر أسود أشبهُ بالقَلَنْسُوَة.

capybara [kăp'ĭ bä'rə] *(n.)* خِنزير الماء : حيوان جنوبأميركي مائي غالباً، يُعتبر أعظم القوارض الحية (ح).

capybara

car [kär] *(n.)* (١) «أ» عربة (ا.ق) «ب» مركبة حرب أو نَصْر. «ج» حافلة قطار. «د» سيارة (٢) ذلك الجزء من الطائرة (أو المصعد) المخصّص للركاب (٣) صندوق مُخَرَّم عائم (لإبقاء الأسماك الخ. حيّة).

carabao [kär'ə bä'ō] *(n.)* الجاموس الهندي (ح).

carabao

carabin [kăr'ə bĭn] ; **carabine** [-'ə bīn'] *(n.)* = carbine.

carabineer *or* **carabinier** [-bə nĭr'] *(n.)* القَرَبِينيّ : جنديّ حامل قَرَبِينة (را carbine).

caracara [kär'ə kär'ə] *(n.)* الكَرْكار : صقر جنوبأميركي.

caracole *(n. ;vi.)* (١) نصف دورة § (٢) يدور (الفارس) نصف دورة.

caracul [kăr'ə kəl] *(n.)* = karakul.

carafe [kə răf' ; -räf'] *(Ar.)* الغَرّافة : ابريق زجاجي.

caragana *(n.)* القَرَغانة : شجيرة من الفصيلة القرنية (نب).

caramel [kăr'ə məl] *(n.)* الكَرَميلة : «أ» سكّر محروق يُتّخذ للتلوين والتَّنْكِيه . «ب» قطعة من الحلوى الدبِقة.

caramelize [-mə līz] *(vt.; i.)* (١) يُكرمل : يحوّل إلى كَرَميلة × (٢) يتكرمل : يتحول إلى كَرَميلة.

carangid *(adj. ; n.)* (١) شِيْمِي : منسوب إلى الشّيميات Carangidae وهي أسماك من رتبة شائكات الزعانف § (٢) الشّيمية : سمكة من الشّيميات.

carapace [kăr'ə pās'] *(n.)* (١) الذَّبْل : درع قرنيّ أو عظمي

يغطي ظهر السلحفاة وغيرها (٢) غطاء خارجيّ صُلب واقٍ.
carat [kăr'ət] *(n.)* القيراط: «أ» وحدة وزن للذهب والحجارة الكريمة. «ب» جزء من ٢٤ جزءاً.
caravan [kăr'ə-] *(n.)* (١) قافلة (من الجمال أو العربات). (٢) عربة كبيرة مغطاة (٣) بيت متنقّل قائم على عجلات.
caravansary *or* **caravanserai** *(n.)* (١) نُزُل؛ خان (٢) فندق.
caravel [kăr'-] *or* **carvel** *(n.)* مركب شراعي صغير سريع.
caraway [kăr'ə wā'] *(n.)* كَرَوِيا؛ كَرَوْياء (نب).
carb- *or* **carbo-** بادئة معناها: كربون؛ كربونيّ.
carbamic acid *(n.)* حمض الكَرْباميك (ك).
carbazole *(n.)* الكَرْبازول: مركّب متبلّر تُشتقّ منه أصباغ كثيرة (ك).
carbide [kär'bīd] *(n.)* (١) الكربيد: مركّب من كربون وأحد المعادن (٢) كربيد الكلسيوم (ك).
carbine [kär'bīn ; -bēn] *(n.)* القَرَبينة: بندقية قصيرة.
carbineer [kär'bə nĭr'] *(n.)* = carabineer.
carbinol [kär'-] *(n.)* الكَرْبينول: «أ» الميثانول. «ب» كحول مشتقّ من الميثانول (ك).
carbo- = carb-.
carbohydrate [kär'bō hī'drāt] *(n.)* الكربوهيدرات؛ مادة مؤلّفة من كربون وهيدروجين وأكسجين (كالسكر والنشا).
carbolated [kär'bə lā'tĭd] *(adj.)* مُشبَع بحمض الكَرْبوليك (ك).
carbolic acid [kär bŏl'ĭk] *(n.)* حمض الكَرْبوليك؛ فينول (ك).
carbolize [-'bə līz'] *(vt.)* يمزج أو يعالج بحمض الكربوليك (ك).
carbon [kär'bən] *(n.)* (١) كربون؛ فحم (ك) (٢) ورقة كربون (٣) النسخة الكربونية: نسخة إضافية مأخوذة بورق الكربون (٤) قطعة كربون تستخدم في البطاريات والمصابيح القوسيّة الخ.
carbonaceous [-nā'shəs] *(adj.)* (١) غنيّ بالكربون (٢) كربونيّ.
carbonado [-nā'dō] *(n.)* الكربونادو؛ الماس الأسود.
carbonate *(n.; vt.)* (١) كربونات (ك) §(٢) يحوّل إلى كربونات (٣) يُشبِع بثاني أكسيد الكربون.
carbonated *(adj.)* (١) محوّل إلى كربونات (٢) مُشبَع بثاني أكسيد الكربون (~ beverage).
carbonation *(n.)* (١) التحويل إلى كربونات (٢) الاشباع بثاني أكسيد الكربون.
carbon black *(n.)* أسوَد الكربون؛ سِناج أو سُخام (ك).
carbon copy *(n.)* النسخة الكربونية: نسخة إضافية مأخوذة بورق الكربون
carbon dioxide *(n.)* ثاني أكسيد الكربون (ك).
carbon disulfide *(n.)* ثاني كبريتور الكربون (ك).
carbon 14 *(n.)* الكربون ١٤: نظيرٌ للكربون إشعاعي النشاط رقمُهُ الكُتلي ١٤.
carbonic *(adj.)* كربوني: متعلق بالكربون او بحمض الكربونيك او بثاني أكسيد الكربون (ك).
carbonic acid *(n.)* حمض الكربونيك (ك).
carbonic acid gas *(n.)* = carbon dioxide.
carboniferous *(adj.)* (١) مكوّن للفحم (٢) محتوٍ على فحم. (٣) *cap.*: كربوني؛ فحميّ؛ متعلق بالعصر الكربوني أو الفحمي (جي).
Carboniferous period *(n.)* العصر الكربوني؛ العصر الفحميّ (جي).
carbonization *(n.)* (١) كَرْبَنَة؛ تفحيم (٢) تَكَرْبُن؛ تفحّم.
carbonize [kär'-] *(vt.; i.)* (١) يُكَرْبِن؛ يفحّم: «أ» يحوّل إلى كربون أو فحم. «ب» يمزج أو يشبع (المعدنَ) بالكربون ×(٢) يتكَرْبَن؛ يتفحّم.
carbon monoxide *(n.)* أول أكسيد الكربون (ك).
carbonous *(adj.)* (١) كربونيّ (٢) متفحّم: هشّ وأسوَد.
carbon paper *(n.)* ورق الكربون؛ الورق المفحّم.
carbon tetrachloride *(n.)* رابع كلوريد الكربون (ك).
carbonyl [kär'bən ĭl] *(n.)* الكربونيل (ك).
carborundum *(n.)* الكاربوراندوم: مركب شديد الصلابة يستخدم في الصَّقْل والكَشْط.
carboy [kär'-] *(n.)* الدَّمجانة: زجاجة كبيرة مكسوة بوقاء من الخيزران.
carbuncle [-'bŭng kəl] *(n.)* (١) عقيق أحمر (٢) جَمْرة؛ دُمَّلة.
carburet [kär'bə rāt'] *(vt.)* يُكَرْبِن: «أ» يجعله يتحد كيميائياً بالكربون. «ب» يمزج (الهواء أو الغاز) بمركّبات كربونية كالبترول والبنزين.
carburetion [-bə rā'shən ; -byə rĕsh'ən] *(n.)* الكَرْبَنَة.
carburetor *or* **carburettor** *(n.)* المُكَرْبِن: أداة لمزج الهواء بالبترول بغية إحداث مزيج متفجّر (مك).
carburize [-'bə rīz ; -byə-] *(vt.)* = carburet.
carcajou [kär'kə jōō] *(n.)* الشَّرِه: حيوان ثدييّ شمالأميركي.
carcase; carcass [kär'kəs] *(n.)* (١) جثة؛ وبخاصة: جسد الذبيحة (٢) الجسم الحيّ (٣) هيكل (بيتٍ أو سفينةٍ) (٤) «مادة» دولاب السيارة أي جزؤه الأساسي.
carcin- *or* **carcino-** بادئة معناها: سرطان.
carcinogen [kär sĭn'ə jən] *(n.)* المُسَرْطِن: مادة محدثة للسرطان.
carcinoma [-nō'mə] *(n.)* pl. **-s** *or* **-ta** سَرَطان؛ ورم سرطاني
carcinomatosis *(n.)* التَسَرْطُن الشامل: حالة تتميّز بنشوء عدد كبير من الأورام السرطانية في مختلف أجزاء الجسم (مض).
carcinomatous [-sə nŏm'ə təs] *(adj.)* سرطانيّ.
card [kärd] *(n.; vt.)* (١) المُزَأْبِرَة: «أ» أداة لإحداث الزِّئْبَر على سطح القماش. «ب» مِمْشَطَة أو مِسْرَحة للصوف (٢) «أ» ورقة لَعِب (من ورق الشدّة). «ب» *pl.*: لعبة من ألعاب الورق (أو الشدّة). «ج» لَعِبُ الورق أو الشدّة (٣) «أ» شخص مُضحِك أو مُسَلٍّ. «ب» شخص (a queer ~) (٤) قُرْص البوصلة (٥) «أ» بطاقة. «ب» برنامج؛ وبخاصة: برنامج ألعاب (racing ~). «ج» قائمة الطعام (في مطعم) §(٦) «أ» يُزَأْبِر. «ب» يمشّط؛ يسرّح (الصوفَ) (٧) يزوّد ببطاقة (٨) يدوّن على بطاقة.
~ of admission بطاقة الدخول (إلى حفلة أو اجتماع).
a doubtful ~, خطة أو وسيلة مشكوك في نجاحها.
a sure ~, خطة أو وسيلة مضمونة النجاح.
one's best ~, ورقة المرء الفضلى: حجّته الأقوى أو طريقته الفضلى للفوز بما يريد.
on the ~s, مُحتَمَل؛ ممكن.
to have a ~ up one's sleeve يحتفظ بخطة سرية احتياطية (يلجأ إليها إذا أخفقت سائر الخطط).
to leave ~s (on) يقوم بزيارة.
to play one's ~s well يؤدي دوره أو مهمته ببراعة.
to put one's ~s on the table يكشف (المرء) عن خططه أو نيّاته.
cardamom *(n.)* (١) هالٌ؛ هَيل (نب) (٢) حبّ الهال.
Cardan joint *(n.)* وُصلة كردان: وصلةٌ عامة الحركة (مك).
Cardan shaft *(n.)* عمود كَرْدان: عمود الإدارة الخلفية (مك).

cardboard *(n.; adj.)* (١) كرتون ؛ ورق مقوّى . §(٢) كرتونيّ .
card catalogue *(n.)* فهرس البطاقات (بأسماء الكتب في مكتبة عامة) .
cardi- *or* **cardio-** بادئة معناها : القلب (*cardio*graph) .
cardiac [kär'dĭ ăk] *(adj. ; n.)* (١) «أ» قلبي : ذو علاقة بالقلب . «ب» متعلق بفم المعدة (٢) ذو علاقة بمرض القلب . §(٣) علاج للقلب (٤) المقلوب : المصاب بداءٍ في قلبه .
cardialgia *(n.)* (١) heartburn (٢) ألمٌ في القلب .
cardigan [kär'də gən] *(n.)* سترة من صوف محبوك .
cardinal [kär'də nəl] *(adj.; n.)* (١) رئيسي ؛ أساسيّ (٢) أحمر مصفرّ (٣) كاردينالي : ذو علاقة بكاردينال . §(٤) كاردينال (كث) (٥) عدد أصليّ (٦) معطف نسويّ قصير ذو قبعة (٧) الكردينال : طائر أميركيّ مغرّد .

cardinal 7.

cardinalate [kär'-] *(n.)* (١) الكاردينالية : منصب الكاردينال (٢) الكرادلة .
cardinal fish *(n.)* ديك البحر (سمك) .
cardinal flower *(n.)* اللّوبيلية الأرجوانية : نبات شمالأميركي .
cardinal number *(n.)* العدد الأصلي : أيٌّ من الأعداد ١، ٢، ٣، الخ (تمييزاً له عن العدد الترتيبي ordinal أي الأول ، الثاني ، الثالث الخ .) .
cardinal points الجهات الأصلية (الشمال ، الجنوب ، الشرق ، الغرب)
cardinal red *(n.)* الأحمر الصفراويّ ، الأحمر المُصفرّ .
cardinal virtues الفضائل الأصلية : «أ» الحصافة ، والعدل ، والاعتدال (أو ضبط النفس) ، والجَلَد . «ب» الفضائل الدينية الثلاث : الإيمان ، والأمل ، والإحسان .
carding [kär'dĭng] *(n.)* تمشيط (أو تسريح) الصوف .
carding machine *(n.)* المِمْشَطة : آلة لتمشيط الصوف الخ .
cardio- = **cardi-** .
cardiogram *(n.)* الرّسْم القلبيّ : الخط المنحني المصوِّر لنبضات القلب .
cardiograph *(n.)* راسمة القلب : أداة تسجّل نبضات القلب بيانياً .
cardiologist *(n.)* العالِم بالقلب (وبوظائفه وأمراضه) .
cardiology *(n.)* مَبْحث القلب : دراسة القلب ووظائفِه وأمراضه .
cardiopulmonary resuscitation إنعاش القلب والرئتين
carditis [kär dī'tĭs] *(n.)* التهاب القلب (مض) .
cardoon *(n.)* الحَرْشَف ، الحرشف البري : نبات كالأرضي شوكي .
cardsharper *or* **cardsharp** *(n.)* الغشّاش في لعب الورق .
care [kâr] *(n. ; vi.)* (١) «أ» همّ . «ب» قلق . «ج» مصدر قلق (٢) «أ» اهتمام ؛ عناية . «ب» حَذَر (٣) رعاية ؛ رقابة (٤) حِرص (٥) شيء أو شخص موضعُ عناية الخ . §(٦) يهتم ؛ يبالي (٧) يُعْنَى أو يهتم بـِ (٨) يريد ؛ يرغب في . ~ of (c/o) بواسطة ؛ من فضل .
careen [kə rēn'] *(vt.; i.)* (١) «أ» يُميل المركبَ . «ب» ينظف أو يصلح مركباً (بعد إمالته إلى جانب) ×(٢) يميل (المركبُ) إلى جانب .
career [kə rĭr'] *(n.; vi.)* (١) سرعة (in full ~) (٢) السِّيرة : مجرى حياة المرء وبخاصة في حقل معين من حقول النشاط (٣) «أ» مهنة . «ب» تقدّم أو نجاح ملحوظ ، يحرزه المرء في مهنته أو عمله §(٤) ينطلق أو يعدو بسرعة .
carefree [kâr'frē'] *(adj.)* سعيد ؛ مبتهج ؛ خِلو من الهمّ .
careful [kâr'fəl] *(adj.)* (١) «أ» حذِر ؛ محترس . «ب» يقِظ ؛ منتبه ؛ باذلٌ عناية . «ج» مقتصد (٢) شديد الحرص (٣) دقيق : مصنوع بدقة أو حذر .
—carefulness *(n.)*
carefully *(adv.)* بحذر ؛ باحتراس ؛ بعناية ؛ باهتمام ؛ بدقة .
careless [kâr'-] *(adj.)* (١) «أ» خِلوٌ من الهموم (~ days) . «ب» لامبالٍ (~ of the consequences) (٢) مُهْمِل (~ of his health) (٣) غير مُتْقَن (~ work) «ب» طائش ؛ غير مدروس (a ~ remark) .
carelessly *(adv.)* بلا مبالاة ؛ بإهمال ؛ بغير إتقان ؛ بطَيْش .
caress [kə rĕs'] *(n.; vt.)* (١) ملاطفة ؛ مثل : «أ» تَرْبيت . «ب» عناق . «ج» قبلة §(٢) يلاطِف : «أ» يربّت بلطف . «ب» يعانق . «ج» يقبّل .
caret [kăr'ət] *(n.)* علامة الإقحام : علامة (٨) في الكتابة والطباعة تُرْسَم إشارةً إلى موضعٍ يجب أن تُقْحَم فيه أو تضاف إليه كلمة أو عبارة ناقصة .
caretaker [kâr'tā'kər] *(n.)* (١) ناظر أو وكيل (يتولى الإشراف على بيتٍ أو أرضٍ في غياب المالك) (٢) المتولّي منصباً بالوكالة .
caretaker government *(n.)* حكومة مؤقتة ، حكومة انتقالية .
careworn *(adj.)* مهموم ؛ مضنىً بالهموم (a ~ face) .
carfare [kär'fâr'] *(n.)* رسم الركوب (في ترام أو أوتوبوس الخ .) .
cargo [kär'gō] *(n.)* الحمولة : ماتحمله السفينة أو الطائرة أو العربة من بضائع .
carhop [kär'-] *(n.)* النادل أو النادلة (في مطعم يقدّم الطعام إلى روّاده وهم ملازمون سياراتهم) .
Carib [kăr'ĭb] *(n.)* (١) الكريبيّ : واحد من أبناء شعب هندي أحمر يقيم اليوم في فنزويلا الخ . وعلى الشاطىء الكريبي الخ . (٢) الكريبيّة : لغة الكريبيين .
Caribbean [-ə bē'ən] *(adj. ; n.)* (١) كريبيّ : ذو علاقة بالكريبيين (را . Carib 1) أو بالبحر الكريبيّ §(٢) Carib 1 .
caribe [kä rē bē] *(n.)* الضاري : سمك جنوبأميركي صغير ضارٍ .
caribou [kăr'ə bōō'] *(n.)* الرّنّة : أيّلٌ شمالأميركي (ح) .

caribou

caricature [kăr'ĭ kə chər] *(n.; vt.)* (١) فنّ الكاريكاتور : طريقة في الرسم تبالغ ، على نحوٍ ساخر ، في إظهار خصائص شخص (أو شيء) أو نقائصه (٢) رسم كاريكاتوريّ (٣) تشويه مغالىً فيه (حتى ليكاد يبدو وكأنه صورة كاريكاتورية) §(٤) يرسم كاريكاتورياً .
caricaturist *(n.)* الرسّام الكاريكاتوري .
caries [kâr'ēz] *(n.)* (١) النَّخَر : تسوّس العظام (٢) نَخَر الأسنان .
carillon [kăr'ə lŏn'] *(n.)* (١) المُصَلْصِلة : مجموعة أجراس مثبّتة تُقْرَع بمطارق تعمل أوتوماتيكياً أو بواسطة لوحة ذات مفاتيح (٢) لحنٌ موضوعٌ لمُصلصِلة .
carillonneur [-lə nûr'] *(n.)* المُصَلْصِليّ : العازف على مُصلصِلة .
carina [kə rī'nə] *(n.)* (١) عَيْر ، ضلع (نب) (٢) سَهْم القصّ (أح) (٣) cap. : الجُؤجُؤ (فل) .
Carinatae *(n. pl.)* الجؤجُئيّات : طيور تتميز بوجود حَيْدٍ طولي على عظم القَصّ (أح) .
carinate *also* **carinated** *(adj.)* جُؤجُئيّ («نب» و«ح») .
carioca [kăr'ĭ ō'kə] *(n.)* الكاريوكا : رقصة السامبا أو موسيقاها .
cariole [kăr'ĭ ōl'] *(n.)* الكَرْيولة : «أ» مركبة صغيرة خفيفة بجواد واحد . «ب» مزلجة يجرّها كلب .
carious [kâr'-] *(adj.)* نَخِر ، مُتَسوِّس (~ teeth) .

ă at; ā date; â care; ä car; ĕ egg; ē me; ĭ in; ī bite; ŏ lot; ō bone; ô orphan; oi boil; ŏŏ good; ōō boot; ou out; ŭ under; ū unity; û urgent; th thing; th this; zh vision; ə = *a* in alone, *e* in system, *i* in easily, *o* in gallop, *u* in circus.

carking [kär'kĭng] *(adj.)* (١) مُقْلِق (٢) قَلِق ؛ مضطرب البال.
carline *or* **carlin** [kär'lĭn] *(n.)* عجوز ؛ امرأة ؛ وبخاصة : عجوز.
carling [kär'lĭng] *([n.)* عَتَبَة طولانية (في مركب).
carload *(n.)* حمولة الشاحنة : مقدار ما تستطيع الشاحنة حمله.
carmagnole [kär'mən yōl'] *(n.)* الكارْمَنْيول : رقصة (أو أغنية) شعبية اشتهرت أثناء الثورة الفرنسية.
carman [kär'-] *(n.)* (١) سائق الكارّة (٢) سائق الأوتوبوس.
Carmelite [kär'-] *(n. ; adj.)* (١) «أ» راهب كَرْمَلي. «ب» راهبة كَرْمَليّة §(٢) كَرْمَليّ.
carminative *(adj. ; n.)* (١) طاردٌ للريح (من المعدة أو الأمعاء). §(٢) دواء طارد للريح.
carmine [kär'mĭn] *(n. ; adj.)* (١) اللون القِرمِزي (٢) صِبغٌ قرمزي §(٣) قِرْمِزيّ.
carminic [kär mĭn'ĭk] *(adj.)* قِرمِزيّ.
carnage [kär'nĭj] *(n.)* (١) أشلاء (٢) مَذبحة ؛ مجزرة.
carnal [kär'nəl] *(adj.)* (١) جَسَديّ ؛ غير روحي (٢) شهوانيّ (٣) دنيويّ ؛ زمنيّ.
—carnally *(adv.)*
carnalist *(n.)* الشَّهواني : شخص شهواني.
carnality *(n.)* (١) «أ» الجَسَدية. «ب» الغُلمة ؛ الشهوانية. (٢) اتصال جنسيّ.
carnassial [kär năs'ĭ əl] *(adj. ; n.)* (١) قاطعة : مُعَدّةٌ لتمزيق اللحم (~ teeth) §(٢) القاطعة : إحدى الأسنان القواطع.
carnation [kär nā'-] *(n.)* (١) «أ» لون البشرة. «ب» اللون القرنفلي ؛ الأحمر الفاتح (٢) قَرَنْفُل (نب).
carnauba [kär nou'bə] *(n.)* الكوبَرْنيكية : شجرٌ من الفصيلة النخلية.
carnauba wax *(n.)* الشّمع الكوبرنيكيّ : شمع يستخرج من أوراق شجرة «الكوبرنيكية» ويستخدم في الصَّقل الخ.
carnelian [kär nēl'yən] *(n.)* العقيق الأحمر.
carnifex *(n.)* الجلاّد : منفّذ الإعدام شنقاً (في روما القديمة).
carnival [kär'nə vəl] *(n.)* (١) «أ» عيد المَرْفَع (نص). «ب» كرنفال (٢) «أ» مدينة ملاهٍ متنقلة. «ب» برنامج ترفيه الخ.
Carnivora [kär nĭv'ə rə] *(n. pl.)* اللواحم ؛ آكلات اللحوم (ح).
carnivore [kär'nə vōr'] *(n.)* (١) اللاحم : حيوان من آكلات اللحوم (٢) النبات اللاحم : نبات يتغذى بالحشرات.
carnivorous [- nĭv'ə rəs] *(adj.)* (١) لاحم : «أ» آكلٌ للّحم. «ب» مقتاتٌ بالحشرات (a ~ plant) (٢) لواحميّ : متعلق باللواحم.
carnotite [kär'nə tīt] *(n.)* الكرنوتيت : معدن إشعاعي النشاط.
carny *or* **carney** *or* **carnie** [kär'nē] *(n.)* (١) مدينةُ ملاهٍ متنقلةٌ (٢) المشتغل في مدينة ملاهٍ متنقّلة.
carob [kăr'əb] *(Ar.)* (١) الخرّوب ؛ الخُرْنوب (٢) ثمر الخروب.
caroche [kə rōch'] *(n.)* الكَرُوْشَة : مركبة فخمة.
carol [kăr'əl] *(n. ; vi. ; t.)* (١) أغنية مَرِحة (٢) ترنيمة (Christmas ~s) §(٣) يغنّي ، وبخاصة بمرح وابتهاج ؛ يغرِّد (٤) يُنشد الترانيم ؛ وبخاصة : يطوف مع الطائفين منشداً ترانيم الميلاد ×(٥) يتغنّى بـ.
Carolean [kăr'ə lē'ən] ; **Caroline** [kăr'ə lĭn] *(adj.)* شارليّ : منسوب إلى شارل الأول وشارل الثاني ملكيْ انكلترة.
Carolinian [kăr'ə lĭn'ĭ ən] *(adj. ; n.)* (١) كارولينيّ : منسوب إلى كارولينا الشمالية أو إلى كارولينا الجنوبية بالولايات المتحدة الأميركية §(٢) الكارولينيّ : أحد أبناء كارولينا الشمالية أو كارولينا الجنوبية.
carom [kăr'əm] *(n.)* (١) الكَرُومَة : ضربة تصيب فيها الكرة كرتيْن على التعاقب (في لعبة البليارد) (٢) ارتداد الكرة (بعد ارتطامها بشيء).
carotene [kăr'ə tēn] *(n.)* الكاروتين ؛ الجَزَرين : صبغ برتقالي أو أحمر يكون في بعض النباتات وفي الأنسجة الدهنية لبعض الحيوانات.
carotenoid[kə rŏt'ə noid'] *(n. ; adj.)* (١) الصِّبْغ الجَزَرانيّ : واحد من مجموعة أصباغ حمراء وصفراء شبيهة كيميائياً بالكاروتين أو الجَزَرين توجد في بعض النباتات وفي الدهن الحيواني (ك) §(٢) جَزَرانيّ : شبيه بالكاروتين أو الجَزَرين.
carotid [-rŏt'ĭd] *(n. ; adj.)* (١) الشريان السُّباتي §(٢) سُباتي (ت).
carousal [kə rou'zəl] *(n.)* احتفال صاخبٌ مخمور.
carouse [kə rouz'] *(n. ; vi.)* (١) احتفال صاخب أو مخمور §(٢) يُسْرِف في شرب الخمر (٣) يشترك في احتفال مخمور.
—carouser *(n.)*
carousel [kăr'ə zĕl' ; -sĕl'] *(n.)* = carrousel.
carp [kärp] *(vi. ; n.)* (١) يَعيب ؛ ينتقد ؛ يشكو من غير داعٍ موجب §(٢) الشَّبّوط : سمك نهري كثير الحسك.
—carper *(n.)*
-carp لاحقة معناها : ثمرة (endo*carp*).
carpaccio *(n.)* شرائح لحم بقري.
carpal [kär'-] *(adj. ; n.)* (١) رُسْغيّ §(٢) عظمٌ رُسْغيّ (ت).
carpale [kär pā'lĭ] *(n.)* pl. **-lia** عظمٌ رُسْغيّ (ت).
carpe diem [kär'pĭ dī'ĕm] *(L.)* (١) إستَمْتِعْ بيومك الحاضر (٢) انتهز الفرصة السانحة.
carpel [kär'-] *(n.)* الكَرْبَلة ؛ الخِباء : وَحدةُ عضو التأنيث في الزهرة.
carpellate [-'pə lāt] *(adj.)* مُكَرْبَل : ذو كرابل أو أخبية (نب).
carpenter [kär'-] *(n. ; vi. ; t.)* (١) النجّار §(٢) يشتغل نجاراً ×(٣) يصنع بالنّجارة.
carpentry *(n.)* النِّجارة : حِرفة النجّار.
carpet *(n. ; vt.)* (١) سجادة ؛ §(٢) يكسو بالسّجّاد (٣) يوبّخ.
on the ~, (١) على بساط البحث (٢) مُوَبَّخ ؛ مُعنَّف.
carpetbag *(n. ; adj.)* (١) خُرْج السَّفر §(٢) متعلق بذوي الأخراج أو مميزٌ لهم (را . المادة التالية).
carpetbagger *(n.)* (١) ذو الخُرْج : أحد أبناء الشمال الأميركي الذين شخصوا إلى الولايات الجنوبية ، وليس معهم غير ما حملوه في أخراجهم ، التماساً للربح الشخصيّ عقب الحرب الأهلية الأميركية (٢) شخص غريب يتدخل في السياسة.
carpet beater *(n.)* مِقرعة السجاد ؛ مِطرقة السجّاد.
carpeting [-'pĭt ĭng] *(n.)* (١) مواد صنع السجّاد (٢) سجاد.
carpet knight *(n.)* فارس الصالونات : فارسٌ منغمس في البطالة والترف.
carping [kär'pĭng] *(adj.)* عيّاب ؛ مولع بالانتقاد.
carpology [-pŏl'ə jĭ] *(n.)* مَبحث الأثمار (فرع من علم النبات).
carpophagous [-pŏf'ə gəs] *(adj.)* مُقتاتٌ بالأثمار.
carpophore[-'pə fōr'] *(n.)* حامل الكرابل ؛ حامل الأخبية (نب).
carport [kär'pôrt] *(n.)* سقيفة السيارة : سقيفة بلا جدران ناتئةٌ من جانب مبنىً (تظلّل بها سيارة).
carpus [kär'-] *(n.)* pl. **-pi** (١) رُسْغ (ت) (٢) عظام الرّسغ (ت).
carrack [kăr'ək] *(Ar.)* القُرْقور : سفينة شراعية ضخمة.
carrageen *or* **carragheen** *(n.)* الكَرّاجين : طحلب بحري.
carrefour [kar'fōōr'] *(n.)* (١) مفرق طرق (٢) ساحة ؛ ميدان.
carrel [kăr'əl] *(n.)* مقصورة بين رفوف الكتب في مكتبة عامة.

carriage [kăr'ĭj] *(n.)* (١) حَمْلٌ ؛ نَقْل . (٢) bearing I (٣) أجرة الحَمْل أو نفقاته (٤) حِمْل (ا.م) (٥) «أ» مَرْكَبة . «ب» حافلة (في قطار للركاب) (٦) الحاضِن ؛ وبخاصة : حاضِن المِدفع أو عَرَبَته (٧) الحاملة : جزء متحرك من آلة يحمل جزءاً آخر متحركاً .

carriage folk *(n.)* ذوو المَرْكَبات : جماعة الأثرياء القادرين على اقتناء مركبات خصوصية .

carriage forward *(adv.)* أجرة النقل على المشتري .

carriage free *(adj.)* خالص أجرة النقل ، مدفوعةٌ أجرةُ نقله من قِبل البائع .

carrick bend *(n.)* عقدة لربط حبلَين (مل) .

carrier [kăr'ĭ ər] *(n.)* (١) «أ» الناقل ؛ الرسول . «ب» الحمّال . (٢) «أ» ملتزم النقل . «ب» شركة النَّقْل . «ج» ساعي البريد . «د» موزع الصحف (على المشتركين) (٣) «أ» وعاء للحمل (يثبَّت على سيارة أو دراجة) . «ب» الحامِل ؛ الحامِلة ؛ الرافعة (مك) (٤) حاملة الطائرات (٥) حامل المرض (مج) ؛ ناقل الجراثيم (٦) الموجة الحاملة ؛ التيار الحامل (كب) (٧) الناقلة : مادة حفّازة يُنقل بواسطتها عنصرٌ ما من مركّب إلى آخر (ك) .

carrier pigeon *(n.)* حمام الزاجِل .

carriole [kăr'ĭ ōl'] *(n.)* = cariole.

carrion [kăr'-] *(n.; adj.)* (١) «أ» جيفة . «ب» لحم غير صالح للأكل (٢) فساد ؛ قَذارة §(٣) جيفيّ (٤) مقتات بالجِيَف (٥) فاسد ؛ قَذِر .

carrion crow *(n.)* الزاغ (أو الغراب) الجِيَفِيّ (ح) .

carronade [kăr'ə nād'] *(n.)* مدفع قصير قديم .

carrot [kăr'ət] *(n.)* (١) «أ» جَزَر . «ب» جَزْرة (نب) . (٢) مكافأة أو فائدة موعودة (وهميةٌ عادةً) .

the stick and the ~ , الترهيب والترغيب ؛ الوعيد والرشوة .

carroty *(adj.)* (١) جَزَرِيّ اللون : أحمر برتقالي (٢) أحمر الشعر .

carrousel [kăr'ə zĕl'] *(n.)* (١) عَرْض يقوم فيه الفرسان ببعض الحركات الخاصة (٢) merry-go-round I .

carry [kăr'ĭ] *(vt.; i.; n.)* (١) يَحْمِل ؛ ينقل (٢) «أ» يقود ؛ يرافق . «ب» يدفع ؛ يسوق (٣) يستحوذ على المشاعر (He *carried* his audience with him.) (٤) يستولي على (*carried* the enemy's fort) (٥) يُرَحِّل (الحسابات) (٦) يتّسم بـ ؛ ينطوي على (٧) يقف أو يمشي مثل ... (٨) يحمل أو يتحمّل ثِقلاً كذا (٩) يدعم ؛ يعزّز (١٠) يُقيت أو يكفي لإطعام ... (١١) يَمُدّ (أنبوباً) (١٢) «أ» يكسب لمرشّحه النصرَ . «ب» ينجح في حمل المجلس على تبنّي مشروع ما (١٣) يفوز في (to ~ an election) (١٤) تنشر (الجريدةُ على صفحاتها) (١٥) يقذف قنابله إلى مدى معيّن (Their guns do not ~ far enough.) × (١٦) يبلغ (الصوتُ) مسافةً ما (١٧) يُبقي (الفَرَسُ الخ) رأسَه مرتفعاً . (١٨) يتعقّب (الكلب) أثرَ رائحة الطريدة §(١٩) مدى ؛ مجال الرمي (جن) .

to ~ all, everything, *or* the world, before one يتغلّب على جميع العقبات ؛ يحرز انتصاراً كاملاً .

to ~ arms يحمل السلاح ؛ يخدم في الجندية .

to ~ away (١) ينقل (٢) تجرفه (العاطفةُ أو الحماسةُ) .

to ~ back يعود به بالفكر أو بالذاكرة إلى ...

to ~ forward يرحّل : ينقل مجموع الأرقام إلى عمود تالٍ أو صفحة تالية .

to ~ into effect, practice, *or* execution يُنفِّذ .

to ~ off (١) ينقل بالقوة (٢) يفوز بالجائزة الخ (٣) يواجه النتائج بجسارة (٤) ينجز بسهولة أو نجاح (٥) يميت ؛ يسبب موت كذا .

to ~ on (١) يواصل (سيره أو نشاطه) رغم العقبات . (٢) يدير ؛ يدبّر (٣) يتصرف بحماقة أو اهتياج .

to ~ on business يشتغل في صناعة ما .

to ~ on with يغازل .

to ~ one's point ينتزع موافقة الآخرين على وجهة نظره .

to ~ out ينفّذ خطّةً أو تهديداً .

to ~ over (١) يرجىء ؛ يؤجّل (٢) يحتفظ بالبضائع (لموسم آخر) (٣) يرحّل الحسابات .

to ~ the day (١) يفوز ؛ يَسُود (٢) يُكسبه النصر .

to ~ through (١) يُنْجِز ؛ يحقّق ؛ يجعله يقترن بالنجاح (٢) يُسْعِف ؛ يُنجد .

to ~ weight يكون ذا تأثير أو قوة على الإقناع .

carryall [kăr'ĭ ôl'] *(n.)* (١) «أ» عربة خفيفة مقفلة لأربعة أشخاص أو أكثر . «ب» سيارة مقفلة ذات مقعدين للركاب ممتدين على طولها (٢) كيس أو صندوق كبير .

carry-over *(n.)* (١) «أ» احتفاظ بالبضاعة الخ . إلى موسم آخر . «ب» ترحيل الحسابات (٢) «أ» البضاعة الخ . المحتفظ بها إلى موسم آخر . «ب» المجموع المرحّل (تج) .

carsick *(adj.)* مصاب بالغثيان (من جراء ركوب سيارة أو قطار) .

cart [kärt] *(n.; vt.; i.)* (١) الكارّة : «أ» عربة بدولابين لنقل الأثقال يجرّها حصان . «ب» عربة خفيفة ذات دولابين يجرّها حصان أو كلب . «ج» عربة صغيرة تجرّ باليد §(٢) ينقل في كارّة .

to put the ~ before the horse يضع العربة قبل الحصان ؛ يضع الأشياء في غير موضعها الصحيح .

cartage [-'tĭj] *(n.)* (١) النقل بكارّة (٢) أجرة النقل بكارّة .

carte [kärt] *(n.)* (١) ورقة (من أوراق اللعب أو الشدّة) . (٢) خريطة ؛ جدول بياني (٣) لائحة الطعام (في مطعم) .

à la carte را . حرف A .

carte blanche [blänsh'] *(F.)* تفويض مطلق ؛ سلطة تامة .

cartel [kär tĕl' ; kär'təl] *(n.)* (١) تحدٍّ كتابيّ (طلباً للمبارزة) . (٢) اتفاق مكتوب بين دولتين (وبخاصة لتبادل الأسرى) (٣) الكارتل : «أ» اتحاد المنتجين للتخفيف من وطأة التنافس فيما بينهم . «ب» اتحاد بين الجماعات السياسية من أجل عمل مشترك .

carter *(n.)* سائق الكارّة : سائق عربة للنقل .

Cartesian [kär tē'zhən] *(adj.; n.)* (١) ديكارتيّ : منسوب إلى رينيه ديكارت §(٢) الديكارتي : المؤمن بفلسفة ديكارت .

Cartesian coordinates الاحداثيات الديكارتية (ر) .

Carthaginian *(n.; adj.)* (١) القَرْطاجيّ §(٢) قَرْطاجيّ .

cartilage [kär'tə lĭj] *(n.)* (١) غُضْرُوف (٢) جزء غضروفي .

cartilaginous *(adj.)* غُضروفيّ : «أ» متعلق بالغضروف أو شبيه به . «ب» ذو هيكل غضروفيّ في الدرجة الأولى (كبعض الأسماك) .

cartload *(n.)* حِمل كارّة : مقدار ما تستطيع عربة نقل أن تحمله .

cartogram [kär'tə-] *(n.)* الخريطة البيانية : خريطة تستخدم الظلال والمنحنيات لكي تُظهر ، جغرافياً ، إحصاءات من ضروب مختلفة .

cartographer *(n.)* الخرائطيّ : رسام الخرائط .

cartography *(n.)* الخرائطيّة : علم أو فنّ رسم الخرائط .

carton [kär'tən] *(n.)* علبة كرتون ؛ صندوق كرتونيّ .

cartoon [kär tōōn'] *(n.; vt.; i.)* (١) رسم تمهيدي أو إيجازي (لصورة أو لوحة) (٢) «أ» صورة كاريكاتورية؛ رسم كاريكاتوري «ب» comic strip (٣) animated cartoon §(٤) يرسم تمهيدياً أو كاريكاتورياً الخ . — **cartoonist** *(n.)*

cartouche *or* **cartouch** [kär tōōsh'] *(n.)* (١) خرطوشة ؛ فَشَكَة (٢) إطار مُزَخْرَف أو زينيّ (٣) شكل مستطيل أو بيضويّ . وبخاصة على أثر فرعوني . يشتمل على اسم ملك .

cartridge [kär'-] *(n.)* (١) خرطوشة (٢) اللفيفة : فيلم ملفوف .

cartridge belt *(n.)* حزام (أو مِنطقة) الخرطوش .

cartridge clip *(n.)* المشط ؛ مخزن الخرطوش .

cartulary [kär'chōō lĕr'ĭ] *(n.)* (١) سجلات دير أو كنيسة الخ . (٢) الموظف المسؤول عن هذه السجلات .

cartwheel *(n.)* (١) دولاب عربة نقل (٢) قطعة نقدية كبيرة .

cartwright [-'rīt] *(n.)* صانع الكارّات أو عربات النقل .

caruncle [kăr'ŭng kəl] *(n.)* (١) العُرْف : زائدة لحمية فوق رأس الديك ونحوه (٢) اللُّحَيْمَة : زائدة اسفنجية في بذرة الخروع ونحوه.

caruncular *(adj.)* (١) عُرْفيّ (ح) (٢) لُحَيمِيّ (نب) .

carunculate; -d *(adj.)* (١) ذو عُرْف (٢) ذو لُحَيْمَة .

carve [kärv] *(vt.; i.)* (١) ينحت (تمثالاً) (٢) ينقش . (٣) يقطع (اللحمَ) إلى شرائح (٤) ينال أو يكسب بالجهد المتواصل (to ~ out a fortune) ×(٥) يشتغل نحّاتاً أو نقّاشاً

carved; carven *(adj.)* منحوت ؛ منقوش .

carvel [kär'vəl] *(n.)* = caravel.

carver [kär'vər] *(n.)* (١) النحّات ؛ النقّاش (٢) مقطّع اللحم إلى شرائح (٣) سكين كبيرة لتقطيع اللحم إلى شرائح .

carving *(n)* (١) مص **carve** (٢) نقش ؛ شيء منقوش أو منحوت .

cary- *or* **caryo-** = kary-.

caryatid *(n.)* pl **-s** *or* **-es** الكَرْتيد : تمثال امرأة يقوم مقام عمود في مبنى (عم).

caryatids

caryopsis [-'sĭs] *(n.)* pl. **-opses** *or* **-opsides** البُرّة : ثمرة جافة غير متفتحة ذات بزرة واحدة (كحبّة الحنطة الخ.)

casa [kä'sä] *(n.)* بيت ؛ منزل .

casaba [kə sä'bə] *(n.)* بطيخ أصفر شتوي .

Casbah *(Ar.)* القصبة : «أ» قلعة. «ب» الحيّ الوطني بمدينة شمالأفريقية .

cascade [kăs kād'] *(n.; vi.; t.)* (١) شلال صغير (يؤلف حلقة من سلسلة شلالات صغيرة عادةً) (٢) «أ» شيء منظّم في سلسلة . «ب» شيء ساقط أو مندفع بغزارة §(٣) يسقط ×(٤) يجعله يسقط كالشلال .

cascara *(n.)* الكَسْكارة : مُسْهِل يُتخذ من اللحاء المُجفَّف لنوع من شجر النَّبْق .

cascara buckthorn *(n.)* النَّبْق المُسْهِل (نب) .

cascara sagrada *(n.)* = cascara.

cascarilla [kăs'kə rĭl'ə] *(n.)* قِشْر عَنْبَر ؛ كينا عطرية .

case [kās] *(n.; vt.)* (١) حادثة (٢) حالة ؛ وَضْع (٣) الحالة (في النحو) (٤) الواقع ؛ الحقيقة الواقعة (That is not the ~.) (٥) مسألة (a ~ of conscience) (٦) «أ» دعوى ؛ قضية . «ب» حجة ؛ وبخاصة : حجة مُقْنعة (٧) «أ» إصابة مَرَضية . «ب» مريض . «ج» مَثَل . «د» حالة تستحق الدرس : شخص غريب الأطوار (He's a ~.) (٨) صندوق ؛ علبة (٩) غمد ؛ غلاف خارجي (a knife ~) (١٠) مجموعة ؛ وبخاصة : زوج (a ~ of pistols) (١١) إطار أو صندوق نافذة أو باب (١٢) صندوق الأحرف (طع) (١٣) دولار (ع) §(١٤) «أ» يضع في صندوق . «ب» يغطي بغطاء (١٥) يراقب أو يدرس بقصد السرقة (ع) .

in any ~, على أية حال ؛ مهما يكن أو يحدث .

in ~ of في حال . . . ؛ إذا ما .

in this (that) ~, إذا صحّ ذلك . . ؛ في هذه الحال .

to make out one's ~, يُثبت أنه على حق .

to state one's ~, يورد الوقائع والحجج المؤيدة لرأيه .

caseate [kā'sĭ āt'] *(vi.)* يتجبّن (ط) .

caseation [kā'sĭ ā'-] *(n.)* التجبّن ؛ التَّنكْرُز (أو التَّخَر) الجُبنيّ : تحوّل الأنسجة إلى كتلة محبّبة متعجّنة شبيهة بالجبن كما في السلّ (ط).

casebook *(n.)* سجل الحالات أو القضايا : سجلّ مشتمل على معلومات تفصيلية عن بعض القضايا الواقعية والقضائية والاقتصادية أو بعض الحالات الطبية والنفسية الخ . للمراجعة والدرس .

case harden *(vt.)* (١) يصلّد بالتغليف : يُقسّي (الحديد أو الفولاذ) بحيث يُصبح سطحه أقسى من داخله (٢) يقسّي الروح.

case history *or* **record** *(n.)* السِّيرة : مجموعة من الوقائع عن سلالة شخص أو تاريخه الشخصي أو بيئتِه تُعدّ للإفادة منها في تحليل حالته المَرَضية الخ .

casein [kā'sĭ ĭn; -sēn] *(n.)* الجُبْنين ؛ الكازين (كح) .

case knife *(n.)* (١) سكين ذات غمد (٢) سكين مائدة .

case law *(n.)* نظام السوابق : القانون المستمدّ من السوابق .

casemate [kās'māt'] *(n.)* المَعْصِم ؛ المَنَعَة : «أ» حجرة صامدة للقنابل ذات فتحات تطلق منها نيران المدافع . «ب» حظيرة مدرّعة لوقاية المدافع على متن سفينة قتال .

casement [kās'mənt] *(n.)* (١) النافذة البابيّة : نافذة تنفتح كما ينفتح الباب (لا صعوداً أو نزولاً) (٢) نافذة (٣) إطار ؛ غطاء .

casement 1.

caseous [kā'sĭ əs] *(adj.)* (١) متجبّن (٢) جُبنِيّ : شبيه بالجُبْنة.

casern *or* **caserne** [kə zûrn'] *(n.)* ثُكْنَة .

case shot *(n.)* قذيفة شظايا (جن) .

case system *(n.)* التعليم بالقضايا : طريقة في تعليم الحقوق تُتخذ فيها القضايا البارزة أساساً للدراسة .

casework *(n.)* تَقصّي السيرة : دراسة اجتماعية لتاريخ وبيئة الفرد غير السويّ أو لأسرته ابتغاء الإفادة من نتائجها في تشخيص الداء .

cash [kăsh] *(n.; vt.; i.)* (١) نَقْد ؛ أوراق مالية (٢) مال يُدفَع نقداً (أي عند الشراء مباشرة) (٣) عملة نقدية صغيرة (في الصين وجنوبي الهند) §(٤) يصرف : يدفع أو يقبض مبلغاً نقدياً مقابل ورقة مالية (to ~ a check) (٥) يموت (عا) .

~ and carry إدفع وانقل .

~ down مال مدفوع فوراً .

in ~, ذو مال .

~ on delivery الدفع عند الاستلام .

out of ~, مفتقرٌ إلى المال .

to ~ in يحوِّل إلى نقد ؛ يحوّل إلى فائدة عاجلة .

to ~ in on يستغلّ أو يفيد من ؛ يحقّق ربحاً عاجلاً مقابل شيء قدّمه (to *cash in on* an idea *or* tip).

cashbook *(n.)* دفتر الصندوق (تج) .

cashew [kăsh'ōō] *(n.)* البلاذُر الأميركي أو الغَرْبي (شجر) .

cashier [kă shîr'] *(n.; vt.)* (١) أمين الصندوق §(٢) يصرف أو يطرد من الوظيفة (٣) ينبذ ، يَطَّرح .

cashier's check *(n.)* شيك يحرره البنك على نفسه ويوقعه أمين صندوقه .

cashmere [kăsh'mîr] *(n.)* (١) الكشمير : «أ» صوف معيز أو خراف ناعم . «ب» قماش صوفي ناعم (٢) شال من كشمير .

cash register *(n.)* مسجِّلة النقد : ماكينة تسجيل المدفوعات النقدية .

cash register

casing [kā'sĭng] *(n.)* (١) غطاء ؛ غلاف . (٢) إطار (نافذة أو باب) (٣) الغلاف الخارجي لدولاب السيارة (٤) أمعاء الخروف (بعد تنظيفها) .

casino [kə sē'nō] *(n.)* (١) الكازينو : نادٍ للقمار بخاصة . (٢) منزل ريفي صغير (٣) cassino .

cask [kăsk; käsk] *(n.)* برميل خشبي (للسوائل) .

casket *(n.; vt.)* (١) عُلَيْبة للجواهر (٢) تابوت §(٣) يضع فيهما .

casque [kăsk] *(n.)* خُوذة .

cassaba [kə sä'bə] *(n.)* = casaba.

cassation [kă sā'shən] *(n.)* إلغاء ؛ إبطال ؛ نقض .

cassava [kə sä'və] *(n.)* المَنيهوت : «أ» نبات يستخرج من جذوره نشاء مغذٍّ . «ب» جذور المَنيهوت أو نشاؤه .

casserole [kăs'ə rōl'] *(n.)* الكَسْرولة : «أ» طبق خزفي عميق القعر مدور ذو مقبض (يستخدم لإحماء المواد في المختبر) . «ب» طبق يُخبَز فيه الطعام ويُقدَّم . «ج» طعام مقدَّم في كَسْرولة .

cassette [kă'sĕt'] *(n.)* العُلَيْبة ؛ الكاسيت : حاملة للفيلم الفوتوغرافي او لشريط آلة التسجيل .

cassia [kăsh'ə ; kăs'ĭ ə] *(n.)* (١) قرفة صينية (٢) السَّنا : جَنْبة للتزيين من الفصيلة القرنية (نب) .

cassimere [kăs'ə mîr] *(n.)* الكَشْمير : جوخ رقيق النسج .

cassino [kə sē'nō] *(n.)* الكاسينو : ضرب من لعب الورق أو الشدة .

Cassiopeia [kăs'ĭ ə pē'ə] *(n.)* ذات الكرسي (فل) .

cassiterite *(n.)* حجر القصدير ؛ أكسيد القصدير المتبلّر (مع) .

cassock [kăs'ək] *(n.)* (١) الغفّارة : رداء الكاهن في الكنيسة . (٢) كاهن .

cassowary [kăs'ə wĕr'ĭ] *(n.)* الشَّبْنَم : طائر كالنعامة لكنه أصغر منها .

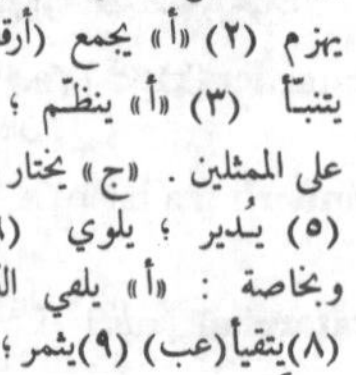

cassowary

cast [kăst ; käst] *(vt.; i.; n.)* (١) «أ» يلقي ؛ يرمي . «ب» يبعث ؛ يطلق . «ج» يطرح . «د» تضع (مولوداً) ، وبخاصة قبل أوان الولادة الطبيعي . «هـ» يطرحه أرضاً (في المصارعة) ؛ يهزم (٢) «أ» يجمع (أرقاماً) . «ب» يحسب (بواسطة التنجيم) ؛ يتنبأ (٣) «أ» ينظّم ؛ يوزّع ؛ يقسّم . «ب» يوزع الأدوار على الممثلين . «ج» يختار ممثلاً لدور (٤) يَسْبك ؛ يَصب (٥) يُدير ؛ يلوي (٦) يَعقد (عقدةً) × (٧) يلقي ؛ وبخاصة : «أ» يلقي النرد . «ب» يلقي طُعماً في صنّارة (٨) يتقيأ (عب) (٩) يثمر ؛ يعطي ثمراً أو غلّة (١٠) يلتوي (١١) يُبْعد مقدَّم المركب عن الريح (١٢) يتقولب §(١٣) مص cast ؛ مثل : إلقاء ؛ طَرْح الخ . (١٤) «أ» إلقاء الصنّارة أو الشبكة في الماء . «ب» الصنّارة الملقاة (١٥) «أ» حظّ . «ب» رمْيَة نَرْد (١٦) «أ» شكل ؛ هيئة . «ب» شخصيات الرواية أو المسرحية (١٧) مجال الرمي ؛ وبخاصة : المدى الذي يبلغه السهم المنطلق (١٨) «أ» نظرة . «ب» حَوَل طفيف (١٩) شيء يُطلَق أو يُقذَف أو يسبك الخ ؛ مثل : «أ» عدد الصقور التي يطلقها البازيار دفعةً واحدة . «ب» مقدار المعدن المسبوك دفعة واحدة (٢٠) «أ» قالب . «ب» سبيكة . «ج» شيء مقولَب أو مُفرَغ في قالب . «د» جُبَيرة للعظام (٢١) تنبّؤ ؛ حَزْر (٢٢) «أ» ظِل . «ب» لون خفيف (٢٣) أثر ؛ مقدار صغير (٢٤) «أ» نَقْلَة الطريق (را . lift «ب» عون ؛ مساعدة (اسك) (٢٥) «أ» شكل خارجيّ ؛ مَظْهر . «ب» صفة مميزة (٢٦) شيء يُطْرَح ؛ مثل «أ» براز دودة الأرض . «ب» كتلة من مادة لدنة تتشكّل في تجاويف الأعضاء المريضة وتُطْرَح من الجسم . «ج» جِلد الحشرة (٢٧) انطلاق الكلاب في كل جهة التماساً لأثر الطريدة .

to ~ a ballot يصوّت ؛ يقترع .

to ~ about (١) يَبْحَث (عن) (٢) يضع الخطط .

to ~ away (١) ينبذ ؛ يهجر (٢) يُغرِق (المركب) .

to ~ down (١) يتلف ؛ يدمّر (٢) يُحزِن ؛ يثبّط (٣) يخفّض .

to ~ off (١) ينبذ ؛ يتخلص من (٢) يطلق ؛ يحرّر (٣) يَعمل الصفّ الأخير من القُطَب (في الحَبْك) .

to ~ on يعمل الصف الأول من القُطَب (في الحبك) .

to ~ out يطرد ؛ يُخرِج .

to ~ up (١) يرفع (٢) يجمع (في الحساب) .

castanet [kăs'tə nĕt'] *(n.)* الصَّنْج (مو) .

castanets

castaway [kăst'ə wā'] *(adj.; n.)* (١) منبوذ . (٢) مطروح § (٣) شخص يوفق إلى بلوغ الشاطئ (إثر غرق السفينة) .

caste [kăst ; käst] *(n.)* (١) الطبقة المنغلقة أو المتحجّرة : «أ» إحدى الطوائف الاجتماعية الوراثية عند الهندوس . «ب» كل طبقة اجتماعية مغلقة على نفسها (٢) نظام الطوائف الاجتماعية : نظام اجتماعي قوامه التمييز الطبقيّ المبنيّ على أساس المنزلة أو الثروة الخ . (٣) الفِرقة : مجموعة من الحشرات الاجتماعية (كالنحل أو النمل) تقوم بعمل معيّن (worker ~) .

to lose ~ يفقد اعتباره ؛ يفقد مكانته واحترام الناس له .

castellan [kăs'tə lən] *(n.)* آمر القلعة أو محافظها .

castellated [kăs'tə lā'tĭd] *(adj.)* (١) ذو شُرُفات مُفرَّجة ؛ مبنيّ على شكل قلعة ؛ محصّن (٢) ذو قلعة أو قلاع .

caster [kăs'tər] *(n.)* (١) فا cast (٢) المِسْبك : آلة سابكة للأحرف المطبعية (٣) castor أيضاً : «أ» المِذَرّة : آنية لذرّ الملح والتوابل على أطباق الطعام . «ب» حامِلَة للمِذرّات (٤) عجلة الكرسي : عجلة صغيرة في قائمة كرسيّ لتسهيل تحريكه .

castigate [kăs'tə gāt'] *(vt.)* يعاقب أو يؤنّب أو ينتقد بقسوة .

Castile soap [-'tēl] *(n.)* الصابون القَشْتالي : صابون صُلْب مصنوع من زيت الزيتون .

Castilian [kăs tĭl'yən] *(n.; adj.)* (١) «أ» القَشتالي : «أ» أحد ابناء قشتالة في اسبانيا . «ب» الاسباني (٢) القَشتالية : «أ» لهجة قَشتالة . «ب» لغة اسبانيا الرسمية والأدبية المبنيّة على لهجة قشتالة §(٣) قَشْتاليّ .

casting [kăs'tĭng] *(n.)* (١) مص cast (٢) المصبوب : شيء مصبوب في قالب (٣) «أ» المطروح . «ب» ما يطرحه الحيوان من جلده .

casting bottle *(n.)* النضّاحة : زجاجة لذرّ العطور أو نَضْحِها .

casting net *(n.)* شبكة الصيد .

ă at; ā date; â care; ä car; ĕ egg; ē me; ĭ in; ī bite; ŏ lot; ō bone; ô orphan; oi boil; ŏŏ good; ōō boot; ou out; ŭ under; ū unity; û urgent; th thing; th this; zh vision; 'ə = *a* in alone, *e* in system, *i* in easily, *o* in gallop, *u* in circus.

casting vote *or* **voice** *(n.)* الصوت المرجِّح .
cast iron *(n.)* حديد الزَّهر : حديدٌ مسبوك .
cast-iron *(adj.)* (١)مصنوع من حديدالزهر (٢)صُلْب (٣)قويّ .
castle [kăs'əl ; käs'-] *(n. ; vt.)* (١) «أ» قلعة . «ب» مَعْقِل . (٢) قصر (٣) الرُّخّ : بيدق شطرنج على شكل قلعة §(٤)يحصّن .
~*s* in Spain } قصور في اسبانيا ؛ قصور
~*s* in the air } في الهواء : مشاريع أو آمال لن تتحقق أبداً .
castled *(adj.)* = castellated.
cast-off *(adj. ; n.)* (١) مُهمَل ؛ منبوذ §(٢) المهمَل أو المنبوذ .
castor [kăs'tər] *(n.)* (١) caster 3—4 (٢) «أ» قُنْدُس ؛ سَمّور (ح) . «ب» قبعة من فَرْوِ القُندس «ج» مادة زيتية يفرزها القُنْدس (٣) *cap* : رأس أُفلون ؛ نير التوأمين (فل) .
castor bean *(n.)* (١) بزرة نبات الخِرْوَع (٢) الخِرْوع (نب) .
castor oil *(n.)* زيت الخِرْوَع (يتّخذ مُسْهِلاً) .
castor-oil plant *(n.)* الخِرْوَع ؛ نبات الخِرْوَع .
castor sugar *(n.)* ذرور السكّر ؛ سكّر ناعم جداً .
castrate [kăs'trāt] *(vt. ; n.)* (١) يَخْصي (٢) يشوّه كتاباً (بحذف أقسام منه) §(٣) خَصِيّ .
— castration *(n.)*
Castroism *(n.)* الكاستروية : مذهب فيدل كاسترو السياسي والثوري .
cast steel *(n.)* فولاذ الزَّهر ؛ فولاذ المصبوبات .
casual [kăzh'o͞o əl] *(adj. ; n.)* (١) عرَضيّ ؛ اتفاقيّ ؛ غير مقصود . (٢) طارىء (٣) «أ» متقطّع ؛ غير نظاميّ . «ب» عامل بصورة متقطعة أو غير نظامية (a ~ laborer) (٤) غير مبالٍ (a ~ air) (٥) غير رسميّ ؛ معدّ للاستعمال غير الرسميّ §(٦) العامل اللانظامي : عامل يشتغل في فترات متقطعة (٧) ضابط أو جندي ينتظر نقله إلى وحدته .
casually *(adv.)* عرَضاً ؛ اتفاقاً ؛ مصادفةً ؛ من غير قصد .
casualty [kăzh'o͞o əl tĭ] *(n.)* (١) مصيبة ؛ كارثة (٢) الاصابة : «أ» جندي يُجْرح أو يُقتل أو يفقد في المعركة الخ . «ب» شخص يُجرح أو يُقتل في حادثة .
casuist [kăzh'o͞o ĭst] *(n.)* المفتي في قضايا الضمير والسلوك .
casuistry [kăzh'o͞o ĭs trĭ] *(n.)* (١) الإفتاءُ في قضايا الضمير ، وتقريرُ مسائل الخير والشرّ في السلوك (٢) التحايل الشرعي على القوانين وعلى نواميس الأخلاق .
— casuistic; -al *(adj.)*
casus belli *(L.)* سببُ الحرب : كل مايبرّر الحرب أو يُتّخذ ذريعة لها .
cat [kăt] *(n. ; vt.)* (١) «أ» هِرّ ؛ قطّ ؛ سِنَّوْر . «ب» حيوان من السِّنَّوريات كالأسد والنمر الخ . «ج» جلد الهرّ أو فروه . (٢) امرأة خبيثة تحب القيل والقال (٣) سَوْط (٤) catboat (٥) بَكَرَة قوية لرفع المرساة (مل) (٦) سِلَّوْر ؛ صِلَّوْر (سمك) (٧) «أ» المولع بموسيقى الجاز المثيرة أو عازفها (ع) . «ب» شخص ؛ فتىً (ع) §(٨) يرفع المرساة (٩) يجلد بالسَّوْط .
to lead a ~ and dog life يحيا حياة حافلة بالمنازعات والخصام .
to rain ~*s* and dogs تُمطر بغزارة .
to see which way the ~ jumps } يرفض أن يعطي رأياً أو يضع خطة إلا بعد
to wait for the ~ to jump } أن يرى ما الذي يفعله الآخرون أو يفكرون به .
catabolic *(adj.)* إنتقاضيّ : ذو علاقة بالانتقاض (أح) .

catabolism *(n.)* الانتقاض ؛ الأَيْض الهَدْمي : عملية الهدم في الخلايا الحية (أح) .
catachresis [kăt'ə krē'sĭs] *(n.)* إستعمال الألفاظ استعمالاً خاطئاً .
cataclysm *(n.)* (١) الجائحة : طوفان ؛ زلزال الخ . (٢) تغير عنيف .
cataclysmal; cataclysmic *(adj.)* جائحيّ : مفاجىء وعنيف .
catacomb [kăt'ə kōm] *(n.)* سرداب الموتى : مقبرة تحت الأرض .
catafalque [kăt'ə făl k'] *(n.)* النَّعْش ؛ مِنصّة التابوت .
catalepsis; catalepsy *(n.)* الجُمْدة ؛ الإغماء التخشّبيّ .
catalog *or* **catalogue** [kăt'ə lôg'] *(n. ; vt.)* (١) بيان ؛ قائمة ؛ فهرس (٢) بيان مصوَّر §(٣) يُفَهْرِس .
catalogue raisonné [rĕ zô nā'] *(n.)* بيليوغرافيا نقدية .
catalpa *(n.)* الكَتَلْبَة : شجرة ذات أوراق كبيرة على شكل قلب .
catalysis [kə tăl'ə sĭs] *(n.)* الحَفْز (ك) .
catalyst [kăt'ə lĭst] *(n.)* الحفّاز (مج) : مادة حفّازة (ك) .
catalytic agent *(n.)* العامل الحفّاز (ك) .
catalytic cracking *(n.)* التكسير بالحَفْز : تقطيرٌ هدّام للزيوت بواسطة عامل حفّاز .
catalyze [kăt'ə līz'] *(vt.)* يُحَفِّز (ك) .
catamaran [kăt'ə mə răn'] *(n.)* (١) الطَّوْف ؛ الرَّمْث : مركب بسيط مؤلف من ألواح شُدّ بعضها إلى بعض (٢) القَطَمَران : مركب ثنائيّ الهيكل (٣) المحبّ للخصام ؛ وبخاصة امرأة نزّاعة إلى المشاحنة والمشاكسة .

catamaran 2.

catamenia [kăt'ə mē'nĭ ə] *(n.)* طَمْث ؛ حَيْض .
catamenial *(adj.)* طَمْثي ؛ حَيْضي .
catamite *(n.)* المأبون : غلام يُتّخذ لأغراضٍ جنسية شاذة .
catamount [kăt'ə-] *(n.)* هرّ الجبل : حيوان بريّ من السنّوريات ؛ مثل : «أ» الكوجر (را . cougar) . «ب» الوَشَق (را . lynx) .
cat-a-mountain *(n.)* سِنَّوْر الجبل : حيوان بريّ من السِّنَّوريات ، وبخاصة : النمر .
cataphoresis *(n.)* = electrophoresis.
cataplasia *(n.)* الرُّجْعى : ارتداد الخلايا أو الأنسجة إلى حالٍ أكثر بدائية .
cataplasm *(n.)* كِمادة (ط) .
cataplexy *(n.)* فقدان القوى العضلية المفاجىء (إثر صدمة عاطفية) .
catapult [kăt'ə pŭlt'] *(n. ; vt.)* (١) المِنْجنيق (٢) المِجْنَقَة : آلة لإطلاق الطائرة من على سطح سفينة (٣) المِرجام ؛ «النقيفة» : أداة يقذف بها الأطفال الحصى والحجارة (بر) §(٤) يَجْنِق : يقذف أو يطلق بالمنجنيق أو بالمجنقة أو نحوهما .

cataract [kăt'ə-] *(n.)* (١) السَّدّ : إعتام عدسة العين (ط) . (٢) «أ» شلاّل . «ب» مطر غزير ؛ طوفان .
catarrh [kə tär'] *(n.)* النَّزْلة : التهاب القناة التنفسية المصحوب بإفرازات مفرطة (مض) .
catarrhal *(adj.)* نَزْليّ : منسوب إلى النزلة (را . المادة السابقة) .
catastasis *(n.)* (١) التأزّم السابق لذروة المسرحية (٢) ذروة المسرحية .
catastrophe [kə tăs'trə fĭ] *(n.)* (١) الحدث الأخير من أحداث العمل المسرحي ، وبخاصة المأساويّ (٢) كارثة ؛ نكبة ؛ فاجعة (٣) جائحة (را . cataclysm 1) (٤) إخفاق تامّ .
catastrophic *(adj.)* فاجع : متعلق بفاجعة أو ناشىء عنها .
catatonia *(n.)* (١) الإغماء التخشّبيّ (٢) اضطراب مُتّسِم به .

catbird [kăt'bûrd'] *(n.)* الكَتْبِرْد : طائر أميركي مغرد .

catboat *(n.)* الكَتْبُوت : مركب شراعي ذو صارٍ واحد مركوزٍ في مقدّمه .

catboat

catbrier *(n.)* الفُشاغ : نباتٌ معترِش .

catcall [kăt'kôl'] *(n. ; vi. ; t.)* (١) «أ» صيحة (أو صَفْرة) استهجان . «ب» أداة لإحداث مثل هذه الصيحة § (٢) يطلق صيحة استهجان × (٣) يستهجن بمثل هذه الصيحة .

catch [kăch] *(vt. ; i. ; n. ; adj.)* (١) «أ» يمسك بـ ؛ يقبض على . «ب» يصطاد ؛ يوقع في شَرَك . «ج» يخدع . «د» يفاجىء (٢) «أ» يأخذ (to ~ a nap) . «ب» يلفت ؛ يجذب (الانتباه) (٣) «أ» يصاب بـ (to ~ a cold) . «ب» يصيب (The blow caught him on the head.) «ج» يَلْمَح (٤) «أ» يَلْحق بـ . «ب» يدرك (٥) يفتن ؛ يسحر ؛ يأسر (٦) يفهم × (٧) يَعلق بـ (The kite *caught* in the trees.) (٨) يَثْبُت ؛ يصبح مُحكماً (The latch has *caught*.) (٩) يشتعل (The wood soon *caught*.) (١٠) يتفشّى (المرض) (١١) يتمسّك أو يتعلّق بـ § (١٢) صَيْد الخ ؛ وبخاصة : مقدار المصيد من السمك دفعة واحدة (١٣) «أ» مص catch . «ب» لعبة تُقذف فيها الكرة وتُلتقط (١٤) السقّاطة ؛ المزلاج ؛ الماسكة (١٥) اللقطة : كل ما يستحق أن يفوز به المرء ، وبخاصة كزوجة أو زوج (.He is a good ~) (١٦) توقف موقت (١٧) أغنية مُعدّة لعدة أصوات تنطلق بها واحداً بعد آخر (١٨) جزء (es of a song ~) (١٩) شَرَك أو صعوبة مخبوءة (There's a ~ in it somewhere) § (٢٠) مُضَلِّل ، خادع ؛ مقصودٌ به الإيقاع (a ~ question) (٢١) آسر أو مقصودٌ به لفت النظر أو إثارة الاهتمام (Advertisements often contain ~ phrases.)

- to ~ fire يشتعل ؛ تعلق به النار .
- to ~ it يُوبَّخ أو يعاقَب (ع) .
- to ~ on (١) يدرك أو يفهم (الفكرة الخ .) (٢) ينتشر ؛ يروج ؛ يصبح شعبياً أو كثير الاستعمال (ع) .
- to ~ up (١) يلحق بـ ؛ يدرك (٢) يتناول بسرعة خاطفة . (٣) يقاطع أو يزعج بالانتقادات والأسئلة .

catchall [kăch'ôl'] *(n.)* كيس أو سلّة الخ . للنثريات .

catchfly *(n.)* شرك الذباب : نبات يفرز مادةً دبقة تعلق بها الحشرات .

catching *(adj.)* (١) مُعْدٍ (٢) جذاب ؛ فاتن ؛ آسر ؛ مُغرٍ .

catchment area *or* **basin** *(n.)* : مُسْتَجْمَع الأمطار (مج) : أرض تجري منها مياه الأمطار إلى نهر .

catchpenny *(adj. ; n.)* (١) «أ» مُبَهْرَج . «ب» مُعَدّ لكي يباع بسرعة أو لاقتناص الدريهمات من الجهلة § (٢) سلعة من هذا النوع .

catchpole *(n.)* نائب العمدة ، وبخاصة : المسؤول عن اعتقال المدينين .

catchup [kăch'əp ; kĕch'-] *(n.)* = catsup.

catchword [kăch'-] *(n.)* (١) «أ» كلمة تحت الجانب الأيمن من آخر سطر من سطور صفحة الكتاب تمثّل تكراراً لأول كلمات الصفحة التالية . «ب» إحدى كلمتين في أعلى العمود الأيسر والأيمن (من معجم الخ .) تمثّل واحدةٌ منها أول مادّة من موادّ الصفحة وتمثّل الثانية آخرها (٢) الكلمة الأخيرة من حديث ممثّل (يدخل المسرحَ ، أو يتكلم ، على إثرها ممثّلٌ آخر) (٣) الشعار : لفظة أو صيغة تكرّر حتى تصبح ممثلة لحزب أو مدرسة أو وجهة نظر .

catchy [kăch'ĭ] *(adj.)* (١) آسِر ؛ جذاب (music ~) . (٢) مضلِّل ؛ خادع (a ~ question) (٣) متقطّع (a ~ wind) .

cate [kāt] *(n.)* طعام شهيّ أو مترَف (ا.ق) .

catechesis [kăt'ə kē'sĭs] *(n.)* تعليم ديني شفهي قبل المعمودية .

catechetical [-kĕt'-] *(adj.)* خاص بالتعليم بطريقة السؤال والجواب .

catechism [kăt'ə kĭz'əm] *(n.)* (١) تعليم شفهيّ (٢) كتاب مشتملٌ على خلاصة للعقيدة الدينية مفرغة في قالب السؤال والجواب (٣) مجموعة اسئلة كبيرة أو رسمية .

—catechismal *(adj.)*

catechize [kăt'ə kīz'] *(vt.)* (١) يعلّم بطريقة السؤال والجواب ، والإيضاح والتصحيح ، وبخاصة : يلقّن الدين بهذه الطريقة (٢) يستجوب الخ . بطريقة نظامية أو شاملة .

—catechist *(n.)*

catechu [kăt'ə chōō'] *(n.)* الكاد : مادة تستخرج من شجر السّنط أو الأقاقيا وتستخدم في الطب والصباغة والدباغة .

catechumen [kăt'ə kū'mən] *(n.)* (١) متنصِّر يتلقى التعليم الديني قبل المعمودية (٢) شخص يتعلم مبادىء علم ما .

categorical *(adj.)* (١) «أ» مطلق ؛ غير مقيّد أو مشروط . «ب» صريح ؛ باتّ (denial~) (٢) «أ» مَقُوليّ : منسوب إلى مَقُولة (مق) . «ب» طبَقيّ : منسوب إلى طبقة (أح) .

categorize *(vt.)* يصنف .

category [kăt'ə gōr'ĭ] *(n.)* (١) المَقُولة : إحدى مَقُولات أرسطو العشر (مق) (٢) طَبَقة (Species, genus, family are biological *categories*.) (٣) فئة ؛ بابة ؛ صِنْف .

catena [kə tē'nə] *(n.)* pl. **-nae** *or* **-nas** : سلسلة ؛ وبخاصة : سلسلة مقتطفات من كتابات آباء الكنيسة .

catenary [kăt'ə nĕr'ĭ] *(n. ; adj.)* : (١) مُنْحَنَى السلسلة (مج) : المنحنى الذي تأخذه سلسلة منتظمة إذا عُلِّقت من طرفيها تعليقاً حراً (٢) شيء على صورة مُنْحَنَى السلسلة § (٣) سِلْسِليّ (curve ~) .

catenate [kăt'ə-] *(vt.)* يُسَلْسِل : يضمّ في شكل سلسلة .

catenoid; catenulate *(adj.)* سِلْسِليّ الشكل (أح) .

cater *(vi.)* (١) يقدّم الطعام ؛ يزوّد بالطعام (٢) يقدّم ضروب التسلية .

cateran [kăt'ər ən] *(n.)* جندي غير نظامي أو قاطع طريق .

catercorner ;-ed *(adj. ; adv.)* (١) منحرف ؛ مائل § (٢) بانحراف .

cater-cousin [kā'-] *(n.)* (١) ابن عم الخ . (٢) صديق حميم .

caterer [kā'-] *(n.)* متعهد تقديم الطعام (للحفلات والسّهرات) .

caterpillar *(n.)* : (١) اليُسْرُوع : يرقانة الفراشة الخ . (٢) *cap.* : جرّارة ؛ تراكتور .

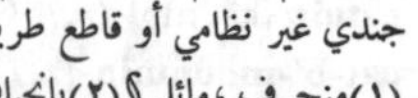

caterpillar 1.

caterwaul [kăt'ər wôl'] *(vi. ; n.)* (١) يموء الهرّ (أثناء الدورة النزوية) (٢) يتشاجر كالقيطط § (٣) مواء الهرّ (أثناء الدورة النزوية) .

catfacing *(n.)* تشوّه وجه الفاكهة (الناشىء عن بعض الحشرات) .

catfall [kăt'fôl'] *(n.)* حبل أو سلسلة (لرفع المرساة) .

catfish [kăt'fĭsh'] *(n.)* السِّلَّوْر ؛ الصَّلُّور (سمك) .

catgut [kăt'gŭt'] *(n.)* (١) وتَر (٢) كمنجة (٣) الآلات الوترية (مو) .

catharsis [kə thär'sĭs] *(n.)* (١) إفراغ الامعاء (٢) تطهير العواطف بالفن (عند أرسطو) (٣) التنفيس : التخلّص من عقدة نفسية بإفساح المجال أمامها للتعبير عن نفسها تعبيراً كاملاً (نف) .

cathartic *(adj. ; n.)* (١) مُسْهِل § (٢) المُسهِل : علاج مُسهِل .

cathead [kăt'hĕd'] *(n.)* الرجام : رافدة خشبية أو حديدية ناتئة عند مقدّم السفينة ترفع إليها المرساة وتُعلّق .

cathedra [kə thē'drə] *(n.)* عرش الأسقف في كاتدرائية .

cathedral [kə thē'drəl] *(n. ; adj.)* (١) الكاتدرائية : كبرى الكنائس في أبرشية وتشتمل على عرش الأسقف §(٢) ذو علاقة بعرش الأسقف أو مشتملٌ عليه (a ~ church) (٣) صادر عن مقرّ سلطة ما (٤) كاتدرائي : شبيه بكاتدرائية.

catheter [kăth'ə tər] *(n.)* القَسْطَر : أنبوبةٌ معدنية أو مطاطية تُدْخَل في مجرى البول لتفريغ المثانة (ط).

catheterize *(vt.)* يُقَسْطِر : يُدخل القَسْطَر في مجرى البول الخ.

cathexis [kə thĕk'sĭs] *(n.)* تركيز الطاقة النفسية (على شخص أو شيء).

cathode [kăth'ōd] *(n.)* الكاثود (مج) : لاحبٌ أو قطبٌ سالبٌ (كب).

cathode rays أشعة الكاثود (مج) : الأشعة المنبثقة من الكاثود عند حدوث تفريغ كهربائي في غازٍ مُخَلْخَل (كب).

cathode-ray tube *(n.)* أنبوب أشعة الكاثود (اللك).

catholic [kăth'ə lĭk] *(adj.; n.)* (١) عام ؛ شامل ؛ كوني (٢) متحرر ؛ واسع أفق التفكير (٣) *cap.* : كاثوليكي (نص) §(٤) *cap.* : الكاثوليكي : واحد الكاثوليك.

catholicate *(n.)* مقرّ الكاثوليكوس (را catholicos).

Catholicism [kə thŏl'-] *(n.)* الكَثْلَكَة ؛ المذهب الكاثوليكي.

catholicity [kăth'ə lĭs'ə tĭ] *(n.)* (١) *cap.* : الكاثوليكية : كون الشيء متفقاً وتعاليم الكنيسة الكاثوليكية (٢) «أ» تحرّر ؛ سعة في أفق التفكير . «ب» الكونية ؛ الشمول .

catholicize *(vt.; i.)* (١) «أ» يُكثلك : يجعله كاثوليكياً . «ب» يجعله كونياً أو شاملاً (٢) «أ» يتكثلك «ب» يصبح كونياً.

catholicon [kə thŏl'-] *(n.)* الدواء العام : دواء لكل داء .

catholicos *(n.)* الكاثوليكوس : بطريرك الكنيسة الأرمنية.

cation[-'ī'ən] *(n.)* الكاتيون ؛ الدالف المَهْبِطِيّ ؛ الأيون الموجَب الشّحنة .

catkin [kăt'kĭn] *(n.)* النَّوْرة الهِرّية : عَسِيل (را ament) الصفصاف ونحوه .

catkins

catlike *(adj.)* هِرّانيّ ؛ شبيهٌ بالهرة : انسلاليّ .

catnap *(n.; vi.)* (١) السِّنة : نوم خفيف قصير §(٢) يأخذ سِنة .

catnip [kăt'nĭp] *(n.)* نَعناع بَرّي (تحبّه القطط).

cat-o'-mountain *(n.)* = cat-a-mountain.

cat-o'-nine-tails [kăt'ə nīn'tālz'] *(n.)* سَوْط .

catrigged *(adj.)* ذو صارٍ كصاري الكَتْبُوت (را catboat).

cat's cradle *(n.)* سرير الهرّ : لعبة من ألعاب الأطفال قوامها خيط معقود يُشدّ إلى أصابع اليد بحيث يشبه سريراً صغيراً .

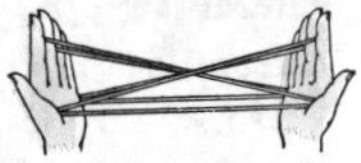

cat's cradle

cat's-eye *(n.)* عين الهرّ : «أ» حجرٌ كريم . «ب» عاكسة لأضواء المصابيح الأمامية (سي) .

cat's-paw *(n.)* مِخلب القطّ : «أ» نسيم يغضّن صفحة مياه النهر الخ . «ب» آلة ؛ أداة ؛ شخص يستخدمه آخرُ لتحقيق مآربه.

catsup [kăt'səp ; kĕch'əp] *(n.)* الكَتْشاب : صلصة طماطم.

cattail [kăt'-] *(n.)* التّيفا ؛ عشبة البرك : نبات مائيّ .

cattily *(adv.)* على نحوٍ انسلاليّ أو اختلاسيّ أو رشيق أو خبيث أو حاقد.

cattish [kăt'ĭsh] *(adj.)* = catty.

cattle [kăt'əl] *(n.)* (١) الماشية ؛ الأنعام (٢) الرّعاع .

cattleman [kăt'əl mən] *(n.)* مُرَبّي الماشية .

catty [kăt'ĭ] *(n. ; adj.)* (١) الكاتيّ : وحدة وزن في الصين وجنوب شرقي آسية تساوي نحواً من رطل انكليزي وثلث §(٢) هِرّانيّ : شبيهٌ بالهر : «أ» انسلاليّ ؛ اختلاسيّ . «ب» رشيق ؛ خفيف الحركة . «ج» خبيث ؛ حقود على نحو ماكر (٣) هرّيّ : ذو علاقة بالهرّة .
—**cattiness** *(n.)*

catty-corner *or* **catty-cornered** = catercorner.

catwalk [kăt'wôk'] *(n.)* ممرّ ضيّق (على جسر أو في طائرة) .

Caucasian [kô kā'zhən; -shən] *(adj.; n.)* (١) قوقازيّ : «أ» متعلق بالقوقاز . «ب» متعلق بالعرق الأبيض §(٢) القوقازي : «أ» أحد أبناء القوقاز . «ب» أحد أفراد العرق الأبيض .

caucus [kô'-] *(n.; vi.)* (١) مؤتمر حزبي (لاختيار المرشحين أو لتقرير السياسة) §(٢) يعقد مؤتمراً حزبياً (لاختيار المرشحين الخ .)

caudad [kô'dăd] *(adv.)* نحو الذَّيل أو الجزء الخلفي («ت» و «ح»).

caudal [kô'dəl] *(adj.)* (١) ذيليّ (٢) ذَيْلانيّ : شبيه بالذيل .

caudate *also* **caudated** *(adj.)* ذو ذَيل أو ذَنَب أو شبيهٍ بهما.

caudex *(n.)* pl. **-dices** *or* **-dexes** (١) ساق النخلة . (٢) قاعدةُ نبتة معمِّرة.

caudillo [kô dēl'yō] *(n.)* الزعيم ؛ رئيس الدولة (في أميركا اللاتينية).

caudle [kô'dəl] *(n.)* الكَوْدَل : شراب ساخن للمرضى يُعدّ من خمر ممزوجة بالبيض والخبز والسكّر والتوابل الخ .

caught [kôt] *past ; past part. of* catch.

caul [kôl] *(n.)* بُرقع الجنين : غشاء يغطي رأس المولود (أحياناً) .

cauldron [kôl'drən] *(n.)* = caldron.

caulescent *(adj.)* مُسَوَّق (مج) : ذو ساق ظاهر فوق الأرض (نب).

caulicle [kô'lə kəl] *(n.)* سُوَيق ؛ سُوَيق جنين النبات (نب) .

cauliflower [kô'lə-] *(n.)* قُنَّبِيط ؛ قَرْنَبِيط (نب) .

cauliflower ear *(n.)* الأُذن القُنَّبِيطية : أُذن شوّهتها لكمات متكرّرة .

cauline [kô'lĭn] *(adj.)* ساقيّ : نامٍ على الجزء الأعلى من الساق (نب).

caulis [kô'lĭs] *(n.)* pl. **-les** ساق النبات .

caulk [kôk] ; **caulker** = calk ; calker.

causal [kô'zəl] *(adj.)* سَبَبِيّ ؛ عِلِّيّ .

causality [kô zăl'ə tĭ] *(n.)* السَّبَبِيّة ؛ العِلّيّة .

causation *(n.)* (١) «أ» تسبيب . «ب» سَبَب . (٢) السببية : العلاقة بين السبب والمسبَّب ؛ المبدأ القائل بأن لكل مسبَّبٍ سَبَباً .

causative [kô'zə tĭv] *(adj.)* (١) مسبب (٢) سببيّ .

cause [kôz] *(n. ; vt.)* (١) سبب ؛ عِلّة (٢) داعٍ ؛ مُوجِب . (٣) «أ» خلاف (يفصل فيه القضاء) . «ب» دعوى قضائية (٤) القضية : فكرة أو حركة يؤيدها المرء ويناضل من أجلها §(٥) يسبّب .
— **causer** *(n.)*

to make common ~ with يضمّ جهوده إلى جهود فلان ؛ يؤيده ويناصره .

cause célèbre [kōz sĕ lĕb'r] *(F.)* دعوى تثير اهتمام الرأي العام (ق)

causeless *(adj.)* بلا سبب معروف ؛ وبخاصة : بلا مبرّر .

cause list *(n.)* جدول قيد القضايا (في محكمة) .

causerie [kō'zə rē'] *(F.)* (١) محادثة غير رسمية (٢) مقالة قصيرة.

causeway [kôz'wā] *(n. ; vt.)* (١) ممرّ أو طريق مرتفع (عبرَ أرضٍ منخفضة أو سَبِخَة) (٢) طريق معبّدة §(٣) يعبّد طريقاً (٤) يزوّد بممرّ أو طريق الخ .

causey [kô'zĭ] *(n.)* = causeway.

caustic *(adj.; n.)* (١) كاوٍ (٢) لاذع ؛ ساخر §(٣) مادة كاوية .

caustic potash *(n.)* البوتاس الكاوي ؛ البوتاسا الكاوية .

caustic soda *(n.)* الصودا الكاوية .

cauterization *(n.)* (١) الكيّ : المعالجة بالكيّ (٢) الانكواء .

ă at; ā date; â care; ä car; ĕ egg; ē me; ĭ in; ī bite; ŏ lot; ō bone; ô orphan; oi boil ŏŏ good; ōō boot; ou out; ŭ under; ū unity; û urgent; th thing; th this; zh vision; ə = *a* in alone, *e* in system, *i* in easily, *o* in gallop, *u* in circus.

cauterize [kô'tə rīz'] *(vt.)* يكوي : يعالج بالكيّ .
cautery [kô'tə rĭ] *(n.)* (١) الكيّ : المعالجة بالكيّ (٢) مِيسَم .
caution [kô'shən] *(n. ; vt.)* (١) تحذير (٢) حَذَر ؛ احتراس . (٣) شخص أو شيء مثير للدهش والاستغراب (ع) § (٤) يحذّر .
cautionary *(adj.)* تحذيريّ (advice ~) .
cautious [kô'shəs] *(adj.)* حذِر ؛ محترِس .
cautiously *(adv.)* بحذَر ؛ باحتراس .
cavalcade [kăv'əl kād'] *(n.)* موكب (فرسانٍ أو عربات الخ .)
cavalier [kăv'ə lir'] *(n. ; adj.)* (١) الفارس (٢) الشّهْم . (٣) مرافق السيدة (في الرقص الخ .) § (٤) متعجرف ؛ مختال .
— **cavalierly** *(adv. ; adj.)*
cavalla; cavally *(n.)* الكَفَلّة : سمك اميركي .
cavalry [kăv'əl rĭ] *(n.)* الفُرسان ؛ سلاح الفرسان .
cavalryman [-mən] *(n.)* الفارس ؛ الخيّال .
cavatina [kăv'ə tē'nə] *(n.)* (١) أغنية بسيطة (٢) لحن بسيط .
cave [kāv] *(n. ; vt. ; i.)* (١) كهفٌ ، غارٌ (٢) انسحاب (أو مجموعة منسحبين) من حزب سياسي § (٣) يجوّف ؛ يُحدِث (فيه أو تحته) فجوةً (٤) يُسقِط (تتبعها *in*) × (٥) ينهار ؛ يغور (٦) يستسلم ؛ يكفّ عن المقاومة (تتبعها *in*).
caveat [kā'vĭ ăt'] *(n.)* (١) «أ» تحذير . «ب» توضيح (دفعاً لسوء التفاهم) (٢) تحذير شرعي يوجّه إلى محكمة (لتأجيل اتخاذ إجراء ما إلى أن تُسْمَع إفادة المعترِض) .
caveat emptor[kā'vē ăt ĕmp'tôr] *(L.)* على المشتري أن يحذَر ؛ أنت تشتري على مسؤوليتك .
cave dweller *(n.)* ساكن الكهوف (في ما قبل التاريخ) .
cave-in [kāv'ĭn'] *(n.)* انهيار (في منجم الخ .) .
caveman *(n.)* (١) إنسان الكهوف ؛ إنسان العصر الحجري (٢) الجلف .
cavendish [kăv'-] *(n.)* الكَفَنْدِيش : تبغٌ مضغوطٌ أقراصاً .
cavern [kăv'ərn] *(n. ; vt.)* (١) كهف كبير § (٢) يكهّف : يضع في كهف أو نحوه (٣) يجوّف (تتبعها *out*) .
cavernous [kăv'ər nəs] *(adj.)* (١) متكهّف : ذو مسامّ أو تخاريب (٢) كهفيّ (darkness ~) (٣) غائر (eyes~).
cavetto [kə vĕt'ō] *(n.)* الحِلْية رُبْع الدائرية (عم) .
caviar *or* **caviare** [kăv'ĭ är'] *(n.)* الكافيار : ضرب من البطارخ .
~ to the general شيء أسمى أو أدقّ من أن يقدّره العاديون من الناس حقّ قدره .
cavicorn [kăv'ə kôrn'] *(adj.)* أجوف القرْنَين (ح) .
cavil [kăv'əl] *(vi. ; t. ; n.)* (١) يثير اعتراضات تافهة § (٢) إثارة الاعتراضات التافهة (٣) اعتراض تافه .
— **caviler** *or* **caviller** *(n.)*
cavity *(n.)* (١) فجوة (٢) تجويف (abdominal ~).
cavort [kə vôrt'] *(vi.)* يَطْفُر ؛ يثب مرحاً (عا) .
cavy [kā'-] *(n.)*. الكابياء ؛ الخنزير الهندي (من القوارض الجنوبأميركية).
caw [kô] *(vi. ; n.)* (١) ينعَبُ (الغراب) § (٢) نعيب .
cay [kā ; kē] *(n.)* جزيرة صغيرة منخفضة .
cayenne pepper [kī ĕn'] *(n.)* فِلْفِلٌ حِرِّيف ؛ فلفل أحمر .
cayman [kā'mən] *(n.)* = caiman.
cayuse [kī ūs'] *(n.)* الكَيُّوس : فرس أميركي صغير (عند الهنود الحمر).
C battery *(n.)* بطّارية «ج» (رد) .
cease [sēs] *(vt. ; i. ; n.)* (١) يوقِف ؛ يقطع × (٢) يكفّ عن . (٣) ينقطع § (٤) انقطاع (without ~).
cease-fire [sēs'-] *(n.)* (١) وقف إطلاق النار (٢) هدنة .
ceaseless [sēs'lĭs] *(adj.)* متواصل ؛ دائم ؛ غير منقطع أبداً .
cecal *(adj.)* أعْوَريّ : ذو علاقة بالمصران الأعور (ت) .
cecum [sē'kəm] *(n.)* الأعور ؛ المصران الأعور (ت).
cedar [sē'dər] *(n.)* (١) أرز (٢) خشب الأرز .
cedar bird *(n.)* عصفور الأرز : طائر أميركي صغير .

cedar bird

cedarn [sē'dərn] *(adj.)* أرزيّ : متعلق بالأرز أو مصنوعٌ من خشبه .
cede [sēd] *(vt.)* يتخلّى عن . — **ceder** *(n.)*
cedilla [sĭ dĭl'ə] *(n.)* السّدِيلة : علامة تُجعَل هكذا ç تحت حرف c لتدل على أنه يُلفَظ كحرف s .
ceiba [sē'ē bä] *(n.)* السِّيبة : شجرة أميركية استوائية ضخمة .
ceil [sēl] *(vt.)* يسقّف ؛ يجعل له سقفاً .
ceiling [sē'lĭng] *(n.)* (١) «أ» سَقْف . «ب» المادة المستخدمة في التسقيف (٢) الحدّ الأعلى (price ~s) (٣) أقصى الارتفاع (طي).
ceiling unlimited *(n.)* سماءٌ خِلْوٌ (أو تكاد تخلو) من الغيوم .
celandine [sĕl'ən dīn'] *(n)*. بقلة الخطاطيف (نب).
-cele لاحقة معناها : ورَم .
celebrant [sĕl'ə-] *(n.)* (١) المحتفل : «أ» المشارك في طقس دينيّ . «ب» المشارك في احتفال ما (٢) الكاهن الذي يقوم بالقداس .
celebrate [sĕl'ə brāt'] *(vt. ; i.)* (١) يقيم قداساً الخ. (٢) يحتفل بـ (٣) يمجّد (٤) يُذيع ؛ يعلن × (٥) يمتنع عن العمل في عيد (٦) يرئس قداساً (٧) يشارك في احتفال صاخب .
— **celebrator** *(n.)*
celebrated [sĕl'-] *(adj.)* شهير ؛ مشهور (a ~ poet) .
celebration *(n.)* (١) إقامة القداس (٢) الاحتفال بمناسبة ما .
celebrity [sə lĕb'-] *(n.)* (١) شهرة (٢) شخص مشهور .
celerity [sə lĕr'ə tĭ] *(n.)* سرعة ؛ خفّة .
celery [sĕl'ə rĭ] *(n.)* الكَرَفْس : نبات تؤكل ضلوع أوراقه .
celesta [sə lĕs'tə] *(n.)* السِّلِسْتة : آلة موسيقية .

celesta

celestial [sə lĕs'chəl] *(adj. ; n.)* (١) سماوي (٢) «أ» إلهي . «ب» عُلْويّ ؛ سامٍ ؛ كامل (٣) *cap.* : صيني § (٤) كائن سماوي (٥) *cap.* : الصينيّ : أحد أبناء الصين .
celestial equator *(n.)* الدائرة الاستوائية السماوية (فل) .
celestial globe *(n.)*. الكرة السماوية : كرة تمثّل الأجرام السماوية .
celestial navigation *(n.)* الملاحة الفلكية : الملاحة بمراقبة مواقع الأجرام السماوية .
celestial poles القطبان السماويان (فل) .
celestial sphere *(n.)* القبّة السماوية .
celiac [sē'lĭ ăk'] *(adj.)*. تجويفبطنيّ : متعلق بتجويف البطن (ت) .
celibacy [sĕl'ə-] *(n.)* (١) عُزوبة (٢) تبتّل ؛ امتناعٌ (بنذْر) عن الزواج (the ~ of priests) .
celibate [-bĭt] *(n. ; adj.)* (١) العزَب § (٢) عزَبٌ ؛ غير متزوّج .
cell [sĕl] *(n.)* (١) «أ» صَوْمَعة . «ب» حُجَيْرة (في دير) «ج» زنزانة (في سجن) (٢) نُخْروب ؛ تجويف (في قرص الشهد أو في مبيض النبات الخ .) (٣) الخليّة : «أ» أصغر جزء من المادة الحية (أح). «ب» وعاءٌ مشتمل على مواد لتوليد الكهرباء بالفعل الكيميائي ؛ جزء من بطارية . «ج» الوحدة

الأولية ، وبخاصة : في منظمة شيوعية .

cella *(n.)* pl.-e المَقْدِس : جزءٌ محجوبٌ من هيكل اغريقيّ أو روماني .

cellar [sĕl'-] *(n.; vt.)* (١) قَبْو (للخمر أو للمؤن) (٢) الدَّرْك الأسفل ؛ أحط الدرجات (٣) مخزونٌ من الخمر § (٤) يخزن في قبو .

cellarage [-'ər ĭj] *(n.)* (١) قَبْو (٢) القَبْويّة : رسمٌ للخَزْن في قبو .

cellarer [sĕl'ər ər] *(n.)* وكيل المؤونة (في دير الخ .)

cellarette *or* **cellaret** [-ə rĕt'] *(n.)* خزانة لزجاجات الخمر الخ .

cellarman *(n.)* المسؤول عن قبو للخمر .

cellist [chĕl'ĭst] *(n.)* عازف الفيولونسيل .

cell membrane *(n.)* (١) غشاء الخليّة (٢) جدار الخلية (أح) .

cello [chĕl'ō] *(n.)* الفيولونسيل : كمنجة كبيرة .

cellophane [sĕl'ə fān'] *(n.)* السِّيلوفان : مادة رقيقة شفافة شبيهة بالورق .

cellular [sĕl'yə lər] *(adj.)* (١) خلَويّ (٢) مَساميّ ؛ نُخْروبيّ .

cellular phone *(n.)* الهاتف الخَلَويّ ؛ الهاتف النقّال .

cellular tissue *(n.)* النسيج الخَلَويّ («ت» و «نب») .

cellule [sĕl'ūl] *(n.)* الخُلَيّة : خليّة صغيرة .

cellulitis [sĕl'yə lī'-] *(n.)* التهاب النسيج الخَلَويّ (مض) .

celluloid [sĕl'yə-] *(n.)* (١) السِّلّيولويد : مادة صلبة شفافة قوامُها السِّلّولوز والكافور (تُصْنَع منها الأفلام والأمشاط والصناديق والدُّمَى الخ .) (٢) شريط سينمائي .

cellulose [sĕl'yə lōs'] *(n.)* السِّلّولوز ؛ الخَلِيّوز : مادة تؤلف الجزء الأساسي من جدران خلايا النبات .

cellulose acetate *(n.)* خلّات السِّلّولوز (ك) .

cellulose nitrate *(n.)* نترات السِّلّولوز (ك) .

cellulosic *(adj.; n.)* (١) سِلّولوزيّ § (٢) السِّلّولوزية : مادة مصنوعة من السلولوز أو مشتقة منه .

cellulous *(adj.)* خلَويّ : «أ» كثير الخلايا . «ب» ذو خلايا .

cell wall *(n.)* القَيْض (مج) : جدار الخليّة (أح) .

Celsius [sĕl'sĭ əs] *(adj.)* سَلْسيوسيّ : مئويّ (~ 15°) .

celt [sĕlt] *(n.)* السِّلْتيّة : أداة حجرية أو معدنية شبيهة بالازميل أو الفأس .

Celt [sĕlt; kĕlt] *(n.)* السِّلْتيّ : أحد افراد عرق هنديّ أوروبيّ قطَن في ما مضى أجزاء واسعة من أوروبة الغربية .

Celtic [sĕl'tĭk; kĕl'-] *(adj.; n.)* (١) سِلْتيّ : منسوب إلى السِّلتيين أو إلى لغتهم § (٢) اللغات السِّلْتية : مجموعة من اللغات الهندية الأوروبية (تشمل الايرلندية والاسكتلندية والويلزية الخ .) لا تزال حية إلى اليوم في ايرلندة والشمال الغربي من اسكتلندة وفي ويلز الخ .

Celticist *(n.)* العالم باللغات أو بالثقافات السِّلْتية .

cement [sĭ mĕnt'] *(n.; vt.; i.)* (١) إسمنت (٢) «أ» اللِّصاق : مادة تشدّ بعض الأشياء إلى بعضها الآخر . «ب» الرابطة : فكرة موحِّدة ؛ شعورٌ رابطٌ (٣) مِلاط الأسنان : «أ» مادة لدائنية مُلصِقة تستخدم في حشو الأسنان . «ب» مادة شبه عظميّة تشكل طبقة تكسو جذر الضرس وعُنُقه وأحياناً أجزاءَ من تاجه (٤) ذرور السَّمْنَتة : الذرور المستخدم في كَرْبنة الفولاذ § (٥) «أ» يثبّت بالاسمنت أو نحوه ؛ يُلصق . «ب» يمكّن ؛ يعزز ؛ يوطّد (٦) يكسو بالاسمنت × (٧) يتماسك .

cementation [-tā'-] *(n.)* (١) مص **cement** (٢) السَّمْنَتة : إحاطة مادة صلبة بذرور معيّن وإحماؤها بحيث تتغيّر من طريق الاتحاد الكيميائي بالذرور ؛ وبخاصة : كَرْبنة الفولاذ .

cementite [sĭ mĕn'tīt] *(n.)* السِّمَنْتيت : كربيد الحديد .

cementitious *(adj.)* اسمنتيّ الخصائص ؛ له خصائص الاسمنت .

cement mortar *(n.)* مِلاط الاسمنت (مج) ؛ المِلاط الاسمنتي .

cementum [sĭ mĕn'-] *(n.)* مِلاط الأسنان : مادة شبه عظمية تشكل طبقة تكسو جذر الضرس وعنقه وأحياناً أجزاءَ من تاجه (ت) .

cemetery [sĕm'ə tĕr'ĭ] *(n.)* مقبرة ؛ مَدْفَن ؛ جبّانة .

cen- *or* **ceno-** بادئة معناها : حديث ؛ جديد .

-cene لاحقة معناها : حديث ؛ جديد .

cenobite [sē'nə bīt'] *(n.)* راهبٌ (مقيمٌ في دَيْرٍ) .

cenobitic *or* **cenobitical** *(adj.)* رهبانيّ ؛ نُسكيّ .

cenogenesis *(n.)* النشوء المستحدَث : شكلٌ من النشوء تُكتسَب فيه الخصائص المميِّزة للكائن الحيّ بواسطة تأثير البيئة (أح) .

cenotaph [sĕn'ə tăf'; -täf'] *(n.)* القبر الأجوف : قبرٌ أو نُصُبٌ يُشيَّد تكريماً لامرىء دُفِن جثمانُهُ في موضع آخر .

Cenozoic [sē'nə zō'ĭk] *(adj.; n.)* دَهْرِ يَنْحَديثيّ : متعلق بالدهر الحديث الممتد حتى الوقت الحاضر (جي) § (٢) الدهر الحديث (جي) .

cense [sĕns] *(vt.)* يُبخِّر (بمبخرة) ؛ يحرق البخور قرب أو أمام ...

censer [sĕn'-] *(n.)* المِبْخَرة ؛ وبخاصة : مِبخرة تؤرجَح بالسلاسل .

censor [sĕn'sər] *(n.; vt.)* (١) «أ» المسؤول عن إحصاء السكان وعن مراقبة الأخلاق في رومة الجمهورية . «ب» كل من يراقب مسالك الآخرين الأخلاقية (٢) مراقب (المطبوعات أو الأفلام أو البرامج الاذاعية والتلفزيونية) (٣) الناقد المعادي (ا.ق) (٤) الرقيب : القوة النفسية التي تقصي عن الوعي ضروب العُقَد والذكريات البغيضة (نف) § (٥) يراقب ؛ يخضع للرقابة .

censorial *(adj.)* مُراقبيّ : ذو علاقة بمراقب المطبوعات الخ . أو مميِّزٌ له .

censorious [-sōr'ĭ əs] *(adj.)* عيّاب ؛ ميّال إلى النقد القاسي .

censorship [-'sər-] *(n.)* (١) مراقبة المطبوعات الخ . (٢) وظيفة مراقب الأخلاق عند الرومان أو مدتها (٣) الرقابة : إقصاء العقد والذكريات البغيضة عن الوعي بواسطة قوة نفسية خاصة بذلك (نف) .

censurable [-'shər ə bəl] *(adj.)* جدير باللوم أو بالنقد أو الاستهجان .

censure [sĕn'shər] *(n.; vt.)* (١) لوم ؛ نقد ؛ استهجان . (٢) تقريع أو تعنيف رسمي § (٣) يلوم ؛ ينتقد ؛ يعيب ؛ يستهجن .

census [sĕn'səs] *(n.)* إحصاء رسمي (للسكان) .

cent [sĕnt] *(n.)* السَّنْت : جزء من مئة من الدولار .
five per ~ ; 5% خمسة بالمئة .

cental [sĕn'təl] *(n.)* السَّنْتال : وزن يساوي مئة رطل انكليزي .

centare [sĕn'târ] *or* **centiare** *(n.)* متر مربّع .

centaur [sĕn'tôr] *(n.)* (١) القَنْطُور : كائن خرافيّ نصفُه رجل ونصفه فرس (٢) *cap.*: قِنطورس ؛ الظُّلْمان (فل) .

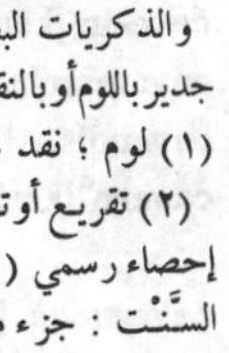

centaur 1.

Centaurus [sĕn tôr'əs] *(n.)* قِنْطورس ؛ الظُّلْمان (فل) .

centaury [sĕn'tô rĭ] *(n.)* حشيشة القَنْطَرْيون (نب) .

centavo [-tä'vō] *(n.)* السَّنْتافو : عملة صغيرة في الأرجنتين وكوبا الخ .

centenarian [sĕn'tə nâr'ĭ ən] *(n.; adj.)* (١) المئويّ : البالغ من العمر مئة سنة § (٢) مئويّ : بالغٌ من العمر مئة سنةٍ .

centenary [sĕn'tə-] *(adj.; n.)* (١) مئويّ : «أ» متعلق بمئة عام . «ب» حادثٌ مرةً كلَّ قرن § (٢) ذكرى مئوية (٣) فترة مئة عام .

centennial [sĕn tĕn'ĭ əl] *(adj.; n.)* (١) مئويّ : متعلق بمئة عام أو بذكرى مئوية (٢) قَرْنيّ : دائم مئة عام (٣) بالغٌ من العمر مئة عام § (٤) ذكرى مئوية او احتفالٌ بها .

center *or* **centre** [sĕn'tər] *(n.; vt.; i.)* (١) نقطة الدائرة (هن) . (٢) مركز ، محور (٣) قلب ؛ وَسَط (٤) الوَسَط :

«أ» رجال السياسة المعتدلون الذين تجعلهم وجهات نظرهم في مركزٍ وسطٍ بين اليمين واليسار . «ب» وجهات نظر هؤلاء السياسيين . «ج» المؤيدون لوجهات النظر هذه (٥) الأوسط : لاعب يحتلّ موقعاً متوسطاً بين مواقع أفراد فريقه من الملعبِ (٦) ذُنَيْبَة (المِخرطة) §(٧) يركّز ؛ يمركِز (٨) يحدد مركزَ شيء أو يزوده بمركز ×(٩) يتركّز ؛ يتمركز .

center bit *(n.)* المِثقب المركزي (نج) .

centering *(n.)* (١) مص center (٢) قالب خشبيّ (لقنطرة) .

center of buoyancy مركز الطَّفْو (مج) .

center of gravity مركز الثِّقْل (مك) .

center of inertia مركز القصور (مك) .

center of mass مركز الكتلة (مك) .

center of suspension مركز التعليق (مك) .

centerpiece *(n.)* الواسطة : شيء محتلّ مركزاً وسطاً ؛ وبخاصة : قطعة زينية من فضة أوزجاج أووشي توضع في منتصف الطاولة .

center punch *(n.)* ذَنّابة تعليم المركز (مك) .

centesimal *(adj.)* (١) جُزْئيمِئَوِيّ : متعلق بأجزاء من المئة . (٢) مئويّ : مقسّم إلى أجزاء من المئة (thermometer ~) .

centesimo [sĕn tĕs'-] *(n.)* السَّنْتيسيمو : عملة صغيرة تمثل جزءاً من مئة من وحدة النقد في إيطالية وأورغواي وباناما وتشيلي .

centi- بادئة معناها : (١) مئة (٢) جزء من مئة .

centigrade [sĕn'tə grād'] *(adj.)* مئوي؛ سنتيغرادي .

centigrade thermometer *(n.)* المِحرّ المئوي (مج) .

centigram *or* **centigramme** *(n.)* السّنتيغرام: ١/١٠٠ من الغرام .

centiliter *or* **centilitre** *(n.)* السّنْتيلِتر : ١/١٠٠ من اللتر .

centime [sän'tēm] *(n.)* السّنتيم : ١/١٠٠ من الفرنك .

centimeter *or* **centimetre** *(n.)* السّنتيمتر : ١/١٠٠ من المتر .

centimeter-gram-second system *(n.)* نظام السنتيمتر ـ الغرام ـ الثانية : نظام وحدات مبنيّ على السنتيمتر كوحدة للطول، والغرام كوحدة للكتلة، والثانية كوحدة للزمن .

centimo [sĕn'tə mō'] *(n.)* السّنتيمو : ١/١٠٠ من البوليفار (عملة فنزويلا) ، أو الكولون (عملة كوستاريكا والسلفادور) أو البيزيتا (عملة اسبانيا) .

centipede [-'tə pēd'] *(n.)* المِئْبِنِيّة، الحَرِيش، أم أربع وأربعين .

centner *(n.)* السّنْتنر : وحدة وزن تساوي ٥٠ كيلوغراماً .

cento [sĕn'tō] *(n.)* pl. **-tones** المجموع : أثر أدبيّ مؤلف من مختارات من كتب أخرى .

centr- *or* **centri-** بادئة معناها : مركز (*centri*fugal) .

central [sĕn'trəl] *(adj.; n.)* (١) «أ» مركزي . «ب» متوسّط . (٢) رئيسي §(٣) السنترال : المكتب الرئيسي في شبكة تلفونية (٤) عامل السنترال . **—centrally** *(adv.)*

central axis *(n.)* المحور المركزي أو المتوسط (فز) .

central bank *(n.)* البنك المركزي ؛ بنك الاصدار .

central heating *(n.)* التدفئة المركزية .

centralism *(n.)* المركزية : تركزّ السيطرة الحكومية بيد سلطة مركزية .

centrality [sĕn trăl'ə tĭ] *(n.)* (١) التوسط ؛ المركزانية : كون الشيء في الوسط أو المركز (٢) التمركزيّة : نزوع إلى البقاء في المركز .

centralization [-trəl ə zā'-] *(n.)* (١) المَرْكَزة (٢) التّمركز .

centralize [-'trə līz'] *(vt.; i.)* (١) يُمَرْكِز ×(٢) يتَمَرْكَز .

central orbit *(n.)* المدار المركزي ؛ الفلك المركزي .

centre [sĕn'tər] *(n.)* = center.

centric [sĕn'trĭk] ; **centrical** *(adj.)* مركزي .

centrifugal [-trĭf'yə gəl] *(adj.; n.)* (١) مندفعٌ بعيداً عن المركز (٢) نابذ ؛ طَرْدِيمَرْكَزي ؛ طاردٌ من المركز (مك) (٣) efferent §(٤) النابذةُ : ماكينةٌ تعمل بالطرد المركزيّ .

centrifugal force *(n.)* القوة النابذة؛ القوة الطاردة من المركز (مك) .

centrifugal machine *(n.)* النابذة : ماكينة تعمل بالطرد المركزي .

centrifugation *(n.)* النَّبْذ؛ الطَّرْد من المركز (وبخاصة بآلة نابذة) .

centrifuge [-'trə fūj'] *(n.; vt.)* (١) النابذة : مِمْخَضَة لفصل الزبدة عن اللبن الخ . بالقوة الطاردة من المركز §(٢) ينبذ ؛ يطرد من المركز ، وبخاصة بواسطة آلة نابذة .

centriole *(n.)* الوَكْنَة : حُبَيْبَة في وسط الكُرَيّة المركزية (أح) .

centripetal [-trĭp'ə-] *(adj.)* (١) مندفع نحو المركز (٢) جابِذ ؛ جَذْبِيمركزي ؛ جاذب نحو المركز (مك) (٣) afferent .

centripetal force *(n.)* القوة الجابذة؛ القوة الجاذبة إلى المركز (مك) .

centrist *(n.)* الوَسَطيّ : «أ» عضو حزب من أحزاب الوسط . «ب» شخص ذو آراء معتدلة .

centro- = **centr-**.

centroid [sĕn'troid] *(n.)* المركز المتوسط (مك) .

centrosome [-'trə sōm'] *(n.)* الكُرَيّة المركزية (أح) .

centrosphere *(n.)* (١) الهالة : البروتوبلازما المحيطة بكُرَيّة مركزيّة (أح) (٢) لُبّ الأرض (جي) .

centrum [-'trəm] *(n.)* (١) مركز (٢) جسم الفقارة (ت) .

centurion [-tyŏŏr'ĭ ən] *(n.)* قائد المئة (عند الرومان) .

century [sĕn'chə rĭ] *(n.)* (١) كتيبة مؤلفة من مئة مقاتل (عند الرومان) (٢) مجموعة مؤلفة من مئة (٣) وحدة انتخابية رومانية (٤) القرن : مئة عام .

century plant *(n.)* الأغاف الأميركي ؛ الباهرة الأميركية (نب) .

ceorl [chĕŏrl] *(n.)* الشَّيرْل: رجل من الطبقة الدنيا في انكلترة (قديماً) .

cephal- بادئة معناها : رأس (*cephal*ad) .

cephalad [sĕf'ə lăd] *(adv.)* صَوْبَ الرأس («ت» و «ح») .

cephalic [sə făl'ĭk] *(adj.)* رأسيّ : ذو علاقة بالرأس .

cephalic index *(n.)* الدليل الرأسي : نسبة أقصى عرض الرأس إلى أقصى طوله مضروبةً بمئة .

cephalization *(n.)* الترؤيس: نزعة نشوئية إلى تجمّع أعضاء الحيوان المهمة في الرأس أو قربه (ح) .

cephalo- بادئة معناها : رأس (*cephalo*metry) .

Cephalochordata *(n. pl.)* الرأسحبليات (ح) .

cephalometer *(n.)* المِرأس : أداة لقياس الرأس أو الجمجمة .

cephalometry *(n.)* المِرْآسيّة : علم قياس الرأس .

cephalopod [sĕf'ə lə pŏd'] *(n.)* رأسيّ الأرجل : حيوان من رأسيات الأرجل **Cephalopoda** وهي طائفة من الرخويات (ح) .

cephalothorax *(n.)* الصَّدْر الرأسيّ : المنطقة الأمامية من الجسم التي تتكون من اندماج الرأس والصدر في العناكب والقشريات (ح) .

cephalous [sĕf'ə ləs] *(adj.)* ذو رأس (ح) .

Cepheus [sē'fūs ;-fĭ əs] *(n.)* قيفاوس ؛ الملتهب (فل) .

ceraceous [sə rā'shəs] *(adj.)* شَمْعانيّ : شبيهٌ بالشمع .

ceramic [sə răm'ĭk] *(adj.; n.)* (١) خزفيّ §(٢) *pl.* الخزافة : صناعة الخزف (٣) إناء خزفيّ .

ceramist *or* **ceramicist** *(n.)* الخزّاف .

cerastes *(n.)* المقرَّنة ؛ الحية القَرْناء ؛ ذات القرنين .

cerate [sĭr'āt] *(n.)* مَرْهم (مؤلف من زيت وشمع الخ .)

cerat- *or* **cerato-** بادئة معناها : «أ» قرن . «ب» قرنيّ .

ceratoid [sĕr'ə toid] *(adj.)* قَرْنانيّ : شبيهٌ بالقرن .

Cerberean *(adj.)* سيربيروسي : متعلق بسيربيروس (را. المادة التالية).

Cerberus[sûr'bər əs]*(n.)* (١) سِيربيروس : كلب ذو ثلاثة رؤوس زعمت الميثولوجيا الكلاسيكيّة أنه يحرس باب الجحيم (٢) الحارس اليقظ المخيف .

Cerberus 1.

cercaria [sər kâr'ĭə] *(n.)* المُذَنَّبة (مج) : اسمٌ يطلق على الحيوان وهو في طور من أطوار المُثقَّبات يكون له فيه ذنب (ح) .

cercocebus *(n.)* الذَّيَّال : قرد من قرود افريقيا الغربية طويل الذَّيل.

cere [sĭr] *(n.; vt.)* (١) القِيْر (مج) : جزء ليِّن منتفخ عند أصل المنقار في الطيور § (٢) يلفّ (الجثة بخاصة) بقماش مشمع .

cereal [sĭr'ĭ əl] *(n.; adj.)* (١) النبات الحَبّيّ : كل نبات من الفصيلة النجيلية يعطي حَبّاً (كالحنطة والشعير والذرة والأرزّ) (٢) حَبّ ؛ حُبوب (٣) طعام من حبوب § (٤) حَبّيّ ؛ حُبوبيّ .

cerebellar *(adj.)* مُخَيْخيّ : منسوب إلى المخَيْخ أو متعلق به (ت).

cerebellum [-bĕl'əm] *(n.)* pl. **-s** *or* **-bella** المُخَيْخ (ت) .

cerebr- *or* **cerebro-** بادئة معناها : «أ» مُخ ؛ دماغ . «ب» مُخّيّ و..

cerebral [sĕr'ə-] *(adj.)* (١) مُخّيّ ؛ دماغي (٢) عقلي : متطلّب انتباهاً شديداً وتفكيراً مركّزاً ؛ مخاطِبٌ العقلَ لا الوجدان (~ music)

cerebral accident*(n.)* الحادث المُخّيّ (كالنزيف الخ. في الدماغ).

cerebral hemispheres نِصفا كرة المخ أو الدماغ (ت) .

cerebral palsy*(n.)* الشلل المخيّ (يصيب المخ قبل الولادة أو أثناءها).

cerebrate [sĕr'ə brāt'] *(vi.)* يفكّر .

cerebration [-ə brā'-] *(n.)* (١) نشاط العقل أو عمله (٢) تفكير .

cerebro- = cerebr-.

cerebrospinal *(adj.)* مُخَيْشوكيّ ؛ مخيّ شَوْكيّ : متعلق بالمخ والنخاع الشوكي («ت» و «فس») .

cerebrospinal meningitis*(n.)* التهاب السحايا المُخَيْشوكية.

cerebrum [sĕr'ə-]*(n.)*pl. **-brums** *or* **-bra** المخ (ت) .

cerecloth [sĭr'-] *(n.)* قماش مُشمَّع (يُلَفّ به الموتى) .

cerement [sĭr'mənt] *(n.)* كَفَن (تَرِد بصيغة الجمع عادةً).

ceremonial [sĕr'ə mō'-] *(adj.; n.)* (١) رسميّ (٢) طَقْسيّ ؛ احتفاليّ ؛ شعائريّ § (٣) طَقْس ؛ شَعيرة .

ceremonialism *(n.)* التمسّك بالرسميات أو بالطقوس الدينية .

ceremonious *(adj.)* (١) رسميّ ؛ مُتَّسِم بالمحافظة على الرسميات (a ~ reception) (٢) مولع بالرسميات .

ceremony [sĕr'ə mō'nĭ]*(n.)* (١) مراسم ؛ تشريفات (٢) طَقْس ؛ شَعيرة (٣) كل عملٍ معتبَر ضرباً من الرسميات الفارغة (٤) كياسة ؛ سلوك بالغ التهذيب (٥) شدة التمسك بالشكليات التقليدية.

to stand on ~, يُسرف في اتّباع « الاتيكيت » أو قواعد السلوك المهذّب الصارمة .

Ceres [sĭr'ēz] *(n.)* سِيريز : «أ» إلاهة الزراعة عند الرومان . «ب» أكبر السُّيَيّرات (را . asteroid) وأوّل ما اكتُشف منها .

ceric [sĭr'ĭk] *(adj.)* سِيْريوميّ : منسوب إلى السيريوم (ك).

cerise [sə rēz'] *(n.)* الاحمر الكَرَزيّ : لون أحمر زاهٍ .

cerium [sĭr'ĭ əm] *(n.)* السِّيريوم : عنصر فِلِزّيّ (ك) .

cerium metals = rare-earth elements.

cernuous [-'nyōō əs] *(adj.)* مُتَدَلٍّ (~ flowers).

cero [sĭr'ō] *(n.)* السِّيرو : سمك أطلسي استوائيّ ضخم .

cerotic acid*(n.)* حمض السيروتيك : حمض يكون في شمع النحل.

cerous [sĭr'əs] *(adj.)* = ceric.

certain [sûr'tən] *(adj.)* (١) محدَّد ؛ معيَّن ؛ متّفَق عليه . (٢) يقينيّ ؛ لا ريب فيه (٣) «أ» بعض . «ب» ما (a ~ town) (٤) موثوق ؛ جدير بالاعتماد (a ~ remedy) (٥) محتوم ؛ مؤكَّد (٦) واثق ؛ متأكد ؛ على مثل اليقين .

for ~, من غير ريب البتّة .

to make ~, يتأكّد ؛ يستيقن من .

certainly *(adv. ; interj.)* (١) من غير ريب § (٢) طبعاً !

certainty [sûr'-] *(n.)* (١) حقيقة ؛ أمرٌ لا ريب فيه (٢) يقين ؛ ثقة.

for a ~, من غير أدنى شك

certes [sûr'tēz] *(adv.)* من غير ريب (ا.ق) .

certificate[*n.* -tĭf'ə kĭt; *v.*-tĭf'ə kāt']*(n.;vt.)* (١) «أ» شهادة. «ب» شهادة مدرسية § (٢) يشْهد بشهادة خطية (٣) يزود أو يفوض بشهادة خطية .

certification [-tə fə kā'-] *(n.)* (١) مص certify (٢) شهادة .

certified [-'tə fīd] *(adj.)* (١) مصدَّق عليه (٢) مضمون (الجودة).

certified check *(n.)* الشيك المضمون : شيك مصدَّق على صُلوحه من قِبَل المصرف المسحوب عليه .

certified copy *(n.)* المصدَّقة : نسخة مصدَّق عليها رسمياً .

certified public accountant *(n.)* المحاسب القانوني .

certify [sûr'tə fī'] *(vt.)* (١) يصدِّق على ؛ يشهد رسمياً على صحة شيء (to ~ a signature) (٢) يُعلِم بيقين أو ثقة (٣) يضمن الجودة أو القيمة (*certified* milk) (٤) يشهد على جنون فلان (٥) يفوِّض أو يُجيز .

certiorari [sûr'shĭ ə râr'ĭ] *(n.)* أمرٌ قضائيّ من محكمة عليا إلى محكمة دنيا يطلب تسليمها ملف قضية ما لإعادة النظر فيها (ق) .

certitude [sûr'tə tūd'; -tōōd'] *(n.)* يقين ؛ ثقة .

cerulean [sə rōō' lĭ ən] *(adj.)* لازَوَرْديّ ؛ أزرق سماويّ .

cerumen [sə rōō' mən] *(n.)* الصِّملاخ : مادة شمعية تفرزها الأذن.

ceruse [-'ōōs] *(n.)* (١) إسبيداج (٢) مستحضر تجميلي محتوٍ عليه.

cerussite [sĭr'ə sīt'] *(n.)* السِّيروسيت : كربونات الرصاص .

cervelat *(n.)* السَّرفيلات : ضرب من النقانق أو السُّجُق .

cervical [sûr'və kəl] *(adj.)* عُنُقيّ : ذو علاقة بالعُنُق (ت) .

cervicitis [-və sī'təs] *(n.)* التهاب عُنُق الرَّحِم (ط) .

Cervidae [sûr'vĭ dē] *(n. pl.)* فصيلة الأيائل (ح) .

cervine [sûr'vīn; -vĭn] *(adj.)* أيّليّ : متعلق بالأيائل أو شبيهٌ بها .

cervix[sûr'-]*(n.)* (١) العُنق ؛ وبخاصة : مؤخَّر العنق (٢) عُنق الرَّحم

Cesarean *or* **Cesarian** [sĭ zâr'-] *(adj.;n.)* = Caesarean.

cesium [sē'zĭ əm] *(n.)* السِّيزيوم : عنصر فِلِزّيّ (ك).

cess *(n.)* (١) ضريبة (٢) حظّ (bad ~ to you).

cessation [sĕ sā'-] *(n.)* توقف ؛ انقطاع .

cession [sĕsh'ən] *(n.)* (١) تخلٍّ (٢) إقليم أو حقّ مُتخلّى عنه .

cesspit ; cesspool *(n.)* (١) بالوعة ؛ مجرور (٢) حمأة .

c'est-à-dire [sĕ tȧ dēr'] *(F.)* يعني ؛ وبكلمة أخرى .

Cestoda [sĕs tō'də] *(n. pl.)* المِنْطَقِيّات (مج) ؛ الشَّريطيّات : الديدان الشريطية .

cestode *(n.;adj.)* (١) الشريطيّة : دودة شريطية § (٢) شريطيّ.

cestus [sĕs'təs] *(n.)* : (١) حزام ؛ وبخاصة : حزام رمزيّ تتمنطق به عروس (٢) قُفّاز الملاكم : قفاز من أشرطة جلدية مُثْقَلة بالرصاص أو الحديد (في رومة القديمة) .

cestus 2.

cesura [sə zhŏŏr'ə] *(n.)* = caesura.

cetacean [sə tā'shən] *(n. ; adj.)* (١) الحيتانيّ : حيوان من رتبة الحيتان **Cetacea** وهي رتبة من الحيوانات البحرية الثديية تشمل الحيتان والدلافين §(٢) حيتانيّ. **— cetaceous** *(adj.)*

cetane [sē'tān] *(n.)* السِيتين : زيت عديم اللون يكون في البترول.

cetane number *(n.)* العدد السيتيني (ك) .

ceteris paribus *(L.)* إذا ظلت جميع الأشياء والعوامل والعناصر الأخرى من غير تعديل.

Cetus [sē'təs] *(n.)* قَيْطَس (فل) .

cevitamic acid *(n.)* = vitamin C.

Chablis [shăb'lĭ] *(F.)* الشَبْليّة : ضرب من الخمر الفرنسيّة .

cha-cha *(n.)* التشاتشا : رقصة سريعة نشأت في أميركة اللاتينية.

chacma [chăk'mə] *(n.)* الشَقْمَة : رُبّاح (قِرْد) جنوبأفريقي.

chaeta [kē'tə] *(n.)* pl. **-tae** = bristle 1.

chafe [chāf] *(vt.; i.; n.)* (١) يثير ، يُغضِب (٢) يفرُك (اليدين) التماساً للدفء (٣) يُبْلي أو يقرح بالحك × (٤) يغضب ؛ يغتاظ (٥) يَبْلَى أو يتقرّح بالحكّ §(٦) غضبٌ ؛ غيظ (٧) حرارة أو بلى أو تقرّح ناشىء عن الفرْك (٨) فرْكٌ ؛ احتكاك.

chafer [chā'fər] *(n.)* الجُعَل : ضربٌ من الخنافس (ح) .

chaff [chăf; chäf] *(n.; vt. ; i.)* (١) العُصافة : قشر الحنطة المفصول عنها بالدرْس (٢) قَشّ ؛ تِبْن (٣) نفاية ؛ سقط المتاع (٤) مُزَاح §(٥) يمازح ×(٦) يمزح .

chaffer [chăf'ər] *(n.; vi.; t.)* (١) مساومة على الأسعار (ا.ق.) §(٢) يساوم (على الأسعار) (٣) يتحادث ×(٤) يقايض .

chaffinch [chăf'ĭnch] *(n.)* الصَغْنَج ؛ الظالم : عصفورٌ مغرد.

chaffy *(adj.)* (١) عُصافيّ ؛ تبنيّ ؛ قشّيّ (٢) تافه.

chafing dish *(n.)* طبق الإحماء : جهاز مؤلف من طبق معدنيّ تحته مصباح أو مسخن .

Chagas' disease *(n.)* داء شاغاس ؛ الدَرَاق الطفيلي (ط) .

chagrin [shə grĭn'] *(n.; vt.)* (١) غمّ ؛ كَدَرٌ §(٢) يَغُم ؛ يكدِّر .

chain [chān] *(n.; vt.)* (١) سلسلة (٢) المقياس السّلسلي : مقياس كالسلسلة يبلغ طوله ٦٦ قدماً (وهذا هو مقياس المسّاح) ، أو مئة قدم (وهذا هو مقياس المهندس) (٣) قَيْد ؛ غُلّ (٤) *pl.* : عبودية (٥) سلسلة جبال (٦) المؤسسات السّلْسليّة : عدد من المؤسسات المتماثلة (كالبنوك والفنادق) تملكه أو تديره شركة واحدة (٧) السلسلة : عدد من الذرات المترابطة وكأنها حلقات منظومة في سلسلة (ك) §(٨) يُوثَق أو يُربَط بسلسلة (٩) يقيِّد ؛ يُصفِّد ؛ يكبّل .

in ~ *s* سجين ؛ غير حرّ .

chain compounds المركّبات السِّلسليّة (مج) : مركّبات مؤلفة من عدد من الذرّات يتصل بعضها ببعض على هيئة سلسلة .

chain gang *(n.)* العُصْبة المُسَلْسَلة : مجموعة من السجناء المُوثَقين بسلسلة واحدة .

chain letter *(n.)* (١) الرسالة المُسَلْسَلة : رسالة يُبْعَث بها إلى مجموعة من الأشخاص على التوالي وكثيراً ما يضيف إليها كل منهم شيئاً من عنده (٢) الرسالة المضاعفة: رسالة يُبعَث بها إلى عدة اشخاص مع الرجاء إلى كل منهم أن يبعث بنسخ عنها إلى عدد مماثل.

chain lightning *(n.)* البرْق المُتسلسِل (على نحو متماوج أو متكسر) .

chain mail *(n.)* المَزْرودة : دِرع مَرِنة ذات زَرَد .

chain measure *(n.)* نظام المقاييس السّلْسلية (يستخدمه المسّاحون) .

chain-react *(vi.)* يتفاعل تفاعلاً متسلسِلاً (فز ن) .

chain-reacting pile *(n.)* المُفاعِل الذَرّي .

chain reaction *(n.)* التفاعل المُتسلسل (فز ن) .

chain store *(n.)* (١) المؤسسات السِّلْسِليّة : عدد من المؤسسات المتماثلة تملكه أو تديره شركة واحدة (٢) المؤسسة السّلْسلية : إحدى المؤسسات السلسليّة .

chainwork *(n.)* الحبك السّلْسِليّ : حَبْكٌ زخرفي على شكل سلسلة .

chair [châr] *(n.; vt.)* (١) «أ» كرسيّ . «ب» الكرسي الكهربائي . (٢) «أ» مقرّ السلطة . «ب» كرسيّ القضاء أو الاستاذية (في جامعة) . «ج» رئيس الجلسة (٣) مِحَفّة §(٤) «أ» يُجلِسه على كرسيّ . «ب» ينصِّب : يُسند إليه منصباً (٥) يحمله على كرسي ويطوف به (علامةَ الانتصار أو الظفر) (٦) يترأس جلسةً .

to take the ~, يترأس الاجتماعَ .

chair car *(n.)* = parlor car.

chairman [châr'mən] *(n.; vt.)* (١) رئيسُ الجلسة أو المجلس أو اللجنة (٢) حامل المِحَفّة §(٣) يترأس جلسةً الخ .

chairperson *(n.)* = chairman.

chairwoman *(n.)* رئيسة الجلسة أو المجلس أو اللجنة .

chaise [shāz] *(n.)* الشَيْز : عربة خفيفة ذات عجلتين أو أربع .

chaise longue [shāz' lông'] *(F.)* الشَيْزلُنْغ ؛ الكرسيّ الطويل.

Chalcedonian [kăl-] *(adj.)* خَلْقِيدُونيّ : ذو علاقة بِخَلْقِيدونية (مدينة قديمة بآسية الصغرى على البوسفور) أو بالمجمع المسكوني الذي عُقِد فيها عام ٤٥١م. والذي حرّم القول بالطبيعة الواحدة (نص).

chalcedony [kăl sĕd'ə nĭ] *(n.)* العقيق الأبيض.

chalcid [kăl'sĭd] *(n.; adj.)* (١) الصُفْرِيّة ؛ الخَلْقِيديديّة : حشرة من الصُفْريات أو الخَلْقِيديديات **Chalcidoidea** وهي فصيلة حشرات من رتبة غشائية الأجنحة §(٢) صُفْرِيّ ؛ خَلْقيديدي.

chalco- بادئة معناها : نُحاس (*chalco*graphy).

chalcography [kăl kŏg'-] *(n.)* الحَفْر على النحاس .

chalcopyrite [kăl kə pī'-] *(n.)* بيريت النحاس (مع) .

Chaldaic [kăl dā'ĭk] *(adj.; n.)* = Chaldean.

Chaldean [-dē'ən] *(n.; adj.)* (١) الكَلْدانيّ : واحد الكلدانيين . (٢) الكلدانية : لغة الكلدانيين (٣) المنجّم ؛ السّاحر §(٤) كَلْدانيّ .

chaldron [chôl'drən] *(n.)* الكَلْدَرْن : مقياس انكليزي للفحم .

chalet [shă lā'] *(n.)* الشالِيه : «أ» كوخ في الجبال السويسرية. «ب» بيت سويسري ذو أفاريز عريضة . «ج» دارة أو «فيلاّ» مشيّدة على هذا الطراز .

chalice [chăl'ĭs] *(n.)* (١) «أ» كأس . «ب» كأس القربان . «ج» خمرة كأس القربان (٢) كأس الزهرة الداخلي (نب) .

chalk [chôk] *(n.; vt.; i.)* (١) «أ» طباشير . «ب» طَبْشورة . (٢) «أ» علامة بطَبْشورة . «ب» إصابة تسجّل في لُعبة §(٣) يبيّض (أو «يعلّم») بالطباشير (٤) يكتب أو يرسم بالطباشير (٥) يرسم الخطوط الكبرى لِ . . ×(٦) يصبح طباشيرياً .

by a long ~, بكثير ؛ بمراحل.

to ~ out يرسم الخطوط الكبرى لمشروع .

to ~ the door يضع إشارة بالطباشير على منزل شخص إنذاراً له أو تنبيهاً .

ă at; ā date; â care; ä car; ĕ egg; ē me; ĭ in; ī bite; ŏ lot; ō bone; ô orphan; oi boil; ŏŏ good; ōō boot; ou out; ŭ under; ū unity; û urgent; th thing; t͟h this; zh vision; ə = *a* in alone, *e* in system, *i* in easily, *o* in gallop, *u* in circus.

to ~ up (١) يدوّن أو يسجّل (النقاط المحرَزة في مباراة) (٢) يُحْرِز؛ يَكْسَب (٣) يرفع سعرَ كذا.

chalkstone [chôk'-] *(n.)* الراسب الرمليّ (في النقرس).

chalky *(adj.)* طباشيري: «أ» محتوٍ على طباشير. «ب» أبيض كالطباشير.

challenge [chăl'ĭnj] *(vt.; i.; n.)* (١) يطالب بـ(ا.ق) (٢) يوقف (الحارس) شخصاً للتأكد من هُويته (٣) «أ» يعترض على. «ب» يدفع بعدم الاختصاص (ق) (٤) يرتاب في (٥) «أ» يتحدّى. «ب» يدعو للمبارزة أو للنزال الخ. § (٦) «أ» اعتراض. «ب» إيقاف الحارس شخصاً للتأكد من هويته. «ج» ارتياب في شرعية صوت انتخابيّ أو في حقّ مقترع في الاقتراع (٧) «أ» تحدٍّ. «ب» دعوة إلى المبارزة أو النزال (٨) اختبار؛ وبخاصة: اختبارٌ للمناعة من مرضٍ.

challis [shăl'ĭ] *(n.)* الشَّلّيس: نسيج رقيق من قطن أو صوف.

chalone [kăl'-] *(n.)* الكالون: إفراز داخليّ مُوْهن للنشاط الفسيولوجي.

chalybeate [kə lĭb'ĭ it] *(adj.; n.)* (١) حديديّ: «أ» مُشْرَبٌ بأملاح الحديد. «ب» حديديّ الطعم § (٢) ماء أو دواء حديدي.

cham [kăm] *(n.)* = khan.

chamber [chām'bər] *(n.; vt.; adj.)* (١) حجرة؛ وبخاصة: حجرة نَوْم (٢) تجويف؛ فجوة (٣) «أ» قاعة اجتماع هيئة تشريعية أو قضائية. «ب» *pl.*: مكتب القاضي أو المحامي. «ج» *pl.*: شِقّة؛ مكاتب. «د» حجرة استقبال في قصر (٤) «أ» هيئة تشريعية أو قضائية؛ وبخاصة: أحد مَجْلِسَيْ البرلمان. «ب» غرفة؛ مجلس (~ of commerce) (٥) خزانة البندقية: حجرة القذيفة أو القذائف في بندقية § (٦) يضع في حجرة أو نحوها (٧) يزوّد بحُجُرات (~ *ed* corridors) § (٨) حُجَرِيّة: مُعَدَّة للعزف من قِبل بضعة موسيقيين أمام جمهور قليل العدد (~ music).

Lower *Chamber* مجلس النواب.

Upper *Chamber* مجلس الأعيان.

chamberlain [chām'bər lĭn] *(n.)* (١) المَهْجَعِيّ: موظف مسؤول عن حجرة نوم الملك الخ. (٢) الياور؛ الحاجب؛ موظف كبير في بلاط (٣) أمين الخزانة أو المال.

chambermaid *(n.)* المَهْجَعِيّة: خادمة مسؤولة عن غرف النوم.

chamber of commerce *(n.)* غرفة التجارة.

Chamber of Deputies *(n.)* مجلس النواب.

chamber pot *(n.)* النونيّة المَهْجَعِيّة: مبولة توضع في حجرة النوم.

chambray [shăm'brā] *(n.)* الشَّمْبَراي: نسيج قطني رقيق.

chameleon [kə mē'-] *(n.)* (١) حرباء (٢) شخص متقلّب.

chameleonic [-lĭ ŏn'ĭk] *(adj.)* (١) حِرْبائيّ (٢) متقلب.

chamfer [chăm'-] *(n.; vt.)* (١) حافة مشطوبة (مشطوفة). § (٢) يحفر ثلماً (في الخشب الخ.) (٣) يَشْطُب (يشْطف) الحافةَ.

chamfron [chăm'frən] *(n.)* درعٌ لرأس الفرس.

chamois [shăm'ĭ; shȧ mwä'] *(n.)* pl. **-ois** *or* **-oix** (١) الشَّمْواة: حيوان مجترّ من الظباء (٢) **chammy** أيضاً: جلد الشَّمواة.

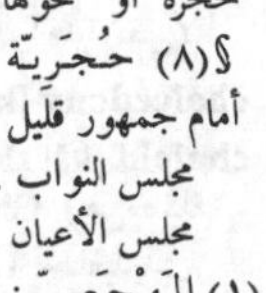

chamois

chamomile [kăm'ə mīl'] *(n.)* بابونج (نب).

champ [chămp] *(vt.; i.; n.)* (١) يعضّ؛ وبخاصة على شكيمة (٢) يقضم ويمضغ بقوة وصوت § (٣) عضّ؛ قضْم (٤) champion.

champac *or* **champak** [-'păk] *(n.)* الشَّنْبَق: نباتٌ أصفر الزهر.

champagne [shăm pān'] *(n.)* الشامبانيا: شرابٌ مُسْكِر.

champaign [shăm pān'] *(n.; adj.)* (١) السّهْل؛ الأرض المستوية § (٢) سَهْليّ.

champerty [chăm'pər tĭ] *(n.)* تقديم المال أو الخدمات من أجل إنجاح دعوى قضائية طمعاً في نصيب من الربح الناشىء عنها.

champignon [shăm pĭn'yən] *(n.)* فُطْر (نب).

champion [chăm'pĭ ən] *(n.; vt.; adj.)* (١) المُقاتل؛ المحارب. (٢) النّصير: المدافع عن شخص أو قضية (a ~ of the oppressed) (٣) البطل: المجلّي في لعبة أو مسابقة § (٤) يناصر؛ يؤيد؛ يدافع عن § (٥) مُجَلٍّ؛ بَطَل (the ~ team) (٦) ممتاز؛ رائع (That's ~!).

championship *(n.)* (١) بطولة (في لعبة الخ.) (٢) نُصرة؛ دفاع عن (٣) مباراة البطولة: مباراة تُجرَى لإحراز لقب البطولة.

chance [chăns; chäns] *(n.; vi.; t.; adj.)* (١) «أ» مصادفة. «ب» حظّ (٢) فرصة (a ~ to escape) (٣) احتمال؛ إمكانية حدوث شيء (٤) مخاطرة (to take a ~) § (٥) يصادف؛ يتفق؛ يَحْدث مصادفةً أو اتفاقاً × (٦) يُخاطر § (٧) تصادفيّ؛ اتفاقيّ.

by ~, مصادفةً؛ اتفاقاً.

on the ~ of *or* that رجاءَ أن؛ على أمل أن.

to ~ upon *or* on يلتقي به أو يجده بالمصادفة.

chanceful *(adj.)* = eventful.

chancel [chăn'səl; chän'-] *(n.)* مَذْبَح؛ هيكل (في كنيسة).

chancellery *or* **chancellory** [chăn'sə-] *(n.)* (١) منصب قاضي القضاة أو السكرتير الأول في سفارة أو المستشار الألماني أو مَقَرّ أيّ منهم (٢) مبنى السفارة (أو القنصلية) أو رجالها.

chancellor [chăn'sə-] *(n.)* (١) قاضي القضاة (في بريطانيا). (٢) السكرتير الأول في سفارة (بر) (٣) رئيس جامعة (٤) المستشار: رئيس الوزراء (في ألمانيا الخ.).

Chancellor of the Exchequer *(n.)* وزير المال في بريطانيا.

chancellorship *(n.)* منصب قاضي القضاة أو السكرتير الأول في سفارة أو المستشار الألماني أو مدة ولاية أيّ منهم.

chance-medley [chăns'mĕd'lĭ] *(n.)* (١) القتل من غير قصد (ق) (٢) «أ» مصادفة. «ب» عملٌ يَحْدث اتفاقاً.

chancery [chăn'sə rĭ] *(n.)* (١) *cap.*: المحكمة العليا (٢) مكتب المحفوظات أو «الارشيف» (٣) مكتب قاضي القضاة الخ. أو المبنى الذي يقوم فيه (٤) مبنى السفارة (٥) مَسْكَة تطوّق الرأس أو العنق بإحكام (في المصارعة).

in ~, (١) قيد النظر في المحكمة العليا (٢) في وضع يائس.

chancre [shăng'kər] *(n.)* قَرْحَة (تناسلية) صُلبة.

chancroid [shăng'-] *(n.)* قَرْحة (تناسلية) ليّنة.

chancrous *(adj.)* (١) قَرْحيّ؛ كالقرحة (٢) متقرِّح؛ ذو قروح.

chancy [chăn'sĭ] *(adj.)* (١) خاضعٌ للحظّ؛ غير مضمون النتائج. (٢) محفوفٌ بالمخاطر.

chandelier [shăn'də lĭr'] *(n.)* ثُرَيّا.

chandelle [shăn dĕl'] *(n.)* الصعود الشمعَداني: دورانٌ صاعدٌ شديد الميْل (طي).

chandler [chăn'-] *(n.)* (١) الشمّاع؛ صانع الشموع أو بائعها (٢) السمان.

chandlery [chăn'dlə rĭ] *(n.)* (١) المَشْمَعة: مَوْضع تُحفظ فيه الشموع (٢) الشِّماعة: صناعة الشمّاع (٣) بضاعة الشمّاع أو السمّان.

change [chānj] *(vt.; i.; n.)* (١) يُغيّر؛ يبدّل (٢) يستبدل شيئاً بشيء (to ~ trains) (٣) يَصْرِف ورقة نقدية: يستبدلها

بوحدات صغيرة تساويها في القيمة (to ~ a bill) (٤) يتبادل (to ~ a bed) (٥) يغيّر أغطية الفراش (Shall we ~ seats?) ×(٦) يتغيّر ؛ يتبدّل (٧) ينتقل من قطار إلى آخر (Where do we ~ ?) (٨) يغيّر ملابسه §(٩) تغيير ؛ تبديل (١٠) تغيّر ؛ تبدّل (١١) انتقال من مكان أو حالة أو شكل أو وجه إلى آخر (~ of the moon) (١٢) «تنويع» يراد به دَفْع السأم (for a ~) (١٣) مجموعة ثانية من الثياب : «غيار» (١٤) البورصة (بر) (١٥) «أ» «صرافة» ؛ «فكة النقود». «ب» ما يردّ من فائض القيمة المستحقة. «ج» قطع النقد الصغيرة.

to ~ countenance يتغيّر لون محيّاه ذعراً أو حزناً الخ.

to ~ front (١) يوجّه القوات العسكرية وجهة جديدة (٢) يناقش من زاوية جديدة (٣) يغيّر موقفه أو مبادئه.

to ~ hands ينتقل من يد إلى يد أو من مالك إلى آخر.

to ring the ~s (١) يقرع مجموعة من الأجراس بمختلف الطرق الممكنة مُحْدِثاً ضروباً من النغمات (٢) يعمل (أو يقول) شيئاً بطرق مختلفة.

to take one's ~, ينتقم ؛ يثأر.

changeable [chān'jə-] *(adj.)* (١) متقلّب (٢) ممكنٌ تغييره. (٣) متلوّن : ذو لون أو مظهر يتغيّر باختلاف زاوية النظر إليه (~ silk).

— **changeability** *(n.)*

changeful *(adj.)* متقلّب أو متغيّر على نحو متواصل.

changeless *(adj.)* ثابت ؛ غير متبدّل.

changeling [chānj'-] *(n.)* (١) المتخلّي عن حزبه أو مبادئه ؛ وبخاصة : الخائن (٢) طفل استُبدل بآخر، بطريقة سرية، منذ الطفولة.

change of life *(n.)* سن اليأس.

change of state *(n.)* الاستحالة : تغيّر المادة من حالة إلى أخرى من أحوال الصلابة والسيولة والغازية.

changer *(n.)* (١) فا change (٢) الصرّاف (ا.م).

channel [chăn'əl] *(n.; vt.)* (١) «أ» مجرى نهر. «ب» أعمق نقطة في نهر أو مرفأ الخ. «ج» قناة موصلة بين بحرين. «د» سبيل من سُبُل المواصلات أو التعبير. «هـ» طريق (~s of trade). «و» مَصْدر (من مصادر الأخبار) (٢) أنبوب (٣) ثَلْم ؛ أخدود ؛ قناة (٤) قناة ؛ حزمة تردّدات («رد» و «تلفز») (٥) قضيبٌ معدني ذو مقطع مسطّح على شكل حرف U §(٦) يحدّد ؛ يشقّ ثلماً في (٧) يشقّ على شكل قناة (The river ~*led* its way through the rocks.) (٨) يُقَنّي ؛ يوجّه نحو قناة ؛ يَحْصُر في مجرى أو اتجاه (to ~ one's interests).

channel bar, iron, rail, steel etc. *(n.)* = channel 5.

channelize *(vt.)* = channel.

chanson [shăn'sən] *(F.)* أغنية.

chanson de geste [shăn sôn' də zhĕst'] *(F.)* أنشودة البطولة : إحدى الملاحم الشعرية الفرنسية القديمة التي تتغنّى بتاريخ فرنسة القديم.

chant [chănt; chänt] *(n.; vi.; t.)* (١) أنشودة (٢) ترتيلة ؛ ترنيمة. (٣) أغنيةٌ رتيبة (٤) نبرةٌ رتيبة أو مملّة (في الكلام) §(٥) ينشد ؛ يغني ؛ يرتّل ؛ يرنّم (٦) يتلو بنبرة رتيبة ×(٧) يترنّم بـ ؛ يتغنّى بـ.

chantage [chăn'tĭj ; shän tàzh'] *(F.)* الشانتاج : ابتزاز الأموال من طريق التهديد بالتشهير.

chanter *(n.)* (١) المنشد ؛ المرتّل (٢) المنشد في جوقة ترتيل كنسية.

chanterelle [shăn'tə rĕl'] *(n.)* الإنائيّة : فُطر يؤكل (نب).

chanteuse [shän tœz'] *(F.)* المُغَنّية.

chantey *or* **chanty** [shăn'tĭ] *(n.)* نشيد البحارة.

chanticleer [chăn'tə klĭr'] *(n.)* ديك (ح).

chantress [chăn'trĭs ; chän'-] *(n.)* المنشِدة ؛ المغنية.

chantry [chăn'trĭ; chän'-] *(n.)* (١) مال موقوفٌ لإقامة القداديس عن روح الواقف (٢) كنيسة صغيرة ذات أوقاف لهذا الغرض.

chaos [kā'ŏs] *(n.)* (١) «أ» الشَّواش ؛ اللاتكوّن : حالة الكون المختلطة قبل تكوّنه. «ب» الهَيولى : المادة اللامتشكّلة المفروض أنها سبقت وجود الكون (٢) اختلاط أو تشوّش كامل.

chaotic [-ŏt'ĭk] *(adj.)* (١) شَواشيّ ؛ هَيُولي (٢) مشوّش تشوّشاً كاملاً.

chap [chăp] *(vt.; i.; n.)* (١) يشقّق (البردُ) البشرةَ. (٢) يتصدّع ؛ يفلق ×(٣) يتشقّق الجلدُ الخ. (٤) ينصدع ؛ ينفلق §(٥) شِقّ ؛ فَلْع ؛ وبخاصة في البشرة (٦) لكمة ؛ ضربة (اسك) (٧) فتىً ؛ غلام ؛ رجل (٨) زبون ؛ مشترٍ (عب) (٩) «أ» فكّ. «ب» خدّ.

chaparajos *or* **chaparejos** [chä'pä rä'hôs] *(n. pl.)* الشَّبْراجو : بنطلون جلدي متين يلبسه رعاة البقر.

chaparajos

chaparral [chăp'ə răl'] *(n.)* دَغْل ؛ أَجَمَة.

chaparral bird *or* **cock** *(n.)* الجوّاب : طائر أميركي سريع.

chapbook [chăp'bo͝ok'] *(n.)* كُتيّب قصص شعبية الخ.

chape [chāp] *(n.)* زخارف الغِمد أو القِراب المعدنية (عند طرفه الأعلى ذي الحلقة التي تعلقه بالحزام).

chapeau [shă pō'] *(n.)* pl. **-s** *or* **-x** قُبّعة.

chapel [chăp'əl] *(n.)* (١) «أ» كنيسة صغيرة (في قصر أو مدرسة أو سجن الخ.) «ب» مُصَلّى في كنيسة أو كاتدرائية (مخصص للتأمل والعبادة الخ.) (٢) جوقة ترتيل (تابعة لكنيسة صغيرة) (٣) صلاة أو اجتماع في كنيسة مدرسة أو كلية (٤) «أ» مطبعة. «ب» عمال المطبعة (٥) مكان للعبادة خاص بالمنتسبين إلى كنيسة منشقة عن الكنيسة الرسمية (a nonconformist ~).

chaperon *or* **chaperone** [shăp'ə rōn'] *(n.; vt.; i.)* (١) الوصيفة ؛ المصاحبة : امرأة متزوجة ترافق فتاة أو أكثر إلى الحفلات الاجتماعية لحمايتها أو العناية بها (٢) الحافظ ؛ المصاحِب : رجل يرافق الشبان إلى الحفلات الاجتماعية للتأكد من سلوكهم مسلكاً حسناً فيها (٣) قبّعة §(٤) يرافق (بوصفه حافظاً أو وصيفة).

chapfallen [chŏp'fô'lən] *(adj.)* مكتئب ؛ محزون الخ.

chapiter [chăp'ə tər] *(n.)* تاج العمود (عم).

chaplain [chăp'lĭn] *(n.)* قِسّيس ملحق بقصر أو مؤسسة أو بارجة الخ.

chaplet [chăp'lĭt] *(n.)* (١) إكليل للرأس (٢) سُبحة (٣) «أ» سُبحة الصلاة. «ب» صلوات تؤدّى بالاستعانة بها (٤) السُّبحيّة : حلية معمارية صغيرة على شكل خَرَز الخ. (عم).

chapman [chăp'-] *(n.)* (١) التاجر (ا.ق) (٢) البائع المتجول (بر).

chaps [chăps ; shăps] *(n. pl.)* = chaparajos.

chapter [chăp'tər] *(n.)* (١) فَصْل (من كتاب) (٢) «أ» اجتماع عامّ لرجال الكنيسة. «ب» جماعة من رجال الكنيسة الملحقين بكاتدرائية. «ج» جماعة الرهبان في دير (٣) فرع محلّي من منظمة أو نادٍ.

~ of accidents كوارث متعاقبة واحدة إثر أخرى.

to the end of the ~, إلى الأبد.

chapter house *(n.)* (١) مَبْنًى ملحق بكاتدرائية أو دير (يعقد فيه الكهنة أو الرهبان اجتماعاتهم) (٢) مبنى لفرع محلّي من منظمة الخ.

char [chär] *(vt.; i.; n.)* (١) يفحّم (مج) : يحرق أو يحوّل إلى

فحم (٢) يسْفَع ؛ يُحْرِق إحراقاً طفيفاً ×(٣) يتفحم (٤) يُسْفَع أو يُحْرَق إحراقاً طفيفاً (٥) تخدم (المرأةُ) نهاراً في المنازل أو المكاتب (٦) يقوم بمهامّ صغيرة §(٧) فَحْمٌ (٨) خادمة نهارية (لا تبيت في المنازل) (٩) الشار (سمك).

char-a-banc [shăr'ə băng'] *(n.)* أوتوبوس (لتجوّل السيّاح الخ.).

characin [kăr'ə sĭn] *(n.)* الكَرَسين : سمك صغير زاهي الألوان.

character [kăr'ĭk tər] *(n. ; vt.)* (١) «أ» رمز . «ب» حرف أبجدي . «ج» ألفباء . «د» كتابة ؛ طباعة . «هـ» أسلوب في الكتابة أو الطباعة (٢) خَصيصة ؛ ميزة ؛ صفة (٣) خُلُق (a man of fine ~) (٤) وصف ؛ صفة (in his ~ as a son) (٥) شهادة حسن سلوك (٦) «أ» شخصية (a public ~) «ب» شخص غريب الأطوار (He's quite a ~.) «ج» شخصية (في مسرحية أو رواية) . «د» دَوْر (في مسرحية) (٧) «أ» سمعة ؛ صِيت (He has an excellent ~ for honesty.) «ب» سمعة حسنة (٨) متانة في الخلق (He's a man of ~.) §(٩) ينقش ؛ يكتب (ا.ق) (١٠) يصف ؛ يصوّر (ا.ق).

in ~, ملائم ؛ مناسب.

out of ~, غير ملائم ؛ غير مناسب.

characteristic *(adj. ; n.)* (١) مميِّز §(٢) خَصيصة ؛ ميزة ؛ صفة مميزة (٣) العدد البياني (في اللوغاريتمات).

characteristically *(adv.)* على نحوٍ مميِّز.

characteristic curve *(n.)* المنحنى المميِّز («ملك» و «فو»).

characteristic function *(n.)* الدالّة المميزة (ر).

characterization *(n.)* (١) وصف ؛ تصوير (للخصائص الخ.). (٢) خَلْق الشخصيات الروائية.

characterize [kăr'ĭk tə rīz'] *(vt.)* (١) يَصِفُ أو يصوّر (خصائص كذا) (٢) يميِّز ؛ يَسِم بصفة مميزة ؛ يكون له ميزة.

charactery [kăr'ĭk tə rĭ] *(n.)* حروف ؛ رموز.

charade [shə rād' ; shə räd'] *(n.)* التمثيلية التحزيرية : لعبةٌ قِوامُها مشهدٌ تمثيليٌّ يصوّر مقاطع كلمة معيّنة يُطلب إلى المشترك في اللعبة أن يحزرها.

charcoal [chär'kōl] *(n. ; vt.)* (١) الفحم ؛ الفحم النباتي. (٢) «أ» قلم فحمي (للتصوير). «ب» الصورة الفحمية ؛ صورة مرسومة بقلم فحمي §(٣) يسوِّد أو يكتب أو يرسم بالفحم.

chard [chärd] *(n.)* شَوَنْدَر ؛ شَمَنْدَر ؛ بَنْجَر (نب).

chare *or* **char** [châr] *(n.)* = chore.

charge [chärj] *(vt.; i.; n.)* (١) «أ» يحمِّل ؛ يضع حملاً على (ا.ق). «ب» يُلقِم أو يحشو (بندقية) . «ج» يَشْحَن (بطارية) . «د» يُشبِع (الماءَ أو الهواءَ) بمادة أخرى . «هـ» يرهق ؛ يثقل . «و» يتخذه رمزاً معيناً لشعار النبالة . «ز» يَسِمُه أو يميّزه برمز (٢) «أ» يكلّفه أو يعهد إليه بمهمة . «ب» يأمر ؛ يوصي . «ج» يصدر التعليمات إلى (٣) يتّهم (٤) «أ» يسدد ؛ يصوب (رمحاً الخ.) . «ب» يهاجم ؛ يحمل على (٥) يقيّد على حساب فلان (٦) يفرض أو يطلب ثمناً §(٧) «أ» حِمْل ؛ عِبْء (ا.م) . «ب» رمز مميِّز لشعار النبالة (٨) شِحْنة ؛ حَشْوة (٩) «أ» مهمة ؛ واجب (Arresting criminals is the ~ of the police.) «ب» عُهْدة ؛ رعاية . «ج» الوديعة : شخص أو شيء موضوع تحت إشراف امرىء ما . «د» أبرشية (معهودٌ أمرُ العناية بها إلى كاهن) (١٠) «أ» أمر ؛ وصية . «ب» توجيهات ؛ تعليمات (١١) «أ» ثمن ؛ رَسْم . «ب» نفقة . «ج» دَيْن . «د» ضريبة (١٢) تُهمة (١٣) هجوم مفاجىء.

in ~ of the library مسؤول عن المكتبة.

to bring a ~ against يتّهم بـ..

to take ~ of يتولى أمر العناية بـ..

chargeable [chär'jə bəl] *(adj.)* (١) عرضةٌ للاتهام (٢) ممكنٌ إضافته إلى حساب ما (٣) قابلٌ (كضريبة) لأن يُفرَض على...

chargé d'affaires [shär zhā' də fâr'] *(F.)* القائم بالأعمال : القائم بأعمال السفارة (عند غياب السفير).

charger [chär'jər] *(n.)* (١) فا charge (٢) طبق أو صحن كبير (ا.ق) (٣) المُلْقِم ؛ المُشْط ؛ جهاز الحشو (جن) (٤) الشاحن : جهاز لشحن البطارية (٥) فرسٌ (مُعَدّ للقتال).

charily [châr'ə-] *(adv.)* (١) بحذر (٢) بخجل (٣) باقتصاد.

chariness [châr'-] *(n.)* (١) حَذَر (٢) خَجَل (٣) اقتصاد.

chariot [chăr'ĭ ət] *(n. ; vt. ; i.)* (١) المَعَجَلة : «أ» مركبة خفيفة ذات أربع عجلات . «ب» مركبة حربية قديمة ذات عجلتين ، تجرّها الخيل ، كانت تستخدم أيضاً في المواكب والسباقات §(٢) ينقل بمَعَجَلة ×(٣) يسوق مَعَجَلةً أو يركبها.

charioteer *(n.)* (١) سائق المَعَجَلة (٢) .cap : ذو الأعِنّة (فل).

charisma [kə rĭz' mə] *or* **charism** *(n.)* (١) قدرة خارقة (على اجتراح المعجزات) (٢) سحر (في شخصية القائد يدفع الجماهير إلى تقديسه) (٣) جاذبية ؛ فتنة.

charismatic *(adj.)* فاتن ؛ ساحر للجماهير.

charitable [chăr'ə tə bəl] *(adj.)* (١) محسِن ؛ متصدِّق (على الفقراء) (٢) متلطف أو مترفق (في الحكم على الناس) (٣) خيري.

charity [chăr'ə tĭ] *(n.)* (١) المحبة (نص) : حبّ المرء لإخوانه في الانسانية . «ب» عناية الله الأبوية بالناس (٢) «أ» الاحسان ؛ عمل الخير . «ب» مؤسسة خيرية (٣) «أ» صَدَقة ؛ حسنة ؛ هبة لأغراض خيرية عمومية . «ب» مؤسسة (مستشفى الخ.) مُنْشأةٌ بهبة كهذه (٤) تلطف أو ترفق (في الحكم على الآخرين).

~ begins at home. الأقربون أولى بالمعروف.

charivari [shə rĭv'ə rē'] *(n.)* = shivaree.

chark [chärk] *(n ; vt.)* (١) فحم §(٢) يفحّم ؛ يحوِّل إلى فحم.

charka *or* **charkha** [chär'kə] *(n.)* دولاب الغَزْل (في الهند).

charlady [chär'lā'dĭ] *(n.)* = charwoman.

charlatan [shär'lə tən] *(n.)* الدجّال ؛ المُشَعوِذ.

charlatanism ; charlatanry *(n.)* دَجَل ؛ شَعْوَذة.

Charles's Wain *(n.)* الدبّ الأكبر (فل).

Charleston [chärlz'tən] *(n.)* الشارلِستون : ضربٌ من الرقص.

charley horse *(n.)* ألم وتصلب في الذراع أو الرجل.

charlock [chär'lək] *(n.)* خردلٌ برّي (نب).

charlotte [shär'-] *(n.)* الشرلوت : حلوى من خبز وفاكهة وكريما.

charlotte russe [rōōs'] *(n.)* الشرلوت الروسية (ر. المادة السابقة).

charm [chärm] *(n. ; vt. ; i.)* (١) تعويذة ؛ رُقْية (٢) فتنة ؛ سحر (٣) جمال ؛ مفاتن (feminine ~ s) (٤) حلية صغيرة (تعلق بسلسلة الساعة الخ.) §(٥) يعوِّذ ؛ يرقي (٦) يفتن ؛ يسحر ×(٧) يمارس السِّحْر.

charmer *(n.)* (١) الساحر ؛ المشتغل بالسحر (٢) الفاتن (٣) امرأة فاتنة.

charming [chär'mĭng] *(adj.)* ساحر ؛ فاتن.

charnel *(n.)* (١) مقبرة (ا.م) (٢) موضع لحفظ جثث الموتى أو عظامهم.

charnel house *(n.)* موضع تحفظ فيه جثث الموتى أو عظامهم.

charpoy [chär'poi'] *(n.)* سرير خفيف (في الهند).

charqui [chär'kĭ] *(n.)* قديدُ اللحم (البقري).

charr [chär] = char.

chart [chärt] *(n. ; vt.)* (١) خريطة (٢) جدول أو رسم بياني. (٣) ورقة مسطّرة ومدرّجة (للاستعمال في آلة مدوّنة) §(٤)«أ»يرسم خريطة الخ. «ب»يُظهر على خريطة الخ. (٥) يخطّط يرسم خطةً لِ. (to ~ a course of action).

chartaceous [kär tā'shəs] *(adj.)* ورقيّ أو شبيه بالورق.

charter [chär'tər] *(n. ; vt.)* (١) صكّ؛ عقد (٢) «أ» براءة (بحقوق او امتيازات). «ب» دستور؛ شِرعة (٣) رخصة او إجازة. (من منظّمة مركزية بإنشاء فرع لها) (٤) امتياز؛ حصانة؛ إعفاء خاص (٥) تأجير سفينة الخ. أوجزء منها لرحلةٍ أو لمدة معينة §(٦)يمنح براءةً أواجازةً لِ (٧) يؤجر أو يستأجر (سفينةً الخ.)

chartered accountant *(n.)* المحاسب القانوني (بر).

Chartism [chär'tiz əm] *(n.)* الوثيقيّة: «أ» المبادىء التي نادى بها بعض المصلحين السياسيين الانكليز في القرن التاسع عشر والتي هدفت إلى تحسين أوضاع الطبقة العاملة من الناحيتين الاجتماعية والصناعية. «ب» الحركة الوثيقية. **— Chartist** *(n. ; adj.)*

chartist [chärt'-] *(n.)* (١) الخرائطيّ: رسام الخرائط (٢) خبير بالبورصة أو سوق الأسهم يتّكل على الجداول البيانية في تنبّؤاته.

chartreuse [shär trœz'] *(F.)* (١) الشّرتروزية: شراب مسكِر أخضر اللون أو أصفره (٢) لون أخضر ضارب إلى الصفرة.

chartulary [kär'chōō lĕr'ĭ] *(n.)* = cartulary.

charwoman [chär'-] *(n.)* الخادمة النهارية: خادمة تعمل نهاراً في المنازل (دون أن تبيت فيها) أو تنظف المكاتب والمباني الكبيرة.

chary *(adj.)* (١) حذِر (٢) خجول (٣) ضنين؛ مقتصِد بحذَر.

chase [chās] *(vt. ; i. ; n.)* (١) يطارد؛ يتعقّب؛ يتصيّد. (٢) يطْرُد (٣)«أ» يزيّن المعدن بنقوش. «ب» يرصّع بالجواهر (٤) «أ» يثلّم؛ يُحدث ثلماً في. «ب» يمشّط سن اللولب(مك) ×(٥) يعدو؛ يسرع (The boys all ~ *d* off after the procession.) §(٦) مطاردة (٧) طريدة (٨) صيد؛ قنص (٩)«أ»حقّ الصيد في نطاق معيّن من الأرض. «ب» مرتع الصيد: أرض مخصصة للصيد (١٠) ثلْم؛ أخدود (١١) خندق (١٢) قناة (في جدار) لتركيب شيء أوإمراره (١٣)جوف ماسورة البندقية (١٤)طوق حديدي (لربط الصفحات المنضّدة تمهيداً لطبعها).
to give ~, يطارد؛ يتعقّب.

chaser [chā'sər] *(n.)* (١) فا chase (٢)شراب(من ماءوجعة الخ.) يؤخذ بعد مسكِر قويّ (٣) النقّاش: البارع في النقش على المعادن أو في ترصيعها (٤) المِنقَش: أداة نقش أو حفر (٥) المِمشَط: مشط اللولبة (مك) (٦) السفينة أو الطائرة المطارِدة (٧) مدفع في مقدّم السفينة أو موخّرها.

chasm [kăz'əm] *(n.)* (١) هوّة (٢) شقّ؛ صدْع (في جدار). (٣) فجوة (٤) شقّة الخلاف: تباين كبير في العواطف أو المصالح بين شخصين (أو دولتين الخ.) يؤدي إلى تنابذهما.

chasmophyte *(n.)* نبات الصخور: كل نبات ينمو في صدوع الصخر.

chassepot [shàs pō'] *(F.)* الشّسْبُوّة: ضربٌ من البنادق.

chasseur [shă sûr'; shà sœ r'] *(F.)* (١) الصيّاد (٢)جندي من القناصة (٣) مرافق أو خادم (يرتدي بزّة رسمية).

chassis [shăs'ĭ ; -ĭs ; chăs'ĭ] *(n.)* الهيكل المعدني: «أ» هيكل السيارة أو الطائرة الخ. وعجلاتُها وآلاتُها. «ب» هيكل جهاز الراديو أو التلفزيون وآلاتُه (بوصفها متميّزة عن خزانته).

chaste [chāst] *(adj.)* (١) طاهر؛ عفيف (٢) محتشِم. (٣) بسيط؛ غير مبالَغ في زخرفته.

chasten [chā'sən] *(vt.)* (١) يؤدّب؛ يعاقب (٢) «أ» يهذّب؛ يشذّب. «ب» يطهّر (٣) يبسّط: يجعل (الأسلوب الخ.) بسيطاً.

chasteness *(n.)* (١) طهارة؛ عفة الخ. (٢) بساطة.

chastise [chăs tīz'] *(vt.)* يؤدّب؛ يعاقب؛ يضرب.

chastisement *(n.)* (١) تأديب؛ ضرب (٢) عقاب.

chastity [chăs'tə tĭ] *(n.)* = chasteness.

chasuble [chăz'yə bəl] *(n.)* رداء الكاهن (أثناء القداس).

chat [chăt] *(vi. ; n.)* (١) يتحادث في غير كلفة §(٢) حديث؛ محادثة (٣) الأبلق؛ أبو بليق (طا).

château [shă tō'] *(F.)* (١) قصر فرنسيّ إقطاعي (٢) بيت ريفي ضخم.

chatelain [shăt'ə lān'] *(n.)* = castellan.

chatelaine [shăt'ə lān] *(F.)* (١) سيدة قصر (٢) مِشبك (لتعليق الساعة أو المفاتيح).

chatoyant [shə toi'-] *(adj.)* متغيّر البريق (كعين الهرة في الظلام).

chattel [chăt'əl] *(n.)* (١) المِلْك المنقول (كالأثاث الخ) (٢) العبد.

chatter [chăt'ər] *(vi. ; t. ; n.)* (١) «أ» يزقزق (العصفور). «ب» يثرثر (الجدول) (٢) يهذر؛ يلغو؛ يثرثر (٣) «أ» تصطك (الأسنان). «ب» تصطكّ (عُدّة القَطْع) أو تتذبذب بسرعة ×(٤) يلفظ بسرعة أو بغير وضوح أو على نحو متبطّل (٥) يقطع بعُدّة قطع مُصْطَكّة §(٦) «أ» زقزقة. «ب» ثرثرة (٧) هذْر؛ لغو (٨) اصطكاك الأسنان أو عُدّة القطع.

chatterbox [chăt'ər bŏks'] *(n.)* المهذار؛ الثرثار.

chatty [chăt'ĭ] *(adj.)* (١) محدِّث؛ عذب الحديث (٢) هاذِر: حافلٌ بالهذر واللغو (a ~ letter).

chauffeur [shō'fər] *(F.)* سائقُ السيّارةِ (الخاصة المستأجَر).

chaussure [shō syr'] *(F.)* حِذاء.

chauvinism [shō'və nĭz'əm] *(n.)* الشوفينيّة: الغلوّ في الوطنية.

chauvinist *(n. ; adj.)* (١) الشوفيني: المغالي في الوطنية § (٢) شوفينيّ.

chaw [chô] *(vt. ; i. ; n.)* (١) يَمضَغ §(٢) مُضْغَة، وبخاصة من التبغ.

chawbacon *(n.)* ريفيّ جِلف أو أخرق.

cheap [chēp] *(adj. ; adv.)* (١) «أ» رخيص؛ غير غال. «ب» منخفض القيمة الشرائية، بحكم التضخم المالي (٢) هيّن؛ يسير؛ غير متطلّب كبيرَ عناء (a ~ victory) (٣) «أ» حقير؛ جدير بالازدراء. «ب» رخيص؛ يعوزه العمق أو الصدق (~ emotion). «ج» رديء النوع (٤) ممكنٌ الحصول عليه بفائدة ضئيلة (~ money) §(٥) بثمنٍ بَخسٍ أو زهيد.
—cheaply *(adv.)* **— cheapness** *(n.)*
to feel ~, يستشعر الخزيَ أو الصَّغار.
to hold something ~, يستخفّ به؛ يزدريه.

cheapen [chē'pən] *(vt. ; i.)* (١) يرخّص (الثمنَ). (٢) ينقص قدره؛ يقلّل من احترام الناس له ×(٣) يرخُص.

cheap-jack *(n.)* المتّجر بالسلع الرخيصة.

cheapo *(adj.)* = cheap

cheapskate *(n.)* (١) البخيل (٢) الميّال إلى اختيار أرخص السلع أو المُتَع.

cheat [chēt] *(vt. ; i. ; n.)* (١) يخدع؛ يغش؛ يحتال على. §(٢) خداع؛ غشّ؛ احتيال (٣) المخادع؛ الغشّاش؛ المحتال (٤) شيء زائف (٥) البرُومُس: ضرب من العشب.

check [chĕk] *(vt. ; i. ; n. ; adj.)* (١) يعرِض «شاهَ» الخصم للخطر (في الشطرنج) (٢) يوبّخ؛ يعنّف (ع) (٣) يكبح؛ يوقف؛ يضبط (٤)«أ»يحقّق: يقارن شيئاً بما ورد في مصدر أو أصلٍ أو مرجع. «ب» يراجع أو يفحص (شيئاً للتأكد من صحته أو حسن سيره الخ.) «ج» يضع إشارة أمام شيء

(دلالةً على أنه روجع .) (٥)يرسم مربّعات على (٦)«أ» يأخذ بطاقة (أو قطعة خشبية أو معدنية) تُظهر مِلكيّتهُ لأمتعة مرسلة بالقطار أو متروكة في محطة للسكة الحديدية . «ب» يُوْدِع معطفه أو مظلّته أو قبّعته عند مدخل الفندق الخ . لقاء إيصال (~ your umbrellas at the door.) ×(٧) يتوقّف ؛ يتمهل (٨) يحقق في أمر (I'll ~ up on the matter.)
(٩) ينطبق على (The reprint ~ s with the original.)
(١٠) يسحب مالاً من مصرف ، بأن يوقع شيكاً عليه
(١١) ينصدع ؛ ينشق §(١٢) تعريض « الشاه » للخطر (في الشطرنج) (١٣) كَبْح ؛ وَقْفٌ ؛ ضَبْط (١٤) توقّف أو انقطاع مفاجيء (١٥) توبيخ ؛ تعنيف (ا.ق) (١٦) الكابح ؛ الضابط ؛ المقيّد (١٧)«أ» مِحكّ . «ب» فحص . «ج» مراجعة ؛ مقابلة ؛ تحقّق (١٨) إشارة توضع أمام رقم الخ .دلالةً على أنه روجع (١٩) « شيك» مصرفي (٢٠) «أ» بطاقة أو قطعة خشبية أو معدنية دالّة على مِلكية شيء مودَع الخ . (a hat~)
«ب» وَصْل ؛ إيصال . «ج» فاتورة (I'll ask the waiter for my ~.) (٢١) «أ» مجموعة ترابيع أو مربعات (كالتي تكون على رقعة الشطرنج) . «ب» مربّع من هذه المربّعات . «ج» قماش ذو ترابيع (٢٢)صَدْع ؛ شِقّ §(٢٢) مستخدَم في المراجعة أو المقابلة الخ . (٢٤) ذو ترابيع .

in ~, مكبوح ؛ مقيّد ؛ مُخضَع للمراقبة .
to ~ in (١) يصل إلى فندق ويسجّل اسمه (٢)يموت.
to ~ off يضع إشارة أمام رقم الخ . (دلالةً على أنّه قد روجع ووجد صحيحاً) .
to ~ out (١) يدفع حساب الفندق ويغادره (٢) يموت
to ~ up يفحص ؛ يقابل ؛ يراجع .

checkbite *(n.)* (١) العضّ على رقاقة من شمْع أو نحوها لتبيان مدى انطباق الأسنان العليا على الأسنان السفلى (٢) نتيجة ذلك أو رقاقة الشمع الحاملة لهذه النتيجة .

checkbook [chĕk'bo͝ok'] *(n.)* دفتر شيكات .

checked [ckĕkt] *(adj.)* ذو ترابيع أو مربّعات .

checker [chĕk'ər] *(n. ; vt.)* (١) رقعة الشطرنج (ا.ق) . (٢) فا check (٣) حجر الداما (٤) «أ» رسم ذو مربعات أو ترابيع . «ب» أحد هذه المربعات (٥) الغُبَيْراء : شجر من الفصيلة الوردية؛ وبخاصة : «أ» الغُبَيْراء الأهلية . «ب» الغبيراء المُشْغِصة. «ج» ثمر الغُبَيراء §(٦) يجعله ذا مربعات (كربعات رقعةالشطرنج) (٧)يلوِّن: يجعله مختلف الألوان (٨)ينوِّع ؛وبخاصة: يُخضعه للتقلّبات المتواصلة (.His career was ~ *ed*).

checkerberry *(n.)* الغَلطيرية المُسطَّحة ؛ شاي كندا (نب) .

checkerboard *(n.)* رُقعة الداما .

checkered [chĕk'ərd] *(adj.)* (١) مختلف الألوان (٢)ذومربعات أو ترابيع (٣) متفاوت : ينجح حيناً ويخفق حيناً . (a ~ career) .

checkers [chĕk'ərz] *(n.)* الدّاما ؛ لعبة الداما .

checkmate [chĕk'māt] *(vt. ; n. ; interj.)* (١) يُميت الشاه(في الشطرنج) (٢) «أ» يهزم . «ب» يحبط §(٣) «أ» إماتة الشاه . «ب» الوضع الذي تكون عليه بيادق الشطرنج عند إماتة الشاه (٤) هزيمة تامة §(٥) مات الشاه : تعبير يعلن به لاعب الشطرنج أنّه قد قام بحركة أماتت شاه الخصم .

checkpoint [chĕk'-] *(n.)* حاجز تفتيش (في موقع حساس) .

checkrein[-'rān] *(n.)* عنان قصير لمنع الفرَس من أن يخفض رأسه.

checkroom *(n.)* حجرةالإيداع (تُودَع فيهاالأمتعةأوالمعاطف موقّتاً).

checkrow *(n. ; vt.)* (١) صف من صفوف الأشجار أو النباتات التي تقسم الأرض إلى مربعات §(٢)يزرع على شكل صفوف كهذه.

checkup [chĕk'up'] *(n.)* فحص؛ وبخاصة : فحص جسمانيّ عام.

cheddar [chĕd'ər] *(n.)* الشدَّر : جُبْن قاس أبيض أو أصفر .

cheek [chēk] *(n. ; vt.)* (١) خدّ ؛ وَجْنَة (٢) جانب (٣) وقاحة (ع) §(٤) يخاطب بوقاحة .

cheekbone [chēk'bōn'] *(n.)* العظم الوَجْنيّ (ت) .

cheekily *(adv.)* بوقاحة ؛ بِقِحة .

cheekiness *(n.)* وَقاحة ؛ قِحَة .

cheek pouch *(n.)* الكيس الوجْنيّ : كيس في خدود القردة والقوارض لحمل الطعام .

cheek strap *(n.)* العِذار : ما سال من اللجام على خدّ الفرَس .

cheeky [chē'kĭ] *(adj.)* (١) وقح ؛ صفيق (٢) ممتلىء الخدين .

cheep [chēp] *(vi. ; n.)* = chirp.

cheer [chĭr] *(n. ; vt. ; i.)* (١) شعور أو حالة نفسيّة (٢) ابتهاج. (٣) طعام وشَراب (٤) هُتاف ؛ تهليل (يراد به التشجيع) §(٥)«أ» يشجّع . «ب» يُبْهِج (٦)يهتِف لِـ ×(٧) يبتهج .

~ up! اِبْتهِج ! لا تَحزَنْ ! لا تبتئس !
to ~ on يشجع بالهتاف (أثناء اللعب) .
What ~ ? كيف حالك ؟

cheerful [chĭr'-] *(adj.)* (١) مرِح ؛ مبتهج (٢)مُبهِج (٣)بهيج.

cheerfully *(adv.)* بِمرَح ؛ بابتهاج .

cheerio [chĭr'ĭ ō'] *(interj.)* (١) وداعاً ! (٢) على صحتك !

cheerless [chĭr'lĭs] *(adj.)* حزين ؛ كئيب .

cheerly [chĭr'lĭ] *(adv.)* = cheerfully .

cheery [chĭr'ĭ] *(adj.)* (١) مرِح ؛ مبتهج (٢) مُبْهِج .

cheese [chēz] *(n.)* (١) «أ» جُبْن . «ب» قالب جبْن (٢) شيء كالجبن شكلاً أو قَواماً (٣)شيء ممتاز ؛ شخص ذوشأن (ع).

cheeseburger *(n.)* سندويشةمن لحم البقر مع شريحةجبن محمّص .

cheesecake *(n.)* (١) فطيرة الجبن : فطيرة من بيض وجبن وسكّر. (٢) صورة فوتوغرافية مُبْرِزة لمفاتن المرأة (في صحيفة شعبية) .

cheesecloth *(n.)* القماش الجُبْنيّ : قماش رقيق استُعمل أصلاً للفّ الجبن.

cheeseparing *(n. ; adj.)* (١) شيء ضئيل القيمة أو عديمها . (٢) بُخْل ؛ شُحّ §(٣) بخيل .

cheesy [chē'zĭ] *(adj.)* (١) جُبْنيّ : كالجبن وبخاصة من حيث الرائحة أو القَوام (٢) تافِه ؛ رديء ؛ رخيص (~ comedy).

cheetah [chē'tə] *(n.)* الفهْد الصيّاد (ح) .

chef [shĕf] *(F.)* (١)رئيس ؛وبخاصة : رئيس الطهاة (٢)الطاهي .

chef d'oeuvre [shĕ dœ'vr]*(n.)* التُحْفة : رائعة أدبية أو فنية .

chela [kē'lə] *(n.)* pl.-lae الكُلاّب : زائدة شبيهة بالكمّاشة في أطراف القشريّات والعنكبوتيات (ح) .

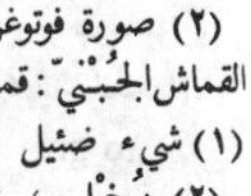

chela

chela [chā'lä] *(n.)* المريد : أحد تلاميذ معلّم ديني هندي .

chelate [kē'lāt] *(adj.)* (١) كُلاّبيّ (٢) ذو كُلاّب .

Chelonia [kĭ lō'-] *(n. pl.)* السّلاحف ؛ رتبة السلاحف (ح) .

chelonian [kĭ lō'-] *(adj.; n.)* (١)سُلَحفائيّ §(٢)سُلَحفاة.

chem- *or* **chemo-** بادئة معناها : كيميائي ؛ كيمياء .

chemic [kĕm'-] *(adj.)* (١) خيميائي (ا.ق) (٢) كيميائي .

chemical [kĕm'ə kəl] *(adj.;n.)* (١) كيميائي §(٢)مادة كيميائية.

chemical compound *(n.)* المركّب الكيميائي .

chemical constitution *(n.)* البنْيَة الكيميائية .

chemical engineering *(n.)* الهندسة الكيميائية .

chemical warfare *(n.)* الحرب الكيميائية : الحرب بالغازات السامة .

chemical weapon *(n.)* السلاح الكيميائي .

chemin de fer [shə măn' də fĕr'] *(F.)* (١) سكة حديد . (٢) ضرب من لعب الورق .

chemise [shə mēz'] *(n.)* قميص تحتاني فضفاض (للنساء) .

chemisette [shĕm'ə zĕt'] *(n.)* القُمَيِّص : كِساء زِينيّ يُملأ به صدر الفستان المفتوح .

chemism [kĕm'-] *(n.)* الكيميائية : النشاط الكيميائي أو الألفة الكيميائية .

chemist [kĕm'ĭst] *(n.)* (١) الكيميائي : العالم بالكيمياء (٢) الصيدلي .

chemistry [kĕm'ĭs trĭ] *(n.)* (١) الكيمياء ؛ علم الكيمياء (٢) كيمياء : «أ» التركيب الكيميائي لمادة ما وخصائصها الكيميائية (the ~ of iron) . «ب» العمليات والظواهر الكيميائية لـ ... (blood ~) .

chemo- = chem-.

chemosynthesis *(n.)* التركيب الكيميائي (مج) : عملية يتم فيها بناء مواد عضوية من مواد أخرى أبسط منها باستعمال طاقة كيميائية (نب) .

chemotaxis *(n.)* الانجذاب الكيميائي .

chemotherapeutics [kĕm-] *(n.)* = chemotherapy.

chemotherapy [kĕm-] *(n.)* المعالجة (للأمراض) بالمواد الكيميائية .

chemotropism [kĭ mŏt'-] *(n.)* الانتحاء الكيميائي (مج) : اتجاه العضو في نموه بفعل التجاذب الكيميائي («نب» و «ح») .

chemurgy [kĕm'ûr-] *(n.)* الكيميارجيا : فرع من الكيمياء التطبيقية يُعنى باستغلال الخامات العضوية ذات المنشأ الزراعي لأغراض صناعية .

chenille [shə nēl'] *(n.)* الشَّنيل : «أ» غزل صوفي أو قطني أو حريري ذو زئبر ناتئ . «ب» نسيج مصنوع من هذا الغزل .

chenopod [kē'nə pŏd] *(n.)* رِجْل الإوز (نب) .

cheque [chĕk] *(n.)* شيك (على مصرف) .

chequer [chĕk'ər] *(n. ; vt.)* = checker.

chequerboard [chĕk'-] *(n.)* = checkerboard.

chequered [chĕk'ərd] *(adj.)* = checkered.

chequers [chĕk'ərz] *(n.)* = checkers.

cherish [chĕr'-] *(vt.)* (١) يُعِز ؛ يدلّل (٢) يتعلّق به ؛ يُبقي في الذهن .

cheroot [shə rōōt'] *(n.)* الشيروت : ضرب من السيكار .

cherry [chĕr'ĭ] *(n. ; adj.)* (١) الكرز (نب) (٢) ثمر الكرز أو خشبه (٣) الأحمر الفاتح § (٤) كرزيّ : أحمر فاتح (٥) مصنوع من خشب الكرز .

cherrystone *(n.)* كواهوغ (را quahog) صغير .

chersonese [kûr'sə nēz'] *(n.)* شبه جزيرة .

chert [chûrt] *(n.)* الشَّرْت : صخر صوّانيّ غير نقي .

cherty *(adj.)* شَرْتيّ : منسوب إلى الشَّرْت (را chert) .

cherub [chĕr'əb] *(n.)* pl. **-s** *or* **-im.** (١) ملاك (٢) طفل جميل .

cherubic [chə rōō'-] *(adj.)* (١) ملائكيّ (٢) بريء .

chervil [chûr'vĭl] *(n.)* السَّرْفيل ؛ المقدونس الافرنجي .

chess [chĕs] *(n.)* (١) شطرنج (٢) البُروُمس : ضرب من العشب .

chessboard [chĕs'bōrd] *(n.)* رُقعة الشطرنج .

chessman [chĕs'măn'] *(n.)* البَيْدَق : حجر الشِّطْرَنج .

chest [chĕst] *(n.)* (١) «أ» صندوق (كبير متين لحفظ النفائس) . «ب» صندوق شاي الخ . (٢) وعاء مُحْكَم (٣) خزانة ذات أدراج (٤) «أ» الخزينة ؛ خزانة الدولة . «ب» أموال الخزينة (٥) صَدْر .

chesterfield [chĕs'tər-] *(n.)* (١) معطف (٢) «صوفا» أو كنبة طويلة .

Chester White *(n.)* خنزير «تَشِسْتَر» الأبيض .

chestnut [chĕs'nŭt] *(n. ; adj.)* (١) الكَسْتناء (٢) خشب الكستناء (٣) اللون الكستنائي : لون بُنّي محمرّ (٤) horse chestnut (٥) فرس كستنائي اللون (٦) الجسأة أو الجلد المتصلب في باطن رجل الفرس (٧) «أ» قصة أو نكتة «قديمة» أو «بايخة» . «ب» شيء مكرر إلى حد الابتذال § (٨) «أ» كستنائيّ . «ب» كستنائي اللون .

chest of drawers *(n.)* خزانة ذات أدراج (للملابس والبياضات) .

chesty [chĕs'tĭ] *(adj.)* مغرور ؛ معجب بنفسه (ع) .

chetah [chē'tə] *(n.)* = cheetah.

cheval-de-frise

cheval-de-frise [shə văl' də frēz'] *(F.)* pl. **chevaux-de-frise** [shə vō'] الحصان الشائك : حاجز دفاعي من أسلاك شائكة .

cheval glass [shə văl'] *(n.)* مرآة طويلة متأرجحة .

chevalier [shĕv'ə lĭr'] *(n.)* (١) «أ» الفارس . «ب» فارس (في جوقة الشرف) (٢) نبيل فرنسي (من الدرجة الدنيا) (٣) الشهم .

cheville *(n.)* مفتاح العود أو الكمان (مو) .

cheviot [chĕv'-] *(n.)* الشِّفيوت : «أ» غنم كثيف الصوف . «ب» نسيج من صوف هذا الغنم .

chevron 2. chevron 1.

chevron [shĕv'rən] *(n.)* (١) شارة الرتبة (العسكرية) (٢) الحلية الشاريّة : حلية معمارية على صورة شارات عسكرية كهذه .

chevy [chĕv'ĭ] = chivy.

chew [chōō] *(vt. ; i. ; n.)* (١) يَمْضَغ ؛ يلوك (٢) يفكّر مليّاً في . × (٣) يمضغ التبغ (٤) يفكّر § (٥) مَضْغ (٦) مُضْغة (من التبغ) .

chewing gum [chōō'ĭng] *(n.)* مَضيغة ؛ «علكة» .

chewink [chĭ wĭngk'] *(n.)* الشُّوِنْغ : عصفور أميركي .

Chianti [kĭ ăn'tĭ] *(n.)* الكيانتي : ضرب من الخمر الإيطالية .

chiao *(n.)* وحدة نقدية في الصين الشعبية .

chiaroscuro [kĭ är'ə skyōōr'ō] *(n.)* الجلاء والقتمة (مج) : طريقة توزع الضوء والظل في صورة .

chiasma [kī ăz'mə] *(n.)* pl. **-mata** تصالب ؛ تقاطع ؛ وبخاصة : التصالب البصري (ت) .

chibouk *or* **chibouque** [chĭ bōōk'] *(n.)* الشِّبُق : بيبة تدخين تركية يبلغ طولها ٤ أو ٥ أقدام أحياناً .

chic [shēk] *(n. ; adj.)* (١) أناقة § (٢) أنيق (٣) مطابق للزيّ الحديث .

chicalote [-'tē] *(n.)* الأرْغامُونة المكسيكية : نبتة مكسيكية .

chicane [shĭ kān'] *(vi. ; t. ; n.)* (١) يغالط (بقصد المخادعة) ؛ يلجأ إلى الحيل الشرعية × (٢) يخدع ؛ يغش § (٣) chicanery (٤) عقبة في مضمار السباق أو حَلْبَتِه (٥) خلوّ الورق (في يد اللاعب) من الأوراق الرابحة .

chicanery [-kā'nə rĭ] *(n.)* (١) المغالطة (بقصد المخادعة) ؛ اللجوء إلى الحيل الشرعية ؛ خداع (٢) *pl.* عد : حيلة .

chichi [shē'shē'] *(adj. ; n.)* (١) مُبَهْرَج § (٢) شيء مُبَهْرَج .

chick [chĭk] *(n.)* (١) «أ» صوص ؛ كتكوت . «ب» صغير الطائر . (٢) طفل (٣) فتاة (ع) .

chickadee [chĭk'ə dē'] *(n.)* القُرْقُف الأميركي : طُوَيْئِر على رأسه شبه قلنسوة سوداء .

chickadee

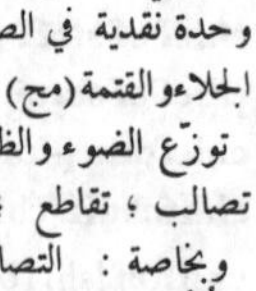

chickaree [chĭk'ə rē] *(n.)* السِّنجاب الأميركي الأحمر .

chicken [chĭk'ən] *(n. ; adj. ; vi.)* (١) «أ» فروج . «ب» دجاجة . «ج» لحم الدجاج (٢) «أ» فتاة (ع) .

ă at; ā date; â care; ä car; ĕ egg; ē me; ĭ in; ī bite; ŏ lot; ō bone; ô orphan; oi boil ŏŏ good; ōō boot; ou out; ŭ under; ū unity; û urgent; th thing; th this; zh vision; ə = *a* in alone, *e* in system, *i* in easily, *o* in gallop, *u* in circus.

«ب» شخص جبان (٣) مظهر تافه، من مظاهر الانضباط العسكري بخاصة، مفروضٌ بصرامة §(٤) صغير (a ~ lobster) (٥) جبان؛ مخلوع الفؤاد (٦) مصرّ على تطبيق التافه من مظاهر الانضباط العسكري §(٧) يفقد أعصابه (تتبعها *out*).

chicken breast *(n.)* = pigeon breast.

chicken cholera *(n.)* كوليرا الدجاج (مض).

chicken feed *(n.)* (١) «أ» نقود صغيرة (ع). «ب» مبلغ تافه (ع). (٢) أجرٌ هزيل.

chicken hawk *(n.)* صقر الدجاج: صقر مفترس للدجاج.

chickenhearted *(adj.)* جبان؛ مخلوع الفؤاد.

chicken-livered *(adj.)* = chickenhearted.

chicken pox *(n.)* الجُدَيري؛ الحُماق؛ جُدَيري الماء (مض).

chicken snake *(n.)* أفعى الدجاج: أفعى شمالأميركية كبيرة غير سامة.

chick-pea [chĭk'pē'] *(n.)* حِمِّص؛ حِمَّص (نب).

chickweed *(n.)* عشبُ الطير: عشبٌ تأكل الطير ورقه وحبه.

chicle [-'əl] *(n.)* التِّشْكِلية: مادة صمغية تستخدم في صنع العِلكة.

chicory [chĭk'ə rĭ] *(n.)* الهِنْدَبا البرّية (نب).

chid [chĭd] *past; past part. of* chide.

chide [chīd] *(vi.; t.)* يوبّخ؛ يعنّف؛ يقرّع.

chief [chēf] *(n.; adj.)* (١) الرئيس؛ المقدَّم؛ الزعيم §(٢) رئيسيّ (~ difficulty) (٣) أوّل؛ أكبر (the ~ priest).
in ~, رئيس؛ أعلى.

chief justice *(n.)* (١) رئيس المحكمة (٢) *cap.*: رئيس المحكمة العليا (في الولايات المتحدة الأميركية).

chiefly [-'lĭ] *(adv.)* (١) فوق كل شيء؛ خصوصاً (٢) في الأغلب؛ في المقام الأول.

chief of staff *(n.)* رئيس الأركان (جن).

chief of state *(n.)* رئيس الدولة.

chieftain [-'tən] *(n.)* (١) رئيس عصابة أو جماعة (٢) شيخ قبيلة.

chiffchaff [chĭf'chăf'; -chäf'] *(n.)* الهازجة: طائر مغرّد.

chiffon [shĭ fŏn'] *(n.; adj.)* (١) الشِّيفّون: عقدة أشرطة يُزيَّن بها فستان المرأة (٢) نسيج حريريّ شفّاف §(٣) شيفّونيّ: شبيه بالشِّيفّون في الشفافية أو الرقّة (٤) رقيق النسج بسبب من إضافة الهلام أو بياض البيض المخفوق إليه (lemon ~ pie).

chiffonier [shĭf'ə nĭr'] *(F.)* الشِّيفّونية: خزانة ضيّقة عالية ذات أدراج.

chiffonier

chigger [chĭg'ər] *(n.)* بُرْغوث.

chignon [shēn'yŏn] *(F.)* الشِّنْيون: «كعكة» شعر في مؤخر رأس المرأة.

chigoe [chĭg'ō] *(n.)* بُرْغوث (من براغيث المناطق الاستوائية).

Chihuahua [chĭ wä'wä] *(n.)* الشِّيواو: كلبٌ صغير الجسم جداً.

chilblain [chĭl'-] *(n.)* تقرّح (في اليدين أو القدمين) من برد أو رطوبة.

child [chīld] *(n.)* (١) «أ» جنين. «ب» وليد؛ طفل. «ج» طفلة (ع). (٢) «أ» غلام. «ب» بنت. «ج» غِرّ. «د» قاصر (٣) «أ» ابن. «ب» ابنة (٤) نتيجة؛ ثمرة.
child's play شيء سهل جداً.
with ~, حامل؛ حُبْلى.

childbearing [-'bâr'ĭng] *(n.)* إنجاب الأولاد.

childbed [-'bĕd'] *(n.)* المَخاض: حالة الولادة.

childbed fever *(n.)* حُمّى النِّفاس.

childbirth [-'bûrth'] *(n.)* الولادة؛ المخاض.

childhood [chīld'ho͝od] *(n.)* الطفولة.

childing [chīl'dĭng] *(adj.)* (١) حامل؛ حبلى (٢) مثمر.

childish [chīl'-] *(adj.)* (١) طفليّ (٢) صبيانيّ؛ سخيف؛ أحمق.

child labor *(n.)* تشغيل الأولاد (في المصانع والمتاجر الخ.).

childless *(adj.)* أبْتَر: لا أولاد له.

childlike [-'līk] *(adj.)* (١) طِفليّ (٢) بريء؛ صريح؛ بسيط.

childly [chīld'lĭ] *(adj.)* = childlike.

children [chĭl'drən] *pl. of* child.

Chile saltpeter *(n.)* نترات الصوديوم (سمادٌ كيميائي).

chili *or* **chile** [chĭl'ĭ] *(n.)* (١) «أ» فلفل حارّ. «ب» فلفل. (٢) «أ» صَلصة الفلفل: صلصة كثيفة من لحم وفلفل. «ب» لحم مطهوّ بالفلفل الأحمر.

chiliad [kĭl'ĭ ăd] *(n.)* (١) ألفٌ (٢) ألف عام.

chiliasm [kĭl'ĭ ăz'əm] *(n.)* العقيدة الألفية: القول بالعصر الألفي الذي سيملك فيه المسيح على الأرض (نص).

chili con carne [chĭl'ĭ kŏn kär'nĭ] *(n.)* لحم مطهوّ بالفلفل الأحمر.

chili sauce *(n.)* صلصة طماطم بالتوابل.

chill [chĭl] *(n.; adj.; vi.; t.)* (١) قُشَعْريرة (٢) بردٌ معتدل (ولكنه غير مستحبّ) (٣) جَفْوة (٤) شعورٌ أو عاملٌ مُثَبِّط §(٥) باردٌ باعتدال (٦) مرتجفٌ برداً (٧) مثبِّط (٨) فاتر (a ~ reception) §(٩) «أ» يَبرُد. «ب» يرتجف برداً (١٠) تصيبه قشعريرة (١١) يصبح (المعدنُ) قاسيَ السطح بالتبريد المفاجىء ×(١٢) يُبرِّد (١٣) يثبِّط (١٤) يقسّي (سطحَ المعدن) بالتبريد المفاجىء. — **chillness** *(n.)*

chilled *(adj.)* (١) مقسّى بالتبريد المفاجىء (~ steel) (٢) مبرَّد؛ مثلّج.

chilli [chĭl'ĭ] *(n.)* = chili.

chilling *(adj.)* (١) بارد (a ~ breeze) (٢) فاتر.

chilly [chĭl'ĭ] *(adj.)* (١) بارد؛ موقِع في الجسم قشعريرةً. (٢) مقرور؛ شاعر بالبرد (٣) فاتر (a ~ reception) (٤) رهيب.

chimaera [kĭ mĭr'ə; kī-] *(n.)* الخُرافية: سمكة من الخُرافيات **Chimaeridae** وهي أسماك يتميز بعضها بشكله العجيب.

chime [chīm] *(n.; vi.; t.)* (١) جهاز لقَرْع جرس أو مجموعة أجراس (a door ~) (٢) مجموعة أجراس (في برج كنيسة) (٣) *pl.*: موسيقى هذه الأجراس (٤) توافق؛ انسجام (٥) حافة البرميل أو حاشيتُهُ §(٦) ترنّ (الأجراس الخ.) على نحوٍ متآلف (٧) يُحْدث صوتاً موسيقياً بقرع جرس أو نحوه (٨) ينسجم؛ يعمل بانسجام ×(٩) يقرع (جرساً) على نحو موسيقي (١٠) يُعْلن بالدقّات أو نحوها (clock *chiming* midnight) (١١) يتلو على نحوٍ إيقاعي أو رتيب.
to ~ in يقاطع حديثَ شخص آخر؛ وبخاصة: للتعبير عن موافقتِه.
to ~ in with ينسجم مع.

chimera *or* **chimaera** [kĭ mĭr'ə] *(n.)* (١) *cap.*: الكِيمير: كائن خرافيّ له رأس أسد وجسم شاة وذنب حيّة (٢) وهمٌ؛ وبخاصة: حلم لا سبيل إلى تحقيقه.

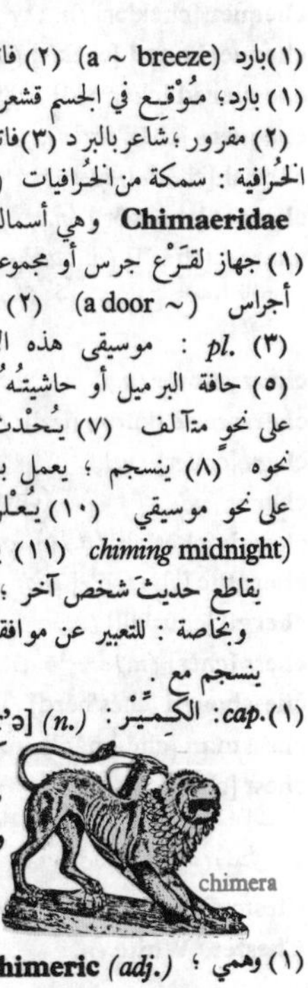

chimera

chimere [chĭ mĭr'; shĭ-] *(n.)* رداء الأسقف.

chimerical [kĭ mĕr'ə kəl] *or* **chimeric** *(adj.)* (١) وهمي؛

خيالي (٢) ميّال إلى المشاريع الخيالية .

chimney [chĭm'nĭ] *(n.)* (١)المُصْطَلَى ؛ المستوقَد(ع)(٢)مِدخنة (المنزل) (٣)مدخنة القطار الخ . (٤)زجاجة القنديل (٥)شيء كالمدخنة (مثلَ صدع أو فتحة في صخر أو جبل أو بركان).

chimney cap *(n.)* غطاء المدخنة ؛ طربوش المدخنة.

chimney corner *(n.)* زاوية المستوقَد : «أ» جانب المستوقد . «ب» موضع قرب النار .

chimney piece *(n.)* رفّ المستوقد أو المصطلى الزخرفيّ.

chimney pot *(n.)* قِدْر المدخنة: أنبوب فخاريّ (أو معدني) في أعلى المدخنة لجعلها أقدر على تصريف الدخان .

chimney sweep *or* **chimney sweeper** *(n.)* منظّف المداخن.

chimney swift *(n.)* سَمامة المداخن: طائر أميركي كثيراً ما يبني عُشّه في المداخن المُهملَة .

chimp *(n.)* = chimpanzee.

chimpanzee [chĭm'păn zē'] *(n.)* البَعام؛ الشيمبانزي: قرد افريقي شبيه بالانسان أصغر من الغوريلا، ولعله أذكى القرود .

chimpanzee

chin [chĭn] *(n.; vt.; i.)* (١) ذَقَن §(٢) يُدْني (طرَف الكَمان الخ .) إلى ذقنه (٣) يرفع نفسه (ثانياً مرفقيه) حتى تصبح ذقنه على مستوى قضيب أفقي منصوب كان يتأرجح منه ×(٤) يتحدّث ؛ يَهْذر (ع) .

china [chī'nə] *(n.; adj.)* (١) الصينيّ : خزف نفيس (٢) آنية من الصينيّ §(٣) صينيّ : مصنوع من الصينيّ .

China aster *(n.)* أسْطَر الصين ؛ الملكة مرغريتا : نبات جميل الزهر.

chinaberry *(n.)* الأزادَرَخْت؛ شجر الأزادَرَخْت .

Chinaman [chī'-] *(n.)* الصينيّ : أحد أبناء الصين .

Chinatown [chī'-] *(n.)* الحيّ الصينيّ : الحيّ الصينيّ في مدينة .

China tree *(n.)* = chinaberry.

chinaware [chī'-] *(n.)* آنية خزفية (وبخاصة من الصينيّ) .

chinch [chĭnch] *(n.)* بقّة الفِراش.

chinch bug *(n.)* حشرة الحِنطة: حشرة تنزل أعظم الضرر بالحنطة .

chinchilla [chĭn chĭl'ə] *(n.)* الشّنْشِيلة: «أ» حيوان جنوبأميركي من القوارض شبيه بالسنجاب . «ب» فرو الشّنشيلة النفيس . «ج» نسيج صوفيّ (للمعاطف) .

chinchilla

chin-chin *(vt.; i.; interj.)* (١)يحيّي بكثير من الاحتفال؛ يتحدث بكياسة §(٢)صيغة تقال عند الترحيب أو عند شرب الأنخاب(ع).

chincough [chĭn'kôf'] *(n.)* الشّهْقة ؛ السعال الديكي (مض).

chine [chīn] *(n.; vt.)* (١) عمود فقريّ ؛ قطعة من سلسلة ظهر الحيوان تُطهَى مع اللحم الذي يكسوها (٢) قمة ؛ ذروة (٣) حافة البرميل أو حاشيتُه §(٤) يَعْمِل (الجزار) مديته بين فقرات عمود الذبيحة الفقري .

Chinese [chī nēz'] *(n.; adj.)* (١) الصينيّ : أحد أبناء الصين (٢) الصينيّة : لغة أهل الصين §(٣) صينيّ .

Chinese lantern *(n.)* المصباح الصينيّ : مصباح ورقيّ ملوّن.

Chinese puzzle *(n.)* الأحجية الصينية : «أ» أحجية معقدة . «ب» شيء معقّد جداً .

Chinese wall *(n.)* السّور الصينيّ : حاجز منيع ؛ عقبة تعوق التفاهم .

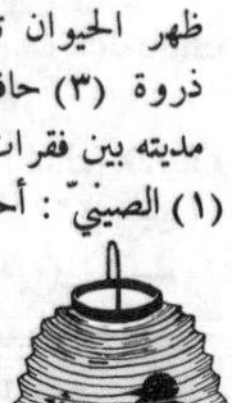

Chinese lantern

Chinese white *(n.)* الأبيض الصينيّ : أبيض الزنك المكثّف .

chink [chĭngk] *(n.; vt.; i.)* (١) شِق ؛ فَلْع ؛ صَدْع (٢) وسيلة تملّص أو فرار (٣) رنين ؛ صَلْصَلَة (٤) نقود (ع) §(٥) يَسُدّ الشقوق الخ. (٦) يُرِنّ : يجعل النقودَ الخ . ترِنّ ×(٧) ترِنّ (النقودُ الخ) .

Chink [chĭngk] *(n.)* الصينيّ: أحد أبناء الصين (وبخاصة للازدراء).

chinky [chĭngk'ĭ] *(adj.)* مُتَشقّق ؛ متفلّع ؛ كثير الصدوع .

chino *(n.)* التّشينو : «أ» قماش قطنيّ كاكيّ كالذي تخاط منه ملابس الجند . «ب» *pl.* عد : ثوبٌ مخيط من التشينو.

Chino- بادئة معناها: صينيّ و... (*Chino*-Japanese).

chinoiserie *(n.)* (١)زخرفة صينية (٢)شيء مزخرف بالطريقة الصينية .

Chinook [chĭ nōōk'] *(n.)* (١) «أ»الشينوكيون : شعب هندي أحمر يُقيم في الضفة الشمالية من نهر كولومبيا في الشمال الغربي من الولايات المتحدة الأميركية . «ب» الشّينوكيّ : واحد الشينوكيين (٢) الشّينوكيّة : لغة الشينوكيين (٣) *not cap.* : «أ» ريحٌ حارة رطبة جنوبية غربية على سواحل واشنطون وأوريغون . «ب» ريحٌ حارّة جافة تَهب أحياناً هابطةً المنحدرات الشرقية من جبال روكي (في أميركة الشمالية) .

Chinookan [chĭ nōō'kən] *(n.; adj.)* (١)الشّينوكانيّة : أسرة من لغات الهنود الحمر بالولايات المتحدة الأميركية §(٢) شينوكانيّ .

chinquapin [chĭng'kə pĭn] *(n.)* كَسْتناء ؛ شاهبَلّوط .

chintz [chĭnts] *(n.)* شيت أو قماش قطنيّ مطبّع .

chintzy *(adj.)* (١) مزيّن بقماش قطنيّ مطبّع أو شيء شبيه به . (٢) مُبَهْرَج ؛ مُزَوّق على نحو يعوزه الذوق ؛ رخيص .

chip [chĭp] *(n.; vt.; i.)* (١) «أ» رُقاقة (شظيّة مسطّحة رقيقة) من خشب أو حجارة. «ب» رُقاقات طويلة من الخشب أو القش لصنع القبعات والسلال . «ج» رُقاقة بطاطس ؛ رقاقة شوكولا . «د» *pl.* : رقاقات بطاطس مقليّة (٢) شيء صغير أو تافه (٣) «أ» الفِيشة : قرص رقيق من عظم أو عاج يستخدَم رمزاً للمال في البوكر وغيره من ألعاب الميسر . «ب» نقود؛ مال (ع). «ج» شيءٌ يُخاطَر به (٤) قطعة من رَوْث مجفّف (cow ~) (٥) كَسْر (في حافة صحن خزفي الخ .) §(٦) يُقَطِّع أو يُشَظّي على شكل رُقاقات (٧) «أ» يكسر (قطعةً صغيرةً) من شيء ما. «ب» يشوه بكسر قطعٍ صغيرة من شيء (٨) يُمازح ؛ يُداعب (عب) ×(٩) يتشظّى ؛ يتكسّر قطعاً صغيرة (١٠) يستخدم الفيشة أو الفيشات (في البوكر) .

a ~ of *or* **off the old block** سرّ أبيه : ولدٌ شبيه بأبيه.

a ~ on one's shoulder استعداد للمشاجرة أو القتال.

to ~ in (١) يقدم المال أو العون إلى (٢) يقاطع (شخصاً يتحدث) ؛ يتدخل (في الحديث) .

chipmunk *(n.)* الصَّيدَنانيّ : سنجاب أميركيّ صغير مخطّط .

chipped beef *(n.)* رقاقات من لحم البقر مملحة ومدخّنة .

Chippendale [chĭp'ən-] *(n.; adj.)* (١)الشّيبَنْدال : طراز انكليزي من الأثاث §(٢) شيبَنْداليّ .

chipper [chĭp'-] *(n.; adj.; vi)* (١)فا chip (٢)المِشْظاة : أداة للتقطيع إلى رقاقات أو شظايا مسطّحة §(٣) مرحٌ ؛ مبتهج §(٤) يُسَقْسِق (الطائر) : يثرثر .

chipping [chĭp'ing] *(n.)* (١) مص chip (٢) رقاقة؛ شَظيّة .

chipping sparrow *(n.)* السّنونو المُسَقْسِق: سنونو أميركي صغير .

chippy [-'ĭ] *(n.)* (١)الصّيدَنانيّ (را chipmunk) (٢) السنونو المُسقسِق (طا).

chir- *or* **chiro-** ·(*chiro*graphy) بادئة معناها : يدٌ

chirk [chûrk] *(vi.; t. ; adj.)* (١) يبتهج (٢)×(~ up) يشجّع ؛ ينشّط §(٣) مبتهج (ع) .

chirography [kī rŏg'rə fĭ] *(n.)* الخط : فنّ الخطّ أو حسنُه .
—**chirographer** *(n.)* —**chirographic ; -al** *(adj.)*

chiromancy [kī'rə măn'sĭ] *(n.)* كشفُ البَخْت (بقراءة خطوط الكف) .
—**chiromancer** *(n.)*

chiropodist [kī rŏp'-] *(n.)* الأقداميّ : الاختصاصي بالعناية بالقدم البشرية ومعالجتها (في الصحة والمرض) .

chiropody [-'ə dĭ] *(n.)* الأقداميّة : العناية بالقدم البشرية ومعالجتها .

chiropractic [kī rə prăk'tĭk] *(n.)* (١) طريقة في المعالجة تقول بأن المرض ناشيء عن عدم قيام الأعصاب بوظيفتها على الوجه السويّ وتعتمد على تقويم العمود الفقري باليد (٢) المعالج بهذه الطريقة.

chiropractor *(n.)* المعالج للأمراض بتقويم العمود الفقري يدوياً .

chiropter [kī rŏp'tər] *(n.)* الخُفّاشيّ : واحد الخُفاشيّات **Chiroptera** وهي رتبة من الثدييات تشمل الخفافيش .

chiropteran *(n. ; adj.)* (١) chiropter §(٢) خُفّاشيّ .

chirp [chûrp] *(n. ; vi. ; t.)* (١) سَقْسَقَةٌ (الطير والحشرات). §(٢) يُسَقْسِق .

chirpy [chûr'pĭ] *(adj.)* مرح ؛ مبتهج (ع) .

chirr [chûr] *(n.; vi.)* (١) صرير (الجنادب والصراصير) §(٢) يَصِرّ .

chirrup [chĭr'əp ; chûr'-] *(n. ; vi. ; t.)* = chirp.

chirrupy [chĭr'əp ĭ ; chûr'-] *(adj.)* = chirpy.

chirurgeon [kī rûr'jən] *(n.)* الجرّاح ؛ الطبيب الجراح (ا.ق) .

chisel [chĭz'əl] *(n. ; vt. ; i.)* (١) إزميل ؛ مِنْحَت ؛ مِنقاش . §(٢) ينحت ؛ ينقش (٣) يخدع ×(٤) يحتال للحصول على كذا (to ~ for marks) .

chiseled *or* **chiselled** [chĭz'əld] *(adj.)* (١) منحوتٌ بإزميل (٢) واضح المعالم ؛ بادٍ وكأنه منحوت بإزميل (sharply ~ profile) .

chit [chĭt] *(n.)* (١) طفل (٢) فتاة وَقِحَة (٣) مذكّرة (أو رسالة) صغيرة ؛ وبخاصة : فاتورة المطعم الخ .

chitchat [chĭt'chăt'] *(n. ; vi.)* (١) لَغْو؛ حديث وديّ غير رسمي . (٢) قيلٌ وقال §(٣) يلغو أو ينغمس في القيل والقال .

chitin [kī'tĭn] *(n.)* الكَيْتِين : مادة قَرْنيّة تشكّل جزءاً من الإهاب الخارجي في الحشرات والقِشريات .

chitinous [kī'-] *(adj.)* كَيْتينيّ : متعلق بالكَيْتين .

chitlings *or* **chitlins** *(n. pl.)* نقانق ؛ سُجُق .

chiton [kī'tən] *(n.)* الخِيتُون : «أ» حيوان من الرخويات يلتصق بالصخور . «ب» ثوب إغريقي للرجال والنساء .

chitter *(vi.)* (١) «أ» يسقسق كالطَّير . «ب» يثرثر (٢) يرتجف برداً .

chitterlings [chĭt'ər-] *(n. pl.)* نقانق ؛ سُجُق .

chivalric [shĭv'əl-] *(adj.)* (١) فُروسيّ (٢) شَهْم .

chivalrous [shĭv'əl rəs] *(adj.)* (١) شهم (٢) فُروسيّ : «أ» ذو علاقة بالفروسية أو مميّزٌ لها . «ب» متّسِم بالشرف أو الجُوْد أو الكياسة . «ج» متّسِمٌ باحترام بالغ للنساء .

chivalry [shĭv'-] *(n.)* (١) فُرْسان (٢) محاربون أو رجال ذوو شهامة (٣) نظام الفروسية (في القرون الوسطى) (٤) فروسية ؛ شهامة .

chive [chīv] *or* **chive garlic** *(n.)* الثّوم المعمّر (نب) .

chivy *or* **chivvy** [chĭv'ĭ] *(vt. ; i. ; n.)* (١) يُطارد (٢) يزعج ؛ يعذب ×(٣) يعدو بسرعة §(٤) مطاردة .

chlamydeous [klə mĭd'ĭ əs] *(adj.)* حَرْشَفِيّ (مج) .

chlamydospore *(n.)* البَوْغ الحَرْشَفيّ ؛ البَوْغ الكلاميديّ (نب) .

Chlamydozoa *(n.pl.)* المُرتَديات ؛ الملتحفات : مجموعة من المتعضيات المجهرية المُغمَدة تكون في بعض الأمراض كالتراخوما والجدري (أح) .

chlamys [klā'mĭs] *(n.)* pl. **-myses** *or* **-mydes** الكلامس : معطف قصير يُطرَح على الكتف كان يرتديه جنود الاغريق وفرسانهم الخ .

chlamys

chlor- *or* **chloro-** بادئة معناها : «أ» أخضر . «ب» كلور . (*chloro*phyll) .

chloral [klō'əl] *(n.)* الكلورال : سائل عديم اللون يُحضّر من الكلور والكحول ويستخدم كمنوّم .

chloramine *(n.)* الكلورامين : مركّب محتوٍ على نيتروجين وكلور (ك) .

chlorate [klō'āt] *(n.)* الكلورات : ملح الحمض الكلوري (ك) .

chloric [klō'ĭk] *(adj.)* كلوريّ : متعلق بالكلور أو مستمدّ منه (ك) .

chloric acid *(n.)* الحمض الكلوري (ك) .

chloride [klō'īd ; -ĭd] *(n.)* الكلوريد (ك) .

chloride of lime *(n.)* كلوريد الجير (ك) .

chlorinate [klō'-] *(vt.)* يُكلْور : يمزج أو يعالج أو يطهر بالكلور .

chlorine [klō'ēn] *(n.)* الكلور : عنصرٌ كيميائي غازيّ سام (ك) .

chlorite [klō'īt] *(n.)* الكلوريت («ك» و «مع») .

chloro- = chlor-.

chloroform [klō'rə fôrm'] *(n. ; vt.)* (١) الكلوروفورم : سائل طيار عديم اللون يستخدم كمخدّر ومُذيب §(٢) يخدِّر (يبنّج) أو يقتل بالكلوروفورم .

chloromycetin [klō'ə mī sē'-] *(n.)* الكلورومايسيتين : عقّار مضادّ للجراثيم .

chlorophyll *also* **chlorophyl** [klō'ə-] *(n.)* اليخضور (مج) ؛ الكلوروفيل : المادة الخضراء الملوّنة في النبات .

chloropicrin [klō'ō pĭk'rĭn] *(n.)* الكلوروبكرين : سائل عديم اللون يسيل الدمع أو يسبب التقيؤ ويستعمل بخاصة كمبيد للحشرات .

chloroplast [klō'ə plăst] *(n.)* جُبَيْلة اليخضور ؛ حُبَيْبة اليخضور : جزء من خلية النبات محتوٍ على اليخضور أو الكلوروفيل (نب) .

chlorosis [klō rō'sĭs] *(n.)* (١) الخلوروز : فقر دم يصيب الفتيات المراهقات (٢) الشحوب اليخضوريّ : اصفرار غير سويّ في النبات من جراء نقص الحديد في التربة .
—**chlorotic** *(adj.)*

chlorous [klō'əs] *(adj.)* كلوريّ : منسوب إلى الكلور أو محتوٍ عليه (ك) .

chlorpicrin [klōr pĭk'rĭn] *(n.)* = chloropicrin.

chlortetracycline *(n.)* الكلورتتراسيكلين : عقار مضادّ للجراثيم .

choanocyte *(n.)* الخلية القُمعية ؛ الخلية المطوّقة (في الاسفنج) .

choc-ice *(n.)* المثلوجة المُشكْلَتة : قطعة رقيقة مستطيلة من «البوظة» المكسوّة بالشوكولا .

chock [chŏk] *(n. ; vt. ; adv.)* (١) الساندة : وتِد أو إسفين لمنع العجلة أو البرميل من الحركة (٢) دليل الحبال (مل) §(٣) يزوّد أو يثبّت بساندة الخ . §(٤) مُحكَمَ الربط أو الشدّ .

chock 2.

~ *ed* up with غاصّ بـ ؛ مليء بـ .

chockablock [chŏk'ə blŏk'] *(adj.)* (١) مُحكَم الربط أو الشدّ (مل) (٢) مكتظّ ؛ مزدحم .

chock-full [chŏk'-] *(adj.)* طافح ؛ مُترَع ؛ مُفْعَم .

chocolate [chŏk'ə lĭt] *(n. ; adj.)* (١) شوكولا (٢) شراب

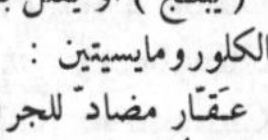

أو حلوى من الشوكولا (٣) لون بُنّي داكن §(٤) شوكولاتيّ
(٥) شوكولاني اللون .

choice [chois] (*n.* ; *adj.* : الخيار (٢) الاصطفاء ، الاختيار (١)
(She has no ~ in the matter.) . حقّ الاختيار أو إمكانيّتُهُ
(This necktie is my ~.) المختار الشيء أو الشخص «أ» (٣)
a large ~ صفوة ؛ زبدة (٤) مجموعة يمكن الاختيار من بينها «ب»
(collected with judgment) عناية في الاختيار(٥)of neckties)
(~ fruit) . بعناية مختار ، ممتاز (٦)§ and ~) .

choir [kwīr] (*n.* ; *vi.* ; *t.* : جوقة من المنشدين : الخُورَس (١)
وبخاصة : جوقة من المرتلين في كنيسة (٢) مجموعة آلات
موسيقية من نوع واحد (٣)فرقة ؛مجموعةمنظمةمن الأشخاص
(a ~ of dancers) أو الأشياء (٤) طبقة من الملائكة (٥) جزء من
الكنيسة مخصّص للمرتلين أو للكهنة (٦)§ يغني أو يرتل جماعاً .

choirboy (*n.*) . غلام يرتل في جوقة كنسية : غلام الخورس

choir loft (*n.*) . شُرفة الخورس (في كنيسة)

choirmaster (*n.*) . قائد الخورس (في كنيسة)

choke [chōk] (*vt.* ; *i.* ; *n.*) يوقف (٣) يكبت (٢) يخنق (١)
أو يعطل (النمو أو التطور أو النشاط) (٤) يَسُدّ (٥)يبرع ؛
يُتعتع (٦) يُعْمِل المِخنقة أو الشرّاقة (عند إدارة محرك
السيّارة) (٧)× يختنق (٨) يغص (بالطعام) يَشْرَق
(بالماء) (٩) يَنْسَدّ §(١٠) خَنَق ؛ كَبْت الخ .
(١١) المِخنقة ؛ الشرّاقة : صمام لقطع الهواء عن المكربن أو
الكاربوراتور (سي) (١٢) العُنُق : تضيّق في ماسورة البندقية
الخ . عند الفوهة .

to ~ something back *or* down بكبح

to ~ somebody off (٢) يتخلص منه .

chokebore [chōk'bōr'] (*n.*) الماسورة المتضيّقة (عند فوهّة
البندقية الخ .) (٢) بندقية متضيّقة الماسورة (عند الفوهّة) .

choke coil (*n.*) . الملف الخانق (كب)

chokedamp [chōk'dămp'] (*n.*) = blackdamp.

choke-full [chōk'-] (*adj.*) = chock-full.

choker [chō'kər] (*n.*) choke فا (١) عِقْد ضيّق (٢)
(٣) قبّة أو ياقة عالية (٤) لِفاع .

choking [chō'-] (*adj.*) (a ~ sensation) (٢) منفعل (١) خانق
. (spoke in a ~ voice) إلى حدّ يُشعِر المرء بالاختناق

choky *or* **chokey** [chō'kĭ] (*adj.*) . خانق

chol- *or* **chole-** بادئة معناها : الصفراء ، المرّة
استئصال المرارة أو الحويصلة الصفراوية(جر) .

cholecystectomy (*n.*) .

cholecystitis (*n.*) . التهاب المرارة (ط)

choler [kŏl'ər] (*n.*) غضبٌ (٢) سرعة الغضب (١)
الهَيْضَة (مج) ؛ الكوليرا :

cholera [kŏl'ər ə] (*n.*) مَرَض في
المعدة والأمعاء يتميّز بالتقيّؤ والمغص الحادّ والإسهال .
هَيْضيّ : متعلق بالكوليرا ؛ ناشئ ءعنهاءشبيهُ بها .

choleraic (*adj.*) .

cholera infantum (*n.*) هَيْضَة (كوليرا) الأطفال .

cholera morbus (*n.*) هَيْضَة (كوليرا) الصيف .

choleric [kŏl'ər ĭk] (*adj.*) غاضب (٢) سريع الغضب (١) .

cholesterin [kə lĕs'tər ĭn] (*n.*) = cholesterol.

cholesterol [kə lĕs'tə rōl;-rōl'] (*n.*) ؛غَوْلُ المِرّة ؛الكولستيرول
مادة دهنيّةتكون في المِرّةأوالصَّفراءأوفي الدموصَفار البيض الخ . (كح) .

choline [kō'lēn] (*n.*) الكولين : مادة توجد في جميع الخلايا
وبخاصة في المرة أو الصفراء وهي ضرورية لأداءالكبدوظيفته (كح).

---

cholo- = chol-.

chondr- *or* **chondri-** *or* **chondro-** بادئة معناها : غضروف .

chondriosome (*n.*) أَحَدُ جُسَيْمات دقيقة الكُنْدَرِيوسوم
توجد في سيتوبلازم الخلايا (أح) .

chondrocranium (*n.*) الجمجمة الغُضْروفية (ت) .

chondroma [kŏn drō'mə] (*n.*) . الورم الغضروفي (مض)

choose [chōoz] (*vt.* ; *i.*) يقرّر (٢) يصطفي ؛ يختار (١)
(He chose to run for election.) يرغب في (ع) ؛ يريد (٣)
—chooser (*n.*) . يرى ما يناسب (٥) يفضّل (٤)

choosy *or* **choosey** (*adj.*) . صعب الإرضاء ؛ مدقق في الاختيار

chop [chŏp] (*vt.* ; *i.* ; *n.*) يشق «ب» . يَقْطَع بفأس «أ» (١)
(~ ped his way) يَفْرُم ؛ يَهْرِم (٢) بالقطع . الخ
(اللحم الخ .) (٣) يضرب الكرة إلى أدنى ضربة سريعة
قوية (٤) يوجه ضربة خاطفة أو ضربات متكررة بالفأس
ونحوه (٥) يقايض ؛ يبادل (ءب)×(٦) يتحوّل ؛ يبدّل
رأيه أو خطته (٧) يغيّر اتجاهه فجأة أو بسرعة §(٨) قَطع ؛
فَرْم ؛ هَرْم الخ . (٩)«أ»ضربة قاطعة (بالفأس) . «ب»ضربة
عنيفة إلى أدنى (١٠) «أ» قطعة ؛ شظية . «ب» شرحة
لحم (مع ضلعها عادة) (١١) «أ» حركة قصيرة مفاجئة
«ب» أمواج قصيرة متلاطمة (١٢) خَتْم أو طابع رسمي
(١٣) «أ» سِمة على السّلَع أو النقود تشير إلى طبيعتها أو
نوعيتها . «ب» نوع الخ . من السلع حامل السمة نفسها
«ج» نَوْعيّة (١٤) *pl.* : «أ» فك . «ب» فم . «ج» خدّ .
of the first ~ , من الطراز الأول ؛ من أحسن صنف
to ~ logic . يجادل ؛ يماحك

chopfallen [chŏp'fô'lən] (*adj.*) مكتئب ؛ محزون .

chophouse [chŏp'-] (*n.*) مَطْعَم (٢)جمرك (في الصين) (١)

chopine [chō pēn'] (*n.*) حذاءنسويذو كعب عال جداً . الشوبين

chopper (*n.*) فأ chop (١)يَفْرُمة(٢)ساطور(٣)هليكوبتر(ع)

chopping [chŏp'ĭng] (*n.* ; *adj.*) متحوّل (٢)§ chop مص(١)
(a ~ sea) أو متغيّر فجأة (winds ~) (٣) متلاطم الأمواج
(٤) كبير الجسم قويٌّ .

chopping block (*n.*) لوحة التهريم أو خشيبتُه .

chopping knife (*n.*) . سكين لفَرْم اللحم الخ . المفْرَمة

choppy [chŏp'ĭ] (*adj.*) منشقق ؛ كثير الشقوق (٢) متقلب (١)
متغيّر (winds ~) (٣) متلاطم المَوْيجات (٤) متقطع .

chopsticks (*n. pl.*) العودان : عودان يتناول بهما
الصينيون طعامهم .

chopsticks

chop suey [chŏp'sōō'ĭ] (*n.*) : الشوبْسُوي
طعام صيني قوامه لحوم وخضر مفرومة .

choragus [kə rā'gəs] (*n.*) *pl.* **-gi** قائد كورس أوخورس أوجماعة.

choral [kōr'əl] (*adj.*) متعلق بكورس ؛ خُوْرِسيّ ؛ كورسيّ (١)
(chorus را .) أو خورس (را . choir) (٢) مُغنّى من
قبل كورس أو خورس .

chorale *also* **choral** [kə răl';-räl'] (*n.*) ترنيمة . ترتيلة «أ»(١)
«ب» لحن ترتيلي (٢) كورس (را . chorus) ؛ خورس
(را . choir) .

chord [kôrd] (*n.* ; *vi.* ; *t.*) وتر (ت) . عصب «أ» (١)
«ب» وَتَر (الآلة الموسيقية) (٢) وَتَر الدائرة (ر) (٣)عاطفة؛
مزاج (٤) نغمات متآلفة §(٥) يتناغم و ينسجم مع (٦)يعزف
أنغاماً متآلفة على آلة وترية (٧) × يزوّد بأوتار (٨) يناغم أو

يوفّق بين .

—chordal *(adj.)*

chordate [kôr'dāt] *(n. ; adj.)* (١) الحَبْليّ : حيوان من الحَبْليّات . **Chordata** وهي رتبة من الحيوانات تشمل الفقاريات وتلك الحيوانات التي لها حَبْل ظَهْريّ § (٢) مُحَبَّل ؛ ذو حبلٍ ظهريّ (ح).

chore [chōr] *(n.)* (١) *pl.* : العمل النظاميّ أو اليوميّ الخفيف في منزل أو مزرعة (٢) عمل روتينيّ ؛ مهمة روتينية أو شاقة أو بغيضة.

chorea [kə rē'ə] *(n.)* الرَّقّاص : اضطراب عصبيّ يتميّز باختلاجات تشنّجية في الوجه والأطراف (مض) .

choreographer [kōr'ĭ ŏg'-] *(n.)* واضع الألحان الراقصة ؛ مدير الرقص .

choreography [kōr'ĭ ŏg'-] *(n.)* (١) الرقص ؛ وبخاصة : رقص الباليه (٢) وضع الألحان الراقصة ، وبخاصة للباليه .

choric [kōr'ĭk] *(adj.)* كوريّ : ذو علاقة بالكورس .

chorion [kōr'ĭ ŏn'] *(n.)* المَشِيمِيّة : الغشاء المُغلِّف للجنين في الفقاريات العليا (الزواحف والطيور والثدييات) .

choripetalous *(adj.)* = polypetalous.

chorister [kôr'-] *(n.)* المنشِد في خَوْرس ؛ غلام الخورس .

chorography [kə rŏg'rə fĭ] *(n.)* (١) فن وصف الأقاليم أو وضع الخرائط لها (٢) وصفٌ أو خريطة لإقليم .

choroid [kōr'-] *(adj.; n.)* (١) مَشِيمِيّ § (٢) غلاف العين المشيميّ .

chortle [chôr'-] *(vi. ; n.)* (١) يغنّي أو ينشد بتهلّل وجذَل (٢) يضحك § (٣) ضحكة .

chorus [kōr'əs] *(n. vt.; i.)* (١) الكورس : «أ» مجموعة من المغنّين أو الراقصين . «ب» مجموعة من المنشدين (في خورس) (٢) لازمة الأغنية أو الترنيمة أو قرارُها (٣) «أ» أغنية ينشدها الكورس . «ب» الجزء الأساسي من أغنية شعبية (٤) عاصفة (من التصفيق الخ .) § (٥) يغنّون أو يتكلمون في آنٍ واحد .

in ~, كلهم معاً في آن واحد .

chorus girl *(n.)* فتاة الكورس : فتاة تغنّي أو ترقص في كورس .

chose [chōz] *past of* choose .

chose [shōz] *(n.)* شيء ؛ أحد الممتلكات الشخصية (ق) .

chose in action *(n.)* الحق المتنازع عليه (ق) .

chose in possession *(n.)* المُمْتَلَك : شيء في حوزة المرء فعلاً (ق) .

chose local *(n.)* الملحَق : شيء ملحق بمكان ما (كطاحون الخ.) .

chosen [chō'zən] *past part. of* choose.

chosen [chō'zən] *(adj.)* مختار ؛ مُصْطَفَى ؛ مفضَّل .

chough [chŭf] *(n.)* الزُّمّت : الغراب الأعصم ؛ غراب صغير أسود الريش أحمر الرجلين .

chough

chouse [chous] *(vt.)* (١) يخدع (٢) يَسُوق أو يرعى بخشونة (ع) .

chow [chou] *(n.)* (١) طعام (ع) (٢) التّشاو : كلب صينيّ الأصل .

chowchow [chou'chou'] *(n. ; adj.)* (١) التشاوتشاو : «أ» مربّى صيني مؤلف من خليط من الفاكهة . «ب» خليط من المخلّل المفروم في صلصة الخردل § (٢) خليط ؛ مؤلف من أنواع متعددة مخلوطة معاً (sweetmeats ~).

chow chow [chou'chou'] *(n.)* = chow **2.**

chowder [chou'-] *(n.)* الشَّوْدَر : حساء من سمك وبطاطس وبصل .

chow mein [chou'mān'] *(n.)* الشَّوْمَن : طعام يُعَدّ من فُطْر وبصل ولحم وخُضَر ويُقدَّم مكسواً بطبقة من المعكرونة .

chrestomathy [krĕs tŏm'ə thĭ] *(n.)* (١) مقاطع مختارة (يستعان بها في تعليم اللغات) (٢) مختارات من آثار مؤلف (مجموعةٌ في كتاب).

chrism [krĭz'-] *(n.)* المَيْرُون : زيت مقدّس يُمْسَح به عند التعميد.

chrismatory [-'mə tōr'ĭ] *(n.)* وعاء الميرون أو الزيت المقدس (نص) .

chrisom [krĭz'əm] *(n.)* سِربال أو ثوب العِماد (نص) .

chrisom child *(n.)* طفل يموت في شهره الأول .

Christ [krīst] *(n.)* المسيح ؛ يسوع المسيح ؛ عيسى بن مريم .

christen [krĭs'ən] *(vt.)* (١) «أ» يُعمِّد . «ب» يسمّي عند التعميد . (٢) يُسمّي ؛ يُطلق اسماً على سفينة قبل إنزالها إلى البحر (٣) يستعمل للمرة الأولى (ع) .

Christendom [krĭs'ən dəm] *(n.)* (١) النصرانية (٢) العالم المسيحي .

christening [krĭs'ən-] *(n.)* حفلة التعميد ؛ حفلة التنصير .

Christian [krĭs'chən] *(n. ; adj.)* (١) النصراني ؛ المسيحيّ § (٢) نصرانيّ ؛ مسيحيّ (٣) إنسانيّ ؛ محتشِم (٤) ممثلٌ النصرانية.

Christian era *(n.)* التقويم أو التاريخ النصراني أو المسيحي .

Christianity [krĭs'chĭ ăn'ə tĭ] *(n.)* (١) النصارى (٢) النصرانية .

Christianization *(n.)* (١) التنصير (٢) التنصّر .

Christianize [krĭs'chə nīz'] *(vt.; i.)* (١) يُنَصِّر × (٢) يتنصّر .

Christianlike *(adj.)* لائق بنصرانيّ ؛ لائق بمسيحيّ .

Christianly *(adj. ; adv.)* (١) لائق بنصرانيّ § (٢) على نحو نصراني .

Christian name *(n.)* اسم التنصير : الاسم الأول الذي يسبق اسم الأسرة.

Christian Science *(n.)* « العِلم النصراني » : دين (وطريقة في معالجة أدواء العقل والجسد) يعتقد أصحابه بأن الخطيئة والمرض والموت يمكن القضاء عليها بفهم تعاليم المسيح فهماً كاملاً .

Christian Scientist *(n.)* المؤمن بـ « العلم النصراني » .

Christlike *(adj.)* شبيهٌ بالمسيح صفةً أو روحاً أو عملاً .

Christly *(adj.)* (١) مسيحيّ (٢) مَسِيحانيّ : شبيهٌ بالمسيح .

Christmas [krĭs'məs] *(n.)* عيد الميلاد (٢٥ ديسمبر) .

Christmas Eve *(n.)* عَشِيّة الميلاد (٢٤ ديسمبر) .

Christmastide [krĭs'məs tīd'] *(n.)* موسم الميلاد (من عشية الميلاد إلى ما بعد عيد رأس السنة) .

Christmas tree *(n.)* شجرة الميلاد (تزخرف وتضاء في عيد الميلاد) .

Christology *(n.)* الكريستولوجيا : التعليل اللاهوتي لشخص المسيح وعمله .

—Christological *(adj.)*

Christ's-thorn *(n.)* شوكة المسيح : شُجَيرة فلسطينية شائكة .

chrom- *or* **chromo-** بادئة معناها : (١) كُروم (٢) لون ؛ صِبْغ .

chroma [krō'mə] *(n.)* صفاء اللون أو كثافته .

chromat- *or* **chromato-** بادئة معناها : (١) لون (٢) كروماتين .

chromate [krō'māt] *(n.)* كرومات (ك) .

chromatic [krō măt'ĭk] *(adj.)* (١) «أ» لونيّ : ذو علاقة باللون . «ب» ملوَّن ؛ بالألوان (printing ~) (٢) لونيّ : مبنيّ على السُّلَّم اللوني (مو) .

chromatic aberration *(n.)* الزَّيغ اللونيّ (ض) .

chromaticity [krō mə tĭs'-] *(n.)* اللَّونيّة .

chromatics [krō măt'ĭks] *(n.)* اللونيّات ؛ علم الألوان .

chromatic scale *(n.)* السُّلَّم اللونيّ (مو) .

chromatin *(n.)* الكروماتين ؛ الصِّبْغِيّة (مج) : مادة في نواة الخلية تصطبغ بالمواد الملوِّنة (أح) .

—chromatinic *(adj.)*

chromato- = chromat-.

chromatographic analysis *(n.)* التحليل الكروماتوغرافي (ك) .

chromatolysis [-tŏl'-] *(n.)* انحلال الكروماتين («أح» و«مض») .

chromatophil *(adj.)* = chromophil.

chromatophore *(n.)* (١) الملوِّنة (مج) ؛ الخلية الملوّنة (ح) . (٢) جُبَيْلة اليَخْضُور (را. chloroplast).

chrome [krōm] *(n. ; vt.)* (١) الكروم (ك) (٢) شيء مطليّ بالكروم §(٣) يعالج بمركّب كروميّ (في الصباغة الخ).

-chrome لاحقة معناها: لون" (poly*chrome*).

chrome green *(n.)* الأخضر الكروميّ: صِبْغ أخضر مؤلّف من مركّبات كرومية.

chrome yellow *(n.)* الأصفر الكروميّ: صِبْغ أصفر مؤلف من كرومات الرصاص بخاصة.

chromic [krō'-] *(adj.)* كروميّ: متعلق بالكروم أو مشتق منه (ك).

chromic acid *(n.)* حمض الكروميك (ك).

chrominance *(n.)* التشبّع اللونيّ (في التلفزيون الملوّن).

chromite [krō'mīt] *(n.)* الكروميت: معدن مؤلف من أكسيد الحديد وكروم.

chromium [krō'mĭ əm] *(n.)* الكروم: عنصر فِلِزّي (ك).

chromo [krō'mō] *(n.)* = chromolithograph.

chromo- = chrom-.

chromogen [krō'mə jən] *(n.)* مُوَلِّد الصِّبْغ (مج).

chromolithograph *(n.)* الصورة الحجرية الملوّنة: صورة بالألوان مطبوعة حجرياً.

chromolithography *(n.)* الطباعة الحجرية بالألوان.

chromomere *(n.)* الحُبَيْبة الصِّبْغية: إحدى الحُبَيْبات الصِّبْغية المكوِّنة للكروموسومات (أح).

chromophil *(adj.)* أَلِفُ أصباغ: سهل التلوّن بالأصباغ (أح).

chromoplast [krō'mə plăst] *(n.)* الجُبَيْلة الملوّنة: جُسَيْم في جبلة الخليّة النباتية مشتمل على مادة ملوّنة صفراء أو حمراء (نب).

chromosomal *(adj.)* صِبْغيّ؛ كروموسوميّ (أح).

chromosome [krō'mə sōm'] *(n.)* الصِّبْغيّ (مج)؛ الكروموسوم: جُسَيْم خيطيّ كروماتينيّ يظهر في نواة الخلية عند الانقسام (أح).

chromosphere *(n.)* (١) جوّ الشمس: طبقة قرمزية من الغاز تكتنف الشمس (٢) طبقة مماثلة تكتنف نجماً.

chromous [krō'-] *(adj.)* كروميّ: متعلّق بالكروم أو مشتقّ منه (ك).

chron- or chrono- بادئة معناها: الوقت؛ الزمن (*chrono*meter).

chronic [krŏn'ĭk] *or* **chronical** *(adj.)* (١) «أ» مُزْمِن؛ غير حادّ؛ متطاول أو متكرّر باستمرار (a ~ disease). «ب» مصاب بمرض مزمن (a ~ invalid) (٢) مُدْمِن (a ~ smoker) (٣) مستمرّ؛ دائم؛ مُتواصل؛ مُعتاد (~ war).

chronicle [krŏn'ə kəl] *(n. ; vt.)* (١) تاريخ؛ عَرْض للأحداث وفقاً لتسلسلها الزمنيّ § (٢) يؤرّخ؛ وبخاصة على أساس زمنيّ.

chronicler *(n.)* المؤرّخ الإخباريّ: مؤرّخ للأحداث وفقاً للتسلسل الزمنيّ.

chronogram *(n.)* التاريخ الجُمَّليّ: نقش أو جملة أو عبارة تعبّر فيها بعضُ الحروف، ذات القيمة العَدَدية، عن تاريخ معيّن (على طريقة «التاريخ الشعري» في العربية).

chronograph *(n.)* الكرونوغراف: أداة لقياس وتسجيل الوقت أو سرعة القذائف الخ.

chronologer *(n.)* = chronologist.

chronologic ;- al *(adj.)* كرونولوجيّ؛ ميقاتيّ؛ مرتّب زمنياً.

chronologist [krə nŏl'-] *(n.)* الكرونولوجي: العالِم بالكرونولوجيا.

chronology [krə nŏl'ə jĭ] *(n.)* (١) الكرونولوجيا: تقسيم الزمن إلى فترات؛ تعيين التواريخ الدقيقة للأحداث وترتيبها وفقاً لتسلسلها الزمنيّ (٢) الجدول الكرونولوجي: جدول يبيّن التواريخ الدقيقة للأحداث مرتبةً بحسب تسلسلها الزمنيّ.

chronometer [krə nŏm'ə-] *(n.)* الكرونومتر؛ المِيقَت: أداة لقياس الزمن بدقة بالغة.

chronometric ; -al *(adj.)* كرونومتريّ؛ مِيقَتيّ.

chronometry *(n.)* الكرونومترية: «أ» علم قياس الزمن بدقة. «ب» قياس الزمن بفترات أو تقسيمات.

chronoscope *(n.)* الكرونوسكوب: أداة لقياس الفترات الزمنية القصيرة.

chrys- or chryso- بادئة معناها: ذهب؛ أصفر.

chrysalid [krĭs'ə lĭd] *(n. ; adj.)* (١) الخادِرة (را. المادة التالية) § (٢) خادِريّ.

chrysalis [krĭs'ə lĭs] *(n.)* pl. **-ides** *or* **-lises** (١) الخادِرة: الحشرة في الطور الذي يعقب اليرقانة (٢) الغلاف الكاسي للخادرة.

chrysanthemum [krĭ săn'-] *(n.)* الأُقْحوان؛ زهرة الذهب.

chryso- = chrys-.

chrysoberyl [krĭs'ə-] *(n.)* حجر شبه كريم اصفر أو أخضر فاتح.

chrysolite [krĭs'ə līt'] *(n.)* = olivine.

chrysoprase [krĭs'ə prāz'] *(n.)* حجر شبه كريم أخضر فاتح.

chub [chŭb] *(n.)* الشَّوب: سمك نهري من الشبوطيات.

chubby [chŭb'ĭ] *(adj.)* ريّان؛ لَحيم؛ رَبيل (a ~ boy).

chuck [chŭk] *(vt. ; i. ; n.)* (١) يربّت بلطف (تحت الذقن الخ) (٢) يقذف أو يرمي (بحركة سريعة وإلى مسافة قصيرة عادة) (٣) يطرد (٤) يستقيل من × (٥) يُقَوْقي (الدجاج) § (٦) تربيتة (تحت الذقن الخ.) (٧) رَمْية قصيرة (٨) طَرْد؛ صَرْف (٩) جانب من الذبيحة يشمل معظم الرقبة والأجزاء المحيطة بالعظم الكتفي (١٠) طعام (ع) (١١) ظَرْف (مك).

Chuck 11.

chuck-full [chŭk'-] *(adj.)* = chock-full.

chuckhole *(n.)* حفرة (في الطريق).

chuckle [chŭk'əl] *(vi. ; n.)* (١) يضحك بينه وبين نفسه أو في خفوت (٢) يُقوقي (الدجاج) § (٣) ضحكة خافتة.

chucklehead [chŭk'əl hĕd'] *(n.)* = blockhead.

chuck wagon *(n.)* العربة المطبخ: عربة مزوّدة بفرن ومؤن للطبخ.

chuff [chŭf] *(n. ; adj.)* (١) الفلاّح؛ الريفيّ؛ الفظّ (٢) البخيل § (٣) بدين؛ سمين؛ لَحيم (ع).

chuffy *(adj.)* بدين؛ سمين؛ رَبيل؛ لَحيم.

chug *(n. ; vi.)* (١) صوت انفجاريّ قصير خافت § (٢) يُحْدِث مثل هذا الصوت (٣) يتحرك مُحْدِثاً مثل هذا الصوت.

chukker *or* **chukkar** [chŭk'ər] *(n.)* فترة من اللعب (في البولو).

chum [chŭm] *(n. ; vi.)* (١) صديق حميم (٢) رفيق الحجرة أو الغرفة (في جامعة الخ.) (٣) سمكة مفرومة أو أية مادة أخرى تُطْرَح لاجتذاب الأسماك § (٤) يصادق؛ يخادن (٥) يقيم مع غيره في غرفة واحدة.

chummy [chŭm'ĭ] *(adj.)* وَدُود؛ حَميم.

chump [chŭmp] *(n.)* (١) حَطَبَة (٢) الأبله؛ المغفّل (٣) الرأس (ع).

chunk [chŭngk] *(n.)* (١) قطعة غليظة قصيرة (من خشب أو خبز أو لحم) (٢) مقدار وافر (٣) فرس (أو شخص) قويّ مكتنز.

chunky [-'ĭ] *(adj.)* قصير مكتنز.

church [chûrch] *(n. ; vt. ; adj.)* (١) الكنيسة: «أ» مَعْبَد النصارى. «ب» *cap.* عد: السلطة الاكليركية. «ج» رجال الكنيسة أو الدين. «د» النصارى قاطبة (٢) *cap.*: كنيسة؛ طائفة (the Presbyterian *Church*) (٣) صلاة عامة § (٤) يقود إلى الكنيسة لتلقي طقس من طقوسها (كالعماد أو صلاة الجنازة الخ.) (٥) يُخضع للنظام الكنسيّ (٦) يقيم صلاة الشكر

(من أجل امرأة وضعت مولوداً) §(٧) كَنَسِيّ (government~).

churchgoer [-'gō'ər] *(n.)* إلْفُ الكنيسة : من يتردد على كنيسة بانتظام.

churchless *(adj.)* (١) بدون كنيسة (٢) غير منتسب أو متردّد إلى كنيسة (٣) غير مُقرّ أو مُجاز من قِبل الكنيسة.

churchly *(adj.)* (١) كَنَسِيّ (٢) كَنَسانِيّ : شبيه بكنيسة أو ملائم لها (٣) مشايعٌ لكنيسة.

churchman [-'mən] *(n.)* (١) الكاهن ؛ القسّ (٢) عضوٌ في كنيسة.

churchwarden [-'wôr'dən] *(n.)* وكيل الكنيسة.

churchwoman *(n.)* امرأةٌ عضوٌ في كنيسة.

churchyard *(n.)* فِناء الكنيسة (وكثيراً ما يُتّخذ جانبٌ منه مدفناً).

churl [chûrl] *(n.)* (١) ceorl (٢) فلاح من فلاحي العصر الوسيط. (٣) الفلاح ؛ الريفيّ (٤) الفظّ ؛ الغليظ (٥) البخيل.

churlish [-'lish] *(adj.)* (١) فظّ ؛ غليظ (٢) صعب المراس.

churn [chûrn] *(n.; vt.; i.)* (١) المِمْخَضَة : مِمْخَضَة اللبن. §(٢) يَمْخُضُ اللبن (٣) «أ» يحرك بعنف. «ب» يجعله مُزبداً ×(٤) يُزْبِد ؛ يصبح مُزبداً (٥) يتحرك في اضطراب أو اهتياج.

churning *(n.)* (١) مَخْض (٢) كمية الزُّبدة الممخوضة دفعةً واحدة.

churr [chûr] *(vi.; n.)* = chirr.

chute [shōōt] *(n.)* (١) «أ» شلال. «ب» مُنْحَدَر نهر. (٢) قناة أو أنبوب مائل (لإنزال الماء أو الفحم الخ. إلى مكان منخفض) (٣) مِظَلّة ؛ باراشوت.

chutney [chŭt'nĭ] *(n.)* صَلْصَة (من ثمار وأعشاب وتوابل).

chylaceous [kī lā'shəs] *(adj.)* (١) كَيْلوسيّ : منسوب إلى الكَيْلوس (را. chyle) (٢) كَيْلوسانيّ : شبيه بالكَيْلوس.

chyle [kīl] *(n.)* الكَيْلوس : مستحلب الطعام المهضوم قبل امتصاصه في الامعاء (فس).

chylifaction *(n.)* التَّكَيْلُس : التحوّل إلى كيلوس (فس).

chylous [kī'-] *(adj.)* = chylaceous.

chyme [kīm] *(n.)* الكَيْموس : مادة لُبَيّة يتحوّل إليها الطعام بفعل العصارة المَعِدية (فس).

chymification *(n.)* التَّكَيْمُس : تحول الطعام إلى كَيْموس (فس).

chymous *(adj.)* (١) كَيْموسيّ : منسوب إلى الكَيْموس. (٢) كَيْموسانيّ : شبيهٌ بالكَيْموس.

ciborium [sĭ bōr'ĭ əm] *(n.)* (١) وعاء خبز القربان (نص) (٢) ظُلّة قُبَيّة الشكل فوق مذبح الكنيسة.

ciborium 1.

cicada [sĭ kā'də] *(n.)* pl. **-das; -dae** الزِّيز ؛ زيز الحصاد (حش).

cicala [sĭ kä'lə] *(n.)* = cicada.

cicatricial [sĭk'ə trĭsh'əl] *(adj.)* نَدَبِيّ.

cicatrix [-'ə trĭks] *(n.)* pl. **-trices** النَّدَبَة : أثر الجرح في الحيوان أو النبات.

cicatrize *(vt.; i.)* (١) يدمُلُ (الجرحَ) ×(٢) ينْدُبُ ؛ يندمل.

cicerone [sĭs'ə rō'nĭ] *(n.)* الدليل السياحيّ (يرافق السيّاح إلى معالم البلد وآثارها).

Ciceronian [sĭs'ə rō'-] *(adj.)* شيشرونيّ : منسوب إلى شيشرون.

cichlid [sĭk'lĭd] *(n.; adj.)* (١) البُلْطية ؛ المُشْطية : سمكة من البُلطيات أو المُشْطيات **Cichlidae** وهي فصيلة سمك نهري من شائكات الزعانف §(٢) بُلْطِيّ ؛ مُشْطيّ.

Cicindelidae *(n. pl.)* الخُنفسيات البرية ؛ فصيلة الخنافس البرّية.

-cidal لاحقة معناها : مُبيد ؛ قاتل (bacteri*cidal*).

-cide لاحقة معناها : «أ» قاتل. «ب» قتل.

cider [sī'dər] *(n.)* عصير التفاح (أو غيره من الفاكهة).

ci-devant [sē də vän'] *(F.)* سابق (a ~ official).

cigar [sĭ gär'] *(n.)* سيكار ؛ سِيجار.

cigarette *also* **cigaret** [sĭg'ə rĕt' ; sĭg'-] *(n.)* سيكارة.

cigarette holder *(n.)* مَبْسَم ؛ «بزّ» سيكارة.

cilia [sĭl'ĭ ə] *(n.pl.)* sing. **cilium** أهداب («ت» و «ح» و «نب»).

ciliary [sĭl'ĭ ĕr'ĭ] *(adj.)* هُدْبِيّ.

ciliate *or* **ciliated** *(adj.)* مُهَدَّب : ذو أهداب.

ciliolate [sĭl'ĭ ə lĭt ; -lāt'] *(adj.)* دقيقُ الأهداب.

cilium [sĭl'ĭ əm] *(n.)* pl. **cilia** هُدْب.

cimetidine *(n.)* السّيميتيدين : عقّار تعالج به القرحة.

cimex [sī'mĕks] *(n.)* pl. **cimices** بقّة الفراش.

Cimmerian [sĭ mĭr'-] *(adj.; n.)* (١) مُظلم §(٢) السِّيميريّ : فرد من شعب خُرافيّ ذكر هوميروس أنه يحيا في ظلام سرمديّ.

cinch [sĭnch] *(n.; vt.)* (١) حزام السَّرج (٢) مَسْكَة أو قَبْضَة مُحْكَمَة (٣) شيء مضمون أو سهل (ع) (٤) ضرب من لعب الورق § (٥) يوثق بإحكام (٦) يكفل ؛ يضمن.

cinchona [sĭn kō'nə] *(n.)* (١) الكينا : شجر الكينا (٢) لِحاء الكينا.

cinchonism [sĭn'kə nĭz'əm] *(n.)* التسمّم بالكينا.

cincture [-'chər] *(n.; vt.)* (١) تطويق (٢) طَوق §(٣) يطوّق.

cinder [sĭn'dər] *(n.)* (١) خَبَثُ الفرن ؛ نُفاية المعادن (في فرن). (٢) رماد (٣) «أ» جمرة مطفأة غير كاملة الاحتراق. «ب» جمرة حارّة عديمة اللهب (٤) فِلذة من حمم بركان ثائر.

cindery *(adj.)* (١) رماديّ : كالرماد أو مؤلف منه (٢) كثير الرماد.

cine [sĭn'ē] *(n.)* فيلم سينمائي.

cinema [sĭn'ə mə] *(n.)* (١) «أ» فيلم سينمائي (بر). «ب» صالةٌ أو دارٌ للسينما (بر) (٢) «أ» صناعة السينما. «ب» الفن السينمائي.

cinematic [sĭn'ə măt'ĭk] *(adj.)* سينمائي.

cinematograph [sĭn'ə măt'ə grăf'] *(n.)* (١) الكاميرا السينمائية : كاميرا لتصوير الأفلام السينمائية (بر) (٢) المِسْلاط السينمائي : أداة لتسليط الصور على الشاشة السينمائية (بر) (٣) صالة سينما (بر) (٤) الفن السينمائي (بر).

cinematographer *(n.)* (١) المصور السينمائي (٢) المِسلاطيّ السينمائيّ : مُشَغِّل المسلاط (أداة تسليط النور) السينمائي.

cinematography *(n.)* فنّ (أو علم) التصوير السينمائي.

—cinematographic ; cinematographical *(adj.)*

cinerarium *(n.)* pl. **-ria** المَرْمَدة : موضع لحفظ رماد الجثث المحروقة.

cinerary [sĭn'ə-] *(adj.)* مَرمَديّ : مستخدَم لحفظ رماد الجثث المحروقة.

cinereous [sə nĭr'ĭ əs] *(adj.)* رماديّ.

cingulate [sĭng'gyə lĭt] *(adj.)* مطوّق ؛ ذو طوق لونيّ.

cingulum [sĭng'gyə-] *(n.)* pl. **-la** طَوْق ؛ طوق لونيّ.

cinnabar [sĭn'ə-] *(n.)* (١) الزِّنْجَفْر : كبريتيد الزئبقيك (ك). (٢) اللون الأحمر الزاهي.

cinnamon [sĭn'ə mən] *(n.)* (١) قِرْفَة (٢) لون القِرفة.

cinque [sĭngk] *(n.)* خمسة، وبخاصة في النرد أو لعب الورق.

cinquecentist [chĭng'kwə chĕn'-] *(n.)* كاتب أو فنان إيطالي من أهل القرن السادس عشر.

cinquecento [-'tō] *(n.)* القرن السادس عشر (وبخاصة في الفن الإيطالي).

ă at; ā date; â care; ä car; ĕ egg; ē me; ĭ in; ī bite; ŏ lot; ō bone; ô orphan; oi boil ŏŏ good; ōō boot; ou out; ŭ under; ū unity; û urgent; th thing; t͟h this; zh vision; ə = *a* in alone, *e* in system, *i* in easily, *o* in gallop, *u* in circus.

cinquefoil 2.

cinquefoil[singk'foil'] *(n.)* : (١) البُوطَنْطِلَة : عُشْبَة القُوَى : نبات عشبي خماسي الورقات (نب) (٢) النقش البوطنطِلي : نقش خماسي الورقات (عم).

cion [sī'ən] *(n.)* = scion.

cipher [sī'fər] *(n. ; vi. ; t.)* (١) «أ» صفر. «ب» شيء أو شخص تافه لا شأن له (٢) «أ» شيفرة. «ب» رسالة بالشيفرة (٣) أحد الأرقام العربية (٤) الطُّغَراء : حروف رمزية متشابكة ؛ وبخاصة : حروف الاسم الأولى متشابكةً §(٥) يستعمل الأرقام في عملية حسابية ×(٦) يكتب بالشيفرة أو شبيهٍ بها (٧) يحسب (بالأرقام).

circa [sûr'kə] *(prep.)* حوالى (تاريخٍ ما).

Circassian [sər kăsh'ən] *(n. ; adj.)* (١) الجركسي : واحد من أبناء شمالي غربي القفقاص المعروفين بالجراكسة (٢) اللغة الجركسية §(٣) جركسيّ.

circinate [sûr'-] *(adj.)* (١) حَلْقيّ : مستدير على شكل حَلْقَة. (٢) معقوف الأطراف (نب).

circle [sûr'kəl] *(n. ; vt. ; i.)* (١) «أ» حلقة ؛ هالة. «ب» دائرة (ر). (٢) مدار جِرم سماويّ (٣) شرفة مسرح أو مجموعة مقاعد فيها (٤) عالَم ؛ منطقة عملٍ أو نفوذ (٥) دورة (٦) جماعة تشدّ بعض أفرادها إلى بعضٍ وحدة في المصلحة : حَلْقَة (٧) دائرة (في تقسيم البلاد الإداري) §(٨) يطوّق (٩) يدور حول ×(١٠) يدور.

~ of declination دائرة الانحراف الاستوائي (فل).

~ of similitude دائرة المشابهة (ر).

circlet [-'klĭt] *(n.)* (١) دائرة صغيرة (٢) حلية دائرية (خاتم ؛ عِقد).

circuit [sûr'kĭt] *(n. ; vt. ; i.)* (١) محيط بقعةٍ ما أو البقعة الواقعة ضمنه (٢) طريق غير مباشر (٣) «أ» جولة دورية (يقوم بها قاضٍ أو مبشّر). «ب» القائمون بهذه الجولة. «ج» الطريق التي يسلكونها أو المواطن التي يزورونها أو المنطقة التي تشملها جولتهم (٤) «أ» دارة ؛ دائرة (كب). «ب» hookup 1 (٥) «أ» عُصْبَة. «ب» عددٌ من المسارح الخ. يديرها شخص واحدٌ أو يتعاقب عليها مجموعة واحدة من الممثلين الخ. (٦) «أ» دَوَران. «ب» دَورة §(٧) يطوف ؛ يدور.

circuit breaker *(n.)* قاطع الدارة أو الدائرة ؛ مفتاح قطع الدارة (كب).

circuit court *(n.)* المحكمة الطوّافة (تنعقد في فترات مختلفة).

circuitous [sər kū'ə-] *(adj.)* غير مباشر (a ~ route).

circuit rider *(n.)* مبشّر «ميثوديّ» متجوّل.

circuitry *(n.)* مجموعة الدارات الكهربائية (كب).

circuity [sər kū'ə tĭ] *(n.)* المداوَرة : كون الشيء مداوراً أو غير مباشر.

circular [sûr'kyə lər] *(adj. ; n.)* (١) مستدير (٢) دائريّ (٣) غير مباشر (٤) سيّار : موَجّه إلى عدد كبير من الأشخاص أو معدّ للتوزيع عليهم (a ~ letter) §(٥) الرسالة السيارة : نشرة أو إعلان أو مذكّرة ترسل إلى عدة أشخاص.

circular arc *(n.)* القوس الدائري (ر).

circular current *(n.)* التيّار الدائريّ : تيار ممرّه عبارةٌ عن دائرة (كب).

circularity *(n.)* الاستداريّة ؛ الدائرية : كون الشيء مستديراً أو دائرياً.

circularize [sûr'kyə-] *(vt.)* (١) يجعله مستديراً أو دائرياً (٢) يُرسل رسائل سيارة (را. circular 5) إلى.. (٣) ينشر ؛ يذيع.

circular measure *(n.)* قياس الدوائر ؛ نظام قياس الدوائر.

circular note *(n.)* (١) رسالة سيارة (را. circular 5.) وبخاصة : رسالة سيّارة مستخدمة في العمل الديبلوماسي (٢) خطاب اعتماد (يوجّهه مصرف إلى عدد من المصارف).

circular plane

circular plane *(n.)* المِسْحاج الدَّوَراني.

circular polygon *(n.)* المُضَلَّع الدائري (ر).

circular saw *(n.)* المنشار الدائري أو القرصي.

circular saw

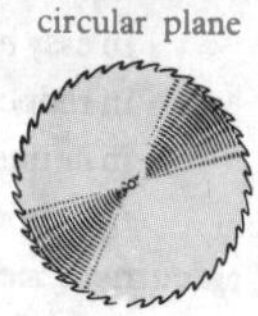

circulate [sûr' kyə lāt'] *(vi ; t.)* (١) يدور (٢) ينتشر ؛ يذيع (٣) تتداوله الأيدي ؛ ينتقل من شخصٍ إلى شخصٍ أو من مكان إلى مكان ×(٤) يَنْشُر ؛ يروِّج.

—**circulative; circulatory** *(adj.)*

circulating *(adj.)* (١) دائر (٢) منتشر ؛ ذائع (٣) متداوَل.

circulating capital *(n.)* رأس المال المتداوَل (إد).

circulating decimal *(n.)* الكسر العشريّ الدائر : كسرٌ عشريّ تتكرّر فيه إلى ما لا نهاية مجموعة أرقام بعينها، مثل 0.154232323...

circulating library *(n.)* المكتبة الدائرة : مكتبة تعير الكتب لمشتركيها فيطالعونها في بيوتهم.

circulating medium *(n.)* النقود ؛ العملة ؛ أوراق البنكنوت.

circulation [sûr'kyə lā'-] *(n.)* (١) دَوَران ؛ جَرَيان (٢) الدورة الدموية (٣) التداوُل (coins in ~) (٤) الانتشار : معدل عدد النسخ المبيعة من صحيفة أو مجلة الخ. خلال فترة معينة.

circum- بادئة معناها : حَوْلَ (*circum*navigate).

circumambient[-'kəm ăm'-] *(adj.)* مطوِّق ؛ مكتنِف ؛ محيطٌ بـ.

circumambulate [- ăm'byə lāt'] *(vt. ; i.)* يَطُوف بالمكان.

circumcise [sûr'kəm sīz] *(vt.)* (١) يَختِن (٢) يطهّر روحياً.

circumcision [- sĭzh'ən] *(n.)* (١) خِتان (٢) تطهير رُوحيّ. (٣) *cap.* : عيد ختان المسيح (أول يناير).

circumference [sər kŭm'-] *(n.)* المحيط ؛ محيط الدائرة.

circumferential [-'shəl] *(adj.)* مُحيطيّ ؛ مُطوِّق.

circumflex *(n. ; adj.)* (١) علامة (^) توضع فوق حرف لتحديد طريقة لفظه (مثل *fête* بالفرنسية) §(٢) متعلّق بهذه العلامة (٣) مُنْحَنٍ.

circumfluent *(adj.)* جارٍ حَوْلَ ؛ مطوِّق (rivers ~).

circumfluous *(adj.)* (١) مطوِّق ؛ مكتنِف (the ~ ocean).

circumfuse[sûr'kəm fūz'] *(vt.)* (١) يصُبّ أو ينشر حول (٢) يطوِّق.

circumlocution [sûr'kəm lō kū'-] *(n.)* (١) إسهاب ؛ إطناب. (٢) مواربة ؛ دوران حول المعنى.

—**circumlocutory** *(adj.)*

circumlunar *(adj.)* حَوْقمريّ : دائرٌ حول القمر أو محيطٌ به.

circumnavigate [-năv'ə gāt] *(vt.)* يُبحر مطوِّفاً حول.

circumpolar *(adj.)* حَوْقُطْبيّ : واقعٌ حولَ أحد قطبَيِ الأرض أو السماء.

circumscissile pods

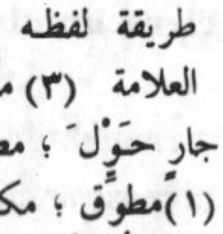

circumscissile[-sĭs'ĭl] *(adj.)* حَوعَرْضيّ : منفتح حول خطٍّ دائريّ مستعرض (نب).

circumscribe [-skrīb'] *(vt.)* (١) يرسم خطاً حول ؛ يعيِّن حدود شيء (٢) يطوِّق (٣) يحدِّد ؛ يقيِّد (٤) يحيط (شكلاً هندسياً) بدائرة (٥) تُحيط (الدائرةُ الخ.) بشكل هندسي.

circumscription *(n.)* (١) مص circumscribe (٢) «أ» حدّ ؛ تخم. «ب» محيط (٣) «أ» رقعة مطوَّقة. «ب» منطقة ؛ مقاطعة (٤) نقش دائريّ (حول ختْمٍ أو قطعة نقدية).

circumsolar *(adj.)* حَوْشَمْسيّ : حولَ الشمس (course ~).

circumspect [sûr'kəm-] *(adj.)* حذِر ؛ محترِس ؛ واعٍ.

circumstance [sûr'kəm stăns'] *(n.)* (١) ظَرْف ؛ حالة.

(٢) *pl.*: ظروف ؛ ملابسات (٣) *pl.*: وضعُ المرء المالي (٤) احتفال (with pomp and ~) (٥) تفصيل تام (٦) حادثة ؛ حدَث (٧) حقيقة ؛ واقعة ؛ تفصيل.

in easy *or* good *or* flourishing ~*s* في سعة ؛ في غنى.

in reduced *or* straitened ~*s* فقير : معْوِز.

in *or* under no ~*s* البتّة ؛ مهما تكن الظروف.

in *or* under the ~*s* في هذه الحال ؛ والحالة هذه.

circumstanced *(adj.)* في حالة أو ظروف معيّنة (وبخاصة من حيث الموارد أو الدخل).

circumstantial [-stăn'shəl] *(adj.)* (١) ظرفيّ : متعلق بالظروف أو مستمَدّ منها أو مبنيّ عليها (٢) عرَضيّ ؛ ثانوي (٣) مفصَّل ؛ تفصيلي (a ~ account) (٤) ماديّ (~ prosperity).

circumstantiality *(n.)* تفصيل دقيق

circumstantiate [-'shĭ āt'] *(vt.)* يبرهن أو يصف أو يورد بتفصيل.

circumvallate *(adj.; vt.)* (١) مُمترِس : محاطٌ بمتراس أو نحوه. §(٢) يمترس : يحيط بمتراس أو نحوه.

circumvent [-vĕnt'] *(vt.)* (١) يطوّق (٢) يدور حول (٣) يروغ من (٤) يتغلّب بالحيلة أو المراوغة.

— **circumvention** *(n.)*

circumvolution *(n.)* (١) دَوَران (٢) دورة (٣) التفاف.

circus [sûr'kəs] *(n.)* (١) مدرَّج روماني (٢) سِيرْك (٣) ميدان ؛ ملتقى شوارع

cirque [sûrk] *(n.)* (١) سيرك (٢) دائرة ؛ حلقة (٣) مدرَّج طبيعي (في جبل).

cirrate *(adj.)* ذو معاليق أو ذؤابات (را. cirrus 1 ; 2).

cirrhosis [sĭ rō'sĭs] *(n.)* التليّف الكبدي (مض).

cirriped [sĭr'ə pĕd'] *(n.; adj.)* (١) الهُدّابيّ الأرجل: حيوان من هُدّابيات الأرجل **Cirripedia** وهي رتبةٌ من القشريات §(٢) هُدّابيّ الأرجل.

cirrocumulus [sĭr'ō kū'myə ləs] *(n.)* النُّمير : سحاب مؤلف من صفوف أو مجموعات من الغيوم الصغيرة الشبيهة بالصّوف.

cirronebula *(n.)* الرَّهَج : سحاب رقيق أشبه بالغبار.

cirrose *or* **cirrhose** [sĭr'ōs] *(adj.)* = cirrate.

cirrostratus [-strā'-] *(n.)* السّمحاق : سحاب مرتفع أشبه بالحجاب.

cirrous *(adj.)* (١) cirrate (٢) طُخروري : شبيه بالطخرور.

cirrus [sĭr'əs] *(n.)* pl. **cirri** (١) المِعلاق : جسم خيطيّ لولبيّ يساعد النبات على التسلّق (٢) الذؤابة : زائدة رقيقة تمثّل عند الحيوان مِلمساً أو ذراعاً أو رجلاً (٣) الطُّخرور ؛ الطَّخاف : سحاب رقيق شبيه بالصوف يكون على ارتفاع عالٍ جداً.

cis- بادئة معناها : على هذا الجانب من (*cis*atlantic).

cisatlantic [sĭs'ət lăn'-] *(adj.)* على هذا الجانب من المحيط الأطلسي.

cisco [sĭs'kō] *(n.)* السيسْك : ضرب من السمك.

cislunar *(adj.)* واقع بين الأرض والقمر.

cist [sĭst] *(n.)* (١) صندوق (وبخاصة للأدوات المقدسة) (٢) ضريح.

Cistercian [-'shən] *(n.; adj.)* (١) «أ» الراهب البَنَدكتيّ. «ب» الراهبة البَنَدكتيّة §(٢) بَنَدكيّ.

cistern [sĭs'-] *(n.)* (١) صِهريج ؛ حوض (٢) كيس ؛ وعاء (ت).

cisterna *(n.)* pl. **-e** كيس ؛ وعاء (ت).

citadel [sĭt'ə dəl] *(n.)* قلعة ؛ معقِل ؛ حِصن.

citation [sī tā'shən] *(n.)* (١) دعوة للمثول أمام القضاء. (٢) «أ» استشهادٌ (بقول أو رأي أو سابقة). «ب» قولٌ الخ. مستشهَدٌ به (٣) تعداد ؛ ذكر ؛ وبخاصة : تنويهٌ أو إشادةٌ ببطولة (جنديّ) أو تفوّق (خرّيج من جامعة).

—**citatory** *(adj.)*

cite [sīt] *(vt.)* (١) يدعو (شخصاً) للمثول أمام القضاء. (٢) يستشهد (بقول أو رأي أو سابقة) (٣) يُورِد ؛ يذكر (٤) ينوّه ؛ يشيد (ببطولة جنديّ أو تفوّق خريج جامعي).

cithara [sĭth'ə rə] *(n.)* القيثارة : آلة وترية اغريقية (مو).

cither [sĭth'ər] *or* **cithern** *(n.)* = **cittern.**

citied [sĭt'ĭd] *(adj.)* مشتمل على مدن ؛ تحتلّه مدنٌ.

citify *(vt.)* يُمَدْيِن : يعوّده حياةَ المدن أو يَطبَعُه بطابعها.

citizen [sĭt'ə zən] *(n.)* (١) المَدينيّ : أحد سكان المدن. (٢) المواطِن : عضوٌ في دولةٍ بالولادة أو بالاختيار (٣) المدنيّ : مَنْ ليس بشرطيّ أو جنديّ الخ.

—**citizeness** *(n. fem.)*

citizen of the world *(n.)* المواطن العالميّ (يُعْنَى بشؤون العالم كله).

citizenry [sĭt'ə zən rĭ] *(n.)* جماعة المواطنين ؛ المواطنون قاطبةً.

citizenship [-shĭp] *(n.)* المُواطنيّة : «أ» كون المرء مواطناً من مواطني دولة. «ب» واجبات المواطن وحقوقُه وامتيازاته.

citr- *or* **citri-** بادئة معناها : «أ» ليمون. «ب» حامض الليمونيك.

citrate [sĭt'rāt; sī'-] *(n.)* سِتْرات ؛ ليمونات (ك)

citric acid *(n.)* حامض السّتريك أو الليمونيك (ك).

citriculture *(n.)* زراعة الأثمار الحمضية.

citrine *(adj.; n.)* (١) أصفرُ شاحب §(٢) السِّترين : ضرب من الكوارتز **quartz** أصفرُ شفاف.

citro- = **citr-.**

citron [sĭt'rən] *(n.)* الأُترُجّ ؛ الكَبّاد (نب).

citronella [-nĕl'ə] *(n.)* (١) الأُترُجّيّة : عشب عطِر (٢) زيت الأترجيّة (يستخدم في صنع العطور والصابون الخ.).

citrus [sĭt'rəs] *(n.)* اللّيمون (ويشمل الأُترُجّ والليمون الحامض والبرتقال الخ.).

cittern [sĭt'ərn] *(n.)* القيثار : آلة موسيقية شبيهة بالغيتار.

city [sĭt'ĭ] *(n.)* (١) مدينة (٢) **city-state** (٣) سكان المدينة.

the *City* المنطقة التجارية بلندن.

city editor *(n.)* (١) محرر الأنباء المحلية (صح) (٢) المحرر المالي (صح)

City of God مدينة الله : السماء.

City of Seven Hills مدينة التلال السبعة : رومة.

city-state *(n.)* دولة المدينة (مج) ؛ الدولة المدينيّة : دولة ذات سيادة مؤلّفة من مدينة مستقلة والمناطق الخاضعة لسلطانها المباشر (كأثينا القديمة).

civet [-'ĭt] *(n.)* الزّبّاد : طيب يخرج من بعض غدد سِنّور الزّبّاد.

civet cat *(n.)* الزّبّاد ؛ سِنّوْر الزّبّاد (ح).

civet cat

civic *(adj.)* (١) مَدِينيّ : متعلق بمدينة. (٢) مدَنيّ : متعلق بالمواطنية (٣) مواطنيّ.

civics *(n.)* علم التربية المدنية : علم حقوق المواطنين وواجباتهم.

civies [sĭv'ĭz] *(n. pl.)* الملابس المدنيّة (غير العسكرية).

civil [sĭv'əl] *(adj.)* (١) مدنيّ (~ **engineering**) (٢) متمدّن (~ **society**) (٣) أهلي (~ **war**) (٤) مهذب ؛ لطيف (**in a very ~ way**)

civil action, suit, *or* **proceeding** *(n.)* الدعوى المدنية.

civil death *(n.)* الموت المدنيّ : الحرمان الكامل من الحقوق المدنية.

civil defense *(n.)* الدفاع المدنيّ.

civil disobedience *(n.)* العصيان المدنيّ.

civil engineer *(n.)* المهندس المدنيّ.

civil engineering *(n.)* الهندسة المدنيّة : هندسة الطرق والجسور.

والأنفاق والمرافىء الخ .

civilian [sĭ vĭl'yən] *(n. ; adj.)* (١) المُتَفَقِّه في القانون المدني . (٢) المَدَنيّ : كل مَنْ ليس بشرطي أو جندي §(٣) مدنيّ .

civility [sĭ vĭl'ə tĭ] *(n.)* لطف ؛ كياسة .

civilization [sĭv'ə lə zā'-] *(n.)* (١) الحضارة ؛ المدنية (٢) التمدن : صيرورة الأمة متمدنةً (٣) الشعوب المتحضرة (٤) رِفعةٌ في الذوق أو التفكير أو التصرّف .

civilize [sĭv'ə līz'] *(vt.)* (١) يحضّر ؛ يمدّن (٢) يثقّف ؛ يهذّب .

civilized *(adj.)* (١) متحضّر ؛ متمدّن (٢) لطيف ؛ مهذّب .

civil law *(n.)* القانون المدنيّ (يُعْنى بالحقوق الشخصية لا بالجرائم) .

civil list *(n.)* المخصَّصات الملكية : مخصَّصات مالية للمَلك وأسرته .

civilly *(adv.)* (١) بتهذيب ؛ بلطف (٢) مدنياً (~ dead) .

civil marriage *(n.)* الزواج المدنيّ : زواج يُعقَد أمام موظف حكومي .

civil rights *(n.pl.)* الحقوق المدنية : حقوق المواطن غير السياسية .

civil servant *(n.)* الموظّف المدنيّ : موظف في دوائر الحكومة المدنية .

civil service *(n.)* الإدارة المدنية : دوائر الحكومة كلها باستثناء الجيش .

civil war *(n.)* الحرب الأهلية .

clabber [klăb'ər] *(n. ; vi.)* (١) لبنٌ خاثر §(٢) يتخثّر (اللبنُ) .

clack [klăk] *(vi. ; t. ; n.)* (١) يثرثر ؛ يهذر (٢) يطقطق : يُحْدِث صوتاً قصيراً حاداً (٣) تُقَوْقِي (الدجاجةُ) ×(٤) يجعله يطقطق (٥) يقول (شيئاً) بحماقة §(٦) «أ» ثرثرة . «ب» لسان . «ج» قيلٌ وقال (٧) طقطقة .

clack valve *(n.)* الصمام المطقطِق : صمامٌ يُحدِث عند انغلاقه صوتاً كالطقطقة (مك) .

clad *(adj. ; vt.)* (١) «أ» مُرتَدٍ . «ب» مكسُوٌّ بـ §(٢) يكسو .

cladophyll *(n.)* الغُصْن الورَقيّ : غُصْن مسطّح كورقة النبات (نب) .

claim [klām] *(vt. ; n.)* (١) يطالب بـ (٢) يتطلّب ؛ يستحقّ (This subject ~s our attention.) (٣) يدّعي §(٤) مطالبةٌ بـ (٥) ادعاء ؛ دعوى (٦) حقّ المطالبة بشيء (She has no ~ on our sympathies.) (٧) شيء يُدَّعى أو يطالَب به ؛ وبخاصة : قطعة أرض يطالب أحد المعدّنين بحق التنقيب فيها الخ .

claimant; claimer *(n.)* المطالِب ؛ المدّعي .

clairvoyance [klâr voi'əns] *(n.)* (١) الاستبصار ؛ القدرة على رؤية كل ما هو واقع وراء نطاق البصر (٢) حدّة الادراك .

clairvoyant [-'ənt] *(adj. ; n.)* (١) مُسْتَبْصِر §(٢) المستبصر .

clam 1.

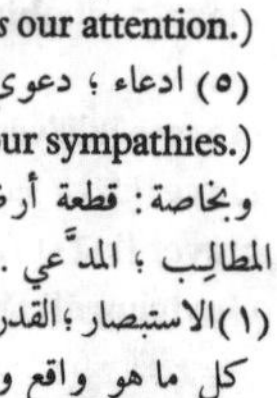

clam [klăm] *(n. ; vi.)* (١) البَطْلينوس : حيوان من الرخويات أو السمك الصدَفي (٢) شخص متكتّم أو صموت (ع) (٣) الملزم (را . clamp) §(٤) يجمع البَطْلينوس . **to ~ up** يصمت (ع) .

clamant [klā'mənt] *(adj.)* (١) صخّاب (٢) مُلِحّ ؛ متطلب اهتماماً .

clambake [klăm'bāk'] *(n.)* (١) نزهة على شاطىء البحر (يشْوى فيها البطلينوس) (٢) اجتماع صاخب ؛ وبخاصة : اجتماع سياسي لإثارة الحماسة الجماعية .

clamber [klăm'-] *(vi. ; t. ; n.)* (١) يتسلق بجهد §(٢) تسلّق بجهد .

clamminess *(n.)* رطوبة ؛ نداوة ؛ برودة مع تدبّق .

clammy [klăm'ĭ] *(adj.)* رَطْب ؛ نَديّ ؛ بارد ودَبِق .

clamor *or* **clamour** [klăm'ər] *(n. ; vi.)* (١) صَخَب ؛ جلَبة (٢) مطالبةٌ صاخبة ؛ تذمّر غاضب §(٣) يَصْخَب ؛ يصرخ ؛ يحدث ضجة عالية أو متواصلة (٤) يطالب أو يتذمر بصخب .

clamorous *(adj.)* (١) صاخب (٢) مطالبٌ أو متذمرٌ بصخب .

clamp 1.

clamp [klămp] *(n. ; vt. ; i.)* (١) مِلزَم . §(٢) يثبّت أو يقوّي بملزَم (٣) يشدّ بإحكام على ×(٤) يمشي بتثاقل .
to ~ down (١) يفرض على (٢) يصبح أكثر صرامة .

clamshell *(n.)* (١) صدَفة البطلينوس (٢) الدلو المحاري : دلوٌ على شكل محارة .

clan [klăn] *(n.)* (١) عَشيرة (٢) زمرة ؛ جماعة .

clandestine [-dĕs'tĭn] *(adj.)* سِرّي (a ~ marriage) .

clang [klăng] *(vi. ; t. ; n.)* (١) يَرِنّ (المعدنُ) (٢) يطلق صوتاً كصوت الكُرْكيّ أو الإوزّ الخ . ×(٣) يجعله يرنّ §(٤) رنين (٥) صوت الكركيّ أو الإوزّ الخ .

clangor *or* **clangour** [klăng'gər] *(n. ; vi.)* (١) قعقعة متواصلة (٢) ضجة صاخبة §(٣) يقعقع . **—clangorous** *(adj.)*

clank [klăngk] *(n. ; vi. ; t.)* (١) قعقعة ؛ خشخشة ؛ صليل . §(٢) يقعقع ؛ يخشخش ؛ يصلصل (٣) يتحرك محدثاً قعقعةً الخ . ×(٤) يجعله يقعقع أو يخشخش .

clannish [klăn'ĭsh] *(adj.)* (١) عشائريّ (٢) متماسك . (٣) متعصّب لبني قومه .

clansman [klănz'-] *(n.)* أحد أفراد العشيرة .

clap [klăp] *(vt. ; i. ; n.)* (١) «أ» يصفع . «ب» يُربِّت (٢) يرفرف بجناحيه (٣) يَضَع بسرعة أو قوة (٤) «أ» يصنع أو يرتّب بعجلة . «ب» يرتدي بعجلة ×(٥) يقعقع أو يحدث صوتاً حاداً كصوت الأجسام المتصادمة (٦) يتحرك أو يضرب بمثل هذا الصوت (٧) يصفّق §(٨) قَصْفُ الرعد (٩) «أ» صفعة . «ب» تربيتة (١٠) تصفيق (١١) السيلان ؛ التعقيبة (ط) .

clapboard [klăb'ərd; klăp'bōrd'] *(n. ; vt.)* (١) لوح خشبيّ طويل إحدى حافتيه أرقّ من الأخرى (تُكْسى بأمثاله الجدران الخارجية لمبنى خشبي) §(٢) يكسو بألواح كهذه .

clapper [klăp'ər] *(n.)* فا **clap** مثل : «أ» لسان الجرس . «ب» لسان امرىء ثرثار (ع) . «ج» المُصفِّقة ؛ المُخشخِشة : إحدى عَصَويْن أو عظمتَين مسطّحتَين يمسك بهما المرء بين أصابعه لإحداث بعض النغمات (مو) . «د» المصفِّق .

clapperclaw *(vt.)* (١) يَخْمُش أو يَخْدِش بالأظافر (٢) يوبّخ .

claptrap [klăp'trăp] *(n.)* هراء ؛ كلام فارغ .

claque [klăk] *(n.)* (١) المصفّقون المستأجَرون (٢) جماعة من المتملّقين النفعيين .

claqueur *(F.)* المصفّق المستأجَر (في مسرح الخ .)

clarence [klăr'əns] *(n.)* الكلارنس : مركبة مقفلة ذات أربع عجلات .

claret [klăr'ət] *(n. ; adj.)* (١) الكلاريت : «أ» خمرة بوردو الفرنسية الحمراء . «ب» لون أحمر أرجوانيّ داكن (٢) الدّم (ع) §(٣) أحمر أرجوانيّ داكن .

clarifier *(n.)* (١) المُصفّي ؛ المروِّق (٢) المُوضِّح .

clarify [klăr'ə-] *(vt. ; i.)* (١) يصفّي ؛ يروّق (٢) يوضح ؛ يفسر . ×(٣) يصفو ؛ يروق (٤) يتّضح .

clarinet

clarinet [klăr'ə nĕt'] *(n.)* كلارينَت ؛ شبّابة ؛ مِزمار .

clarinetist *or* **clarinettist** *(n.)* عازف الكلارينَت .

clarion [klăr'-] *(n. ; adj.)* (١) البُوق (مو) (٢) صوت البُوق §(٣) مرتفع وواضح .

clarionet [klăr'ĭ ə nĕt'] *(n.)* = **clarinet.**

clarity [klăr'-] *(n.)* وضوح (~ of thinking) .

clarkia *(n.)* الإقلَرْقِيَة : نبات شمالأميركي أحمر الزهر أو أرجوانيه .

claro [klä'rō] *(n.)* سيجار فاتح اللون غيرُ حادّ المذاق الناعمة ؛ المريمية ؛ القَصْعين (نب) .

clary [klâr'ĭ] *(n.)* الناعمة ؛ المريمية ؛ القَصْعين (نب) .

clash [klăsh] *(vi. ; t. ; n.)* (١) يَصِلّ (٢) يصطدم (٣) يتعارض ؛ يتضارب ×(٤) يجعله يَصِلّ أو يحدث صوتاً كصوت التصادم §(٥) «أ» صليل ؛ قعقعة ؛ صوت الاصطدام . «ب» اصطدام (٦) «أ» معركة ؛ مناوشة . «ب» تعارض ؛ تضارب .

clasp [klăsp] *(n. ; vt.)* (١) إبزيم ؛ مِشْبك (٢) قطعة فضية الخ. متصلة بشريط المدالية (تحمل اسم المعركة التي خاضها حامل المدالية) (٣) حضْنة ؛ عناق ؛ قبضة ؛ مصافحة §(٤) يشبك بإبزيم (٥) يحضن ؛ يعانق ؛ يقبض على ؛ يصافح .

clasp knife *(n.)* مُدْية الجيب : مدية ذات شفرة قابلة للانطواء .

class [klăs] *(n. ; vt.;i.)* (١) «أ» طبقة اجتماعية . «ب» منزلة اجتماعية ؛ وبخاصة : منزلة اجتماعية رفيعة . «ج» النظام الطبقي (to abolish ~) (٢) «أ» امتياز ؛ تفوّق . «ب» أناقة (٣) «أ» صنف ؛ نوع ؛ طراز . «ب» درجة (to travel first ~) «ج» طائفة (في تقسيم الكائنات الحية) (٤) «أ» صفّ (في مدرسة الخ). «ب» دَرْس (٥) مجنّدو العام الواحد (the 1962 ~) §(٦) يصنّف ؛ يضع في منزلة أو مصافّ... ×(٧) ينتظم في طبقة أو يحتل مكاناً فيها (those who ~ as believers)

in a ~ by itself نسيج وحدِه .

the ~ *es* الطبقات الأرستوقراطية أو العليا .

class act *(n.)* شيء فذّ؛ شيء ممتاز.

classbook *(n.)* (١) دفتر الصفّ : دفتر يدوّن فيه المدرس علامات الطلبة وغيابهم عن الصفوف الخ . (٢) كتاب الصف : كتاب ينشره صفّ مدرسيّ حاملاً صُوَر الطلاب والمدرسين والمباني المدرسية الخ.

class consciousness *(n.)* الوعي الطبقي : «أ» وعي الطبقة الاجتماعية لتماسكها ووحدة مصالح أفرادها . «ب» وعي المرء لمنزلته الاجتماعية أو الاقتصادية في المجتمع .

class day *(n.)* يوم الصفّ (يحتفل فيه أفراد صفّ مدرسي بتخرجهم).

classic [klăs'ĭk] *(adj. ; n.)* (١) ممتاز ؛ من الطراز الأول . (٢) تقليديّ (٣) كلاسيكيّ : «أ» ذو علاقة بأدب الاغريق والرومان أو فنّهم أو حياتهم . «ب» على غرار أدب الاغريق والرومان وفنّهم . «ج» بسيط ؛ نظاميّ (٤) ذو شهرة تاريخية أو أدبية §(٥) الأثر الكلاسيكيّ : «أ» أثر أدبيّ اغريقي أو رومانيّ . «ب» أثر أدبي أو فني من الطراز الأول (Macbeth is a ~.) (٦) الكاتب أو الفنان الكلاسيكيّ : «أ» كاتب أو فنّان اغريقي روماني خالد . «ب» كاتب أو فنان من الطراز الأول (Dickens is a ~.) . «ج» كل من يلتزم القواعد الكلاسيكية في الأدب أو الفن (٧) مصدرٌ موثوق (٨) مَثَلٌ نموذجي (٩) حَدَثٌ تقليديّ .

the ~ *s* الكلاسيكيّات : أدب الاغريق والرومان .

classical [klăs'ə kəl] *(adj.)* (١) ممتاز ؛ من الطراز الأول . (٢) classic 3 (٣) «أ» تقليدي . «ب» ملتزمٌ للأشكال التقليدية . «ج» متضلّع من أدب الاغريق والرومان . «د» أصيل ؛ قياسيّ ؛ مُعْتَبَر عمدةً في حقل من حقول المعرفة بوصفه متميزاً عن النظريات الجديدة أو غير المألوفة (~ physics).

classicalism ; classicism *(n.)* (١) الكلاسيكيّة : «أ» قواعد الأدب والفن عند الاغريق والرومان ، وهي تشمل البساطة والتناسب والسيطرة على العواطف . «ب» التزام هذه القواعد (٢) التضلّع من أدب الاغريق والرومان (٣) تعبير كلاسيكي .

classicist *or* **classicalist** *(n.)* الكلاسيكي : «أ» المتّبِع لقواعد «الكلاسيكية» في الأدب والفن . «ب» المتضلع من أدب الاغريق والرومان. «ج» المنادي بضرورة دراسة اليونانية واللاتينية وآدابهما.

classicize *(vt.;i.)* (١) يجعله كلاسيكياً ×(٢) يتّبع الأسلوب الكلاسيكي

classifiable *(adj.)* قابلٌ للتصنيف أو التبويب .

classification *(n.)* (١) تصنيف ؛ تبويب (٢) طبقة ؛ صنف .

classified *(adj.)* (١) مصنّف ؛ مبوب (٢) محظورٌ إطلاع الجمهور عليه صوناً للسلامة الوطنية .

classified advertising *(n.)* الاعلانات المبوّبة (في الصحف).

classifier *(n.)* (١) المصنِّف ؛ المبوِّب (٢) المصنِّفة : ماكينة لِفَرْز عناصر مادةٍ ما (كرِكازٍ أو خامة) .

classify [klăs'ə fī'] *(vt.)* يصنف ؛ يبوب .

classmate [klăs'-] *(n.)* رفيق الصفّ (في مدرسة أو كلية) .

class number *(n.)* الرقم التصنيفي : رقم يبيّن موضوع الكتاب وموضعه في المكتبة .

classroom *(n.)* حُجْرة الدراسة ؛ غرفة التدريس .

class struggle *(n.)* الصراع الطبقي : الصراع بين الطبقات الاجتماعية .

classy [klăs'ĭ] *(adj.)* (١) أنيق (ع) (٢) من طراز عالٍ (ع) .

clastic *(adj.)* رَضيخيّ : مؤلف من فِلَذ من صخورٍ أشدّ إمعاناً في القِدَم (جي) .

clatter [klăt'ər] *(vi. ; t. ; n.)* (١) يقعقع ؛ يصلصل . (٢) يتحرّك أو يسقط مُحدِثاً قعقعة (٣) «أ» يتكلم بسرعة وجلبة. «ب» يثرثر ×(٤) يجعله يقعقع §(٥) قعقعة (٦) فوضى ؛ اضطراب (٧) لَغَط (٨) لَغْو ؛ هَذَر .

—clattery *(adj.)*

claudication [klô dĭ kā'-] *(n.)* عَرَج .

clause [klôz] *(n.)* (١) فقرة ؛ وبخاصة : مادة من قانون أو معاهدة أو وثيقة رسمية (٢) عبارة ؛ جزء من جملة .

—clausal *(adj.)*

claustral [klôs'trəl] *(adj.)* = cloistral.

claustrophobia *(n.)* رُهاب الاحتجاز : الخوف المَرَضيّ من الأماكن المقفلة أو الضيّقة .

clavate [klā'vāt] **; clavated** *(adj.)* نَبّوتيّ الشكل .

clave [klāv] *past of* cleave.

claver [klā'-] *(n. ; vi.)* (١) لَغْو ؛ هَذَر §(٢) يلغو ؛ يهذر .

clavichord [klăv'ə kôrd'] *(n.)* مِوتَرة المفاتيح : آلة موسيقية وترية مزوّدة بلوحة مفاتيح . وتُعتبَر الأصل الذي تطوّرت عنه البيانو.

clavicle [klăv'ə kəl] *(n.)* النّاحِرة (مج) ؛ التَّرْقُوَة (ت) .

clavicorn *(adj.)* نبوتيّ الملامس : ذو قرون استشعار نبوتية الشكل .

clavier [klăv'-] *(n.)* (١) لوحة المفاتيح (في بيانٍ أو أرغن) . (٢) بيان ؛ أرغن الخ .

claviform [klăv'ə fôrm'] *(adj.)* نَبّوتيّ الشكل .

claw [klô] *(n. ; vt.)* (١) مِخْلَب ؛ بُرْثُن (٢) الجزء المشقوق من طرف القدّوم (٣) *pl.* : أصابع الانسان (٤) خَدْش ؛ خَمْش §(٥) يمزّق أو يخدش بالبراثن ونحوها (٦) يحكّ جلده برفق (٧) يحفر (to ~ a hole).

to ~ hold of يُنشب مخالبه أو أظفاره في .

clawed *(adj.)* مُبَرْثَن : ذو براثن أو مخالب أو نحوها .

claw hammer *(n.)* (١) المِطرقة المِخلبيّة : مطرقة ذات طرف مشقوق لخلع المسامير (٢) بذلةُ سهرة رسمية (عا) .

claw hatchet *(n.)* الفأس المِخْلَبيّة : فأس ذات طرف مشقوق .

clay [klā] *(n.)* (١) طَفَل (مج) ؛ طين ؛ صلصال (٢) وَحْل (٣) الجسد البشري .

—clayey ; clayish *(adj.)*

claybank [klā'-] *(n.)* فرسٌ ضاربٌ لونُه إلى الصفرة .

claymore [-'mōr'] *(n.)* الكـَلـْمُور : سيف اسكتلندي ذو حدّين.

clay pigeon

clay pigeon *(n.)* الحمامة الطينية : قرص فخّاري يُقذف في الهواء ليتّخذ هدفاً للرماة .

clean [klēn] *(adj. ; adv. ; vt. ; i.)* (١) نظيف : «أ» خالٍ من الأوساخ . «ب» خالٍ من التلوّث أو المرض . «ج» مهذّب أو خلوٌ من البذاءة. «د» متحرر من العادات القذرة (a ~ animal) «هـ» نظيف بطبعه ، محبّ للنظافة . «و» خالٍ نسبياً من الغبار الذرّي المتساقط (٢) صافٍ ، خلوٌ من المواد الغريبة (wheat ~) (٣) «أ» خالٍ من العوائق (a ~ harbor) . «ب» خالٍ من الأعشاب الضارة (٤) «أ» شريف ، طاهر (a ~ life). «ب» طاهر من وجهة النظر الدينية ، صالحٌ للأكل (fish ~)(٥)«أ»تامّ ، كامل (a ~ sweep). «ب» بارعٌ (a ~ trick; a ~ boxer)(٦)«أ» أنيق أو حسَن الشكل (a motorcar with ~ lines) . «ب» أملس (a ~ edge).(٧) «أ» فارغ (a ~ ship). «ب»أعزل أو غير حاملٍ أي سلاح مخبوء § (٨)على نحوٍ نظيف (to scrub the floor ~) (٩) تماماً (I ~ forgot about it.) § (١٠)ينظّف (١١) «أ» يفرّغ. «ب» يسلبه ماله أو ممتلكاته (ع) .
to ~ out (١) ينظّف (٢) يستهلك ، يستنفد (٣) يُفرّغ أو يخلي (مكاناً) من السكان أو المحتويات الخ .
to ~ up (١) ينظف (٢) يرتّب (٣) يحقّق ربحاً كبيراً (عا) .

clean-cut *(adj.)* (١) أملس (٢) واضح ، محدّد ، بيّن المعالم . (٣) ذو شخصيّة متميّزة (٤) حسن الشكل .

cleaner *(n.)* (١)المنظف : منظف المباني الخ. (٢)المنظّفة : أداة للتنظيف .

cleanhanded *(adj.)* نظيف ، طاهر الكف أو الذيل .

clean-limbed *(adj.)* أنيق ، متناسب الأوصال أو الأجزاء .

cleanly [*adj.* klĕn'- ; *adv.* klēn'-] *(adj. ; adv.)* (١) نظيف . §(٢) على نحوٍ نظيف .
—**cleanlily** *(adv.)*
—**cleanliness** *(n.)*

cleanse [klĕnz] *(vt.)* (١) ينظف (٢) يطهّر .

clean-shaven *(adj.)* حليق الشَّعر على نحوٍ كامل .

cleanup [klēn'ŭp'] *(n.)* (١) تنظيف (٢) ربحٌ عظيم (ع) .

clear [klĭr] *(adj. ; adv. ; vt. ; i. ; n.)* (١) «أ» مشرق ، نيِّر . «ب» صافٍ : خِلوٌ من الغيوم . «ج» صاحٍ : خِلوٌ من الضباب (a ~ day) . «د» رائق (a ~ gaze) . (٢) «أ» خِلوٌ من الشوائب. «ب» خالٍ من العُقَد الخ . (lumber ~) . «ج» شفّاف (٣) واضح ، جليّ (٤) حادّ ، صافٍ (clear-eyed; clearheaded) (٥) واثق ، متأكّد (I am not at all ~ that...) (٦) طاهر ، بريء ، غير ملوَّث (٧) «أ» متحرّرٌ أو خِلوٌ من (of snow ~) «ب» غير مَدِين. «ج» صافٍ (a ~ profit) . «د» مطلَق ، تامّ . «هـ» كامل ، غير منقوص (for five ~ days) . «و» سالك ، خلوٌ من العقبات (Is the road ~ ?) (٨) فارغ (a ~ ship) §(٩) بوضوح (١٠) تماماً ، بكل ما في الكلمة من معنى (١١) بعيداً عن §(١٢) يجعله مشرقاً أو صافياً أو صاحياً الخ . (١٣) يبرىء (١٤) يحرر ، ينظّف (١٥) ينظف حنجرته بالتنحنح (١٦) «أ» ينوّر . «ب» يوضح ، يفسر (١٧) يجيز ، يرخّص . (١٨) يفرِّغ (سفينة الخ .) (١٩) «أ» يحرر من دَيْن . «ب» يسدّد (to ~ an account) . «ج» يدفع الرسوم عن سفينة (٢٠) يربح ربحاً صافياً (to ~ $ 3000 in a transaction) (٢١) يزيل (٢٢) يثب الخ . فوق شيء من غير أن يمسّه (to ~ a hedge) × (٢٣) يصحو ، يصفو ، يتبدّد ، ينقشع الخ. (٢٤) يتبادل الشيكات الخ. في دار المعاوضة أو المقاصة (٢٥) يبيع (٢٦) «أ» تخضع السفينة للشروط المفروضة لدخول مرفأ أو مغادرته. «ب» تغادر السفينة المرفأ بعد ذلك §(٢٧) مسافة أو بقعة خالية من العقبات .
in the ~ , (١) من حيث القياس (أو العرض) الداخلي. (٢) مبرأ من التهمة أو الشك .
to ~ away (١) يزيل ، يرفع (الأطباق عن المائدة الخ.) (٢) يتبدّد ، ينقشع .
to ~ off (١) يُنهي أو يتخلص من (٢) ينصرف .
to ~ the expenses يجمع المال الكافي لدفع النفقات .
to ~ out (١) يفرِّغ (٢) ينصرف (٣) يجعله فارغ الجيب .
to ~ up (١) يرتّب (٢) يحلّ ، يفسّر (٣) يزيل صعوبةً أو سوءَ تفاهم (٤) يصحو (الجوّ).

clearance [klĭr'əns] *(n.)* (١)مص clear ، مثل : «أ» دفع الرسوم عن سفينة . «ب» التصريح الرسمي المُثبِت لذلك. «ج» المقاصّة : تصفية الحسابات بين مصرفين . «د» ترخيص ، إجازة . «هـ» بيع التصفية : بيع بأسعار مخفضة بقصد التخلص من السلع غير المرغوب فيها (ويدعى أيضاً sale ~) (٢) الخُلوص : فسحة فارغة ، مسافة بين شيئين مارّ أحدُهما بالآخر من غير أن يتماسّا .

clear-cut *(adj.)* (١) واضح ، محدّد (٢) واضح المعالم .

clear-eyed *(adj.)* (١) حاد البصر (٢) حصيف ، ثاقب الفكر .

clearheaded *(adj.)* صافي الذهن ، حادّ الادراك ، ذكي .

clearing [klĭr'ĭng] *(n.)* (١) مص clear (٢) أرض مقطوعة الشجر (في غابة) (٣) «أ» المُقاصّة : تبادل الشيكات وتصفية الحسابات بين مختلف البنوك . «ب» *pl.* : مقدار الحسابات المُصفّاة بهذه الطريقة .

clearinghouse *(n.)* دار المقاصّة أو المعاوضة (را. المادة السابقة) .

clearly [klĭr'lĭ] *(adv.)* بوضوح ، بجلاء الخ .

clearness [klĭr'nĭs] *(n.)* وضوح ، جلاء الخ .

clear-sighted *(adj.)* (١) جليّ البصر (٢) بصير ، حصيف .

clearstory [klĭr'stōr'ĭ] *(n.)* = clerestory.

clearwing *(n.)* شفّافة الجَناح : حشرة شفافة الجناحين .

cleat 1.

cleat [klēt] *(n. ; vt.)* (١) مَرْبِط أو مِمْسَك (لحبال السفينة الخ .) (٢) حافظة النعل : قطعة معدنية تُثبَّت في نعل الحذاء لوقايته من الانبراء (٣) وتدٌ على شكل V §(٤) يثبّت أو يزوِّد بمربط الخ .

cleavable [klē'və bəl] *(adj.)* قابلٌ للشقّ ، ممكنٌ شقّهُ الخ .

cleavage [-'vĭj] *(n.)* (١) شقّ ، فَلْعٌ (٢) انشقاق ، انقسام . (٣) فِلذة (من الماس) (٤) التفلّج : انقسام البُيَيْضة الكلّي أو الجزئي إلى خلايا أصغر (أح) .

cleave [klēv] *(vt. ; i.)* (١) يَفلَع ، يَشُقّ ، يَفسَخ (٢) يشقّ (طريقه) (٣) يخترق ×(٤) ينفلع ، ينشقّ ، ينفسخ (٥) يلتصق بـ. (٦) يتعلق بـ ، يخلص لـ .

cleaver [klē'vər] *(n.)* فا cleave وبخاصة : ساطور الجزار .

cleek *(n.)* (١) كُلاّب (لتعليق قِدْر فوق النار) (٢) مِضرب الغولف.

clef [klĕf] *(n.)* المفتاح : علامة موسيقية (مو) .

clef

cleft [klĕft] *(n. ; adj.)* (١) شِقّ ، فَلْعٌ ، صَدْعٌ §(٢) مشقوق.
in a ~ stick في مركز حرج يتعذر التقدم أو التراجع فيه.

cleft palate *(n.)* الشقّ الحَلْقي : شقّ خِلْقي في سقف الحلق.

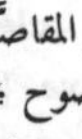

clematis [klĕm'ə-] *(n.)* الظَّيَّان ؛ ياسمين البر : نبات مُعترِش.

clemency[klĕm'ən sĭ] *(n.)* (١)رحمة ؛ رأفة (٢)اعتدال (الجوّ الخ.)

clement *(adj.)* (١) رحيم ؛ رؤوف (٢) معتدل (weather ~).

clench [klĕnch] *(vt. ; n.)* (١) يثبّت المسمارَ (بأن يلوي رأسهُ بعد دقهِ) (٢) يُمْسِك بإحكام (٣) يُطْبِق (أسنانَهُ أو أصابعه بإحكام) (٤) يَحْسِم (أمراً) §(٥) «أ» تثبيت المسمار الخ. «ب» إمساك بإحكام. «ج» إطباق الأسنان أو الأصابع الخ. (٦) الطرف الملويّ من المسمار.

clepsydra [klĕp'sə-] *(n.)* pl. **-dras** *or* **-drae** الساعة المائية.

cleptomania [klĕp'tə mā'nĭ ə] *(n.)* = kleptomania.

clerestory[klĭr'stōr'ĭ] *(n.)* مَنْوَر الكنيسة : جزء من الكنيسة يرتفع فوق سطوح الأقسام الأخرى وتشتمل جدرانه على نوافذ لإضاءة الأجزاء الداخلية.

clergy[-' jĭ] *(n.)* (١)الاكليروس : رجال الدين المسيحي (٢)رجال الدين

clergyman [klûr'jĭ-] *(n.)* (١) الكاهن ؛ القَس (٢) رجُل الدين.

cleric [klĕr'ĭk] *(n. ; adj.)* (١) رَجُل دين §(٢) اكليركيّ.

clerical *(adj. ; n.)* (١) اكليركي (٢) نَسْخيّ ؛ كتابيّ (a ~ error) §(٣) كاهن ؛ قَسّ (٤) شخص أو حزب يعمل على زيادة نفوذ الكنيسة في الدولة.

clerical collar *(n.)* الياقة الاكليركية : ياقة ضيقة بيضاء خاصة بالقسس

clericalism *(n.)* الاكليروسية : «أ» المبادىء الاكليركية. «ب» النفوذ الاكليركي في السياسة. «ج» تأييد هذا النفوذ ومحاولة تعزيزه.

clericalist *(n.)* المؤيد للأكليروسية (را. المادة السابقة).

clerisy [klĕr'ə sĭ] *(n.)* = intelligentsia.

clerk [klûrk ; klärk] *(n. ; vi.)* (١) رَجُل دين (٢) الكاتبُ (في محلّ تجاري أو مكتب أو محكمة) (٣) البائع أو البائعة (في دكان الخ.) §(٤) يعمل كاتباً في محل تجاريّ الخ. أو بائعاً في دكان.
—clerkly *(adj. ; adv.)***—clerkship** *(n.)*

clever [klĕv'ər] *(adj.)* (١) ذكيّ ؛ موهوب (٢) حاذق ؛ ماهر. (٣) بارع (٤)رشيق (٥)مناسب ؛ ملائم ؛ مُرْضٍ (more ~ to me).

cleverly *(adv.)* بحذق ؛ بمهارة ؛ ببراعة.

cleverness *(n.)* حِذْق ؛ مهارة ؛ براعة.

clevis [klĕv'ĭs] *(n.)* التركيبة الشُّعَبيّة : قطعة معدنية على شكل U تكون في لسان عربة أو محراث لشدّ اللسان إلى سلسلة أو نحوها.

clew [klōō] *(n. ; vt.)* (١) كُرَة غَزْل أو خيوط (٢) مفتاح (الحلّ لغز أو نحوه) (٣)الكِظامة : عروة معدنية متصلة بزاوية الشراع السفلى (٤) زاوية الشراع السفلى §(٥) يكوِّر : يكبكب (٦) «أ» يزوِّد بمفتاح لغز. «ب» يعطي معلومات موثوقة (٧)يرفع أو يخفض الشراع بواسطة الكِظامة.

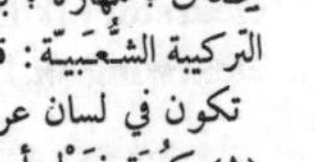

clews 3

cliché [klē shā'] *(F.)* (١) رَوْسَم ؛ كليشيه (طع) (٢) فكرة أو صيغة مبتذلة.

click [klĭk] *(n. ; vi. ; t.)* (١) قَرْقَعَة ؛ طَقْطَقَة (٢) مِزْلاج ؛ سقّاطة §(٣) يقرقع ؛ يطقطق (٤) «أ» يتلاءَم ؛ يتطابق. «ب» يعمل بفعالية أو سلاسة. «ج» ينجح ؛ يحرز نجاحاً (The show ~ *ed.*) ×(٥) يضرب شيئاً بشيء على نحو مطقطِق ؛ يجعله يطقطق.

click beetle *(n.)* الخُنْفساء المُطَقْطِقة.

client [klī'ənt] *(n.)* (١) التابع : شخص يحيا في حماية شخص آخر (٢) الموكِّل : من يوكّل محامياً في دعوى (٣) الزبون : أحد زبائن محل تجاري.
—cliental *(adj.)*

clientage [klī'ən-] ; **clientele** [klī'ən tĕl'] *(n.)* زبائن محامٍ أو طبيب أو فندق أو محل تجاري.

cliff [klĭf] *(n.)* الجُرُف : منحدَر صخري شاهق وبخاصة عند الشاطىء.

cliff dweller *(n.)* ساكن الجُرُف : «أ» المقيم في كهف أو بيت في جُرُف. «ب» المقيم في شقة بمبنى ضخم من مباني المدينة.

cliff dwelling *(n.)* المسكن الجُرُفي : كهف أو بيت في جُرُف.

cliff-hanger *(n.)* (١) مُسَلْسَل مغامرات (تنتهي كل حلقة من حلقاته بموقف حابس للانفاس) (٢) مباراة يظلّ الغموض مكتنِفاً نتيجتها حتى النهاية.

cliff swallow *(n.)* سنونو الأجراف : طائر أميركي يبني عشه في الأجراف.

climacteric[clī măk'-] *(n.; adj.)* (١) نقطة تحوّل رئيسية ؛ مرحلة حرجة (٢) «أ» سنّ اليأس. «ب» ظاهرة مماثلة من الفتور أو العجز الجنسي عند الرَّجُل §(٣)حرِج أو متعلق بمرحلة حرجة.

climactic *or* **climactical** *(adj.)* ذِرْويّ ؛ أَوْجِيّ.

climate [klī'mĭt] *(n.)* (١) إقليم ذو مناخ خاص (٢) مُناخ.

climatic [klī măt'ĭk] *(adj.)* مُناخيّ.

climatologist *(n.)* المُناخيّ : الاختصاصيّ في علم المناخ.

climatology *(n.)* عِلم المُناخ : علم يبحث في المُناخات وظواهرها.

climax[klī'măks] *(n.;vi.;t.)* (١)الصورة المعراجية : صورة كلامية تكون فيها العبارات والجمل مرتبة ترتيباً تصاعدياً تبعاً لقوة أثرها البلاغي في النفس (٢)«أ»الجزء الأخير من صورة معراجية. «ب» الذروة ؛ الأوج : النقطة أو الحادثة الأكثر أهمية أو إثارة للشوق (وبخاصة في رواية أو مسرحية). «ج» هِزَّة الجماع ؛ قمّة التهيّج الجنسي. «د» سنّ اليأس §(٣) يبلغ الذروة ×(٤) يُبْلِغ الذروة.

climb [klīm] *(vi. ; t. ; n.)* (١) «أ» يرتفع (تدريجياً أو على نحو متواصل). «ب» ينحدر صُعُداً (٢) «أ» يتسلق. «ب» يعترش (النباتُ) §(٣) موضع لا سبيل إلى التقدم فيه إلا بالتسلّق (٤) تسلُّق.
to ~ down (١) يهبط مستعيناً بيديه أو قدميه. (٢) ينسحب من مركز أو موقف كان قد اتخذه سابقاً.

climber [klī'mər] *(n.)* (١) فا **climb** (٢) متسلق الجبال. (٣) شخص يحاول جاهداً أن يحرز تقدماً في الحياة بوسائل مختلفة لا تمتّ إلى الكفاءة بصلة (ع) (٤) نبتة مُعترِشة ؛ طائر متسلّق (٥) مسامير تشدّ إلى الحذاء للمساعدة على التسلق.

climbing iron *(n.)* الخُفّ المسماري : خُفّ ذو مسامير يُلبس فوق الحذاء لتسهيل التسلّق.

clime [klīm] *(n.)* = climate.

clin- *or* **clino-** بادئة معناها : مَيل ؛ انحدار (*clino*meter).

-clinal لاحقة معناها : مائل (mono*clinal*).

clinch [klĭnch] *(vt.; i.; n.)* (١)«أ» يلوي رأس المسمار بعد دقّه. «ب» يثبّت بهذه الطريقة (٢) يحسم أمراً أو يثبّته نهائياً ×(٣) يُمْسك بإحكام §(٤) «أ» تثبيت بمسمار مَلويّ الرأس. «ب» رأس المِسمار المَلْويّ (٥) إمساك بقوة.

clincher [-'ər] *(n.)* (١) فا **clinch** (٢) عمل حاسم ؛ حقيقة أو ملاحظة حاسمة ؛ حجة مفحمة (٣) دولاب سيّارة.

-cline لاحقة معناها : مَيْل ؛ انحدار (mono*cline*).

cling [klĭng] *(vi.)* (١) يتماسك (في كتلة قاسية، كالسوائل عندما تجمد، وتتبعها عادةً *together*) (٢) «أ» يلتصق. «ب» يتمسك أو يتشبّث بـ (٣) «أ» يتعلق بفكرة أو أملٍ أو ذكرى الخ. «ب» يكون (أو يظلّ) على مقربة من.

clinging clothes ملابس ضيقة (تُبرز شكل الجسم وخطوط الأعضاء)

clingstone *(n.)* دُرّاق أو خوخ الخ. ذو لُبّ ملتصق بالنواة .

clingy [klĭng'ĭ] *(adj.)* لَزِج ؛ دَبِق .

clinic [klĭn'ĭk] *(n.)* (١) «أ» الطبّ السريريّ : طريقة عملية في تعليم الطبّ قوامها فحص المرضى أو معالجتهم على مشهد من الطلاب . «ب» صفّ يتلقى دروساً في الطب السريري (٢) «أ» عيادة . «ب» مستوصف .

clinical [-'ə kəl] *(adj.)* (١) سَريريّ : «أ» مُنْطَوٍ أو مبنيّ على ملاحظة مباشرة للمريض . «ب» مُنْجَزٌ على فراش المرض أو الموت (~ baptism) (٢) تحليليّ ؛ هادىء ؛ رصين .

clinician [-nĭsh'ən] *(n.)* الطبيب السريريّ: طبيب يعالج سريرياً.

clink [klĭngk] *(vi. ; t. ; n.)* (١) يُصَلْصِل ؛ يُخَشْخِش . ×(٢) يجعله يصلصل الخ . §(٣) صَلْصَلة ؛ خشخشة (٤) سجن .

clinker [-'kər] *(n.)* (١) فا clink (٢) آجُرّ قاسٍ جداً (٣) خَبَث المعادن: ما يتخلف منها عند الصَّهر (٤) «أ» غلطة مضحكة (ع). «ب» إخفاق تام (ع) (٥) شيء من الطراز الأول (بر) .

clinker-built *(adj.)* متراكب الألواح أو الصفائح (~ lifeboats) .

clinometer *(n.)* مقياس المَيْل (مج) ؛ مقياس الانحدار .

clintonia [klĭn tō'nĭ ə] *(n.)* الإقْلِنطونية : عشب أصفر الزهر أو أُبَيْضُه .

Clio [klī'ō] *(n.)* كِلْيُو : مُوزِيّة (را. muse) التاريخ عند الإغريق.

clip [klĭp] *(vt.; i.; n.)* (١) يطوِّق (٢) «أ» يُمسِك بإحكام . «ب» يثبّت بمِشبك (٣) «أ» يقصّ . «ب» يَجُزّ . «ج» يقلّم (٤) يختصر ؛ يرخِّم (٥) يشوه حافّة القطعة النقدية (٦) يثقب تذكرة القطار الخ . (٧) يضرب بسرعة وعنف (٨) يسلبه مالَه (وبخاصةٍ من طريق تقاضي ثمن باهظ) ×(٩) ينطلق مسرعاً §(١٠) مِشْبَك (للأوراق والرسائل الخ .) (١١) مُشط الذخيرة (جن) (١٢) حِلية مثبّتة بمِشْبَك (١٣) مُقلِّمة الأظافر (١٤) «أ» جَزّ الخ . «ب» جُزازة . «ج» مقدار الصوف المجزوز في موسم . «د» قُصاصة من فيلم (١٥) ضربة عنيفة (١٦) خطوٌ سريع (going at a good ~).

clipboard *(n.)* اللوح المِشْبَكيّ : لوح للكتابة في أعلاه مِشبك لتثبيت الأوراق .

clipper [klĭp'ər] *(n.)* (١) فا clip (٢) *pl.* عد : «أ» مِجَزّ . «ب» مقلِّمة الأظافر . «ج» ماكينة لقص الشعر (٣) «أ» القَلْبَر: سفينة شراعية سريعة . «ب» فرس سريع (٤) شخص أو شيء من الطراز الأول.

clipper-built [klĭp'-] *(adj.)* مُعَدّ للإبحار السريع .

clipping [-'ĭng] *(n.; adj.)* (١) مص clip (٢) قُصاصة . §(٣) جازّ ؛ مقلِّم الخ . (٤) سريع (a ~ pace) (٥) ممتاز (ع).

clique [klēk] *(n.; vi.)* (١) زُمْرة ؛ عُصْبة §(٢) «أ» يتّحد في عصبة . «ب» يتآمر (ع).

—cliquey; cliquish *(adj.)*

clitoral *or* **clitoric** *(adj.)* بَظْريّ .

clitoris [klĭ'tə rĭs ; klĭt'ə-] *(n.)* البَظْر (ت) .

cloaca [klō ā'kə] *(n.)* pl. **-e** (١) بالوعة ؛ مجرور (٢) مرحاض (٣) مَذْرَق ؛ إست (للطيور والأسماك).

—cloacal *(adj.)*

cloak [klōk] *(n. ; vt.)* (١) عباءة ؛ معطف فضفاض (٢) «أ» قناع . «ب» ذريعة §(٣) «أ» يغطي بعباءة أو نحوها . «ب» يحجب ؛ يخفي.

cloak-and-dagger *(adj.)* تآمريّ ؛ تجسسي ؛ بوليسي ؛ مليء بالمغامرات.

cloakroom *(n.)* (١) حجرة الإيداع : حجرة لإيداع القبعات والمعاطف موقتاً (في مسرح الخ .) (٢) مرحاض (بر) .

clobber *(vt.)* (١) يضرب بقسوة (ع) (٢) يهزم هزيمة منكرة (ع).

cloche [klôsh] *(n.)* (١) خيمة أو وِقاء زجاجي (لحماية النباتات الرخصة) (٢) قبعة نسوية ضيقة (جَرَسيّة الشكل) .

clock [klŏk] *(n. ; vt.)* (١) ساعة كبيرة (٢) عدّاد السرعة (في السيارات الخ .) (٣) ساعة الدوام (في المؤسسات والدوائر الرسمية) (٤) رسم مطرَّز الخ . على كل من جانبي الجورب §(٥) يقيس الوقت (٦) يسجّل على آلة تسجيل ميكانيكيّة (٧) يطرِّز رسماً على جانب الجورب .

clockmaker [klŏk'-] *(n.)* الساعاتيّ : صانع الساعات أو مصلحها

clockwise *(adv. ; adj.)* باتجاه حركة عقارب الساعة .

clockwork *(n. ; adj.)* (١) آلية الساعة (٢) آلية مشتملة على مجموعة دواليب صغيرة (كآلية الدمية الميكانيكية) §(٣) أوتوماتيكي ؛ منتظم.

clod [klŏd] *(n.)* (١) كتلة تراب أو طين (٢) تربة (٣) كل ما هو أرضيّ وحقير (كالجسد البشري بالقياس إلى الروح) (٤) الغبيّ ؛ الأبله .

—cloddish; cloddy *(adj.)*

clodhopper *(n.)* (١) ريفي أخرق (٢) *pl.* : حذاء ضخم غليظ .

clodhopping [klŏd'-] *(adj.)* جِلف ؛ غليظ ؛ فظّ .

clodpate [klŏd'pāt'] *(n.)* = clodpoll.

clodpoll *or* **clodpole** [klŏd'pōl'] *(n.)* الغبيّ ؛ الأبله .

clog [klŏg] *(vt. ; i. ; n.)* (١) يَعُوق (٢) يَسُدّ ×(٣) ينسدّ (٤) يتختّر (٥) يرقص رقصة القبقاب §(٦) عائق (٧) ثقل معوِّق (٨) قبقاب (٩) رقصة القبقاب. **—cloggy** *(adj.)*

clog dance *(n.)* رقصة القبقاب : رقصة ينتعل فيها الراقص قبقاباً ويخبط الأرض به على نحو إيقاعيّ .

cloisonné [kloi'zə nā'] *(n.; adj.)* (١) المُجْتَزَع : مينا يَفصل بين ألوان نقشها المتعددة شرائط معدنية §(٢) مُجْتَزَع ؛ مُجْتَزَعِيّ.

cloister [klois'tər] *(n. ; vt.)* (١) «أ» دير . «ب» موضع هادىء منعزل . «ج» حياة الأديرة (٢) رواق معمَّد مسقوف (مشيد حول فناء دير أو كنيسة أو مبنى كلية) §(٣) يَعْزِل عن العالم في دير أو نحوه (٤) يحيط برواق معمّد مسقوف الخ.

cloistered [-'tərd] *(adj.)* متوحّد (~ seclusion).

cloistral [-'trəl] *(adj.)* (١) نُسْكيّ (٢) متنسّك (٣) شبيهٌ بدير .

clonic [klŏn'ĭk] *(adj.)* ارتجافيّ (مج) ؛ ارتعاشيّ (مض) .

cloning *(n.)* الاستنساخ : أخذ خلية من كائن حيّ لإنتاج جنين مطابق .

clonus [klō'nəs] *(n.)* الرَّجَفان (مج) ؛ الارتعاش (مض) .

close [klōz] *(vt.; i.; n.)* (١) «أ» يُغلِق . «ب» يَسُدّ . «ج» يحجب . (٢) يرُصّ ؛ يضمّ « الصفوف » (٣) يُطبِق (٤) يُنهي ؛ يختم (٥) يتخلص منه بسعر مخفض (to ~ out a stock of shoes) ×(٦) «أ» ينغلق . «ب» ينسدّ . «ج» يندمل . «د» ينقطع عن العمل (٧) «أ» يدنو . «ب» يشتبك في نزاع (٨) يتفق ؛ يتفاهم (تتبعها *upon*) (٩) ينتهي §(١٠) «أ» انتهاء . «ب» إنهاء . «ج» ختام ؛ نهاية (خُطبة أو مسرحية الخ .) (١١) اشتباك ؛ معركة (ا.ق.)

to ~ about يطوِّق .

to ~ down (١) ينقطع (المصنعُ) عن الانتاج . (٢) تتوقف (محطةُ البثّ) عن الإرسال .

to ~ in (١) يتقاصرُ (النهارُ) (٢) يلفّه الظلام .

to ~ in upon يُطبق (العدوّ) على الخصم .

to ~ up (١) يُغْلِق (بيتاً) إغلاقاً تاماً . (٢) يتراصّ في حشد أو صفّ طويل .

to ~ with (١) يُطبق على (العدو) (٢) يقبل عرضاً الخ.

close [klōs] *(n.; adj.; adv.)* (١) بقعة مسوَّرة أو مسيّجة ، وبخاصة حول مبنى أو كاتدرائية (٢) ممرّ أو مدخل ضيّق ، أو فِناء

يوَدّيان إليه (٣) طريق غير نافذ §(٤) مُغْلَق (٥) «أ» حبيس ؛ حابس (a ~ prisoner; ~ restraint) · «ب» مقصور على فئة معيّنة (a ~ scholarship) (٦) «أ» سرّي ؛ مكتوم (to keep something ~) · «ب» متكتّم ؛ معتصم بالكتمان (٧) شديد (~ attention) (٨) «أ» حبيس الهواء (a ~ room) · «ب» ثقيل الوطأة ؛ يقبض الصدر (~ weather) (٩) بخيل ؛ مغلول اليد (١٠) مُلْتَزّ ؛ متراصّ (١١) ضيّق (a ~ bonnet) (١٢) قصير (١٣) محكَم (١٤) قريب (a ~ neighbor) (١٥) حميم (~ friends) (١٦) «أ» دقيق. «ب» أمين للأصل (a ~ translation) (١٧) نادر ؛ صعب المنال (Money is ~.) (١٨) متعادل النتائج تقريباً (a ~ match) (١٩) محظور الصَّيد فيه (a ~ season) §(٢٠) على نحوٍ دانٍ أو محكَمٍ الخ.

— **closeness** *(n.)*

~ at hand غير بعيد من.

~ to *or* by على مقربة من.

~ upon تقريباً ؛ على وجه التقريب.

to sail ~ to the wind (١) يُبْحِر في اتجاه معاكس للريح تقريباً (٢) يكاد ينتهك قانوناً أو مبدءاً أخلاقياً.

close call *(n.)* نجاة بأعجوبة (عا).

close corporation *(n.)* الشركة المُقْفَلة : شركة يملك أسهمها أفراد قلائل هم عادةً القائمون بإدارتها.

close-cropped; close-cut *(adj.)* مقصوص قصاً قصيراً جداً.

closed [klōzd] *(adj.)* (١) مُغْلَق ؛ مُقْفَل (٢) مقصور على أفراد قلائل (~ membership) (٣) منتهٍ بحرفٍ صحيح (~ syllable).

closed chain *(n.)* السلسلة المقفلة (ك).

closed shop *(n.)* المؤسسة المُقْفَلة : مؤسسة لا تشغّل إلا عمّالاً نقابيين.

closefisted *(adj.)* بخيل ؛ شحيح ؛ مغلول اليد ؛ منقبض الكفّ.

close-grained *(adj.)* (١) محكَم النَّسْج (٢) متقارب التجزّع أو تعرّق الألياف (~ wood).

close-hauled *(adj.)* مُبْحِر في اتجاه معاكس للريح جهدَ الامكان.

close-lipped *(adj.)* = closemouthed.

closely [klōs'lĭ] *(adv.)* (١) بإحكام (٢) «أ» عن كثب. «ب» على نحوٍ ملتزّ أو متراصّ (٣) على نحوٍ تتعادل فيه النتائج تقريباً (٤) إلى حد بعيد (٥) بانتباه (٦) بأمانة ؛ بدقّة (٧) ببخل ؛ بشحّ.

closemouthed *(adj.)* (١) قليل الكلام (٢) متكتّم.

close quarters *(n.)* (١) مكان ضيّق (٢) التحام (في القتال).

close shave *(n.)* نجاة بأعجوبة (ع).

closet [klŏz'ĭt] *(n.; adj.; vt.)* (١) «أ» المُخْتَلَى : حجرة صغيرة يخلو فيها المرء إلى نفسه. «ب» حجرة صغيرة للمقابلات الخاصة (٢) خزانة (٣) مرحاض §(٤) سرّي (~ vows) (٥) نظريّ غير عمليّ (a ~ politician) §(٦) يخلو إلى (٧) يقوده إلى مُخْتَلًى (لإجراء حديث سرّيّ معه).

closet drama *(n.)* المسرحية القِرائية : مسرحية تصلح للقراءة لا للتمثيل.

close-up [klōs'-] *(n.)* (١) صورة فوتوغرافية أو لقطة سينمائية مأخوذة عن قرب (٢) فحص دقيق (٣) ترجمة حياة موجزة.

closing price *(n.)* سعر الاقفال (في البورصة).

closure [klō'zhər] *(n.; vt.)* (١) إغلاق ؛ إقفال الخ. (٢) إنغلاق (٣) أداة إغلاق (٤) ختام ؛ نهاية (٥) إيقاف أو تحديد المناقشة (في البرلمان) لأخذ الأصوات §(٦) يوقف أو يحدد المناقشة (في البرلمان) لأخذ الأصوات.

clot [klŏt] *(n.; vi.; t.)* (١) «أ» كتلة. «ب» جلطة ؛ وبخاصة : جلطة دموية §(٢) يتكتّل ؛ يتخثّر ؛ يتجلط ×(٣) يخثّر.

~ *ted* hair شعر متلبّد (من وسخٍ أو دم).

cloth [klôth] *(n.)* (١) «أ» قماش ؛ جوخ. «ب» «نسيج» من زجاج (٢) «أ» قطعة من قماش لغرض خاص (a floor-*cloth*) «ب» غطاء المائدة (٣) «أ» شراع. «ب» أشرعة (٤) «أ» ثوب مميز لمهنة. «ب» ثوب الكاهن. «ج» الاكليروس ؛ رجال الدين.

clothe [klōth] *(vt.)* (١) «أ» يُلْبِس. «ب» يزوّد بملابس (٢) يكسو. (٣) يُفْرِغ ؛ يعبّر عن (٤) يزوّد (بصلاحية أو سلطة).

clothes [klōz ; klōthz] *(n. pl.)* (١) ملابس (٢) أغطية السرير.

clotheshorse [klōz'-] *(n.)* «جَحْش» الغسيل (ينشر عليه ليَنْشَف).

clothesline [klōz'līn'] *(n.)* حَبْل الغسيل.

clothes moth *(n.)* عُثّة الملابس.

clothespeg ; clothespin [klōz'-] *(n.)* مِلقط الغسيل.

clothes pole *(n.)* عمود الغسيل : عمود يُشَدّ إليه حبل الغسيل.

clothespress [klōz'-] *(n.)* خزانة للملابس.

clothes tree *(n.)* المِشجَب العمودي (تعلّق عليه المعاطف والسترات).

clothier [klōth'yər; -ĭ ər] *(n.)* (١) «أ» البزّاز : بائع الثياب. «ب» صانع الثياب (٢) القمّاش : بائع الأقمشة.

clothing [klō'thĭng] *(n.)* (١) ملابس (٢) غطاء.

cloth yard *(n.)* يارد ؛ ياردة ؛ ٣ أقدام.

cloture [klō'chər] *(n.; vt.)* (١) إقفال المناقشة بأخذ الأصوات على المسألة موضوعِ النقاش §(٢) يقفل باب المناقشة على هذا النحو.

cloud [kloud] *(n.; vi.; t.)* (١) سحابة (٢) حشْد ؛ عدد وافر (٣) «أ» عِرق داكن أو بقعة داكنة (في الرخام). «ب» لطخة ؛ شائبة §(٤) تَغيم (السماء) (٥) يكفهرّ (الوجهُ الخ.) (٦) يصبح موضع شُبهة ؛ يتسربل بالعار ×(٧) يحجب بسحابة أو سُحُب (٨) يغشّي ؛ يعتّم ؛ يُضبّب (٩) يجعله بعيداً عن الوضوح (١٠) «أ» يجعله موضعَ رِيبة ؛ يُسَرْبِلُه بالعار. «ب» يلوّث (سمعتَه).

in the ~*s* ذاهل ؛ شارد الفكر.

under a ~, (١) موضع نقمة (٢) مشبوه ؛ موضع ريبة ؛ مُسَربَل بالخزي.

cloudberry *(n.)* فريز السحاب : فريز معترش ينمو في الجبال الأميركية.

cloudburst *(n.)* الوابل : مَطَر غزير مفاجِىء.

cloud chamber *(n.)* الغرفة الغَيْمية (فز).

cloudily *(adv.)* على نحوٍ غائم أو مكفهرّ أو غامض الخ.

cloudiness *(n.)* تغيّم ؛ اكفهرار ؛ غموض الخ.

cloudiness of cornea تغيّم القَرْنية (ط).

cloudland *(n.)* (١) منطقة الغيوم (٢) دنيا الأحلام.

cloudless *(adj.)* صافٍ ؛ صاحٍ ؛ لا غيمَ فيه.

cloudlet [kloud'lĭt] *(n.)* القَزَعة : سحابة صغيرة.

cloud rack *(n.)* القَزَع : قطع السحاب المتفرّقة في السماء.

cloudy [klou'dĭ] *(adj.)* (١) غائم (٢) غيميّ (٣) معرّق أو مبقّع (~ marble) (٤) غير صافٍ أو شفّاف ؛ غير ذي بريق (٥) غامض ؛ غير واضح (~ notions) (٦) قاتم ؛ مكفهرّ (~ looks) (٧) مشبوه أو مُلْبَس بالخزي والعار.

clough [klŭf ; klou] *(n.)* وادٍ ضيّق.

clout [klout] *(n.; vt.)* (١) خرقة (عب) (٢) «أ» ثوب. «ب» منديل (٣) «أ» ضربة ، وبخاصة باليد. «ب» ضربة في البايسبول (٤) «أ» هدَف (في الرماية). «ب» رمية صائبة (٥) نفوذ ؛ سلطة §(٦) يرقع (٧) يضرب بقوة.

clove [klōv] *past of* cleave.

ă at; ā date; â care; ä car; ĕ egg; ē me; ĭ in; ī bite; ŏ lot; ō bone; ô orphan; oi boil; ŏŏ good; ōō boot; ou out;
ŭ under; ū unity; û urgent; th thing; th this; zh vision; ə = a in alone, e in system, i in easily, o in gallop, u in circus.

clove [klōv] *(n.)* . (١) فصٌ (من الثوم) (٢) كبش قرنفل.

clove hitch *(n.)* عقدة الوتد ؛ عقدة لشدّ حبْل حول عمود الخ . (مل) .

clove hitch

cloven [klō'vən] *past part. of* cleave.

cloven foot *(n.)* (١) ظِلف مشقوق (٢) رمز للشيطان أو للاغواء.

cloven-footed *(adj.)* (١) مشقوق الظِّلْف (٢) شيطانيّ .

cloven hoof *(n.)* = cloven foot.

cloven-hoofed *(adj.)* = cloven-footed.

clover [klō'vər] *(n.)* . (نب) نفَل ، بِرْسِيم . in ~, في رفه أو ترف .

cloverleaf *(n.)* ورقة البِرسيم : ملتقى طرق تتقاطع على مستويات مختلفة تسهيلاً لحركة السير.

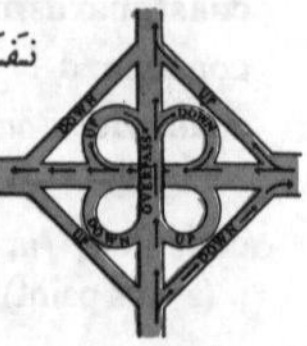

cloverleaf

clown [kloun] *(n.; vi.)* (١) الفلاح ، الريفي . (٢) الجِلف ، الفظ (٣) المهرج §(٤) يتصرف كمهرج ؛ يمثل دور مهرج . **—clownery** *(n.)*

clownish *(adj.)* جِلْف ، فظ ؛ أخرق .

cloy [kloi] *(vt. ; i.)* (١) يُتخِم ×(٢) يتخم .

club [klŭb] *(n.; vt.; i.; adj.)* . (١) «أ» هراوة . «ب» مِضرب الكرة . «ج» الاسباتي (في ورق اللعب) (٢) «أ» نادٍ . «ب» نادٍ ليلي § (٣) يضرب بهراوة أو نحوها (٤) يتوزّعون النفقات ×(٥) يتعاون (٦) يدفع نصيبه من النفقة المشتركة §(٧) ذو علاقة بنادٍ أو شبيه به (٨) من نوع ملائم لنادٍ .

clubbable *or* **clubable** [-'ə bəl] *(adj.)* اجتماعي .

clubby *(adj.)* مميّز لنادٍ أو لأعضاء نادٍ .

club car *(n.)* الحافلة المُنْتَدَى (را . lounge car).

club chair *(n.)* كرسيّ المُنْتَدَى : كرسيّ خفيض وثير ذو ذراعين.

clubfoot *(n.)* . (١) قدَم حنفاء : قدم مشوّهة خِلْقَةً (٢) حنَفٌ .

clubfooted *(adj.)* أحنف : مشوَّه القَدَم خِلْقَةً .

clubhouse *(n.)* المُنتدى : مبنى يشغله نادٍ .

clubman *(n.)* . (١) عضو في نادٍ (٢) شخص مولعٌ بحياة النوادي.

club sandwich *(n.)* سندويشة من خبز محمَّص ولحم دجاج وطماطم وخس

club steak *(n.)* شريحة من لحم الخاصرة .

cluck [klŭk] *(vi.; t.; n.)* (١) تَقرِق (الدجاجة) : تُطلق صوتاً خاصاً تدعو به صغارَها ×(٢) يدعو إلى شيء بمثل القَرْق (has ~*ed* thee to the war) (٣) يعبّر عن شيء بمثل القَرْق (~*ing* her sympathy) (٤) يجعله يطلق صوتاً كالقَرْق §(٥) القَرْق : صوت الدجاجة وبخاصة إذا دعت صغارها (٦) القِرْقَة : الدجاجة القاعدة على بيضها .

clue [klōō] = clew.

clumber; clumber spaniel *(n.)* القلمْبَر : كلب قصير القوائم .

clumber

clump [klŭmp] *(n.; vi.; t.)* (١) مجموعة ، وبخاصة من أشجار ؛ أجمة (٢) كتلة (a ~ of earth) (٣) صوت وَطْءٍ ثقيل §(٤) يمشي بتثاقل وجلبة (٥) يتجمّع ؛ يتكتّل ×(٦) يجمّع ؛ يكتّل .

clumpy [-'ĭ] *(adj.)* (١) أجَميّ (٢) ملتفّ الأشجار .

clumsily *(adv.)* بخُرْقٍ أو بطريقة غير مُتْقَنَة .

clumsy [klŭm'zĭ] *(adj.)* (١) أخرق ؛ غير رشيق أو بارع (~ fingers; a ~ workman) (٢) غير مصقول ؛ تعوزه الرقة (a ~ joke) (٣) غير ملائم ؛ غير متقن الصنع (~ shoes).

clung [klŭng] *past ; past part. of* cling.

clupeid [klōō'pĭ ĭd] *(n.;adj.)* (١) الصابوغة : سمكة من الصابوغيات أو القَريسيات **Clupeidae** وهي فصيلة أسماك تشمل الصابوغة والرنكة والسردين §(٢) صابوغيّ .

cluster [klŭs'tər] *(n.; vi.; t.)* (١) «أ» عنقود . «ب» مجموعة . «ج» جماعة §(٢) «أ» يتعَنْقَد : يتخذ شكل عناقيد . «ب» يتجمّع أو يتحلّق حول × (٣) يُعَنْقِد .

clutch [klŭch] *(vt.; i.; n.)* (١) يقبض (على شيء) بإحكام ؛ يتشبّث بِ ×(٢) يحاول التعلّق بِ §(٣) «أ» *pl.* عد : براثن . «ب» سيطرة ؛ سلطان (٤) «أ» إنشاب أظافر . «ب» قبضة (٥) القابض : جهاز تعشيق التروس (في سيارة) ؛ «دوبرياج» (٦) دوّاسة القابض (سي) (٧) مأزق (٨) «أ» حَضْنة بيض . «ب» عدد الصيصان الناقفة من هذه الحَضْنة .

clutter [klŭt'ər] *(vt.; i.; n.)* . (١) «أ» يركم أو يكوِّم بغير نظام . «ب» يملأ بأشياء مركومة بغير نظام (to ~ a room) ×(٢) يعدو بغير نظام (٣) يتحرك بجلبة واضطراب (٤) يُحدث ضجةً أو ضوضاء (٥) يتكلم بسرعة لا تتضح معها الكلمات §(٦) «أ» ركامٌ يعوزه النظام . «ب» فوضى (٧) ضوضاء .

Clydesdale [klīdz'dāl] *(n.)* الكلَيْدِسدال : حصان جرّ اسكتلندي.

clypeate;-d [klĭp'-] *(adj.)* : (١) تُرْسيّ الشكل (أح) (٢) مُدرَّق : ذو دَرَقة (را . المادة التالية) .

clypeus [klĭp'-] *(n.)* pl. **clypei** الدَّرَقة : غطاء قرنيّ يغطّي الجزء الأمامي العلوي من رأس الحشرة. **— clypeal** *(adj.)*

clyster [klĭs'tər] *(n.)* حُقْنَة شرجيّة (ط) .

Cnidaria *(n.pl.)* اللّواسع (مج) (ح) .

co- بادئة معناها : (١) معاً (cooperate) (٢) مساوٍ في الدرجة (coextensive) (٣) مشارك ؛ شريك في (coauthor) (٤) مختلط (coeducation) (٥) مساعد (copilot) .

coach [kōch] *(n.; vt.; i.)* . (١) «أ» مركبة كبيرة . «ب» حافلة «ج» أوتوبوس . «د» سيارة ببابين . «هـ» درجة (من درجات السفر بالطائرة) أدنى سعراً من الدرجة الأولى (٢) «أ» مدرِّس خصوصيّ . «ب» مدرِّب رياضيّ §(٣) يعلّم ؛ يدرب (٤) ينقل بمركبة كبيرة الخ . ×(٥) يسافر بمركبة كبيرة الخ . (٦) يَعمل مدرساً خصوصياً أو مدرباً رياضياً (٧) يتعلم أو يتدرّب على يد مدرس خصوصيّ أو مدرّب رياضيّ . **— coacher** *(n.)*

coach-and-four *(n.)* رُباعية الجياد : مركبة تجرها أربعة جياد .

coach box *(n.)* مقعد الحوذيّ (في مركبة) .

coach dog *(n.)* = Dalmatian.

coachman *(n.)*. (١) حوذيّ (٢) ذبابة صُنْعيّة (للصيد بالصنّارة).

coachy *(n.)* حوذيّ ؛ سائق مركبة (ع) .

coact [kō ăkt'] *(vi.)* . (١) يقسُر ؛ يُكره (ا.ق) (٢) يتعاون ؛ يتضافر.

coaction [kō ăk'-] *(n.)* . (١) قسْر ؛ إكراه (ا.ق) (٢) تعاون ؛ تضافُر .

coactive [kō ăk'-] *(adj.)* . (١) قسْري ؛ إكراهيّ (ا.ق) (٢) متضافر .

coadjutor [kō ăj'-] *(n.; adj.)* . (١) المساعد (٢) مساعد الأسقف §(٣) مساعِد (~ bishop) .

coadunate [kō ăj'ə nĭt] *(adj.)* . متّحد ؛ نامٍ معاً («ح» و «نب»).

coagulant [kō ăg'yə-] *(n.)* . المُخثِّر ، المُجلِّط : مادة مخثِّرة أو مجلِّطة.

coagulase *(n.)* الخميرة المُخثِّرة .

coagulate [*adj.* kō ăg'yə lĭt; *v.*-lāt'] *(adj.;vt.; i.)* (١) متخثِّر §(٢) يخثِّر ؛ يجلِّط ×(٣) يتخثّر ؛ يتجلّط . **— coagulation** *(n.)* **—coagulator** *(n.)*

coagulum [-'yə ləm] *(n.)* pl. **-la** جَلْطَة ؛ خَثْرة .

coal [kōl] *(n.; vt.; i.)* (١) جَمرة (٢) فحم ؛ فحم نباتي. (٣) فحم حجريّ §(٤) يفحّم : يحوّل إلى فحم نباتيّ (٥) يزوّد أو يتزوّد بفحم حجريّ .

to haul, drag, call, rake, etc.,over the ~s, ينتقد؛ يوبخ بقسوة ؛ يناقشه الحساب .

to heap ~s of fire on one's head يجعله يندم بأن يردّ على إساءته بالإحسان .

to carry ~s to Newcastle يزود بشيء متوفر أصلاً ؛ يكون كجالب التمر إلى هَجَر .

coal bed *(n.)* طبقة فَحْمْحَجَرية أو محتوية على فحم حجري.

coal dust *(n.)* رجيع الفحم (مج) ؛ تراب الفحم الحجري .

coaler *(n.)* (١) الفحّام. (٢) ناقلة الفحم : سفينة لنقل الفحم الحجري.

coalesce[kō'ə lĕs'] *(vi.)* (١) يلتئم (الجرحُ) (٢) يندمج ؛ يلتحم .

— **coalescence** *(n.)* — **coalescent** *(adj.)*

coal field *(n.)* حقل الفحم : منطقة غنيّة بالفحم الحجري .

coal gas *(n.)* غاز الفحم ؛ غاز الفحم الحجري .

coal heaver *(n.)* حمّال الفحم أو جارفُه .

coal hod *(n.)* دلو الفحم : دلو صغير لنقل الفحم الحجري (ع) .

coaling station(n.) مرفأ الاستفحام : مرفأ تستطيع البواخر التزوّد منه بالفحم الحجري .

coalition [kō'ə lĭsh'ən] *(n.)* (١) اندماج (٢) الائتلاف : تحالف موقت بين رجال السياسة أو بين الأحزاب لغرض مخصوص.

coal measures الطبقات الفَحْمْحَجَرية : طبقات محتوية على فحم حجري (جي) .

coal mine *(n.)* منجم فحم حجري. — **coalminer** *(n.)*

coal oil *(n.)* (١) نفط (٢) كيروسين .

coal pit *(n.)* (١) منجم فحم حجري (٢) موضع يُصنع فيه الفحم النباتي.

coal tar *(n.)* قار الفحم ؛ قطران الفحم .

coal-tar dye *(n.)* الصباغ القارفحميّ : صباغ من أحد مشتقّات قار الفحم .

coaly [kō'lĭ] *(adj.)* (١) فحميّ (٢) فاحم ؛ كالفحم . (٣) مشتمل على فحم حجري .

coaming [kō'mĭng] *(n.)* الحِتار : حافة مرتفعة حول فتحة في أرضية أو سطح أو ظهر سفينة لمنع تسرّب المياه إليها .

coanchor *(n.)* مُنَسّق الأخبار المساعد (في الاذاعة الخ).

coaptation *(n.)* التئام (الجرح أو العظم المكسور) .

coarse [kōrs] *(adj.)* (١) رديء (fish ~) (٢) خشن (skin ~) (٣) قاس ؛ شديد (weather ; ~ sickness ~) (٤) جِلف ؛ فظّ ؛ غير مصقول (manners ~) (٥) أجشّ .

— **coarsely** *(adv.)* — **coarseness** *(n.)*

coarse-grained *(adj.)* (١) خشن النسيج (٢) غير مصقول .

coarsen [kōr'sən] *(vt.; i.)* يجعله (أو يصبح) خشناً الخ .

coast [kōst] *(n.; vt.; i.)* (١) ساحل ؛ شاطىء (٢) تلّة ؛ منحدر (٣) هبوط تلّة (بمزلجة أو نحوها) §(٤) يُساحل ؛ يُبحر في محاذاة ساحل كذا ×(٥) يهبط بفعل الجاذبية.

coast artillery *(n.)* مدفعية السواحل .

coastal [kōs'-] *(adj.)* ساحليّ (defense ~).

coaster [-'tər] *(n.)* (١) فا coast ، مثل : «أ» السواحلي : شخص مشتغل بالمواصلات أو بالتجارة الساحلية. «ب» السواحلية : سفينة مخصصة للتجارة بين مرافىء بلدٍ ما (٢) «أ» الصينية الجوّابة : صينية مدوّرة. فضية عادةً . منصوبة على هيكل ذي عجلات (تستخدم لإدارة الماء أو الخمر على الموائد بعد الطعام). «ب» الصحن الواقي : صُحَيْن يوضع تحت الزجاجة لوقاية المائدة من البلل أو الحرارة . «ج» مِزلقة ؛ مِزلجة (٣) سكة حديد (من سكك مدينة الملاهي) كثيرة المنخفضات والالتواءات .

coaster brake(n.) الفرملة الخلفية : مكبح في عجلة الدرّاجة الخلفية.

coast guard *(n.)* (١) خَفَر السواحل (٢) خفير السواحل .

coastguardsman *or* **coastguardman**(n.) خفير السواحل.

coastward *or* **coastwards** *(adv.)* نحو الساحل.

coastwise *(adv.; adj.)* (١) بطريق الساحل أو في محاذاته . §(٢) «أ» مُساحِل : منطلق في محاذاة الساحل . «ب» ساحليّ .

coat [kōt] *(n.; vt.)* (١) سترة (٢) غطاء طبيعيّ (كصوف الحيوان، ولحاء الشجر، وقشر الفاكهة الخ.) (٣) طبقة (a ~ of paint) §(٤) يكسو (٥) يطلي .

coat card *(n.)* = face card.

coated *(adj.)* (١) ذو سترة الخ. (٢) مصقول (٣) مشمع ؛ مطلي .

coatee [kō tē'] *(n.)* سترة قصيرة .

coati

coati [kō ä'tĭ](n.) القُوطيّ : حيوان أميركي صغير من اللواحم .

coating *(n.)* (١) غطاء ؛ غلاف (٢) طَلْية ؛ طبقة خارجية (٣) قماش للسترات.

coat of arms

coat of arms *(n.)* شعار النبالة .

coat of mail *(n.)* المَزْرودة : درعٌ من زَرَد.

coauthor[kō ô'-](n.) المؤلف المشارك : مؤلف يشارك في وضع كتاب .

coax [kōks] *(vt.; i.)* (١) يلاطف ؛ يتملق (٢) ينال أو ينتزع بالملاطفة والتملق (the baby ~ ed a smile from).

coaxial [kō ăk'sĭ əl] *(adj.)* مُتّحد المحور (ر) .

coaxial cable *(n.)* الكَبْل المتحد المحور ؛ كَبْل ذو مُوَصِّلين متّحدي المحور (كب) .

cob [kŏb] *(n.)* (١) ذَكَر الإوزّ (٢) قطعة مستديرة (من فحم أو حجارة الخ.) (٣) لَبِن (٤) قَوْلحة الذرة : الجزء شبه الخشبي من كوز الذرة (٥) الكَبّ : جواد قويّ قصير القوائم (٦) زعيم ؛ رجلٌ ذو شأن.

cobalt [kō'bôlt] *(n.)* الكوبالت: عنصر فلزّي فضيّ البياض(ك).

cobalt blue *(n.)* (١) أزرق الكوبالت : صِبْغ أزرق مخضرّ يتألف من أكسيد الكوبالت وأكسيد الألومنيوم (٢) لون أزرق مخضر .

cobaltite *or* **cobaltine** *(n.)* الكوبالتيت ؛ الكوبالتين (مع).

cobalt 60 *(n.)* الكوبالت ٦٠ : نظير للكوبالت إشعاعيّ النشاط.

cobble [kŏb'əl] *(n.; vt.)* (١) حصاة كبيرة (وبخاصة لرصف الشوارع) (٢) *pl.* : فحم حجريّ مكوّر (بر) §(٣) يرصف بالحصى (٤) يرقّع (الأحذية الخ .) (٥) يصنع بطريقة خرقاء أو غير متقنة (~d rhymes).

cobbler [-'lər] *(n.)* (١) الإسكاف (٢) عامل غير بارع (ا.ق). (٣) القَبْلَر : «أ» شراب مسكر مثلوج يُعَدّ من خمر وعصير فاكهة . «ب» ضرب من فطائر الفاكهة .

cobblestone [kŏb'əl stōn'] *(n.)* = cobble I.

cob coal *(n.)* فحم حجريّ مكوّر .

cobelligerent [kō'bə lĭj'ər ənt] *(n.; adj.)* (١) بلدٌ محارب مع دولة أخرى (ضدّ عدو مشترك) §(٢) محاربٌ ضدّ عدوّ مشترك.

cobnut [kŏb'nŭt'] *(n.)* بُندق (نب) .

ă at; ā date; â care; ä car; ĕ egg; ē me; ĭ in; ī bite; ŏ lot; ō bone; ô orphan; oi boil oo good; ōō boot; ou out ŭ under; ū unity; û urgent; th thing; th this; zh vision; ə = a in alone, e in system, i in easily, o in gallop, u in circus.

cobra [kō'brə] *(n.)* الصِّلّ ؛ النّاشر : أفعى سامة جداً .

cobra

cobweb[kŏb'wĕb'] *(n.)* (١) بَيْت (أو نَسْج) العنكبوت (٢) خيط من خيوط العنكبوت (٣) «أ» كل ما هو رقيق أو واهٍ كبيت العنكبوت . «ب» شَرَك .

— **cobwebbed ; cobwebby** *(adj.)*

coca [kō'-] *(n.)* (١) الكُوكَة : نبتة يُستخرَج منها الكوكايين . (٢) أوراق الكوكة المجفّفة .

cocaine[kō kān'] *(n.)* الكوكايين : مخدِّر يستخرج من أوراق الكوكة المجففة .

cocainism [kō kā'-] *(n.)* الكوكايينيّة : إدمان الكوكايين .

cocainize [-'nīz] *(vt.)* يُكَوْكِن : يعالج أو يخدّر بالكوكايين .

Coccidae [kŏk'sĭ dē] *(n. pl.)* فصيلة المغافير (حش) .

coccus [kŏk'əs] *(n.)* pl. **-ci** (١) كَرَبْلَة ؛ إحدى كربلات carpel (را .) الثمرة المتفلّقة (نب) (٢) الخليّة المكوّرة (بك) .

-coccus لاحقة معناها : مُتَعَضٍّ مكوَّر (micro*coccus*).

coccygeal [kŏk sĭj'ĭ əl] *(adj.)* عُصْعُصيّ (ت) .

coccyx [kŏk'sĭks] *(n.)* pl. **-cyges** العُصْعُص (ت) .

Cochin China[kō'-] *(n.)* الدجاج الصيني: دجاج كثيف ريش القوائم.

cochineal [kŏch'ə nēl'] *(n.)* القِرْمِز : صِبْغ أحمر فاتح .

cochineal insect *(n.)* القِرمِزيّة ؛ حشرة القِرْمِز .

cochlea [kŏk'lĭ ə] *(n.)* pl. **-e** (١) قَوْقَعَة الأُذُن : جزء من الأذن الداخلية على هيئة القوقعة (ت) (٢) سلم لولبيّة (ا.ن) .

cochleate[kŏk'-] ; **cochleated** *(adj.)* حلزوني ؛ لولبيّ .

cock [kŏk] *(n. ; vi.; t.)* (١) «أ» ديك . «ب» ذَكَرُ الطائر . «ج» صياح الديك . «د» الفجر . «ه» weathercock (٢) حنفية ؛ صنبور (٣) زعيم ؛ رئيس (٤) «أ» الديك : زَنْدُ البندقية . «ب» وَضْع الصَّلْي : وَضْعُ الديك عند الصَّلْي (٥) مَيَلان (~ of the head) (٦) كومة ؛ ركام صغير (a ~ of hay) § (٧) يتبَخْتَر ؛ يمشي مختالاً (٨) ينتصب × (٩) يَصْلي الديكَ : يردّ ديك البندقية إلى الوراء استعداداً للرمي (١٠) يَنْصِب (أذنيه للاستماع) ؛ يوتِّر (١١) يُميل إلى جانب (١٢) يرفع (حافة القبعة الخ .) إلى أعلى (١٣) يكوِّم.

~ **of the walk (school)** سيِّد الجماعة أو الموقف (وبخاصة بمعنى استبداديّ أو متَّسم بالغطرسة) .

to live like fighting ~s يَنْعَم بطيّب المآكل ووافره.

cockade [kŏ kād'] *(n.)* عقدة شريط القبعة .

cock-a-hoop [kŏk'ə hōōp'] *(adj.)* تيّاه ؛ مغرور ؛ مبتهج .

Cockaigne [kŏ kān'] *(n.)* (١) أرضُ الوفرة ؛ أرض النعيم : أرض خرافية يحيا فيها الناس برخاء وتَرَف بالغَيْن (٢) لندن .

cock-a-leekie *(n.)* حساء الدجاج بالكُرّاث .

cockalorum[-ə lōr'əm] *(n.)* شخص مغرور (إلى حد مستهجن).

cock-and-bull story *(n.)* حكاية غير قابلة للتصديق.

cockatiel *or* **cockateel** [-ə tēl'] *(n.)* الكَتكَتيل: ببغاء أسترالي.

cockatoo [kŏk'ə tōō'] *(n.)* الكُكَتُوه : ببغاء ذو عُرف .

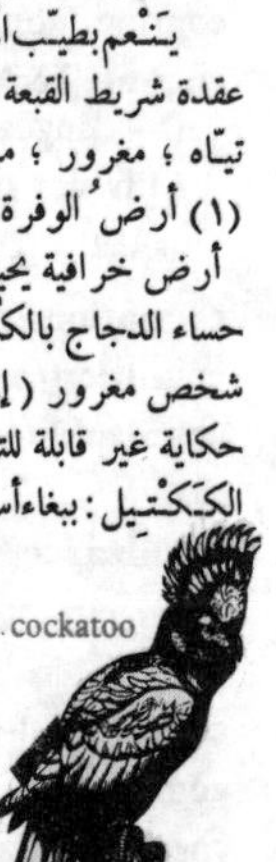

cockatoo

cockatrice *(n.)* الأَصَلة ؛ أمّ طَبَق : حيّة خرافية إذا نظرت إلى امرىء صَرَعَتْه .

cockboat *(n.)* الكُكْبُوت : مركب صغير ذو مجاذيف .

cockchafer *(n.)* الدودة البيضاء : خنفساء كبيرة متلفة للنباتات .

cockcrow [-'krō] *(n.)* وقت صياح الديك : الفجر .

cocked hat *(n.)* القبعة المردودة : قبعة مردودة الحافة إلى أعلى في موضعين أو ثلاثة .

cocked hat

to knock into a ~ يتلف أو يدمّر تماماً .

cocker[kŏk'-] *(n.;vt.)* (١) cocker spaniel (٢) المشتغل بمصارعة الديكة § (٣) يدلّل (طفلاً) .

cockerel [kŏk'ər əl] *(n.)* ديك صغير .

cocker spaniel *(n.)* كلب صغير مسترخي الأذنين حريريّ الشَّعْر .

cockeye [kŏk'ī] *(n.)* عَيْن حَوْلاء ؛ عين ذات حَوَل .

cockeyed [kŏk'īd] *(adj.)* (١) أحول (٢) «أ» مائل ؛ موروب . «ب» مخبول قليلاً . «ج» سكران .

cockfight; cockfighting *(n.)* مصارعة الديكة .

cockhorse [-'hôrs'] *(n.)* حصان خشبيّ هزّاز (للأطفال) .

cockiness *(n.)* غرور ؛ زَهْو ؛ عُجْب .

cockish [kŏk'ĭsh] *(adj.)* مغرور ، مزهوّ بنفسه (ع) .

cockle [kŏk'əl] *(n.; vi.; t.)* (١) الكَوْكَل : «أ» عشبٌ نامٍ في حقول القمح . «ب» حيوان من الرخويات ذو صدفتين على هيئة قلب . «ج» قارب صغير خفيف . «د» حلوى من دقيق وسكر (٢) تَغَضُّن § (٣) يتغضّن × (٤) يغضِّن .

cockleshell *(n.)* (١) صَدَفة الكَوكَل (٢) قارب خفيف .

cockles of the heart صميم القلب ؛ أعمق أعماق القلب .

cockloft [kŏk'lôft] *(n.)* عِلِّيّة صغيرة .

cockney [kŏk'nĭ] *(n.; adj.)* (١) الكوكنيّ ؛ أحد أبناء لندن ، وبخاصة : أحد أبناء أفقر أحياء لندن (٢) اللهجة الكوكنية : لهجة لندن أو أفقر أحيائها § (٣) كوكنيّ . — **cockneyish** *(adj.)*

cockpit [kŏk'pĭt'] *(n.)* (١) ميدان مصارعة الديكة (٢) مسرح المعارك : منطقة شهدت معارك كثيرة بين مختلف الدول (٣) جزء من السفينة الحربية مخصَّص لصغار الضباط وجرحى المعركة (٤) رُكن الطيّار (طي) .

cockroach [-'rōch'] *(n.)* الصُّرْصور ؛ بنت وَرْدان .

cockscomb[kŏks'kōm'] *(n.)* (١) عُرْف الديك (٢) قطيفة عرف الديك : نبات زهريّ من الفصيلة القطيفيّة (٣) قبعة شبيهة بعُرف الديك (يلبسها المهرج) (٤) المغرور ؛ المتأنق المغرور .

cockshut [kŏk'shŭt'] *(n.)* المساء ؛ الغَسَق (عب) .

cockshy [-'shī] *(n.)* (١) رماية (٢) رَمِيّة ؛ هدف .

cocksure [-'shōōr'] *(adj.)* (١) واثق (٢) واثق أكثر مما ينبغي .

cocktail[kŏk'tāl'] *(n.; adj.)* (١) فرس مقصوص الذيل (٢) جواد غير أصيل (٣) الكوكتيل : «أ» شراب مُسْكِر مُعدّ من خمور مختلفة . «ب» عصير طماطم الخ . يُتناول لإثارة الشهية . «ج» سَلَطَة فاكهة منوعة تُقَدَّم في كأس § (٤) شبه رسمي (~ dress).

cocky [kŏk'ĭ] *(adj.)* مغرور ؛ مزهوّ بنفسه .

coco [kō'kō] *(n.)* (١) شجرة جوز الهند (٢) جوز الهند .

cocoa [kō'kō] *(n.)* (١) كاكاو (٢) شراب الكاكاو .

coconut *also* **cocoanut** [kō'kə nŭt'] *(n.)* جوزة الهند .

coconut palm *or* **tree** *(n.)* شجرة جوز الهند .

cocoon [kə kōōn'] *(n. ; vt.)* (١) الفَيْلَجة : «أ» شَرْنَقَة . «ب» غطاء واق يُنشَر على الطائرات والمحركات والسيارات المخزونة لحمايتها من الصدأ الخ . § (٢) يُفَيْلِج : يصون بغطاء كهذا .

cocotte[kō kŏt'] *(n.)* بغيّ ؛ مومس .

cod [kŏd] *(n.)* القُدّ : سمك يؤكل من أسماك شمالي الأطلسي .

coda [kō'də] *(n.)* التقفيلة (مج) : المقطع الختامي من اللحن (مو) .

coddle [kŏd'əl] *(vt.)* . (١) يسلق (بماء لم يبلغ درجة الغليان) (٢) يدلّل أو يعامل برفق .

code[kōd] *(n.; vt.)* : (١) المدَوّنة : مجموعة قوانين (٢) الدستور : مجموعة مبادىء أو قواعد (a ~ of ethics) (٣) شِفرة أو نظام شِفري § (٤) ينظّم أو يُدرِج في مدوّنة (٥) يُشفِر : يصوغ في رموز شِفرية .

codefendant [kō'dĭ fĕn'-] *(n.)* مُدَّعى عليه ثانٍ .

codeine [kō'dēn] *(n.)* . الكودِين : مخدِّر مستخرج من الأفيون .

codex [kō'-] *(n.)*pl. **codices**. (١) مخطوطة (٢) مجموعة مخطوطات

codfish [kŏd'fĭsh'] *(n.)* = cod.

codger [kŏj'ər] *(n.)* . شخص غريب الأطوار أو سيىء السمعة .

codices [kō'də sēz' ; kŏd'ə-] *pl. of* codex.

codicil *(n.)*. (١) ملحق وصيّة (مشتمل على تعديل) (٢) ملحق .

codify *(vt.)* . (١) يجمع القوانين وينسّقها (٢) ينظّم ؛ يصنّف .

codling [kŏd'lĭng]*(n.)* (١) سمكة قدّ صغيرة (٢) «أ» تفاحة صغيرة فجّة . «ب» ضرب من التفاح المستطيل (بر) .

codling moth *(n.)*. دودة التفاح : دودة تسطو أساريعها على التفاح الخ .

cod-liver oil *(n.)* زيت كبد القُدّ .

codswallop *(n.)* = nonsense.

co-ed *(n. ; adj.)* (١) تلميذة بمعهد مختلط § (٢) خاص بهذه التلميذة (٣) مختلَط .

coeducation [kō ĕj ə kā'-] *(n.)* التعليم المختلَط .

coeducational[kō-] *(adj.)* مختلَط : خاص بتعليم الذكور والإناث في مدرسة واحدة .

coefficient [kō'ə fĭsh'ənt] *(n.)*. (١) المُعامِل (ر). (٢) درجة .

coefficient of absorption مُعامِل الامتصاص (فز) .

coefficient of expansion مُعامِل التمدّد (فز) .

coefficient of friction مُعامِل الاحتكاك (مك) .

coefficient of reflection *(n.)* مُعامِل الانعكاس (فز) .

coelenterate [sĭ lĕn'tə rāt'] *(n.; adj.)* (١) اللاحَشْوِيّ : حيوان من اللاحشويات **Coelenterata** وهي حيوانات بحرية لافقارية ذات تجويف بطني يقوم مقام القناة الهضمية كسمك المرجان والسمك الهلاميّ الخ . § (٢) لاحَشْوِيّ .

coelenteron [sĭ lĕn'-] *(n.)* pl. **-tera** الهَوْش : جوف الحيوان اللاحشوي .

coeliac [sē'lĭ ăk'] *(adj.)* = celiac.

coelom [sē'-] *(n.)* pl. **-loms** *or* **-lomata** : الجَوْف ؛ السيلوم : باطن البطن (ح).

coelomic [sē'-] *(adj.)* جَوْفي ؛ سِيلوميّ (ح) .

coenobite [sē'nə bīt'] *(n.)* = cenobite.

coequal [kō ē'-] *(adj.; n.)*. (١) مساوٍ (لغيره في الدرجة الخ). § (٢) نظير ؛ نِدّ .

coerce [kō ûrs'] *(vt.)*. (١) يُكرِه ؛ يُجبر (٢) يُجبر على الطاعة الخ .

coercion [kō ûr'shən] *(n.)* إكراه ؛ إجبار ؛ قَسْر .

coercive [-'sĭv] *(adj.)* . إكراهيّ ؛ قَسْريّ (~ measures) .

coercive force *(n.)* القوة المانعة (مغ) .

coetaneous [kō'ĭ tā'nĭ əs] *(adj.)* = coeval.

coeternal [kō'ĭ tûr'-] *(adj.)* مماثلٌ أو مشاركٌ في الأزلية .

coeval [kō ē'vəl] *(adj.; n.)* (١) مماثلٌ عمراً أو تاريخاً أو ديمومة . § (٢) مُعاصِر (٣) شخص معاصر .

coexist [kō'ĭg zĭst'] *(vi.)*. (١) يتواجد : يتصاحب في الوجود . (٢) يتعايش : يعيش أحدهما مع الآخر في سلام .

— **coexistent** *(adj.)*

coexistence *(n.)* (١) التواجد : التصاحب في الوجود (٢) التعايش (السلميّ بين الدول ذات الأنظمة المختلفة) .

coextension *(n.)* . التمادّ : التساوي في الامتداد (زماناً أو مكاناً) .

coextensive *(adj.)* مُتَمادّ : متساوٍ في الامتداد ؛ ممتدّ على المكان نفسه أو طوال الزمان نفسه .

coffee [kôf'ĭ] *(n.)* . (١) بُنّ (٢) قهوة (٣) فنجانُ قهوة .

coffeehouse *(n.)* مقهًى .

coffee mill *(n.)* طاحونة بُن ؛ مطحنة بن .

coffeepot *(n.)* ركوة قهوة .

coffee shop *(n.)* مقهًى .

coffee tree *(n.)* شجرة البن .

coffers 4.

coffer [kôf'ər]*(n.)* (١) صندوق ؛ وبخاصة : صندوق حديدي الخ . لحفظ النفائس (٢) *pl.* عد : خزينة ؛ خزانة (٣) cofferdam (٤) زخرفٌ غائر (في سقف) .

cofferdam *(n.)* سدّ الإنضاب : سدّ يقام لتمكين العمال من إقامة أساس جسرٍ في نهر .

coffin [kôf'ĭn] *(n.; vt.)* (١) تابوت (٢) الجزء القرنيّ المشكِّل حافرَ الفرس § (٣) يضع في تابوت أو نحوه .

coffin bone *(n.)* عَظْم الحافر .

coffle [kŏf'əl] *(Ar.)* قافلة (من العبيد أو الحيوانات) .

cog [kŏg] *(n.; vt.; i.)* (١) سِنّ العجلة أو الدولاب (٢) شخص أو جزء ثانويّ (٣) لسان (نج) § (٤) يتحكم بزهر النرد (بطريقة غير مشروعة ، عند إلقائه) (٥) يُلسِّن : يصل ما بين قطعتي خشب بلسان .

cogency [kō'jən sĭ] *(n.)* . قوة الحجّة ؛ القدرة على الإقناع .

cogent [-'jənt] *(adj.)* قويّ ؛ مُفحِم ؛ مقنع .

cogged *(adj.)* مسنن ؛ مزوَّد بأسنان (~ wheels).

cogitate[kŏj'ə tāt'] *(vt.; i.)*. (١) يفكر (في شيء) تفكيراً عميقاً (٢) يدبّر ؛ يرسم ×(٣) يتأمّل ؛ يتفكّر .

cogitation *(n.)* . (١) تفكير ؛ تأمل (٢) ملكة التفكير (٣) فكرة ؛ خطة .

cogitative *(adj.)* . (١) مفكر (٢) «أ» تأمّلي ؛ متّسم بالتأمل «ب» مولع بالتأمل .

cognac [kōn'yăk ; kŏn'-] *(F.)* كونياك .

cognate[kŏg'nāt] *(adj.; n.)* (١) «أ» قريب ؛ نسيب. «ب» نسيب من ناحية الأم (٢) شقيق : من أصل واحد (~ languages) (٣) متشابه : ذو طبيعة متشابهة (Physics and astronomy are ~ sciences) § (٤) القريب ؛ النسيب ؛ الشقيق ؛ المتشابه .

cognation *(n.)* . (١) قرابة ؛ نسابة (٢) تحدّر من أصل واحد (٣) تشابه .

cognition(*n.*) . (١) معرفة ؛ إدراك (٢) المُدْرَك : شيء مُدْرَك .

cognizable(*adj.*) (١) ممكنٌ إدراكه أو معرفته (٢) داخلٌ ضمن صلاحية محكمة ما .

cognizance[kŏg'nə zəns] *(n.)* (١) شارة مميزة (٢) علم ؛ معرفة ؛ إدراك (٣) «أ» الاختصاص : صلاحية محكمةٍ للنظر في دعوى . «ب» النظر في الدعوى .

cognizant [-'nə zənt] *(adj.)* مُطّلِعٌ على ؛ عالمٌ بِـ .

cognize [kŏg'nīz] *(vt.)* يَعلم ؛ يدرك .

cognomen[kŏg nō'-] *(n.)*pl.**-nomens** *or* **-nomina** (١) اسم الأسرة (عند الرومان) (٢) اسم ؛ وبخاصة : لقب .

— **cognominal** *(adj.)*

cognoscente [kŏ'nyô shĕn'tĕ] *(n.)* pl.-ti=connoisseur.

cognoscible [kŏg nŏs'ə bəl] *(adj.)* = cognizable.

cognovit[-nō'-]*(n.)*. إقرار المدعى عليه بصدق دعوى المدعي (ق).

cog railway *(n.)* سكة حديد مسنّنة.

cogswell chair *(n.)* كرسي كوغزويل : كرسيّ منجّد ذو ذراعين وظهر مرتدّ إلى الوراء وقوائم برُنْثية (منتهية على شكل براثن الحيوان).

cogwheels

cogwheel[kŏg'-]*(n.)* دولاب مسنّن ؛ عجلة مسننة.

cohabit [kō hăb'ĭt]*(vt.)* يتعايش (وبخاصة عيشة الأزواج).

cohabitation *(n.)* التعايش (وبخاصة على طريقة الأزواج).

coheir [kō âr'] *(n.)* شريك في ميراث.

coheiress *(n.)* شريكة في ميراث.

cohere [kō hĭr'] *(vi.)* (١) يلتحم ؛ يتماسك ؛ يلتصق بعضه ببعض (٢) يتّحد (من حيث المبادىء أو المصالح الخ.) (٣) يتساوق أو يترابط (منطقياً).

coherence;coherency*(n.)*. (١)التحام؛ تماسك(٢) ترابطٌ منطقيّ.

coherent [-'ənt] *(adj.)*. (١) ملتحم؛ متماسك (٢) مترابطٌ منطقياً.

coherent scattering *(n.)* الاستطارة المترابطة (فزن).

coherer [-'ər]*(n.)*. مكشاف الموجات (في أجهزة الراديو القديمة).

cohesion[kō hē'zhən]*(n.)*. (١) التحام؛ التصاق (٢) تماسك (فز).

cohesive *(adj.)*. (١) مُلْحِم ؛ مُلْصِق (٢)متماسك (٣) تماسكيّ.

cohort [kō'hôrt] *(n.)* (١) كتيبة (٢) جماعة ؛ عُصْبة.

coif [koif] *(n. ; vt.)* (١) قَلَنسُوَة ضيّقة (٢) تسريحة شَعر. § (٣) أو **coiffe** : يغطي بقلنسوة أو نحوها.

coiffeur [kwȧ fœr'] *(F.)* المزيّن ؛ الحلاق.

coiffure[-fyŏŏr']*(n.;vt.)*. (١) تسريحة شَعْر § (٢) يصفّف الشعر.

coign [koin] *(n.)* (١) زاوية ناتئة (٢) وتد.

coign of vantage *(n.)* موقع ملائم للمراقبة أو العمل.

coil [koil] *(n.; vt. ; i.)* (١) «أ» اضطراب ؛ جلبة (٢) لفة. (٣) المَلَفّ : سلك مُوَصِّل ملفوف (كب) (٤) سلسلة أنابيب (ملتفّة أو مُصَطَفّة) § (٥) يلُفّ × (٦) يلتف.

coin [koin] *(n. ; vt.)*. (١) «أ» زاوية ؛ حجر الزاوية (ا.ق). «ب» وتد (ا.ق) (٢) «أ» قطعة معدنية. «ب» عملة ؛ نقد معدني § (٣) يضرب (العملة) أو يسكّها (٤) يصوغ ؛ يبتكر (to ~ words) (٥)يكسب المال بسرعة (ع). — **coiner***(n.)*.

coinage[-'nĭj] *(n.)* (١) «أ» سكّ العملة أو ضَرْبها. «ب» عملة. (٢) «أ» صياغة ؛ ابتكار(the ~ of new words). «ب» كلمة مبتكرة أو جديدة الصياغة.

coincide [kō'ĭn sīd']*(vi.)* (١) «أ» يتماكن ؛ يتزامن : يحتلّ نفس المكان أو الزمان. «ب» يتطابق ؛ يتوافق (٢)يتفق (في الرأي الخ.).

coincidence[-'sə dəns]*(n.)* (١) «أ» تماكُنٌ ؛ تزامنٌ. «ب» تطابُق ؛ توافُق (٢) انطباق (هن) (٣) صُدْفة.

coincident [-'sə dənt]*(adj.)* (١) متماكن ؛ متزامن : محتلّ نفس المكان أو الزمان (~ events) (٢) متطابق ؛ متوافق (duty ~ with interest)

coincidental [-sə dĕn'təl] *(adj.)* = coincident.

coinheritance [kō'ĭn hĕr'-] *(n.)* اشتراك في ميراث.

coinsurance [kō'ĭn shŏŏr'-] *(n.)* التأمين المشترك : «أ» التأمين بالاشتراك مع شخص آخر أو أشخاص آخرين. (ب)شكل من التأمين ضدالحريق الخ. بأقل من قيمة الممتلكات الفعلية بحيث يكون المالك ضامناً مشاركاً يتحمل جزءاً من الخسائر.

coinsure [kō'ĭn shŏŏr']*(vt.; i.)* يؤمّن تأميناً مشتركاً.

coir [koir] *(n.)* ليف جوز الهند (تصنع منه الحبال الخ.).

coition ; coitus *(n.)* جِماع ؛ اتصال جنسي.

coke [kōk] *(n.; vt.; i.)*. (١) الكوك؛ فحم الكوك (٢) كوكايين (ع). § (٣) يكوّك ؛ يتكوّك : يحوِّل أو يتحوّل إلى كُوك.

col [kŏl]*(n.)* مضيق بين قمّتين (في سلسلة جبال).

col- *or* **coli-** *or* **colo-** بادئة معناها : القولون (ت).

cola [kō'lə] *(n.)* *pl.of* colon.

cola [kō'lə] *(n.)* الكولا : شرابٌ غازيّ.

colander [kŭl'ən dər]*(n.)* مِصْفاة (تستخدم في الطهو).

colcannon[kəl kăn'ən]*(n.)*. الكُلْكانُن : طعام من بطاطس وكرنب.

colchicum[kŏl'chə-] *(n.)* (١) السُورَنجان (نب) (٢) دواء للنِّقْرِس يُستخرج من السُّورنجان.

colcothar[kŏl'kə thər]*(Ar.)*. القُلقُطار : أكسيد الحديديك الأحمر.

cold [kōld]*(adj.; n.)* (١)بارد (٢) فاتر؛ غير وديّ (٣) لا مبالٍ ؛ رزين؛ تعوزه العاطفة أو الحماسة (a ~ nature) (٤) مبيَّت؛ مدروس (a ~ act of aggression) (٥) «أ» مُشْعِر بالبرد (~ blank walls). «ب» ضاربٌ إلى الزرقة أو الخضرة (a ~ gray)(٦)مقرور (He is ~ and hungry) (٧)«أ» ميت. «ب» فاقد الوعي (٨) مثبِّط للهمة (~ news)(٩) واهن ؛ ضعيف (a ~ scent) § (١٠) بَرْد (١١) زُكام. — **coldness***(n.)*.

in ~ blood عن عَمْد ؛ على نحو متعمَّد أو مبيَّت.

in the ~, من غير تسخين.

out in the ~, مُهْمَل ؛ محروم من المنافع المُسْبَغة على الآخرين.

to catch *or* take (a) ~, يصاب بزكام.

to give (a person) the ~ shoulder يعامله بجفاء.

to make one's blood run ~, يملأه رعباً.

cold-blooded*(adj.)*. (١) «أ» وحشيّ (~ murder). «ب» واقعيّ. (٢) متغيّر الحرارة : ذو حرارة تتغيّر تبعاً لحرارة البيئة (كالأفاعي والسلاحف الخ.) (٣) أو **coldblood** : هجين (٤) شديد الحساسية للبرد.

cold chisel *(n.)* الازميل البارد : ازميل قوي للمعادن الباردة.

cold cream *(n.)* «الكريم» البارد : مرهم مُطرّ للبشرة.

cold cuts *(n. pl.)* شرائح من لحم بارد وجبن.

cold frame *(n.)* الوقاء البارد : وقاءٌ زجاجي الغطاء ، خالٍ من الحرارة الصنعيّة ، لصيانة النباتات.

cold front *(n.)* الجبهة الباردة (أر).

cold-hearted *(adj.)* لا مبالٍ ؛ خِلوٌ من الشعور أو العطف.

cold pack *(n.)* منشفة باردة (أو كيس ثلج) توضع على الجسد لتخفيف الألم.

cold snap *(n.)* فترة مفاجئة من الجو البارد.

cold steel *(n.)* سلاح فولاذي (كسيف أو حربة الخ.).

cold war *(n.)* الحرب الباردة : حرب تُشَن بمختلف الأسلحة الديبلوماسية والاقتصادية والإعلامية.

cold wave *(n.)* الموجة الباردة : فترة من البرد الاستثنائي.

cole [kōl] *(n.)* لِفت (نب).

colectomy*(n.)*. استئصال القولون أو المعي الغليظ أو جزء منهما (جر).

colemanite [kōl'mə nīt'] *(n.)* الكولمنيت (مع).

coleopteron [kō'lĭ ŏp'-] *(n.)* pl. **-tera** : مُغْمَدَةُ الجناح حشرة من مغمدات الأجنحة (كالخنافس) .
coleslaw [kōl'slô'] *(n.)* سَلَطَةُ الكرنب (المخرَّط) .
coleus [kō'lĭ əs] *(n.)* القُولْيوس ؛ زهرة الغِمد (نب) .
colic [kŏl'ĭk] *(n.; adj.)* (١) مَغْص §(٢) مَغْصِيّ (٣) قولوني (ت) .
colicin *(n.)* الكوليسين : مادة مضادة للجراثيم .
colicky [-'ĭk ĭ] *(adj.)* (١) مَغْصِيّ (٢) ممغوص ؛ مصاب بمغص .
colicroot *(n.)* نبتة المغص : نبتة شمالأميركية جذورها تخفف المغص .
coliseum [kŏl'ə sē'əm] *(n.)* (١) *cap.* : الكولوسيوم : مدرّج روما القديم (٢) مدرّج أو مسرح كبير للحفلات العامة .
colitis [kō lī'tĭs] *(n.)* القَوْلَنْج : التهاب غشاء القولون المخاطي (مض) .
collaborate [kə lăb'ə rāt'] *(vi.)* (١) يشترك (في تأليف كتاب الخ) (٢) يتعاون مع العدوّ المحتلّ (٣) يتعاون مع مؤسسة الخ .
— collaboration *(n.)* **— collaborative** *(adj.)* **— collaborator** *(n.)*
collaborationism *(n.)* التعاون مع العدوّ المحتلّ .
collaborationist *(n.)* المتعاون مع العدو المحتل .
collage [kə läzh'; kō-] *(n.)* (١) المُلَصَّقة : رسم تجريدي مؤلف من قصاصات صحف واعلانات الخ . ملصقة على سطح صورة . (٢) الفنّ التلصيقي : فن صُنْع الملصَّقات (٣) مجموعة قطع مختلفة .
collagen [-'ə jən] *(n.)* الكولاجين : المادة البروتينية التي في النسيج الضامّ وفي العظام والتي تُنتج الهلام عند غليها في الماء الحار (كح) .
collapse [kə lăps'] *(vi.; t.; n.)* (١) ينهار (٢) يُخفق (٣) يفقد القوة أو الشجاعة فجأة (٤) يصاب بضعف شديد (٥) ينطوي ؛ يكون قابلاً للطيّ ×(٦) يجعله ينهار الخ . §(٧) انهيار (٨) انهيار صحّي .
collar [kŏl'ər] *(n.; vt.)* (١) «أ» قَبَّة ؛ ياقة . «ب» قلادة قصيرة . «ج» طوق (لعنق الحيوان) . «د» طوق لوني (في عنق الحمامة الخ .) (٢) حلقة معدنية (لوَصْل أنبوبَيْن الخ) §(٣) يأخذ أو يمسك بخناقه الخ . (٤) يقبض على (٥) يستولي على ؛ يأخذ من غير استئذان .
out of ~, عاطل عن العمل (وضدّها : ~ in) .
collarbone [kŏl'ər bōn'] *(n.)* التَّرْقُوَة (ت) .
collards [kŏl'-] *(n. pl.)* ملفوف ؛ كرنب .
collared *(adj.)* (١) مُرْتَدٍ ياقةً (٢) ملفوف ومنقوع بالخلّ (كاللحم) (٣) مُعْتَقَل (ع) .
collar stud *(n.)* مُشَبِّتُ الياقة : زرّ خاصّ لتثبيت الياقة بالقميص .
collate [kŏ lāt'] *(vt.)* (١) يقارن أو يوازن (بين النصوص) . (٢) يفحص مَلازِمَ كتاب يراد تجليدُه (للتأكّد من أنها مرتبة ترتيباً صحيحاً) (٣) يمنحه رتبة كنسية ذات دَخْل .
collateral [kə lăt'ər əl] *(adj.; n.)* (١) «أ» مُلازِم ؛ مصاحب ؛ مكمِّل . «ب» غير مباشر . «ج» إضافيّ (security ~)(٢) ذو قرابة بعيدة (٣) «أ» متوازٍ . «ب» متطابق من حيث الزمان (events ~) . «ج» متطابق من حيث المنزلة أو القيمة أو الوظيفة (proofs ~ to those offered) (٤) مضمون بضمانة إضافية (a ~ loan) §(٥) نسيبٌ ذو قرابة بعيدة (٦) ضمانة إضافية (٧) فرع من عضو جسدي (كالوريد الخ .) .
collation [kŏ lā'-] *(n.)* (١) مص collate (٢) وجبة طعام خفيفة .
colleague [kŏl'ēg] *(n.)* الزميل ؛ الرَّصيف .
collect [kə lĕkt'] *(vt.; i; adj.; adv.)* (١) يجمع (٢) يجبي (الديون أو الضرائب الخ .) (٣) يستعيد السيطرةَ (على أفكاره أو قواه) ×(٤) يتجمّع ؛ يتراكم (٥) يجمع الكتبَ أو الطوابع أو القطع النقدية (على سبيل الهواية) (٦) يقبض مالاً (~ *ing* on his insurance) §(٧) تُدفَع أجرتُه من قِبَل المستلم (a ~ telegram) §(٨) مُحوَّلةً أجرتُه على المستلم (a telegram sent ~) .
collect [kŏl'ĕkt] *(n.)* صلاة قصيرة .
collectanea [-tā'nĭ ə] *(n. pl.)* منتخبات مختارة .
collected [-'tĭd] *(adj.)* هادئ ؛ رابط الجأش .
collection [-'shən] *(n.)* (١) مص collect (٢) مجموعة (٣) مبلغ من المال (يُجْمَع للأعمال الخيرية الخ .) (٤) رباطة جأش .
collective [-'tĭv] *(adj.; n.)* (١) جَمْعِيّ : دالّ على الجمع (*Crowd* is a ~ word.) (٢) متجمِّع ؛ متراكم (the ~ wisdom of the ages) (٣) جماعيّ (~ leadership) §(٤) جماعة (٥) وحدة أو منظمة تعاونية ؛ وبخاصة : مزرعة تعاونية .
collective agreement *(n.)* الاتفاق الجماعيّ : عقد كتابيّ أو شفهيّ بين ربّ العمل وبين نقابة عمّالية لمصلحة جميع العمال الذين تمثلهم تلك النقابة .
collective bargaining *(n.)* المساومة الجَماعية : مفاوضات على الأجور وساعات العمل وشروطه تجريها نقابةٌ عماليّة مع ربّ العمل باسم جميع العمال الذين تمثّلهم تلك النقابة .
collective farm *(n.)* المزرعة التعاونية .
collectively *(adv.)* (١) جَمْعيّاً أو جماعياً (٢) جملةً ؛ إجمالاً .
collective note *(n.)* المذكرة الجَماعيّة : مذكرة ديبلوماسية توقعها جميع الدول المعنيّة .
collective noun *(n.)* اسم جَمْع ؛ اسمٌ جَمْعيّ (ل) .
collective ownership *(n.)* الملكية الجَماعية (للأرض ورأس المال وغيرهما من وسائل الانتاج) .
collective security *(n.)* الأمن الجَماعي : صيانة السلم العالمي بأن تضمن الدول ، بصورة جماعية ، سلامة كل دولة بمفردها من طريق فرض العقوبات أو عقد المحالفات ضد المعتدين .
collectivism *(n.)* الجماعية : المبدأ الاشتراكي القائل بسيطرة الدولة ، أو الشعب ككلّ ، على جميع وسائل الانتاج أو النشاطات الاقتصادية .
—collectivist *(n.; adj.)* **—collectivistic** *(adj.)*
collectivity *(n.)* (١) الجمعية أو الجماعية : كون الشيء جَمْعيّاً أو جَماعياً (٢) الشعب ككلّ .
collectivize [kə lĕk'tə vīz] *(vt.)* ينظّم (شعباً أو صناعةً أو اقتصاداً) وفقاً لمبادىء « الجماعية » (را . collectivism) .
collector [-'tər] *(n.)* (١) الجابي (٢) الجامع ؛ الجمّاع ؛ هاوي الجَمْع (stamp ~) (٣) المجمِّع : أداة لتجميع التيار (كب) .
colleen [kŏl'ēn ; kə lēn'] *(n.)* فتاة ايرلندية .
college [kŏl'ĭj] *(n.)* (١) «أ» كلية «ب» مبنى الكلية أو مبانيها (٢) مَجْمَع (the ~ of cardinals) (٣) جماعة ؛ حَشْد (٤) سجن (عب) .
colleger [kŏl'ĭj ər] *(n.)* = collegian.
collegial [kə lē'jĭ əl] *(adj.)* = collegiate.
collegian [kə lē'jən; -jĭ ən] *(n.)* طالب كليّة أو متخرّج منها .
collegiate [kə lē'jĭt ; -jĭ ĭt] *(adj.)* (١) ذو علاقة بكليّة (٢) مُعَدّ لطلاب الكليّات أو مميز لهم أو خاص بهم (~ dictionaries; ~ life) .
collegium *(n.)* الكوليجيوم : مجلس يتمتع كل عضو من أعضائه بسلطة مساوية تقريباً لسلطة الأعضاء الآخرين (وبخاصة في الاتحاد السوفياتي) .
collenchyma [kə lĕng'kə mə] *(n.)* النسيج الغَرَوِيّ : نسيجٌ مؤلف من خلايا متطاولة ، عادةً ، ذات جدران غليظة وبخاصة عند الزوايا (نب) .
— collenchymatous *(adj.)*
collet [kŏl'ĭt] *(n.)* (١) طوق معدنيّ (٢) موضع الفصّ من الخاتم .

ă at; ā date; â care; ä car; ĕ egg; ē me; ĭ in; ī bite; ŏ lot; ō bone; ô orphan; oi boil o͝o good; o͞o boot; ou out; ŭ under; ū unity; û urgent; th thing; t͟h this; zh vision; ə = *a* in alone, *e* in system, *i* in easily, *o* in gallop, *u* in circus.

collide [kə līd'] *(vi.)* (١) يتصادم (٢) يتعارض؛ يتضارب.

collie [kŏl'ĭ] *(n.)* الكولي: كلب ضخم اسكتلندي الأصل يستخدم في رَعْي الغنم.

collie

collier [kŏl'yər] *(n.)* (١) عامل بمنجم فحم (٢) ناقلة الفحم: سفينة لنقل الفحم الحجري.

colliery [-'yə rĭ] *(n.)* منجم الفحم (بمُنْشآته وأجهزته).

colligate [-'ə gāt'] *(vt.)* (١) يضمّ؛ يوحّد؛ يجمع ما بين (٢) يربط ما بين شتّى الوقائع أو الحقائق (لكي يستخرج منها مبدأً عاماً).

collimate [kŏl'ə māt'] *(vt.)* يُوَزِي: يجعله موازياً؛ يُسَدِّد (خطّ البصر في تلسكوب الخ.).

collimation *(n.)* الإيزاء أو الاستيزاء؛ التسديد أو التسدّد («فز» و«فل»).

collimator [kŏl'ə mā-] *(n.)* المِيْزاء؛ المُسدِّدة (بص).

collinear [kə lĭn'ĭ ər] *(adj.)* مُتَسامِت: واقع على نفس الخطّ.

collins *(n.)* الكُولِنْز: شراب مُسْكِر مثلوج.

collinsia [kə lĭn'sĭ ə] *(n.)* الكُلِنْسية: عشب ذو زهر ملوَّن.

collision [kə lĭzh'ən] *(n.)* (١) تصادُم (٢) تعارُض؛ تضارُب.

collocate [kŏl'ō kāt'] *(vt.)* ينظّم؛ يرتّب؛ وبخاصة: يرْصف.

collocation [-kā'-] *(n.)* (١) تنظيم؛ رصفّ (٢) انتظام؛ ارتصاف.

collodion [kə lō'dĭ-] *(n.)* الكولوديون: سائل دبق يخلّف غشاء شفافاً صامداً للماء كان يُستخدَم في الطب والتصوير الفوتوغرافي.

collogue [kə lōg'] *(vi.)* (١) يتآمر (ع) (٢) يتحادث بصورة سريّة.

colloid [kŏl'oid] *(n.; adj.)* (١) المادة الغَرَوانية: مادة شبه غَرَوية. §(٢) غَرَوانيّ: شبه غَرَويّ.

colloidal [kə loi'-] *(adj.)* غَرَوانيّ؛ شِبْغَرَويّ؛ شبه غَرَويّ.

collop [kŏl'əp] *(n.)* (١) شريحة أو قطعة صغيرة، وبخاصة من اللحم. (٢) طيّة لحم أو جلد على الجسد.

colloquial [kə lō'kwĭ əl] *(adj.)* مَحْكيّ؛ مُسْتَخْدَم في لغة الحياة اليوميّة، وبالتالي: عاميّ؛ غير فصيح.

colloquialism [-'kwĭ ə-] *(n.)* (١) تعبير عامي (٢) أسلوب عامي.

colloquist *(n.)* المتحدث؛ المتكلّم؛ المشترك في حديث.

colloquium *(n.)* مؤتمر؛ حلْقة دراسيّة.

colloquy [kŏl'ə kwĭ] *(n.)* حديث؛ مكالمة.

collude [kə lōōd'] *(vi.)* (١) يتواطأ (٢) يتآمر.

collusion [kə lōō'zhən] *(n.)* (١) تواطُؤ (٢) مؤامرة.

collusive [-'sĭv] *(adj.)* تواطُئيّ؛ تآمريّ.

colly [kŏl'ĭ] *(vt.; n.)* (١) يسود بالسُخام (ع) §(٢) سُخام (ع).

collyrium [kə lĭr'ĭ əm] *(n.)* pl. **-lyria** قَطْرَة؛ غَسول للعين.

colo- = col-.

colocynth [kŏl'ə sĭnth] *(n.)* حَنْظَل.

cologne [kə lōn'] *(n.)* كولونيا؛ ماء الكولونيا.

colon [kō'lən] *(n.)* (١) *pl.* **- s or cola**: القولون: الجزء الأسفل من المعي الغليظ (٢) *pl.* **colons**: النقطتان: علامة ترقيم «:» (٣) *pl.* **colones**: الكولون: وحدة النقد في كوستاريكا والسلفادور.

colonel [kûr'nəl] *(n.)* زعيم؛ كولونيل (جن).

colonial [kə lō'nĭ əl] *(adj.; n.)* (١) مُسْتَعْمَرِيّ: «أ» ذو علاقة بمستعمرة أو مستعمرات. «ب» *cap.*: ذو علاقة بالمستعمرات الثلاث عشرة الأصلية المكوِّنة للولايات المتحدة الأميركية §(٢) ساكنُ مستعمرة.

colonialism [-'nĭ ə-] *(n.)* الاستعمارية: نزوع الدولة إلى استعمار البلدان الأخرى أو الاحتفاظ بسيطرتها عليها.

colonic [kə lŏn'ĭk] *(adj.)* قولونيّ: ذو علاقة بالقولون (ت).

colonist [kŏl'ə nĭst] *(n.)* (١) المُستَعْمَرِيّ: ساكنُ مستعمرة. (٢) المعمّر: شخص يشارك في إنشاء مستعمرة.

colonize [kŏl'ə nīz'] *(vt.; i.)* (١) يستعمر (٢) يُنْزِل (جماعةً) في مستعمرة أو نحوها ×(٣) ينشئ مستعمرةً أو يقيم فيها.

— **colonization** *(n.)* — **colonizationist** *(n.)*

colonnade [-nād'] *(n.)* (١) صف أعمدة (عم) (٢) صفّ أشجار.

colonnaded *(adj.)* مُعَمَّد: ذو صفّ من الأعمدة أو نحوها.

colony [kŏl'ə nĭ] *(n.)* (١) «أ» جماعة من المهاجرين أو المغتربين. «ب» المِصْر: أرض يستقرّ فيها هؤلاء المهاجرون (٢) مستعمرة (٣) جالية (The American ~ in Paris) (٤) جماعة منعزلة تمارس مهنة واحدة (a ~ of artists) (٥) مجموعة الحيوانات أو النباتات العائشة أو النامية معاً (a ~ of bees) (٦) مستعمرة (بلك).

colophon [kŏl'ə fŏn'] *(n.)* (١) كلمات في نهاية المخطوطة تشتمل على اسم الناسخ وزمان النسخ ومكانه (٢) شارة دار النشر في صدر الكتاب أو آخره.

colophony [kŏl'ə fō'nĭ] *(n.)* = rosin.

color *or* **colour** [kŭl'ər] *(n.; vt.; i.)* (١) لون (٢) «أ» مظهر خارجي. «ب» حجّة؛ ذريعة (His argument has the ~ of reason.) (attacked their opponents under ~ of patriotism) «ج» مظهر يُشعر بإمكانية الوقوع؛ مظهر يغري بالتصديق (Her torn clothing gave ~ to her story that she had been attacked.) (٣) «أ» بشرة. «ب» تورّد البشرة. «ج» بشرة متورِّدة (٤) «أ» حيوية (His gift for description adds ~ to his stories.) (٥) «أ» *pl.*: شارة أو عصابة أو ملابس ملوَّنة مميزة. «ب» لون محليّ. «ب» *pl.*: رأي؛ وجهة نظر (to stick to one's ~s) «ج» نوع (cattle of this ~) (٦) «أ» استخدام الألوان أو مزجها. «ب» تساوق الألوان أو تناغمها في الرسم (٧) «أ» *pl.*: راية (salute the ~s) «ب» *pl.*: القوات المسلحة (to join the ~s) (٨) صِباغ؛ صِبْغ (oil ~s) (٩) «أ» بشرة الأعراق غير البيضاء، وبخاصة بشرة الزنوج «ب» أفراد عرق غير أبيض، وبخاصة: الزنوج (١٠) قطعة ذهب صغيرة تخلّف في وعاء الأتربة بعد غسلها §(١١) «أ» يلوِّن. «ب» يصبغ (١٢) يشوّه؛ يحرِّف (News is often ~ed.) ×(١٣) يحمرّ خجلاً.

off ~, منحرف الصحة أو المزاج.

to change ~, (١) يشحب وجهه (٢) يحمرّ وجهه.

to give *or* lend ~ to يجعله يبدو صحيحاً أو محتملاً.

to lose ~, يصبح شاحب الوجه.

to lower one's ~s يتخلّى عن مطالبه أو موقفه.

to show one's true ~s (١) يكشف عن وجهه الحقيقي (٢) يصرح بآرائه؛ يعلن عن خططه.

colorable *or* **colourable** *(adj.)* غرّار؛ خادع؛ زائف.

coloration *or* **colouration** *(n.)* (١) «أ» تلوين. «ب» تلوّن. (٢) اختيار الألوان أو ترتيبها (٣) صفة مميزة.

color bar *or* **color line** *(n.)* حاجز اللون: حاجز اجتماعي يحول بين الملوّنين وبين الإسهام مع البيض في مختلف النشاطات.

color-bearer *(n.)* حامل الراية؛ حامل العلم.

color-blind *(adj.)* (١) مصاب بالعمى اللوني (٢) أعمى أو متعامٍ عن.

color blindness *(n.)* العَمَلْوَنِيّة: العمى اللوني؛ عمى الألوان.

color box *(n.)* علبة ألوان (أو أصباغ) الرسام.

colorbreed *(vt.)* يستولد اللونَ: يستولد اصطفائياً بُغية الحصول

ă at; ā date; â care; ä car; ĕ egg; ē me; ĭ in; ī bite; ŏ lot; ō bone; ô orphan; oi boil ŏŏ good; ōō boot; ou out; ŭ under; ū unity; û urgent; th thing; *th* this; zh vision; ə = *a* in alone, *e* in system, *i* in easily, *o* in gallop, *u* in circus.

(~ *ing* canaries for red) على نِتاج ذي لونٍ معيّن

colorcast *(vt. ; i. ; n.)* (١) يَبُثّ أو يُرسِل بالألوان (تلفز). §(٢) بَثّ أو إرسال بالألوان (تلفز).

colored *or* **coloured**[kŭl'ərd] *(adj. ; n.)* (١) ذو لون معيّن (ash-*colored*) (٢) «أ» ملوَّن: من غير العِرق الأبيض، وبخاصة: زنجيّ. «ب» هجين (٣) ذو علاقة بالملوّنين أو الزنوج (٤) مُغرِض؛ متحيّز (a ~ statement *or* opinion) *cap.* (٥) § أ.ك: «أ» شعبٌ ملوَّن. «ب» شخص ملوَّن.

colorfast *(adj.)* ثابت اللون: ذو لون لا ينْصَل.

colorful[kŭl'ər-] *(adj.)* (١) غنيّ بالألوان (٢) نابض بالحياة أو بالحيوية (a ~ novel; a ~ life).

color guard *(n.)* حرس شرف لراية مؤسسة أو منظمةٍ ما.

colorific [-ə rĭf'ĭk] *(adj.)* (١) ملوِّن (٢) لونيّ.

colorimeter[-ə rĭm'ə-] *(n.)* مقياس الألوان؛ مقياس الشدّة اللونية.

colorimetry *(n.)* قياس الألوان.

coloring[-'ər ĭng] *(n.)* (١) «أ» تلوين. «ب» صِبغ؛ مادة ملوِّنة. «ج» أثر استخدام الألوان أو مزْجها. «د» أسلوب الرسام الخاص في استخدام الألوان. «هـ» لون طبيعي. «و» بشرة (٢) مظهر كاذب أو خادع (with a ~ of truth) (٣) تحيّز (٤) طابع مميِّز؛ لون محليّ.

colorist [-'ər ĭst] *(n.)* (١) الملوِّن (٢) المُدَبِّج: رسام بارع في استخدام الألوان أو رسام يعتمد في المقام الأول على استخدام الألوان.

colorless *(adj.)* (١) عديم اللون (٢) «أ» شاحب. «ب» غير ممتع (٣) حياديّ؛ غير متحيّز.
— **colorlessly** *(adv.)*

color line *(n.)* = color bar.

colossal [kə lŏs'əl] *(adj.)* ضخم؛ هائل؛ جبّار؛ واسع.

colosseum [kŏl'ə sē'əm] *(n.)* = coliseum.

colossus[kə lŏs'əs] *(n.)* pl. **-es** *or* **-lossi** تمثال أو شيء ضخم.

colostomy[kə lŏs'tə mĭ] *(n.)* تفميم القولون: عملية يراد بها فتح شرج صُنعي في القولون (جر).

colostrum [kə lŏs'trəm] *(n.)* اللِّبأ: أول اللبن في النتاج.

colour [kŭl'ər] = color.

-colous لاحقة معناها: نامٍ في أو عائش على (areni*colous*).

colpitis [kŏl pī'tĭs] *(n.)* التهاب المَهبِل (طـ).

colportage *(n.)* بيع الكتب (الدينية خاصة) بالتجوّل.

colporteur [kŏl'pōr'tər] *(n.)* (١) بائع كتب الخ. متجوّل. (٢) مستخدَم متجوّل يوزع الكتب الدينية بالمجان أو بأسعار زهيدة.

colt [kōlt] *(n.)* (١) مُهر (٢) فتيّ غِرّ *cap.*(٣): مسدّس.

colter *or* **coulter** [kōl'-] *(n.)* حديدة المحراث القاطعة.

coltish *(adj.)* مَرِح؛ طَروب؛ لَعوب.

coltsfoot *(n.)* pl.**-s** حشيشة السعال: نبات معمّر من المركّبات الأنبوبية.

Colubridae *(n. pl.)* فصيلة الثعابين (ح).

colubrine[kŏl'yə brīn'] *(adj.)* (١) أفعوانيّ (٢) متعلق بالثعابين.

Columba *(n.)* (١) جنس الحَمام (٢) كوكبة الحمامة (فل).

Columbae *(n. pl.)* رتبة الحَمام (تشمل الحمام واليمام).

Columbia [kə lŭm'bĭ ə] *(n.)* أميركة أو الولايات المتحدة.

Columbian *(adj.)* ذو علاقة بالولايات المتحدة أو بكريستوفر كولمبوس.

columbine [kŏl'əm bīn'] *(adj. ; n.)* (١) «أ» حماميّ. «ب» كالحمامة. «ج» بلون الحمامة § (٢) aquilegia.

columbite *(n.)* الكولومبيت: معدن مؤلف من حديد وكولومبيوم.

columbium [-'bĭ əm] *(n.)* الكولومبيوم؛ النيوبيوم: عنصر فِلزيّ (ك).

columella *(n.)* pl. **-e** العمود: جزء شبيه بالعمود («نب» و «ح»).

column [kŏl'əm] *(n.)* (١) عمود (٢) نهر أو عمود في صفحة مطبوعة (٣) عمودٌ في صحيفة مخصَّص لموضوع أو لكاتب معيّن (٤) رَتَل؛ طابور؛ صف طويل.
— **columned** *(adj.)*

columnar [kə lŭm'nər] *(adj.)* (١) عموديّ؛ كالعمود (٢) مؤلف من أعمدة (٣) مطبوع على هيئة أعمدة.

columniation *(n.)* (١) التعميد: استخدام الأعمدة أو ترتيبها في مبنى (٢) الأعمدة المستخدَمة.

columnist[kŏl'-] *(n.)* صاحب العمود: محرر عمود خاص في صحيفة.

colza [kŏl'zə] *(n.)* (١) سَلجَم؛ لِفت (٢) بزر السَّلجم.

com- بادئة معناها: مع؛ معاً (*com*mingle).

coma [kō'mə] *(n.)* (١) السُّبات (مج): غيبوبة عميقة ناشئة عن مرض أو أذىً أو تسمّم (٢) زغب (في طرَف بزرة) (٣) ذؤابة المذنَّب.

Coma Berenices [kō'mə bĕr'ə nī'sēz] *(n.)* الذؤابة (فل).

comate *(n. ; adj.)* (١) الرفيق؛ الصاحب §(٢) أزغب؛ أشعر.

comatose[kŏm'ə tōs'] *(adj.)* (١) سُباتيّ؛ غيبوبيّ (٢) فاقد الوعي.

comb [kōm] *(n. ; vt. ; i.)* (١) مشط (٢) عُرف الديك الخ. أو شيء شبيه به (٣) قرص عسل § (٤) يمشّط (٥) يبحث؛ ينقِّب عن (٦) يضرب (٧) يوبّخ ×(٨) يتدحرج أو يتكسّر (الموج).
to cut the ~ of يُذِلّ أو يهين فلاناً.

combat [kŏm'băt; kŭm'-] *(vi. ; t. ; n.)* (١) يصارع؛ يقاتل ×(٢) يقارع (٣) يقاوم بعنف § (٤) قتال؛ معركة (٥) نزاع؛ خلاف.

combatant [-'bə tənt] *(n. ; adj.)* (١) المقاتل § (٢) مُقاتِل. (٣) «أ» مستعدّ للقتال. «ب» مولع بالقتال.

combative[-'bə tĭv] *(adj.)* مستعدّ للقتال أو المقاومة؛ مولع بالقتال.

combe [kōōm ; kōm] *(n.)* وادٍ ضيّق.

comber [kō'mər] *(n.)* (١) فا comb (٢) موجة طويلة متكسِّرة.

combination [kŏm'bə nā'-] *(n.)* (١) «أ» اتحاد. «ب» مجموعة مؤتلفة (٢) توحيد؛ ضمّ (٣) القميص المسروَل: ثوب تحتاني ذو قطعة واحدة يكسو أعلى الجسم وأسفله (٤) أداة معدّة لأداء مهمّتين أو أكثر (٥) «أ» تركيب (ك). «ب» مركَّب (ك) (٦) التوافقية: أيٌ من المجموعات المختلفة الممكن تأليفها من عدد معيّن من الحروف الخ. مثل (*ab* أو *ac* أو *cb*) وغيرها مما يستطاع تركيبه من a و b و c).

combination lock *(n.)* القُفل التوافقيّ: قفل ذو أرقام أو حروف متحركة فليس من سبيل إلى فتحه إلا إذا أُلِّف منها رقم أو لفظ سرّي معيّن.

combine[*v.*kəm bīn'; *n.* kŏm'bīn] *(vt. ; i. ; n.)* (١) يضم؛ يوحّد (٢) يجمع (a plan which ~*s* the best features of several other plans) (٣) يحصُد بحصّادة درّاسة ×(٤) ينضم؛ يتحد §(٥) اتحاد؛ وبخاصة: اتحاد أفراد أو منظمات لأغراض تجارية أو سياسية (٦) الحصّادة الدرّاسة: ماكينة تحصد وتدرس في آنٍ معاً.

combined operations العمليات المشتركة: عمليات حربية تتعاون على القيام بها قوات البر والبحر والجوّ معاً.

combings [kō'mĭngz] *(n. pl.)* المُشاطة: ما يُسْقِطه المشط من الشعر.

combining form *(n.)* (١) بادئة، مثل -*auto* في كلمة *auto*mobile (٢) لاحقة، مثل -*cracy* في كلمة auto*cracy*.

combo *(n.)* (١) combination (٢) فرقة جاز أو رقص صغيرة.

combust *(vt. ; i.)* (١) يُحْرِق ×(٢) يحترق.

combustibility ; combustibleness *(n.)* الاحتراقية:

قابلية الاحتراق .

combustible [kəm bŭs'tə bəl] *(adj.; n.)* (١) قابل للاحتراق . (٢) سريع الغضب § (٣) مادة قابلة للاحتراق .

combustion [-'chən] *(n.)* (١) احراق (٢) احتراق (٣) اهتياج عنيف .
— **combustive** *(adj.)*

combustion chamber *(n.)* خزانة (او غرفة) الاحتراق (ملك) .

combustor *(n.)* = combustion chamber.

come [kŭm] *(vi.; t.)* (١) «أ» يجيء ؛ يأتي . «ب» يصل إلى (to ~ to an understanding). «ج» يُخفق : ينتهي إلى لا شيء (His plans *came* to nothing.) . «د» يوفَّق إلى النجاح (She will never ~ to much.) . «هـ» يسير نحو النضج أو الاكتمال (The job is *coming* nicely.) «و» يبلغ (The dress ~ s to her knees.) (Your bill ~ s to $ 42.) (٢) «أ» يساوي ؛ يبلغ «ب» يخطر أو يلتمع في الذهن (The solution *came* in a flash.) «ج» يَحْدُث ؛ يُصيب (No harm will ~ to you.) . «د» يقع (On what page does it ~ ?) . «هـ» ينشأ عن (This ~ s of carelessness.) «و» يتحدَّر من (He ~ s of a sturdy race.) «ز» يكون (أو كان في ما مضى) من أبناء بلد ما (She ~ s from Chicago.) . «ح» يدخل مرحلة كذا ؛ يبدأ ؛ يستهل (Artillery *came* into action.) . «ط» يقع ضمن نطاق كذا (This ~ s within the terms of the treaty.) . «ي» يتشكَّل ؛ يتكوَّن (Churn till the butter ~ s.) . «ك» يوجد ؛ يمكن الحصول عليه (The garments ~ in three sizes.) . «ل» يعني ؛ يفيد (What you say ~ s to this.) . «م» يبلغ ذروة التهييج الجنسي (٣) يصيبُهُ (أو يكون من نصيبه) عند القسمة أو الإرث (٤) يرقّ ؛ يلين (He will relent ; he's *coming*.) (٥) يُكلِّف (Good clothes ~ high.) (٦) يُصْبح (His dream will ~ true; Everything will ~ all right in the end.) × (٧) يناهز (child *coming* five years old.) (٨) يمثِّل دور كذا (to ~ the stern parent) .

~ along *or* on ! هيّا ! عجِّل ! أسرع !
~ what may مهما يحدث ؛ وليكن ما يكون .
to ~ about (١) يَحْدُث (٢) يغيِّر اتجاهه .
to ~ across (١) يلتقي به مصادفةً (٢) يَعْبُر (بالسيارة الخ .) (٣) يدفع (مالاً) .
to ~ along (١) يحرز تقدماً ؛ ينجح (٢) يبرز ؛ يظهر .
to ~ around = to ~ round.
to ~ at (١) يبلغ ؛ ينال (٢) يهجم .
to ~ back (١) يرجع (٢) يعود (الشيء المنسيّ) إلى الذاكرة (٣) يردّ ؛ يجيب (٤) يصبح زيّاً دارجاً من جديد (٥) «أ» يُبِلّ ؛ يشفى . «ب» يستردّ مركزاً .
to ~ by (١) ينال ؛ يكسب (٢) يمرّ (٣) يزور (ع) .
to ~ down (١) يهبط (السعرُ) (٢) يفتقر (٣) يخسر مكانته (٤) يمرض (٥) يتحدَّر من طريق العرف أو الارث (٦) يدفع ؛ يكتتب (٧) يبلغ أو يصل إلى .
to ~ down upon (١) يوبِّخ ؛ يعاقب (٢) يطالبه بدفع مال .
to ~ forward يقدِّم نفسه ؛ يعرض خدماته ؛ يتطوَّع .
to ~ in (١) يَدْخل (٢) يرتفع (المدّ) (٣) يحين موسمُهُ أو يحل أوانُ صيده الخ . (٤) يصبح (الزيّ) دارجاً (٥) يحلّ (في المقام الأول أو الثاني الخ .) في سباق (٦) يفوز في الانتخابات ؛ يستولي على الحكم (٧) يصبح مفيداً (٨) يجيب عن إشارة أو نداء (٩) ينال حصة من إرث الخ .

to ~ into (١) ينال (٢) يرث .
to ~ into being ينشأ .
to ~ into effect *or* force يصبح نافذ المفعول .
to ~ off (١) يسقط عن (٢) يسقط (الزرّ الخ .) . فرس أو دراجة الخ . (٣) يخفف من كبريائه أو غروره (٤) يهجر ؛ يتخلى عن (٥) يَحْدُث ؛ يتمّ (٦) تنجح الخطّة أو التجربة الخ . (٧) يؤدي مهمّته (على نحو حسن أو غير حسن) (٨) يفوز (تتبعها best) .
to ~ on (١) يتبع ؛ يلحق بـ (٢) يتقدم ، يتطوّر . (٣) يبدأ ؛ يحلّ (٤) يُنْظَر في دعوى (٥) يظهر (الممثل) على المسرح (٦) تُعرَض (التمثيلية) على المسرح .
to ~ out (١) يبرز ؛ يتبدّى للعيان (٢) تتفتّح (الأزهار) (٣) يذيع ، ينتشر (الخبر) (٤) يَصْدُر (الكتابُ) (٥) يُضرِب العمال (٦) يتجلّى ؛ يبِيْن (٧) تزول (البقع عن الثوب) (٨) ينْصل (اللون أو الصِّبْغ) (٩) تنحل (المسألةُ) (١٠) يبلغ ؛ يساوي (١١) يحتل (المقامَ الأول أو الثاني الخ .) في امتحان (١٢) يظهر لأول مرة على المسرح أو في المجتمع (١٣) «أ» يعلن عن رأيه . «ب» يعترف .
to ~ out with (١) يقول ؛ يروي (٢) يَنْشر .
to ~ over (١) يأتي من مكان بعيد (٢) يستبدّ به (شعورٌ ما الخ .) (٣) يصيبُهُ أو يحدث له . (٤) «أ» يشايع فريقاً . «ب» يتخذ موقفاً جديداً .
to ~ round (١) يسلك طريقاً غير مباشر (٢) يزوره زيارة غير رسمية (٣) يغيِّر آراءه أو وجهات نظره (ويعتنق آراء جديدة) (٤) يقبل ؛ يوافق (٥) يفيق من إغماء أو نحوه .
to ~ through يخرج سالماً من محنة أو حرب الخ .
to ~ to (١) يفيق من إغماء (٢) يساوي ؛ يبلغ .
to ~ to a decision يقرِّر ؛ ينتهي إلى قرار .
to ~ to a standstill يتوقّف ؛ يبلغ مرحلة يَتَعذَّر فيها عمل شيء .
to ~ to one's senses (١) يفيق من إغماء .
to ~ to oneself (٢) يعود إلى طريق الرشاد .
to ~ to pass يَحْدُث .
to ~ to pieces يتحطّم إرباً .
to ~ up (١) ينمو (الحَبّ) (٢) ينشأ أو يُعْرَض على بساط البحث .
to ~ up against يلقى (صعوبةً أو معارضةً) .
to ~ up to (١) يرتفع إلى المستوى المطلوب أو المتوقع (٢) يبلغ ، يصل إلى (٣) يسافر إلى .
to ~ up with يدرك ؛ يلحق بـ .
to ~ upon (١) يفاجئه أو يأخذه على حين غِرّة . (٢) يطالبه بـ (٣) يكون عبئاً أو عالةً على (٤) يلتقي به أو يجده مصادفةً .

comeback *(n.)* (١) «أ» جواب بارع أو لاذع . «ب» سبب من أسباب الشكوى (٢) «أ» إبلال ، شفاء ، «ب» استعادة

لمركز أو لوضع سابق .

comedian[kə mē'-] *(n.)* (١)ممثّل هزلي (٢)شخص فَكِه جداً .

comedic *(adj.)* كوميديّ، هزلي ؛ ذو علاقة بالكوميديا .

comedienne [-dĭ ĕn'] *(n.)* ممثلة كوميدية أو هزلية .

comedo [kŏm'ə dō'] *(n.)* بثرة في الوجه سوداء الرأس .

comedown [kŭm'-] *(n.)* خسارة مال أو منصب أو مكانة .

comedy [kŏm'ə dĭ] *(n.)* (١) الكوميديا ؛ الملهاة : مسرحية هزلية. (٢) حادثة مضحكة ؛ سلسلة أحداث تبعث على الضحك (٣) العنصر الكوميدي أو الهزلي .

come-hither *(adj.)* مُغْرٍ ؛ مُغْوٍ .

comely [kŭm'lĭ] *(adj.)* (١) وسيم ؛ جميل (٢) لائق ؛ مناسب .
— **comeliness** *(n.)*

come-on [kŭm'ŏn'] *(n.)* إغراء ؛ إغواء (عا) .

come-outer *(n.)* (١) الخارج عن فئة دينية (٢)الراديكالي ؛ المُصلح.

comer [kŭm'ər] *(n.)* (١) القادم ؛ الوافد (٢) شخص يحقق نجاحاً سريعاً أو يتكشف عن كفاءات تؤهله لمستقبل زاهر (ع).

comestible [kə mĕs'-] *(adj.; n.)* (١) يؤكل ؛ صالح للأكل. § (٢) *pl.* عد : طعام .

comet [kŏm'ĭt] *(n.)* المُذَنَّب : نجم ذو ذنب (فل) .

comet finder *or* **seeker** *(n.)* تلسكوب المذنَّبات (فل) .

comeuppance [-ŭp'-] *(n.)* توبيخ أو قصاص (يستحقه المرء).

comfit [kŭm'fĭt] *(n.)* فاكهة مسكَّرة مجففة .

comfort[kŭm'fərt] *(n.; vt.)* (١) «أ» عَوْن (ا.ق) . «ب» تعزية ؛ مؤاساة (٢) سلوى ؛ عزاء (٣) راحة ؛ رفاهية (٤)لحاف. § (٥) يشجّع ؛ يقوّي ؛ يساعد (٦) يعزّي ؛ يؤاسي (٧)يريح.

comfortable[kŭmf'tə bəl; kŭm'fər-] *(adj.; n.)* (١) معزٍّ ؛ مشجّع (Be ~ to my mother.) (٢) مريح ؛ وثير (a ~ bed) (٣) كافٍ ؛ وافٍ (a ~ income) (٤)مرتاح جسمانياً ؛ رخيّ البال (Do you feel quite ~ ?) § (٥) لِحاف .
—**comfortableness** *(n.)* —**comfortably** *(adv.)*

comforter [kŭm'fər-] *(n.)* (١) «أ» المعزي. «ب» *cap.* : الروح القُدُس (نص) (٢) «أ» لِفاع صوفيّ للعُنق. «ب» لحاف.

comfortless *(adj.)* خال من أسباب الراحة (a ~ home).

comfrey [kŭm'frĭ] *(n.)* السَّنْفيتون ؛ السَّمْفُوطُن : عشب معمّر.

comfy *(adj.)* = comfortable.

comic [kŏm'ĭk] *(adj.; n.)* (١) «أ» هزَليّ . «ب» مضحك . § (٢)ممثل هزلي (٣) العنصر الهزلي (٤) «أ»رسوم هزلية. «ب» مجلة هزلية. «ج» *pl.* : جزء من الجريدة مخصص للرسوم الهزلية.

comical[kŏm'ə kəl] *(adj.)* (١) هزلي (ا.ق) (٢) مضحك .

comic strip *(n.)* المُسَلْسَلَة الهزلية : سلسلة رسوم هزلية.

coming [kŭm'ĭng] *(n.; adj.)* (١) مجيء ؛ قدوم § (٢) قادم ؛ مُقبل (٣) في طريقه إلى الشهرة أو النجاح (a ~ man) .

comitia [kə mĭsh'ĭ ə] *(n.)* الكوميشيا : اجتماع كان يعقده المواطنون في روما لأداء مختلف المهام التشريعية والقضائية والانتخابية.

comity[kŏm'-] *(n.)* (١) مجاملة ؛ كياسة (٢) المجاملة الدولية .

comity of nations *(n.)* (١)المجاملة الدولية : احترام الدول ضمن نطاق أراضيها لمؤسسات وقوانين الدول الأخرى (٢)الدول المتجاملة.

comma [kŏm'ə] *(n.)* (١) الفاصلة؛ الشَّوْلة : علامة وقف صغرى (،) (٢) فاصل ؛ فترة فاصلة .

comma bacillus *(n.)* العُصَيّة الشَّوْلية : بكتيريا الكوليرا الآسيوية .

command [kə mănd'] *(vt.; i.; n.; adj.)* (١) يأمر (٢) يقود. (٣) يسيطر أو يهيمن على (٤) يكبح (جماح غضبه الخ .) (٥) يستحقّ وينال (Great men ~ our respect.) (٦)يطلّ أو يشرف على (The hill ~s the road.) × (٧)يحكم (٨)يصدر الأوامر § (٩)إصدار الأوامر (١٠) أمر (١١)قيادة ؛ إمرة (under the ~ of Napoleon I) (١٢) فرقة أو أسطول أو مقاطعة تحت قيادة مستقلة (١٣)سلطة (١٤)سيطرة (to have ~ over one's temper) (١٥)تمكّن أو تضلّع (a good ~ of the English language) (١٦) إطلال ؛ إشراف (موقع على) (١٧) دعوة ملكية (بر) § (١٨) مُنجَز بناءً على طلب .

commandant [kŏm'ən dănt'] *(n.)* (١) الآمر (٢) آمر موقع أو جماعة (the ~ of a navy yard) (٣)قائد (وحدة عسكرية) .

commandeer[-ən dĭr'] *(vt.)* (١) «أ» يجنّد : يكره على أداء الخدمة العسكرية . «ب» يصادر لأغراض عسكرية (٢) يغتصب .

commander[kə măn'dər;-män'-] *(n.)* (١) الآمر (٢) القائد. (٣) ضابط في البحرية (رتبته دون رتبة الكابتن مباشرة) .

commander in chief *(n.)* (١) القائد الأعلى للقوات المسلحة . (٢) القائد العام لجزء من الجيش أو الأسطول .

commandery [kə măn'də rĭ] *(n.)* (١) قيادة (٢) مقاطعة يحكمها قائد عسكري.

commanding *(adj.)* (١)آمر ؛ مسيطر (٢)قوي (٣)مشرف ؛ مطلّ.

commanding officer *(n.)* قائد؛ قائد وحدة؛ قائد قطعة عسكرية.

commandment [-mănd'-] *(n.)* (١) أمر ؛ وصية (٢) إحدى الوصايا العشر (نص) .

commando [kə măn'dō] *(n.)* pl. **-dos** *or* **-does** (١)غارة أو فرقة عسكرية (في جنوب افريقية) (٢) «أ» المغاوير : فرقة من الفدائيين مهمتها القيام بغارات منظّمة على أرض العدو. «ب» المغوار : عضو في فرقة من الفدائيين .

command performance *(n.)* تمثيل مسرحية الخ . أمام الملك بناء على طلبه.

commeasurable [kə mĕzh'-] *(adj.)* متساوٍ من حيث القياس .

comme il faut [kô mēl fō'] *(F.)* كما ينبغي .

commemorate *(vt.)* (١) يحيي ذكرى... (٢) يحتفل بذكرى.

commemoration *(n.)* (١) إحياء ذكرى... (٢)احتفال بذكرى.

commemorative *(adj.;n.)* (١) تَذْكاريّ § (٢)شيء تذكاري.

commemoratory *(adj.)* = commemorative.

commence *(vt.; i.)* (١)يستهل × (٢)يبدأ (٣)ينال شهادة جامعية.

commencement *(n.)* (١)بَدْء ؛ ابتداء (٢) «أ» حفلة التخريج : حفلة توزيع الشهادات في كلية أو جامعة. «ب» يوم التخريج .

commend [kə mĕnd'] *(vt.)* (١) يُودِع ؛ يستودع (٢) يوصي (بشخص) (٣) يُطْري ؛ يمدح (٤) يعجبه أو يروق له.

commendable *(adj.)* جدير بالثناء أو الاطراء .

commendation[kŏm'ən dā'-] *(n.)* (١)إيداع (٢)إطراء ؛ مديح .

commendatory *(adj.)* (١) إطرائي ؛ مَدْحي (٢) مُطْرٍ .

commensal [kə mĕn'səl] *(n.; adj.)* (١)المؤاكل : رفيقك الذي يأكل معك على المائدة (٢)المعايش : حيوان أو نبات يعيش مع غيره أو عليه أو فيه من غير أن يكون طفيلياً § (٣) مؤاكل (٤) معايش.

commensalism;commensality *(n.)* (١)مؤاكلة (٢)معايشة.

commensurable [kə mĕn'shə-] *(adj.)* (١) قابل للقياس (بنفس الوحدات) (٢) متناسب ؛ متكافىء مع .

commensurate[-'shə rĭt] *(adj.)* (١) متساوٍ ؛ متعادل . (٢) متناسب ؛ متكافىء مع (٣) قابل للقياس (بنفس الوحدات).

comment[kŏm'ĕnt]*(n.;vt.; i.)* (١) تعليق (على قول أو كتابة أو عمل) (٢) ملاحظة أو انتقاد §(٣) يعلّق على .

commentary *(n.)* (١) تعليق؛ تعقيب (٢) شرح؛ تفسير . (٣) *pl.* عد: تسجيل للأحداث بقلم شخص مشارك فيها (the *Commentaries* of Caesar)

commentator *(n.)* المعلّق؛ وبخاصة : المعلّق على الأنباء في الإذاعة أو التلفزيون .

commerce [kŏm'ərs] *(n.)* (١) تبادل فكري (٢) صِلات اجتماعية (٣) تجارة (٤) اتصال جنسي (غير شرعي بخاصة) .

commercial [kə mûr'shəl] *(adj.; n.)* (١) تجاريّ : «أ» ذو علاقة بالتجارة (a ~ treaty) . «ب» مموَّل من قبل المعلن أو المعلنين (a ~ radio program) §(٢) إعلان أو برنامج تجاري (في الاذاعة أو التلفزيون) .

commercialism[-'shə lĭz'əm] *(n.)* التجارية : (١) «أ» الروح التجارية . «ب» الطرائق التجارية (٢) التوكيد المفرط على الربح .

commercialization *(n.)* التّتْجير أو التّتَجُّر (را. المادة التالية) .

commercialize[-'shə līz'] *(vt.)* يُتَجِّر : «أ» يدير على أساس تجاري بُغية الربح . «ب» يستغلّ للربح (to ~ Christmas) . «ج» يجعله رديء النوع للفوز بربح أكبر .

commercial traveler *(n.)* الوكيل المتجوِّل (يعقد الصفقات لمصلحة مؤسسة تجارية) .

commie [kŏm'ĭ] *(n. often cap.)* = communist.

commination [kŏm'ə nā'-] *(n.)* تهديد؛ وعيد؛ إنذار .

commingle [kə mĭng'gəl] *(vt.; i.)* (١) يمزج ×(٢) يمتزج .

comminute[-'ə nūt'] *(vt.)* يسحق؛ يسحن . **- tion** *(n.)*

commiserate[kə mĭz'ə rāt'] *(vt.;i.)* (١) يرثي لِ ×(٢) يواسي .
—**commiseration** *(n.)* —**commiserative** *(adj.)*

commissar [kŏm'ə sär'] *(n.)* المفوَّض : (١) «أ» مسؤول في الحزب الشيوعي يُعْهَد إليه ببثّ المبادىء الحزبية في وحدة من الوحدات العسكرية والتأكد من صدق ولاء أفرادها للحزب . «ب» مَن يُشبِه مفوَّضاً سياسياً في محاولة السيطرة على الرأي العام (٢) رئيس دائرة حكومية في الاتحاد السوفياتي (حتى عام ١٩٤٦) .

commissariat [-sâr'ĭ ət] *(n.)* (١) الميرة : «أ» نظام لتزويد جيش بالطعام . «ب» مؤن (٢) المفوَّضية : دائرة حكومية في الاتحاد السوفياتي (حتى عام ١٩٤٦) .

commissary [-'ə sĕr'ĭ]*(n.)* (١) المندوب؛ الممثِّل (٢) «أ» مخزن تموين، وبخاصة في معسكر للجيش الخ . «ب» مؤن . «ج» ضابط مسؤول عن أقوات الجيش . «د» مطعم صغير، وبخاصة في استوديو سينمائي .

commission[kə mĭsh'ən] *(n.;vt.)* (١) «أ» تفويض. «ب» براءة رتبة أو سلطة عسكرية الخ. «ج» سلطة ممنوحة ببراءة. «د» منصب ضابط في الجيش أو الأسطول (to hold *or* resign a ~) (٢) تكليف (٣) وكالة (٤) مهمة (٥) لجنة (٦) ارتكاب (جريمة أو خطأ الخ.) . «ب» الجريمة الخ. المرتكبة (٧) عمولة؛ سمسرة؛ كومسيون §(٨) يفوِّض (٩) يكلِّف (١٠) يقلّده رتبةً أو سلطة عسكرية (١١) يزود سفينة بالرجال والعتاد ويُعِدّها للخدمة الفعلية .

in ~ *or* into ~, (١) جاهز للخدمة الفعلية (في وصف سفينة) (٢) عاملٌ؛ قيد الاستعمال؛ في حال صالحة للاستعمال .

on ~, على أساس العمولة أو الكومسيون .

out of ~, (١) غير جاهز للخدمة الفعلية (٢) غير عامل؛ غير موضوع موضعَ الاستعمال؛ في حال غير صالحة للاستعمال .

commission agent *(n.)* الوكيل بالعمولة؛ «الكومسيونجي» .

commissionaire [-ə nâr'] *(n.)* حاجب أو بواب ببزّة رسمية .

commissioned officer *(n.)* الضابط المُقلَّد: ضابط يحمل، بموجب براءة، رتبة ملازم ثان فما فوق .

commissioner [-'ən ər] *(n.)* (١) عضو لجنة (٢) مندوب الحكومة في مقاطعة الخ . (٣) مفوّض (a police ~) .

commission merchant *(n.)* = commission agent.

commission plan *(n.)* حكومة المفوَّضين : شكل من الإدارة البلدية تنحصر فيه السلطات التشريعية والتنفيذية والإدارية في أيدي لجنة منتخبة يتولى كل مفوَّض من مفوَّضيها مهام إحدى الإدارات البلدية على نحو مباشر .

commissure[-'ə shŏŏr] *(n.)* نقطة الالتقاء (بين جسمين أو عضوين) .

commit [kə mĭt'] *(vt.)* (١) «أ» يُسْلِم إلى (She ~*ted* herself to the doctor's care.) . «ب» يُودِع (to ~ a person to jail) . «ج» يحوِّل (مشروعاً) إلى لجنة (لدرسه) (٢) يقترف؛ يرتكب (to ~ a crime) (٣) يورِّط (He refused to ~ himself by talking about the crime.) (٤) يتعهّد بِ .

to ~ for trial يحيل إلى المحاكمة

to ~ suicide ينتحر .

to ~ to memory يستظهر؛ يحفظ عن ظهر قلب .

to ~ to paper *or* writing يدوّن؛ يسجّل .

commitment[kə mĭt'-] *(n.)* (١) مص commit (٢) «أ» إيداع شخص السجنَ أو مستشفىً للأمراض العقلية . «ب» أمرٌ بذلك . «ج» إحالة (مشروع الخ .) الى لجنة تشريعية (٣) ارتكاب جريمة الخ . (٤) «أ» تعهّد . «ب» عهدٌ؛ وعد .

committal *(n.)* = commitment.

committee [kə mĭt'ĭ] *(n.)* لجنة .

committeeman [-'ĭ mən] *(n.)* عضو لجنة .

committeewoman [-wŏŏm'ən] *(n.)* عُضْوَة لجنة .

commix [kə mĭks'] *(vt. ; i.)* (١) يمزج ×(٢) يمتزج .

commixture [-'chər] *(n.)* (١) مَزْج (٢) امتزاج (٣) مزيج .

commode [kə mōd'] *(n.)* (١) قبعة نسويّة . (٢) خزانة ذات أدراج (٣) منضدة (يوضع عليها نونية أو حوض ماء في حجرة النوم) .

commode 1.

commodious [kə mō'-] *(adj.)* (١) ملائم؛ وافٍ بالمرام (٢) واسع .

commodity [kə mŏd'ə tĭ] *(n.)* سِلعة؛ بضاعة .

commodore [kŏm'ə dōr'] *(n.)* (١) عميد بحري (٢) قائد عمارة بحرية (٣) رئيس نادٍ لليخوت الخ .

common [kŏm'ən] *(adj.; n.)* (١) عمومي (~ council) . (٢) مشترك (~ aims) (٣) عاديّ؛ اعتياديّ (a ~ event; the ~ man) (٤) عامّ؛ شائع (~ knowledge) (٥) «أ» مبتذل . «ب» رديء؛ وضيع؛ خسيس. «ج» غير مهذَّب أو مصقول (~ manners; ~ language) «د» فاجرة؛ عاهرة (a ~ woman) §(٦) *pl.* العامة؛ عامة الشعب (٧) *pl.* : «أ» حجرة الطعام . «ب» مائدة مشتركة، وبخاصة في كلية. «ج» طعام (٨) *pl.*: «أ» ممثلو العامة في البرلمان. «ب» مجلس العموم أو العوامّ (٩) «أ» أرض مشاع . «ب» حديقة عامة (١٠) حقّ الارتفاق (ق) .

by ~ consent بإجماع الآراء .

in ~, مشترك أو مشاع .
in ~ with (١) مشترك (٢) مثل ؛ على غرار . (٣) بالاشتراك مع
on short ~s على القليل من الطعام .
out of the ~, غير عادي .
right of ~, حق الارتفاق (ق) : حق شرعي في الإفادة من أرض شخص آخر بالاشتراك مع المالك.
to make a ~ cause against the enemy يتحدون ضد العدو ؛ يتعاضدون ضد العدو .

commonable [-'ən ə bəl] *(adj.)* مشاع (~ lands).

commonage[-'ən ĭj]*(n.)* (١) «أ» أرض مشاع . «ب» المشاعية. (٢) العامة : طبقة عامة الشعب .

commonalty [-'ən əl tĭ] *(n.)* (١) «أ» العامة. «ب» طبقة العامة. (٢) جماع ؛ جميع.

common carotid *(n.)* السباتي المشترك : شريان ينقسم إلى السباتي الإنسي والسباتي الوحشي اللذين يمدان الرأس بالدم (ت).

common carrier *(n.)* شركة نقليات (أو شخص) عمله نقل السلع والناس بأجر .

common denominator *(n.)* المقام المشترك (ر) .

common difference *(n.)* الفضل المشترك (ر) .

common divisor *(n.)* القاسم المشترك (ر) .

commoner [-'ən ər] *(n.)* (١) العامي : فرد من العامة (٢) طالب (في جامعة اكسفورد الخ.) يدفع نفقات طعامه (٣) عضو في مجلس العموم.

common fraction *(n.)* الكسر الاعتيادي (ر) .

common law *(n.)* القانون العادي : القانون غير المكتوب (المبني على العرف والعادة) .

common-law marriage *(n.)* الزواج العرفي : صلة زواج ناشئة عن اتفاق بين الرجل والمرأة وعيشهما عيشة الأزواج من غير عقد ديني أو مدني .

common logarithms اللوغاريتمات العادية أو العشرية (ر) .

commonly *(adv.)* (١) على نحو مشترك أو عادي (٢) عادة ، عموماً .

common multiple *(n.)* المضاعف المشترك (ر) .

common noun *(n.)* اسم نكرة (ل) .

commonplace [-'ən plās'] *(n. ; adj.)* (١) شيء مألوف أو اعتيادي (٢) ملاحظة عادية أو مبتذلة § (٣) عادي ؛ مبتذل .

common room *(n.)* حجرة الاستراحة (للأساتذة أو الطلاب في كلية).

commons [kŏm'ənz] *(n. pl.)* را common .

common school *(n.)* مدرسة مجانية (ابتدائية عادة) .

common sense *(n.)* الفطرة السليمة : «أ» الحكم على الأشياء بصورة صائبة وحصيفة . «ب» آراء الأناس العاديين المرسلة على البديهة.

common tangent *(n.)* المماس المشترك (ر) .

commonweal [-'ən wēl'] *(n.)* الخير العام ؛ المصلحة العامة .

commonwealth[-'ən wĕlth'] *(n.)* (١) جمهورية أو دولة ديموقراطية (٢) *cap.* : الحكومة الانكليزية في ظل أوليفر كرومويل وابنه (من عام ١٦٤٩ إلى ١٦٦٠) (٣) جماعة من (الأشخاص أو الدول) تشد بعض أفرادها إلى بعض مصلحة مشتركة . (٤) الكومنولث : رابطة الشعوب البريطانية (٥) دولة (the Commonwealth of Australia) (٦) إحدى الولايات الأميركية.

commotion[kə mō'shən] *(n.)* (١) «أ» اضطراب سياسي أو اجتماعي. «ب» ثورة ؛ فتنة (٢) اهتياج ؛ فوضى .

commove [kə mōōv'] *(vt.)* يهيج ؛ يثير .

communal [kŏm'yə nəl] *(adj.)* (١) «أ» كوميوني : ذو علاقة بكوميون (را .commune) أو بمجتمع ذي كوميونات . «ب» مميز لحياة اجتماعية بسيطة (٢) «أ» اشتراكي . «ب» مشاع (٣) ذو علاقة بعامة الشعب (٤) طائفي : ذو علاقة بالجماعات العرقية أو الثقافية أو المذهبية أو مبني عليها .

communalism [-'yə nə-] *(n.)* (١) الكوميونية أو الكوميونالية : نظرية تقول بأن الدولة كناية عن اتحاد بين كوميونات (را .commune) مستقلة (٢) الطائفية : الولاء لتكتل اجتماعي سياسي مبني على أساس المذهب الديني .

communalize *(vt.)* يجعله كوميونياً الخ .

Communard [-'yə närd'] *(n.)* الكوميوني : أحد المشاركين في (أو المؤيدين لـ) كوميون باريس (را. commune) عام ١٨٧١.

commune [*v.* kə mūn'; *n.* kŏm'ūn] *(vi.; n.)* (١) يتحادث بصورة حميمة (٢) يتناول العشاء الرباني § (٣) محادثة ودية أو حميمة ؛ مطارحة أفكار أو عواطف .

commune [kŏm'ūn] *(n.)* (١) الكوميون : أصغر وحدات التقسيم الاداري في فرنسة وإيطالية وسويسرا الخ . (٢) العامة : عامة الشعب.
the *Commune* كوميون باريس : «أ» لجنة ثورية حلت محل بلدية باريس في الثورة الفرنسية عام ١٧٨٩ وما لبثت أن استولت على السلطة العليا في الدولة. «ب» حكومة باريس الاشتراكية من ١٨ مارس إلى ٢٧ مايو عام ١٨٧١ .

communicable *(adj.)* (١) قابل للنقل أو الإبلاغ (٢) سار ؛ معد .

communicant [kə mū'-] *(n. ; adj.)* (١) المتناول : من يتناول العشاء الرباني ؛ عضو في كنيسة أو جماعة (٢) «أ» الناقل ؛ الموصل . «ب» المبلغ § (٣) ناقل ؛ مبلغ .

communicate [-'nə-] *(vt.; i.)* (١) يبلغ (to ~ news). (٢) يفشي (to ~ a secret) (٣) ينقل (to ~ a disease) × (٤) يتناول العشاء الرباني (٥) يتصل بـ (to ~ with people by telephone) (٦) يتصل بعضه ببعض (rooms that ~).

communicating vessels الأواني المستطرقة : أوان مختلفة الأشكال متصل بعضها ببعض يستفاد منها للبرهنة على أنه إذا وضع فيها سائل كان سطحه فيها جميعاً على مستوى أفقي واحد.

communication *(n.)* (١) مص communicate. (٢) «أ» معلومات مبلغة . «ب» رسالة شفوية أو خطية (٣) تبادل الفكرات أو الآراء أو المعلومات من طريق الكلام أو الكتابة أو الإشارات (٤) *pl.* : «أ» شبكة تلفونية . «ب» شبكة طرق . «ج» وسائل الاتصال عموماً.

communicative *(adj.)* صريح ؛ كثير الكلام ؛ غير متحفظ.

communion [kə mūn'-] *(n.)* (١) تشارك ؛ مشاركة (٢) *cap.* : «أ» العشاء الرباني (نص) . «ب» تناول العشاء الرباني . «ج» جزء من القداس يتناول فيه العشاء الرباني (٣) «أ» صلة حميمة (بين شخصين أو أكثر) . «ب» تبادل الأفكار والمشاعر (٤) طائفة ؛ ملة .

communiqué[kə mū'nə kā'] *(F.)* بلاغ رسمي .

communism [kŏm'yə nĭz'əm] *(n.)* الشيوعية : (١) نظرية تدعو إلى إلغاء الملكية الخاصة وإحلال الملكية الجماعية محلها (٢) *cap.* : «أ» مذهب مبني على أساس الاشتراكية الماركسية وعلى الماركسية اللينينية يمثل الايديولوجية الرسمية للاتحاد السوفياتي . «ب» نظام من أنظمة الحكم يسيطر بموجبه حزب واحد على وسائل الانتاج المملوكة من قبل الدولة ويعلن أصحابه عن سعيهم لإقامة مجتمع

بلا دولة . «ج» مرحلة أخيرة من مراحل تطور المجتمع في النظرية الماركسية تضمحل فيها الدولة وتوزَّع السلَع الاقتصادية توزيعاً متساوياً .

communist[-'yə nĭst] *(n.; adj.)* (١) الشيوعي §(٢) شيوعي .

communistic *(adj.)* شيوعي : خاصّ بالشيوعيّة أو مؤيّد لها .

community[kə mū'-] *(n.)* (١) المشترَك : «أ» جماعة ذات تنظيم مشترك أو مصالح مشتركة أو عائشة في موطن واحد وفي ظلّ قوانين واحدة . «ب» موطن هذه الجماعة (٢) الجمهور (the approval of the ~) (٣) الجماعة : جماعة من الرجال أو النساء تحيا حياة مشتركة وفقاً لنظام خاصّ (a ~ of monks) (٤) جالية (٥) مجموعة من النبات أو الحيوان تحيا معاً (٦) مِلكية مشتركة (٧) وحدة ، اتفاق ، تماثل (~ of interests).

community center *(n.)* المركز الاجتماعي : مبنى (أو عدد من المباني) يجتمع فيه أفراد جماعة ما لأغراض ثقافية أو اجتماعية .

community chest *(n.)* الصندوق الاجتماعي : مال يتبرع به أفراد جماعة ما للأعمال الخيرية والأغراض الاجتماعية .

community property *(n.)* المِلْك المشترك (بين الزوج والزوجة) .

communize *(vt.)* (١) يجعله ملكاً للجماعة (٢) يشوِّع : يجعله شيوعياً .

commutable[kə mū'-] *(adj.)* قابل للاستبدال أو التخفيف .

commutate[kŏm'yə-] *(vt.)* يعكس التيار (كب) .

commutation [-tā'shən] *(n.)* (١) «أ» تبادل . «ب» استبدال . «ج» بدَل ، عِوَض (٢) إبدال العقوبة (بأخفّ منها) (٣) ركوب القطار يومياً ، ذهاباً وإياباً ، إلى مركز العمل (٤) عكس التيار (كب) .

commutation ticket *(n.)* جواز الانتقال : بطاقة بسعر مخفّض تمكّن حاملها من القيام بعدد محدّد من الرحلات في طريق معينة وخلال مدة معينة (بالقطار الخ .) .

commutative [kə mū'tə-] *(adj.)* تبادليّ ، استبداليّ ، إبداليّ .

commutative law *(n.)* قانون التبادل ؛ قانون تبادل الحدود (ر) .

commutator *(n.)* عاكس التيار : أداة تعكس اتجاه التيار (كب) .

commute [kə mūt'] *(vt.; i.)* (١) «أ» يستبدل . «ب» يغيِّر ، يبدِّل (٢) يبدل عقوبة (أو التزامات مالية) بأخفّ منها (٣) يعكس التيار (كب) × (٤) يدفع جملةً واحدةً (نفقاتِ السفر عدة مرات في القطار الحديدي مثلاً) (٥) يقوم برحلات يوميّة إلى مكان عمله ومنه وبخاصة بين المدينة والضواحي ؛ يستخدم جواز انتقال (را . commutation ticket).

—**commuter** *(n.)*

commy [kŏm'ĭ] *(n.)* = commie.

comose [kō'mōs] *(adj.)* زَغِب ، أزغب ، ذو زَغَب .

compact [*adj.*, *v.* kəm păkt'; *n.* kŏm'-] *(adj.; vt.; i.; n.)* (١) مؤلَّف أو مصنوع من (٢) مُدْمَج ، متضامّ ، مُلتَزّ (٣) مكتنز (a ~ body) (٤) محكَم ، موجز (a ~ statement) §(٥) يدمِج ، يُحكم الخ . (٦) يؤلِّف ، يركِّب × (٧) يتدمّج ، يتضامّ ، يلتزّ الخ . §(٨) علبة تجميل صغيرة (تشتمل على ذرور للوجه وأحمر للشفاه) (٩) سيارة صغيرة (١٠) اتفاق ، ميثاق .

— **compactly** *(adv.)* — **compactness** *(n.)*

companion[kəm păn'yən] *(n.; vt.)* (١) رفيق (٢) وصيفة . (٣) واحدٌ من زوج ، أحد شيئين يتمّم بعضهما الآخر ، فَرْدة (قفّاز أو نحوه) (٤) كتاب ، دليل (٥) دَرَج السفينة أو غطاؤه (را . companionway) §(٦) يرافق .

companionable [-ə bəl] *(adj.)* أنيس ، حلو العِشرة .

companionate[-ĭt] *(adj.)* رِفاقيّ : منسوب إلى الرِّفاق أو على طريقتهم .

companionate marriage *(n.)* الزَّواج الرِّفاقيّ : شكل مُقترَح من أشكال الزواج مجرَّد من حقوق الأزواج والتزاماتهم التقليدية يتميز بطلاق ميسَّر يقطع العلاقة نهائياً بين الزوجين غير المُعقِبَين .

companionship [-'yən shĭp'] *(n.)* رِفقة ، عِشْرة .

companionway *(n.)* الدَّرَج : سلّم يصِل ظهر السفينة بالحجرات التي تحته (مل) .

company [kŭm'pə nĭ] *(n.; adj.)* (١) «أ» رِفقة ، عِشْرة . «ب» رفاق ، عُشَراء . «ج» زائرون ، ضيوف (٢) «أ» جماعة ، مجموعة . «ب» سَرِية (من جيش) . «ج» فرقة موسيقية أو مسرحية (opera ~) . «د» ملاّحو السفينة . «هـ» فرقة مطافىء (٣) «أ» شركة . «ب» شركاء § (٤) «أ» رِفقي ، عِشْريّ : ذو علاقة بالرفقة أو العشرة (manners ~) . «ب» شَرِكيّ : خاص بالشركة (~ stores) . «ج» شركاتيّ : خاص بالشركات (~ law).

for ~, على سبيل المرافقة .

to keep *or* bear a person ~, يلازمه : يذهب أو يبقى معه .

to keep ~ with يعاشر ، يصادق .

to part ~, يفترق ، ينفصل عن .

company union *(n.)* (١) النقابة المستقلة : نقابة تضم عمال شركة أو مؤسسة من غير أن تؤلف جزءاً من اتحاد نقابي أكبر (٢) النقابة المَغْلولة : نقابة للعمال يسيطر عليها ربّ العمل .

comparable *(adj.)* (١) قابل للمقارنة بـ (٢) مساوٍ ، مشابه .

comparative [kəm păr'ə tĭv] *(adj.)* (١) مقارِن : ذو علاقة بالمقارنة أو قادر على إجراء المقارنات (the ~ faculty) (٢) مقارَن : مدروس أو مبنيّ على أساس المقارَنة بين الظواهر (~ literature) (٣) نسبيّ ، غير مطلق (to live in ~ comfort).

the ~ degree صيغة التفضيل (ل) .

comparatively *(adv.)* (١) على نحو مقارَن (٢) نسبياً ، بعض الشيء .

comparator *(n.)* المقارِن : أداة لمقارنة شيء بآخر أو بمقياس عياريّ .

compare [kəm pâr'] *(vt.; i.; n.)* (١) يشبِّه بـ (٢) يقارن أو يوازن بين × (٣) يضاهي ، يباري § (٤) مقارَنة (beauty beyond ~).

to ~ notes يتبادلون الآراء ووجهات النظر .

without *or* beyond *or* past ~, لا يُضاهَى .

comparison [-'ə sən] *(n.)* (١) تشبيه (٢) مقارَنة ، موازنة . (٣) شَبَه (٤) التفضيل (The three degrees of ~ are positive, comparative, and superlative.)

by ~, عند المقارنة

in ~, بالمقارنة مع ، بالنِّسْبة إلى .

to bear *or* stand ~ with يضاهي ، يباري .

compart *(vt.)* يفَصِّل إلى أجزاء : وبخاصة : يقسِّم وفقاً لخريطة (عم) .

compartment *(n.)* (١) قسم أو جزء مستقلّ (٢) مقصورة (في قطار) ، حُجَيْرة .

—**compartmental ; compartmented** *(adj.)*

compartmentalize *(vt.)* يقسِّم إلى أجزاء أو فئات مستقلة .

compass[kŭm'pəs] *(n.; adj.; vt.)* (١) «أ» حدّ ، محيط . «ب» نطاق (٢) بوصلة ، بيت الابرة ، ابرة الملاحين (٣) *pl.* عد : بركار ، فرجار § (٤) مُنحنٍ ، دائريّ ، وبخاصة . نصف دائريّ (a ~ window) § (٥) يرسم خطة لـ ، يدبّر مكيدة (٦) «أ» يطوِّق . «ب» يدور حول (٧) «أ» يُنجز ، يتمّ . «ب» يبلغ ، يحقّق ، ينال (٨) يستوعب ، يفهم فهماً تاماً .

compass card *(n.)* قُرص البوصلة : قرص إبرة الملاحين الدائريّ الذي تظهر عليه أقسام الجهات الاثنان والثلاثون ودرجات الدائرة الثلاثمائة والستون .

ă at; ā date; â care; ä car; ĕ egg; ē me; ĭ in; ī bite; ŏ lot; ō bone; ô orphan; oi boil o͝o good; o͞o boot; ou out; ŭ under; ū unity; û urgent; th thing; *th* this; zh vision; ə = *a* in alone, *e* in system, *i* in easily, *o* in gallop, *u* in circus.

compass error *(n.)* الخطأ البوصليّ : الفرق بين الاتجاه الذي تشير إليه إبرة الملاحين وبين الشمال الحقيقي (مل) .

compassion [-păsh'ən] *(n. ; vt.)* (١) حُنوّ ؛ شفقة. § (٢) يُشفِق .

compassionate [*adj.* -'ən ĭt ; *v.* -'ə nāt'] *(adj. ; vt.)* (١) شَفوق ؛ رحيم § (٢) يشفق على .

compassionately *(adv.)* على نحوٍ شفوقٍ أو رحيم .

compass plane *(n.)* = circular plane.

compass plant *(n.)* النبتة البوصلية : كل نبتة تكون أوراقها أو أغصانها مرتبة على المحور بحيث تشير إلى الجهات الأربع الأصلية.

compass saw *(n.)* منشار المنحنيات: منشار يدوي لقطع المنحنيات.

compatibility *(n.)* انسجام ؛ تساوُق ؛ تناغم .

compatible [kəm păt'ə bəl] *(adj.)* (١) منسجم ؛ متساوق ؛ متناغم (٢) خاص بطريقة تجعل التقاط الإرسال التلفزيوني الملوّن ممكناً ، باللونين الأسود والأبيض ، على شاشات الأجهزة غير المزوّدة بأسباب الالتقاط الملوّن (تلفز) .

compatriot [kəm pā'trĭ ət] *(n.; adj.)* (١) مواطن المرء أو ابن بلده (٢) رفيق ؛ زميل § (٣) من نفس البلد .

compeer [kəm pĭr'] *(n.)* (١) رفيق (٢) نِدّ ؛ كفوء .

compel [kəm pĕl'] *(vt.)* (١) يُكرِه ؛ يُجبِر (٢) يفرض بالقوة (٣) يُخضِع (I ~ all creatures to my will.).

—compellable *(adj.)* **—compeller** *(n.)*

compellation [kŏm'pə lā'-] *(n.)* (١) مخاطبَة (٢) اسم ؛ لَقَب.

compend [kŏm'pĕnd] *(n.)* = compendium.

compendious [kəm pĕn'dĭ əs] *(adj.)* مختصَر ؛ موجز .

compendium [-'dĭ əm] *(n.)* pl. **-diums** *or* **-dia** خلاصة وافية.

compensate [kŏm'pən sāt'] *(vt.; i.)* (١) يُعوِض على (٢) يُكافىء ؛ (٣) يعادل ؛ يعدِّل بحيث يُحدث توازناً (ملك) × (٤) يعوض عن.

compensating *(adj.)* (١) معوِض (٢) مكافىء (٣) مُعادِل .

compensating errors الأخطاء المتكافئة : أخطاء في الحساب التجاري متعادلة القيمة ولكنها متضادّة الدلالة فهي تُبطل بعضها بعضاً.

compensating gear *(n.)* التُرس المعادِل (ملك) .

compensating leads أسلاك التوصيل المعادِلة (كب) .

compensating winding اللفائف المعادِلة (كب) .

compensation [-pən sā'-] *(n.)* (١) مص compensate. (٢) تعويض (يدفع إلى عاطل عن العمل أو إلى عامل يصاب بأذى أثناء العمل أو إلى أهله) (٣) أجْر (٤) التعويض: عملية سيكولوجية يخفي بها المرء عجزاً معيناً أو شعوراً بالضعة الخ . وذلك من طريق التفوّق في حقلٍ معيّن (نف) .

compensational; compensative; compensatory *(adj.)* تعويضي .

compete [kəm pēt'] *(vi.)* (١) يتنافس مع (٢) يشترك في مباراة.

competence [kŏm'pə təns] *(n.)* (١) «أ» كفاية ؛ مقدار كافٍ. «ب» دخل كافٍ لتأمين ضرورات الحياة من غير ترف (٢) كفاءة ؛ جدارة ؛ مقدرة (٣) «أ» اختصاص (ق) . «ب» أهلية (ق) .

competency [kŏm'pə tən sĭ] *(n.)* = competence.

competent [-'pə tənt] *(adj.)* (١) كافٍ ؛ وافٍ بالغرض . (٢) «أ» كفوء ؛ مقتدر (a ~ cook). «ب» مؤهَّل لِـ (Is he ~ for his work?) (٣) «أ» مختصّ (a ~ court) . «ب» ذو أهلية (a ~ witness).

competition [kŏm pə tĭsh'ən] *(n.)* (١) تنافس ؛ منافسة . (٢) «أ» مباراة (chess ~) . «ب» متبارٍ (a first-rate ~).

competitive ; competitory *(adj.)* تنافسي .

competitor [kəm pĕt'ə tər] *(n.)* المنافِس ؛ المزاحم .

compilation [kŏm pə lā'-] *(n.)* (١) جَمْع ؛ تصنيف ؛ تأليف. (٢) مجموعة (نصوصٍ أو وثائق) .

compile [kəm pīl'] *(vt.)* يَجْمَع ؛ يصنِّف ؛ يؤلِّف .

compiler *(n.)* الجامع ؛ المصنِّف ؛ المؤلِّف .

complacence; complacency *(n.)* رضا ؛ وبخاصة : الرضا الذاتي (را self-satisfaction).

complacent [kəm plā'sənt] *(adj.)* (١) راضٍ ؛ وبخاصة : راضٍ عن نفسه (٢) لطيف أو راغب في الإرضاء .

complain [kəm plān'] *(vi.)* (١) يتذمّر ؛ يشكو ؛ يتشكّى (أمراً). (٢) يشكو أو يتهم رسمياً . **—complainer** *(n.)*

complainant [-'nənt] *(n.)* (١) المتذمّر ؛ المتشكّي (٢) المدّعي (ق)

complaint [-plānt'] *(n.)* (١) تذمّر ؛ تشكٍّ (٢) شكوى ؛ شَكاة. (٣) مرَض (a heart ~) (٤) اتهام رسمي (ق) .

complaisance [kəm plā'zəns] *(n.)* لطف ؛ كياسة ؛ لِينُ جانب.

complaisant [-'zənt] *(adj.)* لطيف ؛ كيّس ؛ ليّن الجانب .

complected *(adj.)* ذو بَشَرَة (dark-*complected*) .

complement [*n.* kŏm'plə mənt' ; *v.* -mĕnt'] *(n. ; vt.)* (١) «أ» تتمة ، تكملة . «ب» مُلحَق (٢) المجموعة الكاملة (The vessel has her ~ of men.) (٣) المتمِّم : المقدار الضروري لجعل الزاوية تساوي ٩٠ درجة (هن) (٤) تتمة المُسْنَد (ل) (٥) الداحر (را alexin) § (٦) يتمّم ؛ يشكّل تتمة لِـ .

complemental [-'mĕn'təl] *(adj.)* = complementary.

complementary [-'tə rĭ] *(adj.)* (١) متمِّم (٢) مُتَتامّ : متمم بعضُه بعضاً .

complementary angles *(n. pl.)* الزاويتان المتتامّتان : زاويتان مجموعهما ٩٠ درجة .

complementary colors *(n.pl.)* الألوان المتتامّة : أزواج من الألوان إذا امتُزِجَت بنسَب متساوية أعطت لوناً أبيض أو رمادياً (Yellow and blue are ~.)

complete [kəm plēt'] *(adj.; vt.)* (١) تامّ ؛ كامل (٢) متمَّم ؛ مُنجَز (٣) كامل ؛ بالغ حدّ الكمال § (٤) يتمّم ؛ يكمّل (٥) يُنهي ؛ يُنجز (٦) يجعله بالغاً حدّ الكمال **—completeness** *(n.)*

completely *(adv.)* تماماً ؛ بكل ما في الكلمة من معنى .

complete quadrangle *(n.)* رباعيّ الزوايا التامّ (ر) .

complete quadrilateral *(n.)* رباعيّ الأضلاع التامّ (ر) .

completion [kəm plē'-] *(n.)* (١) إتمام ؛ إكمال (٢) اكتمال .

complex [*adj.* kəm plĕks'; *n.* kŏm'-] *(adj. ; n.)* (١) مركّب (٢) مُعقّد § (٣) كلّ مركّب من أجزاء (٤) المجمَّع ؛ مجمّع مبانٍ أو منشآت (٥) عُقْدة ؛ مركّب (Oedipus ~) .

complex fraction *(n.)* الكَسْر المركّب (ر) .

complexion [kəm plĕk'-] *(n.)* (١) طبيعة ؛ مزاج (فس قديمة). (٢) بَشَرَة (٣) مظهر عامّ (the threatening ~ of the sky).

complexity [-'sə tĭ] *(n.)* (١) تعقيد ؛ تعقّد (٢) شيء معقّد .

complex number *(n.)* العدد المركّب (ر) .

compliable [kəm plī'-] *(adj.)* = compliant.

compliance [-'əns] ; **compliancy** *(n.)* (١) مطاوعة ؛ إذعان. (٢) لِين العريكة .

compliant[-'ənt] *(adj.)* (١) مطاوع ؛ مذعن (٢) مساير ؛ لين العريكة.
complicacy [-'plə kə sĭ] *(n.)* = complexity.
complicate [*v.* kŏm'plə kāt'; *adj.* -kĭt] *(vt.; i.; adj.)* (١) «أ» يعقّد. «ب» يصعّب ×(٢) «أ» يتعقّد. «ب» يتصعّب §(٣) معقّد (٤) مطويّ على نفسه (a ~ embryo).
complicated [-'plə kā tĭd] *(adj.)* (١) معقّد (٢) عسير ؛ صعب.
complication [kŏm'plə kā'-] *(n.)* (١) تعقيد (٢) تعقّد (٣) المعقّد: عنصرٌ معقّد (٤) المضاعفة: علّة أو حالة ثانوية تنشأ أثناء مرضٍ ما فتزيده خطورةً.
complicity [kəm plĭs'-] *(n.)* اشتراك في جريمة.
complier [kəm plī'ər] *(n.)* المطيع ؛ المستجيب ؛ المذعن.
compliment[*n.*kŏm'plə mənt;*v.*-mĕnt'] *(n.;vt.)* (١) مدْح ؛ إطراء (٢) تملّق (٣) *pl.* تحيّات ؛ تمنّيات §(٤) يطري (٥) يهنئ (٦) يجامل ؛ يهدي على سبيل المجاملة.
complimentary *(adj.)* (١) مدْحي (٢) مُجامِل (٣) مجّاني.
complot [*n.*kŏm'-; *v.* -plŏt'] *(n.; vt.; i.)* (١) مؤامرة (ا.ق). ×(٢) يتآمر (ا.ق).
comply [kəm plī'] *(vi.)* يطيع ؛ يستجيب ؛ يذعن.
component [kəm pō'-] *(n.; adj.)* (١) عنصر أو جزء أساسي. §(٢) مُركّب ؛ مكوِّن (~ parts).
comport[kəm pōrt'] *(vi.; t.)* (١) ينسجم أو يتّفق مع. ×(٢) يتصرف ؛ يسلك (~ *s* herself with dignity).
comportment [-'mənt] *(n.)* تصرّف ؛ سلوك.
compose [kəm pōz'] *(vt.; i.)* (١) «أ» يركّب ؛ يشكّل. «ب» يجمع أو ينضّد (to ~ type) (٢) «أ» ينظِم (to ~ a poem) «ب» يؤلّف (to ~ an opera) (٣) يسوّي ؛ ينهي (to ~ a dispute) (٤) يهيّئ ؛ يُعِدّ (to ~ oneself to read a novel) (٥) يهدّئ (Compose yourself!) × (٦) ينظم ؛ يؤلف الألحان الخ. (He ~ *s* only in the evening.)
composed [- pōzd'] *(adj.)* هادئ ؛ وبخاصة: رابط الجأش.
—**composedly** *(adv.)* —**composedness** *(n.)*
composer *(n.)* فا compose وبخاصة: الملحّن ؛ المؤلف الموسيقي.
composing *(n.)* (١) تركيب (٢) تنضيد أحرف (٣) نظم ؛ تأليف الخ.
composing machine *(n.)* المنضِّدة: آلة تنضيد الأحرف الطباعية.
composing room *(n.)* حجرة التنضيد: حجرة منضّدي الأحرف بمطبعة.
composing stick *(n.)* المِصَفّ: مِصفّ الأحرف المطبعية.

composing stick

composite [kəm pŏz'ĭt] *(adj.; n.)* (١) مُركّب ؛ مؤلَّف §(٢) المركّب: شيء مركّب (٣) المركّبة: نبتة من المركّبات.
composite number *(n.)* العدد المؤلَّف (ر).
composite photograph *(n.)* الصورة المؤلَّفة: صورة تؤخذ من طريق الجمع بين صورتين مستقلتين أو أكثر (فو).
composition [-'pə zĭsh'ən] *(n.)* (١) مص compose ؛ وبخاصة: «أ» تنضيدُ (الأحرف المطبعية). «ب» تأليف (a piano sonata of her own ~) «ج» أسلوب التأليف (a picture excelling in ~) (٢) «أ» التركيب: الأجزاء التي يتركب منها شيء ما (The ~ of this confectionery includes sugar, chocolate and butter.) «ب» مركّب ؛ مادة مركبة (a ~ of several acids) (٣) بنية ؛ وبخاصة: تكوين المرء العقلي (a touch of madness in her ~) (٤) «أ» اتفاق ؛ تسوية ؛ وبخاصة: صلح المفلس مع دائنيه (بأن يكتفوا بدفعه جزءاً من ديونهم). «ب» مبلغ يُدفَع بموجب هذا الصلح (٥) «أ» الانشاء: مقالة قصيرة يطلب إلى التلامذة كتابتها. «ب» قطعة موسيقية.
composition of forces تركيب القوى (مك).
compositor [kəm pŏz'-] *(n.)* المنضِّد: منضِّد الحروف في مطبعة.
compos mentis [kŏm'pəs mĕn'tĭs] *(adj.)* سليم العقل (ق).
compost [kŏm'pōst] *(n.)* (١) مزيج من روث وأوراق شجر ميتة لتسميد الأرض (٢) مزيج ؛ خليط.
composure [kəm pō'zhər] *(n.)* هدوء ؛ وبخاصة: رباطة جأش.
compotator [kŏm'pə tā-] *(n.)* رفيق الشراب.
compote [kŏm'pōt] *(n.)* (١) الكومبوت: فاكهة مطبوخة بالسكر بطريقة تحافظ معها على شكلها (٢) طبق خاص بالكومبوت.
compound [*adj.*,*n.* kŏm'-; *v.* kəm pound'] *(adj.; n.; vt.; i.)* (١) مُركّب §(٢) كلمة مركّبة، مثل *rowboat* (٣) المُركّب (ك) (٤) مجموعة منازل وبيوتات تجارية (٥) المجمَّع ؛ مجمّع مبانٍ أو منشآت (٦) رقعة من الأرض واسعة مُسيَّجة أو مُسوَّرة §(٧) يركّب ؛ يؤلّف (٨) يسوّي حُبّياً (نزاعاً أو دَيْناً) (٩) يزيد ؛ يُضاعف (١٠) يوافق، مقابل مال يُدفَع إليه، على عدم إقامة الدعوى (to ~ a crime) × (١١) يتفق (He ~ *ed* with his creditors.)
compound engine *(n.)* المحرّك المركّب (مك).
compound fraction *(n.)* الكَسْر المركّب (ر).
compound fracture *(n.)* الكَسْر المضاعَف: كَسْر يمزّق فيه العظم المكسورُ الجلدَ وينتأ منه (جر).
compound interest *(n.)* الفائدة المركّبة (تج).
compound leaf *(n.)* الورقة المركّبة (نب).
compound microscope *(n.)* المجهر أو الميكروسكوب المركّب.
compound number *(n.)* العدد المركّب: كمية معبَّر عنها بوحدتين أو أكثر. مثل 4 ft. 8 in. أو 3 hr. 24 min. 30 sec.
compound quantity *(n.)* الكمية المركّبة (ر).
compound ratio *(n.)* النسبة المركّبة (ر).
compound sentence *(n.)* الجملة المركّبة: جملة مؤلفة من جملتين مستقلتين أو أكثر.
comprador [kŏm'prə dôr'] *or* **compradore** [-dōr'] *(n.)* الكومبرادور: وكيل أو مستشار وطني تستخدمه مؤسسة أجنبية (كقنصلية أو بيتٍ ماليّ) في الصين للإشراف على شؤون مستخدميها الصينيين.
comprehend [kŏm'prĭ hĕnd'] *(vt.)* (١) يفهم ؛ يدرك (٢) يشمل ؛ يتضمّن.
—**comprehendible** *(adj.)*
comprehensible[-hĕn'sə bəl] *(adj.)* ممكنٌ فهمُه أو إدراكُه.
—**comprehensibility; comprehensibleness** *(n.)*
comprehension[-'shən] *(n)* (١) اشتمال ؛ شمول (٢) «أ» فهم ؛ إدراك. «ب» معرفة. «ج» القدرة على الفهم.
comprehensive [-'sĭv] *(adj.)* (١) شامل (٢) واسع الادراك.
compress[*v.*kəm prĕs';*n.*kŏm'-] *(vt.; i.; n.)* (١) «أ» يضغط ؛ يكبس ؛ يعصر. «ب» يركّز ؛ يكثّف ×(٢) «أ» ينضغط ؛ ينعصر. «ب» يتركّز ؛ يتكثّف §(٣) كِماد ؛ كِمادة (ط) (٤) مِكْبس للقطن الخ.
compressed *(adj.)* (١) مضغوط ؛ مكبوس الخ. (٢) مسطّح.
compressed air *(n.)* الهواء المضغوط.
compressed-air brake *(n.)* فرملة (أو مِكبح) بالهواء المضغوط.
compressibility *(n.)* المُنْضَغِطيّة ؛ الانضغاطية: كون الشيء

منضغطاً أو قابلاً للانضغاط .

compressible *(adj.)* منضغطٌ ؛ قابلٌ للانضغاط .

compression[kəm prĕsh'ən] *(n.)* (١) ضَغْط الخ . (٢) انضغاط .

compressive *(adj.)* (١) ضَغْطي (٢) ضاغط (a ~ force).

compressor [-prĕs'ər] *(n.)* (١) الضاغط الخ (٢) العضلة الضاغطة (ت) (٣) الضاغطة : آلة لضغط الهواء أو الغاز الخ .

compressure [kəm prĕsh'ər] *(n.)* = compression.

comprise *or* **comprize** [-prīz'] *(vt.)* (١) يشمل ؛ يتضمّن . (٢) يؤلّف ؛ يشكّل .

compromise [kŏm'prə mīz'] *(n.; vt.; i.)* (١) «أ» تَسْوِيَة ؛ حلّ وَسَط ؛ منزلة متوسطة بين منزلتين . «ب» شيء جامع لخصائص شيئين آخرين (٢) تعرّض للشبهة أو الفضيحة أو الخطر § (٣) يسوّي (نزاعاً الخ .) بحلّ وَسَط (٤) يعرّض للشبهة أو الفضيحة أو الخطر × (٥) يتوصل إلى تفاهم (من طريق التسوية) (٦) يقبل بتسوية مُذِلّة .

compromising *(adj.)* (١) مُسَوٍّ ؛ موفّق (٢) معرّض للشبهة الخ .

comptometer[kŏmp tŏm'-] *(n.)* آلة حاسبة .

comptroller[kən trō'lər] *(n.)* مراقب النفقات أو الحسابات .

comptometer

compulsion[kəm pŭl'-] *(n.)* (١) «أ» إكراه ؛ إلزام ؛ قَسْر . «ب» كَرْه ؛ اضطرار . «ج» قوةٌ مكرِهة (٢) دافعٌ لا يقاوم .

compulsive [-'sĭv] *(adj.)* مُكْرِه ؛ مُلْزِم .

compulsory [-'sə rĭ] *(adj.)* إلزامي ؛ إجباري .

compunction [kəm pŭngk'-] *(n.)* وخز الضمير ؛ ندَم .

compunctious [-'shəs] *(adj.)* (١) نَدَميّ (٢) مثير للندم .

compurgation[kŏm'pər gā'-] *(n.)* التبرئة بالأيمان : تبرئة المتهم إذا ما أقسم عددٌ معيّن من أصدقائه أو جيرانه على براءته (ق) .

compurgator *(n.)* شاهد البراءة : شاهد يُقسم على براءة متهم .

computation [kŏm'pyə tā'-] *(n.)* (١) حساب (٢) تقدير ؛ تخمين .

computator *(n.)* آلة حاسبة

compute [kəm pūt'] *(vt.; i.; n.)* (١) يحسب ؛ يُحْصي . § (٢) حُسْبان ؛ إحصاء .

computer *(n.)* الكومبيوتر ؛ العقل الألكتروني .

computerize *(vt.)* يُكَمْتِر : ينفذ أو يضبط أو يحفظ أو يزوّد بكومبيوتر أو عقل ألكتروني .

comrade *(n.)* (١) رفيق (٢) رفيق في السلاح او الحزب .

con [kŏn] *(vt.; adv.; n.)* (١) يدرس أو يفحص بدقّة (٢) يستظهر ؛ يحفظ عن ظهر قلب (٣) يدير دفة سفينة (٤) يخدع (٥) يتملق § (٦) ضدّ (to argue pro and ~) § (٧) «أ» حجّةٌ ضدّ شيء ما (the pros and ~s) . «ب» الموقف السلبي (في مناظرة) أو صاحب هذا الموقف (٨) داء السلّ .

~ game = confidence game.

~ man = confidence man.

con- = com-.

con amore[kôn ä mô'rĕ] *(It.)* (١) بحبّ ؛ بحماسة (٢) بحنان (مو) .

conation [kō nā'shən] *(n.)* الرغبة ؛ الإرادة (نف) .

—**conational; conative** *(adj.)*

conatus [kō nā'təs] *(n.)* (١) جهد (٢) نزعة طبيعية ؛ دافع طبيعي .

con brio [kôn brē'ô] *(adj.)* بقوة ؛ بحيوية (مو) .

concatenate[-kăt'ə-] *(adj.; vt.)* (١) متسلسل § (٢) يسلسل .

concatenation *(n.)* (١) سَلْسَلَة (٢) تَسَلْسُل (٣) سلسلة من .

concave [*adj., v.* kŏn kāv'; *n.* kŏn'-] *(adj.; n.; vt.)* (١) مُقعَّر § (٢) المُقعَّر : خطٌّ أو سطحٌ مقعّر § (٣) يقعّر .

concavity[-kăv'ə tĭ] *(n.)* (١) تجويف ؛ شيء أو سطح مقعّر (٢) تقعّر .

concavo-concave *(adj.)* مزدوج التقعّر : مُقعَّر من الوجهين .

concavo-convex *(adj.)* محدَّبٌ مُقعَّر : محدّب من جهة مقعّر من أخرى .

conceal [kən sēl'] *(vt.)* (١) يكتم (٢) يُخفي ؛ يَحْجُب .

concealment *(n.)* (١) «أ» كِتْمَ . «ب» إخفاء (٢) «أ» كتمان . «ب» اختفاء (٣) مخبأ .

—**concealable** *(adj.)*

concede [kən sēd'] *(vt.; i.)* (١) يمنح ؛ يخوّل (٢) يسلّم بـ . × (٣) يُذعِن أو يقوم بتنازلات .

conceit [kən sēt'] *(n.; vt.)* (١) «أ» تصوّر ؛ إدراك . «ب» فكرة . (٢) خيال ؛ وهم ؛ نَزْوَة (٣) رأي أو تقدير شخصي (٤) غرور ؛ عُجْب § (٥) يتخيّل (ع) (٦) يولع بـ (عب) .

in one's own ~, في رأي المرء الشخصي .

out of ~ with لم يعد مولعاً بـ أو ميالاً إلى .

conceited [kən sē'tĭd] *(adj.)* مغرور ؛ مُعجَب بنفسه .

conceivable [kən sē'-] *(adj.)* ممكنٌ تصوّرُه أو تخيّلُه .

conceive [kən sēv'] *(vt.; i.)* (١) تحمِل (المرأة) ؛ تحبَل بـ (to ~ a child) (٢) يتصوّر ؛ يتخيّل (٣) يفهم (I ~ you.) (٤) يرى ؛ يعتقد (٥) يعبّر (~*d* in plain language) × (٦) يفكّر ؛ يعتبر ؛ يَعُدّ (تتبعها *of*) .

concenter *or* **concentre** *(vt.; i.)* = concentrate.

concentrate[kŏn'sən trāt'] *(vt.; i.; n.)* (١) يركّز (٢) يكثّف . (٣) يجمّع ؛ يحشد × (٤) يتركّز : يصبح أشدّ قوّة أو كثافةً أو نقاءً (٥) يتجمّع ؛ يحتشد (٦) يركّز تفكيره (في نقطة معيّنة) § (٧) شكلٌ مركّز (من شيء ما) .

concentrated *(adj.)* (١) مركّز (٢) مكثّف .

concentration [kŏn'sən trā'-] *(n.)* (١) تركيز أو تركّز ؛ وبخاصة : تركيز الفكر على نقطة معيّنة (٢) كتلة مركّزة ؛ شيء مركّز (٣) حشد القوات العسكرية أو البحرية في بقعة معيّنة استعداداً لعمليات حربية مرتقبة (٤) قوة أو كثافة (محلول ما) .

concentration camp *(n.)* معسكر اعتقالٍ (للأسرى أو المعتقلين السياسيين) .

concentric *(adj.)* مُتراكِز : مُتّحد المركز (~ circles) .

concentrical *(adj.)* = concentric.

concept [kŏn'sĕpt] *(n.)* (١) فكرة ؛ فكرة عامة (٢) مفهوم .

conception [kən sĕp'-] *(n.)* (١) «أ» حَمْل . «ب» جنين . «ج» بداية (ا.ق) (٢) «أ» تصوّر ؛ إدراك ؛ فَهْم . «ب» concept .

conceptual *(adj.)* مفاهيمي : ذو علاقة بالمفاهيم أو مؤلَّفٌ منها .

concern[kən sûrn'] *(vt.)* (١) «أ» يتعلق بـ . «ب» يَهُمّ (٢) يُقلق (٣) يتورّط ؛ تكون له صلة (بجريمة) § (٤) شأن (the private ~*s* of families) (٥) همّ ؛ قلق (٦) مؤسسة تجارية أو صناعية (٧) حصة (He has a ~ in the business.)

as ~*s* في ما يتعلق بـ .

concerned *(adj.)* (١) قلق ؛ مهتمّ ؛ مَعنيّ (٢) متورّط (٣) مشغول .

concerning [kən sûr'nĭng] *(prep.)* في ما يتعلق بـ .

concernment[-'mənt] *(n.)* (١) شأن ؛ مصلحة (٢) أهمية (٣) قلق .

concert [*n.* kŏn'sûrt; *v.* kən sûrt'] *(n.; vt.; i.)* (١) اتفاق ؛ انسجام (٢) تناغم (مو) (٣) حفلة موسيقية § (٤) يتفق على ؛ يقرّر

بالتفاهم أو التشاور (٥) يخطّط ؛ ينظّم ×(٦) يعملون معاً أو بانسجام.

concerted [kən sûr'-] *(adj.)* (١) مدبَّر ؛ مُتّفَقٌ عليه (٢) موزَّع على عدة أصوات أو آلات (مو).

concertina

concertina [kŏn'sər tē'nə] *(n.)* الكونسرتينة : ضرب من الاكورديون.

concertino [-'nô] *(n.)* pl. **-ni** الكونشيرتينو : كونشيرتو (را concerto) قصير.

concertmaster *(n.)* قائد الفرقة المساعد (مو).

concertmeister [kôn tsĕrt'mīs'-] *(n.)* = concertmaster.

concerto [kən chĕr'tō] *(n.)* pl. **-ti** *or* **-tos** الكونشيرتو : لحن يعزف على آلة منفردة أو أكثر بمصاحبة الأوركسترا (a piano ~).

concession [kən sĕsh'ən] *(n.)* (١) مصدر concede (٢) «أ» شيء مسلّم به. «ب» حق ممنوح (٣) امتياز (oil ~*s* in Iran) (٤) تنازل (تقوم به الحكومة الخ. على سبيل التهدئة أو الوصول إلى اتفاق).

concessionaire ; concessioner *(n.)* صاحب الامتياز.

concessionary [kən sĕsh'-] *(adj.; n.)* (١) امتيازيّ الخ. § (٢) صاحب الامتياز.

conch [kŏngk ; kŏnch] *(n.)* (١) محارة (٢) محارة الأذن (ت).

conch- *or* **concho-** بادئة معناها : محارة (*concho*logy).

concha [kŏng'kə] *(n.)* pl. **-chae** (١) سطح القبة المقعّر (عم). (٢) محارة الأذن : تجويف الأذن الخارجية الأكبر والأعمق (ت).

conchiferous [kŏng kĭf'-] *(adj.)* مُصْدَفٌ : ذو صَدَفة.

conchoidal [-koi'dəl] *(adj.)* مَحارانيّ : شبيه بالأصداف.

conchology [-kŏl'ə jĭ] *(n.)* علم المحاريات أو الرخويات.

concierge [kŏn'sĭ ûrzh'] *(F.)* البوّاب : بوّاب المبنى.

conciliar *(adj.)* (١) مَجْلِسيّ (٢) صادرٌ عن مجلس.

conciliate [kən sĭl'ĭ āt] *(vt.)* (١) يَسْتَرْضي (٢) يستميل. (٣) يوفّق بين.

—conciliation *(n.)* **—conciliator** *(n.)*

conciliative ; conciliatory *(adj.)* استرضائيّ الخ.

concinnity [kən sĭn'-] *(n.)* تساوُق ؛ تناغم (في الأسلوب الأدبي).

concise [kən sīs'] *(adj.)* مُوْجَز ؛ مُختصَر. **-ly** *(adv.)*

conciseness [-sīs'nĭs] *(n.)* المُوْجَزيّة : كون الشيء مُوْجَزاً.

concision [kən sĭzh'ən] *(n.)* = conciseness.

conclave [-'klāv] *(n.)* اجتماع سريّ ؛ وبخاصة : اجتماع الكرادلة لانتخاب البابا.

conclude [kən klo͞od'] *(vt. ; i.)* (١) يُنْهي ؛ يختم (٢) يعقد (to ~ a treaty) (٣) يستنتج (٤) يقرّر ×(٥) ينتهي ؛ يُختتَم (الاجتماع) (٦) يصل إلى قرار أو اتفاق.

conclusion [kən klo͞o'zhen] *(n.)* (١) استنتاج (٢) «أ» خاتمة ؛ ختام. «ب» نتيجة (٣) قرار أو حكم نهائي (٤) عَقْد (معاهدةٍ الخ.).

in ~, وختاماً ؛ وفي الختام.

to try ~*s*, يشترك في مسابقة أو مباراة.

conclusive [-'sĭv] *(adj.)* حاسم ؛ مُقْنِع ؛ نهائي.

concoct [kŏn kŏkt'] *(vt.)* (١) يُعِدّ (شراباً الخ.) بالمزج. (٢) يلفّق ؛ يخترع (to ~ an excuse) (٣) يدبّر (to ~ an intrigue).

concoction *(n.)* (١) إعداد ؛ تلفيق ؛ تدبير (٢) ما يُعَدّ أو يُلفَّق.

concomitance; concomitancy *(n.)* (١) تلازُم ؛ تصاحُب ؛ اقتران (٢) اتحاد لحم المسيح ودمه في كل عنصر من عناصر العشاء الرباني.

concomitant [kŏn kŏm'ə-] *(adj.; n.)* (١) مُلازِم ؛ مُصاحِب. § (٢) شيء مُلازِم ؛ حالةٌ مصاحبة.

concord [kŏn'kôrd] *(n.)* (١) «أ» انسجام ؛ تناغم. «ب» توافق الأصوات (مو) (٢) معاهدة (٣) اتفاق ؛ وئام ؛ سلام.

concordance [kŏn kôr'-] *(n.)* (١) فهرس أبجدي (٢) انسجام ؛ اتفاق.

concordant [kŏn kôr'-] *(adj.)* متفق ؛ منسجم.

concordat [kŏn kôr'dăt] *(n.)* (١) اتفاقية ؛ ميثاق (٢) الاتفاقية البابوية : اتفاقية بين البابا وبين ملك أو حكومة لتنظيم الشؤون الكنسية.

concourse [kŏn'kōrs] *(n.)* (١) التقاء (٢) احتشاد (٣) حَشْد (من الناس الخ.) (٤) ملتقى ممرّات (في حديقة عامة) (٥) باحة (في محطة للسكة الحديدية) (٦) ملعب الخ.

concrescence [kŏn krĕs'əns] *(n.)* (١) نُموّ (٢) التنامي ؛ النموّ معاً ؛ التحام الأجزاء أو الأعضاء المنفصلة في الأصل (أح).

concrete [kŏn'krēt] *(adj.; n.)* (١) متماسك ؛ صلب (٢) عينيّ : دالّ على شيءٍ مُدرَك بالحواس (*Man* is a ~ term.) (٣) «أ» واقعيّ. «ب» معيّن ؛ محدَّد. «ج» ملموس ؛ مادي (٤) اسمنتيّ § (٥) شيء متماسك الخ. (٦) اسمنت.

concrete [kŏn krēt'] *(vt.; i.)* (١) يقسّي ؛ يحجّر (٢) يفرش بالاسمنت ×(٣) «أ» يتقسّى ؛ يتحجر. «ب» يتخثّر ؛ يتجلّط (الدم).

concrete mixer *(n.)* خلاطة الاسمنت

concrete noun *(n.)* اسم عين ؛ اسم ذات (ل).

concrete number *(n.)* العدد المادي (ر).

concrete steel *(n.)* اسمنت مسلح بالفولاذ.

concretion [kŏn krē'-] *(n.)* (١) تَقْسِيَة ؛ تحجير (٢) تصلّب ؛ تحجّر (٣) شيء متحجّر ، مثل : «أ» حُصيّة أو حصاة (في المرارة أو الكُلْيَة). «ب» كتلة متحجرة (جي).

concubinage [-kū'bə nĭj] *(n.)* (١) التسرّي ؛ اتخاذ المحظيات ؛ المعاشرة من غير زواج شرعي (٢) وَضْع السُّرّيّة أو المحظية.

concubine [kŏng'kyə bīn'] *(n.)* (١) السُّرّيّة ؛ المَحْظِية. (٢) الحليلة.

concupiscence [-'pə-] *(n.)* رغبة ملحّة ؛ وبخاصة : شهوة جنسية.

concupiscent [-'pə sənt] *(adj.)* (١) شديد التوق (٢) شَهواني.

concur [kən kûr'] *(vi.)* (١) يلتقي (ا.م) (٢) يتزامن : يوجد أو يحدث في وقت واحد (٣) يتعاون (٤) يتفق (في الرأي).

concurrence [-'əns] *(n.)* (١) تعاون (٢) اتفاق (في الرأي) (٣) التقاء (٤) تزامنٌ أو حدوثٌ في وقتٍ واحد.

concurrent [-'ənt] *(adj. ; n.)* (١) متلاقٍ في نقطةٍ واحدة (٢) متزامن : موجود أو حادثٌ في وقت واحد (~ lines) (٣) مساعد ؛ معاونٌ على إحداث الواقعة نفسها أو الأثر نفسه (~ forces) (a ~ cause) (٤) متفق (في الرأي) ؛ منسجم (٥) مطبَّق على المسألة أو المنطقة نفسها من قِبَل سلطتين مختلفتين (ق) § (٦) شيء أو سببٌ مساعد (٧) خصم أو منافس.

concussion [kən kŭsh'ən] *(n.)* (١) هزّة ؛ رجّة ؛ صَدْمة. (٢) الارتجاج المخّي : أذى يصيب الدماغ من ضربة أو سقطة الخ.

condemn [kən dĕm'] *(vt.)* (١) يَشْجُب (٢) يُدين ؛ يعتبره مذنباً أو مجرماً (٣) يحكم على (~*ed* to death) (٤) يحكم أو يعلن بأن شيئاً غير صالح للاستعمال أو الخدمة (The old ship was ~*ed*.) (٥) يحكم بأن شخصاً غير قابل للشفاء (Doctors had ~*ed* her.) (٦) يصادر للمصلحة العامة.

—condemnable *(adj.)* **—condemner** *(n.)*

condemnation [kŏn'dĕm nā'-] *(n.)* (١) شَجْب (٢) إدانة ؛ حكمٌ على (٣) المُدانيّة ؛ المحكوميّة : كون المرء مداناً أو محكوماً عليه (٤) سبب الادانة الخ. (٥) مصادرة الممتلكات

للمصلحة العامة .
—**condemnatory** *(adj.)*

condemned *(adj.)* مُدان ؛ محكوم عليه .

condemned cell *(n.)* حجرة المحكوم عليهم بالاعدام (في سجن) .

condensable *also* **condensible** *(adj.)* قابل للتكثيف أو التكاثف .

condensate [kən'dĕn'-] *(n.)* المتكثِّف : نِتاج التكثيف .

condensation [-dĕn sā'-] *(n.)* (١) تكثيف (٢) تكاثف (٣) شيء مكثَّف ؛ كتلة مكثَّفة (٤) «أ» تلخيص . «ب» نِتاج التلخيص ؛ وبخاصة : أثر أدبي ملخَّص .

condense *(vt.; i.)* (١) يكثِّف (٢) يلخص × (٣) يتكثَّف .

condensed *(adj.)* (١) مكثَّف (٢) موجَز ؛ ملخَّص .

condensed milk *(n.)* حليب مكثَّف (مضاف اليه سكر) .

condenser [kən dĕn'-] *(n.)* المكثِّف («بص» و «فز» و «كب») .

condescend [kŏn'dĭ sĕnd'] *(vi.)* (١) يتنازل ؛ يتعطَّف ؛ يتلطَّف (٢) يهبط بنفسه إلى مستوى... (٣) يتصرَّف بكياسة ولطف ولكن بطريقة تُظهر شعوره بالتفوّق .
—**condescending** *(adj.)*
—**condescendence; condescension** *(n.)*

condign [kən dīn'] *(adj.)* مُستَحَق ؛ ملائم ؛ في محلّه .

condiment [kŏn'də mənt] *(n.)* تابل ؛ بهار .

condition [kən dĭsh'ən] *(n.; vt.; i.)* (١) شَرْط (٢) «أ» حالة . «ب» حالة جيدة (Athletes must keep in ~.) (٣) منزلة ؛ وضعٌ اجتماعي § (٤) «أ» يجعله في حالة جيدة (Exercise ~*s* your muscles.) «ب» يكيِّف (to ~ the air of a room) (٥) يقرِّر ؛ يحدد ؛ يتحكم بِـ (Our income ~*s* what we spend.) (٦) يجعله موقوفاً على شرط (٧) يطلب إليه أن يجتاز امتحاناً جديداً كشرط لبقائه في الصف أو المؤسسة (was ~*ed* in French) (٨) يُشْرِط (نف) × (٩) يضع شروطاً (ا.ق) .
in ~ في صحة جيدة .
in no ~ to... غير صالح لِـ . . . ؛ في حالٍ غير ملائمة لِـ...
on ~ (that) شرطَ أن ؛ شَريطةَ أنْ .
out of ~, في صحة سيئة .

conditional [-dĭsh'-] *(adj.)* (١) مَشْرُوط (a ~ sale). (٢) شَرْطي (a ~ clause).

conditioned [kən dĭsh'ənd] *(adj.)* (١) مشروط . (٢) مكيَّف (air-*conditioned* cinema) (٣) ذو حالة معيَّنة أو وضع معيّن (ill-*conditioned*).

conditioned reflex *or* **response** الفعل المنعكس الشرطيّ (نف) .

conditioning *(n.)* (١) تكييف (air ~) (٢) الإشراط : عملية ربط منبّه برَجْعٍ لم يكن بينه وبين ذلك المنبّه صلة في الأصل ، وذلك عن طريق التداعي (نف) .

condo *(n.)* = condominium 3.

condole [kən dōl'] *(vt.)* يعزّي ؛ يواسي ؛ يشاطره أساه .

condolence [-dō'ləns] *(n.)* تعزية ؛ مواساة .

condominium [kŏn'də mĭn'ĭ əm] *(n.)* (١) «أ» سيادة مشتركة (من جانب دولتين أو أكثر) . «ب» حكم مشترك (٢) بلدٌ خاضع لحكم دولتين أو أكثر . (٣) ملكية مشتركة .

condonation [kŏn'dō nā'-] *(n.)* غفران ؛ صفح .

condone [kən dōn'] *(vt.)* يغتفر ؛ يصفح أو يتغاضى عن .

condor

condor [kŏn'dər] *(n.)* (١) الكَنْدور : نسر أميركي ضخم (٢) الكوندور : نقدٌ ذهبي جنوبأميركي يحمل صورة نسر .

condottiere [kôn'dôt tyĕ'rĕ] *(n.)* pl. **-ri** (١) قائد المرتزقة : قائد جماعة من العساكر المرتزقة (في أوروبة بين القرنين ١٤ و١٦) (٢) المرتزِق : جندي من المرتزقة .

conduce [kən dūs'] *(vi.)* يُفضي إلى ؛ يساعد على إحداث كذا .

conducive *(adj.)* مُفْضٍ إلى ؛ مساعدٌ على إحداث كذا .

conduct [*n.*kŏn'dŭkt; *v.* kən dŭkt'] *(n.; vt.; i.)* (١) إدارة (the ~ of a business) (٢) سلوك ؛ تصرّف § (٣) يرشد ؛ يهدي ؛ يواكب (٤) يقود (to ~ an orchestra) (٥) «أ» يوصِل (الماءَ أو الهواءَ) . «ب» يُوصِل (الضوءَ أو الحرارةَ أو الصوتَ أو الكهرباء) (٦) يسلك ؛ يتصرف (Salma always ~ *s* herself like a lady.) × (٧) يفضي ؛ يؤدي (الطريقُ) (٨) يدير ؛ يتولى قيادة فرقة موسيقية الخ .

conductance [kən dŭk'təns] *(n.)* المواصلة (كب) .

conduction [kən dŭk'-] *(n.)* (١) التوصيل : «أ» نقل الماء الخ . في أنبوب . «ب» توصيل الضوء أو الحرارة أو الصوت أو الكهرباء بواسطة مُوصِّل . «ج» نقل الاندفاع بواسطة عصب من الأعصاب (فس) (٢) conductivity

conductive [kən dŭk'-] *(adj.)* مُوصِّل ؛ توصيليّ ؛ إيصاليّ .

conductivity [-tĭv'ə tĭ] *(n.)* المُوَصِّليّة ، الإيصالية («فز» و«كب») .

conductor [kən dŭk'tər] *(n.)* (١) «أ» الهادي ؛ المرشد ؛ الدليل . «ب» المدير ؛ القائد . «ج» قاطع التذاكر أو جامعها (في قطار أو أوتوبوس الخ .) . «د» قائد فرقة موسيقية (٢) الموصِّل : مادّة موصِّلة للحرارة أو الكهرباء أو الصوت .
—**conductorial** *(adj.)* —**conductress** *(n. fem.)*

conduit [kŏn'dĭt] *(n.)* (١) قناة (٢) أنبوب (لوقاية الأسلاك الكهربائية) .

conduplicate *(adj.)* طولي الالتفاف (صفة للأوراق أو البتلات في برعم) .

condylar *(adj.)* لُقْمِيّ : منسوب إلى اللقمة (را . المادة التالية) .

condyle [kŏn'dĭl] *(n.)* اللُقْمَة : نتوء مَفْصِلي في طرف عظم (ت) .

condyloid *(adj.)* (١) لقمانيّ : شبيهٌ بلقمة (ت) (٢) لُقْميّ (ت) .

condyloma [kŏn'də lō'mə] *(n.)* pl. **-mata** السَّعْدانة : نامية ثؤلولية قرب الشرج وأعضاء التناسل (تنشأ عن السفلس أحياناً) .

cone [kōn] *(n.; vt.)* (١) كوز (صنوبر الخ .) (٢) المخروط (هن) (٣) شيء مخروطيّ الشكل : مثل : «أ» كوز البوظة : وعاء بسكوتيّ توضع فيه المثلجات ويؤكل معها . «ب» قمة بركان § (٤) يكوّز : يجعله على شكلٍ مخروط .

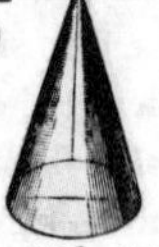

cone

coned *(adj.)* (١) مخروط ؛ مخروطيّ الشكل (٢) ذو مخروط أو مخاريط .

coneflower [kōn'flou'ər] *(n.)* = rudbeckia.

conenose [kōn'nōz'] *(n.)* بقّة ماصّة للدماء .

Conestoga [-stō'gə] *(n.)* الكونستوغة : عربة نقل كبيرة بستة جياد .

coney [kō'nĭ] *(n.)* الكُونيّ : «أ» أرنب أوروبي . «ب» pika . «ج» hyrax «د» فرو الأرنب «هـ» ضرب من السمك .

confab [-'făb] *(vi.; n.)* (١) confabulate § (٢) محادثة ؛ مسامرة .

confabulate [- făb'-] *(vi.)* (١) يتحادثون ؛ يتسامرون . (٢) powwow.
—**confabulation** *(n.)*

confect [*v.* kən fĕkt'; *n.*kŏn'fĕkt] *(vt.; n.)* (١) يركّب ؛ يعِدّ بالمزج (٢) يعلّب أو يخلّل (٣) يحوّله إلى مربّى § (٤) مُرَبّى الخ .

confection [kən fĕk'-] *(n.)* (١) مص confect (٢) «أ» مربّى . «ب» ملبّس ؛ حلوى (٣) معجون ؛ مستحضر طبيّ يدخل في تركيبه السكّر والعسل الخ . (٤) أثر من آثار الصَّنعة اليدوية البارعة (من ملابس وأثاث الخ .) ؛ وبخاصة : قبعة ؛ ثوب نسائي متقَن .

confectionary [-'shə nĕr'ĭ] *(n. ; adj.)* (١) دكان الحلواني. (٢) حلويات §(٣) حلواني : ذو علاقة بالحلويات أو شبيه بها.
confectioner[-'shən ər]*(n.)* الحَلْواني: بائع الحلويات أو صانعها.
confectionery [-'shə-] *(n.)* (١) حَلْويات (٢) صناعة الحلويات. (٣) دكان الحلواني.
confederacy[kən fĕd'ər ə sĭ]*(n.)* (١) حلف؛ تحالف (٢) مؤامرة (٣) اتحاد دول أو أحزاب أو أشخاص (٤) *pl.* : الولايات الاحدى عشرة التي انفصلت عن الولايات المتحدة الأميركية عام ١٨٦٠ و ١٨٦١. **—confederal** *(adj.)*
—confederalist *(n.)*
confederate[*adj., n.* -'ər ĭt; *v.* -'ə rāt'] *(adj.; n.; vt.; i.)* (١) متحالف ؛ متحد §(٢) الحليف (٣) الشريك في مؤامرة §(٤) يوحّد أو يتحد في عصبة أو تحالف أو مؤامرة.
confederation[kən fĕd'ə rā'-]*(n.)* (١) اتحاد (٢) اتحاد كونفدرالي
confederative [-'ə rā'tĭv] *(adj.)* اتحادي ؛ كونفدرالي.
confer [kən fûr'] *(vt. ; i.)* (١) يمنَح ×(٢) يتشاور ؛ يتباحث.
conferee *or* **conferree**[kŏn'fə rē']*(n.)* (١) المشاور ؛ المتباحَث معه ؛ المشترك في مشاورات الخ. (٢) الممنوح رتبة أو لقباً تشريفياً.
conference [kŏn'fər əns] *(n.)* (١) تشاوُر ؛ تداوُل (٢) مؤتمر. (٣) اتحاد كنائس أو مدارس أو فرق رياضية.
conferment *(n.)* (١) مَنْح ؛ إنعام (٢) تشاور.
conferrer *(n.)* (١) المانح ؛ المنعم (٢) المُشاوِر.
conferva [kŏn fûr'və] *(n.)* pl. **-vae** *or* **-vas** طُحلب
confess [kən fĕs'] *(vt. ; i.)* (١) يعترف ؛ يُقِرّ بـ (٢) يعترف للكاهن (٣) يتلقى (الكاهن) اعترافاً.
confessedly *(adv.)* (١) admittedly (٢) باعتراف المرء نفسه.
confesser *(n.)* = confessor.
confession[kən fĕsh'ən]*(n.)* (١) اعتراف (٢) اعتراف للكاهن. (٣) جَهْر بالايمان أو العقيدة (٤) عقيدة (٥) طائفة ؛ مِلّة.
—confessional ; confessionary *(adj.)*
confessional [-əl]*(n.)* (١) كرسي الاعتراف (٢) اعتراف للكاهن.
confessional equality
(n.) المساواة أمام القانون (دون اعتبار للمذهب).
confessor[kən fĕs'ər]*(n.)* (١) المعترِف (٢) المجاهِر بإيمانه بالنصرانية رغم الاضطهاد والتعذيب (٣) كاهن الاعتراف.
confetti [kən fĕt'ĭ] *(n.)* (١) حلوى ؛ «بونبون» (٢) النِّثار : قصاصات من الورق الملوّن تُنثَر على الناس في الكرنفالات والأعراس.
confidant [kŏn'fə dănt'] *(n.)* (١) المُؤتَمَن على الأسرار. (٢) صديق حميم.
confidante *(n.)* (١) المؤتَمنة على الأسرار (٢) صديقة حميمة.
confide [kən fīd'] *(vi. t.)* (١) يثق بـ (٢) يأتمنه على أسراره أو مسائله الشخصية ×(٣) يفضي (بدخيلة نفسه أو بلواه) إلى (٤) يَعْهَد به (إلى).
confidence [kŏn'fə dəns] *(n.)* (١) إيمان ؛ ثقة (٢) «أ» ثقة بالنفس. «ب» جرأة (٣) ثقة بالحكومة (٤) سرّ.
in ~, بوصفه سراً أو مسألةً شخصية لا يجوز الافضاء به أو بها إلى الآخرين.
to take a person into one's ~, يفضي إليه بشيء شخصي أو سرّي.
confidence game *or* **trick** انتزاع مالٍ أو ممتلكاتٍ من طريق الخداع أو الاحتيال بعد كسب ثقة الضحية.
confidence man المحتال الذي يسلب الناس أموالهم بعد كسب ثقتهم
confident [kŏn'fə dənt]*(adj.; n.)* (١) واثق (٢) دالّ على الثقة (a ~ smile) (٣) «أ» واثق من نفسه. «ب» جريء. «ج» مغرور §(٤) صديق حميم أو مؤتمن.
confidential[kŏn'fə dĕn'shəl] *(adj.)* (١) خصوصي ؛ سرّي. (٢) حميميّ ؛ دال على الثقة بالمخاطَب (a ~ tone) (٣) موثوق ؛ موضع ثقة ؛ مؤتَمَن على الأسرار (a ~ secretary) (٤) ميّال إلى الثقة بالآخرين والافضاء لهم بأسراره (~ with strangers).
confidentially *(adv.)* سراً ؛ بصورة تنمّ عن ثقة بالمخاطَب.
confidently *(adv.)* (١) بثقة (٢) بجرأة (٣) بغير تردّد.
confiding *(adj.)* حَسَن الظنّ بالناس ؛ ميال إلى تصديقهم والثقة بهم.
configuration [kən fĭg'yə rā'-] *(n.)* (١) شكل ؛ صورة ؛ هيئة ؛ ترتيب (٢) «أ» الوضع أو المظهر النسبيّ للأجرام السماوية. «ب» مجموعة نجوم (٣) الوضع النسبيّ للذرات في جزيء («فز» و «ك») (٤) gestalt.
confine *(n. ; vt.)* (١) «أ» *pl.* حد : حدود ؛ تخوم. «ب» منطقة §(٢) «أ» يقيّد ؛ يحجز. «ب» يقْصُر نفْسَه : يقتصر (٣) «أ» يسجن. «ب» يحبس «المرض» امرءاً. يجعله حبيس حجرته (He is ~*d* to his room.)
confined *(adj.)* (١) ضيق (a ~ space) (٢) في المخاض ؛ بحالة الولادة.
confinement[kən fīn'mənt]*(n.)* (١) مصدر confine (٢) ولادة.
confirm [kən fûrm'] *(vt.)* (١) يقوّي ؛ يعزز (٢) يصدّق على (معاهدة) (٣) يمنحه التثبيت الديني (كن) (٤) يؤكد ؛ يثبّت (ظنوناً).
—confirmability *(n.)* **—confirmable** *(adj.)*
confirmation[kŏn'fər mā'-]*(n.)* (١) مصدر confirm (٢) تثبيت العماد أو نحوه (٣) تصديق على (٤) «أ» برهان. «ب» إثبات.
confirmative ; confirmatory *(adj.)* (١) مؤكِّد ؛ مثبِّت. (٢) توكيدي ؛ تثبيتي.
confirmed [kən fûrmd'] *(adj.)* (١) معزز ؛ مثبَّت ؛ مصدَّق عليه الخ. (٢) مُدْمِن (a ~ drunk) (٣) مزمن (a ~ disease) (٤) مصاب بمرض عُضال (a ~ invalid).
confiscable[kən fĭs'-];**confiscatable** *(adj.)* عرضة للمصادرة
confiscate[kŏn'fĭs kāt'] *(vt.;adj.)* (١) يُصادِر §(٢) مُصادَر. (٣) مصادَر الممتلكات ؛ محروم من ممتلكاته بالمصادرة.
—confiscation *(n.)* **—confiscator** *(n.)*
confiteor[kən fĭt'ĭ ôr']*(n.)* صلاة الاعتراف (يُعترَف فيها بالخطايا).
confiture[kŏn'fĭ chŏŏr']*(n.)* مربّى ؛ مُرَبّى ؛ فاكهة محفوظة.
conflagrant *(adj.)* ملتهب ؛ مشتعل.
conflagration[kŏn'flə grā'-]*(n.)* حريق ؛ وبخاصة : حريق هائل.
conflation[kən flā'-]*(n.)* (١) دَمْج ؛ وبخاصة : دَمْج قراءتين مختلفتين (من قراءات نصّ) (٢) قراءة مركّبة ؛ نص مركّب.
conflict [*n.* kŏn'flĭkt ; *v.* kən flĭkt'] *(n.; vi.)* (١) نزاع ؛ خلاف (٢) قِتال ؛ صراع ؛ معركة (٣) تضارُب ؛ تعارُض (~ of opinions) (٤) تلاطُم (الأمواج) §(٥) يتضارب ؛ يتعارض (His interests ~ with yours.).
conflicting *(adj.)* متضارِب ؛ متعارض (~ emotions).
confluence [kŏn'flōō əns]*(n.)* (١) «أ» احتشاد. «ب» حَشْد ؛ جَمْع مُحتشِد (٢) «أ» التقاء نهرين (أو أكثر) في نقطة واحدة. «ب» المَجْمَع : نقطة التقاء النهرين. «ج» النهر الموحّد الناشيء عن ذلك.

ă at; ā date; â care; ä car; ĕ egg; ē me; ĭ in; ī bite; ŏ lot; ō bone; ô orphan; oi boil; ŏŏ good; ōō boot; ou out; ŭ under; ū unity; û urgent; th thing; *th* this; zh vision; ə = *a* in alone, *e* in system, *i* in easily, *o* in gallop, *u* in circus.

confluent[-'flōō ənt] *(adj.; n.)* (١) متلاقٍ ؛ مندمج في كل واحد . § (٢) الرافد : نُهَيْر يندغم في نهر .

conflux [kŏn'flŭks] *(n.)* = confluence.

confocal [-fō'-] *(adj.)* مُتَّحِد البُؤَر (~ ellipses).

conform[kən fôrm'] *(vi.; t.)* (١) يطابق ؛ يُشاكل (٢) يطيع ؛ يَعْمَل وَفْقَ (You must ~ to the rules.) × (٣) يجعله مطابقاً أو مشاكلاً لِـ (٤) يكيِّف (He ~ed his ways to ours.).

conformable [-fôr'mə bəl] *(adj.)* (١) مطابق ، مماثل . (٢) متفق أو منسجم مع (~ to custom) (٣) مطيع ، ممتثل لِـ .

— **conformably** *(adv.)*

conformance [kən'fôr'məns] *(n.)* = conformity.

conformation [kŏn fôr mā'-] *(n.)* (١) تكييف ؛ تعديل . (٢) شكْل ، تكوين ، بِنْية (٣) انطباق (على نموذج أو خطة الخ.) .

conformist[kən fôr'mĭst] *(n.)* (١) الممتثل ؛ العامل وفقاً لعرف أو عادة (٢) الملتزم لأعراف الكنيسة الانكليزية .

conformity[kən fôr'mə tĭ] *(n.)* (١) انطباق ، مطابقة ، انسجام . (٢) شَبَه ؛ نقطة التقاء (٣) تكييف المرء نفسَه وأعماله وفقاً لفكرات الآخرين (٤) امتثال ، خضوع (لأعراف الكنيسة الانكليزية بخاصة) . in ~ with وَفْقاً لِـ ، طبقاً لِـ .

confound[kŏn found'] *(vt.)* (١) يُخْزي (٢) يَدْحَض ، يفنِّد . (٣) يلعن (~ it!) (٤) يُذْهِل ، يُرْبِك (٥) يمزج (بحيث يتعذّر التمييز بين العناصر أو فصل بعضها عن بعض) (٦) يخلط بين شيئين .

confounded [-'dĭd] *(adj.)* (١) مرتبك (٢) لعين (a ~ lie) (٣) بغيض ، مَقيت .

confraternity[kŏn'frə tûr'nə tĭ] *(n.)* جمعية دينية أو خيرية الخ .

confrere [kŏn'frâr] *(n.)* زميل ؛ رفيق .

confront [kən frŭnt'] *(vt.)* (١) يتحدى ؛ يجابه (٢) يقابل ؛ يقوم قبالة كذا (His house ~s yours.) (٣) يواجه (المتهم بالأدلة القاطعة أو بخصمه الذي اتهمه) (٤) يقارن ، يوازن بين .

—**confrontation** *(n.)*

Confucian [kən fū'-] *(adj.; n.)* (١) كونفوشيوسي : ذو علاقة بكونفوشيوس ، الفيلسوف الصيني ، أو بتعاليمه § (٢) الكونفوشيوسي : أحد أتباع كونفوشيوس .

Confucianism *(n.)* الكونفوشيوسية : تعاليم كونفوشيوس الأخلاقية .

confuse [kən fūz'] *(vt.)* (١) يُرْبِك (٢) «أ» يشوّش . «ب» يفسد نظام شيء (٣) يخلط بين شيئين خطأ .

—**confusing** *(adj.)*

confused *(adj.)* مرتبك ، مشوَّش ، مضطرب .

confusedly *(adv.)* بارتباك ، بتشوّش ، باضطراب .

confusion [kən fū'zhən] *(n.)* مص confuse ، وبخاصة : «أ» إرباك ، ارتباك . «ب» تشوّش . «ج» فوضى .

confutation [kŏn'fyōō tā'-] *(n.)* (١) دحض (٢) إفحام . (٣) حجة داحضة أو مُفحِمة .

confute[kən fūt'] *(vt.)* (١) يَدْحَض (حجةً) (٢) يُفحم خصماً .

conga *(n.)* الكونغا : «أ» رقصة كوبيّة افريقية الأصل . «ب» طبلة طويلة ضيّقة تُقْرَع باليدين .

congé [kŏn'zhā] *(F.)* (١) إذن رسمي بالانصراف (٢) صَرْف ؛ طرد (to give somebody his ~) (٣) انحناءة احترام (٤) وداع ؛ توديع (٥) حلية معمارية مُقَعَّرة (عم) .

congeal [kən jēl'] *(vt.; i.)* (١) يجمّد ؛ يَعْقِد (٢) يُخثِّر . (٣) يحجِّر × (٤) يتجمّد (٥) يتخثّر (٦) يتحجّر .

—**congealment** *(n.)*

congealing point *(n.)* نقطة الانعقاد : درجة الحرارة التي تتحول بها المادة من حالة السيولة إلى حالة الصلابة .

congelation[kŏn'jə lā'-] *(n.)* (١) تخثير (٢) تخثّر (٣) شيء متخثّر .

congener [kŏn'jə nər] *(n.)* (١) المجانس : حيوان أو نبات من فصيلة حيوان أو نبات آخر (٢) المشاكِل : شخص يشبه شخصاً آخر من حيث الطبيعة أو العمل .

congeneric ; congenerous *(adj.)* مجانس ، مُشاكِل .

congenial [kən jēn'yəl] *(adj.)* (١) متجانس روحاً أو طبعاً أو مصلحة (~ persons) (٢) ملائم ، مناسب لطبيعة المرء أو مزاجه أو حاجاته (a ~ occupation).

congenital [kən jĕn'ə təl] *(adj.)* (١) خِلقيّ : موجود منذ الولادة (a ~ defect) (٢) فِطري (~ fear of snakes) (٣) بالفطرة (a ~ liar).

conger; conger eel [kŏng'-] *(n.)* القَنْجَر : أنقليس بحري كبير .

congeries [kŏn jĭr'ēz] *(n. sing.; pl.)* مجموعة ، كومة ، كتلة .

congest [kən jĕst'] *(vt.; i.)* (١) يُفْعِم ؛ يَزْحَم ؛ يَسُدّ . (٢) يسبب احتقاناً دموياً في × (٣) يزدحم ، يكتظ (٤) يحتقن (مض) .

congested *(adj.)* (١) مزدحم ، مكتظ (٢) محتقِن (مض) .

congestion *(n.)* (١) ازدحام ، اكتظاظ (٢) احتقان (مض) .

congius [-'jĭ əs] *(n.)* pl. **congii** الغالون : مقياس للسوائل .

conglobate[kŏn glō'bāt] *(vt.; i.; adj.)* (١) يكوّر ؛ يجعله على شكل كُرة × (٢) يتكوّر § (٣) مكوّر .

—conglobation *(n.)*

conglobe [kŏn glōb'] *(vt.; i.)* = conglobate.

conglomerate *(adj.; n.; vt.; i.)* (١) مختلِط : مكوّن من أجزاء مختلفة الأنواع أو مجمّعة من مصادر مختلفة (a ~ language) (٢) مُعَنْقَد ، متجمّع على شكل كرة أو كتلة (~ fruit) § (٣) كتلة مختلطة ، كتلة متكتّلة § (٤) يكوّر ، يكتّل × (٥) يتكوّر ، يتكتّل .

conglomeration *(n.)* (١) مص conglomerate (٢) «أ» كتلة ، مجموعة . «ب» مزيج ، خليط

conglutinate[kən glōō'tə nāt'] *(vt.; i.)* (١) يُلْصِق ، يُغَرّي × (٢) يلتصق ، يتغرى .

— **conglutination** *(n.)*

congou [kŏng'gōō] *or* **congo** [kŏn'gō] *(n.)* شاي صيني أسود .

congratulate [kən grăch'ə lāt'] *(vt.)* يُهنّئ .

congratulation *(n.)* (١) تقديم التهاني (٢) *pl.* عد : تهنئة ؛ تهانٍ .

congratulatory[-'ə lə tōr'ĭ] *(adj.)* (١) تَهْنيئيّ : منطوٍ على تهنئة (a ~ speech) (٢) تَهْنيئي : ميّال إلى التهنئة (a ~ mood).

congregate [kŏng'grə gāt'] *(vi.; t.; adj.)* (١) يجتمع ، يحتشد × (٢) يجمع ، يحشد § (٣) محتشِد (٤) جماعيّ .

congregation[-grə gā'shən] *(n.)* (١) «أ» جمع محتشد ؛ وبخاصة : جماعة المصلين «ب» أبرشية ، طائفة ، رعايا كنيسة «ج» مجموعة أديرة تؤلف فرعاً مستقلاً من رهبنة (٢) «أ» تجميع ، حشد . «ب» تجمّع ، احتشاد . «ج» مجموعة أشياء (٣) لجنة كرادلة أو رجال دين (كث) .

congregational [-'shən əl] *(adj.)* (١) «أ» طائفيّ ، أبرشيّ «ب» جماعيّ ، متعلق بجماعة المصلين (~ singing) (٢) *cap.* : مستقل (a *Congregational* church).

congregationalism[-'shən ə lĭz'əm] *(n.)* الابرشانية : ضربٌ من التنظيم الكنسي تتمتع فيه كل أبرشية باستقلال ذاتيّ .

congress[kŏng'grĭs] *(n.)* (١) «أ» اجتماع ؛ لقاء . «ب» جماع ؛ اتصال جنسي (٢) مؤتمر (٣) الكونغرس : الهيئة التشريعية العليا في دولة ،

ă at; ā date; â care; ä car; ĕ egg; ē me; ĭ in; ī bite; ŏ lot; ō bone; ô orphan; oi boil ŏŏ good; ōō boot; ou out; ŭ under; ū unity; û urgent; th thing; th this; zh vision; ə = *a* in alone, *e* in system, *i* in easily, *o* in gallop, *u* in circus.

congress boot 207 connubial

—congressional *(adj.)* وبخاصة في جمهورية (٤) جلسة.

congress boot *or* **gaiter** *or* **shoe** *(n.)* حذاء عالي الساق (جزمة) ذو جانبين مطاطيين يتسعان عندما ينتعل.

congressman *(n.)* عضو الكونغرس (الأميركي بخاصة).

congresspeople *(n.)* أعضاء الكونغرس (رجالاً أو نساءً).

congruence; congruency *(n.)* (١) انسجام (٢) تطابق (هن).

congruent [kŏng'grōō-] *(adj.)* (١) ملائم؛ منسجم (٢) متطابق (هن).

congruity [kən grōō'ə tĭ] *(n.)* (١) انسجام (٢) تطابق (هن) (٣) نقطة اتفاق أو تطابق.

congruous [kŏng'grōō əs] *(adj.)* (١) «أ» منسجم مع. «ب» ملائم (٢) متناغم الأجزاء (٣) متطابق (هن).

conic [kŏn'ĭk] ; **conical** *(adj.)* مخروطي؛ مخروطي الشكل.

conical surface *(n.)* السطح المخروطي (ر).

conicoid *(n.)* المجسّم أو السطح المخروطي (ر).

conic section *(n.)* القطع المخروطي (ر)

conifer [kō'nə fər] *(n.)* الصنوبرية: شجرة من الصنوبريات.

coniferous [kō nĭf'-] *(adj.)* (١) صنوبري الثمر (٢) صنوبري.

conjectural [-'chər əl] *(adj.)* (١) حدسي (٢) ميّال إلى الحدس.

conjecture [-'chər] *(n.; vt.; i.)* (١) حدس؛ حزر § (٢) يحزر. ×(٣) يحدس.

conjoin [kən join'] *(vt.; i.)* (١) يضم؛ يوحد ×(٢) يتحد.

conjoint [-joint'] *(adj.)* (١) موحد (٢) مشترك.

conjointly *(adv.)* على نحو موحد أو مشترك.

conjugal [kŏn'jə gəl] *(adj.)* (١) زيجي؛ زواجي (٢) زوجي: خاص بالعلاقة بين الزوج وزوجته.

conjugate [*v.* kŏn'jə gāt'; *adj., n.*-'jə gĭt] *(vt.; i.; adj.; n.)* (١) يصرف (الأفعال) (٢) يقرن؛ يوحد ×(٣) يتصرف (الفعل) (٤) يقترن أو يتحد موقتاً (أح) § (٥) «أ» متزاوج. «ب» متزوج (٦) ثنائي الازدواج: ذو زوجين من الوريقات (نب) (٧) مترافق (ر) (٨) متحد الاشتقاق: مشتق من جذر واحد (مثل *justice, justly*) § (٩) كلمة متحدة الاشتقاق (مع أخرى).

~ foci البورتان المترافقتان (ض).

~ planes المستويات المترافقة (ر).

~ triangles المثلثان المترافقان (ر).

conjugation [-gā'-] *(n.)* (١) مص conjugate (٢) تصريف (الافعال) (٣) اقتران (اح).

conjunct [kən jŭngkt'] *(adj.)* (١) موحد (٢) مشترك.

conjunction [kən jŭngk'-] *(n.)* (١) «أ» توحيد؛ ضم. «ب» اتحاد (٢) التزامن؛ التماكن: حدوث أو وقوع في زمان أو مكان واحد (٣) الاقتران: اقتران جرمين سماويين أو أكثر عند درجة واحدة من منطقة البروج (فل) (٤) حرف عطف (ل).

conjunctiva [kŏn'jŭngk tī'və] *(n.)* pl. **-vas** *or* **-vae**: الملتحمة: الغشاء المخاطي لباطن الجفن (ت).

conjunctive [-'tĭv] *(adj.; n.)* (١) رابط؛ موحد (٢) مقترن؛ متحد (٣) عاطف (*And* is a ~ word.) § (٤) حرف عطف.

conjunctivitis *(n.)* التهاب الملتحمة: التهاب باطن الجفن (مض).

conjuncture [kən jŭngk'chər] *(n.)* (١) حالة؛ وضع (٢) أزمة.

conjuration [kŏn'jōō rā'-] *(n.)* (١) استحضار الأرواح (٢) رقية؛ تعويذة (٣) سحر؛ شعوذة (٤) مناشدة.

conjure [kən jŏŏr' *for* 1; kŭn'jər *for* 2-4] *(vt.; i.)* (١) يناشد (٢) «أ» يستحضر الأرواح. «ب» يسحر (٣) يستحضر في ذهنه صورة الخ. (to ~ up visions of one's boyhood days) ×(٤) «أ» يمارس السحر. «ب» يشعوذ.

conjurer *or* **conjuror** *(n.)* (١) الساحر (٢) المشعوذ (٣) المناشد.

conk *(vi.; n.)* (١) يتعطل؛ يتوقف عن العمل لعطل طارئ. (٢) «أ» يغمى عليه. «ب» يأوي إلى فراشه § (٣) أنف (ع).

conn [kŏn] *(vt.; n.)* (١) يوجه دفة السفينة ونحوها § (٢) توجيه.

connate [kŏn'āt] *(adj.)* (١) فطري؛ خلقي (٢) متطابع: متماثل من حيث الطبيعة (٣) مولود أو ناشئ معاً (~ qualities) (٤) متحد خلقة؛ ملتصق بإحكام (أح).

connation [kə nā'-] *(n.)* اتحاد أو التصاق خلقي (منذ الولادة).

connatural [-năch'ə-] *(adj.)* (١) خلقي (٢) متطابع: متماثل من حيث الطبيعة.

connect [kə nĕkt'] *(vt.; i.)* (١) يربط؛ يصل (٢) يربط (بين شيء وآخر) ذهنياً ×(٣) يرتبط؛ يتصل (٤) يضرب (الكرة) بقوة أو نجاح (ع).

connected *(adj.)* (١) مرتبط بـ (٢) مترابط (~ ideas). well ~, من أسرة مرموقة.

connectedly *(adv.)* على نحو مترابط أو محكم الترابط.

connecting rod *(n.)* ذراع التوصيل (مك).

connection *or* **connexion** [kə nĕk'-] *(n.)* (١) ربط أو ارتباط، مثل: «أ» علاقة سببية أو منطقية. «ب» قرينة؛ سياق (the ~ in which a word is used) «ج» تسلسل منطقي؛ ترابط في الأفكار «د» قرابة؛ نسابة. «هـ» علاقة جنسية أو تناسلية (٢) شيء يربط أو يصل، مثل: «أ» رابطة؛ صلة. «ب» وسيلة مواصلات أو نقل (٣) النسيب؛ القريب (She is a ~ of ours.) (٤) صلة اجتماعية أو مهنية أو تجارية: «أ» مركز؛ عمل. «ب» مصدر تهريب (ع) (٥) جماعة: «أ» طائفة دينية. «ب» عشيرة. «ج» حلقة من الأصدقاء (أو فرد منها). «د» زبائن (He has a good ~ among the wealthy women of the town.) (٦) اتحاد؛ تحالف (٧) عصبة. in this ~, بهذا الصدد؛ بهذا الخصوص.

connective [kə nĕk'tĭv] *(adj.; n.)* (١) رابط؛ ضام. § (٢) وصلة أو شيء رابط، مثل: «أ» النسيج الضام لفصّي المئبر (anther . را). «ب» حرف عطف (ل).

connective tissue *(n.)* النسيج الضام (ت).

conning tower [kŏn'ĭng] *(n.)* (١) برج القيادة (في سفينة حربية). (٢) برج المراقبة (في غواصة).

conniption [kə nĭp'-] *(n.)* نوبة غضب أو هستيريا أو ذعر.

connivance [kə nī'-] *(n.)* (١) تغاض (٢) تستر (أو تشجيع سري) على جريمة.

connive [kə nīv'] *(vi.)* (١) يتغاضى عن؛ يتستر على جريمة. (٢) يتواطأ؛ يتعاون سرياً (مع العدو) (٣) يتآمر.

connivent [kə nī'-] *(adj.)* متجمع؛ متضام («نب» و«ح»).

connoisseur [kŏn'ə sûr'] *(n.)* الخبير: المتمكن من تقنية فن من الفنون أو أصوله إلى حد يؤهله لإطلاق حكم نقدي فيه.

—connoisseurship *(n.)*

connotation [kŏn'ə tā'-] *(n.)* (١) التضمن: معنى إضافي توحيه الكلمة علاوة على معناها الاصلي (٢) الدلالة: معنى اللفظة (٣) المفهوم (مق).

—connotative *(adj.)*

connote [kə nōt'] *(vt.)* يتضمن معنى كذا؛ يفيد ضمناً.

connubial [kə nū'-] *(adj.)* زيجي؛ زواجي؛ زوجي.

conoid [kō'noid] *(adj.; n.)* أو **conoidal** : (١) مخروطيّ : شبيه بالمخروط § (٢) جسم مخروطيّ (هن).

conquer [kŏng'kər] *(vt.; i.)* (١) يفتح (بلداً) (٢) يُخضع ؛ يقهر (to ~ an enemy) (٣) ينتزع : يكتسب بالتغلّب على العقبات أو المقاومة (to ~ independence *or* fame) (٤) يتغلب على أمر، «باذلاً قوةً عقلية أو أخلاقية» (to ~ temptation) (٥) ينتصر (resolved to ~ or to die).×

conqueror [-'kər ər] *(n.)* فاتح، وبخاصة: الفاتح؛ المنتصر conquer.

conquest [kŏn'kwĕst] *(n.)* (١) «أ» فتْح. «ب» إخْضاع. «ج» انتزاع ؛ اكتساب الخ. (٢) أرض تمّ الاستيلاء عليها بالفتح.
to make a ~ of ينتزع حبّهُ أو إعجابَه.

conquian [kŏng'kĭ ən] *(n.)* الكونكان : ضرب من لعِب الورق.

conquistador [kŏn kwĭs'tə dôr'] *(n.)* pl. **-es** *or* **-s** الفاتح؛ وبخاصة : أحد فاتحي المكسيك وبيرو الأسبان في القرن ١٦.

consanguine [kŏn săng'gwĭn] *(adj.)* = consanguineous.

consanguineous [kŏn'săng gwĭn'ĭ əs] *(adj.)* من دم أو أصلٍ واحد ؛ وبخاصة : قريبٌ قرابة عَصَب.

consanguinity [-'ə tĭ] *(n.)* (١) قرابَةُ عَصَب (٢) صلةٌ وثيقة.

conscience [kŏn'shəns] *(n.)* (١) الضمير (٢) التزام لما يمليه الضمير.
in (all) ~, (١) وفقاً للضمير أو العقل. (٢) يقيناً ؛ على وجه التأكيد.

conscience money *(n.)* مالُ الضمير : مال يُدفَعُ لإراحةِ الضمير (وفاءً بالتزامات تهرّب الدافعُ من القيام بها في ما مضى).

conscience-stricken *(adj.)* مُعذَّب الضمير؛ مصاب بوخز الضمير.

conscientious [kŏn'shĭ ĕn'shəs] *(adj.)* (١) حيّ الضمير (a ~ judge) (٢) مُنجَزٌ وفقاً لما يمليه الضمير (~ work).

conscientious objector *(n.)* المستنكف ضميرياً : مَنْ يرفض حمل السلاح أو الخدمة في القوات المسلحة لاعتبارات تتعلق بالمبادىء الأخلاقية أو الدينيّة.

conscious [-'shəs] *(adj.)* (١) شاعرٌ بِـ (~ of his guilt). (٢) شاعر بالأثم (I may speak alike to you and my own ~ heart.) (٣) مُدرَك أو مُحَسّ من قبل المرء نفسه (~ guilt) (٤) واعٍ (After ten minutes she became ~ again.) (٥) مرتبكٌ، خَجِلٌ (٦) متعمَّد، مقصود (a ~ lie).

consciousness [kŏn'shəs nĭs] *(n.)* (١) شعور (٢) وعي.

conscribe *(vt.)* يجند بالإكراه ؛ يُجبر على الخدمة العسكرية.

conscript [*adj., n.* kŏn'-; *v.* kən skrĭpt'] *(adj.; n.; vt.)* (١) مُجنَّد إلزامياً (~ soldiers) (٢) مؤلف من مجنّدين إلزاميين (~ armies) § (٣) المجنَّد الالزاميّ § (٤) يجنِّد إلزامياً (٥) يصادر.

conscription [kən skrĭp'-] *(n.)* (١) تجنيد إلزاميّ (٢) سُخرة؛ تسخير (٣) تبرّع إلزاميّ تفرضه الحكومة زمن الحرب (٤) مصادرة.

consecrate [kŏn'sə krāt] *(vt.; adj.)* (١) يرسِّم كاهناً أو أسقفاً. (٢) يكرِّس : «أ» يجعله أو يُعلِنُه مقدَّساً ؛ يقِفُه لخدمة الله (to ~ a church). «ب» يقف أو يخصِّص لغرض ما (hours ~ *d* to meditation) «ج» يحيطه بهالة من القداسة (customs ~ *d* by time) § (٣) مكرَّس ؛ مقدَّس.

— **consecrative ; consecratory** *(adj.)*

consecrated *(adj.)* مكرَّس أو موقوفٌ لغرضٍ نبيل.

consecration [kŏn'sə krā'-] *(n.)* (١) تكريس (٢) رِسامة كاهن.

consecution [kŏn'sə kū'-] *(n.)* تَعاقب ؛ تتابع ؛ تَتَالٍ.

consecutive [kən sĕk'-] *(adj.)* (١) مُتعاقِب ؛ متتابع بغير انقطاع. (٢) مترابطٌ منطقياً (a ~ account of the accident).

consecutive lines *(n. pl.)* الخطوط المتتابعة أو المتتالية.

consecutively *(adv.)* على التعاقب ؛ على التتابع ؛ على التتالي.

consensual [kən sĕn'shōō əl] *(adj.)* (١) رضائيّ : تامّ بالرضا المتبادل من غير تدوين (a ~ contract) (٢) لاإراديّ (فس).

consensus [kən sĕn'-] *(n.)* الإجماع ؛ اتفاق جَماعيّ في الرأي.

consent [-sĕnt'] *(vi.; n.)* (١) يوافق؛ يقْبل § (٢) موافقة؛ قبول.
age of ~, سن الادراك أو التمييز.
Silence gives ~. السكوت (أو عدم الاعتراض) يُفيد الموافقة أو القبول.
with one ~; by general ~, بالإجماع.

consentaneous [kŏn'sĕn tā'nĭ əs] *(adj.)* (١) موافقٌ لِـ ؛ متفق مع (~ to reason) (٢) إجماعيّ (~ profession of loyalty).

consentient [-'shənt] *(adj.)* متوافق ؛ إجماعيّ.

consequence [kŏn'sə kwĕns'] *(n.)* (١) نتيجة؛ عاقبة (٢) نتيجة منطقية (٣) أهمية ؛ شأن (It's of no ~.) (٤) مكانة ؛ منزلة اجتماعية رفيعة (a man of ~) (٥) عُجْب؛ غرور.
in ~ of بسبب كذا ؛ نتيجةً لكذا.

consequent [kŏn'sə kwĕnt'] *(adj.; n.)* (١) ناتج أو ناشىء عن؛ تالٍ بوصفه نتيجة (٢) لازمٌ كنتيجة منطقية (٣) متساوق أو مترابط منطقياً § (٤) نتيجة طبيعية (٥) التالي (مج) : حدّ النسبة الذي يُذكَر ثانياً (ر).

consequential [kŏn'sə kwĕn'shəl] *(adj.)* (١) ناشىء أو ناتج عن. (٢) متساوق أو مترابط منطقياً (٣) هامّ؛ ذو شأن (٤) مغرور.

consequently [kŏn'sə-] *(adv.)* وإذن؛ وهكذا؛ بناء على ذلك.

conservancy [kən sûr'-] *(n.)* (١) مجلس لتنظيم الملاحة الخ. في نهر أو مرفأ (٢) «أ» صيانة ؛ وبخاصة : صيانة رسمية للأشجار والأنهار أو الصحة العامة الخ. «ب» منظمة لصيانة الموارد الطبيعية (أو منطقة مخصّصة لذلك).

conservation [kŏn sər vā'shən] *(n.)* صيانة؛ وبخاصة : صيانة رسمية للأنهار والغابات ونحوها.

conservationist *(n.)* الصِّيانيّ : المنادي بضرورة صيانة الموارد الطبيعية.

conservation of energy بقاء الطاقة (فز).

conservation of mass *or* **matter** بقاء المادة («فز» و «ك»).

conservation of momentum بقاء كميّة التحرّك (فز).

conservation of species حِفْظ النوع (مج).

conservatism [kən sûr'və tĭz'əm] *(n.)* (١) المحافَظة : النزوع إلى الإبقاء على ما هو قائم ؛ مقاومة التجديد أو التغيير (٢) *cap.* : «أ» مبادىء حزب المحافظين (في المملكة المتحدة) وسياستُه. «ب» حزب المحافظين.

conservative [kən sûr'-] *(adj.; n.)* (١) واقٍ (٢) محافظ على القديم؛ مقاومٌ للتغيير (٣) ذو علاقة بحزب سياسي محافظ (٤) حَذِر؛ معتدل (a ~ estimate) § (٥) *cap.* : عضوٌ في حزب محافظ (وبخاصة في حزب المحافظين البريطاني) (٦) «أ» شخصٌ محافظ (في عاداته ومسالكه). «ب» شخص حذِر (٧) وقاء؛ وسيلة من وسائل الوقاية.

conservatoire [kən sûr və twär'] *(n.)* = conservatory 2.

conservator [kŏn'sər vā'tər] *(n.)* (١) الواقي؛ الصائن (٢) الوصيّ؛ القيّم؛ الحارس (ق) (٣) موظف مكلّف بصيانة شيءٍ له صلةٌ بالمصلحة العامة.

ă at; ā date; â care; ä car; ĕ egg; ē me; ĭ in; ī bite; ŏ lot; ō bone; ô orphan; oi boil; ŏŏ good; ōō boot; ou out; ŭ under; ū unity; û urgent; th thing; *th* this; zh vision; ə = *a* in alone, *e* in system, *i* in easily, *o* in gallop, *u* in circus.

conservatory[kən sûr'və tōr'ĭ] *(n.)* (١) مُستَنبَت زجاجيّ (لتعهد النباتات أوعرضها) (٢) «أ» معهد موسيقي . «ب» معهد لتعليم الفنون المسرحية .

conserve[*v.*kən sûrv'; *n.* kŏn'-]*(vt.; n.)* (١) يصون؛ يحفظ. (٢) يسكّر؛ يحفظ الفاكهة بالسكر§(٣) المربّى: فاكهة محفوظة بالسكر.

consider [kən sĭd'ər]*(vt.; i.)* (١) يفكّر في؛ يدرس (مسألةً). (٢) يراعي « مشاعر الآخرين » (She never ~ *s* others.) (٣) يحترم؛ يوقّر؛ يبجّل (٤) يتأمّل؛ ينظر إلى شيء على نحو موصول أو راسخ بالتفكير (٥) «أ» يعتبر (to ~ a man unfit) «ب» يرى؛ يعتقد (٦) يأخذ بعين الاعتبار ×(٧) يفكّر مليّاً.

considerable [kən sĭd'ər ə bəl]*(adj.; n.)* (١) هامّ؛ جدير بالاعتبار (٢) كبير؛ ضخم(a ~ sum of money)§(٣)شيء كثير (He has done ~ for the country.)

considerably *(adv.)* بكثير؛ إلى حدّ بعيد(~ colder).

considerate [kən sĭd'ər ĭt]*(adj.)* (١) حَذِر؛ مُرَوًّى فيه (a ~ pace)(٢)مراعٍ لحقوق ومشاعر الآخرين(courteous and ~).

considerateness *(n.)* (١) حَذَر؛ روية (٢) مراعاة لحقوق الآخرين ومشاعرهم الخ .

consideration [kən sĭd'ə rā'-] *(n.)* (١) تفكير؛ دَرْس؛ بَحْث (under ~) (٢) اعتبار (weighing several ~*s*) (٣) رأي؛ نظرة (~ *s* on the choice of a profession) (٤) مراعاة لمشاعر الآخرين أو ظروفهم الخ . (٥) مكافأة؛ مقابل؛ تعويض مالي (I'm busy but I'll do it for a ~.) (٦) أهمية (It's of no ~ at all.).

in ~ of نظراً لِ؛ بسبب من .

on *or* under no ~, بأية حال؛ البتة .

to take into ~ يأخذ بعين الاعتبار .

considered *(adj.)* (١) مُرَوًّى فيه؛ مدروس (٢)مُبجَّل؛ موقَّر.

considering *(prep. ; adv.)* (١) إذا أخذنا بعين الاعتبار (He did well ~ his limitations.)§(٢) إذا أخذنا كلّ شيء بعين الاعتبار (The boy does well, ~.).

consign [kən sīn'] *(vt.)* (١) «أ» يُودِع . «ب» يُسلِم إلى . (٢)يُفرِد؛ يخصّص (٣)يُرسِل (بضاعةً) إلى عميل لبيعها أو خزنها.

consignee [kŏn'sī nē'] *(n.)* المُرسَل إليه؛ المشحون إليه .

consigner; consignor *(n.)* المُرسِل(بضاعةً لبيعها بطريقة الأمانة).

consignment [kən sīn'-] *(n.)* (١) مص consign (٢)الوديعة. (٣) بضاعة الأمانة : بضاعة مرسلة إلى عميل لبيعها بطريقة الأمانة.

on ~, برسم الأمانة؛ مُرسَل إلى عميلٍ ،على أن لا يكلَّف دفعَ ثمنه إلا إذا بيع .

consist [kən sĭst'] *(vi.)* (١) يتألف من (تتبعها *of*) (٢)يتوقف على؛ يكمن في (تتبعها *in*) (٣) ينسجم (تتبعها *with*) .

consistence *(n.)* = consistency .

consistency[kən sĭs'tən sĭ]*(n.)* (١) متانة؛ تماسُك(٢)القَوام: درجة الكثافة أو اللزوجة الخ. (the ~ of a syrup)(٣)اتّساق؛ تناغم (بين أجزاء شيء مركّب) (٤) استقامة أو ثباتٌ على مبدإ.

consistent[kən sĭs'tənt]*(adj.)* (١) متين؛ متماسك (٢)متساوق أو متناغم (مع نفسه أو مع غيره) (٣)مستقيم أو ثابت على المبدإ.

consistory [kən sĭs'tə rĭ] *(n.)* (١) مجلس كنسيّ الخ . ؛ محكمة كنسيّة (٢) مجمع كرادلة (٣) المنظمة التي تمنح درجات الطقس الماسوني الاسكتلندي (من الدرجة ١٩ إلى الدرجة ٣٢ ضمناً).

consociate[*v.*kən sō'shĭ āt'; *adj.* -'shĭ ĭt] *(vt.; i. ; adj.)* (١) يوحّد ×(٢) يتّحد؛ يشكل اتحاداً كنسياً §(٣) مُتّحد.

consociation [-sĭ ā'-]*(n.)* (١) «أ» اتحاد . «ب» اتحاد كنائسيّ . (٢) العُشَيرة (في تصنيف النبات) .

consol *n. sing. of* consols.

consolation [kŏn'sə lā'-] *(n.)* (١) تعزية؛ مواساة (٢)تعزٍّ؛ سُلوان (٣)عزاء؛ سلوى .

consolation game, match, race, etc. *(n.)* مباراة (أوسباق) المواساة : مباراة لا يشترك فيها غير الخاسرين في المراحل الأولى .

consolation prize *(n.)* جائزة التّرضية : جائزة تُمنَح لمن فاته الفوز بسبب من فارق بسيط أو غير ذلك .

consolatory [kən'sŏl'ə tōr'ĭ] *(adj.)* مُعزٍّ؛ مُواسٍ؛ مُسلٍّ.

console [kən sōl'] *(vt.)* يعزّي؛ يواسي؛ يُسلّي .

consoles 1.

console [kŏn'sōl] *(n.)* (١) حامل (أو جلْسَة) الافريز (عم) (٢) نَضَد الأرغن : جزء من الأرغن يشتمل على لوحة المفاتيح والدوّاستين (٣) خزانة الراديو أو التلفزيون .

console table *(n.)* الكُنسولة: مائدة مثبّتة إلى حائط تحت مرآة الخ .

consolidate [kən sŏl'ə dāt'] *(vt. ; i.)* (١) يَدْمُج؛ يوحّد (٢) يقوّي؛ يعزّز ×(٣)يندمج؛ يتّحد (٤)يتماسك؛ يتصلّب.

consolidated *(adj.)* (١) مُدمَج؛ موحَّد الخ . (٢)مُقَسّى.

consolidated school(*n.*) المدرسة الموحَّدة: مدرسة ابتدائية عادةً تُنشأ بدمج بعض المدارس ببعضها الآخر.

consolidation[-dā'shən]*(n.)* (١) مص consolidate(٢) كلٌّ متماسك (٣)الاندماج: اندماج مؤسستين أو أكثر في مؤسسة واحدة.

consols [kŏn'sŏlz] *(n. pl.)* سندات دين الحكومة البريطانية الموحَّد.

consommé [kŏn'sə mā'] *(F.)* مَرَق اللحم .

consonance;consonancy [kŏn'-] *(n.)* (١) انسجام . (٢) تناغم الأصوات؛ توافق الأنغام .

consonant [kŏn'sə nənt]*(n.; adj.)* (١) «أ» الصوت الساكن . «ب» الحرف الساكن : كلّ ما ليس بحرف علة من حروف الهجاء §(٢)منسجم أو متفق مع (٣)متناغم الأصوات؛ متوافق الأنغام (٤) متماثل الأصوات (~ words) (٥) consonantal.

consonantal *(adj.)* صحيح؛ متعلق بحرف صحيح أو بصوته .

consonantly *(adv.)* بانسجام؛ على نحو متناغم الخ .

consort [*n.* kŏn'sôrt; *v.* kən sôrt']*(n.; vi.;t.)* (١)رفيق(ا.م). (٢)سفينة مرافقة لأخرى (٣)زوج أو زوجة (٤)تناغم الأصوات §(٥) يعاشر (٦) ينسجم؛ يتفق مع ×(٧) يوحّد؛ يجمع بين.

consortium[-'shĭ əm]*(n.)*pl. **-tia** (١) الاتحاد المالي: اتحاد بين بعض المؤسسات المالية الكبرى لتمويل مشروعات تحتاج إلى رساميل ضخمة (٢) جمعية؛ اتحاد؛ نادٍ (٣) حق الزوج (أو الزوجة) الشرعيّ في أن ينعم بحبّ شريكته في الحياة وخدماتها .

conspecific *(adj.)* من النوع ذاته (ح) .

conspectus[kən spĕk'təs]*(n.)* (١)نظرة عامة أو شاملة (٢)خلاصة .

conspicuous [kən spĭk'yōō əs]*(adj.)* (١) واضح؛ جليّ . (٢) رائع؛ بارز (٣) منافٍ للذوق السليم (a ~ necktie) .

conspiracy[-spĭr'-]*(n.)* (١)تآمرٌ (٢) «أ» مؤامرة. «ب» متآمرون.

conspirator; conspirer *(n.)* المتآمر؛ المشارك في مؤامرة

conspiratorial *(adj.)* تآمريّ (~ glances).

conspire [kən spīr'] *(vi. ; t.)* (١) يتآمر (٢) يتعاون

ă at; ā date; â care; ä car; ĕ egg; ē me; ĭ in; ī bite; ŏ lot; ō bone; ô orphan; oi boil ŏŏ good; ōō boot; ou out; ŭ under; ū unity; û urgent; th thing; th this; zh vision; ə = *a* in alone, *e* in system, *i* in easily, *o* in gallop, *u* in circus.

(٣) يرسم خطةً سرية لـ (to ~ a person's ruin)×.

constable [kŏn'stə bəl] *(n.)* (١) موظف كبير في قصر ملك أو نبيل (في العصر الوسيط) (٢) حاكم قلعة أو مدينة محصّنة الخ. (٣) «أ» موظف مسؤول عن الأمن الخ. «ب» شرطي بريطاني.

constabulary [kən stăb'yə-] *(n.; adj.)* (١) شرطة منطقة أو بلد. (٢) قوة شرطة عسكرية منظمة بمعزل عن الجيش النظامي § (٣) ذو علاقة برجال الشرطة أو بواجباتهم.

constancy [kŏn'stən sĭ] *(n.)* (١) «أ» ثبات؛ جَلَد. «ب» إخلاص؛ وفاء؛ ولاء (٢) استقرار؛ اطّراد؛ انتظام.

constant [kŏn'stənt] *(adj.; n.)* (١) «أ» جَلْد؛ ذو عزم. «ب» مخلص؛ وفيّ (٢) «أ» مستقرّ؛ مطّرد. «ب» متواصل (٣) نظامي؛ مستديم؛ ثابت § (٤) شيء ثابت أو غير متغيّر (٥) الثابت (ر).

constantly [kŏns'tənt lĭ] *(adv.)* دائماً؛ باستمرار.

constellate [kŏn'stə lāt'] *(vi.; t.)* (١) «أ» يتكوكب: تسطع (النجوم) مطلقةً إشعاعاً موحّداً. «ب» يتعنقد؛ يتجمّع في عنقود × (٢) يُكوكِب؛ يُعنقِد (٣) يرصع بالنجوم أو نحوها.

constellation [kŏn'stə lā'-] *(n.)* (١) بُرْج؛ كوكبة؛ مجموعة نجوم ثابتة (فل) (٢) مجموعة متألّقة (من الأشخاص أو الصفات أو الأشياء).

consternate [kŏn'stər nāt'] *(vt.)* يروع؛ يملأه رعباً.

consternation [kŏn'stər nā'-] *(n.)* رعب؛ ذُعر.

constipate [kŏn'stə-] *(vt.)* يَقْبِض الأمعاءَ أو يصيبها بالإمساك.

constipation [kŏn'stə pā'-] *(n.)* قَبْض؛ إمساك (ط).

constituency [kən stĭch'ŏŏ ən sĭ] *(n.)* (١) «أ» جمهور الناخبين (أو المقيمين) في دائرة انتخابية. «ب» دائرة انتخابية (٢) جمهورٌ من الأنصار أو الزبائن الخ.

constituent [kən stĭch'ŏŏ ənt] *(adj.; n.)* (١) مقوِّم: مشكِّل أو مكوِّن وحدةً أو كلا تاماً (~ parts) (٢) تأسيسي؛ مخوِّل سلطة وضع دستور سياسي أو تعديله (a ~ assembly) § (٣) المقوِّم: عنصر؛ جزء أساسي (the ~s of character) (٤) الناخب (أو المقيم) في دائرة انتخابية.

constitute [kŏn'stə tūt'] *(vt.)* (١) يعيِّن؛ ينصب (٢) يُنشئ (مؤسسةً)؛ يمنح سلطةً شرعيةً (للجنة أو نحوها) (٣) يَسُنّ (تشريعاً) (٤) يؤلف؛ يشكِّل.

constitution [kŏn'stə tū'-] *(n.)* (١) مصconstitute (٢) عُرف؛ قانون (٣) تكوين؛ قِوام؛ بنية الجسم (٤) مزاج (٥) دستور.

constitutional [-'shən əl] *(adj.; n.)* (١) بِنْيَوي: متعلق ببِنية المرء الجسمانية أو العقلية (a ~ weakness) (٢) صحيّ (a ~ walk) (٣) أساسي (a ~ part) (٤) دستوري (~ monarchy) § (٥) نزهةٌ (سيراً على الأقدام) أو أية رياضة أخرى يقوم بها المرء لأغراض صحية (to take a ~).

constitutional formula *(n.)* الصيغة التقويمية أو القِوامية: الصيغة الدالة على كيفية اتحاد العناصر بعضها ببعض لتكوين مركّب (ك).

constitutionalism [-'shən ə lĭz'əm] *(n.)* (١) التمسك بالمبادىء الدستورية أو الحكم وَفْقَها (٢) نظام حكم دستوري.

constitutionalist *(n.)* (١) الدستوري: المؤيّد للمبادىء الدستورية أو لدستورٍ قائم (٢) الباحث أو العالم الدستوري.

constitutionality *(n.)* الدستورية: كون الشيء منطبقاً على الدستور.

constitutionalize *(vt.)* يُدَسْتِر: يجعله دستورياً.

constitutionally *(adv.)* (١) فِطْرياً (٢) دستورياً: وفقاً للدستور.

constitutive [kŏn'stə tū'tĭv] *(adj.)* (١) تأسيسي؛ إنشائي. (٢) مقوِّم؛ مكوِّن؛ أساسي (a ~ part) (٣) قِوامي؛ تكويني: متعلّق بقوام الشيء أو تكوينه (a ~ property).

constrain [kən strān'] *(vt.)* (١) يُكرِه؛ يجبر؛ يَقْسُر. (٢) يتكلف؛ يصطنع (a ~ed smile) (٣) يقيّد؛ يُوثِق؛ يسجن (٤) يكبح.

constrained *(adj.)* (١) مُكْرَه (٢) متكلَّف (٣) مقيَّد (٤) مرتبك.

constraint [kən strānt'] *(n.)* (١) «أ» إكراه؛ إجبار. «ب» اضطرار (٢) تقييد؛ حَبْس (٣) كبحُ العواطف والانفعالات (٤) ارتباك.

constrict [-strĭkt'] *(vt.)* (١) يقبض؛ يقلّص (٢) يعْصر.

constricted *(adj.)* ضيّق؛ محدود (a ~ outlook).

constriction [kən strĭk'-] *(n.)* (١) قَبْض؛ تقليص الخ.
(٢) انقباض؛ تقلّص (٣) عضوٌ مقبوض أو مقلّص (٤) القابض؛ المقلّص: كل ما يقبض أو يقلّص الخ. (٥) عائق.

constrictive [-'tĭv] *(adj.)* زامّ؛ مقلِّص؛ عاصر.

constrictor [-'tər] *(n.)* (١) فا constrict (٢) العضلة القابضة (ت). (٣) الحية العاصرة: حية تقتل ضحيتها بالالتفاف حوله وعصره.

constringe [kən strĭnj'] *(vt.)* يقبِض؛ يقلِّص.

constringent [-'jənt] *(adj.)* قابض؛ مقلِّص.

construct [*v.* kən strŭkt'; *n.* -'strŭkt] *(vt.; n.)* (١) يبني؛ يشيّد (٢) ينشىء؛ يرتّب؛ ينظّم؛ يركّب (٣) يرسم (شكلاً هندسياً) وفقاً لشروط معينة § (٤) المُنْشأ: شيء يُنشأ. وبخاصة من طريق «التركيب» synthesis العقلي (Every sense perception is a ~.).
—**constructer; constructor** *(n.)*

construction [-'shən] *(n.)* (١) بناء؛ تشييد؛ إنشاء الخ. (٢) بِنْيَة؛ تركيب (objects of similar ~) (٣) مَبْنَى؛ بناءٌ مشيّد (٤) معنى؛ تفسير (The statement does not bear such a ~.) (٥) رسم شكلٍ هندسي وفقاً لشروط معيّنة (هن).
— **constructional** *(adj.)*

constructionist *(n.)* المفسّر أو الشارح (للقوانين بخاصة).

constructive [kən strŭk'-] *(adj.)* (١) بنائي؛ تشييدي. (٢) استدلالي؛ استنتاجي؛ مبني على الاستدلال أو الاستنتاج أو التفسير (~ permission) (٣) بنّاء؛ غير هدّام (~ criticism).

construe [-strōō'] *(vt.; i.)* (١) يُعْرِب (جملةً) (٢) يترجم. (٣) يفسّر؛ يؤوِّل × (٤) يُعْرَب؛ يكون قابلاً للاعراب.

consubstantial *(adj.)* من نفس المادة أو الجوهر أو الطبيعة.

consubstantiate [-'shĭ āt'] *(vi.; t.)* (١) يؤمن بالمذهب القائل بأن جسد المسيح ودمه متحدان بخبز القربان المقدس وخمره (٢) يتّحد في مادة أو طبيعة مشتركة × (٣) يوحّد في مادة أو طبيعة مشتركة.

consubstantiation *(n.)* اتحاد جسد المسيح ودمه بخبز القربان المقدس وخمره (نص).

consuetude [kŏn'swĭ tūd'] *(n.)* عادةٌ.

consul [kŏn'səl] *(n.)* القنصل: (١) أحد الحاكمَيْن الرئيسيَّيْن في جمهورية روما القديمة (٢) أحد حكام الجمهورية الفرنسية الثلاثة من عام ١٧٩٩ إلى عام ١٨٠٤ (٣) موظف يمثّل بلاده في دولة أجنبية حيث يُعْنَى بمصالح مواطنيه التجارية الخ.

consular *(adj.)* قنصليّ: منسوب إلى القنصل أو ذو علاقة به.

consular agent *(n.)* الوكيل القنصلي: موظف يقوم بمهام القنصل في بلد ذي أهمية تجارية ضئيلة.

consulate [kŏn'sə lĭt] *(n.)* القُنصلية: (١) «أ» حكومة القناصل. «ب» *cap.*: حكومة فرنسة من عام ١٧٩٩ إلى عام ١٨٠٤ (٢) مقرّ القنصل (في بلدٍ أجنبيّ).

consult [kən sŭlt'] *(vt.; i.)* (١) يستشير (طبيباً الخ .) .
(٢) يراجع (كتاباً أو خريطة الخ . لتحقيق مسألة معينة)
(٣) يراعي (مصالحَ الآخرين أو مشاعرهم) ×(٤) يتشاور ؛ يتبادل الرأي .
— **consulter** *(n.)*

consultant [-'tənt] *(n.)* (١) المستشير الخ. (٢) المستشار ؛ الخبير .

consultation [kŏn'səl tā'shən] *(n.)* (١) مؤتمر ؛ وبخاصة : مداولة بين طبيبين أو أكثر حول تشخيص داء أو معالجته (٢) «أ» استشارة . «ب» تشاور .

consultative *(adj.)* استشاري (~ committee).

consultatory [kən sŭl'tə tōr'ĭ] *(adj.)* = consultative.

consulting [kən sŭl'tĭng] *(adj.)* (١) مستشير (٢) مُشاوَر : قائم بإسداء النصح للجمهور أو لزملائه في المهنة (a ~ physician) .

consultive *(adj.)* = consultative.

consumable *(adj.; n.)* (١) قابل للاستنفاد أو الاستهلاك § (٢) شيء قابل للاستنفاد او الاستهلاك.

consume [kən sōōm'] *(vt. ; i.)* (١) يستنفد ؛ يستهلك .
(٢) يُتلف (بالإحراق ونحوه) (٣) يبدد (المالَ أو الوقتَ)
(٤) يلتهم (٥) يستغرق انتباه فلان أو اهتمامه أو طاقتَهُ استغراقاً تاماً ×(٦) يَذْبل ؛ يَذْوَى ؛ يفنى .
~ *d* with envy مُفْعَمٌ بالحسد ؛ يتأكله الحسد .

consumedly *(adv.)* إلى حد بعيد (~ proud of it).

consumer [-'mər] *(n.)* فا consume ؛ وبخاصة : المستهلك (للسلَع التجارية) .

consumer goods *(n. pl.)* السلَع الاستهلاكية (إد) .

consummate [*v.* -'sə māt'; *adj.* -sŭm'ĭt] *(vt.; i.; adj.)* (١) يتِم ؛ يُكْمِل ؛ يحقق (٢) يتِمّ بالدخول على المرأة (to ~ a marriage) ×(٣) «أ» يكتمل . «ب» يبني بزوجته §(٤) كامل (a man of perfect and ~ virtue) (٥) شديد البراعة (a ~ liar) (٦) من الطراز الأول (~ skill).
—**consummative** *(adj.)* —**consummator** *(n.)*

consummation *(n.)* (١) إكمال ؛ تحقيق (٢) اكتمال ؛ تحقق.

consumption [-sŭmp'-] *(n.)* (١) مص consume (٢) الاستهلاك : استهلاك السلَع التجارية أو مقدارُه (٣) «أ» «ضنى» أو هزال تدريجي (بسبب من السُّل بخاصة). «ب» السُّل ؛ داء السُّل .

consumptive [kən sŭmp'tĭv] *(adj.; n.)* (١) مستهلِك ؛ متلِف ؛ مبدد (٢) استهلاكي (٣) سُلّي : ذو علاقة بداء السُّل أو شبيهٌ به (٤) عرضةٌ للسُّل أو مصابٌ به § (٥) المسلول ؛ المصدور .

contact [kŏn'tăkt] *(n.; vt.; i.)* (١) احتكاك (٢) «أ» التلامس : اتصال بين مُوصِّلين يجري خلالهما التيار (كب) . «ب» أداة أو جزء لإحداث التلامس (كب) (٣) اتصال مباشر (to make ~ *s* with wealthy people) (٤) التماسّ (ر) (٥) شخص محتكّ بانسان او حيوان مصابٍ بمرض مُعْدٍ (٧) مصدر معلومات خاصة § (٨) «أ» يحتك بـ . «ب» يراجع (~ your local dealer)

contact breaker *(n.)* قاطع التلامس : أداة تقطع التيار ، أو تقطعه وتَصِلُهُ ، أوتوماتيكياً (كب) .

contact flight *(n.)* الطيران التلمّسي : طيران يستطيع الربان فيه أن يرى اليابسة أو المياه التي ينطلق فيها .

contact maker *(n.)* واصلُ التلامس : أداة لوَصْل ، أو لوَصْل وقطع ، التيار الكهربائي (كب) .

contagion [kən tā'jən] *(n.)* (١) «أ» عَدْوَى . «ب» مرضٌ مُعْدٍ . «ج» عاملٌ (كالفيروس الخ .) مُحدِثٌ للمرض (٢) «أ» سُمّ . «ب» تأثير أو اتصالٌ مؤذٍ (٣) «أ» انتقال سريع لأيما شعور ، كالحماسة والقلق ، من شخص إلى آخر . «ب» شعور أو تأثيرٌ منتقلٌ بسرعة .

contagious [kən tā'jəs] *(adj.)* (١) مُعْدٍ (٢) ناقلٌ للعدوى .

contagiousness *(n.)* قابلية العدوى ؛ قابليّة السَّرَيان .

contagium *(n.)* pl. **-gia** الكُنْتَجْيُوْم : فيروس أو متعضٍ حيّ قادر على إحداث مرضٍ مُعْدٍ .

contain [kən tān'] *(vt.)* (١) يكبح (عواطفَهُ الخ .).
(٢) «أ» يحتوي ؛ يتضمن ؛ يشتمل على . «ب» يَسَع ؛ يتّسِع لـ (How much will that barrel ~ ?) . «ج» يساوي ؛ يعادل (A pound ~ *s* 16 ounces.) (٣) يكون قابلاً للقسمة على كذا بدون باقٍ (6 ~ *s* 2 and 3.).
She couldn't ~ herself for joy . لم تتمالكْ نفسَها من الفرَح.

container *(n.)* (١) وعاء ؛ إناء ؛ صندوق ؛ صهريج (٢) حاوية .

containment *(n.)* (١) مص contain (٢) منعُ انتشار قوةٍ أو عقيدة او ايديولوجية معادية .

contaminant *(n.)* الملوِّث ؛ المُفْسِد الخ .

contaminate [kən tăm'ə nāt'] *(vt.)* (١) يلوث (الماءَ الخ.).
(٢) يَشوب (٣) يُفسِد (الأخلاقِ الخ .) .

contamination *(n.)* (١) تلويث (٢) تلوّث (٣) شيء ملوَّث .

conte [kônt] *(F.)* حكايةٌ (ذات حوادث خارقةٍ أو خياليةٍ عادةً).

contemn [kən tĕm'] *(vt.)* يزدري ؛ يحتقر .
—**contemner ; contemnor** *(n.)*

contemplate [kŏn'təm plāt'] *(vt.; i.)* (١) يتأمل (٢) يتفكّر في .
(٣) يتوقّع (I don't ~ any opposition.) (٤) يعتزم (She ~ *s* going back to Cairo.) ×(٥) يفكر ؛ يفكر مَلياً .

contemplation [kŏn'təm plā'-] *(n.)* (١) تأمّل (روحيّ أو دينيّ) .
(٢) تفكّر ؛ دراسة (٣) توقّع (٤) اعتزام .

contemplative [kŏn'təm plā'tĭv] *(adj. ; n.)* (١) تأمّلي ؛ وبخاصة : مكرَّس للصلاة والتأمل الروحي (the ~ life) (٢) تأمّلي النزعة ؛ مولعٌ بالتأمّل § (٣) المتصوِّف ؛ المستغرق في التأمل الروحي.

contemporaneous [-tĕm'pə rā'-] *(adj.)* متعاصر : كائن في العصر نفسه (The lives of Mohammed and Abu Bekr were ~.)

contemporary [kən tĕm'pə rĕr'ĭ] *(adj.; n.)* (١) «أ» معاصرٌ لـ ؛ متعاصرٌ مع (Thackeray was ~ with Dickens.) (٢) معاصر ؛ حديث (~ literature) § (٣) المتعاصر (Petrarch and Chaucer were *contemporaries*.) (٤) اللِّدَة : مَن وُلِد مع غيره في عام واحد (أو كان في مثل سنّه تقريباً).

contempt [kən tĕmpt'] *(n.)* (١) ازدراء ؛ احتقار (٢) خِزْي ؛ عار (fell into ~) (٣) قلة احترام (Familiarity breeds ~.) (٤) عصيان أو عدم احترام صريح لمحكمة أو قاضٍ أو هيئة تشريعية.

contemptible *(adj.)* خسيس ؛ وَضيع ؛ تافه ؛ جدير بالازدراء .

contemptuous [-'chōō əs] *(adj.)* (١) مُزْدَرٍ (٢) راشحٌ بالازدراء.

contend [kən tĕnd'] *(vi.; t.)* (١) يناضل ؛ يكافح (٢) يتنافس ؛ يتبارى (٣) يجادل ×(٤) يؤكّد (معلناً صحةَ أمرٍ ما) ؛ يقول برأيٍ « رغم معارضة الآخرين » (Columbus ~ *ed* that the earth was round.)
—**contender** *(n.)*

content [kən tĕnt'] *(adj. ; vt. ; n.)* (١) مكتفٍ ؛ قانع بما عنده .
(٢) مطمئنّ ؛ مرتاح البال (٣) راغبٌ في § (٤) يُرضي ؛ يشبع (الرغبات) (٥) يكتفي ؛ يقنع § (٦) رضاً ؛ قناعة ؛ اطمئنان .

content [kŏn'-] *(n.)* (١) *pl.* عد : محتويات (٢) محتوى ؛

مضمون (٣) «أ» سَعَة . «ب» حَجْم .

contented [kən tĕn'-] *(adj.)* (١) قانع ؛ راضٍ (٢) دالّ على الرضا .

contention [kən tĕn'shən] *(n.)* (١) نضال ، كفاح (٢) تنافس . (٣) نزاع ؛ خلاف ؛ جدال (٤) رأي يجادل المرء بسببه أو يناضل من أجله

bone of ~ , سبب النزاع أو موضوعه .

contentious [kən tĕn'shəs] *(adj.)* (١) مشاكس ، كثير الخصام . (٢) مثير للنزاع (a ~ clause in a treaty) .

contentment [kən tĕnt'mənt] *(n.)* رضا ؛ قناعة ؛ اطمئنان .

conterminous *also* **conterminal** *(adj.)* مشترك الحدود ؛ ذو حدود مشتركة .

contest [*v.* kən tĕst'; *n.* kŏn tĕst] *(vt.; i. ; n.)* (١) يناقش ؛ يفنّد ؛ يعلن ارتيابه بصحة شيء (٢) «أ» يناضل أو يقاتل من أجل (.Our army ~*ed* every inch of ground) . «ب» يحاول أن يكسب (مقعداً نيابياً الخ.) ×(٣) «أ» يناضل «ب» يشترك في مباراة §(٤) نضال ، صراع (٥) مباراة ، مسابقة (٦) خلاف ؛ نزاع ؛ خصام . **—contestation** *(n.)*

contestant [kən tĕs'-] *(n.)* (١) المتباري ؛ المتنافس (٢) الطاعن في صحة انتخاب الخ .

context [kŏn'tĕkst] *(n.)* (١) القرينة ؛ سياق الكلام (٢) بيئة ؛ محيط .

contextual [-'chōō-] *(adj.)* (١) قرينيّ (٢) متوقف على القرينة .

contexture [-tĕks'chər] *(n.)* (١) «أ» نَسْج . «ب» نسيج (a ~ of lies) (٢) قرينة ؛ سياق .

contiguity [-tə gū'-] *(n.)* (١) تماسّ ؛ تجاور (٢) امتداد متصل ؛ سلسلة متواصلة .

contiguous [-'yŏŏ-] *(adj.)* (١) متماس ؛ متلامس (٢) مجاور ؛ قريب .

continence [kŏn'-] ; **continency** *(n.)* كبح النفس (عن الشهوة الجنسية بخاصة) .

continent [kŏn'tə-] *(n.; adj.)* (١) قارّة (٢) البر الأصلي : الجزء الأعظم من قارة ما ؛ أرض ليست بجزيرة أو شبه جزيرة صغيرة §(٣) عفيف ؛ مستعصم ؛ غير منغمس في الملذات أو في الشهوة الجنسية .

the *Continent* أوروبة (باستثناء الجزر البريطانية) .

continental [kŏn'tə nĕn'təl] *(adj.; n.)* (١) قاريّ (٢) أوروبي : ذو علاقة بأوروبة باستثناء الجزر البريطانية (٣) *cap.* عد : ذو علاقة بالمستعمرات التي تشكلت منها ، في ما بعد ، الولايات المتحدة الأميركية (*Continental* Congress) §(٤) *cap.* عد : «أ» جندي أميركي (في حرب الاستقلال) . «ب» نقد ورقي أميركي أُصدر أثناء الثورة الأميركية (وقد أمسى عديم القيمة عند انتهائها) . «ج» القاريّ : أحد سكان قارة من القارات ، وبخاصة قارة أوروبة .

not worth a ~ , تافه ؛ عديم القيمة .

continental code نظام مورس الدولي (را. Morse code) .

continental shelf *(n.)* سيف القارة ؛ الإفريز القاريّ : جزء من القارة مغمور بمياه البحر الضحلة نسبياً (جي) .

continently *(adv.)* بعفّة ؛ باستعصام ؛ من غير انغماس في الشهوات .

contingence [-'jəns] *(n.)* (١) contingency (٢) تماس ؛ تلامس .

contingency [kən tĭn'jən sĭ] *(n.)* (١) احتمال ؛ إمكان حدوث شيء (٢) مصادفة ؛ حادثة غير متوقعة (٣) طارىء .

contingent [kən tĭn'jənt] *(adj. ; n.)* (١) مُحتَمَل ؛ ممكن . (٢) «أ» طارىء ؛ عارض ؛ غير متوقع . «ب» معدّ للاستخدام في الطوارىء (٣) مشروط ؛ متوقف على شيء آخر §(٤) مصادفة ؛ حادثة غير متوقعة (٥) «أ» فريق ممثّل لبلاده (The Japanese ~ at the Olympic games) . «ب» فرقة تمثل بلادها في عمل عسكري مشترك (The British ~ in the Balkan campaign)

continual [-'yōō əl] *(adj.)* (١) متواصل ؛ مستمرّ (٢) متواتر : متتابع مع فترات .

continually [-ə lĭ] *(adv.)* باستمرار ؛ على نحو موصول .

continuance [-'yōō əns] *(n.)* (١) ديمومة ؛ استمرارية (٢) بقاء (~ in office) (٣) تتمة (the ~ of a novel) (٤) تأجيل ؛ إرجاء .

continuation [-ā'shən] *(n.)* (١) استمرار ، دوام (٢) استئناف ؛ متابعة (٣) تتمة .

continue [kən tĭn'ū] *(vi.; t.)* (١) يستمرّ ؛ يدوم ؛ يمتدّ . (٢) يبقى (٣) يستأنف (الكلام) بعد انقطاع ×(٤) يواصل (٥) يؤجّل ؛ يرجىء (النظرَ في دعوى) .

to be ~*d* للبحث صلة ؛ البقية في العدد القادم الخ .

continued *(adj.)* (١) متواصل (٢) مستأنف بعد انقطاع .

continued fraction *(n.)* الكَسْر المتّصل أو الممتدّ (ر) .

continued proportion *(n.)* التناسب المتّصل أو الممتدّ (ر) .

continuing *(adj.)* (١) متواصل (٢) ثابت ؛ غير محتاج إلى تجديد .

continuity [kŏn'tə nū'ə tĭ] *(n.)* (١) المُتّصلية ؛ المُتواصلية : كون الشيء متصلاً من غير انقطاع (٢) كلّ مُتّصل أو مترابط (٣) سيناريو سينمائي (٤) نسخة مُعَدَّة لكي يقدَّم منها الجزء الكلاميّ من برنامج («رد» و «تلفز») .

continuous [kən tĭn'yōō əs] *(adj.)* متّصل ؛ متواصل ؛ مستمرّ .

continuous function *(n.)* الدالّة المُتّصلة (ر) .

continuously *(adv.)* باستمرار ؛ على نحوٍ متّصل أو متواصل .

continuous waves *(n.pl.)* الموجات المتواصلة (رد) .

continuum [-'yōō-] *(n.)* pl. **-nua** المُتّصِل : كمية أو سلسلة مُتّصلة

contort [kən tôrt'] *(vt. ; i.)* (١) يَلْوي أو يَثْني بقوّة . (٢) يحرّف (المعنى) ×(٣) تلتوي (قسمات الوجه) من الألم .

contortion *(n.)* ليّ أو التواء (الوجه أو الجسد بخاصة) .

contortionist [-tôr'shən ĭst] *(n.)* (١) بهلوان (٢) «أ» كاتب يحرّف معنى الكلمات . «ب» فنان يرسم أشكالاً شائهة .

contour [kŏn'tōōr] *(n. ; vt.; adj.)* (١) الكِفاف ؛ المحيط ؛ محيط الشكل المنحرف أو المتعرّج بخاصة (٢) الخط الكِفافيّ : خطّ يمثل الكِفاف أو المحيط (the ~*s* of a statue *or* of a coast) §(٣) «أ» يرسم كفاف شيء . «ب» يكفّف : يشكّل بحيث يطابق كِفاف شيء ما (٤) يشق طريقاً حول كِفاف هضبة §(٥) كِفافيّ .

contour feathers *(n.pl.)* الريش الكِفافيّ : ريش الطير الخارجي .

contour line *(n.)* خطّ المناسيب : خطّ (على خريطة) يُظهر جميع الخطوط المتساوية الارتفاع فوق سطح البحر .

contour map *(n.)* الخريطة المناسيبيّة : خريطة ذات خطوط مناسيب

contra- بادئة معناها : ضد ، مضادّ (*contradict*) .

contraband [kŏn'trə bănd'] *(n. ; adj.; vt.)* (١) تهريب . (٢) سِلَعٌ مُهَرَّبَة §(٣) محرَّم أو محظور قانونياً (~ goods *or* trade) §(٤) يهرّب السّلع المحظورة (٥) يحرّم .

contraband of war مهرّبات الحرب : السلع التي لا يحقّ للدول المحايدة ، بموجب القانون الدولي ، أن تزوّد بها إحدى الدول المحاربة والتي تجيز قوانين الحرب مصادرتها من قبل الدولة المحاربة الأخرى .

contrabandist [-băn'dĭst] *(n.)* المهرِّب : مهرّب السلع المحظورة .

contrabass [kŏn'trə bās] *(n.)* الكمان الأجْهر (مو) .

ă at; ā date; â care; ä car; ĕ egg; ē me; ĭ in; ī bite; ŏ lot; ō bone; ô orphan; oi boil ŏŏ good; ōō boot; ou out; ŭ under; ū unity; û urgent; th thing; *th* this; zh vision; ə = *a* in alone, *e* in system, *i* in easily, *o* in gallop, *u* in circus.

contraception [kŏn'trə sĕp'-] *(n.)* مَنْع الحَمْل أو الحَبَل .

contraceptive *(adj.;n.)* (١) مَنْعِيحَمْلِيّ : ذو علاقة بمنع الحَمْل . (٢) مانع للحَمْل § (٣) العقُر : وسيلة لمنع الحَمْل .

contraclockwise *(adj.;adv.)* باتجاه معاكس لحركة عقارب الساعة .

contract [*n.,adj.* kŏn'trăkt; *v.* kən trăkt'] *(n.; adj.; vt.; i.)* (١) «أ» عَقْد ؛ اتفاقية . «ب» خِطْبة (٢) كلمة مُرَخَّمة § (٣) مُرَخَّم (a ~ noun) § (٤) «أ» يعقد (to ~ an alliance). «ب» يخطب (فتاةً) (٥) يلتقط ؛ يُعْدَى بـ (to ~ a disease) (٦) يقطّب (الجبينَ) (٧) يقبض (to ~ a muscle) (٨) «أ» يضيّق ؛ يقصّر . «ب» يُقلّص . «ج» يرخّم (لفظةً) × (٩) يعقد اتفاقاً (١٠) «أ» يتقلّص ؛ ينكمش . «ب» تتقبض (العضلة) —**contractible** *(adj.)* —**contractibility** *(n.)*

to ~ bad habits يتعوّد عاداتٍ سيئة (كالقمار الخ.)

to ~ debts يقع تحت ديون .

to ~ out of an agreement etc. يحلّ نفسَه من أحكام اتفاقية ما الخ .

contract bridge *(n.)* ضربٌ من البريدج (من ألعاب الورق) .

contracted [-trăk'-] *(adj.)* (١) مقطّب (a ~ brow) . (٢) «أ» مُرَخَّم (a ~ noun) . «ب» موجَز ؛ مختصَر (٣) ضيّق ؛ غير متحرّر (a ~ mind; ~ views) .

contractile [-trăk'təl] *(adj.)* (١) مقلِّص (a ~ force) . (٢) متقبِّض ؛ قابل للانقباض (a ~ tissue) (٣) قابل للطيّ على مقربة من الجسم (كأجنحة الحشرات) .

contraction [-'shən] *(n.)* (١) قَبْض ؛ تقليص (٢) «أ» انقباض ؛ تقلّص . «ب» انكماش في النشاط الاقتصادي (٣) «أ» ترخيم . «ب» لفظةٌ مرخَّمة .

contractive *(adj.)* (١) متقبِّض ؛ قابل للانقباض (٢) متقلص ؛ تقلصي .

contractor [kŏn'trăk tər] *(n.)* (١) المقاول ؛ الملتزم ؛ متعهّد البناء (road ~s) (٢) شيء متقبِّض ؛ وبخاصة : العضلة المتقبِّضة (ت) .

contractual [-trăk'chŏŏ əl] *(adj.)* تعاقديّ .

contracture *(n.)* التقفّع : تقلص العضلة أو الوتر تقلصاً دائماً (ط) .

contradict [-dĭkt'] *(vt.)* (١) يُكذِّب : يُنكر صحةَ شيء ما . (٢) يناقض ؛ يتعارض مع .

— **contradicter ; contradictor** *(n.)*

contradiction [-dĭk'shən] *(n.)* (١) تكذيب ؛ إنكار (٢) كلام مناقض لنفسه أو لغيره (٣) تناقض .

contradictious; contradictive *(adj.)* = contradictory.

contradictory [-'tə rĭ] *(adj.; n.)* (١) «أ» متناقض (~ reports) . «ب» متنافٍ (~ to common sense) § (٢) نقيض .

contradistinction [-dĭs tĭngk'-] *(n.)* التمييز بالتضادّ أو التغاير .

contradistinguish [-tĭng'gwĭsh] *(vt.)* يميّز بالتضادّ أو التغاير .

contraindicate [-trə ĭn'-] *(vt.)* يدلّ (العَرَضُ) على أن طريقة العلاج خاطئة (ط) .

contralto [-trăl'tō] *(n.)* (١) «أ» الرَّنّان : أوطأ صوت نسوي في الغناء . «ب» المُرِنّة : مغنّية لها مثل هذا الصوت (٢) الدور الرَّنّانيّ : دورٌ يُغنَّى بهذا الصوت .

contraposition *(n.)* = opposition.

contraption [kən trăp'-] *(n.)* بِدعة ؛ أداة غريبة الشكل .

contrapuntal [kŏn'trə pŭn'təl] *(adj.)* طِباقيّ : ذو علاقة بالطِّباق الموسيقي (را . counterpoint) .

contrapuntist *(n.)* الطِّباقيّ : البارع في الطِّباق الموسيقيّ .

contrariety [kŏn trə rī'ə tĭ] *(n.)* (١) تناقض (٢) المتناقض ؛ المتناقضة (How can these *contrarieties* agree?).

contrarily *(adv.)* بطريقة معاكسة أو مشاكسة .

contrariwise *(adv.)* (١) على العكس (٢) والعكس بالعكس . (٣) باتجاه معاكس (٤) بطريقة معاكسة أو مشاكسة .

contrary [kŏn'trĕr ĭ] *(adj.; n.; adv.)* (١) مضادّ ؛ مناقض ؛ متعارض مع (~ to fact) (٢) متضادّ ؛ متناقض (~ propositions) . (٣) معاكس ؛ غير موائتٍ (~ winds) (٤) عنيد ؛ مولع بالمعارضة أو بإثارة المتاعب § (٥) الضدّ ؛ العكس ؛ النقيض § (٦) ضدّ ؛ على نحو مخالف أو متعارض مع (Events went ~ to her interests.)

by *contraries* على نحوٍ معاكس لما هو منطقيّ أو متوقّع .

on the ~, على العكس تماماً .

to the ~, (١) يفيد العكس (until I have proof to the ~) (٢) بما يفيد العكس (unless you write me to the ~).

contrast [*v.* kən trăst'; *n.* kŏn'trăst] *(vi.; t.; n.)* (١) يتغاير : يتكشف عن وجوه اختلاف صارخة عند مقابلته بشيء آخر (His actions ~ with his promises.) × (٢) يغاير : يقابل بين شيئين بغيةَ إظهار الفروق (~ birds with snakes) § (٣) المغايرة : المقابلة بين شيئين بغية إظهار الفروق (٤) التغاير ؛ التباين : فرق يُلْحَظ عند مقابلة شيء بآخر (٥) شيء (أو حادثة أو شخص) يتكشف عن فروق صارخة عند مقابلته بشيء آخر (Black hair is a sharp ~ to a light skin.)

contrasty [kən trăs'tə] *(adj.)* متغاير ؛ متباين : متّسِم باللاتناسب بين مواطن الجلاء ومواطن القَتَمة (فو) .

contravene [-vēn'] *(vt.)* (١) ينتهك (to ~ a law) (٢) يشكّ في ؛ ينكر صحة شيء ؛ يهاجم (٣) ينافي ؛ يتعارض مع .

—contravention *(n.)*

contredanse [kŏn trə däns'] *(F.)* (١) الرقصة التقابلية : رقصة شعبية يصطفّ المشتركون فيها ، زوجين زوجين ، في صفين متقابلين أو في مربّع (٢) موسيقى الرقصة التقابلية .

contretemps [kôn trə tän'] *(F.)* حادث موسِف .

contribute [kən trĭb'ūt] *(vt.; i.)* (١) يتبرّع بـ (٢) يقدّم (مقالاً) للنشر في جريدة الخ . × (٣) يُسهم في جهدٍ مشترك .

contribution [-trə bū'-] *(n.)* (١) ضريبة (٢) «أ» تبرّع . «ب» هِبة ؛ مساعدة ؛ مالٌ متبرَّع به (٣) «أ» إسهام . «ب» مأثرة ؛ خدمة تؤدّى للحضارة أو الفكر (٤) مقالة أو قصة معدّة للنشر في جريدة أو مجلة (The editor is short of ~s for the next issue.)

contributor *(n.)* (١) المتبرّع ؛ المُسْهِم (٢) المشارك في تحرير مجلة .

contributory *(adj.)* (١) مُساعِد : مساعدٌ على إحداث نتيجة ما (a ~ cause of the accident) (٢) مُسْهِم في جهد مشترك (٣) اكتتابيّ ؛ إسهاميّ ؛ متوجّب على المنتفعين الاكتتابُ فيه (a ~ scheme of insurance).

contrite [kən trīt'] *(adj.)* (١) منسحق الفؤاد (بسبب من الشعور بالاثم) (٢) «أ» دالّ على الندم (~ words) . «ب» صادرٌ عن ندم (~ sighs).

contrition [kən trĭsh'ən] *(n.)* (١) ندَمٌ (٢) أسف عميق .

contrivance [-trī'-] *(n.)* (١) مص contrive (٢) مُخْتَرَع ؛ اختراع ؛ وبخاصة : أداةٌ ميكانيكية (٣) وسيلة ، حيلة .

ă at; ā date; â care; ä car; ĕ egg; ē me; ĭ in; ī bite; ŏ lot; ō bone; ô orphan; oi boil ŏŏ good; ōō boot; ou out; ŭ under; ū unity; û urgent; th thing; *th* this; zh vision; ə = *a* in alone, *e* in system, *i* in easily, *o* in gallop, *u* in circus.

contrive [kən trīv'] *(vt.; i.)* (١) يخترع ؛ يستنبط (٢) يوجد وسيلة ؛ يحتال للأمر (~*d* to live on a small income) ×(٣) يرسم خططاً.

control [kən trōl'] *(vt.; n.)* (١) يفحص (شيئاً ليرى ما إذا كان صحيحاً وذلك بمقابلته بشيء موثوق من صحته) (٢) يكبح (~ *led* his anger) (٣) يوجّه ؛ يراقب ؛ يضبط ؛ ينظّم (٤) يتحكّم في ؛ يسيطر على §(٥) توجيه ؛ ضبط ؛ تنظيم (٦) سيطرة ؛ تحكّم **pl.** (٧) : جهاز القيادة (في طائرة الخ.) (٨) الضابط : مقياس للمقابلة والتحقق من صحة أمر أو دقّته (٩) محطة تستطيع الطائرة التوقف فيها لإجراء إصلاحات ثانوية. out of ~, في حالة يتعذّر معها السيطرة على شيء أو التحكّم به.

control experiment *(n.)* التجربة الحاكمة ؛ الاختبار الضابط : تجربة تُجرَى للتأكّد من صحة نتائج اختبارات أخرى.

controllable *(adj.)* ممكن ضبطه أو مراقبته أو التحكّم فيه الخ.

controller [kən trō'lər] *(n.)* (١) مراقب النفقات (٢) الموجِّه ؛ الضابط ؛ الكابح الخ. (٣) المِضْبَط : أداة لضبط سرعة الآلة أو تنظيمها.

controversial [kŏn'trə vûr'shəl] *(adj.)* (١) «أ» خِلافيّ ؛ فيه خِلاف. «ب» مثير للجدل أو للخِلاف (a ~ question) (٢) «أ» جدلي. «ب» مولع بالجدَل.

controversialist [-'shəl ĭst] *(n.)* (١) المجادل : المشارك في جدَل (٢) البارع في الجدَل أو المناظرة.

controversy *(n.)* (١) جدل ؛ مناظرة (٢) خِلاف ؛ نزاع ؛ شِجار. beyond ~, مؤكَّد ؛ لا جدال فيه ؛ لا يرقى إليه الشكّ.

controvert [kŏn'trə vûrt'] *(vt.; i.)* (١) «أ» ينكر ؛ يفنّد ؛ يدفع (حجةً). «ب» يخالف ؛ يناقض ×(٢) يجادل.

contumacious [-mā'shəs] *(adj.)* متمرد ؛ عاصٍ ؛ خارج عن الطاعة.

contumacy [-'tyōō-] *(n.)* تمرّد ؛ عصيان ؛ وبخاصة : احتقار أو ازدراء للمحكمة.

contumelious [-tyōō mē'-] *(adj.)* مُزْدَرٍ ؛ مُهين.

contumely [-'tyōō-] *(n.)* (١) ازدراء (٢) إهانة (توجّه إلى شخص).

contuse [kən tūz'] *(vt.)* يرُضّ ؛ يكدِم.

contusion [-tū'zhən] *(n.)* (١) رَضّ ؛ كَدْم (٢) رضّة ؛ كدْمة.

conundrum [kə nŭn'-] *(n.)* (١) أُحْجِيّة ؛ لُغز (٢) مشكلة محيّرة.

convalesce [kŏn'və lĕs'] *(vi.)* ينْقَه ؛ يتماثل للشفاء.

convalescence [-'əns] *(n.)* (١) نقاهة ؛ تماثل للشفاء (٢) دور النقاهة.

convalescent *(adj.; n.)* (١) ناقِه ؛ متماثل للشفاء (٢) نَقاهيّ : متعلق بالنقاهة أو الناقهين §(٣) الناقة : مريض متماثل للشفاء.

convalescent hospital *or* **home** *(n.)* مَصَحّ الناقهين.

convection [kən vĕk'shən] *(n.)* (١) نَقْل (٢) «أ» الحَمْل (فز). «ب» الحَمْل الحراري : انتقال الحرارة من جزء من السائل أو الغاز إلى جزء آخر — كأن يتمّ ذلك من طريق ارتفاع الماء الحار وهبوط الماء البارد في إناء موضوع على النار (فز).

convectional *(adj.)* حَمْليّ : متعلق بالحَمْل الحراريّ (فز).

convective *(adj.)* (١) ناقل (the ~ force of water) (٢) حَمْليّ : متعلق بالحَمْل الحراريّ (فز).

convector *(n.)* المُسَخِّن بالحَمْل الحراريّ (فز).

convenance [kŏn'və näns'] *(n.)* (١) ملاءمة **pl.** (٢) : آداب المجتمع.

convene [kən vēn'] *(vi.; t.)* (١) يجتمع ؛ ينعقد ؛ يلتئم ×(٢) يدعو للمثول (أمام القضاء) (٣) يدعو (إلى الاجتماع).

convenience [kən vēn'yəns] *(n.)* (١) ملاءمة ؛ موافقة (I supported the plan because of its ~.) (٢) «أ» شيء ملائم أو مفيد (It's a great ~ to live near a hospital.) «ب» وسيلة من وسائل الراحة (The house is full of ~*s*.) (٣) فرصة مناسبة (to await one's ~) (٤) راحة (at your own ~).

conveniency *(n.)* = convenience.

convenient *(adj.)* (١) ملائم ؛ مريح (٢) قريب ؛ في المتناول.

convent *(n.)* (١) دير (٢) رهبنة ؛ جماعة من الرهبان أو الراهبات.

conventicle [kən vĕn'tə kəl] *(n.)* (١) اجتماع (٢) اجتماع سريّ أو غير مرخّص به (٣) «أ» اجتماع للعبادة ؛ وبخاصة : اجتماع لضرب من العبادة غير مرخّص به. «ب» مكان هذا الاجتماع.

convention [kən vĕn'-] *(n.)* (١) «أ» اتفاقية. «ب» معاهدة ؛ ميثاق. (٢) «أ» دعوة (جمعية الخ.) إلى الانعقاد. «ب» مؤتمر ؛ اجتماع (٣) عُرف ؛ اصطلاح ؛ تقليد ؛ عادة متبعة.

conventional [-'shən əl] *(adj.)* (١) متمسّك بالعُرف أو بقواعد السلوك المرعية ؛ لطيف بطريقة رسمية (٢) اصطلاحي ؛ متفق مع القواعد المقررة ؛ غير جديد أو أصيل (~ art) (٣) تقليدي (~ weapons) (٤) عاديّ ؛ مألوف ؛ مُبتَذَل (~ remarks) (٥) مؤتمَريّ : متعلق بمؤتمر أو اجتماع.

conventionalism *(n.)* (١) التقليدية : التمسك بالتقاليد (٢) شيء تقليدي أو اصطلاحيّ.

conventionality *(n.)* (١) الاصطلاحية : كون الشيء اصطلاحياً أو متفقاً مع القواعد المقررة (٢) التقاليدية : التمسك بالتقاليد (٣) عُرف ؛ قاعدة (to observe the *conventionalities*).

conventionalize *(vt.)* (١) يجعله اصطلاحياً أو تقليدياً (٢) يرسم بطريقة اصطلاحية أو وفقاً للقواعد المقررة (رم).

conventioneer *(n.)* المؤتَمِر : عضو مشارك في مؤتمَر.

conventual [-'chōō əl] *(adj.; n.)* (١) ديريّ ؛ رُهبانيّ §(٢) راهب ؛ راهبة.

converge [kən vûrj'] *(vi.; t.)* (١) يتقارب ؛ يميل إلى الالتقاء عند نقطة واحدة (٢) يتجمّع ؛ يتركز ؛ يدور حول ×(٣) يُقارب ؛ يُجمِّع ؛ يلُمّ.

convergence; convergency *(n.)* (١) التقارب : ميل إلى الالتقاء عند نقطة واحدة (٢) نقطة التقاء.

convergent *(adj.)* (١) متقارب ؛ متجمّع (٢) تقاربيّ.

convergent series *(n.)* المتسلسلة المتقاربة أو التقاربية (ر).

convergent squint *(n.)* الحَوَل : حَوَل في العين.

converging *(adj.)* (١) متقارب ؛ متجمّع (٢) مقارِب ؛ مجمّع ؛ لامّ.

converging lens *(n.)* العدسة اللامّة أو المجمّعة (بص).

converging pencil *(n.)* الحزمة المتقاربة أو المتجمّعة (بص).

converging rays الأشعة المتقاربة أو المتجمّعة.

conversable [kən vûr'sə bəl] *(adj.)* (١) أنيس ؛ يأنس المرء بالتحدث إليه (٢) مُولَع بالحديث ؛ حلو الحديث.

conversant [kŏn'vər sənt] *(adj.)* مُلِمّ بـ ؛ مُطّلِع على.
— **conversance** *or* **conversancy** *(n.)*

conversation [kŏn'vər sā'-] *(n.)* (١) جِماع ؛ اتّصال جنسي. (٢) محادثة ؛ حديث (٣) مداولة (بين مندوبي الدول أو المؤسسات).

conversational *(adj.)* (١) تحادُثيّ ؛ مُستخدَم في الحديث ؛ عامّيّ (٢) مولع بالحديث أو بارع فيه.

conversationalist *(n.)* المحدِّث : المولَع بالحديث أو البارع فيه.

conversazione [-săt sĭ ō'nĭ] *(n.)* pl. **-ziones** *or* **-zioni** مجلس أدب : لقاء اجتماعي يُتطارَح فيه الحديث في مسائل الأدب والفن الخ.

converse [*v.* kən vûrs'; *n.* kŏn'-] *(vi.; n.)* (١) يتحدث مع.

§(٢) حديث ، محادثة .

converse [*adj.* kən vûrs' ; *n.* kŏn'-] (*adj.* ; *n.*) (١) مضادّ ؛ مخالف (٢) مقلوب ، معكوس § (٣) ضدّ ؛ عكس (٤) شيء مقلوب أو معكوس .

conversion [kən vûr'zhən] (*n.*) (١) «أ» تحويل . «ب» تحوّل . (٢) «أ» هداية . «ب» اهتداء ؛ اعتناقٌ لدين أو مذهب جديد الخ . (٣) اغتصاب أو اختلاس .

convert [*v.* kən vûrt'; *n.* kŏn'-] (*vt.*; *i.*; *n.*) (١) يَهْدي (إلى دين أو مذهب الخ . جديد) (٢) يُحوّل (٣) يغتصب أو يختلس × (٤) يهتدي (إلى دين أو مذهب جديد) (٥) يتحوّل § (٦) المهتدي (إلى دين أو مذهب جديد) .

converter *or* **convertor** (*n.*) (١) فا convert. (٢) تاجر يشتري الأقمشة قبل صبغها (٣) Bessemer converter (٤) المحوِّل : «أ» أداة لتغيير شكل التيار الكهربائي . «ب» أداة إضافية لتمكين جهاز تلفزيوني من التقاط برامج مُرْسَلَة على قنوات لم يُعَدّ لاستقبالها أصلاً .

convertible [kən vûr'-] (*adj.*; *n.*) (١) قابل للتحويل (٢) قابل للهداية (٣) ذات غطاء قابل للطيّ (a ~ coupé *or* sedan) §(٤) سيارة ذات غطاء قابل للطيّ .

convertiplane *or* **convertaplane** (*n.*) الطائرة القابلة للتحويل : طائرة تُقلع وتهبط كالهليكوبتر ولكنها قابلة للتحويل إلى طائرة ذات جناحين ثابتين تطير بهما كالطائرات العادية .

convex [*adj.* kŏn vĕks' ; *n.* kŏn'-] (*adj.* ; *n.*) (١) مُحدَّب §(٢) جسم مُحدَّب ؛ سطح محدَّب ؛ عدسة محدَّبة .

convex 1.

convexity [kən vĕk'sə tĭ] (*n.*) (١) تحدّب ؛ احديداب (٢) المحدَّب : سطح أو شيء محدَّب .

convexness (*n.*) تحدّب .

convexo-concave (*adj.*) مُقعَّر مُحدَّب : مقعَّر من جهة محدَّب من أخرى .

convexo-convex (*adj.*) مُزْدَوِج التحدّب : محدَّب من الوجهين .

convey [kən vā'] (*vt.*) (١) ينقل (٢) يوصِل (تياراً كهربائياً) . (٣) يبلِّغ (٤) يسرق (ا.ق) (٥) يفرغ : ينقل ملكية عقار إلى شخص آخر .

conveyance [-'əns] (*n.*) (١) مص convey (٢) «أ» التفريغ : نقل الملكية من شخص إلى آخر . «ب» وثيقة التفريغ (٣) وسيلة نقل : عربة ؛ سيارة الخ .

conveyancer [-'ən sər] (*n.*) محرر وثائق التفريغ أو نقل الملكية .

conveyancing (*n.*) إعداد وثائق التفريغ أو نقل الملكية .

conveyer *or* **conveyor** [-vā'ər] (*n.*) (١) فا convey (٢) المفرِّغ : من يحوِّل ملكية شيء إلى شخص آخر (٣) الناقلة : جهاز ميكانيكي لنقل الرزم والسلع (من جزء من أجزاء المبنى إلى آخر الخ.)

convict [*v.* kən vĭkt' ; *n.* kŏn'-] (*vt.* ; *n.*) (١) يُدين : يجرِّم متهماً §(٢) المُدان : متهم جرَّمته المحكمة (٣) المحكوم : مُدانٌ يقضي في السجن المدة التي قضت المحكمة بسَجْنِه طوالها (والتي تكون طويلةً عادةً) .

conviction [kən vĭk'-] (*n.*) (١) إدانة ، تجريم (٢) إقناع . (٣) اقتناع (٤) إيمان راسخ .

open to ~, مستعدٌ لسماع الأدلّة والحجج التي قد تؤدي إلى إقناعه بصحة شيء .

convince [kən vĭns'] (*vt.*) يُقنِع بـ .

convinced (*adj.*) مُقْتَنِع (I am ~ of his loyalty.).

convincible (*adj.*) مستعدٌ للاقتناع ، راغبٌ في الاقتناع .

convincing (*adj.*) مُقْنِع (a ~ argument).

convivial [kən vĭv'ĭ əl] (*adj.*) (١) مرح ؛ بهيج ؛ مولع بالقصف وبتناول الطعام والشراب مع الأصدقاء (٢) مخمور : مُتَّسِم بالقَصْف والاسراف في الشراب (a ~ evening).

convocation [kŏn'və kā'-] (*n.*) (١) دعوة إلى الاجتماع أو الانعقاد (٢) اجتماع (يعقده أعضاء كلية) (٣) مجمع كنسيّ إنجيليّ .

convoke [kən vōk'] (*vt.*) يدعو إلى الاجتماع أو الانعقاد.

convolute [kŏn'və lōōt'] (*vt.*; *i.*; *adj.*) (١) يلُفّ × (٢) يلتفّ §(٣) ملفوف ، مُلتفّ .

convoluted (*adj.*) (١) ملفوف ، مُلْتَفّ (٢) مُعقَّد .

convolution [-və lōō'-] (*n.*) (١) «أ» التفافية ، التفاف . «ب» لفّة ، طيّة (٢) التلفيف : أحد تلافيف الدماغ (ت) .

convolve [kən vŏlv'] (*vt.*; *i.*) (١) يلُفّ × (٢) يلْتفّ .

convolvulus (*n.*) pl. **-luses** *or* **-li** اللّبلاب ، اللّفلاف (نب) .

convoy [*v.* kən voi'; *n.* kŏn'-] (*vt.*; *n.*) (١) يواكب ؛ (وبخاصة للحراسة والحماية) (٢) المواكِب ؛ وبخاصة : قوة عسكرية مرافقة للسفن أو الأشخاص أو البضائع بقصد الحماية (٣) «أ» مُواكَبة ، مرافقة . «ب» الحماية التي تؤمّنها القوة المواكِبة أو المرافقة (٤) قافلة (من السفن أو القطر الحديدية الخ . ترافقها قوةٌ تحميها) .

convulse [kən vŭls'] (*vt.*) (١) يُزَلْزِل ، يهزّ بعنف (٢) يجعله ينتفض ، يُحْدِث اضطراباً عنيفاً في (٣) يُشَنِّج (٤) يجعله يهتز من الضحك ، يُوَرِّثه نوبةً من الضحك .

convulsion [-vŭl'shən] (*n.*) (١) اضطراب عنيف (في الطبيعة أو المجتمع) (٢) تشنّج (٣) نوبة ضحك .

convulsionary (*adj.*) (١) تَشَنُّجيّ (٢) مُتَشَنِّج .

convulsive (*adj.*) (١) تشنّجيّ (٢) متشنّج أو مصحوب بتشنّج .

cony [kō'nĭ] (*n.*) = coney.

coo [kōō] (*vi.*; *n.*) (١) يَسْجَع (الحمامُ) ، يَهْدِل (٢) يتحدث بتودّدٍ وحبّ §(٣) سَجْع ، هديل .

cook [kŏŏk] (*vi.*; *t.*; *n.*) (١) يطهو ، يَطْبُخ (٢) يُطْبَخ ، ينطبخ (These apples don't ~ well.) (٣) يَحْدُث × (٤) يَصنع ؛ يلفق (to ~ up a story) (٥) يتلاعب بـ (to ~ accounts) (٦) «أ» يقضي على . «ب» يُرهِق (٧) يطهو الطعام §(٨) الطاهي .

cookbook; cookery book (*n.*) كتاب الطبخ .

cooker (*n.*) (١) فا cook ، وبخاصة : وعاء أو جهاز للطبخ . (٢) كل ما ينطبخ جيداً (Those apples are good ~ *s*.).

cookery [-'ə rĭ] (*n.*) (١) فنّ الطبخ (٢) مَطْبَخ .

cookhouse (*n.*) مطبخ ، وبخاصة : مطبخُ سفينة أو معسكر.

cookie *or* **cooky** [-'ĭ] (*n.*) كعكة مُحلاّة (صغيرة مسطّحة) .

cooking (*n.*; *adj.*) (١) طَبْخ §(٢) خاصّ بالطبخ أو مُعَدّ خصيصاً له (~ utensils).

cookmaid (*n.*) مساعِدة الطاهي .

cookout (*n.*) (١) نزهة يُطْهَى فيها الطعام ويقدّم في الهواء الطلق (٢) الطعام المقدَّم في هذه النزهة .

cookshop (*n.*) مطعم ؛ مطعم صغير .

cookstove (*n.*) فرن طبخ ، موقد أو وجاق طبخ .

cool [kōōl] (*adj.*; *n.*; *vt.*; *i.*) (١) بارد باعتدال (٢) «أ» هادئ ، رابط الجأش . «ب» فاتر ، تعوزه الحماسة (a ~ reception) (٣) صفيق ، وقح (a ~ stare) (٤) مُشعِر ببرودة معتدلة أو مُوحٍ بها

(a ~ dress; ~ colors) (٥)مكبوح الاهتياج أو الانفعال(~ jazz) (٦)مذكور أو مقدَّر من غير مبالغة (inherited a ~ million) (٧) ممتاز (ع) § (٨) هواء أو مكان أو زمان باردٌ باعتدال (in the ~ of the early morning)(٩)برودة باعتدال §(١٠)يبرد باعتدال (١١) يهدِّىء؛ يسكِّن × (١٢) يصبح بارداً باعتدال (١٣) يهدأ؛ يسكُن؛ يفتر.

coolant *(n.)* المبرِّد : المادة المبردة؛ محلول التبريد.

cooler *(n.)* (١)المبرِّد: وعاء لتبريد السوائل (a water ~) (٢)ثلاّجة؛ براد (٣) سجن (ع) (٤) شراب مثلوج.

coolie *also* **cooly** *(n.)* الكولي: حمّال أو عاملٌ غير بارع.

cooling *(n.; adj.)* (١) تبريد الخ. §(٢) مبرد؛ منعِش.

coolish [kōō'lĭsh] *(adj.)* باردٌ قليلاً.

coolness *(n.)* (١) برودة باعتدال (٢) رباطة جأش (٣) فتور الخ.

coon [kōōn] *(n.)* (١) raccoon (٢) زنجيّ (عا).

cooncan [kōōn'kăn] *(n.)* الكُنْكان : ضرب من لعب الورق.

coon cat *(n.)* (١) coati (٢) هرّة أنقرة: هرة أهلية طويلة الوبر.

coon's age *(n.)* فترة طويلة (been sick for a ~).

contie [kōōn'tĭ] *(n.)* الزّامية : شجر أميركي استوائي.

coop [kōōp; kŏŏp] *(n.; vt.)* (١) الخُم : قُنّ الدجاج. (٢) «أ» مكان ضيّق. «ب» سِجن (ع) §(٣) يحبس في مكان ضيّق مزدحم (٤) يحبس في خُم. to fly the ~, يهرب من السجن (ع).

co-op [kō ŏp'] *(n.)* = cooperative.

cooper [kōō'pər] *(n.; vt.; i.)* (١) صانع البراميل أو مُصلحها. §(٢) يصنع البراميل أو يصلحها ×(٣)يشتغل صانعَ براميل.

cooperage [-'pər ĭj] *(n.)* (١) دكان صانع البراميل أو مصلحها. (٢) عملُ صانع البراميل أو منتجاته (٣) الأجر المدفوع إلى صانع البراميل.

cooperate [kō ŏp'ə rāt'] *(vi.)* يتعاون.

cooperation [-ə rā'shən] *(n.)* (١)تعاونٌ (٢)نقابة أو جمعية تعاونية.

cooperative [-'ə rā-] *(adj.; n.)* (١) تعاونيّ (a ~ store). (٢) متعاون؛ راغب في التعاون مع الآخرين (~ neighbors) §(٣) «أ» مخزن تعاوني. «ب» جمعية تعاونية.

cooperative store *(n.)* المخزن التعاوني.

cooperator *(n.)* (١) المتعاون (٢) عضو منظّمة تعاونية.

co-opt [-ŏpt'] *(vt.)* يختار (أعضاءُ اللجنة) زميلاً جديداً لهم.

coordinate [*adj.*, *n.* kō ôr'də nĭt; *v.* -nāt] *(adj.; n.; vt.; i.)* (١)«أ»متساوٍ في الرتبة أو الأهمية(~ clauses)«ب»رابط بين كلمات أو عبارات أو جمل متساوية في الأهمية (a ~ conjunction) (٢) إحداثيّ (ر) §(٣) النظير: المتساوي مع غيره في الرتبة أو الأهمية (٤) الإحداثيّ (ر) : واحد الاحداثيات (ر) §(٥) يسوي في الرتبة؛ يجعل شيئين في منزلة واحدة (٦) ينسّق ×(٧) يتناسق.

coordination *(n.)* (١)تسوية أو تساوٍ في الرتبة (٢)تنسيق(٣)تناسق.

coot [kōōt] *(n.)* (١) الغُرَّة؛ الغرّاء: طائر مائيّ (٢) المغفل؛ الساذج (ع).

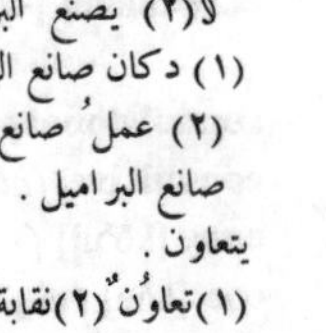

coot

cootie [kōō'tĭ] *(n.)* قملة (عا).

cop [kŏp] *(n.; vt.)* (١)قِمة (٢)«أ» كُبّة غزْل. «ب» ما تُلَفّ عليه خيوط كبّة الغزْل (٣)شرطيّ (ع) §(٤)يقبض على (ع) (٥)يسرق.

copacetic *or* **copesetic** *(adj.)* مُرْضٍ جداً (ع).

copaiba [kō pā'bə; -pī'-] *(n.)* الكُبَيْبة؛ الكُبَيْبة: «أ» شجرٌ جنوب أميركي. «ب» عصارة الكُبيبة الراتنجية.

copal [kō'pəl] *(n.)* الكوبال: صمغ راتنجيّ قاسٍ.

coparcenary [-pär'-] *(n.)* (١)شركة في الارث (٢)ملكية مشتركة.

coparcener [kō pär'sə nər] *(n.)* شريك في الإرث.

copartner [kō pärt'nər] *(n.)* الشريك؛ وبخاصة: عامل له نصيب من أرباح شركة أو مؤسسة بالاضافة إلى راتبه.

copartnership *(n.)* نظام المشاركة في الأرباح؛ مشاركة العمال في الأرباح.

cope [kōp] *(n.; vt.; i.)* (١) الغَفّارة: رداء الكاهن (٢) الافريز المائل (عم) (٣) السماء؛ قوس السماء §(٤) يكسو أو يزود بغفّارة أو بافريز مائل ×(٥) «أ» يكافح على قدم المساواة أو بنجاح؛ يكون على مستوى كذا. «ب» يتغلّب على المشكلات والمصاعب.

copeck [kō'pĕk] *(n.)* = kopeck.

copepod [kō'pə pŏd'] *(n.; adj.)* (١) المجذافيّ الأرجل: حيوان من مجذافيات الأرجل **Copepoda** وهي رتبة من صغار القِشريات البحرية والنهرية §(٢) مجذافيّ الأرجل.

coper *(n.)* تاجر خيل (وبخاصة إذا كان غير أمين).

Copernican [kō pûr'-] *(adj.; n.)* (١) كوبرنيكي: ذو علاقة بكوبرنيكوس الفلكي البولندي (١٤٧٣ — ١٥٤٣) أو بالاعتقاد القائل بأن الأرض والكواكب السيارة تدور حول الشمس §(٢) الكوبرنيكيّ: المؤمن بتعاليم كوبرنيكوس الفلكية.

copestone [kōp'-] *(n.)* (١) الحجر الأعلى (في مبنى أو نحوه). (٢) أحد أحجار الافريز المائل (٣) أوج.

copier [kŏp'ĭ ər] *(n.)* (١) الناسخ؛ الناقل (٢) المقلِّد.

copilot [kō'pī'lət] *(n.)* مساعد الربّان (في طائرة).

coping [kō'pĭng] *(n.)* الافريز المائل (عم).

coping saw *(n.)* منشار القَطْل: منشار ضيّق النصل قصيرُهُ على شكل حرف U.

coping

coping stone *(n.)* = copestone.

copious [kō'-] *(adj.)* (١) وافر؛ غزير (٢)مُكثِر؛ غزير الانتاج.

copiously *(adv.)* بوفرة؛ بغزارة؛ بإكثار.

coplanar [kō plā'-] *(adj.)* متَّحد المستوى؛ في مستوى واحد (هن).

coplanar triangles *(n. pl.)* المُثلثان مُتحِدا القطب (هن).

copolymerization *(n.)* البَلْمَرَة الإسهامية (ك).

copper [kŏp'ər] *(n.; vt.; adj.)* (١) نُحاس (٢)قطعة نقدية نحاسية (٣) مِرجَل؛ خلقين (٤) وعاء نحاسي (٥) فراشة نحاسية الجناحين (٦) شرطيّ (ع) §(٧) ينحّس: يكسو بالنحاس أو نحوه (٨) يراهن على § (٩) نحاسيّ (١٠) نحاسيّ اللون.

copperas [kŏp'ər əs] *(n.)* كبريتات الحديدوز (ك).

copperhead [kŏp'-] *(n.)* (١)نحاسيّة الرأس: أفعى أميركية سامة. (٢) *cap.*: أميركي من أبناء الشمال عاطفٌ على الولايات الجنوبية خلال الحرب الأهلية.

copperplate *(n.)* (١) كليشيه أو صفيحة نحاسية (طع) (٢)صورة أو طبعة مستخرجة عن كليشيه نحاسية (٣) حفر الكليشيهات النحاسية أو الطباعة بواسطتها.

copper pyrites *(n.)* بيريت النحاس.

coppersmith [kŏp'ər smĭth'] *(n.)* النحّاس.

coppery [kŏp'ə rĭ] *(adj.)* نحاسي.

coppice [kŏp'ĭs] *(n.)* أيْكة أو غَيْضة صغيرة الأشجار.

copr- *or* **copro-** بادئة معناها: رَوْث؛ غائط.

copra [kŏp'rə] *(n.)* لُبّ جوز الهند المجفّف.

coprolite [kŏp'rə līt'] *(n.)* رَوْث متحجر؛ نَجو متحجّر (جي).

coprophagous *(adj.)* مقتات بالرَّوْث (كبعض الخنافس) .

copse [kŏps] *(n.)* = coppice.

Copt [kŏpt] *(n.)* القِبْطيّ : أحد أقباط مِصْر .

copter [kŏp'tər] *(n.)* = helicopter.

Coptic[kŏp'-] *(adj.; n.)* (١) قِبْطيّ § (٢) القِبْطيّة : لغة الأقباط .

copula [kŏp'yə lə] *(n.)* (١) صلة ؛ رابط (٢) الفعل الرابط : فعل يربط بين المبتدأ والخبر (٣) عَظْم أو غضروف رابط (ت) .

copulate [-'yə lāt'] *(vi.)* يتسافد ؛ يتحد بالاتصال الجنسي .

copulation [kŏp'yə lā'-] *(n.)* تسافُد ؛ جِماع .

copulative[-'yə lā'-] *(adj.; n.)* (١) رابط § (٢) كلمة رابطة .

copy [kŏp'ĭ] *(n.; vt.; i.)* (١) نُسْخَة (٢) مثال أو أنموذج يُحتَذَى (٣) مخطوطة أو مادة معدّة للطبع (٤) إنشاء ؛ تمرين كتابي مدرسيّ (عب) (٥) حدَثٌ يستطيع الصحافي أن يتخذ منه موضوعاً للكلام (The revolution in Cuba will make good ~.) § (٦) يَنْسَخ (٧) يقلّد ؛ يحاكي × (٨) يغِش ؛ ينقل (أثناء الامتحان) (٩) يحذو حذْوَ كذا (١٠) يُنْتَسَخ ؛ يُنْسَخ (The document did not ~ well.) .

fair *or* clean ~, نسخة مبيَّضة .

foul *or* rough ~, نُسخة مُسوَّدة .

copybook *(n.; adj.)* (١) دفتر (٢) دفتر الخطّ : دفتر لتدريب الطالب على حُسْن الخط § (٣) مُبْتَذَل ؛ مألوف (~ maxims).

copyboy *(n.)* غلام أو خادم (لنقل المواد المعدّة للطبع الخ) .

copycat(*n.; vt.; i.*) (١) المقلِّد ؛ المحاكي (ع) § (٢) يقلّد (ع) .

copydesk(*n.*) منضدة التحرير : منضدة تُحرَّر عليها المواد المُعدّة للطبع .

copyhold [kŏp'ĭ hōld'] *(n.)* (١) الالتزام : ضرب من ملكية الأرض كان يتمّ وفقاً لشروط يُنصّ عليها في سجلاّت مالك الأرض الأصيل (٢) الإقطاعة الملتزَمة : إقطاعة ممتلكة بالالتزام .

copyholder[-hōl'dər] *(n.)* (١) مالك الأرض بالالتزام (٢) مثبِّتة الأصول : أداة لتثبيت المواد المعدّة للطبع في مكانها على صندوق التنضيد أو على الآلة الكاتبة (٣) معاون مصحح التجارب (يقرأ له النص بصوت عال) .

copying *(n.; adj.)* (١) نَسْخ (٢) تقليد § (٣) ناسخ .

copying ink *(n.)* حبر النَّسْخ ؛ حبر « كوبْيِيَه » .

copying paper *(n.)* ورق النَّسْخ (لاستخراج نسخ عن رسالة) .

copying press *(n.)* مِكبس النسْخ .

copyist [kŏp'ĭ ĭst] *(n.)* (١) الناسخ (٢) المقلِّد .

copyreader [kŏp'ĭ-] *(n.)* قارىء الأصول : محرر في دار للنشر يقرأ مخطوطات الكتب ويصحّحها قبل دفعها إلى المطبعة . وأيضاً : محرر في صحيفة يراجع المواد قبل دفعها إلى الطبع ويضع لها « رأسيّاتها » أو عناوينها الكبرى .

copyright[kŏp'ĭ rīt'] *(n.; adj.; vt.)* (١) حقّ النشر أو التأليف § (٢) محفوظة حقوق نشره (بتسجيلها في دائرة حق النشر والتأليف) § (٣) يسجّل (كتاباً) في دائرة حق النشر والتأليف.

coquet[kō kĕt'] *(vi.; n.; adj.)* (١) تَعبَث (المرأة) في الحب ؛ تمثل دور المرأة المِغناج § (٢) المِغناج : امرأة ذات دلال تحاول أن تجذب الرجال إرضاءً لغرورها الذاتي ليس غير § (٣) مِغناج ؛ عابثة في الحب . أو **coquette**

coquetry [kō'-] *(n.)* غَنج ؛ دلال ؛ عَبَث (في الحبّ) .

coquette [kō kĕt'] *(F.)* المِغناج (را ٢ coquet) .

coquettish *(adj.)* (١) غَنِج ؛ مِغناج (٢) جذّاب ؛ جميل .

coquina[kō kē'-] *(n.)* الصَّدَفيّ : حجر يتألف من كُسارة المرجان والأصداف البحرية ويستخدم في البناء .

coraciiform [kôr'ə sī'ə fôrm'] *(adj.)* غدافيّ الشكل : متعلق بغُدافيات الشكل **Coraciiformes** وهي رتبة من الطيور اللاجواثم.

coracle [kôr'ə kəl] *(n.)* القُرْقُل : زورق صغير يُكْسَى هيكله الخشبيّ بالجلد وغيره من المواد الصامدة للماء .

coracoid[*(adj.; n.)*] (١) غُدافيّ ؛ غرابيّ (ت) § (٢) عظم غدافيّ (ت)

coral [kôr'əl] *(n.; adj.)* (١) «أ» المَرْجان : حجر قرنفلي أو أحمر ، عادةً . يتشكّل من الهياكل العظمية لبعض الحيوانات البحرية الصغيرة . «ب» حيوان بحريّ يتشكّل هذا الحجر من هياكله العظمية (٢) حلية أو دمية أطفال الخ . مصنوعة من مرجان (٣) لون المَرْجان § (٤) مَرْجانيّ اللون ؛ قرنفلي غامق (~ lips).

coralbells *(n.)* الهُوشيرة المُدمّاة : نبات ذو زهرات مرجانية صغيرة.

coral islands جزائر المرْجان .

coralline [kôr'ə lĭn] *(adj.; n.)* (١) مَرجانيّ (٢) شبيه بالمرجان . (٣) مَرجانيّ اللون § (٤) الأُشنة المرجانية : طحلب أحمر مُشْبَع بالجير (٥) الحيوان المرجاني : حيوان يشبه المرجان .

coralloid[-'ə loid'];**coralloidal** *(adj.)* مَرجانيّ الشكل أو المَظْهر .

coral reef *(n.)* الحَيْد البحريّ المَرْجانيّ .

coral snake *(n.)* الأفعى المرجانية : حية أميركية صغيرة سامة .

coranto *(n.)* pl. **-tos** *or* **-toes** = courante.

corban [kôr'băn; -bän'] *(n.)* قُرْبان ؛ تَقْدِمة دينية .

corbeil *or* **corbeille** [kôr'bəl] *(n.)* السَلّة : سلّة أزهار أو ثمار منقوشة تُتخذ حِلْية معمارية (عم) .

corbel [kôr'bəl] *(n.; vt.)* (١) الطُنُف : جزء حجري أو خشبيّ ناتىء من جدار داعمٌ لشيء فوقه (عم) § (٢) يُطنِّف : يزوّد أو يدعم بطُنُف .

corbels

corbeling *or* **corbelling** [kôr'-] *(n.)* (١) سلسلة أطناف (٢) التَّطنيف : إنشاء الأطناف .

corbie [kôr'bĭ] *(n.)* غراب ؛ غُداف (اسك) .

corbina [kôr bī'nə] *(n.)* القَرْبِيْن : سمك بحريّ أميركي .

cord [kôrd] *(n.; vt.)* (١) «أ» حبل . «ب» حبل المشنقة . (٢) رباط أخلاقي أو روحي أو عاطفي (٣) «أ» الحَبْل ؛ الوتر : جزء من الجسم شبيه بحَبْل أو وتر (the spinal ~; the vocal ~s) «ب» كَبْلٌ صغير معزول شديد المرونة (كب) (٤) الكُرْد : مقياس للحطب يساوي ١٢٨ قدماً مكعباً (٥) «أ» قيطان «ب» نسيج من قيطان أو ثوب مصنوع منه . «ج» *pl.* : بنطلون مصنوع من هذا النسيج § (٦) يربط بالحبال (٧) يكدّس الحطب الخ . (٨) يزين (الثوبَ) بالقيطان .

cordage [kôr'dĭj] *(n.)* (١) حبال ؛ وبخاصة : حبال السفينة . (٢) كمية من الحطب (مقيسة بالكُرْدات) .

cordate [kôr'dāt] *(adj.)* قلبيّ الشكل .

corded [kôr'dĭd] *(adj.)* (١) حِبالي : مصنوع من حبال ؛ على شكل حبال (a ~ ladder) (٢) مشدود بالحبال (٣) مكدّس (~ wood) (٤) مضلّع (a ~ cloth) .

cordate leaf

Cordelier [kôr'də lĭr'] *(n.)* راهب فرنسيسكاني .

cordial [kôr'jəl] *(adj.; n.)* (١) حارّ ؛ قلبيّ ؛ وُدّيّ (a ~ welcome) (٢) عميق ؛ شديد (~ hatred) (٣) منعش ؛ منعش للفؤاد (~ julep) § (٤) شراب أو دواء منبّه (٥) شراب مُسْكِر .

cordiality [kôr jăl'-] *(n.)* حرارة ؛ مودّة ؛ شعور وُدّي الخ .

cordially [kôr'jə lĭ] *(adv.)* بحرارة ؛ بمودّة ؛ قلبياً .
cordiform [kôr'də-] *(adj.)* قَلْبيّ الشكل ؛ على شكل قلب .
cordillera [kôr'dĭl yâr'ə] *(n.)* سلسلة جبال .
cordite[-'dīt] *(n.)* الكورديت : متفجر لا دخان له يُصنع على شكل حبال .
cordoba [-'dô bä] *(n.)* الكوردوبة : وحدة النقد في نيكاراغوا .
cordon [kôr'dən] *(n.)* (١) شريط زينيّ (٢) وشاح (٣) نطاق من الجند أو الشرطة أو الحصون مضروبٌ حول مكانٍ ما .
cordovan[kôr'də vən] *(adj.; n.)* (١) .*cap* : قُرْطبيّ : منسوب إلى قرطبة بأسبانية (٢) مصنوع من الجلد القرطبيّ § (٣) .*cap* : القرطبيّ : أحد أبناء قرطبة (٤) الجلد القرطبيّ : جلد ناعم منسوب إلى قرطبة .
corduroy [kôr'də roi] *(n.; vt.)* (١) قماش قطنيّ متين مضلّع مخمليّ الزغب (٢) .*pl* : بنطلون مخيطٌ من هذا القماش (٣) طريقٌ من جذوع أشجار مرصوفة بالعرْض (عبر مستنقع أو أرض منخفضة عادة) § (٤) ينشيء طريقاً كهذه .
cordwainer [kôrd'wā nər] *(n.)* الحذّاء : صانع الأحذية .
cordwood *(n.)* (١) حطبٌ مركومٌ (أو مبيعٌ) أكداساً (٢) حطب .
core [kōr] *(n.; vt.)* (١) قلب الثمرة (المشتمل على بذورها) . (٢) قَلْب ؛ جزء مركزي (the ~ of an electromagnet) (٣) لُب ؛ جوهر (the ~ of an argument) (٤) صميم (She is French to the ~.) § (٥) ينزع البذور .
core city *(n.)* الحاضرة القديمة (أو الفقيرة في وسط المدينة) .
corelate *(vt.)*; **corelation** *(n.)* = correlate; correlation.
coreligionist *(n.)* أخٌ في الدين : شخص يدين بمثل دِينِ شخصٍ آخر .
coreopsis[kōr'ĭ ŏp'-] *(n.)* البقْبقيّة ؛ زهرة البقّ : نبات من المركّبات .
corespondent[kōr'ĭ spŏn'-] *(n.)* الزاني ؛ الشريك في الزنا .
corf [kôrf] *(n.)* pl. **-ves** سلّة أو عربة صغيرة تستخدم في منجم .
coriaceous[-ā'shəs] *(adj.)* (١) جلْديّ (٢) جلدانيّ : كالجلد .
coriander [kôr'ĭ ăn'dər] *(n.)* كُزبرة (نب) .
Corinthian[kə rĭn'thĭ ən] *(n.; adj.)* (١) الكورنثيّ : أحد أبناء كورنث باليونان (٢) «أ» شخص متهتك . «ب» man of fashion (را .fashion) . «ج» هاوٍ لرياضة اليخوت § (٣) كورنثيّ : منسوب إلى كورنث ، وقد اشتهرت قديماً بالترف والتهتك (٤) مُتْرَف ؛ متهتّك (٥) منمّق (~ literary style) (٦) كورنثيّ الطراز : تيجان أعمدته مزدانة بزخارف شبيهة بأوراق الأقنْثا (عم) .
corium[kōr'-] *(n.)* الأدَمَة : باطن الجلد الذي تحت البشرة (ت) .
cork [kôrk] *(n.; vt.; adj.)* (١) فِلّين (٢) البَهْش : شجر الفِلّين (٣) الفِلّينة : سِدادة القنينة (٤) فِلّينة الصنّارة : قطعة فِلّين لتعويم الصنارة § (٥) «أ» يُفلّن : يسدّ بفِلّينة . «ب» يكبح (~ *ed* up his feelings) (٦) يسوّد بفِلّين محروق § (٧) فِلّينيّ : مصنوع من فِلّين (~ jackets) .
corkage [kôr'kĭj] *(n.)* رسْم البِزْل : رسم يتقاضاه صاحب الفندق على كل زجاجة خمرٍ تشترى من خارج الفندق وتقدّم إلى النزلاء .
corked[kôrkt] *(adj.)* (١) مُفلّن : «أ» مسدود بفلّينة . «ب» فاسد النكهة ؛ فيه طعم الفِلين أو رائحته (~ wine) . «ج» مُسوّد بفِلّين محروق (٢) ثَمِلٌ جداً (ع) .
corker [kôr'kər] *(n.)* (١) «أ» المُفلِّن : عامل يسُدّ القناني بالفِلّين . «ب» المفلِّنة : ماكينة لسدّ القناني بالفِلّين (٢) الكلمة الفَصْل «في مناقشة» (ع) (٣) «أ» شخص فائق المقدرة . «ب» شيء ممتاز . ممتاز أو رائع إلى أبعد الحدود .
corking [-'kĭng] *(adj.)*
cork jacket *(n.)* السترة الفلّينية (يرتديها السابح وقاية من الغرق) .

cork oak *(n.)* البَهْشة : شجرة الفلّين .

corkscrew

corkscrew[-'skrōō'] *(n.; adj.; vt.; i.)* (١) المبرام : نازعة السّدادات الفِلّينية § (٢) لولبيّ (a ~ curl) § (٣) يشقّ طريقه لولبياً (to ~ one's way through a crowd) (٤) يلولب × (٥) يتمعج (الطريق) .
cork tree *(n.)* = cork oak.
corky [kôr'kĭ] *(adj.)* (١) فِلّانيّ : شبيه بالفِلّين (٢) خفيف (ع) . (٣) نشيط (ع) (٤) مُفلّن : فيه طعم الفِلّين أو رائحته (~ wine) (٥) ثَمِل ؛ سكران (ع) .
corm [kôrm] *(n.)* الكعْب ؛ الجعْثن : جذر بصَليّ الشكل (نب) .
cormel *(n.)* الكُعَيْب : كعب صغير (را . corm) .

cormorant

cormorant [kôr'mə rənt] *(n.; adj.)* (١) الغاق ؛ الغاقة : طائر مائي ضخم نَهِم تحت منقاره جراب يضع فيه ما يصيده من الأسماك (٢) الشره ؛ النهِم § (٣) شرِهٌ ؛ نهِمٌ .
corn [kôrn] *(n.; vt.)* (١) الحبّة : حبّة قمح أو ذرة الخ . (٢) حنطة ؛ ذُرة ؛ شعير ؛ شوفان (٣) ويسكي الذّرة (٤) مسمار القدم : تصلّب موضعي في بَشَرة إصبع القدم § (٥) يحبّب : يجعله على شكل حبوب (٦) يحفظ اللحم (من الفساد) بتمليحه (٧) يزرع (الأرض) حنطةً (٨) يقيت بالحنطة .
to tread on a person's ~ s يجرح مشاعره ؛ يفعل أو يقول شيئاً يكدّره .
corn borer *(n.)* ثقّابة الحنطة : يرقانة حشرةٍ متلفةٍ للحنطة .
corn bread *(n.)* خبز الذرة .
corn chandler *(n.)* الحنّاط : بائع الحنطة .
corncob [-'kŏb] *(n.)* (١) «أ» الجزء الخشبيّ من عرنوس الذرة . «ب» عرنوس ذُرة (٢) بيبة (غليون) تبغ مصنوعةٌ من الجزء الخشبي من عرنوس الذرة .
corn cockle *(n.)* خرِم الحنطة : عشب ينمو في حقول القمح الخ .
corncrake *(n.)* الصِفْرِد : طائرٌ من القواطع يُعرف في سورية بالسّلْوى .
corncrib [-'krĭb] *(n.)* هُرْيٌ (مخزن) عرانيس الذرة .
corn dodger *(n.)* كعك الذرة : كعك يُخبز من دقيق الذُرة .
cornea [kôr'nĭ ə] *(n.)* القرنيّة : قرنيّة العين (ت) .
— **corneal** *(adj.)*
corned *(adj.)* مملّح ؛ محفوظٌ بالملح (~ beef) .
cornel [kôr'nəl] *(n.)* القرانيا : شجرٌ مُزْهر .
cornelian [kôr nēl'yən] *(n.)* العقيق الأحمر .
corneous [kôr'nĭ əs] *(adj.)* قرنيّ ؛ قَرْنيّ النسيج ؛ صُلْب .
corner [kôr'nər] *(n.; vt.; i.; adj.)* (١) «أ» زاوية . «ب» ملتقى شارعين (٢) حافّة (٣) موقف أو وضع حرج (٤) ناحية ؛ بقعة (٥) احتكارٌ § (٦) «أ» يضع في زاوية . «ب» يسوق إلى زاوية (٧) يزوي : يجعل له زوايا (٨) يضع في مركزٍ حرجٍ (٩) يحتكر × (١٠) يلتقي أو يقع عند زاوية (١١) ينعطف حول زاوية § (١٢) زاويّ : «أ» واقع عند زاوية . «ب» مُعَدّ للزاوية .
tight ~, وضعٌ حرجٌ أو خطِر .
to turn the ~, (١) ينعطف حول زاوية (٢) يخرج بسلام من أزمة أو حالة خطرة .
hole and ~, سرّي ؛ خادع ؛ مشبوه ؛ غير شريف .
cornered *(adj.)* (١) مُزَوّىً : ذو زاوية أو زوايا (٢) مُحرَج .
cornerstone *(n.)* (١) حجر الزاوية (٢) الأساس ؛ الركن الأساسي .

cornerwise or **cornerways** *(adv.)* (١) بوضع تكون فيه الزاوية في الجهة الأمامية (٢) بحيث يشكل زاوية (٣) من الزاوية إلى الزاوية.
cornet *(n.)* (١) بوق (٢) «أ» قمع ورقيّ. «ب» «قرن بوظة».
cornet-à-pistons [kôr nĕt'ə pĭs'tənz] *(F.)* بوق.
cornetist or **cornettist** *(n.)* البوّاق: العازف على البوق.
corn flour *(n.)* دقيق الذّرة النشوي.
cornflower *(n.)* القَنْطَريون العَنْبَري: نبات من الفصيلة المركبة.
cornhusk *(n.)* قشرةُ عرنوسِ الذرة الخارجية.
cornice [kôr'nĭs] *(n.)* طُنُف؛ إفريز؛ كورنيش (عم).
corniculate [kôr nĭk'yə lāt'] *(adj.)* ذو قرون صغيرة.
cornmeal *(n.)* دقيق الذرة أو القمح أو الشوفان.
corn pone *(n.)* ضرب من خبز الذّرة.
corn poppy *(n.)* الخشخاش المنثور (نب).
cornstalk *(n.)* قصبة أو ساقُ الذّرة.
cornstarch *(n.)* = corn flour.
cornu [kôr'nū] *(n.)* pl. **cornua** قَرْن؛ تشكّل قَرْنيّ (ت).
cornucopia [kôr'nə kō'pĭ ə] *(n.)* (١) قرن الوفرة أو الخصب (مث) (٢) وفرة (٣) «أ» وعاء قرنيّ الشكل. «ب» حلية قرنية الشكل.

cornucopia 1

cornuted [-nū'tĭd] *(adj.)* (١) ذو قرون (٢) قرنيّ الشكل.
corn whiskey *(n.)* ويسكي الذّرة.
corny [kôr'nĭ] *(adj.)* (١) حنطيّ: متعلق بالحنطة (٢) «أ» منتج حنطةً أو حبوباً. «ب» موفور الحبوب (٣) «أ» ذو «مسامير» في القدم. «ب» متعلق بـ «مسامير» الأقدام (٤) سخيف؛ مبتذل (radio programs ~).
corody [kôr'ə dĭ] *(n.)* مُخصَّص من المؤن (يُمنَح كصَدَقة).
corolla [kə rŏl'ə] *(n.)* التُّويج: الغلاف الداخلي المحيط بالأسدية والمدقة (نب).
—**corollate** *(adj.)*
corollary [kôr'ə lĕr'ĭ] *(n.)* (١) اللازمة (ر) (٢) نتيجة طبيعية.
corona [kə rō'nə] *(n.)* (١) الجزء الناتىء من طُنُف أو إفريز كلاسيكي (عم) (٢) «أ» هالة (فل). «ب» إكليل (فل). «ج» إكليل الزهرة (نب). «د» قمة الضرس أو الجمجمة (٣) سيكار طويل.
Corona Australis *(n.)* كوكبة الإكليل الجنوبي (فل).
Corona Borealis *(n.)* كوكبة الإكليل الشمالي (فل).
coronach [kôr'ə nəkh] *(n.)* = dirge.
coronal [*n.* kôr'ə nəl; *adj.* kə rō'-] *(n.; adj.)* (١) اكليل (٢) تاج § (٣) اكليليّ؛ تاجيّ.
coronal suture *(n.)* الدَّرز الإكليلي (ت).
coronary [kôr'ə nĕr'ĭ] *(adj.; n.)* (١) تاجيّ (٢) اكليليّ (٣) قلبيّ: ذو علاقة بالقلب § (٤) شريان (أو وريد) تاجي (٥) الانسداد التاجي (ط).
coronary artery *(n.)* الشريان التاجيّ (ت).
coronary thrombosis or **occlusion** الانسداد التاجيّ (ط).
coronation [kôr ə nā'-] *(n.)* (١) تتويج (٢) حفلة تتويج.
coroner [kôr'ə nər] *(n.)* المحقِّق في أسباب الوفيات المشتبَه بها.
coronet [kôr'ə nĭt] *(n.)* (١) التُّوَيْج: تاج صغير يلبسه الأمراء والنبلاء (٢) الإكليل: إكليل من ذهب أو جواهر أو أزهار تزيّن به المرأة رأسها (٣) أدنى الرُّسغ: الجزء الأدنى من رسغ الفرس (فوق الحافر مباشرة).
corporal [kôr'pə rəl] *(n.; adj.)* (١) قُماشة القربان: قطعة نسيج تُبسط على المذبح لوضع كأس القربان عليها (نص) (٢) العريف: رتبة عسكرية § (٣) بدنيّ؛ جسدي (punishment ~) (٤) شخصيّ (possession ~).
corporality *(n.)* (١) الجسمانية؛ الجَسَدية (٢) الوجود المادي؛ الجَسَد (٣) *pl.*: الجَسَديات: الأشياء المتعلقة بالجَسَد.
corporal's guard *(n.)* (١) سَريّة بقيادة عريف (٢) جماعة صغيرة.
corporate [kôr'pə rĭt] *(adj.)* (١) متّحد (٢) مُشتَرَك.
corporation [kôr'pə rā'-] *(n.)* (١) مجلس بلدي (ا.م) (٢) شركة (٣) نقابة (٤) البطن، وبخاصة إذا كان ضخماً بارزاً (ع).
corporative [-'pə rā'tĭv] *(adj.)* (١) نقابيّ الخ. (٢) مركزي نقابيّ: مركزٌ أو حاصرٌ للسلطة العليا في هيئة واحدة متحدة مؤلفة من نقابات العمال وأصحاب العمل الرئيسية (the ~state of Italian fascism).
corporator [-'pə rā'tər] *(n.)* عضوٌ في نقابة أو شركة.
corporeal [kôr pōr'ĭ əl] *(adj.)* (١) جسدي (٢) مادي؛ عينيّ.
corporeality *(n.)* (١) الجَسَدية: الوجود الجسدي (٢) الجسد.
corporeity [-pə rē'ə tĭ] *(n.)* المادية: الطبيعة أو الصفة المادية.
corposant [kôr'pə zănt'] *(n.)* = Saint Elmo's fire.
corps [kōr] *(F.)* pl. **corps** [kōrz] (١) فَيْلَق (جن). (٢) سِلْك (the diplomatic ~) (٣) رابطة طلاب جامعية ألمانية.
corps de ballet [kôr də bă lĕ'] *(F.)* فرقة باليه.
corpse [kôrps] *(n.)* جثّة؛ جثمان؛ جيفة.
corpsman [kōr'mən] *(n.)* مجنّد بحري مدرَّب على الاسعاف الأوليّ.
corpulence [kôr'pyə-]; **corpulency** *(n.)* بدانة؛ سِمَن.
corpulent [kôr'pyə lənt] *(adj.)* بدين؛ سمين.
corpus [kôr'pəs] *(n.)* pl. **-pora** (١) جسد؛ وبخاصة: جثّة (٢) الجسم؛ الجزء الأساسي (the ~ of the jaw) (٣) رأس مال (٤) مجموعة كاملة (لقوانين أو لكتابات في موضوع ما).
corpus callosum *(n.)* pl. **corpora callosa** الجسم الجاسئ: كتلة ألياف عصبية تصل بين الجسمين نصف الكرويّين للمخ (ت).
Corpus Christi [krĭs'tĭ] *(n.)* عيد الجسد؛ عيد القربان (نص).
corpuscle [kôr'pəs əl]; **corpuscule** [-'kūl] *(n.)* (١) جُسَيمة (٢) خليّة حيّة؛ وبخاصة: كُرَيّة (blood ~s).
corpuscular [-pŭs'kyə lər] *(adj.)* جُسَيْميّ؛ كُرَيّيّ.
corpuscular theory *(n.)* نظرية الجُسَيمات أو الدقائق (ض).
corpus delicti [dĭ lĭk'tī] *(n.)* جسم الجريمة: «أ» الواقعة المادية والرئيسية الضرورية لإثبات ارتكاب جريمة ما (كموت الشخص المزعوم أنه صُرِع في جريمة قتل). «ب» الجسم الذي وقعت عليه الجريمة (كجسد الضحية في جريمة قتل).
corpus juris [jo͝or'ĭs] *(n.)* مجموعة قوانين (بلدٍ ما).
corpus luteum [lo͞o'tĭ əm] *(n.)* pl. **corpora lutea** الجسم الأصفر: كتلة (صفراء ضاربة إلى الحمرة) من نسيج هرموني تتكون في المبيض عن طريق حُوَيصلة «غرافيّة» نضجت ثم انفصلت عنه.
corpus striatum [strī ā'-] pl. **-pora -ta** الجسم المخطّط: كتلة من المادة الرمادية تكون تحت القشرة في كلٍّ من نصفيّ المخ (ت).
corrade *(vt.; i.)* (١) يَحُتّ (النهر الصخور الخ.) × (٢) يَبْلَى بالحك.
corral [kə răl'] *(n.; vt.)* (١) زريبة (٢) سياجٌ من عربات للدفاع عن معسكر § (٣) يزرب: يحبس (الماشية) في زريبة (٤) يرتّب (العربات) بحيث تشكل سياجاً (٥) «أ» يجمع. «ب» يطوق. «ج» يقبض على.
corrasion *(n.)* التَحاتّ الطبيعي: بلى الصخور بفعل الرياح أو المياه (جي).
correct [kə rĕkt'] *(vt.; adj.)* (١) «أ» يصحّح. «ب» يقاوم؛

يحايد؛ يعالج (to ~ acidity of the stomach by alkaline preparations) «ج» يعدّل «وفقاً لمقياس معيّن أو حالة معيّنة» (to ~a lens for spherical aberration) (٢) يؤدّب؛ يعاقب؛ يوبّخ §(٣) صحيح؛ مضبوط (٤) لائق؛ متفق مع العرف أو التقليد.

—correctness *(n.)*

correction [kə rĕk'shən] *(n.)* (١) «أ» تصحيح. «ب» مقاومة؛ محايدة؛ معالجة. «ج» تعديل. «د» تأديب؛ معاقبة؛ توبيخ (٢) هبوط في الأسعار أو النشاط الاقتصادي (يتلو فترة من ارتفاع الأسعار الخ.) (٣) إصلاح الأحداث: إصلاح المنحرفين من الأحداث بإعادة تأهيلهم في الاصلاحيات بدلاً من الزج بهم في غياهب السجون. **—correctional** *(adj.)*

correctitude [kə rĕk'tə-] *(n.)* حسن السلوك.

corrective [kə rĕk'-] *(adj.; n.)* (١) تصحيحي (٢) تعديلي. (٣) إصلاحي: مساعد على إصلاح الأحداث (~ training) §(٤) ترياق؛ علاج؛ عامل مقاوم لعمل شيء مؤذ أو تأثيره.

corrector *(n.)* (١) المصحح؛ المصلح الخ. (٢) مصحح التجارب المطبعية.

correlate [kôr'ə lāt'] *(vi.; t.; n.; adj.)* (١) يرتبط (بعلاقة متبادلة) ×(٢) يربط (بين شيئين) بصورة نظامية (٣) يقيم علاقة متبادلة بين §(٤) المتلازم: أحد شيئين متلازمين §(٥) متلازم؛ مترابط؛ متعالق.

correlation [kôr'ə lā'-] *(n.)* (١) ربط؛ إقامة علاقة متبادلة بين. (٢) ارتباط؛ تعالق (٣) علاقة متبادلة

correlation coefficient *(n.)* معامل الارتباط (في علم الاحصاء).

correlative [kə rĕl'ə tĭv] *(adj.; n.)* (١) متلازم؛ مترابط؛ متعالق. (٢) متبادل العلاقة؛ ذو علاقة متبادلة §(٣) لفظ (أو شيء) متلازم أو متبادل العلاقة (مثل *or* و *either* وما إليهما).

correspond [kôr'ə spŏnd'] *(vi.)* (١) يتوافق؛ يتطابق؛ ينسجم مع (Her white hat ~s with her white dress.) (٢) يقابل؛ يوازي؛ يماثل (The U.S. Congress ~s to the British Parliament.) (٣) يتراسل؛ يتبادل الرسائل.

correspondence [-'dəns] *(n.)* (١) توافق؛ تطابق؛ انسجام. (٢) تماثل؛ تشابه (٣) «أ» تراسل؛ مراسلة. «ب» الرسائل المتبادلة.

correspondence school *(n.)* مدرسة للتعليم بالمراسلة.

correspondency *(n.)* = correspondence.

correspondent [-'dənt] *(adj.; n.)* (١) متوافق؛ متطابق؛ منسجم مع (٢) متقابل؛ متماثل §(٣) شيء متوافق أو متطابق مع شيء آخر (٤) المتراسل معه: شخص يتبادل المرء الرسائل معه (٥) المراسل؛ مراسل الصحف (٦) المراسل: مؤسسة ذات علاقات تجارية نظامية مع مصرف في بلد أجنبي (The London ~ of a New York bank)

corresponding *(adj.)* (١) «أ» متطابق؛ متماثل؛ متشابه «ب» متناظر (ر) (٢) «أ» مراسل. «ب» متراسل.

corresponding angles. الزاويتان المتناظرتان (ر).

corrida *(Sp.)* مصارعة الثيران.

corridor [kôr'ə dər] *(n.)* (١) رواق؛ دهليز؛ مجاز (بين الحجرات) (٢) الرواق: قطعة ضيقة من الأرض تمتد عبر أراضي دولة لتصل دولة أخرى إلى مرفأ (the Polish *Corridor*).

corridor train *(n.)* القطار المدهلز: قطار ذو دهليز يمتد من أقصاه إلى أقصاه عبر جميع الحافلات

corrie [kôr'ĭ] *(n.)* غار؛ كهف (اسك).

Corriedale [kôr'ĭ dāl'] *(n.)* الخراف الكوريدالية: خراف نيوزيلندية بيضاء الوجوه ممتازة الصوف.

corrigendum [kôr'ə jĕn'dəm] *(n.)* pl.**-da** (١) خطأ مطبعي (مصحح في آخر الكتاب) (٢) *pl.*: جدول الخطأ والصواب (في كتاب).

corrigible [kôr'ə jə bəl] *(adj.)* ممكن إصلاحه؛ قابل للإصلاح.

corrival [kə rī'vəl] *(n.; adj.)* (١) المنافس §(٢) منافس.

corroborant [kə rŏb'ə-] *(adj.)* مقوٍّ؛ منشط.

corroborate [-'ə rāt'] *(vt.)* يؤيد؛ يثبت؛ يوثق؛ يعزز.

corroboration *(n.)* (١) تأييد؛ تثبيت؛ توثيق؛ تعزيز (٢) واقعة مؤيدة؛ كلام معزز؛ برهان إضافي.

corroborative; corroboratory *(adj.)* مؤيد؛ موثق؛ معزز.

corroboree [kə rŏb'ə rĭ] *(n.)* (١) الكربري: مهرجان ليلي يشتمل على أغان ورقصات رمزية يحتفل فيه سكان استراليا الأصليون بالأحداث القبلية الهامة (٢) «أ» مهرجان صاخب. «ب» صخب.

corrode [-rōd'] *(vt.; i.)* (١) يتأكل؛ يحت؛ يوكسد؛ يصدئ؛ (٢) يتلف؛ يفسد ×(٣) يتآكل؛ يتحات؛ يتأكسد؛ يصدأ.

corrody *(n.)* = corody.

corrosion [kə rō'zhən] *(n.)* (١) تأكيل؛ حت؛ أكسدة. (٢) تآكل؛ تحات؛ تأكسد (٣) صدأ.

corrosive [-'sĭv] *(adj.; n.)* (١) متأكل؛ أكال؛ حات. (٢) مزعج؛ مضايق §(٣) عامل أكال؛ مادة أكالة الخ.

corrosive sublimate *(n.)* كلوريد الزئبق (ك).

corrugate [kôr'ə gāt'] *(vt.; i.)* (١) يموج؛ يغضن؛ يجعد. ×(٢) يتموج؛ يتغضن؛ يتجعد.

corrugated iron *(n.)* الحديد المموج: ألواح حديدية مموجة أو مغضنة تجعل أسيجة أو سقوفاً للمباني الرخيصة.

corrugated paper *or* **cardboard** *(n.)* الورق أو الكرتون المموج: ورق أو كرتون مموج لوقاية السلع (المعبأة في الصناديق) من الكسر.

corrugation [kôr'ə gā'-] *(n.)* (١) «أ» تمويج؛ تغضين؛ تجعيد. «ب» تموج؛ تغضن؛ تجعد (٢) غضن؛ جعدة.

corrupt [kə rŭpt'] *(vt.; i.; adj.)* (١) يرشو (٢) يفسد (٣) يحرف ×(٤) يفسد §(٥) مرتشٍ؛ فاسد (خلقياً) (٦) فاسد؛ عفن (٧) محرف (a ~text).

—corrupter *or* **corruptor** *(n.)*

corruptible [kə rŭp'tə bəl] *(adj.)* قابل للرشوة أو الافساد أو الفساد

—corruptibility *(n.)*

corruption [kə rŭp'-] *(n.)* (١) مص corrupt، مثل: «أ» رشوة. «ب» فساد. «ج» إفساد. «د» تعفن (٢) فساد أخلاقي (٣) قيح (ع).

corruptionist *(n.)* المنغمس في الفساد (السياسي) او المدافع عنه.

corruptive *(adj.)* مفسد؛ مسبب للفساد الخ.

corsage [kôr säzh'] *(F.)* (١) الصدار: الجزء الأعلى من ثوب المرأة (٢) باقة زهر صغيرة تزين الصدار.

corsair [kôr'sâr] *(n.)* (١) مركب قرصنة (٢) القرصان: لص البحر.

Cor Scorpii *(n.)* قلب العقرب؛ نير العقرب (فل).

corse [kôrs] *(n.)* جثة؛ جثمان؛ جيفة (ا.ق).

corselet [kôrs'lĭt *for* 1; -sə lĕt' *for* 2] *(n.)* (١) أو **corslet**: درع (٢) أو **corselette**: مشد للنساء (قليل الأضلاع العظمية).

corset [kôr'sĭt] *(n.; vt.)* (١) *pl.* أحياناً: المخصر: مشد نسوي للخصر والردفين §(٢) يخصر.

cortege *also* **cortège** [kôr tāzh'] *(F.)* (١) الحاشية: بطانة الأمير أو الملك (٢) موكب؛ وبخاصة: موكب جنائزي.

cortex [kôr'tĕks] *(n.)* pl. **-tices** *or* **-texes** (١) لِحاء (نب) (٢) القِشرة: الطبقة الخارجية لعضو داخلي (the ~ of the kidney).

cortical [-'tə kəl] *(adj.)* (١) لِحائيّ (نب) (٢) قِشريّ: «أ» متعلّق بقشرة الدماغ أو الكلية. «ب» ناشىء عن عمل قشرة الدماغ أو حالتها (blindness ~).

corticate; corticated *(n.)* ذو لِحاء أو قِشرة.

corticose; corticous *(adj.)* مُلَحّىً ؛ ذو لِحاء (نب).

cortin [kôr'tĭn] *(n.)* الكورتين: هرمون يُفرزه الكُظْر (كح).

cortisone *(n.)* الكورتيزون: هرمون فعّال في معالجة التهاب المفاصل الرثياني.

corundum [-'dəm] *(n.)* الياقوت، الكورَنْدُم ؛ أكسيد الألومنيوم.

coruscant; coruscating *(adj.)* متلألئ ؛ برّاق ؛ لمّاع.

coruscate [kôr'ə skāt'] *(vi.)* يتلألأ ؛ يَبرق ؛ يلمع.

coruscation [kôr'ə skā'-] *(n.)* (١) تلألُؤ ؛ بريق ؛ لمعان. (٢) «أ» وميض أو ومضة. «ب» التماع عقلي.

corvée [kôr vā'] *(F.)* السُّخْرة: «أ» عمل غير مأجور يؤدّيه الفلاّح لسيده الإقطاعي. «ب» عمل إلزاميّ بأمر القانون.

corves [kôrvz] *pl. of* corf.

corvette [-vĕt'] *(n.)* (١) الحَرّاقة: سفينة حربية قديمة (٢) طرّاد.

Corvidae *(n. pl.)* فصيلة الغربان (ح).

corvine [kôr'vīn; -vĭn] *(adj.)* (١) غرابيّ (٢) شبيه بالغراب.

Corvus [kôr'vəs] *(n.)* الغُراب؛ الخِباء اليمانيّ (فل).

corydalis [kə rĭd'ə-] *(n.)* القُنبُريّة: عشب ذو زهرات عنقودية الشكل.

corymb [kôr'ĭmb] *(n.)* العِذْق: شكل من الازهار شبيه بالعنقود (نب).

corymbose *also* **corymbous** *(adj.)* عِذْقيّ (را. المادة السابقة).

coryphaeus [-ə fē'əs] *(n.)* pl. **-phaei** (١) قائد جَوْقة. (٢) زعيم حزب أو مدرسةٍ فكرية.

coryphée [-ə fā'] *(F.)* الراقصة (في فرقة باليه).

coryza [kə rī'zə] *(n.)* زُكام. —**coryzal** *(adj.)*

cos [kŏs] *(n.)* = cos lettuce.

cosecant [kō sē'kənt] *(n.)* قاطع التّمام (ر).

cosignatory *(adj.; n.)* (١) موقّع مع غيره §(٢) الموقّع مع غيره (وثيقةً أو معاهدةً الخ).

cosine [kō'sīn] *(n.)* جَيْب التّمام (ر).

cos lettuce [kŏs] *(n.)* = romaine.

cosmetic [kŏz mĕt'ĭk] *(adj.; n.)* (١) تجميليّ §(٢) مستحضَر التجميل: ذرور أو سائل أو «كريم» لتجميل البشرة أو الشعر الخ.

cosmetologist *(n.)* = beautician.

cosmetology *(n.)* التجميل: المعالجة التجميلية للبشرة والشعر والأظافر.

cosmic [kŏz'mĭk] *(adj.)* (١) كَونيّ (٢) واسع إلى أبعد حدّ.

cosmic dust *(n.)* الغبار الكونيّ (فل).

cosmic rays الأشعة الكونية.

cosmo- بادئة معناها: الكون؛ العالم (*cosmo*logy).

cosmogony [kŏz mŏg'-] *(n.)* (١) نشأة الكون (٢) نظرية في ذلك.

cosmographer *(n.)* الكوزموغرافيّ: العالِم بالكوزموغرافيا.

cosmographic; cosmographical *(adj.)* كوزموغرافيّ.

cosmography [kŏz mŏg'-] *(n.)* الكوزموغرافيا: «أ» وصف عام للعالم أو للكون. «ب» علم يبحث في مَظْهر الكون وتركيبه العام. وهو يشمل علوم الفلك والجغرافية والجيولوجيا.

cosmologic; cosmological *(adj.)* كوزمولوجيّ.

cosmologist *(n.)* الكوزمولوجيّ: العالم بالكوزمولوجيا.

cosmology [kŏz mŏl'ə jĭ] *(n.)* الكوزمولوجيا ؛ علم الكونيات: علم يبحث في أصل الكون وبنيتهِ العامة وعناصره ونواميسه.

cosmonaut *(n.)* = astronaut.

cosmopolis *(n.)* الكوزموبوليس: مدينة يتألف سكانها من عناصر اجتمعت من مختلف أرجاء العالم.

cosmopolitan [kŏz'mə pŏl'ə tən] *(adj.; n.)* (١) كوزموبوليتانيّ: «أ» عالميّ ؛ غير محليّ. «ب» متحرر من الأحقاد القومية أو المحلية. «ج» مؤلف من عناصر اجتمعت من مختلف أرجاء العالم. «د» موجود في معظم أجزاء العالم (a ~ city *or* culture) (a ~ herb) §(٢) مواطن العالم: شخص يعتبر العالمَ كله وطناً له ؛ شخص متحرر من الأحقاد القومية أو المحلية (٣) نبات أو حيوان كوزموبوليتانيّ.

cosmopolite [kŏz mŏp'ə līt'] *(n.)* (١) مواطن العالم (را. المادة السابقة). (٢) نبات أو حيوان كوزموبوليتاني أو موجود في معظم أجزاء العالم.

cosmos [kŏz'məs] *(n.)* (١) الكون (بوصفه نظاماً متناغماً). (٢) نظام كامل متناغم (٣) نظام ؛ تناغم (٤) الزينة ؛ القُسْمُوس: عشب أميركي استوائي جميل الزهر من الفصيلة المركبة.

cosmotron *(n.)* الكوزموترون: جهاز مسرّع للبروتونات.

Cossack [kŏs'ăk] *(n.)* القوزاقيّ: أحد أبناء الشعب القوزاقي.

cosset [kŏs'ĭt] *(n.; vt.)* (١) حَمَل أو ولد مدلّل §(٢) يُدلّل.

cost [kôst] *(n.; vi.; t.)* (١) ثمن (٢) كُلْفة ؛ نفقة (٣) حساب ؛ خسارة (to work at the ~ of one's health; escaped at the ~ of a leg) (٤) *pl.* نفقات الدعوى (التي تفرضها المحكمة على الفريق الخاسر لتُدفع إلى الفريق الرابح) §(٥) يكلّف (This pen ~s ten dollars.) (٦) يكلّفه خسارة كذا (It may ~ you your life.) (٧) يقدّر أو يحدّد ثمن كذا (to ~ leather).

at all ~s, } مهما كلّف الأمر ؛
at any ~, } بأيّ ثمن.

to count the ~, يدرس الظروف كلها ؛ يفكر بالمخاطر والحسائر المحتملة قبل الاقدام على عمل.

costa [kŏs'tə] *(n.)* pl. **costae** (١) ضِلع (ت) (٢) ضِلع ورقة (نب).

costal [kŏs'təl] *(adj.)* ضِلْعيّ ؛ أضلاعيّ (nerves ~).

costard [kŏs'tərd] *(n.)* (١) تفاح انكليزي (٢) الرأس (ا.ق).

costate [-'tāt] *(adj.)* مضلّع ؛ ذو أضلاع (a ~ leaf).

coster [kŏs'tər] *(n.)* = costermonger.

costermonger [-mŭng'gər] *(n.)* خُضَريّ أو فاكهانيّ متجوّل.

costive [kŏs'tĭv] *(adj.)* (١) «أ» مصاب بالامساك. «ب» مسبب للامساك (٢) بطيء في التفكير أو في التعبير عن آرائه (٣) بخيل.

costly [kôst'lĭ] *(adj.)* (١) غالٍ ؛ غير رخيص (٢) نفيس.

—**costliness** *(n.)*

cost of living نفقة المعيشة: متوسّط ما يدفعه المرء (أو الأسرة) على الطعام والكساء والسكن والمواصلات الخ.

cost-plus [kôst'plŭs'] *(n.; adj.)* (١) النفقة المُرْبِحة: نفقة الانتاج زائد نسبة متفق عليها من الربح (تتّخذ، عادةً، أساساً للدفع في العقود الحكومية) §(٢) مدفوعٌ على هذا الأساس (a ~ contract).

cost price *(n.)* الثمن الأصلي: ثمن السلعة المدفوع من قِبل بائع التجزئة.

costrel [kŏs'trəl] *(n.)* إناء للسوائل جلديّ أو فخاريّ أو خشبيّ ذو أذن (أو أكثر) يُعلّق بواسطتها.

costume [*n.* kŏs'tūm; *v.* kŏs tūm'] *(n.; vt.)* (١) زيّ (٢) لباس (academic ~) (٣) «أ» بذلة. «ب» الكُستُم: ثوب نسويّ مؤلف من سترة وتنورة §(٤) يكسو أو يزوّد بملابس.

costume ball *(n.)* حفلة راقصة يرتدي فيها القوم ملابس غريبة.

أو خاصة بعصور ماضية .

costume piece *or* **play** *(n.)* مسرحية ترتدى فيها ملابس تاريخية.

costumer [kŏs tū'-] *or* **costumier** [-'mĭ ər] *(n.)* الخيّاط أو بائع الملابس أو مؤجّرها .

cosy [kō'zĭ] *(adj.)* = cozy.

cot [kŏt] *(n.)* (١) كوخ (٢) غطاء ؛ غِمد ؛ وبخاصة : غمدٌ واقٍ للاصبع (٣) سرير خفيف نقّال (٤) سرير طفل (بر) .

cotangent [kō tăn'jənt] *(n.)* ظِل التَّمام (ر) .

cote [kōt] *(n.)* (١) كوخ (٢) زريبة ؛ وبخاصة : بُرج حمام .

coterie [kō'tə rĭ] *(n.)* زمرة ؛ حلقة ؛ «شلّة» .

coterminal; coterminous *(adj.)* ذو حدود مشترَكة .

cothurnus [kō thûr'-]; **cothurn** [kō'-] *(n.)* (١) الكوثُرْن : جزمة كان ينتعلها ممثلو التراجيديا الاغريقية والرومانية (٢) المأساة ؛ التراجيديا ؛ الأسلوب التراجيدي .

cotillion *also* **cotillon** [kō tĭl'yən] *(F.)* (١) الكوتِلْيون : رقصة فرنسية أو موسيقاها (٢) حفلة راقصة رسمية .

cotoneaster *(n.)* السَّفَرْجَلية : جُنيبة من الفصيلة الوردية (نب) .

Cotswold *(n.)* خراف كوتزوولد : خراف انكليزية كبيرة طويلة الصوف .

cotta [kŏt'ə] *(n.)* حلّة كنسية بيضاء (لا تتعدّى الخصر) .

cottage [kŏt'ĭj] *(n.)* (١) كوخ (٢) بيت صغير لقضاء العطلة .

cottage cheese *(n.)* الحَلّوم : ضرب من الجبن الأبيض .

cottage loaf *(n.)* رغيف من قطعتين مستديرتين صُغراهما فوق الكبرى .

cottager [kŏt'ĭj ər] *(n.)* ساكن كوخ .

cotter *or* **cottar** [kŏt'ər] *(n.)* (١) ساكن كوخ (٢) فلاح .

cotter [kŏt'ər] *(n.)* وتد ؛ خابور .

cotter pin *(n.)* الدبّوس أو المسمار الخابوري .

cotton [kŏt'ən] *(n.; vi.)* (١) «أ» قطن . «ب» نبتة القطن . «ج» محصول قطن (٢) «أ» قماش قطني . «ب» غَزْل قطنيّ § (٣) يتصادق مع (ع) (٤) يولع بـ (ع) (٥) ينسجم مع (ع) .

cotton batting *(n.)* = cotton wool.

cotton belt *(n.)* حزام القطن : منطقة في الجزء الجنوبي من الولايات المتحدة الأميركية مخصّصة كلها لزراعة القطن.

cotton cake *(n.)* كُسْب بذور القطن (يُتّخَذ علفاً للماشية).

cotton candy *(n.)* غزْل البنات : حلوى شبيهة بالقطن المندوف.

cotton gin *(n.)* المِحلاج : آلة لفصل ألياف القطن عن بذوره.

cottonmouth *(n.)* صِل الماء : أفعى أميركية ضخمة سامة .

cottonseed [kŏt'ən sēd'] *(n.)* بذرة القطن .

cotton stainer *(n.)* صابغة القطن : دودة تَلسع نبتة القطن فتصبغ أليافها بلون ضارب إلى الحمرة أو الصفرة .

cottontail *(n.)* قُطْنيّ الذّنَب : أرنب أميركي أبيض الذنب أزغبه .

cottontail

cottonwood *(n.)* (١) الحَوْر القطنيّ : حور أميركي على بذرته كتلة شعرٍ قطنية (٢) خشب الحور القطني

cotton wool *(n.)* (١) قطن طبي (٢) قطن تبطّن به الملابس أو تُحشى به اللحف الخ .

cottony [kŏt'ən ĭ] *(adj.)* (١) قطنيّ (٢) كالقطن ؛ ليّن ؛ زغِب .

cotyl- *or* **cotylo-** بادئة معناها : كأس ؛ عضو أو جزء كأسيّ الشكل.

cotyledon *(n.)* الفلْقة : ورقة جنينية ترافق بزور الزهريات (نب).

cotyloid *(adj.)* كأسيّ الشكل أو خاص بتجويف كأسيّ («ت» و«ح») .

couch [kouch] *(vt.; i.; n.)* (١) يبسط (~ed his limbs) (٢) يطرِز (٣) «أ» ينكّس (الرأس) . «ب» يسدّد (رمحاً) (٤) يصوغ (في ألفاظ) (٥) يقدح السدّ (مج) : يُجري عملية للعين المصابة باعتام العدسة (جر) ×(٦) يضطجع (للرقاد أو الراحة) (٧) يكمن لـ § (٨) «أ» مَضْجع ؛ سرير . «ب» أريكة (٩) مَربِض (١٠) طبقة من دهان الخ.

couchant [kou'chənt] *(adj.)* (١) مضطجع (٢) رابض (كالأسد) الخ .

couch grass *(n.)* النّجيل : العِكْرِش : نباتٌ مُعْترِش .

couch potato *(n.)* الكسول ؛ الكسلان .

cougar [kōō'gər] *(n.)* الكوجر : الأسد الأميركي (ح) .

cough [kôf] *(vi.; t.; n.)* (١) يَسْعُل (٢) يُحدِث صوتاً كالسعال ×(٣) يُخرِج (من الحنجرة) بالسعال (to ~ up mucus) (٤) يدفع ؛ يسلّم (to ~ up the money) § (٥) سُعال .

cough drop *(n.)* قرص السعال : قرص صغير لمعالجة السعال .

could [kŏŏd] *past of* can.

couldn't [kŏŏd'nt] = could not.

coulee [kōō'lĭ] *(n.)* (١) «أ» جَدول ؛ نُهَيْر . «ب» وادٍ شديد الانحدار (٢) جَدْول حمم (بركانيّة) .

coulisse *(n.)* (١) كواليس المسرح (٢) الكولَس : قطعة خشب ذات أخدود ينزلق فيه شيء .

couloir [kōō lwär'] *(n.)* وادٍ ضيق (في جبال الألب السويسرية).

coulomb [kōō lŏm'] *(n.)* الكولون : وحدة لقياس كمية الكهرباء.

coulter [kōl'tər] *(n.)* = colter.

coumarin [kōō'-] *(n.)* الكومَرين : مركّب يستخدم في صناعة العطور .

coumarone *(n.)* الكومَرون : مركّب يستخدم في صناعة الورنيش .

council [koun'-] *(n.)* (١) مَجلِس (the municipal ~) (٢) مجلس شورى (٣) مجمع كَنَسيّ (٤) مداولة في مجلس (summoned to ~) (٥) «أ» فرع محليّ من منظمة . «ب» نادٍ ؛ جمعية .

councillor *or* **councilor** *(n.)* عضو مجلس .

councilman *(n.)* = councillor.

council of ministers *often cap.* C. *and* M. مجلس الوزراء .

counsel [koun'səl] *(n.; vt.; i.)* (١) نصيحة ؛ مشورة (٢) خطة (عمل أو سلوك) (٣) تشاوُر ؛ تداوُل (to take ~ with one's partners) (٤) «أ» قَصْد (ا.ق). «ب» رأي أو قصد شخصي أو سريّ (٥) «أ» محامٍ . «ب» مستشار قانوني § (٦) ينصح ؛ يشير بـ (٧) يستشير .

to keep one's own ~ يُبقي خططه طيّ الكتمان.

counselor *or* **counsellor** [-'sə lər] *(n.)* (١) الناصح ؛ المستشار . (٢) «أ» المحامي . «ب» المستشار القانوني .

count [kount] *(vt.; i.; n.)* (١) يَعُدّ ؛ يُحصي (٢) «أ» يعتبر (I ~ myself lucky) . «ب» يقدّر (٣) يُدخل في الحساب ؛ يأخذ بعين الاعتبار (.... not ~*ing* the children) × (٤) يتكل ؛ يعتمد (٥) يُعَدّ ؛ يُعتبَر (a novel which ~*s* as a masterpiece) (٦) يؤثّر ؛ يهم ؛ يجب إدخاله في الحساب (Every vote ~*s*.) (٧) يساوي (Such poets don't ~ for anything.) § (٨) عدّ ؛ إحصاء (٩) مبلغ إجمالي (١٠) فقرة اتهامية (في حكم قضائي) (١١) الكونت : نبيل أوروبيّ .

to ~ in يُدخل في الحساب .

to ~ out (١) يعلن (الحكَم) هزيمة الملاكم لعدم نهوضه بعد أن عدّ من واحد إلى عشرة (٢) يعلن (رئيس المجلس) تعذّر متابعة المناقشة لفقدان النصاب .

to take no ~ of what they say لا يقيم وزناً أو اعتباراً لما يقولون .

countdown [kount'-] *(n.)* العدّ التنازلي او العكسيّ .

countenance [koun'tə nəns] *(n.; vt.)* (١) هدوء، رزانة . (٢)سيماء، ملامح (٣)وجه، مُحيّا (٤) تشجيع ، تأييد معنوي § (٥) يشجّع ، يؤيد ، يُقِر (He gave ~ to my plan.) (I can never ~ a war of aggression.).

out of ~, مرتبك ، مضطرب .

to keep one in ~, ينقذه من الارتباك (بأن يفعل مثل فِعْلِه) .

to keep one's ~, (١) يعتصم بالهدوء، يسيطر على انفعالاته (٢) يُمسِك عن الابتسام أو الضحك .

counter [koun'tər] *(n.; vt.; i.; adv.; adj.)* (١)الفيشة : عملة رمزية تستخدم في القمار (٢)قطعة نقدية (ع) (٣)النَّضَد : منضدة أو طاولة طويلة (في دكان أو مصرف أو مطعم الخ.) (٤)العادّ، المُحصي وبخاصة : العدّاد، جهاز العدّ (٥)العكس، الضدّ (٦)الجزء البارز من مؤخر السفينة (٧)ضربة مضادّة (في الملاكمة) (٨)قطعة جلد قاسية داخل مؤخر الحذاء المحيط بالعَقِب § (٩) يقاوم ، يعاكس ×(١٠) يردّ على الضربة أو الحجة الخ . بمثلها §(١١) على نحوٍ مضادّ أو معاكس (to run ~ to the rules) § (١٢) مضادّ (a ~ revolution) (١٣) مُولعٌ أو مُتّسِم بالمقاومة أو العداء (١٤) مقابل، واقع قبالةَ كذا .

counter- بادئة معناها:(١) مضادّ،معاكس (counter- attack) (٢) مقابل، معادِل (*counter*balance).

counteract [-tər ăkt'] *(vt.)* يضاد ، يُبْطِل، يعادل، يُحايِد.

counteraction *(n.)* مضادّة ، إبطال ، مُعادلة ، محايدة .

counteractive *(adj.; n.)* (١) مضادّ §(٢) شيء مضادّ .

counterattack *(n. -'tər-; v. -ə tăk')* *(n.; vt.; i.)* (١)هجوم معاكس §(٢) يشن هجوماً معاكساً .

counterattraction [-ə trăk'-] *(n.)* الجَذْب المضادّ .

counterbalance [*n.* -'tər-, *v.* -băl'-] *(n.; vt.; i.)* (١)الثِّقل المقابل أو الموازن (٢)النفوذ أو القوة المقابلة أو الموازنة §(٣) يوازن : يقاوم بوزن مماثل .

countercharge [*n.*-'tər-; *v.*-chärj'] *(n.; vt.)* (١)تهمة مضادّة §(٢) يردّ (على الخصم المتهِم) بتهمة مضادّة.

countercheck [*n.* -'tər-; *v.* -chĕk'] *(n.; vt.)* (١)عقبة، عقبة مقابلة (٢)إشارة يوسم بها «الشيك» دلالة على أنه روجع ، مراجعة مزدوجة للتحقّق §(٣) يعوق (٤)يراجع ثانيةً بغية التحقق.

counterclaim [*n.*-'tər-; *v.* -klām'] *(n.; vt.; i.)* (١) دعوى مضادة (في قضية تنظرفيها المحكمة) §(٢) يقدم أو يتقدم بدعوى مضادة.

counterclockwise *(adj.; adv.)* = contraclockwise.

countercurrent *(n.)* للتيار المضادّ : تيار في اتجاه معاكس.

counterespionage [koun'-] *(n.)* تجسّس مضادّ أو معاكس .

counterfeit [koun'tər fĭt] *(vt.; i.; adj.; n.)* (١) يزيف ، يزور (٢)يُشبه (شبَهاً تاماً) ×(٣) يتظاهر بِ (٤)ينهمك في التزييف §(٥) مزيَّف ، مزوَّر (~ coin) (٦) زائف ، كاذب (~ virtue) §(٧) شيء مزيَّف .

counterfoil *(n.)* أرومة (الشيكِ أو الإيصالِ الخ .)

counterintelligence *(n.)* الاستخبارات المضادّة .

counterirritant [-ĭr'ə tənt] *(n.)* المثير المضادّ : كل مايستخدم لإحداث التهيج في موضع من الجسم لتخفيف الألم أو الالتهاب في موضع آخر .

counterjumper [-'tər-] *(n.)* بائع في مخزن تجاري (ع) .

countermand [*v.* -mănd'; *n.* koun'-] *(vt.; n.)* (١)ينسخ ، ينقض ، يُبطل §(٢) نسخ ، نقض ، إبطال .

countermarch [*n.*-'tər-; *v.*-märch'] *(n.; vi.; t.)* (١)نكوص، تراجُع §(٢) ينكص ، يتراجع × (٣) يُكرِهه على النكوص .

countermeasure [koun'-] *(n.)* إجراء مضادّ أو انتقاميّ .

countermine [*n.* -'tər-; *v.*-mīn'] *(n.; vt.; i.)* (١)لغم مضادّ . (٢) خطة مضادّة §(٣) يقاوم بلغم مضادّ (٤)يُحبِط أو يقاوم بإجراءات سريّة ×(٥) يضع لغماً مضاداً أو خطة مضادة (٦) يدمّر ألغام العدوّ .

counteroffensive [-ə fĕn'sĭv] *(n.)* هجوم مضادّ أو معاكس.

counterpane [koun'tər pān'] *(n.)* لِحاف .

counterpart [-'tər pärt'] *(n.)* (١) نسخة ، نسخةٌ مطابقة . (٢) النظير : شخص أو شيء يشبه غيره شبهاً شديداً (This twin is his brother's ~.) (٣) القسيم ، الشيء المتمّم (Night is the ~ of day.)

counterplot [-'tər plŏt'] *(n.; vi.; t.)* (١) مكيدة مضادّة . §(٢) يدبّر مكيدة مضادة ×(٣) يقاوم أو يحبط بمكيدة مضادّة.

counterpoint [-'tər-] *(n.)* الطِّباق : «أ» لحن يضاف إلى آخر على سبيل المصاحبَة . «ب» فن مَزْج الألحان (مو) .

counterpoise [-'tər poiz'] *(vt.; n.)* (١)يوازن، يقاوم بتأثير معادل. §(٢) الثقل الموازِن أو المقابِل (٣) النفوذ أو القوة الموازنة أو المقابلة (٤) توازن .

counterpoison [-'tər poi-] *(n.)* (١) ترياق (٢) سم مضادّ .

counterproposal *(n.)* اقتراحٌ مضادّ أو معاكس .

counterpunch *(n.)* ضربة مضادة أو معاكسة (في الملاكمة) .

counterreformation *(n.)* إصلاح مضادّ أو معاكس .

counterrevolution *(n.)* ثورة مضادّة أو معاكسة .

counterscarp *(n.)* جدار الخندق الخ . الخارجيّ .

countershaft *(n.)* عمود المناولة الوسيط (مك) .

countersign [-'tər sīn'] *(n.; vt.)* (١) الإمضاء المصدِّق : إمضاء يشهد على صحة وثيقة موقّع عليها من شخص آخر (٢) كلمة السرّ (جن) §(٣)يصدّق على الامضاء (٤)يثبّت ، يوثّق.

countersignature *(n.)* الامضاء المصدِّق (را. المادة السابقة) .

countersink [-'tər sĭngk'] *(vt.; n.)* (١)يُخَوِّش : «أ» يوسّع الجزء الأعلى من الثقب لإدخال اللولب فيه. «ب» يُدخل اللولب في مثل هذا الثقب بحيث يستوي مع السطح أو يغور تحته §(٢) التخويش : ثقب وُسِّعَ جزؤه الأعلى لإدخال اللولب فيه (٣) المخوِّشة : أداة تخويش .

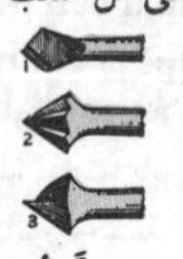

countersinks

counterstroke [-'tər strōk'] *(n.)* ضربة مضادّة أو معاكسة .

countertendency [-tĕn'-] *(n.)* نزعة مضادة أو معاكسة .

countervail [koun'tər vāl'] *(vt.; i.)* (١) يعوِّض عن. (٢) يساوي ، يوازي (ا.ق) ×(٣) counteract.

counterweight *(n.; vt.)* = counterbalance.

countess [koun'tĭs] *(n.)* الكونتس : «أ» زوجة الكونت أو أرملته. «ب» سيدة نبيلة تحمل لقباً موازياً للقب الكونت .

countinghouse *(n.)* مكتب المحاسبة وعقد الصفقات (في مصنع) .

counting room *(n.)* = countinghouse.

countless [kount'lĭs] *(adj.)* لا يُعَدّ ، لا يُحْصَى .

countrified *also* **countryfied** [kŭn'-] *(adj.)* ريفيّ .

country [kŭn'trĭ] *(n.; adj.)* (١) بلد ، قُطر (٢) «أ» وطن. «ب» دولة (٣)«أ» شعب . «ب» هيئة محلّفين . «ج» جمهور

الناخبين (٤) ريف (spent a week in the ~) §(٥) أهلي؛ وطني (٦)ريفيّ (٧) فظّ ؛ غير مصقول (manners ~).

to go *or* appeal to the ~, يجري انتخابات عامة ؛ يستفتي الشعب في قضية.

to put *or* throw oneself upon the ~ (١) يحتكم إلى ناخبيه (٢) يحاكم أمام هيئة محلّفين.

country club *(n.)* النادي الريفي : نادٍ في الضواحي يرتاده أبناء المدن لممارسة الألعاب الرياضية والنشاطات الاجتماعية في الهواء الطلق.

country cousin *(n.)* النسيب الريفي : نسيب من الريف تَشْدَهُهُ مظاهر الحياة في المدينة

country-dance *(n.)* الرقصة الريفية : رقصة انكليزية ريفية يؤدّيها الراقصون في صفّين متقابلين.

country house *(n.)* = countryseat.

countryman [-'trĭ-] *(n.)* (١) الريفيّ : أحد سكان الريف. (٢) مواطن المرء أو ابن بلده.

—countrywoman *(n. fem.)*

countryseat [kŭn'-] *(n.)* المقرّ الريفيّ (لغنيّ صاحب أطيان).

countryside [kŭn'-] *(n.)* (١) الريف (٢) سكان الريف.

county [koun'tĭ] *(n.)* (١) الكونتيّة : ممتلكات الكونت. (٢) اقليم ؛ مقاطعة (٣) سكان الاقليم أو المقاطعة.

county court *(n.)* محكمة إقليمية.

county seat *or* **town** *(n.)* حاضرة الاقليم.

coup [kōō] *(F.)* (١) ضربة موفّقة غير متوقّعة (٢) انقلاب.

coup de grace [-də gräs'] *(F.)* (١) رصاصة الرحمة : رصاصة تصوَّب عادة إلى رأس المحكوم عليه بالإعدام للتثبت من أنه قد فارق الحياة (٢) «أ» ضربة قاضية. «ب» حادثة حاسمة.

coup de main [-də măn'] *(F.)* مباغتة ؛ هجوم مفاجىء.

coup de maître [mâ'tr'] *(F.)* ضربة معلّم.

coup de soleil [sô'lā'] *(F.)* ضربة شمس.

coup d'etat [-dě tä'] *(F.)* الانقلاب : إجراء مفاجىء حاسم في عالم السياسة وبخاصة : حركة تؤدي إلى الاطاحة بنظام الحكم بالقوة أو بطريقة غير دستورية.

coup de theatre [-də tě ä'tr] *(F.)* (١) تطور مفاجىء ومثير (في حوادث المسرحية) (٢) تطور مفاجىء أو مثير (في الأحداث العامة).

coup d'oeil [-dœ'y] *(F.)* نظرة سريعة أو خاطفة.

coupé *or* **coupe** [kōō pā'; 2 *often* kōōp] *(F.)* (١) الكوبيه : مركبة مقفلة بأربع عجلات (٢) سيارة كوبيه : سيارة مقفلة ذات بابين تتسع لعدد من الركاب يتراوح ما بين اثنين وخمسة.

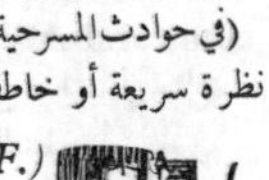
coupé 1.

couple [kŭp'əl] *(n.; vt.; i.)* (١) الزوجان : ذكر وأنثى متزوجان أو مخطوبان أو راقصان معاً (٢) الزوج : اثنان من نوع واحد (ten ~s of hounds) (٣) رباط ؛ رابط (٤) «أ» الازدواج : قوتان متساويتان متوازيتان تعملان في اتجاهين متضادّين. «ب» المزدوجة (كب) (٥) قليل ؛ واحد أو اثنان §(٦) يربط ؛ يزوّج ؛ يقرن ؛ يُقْرِن (٧) يزوّج ×(٨) «أ» يتزوّج. «ب» يتسافد. «ج» يزدوج ؛ يتقارن.

coupled *(adj.)* (١) مزوّج ؛ مقرّن (٢) متقارِن.

coupler [kŭp'lər] *(n.)* (١) فا couple (٢) «أ» المِقْرَنة : أداة للربط بين حافلتين من حافلات السكة الحديدية. «ب» المُقارِن : أداة تقرن ما بين تيارين كهربائيين (رد).

couplet [kŭp'lĭt] *(F.)* (١) الدوبيت : مقطع شعري مؤلف من بيتين. (٢) زوج ؛ اثنان.

coupling [-'lĭng] *(n.; adj.)* (١) مص couple ؛ وبخاصة : جماع. (٢) القارنة : أداة تربط ما بين جزئين من الآلة (ملك) (٣) المِقْرَنة (را. coupler) (٤) التقارن ؛ الاقتران (فزن) §(٥) «أ» قارِن (rod ~). «ب» تقارني (system ~).

coupon [kōō'pŏn; kū'-] *(F.)* قسيمة ؛ كوبون.

courage [kûr'ĭj] *(n.)* شجاعة ؛ بسالة ؛ جراءة.

to have the ~ of one's convictions *or* opinions يكون من الشجاعة بحيث يفعل ما يعتقد أنه صواب.

to take one's ~ in both hands يستجمع شجاعته (للقيام بعمل جريء).

courageous [kə rā'jəs] *(adj.)* شجاع ؛ باسل ؛ جريء.

courante [kōō ränt'] *(F.)* (١) الرقصة العادِيَة : رقصة إيطالية الأصل تتميز بالخطو السريع (٢) موسيقى للرقصة العادِيَة.

courier [kûr'ĭ ər] *(n.)* (١) الساعي ؛ الرسول (٢) رفيق السيّاح : شخص مكلّف بالسهر على راحة السياح (يشتري التذاكر ويعنى بالأمتعة، ويحجز الغرف في الفنادق الخ.) (٣) «أ» جاسوس. «ب» مهرب بضائع.

courlan [kōōr'lən] *(n.)* الكُرْلان : طائر أميركي استوائي طويل المنقار.

course [kōrs] *(n.; vt.; i.)* (١) «أ» سَيْر ؛ تقدّم. «ب» وجهة السير (٢) مطاردة (٣) «أ» سبيل ؛ طريق. «ب» مضمار (للخيل) «ج» مجرى (النهر). «د» أرض ممهدة للغولف (٤) «أ» مسلك ؛ طريقة. «ب» سلوك. «ج» سياق ؛ غضون (٥) «أ» سلسلة منظمة. «ب» المقرّر التعليمي : مجموعة كاملة من الدروس والمحاضرات تؤهل الطالب لنيل درجة علمية (a college ~). «ج» حلقة في هذا المقرّر (a ~ in French). «د» مجموعة جرعات تعطى للمريض خلال فترة معيّنة (٦) «أ» اللون : لون من ألوان الطعام المقدّمة بالتتابع (a dinner of four ~s). «ب» صفّ ؛ طبقة ؛ وبخاصة مِدْماك. «ج» شِراع (fore-course) (٧) *pl.* : طمث ؛ حيض (monthly ~s) §(٨) «أ» يطارد (بكلاب القنص). «ب» يحمله على المطاردة (to ~ hounds) (٩) يجتاز (١٠) يدمّك ؛ يَصُفّ في مدماك أو نحوه ×(١١) يتخذ سبيلاً (١٢) يجري (١٣) يعدو (في مباراة أو سباق الخ.).

a matter of ~, شيء طبيعي ؛ شيء واقع بحكم الطبع ؛ شيء متوقع (لا يحتاج إلى جهد أو لا ضرورة للشكر عليه).

a railway in ~ of construction سكة حديد قيد الإنشاء.

in due ~, في الوقت المناسب ؛ بعد برهة وجيزة.

in the ~ of خلال ؛ أثناء ؛ في غضون.

of ~, طبعاً ؛ من غير ريب.

to run its ~, يتخذ مجراه الطبيعي.

to stay the ~, يواصل حتى النهاية ؛ يصمد.

courser 4.

courser [kōr'sər] *(n.)* (١) فَرَس سريع. (٢) كلب مطاردة (٣) صيّاد (٤) العَدّاء : طائر من جنس الزّقزاق مشهور بسرعة عدوه.

coursing [-'sĭng] *(n.)* (١) مص course (٢) مطاردة الأرانب بالكلاب

court [kōrt] *(n.; vt.; i.)* (١) «أ» قَصْر ؛ بلاط. «ب» اجتماع رسمي يعقده الملك. «ج» الملك ومستشاروه وكبار رجاله. «د» أسرة الملك وحاشيته. «هـ» استقبال يقيمه الملك (٢) «أ» مبنى كبير (وسط فِناء مسوّر). «ب» موتيل (را. motel). «ج» فِناء ؛ ساحة. «د» ملعب (للتنس أو كرة السلة الخ.) أو جزء منه. «هـ» زقاق (٣) «أ» محكمة. «ب» جلسة (تعقدها المحكمة). «ج» دار العدل أو القضاء (٤) «أ» مجلس إدارة. «ب» برلمان ؛

هيئة تشريعية . «ج» فرع من جمعية (٥) ملاطفة؛ تودّد؛ مغازلة §(٦) يحاول اكتساب كذا (to ~ applause) «ب» يغري. «ج» يراود (شيئاً عن نفسه)؛ يتصرف بطريقة تفضي إلى تردّيه في مكروه (to ~ disaster) . «د» يغازل (امرأةً). «ه» يتملق؛ يتودّد إلى ×(٧) ينهمك في الغزَل (to go ~ing).

to pay ~ to (١) يتودّد إلى (٢) يغازل .

to put oneself out of ~, يتصرف أو يتكلم بطريقة تجعله يفقد الحق في أن تؤخذ دعواه بعين الاعتبار .

to settle a case *or* quarrel out of ~, يفض الخلاف أو النزاع ، حُبيّاً .

to take a case to ~, يرفع الخلاف إلى المحكمة؛ يقيم دعوى .

court card *(n.)* الملك أو الملكة أو الولد (في ورق اللعب) .

court circular *(n.)* نشرة البلاط : تقرير يوميّ عن أحداث البلاط (يُنْشَر في الصحف).

court dress *(n.)* لباس البلاط : لباس يتعين ارتداؤه في الحفلات الملكية .

courteous [kûr'tĭ əs] *(adj.)* لطيف ، دمث ، كيّس .

courtesan *or* **courtezan** [kōr'tə zən] *(n.)* (١) محظية (من محظيات البلاط) (٢) مومس (يتردد عليها الاغنياء) .

courtesy [kûr'tə sĭ] *(n.)* (١) «أ» لطف ، كياسة . «ب» مجاملة (a title by ~ rather than by right) «ج» انحناءة احترام (٢) «أ» إذْن ، موافقة (بدون مقابل عادةً) . «ب» واسطة .

courtesy title *(n.)* لقبُ المجاملة : لقب يُعطى على سبيل المجاملة لا بحكم الحقّ الرسمي (كالذي يُنادَى به أولاد الدوق الخ .)

court fool *(n.)* مهرج البلاط .

court hand *(n.)* خط المحاكم : خط كان يستخدم في المحاكم الانجليزية .

courthouse [kōrt'-] *(n.)* (١) «أ» دار العدل أو القضاء . «ب» سراي الاقليم (٢) حاضرة الاقليم .

courtier [kōr'tĭ ər] *(n.)* (١) أحد رجال الحاشية الملكية (٢) المتودد.

courtly [kōrt'lĭ] *(adj.; adv.)* (١) لطيف، كيّس، مصقول . (٢) متودد، متملق (٣) مؤيد لسياسة البلاط §(٤) بلطف، بتملق الخ .

—**courtliness** *(n.)*

court-martial *(n.; vt.)* (١) المجلس العسكري §(٢) يحاكِم أمامه.

Court of Appeal *(n.)* محكمة الاستئناف .

Court of Cassation *(n.)* محكمة النقْض والإبرام .

court of inquiry *(n.)* مجلس التحقيق (العسكري) .

Court of St. James بلاط سان جيمس : البلاط البريطاني .

court plaster *(n.)* لَصوق أو لزقة (للجراح البسيطة) .

courtroom [kōrt'rŏŏm'] *(n.)* قاعة المحكمة .

courtship [kōrt'ship] *(n.)* (١) تودّد (٢) مغازلة .

courtyard [kōrt'-] *(n.)* فِناء ، ساحة الدار .

cousin [kŭz'ən] *(n.)* (١) ابن (أو بنت) عمّ أو خال أو عمةٍ أو خالةٍ (٢) كل ذي قرابة بعيدة .

cousin-german *(n.)* = cousin 1.

cousinly *(adj.; adv.)* (١) شبيهٌ بابن عمّ الخ. أو لائق به. §(٢) على طريقة أبناء العمّ الخ .

couteau [kōō tō'] *(F.)* سكّين ضخمة ذات حدّين .

coûte que coûte [kōōt' kĕ kōōt'] *(F.)* مهما كلف الأمر ، بأيّ ثمن .

couth [kōōth] *(adj.)* مصقول ، مهذّب .

couture *(F.)* (١) تصميم الملابس النسائية أو خياطتها أو بيعها . (٢) مصمّمو الملابس النسائية ومؤسساتُها .

couturier [kōō ty ryĕ'] *(F.)* (١) مؤسسة لتصميم الملابس النسائية . (٢) صاحب هذه المؤسسة أو مصمّمُ الأزياء فيها .

—**couturiere** *(n. fem.)*

covalence *or* **covalency** *(n.)* التكافؤ التساهمي (ك) .

covalent bond *(n.)* الرابطة التّساهمية : اتحاد ذرتين نتيجة لمساهمة كل منهما بألكترون (ك).

cove [kōv] *(n.; vt.)* (١) تجويف ، سطحٌ مقعّر (عم) (٢) «أ» جُوَيْن ، خليج صغير . «ب» موضع ظليلٌ (في التلال والغابات) (٣) كهف ، غار (٤) ممر ضيق (بين جبلين) (٥) شخص ، فتى ، رجل (a queer ~) §(٦) يجوف ، يقعّر .

covenant [kŭv'ə nənt] *(n.; vt.; i.)* (١) عهْد ، ميثاق (٢) عقْد ؛ اتفاقية §(٣) يُعاهِد ، يواثق ×(٤) يتفق على ؛ يتعهد بموجب عقْد.

covenantee *(n.)* المعاهَد ، المواثَق : الفريق المعطى عهداً أو ميثاقاً.

covenanter; covenantor *(n.)* المُعاهِد ، المواثِق : الفريق المعطي عهداً أو ميثاقاً .

Coventry [kŏv'ən trĭ] *(n.)* كوفنتري : مدينة بأواسط انكلترة .

to send (a person) to ~, يأبى أن يكلّمه أو أن تكون له أية صلة به .

cover [kŭv'ər] *(vt.; i.; n.)* (١) «أ» يحمي من هجوم . «ب» يهيمن على . «ج» يصوب المسدّس إلى (~ your man!) . «د» يؤمن (Is he ~*ed* against fire ?) . «ه» يحمي ؛ يصون (٢) «أ» يخفي ؛ يستر ، يحجب . «ب» يغطي ، يكسو (٣) «أ» يسافد ، يجامع . «ب» تحضن (الدجاجةُ) البيضَ (٤) يسدّ (حاجةً) ، يكفي لتغطية جميع النفقات (٥) يشمل ؛ يستغرق (My researches ~ a wide field.) (٦) يعالج (موضوعاً) (٧) «يغطي» الاحداث ، يزوّد (صحيفةً) بأنباء حدثٍ ما (to ~ a revolution for a newspaper) (٨) يجتاز (The train ~ *ed* seven miles.) (٩) يشتري (السلع أو الأسهم) لتسليمها في المستقبل خشيةَ الخسارة (١٠) يقبل بشروط (رهان الخ.) ×(١١) يعمل كبديل لغيره (أثناء غيابه) §(١٢) مخبأ ، مكمن (١٣) غطاء (١٤) غلاف كتاب أو رسالة الخ. (١٥) حِجاب ، ستار (١٦) أدوات مائدة لشخص واحد (١٧) احتياطيّ ماليّ .

to break ~, يَخرُج (الحيوانُ) من مكمنه .

to take ~, يختبيء ، يأوي إلى مكان آمن .

under the same ~, في نفس الغلاف أو الظرف .

coverage [kŭv'ər ĭj] *(n.)* (١) تغطية الخ. (٢) تغطية الأحداث (television ~ of the civil war in Vietnam) (٣) تغطية نقدية (a 60 per cent gold ~) (٤) مدى التغطية : مجموع أنواع المخاطر التي تشملها بوليصة تأمين ، كالحريق والسرقة وحوادث الاصطدام.

coverall [-'ər ôl] *(n. often pl.)* مئزر ، ثوب عمل ذو كُمّين .

cover charge *(n.)* رسم الخدمة او الترفيه : رسم يتقاضاه المطعم أو النادي الليلي علاوة على ثمن الطعام أو الشراب مقابل الخدمة او الترفيه.

cover crop *(n.)* المحصول الواقي : محصول من الأرزّ أو البرسيم الخ. يُزْرَع لوقاية التربة من التعرية في الشتاء .

covered *(adj.)* (١) مغطّى ، محجوب ، مَصُون الخ. (٢) مؤمَّن عليه (ضدّ الحريق أو السرقة الخ .) (٣) معتمِر بقبعتِه الخ .

covering *(n.; adj.)* (١) «أ» غطاء ، حجاب ، غلاف ، سقف الخ. «ب» تغطية الخ. §(٢) واق ، حام لموقعٍ أو لجند آخرين (a ~ force).

covering letter *(n.)* المُفَسِّرة : رسالة تشرح وثيقة مُرفقةً .

coverlet *or* **coverlid** [kŭv'-] *(n.)* (١) غطاء السرير (٢) غطاء .

covert [kŭv'ərt] *(adj. ; n.)* (١) سِرّيّ ، خفيّ ، مُقنّع .

(٢) مغطّى ؛ ظليل (a ~ nook) (٣) في عصمة امرأة متزوجة ﴿٤﴾ مُخبأ ؛ ملجأ ﴿٥﴾ المكمن : أجمةتختبىء فيها الطرائد (٦) الكاسية : واحدة الكواسي (را. coverts) (٧) نسيج من صوف أو من صوف وحرير (صامد للماءأحيانًا) .

covertly (adv.) (١)سرًّا ؛ خفيةً ؛ على نحو مقنّع (٢) تلميحًا .

coverts (n. pl.) الكواسي : الصغيرات من ريش الطائر التي تكسو أصول الكبيرة منه .

coverture [kŭv'ər chər] (n.) (١)غطاء؛ «ب» ملجأ ؛ مخبأ . (٢) وَضع المرأة المتزوجة الشرعي (بوصفها في عصمة الرجل) .

covet [kŭv'ĭt] (vt.; i.) يشتهي ، وبخاصة شيئًا هو يملكُ لغيره .

covetous [-'ə təs] (adj.) مُشتهٍ ، وبخاصة شيئًا هو يملكُ لغيره .

covey [kŭv'ĭ] (n.) (١)«أ» حَضْنة طيور . «ب» سرب صغير . (٢) جماعة ؛ عصبة .

cow [kou] (n.; vt.) (١) بقرة (٢) أنثى الفيل أو الحوت الخ . ﴿٣﴾ يروّع (بالتهديد) .

coward [kou'ərd] (n.; adj.) (١) الجبان (٢) جبان

cowardice [kou'ər dĭs] (n.) جبن ؛ جَبانة .

cowardly [kou'ərd lĭ] (adv.; adj.) (١) بجُبْن ﴿٢﴾ جبان . (٣) وضيع ؛ جدير بالازدراء (~ behavior) .

cowbane [kou'bān'] (n.) الشَّوكران السام (نب) .

cowbell [-'běl] (n.) جرس البقرة : جرس يُعلَّق في عنق البقرة ليُحدث صوتًا يُعرف بواسطته مكانُها .

cowbird also **cow blackbird; cow bunting** (n.) طيرُ البقر : طائر شماليأميركي صغير مرافق للماشية .

cowboy [kou'-] (n.) راعي البقر (وبخاصة على صهوة جواد) .

cowcatcher [kou'-] (n.) كاسحة العقبات : أداة معدنية في مقدّمة القاطرة لإزاحة العقبات من طريقها .

cower [kou'ər] (vi.) يجم أو ينكمش مرتعدًا (من برد أو خوف) .

cowfish [kou'-] (n.) السمك البَقَري : صغير من النَّجميات ذو نتوءات فوق العيون شبيهة بالقرون .

cowfish

cowgirl [kou'gûrl'] (n.) راعية البقر .

cowhand (n.) = cowboy.

cowherd [kou'hûrd'] (n.) راعي البقر .

cowhide [kou'hīd'] (n.; vt.) (١) جلد بقرة أو جلد مدبوغ منه . (٢) سوط مجدول (من جلد البقر) ﴿٣﴾ يَسُوط : يجلد بالسوط .

cowl [koul] (n.; vt.) (١) قَلَنْسُوة الراهب «أ» طربوش المدخنة (يدور مع هبوب الريح عادة) . «ب» جزء ضيّق من بدن السيارة يشتمل على الحجاب الواقي من الريح وعلى لوحة المفاتيح. «ج» cowling ﴿٣﴾ يُقلنس : يُلبس قلنسوةراهب ؛ يجعله من راهب ﴿٤﴾ يطَربش (مدخنة الخ) .

cowled (adj.) (١) مُقلْنس ؛ مُرتدي قلنسوة (٢)قلَنْسَوي الشكل .

cowlick [kou'lĭk'] (n.) خصلة شعر مرفوعة فوق الجبين .

cowling (n.) غطاء المحرك المعدنيّ ، وبخاصة : غطاء محرك الطائرة .

cowlstaff (n.) قضيب يتدلّى منه وعاء ويحمله شخصان .

cowman [kou'-] (n.) (١) راعي بقر (٢) صاحب مواش .

co-worker [kō wûr'kər] (n.) زميل في العمل .

cowpea [kou'pē] (n.) لُوبيا ؛ لُوبيا بلدية .

Cowper's glands غُدَّتا كاوبر : غدتان تدفقان إفرازًا مخاطيًّا في مجرى البول عند الذكور ، أثناء التهييج الجنسي .

cowpoke (n.) = cowboy.

جواد الماشية : جواد لرعي الماشية .

cow pony (n.)

cowpox [kou'pŏks] (n.) جُدَريّ البقر .

cowpuncher [-'pŭn'chər] (n.) = cowboy.

cowrie or **cowry** [kou'rĭ] (n.) وَدَعة أو صدفة صفراء (تستخدم كعملة في بعض بلدان افريقية وآسية) .

cowslip [kou'-] (n.) زهر الربيع العطري (نب) .

cox [kŏks] (n.; vt.; i.) (١) السكّاني : موجه السكّان أو الدفة (٢)يوجه سكّان (زورق سباق) .

coxa [kŏk'sə] (n.) pl. -e (ت) . (١) وَرك (٢) مفصل الورك .

coxalgia [-săl'jĭ ə] (n.) الوُراك : ألمٌ في الورك (مض) .

coxcomb [kŏks'kōm] (n.) الأحمق المغرور .

coxswain [kŏk'sən; -swān] (n.) (١) ربّان المركب (٢) موجّه السكّان أو الدفة .

coy [koi] (adj.; vi.) (١)خجول ، وبخاصة : خفِرة ؛ حييّة(٢)متظاهر بالحجل (٣)يتصرّف بحياء (أ. ق).

—coyness (n.) خجل ؛ خفر ؛ حياء .

coyly [koi'-] (adv.) بخجل ؛ بحياء .

coyote [kī ō'tĭ] (n.) القَيّوط : ذئب شماليأميركي صغير .

coyotillo [kō'yō tēl'yō] (n.) القَيُّوطيل : عشب سام .

coypu [koi'pōō] (n.) الكبّيب : حيوان جنوبيأميركي من القواضم .

coz [kŭz] (n.) = cousin.

cozen [kŭz'ən] (vt.; i.) يخدع ؛ يحتال على .

cozenage [kŭz'ən ĭj] (n.) خداع ؛ احتيال .

coypu

cozy [kō'zĭ] (adj.; adv.; n.) (١)«أ» دافئ • ومريح «ب» متمتع بالدفء والراحة (٢) عائليّ : (a ~ little room) مُتسيم بحميمية الحوّ العائلي(٣)حَذِر(٤)يُحذّر(٥)غطاءللإبريق الشاي .

—cozily (adv.) **—coziness** (n.) .

crab [krăb] (n.; vt.; i.) (١)سرطان ؛ سلْطعون (٢) cap. : برج السرطان (فل) (٣) رافعة ؛ أثقال (٤) تفاح برّي (صغير • حامض) ؛ (٥) شخص نزق سيء الطبع (٦) طيرانمنحرف (٧)يُغضِب ؛ يثير (٨) يُفسد ؛ يُتلف (٩) يَعيب ؛ ينتقد (١٠) يتشكّى أمرًا (١١) يقود الطائرة بانحراف(١٢)× يتذمر (١٣) يصيد السراطين (١٤) تتقدم (الطائرة) بانحراف .

crab I.

to catch a ~, يقوم بضربة خاطئة في التجذيف .

crab apple (n.) تفاح برّي (صغير • حامض) .

crabbed [krăb'ĭd] (adj.) (١)سيّئالطبع ؛ نكدالمزاج ؛صعب الإرضاء (٢)معقّد(~writings)(٣)مُبهم ؛ غيرمقروء(~handwriting) .

crabber [-'ər] (n.) (١) صائد السراطين (٢) مركّب لصيد السراطين (٣) الكثير الشكوى (من غير داع موجب) .

crabby [krăb'ĭ] (adj.) سيّء الطبع ؛ نكد المزاج ؛ صعب الإرضاء .

crab louse (n.) الطبّوع : قَمْل يُلِمّ بشعر العانة .

crabstick (n.) (١) عصا من خشب التفاح البرّي (٢) السيّء الطبع ؛ النكد المزاج .

crack [krăk] (vi.; t.; n.; adj.) (١)يطَقْطِق ؛ يتفرقع (٢)ينصدع ؛ ينفلم ؛ ينشق (٣) ينهار ؛ يتحطّم (٤) يصبح أجشّ «كصوت الغلام عند البلوغ » (٥) ينطلق (المركب الخ .) بسرعة (٦) «أ» يلغو ؛ يثَرثر (ع) . «ب» يتبجّح (ع) (٧) يتكسّر ؛ ينحلّ (البترول) إلى مركّبات أبسط نتيجة التسخين (٨)×«أ» يصّدّع ؛ يَفْلع ؛ يشقّ «ب»يكسر «محدثًا صوتًا حادًا» (٩) يُطلِق ، وبخاصة على نحو مفاجىء أو بارع (to ~ nuts) (١٠) يصْفَع (to ~ a joke) (١١)«أ» يفتح ليشرب (to ~ a drink)

a bottle of wine) . «ب» يفتح ليدرس (to ~ a book)
«ج» يحلّ رموز كذا (to ~ a code) . «د» يسطو على؛ يقتحم
(١٢) «أ» يحطّم (to ~ a car up) . «ب» يجعل (الصوتَ)
أجشّ . «ج» يسحق ؛ يحزِن حزناً شديداً (My old heart is ~ *ed.*)
«د» يمدح ؛ يطري (١٣) يفرقع ؛ يجعله يطلق صوتاً حاداً
(to ~ a whip) (١٤) يكسّر : يُخضع الزيوت لعملية التقطير
الهدّام §(١٥) «أ» طقطقة؛ فرقعة؛ صوت مفاجىء حادّ .
«ب» طلقة (من مسدّس) (١٦) «أ» لغو ؛ حديث. «ب» نكتة
(a dirty ~) (١٧) «أ» فَلْع ؛ صَدْع ؛ شِقّ . «ب» فتحة ضيقة
(١٨) «أ» ضَعْف، خلل؛ مسّ من جنون . «ب» بحّة (في
الصوت) . «ج» شخص غريب الأطوار (١٩) لحظة (She was
on her feet again in a ~.) (٢٠) «أ» سطو (على البيوت الخ.) .
«ب» لصّ (ع) (٢١) ضربة مدوية (a ~ on the head)
(٢٢) محاولة؛ تجربة (٢٣) تبجّح ؛ كِذبة (ع) §(٢٤) ممتاز ؛
متفوّق (one of our ~ speakers in the Commons).

to ~ down يتخذ إجراءات صارمة (لفرض النظام) .

to ~ up (١) يصاب بانهيار (عقلي أو نفسيّ) . (٢) يَضْعف (بسبب الشيخوخة الخ.) (٣) يَسْحَق ؛ يدمّر (٤) يطري (شخصاً) بإسراف .

crackajack [krăk'ə jăk'] *(n.; adj.)* = crackerjack.

crackbrain [krăk'-] *(n.)* المخبول ؛ المعتوه؛ الغريب الأطوار.

crackbrained *(adj.)* مخبول ؛ معتوه؛ غريب الأطوار .

crackdown *(n.)* اتخاذ اجراءات صارمة (لفرض النظام) .

cracked [krăkt] *(adj.)* (١) «أ» مكسور . «ب» مصدوع ؛ مشقوق . «ج» معطوب (٢) مخبّل ؛ معتوه (٣) أجشّ .

cracker [krăk'ər] *(n.)* (١) فاcrack (٢) المتبجّح ؛ الكذاب (ع) . (٣) «أ» مفرقعة نارية . «ب» مفرقعة تشتمل عادة على شعار أو قطعة حَلْوَى (٤) كسّارة الجوز (٥) بسكويتة رقيقة هشة ناشفة (٦) «أ» poor white . «ب» *cap.* : أحد مواطني جورجيا أو فلوريدا (٧) جهاز التكسير ؛ جهاز التقطير الهدام (للبترول).

crackerjack *(n.; adj.)* (١) شيء او شخص ممتاز جداً §(٢) عظيم البراعة ؛ رائع جداً.

crackers *(adj.)* معتوه ؛ مخبول ؛ مجنون (عب) .

cracking *(adj.; n.)* (١) كبير ؛ ساحق §(٢) التكسير : التقطير الهدام (للبترول) .

crackle [krăk'-] *(vi.; t.; n.)* (١) «أ» يطقطق ؛ يتفرقع . «ب» يمور ؛ يجيش × (٢) «أ» يفرقع . «ب» يكسر مُحدثاً طقطقةً §(٣) «أ» طقطقة. «ب» فرقعة. «ج» جَيَشان (٤) «أ» التجزيع : شبكة صدوع رقيقة (في سطح آنية خزفية) . «ب» آنية خزفية مجزّعة .

crackleware [krăk'əl wâr'] *(n.)* = crackle 4 b.

crackling *(n.)* (١) طقطقة؛ فرقعة (٢) قشرة لحم الخنزير المحمّر .

crackly [krăk'lĭ] *(adj.)* هَشّ ؛ قَصِم .

cracknel [krăk'nəl] *(n.)* (١) بسكويتة جافة هَشّة (٢) *pl.* : قطع صغيرة من لحم الخنزير المقلّي على نحوٍ هَشّ .

crack of doom *(n.)* (١) علامات الساعة : علامات قيام الساعة (٢) يوم القيامة .

crackpot [krăk'-] *(n.; adj.)* (١) المعتوه؛ الغريب الأطوار. §(٢) معتوه ؛ غريب الأطوار .

cracksman [krăks'-] *(n.)* لصّ (من لصوص الليل) .

crackup [-'ŭp'] *(n.)* (١) انهيار (٢) تحطّم .

-cracy لاحقة معناها : حكومة ؛ شكل من أشكال الحكومة (auto*cracy*) .

cradle [krā'dəl] *(n.; vt.)* (١) «أ» المهد : سرير الطفل الهزاز . «ب» مهد كل شيء : موطن نشوئِه (٢) «أ» شبكة قضبان . «ب» حامل السماعة (التلفونية) . «ج» أداة مؤلفة من قضبان شبيهة بالأصابع تُشدّ إلى المنجل . «د» شبه فراشٍ ذي دواليب يستلقي الميكانيكي عليه عند إصلاحه سيارةً . «هـ» وِقاء لإبعاد غطاء الفراش عن التماسّ مع جزء من الجسم مكسور أو مجروح (٣) الهزّازة : صندوق هزّاز يستعمله المعدّنون لفصل الذهب عن التراب (٤) مهد السفينة الخ . : هيكل يثبّت السفينة الخ . أثناء بنائها أو إصلاحها §(٥) يضع أو يهزّ طفلاً في مهد (٦) ينشّيء أو يربّي (في سن الطفولة) (٧) يحصد الزرع بمنجل شدّت إليه قضبان شبيهة بالأصابع (٨) يفصل الذهب عن التراب (مستعيناً بهزّازة) . (٩) يثبّت السفينة في «مهد» خاصّ أثناء ترميمها الخ .

from the ~, منذ الطفولة .

in the ~, أثناء الطفولة .

the ~ of the deep البحر .

cradlesong *(n.)* التَّهْوِيدة : أغنية يُراد بها حمل الطفل على النوم .

craft [krăft; kräft] *(n.)* (١) براعة (٢) حِرفة ؛ وبخاصة : حرفة تتطلّب براعة يدوية أو فنيّة (٣) مَكْر ؛ خداع (٤) «أ» أصحاب الحِرفة الواحدة . «ب» أعضاء نقابة (٥) «أ» مركب (صغير عادةً) . «ب» طائرة .

the *Craft* الأخوية الماسونيّة .

craftsman *(n.)* (١) الحِرَفيّ : صاحب الحرفة اليدوية (٢) الفنان .

craft union *(n.)* النقابة الحِرَفية : نقابة تنتظم أهل الحرفة الواحدة فحسب

crafty [krăf'tĭ] *(adj.)* (١) بارع (ا.ق) (٢) ماكر ؛ خادع .
—**craftily** *(adv.)* —**craftiness** *(n.)*

crag *(n.)* (١) صخرة أو جُرُف شديد الانحدار (٢) عنق ؛ حنجرة (اسك) .

cragged; craggy *(adj.)* كثير الصخور أو الأجراف المتحدرة .

cragsman *(n.)* البارع في تسلق الصخور أو الأجراف .

crake [krāk] *(n.)* المُرَعة : طائر بحجم السُّمانَى .

cram [krăm] *(vt.; i.; n.)* (١) يَحْشُر ؛ يكظّ ؛ يملأ ؛ يحشو . (٢) يُتْخِم (٣) يحشو (دماغه أو دماغ غيره) حشواً سريعاً بالمعلومات التي تمكنه من اجتياز امتحان (ع) (٤) يروي الأكاذيب أو الأخبار المغالى فيها (ع) ×(٥) يأكل بنهم أو حتى التخمة (٦) يدرس متعجّلاً في اللحظة الأخيرة (استعداداً لامتحان) §(٧) مص cram (٨) حشد غفير (ع) (٩) حشو الدماغ بالمعلومات استعداداً لامتحان ، أو المعلوماتُ التي يحشى بها الدماغ خلال ذلك.

crambo [krăm'bō] *(n.)* لعبة القافية : لعبة يتعيّن فيها على شخص (أو فريق) أن يفكّر في قافية توافق لفظاً أو بيتاً من الشعر يطلقه شخص أو (فريق) آخر .

crammer *(n.)* الحشّاء : «أ» طالب يحشو دماغه بالمعلومات التي تمكنه من اجتياز الامتحان . «ب» مدرّس خصوصي يحشو أدمغة طلابه بالمعلومات بغية اجتياز الامتحان .

cramp [krămp] *(n.; vt.; i.; adj.)* (١) عُقّال ؛ تشنّج (٢) *pl.* : مغص حادّ (٣) *pl.* : طمث مؤلم (ع) (٤) مِلزم ؛ كلاّب (٥) قَيْد ؛ وِثاق §(٦) يُشَنّج (٧) يقيّد ؛ يعوق (٨) يدير (عجلات السيارة الأمامية) يمنةً أو يسرةً (٩) يثبّت بمِلزم أو كُلاّب ×(١٠) يُمْغَص : يصاب بمغص §(١١) عسير ؛ معقّد (١٢) ضيّق .

cramped *(adj.)* (١) «أ» ضيّق . «ب» ضيق التفكير (٢) غير

مقروء ؛ تصعب قراءته (~handwriting).

crampfish [krămp'-] *(n.)* = electric ray.

crampon[-'pən];**crampoon**[-pōōn'] *(n.)* (١)*pl.*عد: كُلّاب (لرفع الأثقال) (٢)*pl.*عد: الخُفّ المسماري (را. climbing iron).

cranberry [krăn'bĕr'ĭ] *(n.)* ضرب من التوت البرّي.

crane I.

crane[krān] *(n.; vt.; i.)* (١) كُرْكيّ؛ غُرْنوق (٢) «أ» رافعة؛ مرفاع؛ «ونش». «ب» ذراع أفقية متأرجحة قرب مستوقد تدلّى القدرُ منها فوق النار. «ج» كل ذراع أفقية متأرجحة حول محور عمودي §(٣) يرفع (برافعة أو «ونش») (٤) يَمُدّ إلى أمام ×(٦) يُتْلع عُنُقَه (٦) يتردّد (أمام خطر أو عقبة).

cranesbill; crane's-bill *(n.)* الغُرْنوقي؛ ابرة الراعي (نب).

crani- *or* **cranio-** بادئة معناها: «أ» جمجمة؛ قِحف. «ب» جمجميّ أو قِحفيّ و... (*cranio*sacral)

cranial [krā'-] *(adj.)* (١) جُمجُميّ؛ قِحفيّ. (٢) cephalic.

craniate [krā'nĭ ĭt; -āt'] *(adj.; n.)* (١) ذو جمجمة أو قِحف. §(٢) حيوان ذو جمجمة أو قِحف

craniology *(n.)* علم الجماجم: علم يبحث في أحجام الجماجم وأشكالها وخصائصها الأخرى.

craniometry *(n.)* علم قياس الجماجم.

craniosacral *(adj.)* (١) قِحفيعَجُزيّ: ذو علاقة بالقِحف والعَجُز (٢) parasympathetic.

cranium [krā'-] *(n.)* pl. **-niums** *or* **-nia** جُمجمة؛ قِحف.

crank I.

crank [krăngk] *(n.; vi.; t.; adj.)* (١) الكَرَنْك؛ ذراع الادارة أو التدوير (مـك) (٢) «أ» نزوة. «ب» المهووس: شخص تستحوذ عليه فكرة أو هواية ما. «ج» النَزِق الرديء الطبع §(٣) يتلوّى أو يتمعّج (في سيره) (٤) يدير كرَنْكاً ×(٥) يُكرنِك: «أ» يلوي على شكل كرنك. «ب» يزوّد بكرنك (٦) يدير أو يُعمل (محرك السيارة) بواسطة الكرنك §(٧) «أ» دائر بصعوبة؛ غير عامل بسلاسة وانسجام. «ب» قلق؛ غير مستقرّ. «ج» عرضة للانقلاب (a ~boat) (٨) «أ» مرِح. «ب» مزهوّ بنفسه.

crank arm *(n.)* = crank web.

crankcase [-'kās] *(n.)* علبة المرافق (مك).

cranked *(adj.)* مُكَرْنَك أو مزوّد بكرنك (a ~ axle).

crankpin [-'pĭn] *(n.)* المِرفَق (مك).

crankshaft [-'shăft] *(n.)* العمود المِرفَقيّ (مك).

crank web *(n.)* السّاعد (مك).

cranky [krăng'kĭ] *(adj.)* (١) معتوه؛ مخبول (ع). (٢) «أ» في حالة غير صالحة. «ب» قلِق؛ متقلقل (٣) «أ» نزق؛ سيء الطبع. «ب» غريب الأطوار (٤) كثير الالتواءات.

crannied [krăn'-] *(adj.)* متشقّق؛ كثير الشقوق أو الصدوع.

cranny[-'ĭ] *(n.)* (١) شِقّ؛ صَدْع (في جدار الخ.) (٢) زاوية مظلمة.

crape [krāp] *(n.; vt.)* (١) الكريب: قماش رقيق جعْد. (٢) عصابة من كريب (حول القبّعة أو الكُمّ) علامةً على الحداد §(٣) يغطّي أو يلفّ بالكريب (٤) يجعّد (الشعر).

crape myrtle *(n.)* اللاّجيرسْتْرُوميّة الهندية: شجيرة مُزهِرة.

crappie [krăp'ĭ] *(n.)* الكُرابيّ: سمك نهريّ صغير.

craps [krăps] *(n.)* الكرابْس: لعبة قمار تُلعَب بنَرْدَيْن.

crapshoot *(n.)* مغامرة تجارية خطِرة.

crapshooter[krăp'-] *(n.)* لاعب الكرابْس. (را. المادة السابقة)

crapulous[krăp'yŏŏ ləs] *(adj.)* (١) مُسْرِف في الطعام أو الشراب. (٢) مُعانٍ من هذا الاسراف أو ناشىء عنه.

crash [krăsh] *(vt.; i.; n.; adj.)* (١) «أ» يحطّم؛ يهشّم. «ب» يعطب (طائرةً) عند الهبوط (٢) «أ» يجعله يُحدِث ضجة عالية. «ب» يشقّ (طريقه) في جَلَبة صاخبة (٣) «أ» يتطفّل، يشهد حفلةً من غير دعوة. «ب» يدخل من غير أن يشتري بطاقة (to ~ the gate) ×(٤) «أ» يتحطم أو ينهار. «ب» يُفْلِس (٥) يُحدث ضجةً شديدة (مثل شيء ينهار) §(٦) صوت التحطّم أو التهشّم (٧) تحطّم؛ تهشّم؛ ارتطام (٨) انهيار مفاجىء، وبخاصة: انهيار مشروعٍ أو مؤسسةٍ مالية؛ انهيار عامّ في الحياة الاقتصادية (٩) «أ» هزيم الرعد. «ب» صخب؛ ضجيج (١٠) قماش خشن §(١١) متعجّل فيه؛ منفّذ على عجل بجميع الوسائل المتيسرة (a ~ program).

crash dive *(n.)* الغطس الخاطف (تقوم به الغواصة بأقصر مدة ممكنة).

crash-land *(vi.; t.)* يهبط بالطائرة أو يُهبطها متحطّماً.

crass[krăs] *(adj.)* تامّ؛ شديد (~stupidity *or* ignorance).

crassitude [-'ə tūd] *(n.)* بلاهة تامّة؛ جهل مُطبِق.

-crat لاحقة معناها: «أ» نصير أو مؤيّد لنوع معيّن من الحكم (demo*crat*). «ب» عضو طبقة اجتماعية مُهيمِنة معيّنة (pluto*crat*).

cratch [krăch] *(n.)* مَعْلَف؛ مِذْوَد.

crate [krāt] *(n.; vt.)* (١) قفص (أو صندوق على شكل قفص) للشحن البحري §(٢) يُقفِّص: يضع في قفص للشحن البحري.

crater [krā'tər] *(n.)* (١) «أ» فُوّهة البركان. «ب» حفرة اللغم أو القنبلة: حفرة في الأرض يُحدِثها انفجار اللغم أو القنبلة (٢) الباطية: إناء لمزج الخمر بالماء (عند الاغريق والرومان) (٣) *cap.*: كوكبة الباطية؛ الكأس (فل).

C ration *(n.)* جراية مُعلّبة (لإقاتة الجند في الميدان).

craunch [krônch; krănch] *(vt; .i.; n.)* = crunch.

cravat [krə văt'] *(F.)* (١) لِفاع (للعنق) (٢) الأُرْبة: ربطة عنق.

crave [krāv] *(vt.; i.)* (١) يلتمس؛ يطلب متوسلاً (٢) يحتاج حاجةً ماسّة إلى (The stomach ~s food.) (٣) يتوق إلى ×(٤) يرغب رغبة قوية في ...

craven [krā'vən] *(adj.; n.; vt.)* (١) جبان §(٢) شخص جبان. §(٣) يُجبِّن: يجعله جباناً.

craving [krā'vĭng] *(n.)* رغبة ملحّة؛ توق شديد.

craw [krô] *(n.)* (١) حَوْصَلة الطائر أو الحشرة (٢) معدة الحيوان.

crawfish [krô'-] *(n.; vi.)* (١) crayfish (٢) المتراجع عن موقف الخ. §(٣) يتراجع عن موقف الخ. (عا).

crawl [krôl] *(vi.; t.; n.)* (١) يدِبّ؛ يزحف (٢) يتقدم ببطء أو ضَعْف (The work ~*ed.*) (٣) يغصّ أو يمتلىء بالنمل ونحوه (٤) تنمّل (اليدُ الخ.) أو تخدَر ×(٥) يوبّخ بقسوة (ع) §(٦) دبيب؛ زحف (٧) تقدّم بطيء (٨) سباحة سريعة (يكون فيها الرأس مخفوضاً في الماء) (٩) حظيرة السلاحف: شبه حظيرة في المياه الضحلة لحَصْر السلاحف وما اليها.

crawly [krô'lĭ] *(adj.)* = creepy.

crayfish [krā'-] *(n.)* الإرْبيان؛ جراد البحر.

crayon [krā'ən] *(n.; vt.)* (١) الكَرْيون: قلم طباشير أبيض أو ملوّن، أو قلم شمع ملوّن، يستخدم في الكتابة والرسم.

(٢)صورة مرسومة بالكَرْيون §(٣) يرسم بالكَرْيون (٤)يرسم الخطوط الكبرى لمشروع الخ .

crayonist [krā'ən-] *(n.)* الكَرْيونيّ : فنان يرسم بالكَرْيونِ (را . crayon).

craze [krāz] *(vt.; i.; n.)* (١) يَتجزّع : يُحْدِثُ صدوعاً رقيقة في سطح الخزف (٢) يخبِّل؛ يجنّن (٣) يُضْعِف أو يُفْسِد الصحة (ع) ×(٤) يصاب بالجنون (٥) يتجزّع §(٦) ضَعف جسديّ (٧) fad (٨) خَبَل ؛ جنون (٩) تجزّع .

crazed [krāzd] *(adj.)* (١) مخبول ؛ مجنون (٢) مُجزَّع .

crazy [krā'zĭ] *(adj.)* (١)مُجزَّع ؛ كثير الصّدوع (٢) ضعيف؛ واهن (٣) سريع العطب (٤) شديد الحماسة أو الاهتياج (٥) مخبَّل ؛ مجنون .

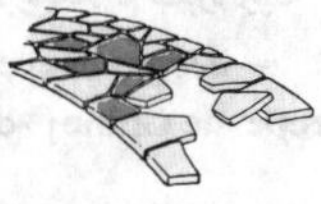

crazy bone *(n.)* = funny bone.

crazy pavement ممرّ (في حديقة الخ .) مرصوف ببلاط متفاوت الأشكال .

crazy pavement

crazyweed [krā'zĭ wēd'] *(n.)* = locoweed.

creak [krēk] *(vi.; t.; n.)* (١) يَصِرّ؛ يَصْرِف (كالباب على مفصلاته) ×(٢) يجعله يَصِرّ § (٣) صرير ؛ صريف .

creaky [krē'-] *(adj.)* صارّ ؛ ذو صرير (~ stairs).

cream[krēm] *(n.; vi.; t.)* (١) القِشْدَة : قِشْدَةُ اللبن (٢) «أ» طعام مُعَدّ من قشدة اللبن . «ب» شيء قِشْدِيّ القَوام . «ج» الكريم : مستحضر طبي أو تجميلي (٣) زبدة الشيء أو صفوته (٤)القِشْدِية : وعاء صغير للقشدة (٥) اللون الأصفر الشاحب . «ب» حيوان بهذا اللون §(٦) «أ»يتقشّد : يصبح ذا قشدة . «ب»يُرْغي ؛ يُزْبِد ×(٧) «أ» يفصل القِشْدَة عن اللبن . «ب» يأخذ صفوة الشيء (٨) يُعِدّ أو يمزج بالقشدة (٩) يخفق(الزبدة الخ.) حتى تصبح قشدية القوام (١٠) يضيف القشدة (إلى الشاي والقهوة) .

cream cheese *(n.)* الجبن القِشديّ : جبن أبيض طريّ يصنع من حليب كامل وقِشدة .

cream-colored *(adj.)* قِشديّ اللون: ذو لون أصفر شاحب .

creamer [krē'mər] *(n.)* (١) المِقشدة : أداة لفصل القِشدة عن اللبن (٢) القِشْدِية : وعاء صغير للقِشْدة .

creamery[krē'mə rĭ] *(n.)* (١) المَقْشَدَة: مؤسسة لصنع الزبدة والجبن (٢) المَلْبَنَة : محلّ لبيع اللبن ومشتقاته .

cream of tartar *(n.)* زبدة الطّرطير (ك) .

creamy[krē'mĭ] *(adj.)* (١)«أ»قِشْدِيّ: محتوعلى قِشدة.«ب»دسِم (٢) قِشدانيّ: شبيه بالقِشدة مظهراً أو قواماً (٣) قِشديّ اللون .

crease [krēs] *(n.; vt.; i.)* (١)غَضَن؛ جَعْدَة(٢)خطّ(على أرض ملعب الكريكيت) §(٣) يغضن؛ يجعّد (٤) يجرح جرحاً خفيفاً ×(٥) يتغضّن ؛ يتجعّد .

create [krē āt'] *(vt.)* (١)يَخلُق(٢)يبتدع ؛ يُبْدِع (٣) يُحدِث (٤) يعيِّن (to ~a peer) (٥) يَسْبِق إلى تمثيل كذا ؛ يكون أول من يمثل كذا (to ~a part).

creatine [krē'ə tēn'] *(n.)* الكِرِ آتين ، اللَّحْمين (كح) .

creation [krē ā'-] *(n.)* (١) خَلْق ؛ وبخاصة : خَلْق العالم . (٢) «أ» إبداع . «ب» إحداث . «ج» تعيين . «د» تمثيل دور للمرة الأولى (٣) شيء مخلوق ، مثل : «أ» العالم ، الكون . «ب»الخليقة؛الكائنات جملةً (٤)المُبْدَع ؛ المبتكَر: أثر ينمّ عن عبقرية مبدعة(~s of artists; ~s of the Paris dressmakers)

creative [krē ā'tĭv] *(adj.)* (١) مُبْدِع : قادر على الإبداع (~talent)(٢) إبداعي : متّسم بالابداع والخَلْق لا بالمحاكاة والتقليد (~ work).

creator [-'tər] *(n.)* (١) الخالق ؛ المبدع (٢) *cap.* : الله .

creature [krē'chər] *(n.)* (١) مخلوق (٢) كائن حيّ (٣)حيوان؛ وبخاصة: بقرة ؛ فرس الخ. (٤) انسان؛ شخص (٥) صنيعة (شخص)؛ أداة (في يد شخص) (٦)شراب مُسكر؛ويسكي.

creature comfort *(n.)* المتعة الجسدية : متعة من مُتَع الجسد .

crèche [krāsh] *(F.)* (١) دار الحضانة : دارٌ تتعهد الأطفال أثناء غياب أمهاتهم في العمل (٢) مأوى اللقطاء (٣) لوحة تمثل مريم العذراء الخ . حول المذود الذي ولد فيه يسوع في بيت لحم .

credence [krē'dəns] *(n.)* (١) تصديق ؛ إيمانٌ بِ (٢) اعتماد (letter of ~) (٣) خُوان ؛ « بوفيه » (٤) مائدة القربان : مائدة صغيرة يوضع عليها خبز القربان وخمره (نص) .

credential [krĭ dĕn'-] *(adj.; n.)* (١) اعتماديّ (~ letters) § (٢) *pl.* : أوراق اعتماد (سفير أو مبعوث) .

credenza [krĭ dĕn'-] *(n.)* (١) خُوان؛ « بوفيه »(٢)خزانة كتب .

credibility *(n.)* المصدّقيّة؛ المصداقية .

credible [krĕd'ə-] *(adj.)* (١)معقول (٢)موثوق؛ جدير بالثقة .

credit [krĕd'ĭt] *(n.; vt.)* (١) «أ» رصيدٌ دائن (في حساب) . «ب»ائتمان ؛ اعتماد (يفتحه المصرف لمصلحة شخص او مؤسسة) . «ج» دَيْن؛ نسيئة (to buy things on ~) . «د» تسليف . «ﻫ» المطلوب له؛ الدائن: الجانب الأيمن من الحساب الجاري (ضد *debit*) . «و» نفدة تسجّل في هذا الجانب (٢)ثقة؛تصديق (.They seem to deserve some degree of ~)(٣)«أ»سمعة. «ب» سمعة حسنة (a citizen of ~) (٤) شرَف ؛ فضل (The man who does the work should get the ~.) (٥) مفخرة ؛ موضع فخر (.Samira is a ~ to her parents) (٦) «أ» قبول رسمي لنتائج عمل الطالب في حقل من الدراسة وتدوين ذلك في سجلّه . «ب» وحدة من وحدات البرنامج الدراسي ينال عليها الطالب مثل هذا التقدير §(٧) يصدّق؛ يثق بِ (to ~everything a newspaper says)(٨)يقيّد له أو لحسابه (٩) «أ» ينسب أو يعزو شيئاً إلى (Those relics are ~*ed* with miraculous powers.) «ب» يعتقد أن (فلاناً) يمتلك كذا (.I have always ~*ed* her with some sense) هو أبرع He's cleverer than I gave him ~for مما كنت أظن أو مما كنت أسلّم له به.

creditable [-ə bəl] *(adj.)* (١) جدير بالتصديق (٢) ممكن عزوه او نسبته الى.. (٣) مشرِّف ؛ جدير بالاكبار.

credit line *(n.)* (١) سطر المؤلف: سطر يَنُصّ على اسم كاتب المقال أو مرسل الخبر أو واضع البرنامج التلفزيوني (٢) حدّ الاعتماد الأقصى : مبلغ يمثل الحدّ الأعلى للاعتماد المفتوح (في مصرف) لمصلحة شخص أو مؤسسة .

credit note *(n.)* إشعارٌ دائن (تج) .

creditor [krĕd'ĭ tər] *(n.)* الدائن ؛ صاحب الدَّين .

credit union *(n.)* اتحاد التسليف : جمعية تعاونية تمنح أعضاءها قروضاً صغيرة بفائدة ضئيلة .

credo [krē'dō; krā'dō] *(n.)* عقيدة .

credulity [krə dū'lə tĭ] *(n.)* السذاجة ؛ سرعة التصديق .

credulous [krĕj'ə ləs] *(adj.)* ساذج ؛ سريع التصديق .

creed [krēd] *(n.)* (١) عقيدة (٢).*cap.*: قانون الإيمان المسيحي.

creek [krēk; krĭk] *(n.)* (١) جُوْن؛ خليج صغير (٢) جَدْوَل ؛

نهير ، رافد (٢) ممرّ ضيّق أو متعرج (عب) .

creel [krēl] *(n.)* (١) سلّة (صيادِ السمكِ بالصنّارة). (٢) شَرَكٌ (من أغصان مجدولة لصيد السمك) (٣) إطار (يحيط بالوشائع في آلة غزْل) .

creep [krēp] *(vi.; n.)* (١) يَدِبُّ ، يزحف (٢) «أ» يدْرُج ببطء أو خلسةً . «ب» ينسل إلى (٣) يعْتَرِش ، يتسلق (٤) تَنْمَل (يدُه) أو تخْدر (٥) «أ» يزِلّ (الحزام) عن موضعه (مك) . «ب» يتغيّر شكله تغيراً ثابتاً نتيجة للاجهاد الموصول أو للتعرض للحرارة العالية § (٦) دبيب ، زحف (٧) *pl.* عد : «أ» نَمَلٌ ، خَدَر . «ب» خوف ، ذعر (٨) تغيّر بطيء في أبعاد شيء نتيجةً للاجهاد الموصول أو للتعرض للحرارة العالية (٩) «أ» لص . «ب» شخص بغيضٌ أو تافه .

to give one the ~s يوقع في نفسه شعوراً بالخوف أو بالذعر أو بالبغض الشديد .

to make one's flesh ~, يجعله يرتعد خوفاً أو رعباً .

creepage [krē'-] *(n.)* دبيب ، زحف ، تقدّم تدريجي .

creeper [krē'pər] *(n.)* (١) فاcreep ، مثل : «أ» نبات معترش أو متسلق . «ب» طائر متسلّق (بحثاً عن الحشرات) . «ج» حشرة تدبّ ، زحافة تسعى (٢) «أ» مانعة الانزلاق : أداة شائكة في عقب الحذاء لمنع الانزلاق على الثلج الخ . «ب» climbing iron «ج» مرساة صغيرة (بأربع شُعَب أو خمس) (٣) أداة تمكّن مادةً ما من الجري باطراد من جزء من أجزاء الآلة إلى آخر (٤) *pl.* عد : ثوب (للأطفال) ملائم للدبيب .

creepy [krē'pĭ] *(adj.)* (١) دابٌّ ، زاحف (insects ~) (٢) مُنمِل ؛ مروِّع (٣) نمِل ، مروَّع (The ghost story made them all ~.).

creese [krēs] *(n.)* خنجر اندونيسي .

cremate [krē'māt] *(vt.)* يُحرق (جثة ميْت) .

cremation *(n.)* إحراق جثث الموتى .

cremator [-tər] *(n.)* (١) مُحرِق جثث الموتى (٢) المَحْرَقة : فرن لإحراق جثث الموتى .

crematorium *(n.)* pl. **-s** *or* **-ria** = crematory.

crematory [krē'-] *(n.; adj.)* (١) المَحْرَقة : فرن لإحراق جثث الموتى § (٢) ذو علاقة بإحراق جثث الموتى .

crème [krĕm] *(F.)* (١) cream (٢) شراب مُسْكِر .

crème de cacao *(F.)* مُسْكِرٌ مُنكَّهٌ بالكاكاو والفانيليا .

crème de la crème *(F.)* زبدة الزّبدة ، صفوة الصفوة .

crème de menthe [-də mänt'] *(F.)* مُسْكِر مُنكَّهٌ بالنعناع .

crenate *or* **crenated** [krē'-] *(adj.)* مسنّن ، مُحزَّز .

crenation [krĭ nā'-] *(n.)* (١) «أ» تسنّن ، تحزّز (في ورق النبات) . (٢) سِنّ ، حَزّ (في حافة ورقة نبات أو قطعة نقدية) .

crenel *or* **crenelle** *(n.)* فتحة في شرفة (تطلق منها النار) .

crenellate *or* **crenelate** *(vt.)* يزوّد (شرفةً) بفتحات تطلق منها النار .

crenellated *or* **crenelated** *(adj.)* ذو شرفات (تطلق منها النار) .

crenulation *(n.)* (١) سِنّ أو حزّ صغير (في حافة ورقة النبات الخ .) (٢) تسنّن ، تحزّز .

creole [krē'ōl] *(adj.)* (١) *cap.* كريبولي : ذو علاقة بالكريبوليين أو بلُغتهم (را. المادة التالية) (٢) مطبوخ بالأرزّ والطماطم والتوابل .

Creole [krē'ōl] *(n.)* (١) «أ» الكريبولي : أحد مواليد جزائر الهند الغربية أو أميركة اللاتينية المتحدرين من أصل أوروبي أو من أصل اسبانيّ بخاصة . «ب» أبيض متحدر من نزلاء بعض الولايات الأميركية الفرنسيين أو الاسبانيين الأولين ولكنه لا يزال يحتفظ بلغته وثقافته الأصليتين . «ج» شخص يجري في عروقه مزيج من الدم الفرنسي (أو الاسباني) والزنجي يتكلم بلهجة من لهجات الفرنسية او الاسبانية (٢) الكريبولية : الفرنسية التي ينطق بها كثير من الزنوج في الجزء الجنوبي من لويزيانا .

creosol [krē'ə sōl] *(n.)* الكريبوسول : سائل زيتيّ عديم اللون يستخرج من قطران الخشب ومادة راتنجية (ك) .

creosote [krē'ə sōt] *(n.; vt.)* (١) الكريبوسوت : سائل زيتي يُستحضَر بتقطير القطْران ويُستخدَم لصيانة الخشب ومُعالجة السّعال § (٢) يُكرْسِت : يعالج بالكريبوسوت .

crepe *or* **crêpe** [krāp] *(n.; adj.)* (١) الكريب : قماش رقيق جعْد (٢) شارة حِداد (من كريب أسود) (٣) الورق الكريبيّ : ورق رقيق جعْد شبيه بالكريب (٤) فطيرة محلاّة صغيرة رقيقة جداً § (٥) كريبيّ .

—crepey *or* **crepy** *(adj.)*

crepe de Chine ['-də shēn'] *(n.)* الكريب الصينيّ : كريب حريري رقيق .

crepe myrtle *or* **crêpe myrtle** = crape myrtle.

crepe paper *(n.)* الورق الكريبيّ (را. crepe 3) .

crepe rubber *(n.)* المطاط الكريبي : مطاط جعْدٌ لأعقاب الأحذية .

crepe suzette [-sōō zĕt'] *(n.)* كعكة رقيقة مُحلاّة .

crepitant [krĕp'ə tənt] *(adj.)* مُطَقْطِق ، متفرقع ، مخشخِش .

crepitate [krĕp'-] *(vi.)* يطقطق ، يتفرقع ، يُخَشْخِش .

crepitation *(n.)* طقطقة ، فرقعة ، خشخشة .

crept *past of* creep.

crepuscular [-'kyə lər] *(adj.)* غَسَقيّ ، شَفَقيّ : «أ» شبيه بالغسق أو الشفق ، غير واضح . «ب» ناشط في الغَسَق (birds ~).

crepuscule [krĭ pŭs'kūl] *(n.)* الغَسَق ، الشَّفَق .

crescendo [krə shĕn'dō ; -sĕn'-] *(n.; adj.; adv.)* (١) «أ» التصعيد : تعاظم في حجم الصوت ، وبخاصة في الموسيقى . «ب» فقرة تصعيدية (مو) (٢) ازدياد تدريجي § (٣) تصعيدي : متعاظم تدريجياً (من حيث القوة أو ارتفاع الصوت) § (٤) على نحوٍ تصعيدي .

crescent [krĕs'ənt] *(n.; adj.)* (١) هلال (٢) «أ» شِعار الدولة العثمانية . «ب» الاسلام (٣) شارعٌ مُلْتوٍ (عب) § (٤) هلاليّ الشكل (٥) نامٍ ، متزايد .

cresset

crescive [krĕs'ĭv] *(adj.)* نامٍ ، متعاظم ، متزايد .

cresol [krē'sōl] *(n.)* الكرِيسول : سائل زيتيّ يستخرج من القطران (ك) .

cress [krĕs] *(n.)* رَشاد ، حُرْف ، قُرّة العين (نب) .

cresset [krĕs'ĭt] *(n.)* نِبراس ، مِشْعَل .

crest [krĕst] *(n.; vt.; i.)* (١) «أ» عُرْف الديك . «ب» عُرْف الفرس : شعر عنق الفرس . «ج» ريشة الخوذة : شارة زخرفية لخوذة الفارس . «د» خوذة . «هـ» شارة أو صورة زخرفية على شعار النبالة أو ورق الرسائل أو جانب سيارة (٢) شيء شبيه بعُرف الديك ، مثل : «أ» قِمّة ، قُنّة . «ب» أعلى الموجة المزبدة . «ج» أعلى الخوذة (٣) ذروة (٤) كبرياء ، شجاعة ، جرأة § (٥) يتوج (٦) يبلغ قمة كذا × (٧) ترتفع (الموجة) بحيث تشكّل ذروةً مزبدة .

crested *(adj.)* (١) ذو عُرْف أو قمة الخ . (٢) متوّج بشعار .

crestfallen *(adj.)* (١) مكتئب ، مخيَّب الأمل (٢) خجيل ، مَخْزِيّ .

crestless [krĕst'-] *(adj.)* وضيع النسب ، من أسرة غير نبيلة .

cresylic *(adj.)* (١) كريسوليّ (را . cresol) . (٢) كريبوسوتيّ (را . creosote) .

ă at; ā date; â care; ä car; ĕ egg; ē me; ĭ in; ī bite; ŏ lot; ō bone; ô orphan; oi boil ŏŏ good; ōō boot; ou out; ŭ under; ū unity; û urgent; th thing; t͟h this; zh vision; ə = *a* in alone, *e* in system, *i* in easily, *o* in gallop, *u* in circus.

cretaceous [krĭ tā'shəs] *(adj.)* طباشيري .

Cretaceous period *(n.)* العصر الطباشيري : العصر الثالث والأخير من الدهر الوسيط (جي) .

Cretaceous system *(n.)* النظام الطباشيري : الصخور التي تكونت أثناء العصر الطباشيري (جي) .

Cretan [krē'tən] *(adj.; n.)* (١) كريتيّ ؛ اقريطشيّ : منسوب إلى كريت (إقريطش) §(٢) الكريتيّ : أحد أبناء كريت .

cretin [krē'tĭn] *(n.)* (١) القَميء ؛ الفَدْم : المصاب بالقماءة أو الفَدامة (را. المادة التالية) (٢) معتلّ العقل .

cretinism [-'tə nĭz'əm] *(n.)* القَماءة ؛ الفَدامة : حالة مَرَضية خِلْقية ، ناشئة عن فقدان الافراز الدرقيّ أو اضطرابه ، تتسم بالتشوّه الجسدي وقِصَر القامة والبلاهة .

cretinous [krē'-] *(adj.)* (١) قميئيّ ؛ فَدْميّ (٢) قميء ؛ فَدْم .

cretonne [krĭ tŏn'] *(n.)* الكريتون : قماش قطنيّ متين مطبّع .

crevasse [krə văs'] *(F.)* صَدْع عميق (في الأرض أو في نهرٍ جليديّ أو سدّ) .

crevice [krĕv'ĭs] *(n.)* صَدْع ؛ فَلْع ؛ شِقّ .

crew [kroo] *past of* crow.

crew [kroo] *(n.)* (١) جماعة مسلحة (ا.ق) (٢) حَشْد (٣) عصبة ؛ جماعة (٤) «أ» ملاحو السفينة أو الطائرة . «ب» الطاقم : مجموعة من الأشخاص المستخدمين في عملٍ معيّن (a train ~) .

crewel [kroo'əl] *(n.)* غَزْل صوفيّ (للتطريز الخ .)

crib [krĭb] *(n.; vt.; i.)* (١) مَعْلَف ؛ مِذْوَد (٢) «أ» زريبة . «ب» مَهْد ؛ سرير طفل . «ج» سلّة . «د» مبنى أو صندوق لخزن الحنطة أو الملح الخ . (٣) «أ» غرفة صغيرة . «ب» كوخ . «ج» بيت ؛ دكان (بلغة اللصوص) (٤) «أ» سرقة صغيرة . «ب» انتحال أفكار الغير أو أقوالهم (ع) . «ج» قُصاصات الغش : قُصاصات الخ. يستعين بها الطلاب على اجتياز الامتحان بطريقة غير مشروعة (٥) crèche 3 §(٦) يحبس ؛ يحجز (٧) يسرق ؛ وبخاصة : ينتحل (أفكارَ الغير أو أقوالهم) ×(٨) يغش (في الامتحان) .

cribbage [krĭb'ĭj] *(n.)* الكِرِيبِج : لعبة من ألعاب الورق أو الشدة .

cribriform [krĭb'-] *(adj.)* مثقّب ؛ مُخرَّق ؛ مُنخلي .

crick [krĭk] *(n.; vt.)* (١) تَشَنّج مؤلم (في الرقبة أو الظهر) . §(٢) يلوي بحيث يُحدث تشنّجاً مؤلماً .

cricket [krĭk'ĭt] *(n.; vi.)* (١) الجُدْجُد ؛ صَرّار الليل (٢) كرسيّ خفيض (من غير ظهر) (٣) الكريكيت : لعبة من ألعاب الكرة والمضرب (٤) روح رياضية ؛ مَسْلك نبيل §(٥) يلعب الكريكيت .

cricketer [krĭk'-] *(n.)* الكريكيتيّ : لاعبُ الكريكيت .

cricoid [krī'koid] *(adj.; n.)* (١) حَلَقانيّ : شبيه بحَلَقة (ت) . §(٢) الغضروف الحَلَقانيّ : غضروف في الجزء الأدنى من الحنجرة (ت) .

crier [krī'ər] *(n.)* (١) فا cry وبخاصة : طفل كثير البكاء . (٢) حاجب محكمة (٣) بائع متجوّل (ينادي على بضاعته) (٤) منادي البلدة : شخص يطوف في الشوارع ويذيع بيانات على الناس .

crime [krīm] *(n.)* (١) جريمة ؛ جناية (٢) إجرام (٣) حماقة ؛ عمل أحمق .

criminal [krĭm'ə nəl] *(adj.; n.)* (١) جنائيّ (~ law) . (٢) إجراميّ (a ~ act) (٣) مجرم (renders us ~ in the sight of God) §(٤) المجرم ؛ الجاني .

criminal conversation الزنا : الاتصال غير الشرعي بامرأة متزوجة .

criminalist *(n.)* العالم الجنائي : الضليع في القانون الجنائي .

criminality *(n.)* (١) الاجرامية (٢) جريمة ؛ عمل إجرامي .

criminate [krĭm'ə nāt'] *(vt.)* (١) يتّهم بجريمة (٢) يجرّم ؛ يُدين (٣) يَشْجُب .

criminological *(adj.)* عِلْمِيجَرَمي : ذو علاقة بعلم الجريمة .

criminologist *(n.)* الباحث في علم الجريمة .

criminology [krĭm'ə nŏl'ə jĭ] *(n.)* علم الجريمة : علم يدرس أسباب الجريمة وطرق معالجتها ومعالجة المجرمين .

criminous *(adj.)* = criminal.

crimp [krĭmp] *(vt.; n.)* (١) يجعّد ؛ يموّج (الشعرَ الخ .) (٢) يعطي الجلد الشكلَ المطلوب (٣) «أ» يثني . «ب» يثني طرف شيء ما الى الداخل (٤) يغري أو يُكرِه الرجال على الخدمة العسكرية أو على العمل في الملاحة §(٥) تجعيد ؛ تمويج (٦) تجعّد ؛ تموّج (٧) *pl.* عد: خصلة شعر جعدة أو متموجة (٨) أداة تجعيد أو تمويج (٩) من يغري أو يكره الناس على أن يصبحوا جنوداً أو ملاحين .

to put a ~ in يَعُوق (ع) .

crimping iron *(n.)* مكواة الشعر : أداة لتجعيد الشعر أو تمويجه .

crimpy [krĭm'pĭ] *(adj.)* جَعْد ؛ متموج .

crimson [krĭm'zən] *(n.; adj.; vt.; i.)* (١) اللون القرمزي . §(٢) قرمزيّ اللون §(٣) يُقَرْمِز : يجعله قرمزياً ×(٤) يتقرمز : يصبح قرمزياً .

cringe [krĭnj] *(vi.; n.)* (١) ينكمش (خوفاً الخ .) (٢) يتذلل ؛ يتملّق §(٣) تذلّل ؛ تملّق ؛ وبخاصة : انحناءة ترشح بالتذلل والخنوع .

—cringer *(n.)*

cringle [krĭng'gəl] *(n.)* عُروة قِلْع (مل) .

crinkle [krĭng'kəl] *(vi.; t.; n.)* (١) يتجعّد ؛ يتغضّن (٢) يخشخش ×(٣) يجعّد ؛ يغضّن §(٤) جَعْدة ؛ غَضَن (٤) «أ» خشخشة . «ب» حفيف القماش الغليظ (٥) كل مرض من أمراض النبات المتّسمة بتغضّن الأوراق .

crinoid 2.

crinoid [krī'noid] *(adj.; n.)* (١) زَنبقانيّ : شبيه بالزنبق §(٢) شبه الزنبقيّ : حيوان بحريّ من أشباه الزنابق **Crinoidea** وهي طائفة من الحيوانات البحرية تشبه أزهاراً قائمة على أعناقها عادةً .

crinoline [krĭn'ə lĭn] *(n.)* (١) القرينول : قماش قطنيّ قاسٍ لتبطين الثياب (٢) تنورة قاسية القماش (٣) تنّورة مثبتة بأسلاك الخ. (لكي تحتفظ بشكلها المتنفخ) .

criollo *(n.; adj.)* (١) «أ» الكرِيُولوويّ : شخص من دم اسباني صافٍ مولودٌ في أميركة الاسبانية . «ب» شخص وُلِد ونُشّيء في بلدٍ من بلدان أميركة الاسبانية (٢) الحيوان الكريولوويّ : حيوان داجن من سلالة نُشِئت في أميركة الاسبانية §(٣) كريولوويّ .

cripple [krĭp'əl] *(n.; adj.; vt.)* (١) الأعرج ؛ المُقعَد ؛ الأشلّ . (٢) كل ذي نقص أو علة (٣) مستنقع (عا) §(٤) «أ» أعرج ؛ أشلّ . «ب» بالٍ ، أو رديء النوع §(٥) يصيبه بالعرَج (٦) يشلّ ؛ يعطّل .

crisis [krī'sĭs] *(n.)* pl. **crises** (١) البُحْران : تغيّر مفاجيء نحو الأفضل أو نحو الأسوأ في الأمراض الحميّة الحادة (٢) الأزمة : «أ» أزمة سياسية أو اقتصادية . «ب» مرحلة في العمل القصصي أو المسرحي تتضارب فيها العوامل المتعارضة أشدّ ما يكون التضارب .

crisp [krĭsp] *(adj.; vt.; i.; n.)* (١) جَعْد ، متموج ؛ متغضن . (٢) هشّ ؛ قصيم (٣) ناضر (~ lettuce) (٤) بيّن ؛ واضح ؛ حادّ (~ outlines) (٥) جازم (٦) منعش أو بارد (~ air)

§(٧) يجعّد ؛ يموّج ؛ يغضّن (٨) يجعله هشاً الخ . ×(٩)يتجعد ؛ (١٠) يصبح هشاً الخ . §(١١) شيء هشّ الخ . (١٢)رُقاقة بطاطس مقلية (بر) (١٣) ورقة نقدية ؛ ورقة بنكنوت (ع) .

crispate [krĭs'pāt] *or* **crispated** *(adj.)* جَعْد ؛ متموج .

crispation *(n.)* (١) «أ» تجعيد. «ب» تجعّد (٢) رِعدة ؛ تشنج طفيف.

crispiness *(n.)* (١) تجعّد، تموّج (٢) هشاشة؛ سرعة انقصاف.

crispy [-'pĭ] *(adj.)* (١) جَعْد، متموج (٢) هشّ؛ قَصِم .

crisscross [krĭs'krôs'] *(n.; vt.; adj.; adv.)* (١) شبكة (خطوطٍ متصالبة) (٢) اختلاط ، تشوّش §(٣) يَسِم بخطوط متصالبة (٤) يجتاز جيئة وذهوباً §(٥) متصالب ؛ متقاطع §(٦) على نحو متصالب أو متقاطع (٧) بانحراف ؛ على نحو مورّوب أو معاكس .

cristate *also* **cristated** *(adj.)* = crested.

criterion [krī tĭr'ĭ ən] *(n.)* pl. **-teria** *also* **-rions** ميزان ؛ معيار ؛ مقياس ؛ مِحكّ ؛ فَيْصَل .

critic [krĭt'ĭk] *(n.)* (١) الناقد (٢) العيّاب ، الكثير الانتقاد .

critical [krĭt'ə kəl] *(adj.)* (١) انتقادي؛ نزّاع إلى الانتقاد (٢) بارع في النقد (٣) نقديّ (a ~ disposition) (~ opinions on art) (٤) حاسم (the ~ moment) (٥) خطِر ، خطير ؛ حرِج (a ~ situation).

critical angle *(n.)* الزاوية الحرجة («بص» و «طي») .

critical point *(n.)* النقطة الحرجة ؛ نقطة الحَرَج (فز) .

critical pressure *(n.)* الضغط الحرج (فز) .

critical size *(n.)* القدّ الحرِج (فزن) .

critical temperature *(n.)* درجة الحرارة الحرجة (فز) .

criticaster [krĭt'ĭk ăs'tər] *(n.)* ناقد تافه أو مُحتَقَر .

criticise *(vi.; t.)* = criticize.

criticism [krĭt'ə sĭz'əm] *(n.)* (١) انتقاد، تخطئة (٢) نقد (أدبي أو فني الخ .) (٣) ملاحظة أو مقالة نقدية .

criticize [-'ə sīz'] *(vi.; t.)* ينتقد؛ يَنْقُد .

—criticizable *(adj.)* **—criticizer** *(n.)*

critique [krĭ tēk'] *(n.)* (١) نَقد (٢) مقالة نقدية .

critter [krĭt'ər] *(n.)* = creature.

croak [krōk] *(vi.; t.; n.)* (١) «أ» ينقّ (الضفدع) . «ب» ينْعَب (الغراب) . «ج» يتكلم بصوت خفيضٍ أجشّ (٢) «أ» يتذمّر . «ب» يتشاءم؛ يتوقع الشرّ (٣) يموت (ع) × (٤) ينذر بـ ؛ يعلن بصوت خفيض أجشّ (to ~ disaster) (٥) يقتل(ع) §(٦) «أ» نقيق. «ب» نعيب .

croaker [krō'-] *(n.)* (١) حيوان ناقّ أو ناعب (٢) النعّاب: سمك يطلق أصواتاً كالنعيب (٣) المتذمّر: المتشائم؛ المتوقع الشرّ دائماً.

croaky [krō'kĭ] *(adj.)* (١) ناعق؛ ناعب الخ . (٢) أجشّ .

Croat [krō'ăt] *(n.)* = Croatian.

Croatian [-ā'shən] *(n.; adj.)* (١) الكرواتي: أحد أبناء كرواتيا (في الشمال الغربي من يوغوسلافيا) (٢) اللغة الكرواتية §(٣) كرواتي.

crochet [krō shā'] *(n.; vt.; i.)* (١) حَبْك (بإبرة معقوفة) . (٢) نسيج محبوك (بإبرة معقوفة) §(٣) يحبك (بإبرة معقوفة).

crock [krŏk] *(n.; vt.; i.)* (١) جرّة؛ قِدْر (٢) سُخام. (٣) كِسرة فخار (يغطّى بها الثقب في قعر الزهرية الخزفية) (٤) فرس أو نعجة أو شخص عجوز أو عاجز عن العمل §(٥) يلوّث بالسخام (٦) يجعله عاجزاً عن العمل ×(٧) ينهار (صحياً) ؛ يصبح عاجزاً عن العمل .

crockery [krŏk'ə rĭ] *(n.)* آنية فخارية .

crocket [krŏk'ĭt] *(n.)* المتقوِّسة: حلية ناتئة تشبه ورقات نبات متقوّسة (عم) .

crocket

crocodile [krŏk'ə dīl'] *(n.)* (١) التمساح . (٢) المتباكي (ا.ق) .

crocodile bird *(n.)* السَّقْسَاق، التُّوَرِّم؛ طير التمساح (ط)

crocodile tears *(n. pl.)* دموع التماسيح ؛ حزن كاذب .

crocodilian [krŏk'ə dĭl'-] *(n.; adj.)* (١) التمساحيّ : واحد التمساحيات **Crocodilia** وهي رتبة من الزحافات تنتظم التماسيح وما إليها § (٢) تِمساحيّ (٣) مُراءٍ .

crocus [krō'kəs] *(n.)* (١) زعفران؛ جاديّ (نب) (٢) لون الزعفران، الأصفر الغامق (٣) مسحوق للصقل (من أكسيد الحديد).

croft [krôft] *(n.)* (١) حقل صغير مسوّر (٢) مزرعة صغيرة .

crofter [krôf'-] *(n.)* المزارع الصغير .

croissant [krwä'sän'] *(F.)* الهلالية: كعكة محلاّة هلالية الشكل.

Croix de Guerre [krwä də gĕr'] *(F.)* وسام صليب الحرب.

Cro-Magnon [krō măg'nŏn] *(adj.; n.)* (١) كرومانيونيّ: منسوبٌ إلى إنسان قَبْتاريخي prehistoric وُجدت بقاياه في كهف كرومانيون بفرنسة §(٢) الانسان الكرومانيونيّ .

cromlech [-'lĕk] *(n.)* (١) الدُّلْمن (را. dolmen) (٢) دائرة من حجارة ضخام تحيط بدُلْمن.

crone [krōn] *(n.)* عجوزٌ شمطاء ؛ حَيْزَبون .

crony [krō'nĭ] *(n.)* صديق (أو رفيق) حميم .

crook [krŏŏk] *(n.; vt.; i.)* (١) أداة عَقْفاء، مثل: «أ» خُطّاف؛ مِحْجَن. «ب» عصا الراعي. «ج» صولجان (عصا) الأسقف (٢) المحتال، اللصّ (٣) انعقاف؛ انحناء (٤) الجزء الأعقف (من شيء ما) §(٥) يعقف ؛ يحني (٦) «أ» يخدع او يحصل على شيء بالخداع (ع) . «ب» يسرق (ع) ×(٧) ينعقف ؛ يتلوّى .

crookbacked *(adj.)* أحدب ، مُحدَوْدِب الظهر .

crooked *(adj.)* (١) معقوف ، منحنٍ (٢) ملتوٍ : غير مستقيم أو شريف.

Crookes tube [krŏŏks] *(n.)* أنبوب كروكس (فز) .

crookneck [krŏŏk'-] *(n.)* القَرْع المعقوف : قَرْع معقوف العنق طويلها

crooknecked *(adj.)* مَعْقوف العنق ؛ ملتوي العنق .

croon *(vi.; t.; n.)* (١) يُدَنْدِن : يغني بصوت رقيق خفيض. §(٢) دَنْدَنة .

crop [krŏp] *(n.; vt.; i.)* (١) «أ» مِقبَض السّوط . «ب» سوط قصير . (٢) «أ» حوصلة الطائر أو الحشرة. «ب» معدة الحيوان (٣) «أ» علامة ناشئة عن صلم أذن الحيوان . «ب» قَصّة شعر قصيرة (٤) محصول ؛ غلة (٥) مجموعة (a ~ of questions) §(٦) «أ» يقطع الجزء الأعلى (من النبات) . «ب» يحصد (٧) يقصّ الشعر قصيراً (٨) يصلم الأذن (٩) يحرث ، يزرع (to ~ a field) ×(١٠) يعطي غلّة (١١) يبرز على نحوٍ غير متوقع (Problems ~ up daily.).

crop-eared *(adj.)* (١) أصْلَم : مقطوع الأذنين (٢) مقصوص الشعر قصاً قصيراً (بحيث تبدو الاذنان بوضوح) .

cropper [krŏp'ər] *(n.)* (١) «أ» الحصّاد. «ب» الحصّادة: آلة حصاد. (٢) «أ» الزارع . «ب» زارع الأرض أو مستثمرها لحساب صاحبها مقابل حصة من الغلال (٣) سقطة عنيفة (وبخاصة عن صهوة جواد) (٤) إخفاق أو انهيار (عنيف أو مفاجىء) .

to come a ~, (١) يسقط سقطة عنيفة. (٢) يخفق إخفاقاً فاضحاً .

croquet

croquet [krō kā'] *(n.)* الكروكي : لعبة بالكرات الخشبية.

croquette [krō kĕt'] *(n.)* الكروكيت : كتلة من لحم أو سمك مفروم تُكسَى بالبيض و تقلَى بالسَّمن.

croquignole [krō'kĭ nōl; -kĭn yōl] *(n.)* الكروغنيول : طريقة من طرائق تمويج الشعر.

croquis [krō kē'] *(F.)* رسمٌ إعدادي.

crore [krōr] *(n.)* الكرور : عشرة ملايين ؛ وبخاصة : عشرة ملايين روبية.

crosier [krō'zhər] *(n.)* صولجان الأسقف.

cross [krôs] *(n.; vt.; i.; adj.)* (١) صليب (٢) محنة أو بلوى تُمتحَن فيها فضيلة المرء أو صبرُهُ الخ. (٣) الصَّلْب (the penalty of the ~) (٤) *cap.* : النصرانية (٥) نُصُب على شكل صليب أو يعلوه صليب (٦) إشارة صليب يوقّع بها الأميون (٧) شارة أو رمز أو زخرف على شكل صليب (٨) تقاطع طريقين أو خطين (٩) نزاع ، مُشادّة (I have had ~es with your agent.) (١٠) «أ» التهجين : مزج السلالات. «ب» حيوانٌ هجين. «ج» نبتة هجينة (١١) «أ» مباراة مزيّفة (دُبّرت نتيجتُها مقدماً على نحو غير شريف). «ب» تصرفات غير شريفة أو لاشرعية (١٢) انتقال من جزء من المسرح إلى آخر (١٣) *cap.* : «أ» كوكبة صليب الشمال. «ب» كوكبة صليب الجنوب (فل) § (١٤) يرسم إشارة الصليب على (١٥) يشطب (١٦) يصالب ؛ يجعله متصالباً (~*ed* the arms) (١٧) «أ» يعترض ؛ يعارض ؛ يقاوم (They ~ me in everything.) (١٨) يُفسد إفساداً كاملاً (Her absence ~*ed* up the whole program.) (١٩) يَعْبُر (جسراً الخ.) (٢٠) يسطّر ؛ يخطّط (٢١) يهجّن ؛ يمزج السلالات (٢١) يجتاز × (٢٣) ينتقل من جانب إلى آخر (من المسرح) (٢٤) يتقاطع (٢٥) يتلاقيان في الطريق (وبخاصة من جهتين مختلفتين) § (٢٦) مستعرض ؛ بالعرض (٢٧) متقاطع (~streets) (٢٨) «أ» معاكس ؛ مضاد ؛ غير موات. «ب» متعارض ؛ متضارب (~requirements) (٢٩) متبادَل (٣٠) نَزِق (٣١) شامل أو معالج عدة مجموعات أو طبقات (a *cross*-cultural perspective) (٣٢) هجين ؛ مهجّن (٣٣) غير أمين أو شريف (ع).

- **on the ~,** (١) غير أمين أو شريف أو مشروع. (٢) على نحو غير أمين أو شريف أو مشروع.
- **to ~ a cheque** يسطّر شيكاً : يرسم خطين متوازيين على ظاهر الشيك بحيث لا يتمّ صَرْفُهُ إلا بواسطة مصرف ما.
- **to ~ a person's path** يلتقي به أو تكون له صلاتٌ به.
- **to ~ a person's hand with a piece of money** يعطي (كاشفَ الحظّ أو كاشفتَهُ) قطعة نقدية.
- **to ~ one's heart** يرسم إشارة الصليب على قلبه (عندما يُقسِم على صحة شيء).
- **to ~ one's mind** تخطر له (فكرةٌ).
- **to ~ swords with** يتبارز (أو يتجادل) مع.
- **to take the ~,** يلتحق بحملة صليبيّة.

cross action *(n.)* الدعوى المضادة (يقيمها المدَّعَى عليه ضد المدَّعي).

crossbar [krôs'-] *(n.)* القضيب أو الخط المستعرِض.

crossbeam *(n.)* العارضة المتقاطعة أو المستعرضة : عارضة خشبية ضخمة تتقاطع مع أخرى أو تمتدّ من جدار إلى جدار.

cross bench *(n.)* مقاعد المستقلّين (في الجزء الخلفي من البرلمان).

crossbill

crossbill [-'bĭl] *(n.)* القَرْزَبيل : طائر ذو منقار متصالب.

crossbones *(n. pl.)* العظمتان المتصالبتان : عظمتان متصالبتان تحت جمجمة رمزاً للموت.

crossbow [-'bō] *(n.)* النشابية : آلة حربية قديمة.

crossbred [-'brĕd] *(adj.; n.)* (١) هجين ؛ مهجَّن § (٢) الهجين.

crossbreed [-'brēd'] *(vt.; i.; n.)* (١) يهجّن ؛ يزاوج بين ضربين أو سلالتين من النوع نفسه («أح» و«نب») × (٢) يتهاجن § (٣) الهجين ؛ المُهجَّن.

cross bun *(n.)* كعكة الصليب : كعكة عليها إشارة الصليب تؤكل يوم الجمعة الحزينة بخاصة.

cross-country *(adj.; adv.)* (١) عبرَ الحقول أو الريف (a ~race) (٢) عبرَ البلاد (a ~flight).

cross-country race *(n.)* سباق الضاحية (رب).

crosscut [-'kŭt'] *(adj.; n.)* (١) متعارض : مُعَدّ أو مستخدَم للقطع بالعرْض (a ~saw) (٢) مستعرِض ؛ بالعرْض (a ~incision) § (٣) قطعٌ مستعرِض.

crosscut saw *(n.)* منشار قَطْعٍ متعارض (را. المادة السابقة).

crosse [krôs] *(n.)* مَضرِب كرة اللَّكْروس (را. lacrosse).

cross-examination *(n.)* (١) استجواب الشاهد : استجواب شاهد الخصم ابتغاء دَحْض شهادته (ق) (٢) استجواب دقيق أو قاسٍ.

cross-examine *(vt.)* (١) يستجوب الشاهدَ : يستجوب شاهد الخصم ابتغاء دَحْض شهادته (ق) (٢) يستجوب بدقة أو قسوة.

—cross-examiner *(n.)*

cross-eye [krôs'ī'] *(n.)* (١) حوَل (٢) *pl.* : عينان حوْلاوان.

cross-eyed *(adj.)* أحول ؛ أحول العينين.

cross-fertilization *(n.)* (١) الإخصاب التهجيني («أح» و«نب»). (٢) تبادُل ، تفاعل.

cross-fertilize *(vt.; i.)* يُخصِب تهجينياً («أح» و«نب»).

cross-file *(vi.; t.)* يترشح (أو يرشح) في الانتخابات الأولية لأكثر من حزب.

cross fire *(n.)* (١) النيران المتقاطعة : نيران تُطلَق من أكثر من موقع بحيث تتصالب وتتقاطع (٢) وابلٌ «مُنْصَبّ» من جهات مختلفة أو أناس مختلفين (a ~ of questions).

cross-grained *(adj.)* (١) مُستعرِض التجزّع : ذو ألياف متعرقة على نحو مستعرِض أو منحرف (~timber) (٢) شكس ؛ سيء الطبع.

cross hair *(n.)* شَعرة التعامد (في بؤرة عَيْنية الأداة البَصَرية).

crosshatch [krôs'-] *(vt.; i.)* يرقّن أو يظلّل تعارضياً (بمجموعتين متعارضتين من الخطوط المتوازية).

cross-hatching *(n.)* الترقين أو التظليل المتعارض (رم).

crosshead [krôs'-] *(n.)* (١) الطربوش : جزء من الآلة يصل بين ذراع الكباس وذراع التوصيل (مك) (٢) عنوان وسط عمود (طع).

crossing [-'ĭng] *(n.)* (١) مص cross ؛ مثل : «أ» عبور ؛ وبخاصة : رحلة بحرية. «ب» معارضة ؛ مقاومة. «ج» تهجين (٢) نقطةُ التقاطع (٣) المَعْبَر : موضع يُعبَرُ عنده الشارع أو النهر.

cross-legged *(adj.)* (١) جالسٌ القُرفُصاء (٢) متصالب الرجلين : واضعٌ رِجلاً فوق رجل.

crosslet [krôs'lĭt] *(n.)* صليب صغير.

crossly [krôs'-] *(adv.)* بنزق ؛ على نحوٍ نَزِقٍ أو رديء الطبع.

crossover [krôs'ō'vər] *(n.)* (١) عبور (٢) مَعْبَر (٣) خطّ تحويل (من خط إلى آخر في السكة الحديدية).

crosspatch [krôs'-] *(n.)* السريع الاهتياج ؛ الكثير التشكي والتذمر.

crosspiece *(n.)* القطعة المتعارضة : قطعة خشبية أو حديدية مثبتة عبرَ أخرى

cross-pollination *(n.)* الإلقاح التهجيني (نب) .

cross-purpose *(n.)* غرَض أو هدف مضادّ ؛ تناقض ؛ سوء تفاهم . **to be at ~s.** يعملون على نحوٍ متعارِض (من غير تعمد) .

cross-purposes *(n.pl.)* لعبة المقاصد المتعارضة : لعبة حوارية تستخدم فيها الكلمات بمعانٍ متعارضة أو مختلفة .

cross-question *(vt.; n.)* (١) cross-examine §(٢) سؤال يُطرَح أثناء استجواب الشاهد .

cross-reference *(n.)* الإسناد الترافقيّ : إحالة من جزء من كتاب أو فهرس الخ . إلى آخر . **—cross-refer** *(vt.; i.)*

crossroad [krôs'rōd'] *(n.)* (١) طريق متقاطعة (مع طريق رئيسية) . (٢) طريق فرعية (٣) *pl.* : مفترق طرق . **at the ~s** على مفترق الطرق : في مرحلة مَصيريّة يتعين على المرء فيها أن يقرّر أو يختار موقفاً أو وجهةً ما .

cross section *(n.)* (١) مقطع مستعرض ؛ مقطع عرضيّ . (٢) المقتطف النموذجي : عينة أو مسطرة تمثل جميع الأجزاء المميزة (a ~ of Indian opinion) . **—cross-sectional** *(adj.)*

cross-stitch *(n.; vt.; i.)* (١) القُطبة المتصالبة : «أ» قُطبة متصالبة مع أخرى مشكّلة حرفَ × «ب» ضرب من شغل الإبرة تتصالب فيه القُطب §(٢) يخيط أو يطرز بقطبة متصالبة.

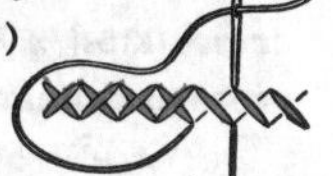

cross-stitch

cross street *(n.)* شارع متقاطع (مع شارع آخر) .

cross talk *(n.)* الحديث التداخليّ : تداخلٌ في قناة تلفون (أو راديو) من جانب قناة تلفونية أخرى أو أكثر .

crosstree [krôs'-] *(n.)* مِنَصّة الصاري (مل) .

crosswalk [krôs'-] *(n.)* ممرّ المشاة (عَبْرَ شارع أو طريق) .

crossway [krôs'wā'] *(n.)* = crossroad.

crosswind [krôs'-] *(n.)* الريح المتعامدة : ريح تهبّ على زاوية قائمة من خطّ طيران الطائرة (طي) .

crosswise [-'wīz'] *also* **crossways** *(adv.)* (١) بالعرْض ؛ على نحوٍ مستعرِض (٢) على نحوٍ مضادّ (لما هو مطلوب) .

crosswise [-'wīz'] *(adj.)* تقاطعيّ ؛ تصالبيّ ؛ تعارضيّ .

crossword puzzle *(n.)* أحجية الكلمات المتقاطعة .

crotch [krŏch] *(n.)* (١) المُنْشعِب : جزء أو قطعة أو مرتكزٌ الخ ذو شعبتين (٢) «أ» المُنْشعَب : الزاوية الناشئة عن انشعاب جِذع الشجرة إلى فرعين . «ب» المُنْفرَج : الزاوية الناشئة عن انفراج الرِّجلين. **—crotched** *(adj.)*

crotchet [krŏch'ĭt] *(n.)* (١) كُلاّب صغير (٢) نزوة أو فكرة غريبة غير معقولة (٣) أداة غريبة (٤) quarter note.

crotchety [-'ĭt ĭ] *(adj.)* ذو نزوات أو أفكار غريبة .

croton [krō'tən] *(n.)* حَبّ الملوك : نبات ذو منافع طبية .

crouch [krouch] *(vi.; t.; n.)* (١) يربض ؛ يجثم (٢) ينحني بتذلّل أو عبودية ×(٣) يحني بذلّ أو خوف (to ~ one's head) §(٤) رُبوض ؛ جثوم (٥) انحناء أو حنيّ بتذلّل .

croup [krōōp] *(n.)* (١) كَفَل الحيوان ذي الأربع ؛ وبخاصة : كفل الفرس (٢) الخُناق : التهاب في الحنجرة يتميز بالسعال وضيق النفَس.

croupier [krōō'pĭ ər; -pyĕ'] *(F.)* مُدير اللعبة : موظف في نادٍ للقمار يجمع الأموال على المائدة الخضراء ويدفع إلى الرابحين أنصبتهم .

croupous [krōō'pəs] *(adj.)* خُناقيّ : متعلق بالخُناق أو شبيهٌ به.

croupy [krōō'pĭ] *(adj.)* (١) خُناقيّ (٢) مصابٌ بالخُناق .

crouton [krōō'tŏn] *(n.)* قطعة خبز محمّص .

crow [krō] *(n.; vi.)* (١) غراب (طا) (٢) مُخْل ؛ عَتَلَة . (٣) *cap.* : الغراب ؛ الخباء اليماني (فل) (٤) صياح الديك (٥) صيحةُ ظافرة §(٦) يصيح (الديكُ) (٧) يصيح (الطفلُ) صيحات الابتهاج (٨) «أ» يتبجّح (to ~ over a victory) «ب» يشمت بعدوّ مهزوم (to ~ over a defeated enemy) **as the ~ flies** في خط مستقيم ؛ بأقصر الطرق .

crowbar [krō'bär'] *(n.)* عَتَلَة ؛ مُخْل .

crowberry [krō'-] *(n.)* الحَجَرية السوداء الثمر : شجيرة ذات ثمرٍ عُلّيقيّ أسود .

crowd [kroud] *(n.; vi.; t.)* (١) حَشْد (من الناس) (٢) الناس ؛ العامة ؛ الجماهير (٣) مجموعة كبيرة (a ~ of islands) (٤) زمرة ؛ جماعة تربط ما بين أفرادها مصالح مشتركة (meeting his ~) (٥) الكُرُوْد : آلة موسيقية وترية سلتية قديمة شبيهة بالقيثارة (مو) §(٦) يشق طريقه ؛ يتقدم (دافعاً غيره) (٧) يحتشد ×(٨) «أ» يحشر . «ب» يدفع إلى أمام . «ج» يملأ ؛ يكظّ (٩) يحْشُد (١٠) يستحثّ (١١) يزيد (١٢) يضغط على (١٣) تزحم (السيارةَ السيارةَ). **to ~ (on) sail** ينشر أشرعة كثيرةً (لزيادة سرعة المركب) . **to follow (go with) the ~** يندفع مع التيّار ؛ يفعل ما يفعله معظم الناس.

crowd 5.

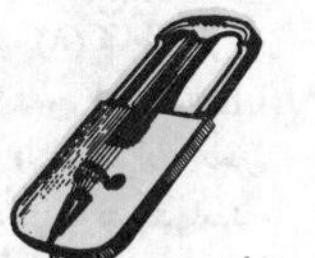

crowded *(adj.)* (١) مزدحم ؛ مُكْتظّ (~ streets) (٢) متراص على نحوٍ غير مُريح : مزدحم (~ passengers on a bus).

crowfoot [krō'fŏŏt'] *(n.)* قَدَم الغراب : «أ» نبات تشبه أوراقه قدَم الغراب . «ب» *pl.* : تجعّدات حول زاويتي العينين الخارجيتين . «ج» مجموعة حبال قصيرة مختلفة الطول (لتعليق الظُّلّة التي تقي النافذة من الشمس) . «د» قطعة زنك تُتّخَذ قطباً في بعض أنواع البطاريات . «هـ» أداة مستدقة الرأس تطرح على الأرض لإعاقة اندفاع الفرسان .

crowkeeper *(n.)* مُروِّع الغربان : من يُستخدَم لترويع الغربان.

crown [kroun] *(n.; vt.)* (١) مكافأة على انتصار ؛ وبخاصة : لقب البطولة في لعبة رياضية (٢) تاج (٣) قمة ، ذروة ، مثل : «أ» أعلى الجمجمة أو الرأس . «ب» الرأس نفسُه (He broke his ~.) «ج» قُنّة الجبل . «د» أعلى القبعة . «هـ» تاج الضرس : جزؤه الأعلى الذي فوق اللثة أو بديلٌ صناعيّ (ذهبيّ عادة) لذلك الجزء (٤) إكليل (٥) شيء يشبه الاكليل أو التاج (مثل إكليل الزهرة الخ.) (٦) «أ» *cap.* عد: السلطة الملكية أو الامبراطورية . «ب» *cap.* : حكومة ملكية دستورية . «ج» مليك (٧) الكراون : قطعة نقدية فضية بريطانية تساوي خمسة شلنات (٨) قَطْعٌ من الورق (١٥ × ٢٠ انشاً عادةً) § (٩) يتوّج (١٠) يكلّل (١١) يكافىء ؛ يضفي عليه شرفاً أو مجداً (١٢) ينجز على نحوٍ ناجح أو فعال (١٣) يُلبِس الضرسَ تاجاً صناعياً (١٤) يضرب على الرأس.

crown canopy *(n.)* الظُّلّة التاجية : الغطاء المشكّل من أعالي أغصان الشجر في غابة .

Crown Colony *(n.)* مستعمرة التاج : مستعمرة يسيطر التاج البريطاني على شؤون التشريع والادارة فيها سيطرة تامة .

crowner [krou'nər] *(n.)* = coroner.

crown glass *(n.)* الزجاج التاجيّ : «أ» زجاج شديد النقاء .

«ب» زجاج نوافذ قُرْصِيّ الشكل في وسطه شبه عُقْدة أو طبقة سميكة.

crown land *(n.)* أرض التاج : «أ» أرض تابعة للتاج البريطاني تعود إيرادها إلى الملك . «ب» أرض عمومية في بعض الدومينيونات أو المستعمرات البريطانية .

crownpiece [-'pēs'] *(n.)* أعلى الشيء أو تاجُه .

crown prince *(n.)* وليّ العهد .

crown princess *(n.)* (١) زوجة وليّ العهد (٢) وليّة العهد .

crown saw *(n.)* المنشار التاجيّ؛ المنشار الأسطواني.

crown saw

crow's-foot [krōz'-] *(n.)* pl. **-feet** (١) .pl عد: غَضَن أو جَعْدة حول زاوية العين الخارجية (٢) قدم الغراب : نبات تشبه أوراقه قدم الغراب.

crow's nest *(n.)* مِنصّة المراقبة (في سفينة أو على شاطئ) .

crozier [krō'zhər] *(n.)* = crosier.

cruces [krōō'sēz] *pl. of* crux.

crucial [krōō'shəl] *(adj.)* (١) صليبيّ الشكل (ا.ق). (٢) حاسم (a ~ experiment) (٣) عصيب (a ~ period).

cruciate [krōō'shĭ ĭt] *(adj.)* صليبيّ الشكل؛ وبخاصة : ذو أوراق أو بتلات على شكل صليب (نب) .

crucible [krōō'-] *(n.)* (١) بُوتَقَة (٢) اختبار قاسٍ .

crucible steel *(n.)* فولاذ البَواتق .

crucifer [krōō'sə fər] *(n.)* الصّليبيّة : أيّ نبتة من الصّليبيات وهي فصيلة من ذوات الفلقتين (نب) .

cruciferous[-sĭf 'ər əs] *(adj.)* صليبيّ : «أ» حامل صليباً . «ب» متعلق بالفصيلة الصليبية (را. crucifer) أو منتسب إليها (نب).

crucifix[-'sə fĭks] *(n.)* (١) المصلوب : صليب يمثل المسيح مصلوباً. (٢) صليب.

crucifixion[-sə fĭk'shən] *(n.)* (١) «أ» صَلْب. «ب» .cap : صَلب المسيح. «ج» صورة الخ. تمثل ذلك (٢) عذاب أليم ؛ محنة قاسية .

cruciform [-'sə fôrm'] *(adj.)* صليبيّ الشكل .

crucify [-'sə fī'] *(vt.)* (١) يَصْلب (٢) يميت : يقهر (الشهوات) أو يخضعها إخضاعاً كاملاً (to ~ the flesh) (٣) يعذّب ؛ يضطهد .

crud [krŭd] *(n.; vt.; i.)* (١) خُثارة اللبن (ع) (٢) علة جسمانية (غير محدّدة الهُويّة) § (٣) يخثّر (ع) × (٤) يتخثّر (ع) .

crude [krōōd] *(adj.; n.)* (١) خام (~ oil) (٢) فجّ ؛ غير ناضج (ا.م) (٣) بسيط ؛ جافٍ (a ~ hut) (٤) غير بارع أو مُتْقَن (~ paintings) (٥) غير مصقول أو مهذّب (~ manners) (٦) عارٍ ؛ صريح (~ facts) § (٧) مادّة خام ؛ وبخاصة : بترول خام.

crudity *(n.)* (١) خاميّة ؛ فجاجة الخ . (٢) شيء خام أو فِجّ الخ.

cruel [krōō'əl] *(adj.)* وحشيّ ؛ قاسٍ .

cruelty [-'əl tĭ] *(n.)* (١) وحشية ؛ قسوة (٢) عملٌ وحشيّ .

cruet [krōō'ĭt] *(n.)* (١) إبريق زجاجيّ (للخلّ أو الزيت الخ .) (٢) وعاء الخمر أو الماء المقدّس (كن) .

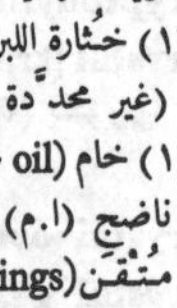

cruet

cruet stand *(n.)* المَقْزَحَة (مج) : حمّالة تضمّ عدة زجاجات صغيرة تحتوي على خلّ أو زيتٍ للمائدة.

cruise [krōōz] *(vi.; t.; n.)* (١) يطوّف في البحر (بحثاً عن سفن الأعداء) (٢) يسافر حبّاً بالسّفر والرحلة (٣) يطوّف في الشوارع (لغير ما غاية) (٤) تنطلق (السيارةُ) بالسرعة الأكثر اقتصاداً للوقود × (٥) يجوب ؛ يطوف § (٦) «أ» تَطواف. «ب» رحلة (للمتعة).

cruiser[krōō'zər] *(n.)* (١) المطوِّفة : سفينة أو سيارة أو طائرة مطوِّفة. (٢) الطراد : سفينة حربية (٣) زورق (لرحلات المتعة ، ويدعى أيضاً cabin ~) (٤) «أ» المترحّل طلباً للمتعة . «ب» المطوِّف في الشوارع (لغير ما غاية) (٥) مومس (ع).

cruising altitude *(n.)* ارتفاع التّطْواف (طي) .

cruising speed *(n.)* السرعة التّطوافية («سي» و «طي») .

cruising taxi *(n.)* سيارةُ الأجرة المطوِّفة (بحثاً عن الركاب).

cruller [krŭl'ər] *(n.)* كعكة صغيره مُحَلاّة .

crumb [krŭm] *(n.; vt.)* (١) «أ» كِسْرة (وبخاصة من الخبز) . «ب» مقدار ضئيل (a ~ of comfort) (٢) لُبّ الخبز (٣) شخص تافه (ع) § (٤) يفتّت (٥) يكسو بكِسَر الخبز (طخ) (٦) يرفع الفتات عن (to ~ a table).

crumble [krŭm'bəl] *(vt.; i.; n.)* (١) يفتّت × (٢) يتفتّت. (٣) يتقوّض ؛ ينهار § (٤) شيء متفتّت (٥) كِسرة .

crumblings *(n.pl.)* كِسَرٌ ؛ فُتات .

crumbly [krŭm'-] *(adj.)* سهل التفتّت (~ soil).

crummy *or* **crumby** *(adj.)* (١) زَرِيّ ؛ قَذِر (٢) رخيص ؛ تافه.

crump [krŭmp] *(vt.; i.; n.)* (١) يطحن بأسنانه (٢) يضرب بعنف × (٣) يُحدث صوتاً طاحناً (كالذي ينشأ عن السير على الثلج) § (٤) صوتٌ طاحن أو ماضغ (٥) لكمة قوية (٦) متفجرة ضخمة (بر) .

crumpet [krŭm'pĭt] *(n.)* كعكة مسطّحة مستديرة ليّنة غير محلاّة تحمّص وتؤكل ساخنة مع كثير من الزبدة .

crumple [krŭm'pəl] *(vt.; i.; n.)* (١) يغضّن ؛ يجعّد (٢) يقهر ؛ يتغلب على × (٣) يتغضّن ؛ يتجعد (٤) ينهار § (٥) غَضَنٌ ؛ جَعْدة.

crunch [krŭnch] *(vt.; i.; n.)* (١) «أ» يطحن بأسنانه. «ب» يمضغ بصوت طاحن (٢) يَسْحَق بجَلَبَة (to ~ crisp snow) × (٣) ينسحق (الثلج الخ .) بجلبة § (٤) طَحنٌ بالأسنان ؛ مَضْغ ؛ سَحْقٌ (أو صوت ذلك) .

crupper [krŭp'ər] *(n.)* (١) المِذْيَلَة : سَيْر من جِلد تحت ذيل الفرس (٢) كَفَل الفرس ، وتوسّعاً : عَجيزة .

crural [krōōr'əl] *(adj.)* رِجْليّ ؛ فَخِذِيّ .

crus [krŭs] *(n.)* pl. **crura** السّاق («ت» و «ح») .

crusade [krōō sād'] *(n.; vi.)* (١) الصّليبيّة : إحدى الحملات العسكرية التي وجّهتها الدول النصرانية في القرون ١١ و١٢ و١٣ إلى المشرق (٢) حملة عنيفة (ضدّ مبدأ الخ . أو في سبيله) § (٣) يشارك في حملة صليبية أو نحوها.

crusader *(n.)* الصليبيّ : أحد المشتركين في حملة صليبية .

crusado *also* **cruzado** *(n.)* الكروسادو : قطعة نقدية ذهبية أو فضية برتغالية قديمةٌ موسومةٌ بصليب .

cruse [krōōz] *(n.)* ابريق أو كأس (للماء أو الزيت الخ) .

crush[krŭsh] *(vt.; i.; n.)* (١) «أ» يعْصر. «ب» يستخرج (العصارةَ) بالعَصْر (٢) «أ» يَسْحن . «ب» يَسْحق ؛ يحطم . «ج» يمحق : يخضع إخضاعاً كاملاً (٣) يغضّن ؛ يجعّد (٤) يَحْشُر (We can't ~ any more people into the hall.) (٥) يشقّ (طريقَهُ) × (٦) ينسحق الخ . (An eggshell ~*es* easily.) (٧) يتغضّن § (٨) مص crush (٩) جمهور محتشد (١١) حفلة غاصة بالمدعوين (١٢) عصيرُ فاكهة (١٣) «أ» افتتان ؛ ولوع ؛ تعلّقٌ (to have a ~ on someone) «ب» الشخص المفتَتن به.

crushing *(adj.)* ساحق ؛ ماحق (a ~ defeat).

crust [krŭst] *(n.; vt.; i.)* (١) «أ» قشرة الرغيف (تمييزاً لها عن لُبّه) . «ب» قطعة من هذه القشرة أو كسرةٌ من الخبز اليابس (٢) القشرة الخارجية لفطيرة او كعكة محلاّة (٣) الغلاف :

القشرة الخارجية القاسية (لحيوان أو نبات الخ.) (٤) أديم الأرض: الجزء الخارجي من سطح الأرض § (٥) يكسو بقشرة × (٦) يكتسي بقشرة.

crustacean [krŭs tā'shən] *(n.; adj.)* (١) القِشريّ: واحد من القِشريات **Crustacea** وهي رتبة من الحيوانات المائية تشمل السراطين وجراد البحر والروبيان § (٢) قِشريّ.

crustaceous [krŭs tā'shəs] *(adj.)* قِشريّ.

crusty *(adj.)* (١) قِشريّ (٢) قاسٍ (٣) «أ» فظّ. «ب» سريع الغضب.

crutch [krŭch] *(n.; vt.)* (١) «أ» عكاز. «ب» سِناد؛ دعامة؛ ركيزة (٢) مسند للرِّجلين (في سرج جانبيّ: را. sidesaddle) (٣) المنفرَج: الزاوية الناشئة عن انفراج الرجلين (٤) دعامة مُنشعِبة (٥) «شاكوش» الساعة § (٦) يسند؛ يدعم.

crux [krŭks] *(n.)* pl. **cruxes** *also* **cruces** (١) «أ» صليب. «ب» *cap.* نُعَيشٌ: الصليب الجنوبي (فل) (٢) مشكلة محيِّرة (٣) نقطة حيوية أو أساسية أو حاسمة.

cruzeiro [kroo zâr'ō] *(n.)* الكروزارو: وحدة النقد البرازيلية.

cry [krī] *(vi.; t.; n.)* (١) يَضرَع؛ يصيح (٢) يبكي؛ ينتحب. (٣) يعوي؛ ينبح؛ ينعب الخ. × (٤) يلتمس؛ يطلب متوسلاً (٥) ينادي على البضاعة (٦) يذيع أو يعلن على الملأ (cried the news) § (٧) صياح؛ صراخ؛ صيحة؛ صرخة (٨) «أ» بكاء. «ب» نوبة بكاء (A woman finds relief in a good ~.) (٩) عواء؛ نباح؛ نعيب الخ. (١٠) التماس؛ توسّل (١١) مناداة على البضائع (١٢) شعار سياسي أو حزبي («Africa for the Africans» was their ~.) (١٣) «أ» إشاعة عامة (The ~ goes that you shall marry her.). «ب» زيّ شائع (١٤) رأي عام (مطاليبٌ بشيء) (١٥) «أ» زمرة (من كلاب القنص). «ب» جماعة (a ~ of players).

- a far ~, (١) مسافة بعيدة (٢) بونٌ شاسع.
- in full ~, (١) في مطاردة جادّة (تنبح فيها الكلاب جميعاً) (٢) في حالة هجوم عنيف.
- much ~ and little wool جعجعةٌ من غير طِحن.
- the ~; all the ~, الزيّ الأخير.
- to ~ down ينتقص من قدره.
- to ~ for (١) يطلب متوسلاً أو باكياً. (٢) يكون في أمسّ الحاجة إلى.
- to ~ for the moon يطلب شيئاً مستحيلاً.
- to ~ halves يطالب بالمناصفة؛ يطالب بحِصّة مساوية لحصة شخص آخر.
- to ~ mercy يلتمس الصفح أو الرحمة.
- to ~ off (١) ينقض عهداً أو اتفاقاً (٢) يُحجم عن عمل شيء كان قد عقد النيّة عليه.
- to ~ one's eyes *or* heart out يبكي بكاءً مريراً.
- to ~ oneself to sleep يبكي إلى أن يغلبه النعاس فينام.
- to ~ out (١) يصرخ (٢) يتشكّى؛ يتذمّر؛ يحتج على.
- to ~ out against يشجب أو يوبّخ بعنف.
- to ~ out on *or* upon يشجب؛ يستهجن.
- to ~ over spilt milk يبكي على اللبن المُراق؛ يأسى على مُضَيَّع لا سبيل إلى استرجاعه.
- to ~ shame upon يحتج على.
- to ~ up يطري إطراء شديداً.
- to ~ wolf يطلق إشارة خطر كاذبة.

crybaby [krī'-] *(n.)* (١) طفل بكّاء (٢) شخص بكّاء كالأطفال.

crying [krī'-] *(adj.; n.)* (١) صارخ؛ باكٍ الخ. (٢) مُلِحّ (a ~ need) (٣) متطلِّب إصلاحاً أو معالجة (a ~ evil). (٤) شنيع (a ~ shame) § (٥) صِياح؛ بكاء؛ عواء الخ.

crymotherapy *or* **cryotherapy** *(n.)* المعالجة بالتبريد.

cryo- بادئة معناها: صقيع؛ برد شديد.

cryogen [krī'ə jən] *(n.)* = refrigerant.

cryolite [krī'ə līt] *(n.)* الكرايوليت (مع).

cryometer *(n.)* الكريومتر: مِحرّ لقياس الحرارات المنخفضة (يتضمن كحولاً بدلاً من الزئبق).

cryoscopic *(adj.)* استصرادي (را. cryoscopy).

cryoscopy [krī ŏs'-] *(n.)* الاستصراد: «أ» تحديد نقاط تجمّد السوائل أو المحاليل. «ب» تحديد نقاط تجمّد البول الخ. لأغراض تشخيصية (ط).

crypt [krĭpt] *(n.)* (١) سرداب، وبخاصة: سرداب تحت كنيسة يُتّخذ مدفناً (٢) الجُرَيب (مج): تجويف غُدّي صغير (ت).

crypt- *or* **crypto-** بادئة معناها: خفيّ؛ مستور.

cryptic [krĭp'-] *(adj.)* (١) خفيّ؛ سرّي (nature's ~ways) (٢) مُلغِز؛ خفيّ المعنى (a ~ comment) (٣) مجعولٌ لإخفاء الحيوان (~ coloring) (٤) موجز (٥) مستخدِم شيفرة.

crypto *(n.)* العضو السري: المنتسب سراً إلى حزب أو طائفة الخ.

crypto- = crypt-.

cryptogam [krĭp'tə găm'] *(n.)* اللازهريّة: نبتة من اللازهريات **Cryptogamia** وهي شعبةٌ من النبات لا أزهارَ أو بذور حقيقيةً لها كالسّراخس والطحالب والأشنة الخ.

cryptogamic *or* **cryptogamous** *(adj.)* لازَهريّ (نب).

cryptogenic *(adj.)* خفيّ المنشأ: غامض أو مجهول المنشأ (a ~ disease).

cryptogram [krĭp'tə grăm'] *(n.)* رسالة أو كتابة بالشيفرة.

cryptograph [krĭp'tə-] *(n.)* = cryptogram.

cryptography *(n.)* (١) الكتابة بالشيفرة (٢) شيفرة.

cryptomeria *(n.)* سَرْو اليابان: شجر دائم الخضرة من الصنوبريات.

cryptonym [krĭp'tə nĭm] *(n.)* اسم سرّي.

crystal [krĭs'təl] *(n.; adj.)* (١) بِلّور (٢) بِلَّوْرَة (ك). (٣) غطاء الساعة الزجاجيّ أو اللدائنيّ الشفاف § (٤) بِلّوْريّ (٥) صافٍ؛ شفاف.

crystal detector *(n.)* المِكشاف البِلّوْري (رد).

crystal gazer *(n.)* العرّاف البِلّوْري: عرّاف يكشف عن المستقبل من طريق التحديق إلى كرة بلّوْرية.

crystalliferous *or* **crystalligerous** *(adj.)* (١) مبلِّر؛ مُحدِث بِلّورات (٢) مُبَلَّر: محتوٍ على بِلّورات.

crystalline [krĭs'tə lĭn; -līn'] *(adj.)* (١) بِلّوْريّ (٢) متبلِّر (٣) مُتَبَلْوِر: واضح المعالم (٤) صافٍ؛ شفاف.

crystalline lens *(n.)* العدَسة البِلّورية: عدَسة العين في الفقاريات.

crystallization *(n.)* (١) تبلُّر (٢) تَبَلْوُر (٣) جسم متبلِّر؛ مادة متبلِّرة.

crystallize *also* **crystalize** [-'tə līz'] *(vt.; i.)* (١) يُبلِّر: يجعله يشكّل بلّورات أو يجعله يتّخذ شكلاً متبلّراً (٢) يُبلور: يجعله يتخذ شكلاً محدّداً (She tried to ~ her thoughts.) (٣) يكسو ببلّورات (من السكّر بخاصة) × (٤) «أ» يتبلّر. «ب» يتبلْوَر.

crystallized *(adj.)* (١) متبلّر (٢) متبلور: محدَّد الشكل (٣) مكسوّ ببلّورات السكر الخ.

crystallographer *(n.)* العالِم بالبِلّوْريّات.

ă at; ā date; â care; ä car; ĕ egg; ē me; ĭ in; ī bite; ŏ lot; ō bone; ô orphan; oi boil ŏŏ good; ōō boot; ou out; ŭ under; ū unity; û urgent; th thing; t͟h this; zh vision; ə = *a* in alone, *e* in system, *i* in easily, *o* in gallop, *u* in circus.

crystallography [-tə lŏg'rə fĭ] *(n.)* علم البِلَّوْريات .

crystalloid [-'tə loid'] *(adj.; n.)* (١) بِلَّوْراني : شبيهٌ بالبِلَّوْر . §(٢) مادة بِلَّوْرانية (ك) .

crystal set *(n.)* المستقبِلة البِلَّوْرية : جهاز استقبال مزوَّدٌ بمكشاف بِلَّوْريّ ولكنْ ليس فيه صمامات ألكترونية (رد) .

ctenoid [tē'noid] *(adj.)* مُشْطيّ الحاشية : ذو حاشية شبيهة بالمشط (كحراشف كثير من الأسماك) .

ctenophoran [tĭ nŏf'-] *(adj.; n.)* (١) مُشْطيّ : ذو علاقة بحيوان من المشطيّات § (٢) المُشْطيّ : حيوانٌ من المُشْطيات .

ctenophore [tĕn'ə fōr'] *(n.)* المُشْطيّ : حيوان من المُشْطيات Ctenophora وهي طائفة من اللافقاريات البحرية ذات صفائح مشطية الشكل .

cub [kŭb] *(n.)* (١) «أ» جرو الثعلب (تَتْفُل) أو الدبّ (دَيْسَم) أو الذئب (دَغْفَل) أو الأسد (شبل) . «ب» صغير الحوت أو صغير القِرش (٢) فتى ؛ فتاة ؛ وبخاصة : فتىً قليل التهذيب (٣) الجُرْموز : كشاف يتراوح عمره بين الثامنة والعاشرة (٤) مراسل تُعوزُه الخبرة .

cubature [kū'bə chər] *(n.)* (١) التكعيب : تحديد المحتوى الحجمي . (٢) المحتوى الحجمي .

cubby [kŭb'ĭ] *(n.)* حُجَيْرة ؛ غُرفة صغيرة .

cubbyhole *(n.)* (١) مكان ضيّق مُقْفَل (٢) عين في خزانة أو منضدة (را . pigeonhole 1b) .

cube [kūb] *(n.; vt.)* (١) المكعَّب (هن) . (٢) نَرْد (في لعبة الطاولة أو النرد) (٣) مكعَّب كمية ما (مثلاً : مكعب ٣ هو ٣×٣×٣ أو ٢٧) §(٤) يكعِّب : «أ» يجعله مكعَّب الشكل . «ب» يوجد مكعَّب عدد ما . «ج» يقيس المحتوى الحجمي .

cube 1

cubeb [kū'bĕb] *(n.)* (١) الكَبابة ؛ حَبّ العَرُوس : نبات من الفصيلة الفلفلية تجفَّف ثماره وتستخدم في معالجة الاضطراب البولي أو الشُعَبي (٢) ثمر الكبابة المجفَّف (٣) سيكارة مشتملة على ثمر الكبابة المجفَّف .

cube root *(n.)* الجذر التكعيبي (ر) .

cubic [kū'bĭk] *(adj.)* (١) مكعَّب الشكل (٢) مكعَّب (a ~ centimeter) (٣) تكعيبي ؛ حجمي (... the ~ contents of) .

cubical [kū'-] *(adj.)* (١) مكعَّب وبخاصة : مكعب الشكل (٢) حجمي .

cubic equation *(n.)* المعادلة التكعيبية (ر) .

cubicle [kū'bə kəl] *(n.)* (١) مهجع ؛ وبخاصة : واحدٌ من عدة مهاجع صغيرة في حجرة نوم مجزَّأة (في مدرسة أو مستشفى) (٢) carrel .

cubic measure *(n.)* (١) قياس الأحجام (٢) مقياسٌ حجمي .

cubiform [kū'bə fôrm'] *(adj.)* مكعَّب الشكل .

cubism [kū'bĭz əm] *(n.)* التكعيبية : مذهب في الرسم والنحت تُمثَّل فيه الأشياء بمكعَّبات وأشكال هندسية أخرى .

cubist *(n.)* الرسام التكعيبي ؛ المثّال التكعيبي .

cubist *or* **cubistic** *(adj.)* تكعيبي : منسوب إلى التكعيبية .

cubit [kū'bĭt] *(n.)* الذراع : وحدة قياس قديمة للطول تساوي عادةً نحواً من ١٨ إنشاً .

cuboid [kū'boid] *(adj.; n.)* (١) مُكعَّباني : شبيه بالمكعَّب . §(٢) المكعَّباني : شبه المكعَّب ؛ متوازي المستطيلات (ر) (٣) العَظْم المكعَّباني : عظم في رُسْغ الساق شبيهٌ بالمكعَّب (ت) .

cuboidal *(adj.)* مكعَّباني ؛ شبيهٌ بالمكعَّب .

cub scout *(n.)* الجُرْموز (را . cub 3) .

cucking stool [kŭk'ĭng] *(n.)* كرسيّ التشهير : كرسيّ كانوا يُوثقون فيه السَّليطات من النساء والغشّاشين من التجار الخ . للتشهير بهم ورجمهم بالحجارة أو تغطيسهم في الماء .

cuckold [kŭk'əld] *(n.; vt.)* (١) الديّوث ؛ القَرْنان : زوج المرأة الفاسقة §(٢) «أ» يُديِّث : يجعل منه ديوثاً (بإغواء زوجته) . «ب» تُديِّث : تجعل من زوجها ديّوثاً (بأن تزني وتفسق) .

cuckoo [kōōk'ōō] *(n.; vi.; t.; adj.)* (١) الوَقْواق (طا) (٢) الوَقْوَقة : صوت الوقواق §(٣) يُوَقوق أو يكرِّر على نحو رتيب كما يكرّر الوقواق وَقْوَقَتَهُ §(٤) وَقْواقيّ : منسوبٌ إلى الوقواق أو شبيهٌ به (٥) أبله ؛ أحمق .

cuckoo

cuckoo clock *(n.)* ساعة الوقواق : ساعة جدار دقاتها كصوت الوقواق .

cuckooflower *(n.)* حُرْف الماء ؛ حُرْف المروج : بقلة من الصليبيّات .

cuckoopint *(n.)* اللوف الأبقع : لُوفٌ (را arum) أوروبيّ يُزْرَع لزهره وورقه (نب) .

cuculiform [kū kū'lə fôrm'] *(adj.)* (١) وَقْواقيّ : ذو علاقة بالوقاويق أو بالوقواقيات Cuculiformes وهي رتبة من الطيور تشمل الوقاويق (٢) وَقْوَقاني : شبيه بالوقواق .

cucullate *also* **cucullated** [kū'kə-] *(adj.)* (١) مُقَلْنَس : ذو قلنسوة (٢) قَلَنْسُويّ الشكل .

cucumber [kū'kŭm bər] *(n.)* خِيار ؛ قِثّاء (نب) . **as cool as a ~,** هادىء ؛ رابط الجأش .

cucumber tree *(n.)* المَغْنولية المُؤنَّفةُ الورق : مَغْنولية (را magnolia .) أميركية ذات ثمر يشبه الخيار الصغير .

cucumiform [kū kū'-] *(adj.)* خياريّ أو قِثّائيّ الشكل .

cucurbit [kū kûr'bĭt] *(n.)* (١) وعاء الإنبيق (ك) (٢) قَرْع أو نبات من الفصيلة القَرْعية .

cud [kŭd] *(n.)* (١) الجِرة : جزء من الطعام يعيده الحيوان المجترّ من معدته الأولى إلى فمه ليمضغه ثانية (٢) مُضْغة (من التبغ بخاصة) . **to chew the ~,** يتفكر ؛ يتأمّل .

cuddle [kŭd'əl] *(vt.; i.; n.)* (١) يعانق ؛ يحضن ×(٢) يتضامّ التماساً للدفء (.They ~d up under the blankets) §(٣) عناق .

cuddlesome *(adj.)* جديرٌ بالمعانقة أو مُغْرٍ بها (a ~ girl) .

cuddly [kŭd'lĭ] *(adj.)* = cuddlesome.

cuddy [kŭd'ĭ] *(n.)* (١) «أ» قَمْرة أو حُجَيْرة في سفينة . «ب» مطبخ (في مركب صغير) (٢) حجرة أو خزانة صغيرة .

cuddy *or* **cuddie** *(n.)* (١) حمار (عب) (٢) شخص أحمق (عب) .

cudgel [kŭj'əl] *(n.; vt.)* (١) نَبّوت ؛ هراوة §(٢) يضرب بالنبّوت . **to ~ one's brains** يقدح زناد فكره (لحلّ مشكلة الخ) . **to take up the ~s (for)** يدافع عن ؛ يؤيِّد تأييداً قوياً .

cudgel play *(n.)* قتالٌ أو مبارزةٌ بالنبابيت .

cudweed [kŭd'-] *(n.)* البَرْسيسة : نبات ذو أوراق حريرية أو صوفية .

cue [kū] *(n.; vt.; i.)* (١) المُشْعِرة : كلمةٌ أو عبارة (في مسرحية) تُشْعِر الممثل بأن دوره في الكلام أو في الدخول إلى خشبة المسرح قد حان (٢) تلميح ؛ إلماع (٣) الدور الذي يتعيّن على المرء تمثيله (٤) مزاج (ا.ق) (٥) ضفيرة ؛ جديلة (٦) رَتَل ؛ صفّ ؛ طابور (٧) عصا البليارد §(٨) يلقّن (ممثلاً على خشبة المسرح) (٩) يضفر ؛ يجدل (١٠) يضرب بعصا البليارد . **to give a person his ~,** يلمّح له بما يتعيّن عليه أن يفعله .

cue ball *(n.)* الكرة المدفوعة: الكرة التي يدفعها لاعب البليارد بعصاه.

cuff[kŭf] *(n.; vt.; i.)* (١) طرف الردن أو الكُمّ (المطوِّق للمِعصم). (٢) ثَنْية ساق البنطلون (٣) *pl.* عد: غُلّ؛ قَيْد (٤) صفعة §(٥) يزوِّد الكُمَّ بطرفٍ مطوِّق للمعصم الخ. (٦) يغلّل؛ يقيّد؛ يصفِد (٧) يصفع ×(٨) يتشاجر.

on the ~, (١) بالدَّين؛ نسيئةً (٢) مجانيّ؛ مجاناً.

cuff link *(n.)* حلقة (أو زرّ معدنيّ) لطرف كمّ القميص.

cui bono[kwē'bō'nō] *(L.)* (١) «أ» من يستفيد من ذلك؟ «ب» المبدأ القائل بأن مرتكب الجريمة الخ. هو في أغلب الظن الشخص الذي يستفيد منها (٢) «أ» ما فائدة ذلك؟ «ب» الفائدة أو النفع كمقياس لتقدير قيمة عملٍ أو سياسةٍ ما.

cuirass [kwĭ răs'] *(n.; vt.)* (١) «أ» دِرْع. «ب» درع السفينة الواقي. «ج» دِرع الحيوان §(٢) يدرِّع: يزوِّد أو يكسو بدرع.

cuirassier [kwĭr'ə sĭr'] *(n.)* الفارس الدارع: فارس لابسٌ درعاً.

cuisine[kwĭ zēn'] *(F.)* (١) مطبخ (٢) أسلوب الطبخ (٣) الطعام المطهوّ.

cuisse [kwĭs] *also* **cuish** [kwĭsh] *(n.)* دِرْع الفَخِذ.

culch *or* **cultch**[kŭlch] *(n.)* نُفاية (ع).

cul-de-sac[kŭl'də săk'] *(F.)* (١) الرَّتْج؛ الرَّدْب: جيبٌ أو وعاءٌ مسدود الطَّرَف (ت) (٢) زقاق أو طريق غيرُ نافذ (٣) مأزِق.

culex [kū'lĕks] *(n.)* بَرْغَشَة.

culicine *(adj.; n.)* (١) بَرْغَشِيّ: منسوب إلى البرغش §(٢) برغشة.

culinary [kū'lə-] *(adj.)* (١) مَطْبَخيّ (٢) طبخيّ؛ طَهْوِيّ.

cull [kŭl] *(vt.; n.)* (١) يختار؛ ينتخب (٢) يغربل أو يطرح النفاية من. §(٣) نُفاية (٤) المغفَّل (ع).

cullender [kŭl'ən dər] *(n.)* = colander.

cullet [kŭl'ĭt] *(n.)* كُسارة الزجاج (الصالحة لإعادة التذويب).

cully [kŭl'ĭ] *(n.; vt.)* (١) المغفّل (ع) §(٢) يخدع (ع).

culm[kŭlm] *(n.)* (١) دُقاق الفحم (٢) ساق العشب الجوفاء ذات العُقَد.

culminant [kŭl'mə nənt] *(adj.)* بالغٌ الذروة؛ تامّ النضج.

culminate[kŭl'mə nāt'] *(vi.; t.)* (١) يتكبّد: يبلغ الجِرم السماويّ أقصى ارتفاعه أو يكون فوق سَمْتِ الرأس (٢) يتأوّج: يبلغ الأوجَ أو الذروة ×(٣) يكبّد؛ يؤوِّج.

culmination *(n.)* (١) «أ» تكبُّد (فل). «ب» تأوُّج (٢) أوج؛ ذروة.

culottes [kū lŏts'] *(n. pl.)* الكولوت: ثوب نِسْويّ يبدو كأنّه تنّورة ولكنّه مفصّل ومخيطٌ على شكل بنطلون.

culpability; culpableness *(n.)* المَلُوميّة؛ استحقاقية اللوم.

culpable [kŭl'pə bəl] *(adj.)* مَلُومٌ؛ مستحِق للَّوْم؛ جدير باللوم.

culprit [kŭl'prĭt] *(n.)* (١) المُتَّهَم (بجريمة) (٢) المجرم.

cult [kŭlt] *(n.)* (١) عبادة (٢) «أ» دِين. «ب» طائفة أو فرقة دينية (٣) «أ» إعجاب يقارب العبادة بشخص أو شيء (a ~ of Napoleon) «ب» موضع هذا الاعجاب. «ج» جماعة المُعْجَبين.

—**cultic** *(adj.)* —**cultism** *(n.)* —**cultist** *(n.)*

cultch [kŭlch] *(n.)* = culch.

cultivable [kŭl'tə-] *(adj.)* قابل للحراثة أو التهذيب الخ.

cultivate[kŭl'tə vāt'] *(vt.)* (١) يَحْرث؛ يَفْلَح؛ وبخاصة حول النباتات المزروعة (٢) يتعهد (النباتَ) بالعناية (٣) يهذِّب؛ يصقل (٤) يرعى؛ يشجّع (to ~ the arts) (٥) يكرّس نفسَهُ (لفنّ الخ.) (٦) يسعى لمصادقة فلان (طلباً لفائدةٍ عادةً).

cultivated [-'tə vā tĭd] *(adj.)* (١) محروث (٢) مُتعهَّد: منشأٌ بالعناية أو التعهُّد (a ~ flower) (٣) مهذب؛ مصقول (~ speech).

cultivation [-vā'-] *(n.)* حراثة؛ تعهُّد؛ تهذيب؛ رعاية الخ.

cultivator [kŭl'-] *(n.)* فا cultivate وبخاصة: المِسْلَفَة: أداة لعزق التربة واقتلاع الأعشاب الضارة النامية حول الزرع.

cultrate [kŭl'trāt] *(adj.)* سكّينيّ: حادّ الحرف مستدقّ الرأس، كالسكّين (~ leaves).

cultrated [kŭl'-] *(adj.)* = cultrate.

cultural [kŭl'chər əl] *(adj.)* (١) ثقافيّ (٢) مستولَد: مُحْدَث بالاستيلاد (a ~ variety).

culture [kŭl'chər] *(n.; vt.)* (١) حراثة (٢) تثقيف؛ تهذيب. (٣) ثقافة (٤) حضارة أو مرحلة معيّنة من مراحل التقدم الحضاري (٥) «أ» الاستنبات: زرع البكتريا أو الأنسجة الحية للدراسة العلمية أو للأغراض الطبية. «ب» المُسْتَنْبَت: نِتاج عملية الاستنبات §(٦) يثقف؛ يهذّب (ا.م) (٧) cultivate (٨) يستنبت (البكتريا أو الأنسجة الحية).

cultured [-'chərd] *(adj.)* (١) «أ» مثقَّف؛ مهذَّب. «ب» رفيع (~ tastes) (٢) مستنبَت أو مستولَد صُنْعياً (~ viruses; ~ pearls).

cultus [kŭl'təs] *(n.)* = cult.

culver [kŭl'vər] *(n.)* حمامة.

culverin [kŭl'vər ĭn] *(n.)* (١) بندقية قديمة (٢) مدفع قديم.

culvert [kŭl'vərt] *(n.)* (١) بَرْبَخ؛ مجرور (للمياه القذرة، تحت الطريق) (٢) قناة للأسلاك الكهربائية (تحت الأرض).

cumber[kŭm'bər] *(vt.; n.)* (١) يُثْقِل؛ يُرْهِق (٢) يعُوق (His heavy boots ~ed him in walking.) §(٣) عائق.

cumbersome[kŭm'-] *(adj.)* (١) ثقيل؛ مرهِق؛ مزعج (٢) بطيء.

cumbrous [kŭm'brəs] *(adj.)* = cumbersome.

cumin [kŭm'ən] *or* **cummin** *(n.)* (١) الكمّون: نباتٌ عُشْبيّ تُستخدَم بذوره في الطَّهْو والطّبّ (٢) بزور الكمّون.

cum laude [lô'dē] *(L.)* بامتياز (graduated ~).

cummerbund[kŭm'ər bŭnd'] *(n.)* الكَمَر: حزام أو وشاح للخصر.

cumquat [kŭm'kwŏt] *(n.)* = kumquat.

cumshaw (kŭm'shô] *(n.)* منحة؛ بقشيش (في الموانىء الصينية).

cumulate[*v.* kū'myə lāt'; *adj.*-lĭt', -lāt'] *(vt.; i.; adj.)* (١) يركُم؛ يكدِّس ×(٢) يتراكم؛ يتكدّس §(٣) متراكم.

cumulation[kū'myə lā'-] *(n.)* (١) ركْم (٢) تراكُم (٣) رُكام.

cumulative [kū'myə lā'-] *(adj.)* (١) متراكم (٢) تراكميّ؛ وبخاصة: تجمّعيّ: يضاف إلى ما سيدفع في المستقبل إن لم يُدفَع في حينه (a ~ dividend; ~ interest) (٣) تصاعديّ: متزايد القسوة إذا تكرّر الجرم (~ penalty) (٤) مُعزِّز؛ موكِّد للنقطة نفسها (~ evidence).

cumulocirrus [kū'myə lō sĭr'əs] *(n.)* القَزَع الطَّخْروريّ: سحابةٌ قَزَعيّةٌ صغيرة، على ارتفاعٍ عالٍ، بيضاء رقيقة مثل السحب الطخرورية.

cumulonimbus[-nĭm'bəs] *(n.)* الركام؛ المكفهر: كتلة من السحب ترتفع قِمَمُها على صورة جبال أو أبراج وتطلق وابلاً من مطرٍ أو ثلج.

cumulostratus *(n.)* القَزَع الرَّهَجيّ: سحابة قَزَعية تنبسط قاعدتها أفقياً مثل سحابة رَهَجية.

cumulous [kū'myə-] *(adj.)* قَزَعيّ؛ حيريّ؛ نَغاضيّ.

cumulus[kū'myə-] *(n.)* pl. **-li** (١) رُكام (٢) القَزَع؛ الحَيَر؛ النَّغاض: سحاب مؤلف من أكداسٍ مدوّرة ذات قاعدة مسطحة.

cunctation[kŭngk tā'-] *(n.)* تباطؤ؛ بطء؛ حَذَر.

cuneal [kū'nĭ əl]; **cuneate** [-ĭt; -āt'] *(adj.)* وَتِديّ الشكل.

ă at; ā date; â care; ä car; ĕ egg; ē me; ĭ in; ī bite; ŏ lot; ō bone; ô orphan; oi boil; oo good; ōō boot; ou out; ŭ under; ū unity; û urgent; th thing; th this; zh vision; ə = *a* in alone, *e* in system, *i* in easily, *o* in gallop, *u* in circus.

cuneiform [kū nē'-] *or* **cuniform** [kū'nə-] *(adj.; n.)* (١) إسفيني ؛ مِسماريّ §(٢) حروف (أو كتابة) مسمارية (كالحروف البابليّة والاشوريّة القديمة) (٣) عظم إسفيني (ت).

cuneiform 2.

cunner [kŭn'ər] *(n.)* القَنَّر : سمك بحري صغير يؤكل.

cunnilingus *or* **cunnilinctus** *(n.)* التبظير (مج) : لَعْق البظر.

cunning [kŭn'ĭng] *(adj.; n.)* (١) بارع : منفَّذ ببراعة ؛ دالّ على براعة (~ work) (٢) ماكر (~ thieves) (٣) وسيم ؛ جذّاب (~ children) §(٤) براعة (٥) مكر.

cup [kŭp] *(n.; vt.)* (١) كوب ؛ فنجان (٢) «أ» الشراب أو الطعام المُقدَّم في كوب. «ب» خمر القربان المقدّس. (٣) قسمة ؛ نصيب ؛ كأس (الشقاء أو السعادة) (٤) الكأس: «أ» كأس من معدن نفيس يقدَّم جائزة في مباراة. «ب» كأس القربان المقدّس. «ج» جزء أو عضو نباتي كأسيّ الشكل (٥) «أ» شراب مُسْكِر «يُحلّى ويُنكَّه» بمختلف الفواكه والأعشاب الخ. (claret ~). «ب» الخمر أو معاقرتها (pleasures of the ~) (٦) طعام يقدَّم في وعاء كأسيّ الشكل (fruit ~) §(٧) يَحْجُم ؛ يعالج بالحجامة (٨) «أ» يكوِّب : يجعله على شكل كوب. «ب» يضع في كوب.

in one's ~ s ثَمِل ؛ سكران.

cupbearer [kŭp'-] *(n.)* السّاقي : ساقي الخمر.

cupboard[kŭb'ərd] *(n.)* (١) خزانة (ذات رفوف للكؤوس والأطباق) (٢) صِوان ؛ خزانة صغيرة (للملابس الخ.).

cupboard love *(n.)* حب كاذب (يراد به جرّ مَغْنم).

cupcake [kŭp'-] *(n.)* الكعكة المكوَّبة: كعكة مخبوزة في قالبٍ كوبيّ الشكل.

cupel [kū'pəl] *(n.; vt.)* (١) بوتَقة §(٢) يُبَوتِق : يصفّي المعدن ببوتقة.

cupellation *(n.)* البَوْتَقة : تصفية المعادن النفيسة بإخضاعها لحرارة عالية في بوتقة.

cup-final *(n.)* المباراة النهائية أو الحاسمة (لنيل كأس الخ.).

cupful [kŭp'fo͝ol'] *(n.)* مِلء كوب أو كأس.

cupholder *(n.)* الفائز بالكأس (في مباراة رياضية).

cupid [kū'pĭd] *(n.)* (١) *cap.*: كيوبيد : إله الحبّ عند الرومان. (٢) صورة أو تمثال لكيوبيد (تمثله طفلاً جميلاً مجنّحاً يحمل قوساً ونُشّاباً).

cupidity [kū pĭd'-] *(n.)* طمع ؛ جشع ؛ وبخاصة : حبّ المال.

cup of tea (١) شيء مفضَّل (Physics is my ~.) (٢) مسألة.

cupola [kū'pə lə] *(n.)* (١) قبّة (٢) فرن (لصَهْر المعادن).

cupped [kŭpt] *(adj.)* كوبيّ الشكل.

cupper [kŭp'ər] *(n.)* الحجّام : محترف الحجامة.

cupping [kŭp'ĭng] *(n.)* الحِجامة : امتصاص الدم بالمِحْجَم.

cupping glass *(n.)* المِحْجَم : كأس الحجّام.

cuppy *(adj.)* (١) كوبانيّ : شبيه بكوب (٢) مليء بالثقوب الصغيرة.

cupreous [kū'prĭ əs] *(adj.)* (١) نحاسي (٢) نحاسيّ اللون.

cupric[kū'prĭk] *(adj.)* نُحاسيّ : منسوب إلى النحاس أو مُحتوٍ عليه.

cuprous [kū'prəs] *(adj.)* = cupric.

cupulate *also* **cupular** *(adj.)* (١) قِمْعيّ الشكل (٢) مُقَمَّع : ذو قِمْع.

cupule[kū'pūl] *(n.)* القِمْع : كأس صغيرة خشبية تحيط بثمار البلّوط.

cur [kûr] *(n.)* (١) كلب هجين (٢) الخسيس ؛ اللئيم ؛ الجبان.

curability; curableness *(n.)* قابلية الشفاء أو المعالجة.

curable [kyo͝or'ə bəl] *(adj.)* قابل للشفاء أو المعالجة.

curaçao [kyo͝or'ə sō'] *also* **curaçoa** *(n.)* الكوراسو : شراب مُسْكِر مُنَكَّه بقشر نوع من البرتقال المجفّف.

curacy[kyo͝or'ə sĭ] *(n.)* منصب راعي الابرشية أو عمله.

curare *or* **curari** [kyo͞o rä'rĭ] *(n.)* الكورار : مادة تستخرج من بعض النباتات الاستوائية يستعملها هنود اميركة الجنوبية لتسميم السهام وتُستخدَم طبياً لإحداث الاسترخاء العضلي.

curassow [kyo͝or'ə sō'] *(n.)* القَرّاز : طائر أميركي كبير شبيه بالديك الرومي.

curassow

curate [kyo͝or'ĭt] *(n.)* (١) راعي الأبرشية. (٢) مساعد الخوري.

curative[kyo͝or'ə tĭv] *(adj.; n.)* (١) «أ» شفائيّ «ب» علاجي. «ج» شافٍ §(٢) علاج ؛ دواء.

curator [-rā'-] *(n.)* (١) الوصيّ (على قاصر الخ.) (٢) القيِّم : أمين المتحف أو المكتبة الخ.

curb [kûrb] *(n.; vt.)* (١) الشكيمة : الحديدة المعترضة في فم الفرس من اللجام (٢) حاشية أو حافة مطوِّقة (٣) الكابح ؛ الضابط (Put a ~ on your anger.) (٤) «أ» إفريز. «ب» حاجز البئر «ج» حاجز حجريّ عند حافة الطريق الخ. (٥) سوق الأسهم غير المسجلة في البورصة §(٦) يَشْكُم الفَرَس : يضع الشكيمة في فمه §(٧) يكبح ؛ يضبط (to ~ one's passions).

curb bit *(n.)* الشكيمة : الحديدة المعترضة في فم الفرس من اللجام.

curbing [kûr'bĭng] *(n.)* (١) مواد البناء اللازمة لإقامة حاجز الطريق الحجري الخ. (٢) حاجز حجري عند حافة الطريق الخ.

curb roof *(n.)* السقف المُحَدَّر : سقف مزدوج الانحدار من كل جانب.

curb roof

curbstone *(n.)* حجر أو أكثر من الحجارة المنصوبة على حافة الطريق الخ.

curculio [kûr kū'lĭ ō] *(n.)* خنفساء الفاكهة.

curcuma [kûr'kyo͞o mə] *(n.)* الكُرْكُم : عشب استوائي من الفصيلة الزنجبيلية (نب).

curd [kûrd] *(n.; vt.; i.)* (١) الخُثارة : خثارة اللبن (٢) شيء كالخثارة §(٣) يخثّر ×(٤) يتخثّر.

curdle [kûr'dəl] *(vt.; i.)* (١) يخثّر (٢) يُفسِد ×(٣) يتخثّر الخ.

to ~ the blood يروِّع ؛ يُخيف.

curdy [kûr'dĭ] *(adj.)* متخثّر ؛ متجبّن.

cure [kyo͝or] *(n.; vt.; i.)* (١) «أ» الرعاية الروحية (من جانب القسّ لأبناء أبرشيته). «ب» منصب راعي الأبرشية أو منطقته (٢) «أ» شفاء ؛ إبلال. «ب» علاج ؛ دواء. «ج» معالجة ؛ مداواة (٣) تمليح (اللحم أو السمك) وتقديده §(٤) يَشْفي (٥) يعالج ؛ يداوي (٦) يملّح ويقدّد (اللحم أو السمك) ×(٧) يَشْفى ؛ يَبِلّ.

to obtain a ~, يفوز بوظيفة راعي أبرشية.

curé [kyo͞o rā'] *(F.)* راعي أبرشية (نص).

cure-all [kyo͝or'ôl'] *(n.)* الدواء العام : دواء لجميع الأمراض.

curettage[kyo͞o rĕt'ĭj; -ə täzh'] *(n.)* التجريف : عملية كَحْت الرحِم الخ. (ط).

curette *or* **curet** [kyo͞o rĕt'] *(n.; vt.)* (١) المِجرفة ؛ المِكْحَتة :

أداة ملعقية الشكل تُجرَى بها عملية التجريف أو الكَحْت (في الرحم الخ.) §(٢) يجرِّف ، يَكْحَت : يجري عملية تجريف أو كَحْتٍ على . **—curettement** *(n.)*

curfew [kûr'fū] *(n.)* (١) ناقوس الغروب : «أ» ناقوس كان يقرع عند ساعة معيّنة من الليل لإشعار الناس بضرورة إطفاء الأنوار (في العصر الوسيط). «ب» موعد قرع هذا الناقوس. «ج» القانون الذي كان يفرض ذلك (٢) حَظْر التجوُّل (في العصر الحديث ، عند فرض الأحكام العُرفية).

curia [kyŏŏr'ĭ ə] *(n.)* pl. **curiae** [-'ĭ ē] (١) «أ» العشيرة : جزء من القبيلة الرومانية القديمة. «ب» دار مجلس الشيوخ الروماني (٢) «أ» بلاط ملك (في العصر الوسيط). «ب» محكمة (٣) *cap.* عد : الادارة البابوية : البابا وكبار أعوانه بوصفهم السلطة الحاكمة في الكنيسة الرومانية الكاثوليكية.

curie [kyŏŏr'ē] *(n.)* الكوري : وحدة قياس النشاط الاشعاعي.

Curie point *(n.)* نقطة كوري : الحرارة التي عندها يفقد المعدن المُمَغْنَط خصائصَه المغنطيسية (فز).

curio [kyŏŏr'ĭ ō'] *(n.)* التحفة : شيء لافتٌ للنظر بجِدّته أو غرابته.

curiosa [-ĭ ō'sə] *(n.pl.)* المُغْرِبات : كتب أو كراريس تعالج موضوعات غريبةً (داعرةً بخاصة).

curiosity [-ĭ ŏs'ə tĭ] *(n.)* (١) فضول ، حبّ استطلاع. (٢) «أ» شخص غريب الأطوار (ع). «ب» تحفة أو شيء غريب أو نادر أو جديد. «ج» صفة غريبة أو لافتة للنظر.

curious [-'ĭ əs] *(adj.)* (١) فضولي : «أ» مُحبّ للاستطلاع والتعلّم. «ب» محبّ للاطّلاع على شؤون الآخرين الخاصة (٢) غريب ، لافتٌ للنظر بغرابته أو جدته (٣) دقيق (a ~ inquiry) (٤) بذيء ، غير محتشم (~ books).

curium [-'ĭ əm] *(n.)* الكوريوم : عنصر فلزّيّ إشعاعي يُنتَج صُنعياً.

curl [kûrl] *(vt.; i.; n.)* (١) «أ» يُعَقِّص (الشَّعر). «ب» يَلُفّ. «ج» يفتل ×(٢) «أ» يلتفّ. «ب» يتجعّد (٣) يتحرك أو يتقدم بطريقة لولبية (٤) يلعب الكَرْلنغ (را curling 2.) §(٥) عِقْصة ، حُلَيْقَة (شعر) (٦) لَفّة (٧) «أ» لَفّ ، عَقْص. «ب» التفاف (to keep the hair in ~) (٨) التفاف الأوراق غير السّويّ (نب).

curler [kûr'-] *(n.)* (١) «أ» عاقص الشَّعْر. «ب» المِعْقَصة : أداة لعقص الشعر (٢) لاعب الكَرْلنغ (را curling 2).

curlew

curlew [kûr'lōō] *(n.)* الكَرَوان : طائر مائيّ طويل المنقار والقائمتين.

curlicue *also* **curlycue** [-'lĭ kū'] *(n.)* المُلْتَفّ : شكل ملتفّ أو لولبيّ على سبيل التزيين (~s in handwriting).

curling [-'lĭng] *(n.; adj.)* (١) مصcurl (٢) الكَرْلِنغ : لعبة على الجليد تُزَلّق فيها حجارةٌ كبار ملساءُ نحو هدف §(٣) مُتَجَعِّد.

curling iron *(n.)* المِعْقَصة : أداة لعَقْص الشعر وتمويجه بالكيّ.

curling irons; curling tongs *(n.)* = curling iron.

curling stone *(n.)* حَجَرُ أو كُرَة الكَرْلِنغ (را curling 2.).

curling stone

curlpaper *(n.)* قُصاصة العَقْص : قصاصة ورق تُلَفّ حولها خُصلة الشَّعر عندعَقْصها.

curly [-'lĭ] *(adj.)* جَعْدٌ أو مَعْقوص (~ hair).

curmudgeon [kər mŭj'ən] *(n.)* (١) البخيل (٢) السريع الغضب.

curr [kûr] *(vi.)* يُقرقر ، يدمدم (The owlets ~.).

currant [kûr'ənt] *(n.)* الكِشْمِش : «أ» عنبٌ (أو زبيب) لا بزر له. «ب» جَنْبة مثمرة من الفصيلة الكِشمشية تُزرَع لثمرها.

currency [kûr'ən-] *(n.)* (١) «أ» تداوُل (the ~ of bank notes) «ب» انتشار ، رواج ، سيرورة (Rumors soon gained ~.) (٢) عملة متداولة (paper ~).

current [kûr'ənt] *(adj.; n.)* (١) متدفّق (ا.ق) (٢) جارٍ ، حاضر ، حاليّ (the ~ month) (٣) الأخير (the ~ issue of a magazine) (٤) متداوَل (a ~ coin) (٥) شائع ، ذائع ، سائد ، رائج (~ beliefs) §(٦) «أ» تدفق ، جريان. «ب» جدول ، نهر (٧) تيّار (مائيّ أو هوائيّ أو كهربائيّ) (٨) مجرى «الحياة أو الأحداث» (disturbed the peaceful ~ of his life) (٩) اتجاه عام (tried to influence the ~ of thought).

current account *(n.)* الحساب الجاري (في مصرف).

current density *(n.)* كثافة التيار (كب).

current expenses *(n. pl.)* النفقات الجارية : النفقات المتواصلة باطراد والضرورية لتسيير مؤسسة ما.

currently *(adv.)* (١) الآن ، في الوقت الحاضر (٢) على نحوٍ عام أو شائع الخ.

curricle [kûr'ə kəl] *(n.)* الكُرْكُل : عربة ذات عجلتين وجوادين.

curriculum [kə rĭk'yə ləm] *(n.)* pl. **-la** *also* **-lums**. منهاج الدراسة (في مدرسة أو جامعة). **—curricular** *(adj.)*

curriculum vitae [vī'tē] *(n.)* بيان السيرة : بيان يقدّمه طالبُ الوظيفة موجزاً فيه سيرته ومؤهلاته العلمية.

currie [kûr'ĭ] *(n.)* = curry 5-6.

currier [kûr'ĭ ər] *(n.)* (١) الحسّاس : ممشّط شعر الفرس. (٢) منظف الجلود (بعد الدبغ).

curriery [-'ĭ ə rĭ] *(n.)* (١) صناعة تنظيف الجلود (بعد الدبغ). (٢) موضع تنظيف الجلود.

currish [kûr'ish] *(adj.)* (١) هجين ، شبيه بالكلب الهجين. (٢) مشاكس (٣) دنيء ، حقير.

curry [kûr'ĭ] *(vt.; n.)* (١) يمشّط (شعرَ الفرس) (٢) ينظف الجلود (بعد الدبغ) (٣) يضرب ، يجلد (٤) يطهو أو يُنَكِّه بالكَرِي §(٥) الكري : بهار هندي (٦) طعامٌ مُنَكَّهٌ بالكَري.
to ~ favor (with) يتملّقه كسباً لرضاه.

currycomb [kûr'ĭ kōm'] *(n.; vt.)* (٢) المِحَسّة : مشط لشعر الفرس § (٢) يَحُسّ : يمشّط شعر الفرس بمِحسّة.

curry powder *(n.)* الكَرِي : بهار هندي.

curse [kûrs] *(n.; vt.)* (١) لعنة (٢) شيء ملعون (٣) «أ» بلاء. «ب» سبب البلاء أو الشقاء (She is a ~ to her family.) §(٤) يلعن (٥) «أ» يَشْتِم. «ب» يجدّف على الله (٦) يعذّب ، يُشقي ، يُنزل به بلاءً.

cursed [kûr'sĭd; kûrst] *(adj.)* (١) ملعون ، لعين (٢) بغيض ، كريه (٣) مشاكس ، رديء الطبع (ع).

cursive [kûr'sĭv] *(adj.; n.)* (١) جارٍ : مكتوب بأحرف متصلة (كحروف الخط اليدوي لا كحروف الخط المطبعي) §(٢) مخطوطة كتبت بأحرف متصلة (٣) أحرف مطبعية متصلة.

☞ *This is cursive type.*

cursorial [kûr sōr'ĭ əl] *(adj.)* (١) مُعَدّ للعَدْو (كقوائم الكلاب أو الخيل) (٢) ذو قوائم مُعدّة للعدو (كبعض الطيور).

cursorily *(adv.)* على نحوسريع أو خاطف أو سطحيّ أو متعجّل فيه.

cursory [kûr'sə-] *(adj.)* سريع ، خاطف ، سطحيّ ، متعجّل فيه.

curt [kûrt] *(adj.)* جافٍ: مُقتضَبٌ على نحوٍ فظّ .

curtail [kər tāl'] *(vt.)* (١) يَبْتُر (٢) يختصر (٣) يقلّص .

curtain [kûr'tən] *(n.; vt.)* (١) ستارة (٢) سِتر ؛ غطاء ؛ حجاب (a ~ of artillery fire) (٣) جزء من جدار بين برجين الخ . (٤) «أ» ستار المسرح . «ب» رفع الستار عند بدء المشهد أو إسداله عند انتهائه . «ج» نهاية المشهد . «د» *pl.* : نهاية ؛ وبخاصة : موت §(٥) يزوّد بالستائر (٦) يحجب . to ~ off يَفْصِل أو يقْسِم بستارة .

curtain call *(n.)* دعاء السِّتارة : تصفيق استحسان عند نهاية العزف او الغناء يحمل الفنان على العودة إلى المسرح .

curtain lecture *(n.)* التوبيخ المستور : توبيخ المرأة لزوجها سرّاً .

curtain raiser *(n.)* (١) المسرحية التمهيدية : مسرحية صغيرة تُعْرَض قبل المسرحية الرئيسية (٢) تمهيد موجز .

curtal ax *or* **curtle ax** *(n.)* = cutlass.

curtilage [kûr'tə lij] *(n.)* فِناء الدار .

curtsy *or* **curtsey** [kûrt'sĭ] *(n.; vi.)* (١) انحناءة احترام (تقوم بها النساء) §(٢) تنحني (المرأةُ) انحناءة احترام .

curule [kyŏŏr'ōōl] *(adj.)* (١) مخوَّل حقَّ التربّع على كورول (را . curule chair) (٢) من المرتبة العليا (a ~ magistrate).

curule chair *(n.)* الكورول : كرسيّ لا ظهر له ، قابل للطيّ مرصَّع بالعاج عادةً ، كان التربّع عليه امتيازاً خاصاً ببعض كبار رجال الدولة الرومانية .

curvature [kûr'və chər] *(n.)* (١) حَنْيٌ ؛ تقويس (٢) انحناء ؛ تقوس (of the spine ~) (٣) درجة الانحناء (٤) شيء منحنٍ .

curve [kûrv] *(vt.; i.; n.)* (١) يَحْني ؛ يقوِّس ×(٢) ينحني ؛ يتقوس §(٣) مُنحنًى (٤) منعطَف (في الطريق) (٥) *pl.* : هلالان (في الكتابة أو الطباعة) .

curved [kûrvd] *(adj.)* مُنْحنٍ ؛ مُتقوِّس .

curvet [*n.* kûr'vĭt; *v.* kər vĕt'] *(n.; vi.; t.)* (١) قَفْزة فَرَس . §(٢) يقفز (الفرس) (٣) يمرح ؛ يطفر مرحاً ×(٤) يحمل (الفرس) على القفز .

curvi- بادئة معناها : مُنْحَنٍ (*curvi*linear).

curvilinear *or* **curvilineal** [kûr'və lĭn'-] *(adj.)* (١) منحني الأضلاع (٢) مشكَّلٌ خطاً منحنياً أو متحركٌ في خطٍّ منحنٍ (٣) متّسِمٌ بخطوط منحنية .

curvilinear angle *(n.)* زاوية منحنية الخطّين (مج) .

cushaw [kə shô'] *(n.)* قَرْعٌ شتويّ (نب) .

cushion [kŏŏsh'ən] *(n.; vt.)* (١) وسادة (٢) الوِثار : كل شيء ليِّن كالوسادة (a ~ of leaves) (٣) بطانة حافة مائدة البليار (٤) ملطِّف الحركة ؛ مهدِّئ الصدمة (ملك) §(٥) يضع على وسادة (٦) يوسِّد ؛ يزوِّد بوسادة أو وسائد (٧) يلطِّف الحركة ؛ يهمِّد الصدمة (ملك) (٨) يُخْمِد الشكاوى الخ . بهدوء (وذلك بتجاهلها) .

cushy [kŏŏsh'ĭ] *(adj.)* يسير ؛ هيِّن (a ~ job).

cusk [kŭsk] *(n.)* البَرْسَم : سمك بحري ضخم من فصيلة القُدّ .

cusp [kŭsp] *(n.)* (١) طَرَفٌ مُسْتَدِق ، مثل : «أ» أحد قَرْنَي الهلال . «ب» نتوء فوق تاج الضِّرْس (٢) القُرْنَة (ر) . ~ of a curve قرنة المُنحنى (عم) . ~s of a valve شُرُفات الصِّمام أو المصراع (ت) .

cuspate; cuspated; cusped *(adj.)* مستدق الطَّرَف أو الأطراف .

cuspid [kŭs'pĭd] *(n.)* نابٌ .

cuspidate *or* **cuspidated** *(adj.)* مُسْتَدِقّ الطَّرَف .

cuspidor [kŭs'pə dôr'] *(n.)* المِبْصَقة : وعاءٌ يُبْصَق فيه .

cuss *(n.; vt.; i.)* (١) لعنة (٢) شخص أو حيوان §(٣) يَلْعَن . She doesn't care a ~, إنها لا تبالي البتّة .

cussed [-'ĭd] *(adj.)* (١) ملعون (ع) (٢) عنيد (ع) .

custard [-'tərd] *(n.)* القَسْتَر : مزيج مُحلّى من الحليب والبيض يُخبَز أو يُغْلَى أو يُثلَّج .

custard apple *(n.)* قِشدة ؛ سفرجل هندي ؛ وبخاصة : قِشدة شبكية .

custodian [kŭs tō'dĭ ən] *(n.)* القَيِّم ؛ الأمين ؛ الحارس .

custody [kŭs'tə dĭ] *(n.)* (١) رعاية ؛ وصاية ؛ كِفالة (٢) حَجْز قضائي (٣) حَبْس ؛ سَجْن .

custom [kŭs'təm] *(n.; adj.)* (١) «أ» عادة . «ب» عُرْف . (٢) *pl.* : «أ» رسوم جمركية . «ب» جمرك (٣) «أ» الزبانة : معاملة المستهلك محلاً تجارياً معيناً على نحو موصول (كقولك I shall take away my ~ from this shop. أي : سوف أنقطع عن شراء السلع منه) . «ب» الزبائن §(٤) مُوصًى عليه ؛ غير جاهز ؛ مصنوع خصيصاً بناء على طلب الزبون (~ shoes) (٥) صانع للسلع «غير الجاهزة» (a ~ shoemaker).

customary [-'tə mĕr'ĭ] *(adj.)* (١) عُرفيّ : ذو علاقة بالعرف لا بالقانون : راسخ بفضل العرف لا بقوة القانون (٢) معتاد ؛ مألوف .

custom-built *(adj.)* موصًى عليه ؛ مصنوع بناء على طلب الزبون .

customer [-'təm-] *(n.)* (١) زبون (٢) شخص (a queer ~). an awkward ~, شخص يصعب التعامل معه .

customhouse *(n.)* الجمرك : إدارة الجمرك .

customize *(vt.)* يَصْنَع أو يعدِّل وفقاً لطلب الزبون .

custom-made *(adj.)* = custom-built.

custom-tailor *(vt.)* يفصِّل : يَصنع وفقاً لمواصفات المرء أو حاجاته .

cut [kŭt] *(vt.; i.; n.; adj.)* (١) «أ» يجرح . «ب» يجرح الاحساس . «ج» يجلد . «د» يضرب الكرة بحيث يغيِّر اتجاهها أو يجعلها تدور (٢) «أ» يقص (الشَّعر) . «ب» يقلِّم ، يشذِّب (الأظافر) «ج» يختصر بالحذف (to ~ a manuscript) . «د» يرقِّق سائلاً : يخفف من كثافته بالمزج بالماء (to ~ liquor) . «ه» يخفِّض (to ~ prices) (٣) «أ» يحصد (to ~ grain) . «ب» يقطع (to ~ timber) . «ج» يغيِّر اتجاه شيء تغييراً حاداً . «د» يفْصِل عن . (٤) «أ» يتقاطع (The lines ~ one another.) . «ب» يقطع : يقسم مجموعة أوراق اللعب قسمين . «ج» يسحب ورقةً من هذه المجموعة . «د» يقسِم (٥) «أ» يتجاهل (شخصاً) . «ب» يتغيَّب عن (to ~ classes) . «ج» يوقف (محرِّكاً) . «د» ينهي تصوير (مشهد سينمائي) (٦) «أ» ينقش (to ~ a figure in stone) . «ب» يشق (to ~ a tunnel) . «ج» يقطع ويهندم (to ~ a diamond) . «د» يفصِّل (to ~ a garment) . «ه» يَصُبّ (to ~ a key) . «و» يسجِّل (الكلام أو الأغنية) على أسطوانة فونوغرافية . «ز» يطبع على «الستانسيل» ×(٧) «أ» يَقْطَع ؛ يقص (This knife ~s well.) . «ب» ينقطع ؛ ينقص (Cheese ~s easily.) (٨) تخترق (الأسنانُ) اللثة (٩) يسلك طريقاً مختصرة (١٠) ينطلق بسرعة (a yacht ~*ting* through the water) §(١١) «أ» ثوب قماش (يتراوح طوله بين ٤٠ و ١٠٠ ياردة) . «ب» غلة ؛ محصول . «ج» قطعة لحم . «د» حصة ؛ نصيب (His ~ was 35%.) (١٢) «أ» مجاز ؛ قناة . «ب» كليشيه (طع) . «ج» صورة مطبوعة عن كليشيه (١٣) «أ» جرح (~ s on the face) . «ب» كلام أو عمل جارح للشعور ؛ انتقاد ؛ تعنيف .

«ج» طعنة (بالسيف) ؛ جلدة بالسوط . (That was a ~ at him.) «د» ضربةُ كرة سريعةٌ مركّزةٌ في التنس أو الكريكيت » (a ~ to the boundary) (١٤) «أ» حذف أو اختصار . «ب» الجزء المحذوف (many ~s in the film) (١٥) «أ» التفصيلة : طريقة التفصيل (I like the ~ of your coat.) «ب» أسلوب ؛ طراز ؛ نوع (١٦) تجاهل شخص (ع) (١٧) تغيّبٌ عن الدرس (ع) § (١٨) مقطوع ؛ مفصول (١٩) مشقوق (٢٠) مزخرَف ومَصْقول (~ glass) (٢١) مخفَّض (~ rates) (٢٢) مَخْصيّ (٢٣) سكران (ع) .

a hair ~, قَصّة شَعْر .

a short ~, طريق مختصرة ؛ « قادومية » .

to ~ a corner (١) يقطع الزاوية قطعاً (بدلاً من أن يسلك الطريق الأطول حولها) (٢) ينجز بأسرع الطرق أو أسهلها او ارخصها .

to ~ after يطارد ؛ يتعقّب .

to ~ a loss (one's losses) يبدأ بدايةً جديدةً تماماً (بدلاً من الاستمرار في خطة سابقة عادت عليه بالخسارة) .

to ~ and run يلوذ بالفرار .

to ~ a poor (grand, ridiculous, etc.) figure يظهر بمظهر مُخْزٍ (أومَهيب أو مثير للسخرية الخ .)

to ~ at يسدد ضربة قاسية وخاطفة إلى .

to ~ away (١) يقطع ؛ ينزع (٢) يهرب ؛ يفرّ .

to ~ back (١) يقلّم ؛ يشذّب (٢) ينقّص ، يخفّض . (٣) يقطع تسلسل الرواية بإقحام أحداث سابقة على آخر مشهد عُرِض منها .

to ~ both ways يكون أشبه بسيفٍ ذي حدَّين .

to ~ down (١) يقطع (شجرةً الخ .) (٢) يعيد تشكيل شيء بإزالة الزوائد والفضول (٣) يصرعه أو يجعله عاجزاً (٤) ينقّص ، يخفّض الخ .

to ~ the (Gordian) knot يقطع العقدة (الغورديّة) : يحلّ مشكلةً بأسرع الطرق ولو كانت غير مألوفة أو شاذة .

to ~ in *or* into يقاطع (شخصاً) أثناء الحديث .

to ~ it fine يصل إلى المحطة قبل إقلاع القطار بلحظات .

to ~ off (١) يقطع (٢) يقاطع أثناء الحديث . (٣) يفصل ، يعزل (٤) يُميت ؛ يقضي على (٥) يوقف (٦) يتوقف عن العمل .

to ~ (a person) off with a shilling يحرمه الميراث (أو يوصي له بجزء ضئيل جداً منه) .

to ~ on يُسْرِع ؛ يعجّل .

to ~ one's coat according to one's cloth يوفّق بين دَخْله وخَرْجه ؛ يمدّ رجلَيْه على قدْر بساطه .

to ~ oneself free يتحرر (من قيوده) .

to ~ one's head open يقع ويشجّ رأسه .

to ~ one's profits يقنع بأرباح أقلّ (بل وحتى بالبيع من غير ربح) .

to ~ one's teeth يُسَنِّن ؛ تطْلُع أسنانه .

to ~ one's wisdom teeth (١) يبلغ سن التمييز (٢) يكتسب الحكمة بالاختبار .

to ~ out (١) يحذف (٢) يحلّ محلّ (شخصٍ منافس بخاصة) ؛ يهْزِم (٣) يقطع ؛ يفصِل (٤) يهيّئ ؛ يُعِدّ (٥) يصنع (٦) يشق طريقاً (٧) يفصل بذلة (٨) ينصرف على عجل (٩) يتوقف عن العمل (١٠) ينقطع عن (التدخين الخ.) (١١) يخرج فجأة عن الطريق الذي كان يتّخذه .

to be ~ out for this kind of work يكون صالحاً أو مؤهَّلاً لهذا النوع من العمل .

to ~ the record يحطّم الرقم القياسي .

to ~ a long story short يختصر قصة طويلة .

to ~ short a person's remarks يقاطعه ؛ يطلب إليه أن يكفّ عن الكلام .

to ~ up (١) يجزّىء (٢) يمزّق (قوى العدوّ) . (٣) ينتقد انتقاداً لاذعاً (٤) يتجزأ ؛ يتقطّع (٥) «أ» يسلك سلوكاً صاخباً . «ب» يهرّج .

to ~ up rough يهتاج ؛ يغضب (ع) .

to ~ up well (١) يموت مخلّفاً ثروة ضخمة (٢) تكون الدجاجة الخ . موفورة اللحم .

cut-and-dried *also* **cut-and-dry** *(adj.)* (١) روتيني . (٢) مكرور ، معاد ؛ جاهز ؛ غير أصيل (~ opinions) .

cut and paste *(vt.)* يَقْطَع ويُلْصِق (في ملفّ الكومبيوتر) .

cutaneous [kū tā'-] *(adj.)* جِلدي (a ~ disease) .

cutaway [kŭt'ə wā] *(adj.; n.)* (١) أبتر ؛ مقطوعٌ منه جزءٌ (a ~ illustration) § (٢) صورةٌ بتراء (٣) المُذَيَّلة : سترة طويلة تنفرج الزاويةُ المشكّلة من التقاء طرَفَيها الأماميين ، عند موضع الحزام من الخصر ، انفراجاً متواصلاً حتى الظهر حيث ينتهي بذيل مستدق (يرتديها الرجال في المناسبات الرسمية النهارية) .

cutback [kŭt'băk'] *(n.)* (١) عودة (في القصة أو الفيلم السينمائي) إلى احداث سابقة (٢) تخفيض الانتاج (الى معدل سابق) .

cutch [kŭch] *(n.)* = catechu.

cute [kūt] *(adj.)* (١) ذكيّ ؛ بارع (٢) جذّاب ؛ فاتن .

cuticle [kū'tə-] *(n.)* (١) إهاب (٢) بَشَرة (٣) بَشَرة ميتة أو متصلبة .

cuticular *(adj.)* (١) إهابي (٢) جُلَيْدي (مج) : متعلق بالبَشَرة .

cutin [kū'tĭn] *(n.)* الجُلَيْدين : مادة شمعية شفّافة تشكّل هي والسّليلوز بشرةَ النبات .

cutis [kū'tĭs] *(n.)* pl. **-tes** *or* **-tises** = dermis.

cutlass *also* **cutlas** [kŭt'ləs] *(n.)* القَطْلَس : سيف قصير ثقيل مقوّس كان يستخدمه البحارة .

cutlass fish *(n.)* السَّيْف : ضربٌ من السمك شبيهٌ بالسيف .

cutlass fish

cutler [kŭt'lər] *(n.)* السكاكيني : صانع السكاكين والأدوات القاطعة أو بائعُها أو مُصلحها .

cutlery [-'lə rĭ] *(n.)* (١) سكاكين ، وبخاصة : سكاكين المائدة (٢) صناعة السكاكيني .

cutlet [-'lĭt] *(n.)* الكستلاتة : شريحة لحم تُشوى مع ضلعها عادة .

cutoff [kŭt'ôf] *(n.)* (١) قَطْع الخ . (را. to cut off.) (٢) صِمام القطع (في المحركات البخارية) (٣) طريق مختصرة .

cut out *(adj.)* صالحٌ أو مؤهّلٌ أو ملائم بطبيعته لِ .

cutout [-'out] *(n.; adj.)* (١) القُطَيْعة : شكلٌ أو رسمٌ مُعَدّ للقَطْع ، لكي يلوّنه الأطفال (a page of animal ~s) (٢) قاطع التيّار (كب) § (٣) مُعَدّ للقطع « والتلوين عادة » (~ designs) (٤) قاطع ؛ فاصل (a ~ valve) (٥) أبتر (a ~ shoe) .

cutpurse [kŭt'pûrs'] *(n.)* النشّال : لصّ الجيوب .

cut rate *(n.)* سعر مخفض .

cut-rate *(adj.)* (١) مخفّض: مبيع بسعر مخفّض (٢) بائع أو عارض للسلع بسعر مخفّض (a ~store) (٣) رخيص ؛ رديء النوع.

cutter [kŭt'ər] *(n.)* (١) فا cut ، مثل: «أ» القاطع ؛ النحّات الخ. «ب» القاطعة ؛ المِقْطَعة ؛ المِقْطَع: أداة أو آلة قاطعة. «ج» مُفَصِّل الملابس (٢) القَطْر: «أ» مركب شراعي صغير وحيد الصواري. «ب» مركب تابع لسفينة حربية يستخدم لنقل الأشخاص والمؤن من السفينة وإليها. «ج» زورق بخاري حكومي مسلّح لمنع التهريب الخ. «د» مِزلجة صغيرة خفيفة يجرها عادةً جواد.

cutthroat [kŭt'-] *(n.; adj.)* (١) السفّاح ؛ سفّاك الدماء. (٢) الزُّغَيْم: طائر صغير أحمر الحلق §(٣) «أ» سفّاح ؛ وحشيّ. «ب» مُهْلِك (٤) قاسٍ ؛ لا يرحم (~competition) (٥) دالّ على لعبة، من ألعاب الورق مثلاً ، يشترك فيها ثلاثة أشخاص كلّ منهم يلعب لحسابه الشخصي.

cutting [kŭt'ĭng] *(n.; adj.)* (١) مص cut (٢) شيء يُقطَع أو يُفصَل الخ. مثل: «أ» شتلة نبات. «ب» حصاد. «ج» قصاصة جريدة (بر) (٣) نفق غير مسقوف (يُشَقّ لتمرّ فيه طريق أو سكّة حديدية أو قناة) (٤) أسطوانة فونوغرافية (٥) التنقيح: «تنقيح» الأفلام السينمائية والأشرطة المسجلة الخ. بقَطْع الأجزاء غير المرغوب فيها §(٦) قاطع ؛ ماضٍ ؛ حادّ (٧) قارس لاذع البرد (winds ~) (٨) لاذع ؛ ساخر ؛ جارح للشعور (remarks ~).

cutting room *(n.)* حجرة التنقيح: حجرة تنقيح الأفلام السينمائية والأشرطة المسجلة.

cuttlebone

cuttle [kŭt'-] *(n.)* = cuttlefish.

cuttlebone *(n.)* لسان البحر: عظم «الحَبّار» (را. cuttlefish) وهو يستخدم لصنع ذرور الصَّقل أو يُتَّخذ طعاماً للطائر المعروف بالكناريّ.

cuttlefish[kŭt'lə-]*(n.)* الحَبّار؛ الصُّبَيْدِج: حيوان بحري هلاميّ يؤكل.

cuttlefish

cutty [kŭt'ĭ] *(adj.; n.)* (١) قصير (اسك). §(٢) ملعقة أو بيبة قصيرة (اسك) (٣) امرأة مستهترة أو داعرة (اسك).

cutty sark*(n.)* (١) ثوب قصير (٢) «أ» امرأة. «ب» امرأة داعرة (اسك).

cutty stool*(n.)* (١) كرسيّ خفيض لا ظهر له. (٢) كرسيّ في الكنائس القديمة كان المتهمون بالجرائم الأخلاقية وغيرها يجلسون عليه ابتغاء تعنيفهم على مسمع من الجمهور (اسك).

cutup [kŭt'ŭp'] *(n.)* المهرج ؛ المُضحِك.

cutwater [kŭt'-] *(n.)* مُقَدَّم السفينة (الذي يشقّ الماء).

cutworm *(n.)* مُقصِّف السُّوَيقات: يَسْروع يقصِف سُوَيقات النبات.

-cy لاحقة معناها: «أ» حالة ؛ وضع (infan*cy*). «ب» وظيفة ؛ رتبة (captain*cy*). «ج» هيئة ؛ طبقة (magistra*cy*).

cyan- *or* cyano- بادئة معناها: «أ» أزرق داكن ؛ أزرق. «ب» سيانوجين. «ج» سيانيد.

cyanamide *also* **cyanamid** *(n.)* السِّياناميد (ك).

cyanic [sī ăn'ĭk] *(adj.)* (١) سِيانوجينيّ: ذو علاقة بالسِّيانوجين أو محتوٍ عليه (ك) (٢) أزرق أو ضاربٌ إلى الزرقة.

cyanic acid *(n.)* الحَمْض السِّيانوجيني: سائل سامّ عديم اللون (ك).

cyanide [sī'ə nīd'; -nĭd] *(n.)* السِّيانيد (ك).

cyanine *(n.)* السِّيانين: صِبغ يجعل الشريط الفوتوغرافي حساساً للضوء.

cyano- = cyan-.

cyanogen[sī ăn'ə jən]*(n.)* السِّيانوجين: غاز سامّ سريع الاشتعال عديم اللون رائحته شبيهة برائحة اللوز المرّ (ك).

cyanosed *(adj.)* مُزْرَقّ: مُصاب بالازرقاق (را. المادة التالية).

cyanosis (sī ə nō'sĭs] *(n.)* الازرقاق: ازرقاق في البشرة ناشئ عن نقص الأكسجين في الدم (مض).

Cybele[sĭb'ə lē']*(n.)* سيبيل: الإلاهة الطبيعة عند شعوب آسية الصغرى.

cybernetics [sī'bər nĕt'-] *(n.)* السبرانيّة ؛ علم الضبط.

cycad [sī'kăd] *(n.)* السِّيكاسيّة: نبتة من السِّيكاسيات **Cycadaceae** وهي فصيلة من عاريات البزور شبيهة بالنخل (نب).

cycas [sī'kăs] *(n.)* السِّيكاس: شجرٌ من السِّيكاسيات متوسط، من حيث الشكل، بين السرخس والنخل (نب).

cycl- بادئة معناها: «أ» دائرة. «ب» دوريّ ؛ حلْقيّ.

cyclamen [sĭk'lə-] *(n.)* بَخُور مريم: نباتٌ عشبيّ جميل الزهر.

cycle [sī'kəl] *(n.; vi.)* (١) دَوْر ؛ دَوْرة (٢) مَدار ؛ فَلَك (فل). (٣) عَصْر أو فترة طويلة من الزمن (٤) المجموعة: «أ» مجموعة من القصائد أو المسرحيات أو القصص أو الأغاني تعالج موضوعاً واحداً. «ب» سلسلة من الحكايات تصور مغامرات بطل أسطوري (٥) «أ» دراجة هوائية. «ب» دراجة ثلاثية (العجلات). «ج» دراجة بخارية (٦) حَلْقة (فز) §(٧) يدور (في دورة) ؛ يتكرر حدوثه في دورات (٨) يركب درّاجة، وبخاصة دراجة هوائية.

cycler [sī'-] *(n.)* = cyclist.

cyclic [sī'klĭk] *also* **cyclical** *(adj.)* (١) دَوْريّ (٢) حَلْقيّ: صفة للمركّبات التي تتحد ذرّاتها المكوِّنة لجزيئاتها على شكل حلقة مقفلة كالبنزين وغيره (ك) (٣) مُلتفّ (نب).

cyclic compounds المركّبات الحَلْقيّة (ك).

cyclist [sī'klist] *(n.)* الدرّاج: راكب الدرّاجة.

cyclo- = cycl-.

cycloid

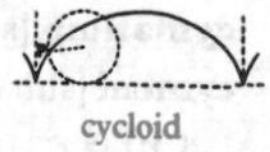

cycloid [sī'kloid] *(n.; adj.)* (١) الدُّوَيْريّ: خطّ منحنٍ تحدثه نقطة على محيط كرة تُدَحْرَج في سطح مستوٍ (هن) (٢) الدائري: سمك ذو حراشف دائرية §(٣) دُوَيْريّ (٤) دائري (٥) ذو حراشف دائرية. **—cycloidal** *(adj.)*

cyclometer [sī klŏm'-] *(n.)* السيكلومتر: «أ» أداة لقياس أقواس الدوائر. «ب» أداة لتسجيل دورات الدولاب وبالتالي لتسجيل المسافة التي تقطعها عربة ذات عجلات.

cyclone [sī'klōn] *(n.)* (١) الإعصار الحلزوني (٢) زوبعة ؛ إعصار.

cyclopean[sī'klə pē'ən] *(adj.)* (١) سِيكلوبي: «أ» cap. منسوب الى السِّيكلوب (را 1. cyclops). «ب» متعلق بطراز من البناء يتميز باستعمال حجارة ضخام غير متناسقة الأحجام من غير مِلاط (٢) ضخم ؛ هائل.

cyclopedia *or* **cyclopaedia** *(n.)* = encyclopedia.

cyclopropane [-prō'-] *(n.)* السِّيكلوبروبان ؛ البروبان الدوري (ك).

cyclops [sī'klŏps] *(n.)* (١) cap. السِّيكلوب: عملاق من جيل من العمالقة (في الأساطير اليونانية) ذو عين واحدة في وسط الجبين (٢) برغوث الماء: حيوان مائي ذو عين ضخمة متوسطة الموضع هي في الواقع عينٌ مزدوجة.

cyclorama [sī'klə răm'ə; -rä'mə]*(n.)* السِّيكلوراما: عَرْض تصويري لمشاهد الطبيعة أو الحرب الخ. على الجدار الداخلي لحجرة دائريّة يُشاهده نظارةٌ قاعدون وسط الحُجْرة (٢) السِّتارة السِّيكلورامية: ستارةٌ مُنْحنية (أو جدارٌ مُنحنٍ) تُتخذ خلفيةً

لمسرح مُعَدّ لكي يوحي للنظارة بامتدادٍ مكانيّ لا حدّ له .

cyclostomate *also* **cyclostomatous** *(adj.)* مستدير الفم (ح) .

cyclostome [sī'klə stōm'] *(n.; adj.)* (١) المستدير الفم : واحدٌ من مُستديرات الفم **Cyclostomi** *or* **Cyclostomata** وهي فقارياتٌ مائيةٌ دُنْيا تتميز بقرص دائري أو مستدير حول الفم بدلا من الفكين (ح) §(٢) مستدير الفم .

cyclothymia [sī klə thī'mĭ ə] *(n.)* المزاج الدَّوري : اضطراب عقلي يسبب اهتياجاً ونشاطاً بالغَين لا يلبثُ أن تعقبهما حالةٌ من الانقباض والأسى والقنوط وهكذا .

cyclotron [sī'klə trŏn'] *(n.)* السِّيكلوترون : جهاز لتحطيم نَوَى الذَّرَّات (فزن) .

cyder [sī'dər] *(n.)* = cider.

cygnet [sĭg'nĭt] *(n.)* التُّمَيْم : فَرْخُ التّمّ أو الإوزّ العراقي .

Cygnus [sĭg'nəs] *(n.)* (١) كوكبة الدجاجة (فل) (٢) الإوز العراقي .

cylinder [sĭl'ĭn dər] *(n.)* (١) الأُسطوانة : «أ» جسمٌ صلبٌ ذو طرفين متساويين على هيئة دائرتين متماثلتين تَحْصُران سطحاً ملفوفاً . «ب» غرفة في المحرّك حيث يضغط البخار أو البنزين على المِكْبَس (a six - *cylinder* motorcar) . «ج» جزء دوّار من الآلة الطابعة يضغط الورق على السطور أو الأشكال المحبَّرة . «د» جزء من المسدّس يحتوي على حجرة الخراطيش (٢) حجم الاسطوانة . **—cylindered** *(adj.)*

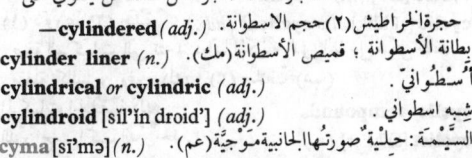

cylinder 1*b*.

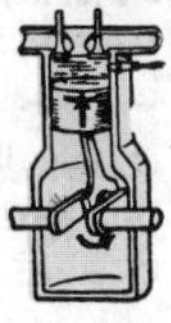

cylinder liner *(n.)* بطانة الأسطوانة ؛ قميص الأسطوانة (مك) .

cylindrical *or* **cylindric** *(adj.)* أُسْطُوانيّ .

cylindroid [sĭl'ĭn droid'] *(adj.)* شِبه اسطواني .

cyma [sī'mə] *(n.)* السَّيْمة : حِلْيةٌ صورتُها الجانبية مَوْجيّة (عم) .

cymar [sĭ mär'] *(n.)* = simar.

cymatium [sĭ mā'shĭ əm] *(n.)* pl. **-tia** = cyma.

cymbal [sĭm'bəl] *(n.)* الصَّنْج : صفيحة مدورة من نحاس أصفر يُضْرَب بها على أخرى (مو) .

cymbals

cymbalist *(n.)* الصَّنّاج ؛ الصَّنّاجة : العازف بالصَّنْجَين (مو) .

cymbidium [sĭm bĭd'ĭ əm] *(n.)* المراكبيّة : الفنجانية : نبات استوائي من الفصيلة السَّحلبية (نب) .

cyme [sīm] *(n.)* السَّنَمة ؛ القُمّة : شكلٌ من الازهرار يتميز بزهرة على قمة المحور الرئيسي وعلى قمة كل فرع من فروع الازهرار (نب) .

cymene [sī' mēn] *(n.)* السِّيمين : هيدروكربون سائل عذب الرائحة يُحصَل عليه من بعض الزيوت النباتية العطرة (ك) .

cymogene [sī'mə jēn'] *(n.)* السيموجين : نِتاج بترولي غازيّ ملتهب يتألف من البيوتان في المحلّ الأول .

cymophane [sī'mə fān'] *(n.)* = chrysoberyl.

cymose [sī'mōs] *also* **cymous** *(adj.)* سَنَميّ : منسوب إلى السَّنَمة (را . cyme) أو حاملٌ سَنَمة (نب) .

Cymric [kĭm'rĭk] *(adj.; n.)* (١) ويلزيّ : منسوب إلى مقاطعة ويلز بانكلترة §(٢) اللغة الويلزية .

Cymry [kĭm'rĭ] *(n. pl.)* الويلزيّون ؛ الشعب الويلزيّ .

cynic [sĭn'ĭk] *(n.; adj.)* (١) الكَلْبيّ : «أ» *cap.* : واحدٌ من مجموعة فلاسفةٍ يونانٍ آمنوا بأن الفضيلة هي الخير الأوحد وبأن جوهرها ضَبْطُ النفس . «ب» المؤمن بأن السلوك البشري تهيمن عليه المصالح الذاتية وحدها ، والمعبّر عن موقفه هذا عادةً بالسخرية والتهكم §(٢) كلبيّ : متعلق بالفلاسفة الكلبيين (٣) ساخر (٤) متشائم .

cynical [sĭn'ə-] *(adj.)* (١) عيّاب ؛ ساخر (٢) كلبيّ : شاكٌّ في طيبة الدوافع البشرية (٣) متشائم .

cynicism [-'ə sĭz-] *(n.)* (١) *cap.* : الكلبيّة : «أ» مذهب الكلبيين . «ب» المزاج الكلبيّ ، الصفة الكلبية (را . cynic 1*a*.) (the ~ of Voltaire) (٢) تعبير ساخر ؛ ملاحظة ساخرة (pungent ~s) .

cynosure [sī'nə shŏŏr'] *(n.)* (١) *cap.* : «أ» كوكبة الدبّ الأصغر (فل) . «ب» النجم القطبيّ (فل) (٢) قِبلة «الأنظار» (She is the ~ of all eyes.) (٣) الهادي ؛ المرشد .

Cynthia [sĭn'thĭ ə] *(n.)* (١) Artemis (٢) القمر .

cypher [sī'fər] = cipher.

cy pres [sē' prā'] *(Anglo-French)* (١) إلى أقرب حد (٢) قاعدة الحدّ الأقرب : قاعدة في المواريث تقضي بتنفيذ الوصية على نحو يتفق ، أكثرَ ما يكون الاتفاق ، مع مقاصد الموصي أو نيته وذلك عندما يتعذّر تنفيذها حرفياً بسبب من كونها مستحيلة ، أو غير عملية ، أو متجاوزة حدودَ القانون (ق) .

cypress [sī'prəs] *(n.)* الشّاش القبرصيّ : شاش أسودُ عادةً كان يُتخذ قديماً علامةً على الحداد .

cypress [sī'prəs] *(n.)* (١) السَّرو : شجر من الفصيلة الصنوبرية . (٢) خشب السَّرو .

Cyprian [sĭp'rĭ ən] *(adj.; n.)* (١) قبرصي (٢) داعر . §(٣) القبرصي (٤) مومس .

cyprinid [sĭ prī'nĭd] *(n.; adj.)* (١) الشَّبّوطيّة : كلّ سمكة من الشَّبّوطيات **Cyprinidae** وهي فصيلة من الأسماك النهرية رقيقة الزعانف §(٢) شَبّوطيّ .

cyprinodont [sĭ prĭn'ə dŏnt] *(n.; adj.)* (١) البَجْن ؛ البَطْرِيخ ؛ البَطْحيش : سمك يشبه الشبّوط لكنه أصغر منه §(٢) بَجْنيّ الخ .

cyprinoid [sĭp'rə noid'] *(n.; adj.)* (١) الشَّبّوطيّة : سمكة من فصيلة الشَّبّوطيّات §(٢) شَبّوطي .

Cypriote [sĭp'rĭ ōt'] *or* **Cypriot** [-'rĭ ət] *(n. ; adj.)* (١) القبرصيّ : أحد أبناء قبرص (٢) القبرصيّة : لغة قبرص اليونانية §(٣) قبرصي .

Cypripedium [sĭp'rə pē'-] *(n.)* = lady's slipper.

Cyproheptadine *(n.)* السيبروهيباتدين : عقّار يُعالج به داء الربو .

cyproterone [sī prŏt'ə rōn] *(n.)* السيبروترون : اسْتِرُوْيْد صنعيّ يكبح إفراز منشّطات الذكورة (ك) .

Cyrenaic [sĭr'ə nā'ĭk] *(n.; adj.)* (١) القُوْرينيّ : «أ» أحد أبناء مدينة قورينة الاغريقية . «ب» أحد المؤمنين بالمذهب القائل بأن اللذة هي هدف الحياة الأوحد §(٢) قورينيّ : «أ» منسوب إلى قورينة . «ب» متعلق بالمذهب القوريني .

Cyrillic [sĭ rĭl'ĭk] *(adj.)* سِيرِيْليّ : «أ» ذو علاقة بأبجدية سلافية قديمة يقال ان مخترعها هو القديس سيريل ولا تزال أشكالها الحديثة تستعمل في صربيا وبلغاريا والاتحاد السوفياتي . «ب» منسوب إلى القديس سيريل .

cyst [sĭst] *(n.)* (١) كُيَيْس (٢) مثانة .

cyst- بادئة معناها : كُيَيْس ؛ مثانة (*cystitis*) .

-cyst لاحقة معناها : كُيَيْس ؛ مثانة .

cystalgia *(n.)* المثَن : وَجَع المثانة (مج) .

cystectomy [sĭs tĕk'tə mĭ] *(n.)* استئصال المثانة البولية (جر) .

cysti- = cyst-.
cystic [sĭs'tĭk] *(adj.)* (١) كُيَيْسيّ (٢) مَثانيّ ؛ مَراريّ .
cystic duct *or* **canal** *(n.)* المَسال المَراريّ (مج) .
cysticercus [sĭs tə sûr' kəs] *(n.)* الكِيْسة المُذَنَّبة : يرقانة بعض الديدان الشريطية . وهي تتألف من كيس يشتمل على سائل وعلى رأس مُغْمَد هو رأس الدودة الشريطية (ح) .
cystine [sĭs'tēn] *(n.)* السِّيستين : حمضٌ أميني متبلّر موجود في معظم البروتينات (كح) .
cystitis [sĭs tī'tĭs] *(n.)* التهاب المثانة (ط) .
cysto- = cyst-.
cystocarp [sĭs'tə kärp'] *(n.)* الثمرة الكيسيّة : البنية الثمرية التي تنشأ في الطحالب الحمراء بعد الإخصاب (نب) .
cystoid [sĭs'toid] *(adj.; n.)* (١) كُيَيْسانيّ : شبيه بالكُيَيْس . §(٢) جسم كُيَيْسانيّ .
cystolith [sĭs'tə lĭth] *(n.)* حصاة مثانية او بولية (ط) .
cystoscope *(n.)* منظار المثانة : أداة لفحص المثانة بَصَريّاً .
cystoscopy [sĭ stŏs'kə pĭ] *(n.)* تنظير المثانة : معاينة المثانة أو فحصها بالمنظار المثاني (ط) .
cystotomy [sĭ stŏt'ə mĭ] *(n.)* بَضْعُ المثانة : جراحة تجري لإحداث شِقٍ في المثانة (ط) .
cyt- *or* **cyto-** بادئة معناها : (١) خليّة (٢) حشوة ؛ سيتوبلازم .
-cyte لاحقة معناها : خليّة (leukocyte).
Cytherea [sĭth'ə rē'ə] *(n.)* = Aphrodite.
cytoarchitecture *(n.)* التركيب الخلويّ: تركيب الخلية أو بنيتها (أح) .
cytochemistry *(n.)* الكيمياء الخَلَوية : كيمياء الخلايا الحية .
cytochrome [sī'tə krōm] *(n.)* الصِّبْغة ؛ السِّيتوكروم : أيّ من عدة أنزيمات توجد في خلايا النبات والحيوان وتتألف من حديد وبروتين وغيرهما، وتلعب دوراً هاماً في إحداث الأكسدة البيولوجية (كح) .
cytochrome c. *(n.)* الصِّبيغة «ج» ؛ السِّيتوكروم «ج» : أوفر الصِّبغات وجوداً وأكثرها ثباتاً (كح) .
cytochrome oxidase *(n.)* أكسيداز الصِّبيغة ؛ أكسيداز السيتوكروم : أنزيمة تلعب دوراً هاماً في تنفس الخلايا (كح) .
cytogenesis [sī'to jĕn'ə sĭs] *(n.)* تكوُّن الخلايا : أصل الخلايا وتطوُّرها (أح) .
cytogenetics [sī'tō jə nĕt'ĭks] *(n.)* علم الوراثة الخَلَويّ : فرع من علم الأحياء يُعْنَى بدراسة الدور الذي تلعبه الخلايا في إحداث ظواهر الوراثة والتطوّر الخ .
cytologist *(n.)* السيتولوجيّ : الباحث في السيتولوجيا أو علم الخلايا .
cytology [sī tŏl'ə jĭ] *(n.)* السِّيتولوجيا ؛ علم الخلايا : فرع من علم الأحياء يبحث في تركيب الخلايا ووظائفها وأمراضها الخ .
cytolysin *(n.)* حالّة الخليّة : مادة تُحْدِث انحلال الخلايا (كح) .
cytolysis [sī tŏl'ə sĭs] *(n.)* انحلال الخلايا (فس) .
cytomegalic [sī'tō mĭ găl'ĭk] *(adj.)* (١) مُضخِّم الخلايا (٢) مضخِّم للخلايا (أح) .
cytomembrane [sīt ō mĕm'brān] *(n.)* الغشاء الخَلَويّ : غشاء يكتنف الخليّة (أح) .
cyton [sī'tən] *(n.)* السِّيتون : جسم الخلية العصبية (أح)
cytopathogenic [sīt ə păth'ə jĕn'ĭk] *(adj.)* مُتْلِف للخلايا ؛ مدمر للخلايا (أح) .
cytopathology [sīt ə pə thŏl'ə jĭ] *(n.)* علم أمراض الخلايا : شعبة من علم الأمراض تبحث في التغيرات الشاذة التي تطرأ على الخلايا (مض) .
cytophilic [sīt ə fĭl'ĭk] *(adj)* أليف الخلايا : مُحِبٌّ للخلايا أو منجذبٌ إليها (أح) .
cytophotometry [sīt ə fō tŏm'ə trĭ] *(n.)* المضوائية الخَلَوية : الفوتومترية الخَلَوية : استخدام المضوائية أو الفوتومترية في دراسة الخلية أو مكوّناتها (أح) .
cytoplasm [sī'tə-] *(n.)* الحَشْوة : بروتوبلازما الخليّة أو مادتها الحية باستثناء النواة (أح) .
cytoplast [sī'tə plăst'] *(n.)* = cytoplasm.
cytosine [sī'tə sēn] *(n.)* السيتوسين : مادة قاعدية تعتبر مكوِّناً أساسياً في كثير من الأحماض النووية (كح) .
cytosol [sīt'ə sŏl] *(n.)*. العُصَارة الخَلَوية : الجزء المائع من الحشوة أو السيتوبلازما (أح) .
cytostatic [sīt ə stăt'ĭk] *(adj.)* مُبَطِّىء للخلايا : ميّال الى إبطاء نشاط الخلايا أو تكاثرها (أح) .
cytotaxonomy [sīt ə tăk sŏn'ə mĭ] *(n.)* التصنيف الخَلَوي : تصنيف المتعضّيات ودراسةُ العلاقات القائمة بينها وذلك من طريق الاستعانة بالتقنيات الكلاسيكية وبالدراسات المقارنة للصِّبغيات أو الكروموسومات (أح) .
cytotechnologist [sī tə tĕk nŏl'ə jĭst] *(n.)* التكنولوجي الخَلَوي : الأخصّائي بالتكنولوجيا الخَلَوية .
cytotechnology [sī tə tĕk nŏl'ə jĭ] *(n.)* التكنولوجيا الخَلَوية : دراسة الخلايا البشرية للكشف عن أمارات السرطان أو علاماته .
cytotoxic [sī tə tŏk'sĭk] *(adj.)* سامٌ للخلايا .
cytotoxin [sī tə tŏk' sĭn] *(n.)* الذِّيفان الخَلَوي ؛ التُكسين الخَلَوي : ذيفان (أو تكسين) أو جسم مضادّ مسمِّم للخلايا .
cytotropic *(adj.)* منجذبٌ نحو الخلايا (a ~ virus).
czar [zär] *(n.)* الامبراطور ؛ وبخاصة القيصر : لقب أباطرة الروسيا السابقين .
czardas [chär'dăsh] *(n.)* التّشارْدَش : رقصة وطنية هنغارية .
czarevitch [zär'ə vĭch] *(n.)* (١) ابن القيصر (٢) أكبر أولاد القيصر .
czarevna [zä rĕv'nə] *(n.)* بنت القيصر .
czarina [zä rē'nə] *(n.)* القَيْصَرَة : «أ» زوجة القيصر «ب» امبراطورةٌ روسية .
czarism [zär'ĭz əm] *(n.)* (١) القَيْصَرِيّة : الحكم القيصري في الروسيا (٢) دكتاتورية ، حكمٌ أوتوقراطي .
Czech [chĕk] *(n.; adj.)* (١) التشيكيّ : أحد أبناء تشيكوسلوفاكيا ؛ وبخاصة : أحد أبناء بوهيميا أو مورافيا أو سيليزيا (٢) اللغة التشيكوسلوفاكية ، وبخاصة : لغة التشيكيين السلافية §(٣) تشيكيّ .
—Czechic; Czechish *(adj.)*
Czechoslovak [chĕk'ə slō'văk] *(n.; adj.)* (١) التشيكوسلوفاكيّ : أحد أبناء تشيكوسلوفاكيا (٢) التشيكوسلوفاكية : لغة التشيكوسلوفاكيين السلافية §(٣) تشيكوسلوفاكيّ .
—Czechoslovakian *(adj.; n.)*

Damascus

D

d [dē] *(n. often cap.)* (١) الحرف الرابع من الأبجدية الانكليزية . (٢) خمسمئة (٣) شيء مُعْتَبَرٌ ذا مقام رابع (من حيث الترتيب أو الطبقة) (٤) «أ» درجة أو علامة مدرسية تُشْعِر بأن عمل الطالب ضعيف . «ب» طالب يُمنَح هذه الدرجة (٥) شيء على صورة حرف **D** .

dab [dăb] *(vt.; i.; n.)* (١) يربِّت ؛ يضرب برفق (٢) يربِّت أو يَمَسّ بمادة ليِّنة أو رطبة (She ~*bed* at her face with a powder puff.) (٣) يضع أو ينشر (مادةً) بلمسات رفيقة (He was ~*bing* paint on the picture.) §(٤) تربيتة ؛ ضربةٌ أو لَمْسَةٌ رفيقة (٥) كتلة صغيرة رطبة (little ~*s* of butter) (٦) مقدار ضئيل (٧) الداب : ضربٌ من السمك المُفَلْطَح (٨) البارع ؛ الكفوء (My brother is a ~ at tennis.).

dabble [dăb'əl] *(vt.; i.)* (١) يُبلِّل ؛ يرطِّب . «ب» يرش ؛ ينضح ×(٢) يلعب (بيديه أو قدميه) في الماء (The duck ~*s*.) (٣) يشتغل (في شأن من الشؤون) على سبيل الهواية أو على نطاق ضيِّق (to ~ in politics).

dabbler [dăb'-] *(n.)* (١) فا dabble وبخاصة : الهاوي (٢) بطة.

dabchick [-'chĭk] *(n.)* الغطّاس الصغير ؛ الزُّغَيْطة : طائر مائي .

da capo [dä kä'pō] *(L.)* من البداية : إيعاز بضرورة الاعادة (مو) .

dace [dās] *(n.)* الدّاس : سمك نهري صغير من الشبّوطيات .

dacha [däch'ə] *(n.)* الدّاشة : بيت ريفي روسي .

dachshund [däks'hōond; dăsh'-] *(n.)* الدّشْهَنْد : كلب ألماني صغير طويل الجسم قصير القوائم .

dacoit [də koit'] *(n.)* عضو بعصابة لصوص (في الهند وبورما).

Dacron *(n.)* الدّكرون : نسيج من خيوط صُنْعية شديدة المرونة معروفة بهذا الاسم .

dactyl [dăk'təl] *(n.)* الدّكتيل : تفعيلة من تفاعيل الشعر .

dactyl- *or* **dactylo-** بادئة معناها : إصبع (*dactylo*logy).

dactylology [dăk'tə lŏl'ə jĭ] *(n.)* التّصْبيع : فن نقل الأفكار بالاشارات الإصبعية كما في كتب الألفباء المُعَدّة للصم البُكْم .

dad [dăd]; **daddy** [dăd'ĭ] *(n.)* أبٌ (بلغة الأطفال أو تحبباً) .

dada [dä'də]; **dadaism** [-ĭz'əm] *(n.)* الدّادِيّة : مذهبٌ في الفن والأدب انتشر في سويسرة وفرنسة حوالي ١٩١٦ – ١٩٢٠ ، وهو يتميز بالتأكيد على حرية الشكل تخلّصاً من القيود التقليدية .

daddy longlegs *(n.)* طويل القوائم : كل حيوان طويل القوائم دقيقها وبخاصة : الحصّاد (را. harvestman).

dado [dā'dō] *(n.; vt.)* (١) الدّاد : «أ» جزء من قاعدة العمود (عم) . «ب» الجزء الأدنى المزخرف من جدار غرفة §(٢) يُدَيِّد : يزوِّد بداد .

daemon [dē'mən] *(n.)* = demon.

daffodil [dăf'ə dĭl] *(n.)* (١) النرجس البرّي ، النرجس الكاذب : ضرب من النرجس أصفر الزهر كبيره (٢) اللون الأصفر .

daffy [dăf'ĭ] *(adj.)* معتوه ؛ ضعيف العقل (ع) .

daft [dăft] *(adj.)* (١) «أ» سخيف ؛ أحمق . «ب» معتوه ؛ مجنون (٢) مرحٌ باستهتار (اسك) .

dag [dăg] *(n.)* (١) طَرَفٌ متدلٍّ (٢) صوف متلبد مكسوّ بالروث .

dagger [dăg'ər] *(n.)* (١) خِنْجَر (٢) شيء يشبه الخنجر ؛ وبخاصة : الخِنْجرية : إشارة (†) طباعية تحيل القارىء إلى الهامش أو ترمز إلى تاريخ الوفاة .

at ~*s* drawn مستعدٌ للقتال ؛ على وشك القتال .

to look ~*s* at ينظر إليه نظرات مِلؤها البغض والعداوة .

daguerreotype [də gĕr'ə tīp'] *(n.; vt.)* (١) التصوير الدّغري : طريقة قديمة في التصوير الفوتوغرافي على ألواح فضية (٢) صورة دغرية §(٣) يصور دغرياً .

dahlia [dăl'yə; däl'-] *(n.)* (١) الدّهْلية ، الأضاليا : نبتة طويلة ذات زهرات كبيرة جميلة (٢) زهرة الدهلية .

daily [dā'lĭ] *(adj.; adv.; n.)* (١) يومي §(٢) يومياً ؛ كل يوم §(٣) صحيفة يومية (٤) الخادمة النهارية : خادمة تفِدُ على البيت كل يوم ولكنها لا تبيت فيه (عب) .

daimon [dī'mōn] *(n.)* (١) الروح الحارسة (لشخص أو مكان الخ .) (٢) نصف إله (في الميثولوجيا الاغريقية) .

daimyo *or* **daimio** [dī'myō] *(n.)* الدّيميو : بارون ياباني إقطاعي .

dainty [dān'tĭ] *(adj.; n.)* (١) لذيذ ، طيب المذاق .

(٢) وسيم، أنيق (a ~ lady) (٣) نيّق ؛ صعب الإرضاء (٤) سَهْل المَكْسَر §(٥) طعام لذيذ .

daiquiri [dī'kə rĭ] *(n.)* الدَّيْكَرِيّ : شراب مُسْكِر .

dairy [dâr'ĭ] *(n.)* (١) المَلْبَنَة : «أ» مصنع الزبدة والجبن . «ب» محل أو شركة لبيع اللبن والزبدة الخ . (٢) «أ» صناعة إنتاج اللبن والزبدة والجبن . «ب» مزرعة مخصصة لهذا الانتاج . «ج» أبقار هذه المزرعة .

dairy cattle *(n.)* ماشية اللبن : ماشيةٌ تُرَبّى من أجل لبنها.

dairying [dâr'ĭ ĭng] *(n.)* = dairy 2*a*.

dairymaid *(n.)* العاملة في مَلْبَنَة الخ(را. dairy) .

dairyman *(n.)* (١) صاحب مزرعة لإنتاج اللبن (٢) عامل مَلْبَنة .

dais [dā'ĭs; dās] *(n.)* مِنَصَّة (في قاعة) .

daisy [dā'zĭ] *(n.; adj.)* (١) اللؤلؤيّة الصغرى ؛ مرغريتا الصغرى ؛ زهرة الربيع : زهرة من الفصيلة المركّبة (٢) شخص أو شيء ممتاز (ع) §(٣) ممتاز ؛ من الطراز الأول .

daisy ham *(n.)* قطعة مُدَخَّنَة بعَظْمها من لحم كتف الخنزير .

daisy wheel *(n.)* الدولاب المُلألأ : جزء من الآلة الكاتبة الكهربائية قوامُهُ قرصٌ يمثِّل مختلف الحروف والرموز الطباعية.

Dalai Lama [dä lī'lä'mə] *(n.)* الدالاي لاما : الزعيم الروحي لِلاّميّة (را . Lamaism) .

dale [dāl] *(n.)* وادٍ (بلغة الشعر وفي شمال انكلترة بخاصة) .

dalesman [dālz'-] *(n.)* الوِدْيانيّ : ساكن الوديان في انكلترة.

dalliance [dăl'ĭ-] *(n.)* (١) مداعبة (٢) عَبَث (٣) توانٍ ؛ تلكؤ .

dally [dăl'ĭ] *(vi.; t.)* (١) يداعب (The breeze *dallied* with the flowers.) (٢) يعبث ؛ يغازل امرأة من غير أن تكون له نيّة جدية في طلب يدها للزواج (He was ~*ing* with her affections.) (٣) يتوانى (Don't ~over your work.) ×(٤) يُضيع (الوقتَ) سدًى (She *dallied* her time away.)

Dalmatian [dăl mā'shən] *(n.; adj.)* (١) الدَّلماسي : أحد أبناء دلماسيا في الجزء الغربي من يوغوسلافيا (٢) الكلب الدَّلماسيّ : كلب أبيض مرقّش بنقط سُوْد §(٣) دَلْماسي .

Dalmatian 2.

dalmatic [dăl măt'ĭk] *(n.)* الدَّلْمَطيق : «أ» ثوب كهنوتي يُرتدى أثناء القدّاس . «ب» ثوب يرتديه الملك البريطاني عند تتويجه.

daltonism [dôl'tə-] *(n.)* الدّلتونيّة ؛ العمى اللوني ؛ وبخاصة : العجز عن التمييز بين الأحمر والأخضر .

dam [dăm] *(n.; vt.)* (١) سَدّ ؛ خزّان (٢) مياه السدّ (٣) أمّ (للحيوان الداجن بخاصة) §(٤) يزوّد بسدّ (٥) يَحْجز بسدّ (٦) يكبح ؛ يضبط (انفعالاته الخ.) .

damage [dăm'ĭj] *(n.; vt.; i.)* (١) أذى ؛ ضرر (٢) *pl.* : تعويض (عن ضرر) : «عطل وضرر» (٣) ثمن (ع) §(٤) يؤذي ؛ يضرّ ×(٥) يصاب بأذى أو ضرر .

damaging *(adj.)* مؤذٍ ؛ ضارّ . —**damagingly** *(adv.)*

daman [dăm'ən] *(n.)* الوَبْر ؛ الزَّلَم : حيوان ثدييّ صغير من ذوات الحافر .

damascene [dăm'ə sēn'] *(n.; adj.; vt.)* (١) *cap.* : الدِّمَشْقيّ : أحد أبناء دمشق §(٢) *cap.* : دمشقي (٣) دِمَقْسيّ §(٤) يُدَمْشِق : يزيّن الفولاذ بخطوط متموّجة كالتي تميّز السيوف الدمشقية .

Damascus [də măs'kəs] *(n.)* دِمشق .

Damascus steel *(n.)* الفولاذ الدمشقي: فولاذ مزدان بخطوط متموجة كانت تُصنَع منه شفرات السيوف (في دمشق أصلاً) .

damask [dăm'əsk] *(n.; adj.)* (١) دِمَقْس (٢) «أ» الفولاذ الدمشقي (را. Damascus steel) . «ب» تموّجات الفولاذ الدمشقي (٣) لون أحمر ضارب إلى الرّمادي §(٤) دِمَقْسيّ (٥) أحمر ضاربٌ إلى الرّمادي .

damask rose *(n.)* الورد الدمشقي : ورد دمشق (نب) .

dame [dām] *(n.)* السيِّدة : (١) امرأة ذات سلطة أو مقام رفيع . (٢) «أ» امرأة كهلة. «ب» امرأة متزوجة . «ج» امرأة (ع) .

dammar *or* **damar** *also* **dammer** [dăm'ər] *(n.)* : الدَّمَر : مادّة صمغية تستخرج من بعض الأشجار الصنوبرية في استراليا ونيوزيلندة الخ . وتستخدم في صنع الورنيش والحبر .

damn [dăm] *(vt.; i.; n.; adj.)* (١) يُدِين : «أ» يحكم عليه بالعقوبة السرمدية (في جهنّم) . «ب» يحكم عليه بأنّه رديء أو غير ملائم أو غير شرعي . «ج» يعتبره ، من طريق النقد العلني ، فاشلاً أو مخفقاً (to ~a novel) (٢) يُهْلك (٣) يلعن §(٤) لَعْن (٥) شيء تافه أو ضئيل القيمة §(٦) لعين ؛ ملعون.

damnable [-'nə bəl] *(adj.)* (١) مُستَحق للّعْن (٢) لعين ؛ رديء جداً (~ weather) .

damnation [-nā'-] *(n.)* (١) «أ» الإدانة ؛ اللّعْن. «ب» المُدانيّة ؛ الملعونيّة : كون الشيء مُداناً أو ملعوناً (٢) الخطيئة المميتة : خطيئة يستحق صاحبها العقوبة السرمدية (كن) .

damnatory [-'nə tōr'ĭ] *(adj.)* (١) إدانيّ ؛ هلاكيّ ؛ لَعْنيّ . (٢) مُدِين ؛ مُهْلِك ؛ مُورِث للّعْنَة الأبدية الخ .

damned [dămd] *(adj.; adv.)* (١) لعين ؛ ملعون ؛ محكومٌ عليه بالهلاك الأبدي (~ souls) (٢) مستحقٌ اللعنةَ أو الادانة (٣) «أ» بغيض ؛ مَقيت . «ب» بكل معنى الكلمة §(٤) إلى أقصى حدّ (~ funny) .

damnify [-'nə fī'] *(vt.)* يؤذي ؛ يَضرّ ؛ يسبب الخسارة لِـ .

damp [dămp] *(n.; adj.; vt.; i.)* (١) غازٌ سامّ ، وبخاصة في منجم فحم حجري (٢) رطوبة (٣) «أ» تثبيط . «ب» كآبة ؛ انقباض (ا.ق) §(٤) كئيب ؛ منقبض الصدر (٥) رَطْبٌ ؛ نَديّ §(٦) يخنق (بغازٍ سامّ) (٧) «أ» يُثَبِّط . «ب» يجعله كئيباً أو منقبض الصدر (٨) يُضائل ؛ يُوْهِن (٩) يُخْمِد (١٠) يرطّب ×(١١) تتضاءل (الذبذباتُ أو الموجات) .
—**dampish** *(adj.)* —**dampness** *(n.)*
to cast a ~ over يُفْسِد بهجةَ الشيء .
to ~ down يُخمد (النارَ) أو يجعلها تشتعل ببطء أشدّ .

damped waves *(n. pl.)* الموجات المتضائلة (رد) .

dampen [dăm'pən] *(vt.; i.)* (١) يَكْبَح ؛ يُوْهِن ؛ يُخْمد . (٢) يرطّب ؛ يندّي (٣) يثبّط (العزمَ) ؛ يورث الكآبة أو الانقباض (٤) يضائل (الذبذبات) ×(٥) يَرْطُب ؛ يصبح رطباً (٦) يَهِن عزمُهُ ؛ تَتَثَبَّطُ همّته (٧) يَخْمُد ؛ يتضاءل.

damper [dăm'pər] *(n.)* (١) فا damp (٢) المثبِّط ؛ المُوْرِث للكآبة أو الانقباض (٣) الصِّمام المُنَظِّم : صمام منظّم لتيار السَّحْب في مَوْقد (٣) المضائلة : أداة لتوهين الذبذبات (فز) .

damping *(n.)* مص damp ؛ وبخاصة: «أ» المضاءَلة : توهين الذبذبات (فز) . «ب» التضاؤل (فز) .

damping-off *(n.)* مَرَض الذبول (نب) .

damsel [dăm'zəl] *(n.)* آنسة ؛ فتاة ؛ شابّة غير متزوِّجة .

damson [dăm'zən] *(n.)* (١) الدَّمْسُون : خوخ أو برقوق داكن أو أرجوانيّ (٢) شجرة الدَّمْسُون .

dance [dăns; däns] *(vi.; t.; n.)* (١) يرقص (٢) يثب (من اهتياج أو انفعال) ×(٣) يؤدي رقصة، يرقص (to ~ a waltz) (٤) يرقّص (~*d* a baby on his knee) § (٥) رَقْص (٦) حفلة راقصة (٧) قطعة موسيقية راقصة (٨) فنّ الرقص.
to ~ attendance on *or* upon somebody يلازمه؛ يخدمه بعناية؛ يسرف في ملاطفته والخضوع له.
to ~ on *or* upon nothing يُشنَق؛ يموت شنقاً.
to give a ~, يقيم حفلة راقصة.

dancer [dăn'sər] *(n.)* الراقص؛ الراقصة.

dancing [dăn'sĭng] *(n.; adj.)* (١) رَقْص §(٢) راقص.

dancing girl *(n.)* الراقصة: الراقصة المحترفة.

dancing master *(n.)* معلّم الرقص.

dancing party *(n.)* حفلة راقصة.

dancing room *(n.)* المَرْقَص: حجرة الرقص.

dandelion [dăn'də lī'ən] *(n.)* الطَّرَخْشَقون: هندباءبرية (نب).

dander [dăn'dər] *(n.)* (١) dandruff (٢) غضب.
to get somebody's ~ up يثير غضبَ فلان.
to get one's ~ up يَغضَب.

dandify [dăn'də fī'] *(vt.)* يُغَنْدِر: يجعله شبيهاً بالغَندور (dandy. را)؛ يكسوه بأناقة مفرطة.
—dandified *(adj.)*

dandle [dăn'dəl] *(vt.)* (١) يرقّص (الطفلَ): يُؤَرجِحُه على ركبتيه أو بين ذراعيه (٢) يدلّل (الطفلَ).

dandruff [dăn'drəf] *also* **dandriff** [-'drĭf] *(n.)* الهِبْرِيَة: نُخالةُ الرأس أو قشرتُه.

dandy [dăn'dĭ] *(n.; adj.)* (١) الغَنْدور: شخص شديد التأنّق في مَلْبَسِه أو مظهره (٢) شيء من الطراز الأول (ع) (٣) الدَّنْدِي: مركب شراعي صغير ذو صاريَيْن §(٤) غَندور: شديد التأنّق (٥) ممتاز؛ من الطراز الأول.

dandyism *(n.)* الغَنْدورية: «أ» شدة التأنّق في الملبس والمظهر. «ب» أسلوب أدبي وفني في النصف الثاني من القرن التاسع عشر تميّز بالتكلف والافراط في التأنّق.

Dane [dān] *(n.)* (١) الدانمركي: شخص من أبناء الدانمرك أو من أصل دانمركي (٢) Great Dane.

Danelaw [dān'lô'] *(n.)* (١) القانون الدانمركي: قانون فرضه الدانمركيون عندما احتلوا الجزء الشمالي الشرقي من انكلترة في القرنين ٩ و١٠ ب.م. (٢) جزء من انكلترة خاضع لهذا القانون.

danger [dān'jər] *(n.)* خَطَر.

dangerous [-'jər əs] *(adj.)* خَطِر؛ محفوفٌ بالمخاطر.

dangerously *(adv.)* على نحوٍ خَطِر (~ wounded).

dangle [dăng'gəl] *(vi.; t.; n.)* (١) يتدلّى (٢) يتَتَبّع؛ يتبع؛ يحوم حوله «طمعاً في الفوز بشيء» (spent his life in *dangling* after women) ×(٣) يُدَلّي §(٤) «أ» تَدَلٍّ. «ب» تَدَلِّيَة (٥) شيء مُتَدَلٍّ.

dangler *(n.)* (١) المتدلّي (ear clips with diamond ~s) (٢) الحوّام: من يحوم حول امرأة.

Danish [dā'-] *(adj.; n.)* (١) دانمركي §(٢) الدانمركية: لغة الدانمركيين الجرمانية.

dank [dăngk] *(adj.)* شديد الرطوبة؛ رطب على نحو مزعج.

danseuse [dän sœz'] *(F.)* راقصة الباليه.

Dantean [dăn'tĭ ən] *(adj.; n.)* (١) دانتيّ: منسوب إلى الشاعر دانتي أو شعرِه §(٢) الدارس لشعر دانتي أو المعجَب به.

Dantesque [dăn tĕsk'] *(adj.)* = Dantean.

daphne [dăf'nĭ] *(n.)* (١) *cap.* دافني: حورية طاردها أبولو فلم تَنجُ منه إلا بتحوّلها إلى شجرة غار (٢) «أ» الغار (نب). «ب» كل نبات من الفصيلة الغاريّة.

dapper [dăp'ər] *(adj.)* (١) أنيق (٢) نشيط؛ رشيق.

dapple [dăp'əl] *(n.; vt.; i.)* (١) ترقُّط؛ تَرَقُّش؛ تنقّط. (٢) حيوان أرقَش أو أرقط أو منقّط الجلد §(٣) يُرَقِّش؛ يُرَقِّط؛ ينقّط ×(٤) يترقّش الخ.

dappled [dăp'əld] *(adj.)* أرقَش؛ أرقط؛ منقّط.

dapple-gray *(adj.)* رمادي أرقَش: ذو لون رماديّ تشوبه نقَط رمادية أشدّ دُكْنة.

Darby and Joan *(n.)* زوجان سعيدان (متقدّمان في السن عادة).

dare [dâr] *(vi.; t.; n.)* (١) يجرؤ؛ يجسُر ×(٢) يتحدّى (٣) يحاول أمراً «بشجاعة وتحدٍّ» (The actress ~*d* the title role.) §(٤) تحدٍّ (٥) جرأة؛ جسارة.

daredevil [dâr'-] *(n.; adj.)* (١) المتهور؛ الجريء بتهوّر §(٢) متهوّر.

daredeviltry [dâr'dĕv'əl trĭ] *(n.)* تهوّر.

daresay *(vt.; i.)* (١) يعتقد؛ يستطيع القول ×(٢) يظنّ؛ يحسب.

daring [dâr'ĭng] *(adj.; n.)* (١) جريء؛ جسور §(٢) جراءة؛ جسارة.

dark [därk] *(adj.; n.)* (١) مظلم (٢) داكن؛ قاتم (~ brown). (٣) شرّير (the ~ powers that lead to war) (٤) كئيب (٥) عابس؛ مكفهرّ الوجه (the ~ days of the war) (٦) أعمى (٧) جاهل؛ غير متنور (٨) غامض (٩) خفيّ (a ~ purpose) (١٠) أسمر (a ~ complexion) (١١) سِرّيّ (They kept their plans ~.) (١٢) متكتّم (~ about the matter) §(١٣) ظلام (١٤) ليل؛ غروب (١٥) مكان مظلم (١٦) لون داكن (١٧) جَهل (١٨) غموض (١٩) خفاء؛ سرية.

Dark Ages *(n. pl.)* العصور المظلمة (من حوالى ٤٧٦ إلى حوالى ١٠٠٠ ب.م)، وتوسعاً: القرون الوسطى.

Dark Continent *(n.)* القارة السوداء: افريقية.

darken [där'kən] *(vt.; i.)* (١) «أ» يعتّم: يجعله مظلماً. «ب» يجعله غامضاً (٢) يقتّم: يجعله قاتم اللون (٣) يحزن؛ يوقع الكآبة في نفسه (٤) يعمي ×(٥) يُظلم (٦) يغمُض: يصبح غامضاً (٧) يصبح قاتماً (٨) يكتئب أو يكفهر.

darkey [där'kĭ] *(n.)* (١) زنجي (ع) (٢) زنجية (ع).

dark horse *(n.)* مفاجأة الحَلْبة: «أ» جواد أو شخص يكسب سباقاً أو مباراة على نحو غير متوقَّع. «ب» شخص يرشَّح، على نحو غير متوقَّع، لمنصب سياسي.

darkie *(n.)* = darkey.

darkle [där'kəl] *(vi.)* (١) يختفي في الظلام؛ يبدو على نحو غير واضح (٢) يُظلِم (٣) يكفهرّ (الوجه غضباً الخ.).

darkling [därk'lĭng] *(adv.; adj.)* (١) في الظلام §(٢) مظلم؛ قاتم (٣) منجَز أو حادث في الظلام (a ~ journey).

darkly *(adv.)* على نحو مظلم أو غامض أو مكفهرّ أو خفيّ الخ.

darkness [-'nĭs] *(n.)* (١) ظُلمة (٢) جهل (٣) الظلام؛ الشرّ (the powers of ~) (٤) عمىً (٥) دُكْنة (٦) غموض (the ~ of certain passages in a text) (٧) سِرّيّة؛ خفاء (questions of policy kept in ~) (٨) كآبة.

darkroom *(n.)* الغرفة المظلمة: غرفة مظلمة لتظهير الأفلام (فو).

darksome [-'səm] *(adj.)* مظلم أو مظلم بعضَ الشيء.

darky [där'kĭ] *(n.)* (١) الزنجي (ع) (٢) الزنجيّة (ع).

darling [där'lĭng] *(n.; adj.)* (١) الحبيب ؛ المحبوب. §(٢) عزيز ؛ أثير (٣) ساحر ؛ فاتن (a ~ novel).

darn [därn] *(vt.; i.; n.)* (١) يرفو ؛ يرتُق (٢) يلعن §(٣) رَفْو ؛ رَتْق (٤) الرتْق : موضع مرتوق من الثوب الخ . (a garment full of ~s) (٥) شيء ضئيل القيمة .

not give a ~, لا يبالي البتّة .

darnel [där'nəl] *(n.)* زُوان ؛ زوان (نب) .

darning *(n.)* (١) رَفو ؛ رتْق (٢) الثياب المرفوّة أو الواجب رَفوُها.

darning needle *(n.)* (١) ابرة الرَّفو (٢) dragonfly.

dart [därt] *(n.; vi.; t.)* (١) «أ» رمحٌ خفيف (ا.ق). «ب» سَهْم مَريش . «ج» *pl.* : لعبة السّهام المَريشة : لعبة تسدَّد فيها السهام المَريشة إلى رَميّة أو هدف (٢) حُمَة العقرب ؛ ابرة النحلة الخ . (٣) «أ» نظرة حادة . «ب» حركة سريعة ؛ وثبة مفاجئة §(٤) «أ» يندفع كالسّهم. «ب» ينقَضّ ×(٥) يقذف بحركة مفاجئة (٦) يرشق (بنظرة غَضْبى) .

darter [där'tər] *(n.)* (١) فا dart (٢) الزقّة : طائر مائيّ شبيه بالغاق طويل العنق (٣) السَّهْميّ : سمك نهري صغير شبيه بسمك الفرْخ يندفع كالسهم عندما يُزعَج .

Darwinian [där wĭn'ĭ ən] *(adj.; n.)* (١) دارويني : منسوب إلى تشارلز داروين أو نظرياته أو أتباعه §(٢) الداروينيّ : أحد أتباع داروين ؛ المؤمن بالداروينية .

Darwinism [-'wə -] *(n.)* الداروينية : مذهب داروين في أصل الأنواع.

Darwinist *(adj.; n.)* = Darwinian.

dash [dăsh] *(vt; .i.; n.)* (١) يقذف بعنف (٢) يحطم (٣) «أ» يرشّ. «ب» يُطرطِش. «ج» يلوّث (a reputation ~*ed* with rumor) (٤) يُفْسِد ؛ يخيّب ؛ يُحبِط (Their hopes were ~ *ed.*) (٥) يُحزِن ؛ يوقع الكآبة في النفس (٦) يُخجل (٧) يمزج ؛ يشوب (to ~ wine with water) (٨) يُنجز على عجل (~*ed* off a short story) ×(٩) يندفع بعنف أو بسرعة §(١٠) ضربة عنيفة أو سريعة (١١) «أ» تلاطم. «ب» ارتطام الماء بشيء «ج» وقْع (المطر على النوافذ الخ .) . «د» صَيِّب ؛ وابل (a ~ of rain) (١٢) اندفاع ؛ هجوم (a ~ at the enemy) (١٣) خَيْبة (The accident was a ~ to our hopes.) (١٤) شَرْطة ؛ قاطعة : خط افقي صغير (–) في الكتابة والطباعة (١٥) مقدار ضئيل (a ~ of pepper) (١٦) حيوية ؛ نشاط ؛ قوة (famous for his skill and ~) (١٧) سباق قصير سريع (a hundred - yard ~) (١٨) لوحة أجهزة القياس (را . dashboard 2).

dashboard [-'bōrd'] *(n.)* (١) الحاجبة : وقاء من الماء أو الوحل (يكون في مقدّم العربة أو المركب) (٢) لوحة أجهزة القياس (تكون أمام سائق السيارة وتحت الحجاب الزجاجي الواقي من الريح والمطر).

dasher [-'ər] *(n.)* (١) فا dash (٢) شخص جريء أو أنيق. (٣) الخفّاقة : أداة الخَفْق في مِمْخضة أو نحوها (٤) dashboard 1.

dashing [-'ĭng] *(adj.)* (١) مندفع (٢) جريء ؛ مفعم بالحياة (٣) أنيق.

dastard [dăs'tərd] *(n.; adj.)* (١) الجبان ؛ وبخاصة إذا جمع إلى الجبن خِسّةً وغدراً §(٢) جبان ؛ خسيس ؛ غادر .

dastardly [-lĭ] *(adj.)* جبان ؛ خسيس ؛ غادر.

dasyure [dăs'ĭ yoor'] *(n.)* الدّاصيور : حيوان ثدييّ صغير لاحمٌ (في استراليا الخ .) .

dasyure

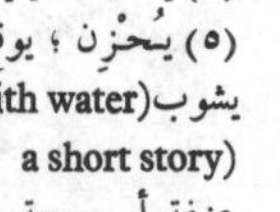

data [dā'tə; dăt'ə] *pl. of* datum (١) المُعْطَيات (مج) : مجموعة القضايا المسلّمة في علم من العلوم (٢) معلومات ؛ حقائق ؛ بيانات.

datary [dā'tə rĭ] *(n.)* (١) كاردينال مكلّف بتأريخ الوثائق الخ . (٢) منصب هذا الكردينال .

date [dāt] *(n.; vi.; t.)* (١) تاريخ (What's the ~ today ?). (٢) ديمومة ؛ مدة استمرار شيء (the short ~ of all things sweet) (٣) عهد ؛ عصر (ruins of Roman ~) (٤) «أ» موعد (a ~ with a girl) . «ب» شخص من الجنس الآخر يكون المرء معه على موعد (his ~ at the party) (٥) «أ» بلحة ؛ تمرة. «ب» نخلة §(٦) يرقى إلى (The castle ~*s* back to the 15th century.) (٧) يَعتُق ؛ يصبح عتيق الزيّ أو متخلفاً عن العصر (Isn't this textbook beginning to ~ ?) ×(٨) يؤرّخ (to ~ a letter) (٩) يحدّد تاريخ شيء (Only experts can ~ this manuscript.) (١٠) يضرب موعداً (أو يكون على موعد) للقاء مع .

to ~, حتى الآن .

up to ~, (١) جديد ؛ عصري ؛ وفق الزي أو الأسلوب العصري (٢) حتى الوقت الحاضر .

dated [dā'tĭd] *(adj.)* (١) مؤرَّخ (٢) عتيق الزّي أو الطراز.

dateless [-'lĭs] *(adj.)* (١) لانهائي ؛ غير محدود (٢) غُفْلٌ من التاريخ (٣) مُوغل في القدم (~ customs) (٤) خالد ؛ لا يُبليه كرُّ الأيام (more ~ than Hamlet).

dateline *(n.)* خط التاريخ : خط في رسالة أو جريدة أو مقالة الخ . يعيّن زمان الصدور (ومكانه في كثير من الأحيان) .

date line *(n.)* خطّ تغيير تاريخ اليوم (مل) .

date palm *(n.)* النخلة : شجرة النّخْل .

dative [dā'tĭv] *(adj.; n.)* (١) دالّ على حالة من حالات النّصْب تكون فيها الكلمة مفعولاً به غير مباشر (مثل *me* في قولك Give *me* the pencil.) §(٢) هذه الحالة من حالات النصب (٣) كلمة في هذه الحالة (ل).

datum [dā'təm] *sing. of* data.

datura [də tyoor'ə] *(n.)* الدّاتورة : نبات ذو خصائص تخديرية.

daub [dôb] *(vt.; i.; n.)* (١) يُجصّص ؛ يطيّن : يكسو بطبقة لزجة من جص أو طين أو نحوهما (٢) يلطّخ ؛ يلوّث (٣) يدهن أو يرسم (صوراً زيتية) بغير إتقان §(٤) جصّ أو طين (يُكسَى به جدار الخ .) (٥) مص daub (٦) صورة زيتية غير متقنة.

daughter [dô'tər] *(n.)* (١) ابنة ؛ بنت (٢) الوليدة (فزن) .

daughter cell *(n.)* الخليّة الوليدة (أح) .

daughter-in-law *(n.)* الكَنّة : زوجة الابن .

daunt [dônt; dänt] *(vt.)* (١) يُرْهِب ؛ يروّع (٢) يُثبّط الهمة.

dauntless [-'lĭs] *(adj.)* شجاع ؛ باسل ؛ لا يهاب .

dauphin [dô'fĭn] *(n.)* الدوفين : الابن البكر للملك فرنسي .

dauphine *or* **dauphiness** *(n.)* الدوفينة : زوجة الدوفين .

davenport [dăv'-] *(n.)* (١) أريكة ؛ كَنَبة عريضة (٢) منضدة (للكتابة) .

davit [dăv'ĭt; dā'vĭt] *(n.)* الداوودي : أحد عمودين حديديين أو ذراعين ملويّيْن على جانب السفينة يستخدمان لرفع (أو خفض أو تعليق) مركب صغير أو مرساة الخ .

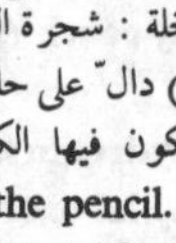

a a davits

Davy Jones's locker *(n.)* قعر المحيط أو الأوقيانوس.

Davy lamp *(n.)* مصباح ديفي : مصباح الأمان في المناجم .

daw [dô] *(n.)* (١) jackdaw (٢) المغفّل ؛ الساذج .

dawdle [dô'dəl] *(vi.; t.)* (١) يُضيع الوقت سدى ؛ يتوانى. ×(٢) يُضيع ؛ يبدد (Don't ~ away your time!).

dawdler *(n.)* المتواني ؛ المضيّع وقته سُدى .

dawn [dôn] *(n.; vi.)* (١) فجر (٢) بدء ؛ بزوغ §(٣) يَطلُع (النهارُ) (٤) يبدأ ؛ يبزغ (A new era is ~*ing*.) (٥) يتّضح للعين أو العقل (The truth ~*ed* on him.).

day [dā] *(n.)* (١) «أ» نهار. «ب» فجر (at the break of ~). (٢) يوم (٣) وقت؛ عهد (the present ~) (٤) عهد القوة أو السلطان أو الازدهار (Colonialism has had its ~.) (٥) مباراة (We've won the ~.)

before ~, قبل بزوغ الفجر .

by the ~, مياومَةً .

~ and night; night and ~, ليلاً نهاراً ؛ طوال الوقت.

one ~, ذات يوم .

one of these ~*s* عمّا قريب ؛ في المستقبل القريب .

some ~, في يوم ما في المستقبل .

the other ~, منذ بضعة أيام .

this ~ week قبل أسبوع أو بعد أسبوع (من يوم معين).

to end one's ~*s* يموت ؛ يقضي نحبه .

daybed *(n.)* سرير النهار : سرير ضيق يحوّل في النهار إلى أريكة .

daybook [dā'-] *(n.)* (١) دفتر اليوميات : دفتر يدوّن فيه الكاتب أو الأديب يومياته (٢) دفتر اليومية (تج) .

day boy *(n.)* الطالب النهاري أو الخارجي .

daybreak [dā'brāk] *(n.)* الفَجْر .

day coach *(n.)* الحافلة النهارية : حافلة من حافلات السكة الحديدية غير مزوّدة بأسرّة .

daydream *(n.; vi.)* (١) حُلُم اليقظة §(٢) يستغرق في أحلام اليقظة.

day laborer *(n.)* العامل المياوم : عامل يتقاضى أجره مياومة .

day letter *(n.)* البرقية النهارية : برقية ترسل خلال ساعات النهار وتكون عادةً أطول وأبطأ ، ولكنها أرخص ، من البرقية العادية.

daylight [dā'-] *(n.; vt.)* (١) ضوء النهار (٢) الفجر (٣) ضوء «موضحٌ لشيء غامض» (His lecture threw some ~ on the problem.) (٤) العلن ؛ وَضَح النهار (The new diplomacy has to operate in ~.) §(٥) يزوِّد (حجرة صفّ الخ.) بضوء النهار .

daylight saving time *(n.)* التوقيت الصيفي : توقيت مقدَّم ساعةً واحدةً عن الوقت القياسي (وذلك في الصيف أو الربيع).

day lily *(n.)* زنبق النهار ؛ فِتنة النهار (نب) .

daylong [dā'-] *(adj.; adv.)* (١) دائمٌ طوال النهار §(٢) طوالَ النهار.

day nursery *(n.)* دار الحضانة النهارية : مؤسسة للعناية بالأطفال خلال ساعات النهار وبخاصة حين تكون أمهاتهم منصرفات إلى أداء وظائفهنّ في المكاتب أو المصانع .

day school *(n.)* (١) المدرسة اليومية : مدرسة تعمل طوال أيام الأسبوع ما عدا يوم الأحد (تمييزاً لها عن مدرسة الأحد) (٢) المدرسة النهارية: مدرسة تلقى فيها الدروس نهاراً (٣) المدرسة الخارجية : مدرسة مخصصة للطلاب النهاريين (وتقابلها : المدرسة الداخلية) .

days of grace أيام المهلة (لدفع الكمبيالة أو سند التأمين) .

dayspring [dā'-] *(n.)* الفجر ؛ انبلاج النهار (بلغة الشعر) .

daystar [dā'-] *(n.)* (١) نجمة الصباح (٢) الشمس (بلغة الشعر) .

daytime [dā'-] *(n.)* النهار : الفترة ما بين الشروق والغروب .

daze [dāz] *(vt.)* (١) يدوِّخ ؛ يصيب بالدوّار (وبخاصة بضربة عنيفة) (٢) يبْهر (البصرَ) §(٣) دَوَخان (٤) انبهار .

dazzle [dăz'əl] *(vi.; t.; n.)* (١) ينبهر (من شدة الضياء) (٢) يلتمع ؛ يتألق ×(٣) يبهر (البصرَ) (٤) يبهر النفسَ (بشيء رائع جميل) §(٥) انبهار الخ. (٦) كل ما يبهر .

dazzling *(n.; adj.)* (١) الجَهَر (مج) : تحيّر البصر من شدة الضياء. §(٢) باهر ؛ متألق ؛ رائع .

D day [dē'dā'] *(n.)* اليوم «ي» : اليوم المحدد لشنّ الهجوم أو للقيام بعملية عسكرية ما (جن) .

DDT (dē'dē'tē') *(n.)* د.د.ت : مبيد للحشرات والهوامّ .

de- بادئة معناها : (١) «أ» ينقض (*de*centralize). «ب» العكس ؛ النقيض (*de*calescence) (٢) «أ» ينزعُ من (*de*aminate) «ب» يَخلَع عن (*de*throne) (٣) يُنقِص ؛ يخفض (*de*value) (٤) تماماً (*de*nude) .

deacon [dē'kən] *(n.)* الشمّاس ؛ شمّاس الكنيسة .

deaconess [-'kən-] *(n.)* الشمّاسة : امرأة تقوم بمثل مهامّ الشمّاس.

deaconry [-'kən-] *(n.)* (١) الشِماسة : وظيفة الشمّاس (٢) الشمامسة

deactivate [dē ăk'-] *(vt.)* (١) يُسرِّح (وحدةً عسكريةً) . (٢) يعطل (فاعليةَ قنبلة أو لغم) (٣) يُهْمِد ؛ يُخمِد : يُفقده فاعليته الكيميائية الخ .

dead [dĕd] *(adj.; n.; adv.)* (١) مَيْت (٢) «أ» مَوَتانيّ ؛ شبيه بالموت (in a ~ faint) . «ب» خدِر ، فاقد للحسّ (My fingers are ~.). «ج» مُرْهَق ؛ مُجْهَد. «د» مجرَّد أو محروم من (to pity ~). «هـ» غير مستجيب (~ to reason) «و» خامد ؛ مُطْفَأ (a ~ fire) (٣) «أ» جامد ؛ غير ذي حياة (~ matter) «ب» قاحل ؛ ماحل (~ soil). «ج» مُستنزَف ؛ غير قادر بعدُ على العمل (a ~ battery) (٤) «أ» مُمات ؛ غير نافذ المفعول (~ laws) . «ب» بائد ؛ مَيْت (~ languages). «ج» هامد (~ volcanoes) . «د» بارد : تعوزه البهجة أو الحياة (a ~ party) . «هـ» فاتر ؛ يعوزه النشاط (a ~ social season) «و» غير منتج (~ capital) . «ز» كاسد (a ~ market) «ح» قليل المرونة (a ~ tennis ball) . «ط» غير مكَهْرَب . «ي» غير محسوب أو معدود (a ~ ball) (٥) «أ» راكد ؛ ساكن (~ air). «ب» تعوزه الحرارة أو الحياة (a ~ description) «ج» تفِه ؛ عديم النكهة (~ wine) (٦) «أ» مستوٍ تماماً (a ~ level) «ب» صائب (a ~ shot) «ج» مستقيم (a ~ line) (٧) تامّ (~ stop; ~ silence) (٨) غير مشرق أو لمّاع (٩) مسدود ؛ غير نافذ (a ~ street) §(١٠) المَيْت §(١١) تماماً ؛ بكل معنى الكلمة (I was ~ tired) (١٢) فجأةً وعلى نحوٍ تام (to stop ~) (١٣) تماماً ؛ مباشرةً (~ ahead).

—**deadness** *(n.)*

the ~, الموتى .

the ~ of night جوف الليل البهيم .

deadbeat [dĕd'bēt] *(adj.; n.)* (١) لاارتجاجي ؛ لاترجّحيّ (فز). §(٢) المتهرب من دفع ديونه (ع) (٣) المتبطّل ؛ المتسكّع ؛ الكسول.

dead-beat *(adj.)* مُرْهَق (كلياً) ؛ منهوك القوى (ع).

dead center *(n.)* النقطة الميّتة (مك) .

dead-drunk *(adj.)* ثَمِلٌ (بحيث يفقد الوعي أو يعجز عن الحركة).

deaden [dĕd'ən] *(vt.; i.)* (١) «أ» يُهْمِد ؛ يُخْفِت (الصوتَ). «ب» يُخدِّر (الألمَ) (٢) يخفف (سرعة شيء) (٣) يُفقِده البريقَ أو اللمعان (٤) يُتفِّه : يجعله تفِهاً أو عديم النكهة (to ~ wine) (٥) يجعل (الجدارَ) عازلاً للصوت (٦) يُميت ؛

يقتل ×(٧) يموت أو يضعف أو يفقد الحيوية .

dead end *(n.)* طريق (أو أنبوب) مسدود أو غير نافذ .

dead-end *(adj.)* مسدود ؛ غير نافذ .

deadening [dĕd'-] *(n.)* المُخفِّتة : مادة لجعل الجدران عازلة للصوت .

deadfall [dĕd'-] *(n.)* الشَّرَكُ المُهْلِك : شَرَكٌ يُنْصَب للطرائد الكبيرة فلا تكاد تقع فيه حتى يسقط عليها ثِقل ثقيلٌ يُهلكها .

deadhead [dĕd'-] *(n.)* الطُّفَيْلي : من يحضر الحفلات المسرحية أو يركب السيارات العامة من غير أن يدفع الرسم المفروض .

dead heat *(n.)* سباق التعادل : سباق يتعادل فيه متسابقان.

dead letter *(n.)* (١) الحرف المَيْت : قانون الخ . لم يَعُد نافذ المفعول (من غير أن يُلْغَى رسمياً) (٢) الرسالة المَيْتَة : رسالة تُتْلَف في إدارة البريد ، أو تعاد إلى مرسلها ، بسبب نقص أو خطأ في العنوان .

dead-letter office *(n.)* مكتب الرسائل المَيْتَة : شعبة في إدارة البريد تحوَّل إليها الرسائل المَيْتَة لكي تُفْتَح ثم تُتْلَف أو تعاد إلى مرسليها .

deadlight [dĕd'-] *(n.)* (١) جَفْن النافذة : غطاء حديدي لنوافذ السفينة لمنع تسرّب الماء إليها (٢) المِنْوَر : زجاج سميك في ظهر السفينة أو جانبها لتمكين النور من النفاذ .

deadline [dĕd'-] *(n.)* (١)خطّ الموت : خط ضمن سجن أو حوله لا يجوز للسجناء تجاوزه وإلا أُطلِقَت عليهم النار (٢) الموعد الأخير : آخر موعد لإنجاز عملٍ ما .

deadliness *(n.)* المُمِيتيّة : كون الشيء مُميتاً أو مُهلكاً .

dead load *(n.)* حِمل السكون ؛ الحِمل الساكن : حملٌ غير قابل للتغيير من حيث الموقع أو المقدار كالحمل الناشىء عن ثقل المواد المستخدمة في إنشاء السقف أو الجسر .

deadlock [dĕd'-] *(n.; vt.; i.)* (١) الوَرْطَة : توقّف تام ؛ حالة يصبح فيها التقدّم مستحيلاً ؛ إخفاق كامل في الوصول إلى اتفاق لتسوية نزاعٍ ما ؛ طريق مسدود (The two parties are at a ~.) §(٢) يوصل إلى ورطة ×(٣) ينتهي إلى ورطة .

deadly [dĕd'lĭ] *(adj.; adv.)* (١) مُميت ؛ مُهْلِك (a ~ poison) (٢) لَدُودٌ (a ~ enemy) (٣) معصوم «عن الخطأ» (a ~ marksman) (٤) مفرط ؛ متطرف (~ haste) §(٥) على نحوٍ مذكّرٍ بالموت أو شبيه به (~ pale) (٦) بإفراط ؛ إلى حدٍّ بعيد (~ dull) .

deadly sin *(n.)* الخطيئة المُمِيتَة (نص) .

dead march *(n.)* اللحن الجنائزي : لحن حزين يُعزَف في الجنائز .

dead pan *(n.)* الوجه الجامد : وجهٌ جامدٌ خلوٌ من التعبير كلياً .

dead point *(n.)* = dead center.

dead reckoning *(n.)* (١)تقدير أوحُسبان الموضع : تقدير موضع السفينة أو الطائرة من غير استعانة بآلات الرصد الفلكية (٢)حَزْر .

deadweight *(n.)* = dead load.

deadwood [dĕd'-] *(n.)* (١) «أ» أغصانٌ مَيْتَة (على الشجرة) . «ب» أغصان أو أشجار مَيْتَة (٢) كلّ ما لا خير فيه .

deaf [dĕf] *(adj.)* (١) أصمّ (٢)مُتَصامّ : غير راغب في الاصغاء .

deafen [-'ən] *(vt.; vi.)* (١) يُصِمّ : يُصيب بالصمم (٢) يجعل (الجدار أو أرضية الحجرة أو السقف) عازلاً للصوت ×(٢) يُصَمّ من شدة الضجّة .

deaf-mute *(n.; adj.)* (١) الأصمّ الأبكم §(٢) أصمّ أبكم .

deafness *(n.)* صَمَم ؛ طَرَش .

deal [dēl] *(vt.; i.; n.)* (١) يوزع ؛ يقسم (٢) يسدّد (إليه ضربةً) ×(٣) يوزع ورق اللعب على اللاعبين (٤) يبحث في (This book ~s with Africa.) (٥) يتعامل مع (This man is easy to ~ with.) (٦) يعامل ؛ يتصرّف « نحو الآخرين » (to ~ fairly) (٧) يعالجُ (مسألةً) (٨) يتّجر بـ (A butcher ~s in meat.) §(٩) «أ» مقدارٌ « غير محدَّد » (It means a great ~.) «ب» مقدار ضخم (a ~ of money) (١٠)توزيع (١١) «أ» توزيع ورق اللعب على اللاعبين . «ب» مجموعة الأوراق في يد اللاعب . «ج» دور اللاعب في توزيع ورق اللعب (١٢) برنامج حكومي ضخم أو شامل (١٣) صفقة تجارية (١٤) اتفاق أو صفقة سرية (في التجارة والسياسة) (١٥)معاملة (a fair ~) (١٦)لوح (من خشب الصنوبر بخاصة).

a good ~, مقدار كبير .

dealer [dē'-] *(n.)* (١)التاجر ؛ البائع (٢)اللاعب الموزّع لورق اللعب .

dealing [-'lĭng] *(n.)* (١) *pl.* عد : تعامل ؛ تعاطٍ ؛ علاقات (business ~s) (٢) معاملة ؛ تصرّف « نحو الآخرين » (honest ~) (٣) توزيع ورق اللعب الخ . على الآخرين

dealt [dĕlt] *past ; past part. of* deal.

deaminate; deaminize [dē ăm'-] *(vt.)* يُنَزْمِن : ينزع الامينات من مركب ما (ك) .

deamination [-nā'-] *(n.)* النَّزْمَنَة : نزع الامينات من مركّب ما .

dean [dēn] *(n.)* العميد : «أ» كاهن كبير مسؤول عن كاتدرائية الخ . «ب» عميدُ كليةٍ من كليات جامعةٍ ما «ج» عميد سلكٍ ما .

deanery [dē'-] *(n.)* العِمادة : منصب العميد أو مَقَرّه .

dear [dĭr] *(adj.; n.; adv.; interj.)* (١)عزيز (٢) غالٍ . (٣) العزيز ؛ الحبيب ؛ المحبوب §(٤) بإعزاز ؛ بهُيام ؛ بصدق (٥) بثمنٍ غالٍ (buy cheap and sell ~) §(٦) أو

dear me! : تعبير يفيد معنى الأسى أو الدَّهَش أو نفاد الصبر الخ .

dearly [dĭr'-] *(adv.)* (١) كثيراً ؛ إلى حد بعيد (٢) بثمن غالٍ .

dearth [dûrth] *(n.)* (١) قِلّة ؛ نُدْرة (٢) مجاعة .

death [dĕth] *(n.)* (١) موت ؛ وفاة (٢) سبب الموت (Drinking was the ~ of him.) (٣) الرَّدى ؛ الموت (٤) حالة الموت (to lie still in ~) (٥) تبدّد ؛ ضياع (It will mean the ~ of our hopes.) (٦) الموت المدنيّ : الحرمان الكامل من الحقوق المدنية (٧) طاعون (the black ~) (٨) قَتْل ؛ سفك دماء (a man of ~).

at *death's* door على عتبة الموت .

to catch one's ~ of cold يُصاب بزُكام خطير قد يقضي على حياته .

to ~, إلى أقصى حدّ .

to the ~, حتّى الموت ؛ حتّى النهاية .

to do *or* put to ~, يَقْتُل .

deathbed *(n.)* (١)فراش الاحتضار (٢)ساعات الاحتضار الأخيرة .

death bell *(n.)* ناقوس الموت : ناقوس يُعلن وفاة شخص .

death benefit *(n.)* تعويض الوفاة : مال يدفع إلى ورثة الميت (بموجب قانون تقاعد أو سند تأمين) .

deathblow [-'blō] *(n.)* ضَرْبَةٌ قاضية .

death cup *(n.)* كأس الموت : فُطر سام جداً (نب) .

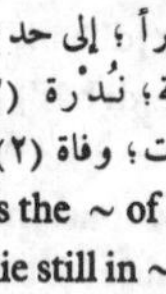

death cup

death duty *(n.)* ضريبة الإرث .

deathful *(adj.)* (١) مميت ؛ مُهْلِك (ا.ق) . (٢) شاحب شحوب الموت (~ face) .

ă at; ā date; â care; ä car; ĕ egg; ē me; ĭ in; ī bite; ŏ lot; ō bone; ô orphan; oi boil o͝o good; o͞o boot; ou out; ŭ under; ū unity; û urgent; th thing; th this; zh vision; ə = *a* in alone, *e* in system, *i* in easily, *o* in gallop, *u* in circus

death house *(n.)* جناح الموت : جزء من السجن مخصَّص للمحكوم عليهم بالاعدام ريثما يُنفَّذ فيهم الحكم.

deathless [-'lĭs] *(adj.)* خالدٌ ؛ باقٍ ؛ لا يموت.

deathly [-'lĭ] *(adj.; adv.)* (١) مُميتٌ ؛ مُهلِك (٢) شبيهٌ بالموت (a ~stillness) §(٣) إلى أقصى حدّ (~afraid).

death mask *(n.)* قناع الموت : قالب مأخوذ عن وجه رَجُلٍ ميْتٍ.

death point *(n.)* نقطةُ الموت : درجةٌ من الحرارة أو البرودة لا يقوى المُتَعَضِّي أو البروتوبلازما الحية ، بَعْدَها ، على الحياة.

death rate *(n.)* معدّل أو نسبة الوفيات (بين سكان بلدٍ في فترةٍ ما).

death rattle *(n.)* حَشْرَجَةُ الموت.

death's-head *(n.)* الجمجمة البشرية (كرمزٍ للموت).

deathsman [dĕths'mən] *(n.)* الجلاّد (ا.ق).

death tax *(n.)* ضريبة الإرث.

deathtrap *(n.)* شَرَكُ الموت : «أ» مبنى متصدّع . «ب» وضعٌ خطرٌ جداً.

death warrant *(n.)* (١) تفويض الموت : أمرٌ رسميّ بتنفيذ حكم الاعدام (٢) ضربةٌ قاضية.

deathwatch *(n.)* (١) حرس الموت : «أ» حرسٌ أمام ميْتٍ أو مُحْتَضَر . «ب» حَرَسٌ مكلّفٌ بمراقبة شخص محكوم عليه بالموت ، ريثما ينفّذ فيه حكم الاعدام. «ج» عدد من مخبري الصحف ينتظر اذاعة نبأ مرتقب (٢) خنفساء الموت : خنفساء تنقر الخشب وتُحْدِث صوتاً مُتَكْتِكاً كان يُعْتَبَر نذيراً بالموت.

deave [dēv] *(vt.)* يُصِمّ ؛ يصيب بالصَّمم (ع).

debacle [dā bä'kəl] *(F.)* (١) تكسّر الجليد (في نهر) (٢) اندفاع المياه بعنف (٣) كارثة مفاجئة ؛ هزيمة كاملة (٤) انهيار.

debar [dĭ bär'] *(vt.)* (١) يمنع (شخصاً من ممارسة شيء أو عمل شيء) (٢) يحظّر ؛ يحرِّم.

debark [dĭ bärk'] *(vt.; i.)* = disembark.

debase [dĭ bās'] *(vt.)* (١) «أ» يخفّض (قيمة النقد). «ب» يغش ؛ يمذُق ؛ يخفض من قيمة القطعة النقدية بزيادة ما تتضمّنه من معدنٍ خسيس (٣) يحطّ من قَدْرِ كذا. **—debasement** *(n.)*

debatable [dĭ bā'tə bəl] *(adj.)* (١) مُتَنازَعٌ عليه (~ territory) (٢) مختلفٌ فيه ؛ قابل للمناقشة (~questions) (٣) مثيرٌ للمناقشة (~ topics for classroom use).

debate [dĭ bāt'] *(n.; vi.; t.)* (١) مناقشة (في اجتماع أو في البرلمان أو الصحف) (٢) مُناظرة (في موضوع ما بين فريقين مؤيّدٍ ومعارض) §(٣) يناقش (مسألةً) (٤) يشترك في مناقشة (٥) يفكّر في الأمر ؛ يقلّب (الأمرَ) على وجوهه (٦) يجادل (شخصاً) أو يناقشه.

debauch [dĭ bôch'] *(vt.; i.; n.)* (١) يغوي (٢) يُفْسِد. ×(٣) يَفْسُق : ينغمس في الملذات الحسيّة §(٤) فُسوق ؛ انغماس في الملذات الحسية.

debauchee [dĕb'ô chē'] *(n.)* الفاسق : المنغمس في الملذات.

debauchery [dĭ bô'chə rĭ] *(n.)* (١) الإغواء : تشجيع على الاثم أو إهمال الواجب (٢) الفسوق : انغماس في الملذات الحسية.

debenture [dĭ bĕn'chər] *(n.)* (١) سَنَد (تج) (٢) شهادة تخوِّل حاملها حقّ استرداد الرسوم الجمركية الخ.

debilitate [dĭ bĭl'ə tāt'] *(vt.)* يُضْعِف ؛ يُوْهِن.

debility [dĭ bĭl'ə tĭ] *(n.)* ضَعْفٌ ؛ وَهَنٌ.

debit [dĕb'ĭt] *(n.; vt.)* (١) «أ» المطلوب منه ؛ المَدين : الجانب الأيسر من الحساب الجاري (ضدّ *credit*). «ب» نفقة مسجلة (أو مجموع النفقات المسجلة) في هذا الجانب (٢) مأخذ ؛ نقطة ضَعْف §(٣) يسجّل على حساب فلان.

debit balance *(n.)* رصيدٌ مدينٌ (تج).

debit note *(n.)* اشعارٌ مدين ؛ فاتورةُ إضافةٍ (تج).

debit side *(n.)* الجانب المَدين (من حساب تجاري).

debonair [dĕb'ə nâr'] *(adj.)* (١) لطيف ؛ ذو كياسة. (٢) «أ» مبتهج. «ب» لا مبالٍ.

debouch [dĭ bōōsh'] *(vi.)* (١) يَخْرج (الجندُ) من وادٍ أو مكان ضيّق إلى السهل الخ. (٢) يتدفق (النهر) من وادٍ ضيّق إلى سهل فسيح.

débouché [dĕ bōō shĕ'] *(F.)* مَنْفَذ ، مَخْرَج.

debouchment *(n.)* (١) مص debouch (٢) مَصَبّ نَهر.

debrief *(vt.)* يَسْتَخْلِص المعلومات : يستجوب رباناً عائداً من مهمة أو موظفاً عائداً من خارج البلاد بغية استخلاص المعلومات المفيدة.

debris [də brē'] *(F.)* (١) حُطام (٢) أطلال ، أنقاض (٣) كتلة حجارة أو فلذٌ صخرية الخ . (يخلّفها نهرٌ جليدي).

debt [dĕt] *(n.)* (١) إثم (٢) دَيْن (٢) المَدينيّة : كون المرء مَديناً.
bad ~, دينٌ معدومٌ أو هالك.
in ~, مَدينٌ ؛ واقعٌ تحت دَيْن.
to get *or* run into ~, يقعُ تحت دَيْن.
to get out of ~, يتخلّص من ديونه بدفعها.
to pay the ~ of nature يموت.

debt of honor *(n.)* دَيْن الشّرف : دين (كدَيْنِ القمار) لا يفرض القانون دَفْعَه ولكنْ يُعتبر المدين مُلزماً ، أدبياً ، بدفعه.

debt of nature *(n.)* الموت.

debtor [dĕt'ər] *(n.)* المَدين ؛ المديون.

debunk [dĭ bŭngk'] *(vt.)* يَفْضَح الزّيفَ في كذا.

debut [dĭ bū'; dā-] *(F.)* (١) الظهور الأوّل (لممثل على المسرح). (٢) ظهور (الفتاة بخاصة) للمرة الأولى في الحفلات الاجتماعية.

debutant [dĕb'yōō tänt'] *(F.)* ممثل أو موسيقي الخ. يستهل نشاطه المهني للمرة الأولى.

debutante *(F.)* فتاة تظهر للمرة الأولى في الحفلات الاجتماعية.

deca- بادئة معناها : عشرة (*decaliter*).

decade [dĕk'ād] *(n.)* (١) العَقْد : عشر سنوات (٢) عشرة.

decadence [dĭ kā'-; dĕk'ə-] *(n.)* تفسخ ؛ انحطاط ؛ تدهور.

decadency [dĭ kā'dən sĭ; dĕk'ə-] *(n.)* = decadence.

decadent [dĭ kā'-; dĕk'ə-] *(adj.; n.)* (١) متفسّخ ، مُنحطّ ؛ متدهور §(٢) شخص أو شيء متفسخ الخ. (٣) الشاعر الرمزي : أحد أفراد المدرسة الرمزية في أواخر القرن التاسع عشر (وتشمل بودلير وفيرلين وماليرميه).

decagon [dĕk'ə gŏn'] *(n.)* العَشْرز ، مُعَشّر الزوايا : شكل ذو عشر زوايا وعشرة أضلاع (هن).

decagram *or* **decagramme** [-'ə grăm'] *(n.)* العَشْرَغ : وحدة وزن تساوي عشرة غرامات.

decahedron [-ə hē'drən] *(n.)* العَشْرَس ، مُعَشّر السطوح : شكل ذو عشرة سطوح (هن).

decalcification *(n.)* النَزْكَلَة ، التَّنَزْكُل : نَزْع أو ضياع الكلسيوم أو مركبات الكلسيوم (من العظام أو التربة).

decalcify [dē kăl'-] *(vt.)* يُنَزْكِل : ينزع الكلسيوم أو مركّباتِهِ من.

decalcomania [dĭ kăl'kə mā'-] *(n.)* (١) فنّ نقل الصور أو الرسوم من ورق مُعَدّ خصيصاً لذلك (إلى الزجاج أو الخشب الخ.)

ă at; ā date; â care; ä car; ĕ egg; ē me; ĭ in; ī bite; ŏ lot; ō bone; ô orphan; oi boil ŏŏ good; ōō boot; ou out; ŭ under; ū unity; û urgent; th thing; th this; zh vision; ə = *a* in alone, *e* in system, *i* in easily, *o* in gallop, *u* in circus.

(٢) صورة مُعَدَّة للنقل بهذه الطريقة.

decalescence [dē'kə lĕs'-] *(n.)* خُبُوّ الاشعاع الحراري (فز).

decaliter *or* **decalitre** [dĕk'ə lē-] *(n.)* : العَشْرَل ؛ الديكالتر وحدة سعة تساوي عشرة ليترات.

Decalogue [dĕk'ə lôg'] *(n.)* الوصايا العَشْر (نص).

decameter *or* **decametre** [-'ə mē'tər] *(n.)* العَشْرَم ؛ الديكامتر : مقياس للطول يساوي عشرة أمتار.

decamp [dĭ kămp'] *(vi.)* (١) يتحمّل ؛ يُقَوِّض خيامه (سراً على الخصوص) (٢) «أ» يرتحل فجأة . «ب» يفرّ.

decampment *(n.)* تحمُّل ؛ نزوح ؛ ارتحال مفاجىء الخ.

decanal [dĭ kā'nəl] *(adj.)* (١) عميديّ : منسوب إلى العميد (را. dean) (٢) عِماديّ: خاص بمنصب العميد (را. deanery).

decant [dĭ kănt'] *(vt.)* (١) يَصفِّق ؛ يحول السائل من اناء الى آخر ليصفو (٢) يصب من وعاء الى آخر.

decanter [dĭ kăn'-] *(n.)* المِصْفَق: «أ» إناء يُستخدم لصفق الشراب. «ب» إناء يُصَبّ منه الخمر أو الماء على مائدة الطعام.

decanter

decapitate [dĭ kăp'ə tāt'] *(vt.)* يقطع الرأس؛ يضرب العنق.

decapod [dĕk'ə pŏd'] *(n.; adj.)* : (١) العُشاري الأرجل: حيوان من عُشاريات الأرجل **Decapoda** وهي رتبة من القِشريات تشمل السراطين وجراد البحر الخ. §(٢) عُشاريّ الأرجل.

—**decapodal** *(adj.)* —**decapodan** *(adj.; n.)* —**decapodous** *(adj.)*

decarbonate *(vt.)* يُنَزْكِس : ينزع اكسيد الكربون من.

decarbonize [-'bə nīz] *(vt.)* يُنَزْكِر : ينزع الكربون من.

decarburize [-'byə rīz'] *(vt.)* = decarbonize.

decare [dĕk'âr] *(n.)* العَشْرَر : وحدة مساحة تساوي عشرة آرات.

decastere [dĕk'ə stĭr] *(n.)* الديكَسْتر : مقياس للحجم يساوي عشرة أمتار مكعبة.

decasyllabic [dĕk'ə sĭ lăb'ĭk] *(adj.; n.)* (١) مُعَشّر المقاطع : مؤلف من عشرة مقاطع لفظية (a ~verse) §(٢) المعشّر المقاطع : بيت شعر مؤلف من عشرة مقاطع.

decasyllable *(n.)* (١) المعشّر المقاطع : بيت شعر مؤلف من عشرة مقاطع (٢) المعشّرة المقاطع : كلمة مؤلفة من عشرة مقاطع.

decathlon [dĭ kăth'lŏn] *(n.)* المباراة العُشارية : مباراة مؤلفة من عشرة سباقات مختلفة (ويُعتبَر المتباري الذي يُحرز أكبر قَدْر من النقط فيها هو الفائز).

decay [dĭ kā'] *(vi.; t.; n.)* (١) يَفسد؛ ينحطّ؛ يتفسّخ؛ يَسْقط ؛ يَذوي (٢) يضمحلّ؛ يتضاءل؛ يتلاشى تدريجياً (٣) يَبلى؛ ينتخر؛ يصبح خراباً (٤) يَضعُف؛ يَهِن؛ يَعتَلّ (٥) ينحلّ؛ يتعفّن ×(٦) يُبْلي؛ يُذْوي الخ. §(٧) فساد الخ. (٨) بِلًى؛ نَخَر؛ خراب (٩) «أ» انحلال؛ تعفّن. «ب» عَفَن (١٠) ضَعْف؛ وَهَن؛ اعتلال (١١) الاضمحلال؛ التضاؤل: «أ» تناقص تلقائي في عدد الذرات ذات النشاط الاشعاعي في مادة إشعاعية النشاط. «ب» انحلال الذرة الخ. تلقائياً (فز ن).

decayed *(adj.)* (١) فاسد الخ. (٢) نَخِر (a ~tooth).

decease [dĭ sēs'] *(n.; vi.)* (١) مَوْت §(٢) يموت.

deceased [dĭ sēst'] *(adj.; n.)* (١) مَيْت §(٢) الميت؛ الفقيد.

decedent [dĭ sē'dənt] *(n.)* الميْت؛ المُتوفّى.

deceit [dĭ sēt'] *(n.)* (١) خِداع؛ مخاتلة؛ غِش (٢) كِذبة؛ حيلة (٣) الميْل إلى المخادعة.

deceitful [-'fəl] *(adj.)* (١) مخادع ؛ مخاتل (٢) خادع ؛ مضلِّل.

deceitfulness *(n.)* خِداع ؛ مخادعة ؛ ختَل.

deceive [dĭ sēv'] *(vt.; i.)* يخدع ؛ يخاتل ؛ يغشّ ؛ يضلِّل.

deceiver [dĭ sēv'-] *(n.)* المخادع ؛ المخاتل الخ.

decelerate [dē sĕl'ə rāt] *(vt.; i.)* (١) يُبطِىء ؛ يُنقِص السرعة (to ~ a motor) ×(٢) يتباطأ (The car ~d.).

December [dĭ sĕm'bər] *(n.)* ديسمبر؛ كانون الأول: الشهر الثاني عشر في التقويم الغريغوري.

Decembrist *(n.)* الديسمبري : أحد المشتركين في الثورة الفاشلة على قيصر الروسيا نقولا الأول في ديسمبر ١٨٢٥.

decemvir [dĭ sĕm'vər] *(n.)* العُشاريّ : عضو مجلس عُشاري؛ وبخاصة: أحد أعضاء مجلس العشرة الذي جمع قوانين رومة ونظّمها.

decemvirate [-'və rĭt; -rāt'] *(n.)* (١) المجلس العُشاريّ : مجلس مؤلف من عشرة أعضاء (٢) العِشارة : منصب أعضاء هذا المجلس أو مدة ولايتهم.

decency [dē'sən sĭ] *(n.)* (١) حشمة؛ احتشام (٢) لياقة. (٣) *pl.* : «أ» آداب؛ أصول. «ب» آداب السلوك (٤) *pl.* عد: مستلزَمات العيش اللائق.

decennary [dĭ sĕn'-] *(n.)* العَقْد : عَشْر سنوات.

decennial [-'ĭ əl] *(adj.; n.)* (١) عَقْديّ : «أ» مؤلف من عشر سنوات. «ب» دائم عشرَ سنوات. «ج» حادثٌ أو مُنْجَزٌ كل عشر سنوات §(٢) الذكرى العَشْرية : ذكرى انقضاء عشر سنوات على شيء.

decennium [-'ĭ əm] *(n.)* pl. **-s** *or* **-nia** العَقْد : عشر سنوات.

decent [dē'sənt] *(adj.)* (١) «أ» مُحْتَشِم (~ clothes). «ب» محتشم الملبس (٢) مهذَّب (~ language) (٣) لائق (~housing) (٤) مُرْضٍ؛ مقبول؛ حسنٌ ولكنه غير ممتاز (a ~ dinner) (٥) محترَم؛ جدير بالاحترام (a ~family) (٦) لطيف؛ كريم.

decentralization *(n.)* (١) اللاتركيزية: «أ» إبطال المركزية في الحكم أو الادارة من طريق توزيع السلطات والاختصاصات. «ب» إعادة السكان والمصانع (من المدن المزدحمة بالسكان إلى مناطق نائية عنها) (٢) اللامركزية (في الحكم أو الادارة الخ.).

decentralize [dē sĕn'trə līz'] *(vt.)* يُبْطِل المركزية؛ يجعله لامركزياً.

deception [dĭ sĕp'-] *(n.)* (١) خَدْع؛ مخادعة (٢) انخداع (٣) خدعة

deceptive [-'tĭv] *(adj.)* خادع ؛ مضلِّل.

deci- بادئة معناها : عُشْر (*deci*gram).

deciare [dĕs'ĭ âr] *(n.)* العُشْرُر : وحدة مساحة تساوي عُشْر آر.

decibel [dĕs'ə bĕl] *(n.)* العُشْرُبْل ؛ الدِسيبيل : وحدة لقياس التفاوت في منسوب قدرتين أو طاقتين أو التفاوت بين شدّتي صوتين ، وهي تُعادل عُشْر «بل» (را. bel).

decide [dĭ sīd'] *(vt.; i.)* (١) يقرّر (٢) يَفْصِل (في دعوى قضائية). (٣) يَحْسِم ؛ يُنْهي على نحو حاسم (One blow ~*d* the fight.) (٤) يحمل (شخصاً) على اتخاذ قرار ما (What ~*d* him to resign?) ×(٥) يقضي بحكم (The judge ~*d* in favor of the plaintiff.)

decided *(adj.)* (١) واضح ؛ محدَّد (a ~ difference). (٢) لا جدال فيه ؛ مفصول فيه (a ~victory) (٣) مصمِّم ؛ عازم عزماً أكيداً (I'm quite ~.).

decidedly *(adv.)* (١) بلا جدال ؛ من غير ريب (٢) بلا تردد.

decidua [dĭ sĭj'o͞o ə] *(n.)* *pl.* **-e** الغشاء الساقط : غشاء الرحم الداخليّ الذي يسقط عند الولادة (أج).

deciduous [dĭ sĭj'o͝o əs] *(adj.)* (١) مُسَاقِط : مُسْقِط في موسم معيّن أو فترة من النمو معيّنة (~leaves *or* teeth) (٢) نَفْضِيّ : طارحٌ أوراقه سنوياً (~ trees) (٣) غير دائم ؛ سريع الزوال.
decigram *or* **decigramme** [dĕs'ə grăm'] *(n.)* العُشْرُغ ؛ الدسيغرام: وحدة وزن تساوي عُشْر غرام .
deciliter [dĕs'-] *(n.)* العُشْرُل : وحدة سعة تساوي عُشْر ليتر .
decillion [dĭ sĭl'yən] *(n.)* الديسيليون: رقم مؤلف من واحد إلى يمينه ٣٣ صفراً (في الولايات المتحدة الأميركية وفرنسة) أو ٦٠ صفراً (في انكلترة وألمانيا) .
decimal [dĕs'ə məl] *(adj.; n.)* (١) عَشْرِيّ § (٢) كَسْر عَشْرِيّ .
decimal fraction *(n.)* الكَسْر العَشْري (ر) .
decimalize [-'ə mə līz'] *(vt.)* يحوِّل إلى النظام العَشْريّ .
decimal notation *(n.)* العَدّ بة العَشْرية (مج) ؛ الطريقة العشرية .
decimal point *(n.)* الفاصلة العَشْرية (ر) .
decimate [dĕs'ə māt'] *(vt.)* (١) يأخذ أو يتلف عُشْر شيء . (٢) يقارع عَشْرياً : يُجري قرعةً ثم يقتل كل رجلٍ عاشر (to ~ a regiment) (٣) يُهلك القسم الأعظم من .
decimeter [dĕs'ə-] *(n.)* العُشْرُم ؛ الدسيمتر : عُشْر المتر .
decipher [dĭ sī'fər] *(vt.)* (١) يفكّ المغالق : يكتشف معنى شيءٍ غامض أو شبه مَمْحوّ (٢) يَحُلّ الشِّفْرة .
decision [dĭ sĭzh'ən] *(n.)* (١) «أ» فَصْل أو قَطْع (في مسألة أو خلاف) (٢) حُكْم (٣) قرار (٤) عَزْم (a man of ~) .
decisive [dĭ sī'-] *(adj.)* (١) فاصل ؛ حاسم (٢) قاطع ؛ باتّ .
decisively *(adv.)* على نحوٍ فاصلٍ أو حاسم أو قاطع أو باتّ .
decistere *(n.)* الدِّسِيسْتَر: مقياس للحجم يساوي عُشْر متر مكعب .
deck [dĕk] *(n.; vt.)* (١) ظَهْر المركب (٢) أرضية الأوتوبوس الخ . (٣) مجموعة ورق اللعب أو الشدّة § (٤) «أ» يكسو على نحو أنيق . «ب» يزين ؛ يزخرف (٥) يجعل للمركب الخ . ظهراً (٦) يحمّل أو يكدّس فوق ظهر المركب (to ~ up logs).
to clear the ~s (for action) يستعد للقتال أو للعمل
to sweep the ~s يكسب جميع الأموال المراهَن بها .
deck chair *(n.)* كرسيّ المركب: كرسيّ طويل قابل للطيّ .
decker [-'ər] *(n.)* (١) فا deck (٢) سفينة أو مركبة ذات عدد معيّن من السطوح (a three-*decker*) (٣) السندويشة الثنائية أو الثلاثية الخ . : سندويشه مؤلفة من طبقتي خبز أو أكثر (a double-*decker* sandwich).
deckhand *(n.)* نوتيّ عادي (في سفينة) .
deckle [dĕk'əl] *(n.)* الدكّل : إطار خشبي متحرك حول قالب يدوي لصنع الورق .
declaim [dĭ klām'] *(vi.; t.)* (١) «أ» يتكلم بطريقة خطابية . «ب» يخطب (في الناس) (٢) يكتب بطريقة خطابية (تعوزها الحجة السليمة الخ .) × (٣) يلقي قصيدةً الخ .
to ~ against يحتجّ على ؛ ينتقد بعنف .
declamation *(n.)* (١) خطابة ؛ إلقاء (٢) خطبة ؛ قصيدة خطابية .
declamatory *(adj.)* (١) خِطابي (٢) حماسي ؛ انفعالي .
declarant *(n.)* المصرح الخ ؛ وبخاصة : أجنبي صرح برغبته في أن يصبح مواطناً أميركياً بتوقيعه الأوراق الأولى الضرورية لذلك.
declaration [dĕk'lə rā'-] *(n.)* (١) إعلان (حرب الخ .) (٢) تصريح ؛ بيان (٣) البيان : وثيقة رسمية تعلن مبادىء هيئةٍ ما أو أهدافها وسياستها (the *Declaration* of Independence) (٤) التصريح الضرائبي : تصريح رسمي بالدخل الخ .

declarative [dĭ klăr'-] *(adj.)* إعلاني ؛ تصريحيّ ؛ بياني ؛ تقريريّ .
declare [dĭ klâr'] *(vt.)* (١) يعلن (٢) يصرح بـ (٣) يُظهر . (٤) يؤكّد (٥) يصرح (بدخله الخ .) .
to ~ against يعلن معارضته لـ .
to ~ for يعلن تأييده لـ .
declared *(adj.)* مُعْلَن ؛ مصرح به (~ objectives).
declass [dē klăs'] *(vt.)* يُخرِجه من طبقته ، أو يخفض منزلته (وبخاصة اجتماعياً) .
déclassé [dĕ klȧ sĕ'] *(F.)* مخفوض الطبقة أو المرتبة أو المنزلة الاجتماعية .
declension [dĭ klĕn'shən] *(n.)* (١) «أ» تصريف الأسماء . «ب» أسرة صَرفية (٢) انحدار (٣) انحطاط (٤) انحراف (عن عقيدة أو دين الخ .) (٥) رفض مهذّب .
declinable *(adj.)* مُتَصرِّف : قابل للتصريف (ل) .
declinate *(adj.)* ملتوٍ ؛ مائل ؛ منحرف ؛ منحنٍ .
declination [dĕk lə nā'-] *(n.)* (١) المَيْل الزاوي: البعد الزاوي (لنجم أو كوكب) شمالاً أو جنوباً من خط الاستواء السماويّ (فل) (٢) انحراف (٣) انحطاط (٤) انحناء ؛ انحدار (٥) رفض رسميّ (٦) الحُدور المغنطيسي : الزاوية المتشكّلة بين موقع الابرة المغنطيسية والشمال الصحيح .
declinatory [-klī'-] *(adj.)* رفضي : معبر عن رفض.
declinature [dĭ klī'-] *(n.)* رفض رسمي .
decline [dĭ klīn'] *(vi; t.; n.)* (١) ينحرف (٢) «أ» ينحدر ؛ يهبط . «ب» ينخفض . «ج» ينحطّ (٣) «أ» يأفل أو يميل إلى الغروب. «ب» يتقدم نحو النهاية ؛ يأخذ (النهار) سبيله إلى الزوال «ج» يذبل ؛ يَضْعف (٤) يرفض × (٥) يصرِّف الأسماء أو الضمائر الخ . (٦) يتجنب (٧) يَحني § (٨) «أ» ذبول أو ضعف تدريجي . «ب» انحطاط (٩) آخر ؛ منتهى ؛ أرذل (in the ~ of life) (١٠) منحدَر (١١) كل مرض يُضْوي الجسم ، وبخاصة : السلّ .
declinometer *(n.)* المِحْدار : مقياس الحدور المغنطيسي .
declivitous [dĭ klĭv'ə təs] *(adj.)* منحدِرٌ باعتدال .
declivity [dĭ klĭv'ə tĭ] *(n.)* (١) انحدار (٢) مُنْحَدَر .
declutch *(vt.)* يَحلّ القَبْض (فاصلاً بين محرِّك السيارة وعجلاتها).
decoct [dĭ kŏkt'] *(vt.)* يستخلص (خلاصةَ الأعشاب) بالإغلاء.
decoction *(n.)* (١) الاستخلاص بالإغلاء (٢) المادة المستخلصة (بالاغلاء)
decode [dē kōd'] *(vt.)* يَحل الشِّفْرة : يترجم رسالة مكتوبة بالشفرة.
decollate [dĭ kŏl'āt] *(vt.)* يقطع الرأس ؛ يضرب العُنُق .
décolletage [dā kŏl tȧzh'] *(F.)* (١) تقويرة الفستان (عند الصدر والظهر وعبر الكتفين) (٢) المقوَّر : فستان مقوَّر الصدر الخ .
décolleté [-tā'] *(F.)* (١) مقوَّرة الفستان : مرتدية فستاناً مقوَّر الصدر الخ . (٢) مقوَّر : مقوَّر الصدر والظهر وعبر الكتفين (a ~ dress).
decolor [dē kŭl'ər] *(vt.)* ينصِّل : يزيل اللون .
decolorant *(adj.; n.)* (١) مُنصِّل : مزيلٌ للَّون § (٢) المُنصِّلة : مادة مزيلة للون .
decolorization *(n.)* التنصيل : إزالة اللون .
decolorize [dē kŭl'ə rīz'] *(vt.)* = decolor.
decompensation *(n.)* اللامعاوضة : مرض من أمراض القلب .
decompose [dē'kəm pōz'] *(vt.; i.)* (١) يَحُلّ (مركَّباً) الى عناصره الرئيسية أو إلى مركبات أبسط (٢) يُعفِّن ؛ يُفسد × (٣) ينحلّ (إلى عناصره الرئيسية الخ .) (٤) يتعفن ؛ يَفْسُد .
decomposition *(n.)* (١) «أ» تحليل ؛ حلّ . «ب» تحلّل (٢) تعفّن .
decompound [dē'kəm pound'] *(vt.; adj.; n.)* (١) يَحُلّ

decompound leaf

(مركباً إلى عناصره الرئيسية) §(٢) مضاعَف التركيب : مركَّب من عناصر مُركَّبة ؛ مركَّبٌ ثانيةً (٣)مركَّب الأجزاء : منقسِمٌ إلى أجزاءمركَّبة(~leaves)§(٤)المضاعَف التركيب ، وبخاصة : لفظةٌ أحدُ عناصرها مركَّب (newspaperman).

decompress *(vt.)* . يُزيل الضغط ؛ يُبْطِل الضغط

deconcentrate *(vt.)* = **decentralize.**

decontaminate [dē'kən tăm'-] *(vt.)* . يطهِّر ؛ يزيل التلوّث

decontrol [dē kən trōl'] *(vt.; n.)* (١) يُنَزْرِق: ينزع الرقابة أو السيطرة الحكومية عن **(to ~ the coal industry)** §(٢) النزرقَة : نَزْعُ الرقابة أو السيطرة الحكومية عن**(the gradual ~ of rents)**.

decor *or* **décor** [dā kôr'] *(F.)* .(١) زخرفة ، وبخاصة زخرفة داخلية (٢) الزخرف أو الديكور المسرحي .

decorate [dĕk'ə rāt] *(vt.)* . (١) يزخرف (٢) يقلّد وساماً الخ

decoration *(n.)* . (١) مص decorate (٢) زُخرُف (٣) وسام

Decoration Day *(n.)* = Memorial Day.

decorative [-'ə rā'tĭv] *(adj.)* . زُخْرُفيّ ؛ زيني

decorator [dĕk'-] *(n.; adj.)* (١)المُزَخْرِف ، وبخاصة : المزخرف المحترف (لداخل المنازل) §(٢)صالح للزخرفة الداخلية(~fabrics).

decorous [dĕk'ə rəs; dĭ kōr'əs] *(adj.)* . محتشم ؛ لائق

decorticate [dē kôr'tə-] *(vt.)* . يُنَزْلِح : ينزع اللحاء أو القشرة

decorticator *(n.)* (١)المُنَزْلِح : نازع اللحاء(٢)المُنَزْلحة ؛ وبخاصة : اداة لتنظيف القطن من القشور .

decorum [dĭ kōr'əm] *(n.)* . لياقة ، ذوق

decoy [*n.* dĭ koi', dē'-; *v.* dĭ koi'] *(n.; vt.; i.)* -(١)البِرْكَةُ الشَّرَكُ : بركةٌ تُجتَذَب إليها الطيور ، وبخاصة البطّ ، ليسهل اصطيادها (٢) طُعْم ؛ وبخاصة : الطائر-الطعم : طائرٌ صُنْعي يُستَخْدَم لاجتذاب الطيور الحية إلى حيث يمكن اصطيادها (٣)المُشْرِك : شخص يُستخدَم لإيقاع شخص آخر في شَرَك §(٤)يخدع ؛ يُوقِع في شَرَك ×(٥) ينخدع ؛ يقع في شَرَك .

decoy 2.

decrease [*v.* dĭ krēs'; *n.* dē'krēs] *(vi.; t.; n.)* . (١)يَنقُص ×(٢) يُنْقِص §(٣) تناقص (٤) النقصان : مقدار النقص. on the ~, متناقص ؛ آخذ في التناقص .

decree [dĭ krē'] *(n.; vt.; i.)* .(١) مرسوم ؛ قرار (٢)حكمٌ قضائيّ §(٣) يَرْسُم : يصدر مرسوماً بـ **(to ~ an amnesty)** (٤) يقضي بِ ؛ يصدر حكماً قضائياً بِ**(to ~ a punishment)** ×(٥)يقضي **(as my eternal purpose hath ~*d*)**.

decree-law *(n.)* المرسوم التشريعي : مرسوم يصدره الحاكم أو الوزارة وتكون له قوةُ القانون الصادر عن هيئة تشريعية (ق) .

decree nisi [nī'sī] *(n.)* التفريق الآجل : حكمٌ بالطلاق يصبح مبرماً في تاريخ آجلٍ (ق).

decrement [dĕk'rə-] *(n.)* .(١)تناقص (٢)التناقص : مقدار النقص

decrepit [dĭ krĕp'ĭt] *(adj.)* (١)عاجز؛ مُقْعَد (بسبب الشيخوخة) (٢)بالٍ (.The bus is ~)(٣)متداعٍ للسقوط **(three ~ houses)**.

decrepitate [dĭ krĕp'ə tāt'] *(vt.; i.)* (١) يُفقّع : يجعله يفرقع من طريق التحميص ×(٢) يتفقّع .

decrepitude *(n.)* . (١) عَجْز ؛ ضَعف (بسبب الشيخوخة) (٢) بِلى (٣) تداعٍ .

decrescendo [dē'krə shĕn'dō; dā'-] *(n.; adj.)* : (١)التنزّل تناقص في ارتفاع الصوت أو قوته (٢) مَقْطَعٌ موسيقيّ متنزّل §(٣) مُتَنَزِّل : مُتّسِمٌ بتناقص في ارتفاع الصوت .

decrescent [dĭ krĕs'-] *(adj.)* . يتناقص ؛ آخذ في التناقص

decretal [dĭ krē'təl] *(n.; adj.)* .(١)مرسوم ؛ وبخاصة : فتوى بابوية §(٢) مرسوميّ .

decretive [dĭ krē '-] *(adj.)* . (١) مرسوميّ (٢) له قوةُ المَرْسوم

decretory *(adj.)* . مرسوميّ : متعلق بمرسوم أو محدَّد بمرسوم

decry [dĭ krī'] *(vt.)* (١) يَشْجب ؛ ينتقد بقسوة أو عنف **(*decried* the emphasis on sex)**(٢)يحاول الانتقاص من قَدْره.

decumbent [dĭ kŭm'bənt] *(adj.)* . (١) مضطجع ؛ مستلقٍ (٢)متمدِّد على الأرض مع نزوعِ طَرَفِه إلى الاستعلاء(~plants).

decuple [dĕk'yōō pəl] *(adj.; n.; vt.; i.)* .(١) أكبر بعشر مرات §(٢) مبلغ أكبر بعشر مرات §(٣) يجعله (أو يُصبح) أكبر بعشر مرات .

decurion [dĭ kyōōr'ĭ ən] *(n.)* (١) قائد العشرة (في سلاح الفرسان عند الرومان) (٢) عضو بمجلس شيوخٍ روماني .

decurren leaves

decurrent [dĭ kûr'ənt] *(adj.)* أقنَف : ذو قاعدة ممتدَّة ، على ساق النبتة ، إلى أسفل.

decurved *(adj.)* .سفليّ الانحناء : منحنٍ إلى أسفل

decury [dĕk'yōō rĭ] *(n.)* العَشْرِية : مجموعة من عشرة جنود أو قضاة أو شيوخ رومان.

decussate [dĭ kŭs'āt] *(vi.; t.; adj.)* (١) يتصالب : يتقاطع على شكل حرف× ×(٢) يُصالِب : يقطع على شكل حرف× §(٣) متصالبٌ : متقاطعٌ على شكل حرف× (٤) متصالبة : مرتّبة على ساق النبتة أزواجاً أزواجاً وكل زوج على زاوية قائمة من الزوج الذي فوقه أو تحته (~leaves).

decussate leaves

dedicate [dĕd'ə kāt'] *(vt.)* (١) يكرِّس : يخصِّص (كنيسةً) لخدمة الله وذلك باحتفال خاص (٢) يَقِفُ أو يخصص لغرض معيّن (٣) يُهْدي الكتابَ (إلى فلان اعترافاً بفضله وذلك بأن يطبع في صدره عبارة تُشْعِر بذلك) .

dedication [dĕd'ə kā'-] *(n.)* .(١) تكريس (٢)وقف ؛ تخصيص (٣) إهداء الكتاب (٤) تفانٍ ؛ إخلاص لمثلٍ أعلى أو قضية .

deduce [dĭ dūs'] *(vt.)* (١)يتتبّع مَنْشأ شيء أو أصله (٢)يستنتج ؛ يستدل ؛ يستخرج النتيجة من مقدّمات معروفة أو مبدأ عام .

deducible *(adj.)* . قابل للاستنتاج أو الاستدلال

deduct [dĭ dŭkt'] *(vt.)* . (١) يقتطع ؛ يَطرح ؛ يَحْسُم (٢) يستنتج ؛ يستدل .

deductible *(adj.)* . قابل للاقتطاع أو الحَسْم

deduction [-dŭk'-] (١) «أ» اقتطاع ؛ حَسْم . «ب» مبلغ مُقتَطَع أو محسوم (من ضريبة الخ.) (٢) استنتاج ؛ استدلال .

deductive [-'tĭv] *(adj.)* . استنتاجي ؛ استدلاليّ

deed [dēd] *(n.; vt.)* . (١) عَمَلٌ ؛ صنيعٌ (٢) مأثرة (٣) صَكّ (وبخاصة لنقل المِلْكية العقارية) §(٤) ينقل أو يحوِّل (الملكيةَ العقارية) بصَكّ .

deem [dēm] *(vt.; i.)* (١) يَعتَبر ؛ يَعتَقد ؛ يحسب ×(٢) يرى رأياً في ؛ يكون له رأيٌ في **(I cannot ~ otherwise of them.)**.

deep [dēp] *(adj.; adv.; n.)* .(١) عميق (٢)ذو عمق معيّن (٣) مُعقّد ؛ عويص **(a ~ problem)** (٤) خفي ؛ غامض

ă at; ā date; â care; ä car; ĕ egg; ē me; ĭ in; ī bite; ŏ lot; ō bone; ô orphan; oi boil ŏŏ good; ōō boot; ou out; ŭ under; ū unity; û urgent; th thing; *th* this; zh vision; ə = *a* in alone, *e* in system, *i* in easily, *o* in gallop, *u* in circus.

(a ~ mystery) (٥) ماكر ؛ ذو دهاء (He's a ~ one.)
(٦) غارق (~ in debt) (٧) مستغرق (~ in thought)
(٨) قاتم ، داكن ، غامق (~ colors) (٩) خفيض (in a ~ voice)
§ (١٠) عميقاً ؛ على نحو عميق (to dig ~) (١١) بإسراف ؛ بإفراط (to drink ~) (١٢) في ساعة متأخرة (~ in the night)
§ (١٣) أوقيانوس ؛ محيط (the briny ~) (١٤) الجزء العميق من البحر أو النهر أو أي شيء آخر (١٥) المعمعان: الجزء الأشدّ وطأة (~ of winter).

—**deepness** *(n.)*

the ~, البحر أو المحيط .

to go off the ~ end (١) يتطرّف ؛ يتخذ إجراءً متطرّفاً (٢) يهتاج اهتياجاً شديداً ؛ يصاب بهيستريا .

deepen [dē'pən] *(vt.; i.)* (١) يعمّق × (٢) يتعمّق .

deep-freeze *(n.; vt.)* (١) ثلاّجة لحفظ الطعام بدرجة صفر فارنهايت § (٢) يحفظ بمثل هذه الثلاجة (*deep-frozen* fish).

deep-laid *(adj.)* مدبّر بعناية أو مكر أو كتمان .

deeply *(adv.)* (١) عميقاً (to sink ~) (٢) بتعمّق ؛ بتضلع (~ versed in relativity) (٣) بشدّة (~interested in the subject) (٤) بصوت خفيض (baying ~) (٥) بدهاء ، بمكر (~laid plot) (٦) على نحو خطير (~involved in the scandal).

deep-rooted *(adj.)* متأصل ؛ عميق الجذور (~ loyalty).

deep-sea *(adj.)* أعماقيبحري: متعلق بأعماق البحر أو حادث فيها أو معدّ للاستعمال فيها (~ fishing).

deep-seated *(adj.)* راسخ ، عميق الجذور (~traditions).

deer [dîr] *(n.)* الأيّل : حيوان من ذوات الظلف.

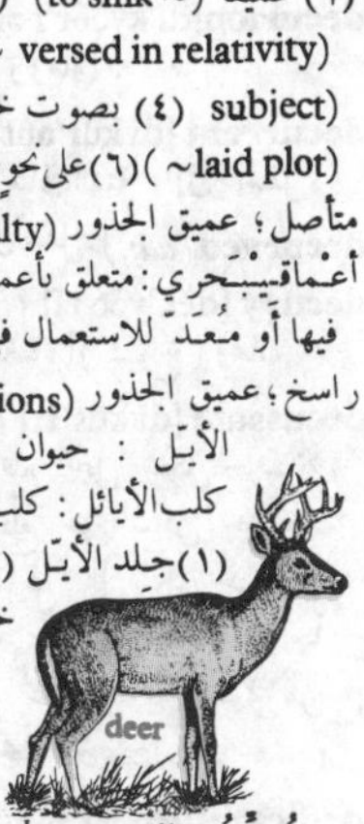

deer

deerhound *(n.)* كلب الأيائل: كلب ضخم طويل هزيل.

deerskin *(n.)* (١) جلد الأيّل (٢) ثوب من جلد الأيّل.

deerstalker [dîr'stô'kər] *(n.)* خاتِل الأيائل : من يصطاد الأيائل بالانسلال إليها من غير أن تحسّ به .

de-escalate *(vt.)* يخفّف ؛ يخفّض .

deface [dĭ fās'] *(vt.)* (١) يشوّه (٢) يمحو ؛ يطمس.

de facto [dē făk'tō] *(adv.; adj.)* (١) في الواقع § (٢) واقعيّ: قائم فعلاً ، سواء على نحو شرعي أو غير شرعي (the ~ king).

defalcate [dĭ făl'kāt] *(vt.)* يختلس (مالاً مؤتمناً عليه) .

defalcation *(n.)* (١) اختلاس (٢) المبلغ المختلَس .

defamation [dĕf'ə mā'-] *(n.)* قذف ، افتراء ؛ تشويه للسمعة.

defamatory [dĭ făm'ə tōr'-] *(adj.)* قذفيّ ، افترائيّ ؛ مشوّه للسمعة.

defame [dĭ fām'] *(vt.)* يقذف ؛ يفتري على ؛ يشوّه سمعته .

default [dĭ fôlt'] *(n.; vi.; t.)* (١) إهمال (٢) تخلّفٌ عن إيفاء دَيْن الخ . (٣) تخلّفٌ عن المثول أمام القضاء (٤) تخلّفٌ عن الاشتراك في مباراة مقررة أو عن الاستمرار فيها إلى النهاية (٥) فقدان ، عدم وجود (owing to ~ of water) § (٦) يُهمل (أداءَ واجب) (٧) يتخلف عن دفْع دَين أو عن تقديم حساب عن مالٍ في عهدته الخ . (٨) «أ» يتخلف عن المثول أمام القضاء (٩) «أ» يتخلف عن الاشتراك في مباراة مقرّرة أو عن متابعة الاشتراك فيها حتى النهاية . «ب» يخسر المباراة بسبب ذلك .

in ~ of (١) في حال عدم وجود (٢) لعدم وجود.

judgment by ~, حكم غيابيّ.

to win a case *or* a game by ~, يكسب دعوى أو مباراةً بسبب من تخلّف الفريق الآخر عن الحضور .

defaulter *(n.)* (١) فا **default** (٢) المختلِس (لمالٍ في عهدته) .

defeasance [dĭ fē'zəns] *(n.)* إبطال ، إلغاء ، نَسْخ ، فَسْخ.

defeasible [-'zə bəl] *(adj.)* قابل للإبطال أو الالغاء أو الفسخ .

defeat [dĭ fēt'] *(vt.; n.)* (١) يُبْطِل ؛ يُلْغي (٢) يخيّب ؛ يُحْبِط (Their hopes were ~*ed.*) (٣) يَهْزِم ؛ يغلب § (٤) إحباط ، تخييب (the ~ of a plan) (٥) إيقاع الهزيمة بـ (as a reward for his ~ of the enemy) (٦) هزيمة .

defeatism [dĭ fē'-] *(n.)* الانهزامية ؛ الروح الانهزامية .

defeatist *(n.; adj.)* (١) الانهزاميّ : شخص انهزاميّ § (٢) انهزاميّ.

defeature [dĭ fē'chər] *(n.)* (١) تشويه (ا.ق) (٢) هزيمة (ا.م).

defecate [dĕf'ə kāt] *(vt.; i.)* (١) يصفّي ؛ يروّق × (٢) يصفو (٣) يتغوّط ؛ يتبرّز .

—**defecation** *(n.)*

defect [dĭ fĕkt'; dē'-] *(n.; vi.)* (١) خلل ؛ علّة ؛ عيب ؛ شائبة. (٢) يرتدّ (عن معتقده) ؛ يتخلى عن حزبه (لينضمّ إلى حزب آخر).

defection [dĭ fĕk'-] *(n.)* رِدّة ، ارتداد (عن دين أو مذهب سياسي).

defective [-'tĭv] *(adj.; n.)* (١) ناقص : «أ» فيه خللٌ أو عيبٌ . «ب» تنقصه صيغة أو أكثر من صيغ التصريف المألوفة (a ~verb) (٢) متخلّف عقلياً أو جسدياً § (٣) شخص متخلف عقلياً أو جسدياً.

defence [dĭ fĕns'] *(n.)* = defense.

defend [dĭ fĕnd'] *(vt.; i.)* (١) يحمي ؛ يصون (٢) يدافع عن (نظرية أو متّهم) (٣) يفنّد (to ~ a claim) × (٤) يتولى الدفاع (عن متّهم) .

—**defender** *(n.)*

defendant [dĭ fĕn'dənt] *(n.)* المُدَّعى عليه (ق).

defenestration *(n.)* إلقاء (شخصٍ أو شيء) من النافذة .

defense [dĭ fĕns'] *(n.)* (١) «أ» حماية ، صيانة . «ب» كل ما يحمي أو يصون ، وبخاصة : حصن (٢) دفاع (٣) الدفاع ، جهة الدفاع : المدعى عليه ومحاموه مجتمعين (ق) .

in ~ of دفاعاً عن.

defense mechanism *or* **reaction** *(n.)* الارتكاس الدفاعي : نشاط عضوي يقوم به الجسم كإجراء دفاعيّ ضد الميكروبات الخ .

defensible [dĭ fĕn'-] *(adj.)* ممكنٌ الدفاع عنه (بالقوة أو بالحجّة).

defensive [dĭ fĕn'sĭv] *(adj.; n.)* (١) واقٍ (~armor) (٢) دفاعيّ (a ~ attitude) § (٣) وضع أو موقف دفاعيّ.

defer [dĭ fûr'] *(vt.; i.)* (١) يؤجّل ؛ يرجىء × (٢) يذْعن لِـ ؛ يتنزل عند (إرادته أو رغبته) .

deference [dĕf'ər əns] *(n.)* (١) إذعان (٢) احترام ، مراعاة .

deferent [dĕf'-] *(adj.)* (١) ناقل ، مصرِّف (~ conduit) (٢) مراعٍ أو محترم لرغبات الآخرين .

deferential [dĕf ə rĕn'shəl] *(adj.)* مراع أو محترم (لرغبات الآخرين).

deferment [dĭ fûr'-] *(n.)* تأجيل ؛ وبخاصة للخدمة العسكرية .

deferrable *(adj.)* ممكنٌ تأجيله ، صالح للتأجيل .

deferred [dĭ fûrd'] *(adj.)* مؤجّل ، مُرجأ .

deferred bonds *(n. pl.)* سندات مؤجّلة الفائدة (تج) .

deferred shares *(n. pl.)* أسهم مؤجلة الربح (تج) .

defervescence *(n.)* إقلاع الحمّى : هبوط حرارة الحمّى (ط) .

defiance [dĭ fī'əns] *(n.)* (١) تحدٍّ (٢) استخفاف بالمعارضة الخ .

in ~ of من غير اعتبارٍ لِـ ؛ على الرغم من .

defiant [dĭ fī'ənt] *(adj.)* متحدٍّ ، جريء ، غير هيّاب .

deficiency [dĭ fĭsh'ən sĭ] *(n.)* (١) نقص (٢) العجز: مقدار النقص.

deficiency disease *(n.)* مرض النقص (مج) : كل مرض ناشىء عن سوء التغذية .

deficient [dĭ fĭsh'-] *(adj.; n.)* (١) ناقص (٢) ضعيف

(a mentally ~ person) (٣)§ شخص ضعيف « العقل الخ . »

(a mental ~).

deficit [dĕf'ə sit] (n.) عجزٌ (في الميزانية الخ) .

defier [di fī'ər] (n.) المتحدي ؛ المقاوم .

defile [di fīl'] (vt.; i.; n.) (١) يلوّث (٢) يدنّس ؛ ينجّس (~d the temple) (٣) يشوه (السمعة الخ) (٤) × يسير (بالجند) أرتالاً (٥) ممرّ ضيق ؛ وبخاصة : شعب .

—**defilement** (n.)   —**defiler** (n.)

define [di fīn'] (vt.) (١) يحدّد ؛ يعيّن (٢) يعرّف (معنى كلمة الخ) (٣) يوضّح ؛ يُظهِر بوضوح .

definite [dĕf'ə nit] (adj.) (١) واضح ؛ لا لَبْس فيه (a ~ answer) .

—**definiteness** (n.)

definite article (n.) أداة التعريف « أل » في العربية و the في الانكليزية .

definitely (adv.) (١) على نحو محدّد أو واضح (٢) بلا ريب .

definite proportions (n. pl.) النِسَب المحدّدة (ر) .

definition [dĕf'ə nish'ən] (n.) (١) تحديد ؛ تعريف ؛ حدّ (to give a ~ of a word) (٣) الإيضاحية : قدرة العدسة (في كاميرا أو تلسكوب) على إعطاء صورة واضحة (٤) الوُضوحية : حُسْن التقاط الصوتِ (في جهاز راديو) أو الصورة (في جهاز تلفزيون) .

definitive [di fin'ə-] (adj.) (١) نهائي (٢) حاسم (a ~ victory) (٣) محدَّد ؛ مميَّز (~ names) (٤) دقيق ؛ محدَّد بوضوح (٥) مُستتِمّ : تامّ النمو (a ~ organ) .

definitude [di fin'ə tūd] (n.) دقّة .

deflagrate [dĕf'-] (vt.; i.) يُحرق أو يحترق وبخاصة فجأةً وبشدّة .

—**deflagration** (n.)

deflate [di flāt'] (vt.; i.) (١) يفرّغ : يحرّر الهواء أو الغاز من جسم منتفخ (كدولاب أو كرة قدم) (٢) يخفض (الأسعار الخ) . (٣) «أ» يخفض مقدار العملة المتداولة ابتغاء خفض الأسعار × (٤) يَفرغ أو ينكمش (نتيجةً لتحرير الهواء أو الغاز منه) .

deflation [di flā'-] (n.) (١) «أ» تفريغ . «ب» فراغ ؛ انكماش الخ . (٢) الانكماش : نقص في حجم العملة المتداولة يُفضي إلى انخفاض عام في الأسعار (اد) .

deflect [di flĕkt'] (vt.; i.) (١) يحرّف ؛ يعطف ؛ يزيغ (٢) × ينحرف ؛ ينعطف ؛ يزيغ .

deflection [di flĕk'-] (n.) (١) حرَف ؛ إزاغة (٢) انحراف .

deflective [-'tiv] (adj.) حارف ؛ مسبّب للانحراف .

deflexion [di flĕk'shən] (n.) = deflection.

defloration [dĕf'lə rā'-] (n.) (١) التزهُّرة : نزع الزهر عن النبات . (٢) افتضاض ؛ افرِاع ؛ سَلب البكارة .

deflower [di flou'ər] (vt.) (١) يُنزر الزهر : ينزع الزهر عن النبات (٢) يفتضّ ؛ يفرِع ؛ يسلب (الفتاة) بكارتها .

defoliant (n.) المُنزِر : ذرور أو سائل كيميائي يُنضَح على بعض الأشجار لجعل الأوراق تتساقط قبل الأوان .

defoliate [dē fō'li āt] (vt.; i.) (١) يُنزِر : ينزع ورق الشجر (٢)× يتنزّر : يتجرد الشجر من ورقه .

deforce [di fôrs'] (vt.) (١) يغتصب (أرضاً الخ) (٢) يحرم (ممتلكاته الخ) ظلماً .

deforciant [di fôr'shənt] (n.) المُغتصِب الخ .

deforest [dē fôr'-] (vt.) يُحرْج : يُزيل الأحراج من بقعة ما .

الزرخرْجة : إزالة الأحراج من بقعة ما .

deforestation (n.)

deform [di fôrm'] (vt.; i.) (١) يُشوّه (٢) يَمسَخ (٣)× يتشوّه .

deformation (n.) (١)تشويه (٢)تشوُّه (٣)شكل معدَّل .

deformed [di fôrmd'] (adj.) (١) مشوَّه (٢) بغيض ؛ بشع .

deformity [-'mə ti] (n.) (١) تشوُّه (٢) عاهة جسدية (٣) عيب ؛ شائبة (٤) بشاعة (٥) فساد وانحراف (٦) شخص أو شيء مشوَّه .

defraud [di frôd'] (vt.) يَسلُب (مالَه أو حقَّه) بالاحتيال .

defray [di frā'] (vt.) يدفع أو يتحمل (نفقات رحلة الخ) .

defrayal; defrayment (n.) دَفْع ؛ تحمُّل النفقات .

defrock [dē frŏk'] (vt.) يجرّد كاهناً (من ثوبه أو وظيفته) .

defrost [dē frôst'] (vt.) يزيل الصقيع (عن ثلّاجة أو جناح طائرة) .

deft [dĕft] (adj.) (١) رشيق (~ fingers) (٢) أنِق (٣) عب .

defunct [di fŭngkt'] (adj.; n.) (١) ميّت (٢) المَيْت .

defuse (vt.) ينزع الفتيل ؛ يعطّل (قنبلة) ؛ يهدّى ؛ يلطّف (أزمةً) .

defy [v. di fī'; n. di fī', dē'fī] (vt.; n.) (١)يتحدّى (٢)تحدٍّ .

dégagé [dē gá zhē'] (F.) (١)لامبال (٢)مستخفٌّ بالتقاليد الخ .

degas [di găs'] (vt.) يُحرّ غيز : يحرّر من الغاز .

de Gaullism (n.) = Gaullism.

degauss [dē gous'] (vt.) يبطل المغنطيسية : يزيل مغنطيسية السفينة .

degeneracy [di jĕn'ə-] (n.) (١)انحلال ؛ تفسّخ (٢)انحراف تناسلي .

degenerate [v. di jĕn'ə rāt; adj., n.-ər it] (vi.; t.; adj.; n.) (١)ينحلّ ؛ يتفسّخ ؛ يحرّض (٢) ينحط × (٣) يجعله منحلاً أو متفسّخاً أو منحطّاً (٤)§ منحلّ ؛ متفسّخ ؛ منحطّ (٥) شخص يتكشف عن سمات جسمانية أو عقلية مرضية وبخاصة منذ الولادة (٦) «أ» شخص فاسد الأخلاق أو الخُلُق . «ب» المنحرف تناسلياً .

degeneration [di jĕn'ə rā'-] (n.) (١) انحلال ؛ تفسّخ ؛ فساد ؛ (٢) حرَض : انحطاط فكري أو أخلاقي الخ .

degenerative [di jĕn'-] (adj.) (١) منحلّ ؛ متفسّخ الخ . (٢) انحلالي ؛ تفسّخي الخ . (٣) مسبّب للانحلال أو التفسّخ الخ .

deglutition [dē glōō tish'ən] (n.) ازدراد ؛ ابتلاع .

degradation [dĕg'rə dā'-] (n.) (١) «أ» تنزيل رتبة . «ب» تجريد من رتبة أو لقب الخ . (٢) انحلال ؛ تفسّخ (٣) انحطاط فكري أو خلقي (٤) خزي ؛ تعرية (٥) تأكّل (التربة) .

degrade [di grād'] (vt.; i.) (١) «أ» يُنزّل رتبته . «ب» يجرّده من رتبة أو لقب » (٢) يهين ؛ يخزي « على سبيل القصاص » يحطّ من قدر (٣) يُفسِد (أخلاقياً أو فكرياً الخ) (٤) يَحُتّ (التربة) (٥) يُحلّل (مركباً إلى عناصره الأساسية)× (٦)ينحطّ .

degraded (adj.) (١) «أ» مُنحطّ . «ب» فاسق (٢) منحلّ ؛ متفسّخ .

degrading [di grā'-] (adj.) مُهين ؛ مُخزٍ ؛ حاطّ .

degrease [dē grēs'] (vt.) يُزيل الشحم من .

degree [di grē'] (n.) (١) درجة (٢) درجة (٣) منزلة (اجتماعية) (٤) شهادة (علمية) (٥) «أ» الدرجة : جزء من ٣٦٠ جزءاً من محيط الدائرة (ر) . «ب» وحدة لقياس الحرارة .

by ~s تدريجياً .

to a ~, (١) إلى حدّ بعيد (٢) قليلاً ؛ بعض الشيء .

degree of freedom درجة الحرية أو الانطلاق (فز) .

degum [dē gŭm'] (vt.) يُحرّر صمغ : يحرّر الصمغ من المادة الصمغية .

degust [di gŭst'] (vt.; i.) يذوق ؛ يتذوّق .

dehisce [di his'] (vi.) يتفتّح ؛ ينفلق (نب) .

dehiscence [di his'əns] (n.) تفتّح ؛ انفلاق (نب) .

dehiscent [di his'ənt] (adj.) متفتّح ؛ منفلق (نب)

dehorn [dē hôrn'] *(vt.)* يُنزِّع قرون الماشية أو يحول دون نموّها .

dehumanize *(vt.)* يُحيّون : يجرد من الصفات أو من الشخصية الانسانية .

dehumidify [dē hū mĭd'-] *(vt.)* يُزرطب : يزيل الرطوبة .

dehydrate [dē hī'drāt] *(vt.)* (١) يُزمّوه : يزيل الماء أو عنصري الماء من مركّب كيميائي (٢) يجفف (الخُضَر) .

dehydration *(n.)* الزّموهة : إزالة الماء أو عنصريه من مركّب كيميائي .

dehydrogenate *(vt.)* يُزهرج : يزيل الهيدروجين من .

dehydrogenation *(n.)* الزّهرجة : إزالة الهيدروجين (من مركّب ما) .

dehypnotize [dē hĭp'-] *(vt.)* يوقظ من حالة النوم المغنطيسي .

deice [dē īs'] *(vt.)* يُزجلد : يُزيل الجليد أو يمنع تكوّنه .

deicer [dē ī'sər] *(n.)* المُزجلدة : أداة لإزالة الجليد أو لمنع تكونه .

deicide [dē'ə sīd'] *(n.)* (١) قاتل إلٰـه (٢) قتل إلٰـه .

deification [dē'ə fə kā'-] *(n.)* (١) تأليه (٢) تعظيم حتى العبادة .

deify [dē'ə fī'] *(vt.)* (١) يؤلّه (٢) يعظّم حتى العبادة .

deign [dān] *(vi.; t.)* (١) يتلطّف ؛ يتفضّل (بقبول شيء) (٢) يتنازل . ×(٣) يتنازل فيُعطي أو يمنح (to ~ no reply) .

Dei gratia [dē'ī grā'shĭ ə] *(L.)* بنعمة الله .

deism [dē'ĭz əm] *(n.)* الربوبية : الإيمان بالله بغير اعتقاد بديانات منزلة ؛ وبخاصة : مذهب فكري يدعو إلى الإيمان بدين طبيعي مبنيّ على العقل لا على الوحي ، ويؤكّد على المناقبية أو الأخلاقية منكراً ، في القرن الثامن عشر ، تدخّل الخالق في نواميس الكون .

deist [dē'ĭst] *(n.)* الربوبيّ : القائل بمذهب الربوبية .

deity [dē'ə tĭ] *(n.)* (١) ألوهية (٢) «أ» إلٰـه أو إلاهة . «ب» *cap.*: الله (٣) المعبود : شخص أو شيء معظّم حتى العبادة .

deject [dĭ jĕkt'] *(vt.)* يُكئب ؛ يُغِمّ ؛ يوهن العزيمة .

dejecta [dĭ jĕk'tə] *(n. pl.)* براز ؛ غائط .

dejected [dĭ jĕk'tĭd] *(adj.)* مكتئب ؛ مُغتَمّ ؛ مُوهَن العزيمة .

dejection *(n.)* (١) اكتئاب ؛ اغتمام (٢) «أ» تغوّط . «ب» غائط .

déjeuner [dā'zhə nā] *(F.)* (١) الفطور : طعام الصباح (٢) الغداء .

de jure [dē jŏŏr'ĭ] *(adj.; adv.)* شرعيّ ؛ وفقاً للشرع (كاعتراف بدولة) .

deka- *or* **dek-** = deca-.

dekaliter [dĕk'ə lē'tər] *(n.)* = decaliter.

dekameter [dĕk'ə mē'tər] *(n.)* = decameter.

delaminate [dē lăm'-] *(vi.)* يترقّق : ينفصل إلى طبقات رقيقة .

delate [dĭ lāt'] *(vt.)* (١) يتّهم (اسك) (٢) ينشر ؛ يذيع .

delay [dĭ lā'] *(vt.; i.; n.)* (١) يؤجّل (٢) يؤخّر ؛ يعوق . ×(٣) يتوانى § (٤) «أ» تأخير . «ب» تأخّر (٥) توانٍ .

dele [dē'lĭ] *(vt.; n.)* (١) يحذف (كلمة من تجربة مطبعية) . (٢) يضع علامة الحذف (أمام كلمة في تجربة مطبعية) § (٣) علامة الحذف (في تصحيح التجارب المطبعية) .

delectable [dĭ lĕk'tə bəl] *(adj.)* (١) مُبهِج ؛ سارّ جداً (٢) لذيذ .

delectate [-'tāt] *(vt.)* يُبهج ؛ يسرّ .

delectation [dē'lĕk tā'-] *(n.)* بهجة ؛ سرور .

delegacy [dĕl'-] *(n.)* (١) نَدْب ؛ تفويض (٢) مجلس ؛ لجنة دائمة .

delegate [*n.* dĕl'ə gāt,-gĭt; *v.* -'ə gāt'] *(n.; vt.)* (١) مندوب ؛ ممثّل (٢) نائب (في البرلمان) § (٣) ينتدب (٤) يفوّض .

delegation [-gā'-] *(n.)* (١) نَدْب ؛ تفويض ؛ توكيل (٢) وفد مفوّض .

delete [dĭ lēt'] *(vt.)* يشطب (كلمة مكتوبة أو مطبوعة) .

deleterious [dĕl'ə tĭr'-] *(adj.)* (١) مؤذٍ (٢) ضارّ بالصحة .

deletion [dĭ lē'-] *(n.)* (١) شَطْب (٢) انشطاب (٣) فقرة مشطوبة .

delft [dĕlft]; **delftware** *(n.)* خزف مصقول (مزخرف باللون الأزرق) .

deliberate [*adj.* dĭ lĭb'ər ĭt; *v.* -'ə rāt'] *(adj.; vt.; i.)* (١) مدروس ؛ مُروّىً فيه (a ~judgment) (٢) متعمَّد (a ~mischief) (٣) مُروٍّ ؛ محترس في اتخاذ القرارات (a ~man) (٤) متأنٍّ ؛ بطيء (~ steps) § (٥) يدرس ؛ يقلّب الرأي في (to ~ a question) × (٦) يفكر مليّاً (٧) يتداول ؛ يتشاور .

deliberately [dĭ lĭb'-] *(adv.)* (١) بتروٍّ (٢) بتعمّد (٣) بتأنٍّ .

deliberation [dĭ lĭb'ə rā'-] *(n.)* (١) تروٍّ ؛ تفكير مُروّىً فيه . (٢) تداوُل ؛ تشاور (٣) تأنٍّ .

—deliberative *(adj.)*

delicacy [dĕl'ə kə sĭ] *(n.)* (١) طعام شهي أو مُترَف . (٢) رقّة (the ~of lace) (٣) ضَعف ؛ هشاشة ؛ قابليّة للمرض (٤) رهافة (~ of hearing) (٥) دقّة (The political situation is one of great ~.) (٦) الكياسة : مراعاة للذوق أو لأحاسيس الآخرين .

delicate [dĕl'ə kĭt] *(adj.)* (١) شهيّ ؛ لذيذ (٢) رقيق ؛ ناعم . (٣) ضعيف ؛ رقيق الصحة (a ~ child) (٤) مُرهَف (a ~ sense of touch) (٥) دقيق (a ~situation) (٦) ذو كياسة : مراعٍ للذوق أو لأحاسيس الآخرين .

delicatessen [-kə tĕs'ən] *(n.)* أطعمة مُعلّبة الخ . أو دكان لبيعها .

delicious [dĭ lĭsh'əs] *(adj.)* (١) مُبهِج ؛ فاتن (٢) لذيذ ؛ شهي .

delict [dĭ lĭkt'] *(n.)* الجُنحة : جُرم تطبّق عليه العقوبة الجزائية (ق) .

delight [dĭ līt'] *(n.; vi.; t.)* (١) بهجة ؛ سرور شديد (٢) شيء مُبهِج § (٣) يبتهج ×(٤) يُبهِج .

delighted [dĭ lī'tĭd] *(adj.)* مبتهج ؛ مسرور جداً .

delightful [dĭ līt'fəl] *(adj.)* مُبهِج ؛ سارّ جداً .

delightsome [dĭ līt'səm] *(adj.)* = delightful.

delimit [dĭ lĭm'ĭt] *(vt.)* (١) يعيّن ؛ يخطّط (٢) يحدّد .

delimitate [dĭ lĭm'ə tāt'] *(vt.)* = delimit.

delineate [dĭ lĭn'ĭ āt'] *(vt.)* (١) يُخطّط ؛ يرسم الخطوط الكبرى . (٢) يرسم ؛ يصوّر بدقة (٣) يصف .

—delineator *(n.)*

delineation *(n.)* (١) تخطيط ؛ رسم ؛ تصوير (٢) صورة ؛ وصف .

delinquency [dĭ lĭng'kwən sĭ] *(n.)* (١) تقصير ؛ إهمال . (٢) «أ» جنحة ؛ إثم . «ب» الجنوحية : نزعة سيكولوجية إلى الجنوح وانتهاك القانون (٣) الدَّين المتأخر : دين استحقّ ولم يُدفع .

delinquent [-'kwənt] *(adj.; n.)* (١) مُقصّر ؛ مُهمِل (٢) جانح ؛ منتهك للقانون (٣) «أ» متأخّر في الدفع (~ debtors) «ب» متأخر : استحقّ ولم يدفع (~taxes) § (٤) المقصّر ؛ المهمِل (٥) الجانح (من الأحداث بخاصة) .

deliquesce [dĕl'ə kwĕs'] *(vi.)* (١) «أ» يذوب . «ب» يتميّع . (٢) تتشعب (عروق ورقة النبات) إلى أقسام دقيقة .

deliquescence *(n.)* (١) تذوّب أو ذوبان (٢) السائل الناشيء عنهما .

deliquescent *(adj.)* (١) مائع (٢) مَيّوع : قابل للميَعان .

delirious [dĭ lĭr'ĭ əs] *(adj.)* (١) بُطاحيّ ؛ هذيانيّ (٢) مبطوح ؛ هاذٍ : مصاب بالبُطاح أو هذيان الحمى (٣) مهتاج ؛ منفعل بشدة .

delirium [-'ĭ əm] *(n.)* (١) البُطاح : هذيان الحمّى (٢) اهتياج ؛ انفعال .

delirium tremens [trē'mənz] *(n.)* البُطاح الغَوْلي : هذيان ارتعاشي ناشيء عن الإسراف في شرب المسكرات .

deliver [dĭ lĭv'ər] *(vt.)* (١) يُحرّر ؛ يُنقذ ؛ يُنجّي (٢) «أ» يسلّم ؛ يتخلّى عن (حصن الخ .) . «ب» يحوّل ؛ أو ينقل (ممتلكاته إلى شخص آخر) (٣) يُولّد (امرأةً) (٤) «أ» يُلقي (محاضرةً الخ .) . «ب» يلفظ (حكماً) (٥) يوجّه ؛ يسدّد

ă at; ā date; â care; ä car; ĕ egg; ē me; ĭ in; ī bite; ŏ lot; ō bone; ô orphan; oi boil; ŏŏ good; ōō boot; ou out; ŭ under; ū unity; û urgent; th thing; t͟h this; zh vision; ə = *a* in alone, *e* in system, *i* in easily, *o* in gallop, *u* in circus.

(to ~a blow) (٦)يوزِّع : ينقل (الرسائل)ويسلّمهاإلى أصحابها .

deliverance [-'ər əns] *(n.)* (١) مص deliver (٢) حريّة (بعْدَ سَجْن أو اعتقال) (٣) رأيٌ؛ قرار ؛ حُكْم .

delivery [-'ə rĭ] *(n.)* (١) تحرير ؛ إطلاق سراح (٢)«أ»تسليم ؛ تخلٍّ عن (the ~of a fort) . «ب» تحويل (المِلكية) إلى شخص آخر . «ج» توزيع الرسائل . «د» «توزيعة» رسائل (How many deliveries are there everyday ?) «هـ» تسليم البضائع . «و» « تسليمة » بضائع (Each ~ will include ...) «ز» سيارة أو مؤسسة لتسليم البضائع وبخاصة إلى تجار التجزئة (٣) ولادة ؛ وَضْع (٤) «أ» إلقاءُ (محاضرة إلخ.) . «ب»لفظٌ (لحكم) (٥) الأداء : طريقة الإلقاء أو الغناء (She has an excellent ~.) (٦) قذف الكرة أو طريقة قذفها .

delivery book *(n.)* دفتر التسليم أو التسليمات (تج) .

delivery order *(n.)* أمر التسليم (تج) .

dell [dĕl] *(n.)* وهدة ؛ وادٍ صغير .

delocalize [dē lō'-] *(vt.)* يزيله من موقعه الصحيح أو المعتاد .

delouse [dē lous'; -louz'] *(vt.)* يُزَقْمِل : يزيل القمل من .

Delphian [dĕl'fĭ ən] *or* **Delphic** [-'fĭk] *(adj.)* دَلْفيّ : «أ» منسوب إلى مدينة دلفي اليونانية القديمة أو إلى مَوْحى (oracle را) أبّولو فيها . «ب» مُبْهَم ؛ ملتبس المعنى .

delphinium [dĕl fĭn'ĭ əm] *(n.)* العائق ؛ العايق ؛ الدَّلْفينيون : عشبٌ جميل الزهر أزرقُه عادةً .

Delphinus [dĕl fī'nəs] *(n.)* كوكبة الدُّلْفين (فل) .

delta [dĕl'tə] *(n.)* (١) الدّال (مج) : الحرف الرابع من الأبجدية اليونانية (Δ) (٢) «أ» مثلّث ؛ شيء كحرف الدال اليوناني (Δ) . «ب» دَلْتا (the ~ of the Nile).

—deltaic *(adj.)*

delta rays *(n. pl.)* الأشعة الدالية ؛ أشعة دلتا (فز) .

delta wing *(n.)* الجناح المُثلّثيّ (طي) .

deltoid [dĕl'toid] *(n.; adj.)* (١) العضلة الدالية : عضلة الكتف المثلثة الشكل (ت)§(٢)مُثلّثيّ(a ~ leaf).

deltoid leaf

delude [dĭ lōōd'] *(vt.)* يُضلّل ؛ يخدع .

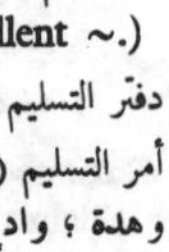

deluge[dĕl'ūj] *(n.; vt.)* (١)«أ»طوفان.«ب»مطرٌ غامر §(٢)يُغْرِق ؛ يَغْمُر .

delusion[dĭ lōō'zhən] *(n.)* (١)«أ» تضليل ؛ مخادعة.«ب»ضلال ؛ انخداع (٢) وَهْم .

delusive [-'sĭv] *(adj.)* (١) مُضِلّ ؛ خادع (٢) وهميّ ؛ باطل .

delusory [dĭ lōō'sə rĭ] *(adj.)* = delusive.

deluxe [də lōōks'] *(F.)* فاخر ؛ مُتْرَف (a ~ edition).

delve [dĕlv] *(vi.)* (١) يحفر (٢) ينقّب (عن المعلومات) .

demagnetize[dē măg'-] *(vt.)* يُزَغْنِط : يزيل الخصائص المغنطيسية .

demagogic ; -al [dĕm ə gŏj'-] *(adj.)* دَهْمائيّ ؛ غوغائيّ .

demagogism *(n.)* الدهماوية : أساليب أو أعمال مهيّجي الدهماء .

demagogue *or* **demagog** [dĕm'ə gôg'] *(n.)* (١) زعيم الدهماء (٢) الدهماويّ : مهيّج أو خطيب شعبيّ يستغل الاستياء الاجتماعي لاكتساب النفوذ السياسي .

demagogy [dĕm'ə gō'jĭ] *(n.)* (١) الدهماوية : أساليبُ أو أعمال الدهماويين (٢)حكم الدهماء (٣) الدهماويون ؛ مهيّجو الدهماء .

demand [dĭ mănd'] *(vt.; i.; n.)* (١) يَطّلب (٢) يطالب بِ . (٣) يتطلّب ؛ يقتضي ؛ يحتاج إلى (This task ~s patience) (٤) يستدعي (للمثول أمام القضاء) ×(٥) يسأل §(٦)«أ»طلبٌ . «ب» مطالبة (٧) مَطْلَب (٨) الطّلَب : «أ» الرغبة في الشراء مقرونةً بالقدرة عليه . «ب» مقدار السلع أو الخدمات المطلوبة بسعر معيّن وزمان معيّن (اد)(٩)«أ» المطلوبية :كون الشيء مطلوباً (an article in great ~) . «ب» حاجة ملحّة .

—demandable *(adj.)* **—demander** *(n.)*

on ~, عند الطلب ؛ عند التقديم والمطالبة بالدفع .

demandant [dĭ măn'dənt] *(n.)* المُدّعي (ق) .

demand bill *or* **draft** *(n.)* حوالةالطلب : حوالةتدفع عند الطلب

demand deposit *(n.)* وديعة الطلب : وديعة مصرفية واجبة الأداء عند الطلب من غير إشعار سابق .

demanding *(adj.)* = exacting I.

demand loan *(n.)* = call loan.

demand note *(n.)* = demand bill.

demarcate [dĭ mär'kāt] *(vt.)* (١) يُتخِّم ؛ يعيّن الحدود . (٢) يُفرِد ؛ يميز .

—demarcation ; demarkation *(n.)*

demarche [dĕ mȧrsh'] *(F.)* (١) طريقة ؛ مَسلك (وبخاصة إذا انطويا على سياسة جديدة) (٢) مسعى (diplomatic ~ s).

deme [dēm] *(n.)* الديم : وحدة من وحدات التقسيم الاداري في أتيكا القديمة ببلاد اليونان .

demean[dĭ mēn'] *(vt.)* (١) يسلك ؛ يتصرف (٢) يحطّ من قدره .

demeanor *or* **demeanour** [dĭ mē'-] *(n.)* سلوك ؛ تصرف .

dement [dĭ mĕnt'] *(vt.)* يُخَبِّل ؛ يُفقد العقل .

demented [dĭ mĕn'-] *(adj.)* مُخَبَّل ؛ معتوه ؛ مجنون .

dementia [-'shə;-shĭ ə] *(n.)* خَبَل ؛ عُتْه ؛ جنون .

dementia praecox [prē'kŏks] *(n.)* العُتاه الباكر : ضرب من الجنون ينشأ عادةً في أواخر عهد المراهقة ويتميز بفقدان الاهتمام بالناس والأشياء وبسلوك غريب منحرف .

demerit [dē mĕr'ĭt] *(n.)* (١) نقيصة ؛ عيب (٢) العلامة السيئة : علامة تشير إلى سوء سلوك الطالب (تر) .

demesne [dĭ mān';-mēn'] *(n.)* (١) تملّك أرض (٢)أرض أو أرضٌ ومبانٍ يملكها شخص ما (٣) بيت وأرض يحتفظ بهما المالك لاستعماله الخاص (٤) منطقة (٥) دنيا ؛ عالم .

Demeter [dĭ mē'tər] *(n.)* ديمِتَر : إلاهة الزراعة عند الاغريق.

demi- بادئة معناها : نصف (demigod).

demigod [dĕm'ĭ gŏd'] *(n.)* نصف إله .

demijohn[dĕm'ĭ jŏn'] *(n.)* الدّامِجانة : زجاجة ضخمة واسعة الجوف ضيقة العنق مكسوّة بقضبان مجدولة .

demilitarize[dē mĭl'ə tə rīz'] *(vt.)* (١) يجرّد(مكاناً)من الصفة العسكرية (٢) يُخضع للادارة المدنية بدلاً من العسكرية .

demimondaine[dĕm'ĭ mŏn dān'] *(F.)* المشبوهة : امرأةمشبوهة.

demimonde[dĕm'ĭ mŏnd'] *(F.)* (١) «أ» طبقة (أو عالم)النساء المشبوهات . «ب» مومسات (٢) امرأة مشبوهة (٣) جماعة (من أهل مهنة معيّنة) موصومةٌ باللاأخلاقية أو بالنزعة التجارية الرخيصة (the artistic ~).

demirep [dĕm'ĭ rĕp'] *(n.)* = demimondaine.

demise [dĭ mīz'] *(vt.; i.; n.)* (١) يؤجّر أرضاً الخ. (٢) يورّث بوصية (٣) يورِّث العرشَ من طريق الوفاة أوالتنازل ×(٤) ينتقل بوصية أو بالإرث أو بالخلافة §(٥) تأجير أرض (٦) انتقال السلطة الملكية من طريق الوفاة أو التنازل (٧) «أ» موت ؛ وفاة . «ب» موت ملك أو أمير (٨) «أ» زوال . «ب» توقّف (عن النشاط أو الصدور) .

demisemiquaver [dĕm'ĭ sĕm'-] *(n.)* ثلاثية الأسنان (مو) .

demission [dĭ mĭsh'ən] *(n.)* استقالة ؛ تنازل .

demit [dĭ mĭt'] *(vi.)* يستقيل ؛ يتخلى عن منصب .

demitasse[dĕm'ĭ tăs'; -täs'] *(F.)* الفنجان النصفي : «أ» فنجان صغير من القهوة . «ب» فنجان صغير للقهوة .

demiurge[dĕm'ĭ ûrj'] *(n.)* (١) خالق الكون الماديّ (عند أفلاطون). (٢) قوة خلاّقة ؛ سلطة حاسمة .

demo- بادئة معناها : الشعب ؛ العامة (*demo*cracy).

demob[dē mŏb'] *(vt.; n.)* (١) يُسرِّح جيشاً أو جندياً. §(٢) **demobilization**.

demobilization *(n.)* (١) تسريح جيش (٢) تسريح جندي .

demobilize [dē mō'bə līz'] *(vt.)* يسرح جيشاً أو جندياً .

democracy[dĭ mŏk'rə sĭ] *(n.)* (١) الديموقراطية : «أ» حكم الشعب، وبخاصة : حكم الأكثرية . «ب» دولة ديموقراطية ؛ مجتمع ديموقراطي . «ج» الروح الديموقراطية ؛ المساواة السياسية أو الاجتماعية (٢) الشعب ؛ العامة .

democrat[dĕm'ə krăt'] *(n.)* الديموقراطيّ : «أ» المناصر للديموقراطية. «ب» المتواضع . «ج» *cap.* : عضو في الحزب الديموقراطي الأميركي.

democratic[dĕm'ə krăt'ĭk] *(adj.)* ديموقراطيّ : «أ» ذو علاقة بالديموقراطية أو مناصرٌ لها. «ب» *cap.* عد : ذو علاقة بالحزب الديموقراطي الأميركي. «ج» شعبيّ ؛ جماهيري (~art) «د» متواضع .

democratize *(vt.; i.)* (١) يُدَقْرِط : يجعله ديموقراطياً. ×(٢) يتَدَقْرَط : يصبح ديموقراطياً .

démodé[dā mō dā'] *(F.)* عتيق الزي أو الطراز .

demoded [dē mō'dĭd] *(adj.)* = **démodé.**

demographer ;– raphist *(n.)* الديموغرافيّ : العالِم بالديموغرافيا

demography [dĭ mŏg'rə fĭ] *(n.)* الديموغرافيا : الدراسة الاحصائية للسكان من حيث المواليد والوفيات والصحة والزواج الخ .

demoiselle[dĕm wä zĕl'] *(F.)* (١) آنسة. (٢) الرَّهْو : طائر يشبه الكُرْكيّ (٣) يعسوب هزيل الجسم (را . **dragonfly**).

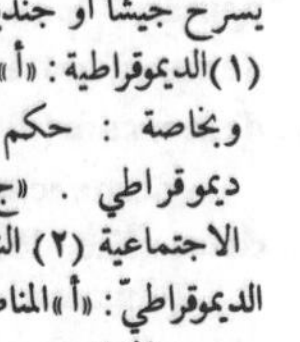

demoiselle 2.

demolish[dĭ mŏl'ĭsh] *(vt.)* (١) يدمّر ؛ يهدم ؛ يدك (بنياناً) (٢) «أ» يضع حداً لِ . «ب» يدحض (حجةً) (٣) يلتهم ؛ يأتي على .

demolition[dĕm'ə lĭsh'ən] *(n.)* (١) تدمير ؛ وبخاصة : تدمير بالقنابل زمنَ الحرب (٢) *pl.* : قنابل مدمّرة .

demon *or* **daemon**[dē'mən] *(n.)* (١) الروح الحارسة (للشخص أو مكان) (٢) شيطان ؛ عِفْريت (٣) نصف إله (في الميثولوجيا اليونانية) (٤) شخص ذو قوة أو براعة عظيمة .

demonetize[dē mŏn'ə tīz'] *(vt.)* (١) يُبْطِل استعمال (معدن ما) كَقِياس نقدي (٢) يسحب (العملة أو الطوابع) من التداول.

demoniac[dĭ mō'-] *also* **demoniacal** *(adj.)* (١) مُتلبَّس : بِهِ مسٌّ من شيطان (٢) شيطانيّ .

demoniac [dĭ mō'nĭ ăk] *(n.)* المُتَلَبَّس : شخص تلبسه شيطان.

demonian[dĭ mō'nĭ ən] *or* **demonic** *(adj.)* شيطانيّ .

demonism[dē'-] *(n.)* (١) **demonology** (٢) الإيمان بالشياطين والعفاريت أو عبادتها .

demonize[dē'mə nīz'] *(vt.)* (١) يحوّله إلى شيطان أو شبه شيطان (٢) يخضعه لنفوذ الشياطين .

demonolatry [dē'mə nŏl'-] *(n.)* عبادة الشياطين أو العفاريت.

demonology[dē' mə nŏl'-] *(n.)* (١) دراسة الشياطين والعفاريت أو المعتقدات المتصلة بها (٢) الايمان بالشياطين أو العفاريت .

demonstrable[dĭ mŏn'-] *(adj.)* ممكن إثباتُه أو إقامة الدليل عليه الخ .

demonstrate[dĕm'ən strāt'] *(vt.; i.)* (١) يُظْهِر بوضوح . (٢) يُثبت ؛ يبرهن ؛ يقيم الدليل على (٣) يشرح أو يصف، وبخاصة من طريق الاستعانة بأمثلة كثيرة (٤) يُظهر أو يبرهن للزبون (محاسنَ سلعة) ×(٥) يتظاهر : يقوم بمظاهرة أو يشترك فيها (٦) يقوم بمظاهرة عسكرية (٧) يعلّم مستعيناً بالأمثلة والتجارب الخ .

demonstration[dĕm'ən strā'-] *(n.)* (١) إظهارٌ (للعاطفة الخ .) (٢) «أ» إثبات ؛ برْهَنَة. «ب» برهان ؛ دليل (٣) شرحٌ أو وصف من طريق الاستعانة بالأمثلة أو التجارب (٤) إظهار محاسن السلعة (للزبون) (٥) مظاهرة ؛ مَسِيرة (٦) المظاهرة العسكرية : عرض للقوة (لإظهار استعداد الدولة لخوض الحرب عند الاقتضاء) .

demonstrative [dĭ mŏn'strə tĭv] *(adj.; n.)* (١) معبر عن العواطف «علناً ومن غير تحفّظ» (**Salma's ~ greetings embarrassed her shy brother.**) (٢) إثباتيّ ؛ برهانيّ ؛ حاسم (٣) إيضاحيّ ؛ وصفيّ ؛ بيانيّ (٤) إشاريّ (ل) §(٥) اسم اشارة.

demonstrative pronoun *(n.)* اسم الاشارة (ل) .

demonstrator[dĕm'ən-] *(n.)* (١) قا **demonstrate** (٢) مدرس أو مساعد مدرّس في كلية للطبّ أو للعلوم مهمته شرح المبادىء والنظريات المدروسة (من طريق التجارب أو التشريح الخ .) . (٣) موظف في شركة مهمته ترغيب الجمهور في سلعة من طريق إطلاعهم عملياً على مزاياها (٤) السلعة المستعملة في هذه العملية.

demoralize [dĭ môr'ə līz'] *(vt.)* (١) يُفْسِد أخلاقَ فلان. (٢) يُضْعِف معنويات (شخص أو جند) (٣) يُربك ؛ يشوّش ؛ يوقع الفوضى في — **demoralization** *(n.)*

demos[dē'mŏs] *(n.)* (١) العامة (في دولة اغريقية قديمة) (٢) العامة.

demote[dĭ mōt'] *(vt.)* يُنزِل دَرَجته أو مرتبته (في المدرسة أو الجيش).

demotic[dĭ mŏt'ĭk] *(adj.)* (١) شعبيّ (٢) ديموطيّ : ذو علاقة بالخط المصري القديم المستعمل في الحياة اليوميّة .

demount [dē mount'] *(vt.)* (١) ينزع «شيئاً عن رَكوبتِهِ أو قاعدتِهِ» (**~*ed* the tire from the wheel**) (٢) يفكّك (**to ~ a watch**).

demulcent [dĭ mŭl'sənt] *(adj.; n.)* (١) ملطّف ؛ مسكّن. §(٢) دواء أو مرهم ملطّف أو مسكّن .

demur[dĭ mûr'] *(vt.; n.)* (١) يعترض على (٢) يتردّد (ا.ق) . §(٣) تردّد (٤) اعتراض ؛ احتجاج .

demure[dĭ myŏor'] *(adj.)* (١) رزين ؛ محتشِم (٢) مترازن ؛ متحاشم : متظاهر بالرزانة أو الاحتشام .

demurrage [dĭ mûr'ĭj] *(n.)* (١) التقاعس : تقاعس عن تحميل أو تفريغ سفينة أو شاحنةٍ ضمن المدة المتفق عليها (٢) غرامة التقاعس.

demurral[dĭ mûr'əl] *(n.)* اعتراض ؛ احتجاج .

demurrer[dĭ mûr'ər] *(n.)* (١) المعترِض (٢) اعتراض. (٣) الدفع ببطلان المرافعة : دفعٌ يطالب فيه المدّعى عليه بوجوب عدم الاستمرار في نظر الدعوى ذاهباً إلى أن الوقائع التي قدّمها المدّعي، على افتراض صحتها، لا تؤيد دعواه أو إلى أنها غير كافية قانوناً.

demy[dĭ mī'] *(n.)* قَطع النصْف : قَطع من الورق (١٦×٢١ انشاً) .

den[dĕn] *(n.; vi.)* (١) عرين (٢) «أ» وكر «ب» وكر (**~ of vice**) اللصوص (٣) حجرة صغيرة قذرة (٤) المُختلَى : حجرة يخلو فيها المرء إلى نفسه للمطالعة أو العمل (ع) §(٥) يحيا في وكر أو نحوه .

denarius[dĭ nâr'ĭ əs] *(n.)* pl. **-narii** (١) الدِّرهم : قطعة نقد

ă at; ā date; â care; ä car; ĕ egg; ē me; ĭ in; ī bite; ŏ lot; ō bone; ô orphan; oi boil ŏŏ good; ōō boot; ou out; ŭ under; ū unity; û urgent; th thing; th this; zh vision; ə = *a* in alone, *e* in system, *i* in easily, *o* in gallop, *u* in circus.

فضيّة رومانية قديمة (٢) الدينار: قطعة نقد ذهبية رومانيّة قديمة.

denary[dĕn'ə rĭ] *(adj.)* عَشْرِيّ.

denationalize[dē năsh'-]*(vt.)* (١) يجرّد من الصفة أو الحقوق القومية (٢) «أ» ينزع مِلكية الحكومة القومية أو سيطرتها عن. «ب» يعيد صناعةً مؤمّمةً إلى المِلكية الخاصة من جديد.

denaturalize[dē năch'ə rə līz']*(vt.)* (١) يجعله غير طبيعيّ؛ ينزع أو يعدّل طبيعة الشيء الحقيقية أو الأصلية (٢) يحرمه حقوق المواطن وامتيازاته.

denature[dē nā'chər] *(vt.)* (١) يَمْسَخ: يُفْقِد الشيءَ طبيعتَه الخاصة (٢) يصعِد: «أ» يجعل الكحول الخ. غير صالح للشرب من غير إفسادٍ لصلاحه لأغراضٍ أخرى. «ب» يغيّر طبيعة البروتين الأصلية بوسائل كيميائية الخ. (كح).

denaturize[dē nā'chə rīz']*(vt.)* = denature.

dendr- *or* **dendro-** بادئة معناها: «أ» شجر. «ب» شبيه بشجرة.

dendriform[dĕn'drə fôrm']*(adj)* متشجّر؛ شَجَريّ الشكل.

dendrite[dĕn'drīt]*(n.)* (١) «أ» الشجَرانية: صورة متشعّبة شجريّة الشكل منطبعة على صخر الخ. «ب» صخرة انطبعت عليها صورة شجرية الشكل (جي) (٢) الزوائد المتشجّرة: تفرعات الخلية العصبية التي تحمل الدفعات العصبية («ت» و «فس»).

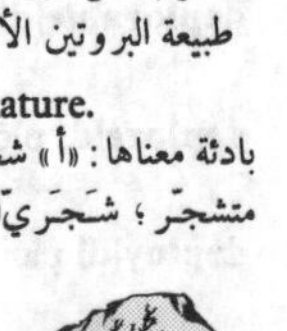

dendrite 1a.

dendritic *also* **dendritical**(*adj.*) متشجّر؛ متفرّع الشكل.

dendro-= dendr-.

dendroid *also* **dendroidal**(*adj.*) شَجَرانيّ؛ متفرّع كالشجرة.

dendrolatry[dĕn drŏl'-] *(n.)* عبادة الأشجار.

dendrology[dĕn drŏl'ə jĭ] *(n.)* عِلْم الشجر.

dene[dēn] *(n.)* وادٍ (بر).

Deneb[dĕn'ĕb] *(Ar.)* ذنب الدجاجة (فل).

denegation[dĕn'ə gā'shən] *(n.)* = denial.

dengue[dĕng'gā;-gĭ] *(n.)* الدَّنجِيّة (مج)؛ حمّى الضنْك؛ «أبو الرُّكَب» (مض).

denial[dĭ nī'əl] *(n.)* (١) رَفْض (٢) إنكار (٣) نكران الذات.

denicotinize *(vt.)* يُنَزْكِت: ينزع جزءاً من النيكوتين من التبغ.

denier[dĭ nī'ər] *(n.)* الرافض، المُنْكِر.

denier[də nĭr'] *(n.)* الدِّنِير: «أ» قطعة نقد فرنسية قديمة ضئيلة القيمة. «ب» مقدار ضئيل القيمة. (ج) وحدة وزن تستخدم لتعيين نفاسة الحرير.

denigrate[dĕn'ə grāt'] *(vt.)* (١) يسوّد (٢) يشوه السمعة.

denim[dĕn'əm] *(n.)* (١) الدَّنِيم: قماش قطني متين. (٢) *pl.*: بنطلون أو رداء سروالي من دَنيم أزرق.

denitrify[dē nī'-] *(vt.)* يُنَزْتِر: يزيل النتروجين من.

denizen[dĕn'ə zən](*n.*) (١) الساكن؛ القاطن؛ المقيم (٢) المتجنس: أجنبي مُنح حقوق المواطنة في بلد (٣) «أ» حيوان أو نبات مُوَقْلَم. «ب» المتردد على مكانٍ ما (~*s* of out-of-town theaters).

denominate[dĭ nŏm'ə nāt'] *(vt.)* (١) يسمّي؛ يلقّب. (٢) يدلّ على (٣) يعيّن؛ يخصص.

denominate number *(n.)* العدد التعييني: عدد يعين كمية ما بلغة وحدة من وحدات القياس (مثل 9 في قولك 9 feet).

denomination[dĭ nŏm'ə nā'-]*(n.)* (١) تَسْمية؛ تلقيب الخ. (٢) اسم؛ لقب (٣) «أ» طائفة (من الأشياء أو الأشخاص) متميزة باسم خاص. «ب» مِلّة؛ طائفة دينية (٤) فئة «من فئات العملة أو الطوابع أو وحدات الوزن أو القياس» (bills in $5 and $10 ~*s*)

—**denominational** *(adj.)* الطائفية: «أ» الاخلاص للمبادىء أو

denominationalism(*n.*) المصالح الطائفية. «ب» التعصّب الطائفي.

denominative[-'ə nā'tĭv] *(adj.; n.)* (١) اسميّ (أو وصفيّ) الاشتقاق: مشتقّ من اسم أو صفة (*to center* and *to blacken* are ~ verbs.) § (٢) لفظة اسمية الاشتقاق أو وصفية الاشتقاق.

denominator[-'ə nā'tər]*(n.)* (١) المقام؛ القاسم؛ مَخْرج الكسور. (٢) «أ» صفة مشتركة. «ب» مستوى (low ~of public taste).

denotation [dē'nō tā'-] *(n.)* (١) مص denote (٢) معنى؛ دلالة (٣) اسم (٤) علامة؛ إشارة (~*s* of divine wrath).

denotative[dĭ nō'tə-;dē'nō tā-] *(adj.)* (١) دالّ (٢) دِلاليّ.

denote[dĭ nōt'] *(vt.)* (١) «أ» يدلّ على. «ب» يشير إلى. (٢) يُعلِن؛ يُظهِر (٣) يعني (٤) يرمز إلى.

denouement[dā'nōō män'](*F.*) (١) «أ» حلّ العقدة (في رواية أو مسرحية) «ب» المرحلة التي يتمّ فيها حلّ العقدة (٢) نتيجة وضعٍ مُعقّد.

denounce[dĭ nouns'] *(vt.)* (١) يَشْجُب (٢) يتّهم؛ يبلّغ عن (٣) يُشْعِر رسمياً بإنهاء (معاهدةٍ أو اتفاق).

de novo[dē nō'vō] *(L.)* من جديد؛ كرّةً أخرى.

dense[dĕns] *(adj.)* (١) كثيف؛ مُلْتَزّ؛ مُزْدحِم (٢) أبله؛ غبيّ (٣) شديد؛ مُفْرِط (~ ignorance) (٤) كثيف: شديد الكمدة نسبياً (~photographic negatives).

densely [dĕn'-] *(adv.)* على نحو شديد أو مفرط أو كثيف الخ.

densify [dĕn'-](*vt.*) يكثّف، وبخاصة: يزيد كثافة الخشب بالضغط.

densimeter;densitometer(*n.*) مقياس الكثافة.

density[dĕn'sə tĭ] *(n.)* (١) كثافة (٢) بلاهة.

dent[dĕnt] *(n.; vt.; i.)* (١) بَعْجة؛ انبعاج؛ غَوْر (٢) سِنّ (الدولاب الخ.) § (٣) يَبْعَج × (٤) ينبعج.

dent- بادئة معناها: سِنّ أو أسنان.

dental[dĕn'təl] *(adj.; n.)* (١) سِنّيّ: ذو علاقة بالأسنان أو بطبيب الأسنان (٢) نِطعيّ: ملفوظ بوضع رأس اللسان على (أو قرب) موخر الأسنان الأمامية العليا § (٣) حرف نِطعِيّ.

dental hygienist(*n.*) مساعد طبيب الأسنان (يساعده في تنظيفها بخاصة).

dental pulp *(n.)* اللُّب السِّنيّ (ت).

dental technician *(n.)* تِقْنيّ الأسنان: فنّيّ يصنع الأدوات السِّنّية (كالجسور الخ.) وفقاً للقياسات التي يأخذها طبيب الأسنان.

dentate *or* **dentated**(*adj.*) مسنّن؛ ذو أسنان.

dentation[dĕn tā'-](*n.*) (١) تسنّن (٢) سِنّ أو نتوء زاويّ مسنّن.

dentate leaf

denti- = dent-.

denticle[dĕn'tə kəl] *(n.)* سنّ صغير؛ نتوء سنّيّ صغير.

denticulate *or* **denticulated**(*adj.*) (١) سُنَيْنِيّ: مسنّن على نحو دقيق (~leaves) (٢) مُدَنْطَل: ذو دناطيل (را. dentil).

dentiform [dĕn'tə fôrm'] *(adj.)* سِنّيّ الشكل.

dentifrice[-'tə frĭs](*n.*) منظف الأسنان: مستحضر لتنظيف الأسنان.

dentil[dĕn'təl] *(n.)* الدَّنْطيل: أحد النتوءات المستطيلة الصغيرة المرصوفة مثل صفّ من الأسنان في الجزء الأدنى من طُنُف أو افريز (عم).

dentin[dĕn'tĭn] *or* **dentine**[-'tēn](*n.*) العاجين: عاج الأسنان.

dentist[dĕn'tĭst] *(n.)* طبيب الأسنان.

dentistry[dĕn'tĭs trĭ] *(n.)* طِبّ الأسنان.

dentition[-tĭsh'ən] *(n.)* الإسنان: «أ» ظهور الأسنان. «ب» عدد

الأسنان ونوعها وترتيبها . «ج» طبيعة الأسنان كما يُحدِّدها شكلها وترتيبها .

denture[-'chər] (*n.*) (١) مجموعة أسنان (٢) طقم أسنان صُنعية.

denudate (*vt.*;*adj.*) (١) يُعري ؛ يجرِّد §(٢) مُعرّى ؛ عارٍ.

denudation[dĕn'yōō dā'-] (*n.*) (١) تَعرية ؛ تجريد (٢) تعرٍّ ؛ عُرْيٌ (٣) التعرِية (جي).

denude[- nūd'](*vt.*) (١) يُعري ؛ يجرِّد (٢) يعري الصخور (جي).

denunciate [dĭ nŭn'sĭ āt';-shĭ āt'] (*vt.*) = denounce.

denunciation (*n.*) (١) شَجْب (٢) اتِّهام ؛ تبليغ عن (٣) إشعار رسميّ بإنهاء معاهدة الخ . (٤) تحذير.

denunciative;denunciatory(*adj*) (١) شَجْبيّ (٢) اتهاميّ .

deny[dĭ nī'] (*vt.*) (١) يُنكر (تهمة الخ .) (٢) يتبرأ من ؛ ينكر أن تكون له علاقة بـِ (٣) «أ» يرفض . «ب» يحرم ؛ يرفض أن يمنح (٤) يَجْحَد ؛ يرفض الإيمان بـِ . (*denied* the child the candy)

to ~ oneself (١) يمتنع عن (٢) يُنكر ذاتَه .

to ~ oneself to يرفض أن يستقبل (الضيوف الخ.) .

deodar[dē'ə där'] *or* **deodara** (*n.*) أرز هِملايا أو الهند .

deodorant[dē ō'dər ənt] (*n.*; *adj.*) مُزيل للروائح الكريهة .

deodorize[dē ō'də rīz'] (*vt.*) يزيل الرائحة الكريهة .

Deo gratias[dē'ō grä'shĭ ăs] (*L.*) شكراً لله .

deontology[dē'ŏn tŏl'-](*n.*) علم الأخلاق أو الواجبات الأدبية.

Deo volente[dē'ō vō lĕn'tĭ] (*L.*) إن شاء الله .

deoxidize[dē ŏk'-] (*vt.*) يُزأكِج : يُزيل الأكسجين من .

deoxygenate;deoxygenize (*vt.*) = deoxidize.

depart[dĭ pärt'](*vi.*;*t.*) (١) «أ» يرحل. «ب» يموت (٢) يحيد أو ينحرف عن ×(٣) يغادر (مدينة الخ.)

to ~from one's word *or* promise ينكث بعهده أو وعده .

departed[dĭ pär'tĭd] (*adj.*) (١) ماضٍ (٢) ميْت .

the ~, (١) الفقيد، الراحل (٢) الموتى .

department[-pärt'-](*n.*) (١) قِسْم ؛ فَرْع ؛ شُعْبة (٢) إدارة ؛ مصلحة (في حكومة) (٣) «أ» مقاطعة (في التقسيم الاداري الفرنسي). «ب» دائرة (في كلية أو جامعة). «ج» منطقة عسكرية.

departmental(*adj.*) (١) إداريّ ؛ مصلحيّ الخ . (٢) مقسَّم إلى دوائر.

departmentalize (*vt.*) يقسِّم إلى شُعَب أو مصالح أو دوائر الخ .

department store (*n.*) المَتْجر التنويعي : مخزن كبير للبيع بالتجزئة مقسَّم إلى عدة شُعَب مستقلة في كل منها نوعٌ من السلع .

departure [dĭ pär'chər] (*n.*) (١) «أ» رحيل ؛ سفر. «ب» موت (أ.ق) «ج» موقع السفينة عند بدء الرحلة (مل). «د» انطلاق (٢) انحراف.

depend[dĭ pĕnd'](*vi.*) (١) يتوقف أو يعتمد على (٢) يثق بـ (٣) يتدلى.

dependable[dĭ pĕn'-](*adj.*) موثوق ؛ جدير بالثقة ؛ يُعتمد عليه.

dependance[dĭ pĕn'dəns] (*n.*) = dependence.

dependant[dĭ pĕn'dənt] (*n.*) = dependent.

dependence[dĭ pĕn'dəns] (*n.*) (١) توقف على (٢) «أ» اعتماد ؛ اتكال . «ب» تَبَعيّة (٣) «أ» ثقة . «ب» موضع اعتماد أو ثقة.

dependency[dĭ pĕn'dən sĭ](*n.*) (١) توقف على (٢) «أ» اعتماد ؛ اتكال . «ب» تبعيّة (٣) شيء تابع لغيره ، مثل: «أ» الملحق : مبنىً إضافيّ ملحق بمبنىً رئيسي . «ب» البلد التابع : بلدٌ خاضع لسلطان دولة أخرى .

dependent[dĭ pĕn'dənt](*adj.*; *n.*) (١) متدلٍّ (٢) متوقفٌ على . (٣) «أ» عالة (على غيره). «ب» تابع ؛ خاضع §(٤) العالة ؛ التابع .

dependent covenant *or* **contract** (*n.*) العقد المشروط : عقد يتوقف تنفيذه على تحقيق شرط معيَّن .

depict[dĭ pĭkt'] (*vt.*) (١) يرسم ؛ يصوِّر (٢) يصف .

depicture[dĭ pĭk'chər] (*vt.*) (١) depict (٢) يتخيَّل .

depigmentation(*n.*) نزع الخِضْب (الطبيعيّ من البشرة أو الريش).

depilate[dĕp'ə lāt'] (*vt.*) يُسمِّط : يُزيل الشعرَ عن .

depilatory [dĭ pĭl'ə tōr'ĭ] (*adj.*; *n.*) (١) سامط : مزيل للشعر . §(٢) السّامط : مستحضر مزيل للشعر .

deplane[dē'-](*vi.*;*t.*) (١) يترجّل من الطائرة ×(٢) يُنزل من الطائرة.

deplete[dĭ plēt'] (*vt.*) (١) يَفْصِد (٢) يستنزف ؛ يستنفد .

depletion (*n.*) (١) «أ» فَصْد. «ب» استنزاف ؛ استنفاد (٢) نضوب.

deplorable[dĭ plōr'ə bəl](*adj.*) (١) باعث على الأسى (٢) بائس؛ يُرثى له (a ~ condition).

deplore[dĭ plōr'] (*vt.*) (١) «أ» يأسى لـِ ؛ يحزن من أجل . «ب» يتأسف بشدة (٢) يرثي لـ (٣) يستنكر ؛ يستهجن.

deploy[dĭ ploi'](*vt.*; *i.*) (١) يَنشر (الجند مشكلاً جبهةً مستعرضة) ×(٢) ينتشر (الجنودُ) .

deployment(*n.*) نَشْر أو انتشار الجند (لتشكيل جبهة مستعرضة).

deplume [dē plōōm'] (*vt.*) (١) ينتف الريشَ (٢) يجرِّد من الممتلكات أو الأوسمة الخ .

depolarize[dē pō'lə-] (*vt.*) يزقطِب : يزيل الاستقطاب.

depone[dĭ pōn'] (*vt.*; *i.*) يَشْهَد (مُقْسماً يميناً) .

deponent[dĭ pō'nənt](*adj.*; *n.*) (١) مجهول الصيغة معلوم المعنى §(٢) فعلٌ مجهول الصيغة معلومُ المعنى (a ~verb) (٣) الشاهد المحلّف (وبخاصة خطياً) .

depopulate[dē pŏp'-](*vt.*) يحرم البلاد من سكانها (جزئياً أو كلياً).

deport[dĭ pōrt'] (*vt.*) (١) يسلك ؛ يتصرّف (٢) «أ» يرحّل بالقوة . «ب» ينفي ؛ يُبعد (من البلاد) .

deportable (*adj.*) (١) عرضة للترحيل أو النفي . (٢) عقوبتُه الترحيل أو النفي (~ offenses).

deportation(*n.*) (١) مص deport (٢) ترحيل الأجانب غير المرغوب فيهم .

deportee[dē'pōr tē'](*n.*) المرحَّل أو الصادر بحقه حكمٌ بالترحيل.

deportment (*n.*) (١) سلوك ؛ تصرّف (٢) وقفة ؛ مِشية.

deposal[dĭ pō'zəl] (*n.*) خلع ؛ عزْل (من منصب رفيع) .

depose[dĭ pōz'] (*vt.*; *i.*) (١) يخلع ؛ يعزِل (٢) يشهد مقسماً.

deposit [dĭ pŏz'ĭt] (*vt.*; *i.*; *n.*) (١) يُودِعُ ، وبخاصة في مصرف. (٢) يضع (٣) يدفع عربوناً (٤) يرسِّب ؛ يُقِرّ ؛ يُخلِّف ×(٥) يترسَّب ؛ يستقرّ §(٦) «أ» وديعة (في مصرف) . «ب» العربون ؛ التأمين (يُدفع على سبيل الضمان) (٧) مستودَع ؛ مخزن (٨) الراسب : شيء مترسِّب (٩) القُرارة : «أ» مادة مترسِّبة بعملية طبيعية. «ب» تراكم طبيعيّ (New ~ *s* of coal were discovered.)

depositary[-'ə tĕr'ĭ](*n.*) (١) المودَع لديه (٢) مستودَع (للسلع الخ.) .

deposition [dĕp'ə zĭsh'ən] (*n.*) (١) خَلْع ؛ عزْل (٢) «أ» أداء الشهادة (وبخاصة أمام القضاء) . «ب» شهادة خطية مقرونة بقَسَم (٣) إيداع (٤) ترسيب (٥) الراسب ؛ القُرارة (را. deposit فا deposit) وبخاصة : المودَع (مالاً في مصرف).

depositor(*n.*) المودِع (مالاً في مصرف).

depository [dĭ pŏz'ə tōr'ĭ] (*n.*) = depositary.

depot [dē'pō] (*n.*) (١) «أ» مستودع للذخيرة والمعدات العسكرية. «ب» مركز لتدريب المجنّدين (٢) مستودع ؛ مخزن (٣) محطة

ă at; ā date; â care; ä car; ĕ egg; ē me; ĭ in; ī bite; ŏ lot; ō bone; ô orphan; oi boil; ŏŏ good; ōō boot; ou out; ŭ under; ū unity; û urgent; th thing; *th* this; zh vision; ə = *a* in alone, *e* in system, *i* in easily, *o* in gallop, *u* in circus.

(قطار أو أوتوبوس الخ .) .

depravation [děp rə vā'-] *(n.)* (١) إفساد (٢) فساد (الأخلاق الخ .)

deprave [dĭ prāv'] *(vt.)* (١) يُفْسِد (٢) يُفْسِد الأخلاق .

depraved [dĭ prāvd'] *(adj.)* (١) فاسد ؛ منحرف ؛ متفسّخ (٢) فاسق

depravity [dĭ prăv'-] *(n.)* فساد ؛ وبخاصة : فُسوق .

deprecate [děp'-] *(vt.)* (١) يستنكر (٢) ينتقص (من قَدْرِ شيء) .

—**deprecation** *(n.)* —**deprecatory** *(adj.)*

depreciate [dĭ prē'shĭ āt'] *(vt.; i.)* (١) يخفّض السعر أو القيمة . (٢) ينتقص من قدره ؛ يقلّل من أهميته ×(٣) تنخفض قيمتُه .

—**depreciative; depreciatory** *(adj.)*

depreciation [-shĭ ā'shən] *(n.)* (١) «أ» خفض لقوة العملة الشرائية . «ب» انخفاض في قوّة العملة الشرائية (٢) انتقاص من قدر شيء أو أهميته (٣) الاستهلاك : نقص القيمة نتيجة للبِلى أو الاستعمال .

depredate [děp'rə dāt'] *(vt.; i.)* يَسْلُب ؛ يَنْهَب .

depredation [děp'rə dā'-] *(n.)* سَلْب ؛ نَهْب .

depress [dĭ prěs'] *(vt.)* (١) «أ» يضغط على . «ب» يُنزِل ؛ يخفض (٢) يُضْعِف (٣) يُحْزِن ؛ يوقع الكآبة في النفس ؛ يوهن العزيمة (٤) يكسّد : يجعل السوق كاسدة .

depressant [-'ənt] *(adj.; n.)* (١) خافض ؛ مؤدٍّ إلى خفض النشاط أو الحيوية §(٢) عقّار خافض أو مسكّن .

depressed [dĭ prěst'] *(adj.)* (١) حزين ؛ كئيب (٢) مقعّر السطح الأعلى (نب) (٣) منخفِض ؛ مُهْبَط (٤) «أ» كاسد (a ~ industry) . «ب» متأثر بالكساد (~ areas) . «ج» ناشيء عن الكساد (~ conditions) (٥) منبوذ (~ classes) .

depression [dĭ prěsh'-] *(n.)* (١) الانخفاض (فل) (٢) «أ» خفْض . «ب» انخفاض (٣) ضعف ؛ وَهَن (٤) حزن ؛ كآبة (٥) الهبوط : هبوط في القوى الحيوية أو النشاط الوظيفيّ (٦) مُنْخَفَض (٧) كساد أو فتور اقتصادي (مقترن بالبطالة عادةً) (٨) «أ» انخفاض في الضغط الجوي . «ب» منطقة منخفضة الضغط الجويّ (أر) .

depressive [dĭ prěs'ĭv] *(adj.)* (١) مُوقع للكآبة في النفس (٢) كئيب .

depressor [-'ər] *(n.)* (١) فا depress (٢) العضلة الخافضة (ت) . (٣) المُنَحّية : أداة لتنحية عضوٍ (كاللسان) أو للضغط عليه أثناء عملية جراحية (جر) (٤) العصب الخافض : عصب يعمل على إهباط نشاطِ عضو ما (ت) .

deprivation *(n.)* (١) حرمان (٢) تجريد (من الرتبة الكنسية) .

deprive [dĭ prīv'] *(vt.)* (١) يَحْرِم (٢) يجرّد (من الرتبة الكنسية) .

de profundis [dē prō fŭn'dĭs] *(L.)* من الأعماق .

depth [děpth] *(n.)* (١) «أ» موضع عميق (في البحر الخ .) . «ب» *pl.* : أعماق ؛ الجزء الأعمق (in the ~s of the earth) . «ج» قلب ؛ وسط (in the ~ of the forest) . «د» هاوية . «هـ» مَعْمعان (الشتاء الخ .) ؛ جَوْف (الليل البهيم) (٢) عمق (٣) انخفاض نبرة الصوت .

out of one's ~, (١) في مياه أعمق من أن تبلغ قدما المرء قرارها (٢) غير قادر على فهم موضوع أو حديث ما (لأنّه غريب عنه) .

depth charge *or* **bomb** *(n.)* قنبلة الأعماق : متفجّرة معدّة للاستخدام تحت سطح المياه وبخاصة ضدّ الغوّاصات .

depthless *(adj.)* (١) لا يُسْبَر غَوْرُه (٢) ضَحْل ؛ سطحيّ .

depthometer *(n.)* المِعْماق : أداة لقياس عمق المياه .

depth psychology *(n.)* = psychoanalysis.

depurate [děp'yə-] *(vt.; i.)* (١) يُطهِّر ×(٢) يَطْهُر .

depurative [-rā tĭv] *(adj.; n.)* (١) مطهِّر §(٢) مادة مطهِّرة .

deputation [děp'yə tā'-] *(n.)* (١) تفويض ؛ انتداب (٢) شخص أو وفد مفوَّض .

depute [dĭ pūt'] *(vt.)* = delegate.

deputize [děp'yə tīz'] *(vt.; i.)* (١) يفوض ؛ ينتدب ×(٢) ينوب عن .

deputy [děp'yə tĭ] *(n.)* (١) «أ» المندوب ؛ الممثل . «ب» الوكيل : مساعد يقوم بمهام رئيسه عند غيابه (٢) النائب (في البرلمان) .

deracinate [dĭ răs'-] *(vt.)* يستأصل (شيئاً من جذوره) .

derail [dē rāl'] *(vt.; i.)* (١) يُخْرِج (قطاراً الخ .) عن الخطّ . ×(٢) يَخْرج (القطار) عن الخطّ .

derange [dĭ rānj'] *(vt.)* (١) «أ» يُفْسِد (نظامَ شيء أو ترتيبه) . «ب» يشوِّش ؛ يعكّر (٢) يعطّل أو يعوق عن العمل (٣) يخبّل ؛ يُفقد العقل (٤) يقاطِع ؛ يزعج .

deranged [dĭ rānjd'] *(adj.)* (١) مشوَّش (٢) مُخبَّل .

derangement [-'mənt] *(n.)* (١) تشويش (٢) فوضى (٣) تعطيل . (٤) خَبَل ؛ جنون .

derby [dûr'bĭ] *(n.)* (١) *cap.* : الدَّرْبيّ : سباق خيل يجري كل عام قرب لندن (٢) سباق خيلٍ أو عدّائين أو طائرات الخ . (٣) الدَّرْبيّة : قبعة مستديرة (سوداء عادةً) .

derelict [děr'ə lĭkt] *(adj.; n.)* (١) «أ» مهجور (من قبل صاحبه أو شاغله) . «ب» منسيّ ؛ غير مستعمل . «ج» متداعٍ (٢) مُهمِل §(٣) شيء مهجور ؛ وبخاصة : «أ» سفينة مهجورة في البحر . «ب» مِلْكٌ شخصيّ مُهْمَل من قِبَل صاحبه (٤) المنبوذ (من قِبَل المجتمع) (٥) المُهمِل : المتّهَم بالإهمال أو بالتقصير في أداء واجبه .

dereliction [děr'ə lĭk'-] *(n.)* (١) هَجْر ؛ نَبْذ (٢) «أ» انحسار مياه البحر عن أرض (انحساراً يؤدّي إلى اكتسابها) . «ب» أرض مكتسبة (نتيجة لانحسار المياه) (٣) «أ» إهمال ؛ تقصير . «ب» قصور

deride [dĭ rīd'] *(vt.)* يسخر من ؛ يهزأ بِ .

de rigueur [də rē gœr'] *(F.)* واجب ؛ ضروري ؛ مطلوب بموجب آداب المعاشرة أو الاتيكيت (Evening dress is ~ at the Casino.) .

derisible [dĭ rĭz'-] *(adj.)* جدير بالسخرية أو الهزء .

derision [dĭ rĭzh'ən] *(n.)* (١) سخرية (٢) موضوع سخرية .

derisive [dĭ rī'-] *(adj.)* (١) سُخْرِيّ ؛ ساخر (~ laughter) . (٢) باعث على السخرية (~ attempts) .

derisory [dĭ rī'sə rĭ] *(adj.)* = derisive.

derivation [děr'ə vā'shən] *(n.)* (١) اشتقاق (٢) «أ» أصل ؛ مَنشأ . «ب» نَسَب (٣) استنتاج .

derivative [dĭ rĭv'ə tĭv] *(adj.; n.)* (١) مشتقّ (٢) ثانويّ . §(٣) لفظة مشتقة (٤) المُشْتَقّ (~s of ammonia) .

derive [dĭ rīv'] *(vt.; i.)* (١) «أ» يشتق (لفظاً من آخر) . «ب» يستمد . «ج» يشتق (مركّباً كيميائياً من آخر) (٢) يستنتج (٣) يردّ (لفظةً أو عادةً) إلى أصلٍ معين ×(٤) ينشأ « من مصدر ما » (Half of his income ~s from cotton.) .

derm *(n.)* (١) أَدَمَة (را dermis) (٢) جِلْد .

derm- *or* **derma-** بادئة معناها : جِلد .

derma [dûr'mə] *(n.)* = dermis.

-derma لاحقة معناها : جلد أو مرض جلدي من نوع معين .

dermal *(adj.)* (١) جِلْدِيّ (٢) بَشَرِيّ . متعلق بالبَشَرة .

dermat- *or* **dermato-** بادئة معناها : جِلْد .

dermatitis [dûr'mə tī'tĭs] *(n.)* التهاب الجلد .

dermatoid [-'mə toid'] *(adj.)* جِلْدانيّ : شبيه بالجِلْد .

---

dermatologist [dûr'mə tŏl'-] *(n.)* الاختصاصي بالجلد وأمراضه.

dermatology [dûr'mə tŏl'-] *(n.)* علم الجلد وأمراضه.

dermatophyte *(n.)* الفُطْر الجِلْدي: فُطْر طفيلي يصيب الجلد.

dermatosis *(n.)* pl. **-toses** المرض الجِلدي.

dermis [dûr'mĭs] *(n.)* الأدَمَة: باطن الجلد الذي تحت البشرة (ت).

dermo- = derm-.

dermoid [dûr'moid] *(adj.)* جِلْداني: شبيه بالجلد.

dernier cri [dĕr nyĕ krē'] *(F.)* الزيّ الأخير؛ «آخر موضة».

derogate [dĕr'ə gāt'] *(vi.)* (١) ينتقص أو يحطّ من قدره. (٢) ينحطّ؛ يتفسّخ.

derogative [dĭ rŏg'ə tĭv] *(adj.)* = derogatory.

derogatory *(adj.)* (١) منتقِص أو حاطّ من القَدْر (٢) ازدرائي.

derrick [dĕr'ĭk] *(n.)* (١) المِرْفاع؛ الرافعة: جهاز لرفع الأثقال (٢) الدِّرِيْك: هيكل معدني يقام فوق بئر بترول.

derrick 2.

derring-do [dĕr'ĭng dōō'] *(n.)* عمل جريء؛ جرأة بطولية.

derringer [dĕr'ĭn jər] *(n.)* الدِّرِنْجَر: مسدس جَيْب.

dervish [dûr'vĭsh] *(n.)* الدَّرويش: واحد من جماعة الدراويش.

desalt [dē sôlt'] *(vt.)* يُزَمْلِح: يزيل الملح من.

descant [*n.* dĕs'kănt; *v.* dĕs kănt'] *(n.; vi.)* (١) الموسيقى المُقسّمة (را. part music) (٢) اللحن المساير: لحن يُعزف أو يُغنّى مع لحن آخر (٣) تعبير مُسْهَب (وحماسيّ عادةً) عن معتقدات المرء أو الشؤون التي تهمّه §(٤) يُغنّي أو يعزف لحناً مسايراً (٥) يُسْهِب (في الكلام على أمورٍ تهمّه).

descend [dĭ sĕnd'] *(vi.; t.)* (١) يهبط؛ ينزل (٢) يتقدّم (من العامّ إلى الخاصّ) (٣) «أ» يتحدّر (من أسرة الخ.) «ب» ينتقل بالإرث؛ يؤول إلى (٤) ينحدر نحو (٥) ينقضّ (to ~ upon the enemy) (٦) يتنازل من الأعلى إلى الأدنى؛ يتدرّج من الأبعد إلى الأقرب أو الأحدث (٧) ينحطّ إلى مستوى كذا ×(٨) يهبط (سُلّماً أو هضبةً الخ.).

descendant *or* **descendent** [dĭ sĕn'dənt] *(adj.; n.)* (١) هابط؛ نازل (٢) متحدر من سلفٍ أو أصل §(٣) سليل (a ~ of the Normans).

descending colon *(n.)* القولون النازل (ت).

descending powers *(n. pl.)* القوى النازلة (ر).

descent [dĭ sĕnt'] *(n.)* (١) هبوط؛ نزول (٢) سقوط؛ تردٍّ في (~of the family to actual shabbiness)(٣) أصل؛ نسب؛ سلالة (people of Irish ~) (٤) انتقال (ملكيةٍ أو ألقابٍ أو صفاتٍ الخ.) بالإرث (٥) تحدّر من سلالةٍ ما (٦) مُنْحَدَر (٧) مجاز أو سُلّم يُفْضي إلى أسفل (٨) «أ» ظهور مفاجيء؛ زيارة مفاجئة. «ب» غارة؛ هجوم مباغت (~of the locusts) (٩) جيل «من أجيال أسرة» (His pedigree shows 10 ~s.).

describe [dĭ skrīb'] *(vt.)* (١) يصف (٢) يصوّر (٣) يرسم.

description [dĭ skrĭp'-] *(n.)* (١) «أ» وَصْف. «ب» تصوير. (٢) نوع؛ ضَرْب (people of every ~)(٣) رَسْم (شكلٍ هندسيّ).

descriptive [-'tĭv] *(adj.)* وَصْفيّ؛ تصويريّ.

descriptive geometry *(n.)* علم الهندسة الوصفي.

descry [dĭ skrī'] *(vt.)* (١) يلمح؛ يتبيّن عن بُعد (٢) يكتشف.

desecrate [dĕs'ə krāt'] *(vt.)* يدنّس؛ ينتهك قدسية (كنيسةٍ الخ.).

desegregate *(vt.; i.)* (١) يضع حداً للعزل العرقي (أو التمييز العنصري) في . . . (~ *d* their schools) × (٢) يطبّق الدمج العرقي (Few Southern universities ~*d.*).

desensitize [dē sĕn'sə tīz'] *(vt.)* (١) يُضعف أو يزيل الحساسية. (٢) يحجّر العاطفة أو الفؤاد.

desert [dĕz'ərt] *(n.; adj.)* (١) صحراء؛ بيداء §(٢) قاحل؛ مجدب (٣) صحراويّ.

desert [dĭ zûrt'] *(n.)* (١) استحقاق لمثوبة أو عقوبة (٢) مثوبة أو عقوبة مُستحَقّة (٣) أهلية؛ استحقاق (won the appointment on grounds of ~).

desert [dĭ zûrt'] *(vt.; i.)* (١) يهجر (٢) يتخذّل (شخصاً) أو يتخلّى عنه عند الضيق (٣) «أ» يترك مركز عمله من غير إذن. «ب» ينشق عن حزب. «ج» يفرّ أو يأبق من الجندية.

deserter *(n.)* (١) فا desert (٢) الهارب أو الآبق من الجندية.

desertification *(n.)* التَّصَحُّر: صيرورة الارض صحراوية.

desertion [dĭ zûr'-] *(n.)* (١) «أ» هَجْر. «ب» هِجْران (٢) تخلٍّ عن (٣) «أ» انشقاق عن حزب. «ب» فرار من الجندية الخ. (٤) الفارّ من الجندية الخ. (The ~s gave themselves up.).

deserve [dĭ zûrv'] *(vt.; i.)* يستحق؛ يستأهل.

deserved *(adj.)* مُستَحَق (a ~ rebuke).

deservedly *(adv.)* بحق؛ باستحقاق (~ punished).

deserving [dĭ zûr'-] *(n.; adj.)* (١) استحقاق § (٢) مستحِق. وبخاصة: محتاج إلى المساعدة المالية (needy and ~ students).

desex; desexualize *(vt.)* يَخصي أو يجرد من الصفة التناسلية.

deshabille [dĕz'ə bēl'] *(n.)* = dishabille.

desiccant [dĕs'ə kənt] *(adj.; n.)* (١) مجفف §(٢) مادة مجففة.

desiccate [dĕs'ə kāt'] *(vt.; i.)* (١) يجفف (٢) يحفظ (الأغذية) بتجفيفها (٣) يسلبه القدرة على اثارة الفكر او العاطفة ×(٤) يتجفف.

desiccated *(adj.)* (١) مجفّف (~fruit). (٢) مُذَرَّر: محوَّل إلى ذَرور (~ milk).

desiccator *(n.)* (١) فا desiccate (٢) المجفف: وعاء للتجفيف (ك).

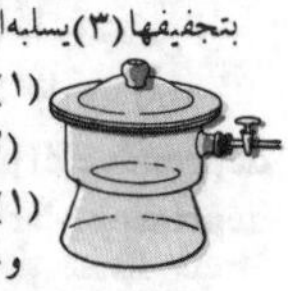

desiccator

desiderata [dĭ sĭd'ə rā'tə] *pl. of* desideratum.

desiderate [dĭ sĭd'ə rāt'] *(vt.)* يتمنّى؛ يتوق إلى.

desideration *(n.)* (١) تَمَنٍّ (٢) أُمنية.

desideratum [dĭ sĭd'ə rā'təm] *(n.)* pl. **-ta** أمنية؛ رغيبة.

design [dĭ zīn'] *(vt.; i.; n.)* (١) «أ» يرسم (خطةً أو حبكةَ روائية). «ب» يُفرد؛ يخصص (لغرضٍ معيّن). «ج» يتعمد؛ يتقصد (Did you ~that, or did it just happen?). «د» يُعِدّ لغرض معيّن (٢) «أ» يخطّط. «ب» يصمّم: يضع تصميماً (لمبنى الخ.). «ج» يضع أو يصنع «ابتغاء تحقيق هدفٍ معيّن» (Slogans are ~*ed* to get action without reflection.) ×(٣) يعمل مصمّماً أو واضع تصاميم (He ~*s* for a firm of dressmakers.) (٤) «أ» يعتزم الانطلاق إلى (This ship ~*s* for Beirut.) «ب» يعتزم مزاولة مهنة ما (The young man ~*s* for law.) §(٥) خُطّة (٦) «أ» مقصِد؛ هدف. «ب» عَمْد؛ قَصْد (Battle was joined more by accident than ~.) (٧) «أ» مكيدة. «ب» هدف عدواني أو شرير (٨) «أ» مخطّط. «ب» تخطيط. «ج» تصميم (a machine of excellent ~) «د» تصميم فنّيّ. «هـ» فن وضع التصاميم (a school of ~). «و» أثر فنّي.

designate [*v.* děz'ig nāt'; *adj.* děz'ig nĭt] *(vt.; adj.)* (١) «أ» يعيّن (موقعَ شيء) . «ب» يدلّ على ؛ يُظهِر بوضوح (His uniform ~s his rank.) . «ج» يصنّف شيئاً أو يضعه في زمرة معيّنة . «د» يخصّص (٢) يسمّي ؛ يُلقّب (٣) يعيّن أو يختار لمنصب أو مهمة الخ . (٤) يشير أو يرمز إلى (Associate the names with the persons they ~.) §(٥) مختار لمنصب ، ولكنه لم يُقلَّده رسمياً بعد (ambassador ~).

—**designator** *(n.)*

designation [děz'ĭg nā'-] *(n.)* (١) مص designate (٢) اسم أو علامة أو لقب مميِّز (٣) تعيين أو اختيار لمنصب أو مهمة (٤) دِلالة ؛ معنى .

designedly [dĭ zī'nĭd lĭ] *(adv.)* عمداً ؛ عن عَمْد .

designee [děz'ig nē'] *(n.)* المعيَّن أو المختار لمنصب أو مهمة .

designer [dĭ zī'nər] *(n.)* (١) المصمِّم : واضع التصميم أو التصاميم . (٢) مهندس الديكور المسرحي الخ . (٣) المتآمر ؛ مدبر المكيدة .

designing [dĭ zī'nĭng] *(adj.; n.)* (١) ماكر ؛ كائد ؛ مولعٌ بالتآمر . §(٢) التخطيط ؛ التصميم : وضع الخطط والتصاميم .

desirability *(n.)* المرغوبية : كون الشيء مرغوباً فيه .

desirable [-zīr'-] *(adj.; n.)* (١) جذاب (a ~ woman). (٢) مرغوبٌ فيه §(٢) شيءٌ أو شخص مرغوب فيه .

desire [dĭ zīr'] *(vt.; i.; n.)* (١) يرغب في ؛ يتوق إلى (٢) يطلب (أو يرغب إليه) القيام بعمل ما ×(٣) يروم ؛ يشاء §(٤) رغبة (٥) تَوْق (٦) شهوة أو جاذبية جنسيّة (٧) طلب (٨) أمنية .

desired *(adj.)* (١) مَرُوم ؛ مَتُوق إليه (٢) مطلوب .

desirous [dĭ zīr'əs] *(adj.)* راغبٌ في ؛ توّاق إلى .

desist [dĭ zĭst'] *(vi.)* يكفّ عن (القيام بعمل ما) .

desk [děsk] *(n.)* (١) المكتب : طاولة للقراءة أو الكتابة مائلة السطح عادةً . «ب» المِقْرأ : ما يُجعل عليه الكتاب عند القراءة . «ج» منضدة (٢) «أ» الشعبة ، الدائرة : جزء من منظمة متخصص في وجه من وجوه نشاطها . «ب» رئيس هذه الشعبة .

deskman *(n.)* المكتبيّ : موظف يقوم بعمله وهو جالس إلى مكتب .

desk work *(n.)* العمل المكتبيّ (يقوم به المرء وهو جالس إلى مكتب) .

desman [děs'mən] *(n.)* الدَّسْمان : حيوان مائي ثدييّ آكل للحشرات شبيه بالخُلْد .

desman

desmid [děs'-] *(n.)* الدَّسْميد : طحلب نهريّ لا يُرى بالعين المجردة .

desolate [*adj.* děs'ə lĭt; *v.* -'ə lāt] *(adj.; vt.)* (١) مهجور . (٢) «أ» متوحِّد . «ب» بائس . «ج» مستشعرٌ أن أصدقاءه قد تخلّوا عنه أو أنّ آماله قد خابت (٣) «أ» خرِب . «ب» مقفِر ؛ لا حياة فيه . «ج» كئيب ؛ مُوقِعٌ الكآبةَ في النفس §(٤) «أ» يجعله مهجوراً أو مقفراً . «ب» يدمّر ؛ يخرِّب . «ج» يتخلى عن . «د» يوقع الكآبة في نفسه ؛ يتركه فريسة الأسى والشقاء .

desolation [děs'ə lā'-] *(n.)* (١) مص desolate (٢) خراب ؛ دمار . (٣) إقفار (٤) «أ» أسى . «ب» توحّد (٥) مكان مهجور أو مقفر .

despair [dĭ spâr'] *(vi.; n.)* (١) ييأس ؛ يقنط § (٢) يأس ؛ قنوط . (٣) مصدر يأس (He is the ~ of his parents.).

despairing [dĭ spâr'-] *(adj.)* (١) يائس (٢) دالّ على اليأس .

despatch [dĭs păch'] = dispatch.

desperado [děs'pə rā'dō] *(n.)* مجرم يائس أو متهوِّر ؛ شخص مستعدّ للقيام بأي عمل يائس .

desperate [děs'pər ĭt] *(adj.)* (١) يائس : «أ» فاقد الأمل . «ب» متهورٌ بسبب اليأس ؛ «مُستقتِل» . «ج» متَّسِم بتهوّر ناشئ عن اليأس (a ~ act) (٢) شديد الحاجة إلى (~ for money) (٣) «أ» مُوئِس : باعث على اليأس (a ~ situation) . «ب» غير باعث على كثير من الأمل والنجاح (~ remedies) (٤) مفرط ؛ شديد (A ~ languor descended upon her.)

desperation [děs'pə rā'-] *(n.)* (١) يأس (٢) يأس مُفضٍ إلى التهوّر .

despicable [děs'pĭ kə-] *(adj.)* حقير ؛ خسيس ؛ جديرٌ بالازدراء .

despise [dĭ spīz'] *(vt.)* (١) يحتقر ؛ يزدري (٢) «أ» يستخفّ بـ . «ب» يكرَه (ع) .

despite [dĭ spīt'] *(n.; prep.)* (١) احتقار ؛ ازدراء (٢) «أ» استخفاف . «ب» كُرْه ، حِقْد . «ج» خُبث (٣) إهانة ؛ أذى §(٤) برغم ؛ على الرغم من .

in ~ of برغم ؛ على الرغم من .

despiteful [-' fəl] *(adj.)* (١) مُزْدَرٍ (ا.م) (٢) حقود ؛ خبيث .

despiteous [děs pĭt'-] *(adj.)* (١) خبيث (٢) وحشيّ ؛ عديم الرحمة .

despoil [-spoil'] *(vt.)* يَسْلُب ؛ يَنْهَب . **-ment** *(n.)*

despond [dĭ spŏnd'] *(vi.; n.)* (١) «أ» يقنط . «ب» يكتئب . «ج» يَجزَع §(٢) «أ» قنوط . «ب» كآبة . «ج» جزَع .

despondence; despondency *(n.)* قنوط ، كآبة ، جزَع .

despondent [dĭ spŏn'dənt] *(adj.)* قانط ، مكتئب ، جزِع .

despot [děs'pət] *(n.)* (١) «أ» امبراطور أو أمير بيزنطي . «ب» أسقف أو بطريرك (في الكنيسة الأرثوذكسية الشرقية) . «ج» أميرٌ أو قائدٌ عسكري إيطاليّ (في عصر النهضة) (٢) «أ» الحاكم المطلق . «ب» الطاغية ؛ المستبدّ .

despotic [děs pŏt'ĭk] *(adj.)* طغيانيّ ، استبداديّ .

despotism [děs'pə tĭz'əm] *(n.)* (١) «أ» الحكم المطلق . «ب» الطغيان ، الاستبداد (٢) «أ» حكومة أو دولةٌ استبدادية .

desquamate [děs'kwə-] *(vi.)* يتقشّر (كالجلد في بعض الأمراض) .

dessert [dĭ zûrt'] *(n.)* العُقْبة : حلوى أو فاكهة يُختَم بها الطعام .

dessertspoon *(n.)* مِلعقة العُقبة : ملعقة أصغر من ملعقة الطعام وأكبر من ملعقة الشاي .

dessert wine *(n.)* خمر العُقبة : خمرٌ تقدّم مع العُقبة (را . dessert) أو بين وجبات الطعام .

destabilize *(vt.)* يُفقده الاستقرار ؛ يجعله غير مستقرّ .

destain *(vt.)* يزُ ضْبِغ : يزيل الصِّبغ من (عيّنة للدراسة الميكروسكوبية) .

destination [děs'tə nā'shən] *(n.)* (١) إفراد أو تخصيص (لغرض معيّن) (٢) غرض ، غاية (٣) الطِّيّة : المكان الذي تنتهي به الرحلة ، المكان المقصود .

destine [děs'tĭn] *(vt.)* (١) يقدِّر أو يكتب (عليه أو له) ؛ يقرر بقضاء وقدر (They were ~d never to meet again.) (٢) يقرِّر المستقبل أو الوضع أو الاستعمال أو العمل مسبّقاً (~d by his parents for the ministry).

~d for قاصدٌ إلى ، مُتَّجِه إلى .

destiny [děs'tə nĭ] *(n.)* (١) القِسْمة ، النصيب ، قَدَر المرء (المقدورُ له أو عليه) (٢) القضاء والقدَر .

destitute [děs'tə tūt'] *(adj.)* (١) «أ» عاطل عن ؛ محروم من (a city street ~ of trees) . «ب» خِلْوٌ من (a lake ~ of fish) (٢) مُعْوِز ، مُعْدِم (a ~ widow).

destitution *(n.)* (١) فِقدان (٢) عوَز ؛ إملاق ؛ فقر مُدْقِع .

destroy [dĭ stroi'] *(vt.; i.)* (١) «أ» يَهْدِم ؛ يدمّر ؛ يخرّب . «ب» يُتْلِف . «ج» يشوّه السمعة (تشويهاً كاملاً) . «د» يقضي

عليه (سياسياً أو مالياً أو مهنياً) (٢)«أ» يُهلِك؛ يفتك بِ . «ب» يلاشي . «ج» يكسف . «د» يمحق؛ يبيد ×(٣) يتلَف الخ.

destroyer [-'ər] *(n.)* (١) الهادم؛ المدمّر الخ . (٢) المدمِّرة: سفينة حربية صغيرة سريعة .

destroyer escort *(n.)* مدمرة صغيرة .

destroying angel *(n.)* المَلاك المهلِك: ضربٌ من الفُطْر السام .

destruct *(n.)* إتلاف صاروخ بعد إطلاقه (وبخاصة أثناء تجربة) .

destructibility *(n.)* الانهدامية: قابلية الانهدام أو الدمار الخ .

destructible *(adj.)* انهدامي : ممكنٌ هدمُه أو تدميرُه .

destruction [dĭ strŭk'-] *(n.)* (١) هَدْم؛ تدمير؛ تخريب؛ إهلاك؛ إبادة الخ. (٢) دمار؛ خراب؛ هلاك الخ . (٣) قوة مدمرة أو مهلكة؛ سبب الهلاك الخ. (Alcohol is likely to be his ~.) (٤) الانتقاض (أح) .

destructionist *(n.)* (١) مُحِبّ الهدم (٢) الهدّام: المنادي بضرورة القضاء على المؤسسات السياسية القائمة أو نحوها .

destructive [dĭ strŭk'-] *(adj.)* (١) مُهلِك، مُتلِف الخ . (٢) مُولَع بالتحطيم أو التخريب (Small children are ~.) (٣) هدّام؛ غير بنّاء (~ criticism).

destructive distillation *(n.)* التقطير الهدّام (ك) .

destructivity *(n.)* الهدّامية: القدرة على الهدم أو الإهلاك الخ .

destructor [-'tər] *(n.)* المُتلِفة: «أ» فرن لإتلاف النفايات . «ب» أداة لإتلاف قذيفةٍ طائرة .

desuetude [dĕs'wə-] *(n.)* البُطلان: كون الشيء مُبطلاً أو مهجوراً .

desulfurize [dē sŭl'fə rīz'] *(vt.)* يُزَكْبِت: يُزيل الكبريت من .

desultory [dĕs'əl tōr ĭ] *(adj.)* (١) متقطِّع (~ whistling). (٢) مفكك : غير ذي منهج أو هدف (~ reading) (٣) عابر؛ استطرادي (a ~ remark).

detach [dĭ tăch'] *(vt.)* (١) يَفصِل (٢) يَحُلّ؛ يفكّ؛ يحرّر. (٣) يرسل (كتيبةً أو سفناً حربية) في مهمة خاصة .

detached [dĭ tăcht'] *(adj.)* (١) منفصل: غير متصل بغيره بجدار (a ~house) (٢) مستقل؛ غير متحيّز (a ~view of the affair)

detachment [-'mənt] *(n.)* (١)«أ» فَصْل. «ب» انفصال. (٢)«أ» إرسال كتيبة أو جزء من الأسطول في مهمة خاصة. «ب» كتيبة أو مجموعة من السفن مرسلة في مهمة خاصة . «ج» مفرزة (a medical ~) (٣)«أ» انعزال. «ب» تجرّد؛ لا تحيّز؛ استقلال في الرأي.

detail [*n.* dĭ tāl', dē'tāl; *v.* dĭ tāl'] *(n.; vt.; i.)* (١) تفصيل . (٢)«أ» جزء من كلّ، مثل: «أ» نقطة تفصيلية (Don't omit a single ~.) «ب» جزء ثانوي من مبنى (كالإفريز وتيجان الأعمدة) أو من صورة أو آلة (٣) detail drawing (٤)«أ» اختيار مفرزة (أو ضابط) لاداء مهمة خاصة. «ب» المفرزة المختارة (أو الضابط المختار) لاداء مهمة خاصة. «ج» المهمة الخاصة نفسُها §(٥) يروي أو يصف بتفصيل (The sailor ~*ed* the story of the shipwreck.) (٦) يفصِّل؛ يعدِّد؛ يخصص (٧) يختار لمهمة خاصة ×(٨) يرسم رسوماً تفصيلية .

detail drawing *(n.)* الرسم التفصيلي: رسم كبير نسبياً لجزء من بناية أو آلة (يستعان به عند إنشائها) .

detailed *(adj.)* مُفصَّل (a ~ study of history).

detail man *(n.)* المندوب المفصِّل: ممثل مصنع للأدوية يعرِّف الأطباء والصيادلة إلى العقاقير الجديدة ويشرح لهم مزاياها بتفصيل.

detain [dĭ tān'] *(vt.)* (١)«أ» يحتجز. «ب» يسجن (٢) يعوق؛ يؤخر.

detainer [dĭ tā'-] *(n.)* (١)«أ» احتجاز. «ب» سَجْن (٢) أمرٌ قضائيٌ يخوّل القيّم على السجن إبقاء شخصٍ ما فيه (ق).

detect [dĭ tĕkt'] *(vt.)* (١)«أ» يكتشف؛ يستبين. «ب» يضبطه متلبِّساً بالجُرم (٢)«أ» يكشِف «الذبذبات أو الموجات الكهربائية» (رد). «ب» يقوِّم: يحوِّل تياراً متردداً إلى تيار طردي (كب). **—detectable** *(adj.)*

detectaphone *(n.)* التلفون الكاشف: جهاز شبيه بالتلفون يوضع سراً لاستراق السمع من الأسلاك التلفونية الخ.

detection *(n.)* (١)«أ» كَشْف. «ب» اكتشاف (٢) الكشْف (رد).

detective [dĭ tĕk'-] *(adj.; n.)* (١) كَشْفيّ؛ كشّاف (scientific ~methods) (٢) بوليسي (~story) §(٣) بوليس سرّي.

detector [-'tər] *(n.)* (١) المكتشف؛ المستبين (٢) المِكشاف: أداة للكشف عن الموجات الكهربائية أو عن النشاط الإشعاعيّ (٣) المقوِّم: أداة لتحويل التيار المتردد إلى تيار طردي (كب).

detent [dĭ tĕnt'] *(n.)* الحابسة؛ الماسكة؛ السقّاطة (مك).

détente [dā'tänt'] *(F.)* انفراج (في العلاقات الدولية المتوترة).

detention [dĭ tĕn'-] *(n.)* (١)«أ» احتجاز. «ب» سجْن. (٢)«أ» إعاقة؛ تأخير. «ب» تأخر اضطراري.

deter [dĭ tûr'] *(vt.)* (١) يَثْني؛ يعوق؛ يمنع؛ يحول دون (٢) يَرْدَع.

deterge [dĭ tûrj'] *(vt.)* ينظِّف أو يطهِّر (جرحاً الخ).

detergent [dĭ tûr'-] *(adj.; n.)* (١) منظِّف؛ مطهِّر §(٢) مادة منظِّفة.

deteriorate [dĭ tĭr'ĭ ə-] *(vt.; i.)* (١) يُفسِد ×(٢) يفسد؛ يتلف.

deterioration *(n.)* (١) إفساد (٢)«أ» فساد؛ تلفٌ تدريجيّ. «ب» تدهور (ك).

deteriorative *(adj.)* مُفسِد؛ مُتلِف.

determinant [dĭ tûr'mə-] *(adj.; n.)* (١) محدِّد؛ مقرِّر؛ حاسم §(٢) المحدِّد: عامل محدِّد أو مقرِّر (٣) المحدِّدة (ر) (٤) gene.

determinate [-'mə nĭt] *(adj.)* (١) مُحدَّد (٢)«أ» مقرَّر . «ب» نهائيّ؛ حاسم (٣) cymose.

determination [-mə nā'shən] *(n.)* (١)«أ» الفصْل في نزاع. «ب» حكم؛ قرار (٢)«أ» العزم؛ عقد النية على أمر. «ب» التصميم؛ ثبات في العزم (٣)«أ» تقرير (أمر). «ب» تحديد (معنى لفظة الخ). «ج» تعيين (موقع شيء). «د» حُسبان (لمقدار أو كمية) (٤) اتجاه أو نزعة نحو غاية ما.

determinative *(adj.; n.)* (١) محدِّد؛ مقرِّر (٢) حاسم. §(٣) المحدِّد: شيء محدِّد الخ.

determine [dĭ tûr'mĭn] *(vt.; i.)* (١)«أ» يحدِّد (سياسةً الخ.) «ب» يفصل في مسألة (بحكم قضائي). «ج» يقرر؛ يعقد العزم. «د» يحمله على اتخاذ قرار (The news that he was in trouble ~*d* me to act at once.) (٢)«أ» يحتّم؛ يحدِّد شكل شيء أو صفته مقدّماً (Demand ~*s* the price.) «ب» يقرِّر. «ج» يحدِّد تخوم شيء. «د» ينهي؛ يُصفِّي (ق) (٣) يعيِّن (to ~a position at sea) ×(٤) يتخذ قراراً؛ يصل إلى قرار (The boy ~*d* on becoming a painter.) (٥) ينتهي.

—determinable *(adj.)* **—determiner** *(n.)*

determined [-'mĭnd] *(adj.)* مصمم؛ عاقد العزم.

determinism [-'mə nĭz'əm] *(n.)* (١) الحتمية: مذهب يقول بأن أفعال المرء والتغيرات الاجتماعية الخ. هي ثمرة عوامل لا سلطة للمرء عليها (٢) الجبرية: الإيمان بالقضاء والقدر.

deterrent [dĭ tûr'ənt] *(adj.; n.)* عائق؛ مانع؛ رادع.

detersive [dĭ tûr'sĭv] *(adj.; n.)* = detergent.

detest [dĭ tĕst'] *(vt.)* يَمْقُتُ : يبغض أو يكره بشدة.

detestable [dĭ tĕs'-] *(adj.)* مَقِيت : بغيض أو كريه جداً.

detestation [dē'tĕs tā'-] *(n.)* (١) مَقْت (٢) شيء مقيت.

dethrone [dē thrōn'] *(vt.)* (١) يخلع (الملكَ) عن العرش. (٢) يخلع (شخصاً) عن مقام السلطة أو النفوذ.

detinue [dĕt'ə nū'] *(n.)* دعوى الاسترداد (لملكية شخصية).

detonate [dĕt'ə nāt'] *(vt.; i.)* يفجِّر (أو يتفجّر) بعنفٍ مفاجئ.

detonating fuse *(n.)* فتيل التفجير (في متفجِّرة).

detonation [dĕt'ə nā'-; dē-] *(n.)* (١) تفجير (٢) انفجار.

detonator [dĕt'ə nā'tər; dē'-] *(n.)* المفجِّر: «أ» فتيل تفجير. «ب» أداة أو متفجرة صغيرة لتفجير مادة أخرى.

detour [dē'tŏŏr] *(n.; vi.; t.)* (١) الالتفاف، الانعطاف: تحوّلٌ عن الطريق المباشر أو الأساليب المألوفة (a ~ in education) (٢) العَطْفة: طريق ملتوية أو غير مباشرة تُستخدم موقّتاً بدلاً من الطريق الرئيسية §(٣) يلتفّ أو ينعطف حول (to ~ around a pit) ×(٤) يعطفه أو يجعله يتنكّب الطريق الرئيسية (Heavy trucks were ~*ed* to avoid the bridge.) (٥) يتجنّب (العقبات) بأن يسلك طريقاً جانبياً (either flying above or ~*ing* storms).

detoxicate; detoxify *(vt.)* يزَلْسِم: يُزيل السمّ (أو أثرَه) من.

detract [dĭ trăkt'] *(vt.; i.)* (١) ينتقص، يقلّل، يسلب جزءاً من (This ugly frame ~*s* from the beauty of the picture.) (٢) يصرف، يحوِّل عن (~ attention) ×(٣) ينتقص أو يحطّ من قدره.

detraction [dĭ trăk'-] *(n.)* انتقاص أو حطّ من القدر أو السمعة.

detractive; detractory *(adj.)* مُنتَقِص أو حاطّ من القدر الخ.

detrain [dē trān'] *(vi.; t.)* ينزل (أو يُنزل) من قطار.

detriment [dĕt'rə-] *(n.)* أذى، ضرر (أو شيء مسبِّب لهما). I know nothing to his ~. أنا لا أعرف شيئاً ضدّه.

detrimental *(adj.; n.)* (١) مؤذٍ، ضارّ §(٢) شخص أو شيء مؤذٍ أو غير مرغوب فيه.

detrital [-trī'-] *(adj.)* حُتاتيّ: متعلّق بالحُتات أو ناشئ عنه (جي).

detrition [dĭ trĭsh'ən] *(n.)* تحاتّ، انحتات، تفتّت.

detritus [dĭ trī'-] *(n.)* (١) الحُتات: فُتات الصخور (٢) حُطام، نثار.

de trop [də trō'] *(F.)* (١) أكثر مما ينبغي (٢) زائد عن الحاجة.

detruck *(vi.; t.)* (١) ينزل من شاحنة ×(٢) يُنزل من شاحنة.

detrude [dĭ trōōd'] *(vt.)* يكبس أو يضغط على.

deuce [dūs] *(n.)* (١) الاثنان (في النرد أو ورق اللعب). (٢) تعادل في التنس ينال فيه كل فريق ٤٠ نقطة (٣) الشيطان.

the ~ of a row شجار عنيف.

to play the ~ with يُفسِد، يقلب رأساً على عقب.

deuced [dū'-] *(adj.; adv.)* (١) لعين (in a ~ fix) §(٢) إلى حدّ بعيد (a ~ clever girl).

deut- *or* **deuto-** بادئة معناها: ثانٍ أو ثانويّ.

deuter- *or* **deutero-** بادئة معناها: (١) ثانٍ أو ثانويّ (٢) ديوتريوم.

deuterium [dū tĭr'ĭ əm] *(n.)* الديوتريوم: الهيدروجين الثقيل.

deuterogamy [dū'tə rŏg'-] *(n.)* (١) زواج ثانٍ (بعد وفاة ـ أو بعد الانفصال عن ـ الزوج الأول أو الزوجة الأولى) (٢) تثنية الزواج: عادة الزواج ثانية بعد وفاة الزوج الأول أو الزوجة الأولى.

deuteron [dū'tə rŏn'] *(n.)* الديوترون: نواة ذرة الديوتريوم المؤلفة من بروتون واحد ونيوترون واحد.

Deuteronomy [dū-] *(n.)* سِفر تثنية الاشتراع (من أسفار التوراة).

deuto- = deut-.

deutoplasm [dū'-] *(n.)* محّ البيضة: الجزء الأصفر من البيضة.

Deutsche mark [doi'chə] *(n.)* المارك الألماني: وحدة النقد في ألمانيا.

deutzia [dūt'-] *(n.)* الدُّتْزِيَة: شُجَيرة من شُجيرات التزيين (نب).

devaluate [dē văl'yōō āt'] *(vt.)* = devalue.

devaluation [dē văl'yōō ā'-] *(n.)* (١) تخفيض قيمة العملة. (٢) انخفاض، سقوط.

devalue [dē văl'ū] *(vt.)* (١) يخفّض قيمة العملة (٢) يخفّض قيمةَ (شخصٍ أو أثرٍ أدبيّ).

devastate [dĕv'ə stāt'] *(vt.)* يدمّر، يخرّب.

devastation [-ə stā'-] *(n.)* (١) تدمير، تخريب (٢) دمار، خراب.

develop [dĭ vĕl'əp] *(vt.; i.)* (١) «أ» يوسّع: يوضح بتفصيل. «ب» يُظهِر، يكشف عن (The detectives' inquiry did not ~ any new facts.) «ج» يتكشّف عن (He ~*ed* symptoms of consumption.) «د» يُظهِّر، يحمّض فلماً فوتوغرافيا (٢) يطوّر (٣) ينمّي (٤) يبَسْط تدريجياً (~*ed* his argument) (٥) يكتسب تدريجياً (to ~ a taste for olives) ×(٦) يتطور (٧) ينمو (٨) «أ» يتظهّر (الفيلم الفوتوغرافي). «ب» يتجلّى، يتكشّف «ج» يظهر، ينشأ.

developer *(n.)* فا develop، وبخاصة: المظهِّر (للافلام الفوتوغرافية).

development *also* **developement** *(n.)* (١) توسيع. (٢) «أ» تطوير. «ب» تطوّر (٣) «أ» تنمية، إنماء. «ب» نموّ (٤) نشوء (٥) تظهير (فيلمٍ فوتوغرافي). — **developmental** *(adj.)*

devest [dĭ vĕst'] *(vt.)* = divest.

deviance *or* **deviancy** *(n.)* انحراف.

deviant *(adj.; n.)* (١) منحرف §(٢) المنحرف (وبخاصة جنسياً).

deviate [dē'-] *(vi.; t.; adj.; n.)* (١) ينحرف ×(٢) يحرّف. §(٣) منحرف §(٤) المنحرف، وبخاصة: المنحرف جنسياً.

deviation [dē vĭ ā'-] *(n.)* الانحراف: «أ» انحراف ابرة البوصلة بسبب من المؤثرات المغنطيسية في السفينة أو الطائرة. «ب» انحراف الضوء. «ج» الانحراف عن الأيديولوجية المقرَّرة أو الخط الحزبي المقرَّر، وبخاصة: الانحراف عن المذهب الماركسي. «د» انحراف أخلاقيّ الخ.

deviationism [-'shən-] *(n.)* الانحرافية: انحراف عن سياسة الحزب المقرّرة (في الايديولوجية الماركسية).

device [dĭ vīs'] *(n.)* (١) «أ» مكيدة، حيلة. «ب» شيء في الأثر الأدبي يُراد به تحقيق غرض معيّن (صورة بلاغية، اسلوب خاص في الرواية والسرد) (٢) اداة، وسيلة، جهاز (٣) رغبة، ارادة (left to his own ~*s*) (٤) «أ» رسم أو صورة (للزخرفة)، وبخاصة على شعار للنبالة الخ. «ب» شعار.

devil [dĕv'əl] *(n.; vt.)* (١) cap. عد: إبليس (٢) شيطان. (٣) شخص شرير أو وحشيّ إلى أبعد حدّ (٤) شخص ذو براعة أو نشاطية فائقة: عِفريت (٥) شخص بائس (poor ~) (٦) خادم في مطبعة (ينقل الرسائل الخ.) (٧) شيء عسير (٨) لحم يُشوى مع كثير من البهار (٩) أداة ميكانيكية §(١٠) يناكد، يغايظ، يعذّب (١١) يفرم (البيض أو اللحم) ويُسرف في إضافة التوابل إليه (١٢) يمزّق بآلة خاصة بذلك (to ~ rags).

~ and all كلُّ ما هو رديء.

~ a one ولا واحد.

~'s own time خِبرة قاسية، تجربة مريرة، كفاح مرير.

the ~ to pay بلاء عظيم أو عاقبة وخيمة.

to give the ~ his due يُنصِفُه ولو كان شرَّ الناس.

to play the ~ with يؤذي، يفسد، يخرّب.

devilfish *(n.)* شيطان البحر: حيوان بحري من نوع الراي أو السَّفَن.

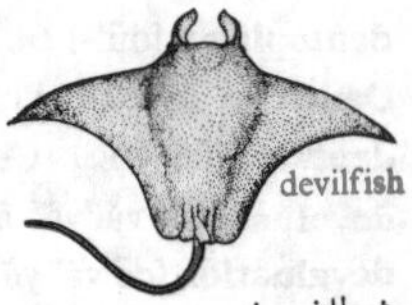

devilfish

devilish *(adj.; adv.)* (١) شيطانيّ (~ tricks) (٢) مفرط (in a ~ hurry) §(٣) إلى حد مفرط أو بعيد.

devilkin [dĕv'əl kĭn] *(n.)* شيطان صغير.

devilled *(adj.)* كثير التوابل (~ crabs).

devil-may-care *(adj.)* مُتهوِّر، طائش.

devilment [dĕv'əl-] *(n.)* عملٌ أو سلوك شيطاني.

devilry [dĕv'əl rĭ] *(n.)* = deviltry.

devil's advocate *(n.)* محامي الشيطان: «أ» موظف في الكنيسة الكاثوليكية مهمتُه إظهار نواحي الضعف في البيّنات التي يقوم عليها طلبٌ مقدَّم لرفع امرىء ما إلى مرتبة القديسين. «ب» من يدافع عن قضيةٍ خاسرة حباً بالجدل ليس غير.

devil's bones *(n. pl.)* زَهر النَّرْد؛ زهر الطاولة.

devil's books *(n. pl.)* ورق اللعب أو الشَّدَّة.

devil's darning needle *(n.)* = dragonfly.

devil's dozen *(n.)* = baker's dozen.

devil's food cake *(n.)* كعكة الشيطان: كعكة غنيّة بالشوكولا

deviltry [dĕv'-] *(n.)* (١) سِحر؛ شعوذة (٢) وحشية (أو نزعة إلى الشر) شديدة (٣) أعمال شريرة (٤) سلوك طائش أو متهور.

devilwood *(n.)* العَبِقة الأميركية: شجيرة قاسية الخشب.

devious [dē'vĭ əs] *(adj.)* (١) ناءٍ (~ coasts) (٢) «أ» متمعّج؛ غير مباشر (a ~ route *or* path). «ب» تائه (~ breezes) (٣) «أ» منحرف. «ب» ملتوٍ (~ ways). «ج» مراوغ؛ مخادع.

devisal [dĭ vī'zəl] *(n.)* مص devise.

devise [dĭ vīz'] *(vt. i.; n.)* (١) «أ» يخترع؛ يستنبط؛ يبتكر (to ~ an engine). «ب» يدبّر (to ~ a plot) (٢) يورِّث (ممتلكات) بوصية §(٣) توريثٌ بوصيّة (٤) وصية؛ أو فقرة من وصية، مشتملةٌ على توريث لممتلكات (٥) هِبة بوصيّة.

—**devisable** *(adj.)* —**deviser** *(n.)*

devisee [dĭ vī zē'] *(n.)* المُوصَى له: المورَّث ممتلكاتٍ بوصية (ق).

devisor [-'zər] *(n.)* المُوصي: المورِّث ممتلكاتٍ بوصية (ق).

devitalize [dē vī'tə līz'] *(vt.)* يَسْلبه الحياة أو الحيوية.

devitrify [dē vĭt'-] *(vt.)* يسلبه بريقَه وشفافيتَه.

devocalize [dē vō'kə līz'] *(vt.)* = devoice.

devoice *(vt.)* يَسْلبه الصفة الصوتيّة؛ يلفظه من غير هزّ للأوتار الصوتية.

devoid [dĭ void'] *(adj.)* خِلْو من؛ مجرَّدٌ من.

devoir [də vwär'] *(n.)* (١) واجب (٢) *pl.* عد: احترام (He paid his ~s to his hostess.) (٣) عمل من أعمال الكياسة أو الاحترام (a birthday ~ to the founder).

devolution [dĕv'ə lōō'-] *(n.)* (١) «أ» الأيلولة: انتقال المِلْكية أو السلطة أو الحق من شخص إلى آخر. «ب» تفويض. «ج» تنازل عن السلطة (تقوم به حكومة مركزية للسلطات المحلية الخ.) (٢) انحطاط (اح)

devolve [dĭ vŏlv'] *(vt.; i.)* (١) ينقل أو يحوِّل (إلى شخص آخر). × (٢) ينتقل أو يؤول إلى (٣) ينحدر (streams *devolving* from the mountains)

Devon [dĕv'ən] *(n.)* الديفونيّ: واحد من سلالة من الماشية منسوبة إلى ديفون بإنكلترة.

Devonian [də vō'-] *(adj.; n.)* (١) ديفونيّ: «أ» منسوب إلى ديفون أو ديفونشاير بإنكلترة. «ب» متعلق بالعصر الديفونيّ (جي) §(٢) الديفونيّ: أحد أبناء ديفونشاير (٣) العصر الديفونيّ (جي).

Devonian period *(n.)* العصر الديفونيّ (جي).

devote [dĭ vōt'] *(vt.)* يكرّس؛ يقِف؛ يخصص؛ ينذُر.

devoted [dĭ vō'-] *(adj.)* (١) مخلص (a ~ friend) (٢) مكرَّس الخ.

devotee [dĕv'ə tē'] *(n.)* (١) «أ» الناذر نفسَه للدين. «ب» المتعصب للدين (٢) التابع أو النصير المتحمِّس.

devotion [dĭ vō'-] *(n.)* (١) «أ» تقوى؛ ورع. «ب» عبادة؛ *pl.*: صلوات (٢) «أ» تكريس. «ب» تكرّس (٣) «أ» حبٌّ شديد. «ب» إخلاص؛ تفانٍ.

devotional *(adj.; n.)* (١) تعبّديّ الخ (the ~ life) §(٢) صلاة قصيرة (يُفتتَح بها اجتماع غير دينيّ).

devour [dĭ vour'] *(vt.)* (١) يلتهم (٢) يفترس (٣) يبيد؛ يبدد (~*ed* his wife's fortune) (٤) يستبدّ به (القلق أو الندم الخ.).

devout [dĭ vout'] *(adj.)* (١) ورِع؛ تقيّ (٢) خاشع: ينمّ عن ورَع (~ prayer) (٣) مخلصٌ، قلبي (~ wishes).

dew [dū] *(n.; vt.)* (١) نَدًى (٢) نداوة؛ طراوة؛ غضارة (in the ~ of his youth) (٣) «أ» دموع. «ب» عرَق الخ. §(٤) يندّي: يرطّب بالندى أو نحوه.

dewan [dĭ wän'] *(n.)* الديوان: موظف هندي؛ وبخاصة رئيس وزراء ولاية هندية.

Dewar flask [dū'ər] *(n.)* إناء ديوار: وعاء زجاجي أو معدنيّ مفرّغ لمنع انتقال الحرارة، يستخدم بخاصة لخزن الغازات المسيَّلة.

Dewar flask

dewberry [dū'-] *(n.)* توت الندى: نوع من العلّيق.

dewclaw [dū'klô'] *(n.)* الزِّمِعَة: برثن في أرجل بعض الكلاب لا وظيفة له ولا يصل إلى الأرض عند المشي.

d. dewclaw

dewdrop [dū'drŏp] *(n.)* (١) قَطْرة ندى. (٢) قَطْر الندى: عشب أبيض الزهر.

Dewey decimal classification *(n.)* تصنيف ديوي العَشري: طريقة خاصة لتصنيف الكتب في المكتبات العامة وفقاً لموضوعاتها.

dewfall *(n.)* (١) سقوط الندى (٢) وقت سقوط الندى.

dewlap [dū'-] *(n)* الغَبَب؛ اللُّغْد: لحمٌ متدلٍّ تحت رقبة البقرة والكلب الخ. وأيضاً فوق حنجرة الانسان.

dew point *(n.)* نقطة الندى: الحرارة التي عندها يبدأ البُخار في التكاثف

dew worm *(n.)* دودة الندى: دودة أرض تصلح طُعماً للأسماك

dewy [dū'ĭ] *(adj.)* (١) نَديّ (a ~ lawn) (٢) «أ» شبيهٌ بالندى «من حيث الرطوبة أو الطهارة» (~ tears; a ~ maiden). «ب» منعش أو هابط برفقٍ كالندى (~ sleep).

dewy-eyed *(adj.)* سريع التصديق بسذاجة؛ بريء براءة الأطفال.

dexter [dĕk'stər] *(adj.)* أيمن: قائم في ناحية اليمين.

dexterity [dĕks tĕr'-] *(n.)* حِذْق؛ براعة (يدوية أو عقلية).

dexterous [dĕks'trəs; -tər əs] *(adj.)* (١) حاذق؛ بارع (يدوياً أو عقلياً) (٢) متقَن؛ بارع (a ~ résumé of the play).

dextr- *or* **dextro-** بادئة معناها: (١) أيمن أو نحو اليمين. (٢) dextrorotatory.

dextral [dĕks'-] *(adj)*. أيمن: «أ» قائم إلى ناحية اليمين. «ب» عامل بيمينه (ضدّ أعْسَر).

dextrin *also* **dextrine** [děks'trĭn] *(n.)* الدِّكسترين : مادة صمغية تُستخرَج من النّشا .

dextro [-'trō] *(adj.)* = dextrorotatory.

dextro- = dextr-.

dextro-glucose *(n.)* = dextrose.

dextrogyrate [-trō jī'rĭt; -rāt] *(adj.)* = dextrorotatory.

dextrorotatory [-trō rō'-] *(adj.)* (١) مُيامِن : دائرٌ نحوَ اليمين . (٢) مُيمِن : مسبِّبٌ الدوران نحو اليمين («بص» و «ك») .

dextrorse; dextrorsal *(adj.)* مرتفع لولبياً من اليسار إلى اليمين .

dextrose [děks'trōs] *(n.)* الدِّكستروز : سكّر العنب (ك) .

dextrous [děks'trəs] *(adj.)* = dexterous.

dey [dā] *(n.)* الدّاي : لقبٌ سابق لحكام الجزائر وتونس وطرابلس الغرب .

dharma [där'mə] *(n.)* الدّارما (في الهندوسية والبوذية) : «أ» صفة جوهرية . «ب» القانون ؛ وبخاصة الشريعة الدينية أو العمل وفقاً لأحكامها . «ج» الفضيلة . «د» الدين .

dhole [dōl] *(n.)* الدَّوْل : كلبٌ هندي ضارٍ .

dhoti [dō'tĭ] *or* **dhooti** [dōō'tĭ] *(n.)* الدُّوطِيّ : مئزر للرجال في الهند أو القماشُ الذي يصنَع منه .

dhow [dou] *(n.)* الدَّهْو : مركبٌ شراعي مألوف في شواطىء الجزيرة العربية وشرقيّ افريقيا .

dhow

di- بادئة معناها : مضاعَف ؛ ثنائيّ (*di*polar) .

diabase [dī'ə bās'] *(n.)* الدّيابيز : صخر بركانيّ .

diabetes [dī'ə bē'tĭs] *(n.)* الديابيتس : داء البول السكّريّ .

diabetic [-bět'ĭk] *(adj.; n.)* (١) ديابيتيّ : ذو علاقة بداء البول السكري (٢) مصابٌ بالديابيتس §(٣) شخصٌ مصاب بالديابيتس .

diabetologist *(n.)* العالِم بالديابيتس .

diablerie; diablery [dĭ ä'blə rĭ] *(n.)* (١) سِحر ؛ عِرافة . (٢) عالَم الشياطين .

diabolic [dī'ə bŏl'ĭk] *or* **diabolical** *(adj.)* (١) شيطانيّ . (٢) وحشيّ أو شرير جداً .

diabolism [dī ăb'-] *(n.)* (١) عمل أو سلوك شيطانيّ (٢) الإيمان بالشياطين أو عبادتها (٣) سِحر ؛ شعوذة .

diabolize [dī ăb'-] *(vt.)* (١) يجعله شيطانياً ؛ يُخضِعهُ للمؤثرات الشيطانية (٢) يصوِّره وكأنّه موغِل في القسوة أو الوحشيّة .

diabolo *(n.)* لعبة الشيطان .

diabolo

diaconal [dī ăk'-] *(adj.)* شمّاسيّ : ذو علاقة بشمّاس كنيسة .

diaconate [-'ə nĭt; -nāt'] *(n.)* (١) الشِّماسة : وظيفة الشمّاس أو مدتها (٢) جماعة من الشمامسة .

diacritic [dī'ə krĭt'ĭk] *or* **diacritical** [-'ə kəl] *(adj.)* (١) مميز (the ~ elements in culture) (٢) قادر على التمييز .

diacritic *(n.)* العلامة الصوتية المميِّزة (توضعُ فوق الحرف أو تحته) .

diadelphous [dī'ə děl'-] *(adj.)* صفة للأسْدية إذا اجتمعت في حزمتَين (نب) .

diadem [dī'ə děm'] *(n.)* (١) تاج ؛ وبخاصة : اكليلٌ من قماش مرصّع بالجواهر أحياناً ، كان يرتديه الملوك الشرقيون (٢) سلطة ملكية .

diaeresis [dī ěr'-] *(n.)* pl. **-ses** علامة (..) توضع على الحرف الثاني من حرفَيْ علّة إشارةً إلى أنه يُلفَظ كمقطع مستقل (مثلاً : *naïve*) .

diagnose [dī'əg nōs'; -nōz'] *(vt.; i.)* يُشخِّص (حالةً أو داءً) .

diagnosis [dī əg nō'sĭs] *(n.)* (١) «أ» التشخيص : تشخيص الداء (ط) (٢) تحليل .

diagnostic *(adj.; n.)* (١) تشخيصيّ (ط) §(٢) *pl.* عد : «أ» تشخيص (ط) . «ب» فن تشخيص الأمراض (٣) علامة مميزة .

diagnostician [-nŏs tĭsh'ən] *(n.)* الخبير بتشخيص الأمراض .

diagonal [dī ăg'ə nəl] *(adj.; n.)* (١) قُطْريّ (ر) (٢) مائل ؛ منحرف §(٣) «أ» خطّ قُطْريّ (ر) . «ب» سطحٌ قُطْريّ (ر) (٤) الفاصلة المائلة : علامة (/) تستخدم للفصل بين أجزاء العملة (مثل 2/6 أي شلنَيْن وستة بنسات) أو للدلالة على معنى « في » (مثل feet/second) . **—diagonally** *(adv.)*

a. diagonal 3 a.

diagram [dī'ə grăm'] *(n.; vt.)* (١) رسم بيانيّ أو تخطيطيّ . §(٢) يمثّل برسم بيانيّ .

diagrammatic *also* **diagrammatical** *(adj.)* بيانيّ ؛ تخطيطيّ .

dial [dī'əl] *(n.; vt.)* (١) المِزْوَلة ؛ الساعة الشمسية (٢) المدرَّجة ؛ القُرص المُدرَّج : صفيحة مدرَّجة (مقسّمة إلى درجات) على وجه الساعة وغيرها (٣) قُرْص الراديو أو التلفون الأوتوماتيكي (٤) الوجه البشري (ع) §(٥) يدير إبرة الراديو للاستماع إلى برنامج ما (~your favorite program.) (٦) يتلفن : يدير قرص التلفون « للاتصال برقم معين » (~ the newspaper office.) .

dialect [dī'ə lěkt'] *(n.)* (١) لهجة ؛ لغة محليّة (٢) لغة متفرعة من لغة أمّ (كالفرنسية والإيطالية والاسبانية والبرتغالية المتفرعة من اللغة اللاتينية) (٣) عاميّة خاصة بأهل صناعة أو طبقة اجتماعية ما .

dialectal *(adj.)* لَهْجِيّ الخ : ذو علاقة بلهجة أو مميِّزٌ لها .

dialect atlas *(n.)* = linguistic atlas.

dialect geography *(n.)* = linguistic geography.

dialectic [dī'ə lěk'tĭk] *(n.)* (١) الجدَل : المناقشة بطريقة الحوار . (٢) المنطق أو فرع منه (٣) الديالكتيك : الجدَليّة الهيغلية .

dialectical *also* **dialectic** *(adj.)* (١) «أ» جدَليّ . «ب» ديالكتيكي (٢) dialectal.

dialectical materialism *(n.)* الماديّة الجدليّة : نظرية تُعْتَبَر الأساس الفلسفي للماركسية ، وهي تقول بأن المجتمع البشري يتطوّر بسلسلة من التناقضات ، فالمجتمع الرأسمالي مثلاً يُحدِث نقيضته antithesis ، البروليتاريا ، فتُفضي هذه بدورها إلى تقويضه .

dialectician [-tĭsh'ən] *(n.)* (١) الجدَليّ ؛ العالِم بالمنطق والمنطق أو أصوله . (٢) العالِم باللهجات .

dialectics [dī ə lěk'tĭks] *(n.)* المنطق أو أصوله .

dialectology *(n.)* دراسة اللهجات .

dialogic *(adj.)* حِواري : منسوبٌ إلى الحوار أو متّسِمٌ به .

dialogist *(n.)* (١) المُحاوِر : المشارك في حوار (٢) كاتب الحوار .

dialogue *or* **dialog** [dī'ə lôg'] *(n.; vi.; t.)* (١) «أ» محاورة (بين شخصين أو أكثر) . «ب» تبادل آراء وأفكار (٢) حوارٌ روائيّ أو مسرحيّ (٣) أثرٌ أدبيّ مُفرَغٌ في أسلوب حِواريّ §(٤) يحاور : يشترك في حوار ×(٥) يُفرِغ أو يصوغ في أسلوب حواري .

dial tone *(n.)* اشارة اللاإنشغال : اشارة صوتية متصلة يطلقها جهاز تلفون آليّ كدليل على أن الخطّ غير مشغول .

dialysis [dī ăl'ə sĭs] *(n.)* الدِّيَلْزة ؛ المَيْز الغشائيّ : فصل المواد شبه الغروية عن المواد الأخرى القابلة للذوبان وذلك باستخدام غشاء فارز .

dialytic [dī'ə lĭt'ĭk] *(adj.)* دِيَلْزِيّ (را dialysis) .

dialyze [dī'-] *(vt.; i.)* (١) يُدَيْلِز × (٢) يتدَيْلَز .

ă at; ā date; â care; ä car; ĕ egg; ē me; ĭ in; ī bite; ŏ lot; ō bone; ô orphan; oi boil ŏŏ good; ōō boot; ou out; ŭ under; ū unity; û urgent; th thing; t͟h this; zh vision; ə = *a* in alone, *e* in system, *i* in easily, *o* in gallop, *u* in circus.

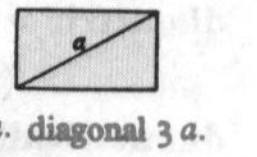

diamagnet *or* **diamagnetic** [dī-] *(n.)* : المادة الدايا مغنطيسية : مادة ضعيفة الإنفاذية المغنطيسية .
diamagnetic *(adj.)* دايامغنطيسي : ضعيف الإنفاذية المغنطيسية .
diamagnetism *(n.)* الدايامغنطيسية : ضَعْفُ الانفاذية المغنطيسية .
diameter [dī ăm'ə tər] *(n.)* (١) القُطْر : قُطْر الدائرة (ر) . (٢) «أ» قُطْر أيّ شكل أو جسم . «ب» ثخانة .
diametral [dī ăm'-] *(adj.)* قُطْريّ : منسوب إلى قُطْر الدائرة (ر) .
diametric *or* **diametrical** *(adj.)* (١) قُطْري (٢) مباشر ؛ مطلق ؛ مضادّ تماماً (in ~ contradiction to his claims).
diametrically *(adv.)* تماماً ؛ بكل ما في الكلمة من معنى .
diamine [dī'ə mēn] *(n.)* الدّيامِين : مركّب مشتمل على مجموعتين أمينيتَيْن (ك) .
diamond [dī'mənd] *(n.; adj.; vt.)* (١) «أ» ماس ؛ ألماس . «ب» ماسة ؛ ألماسة (٢) ماسة لقطع الزجاج (٣) المعيَّن : شكل مسطّح متساوي الأضلاع الأربعة المُستقيمة المُحيطة بِهِ غَيرُ قائِم الزوايا (هن) (٤) الديناريّ (في ورق اللعب) (٥) الحرف الماسيّ : حرف مطبعيّ صغير جداً (٤١/٢ بنط) § (٦) ماسيّ (٧) مرصّع بالماس (٨) منحرف الشكل § (٩) يرصّع بالماس.

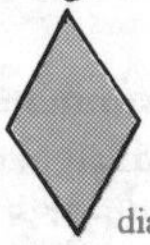

diamond 3.

a rough ~. الماسة الخام : شخص فظّ ولكنه طيب القلب.
~ cut ~. لا يفل الحديد إلا الحديد.
diamondback *also* **diamond-backed** *(adj.)* مُعَيَّن الظهر : على ظهره أشكال شبيهة بالمعيّن (را diamond 3).
diamondback *(n.)* مُعَيَّنة الظهر : حيّة أميركية كبيرة سامة.
diamondback terrapin *(n.)* سُلَحفاة مُعَيَّنة الظهر .
diamond edition *(n.)* الطبعة الماسيّة : طبعة من كتاب بأحرف صغيرة جداً .
diamondiferous *(adj.)* مُنْتِج ماساً (earth ~).
diamond jubilee *(n.)* اليوبيل الماسي : ذكرى انقضاء ٦٠ أو ٧٥ سنة على حَدَثٍ ما .
diamond wedding *(n.)* ذكرى انقضاء ٦٠ أو ٧٥ سنة على زواج .
Diana [dī ăn'ə] *(n.)* (١) ديانا : إلاهة القمر والحيوانات الضارية والصيد في الميثولوجيا الرومانية (٢) «أ» امرأة مولعة بالصيد . «ب» امرأة تجيد ركوب الخيل (٣) القمر .
diandrous [dī ăn'drəs] *(adj.)* مُزْدَوج السَّداة (نب) .
dianthus [dī ăn'thəs] *(n.)* القَرَنفل (نب) .
diapason [dī'ə pā'zən; -sən] *(n.)* (١) التناغم : توافق الانغام (مو) . (٢) مِعيار النغم (مج) .
diaper [dī'ə pər] *(n.; vt.)* (١) «أ» الدّيابَر : نسيج حريري أو كتاني مضلّع أو مشجّر . «ب» رسم مضلّع أو مشجّر . (٢) منشفة أو منديل من الدّيابر (٣) «حِفاض» الطفل § (٤) يزيّن برسوم مضلعة أو مشجرة (٥) «يحفّض» طفلاً أو يغيّر حِفاض طفل .
diaphaneity [dī'ə fə nē'ə tĭ] *(n.)* شَفافِيَة .
diaphanous [dī ăf'ə nəs] *(adj.)* شَفّاف .
diaphoresis [dī'ə fə rē'sĭs] *(n.)* العَرَق ؛ وبخاصة : التعرّق : عرق غزير يُستَدَر صُنْعياً (ط) .
diaphoretic *(adj.; n.)* (١) مُعَرِّق § (٢) دواء مُعرِّق .
diaphragm [dī'ə frăm'] *(n.; vt.)* (١) الحجاب الحاجز (ت) . (٢) غشاء ؛ رِقّ ؛ مثل : «أ» صفيحة ذات مسام تفصل بين سائلين . كما في البطارية الكَلْفانية . «ج» طبلة التلفون : غشاء أو قرص متذبذب يكون في سمّاعة التلفون § (٣) يزوّد بغشاء أو رِقّ .
diaphragmatic respiration *(n.)* التنفس البطني : التنفس من طريق حركات الحجاب الحاجز في المقام الأول .
diaphragm pump *(n.)* مِضَخّة ذات رِقّ .
diaphysis [dī ăf'ə sĭs] *(n.)* pl. **-ses** جسم العظم (ت) .
diarchy [dī'är kĭ] *(n.)* = dyarchy.
diarist [dī'ə rĭst] *(n.)* كاتب اليوميات : من يدوّن خبراته وملاحظاته في يوميات .
diarrhea *or* **diarrhoea** [dī'ə rē'ə] *(n.)* الإسهال (ط) .
diarrheal *or* **diarrheic** *also* **diarrhetic** *(adj.)* إسهاليّ .
diarthrosis [dī'är thrō'sĭs] *(n.)* pl. **-ses** المَفْصِل السَّلِس (ت) .
diary [dī'ə rĭ] *(n.)* (١) اليوميات : ملاحظاتٌ وخبرات يدوّنها الكاتب يوماً فيوماً (٢) دفتر لتدوين اليوميات .
Diaspora *(n.)* (١) الدّيسبورة : اليهود المشتّتون في ارجاء العالم بعد الأسر البابلي (٢) الشتات ؛ حالة التشتت أو مواطنه .
diaspore [dī'ə spōr'] *(n.)* الدّياسبور : هيدروكسيد الألومينيوم (مع) .
diastase [dī'ə stās'] *(n.)* الدّياستاز : خميرة تحوّل النشا إلى سكّر (كح) .
diastatic *(adj.)* دياستازيّ ؛ وبخاصة : محوّل النشا إلى سكر (كح) .
diaster [dī ăs'tər] *(n.)* التقطّب : طور في الانقسام الخلوي غير المباشر تتجمّع فيه الصبغيات (بعد انقسامها وافتراقها) وتتقطب استعداداً لتكوين نَوَيات جديدة (اح) .
diastral *(adj.)* تَقَطُّبي : منسوب إلى التقطب (اح) .
diastole [dī ăs'tə lē'] *(n.)* (١) انبساط القلب أو تمدّده (فس). (٢) المدّ : إطالة مقطع قصير في الأصل (ل) .
diastrophic *(adj.)* تشوهيّ (را diastrophism) .
diastrophism [dī ăs'-] *(n.)* التشوهية : عملية التشويه التي تغيّر شكل قشرة الأرض مُحْدِثةً القارات والجبال الخ . (جي) .
diathermancy [dī'ə thûr'-] *(n.)* المُنْفِذية للاشعاع الحراري (ط) .
diathermanous [-'mə nəs] *(adj.)* مُنْفِذ للاشعاع الحراري (فز) .
diathermy [dī'ə-] *(n.)* العلاج بالإنفاذ الحراري : إحداث الحرارة (بواسطة تيارات كهربائية) في أنسجة الجسم لأغراض طبيّة .
diathesis [dī ăth'ə sĭs] *(n.)* النَّحِيزة (مج) ؛ الاستهداف ؛ التأهب : حالة في بنية الجسم تهيّئه للإصابة بمرض ما .
diathetic *(adj.)* نَحِيزيّ ؛ استهدافيّ ؛ تأهّبيّ (مض).
diatom [dī'ə təm] *(n.)* الدّياتوم : طحلب نهري أو بحري مِجهَريّ احاديّ الخليّة جدرانهُ مُشبَعة بالسّليكا .
diatomaceous [dī'ə tə mā'shəs] *(adj.)* دياتوميّ : مؤلّف من (أو محتوٍ على) دياتوم أو بقاياه المتحجرة .
diatomic [dī'ə tŏm'ĭk] *(adj.)* ثُنائيّ الذرة : ذو ذرتين في الجزيء (ك) .
diatonic scale [dī'ə tŏn'ĭk] *(n.)* السّلّم القَويّ أو الدياتونيّ (مو) .
diatribe [dī'ə trīb'] *(n.)* (١) خُطبة لاذعة (٢) نقد ساخر عنيف .
diatropism [dī ăt'-] *(n.)* الانتحاء المستعرِض : نزعة عند بعض أعضاء النبات إلى اتخاذ وضع مستعرِض بالنسبة للمؤثر الخارجي (نب) .
diazine [dī'ə zēn'] *(n.)* الدّيازين : مركّب كيميائي (ك) .
dib [dĭb] *(vi.)* يصيد السمك بترك الطعم يغطس في الماء برفق.
dibasic [dī bā'sĭk] *(adj.)* ثنائيّ القاعدة (ك) .
dibber [dĭb'ər] *(n.)* = dibble.
dibble [dĭb'əl] *(n.; vt.; i.)* (١) المِحفار : أداة مستدقّة الطرف تُحفَر بها الأرض لغرس البذور والنباتات الصغيرة § (٢) ينقب الأرض بمحفار (٣) يزرع مستعيناً بمحفار × (٤) **dib**.
dibranchiate [dī brăng'kĭ ĭt] *(n.; adj.)* (١) الثنائيّ الخيشوم :

حيوان من ثنائيات الخيشوم **Dibranchia** وهي رتبة من الرَّخويات الرأسيات الأرجل (ح) §(٢) ثنائيّ الخيشوم .

dibs *(n. pl.)* (١) نقود ؛ دراهم (ع) (٢) ادعاء ؛ حقوق (ع).

dicast [dī'kăst] *(n.)* قاضٍ (في أثينا القديمة) .

dice [dīs] *(n.; vt.; i.)* (١) النَّرْد : زهرُ الطاولة (٢) لعبة النَّرد. §(٣) «أ» يقطِّع إلى مكعّبات صغيرة . «ب» يزيّن بأشكال مربّعة (~*d* leather) (٤) «أ» يورِّط (نفسَهُ بكذا) بلعب النرد (~*d* himself into debt) . «ب» يخسر بلعب النرد ×(٥) يلعب بالنرد : يقامر . —**dicer** *(n.)*

no ~, لا طائل تحته ؛ غير ذي جدوى .

dicentra[dī sĕn'trə]*(n.)* المِهمازية ؛ ذاتُ المهامزين : عشبة مزهرة.

dicephalous [dī sĕf'ə ləs] *(adj.)* ثُنائيّ الرأس ؛ مزدوج الرأس .

dichasial [dī kā'-] *(adj.)* ثُنائي الشعبة (نب) .

dichlamydeous *(adj.)* سائبة البتلات ؛ منفصلة التُّويجات (نب).

dichotomize [dī kŏt'ə mīz'] *(vt.; i.)* (١) يقسم إلى قسمين أو طبقتين أو مجموعتين ×(٢) يتفرع تفرعاً ثنائيّ الشُّعَب (نب) .

dichotomous [-'ə məs] *(adj.)* (١) منقسم (أو قاسم) إلى قسمين (٢) متفرّع ثنائياً : متفرع تفرّعاً ثنائيّ الشُّعَب (نب) .

dichotomy [-'ə mĭ] *(n.)* (١) انقسام إلى قسمين أو طبقتين أو مجموعتين (٢) تفرّع ثنائيّ الشُّعَب (نب) .

dichotomy 2.

dichroic [dī krō'ĭk] *(adj.)* (١) تِلْواني (را. المادة التالية)(٢) ثِنْلَوْنيّ : ثنائيّ اللون .

dichroism [dī'krō-] *(n.)* (١) التِّلْوانية : خاصيّة في بعض البلّورات تجعلها تتكشّف عن ألوان مختلفة حين يُنْظَر إليها من جهات مختلفة (٢) الثِّنْلونية : ثنائية اللوْن .

dichromat *(n.)* الأعمى الثِّنْلَوْنيّ : شخص مصاب بالعمى الثِّنلونيّ.

dichromate [dī krō'māt] *(n.)* = bichromate.

dichromatic [dī krō măt'ĭk] *(adj.)* (١) ثِنْلَوْنيّ ؛ ثنائيّ اللون (٢) متعلق بالعَمَى الثِّنْلَوْنيّ أو مصاب به .

dichromatism[-' mə tĭz'əm]*(n.)* (١) الثِّنْلَوْنية ؛ ثنائية اللون : كون الشيء ذا لونين أو متكشفاً عن لونين (٢) العمى الثِّنلونيّ : عمىً جزئيّ لا يرى المصاب به غير اثنين من الألوان الرئيسية .

dichroscope[dī 'krə skōp] *(n.)* مقياس التِّلْوانية : مقياسٌ لتِلوانية (را . dichroism) البلورات.

dick [dĭk] *(n.)* (١) شخص ؛ فتىً (بر) (٢) بوليس سري (ع) .

dickcissel [dĭk sĭs'əl] *(n.)* الدُّرَّسة الأميركية : عصفور أسود الحنجرة من عصافير أميركة الوسطى .

dickens [dĭk'inz] *(n.)* الشيطان

The ~! يا للشيطان !

Dickensian [dĭ kĕn'zĭ ən] *(adj.)* دِيكنزيّ : منسوب إلى تشارلز ديكنز ، الروائي الانكليزي ، أو آثارِه .

dicker [dĭk'ər] *(n.; vi.; t.)* (١) «أ» عشَرة . «ب» اثناعشر ؛ دزينة (٢) «أ» مقايضة . «ب» مساومة §(٣) «أ» يقايض. «ب» يساوم.

dickey *or* **dicky** [dĭk'ĭ] *(n.)* (١) «أ» شبه صدرة (للرجال) . «ب» «صدرية» للطفل (توضع تحت ذقنه عادةً) . «ج» قبّة قميص (٢) طائر صغير (٣) «أ» مقعد الحوذي (بر) «ب» المقعد الخلفي (في عربة أو سيارة) .

Dick test *(n.)* اختبار «دِكّ» : اختبارٌ لمعرفة مناعة الجسم ضدّ الحمّى القرمزية (ط) .

diclinous[dī'klə nəs]*(adj.)* منفصل الجنس : ذو أسْدِيةٍ ومِدقّات في زهرتين منفصلتين (نب) .

dicot [dī'kŏt] *also* **dicotyl** *(n.)* = dicotyledon.

dicotyledon [dī kŏt'ə lē'dən] *(n.)* نبات ذو فلقتين .

dicotyledonous [-'dən əs] *(adj.)* ذو فلقتين (نب) .

dicrotic [dī krŏt'ĭk] *(adj.)* ذو ضربتَيْن(a ~ pulse).

dicta [dĭk'tə] *pl. of* dictum.

Dictaphone[dĭk'tə fōn']*(n.)* المِملاة ؛ الدِّكتافون : أداة فونوغرافية تسجِّل ما يُمْلَى عليها من كلام بحيث يكون في الامكان سماعه بعد ذلك وتدوينه على الورق (يستعملها رجال الأعمال بخاصة).

dictate[*v.*dĭk'tāt, -tāt'; *n.* dĭk'tāt]*(vi.; t.; n.)* (١) «أ» يُمْلي. (٢) يأمر ؛ يملي أوامرَه بصورة تنمّ عن السلطة ×(٣) يملي (كلاماً) على شخص أو آلة §(٤) أمرٌ ؛ كل ما يُمْلَى.

dictating machine *(n.)* = Dictaphone.

dictation [dĭk tā'-] *(n.)* (١) «أ» إصدار الأوامر (بصورة تنمّ عن سلطة أو نفوذ) . «ب» أمرٌ جازمٌ (٢) «أ» الإمْلاء . «ب» المُمْلَى ؛ الكلام المُمْلَى.

dictator[dĭk'tā tər]*(n.)* (١) الديكتاتور ؛ الحاكم المطلق (٢) المُمْلي.

dictatorial [-tōr'-]*(adj.)* (١) ديكتاتوريّ (٢) استبداديّ .

dictatorship *(n.)* الديكتاتورية : «أ» منصب الديكتاتور . «ب» الحكم المطلق. «ج» حكومة أو دولة على رأسها حاكمٌ مطلق.

dictatorship of the proletariat : ديكتاتورية البروليتاريا : استيلاءُ البروليتاريا على السلطة السياسية المُعْتَبَر في الماركسية تمهيداً أساسياً لإقامة الدولة اللاطبقية .

diction[dĭk'shən]*(n.)* (١) أسلوب ؛ بيان (good ~)(٢) «أ» إلقاء (في الخطابة) . «ب» أداء (في الغناء) .

dictionary [dĭk'shə nĕr'ĭ] *(n.)* مُعْجَم ؛ قاموس .

Dictograph [dĭk'-] *(n.)* المِسْراق ؛ الدكتوغراف : أداة تلفونية تستخدم لاستراق السمع لأحاديث الآخرين أو للحصول على تسجيل لها.

dictum [dĭk'təm] *(n.)* pl. **-ta** *also* **-tums** (١) قول فَصْل ؛ رأيٌ فَصْل (٢) قولٌ مأثور ؛ مَثَلٌ (٣) رأي عابر أو غير مُلزِم (يُبديه القاضي في مسألة غير ذات اثر أساسي في تكوين حكمه النهائي في القضية) .

did [dĭd] *past of* do.

didactic [dī dăk'tĭk] *(adj.)* (١) تعليميّ : مُعَدّ للتعليم ؛ مقصودٌ به التعليم لا الفنّ الخالص (poetry ~)(٢) مواعظيّ : نزّاع إلى الاسراف في إلقاء المواعظ على الآخرين (a ~ old lady).

didactics [dī dăk'-] *(n.)* فن (أو علم) التعليم .

didactyl; didactylous *(adj.)* ذو إصبعين أو برثنين (ح) .

didapper [dī'dăp'ər] *(n.)* = dabchick.

diddle [dĭd'əl] *(vi.; t.)* (١) يتحرك بارتجاج (عالياً ونازلاً أو إلى أمام وإلى وراء) (٢) يمشي مضطرباً (كما يمشي الطفل) ×(٣) يُضيع (الوقتَ) سدىً (٤) يخدع ؛ يغش . —**diddler** *(n.)*

didelphic *(adj.)* (١) ثُنائي الرَّحِم (٢) ذو علاقة برحم مزدوج .

didn't [dĭd'nt] = did not.

dido [dī'dō] *(n.)* (١) عمل أحمق (ع) (٢) مَزْحة ؛ حيلة (ع) .

didymium [dī dĭm'ĭ əm; dĭ-] *(n.)* الدِّيديميوم (ك).

didymous [dĭd'ə məs] *(adj.)* توأمي (نب) .

didynamous *(adj.)* مختلفةُ الزوجين ؛ مختلفةُ زَوْجَيِ الأسْدِية : صفة للزهرة التي لها أربع أسْدِيةٍ اثنتان منها أطول من الأُخْرَيَين (نب).

die [dī] *(vi.; t.)* (١) يموت (٢) يخمد (wind ~*d* down). (٣) يموت موتاً روحياً ؛ يصبح ملعوناً (٤) يتحرَّق شوقاً (٥) «أ» يصبح

لا مباليًا بِ؛ (to ~ to worldly things) «ب» يصبح أقلّ تعرّضاً لِ (to ~ to all sin) (٦) يتوقف «عن العمل» (The motor ~d.) ×(٧) يَصْنَع أو يشكّل بلقمة لولبة (مك).

Never say ~, لا تستسلم ! إحتفظ بشجاعتك !

to ~ away يضمحلّ ؛ يزول .

to ~ hard يموت أو يستسلم بعد نضال مرير .

to ~ game يموت وهو يقاتل ببسالة .

to ~ in harness يقضي نحبه وهو لا يزال يعمل .

to ~ in one's bed يموتُ حَتْفَ أنفه : يموت على فراشه من غير ضرب أو قتل .

to ~ in one's boots *or* shoes / to ~ with one's shoes on } يموت نتيجةَ حادث عنفٍ أو بطريقة غير طبيعية.

to ~ off تموت البراعم (الخ.) واحداً بعد آخر .

to ~ out ينقرض .

die [dī] *(n.)* pl. **dice** *or* **dies** (١) النَّرد؛ «زهر الطاولة». (٢) *pl.* عد: جسم مكعّب صغير (to cut potatoes into *dice*) (٣) حظّ؛ نصيب (٤) قالب (لسكّ العملة أو المداليات أو لدمغ الورق الخ.) (٥) لُقمة اللولبة (مك).

The ~ is cast. سبَقَ السيف العذَل .

diecious [dī ē'shəs] *(adj.)* = dioecious.

diehard [dī'härd'] *(n.)* المقاوم بعِناد، وبخاصة: سياسيّ محافظ متطرّف يقاوم حتى النهاية أيَّ تغيير في النظام السياسي .

die-hard [dī'-] *(adj.)* عنيد (~conservatives).

dieldrin *(n.)* الدِيلْدرين: مركّب متبلّر أبْيَض مُبيد للحشرات.

dielectric [dī'ĭ lĕk'-] *(n.; adj.)* (١) العازل الكهربائي (كب). §(٢) عازل؛ غير موصّل (كب).

diencephalon [dī'ĕn sĕf'ə lŏn'] *(n.)* الدماغ المتوسط: الجزء الخلفي من مقدَّم المخّ (ت).

dieresis [dī ĕr'ə sĭs] *(n.)* = diaeresis.

diesel [dē'zəl] *(n.)* الدِّيزِل: شاحنة أو قاطرة الخ. بمحرّك ديزل.

diesel engine *(n.)* محرّك دِيزِل .

dieselize *(vt.)* يُدَيْزِل: يزوّد بمحرّك ديزل .

diesinker [dī'-] *(n.)* حفّار القوالب (را. die 4).

Dies Irae [dī'ēz ī'rē] *(n.)* يوم الغَضَب: ترنيمة لاتينية تصوّر يوم الحساب وتُنشَد في القدّاس المقام عن روح الميت (نص).

diesis [dī'ə sĭs] *(n.)* pl. **-ses** = double dagger.

diestock [dī'-] *(n.)* كِفّة لُقَم اللولبة (مك).

diestock

diet [dī'ət] *(n.; vt.; i.)* (١) غِذاء (٢) حِمْيَة (٣) الدايت: مجلس تشريعي §(٤) يُطعِم (٥) يَحْمي: يغذي وفقاً لنظام حِمية معيّن ×(٦) ينحمي: يلتزم نظام حمية ما .

dietary [dī'ə tĕr'ĭ] *(adj.; n.)* (١) حِمْيِيّ: ذو علاقة بالحِمْية. §(٢) نظام حِمْية معيّن (٣) جِراية .

dietetic [dī'ə tĕt'ĭk] *(adj.)* (١) غذائيّ (٢) حِمْيِيّ .

dietetics [-'ĭks] *(n.)* الغذائيات: علم تطبيق مبادىء التغذية الصحيحة في إعداد الطعام للأفراد والجماعات .

dietitian *or* **dietician** [dī'ə tĭsh'ən] *(n.)* العالِم بالغذائيات

differ [dĭf'ər] *(vi.)* (١) يختلف (٢) يختلف معه (في الرأي الخ.).

difference [dĭf'ər əns] *(n.; vt.)* (١) اختلاف (٢) فارق؛ فَرْق. (٣) صفة مميّزة (٤) تمييز (The law should make no ~ between the rich and the poor.) (٥) خلاف؛ نزاع §(٦) يُميّز.

different [dĭf'ər ənt] *(adj.)* (١) مختلف (٢) «أ» عِدّة. «ب» آخَر (٣) غير اعتيادي (tried a ~ book) (advertising that strives continually to be ~)

differentia [-ə rĕn'shĭ ə] *(n.)* pl. **-tiae** الصفة المميّزة (مق).

differential [-ə rĕn'shəl] *(adj.; n.)* (١) تخالفيّ؛ تبايني؛ تفاوتيّ (٢) مميّز؛ فارق (٣) تفاضليّ («فز» و «ر») §(٤) التفاضل (ر) (٥) الترس التفاضليّ (مك).

differential 5.

differential calculus *(n.)* حساب التفاضل.

differential coefficient *(n.)* المُعامِل التفاضليّ (ر).

differential diagnosis *(n.)* التشخيص بالتفريق (ط).

differential duties *(n. pl.)* الرسوم الجمركية التفاضلية (تج).

differential equation *(n.)* المعادلة التفاضلية (ر).

differential gear *(n.)* الترس التفاضلي (مك).

differential motion *(n.)* الحركة التفاضلية أو الفَرْقية (مك).

differential rate *(n.)* الرسم التفاضليّ (على النقل).

differential screw *(n.)* اللولب التفاضليّ أو الفَرْقيّ (مك).

differentiate [dĭf'ə rĕn'shĭ āt'] *(vt.; i.)* (١) يوجد التفاضل (ر) (٢) يميّز (Reason ~s man from the lower animals.) (٣) يفرّق أو يميّز بين (A botanist can ~ varieties of plants.) (٤) يخلّق: يجعله مختلفاً أو متميّزاً من حيث الشكل أو الوظائف (أح) ×(٥) يتخالف؛ يصبح مختلفاً (Do English as spoken in England and English as spoken in the U.S.A. ~ more as the years pass?) (٦) يتخلّق: يصبح مختلفاً أو متميّزاً من حيث الشكل أو الوظائف (أح).

differentiation *(n.)* (١) المفاضلة: التفاضل (ر) (٢) جَعْل الشيء (أو صيرورتُه) مختلفاً (٣) تمييز؛ تفريق (٤) «أ» التخليق (أح) «ب» التخلُّق (أح).

difficile [dĭf'ə sēl'] *(adj.)* (١) عنيد (٢) يصعب إرضاؤه.

difficult [dĭf'ə kŭlt] *(adj.)* (١) صعب؛ عسير (٢) عويص. (٣) صعب إرضاؤه أو إقناعه أو التعامل معه.

difficulty [-kŭl'tĭ] *(n.)* (١) صعوبة؛ عُسْر (٢) عقبة؛ عائق؛ شيء يصعب التغلب عليه (٣) تردّد أو اعتراض (He made no ~ in granting the request.) (٤) «أ» ضيق؛ حَرَج؛ بلاء «ب» *pl.* عد: عُسْر ماليّ (in days of ~ and pressure) (He's always in *difficulties*.)

diffidence [dĭf'ə dəns] *(n.)* (١) حياء (٢) عدم ثقة المرء بنفسه.

diffident [-'ə dənt] *(adj.)* (١) حييّ (٢) غير واثق من نفسه.

diffract [dĭ frăkt'] *(vt.)* يحيّد (الضوء).

diffraction [dĭ frăk'shən] *(n.)* الحُيود: انحراف الضوء انحرافاً ضئيلاً عند مروره بحافةٍ حادة أو حول جسم بالغ الصِّغَر أو خلال ثقب ضيّق (ض).

diffraction grating *(n.)* مُحزَّزة الحُيود: أداة تستخدم للحصول على الأطياف، استناداً الى ظاهرة الحيود، وتُتخذ من لوح زجاجي أو معدني مصقول تُحزّ على مُسطَّحه خطوط مستقيمة متوازية (ض).

diffractive [-'tĭv] *(adj.)* حُيوديّ: متعلق بالحُيود (ض).

diffuse [*v.* dĭ fūz'; *adj.* dĭ fūs'] *(vt.; i.; adj.)* (١) يصبّ؛ يريق (٢) يَنشُر (المعرفة أو الضوء أو الحرارة أو الرائحة الخ.) ×(٣) ينتشر §(٤) منتشر (~ light) (٥) مُسْهَب؛ مُطْنَب (٦) مُسْهِب؛ مُطْنِب.

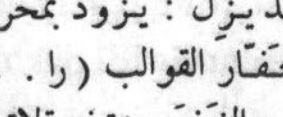

diffused lighting *(n.)* الاضاءة المنتشرة .

diffuser *also* **diffusor** *(n.)* الناشرة («ملك» و «كب» و «فو»).

diffusion [dĭ fū'zhen] *(n.)* (١)«أ»نَشْر«ب» انتشار (٢)إسهاب.

diffusion of light *(n.)* انتشار الضوء (ض).

diffusive *(adj.)* (١)«أ»ناشِر. «ب»منتشِر (٢)مسهِب.

dig [dĭg] *(vi.; t.; n.)* (١) يحفر (٢) يكدّ؛ يجتهد (٣)يتعمق في. ×(٤) يحفر خندقاً الخ. (٥) يحرث (٦) يستخرج بالحفر (to ~ potatoes) (٧) يُبْرِز إلى النور (~ up facts) (٨) يُقحِم؛ يُنْشِب (He *dug* his fingers into the earth) (٩) يدفع؛ يَكِز (He *dug* me in the ribs.) (١٠)ينظر أو يلتفت إلى (~ that fancy hat) (١١) يفهم؛ يقدر؛ يعجَب بِ (ع) §(١٢) وكزة (١٣)ملاحظة ساخرة (١٤) طالب مجتهد (١٥) *pl.* : غرفة أو غرف مستأجرة للسكنى بمنزل شخص آخر (Are you living at home or in ~*s*?) (١٦) «أ» موقع يُنقَّب فيه عن الآثار. «ب» تنقيبٌ عن الآثار.

to ~ in (١) يطمر (٢) يستعد للدفاع بأن يحفر الخنادق (٣) يصمد بعناد (٤) يشرع في الأكل.

to ~ oneself in (١) يحمي نفسه بأن يحفر خندقاً. (٢) يرفض أن يتزحزح.

to have a ~ at يُبْدي ملاحظةً ساخرة.

digamy [dĭg'ə mĭ] *(n.)* = deuterogamy.

digastric [dī găs'-] *(adj.)* ثِنبَطنيّ: ذو بطنين (كالعضلات).

digenesis [dī jĕn'-] *(n.)* التكاثر الخِلفي: التوالد بطريقتين، جنسيةٍ ثم لا جنسية (أح).

digest [*v.* dĭ jĕst', dī-; *n.* dī'jĕst] *(vt.; i.; n.)* (١) ينظِّم؛ يصنِّف (to ~ the laws) (٢) يتأمّل؛ يقلّب الرأي في (٣) يهضم (٤) يستوعب؛ يتمثّل (عقلياً) (٥) يتحمل بصبر (٦) يهتضم: يلين أو يحلّ بالحرارة والرطوبة أو بالمواد الكيميائية. (٧) يلخّص ×(٨) يَهضِم أو ينهضم §(٩) «أ» مجموعة قوانين أو قرارات الخ. «ب» ملخّص أدبيّ (١٠) حَصيلة الهضم.

digestant [dĭ jĕs'-] *(n.)* الهاضوم: مادةٌ مساعِدة على الهضم (ط).

digester *(n.)* (١) فا digest (٢)الهاضوم: شيء مساعدٌ على الهضم. (٣)المهتضِمة: قدرٌ محكمة القِفْل تُغْلَى فيها المواد، تحت الضغط، مع سائلٍ ما عادةً، لكي تُحَلّ أو تُلَيَّن أو يُستخرج منها شيء.

digestibility *(n.)* الانهضامية: كونُ الشيء قابلاً للهضم أو سهل الهضم.

digestible *(adj.)* مُنْهَضِم: قابلٌ للهضم؛ سهل الهضم.

digestion [dĭ jĕs'-; dī-] *(n.)* (١) تصنيف (٢) هضم (٣) استيعاب أو تمثّل عقليّ (٤) اهتضام (را. digest 6).

digestive [dĭ jĕs'-] *(adj.; n.)* (١) هضميّ (٢) مساعدٌ على الهضم §(٣)الهاضوم: علاجٌ مهضِّم.

digger [dĭg'ər] *(n.)* (١) الحفّار الخ. (٢) الحفّارة: أداة، أو جزء من آلة، للحفر (٣) *cap.* : هندي أحمر يعيش على جذور النباتات المستخرجة من الأرض (٤)جنديٌ أستراليّ أو نيوزيلندي (ع).

digger wasp *(n.)* الحَفُور: زنبور يحفر لنفسه ثقوباً في الأرض.

diggings *(n. pl.)* (١) منجم (٢) المعادن المستخرجة من منجم. (٣) غرفة أو غرف (مستأجرة للسكنى في منزل شخص آخر).

digit [dĭj'ĭt] *(n.)* (١) رقم تحت العشرة (٠، ١، ٢، ٩). (٢) مقياس بعرض الأصبع (٣/٤ الانش) (٣) إصبع.

digital [-'ə təl] *(adj.; n.)* (١) إصبعيّ (٢)مُصَبَّع: ذو أصابع أو ما يشبهها (٣) رَقْميّ §(٤) إصبع (٥) إصبع الأرغن أو البِيان.

digital computer *(n.)* الحاسبة الرَّقْمية.

digitalis [dĭj'ə tăl'ĭs] *(n.)* (١) القِمَعية: عُشْب ذو زهرٍ ناقوسيّ الشكل؛ وبخاصة: القَمَعية الأرجوانية (٢)أوراق القَمَعية المجففة (تُستخدَم منبِّهاً للقلب).

digitate leaf

digitate [dĭj'ə tāt'] *(adj.)* (١) مُصبَّع: ذو أصابع (٢) إصبعاني: شبيه بأصبع؛ وبخاصة: ذو وريقات شبيهة بأصابع اليد(نب).

digiti- بادئة معناها: إصبع (*digiti*form).

digitiform [dĭj'ə tə fôrm'] *(adj.)* إصبعانيّ: شبيهٌ بأصبع.

digitigrade [-'ə tə grād'] *(adj.; n.)* (١)إصبعيّ: ماشٍ على أصابع قدميه (كالكلاب والقطط) §(٢) الإصبعيّ: حيوان إصبعي.

dignified [dĭg'nə fīd'] *(adj.)* (١) مبجَّل (٢) جليل.

dignify [-'nə fī'] *(vt.)* (١) يُبجِّل (٢) يحاول أن يشرِّفه بتغيير اسمِهِ أو مظهره (to ~ thievery by calling it kleptomania).

dignitary [-'nə tĕr'ĭ] *(n.)* صاحبُ مقامٍ رفيع.

dignity [-'nə tĭ] *(n.)* (١) جلال؛ وَقار (٢) نُبْل؛ سموّ. (٣) شَرَف؛ كرامة (٤) منزلة (٥) «أ» منصب أو لقب رفيع. «ب» صاحب هذا المنصب أو اللقب.

digraph [dī'-] *(n.)* الدوغراف: حرفان يمثلان صوتاً مفرداً.

digress [dĭ grĕs'; dī-] *(vi.)* يستطرد: ينحرف عن الموضوع الرئيسي.

digression [dĭ grĕsh'ən] *(n.)* استطراد.

digressive [dĭ grĕs'-] *(adj.)* (١)استطراديّ (٢)متّسم بالاستطراد.

dihedral [dī hē'drəl] *(adj.; n.)* (١) زوجيّ؛ ثِنسَطحيّ؛ ثنائي الأسطح §(٢) الزاوية الزوجية: شكل ناشيء عن تقاطع سطحين (هن).

dik-dik [dĭk'dĭk'] *(n.)* الدِّقدِق: ظبي صغير من ظباء افريقية الشرقية.

dike [dīk] *(n.; vt.)* (١) خندق (٢) «أ» سياج؛ جدار. «ب» سدّ. «ج» حاجز (٣) ممرّ أو طريق مرتفع (عبر أرض منخفضة أو سَبِخَة) §(٤) يطوِّق أو يصون بسدّ.

dilacerate [dĭ lăs'-] *(vt.)* يمزّق إرْباً إرْباً.

dilapidate ['ə dāt'] *(vt.; i.)* (١)يخرِّب × (٢) يتخرّب؛ يتهدَّم.

dilapidated [-'ə dā'tĭd] *(adj.)* خَرِب؛ متهدِّم.

dilatability *(n.)* المتمَدِّدية: الاتساعية: قابلية التمدّد أو الاتساع.

dilatable *(adj.)* متمدِّد؛ قابلٌ للاتساع.

dilatation [dĭl ə tā'shən] *(n.)* (١) إسهاب (٢)«أ» تمدّد «ب» تمديد (٣)«أ» اتّساع (~ of the stomach) «ب» توسيع (~ of the cavities of the heart) (٤)عضوٌ متمدِّد أو متّسع.

dilate [dī lāt'] *(vt.; i.)* (١) يصف بإسهاب (ا.ق)(٢) يمدِّد؛ يوسّع ×(٣) يُسْهِب (٤) يتمدّد؛ يتّسع.

dilation [dī lā'shən] *(n.)* = dilatation.

dilatometer [dĭl'ə tŏm'ə tər] *(n.)* مقياس التمدّد الحراري.

dilator [dī lā'tər; dĭ-] *(n.)* (١) الموسِّع؛ الممدِّد (٢) الموسِّعة: أداة لتوسيع قناة الخ. (جر).

dilatory [dĭl'ə tōr'ĭ] *(adj.)* (١) معوِّق؛ مقصودٌ به التعويق (~ tactics) (٢) بطيء (She is ~ in answering letters.).

dilemma [dĭ lĕm'ə] *(n.)* (١) القياس الأقرن: برهان ذو حدّين (أو قرنَين) يُكرِه الخصم على اختيار واحد من بديلين كلاهما في غير مصلحته (مَن) (٢) «أ» مأزق؛ ورطة. «ب» مُعضِلة.

on the horns of a ~, في حَيْصَ بَيْص.

dilettante [dĭl'ə tăn'tĭ] *(n.)* pl. **-tes** *or* **-ti** *(n.; adj.)* (١)مُحِبّ الفنون (٢) الهاوي (لفنٍّ ما) §(٣) ذو علاقة بالهواة أو مميّز لهم

diligence[dĭl'ə jəns] *(n.)* (١) كدّ ؛ اجتهاد. (٢) الدِّيليجَنْس : مركبة عمومية فرنسية.

diligence

diligent[dĭl'ə jənt] *(adj.)* (١) كادّ ؛ مجتهد. (٢) مُتقَنٌ ؛ دالّ على جهدٍ وعناية .

dill [dĭl] *(n.)* الشَّبْث : بقلة من التوابل.

dilly [dĭl'ē] *(n.)* شيء رائع أو بارز (ع) .

dillydally [dĭl'ĭ dăl'ĭ] *(vi.)* يتلكأ ؛ يضيع الوقت بالتردد خاصة.

diluent [dĭl'yŏŏ-] *(adj.; n.)* (١) مُشَعْشِع : مُرَقِّق أو مخفف للزوجة §(٢) المُشَعْشِعَة : مادة مخفِّفة للزوجة وبخاصة في الدم .

dilute [dĭ lōōt'; dī-] *(vt.; adj.)* (١) يُشَعْشِع : يرقّق السائل أو يخففه بإضافة الماء إليه (٢) يُضْعف اللون إلخ . (٣) يَشُوب §(٤) مُشَعْشَع ؛ مُرَقَّق ؛ مُخَفَّف .

dilution [-'shən; dī-] *(n.)* (١) شَعْشَعَة ؛ ترقيق ؛ تخفيف. (٢) تَشَعْشُع الخ . (٣) محلول مُشَعْشَع أو مُخفّف .

diluvial *or* **diluvian** [dĭ lōō'-] *(adj.)* طوفانيّ : ذو علاقة بطوفان (نوح خاصةً) .

diluvium[-'vĭ əm] *(n.)* الراسب الطوفانيّ ؛ الراسب الفَيضيّ القديم (جي)

dim [dĭm] *(adj.; vt.; i.; n.)* (١) «أ» معتم ؛ مظلم قليلاً (a ~room) . «ب» باهت (a ~color) . «ج» غامض ؛ مُبْهَم (a ~ idea) . «د» مُضجِر (a ~celebration) (٢) «أ» غير جليّ (a ~object) «ب» خافت (a ~sound) . «ج» ضعيف (~light; ~smell) (٣) «أ» مظلم (a ~future) . «ب» متشائم أو مُعادٍ (took a ~view of) (٤) «أ» كليل (His sight was getting ~.) «ب» بليد الفهم (~ in her wits) §(٥) يجعله معتماً أو باهتاً أو ضعيفاً الخ. ×(٦) يصبح معتماً او باهتاً او ضعيفاً §(٧) «أ» ضوء السيارة الصغير (المستخدم في المواقف) . «ب» ضوء السيارة الأمامي القصير المدى . **—dimly** *(adv.)* **—dimness** *(n.)*

dime [dīm] *(n.)* (١) الدّايْم : عشرة سنتات أو عُشْر دولار . (٢) مقدار ضئيل من المال .

dime novel *(n.)* الرواية الرخيصة : رواية مثيرة عديمة القيمة الأدبية.

dimension [dĭ mĕn'shən] *(n.; vt.)* (١) بُعْد (مُفرَد أبعاد). (٢) *pl.* : حجم §(٣) يُبَوْعِد : «أ» يَصْنع وفقاً لأبعاد معيّنة. «ب» يضع الأبعاد (على رسم) .

dimensional *(adj.)* بُعْدِيّ : منسوب إلى بُعْدٍ من الأبعاد .

dimeric *(adj.)* مُزْدوج (a ~ chromosome)

dimerous[dĭm'ər-] *(adj.)* مزدوج : مؤلف من (أو مشطور إلى) جزأين.

dimidiate [dĭ mĭd'-] *(vt.; adj.)* (١) ينصف : يقسم إلى نصفين. §(٢) منصَّف.

diminish [dĭ mĭn'ĭsh] *(vt.; i.)* (١) يقلّل ؛ ينقّص (٢) يُضعف السلطة ؛ يحطّ من القيمة أو السمعة × (٣) يقلّ ؛ يَنْقُص (٤) يستدقّ : يصبح مستدقّ الطرَف (عم) .

diminishing returns *(n. pl.)* تناقُص الغَلّة : قانون يقول بأن زيادة العمل أو رأس المال إلى أبعد من نقطة مُعيّنة لا يترتب عليها زيادة مناسبة في الانتاج (اد) .

diminuendo [-yŏŏ ĕn'dō] *(n.; adj.)* = decrescendo.

diminution [-nū'shən] *(n.)* (١) تنقيص (٢) نقصان (٣) نَقْص.

diminutive[-'yə tĭv] *(adj.; n.)* (١) شديد الصغَر (٢) تصغيريّ : دالّ على التصغير (*-let* is a ~suffix.) §(٣) شيء أو شخص صغير (٤) «أ» أداة تصغير . «ب» صيغة تصغير (ل) .

dimity [dĭm'ə tĭ] *(n.)* البَفْتَة الهندية : قماش قطني رقيق .

dimmer [dĭm'ər] *(n.)* (١) المِعتام : أداة لإضعاف التيار الكهربائيّ تدريجياً في مصابيح المسرح أو السينما (٢) *pl.* : «أ» ضوء السيارة الصغير (المستعمل في المواقف). «ب» ضوء السيارة الأمامي القصير المدى.

dimness *(n.)* إعتام ؛ إظلام الخ . (را . dim) .

dimorphic [dī môr'-] *(adj.)* (١) dimorphous (٢) مُزدوج الهيئة أو الشكل («ح» و «نب»).

dimorphism[-'fĭz əm] *(n.)* ازدواج الهيئة أو الشكل («ح» و «نب»).

dimorphous *(adj.)* ثنائيّ التبلّر : متبلّر بشكلين مختلفين (بلو) .

dimout [dĭm'out'] *(n.)* التعتيم الجزئي (من أجل السلامة العسكرية).

dimple [dĭm'pəl] *(n.; vt.; i.)* (١) «أ» النُونة : النقرةُ في الذقن . «ب» الغمّازة : النقرة في الخدّ (٢) الهَزْمة : كلّ نُقْرة صغيرة §(٣) يُحْدِث ما يشبه الغمّازات في (large, heavy drops that ~d the stream) (٤) يَهزِم : يُحدِث (في المعدن) نُقَراً ×(٥) يُبْدي أو يشكّل غمازةً أو نحوها ، وبخاصة عند الابتسام (She ~d up at them shyly.).

dimwit [dĭm'wĭt'] *(n.)* الغبيّ ؛ الأبله ؛ البليد الفهم .

dim-witted *(adj.)* غبيّ ؛ أبله ؛ بليد الفهم .

din [dĭn] *(n.; vt.; i.)* (١) ضجيج ؛ جلَبَة §(٢) يُصِمّ بالضجيج والجلبة (٣) يكرر بإلحاح ×(٤) يَضِجّ ؛ يُحدث ضجة .

dinar [dĭ när'] *(n.)* الدينار : وحدة النقد في العراق والأردن وتونس ويوغوسلافيا .

dine [dīn] *(vi.; t.)* (١) يتغدّى أو يتعشّى ×(٢) يدعو إلى غَداء أو عشاء .

to ~ out يتناول الغَداء أو العشاء خارج المنزل .

to ~ with Duke Humphrey يبيت على الطوى .

diner [dī'nər] *(n.)* (١) متناول الغداء أو العشاء (٢) «أ» حافلة الطعام : حافلة قطار يُقدَّم فيها الطعام . «ب» مطعم على شكل هذه الحافلة.

dinette [dī nĕt'] *(n.)* حجرة طعام صغيرة أو أثاثها .

ding [dĭng] *(vi.; t.; n.)* (١) يقرع ناقوساً، وبخاصة على نحوٍ موصول (٢) يكرّر (القولَ) مرّة ومرة §(٣) صوت الناقوس ونحوه .

dingdong [dĭng'dông'] *(n.; vt.; adj.)* (١) صوت الناقوس ونحوه. §(٢) يُقْرَع (heard the bell ~*ing*) (٣) يكرر (صوتاً أو عملا) على نحو متواصل أو مُضجِر §(٤) ناقوسيّ : ذو علاقة بصوت الناقوس أو شبيهٌ به (٥) حامٍ ، عنيف (a ~ contest).

dingey [dĭng'gĭ] *(n.)* = dinghy.

dinghy [-'gĭ] *(n.)* (١) زورق تجذيف (٢) زورق صغير (٣) طوْف.

dinginess [dĭn'jĭ-] *(n.)* (١) قذارة (٢) دُكْنَة .

dingle [dĭng'gəl] *(n.)* وادٍ صغيرٌ عميقٌ ظليل.

dingo [dĭng'gō] *(n.)* الدِّنْغ : كلب أستراليّ ضارٍ .

dingo

dingus [dĭng'əs] *(n.)* شيء (كأداة الخ.) مجهول الاسم أو مَنْسِيّه .

dingy [dĭn'jĭ] *(n.)* (١) قذِر (٢) حقير (٣) داكِن .

dining car *(n.)* حافلة الطعام : حافلة قطارٍ يقدَّم فيها الطعام .

dining room *(n.)* حجرة الطعام .

dinkey *or* **dinky** [dĭngk'ĭ] *(n.)* قاطرة صغيرة .

dinky [dĭngk'ĭ] *(adj.)* (١) أنيق (بر) (٢) صغير ؛ تافه .

dinner [dĭn'ər] *(n.)* (١) وجبة الطعام الرئيسية غداءً كانت أم عشاءً (الطبقات العمالية في بريطانية والولايات المتحدة تتناول هذه الوجبة ظهراً، أما أهل الطبقة المترفة والطبقة الوسطى الموسرة فيتناولونها مساءً عادةً) (٢) مأدبة ؛ وليمة .

dinner coat *or* **jacket** *(n.)* بذلة السهرة (للرجال).

dinner dance *(n.)* العَشاء الراقص: عشاء يتبعه رقص.

dinner party *(n.)* حفلة عشاء. أو المدعوون إليها.

dinner wagon *(n.)* عربة الطعام: عربة ذات رفوف تُدفَع على عجلات صغيرة في حجرة الطعام.

dinoceras [dī'nŏs ər-] *(n.)* الدينوسيراس: حيوان ضخم منقرض.

dinosaur [dī'nə sôr'] *(n.)* الدَّينوصور: حيوان ضخم منقرض من الزحافات.

dinosaur

dinosaurian *(adj.; n.)* (١) دَينوصوري. §(٢) دَينوصور.

dinothere [dī'nə thĭr'] *(n.)* الدَّينوثير: حيوان ثدييّ منقرض شبيه بالفيل.

dint [dĭnt] *(n.; vt.)* (١) قوة (٢) بَعجة §(٣) يَبْعَج.

by ~ of بقوة؛ بفضل؛ بواسطة.

diocesan [dī ŏs'-] *(adj.; n.)* (١) أبْرَشيّ §(٢) أسقف أبرشية

diocese [dī'ə sēs] *(n.)* الأبْرشيّة؛ الأُسقفية (كن).

diode [dī'ōd] *(n.)* الصمام الثنائيّ (الك).

dioecious [dī ē'shəs] *(adj.)* مُنفَصِل الجنس (أح).

dioicous [dī oi'kəs] *(adj.)* = dioecious.

Dionysia [dī'ə nĭsh'ĭ ə] *(n.)* المهرجان الديونيسوسيّ: أحد المهرجانات الاغريقية القديمة المقامة لديونيسوس إله الخمرة.

Dionysian [-'ən] *(adj.)* (١) ديونيسوسي: ذو علاقة بديونيسوس أو باخوس (٢) شهوانيّ؛ متّسم بالقصف والعربدة؛ عِربيد.

Dionysus [dī'ə nī'səs] *(n.)* ديونيسوس: إله الخمر عند الاغريق.

diopside [dī ŏp'sīd] *(n.)* الدّيوبْسيد (مع).

diopter [dī ŏp'tər] *(n.)* الدّيوبتر: وحدة قياس قوة العدسة.

dioptometer *(n.)* الديوبتومتر: مقياس الانكسار العينيّ.

dioptric [-'trĭk] *(adj.)* انكساريّ: متعلق بانكسار الضوء.

dioptrics [dī ŏp'-] *(n.)* الانكساريات: فرع من البصريات يبحث في قوانين انكسار الضوء.

diorama [dī'ə răm'ə] *(n.)* الديوراما: صورة يُنْظَر إليها من خلال ثقب في جدار حجرة مظلمة.

diorite [dī'ə rīt'] *(n.)* الدّيوريت: صخر بركاني متبلّر.

dioxide [dī ŏk'-] *(n.)* ثاني أكسيد (carbon ~).

dip [dĭp] *(vt.; i.; n.)* (١) «أ» يَغمِس؛ يغطّس؛ يَغُطّ. «ب» يُقحِم (~ ped his hand in his pocket). «ج» يَصبغ بالغمس (في صباغ). «د» يغطّس (خروفاً أو خنزيراً) في محلول قاتل للجراثيم. «هـ» يَصنع (شمعةً) بتكرير غمس الفتيل في دهن أو شمع ذائب (٢) يَغرُف (٣) «أ» يرْهن. «ب» يتورّط في متاعب مالية (He was ~ ped as badly as his father.) (٤) «أ» يخفض ثم يرفع ثانية (to ~ a flag in salute). «ب» يخفض (رأسه أو أنوار السيّارة الأماميّة الخ.) ×(٥) «أ» يغطُس. «ب» يسقط. «ج» ينخفض باعتدال وموقتاً عادةً (Prices ~ ped.) (٦) يتصفح كتاباً الخ. (٧) ينحني؛ ينحدر §(٨) مص dip مثل: «أ» غَمْس؛ تغطيس؛ غطّ. «ب» غَطْس. «ج» سقوط. «د» خَفْض. «هـ» انخفاض معتدل (how to account for ~s in his popularity) (٩) المَيْل (مغ) (١٠) «أ» انحدار. «ب» منحدَر (١١) شمعة (تُصنَع بغَمْس الفتيل تكراراً في دهن ذائب) (١٢) سائل يُغمَس فيه (١٣) نشّال (ع).

to ~ one's hand into one's purse ينفق المالَ بغير حساب.

diphase [dī'-] *or* **diphasic** [dī fā'-] *(adj.)* ثنائي الطور (كب).

diphosgene [dī fŏs'-] *(n.)* الدّيفوسجين: غازٌ سامّ (ك).

diphtheria [dĭf thĭr'ĭ ə] *(n.)* الخُناق؛ الديفتيريا (مض).

diphthong [dĭf'thông] *(n.)* الإدغام: «أ» حرفا عِلّة يشكلان صوتاً واحداً (مثل oi في لفظة noise). «ب» حرفا علة يكتبان مُتّصِلَين (مثل œ).

diphthongize *(vt.; i.)* (١) يدْغم ×(٢) يندغم (ل).

diphy- *or* **diphyo-** بادئة معناها: ثنائيّ (diphyodont).

diphyllous [dī fĭl'-] *(adj.)* ذو ورقتين (نب).

diphyodont [dĭf'ĭ ō dŏnt] *(adj.)* ثنائي التسنين (ح).

dipl- *or* **diplo-** بادئة معناها: «أ» مزدوج. «ب» مضاعَف.

diplex [dī'-] *(adj.)* ثنائيّ الاشارة: ذو اشارتين مستقلتين (رد).

diplodocus [dĭ plŏd'-] *(n.)* الدَّينوصور العاشب (الآكل للعشب).

diploid [dĭp'loid] *(adj.; n.)* (١) مُضاعَف (٢) مضاعَف الصِّبغيات (أح) §(٣) مضاعَفة الصِّبغيات: خليّة ذات عدد مضاعَف من الصبغيات (أح).

diploma [dĭ plō'mə] *(n.; vt.)* pl. **-mas** *or* **-mata** (١) وثيقة رسميّة (٢) بَراءة (تمنح حاملها حقاً أو امتيازاً أو شرفاً) (٣) الدبلوم: شهادة تمنحها مدرسةٌ أو كلية أو جامعة لمتخرجيها §(٤) يمنح دبلوماً (too many ~*ed* illiterates).

diplomacy [dĭ plō'mə sĭ] *(n.)* (١) الدبلوماسية: التفاوض (أو فنّ التفاوض) بين الدول (٢) لباقة؛ حسن تدبير.

diplomat [dĭp'lə măt'] *(n.)* (١) الدبلوماسي: المشتغل بالدبلوماسية (كالسفير أو وزير الخارجية الخ.) (٢) اللبِق؛ الحسَن التدبير.

diplomatic [-lə măt'ĭk] *(adj.)* (١) دبلوماسي (٢) لبِق.

diplomatic agent *(n.)* المُعتمَد السياسيّ.

diplomatic body *or* **corps** *(n.)* الهيئة الدبلوماسية: مجموع المعتمَدين السياسيين في عاصمةٍ ما (من سفراء ووزراء مفوّضين ومن ملحقين وسكرتيرين).

diplomatic immunity *(n.)* الحصانة الدبلوماسية.

diplomatist [dĭ plō'-] *(n.)* = diplomat.

diplopia [dĭ plō'pĭ ə] *(n.)* الشَّفَع؛ ازدواج البصر: حالة مَرَضية في البصر يتبدّى معها الشيءِ الواحد مزدوجاً (ط).

diplosis [dĭ plō'-] *(n.)* التَّضعاف: تضاعف عدد الصِّبغيات (أح).

dip needle *(n.)* = dipping needle.

dipnoan [dĭp'nō ən] *(adj.; n.)* (١) مزدوج التنفّس: منسوب إلى ذوات التنفّسين **Dipnoi** وهي طُوَيْئفة من الأسماك ذات خياشيم ورئات §(٢) ذات التنفّسين: سمكة مزدوجة التنفّس.

dipolar [dī pō'-] *(adj.)* ثنائي القطب؛ مزدوج القُطْب.

dipole [dī'pōl'] *(n.)* (١) «أ» الثنائيّ الاستقطاب (كف). «ب» جزيء ثنائيّ الاستقطاب (٢) هوائيّ ثنائيّ الاستقطاب («رد» و «تلفز»).

dipper [dĭp'ər] *(n.)* (١) فا dip، مثل: «أ» الصابغ؛ الصبّاغ. «ب» الشمّاع: صانع الشموع. «ج» المتصفّح؛ القارىء السطحيّ. «د» مغرفة. «هـ» مفتاح خافض للأضواء الأمامية (سي) (٢) *cap.*: «أ» الدبّ الأكبر (فل). ويدعى أيضاً *Big Dipper* «ب» الدب الأصغر (فل). ويدعى أيضاً *Little Dipper* (٣) الدنقلة؛ الغطّاس (طائر مائيّ).

dipping needle *(n.)* ابرة المَيْل المغنطيسي.

dipsomania [dĭp'sə mā'nĭ ə] *(n.)* الكُحال: تعَطّشٌ لا يقاوَم للأشربة الكحولية.

dipsomaniac [dĭp'sə mā'-] *(n.)* المكحول: المُصاب بالكُحال

dipstick [dĭp'-] *(n.)* . قضيب العمق : قضيب مدرّج لقياس العمق

dipt [dĭpt] *past and past part. of* dip.

dipteral [dĭp'-] *(adj.)* . ذو صفين من الأعمدة في جهاته كلها (عم)

dipteran *(adj.; n.)* . (١)مزدوج الجناح§(٢)حشرة مزدوجة الجناح

dipteron [dĭp'-] *(n.)* pl. **-tera.** ثنائية الجناح : حشرة مزدوجة الجناح

dipterous [dĭp'-] *(adj.)* (١)«أ»مزدوج الجناح. «ب»منسوب إلى الحشرات ذوات الجناحين (٢) ذو جناحين (seeds ~).

diptych [dĭp'tĭk] *(n.)* (١)«أ» الدِّبْتَك : اللوح المزدوج : لوحان من خشب أو معدن أو عاج كان الإغريق والرومان يَصلون ما بينهما بضرب من المِفْصلات ويَكْسُون باطنهما بالشمع ثم يكتبون عليهما بقلم خاص. «ب» غلاف (كتابٍ) يشبه الدِّبْتك (٢) صورة مزدوجة (على لوحٍ مزدوج).

dire [dīr] *(adj.)* (١)«أ» رهيب (a ~ calamity). «ب» أليم (the ~ news of the president's death) · «ج» كئيب (a ~ point of view) (٢) منذرٌ بكارثة (a ~ forecast) (٣) ملحّ؛ ماسٌ جداً (~ need).

direct [dĭ rĕkt'; dī-] *(vt.; i.; adj.; adv.)* . (١) يُعَنْوِن (الرسالةَ) (٢) «أ» يوجّه . «ب» يخصص (~ *ed* their earnings to academic scholarship funds.) (٣)يرشد؛ يدلّ على الطريق (٤) يدير ؛ يقود (٥) يأمر ×(٦) يفرض؛ يقضي (٧) يقود الأوركسترا (clever at composing and ~*ing*) §(٨) مستقيم (a ~ line)(٩) مباشر (~ contact)(١٠) صريح (a ~ answer) (١١) ممثّل لكلام القائل بالحرف الواحد (~ discourse) (١٢) طرديّ (كب) §(١٣) مباشرةً (The writer must take his material ~ from life.)

direct action *(n.)* العمل المباشر : عمل يستهدف تحقيق غاية ما على نحوٍ مباشر وبأسرع الطرق وأكثرها فعالية (كالإضراب والمقاطعة الخ).

direct current *(n.)* التيار الطَّرْدي أو المستمر أو المتواصل (كب).

directed *(adj.)* مُوَجَّه (a ~ economy).

direction [dĭ rĕk'shən; dī-] *(n.)* (١)«أ» إدارة؛ إشراف . «ب» توجيه (الاقتصاد) . «ج» فن الاخراج (في المسرح والسينما والتلفزيون). «د» فن قيادة الأوركسترا (٢) عنوان الرسالة (ا.ق) (٣) «أ» أمر . «ب» توجيه (مفرد توجيهات) . «ج» تعليم (مفرد تعليمات) (٤)«أ» اتجاه . «ب» جهة . «ج» نزعة .

directional [-'shən əl; dī-] *(adj.)* . (١) اتجاهيّ (٢) توجيهي

directional antenna *(n.)* الهوائيّ الاتجاهيّ: هوائي مُعَدّ لتحديد الجهة التي تُقبِل منها الإشارات المُلتقَطة أو لإرسال الاشارات في اتجاه واحد فقط (رد).

direction finder *(n.)* معيِّن الاتجاه: أداة لتحديد الجهة التي تنطلق منها الموجات أو الاشارات اللاسلكية (رد).

direction indicator

direction indicator *(n.)* مُبيِّن الاتجاه: بوصلة تساعد الربّان على الطيران في الاتجاه المطلوب. وذلك من طريق المقارنة بين عقربين أحدهما مثبّت في هذا الاتجاه والآخر دالٌّ على الاتجاه الفعلي (طي).

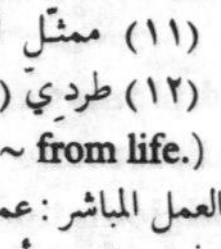

directive [-'tĭv; dī-] *(adj.; n.)* (١)توجيهي ؛ إداري (٢)اتجاهيّ: دالّ على الاتجاه ؛ وبخاصة: عاملٌ في فعالية أعظم باتجاه معيّن (a more ~ aerial)§(٣)تعليمات أو توجيهات (عسكرية بخاصة).

direct lighting *(n.)* الاضاءة المباشرة.

directly [dĭ rĕkt'lĭ; dī-] *(adv.; conj.)* (١) مباشرةً (٢)توّاً؛ في الحال §(٣) حالما ، بُعَيْد (أمرٍ ما) مباشرةً (~ he arrived, he mentioned the subject.)

direct object *(n.)* . المفعول المباشر (ل)

director [dĭ rĕk'tər] *(n.)* (١) مدير (٢) مدير شركة (٣) مخرج (مسرحي أو سينمائي) (٤) قائد (فرقةٍ موسيقية).

directorate [-'tə rĭt; dī-] *(n.)* (١) المديرية : منصب المدير . (٢) مجلس إدارة (شركة ما).

directorial [dĭ rĕk'tōr'ĭ əl; dī-] *(adj.)* (١)توجيهيّ ؛ إرشادي (٢) مُديريّ: منسوب إلى مدير أو ذو مهام وصِفات كتلك التي تكون للمدير (employed in a ~ position) (٣) إخراجي : ذو علاقة بالإخراج المَسْرحي أو السينمائي (a new ~ genius) (٤) متعلق بمجلس (أو حكومة) مديرين.

directory [-'tə rĭ; dī-] *(adj.; n.)* (١)توجيهيّ ؛ وبخاصة : استشاريّ. §(٢) «أ» كتابٌ مشتملٌ على مجموعة توجيهات أو قواعد . «ب» الدليل : كتاب مرتّب على حروف الهجاء يشتمل على أسماء وعناوين (٣) «أ» مجلس مديرين . «ب» *cap.*: حكومة المديرين.

direct primary *(n.)* الانتخاب الأوليّ المباشر : انتخاب يختار فيه أعضاء الحزب السياسي مرشحيهم من طريق الاقتراع المباشر.

direct proportion *(n.)* . التناسب الطَّرْديّ (ر)

directress [-'trĭs; dī-] *(n.)* مديرة.

directrix *(n.)* . (١)مديرة(ا.ق) (٢)الدليل ؛ الخطّ الدليليّ (ر)

direct tax *(n.)* . الضريبة المباشرة (كضريبة الدخل أو الإرث الخ)

direful [dīr'-] *(adj.)* . (١) رهيب ؛ فظيع (٢) منذِر بكارثة

dirge [dûrj] *(n.)* . (١) ترنيمة جنائزية (٢) لحن حزين

dirigible [dĭr'ĭ-] *(adj.; n.)* (١)قابلٌ للتوجيه أو التسيير §(٢) منطاد ذو محرك .

dirigible

dirk [dûrk] *(n.; vt.)* . (١) خنجر§(٢) يطعن بخنجر

dirndl [dûrn'dəl] *(n.)* . الدِّرَنْدَل : ضربٌ من ملابس النساء

dirt [dûrt] *(n.)* (١)«أ» قَذَر . «ب» غائط . «ج» وحل الخ. (٢)تراب ؛ رمل(٣)«أ»قذارة. «ب»فساد ؛ سفالة. «ج»بذاءة. «د»قيل وقال.

dirt bike *(n.)* . درّاجة بخارية (تستخدم في الأراضي الوعرة)

dirt-cheap *(adj.; adv.)* . (١)رخيص جداً §(٢) بسعر رخيص جداً

dirtiness *(n.)* . قذارة ؛ وساخة ؛ بذاءة ؛ سفالة الخ

dirt track *(n.)* طريق الدراجات : طريق مُعدّ لسباق الدراجات البخارية

dirty [dûr'tĭ] *(adj.; vt.; i.)* (١)«أ» قذر ؛ وسخ. «ب» بغيض ؛ مُضجِر ؛ عاق (did the ~ work) . «ج» ملوَّث (a ~ wound) (٢)«أ» دنيء ؛ حقير (War is a ~ business.). «ب» مكتسب بطرائق غير شريفة (~ money) . «ج» تعوزه الروح الرياضية (a ~ hockey player) (٣) سافل ؛ بذيء (٤) عاصف ؛ كثير الضباب (a ~ night) (٥) داكن ؛ غير صافٍ أو مشرق (٦) كثير الأخطاء أو مُثقَل بالتصحيحات (a ~ copy)(٧)وسخ : كثير الغبار الذريّ المتساقط (a ~ hydrogen bomb)§(٨) يوسّخ ؛ يلوّث ×(٩) يتّسخ ؛ يتلوّث .

dis-

dis *(vt.)* . (١) يهين ؛ لا يحترم (٢) يستخفّ ؛ يقلّل

بادئة معناها : (١) «أ»ينقض ؛ يعكس (*dis*join). «ب»يحرم ؛ يجرّد من (*dis*arm). «ج» يطرد (*dis*bar)(٢)نقيض ؛ فقدان (*dis*union; *dis*affection) (٣) غير (*dis*honest) (٤) تماماً (*dis*annul).

disability (١) عجزٌ (جسديّ أو عقلي) (٢) اللاأهلية الشرعية (ف)

disable [dĭs ā'bəl] *(vt.)* (١) يُفقده الأهلية (ق) (٢) يُضعِف ؛ يُعجز؛ يُقعِد عن العمل. **— disablement** *(n.)*

disabled *(adj.)* . مُعاق: مصابٌ بعجز يُقعده عن العمل

disabuse [dĭs ə būz'] *(vt.)* . يحرِّر من الخطأ أو الوهم

disaccord[dĭs'ə kôrd'] *(vi.; n.)* (١) disagree§(٢) خلاف؛ تنافر.
disaccustom [-ə kŭs'-] *(vt.)* يحرر من سلطان عادةٍ ما .
disadvantage [-əd văn'-] *(n.; vt.)* (١) ضرر؛ أذى؛ خسارة (rumors to his ~) (٢) عائق؛ ظرفٌ معوق؛ وضعٌ غير مؤاتٍ (Our soldiers were fighting at a ~.) §(٣) يضر؛ يؤذي.
disadvantaged *(adj.)* محروم : تعوزه الموارد أو الشروط الرئيسية (كالمأوى الصحي والخدمات الطبية والتعليمية والحقوق المدنية) التي تكفل له مركزاً متكافئاً في المجتمع (a ~ class) .
disadvantageous [-tā'jəs] *(adj.)* (١) غير مؤاتٍ؛ غير ملائم لمصالح المرء (٢) منتقص من القدر .
disaffect [-ə fĕkt'] *(vt.)* ينفّر؛ ينتقص من ولائه؛ يستثير سخطه.
disaffected *(adj.)* ساخط؛ مستاء؛ متمرد؛ غير موالٍ.
disaffection *(n.)* (١) نفور؛ كره (٢) استياء؛ سخط .
disaffirm [-ə fûrm'] *(vt.)* (١) يُنكِر (٢) ينقض قراراً (ق).
disagree [dĭs ə grē'] *(vi.)* (١) يتعارض؛ يتضارب (٢) «أ» يختلف في الرأي. «ب» يخالف؛ يعارض (٣) يؤذي؛ لا يلائم الصحة (Damp climate ~s with her.).
disagreeable [-ə grē'ə-] *(adj.)* (١) كريه (a ~odor) (٢) سيء الطبع (a ~ old man).
disagreement [dĭs ə grē'-] *(n.)* (١) تعارُض؛ تضارب. (٢) «أ» اختلاف (في الرأي). «ب» خلاف؛ نزاع (٣) لا ملاءمة.
disallow [-ə lou'] *(vt.)* (١) يُنكِر؛ يرفض (Tax officials ~*ed* the company's claim.) (٢) يرد؛ ينقض؛ لا يجيز (مشروعَ قانون الخ).
disannul [-ə nŭl'] *(vt.)* يُبطِل؛ يلغي إلغاء تاماً .
disappear[-ə pĭr'] *(vi.)* يختفي؛ يتوارى؛ يزول؛ يضمحلّ؛ يتلاشى.
disappearance *(n.)* اختفاء؛ توارٍ؛ زوال؛ اضمحلال؛ تلاشٍ.
disappoint[-ə point'] *(vt.)* (١) يخيّب (أملاً) (٢) يُحبِط (خطة).
disappointed *(adj.)* (١) مخيَّب (a ~ hope) (٢) مخيَّب الرجاء؛ محزون لما أصابه من خيبة أمل.
disappointment *(n.)* (١) خيبة أمل (٢) شيء مخيِّب للأمل .
disapprobation [dĭs'ăp rə bā'-] *(n.)* = disapproval.
disapproval [-ə prōō'-] *(n.)* (١) استنكار؛ استهجان (٢) رفض .
disapprove [-ə prōōv'] *(vt.; i.)* (١) يستنكر؛ يستهجن. (٢) يرفض (المصادقة على) .
disarm [-ärm'] *(vt.; i.)* (١) «أ» ينزع السلاح. «ب» يجرد (مدينةً الخ.) من السلاح. «ج» يعطّل فعالية لغم أو قنبلة بنزع الفتيل الخ. (٢) يسترضي ×(٣) يلقي السلاح (٤) تخفّض (البلاد) حجم تسلحها
disarmament *(n.)* (١) نزع السلاح (٢) تخفيض أو تحديد التسلح.
disarming *(adj.)* ملطِّف أو مُزيل للنقمة (a ~ smile).
disarrange [-ə rānj'] *(vt.)* (١) يشوّش (٢) يبعثر؛ يُفسد النظام.
disarrangement *(n.)* (١) تشويش (٢) تشوّش؛ فوضى .
disarray [-ə rā'] *(vt.; n.)* (١) يُشوّش؛ يُفسد الترتيب أو النظام. (٢) يجرده من ملابسه §(٣) تشوّش؛ فوضى (٤) الفِضال : الثوب المبتذل يُلبَس في البيت للخدمة أو النوم .
disarticulate [-'yə lāt'] *(vt.; i.)* (١) يفكّك (المفاصل) ×(٢) تتفكك (المفاصل) .
disassemble [-ə sĕm'-] *(vt.)* يفكّك (to ~ a watch).
disassembly [-'blĭ] *(n.)* (١) تفكيك (٢) تفكّك .
disassociate [-ə sō'shĭ āt'] *(vt.)* يَفْصِل

disaster [-zăs'-;-zäs'-] *(n.)* كارثة؛ نكبة .
disastrous[-'trəs] *(adj.)* مشؤوم؛ مسبِّب كارثةً أو مصحوب بكارثة.
disavow [-ə vou'] *(vt.)* ينكر؛ يتنصل من (المسؤولية) .
disavowal [-'əl] *(n.)* إنكار؛ تنصّل من (المسؤولية) .
disband [-bănd'] *(vt.; i.)* (١) «أ» يحلّ. «ب» يسرّح (جيشاً). ×(٢) «أ» ينحلّ. «ب» يتشتت (الجيش)؛ يتمزّق .
disbar [-bär'] *(vt.)* (١) يُقصي (٢) يشطب (من جدول المحامين الخ.).
disbelief *(n.)* إنكار؛ جحود؛ كفر بـ .
disbelieve *(vt.; i.)* يُنكِر؛ يجحد؛ يكفر بـ .
disbranch *(vt.)* (١) يجرد (شجرةً) من أغصانها (٢) ينزع غصناً .
disbud [-bŭd'] *(vt.)* يجرد من البراعم (أو الفروع الجديدة) .
disburden [-bûr'-] *(vt.; i.)* (١) «أ» يحرر (من حِمْل أو عبء). «ب» يريح (your conscience ~) (٢) يفرغ أو يُنزل «البضاعة» (vessels ~ *ing* at a dock) ×(٣) يتحرر من حِمْل؛ يفرغ .
disburse [-bûrs'] *(vt.)* (١) «أ» ينفق. «ب» يدفع (٢) يوزع .
disbursement [-'mənt] *(n.)* (١) إنفاق الخ. (٢) مال مُنْفَق .
disc [dĭsk] = disk.
disc- *or* **disci-** *or* **disco-** بادئة معناها : «أ» قرص (*disci*form) «ب» أسطوانة فونوغرافية (*disco*phile).
discalced [-kălst'] *(adj.)* حافٍ (~ friars) .
discant *(n.; vi.)* = descant.
discard [*v.*-kärd'; *n.* dĭs'-] *(vt.; i.; n.)* (١) يرمي ورقة أو أكثر (في لعب الورق) (٢) يطّرح؛ ينبذ §(٣) «أ» رمي الورق (في لعب الورق). «ب» الورقة المَرْمِيّة (٤) شخص أو شيء منبوذ.
discern[dĭ zûrn';-sûrn'] *(vt.; i.)* (١) «أ» يرى؛ يتبين. «ب» يشمّ؛ يسمع الخ. (٢) يُدرِك (٣) يميّز (شيئاً من شيء) ×(٤) يميز (بين أمرين).
discernible *(adj.)* قابل لأن يُرى أو يُدرَك أو يُميَّز .
discerning *(adj.)* بصير؛ فطِن (a ~ critic).
discernment *(n.)* (١) مص discern (٢) بصيرة؛ فِطنة؛ حُسن تمييز.
discharge[dĭs chärj'; *n.also* dĭs'-] *(vt.; i.; n.)* (١) «أ» يفرغ (to ~ a ship) . «ب» يعفي (~ *d* from payment of taxes) «ج» يطلق النار من (to ~ a gun) «د» يفرغ من شحنة (to ~ a storage battery) (٢) «أ» يُنزل (to ~a cargo) «ب» يطلق (سهماً). «ج» يطلق سراح. «د» يصب (النهر) مياهه. «هـ» ينفث (دخاناً). «و» يُفرز (صديداً) (٣) «أ» يصرف من الخدمة. «ب» يسدد دَيْناً. «ج» يؤدي واجباً. «د» يُبطل؛ ينقض. «هـ» يأمر (لجنةً برلمانية) بأن تختم دراستها لمشروع قانون ابتغاء عرضه على المجلس (٤) يقصّر : يزيل الألوان بعملية القَصْر أو التبييض (٥) يشطب اسم الكتاب المستعار عند إعادته ×(٦) يتحرر من حِمْلٍ أو عبء (٧) «أ» تنطلق النار (من بندقية الخ.). «ب» ينحلّ الصِّبْغ. «ج» ينصَبّ §(٨) «أ» تحرير من دين أو التزام أو تهمة أو عقوبة. «ب» شهادة مثبتة لذلك (٩) براءة (من دَيْن أو تهمة) (١٠) تفريغ (the ~ of a ship) (١١) إطلاق سراح (١٢) إطلاقٌ للنار (١٣) «أ» تصريف. «ب» تدفق؛ انطلاق (من أنبوب الخ.). «ج» المادة المصرَّفة أو المتدفقة أو المفرَزة (١٤) «أ» تسديدٌ لدين. «ب» إنجاز لمهمة (١٥) صَرْف من الخدمة الخ. (١٦) تفريغ (كب).
discharge lamp *(n.)* مصباح التفريغ (كب) .
discharger [dĭs chärj'ər] *(n.)* المُفرِغ؛ جهاز التفريغ (كب).
discharge valve *(n.)* صِمام التصريف (مك) .
discharging rod *(n.)* قضيب التفريغ (كب) .
disci- = disc-.

disciform [dĭs'-] *(adj.)* قُرْصِيّ الشكل .
disciple [dĭ sī'pəl] *(n.)* الحواريّ ؛ التابع ؛ المُريد .
disciplinal [-ə plī'-] *(adj.)* انضباطيّ ؛ تأديبيّ الخ.
disciplinarian [-ə plə nâr'-] *(n.; adj.)* (١)مَن يفرض النظام أو الانضباط §(٢) نظاميّ ؛ انضباطيّ ؛ تأديبيّ .
disciplinary *(adj.)* (١) انضباطي . «ب» تأديبي (٢) صارم .
discipline [-'ə plĭn] *(n.; vt.)* (١) فرع من المعرفة أو الدراسة. (٢) تدريب ؛ تهذيب (٣)«أ» تأديب . «ب» قصاص . «ج» سَوْط (٤)«أ» انضباط . «ب» ضَبْط النفس (٥) قاعدة أو قواعد لضبط السلوك أو العمل (٦) نظام §(٧) يعاقب ؛ يؤدب (٨) يدرّب (وبخاصة على ضبط النفس) (٩) يفرض النظام على (وبخاصة من طريق التدريب والمراقبة) .
disc jockey *(n.)* فارس الأسطوانات : مَن يُعِدّ برنامجاً إذاعياً أو تلفزيونياً مؤلفاً من مجموعة من التسجيلات الموسيقية ثم يقدّمه مع تعليقات غير ذات صلة بالموسيقى .
disclaim [-klām'] *(vi.; t.)* (١) يتنازل عن حق أو مطلب (ق). ×(٢) يُنكِر . «ب» يتنصّل من .
disclaimer [-klā'-] *(n.)* (١)فا disclaim (٢) تنازل عن حق الخ.(٣) إنكار ؛ تنصُّل.
disclike *(adj.)* = disklike.
disclose [-klōz'] *(vt.)* (١) يكشف عن ؛ يبدي للعيان. (٢) يفضح (to ~a plot) (٣) يفشي سراً .
disclosure [-klō'zhər] *(n.)* (١) كشْف ؛ فضْح ؛ إفشاء . (٢)انكشاف ؛ افتضاح (٣) كل مايُكشَف عنه أو يُفضَح أو يُفشَى.
disco *(n.)* (١) موسيقى الديسكو (٢) حانة (تُعزَف فيها موسيقى الديسكو).
disco *(vi)* يُدَسِّك : يرقص على أنغام الديسكو.
discobolus [-kŏb'-] *(n.)* pl. **-li** رامي القُرْص.
discographer *(n.)* جامعُ الأسطوانات (الفونوغرافية) ومصنِّفها .
discoid [-'koid] *(adj.; n.)* (١) قُرْصانيّ : شبيه بالقرص (٢)قرصيّ §(٣) قرص.
discoidal [dĭs koi'-] *(adj.)* قُرْصانيّ : قرصيّ الشكل أو مُحدِث قُرْصاً .

discobolus

discolor [-kŭl'ər] *(vt.; i.)* (١) «أ» يغيِّر اللونَ أو يُفسِده أو يزيله . «ب» يلطّخ ×(٢) يتغير لونه أو يَفسُد أو يزول .
discoloration *(n.)* (١) تغيير اللون أو تغيُّرُه الخ. (٢) لطخة .
discomfit [-kŭm'-] *(vt.)* (١) «أ» يَدْحر ؛ يهزم (ا.ق) . «ب» يُحبِط ؛ يخيِّب (٢) «أ» يُربِك . «ب» يُخزِي .
discomfiture [-'fĭ chər] *(n.)* (١) «أ» هزيمة . «ب» خيبة . (٢) ارتباك (٣) ضَرر .
discomfort [-kŭm'-] *(vt.; n.)* (١)يُزْعِج ؛ يُقلِق §(٢) انزعاج ؛ قلق (٣) مشقة ؛ إزعاج (the ~ s endured by explorers).
discommend [-mĕnd'] *(vt.)* (١) يستهجن (٢) «أ» يذم . «ب» يحطّ من قدره .
discommode [-kə mōd'] *(vt.)* يُزْعِج ؛ يُضايِق .
discompose [-pōz'] *(vt.)* (١)يُقلق ؛ يُغيظ ؛ يُثير (٢)يُفسِد النظام.
discomposure [-pō'zhər] *(n.)* (١)عدم ترتيب (٢)قلق ؛ اضطراب.
disconcert [-sûrt'] *(vt.)* (١)يُحْبِط ؛ يُفسِد (٢)يُربِك ؛ يُقلِق.
disconcerted [-sûr'tĭd] *(adj.)* مرتبك ؛ مضطرب .
disconcertion; disconcertment *(n.)* (١) إرباك (٢) ارتباك.
disconnect [-nĕkt'] *(vt.)* يَفْصِل ؛ يقطع الاتصال (بين شيئين).
disconnected *(adj.)* (١)منفصل ؛ غير متصل (٢)مفكّك ؛ غير مترابط.
disconnection [-'shən] *(n.)* (١) فَصْل (٢) انفصال .
disconsolate [-'sə lĭt] *(adj.)* (١) متفطر القلب (حزناً) . (٢) مُغِمّ : يوقع الغمّ في النفس .
discontent [-tĕnt'] *(adj.; n.; vt.)* (١)ساخطٌ ؛ مستاء ؛ قلِق البال. §(٢) الساخط ؛ المستاء الخ. (٣) سُخْط ؛ استياء §(٤) يُسخطه أو يثير استياءه .
—discontentment *(n.)*
discontented [-tĕn'tĭd] *(adj.)* ساخط ؛ مستاء ؛ قلق البال .
discontinuance [-'yōō əns] *(n.)* (١) قَطْع ؛ وَقْف (٢) انقطاع .
discontinuation [-yōō ā'shən] *(n.)* = discontinuance.
discontinue [-'yōō] *(vt.; vi.)* (١)يقطع ؛ يوقف (٢)يَحتجب : يوقف نَشْر جريدة أو مجلة . «ب» يقطع اشتراكه في جريدة ×(٣) تحتجب : تتوقف (الصحيفةُ) عن الصدور .
discontinuity [-nū'ə tĭ] *(n.)* (١) انقطاع ؛ لاتماسك (٢) فجوة ؛ ثغرة.
discontinuous [-'yōō əs] *(adj.)* (١) متقطع ؛ غير متواصل. (٢) غير مترابط .
discophile *(n.)* محب الأسطوانات (الفونوغرافية).
discord [*n.* dĭs'-; *v.* -kôrd'] *(n.; vi.)* (١)«أ» خلاف . «ب» نزاع . «ج» لاانسجام (٢) تنافُر ؛ نشاز (مو) (٣) ضجيج §(٤) يتعارض ؛ يتضارب .
discordance [-kôr'-] *(n.)* (١) خلاف ؛ نزاع (٢) تنافر الأصوات (مو).
discordant [-kôr'dənt] *(adj.)* (١) «أ» متعارض ؛ متضارب. «ب» منقسم على نفسه. «ج» شَكِس ؛ محبّ للخصام (٢)«أ» متنافر النغمات . «ب» صاخب ؛ مُحدِثٌ أصواتاً متنافرة (a ~ crowd).
discotheque [dĭs kō tĕk'] *(n.)* حانة رقص (على أنغام الاسطوانات والأشرطة المسجلة).
discount [*n.* dĭs'-; *v.* dĭs'-, dĭs kount'] *(n.; vt.; i.)* (١) حسم ؛ خصم (٢) الحَطيطة : المبلغ المحسوم (٣) خَصْم كمبيالة §(٤) يَحسِم ؛ يخصم (٥) يخصم كمبيالة (٦)«أ» يُهمِل ؛ يُسقِط من الحساب أو الاعتبار. «ب» ينتقص ؛ يقلل من أهمية شيء . «ج» يحسب حساب المبالغة والتغرّض (فلا يصدّق من الكلام إلا بعضه). «د» يشكّ في ؛ لا يصدّق. «هـ» يُدخل في حسابه (حدثاً مستقبلاً) ×(٧) يخصم (المصرفُ كمبيالة) .
discountable [dĭs'-] *(adj.)* قابل للحسم أو للخصم .
discountenance [dĭs koun'-] *(vt.)* (١) يُخزِي (٢) لا يشجّع ؛ يرفض الموافقة على .
discount rate *(n.)* معدّل الحسم ؛ سعر الخصم (تج) .
discourage [-kûr'ĭj] *(vt.)* (١) يثبّط الهمّة (٢) «أ» يعوق. «ب» يحاول أن يثنيه عن .
—discouraging *(adj.)*
discouragement [-'ĭj mənt] *(n.)* (١) «أ» تثبيط. «ب» تثبُّط ؛ وهن في العزيمة (ناشئ عن التثبيط) (٢) شيء مثبِّط .
discourse [*n.* dĭs'kōrs, -kōrs'; *v.* -kōrs'] *(n.; vi.; t.)* (١) حديث ؛ محادثة (٢) مقالة ؛ خطبة ؛ محاضرة §(٣)«أ» يتحدث. «ب» يعالج موضوعاً (كتابةً أو خطابةً) ؛ يحاضر في ×(٤) يعزف (لحناً).
discourteous [-kûr'tĭ əs] *(adj.)* فظّ ؛ جافٍ .
discourtesy [dĭs kûr'-] *(n.)* (١) فَظاظة (٢) عملٌ فظّ .
discover [-kŭv'ər] *(vt.; i.)* (١)يكشف عن ؛ يفضي بـ (٢)يكتشف.
discovery [-'ə rĭ] *(n.)* (١) اكتشاف (٢) المُكتَشَف : ما يُكتشَف.
discredit [-krĕd'ĭt] *(vt.; n.)* (١)يرفض التصديق (٢)يكذّب أو يُضعف الثقة بـ(٣)يخزي ؛ يشوه السمعة §(٤) خِزْي ؛ عار (٥) شكّ .
discreditable [-'ĭt ə bəl] *(adj.)* مُخْزٍ ؛ ضار بالسمعة .

discreet [-krēt'] *(adj.)* (١) «أ» عاقل ، حكيم . «ب» كتوم ؛ متحفّظ (٢) حذِر .
—discreetness *(n.)*
discrepancy *or* **discrepance**[-krĕp'-] *(n.)* . تعارُض ، تناقض .
discrepant [-krĕp'ənt] *(adj.)* . متعارض ، متناقض ، متضارب .
discrete [-krēt'] *(adj.)* . (١)منفصل ، متميّز ، متفرّد (٢)غير مترابط .
discretion [-krĕsh'-] *(n.)* (١) تعقّل ، حذَر ، وبخاصة : تحفّظ ؛ القدرة على كتمان سر (٢) «أ» حرية التصرف أو الاختيار ، وبخاصة : استنساب (ق) (٣) تمييز ، رُشْد (age of ~).
at ~, (١) على هواه (٢) من غير قيد أو شرط .
discretional; discretionary *(adj.)* استنسابي : متروك لتقدير المرء أو ممارَس وفقاً لما يراه مناسباً (~ powers).
discriminate[*v.*-'ə nāt'; *adj.*-'ə nit] *(vt.; i.; adj.)* (١)يميّز ×(٢) يميز ، وبخاصة في المعاملة §(٣) متميّز (ا.ق) (٤) مميز ؛ حصيف ، حسَن التمييز .
to ~ against يتعصّب عليه ، يعامله معاملة غير عادلة .
discriminating *(adj.)* (١) مميز ، فارق (a ~mark) (٢)حسَن التمييز (~ buyers) (٣) تفاضلي (a ~ tariff).
discrimination *(n.)* (١) تمييز (٢)حصافة ، حُسن تمييز (٣) تمييز في المعاملة : «أ» محاباة . «ب» تعصّب على .
—discriminational *(adj.)*
discriminative *(adj.)* (١)مميز ، فارق (~ features). (٢) تمييزي ، تفاضلي (a ~ tariff).
discriminator *(n.)* فا discriminate وبخاصة : المميِّز (رد).
discriminatory [dĭs krĭm'ə nə tōr'ĭ] *(adj.)* (١) مميِّز . (٢) تمييزي (~ attitudes toward minority groups).
discursive [dĭs kûr'-] *(adj)* (١)استطرادي ، متنقّل من موضوع إلى آخر (٢) منطقي ، غير حدْسي (٣) متنقّل ، متجوِّل
discus [dĭs'kəs] *(n.)* pl. **-es** (١)«أ»القُرص : قُرص معدني أو خشبي يُرمى اختباراً للقوة (رب) «ب»رمْي القرص(رب) (٢)القرص : الجزء الأوسط من رأس الزهرة (نب) .

discus 1.

discuss [-kŭs'] *(vt.)* (١)«أ»يناقش ، يدرس . «ب»يبحث بتفصيل . (٢) يتبادل الآراء حول (٣) يلتهم (الطعامَ أو الشراب) بشهية .
discussant [dĭs kŭs'-] *(n.)* . المناقِش : المشترك في مناقشة عامة .
discussion [-kŭsh'ən] *(n.)* . مناقشة ، درْس ، بحث .
disdain [dĭs dān'] *(vt.; n.)* (١) يزدري (٢)يترفع عن ، يأنف من . §(٣) ازدراء .
disdainful [-'fəl] *(adj.)* (١) مزْدَرٍ (٢) ازدرائي .
disease [dĭ zēz'] *(n.; vt.)* (١) سقَم ، اعتلال في الصحة . (٢) داء ، مرض ، علة §(٣) يُسقم ، يمرض .
diseased *(adj.)* . مريض ، عليل ، سقيم .
disembark [dĭs'ĕm bärk'] *(vt.; i.)* (١) ينزل من السفينة . ×(٢)«أ» يتنزل من السفينة . «ب» يترجّل من مركبة .
disembarrass [dĭs'ĕm băr'-] *(vt.)* (١)يخلّص (من كل ما يعوق أو يربك) (٢) يتخلص من (to ~ oneself of a burden).
disembody [-ĕm bŏd'ĭ] *(vt.)* . يحرر (روحاً) من الجسد .
disembogue [dĭs ĕm bōg'] *(vi.; t.)* (١) يصبّ (النهر) . ×(٢)يصب ، يفرغ
disembosom [dĭs'ĕm bo͝oz'əm] *(vt.)* (١) يبوح بالسر . (٢) يفضي بمكنون صدره .
disembowel [-ĕm bou'əl] *(vt.)* . ينزع الأحشاء .

disenchant [-ĕn chănt'] *(vt.)* . يحرر من السحر أو الوهم .
disencumber [-ĕn kŭm'-] *(vt.)* . يخلّص (من عبء أو عائق) .
disendow [dĭs ĕn dou'] *(vt.)* . يجرّد (كنيسةً الخ.) من الأوقاف .
disenfranchise [-ĕn frăn'-] *(vt.)* = disfranchise.
disengage[-ĕn gāj'] *(vt.; i.)* (١)«أ» يحرر . «ب» يحِل من عهد أو التزام . «ج» يحُل . «د» يفْصِل . «هـ» يسحب (جنداً) من المعركة ×(٢) يتحرّر من (٣) ينسحب من المعركة .
disengaged *(adj.)* . حرّ ، غير مشغول ، قادر على استقبال الزائرين .
disengagement [-gāj'-] *(n.)* (١) تحرير أو تحرّر (من العمل الخ.) (٢) خلوّ البال (٣) فسخ الخِطبة .
disentangle[-ĕn tăng'-] *(vt.; i.)* (١)يحُل ، يفك ×(٢)ينحل .
disenthrall [-ĕn thrôl'] *(vt.)* . يعتق : يحرر من العبودية .
disenthrone [-ĕn thrōn'] *(vt.)* . يخلَع عن العرْش .
disentitle [-ĕn tī'-] *(vt.)* . يجرده من لقب أو حق الخ .
disentomb[-ĕn to͞om'] *(vt.)* (١) يُخرج من القبر (٢)يُبرز إلى النور .
disentrance [-ĕn trăns'] *(vt.)* = disenchant.
disestablish [-ĕs tăb'-] *(vt.)* يسحب اعتراف الدولة بكنيسة أو تأييدها لها .
disesteem [-ĕs tēm'] *(vt.; n.)* (١) يزدري ، يستخفّ بِـ . §(٢) ازدراء ، استخفاف بِـ .
disfavor *or* **disfavour** [-fā'vər] *(n.; vt.)* (١) كُرْه . (٢)«أ» ازدراء . «ب» لاحظوة (٣) أذى ، ضرر §(٤) يكْرَه ، يزدري .
disfeature [-fē'chər] *(vt.)* . يُشوِّه (سِمات شيء) .
disfigure [-fĭg'yər] *(vt.)* . يشوه (وجه شيء أو مظهره) .
disfranchise [-'chīz] *(vt.)* يحرمه حقاً شرعياً أو امتيازاً أو حصانة ما . وبخاصة : يحرمه حق التصويت .
disfrock [-frŏk'] *(vt.)* . يجرد (كاهناً) من رتبته الكهنوتية .
disgorge [-gôrj'] *(vt.)* (١)«أ» يتقيأ . «ب» يلفظ (البركان حممه الخ.) (٢) يُفرغ (٣) يتخلى (عن شيء) على كره منه .
disgrace [-grās'] *(vt.; n.)* (١) يُخزي ، يُلحِق به خزياً أو عاراً . (٢) يطرد §(٣) خِزي ، عار .
disgraceful *(adj.)* . مُخزٍ ، شائن (~ behavior) .
disgruntle [-grŭn'-] *(vt.)* . يُسخِط : يثير سُخطه أو استياءه .
disgruntled *(adj.)* . ساخِط ، مُستاء ، ناقم .
disguise [dĭs gīz'] *(vt.; n.)* (١)يتنكر ، يتقنّع (٢) يُقنِّع ، يُخفي § (٣)«أ» قِناع . «ب» « ماكياج » الممثل أو ملابسه (٤)«أ» مظهر كاذب . «ب» خِداع (٥) تنكُّر (٦) إخفاء .
disgust [-gŭst'] *(n.; vt; i.)* (١) غثَيان (٢) اشمئزاز ، قرَف . §(٣) يُغثي ، يثير الاشمئزاز أو القرف .
disgusted *(adj.)* (١) مغثيّ ، مصاب بالغثَيان (٢) مشمئز .
disgustful *(adj.)* (١) مُغثٍ (٢) مثير للاشمئزاز أو القرف .
disgusting [dĭs gŭs'tĭng] *(adj.)* = disgustful.
dish [dĭsh] *(n.; vt.)* (١) طبَق ، صَحفة ، صحن (٢)«أ» لون من ألوان الطعام (tasty Chinese ~es). «ب» شيء (مثل أثر أدبي) يشبه لوناً من ألوان الطعام وبخاصة من حيث اشتماله على عدة عناصر متمازجة أو متناسقة . «ج» شيء مفضّل (Marriage was scarcely his ~.) «د» فتاة مغرية (٣) مِلء طبق أو صحن (٤)«أ» وعاء مقعَّر . «ب» تقعُّر §(٥) يسكب (الطعامَ) (٦) يُعِدّ ، يصوغ (٧) يُقعِّر (٨)«أ» يهزم «ب» يخيِّب الأمل (ع) .
to ~ out (١) يسكب الطعام (من طبق) . (٢) يعطي بسخاء .

ă at; ā date; â care; ä car; ĕ egg; ē me; ĭ in; ī bite; ŏ lot; ō bone; ô orphan; oi boil o͝o good; o͞o boot; ou out; ŭ under; ū unity; û urgent; th thing; t͟h this; zh vision; ə = *a* in alone, *e* in system, *i* in easily, *o* in gallop, *u* in circus.

(١) يسكب الطعامَ (في طبق) (٢) يُعِدّ ؛ **to ~ up** يصوغ ؛ يقدِّم بطريقة جذابة .

dishabille [-'ə bēl'] *(n.)* (١) الفِضال : ثوبٌ مبتذل يُلبس في البيت للخدمة أو النوم (٢) التفضّل : ارتداء الفِضال .

dishallow [dĭs hăl'ō] *(vt.)* يُدنِّس أو ينتهك الحرمةَ .

disharmonic *or* **disharmonious** [dĭs-] *(adj.)* متنافر .

disharmonize [dĭs här'-] *(vt.; i.)* (١) ينشّز ؛ يجعله متنافراً . ×(٢) يتنافر .

disharmony [dĭs här'-] *(n.)* تنافر ؛ لا تناغم .

dishcloth [dĭsh'-] *(n.)* قُماشة الصحون : قُماشة لغسل الصحون .

dishclout [-'klout'] *(n.)* = dishcloth.

dishearten [dĭs här'-] *(vt.)* يُثبِّط الهِمّةَ .

dished [dĭsht] *(adj.)* (١) مُقَعَّر **(a ~ face)** (٢) مُرهَق .

dishevel [dĭ shĕv'-] *(vt.)* (١) يُشعِّث (الشعرَ) (٢) يغضِّن (الملابس) .

disheveled [dĭ shĕv'-] *(adj.)* (١) أشعَث **(~hair)** (٢) غير مرتّب .

dishonest [dĭs ŏn'ĭst] *(adj.)* كاذب ؛ خادع ؛ مضلِّل ؛ غير أمين أو شريف .
—**dishonesty** *(n.)*

dishonor *or* **dishonour** [dĭs ŏn'ər] *(n.; vt.)* (١) خِزي ؛ عار (٢) إهانة (٣) عدم دفعِ (أو قبولِ) الحوالة من قِبَل المسحوب عليه §(٤) «أ» يُهين . «ب» يلوث السمعة . «ج» يغتصب (فتاة) (٥) يُخزي : يلبسه ثوبَ الخزي والعار (٦) يرفض دفعَ (أو قبولَ) الحوالة أو الشيك .

dishonorable [dĭs ŏn'ər ə bəl] *(adj.)* مُخزٍ ، شائن .

dishrag [dĭsh'răg'] *(n.)* = dishcloth.

dish towel *(n.)* منشفة الصحون : منديل لتنشيف الصحون .

dishwasher *(n.)* (١) غاسل الصحون (٢) غسّالة الصحون (الآلية) .

dishwater *(n.)* غَسول الصحون : ماء غُسِلتْ (أو تُغسل) به الصحون .

disillusion [- ĭ lōō'zhən] *(vt.; n.)* (١) يحرِّر من الوهم . (٢) يُخيِّب الأمل § (٣) تحرير أو تحرُّر من الوهم (٤) خيبة أمل .

disincentive *(n.)* عقبة ؛ عائق **(a major ~ to...)**.

disinclination [- ĭn'klə nā'-] *(n.)* نفورٌ ؛ كراهية .

disincline [-ĭn klīn'] *(vt.; i.)* (١) ينفِّر × (٢) ينْفُر .

disinclined *(adj.)* راغبٌ عن : غير راغب في .

disinfect [- ĭn fĕkt'] *(vt.)* يطهِّر (الغرفَ أو الملابس من جراثيم المرض) .

disinfectant [- ĭn fĕk'-] *(n.; adj.)* (١) مبيدٌ للجراثيم § (٢) مطهِّر .

disinfection [dĭs ĭn fĕk'-] *(n.)* التطهير (من جراثيم المرض) .

disinfest *(vt.)* يطهِّر من الحشرات أو الديدان الخ .

disinfestant *(n.)* مبيدٌ للحشرات أو الديدان الخ .

disingenuous [-ĭn jĕn'yōō əs] *(adj.)* مخادِع ؛ ماكِر .

disinherit [-ĭn hĕr'ĭt] *(vt.)* (١) يحرمه من الوراثة أو الإرث . (٢) «أ» يحرمه من الحقوق الطبيعية أو الانسانية . «ب» يحرمه من امتيازات خاصة كان يتمتّع بها من قبل .

disintegrate [dĭs'ĭn'-] *(vt.; i.)* (١) يَحُلّ ؛ يفسّخ ؛ يُحطِّم . ×(٢) ينحلّ ؛ يتفسّخ ؛ يتحطّم .

disinter [-ĭn tûr'] *(vt.)* = disentomb.

disinterest [dĭs ĭn'-] *(n.)* (١) نزاهة (٢) لامبالاة .

disinterested [-'tə rĕs'-] *(adj.)* (١) نزيه (٢) لامبالٍ (ع) .

disjoin [-join'] *(vt.; i.)* (١) «أ» يَفسخ . «ب» يفصِل ×(٢) ينفصل .

disjoint [-joint'] *(vt.; i.)* (١) يفكّك (٢) يفصِل (٣) يَخلع المفاصلَ ×(٤) يتخلّع .

disjointed [-'tĭd] *(adj.)* (١) مخلَّع **(a ~ fowl)** (٢) مفكَّك .

disjunct [-jŭngkt'] *(adj.)* منفصل ؛ غير متصل .

disjunction [-'shən] *(n.)* (١) فَصْل (٢) انفصال .

disjunctive [-jŭngk'-] *(adj.)* (١) فاصل ؛ مفرِّق (٢) «أ» طِباقيّ ؛ استدراكيّ (مثل *but* في قولك **poor *but* happy**) . «ب» تخييريّ ؛ دال على المساواة (مثل *either* و *or* في قولك : (*either* milk *or* cream)

disk *or* **disc** [dĭsk] *(n.; vt.)* (١) القُرص : «أ» الجزء الأوسط من رأسِ الزهرة (نب) . «ب» كل عضو مدوّر مسطّح (ح) . «ج» شيء مدوّر رقيق . «د» أسطوانة فونوغرافية . «هـ» قرص الشّمس (٢) المِسْلفة القُرصية (را . **disk harrow**) §(٣) يَسْلُف : يسوّي الأرضِ بمسلفة قُرصية أو نحوها (٤) يسجل (على أسطوانة فونوغرافية) .

disk flower *(n.)* الزهرة القُرْصيةُ (نب) .

disk harrow *(n.)* المِسْلفة القُرْصية : أداة زراعية ذات أقراص مقعرة مستدقة الأطراف تقلب سطح الأرض وتستأصل الأعشاب الضارة .

disk jockey *(n.)* = disc jockey.

disklike *or* **disclike** *(adj.)* قُرصيّ الشكل .

disk wheel *(n.)* الدولاب القُرصيّ (سي) .

dislike [dĭs līk'] *(vt.; n.)* (١) يَكْرَه §(٢) كُرْه .

dislimn [dĭs lĭm'] *(vt.; i.)* = dim.

dislocate [-'lō kāt'] *(vt.)* (١) ينزع شيئاً من موضعه ، وبخاصة : يخلع (الذراعَ أو الكتف الخ .) (٢) يشوِّش ؛ يوقع الاضطراب في .

dislodge [-lŏj'] *(vt.; i.)* (١) يُزيح (٢) يطرد ×(٣) يرتحل .

disloyal [dĭs loi'əl] *(adj.)* خائن ؛ غادر .

disloyalty [-loi'əl tĭ] *(n.)* خيانة ؛ غَدْر .

dismal [dĭz'-] *(adj.)* (١) كئيبٍ (٢) موحِشٍ ؛ مُغِمّ ؛ قابض للصدر .

dismantle [-măn'təl] *(vt.)* (١) يعري (٢) يجرد (من الأثاث أو التجهيزات أو وسائل الدفاع) (٣) يفكّك .

dismast [-măst'] *(vt.)* ينزع أو يكسر الصاري (مل) .

dismay [-mā'] *(vt.; n.)* (١) يرعب ؛ يُفزع §(٢) رُعبٍ ؛ فَزَع .

dismember [-'bər] *(vt.)* (١) يقطّع الأوصال (٢) يمزّق .

dismiss [-mĭs'] *(vt.; i.)* (١) يَصْرِف ؛ يأذن بالانصراف (The master ~*ed* the servant; The teacher ~*ed* his class.) (٢) يطرد ؛ يَصْرِف (من الخدمة الخ .) (٣) ينبذ ؛ يرفض (٤) «أ» يَصرِف النظر عن . «ب» ترفض (المحكمة) النظرَ في دعوى أو استئنافَ النظر فيها ×(٥) ينصرف ؛ يتفرّق .

dismissal *or* **dismission** *(n.)* (١) صَرْف الخ . (٢) انصراف .

dismount [-mount'] *(vi.; t.; n.)* (١) يترجّل (عن فرس أو دراجة أو قطار أو سيارة الخ .) ×(٢) يُنزل (مدفعاً) عن رَكوبته أو قاعدته (٣) ينزع (جوهرةً) من موضعها من الخاتم (٤) يُسقط عن ظهر الجواد (٥) يفكّك (آلةً) §(٦) ترَجُّل الخ .

disobedience [dĭs'ə bē'-] *(n.)* تمرّدٍ ؛ عصيان .

disobedient [-'dĭ ənt] *(adj.)* متمرِّد ، عاصٍ .

disobey [dĭs'ə bā'] *(vt.; i.)* يتمرّد على ؛ يعصي .

disoblige [-ə blīj'] *(vt.)* (١) يمتنع عن مجاملته (بأن يرفض له طلباً ما) (٢) «أ» يزعج ؛ يضايق . «ب» يُغْضِب .

disobliging *(adj.)* غير مجامل : غير راغب في النزول عند رغبات الآخرين .

disorder [-ôr'dər] *(n.; vt.)* (١) فوضى ؛ لا نظام (٢) اضطراب ؛ شَغَب (٣) اعتلال جسدي أو عقليّ §(٤) يوقِع الاضطراب في (٥) يُصيب الصحةَ (الجسدية أو العقلية) بالاعتلال .

disordered *(adj.)* (١) مضطرب ؛ في حالة فوضى (٢) «أ» معتلّ . «ب» معتلّ العقل .

disorderly *(adj.)* (١) متمرِّد ؛ مُخِلّ بالنظام (٢) مخالفٌ للقانون ؛ منافٍ للأخلاق أو الحِشمة (٣) مضطرب ؛ فاقد النظام .

ă at; ā date; â care; ä car; ĕ egg; ē me; ĭ in; ī bite; ŏ lot; ō bone; ô orphan; oi boil ŏŏ good; ōō boot; ou out; ŭ under; ū unity; û urgent; th thing; t͟h this; zh vision; ə = *a* in alone, *e* in system, *i* in easily, *o* in gallop, *u* in circus.

disorderly conduct *(n.)* جُنحة بسيطة (ق) .
disorderly house *(n.)* (١) ماخور ؛ بيت دعارة (٢) وكر قمار.
disorganize [-ôr'gə nīz'] *(vt.)* يشوّش : يفسد نظام شيء أو يُوقع الاختلال فيه .
—disorganization *(n.)*
disorient [-ō'rĭ ənt] *(vt.)* (١) «أ» يحرّفه عن الوضع السويّ . «ب» يُفقده حسّ المكان والزمان أو يجعله عاجزاً عن معرفة هويّته الذاتية (كما في بعض الأمراض) (٢) يُربِك .
disorientate *(vt.)* = disorient.
disown [dĭs ōn'] *(vt.)* (١) يتبرّأ من (٢) «أ» يُنكِر . «ب» ينكر الاعتراف بصحة شيء أو شرعيته .
disparage *(vt.)* (١) يحطّ من قدره (٢) يذمّ ؛ ينتقص ؛ يستخف بـ .
disparate [-'pə rĭt] *(adj.)* متفاوت ؛ متباين .
disparity [dĭs păr'ə tĭ] *(n.)* تفاوت ؛ تباين .
dispart [-pärt'] *(vt.; i.)* (١) يفصل ؛ يقسّم × (٢) ينفصل ؛ ينقسم .
dispassionate *(adj.)* (١) هادئ (٢) نزيه .
dispatch [-păch'] *(vt.; n.)* (١) يبعث ؛ يرسل (رسولاً أو برقيةً الخ.) (٢) يقتل ؛ يُعدِم (٣) يُنجز (مهمة) بسرعة أو فعالية § (٤) «أ» إرسال (رسول أو برقية الخ.) . «ب» قتل ؛ إعدام . «ج» إنجاز (عمل) بسرعة . «د» سُرعة (with ~) . «هـ» شَحْن (٤) «أ» رسالة موجهة بسرعة ؛ وبخاصة : رسالة رسمية هامة يحملها موفد ديبلوماسي أو ضابط عسكري . «ب» رسالة إخبارية (يبعث بها مراسل إلى صحيفته) . «ج» برقية . مُشاد بذكره في التقارير العسكرية mentioned in ~ es (تقديراً لبسالته) .
dispatch boat *(n.)* مركب رسمي لنقل الرسائل .
dispatcher [dĭs păch'ər] *(n.)* المُرْسِل الخ .
dispatch rider *(n.)* الساعي الراكب : رسول ينقل الرسائل العسكرية راكباً جواداً أو درّاجة بخارية .
dispel [-pĕl'] *(vt.)* يُبدّد (to ~ mist *or* fear).
dispensable [-'sə bəl] *(adj.)* غير ضروري ؛ يُستغنى عنه .
dispensary [-'sə-] *(n.)* مستوصف (لتوزيع الأدوية مجاناً) .
dispensation [-pən sā'-] *(n.)* (١) «أ» إدارة ؛ حُكم . «ب» التدبير الإلهي لشؤون العالم (٢) شريعة ؛ نظام دينيّ (Christian ~) (٣) حِلّ ؛ تحِلّة ؛ إعفاء (٤) «أ» توزيع . «ب» ما يُوزَّع .
dispensatory [-'sə tōr ĭ] *(n.)* كتاب الأقرباذين : كتاب يشتمل على عناصر الأدوية وطريقة تركيبها .
dispense [-pĕns'] *(vt.; i.)* (١) «أ» يوزع . «ب» يقيم العدالة ؛ يضع القانون موضع التنفيذ (٢) يُحِلّ ؛ يُعفي (٣) يركّب الأدوية ويوزعها (وبخاصة حسب وصفةٍ طبية) × (٤) يمنح حِلاً أو تحِلّة (كن) .
to ~ with (١) يستغني عن (٢) يعفي من قانون ؛ يحلّ من عهد .
dispenser *(n.)* (١) فا dispense (٢) «أ» صيدليّ . «ب» عامل في مستوصف (٣) وعاء .
dispeople [dĭs pē'pəl] *(vt.)* = depopulate.
dispersal [-pûr'-] *(n.)* (١) تشتيت ؛ تبديد (٢) تشتّت ؛ تبدّد (٣) الانتشار (نب) .
disperse [-pûrs'] *(vt.; i.)* (١) يشتّت ؛ يفرّق (٢) ينثر ؛ ينشر . (٣) يبدّد (The fog is ~*d.*) (٤) يقزّح (الضوء) × (٥) يتشتّت ؛ ينتثر ؛ يتبدّد .
—dispersive *(adj.)*
dispersion [-pûr'shən] *(n.)* (١) تشتيت ؛ تبديد (٢) تشتّت ؛ تبدّد (٣) التقزّح : استحالة الضوء الأبيض إلى الأضواء ذات الألوان المتدرّجة من الحمرة إلى البنفسجية بواسطة موشور من الزجاج (بص) .
dispirit [-pĭr'ĭt] *(vt.)* يوقع الكآبة في النفس ؛ يثبّط الهمّة .
dispirited [-pĭr'ĭt-] *(adj.)* مكتئب ؛ متشائم ؛ مثبّط الهمة .
displace [dĭs plās'] *(vt.)* (١) «أ» يُزيح . «ب» يُشرّد . «ج» يعزل (من منصب) (٢) «أ» يَحِلّ محلّ . «ب» يستبدل (شيئاً بآخر) ؛ يُحِلّ شيئاً محلّ آخر .
displaced person *(n.)* المُرحّل : شخص يُرحّل (أو يُضطرّ إلى الرحيل) عن وطنه لأسباب عرقية أو دينية أو عقائدية .
displacement [-'mənt] *(n.)* (١) إزاحة أو انزياح (٢) إحلال شيء أو حلوله محلّ شيء آخر (٣) عَزْل ؛ تنحية (٤) «أ» الإزاحة : إزاحة الماء بجسم مغمور أو طافٍ فيه (فز) . «ب» الوزن أو الحجم المزاح (فز) .
display [dĭs plā'] *(vt.; n.)* (١) ينشر (to ~ a map on the table) (٢) «أ» يعرض ؛ يبدي للعيان . «ب» يتكشّف عن (Your brother ~ *s* great intelligence.) (٣) يصور (The canvases ~*ed* shabby acrobats.) (٤) يُبرز ؛ يظهّر ؛ يطبع بأحرف ضخمة § (٥) «أ» نَشْر . «ب» عَرْض ؛ إبداء . «ج» تباهٍ مبتذَل أو رخيص (vulgar ~) (٦) «أ» إبراز ؛ تظهير (طع) . «ب» المادة المُبْرَزة أو المظهّرة (بأحرف ضخمة) .
displease [-plēz'] *(vt.; i.)* يثير الاستياء ؛ يُغضِب .
displeasure [-plĕzh'ər] *(n.)* استياء ؛ غضبٌ طفيف .
disport [-pōrt'] *(vt.; i.; n.)* (١) يلهو ؛ يمرح § (٢) لهو (ا.ق) .
disposable [-pō'zə bəl] *(adj.)* (١) في المتناوَل ؛ جاهز للاستعمال عند الحاجة (٢) ممكنٌ التخلص منه ؛ وبخاصة : مُعَدّ للطَّرْح بعد الاستعمال من غير خسارة تُذكَر (napkins ~) .
disposal [-pō'zəl] *(n.)* (١) «أ» ترتيب ؛ تنظيم . «ب» تدبير (٢) «أ» نَقْلٌ (إلى شخص آخر أو مكان جديد) . «ب» بَيْع (٣) «أ» رمي ؛ اطّراح . «ب» تخلّص من . «ج» تدمير (the ~ of all enemy aircraft) (٤) تصرّف (at your ~) .
dispose [dĭs pōz'] *(vt.; i.)* (١) يُقنعه بـ ؛ يجعله يميل إلى (٢) يُعِدّ (٣) يرتّب : ينظّم × (٤) يقدّر : يقرر مصير شيء على نحو نهائي (Man proposes but God ~ *s.*).
to ~ of (١) «أ» يضع أو يوزّع أو يرتب (بطريقة نظامية) . «ب» يتصرف بـ . (٢) «أ» يَهَب . «ب» يبيع (٣) «أ» يتخلص من . «ب» يحسم أو يسوّي (الخلافات) «ج» يلتهم (طعاماً الخ.) «د» يحطم (طائرات العدوّ الخ.) .
disposed [-pōzd'] *(adj.)* (١) ميّال إلى (٢) مطبوع على .
to be well *or* ill ~ towards يتّخذ موقفاً ودّياً (أو عدائياً) من .
disposition [-pə zĭsh'ən] *(n.)* (١) «أ» تخلّص من . «ب» سلطة ؛ تصرّف . «ج» تحويل مِلكية إلى شخص آخر (من طريق الهبة أو البيع أو الوصية الخ .) . «د» حَسْم لمسألةٍ ما . «هـ» ترتيب ؛ تنظيم (٢) «أ» ميل . «ب» نزعة . «ج» مزاج .
dispossess [-pə zĕs'] *(vt.)* (١) يطرد ؛ يُخرج (٢) يُفقِد .
dispraise [-prāz'] *(vt.; n.)* (١) يذم ؛ يقدح بـ § (٢) ذمّ ؛ قَدْح .
disproof [-proof'] *(n.)* (١) دَحْض (٢) حجةٌ دامغة أو داحضة .
disproportion [-prə pōr'-] *(n.; vt.)* (١) «أ» تفاوت «ب» لاتناغم ؛ لاتناسب § (٢) يجعله متفاوتاً أو غير متناغم .
disproportional; disproportionate *(adj.)* غير متجانس أو متكافئ مع .
disprove [-proov'] *(vt.)* يدحض : يثبت بطلان شيء .
disputable [dĭs pū'tə bəl] *(adj.)* قابلٌ للمناقشة ؛ فيه نظر .

disputant [-'pyōō-] *(n.)* (١) المجادِل ؛ المناظِر (٢) المُنازِع .
disputation [-tā'-] *(n.)* (١) «أ» جدل . «ب» نزاع (٢) مناظرة .
disputatious [-tā'shəs] *(adj.)* (١) مولعٌ بالجدل أو الخصام. (٢) خِلافيّ ؛ فيه خلاف ؛ مثيرٌ للجدل أو الخلاف .
dispute [-pūt'] *(vi.; t.; n.)* (١) يتجادل «بشدة وعنف» (٢) يتنازع. ×(٣) «أ» يناقش (أمراً) ؛ يجعله موضعَ نقاش. «ب» يشكّ في . «ج» يفنّد . يدفع (حجةً) (٤) «أ» يقاوم **(to ~ a landing by the enemy)** «ب» يدافع عنه **(Our soldiers ~*d* every inch of ground.)** «ج» يكافح من أجل ؛ يحاول انتزاع **(~*d* the victory until the very end of the game)** §(٥) جدال ؛ نِقاش (٦) خلاف ؛ نزاع .
 beyond ~, غير متنازَع ؛ من غير ريب .
 in ~, متنازَع فيه .
disqualification *(n.)* (١) «أ» تجريد من الأهلية . «ب» لاأهلية . (٢) كلُّ ما يسلب الأهلية .
disqualify [-kwŏl'ə fī'] *(vt.)* (١) يجرّده من الأهلية ؛ يجعله عاجزاً عن ، أو غير أهل لـِ (٢) يحرمه الحقوقَ الشرعية أو غيرها من الحقوق والامتيازات ؛ يعلن عدم أهليته لـِ (٣) يحرمه حقَّ الاشتراك في مباراة لمخالفته القوانين (رب) .
disquiet [-kwī'ət] *(vt.; n.)* (١) يُقلِق ؛ يزعج §(٢) قلق ؛ انزعاج .
disquietude [dĭs kwī'ə tūd] *(n.)* قلق ؛ حالة قلق .
disquisition [-kwə zĭsh'-] *(n.)* خُطْبة ؛ مقالة ؛ بحث .
disrate [-rāt'] *(vt.)* يُنزِل رتبتَه (وبخاصة في البحرية).
disregard [dĭs rĭ gärd'] *(vt.; n.)* (١) يتجاهل ؛ يتغاضى عن. (٢) يستخفّ بـِ ؛ لايكترث بـِ ؛ يهمل §(٣) تجاهل (٤) استخفاف ؛ لااكتراث ؛ إهمال.
disregardful [dĭs'rĭ gärd'fəl] *(adj.)* مُهْمِل .
disrelish [-rĕl'ĭsh] *(vt.)* (١) «أ» يعاف ؛ يكره طعم شيء . «ب» يُبغض ؛ يكره §(٢) «أ» عَيْف ؛ عِياف. «ب» بُغْض ؛ كُره.
disremember [dĭs'rĭ mĕm'-] *(vt.)* يَنْسَى .
disrepair [-rĭ pâr'] *(n.)* عَطَب ؛ حاجة إلى ترميم.
disreputable [-'yə -] *(adj.)* (١) سيّء السمعة **(~ bars)**. (٢) زَرِيّ ؛ حقير **(a *disreputable*-looking fellow)** (٣) بالٍ ؛ قذر ؛ ممزّق **(an old ~ coat)** (٤) ضارٌّ بالسُّمعة .
disrepute [-rĭ pūt'] *(n.)* انثلامُ السمعة ؛ فقدان السمعة الجيدة .
disrespect [-spĕkt'] *(n.; vt.)* (١) ازدراء ؛ لااحترام . §(٢) ينظر إليه أو يعامله بازدراء أو لااحترام.
disrespectful [-'fəl] *(adj.)* قليل الاحترام (للآخرين) .
disrobe [-rōb'] *(vt.; i.)* (١) يُعرّي ×(٢) يتعرّى .
disroot [-rōōt'] *(vt.)* (١) يقتلع ؛ يستأصل (٢) يطرد .
disrupt [-rŭpt'] *(vt.; adj.)* (١) يمزّق (٢) يوقع الفوضى في . (٣) يعطّل §(٤) ممزّق الخ .
disruption [-rŭp'shən] *(n.)* (١) تمزيق (٢) تمزّق .
disruptive [dĭs rŭp'-] *(adj.)* (١) مُمزِّق (٢) تمزيقي .
disruptive discharge *(n.)* التفريغ التمزيقي (كب) .
dissatisfaction [dĭs'săt ĭs făk'-] *(n.)* استياء ؛ لارضاً .
dissatisfactory [-'tə rĭ] *(adj.)* باعثٌ على الاستياء ؛ غير مرضٍ.
dissatisfied [-'ĭs fīd'] *(adj.)* مُستاء ؛ غير راضٍ .
dissatisfy [dĭs săt'-] *(vt.)* يثير استياءَه أو سُخْطَه .
dissect [dĭ sĕkt'] *(vt.)* (١) يشرِّح (الجثة) (٢) يحلّل ؛ يفحص بدقة.
dissected [dĭ sĕk'-] *(adj.)* (١) مُشرَّح (٢) مشطَّر ؛ مجزّأ إلى أقسام أو فصوص واضحة المعالم **(~ leaves)**.
dissection *(n.)* (١) تشريح (٢) تحليل ؛ دراسة نقدية مفصّلة. (٣) حيوان أو نبات مُشرَّح .
dissector *(n.)* (١) المُشرِّح الخ. (٢) المِشْراح : مِبضَع التشريح.
disseise *or* **disseize** [dĭs sēz'] *(vt.)* ينتزع الملكية (وبخاصة ظلماً).
dissemble [dĭ sĕm'bəl] *(vt.; i.)* (١) يُخفي (بقصد الخداع). (٢) يتظاهر بـِ ×(٣) يرائي ؛ ينافق .
disseminate [dĭ sĕm'-] *(vt.; i.)* (١) «أ» يبذر ؛ يبذّر. «ب» ينشر ×(٢) ينتشر.
disseminule *(n.)* الفُصَيْلة : جزء أو عضوٌ نباتيّ (كالبذرة أو البوغ) يَنفصل عن النبتة فيكفل لها الانتشار في مكان آخر (نب) .
dissension [dĭ sĕn'shən] *(n.)* خلاف ؛ نزاع ؛ شقاق .
dissent [dĭ sĕnt'] *(vi.; n.)* (١) يخالف ؛ يعارض (٢) يخرج على ؛ ينشق على §(٣) مخالفة ؛ معارضة (٤) خروج ؛ انشقاق .
dissenter [dĭ sĕn'-] *(n.)* الخارج ؛ المنشقّ (على الكنيسة الانكليكانية).
dissentient [dĭ sĕn'shənt] *(adj.; n.)* (١) مخالِف ؛ معارِض (وبخاصة لرأي الأكثرية) §(٢) المخالِف ؛ المعارِض **(gained him a vote of confidence with only five ~s)**
dissenting *(adj.)* مخالِف ؛ معارِض (without a ~ voice).
dissention [dĭ sĕn'shən] *(n.)* = dissension.
dissentious [-'shəs] *(adj.)* مشاكس ؛ مولعٌ بالخصام .
dissepiment [dĭ sĕp'ə-] *(n.)* حاجز ؛ وبخاصة : نسيجٌ فاصل (نب) .

d. dissepiment

dissertate [-'ər tāt'] *(vi.)* يعالج موضوعاً ؛ يتكلم بشيء من الإسهاب .
dissertation [dĭs'ər tā'-] *(n.)* (١) مقالة أو خطبة مطوّلة . (٢) أطروحة ؛ رسالة (وبخاصة لدرجة الدكتوراه) .
disserve [dĭs sûrv'] *(vt.)* يؤذي ؛ يسيء إلى .
disservice [-sûr'vĭs] *(n.)* أذى ؛ ضرر ؛ إساءة .
dissever [dĭ sĕv'ər] *(vt.)* (١) يفْصِل (٢) يقسِّم .
dissidence [dĭs'ə-] *(n.)* (١) خلاف (في الرأي) (٢) انشقاق .
dissident [-'ə dənt] *(adj.; n.)* (١) «أ» مختلِف (في الرأي) . «ب» خارجٌ أو منشقٌّ على . «ج» مشاكس ؛ كثير الخصام (٢) متضارب ؛ غير متجانس §(٣) الخارج ؛ المنشقّ .
dissimilar [dĭ sĭm'-] *(adj.)* متباين ؛ غير متشابه.
dissimilarity [-lăr'-] *(n.)* (١) تباين ؛ اختلاف (٢) نقطة تباين.
dissimilitude [dĭs'sĭ mĭl'ə tūd'] *(n.)* (١) تباين (٢) نقطة تباين.
dissimulate [dĭ sĭm'-] *(vt.; i.)* (١) يخفي «تحت مظهر كاذب». (٢) يتظاهر بـِ ×(٣) يرائي ؛ ينافق .
dissimulation *(n.)* (١) إخفاء «تحت مظهر كاذب» (٢) خداع (٣) رياء .
dissipate [-'ə pāt'] *(vt.; i.)* (١) «أ» يفرّق ؛ يشتّت (حشداً) . «ب» يبدّد **(~*d* the night mists)** (٢) «أ» ينفق بحماقة. «ب» يبذر ×(٣) يتبدد ؛ ينقشع (٤) ينغمس في الملذات ؛ وبخاصة : يسرف في الشراب.
dissipated [-'ə pā'tĭd] *(adj.)* خليع ؛ فاسق ؛ منغمس في الملذات.
dissipation [dĭs'ə pā'-] *(n.)* (١) «أ» تفريق ؛ تبديد. «ب» تفرّق ؛ تبدّد . «ج» تبذير أو إسراف في الانفاق . «د» انغماس في الملذات وبخاصة : إسراف في الشراب (٢) تسلية .
dissocial [dĭ sō'shəl] *(adj.)* أناني ؛ معادٍ للمجتمع .
dissociate [dĭ sō'shĭ āt'] *(vt.; i.)* (١) يفْصِل (٢) يفكّك (وبخاصة كيميائياً بفعل الحرارة) ×(٣) ينفصل (٤) يتفكّك (ك).
dissociation [-sĭ ā'shən] *(n.)* (١) «أ» فَصْل . «ب» انفصال.

(٢) «أ» تفكيك . «ب» تفكّك (ك) (٣) انفصام العقل أو الشخصية (نف) (٤) الانفصالية: خاصة في بعض الأحياء تجعلها تنفصل إلى عِترتين متميزتين أو أكثر (أح) .

dissoluble [dĭ sŏl'yə bəl] *(adj.)* قابل للحلّ أو الذوبان .

dissolute [-'ə lo͞ot'] *(adj.)* فاسق ؛ فاجر ؛ منغمس في الملذات.

dissolution[-ə lo͞o'shen] *(n.)* (١) «أ» حل ؛ تذويب. «ب» انحلال ؛ ذوبان (٢) فناء؛ موت (٣) «أ» إنهاء؛ تدمير . «ب» حلّ (لجمعية أو برلمان) . «ج» تصفية نهائية (لشركة) .

dissolvable *(adj.)* = dissoluble.

dissolve [dĭ zŏlv'] *(vt.; i.; n.)* (١) «أ» يلاشي؛ يبدد؛ يقضي على. «ب» ينهي؛ يلغي. «ج» يفسخ. «د» يفكّك. «ه» يحلّ (برلماناً الخ.) (٢) «أ» يذيب؛ يحلل. «ب» يثير مشاعره. «ج» يغمر (٣) يُبَهِّت (مشهداً سينمائياً أو تلفزيونياً ليحلّ محله مشهد آخر بطريقة تدريجية) (٤) يحلّ (لغزاً) ×(٥) «أ» يتلاشى؛ يتبدد. «ب» ينفض. «ج» يهِن؛ يضعُف (٦) «أ» يذوب. «ب» يستسلم للعاطفة. «ج» ينحلّ إلى §(٧) التبهيت: إحلال مشهد على شاشة السينما أو التلفزيون محلّ آخر بطريقة تدريجيّة.

dissolvent [dĭ zŏl'-] *(adj.; n.)* (١) مذيب §(٢) عامل مذيب.

dissonance[dĭs'ə-] *(n.)* (١) تنافر الأصوات (مو) (٢) تنافر؛ لا انسجام.

dissonant [dĭs'ə nənt] *(adj.)* (١) متنافر (مو) (٢) غير متناغم.

disspirit *(vt.)* = dispirit.

dissuade [dĭ swād'] *(vt.)* (١) ينصح (شخصاً) بالعدول عن. (٢) يَثْنيه (عن أمر) بالإقناع .

dissuasion [dĭ swā'-] *(n.)* (١) نُصْح بالعدول عن (٢) ثَنْيٌ عن.

dissuasive *(adj.)* داعٍ إلى العدول عن (~ advice) .

dissyllabic *(adj.)* = disyllabic.

dissyllable *(n.)* = disyllable.

dissymmetric [-ĭ mĕt'rĭk] *(adj.)* غير متجانس أو متساوق .

dissymmetry [dĭ sĭm'-] *(n.)* لا تجانس ؛ لا تساوُق .

distaff [dĭs'tăf] *(n.;adj.)* (١) «أ» فَلْكة المغزل. «ب» عمل المرأة أو عالَمها (٢) «أ» الجانب النسويّ من الأسرة. «ب» نسوة. «ج» امرأة §(٣) نِسْويّ (cooking, sewing and such ~ matters).

distal [dĭs'-] *(adj.)* بعيد؛ أقصى (~ end of a bone) .

distance [dĭs'təns] *(n.; vt)* (١) «أ» فترة . «ب» مسافة . «ج» رقعة منبسطة (من الأرض) (٢) «أ» بُعْد. «ب» لا وُدّ. «ج» برود؛ تحفّظ . «د» تفاوت؛ تباين (٣) نقطة أو منطقة نائية §(٤) يُبعد؛ يقصي (٥) يبزّ؛ يسبق؛ يتفوّق على.

to keep a person at a ~, يعامله بفتور .

distant [-'tənt] *(adj.)* (١) «أ» بعيدٌ (عن) . «ب» ناءٍ؛ قصيّ . «ج» متباعد «بعضه عن بعض» (a row of ~ teeth) (٢) غير وثيق القرابة (a ~ relative) (٣) مختلف «من حيث النوع» (a play far ~ from the one he first wrote) (٤) غير ودي؛ متشامخ بعض الشيء؛ بارد (with a ~politeness; a ~manner) (٥) طويل (a ~ journey).

distaste[-tāst'] *(n.)* (١) العيف: كُرْهٌ لطعام أو شراب (٢) كره؛ نفور.

distasteful [-'fəl] *(adj.)* (١) «أ» كريه. «ب» بغيض إلى النفس (٢) مشمئز.

distemper [-tĕm'pər] *(vt.; n.)* (١) يُفسد «نظامَ شيء»؛ يُوقع الاختلال في (٢) «أ» يمزج الألوان بالبِيض أو الغِراء بدلاً من الزيت . «ب» يرسم بهذه الألوان §(٣) سوء المزاج؛ «نَكَد» (٤) اعتلال يصيب الحيوانات الدنيا خصوصاً: «أ» سلّ الكلاب . «ب» حمّى الخيل أو الهررة أو الأرانب (٥) اضطراب سياسي أو اجتماعي (٦) «أ» طريقة في الرسم بألوان ممزوجة بالبيض أو بالغراء بدلاً من الزيت (في زخرفة الجدران بخاصة) . «ب» الطلاء المستعمل في طريقة الرسم هذه . «ج» صورة مرسومة بهذه الطريقة (٧) طلاء مائيّ؛ بويا مائية .

distemperature [dĭs tĕm'-] *(n.)* اعتلال (عقلي أو جسدي) .

distend [-tĕnd'] *(vt.; i.)* (١) «أ» ينفخ . «ب» يضخّم . «ج» يمدّ؛ يبسط ×(٢) ينتفخ؛ يتضخّم إلخ.

distensible [dĭs tĕn'-] *(adj.)* قابل للنفخ أو الانتفاخ إلخ .

distension *or* **distention** [-'shən] *(n.)* (١) نَفْخ (٢) انتفاخ.

distich [dĭs'tĭk] *(n.)* الدوبيت: وحدةٌ مؤلّفة من بيتين من الشعر.

distichous[-'tĭk əs] *(adj.)* (١) ذو صفّين (~ leaves) (٢) منقسم إلى فصّين (~ antennae).

distill *also* **distil** [dĭs tĭl'] *(vt.; i.)* (١) يستقطر: يجعله يتساقط قطرات قطرات (٢) «أ» يقطّر. «ب» يرشّح؛ يركّز؛ يحفّل ×(٣) يتقطّر.

distillate [dĭs'-] *(n.)* القُطارة: النتاج المُكثَّف لعملية التقطير (ك).

distillation [-tə lā'-] *(n.)* (١) التقطير (٢) القُطارة .

distiller [-'ər] *(n.)* (١) المُقطِّر (٢) المِقْطَر: جهاز التقطير .

distillery [-'ə rĭ] *(n.)* المَقْطَر: معمل التقطير .

distinct [-tĭngkt'] *(adj.)* (١) متميز (٢) «أ» بيّن؛ جليّ . «ب» واضح المعالم (٣) «أ» بارز؛ استثنائي. «ب» غير مشكوك فيه.

distinction[-'shən] *(n.)* (١) طبقة؛ منزلة (of the first ~) . (٢) «أ» تمييز. «ب» اختلاف؛ فَرْق (٣) فارق؛ علامة فارقة (٤) «أ» سموّ. «ب» امتياز؛ تفوّق. «ج» وسام؛ لقب تشريف الخ.

distinctive [-'tĭv] *(adj.)* مميِّز (a ~ characteristic).

distinctly [-tĭngkt'lĭ] *(adv.)* (١) بوضوح (٢) من غير ريب .

distingué [-tăng gā'] *(adj.)* (١) ممتاز؛ وبخاصة: ذو مظهر دالّ على الامتياز (a rather ~ foreign diplomat) (٢) مُضْفٍ امتيازاً (Black is always ~ for evening wear.).

distinguish[-tĭng'gwĭsh] *(vt.; i.)* (١) يميّز (٢) يصنّف؛ يبوّب (٣) «أ» يكتسب شهرةً أو شرفاً (She ~ *ed* herself by winning four prizes.) «ب» يُبلي بلاءً حسناً (He ~ *ed* himself in battle.) ×(٤) يلحظ الفَرْق: يميز بين .

distinguished *(adj.)* (١) «أ» ممتاز؛ بارز. «ب» شهير؛ مشهور (٢) فاخر: لائق بشخص بارز (a ~ velvet-collared coat).

distort [dĭs tôrt'] *(vt.)* (١) يحرّف؛ يصحّف الخ . (٢) يشوّه .

distortion [-tôr'-] *(n.)* (١) تحريف؛ تشويه (٢) تحرّف؛ تشوّه. (٣) شيء محرّف أو مشوّه .

distract[-trăkt'] *(vt.)* (١) «أ» يصرف أو يحوّل عن. «ب» يُلهي؛ يصرف الانتباه (٢) يحيّر؛ يُذهل؛ يخبّل .

distracted *(adj.)* (١) متحيّر؛ ذاهل (٢) مُخبَّل.

distraction [-trăk'-] *(n.)* (١) «أ» إلهاء أو التهاء. «ب» خلاف؛ نزاع . «ج» خَبَل؛ اضطراب عقلي. «د» حيرة؛ ذهول؛ ارتباك. «ه» تسلية (٢) اللهو: كل ما يُلْهي .

distrain [-trān'] *(vt.; i.)* يلقي الحجز (استيفاءً لدَيْن) .

distrainee *(n.)* المحجوز على أمواله (استيفاءً لدَيْن) .

distrainer *or* **distrainor** *(n.)* الحاجز (على أموال الآخرين) .

distraint [-trānt'] *(n.)* الحجز (استيفاءً لدَيْن) .

distrait [dĭs trā'] *(F.)* شارد الذهن .

distraught [-trôt'] *(adj.)* (١) «أ» ذاهل. «ب» مهتاج؛ شديد الاضطراب (٢) مُخبَّل.

distress [dĭs trĕs'] *(n.; vt.; adj.)* (١) «أ» الحجز على الأموال (استيفاءً لدَيْن). «ب» الأموال المحجوز عليها (٢) «أ» ألم. «ب» أسىً. «ج» مِحْنة (٣) «أ» خطر. «ب» كَرْب؛ عَوَز (٤) يمتحن: يصيبه بمحنة (٥) «أ» يُحزن. «ب» يُوجع. «ج» يُقْلِق. «د» يُزْعج؛ يضايق §(٦) معروض للبيع بأسعار مخفضة جداً (~merchandise) (٧) مخفّض الأسعار (a ~ sale).

distressed *(adj.)* مكروب؛ محزون؛ مُوْجَع؛ مُعْوِز الخ.

distressful [-'fəl] *(adj.)* (١) مؤلم؛ مُوجِع الخ. (٢) متألم الخ.

distributary *(n.)* فرع (من نهر)؛ تُرعة فرعية.

distribute [-trĭb'ūt] *(vt.)* (١) يوزع (٢) ينثر؛ ينشر. (٣) «أ» يصنف؛ يبوب. «ب» يفرّق الحروف المنضّدة (طع).

distribution [-trə bū'shən] *(n.)* (١) «أ» توزيع. «ب» توزّع. (٢) تصنيف؛ تبويب (٣) الموزَّع: الشيء الموزَّع (٤) تسويق السلع.

distributive [dĭs trĭb'-] *(adj.; n.)* (١) توزيعيّ (٢) إفراديّ: متعلّق بكل فرد من أفراد جماعة ما (Each, every, either, and neither are ~ words.) §(٣) لفظة إفرادية (ل).

distributive law *(n.)* القانون التوزيعي (ر).

distributor [-'yə tər] *(n.)* (١) الموزِّع (٢) وكيل التوزيع (لسلعة ما) (٣) الموزِّعة: أداة لتوزيع التيار الثانوي في محرِّك (ملك).

district [dĭs'-] *(n.; vt.)* (١) منطقة؛ مقاطعة §(٢) يقسم إلى مناطق.

distrust [-trŭst'] *(vt.; n.)* (١) يرتاب في؛ لا يثق بـ §(٢) ارتياب؛ لاثقة.

distrustful [-'fəl] *(adj.)* (١) مرتاب (٢) قليل الثقة بـ.

disturb [-tûrb'] *(vt.)* (١) يقاطع؛ يعوق (٢) يبعثر: يفسد نظام شيء أو ترتيبه (٣) «أ» يقلق (الراحة أو السكينة). «ب» يعكر. «ج» يشوش. «د» يزعج.

disturbance [-tûr'bəns] *(n.)* (١) إقلاق؛ إزعاج؛ تعكير؛ تشويش (٢) قلق؛ انزعاج (٣) «أ» اضطراب. «ب» شَغَب.

disulfide [dī sŭl'fīd] *(n.)* الديسالفيد (ك).

disunion [-ūn'yən] *(n.)* (١) انفصال (٢) خلاف؛ شقاق.

disunionist [-ĭst] *(n.)* الانفصالي: المؤيد للانفصال السياسي الخ.

disunite [-ū nīt'] *(vt.; i.)* (١) «أ» يفصل. «ب» يفرق. «ج» يبعثر (٢) يوقع الشقاق بين × (٣) ينفصل الخ.

disunity [-ū'nə tĭ] *(n.)* خلاف؛ شقاق؛ لا وحدة.

disuse [*v.* dĭs ūz'; *n.* -ūs'] *(vt.; n.)* (١) يهجر؛ يُهمل؛ يكفّ عن استعمال §(٢) هجر؛ إهمال؛ لااستعمال.

disyllabic [-ĭ lăb'ĭk] *(adj.)* ذات مقطعين (كلفظة *virtue*).

disyllable [dĭ sĭl'-] *(n.)* لفظة ذات مقطعين.

ditch [dĭch] *(n.; vt.)* (١) «أ» خندق (للدفاع). «ب» قناة (للري). «ج» مَسال؛ مَصْرَف (للمياه) §(٢) «أ» يطوق بخندق. «ب» يحفر خندقاً في (٣) «أ» يُخرج قطاراً عن الخط. «ب» يقود سيارة إلى خندق (٤) «أ» ينبذ. «ب» يخفي (~ the stolen goods) «ج» يتخلص من؛ يتجنب (بالمكر والحيلة) (٥) يحط على الماء: يهبط بطائرته هبوطاً اضطرارياً فوق سطح الماء.

dite [dīt] *(n.)* مقدار ضئيل؛ نزْر يسير (ع).

ditheism [dī'thē ĭz'əm] *(n.)* الثَّنَوية: الاعتقاد بإلهين أو مبدأين أصليَّين أحدهما يمثل الخير والآخر يمثل الشر.

dither [dĭth'ər] *(vi.; n.)* (١) يرتجف (٢) يتردد أو يعمل بعصبية واضطراب § (٣) ارتجاف (وبخاصة من البرد) (٤) اهتياج عصبي.

dithyramb [dĭth'ə răm'] *(n.)* (١) قصيدة مليئة بالحماسة والعواطف الجائشة (٢) كلام حماسيّ الخ.

ditsy *or* **ditzy** *(adj.)* (١) طائش؛ سخيف (٢) مصاب بدُوار.

ditto [dĭt'ō] *(n.; vt.; adv.)* (١) الشيء نفسه: تعبير يُستخدم في الحسابات والقوائم اجتناباً للتكرار (٢) علامة التكرير: علامة تتألف من فاصلتين صغيرتين (,,) (٣) نسخة طبق الأصل §(٤) يكرر (He) (The second speaker is the ~ of his father.) §(٥) كذلك؛ كما تقدّم؛ «شرحُه». (~ *ed* his argument.)

ditty [dĭt'ĭ] *(n.)* (١) قصيدة مُعَدّة للغناء (٢) أغنية قصيرة بسيطة.

ditty bag *(n.)* كيس الملاح: كيس صغير يضع فيه الملاحون أدوات الخياطة.

ditty box *(n.)* صندوق الملاح: صندوق يضع فيه الملاحون أدوات الخياطة.

diuresis [dī yo͞o rē'sĭs] *(n.)* البُوال: غزارة البول (مض).

diuretic [-rĕt'ĭk] *(adj.; n.)* (١) مُدِرّ للبول §(٢) دواء مدرّ للبول.

diurnal [dī ûr'nəl] *(adj.)* (١) يوميّ (~ tasks). (٢) نهاري (~ noises).

diva [dē'vä] *(n.)* pl. **-vas** *or* **-ve** = prima donna.

divagate [dī'və gāt'] *(vi.)* (١) يهيم على وجهه (٢) ينحرف عن.

divalent [dī vā'lənt] *(adj.)* ثُنائيّ التكافؤ (ك).

divan [dĭ'văn; dĭ văn'] *(n.)* الديوان: (١) «أ» المجلس السلطاني (في الامبراطورية العثمانية). «ب» مجلس (٢) «أ» قاعة اجتماع أو استقبال كبيرة. «ب» حُجرة تدخين (٣) أريكة؛ مُتّكأ (٤) ديوان شِعر.

divaricate *(vi.; adj.)* (١) يتفرع؛ يتشعب §(٢) ذو شعبتين.

divarication *(n.)* (١) «أ» تفرّع؛ تشعّب. «ب» فرع؛ شعبة. (٢) اختلاف في الرأي.

dive [dīv] *(vi.; t.; n.)* (١) «أ» يغطس. «ب» يغوص. (٢) «أ» يهبط؛ يسقط. «ب» يُقحم (يدَه في جيبه الخ). «ج» تنقضّ (الطائرة) (٣) «أ» يتعمق (في دراسة مسألة ما). «ب» يندفع إلى أو نحو × (٤) يُقحم في (٥) يحمل الطائرةَ (على الهبوط) أو الغواصةَ (على الغوص) §(٦) غطس؛ غوص؛ اندفاع الخ. (٧) «أ» هبوط مفاجىء (في الأسعار أو المعنويات). «ب» انقضاض (طي) (٨) حانة رديئة السمعة.

dive-bomb *(vt.)* يقذف منقضاً «على الهدف» (طي).

dive-bomber *(n.)* قاذفة الانقضاض (طي).

diver [dī'vər] *(n.)* (١) فا dive مثل: الغطّاس؛ الغوّاص؛ صائد اللؤلؤ الخ. (٢) الغوّاص (طائر بحري) (٣) النشّال (عب).

diverge [dĭ vûrj'; dī-] *(vi.; t.)* (١) يتفرج؛ يتشعّب؛ يتباعد. (٢) يختلف (٣) «أ» ينحرف (عن سبيل أو سياسة ما). «ب» يستطرد × (٤) يحرف؛ يجعله ينحرف.

divergence [dĭ vûr'jəns; dī-] *(n.)* (١) «أ» انفراج؛ تشعّب. «ب» اختلاف. «ج» اكتساب المتعضيات الشقيقة صفاتٍ متباينةً في البيئات غير المتماثلة (٢) انحراف.

divergent [dĭ vûr'jənt; dī-] *(adj.)* (١) «أ» منفرج؛ منشعِب (~ lines). «ب» متباعد (the ~ evolution of two species) (٢) «أ» مختلف (بعضُه عن بعض). «ب» منحرف (٣) مفرِّق (ض).

divergent lens *(n.)* العدسة المفرِّقة (ض).

divergent series *(n.)* المتسلسلة المتباعدة أو التباعدية (ر).

divers [dī'vərz] *(adj.)* كثير؛ متعدد؛ مختلف.

diverse [dĭ vûrs'; dī-] *(adj.)* (١) مختلف (of ~ racial origins) (٢) متعدد الأشكال (~ nature of man) (٣) متنوّع (a most ~ group of politicians).

diversify [dĭ vûr'sə fī'; dī-] *(vt.; i.)* (١) ينوّع؛ يشكّل. (٢) يوظف أمواله في مشاريع مختلفة × (٣) ينتج محاصيلَ (أو أصنافاً من السلع) مختلفة (٤) ينهمك في أعمال متباينة.

—**diversification** *(n.)*

diversion [dĭ vûr'zhən; -shən; dī-] *(n.)* (١) «أ» تحويل (عن سبيل أو مجرىً مألوف). «ب» انحراف أو تحوّل عن (٢) لهو؛ تسلية (٣) الهجوم المضلِّل: هجوم يُشَنّ لصرف أنظار العدو عن العملية الرئيسية (جن).

diversity [dĭ vûr'-; dī-] *(n.)* (١)«أ» تنوّع. «ب» اختلاف. (٢) فرق (climatic *diversities*).

divert [dĭ vûrt'; dī-] *(vi.;t.)* (١) ينحرف ×(٢) يحوِّل (to ~ a stream) (٣)«أ» يُلْهي؛ يسلّي. «ب» يَسُرّ.

diverticulum [dī'vər tĭk'yə-] *(n.)* pl. **-la** الرَّدْب: أنبوبة مسدود أحد طرفيها (كالزائدة الدودية الخ.).

diverting [-'tĭng] *(adj.)* مُسَلٍّ (a ~ story).

divertissement[dē vĕr tēs män'] *(F.)* (١)«أ» فاصل قصير من رقص الباليه. «ب» قطعة موسيقية خفيفة (٢) لهو؛ تسلية.

divest [dĭ vĕst'; dī-] *(vt.)* (١) يجرِّد؛ يُعرّي (٢) يَسْلُب.

divestiture [dĭ vĕs'tə chər; dī-] *(n.)* (١) تجريد؛ تَعْرِية. (٢) تجرُّد؛ تعرٍّ.

divestment *(n.)* = divestiture.

divide [dĭ vīd'] *(vt.; i.; n.)* (١)«أ» يقسِّم. «ب» يقسم. «ج» يشقّ (الأمواج الخ.) (٢)«أ» يوزع؛ يحصحص. «ب» يقاسم؛ يتقاسم (~*s* the blame with his companion) (٣)«أ» يميِّز؛ يَفْصِل. «ب» يفرِّق؛ يمزِّق؛ يوقع الشِّقاق (٤) يُدَرِّج: يقسم (أنبوبةً أو مسطرةً) إلى درجات ×(٥) يَقْسِم (حسابياً) (٦)«أ» ينقسم. «ب» ينشعب. «ج» ينفصل. «د» ينشقّ؛ ينقسم بحكم الاختلاف في الرأي الخ. §(٧) تقسيم؛ توزيع (٨) حدّ أو خطّ فاصل (a period marking the ~ between two eras).

divided [dĭ vī'dĭd] *(adj.)* (١)«أ» مقسوم؛ مُقسَّم. «ب» موحَّد الاتجاه (صفةٌ للطريق تُقْسَم إلى شعبتين تجري السيارات في كل منهما باتجاه مخالف للآخر) (٢) «أ» منقسم على نفسه (sharply ~ over this issue). «ب» متضارب (~ loyalties).

dividend [dĭv'ə dĕnd'] *(n.)* (١) حِصّة (٢) الرِّبْحَة: «أ» إيراد السهم المالي. «ب» ربح توزعه شركات التأمين على المؤمّنين لديها. «ج» سلعة إضافية تُعطى مجاناً لمن يشتري عدداً معيناً من السِّلَع (٣) حصة نسبية تدفع إلى الدائن من موجودات مؤسسة مفلسة (٤)«أ» المقسوم (ر). «ب» مبلغ أو اعتماد يراد توزيعه.

divider [dĭ vī'dər] *(n.)* (١) القاسم؛ المقسِّم الخ. (٢) *pl.*: فرجار تقسيم (٣) حاجز؛ فاصل.

divination [dĭv'ə nā'-] *(n.)* (١) العِرافة؛ الكِهانة؛ الرَّجم بالغيب (٢) نبوءة.

divine [dĭ vīn'] *(adj.; n.; vt.; i.)* (١) إلهي (~ right of kings) (٢) ديني؛ مقدّس (٣) «أ» رائع جداً (Her pies were ~.) «ب» سماويّ؛ ذو طبيعة أسمى من طبيعة البشر §(٤) كاهن (٥) عالم باللاهوت §(٦) يتنبأ بـ (٧) يكتشف بالحَدْس ×(٨) يتكهن؛ يمارس الكهانة (٩) يَحزر.

diviner [dĭ vī'nər] *(n.)* (١) العرّاف؛ «البصّار» (٢) المتنبىء بـ. (٣) المستنبىء بالعصا: المستعين بالعصا لمعرفة مواقع الماء والمعادن تحت الأرض.

diving bell *(n.)* غرفة الغَوْص: وعاء ضخم مليء بالهواء يساعد الغواصين على البقاء فترة تحت الماء.

diving bell

diving duck *(n.)* البطّ الغوّاص.

divining rod *(n.)* عصا الاستنباء: عصا يستعين بها بعضهم للتعرف إلى وجود الماء أو المعادن تحت الأرض.

divinity [dĭ vĭn'ə tĭ] *(n.)* (١) ألوهية (٢) *cap*: الله (٣) اللاهوت.

divisibility [dĭ vĭz'ə bĭl'-] *(n.)* قابلية القسمة.

divisible [dĭ vĭz'ə bəl] *(adj.)* قابلٌ للقِسْمة.

division [dĭ vĭzh'ən] *(n.)* (١)«أ» تقسيم. «ب» توزيع. «ج» انقسام (٢) قِسْم؛ جزء (٣)«أ» فرقة عسكرية. «ب» مجموعة سفن حربية (٤)«أ» مقاطعة أو جزء من وحدة اقليمية. «ب» شعبة (من إدارة حكومية أو تجارية أو تربوية) (٥) القِسْم: جماعة من الأحياء تؤلف جزءاً من جماعة أكبر منها (أح) (٦) فئة (٧)«أ» القاسم؛ الفاصل. «ج» فَصْل؛ انفصال (٨) خلاف؛ نزاع (attempted to exploit the ~*s*) (٩)
direct ~, الانقسام اللاافتيلي (أح).
indirect ~, الانقسام الفتيلي (أح).

divisional *(adj.)* (١) تقسيميّ؛ فاصِل (a ~ line) (٢) قِسميّ: مؤلَّف قسماً من وحدة (~ coins) (٣) فِرَقيّ: متعلق بفرقة عسكرية (the ~ artillery).

division of labor *(n.)* تقسيم العمل (اد).

divisive [dĭ vī'-] *(adj.)* مسبِّب للخلاف والشِّقاق.

divisor [dĭ vī'zər] *(n.)* القاسم؛ المقسوم عليه (ر).

divorce [dĭ vōrs'] *(n.; vt.)* (١) طلاق (٢) انفصال تامّ §(٣) «أ» يطلّق (زوجتَه)؛ تطلِّق (زوجها). «ب» يفرِّق: يفسخ (القاضي) عقد الزواج بين (٤) يَفْصِل.

divorcé [dĭ vōr'sā'] *(F.)* المطلَّق: زوجٌ مطلَّق.

divorcee [dĭ vōr'sē'] *(n.)* المُطلَّق أو المُطلَّقة.

divorcement [dĭ vōrs'mənt] *(n.)* انفصال.

divot [dĭv'ət] *(n.)* كتلة من عشب ملعب الغولف يقتلعها المِضرب.

divulge [dĭ vŭlj'] *(vt.)* يُفْشي سراً.

divulgement; divulgence *(n.)* إفشاء سرّ.

divulsion [dĭ vŭl'shən] *(n.)* تمزيق؛ فَصْلٌ بعنف.

Dixie [dĭk'sĭ] *(n.)* الولايات الجنوبية من الولايات المتحدة الأميركية.

dizziness [dĭz'-] *(n.)* دُوار؛ سَدَر؛ دوخة.

dizzy [dĭz'ĭ] *(adj.; vt.)* (١) أحمق (ع) (٢)«أ» مصاب بدُوار. «ب» مَشْدُوه؛ مشوَّش الذهن (٣)«أ» مسبِّب للدوار؛ شاهق (~ heights). «ب» دُواري: ناشىء عن الدُّوار أو متَّسِم به. «ج» سريع جداً §(٤) يُصيب بالدُّوار (٥) يشوِّش (الذهنَ).

DJ = disc jokey.

djin *or* **djinn** *or* **djinni** *(Ar.)* الجنّي.

DNA *(n.)* د. ن. أ: حمض نَوَويّ يتواجد في نوى الخلايا (كح).

do [dōō] *(vt.; i.; n.)* (١) ينفّذ (٢)«أ» يفعل؛ يقوم بـ. «ب» يرتكب (٣)«أ» يعود عليه بـ (His vacation *did* him a great deal of good.) «ب» يقدِّم (having *done* their homage to the tomb) (٤) يُنهي؛ يُنجز (when he had *done* washing...) (٥) يبذل (*did* her best) (٦) يضع؛ يُنتج (أثراً أدبياً أو فنياً) (٧) يقوم بتمثيل دور (She *did* the leading lady in several plays.) (٨) يخدع؛ يحتال على (٩)«أ» يرتب؛ ينظِّف. «ب» يُعِدّ للطبخ. «ج» يجمّل بمستحضرات التجميل (had *done* her face) «د» يزخرف (١٠) يمتهن؛ يتخذ مهنة (what to ~ after college) (١١)«أ» يقطع؛ يجتاز. «ب» ينطلق بسرعة كذا (١٢) يطوف بـ (~ *ing* 10 countries in 10 days) (١٣) يقضي مدةَ محكوميته (was ~ *ing* four years for forgery) (١٤) يلبّي الحاجة إلى

(Worms will ~ us for bait.) ×(١٥)«أ» يعمل ؛ يتصرف .
«ب» يوفق إلى إنجاز شيء (١٦) يَحدُث ؛ يجري (what's ~ *ing*
(He had *done* with (١٧) ينتهي across the street)
(Half (١٨) يكفي ؛ يفي بالغرض speech for that evening .)
(won't (١٩) يناسب ؛ يليق ؛ يكون ملائماً of that will ~.)
to be late) ~ § (٢٠) جعجعة ؛ جَلَبة (ع) (٢١) مهرجان ؛ احتفال
(We're having a big ~ next week.) (٢٢) معركة (٢٣) أمر
(the basic ~ *s* and don'ts of hygiene) « مُفرَد أوامر »
(The scheme was a ~ from the start.) (٢٤) خدعة ؛ خداع

to ~ away with (١) يلغي ؛ يتخلّص من (٢) يقتل .
to ~ by (a person) يتصرف نحوه ؛ يعامله بـ .
to ~ for (١) يضع حداً لـ ؛ يُتلف ؛ يقتل (٢) يَستخدِم ؛ يُعْنَى بـ (٣) يتدبّر أمر شيء ؛ يؤمّن الحصول عليه.
to be *done* for يكون في حالة تلفٍ أو بِلى .
to ~ in (١) يُهلِك (٢) يَقتُل (٣) يخدع .
to ~ one's bit *or* duty يقوم بقسطِه من الواجب.
to ~ a person out of (something) يحرم شخصاً (بالخداع الخ .) من الحصول على شيء .
to ~ (something) over يعمل (أمراً) من جديد .
to ~ time يقضي سنوات محكوميّتِه في السجن .
to ~ to death يُعْدِم .
to ~ up (١) يزرّر (٢) يرتّب (٣) يرمّم (٤) يدهن أو يزخرف جدران بيت (٥) يَرْزِم (٦) يُرهِق .
to ~ with (١) يكون ذا علاقة بـ (٢) يتحمّل ؛ يطيق صبراً على (٣) يقنع أو يكتفي بـ (٤) يحتاج إلى ؛ يكون سعيداً إذا حصل على (٥) يتخلص أو ينفض يده من.
to ~ without (something) يستغني عن .
How do you ~? كيف حالك ؟
Sorry; nothing ~ *ing*. آسف ؛ لا أستطيع أن ألبّي طلبك .
There was nothing ~ *ing*. كان كل شيء هادئاً ؛ لم يحدث شيء يُذكر .

doable [dōō'ə bəl] *(adj.)* عمليّ ؛ ممكن عمله .
dobbin [dŏb'ĭn] *(n.)* بِرذَون ؛ فَرَس مزرعة .
docent [dō'sənt] *(n.)* مدرس ؛ محاضر (في جامعة) .
docile [dŏs'əl] *(adj.)* (١) قابل للتعليم ؛ راغبٌ في التعلّم . (٢) طيِّع ؛ سهل الانقياد .
—docility *(n.)*
dock [dŏk] *(n.; vt.; i.)* (١) الحُمّاض (نب) (٢) العَجْب : الجزء القاسي من الذَّنَب (٣) البَتْرة : ما يبقى من الذّيل بعد بترِه (٤) حوض السفن (٥) رصيف (لتحميل السفن أو تفريغها) (٦) صِقالة لإصلاح الطائرات ؛ وتوسعاً : حظيرة للطائرات (٧) قفص الاتّهام (في محكمة) § (٨) يبتر ذيلاً (٩) يُنقِص ؛ يخفّض (الأجورَ الخ .) (١٠) «أ» يحرمه شيئاً (على سبيل العقاب) . «ب» يحسم من راتبه (١١) يدفع أو يقود السفينة إلى الحوض أو الرصيف × (١٢) تمضي السفينة إلى الحوض أو الرصيف.
dockage [dŏk'ĭj] *(n.)* (١) رسْم التحويض أو الترصيف : رسم إدخال السفينة إلى حوض أو رصيف (٢) التحويض ؛ الترصيف : إدخال السفينة إلى حوض أو رصيف (٣) اقتطاع (جزءٍ من الراتب أو السعر الخ.)
docker [dŏk'ər] *(n.)* (١) فا **dock** ، مثل : «أ» الباتر (لذيل حيوان) . «ب» المِبتَر : أداة لبتْر ذيل الحيوان (٢) عاملٌ في حوض أو رصيف للسفن .

docket [dŏk'ĭt] *(n.; vt.)* (١) خلاصةٌ (خطيّةٌ لوثيقة ما) . (٢) «أ» خلاصةٌ لقرارات محكمةٍ ما أو قائمةٌ بها . «ب» قائمة بالدعاوى التي ستنظر فيها محكمةٌ ما . «ج» جدول أعمال (٣) بطاقة محتويات أو تعليمات : بطاقة تنصّ على محتويات رزمةٍ أو على تعليمات خاصة بوثيقة ما § (٤) يلصق بطاقة تعليمات على (٥) يضع خلاصة أو قائمة بقرارات محكمة ما (٦) يُدرِج في جدول أعمال محكمة الخ .
dockhand *(n.)* = longshoreman.
dockyard [dŏk'-] *(n.)* المَسفَن : موضعٌ لبناء السفن وتجهيزها وترميمها .
doctor [dŏk'tər] *(n.; vt.; i.)* (١) الدكتور : «أ» عالمٌ لاهوتيّ بارز . «ب» حامل دكتوراه في الآداب أو الفلسفة الخ . (٢) طبيب (٣) طاهٍ (ع) (٤) أداة ميكانيكية لغرض خاص (٥) مادة تضاف إلى الطعام أو الشراب لتحسين نوعيته الظاهرية (٦) حشرة صُنعيّة (تُتخَذ طعماً للأسماك) § (٧) يطبّب ؛ يعالج (٨) يُصلح ؛ يرمّم (٩) يعدّل ؛ يكيّف (١٠) «أ» يعالج (بالمواد الكيميائية الخ .) على نحو خادع (to ~ poor wine to get a better price) «ب» يتلاعب بـ (to ~ the election returns) ×(١١) يمارس الطب (~*ed* for over 40 years) (١٢) يأخذ دواءً .
—doctoral *(adj.)*
doctorate [dŏk'tər ĭt] *(n.)* درجة (أو لقب) الدكتوراه .
doctrinaire [dŏk'trə nâr'] *(n.; adj.)* (١) النظريّ اللاعمليّ : من يحاول تطبيق نظرية تجريدية من غير اعتبار للمصاعب العمليّة § (٢) نظريّ ؛ غير عمليّ .
doctrinal [dŏk'trə nəl] *(adj.)* مذهبيّ ؛ عَقَديّ .
doctrine [dŏk'trĭn] *(n.)* (١) تعليم ؛ تعاليم (٢) مذهب ؛ عقيدة . (٣) المبدأ : بيان عن السياسة الأساسيّة للحكومة وبخاصة في موضوع العلاقات الدولية (the Monroe ~).
document [dŏk'yə mənt] *(n.; vt.)* (١) وثيقة § (٢) يزوّد أو يدعم بالوثائق .
—documental *(adj.)*
documentary [dŏk yə mĕn'-] *(adj.; n.)* (١) كتابيّ . (٢) وثائقيّ : ذو علاقة بالوثائق أو مؤلّف (أو مستمَدّ) منها (٣) موضوعيّ § (٤) فيلم الخ . ثقافيّ .
documentation [-mĕn tā'-] *(n.)* (١) «أ» التوثيق : التزويد أو الدعم بالوثائق . «ب» بيّنة مُوثّقَة (في بحث أو رسالة) (٢) الوثائقية : «أ» الاستناد إلى الوثائق التاريخية . «ب» الانطباق على الوقائع التاريخية أو الموضوعية .
dodder [dŏd'ər] *(n.; vi.)* (١) الكَشُوث ؛ الحامول ؛ الهالوك : نبات ضارّ لا ورق له ، يتطفل على غيره من النباتات § (٢) يرتعش (من ضعف أو شيخوخة) (٣) يتقدّم بوَهَن .
doddered [-'ərd] *(adj.)* (١) لا أغصان له (بسبب السنّ أو الفساد) (٢) ضعيف ؛ واهن (وبخاصة بسبب الشيخوخة) .
doddering [dŏd'-] *(adj.)* خرِف (a ~ old man).
doddery [dŏd'-] *(adj.)* (١) ضعيف ؛ واهن (٢) خرِف .
dodeca- *or* **dodec-** بادئة معناها : اثنا عشر .
dodecagon *(n.)* الاثنَعَشريّ الأضلاع : شكل ذو ١٢ ضلعاً و١٢ زاوية .
dodecahedron [dō dĕk ə hē'-] *(n.)* pl. **-s** *or* **-dra** الاثنَعَشَريّ السطوح : شكل ذو ١٢ سطحاً (هن) .
dodge [dŏj] *(vi.; t.; n.)* (١) يراوغ (٢) «أ» يتنقّل ، جيئةً وذهوباً ، من مكان إلى مكان . «ب» يروغ ؛ يقوم بحركة مفاجئة في اتجاه جديد اجتناباً للكمة الخ . ×(٣) يتفادى § (٤) مراوغة ؛ تفادٍ (٥) حيلة .

ă at; ā date; â care; ä car; ĕ egg; ē me; ĭ in; ī bite; ŏ lot; ō bone; ô orphan; oi boil ŏŏ good; ōō boot; ou out; ŭ under; ū unity; û urgent; th thing; *th* this; zh vision; ə = *a* in alone, *e* in system, *i* in easily, *o* in gallop, *u* in circus.

dodger [-'ər] *(n.)* (١) المراوغ ؛ المحتال (٢) إعلان يوزَّع باليد. (٣) كعكة محلاّة (مصنوعة من دقيق الذرة) .

dodgery [dŏj'-] *(n.)* مراوغة ؛ احتيال الخ .

dodgy [dŏj'ĭ] *(adj.)* مراوِغ ؛ محتال الخ .

dodo

dodo [dō'dō] *(n.)* (١) الدّودو : طائر منقرض من فصيلة الحمام ولكنه أكبر من الديك الرومي (٢) الأحمق . المتخلّف عن العصر تخلّفاً شديداً .

doe [dō] *(n.)* أنثى الظبي أو الأيّل أو الأرنب .

doer [dōō'ər] *(n.)* الفاعل : من يفعل شيئاً .

doeskin [dō'-] *(n.)* (١) «أ» جلد أنثى الظبي أو الأيّل الخ . «ب» جلد الخروف (٢) قماش صوفي ناعم .

doesn't [dŭz'ənt] = does not.

doff [dŏf] *(vt.)* (١) «أ» ينزع ثيابه ؛ يتجرّد من ملابسه . «ب» يرفع قبعته (٢) يتخلّص من .

dog [dôg] *(n.; vt.; adv.)* (١) كلب (٢) «أ» شخص تافه أو حقير . «ب» فتىً ؛ شخص (a gay ~) (٣) «أ» كُلاّب . «ب» أثفية ؛ منْصَب للحطب المشتعل (٤) أناقة متكلّفة الخ . (٥) *cap.* : «أ» الكلب الأكبر (فل) . «ب» الكلب الأصغر (فل) (٦) *pl.* : القدمان (٧) شيء رديء النوع (ع) (٨) *pl.* : هلاك (go to the ~*s*) (٩) *cap.* : أيّ من عدة شعوب أميركية هندية حمراء § (١٠) يتعقّب ؛ يطارد (١١) يلازمه ملازمةَ الكلب لصاحبه § (١٢) إلى حد بعيد (*dog*-tired) .

a ~ in the manger من لا يستعمل شيئاً ولا يدَع غيره يستعمله .

Every ~ has his day. لكلّ يومُهُ : لا بدّ أن يحالف الحظ (أو السعادة) المرء عاجلاً أو آجلاً .

to be top ~, يكون في منصب ذي سلطة ونفوذ .

to be under ~, يكون في وضع يتعيّن عليه فيه أن يُطيع على نحو موصول .

to give a ~ a bad name and hang him يفترض أن من كان شريراً أو ردياً في الماضي سوف يظلّ على حاله هذه في المستقبل .

to give (throw) to the ~*s* ينبذ شيئاً بوصفه عديم القيمة .

to help a lame ~ over a stile يساعد شخصاً على التخلص من ورطة .

to lead a *dog's* life يحيا حياةً كلها قلق واضطراب .

to lead someone a *dog's* life يقلقه أو يزعجه باستمرار .

dogbane [-'bān] *(n.)* قاتل الكلب : نبات سامّ .

dogberry [dôg'-] *(n.)* القرانيا المُدمّاة أو ثمرها (نب) .

dogcart

dogcart [-'kärt] *(n.)* الكلبية : عربة يجرها كلب (أو فرس) .

dog collar *(n.)* (١) طوق (لعنق الكلب) (٢) قبّة اكليركية (٣) عقد (يطوّق الجيد بإحكام ويتألف عادة من عدة صفوف من الجواهر أو الخرز) .

dog days *(n. pl.)* (١) أيام الشِّعرى : الفترة بين أوائل يوليو وأوائل سبتمبر وتتميز بجوها القائظ الشديد الرطوبة في نصف الكرة الشمالي (٢) فترة ركود .

doge [dōj] *(n.)* الدوج : القاضي الاول في جمهوريتي البندقية وجنوا .

dog-ear *(n.)* أذن الكلب : زاوية صفحة (من كتاب) تطوى مثل اذن الكلب نتيجة للاهمال أو كعلامة على موضع معين منه .

dog-eared *(adj.)* (١) ذو صفحات مطوية الزوايا (٢) بالٍ الخ .

dogface *(n.)* جندي ؛ وبخاصة : جنديّ من المشاة (ع) .

dog fennel *(n.)* أقحوان (نب) .

dogfight [dôg'fīt] *(n.)* (١) «أ» معركة بين الكلاب . «ب» نزاع أو صراع عنيف (٢) معركة بين طائرتين مقاتلتين أو أكثر .

dogfish [dŏg'-] *(n.)* كلب البحر : نوع صغير من سمك القرش.

dogged [-'ĭd] *(adj.)* عنيد (~ determination) .

dogger [dŏg'ər] *(n.)* الدُّجَر : مركَبٌ ذو شراعَين .

doggerel [-'ər əl] *(adj.; n.)* (١) هزلي أو مضحك ، مع خروج على قواعد الوزن الشعري عادة (٢) رديء ؛ غير مصقول § (٣) شِعر هزلي أو مضحك محطّم الوزن عادة .

doggery [-'ə rĭ] *(n.)* (١) الاستكلاب : سلوك حقير كسلوك الكلاب . (٢) «أ» كلاب . «ب» رعاع (٣) حانة رديئة السمعة (ع) .

doggish [-'ĭsh] *(adj.)* (١) «أ» كلبيّ . «ب» شكِس (٢) مُبهرَج .

doggo [dôg'ō] *(adv.)* مختبئاً (to lie ~) .

doggone [dôg'-] *(vt.; i.; adj.)* (١) يلعن § (٢) ملعون .

doggy [dôg'ĭ] *(adj.; n.)* (١) كلبيّ (٢) مبهرج § (٣) كلب صغير .

doghouse [dôg'-] *(n.)* (١) وجار الكلب (٢) لا حظْوة .

dogie [dō'gĭ] *(n.)* عجل يتيم في قطيع .

dogleg *also* **doglegged** [dôg'-] *(adj.)* أعوج ؛ ملتوٍ .

dogma [-'mə] *(n.)* pl. **-s** *or* **-ta** (١) عقيدة (٢) مبدأ ؛ تعليم .

dogmatic; -al [dôg măt'-] *(adj.)* (١) عقَديّ : منسوب إلى العقيدة (٢) «أ» جازم . «ب» دوغماتيّ : مؤكّد من غير بيّنة أو دليل .

dogmatics [-'ĭks] *(n.)* العقَديات : فرع من علم اللاهوت يهدف إلى تفسير عقائد دينٍ ما .

dogmatic theology *(n.)* اللاهوت العقَدي .

dogmatism [dôg'mə tĭz'əm] *(n.)* (١) الجزمية ؛ الدوغماتية : توكيد الرأي أو القطع به وبخاصة بغطرسة أو من غير مبرر كافٍ (٢) وجهة نظر (أو مجموعة من الفكرات) مبنية على مقدّمات غير ممحّصة تمحيصاً وافياً . **—dogmatist** *(n.)*

dogmatize [-'mə tīz] *(vi.; t.)* (١) يجزم (بغطرسة أو من غير مبرر كاف) × (٢) يؤكّد رأياً وكأنه عقيدة .

do-gooder [dōō'gŏŏd'ər] *(n.)* مُصلح مثالي أحمق .

Dog Star *(n.)* (١) الشِّعرى اليمانية (فل) (٢) الكلب (فل) .

dog tag *(n.)* الصفيحة الكلبية : صفيحة معدنية تعلّق بطوق الكلب.

dogtooth [dôg'-] *(n.)* (١) ناب (٢) النابيّة : حلية شبيهة بالأسنان (عم) .

dogtooth violet *(n.)* البنفسج النابيّ (نب) .

dogtrot [dôg'-] *(n.; vi.)* (١) الكلبية : مشية رشيقة كمشية الكلب . § (٢) يمشي الكلبية .

dogwatch [dôg'-] *(n.)* نوبة الساعتين : إحدى نوبتَي حراسة على متن السفينة تمتد الأولى من الساعة ٤ إلى ٦ والثانية من الساعة ٦ إلى ٨ ب.ظ .

dogwood [dôg'-] *(n.)* القرانيا : شجرة أو جنْبة من الفصيلة القرانية .

doily [doi'lĭ] *(n.)* مُنَيْديل المائدة : منديل صغير من كتان أو وَشْي أو ورق (يوضع تحت أطباق المائدة وكؤوسها الخ .) .

doing [dōō'ĭng] *(n.)* (١) العمَل (٢) *pl.* : «أ» أعمال أو أحداث . «ب» نشاطات اجتماعية (ع) .

doit [doit] *(n.)* (١) الدُّوَيْت : عملة هولندية قديمة صغيرة (٢) شيء تافه .

doldrums [dŏl'-] *(n.pl.)* (١) «أ» توانٍ ؛ فتور همّة . «ب» كآبة (٢) جزء من الأوقيانوس ، قرب خط الاستواء ، يتميّز برياحه الساكنة (٣) ركود ؛ حالة ركود .

dole [dōl] *(n.; vt.)* (١)«أ» التصدّق على الفقراء. «ب» إعانة حكومية للعاطلين عن العمل. «ج» صَدَقة. «د» حصة §(٢) يتصدّق بـ (٣) يعطي بتقتير.

doleful [dōl'-] *(adj.)* (١) محزن (٢) كئيب (٣) حزين.

dolerite [dŏl'ə rīt] *(n.)* الدولِريت: ضرب من الصخور النارية.

dolesome [dōl'səm] *(adj.)* = doleful.

dolich- *or* **dolicho-** بادئة معناها: طويل، مستطيل.

dolichocephalic [dŏl'ə kō sə făl'ĭk] *(adj.)* مستطيل الرأس.

dolichocranial *also* **dolichocranic** *(adj.)* مستطيل الجمجمة.

doll [dŏl] *(n.; vt.)* (١) دُمية (٢)«أ» امرأة جميلة ولكنها طائشة خفيفة العقل. «ب» امرأة (ع). «ج» الحبيب، المحبوب §(٣) يكسو أو يزين بأناقة (تتبعها **up**).

dollar [dŏl'ər] *(n.)* (١) **taler** (٢) الدولار: الريال الأميركي.

dollar diplomacy *(n.)* ديبلوماسية الدولار: «أ» ديبلوماسية مبنية على عوامل اقتصادية. «ب» ديبلوماسية مرسومة، في المقام الأول، لخدمة المصالح المالية والتجارية الخاصة.

dollar mark *or* **sign** *(n.)* علامة الدولار $.

dolly [dŏl'ĭ] *(n.; vt.; i.)* (١) دُمْيَة (٢) المِضْربة: أداة لضرب الملابس وتحريكها عند الغَسْل. «ب» المِقلبة: أداة لتقليب المعدن الخام عند غسله (٣) الدُلْيَة: «أ» شاحنة خفيضة ذات عجلات صغيرة لنقل الأثقال التي لا يمكن حملها باليد. «ب» منصة ذات عجلات توضع عليها آلة التصوير السينمائية أو التلفزيونيّة §(٤) يعالج بمِضْربة أو مقلبة (٥) ينقل بدُلْيَة ×(٦) ينقل آلة التصوير السينمائية أو التلفزيونيّة من مكان إلى مكان على منصة ذات عجلات (أثناء التقاط المشاهد).

dolman [dŏl'-] *(n.)* الدُلمان: معطف نسائيّ واسع الرُدنين عند الإبط ضيّقهما عند الرسغ.

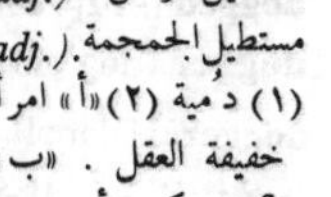

dolmen

dolmen [dŏl'mĕn] *(n.)* الدُلْمَن: ضريح من أضرحة ما قبل التاريخ قوامُه حجر كبير مسطح موضوع فوق عدد من الحجارة المنصوبة.

dolomite [-'ə mīt'] *(n.)* (١) الدولوميت (مع) (٢) رخام غنيّ به.

dolor *or* **dolour** [dō'lər] *(n.)* أسىً؛ حزن.

dolorous [dŏl'ər əs] *(adj.)* (١) محزن (٢) حزين، كئيب.

dolphin [dŏl'-] *(n.)* (١) دُلفين. (٢) **cap.**: كوكبة الدلفين (فل).

dolphin 1.

dolt [dōlt] *(n.)* الغبيّ: الابله. **—doltish** *(adj.)*

-dom لاحقة معناها: (١) منصب، مقام (duke*dom*) (٢) عالَم (Christen*dom*) (٣) حالة عامة (free*dom*) (٤) جماعة؛ طبقة (**official*dom*.**).

domain [dō mān'] *(n.)* (١)«أ» مِلكية تامة (للأرض). «ب» مِلْك (٢) مقاطعة خاضعة لسلطان حاكمٍ أو حكومة (٣) حَقْل: ميدان (the ~ of commerce).

dome [dōm] *(n.; vt.; i.)* (١) قُبّة §(٢) يغطي بقبّة (٣) يقبّب: يجعله على شكل قبة ×(٤) يتقبّب.

domestic [də mĕs'tĭk] *(adj.; n.)* (١) منزلي، عائليّ (٢) أهليّ؛ وطني. «ب» محلّيّ؛ داخليّ (٣) بلديّ (٤) أليف؛ داجن (٥) مكرس نفسَه للحياة المنزلية (a ~ sort of woman) §(٦) خادم (في منزل) (٧) **pl.**: بياضات الخ. منزلية.

domesticate [də mĕs'tə kāt'] *(vt.)* (١) يؤهّل: يجعل الشيء (الأجنبي) أهليّاً (٢) يدجّن: يروّض (٣) يمدّن (٤) يجعله مولعاً بالحياة العائلية أو المنزلية (٥) يجعله في مستوى أفهام العامّة.

domesticity [dō'mĕs tĭs'-] *(n.)* (١) أُلفة؛ استدجان. (٢) الحياة المنزلية أو العائلية أو الوُلوع بها.

domestic science *(n.)* علم تدبير المنزل.

domical [dō'-] *(adj.)* (١) قُبّيّ (٢) قُبّيّ الشكل (٣) مقبّب.

domicile [dŏm'ə səl; -sīl'] *(n.; vt.; i.)* (١) منزل (٢) محل الإقامة الدائم (٣) مقرّ الشركة الرسمي § (٤) يُنزل؛ يُسكِن (٥) يجعل مكان دفع الكمبيالة في موضع معيّن غير محلّ إقامة المسحوب عليه (تج) ×(٦) يَسْكن؛ يقيم.

domiciliate [-sĭl'-] *(vt.; i.)* (١) يُنزل؛ يُسكِن ×(٢) يقيم.

dominance *or* **dominancy** [dŏm'-] *(n.)* سيطرة؛ هيمنة الخ.

dominant [dŏm'ə nənt] *(adj.; n.)* (١) مُسيطِر؛ مهيمِن. (٢) مُشرِف؛ مطلّ على (٣) غالب؛ نافر (أح) §(٤) الصفة الغالبة أو النافرة (أح).

dominate [dŏm'ə nāt'] *(vt.; i.)* (١) يحكم (٢) يسيطر؛ يهيمن على (٣) يشرف؛ يُطل على (٤) يسود.

domination [dŏm'ə nā'-] *(n.)* سيطرة؛ هيمنة.

domineer [dŏm'ə nĭr'] *(vi.; t.)* يستبدّ بـ.

domineering [-'ĭng] *(adj.)* مستبدّ، نزّاع إلى الاستبداد.

dominical [də mĭn'-] *(adj.)* (١) ربانيّ: ذو علاقة بالمسيح بوصفه ربّاً (نص) (٢) أحديّ: منسوب إلى يوم الأحد.

Dominican [də mĭn'ə kən] *(adj.; n.)* (١) دومينيكانيّ. §(٢) راهب دومينيكاني.

dominie [dŏm'ə nĭ] *(n.)* (١) المعلّم (اسك) (٢) الكاهن.

dominion [də mĭn'yən] *(n.)* (١) سيادة؛ سلطان (٢) أراضٍ خاضعة لسيطرة سيد إقطاعي (٣) الدومينيون: كل دولة مستقلة من دول الكومونولث البريطاني (باستثناء المملكة المتّحدة) تعترف بالعاهل البريطاني رئيساً للدولة (٤) مِلْكية تامة.

domino [dŏm'ə nō'] *(n.)* الدومينو: (١)«أ» بُرْنس بِرَنْدَى، مع قناع نصفيّ، في الكرنافالات. «ب» قناع نصفيّ يُتَنكّر به في الكرنافالات. «ج» المرتدي بُرْنساً تنكرياً (٢)«أ» حجر الدومينو. «ب» **pl.**: لعبة الدومينو.

don [dŏn] *(n.; vt.)* (١) الدُون: «أ» سيد أو نبيل اسباني. «ب» رئيس كليّة انكليزيّة أو مدرس فيها §(٢) «أ» يرتدي (ثوباً). «ب» يتّخذ (شخصيةّ الخ.).

doña [dô'nyä] *(n.)* الدونيا: سيدة اسبانية.

dona [dô'nə] *(n.)* الدونا: سيدة برتغالية أو برازيلية.

Donar [dō'när] *(n.)* دونار: إله الرعد عند الجرمان.

donate [dō'nāt] *(vt.; i.)* يَمنح؛ يَهَب.

donation [dō nā'-] *(n.)* (١) مَنْح؛ تبرّع (٢) هِبَة.

donative [dŏn'ə tĭv] *(n.; adj.)* (١) هِبة §(٢) وَهْبيّ.

donator [dō'nā-] *(n.)* المانح؛ الواهب.

done [dŭn] *past part. of* do.

done [dŭn] *(adj.)* (١) متفق مع العرف الاجتماعي أو الذوق السليم (It isn't ~.) (٢) مُنْجَز (٣) مرْهَق (٤) محكوم عليه بالاخفاق أو الهلاك (٥) مطهوّ إلى حد كاف.

donee [dō nē'] *(n.)* (١) الموهوب له (٢) المفوَّض حق تحويل ملكية ما (٣) المتلقّي: من يتلقّى مقداراً من الدم (في عملية نقل الدم) أو نسيجاً حياً (في عمليات المعاوضة الجراحية).

donjon [dŭn'jən] *(n.)* برج محصّن.

Don Juan [dŏn jōō'ən] *(n.)* الدون جوان؛ الفاسق؛ مُغوي النساء.

donkey [dŏng'kĭ] *(n.)* (١) حمار (٢) شخص غبيّ أو عنيد.

ă at; ā date; â care; ä car; ĕ egg; ē me; ĭ in; ī bite; ŏ lot; ō bone; ô orphan; oi boil; ŏŏ good; ōō boot; ou out; ŭ under; ū unity; û urgent; th thing; th this; zh vision; ə = *a* in alone, *e* in system, *i* in easily, *o* in gallop, *u* in circus.

donkey engine *(n.)* المحرّك الخادم: محرّك إضافي صغير نقّال .

donkey's years *(n. pl.)* دهر؛ فترة طويلة جداً .

donkeywork [dŏng'kĭ-] *(n.)* (١) كَدْح (٢) عمل شاق .

donna [dŏn'ə] *(n.)* pl. **donne.** الدونّا: سيدة إيطالية .

donor [dō'nər] *(n.)* (١) المانح؛ الواهب (٢) المعطي: من يعطي دمه (في عملية نقل الدم) أو نسيجاً من أنسجة جسمه الحيّة (في عمليات المعاوضة الجراحية) .

do-nothing *(n.; adj.)* (١) الكسلان §(٢) بليد؛ متبلّد .

don't [dōnt] = do not.

doodle [dōō'dəl] *(vt.; i.; n.)* (١) يرسم بطريقة نصف واعية (أثناء الاصغاء أو التفكير في شيء آخر) (٢) يعبث: ينهمك في نشاط عابث أو لا هادف §(٣) رسمٌ عابث (يتسلّى به المرء أثناء تفكيره في شيء آخر) .

doofus *(n.)* شخص أحمق (أو غير كفؤ) .

doom [dōōm] *(n.; vt.)* (١) حكم؛ قرار؛ وبخاصة: حكم قضائي (٢) يوم الحساب أو الدَّينونة (٣) قَدَر؛ وبخاصة: قَدَر مشؤوم (٤) موت؛ هلاك §(٥) يُدين؛ يحكم على (٦) يحكم عليه بالاخفاق

doomsayer *(n.)* البوم؛ رسول الشؤم: الكثير التنبّؤ بالكوارث .

doomsday [dōōmz'dā'] *(n.)* يوم الحساب أو الدينونة .

door [dōr] *(n.)* (١) باب (٢) مدخل (٣) منزل؛ مبنى .
- out of ~*s* في الخارج؛ في الهواء الطلق .
- to lay something at a person's ~, يحمّله مسؤولية ذلك .
- to turn someone from the ~, يرفض استقباله .
- within ~*s* في البيت .

doorjamb [-'jăm'] *(n.)* عِضادة الباب .

doorkeeper [-'kē'pər] *(n.)* البوّاب؛ الحاجب .

doorknob [-'nŏb'] *(n.)* مَسكة الباب؛ مقبض الباب .

doorman [-'măn'] *(n.)* البوّاب؛ الحاجب .

doormat *(n.)* (١) مِمسحة الأرجُل (٢) الخاضع؛ القابل الظلم .

doornail [-'nāl'] *(n.)* المسمار البابيّ: مسمار كبير الرأس .

doorplate [-'plāt'] *(n.)* اللوحة البابيّة: لوحة معدنيّة تعلّق على باب منزل أو حجرة حاملةً اسماً أو رقماً الخ .

doorpost [-'pōst'] *(n.)* = doorjamb.

doorsill [-'sĭl'] *(n.)* العتَبة: عتَبَة الباب .

doorstep [-'stĕp'] *(n.)* درجة الباب: درجة أمام باب خارجي .

doorway [dōr'wā'] *(n.)* مَدْخَل .

dooryard [-'yärd'] *(n.)* الفِناء: فِناء حول المنزل أو قرب بابه .

dope [dōp] *(n.; vt.; i.)* (١) «أ» معجون. «ب» الدِّمام: مستحضر تعالج به مادة أو سطح (٢) «أ» مُخدِّر؛ وبخاصة: أفيون. «ب» البلعة: مستحضر يُعطى لجواد السباق لجعله أسرعَ عدْواً. «ج» شراب من أشربة الكولا (ع). «د» مدمن المخدرات. «هـ» الغبيّ؛ المغفّل (٣) معلومات؛ وبخاصة: معلومات مستقاة من مصدر موثوق §(٤) يَدِمّ: يعالج بدمام (٥) يخدِّر بمخدِّر (٦) يستنتج (من معلومات مُعْطاة) × (٧) يدمِن المخدِّرات .

dopester *(n.)* المتنبىء (بنتائج المباريات الرياضية أو المعارك الانتخابية)

dopey [dō'pĭ] *(adj.)* (١) مخدَّر (٢) بليد (٣) مغفَّل .

doppelgänger [dŏp'əl gĕng ər] *(G.)* = wraith I.

Doppler effect [dŏp'lər] *(n.)* ظاهرة دوبلر (فز) .

dor [dôr] *(n.)* الدُّورة: خنفساء روث أوروبية .

dorhawk [dôr'hôk] *(n.)* الدَّرْهُوك: السُّبَد الأوروبي (ط) .

Dorian [dō'rĭ ən] *(n.; adj.)* (١) الدُّوري: أحد أبناء شعب غزا بلاد الاغريق حوالى القرن ١٢ ق.م. واستقرّ في دوريس ولاكونيا الخ. §(٢) دُوري .

Doric [dôr'ĭk] *(adj.; n.)* (١) دُوريّ: «أ» ذو علاقة باللهجة الدُّورية. «ب» منسوب إلى الدوريين. «ج» خاص بأقدم وأبسط الطُّرز المعمارية الإغريقية §(٢) اللهجة الدُّورية: لهجة يونانية قديمة .

dorky *(adj.)* أحمق؛ أبله (ع) .

dorm [dôrm] *(n.)* = dormitory.

dormancy [dôr'-] *(n.)* (١) سكون (٢) هجوع (٣) سُبات .

dormant [dôr'-] *(adj.)* (١) «أ» ساكن (a ~ volcano) «ب» معلّق (a ~ judgment) (٢) هاجع؛ وسنان (٣) مُسْبِت (أح) .

dormant stage *(n.)* طور السُّبات (أح) .

dormer I.

dormer [dôr'mər] *(n.)* (١) الرَّوْشَن: نافذة ناتئة من سقف مائل (٢) سقف مُرَوْشَن .

dormer window *(n.)* = dormer I.

dormitory [dôr'mə tōr'ĭ] *(n.)* (١) المَهجَع: حجرة نوم تتسع لأسرّة كثيرة (٢) المبنى المهجعيّ: مبنى مؤلف من مهاجع للطلبة الداخليين .

dormouse

dormouse *(n.)* pl. **-mice** الزُّغبة: حيوان من القوارض شبيه بالسِّنجاب .

dorp [dôrp] *(n.)* قريــة .

dors- or dorsi- or dorso- بادئة معناها: «أ» ظَهر. «ب» ظهريّ و...

dorsal [dôr'-] *(adj.)* (١) ظَهْريّ (ح) (٢) بعيد عن المحور (نب) .

dorsal [dôr'-] *(n.)* = dossal.

dorsum [-'səm] *(n.)* pl. **-sa** ظَهْر؛ وبخاصة: ظهر الحيوان .

dory [dō'rĭ] *(n.)* الضَّوْريّ: «أ» زورق مسطح القعر ضيقُه. «ب» سمك بحريّ مفلطح .

dories

dosage [dō'sĭj] *(n.)* (١) جرعة (٢) التجريع: «أ» تقدير الجرعات أو إعطاؤها. «ب» إضافة مادة ما (إلى الخمر مثلاً) لإعطائها نكهة أو قوة الخ .

dose [dōs] *(n.; vt.)* (١) جرْعة §(٢) يجرِّع: «أ» يعطي جرْعة من دواء. «ب» يجزىء الدواء إلى جرعات (٣) يعالج (الخمر الخ) بمادة تعطيها نكهة أو قوة الخ

dosimeter *(n.)* المِجراع: مقياس الجرعات .

doss [dŏs] *(vi.; n.)* (١) ينام §(٢) سرير موقّت .

dossal or dossel *(n.)* قماش زينيّ لظَهْر عرش أو كرسيّ .

dossier [dŏs'ĭ ā'] *(F.)* إضبارة؛ ملَفّ .

dot [dŏt] *(n.; vt.; i.)* (١) نقطة (٢) بائنة §(٣) ينقّط
- to ~ the i's and cross the t's يضع النقاط على الحروف
- on the ~, في الوقت المناسب تماماً .

dotage [dō'tĭj] *(n.)* خَرَف .

dotard [dō'tərd] *(n.)* الخَرِف: شخص خَرِف .

dote [dōt] *(vi.)* (١) يخرَف (٢) يُشْغَف بـ .

dotted swiss *(n.)* السويسريّ المنقّط: موسلين مزدان بنقط نافرة .

dotterel [dŏt'ə rəl] *(n.)* (١) الزقزاق (طا) (٢) المغفَّل .

dotty [dŏt'ĭ] *(adj.)* (١) منقّط (٢) مضطرب المشية (٣) مخبَّل (٤) سخيف .

double [dŭb'əl] *(adj.; n.; vt.; i.; adv.)* (١) مزدوج (٢) ثُنائي (٣) مُضاعَف (٤) مخادع؛ منافق (a ~ tongue) §(٥) ضِعْف (٦) القَسيم؛ الصِّنْو؛ وبخاصة: «أ» شخص يقف على استعداد للقيام بمهام شخص آخر. «ب» البديل: شخص يشبه ممثلاً معيناً فهو يحلّ محلّه في الأدوار التي تتطلب مهارات خاصة

(٧) ارتداد أو انعطاف مفاجىء (٨) ثَنْيَة، طيّة (٩) *pl.* المباراة الزوجية: مباراة بين زوجين من اللاعبين §(١٠) يضاعف (١١) «أ» يطوي. «ب» يقبض (كفّه). «ج» يَحْني (١٢) «أ» يتجنّب (بالمراوغة الخ.). «ب» يُبحر حولَ (to ~ Cape Horn) (١٣) «أ» يحلّ محلّ ممثل آخر في دور سينمائي. «ب» يمثل (أدواراً سينمائية) بالحلول محلّ ممثل آخر ×(١٤) يتضاعف (١٥) «أ» ينعطف فجأة؛ وبخاصة: ينقلب أو يرتدّ على عقبيه. «ب» يلتفّ أو يتخذ سبيلاً التفافياً (١٦) يلتوي؛ ينحني (١٧) «أ» يؤدي غرضاً إضافياً أو يقوم بدور إضافي. «ب» يمثّل بوصفه بديلاً سينمائياً §(١٨) على نحوٍ مضاعَف (١٩) زوجياً (ضد: افرادياً).
to ~ up يشاطر غيرَه غرفةً (أو منزلاً) معدّةً في الأصل لشخصٍ واحد (أو لأسرة واحدة).

double-acting *(adj.)* مزدوج الفعل: عاملٌ باتجاهين (ملك).
double-barreled *(adj.)* ذات أنبوبين (a ~ gun).
double bass *(n.)* الدّبَلْبَس: أكبر آلة في الأسرة الكمانية (مو).
double boiler *(n.)* القِدر المزدوجة: قدرٌ مؤلفة من وعاءين بحيث يستطاع طهو محتويات الوعاء الأعلى بغلي الماء في الوعاء الأسفل.
double-breasted *(adj.)* مزدوِج الصدر: ذات صدر ينطوي جانب منه على جزء من الجانب الآخر مع صفّين من الأزرار (a ~ jacket).
double chin *(n.)* اللُّغْد، الغَبْغَب: لحمٌ متدلٍّ تحت الذقن.
double-cross *(n.; vt.)* (١) كَسْب (أو محاولة كسب) مباراةٍ بعد اتفاق سابق يقضي بخسارتها (٢) خيانةٌ (لرفيقٍ الخ.) §(٣) يخون.
double dagger *(n).* الخنجر المزدوج: علامة طباعية (‡).
double-dealer *(n.)* المنافق؛ المخاتل.
double-dealing *(n.; adj.)* (١) نفاق §(٢) منافق.
double-deck *or* **double-decked** *(adj.)* ذو طابقين.
double-decker *(n.)* باخرة أو سيارة الخ. ذات طابقين.
double-edged [dŭb'əl ĕjd'] *(adj.)* ذو حدين.
double entendre [dōō blän tän'dr] *(F.)* تَوْرِية.
double entry *(n.)* القَيْد المزدوج؛ «الدوبيا» (تج).
double-faced *(adj.)* (١) ذو وجهين (أو سطحين) صالحين للاستعمال (٢) «أ» غامض؛ ملتبس. «ب» مراءٍ؛ ذو وجهين.
doubleheader [dŭb'əl hĕd'ər] *(n.)* (١) قطار تسوقه قاطرتان. (٢) مباريتان تُجريان على التعاقب في يوم واحد.
double-jointed [dŭb'əl join'tĭd] *(adj.)* مزدوِج المَفْصِل.
double-minded [-'əl mīn'-] *(adj.)* متردد؛ متقلب الرأي.
double-quick [dŭb'əl kwĭk'] *(n.)* = double time.
double refraction *(n.)* الانكسار المزدوج (فز).
double salt *(n.)* الملح المزدوج (ك).
double-space *(vt.; i.)* يضاعف المسافة: يطبع على الآلة الكاتبة تاركاً سطراً بعد كلّ سطر.
double standard *(n.)* = bimetallism.
double star *(n.)* النجم المزدوج: نجمان جدّ متقاربين بحيث يبدُوان في بعض الأحوال وكأنهما نجم واحد (فل).
doublet [dŭb'lĭt] *(n.)* (١) صُدْرة أو سترة ضيقة (٢) زوجٌ (مؤلف من شيئين متماثلين أو متساويين) (٣) صِنْو؛ أحد شيئين متماثلين؛ وبخاصة: إحدى لفظتين (أو أكثر)، في اللغة الواحدة، مستمدّتين من أصل واحد (مثل *ward* و *guard*).
double take *(n.)* ردّ فعلٍ متأخر لنكتةٍ أو حالة الخ.
double-talk *(n.)* الكلام الخادع: «أ» كلام يبدو ذا معنىً ولكنه فارغ في الواقع. «ب» كلامٌ مراوغ أو غامض.
doublethink *(n.)* الايمان بفكرتين متناقضتين في وقت واحد.
double time *(n.)* (١) خطى سريعة (جن) (٢) الزمن المضاعَف: دفع أجرة العامل على أساس مرتبه المعتاد مضروباً باثنين.
double-tongued [-'əl tŭngd'] *(adj.)* مُراءٍ؛ منافق؛ مخادع.
doubletree [dŭb'əl-] *(n.)* العمود المُعتَرِض (في عربة).
doubloon [dŭb lōōn'] *(n.)* الدّبلون: عملة اسبانية ذهبية قديمة.
doubly [dŭb'lĭ] *(adv.)* على نحوٍ مضاعَف (~ heavy).
doubt [dout] *(vt.; i.; n.)* (١) يشكّ أو يرتاب في §(٢) شكّ؛ ارتياب.
doubtful [dout'fəl] *(adj.)* (١) «أ» مشكوكٌ فيه. «ب» مُبْهَم؛ ملتبس. «ج» غير مؤكّد؛ غير مضمون النتائج (٢) شاكّ؛ متردّد (٣) مُريب؛ مثير للريبة.
doubting Thomas *(n.)* توما: الكثير الشكوك؛ الشاكّ في كل شيء.
doubtless [dout'lĭs] *(adv.; adj.)* (١) من غير ريب (٢) في أغلب الظنّ §(٣) واثق (٤) موثوق.
douceur [dōō sœr'] *(F.)* (١) بقشيش؛ راشِن (٢) رشوة.
douche [dōōsh] *(F.)* (١) نَضْح (٢) مِنْضَحَة.
dough [dō] *(n.)* (١) عجين (٢) عجينة (٣) كعكة (٤) دراهم (ع).
doughboy [dō'boi'] *(n.)* جنديّ من المشاة (عا).
doughface [dō'fās] *(n.)* عضو كونغرس من أبناء الشمال غير معارض للاسترقاق في الولايات الجنوبية الأميركية.
doughfoot [dō'-] *(n.)* pl. **-feet** *or* **-foots** = doughboy.
doughnut [dō'-] *(n.)* كعكة محلاّة مقليّة بالدهن.
doughtily [dou'-] *(adv.)* ببسالة؛ بشجاعة.
doughty [dou'tĭ] *(adj.)* باسل؛ شجاع؛ قويّ.
doughy [dō'ĭ] *(adj.)* عجينيّ؛ عجينيّ القوام؛ فطير.
Douglas fir *(n.)* تَنّوب دوغلاس: شجر من الفصيلة الصنوبرية.
dour [dōōr] *(adj.)* (١) قاسٍ؛ صارم (٢) عنيد (٣) كالح.
douse [dous] *(vt.; i.; n.)* (١) يُنزِل أو يُرخي (شراعاً) بسرعة (٢) يخلع ثيابه (٣) يغطّس (في الماء) (٤) ينضح بالماء (٥) يطفىء (النور) ×(٦) يَغْطس §(٧) ضربة (بر).
dove [dŭv] *(n.)* (١) يمامة؛ حمامة (٢) البريء؛ اللطيف؛ المحبّ.
dove [dōv] *past of* dive.
dovecote [dŭv'kōt'] *(n.)* برج الحَمام.
Dover's powder *(n.)* ذرور دوفر: مسحوق (محتوٍ على أفيون) يُستعمل كمسكّن ومعرِّق.
dovetail [dŭv'tāl'] *(n.; vt.; i.)* (١) تعشيقة §(٢) يعشّق ×(٣) يتعاشق.

dovetail

dowager [dou'ə jər] *(n.)* (١) أرملة من النبلاء. (٢) عجوز مَهيبَة.
dowdy [dou'dĭ] *(adj.; n.)* (١) زريّ الملبس. (٢) تعوزه الأناقة أو الذوق الرفيع (٣) عتيق الزيّ §(٤) امرأة زرية الملابس (٥) pandowdy.
dowel [dou'əl] *(n.; vt.)* (١) دِسار (٢) وتدٌ في جدار §(٣) يُدَسِّر (٤) يوتّد.

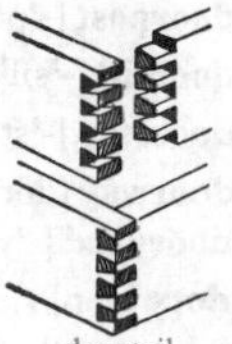

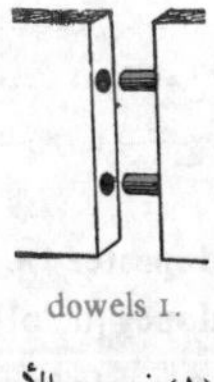

dowels 1.

dower [dou'ər] *(n.; vt.)* (١) نصيب الأرملة من إرث زوجها. (٢) البائنة؛ «الدوطة» (٣) موهبة طبيعية §(٤) تُقدّم بائنةً (٥) يمنحه موهبةً.
dowitcher [dou'-] *(n.)* الدّنْشَر: طائر طويل المنقار.
down [doun] *(n.; adv.; adj.; prep.; vt.; i.)* (١) تلّ (٢) *pl.* عد

مرتفع من الأرض ذو منحدرات مكسوة بالعشب **cap.** (٣) عد : خروف من خراف المرتفعات في جنوبي انكلترة (٤) «أ» هبوط ؛ انحدار . «ب» ركود (٥) حفيظة ؛ حقد (٦) زَغَب ؛ وَبَر §(٧) «أ» تحت . «ب» إلى أدنى (٨) على أو نحو الأرض (٩) إلى ؛ حتى (the history of Iraq ~ to 1939) (١٠) نقداً (~ paid $20) (١١) تماماً ؛ كليةً (wash ~ the car) §(١٢) «أ» منخفض . «ب» ملقىً على الأرض (١٣) منحدِر (١٤) أرخص (١٥) «أ» كئيب ؛ منقبض الصدر (I am completely ~ today.) «ب» مريض (My sister is ~ with malaria.) (١٦) مُبغِض ؛ كاره (١٧) نقديّ (a ~ payment) (١٨) مغلَق (بسبب الاصلاح أو إعادة التنظيم) §(١٩) نزولاً (٢٠) مع (clouds blowing ~ the wind) (٢١) نزولاً إلى (went ~ town) §(٢٢) يزدرد ؛ يبتلع (٢٣) يكبح ؛ يكبت (٢٤) «أ» يقتل . «ب» يُسقط طائرةً الخ (٢٥) ينزل (٢٦) يخفّض السرعة ×(٢٧) يَخْمد .

~ and out في حالة فقر أو يأس أو بطالة أو عجز .

~ in the mouth كئيب ؛ محزون .

~ with فليسقط .

to ~ tools يضرب عن العمل .

downbeat *(adj.; n.)* (١) متشائم ؛ كئيب §(٢) ركود أو انحطاط .

downcast *(adj.)* (١) مُسدَل ؛ مُسْبَل ؛ مخفوض (٢) مكتئب .

downer *(n.)* (١) عقار مهدِّئ (٢) شيء باعث على الكآبة .

downfall [doun'-] *(n.)* (١) سقوط مفاجىء (من منزلة رفيعة الخ .) (٢) سقوط مطر أو ثلج (٣) سبب السقوط (Drink was his ~.) .

downgrade [doun'-] *(n.; vt.)* (١) مُنْحَدَر (٢) انحدار إلى منزلة أدنى (٣) يخفض المنزلة أو الدرجة .

downhaul [-'hôl] *(n.)* المِنكاس : حَبْل لإنزال الشراع .

downhearted [-'här'tĭd] *(adj.)* محزون ؛ مكتئب .

downhill [-'hĭl'] *(n.; adv.; adj.)* (١) انحدار (٢) سباق تزلّج §(٣) نحو سفح التلة (٤) نحو وضع أو مستوى أدنى §(٥) منحدِر (٦) ذو علاقة بسباق تزلّج .

download [doun'lōd'] *(vt.)* ينقل (المعلومات) إلى كمبيوتر أصغر .

downpour [-'pōr'] *(n.)* انهمار ؛ وبخاصة : مطر غزير .

downright [-'rīt] *(adv.; adj.)* (١) بكل ما في الكلمة من معنى (He is ~ angry.) (٢) بصراحة §(٣) صِرف ؛ محض (a ~ lie) (٤) مباشر (٥) صريح .

downsize *(vt.)* يصاغر : يصمِّم أو يُنتج بحجم أصغر .

downstage [-'stāj'] *(adv.)* عند (أو نحو) مقدَّم المسرح .

downstairs [-'stârz'] *(adv.; adj.; n.)* (١) تحت ؛ في (أو نحو) طابق أسفل §(٢) سفليّ : واقع في الدور الأسفل من مبنى §(٣) الدور الأسفل (من مبنى) .

downstream [-'strēm'] *(adv.; adj.)* في اتجاه مجرى النهر .

downswing *(n.)* (١) فتور (٢) انكماش « في النشاط التجاري » .

down-to-earth *(adj.)* عمليّ ؛ واقعي .

downtown [-'toun'] *(adv.; adj.; n.)* (١) إلى (أو نحو أو في) الجزء الأدنى أو المركز التجاري من مدينة §(٢) واقع في الجزء الأدنى أو المركز التجاري من مدينة (٣) متعلق بالمركز التجاري من مدينة §(٤) قلب المدينة التجاري .

downtrend [doun'-] *(n.)* = downturn.

downtrodden *(adj.)* (١) مَدُوس بالأقدام . (٢) مضطهَد .

downturn [doun'-] *(n.)* (١) انخفاض (٢) انكماش في النشاط التجاري

downward [-'wərd] *or* **downwards** *(adv.)* (١) نزولاً ؛ إلى أسفل (٢) «أ» من عهد سحيق أو سابق . «ب» فنازلاً .

downward *(adj.)* (١) نازل ؛ منحدر (٢) متحدِّر من مصدر أو أصل .

downwind *(adv.; adj.)* باتجاه الريح .

downy [dou'nĭ] *(adj.)* (١) أزغَب (٢) ناعم ؛ أملس (٣) ماكر .

dowry [dou'rĭ] *(n.)* (١) بائنة ؛ « دوطة » (٢) مَهْر (٣) موهبة .

dowse [dous] *(vt.; i.; n.)* = douse.

dowse [douz] *(vi.; t.)* (١) يبحث مستعيناً بعصا الاستنباء (را . divining rod) ×(٢) يجد بهذه الطريقة .

—**dowser** *(n.)*

doxology [dŏks ŏl'ə jĭ] *(n.)* تسبيحة شكر لله .

doxy [dŏk'sĭ] *(n.)* (١) بغي ؛ مومس (٢) خليلة .

doyen [doi'ən] *(n.)* (١) عميد (هيئةٍ أو سلك) . (٢) سيِّد (صنفٍ أو نوع) .

—**doyenne** *(n. fem.)*

doyley *or* **doyly** *(n.)* = doily.

doze [dōz] *(vt.; i.; n.)* (١) يضيّع (الوقتَ) بالتكاسل الخ . ×(٢) «أ» ينام نوماً خفيفاً . «ب» يغلبه النعاس (٣) ينْعس §(٤) نوم خفيف .

dozen [dŭz'ən] *(n.)* دزينة ؛ اثنا عشر .

dozer [dō'-] *(n.)* (١) فا doze (٢) تراكتور لشقّ الطرق الخ .

drab [drăb] *(n.; vi.; adj.)* (١) امرأة قذرة (٢) مومس . (٢) الدرابُ : قماش رمادي مسمرّ (٤) اللون الأسمر الفاتح §(٥) يعاشر المومسات §(٦) أسمر فاتح (٧) «أ» رتيب . «ب» كئيب .

drabbet [-'ĭt] *(n.)* الدرابيت : قماش كتاني غليظ .

drabble [-'əl] *(vt.; i.)* (١) يوحِّل بالجرّ على الأرض ×(٢) يتوحَّل .

dracaena [drə sē'nə] *(n.)* التنّينية ؛ شجرة التنّين (نب) .

drachm [drăm] *(n.)* (١) drachma (٢) dram.

drachma [drăk'mə] *(n.)* pl. **-s** *or* **-e** *or* **-i** (١) الدرهم : وحدة وزن (٢) الدراخمة : عملة يونانية .

Draco [drā'kō] *(n.)* كوكبة التنّين (فل) .

draconian [drā kō'-] *(adj.)* وحشيّ : شديد القسوة .

draconic [drā kŏn'ĭk] *(adj.)* تِنِّيني .

draft [drăft] *(n.; adj.; vt.)* (١) «أ» سَحْب شبكة الصيد . «ب» مقدار السمك المَصيد بسحبة واحدة (٢) «أ» جرّ الأثقال «ب» مجموعة الحيوانات مع الأثقال التي تسحبها (٣) «أ» القوة المطلوبة لجرّ أداة ما . «ب» القدرة على جرّ الأثقال (٤) «أ» شُرْب أو تنشّق . «ب» جَرْعة ؛ نَشْقة (٥) «أ» رَسْم ؛ خريطة ؛ وبخاصة : خريطة بناء . «ب» مخطط تمهيدي ؛ مسوّدة (٦) «أ» نَزْح أو سحب من برميل . «ب» مقدار السائل المسحوب (٧) حسم خاص يمنح للمشتري لقاء الخسارة في الوزن (٨) «أ» قُرْعة (للخدمة العسكرية) . «ب» مَن تقع عليهم القُرعة (٩) «أ» حوالة ؛ تحويل . «ب» طلب (١٠) «أ» تيّار هوائي . «ب» أداة لتعديل تدفّق الهواء (في موقد الخ .) (١١) استدقاق ؛ استدقاق الطرَف § (١٢) مستخدَم لجرّ الأثقال (~ horse) (١٣) تمهيدي (a ~ treaty) أي مشروع معاهدة) (١٤) جاهز لأن يُسحَب من وعاء ؛ أيضاً : مسحوب (~ beer) §(١٥) يُجري القرعة (١٦) «أ» يرسم مخططاً تمهيدياً ؛ يضع مسوّدة . «ب» يُعِدّ (١٧) يَسْحَب .

on ~, جاهز للسّحْب من وعاء (كالجعة الخ .) .

draftsman *(n.)* (١) المخطِّط ؛ المصمم : واضع المخططات والتصاميم (٢) صائغ الوثائق ومشروعات القوانين الخ . (٣) الرسام .

drag [drăg] *(n.; vt.; i.)* (١) «أ» مِسلفة ؛ جرّافة . «ب» مزلقة لنقل الأثقال على الجليد . «ج» عربة (٢) شبكة الخ . للبحث عن الغرقى

(٣)«أ» عائق . «ب» مقاومة (طي) . «ج» احتكاك بين أجزاء الآلة (٤) سحّابة تُجرّ على الأرض لتترك أثراً مثل أثر الحيوان أو رائحته (٥)«أ» جرّ ؛ سَحْب . «ب» حركة بطيئة أو معوّقة . «ج» مَجّة دخان من بيبة أو سيكارة الخ. «د» نفوذ يستخدَم لتأمين المصالح الخاصة الخ. (٦) قطار شحن بطيء (٧)شارع (ع) (٨) الرفيقة: الفتاة التي يرافقها المرء (ع) (٩) سباق في السرعة بين السيارات (ع) §(١٠) يجرّ ؛ يسحب (١١) يمضي (أيامه) في ألم أو ضجرٍ أو شقاء (١٢) يَمُطّ ؛ يطوّل (١٣) يبحث (عن غريق الخ .) ×(١٤) يتخلف (عن رفاقه الخ .) (١٥) يصيد بشبكة أو نحوها (١٦) ينسحب على الأرض (١٧) يجري ببطء أو بإملال (١٨) يأخذ مجّة (من سيكارة).

dragée [drȧ zhā'] *(F.)* (١) مُلبَّسة (٢) حبة دواء ملبّسة .

draggle [drăg'əl] *(vt.; i.)* (١) يوحّل بالجرّ على الأرض ×(٢) يتوحّل بالجرّ على الأرض (٣) يدلف ؛ يمشي متثاقلاً .

draggle-tail *(n.)* (١) امرأة قذرة (٢) بغيّ ؛ مومس .

dragline [drăg'-] *(n.)* (١) حَبْل للسَّحْب (٢) حفّارة للأرض .

dragman [drăg'-] *(n.)* الساحب ؛ الجارّ ، وبخاصة : الصائد بشبكة .

dragnet [drăg'nĕt'] *(n.)* شبكة (للصيد ونحوه) .

dragoman [drăg'ə-] *(Ar.)* التَّرْجُمان : دليل السيّاح .

dragon [drăg'ən] *(n.)* (١) تِنّين (٢) شخص عنيف أو صارم جداً (٣) بندقية قصيرة قديمة أو حاملها (٤) العظاية التنّينية : ضربٌ من العظاء (٥) *cap.* : كوكبة التنّين (فل) .

dragonet [-'ən ĭt] *(n.)* (١) تِنّين صغير (٢)السمَيكة الصَّيْداء .

dragonfly[drăg'-] *(n.)* يعسوب ؛ سُرْمان .

dragonfly

dragonhead *or* **dragon's-head** *(n.)* رأس التنّين (نب) .

dragonish [drăg'-] *(adj.)* شبيه بالتنّين .

dragon lizard *(n.)* الوَرَل : ضربٌ من العظاء ضخم .

dragon's blood *(n.)* دم التنّين : مادة راتينجية حمراء .

dragon's teeth *(n.)* (١) بذور النزاع (٢) حواجز معوّقة للدبابات .

dragoon [-gōōn'] *(n.; vt.)* (١) جنديّ في سلاح الفرسان . §(٢) يُخضِع ؛ يضطهد .

dragrope[drăg'rōp'] *(n.)* حَبْل السَّحب : حَبْل يُسحَب به شيء .

drain [drān] *(vt.; i.; n.)* (١) يَنْزح ؛ يُفرغ ؛ يُصرِّف . (٢) «أ» يجفف تدريجياً . «ب» يستنزف . «ج» يشرب (ع) . ×(٣)«أ» يسيل تدريجياً . «ب» يتلاشى (٤) يجفّ بالارتشاح §(٥) مَصْرِف (للمياه الخ .) (٦) نَزْف ؛ ارتشاح ؛ استنزاف (٧) عبء (٨) المياه المصرَّفة (٩) بقيّة صغيرة (من سائل) (١٠) جَرْعة (من شراب مُسْكِر) (١١) مَصْرِف لإفرازات الجراح .

drainage [drā'nĭj] *(n.)* (١)مص drain (٢)المياه الخ. المصرّفة. (٣)«أ» مَصْرِف (للمياه) . «ب» شبكة من مصارف المياه .

drainpipe [drān'-] *(n.)* أنبوب التصريف .

drake [drāk] *(n.)* (١)مدفع (٢) mayfly (٣)العُلجوم: ذكَر البط .

dram [drăm] *(n.)* (١) الدرهم : وحدة وزن صغيرة (٢)«أ» جرعة من شراب مسكر . «ب» مقدار ضئيل .

drama [drä'mə] *(n.)* (١) مسرحية (٢) الدراما : الفن أو الأدب المسرحي (٣) حالة (أو سلسلة أحداث) تنطوي على تضارب عنيف أو ممتع بين قوى مختلفة .

dramatic *(adj.)* (١) مسرحيّ (٢) مفاجئ ؛ مثير ؛ دراماتيكي .

dramatics [-'ĭks] *(n.)* (١) فن التمثيل أو الاخراج المسرحي (٢) مسرحيات يقدّمها هواة (٣) سلوك أو تعبير مسرحي .

dramatis personae *(n. pl.)* شخصيات المسرحية أو ممثلوها .

dramatist [drăm'ə tĭst] *(n.)* الكاتب المسرحيّ .

dramatize[-'ə tīz] *(vt.; i.)* (١) يُمَسْرِح : «أ» يُفرِغ في قالب مسرحي «ب» يعبّر أو يصور بطريقة مسرحية (He ~s his woes.) ×(٢) تَصْلح (الرواية) للتمثيل .

—**dramatization** *(n.)*

dramaturgy [drăm'-] *(n.)* الفن المسرحي: فن التأليف والتمثيل المسرحيّ .

dramshop [drăm'-] *(n.)* حانة ؛ خمّارة .

drank [drăngk] *past of* drink.

drape [drāp] *(vt.; i.; n.)* (١) يكسو أو يزيّن بجُوخٍ متدلّ على نحو متجعّد (٢) يثني : يجعل (للثوب) ثنيات ×(٣) يتجعّد ؛ يتثنّى §(٤) ستارة .

draper [drā'pər] *(n.)* تاجر الأجواخ والألبسة .

drapery [-'pə rĭ] *(n.)* (١) أجواخ وألبسة جاهزة (٢) تجارة الأجواخ والألبسة (٣)«أ» ستارة من جوخ . «ب» غطاء فضفاض للاثاث .

drastic [drăs'tĭk] *(adj.)* عنيف ؛ متطرف ؛ قاسٍ .

draught [drăft; dräft] = draft.

draughts [dräfts] *(n.)* الداما ؛ لعبة الداما .

draw [drô] *(vt.; i.; n.)* (١) يجرّ ؛ يسحب (٢)«أ» يُزيح . «ب» ينتزع (الاعجاب) ؛ يلفت (الانتباه) ؛ يستدرّ (٣)«أ» يجتذب ؛ يغري . «ب» يثير (٤) يتنشق (٥)«أ» يستل (سيفاً) . «ب» ينترع الأحشاء (٦) يكسب ؛ يربح (٧) يتقاضى (راتباً) ؛ يتلقّى (جراية) (٨) يسحب ورقة لعب أو يانصيب (٩) يلوي القوسَ (١٠) يجعّد ؛ يغضّن (١١) «أ» يرسم . «ب» يحرر وصية . «ج» يعقد (المقارنات) (١٢) يستنتج (١٣) يسحب أو يطوّل معدناً ×(١٤) يتقدّم تدريجياً وباطّراد (١٥) يجتذب المشاهدين الخ . (The play still ~ s.) (١٦) تَشْرق المدخنة الدخان (١٧) ينتفخ الشراع (١٨) يتجعّد (١٩) يتغيّر شكله بالسحب (٢٠) يتعادل (مع فريق آخر) في مباراة (٢١) يسحب حوالةً على §(٢٢) سَحْب (٢٣) ورقة لعب أو يانصيب (٢٤) الجزء المرِن من جسر متحرك (٢٥) مباراة يتعادل فيها الفريقان (٢٦) شيء جذاب لافتٌ للانتباه (The new play is a great ~.)

to ~ away يتقدم خصماً في سباق .

to ~ back (١) يردّ أو يرتدّ إلى الوراء (٢) يتردّد .

to ~ blank لا يجد شيئاً .

to ~ blood (١) يجرح شخصاً (٢) يُسيل الدم . (٣) يُغضِب شخصاً .

to ~ breath يأخذ نَفَساً : يتوقف طلباً للراحة .

to ~ a distinction between. يبيّن وجوه الاختلاف بين .

to ~ down the curtain (١) يُسدِل الستار (مُنهياً مسرحية) (٢) يكفّ عن متابعة الكلام في مسألة .

to ~ first blood يقوم بالهجوم الأول .

to ~ in (١) يتقاصر ؛ يصبح قصيراً (٢) يقتصد .

to ~ it mild يجتنب المبالغة .

to ~ off (١) ينسحب ؛ يتراجع (٢)«أ» يسحب . «ب» يستخلص بالتقطير .

to ~ on (١) يؤدّي إلى ؛ يسبّب (٢) يغري ؛ يجتذب (٣) يدنو .

to ~ on *or* upon يعتمد على .

to ~ out (١) يتطاول ؛ يصبح طويلاً (٢) يستمر طويلاً (٣) ينطلق (القطار الخ .) من المحطة

(٤) يطيل (٥) يغريه بالكلام بحرية .

to ~ round يقترب ؛ يدنو .

to ~ tea يستصفي خلاصة أوراق الشاي بعد صبّ الماء الغالي عليه .

to ~ the longbow يبالغ ؛ يروي قصصاً لا تصدّق .

to ~ the teeth of يقلّم أظفاره ؛ يجعله غير مؤذٍ .

to ~ up (١) يرفع ؛ يسحب (٢) يرتّب أو يَصُفّ الجُنْدَ (٣) يصوغ (٤) ينتصب (٥) يوقف (٦) يتوقف .

to ~ the winner ينجح ؛ يسحب الورقة الرابحة .

drawback [drô'-] *(n.)* (١) المتدارك : مالٌ يُرَدّ بعد دفعه وبخاصة : رسوم جمركية تعاد إلى دافعها عند تصدير السلع ثانية (٢) عائق .

drawbar [drô'-] *(n.)* قضيب جَرّ أو سَحْب أو قَطْر .

drawbridge [drô'-] *(n.)* جِسر متحرّك .

drawbridge

drawee [drô ē'] *(n.)* المسحوب عليه ؛ المحوَّل عليه (تج) .

drawer *(n.)* (١) النادل (في حانة) (٢) الرسام . (٣) الساحب : ساحب الحوالة (٤) دُرْج ؛ جارور (٥) *pl.* : سروال تحتاني .

drawing [drô'-] *(n.)* (١) سَحْب (٢) رسم ؛ تصوير (٣) مبلغ يُسحب من حساب (٤) صورة .

drawing card *(n.)* كل ما يستحوذ على الانتباه ؛ وبخاصة : ممثل محبوب يجتذب عدداً كبيراً من النظارة .

drawing room *(n.)* (١) «أ» قاعة استقبال . «ب» مقصورة في قطار (٢) حفلة استقبال رسمية .

drawknife *also* **drawing knife** *(n.)* سكّين الجَبْذ (نج) .

drawknife

drawl [drôl] *(vi.; t.; n.)* (١) يتشدّق (في الكلام) § (٢) تشدّق .

drawn [drôn] *past part. of* draw.

drawn work *(n.)* الرَّسْم السَّحْبي : زخرفة تم بسحب الخيوط من نسيج ما وفقاً لرسم معيّن .

drawplate *(n.)* صفيحة السحب : قالب مثقّب لسحب الأسلاك (مك) .

drawshave [drô'shāv'] *(n.)* = drawknife.

drawstring [drô'-] *(n.)* التِّكّة : رباط لِكيس أو سروال الخ .

drawtube [drô'-] *(n.)* الأنبوب المنزلق (في مجهر الخ .) .

dray *(n.; vt.)* (١) الكرّاجة : عربة أثقال واطئة § (٢) ينقل بكرّاجة .

drayage [drā'ij] *(n.)* (١) النقل بكرّاجة (٢) أجرة هذا النقل .

drayman [drā'mən] *(n.)* سائق أو جارّ الكرّاجة .

dread [drĕd] *(vt.; i.; n.; adj.)* (١) يَرْهَب § (٢) فَزَع (٣) شيء مروع § (٤) مُفزِع ؛ مروع (٥) مُوقِعٌ الرهبةَ في النفس .

dreadful *(adj.; n.)* (١) «أ» مُفزِع ؛ مروع . «ب» مُوقِعٌ الرهبةَ في النفس (٢) بغيض أو كريه جداً (٣) شديد (~disorder) § (٤) قصة أو مجلة مثيرة أو «رخيصة» .

dreadnought [-'nôt] *(n.)* (١) «أ» ثوب من نسيج غليظ . «ب» نسيجٌ صوفي غليظ (٢) «أ» مَن لا يخاف شيئاً . «ب» مدرّعة .

dream [drēm] *(n.; vi.; t.)* (١) حلم (٢) شيء رائع الجمال الخ . (She wore a ~ of a dress.) § (٣) يَحْلُم .

dreamer *(n.)* (١) الحالم (٢) العائش أو السابح في دنيا الخيال .

dreamily [drēm'-] *(adv.)* على نحو حالم أو غامض الخ .

dreamland [drēm'-] *(n.)* أرض الأحلام : بلاد وهمية سعيدة لا وجود لها إلا في الخيال والأحلام .

dreamlike [drēm'-] *(adj.)* كالحلم ؛ شبيه بالحُلْم ؛ وهميّ ؛ غامض .

dreamworld *(n.)* (١) dreamland (٢) عالم الأحلام أو الأوهام .

dreamy [drē'mĭ] *(adj.)* (١) «أ» حالم . «ب» غامض (٢) كثير الأحلام أو الأوهام .

drear [drĭr]; **dreary** *(adj.)* (١) حزين ؛ (٢) كئيب ؛ موحش .

dredge [drĕj] *(n.; vt.; i.)* (١) شبكة لالتقاط المحار الخ . من قاع البحر (٢) أداة لرفع الوحل أو الرمل الخ . من قاع نهر الخ . (٣) مركب لالتقاط المحار § (٤) يلتقط المحار بشبكة (٥) يرفع الوحل من قاع نهر × (٦) يرشّ الدقيق أو السكر على الطعام .

dredge 2.

dreg [drĕg] *(n.)* (١) *pl.* : ثُفْل (٢) *pl.* : حُثالة (٣) بقية باقية .

drench [drĕnch] *(n.; vt.)* (١) جرعة (من شراب أو دواء أو مادة سامة) (٢) ما يبلّل أو ينقع (a ~ of rain) § (٣) يجرع (الحيوانَ) دواءً (٤) يبلّل ؛ ينقع ؛ يُشبع .

dress [drĕs] *(vt.; i.; n.; adj.)* (١) «أ» يقوم ؛ «يجلس» . «ب» يرصف (الجندَ) (٢) يكسو (٣) يزيّن (٤) يهيّئ ؛ يُعِد (المائدةَ الخ .) ؛ يسوّي ؛ يهذّب (٥) «أ» يضمّد . «ب» يمشّط . «ج» يذبح (الحيوان) ويُعِدّه للبيع في السوق . «د» يدبغ (الجلدَ) . «ه» يسمّد (التربة) × (٦) يرتدي (أحسن ما عنده) (٧) يزن (الحروفَ الخ .) بعد ذبحه وإعداده للبيع في السوق (٨) يتراصف : يتراصف مع الجندي الآخر لكي يجعل الصف مستقيماً (جن) § (٩) رداء ؛ كساء ؛ ثوب (١٠) ثوب امرأة أو طفل § (١١) كسائيّ : متعلق بالكساء (١٢) رسميّ : ملائم لمناسبة رسمية (~ clothes) (١٢) متطلبٌ ارتداء ملابس رسمية (The graduation will be a ~ affair.) .

to ~ down (١) يوبّخ (٢) يَجلد ؛ يسوط .

to ~ ship يرفع الأعلام على سفينة .

to ~ up (١) يكسوه بأحسن الملابس أو بثياب رسمية (٢) يُظهره (أو يجعله يبدو) في صورة معينة .

dress circle *(n.)* الحلقة الرسمية : حلقة أو جزء من المقاعد أو شرفة (في مسرح) مخصصة للمرتدين ملابس رسمية .

dresser [-'ər] *(n.)* (١) فا dress (٢) الملبِّس : من يساعد الممثلين المسرحيين على ارتداء ملابسهم (٣) مساعد الجراح (بر) (٤) الميزْيَنة (را. dressing table) (٥) خزانة للأطباق وأدوات الطهو .

dressing [-'ing] *(n.)* (١) مص dress (٢) «أ» مرقٌ توابل يضاف إلى الطعام . «ب» مزيجٌ متبّل تُحشى به الدجاجة الخ . قبل طهوها (٣) ضِمادة (٤) سَماد .

dressing bag *or* **case** *(n.)* حقيبة أدوات الزينة .

dressing-down *(n.)* (١) توبيخ (ع) (٢) جَلْدٌ ؛ ضربٌ بالسياط .

dressing gown *(n.)* مَبذل ؛ «روب دو شامبر» .

dressing room *(n.)* حجرة اللبس ؛ وبخاصة : حجرة في مسرح لتغيير الملابس والماكياج .

dressing station *(n.)* مركز الإسعاف .

dressing table *(n.)* الميزْيَنة : منضدة خفيضة ذات أدراج ومرآة (يجلس إليها المرء حين يتخذ زينته) .

dressmaker [-'mā'ker] *(n.)* خيّاط أو خيّاطة للسيدات .

dressmaking *(n.)* الخِياطة النسائية : خِياطة ملابس النساء .

dress parade *(n.)* عَرض عسكري (جن) .

dress rehearsal *(n.)* الإعادة النهائية : آخر إعادة (تجربة)

تُجرى لمسرحية ما بالملابس الكاملة وذلك قبل يوم واحد عادةً من تقديمها إلى الجمهور.

dress shirt *(n.)* القميص الرسميّ: قميص رجاليّ أبيض يُرتدى مع بذلة السهرة.

dress suit *(n.)* البذلة الرسمية: بذلة يرتديها الرجال في السهرات.

dressy [drĕs'ĭ] *(adj.)* (١) متأنق (٢) أنيق.

drew [drōō] *past of* draw.

dribble [drĭb'əl] *(vi.; t.; n.)* (١) يَقطُر: ينزل أو يسيل قطرةً قطرةً (٢) يَسيل لعابُهُ (٣) ينبثق الخ. شيئاً فشيئاً (٤) يوجّه الكرةَ نحو الهدف بتربيتات أو رفسات قصيرة سريعة ×(٥) يقطّر (٦) ينثر أو يوزّع على نحو متقطّع أو بمقادير صغيرة §(٧)«أ» تقطُّر؛ سقوط على شكل قطرات. «ب» رَذاذ. «ج» تدفّق ضئيل أو متقطّع (٨) مقدار ضئيل (٩) توجيه الكرة نحو الهدف بتربيتات أو رفسات قصيرة سريعة.

driblet [drĭb'lĭt] *(n.)* (١) مقدار ضئيل (٢) قَطرة.

dried [drīd] *past and past part. of* dry.

drier [drī'ər] *(n.)* المجفِّف: «أ» مَنْ يجفِّف. «ب» أداة تجفيف.

drift [drĭft] *(n.; vi.; t.)* (١)«أ» سَوْق؛ جَرْف. «ب» اندفاع تيار النهر أو المحيط أو سرعتُهُ (٢)«أ» ثلج (أو مطر أو سحاب أو غبار أو دخان) تذروه الرياح عند سطح الأرض أو قربَهُ. «ب» كتلة رمل الخ. تركمها الرياح أو المياه. «ج» رُكامٌ مختلط. «د» قطيع. «هـ» خشب الخ. تجرفه المياه نحو الشاطىء. «و» رواسب أو قُرارات مجروفة (٣)«أ» نزعة؛ اتجاه. «ب»معنًى؛ مغزى (٤) أداة لتوسيع الثقوب في المعادن (٥)«أ» الانسياق: انحراف السفينة أو الطائرة عن خط سيرها بسبب التيارات المائية أو الهوائية. «ب» تدفُّق أو نحوُه. «ج» انتقال تدريجي. «د»سيرٌ على غير هُدى. «هـ» انجراف. «و» انحراف (٦) سَرَبٌ أو نفقٌ (في منجم) §(٧)«أ» ينساق؛ ينجرف (بفعل تيار مائي أو هوائي). «ب» يجري أو يطفو برفق ومن غير جهد (٨) يتنقل من مكان إلى مكان بحثاً عن العمل خاصة (٩)«أ» يتراكم (بفعل المياه أو الرياح). «ب» يعلوه ركام مختلط (١٠) ينحرف ×(١١) «أ» يسوق ويراكم بقوة الريح. «ب» يغطّى برُكام مختلط. **—drifty** *(adj.)*

driftage [drĭf'-] *(n.)* (١) انجراف؛ انسياق (٢)انحراف (٣)شيء منجرف مع التيار.

driftwood *(n.)* خشب طاف (على سطح المياه) أو مجروف (بالمياه).

drill [drĭl] *(vt.; i.; n.)* (١) يَثقب (٢)«أ» يدرِّب؛ يعلِّم. «ب» ينقل الفكرات أو المعارف (٣)«أ» يَبْذُر (الحَبَّ). «ب» يَنثُر (الحبّ أو السماد) بآلة خاصة ×(٤) يتدرَّب §(٥) مِثقاب (٦) تدريب عسكري أو بدني أو عقلي (٧) صوت ثاقب (٨) الدِّرِيل: «أ» ضرب من الحلازين البحريّة. «ب» بابون (قرد) غربأفريقي. «ج» أداة تشقّ الأثلام وتبذر الحَبَّ (والسماد أحياناً) ثم تغطيهما بالتراب. «د» نسيج قطنيّ متين (٩)«أ» ثَلْم. أخدود. «ب» صفّ بذور نُثِرت في ثَلْم.

drilling *(n.; adj.)* (١)الدِّرِيل: نسيج قطني §(٢)«أ» ثاقب. «ب» لاذع.

drillmaster *(n.)* (١)مدرب عسكري (٢)مدرس أو مدير صارم.

drill press *(n.)* الثقّابة الضَّغْطيّة (ملك).

drily [drī'lĭ] *(adv.)* = dryly.

drink [drĭngk] *(vt.; i.; n.)* (١) «أ» يَشرب. «ب» يتشرَّب؛ يمتص (٢) يشرب نخب كذا (٣)«أ» ينفق (المالَ أو الوقت) على الشراب أو فيه. «ب» يجعله في حالة معيّنة من طريق الشرب (Don't ~ that fountain dry.) (٣) يُدْمِن الشراب. §(٤)«أ»شراب. «ب» شرابٌ مُسكِر (٥) جَرْعة (٦)إسراف في معاقرة الخمر (٧) المحيط؛ الأوقيانوس.

in ~, مخمور؛ ثمِل؛ سكران.

to ~ deep (١) يأخذ جرعة طويلة من الشراب. (٢) يسرف في الشراب.

to ~ in (١) يمتصّ (٢) يحدّق أو يستمع إلى شيء بابتهاج.

to ~ off *or* up *or* down يزدرد بجرعة واحدة.

to ~ to يشرب نَخبَهُ.

drinkable [-'ə bəl] *(adj.; n.)* (١) صالحٌ للشرب §(٢) شراب.

drinker [drĭngk'-] *(n.)* (١) «أ» الشارب. «ب» السكّير. (٢) وعاء الخ. لتقديم الماء إلى الحيوانات الداجنة.

drink money *(n.)* بقشيش؛ حلوان؛ راشِن.

drip [drĭp] *(vt.; i.; n.)* (١) يقطِّر؛ يستقطِر ×(٢) يَقْطُر. §(٣)«أ» تَقَطُّر. «ب» قَطْر؛ سائل متقطِّر (٤) صوت القطرات المتساقطة (٥)«أ» جزء ناتىء من إفريز (كورنيش) المبنى يردُّ المطر عنه. «ب» رفرف معدنيّ للغرض نفسه (٦)«أ»مِحْقَنة للأوردة. «ب» سائل يُحْقَن في الوريد (٧) هراء (ع) (٨) شخصٌ مُضجِر أو ساذج أو غبيّ (ع).

drip-dry *(vi.)* يجفّ (القماش) من غير تغضّن عند نشره.

dripping *(n.; adv.)* (١) *pl.* عد: عَرَق الشِّواء: ما يتقطّر من اللحم عند شَيِّه § (٢) إلى حد بعيد (wet ~).

drippy [drĭp'-] *(adj.)* (١) ماطر؛ ممطر (٢)عاطفيّ إلى حدّ صبيانيّ.

drive [drīv] *(vt.; i.; n.)* (١)«أ» يدفع إلى أمام. «ب» يسيِّر. (٢)«أ» يسوق (حيواناً). «ب» يقود (عربةً). «ج» ينقل بعربة. «د» يجعل (الأخشاب) تتدحرج في مجرى النهر الخ. (٣) يُجْري بنشاط (to ~ a bargain) (٤)«أ» يُكرِه؛ يُجبر. «ب» يحثّ. «ج» يدفع (٥)«أ» يدفع (الطرائدَ) نحو اتجاه معيّن. «ب» يرود (منطقة) بحثاً عن الطرائد (٦) يشقّ؛ يحفر (٧) يضرب أو يقذف الكرة بسرعة بالغة ×(٨) يندفع بسرعة أو عنف (٩) يناضل لبلوغ هدف (١٠)يقود سيارة أو ينتقل بها §(١١) «أ» سَوق؛ قيادة. «ب» الحيوانات المسوقة. «ج» نزهة في سيارة أو مركبة. «د» دفع الأخشاب عبر النهر إلى جهة معينة. «هـ» الأخشاب نفسُها. «و» ضرب الكرة أو طريقة ضربها. أيضاً: الضربة نفسُها (١٢) «أ» طريق خاصة (تمتد من الطريق العامة إلى مبنى). «ب» طريق للمركبات (في حديقة عامة الخ.) (١٣) حملة (a ~ to raise funds) (١٤) هجوم عسكري عنيف (١٥)دافع؛ حافز (١٦) نشاطيّة؛ دينامية (١٧) وسيلة الادارة أو التدوير (ملك) (١٨) عرض السِّلَع بأسعار رخيصة (ع).

to ~ at يرمي إلى؛ يقصد من كلامه.

to ~ away (١) يُقصي (٢) يُشتِّت. (٣) يمضي راكباً عربة.

to ~ away at ينكبّ على عمل شيء.

to ~ back يردّ؛ يصدّ.

to ~ in يدقّ (مسماراً).

drive-in *(n.)* مسرح (أو دار للسينما أو محل لبيع المرطبات الخ.) يستطيع الناس أن يشهدوا ما يُعرَض فيه أو يشتروا ما يريدون منه وهم في سياراتهم.

drivel [drĭv'əl] *(vi.; t.; n.)* (١) يسيل لُعابه (٢) يتكلّم أو يقول أو يتصرف بحماقة أو بطريقة صبيانية §(٢) لعابٌ سائل (٣) هراء.

ă at; ā date; â care; ä car; ĕ egg; ē me; ĭ in; ī bite; ŏ lot; ō bone; ô orphan; oi boil ŏŏ good; ōō boot; ou out; ŭ under; ū unity; ˋû urgent; th thing; th this; zh vision; ə = *a* in alone, *e* in system, *i* in easily, *o* in gallop, *u* in circus.

driveler *or* **driveller** [drĭv'-] *(n.)* المخرِّف ؛ الناطق بالهراء .

driven [drĭv'ən] *past part. of* drive.

driver *(n.)* (١)سائق (٢)مِطرقة (٣)ناقل الحركة (مك) (٤)مِضرب .

driver ant *(n.)* النملة الزحافة : واحدة النمل الزّحاف .

driver's seat *(n.)* مركز السيطرة أو السلطة العليا .

drive shaft *(n.)* عمود الادارة أو التدوير (مك) .

driveway [drīv'-] *(n.)* (١) الدَّرْب : طريق لسَوْق الماشية . (٢) طريق خاصة (تمتدّ من الطريق العامة إلى مبنى) .

driving [drī'-] *(adj.; n.)* (١) محرِّك أو ناقلٌ للحركة (مك) . (٢) عاتٍ (a ~ storm) (٣) نشيط (a ~ young executive) (٤)قاسٍ؛ صارم (a ~ supervisor) §(٥) سَوْق ؛ قيادة .

driving belt *(n.)* سَيْر التدوير (مك) .

driving wheel *(n.)* عجلة القيادة؛ تُرس الادارة (مك) .

drizzle [drĭz'əl] *(vi.; t.; n.)* (١) تَرذّ السماءُ : تُمطر رذاذاً . ×(٢) يُرذّ : «أ» يجعله يَسيل قَطَرات . «ب» يبلّل بقطرات §(٣) رذاذ .

drizzly [drĭz'-] *(adj.)* مُرذّ ؛ كثير الرَّذاذ .

drogue [drōg] *(n.)* مِرساة .

droit [droit; drwȧ] *(F.)* حق شرعي .

droll [drōl] *(adj.; n.)* (١) مُضحِك §(٢) المهرِّج .

drollery [drō'lə rĭ] *(n.)* (١) «أ» رَسْم هزليّ ؛ صورة هزلية . «ب» مشهد هزلي قصير . «ج» نادرة (٢)«أ» هَزْل؛ مُزاح . «ب» مزحة .

-drome لاحقةٌ معناها : حَلْبة ؛ مَيدان ؛ ساحة .

dromedary [drŏm'ə dĕr'ĭ] *(n.)* الجمل العربي (الوحيد السَّنام) .

dromond [drŏm'-] *(n.)* الدَّرْمند : مركب شراعي ضخم سريع .

drone [drōn] *(n.; vi.; t.)* (١) ذَكَر النحل (٢) عالة (٣) طائرة أو سفينة بلا رُبّان (توجّه بإشارات لاسلكيّة) (٤) مِزمار القربة أو أحد أنابيبه (٥)دندنة، أزيز (٦)«أ»لحنٌ رتيب. «ب»خطيب مملّ § (٧)«أ» يدندن، يئزّ . «ب» يتحدث بنبرة رتيبة (٨)«أ» يحيا حياة كسل وتبطّل . «ب» ينقضي على نحو رتيب . «ج» يعمل بطريقة روتينية أو لامبالية ×(٩) يلفظ بنبرة رتيبة (١٠) يقضي (الوقتَ) بتكاسل .

drool [drōōl] *(vi.; n.)* (١) يسيل لعابه (٢) يتحمّس لـ . (٣) يهذي؛ ينطق بالهراء § (٤) لعابٌ سائل (٥) هراء .

droop [drōōp] *(vi.; t.; n.)* (١) يتدلّى (٢) يَغرُب (٣) يهن ؛ يبتئس ؛ يقنط ×(٤)يخفض الرأس أوالعينين أوالجناح §(٥)تدلٍّ الخ .

droopy [drōōp'-] *(adj.)* (١) متدلٍّ أو منحنٍ (٢)كئيب ؛ مكتئب .

drop [drŏp] *(n.; vi.; t.)* (١)«أ» قَطرة . «ب» *pl.* : جرعة دواء تقاس بالقطرات ؛ وبخاصة : قطرة للعين . «ج» جرعة شراب (٢)«أ» حلية مدلاة من قطعة مجوهرات. «ب» قرط تتدلى منه حلية . «ج» حبة بونبون؛ قرص سكّري كرويّ (٣)«أ» سقوط. «ب» هبوط . «ج» هبوط بالباراشوت . «د» الأشخاص (أو الأشياء) الذين تُنزلهم الباراشوت (٤)«أ» المسافة من مستوى أعلى إلى مستوى أدنى . «ب» المسافة التي يجتازها شيء في سقوطه . «ج» هبوط في الجهد (كب) (٥) الشَّقّ : شقّ صغير ضيق يُسقَط فيه شيء (٦)«أ» غطاء ثقب المفتاح (في قفل) . «ب» ستارة المسرح . «ج» باب أفقيّ أو مسحور . «د» مِشنقة . «هـ» ثمرة ساقطة §(٧) يَقطُر (٨)«أ»يَسقط فجأةً . «ب» يهبط ؛ ينحدر . «ج» ينهار . «د» يموت . «هـ» يقع . «و» يترجل من عربة. «ز» يهبط النهرَ (مع التيار أومع ريح مواتية). «ح» ينسحب. «ط» يتأخر أو يتخلف (٩) يغلبه النعاس (١٠) ينتهي ؛ يتلاشى (١١) ينخفض؛ يتناقص ×(١٢) يُسقط (١٣)«أ» يَخفِض . «ب» يُنزل عجلات الطائرة استعداداً للهبوط . «ج» يخفف أو يخفّض (السرعة الخ .) . «د» يُنزل من السفينة الخ . «هـ» يُنزل (مؤناً أو جنداً) بالمظلات (١٤) يصرع (برصاصة أو ضربة) (١٥) يذرف (عَبرةً) (١٦)«أ» يتخلّى عن . «ب» يقطع (الجملة) فلا يتمّها . «ج» يقطع صلته بـ ؛ يطرد (١٧) يقول (أو يشير إلى) بطريقة عرَضية (١٨)يبعث بالبريد (to ~ a line) (١٩) تَلِدُ (أنثى الحيوان) (٢٠) يخسر .

to ~ across (a person) يلتقي به مصادفةً .

to ~ behind يتخلّف (عن غيره أثناء المسير) .

to ~ by يقوم بزيارة قصيرة عرَضية .

to ~ in يقوم بزيارة غير متوقعة .

to ~ off (١) يتضاءل ؛ يتناقص (٢) يغلبه النعاس. (٣)يموت .

to ~ on يوبّخ ؛ يعنّف .

to ~ out (١) يزول (٢)يكفّ عن الاشتراك العملي في .

to ~ through ينهار ؛ يخفق .

drop curtain *(n.)* السَّديل: ستارٌ مسرحيّ يُنزَّل تنزيلاً .

drop-dead *(adj.)* فاتن؛ ساحر (*a ~ watch*) .

drop-forge *(vt.)* يشكّل (المعادن) بالمطرقة الساقطة .

drop hammer *(n.)* المِطرقة الساقطة (مك) .

dropkick *(n.)* رفسة لكرة القدم عند ارتفاعها عن الأرض بعد إسقاطها عليها .

drop leaf *(n.)* جناح المائدة : امتدادٌ للمائدة يُطوى عند عدم الحاجة إليه .

droplet [drŏp'lĭt] *(n.)* القُطَيرة : قَطرة صغيرة جداً .

drop letter *(n.)* الرسالة المحليّة : رسالة تُسلّم إلى المرسل إليه في نفس المركز البريدي الذي وُضعت فيه .

droplight [-'līt] *(n.)* المصباح المُدلّى: مصباح كهربائي مُدلّى بسِلك .

drop-off [drŏp'-] *(n.)* منحدر عمودي أو شبه عمودي .

droppage [drŏp'-] *(n.)* السَّقَط : ما تساقط من الثمر قبل النضج .

dropper [drŏp'ər] *(n.)* (١) فا drop (٢) قطّارة .

dropping [drŏp'-] *(n.)* (١) مص drop (٢) القَطْر : ما يتساقط قطراتٍ (٣) *pl.* : رَوْث .

drop press *(n.)* (١) مِكبس التخريم (مك) (٢)المِطرقة الساقطة.

dropsical *(adj.)* (١)«أ»استسقائي. «ب»مصاب بالاستسقاء(٢)منتفخ.

dropsy [drŏp'sĭ] *(n.)* الاستسقاء : داء الاستسقاء (مض) .

drosera *(n.)* الدروسيرة : نبات يفرز عصارة لزجة تعلق بها الحشرات .

droshky *(n.)* الدُّرْشكيّة : مَرْكبة روسية .

drosophila *(n.)* ذُبابة الندى .

dross [drôs] *(n.)* (١) رغوة المعادن . (٢) خَبَثٌ ؛ نُفاية .

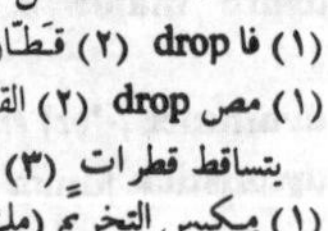

droshky

drought [drout] *or* **drouth** [drouth] *(n.)* (١)جفاف ؛ قحط . (٢) ظمأ (ع) (٣) ندرة؛ قلة ؛ نقص ؛ عجز .

drove [drōv] *past of* drive.

drove [drōv] *(n.; vt.; i.)* (١)قطيع (٢)جماعة ؛ حَشْد (٣)«أ»إزميل البنّاء. «ب»وجه الحجر المنحوت §(٤)يسوق الماشية (٥)ينحت الحجارة.

drover [drō'-] *(n.)* (١) سائق الماشية (٢) تاجر الماشية .

drown [droun] *(vi.; t.)* (١) يَغرق ×(٢) يُغرق (٣) يغمر بالماء (٤) يحجب (الصوتُ القوي صوتاً ضعيفاً) (٥) يتخلّص من .

ă at; ā date; â care; ä car; ĕ egg; ē me; ĭ in; ī bite; ŏ lot; ō bone; ô orphan; oi boil oo good; ōō boot; ou out; ŭ under; ū unity; û urgent; th thing; th this; zh vision; ə = *a* in alone, *e* in system, *i* in easily, *o* in gallop, *u* in circus.

drowse [drouz] *(vi.; t.; n.)* (١) يَنعَس (٢) يتكاسل ×(٣) ينعّس أو يكسّل (٤) يُمضي (الوقتَ) بالنعاس أو الكسل § (٥) نُعاس.

drowsiness [drou'zĭ-] *(n.)* (١) نُعاس (٢) كسَل؛ خمول.

drowsy [drou'zĭ] *(adj.)* (١) نعسان (٢) منعِّس (٣) ناشئ عن النعاس.

drub *(vt.; i.)* (١) يَجلد؛ يضرب (٢) يهزم هزيمةً منكرة ×(٣) يَقرع.

drudge [drŭj] *(vi.; t.; n.)* (١) يَكدح ×(٢) يُكرهه على الكدح. §(٣) الكادح.

drudgery [-'ə rĭ] *(n.)* كدْح؛ كدّ؛ عمل شاقّ أو حقير.

drug [drŭg] *(n.; vt.; i.)* (١) عقّار؛ دواء (٢) سِلعة كاسدة (٣) مخدِّر §(٤) يخدّره بمخدِّر ×(٥) يتعاطى المخدرات كالمدمنين.

drugget [drŭg'ĭt] *(n.)* (١) لُبّاد (٢) بساط.

druggist [drŭg'ĭst] *(n.)* (١) تاجر الأدوية (٢) الصيدليّ.

drugstore [drŭg'-] *(n.)* صيدلية (وقد تباع فيها أيضاً أدوات التجميل والكتابة والسندويشات والسكاير الخ).

Druid [drōō'ĭd] *(n.)* الدَّرْوِيد: كاهن (عند قدماء الانكليز).

drum [drŭm] *(n.; vi.; t.)* (١) طَبْل؛ طبلة (٢) طبلة الأُذن (ت). (٣) صوت الطبل ونحوه (٤) «أ» أسطوانة (ملك). «ب» برميل. (٥) الطاحونة: مخزن قرصيّ الشكل في سلاح أوتوماتيكي (٦) الطَّبول: سمك يحدث صوتاً كصوت الطبل (٧) تل جليدي §(٨) يقرع طبلاً (٩) ينقر (إيقاعياً) (١٠) يُطلق صوتاً إيقاعياً ×(١١) يدعو بقرع الطبول أو نحوه (١٢) يطرد (تتبعها *out*) (١٣) يَطبع فكرة في الذهن (بالترديد المتواصل). **to ~ up** (١) يدعو إلى الاجتماع (٢) ينال بترديد الطلب.

drumbeat [-'bēt] *(n.)* (١) نَقرة على الطبل (٢) صوت الطبل.

drumbeater *(n.)* (١) قارع الطبل (٢) المؤيِّد الصخّاب لقضية ما.

drumfire [-'fīr'] *(n.)* (١) القذف الطبليّ: إطلاق نيران المدفعية بشكل متواصل بحيث تُحدث صوتاً كقرع الطبول (٢) وابل.

drumhead [drŭm'-] *(n.)* (١) جِلدة الطبل (٢) الجزء الأعلى من الرَّحَوِيّة (را. capstan).

drumhead court-martial *(n.)* محكمة الميدان العسكرية.

drumlin [drŭm'lĭn] *(n.)* تلّ جليديّ بيضاويّ الشكل (جي).

drum major *(n.)* رئيس الطبّالين.
—**drum majorette** *(n.fem.)*

drummer [-'ər] *(n.)* (١) طبّال (٢) بائع متجول.

drumstick [drŭm'-] *(n.)* (١) النقّارة: عصا النقر على الطبل. (٢) الوُصْلة الفَخِذيكاحلية: ذلك الجزء من قدم الدجاجة الخ. الواقع بين الفَخِذ والكاحل.

drunk *(adj.; n.)* (١) سكران §(٢) السكّير (٣) حفلة سكر وعربدة.

drunkard [drŭngk'ərd] *(n.)* السكّير: مُدمِن الخمر.

drunken [drŭngk'ən] *(adj.)* (١) سكران؛ ثَمِل؛ مخمور (٢) سكّير. (٣) سُكْرِيّ: متعلق أو متّسم أو مصحوب بالسكر أو ناشئ عنه (٤) مترنّح.

drupaceous [drōō pā'shəs] *(adj.)* (١) مُفرَد النواة (٢) حاملٌ ثمراً مفردَ النواة (~ trees).

drupe [drōōp] *(n.)* مُفرَدَ النواة: ثمرة مفردة النواة.

drupelet [drōōp'lĭt] *(n.)* ثُمَيرة مفردة النواة.

Druze *or* **Druse** [drōōz] *(n.)* الدُّرْزيّ: واحد الدُّروز.

dry [drī] *(adj.; vt.; i.; n.)* (١) جافّ (٢) ذابل (٣) قليل الامطار أو عديمها (a ~ season) (٤) «أ» مقدَّم من غير زبدة (~ toast). «ب» عاملٌ من غير تزييت الخ. (~ clutch) (٥) «أ» ظامئ. «ب» مسبّب ظمأً (~ work). «ج» خِلوٌ من الأشربة الكحولية (٦) جافّ الضَّرع (a ~ cow) (٧) من غير ذخيرة حيّة (~ firing) (٨) جامد؛ غير سائل (~ groceries) (٩) «أ» مجدب. «ب» متحفّظ (١٠) متّسم بالواقعية والسخرية (~ humor) (١١) موضوعيّ؛ غير متحيّز (~ light of reason) (١٢) مملّ (١٣) بسيط؛ صريح؛ عارٍ عن الزخرف (~ facts) (١٤) غير حلو (~ wine) (١٥) متعلق بتحريم صنع الخمور أو توزيعها §(٦) يُجفِّف ×(١٧) يجِفّ §(١٨) جَفاف (١٩) شيء جاف؛ وبخاصة: مكان جاف (٢٠) prohibitionist.

dryad [drī'əd] *(n.)* pl. -s *or* -es حُورية الغابات.

dryasdust [drī'əz dŭst] *(adj.)* مُمِلّ؛ مُضْجِر.

dry cell *(n.)* الخليّة الجافة؛ البطارية الجافّة (كب).

dry-clean *(vt.)* يُنظِّجف: ينظف بطريقة التنظيف الجاف.

dry cleaning *(n.)* النَّظْجَفَة: تنظيف الملابس بمُذيبات عضوية غير مائية.

dry dock *(n.)* الحوض الجاف (لبناء السفن وإصلاحها).

dry-dock *(vt.)* يُحَوْجِفُ: يضع في (أو يُدخل إلى) حوض جاف.

dryer [drī'ər] *(n.)* = drier.

dry fly *(n.)* الذبابة الجافة: ذبابة اصطناعية تطفو على سطح الماء ويستعان بها على الصيد بالصنّارة.

dry goods *(n. pl.)* الأقمشة والملبوسات الجاهزة الخ.

dry ice *(n.)* الجليد الجاف: ثاني أكسيد الكربون المجمّد.

drying oil *(n.)* الزيت الجَفُوف: زيت يجف بسرعة عند تعريض طبقة رقيقة منه للهواء.

dry kiln *(n)* الأتّون الجاف: حجرة محمّاة لتجفيف الأخشاب.

dryly [drī'lĭ] *(adv.)* بجفاف؛ بطريقة جافة.

dry measure *(n.)* المكاييل الجافة: مكاييل لوزن الحبوب ونحوها.

dryness [drī'nĭs] *(n.)* جفاف.

dry nurse *(n.)* الحاضنة: امرأة تربّي الوليد ولكنها لا ترضعه.

dry-nurse *(vt.)* تَحضُنُ (الحاضنةُ) وليداً.

dry pleurisy *(n.)* ذات الجَنْب الجافة (مض).

drypoint *(n.)* (١) الحفر الإبريّ: حفرٌ بالإبرة على صفيحة معدنية من غير استخدام للأحماض (٢) صورة محفورة بهذه الطريقة أو الإبرة المستخدمة لذلك.

dry rot *(n.)* (١) النَّخَر الجافّ: نَخَر الخشب أو النبات أو تسوّسهما. (٢) فُطر مسبّب للنَّخَر الجاف (٣) فسادٌ؛ نَخَرٌ.

dry-rot [-rŏt'] *(vt.; i.)* (١) يصيب بالنَّخَر الجاف ×(٢) يصاب بالنَّخَر الجاف.

dry run *(n.)* (١) تجربة (لعملية عسكرية) من غير ذخيرة حية (٢) تجربة.

drysalter [drī'-] *(n.)* بائع الأصباغ والمأكولات المملّحة (بر).

dry-shod [drī'shŏd'] *(adj.)* غير مبتلّ الحذاء أو القدمين.

dry wash *(n.)* الغسيل الجافّ: غسيل جُفِّف ولم يُكوَ.

duad [dū'ăd; dōō'-] *(n.)* زوج؛ اثنان.

dual [dū'əl] *(adj.; n.)* (١) مُثَنّى (٢) ثُنائي؛ مزْدوج §(٣) المثنّى (ل).

dualism [-'ə lĭz'əm] *(n.)* (١) الأثْنَيْنيّة: نظرية تقول بأن ثمة مبدأين أساسيين ليس غير. كالعقل والجسد (فف) (٢) الثُّنائية: كون الشيء ثنائياً (٣) الثَّنَوية: «أ» مذهب يقول بأن الكون خاضع لمبدأين متعارضين أحدهما خير والآخر شرّ. «ب» الايمان بأن الانسان ذو جسد وروح.
—**dualist** *(n.)*
—**dualistic** *(adj.)*

duality [dū ăl'ə tĭ] *(n.)* ثنائية؛ ازدواجية.

dual-purpose *(adj.)* (١) ثنائيّ الغرض: مُعَدّ لغرَضَيْن.

ă at; ā date; â care; ä car; ĕ egg; ē me; ĭ in; ī bite; ŏ lot; ō bone; ô orphan; oi boil; ōō good; ōō boot; ou out; ŭ under; ū unity; û urgent; th thing; *th* this; zh vision; ə = *a* in alone, *e* in system, *i* in easily, *o* in gallop, *u* in circus.

(٢) ثنائيّ الوظيفة .

dub [dŭb] *(vt.; i.; n.)* (١)«أ» يمنحه رتبة أو لقباً . «ب» يدعو ؛ يلقّب (٢) يَجْلو ؛ ينعّم ؛ يملّس (٣)«أ» يضرب بغير براعة (في الغولف) . «ب» يقوم بعمل ما من غير براعة (٤) يزوّد بمَدْرج صوتيّ (را. sound track) جديد (٥) يُعيد التسجيل ؛ ينقل أصواتاً مسجلة سابقاً إلى شريط جديد ×(٦) يَكِزُ ؛ يَنْخَس §(٧) شخص أخرق غير بارع .

—**dubber** *(n.)*

dubiety [dū bī'-] *(n.)* (١) شكّ (٢) مسألة فيها شكّ .

dubiosity [dū'bĭ ŏs'ə tĭ] *(n.)* = dubiety.

dubious [dū'bĭ əs] *(adj.)* (١) مُلْتَبِس ؛ مشكوك فيه . (٢) متردّد ؛ شاكّ (٣) مشكوك في نتيجته (in ~ battle) (٣) مُريب (a ~ transaction) .

dubitable [dū'-] *(adj.)* موضع شكّ ؛ مشكوك فيه .

ducal [dū'kəl] *(adj.)* دُوقيّ : ذو علاقة بدُوق أو دوقيّة .

ducat [dŭk'ət] *(n.)* الدوكاتيّة : عملة ذهبية أوروبيّة .

duce [dōō'chĕ] *(It.)* الدوتشي : الزعيم .

duchess [dŭch'ĭs] *(n.)* الدوقة : زوجة الدوق أو امرأة تحمل رتبة مساوية لرتبة الدوق .

duchy [dŭch'ĭ] *(n.)* الدوقيّة : إمارة يحكمها دُوق .

duck [dŭk] *(n.; vt.; i.)* (١)«أ» بط . «ب» لحم البط (٢) بطة (٣)«أ» المحبوب ؛ الحبيب . «ب» شيء أو شخص فاتن أو ساحر (a ~ of a car) (٤) شخص ؛ مخلوق (ع) (٥) مص duck (٦) الدَّق : نسيج قطني متين (٧) شاحنة برمائية §(٨) يغطّس (٩) يحني الرأس بسرعة (١٠) يتجنّب ؛ يتفادى ×(١١) يَغطس (١٢) ينحني (١٣) «أ» ينطلق بسرعة (فراراً من خطر) . «ب» يتوارى خشية أن يراه أحد (١٤) يروغ ؛ يتملّص .

duckbill [dŭk'bĭl'] *(n.)* = platypus.

duckboard [dŭk'-] *(n.)* لوحة خشب (أو مجموعة ألواح) توضع فوق أرض موحلة لتسهيل عبور الجند خاصةً.

duck call *(n.)* البَطّيّة : أداة أنبوبية ينفخ فيها الصائد لمحاكاة صوت البط .

duckfooted [dŭk'-] *(adj.; adv.)* بَطّيّ الأقدام .

ducking stool *(n.)* كرسيّ التغطيس : كرسيّ كانوا يشدّون إليه المجرمين ويغطسونهم في الماء .

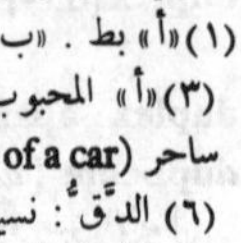

ducking stool

duckling [dŭk'lĭng] *(n.)* البُطَيْطة : بطّة صغيرة .

duckpin [dŭk'-] *(n.)* (١) القارورة البطيّة : ضربٌ قصير من قوارير لعبة البولنغ الخشبية (٢) لعبة بولنغ تُستخدم فيها القوارير البطية .

ducks and drakes *or* **duck and drake** *(n.)* التّسلية بإلقاء الأصداف أو الحجارة المسطحة فوق سطح الماء الساكن .

to play ducks and drakes with one's money يبدّد مالَه (وكأنّه يلقي به في البحر).

duck soup *(n.)* شيء هيّن ؛ مهمة يسيرة .

duckweed [dŭk'-] *(n.)* الطحلب البطّيّ : طحلب يطفو على سطح المياه .

ducky [dŭk'ĭ] *(adj.)* (١) رائع ؛ ممتاز (a ~ time). (٢) جذّاب ؛ ساحر ؛ مفضَّل (a ~ restaurant) .

duct *(n.; vt.)* (١) قناة ؛ مجرى (ت) (٢) أنبوب §(٣) ينقل (الغاز) بأنبوب .

ductile [dŭk'təl] *(adj.)* (١) لَدْن (٢) مَطيل : قابل للسّحب والتطريق (~ metals) (٣) ليّن العريكة .

ductless gland *(n.)* الغُدّة الصمّاء ؛ الغدّة اللاقَنَوية (ت) .

ductule [dŭk'-] *(n.)* القُنَيّة : قناة صغيرة .

dud [dŭd] *(n.; adj.)* (١) pl. : «أ» ملابس . «ب» ممتلكات شخصية (٢) شيء أو شخص مخفِق (٣) قنبلة لم تنفجر §(٤) باطل ؛ عديم القيمة (~ checks) .

dude [dūd] *(n.)* (١) المتأنّق (٢) المَدِينيّ : أحد أبناء المدن .

dudeen [dōō dēn'] *(n.)* بيبة (تبغ) فخارية قصيرة .

dude ranch *(n.)* مزرعة التّرفيه : مزرعة مخصصة لركوب الخيل الخ .

dudgeon [dŭj'ən] *(n.)* حنق ؛ غضب .

due [dū] *(adj.; n.; adv.)* (١)«أ» مطلوب (بوصفه ديناً) . «ب» واجب الأداء (بوصفه حقاً) (٢)«أ» واجب . «ب» مطابق للعُرف أو للإجراءات المتعارَفة (٣)«أ» وافٍ . «ب» مناسب (٤) قانوني (٥) ناشيء عن (٦) مستحق الدفع أو الأداء (٧) متوقَّع حضوره أو وصوله الخ . (The train is ~ at noon.) §(٨) حقّ (٩) دَين (١٠) pl. رسوم §(١١) مباشرةً ؛ على خط مستقيم (~ north) .

due date *(n.)* موعد الاستحقاق ؛ تاريخ الاستحقاق (تج) .

duel [dū'əl] *(n.; vi.; t.)* (١) مبارَزة (٢) نزاع § (٣) يبارز .

duelist *or* **duellist** [dū'əl ĭst] *(n.)* المبارز ؛ المناجز .

duello [dōō ĕl'lō] *(n.)* (١) التبارز (٢) قواعد التبارز (٣) مبارزة.

duenna [dū ĕn'ə] *(n.)* قهرمانة ؛ وصيفة مسنّة .

duet [dū ĕt'] *(n.)* (١) لحن ثُنائيّ (يؤدّيه مغنّيان أو عازفان) (٢) الثّنائيّ : مغنيان أو عازفان ينشدان أو يعزفان معاً .

duff [dŭf] *(n.)* (١) حلوى (٢) مادة عضوية نصف متعفّنة فوق تربة الغابات (٣) دقيق الفحم .

duffel *or* **duffle** [dŭf'əl] *(n.)* (١) الدّفيل : نسيج صوفيّ غليظ الزِّئبر (٢) معدّات التخييم ونحوه .

duffer [dŭf'ər] *(n.)* (١)«أ» بائع متجوّل (يبيع سلعاً رخيصة) . «ب» شيء تافه (٢) الأخرق ؛ الغبيّ الخ .

dug [dŭg] *past and past part. of* **dig.**

dug [dŭg] *(n.)* (١) ثَدْي (٢) حلَمة الثدي .

dugong [dōō'-] *(n.)* الأطوم : حيوان ثدييّ مائي يشبه السمك .

dugout [dŭg'-] *(n.)* (١) الزورق الشجريّ : زورق يُصنع بتجويف جذع شجرة (٢) مخبأ.

duiker [dī'kər] *(n.)* الدّيكر : ظبْي افريقي صغير .

dugong

duke [dūk] *(n.)* (١) دوق (٢) pl. عد : جُمع اليد ؛ يد (ع) (٣) كرز .

dukedom *(n.)* الدوقية : «أ» مقاطعة يحكمها دوق . «ب» منصب الدوق .

dulcet [dŭl'sĭt] *(adj.)* (١) مطرِب (٢) عذب ؛ سائغ .

dulcify [-'sə fī] *(vt.)* (١) يحلّي (٢) يهدّئ ؛ يلطّف .

dulcimer [dŭl'sə mər] *(n.)* القانون : آلة موسيقية .

dulcinea [dŭl sĭn'ĭ ə] *(n.)* المحبوبة ؛ المعشوقة .

dull [dŭl] *(adj.; vt.; i.)* (١) غبيّ (٢)«أ» متبلّد الحسّ . «ب» بليد ؛ بطيء (٣)«أ» كسول . «ب» فاتر : قليل النشاط التجاري (~ season) (٤) كليل : غير ماضٍ أو غير مستدقّ الطّرَف (٥) باهت : يعوزه البريق (٦)«أ» غير واضح . «ب» غير رنّان (٧) أربد ؛ مُعْتِم (~ color) (٨) غائم (٩) مُمِلّ §(١٠) يجعله (أو يصبح) غبياً أو متبلد الحسّ أو كسولاً الخ.

dullard [dŭl'ərd] *(n.)* الأبله ؛ الغبيّ ؛ المغفّل .

dullish [dŭl'-] *(adj.)* غبيّ (أو متبلّد الحسّ أو بليد الخ .) قليلاً .

dulse [dŭls] *(n.)* الدّلسيّ : ضرب من الحشائش البحرية .

duly [dū'-] *(adv.)* (١) كما ينبغي ؛ على نحوٍ وافٍ الخ . (٢) في حِينِه .

duma [dōō'-] *(n.)* الدوما: المجلس التشريعي في الروسيا القيصرية.
dumb [dŭm] *(adj.; vi.; t.)* (١) أبكم؛ أخرس (٢) أعجم (~ animals) (٣) صامت (~ desire) (٤) غبيّ؛ مغفّل §(٥) يَخْرس ×(٦) يُخْرِس.
dumbbell [dŭm'bĕl'] *(n.)* (١) الدَّمْبَل: كُرتان حديديتان يربط بينهما قضيب (تمرَّن بهما العضلات) (٢) الغبيّ؛ المغفّل.

dumbbell

dumbfound *or* **dumfound** [dŭm found'] *(vt.)* يَصْعَق؛ يُشْدِه.
dumb show *(n.)* (١) المشهد الصامت: جزء من مسرحية يؤدّى بالإيماءات والإشارات (٢) إيماءات من غير كلام.
dumbstruck [dŭm'-] *(adj.)* مصعوق؛ مشدوه.
dumbwaiter [dŭm'-] *(n.)* (١) منضدة (توضع قرب المائدة) (٢) مِصعد صغير (لنقل الأطعمة والأطباق الخ. من طابق إلى آخر).
dumdum [dŭm'dŭm] *(n.)* رصاص دُمْدُم.
dummy [dŭm'ĭ] *(n.; adj.)* (١) «أ» الأبكم؛ الأخرس «ب» الصَّموت. «ج» الغبيّ (٢) تمثال (لعرض الملابس في الواجهات الخ.) (٣) دُمْيَة (٤) النموذج الطباعي: صفحات مطوية يُقصد بها تبيان شكل الكتاب الخ. المعدّ للطبع وحجمه وتسلسل موضوعاته الخ. §(٥) «أ» زائف؛ كاذب. «ب» وهميّ (٦) دُمْيَوِيّ: عامل لحسابه ظاهراً ولكنه في الواقع يعمل لحساب غيره أو بتوجيه منه (a ~ director).
dump [dŭmp] *(n.; vt.; i.)* (١) انقباض؛ كآبة (in ~) (٢) «أ» نُفاية. «ب» مَقْلَب النفايات: مكان تُلْقَى فيه النفايات (٣) «أ» مخزون؛ ذخيرة. «ب» مستودع المخزون أو الذخيرة (٤) مكان قذر أو يعوزه الترتيب الخ. §(٥) «أ» يُلقي (مشكِّلاً رُكاماً). «ب» يُفرغ العربة بإمالتها. «ج» يَصْرِف؛ يتخلص من (٦) يهزم (٧) يُغْرِق: يبيع بكميات كبيرة بثمن زهيد جداً، وبخاصة: يبيع في الخارج بسعر أدنى من سعر السوق في الوطن ×(٨) يَسْقُط.
dumping [dŭmp'-] *(n.)* الإغراق: بيع السلع بمقادير ضخمة وبأسعار أدنى من سعر السوق ابتغاء التخلص من الفائض أو التغلب على المنافسة (وبخاصة في التجارة الدولية).
dumpish [dŭmp'ĭsh] *(adj.)* حزين؛ كئيب.
dumpling [-'lĭng] *(n.)* (١) زُلابية (٢) شخص أو حيوان قصير بدين.
dumpy [dŭmp'ĭ] *(adj.)* قصير بدين.
dun [dŭn] *(adj.; n.; vt.)* (١) كُمَيْت (٢) مظلم؛ قاتم §(٣) فرس كُمَيْت (٤) كُمْتَة (٥) mayfly (٦) المِلحّ في المطالبة بدَيْن (٧) مطالبة ملحّة (وبخاصة بدَين) §(٨) يطالبه بدينه بإلحاح (٩) يضايق أو يزعج باستمرار.
dunce [dŭns]; **dunderhead** [dŭn'-] *(n.)* الغبي؛ المغفّل.
dune [dūn] *(n.)* الكثيب: تلّ من رمال شكّلته الرياح.
dung [dŭng] *(n.; vt.)* (١) روث §(٢) يسمّد بالرَّوْث.
dungaree [-gə rē'] *(n.)* (١) الدَّنْغَريّ: نسيج قطنيّ خشن. (٢) *pl.*: ملابس مخيطة منه.
dung beetle *(n.)* خُنفساء الرَّوث.
dungeon [dŭn'jən] *(n.)* (١) برج محصّن (٢) زنزانة (في سجن).
dunghill [dŭng'-] *(n.)* (١) كومة روث (٢) حمأة.
dunk [dŭngk] *(vt.; i.)* (١) يغمس (في قهوة أو حليب). (٢) يَغْمر ×(٣) يَنْغَطس.

dunlin

dunlin [dŭn'lĭn] *(n.)* الدُّرَيْجَة: طائر مائيّ يشبه الطيطوى.
dunnage [dŭn'ĭj] *(n.)* (١) حَشْوة (توضع تحت الصناديق المحمّلة في سفينة أو حولها لوقايتها من التلف الخ.) (٢) أمتعة؛ ملابس.
duo [dōō'ō] *(n.)* (١) لحن يؤديه عازفان على بيانين (٢) زوج؛ اثنان.
duo- بادئة معناها: اثنان (*duo*logue).
duodecimal [dū'ə dĕs'-] *(adj.; n.)* (١) الاثناعشريّ §(٢) جزء من اثني عشر (٣) *pl.* النظام الاثناعشري: نظام في العدّ قاعدته اثناعشر.
duodecimo [-'ə mō] *(n.)* القَطْع الاثناعشري أو كتاب من هذا القطع.
duoden- *or* **duodeno-** بادئة معناها: المعي الاثنا عَشَري.
duodenal [dū'ə dē'-] *(adj.)* عَفَجيّ: متعلق بالمعي الاثني عشري.
duodenum *(n.)* pl. **-na** *or* **-nums** العَفَج؛ المعي الاثناعشري.
duologue [dū'ə lôg'] *(n.)* الحوار الثُّنائيّ: حوار بين شخصين.
dupe [dūp] *(n.; vt.)* (١) الساذج؛ المغفّل §(٢) يخدع.
dupe *(n.; vt.)* = duplicate.
dupery [dū'pə rĭ] *(n.)* (١) خِداع (٢) انخداع.
duple [dū'pəl; dōō'-] *(adj.)* ثنائي؛ مزدوج.
duplex [dū'-] *(adj.; n.)* (١) مزدوج §(٢) شيء مزدوج؛ وبخاصة: منزل لأسرتين.
duplex apartment *(n.)* الشقة المزدوجة: شقة ذات غرف في طابقين.
duplicate [*adj.*; *n.* dū'plə kĭt; *v.* -kāt] *(adj.; n.; vt.)* (١) «أ» مزدوج. «ب» مطابق §(٢) نسخة مطابقة أو طبق الأصل §(٣) يضاعف (٤) ينسخ؛ يستخرج نسخة مطابقة.
duplicate ratio *(n.)* النِّسبة التربيعية (ر).
duplication *(n.)* (١) مص duplicate (٢) نسخة طبق الأصل.
duplicator [dū'-] *(n.)* الناسخة: آلة لاستخراج النسخ المطابقة.
duplicity [dū plĭs'ə tĭ] *(n.)* (١) نفاق (٢) ازدواج.
durability; **durableness** *(n.)* تَحَمُّلِيَّة؛ متانة.
durable [dyŏŏr'ə bəl] *(adj.)* متحمِّل؛ متين.
Duralumin *(n.)* الدورالُيومين: مزيج من ألومينيوم ونحاس ومنغنيز الخ.
dura mater [dyŏŏr'ə mā'tər] *(n.)* الأم الجافية: الغشاء المغلّف للدماغ والحبل الشوكي (ت).
duramen [dyŏŏ rā'mĭn] *(n.)* الجِلْب: خشب القلب الصّلب في جذع الشجرة.
durance [dyŏŏr'əns] *(n.)* سَجْن؛ حَبْس.
duration [dyŏŏ rā'-] *(n.)* (١) دوام؛ بقاء (٢) أمَد.
durbar [dûr'bär] *(n.)* الدُّرْبار: «أ» مجلس يعقده أمير هندي. «ب» حفلة رسمية يقدّم فيها الرعايا عهد الولاء لأمير هندي أو افريقي (أو يقدم فيها الأمراء الوطنيون هذا العهد للعاهل البريطاني).
duress [dyŏŏr'ĭs] *(n.)* (١) حَبْس؛ احتجاز (٢) اكراه بالتهديد.
Durham [dûr'əm] *(n.)* الدُّرهام: بقر قصير القرون.
during [dyŏŏr'ĭng] *(prep.)* (١) طَوال (٢) خلالَ؛ أثناءَ.
durmast [dûr'măst] *(n.)* البلّوط اللاطىء الزَّهر (نب).
duro [dōō'rō] *(n.)* الدُّورو: دولار اسبانيّ فضي.
duroc [dyŏŏr'ŏk] *(n.often cap.)* الدُّورك: خنزير أميركي أحمر.
durometer [dyŏŏ rŏm'-] *(n.)* مقياس التحمّل أو المتانة.
durra [dŏŏr'ə] *(Ar.)* الذُّرة (نب).
durum wheat [dyŏŏr'-] *(n.)* الحنطة القاسية أو الصَّلْدة.
dusk [dŭsk] *(adj.; vt.; i.; n.)* (١) مظلم؛ مُعْتِم §(٢) يجعله (أو يصبح) مظلماً أو معتماً §(٣) الغَسَق: ظلمة أول الليل.

dusky [dŭs'kĭ] *(adj.)* (١) قاتم ، وبخاصة : داكن البشرة (٢) مُعتِم .

dust [dŭst] *(n.; vt.)* (١) غبار (٢) «أ» رماد . «ب» جثّة . (٣) «أ» شيء تافه . «ب» ضَعَة (٤) الثّرى (٥) ذرّة ، مقدار ضئيل (٦) «أ» سحابة غبار . «ب» اضطراب (٧) نُفاية (٨) نقود (ع) §(٩) «أ» ينفض الغبار عن . «ب» يجدّد ، يعدّ للاستعمال من جديد (١٠) يغبّر ، يرذّ ، يرش .

in the ~, في حال من الذلّ أو الهوان

to bite *or* lick the ~, يسقط جريحاً أو قتيلاً .

to make *or* raise *or* kick up a ~, يثير اضطراباً .

to throw ~ in a person's eyes يذرّ الرماد في عينيه : يخدعه .

dustbin [-'bĭn] *(n.)* صندوق القمامة أو الزبالة .

dust bowl *(n.)* منطقة كثيرة الجفاف والعواصف الغبارية .

dust cart *(n.)* عربة القمامة أو الزبالة .

duster [dŭs'-] *(n.)* (١) «أ» نافض الغبار . «ب» مِنفضة . (٢) مِئزر (٣) المِذْرار : أداة لرش الملح أو السكّر على الطعام أو لرشّ النباتات بمبيدات الحشرات الخ .

dust jacket *(n.)* القميص : غلاف ورقيّ لكتاب مجلّد .

dustman [dŭst'măn] *(n.)* الزبّال : جامع القمامة .

dustpan [dŭst'păn] *(n.)* اللقّاطة : لقّاطة الكُناسة .

dust storm *(n.)* العاصفة الغبارية ، عاصفة الغبار .

dustup [dŭs'-] *(n.)* نزاع ، شجار ، عراك .

dusty [dŭs'tĭ] *(adj.)* (١) مُغْبَرّ (٢) غُباريّ (٣) كالغبار .

Dutch [dŭch] *(adj.; n.)* (١) هولندي (٢) ألمانيّ (ع) . §(٣) اللغة الهولندية (٤) الشعب الهولندي (٥) غضب (ع) (٦) خلاف ، خصام ، لا حظوة .

to beat the ~, يفوق (في غرابته) كلّ ما رُئي أو سُمِع .

to go ~, يدفع كلٌّ عن نفسه (على طريقة «العِشرة الحلبية») .

Dutch auction *(n.)* المزاد الهولندي : مزاد علني يعيّن فيه الدلاّل سعراً ثم يخفضه تدريجياً إلى أن يقع على مشترٍ .

Dutch courage *(n.)* الشجاعة الهولندية : شجاعة يُوقعها في النفس مُسكِر قويّ .

Dutch door *(n.)* الباب الهولندي : بابٌ مقسوم أفقياً بحيث يمكن إغلاق جزئه الأدنى بينا يظلّ جزؤه الأعلى مفتوحاً .

Dutch door

dutchman *(n.)* (١) *cap.* : «أ» الهولندي . «ب» الألماني (ع) . (٢) وتدٌ لإخفاء علّة معمارية .

Dutchman's-breeches *(n.)* سروال الهولندي : نبات ذو زهر شبيه بالسروال .

Dutch oven *(n.)* (١) التنّور الهولندي : صندوق معدني ذو فتحة أمامية يستخدم لشيّ اللحم أمام نار مكشوفة (٢) المِخباز الهولندي : فرن آجري يتمّ فيه الخَبْز بواسطة الجدران المحمّاة سَبْقياً .

Dutch treat *(n.)* طعام يدفع كل امرىء ما يصيبه من نفقاته .

Dutch uncle *(n.)* العمّ الهولندي : المنتقِد أو المؤنِّب بقسوة وصراحة .

duteous [dū'tĭ əs] *(adj.)* مُطيع ، مُذْعِن .

dutiable [dū'-] *(adj.)* خاضع للرسوم أو المكوس .

dutiful [dū'-] *(adj.)* (١) مطيع (٢) منبعث من التحسّس بالواجب .

duty [dū'tĭ] *(n.)* (١) احترام (٢) «أ» واجب . «ب» مهمّة . «ج» خدمة عسكرية فعلية (٣) رَسْم ، مَكْس (على السلع المستوردة) (٤) الشغل المؤدّى (مك) .

duty-free غير خاضع للرسوم أو المكوس .

off ~, خارج الخدمة ، غير منهمك في أداء وظيفة ما .

on ~, في الخدمة ، منهمك في أداء وظيفة ما .

to do ~ for يقوم مقام كذا .

duumvir [dū ŭm'vər] *(n.)* أحد الحاكمَيْن في حكومة الاثنين الرومانية .

duumvirate [-'və rĭt] *(n.)* حكومة الاثنين (عند الرومان) .

duvetyn [dōō'və tēn'] *(n.)* الدّفتين : نسيج مخملي .

D.V., = Deo volente.

dwarf [dwôrf] *(n., vt.; i.)* (١) قزَمٌ (٢) نبات أو حيوان أو نجم صغير نسبياً §(٣) يُقَزّم (٤) يعوق النموّ العقلي إلخ . (٥) يجعله يبدو أصغر ×(٦) يتصغّر .

dwarfish [dwôr'fĭsh] *(adj.)* شبيهٌ بقزم ، صغير جداً .

dwell [dwĕl] *(vi.)* (١) يقيم «فترةً ما» (٢) «أ» يقطن ، يسكن . «ب» يوجَد . «ج» يكمن ، يقع . «د» يكون أو يبقى في حالة معيّنة (٣) «أ» يمعن النظر في الأمر . «ب» يُسْهِب .

dwelling [dwĕl'ĭng] *(n.)* منزل ، دار .

dwelt [dwĕlt] *past and past part. of* dwell.

dwindle [dwĭn'dəl] *(vi.; t.)* (١) يتضاءل ×(٢) يضائل .

DX *(n.)* مسافة (رد) .

dy- *or* **dyo-** بادئة معناها : اثنان (*dy*archy)

dyad [dī'ăd] *(n.)* زوج ، اثنان .

dyarchy [dī'är kĭ] *(n.)* الحكومة الثنائية (يتولاها حاكمان أو سلطتان) .

dye [dī] *(n.; vt.; i.)* (١) الصِّبغة : لون ناشىء عن صِبغ ما (٢) صِبغ ، صِباغ §(٣) يصْبِغ ×(٤) ينصبغ (Wool ~*s* readily.) .

dyed-in-the-wool *(adj.)* (١) مصبوغ قبل الغَزْل (٢) مخلص ، ثابت على المبدأ (a ~ Republican) .

dyer's-weed [dī'-] *(n.)* النبات الصِّبغي : كل نبات يُستخرج منه صِبغ .

dyestuff [dī'stŭf'] *(n.)* صِبغ ، صِباغ .

dyeweed [dī'wēd'] *(n.)* جِنيستا الصبّاغين (نب) .

dyewood [dī'-] *(n.)* الخشب الصِّبغي : خشب يُتّخذ منه صبغ .

dying [dī'-] *pres. part. of* die.

dyke [dīk] *(n.; vt.)* = dike.

dynam- *or* **dynamo-** بادئة معناها : قوة (*dynamo*meter) .

dynamic [dī năm'ĭk] *(adj.)* (١) «أ» ديناميّ ، ديناميكي : ذو علاقة بالقوة أو الطاقة الطبيعية . «ب» متعلق بالديناميكا (٢) «أ» متميز بفاعلية مستمرة أو تغيّر مستمر . «ب» فعّال ، مليء بالقوة والنشاط .

—dynamical *(adj.)*

—dynamically *(adv.)*

dynamics [-'ĭks] *(n.)* (١) الديناميكا ، علم الحيل : فرع من الفيزياء يبحث في أثر القوة في الأجسام المتحركة والساكنة (٢) القوى المحرِّكة ، طبيعيةً كانت أو أخلاقية أو فكرية ، في أيّ حقل ، أو النواميسُ الخاصة بها .

dynamism [dī'nə mĭz'əm] *(n.)* (١) المذهب الديناميّ : نظرية تفسر الكون بلغة القوى وتفاعلها (٢) دينامية ، نشاطية .

—dynamist *(n.)* **—dynamistic** *(adj.)*

dynamite [dī'nə mīt'] *(n.; vt.)* (١) ديناميت §(٢) ينسف بالديناميت .

dynamitic [-mĭt'ĭk] *(adj.)* (١) ديناميتيّ (٢) شبيه بالديناميت .

dynamo [dī'nə mō'] *(n.)* (١) الدنَام ، المولّد (كب) .

---

(٢) شخص شديد الفعالية والنشاط .

dynamoelectric [-ĭ lĕk'-] *(adj.)* دناميكهربائي : متعلق بتحويل الطاقة الميكانيكية إلى طاقة كهربائية والعكس بالعكس .

dynamometer *(n.)* المِقْوَى (مج): أداة لقياس القوة الميكانيكية.

dynamometric *(adj.)* مِقْوَوِيّ (مج): ذو علاقة بالمقوى (را. المادة السابقة) .

dynamometry *(n.)* المِقْوانية : قياس القوّة بالمِقْوى .

dynamotor [dī'-] *(n.)* الدِّنامَتَر : المُحرِّك المولِّد (كب).

dynast [dī'nast; -nəst] *(n.)* حاكم ؛ أمير .

dynastic [dī năs'tĭk] *(adj.)* ذو علاقة بسلالة حاكمة .

dynasty [dī'nəs tĭ] *(n.)* سلالة حاكمة .

dynatron *(n.)* الدِّيناترون: ضرب من الصِّمام الألكتروني المفرَّغ .

dyne [dīn] *(n.)* الدّاين: وحدة لقياس القوة (فز) .

dynode *(n.)* الدّينود: ألكترود في الصمام الألكتروني يقوم بإصدارٍ ثانوي للألكترونات (فز).

dys- بادئة معناها: «أ» شاذّ . «ب» عسير . «ج» فاسد . «د» رديء .

dyscrasia *(n.)* الخَبْل : حالة غير سويّة من حالات الجسم (ط).

dysenteric *(adj.)* زُحاريّ ؛ ديزنطاريّ ؛ إسهاليّ .

dysentery[dĭs'ən-] *(n.)* (١)الزُحار؛الديزنطاريا(مض) (٢)إسهال.

dysfunction [dĭs fŭngk'-] *(n.)* الاختلال الوظيفيّ (ط) .

dysgenic [dĭs jĕn'ĭk] *(adj.)* مفسِد للصفات الوراثية (أح) .

dysgenics [dĭs jĕn'ĭks] *(n.)* دراسة التفسّخ العِرقي .

dyslogia *(n.)* العيّ: صعوبة في التعبير عن الفكرات من طريق الكلام ناشئةٌ عن خلل في القدرة على التفكير (ط).

dyslogistic [-lə jĭs'tĭk] *(adj.)* منتقِص، حاطّ من القدْر ؛ ازدرائيّ .

dysmenorrhea *(n.)* عُسْر الطمث .

dyspepsia [-pĕp'shə; -sĭ ə] *(n.)* سوء الهضم .

dyspeptic *(adj.; n.)* (١) ذو علاقة بسوء الهضم أو مصابٌ به . (٢) كئيب ؛ نكِد ؛ متشائم § (٣) شخص مصاب بسوء الهضم .

dysphagia [-fā'jĭ ə] *(n.)* عُسْر الازدراد أو البَلْع .

dysphasia [-fā'-] *(n.)* عُسْر الكلام أو عُسْر فهمِه (نتيجةً لأذىً أصاب الدماغ) .

dysphonia [dĭs fō'-] *(n.)* بُحّة في الصوت (ناشئة عن أسباب عضوية أو وظيفية أو نفسية) .

dysphoria [-fōr'ĭ ə] *(n.)* قلق ؛ لاارتياح (مض).

dyspnea [dĭsp nē'ə] *(n.)* عُسْر التنفّس (مض) .

dysprosium *(n.)* الدِّسْبروزيوم: عنصر فلزي نادر (ك) .

dystrophy [dĭs'trō fĭ] *(n.)* التغذية الناقصة أو السيّئة .

dysuria [dĭs yŏŏr'ĭ ə] *(n.)* عُسْر البول (مض).

E

The earth photographed from the Moon

e [ē] *(n. often cap.)* (١) الحرف الخامس من الأبجدية الانكليزية . (٢) شيء معتبَر خامساً من حيث الترتيب أو الطبقة (٣) «أ» درجة أو علامة مدرسية تُشعِر بأن عمل الطالب رديء . «ب» طالب يُعطَى هذه الدرجة (٤) شيء على صورة حرف **E** .

each [ēch] *(adj.; pron.; adv.)* (١) كلّ § (٢) كل امرىء . § (٣) لكل قطعةٍ (٤) لكلّ واحد (gave them two ~).

each other *(pron.)* بَعْضُنا بعضا؛ بعضهم بعضاً؛ بعضكم بعضاً.

eager [ē'gər] *(adj.)* توّاق إلى ؛ متلهف على .

—eagerly *(adv.)* **—eagerness** *(n.)*

eager beaver *(n.)* شخص متحمّس لأداء واجباته أكثر مما ينبغي.

eagle [ē'gəl] *(n.)* (١) عُقاب؛ نَسْر (٢) صورة لعُقاب تُتخذ شعاراً أو رمزاً (٣) قطعة نقدية ذهبية أميركية قيمتها عشرة دولارات (٤) *cap.* : بُرْج العُقاب (فل).

eagle-eyed *(adj.)* (١) حادّ البصر (٢) سريع الادراك أو التمييز.

eaglet [ē'glĭt] *(n.)* العُقَيْب : فرخ العُقاب .

eagre [ē'gər] *(n.)* ارتفاع المدّ بشكل مفاجىء وعنيف .

ear [ĭr] *(n.; vi.)* (١) أُذُن (٢) صِوان الأذن (الجزء الخارجي منها) (٣) «أ» حاسّة السمع ؛ السمع . «ب» حدّة السمع . «ج» حساسية لنوعية الأصوات الموسيقية ودِقّتها (٤) شيء مماثل للأذن مثل: «أ» مقبِض . «ب» إحدى خصلتين من الريش المتطاول على رؤوس بعض الطيور (٥) انتباه أو إصغاء عاطف مؤيِّد (to gain a person's ~) (٦) سنبلة قمح ؛ كوز ذُرَة الخ. § (٧) يُستَنبِل ؛ يكوِّز .

over head and ~s; up to the ~s حتى الأذنين ؛ تماماً .

to be by the ~s
to fall together by the ~s
يختلفون؛ يتخاصمون .

to give (lend) an ~, يصغي .

to set by the ~s يبذر الشقاقَ بين .

earache [ĭr'āk'] *(n.)* الأُذان : ألم في الأذن .

eardrop [ĭr'-] *(n.)* قُرط (وبخاصة إذا تدلت منه لؤلؤة أو جوهرة).

eardrops *(n. pl.)* قطرة الأُذُن.

eardrum [ĭr'drŭm'] *(n.)* الطبلة ؛ طبلة الأذن (ت) .

eared [ĭrd] *(adj.)* (١) ذو أذنين (٢) ذو مقبض الخ .

earful [ĭr'-] *(n.)* (١) سَيْل من أخبارٍ أو قيلٍ وقالٍ (٢) توبيخ قاسٍ .

earing [ĭr'-] *(n.)* حبل الحواشي (تُربط به زوايا الشراع العليا) .

earl [ûrl] *(n.)* الإيرل : لقب انكليزي أدنى من مركيز وأرفع من فيكونت.

earlap [ĭr'lăp] *(n.)* (١) شحمة الأذن (٢) الأذن الخارجية.

earliness [ûr'lĭ nĭs] بُكور ؛ تبكير .

earl marshal *(n.)* الإيرل مارشال : موظف بريطاني كبير يرافق الملك عند افتتاح البرلمان واختتام دوراته ويشرف على حفلات الدولة الرئيسية كلها .

early [ûr'lĭ] *(adv.; adj.)* (١) في وقت مبكّر (من السنة الخ .) (٢) مبكراً ؛ باكراً § (٣) «أ» مبكّر . «ب» ممعن في القِدَم . «ج» بِدائيّ .

as ~ as possible بأبكر أو بأسرع ما يمكن .

earmark [ĭr'-] *(n.; vt.)* (١) الأُذانة : سمة أذنية لتمييز حيوان (٢) علامة مميِّزة § (٣) يَسِم بأذانة (٤) يُفرِد لغرض مخصوص (to ~ goods for export).

earmuff [ĭr'-] *(n.)* وِقاء الأُذن : أحد غطاءين لتدفئة الأذنين .

earn [ûrn] *(vt.)* (١) يجني ؛ يكسب (رزقَه) (٢) يستحق ؛ يستأهل (to receive more than one has ~ed)

—earner *(n.)*

earnest [ûr'nĭst] *(n.; adj.)* (١) جِدّ (٢) عُربون (يُدفَع عند عقد صفقة) (٣) علامة ؛ أمارة § (٤) جادّ ؛ غير هازل (٥) جدي ؛ هامّ .

—earnestness *(n.)*

in ~, (١) جادّ ؛ غير هازل (٢) جدّياً .

earnestly [ûr'-] *(adv.)* جدّياً ؛ بجِدّ .

earnest money *(n.)* عُرْبون (يُدفَع عند عقد الصفقة) .

earnings [ûr'-] *(n. pl.)* المال المكسوب (ربحاً كان أم أجراً) .

earphone [ĭr'fōn'] *(n.)* المِسماع : أداة تحوِّل الطاقة الكهربائية إلى موجات صوتية وتُحمَل فوق الأذن أو تُقحَم فيها .

earring [ĭr'rĭng'] *(n.)* قُرط ؛ حلَق .

ear shell *(n.)* = abalone.

earshot [ĭr'shŏt'] *(n.)* مَرمى السمع ؛ مدى السمع .

earsplitting [ĭr'splĭt ĭng] *(adj.)* مُصِمّ للآذان .

earth [ûrth] *(n.; vt.; i.)* (١) تراب؛ ثرى؛ وبخاصة: التربة الصالحة للزراعة (٢) عالَم الحياة الفانية (تمييزاً له عن عالم الحياة الروحية) (٣) اليابسة (٤) *cap.* عد: الأرض؛ الكرة الأرضية (٥) «أ» أهل الأرض. «ب» طين؛ جسد الانسان الفاني. (٦) وجار؛ جُحْر (٧) أكسيد ضئيل الرائحة أو الطعم (ك) §(٨) يدفن؛ يخبّيء في التراب (٩) يحمل حيواناً على الاختباء في وجاره (١٠) يؤرض: يكمّل دورة التيّار الكهربائي بربط السلك بالأرض ×(١١) يختبيء (الحيوان) في وجاره.

to come back to ~, يكفّ عن الاستغراق في الأحلام ويرجع إلى الحقائق الواقعية.

to run (a thing) to ~, يكتشفه بعد بحث وتنقيب.

earthborn *(adj.)* (١) فانٍ (٢) أرضيّ (cares ~).

earthbound [ûrth'-] *(adj.)* (١) «أ» راسخ. «ب» ارضيّ (٢) «أ» دنيويّ «ب» عاديّ؛ مبتذل.

earthen [ûr'thən] *(adj.)* (١) تُرابيّ؛ خزفي (٢) أرضيّ؛ دنيوي.

earthenware [-wâr'] *(n.)* آنية خزفيـــة.

earthiness [ûr'thĭ nĭs] *(n.)* الأرْضانية: كون الشيء أرضياً.

earthlight [ûrth'-] *(n.)* الضوء الأرضيّ: ظلّ الأرض على القمر (فل).

earthliness [ûrth'-] *(n.)* الدنيوية: كون الشيء دنيوياً أو ممكناً.

earthling [-'lĭng] *(n.)* (١) أحد أبناء الأرض (٢) المنغمس في شؤون العالم الحاضر.

earthly [ûrth'lĭ] *(adj.)* (١) «أ» أرضي. «ب» دنيوي (٢) ممكن.

earth plate *(n.)* الصفيحة الأرضية: صفيحة تدفن في التربة لربط الدورة الكهربائية بالأرض (كب).

earthquake [ûrth'kwāk'] *(n.)* زلزال.

earth science *(n.)* العلم الأرضيّ: كل علم يُعنى بالأرض أو بجزء منها.

earthshaking *(adj.)* مُزَلزِل؛ ذو أهمية أساسيّة.

earth - shattering *(adj.)* = earthshaking.

earthshine [-'shīn] *(n.)* = earthlight.

earthstar [-'stär] *(n.)* نجم الأرض: فُطر نجميّ الشكل (نب).

earthward [ûrth'wərd]; **earthwards** *(adv.)* نحو الأرض.

earthwork *(n.)* (١) متراس؛ سدّ ترابيّ (٢) أعمال الحفر الهندسية الخ.

earthworm [-'wûrm] *(n.)* الخُرْطون: دودة الأرض.

earthy [ûr'-] *(adj.)* (١) ترابي أو كالتراب (an ~ flavor.) (٢) عمليّ (٣) فظّ؛ غير مصقول.

earwax [ĭr'wăks] *(n.)* الصِّملاخ: مادة شمعية تفرزها الأذن.

earwig [ĭr'wĭg] *(n.; vt.)* (١) أبو مقص: دُوَيْبّة لها في مؤخرها ما يشبه المقص §(٢) يزعج أو يحاول التأثير على شخص بالحديث الشخصي.

earworm [ĭr'-] *(n.)* حشرة الذرة: حشرة تغتذي على أكواز الذرة النامية.

ease [ēz] *(n.; vt.; i.)* (١) راحة (٢) طمأنينة؛ راحة البال (٣) سهولة (٤) طَبَعيّة؛ تحرّر من الارتباك أو التكلف (~ of manner) §(٥) يُريح (٦) يحرر من القلق أو الهمّ (to ~ one's mind) (٧) يهدّىء؛ يسكّن (الألم) (٨) يرخي (to ~ off a rope) (٩) يُيَسّر؛ يسهّل ×(١٠) يخفّ؛ يصبح أقلّ ألماً.

at (one's) ~ مطمئن؛ متحرر من القلق أو الانزعاج.

~ her! خفّف (سرعة محرّكات السفينة).

ill at ~, قلق؛ منزعج؛ مرتبك.

stand at ~! إسترِح! (جن).

to ~ oneself (١) يتغوّط (٢) يبُول.

easeful [ēz'fəl] *(adj.)* (١) مريح (٢) هادىء.

easel

easel [ē'zəl] *(n.)* الحامل: مِسنَد للوح الأسود أو لقماشة الرّسام.

easement [ēz'-] *(n.)* (١) إراحة؛ تسكين؛ تخفيف (٢) المريح؛ المسكّن (٣) حق الارتفاق (ق).

easily [ē'zə lĭ] *(adv.)* (١) بسهولة الخ. (٢) بلا جدال؛ من غير ريب.

easiness [ē'zĭ-] *(n.)* (١) سهولة الخ. (را. easy) (٢) إهمال؛ لامبالاة.

east [ēst] *(adv.; adj.; n.)* (١) شرقاً §(٢) شرقيّ §(٣) «أ» الشرق. «ب» الجزء الشرقي من بلد (٤) *cap.* : المشرق: البلدان الواقعة شرقي أوروبة (٥) الريح الشرقيّة.

Easter [ēs'tər] *(n.)* عيد الفِصْح (نص).

Easter egg *(n.)* بيضة الفِصْح.

easterly [ēs'tər lĭ] *(adj.; adv.)* (١) شرقيّ §(٢) «أ» من الشرق. «ب» شرقاً؛ نحو الشرق.

eastern [ēs'tərn] *(adj.)* (١) شرقيّ (٢) *cap.* : مَشرقيّ.

Easterner [ēs'-] *(n.)* المشرقيّ؛ وبخاصة: مواطن من شرقي أميركة.

eastern hemisphere *(n.)* نصف الكرة الشرقي.

Eastern Orthodox *(adj.)* أرثوذكسي: متعلق بالكنائس الشرقية.

Eastertide [ēs'-] *(n.)* (١) أسبوع الفصح (٢) الأيام الخمسون ما بين عيدَي الفصح والعنصرة.

easting [ēs'tĭng] *(n.)* التشريق: الابحار أو الاتجاه شرقاً.

eastward [ēst'-] *(adv.; adj.; n.)* (١) شرقاً §(٢) شرقيّ §(٣) الشرق (sailing to the ~).

eastwards [ēst'-] *(adv.)* شرقاً؛ نحو الشرق.

easy [ē'zĭ] *(adj.; adv.)* (١) سهل؛ هيّن (٢) «أ» ليّن. «ب» غير شديد الانحدار. «ج» محتمَل بغير مشقّة (~ penalty) «د» متيسّر بفائدة ضئيلة (~ money) (٣) «أ» رَخِيّ (living an ~ life). «ب» غير متعجّل (~ pace) (٤) «أ» مرتاح مطمئن. «ب» طَبَعيّ؛ غير مرتبك (~ and familiar manners) (٥) «أ» مريح (an ~ chair) «ب» سَلِس (~ style). «ج» عَفْويّ (~ emotions) §(٦) بسهولة الخ. (٧) ببطء؛ بحَذَر.

~ ahead! تقدّمْ بسرعة معتدلة!

~ all! كُفَّ عن التجذيف!

take it ~! هوِّنْ عليك!

to go ~, يتكاسل؛ يعمل غير مُجْهِدٍ نفسَهُ.

easygoing [ē'zi gō'-] *(adj.)* (١) «أ» هادىء. «ب» مُهْمِل. «ج» مستهتر (أخلاقياً) (٢) متمهّل.

eat [ēt] *(vt.; i.)* (١) يأكل (٢) يلتهم (٣) يتأكّل.

to ~ crow يُكْرَه على القيام بعمل جدّ بغيض أو مهين.

to ~ its head off يكلّف (الفرس) نفقاتِ طعامٍ أكثر مما يستحقّ.

to ~ one's terms يدرس الحقوقَ أو المحاماة.

to ~ one's words يعتذر؛ يسحب كلامه.

eatable [ē'tə-] *(adj.; n.)* (١) صالح للأكل §(٢) *pl.* طعام؛ مأكول.

eaten [ē'tən] *past and past part. of* eat.

eating [ē'tĭng] *(n.; adj.)* (١) «أ» أكل. «ب» طعام. §(٢) مستخدَم في الاكل (٣) صالح لأن يؤكل نيئاً.

eating house *(n.)* مطعم «رخيص».

eau de cologne [ō'də kə lōn'] *(F.)* ماء الكولونيا.

eau-de-vie [ō'də vē'] *(F.)* ماء الحياة: شرابٌ مُسْكِر.

eaves [ēvz] *(n. pl.)* طُنُف؛ إفريز (عم).

ă at; ā date; â care; ä car; ĕ egg; ē me; ĭ in; ī bite; ŏ lot; ō bone; ô orphan; oi boil oo good; ōō boot; ou out; ŭ under; ū unity; û urgent; th thing; *th* this; zh vision; ə = *a* in alone, *e* in system, *i* in easily, *o* in gallop, *u* in circus.

eavesdrop [ēvz'drŏp'] *(vi.)* يَسْتَرِق أو يختلس السمْع .

ebb [ĕb] *(n.; vi.)* (١) جَزْر (٢) انحطاط §(٣) ينحسِر المدّ . (٤) ينحطّ .

ebb tide *(n.)* (١) جَزْر (٢) فترة (أو حالة) انحطاط .

ebon [ĕb'ən] *(adj.)* (١) أبنوسي (٢) أسود .

ebonite [-'ə nīt'] *(n.)* الأبونيت : مطاطٌ قاسٍ (أسود أو أجوف) .

ebonize [-'ə nīz'] *(vt.)* يُبَوْنِس : يجعله أسود كالأبنوس .

ebony [ĕb'-] *(n.; adj.)* (١)خشب الأبنوس أوشجرُه §(٢)أبنوسي . (٣) أسود .

ebullience [ĭ bŭl'yəns] *(n.)* غليان ؛ اهتياج ؛ حماسة شديدة .

ebullient [-'yənt] *(adj.)* (١) غال ؛ فائر ؛ مهتاج (٢)متحمس .

ebullition [ĕb ə lĭsh'ən] *(n.)* (١)غَلَيٌ أو غَلَيان (٢) فورة .

eburnation [ē bər nā'-] *(n.)* التعجّج : صيرورة العظم قاسياً كالعاج .

eccentric [ĭk sĕn'-] *(adj.; n.)* (١) لا متراكز ؛ مختلف المركز (~ circles) (٢) شاذّ ؛ غريب الأطوار (٣) خارج المركز : «أ» منحرف عن المسار الدائري (فل) . «ب» منحرف عن المركز الهندسي §(٤)القرص اللامتراكز (٥) شخص غريب الأطوار .

eccentricity [ĕk sən trĭs'-] *(n.)* (١) الاختلاف المركزي ؛ اختلاف المراكز (٢) شذوذ ؛ وبخاصة : غرابة الأطوار .

ecchymosis [ĕk'ə mō'sĭs] *(n.)* القَرَت : ازرقاق الدم من شدة الضرب .

ecclesi- *or* **ecclesio-** بادئة معناها : كنيسة .

ecclesiastic [ĭ klē'zĭ ăs'-] *(n.; adj.)* (١) كاهن §(٢) كنسيّ . كنسيّ ؛ اكليركي .

ecclesiastical [ĭ klē zĭ ăs'-] *(adj.)* كنسيّ ؛ اكليركي .

ecclesiasticism [-'tə sĭz əm] *(n.)* الكنائسانية : التعلق المتطرف بالمبادىء والطقوس الكنسية .

ecdysiast [ĕk dĭz'-] *(n.)* المتجردة (را . stripteaser) .

ecdysis [ĕk'də-] *(n.)* الانسلاخ : اطّراح الحشرات جلدها وانسلاخها منه .

ecesis [ĭ sē'sĭs] *(n.)* التوطّن : استقرار نبتة أو حيوان في موطن جديد .

echelon [ĕsh'ə lŏn'] *(n.; vt.; i.)* (١) القَفَل ؛ النسَق : «أ» تصفيف مجموعات من الجند أو السفن أو الطائرات الخ . في صفوف متوازية كلٌّ منها إلى يمين أو يسار الصف الذي يتقدمه بحيث يتخذ المجموع شكل درجات سُلّم . «ب» إحدى المجموعات المصفوفة على هذا النحو (٢) درجة (من درجات منظمةٍ أو حقل من حقول النشاط) §(٣) يشكّل قَفَلاً أو نسقاً ×(٤) يصطف على شكل قفَل أو نسق .

echelon 1.

echidna [ĭ kĭd'nə] *(n.)* النَّضْناض : قُنْفُذ النمل (ح) .

echidna

echin- *or* **echino-** بادئة معناها : «أ» شوكة . «ب» قنفذ البحر .

echinate [ĕk'ə nāt'] ;**-d** *(adj.)* شوكيّ ؛ شائك .

echinoderm [ĭ kī'nə dûrm'; ĕk'ĭ nə-] *(n.)* القنفذيّ الجلد : واحدٌ من قنفذيات الجلد **Echinodermata** وهي طائفة من الحيوانات البحرية تشمل نجم البحر والقنفذ البحري .

echinoid [ĭ kī'noid; ĕk'ə-] *(n.)* قنفذ البحر (ح) .

echinus [ĭ kī'-] *(n.)* pl. **-ni** (١) قنفذ البحر (٢) حلية مدوّرة في أعلى العمود (عم) .

echo [ĕk'ō] *(n.; vi.; t.)* (١) صدى (٢) «أ» محاكاة . «ب» نتيجة . «ج» أثر . «د» استجابة (٣) المحاكي ؛ المقلِّد (٤) الترديد (مو) §(٥) يُصْدِي ؛ يُرْجِع الصَّدى (٦) يتكرر ×(٧) يكرّر ؛ يقلّد .

echoic [ĕ kō'ĭk] *(adj.)* صَدَوِيّ : منسوب إلى الصَّدى .

echolalia [ĕk ō lā'-] *(n.)* المصاداة : الترديد المرَضيّ لما يقوله الآخرون .

echo sounder *(n.)* = sonic depth finder.

éclair [ā klâr'] *(F.)* الإصبعية : ضربٌ من الحلوى إصبعيّ الشكل .

éclaircissement [ĕ klĕr sēs män'] *(F.)* تنوير .

eclampsia [ĕk lămp'sĭ ə] *(n.)* الإرجاج : تشنّج أثناء الحمل أو الوضع .

éclat [ā klä'] *(F.)* (١) بهاء (٢) شهرة ؛ مجد (٣) نجاح باهر (٤) استحسان عظيم .

eclectic [ĕk lĕk'-] *(adj.; n.)* (١) انتقائيّ ؛ اصطفائي (٢)مؤلَّف من عناصر مستمدة من مصادر مختلفة §(٣) الانتقائي : من لا يتّبع نظاماً واحداً في الفلسفة الخ . بل ينتقي كل ما يعتبره الأفضل في جميع الأنظمة . **—eclecticism** *(n.)*

eclipse [ĭ klĭps'] *(n.; vt.)* (١)كسوف (الشمس) (٢)خسوف (القمر) §(٣) يكسف (٤) يبزّ ؛ يتفوق على .

ecliptic [ĭ klĭp'-] *(n.; adj.)* (١)الدائرة الظاهرية لمسير الشمس (فل) . (٢) دائرة البروج (فل) §(٣) «أ» متعلق بإحدى هاتين الدائرتين . «ب» كسوفيّ ؛ خسوفي .

eclogue [ĕk'lôg] *(n.)* نشيد الرعاة : قصيدة يتحاور فيها الرعاة .

ecology [ĭ kŏl'-] *(n.)* علم التبيّؤ : فرع من علم الأحياء يدرس العلاقات بين الكائنات الحية وبيئتها . **—ecological** *(adj.)*

economic *(adj.)* (١)اقتصادي (٢)مادي (٣)قابلٌ للاستثمار الرابح .

economical [ē'kə nŏm'-] *(adj.)* (١)اقتصادي (ا . ق) (٢)مقتصد .

economically [-'ĭk lĭ] *(adv.)* (١)باقتصاد ؛ بتوفير (٢)اقتصادياً .

economics [ē'kə nŏm'ĭks] *(n.)* علم الاقتصاد .

economist [ĭ kŏn'ə mĭst] *(n.)* العالِم الاقتصادي .

economize [ĭ kŏn'ə mīz'] *(vi.; t.)* يقتصد ؛ يوفّر .

economy [ĭ kŏn'ə mĭ] *(n.)* (١) اقتصاد ؛ توفير (٢) تنظيم (٣) نظام اقتصادي (٤) تدبير (domestic ~) .

ecotone [ē'kə tōn] *(n.)* منطقة انتقالية (بين مجتمعين نباتيين مختلفين) .

ecru [ĕk'ro͞o; ā'kro͞o] *(F.)* البَيْج : اللون البَيْجي .

ecstasy [ĕk'stə sĭ] *(n.)* (١) بُحْران (٢) نشوة ؛ ابتهاجٌ غامرٌ (٣) وَجْد ؛ انجذاب صوفيّ . **—ecstatic** *(adj.)*

ect- *or* **ecto-** سابقة معناها : «أ» خارج . «ب» خارجي .

ectoblast [ĕk'-] *(n.)* الطبقة الخارجية «من جدار البلاستولة» (اج) .

ectoderm [ĕk'tə dûrm'] *(n.)* طبقة المُضْغةِ الظاهرةُ (اج) .

ectomere [ĕk'-] *(n.)* الخلية البلاستولية المكوّنة لطبقة المضغة الظاهرة .

-ectomy لاحقة معناها : استئصال جراحي .

ectoparasite [-păr'-] *(n.)* الطفيليّ الخارجيّ : طفيلي يعيش على ظاهر جسم الحيوان .

ectoplasm [ĕk'tə plăz'əm] *(n.)* الجِبلة الخارجية (اح) .

ecumenical [ĕk'yo͝o mĕn'ə kəl] *(adj.)* (١)عالميّ (٢)مسكونيّ .

eczema [ĕk'sə mə; ĕg zē'-] *(n.)* النَّمْلة ؛ الاكزيما : مرض جِلدي .

eczematous [ĕg zĕm'ə təs] *(adj.)* نَمْليّ ؛ اكزيماويّ .

edacious [ĭ dā'shəs] *(adj.)* نَهِمٌ ؛ شَرِهٌ .

edacity [ĭ dăs'ə tĭ] *(n.)* نَهَم ؛ شَرَه .

Edam [ē'dăm] *(n.)* الإدام : جبن هولندي أصفر .

eddy [ĕd'ĭ] *(n.; vi.; t.)* (١) دُوّامة ؛ دُرْدُور (٢) تيار معاكس أو دائري §(٢) يُدَوِّم .

edema [ĭ dē'mə] *(n.)* pl. **-ta** الاستسقاء (مض) .

Eden [ē'dən] *(n.)* (١) جنّة عَدْن (٢) جنّة .

edentate [ē dĕn'tāt] *(adj.; n.)* (١)أدْرَد ؛ بلا أسنان §(٢)الأدرد : أحد الدَّرداوات **Edentata** وهي رتبة من اللبونات لا أسنان لها .

ă at; ā date; â care; ä car; ĕ egg; ē me; ĭ in; ī bite; ŏ lot; ō bone; ô orphan; oi boil; o͝o good; o͞o boot; ou out;
ŭ under; ū unity; û urgent; th thing; *th* this; zh vision; ə = *a* in alone, *e* in system, *i* in easily, *o* in gallop, *u* in circus.

edge [ĕj] *(n.; vt.; i.)* (١)«أ» شفرة السيف الخ . «ب» مضاء . حدّة (٢)«أ» حدّ ؛ حرف «ب» حافّة . «ج» حاشية §(٣) يجعل له حداً أو حرفاً أو حاشية (٤) يحرك أو يدفع تدريجياً ×(٥) يتقدّم شيئاً فشيئاً .
on ~, (١) متلهف (٢) منفعل ؛ «مُنرفَز» .
to ~ away from يُبحر مبتعداً تدريجياً (عن نقطة ما) .
to have the ~ on somebody تكون له الأفضلية عليه .
to ~ oneself into a conversation يُقحم نفسه في محادثة
edge tool *(n.)* الأداة الماضية : أداة ذات حدّ ماض .
edgeways; edgewise *(adv.)* مجانبةً ؛ من الجنب
not to be able to get a word in ~, يُحرَم من الكلام لأن الآخرين يتكلمون باستمرار .
edgily [ĕj'-] *(adv.)* (١) بمضاء (٢) بانفعال .
edging [ĕj'ĭng] *(n.)* (١) مص edge (٢) هُدب ؛ حاشية .
edgy [ĕj'ĭ] *(adj.)* (١) ماضٍ ؛ قاطع (٢) منفعل ؛ مُنرفَز .
edible [ĕd'-] *(adj.; n.)* (١) صالح للأكل §(٢) شيء صالح للأكل
edict [ē'dĭkt] *(n.)* مرسوم ؛ أمرٌ عالٍ .
edification [ĕd'ə fə kā'shən] *(n.)* تهذيب ؛ تثقيف ؛ تنوير .
edifice [ĕd'ə fĭs] *(n.)* صَرح ؛ مبنى ضخم .
edify [ĕd'ə fī'] *(vt.)* يهذب ؛ يثقف ؛ ينور ؛ يرفع .
edit [ĕd'ĭt] *(vt.)* (١) يُحرِّر : يُعِدّ كتابات الآخرين للنشر . (٢) يُشرف على تحرير صحيفة أو مجلة (٣) يحذف (تتبعها *out*) .
edition [ĭ dĭsh'ən] *(n.)* (١)«أ» طبعة (من كتاب). «ب» مجموع النسخ المطبوعة دفعة واحدة (٢) نسخة .
editor [ĕd'ĭ tər] *(n.)* (١) المحرر : من يُعِدّ كتابات الآخرين للنشر (٢) رئيس التحرير (في صحيفة) (٣) كاتب الافتتاحيات (صح) .
editorial [ĕd'ə tôr'ĭ əl] *(adj.; n.)* (١) خاص برئيس التحرير (an ~ office) (٢) مكتوب بقلم رئيس التحرير أو مصدَّق عليه من قِبَله §(٣) الافتتاحية: مقالة رئيسية تعبر عن رأي محرري الصحيفة أو ناشريها .
editorialist [ĕd'ə tôr'-] *(n.)* كاتب افتتاحيات (في الصحف) .
editorialize [ĕd'ə tôr'-] *(vi.)* (١) يعبّر عن رأيه بكتابة افتتاحية صحفية (٢) يحرِّف الوقائع أو يقدمها ملوّنة برأيه الشخصي .
educable [ĕj'o͞o kə-] *also* **educatable** *(adj.)* قابلٌ للتربية .
educate [ĕj'o͞o kāt'] *(vt.)* يربّي؛ يثقف؛ يعلّم **-tor** *(n.)*
educated [-kā'tĭd] *(adj.)* (١) مُثقَّف (٢) بارع (٣) دال على ثقافة .
education [-'shən] *(n.)* (١)«أ» تربية. «ب» ثقافة (٢) علم التربية .
educational [ĕj o͞o kā'shən əl] *(adj.)* تربويّ .
educationist *also* **educationalist** *(n.)* العالم التربويّ .
educative [ĕj'o͞o kā'-] *(adj.)* (١) مثقِّف (٢) تربويّ .
educe [ĭ dūs'; ĭ do͞os'] *(vt.)* (١) يستنبط ؛ يستخرج (٢) يستنتج .
—educible *(adj.)* **—eduction** *(n.)*
eductor [ĭ dŭk'-] *(n.)* المستنبِط ؛ المستخرِج ؛ وبخاصة : مضخة نافورية لاستخراج الغازات والسوائل .
-ee لاحقة معناها : (١) المتلقي ؛ المستفيد من عمل ما (appointee) (٢) المزوَّد بـ ... (patentee) (٣) القائم بعمل ما (absentee) .
eel [ēl] *(n.)* الأنقليس ؛ الإنكليس ؛ الجِرِّيث (سمك) .
eelgrass [ēl'-] *(n.)* حشيشة الأنقليس : نبات بحري طويل الأوراق ضيّقها .
eelpout [-'pout'] *(n.)* الإلبوت : سمك صغير يشبه الأنقليس .
eelworm [ēl'wûrm] *(n.)* = nematode.
-een لاحقة معناها : «تقليد» (velveteen).
e'en [ēn] *(adv.)* = even.
-eer لاحقة معناها : (١) المحترِف ؛ المنتج (٢) محتقَر .
e'er [âr] *(adv.)* = ever.
eerie; eery [ĭr'ĭ] *(adj.)* (١) مخيف (٢) غريب ؛ خفيّ .
efface [ĭ fās'] *(vt.)* يطمس ؛ يمحو ؛ يعفّي على .
—effaceable *(adj.)* **—effacement; effacer** *(n.)*
effect [ĭ fĕkt'] *(n.; vt.)* (١) نتيجة ؛ أثر (٢) «أ» فحوى . «ب» جوهر (٣) مَظهَر (٤) حقيقة ؛ واقع (٥) تأثير ؛ مفعول (٦) *pl.* : ممتلكات شخصية منقولة (٧) انطباعة ؛ وقع §(٨) يُحدِث (٩) يُنجز .
for ~, للتباهي ؛ للتأثير في الآخرين .
in ~, (١) في الواقع (٢) نافذ المفعول .
no ~s, (N/E) عبارة تُكتب على شيك من غير مؤونة .
of no ~, (١) عبث ؛ عقيم (٢) باطل .
to bring (carry) into ~, يجعله ذا أثر أو مفعول .
to give ~ to يجعله فعالاً أو ذا جدوى .
to take ~, (١) يعطي النتيجة المطلوبة (٢) يصبح نافذ المفعول
effective [ĭ fĕk'tĭv] *(adj.; n.)* (١)«أ» فعّال. «ب» مؤثِّر ؛ رائع . (٢) مستعدّ للخدمة أو العمل (٣) فعليّ ؛ حقيقيّ (٤) نافذ المفعول §(٥) جندي صالح أو مجهز للخدمة الفعلية .
—effectively *(adv.)* **—effectiveness** *(n.)*
effector [ĭ fĕk'-] *(n.)* المستجيب : عضو أو جزء يستجيب لمؤثِّر (فس) .
effectual [-'cho͝o əl] *(adj.)* (١) فعّال ؛ مؤثِّر (٢) فعليّ .
effectually [ĭ fĕk'-] *(adv.)* (١) بفعّالية (٢) تماماً ؛ بالكلية .
effectuate [ĭ fĕk'cho͝o āt] *(vt.)* يُجري ؛ يُحدِث .
effeminacy [ĭ fĕm'ə nə sĭ] *(n.)* تخنُّث ؛ تأنُّث .
effeminate [-nĭt] *(adj.)* متخنِّث ؛ متأنِّث .
—effeminately *(adv.)* **—effeminateness** *(n.)*
efferent [ĕf'-] *(adj.; n.)* (١) مُصدِر ؛ ناقل («ت» و «فس») . §(٢) عَصَبٌ الخ . مُصدِر .
effervesce [ĕf'ər vĕs'] *(vi.)* (١) يفور ؛ يُرغي (٢) ينفعل ؛ يهتاج .
—effervescent *(adj.)* **—effervescence** *(n.)*
effete [ĭ fēt'] *(adj.)* (١) عقيم (٢) عاجز ؛ واهن .
efficacious [ĕf'ə kā'shəs] *(adj.)* فعّال ؛ مؤثِّر .
efficacity; efficacy *(n.)* فعّالية ؛ قوة على التأثير .
efficiency [ĭ fĭsh'ən sĭ] *(n.)* (١) فعّالية (٢) كفاية (فز) .
efficient [ĭ fĭsh'ənt] *(adj.)* (١) فعّال (٢) كَفِيّ .
effigy [ĕf'ə jĭ] *(n.)* صورة (أو تمثال) شخص .
effloresce [ĕf'lō rĕs'] *(vi.)* يزهر : «أ» يُطلع زهراً (نب) . «ب» يتحول سطحه أو كلّه إلى ذرور (ك) . «ج» يكوّن قشرة ذرورية أو يكتسي بها .
efflorescence [-'əns] *(n.)* (١) إزهار (را . المادة السابقة) . (٢) نشوء ؛ تطوّر (٣) نُفاط ؛ طَفح جلدي .
efflorescent [-'ənt] *(adj.)* مزْهِر (را . المادة قبل السابقة) .
effluence [ĕf'lo͞o əns] *(n.)* (١) دَفْق ؛ شيء متدفق (٢) تدفّق .
effluent [-ənt] *(adj.; n.)* (١) متدفّق §(٢) دَفْق (٣) فرع نهر .
effluvium [ĭ flo͞o'vĭ əm] *(n.)* pl. **-via** *or* **-viums** تبخر غير مرئي ؛ وبخاصة : رائحة كريهة .

ă at; ā date; â care; ä car; ĕ egg; ē me; ĭ in; ī bite; ŏ lot; ō bone; ô orphan; oi boil o͝o good; o͞o boot; ou out; ŭ under; ū unity; û urgent; th thing; th this; zh vision; ə = *a* in alone, *e* in system, *i* in easily, *o* in gallop, *u* in circus.

efflux [ĕf'lŭks] *(n.)* (١) تدفُّق (٢) دَفْق (٣) نَفادٌ (٤) انقضاء.

effort [ĕf'ərt] *(n.)* (١) جُهد (٢) «أ» مسعى . «ب» محاولة .

effortless *(adj.)* (١) هيّن (٢) عفوي : بادٍ وكأنه منجَز من غير جهد.

effrontery [ĭ frŭn'tə rĭ] *(n.)* وقاحة .

effulgence [ĭ fŭl'jəns] *(n.)* سطوع ؛ تألُّق .

effulgent [ĭ fŭl'jənt] *(adj.)* ساطع ؛ متألِّق .

effuse [*v.* ĭ fūz'; *adj.* ĭ fūs'] *(vt.; i.; adj.)* (١) يُريق (٢) ينشر ؛ يُطلق ×(٣) ينتشر ؛ يتدفق §(٤) مراق ؛ منتشر ؛ متدفِّق.

effusion [ĭ fū'-] *(n.)* (١) «أ» اراقة. «ب» شيء مُراق (٢) «أ» اندفاق. «ب» سيل ؛ دفق (٣) إسراف في التعبير عن العاطفة (٤) التَّنضاح ؛ الانصباب الدمّي (ط).

effusive *(adj.)* (١) مُسرف في التعبير عن العاطفة (٢) انبجاسي (جي)

eft [ĕft] *(n.)* سَمَنْدَل الماء (ح).

e.g. [*exempli gratia*] *(L.)* مثلاً.

egalitarian [ĭ găl'ə târ'-] *(adj.; n.)* مساواتيّ (را. المادة التالية).

egalitarianism [-târ'-] *(n.)* المساواتية : القول بالمساواة بين البشر.

egg [ĕg] *(vt.; i.; n.)* (١) يحثّ (٢) يكسو او يمزج بالبيض . (٣) يقذف بالبيض الفاسد ×(٤) يجمع البيض §(٥) «أ» بيضة. «ب» بُيَيْضة (٦) شخصٌ (ع).

bad ~, شخص لا قيمة له .

~ and spoon race سباق البيض والملاعق : سباق يحمل فيه العدّاءون بيضاً في ملاعق .

good ~! ممتاز !

in the ~, في مرحلة مُبكِّرة أو جنينيّة .

to put all one's ~s in one basket يغامر فيوظف كل ما يملك في شركة واحدة الخ .

to teach one's grandmother to suck ~s. ينصح شخصاً أكثر منه خبرةً .

egg and dart

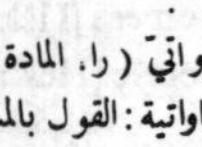

egg and dart *(n.)* البيضة والسهم (حلية معمارية)

egg-cup [ĕg'-] *(n.)* كأس البيضة .

egghead [ĕg'-] *(n.)* الرفيع الثقافة ؛ الواسع العلم.

eggnog [ĕg'-] *(n.)* شراب البيض : بيض مخفوق مع السكّر والقشدة والخمر .

egg-cup

eggplant [ĕg'-] *(n.)* (١) باذنجان (٢) لون الباذنجان (ارجواني داكن).

eggshell [ĕg'-] *(n.; adj.)* (١) قشرة البيضة أو لونها §(٢) رقيق وقَصِمٌ (٣) صقيل أولمّاع قليلاً.

eglantine [ĕg'lən tīn; -tēn] *(n.)* نِسرين الكلاب (نب)

ego [ē'gō] *(n.)* (١) الأنا ؛ الذات (نف) (٢) غرور (ع).

egocentric [ē'gō sĕn'-] *(adj.)* (١) فرديّ : معنيّ بالفرد لا بالمجتمع (٢) أَنَوِيّ : معتبِرٌ «الأنا» نقطة الانطلاق في الفلسفة (٣) أنانيّ .

—egocentricity *(n.)* **—egocentrism** *(n.)*

egoism [ē'gō ĭz'əm; ĕg'ō-] (١) أنانية (٢) غرور (٣) الأنَوِية : المذهب القائل بأن الفرد ومصالحه الذاتية أساس السلوك كله .

egoist [ē'gō ĭst] *(n.)* (١) الأناني (٢) المغرور (٣) الأنَوِيّ : المؤمن بالأنَوية (را. المادة السابقة).

—egoistic; -al *(adj.)*

egotism [ē'-] *(n.)* (١) «أ» غرور . «ب» افراط في التحدث عن النفس (٢) أنانية .

egotist [ē'gə tĭst] *(n.)* (١) المغرور ؛ المتبجّح (٢) الأنانيّ .

egregious [ĭ grē'jəs; -jĭ əs] *(adj.)* فاضح ؛ فظيع ؛ رديء جداً.

egress [ē'grĕs] *(n.; vi.)* (١) خروج ؛ انبثاق (٢) الخروج : انبثاق الجرم السماويّ من كسوف (٣) مَخرَج §(٤) يخرج ؛ ينبثق.

egression [ĭ grĕsh'ən] *(n.)* خروج ؛ انبثاق.

egret

egret [ē'grĭt; ĕg'rĭt] *(n.)* ابن الماء ؛ البَلَشون الأبيض (ط).

Egyptian [ĭ jĭp'-] *(adj.; n.)* (١) مصري §(٢) المصري .

Egypto- بادئة معناها : مِصْر .

Egyptologist [ē jĭp tŏl'-] *(n.)* العالم بالآثار المصرية .

Egyptology [ē jĭp tŏl'-] *(n.)* علم الآثار المصرية .

eh [ā; ĕ] *(interj.)* ايه : صوت استفهامي للتعبير عن الدهَش أو الشك الخ.

eider [ī'dər] *(n.)* (١) العَيْدَر : بطّ ناعم الزَّغَب (٢) زَغَب العَيْدَر .

eiderdown [ī'dər-] *(n.)* (١) زَغَب العَيْدر (٢) لحاف محشوّ به.

eidolon [ī dō'lən] *(n.)* pl. **-s** *or* **-la** (١) طَيْف ؛ شَبَح (٢) مِثْلٌ أعلى .

eight [āt] *(n.)* (١) ثمانية (٢) شيء ثُماني الوحدات أو الأعضاء .

eighteen [ā'tēn'] *(n.)* ثمانية عشَر .

eighteenth [-'tēnth'] *(adj.; n.)* (١) الثامن عشر §(٢) جزء من ١٨

eightfold [āt'-] *(adj.; adv.)* (١) ثُمانيّ (٢) أكبر بثمانية أضعاف §(٣) ثمانية أضعاف .

eighth [ātth] *(adj.; n.)* (١) الثامن (٢) ثُمْن .

800 number *(n.)* رقم تلفون مجّاني للمسافات البعيدة مبدوء بالرّقم ٨٠٠ .

eightieth [ā'tĭ ĭth] *(adj.; n.)* (١) الثمانون (٢) جزء من ثمانين.

eighty [ā'tĭ] *(n.)* (١) ثمانون (٢) *pl.* : العقد التاسع (من العمر أو القرن).

einsteinium *(n.)* الآينشتانيوم : عنصر إشعاعي النشاط يُنتَج صُنعياً (ك)

either [ē'thər; ī'thər] *(adj.; pron.; conj.; adv.)* (١) كل من (There are trees on ~ side of the river.) (٢) أيّ من (Take ~ road.) §(٣) أحد الأمرين (*Either* will do.) §(٤) إمّا (The assertion must be ~ true or false.) §(٥) أيضاً (He is not fond of parties and I am not ~.) (٦) فوق ذلك (There was a time, and not so long ago ~, when she could walk ten miles a day.)

ejaculate [ĭ jăk'yə lāt'] *(vt.; n.)* (١) يقذف ؛ وبخاصة المنيّ . (٢) يهتف أو يقول فجأة وبقوة §(٣) مَنِيّ .

ejaculation *(n.)* [-yə lā'-] (١) قَذْف (مَنِيّ) (٢) هتاف أو شيء مَقُولٌ فجأة وبقوة.

ejaculatory [ĭ jăk'yə lə tōr'ĭ] *(adj.)* (١) قَذْفيّ (٢) هُتافيّ.

eject [ĭ jĕkt'] *(vt.)* يقذف ؛ يلفظ ؛ يطرد ؛ يُخرج .

ejecta [ĭ jĕk'tə] *(n. pl.)* المقذوفات ؛ الملفوظات (من بركان الخ.)

ejection [ĭ jĕk'-] *(n.)* (١) قذفٌ ؛ لفظ ؛ طرد (٢) المقذوف : الملفوظ.

ejection seat *(n.)* المقعد القَذْفي (طي).

ejectment [ĭ jĕkt'-] *(n.)* (١) قذفٌ ؛ لفظ ؛ طرْد (٢) دعوى الاستِرداد : دعوى لاستِرداد عقار ما والمطالبة بالعطل والضرر (ق).

ejector [ĭ jĕk'-] *(n.)* (١) القاذف ؛ القاذفة (٢) مضخة نافورية .

eke [ēk] *(vt.; adv.; conj.)* (١) يزيد ؛ يوسّع ؛ يطوّل §(٢) أيضاً.

to ~ out (١) يكمّل : يضيف إلى (٢) يقتصد في (٣) يحتال على العيش.

elaborate [*adj.* ĭ lăb'ə rĭt; *v.* -'ə rāt] *(adj.; vt.; i.)* (١) «أ» مفصَّل ؛ مدروس ؛ مُعقَّد . «ب» مُحكَم ؛ متقَن (٢) مجتهِد ؛ باذلٌ غايةَ الجهد §(٣) يُحكِم ؛ يتقن (٤) يطوّر ؛ يوسّع ×(٥) يصبح مُحكَماً الخ . (٦) يتوسّع في .

—elaboration *(n.)* **—elaborateness** *(n.)*

élan [ĕ län'] *(F.)* حماسة ؛ حيوية ؛ اندفاع .

eland [ē'lənd] *(n.)* العَلَنْد : ظبيٌ افريقي ضخم .

eland

elapse [ĭ lăps'] *(vi.; n.)* (١) ينقضي . §(٢) انقضاء (الوقت) .

elasmobranch [ĭ lăs'mə-] *(adj.; n.)* (١) صَفيحيّ الخيشوم (كالأقراش الخ.) . §(٢) سمكة صفيحية الخيشوم .

elastic [ĭ lăs'tĭk] *(adj.; n.)* (١) متمغّط (٢) قابلٌ للتمدّد (٣) مرن (~ gas) §(٤) المَطّوط : «أ» نسيج متمغّط ممزوج بالمطّاط . «ب» شيء مصنوعٌ منه . «ج» مطاطٌ شديد التمغّط .

elasticity [-tĭs'ə tĭ; ē'lăs-] *(n.)* (١) تمغّط (٢) مرونة .

elasticized *(adj.)* مُمغّط : مصنوع من خيوط متمغّطة .

elastin *(n.)* المَرَنين : بروتين يشكل المادة الأساسية للألياف المرنة (كح) .

elate [ĭ lāt'] *(adj.; vt.)* (١) «أ» تيّاه ؛ معجَب بنفسه . «ب» مبتهج . §(٢) يجعله تيّاهاً أو مبتهجاً .

elated [ĭ lā'tĭd] *(adj.)* = elate.

elater [ĕl'ə tər] *(n.)* (١) الخنفساء المُطَقْطِقة (٢) المِنثار : عضوٌ خيطيّ ناثرٌ أو موزّع للأبواغ (نب) .

elaterite [ĭ lăt'ə rīt'] *(n.)* الإلَتريت : أسفلتٌ شبه مطاطيّ .

elation [ĭ lā'shən] *(n.)* تِيه ؛ عُجْب ؛ ابتهاج .

elbow [ĕl'bō] *(n.; vt.; i.)* (١) مِرفق (٢) وُصْلة مِرفقية (للأنابيب) §(٣) يدفع بالمِرفق (٤) يشقّ طريقه بالمِرفق (٥) ينثني ؛ ينعطف .

elbow 2.

at one's ~, على مقربة ؛ في المتناوَل .
out at ~s رثّ الملابس .
to crook *or* lift the ~, يعاقر الخمر .
up to the ~s in منهمك جداً في .

elbow chair *(n.)* الكرسيّ المُرفَق : كرسي ذو ذراعين .

elbow grease *(n.)* كَدْح : عمل يدوي شاق متواصل .

elbowroom [ĕl'bō-] *(n.)* (١) مُتّسَع (٢) مجال واسع للحركة أو العمل (٣) حرية .

elder [ĕl'dər] *(n.; adj.)* (١) الخَمان ؛ البَلَسان (نب) . (٢) الأرشد ؛ الأسنّ (٣) زعيم ؛ رئيس (بحكم السنّ والخبرة) (٤) شيخ الكنيسة §(٥) أسنّ ؛ أكبر سناً (٦) سابق ؛ سالف (in ~ times) (٧) أعلى رتبةً الخ .

elderberry [ĕl'dər-] *(n.)* (١) ثمر الخَمان (٢) الخَمان ؛ البَلَسان .

elderly [ĕl'dər-] *(adj.)* (١) كهل (٢) كهوليّ : خاص بالكهولة .

elder statesman *(n.)* رجل دولة متقاعد يقدم النصيحة ، على نحو غير رسمي ، إلى الزعماء الفعليين .

eldest [ĕl'dĭst] *(adj.)* الأرشد ؛ الأكبر سناً .

eldest hand *(n.)* اليد الأولى : لاعب الورق الذي يتلقى التوزيعة الأولى .

El Dorado [ĕl də rä'dō] *(n.)* موطن أسطوريّ الثروة الخ .

elecampane [ĕl'ə kăm pān'] *(n.)* الراسَن ؛ القِسْط الشاميّ (عشب) .

elect [ĭ lĕkt'] *(adj.; n.; vt.; i.)* (١) مُنتَخَب ؛ مختار . §(٢) الشخص المنتخَب §(٣) ينتخب (بالاقتراع عادة) (٤) يختار .

election [ĭ lĕk'-] *(n.)* (١) انتخاب (٢) اصطفاء ؛ اختيار .

electioneer [ĭ lĕk shə nĭr'] *(vi.)* يعمل لإنجاح مرشّح أو حزب في الانتخابات .
—**electioneerer** *(n.)*

elective [ĭ lĕk'-] *(adj.; n.)* (١) انتخابي (٢) اختياري (٣) «أ» ميال إلى الاتحاد مع مادة ما أكثر منه إلى الاتحاد مع غيرها (ك) . «ب» عاطفٌ ، مُظهِرٌ عطفاً على §(٤) درس أو موضوع اختياري .

elector [ĭ lĕk'tər] *(n.)* (١) المنتخِب ؛ المقترِع (٢) أحد الأمراء الجرمان المؤهّلين لاختيار رأس الامبراطورية الرومانية المقدّسة .

electoral [-'tər əl] *(adj.)* (١) مُنتَخِبيّ (٢) انتخابيّ (the ~ vote)

electoral college *(n.)* هيئة انتخابية ؛ وبخاصة : تلك التي تنتخب رئيس الولايات المتحدة الأميركية ونائبه .

electorate [ĭ lĕk'tər ĭt] *(n.)* (١) منصب أو مقاطعة أحد منتخِبي رأس الامبراطورية المقدسة (٢) جمهور الناخبين .

electr- *or* **electro-** بادئة معناها : (١) «أ» الكهرباء . «ب» كهربائي (*electro*magnet) . «ج» كهربائي (*electro*meter) و . . . (*electro*chemical) . «د» كهربائيّاً (*electro*positive) (٢) الكترون .

Electra complex *(n.)* عقدة إلكْترا : ميل البنت جنسياً إلى أبيها .

electress [ĭ lĕk'-] *(n.)* المنتخِبة : زوجة (أو أرملة) منتخِب جرماني .

electric [ĭ lĕk'trĭk] *(adj.; n.)* (١) كهربائي (٢) مكهرِب ؛ مثير (an ~ performance) §(٣) شيء مسيّر بالكهرباء .
—**electrical** *(adj.)* —**electrically** *(adv.)*

electrical transcription *(n.)* (١) أسطوانة فونوغرافية مُعدّة للاذاعة بالراديو (٢) برنامج إذاعيّ قوامه أسطوانة من هذا النوع .

electric chair *(n.)* (١) الكرسيّ الكهربائي (٢) عقوبة الاعدام بالكهرباء .

electric eel *(n.)* الرَّعّاد ؛ الرَّعّاش (سمك) .

electric eye *(n.)* الخلية الكهرضوئية أو الكهربائية الضوئية .

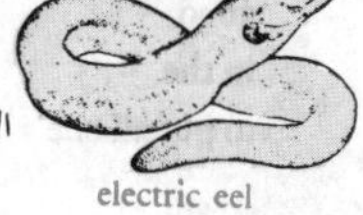

electric eel

electrician [-trĭsh'-] *(n.)* الاختصاصيّ أو المشتغل بالكهرباء .

electricity [ĭ lĕk'trĭs'ə tĭ; ē'lĕk-] *(n.)* (١) «أ» الكهرباء . «ب» تيار كهربائي (٢) علم الكهرباء (٣) حماسة ؛ اهتياج شديدٌ مُعْدٍ .

electric ray *(n.)* الرَّعّاد الكهربائي (سمك) .

electrification *(n.)* (١) كَهْرَبة (٢) تَكَهْرُب .

electrify [ĭ lĕk'trə fī'] *(vt.)* يُكهرِب : «أ» يشحن بالكهرباء . «ب» يزوّد بالطاقة الكهربائية «ج» يثير بقوة أو بصورة مفاجئة (وكأنما بصدمة كهربائية) .

electro- = electr-.

electroanalysis [-trō ə năl'-] *(n.)* التحليل الكهربائي .
—**electroanalytic; -al** *(adj.)*

electrocardiogram *(n.)* الصورة البيانية الكهربائية (لعمل القلب) .

electrocardiograph *(n.)* مِرْسَمة القلب الكهربائية .
—**electrocardiographic** *(adj.)*

electrochemical *(adj.)* كيميكهربيّ : كيميائي كهربائيّ .

electrochemistry *(n.)* الكيمياء الكهربائية : علم يبحث في التغيرات الكيميائية التي تحدثها الكهرباء وبإنتاج الكهرباء بواسطة التغيرات الكيميائية .

electrocute [ĭ lĕk'trə kūt] *(vt.)* (١) يُعدِم (مجرماً) بالكهرباء (٢) يقتل بالصدمة الكهربائية .

electrode [ĭ lĕk'trōd] *(n.)* اللاحب (مج) ؛ الالكترود ؛ القطب الكهربائي (كب) .

electrodeposit [ĭ lĕk'trō dĭ pŏz'ĭt] *(n.; vt.)* (١) القُرارة المُرسَّبة بالكهرباء §(٢) يرسِّب كهربائياً : يرسِّب (معدناً أو مطاطاً) بالتحليل الكهربائي .

electrodeposition [-zĭsh'ən] *(n.)* الترسيب الكهربائي .

electrodynamic [ĭ lĕk trō dī năm'ĭk] *(adj.)* ألكتروديناميّ.

electrodynamics [-'ĭks] *(n.)* الديناميكا الكهربائية: فرع من الفيزياء يبحث في الآثار الناشئة عن تفاعلات التيارات الكهربائية مع المغنطيس أو مع تيارات أخرى أو مع نفسها.

electrodynamometer *(n.)* الديناموميتر الكهربائي.

electroencephalograph *(n.)* مِرسمة موجات الدماغ.

electroform [ĭ lĕk'-] *(vt.)* يشكّل بالترسيب الكهربائي على قالب.

electrograph [ĭ lĕk'trō grăf] *(n.)* المِرسَمة الكهربائية (مج).

electrokinetics *(n.)* الكَينتيكا الكهربائية: فرع من الكهرباء يبحث في التيارات.

electrolysis [ĭ lĕk'trŏl'ə sĭs] *(n.)* (١) التحليل أو الحلّ الكهربائي. (٢) القضاء على جذور الشَّعْر بتيار كهربائي.

electrolyte [ĭ lĕk'-] *(n.)* الالكتروليت: المنحلّ بالكهرباء.

electrolytic [ĭ lĕk'trə lĭt'-] *(adj.)* الكتروليتيّ (را. المادة السابقة).

electrolyze [ĭ lĕk'-] *(vt.)* يحلّل أو يَحُلّ بالكهرباء.

electromagnet [-măg'-] *(n.)* الكَهْرَطِيس: المغنطيس الكهربائيّ.

electromagnetic [-'ĭk] *(adj.)* كَهْرَطيسي: مغنطيسي كهربائي.

electromagnetic pulse *(n.)* النَّبض الكهرطيسي.

electromagnetic wave *(n.)* الموجة الكهرطيسية.

electromagnetism [-măg'-] *(n.)* الكهرطيسية: المغنطيسية الكهربائية.

electrometallurgy [ĭ lĕk'trō mĕt'-] *(n.)* التعدين الكهربائي.

electrometer *(n.)* المِكْهار: أداة لقياس مقدار القوة الكهربائية أو للكشف عن وجود الكهرباء.

electromotive [ĭ lĕk'trə mō'-] *(adj.)* حرَكيكَهْرَبائي: متعلق بالقوة المحرِّكة الكهربائية.

electromotive force *(n.)* القوة المحرِّكة الكهربائية.

electron [ĭ lĕk'trŏn] *(n.)* الإلكترون؛ الكُهَيْرِب: شحنة كهربائية سالبة تشكّل جزءاً من الذرة.

electronegative [ĭ lĕk'trō nĕg'-] *(adj.)* (١) سالب الشحنة الكهربائية (٢) لافِلزيّ؛ حامضيّ.

electron gun *(n.)* مِدفعة الإلكترونات (مج).

electronic [ĭ lĕk trŏn'ĭk; ē-] *(adj.)* إلكتروني؛ كُهَيْربي.

electronics [-'ĭks] *(n.)* الالكترونيات: فرع من الفيزياء يبحث في ابتعاث الالكترونات (أو سلوكها أو آثارها) في الخواءات والغازات كما يبحث في استخدام الأدوات الالكترونية.

electron lens *(n.)* العدسة الألكترونية.

electron microscope *(n.)* المِجْهر الالكتروني.

electron multiplier *(n.)* المضاعِف الالكتروني.

electron optics *(n. pl.)* البَصَريات الالكترونية: فرع من الالكترونيات يبحث في خصائص شعاعات الالكترونات المجانسة لخصائص أشعة الضوء.

electron tube *(n.)* الصِّمام الالكتروني.

electron volt *(n.)* الكترون فُلْط: وحدة من وحدات الطاقة.

electrophoresis [-rē'sĭs] *(n.)* الهجرة الكهربائية (للدقائق المُعلَّقة).

electrophorus [-trŏf'ə rəs] *(n.)* الإلكتروفور: أداة لإحداث الشحنات الكهربائية بواسطة الحثّ.

electroplate [ĭ lĕk'-] *(vt.; n.)* (١) يَطْلي أو يُلبِس بالكهرباء § (٢) شيء مطليّ بالكهرباء.

electropositive [-pŏz'-] *(adj.)* (١) موجَب الشحنة الكهربائية (٢) فِلزيّ؛ قاعدي.

electroscope [ĭ lĕk'-] *(n.)* المِكشاف الكهربائي: أداة للكشف عن وجود شحنة كهربائية على جسم ما، ولتقرير ما إذا كانت الشحنة موجَبة أو سالبة، وللكشف عن الاشعاع وقياس كثافته.

electroshock therapy *(n.)* المعالجة بالصدمة الكهربائية.

electrostatic [- trə stăt'-] *(adj.)* الكتروستاتيّ؛ إستاتيّ كهربائي.

electrostatic generator *(n.)* المولِّد الاستاتي الكهربائي.

electrostatics *(n. pl.)* الالكتروستاتيات: علم الاستاتيكا الكهربائية.

electrostatic unit *(n.)* الوحدة الاستاتية الكهربائية.

electrosurgery [-sûr'jə rĭ] *(n.)* الجراحة الكهربائية (بتوليد الحرارة في الأنسجة بواسطة التيارات الكهربائية).

electrotherapy [-thĕr'ə pĭ] *(n.)* المعالجة الكهربائية (بواسطة الحرارة المولَّدة كهربائياً).

electrothermal *or* **electrothermic** *(adj.)* حراريكهربائي: متعلق بتولد الحرارة بواسطة الكهرباء.

electrotonic [-tŏn'-] *(adj.)* تكيُّفيكهربائي: متعلق بالتكيّف الكهربائي.

electrotonus [ĭ lĕk trŏt'ə nəs] *(n.)* التكيّف الكهربائي: حالة العصب المعدَّلة عندما ينفذ فيه تيار كهربائي مطّرد.

electrotype [ĭ lĕk'-] *(n.; vt.)* (١) المُرَسَّبة الطباعية الكهربائية: نسخة طبق الأصل (عن حروف منضّدة الخ. يراد طبعها) تتألف من طبقة رقيقة من النحاس أو النيكل تُرَسَّب كهربائياً على قالب شمعيّ أو رصاصي أو لدائني (٢) طبعة بمثل هذه المُرَسَّبة § (٣) يستخرج مرسَّبة طباعية كهربائية عن.

electrum [ĭ lĕk'-] *(n.)* الالكتروم: مزيج طبيعي من ذهب وفضة.

electuary [ĭ lĕk'chŏŏ ĕr'ĭ] *(n.)* معجون (صي).

eleemosynary [ĕl'ə mŏs'ə nĕr'ĭ] *(adj.)* (١) إحساني؛ تصدُّقي (٢) معتمد أو قائم على الصدقات (٣) مجاني.

elegance [ĕl'ə gəns] *(n.)* (١) أناقة (٢) شيء أنيق.

elegancy [ĕl'ə gən sĭ] *(n.)* = elegance.

elegant [ĕl'ə gənt] *(adj.)* (١) أنيق (٢) ممتاز؛ رائع.

elegiac [ĕl ə jī'ăk] *(adj.)* (١) رثائيّ (٢) حزين؛ كئيب.

elegit [ĭ lē'jĭt] *(n.)* أمر قضائي بتحويل أموال المدين المنقولة (وغير المنقولة عند الضرورة) إلى الدائن إلى أن يسدِّد الدين (ق).

elegize [ĕl'ə jīz'] *(vi.; t.)* يرثي.

elegy [ĕl'ə jĭ] *(n.)* (١) مرثاة (شعرية أو غنائية) (٢) «أ» قصيدة تأملية تغلب عليها الكآبة. «ب» مقطوعة موسيقية تأملية قصيرة.

element [ĕl'ə mənt] *(n.)* (١) العنصر: «أ» أحد العناصر الأربعة (الهواء والماء والنار والتراب). «ب» *pl.*: العوامل والقوى الجوية (exposed to the ~s). «ج» إحدى النقاط أو الخطوط أو السطوح الخ. التي يتألف منها شكل هندسي. «د» أحد العوامل التي تقرر نتيجة عملية ما. «هـ» أحد العناصر الكيميائية التي يزيد عددها على مئة. «و» جزء متميِّز من أداة مركَّبة. «ز» جزء من وحدة عسكرية (٢) مقدار ضئيل (There's an ~ of truth in his account of what happened.) (٣) *pl.*: مبادىء علم ما (٤) المجال أو المحيط الملائم لشخص أو شيء (to be in one's ~) (٥) *pl.*: خبز القربان وخمرُه (نص).

elemental [ĕl'ə mĕn'təl] *(adj.)* (١) «أ» عنصري. «ب» جوهري. «ج» أوّليّ. «د» أساسيّ (٢) عناصريّ: متعلّق أو شبيه بقوة عظمى من قوى الطبيعة (~ forces).

elementarily [ĕl'ə mĕn'-] *(adv.)* بطريقة أولية أو ابتدائية.

elementary [-'tə rĭ] *(adj.)* (١) أوّليّ؛ ابتدائي (٢) «أ» عنصريّ. «ب» احاديّ العنصر؛ بسيط (an ~ substance) (٣) عناصريّ: متعلق أو شبيه بقوة طبيعية عظمى (~ powers).

elementary particle *(n.)* . الدقيقة الأولية أو الأساسية (فز)

elephant [ĕl'ə fənt] *(n.)* الفيل (ح) .
to see *or* show the ~, يرى (أو يُري) الحياةَ ؛ يرى (أو يري) معالم مدينة كبيرة .

elephant beetle *(n.)* الخنفساء الفيلية : خنفساء استوائية ضخمة جداً .

elephantiasis [-tī'ə-] *(n.)* الفُيال : تضخم هائل في عضو من الجسد .

elephantine [-'tīn ;-'tēn] *(adj.)* (١) «أ» ضخم . «ب» أخرق ؛ تعوزه الرشاقة (٢) فيلي .

elevate [ĕl'ə vāt'] *(vt.)* (١) «أ» يرفع . «ب» يشيِّد ؛ يقيم . (٢) يهذِّب (٣) ينعِش ؛ ينشِّط .

elevated [ĕl'ə vā-] *(adj.)* (١) مرفوع أو مرتفع (٢) رفيع .

elevation [-vā'-] *(n.)* (١) ارتفاع (٢) رَفْع (٣) شيء مرتفع ، مثل : «أ» تل ؛ رابية الخ . «ب» انتفاخ في الجلد (٤) سموّ ؛ نبل (٥) المَسْقَط الرأسي (رم) .

elevator [ĕl'ə vā-] *(n.)* (١) الرافع ؛ مثل : «أ» رافعة للأثقال . «ب» مِصْعَد (٢) مَبنَى لخزن الحنطة (بالاستعانة برافعات الأثقال) (٣) السطح الرافع (طي) .

elevatory [ĕl'-] *(adj.)* رافع (~ forces) .

eleven [ĭ lĕv'ən] *(n.)* (١) أحد عشر (٢) الحادي عشر في مجموعة أو سلسلة (٣) شيء مؤلف من ١١ وحدة أو عضواً ؛ وبخاصة : فريق كرة قدم .

eleventh [ĭ lĕv'-] *(n.; adj.)* (١) الحادي عشر (٢) جزء من أحد عشر (٣) مؤلِّفٌ جزءاً من احد عشر (an ~ share of the money).

eleventh hour *(n.)* آخر لحظة .

elf [ĕlf] *(n.)* (١) جني صغير (ومؤذ عادةً) (٢) «أ» قزم ؛ وبخاصة : طفل مؤذ . «ب» شخص خبيث .
—elfish *(adj.)*

elfin [ĕl'-] *(adj.)* (١) جنيّ (٢) فاتن (an ~ smile).

elflock [ĕlf'-] *(n.)* خصلة شعر متشابكة (وكأنما شبكها الجن) .

elicit [ĭ lĭs'ĭt] *(vt.)* (١) يستنبط ؛ يستخرج (٢) يُظهر للعيان . (٣) يثير ؛ يُحْدث ؛ ينتزع .
—elicitation *(n.)* **—elicitor** *(n.)*

elide [ĭ līd'] *(vt.)* (١) «أ» يرخِّم (بحذف حرف علة أو مقطع) . «ب» يحذف (٢) «أ» يُسقط من الحساب أو الاعتبار ؛ يتجاهل . «ب» ينقص ؛ يختصر .

eligibility [ĕl ə jə bĭl'-] *(n.)* أهلية أو جدارة للانتخاب .

eligible [ĕl'ə jə bəl] *(adj.; n.)* (١) «أ» مؤهَّل للانتخاب . «ب» جدير بالانتخاب : مرغوب فيه §(٢) «أ» المؤهَّل للانتخاب . «ب» الجدير بالانتخاب .

eliminate [ĭ lĭm'ə nāt'] *(vt.)* (١) «أ» يزيل ؛ يقصي ؛ يتخلص من . «ب» يُهمِل ؛ يتجاهل (٢) يطرد من الجسم الحيّ (٣) يحذف .
—elimination *(n.)*

elision [ĭ lĭzh'ən] *(n.)* (١) ترخيم (ل) (٢) حَذْف .

elite [ĭ lēt' ; ā-] *(n.; adj.)* (١) نُخبة ؛ صفوة ؛ زهرة (٢) حرف آلة كاتبة (١٠ بنط) §(٣) خاص بالنخبة (٤) ممتاز ؛ مختار .

elitism [-lēt'-] *(n.)* (١) «أ» حُكم النخبة . «ب» الإيمان بحكم النخبة أو الدعوة إليه (٢) وعي المرء أنه ينتمي إلى النخبة .

elixir [ĭ lĭk'sər] *(Ar.)* (١) الإكسير : «أ» مادة زعم أصحاب الكيمياء القديمة أنها تحوِّل المعادن الخسيسة إلى ذهب ؛ حجر الفلاسفة . «ب» مادة زعموا أنها تطيل الحياة إلى ما لا نهاية . «ج» cure-all . «د» سائل مُحلَّى (يحتوي عادةً على كحول يُضمَّن بعض المواد الطبية (٢) جوهر الشيء أو روحه : إكسير .

Elizabethan [ĭ lĭz'ə bē'thən] *(adj.)* اليصاباتي : متعلق بأليصابات (أليزابيث) الأولى ملكة انكلترة أو بعصرها .

elk [ĕlk] *(n.)* (١) الإلكة : أيِّل أو ظبي يعتبر أكبر الأيائل الموجودة في أوروبة وآسية (٢) جلد مدبوغ ناعم .

elk

ell [ĕl] *(n.)* (١) الذراع : وحدة لقياس الطول . وبخاصة طول القماش (٢) الجناح القائمي : امتداد لمبنى على زوايا قائمة من أحد أطرافه .

ellipse [ĭ lĭps'] *(n.)* (١) القَطع الناقص (هن) (٢) ellipsis.

ellipsis [ĭ lĭp'sĭs] *(n.)* pl. **-ses** (١) «أ» الحذف : حَذْف كلمة أو أكثر يستطيع القارىء تقديرها بسهولة . «ب» انتقال مفاجىء ، من غير رابط منطقي ، من موضوع إلى آخر (٢) علامات أو علامة الحذف في الكتابة والطباعة (. . .) أو (•••) أو (—).

ellipsoid [-'soid] *(n.)* المجسَّم الناقص ؛ مجسَّم القطع الناقص (هن) .

elliptic;-al *(adj.)* (١) اهليلجي ؛ بيضي الشكل (٢) «أ» حذفيّ (ل) . «ب» إيجازي . «ج» موجز .

ellipticity [ĭ lĭp tĭs'ə tĭ ; ĕl'ĭp-] *(n.)* الأهليلجية .

elm [ĕlm] *(n.)* (١) الدَّردار ؛ شجرة البقّ (٢) خشب الدردار .

elocution [ĕl'ə kū'shən] *(n.)* (١) فنّ الخطابة (٢) طريقة الإلقاء .
—elocutionary *(adj.)* **—elocutionist** *(n.)*

eloign [ĭ loin'] *(vt.)* يُخفي (بضاعةً معرَّضةً للحجز) .

elongate [ĭ lông'gāt] *(vt.; i.; adj.)* (١) يمدّ ؛ يطيل . ×(٢) يمتدّ ؛ يستطيل §(٣) ممدود ؛ مطوَّل (٤) نحيل .

elope [ĭ lōp'] *(vi.)* (١) «أ» تفرّ المرأة من بيت زوجها مع عشيق لها . «ب» تفرّ (الفتاة) بقصد الزواج من غير موافقة أبويها (٢) يفر .
—elopement *(n.)* **—eloper** *(n.)*

eloquence [ĕl'ə kwəns] *(n.)* فصاحة ؛ بلاغة .

eloquent [ĕl'ə kwənt] *(adj.)* فصيح ؛ بليغ .

else [ĕls] *(adv.; adj.)* (١) بطريقة أخرى (How ~ could he act?) (٢) أيضاً (What ~ shall I do?) (٣) وإلا (Run, ~ you will be late.) §(٤) آخَر (somebody ~).

elsewhere [ĕls'hwâr] *(adv.)* في مكان آخر .

elucidate [ĭ lōō'sə dāt'] *(vt.; i.)* يوضح ؛ يشرح .
—elucidation *(n.)* **—elucidative** *(adj.)*
—elucidator *(n.)*

elude [ĭ lōōd'] *(vt.)* (١) يتملص ؛ يروغ (٢) يفوته ملاحظة شيء أو ادراكه (٣) يمتنع على التعريف الخ .

elusion [ĭ lōō'zhən] *(n.)* تملُّص ؛ روغان ؛ تجنب .

elusive [ĭ lōō'-] *(adj.)* (١) متملِّص ؛ مراوغ (٢) محيِّر .

elutriate [ĭ lōō'trĭ āt'] *(vt.)* ينقّي ؛ يروِّق .

eluvium [ĭ lōō'-] *(n.)* القُرارة التفتتية : ركام من التراب الخ . ناشىء عن تفتت الصخور (جي) .

elver [ĕl'vər] *(n.)* صغير الانقليس (سمك) .

elves [ĕlvz] *pl. of* elf.

elvish [ĕl'vĭsh] *(adj.)* (١) جينّي (٢) مؤذ .

Elysian [ĭ lĭzh'ən] *(adj.)* (١) فردوسيّ (٢) «أ» سعيد . «ب» مُبهِج .

Elysium [ĭ lĭzh'ĭ əm ; ĭ lĭz'-] *(n.)* الفردوس ؛ الجنة .

elytron *also* **elytrum** *(n.)* pl. **-tra** الجُنَيح الغِمدي (حش) .

em- = en-.

emaciate [ĭ mā'shĭ āt'] *(vt.; i.)* (١) يُنحِل ؛ يُهزِل .

ă at; ā date; â care; ä car; ĕ egg; ē me; ĭ in; ī bite; ŏ lot; ō bone; ô orphan; oi boil ŏŏ good; ōō boot; ou out; ŭ under; ū unity; û urgent; th thing; *th* this; zh vision; ə = *a* in alone, *e* in system, *i* in easily, *o* in gallop, *u* in circus.

(٢) يضعف ×(٣) يَهْزُل . **—emaciation** *(n.)*

e-mail *(n.; vt.)* (١) البريد الإلكتروني §(٢) يرسل بريداً إلكترونياً .

emanate [ĕm'ə nāt'] *(vi.; t.)* (١) ينبعث ؛ ينبثق ×(٢) يُطلق .

emanation [-ə nā'-] *(n.)* (١) «أ» انبثاق. «ب» نظرية الصدور أو الفيْض (في خلق العالم) (٢) فَيْض (٣) نتيجة ؛ ثمرة (٤) عنصر غازيّ ثقيل ناشيء عن الانحلال الاشعاعي (~ **radium**).

emancipate [ĭ măn'sə pāt'] *(vt.)* (١) يحرر ولداً (من سلطة أبيه عليه) (٢) يُعتِق ؛ وبخاصة من العبودية .
—emancipator *(n.)*

emancipation [ĭ măn sə pā'-] *(n.)* تحرير ؛ إعتاق.

emarginate [ĭ mär'jə nāt] ; **-d** *(adj.)* مُسنَّن الحاشية .

emasculate [*v.* ĭ măs'kyə lāt' ; *adj.* -lĭt] *(vt.; adj.)* (١) يَخصي (٢) يُضعِف §(٢) مَخصيّ ؛ عاجز ؛ مخنّث .
—emasculation *(n.)* **—emasculator** *(n.)*

embalm [ĕm bäm'] *(vt.)* (١) يحنّط (٢) يُعطّر ؛ يضمّخ (٣) يصون (من الفساد أو النسيان) . **—embalmer** *(n.)*
—embalmment *(n.)*

embank [ĕm băngk'] *(vt.)* يطوّق أو يحصر بسد.

embankment [-mənt] *(n.)* (١) إقامة سدّ (٢) «أ» سَدّ. «ب» جسر .

embargo [ĕm bär'gō] *(n.; vt.)* (١) أمرٌ حكومي بمنع إقلاع السفن التجارية (٢) حظْر (مفروض على التجارة) (٣) تحريم (٤) أمرٌ بمنع أو تحديد شحن السلَع §(٥) يفرض مثل هذا المنع أو الحظر على .

embark [ĕm bärk'] *(vt.; i.)* (١) يُنزِل (أو يُصعِد) إلى سفينة أو طائرة (٢) يوظّف في مشروع ×(٣) يركب متن سفينة أو طائرة (٤) يباشر عملاً .
—embarkation ; embarkment *(n.)*

embarrass [ĕm băr'əs] *(vt.)* (١) يَعُوق (٢) «أ» يُرْبِك. «ب» يورّط في متاعب مالية (٣) يُعقّد .

embarrassingly [ĕm băr'-] *(adv.)* إلى حدٍ مُرْبِك .

embarrassment [ĕm băr'-] *(n.)* (١) «أ» ارتباك . «ب» ارتباك مالي . «ج» ضَعْف (٢) «أ» عائق. «ب» وفرة يتعيّن على المرء أن يختار منها (~ **of riches**) .

embassador [ĕm băs'ə dər] = ambassador.

embassy [ĕm'bə sĭ] *(n.)* السفارة : «أ» منصب السفير أو مهمته. «ب» هيئة من الممثلين الدبلوماسيين يرئسها سفير . «ج» مقرّ السفير .

embattle [ĕm băt'əl] *(vt.)* (١) يُعِدّ للمعركة (٢) يحصّن (مدينة الخ .) (٣) يزود بشرفات مفرّجة (را . battlement).

embattlement *(n.)* = battlement.

embay [ĕm bā'] *(vt.)* (١) يحصُر أو يؤوي في خليج (٢) يطوّق .

embed [ĕm bĕd'] *(vt.; i.)* (١) «أ» يطمر . «ب» يجعله جزءاً لا يتجزأ من (٢) يطوّق بإحكام ×(٣) ينطمر الخ .

embellish [ĕm bĕl'ĭsh] *(vt.)* يزيّن ؛ يزخرف .

embellishment [-bĕl'-] *(n.)* (١) تزيين ؛ زخرفة (٢) زينة ؛ زُخرف .

ember [ĕm'bər] *(n.)* جَمرة ؛ جذْوة .

embezzle [ĕm bĕz'əl] *(vt.)* يختلس .

embitter [ĕm bĭt'ər] *(vt.)* (١) يمرّر الشيءَ أو يزيده مرارة (٢) يَغيظ (٣) يُنغّص .

emblaze [ĕm blāz'] *(vt.)* (١) يزخرف ببذخ (٢) يُشعِل .

emblazon [ĕm blā'zən] *(vt.)* (١) يزيّن بشعارات النبالة (٢) «أ» يزخرف بألوان زاهية . «ب» يمجّد ؛ ينشر شهرة امرىء في الآفاق .
—emblazonment; emblazonry *(n.)*

emblem [ĕm'bləm] *(n.; vt.)* (١) شعار (٢) رمز §(٣) يرمّز : يمثّل برمز أو شعار .
—emblematic *(adj.)*

emblematize [ĕm blĕm'-] *(vt.)* يرمّز : يصور أو يمثّل برمز .

emblements [ĕm'-] *(n.pl.)* غلة الأرض (العائدة شرعاً إلى مستأجرها)

embodiment [ĕm bŏd'ĭ mənt] *(n.)* (١) تجسيد ؛ تجسّد (٢) تضمين ؛ تضمّن الخ . (٣) مثال ؛ عنوان (الشجاعة أو الإخلاص) .

embody [ĕm bŏd'ĭ] *(vt.)* (١) يُجسّد (٢) يشمل ؛ ينتظم ؛ يجمع (٣) يضمّن ؛ يُدْمج في (٤) يشخّص : يصور على شكل إنسان أو حيوان .

embolden [ĕm bōl'dən] *(vt.)* يُجرّىء ؛ يشجّع .

embolectomy [-bə lĕk'-] *(n.)* استئصال السدادة (جر) .

embolism [ĕm'bə lĭz'əm] *(n.)* (١) «أ» إضافة الأيام أو الشهور أو السنوات إلى حساب زمنيّ . «ب» الزمن المضاف (٢) «أ» انسداد وعاء دموي بسِدادة (مض) . «ب» سِدادة (في وعاء دموي) .

embolus [ĕm' bə ləs] *(n.)* **pl. -li** سِدادة (في وعاء دمويّ) .

embonpoint [än bôn pwăn'] *(F.)* بَدانة ؛ امتلاء (في الجسم) .

embosom [-bŏŏz'əm] *(vt.)* (١) يحتضن (٢) **cherish** (٣) يطوّق .

emboss [ĕm bôs'] *(vt.)* (١) يزيّن بنقوش نافرة (٢) يُنتِىء (٣) يزخرف .
—embosser *(n.)* **—embossment** *(n.)*

embouchure [äm'bŏŏ shŏŏr'] *(F.)* (١) مصبّ النهر (٢) وَضْع الشفتين واستخدامهما عند النفخ في آلة موسيقية (٣) فم الآلة الموسيقية.

embowed [ĕm bōd'] *(adj.)* مُنحَنٍ ؛ مُقوّس ؛ مُقبّب .

embowel [ĕm bou'əl] *(vt.)* ينزع الأحشاء .

embower [-bou'ər] *(vt.)* يظلّل ؛ يعرّش .

embrace [-brās'] *(vt.; i.; n.)* (١) «أ» يعانق . «ب» يُحيط (٢) يطوّق (٣) «أ» يعتنق (فكرةً أو ديناً) . «ب» يتقبّل بسرور . «ج» يغتنم (فرصةً) (٤) «أ» يتضمن ؛ يشمل . «ب» يساوي ؛ يعادل ×(٥) يتعانق §(٦) عناق الخ . (٧) قبضة (٨) قبول ؛ اعتناق .

embracery [-brās'] *(n.)* محاولة لإفساد ضمير محلّف أو موظّف.

embranchment [-brănch'mənt] *(n.)* (١) تفرع (٢) فَرْع .

embrangle [-brăng'-] *(vt.)* يربك ؛ يشوّش .

embrasure [-brā'zhər] *(n.)* (١) فتحة في جدار (لباب أو نافذة) داخلُها أوسع من خارجها (٢) كوّة في جدار حصن (لإطلاق نيران المدافع) .

embrittle [-brĭt'-] *(vt.; i.)* (١) يجعله هشاً ×(٢) يصبح هشاً .

embrocate [ĕm'brō kāt'] *(vt.)* يمرّهم : يدلك بمرهم .

embrocation *(n.)* (١) المرهمة : دلكٌ بمرهم (٢) دَلوك ؛ مرهم .

embroider [-broi'dər] *(vt.; i.)* (١) يطرّز (٢) يزخرف (٣) يبالغ .

embroidery [-'də rĭ] *(n.)* (١) «أ» تطريز . «ب» شيء مطرّز (٢) زخرفة (٣) شيء معجِب ولكنه غير هام .

embroil [-broil'] *(vt.)* (١) يشوّش ؛ يُفسد نظام شيء (٢) يورّط .

embroilment [-broil'] *(n.)* (١) مصدر **embroil** (٢) نزاع (٣) تورّط

embrown [-broun'] *(vt.)* (١) يدكّن ؛ يجعله داكن اللون (٢) يسمّر .

embry- *or* **embryo-** بادئة معناها : «جنين» .

embryo [ĕm'brĭ ō'] *(n.)* (١) جنين (٢) حالةٌ جنينية .

embryogeny [-brĭ ŏj'ə nĭ] *(n.)* تكوّن الجنين أو نشوؤه .

embryologist [ĕm brĭ ŏl'ə -] *(n.)* الاختصاصي في علم الأجنّة

embryology [-brĭ ŏl'ə jĭ] *(n.)* عِلم الأجنّة .

embryonal [ĕm'brĭ ə nəl] *(adj.)* جَنيني .

embryonic [-brĭ ŏn'ĭk] *(adj.)* (١) جَنينيّ (٢) بدائي ؛ غير ناضج .

emmenagogue [ə mĕn'-] *(n.)* المَطْمَث : عامل مُدِرّ للطمث.
emmet [ĕm'ĭt] *(n.)* نملة (ع)
emollient [ĭ mŏl'-] *(adj.; n.)* (١) مرطّب أو مُطرّ للبشرة (٢) مهدىء.
emolument [-'yə mənt] *(n.)* (١) أجر ؛ راتب (٢) تعويض .
emotion [ĭ mō'shən] *(n.)* (١) انفعال (٢) «أ» إحساس. «ب» عاطفة.
emotional *(adj.)* (١) عاطفي (٢) مثير للعاطفة (٣) مهتاج عاطفياً .
emotionalism [-ə lĭz'əm] *(n.)* العاطفية : «أ» الاسترسال مع العاطفة. «ب» نزعة إلى النظر للأشياء عاطفياً .
emotionalist *(n.)* العاطفيّ : من ينزع إلى الاعتماد على العاطفة دون العقل
emotionality [ĭ mō'shə năl'ə tĭ] *(n.)* العاطفية ؛ الانفعالية .
emotionalize [ĭ mō'shən ə līz'] *(vt.)* يخلع صفةً عاطفيةً على
emotionless [ĭ mō'-] *(adj.)* عديم العاطفة أو التأثر .
emotive [ĭ mō'tĭv] *(adj.)* عاطفيّ ؛ انفعاليّ .
empanel *(vt.)* (١) يدرج في جدول المحلَّفين (٢) يختار محلفاً من الجدول .
empathy [ĕm'pə thĭ] *(n.)* الاعتناق ؛ التقمُّص العاطفي (نف)
empennage [än pĕ nàzh] *(F.)* مجموعة الذيل (طي) .
emperor [ĕm'pər ər] *(n.)* امبراطور .
empery [ĕm'pə rĭ] *(n.)* امبراطورية .
emphasis [ĕm'fə sĭs] *(n.)* (١) تشديد (على كلمة أو مقطع) (٢) توكيد .
emphasize [ĕm'fə sīz'] *(vt.)* يشدد ؛ يؤكّد .
emphatic [-făt'ĭk] ; **-al** *(adj.)* (١) مشدّد ؛ مؤكَّد (٢) معبّر عن نفسه بأسلوب توكيدي ؛ نزّاع إلى اتخاذ المواقف الحاسمة (٣) رائع ؛ لافتٌ للنظر .
emphysema [ĕm'fə sē'mə] *(n.)* انتفاخ ؛ انتفاخ الرئة (ط) .
empire [ĕm'pīr] *(n.)* (١) امبراطورية (٢) سلطة امبراطورية . (٣) سيطرة .
empiric [ĕm pĭr'ĭk] *(n.)* (١) دجّال (٢) ابن التجربة : شخص عديم الثقافة يعتمد كل الاعتماد على الخبرة العملية .
empirical *or* **empiric** *(adj.)* تجريبيّ : «أ» معتمد على التجربة العملية وحدها من غير اعتبار للعلم أو النظريات . «ب» مبني على الملاحظة والاختبار .
empirical formula *(n.)* الصيغة التجريبية أو الوضعية (ك) .
empiricism [-pĭr'ə sĭz'əm] *(n.)* (١) «أ» التطبيب التجريبي (من غير استعانة بالعلم أو النظريات). «ب» تدجيل (٢) التجريبية : «أ» الاعتماد على الملاحظة والتجريب . وبخاصة في العلوم الطبيعية. «ب» المذهب القائل بأن المعرفة كلها مستمدة من التجربة .
emplace [ĕm plās'] *(vt.)* يضع (شيئاً في مكان) .
emplacement [ĕm plās'-] *(n.)* (١) موضِع (المدفع الخ .) (٢) وَضْع .
employ [ĕm ploi'] *(vt.; n.)* (١) يستعمل (٢) يوظّف ؛ يستخدم بأجر § (٣) خدمة (in the government's ~).
employee *or* **employe** [-ploi'ē] *(n.)* المستخدَم ؛ الأجير .
employer [ĕm ploi'ər] *(n.)* المستخدِم ؛ صاحبُ العمل .
employment [-'mənt] *(n.)* (١) استعمال (٢) «أ» عمل ؛ وظيفة . «ب» خدمة (٣) استخدام .
empoison [ĕm poi'zən] *(vt.)* (١) يسمّم (١.ق) (٢) يُفسِد .
emporium [-pōr'ĭ əm] *(n.)* pl. **-s** *or* **-ria** (١) سوق أو مركز تجاري (٢) متجر ضخم (لبيع مختلف السلع) .
empower [-pou'ər] *(vt.)* (١) يفوض ؛ يمنح سلطةً (٢) يمكّن ؛ يساعد على .
empress [ĕm'prĭs] *(n.)* (١) امبراطورة (٢) زوجة امبراطور .

embryo sac *(n.)* الكيس الجنيني (نب) .
embryotic [-brĭ ŏt 'ĭk] *(adj.)* بدائي ؛ أوّلي ؛ غير ناضج .
emcee [ĕm'sē'] *(n.; vi.; t.)* (١) مدير المراسم أو التشريفات . § (٢) يعمل مديرَ مراسم أو تشريفات .
emend [ĭ mĕnd'] *(vt.)* (١) يصحح (٢) ينقح (نصاً) .
emendate [ē'-] *(vt.)* ينقّح . **—emendatory** *(adj.)*
emendation [ē'mĕn dā'-; ĕm-] *(n.)* تصحيح ؛ تنقيح .
emerald [ĕm'ər əld] *(n.; adj.)* (١) زمُرُّد § (٢) زمرّدي اللون .
emerald green *(n.)* الأخضر الزمرّديّ (لون) .
emerge [ĭ mûrj'] *(vi.)* (١) ينبثق ؛ يظهر للعيان (٢) يبزغ (٣) ينشأ .
emergence [ĭ mûr'jəns] *(n.)* انبثاق ؛ بزوغ ؛ نشوء .
emergency [-'jən sĭ] *(n.)* (١) طارىء (٢) ضرورة ؛ حاجة ملحة .
~ **exit** مَخرج الطوارىء : باب مُعَدّ خصيصاً لخروج النظارة من مسرح أو دار للسينما عند حدوث حريق الخ .) .
~ **landing** الحطّ أو الهبوط الاضطراري (عند حصول خلل في المحرّك) .
emergent [ĭ mûr'jənt] *(adj.; n.)* (١) منبثق (من الماء أو نحوه). (٢) «أ» طارىء . «ب» مُلِحّ (٣) ناشىء كنتيجة طبيعية أو منطقية § (٤) نبتة نامية في ماء ضَحْل معظمها بادٍ للعيان فوقه.
emeritus [ĭ mĕr'ə təs] *(adj.)* (١) فخري: حامل بعد التقاعد لقب شرفٍ مطابقاً للذي كان يحمله آخر مرة أثناء الخدمة الفعلية (a professor ~) (٢) متقاعد .
emersed [ĭ mûrst'] *(adj.)* بارز فوق سطح الماء الخ .
emersion [ĭ mûr'shən; -zhən] *(n.)* انبثاق ؛ بزوغ ؛ نشوء .
emery [ĕm'ə rĭ; ĕm'rĭ] *(n.)* صَنْفَرَة ؛ سُنْباذَج .
emery paper *(n.)* ورق الصَّنْفَرَة ؛ « ورق الزجاج » .
emery wheel *(n.)* عجلة الصَّنْفَرَة ؛ دولاب الصَّقْل أو الجلخ .
emetic [ĭ mĕt'ĭk] *(adj.; n.)* (١) مُقَيِّىء § (٢) دواء مُقَيِّىء .
emetine [ĕm'ə tēn'; -tĭn] *(n.)* الأميتين (ك) .
-emia لاحقة معناها : حالة الدم (leuk*emia*).
emigrant [-'ə grənt] *(n.; adj.)* مهاجر ؛ نازح .
emigrate [ĕm'ə grāt'] *(vi.)* يهاجر ؛ ينزح .
emigration [-grā'-] *(n.)* هِجرة ؛ نزوح .
émigré [-'ə grā] *(F.)* اللاجىء : المُكْرَه على الهجرة لظروف سياسية الخ .
eminence [ĕm'ə nəns]; **eminency** *(n.)* (١) «أ» سموّ ؛ علاء . «ب» نيافة (لقب الكردينال) (٢) «أ» شخص رفيع المقام . «ب» ربوة ؛ هضبة .
eminent [-'ə nənt] *(adj.)* (١) بارز (٢) «أ» ناتىء . «ب» شاهق (٣) متفوّق .
eminent domain *(n.)* حق الحكومة في مصادرة الملكية الشخصية.
emir [ə mĭr'] *(Ar.)* أمير . **—emirate** *(n.)*
emissary [ĕm'ə-] *(n.)* (١) رسول ؛ مبعوث (٢) جاسوس أو بوليس سري .
emission [ĭ mĭsh'ən] *(n.)* (١) «أ» إطلاق . «ب» إصدار . «ج» ابتعاث (فز) (٢) شيء منبعث .
—emissive *(adj.)*
emissivity [ĕm'ə sĭv'ə tĭ] *(n.)* الابتعاثية ؛ المُبْتَعِثية : قدرة السطح النسبية على إطلاق الحرارة بالاشعاع .
emit [ĭ mĭt'] *(vt.)* (١) «أ» يبتعث . «ب» يقذف (٢) يُصدر (أمراً أو أوراقاً مالية) (٣) يعبّر عن .

empressement [än prĕs män'] *(F.)* (١) حماسة (٢) حرارة ؛ مودة .
emprise [ĕm prīz'] *(n.)* (١) مشروع جريء (٢) إقدام ؛ جرأة .
emptiness [ĕmp'-] *(n.)* فراغ ؛ خلاء ؛ حماقة ؛ جوع الخ .
empty [ĕmp'tĭ] *(adj.; vt.; i.; n.)* (١) «أ» فارغ . «ب» خالٍ . «ج» غير آهل . «د» غير حبلى (٢) «أ» أجوف . «ب» باطل . «ج» أحمق (٣) جائع (٤) «أ» متبطّل (hours ~) . «ب» عقيم ؛ عديم الجدوى § (٥) «أ» يُفرغ . «ب» يجرِّد من (٦) يَسكب (٧) يُخلي × (٨) يَفرُغ (٩) يَصُبّ (١٠) يبول أو يتغوّط § (١٠) شيء فارغ (كزجاجة أو عربة الخ .) .
empty-handed *(adj.)* صِفر اليدين ؛ فارغ اليدين .
empty-headed *(adj.)* أحمق ؛ غبي .
empurple [ĕm pûr'-] *(vt.; i.)* (١) يحمّر أو يَصْبغ بالأرجوان . × (٢) يحمرّ .
empyema [ĕm'pĭ ē'mə; -pī] *(n.)* تقيّح .
empyreal [ĕm pĭr'ĭ əl] *(adj.)* (١) سماوي (٢) سام ؛ رفيع .
empyrean [-pə rē'ən] *(adj.; n.)* (١) سماوي ؛ سام . § (٢) عِلّيّون ؛ جنة الخُلد (٣) السماء .
emu [ē'mū] *(n.)* الأمو : طائر استرالي كالنعامة لكنه أصغر منها .

emu

emulate [ĕm'yə-] *(vt.)* (١) «أ» ينافس ؛ يباري . «ب» يحاكي (٢) يضاهي .
emulation [-yə lā'shən] *(n.)* (١) منافسة (٢) محاكاة .
emulative *(adj.)* (١) منافس ؛ محاكٍ (٢) تنافسي .
emulator [ĕm'yə-] *(n.)* المنافس ؛ المحاكي ؛ المضاهي .
emulous [ĕm'yə ləs] *(adj.)* (١) متنافس (suitors~) (٢) تنافسي .
emulsification [ĭ mŭl sə fĭ kā'-] *(n.)* استحلاب .
emulsifier [ĭ mŭl'-] *(n.)* المستحلِب ؛ وبخاصة : عامل مستحلِب (ك) .
emulsify [ĭ mŭl'sə fī'] *(vt.)* يستحلب : يحوّل إلى مستحلَب .
emulsion [ĭ mŭl'shən] *(n.)* (١) المستحلَب (ك) (٢) الطبقة الحساسة (فو) .
—**emulsive** *(adj.)*
en- *also* **em-** بادئة معناها : «أ» يضع على أو في (*en*throne) . «ب» يجعله كذا (*en*able) . «ج» يزوّد بـِ (*em*power) .
-en لاحقة معناها : «أ» مصنوع من (wool*en*) . «ب» يجعله كذا (bright*en*) «ج» يصبح كذا (soft*en*) .
enable [ĕn ā'bəl] *(vt.)* (١) يمكّن (٢) يخوّل .
enact [ĕn ăkt'] *(vt.)* (١) يسنّ (قانوناً) (٢) يمثّل دور كذا (to ~ Hamlet) (٣) يَحْدُث (the scene where the murder was ~*ed*)
enactment [-'mənt] *(n.)* (١) التشريع : سن القوانين (٢) قانون .
enamel [ĭ năm'əl] *(vt.; n.)* (١) يطلي بالمينا (٢) يزخرف بسطح ملوّن (٣) يصقل ؛ يلمّع § (٤) «أ» مينا . «ب» طلاء .
enamelware [ĭ năm'əl-] *(n.)* آنية مطلية بالمينا .
enamor *or* **enamour** [ĕn ăm'ər] *(vt.)* يَفْتِن ؛ يُتيِّم .
enarthrosis [ĕn'är thrō'sĭs] *(n.)* المَفْصِل الحُقّي (ت) .
en bloc [ĕn blŏk'] *(F.)* (١) ككل ؛ جملةً (٢) ككتلة واحدة .
encage [ĕn kāj'] *(vt.)* يحبس في قفص .
encamp [ĕn kămp'] *(vt.; i.)* (١) «أ» يقيم مخيّماً . «ب» يضع في مُخَيّم × (٢) يخيّم ؛ يُعسكر .
encampment [ĕn kămp'-] *(n.)* (١) تخييم ؛ عَسكرة (٢) مخيّم .
encapsulate *(vt.; i.)* (١) يُكَبْسِل ؛ يغلّف × (٢) يتكبسل ؛ يتغلف .
encase [ĕn kās'] *(vt.)* (١) يُصَنْدِق : يضع في صندوق (٢) يغطي ؛ يكسو .
encaustic [-kôs'tĭk] *(adj.; n.)* (١) مرسوم بألوان شمعية مُثَبَّتة بالحرارة § (٢) لوحة فنية مرسومة بهذه الألوان .
enceinte [ĕn sānt'] *(adj.; n.)* (١) حُبْلى § (٢) «أ» سور . «ب» حصن (مطوّق بسور) .
encephal- *or* **encephalo-** بادئة معناها : الدماغ .
encephalic [ĕn'sə făl'ĭk] *(adj.)* دماغي .
encephalitis [ĕn sĕf'ə lī'tĭs] *(n.)* التهاب الدماغ .
encephalon [ĕn sĕf'ə lŏn'] *(n.)* الدماغ (ت) .
enchain [-chān'] *(vt.)* (١) يصفّد ؛ يكبّل (٢) يأسر (الانتباه) .
enchant [-chănt'] *(vt.)* (١) يسحر (٢) يفتِن ؛ يسبي .
enchanter [-chăn'-] *(n.)* فا enchant ، وبخاصة : الساحر ؛ العرّاف .
enchantment [-chănt'-] *(n.)* (١) سِحْر (٢) افتتان (٣) شيء ساحر .
enchantress [-chăn'-] *(n.)* (١) الساحرة ؛ العرّافة (٢) امرأة فاتنة .
enchase [ĕn chās'] *(vt.)* (١) يضع (الجوهرة) في موضعها من الخاتم . (٢) ينقش (٣) يزخرف ؛ يرصّع .
enchiridion [ĕn'kī rĭd'ĭ ən; -kĭ-] *(n.)* كتاب .
encipher [-sī'-] *(vt.)* يُشَفِّر : يحوّل (رسالة) إلى شِفرة .
encircle [-sûr'-] *(vt.)* يطوّق ؛ يحيط بـِ . —**ment** *(n.)*
enclasp [-klăsp'; -kläsp'] *(vt.)* يطوّق (بذراعيه) .
enclave [ĕn'klāv] *(n.)* بلاد أو مقاطعة محاطة بأرض أجنبية .
enclose [-klōz'] *(vt.)* (١) يطوّق ؛ وبخاصة : يُسيِّج (٢) يحبس ؛ يحصر (٣) يضع في مغلّف أو طرْد (٤) ينطوي على .
enclosure [-klō'zhər] *(n.)* (١) تطويق ؛ تسييج (٢) انحباس (٣) سياج (٤) حظيرة مسيّجة (٥) محتويات مغلف أو طرد .
encode [-kōd'] *(vt.)* يحوّل (رسالة) إلى رموز تلغرافية .
encomiast [-kō'-] *(n.)* المدّاح ؛ المادح .
encomium [-kō'-] *(n.)* pl. -s *or* -mia مديح .
encompass [-kŭm'-] *(vt.)* (١) يطوّق (٢) يشمل (٣) ينجز ؛ يقوم بـِ .
encore [äng' kōr; än'-] *(interj.; n.; vt.)* (١) ثانيةً ؛ مرةً ثانية . § (٢) استعادة § (٣) يستعيد (أغنيةً الخ .) .
encounter [ĕn koun'tər] *(vt.; n.)* (١) «أ» يواجه (عدواً) . «ب» يصادم ؛ يناوش (٢) يلاقي ؛ يقابل (٣) يصادف ؛ يلقى من غير توقع § (٤) «أ» صدام . «ب» مناوشة (٥) لقاء غير متوقع .
encourage [ĕn kûr'ĭj] *(vt.)* (١) يشجّع (٢) يستحثّ (٣) يساعد ؛ يرعى .
encouragement [-mənt] *(n.)* (١) تشجيع الخ . (٢) مشجّع .
encouraging *(adj.)* مشجّع . **-ly** *(adv.)*
encrimson [-krĭm'zən] *(vt.)* يُقرمِز : يصبغ بلون قرمزي .
encroach [-krōch'] *(vt.)* (١) يتعدّى تدريجياً (أو خلسةً) على ممتلكات الآخرين أو حقوقهم (٢) يتجاوز ؛ يتخطّى ؛ ينتهك حرمة كذا .
—**encroachment** *(n.)*
encrust [-krŭst'] *(vt.; i.)* (١) يُلبِّس بقشرة × (٢) يشكّل قشرة .
encumber [-kŭm'-] *(vt.)* (١) يُثقل (٢) يعوق (٣) يرهق بالديون .
encumbrance *(n.)* (١) عائق (٢) رهن أو دَين (على عقار) (٣) طفل .
-ency لاحقة معناها : حالة (depend*ency*) .
encyclical [-sĭk'-] *(adj.; n.)* (١) عامّ § (٢) منشور (بابويّ) عامّ .
encyclopedia [ĕn sī'klə pē'dĭ ə] *(n.)* موسوعة ؛ مَعْلَمة ؛

دائرة معارف .

encyclopedic [-pē'dĭk] *(adj.)* (١) موسوعي ؛ معلّمي (٢) شامل .

encyclopedism [-'dĭz əm] *(n.)* الموسوعية : الثقافة الموسوعية العريضة .

encyclopedist [-pē'-] *(n.)* (١) الموسوعي : المشارك في وضع موسوعة (٢) *cap.* عد : أحد واضعي الموسوعة الفرنسية (١٧٥١—١٧٨٠) .

encyst [ĕn sĭst'] *(vt.; i.)* (١) يكيّس ×(٢) يتكيّس .

end [ĕnd] *(n.; vt.; i.)* (١) «أ» حدّ . «ب» طَرَف . «ج» نهاية ؛ آخِر . «د» أحد اللاعبَيْن عند طرَفي الخط الأمامي (كرة القدم) (٢) «أ» توقف . «ب» موت ؛ هلاك . «ج» نتيجة (٣) بقية (٤) غرض ؛ غاية ؛ هدف §(٥) «أ» يُنهي . «ب» يقتل (٦) يشكّل نهاية لـ ×(٧) ينتهي (٨) يموت .

at a loose ~, عاطل عن العمل (موقتاً) .

at one's wits' ~, مشدوه أو مرتبك جداً .

at the ~ of his tether . عاجز عن فعل أي شيء إضافي

no ~, إلى حد بعيد (ع) .

no ~ of مقدار وافر (أو لا نهاية له) من . . .

on ~, (١) قائم ؛ منتصب (٢) من غير انقطاع .

to come to an ~, ينتهي .

to make both ~*s* meet يقتصد في الانفاق حتى لا يتخطى حدود دخله .

to put an ~ to | to make an ~ of يوقف ؛ يضع حداً لـ . يقضي على .

wrong ~ of the stick نقيض المقصود أو المراد .

end- *or* **endo-** بادئة معناها : داخلَ ؛ داخلي (*endo*skeleton) .

endamage [ĕn dăm'ĭj] *(vt.)* يؤذي ؛ يضرّ .

endamoeba [-mē'bə] *(n.)* الأندميبة : طفيليّ مسبّب للزحار .

endanger [-dān'jər] *(vt.)* يعرّض للخطر .

endbrain [ĕnd'-] *(n.)* الدماغ الانتهائي (ت) .

endear [-dĭr'] *(vt.)* يحبّب (~*ed* himself to his mother) .

endearment [-dĭr'-] *(n.)* (١) مص **endear** (٢) تربيتة تحبّبية .

endeavor [-dĕv'-] *(vt.; i.; n.)* (١) يحاول ؛ يسعى §(٢) محاولة ؛ مسعى .

endemic [-dĕm'ĭk] *(adj.; n.)* (١) مستوطِن §(٢) مرض مستوطن .

endermic [-'mĭk] *(adj.)* جلديّ (~ medication) .

ending [ĕn'-] *(n.)* (١) إنهاء (٢) انتهاء (٣) نهاية (٤) موت .

endive [ĕn'dīv] *(n.)* الهندباء : بقل يؤكل (نب) .

endless [-'lĭs] *(adj.)* (١) لانهائي (٢) متّصل (~chain) .

end man *(n.)* الأخير في صفّ ؛ وبخاصة : أحد رجلين في طرَفَي صفّ من المسرحيين المشاركين في حوار هزلي .

endmost [ĕnd'mōst'] *(adj.)* الأقصى ؛ الأبعد .

endo- = end-.

endoblast *(n.)* الجذعية الداخلية : طبقة الجنين الجرثومية الداخلية (أح) .

endocardial [-kär'dĭ əl] *(adj.)* شِغافيّ .

endocarditis [-dī'tĭs] *(n.)* الشُّغاف : التهاب الشِّغاف (مض) .

endocardium [-kär'dĭ əm] *(n.)* الشِّغاف : بطانة القلب (ت) .

endocarp [ĕn'dō-] *(n.)* غلاف الثمرة الداخليّ (نب) .

endocrine [ĕn'dō krĭn'] *(adj.; n.)* (١) أصمّ ؛ باطنيّ الافراز (~ glands) (٢) هرموني §(٣) هرمون (٤) غدّة صمّاء .

endocrinology [-nŏl'ə jĭ] *(n.)* علم الغُدد الصُّمّ (مج) .

endoderm [ĕn'dō dûrm] *(n.)* = endoblast.

endodermis *(n.)* الأدَمَة الباطنية : طبقة القِشرة الباطنيةُ (نب) .

endoenzyme *(n.)* الانزيمة الداخلية : انزيمة تعمل داخل الخلية (كح) .

endogamy [-dŏg'ə mĭ] *(n.)* (١) الزواج اللُّحمي (بين أفراد القبيلة الواحدة) (٢) التناسل بين الأقارب الأدنين ؛ وبخاصة : تلقيح زهرة بلقحٍ من زهرة أخرى من النبات نفسه .

—endogamous *(adj.)*

endogen [ĕn'də jĕn] *(n.)* الباطنيّ النموّ : نبات باطنيّ النموّ .

endogenous [-dŏj'ə nəs] *(adj.)* باطنيّ النموّ .

endogeny [-dŏj'ə nĭ] *(n.)* النماء الباطنيّ : نماء من الداخل (أح) .

endolymph [ĕn'dō lĭmf'] *(n.)* السائل المائي في الأذن الداخلية .

endometritis [-trī'tĭs] *(n.)* التهاب بطانة الرحم (مض) .

endomorph *(n.)* المتبالرة : بلورة متضمّنة في بلّورة من نوع آخر .

endoparasite [-păr'-] *(n.)* الطفيلي الباطنيّ : حيوان طفيلي يحيا على أنسجة مضيفه أو أعضائه الباطنية .

endophagous [-dŏf'ə gəs] *(adj.)* باطنيّ الاغتذاء : متغذٍّ من الداخل .

endophyte [ĕn'-] *(n.)* المتنابتة : نبتة تحيا داخلَ نبتة أخرى (نب) .

endoplasm [ĕn'-] *(n.)* الجبيلة الداخلية («أح» و«نب») .

endorse [ĕn dôrs'] *(vt.)* (١) «أ» يظهِّر شيكاً : يوقّع على ظهره ليقبض قيمته . «ب» يوقّع على شيك أو سَنَد الخ . «ج» يجيّر : يحوِّل قيمة شيك إلى شخص آخر (بالتوقيع على ظهره) . «د» يقرّ بتسلّم مبلغ (موقّعاً على وثيقة) (٢) يصادق على .

—endorser *(n.)*

endorsee [-sē'] *(n.)* المظهَّر له : من يظهَّر الشيك لمصلحته .

endorsement [-'mənt] *(n.)* (١) تظهير شيك ؛ توقيع سند الخ . (٢) الملحَق : شرطٌ مضافٌ إلى عقد التأمين مُعدِّل لنطاقه أو وجوه تطبيقه (٣) مصادقة ، موافقة .

endoscope [ĕn'-] *(n.)* المِجواف : أداة أنبوبيّة لفحص الجزء الداخليّ من عضو أجوف (ط) .

endoskeleton [-skĕl'-] *(n.)* الهيكل الداخلي (لجسم الحيوان) .

endosmosis [-dŏs mō'sĭs; -dŏz-] *(n.)* الانتضاح ؛ التحال أو التنافذ الداخليّ (ك) .

endosperm [ĕn'-] *(n.)* السويداء : نسيج مُغذّ في بزور النباتات يتشكّل ضمن كيس الجنين .

endospore [ĕn'-] *(n.)* البوّغ الداخلي : بوغة نامية داخل الخلية .

endosteal [ĕn dŏs'-] *(adj.)* واقع ضمن عظم أو غضروف .

endosternite *(n.)* الفلقة الداخلية : فلقة من الهيكل الداخلي لحيوان مفصلي .

endosteum [-dŏs'-] *(n.)* pl. **-tea** السِّمحاق الداخليّ : الغشاء الوعائي المبطّن للتجويف النخاعي للعظم (ت) .

endostosis [-tō'sĭs] *(n.)* التعظّم الغضروفي (ت) .

endotheli- *or* **endothelio-** بادئة معناها : البطانة (را. المادة التالية) .

endothelium *(n.)* pl. **-lia.** البِطانة : الغشاء المبطّن للأوعية الدموية الخ .

endotherm [ĕn'-] *(n.)* الثابت الحرارة : حيوان ثابت الحرارة .

endothermic *or* **endothermal** *(adj.)* ماصّ للحرارة (ك) .

endotoxin [-tŏk'sĭn] *(n.)* الذِّيفان الداخليّ : سُمّ داخليّ المنشأ .

endow [-dou'] *(vt.)* (١) يقف مالاً على (to ~ a college) (٢) يهب ؛ يمنح .

endowment [-'mənt] *(n.)* (١) مَنْح (٢) وقف (٣) موهبة طبيعية .

endozoic [-zō'ĭk] *(adj.)* عائش ضمن حيوان (نب) .

endpaper [ĕnd'-] *(n.)* الورقة الأخيرة : ورقة مطوية طيّة واحدة يُلصق جانبٌ منها على باطن الغلاف الأمامي أو الخلفي من كتاب ويلصق الجانب الآخر عند قاعدة صفحته الأولى أو الأخيرة .

end run *(n.)* حيلة يراد بها التملّص .

end product *(n.)* الحصيلة الأخيرة ؛ الناتج الأخير .

end table *(n.)* طاولة صغيرة توضع أمام قطعة أثاث أكبر منها.

endue [ĕn dū'; -dōō'] *(vt.)* (١) يَهَب ؛ يمنح (٢) don (٣) يكسو .

endurable [ĕn dyŏŏr'-] *(adj.)* محتمَل ؛ يُطاق .

endurance *(n.)* (١) ثبات ؛ بقاء (٢) احتمال ؛ جَلَد ؛ إطاقة (٣) محنة .

endure [ĕn dyŏŏr'] *(vi.; t.)* (١) يثبُت ؛ يبقى (٢) يتحمّل . ×(٣) يُطيق .

enduring [-dyŏŏr'-] *(adj.)* (١) ثابت ؛ باقٍ (٢) حليم ؛ طويل الأناة .

endways *or* **endwise** [ĕnd'-] *(adv.)* (١) في وضع تكون فيه مؤخرة الشيء أمام الناظر (٢) طولاً ؛ بالطول (٣) منتصباً ، مستقيماً .

-ene لاحقة معناها : مركّب فحميّ غير مُشبَع (benzene).

enema [ĕn'-] *(n.)* (١) حقنة شرجية (٢) سائل مُعَدّ لحقنة شرجية .

enemy [ĕn'ə mĭ] *(n.)* (١) خصم (٢) عدوّ .

energetic [-jĕt'ĭk] *(adj.)* (١) نشيط (٢) فعّال (٣) طاقيّ : متعلق بالطاقة .

energetics [-jĕt'ĭks] *(n.)* علم الطاقة : فرع من الميكانيكا يبحث في الطاقة وتحولاتها .

energize [ĕn'ər jīz'] *(vi.; t.)* (١) يعمل بنشاط ×(٢) ينشّط ؛ يستحثّ (٣) يزوّد بالطاقة .

energy [ĕn'ər-] *(n.)* (١) نشاط (٢) مقدرة (٣) قوة (٤) طاقة (فز) .

enervate [*v.* ĕn ər vāt; *adj.* ĭ nûr'vĭt] *(vt.; adj.)* (١) يوهن ؛ يُضعِف §(٢) واهن ؛ ضعيف .

enfant terrible [än fän tĕ rē'bl] *(F.)* الولد الفظيع : ولد يُربِك بسلوكه وملاحظاته وأسئلته من هم أكبر منه سناً .

enfeeble [ĕn fē'bəl] *(vt.)* يُضعِف . **—ment** *(n.)*

enfetter [ĕn fĕt'ər] *(vt.)* يصفّد ؛ يكبّل (بالسلاسل) .

enfilade [-fə lād'] *(n.; vt.)* (١) رمي الانتظام : نار تطلق على طول خندق أو صفّ من الجند §(٢) يرمي رميَ الانتظام : يطلق النار على طول خندق أو صفّ من الجند .

enfleurage [än flœ räzh'] *(F.)* نقع الزهر (لاستخراج عطره) .

enfold [-fōld'] *(vt.)* (١) «أ» يغلّف ؛ يلفّ . «ب» يشتمل أو ينطوي على (٢) يطوّق .

enforce [-fōrs'] *(vt.)* (١) يقوّي (٢) يؤكّد على (٣) يفرض بالقوة (٤) ينفّذ ؛ يضع موضعَ التنفيذ . **—enforcement** *(n.)*

enfranchise [-'chīz] *(vt.)* (١) يُعتِق ؛ يحرر (٢) يمنحه حق الاقتراع .

engage [-gāj'] *(vt.; i.)* (١) يَعِد ، يتعهّد بـ (٢) «أ» يجذب ؛ يلفت . «ب» يعشّق (التروس) (٣) يخطب فتاة (٤) «أ» يستخدم (رجلاً) . «ب» يستأجر (غرفة) (٥) «أ» يَشغَل (The puzzle ~ *d* him all evening.) . «ب» يغريه بالمشاركة (في الحديث) (٦) ينازل ؛ يقاتل ×(٧) يكفُل (٨) «أ» يتعاطى عملاً ؛ ينهمك في . «ب» يشارك في (٩) تتعشّق (التروس) .

engaged [-gājd'] *(adj.)* (١) مشغول (٢) خاطب ؛ مخطوبة (٣) متورط ، وخاصةً في قتال مع عدو (٤) غائر جزئياً في جدار (an ~column) (٥) مُعَشَّق (~ gears) .

engagement [-gāj'mənt] *(n.)* (١) «أ» تعهّد ؛ ارتباط . «ب» خِطبة (٢) وَعْد ؛ عهد ؛ ميثاق (٣) «أ» موعِد (للقاء) . «ب» عمل ، وبخاصة بعقد ولأجل معيّن (٤) تعشّق (التروس) (٥) اشتباك ؛ معركة (٦) *pl.* التزامات مالية (تج) .

engaging [-gā'-] *(adj.)* فاتن ؛ جذّاب (~ manners) .

engarland [-gär'lənd] *(vt.)* يكلّل ؛ يطوّق بإكليل .

engender [-jĕn'-] *(vt.; i.)* (١) يُحدِث (٢) يولّد ×(٣) يتولد ؛ ينشأ .

engine [ĕn'jən] *(n.)* (١) عامل ؛ وسيلة (ا.ق) (٢) أداة ميكانيكية ؛ وبخاصة : آلة حرب أو تعذيب (٣) محرِّك (مك) (٤) قاطرة .

engineer [-nĭr'] *(n.; vt.)* (١) مهندس §(٢) يهندس . (٣) «أ» يدبّر . «ب» يوجّه .

engineering [ĕn'jə nĭr'ĭng] *(n.)* هندسة .

enginery [ĕn'jən rĭ] *(n.)* (١) آلات الحرب (٢) آلات .

engird [ĕn gûrd'] *(vt.)* يطوّق .

engirdle [-gûr'dəl] *(vt.)* يطوّق بحزام أو نطاق .

englacial [-glā'shəl] *(adj.)* مطمور في نهر جليدي .

England [ĭng'glənd] *(n.)* إنكلترة .

English [ĭng'glĭsh] *(adj.; n.; vt.)* (١) إنكليزي §(٢) اللغة الانكليزية (٣) الانكليز (٤) ترجمة انكليزية ؛ المقابل الانكليزي (لكلمة اجنبية) §(٥) يترجم إلى الانكليزية (٦) يُنَكْلِز : يجعله انكليزياً .

English horn

English horn *(n.)* المِزمار الانكليزي .

Englishman [ĭng'-] *(n.)* الانكليزي : أحد أبناء انكلترة .

English setter *(n.)* الساطر الانكليزي : كلب من كلاب الصيد .

Englishwoman [ĭng'-] *(n.)* الانكليزية : امرأة انكليزية المولد أو الجنسية أو الأصل .

engorge [-gôrj'] *(vt.; i.)* (١) يلتهم ×(٢) يحتقن بالدم .

engraft [-grăft'; -gräft'] *(vt.)* يطعّم (شجرةً أو نحوها) .

engrail [-grāl'] *(vt.)* يزيّن بحاشية مسنّنة أو مشرشرة .

engrain *(vt.)* = ingrain.

engram [ĕn'grăm] *(n.)* الأثر المخلَّف (في الدماغ من خبرة ما) .

engrave [-grāv'] *(vt.)* (١) «أ» ينقش (على الخشب أو المعدن) . «ب» يَطبَع في الذهن (٢) يحفر كليشيه أو يطبعها .

engraving *(n.)* (١) نَقْش ؛ حَفْر (٢) كليشيه أو طبعة مأخوذة عنها .

engross [ĕn grōs'] *(vt.)* (١) «أ» ينسخ أو يكتب بأحرف كبيرة . «ب» يُعِدّ النص النهائي المكتوب أو المطبوع لوثيقة رسمية (٢) «أ» يشتري بمقادير ضخمة (للمضاربة) . «ب» يحتكر (٣) يستغرق ؛ يستحوذ على الفكر أو الانتباه . **—engrosser** *(n.)*

engrossed [ĕn'-] *(adj.)* منهمك أو مستغرق (في عمل) .

engrossing [ĕn grō '-] *(adj.)* فاتن أو مستحوذ على الانتباه .

engrossment [-grōs'-] *(n.)* (١) مص engross (٢) انهماك .

engulf [-gŭlf'] *(vt.)* (١) يغمر (٢) يبتلع (٣) ينغمس في .

enhance [-hăns'] *(vt.)* (١) يعزّز ؛ يزيد (الشيءَ) قيمةً أو جمالاً (٢) يزيّن ؛ يجمّل . **—enhancement** *(n.)*

enharmonic scale *(n.)* السُلَّم الرخو (مو) .

enigma [ĭ nĭg'mə] *(n.)* (١) لُغز ؛ أحْجية (٢) شخص غامض .

enigmatic [ĕn'ĭg măt'ĭk] ; **-al** *(adj.)* مُلْغِز ؛ مُبْهَم .

enisle [ĕn īl'] *(vt.)* (١) يعزُل (٢) يجعل منه جزيرةً .

enjoin [-join'] *(vt.)* (١) يفرض ؛ يأمر بـ (٢) يمنع ؛ يحظّر .

enjoy [ĕn joi'] *(vt.)* (١) يستمتع بـ (٢) يَنْعَم بِ .
to ~ oneself يمتّع نفسه .

enjoyable [ĕn joi'ə bəl] *(adj.)* ممتع ؛ مُبهِج ؛ سارّ .

enjoyment [ĕn joi'-] *(n.)* (١) استمتاع (٢) مُتعة .

enkindle [ĕn kĭn'dəl] *(vt.; i.)* (١) يُشعِل ؛ يُضرِم ×(٢) يشتعل .

enlace [-lās'] *(vt.)* (١) يطوّق (٢) يَضفُر (٣) يزركش بالمخرّمات .

enlarge [ĕn lärj'] *(vt.; i.)* (١) يكبّر (٢) يوسّع (٣) يُطلق (سراح أسير) ×(٤) يكبُر ؛ يتّسع (٥) يسهب ؛ يُطنِب .

ă at; ā date; â care; ä car; ĕ egg; ē me; ĭ in; ī bite; ŏ lot; ō bone; ô orphan; oi boil ŏŏ good; ōō boot; ou out; ŭ under; ū unity; û urgent; th thing; th this; zh vision; ə = *a* in alone, *e* in system, *i* in easily, *o* in gallop, *u* in circus.

enlargement [ĕn lärj'-] *(n.)* (١) مص enlarge (٢) إضافة (٣) صورة مكبَّرة.

enlighten [ĕn lī'tən] *(vt.)* ينوِّر (ثقافياً أو روحياً).

enlightenment [-mənt] *(n.)* (١) «أ» تنوير . «ب» تنوُّر . (٢) *cap.* : حركة التنوير الفلسفية (في القرن الثامن عشر) .

enlist [-lĭst'] *(vt.; i.)* (١) يجنِّد شخصاً (٢) «أ» يحثّ على خدمة قضية . «ب» يستخدِم لنصرة قضية ×(٣) يتطوع (في الجيش أو لخدمة قضية عامة) .

—enlistment *(n.)*

enlisted [ĕn lĭs'tĭd] *(adj.)* مجنَّد ؛ دون مرتبة الضباط .

enliven [ĕn lī'-] *(vt.)* يُفعِم بالحياة أو الحيوية أو النشاط أو البهجة.

en masse [ĕn măs'; än măs'] *(F.)* جُملةً ؛ ككُلّ .

enmesh [-mĕsh'] *(vt.)* يصطاد بشبكة ؛ يوقع في شَرَك .

enmity [ĕn'mə tĭ] *(n.)* عداوة ؛ خصومة .

ennead [ĕn'ĭ ăd] *(n.)* التُّساعيّ : تسعة أشخاص أو أشياء .

ennoble [ĕn nō'bəl] *(vt.)* (١) يعظِّم ؛ يشرِّف (٢) ينبِّل : يرفع إلى طبقة النبلاء .

—ennoblement *(n.)*

ennui [än'wē] *(F.)* ملل ؛ ضجر ؛ سأم ؛ برَم .

enology [ĭ nŏl'-] *(n.)* علم الخمر وطريقة صنعها .

enormity [ĭ nôr'mə tĭ] *(n.)* (١) فداحة ؛ شناعة ؛ قباحة . (٢) عمل شائن ؛ جريمة منكرة (٣) ضخامة .

enormous [-'məs] *(adj.)* (١) شنيع ؛ مُنكَر (ا.ق) (٢) ضخم ؛ هائل .

enough [ĭ nŭf'] *(adj.; adv.; n.; interj.)* (١) كافٍ ؛ وافٍ . § (٢) إلى حدٍّ كافٍ (٣) تماماً (~ ready) (٤) إلى حد مقبول (.~ He sings well) § (٥) مقدار كافٍ § (٦) كفى !

en passant [än pȧ sän'] *(F.)* عرَضاً ؛ مصادفةً .

enplane [ĕn plān'] *(vi.)* يستقلّ طائرةً .

enquire [ĕn kwīr']; **enquiry** [-'ĭ] = inquire; inquiry.

enrage [ĕn rāj'] *(vt.)* يُسخِط ؛ يُحنِق ؛ يُغضِب .

en rapport [än rȧ pôr'] *(F.)* منسجم ؛ متفق مع .

enrapt [ĕn răpt'] *(adj.)* جذلان ؛ مُفعَم بابتهاج غامر .

enrapture [-răp'chər] *(vt.)* يبهج إلى أقصى حدّ .

enregister [ĕn rĕj'ĭs tər] *(vt.)* يسجِّل ؛ يدوِّن .

enrich [ĕn rĭch'] *(vt.)* (١) يغْني (٢) يزخرف (٣) «أ» يُخصِب : يزيد الأرضَ خِصباً . «ب» يزيد قيمة الطعام الغذائية بإضافة الفيتامينات إليه .

enrobe [ĕn rōb'] *(vt.)* يُلبِس ؛ يكسو .

enroll *or* **enrol** [ĕn rōl'] *(vt.; i.)* (١) يُدرِج اسماً (في سجل أو قائمة) (٢) يُعِدّ بشكل كتابي أو طباعي النسخةَ النهائية الكاملة (لمشروع قانون أقرَّه البرلمان) (٣) يلُفّ ×(٤) يتسجل ؛ يسجِّل نفسَه .

—enrollment *or* **enrolment** *(n.)*

enroot [-rōōt'] *(vt.; i.)* (١) يجذِّر ؛ يوصِّل ؛ يغرس ×(٢) يتجذّر الخ .

en route [än rōōt'] *(adv.; adj.)* (١) في الطريق § (٢) متعلق بالطريق .

ensample [ĕn săm'pəl] *(n.)* مثَل ؛ نموذج .

ensanguine [ĕn săng'gwĭn] *(vt.)* يضرِّج ؛ يلطِّخ بالدم .

ensconce [-skŏns'] *(vt.)* (١) يحجُب ؛ يُخفي (٢) يستكِنّ .

ensemble [än säm'bəl] *(F.)* الطاقم : مجموعة تؤلِّف كلاً عضوياً واحداً أو تُحدِث أثراً مفرداً . مثل «أ» طاقم أوانٍ أو أدوات . «ب» أداء موحَّد من قِبَل مجموعة تامة من المغنّين والموسيقيين الخ. «ج» مجموعة هؤلاء المغنين والموسيقيين . «د» ثوب مؤلف من عدة أجزاء متناسقة أو متتامّة .

enshrine [ĕn shrīn'] *(vt.)* (١) يدَّخر (في وعاء خاص بحفظ المقدَّسات) (٢) يحتفظ بشيء (وكأنه مقدَّس) .

enshroud [-shroud'] *(vt.)* (١) يكفِّن (٢) يستُر ؛ يحجب ؛ يلفّ .

ensiform [ĕn'sə-] *(adj.)* سيفانيّ : شبيهٌ بالسيف .

ensign [ĕn'sīn] *(n.)* (١) راية (٢) «أ» شارة . «ب» رمز . (٣) مُلازِم في البحرية .

ensilage [ĕn'sə lĭj] *(n.; vt.)* (١) السَّلوَجة : حفظ العلف في سَلوة (را . silo) (٢) علفٌ مُسَلْوَج § (٣) يُسَلْوِج .

ensile [-sīl'] *(vt.)* يُسَلْوِج : يحفظ العلف في سلوة (را silo).

ensky [-skī'] *(vt.)* يرفع إلى السماء .

enslave [-slāv'] *(vt.)* يستعبد . **—enslavement** *(n.)*

ensnare [-snâr'] *(vt.)* يوقع في شَرَك . **-ment** *(n.)*

ensoul [ĕn sōl'] *(vt.)* ينفخ فيه روحاً .

ensphere [ĕn sfīr'] *(vt.)* يطوِّق ؛ يحوِّط .

ensue [ĕn sōō'] *(vi.)* يتلو ؛ ينشأ بوصفه نتيجةً .

ensure [ĕn shŏŏr'] *(vt.)* (١) يضمن ؛ يكفل (٢) يصون .

enswathe [ĕn swāth'] *(vt.)* يلفّ بعَصِيب .

ent- *or* **ento-** بادئة معناها : داخليّ ؛ جوّانيّ .

entablature [ĕn tăb'lə chər] *(n.)* السطح المعمَّد : سطح قائم على أعمدة .

entail [-tāl'] *(vt.; n.)* (١) يقِف مِلْكاً لمصلحة ورثة معيَّنين . (٢) يستلزم ، يستتبع كنتيجة لا بد منها § (٣) وقْف الأملاك أو حَبْسها (٤) وقْف ؛ مِلك موقوف (٥) ميراث .

entangle [-tăng'-] *(vt.)* (١) يعقِّد (٢) يُربِك (٣) يوقع في شرَك .

entangled *(adj.)* (١) متشابك (~ ropes) (٢) واقع في شَرَك . (٣) معقَّد (٤) متورِّط .

entanglement [-tăng'-] *(n.)* (١) مص entangle (٢) شَرَك ؛ ورطة .

entente [än tänt'] *(F.)* حِلف ؛ اتفاق دولي .

enter [ĕn'tər] *(vi.; t.)* (١) يدخل (٢) ينضم إلى ؛ يلتحق بِ . (٣) «أ» يباشر (عملاً الخ) . «ب» يطرق (موضوعاً) ×(٤) يسجِّل (٥) «أ» يُدخِل . «ب» يُقحِم (٦) يقدِّم بياناً عن السفينة وحمولها إلى السلطات الجمركية (٧) يُفرِغ أو يصوغ بشكل قانوني .

enter- *or* **entero-** بادئة معناها : مِعَى (*enter*itis).

enteral; enteric *(adj.)* مِعَويّ .

enteric fever *(n.)* التيفوئيد ؛ الحمّى التيفيّة (مض) .

enteritis [ĕn'tə rī'tĭs] *(n.)* التهاب الأمعاء (مض) .

enterococcus *(n.)* pl. **-cocci** المكوَّر المِعَويّ (مكروب في الامعاء) .

enterocolitis *(n.)* التهاب المِعَى والقولون (معاً) .

enteron [ĕn'tə-] *(n.)* القناة الغذائية أو الهضمية («ت» و «ح ح»).

enterostomy *(n.)* إحداث فتحة إلى المِعَى عبر الجدار البطنيّ (جر) .

enterprise [ĕn'tər prīz'] *(n.)* (١) «أ» مشروع . «ب» مغامرة . (٢) مؤسسة تجارية (٣) عمل (٤) حبّ المغامرة .

enterpriser [ĕn'-] *(n.)* المقاول ؛ الملتزم .

enterprising [ĕn'tər prī'zĭng] *(adj.)* مغامِر ؛ مِقدام .

entertain [-tər tān'] *(vt.)* (١) يستضيف ؛ يضيف ؛ يكرم الوفادة . (٢) يفكر (في أمر) (٣) «أ» يضمر (عاطفة) . «ب» يعلِّل (النفسَ) بالأمل (٤) يُسلّي .

entertainer [-tā'nər] *(n.)* (١) المضيف الخ . (٢) مغنٍّ الخ . مشترك في حفلة عامة .

entertaining [-tər tā'nĭng] *(adj.)* مسلٍّ ؛ ممتع .

entertainment [-tər tān'-] *(n.)* (١) مص entertain (٢) ضيافة ؛ طعام ومنامة (٣) تسلية (٤) حفلة (في مسرح أو سيرك الخ.) .

enthrall *or* **enthral** [-thrôl'] *(vt.)* (١) يستعبد (٢) يَفْتِن ؛ يَسْحر ؛ يأسر.

enthrone [-thrōn'] *(vt.)* (١) يتوج (٢) يُمجِّد ؛ يُعظِّم . **—enthronement** *(n.)*

enthuse [ĕn thōōz'] *(vt.; i.)* (١) يحمِّس ×(٢) يتحمَّس .

enthusiasm [-thōō'zĭ ăz'əm] *(n.)* (١) تعصب دينيّ (ا.ق) . (٢) حماسة .

enthusiast [ĕn thōō'zĭ ăst'] *(n.)* المتحمِّس ، المفعَم بالحماسة.

enthusiastic [ĕn thōō'zĭ ăs'tĭk] *(adj.)* متحمِّس .

enthymeme [ĕn'thə mēm'] *(v.)* القياس الاضماري (مق) .

entice [ĕn tīs'] *(vt.)* (١) يُغْري ؛ يُغوي (٢) يجذب ؛ يلفت.

entire [ĕn tīr'] *(adj.; n.)* (١) تامّ ؛ كامل (٢) كُلّيّ (٣) «أ» سالم ؛ صحيح . «ب» غير منقوص ؛ لم يُمسّ (٤) غير مخصيّ (٥) غير مسنَّن الحاشية (an ~ leaf) § (٦) جواد غير مخصيّ .

entirely [-'lĭ] *(adv.)* تماماً ، كليةً ، بكل ما في الكلمة من معنى .

entirety [-'tĭ] *(n.)* (١) التمامية : كون الشيء تاماً (٢) كلٌّ ؛ مجموع .

entitle [-tī'təl] *(vt.)* (١) يلقّب (٢) «أ» يخوِّل . «ب» يؤهّله لكذا.

entity [ĕn'tə tĭ] *(n.)* (١) وجود (٢) كينونة .

ento- = ent-.

entoblast [ĕn'tō'-] *(n.)* = endoblast.

entoderm [ĕn'tō dûrm'] *(n.)* = endoderm.

entoil [ĕn toil'] *(vt.)* يحتبل ؛ يوقع في شرك .

entom- *or* **entomo-** بادئة معناها : حشرة .

entomb [ĕn tōōm'] *(vt.)* (١) يدفن (٢) يقوم مقام القبر لِـ .

entomological *(adj.)* حَشَراتيّ : متعلق بعلم الحشرات .

entomologist [-mŏl'-] *(n.)* الحَشَراتيّ : العالم الاختصاصي بالحشرات .

entomology [ĕn'tə mŏl'ə jĭ] *(n.)* الحَشَريات : علم الحشَرات .

entomophagous [-mŏf'ə gəs] *(adj.)* مُقْتاتٌ بالحشرات .

entomophilous [-mŏf'-] *(adj.)* حَشَريّ الإلقاح أو التلقيح (نب) .

entomostracan *(n.; adj.)* (١) حيوان قِيشوري § (٢) قِيشوريّ .

entophyte [ĕn'-] *(n.)* الطُفَيْل : نبات عائش ضمن حيوان أو نبات آخر .

entourage [än tōō räzh'] *(F.)* (١) حاشية ؛ بطانة (٢) محيط .

entozoa *(n. pl.)* الطفيليات الحيوانية الباطنية ؛ وبخاصة : الديدان المعوية .

entr'acte [än trăkt'] *(F.)* (١) فاصل ؛ استراحة (بين فصلَيْ مسرحية) (٢) رقصة أو قطعة موسيقية تقدم بين فصلَيْ مسرحية .

entrails [ĕn'trālz; -trəlz] *(n. pl.)* أحشاء ؛ أمعاء .

entrain [-trān'] *(vt.; i.)* (١) «أ» يجرّ . «ب» يفضي إلى (٢) يُقِلّ (٣) يضع على متن قطار ×(٤) يستقلّ القطار .

entrance [*n.* ĕn'trəns; *v.* ĕn trăns'] *(n.; vt.)* (١) دخول . (٢) مَدخل (٣) ظهور الممثل للمرة الأولى في مشهد § (٤) يُنْشي ؛ يُبْهِج ؛ يسلب اللبّ .

entrant [ĕn'trənt] *(n.)* الداخل ؛ وبخاصة : المشترك في مباراة .

entrap [-trăp'] *(vt.)* يحتبل : يوقع في أحبولة أو شَرَك .

entreat [-trēt'] *(vi.; t.)* يتوسّل ؛ يتضرّع ؛ يستعطف .

entreaty [-trē'tĭ] *(n.)* توسّل ؛ تضرّع ؛ استعطاف .

entrechat [än trə shá'] *(F.)* الوثبة التصالبية : وثبة يصالب فيها راقص الباليه رجليه تكراراً وأحياناً يقرع إحداهما بالأخرى .

entrée *or* **entree** [än'trā] *(F.)* (١) دخول (٢) «أ» لون من الطعام يقدَّم بين اللونين الرئيسيين (في انكلترة) . «ب» الطبق الرئيسي في وجبة الطعام (في الولايات المتحدة) .

entremets [än'trə mā'] *(F.)* المُشَهِّيات أو المقبِّلات (من الطعام) .

entrench [ĕn trĕnch'] *(vt.; i.)* (١) «أ» يطوِّق (موقعاً) بخندق . «ب» يتخذ موقفاً دفاعياً قوياً . «ج» يحصن . «د» يرسِّخ ×(٢) يُخندق ؛ يحفر خندقاً للدفاع (٣) يعتدي (على حقوق الآخرين) . **—entrenchment** *(n.)*

entrepôt [än'trə pō'] *(F.)* مركز تجاري (لتوزيع السلَع) .

entrepreneur [än'trə prə nûr'] *(F.)* المقاول ؛ الملتزِم .

entresol [ĕn'tər sŏl] *(F.)* الدَّوْر المسروق : طابق منخفض بين طابقين .

entropy [ĕn'trə pĭ] *(n.)* الانتروبيا : عامل رياضيّ يعتبر مقياساً للطاقة غير المستفادة في نظام ديناميّ حراريّ (فز) .

entrust [ĕn trŭst'] *(vt.)* يُودِع ؛ يأتمن ؛ يعهد به إلى .

entry [ĕn'trĭ] *(n.)* (١) دخول (٢) مَدْخل ؛ باب . (٣) «أ» تدوين ؛ قيدٌ (في كتاب أو قائمة) . «ب» مادّة (في معجم) (٤) المشترِك في مباراة (٥) وضْع اليَد (ق) .

entwine [ĕn twīn'] *(vt.; i.)* (١) يَضْفُر ؛ يَجْدل ×(٢) ينضفر .

entwist [ĕn twĭst'] *(vt.)* يَضفر ؛ يَجْدل .

enucleate [ĭ nū'klĭ āt'; ĭ nōō'-] *(vt.)* (١) يفسِّر (ا.ق) (٢) يسلبه النواة (اح) (٣) يُزيل (حدقةَ عينٍ أو ورماً سرطانياً) من غير شقّ (جر) .

enumerate [ĭ nū'mə rāt'] *(vt.)* (١) يَعُدّ (٢) يعدِّد ؛ يَسْرد .

enumeration [-rā'-] *(n.)* (١) عدّ ؛ تعداد ؛ سرد (٢) قائمة ؛ لائحة .

enunciate [ĭ nŭn'sĭ āt'; -shĭ-] *(vt.; i.)* (١) يعلن (٢) يلفظ ؛ ينطق .

enunciation [-sĭ ā'-] *(n.)* (١) إعلان ؛ بيان (٢) لفظ ؛ نطق .

enure [ĕn yŏŏr'] *(vt.; i.)* = inure.

enuresis [ĕn'yə rē'sĭs] *(n.)* سَلَس البول : تدفقه لا إرادياً (مض) .

envelop [ĕn vĕl'əp] *(vt.)* (١) يغلّف ؛ يلفّ ؛ يحجب (٢) يطوِّق .

envelope [ĕn'və lōp] *(n.)* (١) غلاف ؛ غطاء (٢) ظرف . (٣) كيس الغاز في منطاد (٤) غشاء .

envenom [-vĕn'əm] *(vt.)* يسمّم (حقيقةً أو مجازاً) .

enviable [ĕn'vĭ ə-] *(adj.)* يُحْسَد عليه ؛ مرغوب فيه جداً .

envious [ĕn'-] *(adj.)* حَسود **-ly** *(adv.)* **-ness** *(n.)*

environ [ĕn vī'rən] *(vt.)* يكتنف ؛ يطوِّق ؛ يحيط بِـ .

environment [ĕn vī'rən mənt] *(n.)* بيئة ؛ محيط .

environmental [-rən mən'təl] *(adj.)* بيئيّ .

environs [-vī'rənz; -'və-] *(n. pl.)* ضواحي (المدينة) .

envisage [-vĭz'ĭj]; **envision** [-vĭzh'-] *(vt.)* يتصوّر ؛ يتخيّل .

envoi *or* **envoy** [ĕn'-] *(n.)* المَقْطع الأخير (من قصيدة الخ .) .

envoy [ĕn'voi] *(n.)* (١) مبعوث فوق العادة (إلى دولة أجنبية) . (٢) ممثل دولة (في مفاوضاتها مع دولة أخرى) (٣) رسول ؛ مندوب .

envy [ĕn'vĭ] *(n.; vt.)* (١) حسد (٢) موضع حسَد § (٣) يحسد .

enwind [ĕn wīnd'] *(vt.)* = enfold.

enwomb [ĕn wōōm'] *(vt.)* يُخْفيه أو يحتويه (وكأنه في رحِم) .

enwrap [-răp'] *(vt.)* (١) يلُفّ (٢) يغلّف (٣) يستغرق (ذهنياً) .

enwreathe [-rēth'] *(vt.)* يكلّل ؛ يطوِّق .

enzootic [-zō ŏt'ĭk] *(adj.; n.)* (١) مستوطن ~ animal diseases) § (٢) داء حيوانيّ مستوطن .

enzygotic [ĕn zī gŏt'ĭk] *(adj.)* متماثل (twins ~) .

enzymatic [ĕn zī măt'ĭk'; -zĭ-] *(adj.)* انزيميّ ؛ خميريّ .

enzyme [ĕn'zīm; -zĭm] *(n.)* أنزيمة ؛ خميرة .

enzymology [ĕn zī mŏl'ə jĭ] *(n.)* علم الانزيمات أو الخمائر .

eo- بادئة معناها : فجر .

ă at; ā date; â care; ä car; ĕ egg; ē me; ĭ in; ī bite; ŏ lot; ō bone; ô orphan; oi boil ŏŏ good; ōō boot; ou out; ŭ under; ū unity; û urgent; th thing; th this; zh vision; ə = *a* in alone, *e* in system, *i* in easily, *o* in gallop, *u* in circus.

Eocene [ē'ə sēn] *(adj.; n.)* (١) فَجْرِيّ §(٢) العصر الفجري : العصر الحديث السابق (جي) .

eolian [ē ō'lĭ ən] *(adj.)* ريحيّ ؛ هوائي .

eolith [ē'ə lĭth] *(n.)* أداة صوانية (بشكل إزميل أو حربة) .

Eolithic [-'ĭk] *(adj.)* ظرّاني : متعلق بالفترة الأولى من العصر الحجري .

eon [ē'ən; ē'ŏn] *(n.)* = aeon.

Eos [ē'ŏs] *(n.)* إيوس : إلاهة الفجر في الميثولوجيا الاغريقية .

eosin [ē'ə sĭn] *(n.)* الايوسين : صِبغ ورديّ اللون (ك) .

-eous لاحقة معناها : مِثْل ؛ شبيه (aqu*eous*).

ep- = epi-.

epact [ē'păkt] *(n.)* فرق السنة القمرية : فترة تضاف إلى السنة القمرية ليُطابق عددُها أيامَ السنة الشمسية .

eparchy [ĕp'ăr kĭ] *(n.)* أبرشية (في الكنائس الشرقية) .

epaulet *also* **epaulette** [ĕp'ə lĕt'; -lĭt] *(F.)* الكتيفيّة : نسيج مقصّب على كتف السترة العسكرية .

epaulet

épée [ā pā'] *(F.)* (١) الشيش : سيف المبارزة . (٢) المبارزة بالشّيش .

épéeist [ā pā'ĭst] *(n.)* لاعب الشيش .

epeirogeny [ĕp'ī rŏj'ə nĭ] *(n.)* التَّمعّج : تمعّج في قشرة الأرض يُحدِث القارات وأحواض المحيطات الخ .
—**epeirogenic** *(adj.)*

epencephalon [ĕp ən sĕf'ə lŏn'] *(n.)* الدماغ المؤخَّر (ت) .

epenthesis [ĕp ĕn'-] *(n.)* الإقحام : إقحام صوت أو حرف في صُلب كلمة .

epergne [ĭ pûrn'] *(n.)* الاناء المركَّب : إناء فضيّ أو زجاجي مزخرف يوضع وسط المائدة ويشتمل على عدة أقسام للفاكهة والزهور الخ .

epexegesis [ĕp ĕk sə jē'-] *(n.)* الإضافة البيانية : «أ» إضافة كلمة أو كلمات لشرح كلمة أو جملة سابقة «ب» الكلمة أو الكلمات المستعملة لهذا الغرض .

ephebe [ĭ fēb'] ; **ephebus** [ĭ fē'-] *(n.)* شاب اغريقي ؛ وبخاصة : أثيني في الثامنة عشرة أو التاسعة عشرة يتلقى تدريباً عسكرياً يؤهّله للمواطنية الكاملة .

ephedrine [ĭ fĕd'rĭn] *(n.)* الإيفدرين : عقّار لمعالجة الزكام والربو الخ .

ephemera [ĭ fĕm'ər ə] *(n.)* (١) ذبابة مايو (٢) شيء سريع الزوال .

ephemeral [-əl] *(adj.; n.)* (١) دائمٌ يوماً واحداً فقط (٢) سريع الزوال §(٣) شيء سريع الزوال ؛ وبخاصة : نبتة تنمو وتُزهر وتموت في أيام قليلة .

ephemerid [ĭ fĕm'ər ĭd] *(n.)* ذبابة مايو .

ephemeris [ĭ fĕm'-] *(n.)* pl. **-rides** زِيج ؛ تقويم فلكيّ .

ephemeron [-'ə rŏn'] *(n.)* pl. **-era** *also* **-erons** شيء سريع الزوال .

ephemerid

ephemerous *(adj.)* = ephemeral.

ephod [ĕf'ŏd; ē'fŏd] *(n.)* الأيفود : ثوب أحبار اليهود .

ephor [ĕf'ôr; -'ər] *(n.)* pl. **-s** *or* **-i** الإيفور : أحد قضاة اسبرطيين خمسة كانت لهم سلطة على الملِك .

epi- بادئة معناها : «أ» على . «ب» إضافيّ . «ج» قريب من . «د» فوق . «هـ» خارجي . «و» أمامي . «ز» تالٍ لِـ .

epiblast [ĕp'ə blăst'] *(n.)* = ectoderm.

epiboly [ĭ pĭb'ə lĭ] *(n.)* النموّ التحلّقي : نموّ جزء بحيث يطوق آخر (أج) .

epic [ĕp'ĭk] *(adj.; n.)* (١) ملحميّ (٢) «أ» طويل . «ب» بطولي . §(٣) الملحمة : «أ» قصيدة قصصية طويلة فخمة الأسلوب تصوّر مآتي بطل أسطوريّ أو تاريخيّ . «ب» أثر فني يشبه الملحمة أو يذكّر بها (٥) سلسلة أحداث أو مجموعة أساطير أو تقاليد جديرة بأن تكون موضوعاً للملحمة .
—**epical** *(adj.)*—**epically** *(adv.)*

epicalyx [ĕp'ə kā'lĭks] *(n.)* كأس الزهرة الخارجي (نب) .

epicardium [-kär'-] *(n.)* النخاب : غشاء مصليّ حول القلب (ت) .

epicarp [ĕp'ə-] *(n.)* قشرة الثمرة ؛ غلاف الثمرة الخارجيّ (نب) .

epicene [ĕp'ə sēn] *(adj.; n.)* (١) خُنثَويّ ؛ مشترَك الجنس . §(٢) خُنثى .

epicenter [ĕp'ə sĕn'tər] *(n.)* المركز السطحيّ : سطح الأرض الواقع فوق بؤرة الزلزال مباشرةً (جي) .

epicotyl [-kŏt'əl] *(n.)* الفوفلقيّ : ذلك الجزء من محور جنين النبات الواقع فوق الفِلقة (را . cotyledon) .

epicranial [-krā'nĭ əl] *(adj.)* فوقِحفيّ : واقعٌ فوق القِحف (ت) .

epicritic [-krĭt'-] *(adj.)* مُميِّز (صفة لبعض الألياف العصبية) .

epicure [ĕp'ə kyŏŏr'] *(n.)* (١) الأبيقوري : شخص منغمس في الملذات الحسيّة (ا.ق) (٢) الذوّاقة : شخص ذو ذوق مرهف مميِّز في الطعام أو الشراب .

epicurean [-rē'-] *(adj.; n.)* (١) أبيقوري : «أ» *cap.* : منسوب إلى أبيقور أو فلسفته . «ب» منغمس في الملذات الحسيّة . «ج» مرهف الذوق في الطعام والشراب §(٢) *cap.* : الأبيقوري : أحد أتباع أبيقور (٣) epicure 2 .

epicureanism *(n.)* (١) *cap.* : المذهب الأبيقوري : مذهب أبيقور الفيلسوف الاغريقي الذي قال بأن المتعة هي الخير الأسمى ، والفضيلة وحدها هي مصدر المتعة (٢) الأبيقوريّة (را . المادة التالية) .

epicurism [ĕp'ə-] *(n.)* الأبيقورية : الانغماس في الملذات الحسيّة .

epicycle [ĕp'ə sī'kəl] *(n.)* (١) فلَك التدوير : دائرة صغيرة يدور مركزها على محيط دائرة أكبر منها (فل) (٢) عملية جارية ضمن عملية أوسع منها .

epicyclic [ĕp'ə sī'klĭk] *(adj.)* تداويريّ ؛ ابيسيكلي .

epicyclic train *(n.)* نظام التروس التداويري : سلسلة من التروس تدور محاورها حول مركز مشترَك (ملك) .

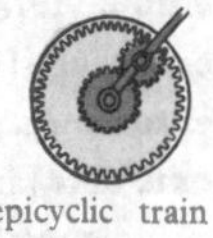

epicyclic train

epicycloid [ĕp'ə sī'kloid] *(n.)* الدُّوَيْرِيّ الفوقيّ (ر) .

epicycloidal [ĕp'ə sī kloi'-] *(adj.)* دُوَيْريّ فوقيّ .

epidemic [-ə dĕm'ĭk] *(adj.; n.)* (١) وبائيّ (٢) سائد ؛ شائع . §(٣) وباء .
—**epidemical** *(adj.)*

epidemiology [-ə dē mĭ ŏl'ə jĭ] *(n.)* علم الأوبئة .

epiderm- *or* **epidermo-** بادئة معناها : بشَرة ؛ أدَمة .

epidermal *also* **epidermic** *(adj.)* بشَريّ : ذو علاقة بالبشَرة .

epidermis [-dûr'mĭs] *(n.)* بشَرة ؛ أدَمة («ت» و «ح» و «نب») .

epidermoid; epidermoidal *(adj.)* بشَرانيّ : شبيه بالبشَرة .

epidiascope *(n.)* المِسخيال (مج) : ضربٌ من الفانوس السحري .

epidote [ĕp'ə dōt] *(n.)* الأبيدوت (مع) .

epigastric [-ə găs'trĭk] *(adj.)* شُرسوفيّ : «أ» واقع فوق المعدة . «ب» خاصّ بجدران البطن الأمامية .

epigastrium [-ə găs'-] *(n.)* pl. **-tria** المنطقة الشرسوفية : ذلك الجزء من البطن الواقع فوق المعدة .

epigeal [-ə jē'əl] *or* **epigeous** *(adj.)* فوثَرَويّ : نام أو عائش فوق الثرى أو قربه .

epigene[ĕp'ə jēn'] *(adj.)* فَوْسَطْحيّ : ناشىء أو حادث فوق سطح الأرض أو تُحَيْتَه .

epigenesis [-ə jĕn'ə sĭs] *(n.)* (١) التخلّق المتعاقب : نظرية تقول بأن الجنين يتكون بسلسلة من التشكلات المتعاقبة (وهي تناقض نظرية التخلق السَّبْقي القائلة بأن جميع أعضاء الجنين موجودة وجوداً سَبْقياً في الجرثومة . را. preformation) (٢) التمعدن : تغير في صفة الصخر المعدنية بفعل العوامل الخارجية.

epiglottal *or* **epiglottic** *(adj.)* لَهاتيّ : منسوب إلى اللَّهاة (ت).

epiglottis [-glŏt'-] *(n.)* اللَّهاة : اللَّحمة المشرفة على الحلق (ت) .

epigram [-'ə grăm'] *(n.)* الابيغرام : «أ» قصيدة قصيرة مختتمة بفكرة بارعة أو ساخرة . «ب» حكمة معبرة عن فكرةٍ ما بطريقة بارعة أو موهمة للتناقض .

epigrammatic [-'ĭk] *(adj.)* (١) أبيغراميّ (٢) محكَم ؛ لاذع ؛ ساخر .

epigraph [-'ə grăf'] *(n.)* (١) كتابة منقوشة (على مبنى أو تمثال) . (٢) عبارة مقتبسة يُصدَّر بها كتاب أو فصل من كتاب لتوحي بفكرته العامة .

epigrapher; epigraphist[ĭ pĭg'-] *(n.)* الاختصاصي بالابيغرافيا .

epigraphy[ĭ pĭg'-] *(n.)* (١) نقوش (٢) الابيغرافيا : دراسة النقوش.

epigynous [ĭ pĭj'ə-] *(adj.)* فَوْمَبيضي : «أ» ملتصق بسطح مبيض النبات . «ب» ذو أعضاء زهرية فَوْمَبيضية (نب) .

epilepsy [ĕp'ə lĕp'sĭ] *(n.)* الصَّرْع : داء عصبيّ مزمن .

epilept- *or* **epilepti-** *or* **epilepto-** بادئة معناها : الصَّرْع .

epileptic [ĕp ə lĕp'-] *(adj.; n.)* (٩) صَرْعيّ (٢) مصروع . §(٣) المصروع : المصاب بالصَّرْع .

epileptiform *(adj.)* شِبه صَرْعيّ (convulsion ~).

epileptoid *(adj.)* (١) شِبْه صَرْعيّ (symptoms ~) . (٢) متكشّف عن أعراض شبيهة بأعراض داء الصَّرْع (an ~ criminal).

epilogue [ĕp'ə lôg'] *(n.)* (١) خاتمة الكتاب أو القصيدة . (٢) «أ» خطاب ، شعريّ عادة ، يوجّه إلى النظارة من قِبل ممثل أو أكثر عند انتهاء المسرحية . «ب» الممثل الذي يلقي هذا الخطاب .

epinephrine *also* **epinephrin** *(n.)* = adrenalin 2.

Epiphany [ĭ pĭf'ə nĭ] *(n.)* عيد الغطاس أو الظهور (نص) .

epiphenomenalism *(n.)* الظاهراتية المصاحِبيّة : مذهب يقول بأن العمليات العقلية هي ظواهر مصاحِبة للعمليات الدماغية .

epiphenomenon *(n.)* pl. **-na** الظاهرة المصاحِبة : ظاهرة ثانوية تصاحب ظاهرة أخرى وتنشأ عنها .

epiphragm[ĕp'-] *(n.)* (١) الافراز الموصِد : إفراز تغلِق به الحلازين أصدافها أثناء سُبات الشتاء (٢) الغشاء الموصِد (في النباتات الفُطرية) .

epiphysis [ĭ pĭf'ə sĭs] *(n.)* pl. **-ses** (١) الكُرْدوس : كل عظم تام ضُخم (ت) (٢) الغدّة الصنوبرية (را . pineal body) .

epiphyte [ĕp'ə fīt] *(n.)* النبات الهوائي : نبات يستمدّ غذاءه من الهواء والمطر وينمو عادة على نبات آخر .

epiphytic[ĕp ə fĭt'-] *(adj.)* (١) نباتيهوائي : خاصّ بالنبات الهوائي (٢) سطحيناتي : عائش على سطح النباتات .

epiphytology [-fī tŏl'-] *(n.)* علم أمراض النباتات .

epiphytotic[-tŏt'-] *(adj.)* شائع في النبات (كبعض الأمراض الفطرية) .

episcopacy [ĭ pĭs'kə pə sĭ] *(n.)* (١) حكومة الأساقفة (في الكنيسة) (٢) episcopate.

episcopal [ĭ pĭs'-] *(adj.)* (١) أسقفيّ (٢) *cap.* : خاص بالكنيسة الأسقفية البروتستانتية.

Episcopalian [-pāl'-] *(n.; adj.)* (١) عضو في الكنيسة الأسقفية البروتستانتية §(٢) خاص بالكنيسة الأسقفية البروتستانتية.

episcopate [ĭ pĭs'kə pĭt] *(n.)* (١) منصب الأسقف أو مدة ولايته (٢) أسقفية (٣) هيئة الأساقفة (في بلد) .

episcope[ĕp'-] *(n.)* المِخْيال : ضرْب من الفانوس السحْري .

episode [ĕp'ə sōd; -zōd'] *(n.)* الابييزود : «أ» ذلك الجزء (من تراجيديا إغريقية قديمة) الواقع بين أغنيتين كورسيّتين . «ب» حادثة عَرَضية في سياق قصة أو قصيدة الخ . «ج» حَدَث أو سلسلة أحداث مترابطة في الحياة الواقعية .

episodic *also* **episodical** [-sŏd'-] *(adj.)* ابييزودي ؛ عَرَضيّ .

epistaxis [ĕp'ə stăk'sĭs] *(n.)* الرُّعاف .

epistemic [-stē'mĭc] *(adj.)* مَعْرِفيّ ؛ إدراكيّ .

epistemology [ĭ pĭs'tə mŏl'ə jĭ] *(n.)* نظرية المعرفة (فف) .

episternum [ĕp'ə stûr'-] *(n.)* نِصاب القَصّ (ت) .

epistle [ĭ pĭs'əl] *(n.)* (١) *cap.* : رسالة إنجيلية (٢) رسالة ؛ وبخاصة : رسالة رسمية أو أنيقة .

epistolary [-'tə lĕr'ĭ] *(adj.)* (١) رسائليّ ؛ رسائليّ (٢) متضمِّن في رسائل (٣) مكتوب بشكل سلسلة رسائل (novel ~).

epistyle [ĕp'ə stīl'] *(n.)* = architrave 1.

epitaph [-'ə tăf'] *(n.)* (١) نقش على ضريح (تكريماً للراقد فيه) . (٢) كلمة قصيرة (إحياءً لذكرى شخص أو شيء ماض) .

epitasis[ĭ pĭt'ə sĭs] *(n.)* الصُّلب : جزء من الدراما الاغريقية تَطوَّر فيه الحوادث (بين المقدمة والكارثة) .

epithalamion *(n.)* pl. **-mia** = epithalamium.

epithalamium *(n.)* pl. **-s** *or* **-mia** أغنية (أو قصيدة) الزفاف .

epithelial [ĕp'ə thē'lĭ əl] *(adj.)* ظِهاريّ (مج) .

epithelioma [-lĭ ō'mə] *(n.)* السرطان الظِّهاريّ (مض) .

epithelium *(n.)* الظِّهارة : نسيج يكسو سطحاً أو يبطِّن تجويفاً (أح).

epithet [ĕp'ə thĕt'] *(n.)* نَعْت ؛ لقب .

—**epithetic** *or* **epithetical** *(adj.)*

epitome[ĭ pĭt'ə mĭ] *(n.)* (١) خلاصة (٢) مثال ؛ صورة مصغَّرة عن .

epitomize [-'ə mīz] *(vt.)* (١) يلخِّص (٢) يمثل بصورة مصغَّرة .

epizoic [-zō'ĭk] *(adj.)* متطفِّل على جسم حيوان (plants ~) .

epizootic [-zō ŏt'ĭk] *(adj.; n.)* (١) وبائي (ح) §(٢) مرض وبائي يصيب الحيوانات.

epoch [ĕp'ək; ē'pŏk] *(n.)* (١) عهد ؛ دور ؛ فترة من الزمان تتميّز بأحداث خاصة أو حالة بارزة (٢) الحِين (جي) .

epoch-making *(adj.)* صانعٌ لعهد جديد : هام جداً بحيث يُعتبَر مطلع عهد جديد من عهود التاريخ أو الفكر (an ~ discovery).

epode [ĕp'ōd] *(n.)* الايبودة : قصيدة من الشعر الغنائي يَعْقُب فيها بيتٌ قصير بيتاً أطول منه .

eponym [-'ə nĭm] *(n.)* (١) الشخص الذي تُسمّى باسمه القبيلة أو المؤسسة أو البلد (٢) من كان اسمه وثيق الصلة بشيء ما بحيث يصبح رمزاً على ذلك الشيء .

epopee [ĕp'ə pē; -pē'] *(F.)* ملحمة (را . epic) .

epos [ĕp'ŏs] *(n.)* (١) ملحمة (٢) شعر ملحميّ .

Epsom salts *(n.pl.)* ملح أبسوم : سلفات المانيزيا ؛ « ملح انكليزي » .

equability [ĕk wə bĭl'-] *(n.)* (١) استواء ؛ اطِّراد (٢) رصانة .

equable [ĕk'wə bəl; ē'kwə-] *(adj.)* (١) مُستَوٍ ؛ مُطَّرِد (temperature ~) (٢) رصين (an ~ temper).

equal [ē'kwəl] *(adj.; n.; vt.)* ١) «أ» مساوٍ ؛ معادل . «ب» متساوٍ . «ج» متماثل . «د» مطّرد ؛ مُستَوٍ (٢) عادل (٣) «أ» رصين .

«ب» متعادل ، متوازن (٤) كفوء (٥) ملائم §(٦)«أ» نِدّ
«ب» عدل ، كميّة معادلة لـ §(٧) يساوي (٨) يضاهي .

equalitarian [ĭ kwŏl'ə târ'-] *(adj.; n.)* = egalitarian.

equality [ĭ kwŏl'ə tĭ] *(n.)* مساواة ، تساوٍ ، اطّراد ، استواء الخ .

equalization [-zā'shən] *(n.)* (١) تسوية ، مساواة (٢) استواء .

equalize [ē'kwə līz'] *(vt.)* يسوّي ، يساوي بين ، يجعله متساوياً .

equalizer [-lī zər] *(n.)* المسوّي ، المساوي ، الموازن .

equally [ē'-] *(adv.)* (١) بالتساوي ، بصورة متساوية (٢) على حد سواء .

equanimity [-nĭm'ə tĭ] *(n.)* اتزان ، رباطة جأش .

equate [ĭ kwāt'] *(vt.)* (١) يسوّي أو يوازن بين (٢) يعدّل ، يُنزل إلى المعدَّل .

equation [ĭ kwā'-] *(n.)* (١) تسوية (٢) توازن (٣) معادلة (ر) .

equator [-'tər] *(n.)* (١) خط الاعتدال (فل) (٢) خط الاستواء .

equatorial *(adj.)* استوائي : متعلق بخط الاستواء أو واقع قربه .

equerry [ĕk'wə rĭ] *(n.)* (١) قيّم الاصطبل الملكي أو الأميري (٢) موظف في البلاط البريطاني يسهر على راحة الملك أو غيره من أعضاء الاسرة الملكية .

equestrian [ĭ kwĕs'-] *(adj.; n.)* (١) فروسي : «أ» خاص بركوب الخيل . «ب» متعلق بالفرسان أو مؤلف منهم (٢) ممثّل شخصاً على متن جواد (an ~ statue) §(٣) فارس .

equestrienne [-ĕn'] *(F.)* الفارسة : امرأة تجيد ركوب الخيل .

equi- بادئة معناها : «أ» متساوٍ . «ب» بصورة متساوية .

equiangular [ē kwĭ ăng'-] *(adj.)* متساوي الزوايا (هن) .

equicaloric [-lôr'-] *(adj.)* متساوي السُّعر : مولِّد مقادير متساوية من الطاقة في الجسم الحيّ (~ diets) .

equidistance [ē'kwə dĭs'-] *(n.)* تساوي البُعد .

equidistant [-tənt] *(adj.)* متساوي البعد (عن نقطة معيّنة) .

equilateral [-lăt'-] *(adj.; n.)* متساوي الأضلاع (هن) .

equilibrant [ĭ kwĭl'-] *(n.)* القوة الموازِنة (فز) .

equilibrate [ē kwə lī'brāt] *(vt.; i.)* (١) يوازن ×(٢) يتوازن .

equilibrist *(n.)* البهلوان. —**equilibristic** *(adj.)*

equilibrium [-lĭb'rĭ əm] *(n.)* pl. **-s** *or* **-ria** توازن .

equine [ē'kwīn] *(adj.; n.)* (١) فرَسيّ ؛ خيلي §(٢) فرس .

equinoctial [-nŏk'shəl] *(adj.; n.)* (١) اعتدالي : متعلق باعتدال الليل والنهار (٢) استوائي : متعلق بمناطق (أو مناخ) خط الاستواء §(٣) خط الاعتدال (فل) .

equinox [ē'kwə nŏks'] *(n.)* الاعتدال الربيعي أو الخريفي : اعتدال الليل والنهار مرتين في العام ، حوالى ٢١ مارس و ٢٣ سبتمبر .

equip [ĭ kwĭp'] *(vt.)* (١) يزوّد أو يجهّز بـ (٢) يكسو .

equipage [ĕk'wə pĭj] *(n.)* (١) جهاز ، عُدّة (٢) بطانة ، حاشية (ا.ق) (٣) «أ» عربة . «ب» العربة مع خيلها وسائقها وخدمها .

equipment [ĭ kwĭp'-] *(n.)* (١) «أ» تجهيز . «ب» تجهّز (٢) «أ» تجهيزات ، معَدّات . «ب» حافلات سكة الحديد وقاطراتها (٣) مؤهلات عقلية الخ .

equipoise [ē'kwə poiz] *(n.; vt.)* (١) توازن (٢) قوة موازِنة §(٣) يوازن .

equipollence *also* **equipollency** *(n.)* تكافؤ (را. المادة التالية) .

equipollent [ē'kwə pŏl'-] *(adj.)* متكافئ ، متعادل في القوة أو التأثير .

equiponderant *(adj.)* متوازن : متعادل من حيث الوزن أو القوة .

equiponderate [-pŏn'-] *(vi.; t.)* (١) يتوازن ×(٢) يوازن ، يعادل .

equipotent *(adj.)* متكافئ أو متساوي التأثير (~ genes) .

equipotential [ē kwə pō tĕn'shəl] *(adj.)* متساوي الجهد (فز) .

equisetum *(n.)* pl. **-s** *or* **-ta** الكُنْبات ، ذَنَب الخيل (نب) .

equitable [ĕk'wə tə bəl] *(adj.)* عادل ، منصف .

equitant [ĕk'wə-] *(adj.)* متراكب (~ leaves) .

equitant leaves

equitation [-tā'-] *(n.)* الفروسية ، ركوب الخيل .

equity [ĕk'wə tĭ] *(n.)* (١) عدالة ، إنصاف (٢) «أ» تطبيق أمالي الضمير ومبادىء العدل الطبيعي على النزاعات . «ب» مجموعة من المبادىء والأحكام نشأت في انكلترة واقتبست في الولايات المتحدة لسدّ مواطن النقص في القانون العادي (ق) (٣) أسهم عادية (إد) .

equity of redemption حق استرداد العقار المرهون (ق) .

equivalence [ĭ kwĭv'ə ləns] *(n.)* تساوٍ ، تكافؤ .

equivalent [-lənt] *(adj.; n.)* (١) مساوٍ (٢) مرادف (٣) متكافئ §(٤) المساوي : شيء مساوٍ لآخر .

equivocal [ĭ kwĭv'ə-] *(adj.)* (١) ملتبِس ، ذو معنيين أو أكثر (٢) مائع : غير قابل للتحديد أو التصنيف (٣) غير قاطع أو حاسم (an ~ result) (٤) مُريب ، مشبوه (~ behavior) .

equivocate *(vi.)* (١) يراوغ (مستخدماً كلاماً ذا معنيين) (٢) يوارب .

equivocation *(n.)* (١) غموض ، التباس (٢) مراوغة ، موارَبة .

equivoque *or* **equivoke** [ĕk'wə vōk'] *(n.)* (١) تعبير ملتبِس أو غامض (٢) تلاعب لفظي (٣) التباس ، غموض .

era [ĭr'ə; ē'rə] *(n.)* (١) التاريخ ، التقويم : نظام كرونولوجي يبدأ من نقطة زمنية محددة تميزت بحادثة هامة (the Christian ~) (٢) «أ» حدث هام يستهل به عهد ما «ب» عهد ، عصر (٣) دهر (جي) .

eradiate [ĭ rā'-] *(vt.)* يشعّ . —**eradiation** *(n.)*

eradicable [ĭ răd'ə kə bəl] *(adj.)* ممكن استئصاله .

eradicate [-kāt'] *(vt.)* (١) يستأصل (٢) يبيد ، يمحو ، يجتثّ .

eradication [-kā'-] *(n.)* (١) استئصال (٢) إبادة ، محو ، اجتثاث .

erase [ĭ rās'] *(vt.; i.)* (١) يمحو ×(٢) ينمحي .

eraser [ĭ rā'sər] *(n.)* (١) الماحي (٢) مِمْحاة .

Erastian [ĭ răs'chən] *(adj.)* ارسطوسي : قائل بأن للدولة السلطة العليا في الشؤون الكنسية .

erasure [ĭ rā'shər] *(n.)* (١) محو (٢) انمحاء (٣) الكلمة الممحوّة أو موضعها .

erbium [ûr'bĭ əm] *(n.)* الأربيوم : عنصر فلزي (ك) .

ere [âr] *(prep.; conj.)* (١) قبل §(٢) قبل أن .

erect [ĭ rĕkt'] *(adj.; vt.)* (١) منتصب ، قائم §(٢) يبني ، يشيد (٣) يقيم ، يركز ، ينصب (to ~ a telegraph pole) (٤) ينشئ (٥) يعدِّل : يعيد الصورة المقلوبة إلى وضعها السوي (بص) .

erectile [ĭ rĕk'təl] *(adj.)* (١) ممكن رفعه إلى وضع منتصب (٢) نعوظ ، انتصابي (ت) .

erection [ĭ rĕk'-] *(n.)* (١) بناء ، تشييد ، إقامة ، إنشاء (٢) انتصاب ، انتشار (فس) (٣) مبْنَى .

erector [-'tər] *(n.)* فا erect ، وبخاصة : عضلة منعِظة (ت) .

erelong [âr lông'] *(adv.)* سُرعان ، سُرعان ما .

eremite [ĕr'ə mīt] *(n.)* الناسك ، الزاهد .

eremitic; -al [-mĭt'-] *(adj.)* نُسكيّ ، زُهديّ .

erenow [âr nou'] *(adv.)* (١) قبل الآن (٢) حتى الآن .

erethism [ĕr'ə thĭz'əm] *(n.)* تهيج (فس) .

erewhile [âr hwīl'] *(adv.)* سابقاً ، حتى الآن (ا.ق) .

erg [ûrg] *(n.)* الأرغ : وحدة العمل أو الطاقة (فز) .

erg- *or* **ergo-** بادئة معناها : عمل ؛ شغل .

ergo [ûr'gō] *(adv.)* إذن ؛ هكذا .

ergograph [ûr'-] *(n.)* المِعمال : مقياس لقدرة العضلة على العمل .

ergometer [-gŏm'-] *(n.)* المِجهاد : مقياس للجهد العضلي .

ergosterol [ər gŏs'-] *(n.)* الارغوسترول : مادة في الدهن النباتي والحيواني تتحول بفعل أشعة الشمس إلى فيتامين د. (كح).

ergot [ûr'gət; -gŏt] *(n.)* الأَرْغوت : «أ» مَرَض يصيب الأَرُزّ وغيره من الحبوب بسبب من بعض الفطور فيَحِلّ محلّ الحبّة جسماً طويلاً قاسياً داكن اللون . «ب» الجسم الناشيء بهذه الطريقة . «ج» مادة طبية تستعمل لوقف النزف الدموي الخ .

ergotism [ûr'gə tĭz'əm] *(n.)* التسمّم الأَرْغوتيّ : داء ينشأ عن أكل الطعام المُعَدّ من أرزّ الخ . مصاب بالأَرْغوت .

erica [ĕr'-] *(n.)* الخَلَنج : جُنَيْبَة من الفصيلة الخَلَنجية (نب) .

ericaceous[-kā'shəs] *(adj.)* خَلَنجيّ : من الفصيلة الخلنجية (نب) .

ericoid [ĕr'ĭ koid] *(adj.)* خَلَنجانيّ : شبيه بالخَلَنج (نب) .

Erin [âr'ĭn; ĭr'ĭn] *(n.)* ايرلندة .

Eris [ĭr'ĭs] *(n.)* إيريس : إلاهة الشِّقاق عند الاغريق .

eristic [ĕ rĭs'tĭk] *(adj.)* جِداليّ : متّسِم بالجدال أو مولَع به .

ermine[ûr'mĭn] *(n.)* (١) القاقُم ؛ القاقوم : حيوان من فصيلة بنات عرس (٢) فرو القاقُم .

ermine

ermined [-'mĭnd] *(adj.)* مكسوّ أو مزيّن بفرو القاقُم .

erne *or* **ern** [ûrn] *(n.)* الأَرْن : نسر بحريّ أبيض الذيل .

erode [ĭ rōd'] *(vt.; i.)* (١) يتآكل ؛ يَحُتّ (٢) يُحْدِث أو يشكّل بالتآكل ×(٣) يتآكل ؛ ينْحَتّ ؛ يتحاتّ .

erogenous *also* **erogenic** *(adj.)* (١) حسّاس جنسياً (~ zones of the human skin) (٢) مثير للشهوة الجنسية (~ pleasure).

Eros [ĭr'ŏs] *(n.)* إيروس : إلّه الحبّ عند الاغريق .

erose [ĭ rōs'] *(adj.)* مُقَضَّم ؛ مُقَرَّض (an ~ leaf).

erosion [ĭ rō'zhən] *(n.)* (١) تأكُّل ؛ تَعْرِية (٢) تآكل ؛ تحاتّ .

erosive [ĭ rō'sĭv] *(adj.)* أكّال ؛ حاتّ (an ~ acid).

erotic [ĭ rŏt'ĭk] *(adj.; n.)* (١) جنسي : مصوِّر للحبّ الجنسي . (٢) مثير للشهوة الجنسية (٣) شهواني (an ~ person) §(٤) الشهوانيّ : شخص شهوانيّ .

eroticism *also* **erotism** *(n.)* (١) الإثارة الجنسية (٢) التهيّج الجنسيّ (٣) «أ» الشهوة الجنسية . «ب» الشَّبَق .

err [ûr] *(vi.)* (١) يَضِلّ (ا.ق) (٢) يخطىء (٣) يأثم ؛ يزِلّ .

errand[ĕr'ənd] *(n.)* (١) «أ» رسالة شفهية (يكلَّف شخص بنقلها). «ب» مُهِمّة (٢) «أ» رحلة قصيرة لأداء رسالة أو للقيام بمهمة . «ب» الغرض من مثل هذه الرحلة .

errand-boy *(n.)* الساعي : غلام يُكلَّف بنقل الرسائل وحمل السلع إلى الزبائن .

errant [ĕr'ənt] *(adj.)* (١) رحّالة ؛ مولع بالرحلات (٢) «أ» شارد ؛ تائه . «ب» هائم على وجهه لغير ما غرض (٣) ضالّ : منحرف عن الصراط المستقيم (an ~ child).

errantry[ĕr'-] *(n.)* تَرحّل : تجوال (التماساً للمغامرات الفروسية).

errata [ĭ rā'tə] *(n.pl.)* جدول الخطأ والصواب (في كتاب) .

erratic [ĭ răt'ĭk] *(adj.; n.)* (١) شارد ؛ ضالّ (٢) مجروف بفعل نهر جليديّ (٣) شاذّ ؛ غريب الأطوار §(٤) شخص غريب الأطوار (٥) صخر مجروف بفعل نهر جليدي .

erratum [ĭ rā'təm; ĭ rä'-] *(n.)* pl. **-ta** خطأ مطبعي .

erroneous [ə rō'nĭ əs] *(adj.)* خاطىء ؛ غير صحيح .

error [ĕr'ər] *(n.)* (١) غلط ؛ خطأ (٢) غلطة (٣) إثم .

ersatz [-zäts'] *(adj.; n.)* (١) صُنْعيّ ؛ بديل §(٢) شيء صنعيّ أو بديل .

Erse [ûrs] *(n.)* اللغة الغاليّة الاسكتلندية أو الغاليّة الايرلندية .

erst [ûrst] *(adv.)* سابقاً ؛ في ما مضى (ا.ق) .

erstwhile [-'hwīl] *(adv.; adj.)* (١) سابقاً §(٢) سابق .

eruct; eructate *(vi.; t.)* (١) يتجشأ ×(٢) يقذف (البركان) حِممه .

erudite [ĕr'ōō dīt'; ĕr'yōō-] *(adj.)* واسع المعرفة .

erudition [-dĭsh'-] *(n.)* معرفة واسعة (مُكْتَسَبة من الكتب غالباً).

erupt [ĭ rŭpt'] *(vi.; t.)* (١) «أ» يثور (البركان) . «ب» ينفجر . (٢) يتفصّد (الجلد) ×(٣) ينفث (الحمم) (٤) يُطْلِق (الأوامر).

eruption [ĭ rŭp'-] *(n.)* (١) ثوران (بركان) ؛ هيجان ؛ انفجار (٢) تفصّد (٣) طَفْح جلديّ .

eruptive [-'tĭv] *(adj.)* (١) ثائر ؛ هائج (٢) ثورانيّ ؛ بركانيّ (٣) طَفْحيّ (٤) منفط .

-ery لاحقة معناها : (١) صفة (snobb*ery*) (٢) فنّ ؛ صناعة (arch*ery*) (٣) مكان الصنع أو الانتاج أو البيع (bak*ery*) (٤) مجموعة (machin*ery*) (٥) حالة ؛ وضع (slav*ery*).

erysipelas [ĕr ə sĭp'-] *(n.)* الحُمْرة : التهاب جلدي (مض) .

erythema [ĕr'ə thē'mə] *(n.)* الحُماميّ : التهاب جلدي (مض).

erythr- *or* **erythro-** بادئة معناها : (١) أحمر (٢) كريّة دم حمراء .

erythrism[ĭ rĭth'rĭz əm] *(n.)* الاحمرارية : أحمرار البشرة أو الشعر .

erythroblast [ĭ rĭth'-] *(n.)* الحمراوية : خلية مُنَوّاة في مُخّ العظم تنشأ منها خلايا الدم الحمر (ت) .

erythrocyte [-'rō sīt'] *(n.)* الكُرَيّة الحمراء (ت) .

erythrocytometer *(n.)* المِحمار : جهاز لإحصاء الكريّات الحمر .

erythroid [ĕr'-] *(adj.)* خاصّ بالكريات الحمر .

erythromycin [-mī'-] *(n.)* الاريترومايسين : عقّار مضاد للجراثيم .

erythropoiesis [-ē'sĭs] *(n.)* تكوّن الكريات الحمر .

escadrille[-drĭl'] *(n.)* أسطول صغير (من السفن أو الطائرات الحربية).

escalade[-kə lād'] *(n.; vt.)* (١) تسلّق الأسوار §(٢) يتسلق الأسوار .

escalate [ĕs'kə lāt] *(vt.)* يُصعِّد ؛ يزيد من حدّة كذا .

escalator [ĕs'kə lā tər] *(n.)* السلم الدوّار : سلّم ميكانيكي متحرك صعوداً وهبوطاً على نحو متواصل .

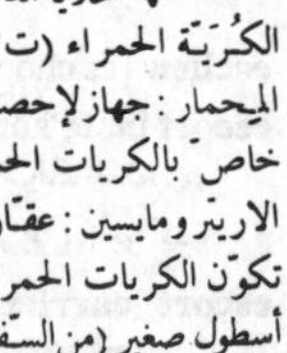

escalator

escalator clause *(n.)* الشرط المعدِّل : شرط في عقد بين شركة ونقابة عمال يجيز زيادة الأجور أو خفضها في أحوال معينة .

escallop [ĕs kŏl'əp; ĕs kăl'-] = scallop.

escapade[ĕs'kə pād'] *(n.)* (١) فرار (ا.ق) (٢) عمل طائش أو مغامر .

escape [ĕs kāp'] *(vi.; t.; n.; adj.)* (١) «أ» يُفلت من . «ب» يرتشح (٢) يفرّ ×(٣) ينجو (من مطاردة أو عقوبة أو شرّ محدق) (٤) «أ» يفوت ؛ يغيب عن الذاكرة (His name ~s me.) «ب» يفوته فَهْمُ المراد (Your meaning ~s me.) (٥) «أ» ينبعث من . «ب» ينِدّ §(٦) فرار (٧) نجاة (٨) ارتشاح (٩) تهرّب من الروتين أو من الواقع (١٠) وسيلة فرار §(١١) تهرّبي : مساعد على التهرّب من الواقع (~ literature) (١٢) مُتيح وسيلةً للتملص (an ~ clause).

escapee [-kā pē'] *(n.)* الهارب ؛ الآبق ؛ وبخاصة : الفارّ من سجن .

escape mechanism *(n.)* الأسلوب التهرّبي : طريقة في السلوك أو التفكير تُصطنع للتهرّب من الحقائق أو المسؤوليات البغيضة (نف) .

escapement [-'mənt] *(n.)* (١) ميزان أو شاكوش الساعة (٢) أداة تساعد على الحركة في اتجاه واحد بنسبٍ متساوية (كجهاز المسافات في آلةٍ كاتبة) (٣) «أ» إفلات . «ب» مَنْفَذ .

escapement I.

escape valve *(n.)* = safety valve.

escape velocity *(n.)* سرعة الانفلات الصغرى : الحد الأدنى من السرعة الذي يحتاج إليه الصاروخ الخ. للانفلات من الجاذبية الأرضية والانطلاق إلى الفضاء الخارجي .

escapism [ĕs kā'-] *(n.)* التهرّبيّة : التهرّب من الواقع بالاستغراق في اللهو أو الخيال .

escarp [ĕs kärp'] *(n.; vt.)* = scarp.

escarpment [-kärp'-] *(n.)* (١) خندق حول موقع دفاعي (٢) جُرُف .

-escent لاحقة معناها : «أ» آخذٌ في ؛ إلى حد طفيف . «ب» عاكس أو مرسل للضوء .

eschar [ĕs'kär; -kər] *(n.)* (١) نَدَبَة ؛ وبخاصة : أثر الحَرْق . (٢) كثيب يُخلّفه نهرٌ جليدي (جي) .

escharotic [-kə rŏt'-] *(adj.; n.)* (١) كاوٍ ، مُحْدِثٌ نَدَبَة . §(٢) عقّار كاوٍ .

eschatology [-kə tŏl'-] *(n.)* الإيمان بالأُخرويات (كالبعث والحساب) .

escheat [ĕs chēt'] *(n.; vi.; t.)* (١) الاستيراث : أيلولة ميراث إلى الدولة لعدم وجود وارث (٢) ميراث يؤول إلى الدولة لهذا السبب (٣) حق الاستيراث §(٤) يؤول إلى الدولة لانعدام الوارث ×(٥) تصادر (الدولةُ) ميراثاً لا وارث له .

eschew [ĕs chōō'] *(vt.)* يتجنّب ؛ يتحاشى ؛ يُحاذر .

escort [*n.* ĕs'kôrt; *v.* ĕs kôrt'] *(n.; vt.)* (١) «أ» مُرافق . «ب» حَرَس (٢) حامية (من السفن الحربية أو الطائرات المقاتلة الخ.) . §(٣) يرافق (للحماية أو كمظهر من مظاهر التكريم) ؛ يواكب .

escort carrier *(n.)* حاملة طائرات صغيرة .

escort fighter *(n.)* طائرة مقاتلة تواكب القاذفات الثقيلة .

escritoire [-krĭ twär'] *(n.)* مكتب مزوّد بجزء أعلى خاصّ بالكتب .

escritoire

escrow [ĕs'krō] *(n.)* عهد التنفيذ : عقدٌ أو صكٌ أو سَنَدٌ يودع لدى شخص ثالث ليسلّمه إلى المستفيد عند تنفيذ شرط معين (ق) .

escudo [ĕs kōō'dō] *(n.)* الأسكود : عملة اسبانية أو برتغالية الخ .

esculent [ĕs'kyə-] *(adj.; n.)* (١) صالح للأكل §(٢) شيء صالح للأكل .

escutcheon [-kŭch'ən] *(n.)* (١) شعار النبالة (٢) غطاء ثقب المفتاح (٣) جزء من مؤخر السفينة يحمل اسمها .

-ese لاحقة معناها : «أ» خاص ببلد أو موطن ما . «ب» أحد أبناء بلد ما . «ج» لغة بلد ما أو جماعة ما .

esker [ĕs'kər] *(n.)* كثيب يُخلّفه نهرٌ جليديّ (جي) .

Eskimo [ĕs'kə mō'] *(n.)* (١) الأسكيمو : مجموعة شعوب تقطن كندا الشمالية وغرينلند وآلاسكا وسيبريا الشرقية (٢) شخص من الاسكيمو (٣) لغة الاسكيمو. **—Eskimoan** *(adj.)*

esophageal [ē sō făj'ĭ əl] *(adj.)* مَرِيئي : متعلق بالمَريء .

esophagus [ē sŏf'ə gəs] *(n.)* pl. **-gi** المريء (ت) .

esoteric [ĕs'ə tĕr'ĭk] *(adj.)* (١) مُعَدّ لفئة قليلة أو مفهوم من قبلها وحدها (٢) مقصورٌ على فئة قليلة (~ pursuits) (٣) سرّيّ ؛ خفيّ (~ reasons) .

espadrille *(F.)* الإسبَدريل : حذاء خفيف قماشيّ القرعة مَرِن النعل .

espalier [-păl'yər] *(n.; vt.)* (١) شجرة متعرشة (٢) تعريشة . §(٣) يعرّش النباتات (٤) يزوّد بتعريشة .

esparto [-pär'tō] *(n.)* الحَلْفاء : نبات عشبيّ من الفصيلة النَّجيلية .

especial [ĕs pĕsh'əl] *(adj.)* (١) خصوصي (٢) استثنائيّ .

especially *(adv.)* (١) خصوصاً ؛ بصورة خاصة (٢) على نحو استثنائي .

Esperanto [-pə rän'tō] *(n.)* الاسبرانتو : لغة دولية مبتكرة بُنيت على أساس من الكلمات المشتركة في اللغات الأوروبية الرئيسية .

espial [-pī'əl] *(n.)* (١) تجسّس (٢) «أ» ملاحظة . «ب» اكتشاف .

espionage [ĕs'pĭ ə nĭj; ə spī'-] *(n.)* تجسّس ؛ جاسوسية .

esplanade [-'plə nād'; -näd'] *(n.)* المُسْتَوية : أرض مستوية يتنزّه فيها المُشاة وراكبو العربات .

espousal [-pou'zəl] *(n.)* (١) «أ» خِطبة . «ب» زفاف . «ج» زواج . (٢) اعتناق معتقد ؛ مناصرة قضية .

espouse [-pouz'] *(vt.)* (١) يتزوّج (٢) يزوّج (٣) يعتنق ؛ يناصر قضية .

esprit [ĕs prē'] *(F.)* ظَرف ؛ مَرَح ؛ ذكاء متوقّد .

esprit de corps [də kôr'] *(F.)* العصبية ؛ روح الجماعة : روح التضامن .

espy [ĕs pī'] *(vt.)* يلمح ؛ يرى من بعيد .

-esque لاحقة معناها : مثل ؛ شبيهٌ بـ (statuesque) .

Esquimau [ĕs'kə mō'] *(n.)* pl. **-mau** *or* **-x** = Eskimo.

esquire [-kwīr'] *(n.)* (١) انكليزي منزلته دون منزلة الفارس مباشرة (٢) مرشح لرتبة فارس (٣) المبجّل ؛ المحترم : لقب يلحق باسم الأسرة عادةً (John Smith, *Esq.*) .

-ess لاحقة معناها : أنثى (count*ess*; lion*ess*) .

essay [*n.* ĕs'ā; *v.* ĕ sā'] *(n.; vt.)* (١) محاولة (٢) مقال ؛ مقالة . (٣) اختبار ؛ تجربة §(٤) يختبر (٥) يحاول **—essayer** *(n.)*

essayist [ĕs'ā ĭst] *(n.)* المنشئ : كاتب المقالات .

essence [ĕs'əns] *(n.)* (١) الجوهر : جوهر الشيء (٢) الماهية (نف) . (٣) الروح : «أ» مادة مستخلصة من نبات أو عقّار بطريق التقطير . «ب» محلول هذه المادة في الكحول (٤) عِطْر .

essential [ə sĕn'shəl] *(adj.; n.)* (١) «أ» جوهري . «ب» أساسي . (٢) كامل ؛ مثاليّ (٣) عِطريّ (~ oil) §(٤) *pl.* : أصول ؛ مبادئ (~*s* of chemistry) (٥) عنصر أساسيّ ؛ نقطة رئيسية .

essential character *(n.)* الصفة المميّزة (أح) .

essentialism *(n.)* الماهيويّة ؛ الجوهرية : نظرية تقدّم الماهية أو الجوهر على الوجود (فهي بذلك نقيض الوجودية) .

essentially [ə sĕn'shə lĭ] *(adv.)* جوهرياً ؛ أساسياً .

establish [ĕs tăb'lĭsh] *(vt.)* (١) يثبّت ؛ يرسّخ ؛ يوطّد . (٢) «أ» يعيّن (الموظفين) . «ب» يشترع (القوانين) (٣) «أ» يؤسّس «ب» يُقيم (علاقاتِ صداقة الخ.) (٤) يجعل إحدى الكنائس مؤسسة وطنية (٥) يُثبِت ؛ يبرهن .

established church *(n.)* الكنيسة الرسمية : كنيسة معترفٌ بها قانونياً بوصفها كنيسة الدولة الرسمية ، فهي تَنعم بتأييد السلطة المدنية .

establishment [-mənt] *(n.)* (١) «أ» مجموعة قوانين . «ب» كنيسة رسمية . «ج» مُنشأة مدنية أو عسكرية . «د» مؤسسة تجارية أو عامة أو خاصة (٢) توطيد ؛ ترسيخ ؛ إقامة ؛ تأسيس الخ. (٣) توطّد ؛ ترسّخ .

estaminet [ĕs tȧ mē nĕ'] *(F.)* مقهى صغير .

estate [ĕs tāt'] *(n.)* (١) حالة؛ وضع (٢) منزلة، وبخاصة؛ منزلة رفيعة (٣) طبقة اجتماعية؛ وبخاصة: إحدى الطبقات الثلاث التي تمتعت في ما مضى بسلطات سياسية متميزة (النبلاء، ورجال الدين. والعوام) (٤)«أ» مِلكية؛ ممتلكات؛ وبخاصة: ما يملكه المرء من أرض وأطيان. «ب» جُماع ما يخلفه المرء عند وفاته من موجودات وديون. «ج» عِزبة.

estate agent *(n.)* (١) قيّم العِزبة (٢) سمسار الأراضي.

Estates General = States General.

esteem [-tēm'] *(n.; vt.)* (١) قيمة (ا.ق) (٢) تقدير (ا.ق). (٣)احترام؛ اعتبار §(٤) يُثمّن؛ يُقدّر (ا.ق). (٥)«أ»يعتبر (to ~ it a privilege). «ب» يظن؛ يحسب (٦) يحترم؛ يُجلّ.

ester [ĕs'tər] *(n.)* الإستر: ملحٌ عضويّ (ك).

esterase [ĕs'tə rās] *(n.)* الاستراس: خميرة تسرع تحلل الاسترات.

esterify [ĕs tĕr'-] *(vt.; i.)* (١)يُؤستِر: يحوّل الى إستر×(٢)يتأستر.

esthesia [-thē'zhə; -zhĭ ə] *(n.)* إحساس؛ حساسية.

esthesio- بادئة معناها: إحساس.

esthesis [-thē'sĭs] *(n.)* حِس؛ إحساس.

esthete; esthetic = aesthete; aesthetic.

estimable [ĕs'tə mə bəl] *(adj.)* جدير بالاحترام أو الاجلال.

estimate [*v.* ĕs'tə māt'; *n.* -mĭt; -māt'] *(vt.; n.)* (١)يُثمّن؛ يقيّم (٢) يقدّر؛ يخمّن (٣) يستنتج §(٤) تثمين؛ تقييم (٥) تقدير؛ تخمين.

estimation [-'shən] *(n.)* (١) رأي؛ وجهة نظر (٢)«أ» تثمين؛ تقييم. «ب» تقدير؛ تخمين (٣) احترام؛ اعتبار.

estival; estivate = aestival; aestivate.

Estonian [ĕs tō'-] *(n.; adj.)* أستونيّ: من أبناء أستونيا.

estop [ĕs tŏp'] *(vt.)* يصد؛ يمنع؛ يعوق.

estoppel [-əl] *(n.)* صدّ؛ منع؛ إعاقة.

estradiol *(n.)* الإستراديول: هرمون جنسي يُفرزه المبيضان.

estrange [-trānj'] *(vt.)* (١) يُبعِد؛ يُقصي (٢) يُنفّر (٣) يجعله غريباً عن.

—estrangement *(n.)*

estray [ĕs trā'] *(n.)* (١) ضالّة (٢) حيوان داجن تائه أو ضائع.

estreat [-trēt'] *(n.; vt.)* (١)نسخة طبق الأصل (عن حكم جزائي). §(٢) يستخرج نسخة من سجلات محكمة (٣) يغرم.

estrogen [ĕs'trə jən] *(n.)* هرمون مثير للدورة النزوية (كح).

estrous cycle *(n.)* الدورة النزوية (عند الحيوان).

estrus *or* **estrum** *(n.)* = estrous cycle.

estuary [ĕs'chōō ĕr'ĭ] *(n.)* مصبّ النهر.

esurient [ĭ sōōr'ĭ-] *(adj.)* جائع؛ نهِم.

—esurience; -cy *(n.)*

-et لاحقة معناها: (١) صغير (isl*et*) (٢) مجموعة (octet).

étagère [ĕ tȧ zhĕr'] *(F.)* خزانة مكشوفة الرفوف.

etamine [ĕt'ȧ mēn] *(F.)* الايتامين: قماش قطني الخ. رقيق.

etatism [ā tät'ĭz'əm] *(F.)* = state socialism.

et cetera; etc. [ĕt sĕt'ər ə] *(L.)* وهلُمّ جرّاً؛ إلى آخره.

etcetera *(n.)* (١) عدد مختلف من... (٢).*pl*: أشياء إضافية أو مختلفة.

etch [ĕch] *(vt.; n.)* (١) يحفر (كليشيه الخ) (٢) يرسم الخطوط الكبرى لـ.. (٣) يطبع في الذهن أو الذاكرة §(٤) محلول كيميائي يُستخدم في حفر الكليشيهات.

etching [ĕch'-] *(n.)* (١)حفر الكليشيهات أو الطبع عنها (٢) كليشيه أو طبعةٌ عنها.

eternal [ĭ tûr'nəl] *(adj.; n.)* (١) أبديّ؛ سرمديّ؛ لانهائيّ §(٢) خالد: *cap.* with *the*: الله.

—eternally *(adv.)*

eternity [ĭ tûr'-] *(n.)* الأبدية؛ السرمدية؛ اللانهائية؛ الخلود.

eternize [-'nīz] *(vt.)* (١) يؤبّد؛ يُسرمِد (٢) يُخلّد.

etesian [ĭ tē'zhən] *(adj.)* موسميّ (~ winds).

ethane [ĕth'ān] *(n.)* الإثين: هيدروكربون غازيّ عديم اللون والرائحة يكون في الغاز الطبيعي ويتّخذ وقوداً (ك).

ethanol [-'ə nōl] *(n.)* الإيثانول، الكحول الاثيليّ (ك).

ether [ē'thər] *(n.)* (١) السّماء؛ السماء الصافية (٢) الأثير (فز). (٣) الإتير: سائل سريع الالتهاب يُستخدم كمخدّر (ك).

ethereal [ĭ thĭr'ĭ əl] *(adj.)* (١)سماويّ (٢)«أ»أثيريّ؛ غير ماديّ. «ب» بالغ الرقة (٣) إتيري (ك).

etherealize [-ə līz'] *(vt.)* يُؤثْيِر: يجعله أثيرياً أو بالغ الرقة.

etheric *(adj.)* = ethereal.

etherize [ē'thə rīz'] *(vt.)* (١) يُؤتْيِر؛ يعالج بالإتير (٢)يُخدّر.

ethic [ĕth'ĭk] *(adj.; n.)* (١) أخلاقيّ §(٢) علم الأخلاق (ا.ن).

ethical [-'ə kəl] *(adj.; n.)* (١) أخلاقيّ (٢) محظورٌ بيعهُ إلا بناءً على وصفة طبيب (an ~ drug) §(٣) عقّار لا يباع إلا بناءً على وصفة طبيب.

ethics [-'ĭks] *(n. pl.)* (١) علم الأخلاق (٢) آداب مهنة ما (٣) أخلاق.

Ethiopian [ē thĭ ō'pĭ ən] *(adj.; n.)* (١) حبَشيّ (٢) زنجيّ.

Ethiopic [-ŏp'ĭk] *(adj.; n.)* (١) حبشيّ §(٢) اللغة الحبشية.

ethmoid [ĕth'moid] *(adj.; n.)* (١) أو **ethmoidal**: مِصفَويّ: خاص بعظام جدران التجويف الأنفي §(٢) عظمٌ مِصفَويّ (ت).

ethnic; -al [ĕth'-] *(adj.)* (١) وثنيّ (٢) عِرقيّ.

ethnic cleansing *(n.)* التّطهير العِرقيّ.

ethno- بادئة معناها: عِرق (*ethnology*).

ethnocentric [-sĕn'-] *(adj.)* مُستَعرِق: «أ» متمركز حول العرق بوصفه غاية الغايات «ب» مؤمن بأن عرقه أسمى من سائر الأعراق.

ethnogeny [ĕth nŏj'ə nĭ] *(n.)* علم نشوء الأعراق.

ethnography [ĕth nŏg'-] *(n.)* الاثنوغرافيا: الانثروبولوجيا الوصفية.

ethnologic; -al *(adj.)* اثنولوجي: متعلق بالاثنولوجيا.

ethnology [ĕth nŏl'-] *(n.)* الاثنولوجيا: علم الأعراق البشرية.

ethos [ē'thŏs] *(n.)* روحُ الشعب (أو الجماعة أو المؤسسة أو النظام) أو مزاجُه أو عبقريته.

ethyl [ĕth'əl] *(n.)* الإثيل (ك).

ethyl alcohol *(n.)* الكحول الاثيلي: الكحول التجاري (ك).

ethylate [ĕth'ə lāt] *(vt.)* يُؤثْيِل (ك).

ethylene [ĕth'-] *(n.)* الاثيلين: غاز ملتهب عديم اللون كريه الرائحة.

ethylene glycol *(n.)* غليكول الاثيلين (ك).

etiolate [ē'tĭ ə lāt'] *(vt.)* (١) يقصّر: يبيّض نبتةً خضراء بحجب النور عنها (٢) يجعله شاحباً (٣) يسلبه العافية أو نحوها.

etiology [ē'tĭ ŏl'ə jĭ] *(n.)* علم أسباب الأمراض.

etiquette [ĕt'ə kĕt'] *(F.)* (١)آداب المعاشرة (٢)قواعد التشريفات.

Eton jacket [ē'tən] *(n.)* سترة (كُليّة) ايتون: سترة قصيرة سوداء.

Etruscan [ĭ trŭs'-] *(adj.)* اترووريّ: منسوب إلى اتروريا وهي بلاد قديمة في غربي إيطاليا.

-ette لاحقة معناها: (١) صغير (statu*ette*) (٢) أنثى (farmer*ette*) (٣) بديلٌ عن؛ تقليدٌ لـ (flannel*ette*).

étude [ā tūd'; ā tōōd'] *(F.)* (١) دراسة (٢)الدراسة: مقطوعة مُعدّة

في المقام الأول للتمكّن من ناحية من نواحي التقنية الموسيقية .

etui [ā twē'] *(F.)* . صندوق صغير مزخرف (لأدوات الزينة الخ) .

etymologist *(n.)* . الاتيمولوجيّ : لغويّ متخصص بالاتيمولوجيا .

etymology [ĕt'ə mŏl'ə jĭ] *(n.)* الاتيمولوجيا : «أ» بَسْط أو تعليل لأصل لفظة ما وتاريخها . «ب» دراسة تعنى بأصل الكلمات وتاريخها .

—**etymological** *(adj.)*

etymon [ĕt'ə mŏn'] *(n.)* pl. **-ma** *or* **-mons** . جِذْر الكلمة

eu- بادئة معناها : حَسَن (*eu*logy).

eucalypt [ū'kə lĭpt] ; **eucalyptus** [ū kə lĭp'təs] *(n.)* الأوكالبتوس : شجر يستعمل ورقه وزهره طبياً (نب) .

Eucharist [ū'kə rĭst] *(n.)* القربان المقدّس (نص) .

euchre [ū'kər] *(n.; vt.)* (١) اليُوكْر : ضربٌ من لَعِب الورق . § (٢) يخدع

euclase[ū'klās] *(n.)* الأُكلاز : معدن شفاف أخضر أو أزرق أو أبيض .

Euclidean *also* **Euclidian** [ū klĭd'ĭ ən] *(adj.)* اقليدسيّ : منسوب إلى إقليدس أو هندسته .

eudaemonism *also* **eudemonism**[ū dē'mə nĭz'əm] *(n.)* فلسفة السعادة : نظرية تجعل التماس السعادة أساساً للسلوك الأخلاقي ومحكّاً له .

eudiometer [ū'dĭ ŏm'-] *(n.)* المِغْواز : أنبوب مدرّج لتحليل الغازات .

eugenic [ū jĕn'-] *(adj.)* يوجينيّ : محسّن للنسل أو متعلق بتحسينه .

eugenics [-'ĭks] *(n.)* اليوجينيا : علم تحسين النسل .

eugenol [ū'jə nōl] *(n.)* اليوجينول : سائل عطري عديم اللون يكون في زيت كبش القرنفل الخ (ك) .

euhemerism [ū hē'-] *(n.)* الأوهيميرية : نظرية أوهيميروس (حوالى ٣٠٠ ق.م) القائلة بأن الآلهة الكلاسيكية ليست غير ملوك وأبطال وطنيين ألّههم أقوامهم .

eulogist [ū'lə jĭst] *(n.)* (١) المادح (٢) المؤبّن .

eulogistic; eulogistical [ū'lə jĭs'-] *(adj.)* (١) مَدْحيّ (٢) تأبينيّ .

eulogium [ū lō'-] *(n.)* pl. **-gia** *or* **-giums**=eulogy.

eulogize [ū'lə jīz'] *(vt.)* (١) يمدح (٢) يؤبّن .

eulogy [ū'lə jĭ] *(n.)* (١) مديح (٢) تأبين .

eunuch [ū'nək] *(n.)* الخَصِيّ ؛ المخصيّ .

euonymus [ū ŏn'-] *(n.)* الأويونيموس : نبات دائم الخضرة .

eupatrid [ū păt'-] *(n.)* البَتريد : أحد ارستوقراطيي اثينا الوراثيين .

eupepsia [ū pĕp'shə; -sĭ ə] *(n.)* حُسْن الهضم .

eupeptic [ū pĕp'-] *(adj.)* (١) خاصّ بحُسْنِ الهضم (٢) ذو هَضْم حسن (٣) مهضِم ؛ هاضوم (٤) مرِح ؛ متفائل .

euphemism [ū'fə-] *(n.)* لطف التعبير (عن شيء بغيض) .

—**euphemistic** *(adj.)* —**euphemize** *(vt.; i.)*

euphonic; euphonious *(adj.)* رخيم ؛ حَسَن الوقع في الأذن .

euphonium [ū fō'nĭ əm] *(n.)* . بوق (مو)

euphony [ū'fə nĭ] *(n.)* (١) صوت عذب . (٢) عذوبة الصوت (٣) نزعة إلى تعديل الأصوات الكلامية (تسهيلاً للنطق أو اقتصاداً فيه) .

euphonium

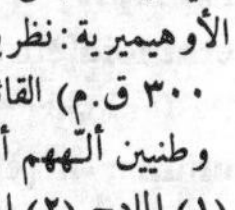

euphorbia [ū fôr'-] *(n.)* الفَرْبيون ؛ اليَتُوع : نبات ذو لبنٍ دارّ .

euphoria [ū fōr'-] *(n.)* الشعور بالنشاط والخفّة .

euphuism [ū'fū ĭz əm] *(n.)* التأنّق اللفظي أو البيانيّ .

euplastic[ū plăs'-] *(adj.)* استنساجي : قابل للتحول إلى نسيج عضوي .

eupnea *or* **eupnoea** [ūp nē'ə] *(n.)* يُسْر التنفّس .

Eur- *or* **Euro-** بادئة معناها : أوروبيّ و . . .

Eurasian[yoo rā'zhən] *(adj.; n.)* (١) أوراسيّ ؛ أوروبي آسيوي (٢) أوراسيّ الدم § (٣) الأوراسي : شخص أحد أبويه أوروبي والآخر آسيوي .

eureka [yoo rē'kə] *(interj.)* وَجَدْتُها !

Europe [yoor'əp] *(n.)* أوروبة : قارة أوروبة (جغ) .

European[-ə pē'ən] *(adj.; n.)* (١) أوروبي § (٢) شخص أوروبي .

European plan(n.) الخطة الأوروبية : نظام متبع في بعض الفنادق يُتقاضى بموجبه من النزلاء مبلغ محدّد لقاء المبيت والخدمة فقط (قا . **American plan**) .

europium [yoo rō'-] *(n.)* الأوروبيوم : عنصر فلزيّ (ك) .

eury- بادئة معناها : واسع ؛ عريض .

eurybathic *(adj.)* قادر على الحياة في أعماق من أعماق الأوقيانوس .

eurythmic *or* **eurhythmic** *(adj.)* (١) منسجم (٢) إيقاعي .

eurythmics *or* **eurhythmics** *(n.)* الرقص الإيقاعي .

Eustachian tube[ū stā'kĭ ən; -shən] *(n.)* القناة السمعية (ت) .

eutectic [ū tĕk'-] *(adj.)* يوتكتيّ : أَصْهَريّ : «أ» ذو نقطة انصهار بالغة الحدّ الأدنى من حيث الانخفاض . «ب» متعلق بمزيج يوتكتيّ أو بخصائصه .

euthanasia [ū thə nā'zhə] *(n.)* القتل الرحيم : قَتْل من يشكو مَرَضاً عضالاً بطريقة خالية من الألم .

euthenics [ū thĕn'ĭks] *(n.)* علم تعزيز الرفاهة البشرية (من طريق تحسين أحوال المعيشة) .

euxenite [ūk'sə nīt] *(n.)* الأوكسينيت (مع) .

evacuant [ĭ văk'-] *(adj.; n.)* (١) مُسْهِل § (٢) دواء مُسْهِل .

evacuate [ĭ văk'yoo āt'] *(vt.; i.)* (١) يُفْرِغ (٢) يبول ؛ يتغوّط . (٣) يَنْزَح ؛ يُفرِغ بمضخة (٤) «أ» يُجلي (عن منطقة) . «ب» يجلو (عن موقع حربي) . «ج» يخلي (مسكناً الخ .) .

evacuation [-ā'shən] *(n.)* (١) تفريغ (٢) تبوّل ؛ تغوّط (٣) إجلاء (٤) جلاء (٥) إخلاء (٦) بول ؛ غائط .

evacuee [-'yoo ē] *(n.)* المُجْلَى (عن منطقة خَطِرة) .

evadable; evadible[ĭ văd'-] *(adj.)* يُجتنَب ؛ مُمكِنٌ اجتنابه

evade [ĭ văd'] *(vi.; t.)* (١) يروغ ؛ يتملّص × (٢) يتجنّب . (٣) يتهرّب من .

evaginate [ĭ văj'-] *(vt.)* (١) يستلّ من غمد (٢) يقلبه بطناً لظهر .

evaluate [ĭ văl'yoo āt'] *(vt.)* يُخمِّن ؛ يُقيِّم ؛ يُقدِّر .

evaluation [ĭ văl yoo ā'-] *(n.)* تثمين ؛ تقييم ؛ تقدير .

evanesce [ĕv'ə nĕs'] *(vi.)* يتلاشى ؛ يضمحل ؛ يزول .

evanescence[- nĕs'-] *(n.)* (١) تلاشٍ ؛ اضمحلال (٢) سرعة الزوال .

evanescent [ĕv'ə nĕs'-] *(adj.)* زائل ؛ سريع الزوال .

evangel [ĭ văn'jəl] *(n.)* (١) إنجيل (٢) المبشّر .

evangelical [ē'văn jĕl'-] *(adj.)* (١) انجيلي (٢) بروتستانتي .

evangelism [ĭ văn'-] *(n.)* (١) التبشير بالانجيل (٢) حماسة صليبية

evangelist [ĭ văn'jə lĭst] *(n.)* (١) *cap.* عد : أحد مؤلفي الأناجيل الأربعة (٢) المبشّر ، وبخاصة . مبشّر بروتستانتيّ .

evangelize [ĭ văn'-] *(vt.; i.)* (١) يبشّر (بالانجيل) (٢) يُنَصِّر

evanish [ĭ văn'ĭsh] *(vi.)* = vanish.

evaporate [ĭ văp'ə rāt'] *(vi.; t.)* (١) «أ» يتبخر ؛ يتَصَعَّد . «ب» يزول . «ج» يتلاشى × (٢) يُبخِّر ؛ يُصعِّد (٣) يجفف بالحرارة (**to ~ fruit**) (٤) يطرد (**to ~ electrons**) .

evaporated milk *(n.)* الحليب المكثّف .

evaporation[-rā'-] *(n.)* (١) تبخير ؛ تصعيد (٢) تبخّر ؛ تصعّد .

evaporative [ĭ văp'-] *(adj.)* بَخْري ؛ مُبَخِّر ؛ مُنْجَز بالتبخير .
evaporator [ĭ văp'-] *(n.)* (١) المبخر (٢) الميخار : جهاز لتبخير الماء .
evasion [ĭ vā'zhən] *(n.)* (١) مراوغة ؛ تملّص ؛ تجنّب ؛ تهرّب . (٢) عذر أو حيلة (للتجنب أو التهرّب) .
evasive [-'sĭv] *(adj.)* (١) «أ» تملّصي ؛ تخلّصي «ب» مُلْتَبِس . (٢) مراوغ ؛ متملّص (٣) غامض .
eve [ēv] *(n.)* (١) مساء (٢) عَشِيّة : «أ» ليلة (المساء ، أو اليوم السابق ليوم معيّن) . «ب» الفترة التي تسبق . مباشرةً ، حدثاً ما (the ~ of a revolution) (٣) *cap.* : حواء أمّ البشر .
evection *(n.)* التفاوت « في حركة القمر المدارية بحكم جاذبية الشمس ».
even [ē'vən] *(adj.; adv.; vt.; i.)* (١) «أ» مستوٍ ، سهل ، مطمئن (~ground) . «ب» أملس . «ج» متواز مع ؛ على مستوى كذا (The snow is ~ with the window.) (٢) «أ» متساوٍ ؛ متماثل (~ shares) . «ب» مطّرد ؛ منتظم (the ~ beat of raindrops on the roof) (٣) هادىء (an ~ temper) (٤) «أ» عادل ؛ لامتحيّز (~ treatment) . «ب» متعادل ؛ متكافىء ؛ متوازن (The scales hang ~.) (٥) «أ» متحرّر من الدَّيْن . «ب» آخذ بثأره أخذاً كاملاً (٦) شفعيّ ؛ منقسم على ٢ من غير باقٍ (٧) كامل ؛ تامّ ؛ من غير زيادة أو نقصان (an ~ mile *or* dozen) § (٨) على نحو متساوٍ أو مطّرد أو متكافىء الخ . (٩) تماماً ؛ بالضبط (It was ~ so.) (١٠) مباشرةً ؛ في نفس اللحظة (They left ~ as you came.) (١١) بل (She is willing, ~ eager, to do it.) (١٢) حتى (~ in July ; ~ a child can understand that.) (١٣) أيضاً ؛ كذلك (~ more suitable) (١٤) حتى لو . . . § (١٥) يسوّي ؛ يمهّد ؛ يملّس (١٦) يجعله مطّرداً أو منتظماً (١٧) يعادل ؛ يوازن ؛ يجعله متعادلاً أو متوازناً (١٨) يعزو ؛ ينسب (عب) × (١٩) يستوي ؛ يتساوى ؛ يتعادل ؛ يتوازن .
of ~ date في اليوم نفسه ؛ في نفس التاريخ .
evenfall [ē'vən fôl'] *(n.)* الغسق : ظلمة أول الليل .
evenhanded [ē'vən hăn'-] *(adj.)* منصِف ؛ عادل ؛ غير متحيز .
evening [ēv'nĭng] *(n.; adj.)* (١) مساء (٢) أصيل (٣) ليلة . (٤) «أ» مغيب ؛ غروب ؛ ارذل (in the ~ of life) . «ب» أفول (the ~ of his country's glory) (٥) سهرة § (٦) مسائي (an ~ prayer) .
evening dress *(n.)* ثوب السهرة الرسمي .
evenings [ēv'-] *(adv.)* كلّ ليلة ؛ ليلةً بعد ليلة .
evening star *(n.)* نجم المساء ، وبخاصة : الزُّهرة (فل) .
evenly [ē'vən-] *(adv.)* (١) بالتساوي (٢) بالعدل ؛ بغير تحيّز (٣) على قدم المساواة (٤) باستواء أو اطراد أو انتظام أو توازن (٥) بهدوء .
evenness [ē'vən-] *(n.)* (١) عدل ؛ لا تحيّز (٢) توازن ؛ تكافؤ . (٣) استواء ؛ اطّراد ؛ انتظام (٤) هدوء (~ of temper) .
evensong [ē'vən-] *(n.)* (١) المساء (ا.ق) (٢) صلاة المساء .
event [ĭ věnt'] *(n.)* (١) «أ» حادثة . «ب» حدَث ؛ حادثة هامة (٢) نتيجة ؛ وبخاصة : نتيجة الدعوى (ق) (٣) إحدى الوقائع أو المسابقات في برنامج رياضي .
at all ~*s*; in any ~, على أية حال ؛ مهما يحدث .
in the ~ of إذا ؛ في حالة حدوث كذا .
eventful [-'fəl] *(adj.)* (١) زاخر بالأحداث (٢) خطير .
eventide [ē'vən tīd'] *(n.)* المساء .
eventual [ĭ věn'cho͞o əl] *(adj.)* نهائي (~ success) .
eventuality *(n.)* احتمال (ready for all *eventualities*) .
eventually [ĭ věn'cho͞o ə lĭ] *(adv.)* أخيراً ؛ في آخر الأمر .
eventuate [ĭ věn'cho͞o āt] *(vi.)* ينتهي ؛ يتكشّف عن نتيجة ما .
ever [ĕv'ər] *(adv.)* (١) دائماً ؛ أبداً (~ ready to....) (٢) في أي وقت (If you ~ visit Beirut....) (٣) عمرَك ؛ في زمانك (Have you ~ been up in a balloon?) (٤) من أيما وقت مضى (It is raining harder than ~.) (٥) في أيما وقت مضى (This is the best novel you have ~ written.)
~ and anon بين الفينة والفينة ؛ من وقت إلى آخر .
~ since منذ ذلك الحين .
~ so جداً ؛ إلى أبعد حد .
~ such كثيراً ؛ جداً .
yours ~, لك إلى الأبد (عبارة تختم بها رسالة إلى صديق أو حبيب)
evergreen [ĕv'-] *(adj.; n.)* (١) دائم الخضرة § (٢) نبات دائم الخضرة (٣) *pl.* : أغصان نباتات دائمة الخضرة (تُتَّخذ للتزيين) .
everlasting [ĕv'ər lăs'-] *(adj.; n.)* (١) أبديّ (٢) دائم ؛ مستمر (~ snow) (٣) محتفظ بشكله أو لونه فترة طويلة عند تجفيفه (~ flowers) (٤) مضجِر ؛ مُبْرِم (his ~ whimpering) (٥) متين (~ cotton homespun) § (٦) *cap. with the* : الله (٧) الأزل (from ~ thou!) (٨) زهرة تحتفظ بشكلها أو لونها فترة طويلة عند تجفيفها .
evermore [-mōr'] *(adv.)* (١) دائماً ؛ إلى الأبد (٢) في المستقبل .
eversible [ĭ vûr'-] *(adj.)* ممكنٌ قلبُه بَطناً لظَهْر .
eversion [-'shən] *(n.)* قَلْبُ الشيء بطناً لظهر .
evert [ĭ vûrt'] *(vt.)* (١) يقْلب (٢) يقلب بطناً لظهر .
every [ĕv'rĭ] *(adj.)* (١) كلّ ؛ كلّ واحد من (٢) تامّ ؛ كامل ؛ كلّ (had ~ confidence in him) .
~ bit (١) كل (٢) تماماً ؛ من جميع النواحي .
~ now and again
~ now and then } بين حين وآخر .
Write only on ~ other line. أكتب على سطر دون سطر .
everybody; everyone *(pron.)* كلّ امرىء ؛ كل شخص .
everyday *(adj.; adv.)* (١) يوميّ ؛ عاديّ § (٢) كلّ يوم .
everything *(pron.; n.)* (١) كل شيء § (٢) الشيء الأهمّ .
everywhere [ĕv'rĭ-] *(adv.)* (١) في كل مكان (٢) حيثما .
evict [ĭ vĭkt'] *(vt.)* (١) يستردّ أو ينزع (المِلْكيّة) بدعوى يكسبها (٢) يطرد (مستأجراً) بالاستناد إلى حكم قضائي (٣) يطرد
—eviction *(n.)* **—evictor** *(n.)*
evidence [ĕv'ə dəns] *(n.; vt.)* (١) «أ» أمارة ؛ علامة . «ب» بيّنة ؛ دليل (٢) شاهد ؛ وبخاصة : من يعترف طوعاً بجريمته ويشهد ضدّ شركائه فيها § (٣) «أ» يبرهن . «ب» يُظهِر .
in ~, جليّ ؛ بادٍ للعيان .
evident [ĕv'ə dənt] *(adj.)* واضح ؛ بيّن ؛ جليّ .
evidential [-dĕn'shəl] *(adj.)* (١) إثباتيّ ؛ برهانيّ (٢) مُثْبِت .
evidently [ĕv'-] *(adv.)* (١) من الجليّ ؛ من البيّن (٢) بجلاء ؛ بوضوح .
evil [ē'vəl] *(adj.; n.)* (١) «أ» شرير ؛ فاسد (أخلاقياً) «ب» رديء ؛ ذميم (٢) بغيض ؛ كريه (٣) غاضب (٤) مؤذٍ ؛ ضارّ (٥) مشؤوم § (٦) شرّ (٧) إثم (٨) كارثة ؛ مصيبة (٩) آفة (١٠) عاقبة وخيمة (١١) مرض ؛ داء .

evildoer [-dōō'ər] *(n.)* الشرير ؛ فاعل الشرّ .
evil eye *(n.)* اللامّة : العين المُصيبة بسوء .
evil-minded [ē'vəl mīn'-] *(adj.)* خبيث ؛ سيء الطوية أو النية .
evince [ĭ vĭns'] *(vt.)* (١) يُثْبِت ؛ يبرهن (٢) يُظهر بوضوح .
eviscerate [ĭ vĭs'ə rāt'] *(vt.)* (١) ينزع أحشاءه (٢) يسلبه القوة. (٣) يزيل (عضواً أو محتوياته) من مريض .
evitable [ĕv'ə tə bəl] *(adj.)* ممكنٌ اجتنابه .
evocation [ĕv'ō kā'-] *(n.)* (١) مص **evoke** (٢) استغاثة .
evocative [ĭ vŏk'-] *(adj.)* مثيرٌ للذكريات أو العواطف الخ .
evoke [ĭ vōk'] *(vt.)* (١) «أ» يستدعي . «ب» يستحضر (الأرواح). (٢) يثير (٣) «أ» يصور بطريقة نابضة بالحياة. «ب» ينفخ الحياة فيه (من طريق البيان أو النحت الخ .)
evolute [ĕv'-] *(n.)* مُنْشِئ المنحنى : المحل الهندسي لمركز الانحناء (ر).
evolution [ĕv'ə lōō'shən; ē'və-] *(n.)* (١) «أ» تحوّل . «ب» نموّ . «ج» تقدّم . «د» تطوّر (٢) ثمرة (تطوّر ما) (٣) «أ» حركة (تؤلف جزءاً من خطة أو سلسلة) . «ب» مناورة حربيّة (٤) «أ» نشوء . «ب» النشوء (أح) . «ج» نظرية النشوء (أح) (٥) التجذير : استخراج الجذور (ر) .
evolutional; evolutionary *(adj.)* (١) تطوّري (٢) نشوئي (أح).
evolutionism [ĕv'ə lōō'-] *(n.)* النشوئية : مذهب النشوء (أح).
evolutionist [ĕv'ə lōō'-] *(n.)* النشوئي : المؤمن بمذهب النشوء (اح)
evolve [ĭ vŏlv'] *(vt.; i.)* (١) يطلق (عبيراً أو بخاراً الخ .) (٢) «أ» يستخرج ؛ يستنبط . «ب» ينشىء أو يضع (خطةً أو نظرية الخ .) . «ج» يطور أو يُحدِث (نشوئياً) ×(٣) يتطورّ .
evonymus [ĕv ŏn'ə məs] *(n.)* = euonymus.
evulsion [ĭ vŭl'shən] *(n.)* اقتلاع ؛ استئصال .
ewe [ū; yō] *(n.)* نعجة ؛ شاة الخ .
ewer [ū'ər] *(n.)* كوز ؛ إبريق .
ex [ĕks] *(prep.)* (١) مِن (مكانٍ أو مصدر معيّن) (٢) بلا ؛ من غير (interest ~).
ex- بادئة معناها : (١) خارجَ كذا (*ex*port) (٢) غير ؛ بلا (*ex*stipulate) (٣) سابق (*ex*-president).

ewer

exacerbate [ĭg zăs'ər bāt] *(vt.)* (١) يفاقم : يزيد (الألم أو الداءَ أو الغضب الخ .) خطورةً وحدّةً (٢) يثير (مشاعرَ المرء) .
exacerbation *(n.)* (١) «أ» مفاقمة . «ب» تفاقم ؛ استفحال (٣) إثارة .
exact [ĭg zăkt'] *(vt.; adj.)* (١) ينتزع ؛ يغتصب ؛ يبتز (٢) يتطلب ؛ يقتضي § (٣) صحيح ؛ مضبوط (٤) «أ» دقيق . «ب» مدقّق (٥) صارم (~ discipline) .
—**exactness** *(n.)*
exacting [ĭg zăk'-] *(adj.)* (١) قاسٍ ؛ كثير المطالب (an ~ master) (٢) متطلّب براعة أو عناية فائقة (an ~ piece of work).
exaction [-'shən] *(n.)* (١) انتزاع ؛ اغتصاب ؛ ابتزاز (٢) شيء يؤخذ عنوةً (كضريبة الخ .) .
exactitude [-'tə tūd'] *(n.)* (١) صحة ؛ ضَبْط (٢) دقّة .
exactly [-'lĭ] *(adv.)* (١) على نحو صحيح أو دقيق (٢) تماماً .
exact sciences العلوم الدقيقة (كالرياضيات الخ .) .
exaggerate [ĭg zăj'ə rāt] *(vt.; i.)* يبالغ ؛ يغالي ؛ يضخّم .
exaggerated *(adj.)* (١) مبالَغ فيه (٢) متضخم (كالقلب المريض الخ)
exaggeration [-ə rā'-] *(n.)* (١) مُبالغة (٢) عبارة منطوية على مبالغة
exalt [ĭg zôlt'] *(vt.)* (١) يُعْلي ؛ يرَفع (٢) يرفع (٣) يمجّد (٤) يثير (الخيالَ) (٥) يكثّف ؛ يقوي (٦) يكرّر ؛ يصفّي (ك).
—**exalted** *(adj.)*
exaltation [ĕg zôl tā'-] *(n.)* (١) مص exalt (٢) شدّة أو فرَط في حالة نفسية أو في نشاطية عضو أو وظيفة عضوية (٣) شعور غير سوي بالقوة أو الأهمية .
exam [ĭg zăm'] *(n.)* = examination.
examen [-zā'mĕn] *(n.)* (١) امتحان (٢) دراسة نقدية .
examinant [-'ə nənt] *(n.)* (١) الفاحص ؛ الممتحن (٢) المستنطق.
examination *(n.)* (١) فحص ؛ امتحان (٢) استنطاق ؛ استجواب.
examine [-zăm'ĭn] *(vt.)* (١) «أ» يفحص ؛ يمتحن . «ب» يفتش (الأمتعةَ) (٢) يبحث ؛ يدرس (٣) يستنطق ؛ يستجوب.
—**examiner** *(n.)*
examinee [-zăm'ə nē'] *(n.)* (١) الممتحَن (٢) المستنطَق .
example [-zăm'pəl; -zäm'-] *(n.)* (١) مَثَل (٢) قدوة (٣) سابقة ؛ نظير (an action without ~) (٤) «أ» عبرة ؛ أمثولة . «ب» تحذير (٥) مسألة (ر) .
for ~, مثلاً .
to make an ~ of يجعله عبرةً لغيره .
exanimate [-'ə mĭt; -māt] *(adj.)* (١) خامل ؛ تعوزه الحيوية . (٢) ميت .
exanthem *also* **exanthema** *(n.)* نُفاط ؛ طَفْح (مض).
exarch [ĕk'särk] *(n.)* (١) حاكم الولاية (في الامبراطورية البيزنطية) (٢) «أ» الاكسرخس : نائب البطريرك. «ب» بطريرك .
exasperate [ĭg zăs'-] *(vt.; adj.)* (١) يسْخِط ؛ يُغْضِب . § (٢) مسْخَط ؛ مغْضَب .
exasperation [-pə rā'-] *(n.)* (١) سُخط ؛ غضَب (٢) «أ» إسخاط . «ب» مَدعاة سُخط .
ex cathedra [-kə thē'-] *(adv.; adj.)* (١) «أ» بمُقتضى السلطة أو المركز . «ب» بِسلْطة § (٢) صادر عن سلطة .
excavate [ĕks'kə vāt] *(vt.)* (١) يحفر (٢) يشق (نفقاً الخ .) (٣) يستخرج (الترابَ أو الخامات) بالحفر (٤) يكشف (عن مدينة أثرية) بالحفر.
excavation *(n.)* (١) حَفْر الخ . (٢) كشف عن الآثار (٣) حُفرة ؛ حفيرة .
excavator [-'kə vā-] *(n.)* (١) فا excavate (٢) حفّارة ميكانيكية.
exceed [ĭk sēd'] *(vt.; i.)* (١) يتجاوز ؛ يتخطى (٢) يفوق ؛ يبزّ . ×(٣) يتفوّق أو ينيف على .
exceeding [ĭk sē'-] *(adj.)* مُفرط ؛ استثنائي ؛ فائقٌ العادة .
exceedingly [ĭk sē'-] *(adv.)* جداً ؛ بإفراط ؛ إلى أبعد حدّ .
excel [ĭk sĕl'] *(vt.; i.)* (١) يَفُوق ؛ يبزّ ×(٢) يتفوق في .
excellence [ĕk'-] *(n.)* (١) تفوّق ؛ امتياز (٢) ميزة ؛ فضيلة .
excellency [ĕk'-] *(n.)* (١) ميزة (٢) *cap.* سعادة (لقب سفير الخ.)
excellent [ĕk'sə lənt] *(adj.)* ممتاز ؛ من الطراز الأول .
excelsior [ĭk sĕl'sĭ ər] *(n.)* نُجارة (لتعبئة الصناديق) .
except [ĭk sĕpt'] *(vt.; i.)* (١) يستثني ×(٢) يعترض على .
except [ĭk sĕpt'] *also* **excepting** *(prep.; conj.)* (١) ما عدا . (٢) إلاّ § (٣) ما لمْ ؛ إنْ لم (٤) لولا .
except for *(prep.)* لولا .
exception [ĭk sĕp'-] *(n.)* (١) استثناء (٢) مستثنى (٣) شذوذ . (٤) «أ» اعتراض . «ب» الدفْع (ق) .
to take ~ to يعترض على ؛ يحتج .
with the ~ of باستثناء ؛ ما عدا .
exceptionable [ĭk sĕp'-] *(adj.)* (١) موضع اعتراض (٢) استثنائي.

exceptional [ĭk sĕp'-] *(adj.)* (١) استثنائي ؛ نادر (٢) رائع ؛ ممتاز

exceptionally [ĭk sĕp'-] *(adv.)* على نحو استثنائي أو ممتاز .

exceptive [ĭk sĕp'-] *(adj.)* استثنائي : متعلق بالاستثناء أو منطوٍ عليه

excerpt [*v.* ĭk sûrpt'; *n.* ĕk'-] *(vt.; n.)* (١) يقتطف ؛ يقتبس . § (٢) المقتطَف ؛ المقتبَس .

—excerption *(n.)*

excess [ĭk sĕs'] *(n.; adj.)* (١) فرْط ؛ زيادة (to have an ~ of energy) (٢) إفراط ؛ إسراف (serious almost to ~) (٣) تجاوز . «ب» انغماس ؛ إسراف في الشراب § (٤) مُفْرِط ؛ زائد .

excessive [ĭk sĕs'ĭv] *(adj.)* مُفْرِط ؛ زائد .

excessively [ĭk sĕs'ĭv-] *(adv.)* بإفراط ؛ إلى حدّ بعيد .

exchange [ĭks chānj'] *(n.; vt.)* (١) مقايضة (٢) «أ» استبدال. «ب» تبادل (٣) «أ» بَدَل ؛ شيء مقايَض به . «ب» مقال يعاد نشره نقلاً عن جريدة (٤) «أ» قَطْع ؛ كمبيو . «ب» صَرْف. «ج» فرق العملة . «د» تحويل ؛ حوالة . «هـ» الحوالات المتبادلة في دار المعاوضة أو المقاصّة (٥) «أ» بورصة ؛ مَصْفَق . «ب» مخزن تجاري (متخصص ببيع سلع من نوع معيّن) . «ج» مخزن تعاوني ؛ جمعية تعاونية. «د» مركز أو سنترال تلفون § (٦) «أ» يقايض ؛ يبادل . «ب» يَصْرِف (٧) يستبدل بـ (٨) يتبادل (to ~ blows). in ~ for عوضاً عن ؛ على سبيل المبادلة .

exchangeable [-chān'-] *(adj.)* قابلٌ للمبادلة أو الاستبدال أو الصرف

exchange professor *(n.)* الأستاذ التبادليّ: أستاذ يقوم بالتدريس في غير جامعته على سبيل المبادلة .

exchanger [-'ər] *(n.)* (١) المُقايِض ؛ المبادِل (٢) الصرّاف (ا.ق)

exchange rate *(n.)* سعر الصّرف أو التبادل (تج) .

exchange student *(n.)* الطالب التبادليّ: طالب من بلد أجنبي يتلقى العلم في معهد مقابلَ طالب آخر يرسل للدراسة في ذلك البلد .

exchequer [ĭks chĕk'ər; ĕks'-] *(n.)* (١) خزانة الدولة ؛ بيت المال (٢) موارد مالية .

excide [ĭk sīd'] *(vt.)* = excise.

excipient [ĭk sĭp'ĭ ənt] *(n.)* السَّوّاغ : ما يضاف إلى الدواء ليصبح سائغاً .

excisable [ĭk sī'zə bəl] *(adj.)* خاضع للضريبة .

excise [*n.* ĭk sīz'; ĕk'-; *v.* ĭk sīz'] *(n.; vt.)* (١) ضريبة . (٢) رَسْم § (٣) يفرض ضريبة أو رسماً على (٤) يزيل ؛ يستأصل.

—excision *(n.)*

exciseman [ĭk sīz'-] *(n.)* مقدِّر الضرائب أو محصِّلها .

excitability [ĭk sī'tə bĭl'-] *(n.)* الاهتياجية ؛ سرعة الاهتياج .

excitable [ĭk sī'tə-] *(adj.)* اهتياجي ؛ سريع الاهتياج .

excitant [ĭk sī'-] *(adj.; n.)* (١) منبه § (٢) المنبِّه : عقّار منبِّه.

excitation [ĕk'sī tā'shən] *(n.)* = excitement.

excitative; excitatory [ĭk sī'-] *(adj.)* مثير ؛ مهيِّج الخ .

excite [ĭk sīt'] *(vt.)* (١) يثير (٢) يهيج ؛ يستفزّ (٣) ينبِّه (to ~ a nerve) (٤) يستثير : «أ» يُحدِث نشاطاً كهربائياً أو حقلاً مغنطيسياً في . «ب» ينشّط الذرّات .

excited [ĭk sī'tĭd] *(adj.)* مُثار ؛ مُهاج .

excitement [- sīt'-] *(n.)* (١) إثارة ؛ إهاجة (٢) اهتياج (٣) شيء مثير

exciter [ĭk sī'-] *(n.)* (١) المُثير (٢) المستثير : مولِّد يزوِّد مولِّداً أو محرِّكاً آخر بالتيار الكهربائي الضروري لإحداث الحقل المغنطيسي فيهما .

excitor [ĭk sī'-] *(n.)* العصب المثير أو المنبِّه (فس) .

exclaim [ĭk sklām'] *(vi.; t.)* (١) يهتف ؛ يصرخ × (٢) يعلن بقوة

exclamation [ĕks'klə mā'-] *(n.)* (١) هُتاف (٢) علامة تعجب

exclamation point *or* **mark** *(n.)* علامة الهتاف أو التعجب (!)

exclamatory [ĭk sklăm'ə tō'rĭ] *(adj.)* هتافيّ ؛ تعجبي .

exclave [ĕks'klāv] *(n.)* شقة معزولة (محاطة بأراضٍ أجنبية) .

exclude [ĭk sklōōd'] *(vt.)* (١) يمنع (من الدخول الخ.) (٢) يُقْصي ؛ يُبْعِد ؛ يستثني ؛ يصدّ عن .

exclusion [-'zhən] *(n.)* منع ؛ إقصاء ؛ إبعاد ؛ استثناء ؛ صدّ .

exclusive [ĭk sklōō'-] *(adj.; n.)* (١) «أ» مانع . «ب» منعيّ . (٢) «أ» مقصور على شخص أو جماعة (~ rights) «ب» صدّيّ ؛ غير مُجيز للأعضاء الجدد أن ينضموا إليه بسهولة (an ~ club) «ج» متفنّج: غير مختلط بمن يحسبهم دونه منزلةً أو ثروة. «د» أنيق. «هـ» غالٍ . (٣) وحيد (the ~ means of communication) (٤) كلّيّ (~ attention) (٥) باستثناء ؛ ما عدا (a crew of 65 ~ of officers) (٦) مَنْعاً (ضدّ: ضمناً) : مُسْقِط من الاعتبار أو الحساب (from 200 to 231 ~) § (٧) مقال يكتب خصيصاً للنشر في جريدة أو مجلة واحدة (٨) حق مقصور على مؤسسة ما (لبيع سلعة معينة في منطقة معينة) .

—exclusiveness *(n.)*

exclusively [ĭk sklōō'-] *(adv.)* على وجه الحَصْر أو القَصْر .

exclusivity *(n.)* (١) المقصورية ؛ الاقتصارية (٢) حقوق مقصورة على شخص أو جماعة أو شركة .

excogitate [-kŏj'-] *(vt.)* (١) يدرس ؛ يتفكّر في (٢) يبتكر ؛ يستنبط

excommunicate [-kə mū'-] *(vt.; adj.; n.)* (١) يحرِم كنسياً . § (٢) محروم كنسياً § (٣) شخص محروم كنسياً (نص) .

excommunication *(n.)* (١) الحَرْم الكنسي : حرمان شخص من حقوق عضوية كنيسة (٢) العزل : حرمان شخص من عضوية جماعة الخ.

excoriate [ĭk skōr'-] *(vt.)* (١) يكشط ؛ يَسْحَج (٢) يَشْجب بقوة .

excrement [ĕks'krə mənt] *(n.)* غائط ؛ بِراز .

—excremental *or* **excrementitious** *(adj.)*

excrescence [ĭk skrĕs'əns] *(n.)* نامية ؛ زائدة .

excrescent [-'ənt] *(adj.)* زائد ؛ مشكِّل ناميةً غير طبيعية .

excreta [-skrē'tə] *(n. pl.)* مُبْرَزات الجسم (كالعرَق والبول الخ.)

excrete [ĭk skrēt'] *(vt.)* يُبْرِز ؛ يَطْرَح ؛ يُفرز (العرقَ الخ.)

excretion *(n.)* (١) إبراز ؛ اطّراح ؛ إفراز (٢) المُبْرَز ؛ المُفرَز .

excretory [ĕks'krə tōr'ĭ] *(adj.)* إبرازي ؛ مُبْرِز ؛ مُفرِز .

excruciate [ĭk skrōō shĭ āt'] *(vt.)* يعذِّب (جسدياً أو نفسياً) .

excruciating [-ā tĭng] *(adj.)* (١) مُوجِع أو مُعذِّب جداً . (٢) شديد ؛ مُفرط .

excruciation [-skrōō'shĭ ā'-] *(n.)* (١) تعذيب (٢) عذاب شديد.

exculpate [ĕks'-] *(vt.)* يبرّئ . **—exculpation** *(n.)*

exculpatory [ĭk skŭl'-] *(adj.)* مبرِّئ (~ testimony) .

excurrent [ĭk skûr'ənt] *(adj.)* (١) مُندفع أو مُتدفق إلى الخارج ؛ مثل : «أ» ذو محور متطاول بحيث يشكّل ساقاً رئيسية غير مجزّأة (نب). «ب» ناتئ إلى ما وراء الذروة (نب) (٢) مُفْضٍ إلى الخارج (the ~ canal of certain sponges).

excursion [ĭk skûr'zhən] *(n.)* (١) نزهة ؛ رحلة قصيرة . (٢) «أ» رحلة بالقطار أو السفينة الخ. بأسعار مخفضة. «ب» مجموع الأشخاص المشتركين فيها (٣) انحراف ؛ زيغان ؛ شرود (٤) «أ» شوط ؛ سعة الشّوط (ملك) . «ب» حركة كاملة من حركات انبساط الرئتين وانقباضهما .

excursionist [ĭk skûr'zhən ĭst] *(n.)* المتنزه ؛ القائم برحلة .

excursion ticket *(n.)* التذكرة السياحية : تذكرة سفرٍ ذهاباً وإياباً بأسعار مخفضة .

excursive[-'sĭv] *(adj.)* (١) منحرف ؛ زائغ (٢)متقطّع ؛ مفككٌ ؛ يعوزه الترابط .

excursus[ěks kûr'səs] *(n.)* ذيل (لشرح نقطة في كتاب) .

excusable *(adj.)* ممكنٌ اغتفارُهُ (an ~ mistake).

excusatory [ĭk skū'zə tōr'ĭ] *(adj.)* اعتذاريّ .

excuse [*v.* ĭk skūz'; *n.* -skūs'] *(vt.; n)* (١)يعفي من (٢)يصفح . (٣) يغتفر ؛ يتغاضى عن (٤) يعذر (٥) يبرر (٦) يعتذر (عن تأخره الخ .) (٧)يصرف ؛ يمنحه حرية الانصراف(Class is ~*d*.) §(٨) مص **excuse** (٩) عُذر (١٠) *pl.* : اعتذار أو تعبير عن الأسف لعدم التمكن من القيام بعمل ما (١١) مبرر . إذنٌ بالتغيب الموقت (عن الكلية الخ .)

exeat [ěks'ē ət] *(n.)*

execrable [ěk'sə-] *(adj.)* (١)لعين ؛ مَقيت ؛ مروع (٢)رديءجداً .

execrate [ěk'sə-] *(vt.)* (١) يلعن (ا.ق) (٢) يشجب (٣) يمقت .

execration [-krā'-] *(n.)* (١) لَعْن (٢) لعنة (٣) شيء لعين أو بغيض .

executant [ĭg zěk'yə tənt] *(n.)* (١) المُنْجِز ؛ المُنفِّذ (٢)البارع في فنّ (وبخاصة في الموسيقى) .

execute [ěk'sə kūt'] *(vt.)* (١) يُنْجِز (٢) يُنَفِّذ ؛ يجري . (٣)يُعْدِم(تنفيذاً لحكم قضائي) (٤) ينفّذ : ينحت تمثالاً أو يرسم صورة (وفقاً لتصميم موضوع) (٥) يؤدّي ؛ يعزف (٦)يُجري ما هو ضروري لجعل الوصية الخ . قانونيةً (كالتوقيع عليها وختْمها الخ .) **—executer** *(n.)*

execution [ěk'sə kū'shən] *(n.)* (١) إنجاز ؛ تنفيذ ؛ إجراء . (٢) تنفيذ حكم الاعدام (٣) أمر الإجراء : تفويض قضائيّ يخوّل الموظف المختص حقّ تنفيذ حكمٍ ما (ق) (٤) أداء(مو) (٥) عملٌ حاسم أو مدمر .

executioner [-ər] *(n.)* فا **execute** ؛ وبخاصة : الجلاّد .

executive [ĭg zěk'yə tĭv] *(adj.; n.)* (١) تنفيذيّ ؛ إجرائي . §(٢) السلطة التنفيذية أو أعضاؤها (٣) مدير مؤسسة ما أو هيئتُها الادارية (٤) موظّف اداري كبير .

executive council *(n.)* المجلس التنفيذي .

executive officer *(n.)* الضابط المنفّذ .

executor [-'yə-] *(n.)* (١) المنفّذ الخ . (٢) الوصيّ ؛ منفّذ الوصية .

executory [ĭg zěk'yə-] *(adj.)* (١) إداري (٢) مُعَدّ للتنفيذ في ما بعد (An agreement to sell is an ~ contract.) .

executrix [ĭg zěk'yə-] *(n.)* pl. -ces منفّذةُ (الوصيّة) .

exegesis [ěk'sə jē'sĭs] *(n.)* pl. -ses تفسير ؛ تأويل .

exegete [ěk'sə jēt] *(n.)* المفسِّر أو المُؤوِّل (للكتاب المقدس) .

exegetic; -al [ěk sə jět'-] *(adj.)* تفسيريّ ؛ تأويلي .

exegetist [ěk'sə jēt'-] *(n.)* = exegete.

exemplar [ĭg zěm'plər] *(n.)* (١) مثال ؛ نموذج (٢) نسخة من كتاب (٣) نموذجٌ أمٌ أو أصليّ .

exemplary[-'plə rĭ] *(adj.)* (١) يُقتَدَى به (٢)تحذيريّ ؛ مقصود به العبرة (an ~ penalty) (٣) نموذجي ؛ تمثيليّ : صالحٌ لأن يكون نموذجاً أو مثلاً .

exemplification [-plə fə kā'-] *(n.)* (١) نسخة مصدّقة عن وثيقة (٢) التمثيل : ضَرْبُ المَثَل (٣) مثَل .

exemplify [ĭg zěm'plə fī'] *(vt.)* (١) يمثّل : «أ» يضرب مثلاً . «ب» يكُونُ مثلاً على (٢)يستخرج نسخه مصدّقة (عن وثيقة) . مَثَلاً .

exempli gratia [ĭg zěm'plī grā'shĭ ə] *(L.)*

exempt [ĭg zěmpt'] *(adj.; n.; vt.)* (١)مُعفًى أو مستثنىً (من واجب أو ضريبة) §(٢)المُعفى (من واجب الخ .) §(٣)يُعفي من .

exemption[-zěmp'-] *(n.)* (١) إعفاء ؛ استثناء (٢) حَصانة .

exenterate *(vt.)* (١)ينزع الاحشاء(ا.ن)(٢)يستأصل عضواً(جر) .

exequies [ěk'sə kwĭz] *(n. pl.)* جنـازة .

exercisable [ěk'-] *(adj.)* قابل للممارسة الخ (~ right).

exercise[ěk'sər sīz'] *(n.; vt.; i.)* (١)ممارسة ؛ استعمال (٢) تمرين أو تدريب جسماني أو عقلي (٣) مناورة عسكرية (٤) *pl.* : حفلة (graduating ~*s*) §(٥)يمارس(to ~one's rights)(٦)يستعمل ؛ يستخدم(to ~ one's strength) (٧) يمرّن ؛ يدرِّب (٨)يصطنع يُبدي ؛ يُظهر ؛ يعتصم بِ (to ~ caution *or* patience) (٩) يؤدّي (~*d* the duties of his office) (١٠) يُقلق (much ~*d* about his health) ×(١١) يتدرب ؛ يتمرّن .

exert [ĭg zûrt'] *(vt.)* (١) يبذُل (٢) يُجهد نفسَهُ (٣)يمارس.

exertion [ĭg zûr'-] *(n.)* (١) مص exert (٢) جهد ؛ إجهاد.

exfoliate [ěks fō'lĭ āt'] *(vt.; i.)* (١) يقشّر ×(٢) يتقشّر .

exfoliation [-fō lĭ ā'shən] *(n.)* (١) قَشْر (٢) تقشّر .

exhalant *or* exhalent *(adj.; n.)* (١)زفيريّ §(٢)مجرىً زفيريّ .

exhalation *(n.)* (١)زفير الخ . (٢)شيء مزفور (هواء ؛ دخان ؛ رائحة) .

exhale [ěks hāl'] *(vt.; i.)* (١)«أ» يزفُر . «ب» يرسل زفرة أو تنهّدة (٢) يطلق (بخاراً أو رائحةً) ×(٣) ينطلق ؛ ينبعث (a bad smell *exhaling* from the kitchen) (٤) يتبخّر .

exhaust [ĭg zôst'] *(vt.; i.; n.)* (١)«أ»يُفرغ كلياً . «ب»يستنزف . (٢)«أ» يستنفد . «ب» يُنهك ؛ يضني . «ج» يُتلف خصوبة التربة (٣) يعالج موضوعاً معالجةً كاملة (فلا يُبقي منه بقية) ×(٤) ينفث (٥) ينطلق (كالبخار المستنفَد من أسطوانة محرك) §(٦) انطلاق البخار المستنفَد من أسطوانة محرك (٧) البخار المستنفَد المنطلق على هذا النحو (٨) العادم (مك) .

—exhauster *(n.)* **—exhaustible** *(adj.)*

exhausted [ĭg zôs'-] *(adj.)* (١) مُنهَك ؛ مُضنًى (٢) مستنفَد ؛ مستنزَف ؛ نافد .

exhaustion *(n.)* (١)استنزاف ؛ استهلاك ؛ إنهاك الخ . (٢)تعبٌ شديد .

exhaustive *(adj.)* (١)مستنزِف ؛ مستنفِد ؛ مضنٍ الخ . (٢)شامل ؛ كامل .

exhaustless *(adj.)* لا ينفد ؛ غير قابل للنفاد (~ wealth).

exhaust pipe *(n.)* أنبوب العادم (سي) .

exhibit [ĭg zĭb'ĭt] *(vt.; i.; n.)* (١)«أ» يُظهِر ؛ يُبْدي (~*ed* no fear) «ب» يصوّر ؛ يرسم (to ~ an orbit by a series of dots) «ج» يعْرِض (to ~ paintings) (٢) يقدّم مستنداً إلى محكمة ؛ يرفع عريضة الخ . (٣)يعطي دواء ×(٤)يعرض (رسوماً) في معرض §(٥) إظهار ؛ عَرْض (٦) معرض صغير (٧) شيء معروض (٨) مستنَد قانوني . **—exhibitor** *or* **exhibiter** *(n.)* **—exhibitive; exhibitory** *(adj.)*

exhibition[ěk sə bĭsh'ən] *(n.)* (١) مص exhibit (٢) إعانة تعليمية (تقدّمها الجامعة إلى طالب) (٣) معرِض .

exhibitioner[-'ər] *(n.)* طالب جامعي يتلقى إعانة تعليمية .

exhibitionism [-'ə nĭz əm] *(n.)* (١) الافتضاحية : انحراف يتميز بنزوع إلى إظهار العوْرة (٢) الإظهارية : نزعة المرء إلى إظهار مقدراته أو إلى السلوك بطريقة تلفت الأنظار إليه .

—exhibitionist *(n.)*

exhibitionist ; -ic [- bĭsh'-] *(adj.)* (١) افتضاحي (٢) إظهاريّ .

exhilarant [ĭg zĭl'ə rənt] *(adj.)* (١) مبهـج (٢) منعِش ؛ منبه .

exhilarate [-'ə rāt] *(vt.)* (١) يُبهِج (٢) يُنعِش ، يُنبِّه .
exhilaration [-rā'-] *(n.)* (١) إبهاج ، إنعاش (٢) ابتهاج ، انتعاش .
exhort [ĭg zôrt'] *(vt.; i.)* يحضّ ، ينصح ، يحذّر .
exhortation *(n.)* (١) حَضّ ، نُصْح ، تحذير (٢) عِظة ، نصيحة .
exhortative; -tory *(adj.)* حَضّيّ ، نُصحيّ ، تحذيريّ .
exhume [ĭg zūm'; ĕks hūm'] *(vt.)* (١) ينبش ، يُخرِج جثة من قبر (٢) يُحيي : يُخرِج من ظلام الإهمال.
—exhumation *(n.)*
exigency *also* **exigence** [ĕk'sə-] *(n.)* (١) ضرورة (٢) *pl.* عد : مطالب ، مقتضيات .
exigent [ĕk'sə jənt] *(adj.)* (١) مُلِحّ : متطلِّب معالجة عاجلة أو عملاً عاجلاً (٢) كثير المطالب ، يصعب إرضاؤه .
exigible [ĕk'sə-] *(adj.)* ممكن انتزاعُه أو المطالبةُ به .
exiguity [ĕk sə gū'ə tĭ] *(n.)* ضآلة ، هُزال .
exiguous [ĭg zĭg'yŏŏ əs; ĭk-] *(adj.)* ضئيل : هزيل .
exile [ĕg'zīl] *(n.; vt.)* (١) نفي ، إبعاد (عن الوطن). (٢) اغتراب (٣) المنفيّ : المُبعَد (٤) المغترب § (٥) ينفي ، يُبعِد.
exist [ĭg zĭst'] *(vi.)* (١) «أ» يكون . «ب» يوجد (٢) «أ» يحتفظ ببقائه . «ب» يحيا .
existence [ĭg zĭs'-] *(n.)* (١) كينونة ، وجود (٢) الكائنات مجتمعةً (٣) كائن (٤) حياة ، بقاء (struggle for ~) (٥) أسلوب حياة (to lead a happy ~).
existent [ĭg zĭs'-] *(adj.; n.)* (١) كائن ، موجود (٢) حاليّ ، موجود الآن § (٣) الكائن ، الموجود .
existential [ĕg'zĭs tĕn'shəl] *(adj.)* وجوديّ : خاص بالوجود أو بالوجودية .
existentialism [ĕg'zĭs tĕn'shə-] *(n.)* الوجودية : فلسفة معاصرة تؤكّد على حرية الفرد ومسؤوليته .
existentialist *(adj.; n.)* وجوديّ : منسوب إلى الوجودية أو قائل بها .
exit [ĕg'zĭt; ĕk'sĭt] *(n.; vi.)* (١) مغادرة الممثل خشبةَ المسرح. (٢) «أ» خروج ، رحيل . «ب» موت (٣) مَخرَج § (٤) يخرج : يغادر خشبة المسرح (صيغة تستعمل في نص مسرحي) .
ex libris [ĕks lī'brĭs] *(L.)* = bookplate.
exo- *or* **ex-** بادئة معناها : «أ» خارج . «ب» خارجيّ .
exocarp [ĕk'sō kärp] *(n.)* = epicarp.
exocrine [ĕk'sə-] *(adj.)* خارجيّ الافراز (~ glands).
exodermis [ĕk sō dûr'-] *(n.)* الأدَمَة الخارجية ، طبقة خلوية موقّتة واقية (في بعض الجذور) .
exodontia [ĕk'sō dŏn'shə; -shĭ ə] *(n.)* مبحث قلع الأسنان .
exodus [ĕk'sə dəs] *(n.)* (١) خروج ، رحيل ، هجرة جماعية . (٢) *cap.* : سِفْر الخُروج ثاني أسفار العهد القديم (نص) .
exoenzyme *(n.)* الانزيمة الخارجية : انزيمة تعمل خارج الخلية (كح) .
exoergic [ĕk sə wər'-] *(adj.)* مطلِق طاقةً (~ reaction).
ex officio [-ə fĭsh'ĭ ō'] *(adv.; adj.)* بحُكم المَنصِب .
exogamous *or* **exogamic** *(adj.)* أباعديّ : خاص بالزواج من الأباعد .
exogamy [ĕks ŏg'ə mĭ] *(n.)* الأباعدية : «أ» الزواج من الأباعد أو من مجموعة بعينها . «ب» الاتحاد بين أمشاج متباعدة النسب (أح) .
exogenous [ĕks ŏj'ə nəs] *(adj.)* (١) خارجيّ النموّ (~ spores) (٢) خارجيّ المنشأ (~ diseases).
exonerate [ĭg zŏn'ə-] *(vt.)* (١) يُحِل ، يُعتِق (٢) يُبرِّئ .

exophthalmos *also* **exophthalmus** *(n.)* جحوظ العين .
exorable [ĕk'sə-] *(adj.)* لين العريكة : ممكنٌ إقناعُه أو استعطافه .
exorbitance [ĭg zôr'-] *(n.)* إفراط ، بَهْظ ، فداحة .
exorbitant [ĭg zôr'bə tənt] *(adj.)* مُفرِط ، باهظ ، فادح .
exorcise *or* **exorcize** [ĕk'sôr sīz'] *(vt.)* (١) يطرد الأرواح الشريرة (بالرُّقى والتعاويذ) (٢) «أ» يتخلص من . «ب» يطهّر .
exorcism [ĕk'sôr-] *(n.)* (١) مص exorcise (٢) رُقْية ، تعويذة.
exordial [ĭg zôr'-] *(adj.)* تصديريّ ، استهلاليّ .
exordium [ĭg zôr'-; ĭk sôr'-] *(n.)* pl. **-s** *or* **-dia** تصدير ، استهلال .
exoskeletal *(adj.)* هيكليخارجيّ : منسوب إلى الهيكل الخارجيّ (ت) .
exoskeleton [ĕk sō skĕl'ə-] *(n.)* الهيكل الخارجيّ (ت) .
exosmosis *also* **exosmose** *(n.)* النَّضح ، التنافذ أو التحالّ الخارجيّ («كف» و«فس») .
exostosis [-tō'-] *(n.)* العرَن : نامية عظمية فوق عَظْم (مض) .
exoteric [ĕk sə tĕr'ĭk] *(adj.)* (١) بسيط ، شعبي ، ممكنٌ إفهامه للجمهور (an ~ doctrine) (٢) خارجيّ .
exothermic *or* **exothermal** *(adj.)* إكسوثرميّ : مصحوب أو مُتَّسِم بأطلاق الحرارة (ك) .
exotic [ĭg zŏt'ĭk] *(adj.; n.)* (١) مجلوب ، دخيل (٢) غريب جداً (في اللون أو الطراز) § (٣) شيء مجلوب أو دخيل أو غريب.
exoticism *also* **exotism** *(n.)* (١) المجلوبية : كون الشيء مجلوباً أو دخيلاً (٢) شيء مجلوب أو دخيل أو غريب.
exotoxin [ĕk sō tŏk'-] *(n.)* الذيفان أو السمّ الخارجيّ (كح) .
expand [ĭk spănd'] *(vt.; i.)* (١) يمدّد ، يوسّع (٢) ينشر ، يبسط (٣) يفكّ (ر) × (٤) يتّسع ، يتمدّد (٥) يتكلم أو يكتب بتفصيل (٦) تتفتّح (البراعم) (٧) يستشعر التفاؤل الخ .
expander [-'ər] *(n.)* الموسِّع ، وبخاصة : مادة شبه غرَوية تستعمل كبديل للدم أو البلازما لزيادة حجم الدم .
expanse [ĭk spăns'] *(n.)* الامتداد ، المُنفسَح : شيء ممتدّ على مدى واسع ، مثل : «أ» القبة الزرقاء . «ب» رقعة منفسحة من أرض أو بحر .
expansibility [ĭk spăn sĭ bĭl'-] *(n.)* التمدّدية ، التوسّعية .
expansible [ĭk spăn'-] *(adj.)* قابلٌ للتمديد أو التوسيع .
expansile [-'sĭl] *(adj.)* (١) قابلٌ للتمدّد أو التوسّع. (٢) تمدّدي ، توسّعي .
expansion [-'shən] *(n.)* (١) توسيع ، تمديد (٢) توسّع ، تمدّد. (٣) اتساع (٤) تضخّم (النقد المتداوَل) (٥) expanse (٦) الفكّ (ر) .
expansionary [ĭk spăn'shə-] *(adj.)* توسّعي : نزّاع إلى التوسّع .
expansion engine *(n.)* المحرك التمدّدي : محرك يعمل بتمدد البخار .
expansionism [ĭk spăn'-] *(n.)* التوسّعية : سياسة التوسع الاقليمي .
—expansionist *(adj.; n.)* **—expansionistic** *(adj.)*
expansive [ĭk spăn'-] *(adj.)* (١) متمدد : قابلٌ للتمدّد (٢) ممدِّد ، موسِّع (٣) «أ» صريح ، غير متحفظ . «ب» ذو نزعات خيِّرة. «ج» متسم بوَهْم العَظَمَة أو دالٌ عليه (نف) (٤) فسيح ، رَحْب ، شامل (٥) تمدّدي : عاملٌ بتمدّد البخار (an ~ engine).
exparte [ĕks pär'tĭ] *(L.)* (١) من طرف واحد فقط . (٢) «أ» متحيّز . «ب» من وجهة نظر متحيزة .
expatiate [ĭk spā'shĭ āt'] *(vi.)* (١) يطوف ، يهيم (٢) يُطْنِب ، يُسهِب.
—expatiation *(n.)*

ă at; ā date; â care; ä car; ĕ egg; ē me; ĭ in; ī bite; ŏ lot; ō bone; ô orphan; oi boil ŏŏ good; ōō boot; ou out; ŭ under; ū unity; û urgent; th thing; t͟h this; zh vision; ə = *a* in alone, *e* in system, *i* in easily, *o* in gallop, *u* in circus.

expatriate[*v.*ĕks pā'trĭ āt; *adj.*; *n.* -'trĭ ĭt](*vt.*; *i.*; *adj.*; *n.*) (١) ينفي (عن الوطن) ×(٢) يغترب؛ يهجر وطنه §(٣) منفيّ؛ أو مغترب §(٤) المنفيّ؛ المغترب.

expect [ĭk spĕkt'] (*vt.*; *i.*) (١) يتوقّع؛ يرقب (٢) يحسب؛ يظن. ×(٣) تنتظر (الحامل) مولوداً.

expectancy *or* **expectance** [ĭk spĕk'-](*n.*) (١) توقّع؛ ترقّب. (٢) «أ» شيء متوقَّع. «ب» أمل (٣) متوسط العمر المتوقَّع (بناءً على احتمالات إحصائية).

expectant [-'tənt] (*adj.*; *n.*) (١) متوقّع؛ مترقّب (٢) منتظِرة؛ أو منتظِر مولوداً (an ~ mother *or* father) (٣) متوقَّع؛ مرتقَب §(٤) المتوقِّع؛ المرتقِب؛ وبخاصة: المرشَّح لمنصب.

expectation [ĕk spĕk tā'-] (*n.*) (١) توقُّع؛ ترقّب (٢) شيء متوقَّع (٣) *pl.* عِدَة: أمل في الفوز بإرث.

expectation of life متوسط العمر المتوقَّع.

expectative [ĭk spĕk'tə tĭv] (*adj.*) توقُّعيّ؛ ترقُّبيّ.

expectorant [ĭk spĕk'tə rənt] (*adj.*; *n.*) (١) منخِّم: مساعد على التنخّم أو التخلص من البلغم §(٢) دواء منخِّم.

expectorate [ĭk spĕk'tə rāt'] (*vt.*; *i.*) (١) يتنخّم: يدفع بالبلغم من حنجرته بالسعال والبَصْق (٢) يبصق.

expediency *or* **expedience** [ĭk spē'-] (*n.*) (١) ملاءمة؛ مناسَبَة (٢) النفعية: النزوع إلى جرّ المغانم من غير اعتبار لأخلاقية الوسيلة (٣) وسيلة؛ ذريعة؛ حيلة.

expedient[ĭk spē'dĭ ənt](*adj.*; *n.*) (١) ملائم؛ مناسب (٢) نفعي؛ تغلب عليه المصلحة الذاتية §(٣) وسيلة؛ ذريعة؛ حيلة.

expedite [ĕks'pə dīt'] (*vt.*) (١) يفعل بسرعة (٢) يسهّل؛ يعجّل (to ~ matters) (٣) يرسل؛ يبعث.

—expediter *or* **expeditor** (*n.*)

expedition [ĕks'pə dĭsh'ən](*n.*) (١) حملة (٢) بعثة (٣) سرعة؛ عجلة (٤) إرسال.

expeditionary (*adj.*) حمليّ: «أ» خاص بحملة. «ب» مؤلِّف حملةً.

expeditious [ĕks'pə dĭsh'əs] (*adj.*) سريع؛ ناشط.

expel [ĭk spĕl'](*vt.*) (١) «أ» ينفث؛ يزفر. «ب» يقذف (٢) يطرد؛ وبخاصةٍ: يرحّل من البلاد (٣) يفصل (طالباً من جامعة الخ.).

expellant *or* **expellent** [ĭk spĕl'-] (*adj.*; *n.*) (١) نافث؛ قاذف؛ طارد §(٢) دواء مسهِل.

expend [ĭk spĕnd'] (*vt.*) (١) ينفق (٢) يستهلك.

expenditure [ĭk spĕn'dĭ chər] (*n.*) (١) إنفاق (٢) نفقة.

expense [ĭk spĕns'] (*n.*) (١) نفقة (traveled at my brother's ~) (٢) مَدْعاة إنفاق (Owning a car is a great ~.) (٣) حساب (at the ~ of his health).

expensive [ĭk spĕn'sĭv] (*adj.*) غالٍ؛ غير رخيص.

experience [ĭk spĭr'ĭ əns] (*n.*; *vt.*) (١) تجربة (٢) حُنكة؛ اختبار (٣) خبرة (نف) §(٤) يختبر؛ يجرب (ا. ق) (٦) يلاقي؛ يعاني؛ يقاسي (٧) يتعلم بالاختبار: يكتشف.

experienced [-'ĭ ənst](*adj.*) (١) خبير؛ متمرس؛ ذو تجربة (٢) مُعانىً بالتجربة.

experiential [-ĭ ĕn'shəl] (*adj.*) تجريبيّ؛ اختباريّ.

experiment [*n.* ĭk spĕr'ə mənt; *v.* -mĕnt'] (*n.*; *vi.*) (١) تجربة؛ اختبار (٢) تجريب §(٣) يقوم بتجارب.

experimental [ĭk spĕr'ə mĕn'-] (*adj.*) تجريبيّ؛ اختباريّ.

experimentalism [ĭk spĕr'ə mĕn'-] (*n.*) التجريبية: الاعتماد على مبدأ التجريب في البحث (أو الدعوة الى هذا المبدأ).

experimentalist[-mən'-](*n.*) التجريبي: عالم يقوم بتجارب علمية.

experimentation[- mən tā'-](*n.*) التجريب؛ الاختبار العلمي.

experiment station (*n.*) مركز البحوث التجريبية.

expert[*adj.* ĭk spûrt'; *n.* ĕks'-](*adj.*; *n.*) (١) خبير §(٢) الخبير.

expertise (*n.*) خبرة؛ معرفة؛ إطّلاع واسع.

expiate [ĕks'pĭ āt'](*vt.*; *i.*) يكفّر عن.

expiation [ĕks pĭ ā'shən] (*n.*) (١) تكفير (٢) كفّارة.

expiatory [ĕks'-] (*adj.*) (١) مكفّر (٢) تكفيريّ: مُقدَّم على سبيل التكفير.

expiration(*n.*) (١) «أ» زفير. «ب» موت (ا. ق) (٢) انتهاء؛ انقضاء.

expiratory[ĭk spīr'-](*adj.*) زفيري: متعلق بإخراج الهواء من الرئتين.

expire [ĭk spīr'] (*vi.*; *t.*) (١) يموت: يلفظ النفَس الأخير. (٢) ينقضي (٣) يَخمد ×(٤) يَزفِر.

expiry [ĭk spī'rĭ] (*n.*) (١) «أ» زفير. «ب» موت (٢) انقضاء؛ وبخاصة: انقضاء الأجل المحدَّد في قانون أو عَقْد.

explain [ĭk splān'] (*vt.*; *i.*) (١) يشرح؛ يفسّر (٢) يعلّل.

explanation[ĕk splə nā'-](*n.*) (١) شرح؛ تفسير؛ تعليل (٢) نقاش يهدف إلى إزالة الخلاف؛ وبالتالي: تفاهم؛ مصالحة.

explanative; explanatory [ĭk splăn'-](*adj.*) تفسيريّ؛ تعليليّ.

explant [ĕks plănt'] (*vt.*) يَزْدَرِع: ينقل نسيجاً حياً إلى غير بيئته (لغرض علمي).

—explantation (*n.*)

expletive[ĕks'plə tĭv](*adj.*; *n.*) (١) «أ» حَشْويّ (~phrases) (٢) تعويضيّ §(٣) حَشْو؛ وبخاصة: كلمة تجديف (٤) شيء أو شخص يُستخدم لمجرد ملء الفراغ.

expletory [ĕks'plə tōr'ĭ] (*adj.*) = expletive.

explicable [ĕks'plĭ kə bəl] (*adj.*) قابل للشرح والتفسير.

explicate [ĕks'plə kāt'] (*vt.*) (١) يشرح مطوّلاً (٢) يفسّر؛ يوضح (٣) يحلّل منطقياً.

—explicative; explicatory (*adj.*)

explication de texte (*F.*) تحليل النص: طريقة في النقد الأدبي تنطوي على تحليل مفصّل لكل جزء من الأثر.

explicit [ĭk splĭs'ĭt] (*adj.*) (١) بيّن؛ واضح؛ جليّ؛ محدَّد (٢) صريح؛ غير متحفّظ (an ~ statement of his purpose) (He was quite ~ on that point.) (٣) نقديّ (~ costs).

explicit function (*n.*) الدالّة الصريحة (ر).

explicitly[ĭk splĭs'-](*adv.*) (١) على نحو بيّن أو واضح (٢) بصراحة.

explode [ĭk splōd'] (*vt.*; *i.*) (١) يُسفّه (رأياً أو نظرية) (٢) يفجّر. ×(٣) ينفجر.

exploded (*adj.*) مُمدَّد (أو مُفصَّص) المنظر: مُظهِر للأجزاء منفصلةً مع الاحتفاظ بالعلاقة الصحيحة بين بعضها بعضاً (an ~ view of a carburetor)

exploit [- sploit'] (*n.*; *vt.*) (١) مأثرة؛ عمل جريء أو بطولي. §(٢) «أ» يستثمر (to ~ a mine). «ب» يستخدم (مواهبه الخ.) (٣) يستغلّ (to ~ one's friends).

exploitation [ĕks ploi tā'-] (*n.*) (١) «أ» استثمار (لمورد طبيعي). «ب» استغلال (لشخص آخر) (٢) دعاية؛ إعلان (an ~campaign).

exploration [ĕks plə rā'-](*n.*) (١) استكشاف؛ ريادة (٢) فحص؛ تحرٍّ (٣) سَبْر؛ فحص (ط).

explorative; exploratory (*adj.*) (١) استكشافي (٢) تمهيديّ.

explore [ĭk splōr'] (*vt.*) (١) يستكشف؛ يرود (٢) يتحرى؛ يقوم بدراسة أولية أو تمهيدية (٣) يسبر (ط).

ă at; ā date; â care; ä car; ĕ egg; ē me; ĭ in; ī bite; ŏ lot; ō bone; ô orphan; oi boil oo good; ōō boot; ou out; ŭ under; ū unity; û urgent; th thing; th this; zh vision; ə = *a* in alone, *e* in system, *i* in easily, *o* in gallop, *u* in circus.

explorer [ĭk splōr'ər] *(n.)* (١) المستكشِف ؛ الرائد (٢) مِسْبار .
explosion [-splō'zhən] *(n.)* انفجار .
explosive [ĭk splō'sĭv] *(adj.; n.)* (١) انفجاريّ ؛ عاملٌ بالانفجار (an ~ engine) (٢) متفجر (٣) سريع الانفعال § (٤) مادة متفجرة. (٥) صوت انفجاريّ (مثل p في *top*) .
exponent [ĭk spō'nənt] *(n.)* (١) الأُسّ ؛ الدليل (ر) . (٢) الشارح ؛ المفسّر (٣) الممثّل أو النّصير (لفكرة أو مبدأ).
exponential [ĕks'pō nĕn'shəl] *(adj.)* أُسّيّ ؛ دليليّ (ر) .
exponential function *(n.)* الدالّة الأُسِّيّة (ر) .
export [*v.* ĭk spōrt'; *n.* ĕks'-] *(vt.; i.; n.; adj.)* (١) يصدِّر (السلعَ إلى الخارج) § (٢) الصادرة : سلعة مصدَّرة (٣) تصدير § (٤) تصديريّ.
exportation [ĕks'pōr tā'-] *(n.)* (١) تصدير (٢) سلعة مصدَّرة.
exporter [ĕks pōr'tər] *(n.)* المصدِّر ؛ التاجر المصدِّر .
expose [ĭk spōz'] *(vt.)* (١) يعرِّض لـ (٢) يهجر ؛ يتخلى عن طفل (وبخاصة بتركه في العراء) (٣) «أ» يكشف عن . «ب» يعرِض (للبيع في محلّ تجاري) (٤) «أ» يُفشي (سراً). «ب» يفضح (جريمةً).
exposé [ĕks'pō zā'] *(F.)* (١) بيان ؛ عَرْض (٢) كَشْف ؛ فَضْح .
exposed *(adj.)* (١) مكشوف (٢) معرَّض (للخطر أو المطر الخ.)
exposition [ĕks pə zĭsh'ən] *(n.)* (١) شَرح (٢) «أ» بيان تفسيريّ. «ب» الجزء الأول من بعض المقطوعات الموسيقية (٣) مص expose مثل : «أ» تعريض، عَرْض . «ب» تخلٍّ عن طفل (٤) مَعْرِض .
expositive; expository [ĭk spŏz'-] *(adj.)* إيضاحيّ ؛ تفسيريّ
expositor [ĭk spŏz'ə-] *(n.)* الشارح ؛ المفسر .
ex post facto [ĕks' pōst' făk'tō] *(adj.; adv.)* (١) متأخر (~ approval) (٢) ارتجاعيّ ؛ ذو مفعول رجعي (~laws) § (٣) على نحوٍ ارتجاعي .
expostulate [ĭk spŏs'chə lāt'] *(vi.)* يجادل ؛ يعنف ؛ يعترض على.
expostulation [ĭk spŏs chə lā'-] *(n.)* مجادلة ؛ تعنيف ؛ اعتراض.
exposure [ĭk spō'zhər] *(n.)* (١) «أ» كشف ؛ إبداء للعِيان . «ب» هتْك ؛ فضح. «ج» عَرْض. «د» تخلٍّ عن طفل (بتركه في العراء). «هـ» تعريض (للعوامل الجوية أو الأخطار أو للهزء أو للأشعّة الخ.) (٢) تعرّضٌ (للعوامل الجويّة الخ .) (٣) الواجهة : مَوْقع المنزل بالنسبة لأشعة الشمس أو الرياح (a house with a southern ~).
expound [ĭk spound'] *(vt.)* (١) يبْسط ؛ يقدِّم (to ~ a theory) (٢) يؤيِّد ؛ يدافع (بالحجّة) عن (٣) يشرح ؛ يفسّر.
ex-president [ĕks'prĕz'ə dənt] *(n.)* الرئيس السابق .
express [ĭk sprĕs'] *(adj.; adv.; n.; vt.)* (١) «أ» واضح . «ب» دقيق ؛ طبق الأصل (٢) خاصّ (an ~ purpose) (٣) «أ» سريع (an ~ train) . «ب» مُعَدّ للإرسال على جناح السرعة مع رسول خاص § (٤) بالقطار السريع (to travel ~) § (٥) «أ» رسول مكلّف بمهمة خاصة . «ب» رسالة عاجلة يحملها رسول خاص . «ج» نظام لإرسال السلَع والطرود والمال بسرعة استثنائية . «د» شركة تقوم بهذه الخدمات . «هـ» سلَع مشحونة بهذه الطريقة (٦) اكسبريس ؛ قطار سريع § (٧) «أ» يصور . «ب» يعبّر عن . «ج» يُظهر ؛ يعكس ؛ يجسّد . «د» يرمز إلى (٨) يَعْصر (٩) يرسل بالقطار السريع .
expressage [-'ĭj] *(n.)* (١) نقل الطرود الخ. بالاكسبريس . (٢) الرّسم الخاص بذلك .

express delivery *(n.)* = special delivery.
expression [ĭk sprĕsh'ən] *(n.)* (١) «أ» تعبير . «ب» عبارة جبرية ؛ مقدار جبري (ر) . «ج» قدرة إحدى المورِّثات أو الجينات على تعديل الكائن الحيّ (أح) (٢) «أ» أسلوب التعبير أو وسيلته ؛ صياغة . «ب» سيماء (a sad ~) . «ج» تعبير عن المشاعر أو القدرة على ذلك (a face that lacks ~) (٣) العَصْر : استخراج السوائل بالعصر .
expressionism [ĭk sprĕsh'ə nĭz'əm] *(n.)* التعبيرية ؛ المذهب التعبيري : مذهب في الفن يسعى لا إلى تصوير الحقيقة الموضوعية بل الى تصوير المشاعر التي تثيرها الاشياء والاحداث في نفس الفنان.
— **expressionist** *(n.)* — **expressionistic** *(adj.)*
expressionless [ĭk sprĕsh'-] *(adj.)* خِلوٌ من كل تعبير عن المشاعر
expressive [ĭk sprĕs'ĭv] *(adj.)* (١) تعبيري (٢) مُعبِّر .
expressivity [-'ĭv'-] *(n.)* (١) قدرة إحدى المورِّثات أو الجينات على تعديل الكائن الحيّ (أح) (٢) المُعبِّرية : كون الشيء معبِّراً .
expressly [ĭk sprĕs'lĭ] *(adv.)* (١) بوضوح ؛ بجلاء (٢) خِصّيصاً.
expressman [ĭk sprĕs'-] *(n.)* مستخدَم في شركة للنقل السريع .
expressway [ĭk sprĕs'-] *(n.)* طريق مُعَدّة للنقل السريع .
expropriate [ĕks prō'-] *(vt.)* (١) يجرِّد من المِلْكية (٢) يصادِر .
expropriation [ĕks prō'prĭ ā'-] *(n.)* (١) التجريد من الملكية . (٢) مصادرة الملكية (للمصلحة العامة) .
expulsion [ĭk spŭl'shən] *(n.)* (١) إخراج ؛ طرد (٢) ترحيل .
expunction [ĭk spŭngk'-] *(n.)* شَطْب ؛ حَذْف الخ .
expunge [ĭk spŭnj'] *(vt.)* (١) يَشْطب ؛ يحذف ؛ يَمْحو . (٢) يُبيد ؛ يقضي على .
expurgate [ĕks'pər gāt] *(vt.)* يهذّب (كتاباً) : يحذف منه ، قبل نشره ، ما يُعتبَر ماساً بالفضيلة .
—**expurgation** *(n.)*
expurgatorial; expurgatory *(adj.)* (١) تهذيبيّ (٢) مهذِّب .
exquisite [ĕks'kwĭ zĭt] *(adj.; n.)* (١) مختار بعناية . (٢) «أ» فاتن ؛ مُتْقَن ؛ رائع . «ب» شديد الحساسية (an ~ ear for music) . «ج» رفيع التهذيب (~ manners) . «د» متأنّق (an ~ person) (٣) حادّ ؛ شديد (~ pain *or* joy) § (٤) شخص متأنّق جداً .
—**exquisitely** *(adv.)* —**exquisiteness** *(n.)*
exsanguinate [ĕks săng'-] *(vt.)* يستنزف الدم .
exsanguine [ĕks săng'gwĭn] *(adj.)* مصابٌ بفقر الدم .
exscind [ĕk sĭnd'] ; **exsect** [-sĕkt'] *(vt.)* يبتُر ؛ يحذف .
exsert [ĕks sûrt'] *(vt.)* يُنْتِيء ؛ يُبْرِز ؛ يُطلع .
exserted [-sûr'-] *(adj.)* ناتىء ؛ بارز (~ stamens).
exsertile [-'təl; -tĭl] *(adj.)* قابل للإنتاء أو الابراز .
ex-serviceman [ĕks sûr'-] *(n.)* المحارِب القديم.
exsiccate [ĕk'sə kāt'] *(vt.)* يجفِّف ؛ ينشّف .
exstipulate [ĕks stĭp'yoo lĭt; -lāt'] *(adj.)* لا مُؤْذَّن أو مُزَنَّم : غير ذي أُذَنات أو زَنَمات (نب) .
extant [ĕks'tənt; ĭk stănt'] *(adj.)* (١) موجود (فعلاً أو حالياً). (٢) باقٍ (على قَيْد الحياة الخ.) .
extemporaneous [ĭk stĕm'pə rā'-] *(adj.)* (١) مُرْتَجَل . (٢) بارع في الارتجال .

extemporary [ĭk stĕm'pə-] *(adj.)* = extemporaneous.
extempore [-'pə rĭ] *(adv.; adj.)* (١) ارتجالاً § (٢) مرتجَل .
extemporization [- pə rĭ zā'-] *(n.)* (١) ارتجال (٢) شيء مرتجَل
extemporize [ĭk stĕm'pə rīz'] *(vi.; t.)* يرتجل .
extend [ĭk stĕnd'] *(vt.; i.)* (١) يقيِّم ؛ يُثمِّن ؛ يخمِّن . (٢) يمدّ ؛ يبْسط ؛ ينْشر (٣) «أ» يُطيل . «ب» يُجري فرساً

بأقصى سرعته . «ج» يُجهِد نفسَه إلى أبعد مدىً . «د» يَمذُق : يغش بإضافة مادة أرخص (٤) «أ» يقدم (~*ing* **their greetings**) «ب» يمنح (مساعدةً مالية الخ.) (٥) «أ» يمدِّد (وبخاصة موعد الدفع). «ب» يعزِّز ؛ يحسِّن (٦) يوسِّع ؛ يضخِّم (٧) يرحِّل الحسابات (تج) (٨)× «أ» يمتد ؛ ينتشر. «ب» يصل إلى (٩) يتّسع (١٠) يبرز ؛ ينتأ .

extended [ĭk stĕn'dĭd] *(adj.)* (١) طويل ؛ متطاول (٢) مطوَّل ؛ موسَّع **(an ~ visit)** (٣) «أ» ممتدّ ؛ «ب» ممدود ؛ مبسوط (٤) جهيد ؛ قويّ **(~ efforts)** (٥) واسع **(an ~ empire)** .

extended play *(n.)* أسطوانة فونوغرافية (يستمر دورانها من ٦—٨ دقائق) .

extender [ĭk stĕn'-] *(n.)* الباسطة ؛ المائقة ؛ المعدِّلة : مادة تضاف بغية البَسْط أو الغش أو التعديل .

extensibility; extensibleness *(n.)* المدودية (مج) : قابلية المدّ أو البَسْط .

extensible [ĭk stĕn'-] *(adj.)* مَدُود : قابل للمدّ أو البسط .

extensile [ĭk stĕn'səl] *(adj.)* = **extensible.**

extension [ĭk stĕn'shən] *(n.)* (١) مص **extend** ، مثل : «أ» مدّ ؛ بَسْط ؛ إطالة ؛ تمديد ؛ توسيع . «ب» امتداد ؛ تمدُّد ؛ اتّساع . «ج» شيء مُمدَّد أو مُوسَّع (٢) «أ» مدى ؛ نطاق . «ب» مدلول اللفظة (٣) تقويم اليد أو الرجل (المكسورة أو المخلوعة) بجذبها لإعادتها إلى موضعها الطبيعي (٤) حجم (٥) مهلة إضافية (لدفع دَيْن) (٦) توسيع مدى الخدمات التعليمية في جامعة (بإحداث دروس ليلية أو فرع للمراسلة الخ.) لتشمل غير الجامعيين (٧) «أ» إضافة ؛ شيء مضاف **(an ~ to a house)** . «ب» تلفون امتدادي (موصول بالخط الأصلي) .

extensity [-'sə tĭ] *(n.)* (١) الامتدادية (٢) مدى ؛ نطاق .

extensive [ĭk stĕn'sĭv] *(adj.)* (١) واسع **(an ~ area)** (٢) شامل **(~ inquiries)** (٣) انتشاري : خاص بنظام في الزراعة يقوم على استغلال مساحات واسعة من الأرض بأقلّ جهد أو نفقة .

—extensively *(adv.)* **—extensiveness** *(n.)*

extensometer *(n.)* مقياس التمدد أو التقلص أو الالتواء (ملك) .

extensor [ĭk stĕn'sər] *(n.)* العضلة الباسطة (ت) .

extent [ĭk stĕnt'] *(n.)* (١) «أ» وضعُ اليد (على الممتلكات) . «ب» تفويض قضائي يجيز للدائن أن يضع يده موقتاً على ممتلكات المدين (٢) مدى ؛ نطاق (٣) «أ» امتداد . «ب» طول ؛ مساحة ؛ حجم (٤) رقعة ممتدّة أو مترامية الأطراف .

extenuate [ĭk stĕn'yo͞o āt'] *(vt.)* (١) «أ» يلطِّف : يصور بطريقة تهدف إلى التقليل من خطورة شيء **(to ~ a crime)** «ب» يخفف : يساعد على التلطيف من خطورة جريمة (*extenuating* **circumstances**) (٢) «أ» يُهزِل (الجسمَ الخ.) . «ب» يوهن ؛ يضعِف .

extenuating circumstances *(n.pl.)* الظروف المخفِّفة (ق) .

extenuation *(n.)* (١) تلطيف وبخاصة : تبرير جزئيّ (٢) مبرِّر جزئي .

exterior [ĭk stĭr'ĭ ər] *(adj.; n.)* (١) خارجي §(٢) الخارج : جزء أو سطح خارجيّ (٣) مظهر خارجيّ (٤) مَشْهَد خارجيّ (يصوَّر أو يمثَّل للسينما أو التلفزيون) .

exterior angle *(n.)* الزاوية الخارجية (ر) .

exteriority [ĭk stĭr ĭ ŏr'-] *(n.)* الخارجانية : كونُ الشيء خارجياً .

exteriorize *(vt.)* = **externalize.**

exterminate [ĭk stûr'mə nāt'] *(vt.)* يُفني ؛ يبيد .

extermination [-nā'-] *(n.)* إفناء ؛ إبادة **-tory** *(adj.)*

extern [ĕks'tûrn] *(adj.; n.)* (١) خارجي (ا.ق) .

§(٢) أو **externe** : الردء : شخص يعمل في مؤسسة ولكنه لا يبيت أو لا يتناول طعامه فيها ؛ وبخاصة : طبيب (أو طالب طب) غير مقيم في المستشفى .

external [ĭk stûr'nəl] *(adj.; n.)* (١) خارجيّ (٢) سطحي ؛ ظاهري **(~ acts of worship)** (٣) عَرَضيّ ؛ غير جوهري **(~ circum-stances)** (٤) مُعَدّ للاستعمال على ظاهر الجسد **(an ~ lotion)** §(٥) سطحٌ الخ. خارجي (٦) *pl.* عد : مظهر خارجيّ **(the ~*s* of religion)**

externally [ĭk stûr'-] *(adv.)* خارجياً ؛ ظاهرياً ؛ عَرَضياً الخ .

external-combustion engine *(n.)* المحرك الخارجيّ الاحتراق .

externalism [ĭk stûr'-] *(n.)* (١) الخارجانية ؛ الظاهرانية : كون الشيء خارجياً أو ظاهرياً (٢) الافراط في التعلق بالمظاهر الخارجيّة .

externality *(n.)* (١) الخارجانية ؛ كون الشيء خارجياً ؛ وبخاصة : الموضوعيّة (٢) شيء أو مظهر خارجيّ **(the ~ of some writers)** .

externalization [- zā'shən] *(n.)* (١) تجسيد (٢) تبرير .

externalize [ĭk stûr'-] *(vt.)* (١) يجسِّد **(Spoken language ~*s* thought.)** (٢) يعتبر (الدينَ الخ.) وكأنّه مجرد مظاهر خارجية (٣) يبرِّر : يخترع تفسيراً يبرر به إخفاقاً الخ . (بأن ينسبه إلى عوامل خارجة عن الذات) .

exteroceptive [ĕk'stər ə sĕp'-] *(adj.)* استنباهيّ خارجي : متعلق بالمستنبِهات الخارجية **exteroceptors** أو بالمنبِّهات المؤثرة فيها أو بمفاعيلها العصبية (قا. **interoceptive**)

exteroceptor [ĕk'-] *(n.)* المُستَنبِه الخارجيّ : عضو من أعضاء الحسّ (كالأنف أو العين أو الأذن أو الجلد) يتأثر بمنبهات ناشئة خارج الجسد (قا. **interoceptor**) .

exterritorial [ĕks' tĕr ə tōr'-] *(adj.)* = **extraterritorial.**

extinct [ĭk stĭngkt'] *(adj.)* (١) هامد ؛ منطفىء **(an ~ volcano)** (٢) منقرض **(an ~ animal)** (٣) لاغٍ ؛ مندرس ؛ بائد **(an ~ institution)**.

extinction *(n.)* (١) مص **extinguish** (٢) انطفاء ؛ انقراض ؛ اندراس

extinctive [ĭk stĭngk'-] *(adj.)* مطفىء ؛ مُخْمِد ، مُبْطِل .

extinguish [ĭk stĭng'gwĭsh] *(vt.)* (١) «أ» يطفىء ؛ يُخْمِد . «ب» يحطم ، يقضي على **(to ~ a hope *or* a life)** . «ج» يكسف نورَه (٢) يُبْطِل **(to ~ a claim)** (٣) يسدِّد دَيْناً .

extinguisher [ĭk stĭng'-] *(n.)* (١) المطفىء ، المخمِد الخ. (٢) مُطفِئة الحريق أو الشمعة .

extirpate [ĕk'stər-] *(vt.)* (١) «أ» يقتلع . «ب» يمحو . (٢) يستأصل (جر) .

extirpation *(n.)* (١) «أ» اقتلاع . «ب» مَحْو (٢) استئصال (جر) .

extol *also* **extoll** [ĭk stōl'] *(vt.)* يمجّد ؛ يطري بإفراط .

extorsion [ĭk stôr'-] *(n.)* التَمَحْوُر : دوران خارجي حول محوَر .

extort [ĭk stôrt'] *(vt.)* يبتزّ ؛ يغتصب ؛ ينتزع .

extortion [ĭk stôr'-] *(n.)* (١) ابتزاز ؛ اغتصاب ؛ انتزاع (٢) شيء مُبْتَزّ .

extortionate [ĭk stôr'-] *(adj.)* (١) ابتزازيّ (٢) باهظ **(~ prices)** (٣) ميّال إلى الابتزاز **(an ~ usurer)**.

extra [ĕks'trə] *(adj.; n.; adv.)* (١) «أ» إضافي **(~work)** . «ب» خاضع لرسم إضافي **(Room service is ~.)** (٢) ممتاز **(~ quality)** §(٣) شيء إضافي ؛ مثل : «أ» رسم أو ثمن إضافي . «ب» طبعة خاصة من جريدة. «ج» مستخدَم إضافي ؛ وبخاصة : شخص يُستأجَر للتمثيل في مشهد جماعي بفيلم أو مسرحية (٤) شيء

ممتاز §(٥) على نحو إضافي أو خاص (to work ~; an ~ strong box).

extra- بادئة معناها: خارج؛ وراء (*extra*judicial).

extract [*v.* ĭk străkt'; *n.* ĕks'-] *(vt.; n.)* (١) «أ» يقتلع. «ب» ينتزع (٢) «أ» يستخلص. «ب» يستقطر (٣) يستخرج (المعدنَ من ركاز) (٤) يستخرج الجذور (ر) (٥) يقتطف؛ يقتبس (كلاماً من كتاب) §(٦) المقتطَف؛ المستخرَج؛ الفِصْلَة (٧) عُصارة؛ خلاصة. **—extractive** *(adj.)*

extraction [ĭk străk'-] *(n.)* (١) اقتلاع؛ استخلاص؛ استخراج؛ اقتطاف الخ. (٢) أصل؛ نسب (of German ~) (٣) عصارة؛ خلاصة.

extractive [ĭk străk'tĭv] *(n.)* = extract.

extracurricular [- rĭk'-] *(adj.)* صفة: (١) لامنهاجي؛ لاصفّي: لكل نشاط يقوم به الطلاب خارج حجرات الدرس ويشكل جزءاً من حياتهم الطلابية ولكنه ليس جزءاً من المنهاج المقرر، كالمشاركة في الألعاب الرياضية والجمعيات والنوادي المدرسية (٢) لاروتيني: خارج نطاق واجبات المرء النظامية أو روتين عمله.

extraditable [ĕks'trə dī-] *(adj.)* (١) عرضة للتسليم إلى حكومته (an ~ criminal) (٢) معرِّض لهذا التسليم (an ~ offense).

extradite [ĕks'trə dīt] *(vt.)* (١) يسلّم (مجرماً أو لاجئاً) إلى حكومته. (٢) تتسلّم (الحكومة) مجرماً أو لاجئاً.

extradition [ĕks'trə dĭsh'ən] *(n.)* تسليم المتّهم (الفارّ)، بموجب معاهدة خاصة، إلى حكومته.

extrados [ĕks trā'dŏs] *(n.)* المنحنَى الخارجي «للعقْد» (عم).

extrados

extrajudicial [ĕks'trə jo͞o dĭsh'əl] *(adj.)* خارج عن اختصاص محكمة أو قاضٍ.

extramundane [- mŭn'dān] *(adj.)* ماورائي: خاص بما وراء العالم المادي.

extramural [- myo͝or'-] *(adj.)* خارج أسوار مدينة او جامعة.

extraneous [ĭk strā'-] *(adj.)* (١) غريب؛ دخيل (٢) عَرَضيّ؛ غير جوهري (٣) متفرّق؛ يعوزه الترابط (a series of ~ books).

extraordinary *(adj.)* (١) استثنائي (٢) رائع (٣) فوق العادة؛ مكلّف بمهمة خاصة (an ambassador ~).

extrapolate [ĕks'-] *(vi.)* يقدِّر استقرائياً: يستنتج من سلسلة من الملاحظات أحوالاً أو تطورات محتملة الوقوع ولكنها غير ملاحَظة.

extrasensory [-sĕn'-] *(adj.)* خارج عن نطاق الادراك الحسي العادي.

extrasystole [- sĭs'tə lĭ] *(n.)* طليعة الانقباض؛ عَثْرة القلب (ط).

extraterrestrial *(adj.)* ناشيء أو قائم خارج الأرض أو جوّها.

extraterritorial [ĕks'-] *(adj.)* خارج عن نطاق التشريع الوطني (كوضع المقيمين في بلد من غير أن يخضعوا لقوانينه، كالسفراء الخ.).

extrauterine [-trə ū'tər-] *(adj.)* واقع أو حادث خارج الرَّحم.

extravagance [ĭk străv'ə-] *(n.)* (١) تبذير (٢) تهوّر؛ تطرّف؛ غلوّ.

extravagancy [ĭk străv'-] *(n.)* = extravagance.

extravagant [ĭk străv'ə gənt] *(adj.)* (١) متطرّف؛ متهور (~ claims; ~ behavior) (٢) مُحكَم أو متقن أو نابض بالحياة إلى حد بعيد (~ dialogue) (٣) مُسْرِف؛ مفرط (~ enthusiasm) (٤) مبذر (~ in everything she bought) (٥) باهظ (~ prices).

extravaganza [ĭk străv ə găn'zə] *(n.)* (١) أثر أدبي أو موسيقي يتميز بالنزعة الهزلية وبالخروج عن المألوف من حيث البِنْية والأسلوب (٢) شيء استثنائي أو غريب (٣) فورة نشاط الخ. تستأثر بانتباه المرء.

extravasate [ĭk străv'ə sāt'] *(vt.; i.)* (١) يُسيل (الدمَ من أوعيته الطبيعية بحيث ينتشر في الأنسجة المجاورة) ×(٢) يَتَنَضَّح: يرتشح من الوعاء الدموي إلى النسيج المجاور (٣) يثور «على شكل سائل من منفذ ما» (كحمم البراكين الخ.).

extravasation [ĭk străv'ə sā'-] *(n.)* التَّنَضُّح؛ الانصباب الدَّمّي.

extravascular [ĕks'trə văs'-] *(adj.)* واقع خارج الاوعية الدموية.

extravert [ĕks'trə vûrt] *(n.; adj.)* = extrovert.

extreme [ĭk strēm'] *(adj.; n.)* (١) «أ» شديد؛ بالغ. «ب» صارم. «ج» متطرّف. «د» مفرط (٢) نهائي؛ أخير (ا.ق) (٣) أقصى؛ أبعد §(٤) نهاية؛ طرَف (٥) طرف التناسب (ر) (٦) «أ» درجة قصوى. «ب» إفراط. «ج» حدّ أقصى (٧) إجراء متطرف.

in the ~, جداً؛ إلى أبعد حدّ.

to go to ~s يتطرف؛ يتخذ إجراءات متطرفة.

extreme and mean ratio النسبة ذات الوسط والطرفين (ر).

extremely [-'lĭ] *(adv.)* جداً، بإفراط؛ إلى أبعد حدّ.

extremely high frequency *(n.)* التردّد البالغ العلوّ (رد).

extreme unction *(n.)* مَسْح المحتضَر بالزيت المقدس (نص).

extremism [-strē'mĭz-] *(n.)* التطرفية، وبخاصة: الراديكالية.

extremist [ĭk strē'-] *(n.; adj.)* (١) المتطرّف §(٢) «أ» متطرّف. «ب» تطرّفي.

extremity [ĭk strĕm'ə tĭ] *(n.)* (١) «أ» طرَف. «ب» يد؛ قدَم. (٢) «أ» خطر عظيم؛ ضرورة ملحّة الخ. «ب» شدّة؛ لحظة تهدّد بهلاك قريب (٣) أقصى درجات (الانفعال أو الألم الخ.) (٤) عمل أو إجراء يائس أو قاسٍ جداً.

extricate [ĕks'trə kāt'] *(vt.)* (١) يخلّص (من محنة أو خطر). (٢) يحرّر (غازاً أو حرارةً).

extrinsic [ĕks trĭn'-] *(adj.)* (١) عرَضي؛ غير جوهري. (٢) خارجي.

extro- بادئة معناها: خارجيّ (*extro*vert).

extrorse [ĕks trôrs'] *(adj.)* خارجيّ الاتجاه (نب).

extroversion [ĕks'trō vûr'zhən] *(n.)* الانبساط: انصراف الاهتمام إلى كل ما هو خارج الذات (نف).

extrovert [ĕks'trō vûrt'] *(n.; adj.)* (١) المنبسط: شخص يتجه انتباهه وأشواقه اتجاهاً كلياً أو شبه كليّ نحو ما هو خارج عن الذات (نف) §(٢) انبساطي.

extroverted [ĕks'trō vûrt'ĭd] *(adj.)* = extrovert.

extrude [ĭk stro͞od'] *(vt.; i.)* (١) يَبثُق؛ يَنْبُط؛ يقذف؛ يقصي (٢) يعطي (المعدنَ أو اللدائنَ) شكلاً بإمرارها في أداة مثقّبة ×(٣) ينبثق.

extrusion [ĭk stro͞o'zhən] *(n.)* (١) بَثْق؛ نَبْط؛ قذف؛ إقصاء. (٢) كلّ ما يشكَّل بالبَثْق.

extrusive [-'sĭv] *(adj.)* نابط: مشكَّل بِتبلْوُر الحمم فوق سطح الأرض (~ rocks).

exuberance [ĭg zo͞o'bər-] *or* **exuberancy** *(n.)* (١) وفرة؛ غزارة (٢) ضخامة (٣) امتلاءٌ بالحيوية أو الحماسة أو المرَح.

exuberant [ĭg zo͞o'bər ənt] *(adj.)* (١) وافر؛ غزير (٢) ضخم. (٣) مليء بالحيوية أو الحماسة أو المرح.

exuberate [-'bə rāt] *(vi.)* (١) يفيض؛ (٢) يمتلئ حيوية أو مرحاً.

exudate [ĕks'yo͞o dāt] *(n.)* مادة مُفْرَزَة.

exudation [ěks yōō dā'-] *(n.)* تحلّب ؛ نَضْح .

exude [ĭg zōōd'] *(vi.; t.)* (١) يتحلّب ؛ ينْضَح ؛ يتفصّد (٢)× يُفرِز (to ~ sweat) (Sweat ~*s* through the pores.) (٣) ينتشر في كل اتجاه (~*d* a delicious aroma).

exult [ĭg zŭlt'] *(vi.)* يَجذَل ؛ يتهلّل ؛ يبتهج ابتهاجاً شديداً .

exultance *or* **exultancy** [ĭg zŭl'-] = exultation.

exultant [-'tənt] *(adj.)* جذِل ؛ متهلّل ؛ مبتهج .

exultation [ěg'zŭl tā'-] *(n.)* جذَل ؛ تَهلّل ؛ ابتهاج (بالنصر الخ.)

exurb *(n.)* الضاحية الخارجية : منطقة سكنية شبه ريفية تقع وراء ضواحي المدينة ولا يقيم فيها غير الأسر المُوسِرة أو المُترَفة .

exurbanite *(n.)* ساكن الضاحية الخارجية (را. المادة السابقة).

exuviae [ĭg zōō'vĭ e; ĭk sōō'-] *(n. pl.)* السُّلاخة : جلد الحية وغيرها المنسلخ عن جسدها .

exuviate [ĭg zōō'vĭ āt] *(vi.; t.)* = molt.

ex-voto [ěks vō'tō] *(n.; adj.)* (١) تَقدِمة (يُوفى بها نَذْر) . §(٢) نَذْري : مقدَّم وفاءً لنذر .

-ey — see -*y*.

eye [ī] *(n.; vt.)* (١) «أ» عين . «ب» بَصَر . «ج» نفاذ نَظَر ؛ حُسن تمييز (an ~ for beauty) . «د» نظرة . «هـ» مراقبة (٢) شيء كالعين ؛ مثل : «أ» ثقب الابرة . «ب» بقعة مستديرة على ذيل طاووس . «ج» عُروة . «د» منطقة كالثقب في جوف إعصار (تتميز بسكينة كاملة أو ريح خفيفة) . «هـ» وَسَطُ الزهرة أو قرصها (٣) مركز (٤) مَهَبّ الريح (٥) بوليس سري (ع) §(٦) «أ» يحدِّق إلى . «ب» يراقب بدقة (٧) يجعل (للأبرة) ثقباً .

~ for an ~, عينٌ بعين ؛ انتقام عادل .

~ of day الشمس .

if you had half an ~, إذا لم تكن أعمى أو أبله .

in the ~ of law في نظر القانون .

in the wind's ~, في وجه الريح .

Mind your ~ ! انتبه ؛ احذر .

my ~ ! يا عيني ! يا سلام ! اللهَ اللهَ !

to give the glad ~, يرنو بعين الغرام (ع) .

to have an ~ to يلتفت إلى ؛ يعتبر (شيئاً) همّه الأول .

to keep an ~ on يراقب بعناية .

to open one's ~*s* يصاب بدهَش شديد .

to pipe the ~, يبكي (ع) .

to run one's ~*s* over *or* through يلقي نظرة عجلى على

to see ~ to ~, يتفق (في وجهة النظر) اتفاقاً تاماً مع ...

to see something with half an ~, يراه بسهولة أو بنظرة عجلى (لشدّة وضوحه) .

to set *or* lay *or* clap ~*s* on يرى .

with an ~ to تطلّعاً إلى ؛ أملاً في ؛ بغيةَ كذا .

eyeball [ī'bôl'] *(n.)* (١) مُقلة العين (٢) العين .

eyeball-to-eyeball *(adv.)* وجهاً لوجه .

eye bank *(n.)* بنك العيون : موضع تُحفَظ فيه قرنيات العيون البشرية المنتزعة من الموتى حديثاً والمستخدمة بعدُ في عمليات ترقيع القرنية للمكفوفين .

eyebolt [ī'bōlt] *(n.)* مسمار ذو عروة .

eyebolt

eyebrow [ī'brou'] *(n.)* الحاجب : حاجب العين .

eye-catcher *(n.)* شيء لافتٌ للنظر بشدة .

eyecup [ī'kŭp] *or* **eye bath** *(n.)* كأس العين : وعاء لغسل العين .

eyedrop [ī'drŏp] *(n.)* دمعة (في لغة الشعر) .

eyedropper [ī'drŏp-] *(n.)* قطّارة (للعين) .

eyeful [ī'-] *(n.)* (١) نظرة كاملة (٢) امرأة فاتنة (٣) حظّ حسَن .

eyeglass [ī'-] *(n.)* (١) «أ» عدَسة المِجهر . «ب» المونوكل : نظارة أحادية الزجاجة . «ج» *pl.* : نظّارة ؛ «عوينات» (٢) كأس العين : وعاء لغسلها .

eyehole [ī'-] *(n.)* (١) مَحْجِر العين (ت) (٢) ثُقب يُنظَر منه (٣) ثُقب .

eyelash [ī'-] *(n.)* أهداب الجفن ؛ وبخاصة : كل هدب منها .

eyeless [ī'-] *(adj.)* (١) بلا ثقب (an ~ needle) (٢) ضرير ؛ أعمى ؛ مكفوف .

eyelet [ī'lĭt] *(n.)* (١) العُيَيْنة : «أ» ثقب صغير في طرف ثوب أو حذاء يُدخل فيه الشريط . «ب» عُيَيْنة للزينة (كما في التطريز) (٢) حلقة معدنية لتقوية عُيينة (٣) ثُقب يُنظر منه (٤) عين صغيرة .

eyelid [ī'lĭd'] *(n.)* الجفْن : جفن العين .

eye-opener *(n.)* (١) جرعة من شراب مُسكِر (تؤخذ صباحاً لطرد النعاس من العيون) (٢) شيء مثير للدهش (٣) شيء أو شخص بارع الجمال (She was a real ~.).

eyepiece [ī'pēs'] *(n.)* العَينيّة : عدسة المِجهر .

eyeshot [ī'-] *(n.)* مَرْمَى النظر أو مداه (within ~).

eyesight [ī'sīt'] *(n.)* (١) بَصَر (٢) إبصار (٣) مدى البصر .

eye socket *(n.)* مَحْجِر العين (ت) .

eyesome [ī'səm] *(adj.)* جميل ؛ فاتن ؛ ساحر .

eyesore [ī'sōr] *(n.)* شيء قبيح (تزعج العينَ رؤيتُه) : قَذًى للعين .

eyespot [ī'spŏt] *(n.)* (١) بؤرة البَصَر : عضو بدائي للبصر عند الحيوانات الدنيا (٢) عين ذيل الطاووس ونحوها .

eyestrain [ī'-] *(n.)* حُسور العين : الاجهاد العينيّ أو البصَريّ .

eyetooth [ī'-] *(n.)* نابُ العين : نابٌ في الفك الأعلى .

eyewash [ī'-] *(n.)* (١) غَسول للعين (٢) عمل أو كلامٌ مضلِّل .

eyewink [ī'wĭngk] *(n.)* (١) غمزة بالعين (٢) نظرة (ا.م) .

eyewitness [ī'-] *(n.)* المشاهد ؛ وبخاصة : شاهد العيان .

eyre [âr] *(n.)* (١) جولة في منطقة (٢) رحلة قضائية (كان يقوم بها القضاة الانكليز للحكم بين الناس في أرجاء مختلفة من المنطقة) (٣) محكمة متجولة على هذا النحو .

eyrie; eyry [âr'ĭ; ĭr'ĭ] *(n.)* = aerie.

eyrir [ā'rĭr] *(n.)* pl. **aurar** الإيرير : عملة آيسلندية صغيرة .

F

red foxes

f [ĕf] *(n. often cap.)* (١) الحرف السادس من الأبجدية الانكليزية . (٢) شيء مُعتَبَرٌ سادساً من حيث الترتيب أو الطبقة (٣) «أ» درجة أو علامة مدرسية تُشعِر بأن الطالب راسب في مادة ما . «ب» طالب يعطى هذه الدرجة (٤) شيء على صورة حرف **F** .

fa [fä] *(n.)* النغمة الرابعة (في السلم الموسيقي) .

fabaceous [fə bā'shəs] *(adj.)* (١) قرنيّ ؛ من الفصيلة القرنية (نب) (٢) فوليّ ؛ كالفول .

Fabian [fā'bĭ ən] *(adj.; n.)* (١) حذِر ؛ متأنٍّ ؛ متجنّبٌ الاشتباكَ في معركة (٢) فابيّ : متعلق بالجمعية الفابيّة وهي جمعية انكليزية (أُنشئت عام ١٨٨٤) سعى أعضاؤها إلى نشر المبادىء الاشتراكية بالوسائل السلمية § (٣) الفابيّ : عضوٌ في الجمعية الفابية .

fable [fā'bəl] *(n.; vt.)* (١) «أ» خرافة . «ب» خرافة ذات مغزى ، وبخاصة على ألسنة الحيوان . «ج» كذِبٌ ؛ بهتان § (٢) يلفّق ؛ يختلق .

fabled [fā'bəld] *(adj.)* (١) خرافيّ ؛ أسطوري (٢) مَرْوِيّ في حكاية على لسان الحيوان .

fabric [făb'-] *(n.)* (١) «أ» مبنىً . «ب» بِنْيَة (~ of society) (٢) بناء ؛ وبخاصة : تشييد الكنائس (٣) «أ» طراز البناء . «ب» نسيج القماش أو نوعيته (٤) قماش .

fabricant [făb'rə kənt] *(n.)* الصانع ؛ صاحب المصنع .

fabricate [-kāt'] *(vt.)* (١) ينشىء ؛ يصنع ؛ يركّب (٢) يخترع ؛ يبتدع (٣) يلفّق ؛ يختلق. **—fabrication** *(n.)* **-tor** *(n.)*

fabulist [făb'yə lĭst] *(n.)* (١) المخرِّف : واضع الخرافات على ألسنة الحيوانات (٢) الكذّاب .

fabulous [făb'yə-] *(adj.)* (١) خرافيّ (٢) غير قابل للتصديق .

façade [fə säd'] *(n.)* (١) واجهة المَبْنَى (٢) مَظْهَر كاذب .

face [fās] *(n.; vt.; i.)* (١) وجه (٢) «أ» سيماء الوجه . «ب» تعبير وجهي يدلّ على السخرية أو الاشمئزاز الخ . (to make ~s) (٣) «أ» مظهر خارجي . «ب» تظاهرٌ بـ . «ج» ثقة . «د» جرأة ؛ قِحة . «هـ» كرامة ، اعتبار (to save one's ~) (٤) «أ» سطح . «ب» واجهة مبنى . «ج» سطح الحرف المطبعي أو نوعه (٥) نهاية نفق المنجم الخ. أو جداره § (٦) يواجه بجرأة أو عزم (٧) «أ» يغطي حاشية شيء بمادة مختلفة. «ب» يلبّس ؛ يكسو واجهة المبنى بالرخام الخ. (٨) يواجه ؛ يقابل (She stood *facing* the window.) (٩) يوجّه : يقلب ورقة اللعب بحيث يبدو وجهها (١٠) يسطح وجه الحجر أو يجعله أملس (١١) يطلب إلى الجنود أن يتجهوا يميناً أو شمالاً × (١٢) يتجه (The house ~*d* south.) (١٣) يدير وجهه (quickly ~*d* to her left).

~ to ~, وجهاً لوجه .
in the ~ of تجاه ؛ إزاءَ ؛ على الرغم من .
on the ~ of it تَبَعاً للظواهر ؛ بحسب الظواهر .
to ~ down يواجه بجسارة .
to ~ out يقاوم بجرأة ؛ يأبَى الاستسلام .
to ~ up to يواجه ببسالة .
to one's ~, في وجهه أو حضوره .
to pull *or* make a long ~, يبدو مكتئباً أو غير موافق .
to put a new ~ on يغيّر وجه كذا ؛ يجعله يبدو على نحوٍ مختلف جداً .
to show one's ~, يظهر ؛ يبرز .

face card *(n.)* الملك أو الملكة أو الولد (في ورق اللعب) .

face-harden *(vt.)* يصلّد سطحياً : يقسّي سطح الفولاذ الخ .

face-lifting *(n.)* (١) جراحة لدائنية للوجه (لإزالة التجعدات الخ.) (٢) تعديل يراد به إظهار شيء بمظهر عصري .

faceplate [fās'plāt] *(n.)* الصينية : صينية المخرطة (مك) .

facer [fā'-] *(n.)* (١) «أ» صفعة . «ب» صدمة قاسية (٢) أداة صَقْل .

face-saving *(adj.)* حافظٌ لماء الوجه .

facet [făs'ĭt] *(n.)* (١) السُّطَيح ؛ الوُجَيْه : سطح صغير كسطح الجوهرة الخ. (٢) مَظْهر ؛ وجه (٣) إحدى العدسات القرنية في عين الحيوان المفصلي المركّبة (ح) (٤) نتوء مسطّح «بين اثنين من حزوز العمود» (عم) .

facetiae [fə sē'shĭ ē'] *(n. pl.)* طرائف ؛ فكاهات .

facetious [fə sē'shəs] *(adj.)* (١) طريف ؛ ظريف (a ~ remark) (٢) فَكِه ؛ مَزُوح (~ persons) .

face value *(n.)* (١) القيمة الاسمية (للسَّنَد الخ.) (٢) القيمة الظاهرية ؛ المعنى الظاهري (to accept promises at ~).

facial [fā'shəl] *(adj.; n.)* (١) وجهي (~ expression) (٢) خاص بتجميل الوجه (~ cream) § (٣) تدليك الخ . للوجه .

facial angle *(n.)* الزاوية الوجهية .

facial index *(n.)* الدليل الوجهي : نسبة عرض الوجه إلى طوله مضروبةً بمئة .

-facient لاحقة معناها : مسبِّب (somni*facient*).

facies [fā'shĭ ēz'] *(n.)* سحنة ؛ سيماء ؛ هيئة .

facile [făs'ĭl] *(adj.)* (١) «أ» هيِّن . «ب» سطحيّ (٢) وديع ؛ سهل القياد (٣) «أ» رشيق ؛ بارع . «ب» واثق من نفسه .

facilitate [fə sĭl'ə tāt] *(vt.)* يُسهِّل ؛ يُيسِّر .

facility [-'ə tĭ] *(n.)* (١) سهولة (٢) براعة (٣) وداعة (٤) تسهيل ؛ تسهيلات (*facilities* for graduate study)

facing [fā'-] *(n.)* (١) «أ» التخريج : مادة تخاط على حاشية ثوب للزينة أو الوقاية . «ب» *pl.*: قَبّة البذلة الرسمية وأردانها (٢) طلاء ؛ تلبيس ؛ ظِهارة (٣) دوران ؛ تبديل الاتجاه (جن) .

facsimile [făk sĭm'ə lĭ; -lē'] *(n.)* (١) صورة طبق الأصل . (٢) ارسال المواد المطبوعة أو الصور سلكياً أو بالراديو .

fact [făkt] *(n.)* (١) صنيع ؛ وبخاصة : جريمة (٢) واقعية الشيء أو كونه مؤلفاً من وقائع (٣) «أ» واقعة . «ب» حادثة (٤) حقيقة .

as a matter of ~, / in ~; in point of ~, } في الواقع .

faction [făk'shən] *(n.)* (١) زمرة ؛ حزب ؛ عصبة (٢) شِقاق أو نزاع حزبي .

factionalism [făk'shən-] *(n.)* (١) حِزبية (٢) شقاق حزبيّ .

factious [făk'shəs] *(adj.)* (١) حزبيّ (٢) مشاغب ؛ مثير للشقاق .

factitious [-tĭsh'əs] *(adj.)* (١) صنعيّ (٢) متكلَّف ؛ مُصْطنَع .

factitive [făk'tə tĭv] *(adj.)* ناصب مفعولين (في النحو) .

-factive لاحقة معناها : مسبب (petri*factive*).

factor [făk'tər] *(n.; vt.)* (١) «أ» وسيط تجاري بالعمولة . «ب» وكيل تجاري (٢) عامل (٣) المورِّثة ؛ الجِينة (أح) (٤) العامل : المضروب أو المضروب فيه (ر) § (٥) يحلّل إلى عوامل (ر) .

factorage [făk'tər ĭj] *(n.)* (١) عمولة (٢) العمالة : صناعة الوسيط .

factorial [făk tōr'-] *(adj.; n.)* (١) عامليّ (ر) § (٢) العامليّ (ر) .

factorize [făk'tə-] *(vt.)* يحلّل إلى عوامل (ر) .

factory [făk'-] *(n.)* (١) محطة تجارية (ببلد أجنبيّ) (٢) مصنع .

factotum [făk tō'-] *(n.)* مستخدَم يؤدي مختلف المهامّ .

factual [făk'chōō əl] *(adj.)* واقعي ؛ حقيقي .

factualism *(n.)* الوقائعية : التمسك بالوقائع أو نظرية تؤكد على أهميتها .

facture [făk'chər] *(n.)* (١) صُنْع (٢) طريقة الصنع .

facula [-'yə lə] *(n.)* pl. **-e** الصَّيْخَد : بقعة لامعة على قرص الشمس .

facultative [făk'-] *(adj.)* (١) «أ» تفويضيّ . «ب» اختياريّ . (٢) مَلَكيّ : ذو علاقة بملكة عقلية (٣) مخيَّر : قادر على العيش في ظلّ نوعين أو أكثر من الأحوال البيئية ، كالنبات أو الحيوان القادر على أن يحيا حياةً طفيلية أو لاطفيلية (قا . obligate) .

faculty [făk'əl tĭ] *(n.)* (١) قدرة ؛ قوة ؛ مثل : «أ» مقدرة شخصية . «ب» استعداد طبيعي . «ج» قوة أو وظيفة جسدية . «د» مَلَكة عقلية (٢) الكليّة : فرع من جامعة (the ~ of medicine) (٣) الجسم : أعضاء مهنة ما (The medical ~ is made up of doctors, surgeons, etc.) (٤) العمدة : هيئة التدريس والادارة في كلية (٥) سلطة ؛ صلاحية .

fad [făd] *(n.)* (١) زيّ ؛ بِدعة ؛ موضة ؛ وَلَعٌ مهووس يستحوذ على الناس فترة قصيرة (Crossword puzzles were the ~ of the year.) (٢) هواية .

fade [fād] *(vi.; t.; n.; adj.)* (١) يَذْوِي ؛ يَذْبل (٢) يَبْهُت لونُه (٣) يتلاشى ؛ يضمحلّ (٤) يخبو : يتضاءل تدريجياً ، صوتاً أو وضوحاً (سن) × (٥) يُذْبل الخ . § (٦) الخُبُوّ : التضاؤل التدريجي عند الانتقال من صورة إلى أخرى (في عرض سينمائي أو تلفزيوني) § (٧) مبتذل ؛ تَفِه .

fadeless [-'lĭs] *(adj.)* غير قابل للذوِيّ أو الذبول أو التلاشي الخ .

faecal; faeces = fecal; feces.

fag [făg] *(vi.; t.; n.)* (١) يكدح (٢) يعمل (التلميذ الصغير) في خدمة تلميذ أكبر منه × (٣) يُنهِك § (٤) كدحٌ (٥) «أ» تلميذ صغير يخدم تلميذاً أكبر منه . «ب» الكادح : عامل أو خادم يكدح لقاء أجر ضئيل (٦) سيكارة .

fag end *(n.)* (١) «أ» هُدْب الثوب . «ب» الطرف غير المجدول من حبل (٢) «أ» طرَف الشيء أو آخره . «ب» بقية ؛ حثالة .

fagot *or* **faggot** [făg'ət] *(n.; vt.)* (١) حُزْمة ، مثل «أ» حزمة عصيّ . «ب» حزمة قضبان حديدية تعالج بالتطريق تحت حرارة مرتفعة § (٢) يَحْزُم .

fagoting

fagoting *or* **faggoting** *(n.)* التحزيم : ضرب من التطريز يتمّ بسَحْب الخيوط الأفقية من القماش وحَزْم الخيوط العمودية الباقية .

Fahrenheit [făr'ən hīt; fär'-] *(adj.)* فارنهايتيّ ؛ فهرنهايتيّ : خاص بمقياس حرارة تكون نقطة تجمّد الماء فيه ٣٢ درجة فوق الصفر ونقطة غليانه ٢١٢ درجة فوق الصفر .

faience *or* **faïence** [fī äns'; fā-] *(n.)* خزَف مزَخرَف .

fail [fāl] *(vi.; t.)* (١) «أ» يَضْعُف ؛ يَهِن . «ب» يشحّ ؛ يتضاءل . «ج» يكفّ ؛ ينقطع . «د» ينقرض (٢) يَبْهُت ؛ يصبح من العسير او من المتعذَّر تبيُّنه (٣) يكفّ عن أداء وظيفته (٤) «أ» يقصّر عن إتمام شيء . «ب» يهمل أمراً أو لا يقوم به (The janitor had ~ *ed* to call the fire department.) (٥) «أ» يُخفق . «ب» يعجز عن (٦) «أ» يُفلس . «ب» يَسْقُط (في امتحان) × (٧) يَخْذُل ؛ يتخلّى عن ؛ يخون His friends ~*ed* him.) (٨) يُسْقِط (المدرِّسُ طالباً) في امتحان .

without ~, حتماً ؛ على وجه التأكيد .

failing [fā'lĭng] *(n.; prep.)* (١) ضَعْف ؛ عيب ؛ نقص § (٢) في حال عدم حدوث أو وجود كذا (~ payment, we shall sue.).

failure [fāl'yər] *(n.)* (١) تخلُّف «عن القيام بما هو واجب أو مطلوب» (a ~ to appear) (٢) «أ» إخفاق . «ب» إفلاس (٣) «أ» قصور ؛ عجز (~ of supplies) . «ب» ضَعْف ؛ إجهاد (~ of bodily vigor) (٤) شخص أو شيء مخفق (He was a ~ as a teacher.)

fain [fān] *(adv.)* بسرور (She would ~ go.).

fainéant [fā'nĭ ənt] *(adj.; n.)* متبطّل ؛ خامل ؛ كسول .

faint [fānt] *(adj.; vi.; n.)* (١) جبان (٢) مُصاب بدُوار . (٣) «أ» ضعيف . «ب» متردِّد (a ~ effort) (٤) يُحْدِث شعوراً بالاغماء ؛ ثقيل الوطأة (~ atmosphere) (٥) باهت (~ light) § (٦) يُصاب بإغماء (٧) يَبْهُت § (٨) إغماء .

fainthearted [fānt'här'-] *(adj.)* جبان ؛ خوّار ؛ مخلوع الفؤاد .

fair [fâr] *(adj.; adv.; vi.; n.)* (١) جميل ؛ وسيم (٢) مموَّه ؛

معسول ؛ حَسَن الظاهر (promises ~) (٣) «أ» نظيف ؛ خِلوٌ من العيوب (a ~ copy) · «ب» واضح ؛ مقروء (handwriting ~) (٤) صافٍ ؛ خالٍ من الغيوم (٥) واسع ؛ كبير (a ~ estate) (٦) «أ» عادل . «ب» قانوني ؛ مشروع ؛ منسجم مع القواعد المتّبعة (a ~ game) (٧) «أ» مبشر بالنجاح (in a ~ way to realize a profit) «ب» موآتٍ : موافق لاتجاه السفينة (a ~ wind) (٨) أشقر ؛ شقراء (٩) مناسب ؛ جيّد بعض الشيء (a ~ income) § (١٠) بطريقة متفقة مع القواعد (doesn't play ~) (١١) مباشرةً ؛ تماماً (to strike a person ~ on the chin) (١٢) بوضوح (to copy a letter out ~) (١٣) بكياسة ؛ بلطف (to speak a person ~) § (١٤) يصفو الجوّ (It ~*ed* as the night went on.) § (١٥) سوق موسمية للمزارعين (١٦) معرض (١٧) سوق خيرية .

~ and square (١) أمين ؛ مستقيم (٢) بأمانة ؛ باستقامة

fairground [fâr'-] *(n.)* أرض يقام عليها معرض أو سوق موسمية الخ .

fairing [fâr'ĭng] *(n.)* (١) هدية (٢) جزاء مُستَحق . (٣) شكل أو سطح انسيابيّ (طي) .

fairish [-'ish] *(adj.)* حَسَنٌ أو كبير الخ . بعض الشيء .

fairlead [-'lēd] *(n.)* دليل «لإمرار الحبال ونحوها» (مل) .

fairly [fâr'lĭ] *(adv.)* (١) على نحو جميل أو لائق أو ملائم . (٢) تماماً ؛ بكل معنى الكلمة (٣) «أ» بطريقة شرعية . «ب» بعدل أو عدم تحيّز (٥) بوضوح (٦) باعتدال ؛ بعضَ الشيء ؛ إلى حدّ ما .

fair-minded [fâr'mīn'-] *(adj.)* عادل ؛ غير متحيّز أو متغرّض .

fair play *(n.)* عدل ؛ إنصاف .

fair-spoken [fâr'spō'kən] *(adj.)* مهذّب ؛ لطيف ؛ كيّس .

fair trade *(n.)* تجارة قائمة على أساس اتفاق بين المنتج والبائع بأن يبيع الثاني منتجات الأول بسعر معين أو أعلى من سعر معين .

fairway [fâr'wā] *(n.)* (١) العُرْض : الجزء الصالح للملاحة من نهر أو خليج أو مرفأ (٢) ممرّ سالك .

fair-weather [fâr'wĕth'ər] *(adj.)* (١) ملائم لحالات الصحو فقط أو مصنوع فيها (٢) مخلص في أيام الرخاء فقط (friends ~).

fairy [fâr'ĭ] *(n.; adj.)* (١) جِنّي ؛ جِنّية § (٢) خاصّ بالجن . (٣) كالجنّ من حيث الرقّة الخ .

fairyland [fâr'-] *(n.)* (١) عَبْقَر ؛ أرض الجن (٢) موطن ساحر .

fairy tale *(n.)* (١) حكاية من حكايات الجنّ (٢) حكاية ملفّقة للتضليل .

fairy-tale *(adj.)* مميز أو ملائم لحكاية من حكايات الجن ؛ وبخاصة : فائق الرقة أو الجمال .

fait accompli [fĕ tȧ kôn plē'] *(F.)* الأمرُ الواقع .

faith [fāth] *(n.)* (١) «أ» إخلاص ؛ ولاء . «ب» وفاء بالوعد أو العهد (٢) «أ» إيمان . «ب» ثقة تامة (٣) دِين .

bad ~, سوء نية أو قصد .
in ~, حقاً ؛ في الواقع .
in good ~, بإخلاص ؛ بحسن نيّة .
on the ~ of استناداً إلى .
to keep ~, يفي بوعده أو عهده .

faithful [-'fəl] *(adj.; n.)* (١) مخلص (٢) وفيّ بالعهد ؛ حريص على أداء الواجب (٣) مُلزِم (a ~ promise) (٤) أمين ؛ صحيح ؛ مطابق للأصل (a ~ account *or* copy) § (٥) «أ» المؤمن . «ب» جماعة المؤمنين . «ج» تابع أو عضوٌ مخلص (party ~ s).

—faithfulness *(n.)*

faithless [fāth'lĭs] *(adj.)* (١) كافر (٢) خائن ؛ غادر . (٣) غير جدير بالثقة .

—faithlessness *(n.)*

fake [fāk] *(n.; vt.; i.; adj.)* (١) حَلْقة (من حلقات حبل ملتف) . (٢) «أ» شيء مزيّف . «ب» دجال . «ج» أداة يستعملها الساحر للإيهام § (٣) يلفّ الحبلَ حلقاتٍ (٤) يزيف (٥) «أ» يلفّق . «ب» يتظاهر بـِ § (٦) زائف (patriotism ~).

—faker *(n.)* **—fakery** *(n.)*

fakir [fə kĭr'; fā'kər] *(Ar.)* (١) الدرويش : واحد من جماعة الدراويش المسلمين (٢) «فقير» أو ناسك هندي .

Falangist [fə lăn'jĭst] *(n.)* الكتائبي : عضو في الحزب السياسي الفاشستي الذي حكم اسبانية بعد حرب ١٩٣٦–١٩٣٩ الأهلية .

falcate *also* **falcated** *(adj.)* أعقف ؛ معقوف كالمنجل .

falchion [fôl'chən; -shən] *(n.)* سيف معقوف عريض الشفرة .

falchion

falciform [făl'sə-] *(adj.)* مِنجليّ الشكل .

falcon [fôl'kən] *(n.)* (١) بازٌ ؛ صقر . (٢) مدفع خفيف قديم .

falcon 1.

falconer [fôl'kən ər] *(n.)* (١) صياد يستعين بالبزاة (٢) البازدار : مربّي البزاة أو مدربها .

falconet [fôl'kə nĕt] *(n.)* (١) مدفع صغير جداً (٢) باز صغير .

falconry [fôl'kən rĭ] *(n.)* (١) البَزْدَرَة : فن تدريب البزاة (٢) الصيد بالاستعانة بالبزاة .

faldstool [fôld'-] *(n.)* كرسيّ خفيض يُطْوَى .

faldstool

fall [fôl] *(vi.; n.; adj.)* (١) «أ» يَسقط . «ب» يتدلّى (Her hair ~ s loosely.) «ج» يخرّ على (٢) يُولَد (الحَمَلُ) (٣) «أ» ينخفض . «ب» يصدر ؛ يخرج (Not a word *fell* from her lips.) (٤) «أ» يقع . «ب» يُجرح أو يُقتل في المعركة . «ج» يُخفق ؛ ينهزم ؛ ينهار (٥) تسقط (المرأةُ) ؛ تفقد عفافها (٦) «أ» ينحدر . «ب» يخمد ؛ يسكن ؛ يتلاشى . «ج» يهبط ؛ يتدنى . «د» يضمر ؛ يهزل . «هـ» تبدو عليه أمارات الخزي أو الخيبة أو الكآبة (Her face *fell*.) (٧) «أ» يحدث . «ب» يصادف . «ج» يؤول إليه بالارث أو القرعة (٨) ينقسم (They *fell* into two factions.) (٩) يصبح (*fell* heir to the estate; *fell* lame *or* due) (١٠) يشرع بهمّة ونشاط (*fell* to work) § (١١) «أ» سقوط . «ب» سقطة . «ج» تساقط . «د» مقدار متساقط (١٢) «أ» الخريف . «ب» الأوراق المتساقطة في الخريف . «ج» ولادة . «د» عدد الحُملان المولودة (١٣) «أ» حجاب امرأة (يتدلى من قبعة) . «ب» قبّة قميص (١٤) حبل ؛ سلسلة (مل) (١٥) «أ» انهيار . «ب» انحراف (عن سبيل الفضيلة) (١٦) «أ» منحدَر . «ب» *pl.* عدد : شلال . «ج» خفوت (الصوت) (١٧) انخفاض أو تدنٍّ (في السعر أو القيمة) (١٨) انحدار (١٩) «أ» قَطْع الأشجار . «ب» عدد الأشجار المقطوعة (٢٠) «أ» جندلة ؛ إسقاط على الظهر (في المصارعة) . «ب» مباراة (في المصارعة) (٢١) الموضع الصحيح (the ~ of an accent) § (٢٢) خريفي (clothes ~).

to ~ aboard of يصطدم بمركب آخر .
to ~ astern يتباطأ ؛ يتلكأ (مل) .
to ~ away (١) يثور (٢) يرتدّ (عن عقيدة) ؛ ينشقّ

(٤) يفسُد (أخلاقياً) (٣) يزلّ (عن حزب)
(٥) يَضْمر ؛ يَهْزُل .

to ~ back — يتراجع ؛ يتقهقر .
to ~ back on *or* upon — يرتدّ إلى ؛ يلجأ إلى .
to ~ behind — يتخلّف (عن غيره) .
to ~ down — (١) يسقط (٢) يخرّ ساجداً .
to ~ down on (a job) — يُهْمِل مهمّة أو لا يقوم بها .
to ~ flat — يخفق ؛ يعجز عن إحداث أثر في النفس .
to ~ for — (١) يُعْجَب بِ ؛ يقع في غرامها (٢) يُخْدَع بِ .
to ~ foul of — (١) يصطدم بِ (٢) يهاجم . (٣) يعنف (٤) يتشاجر مع .
to ~ from — يهجر ؛ يتخلّى عن .
to ~ from grace — يقع في الخطيئة .
to ~ in — (١) ينهار (٢) يصطفّ ؛ يتراصف (عسكرياً). (٣) ينتهي (أجلُ الإيجار) ؛ يستحق (الدين).
to ~ in with — (١) يصادف ؛ يلتقي مصادفةً . (٢) يوافق على .
to ~ into line (with) — يوافق على ما يفعله الآخرون أو يرغبون في فعله .
to ~ off — (١) ينسحب ؛ يرتدّ (٢) يخون (٣) ينقص ؛ يتضاءل (٤) يبور (٥) يتساقط (الثمر).
to ~ on — (١) يهاجم (٢) يخوض غمار المعركة . (٣) يبدأ العملَ بنشاط .
to ~ out — (١) يَحْدُث (٢) ينتهي (إلى نتيجة معينة). (٣) يتشاجر (٤) يتنحّى الجنديّ (عن صفّ التراصف).
to ~ short — (١) ينقص: يكون غير كافٍ . (٢) يقصر (عن بلوغ الهدف) .
to ~ through — يُخفِق .
to ~ to — يبدأ (عملاً) ؛ يشرع في .
to ~ under — يقع ضمن أو تحت كذا .
to ~ upon — (١) يقع أو يستقرّ على (٢) يهاجم .

fallacious [fə lā'shəs] *(adj.)* (١) منطوٍ على مغالطة (٢) خادع ؛ مضلِّل (~ evidence) (٣) وهمي ؛ مخيِّب للأمل.
fallacy [făl'ə sĭ] *(n.)* (١) مظهر خادع (٢) فكرة خاطئة (a popular ~) (٣) مغالطة .
fallback [fôl'-] *(n.)* (١) احتياطيّ (٢) تراجُع ؛ تقهقُر ؛ انكفاء.
fallen [fô'lən] *(adj.)* (١) ساقط ؛ هابط (٢) طريح الأرض . (٣) منحلّ الأخلاق (٤) متهدّم ؛ خرب (٥) صريع (~ in battle).
fall guy *(n.)* (١) الساذج ؛ المغفّل (٢) ضحية الخداع .
fallibility [făl'ə bĭl'-] *(n.)* اللاعصمة : القابلية للخطأ .
fallible [făl'ə bəl] *(adj.)* لا معصوم : عرضة للخطأ .
falling-out [-out'] *(n.)* شجار ؛ مُشاجَرة .
falling sickness *(n.)* الصَّرَع : داء عصبيّ مزمن .
falling star *(n.)* شِهاب ؛ نَيْزك .
fall-off [fôl'-] *(n.)* نقص ؛ انخفاض ؛ تضاؤل .
Fallopian tube [fə lō'pĭ ən] *(n.)* قناة فالوب : إحدى قناتين تنتقل البُيَيْضات بواسطتهما من المبيض إلى الرحم (ت) .
fall-out [fôl'-] *(n.)* السُقْط : الغبار الذرّي المتساقط .
fallow [făl'ō] *(n.; vt.; adj.)* (١) الأرضُ المُراحة : أرض تُحرَث ثم تُترَك موسماً كاملاً من غير زَرْع رغبةً في إراحتها (٢) اراحة الأرض أو مدة ذلك § (٣) يُريح الأرض § (٤) مُراحة (~ ground) (٥) راقد ؛ هاجع (٦) أسمر ضارب إلى الصفرة .

fallow deer

fallow deer *(n.)* الأيِّل الأسمر أو الآدم
false [fôls] *(adj.; adv.)* (١) زائف (~ diamonds) (٢) «أ» كاذب (~ testimony) «ب» خادع ؛ مُعَدّ ليخدع (~ scales) «ج» مضلِّل (a ~ promise) (٣) خاطىء ؛ غير صحيح (a ~ statement) (٤) غادر ؛ خائن (a ~ friend) (٥) «أ» شكليّ ؛ إضافيّ أو موقت (a ~ roof). «ب» مضاف بقصد التقوية أو الوقاية أو التمويه (a ~ post) (٦) ناشزٌ موسيقياً (a ~ note) § (٧) على نحوٍ خائن أو غادر (Salim's wife played him ~.).
falsehood [fôls'hŏŏd] *(n.)* (١) «أ» كِذبة . «ب» شيء كاذب . (٢) كذِب ؛ بهتان .
false imprisonment *(n.)* سَجْن غير قانوني .
falsetto [fôl sĕt'ō] *(n.; adj.; adv.)* (١) صوت عالي الطبقة بصورة اصطناعية (٢) المغنّي بهذا الصوت § (٣) «أ» عالي الطبقة . «ب» مصطنَع ؛ متكلَّف § (٤) بصوت عالي الطبقة .
falsification [fôl'sə fə kā'-] *(n.)* (١) دحض (٢) تزييف ؛ تحريف ؛ تشويه الخ .
falsify [fôl'sə fī'] *(vt.; i.)* (١) يدحض (٢) «أ» يزيِّف ؛ يغشّ . «ب» يحرِّف ؛ يشوِّه (٣) يُحبِط × (٤) يكذب .
falsity [fôl'-] *(n.)* (١) كذب (٢) زَيْف (٣) غَدْر ؛ خيانة (٤) شيء كاذب أو زائف .
faltboat [fält'-] *(n.)* مركب قابل للطيّ .
falter [fôl'tər] *(vi.; t.; n.)* (١) «أ» يمشي مضطرباً . «ب» يتداعى . «ج» يترنّح (٢) يتلعثم (٣) يتردّد × (٤) يلفظ متلعثماً § (٥) ترنُّح ؛ تداعٍ ؛ تلعثُم ؛ تردُّد .
fame [fām] *(n.; vt.)* (١) سمعة (٢) شُهْرة § (٣) يجعله شهيراً .
famed [fāmd] *(adj.)* شهير ؛ مشهور ؛ ذو شهرة واسعة .
familial [fə mĭl'yəl] *(adj.)* (١) عائلي (٢) وراثي .
familiar [fə mĭl'yər] *(n.; adj.)* (١) عشير ؛ رفيق (٢) أحد أفراد أسرة ربِّها موظف كبير (٣) جنّيّ أو شيطان يُفترَض أنه يساعد المرء (٤) من يُكثِر التردد على مكان ما (~s of the embassy) § (٥) «أ» حسَنُ الاطلاع على . «ب» حميم (٦) عائليّ (٧) «أ» غير رسميّ . «ب» رافع للكلفة ؛ متخطٍّ الرسميات أو اللياقات . «ج» داجن (٨) مألوف .
familiarity [-ĭ ăr'-] *(n.)* (١) حميميّة (٢) «أ» عدم كلفة ؛ دالّة . «ب» قلة لياقة أو احتشام . «ج» حرية جنسية (٣) ألفة ؛ اعتياد .
familiarize [-'yə rīz] *(vt.)* (١) يجعله مألوفاً (٢) يعوّده أمراً ؛ يجعله حسن الاطلاع على .
familiarly *(adv.)* بطريقة حميمة أو غير رسمية أو رافعة للكلفة الخ .
family [făm'ə lĭ] *(n.; adj.)* (١) عشيرة (٢) أسرة ؛ عائلة (٣) نسب كريم ؛ محتِد (a man of ~) (٤) فصيلة (أح) § (٥) عائليّ (~ life) .
in a ~ way — بطريقة عائلية ؛ بعدم كُلْفَة .
in the ~ way — حُبْلى ؛ حامل .
family Bible *(n.)* التوراة العائلية : نسخة كبيرة من الكتاب المقدس تحتوي على صفحات خاصة لتسجيل أحداث الولادة والزواج والوفاة .
family circle *(n.)* الشرفة العائلية : شرفة في مسرح تكون عادة فوق شرفة ذات مقاعد اغلى أو خلفها .

family man *(n.)* (١) ربّ عائلة (٢) شخص مولع بالحياة العائلية.

family tree *(n.)* شجرة النَّسَب.

famine [făm'ĭn] *(n.)* (١) مجاعة (٢) نُدْرَة ؛ عجز ؛ نَقص.

famish [făm'ĭsh] *(vt.; i.)* (١) يجوع ×(٢) يَجُوع (ا.ق.)

famous [fā'-] *(adj.)* (١) شهير(٢) ممتاز (a ~ dinner).

famulus [făm'yə-] *(n.)* pl. **-li** سكرتير أو مرافق خاص.

fan [făn] *(n.; vt.; i.)* (١) مِذْراة (٢) مِرْوَحَة (٣) «أ» هاوٍ. «ب» نصير ؛ مُعجَب (a movie ~) §(٤)يذري (٥)يهوي؛ يروّح (٦) ينفخ على (٧) يثير ؛ يهيج (This conduct ~ *ned* his rage.) (٨) يضرب ؛ يجلد (ع) (٩) ينشر على شكل مروحة ×(١٠)يتحرك كالمروحة (١١)ينتشر على شكل مروحة.

fanatic [fə năt'ĭk] *(adj.; n.)* (١)متعصِّب §(٢)شخص متعصب.

fanatical [-'ə kəl] *(adj.)* (١) متعصِّب (٢) تعصّبي.

fanaticism [fə năt'ə sĭz əm] *(n.)* تعصُّب.

fanaticize [-'ə sīz] *(vt.; i.)* (١) يجعله متعصباً ×(٢) يتعصب.

fancied [făn'sĭd] *(adj.)* خياليّ ؛ وهميّ (~ grievances).

fancier [făn'sĭ ər] *(n.)* الهاوي (وبخاصة تربيةَ حيوان أو نباتٍ ما).

fanciful [făn'sĭ fəl] *(adj.)* (١) «أ» توهّميّ. «ب» كثير الأوهام (a ~ mind) (٢) وهميّ ؛ خيالي (~ secret treaties) (٣) غريب ؛ عجيب (a ~ design).

fancy [făn'sĭ] *(n.; vt.; adj.)* (١) «أ» مَيْل ؛ هوى ؛ وَلَع. «ب» حبّ؛ رغبة (٢) «أ»صورة ذهنية. «ب» شيء (كاختراع الخ.) من مبتكرات الخيال (٣)«أ» وهم؛ هَلْوَسَة. «ب» خيال (٤) ذوق «في الفن أو اللباس» (a man of delicate ~) (٥)«أ» هواة. «ب» هواية، وبخاصة: الملاكمة §(٦) يُحِبّ؛ يُولَع بِ (٧) يتخيّل (٨) يظن ؛ يتوهم §(٩) نَزْواني: متوقف على الهوى أو النزوة (١٠) «أ» مزخرَف. «ب» فاخر؛ ممتاز ؛ مختار(~ fruits). «ج» مُنشأ (كبعض الحيوانات أو النباتات) لصفاتٍ خاصة يتميز بها (١١) خياليّ (١٢) «أ»متّجِر بالسلع الفاخرة (a ~ department). «ب» باهظ (~ prices) (١٣) بارع ؛ متقَن (~ diving)(١٤) متعدِّد الألوان.

to ~ oneself يغتر بنفسه.

to take a ~ to يُولَع بـ.

to take *or* catch a person's ~ يستحوذ على إعجابه.

fancy dress *(n.)* ملابس غريبة أو تنكّرية (في حفلة راقصة أو كرنفال).

fancy-free *(adj.)* خالي البال ، وبخاصة: خَلِيّ؛ غير عاشق.

fancy goods *(n. pl.)* سِلَع زينيّة.

fancy man *(n.)* (١) خليل ؛ عشيق (٢) قوّاد.

fancy woman *(n.)* امرأة مشبوهة السيرة ؛ وبخاصة: مومس.

fancywork [făn'sĭ-] *(n.)* التطريز ؛ شغل الابرة الزينيّ.

fandango [făn dăng'gō] *(n.)* (١) الفَنْدانغو: رقصة اسبانية أو اسبانية – اميركية أو موسيقاها (٢) هراء ؛ سخافة.

fane [fān] *(n.)* هيكل ؛ وبالتالي: كنيسة.

fanfare [făn'fâr] *(F.)* (١)«أ» التبويق: نفخٌ بالبوق. «ب» لحن قصير يعزف على البوق (٢) جعجعة.

fanfaron [făn'fə rŏn] *(F.)* المتبجّح ؛ المتفاخر.

fanfaronade [făn fə rə nād'] *(F.)* تبجّح ؛ تفاخر.

fang [făng] *(n.)* (١) ناب (٢) جذر السنّ (٣) مِخلب. (٤) شوكة ؛ كُلّاب.

fanion [făn'-] *(n.)* العُلَيْم: عَلَم صغير يستخدمه الجند والمساحون لتعيين المواقع.

fanlight [făn'-] *(n.)* النافذة المِروحية: نافذة نصف دائرية فوق باب.

fanlight

fanner [făn'ər] *(n.)* (١) المروِّح ؛ حامل المروحة (٢) مروحة.

fantail [făn'-] *(n.)* (١) الذيل المِرْوحيّ: ذَيْل مروحيّ الشكل (٢)الحمام المِروحيّ: حمام ينتشر ذيله على شكل مروحة.

fantail 2.

fan-tan [făn'tăn] *(n.)* الفَنْتان: «أ» لعبة قمار صينية. «ب» لعبة بورق الشدّة.

fantasia [făn tā'zhĭ ə] *(n.)* الفَنْتازيَة: لحن موسيقي (أو أثر أدبي) متحرر من قيود الشكل التقليدية.

fantasm [făn'tăz əm] *(n.)* = phantasm.

fantast [făn'tăst] *(n.)* = visionary.

fantastic; -al [făn tăs'-] *(adj.)* (١)«أ» خياليّ. «ب» وهمي (~ fears). «ج» أحمق ؛ غير واقعي (a ~ idea of his own). «د» ضخم إلى حد لا يصدَّق (~ importance) (٢) غريب.

fantasy [făn'tə sĭ; -zĭ] *(n.; vt.; i.)* (١)خيال جامح (٢)«أ» اختراع؛ ثمرة من ثمرات الخيال. «ب» وهم. «ج» الفنتازية: لحن موسيقي متحرر من قيود الشكل التقليدية (٣)نزوة ؛ هوىً §(٤)يتخيّل ×(٥) يستغرق في أحلام اليقظة.

fantasyland *(n.)* عالَم الأحلام أو الأوهام.

fantoccini [făn'tə chē'nĭ] *(n. pl.)* (١) الدمى المتحركة. (٢) مشهد مسرحيّ بالدمى المتحركة.

fantom [făn'təm] = phantom.

fan tracery *(n.)* التشجير المِرْوحيّ (عم).

fan window *(n.)* = fanlight.

far [fär] *(adv.; adj.)* (١)بعيداً (٢)جداً ؛ بكثير(~ richer)(٣)إلى ساعة متأخرة (works ~ into the night) §(٤) «أ» بعيد. «ب» مختلف جداً عن (٥) طويل (a ~ journey) (٦) أقصى ؛ أبعد (the ~ side).

~ and away بكثير ؛ بمراحل ؛ بما لا يُقاس

~ and wide في كل مكان.

~ be it from me حاشا لي (أن أفعل ذلك).

~ forth إلى درجة بعيدة ؛ إلى حد (معين).

as ~ as I know بقَدْر ما أعلم.

by ~ بكثير ؛ إلى حد بعيد.

from ~ and near من كل مكان.

in so ~ as بقَدْر ما.

so ~ so good كل شيء حَسَن حتى الآن.

farad [făr'əd] *(n.)* الفاراد: وحدة السعة الكهربائية (كب).

faraday [făr'ə dĭ] *(n.)* الفاراداي: وحدة الكمية الكهربائية «فز» و«ك».

faradic [fə răd'ĭk] *(adj.)* حثّيّ ؛ حاثّ أو مُسْتَحَثّ (كب).

faradism *also* **faradization** *(n.)* الفارادية ؛ المُفارَدة: استخدام التيار الكهربائي المستحَث (في المعالجة الطبية الخ.).

faradize [făr'ə dīz'] *(vt.)* يُفارِد: يعالج بالتيار الكهربائي المستحَث.

farandole [făr'ən dōl] *(F.)* (١) الفَرَنْدَل: رقصة تتشابك فيها أيدي الراقصين (٢) موسيقى الفَرَنْدَل.

faraway [-'ə wā'] *(adj.)* (١) بعيد؛ ناءٍ (٢) حالم ؛ ذاهل.

ă at; ā date; â care; ä car; ĕ egg; ē me; ĭ in; ī bite; ŏ lot; ō bone; ô orphan; oi boil; o͝o good; o͞o boot; ou out; ŭ under; ū unity; û urgent; th thing; th this; zh vision; ə = *a* in alone, *e* in system, *i* in easily, *o* in gallop, *u* in circus.

farce [färs] *(n.; vt.)* (١) حَشْوَة (من لحم مفروم وتوابل) . (١) الفَرْصة : مسرحية هزلية ساخرة (٣) مَهْزَلة (The Disarmament Conference wa a ~.) §(٤) يملّح (أثراً أدبياً) بالنكتة الخ .

farceur [fär sœr'] *(F.)* (١) المزّاح : الكثير المزاح (٢) الفَرْصيّ : مؤلف الفَرْصة (را. farce) أو ممثلها .

farci *or* **farcie** [fär sē'] *(adj.)* محشوّ (باللحم المفروم والتوابل) .

farcical [fär'sə kəl] *(adj.)* (١) هزلي (٢) سخيف ؛ مُضحك .

farcy [fär'sĭ] *(n.)* داء الخيل : مرَض من أمراض الخيل .

fare [fâr] *(vi.; n.)* (١) يرتحل ؛ يسافر (٢) «أ» يحدُث لِ ؛ تصير حالُه إلى (We shall see how it will ~ with him.) «ب» يصيب نجاحاً أو إخفاقاً (He ~*d* well.); (It ~*d* ill with him.) (٣) يأكل §(٤) «أ» النَّوْل : أجرة السفر أو الركوب. «ب» المسافر المستأجِر عربةً عمومية (٥) طعام .

farer [fâr'ər] *(n.)* المسافر (sea*farer*) .

farewell [fâr'wĕl'] *(interj.; n.; adj.)* (١) وداعاً ! §(٢) وداع . (٣) «أ» فراق . «ب» حفلة لتكريم امرىء على وشك الرحيل أو التقاعد §(٤) وداعيّ ؛ أخير (a ~ concert).

farfetched [fär'-] *(adj.)* (١) مجلوب من زمان أو مكان بعيد . (٢) متكلَّف ؛ متمحَّل ؛ بعيد الاحتمال (a ~theme for a play).

far-flung [fär'flŭng'] *(adj.)* (١) موزَّع أو منتشر على نحو واسع (our ~ battle line) (٢) ناءٍ ؛ بعيد .

far-gone *(adj.; adv.)* (١) ناءٍ ؛ بعيد (~ places) (٢) مُوشِك على الانقضاء (sitting in the ~ night) (٣) شبه بالٍ (~ shoes) §(٤) بلا خلاف ؛ غير مُنازَع (known to be ~the best horse).

farina [fə rē'nə] *(n.)* (١) دقيق (٢) نشاء .

farinaceous [făr'ə nā'shəs] *(adj.)* (١) نشَوي (٢) ذُروري .

farm [färm] *(n.; vt.; i.)* (١) الاقطاع بالالتزام : جَعْلُ عائدات الأرض أو ضرائبها حقاً لشخص معين يلتزم جبايتها لقاء مبلغ محدَّد يدفعه (٢) إقطاعة ؛ مقطَعَة بالالتزام (٣) مزرعة §(٤) يلتزم أرضاً (٥) يلزِّم أرضاً (٦) يحرث ؛ يفلح ×(٧) يشتغل بالزراعة والمزارع .

farmer [fär'mər] *(n.)* (١) المُلتزِم (٢) المُزارع .

farmerette [-mə rĕt'] *(n.)* المُزارعة أو العاملة في مزرعة .

farmhand [färm'-] *(n.)* عامل المزرعة : عامل مستأجَر في مزرعة

farmhouse [färm'hous] *(n.)* بيت المزرعة : بيت في مزرعة .

farming [fär'mĭng] *(n.)* الزراعة ؛ العمل بالزراعة .

farmland [färm'-] *(n.)* مزرعة أو أرض صالحة للزراعة .

farmstead [färm'stĕd] *(n.)* المزرعة ومبانيها .

farmyard [färm'yärd] *(n.)* فِناء المزرعة .

faro [fâr'ō] *(n.)* الفِرْعونية : لعبة قمار بورق اللعب .

far-off [fär'ôf'] *(adj.; adv.)* (١) بعيد ؛ ناءٍ §(٢) بعيداً .

far point *(n.)* النقطة البعيدة ؛ نقطة المدى .

farraginous [fə răj'-] *(adj.)* خليط ؛ مؤلف من مواد مختلفة .

farrago [fə rā'gō; -rä'-] *(n.)* المزيج ؛ الخليط .

far-reaching [fär'rē'chĭng] *(adj.)* بعيد المدى أو النطاق أو الأثر .

farrier [făr'ĭ ər] *(n.)* (١) بَيْطار (٢) طبيب بَيْطَري .

farrow [făr'ō] *(vt.; i.; n.; adj.)* (١) تخنّص : تلِد (الخنزيرة) خِنَّوْصاً §(٢) بطنٌ من الخنانيص (٣) إخناص §(٤) غير حامل (صفة للبقرة) .

farseeing [fär'sē'ĭng] *(adj.)* = farsighted 1.

farsighted [fär'sī'-] *(adj.)* (١) «أ» بعيد مرمى البصر . «ب» حكيم ؛ بعيد النظر §(٢) أطمَس : مديد أو طويل البصر .

farther [fär'thər] *(adv.; adj.)* (١) في أو إلى مكان أو نقطة أو درجة أبعد (٢) على نحوٍ إضافي أو أتمّ §(٣) أبعَدُ (٤) إضافيّ .

farthermost [fär'thər mōst'] *(adj.)* الأبعد ؛ الأقصى .

farthest [fär'thĭst] *(adj.; adv.)* (١) الأبعد ؛ الأقصى §(٢) أبعدَ أو أقصى ما يكون (٣) أشدَّ أو أكثرَ ما يكون .

farthing [fär'thĭng] *(n.)* الفارذِنغ : قطعة نقد بريطانية تساوي ربع بنس (٢) شيء ضئيل القيمة .

fasces [făs'ēz] *(n.)* الحَزِيمة : مجموعة قضبان محزومة على فأس (من شعارات السلطة عند الرومان) .

fasces

fascia [făsh'ĭ ə] *(n.)* (١) شِقة مُسطَّحة «بين حليتين معماريتين» (عم) (٢) لِفافة ؛ رِباط (جر) (٣) صِفاق (ت) .

fasciate [făsh'ĭ āt] *or* **fasciated** *(adj.)* (١) مُخطَّط ؛ مقلَّم ؛ وبخاصة : عريض الخطوط أو الأقلام (٢) مُشْمَعَل (را. المادة التالية) ؛ مرقَّق ؛ مسطَّح (نب) .

fasciation [făsh'ĭ ā'shən] *(n.)* الشَّمْعَلة : تشوّه الساق بحيث يبدو مرققاً أو مسطحاً (نب) .

fascicle [făs'ə kəl] *(n.)* (١) عنقود (٢) حزَيمة ؛ حزمة صغيرة (٣) ملزمة ؛ كرّاسة.
—fascicular *(adj.)*
— fasciculate; -d *(adj.)*

fascicule [făs'ə kūl] *(n.)* ملزمة ؛ كراسة

fasciculus [fə sĭk'yə ləs] *(n.)* (١) حُزَيْمة (ألياف عصبية أو عضلية) (٢) كراسة ؛ ملزمة .

fascinate [făs'ə nāt] *(vt.)* (١) يفتن ؛ يسحر (٢) يسلبه القدرة على الحركة أو الهرب (Snakes ~ small birds.).

fascinating [făs'ə nā-] *(adj.)* فاتن ؛ ساحر ؛ آسر .

fascination [-nā'-] *(n.)* (١) فتنة ؛ سِحْر (٢) افتتان .

fascinator [făs'-] *(n.)* (١) الفاتن (٢) شالٌ رقيق لرأس المرأة .

fascine [fă sēn'] *(n.)* حزمة عيدان طويلة .

fascism [făsh'iz əm] *(n. often cap.)* الفاشيّة : نظام أو حركة أو فلسفة سياسية تمجّد الدولة والعرق وتدعو إلى إقامة حكم أوتوقراطي مركزي على رأسه زعيم دكتاتوريّ ، وإلى السيطرة على كل شكل من أشكال النشاط القومي.
—fascist *(n.; adj.)*
—fascistic *(adj.)*

Fascisti [fə shĭs'tĭ] *(n. pl.)* الفاشِيون ؛ الفاشِسْتيون .

fashion [făsh'ən] *(n.; vt.)* (١) شكل (٢) طريقة ؛ نمط (٣) «أ» زِيّ . «ب» الزيّ السائد (في الخياطة) . «ج» ثوبٌ مُخاطٌ وفقاً للزي السائد. «د» منزلة اجتماعية رفيعة §(٤) «أ» يشكّل ؛ يصوغ ؛ يصنع . «ب» يعدِّل ؛ يغيِّر (٥) يكيِّف .

after the ~ of على غِرار كذا .

in ~, دارج ؛ مطابق للزي الحديث .

man *or* woman of ~, رجل أو امرأة من الطبقات الاجتماعية العليا يتبع قواعد اللباس والسلوك السائدة في تلك الطبقات .

out of ~, مُبْطَل الزيّ ؛ لم يعد مطابقاً للزيّ السائد.

fashionable [-'ən ə bəl] *(adj.; n.)* (١) مطابق للزي الحديث . (٢) أنيق أو ذو علاقة بعالَم الطبقات الاجتماعيّة العُلْيا §(٣) المُتَنَوِّق : شخص أنيق يحرص على اتّباع الزيّ الحديث .

fashion plate *(n.)* (١) صورة تمثّل زياً حديثاً في اللباس .

(٢) المُتَنَوِّق : شخص أنيق لا يرتدي إلا الملابس المنطبقة على الزي الحديث .

fast [făst; fäst] *(adj.; adv.; vi.; n.)* (١) «أ» راسخ، مثبّت بإحكام. «ب» مُحكَم الإغلاق . «ج» وثيق، متماسك . «د» ثابت ، غير قابل للتغيير (hard and ~ rules) (٢) وفيّ (~ friends) (٣) «أ» سريع (a ~ car; a ~ race) ؛ «ب» متوقد الذهن . «ج» مساعد على سرعة الحركة أو العمل (a ~ track). «د» متقدم في الدلالة على الوقت الخ . (a ~ clock) (٤) مُحْكَم (a ~ grip) (٥) عميق (a ~ sleep) (٦) «أ» ثابت ، لا يَنْصُل (a ~ color) . «ب» صامد للنصول من أثر معيّن (sun*fast*). «ج» مقاوم (acid-*fast*) (٧) منغمس في الملذات §(٨) على نحو راسخ أو مثبّت بإحكام الخ. (٩) بسرعة (ran ~) (١٠) بتهتك؛ على نحو منغمس في الملذات (living too ~ for his health) (١١) على نحو متقدم بالنسبة إلى الوقت أو الميقات الصحيح §(١٢) يصوم §(١٣) «أ» صيام . «ب» وقت الصيام (١٤) حبل؛ سلسلة (مل).

~ asleep مستغرق في نوم عميق .

fast and loose *(adv.)* على نحو ماكر أو خادع .

fasten [făs'ən; fäs'-] *(vt.; i.)* (١) «أ» يثبّت، يوثّق؛ يمكّن. «ب» يحكم الاغلاق (٢) يركّز (to ~ the eyes *or* hopes on something) (٣) يُلقي؛ يُلصِق (~ *ed* the blame on the servant) ×(٤) «أ» يصبح مثبّتاً أو مُحكَماً. «ب» ينغلق بإحكام . «ج» يتزرّر (Ladies' dresses sometimes ~ down the back.) (٥) يُمسك (أو يتمسّك) بإحكام.

fastener; fastening [făs'ən-] *(n.)* المِرْبَطَة: أداة ربط أو تثبيت (كإبزيم أو قُفْل الخ .)

fastidious [făs tĭd'ĭ əs] *(adj.)* (١) نَيِّق ، صعبُ إرضاؤه (٢) شديد الحساسية (في مسائل الذوق الخ .) (a ~ taste) .

fastigiate [făs tĭj'ĭ ĭt] *(adj.)* (١) هَرَميّ الرأس (٢) «أ» منتصبٌ ومُتَوازٍ (~ branches) . «ب» ذو أغصان منتصبة متوازية (٣) متحدٌ في حزمة مخروطية (ح) .

fasting [făs'-] *(n.; adj.)* (١) صيام §(٢) صائم (٣) «أ» مأخوذ من صائم (~ urine) «ب» خاص بصائم (~blood-sugar level) .

fastness [făst'-] *(n.)* (١) «أ» رسوخ، ثبات. «ب» سرعة . «ج» ثبات اللون. «د» مقاومة الجسم الحي لمادة سامة (٢) «أ» معقِل. «ب» مكان ناءٍ منعزل .

fat [făt] *(adj.; n.; vt.; i.)* (١) «أ» سمين. «ب» مسمَّن للبيع في السوق (a ~ meat animal) «ج» دهني (~ food) (٢) «أ» ممتلىء، ضخم (a ~ purse) . «ب» غنيّ؛ سخيّ؛ متسم بالوفرة (a ~ feast) . «ج» ثريّ (٣) «أ» مُربِح (a ~ job). «ب» كسول (٤) خِصب (~ land) (٥) أحمق (a ~ head) §(٦) دُهن؛ شحم (٧) صَفْوة؛ زبدة (٨) بدانة؛ سِمَن (٩) عمل مُرْبِح (١٠) دور يتيح للممثل أن يُظهر كفاءته §(١١) يُسمِّن . ×(١٢) يَسْمَن ، يصبح بديناً .

—fatness *(n.)*

The *fat's* in the fire إن ما فُعِل سوف يثير الغضب أو يُحدث متاعب جسيمة الخ .

to live on the ~ of the land ينعم بالأفضل من كل شيء ، يحيا بترف .

fatal [fā'təl] *(adj.)* (١) حاسم (٢) «أ» قَدَريّ . «ب» نُبوئيّ . «ج» مقدّر أو محتوم . «د» مقرِّر لمصير المرء (this ~ gift of enthusiasm) (٣) «أ» مُميت، مهلِك (a ~ accident). «ب» مشؤوم (a ~ prophecy) (٤) لا سبيل إلى مقاومته .

fatalism [fā'tə lĭz'əm] *(n.)* الجَبْرية: الإيمان بالقضاء والقدر .

fatalist [fā'-] *(n.)* الجَبْري: المؤمن بالقضاء والقدَر .

fatality [fā tăl'-] *(n.)* (١) شيء مقدَّر أو محتوم (٢) «أ» الإهلاكية؛ كون الشيء مسبباً للهلاك أو الموت . «ب» شؤم، نَحْس (٣) «أ» القضاء والقدر . «ب» الجبرية: القول بالقضاء والقدر (٤) مصيبة ، نكبة (٥) «أ» فاجعة ، وبخاصة: موت ناشىء عن كارثة . «ب» ضحيةُ فاجعة .

fatally [fā'tə lĭ] *(adv.)* على نحو مقدَّر أو مُهْلِك أو لا يقاوَم .

fata morgana [fä'tä môr gä'nä] *(It.)* سراب .

fate [fāt] *(n.)* (١) القضاء والقدر (٢) «أ» قِسْمة؛ نصيب ؛ قَدَر . «ب» كارثة ، وبخاصة : موت (٣) نهاية؛ مصير .

fated [fā'-] *(adj.)* محتوم ؛ مقدَّر ؛ مقرَّر بقضاء وقَدَر .

fateful [fāt'fəl] *(adj.)* (١) مشؤوم ؛ منذِر بسوء (٢) «أ» حاسم . «ب» فاجع ؛ مميت (٣) محتوم ؛ مقدَّر .

father [fä'th̸ər] *(n.; vt.)* (١) أب ؛ والد (٢) *cap.*: «أ» الله . «ب» الآب: أول الأقانيم الثلاثة (نص) (٣) جَدّ ؛ سَلَف (٤) أحد آباء الكنيسة أي كتّابها القدامى (٥) «أ» مبتدع ؛ مبتكر . «ب» مصدر . «ج» نموذج أصليّ يُحتذَى (٦) كاهن (٧) أحد رجال المدينة البارزين §(٨) «أ» ينجب؛ يَلِد . «ب» ينشىء ؛ يؤسس ؛ يبتدع . «ج» يتبنّى (٩) يحدد أبوة طفل أو أصل شيء .

Father Christmas *(n.)* = Santa Claus.

fatherhood [fä'th̸ər ho͝od] *(n.)* الأبوّة .

father-in-law *(n.)* الحَمْو : أبو الزوجة أو الزوج .

fatherland [fä'th̸ər-] *(n.)* (١) وطن (٢) وطن أسلاف المرء .

fatherless [fä'-] *(adj.)* (١) لطيم؛ يتيم الأب (٢) مجهول المؤلِّف .

fatherlike; fatherly *(adj.; adv.)* (١) أبويّ §(٢) بصورة أبويّة .

fathom [făth̸'əm] *(n.; vt.; i.)* (١) القامة : مقياس لعمق المياه يساوي ٦ أقدام §(٢) يَسْبُر الغَوْر (٣) يفهم جيداً .

fathomless [făth̸'əm lĭs] *(adj.)* لا يُسْبَر غوره .

fatidic *or* **fatidical** [fā tĭd'-] *(adj.)* تَنَبُّوِيّ .

fatigable [făt'ə gə bəl] *(n.)* سريع التعب .

fatigue [fə tēg'] *(n.; vt.; i.)* (١) «أ» تعب؛ إعياء. «ب» إجهاد عصبي (٢) «أ» كَدْح . «ب» السُخْرة: عمل يدوي غير عَسْكري يُكلَّف به الجندُ كالتنظيف وشقّ الطرق الخ . «ج» التسخّر: حالة الانهماك في السخرة (on ~) . «ج» *pl.*: ثوب أو بِزّة السُخْرة (٣) الكَلال (مك) §(٤) يُتعِب ؛ يُرهِق ×(٥) يتعب .

fatigue party *(n.)* مفرزة السُخرة (جن) .

Fatimid [făt'ə mĭd] *(adj.; n.)* (١) فاطمي §(٢) الفاطمي .

fatling [făt'-] *(n.)* المُسمَّن : حيوان يُسمَّن للذبح .

fatten [făt'-] *(vt.; i.)* (١) يسمِّن (٢) يخصِّب ×(٣) يَسْمَن .

fattiness [făt'-] *(n.)* (١) بدانة (٢) دُهْنية ؛ دسامة .

fattish [făt'ĭsh] *(adj.)* بدين قليلاً .

fatty [făt'ĭ] *(adj.)* (١) بدين (٢) دُهنيّ (٣) دَبِق .

fatty acid *(n.)* الحامض الدهني (ك) .

fatuity [fə tū'ə tĭ; -to͞o'-] *(n.)* حماقة .

fatuous [făch'o͞o əs] *(adj.)* أحمق ؛ أبلَه ؛ سخيف .

fat-witted [făt'wĭt'ĭd] *(adj.)* أحمَق ؛ مغفَّل .

faubourg [fō'bo͝or; -bo͝org] *(F.)* (١) ضاحية (٢) حيّ .

fauces [fô'sēz] *(n. pl.)* الحَلْق ؛ الحُلقوم (ت) .

ă at; ā date; â care; ä car; ĕ egg; ē me; ĭ in; ī bite; ŏ lot; ō bone; ô orphan; oi boil o͝o good; o͞o boot; ou out; ŭ under; ū unity; û urgent; th thing; th̸ this; zh vision; ə = *a* in alone, *e* in system, *i* in easily, *o* in gallop, *u* in circus.

faucet [fô'sĭt] *(n.)* حنفية ؛ صُنبور .

faucial [fô'shəl] *(adj.)* حَلْقي ؛ حُلْقومي .

faugh [fô] *(interj.)* صوت ازدراء أو اشمئزاز .

fault [fôlt] *(n.; vi.; t.)* (١) عيب . «ب» نقيصة (٢) «أ» ذنْب ؛ جُنحة . «ب» غلطة ؛ زلة (٣) صَدْع ؛ فَلْق في قشرة الأرض §(٤) يخطىء ؛ يزِلّ (٥) تنْصدع (الأرضُ) ×(٦) يعيب (٧) يَصْدَع : يُحْدِث صَدْعاً جيولوجياً في .

at ,~, (١) غير قادر على اكتشاف رائحة الطريدة ومواصلة القنص، وبالتالي : مرتبك ؛ متحير (٢) مذنب ؛ مَلُوْم ؛ مسؤول (ع) .

in ~, مذنب ؛ مَلُوْم ؛ مَسؤول .

to a ~, بإفراط ؛ إلى حدّ بعيد (gentle ~) .

faultfinder [fôlt'-] *(n.)* العيّاب : الكثير الانتقاد للناس .

faultfinding [fôlt'-] *(n.; adj.)* (١) التعييب : حب الانتقاد للناس. §(٢) «أ» عيّاب . «ب» ميال الى الشكوى والاعتراض .

faultless [fôlt'lĭs] *(adj.)* كامل ؛ لا عيب فيه .

faulty [fôl'tĭ] *(adj.)* ذو عيوب أو نقائص أو أخطاء .

faun [fôn] *(n.)* فون : أحد آلهة الحقول والقطعان عند الرومان .

fauna [fô'nə] *(n.)* pl. **-s** *also* **-e** حيوانات منطقة أو حقبة ما .

Faunus [fô'nəs] *(n.)* فونوس : إله الحيوانات عند الرومان .

Fauvism[fō'-] *(n.)* الفوفيّة : مذهبٌ في الرسم متحرر من قيود التقليد.

faux pas [fō pä'] *(F)* زلة (وبخاصة في السلوك الاجتماعي) .

fava bean *(n.)* = broad bean.

favonian [fə vō'-] *(adj.)* (١) متعلق بالريح الغربية (٢) معتدل .

favor *or* **favour** [fā'vər] *(n.; vt.)* (١) «أ» عطفٌ؛ تأييد . «ب» استحسان . «ج» محاباة ؛ تحيّز . «د» شعبية (٢) «أ» خدمة ؛ مِنّةٌ ؛ معروف ؛ فضل. «ب» رعاية ؛ حَظوة (٣) «أ» عربون حبّ. «ب» هدية. «ج» شارة (٤) «أ» امتياز. «ب» *pl.* عد: وِصال ؛ وَصْل ؛ اتصال جنْسي (had been granting her ~*s* to policemen) (٥) صالح ؛ مصلحة §(٦) «أ» يعطف على. «ب» يمنَح ؛ يمنّ على. «ج» يُداري. «د» يحابي (٧) «أ» يدعم ؛ يساند. «ب» يسهّل (The weather ~*ed* my voyage.) (٨) يُشبه (كقولك The child ~*s* its father. أي يشبه أباه أكثر من أمه) .

in ~ of (١) لصالح فلان (٢) لأمر فلان (تج) .

in one's ~, في صالحه أو مصلحته .

out of ~, بغيض، مكروه؛ مُهْمَل؛ غير شعبي .

with *or* by your ~, بإذنك .

favorable [fā'-] *(adj.)* (١) «أ» مُحابٍ أو مؤيِّد. «ب» مدحيّ ؛ إطرائي (a ~ report on the boy's work at school) . «ج» في صالح شخص ما (a ~ comparison) . «د» إيجابيّ (a ~ answer) «هـ» مُرْضٍ (a ~ impression) (٢) «أ» مؤاتٍ (a ~ wind) «ب» واعد؛ مبشّر بالنجاح (The signs are ~.).

favored *or* **favoured**[fā'vərd] *(adj.)* (١) موهوب (بكفاءات معيّنة) (٢) ذو مظهر معيّن (ill-*favored*) (٣) تفضيليّ ؛ تمييزيّ (~rates of credit).

favorite [fā'vər ĭt] *(n.; adj.)* (١) «أ» شيء أثير أو مفضّل . «ب» محبوب . «ج» محسوب (على رجلٍ ذي سلطان) (٢) المرجَّح : فرس تُجمِع الآراء على أنه سيفوز بقصب السبْق §(٣) أثير ؛ مفضّل .

favoritism [fā'vər-] *(n.)* (١) محاباة ؛ تحيّز (٢) محسوبية .

favus [fā'vəs] *(n.)* القَرَعَة : مَرَض جلديّ مُعْدٍ .

fawn [fôn] *(vi.; n.)* (١) يتودَّد . وبخاصة : يُبَصْبِص (الكلبُ) بذنبه تودّداً (٢) يتزلّف ؛ يتملق § (٣) الخِشْف : ولد الظبي .

fax *(n.)* الفاكس : جهاز تلكس متطوّر يبعث بصُوَر طبق الأصل عن الرسائل التي استخدم في إبراقها.

fay [fā] *(vt.; i; n.)* (١) يشد (أخشاب السفينة بعضَها إلى بعض) بإحكام § (٢) جِنّية.

faze [fāz] *(vt.)* يزعِج ، يُقلِق .

feal [fēl] *(adj.)* مخلص ؛ صادق الولاء (ا. ق).

fealty [fē'əl tĭ] *(n.)* إخلاص ؛ ولاء (وبخاصة للأمير الاقطاعي) .

fear [fĭr] *(n.; vt.; i.)* (١) خوف (٢) خَشْية ؛ وبخاصة : مخافة الله . (٣) خطَر § (٤) يخشى الله (٥) يخاف .

fearful [fĭr'-] *(adj.)* (١) مُخيف (٢) خائف (٣) ناشىء عن الخوف أو دالّ عليه (٤) رهيب: رديء (أو ضخم) جداً .

fearless [fĭr'-] *(adj.)* جسور؛ شجاع ؛ لا يعرف الخوف .

fearlessly [fĭr'-] *(adv.)* بجسارة ؛ بشجاعة ؛ على نحو لا يعرف الخوف .

fearnought *or* **fearnaught**[-'nôt] *(n.)* (١) الشجاع (٢) نسيج صوفي غليظ .

fearsome [fĭr'səm] *(adj.)* (١) مخيف (٢) خائف ؛ جبان .

feasible [fē'zə bəl] *(adj.)* (١) عمليّ (a ~ plan) (٢) ملائم (a road ~ for travel) (٢) معقول ؛ محتمل (a ~ theory)

—**feasibility** *(n.)*

feast [fēst] *(n.; vi.; t.)* (١) «أ» وليمة ؛ مأدبة . «ب» متعة بالغة (a ~ for the eyes) (٢) عيد دينيّ § (٣) يتناول طيّب الطعام (٤) يستمتع استمتاعاً بالغاً بِـ ×(٥) يُوْلِم (٦) يمتّع (٧) يحتفل بعيدٍ ديني .

feat [fēt] *(n.)* (١) عملٌ (٢) عملٌ بطوليّ أو فذّ .

feather [fĕth'ər] *(n.; vt.; i.)* (١) «أ» ريشة . «ب» ريشة السهم. (٢) «أ» ريش الطائر برمّته . «ب» نوع (of the same ~) «ج» كسوة؛ لباس . «د» مزاج ؛ حالة (in fine ~) (٣) خصلة شعر (كالتي تكون على رِجل كلب) (٤) إسفين أو لسان تعشيق (نج) (٥) إدارة نَصْل المجذاف أفقياً (٦) شيء خفيف أو ضعيف أو صغير جداً §(٧) «أ» يَرَيْش السهمَ . «ب» يكسو أو يزين بالريش (٨) «أ» يدير نَصْلِ المجذاف أفقياً عند رفعهِ من الماء لتخفيف مقاومة الهواء. «ب» يُجَنِّب المروحة (طي) (٩) يعشّق (نج) ×(١٠) يكتسي (الطائر) بالريش.

a ~ in one's cap شارةُ امتياز ؛ مَفْخَرَةٌ ؛ مأثرة .

birds of a ~, أُناسٌ من ضرب أو مزاج أو ذوق واحد ؛ إن الطيور على أشكالها تقع .

to cut a ~, (١) تُحْدِث (السفينةُ) تموّجاً مزبداً عند انطلاقها بسرعة (٢) ينطلق برشاقة (٣) يلفت الأنظار إلى نفسه .

to ~ one's nest يتريّش : يجمع ثروةً وبخاصة من ممتلكات شخص آخر عَهِدَ إليه بالاشراف عليها.

to show the white ~, تبدو عليه أمارات الجُبْن .

featherbed [fĕth'-] *(vi.; t.)* (١) يُكْرِه رَبّ العمل على توظيف عددٍ من المستخدمين زيادةً عن حاجته أو على إنقاص ساعات العمل كوسيلة لاستيعاب هؤلاء المستخدمين ×(٢) يَمُدّ (صناعةً ما) بمساعدة حكوميّة.

—**featherbedding** *(n.)*

featherbrain [fĕth'-] *(n.)* المغفّل ؛ الخفيف العقل .

feathered [fĕth'-] *(adj.)* (١) مَريش ، مكسوّ بالريش (٢) سريع .

featheredge [fĕtƀ'ər-] *(n.)* حدٌّ رقيق شديد المضاء .

featheredged [fĕtƀ'-] *(adj.)* ذو حدٍّ بالغ الرقة شديد المضاء .

featherhead [fĕtƀ'-] *(n.)* المغفّل ؛ الخفيف العقل .

featherstitch [fĕtƀ'ər stĭch] *(n.)* القُطْبة الريشية : قُطبة تطريز تُحدث خطوطاً متعرجة على شكل ريشة .

featherweight [fĕtƀ'ər wāt] *(n.)* (١) وزن خفيف جداً ، وبخاصة : وزن الريشة : أخفّ وزن يُحَمّلُهُ فرسٌ في سباق (٢) شخص خفيف جداً ، وبخاصة : ملاكم أو مصارع من وزن الريشة (١١٨–١٢٦ باونداً).

feathery *(adj.)* (١) «أ» ريشيّ. «ب» خفيف. (٢) مكسوّ بالريش.

featly [fēt'lĭ] *(adv.; adj.)* (١) برشاقة ؛ بأناقة ؛ ببراعة §(٢) رشيق.

feature [fē'chər] *(n.; vt.; i.)* (١) هيئة ؛ صورة (٢) «أ» قَسَمَة (من قَسِمات الوجه) . «ب» *pl.* : الوجه (٣) «أ» ميزة بارزة ؛ مقوِّم . «ب» *pl.* : معالم (منطقة ما . كالبحيرات والأنهار والجبال) (٤) «أ» الفيلم الرئيسي في حفلة سينمائية. «ب» مقالة خاصة (أو عمود أو باب أو رسم كاريكاتوري خاصّ) في جريدة أو مجلة . «ج» شيء يقدَّم إلى الجمهور أو يُعلَن عنه بوصفه فاتناً أو أخّاذاً §(٥) يشبه (٦) يصوِّر (الملامح) (٧) يميّز ؛ يشكّل ميزةً لِـ (٨) يتخيّل (٩) يُبرِز ؛ يُظهِر ؛ يَنْشر في موضع بارز (to ~ a story in a newspaper) ×(١٠) يمثّل دوراً مهمّاً.

featured [fē'chərd] *(adj.)* (١) ذو قَسَماتٍ وجهيّة خاصة (a hard - *featured* man) (٢) «أ» مُبْرَز ؛ مُظْهَر (في جريدة). «ب» مقدَّم إلى الجمهور أو معلَن عنه بوصفه شيئاً فاتناً أو أخّاذاً. «ج» مقدَّم إلى الجمهور بوصفه بطل الفيلم أو نجمه (a ~ actor).

featureless *(adj.)* رتيب ؛ ساكن ؛ هادىء ؛ خامل ؛ مستقرّ.

feaze [fēz; fāz] *(vt.)* = faze.

febri- بادئة معناها : حُمّى (*febri*fugal).

febrifugal [fĭ brĭf'yə-] *(adj.)* مُلطِّف أو مُزيل للحمّى .

febrifuge [fĕb'rə fūj'] *(n.; adj.)* ملطِّف للحمّى .

febrile [fē'brəl] *(adj.)* حُمّيّ : متعلق بالحمّى .

February [fĕb'rōō ĕr'ĭ] *(n.)* فبراير ؛ شباط : الشهر الثاني في التقويم الغريغوري .

fecal [fē'kəl] *(adj.)* بِرازيّ ؛ غائطيّ .

feces [fē'sēz] *(n. pl.)* بِراز ؛ غائط .

feckless [fĕk'lĭs] *(adj.)* (١) «أ» ضعيف ؛ عاجز . «ب» غير فعال. (٢) فارغ ؛ عقيم (٣) لا مبالٍ (٤) غير بارع .

feculence [fĕk'yə-] *(n.)* (١) راسب ؛ ثُفْل (٢) تعكّر ؛ توحّل.

feculent [-'yə lənt] *(adj.)* عَكِر ؛ مُوحِل ؛ وسخ .

fecund [fē'kŭnd; fĕk'-] *(adj.)* (١) «أ» وَلود. «ب» كثير الثمر. (٢) «أ» منتِج ؛ وافر الانتاج العقلي . «ب» خِصب ؛ مبدع .

fecundate [fē'kən dāt] *(vt.)* (١) يجعله منتجاً أو مثمراً (٢) يلقح ؛ يُخصب .

—**fecundation** *(n.)*

federal [fĕd'ər əl] *(adj.)* فدرالي ؛ اتحادي : (١) «أ» مؤلف من اتحاد بين وحدات سياسية تتنازل عن سيادتها الفردية لسلطة مركزية ولكنها تحتفظ بسلطات حكومية محدودة . «ب» خاصّ بحكومة تتوزع الحكمَ فيها سلطةٌ مركزية وعددٌ من الوحدات الاقليمية . «ج» خاص بحكومة اتحاد مركزية (٢) *cap.* : مؤيد للمذهب الداعي إلى إقامة حكومة ذات سلطات مركزية قوية (٣) *cap.* : خاص بالحكومة الفدرالية للولايات المتحدة خلال الحرب الأهلية الأميركية أو موالٍ لها .

Federal [fĕd'ər əl] *(n.)* الفدرالي : «أ» مؤيد لحكومة الولايات المتحدة الأميركية في الحرب الأهلية ، وبخاصة : جندي في الجيوش الاتحادية . «ب» موظف فدرالي .

federalism [fĕd'-] *(n.)* الفدرالية : «أ» المذهب الاتحادي أو الفدرالي . «ب» : مبادىء الحزب الفدرالي (تا أميركي.)

federalist [fĕd'-] *(n.; adj.)* (١) الفدرالي ؛ الاتحادي : «أ» *cap.* عد. المؤيد لإقامة اتحاد فدرالي بين المستعمرات الأميركية بعد الثورة ولتبنّي دستور الولايات المتحدة الأميركية . «ب» *cap.* : عضوٌ في الحزب الذي دعا ، في السنوات الأولى من تاريخ الولايات المتحدة الأميركية ، إلى إنشاء حكومة مركزية قوية §(٢) فدرالي ؛ اتحادي .

federalize [fĕd'ər ə līz] *(vt.)* يُفَدْرِلُ : «أ» يوحّد في ظلّ نظام فدرالي . «ب» يُخْضِع لسلطة الحكومة الفدرالية .

federate [fĕd'-] *(adj.; vt.; i.)* (١) مُفَدْرَل : متحد في تحالف أو نظام فدرالي §(٢) يُفدرِل أو يتفدرل : يوحّد أو يتّحد في نظام فدرالي .

federation [fĕd ə rā'-] *(n.)* (١) الفَدْرَلة : مص federate وبخاصة : إنشاء اتحاد فدرالي (٢) اتحاد ، وبخاصة : «أ» حكومة فدرالية . «ب» اتحاد منظمات .

federative [fĕd'ə rā tĭv] *(adj.)* (١) فدراتيّ : خاص بالشؤون الخارجية والسلامة القومية (٢) فدرالي ؛ اتحادي .

fed up *(adj.)* (١) مُتْخَم (٢) ضَجِر ؛ سئِم ؛ مُبْرَم .

fee [fē] *(n.; vt.)* (١) «أ» إقطاعة. «ب» أرض موروثة أو قابلة للوراثة. (٢) أجْر ؛ جُعْل (~ a doctor's) (٣) رسم (school ~s) (٤) بقشيش ؛ راشِن §(٥) يدفع الأجر إلى (to ~ a lawyer) (٦) يستغل ؛ يستخدم ؛ يفيد من (٧) يمنحه بخشيشاً.

to hold in ~, يمتلك (أرضاً) ملكيةً تامة .

feeble [fē'bəl] *(adj.)* ضعيف ؛ واهن ؛ غير فعّال .

feebleminded [fē'bəl mīn'dĭd] *(adj.)* (١) أبله (٢) أحمق .

feeblish [fē'blĭsh] *(adj.)* ضعيفٌ بعضَ الشيء .

feed [fēd] *(vt.; i.; n.)* (١) «أ» يُطْعِم . «ب» يُمِدّ بما يشبه القُوت (٢) يُغَذّي (٣) «أ» يُرضي ؛ يُشبع . «ب» يشجّع (٤) يُلقم أو يغذّي (ماكينةً أو فرناً) ×(٥) يأكل (٦) يقتات بـ §(٧) «أ» أكْلُ الطعام . «ب» وَجْبة (٨) «أ» علف . «ب» علفة (٩) «أ» تلقيم أو تغذية (آلةٍ أو فرن) . «ب» المادة الملقَّمة (كالفحم الحجري الخ.). «ج» جهاز التلقيم أو التغذية (في ماكينة).

at ~, في المرعى .

off one's ~, فاقدٌ شهيّتَهُ للطعام .

feedback [fēd'băk] *(n.)* التغذية الاسترجاعية («الك» و «نف»)

feeder [fē'dər] *(n.)* (١) المُطعِم ؛ المغذّي ؛ مثل : «أ» الملقِّم : شخص أو جهاز ملقِّم لماكينة ما أو آلة طباعة الخ . «ب» جدول ؛ رافد . «ج» خطّ التغذية (كب) . «د» خطّ مواصلات فرعي (٢) «أ» الآكل ؛ المغتذي . «ب» حَمَلٌ يُعلف ليَسْمن (٣) bib (٤) زجاجة الارضاع (للأطفال) .

feeding bottle *(n.)* زجاجة الارضاع (للأطفال) .

feeding cup *(n.)* كوب التغذية : كوب لتغذية المريض في فراشه.

feel [fēl] *(vt.; i.; n.)* (١) «أ» يلمس . «ب» يَجُسّ (٢) يحِسّ ؛ يشعر (٣) يتلمّس (طريقَهُ) (٤) يؤمن ؛ يعتقد ×(٥) يبدو عند اللمس (Velvet ~s smooth.) (٦) يشفق على ؛ يرقّ لِـ (تتبعها with أو for) § (٧) حاسة اللمس (٨) إحساس (٩) «أ» مَلْمَس (a greasy ~) (١٠) جوّ أو صفة خاصة (The place had the ~ of a home.)

to ~ like a walk يرغب في القيام بنزهة على القدمين.

feeler [fē'lər] *(n.)* : (١) المِجَسّ : اللامس، الحاسّ، وبخاصة : قرن الحشرة (٢) اقتراح (أو ملاحظة الخ.) يلقى رغبةً في استطلاع آراء الآخرين أو أهدافهم.

feeling [fē'lĭng] *(n.; adj.)* (١) «أ» حاسّة اللمس. «ب» إحساس. (٢) «أ» عاطفة. «ب» *pl.* : مشاعر (to hurt one's ~ s) (٣) الوِجدان (نف) (٤) «أ» رأي؛ اعتقاد. «ب» شعور. «ج» presentiment (٥) إشفاق؛ حنوّ (٦) جوّ عامّ (The ~of the meeting was hostile.) § (٧) حاسّ؛ حسّاس (٨) حَنون (a ~ heart) (٩) عاطفي؛ انفعاليّ (wrote in passionate ~language)

fee simple *(n.)* الاقطاعة الحرة : إقطاعة قابلة للتوريث بدون قيد.

fee splitting *(n.)* اقتسام الرسم : دفعُ الاخصائيّ جزءاً من الرسم الذي تقاضاه إلى الطبيب الذي حوّل المريض إليه.

feet [fēt] *pl. of* foot.

fee tail *(n.)* الاقطاعة المقيَّدة (لا يرثها غير طبقة معيّنة من الورثة)

feeze [fēz; fāz] *(n.)* اهتياج؛ قلق؛ ذُعر.

feign [fān] *(vt.; i.)* (١) «أ» يتظاهر بـ. «ب» يدّعي؛ يزعم. (٢) يختلق؛ يلفّق (to ~ an excuse).

feigned [fānd] *(adj.)* (١) مختلَق؛ مُلفَّق (٢) زائف؛ غير حقيقي.

feint [fānt] *(n.; vi.; t.)* (١) خدعة؛ وبخاصة : هجومٌ مُخادع. §(٢) يخدع؛ يمكر بـ (٣) يتظاهر بـ.

feist [fīst] *(n.)* كُلَيْب؛ كلب صغير.

feldspar [fĕld'spär; fĕl'-] *(n.)* الفَلْسْبار : سَليكات الألمنيوم.

felicitate [fĭ lĭs'ə tāt'] *(vt.)* (١) يُسْعِد (ا.ق) (٢) يهنّئ.

felicitation [fĭ lĭs'ə tā'shən] *(n.)* تهنئة.

felicitous[-lis'-] *(adj.)* (١) مناسب؛ موفّق (a ~remark). (٢) لَبِق (a ~ speaker) (٣) رائع؛ فاتن (a ~ journey).

felicity [fĭ lĭs'ə tĭ] *(n.)* (١) هناءة، وبخاصة : سعادة عظيمة. (٢) مصدر سعادة (٣) لباقة (في التعبير) (٤) تعبير لبق.

felid [fē'lĭd] *(n.)* هِرّ؛ سِنَّوْر.

Felidae *(n.pl.)* فصيلة السِنَّوْريات (الهررة والأسود والنمور الخ).

feline [fē'līn] *(adj.)* (١) سِنَّوْريّ (٢) غادِر؛ ماكر.

fell [fĕl] *(n.; vt.; adj.)* (١) «أ» جلد حيوان. «ب» شَعر؛ صوف. (٢) هضبة؛ جبل §(٣) «أ» يقطع (to ~ a tree). «ب» يصرع. «ج» يقتل (٤) يدرز على موازاة الحاشية §(٥) «أ» ضارٍ؛ وحشي. «ب» مُهلك؛ مميت. «ج» فظيع؛ رهيب.

fell [fĕl] *past of* fall.

fellah [fĕl'ə] *(Ar.)* pl. **-in** *or* **-een** فلاّح

fellatio *also* **fellation** *(n.)* لَعْق القضيب أو الذَّكَر.

fellmonger [fĕl'mŭng'gər] *(n.)* تاجر جلود.

fellow [fĕl'ō] *(n.; adj.)* (١) رفيق (٢) «أ» صِنو؛ نِدّ. «ب» أحد زوجين (the ~ of a shoe *or* glove) (٣) الزَّميل: عضو في جمعية أدبية أو علمية (٤) «أ» رجل أو ولد تافه أو وضيع. «ب» شخص (٥) عضو في إدارة جامعة بريطانية (٦) خريج جامعة يُعطَى منحة لمواصلة دراسته §(٧) مماثل؛ مجانس؛ مرافق (~ worker; ~ creatures).

fellowship [fĕl'ō shĭp] *(n.)* (١) رِفقة؛ صُحبة (٢) «أ» اشتراك في المصلحة أو الشعور أو العمل أو الخبرة. «ب» زمالة (٣) جماعة مؤلفة من أصدقاء أو أنداد (٤) أُلفة؛ مودّة؛ صداقة (٥) «أ» عضوية في جامعة بريطانية. «ب» منحة جامعية. «ج» مؤسسة لتقديم المنح الجامعية.

fellow traveler *(n.)* رفيق الطريق : مَنْ يعطف على برنامج حزبٍ أو مبادئه أو يروّج لها من غير أن يكون عضواً فيه.

felly [fĕl'ĭ] *or* **felloe** [-'ō] *(n.)* إطار العجَلة أو الدولاب.

felo-de-se [fē'lō də sē'] *(n.)* (١) المنتحر (٢) انتحار.

felon [fĕl'ən] *(n.)* (١) مجرم (٢) داحس؛ داحوس (في الاصبع).

felonious [fĭ lō'-] *(adj.)* (١) شرير جداً (ا.ق) (٢) إجرامي.

felonry [fĕl'ən rĭ] *(n.)* جماعة المجرمين (وبخاصة في منفىً لهم).

felony [fĕl'ə nĭ] *(n.)* جريمة؛ جناية.

felspar [fĕl'spär] = feldspar.

felt [fĕlt] *(n.; vt.)* (١) «أ» لِبّاد. «ب» شيء مصنوع من لبّاد (كالقبعة الخ.) §(٢) يلبّد (٣) يصنع اللبّاد أو يكسو به.

felt [fĕlt] *past; past part. of* feel.

felting [fĕl'tĭng] *(n.)* (١) صنع اللبّاد (٢) لِبّاد.

felucca [fĕ lŭk'ə] *(n.)* الفَلّوكة : سفينة شراعية سريعة ضيّقة.

felucca

female [fē'māl] *(n.; adj.)* (١) أُنثى. (٢) نباتٌ مِدقّيّ (را. pistillate) §(٣) أنثوي؛ نِسْويّ (٤) مِدقّيّ (نب) (٥) غائر؛ أنثوي؛ داخليّ (ملt).

feminine [fĕm'ə nĭn] *(adj.; n.)* (١) أنثويّ؛ نِسويّ (٢) لطيف؛ رقيق (٣) مؤنّث (ل) §(٤) كلمة مؤنّثة (٥) المؤنّث (ل).

femininity [-nĭn'-] *(n.)* (١) أنوثة (٢) تخنّث (٣) الجنس اللطيف.

feminism [fĕm'ə nĭz əm] *(n.)* نظرية المساواة بين الجنسين سياسياً واقتصادياً واجتماعياً.

feminist *(adj.; n.)* قائل بالمساواة بين الجنسين سياسياً واقتصادياً.

feminity [fĭ mĭn'ə tĭ] *(n.)* = femininity.

feminize [fĕm'ə nīz] *(vt.)* يؤنّث؛ يُخنّث.

femme fatale *(F.)* (١) المرأة المُغْوية (٢) المرأة الفاتنة.

femoral [fĕm'-] *(adj.)* فَخِذِيّ: خاص بالفخذ أو عظم الفخذ.

femur [fē'mər] *(n.)* pl. **-s** *or* **-mora** عظم الفخذ (ت).

fen [fĕn] *(n.)* (١) مستنقع (٢) الفَنّ : عملة صينية.

fence [fĕns] *(n.; vt.; i.)* (١) سِياج (٢) مثاقفة؛ مبارزة بالسيف. (٣) «أ» مَنْ يتلقّى السلع المسروقة. «ب» مكان تباع فيه هذه السلع §(٤) يسيّج (٥) يحبس أو يزرب (الماشية) (٦) يطرد؛ يُبْعِد (٧) يحمي؛ يَصُون (٨) يتجنّب؛ يتملّص (من الاجابة عن سؤال محرج) ×(٩) يثاقف؛ يبارز. **—fencer** *(n.)*

to sit on the ~, يتردّد أو يقف على الحياد.

fencing [fĕn'sĭng] *(n.)* (١) مُثاقفة؛ مبارزة بالسيف. (٢) «أ» سياج. «ب» أسيجة منطقة أو ممتلكات. «ج» كل ما يُستعمل لإقامة الأسيجة.

fend [fĕnd] *(vt.; i.)* (١) «أ» يصون؛ يقي. «ب» يردّ أو يتقي (خطراً) (٢) يُعيل ×(٣) يناضل.

fender [fĕn'dər] *(n.)* الوِقاء: وسيلةٌ واقية؛ مثل: «أ» درابزون. «ب» حاجز الاصطدام: أداة في مقدّم القاطرة أو الترام لتخفيف الأذى عند الاصطدام بالحيوانات أو المارّة. «ج» رفرف العجلة أو الدولاب. «د» سِياج المدفأة.

fenestra [fĭ nĕs'-] *(n.)* pl. **-e** (١) «أ» كوّة؛ فتحة. «ب» ثقبٌ في العظم (٢) نقطة شفافة (في جناح فراشة الخ.).

fenestrate [fĭ nĕs'-] *(adj.)* = fenestrated 2.

fenestrated [fĭ nĕs'trā tĭd] *(adj.)* (١) مُنَفَّذ: ذو نوافذ. (٢) «أ» مثقّب؛ ذو فتحات. «ب» ذو نقاط شفافة.

fenestration [fĕn ĭs trā'-] *(n.)* (١) نَسَق النوافذ أو الأبواب

في مبنى (٢) ثقب .

fennec [fĕn'ĕk] *(n.)* الفَنَك : ثعلبٌ افريقي صغير .

fennel [fĕn'əl] *(n.)* الشَّمْرة ؛ الشَّمار (نب) .

fenny [fĕn'ĭ] *(adj.)* مُستنقعيّ .

fenugreek [fĕn'yŏŏ grēk'] *(n.)* الحُلْبة (نب).

feoffee [fĕf ē'] *(n.)* المُقْطَع : الممنوح إقطاعةً .

feoffment [fĕf'-] *(n.)* الاقطاع : مَنْح الاقطاعات .

feoffor *or* **feoffer** [fĕf'-] *(n.)* المُقْطِع : مانحُ الاقطاعة .

feracious [fə rā'shəs] *(adj.)* مُثْمِر ؛ خِصْب .

feral [fĭr'əl] *(adj.)* (١) وحشيّ (٢) ضارٍ ؛ آبِد .

ferbam [fər'-] *(n.)* الفِرْبام : مُبيد زراعيّ للفطور أو الفُطريات .

fer-de-lance [fĕr də läns'] *(F.)* السِّنان : أفعى سامة ضخمة .

ferine [fĭr'īn; -ĭn] *(adj.)* = feral.

ferity [fĕr'-] *(n.)* (١) وحشية (٢) ضراوة ؛ تأبُّد.

ferment [*v.* fər mĕnt'; *n.* fûr'mĕnt] *(vi.; t.; n.)* (١)يتخمّر ؛ يختمر (٢) يهتاج ؛ يثور ×(٣) يخمّر (٤) يُهَيِّج ؛ يثير §(٥) خَميرة (٦) تخمّر ؛ اختمار (٧) اهتياج ؛ قلق .

fermentation [fûr mĕn tā'shən] *(n.)* (١) تخمّر ؛ اختمار . (٢) اهتياج ؛ قلق.

fermentative [fər mĕn'tə tĭv] *(adj.)* (١) مخمِّر (٢)اختماريّ. (٣) قابل للاختمار .

fermium [fĕr'-] *(n.)* الفِيرميوم : عنصر فلزيّ إشعاعيّ النشاط .

fern [fûrn] *(n.)* السَّرْخَس ؛ الخنشار(نب).

fernery [fûr'-] *(n.)* (١)موضع تُزْرَع فيه السراخس للتزيين(٢)سراخس.

fern seed *(n.)* أبواغ السَّرْخَس (وكان القدماء يحسبون أن لها قدرة على إخفاء المرء عن العيان) .

ferocious [fə rō'shəs] *(adj.)* (١) ضارٍ (٢) شديد جداً .

ferociousness; ferocity *(n.)* (١) ضراوة ؛ وحشية (٢) شدّة .

-ferous لاحقة معناها : «أ» منتج . «ب» محتوٍ على .

ferrate [fĕr'āt] *(n.)* الحديدات : ملح الحامض الحديدي (ك) .

ferret [fĕr'ĭt] *(n.; vi.; t.)* (١)ابن مِقْرَض : حيوانٌ شبيه بابن عِرْس يستخدَم خاصةً لتصيّد القوارض (٢) باحث نشيط مواظب (٣) شريط حريري أو صوفيّ §(٤) يصيد مستعيناً بابن مقرض ×(٥) يبحث ؛ يستكشف (تتبعها *out*) (٦) يحمل الطرائد على الخروج من مكامنها (٧) «أ» يُقْلِق. «ب» يُنهك بهجمات متكرّرة.

ferret 1.

ferri- بادئة معناها : حديد (*ferri*ferous).

ferriage [fĕr'ĭ ĭj] *(n.)* (١) أجرة عبور النهر بمركب أو مُعَدِّيَة. (٢) النقل بمركب أو مُعَدِّية .

ferric [fĕr'ĭk] *(adj.)* حديديّ : متعلق بالحديد أو محتوٍ عليه .

ferriferous [fĕ rĭf'ər əs] *(adj.)* حديدي : متضمن أو منتج حديداً .

ferrite [fĕr'īt] *(n.)* الفريت : مُركّب حديديّ (ك) .

ferro- بادئة معناها : «أ» حديدي أو متضمن حديداً . «ب» حديديّ و ...

ferroalloy [fĕr ō ăl'oi] *(n.)* الأشابة أو السبيكة الحديدية .

ferroconcrete [fĕr ō kŏn'-] *(n.)* الاسمنت المُسلَّح .

ferroelectric [-ĭ lĕk'-] *(n.)* مادة متبلرة ذات استقطاب كهربي عفوي .

ferromagnesian *(adj.)* حديدمغنيسيومي : متضمن حديداً ومغنيسيوم .

ferromagnetic [fĕr ō măg nĕt'ĭk] *(adj.)* عالي الانفاذية المغنطيسية (كالحديد والنيكل).

ferrous [fĕr'əs] *(adj.)* (١) حديديّ (٢) حديدوز : متضمّن حديداً ثنائيّ التكافؤ .

ferrous sulfate *(n.)* كبريتات الحديدوز (ك) .

ferruginous [fĕ rōō'-] *(adj.)* (١)حديدي (٢)بلون صدأ الحديد.

ferrule [fĕr'əl; -ōōl] *(n.; vt.)* (١) الطُّوَيْق : «أ» حلقة معدنية حول طرف عصا أو مقبض آلة . «ب» حُلَيْقة لوصل أنبوبين وصلاً مُحكماً §(٢) يطوّق أو يزوّد بطُوَيْق الخ.

ferry [fĕr'ĭ] *(vt.; i.; n.)* (١) يَعْبُر أو ينقل عبر النهر بمركب أو مُعَدِّية (٢) «أ» ينقل . «ب» يقود (طائرة) من المصنع إلى مكان التسليم أو من قاعدة جوية إلى أخرى . «ج» ينقل جواً §(٣)المَعْبَر : مكان عبور النهر بمركب (٤) المُعَدِّية (را . المادة التالية) (٥) حقّ النقل بالمراكب عبر نهر (٦) خط منظّم لقيادة الطائرات عبر بحر أو قارة بغية تسليمها إلى مستعمليها .

ferryboat [fĕr'ĭ bōt] *(n.)* المُعَدِّية : مركب يُعْبَر أو يُنقَل به من شاطىء إلى شاطىء .

fertile [fûr'təl; -tīl] *(adj.)* (١)خصيب : «أ» مثمر أو منتج بوفرة. «ب» قابل للنموّ أو التطوّر (a ~ egg) . «ج» متضمن لقاحاً (a ~ anther) . (٢) مُخْصِب ؛ ذو قدرة على الاخصاب والتوليد. (٣) خِصْب : قابل للتحويل إلى مادة منشطرة (~ uranium).

fertility [fər tĭl'-] *(n.)* (١) خِصْب (٢) نسبة المواليد في بلد .

fertilization [fûr tə lə zā'shən] *(n.)* (١) تخصيب ؛ تسميد . (٢) تلقيح ؛ إخصاب .

fertilize [fûr'tə līz'] *(vt.)* (١) يُخصِّب ؛ يُسمِّد (٢) يلقّح .

fertilizer [fûr'tə lī zər] *(n.)* سَماد (طبيعي أو كيميائي) .

ferula [fĕr'yŏŏ lə] *(n.)* القِنَّة : نبات يستخرج منه صمغ طبي .

ferule [fĕr'əl; -ōōl] *(n.; vt.)* (١) المِقرعة : عصا لتأديب الأولاد. §(٢) يعاقب بالمِقرعة .

fervency [fûr'vən sĭ] *(n.)* = fervor.

fervent [fûr'vənt]; **fervid** [-'vĭd] *(adj.)* (١) متوهّج ؛ شديد الحرارة (٢) متقد ؛ متحمس .

fervor *also* **fervour** [fûr'-] *(n.)* (١) توهّج (٢)اتّقاد ؛ حماسة.

fescue *(n.)* (١) المِدَلّ : عصا يُشار بها (٢) العِكْرِش (عشب) .

fess *also* **fesse** [fĕs] *(n.)* العصابة : عصابة أفقية وسط شعار للنبالة .

festal [fĕs'təl] *(adj.)* (١) عيديّ ؛ مهرجاني (٢) بهيج ؛ فرِح .

fester [fĕs'tər] *(n.; vi.; t.)* (١)دُمّل ؛ قَرْح §(٢) يتقيّح (٣) يتفسّد (٤) rankle ×(٥) «أ» يقيّح . «ب» يُفسد أو يُحدث التهاباً (في ناحية من الجسم) .

festival [fĕs'tə vəl] *(adj.; n.)* (١) عيديّ ؛ مهرجانيّ §(٢) «أ» عيد. «ب» مِهرجان (٣) ابتهاج ؛ بهجة.

festive [fĕs'-] *(adj.)* (١)عيديّ ؛ مِهرجانيّ (٢)بهيج ؛ مرح.

festivity [fĕs tĭv'ə tĭ] *(n.)* (١) عيد ؛ مهرجان (٢) ابتهاج (٣) قَصْف ؛ لهو .

festoon [fĕs tōōn'] *(n.; vt.)* (١) الفَسْطُون : «أ» حبل من زهور أو أشرطة أو أعلام متدلٍّ بين نقطتين على سبيل الزينة. «ب» نقش يمثل حبلاً زينياً (عم) §(٢) يفسطِن : «أ» يزين بفساطين . «ب» يجعله على شكل فساطين .

festoon 1 *a*

festoonery [-tōō'nə rĭ] *(n.)* مجموعة فساطين (را. المادة السابقة).

fetal [fē'təl] *(adj.)* جنينيّ : خاصّ بالجنين .

fetation [fē tā'-] *(n.)* الحَمْل : تكوّن الجنين في الرحم .

fetch [fĕch] *(vt.; i.; n.)* (١) «أ» يجلب ؛ يأتي بـ

(to ~ a book from another room) ·یستخرج «ب»

(2) (to ~ a doctor) یُحضِر «أ»· analogies from nature)

These old books won't ~) یعود على صاحبه بثمن معین «ب»

(3) یسحر ؛ یفتن «ب» . (.you much.) ضربةً مُوجِّهةً «أ»

(ج) یأخُذ ؛ نَفَساً . (ع) یصنع ؛ یُحدِث «ب» . إلى

یصل ؛ یَبلُغ (4) («ه») یقتل (تنهیدة) یُرسِل «د»

طریقاً یسلُك ×(5) (التیار أو الریح ضد بالإبحار وبخاصة)

استحضارُ الخ ؛ استخراج ؛ جلَب §(6) یدور حول ؛ مباشر غیر

شبَح (10) حیلة (9) تنهُّدة (8) قوی ؛ جَهد (7)

ثانویة جداً بمهام یقوم

to ~ and carry یُظهِر ؛ یُبرِز

to ~ out ینعش ؛ یوقظ من إغماءة الخ .

to ~ to یُعوِّض (ما فات من الوقت الخ) . (1)

to ~ up یُحدِث (3) یُوقِف (2)

یتوقف (6) یبقَى (5) یُربِّی (4)

fete or **fête** [fāt; fĕt] (n.; vt.) فی الهواء وبخاصة (مهرجان (1)

الطلق (2) یُكرِّم أو یحیی الذكرى بمهرجان .

fête champêtre [fĕt shän pĕ'tr] (F.) مهرجان خلَوی .

feti- or **feto-** بادئة معناها (جنین : feticide) .

feticide [fē'tə sīd'] (n.) قتل الجنین .

fetid [fĕt'id; fē'-] (adj.) نتِن ؛ كریه الرائحة .

fetish [fē'tĭsh; fĕt'-] (n.) شیء كانت (1) «أ» الفتِش ؛ البُد .

الشعوب البدائیة تعتبر أن له قدرة سحریة على حمایة صاحبه أو

مساعدته «ب» صنم ؛ معبود «ج» ولَع ؛ تعلُّق شدید أو

طقس دینی (عند عبَدَة الأفتاش والبُدود) . (2)

fetishism [fē'tĭsh iz əm] (n.) الإیمان «أ» الفتِّشیة ؛ البُدِّیة

بالأفتاش والبُدود «ب» تقدیس أعمى «ج» انحراف یتمثل فی

تركیز الشهوة الجنسیة على جزء من الجسد ، كالقدم مثلاً

أو على حذاء أو جورب أو خصلة شعر أو ثوب تحتی .

fetlock [fĕt'lŏk] (n.) نتوء یحمل خصلة شعر فی مؤخر قائمة (1)

الفرس ونحوه فوق الحافر مباشرة (2) شعر هذا الجزء

من قائمة الفرس .

fetor [fē'tər] (n.) نتِن ؛ رائحة كریهة .

fetter [fĕt'ər] (n.; vt.) قَید ؛ غُلّ §(2) یقیِّد ؛ یغلِّل (1)

fettle [fĕt'-] (n.) رمل تُفرَش به أرض فرن (2) حالة ؛ وضع (1)

in fine or **good ~,** فی حالة صحیة أو مَعنویة جیدة .

fettling [fĕt'-] (n.) رمل تُفرَش به أرض فرن .

fetus [fē'təs] (n.) جنین (من الشهر الثالث حتى الوضع) .

feud [fūd] (n.) عِداء ؛ حَزازة ؛ ضغینة (2) إقطاعة (1)

feudal [fū'dəl] (adj.) إقطاعی (2) عِدائی ؛ حَزازی ؛ ضغَنی (1)

feudalism [fū'də liz'əm] (n.) الإقطاعیة : النظام الإقطاعی .

feudality [fū dăl'-] (n.) الإقطاعیة : الصفة الإقطاعیة (1)

(2) نظام إقطاعی .

feudalize [fū'də līz] (vt.) یجعله إقطاعیاً ؛ یُخضِعه للنظام الإقطاعی .

feudatory [fū'də tōr ĭ] (adj.; n.) إقطاعی (2) خاضع لسلطان (1)

دولة أجنبیة (3) المُقطَع (4) إقطاعة .

feuilleton [fœ yə tôn'] (F.) صفحة التسلیة فی جریدة أو (1)

مجلة (2) شیء (كحلقة من روایة مُسلسَلة) منشور فی

هذه الصفحة (3) روایة منشورة فی حلقات .

fever [fē'vər] (n.) حُمَّى (2) انفعال ونشاط بالغ (1)

fever blister (n.) القرح البارد : بثور حول الفم .

feverfew [fē'vər fū'] (n.) الأقحوان ، الفرثانیون ، الكافوریة (نب) .

feverish [fē'-] (adj.) محموم (2) حُمِّی (3) شدید الانفعال (1)

أو النشاط أو القلق .

feverous [fē'vər əs] (adj.) = feverish.

fever trap (n.) شرَك الحُمَّى : موطن تكثُر فیه جراثیم الحمِّیات .

fever tree (n.) شجرة الحمَّى : أی من أشجار أو شجیرات

متعددة تنتج أو یظن «أ» أنها تنتج علاجاً ملطفاً للحمَّى .

few [fū] (adj.; n.) قلیل (1) بعض (sold) §(2) (friends ~)

(the discriminating ~) قلة (3) a ~ of his books)

quite a ~, كثیر ؛ عدد وافر أو غیر قلیل .

fey [fā] (adj.) مشؤوم : منذر بموت أو كارثة (2) مستبصِر (1)

ذو بصیرة تخترِق حجاب الغیب (3) مختلّ ؛ به مسّ .

fez [fĕz] (n.) pl. **fezzes** also **fezes** طربوش .

fiacre [fī ä'kər] (F.) الفاكرة : عربة أجرة صغیرة .

fiancé [fē'än sā'] (F.) الخاطب : خطیب فُلانة .

fiancée [fē'än sā'] (F.) المخطوبة : خطیبة فلان .

fiasco [fī ăs'kō] (n.) pl. **-es** إخفاق تام .

fiat [fī'ət; -ăt] (n.) صیغة یجیز بها صاحب سلطة «أ» لیكُنْ (1)

أمراً (2) أمرٌ ؛ إجازة .

fiat money (n.) أوراق نقدیة تصدرها الحكومة من غیر تغطیة .

fib [fīb] (n.; vi.; t.) یكذب (2) أكذوبة «أ» (3)× یضرب .

fibber [fīb'-] (n.) الكذاب ، ملفِّق الأكاذیب .

fiber or **fibre** [fī'bər] (n.) خیط أو شیء كالخیط ، مثل :

عِرق «ب» . لُیَیِّفة نبات أو نسیج عضلی «أ» لیف ،

مادة مصنوعة من ألیاف ، وبخاصة : الفِبر (2) (gold a ~ of)

المُفلكَن «ب» نسیج (~ cloth of coarse) . (vulcanized .را)

خُلُقی ؛ طبیعة (~ a man of strong moral) .

fiberboard [fī'bər bōrd] (n.) الرُّقاقة اللیفیة : مادة تُصنَع

بضغط ألیاف الخشب وغیره فی رُقاقات قاسیة .

fiber glass (n.) = spun glass.

fiberize [fī'bə rīz] (vt.) یفبِّر : یفصل إلى ألیاف (2) یمزِج (1)

المطاط بفِبر مُفلكَن (را . vulcanized) .

fibr- or **fibro-** بادئة معناها : لیف أو نسیج لیفی .

fibriform [fī'brə fôrm] (adj.) لیفی الشكل .

fibril [fī'brəl] (n.) لُیَیِّفة ، وبخاصة : جِذرٌ شَعری (نب) .

fibrillar [fī'brə lər] (adj.) لُیَیِّفی .

fibrillation [fīb rə lā'shən] (n.) التجذیر الشَّعری (1)

الاختلاج العضلی «ب» الانقباض العضلی «أ» (2)

fibrin [fī'brin] (n.) اللیفِین «أفس» و «نب» .

fibrinogen [fī brin'ə jən] (n.) مولِّد اللیفِین (فس) .

fibrinous [fī'brə nəs] (adj.) لیفِینی .

fibro- = fibr-.

fibroid [fī'broid] (adj.; n.) لیفانی ، شبیه باللیف «أ» (1)

لیفی §(2) ورم غیر خبیث (وبخاصة فی جدار الرحم) «ب» .

fibroin [fī'brō in] (n.) الفِبروین : مادة بروتینیة تشكل العنصر

الأساسی فی الحریر الطبیعی (كح) .

fibroma [fī brō'mə] (n.) pl. **-s** also **-ta** ورم لیفی :

غیر خبیث مؤلف فی المقام الأول من نسیج لیفی (مض) .

fibrosis [fī brō'sis] (n.) التلیُّف (مض) .

fibrous [fī'brəs] (adj.) لیفی «أ» (1) تلیُّفی (2) ممكِن

فصلُه إلى خیوط (a ~ mineral) (3) قوی .

fibrovascular [fī brō văs'] *(adj.)* (نب) لِيفيّوعائي: لِيفيّ وعائيّ.

fibula [fĭb'yə lə] *(n.)* pl. **-e** *or* **-s** (١) مِشبك ؛ إبزيم . (٢) الشظية ؛ القصبة الصغرى : العظم الخارجيّ من عظمي الساق (ت).

-fic لاحقة معناها : مُحدِث ؛ مُسبِّب (paci*fic*).

-fication لاحقة معناها : إحداث (paci*fication*).

fice [fīs] *(n.)* = feist.

fichu [fĭsh'ōō] *(F.)* الفيشة : شال رقيق لعنق المرأة .

fickle [fĭk'əl] *(adj.)* متقلّب (a ~ lover).

fictile [fĭk'təl; -tīl] *(adj.)* (١) «أ» لَدْن ، قابل للقَوْلبة أو التشكيل . «ب» مُقَوْلَب ؛ مُشَكَّل (٢) فخّاري .

fiction [fĭk'shən] *(n.)* (١) «أ» قصة ؛ رواية . «ب» الأدب القصصي . (٢) تخيّل (٣) خيال (.Fact is stranger than ~).

fictional [fĭk'shən əl] *(adj.)* قصصي ؛ خياليّ .

fictionalize [fĭk'-] *(vt.)* يُرَوْني : يُفرِغ في قالب روائي .

fictioneer [-nĭr'] *(n.)* القصّاص ؛ الروائي (وبخاصة إذا كان كثير الانتاج ، غير حريص على بلوغ المستوى الفني الرفيع) .

fictionist [fĭk'shən ĭst] *(n.)* القصّاص ؛ الروائيّ .

fictitious [-tĭsh'əs] *(adj.)* (١) خياليّ (٢) مُفتَرَض (٣) زائف .

fictive [-'tĭv] *(adj.)* (١) «أ» خياليّ . «ب» زائف (٢) «أ» تخيّلي «ب» قادر على التخيّل .

fid [fĭd] *(n.)* (١) سِناد (للصاري الأعلى) (٢) المِفتَج : شبه وتد يستخدم للمباعدة بين جدائل الحبل .

-fid لاحقة معناها : ذو عدد معيّن من الأجزاء (tri*fid*).

fiddle [fĭd'əl] *(n.; vt.; i.)* (١) كمان ؛ كمنجة (٢) أداة لوقاية الصحون من الانزلاق عن موائد السفينة §(٣) يعزف على الكمان (٤) «أ» يحرّك يديه أو أصابعه بقلق . «ب» يعبث ؛ يضيع الوقت.

fit as a ~, (١) بصحة جيدة (٢) مبتهج .

to play first (*or* second) ~, يقوم بدور رئيسي (أو ثانوي) .

fiddleback [fĭd'-] *(n.)* كل ما يشبه الكمان ؛ وبخاصة : ضرب من أردية الكهّان أثناء القداس .

fiddle-faddle [fĭd'əl făd'əl] *(n.)* هراء ؛ كلام فارغ .

fiddlehead [fĭd'-] *(n.)* الملْويّ : حِلْية متقوّسة في مقدّم السفينة.

fiddler [fĭd'-] *(n.)* (١) عازف الكمان (٢) العابث ؛ اللاهي .

fiddlestick [fĭd'əl stĭk] *(n.)* (١) قوس الكمان (٢) «أ» شيء تافه. «ب» *pl.* : هُراء .

fiddling [fĭd'lĭng] *(adj.)* تافه ؛ حقير .

fideism [fē'dē-] *(n.)* الإيمانية : الاعتماد على الايمان بدلاً من العقل.

fidelity [fə dĕl'ə tĭ] *(n.)* (١) «أ» إخلاص . «ب» دِقة ؛ صِحة . (٢) الأمانة : مدى دِقة الجهاز الألكتروني (كالراديو) في استقبال الأصوات المرسلة ونقلها (a high-*fidelity* receiver).

fidget [fĭj'ĭt] *(n.; vi.; t.)* (١) *pl.* عد: تململ؛ قلق (متميّز بحركات عصبية) (٢) المتململ §(٣) يتململ (بعصبية) ×(٤) يثير عصبيته .

fidgety [fĭj'ə tĭ] *(adj.)* (١) «أ» قلِق ؛ متململ . «ب» عصبيّ . (٢) «أ» نيِّق ؛ صعب الارضاء . «ب» مُسرِف في العناية بالتفاصيل (~ ornamentation) .

fiducial [fĭ dū'shəl; -dōō'-] *(adj.)* (١) إسنادي ؛ معتمَد (a ~ mark) (٢) إيمانيّ ؛ تصديقيّ ؛ ثِقويّ ؛ مبنيّ على الثقة (~dependence upon God).

fiduciary [fĭ dū'shĭ ĕr ĭ] *(n.; adj.)* (١) الوكيل : شخص يُعهَد إليه بالاشراف على ممتلكات شخص آخر §(٢) ائتمانيّ (٣) ثِقَويّ ؛ معتمد في قيمته أو تداوله على ثقة الجمهور (~ fiat money).

fie [fī] *(interj.)* تبّاً ، تعْساً ! «إخسْ» ! يا للعار !

fief [fēf] *(n.)* (١) إقطاعة (٢) شيء من حقّ المرء أو خاضعٌ لسلطانه .

field [fēld] *(n.; vt.; adj.)* (١) «أ» حقل . «ب» ساحة (أو ميدان) القتال . «ج» معركة (٢) «أ» مجال ؛ نطاق ؛ حقل من حقول النشاط . «ب» ميدان (للتمرينات والمناورات العسكرية) . «ج» ملعب . «د» الميدان : ذلك الجزء من الملعب الواقع ضمن المِضمار أو مَجاز العَدْو . «ﻫ» أرضية كل جزء من أجزاء الراية (٣) جميع اللاعبين المشتركين في مباراة (وبخاصة في كرة القدَم) (٤) المجال المغنطيسي (٥) المجال البصري (لمجهر الخ.) §(٦) يوقف الكرة ويردّها (في البايسبول والكريكيت) (٧) يجيب (عن سؤال) اجابةً موفقة (to ~ a tough question) (٨) يُنزل إلى الملعب أو ميدان القتال §(٩) حقليّ (١٠) ميدانيّ .

to hold the ~, (١) يردّ الغزاة عن أرضه. (٢) يتفوّق على جميع منافسيه .

to take the ~, (١) يباشر القتال (٢) ينزل إلى ميدان المعركة أو اللعب .

field artillery *(n.)* مدفعية الميدان (جن).

field corn *(n.)* ذُرَة الحقل : ذرة تُزرَع لعلف الدوابّ .

field day *(n.)* (١) «أ» يوم الرياضة : يوم مخصص للمباريات الرياضية أو التمارين والمناورات العسكرية . «ب» اجتماع في الهواء الطلق (٢) يوم مشهود ؛ يوم متعة استثنائية أو نجاحٍ غير متوقَّع .

fielder [fēl'dər] *(n.)* المَلْعَبيّ : لاعب يوقف الكرة ويردّها .

fieldfare [fēld'fâr] *(n.)* السُّمنة : طائر من الشحارير .

field glasses *(n. pl.)* منظار الميدان .

field gun *(n.)* مدفع الميدان (المحمول على عربة) .

fieldfare

field hospital *(n.)* مستشفى الميدان .

field house *(n.)* بيت الملعب : مبنىً (في ملعب) تُحفظ فيه أدوات اللعب أو يبدل فيه اللاعبون ملابسهم .

field magnet *(n.)* مغنطيس المجال (فز) .

field marshal *(n.)* المشير ؛ المارشال (جن) .

field officer *(n.)* ضابط ميدان : ضابطٌ أعلى رتبةً من كابتن وأدنى من جنرال ، كالكولونيل الخ .

field of force *(n.)* مجال القوّة (فز) .

field of honor *(n.)* ساحة الشرف : «أ» ميدان المبارزة . «ب» ميدان القتال .

fieldpiece [fēld'pēs] *(n.)* = field gun.

fiend [fēnd] *(n.)* (١) «أ» شيطان ، عفريت . «ب» شخص شرّير جداً أو خبيث جداً (٢) شخصٌ منقطع لرياضة أو دراسة ما (٣) المدمن (an opium ~) (٤) شخص بارع جداً في كذا (a ~ at physics).

fiendish [fēn'dĭsh] *(adj.)* (١) شيطاني (٢) وحشي أو شرير جداً . (٣) رديء أو بغيض أو صعب جداً .

fierce [fĭrs] *(adj.)* (١) «أ» ضارٍ . «ب» مفترس (٢) عنيف ؛ رهيب (٣) قويّ ؛ جبار (~ efforts) (٤) رديء أو بغيض جداً (ع).

fiery [fīr'ĭ; fī'ə rĭ] *(adj.)* (١) «أ» ناريّ . «ب» متّقد «ج» قابل للالتهاب (٢) «أ» حارّ كالنار . «ب» ملتهب .

(a ~ tumor). «ج» محموم ؛ متضرِّج اللون (٣)«أ» بلون النار ؛ أحمر. «ب» شديد الاحمرار إلى حد استثنائي (٤)«أ» مضطرم ؛ عنيف ؛ شديد . «ب» سريع الغضب.

fiesta [fĭ ĕs'tə] *(Sp.)* مهرجان ، وبخاصة : عيد قديس يُحتفَل فيه في اسبانية وأميركة اللاتينية بالمواكب والرقص .

fife [fīf] *(n.)* الناي : آلة موسيقية .

fifteen [fĭf'tēn'] *(n.)* خمسة عَشَرَ ؛ خَمْسَ عَشْرَةَ .

fifteenth [fĭf'tēnth'] *(adj.; n.)* (١) الخامس عَشَر (the ~day) (٢) بالغ جزءاً من ١٥ (a ~ share of the money) §(٣)الخامس عشر (the ~of April) (٤) جزء من ١٥ .

fifth [fĭfth] *(adj.; n.)* (١) خامس (the ~ day) (٢) خُمُسيّ : بالغ خُمس شيء ما (a ~ share of the money) §(٣) الخامس (the ~ of May) (٤) الخُمْس .

fifth column *(n.)* الرَّتَل أو الطابور الخامس: جماعة من أنصار العدو السريين يقومون بأعمال التجسس أو التخريب ضمن خطوط الدفاع أو حدود البلاد .

fifth wheel *(n.)* الدولاب الخامس : «أ» حلقة معدنية أفقية (أو جزء من حلقة) تثبّت على محور العربة الأمامي تدعيماً لها عند الانعطاف خشيةَ الانقلاب. «ب» دولاب إضافي (يستعان به عند الاقتضاء). «ج» شيء أو شخص زائد أو غير ضروري .

fiftieth [fĭf'-] *(adj.; n.)* (١) الخمسون §(٢) جزء من خمسين .

fifty [fĭf'tĭ] *(n.)* (١)خمسون (٢) *pl.*: الخمسونات : العقد السادس من العمر أو القرن .

fifty-fifty [fĭf'tĭ fĭf'tĭ] *(adv.; adj.)* (١)مناصفةً §(٢)مقتسَم الخ. مناصفةً (٣) بين بَيْنَ .

fig [fĭg] *(n.)* (١) شجر التين أو ثمره (٢) شيء تافه (not worth a ~) (٣) لباس ؛ كِساء .

in full ~, في أتمّ حُلّةٍ أو أكمل عُدّةٍ .

in good ~, في مظهر حسن أو حالة حسنة .

fight [fīt] *(vi.; t.; n.)* (١) يتقاتل ؛ يتشاجر (٢)يكافح ؛ يناضل. ×(٣) يقاتل (٤)يلاكم (٥) يقاوم؛ يحارب (٦)«أ»يشن(حرباً). «ب» يخوض (معركةً) (٧) يشترك في مباراة ملاكمة (٨)يوفّق الى شيء بالنضال (٩)يحمله على القتال §(١٠)«أ» قتال. «ب»معركة. «ج»عراك ؛ شِجار. «د» مباراة في الملاكمة (١١) كفاح ؛ نضال (١٢)ميل إلى القتال أو قدرة عليه (There was no ~left in him.)

sham ~, قتال صُوْرِيّ .

to ~ shy of يتجنّب ؛ يبتعد عن .

to ~ off يطرد (العدوّ أو المرض) بمقاتلته أو مقاومته.

to ~ on يواصل القتال .

to ~ it out يحسم الأمر أو الخلاف بالقتال .

to ~ one's way in life يشقّ طريقَه في الحياة بالنضال والكفاح .

fighter [fī'-] *(n.)* (١) المقاتل (٢) الملاكم (٣) طائرة مقاتلة .

fig leaf *(n.)* ورقة التين: «أ» إحدى أوراق شجرة تين . «ب» شيء يستر أو يموّه على نحو غير وافٍ أو على نحوٍ خادع .

fig marigold *(n.)* المُلاّح : نبات ذو زهر أبيض أو قرنفلي .

figment [fĭg'mənt] *(n.)* شيء ملفّق أو مُختلَق .

figuration [fĭg'yə rā'-] *(n.)* (١) تصوير ؛ تشكيل (٢) صورة ؛ شكل (٣) مجاز ؛ تشبيه (٤) تزيين بالصور والأشكال .

figurative [fĭg'yər-] *(adj.)* (١) رمزيّ (٢) مجازيّ .

figure [fĭg'yər; fĭg'ər] *(n.; vt.; i.)* (١) «أ» رقم ؛ عدد . «ب» *pl.* : حساب (poor at ~s). «ج» حرف. «د» مقدار ؛ قيمة ؛ سعر (٢)«أ» شكل خارجي (square in ~). «ب» شكل بشري (I see a ~approaching in the darkness.). «ج» شكل البنية (a slender ~) (٣)«أ»صورة ؛ تمثال. «ب» رسم توضيحي (في كتاب) . «ج» شكل هندسي (٤) رمز (The dove is a ~ of peace.) (٥) مجاز ؛ تشبيه ؛ استعارة (بل) (٦) مظهر الرجل (أو الشيء) أو الانطباعة التي يخلّفها في النفس (a person who always presented a sorry ~) (٧) سلسلة حركات في الرقص أو التزلج (٨) شخصية بارزة (one of the great ~s of this age) §(٩) يصور ؛ يصف (١٠) يزين بالرسوم والأشكال (١١)يُظهر أو يمثّل بالارقام(١٢)«أ» يحسِب (بالأرقام) . «ب» يقرر ؛ يحكم . «ج» يعتبر ؛ يَحْسَب ×(١٣) يَبرز بوصفه ذا شأن أو أهمية (His name ~s in the report.) (١٤) يقوم بسلسلة حركات في الرقص أو التزلج.

to ~ on (١) يأخذ بعين الاعتبار (٢) يتكل على (٣) يعتزم ؛ يقرر .

to ~ out (١) يحسب ؛ يستخرج حساباً. (٢) يكتشف ؛ يقرر (٣) يحل ؛ يفهم .

figured [fĭg'yərd] *(adj.)* (١) مصوَّر (٢) مشجَّر ؛ مزيَّن بالرسوم. (٣) مجازي .

figure eight *(n.)* الثمانية: شيء على شكل رقم 8 ؛ مثل: «أ» عقدة صغيرة . «ب» قطبة تطريز . «ج» «صورة حركيّة» (في الرقص أو التزلج) .

figurehead [fĭg'-] *(n.)* (١) تمثال في مقدَّم السفينة (٢) رئيس صُوريّ .

figure of speech *(n.)* تَشْبيه ؛ استعارة الخ . (بل) .

figurine [fĭg'yə rēn'] *(n.)* التُّمَيْثيل : تمثال صغير .

figwort [-'wûrt] *(n.)* الخنازيرية: عشبةٌ من الخنازيريات (نب).

fila [fī'lə] *pl. of* filum.

filament [fĭl'ə mənt] *(n.)* (١)خيط (٢)سُلَيْك ؛ شُعيرة (كب). (٣) الخُيَيْط : ذلك الجزء من السَّداة (stamen را) الحامل المِئبَر أو مستودع اللقاح (نب).

— **filamentary; filamentous** *(adj.)*

filar [fī'lər] *(adj.)* (١) خيطيّ (٢) ذو خيوط .

filariasis [fĭl'ə rī'ə sĭs] *(n.)* داء الخُيَيْطِيّات (مض) .

filature [fĭl'ə chər] *(n.)* (١) حلّ الحرير من فَيالِجِه . (٢) المِحلال: أداة لحلّ الحرير من فيالجه (٣) المَحَلَّلة : مصنع لحلّ الحرير .

filbert [fĭl'bərt] *(n.)* (١) شجرُ البندق (٢) بندق .

filch [fĭlch] *(vt.)* يسرق (وبخاصة شيئاً ضئيل القيمة) .

file [fīl] *(n.; vt.; i.)* (١) مِبرد (٢) شخص ماكر (٣) ملفّ؛ إضبارة (٤) مجموعة أوراق أو منشورات مرتبة أو مصنفة (٥) رَتَل ؛ طابور ؛ صف طويل §(٦) يَبْرُد (بمبرد) (٧) ينقّح ؛ يهذب (٨) يلوّث ؛ يُفسِد (ع) (٩) يُضْبِر : يحفظ في إضبارة أو ملفّ (١٠) يرسل مادة للنشر (في صحيفة) ×(١١) يترشّح للانتخابات (١٢) يسير (الجندُ) أرتالاً .

filefish [fīl'fĭsh] *(n.)* = triggerfish.

filet [fĭ lā'] *(F.)* المُشبَّك : تخريم ذو عيون مربّعة ورسوم هندسية .

filet mignon [mēn'yŏn] *(F.)* شريحة من لحم البقر .

filial [fĭl'ĭ əl] *(adj.)* بَنَويّ (~ obedience).

filiation [fĭl ĭ ā'shən] *(n.)* (١)«أ» بنوّة. «ب» تعيين أبوّة ولد مجهول الأب، قضائياً (٢)«أ» فرع من ثقافة أو لغة. «ب» فرع.

(٣) علاقة قرابة أو نَسَب (٤) تحدُّر من أبوةٍ أو أصلٍ ما .

filibuster [fĭl'ə bŭs'tər] *(n.; vi.)* (١) مغامر عسكريّ غير نظامي؛ قرصان (٢) التعطيل: اللجوء إلى الأساليب التعويقية لتأخير عمل أو منعه، وبخاصة في البرلمان §(٣) يقوم بنشاط ثوري في بلدٍ أجنبي (٤) يحاول إعاقة التصديق على مشروع قانون (بأن يعمد إلى إلقاء الخطب الطويلة الخ.).

filiform [fĭl'ə fôrm] *(adj.)* خَيْطاني: شبيه بخيط .

filigree [fĭl'ə grē] *(n.; vt.)* (١) صياغة تخريمية (٢) تثقيب أو تخريم تزييني (٣) كل ما هو بالغُ الدقة الخ. §(٤) يزركش بالتخريم أو التثقيب .

filing [fī'-] *(n.)* (١) الإضبار: حفظُ الأوراق في إضبارة أو في ملفّ (٢) بَرْدٌ بمِبْرد (٣) البُرادة: ما سقط من الحديد عند بَرْدِه (iron ~s).

Filipino [fĭl'ə pē'nō] *(n.)* الفليبينيّ: أحد أبناء الفيليبين .

fill [fĭl] *(vt.; i.; n.)* (١) «أ» يملأ . «ب» يَصُبّ (to ~ wine into bottles). «ج» يضع (to ~ coal into bins) «د» يسدّ . «هـ» يردم؛ يطمر . «و» يحشو (الأسنان) بحشوة معدنية (٢) «أ» يُطعم؛ يُتخم . «ب» يحشو (الطعامَ) بحشوة ما . «ج» يفي بـ (~s all requirements) . «د» يسدّ حاجةً أو نقصاً (٣) «أ» يَشْغَل (to ~ an office) . «ب» يتربع على العرش (٤) يركّب دواء (حسب وصفة طبية) (٥) يطلي بالذهب الخ . ×(٦) يمتلىء (٧) ينسدّ (٨) ينتفخ (الشراع) عند هبوب الريح §(٩) كفاية؛ شِبَع (١٠) الحَشْوة: كل ما تُملأ به حفرة الخ.

to ~ in (١) يزود بمعلومات معيّنة (٢) يضيف إلى الصورة الخ. مختلف التفاصيل الضرورية (٣) يَشْغَل (موقتاً) مركزاً شاغراً .

to ~ out (١) يملأ الفراغ (في وثيقة أو بيان) (٢) تنفخ (الريحُ) الشراع (٣) يضخم أو يتضخم (٤) يصبّ الشراب .

to ~ the bill يفي بالمراد .

to ~ up (١) يملأ تماماً (٢) يكمّل؛ يسدّ النقص (٣) يمتلىء .

filler [fĭl'ər] *(n.)* (١) فا fill (٢) الحشوة؛ مثل: «أ» معجونة لملء الفجوات في سطح خشبيّ قبل دهنه أو صقله . «ب» التبغ المؤلِّف للجزء الداخلي من السيجار . «ج» شيء لملء الفراغ (صح). (٣) الفِلّر: وحدة نقدٍ هنغارية .

fillet [fĭl'ĭt] *(n.; vt.)* (١) عصابة للرأس (٢) «أ» حزمة ألياف عصبية . «ب» شريحة طرية (من خاصرة البقرة) (٣) العصابة: «أ» قطعة مستطيلة من أي شيء . «ب» حليةٌ ضيقة مسطّحة (عم) (٤) زخرف على غلاف كتاب §(٥) يعصب: يربط أو يزيّن بعصابة (٦) يقطّع إلى شرائح .

filling [fĭl'ĭng] *(n.)* (١) ملْء؛ تعبئة؛ حَشْو (٢) كل ما يُملأ أو يُحْشَى به شيء، مثل: «أ» حشوة الضرس. «ب» حشوة الفطيرة أو الساندويشة.

filling station *(n.)* محطة ملْء؛ محطة بنزين .

fillip [fĭl'əp] *(n.; vt.)* (١) «أ» نَقْف؛ نَقْر بطرف الاصبع . «ب» ضربةٌ باليد (٢) «أ» عاملٌ أو عنصرٌ مثير . «ب» إضافة ضئيلة القيمة؛ حِلية ثانوية §(٣) ينقف؛ ينقر بطرف الاصبع (٤) يثير؛ ينبّه (to ~ his spirits).

fillister [fĭl'ĭs tər] *(n.)* مِسحاج التخديد (نج) .

filly [fĭl'ĭ] *(n.)* (١) مُهْرَة (٢) فتاة .

film [fĭlm] *(n.; vt.; i.)* (١) «أ» غشاء . «ب» غشاوة على العين (٢) «أ» ضباب . «ب» غطاء رقيق (٣) «أ» طبقة رقيقة جداً . «ب» قطعة من السلوفان الخ. (يُلفّ بها) . «ج» فيلم (للتصوير الفوتوغرافي) (٤) فيلم سينمائي §(٥) يُغشّي (٦) يصور أو يُخرج سينمائياً (to ~ a novel) ×(٧) يتغشّى: تعلوه غشاوة (٨) «أ» يصلح للتصوير الفوتوغرافي (She ~s well.) . «ب» يصنع فيلماً سينمائياً .

filmdom [fĭlm'-] *(n.)* صناعة السينما أو المشتغلون بها .

filmic [fĭl'-] *(adj.)* سينمائي: متعلق بالأفلام السينمائية أو شبيهٌ بها .

filmstrip *(n.)* شريط الصّوَر: فيلم مؤلف من صور ساكنة مذيّلة بشروح (يستخدم كوسيلة إيضاح تعليمية) .

filmy [fĭl'mĭ] *(adj.)* (١) «أ» غشائي . «ب» رقيق؛ شفاف (~ curtains) (٢) «أ» مُغشّى . «ب» غائم (a ~ sky). خَيْطي؛ خُيَيْطي .

filose [fī'lōs] *(adj.)* خَيْطي؛ خُيَيْطي .

fils [fĭls] *(Ar.)* الفلْس: وحدة نقد عراقية أو أردنية أو كويتية صغيرة .

filter [fĭl'tər] *(n.; vt.; i.)* (١) مِصفاة (٢) المِرْشَحة: أداة أو مادة لكَبْتِ بعضِ الموجات الكهربائية والصوتية الخ. أو تخفيفها إلى أقصى حدّ §(٣) يُصفّي؛ يُرشّح ×(٤) يرشح؛ يترشّح .

filter bed *(n.)* مِهاد الترشيح: مِهاد من رمل أو حصى لتصفية الماء .

filter paper *(n.)* ورق الترشيح .

filter tip *(n.)* (١) المِرْشَح؛ الفِلتر (٢) سيجارة ذات مِرشح.

filth [fĭlth] *(n.)* (١) قَذَر (٢) فُحش (٣) بذاءة .

filthy [fĭl'thĭ] *(adj.)* (١) قَذِر (٢) فاحش (٣) بذيء .

filtrate [fĭl'trāt] *(vt.; i.; n.)* (١) يصفّي؛ يرشّح ×(٢) يترشّح. §(٣) شيء مرشّح .

— **filtration** *(n.)*

filum [fī'ləm] *(n.)* pl. **fila.** خيط؛ خُيَيْط .

fimbriate [fĭm'brĭ ĭt; -āt]; **-d** *(adj.)* مُهدَّب؛ مُشَرْشَر .

fin [fĭn] *(n.; vi.; t.)* (١) زِعْنفة (السمك) (٢) شيء كالزعنفة؛ مثل: «أ» يد؛ ذراع . «ب» «زعنفة» الطائرة الخ. «ج» الجُنَيِّح: أحد امتدادين تجميليَّيْن في مؤخر السيّارة (٣) ورقة الخمسة دولارات (ع) §(٤) يضرب (الحوتُ الخ.) الماءَ بزعانفه ×(٥) يُزعنِف: يزود بما يشبه الزعانف (٦) يُنَزْعِف: ينزع الزعانف (من سمكة) .

finagle [fĭ nā'gəl] *(vt.; i.)* (١) يخدع (٢) يدبّر أو ينال بالحيلة. ×(٣) يستخدم أساليب ملتوية أو مشبوهة لتحقيق أغراضه .

final [fī'nəl] *(adj.; n.)* (١) نهائي؛ ختاميّ؛ أخير (٢) حاسم . (٣) غائيّ §(٤) مباراة نهائية (٥) الامتحان النهائي في مادة دراسية.

finale [fĭ nä'lĭ] *(n.)* الخاتمة، مثل: «أ» الجزء الأخير من لحن موسيقي . «ب» الفقرة الأخيرة من برنامج حفلة . «ج» الحلقة الأخيرة من سلسلة أو عمل .

finalist [fī'nə-] *(n.)* المشترك في مباراة نهائية .

finality [fĭ năl'-] *(n.)* (١) النهائية؛ الحسميّة؛ الغائية (٢) شيء نهائي، وبخاصة: حقيقة مطلقة .

finalize *(vt.)* يُنْجِز؛ يُبَلْوِر؛ يصوغ في شكل نهائي .

finally [fī'-] *(adv.)* (١) أخيراً؛ في النهاية (٢) على نحو حاسم .

finance [fĭ năns'; fī'năns] *(n.; vt.)* (١) *pl.* الموارد المالية (لدولة أو شركة أو فرد) (٢) «أ» تدبير الموارد المالية أو استخدامها . «ب» المالية: علم أو دراسة تدبير الموارد الماليّة (٣) تمويل §(٤) يُموّل (٥) يبيع (أو يمدّ) بالسلع بالدَّين.

financial [fĭ năn'shəl; fī-] *(adj.)* ماليّ .

financier [fĭn'ən sĭr'] *(n.; vi.)* (١) الخبير الماليّ (٢) الرأسمالي. §(٣) يدير عملياتٍ مالية (بطرق متهورة أو ملتوية غالباً) .

financing *(n.)* (١) التمويل (أو جمع الاعتمادات اللازمة له) .

(٢) الاعتمادات المجموعة أو المخصصة لذلك.

finback [fĭn'-] *(n.)* الهركول؛ الحوت المزعنف: حوت ذو زعنفة ظهرية بارزة.

finch [fĭnch] *(n.)* عصفور؛ عصفور دوري؛ حسون.

find [fīnd] *(vt.; i.; n.)* (١)«أ» يلاقي (على غير توقع). «ب» يلقى (hoped to ~ favor) (٢)«أ» يجد. «ب» يكتشف. «ج» يوجد. «د» يبتدع (طريقة الخ.). «هـ» يبلغ؛ يصل إلى (to ~ pain) «و» يحس؛ يقاسي (The bullet *found* its mark.) (٣)«أ» يسترد القدرة على استعمال كذا (trying to ~ her tongue). «ب» يكتشف نفسه أو كفاءاته (٤) يزود؛ يقدم (٥) يقضي بـ؛ يحكم بـ (to ~ a person guilty) ×(٦) يصدر حكماً قضائياً لمصلحة فلان (to ~ for the defendant) §(٧) اكتشاف (the ~ of an important manuscript) (٨) اللقية: شيء نفيس يكتشف (Our cook was a ~.).

to ~ fault (with) يعيب؛ ينتقد؛ يعترض على.

to ~ out (١) يكتشف (٢) يلقي عليه القبض لجرم اقترفه (٣) يبتدع.

finder [fīn'dər] *(n.)* (١) فا find (٢) المعين: تلسكوب صغير عريض المجال موضوع إلى جانب تلسكوب أكبر منه لتعيين موقع الجرم السماوي (فل) (٣) المعينة: عدسة إضافية في آلة التصوير تمكن المرء من معرفة ما ستشتمل عليه الصورة (فو).

finding [fīn'dĭng] *(n.)* (١)«أ» مص find. «ب» اللقية: شيء نفيس يكتشف (را find 8.) (٢) *pl.* أدوات صغيرة (كالأزرار والخيوط أو كالأبازيم والأسلاك) يستخدمها الصناع (٣)«أ» نتائج تحقيق قضائي. «ب» *pl.* عد: نتائج بحث (published his ~s).

fine [fīn] *(n.; vt.; i.; adj.; adv.)* (١) غرامة (٢) «نهاية»: إيعاز موسيقي يشير إلى انتهاء مقطع مكرر §(٣) يغرم (٤) يصفي؛ يروق (الخمر الخ.) (٥) ينعم؛ يرقق الخ. ×(٦) يصفو؛ يروق (٧) يتضاءل §(٨) صافٍ (~ gold) (٩) رقيق؛ رفيع (~ linen) (١٠) ناعم (~ sand) (١١) «أ» مدرب تدريباً حسناً (a ~ athlete). «ب» شديد البراعة (a ~ musician) (١٢) مرهف؛ حساس (a ~ ear) (١٣) دقيق (a ~ distinction) (١٤) ممتاز؛ رائع (a ~ work of art) (١٥) جميل (~ birds) (١٦) أنيق (a ~ lady) §(١٧) على نحو ممتاز أو رائع أو أنيق الخ.

in ~, بالاختصار؛ قصارى القول.

fine arts *(n.pl.)* الفنون الجميلة (كالرسم والنحت والموسيقى).

finely [fīn'lĭ] *(adv.)* على نحو ممتاز أو رائع أو أنيق.

fineness [fīn'nĭs] *(n.)* (١) صفاء؛ رقة؛ دقة؛ أناقة (٢) درجة نقاوة الذهب الخ.

finery [fī'-] *(n.)* (١) refinery (٢) ملابس أو حلى مبهرجة.

fines [fīnz] *(n. pl.)* دقيق الخامات المعدنية.

finespun [fīn'-] *(adj.)* (١)«أ» رقيق النسج. «ب» وهمي. (٢) بالغ الدقة.

finesse [fĭ nĕs'] *(n.; vi.; t.)* (١)«أ» دقة. «ب» رقة. «ج» براعة. (٢) «أ» دهاء. «ب» حيلة §(٣) يصطنع الحيلة أو الدهاء ×(٤) ينجز بالحيلة أو الدهاء.

finger [fĭng'gər] *(n.; vt.; i.)* (١) إصبع (٢)«أ» شيء يشبه الاصبع أو يعمل عمله. «ب» مؤشر؛ مؤشرة. «ج» جزء ناتئ من آلة (٣) عرض إصبع §(٤) يمس بأصابعه (٥) يعزف (مستعيناً بأصابعه) (٦) يخترق على صورة اصبع (searchlights ~*ing* the sky) (٧) يشير إلى.

to have a ~ in (the pie) يكون له ضلع في المسألة.

to have at one's *finger*-tips or *finger*-ends يعرف (شيئاً) معرفة جيدة.

to lay one's ~ upon يعين أو يحدد بدقة.

fingerboard [fĭng'-] *(n.)* ملعب الأصابع: «أ» ذلك الموضع من عنق العود أو الكمان حيث يضغط العازف بأصابعه على الأوتار بغية التلاعب بالنغم. «ب» لوحة المفاتيح في بيان أو أرغن.

finger bowl *(n.)* إناء الأنامل (لغسلها على المائدة).

fingered [fĭng'-] *(adj.)* (١) مصبع: ذو أصابع (٢) إصبعاني: شبيه باصبع، وبخاصة: ذو أجزاء أو وريقات شبيهة بأصابع اليد.

fingering [fĭng'gər ĭng] *(n.)* (١) اللمس بالأصابع. (٢) العزف بالأصابع.

fingerling [fĭng'gər lĭng] *(n.)* كل شيء بالغ الصغر؛ وبخاصة: سمكة صغيرة.

fingernail [fĭng'gər nāl] *(n.)* ظفر.

finger painting *(n.)* (١) الرسم الاصبعي: طريقة في الرسم تقوم على نشر الأصباغ، بالأصابع، على ورق رطب (٢) الصورة الاصبعية: صورة مرسومة بهذه الطريقة.

fingerpost [fĭng'-] *(n.)* المشيرة الإصبعية (على مفرق طرق).

fingerpost

fingerprint [fĭng'gər prĭnt] *(n.)* بصمة الإصبع.

fingertip [fĭng'-] *(n.)* (١) البنانة: رأس الاصبع (٢) غطاء للبنانة.

at one's ~s جاهز أو في متناول اليد.

to one's ~s بكل ما في الكلمة من معنى.

finger wave *(n.)* التمويج أو التجعيد الإصبعي (للشعر).

finial [fĭn'ĭ əl; fī'-] *(n.)* النهائية: قمة البرج أو السطح المزخرفة (عم).

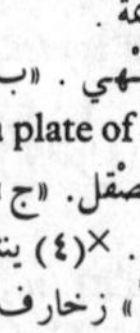

finial

finical [fĭn'-] *(adj.)* (١) نيق؛ صعب الارضاء. (٢) مثقل بالتفاصيل غير الهامة.

finicking [fĭn'ə kĭng]; **finicky** [-'ə kĭ] = finical.

finis [fī'nĭs] *(n.)* نهاية؛ خاتمة.

finish [fĭn'ĭsh] *(vt.; i.; n.)* (١)«أ» ينهي. «ب» يأتي على (to ~ a plate of food) (٢) «أ» يكمل؛ ينجز. «ب» يصقل. «ج» يضفي اللمسات الأخيرة على (٣) يجهز على؛ يقتل الخ. ×(٤) ينتهي §(٥) نهاية (٦) شيء يتمم أو يكمل، مثل: «أ» زخارف المبنى. «ب» مادة لإضفاء اللمسات الأخيرة. «ج» اللمسات الأخيرة (٧) كمال (٨) كياسة اجتماعية.

to ~ off *or* up (١) يلتهم؛ يأتي على (٢) يجهز على.

finished [fĭn'-] *(adj.)* (١) منجز (٢) مكمل؛ كامل (٣) مصقول إلى حد الكمال (٤) هالك؛ مهزوم؛ معطل الفعالية.

finishing school *(n.)* مدرسة للبنات تؤكد على الدراسات الثقافية وتعد الطالبات للنشاطات الاجتماعية بخاصة.

finishing touches *(n. pl.)* «اللمسات» الأخيرة (في عمل فني).

finite [fī'nīt] *(adj.; n.)* (١) محدود؛ متناهٍ §(٢) شيء محدود أو متناه.

finiteness [fī'nīt-]; **finitude** [fĭn'ə-] *(n.)* المحدودية؛ التناهي.

fink [fĭngk] *(n.)* (١) strikebreaker (٢) المخبر؛ الواشي.

Finn [fĭn] *(n.)* الفنلندي: أحد أبناء فنلندة.

finnan haddie [fĭn'ən hăd'ĭ] *or* **finnan haddock** *(n.)* حدوق مدخن (را haddock).

Finnic; Finnish [fĭn'-] *(adj.)* فنلندي.

Finnish [fĭn'ĭsh] *(n.)* الفنلندية : اللغة الفنلندية .

finny [fĭn'ĭ] *(adj.)* (١) «أ» زعنفيّ. «ب» مزعنَف (٢) سمكيّ.

fiord [fyōrd] *(n.)* زقاق بحريّ (تكتنفه الأجرُف) .

fir [fûr] *(n.)* (١) التَّنّوب (نب) (٢) خشب التَّنوب.

fir 1.

fire [fīr] *(n.; vt.; i.)* (١) «أ» نار . «ب» انفعال؛ اتقاد؛ حماسة؛ غضب . «ج» اتقاد الخيال ؛ إلهام (٢) وقود (٣) «أ» حريق . «ب» إحراق أو تعذيب بالنار . «ج» محنة (٤) بريق ؛ لمعان (٥) حمّى ؛ التهاب (٦) «أ» إطلاق النار. «ب» حملة كلامية عنيفة. «ج» سلسلة (ملاحظات) متلاحقة بسرعة § (٧) «أ» يُشعل. «ب» يُلهب (الخيال)؛ يثير (المشاعر). «ج» يُنير (٨) «أ» يطرد. «ب» يُقيل؛ يفصل من الخدمة (٩) «أ» يفجّر. «ب» يطلق (النار). «ج» يرشق بسرعة. «د» يتلفظ بقوة وعجلة (١٠) «أ» يسخِّن قليلاً؛ يخبز. «ب» يغذّي بالوقود × (١١) يشتعل؛ يضطرم (١٢) يَسْخُن؛ يتوهّج (١٣) يثور؛ يَغْضب (١٤) يلفظ (المدفع الخ.) نيرانه .

on ~, (١) مشتعل (٢) منفعل؛ متلهِّف .

to catch *or* take ~, يشتعل؛ يحترق .

to set ~ to; to set on ~, يضرم النار في .

to set the Thames on ~, يأتي بعملٍ بارع أو رائع .

under ~, (١) معرَّض لنيران العدو (٢) مهاجَم؛ ملوم.

fire alarm *(n.)* نذير النار: أداة تنذر أو تُعلِم بنشوب النار في موضع ما .

fire alarm

firearm [-'ärm] *(n.)* سلاح ناريّ (صغير عادة).

fireball [fīr'bôl] *(n.)* كرة النار : «أ» قذيفة . «ب» شهاب وهّاج (أر). (ج) سحابة دخان وغبار نيِّرة (ناشئة عن انفجار نووي) .

firebird [fīr'-] *(n.)* طير النار : طائر صغير برّاق الريش .

fireboat [fīr'bōt] *(n.)* زورق الاطفاء : زورق لمكافحة الحرائق .

firebox [fīr'bŏks] *(n.)* خزانة الاحتراق : حجرة الوقود في مرجل أو قاطرة .

firebrand [fīr'-] *(n.)* (١) جمرة (٢) المهيِّج : مثير الفتنة أو القلاقل.

firebreak [fīr'-] *(n.)* حاجز النار : أرض محروثة أو مقطوعة الأشجار لمنع حرائق الغابات من الانتشار .

firebrick [fīr'-] *(n.)* آجرّ حراريّ (لجدران الأفران) .

firebug [fīr'-] *(n.)* بقّة النار؛ الإحراقيّ (را. incendiary).

fireclay [fīr'-] *(n.)* صلصال حراري (مقاوم للنار) .

firecracker [fīr'krăk ər] *(n.)* مفرقعة ناريّة .

fire-cured [fīr'-] *(adj.)* معالج (كالتبغ) بدخان نارٍ مكشوفة.

firedamp [fīr'dămp] *(n.)* غاز المناجم .

firedrake [fīr'drāk] *(n.)* التنّين الناري: تنين خرافي ينفث ناراً .

fire drill *(n.)* (١) تمرين على مكافحة الحرائق (٢) تمرين على طريقة الخروج من الأماكن التي شبّت فيها النيران .

fire-eater [fīr'ē tər] *(n.)* (١) آكل النار: مشعوذ يلتهم النار. (٢) المُحِبّ للخصام .

fire engine *(n.)* سيارة الاطفاء .

fire escape *(n.)* سلّم النجاة ؛ سلم الحريق .

fire extinguisher *(n.)* مُطفِئة الحريق .

fire fighter *(n.)* الاطفائيّ؛ وبخاصة: مكافح النيران في الغابات.

firefly [fīr'flī] *(n.)* يَراعة؛ حُباحِب .

fireguard 1.

fireguard [fīr'gärd] *(n.)* (١) حاجزة النار : حاجز من أسلاك للوقاية من نار المدفئة الخ. (٢) firebreak (٣) الإطفائي .

firehouse [fīr'hous] *(n.)* = fire station.

fire irons *(n.pl.)* أدوات إذكاء النار (في موقد) .

fireless [fīr'-] *(adj.)* (١) بلا نار (٢) بلا حياة أو حيوية .

firelight [fīr'-] *(n.)* ضوء النار (المنبعث من موقد) .

firelock [fīr' lŏk] *(n.)* (١) بندقية (قديمة) ذات زناد (٢) زناد البندقية.

fireman [fīr'-] *(n.)* (١) الإطفائي (٢) الوقّاد (في قاطرة الخ.) .

fireplace [fīr'plās] *(n.)* مُصْطَلَى؛ مُسْتَوْقَد .

fireplug [fīr'plŭg] *(n.)* خرطوم ماء (لإطفاء الحريق) .

fireproof [fīr'pro͞of] *(adj.; vt.)* (١) صامدٌ للنار §(٢) يجعله صامداً للنار.

fire sale *(n.)* مزاد الحرائق (لبيع السلع المتأذية بالحريق) .

fire screen *(n.)* حاجبة النار (في مدفئة) .

fire ship *(n.)* الحرّاقة: سفينة مزوّدة بالمتفجرات يُبْعَث بها إلى وسط السفن العدوّة لإضرام النار فيها .

fireside [fīr'sīd] *(n.)* (١) جانب المُصطلَى: موضع قرب الموقد (٢) البيت ؛ الحياة البيتية.

fire station *(n.)* مخفر الإطفاء .

firestone [fīr'stōn] *(n.)* (١) حجر النار؛ صوّان (٢) حجر مقاوم للحرارة.

fire tower *(n.)* برج مراقبة الحرائق .

firetrap [fīr'trăp] *(n.)* شَرَك النار : مبنى أو مكان معرَّض للحريق أو يصعب الفرار منه عند حدوث حريق .

fire wall *(n.)* جدار النار : جدار مانع لانتشار الحريق .

firewater [fīr'-] *(n.)* الشراب الناريّ : شراب كحولي قويّ .

firewood [fīr'wo͝od] *(n.)* حطب الوقود .

fireworks [fīr'-] *(n. pl.)* ألعاب نارية (من صواريخ ومفرقعات الخ.).

firing [fīr'ĭng] *(n.)* (١) مص fire (٢) خَبْز الخزف بالنار . (٣) حطب ؛ وقود الخ.

firing line *(n.)* خط النار (جن) .

firing pin *(n.)* القادح: إبرة القدح في سلاح ناريّ .

firing squad *(n.)* زُمرة الاطلاق أو الرمي: «أ» زمرة من الجند تطلق النار تحيّة أمام قبر شخص يُدفَن بمراسم عسكرية . «ب» زمرة مكلفة بتنفيذ حكم الاعدام رمياً بالرصاص .

firkin [fûr'kĭn] *(n.)* الفرْكِن: «أ» بُرميل خشبي صغير (للزبدة الخ.). «ب» كَيْل إنكليزي يعادل ربع برميل .

firm [fûrm] *(adj.; vt.; i.; n.)* (١) «أ» ثابت . «ب» راسخ . «ج» قويّ . «د» صلب؛ مكتنز (flesh ~) (٢) «أ» نهائيّ (a ~ offer) . «ب» مستقرّ (prices ~) . «ج» متين (nerves ~) «د» راسخ الإيمان (a ~ believer) . «هـ» وطيد (confidence ~) «و» وفيّ (a ~ friend) . «ز» حازم (a ~ diplomacy) . «ح» صارم (discipline ~) . «ط» تامّ؛ كامل (a ~ knowledge) (٣) دالّ على العزم أو التصميم (a ~ voice) §(٤) يرسّخ؛ يوطّد الخ. ×(٥) يترسّخ؛ يتوطد الخ. §(٦) شركة .

firmament [fûr'mə mənt] *(n.)* السماء؛ القبة الزرقاء .

first [fûrst] *(adj.; adv.; n.)* (١) أول ؛ أُولى §(٢) «أ» أولاً . «ب» للمرة الأولى (We ~ met at a formal party.) §(٣) الأول (٤) البداية (from the ~) (٥) السرعة الأولى (سي) (٦) الصوت (أو الآلة الموسيقية) الأعلى أو الرئيسي في مجموعة (٧) سلعة من الطراز الأول (shoes graded as ~s) (٨) الدرجة الاولى أو المقام

(took a ~ in literature) الأول في مسابقة

~ and last على الجملة ؛ جملةً .

at (the) ~, في بادىء الأمر .

at ~ blush لأوّل وهلة .

at ~ hand مباشرةً ؛ من المصدر الأصلي .

at ~ sight من النظرة الأولى .

first aid *(n.)* الاسعاف الأوّليّ .

firstborn [fûrst'bôrn'] *(adj.; n.)* (١) أكبر ؛ بِكْر § (٢) البِكْر

first cause *(n.)* العلة الأولى ؛ الله .

first-class *(n.; adj.; adv.)* (١) الدرجة الأولى أو الممتازة § (٢) ممتاز : من الدرجة الأولى § (٣) في الدرجة الأولى (to travel ~).

first floor *(n.)* (١) الطابق الأرضي (٢) الدور الأول .

first fruits *(n. pl.)* (١) باكورة (ثِمار الموسم) (٢) النتائج الأولى .

firsthand [fûrst'hănd] *(adj.; adv.)* (١) مُباشِر : مستقىً من المصدر الأول § (٢) مباشرةً .

first lady *(n.)* السيدة الأولى : «أ» زوجة رئيس البلاد . «ب» المرأة المتفوقة في فنٍّ أو مهنة .

first lieutenant *(n.)* ملازم أول (جن) .

firstling [-'lĭng] *(n.)* (١) باكورة (٢) أول نتاج الماشية .

firstly [fûrst'lĭ] *(adv.)* أولاً ؛ في المقام الأول .

first mortgage *(n.)* الرهن الأول أو المقدَّم .

first offender *(n.)* المُدان بجريمة للمرة الأولى .

first person *(n.)* صيغة المتكلم (ل) .

first-rate *(adj.; adv.)* (١) من الطراز الأول § (٢) جيداً جداً ؛ على نحو ممتاز .

first sergeant *(n.)* رقيب أول (جن) .

first-string *(adj.)* (١) أصيل (ضد : بديل) (٢) من الطراز الأول .

first water *(n.)* الدرجة الأولى ، الطراز الأول .

firth [fûrth] *(n.)* لسانٌ بحريّ ؛ مَصَبّ نهر .

fisc [fĭsk] *(n.)* خزانة الدولة ؛ بيت المال .

fiscal *(adj.; n.)* (١) أميري : خاص بخزانة الدولة (٢) مالي § (٣) طابع أميري .

fish [fĭsh] *(n.; vi.; t.)* (١) سمكة ؛ سمك ؛ كل حيوان مائيّ . (٢) لحم السمك (٣) شخص (a queer ~ ; a poor ~) (٤) السمكة : عارضة خشبية أو حديدية لتدعيم الصاري الخ . (مل) § (٥) يصطاد (السمكَ أو اللؤلؤ الخ .) (٦) يتصيّد : يلتمس شيئاً مداورةً (~*ing* for compliments) (٧) يصلح للصيد فيه (This stream ~*es* well.) (٨) يبحث ، ينقّب × (٩) يحاول الصيد في (~*ed* the stream all morning) (١٠) يَنْتُر ؛ يسحب وكأنه يصطاد (~*ed* some cigarettes out of his pocket).

other ~ to fry مسائل أخرى (أو أهمّ) تحتاج إلى اهتمام المرء .

to feed the ~*es* يصاب بدوار البحر .

to ~ in troubled waters يصطاد في الماء العكر

to ~ out (١) يستنفد أسماك بقعة بالصيد فيها . (٢) ينال بالمكر أو البحث الدقيق .

fishable [fĭsh'-] *(adj.)* (١) صالح للصيد فيه (٢) مباحٌ الصيدُ فيه .

fish-and-chips *(n. pl.)* سمك مقليّ مع بطاطا مقلية .

fish cake *or* **fish ball** *(n.)* فطيرة السمك .

fisher 3 *a*.

fisher [-'ər] *(n.)* (١) صياد سمك (٢) الصياد : حيوان مُتَصيِّد للاسماك (٣) «أ» الدَّلَق : حيوان من فصيلة ابن عِرس . «ب» فرو الدَّلَق .

fisherman [-'ər mən] *(n.)* (١) صياد سمك (٢) سفينة صَيْد .

fishery [-'ə rĭ] *(n.)* (١) السِماكة : صيد السمك (٢) المَسْمَك : موطن يُصاد فيه السمك (٣) المَسْمَكة : مؤسسة مختصة بصيد السمك (٤) حقّ السِماكة : حقّ صيد السمك في مياه بعينها .

fishhook [fĭsh'ho͝ok] *(n.)* الشِّصّ : حديدة معقوفة لصيد السمك .

fishing [-'ĭng] *(n.)* (١) صَيْد السمك (٢) المَسْمَك : موضع يُصاد فيه السمك .

fish joint *(n.)* وُصْلة تراكُب (بألواح جانبية) .

fishmonger [-'mŭng'gər] *(n.)* السَمّاك : تاجر السمك .

fishplate

fishplate [-'plāt] *(n.)* لوحُ وصلٍ تراكبي (في السكّة الحديدية) .

fish story *(n.)* قصة غير قابلة للتصديق .

fishtail [-'tāl] *(vt.)* يُؤرجح الذيلَ : يجعل ذيل الطائرة يتحرك بسرعة من جانب إلى آخر تخفيفاً لسرعتها .

fishwife [-'wīf] *(n.)* (١) بائعة سمك (٢) امرأة بذيئة .

fishy [fĭsh'ĭ] *(adj.)* (١) سَمَكيّ . «ب» سمكيّ الرائحة أو المذاق أو الشكل (٢) كثير الأسماك (٣) مشكوك فيه أو في صحته (٤) بارد ؛ تعوزه الحرارة (٥) خلو من التعبير أو البريق (~ eyes) .

fissile [fĭs'əl] *(adj.)* قابل للانشطار .

fission [fĭsh'ən] *(n.; vt.; i.)* (١) انفلاق ؛ انشقاق . (٢) انقسام (أح) (٣) انشطار نوويّ § (٤) يَشْطُر × (٥) ينشطر .

— fissional *(adj.)*

fissionable [fĭsh'ən ə bəl] *(adj.)* قابل للانشطار .

fission bomb *(n.)* قنبلة ذرّية .

fissiparous [fĭ sĭp'-] *(adj.)* انقساميّ : متكاثر أو متوالد بالانقسام .

fissiped [fĭs'ĭ pĕd] *(adj.; n.)* (١) بُرثنيّ § (٢) البُرثُنيّ : حيوان من البُرثُنيات .

fissure [fĭsh'ər] *(n.; vt.; i.)* (١) شِقّ ؛ صَدْع ؛ فُرجة . (٢) انشقاق (في الرأي) § (٣) يَشُقّ × (٤) ينشق .

fist [fĭst] *(n.; vt.)* (١) قبضة ، جُمْع الكفّ § (٢) يضرب أو يُمسك بجُمْع الكفّ .

fistful *(n.)* حفنة ؛ قبضة (a ~ of coins) .

fistic [fĭs'tĭk] *(adj.)* مُلاكميّ : خاص بالملاكمة .

fisticuffs [fĭs'tə kŭfs] *(n. pl.)* تلاكم : تضارب بجُمع الكفّ .

fistula [fĭs'cho͞o lə] *(n.)* pl. **-s** *or* **-e** ناسور (مض) .

fistulous [-ləs] *(adj.)* (١) ناسوريّ (٢) أجوف كقصبة أو أنبوب .

fit [fĭt] *(n.; adj.; vt.; i.)* (١) دور ؛ نوبة مرض (٢) نوبة ؛ انفجار عاطفيّ (a ~ of laughter *or* anger) (٣) مطابقة ؛ ملاءمة ؛ توافُق (٤) لباس منطبق على مقاييس الجسم (The gown was an excellent ~.) § (٥) ملائم ؛ صالحٌ لِـ (٦) لائق (٧) «أ» مُهَيّأ ؛ مُعَدّ . «ب» مستعدّ (٨) أهلٌ لِـ ؛ كفوء (٩) سليمٌ جسمياً وعقلياً § (١٠) يلائم ؛ يوافق (١١) يليق بِـ (١٢) يجعله منطبقاً على مقاييس الجسم الخ . (to ~ a coat) (١٣) يفسح مكاناً أو مجالاً لِـ (١٤) يتفق أو ينسجم مع (The theory ~ s all the facts.) (١٥) يُهَيّىء ؛ يُعِدّ ؛ يُكَيِّف (١٦) يزوِّد بِـ (~*ted* the ship with new engines) × (١٦) ينطبق على شكل

(His coat ~s beautifully.) أو حجم ما

by ~s; by ~s and starts. على نحو متقطّع أو لا منتظم

fitch [fĭch] *or* **fitchew** [-'ōō] *(n.)* ابن عِرس المنتن أو فراوه.

fitch

fitchet [fĭch'ĭt] *(n.)* ابن عِرس المنتن.

fitful [fĭt'fəl] *(adj.)* تشنّجيّ ؛ متقطع.

fitting [fĭt'ĭng] *(adj.; n.)* (١) مُلائم ؛ مناسب §(٢) إحكام ؛ وبخاصة: تجربة الثوب لجعله منطبقاً على مقاييس الجسم (٣) *pl.* عدد: لوازم ؛ تجهيزات ؛ تركيبات (the ~s of a room *or* a machine)

five [fīv] *(n.)* (١) خمسة ؛ خَمْس (٢) الخامس من مجموعة أو سلسلة (٣) الخماسيّ: شيء مؤلف من خمس وحدات أو خمسة أعضاء؛ وبخاصة: فريق كرة السلة (٤) ورقة الخمسة دولارات.

five-and-ten *also* **five-and-dime** *(n.)* (١) متجر لبيع السلع بخمسة أو عشرة سنتات (٢) محلّ لبيع السلع الرخيصة.

five-finger *(n.)* (١) البوطنطلة (ر. cinquefoil) (٢) قرن الغزال (نب).

fivefold [fīv'-] *(adj.; adv.)* (١) خماسيّ §(٢) أكبر بخمسة أضعاف.

fiver [fī'-] *(n.)* الخمسيّة: ورقة الخمسة دولارات أو الخمسة جنيهات.

fives [fīvz] *(n.)* الفايفس: لعبة شبيهة بكرة اليد.

five-star *(adj.)* رفيع الرتبة العسكرية؛ ذو رتبة عسكرية رفيعة.

fix [fĭks] *(vt.; i.; n.)* (١) يثبّت ؛ يرسّخ (٢) يعطي الشيء شكلاً ثابتاً أو أخيراً ؛ مثل «أ» يحوّل من السيولة أو حالة التبخر إلى حال أكثر ثباتاً (ك). «ب» يقتل أو يحفظ (الميكروبات) لأغراضٍ دراسية. «ج» يجعل صورة الفيلم الفوتوغرافي ثابتةً (٣) يحدّد (to ~ a price) (٤) يعلّق ؛ يلصق (٥) يركّز (~ *ed* his eyes on the horizon) (٦) يلقي المسؤولية على شخص (٧) يعدّل (وضع شيء الخ.) (٨) يُعِيد ؛ يهيّيء (٩) «أ» يُصْلِح ؛ يقوّم. «ب» يعالج أو يشفي. «ج» يخصي (١٠) «أ» ينتقم من «ب» يستخدم الأساليب غير المشروعة للتأثير في نتيجة أو قرار (to ~ a game *or* a jury) ×(١١) يثبُت ؛ يترسّخ §(١٢) ورطة (١٣) موقع السفينة أو الطائرة (كما تحدده الطرائق الفلكية أو اللاسلكية) (١٤) «أ» التهرب من موجبات القانون بواسطة الرشوة الخ. «ب» رشوة.

to ~ on *or* upon يقرر ؛ يقرّ رأيه على ؛ يختار.

to ~ up (١) يتخذ الترتيبات أو الاستعدادات لـ. (٢) ينظّم ؛ يرتّب (٣) يؤوي (٤) يوجد عملاً لفلان (٥) يسوّي نزاعاً (٦) يُصلح ؛ يُهندم.

fixate [fĭk'sāt] *(vt.; i.)* (١) يثبّت (٢) يركّز بصره أو انتباهه (٣) يوجّه الرغبة الجنسية نحو شكلٍ طفليّ من أشكال الإشباع ×(٤) يُمنى بتوقف النمو في مرحلة من مراحله.

fixation [fĭk sā'-] *(n.)* تثبيت ؛ ترسيخ أو نتيجة ذلك، مثل: «أ» تعوّد ؛ تكوين العادات. «ب» تعلّق أو ولوع مَرَضيّ بشيء ما. «ج» تركيز الرغبة الجنسية على شيء ما - كتعلّق الطفل تعلقاً مغالىً فيه بأحد أبويه - تركيزاً يتجلّى في ما بعد في أشكال من الانحراف العقلي (نف).

fixative [-'sə tĭv] *(adj.; n.)* (١) مُثبِّت §(٢) المثبِّت: «أ» مادة تضاف إلى العطر لمنع التبخر السريع. «ب» مادة تستعمل لوقاية الصور المرسومة بأقلام الطباشير الملونة من التلطخ. «ج» مادة تستعمل لحفظ الأنسجة الحية لأغراض دراسية.

fixed [fĭkst] *(adj.)* (١) «أ» ثابت. «ب» غير متطاير أو طيّار (a ~ acid). «ج» راسخ في الذهن. «د» متبلور ؛ نهائي الشكل. «هـ» متكرر في التاريخ نفسه عاماً بعد عام (a ~ feast). «و» مركّز (a ~ stare) (٢) مزوّد بمقدار معيّن من شيء ضروري أو مرغوب فيه؛ وبخاصة: مزوّد بالمال (I was well ~.).

fixed charge *(n.)* النفقة الثابتة (التي لا تتغير تبعاً لحجم الانتاج).

fixed idea *(n.)* الفكرة الثابتة: «أ» فكرة، وهمية عادةً، لا يستطيع المرء الخلاص منها. «ب» فكرة تسيطر على العقل في بعض أشكال العتْه أو الجنون (نف).

fixed star *(n.)* النجم الثابت (فل).

fixer [fĭk'sər] *(n.)* فا fix ، مثل: «أ» من يتدخل لتمكين شخص من التملّص من موجبات القانون الخ. «ب» من يسوّي النزاعات عن طريق المفاوضة.

fixing [fĭk'sĭng] *(n.)* (١) تثبيت الخ. (٢) *pl.* زركشات ؛ إضافات زينيّة الخ.

fixity [fĭk'-] *(n.)* (١) ثبات ؛ استقرار (٢) شيء ثابت.

fixture [fĭks'chər] *(n.)* (١) «أ» تثبيت ؛ ترسيخ. «ب» ثبات ؛ رسوخ (٢) شيء مثبّت في مكان من المنزل الخ. (an electric ~ light) (٣) تثبيتة (مك) (٤) «أ» مظهر أو عنصر ثابت أو دائم. «ب» شخص تطاول اتصاله بمكانٍ ما أو عمل ما (٥) «أ» تاريخ محدد لمهرجان أو حدث رياضي الخ. «ب» المهرجان أو الحدث الرياضي الخ. نفسهما.

fizz [fĭz] *(vi.; n.)* (١) يفور ؛ ينزّ (٢) يجيش أو يمور بـِ. §(٣) «أ» أزيز. صوت الفوران. «ب» حيوية (٤) شراب فوّار.

fizzle [fĭz'əl] *(vi.; n.)* (١) fizz (٢) يُخفق ؛ وبخاصة بعد بداية تبشّر بالنجاح §(٣) إخفاق.

fjord [fyōrd] = fiord.

flabbergast [flăb'ər găst] *(vt.)* يُذهل ؛ يشده ؛ يصعق.

flabbiness [flăb'-] *(n.)* (١) ترهّل (٢) رخاوة ؛ ضَعف.

flabby [flăb'ĭ] *(adj.)* (١) مترهّل (٢) رِخو ؛ ضعيف.

flabellate [flə bĕl'ĭt; -āt] *or* **flabelliform** *(adj.)* مِروحيّ الشكل.

flabelli- بادئة معناها: مِروحة (*flabelli*form).

flabellum [flə bĕl'əm] *(n.)* pl. **-bella** (١) مِروحة (٢) عضو (من الجسم) مِروحيّ الشكل.

flaccid [flăk'-] *(adj.)* مترهّل ؛ رِخو (~ muscles).

flacon [flȧ kôn'] *(F.)* قنينة صغيرة.

flag [flăg] *(n.; vt.; i.)* (١) «أ» سوسن ؛ وبخاصة: سوسن بري. «ب» sweet flag . «ج» التيفا ؛ عشبة البِرك (نب) (٢) الحجر اللوحي: حجر ذو صفائح صالحٌ لرصف الشوارع (٣) راية ؛ علم (٤) «أ» بارجة الاميرال. «ب» الأميرال نفسه. «ج» جنسية؛ وبخاصة: جنسية السفينة أو الطائرة §(٥) يرصف بصفائح الحجر اللوحي (٦) يرفع رايةً على (٧) يشير بعلَم أو نحوه ؛ وبخاصة: يشير إليه ليقف (~ her a taxi) ×(٨) «أ» يتدلى مسترخياً. «ب» يذبل ؛ يذوي (٩) يفتر (Her interest ~*ged*.).

to hang the ~ half-mast high ينكّس الراية حداداً.

flagellant [flăj'ə-] *(n.)* السائط: الضارب بالسوط؛ وبخاصة: المتسوّط: الضارب نفسه بالسوط تقرّباً إلى الله.

flagellate [flăj'ə lāt'] *(vt., adj.; n.)* (١) يَجلِد ؛ يضرب بالسوط §(٢) مُسوَّط: ذو سوط أي زائدة شبيهة بالسوط (ح) §(٣) السوطيّ: حيوان من السوطيات Flagellata وهي طائفة من الحيوانات وحيدة الخلية.

flagellum [flə jĕl'-] *(n.)* pl. **-gella** (ح) السَّوْط: زائدة شبيهة بالسوْط

flageolet [flăj'ə lĕt'] *(n.)* الصافرة : آلة موسيقية .

flageolets

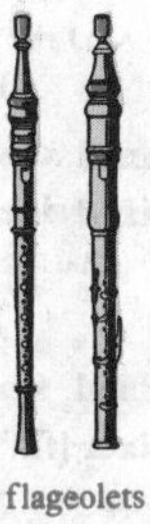

flagging [flăg'ĭng] *(adj.; n.)* (١) واهن ؛ ضعيف (٢) متناقص ؛ متضائل (demands ~) §(٣) «أ» حجارة لوحية . «ب» رصيف أو ممشى مرصوف بالحجر اللّوحي .

flaggy [flăg'ĭ] *(adj.)* حافل بالسَّوْسَن البرّي .

flagitious [flə jĭsh'əs] *(adj.)* (١) اثيم . (٢) شائن ؛ فاضح .

flagman [-'mən] *(n.)* المشور : مُرْسِل الاشارات بالراية .

flag of truce راية الصلح ؛ الراية البيضاء .

flagon [flăg'ən] *(n.)* (١) إبريق (٢) قنينة كبيرة .

flagpole [flăg'pōl] *(n.)* سارية العَلَم .

flag rank *(n.)* كل رتبة فوق رتبة كابتن (في البحرية) .

flagrant [flā'grənt] *(adj.)* فاضح ؛ فظيع ؛ مُشهَّر ؛ أثيم .

flagrante delicto [flə grăn'tĭ dĭ lĭk'tō] *(adv.)* بالجرم المشهود .

flagship [flăg'shĭp] *(n.)* بارجة الأميرال .

flagstaff [flăg'stăf] *(n.)* سارية العَلَم .

flagstone [flăg'stōn] *(n.)* الحجر اللوحي : حجر ذو صفائح لرصف الشوارع .

flag stop *or* **station** *(n.)* محطة الاشارة : محطة لا يتوقف فيها القطار إلا إذا أعطيت له الاشارة بذلك .

flag-waving [flăg'-] *(n.)* الشوفينية : المغالاة في الوطنية .

flail [flāl] *(n.; vt.)* (١) مِدْرَس يدويّ للحنطة §(٢) يضرب بمِدْرَس أو نحوه .

flail

flair [flâr] *(n.)* (١) حاسّة تمييز (٢) ميل ؛ نزعة .

flak [flăk] *(n.)* (١) مدفعية مضادة للطائرات (٢) نيران هذه المدفعية .

flake [flāk] *(n.; vi.; t.)* (١) منصة لتجفيف السمك (٢) رُقاقة ؛ قُشارة §(٣) يتقشّر أو ينفصل إلى رقائق ×(٤) يقطّع إلى رقائق (٥) يكسو برقائق .

flaky [flā'kĭ] *(adj.)* رُقاقيّ ؛ قُشاريّ : مؤلف من رقائق أو ميّال إلى التقشّر على شكل رقائق .

—flakiness *(n.)*

flam [flăm] *(n.; vt.; i.)* (١) «أ» كِذْبَة . «ب» خدعة ؛ خيلة . (٢) هراء (٣) ضربة طبل خاصة §(٤) يخدع ؛ يغشّ .

flambeau [flăm'bō] *(F.) (n.)* pl. **-x**; *or* **-s** مِشْعَل .

flamboyance [-boi'-] *(n.)* توهّج ؛ تموّج الخ . (را . المادة التالية) .

flamboyant [-boi'-] *(adj.)* (١) متوهج (colors~) . (٢) مموج ؛ مُسَعَّر : ذو خطوط متموجة أو متلوية كألسنة السعير (designs ~) (٣) مزخرف بإسراف (rhetoric ~) .

flame [flām] *(n.; vi.; t.)* (١) لَهَبٌ (٢) «أ» اضطرام ؛ اتقاد . «ب» توهّج ؛ بريق (٣) شعور ملتهب (٤) المحبوب ؛ المحبوبة §(٥) يلتهب ؛ يضطرم ؛ يتلظى (٦) يثور ؛ يتميّز غيظاً الخ . (٧) يتوهج ×(٨) يُطهِّر أو يعقّم أو يحرق بالنار (٩) يضيء باللهب أو نحوه (The fireplace ~ *d* the opposite wall.) (١٠) يوهّج ؛ يجعله متوهجاً .

flame cultivator *(n.)* قاذفة اللهب الزراعية : أداة تطلق من خطمها رشاشاً من الزيت الملتهب لقتل الحشرات أو الأعشاب الضارة .

flamen [flā'mĕn] *(n.)* كاهن ؛ وبخاصة : كاهن إلهٍ روماني .

flameout [flām'-] *(n.)* توقف محرك طائرة نفاثة عن العمل (طي)

flameproof [flām'proof] *(adj.)* صامدٌ للّهَب .

flamethrower [flām'-] *(n.)* قاذفة اللهب : أداة عسكرية تطلق من خطمها رشاشاً من الزيت الملتهب .

flaming [flā'mĭng] *(adj.)* (١) ملتهب ؛ مضطرم (٢) متوهّج ؛ برّاق (٣) متقّد .

flamingo [flə mĭng'gō] *(n.)* النُّحام ؛ البشَرُوس : طائر مائيّ طويل العنق والرجلين .

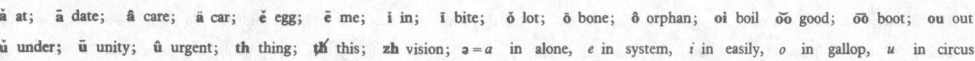

flamingos

flammable [flăm'ə bəl] *(adj.)* ملتهب ؛ سريع الالتهاب .

flânerie [flän'rē'] *(F.)* تبطّل ؛ تبلّد ؛ لاهدفية .

flange [flănj] *(n.; vt.)* (١) الشَّفَة ؛ الشفير : حافة بارزة لتثبيت شيء في مكانه أو لوصله بشيء آخر §(٢) يُشَفِّهُ ؛ يشفّر : يزوِّد بشفة أو شفير .

— flanger *(n.)*

flange

flank [flăngk] *(n.; vt.)* (١) «أ» كَشْح ؛ جَنْب ؛ خاصرة . «ب» قطعة من لحم الخاصرة (٢) «أ» جانب . «ب» جناح (الجيش) الأيمن أو الأيسر §(٣) يحمي جناح الجيش (٤) يهاجم أو يطوّق جناح الجيش (٥) «أ» يحيط بالشيء (من جانبيه بخاصة) . «ب» يضع على جانبي شيء .

flannel [flăn'əl] *(n.)* (١) الفلانيلّة : نسيج صوفيّ ناعم . (٢) *pl.* : «أ» ملابس تحتية من الفلانيلّة . «ب» بنطلون .

flannelette [flăn'ə lĕt'] *(n.)* الفلانيليت: قماش قطني شبيه بالفلانيلة

flap [flăp] *(n.; vt.; i.)* (١) ضربة بشيء عريض ؛ خَفْقَة ؛ صَفْعَة (٢) شيء عريض أو لَدْن أو مسطّح يتدلى بحرية ، مثل : «أ» حاشية الجيب أو القبعة . «ب» مصراع المنضدة (القابل للطيّ) . «ج» قطعة من أنسجة الجسم تُفصل من موضعها جزئياً (جر) . «د» لسانُ ظرف الرِّسالة . «ه» جُنَيح إضافي متحرك (طي) (٣) رفرفة §(٤) يضرب ؛ يخفق (٥) يقذف بعنف (٦) يجعله يرفرف ×(٧) يصطفق (الستارُ الخ .) : يتحرّك متلاطماً من أثر الريح خاصةً (٨) يصفّق (الطائر) بجناحيه (٩) ترفرف ؛ تَخفق (الرايةُ) .

flaps 2.

flapdoodle [flăp'dōō'dəl] *(n.)* هُراء .

flapjack [-'jăk] *(n.)* كعكة تُصنع من مخيض اللبن والبيض .

flapper [-'ər] *(n.)* (١) فا flap (٢) مِضرب عَريض . (٣) flap 2 (٤) فرخ الطائر (٥) امرأة شابة ؛ وبخاصة : فتاة لا تراعي العرف في المسلك واللباس .

flare [flâr] *(vi.; t.; n.)* (١) «أ» يتماوج . «ب» ينير (كالشمعة) بضوء خافق (٢) «أ» يتوهج فجأة . «ب» يطلق ضوءاً يبهر الأبصار . «ج» يَحتق ؛ ينفجر بالغضب (She ~*d* up.) (٣) يتسع تدريجياً نحو الخارج «كنهاية قمع أو بوق» (The skirt ~s at the knees.) × (٤) يعَرِض ؛ متباهياً ، للعيان (٥) يجعله يتسع تدريجياً نحو الخارج (٦) يعطي اشارة بنار أو ضوء §(٧) نور ساطع خافق (the ~ of torches in the wind) (٨) نار أو نور يُستعملان للاشارة أو الاضاءة أو لفت النظر (٩) «أ» انفجار . «ب» غضب شديد مفاجيء (١٠) اتساع تدريجي نحو الخارج « كنهاية قمع أو بوق » (the ~ of a skirt) .

flare-up [-'ŭp] *(n.)* (١) اندلاع النار (٢) انفجار الغضب .

flaring [-'ĭng] *(adj.)* (١) «أ» مشتعل على نحو ساطع أو خافق .

«ب» باهر للبصر. «ج» **gaudy** (٢) متسع تدريجياً نحو الخارج (كنهاية قمع أو بوق).

flash [flăsh] *(vi.; t.; n.; adj.)* (١) يندفع (الموج) (٢) يتوهج. (٣) «أ» يلتمع؛ يبرز فجأة (The answer ~*ed* into his mind.) «ب» ينطلق بسرعة البرق (٣) ينفجر غضباً (٤) يومض؛ يلمع ×(٥) «أ» يضيء أو يرسل ضوءاً. «ب» يفجر. «ج» يعكس النورَ أو يجعل المرآةَ تعكس النور. «د» يبعث بإشارات ضوء متقطعة. «هـ» يوهج على نحو مفاجئ (٦) ينشر خبراً بسرعة البرق (٧) «أ» يَعْرِض متباهياً (to ~ one's diamonds). «ب» يُبدي أو يُري فجأةً ولفترة قصيرة (The detective ~*ed* his badge.) (٨) يغطي بطبقة رقيقة §(٩) «أ» لمْع؛ ومِيض. «ب» حركة العَلَم «عند الاشارة به» (١٠) التماعة (a ~ of hope, wit *or* inspiration) (١١) لحظة؛ برهة قصيرة (in a ~) (١٢) «أ» تباهٍ رخيص أو مبتذل. «ب» لاعب رياضي لامع (١٣) «أ» لمحة؛ نظرة. «ب» ابتسامة. «ج» برقية موجزة تحمل خبراً هاماً (تُرسَل تفاصيله في ما بعد). «د» flashlight 1 *b*; 2; 3 «هـ» وهج؛ وهيج §(١٤) «أ» مُبهرَج. «ب» زائف. «ج» عامي. «د» خاص باللصوص والمتشردين الخ. (~ language) (١٥) مفاجئ وقصير الأجل (a ~ fire)

a ~ in the pan إخفاق؛ جهدٌ مُخفِق.

flashback [flăsh'băk] *(n.)* الارتجاع الفني: قطعٌ للتسلسل التاريخي في أثر أدبي أو مسرحي بإيراد أحداث أو مشاهد وقعت في زمن سابق.

flashboard [flăsh'bōrd] *(n.)* عارضة أو أكثر عند ذروة سدّ (لزيادة عمق المياه).

flashbulb *(n.)* = flash lamp.

flash flood *(n.)* طوفان محلّي (بسبب أمطار غزيرة في الجوار المباشِر).

flashing [flăsh'ĭng] *(n.)* الحشوة المعدنية: صفيحة معدنية لتغطية أو وقاية بعض زوايا المبنى. وخاصة حيث يتصل السقف بحائط أو مدخنة.

flash lamp *(n.)* المصباح الومضيّ: مصباح كهربائي يرسل نوراً خاطفاً ساطعاً للتصوير الفوتوغرافي.

flashlight [-'līt] *(n.)* (١) الضوء الومضي: «أ» ضوء ذو لمعان متفاوت بصورة نظامية تزوَّد به المنارات. «ب» نورٌ صُنعيّ ساطع خاطف للتصوير الفوتوغرافي (٢) الصورة الومضية: صورة فوتوغرافية مأخوذة بهذا النور (٣) المِشعل الكهربائي: بطارية صغيرة تُرسل نوراً كشافاً.

flashover [flăsh'ō vər] *(n.)* قفزُ الوميض (كب).

flash point *(n.)* نقطة الوميض (كب).

flashtube [flăsh'-] *(n.)* الصاعق؛ الأنبوب الصاعق (الك).

flashy [flăsh'ĭ] *(adj.)* (١) insipid (٢) خاطف للبَصَر (٣) «أ» زاهٍ. «ب» مُبَهْرَج.

flask [flăsk; fläsk] *(n.)* قارورة؛ دَوْرَق.

flat [flăt] *(adj.; n.; adv.; vt.; i.)* (١) مُسطَّح؛ مُنبسط. (٢) «أ» منبطح أو ممدَّد على الأرض. «ب» مستند بطوله إلى (a ladder ~ against a wall) (٣) مستوٍ؛ ممهَّد (٤) «أ» صريح؛ تامّ (a ~ denial). «ب» محدَّد؛ ثابت (a ~ rate). «ج» من غير زيادة أو نقصان (in five minutes ~) (٥) «أ» فاتر؛ بارد (a ~ joke). «ب» تفِه؛ عديم النكهة (The stew is too ~.) «ج» مفرَّغ الهواء (a ~ tire) (٦) راكد؛ كاسد (a ~ market) (٧) «أ» تعوزه المغايرة (رم). «ب» مطفأ اللمعة؛ غير لامع (رم) (٨) غير واضح أو حادّ أو مرنان (a ~ sound) (٩) شديد الانخفاض (مو) (١٠) مشتقّ من غير تغيّر في الشكل (ل) §(١١) سَهْل (١٢) سطح (the ~ of a ruler) (١٣) «أ» نغمة خفيضة (مو). «ب» علامة الخفض (مو) (١٤) شيء مسطّح؛ مثل: «أ» مركَب مسطّح القاع. «ب» حذاء من غير كَعب. «ج» دولاب مفرَّغ الهواء (١٥) «أ» دور؛ طابق (من مبنى). «ب» شقة في طابق §(١٦) انبطاحاً؛ أفقياً (١٧) مباشرةً (١٨) تماماً؛ بكل معنى الكلمة (broke ~) (١٩) بصوت منخفض (مو) (٢٠) من غير فائدة (تؤخذ أو تعطى على المال) §(٢١) يسطّح؛ يجعله مسطّحاً ×(٢٢) يتسطح.

—**flatly** *(adv.)*

—**flatness** *(n.)*

flatboat [-'bōt] *(n.)* المسطّح: مركب مسطّح القاع مربّع الطرفين.

flatcap [flăt'-] *(n.)* (١) المسطّحة: قبعة مستديرة شبه مسطّحة: (٢) لابس هذه القبعة. وبخاصة: لندنيّ.

flatcar [flăt'-] *(n.)* شاحنة مسطحة مكشوفة (من شاحنات السكة الحديدية).

flatfish [flăt'fĭsh] *(n.)* السمك المُفَلْطَح.

flatfoot [flăt'-] *(n.)* pl. **-feet** (١) انكساح القدم: حالة يكون فيها قوس القدم مسطّحاً بحيث يمسّ باطنها كله الأرضَ (٢) قدم مَسْحاء أو رَحّاء (٣) الأمسح: شخص ذو قدمين مَسحاوين (٤) *or* pl. **-foots**: شرطي (ع) (٥) بحّار؛ نوتيّ (ع).

flat-footed [flăt'fo͝ot'ĭd] *(adj.)* (١) أمْسَح: ذو قدم مَسْحاء أو رَحّاء (٢) مطلق؛ غير متحفظ (~ support for an idea).

flat-hat [flăt'-] *(vi.)* يقود الطائرة على نحوٍ منخفض ومتهوِّر.

flathead [flăt'-] *(n.)* (١) *cap.* هندي أحمر (٢) الراقود: سمك مفلطح الرأس.

flatiron [flăt'ī ərn] *(n.)* مكواة (للثياب).

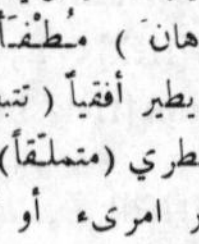

flatiron

flat knot *(n.)* = reef knot.

flat silver *(n.)* أدوات مائدة فضية.

flatten [flăt'ən] *(vt.; i.)* (١) يسطّح؛ يجعله مسطّحاً. مثل: «أ» يمهّد؛ يسوّي. «ب» يدمّر؛ يسوّي بالأرض (٢) يجعل (الدهانَ) مُطْفَأ اللمعة ×(٣) يتسطّح؛ يصبح متسطّحاً (٤) يطير أفقياً (تتبعها *out*).

flatter [flăt'ər] *(vt.; i.; n.)* (١) يُطري (متملقاً) (٢) يُشبع غرور امرئ أو كبرياءه (I feel greatly ~*ed* by your invitation.) (٣) يُظهِر المرءَ الخ. أكثر جمالاً أو جاذبية (This photograph ~*s* him.) × (٤) يتملق؛ يداهن §(٥) فا flat (٦) مِطرقة مسطّحة (يستخدمها الحدّاد).

flattery [flăt'ə rĭ] *(n.)* إطراء؛ تملّق؛ مداهنة.

flattop [flăt'tŏp] *(n.)* حاملة طائرات.

flatulence *also* **flatulency** [flăch'ə-] *(n.)* (١) التطبّل: امتلاء البطن بالغازات (٢) ادعاء فارغ.

flatulent [flăch'ə lənt] *(adj.)* (١) «أ» متطبّل البطن. (٢) مُطبِّل للبطن (٢) مُدَّعٍ؛ فارغ.

flatus [flā'təs] *(n.)* ريح؛ غاز البطن.

flatware [flăt'wâr] *(n.)* = flat silver.

flatwise [-'wīz] *or* **flatways** [-'wāz] *(adv.)* انبطاحاً.

flaunt [flônt] *(vi.; t.)* (١) يتماوج أو يرفرف باعتزاز أو ازدهاء (flags ~*ing* in the breeze) (٢) يزدهي (٣) يتطوّس؛ يتباهى بزينته الخ. كالطاووس ×(٣) يَعْرِض متباهياً.

flautist [flô'tĭst] *(n.)* = flutist.

flavin; flavine [flā'-] *(n.)* الفلافين: صِبْغ أصفر.

flavor *or* **flavour** [flā'vər] *(n.; vt.)* (١) نكهة (٢) المُنَكِّه: مادة مُنَكِّهة (تضيف إلى غيرها نكهةً معيَّنة) (٣) صفة مميزة أو غالبة §(٤) يُنَكِّه: يعطي نكهةً لـِ.

flavorful [flā'-] *(adj.)* = savory.

flavoring [flā'vər ĭng] *(n.)* = flavor 2.

flavorless [flā'-] *(adj.)* تَفِه؛ عديم النكهة.

flavorous; flavorsome [flā'vər-] *(adj.)* = flavorful.

flaw [flô] *(n.; vt.; i.)* (١) صَدْع؛ شَقّ (في زهرية أو جوهرة الخ). (٢) خطأ؛ خلل؛ نقص؛ عَيْب (٣) «أ» هبّة ريح. «ب» جوّ عاصف قصير الأجل §(٤) يَصْدع؛ يشقّ (٥) يخرق (to ~ an agreement) ×(٦) يتصدّع.
—flawless *(adj.)*

flax [flăks] *(n.)* (١) الكتّان (نب) (٢) خيوط الكتان.

flaxen [flăk'sən] *(adj.)* كتّاني: «أ» مصنوع من الكتان. «ب» شبيه بالكتان، وبخاصة بلونه التبنيّ الشاحب.

flaxseed [flăks'sēd] *(n.)* بزر الكتّان.

flaxy [flăk'sĭ] *(adj.)* = flaxen.

flay [flā] *(vt.)* (١) «أ» يسلخ الجلد. «ب» يَخْدش البَشَرة (٢) «أ» يسلب؛ ينهب. «ب» ينتقد بقسوة.

flea

flea [flē] *(n.)* بُرْغوث.
~ in one's ear تحذير أو توبيخ.

fleabane [-'bān] *(n.)* شيخ الربيع: نبات من الفصيلة المركبة.

fleabite [-'bīt] *(n.)* (١) قرصة برغوث (٢) ألم أو جرح أو انزعاج طفيف (٣) مقدار ضئيل.

flea-bitten [flē'bĭt ən] *(adj.)* (١) ملسوع بالبراغيث (٢) رماديّ اللون منقّط بنقط ضاربة إلى الحمرة (a ~ horse).

flea market *(n.)* سوق للسلع الرخيصة أو المستعملة.

fleam [flēm] *(n.)* مِشْرَط أو مِبْضَع (لفصد الدم).

fleawort [flē'wûrt] *(n.)* عشبة البراغيث (نب).

flèche [flāsh; flĕsh] *(F.)* برج صغير مستدق (عم).

fleck [flĕk] *(vt.; n.)* (١) ينقط؛ يرقّط؛ يرقّش §(٢) نقطة؛ رَقطة.

flection [flĕk'shən] *(n.)* (١) ثَنْي؛ ليّ (٢) انثناء؛ التواء (٣) ثنية؛ ليّة (٤) القبض (ت). عد: **flexion**

fled [flĕd] *past and past part. of* flee.

fledge [flĕj] *(vi.; t.)* (١) يَنْبُت ريشُهُ (٢) تبلغ (الحشرةُ) طور التجنيح ×(٣) يتعهّد (فرخَ الطائر) حتى يصبح قادراً على الطيران (٤) يكسو بريش أو زغب (٥) يَرِيش: يزوِّد بالريش.

fledgling [flĕj'lĭng] *(n.)* (١) الفَرْخ: طائر صغير نبت ريشُهُ منذ عهد قريب (٢) الغِرّ: شخص قليل الاختبار.

flee [flē] *(vi.; t.)* (١) يفرّ (٢) يتلاشى ×(٣) يتفادى؛ يتجنّب (٤) يهجر (~*ing* the city for the hot months).

fleece [flēs] *(n.; vt.)* (١) «أ» صوف الخراف. «ب» جزّة من صوف. (٢) كتلة ناعمة من شيء كالصوف، مثل: «أ» سحابة بيضاء. «ب» نَدْف ثلج (٣) «أ» نسيج ذو زِئْبِر ناعم تبطّن به الملابس الشتوية. «ب» زئبر هذا النسيج §(٤) يَجُزّ (٥) يَسْلب (٦) ينقّط أو يكسو بكُتَل شبيهة بالصوف.

fleeced [flēst] *(adj.)* (١) مكسوّ بالصوف أو نحوه (٢) ذو زئبر ناعم.

fleecy [flē'sĭ] *(adj.)* (١) صوفيّ (٢) مكسوّ بالصوف. (٣) ناعم كالصوف.

fleer [flĭr] *(vi.; t.; n.)* (١) يَسْخر §(٢) كلمة أو نظرة ساخرة.

fleet [flēt] *(vi.; t.; n.; adj.)* (١) يتلاشى (٢) ينطلق بسرعة ×(٣) يُمضّي الوقتَ (٤) يغيّر وضع شيء §(٥) جدول؛ ساقية الخ. (٦) «أ» أسطول (بحريّ أو جوي). «ب» قافلة سيارات §(٧) سريع؛ رشيق (٨) زائل؛ سريع الزوال.
—fleetly *(adv.)* **—fleetness** *(n.)*

fleet admiral *(n.)* أمير الأسطول؛ أميرال الأسطول.

fleeting [flē'tĭng] *(adj.)* زائل؛ سريع الزَّوال.

Fleet Street *(n.)* (١) شارع الصحافة بلندن (٢) الصحافة اللندنية

Fleming [flĕm'-] *(n.)* (١) الفلاندريّ: أحد أبناء الفلاندر. (٢) بلجيكي ناطق بالفلمنكية.

Flemish [flĕm'-] *(adj.; n.)* (١) فَلَمَنْكيّ §(٢) الفَلَمَنكية: لغة الفَلَمَنكيين الجرمانية (٣) الفلمنكيون؛ شعب الفلاندر (٤) الأرنب الفلمنكي (ح).

flense [flĕns] *(vt.)* يسلخ جلد الحوت أو ينزع دُهْنَهُ.

flesh [flĕsh] *(n.; vt.; i.)* (١) «أ» لحم. «ب» سِمَن (to put on ~). «ج» بَشَرة (sun-tanned ~) (٢) «أ» الجسد. «ب» الطبيعة البشرية (٣) «أ» الجنس البشري. «ب» الكائنات الحية. «ج» أسرة المرء أو أنسباؤه (٤) لب النباتات والأثمار §(٥) «أ» يغري (الكلب الخ.) بالقنص (بإطعامه لحماً). «ب» يعوّد أو يحرِّض (شخصاً) على القتال أو سفك الدماء (٦) يُغمد (سيفاً الخ.) في الجسد (٧) يكسو (هيكلاً عظمياً) باللحم (٨) ينزع اللحم عن ×(٩) يكتسي باللحم (تتبعها *up* أو *out*).
~ and blood (١) الجسد؛ الطبيعة البشرية. (٢) أبناء المرء أو أقرباؤه الأدنون.
to go the way of all ~, يموت

flesh fly *(n.)* ذبابة اللحم.

fleshiness [flĕsh'-] *(n.)* بَدانة؛ سِمَن؛ امتلاء الجسم.

fleshings [-'ĭngz] *(n. pl.)* (١) ثوب ضيق (يرتديه الراقص أو البهلوان) (٢) قِطَع اللحم الخ. المكشوط عن جلد الحيوان.

fleshly [-'lĭ] *(adj.)* (١) «أ» جسديّ. «ب» شَهْوِيّ. «ج» دنيوي (٢) سمين؛ بدين (٣) حِسّيّ (~art).

fleshpots [flĕsh'-] *(n. pl.)* (١) تَرَف (٢) مَلْهًى مُتْرَف.

fleshy [-'ĭ] *(adj.)* (١) لحميّ (٢) بدين؛ سمين (٣) لُبّيّ؛ لَحِيم.

fletch [flĕch] *(vt.)* يَرِيش السِّهام.

fletcher [flĕch'ər] *(n.)* صانع السهام.

Fletcherism [flĕch'ə rĭz əm] *(n.)* الفَلَتْشَرِيّة: الاكتفاء بتناول مقادير قليلة من الطعام، عند الجوع، ومضغها جيداً.

fleur-de-lis *or* **fleur-de-lys** [flœr'də lē'] *(F.)* (١) الزنبق (نب) (٢) زهرة الزنبق: شعار ملوك فرنسة السابقين.

fleur-de-lis 2.

flew [flōō] *past of* fly.

flews [flōōz] *(n. pl.)* الجزء المتدلي من شفة الكلب العليا.

flex [flĕks] *(vt.; i.; n.)* (١) يَثْني؛ يلوي ×(٢) ينثني §(٣) ثَنْي.

flexibility [-sə bəl'-] *(n.)* اللدانة؛ الانثنائية؛ المرونة.

flexible [flĕk'sə bəl] *(adj.)* (١) لَدْن؛ قابل للانثناء (٢) ليّن العريكة (٣) مرن؛ قابل للتكيّف.

flexile [flĕk'sĭl] *(adj.)* = flexible.

flexion [flĕk'shən] *(n.)* = flection.

flexor [flĕk'sər] *(n.)* العضلة القابضة (ت).

flexuosity [-shōō ŏs'-] *(n.)* (١) تمعّج؛ تعرّج (٢) جزء متمعّج.

flexuous [flĕk'shōō əs] *(adj.)* متمعّج ؛ متعرّج .

flexure [flĕk'shər] *(n.)* (١) انثناء؛ التواء (٢) ثَنْية .

flick [flĭk] *(n.; vt.)* (١)«أ» ضربة سريعة خفيفة (بالسوط). «ب» نقرة بالاصبع (٢) صوت الضربة أو النقرة (٣) *pl.* عد: السينما §(٤)«أ» يضرب ضرباً رفيقاً (بحركة خاطفة) . «ب»ينقر بالإصبع . «ج» ينفض الغبار عن . «د» ينفض رماد السيكارة .

flicker [flĭk'ər] *(vi.; t.; n.)* (١)«أ» يترجرج ؛ يضطرب . «ب» يرفرف بجناحيه (٢)«أ»تخفق: تشتعل الشمعة بصورة متقطعة. «ب» يتردد : يومض ثم يخبو (A faint hope still ~*ed* in his breast.)×(٣) يُرجرج الخ. §(٤) ترجرُج؛ اضطراب (٥) «أ» خَفَق؛ اشتعال متقطع. «ب» بصيص ؛ومضة خاطفة (a ~ of hope) (٦).*pl.*عد: السينما (٧) النقار: طائر أميركي.

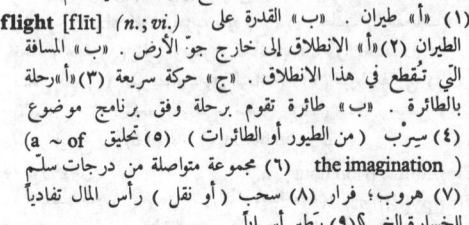

flicker 7.

flier *or* **flyer** [flī'ər] *(n.)* (١) فا fly وبخاصة: الطيّار؛ الملاّح الجوي (٢) مغامرة (في السياسة أو توظيف الأموال) (٣)نشرةاعلانية للتوزيع على نطاق واسع (٤) درجة في سلّم .

flight [flīt] *(n.; vi.)* (١) «أ» طيران . «ب» القدرة على الطيران (٢)«أ» الانطلاق إلى خارج جوّ الأرض . «ب» المسافة التي تُقطع في هذا الانطلاق . «ج» حركة سريعة (٣)«أ»رحلة بالطائرة . «ب» طائرة تقوم برحلة وفق برنامج موضوع (٤) سِرْب (من الطيور أو الطائرات) (٥) تحليق (a ~ of the imagination) (٦) مجموعة متواصلة من درجات سلّم (٧) هروب؛ فرار (٨) سحب (أو نقل) رأس المال تفادياً للخسارة الخ. §(٩) يطير أسراباً .

to take (to) ~, يلوذ بالفرار .

flightless [flīt'-] *(adj.)* عاجزعن الطيران(كالنعام وما إليه من الطير) .

flight deck *(n.)* سطح الطيران (في حاملة للطائرات) .

flight engineer *(n.)* مهندس الطيران .

flight line *(n.)* موقف للطائرات .

flight-test [flīt'-] *(vt.)* يختبر (الطائرة) أثناء الطيران .

flighty [-'tĭ] *(adj.)* (١) سريع الزوال (٢) متقلب (٣) طائش؛ أحمق (٤) سريع الاهتياج .

flimflam [flĭm'flăm'] *(n.; vt.)* (١)خداع (٢)هراء §(٣)يخدع .

flimsy [flĭm'zĭ] *(adj.; n.)* (١)«أ» رقيق؛ مُهلهَل (a soft ~ silk) «ب» رديء النوع (٢) واهٍ (a ~excuse *or* argument)§(٣)ورق رقيق(لاستخراج النسخ الكربونية)(٤)وثيقة مطبوعة على هذا الورق .
—**flimsiness** *(n.)*

flinch [flĭnch] *(vi.; n.)* (١) يُجْفِل (٢) يُحجم §(٣) إجفال؛ إحجام .
—**flincher** *(n.)*

flinders [flĭn'dərz] *(n. pl.)* شظايا ؛ قِطَع صغيرة .

fling [flĭng] *(vi.; t.; n.)* (١) يندفع بقوة أو عجلة (٢) يرفس (الفرس) أو يثب باهتياج (٣) يسْخر من ×(٤)«أ» يقذف بقوّة . «ب» يَطْرَح جانباً (٥) يزجّ به في (to ~ one into jail) §(٦) اندفاع ؛ رَفْس؛ سخرية؛ قذف؛ طرح الخ. (٧) محاولة (٨) فترة انغماس في الملذات ، وبخاصة: علاقة غرامية قصيرة الأجل؛ علاقة جنسية غير شرعية .

in full ~, في تقدّم ناشط .

to ~ away يَطْرَح؛ يَطّرِح .

to ~ down (١) يَرْمي ؛ يطرح (٢) يدمّر .

to ~ off (١) يَرُوغ (من مطارديه) (٢) يندفع خارجاً .

to ~ one's clothes on يرتدي ثيابه بعجلة .

to ~ open يفتح فجأة أو بعنف

to ~ out (١) يرفس (الفرس) أو يثب باهتياج. (٢)يلقي ملاحظات قاسية أو مُهينة(٣)يندفع خارجاً.

to ~ up يَهْجر .

to have a ~ at (١) يحاول (محاولةعابرة) (٢)يَسخرمن.

to have one's ~, ينغمس في الملذات ؛ يطلق لشهواته العنان.

flint [flĭnt] *(n.)* (١) صوّان ؛ ظِرّ (٢) حجر القدّاحة .

flint corn *(n.)* الذرّة الصوّانية : ضربٌ من الذرة صلب الحبوب .

flint glass *(n.)* الزجاج الصوّاني أو الظِرّاني .

flintlock [-'lŏk] *(n.)* (١) الزّند المصوّن : زندٌ ذو صوّانة (في بندقية قديمة) (٢) المصوّنة: بندقية ذات زند مصوّن .

flinty [flĭn'-] *(adj.)* (١) صوّاني؛ ظِرّاني (٢) قاسٍ ؛ صُلب .

flip [flĭp] *(vt.; i.; n.; adj.)* (١) ينقف؛ ينقر (قطعة نقدية) بالظفر بحيث تتقلب في الهواء (٢) يَقْلِب ×(٣) يتحرك بارتجاج (٤) يُبدي ردّ فعلٍ عنيفاً (ع) §(٥)«أ» نَقْف؛ نَقْر. «ب» نقفة؛ نقرة (٦) شقلبة (را . somersault) وبخاصة في الهواء (٧) رحلة قصيرة؛ رحلة (للمتعة) بالطائرة (ع) (٨) شراب مُسْكِر §(٩) flippant .

flip-flop [flĭp'-] *(n.)* (١) تَرَجْرُج؛ تَقَلْقُل (٢) تغيّرمفاجىء في الاتجاه أو وجهة النظر .

flippancy [flĭp'-] *(n.)* (١)ذلاقة لسان(ا.ق) (٢)قِحة؛لا احترام .

flippant [flĭp'-] *(adj.)* (١)ثرثار(ا.ق) (٢)وقح أو دالّ على قلةاحترام.

flipper [flĭp'ər] *(n.)* (١) فا flip (٢) زعنفة الحوت (٣)اليد(ع).

flirt [flûrt] *(vt.; i.; n.)* (١)يقذف بقوّة (٢)يحرك بطريقة ارتجاجية. ×(٣) يتحرك بطريقة ارتجاجية أو على نحوٍ متقطّع (٤) «أ» يغازل. «ب»يعبث §(٥) مص flirt (٦) ضربة سريعة (٧) حركة سريعة خاطفة (٨)«أ» المغازل؛ العابث . «ب» coquette.
—**flirtation** *(n.)*

flirtatious [flûr tā'shəs] *(adj.)* = coquettish I.

flit [flĭt] *(vi.)* (١) يطير أو ينتقل بسرعة من مكان إلى مكان. (٢) ينقضي (الوقتُ) (٣) تمرّ (الفكرةُ) في الخاطر (٤) يتضاءل ضوء الشمعة أو يخفق وكأنّه يلفظ أنفاسه (٥) يرفرف بجناحيه .

flitch [flĭch] *(n.)* (١) قطعة مملّحة ومدخّنة من خاصرة الخنزير . (٢) قطعة خشب طولانية .

flitter [flĭt'ər] *(vi.; t.)* = flutter.

flivver [flĭv'-] *(n.)* سيارة صغيرة رخيصة (عتيقة عادة) .

float [flōt] *(n.; vi.; t.)* (١) عَوْم؛ طَفْو (٢) شيء عائم أو طافٍ مثل : «أ» فلّينة صنّارة الصيد . «ب» الطّوْف أو المنصة العائمة: منصة عائمة قرب الشاطىء يستخدمها السباحون أو تُتّخذ لتسهيل الصعود إلى المراكب أو النزول منها . «ج» كرة أو « طابة » البرميل . «د» عوامة («ح» و «طي») (٣) المِصْقَلة: أداة لصَقْل سطح أو تنعيمه (٤) عربة ذات منصة (يُعْرَض عليها شيء في موكب) (٥) شيكات قيْد التحصيل (٦) شراب مؤلف من مثلجات عائمة على مُسْكِر §(٧) يعوم ؛ يطفو (٨)«أ» يجري برفق على سطح الماء أو وكأنّه على سطح الماء. «ب» تنتشر (الاشاعة). «ج» يهيم (شارداً) (٩) يتردد؛ يتقلب؛ يُكْثِر من تغيير مقرّه أو مهنته×(١٠)يعوم(١١)يغْمر(١٢)يصقل؛ ينعّم (١٣)«أ» يروج (لشركة أو فكرة) بحمل الناس على تمويلها

أو مناصرتها. «ب» يطرح الأسهم المالية في السوق. «ج» يؤسّس شركة (بطرح أسهمها في السوق) .

floatage [flō'tĭj] *(n.)* = flotage.

floatation [flō tā'shən] *(n.)* = flotation.

floater [flō'tər] *(n.)* (١) «أ» العائم : شيء أو شخص عائم . «ب» المعوم : شخص يعوم شيئاً (٢) شخص يصوت بطريقة غير شرعية في مراكز اقتراع متعددة (٣) العوّام : «أ» شخص ليس له سَكَن أو عَمَل دائم . «ب» مستخدَم ليس له عمل معيّن (فهو يُدعى إلى إسداء يد العون حيث تقتضي الحاجة) .

floating [flō'tĭng] *(adj.)* (١) طافٍ ؛ عائم (٢) «أ» طليق ؛ زائف : غير متصل بالقص (a ~ rib) . «ب» عائم : منحرف عن موضعه الطبيعي (a ~ kidney) (٣) «أ» مترحّل : مغيّر مسكنه أو عمله باستمرار (~ population) . «ب» حرّ : غير موظّف (~ capital) . «ج» قصير الأجل (a ~debt) (٤) عائم : عامل بسلاسة (a ~ axle) .

floating bridge *(n.)* الجسر العائم : جسر مؤلف من مراكب أو أطواف .

floating dock

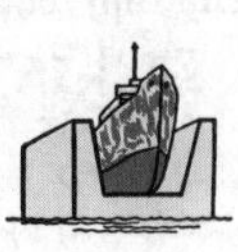

floating dock *(n.)* حوض عائم (لإصلاح السفن) .

floating island *(n.)* الجزيرة الطافية : حلوى مؤلفة من قسدر وكتل من بياض البيض المخفوق .

floc [flŏk] *(n.)* (١) اللُّبادة : كتلة متلبدة (من دخان أو ثُفْل الخ .) (٢) flock 4-5

floccose [-'ōs] *(adj.)* محصَّل : ذو خُصَل شعرية (~plants) .

flocculate [flŏk'-] *(adj.; vt.; i.)* (١) متلبّد § (٢) يلبّد × (٣) يتلبّد .

floccule [-'ūl] *(n.)* النُّدْفة : شيء شبيه بكتلة صوف .

flocculent [flŏk'yə lənt] *(adj.)* (١) صوفاني : شبيه بالصوف . (٢) أزغب أو مكسوّ بمادة صوفية (٣) شمعيّ الغلاف أملسُه .

flocculus [-'yə ləs] *(n.)* pl. **-li** (١) floccule (٢) لطخة على الشمس (فل) .

flock [flŏk] *(n.; vi.; t.)* (١) قطيع ؛ سِرْب (٢) جمهور ؛ وبخاصة : رعيّة الكاهن (٣) مجموعة كبيرة (٤) كتلة صوفٍ أو قطن (٥) نُفاية صوفٍ أو قطن (يُحشى بها فراش أو أثاث) § (٦) «أ» يحتشد . «ب» يندفع أفواجاً × (٧) يحشو بنفاية قطن الخ .

floe [flō] *(n.)* الطَّوْف الجليدي : جليد طافٍ على مياه البحر الخ .

flog [flŏg] *(vt.)* (١) يجلد ؛ يضرب بالسياط (٢) ينتقد بقسوة . (٣) يسوق ؛ يدفع .

flood [flŭd] *(n.; vt.; i.)* (١) طوفان ؛ فيضان (٢) مدّ (ضدّ : جزْر) (٣) فيض (من الكلام أو الدموع أو الضوء الخ .) (٤) floodlight § (٥) يغمر (٦) يُشبع ؛ وبخاصة بالوقود × (٧) يفيض .

floodgate [-'gāt] *(n.)* مَسْرَب الفيضان : بوّابة في قناة أو نهر للتحكم بتدفق المياه .

floodlight [-'līt] *(n.; vt.)* (١) الضوء الغامر : ضوء صُنْعيّ مُوَجَّه بطريقة تؤدي إلى إنارة مساحة ما على نحو متناسق (٢) مصباح (أو مِسْلاط) الضوء الغامر § (٣) ينير بالضوء الغامر .

floodplain [flŭd'-] *(n.)* الرَّقَّة : «أ» سَهْل مُعرَّض للانغمار بمياه الفيضان . «ب» سَهْل ناشىء عن الأتربة التي تخلفها مياه الفيضان .

flood tide *(n.)* (١) مدّ (ضد : جزْر) (٢) فيض غامر (٣) أوج ؛ قمة .

floor [flōr] *(n.; vt.)* (١) أرضية ؛ أرض الحجرة (٢) قاع (٢) قعر . (٣) «أ» دور ؛ طابق (في مبنى من المباني) . «ب» باحة الرقص . «ج» النظارة ؛ جمهور المستمعين الخ . (questions from the ~) (٤) «أ» مقاعد الأعضاء (في برلمان أو قاعة اجتماع) . «ب» أعضاء مجلس أو جمعية . «ج» حق الكلام : حق النائب الخ . في مخاطبة المجلس من مقعده (The senator from Maine has the ~.) (٥) الحدّ الأدنى (a price *or* wage ~) § (٦) يبلّط أو يخشّب أرضية حجرة (٧) «أ» يصرع ؛ يطرحه أرضاً . «ب» يُفحم . «ج» يهزم . «د» يُربك .

to take the ~, يقف خطيباً (في مناظرة الخ .) .

floorboard [flōr'-] *(n.)* (١) لوح في أرضية (٢) أرضية السيارة .

flooring [-'ĭng] *(n.)* (١) أرضية حجرة (٢) أرضيات (٣) مواد الأرضية .

floor lamp *(n.)* مصباح الأرضية : مصباح طويل يوضع على أرضية الحجرة .

floor leader *(n.)* زعيم الرَّدْهة : عضو في البرلمان مكلّف بإدارة نشاطات حزبه تحت قبة البرلمان .

floor show *(n.)* برنامج ترفيهيّ في مَرْبع ليليّ .

floorwalker [flōr'-] *(n.)* الناظر (في شعبة متْجر للبيع بالتجزئة) .

floozy [flōō'zĭ] *(n.)* امرأة فاسقة ؛ وبخاصة : بَغِيّ ؛ مومس ؛ قحبة .

flop [flŏp] *(vi.; t.; n.; adv.)* (١) «أ» تتخبط (السمكةُ ضاربةً بذيلها) . «ب» يرتفع وينخفض (The brim of a hat ~ *s.*) (٢) يرتمي بتثاقل أو استرخاء (٣) يتحوّل أو ينتقل فجأة (من اتجاه إلى آخر) (٤) يأوي إلى الفراش (٥) يخفق إخفاقاً تاماً (The show ~*ped.*) × (٦) يضرب بقوة (ع) (٧) يقلّب (الصفحات) فجأة وبجلبة (٨) يلقي أو يطرح فجأة وبعنف § (٩) تخبط ، ارتماء بتثاقل الخ . (١٠) تغير مفاجىء (في السياسة) (١١) هبوط مفاجىء (في الاسعار) (١٢) شخص او شيء مخفق (١٣) فندق رخيص أو سرير فيه (ع) § (١٤) تماماً (fell ~ on her face) .

flophouse [flŏp'hous] *(n.)* فندق رخيص .

floppy [-'ĭ] *(adj.)* (١) متخبّط الخ . (٢) عريض ليّن (كحاشية القبعة) .

flora [flōr'ə] *(n.)* pl. **-s** *also* **-e** (١) *cap.* : فلورا : إلاهة الزهور في الميثولوجيا الرومانية (٢) بحث في نباتات إقليم أو عصر أو لائحة بها (٣) الحياة النباتية ؛ وبخاصة : نباتات إقليم أو عصر معيّن .

floral [-'əl] *(adj.)* خاصّ بالأزهار أو بنباتات إقليم أو عصر .

florescence [flō rĕs'-] *(n.)* الإزهار : تفتّح الزهور أو زمانه .

florescent [flō rĕs'-] *(adj.)* مزْهِر ؛ متفتّح ؛ منور .

floret [flōr'ĭt] *(n.)* زُهَيرة ؛ زهرة صغيرة .

flori- بادئة معناها : «أ» زهرة أو أزهار . «ب» شيء يشبه الزهرة .

floriated [flōr'-] *(adj.)* (١) مزدان بزخارف زَهرية (٢) زهريّ الشكل .

floricultural [-ə kŭl'-] *(adj.)* زِهاريّ : خاصّ بالزِّهارة .

floriculture [flōr'ə-] *(n.)* الزِّهارة : زراعة النباتات المزهرة .

florid [flôr'ĭd] *(adj.)* (١) مزخرَف ؛ منمّق (٢) وردي ؛ متورد .

floriferous [flō rĭf'ər əs] *(adj.)* مُزْهِر ؛ مُنور .

florin [flôr'-] *(n.)* الفلورين : عملة فلورنسية أو هولندية أو انكليزية .

florist [flōr'ĭst] *(n.)* الزهّار : بائع الزهور .

floristic [flō rĭs'-] *(adj.)* = floral.

-florous لاحقة معناها : ذو زهر (أو عدد من الأزهار) معين .

floss [flôs] *(n.)* (١) مُشاقة الحرير أو خيط مصنوع منها . (٢) جدول ؛ نهر (بر) .

flossy [-'ĭ] *(adj.)* (١) «أ» مُشاقيّ . «ب» زَغَبيّ (٢) أنيق ؛ فاتن .

flotage [flō'-] *(n.)* (١) flotation (٢) مادة عائمة .

flotation [flō tā'-] *(n.)* (١) «أ» طفْو ؛ عوْم . «ب» تعويم . (٢) «أ» طرح سندات مالية في السوق . «ب» تأسيس شركة (٣) أسلوب التعويم (مع) .

flotilla [flō tĭl'ə] *(n.)* الأُسَيْطيل : أسطول صغير .

---

flotsam [flŏt'səm] *(n.)* (١) حطام السفينة (أو حمولتها) الطافي على سطح الماء (٢) «أ» أُناسٌ متشردون أو تافهون . «ب» أشياء مختلفة ضئيلة الأهمية .

flotsam and jetsam = flotsam.

flounce [flouns] *(vi.; t.; n.)* (١) «أ» ينتفض . «ب» يندفع بعزم مفاجىء (٢) يتخبط ، يتقدّم متعثراً ×(٣) يجعل (للثوب) أهداباً §(٤) انتفاض ، اندفاع ، تخبّط (٥) هُدْب ، حاشية .

flounder [-'dər] *(n.; vi.)* (١) flatfish§(٢) يتخبط ، يتقدم متعثراً .

flour [flour] *(n.; vt.; i.)* (١) طحين ، دقيق (٢) ذرور ، مسحوق §(٣) يكسو بطبقة من الطحين أو نحوه ×(٤) يتفتّت .

flourish [flûr'ĭsh] *(vi.; t.; n.)* (١) «أ» يزدهر . «ب» ينجح . «ج» يكون في حالة نشاط أو إنتاج (~ *ed* around 1730) (٢) يتباهى ، يتبجّح (٣) يتأنق في الكتابة (٤) يومىء متباهياً أو متظاهراً بالشجاعة ×(٥) يزخرف (٦) يلوّح (بسيف أو عصاالخ.) §(٧) فترة ازدهار (٨) تباهٍ (٩) تأنّق بياني أو تعبير يُصطنع لغرضٍ بلاغيّ صِرفٍ (١٠) مَقْطَع منمّق (مو) (١١) «أ» زخرف. «ب» ذيل زخرفيّ في أعلى الحرف أو أدناه (را. swash letters) (١٢) تلويح (بالسيف الخ.) (١٣) حركة شبه مسرحية .

flout [flout] *(vt.; i.; n.)* (١) يهزأ بِـ §(٢) هُزء ، إهانة .

flow [flō] *(vi.; t.; n.)* (١) «أ» يجري . «ب» يسيل (٢) يرتفع (المدّ) (٣) «أ» يحفل أو يزخر بِـ (rivers ~*ing* with fish) . «ب» يفيض بِـ (٤) يتدفق (٥) يتدلى ، يتهدّل (٦) ينشأ ، ينبع (٧) تحيض (المرأة) وبخاصة بغزارة ×(٨) يُجري ، يُسيل ، يصبّ (٩) يغمر §(١٠) جريان ، سيلان (١١) «أ» فيضان . «ب» ارتفاع المدّ (١٢) «أ» تدفق . «ب» جدول ، نهر (١٣) دفْق ، المقدار المتدفق في فترة ما (١٤) حَيْض ، طَمث (١٥) محصول ، إنتاج (a good ~ of honey).

flowage [flō'ĭj] *(n.)* (١) تدفّق ، فيضان (٢) سيل.

flower [flou'ər] *(n.; vi.; t.)* (١) «أ» زهرة . «ب» نبتة مزهرة . «ج» إزهار (~ plants in) (٢) «أ» صفوة ، نخبة . «ب» ريعان . «ج» ازدهار (٣) *pl.* عد : ذرور ، زَهْر (~ *s* of sulfur) §(٤) يُزْهِر (٥) «أ» ينمو . «ب» يزدهر ×(٦) يجعله يُزْهِر (٧) يزيّن برسوم زهرية .

flowerage [flou'ər ĭj] *(n.)* الإزهار ، حالة الازهار .

floweret [flou'ər ĭt] *(n.)* زُهيرة ، زهرة صغيرة .

flower girl *(n.)* فتاة الأزهار : «أ» بائعة أزهار في الشوارع . «ب» فتاة تحمل الأزهار في زفاف .

flower head *(n.)* = capitulum 2.

floweriness [flou'-] *(n.)* (١) الزهرية : كون الشيء زهرياً . (٢) التأنّق البلاغي .

flowerpot [flou'-] *(n.)* الأَصيص : وعاء تزرع فيه الرياحين .

flowery [flou'ə rĭ] *(adj.)* (١) زَهْريّ (٢) متأنّق (بلاغياً) .

flown [flōn] *past part. of* fly.

flu [floo] *(n.)* الإنفلونزا (ع) .

flubdub [flŭb'dŭb] *(n.)* هُراء ، ادعاء فارغ ، كبرياء مصطنعة .

fluctuant [flŭk'choo-] *(adj.)* (١) متموّج (٢) متقلب ، غير مستقرّ .

fluctuate [flŭk'choo āt'] *(vi.)* (١) يتموّج (٢) يتقلّب ، يتردّد .

flue [floo] *(n.)* (١) «أ» مِدخنة (ع) . «ب» أنبوب المدخنة . «ج» مَسْرب (للّهب والغازات في مرجل بخاري) (٢) قناة هوائية (في آلة نفخ موسيقية) (٣) «أ» زَغَب . «ب» ريشة ناعمة (٤) شبكة لصيد السمك .

fluency [floo'-] *(n.)* (١) تدفّق ، طلاقة ، سلاسة (٢) فصاحة . (٣) رشاقة .

fluent [floo'-] *(adj.)* (١) «أ» متدفّق (a ~ stream) . «ب» سَلِس (speaks ~ French) (٢) فصيح ، ذَرِب اللسان (a ~ speaker) (٣) رشيق (~ motion) .

fluently [floo'-] *(adv.)* (١) بتدفّق ، بطلاقة ، بسلاسة . (٢) بفصاحة (٣) برشاقة .

fluff [flŭf] *(n.; vi.; t.)* (١) زَغَب (٢) شيء زَغِب (ريش ، فرو ، صوف الخ.) (٣) شيء تافه (٤) غلطة فاضحة ، وبخاصة : سهو (في أداء دور على المسرح) §(٥) «أ» يزغاب : يصبح زَغِباً . «ب» يرقّ ، يخفّ ، ينتفخ (The omelet ~*ed* beautifully.) (٦) يخطىء ، وبخاصة : ينسى سطوراً من دوره المسرحي ×(٧) يزغّب : يجعله زغِباً أو كالزغِب (~*ing* up the pillows) (٨) يسيء أداء دوره .

fluffy [flŭf'ĭ] *(adj.)* (١) زغِب (٢) كالزَّغَب : رقيقٌ وخفيف (كالكريما المخفوقة) .

fluid [floo'ĭd] *(adj.; n.)* (١) «أ» سائل ، مائع . «ب» مرن . (٢) سَلِس ، رشيق (~ style) (٣) سائل : يسهل تحويله إلى نَقْد (اد) §(٤) السائل ، المائع : مادة سائلة أو مائعة .

fluid drive *(n.)* الادارة المائعية « بالزيت » (سي) .

fluidextract [floo'ĭd ěks'-] *(n.)* الخلاصة السائلة : محلول كحولي لعقّار نباتي (صي) .

fluidity [floo ĭd'-] *(n.)* (١) سيولة ، ميوعة (٢) مرونة (٣) سلاسة ، رشاقة .

fluid mechanics *(n.)* ميكانيكا السوائل أو الموائع .

fluid ounce *(n.)* الآونس السائل : وحدة سعة للأدوية السائلة الخ (٢٩,٦ سم مكعب في الولايات المتحدة الأميركية و٢٨,٤ سم مكعب في انكلترة) .

fluidram [floo'-] *(n.)* الدرهم السائل : وحدة سعةٍ للسوائل تعادل ثُمْن آونس سائل .

fluke [flook] *(n.)* (١) السمك المفلطح (٢) المُثقَّبة : ضرب من الديدان العريضة (٣) مخلب أو شعبة المرساة (٤) شوكة الحربون الخ. (را. harpoon) (٥) أحد فصّي ذنب الحوت (٦) «أ» رمية من غير رام (في البليارد) . «ب» حظ سعيد (He won by a ~.) . «ج» حظ (That fall was a pure ~.) .

fluky [floo'kĭ] *(adj.)* (١) واقع بالمصادفة ، مكتسَبٌ مصادفةً (لا بالبراعة) (٢) متقلّب (~ wind) .

flume [floom] *(n.)* (١) مَسيل ماء (٢) قناة صُنْعية .

flummery [flŭm'ə rĭ] *(n.)* (١) خبيصة ، حلوى (٢) هراء أو مجاملة فارغة .

flummox [flŭm'əks] *(vt.; i.)* (١) يُذْهل ، يحيّر ×(٢) يُخفق .

flung [flŭng] *past; past part. of* fling.

flunk [flŭngk] *(vi.; t.; n.)* (١) يَسْقُط أو يُسقط في امتحان . §(٢) إخفاق ، وبخاصة : سقوط في امتحان .

to ~ out يُطرَد أو يَطرُد (طالباً) من الكلية لسقوطه في الامتحانات .

flunky *or* **flunkey** [flŭng'kĭ] *(n.)* (١) خادم (٢) إمّعة .

fluor [floo'ôr] *(n.)* = fluorite.

fluoresce [floo'ə rěs'] *(vi.)* يَلصِف ، يَستشعع ، يتفلْوَر .

fluorescence [floo'ə rěs'əns] *(n.)* (١) اللَّصَف ، الاستشعاع ، التفلْوُر : إطلاق نور ناشىء عن امتصاص الاشعاع من مصدر آخر (٢) النور اللّصَفي .

fluorescent [-ə rĕs'-] *(adj.)* لاصِف؛ مُستَشعِع ؛ فَلوَرِيّ .

fluorescent lamp *(n.)* المصباح اللاصف؛ المصباح الفَلوَرِيّ .

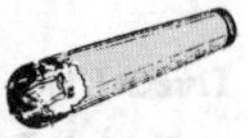

fluorescent lamp

fluoride [flōō'ə rīd] *(n.)* الفلوريد: مركّب من فلورين وعنصر آخر (ك) .

fluorine [-'ə rēn; -rĭn] *(n.)* الفلورين: غاز سامّ (ك) .

fluorite [-'ə rīt] *(n.)* الفلوريت : معدن متبلّر شفاف متعدّد الألوان يستخدم في صهر المعادن وصنع الزجاج الخ .

fluoroscope [flōōr'ə-] *(n.)* المِلصاف : أداة للكشف عن التكوين الباطني للجسم الحي بواسطة أشعة اكس .

fluoroscope

fluorosis [flōō ə rō'sĭs] *(n.)* التسمّم بالفلورين أو مركّباته .

fluorspar [flōō'ôr spär] *(n.)* الفلورسبار ؛ الحجر الفلوري؛ الفلوريت (را . fluorite) .

flurry [flûr'ĭ] *(n.; vi.; t.)* (١) «أ» هَبّة ريح . «ب» تساقط ثلج خفيف (ولفترة قصيرة) (٢) اضطراب ؛ اهتياج عصبي (٣) تقلّب قصير الأجل في الأسعار ؛ فورة قصيرة الأجل في البورصة §(٤) يهتاج ؛ يضطرب ×(٥) يُهَيِّج : يثير .

flush [flŭsh] *(vi.; t.; n.; adj.; adv.)* (١) يطير مُجفلاً . (٢) يتدفق فجأة (٣) يتوهج (٤) يتورّد (خجلاً) ؛ يشيع الدمُ في وجهه ×(٥) يجفّل طائراً (٦) «أ» يُجري؛ يُسيل . «ب» يغسل بماء دافق (٧) يهيج أو يملأ بالحيوية والنشاط (٨) يُشيع الدمَ في الوجه §(٩) تدفق مفاجىء (١٠) «أ» نماء النبات فجأة وبغزارة . «ب» فورة؛ حُمَيّا (١١) «أ» تورّد . «ب» نضارة؛ غضارة (the ~ of youth) . «ج» سَورة الحُمّى . (١٢) الفلوش: أوراق من نقش واحد في يد لاعب البوكر §(١٣) «أ» فائض . «ب» غزير؛ وافر (١٤) «أ» ناضر؛ مليء بالحياة . «ب» متوردٌ صحةً (١٥) «أ» مستوي السطح . «ب» محاذٍ مباشرة لِ . «ج» متساطح : مستوٍ مع السطح المحاذي §(١٦) باستواء (books ~ cut) (١٧) مباشرة (went ~ from school into politics) .

fluster [flŭs'tər] *(vt.; i.; n.)* (١) يُسْكِر أو يُخبِل (بالشراب) . (٢) يُربِك؛ يُهَيِّج ×(٣) يرتبك ؛ يهتاج §(٤) اهتياجٌ مرتبك .

flute [flōōt] *(n.; vi.; t.)* (١) الفلوت : آلة نفخ موسيقية (٢) «أ» المحزّة : ثَنْية مُحَزَّزة في ثوب امرأة . «ب» الحُدّة : الخدود في عمود معماري كلاسيكي §(٣) يعزف على الفلوت (٤) يُحدث صوتاً كصوت الفلوت ×(٥) يحزّز ؛ يخدّد . **—fluty** *(adj.)*

flute 1.

fluting [flōō'tĭng] *(n.)* زخرف محزّز ؛ مادة مُحزَّزة .

flutist [flōō'tĭst] *(n.)* عازف الفلوت .

flutter [flŭt'ər] *(vi.; t.; n.)* (١) يصفق بجناحيه . (٢) «أ» يرفرف (العلم) . «ب» يرتعش ؛ يرتعد (٣) يهتاج أو يذرع المكان مهتاجاً ×(٤) يجعله يرفرف (٥) يُربِك ؛ يُهَيِّج (٦) يقول بارتباك أو اهتياج §(٧) «أ» رفرفة . «ب» اهتياج عصبي . «ج» ارتعاش ؛ ارتعاد (٨) الدّفيف : «أ» خلل في الصوت المسجّل ينخفض معه ويعلو . «ب» تفاوتٌ في جلاء الصورة التلفزيونية . «ج» تذبذب غير مرغوب فيه (بفعل العوامل الطبيعية) .

fluvial [flōō'vĭ əl]; **fluviatile** [-'vĭ ə tĭl] *(adj.)* نَهْرِيّ .

flux [flŭks] *(n.; vt.; i.)* (١) جريان ؛ وبخاصة : إسهال (٢) «أ» تدفق ؛ دفق . «ب» تغير متواصِل ؛ تقلب (٣) الصّهور : مادة مساعدة على صهر المعادن §(٤) يذيب ×(٥) «أ» يَسيل . «ب» يذوب .

fluxion [flŭk'shən] *(n.)* (١) جريان (٢) تغيّر مستمر .

fly [flī] *(vi.; t.; n.)* (١) «أ» يطير . «ب» يجري أو يطفو أو يرفرف في الهواء (٢) «أ» يفرّ . «ب» يتلاشى ؛ يتبدّد (٣) ينطلق أو ينقضي بسرعة (٤) يتبدّد (المالُ) بسرعة (٥) يطارد (٦) يسافر بالطائرة ×(٧) «أ» يطيّر . «ب» يقود الطائرة (٨) يتجنب (٩) ينقل بالطائرة §(١٠) طيران (١١) الحذّافة ؛ دولاب الموازنة (مك) (١٢) مركبة خفيفة (١٣) .pl : الفسحة المنبسطة فوق خشبة المسرح (١٤) «أ» لسان لتغطية أزرار الثوب . «ب» لسان يشكّل باب الخيمة (١٥) طرَفُ العلَم المرفرفُ (١٦) flyleaf (١٧) ذبابة (١٨) ذبابة صُنْعيّة تُتَّخذُ طُعماً للسمك .

no *flies* on him غير مغفّل ؛ لا سبيل الى خداعه .

on the ~, (١) ناشط : مشغول جداً (٢) وهو لا يزال في الجو ؛ قبل ان يمس الارض (٣) عند المغادرة .

to ~ at يهاجم بعنف .

to ~ high *or* at high game يتميّز بالطموح .

to ~ in the face *or* teeth of يتحدّى .

to ~ into a rage *or* a temper يغضب فجأة .

to let ~, (١) يطلق ؛ يقذف (٢) يسدد ضربة عنيفة إلى (٣) يهاجم بكلمات غاضبة .

to make the feathers *or* dust ~, يُسبب النزاع أو الاهتياج .

to ~ open يُفتح (الباب) فجأة .

to ~ out ينفجر منفعلاً .

flyaway [flī'-] *(adj.)* (١) مستعدّ للطيران (a ~ aircraft) . (٢) خاصّ بطائرة مستعدة للطيران (~ delivery) .

flyblow [flī'-] *(vt.; n.)* (١) تسرأ : تضع الذبابة بيضها على اللحم . (٢) يلوّث §(٣) السِّرء : بيض الذبابة الملقى على اللحم .

flyblown [flī'-] *(adj.)* (١) مسروء : ملوّث ببيض الذباب (٢) فاسد .

flyboat [flī'bōt] *(n.)* مركب سريع .

fly-boy [flī'-] *(n.)* عضو في سلاح الجوّ (ع) .

flyby [flī'-] *(n.)* طيران منخفض فوق هدف معيّن سَبْقياً .

fly-by-night *(n.; adj.)* (١) الهارب ليلاً اجتناباً لدائنيه (٢) شيء سريع الزوال §(٣) مستهدف ربحاً عاجلاً (٤) سريع الزّوال .

fly casting *(n.)* صيد الأسماك بالاستعانة بالذباب الصنعيّ .

flycatcher [flī'kăch ər] *(n.)* صائد الذباب (طا) .

flyer [flī'ər] *(n.)* = flier.

flying [flī'ĭng] *(adj.; n.)* (١) «أ» طائر . «ب» منطلق بسرعة . «ج» عاجل (a ~ start) (٢) مُعَدّ للحركة السريعة أو العمل السريع (a ~ coach) (٣) وجيز ؛ قصير ؛ خاطف ؛ سريع الزّوال (a ~ visit; a ~ impression) (٤) مرفرف (~ banners) §(٥) طيران .

flycatcher

with ~ colors بنجاح عظيم .

flying boat *(n.)* طائرة مائيّة .

flying buttress *(n.)* الزافرة : نصف قنطرة يدعّم بها جدار (عم) .

Flying Dutchman *(n.)* الهولندي الطائر : «أ» بحار هولندي خُرافي حُكم عليه بمواصلة الابحار حتى يوم القيامة . «ب» مركب شبَحيّ يزعم البحّارة أنه يرود المياه قرب رأس الرجاء الصالح عندما تسوء الأحوال الجوية .

flying field *(n.)* مطـار .

flying fish *(n.)* السّمك الطيّار .

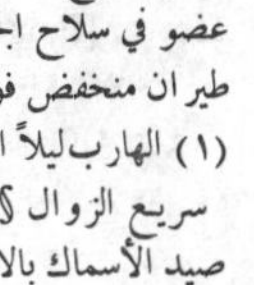

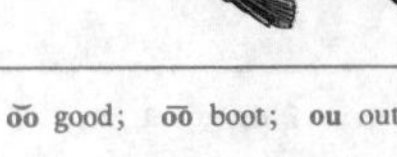

flying fish

flying fox *(n.)* = fruit bat.

flying gurnard *(n.)* الغُرنار الطائر: سمك ذو زعانف كالأجنحة تمكّنه من الانطلاق مسافة قصيرة فوق سطح الماء.

flying lemur *(n.)* اللَّيمُور الطائر (ح).

flying machine *(n.)* (١) طائرة (٢) منطاد ذو محرك.

flying saucer *or* **flying disk** *(n.)* الصحن الطائر: أحد أشياء متحركة لم تُعرَف حقيقتها حتى الآن رُوِيَ تكراراً أنها شوهِدت في الفضاء وزُعِم أنها على شكل صحن.

flying squirrel

flying squirrel *(n.)* السِّنجاب الطائر.

flyleaf [flīʹlēf] *(n.)* الورقة الغُفل: ورقة بيضاء في أول الكتاب أو آخره.

flyover [flīʹ-] *(n.)* (١) طيران منخفض (فوق حشد أو مكان عام) (٢) overpass.

flypaper [flīʹ-] *(n.)* ورق الذباب: ورق مصمَّغ أو مسمَّم لقتل الذباب.

flypast [flīʹ-] *(n.)* = flyby.

fly sheet = handbill.

flyspeck [flīʹ-] *(n.)* (١) الونيم: خُرء الذباب أو وسخه. (٢) شيء صغير تافه.

flyway [flīʹ-] *(n.)* مجاز الطيران: طريق جوي تسلكه الطيور المهاجرة.

flyweight [flīʹ-] *(n.)* وزن الذبابة: ملاكم يبلغ وزنه ١١٢ باونداً أو أقل.

flywheel [flīʹhwēl] *(n.)* الحَذَّافة ؛ دولاب الموازنة (ملك).

fly whisk *(n.)* المِذَبّة: مِنفضة لطرد الذباب.

f-number [ĕfʹ-] *(n.)* الرقم البؤري (فو).

foal [fōl] *(n.; vt.; i.)* (١) فِلْوٌ؛ مُهْر §(٢) تَلِدُ فلواً.

foam [fōm] *(n.; vi.; t.)* (١) «أ» رغوة؛ زَبَد. «ب» الرغوة المطفئة: زبد يُحْدَث كيميائياً أو ميكانيكياً ويستخدم لمكافحة حرائق الزيت بخاصة (٢) البحر §(٣) «أ» يُزْبِد. «ب» يَحنَق؛ يُرغي ويزبد ×(٤) يُزَبِّد: يجعله ذا زَبَد.

foam rubber *(n.)* المطاط الزَّبَدي: مطاط اسفنجي يُستخدم في الحشايا وما إليها.

foamy [fōʹmĭ] *(adj.)* (١) مُزْبِد: مكسو بالزَّبَد (٢) زَبَدِيّ؛ رَغَوِيّ (٣) زَبَدانيّ: شبيه بالزَّبَد.
—**foamily** *(adv.)*

fob [fŏb] *(n.; vt.)* (١) جيب الساعة (في البنطلون) (٢) سلسلة صغيرة متصلة بساعة البنطلون (٣) حِلْية تنتهي بها هذه السلسلة §(٤) يضع في جيب الساعة.

to ~ off (١) يماطل شخصاً أو يتخلص منه (بالوعود الكاذبة الخ.) (٢) يخدع شخصاً (بإعطائه أو بيعه شيئاً عديم القيمة) (٣) «أ» يردّ أو يصدّ. «ب» يطرح جانباً.

f.o.b. *or* **F.O.B.** [free on board] فوب: التسليم على ظهر السفينة.

focal [fōʹkəl] *(adj.)* بُؤْرِيّ؛ مِحْرَقِيّ.

focalization [-zāʹshən] *(n.)* (١) التَّبْئير (٢) التبؤّر.

focalize [fōʹkə līz] *(vt.; i.)* (١) يُبَئِّر: «أ» يجمع في بؤرة. «ب» يعدِّل البؤرة (بص) (٢) يمركز أو يحصر في مركز ×(٣) يتبأَّر؛ يتمركز.

focus [fōʹkəs] *(n.; vt.; i.)* (١) بؤرة؛ مِحْرَق (بص). (٢) «أ» الطول البؤري. «ب» التعديل البؤري: تعديل من أجل الحصول على رؤية واضحة. «ج» المساحة الممكن رؤيتها بوضوح أو الممكن تحويلها إلى صورة (wide-*focus* lens camera) (٣) مركز المرض أو العدوى (٤) مركز نشاط أو زلزال أو إثارة للاهتمام الخ. §(٥) يُبَئِّر؛ يركِّز (٦) يعدِّل البؤرة ×(٧) يتبأر؛ يتركّز (٨) يعدِّل (العينَ أو آلة التصوير) وفقاً لمدىً معيَّن.

fodder [fŏdʹər] *(n.; vt.)* (١) عَلَف §(٢) يعلف الماشية.

foe [fō] *(n.)* عدوّ؛ خصم.

foehn [fān] *(G.)* = föhn.

foeman [fōʹmən] *(n.)* العدوّ (في الحرب).

foetal, foetus = fetal, fetus.

foeti- *or* **foeto-** = feti-.

foetid [fēʹtĭd; fĕtʹĭd] *(adj.)* = fetid.

fog [fŏg] *(n.; vt.; i.)* (١) «أ» ضباب. «ب» فترة ضباب (London has bad ~*s* in winter.) (٢) تشوُّش؛ ارتباك §(٣) يُضَبِّب: يكسو أو يلفّ بالضباب (٤) يجعله غامضاً أو محيِّراً (٥) يشوِّش ×(٦) يتضبّب.

fogbound [fŏgʹbound] *(adj.)* (١) مكسو أو مكتنَف بالضباب (~ coast) (٢) عاجز عن الحركة بسبب الضباب (~ship).

foggy [fŏgʹĭ] *(adj.)* (١) مُضِبّ: كثير الضباب (٢) ضبابيّ؛ غائم؛ غير واضح (٣) مرتبك؛ متحيّر.

fogy *also* **fogey** [fōʹgĭ] *(n.)* المحافظ؛ الرجعي.

föhn [fān] *(G.)* الفُونة: ريح حارة جافة تهب من جانب جبل.

foible [foiʹbəl] *(n.)* (١) الجزء الأضعف من السيف (ما بين منتصفه ورأسه المستدقّ) (٢) نقطة ضعف (في الخُلُق أو السلوك).

foil [foil] *(n.; vt.)* (١) «أ» المِغوَل: سيف طويل مستدقّ خاص بالمبارزة. «ب» *pl.*: المبارزة بالمغول (٢) ورقة نبات (٣) نقشٌ على شكل ورقة نبات (عم) (٤) «أ» رُقاقة معدنية. «ب» طبقة رقيقة من القصدير أو الفضة يُطلى بها ظهر مرآة. «ج» بقة معدنية الخ. رقيقة توضع تحت حجر كريم في خاتم الخ. لتقوية لونه أو لمعانه (٥) شيء يُظهر بالمغايرة حُسنَ شيء آخر §(٦) «أ» يهزم. «ب» يُحبِط (٧) يكسو (الظهرَ) بطبقة رقيقة (٨) يزخرف بنقوش ورقية الشكل (عم) (٩) يُبرز من طريق المغايرة.

foils 3

foilsman [foilzʹ-] *(n.)* المغاول: المبارز بالمغول أو السيف.

foist [foist] *(vt.)* (١) يَدُسّ (شيئاً غير مرغوب فيه). (٢) يُكرِه امرءاً على قبول شيء ما (بالخداع) (٣) يقدم إلى الناس شيئاً زائفاً (موهماً إياهم أنه حقيقي أو أصيل).

fold [fōld] *(n.; vt.; i.)* (١) حظيرة الخِراف (٢) «أ» قطيع خراف. «ب» جماعة مؤمنة بمعتقد ديني أو سياسي واحد (٣) طيّ؛ ثَنْيٌ (٤) طية؛ ثَنْية (٥) الطيّة (جي) §(٦) يزرب (في حظيرة) (٧) يطوي؛ يثني (٨) يلفّ (٩) يعانق؛ يطوِّق (١٠) يوقف؛ يضع حداً لِـ؛ يحجب (After a few months he decided to ~ the magazine.) ×(١١) ينطوي؛ ينثني (١٢) «أ» ينهار. «ب» يخفق إخفاقاً تاماً. «ج» يُفلِس.

-fold لاحقة معناها: «أ» ضِعف (ten*fold*). «ب» ذو عدد معيّن من الأجزاء (three*fold* aspect of the question).

foldaway [fōlʹ-] *(adj.)* قابلٌ للطيّ: ممكنٌ طيّه بحيث يُزاح من الطريق أو يُحجَب عن العيان (~ doors *or* beds).

foldboat [fōldʹbōt] *(n.)* = faltboat.

folder [fōlʹdər] *(n.)* (١) فا fold (٢) نشرة مطبوعة مطويّة. (٣) ملفّ أو حافظة للأوراق.

folderol [fŏlʹdə rŏl] *(n.)* (١) شيء تافه؛ حليه تافهة (٢) هراء.

folding door *(n.)* الباب المُصرَّع: باب ذو مصاريع قابلة للطيّ.

folding money *(n.)* عملة ورقية ؛ بنكنوت .

foliaceous [fō lĭ ā'shəs] *(adj.)* (١) ورقيّ : منسوبٌ إلى ورق الشجر أو شبيهٌ به (٢) رُقاقيّ : مؤلف من رقائق او صفائح.

foliage [fō'lĭ ĭj] *(n.)* (١) أوراق النَّبتة (٢) زخرف مؤلف من نقوش على صورة أوراق أو أزهار (عم) .

foliage plant *(n.)* نبتة تُزْرَع لأوراقها الزينية في الدرجة الأولى .

foliar [fō'lĭ-] *(adj.)* ورقيّ : خاصّ بورق الشجر أو مؤلف منه .

foliate [*adj.* fō'lĭ ĭt; *v.* -āt'] *(adj.; vt.)* (١) ورقيّ الشكل : على صورة ورق النبات (٢) مورَّق : ذو ورق نبات أو مكسوٌّ به §(٣) يرقق : يطرِّق المعدن حتى يصبح رقائق أو صفائح (٤) يطلي ظهر الزجاج بطبقة رقيقة من القصدير أو الفضة (٥) يرقّم ورقات المخطوطة (لا صفحاتها) (٦) يورِّق : يزين بنقوش على شكل اوراق النبات × (٧) يتورَّق : يتقشّر أو ينفلق إلى رقائق (٨) يُورِق (النباتُ).

foliation [-ā'shən] *(n.)* (١) «أ» إيراق . «ب» الترتيب البرعمي (را . vernation) (٢) «أ» ترقيم ورقات المخطوطة (لا صفحاتها) «ب» أرقام هذه الورقات (٣) «أ» التوريق : تزيين بنقوش على شكل أوراق النبات . «ب» الزخرف المورَّق : زخرف شبيه بورقة نبات (٤) ترقيق المعادن أو تطريقها لتصبح رقائق أو صفائح (٥) التورّق : التقشّر أو الانفلاق إلى رقائق .

folio [fō'lĭ ō'] *(n.; vt.)* (١) «أ» ورقة (من كتاب أو مخطوطة) . «ب» رقم الورقة أو الصفحة . «ج» صفحة من سجل تجاري أو صفحتان متقابلتان منه تحملان نفس الرقم المتسلسل (٢) «أ» ورقة مطوية مرة واحدة (لتؤلف أربع صفحات) . «ب» ملفّ أو حافظة أوراق (٣) كتاب من القطع الأعظم (مؤلّف من صفحات يزيد طولها على ٣٠ سم .) §(٤) يرقّم ورقات الكتاب أو صفحاته .

foliolate [fō'lĭ ə-] *(adj.)* وُرَيقي : مؤلف من وُرَيقات (نب) .

foliose *or* **folious** [fō'-] *(adj.)* (١) leafy (٢) ورقانيّ : شبيه بورقة النبات .

folium [fō'lĭ əm] *(n.)* pl. **-lia** طبقة رقيقة (جي) .

folk [fōk] *(n.; adj.)* (١) قوْم (ا.ق.) (٢) *pl.* عد : طبقة من الناس (٣) *pl.* عد : الناس كافةً (poor ~*s*) (٤) *pl.* : أنسباء المرء §(٥) شعبيّ (~ music).

folkish; folklike [fōk'-] *(adj.)* شعبي .

folklore [fōk'lōr'] *(n.)* الفولكلور : «أ» عادات شعب ما وتقاليده وحكاياته وأقواله المأثورة المحفوظة شفهياً . «ب» علمٌ مقارن يبحث في حياة شعب ما وروحه كما يتجليان في عاداته وتقاليده الخ.

folkmoot [fōk'mōōt] *or* **folkmote** [-'mōt] *(n.)* مجلس الشعب .

folk song *(n.)* أغنية شعبية .

folk tale *(n.)* حكاية أو أسطورة شعبية .

folkway [fōk'-] *(n.)* طريقة التفكير أو الشعور أو السلوك عند شعب أو جماعة ما .

follicle [fŏl'ə kəl] *(n.)* (١) الجُرَيْب : كيس أو تجويف صغير (ت) . (٢) الثمرة الجرابية : ثمرة يابسة متفتحة كثيرة البزور وحيدة الكربلة أو الخباء (نب).

—follicular; folliculate *(adj.)*

follow [fŏl'ō] *(vt.; i.; n.)* (١) يتّبع (~*ed* her guide) . (٢) «أ» يلاحق ، يتعقّب . «ب» يحاول اكتساب شيء (to ~ knowledge) (٣) «أ» يتبع ؛ يشايع . «ب» يطيع (٤) يحذو حذو (٥) «أ» يسلك (to ~ a path) . «ب» يتّخذه حرفةً (to ~ the law *or* the sea) (٦) «أ» يتلو ؛ يعقُب . «ب» يتْبع (~*ed* supper with a liqueur) (٧) «أ» يراقب على نحو موصول . «ب» يتابع بانتباه (Do you ~ my argument?) × (٨) يلي ؛ يَتْبع (٩) ينتج أو يَلْزَم (منطقياً) ؛ يصحّ بالضرورة (It ~*s* from what you say that...) §(١٠) اتّباع ؛ ملاحقة الخ .

as ~*s* كما يلي .

to ~ out (١) يتابع حتى النهاية (٢) ينفِّذ (التعليمات) .

to ~ suit يحذو حذو فلان .

to ~ through يواصل عملاً حتى الانجاز .

to ~ up (١) يلاحق من غير انقطاع (٢) يستغلّ (النصر الخ.) (٣) يستطلع أو يبعث بتفاصيل جديدة عن نبأ صحفي (٤) يتابع الاتصال بمريض بعد التشخيص أو المعالجة.

follower [-'ō ər] *(n.)* (١) «أ» المرافق ؛ الخادم . «ب» التابع ؛ المُريد . «ج» المقلّد لغيره (٢) المعجبُ بخادمة (عب) (٣) الرادف ؛ التابع : جزء من ماكينة يتلقى الحركة من جزء آخر (مك) .

following [fŏl'ō-] *(adj.; n.)* (١) تالٍ §(٢) مجموعة أتباع أو أنصار .

follow-through [fŏl'ō thrōō'] *(n.)* مواصلة (عمل ما) حتى الانجاز.

follow-up [fŏl'ō ŭp] *(n.)* (١) الإتباع : إتباع جهدٍ مبدئي (في حقل الاعلان الخ.) بعمل إضافي (٢) المتابعة : إعادة فحص المريض أو الاتصال به بعد التشخيص أو المعالجة (٣) المُتْبَع : نبأ يحمل تفصيلات جديدة عن حدَث سبَق نشره (صح) .

folly [fŏl'ĭ] *(n.)* (١) حماقة (٢) عمل أحمق ؛ فكرة حمقاء. (٣) عمل باهظ النفقة أو غير مُرْبِح ؛ وبخاصة : مبنًى باهظ النفقات يتعذّر على صاحبه إتمامُه .

foment [fō mĕnt'] *(vt.)* (١) يُكمِّد : يضع الكمادات على (٢) يثير.

fomentation [-mĕn tā'-] *(n.)* (١) تكميد (٢) كمادة (٣) إثارة.

fond [fŏnd] *(adj.)* (١) أحمق (٢) مولَع أو مغرم بِـ (٣) محبٌّ ؛ حنون. (٤) عزيز ؛ أثير (her ~*est* hopes) :

fond [fŏnd; fôn] *(F.)* أساس ؛ خلفيّة .

fondant [fŏn'dənt; fôn dän'] *(F.)* الفُنْدان : «أ» عجينة سكّرية لصنع الحلوى . «ب» أقراص سكّرية (تذوب في الفم) .

fondle [fŏn'dəl] *(vt.; i.)* يلاطف ؛ يدلّل ؛ يربِّت على .

fondling [fŏnd'lĭng] *(n.)* المدلَّل ؛ العزيز .

fondly [-'lĭ] *(adv.)* (١) بحماقة (ا.ق.) (٢) بحنان (٣) بإعزاز (٤) بولَع .

fondness [-'nĭs] *(n.)* (٢) حماقة (ا.ق.) (٢) حنان (٣) إعزاز . (٤) ولع .

fondue *also* **fondu** [fŏn'dōō] *(n.)* المذوَّبة : طعام من جبن مذوَّب وزبدة وبيض الخ .

fons et origo [fŏnz ĕt ō rī'gō] *(L.)* الأصل والمنشأ .

font [fŏnt] *(n.)* (١) جُرن المعمودية (كن) . (٢) ينبوع (٣) طقم كامل من الحروف المطبعية.

font 1.

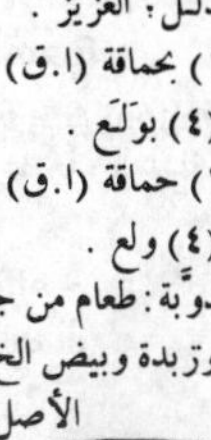

fontanel *also* **fontanelle** [-nĕl'] *(n.)* اليافوخ .

food [fōōd] *(n.)* (١) طعام (٢) غذاء ؛ قوت .

foodstuff [fōōd'stŭf] *(n.)* مادة غذائية .

fool [fōōl] *(n.; adj.; vi.; t.)* (١) المجنون ؛ المغفَّل (٢) «أ» مهرج البلاط . «ب» الساذج المخدوع (٣) «أ» المولع بـ (a ~ for candy) «ب» ذو ميل أو موهبة في حقل معيّن (a letter - writing ~) (٤) ضربٌ من حلوى الفاكهة §(٥) أحمق ؛ أبله §(٦) «أ» يلهو . «ب» يعبث بـ (٧) «أ» يهرج . «ب» يمزح (I was only ~*ing*.) (٨) يقاتل أو يصارع بصورة غير جدّية × (٩) يخدع (١٠) يبدد ؛ ينفق وقته أو ماله بحماقة (~*ed* the whole afternoon away).

ă at; ā date; â care; ä car; ĕ egg; ē me; ĭ in; ī bite; ŏ lot; ō bone; ô orphan; oi boil; ŏŏ good; ōō boot; ou out; ŭ under; ū unity; û urgent; th thing; th this; zh vision; ə = *a* in alone, *e* in system, *i* in easily, *o* in gallop, *u* in circus.

to make a ~ of يخدع ؛ يحتال على .
foolery [fōō'lə rĭ] *(n.)* (١) حماقة (٢) عمل أحمق .
foolhardy [-'här dĭ] *(adj.)* متهور ؛ طائش ؛ مجازف بحمق .
foolish [fōō'-] *(adj.)* (١) أحمق (٢) سخيف ؛ مضحك . (٣) مرتبك (٤) تافه
foolproof [fōōl'-] *(adj.)* (١)سهل جداً (بحيث يستطيع حتى الأبله أن يفهمه) (٢) غير خطر (ولو استعمله شخص أبله) (٣) مضمون ؛ مكفول ؛لا يخفق أو يتعطل بأية حال؛ (a ~ method; a ~ elevator)
foolscap *or* **fool's cap** [foolz'kăp] *(n.)* (١) قبعة أو طرطور المهرج (٢) قبعة مخروطية يُفرض على التلاميذ الكسالى أن يعتمروا بها (٣) الفولسكاب: ورق كبير القطع (١٦×١٣ انشاً) .
fool's errand *(n.)* مهمة أو مغامرة سخيفة غير مربحة .
fool's paradise *(n.)* سعادة وهمية .
foot [fŏŏt] *(n.; vi.; t.)* (١) قَدَم (٢) القدم : قياس للطول يساوي ثلث ياردة (٣) تفعيلة (عر) (٤)«أ» سَيْرٌ ؛ عَدْوٌ . «ب» خَطْو. «ج» سرعة (٥) شيء كالقدم. مثل : «أ» قدم الكرسي أو المائدة : الجزء الأدنى من قائمة الكرسي أو الطاولة. «ب» قدم الجورب: جزء من الجورب يكسو القدم (٦) المشاة(جن) (٧) سفح ؛ كعب ؛ قعر ؛ أسفل ؛ أدنى (٨) ثُفْل ؛ رواسب §(٩) يرقص (١٠) يمشي ؛ يجتاز سيراً على القدمين (١١) ينطلق (المركب) ×(١٢) يجمع (عموداً من الأرقام) (١٣) يصنع أو يجدد قَدَم الجورب .
on ~, (١) سيراً على القدمين (٢) جار : قيدَ العمل أو التنفيذ .
on one's feet (١) واقفاً ؛ قائماً (٢) في صحة جيدة (٣) في تقدم أو ازدهار .
to ~ a bill يدفع حوالة الخ. (ع) .
to ~ it يذهب ماشياً
to ~ up to يبلغ في مجموعه كذا .
to put one's best ~ forward (١) يبذل قصارى جهده (٢) يمشي بأقصى سرعة ممكنة .
to put one's ~ in it يرتكب خطأً مضحكاً .
to set (something) on ~, يدير ؛ يُعمِل .
footage [-'ĭj] *(n.)* القَدَمية: الطول أو الكمية مقدَّرين بالأقدام .
foot-and-mouth disease *(n.)* الحُمّى القُلاعيّة: مرض من أمراض الماشية يُحدث قروحاً في أفواهها وحول اظلافها .
football [-'bôl] *(n.)* (١) «أ» كرة القدم (رب) . «ب» الكرة نفسها (٢) ألعوبة (The issue became a ~ of party politics.)
footboard [-'bōrd] *(n.)* (١) موطىء العرَبة (يُصعَد ويُنزل بواسطته إليها ومنها) (٢) مسند لقدمي الحوذي الخ. (٣) مِدْوَسة (مك) (٤) لوح قائم يسند قائمتي السرير الخلفيتين .
footboy [-'boi] *(n.)* خادم أو ساع (يرتدي بزة خاصة) .
foot brake *(n.)* المِكبح القَدَمي ؛ الفرملة القَدَمية .
footbridge [fŏŏt'brĭj'] *(n.)* جسر المشاة أو السابلة .
footcandle [fŏŏt'kăn'dəl] *(n.)* = candle-foot.
footcloth [fŏŏt'klôth] *(n.)* سَجّادة ؛ بساط .
footed [fŏŏt'ĭd] *(adj.)* ذو قَدَم أو أكثر .
footer [fŏŏt'ər] *(n.)* (١) الماشي ؛ السائر على قدميه (٢) شخص أو شيء يبلغ طوله أو ارتفاعه كذا قَدَماً (a six-*footer*) .
footfall [fŏŏt'fôl] *(n.)* وقع أقدام .
footgear [fŏŏt'gĭr] *(n.)* حِذاء ؛ خُفّ .
foothill [-'hĭl] *(n.)* التلّ السَّفحي : تلّ واقع عند سفح جبل .
foothold [-'hōld] *(n.)* (١) موطىء قَدَم (٢) المَوْثِبة: موقع تتخذ منه القوات العسكرية قاعدةً لتقدّم إضافي .
footing [-'ĭng] *(n.)* (١) رسوخ القدمين (٢)«أ» مَشْي ؛ خَطْو . «ب» رقص (٣)«أ» موطىء قدم. «ب» منزلة وطيدة (achieved a ~at court) (٤) أساس (put the enterprise on a firm ~) (٥) مسند (في أساس جدار أو عمود، لتوزيع الثقل) (٦) جمع أو مجموع عمود من الأرقام .
on a friendly ~ with people على علاقة طيبة أو ودية مع النّاس .
on a war ~, على قدم الاستعداد للحرب .
footle [-'əl] *(vi.)* (١) يعبث ؛ يلهو (٢)يتحدث أو يتصرف بحماقة .
footless[-'lĭs] *(adj.)* (١)بلاأقدام (٢) بلاأساس (٣) أحمق ؛عقيم .
footlights [-'lĭts] *(n. pl.)* (١) أضواء مقدَّم خشبة المسرح (٢)التمثيل المسرحي .
footling [-'lĭng] *(adj.)* (١) أحمق (٢) تافه ؛ عديم النفع .
footloose [-'lōōs] *(adj.)* حرّ ؛ غير مقيّد ؛ مترحّل .
footman [fŏŏt'mən] *(n.)* (١) جندي من المشاة (٢)خادم .
footmark [fŏŏt'märk] *(n.)* أثر القدم ؛ طبعة القدم .
footnote [fŏŏt'nōt] *(n.)* حاشية ؛ هامش (في كتاب) .
footpace [-'pās] *(n.)* (١) خطوة (٢) «أ» مِنصّة. «ب» منبَسَط الدرج أو السلّم .
footpad [fŏŏt'păd] *(n.)* قاطع الطريق .
footpath [fŏŏt'păth] *(n.)* (١) ممرّ المشاة (٢) رصيف (بر) .
foot-pound [fŏŏt'pound'] *(n.)* قَدَم – باوند (مك)
foot-poundal [fŏŏt'poun'dəl] *(n.)* قَدَم – باوندال (مك) .
foot-pound-second *(adj.)* قدم – باوند – ثانية (مك) .
footprint [fŏŏt'prĭnt] *(n.)* أثر القَدَم ؛ طبعة القَدَم .
footrace [fŏŏt'rās] *(n.)* سباق العَدْو ؛ سباق في العَدْو .
footrest [fŏŏt'rĕst] *(n.)* مسند للقَدَمين
footslog [fŏŏt'slŏg] *(vi.)* يمشي أو يخوض في الوحل .
foot soldier *(n.)* جندي من المشاة .
footsore [-'sōr] *(adj.)* متقرح القدمين (من كثرة المشي الخ.)
footstalk [fŏŏt'stôk] *(n.)* =pedicel.
footstall [fŏŏt'stôl] *(n.)* قاعدة العمود (عم)
footstep [-'stĕp] *(n.)* (١) خطوة (٢) أثر القدَم ؛ طبعة القدم . (٣) موطىء (يُصعَد أو يُنزَل بواسطته) .
footstock [fŏŏt'stŏk] *(n.)* الغراب الأسفل (مك) .
footstool [fŏŏt'stōōl] *(n.)* كرسي القدمين ؛ مِسند القَدَمين .
foot-ton [fŏŏt'tŭn'] *(n.)* قَدَم – طن (مك) .
footway [fŏŏt'wā] *(n.)* (١) ممرّ المشاة (٢) رصيف (بر) .
footwear [fŏŏt'wâr] *(n.)* لباس القدَم (حذاء ؛ خفّ الخ.)
footwork [fŏŏt'wûrk] *(n.)* (١) حركة القدمين (في الملاكمة أو الرقص) (٢) انتقال من مكان إلى مكان (وبخاصة بغية القيام بتحقيق صحفي) .
footy [fōō'tĭ] *(adj.)* (١) تافه ؛ حقير (٢) رثّ ؛ بال .
foozle [fōō'zəl] *(vt.; n.)* (١) يعمل أو يلعب بغير إتقان . (٢) عمل أو لعب بغير إتقان؛ وبخاصة: ضربة رديئة في الغولف .
fop [fŏp] *(n.)* الغَنْدور : رجل شديد التأنق في ملبسه .
foppery [fŏp'ə rĭ] *(n.)* (١) حماقة (٢) غَنْدَرَة ؛ تأنّق .

foppish [fŏp'ĭsh] *(adj.)* غَنْدُوري: مُسْرِف في الأناقة .

for [fôr] *(prep.; conj.)* (١) «أ» لِـ ؛ لأجل . «ب» إلى ؛ نحو (to start ~ London) (٢) وكأنه ؛ متوهماً أنه (He was cried كقولك) (٣) بسبب (left on the battlefield ~ dead.) joy ~ أي بكى فرحاً) (٤) «أ» إنقاذاً لِـ (to flee ~ one's life). «ب» في سبيل ؛ دفاعاً عن (fighting ~ his country) . «ج» مع ؛ مؤيّد لـ (Some people were ~ the war.) (٥) «أ» عن ؛ عِوَضاً عن (a substitute ~ butter) . «ب» مقابل (~ one enemy he has a hundred friends.) . «ج» نيابةً عن (His lawyer will act ~ him in this affair.) (٦) على الرغم من (~ all that) (٧) في ما يتعلق بـ (so much ~ that) (٨) بالنسبة أو بالقياس إلى (tall ~ his age) (٩) «أ» طوال . «ب» إلى مسافة معينة (١٠) «أ» تكريماً لـ (to give a dinner ~ a person). «ب» تيمناً بـ (named ~ his grandfather) § (١١) لأنه ؛ نظراً لـ (I can't go, ~ it is raining.).

forage [fôr'ĭj] *(n.; vt.; i.)* (١) عَلَف للماشية (٢) التماس للعلف أو المؤن § (٣) «أ» ينتزع المؤن من . «ب» يجمع العلف . «ج» ينهب (ا.ق) × (٤) يطوف بحثاً عن العلف أو الطعام (٥) يغزو ؛ يغير على (٦) يبحث عن .

foramen [fō rā'-] *(n.)* pl. **-ramina** *or* **-ramens** ثُقْب .

foramen magnum [măg'nəm] *(L.)* الثقب الكبير «في الجمجمة» .

foraminifer [fôr ə mĭn'-] *(n.)* المُنَخْرَب : حيوان من المنخربات **Foraminifera** وهي حيوانات بحرية دنيا متقبة الأصداف (ح).

forasmuch as *(conj.)* نظراً لِـ ؛ لمّا كان . . .

foray [fôr'ā] *(vi.; n.)* (١) يغزو § (٢) غزوة .

forbade; forbad [fər băd'] *past of* forbid.

forbear [fôr bâr'] *(vt.; i.; n.)* (١) يُمسك أو يمتنع عن (٢) يتجمّل ؛ يتدرّع بالصبر § (٣) جدّ ؛ سَلَف .

forbearance [-'əns] *(n.)* (١) إمساك عن (٢) تجمّل ؛ صَبْر (٣) لين ؛ رِفْق .

forbid [fər bĭd'] *(vt.)* (١) يحظر ؛ يحرّم (٢) يمنع .
God *forbid*! لا سمح الله !

forbiddance [-'əns] *(n.)* (١) حَظْر ؛ تحريم (٢) مَنْع .

forbidden [-'ən] *(adj.)* محظور ؛ محرَّم ؛ ممنوع .

forbidding [-'ĭng] *(adj.)* (١) وَعْر (٢) كالح ؛ بغيض ؛ منفّر .

forby *or* **forbye** [fôr bī'] *(adv.)* علاوة على (اسك) .

force [fōrs] *(n.; vt.)* (١) «أ» قوة . «ب» قوة خُلُقيّة أو عقلية . «ج» نفاذ ؛ سريان المفعول (That law is still in ~.) (٢) «أ» قوة عسكرية . «ب» *pl.* : جيش . «ج» قوة منظمة (a police ~) (٣) عنف ؛ اكراه ؛ قَسْر § (٤) «أ» يغتصب (فتاة) . «ب» يُكره ؛ يُجبر (٥) «أ» يشق طريقه بالقوة . «ب» يدفع بالقوة (... oil is ~*d* to the surface) . «ج» يفرض (~*d* his personality upon his little world) . «د» ينتزع عنوةً (to ~ a confession) (٦) «أ» يقتحم (to ~ a hostile country) . «ب» يكسر ابتغاء الدخول (to ~ a lock) (٧) «أ» يُغِذّ الخطى . «ب» يتكلف . يغتصب (to ~ a smile) (٨) «أ» يسرّع (a ~*d* march) . «ب» يسرّع النماء أو النضج (to ~ lilies for the Easter trade).
the *Force* الشرطة ؛ البوليس .
to ~ out يُخرج عنوةً أو بالقوة .

forced [fōrst] *(adj.)* (١) قَسْري (~ labor) (٢) متكلَّف ؛ مغتصب (a ~ smile) (٣) اضطراري (a ~ landing).

force feed *(n.)* التزييت القَسْري : تزييت المحركات داخلية الاحتراق بمضخة ضغط .

force-feed [fōrs'fēd'] *(vt.)* يعلف (الحيوان) قَسْراً أو إجبارياً .

forceful [-'fəl] *(adj.)* قويّ ؛ نشيط ؛ فعّال .

force majeure [mȧ zhœr'] *(F.)* قوة قاهرة ؛ سبب قاهر .

forcemeat [fōrs'mēt] *(n.)* الحَشْوَة : لحم مفروم للحشو .

forceps [fôr'səps] *(n.)* كُلّاب (الصائغ أو الجرّاح) .

forceps

force pump *(n.)* مضخة الدفق الجبري .

force pump

forcible [fōr'-] *(adj.)* (١) قَسْري ؛ إكراهي . (٢) قوي ؛ فعّال .

ford [fōrd] *(n.; vt.)* (١) المَخاضة : موضع من النهر يَسْهل خوضه § (٢) يخوض (النهر) .

fordo *or* **foredo** [fôr dōō'] *(vt.)* يُنهك ؛ يُرهق .

fore [fōr] *(adj.; adv.; prep.; n.)* (١) سابق ؛ أوّل (the ~ years of...) (٢) أماميّ § (٣) أمامَ ؛ إلى الأمام § (٤) قبلَ (ع) § (٥) مقدمة ؛ شيء أمامي .
to the ~, (١) إلى المقدّمة ؛ إلى مركز مرموق . (٢) في المتناول (٣) على قيد الحياة .

fore- بادئة معناها (١) «أ» سَلَفاً ؛ مقدّماً (*fore*know) . «ب» مسبَق (*fore*payment) (٢) «أ» أماميّ ؛ مقدَّم (*fore*mast) . «ب» جزء أمامي من كذا (*fore*arm) .

fore and aft *(adv.)* (١) من مقدَّم المركب إلى مؤخّره (٢) في أو نحو أو عند طرَفَي المركب .

fore-and-aft *(adj.)* طُولاني .

fore-and-after [fōr'ənd ăf'-] *(n.)* =schooner 1.

forearm [*v* -ärm'; *n.* fōr'-] *(vt.; n.)* (١) يُعِدّ ؛ يستعدّ . § (٢) ساعِد (ت) .

forebear [fōr'bâr'] *(n.)* جَدّ ؛ سَلَف (ترد بصيغة الجمع عادةً) .

forebode *also* **forbode** [-bōd'] *(vt.; i.)* (١) ينبىء أو ينذِر بـ (clouds ~ a storm) (٢) يتوقع شرّاً أو مصيبة × (٣) يتنبأ بـ .

foreboding [fōr bō'dĭng] *(n.; adj.)* (١) نذير أو هاجس بشرّ § (٢) مُنذِر بشرّ .

forebrain [fōr'brān] *(n.)* مقدَّم المخ (ت) .

forecast [fōr'kăst'; -käst'] *(vt.; i.; n.)* (١) يتكهن بحالة الجوّ (٢) يتنبأ (٣) يُنذِر (بحدوث أمر) § (٤) خطة (٥) نبوءة .

forecastle [fōk'səl; fōr'kăs'əl] *(n.)* السَّلُوقيّة : «أ» أعلى مقدَّم المركب . «ب» جزء من مقدَّم السفينة التجارية يبيت فيه النوتية .

forecited [fōr'sī'tĭd] *(adj.)* مذكور آنفاً .

foreclose [fōr klōz'] *(vt.; i.)* (١) يصدّ ؛ يمنع ؛ يعُوق (٢) يستأثر بملكية شيء (٣) يحبس الرهن : يحرم الراهنَ حقّ استرجاع العقار المرهون .

foreclosure [-klō'zhər] *(n.)* حَبْس الرهن (را . المادة السابقة) .

foredate [fōr'dāt'] *(vt.)* =antedate.

foredeck [fōr'-] *(n.)* السطح الأمامي : سطح مقدَّم المركب (مل) .

foredo [fōr dōō'] *(vt.)* =fordo.

foredoom [fōr dōōm'] *(vt.)* يقدِّر ؛ يحكم بقضاء وقَدَر .

forefather [fōr'-] *(n.)* جَدّ ؛ سَلَف .

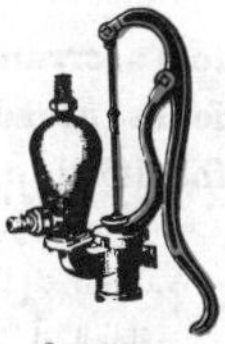

forefeel [fōr fēl'] *(vi.)* يتوقع شراً ؛ يحدثه قلبه بأن . .
forefend [fōr fĕnd'] *(vt.)* = forfend.
forefinger [fōr'-] *(n.)* السبابة : الاصبع التي بين الابهام والوسطى .
forefoot [fōr'-] *(n.)* (١) القائمة الأمامية : إحدى قائمتي الحيوان الأماميتين (٢) الحِجْر الأمامي : الطرف الأمامي لرافدة القص (را. keel).
forefront [fōr'-] *(n.)* صَدْر ؛ مقدَّم ؛ طليعة .
foregather [fōr găth'ər] *(vi.)* = forgather.
forego [-gō'] *(vt.)* (١) يسبق (٢) يمتنع عن (٣) يُضيع (فرصة).
foregoing [fōr gō'-] *(adj.)* سابق (the ~ passage).
foregone [fōr gôn'] *(adj.)* سابق ؛ ماض .
foregone conclusion *(n.)* (١) قرار مُتَّخذ سَلَفاً (٢) نتيجة محتومة .
foreground [fōr'-] *(n.)* (١) الأمامية : أمامية الصورة أو صَدْرها (٢) طليعة .
foregut [fōr'gŭt] *(n.)* البلعوم الأمامي : الجزء الأمامي من القناة الهضمية («أ ج» و«ح») .
forehand [fōr'-] *(adj.; n.)* (١) منجز على نحو تكون فيه راحة اليد مُمالة في اتجاه حركة اليد (a ~ tennis stroke) § (٢) ضربة منجزة على هذا النحو (٣) مقدَّم الفرس : جزؤه الواقع أمام الفارس.
forehanded [fōr'hăn'-] *(adj.)* (١) forehand (٢) مقتصد . (٣) ثري .
forehead [fôr'ĭd; -'hĕd] *(n.)* (١) جبهة ؛ جبين (٢) مقدَّمة ؛ صَدر .
foreign [fôr'ĭn] *(adj.)* (١) أجنبي ؛ غريب (٢) دخيل : غير ذي علاقة بموضوع البحث الخ . (٣) خارجي (~ trade).
foreign bill *(n.)* الحوالة أو الكمبيالة الخارجية (تج) .
foreigner [fôr'ĭn ər] *(n.)* (١) الأجنبي (٢) الغريب (ع) .
foreign exchange *(n.)* (١) المبادلة الخارجية : عملية تسوية الحسابات أو الديون بين أشخاص مقيمين في بلدين مختلفين (٢) عملة أجنبية أو حوالات وسندات تدفع بالعملة الأجنبية .
foreignism [fôr'ĭ-] *(n.)* مصطلح أجنبي (ل) ؛ عادة أجنبية .
foreign minister *or* **secretary** *(n.)* وزير الخارجية .
foreign office *(n.)* وزارة الخارجية .
forejudge [fōr jŭj'] *(vt.)* (١) يطرد أو يحرم بقرار من محكمة (٢) يحكم أو يقضي سَبْقياً (را . prejudge) .
foreknow [fōr nō'] *(vt.)* يعرف مقدَّماً ؛ يعرف الشيء قبل حدوثه .
forelady [fōr'lā dĭ] *(n.)* = forewoman.
foreland [fōr'-] *(n.)* (١) الرأس : لسان من البر داخلٌ في البحر . (٢) أرض أمامية .
foreleg [fōr'-] *(n.)* القائمة الأمامية (من حيوان أو كرسي) .
forelock [fōr'-] *(n.)* الناصية : شَعر مقدَّم الرأس .
foreman [fōr'-] *(n.)* الرجل المقدَّم ، مثل : «أ» رئيس المحلّفين «ب» كبير العمال .
foremast [fōr'-] *(n.)* الصاري الأمامي : الصاري الأشد قرباً إلى مقدَّم المركب .
foremost [fōr'-] *(adj.; adv.)* (١) أوّل ؛ رئيسي § (٢) أولاً ؛ في المقام الأول .
forename [fōr'-] *(n.)* الاسم الأول (الذي يسبق اسم الأسرة) .
forenamed [fōr'nāmd] *(adj.)* مذكور آنفاً .
forenoon [-nōōn'] *(n.)* صدر النهار (من الصباح إلى الظهيرة) .
forensic [fə rĕn'-] *(adj.; n.)* (١) قضائي ؛ شرعي (٢) جدلي ؛ بلاغي § (٣) تمرين جدلي (٤) *pl.* : «أ» فن أو دراسة التناظر الجدلي . «ب» مناظرة .

foreordain [-ôr dān'] *(vt.)* يقضي ؛ يقدِّر (بقضاء وقدَر) .
forepart [fōr'-] *(n.)* (١) مقدَّم الشيء (٢) صَدْر فترة ما .
forepassed *or* **forepast** [fōr'-] *(adj.)* ماض ؛ سالف .
forepeak [fōr'pēk] *(n.)* المخزن الأمامي ؛ مخزن المقدَّم (مل) .
forequarter [fōr'-] *(n.)* الربع الأمامي (من الذبيحة) .
forereach [fōr rēch'] *(vi.; t.)* يسبق ؛ يتقدم في سباق .
forerun [-rŭn'] *(vt.)* (١) يسبق ؛ يتقدم (٢) يؤذن بِ ؛ ينذر بِ .
forerunner [fōr'-] *(n.)* (١) «أ» السابق ؛ الرائد . «ب» البشير ؛ النذير . (٢) جدّ ؛ سَلَف .
foresaid [fōr'sĕd] *(adj.)* مذكور آنفاً (ا. ق) .
foresail [fōr'sāl] *(n.)* الشراع (أو القلع) الأمامي (مل) .
foresee [fōr sē'] *(vt.)* يتنبأ بِ ؛ يتوقع أو يدرك قبل الحدوث .
foreshadow [fōr shăd'ō] *(vt.)* يُؤذِن بِ ؛ ينذر بِ .
foreshore [fōr'shōr] *(n.)* صدر الشاطىء ؛ مقدَّم الشاطىء .
foreshorten [fōr shôr'-] *(vt.)* يقصِّر : يرسم مقصَّراً الخطوط بُغية إبراز الصورة للعين .
foreshow [fōr shō'] *(vt.)* (١) يتنبأ بِ (٢) يؤذن بِ ؛ ينذر بِ .
foreside [fōr'sīd] *(n.)* مقدَّم ، صَدْر .
foresight [-'sīt] *(n.)* (١) بصيرة (٢) حكمة ؛ نظرٌ في العواقب .
foreskin [fōr'-] *(n.)* القُلْفَة ؛ الغُرْلة : جلدة الذكر التي تُقطع في الختان .
forespeak [fōr spēk'] *(vt.)* (١) يتنبأ بِ (٢) يحجز مقدَّماً (حجرة في فندق الخ .)
forest [fôr'ĭst] *(n.; vt.)* (١) غابة ؛ حَرَج § (٢) يُحَرِّج .
forestall [fōr stôl'] *(vt.)* (١) «أ» يُحبط . «ب» يتخذ اجراءات مسبقة (٢) «أ» يدرك مقدَّماً . «ب» يسبق (غيره) إلى عمل (٣) يحتكر .
forester [fōr'ĭs-] *(n.)* (١) الحِراجي : الخبير بعلم الحِراجة . (٢) الحَرّاج : مراقب الأحراج (٣) ساكن الحَرَج (٤) ضرب من العُث .
forestry [fôr'ĭs-] *(n.)* (١) حَرَج ؛ حَرَجة (٢) عِلم الحِراجة .
foretaste [*n.* fōr'tāst; *v.* fōr tāst'] *(n.; vt.)* (١) دلالة مُنذِرة (The air held a ~ of rain.) (٢) «أ» توقع . «ب» تذوق مبدئي أو تجربة سبقية ؛ عينة تعطي فكرة عما سيجيء § (٣) يتوقع .
foretell [-tĕl'] *(vt.)* يتنبأ أو يتكهن بِ . **-er** *(n.)*
forethought [fōr'-] *(n.; adj.)* (١) تعمُّد (٢) تروٍ (٣) تدبّر ؛ نظرٌ في العواقب § (٣) «أ» مدبَّر . «ب» مُرَوّى فيه .
foretime [fōr'tīm] *(n.)* الماضي ؛ الزمن الماضي .
foretoken [*n.* fōr'-; *v.* fōr tō'-] *(n.; vt.)* (١) دلالة منذِرة § (٢) ينذر بِ ؛ يبشّر بِ .
foretop [fōr'-] *(n.)* (١) ناصية ، وبخاصة : ناصية الفرس (٢) منصّة في أعلى الصاري الأمامي (مل) .
fore-topmast [fōr'tŏp'-] *(n.)* الصاري الأمامي الأعلى (مل) .
fore-topsail [fōr'tŏp'-] *(n.)* الشراع الأمامي الأعلى (مل) .
forever [fôr ĕv'ər] *(adv.)* (١) إلى الأبد (٢) دائماً ؛ باستمرار .
forevermore [fôr ĕv'ər mōr'] *(adv.)* = forever.
forewarn [fōr wôrn'] *(vt.)* (١) يُخطِر ؛ يُشعِر مقدَّماً (٢) يحذِّر .
forewoman [fōr'-] *(n.)* (١) رئيسة المحلّفين (٢) كبيرة العاملات .
foreword [fōr'-] *(n.)* كلمة أولى ؛ تصدير ؛ مقدَّمة كتاب .
forfeit [fôr'fĭt] *(n.; vt.; adj.)* (١) غرامة (٢) «أ» فقدان ؛ خُسْران . «ب» مصادرة (٣) رهن (يقدَّم ثم يعاد عند دفع

الغرامة) (٤) لعبة تدفع فيها غرامات §(٥) يَغْرَم: يخسر بسبب خطأ أو جريمة (٦) يصادر (على سبيل التغريم) §(٧) مُصادَر أو عرضة للمصادَرَة.

forfeiture [fôr'fi chər] *(n.)* (١) خُسران؛ فقدان (بسبب خطأ أو جريمة) (٢) مصادرة (بقصد التغريم) (٣) غرامة .

forfend [-fĕnd'] *(vt.)* (١) يمنع (٢) يحمي؛ يصون .

forgather [fôr găth'-] *(vi.)* (١) يجتمع (٢) يلتقي به مصادفة .

forgave [fər gāv'] *past of* forgive.

forge [fōrj] *(n.; vt.; i.)* (١) كِيرُ الحدّاد (٢) دكان الحداد . §(٣) يطرِّق الحديد (٤) «أ» يشكّل؛ يصوغ . «ب» يلفِّق (٥) يزوِّر؛ يزيِّف ×(٦) يعمل في دكان حداد (٧) يجري أو يعدو ببطء واطّراد (٨) يجري بقوّة وسرعة متزايدتين فجأةً .
—forged *(adj.)*

forger [-'ər] *(n.)* (١) الملفِّق، وبخاصة للحكايات (٢) المزوِّر؛ المزيِّف (٣) الحدّاد .

forgery [fōr'jə rĭ] *(n.)* (١) تزوير؛ تزييف (٢) شيء مزوَّر .

forget [fər gĕt'] *(vt.; i.)* (١) ينسى (٢) يتغاضى عن .
to ~ oneself (١) ينكر ذاته (غيرَ مفكّر إلا بمصالح الآخرين) (٢) «أ» يفقد السيطرة على أعصابه . «ب» يفقد وعيه . «ج» يتصرف على نحو غير لائق .

forgetful [-'fəl] *(adj.)* (١) كثير النسيان . (٢) مهمِل (٣) باعث على النسيان .

forget-me-not

forget-me-not [fər gĕt'-] *(n.)* لا تنسَني؛ أُذُن الفأر: نبات ذو زهر أزرق فاتح يعتبَر رمزاً للإخلاص والصداقة .

forgettable [fər gĕt'-] *(adj.)* يُنسَى؛ عُرضة للنسيان .

forging [fōr'jĭng] *(n.)* (١) تطريق المعادن؛ تلفيق؛ تزييف الخ. (٢) شيء مطرَّق الخ.

forgive [fər gĭv'] *(vt.; i.)* (١) يغفر؛ يصفح؛ يعفو (٢) يُعفي من دَين .

forgiveness [-'nĭs] *(n.)* (١) مَغفِرة؛ صَفْح؛ عَفْو (٢) إعفاء (من دَين) .

forgiving [-'ĭng] *(adj.)* (١) غَفور؛ صفوح (٢) مُتَّسِم بالغفران .

forgo [fôr gō'] *(vt.)* (١) يُمسِك أو يمتنع عن (٢) يُضيِّع (فرصة) .

forgot [fər gŏt'] *past; past part. of* forget.

forgotten [-'ən] *past part. of* forget.

forjudge [fôr jŭj'] *(vt.)* = forejudge.

fork [fôrk] *(n.; vi.; t.)* (١) «أ» شوكة الطعام . «ب» مِذراة . (٢) أداة مذرّاة أو مشعّبة كالشوكة الرنّانة الخ. (را. tuning fork) (٣) «أ» تفرع؛ تشعُّب . «ب» مَفرِق طريق . «ج» ملتقى نهرين (٤) فرع؛ شعبة §(٥) يتفرع؛ يتشعّب ×(٦) يشعِّب (٧) يذري بمِذراة (٨) يدفع (مالاً) .

forked; forky [fôr'-] *(adj.)* متفرع؛ مُتَشعِّب؛ مُنْشَعِب .

forklift [fôrk'-] *(n.)* الرافعة المشعّبة: رافعة ذات أصابع فولاذية تُقحَم تحت الحِمْل .

forlorn [fôr lôrn'] *(adj.)* (١) محروم من (٢) مهجور (٣) بائس . (٤) شبه يائس (one final ~ attempt).

forlorn hope *(n.)* (١) جماعة تُختار لأداء مهمة خطِرة (٢) مهمّة يائسة أو شديدة العُسْر .

form [fôrm] *(n.; vt.; i.)* (١) «أ» شكل . «ب» هيئة (٢) صورة . (٣) «أ» مصطلح؛ عُرْف؛ تقليد . «ب» التزام للعرف والتقليد . «ج» صيغة (the ~ of the marriage service in the prayer book) (٤) الانموذج؛ الاستمارة: وثيقة مطبوعة يُملأ فيها الفراغ بالمعلومات المطلوبة (tax ~) (٥) «أ» التمسك بالشكليات (الفارغة). «ب» طريقة أو أسلوب في الأداء وفقاً لمقاييس تقنيّة مقرّرة (٦) «أ» وجار الأرنب الخ . «ب» مقعد خشبي طويل (٧) قالب (٨) أحرف معدّة للطبع ضمن طوق (٩) ضَرْب؛ نوع (١٠) «أ» أسلوب؛ منوال. «ب» شكل أدبي أو فني (The sonnet is a poetical ~.) . «ج» نمط . «د» الشكل (خلاف المضمون) (١١) صفّ مدرسيّ (١٢) قدرة على العمل؛ حالة جسدية أو عقلية ملائمة لأداء عمل ما (في الألعاب الرياضيّة الخ .) (١٣) صيغة لُغويّة §(١٤) «أ» يُشكِّل . «ب» يرتّب؛ ينظِّم (١٥) يكوِّن (فكرةً أو عادةً أو صداقة) (١٦) يؤلّف (عنصراً أساسياً من شيء) (١٧) «أ» يصوغ (في اللغة) . «ب» ينشِئ (جملةً الخ.) ×(١٨) يتشكّل؛ يتخذ شكلاً (١٩) ينشأ؛ يبرز .

-form لاحقة معناها: على شكل كذا (cruci*form*) .

formal [fôr'-] *(adj.)* (١) «أ» أساسي (~ cause) . «ب» شكليّ . (٢) «أ» اصطلاحي؛ عرفيّ. «ب» رسمي (٣) «أ» منهجي؛ متّسِم باحترام شديد للشكل . «ب» متمسك بالشكليات وآداب السلوك (٤) اسمي؛ صُوْري .
— formally *(adv.)*

formaldehyde [-'də hīd] *(n.)* الفورمالديهايد: غاز عديم اللون نافذ الرائحة (ك) .

formalin [fôr'-] *(n.)* الفورمالين: محلول مائي من الفورمالديهايد (ك)

formalism [fôr'mə lĭz əm] *(n.)* الشكلية: التمسُّك الشديد بالأشكال الخارجية (في الدين أو الفن الخ.) .

formalist [fôr'-] *(n.)* الشكلي: شخص ميّال إلى الشكلية (را. المادة السابقة) .

formality [fôr măl'-] *(n.)* (١) الشكلانية؛ الرَّسْمانية: التزامٌ للشكليات أو الرسميات أو احتفال شديد بها (٢) إجراء أو تصرّف شكلي « في القانون أو الحياة الاجتماعية » (والجمع : شكليات) .

formalize [fôr'mə līz] *(vt.)* (١) يشكِّل: يعطي الشيءَ شكلاً معيناً . (٢) يرسِّم: «أ» يجعله رسمياً . «ب» يضفي عليه الصفة الرسمية.

formal logic *(n.)* المنطق الصُّوري؛ المنطق الشكلي .

format [fôr'măt] *(n.)* (١) قَطْع الكتاب وشكله العام (٢) «أ» بنية؛ تصميم . «ب» شكل؛ حجم (a rare stamp of triangular ~).

formation [fôr mā'-] *(n.)* (١) «أ» تشكيل؛ تكوين. «ب» تشكّل؛ تكوّن (٢) شكل (٣) بِنْيَة .

formative [fôr'mə tĭv] *(adj.; n.)* (١) «أ» مشكِّل؛ مكوِّن . «ب» توليدي؛ تصريفيّ: مستخدَم في توليد الألفاظ أو تصريفها (ل) (٢) مولِّد: قادر على إنشاء خلايا أو أنسجة جديدة من طريق الانقسام الخ. (٣) تقويميّ: ذو أثر فعّال في التكوين (~ years) §(٤) حرف أو مقطع مزيد؛ بادئة؛ لاحقة (ل) .

former [fôr'mər] *(adj.; n.)* (١) سالف؛ سابق؛ آنف (٢) أول؛ مذكور أولاً (.Of the two men, I prefer the ~) §(٣) المشكِّل؛ المكوِّن؛ الخالق (.Discipline is a ~ of character) .

formerly [fôr'mər lĭ] *(adv.)* سابقاً؛ في ما مضى .

formfitting [fôrm'-] *(adj.)* منطبق تماماً على مقاييس الجسم .

formic [fôr'mĭk] *(adj.)* نملي؛ نمليك (ك) .

formica [fôr mī'kə] *(n.)* الفورمَيكا: مادة لدائنية صامدة للحرارة تُجعَل صفائح لتلبيس الأثاث .

formic acid *(n.)* حامض النَّمليك؛ حمض الفورميك (ك) .

formicary [fôr'mə-] *(n.)* بيت النمل؛ قرية النمل .

formidable [fôr'mĭ də bəl] *(adj.)* (١) مرعب (٢) هائل .
formless [-'lĭs] *(adj.)* لاشكليّ ، لاصُوريّ : عديم الشكل أو الصورة .
formula [fôr'myə lə] *(n.)* (١) صيغة (٢) «أ» وصفة طبية . «ب» غذاء بديل عن اللبن (لتغذية طفل) (٣) الصيغة («ر» و«ك») .
formularize [fôr'myə-] *(vt.)* = formulate.
formulary [fôr'myə-] *(n.; adj.)* (١) كتاب يحتوي مجموعة صيَغ (دينيةٍ خاصةً) (٢) صيغة (٣) كتاب الوصفات الطبية § (٤) صِيَغيّ .
formulate [fôr'myə lāt] *(vt.)* (١) «أ» يُصَيِّغ : يُفرغ في صيغة . «ب» يستنبط (٢) «أ» يستنبط صيغة لإعداد مادة ما (كالصابون). «ب» يُعِدّ وفقاً لصيغة .
formulation [fôr myə lā'-] *(n.)* (١) التصييغ : افراغ في صيغة . (٢) صيغة.
formulism [fôr'-] *(n.)* الصيَغية : التعلق بالصيَغ أو الاعتماد عليها .
formulization [fôr myə lĭ zā'-] *(n.)* = formulation.
formyl [-'mĭl] *(n.)* (ك) النّمليل ، الفورميل : جَذْر حامض النمليك .
fornicate [fôr'nə kāt] *(vi.)* يزني .
fornicate; -d [fôr'-] *(adj.)* مقوَّس (~ leaves).
fornication [fôr'nə kā'shən] *(n.)* زنا ، فُسوق .
fornix [fôr'-] *(n.)* pl. **-nices** (ت) القَبْوة : تَقَوُّس أو طيّة .
forsake [fôr sāk'] *(vt.)* (١) يتخلّى عن (٢) يهجر ، ينبذ .
forsaken [-sā'kən] *(adj.)* متخلًّى عنه ، مهجور ، منبوذ .
forsook [fôr so͝ok'] *past of* forsake.
forsooth [fôr so͞oth'] *(adv.)* حقاً ، في الواقع .
forswear [-swâr'] *(vt.; i.)* (١) يُنكر بقسَم أو توكيد . × (٢) يُقسِم كاذباً .
forsworn [fôr swōrn'] *(adj.)* = perjured.
forsythia [fôr sĭth'ĭ ə] *(n.)* الفُرْسيثْيّة : شجيرة جرَسية الأزهار من الفصيلة الزيتونية .
fort [fōrt] *(n.; vt.; i.)* (١) حِصن § (٢) يُحَصِّن .
forte [fōrt] *(n.; adv.; adj.)* (١) موطن قوة : كل ميزة يتفوق بها المرء على أقرانه (٢) الجزء الأقوى من السيف ، ما بين منتصفه ومقبضِهِ (٣) الشديد : نغَمٌ يعزف بشدة (مو) § (٤) بشدة (مو) § (٥) شديد (مو) .
forth [fōrth] *(adv.)* فصاعداً (from this day ~).
and so ~, وهلمّ جراً .
forthcoming [-'kŭm'-] *(adj.; n.)* (١) وشيك ، آتٍ قريباً (٢) في المتناوَل (٣) مستعدّ للمساعدة أو لتقديم المعلومات (The girl at the reception desk was not ~.) § (٤) اقتراب ، دنوّ .
forthright *(adj.; adv.)* (١) «أ» مباشِر . «ب» صريح § (٢) بصراحة ، بغير تردد (٣) حالاً ، توّاً (ا.ق).
forthwith [fōrth wĭth'] *(adv.)* حالاً ، توّاً ، على الفور .
fortieth [-'tĭ ĭth] *(adj.; n.)* (١) الأربعون (the ~ day) (٢) بالغٌ جزءاً من اربعين (a ~share of the money) § (٣) جزء من اربعين (one ~ of the total) (٤) العضو الاربعون في سلسلة.
fortification [fôr'tə fə kā'-] *(n.)* (١) تحصين (٢) حِصن .
fortify [fôr'tə fī'] *(vt.; i.)* (١) «أ» يحصِّن . «ب» يقوّي . «ج» يشجع × (٢) يقيم أو ينشىء حصوناً.
— **fortifier** *(n.)*
fortis [-'tĭs] *(adj.)* شديد ، قوي (صفة للحرف الملفوظ).
fortissimo [fôr tĭs'ə mō] *(adj.; adv.; n.)* pl. **-s** أو **-mi** (١) صارخ ، عالٍ جداً (مو) § (٢) على نحو صارخ (مو) § (٣) *pl.* : نغمٌ صارخ (مو).
fortitude [fôr'tə tūd'; -to͞od'] *(n.)* ثبات ، جَلَد .
fortitudinous [-tū'dĭ-] *(adj.)* ثَبْت ، جَلْد ، شجاع .
fortnight [fôrt'nīt] *(n.)* أسبوعان ، ١٤ يوماً .
fortnightly [-lĭ] *(adj.; adv.; n.)* (١) نصف شهري § (٢) مرة كل أسبوعين § (٣) نشرة أو مجلة نصف شهرية .
fortress [fôr'trĭs] *(n.; vt.)* (١) حِصن ، قلعة § (٢) يحصن.
fortuitous [-tū'-] *(adj.)* (١) اتفاقيّ ، تصادفيّ (٢) سعيد ، محظوظ .
fortuitously [fôr tū'-] *(adv.)* اتفاقاً ، مصادفةً ، بالمصادفة .
fortuity [fôr tū'ə tĭ] *(n.)* (١) الاتفاقية ، المُصادَفية : كون الشيء اتفاقياً أو حادثاً بالمصادفة (٢) مصادفة .
fortunate [fôr'chə nĭt] *(adj.)* (١) سعيد (a ~event) (٢) محظوظ .
fortunately [-lĭ] *(adv.)* لحسن الحظ ، من يُمن الطالع .
fortune [fôr'chən] *(n.)* (١) *cap.* أ.ك : الحظ (٢) حظ سعيد ، نجاح (٣) *pl.* عد: المَصاير : ما يصيب المرء في حياته من سُعود ونحوس أو من حظ سعيد وحظ عاثر (His ~ *s* varied.) (٤) نصيب ، قَدَر ، بخت (٥) ثروة .
fortune hunter *(n.)* متصيد الثراء : طالب الثراء وبخاصة من طريق الزواج.
fortune-teller *(n.)* العرّاف ، قارىء البخت .
fortune-telling *(n.; adj.)* (١) العِرافة ، قراءة البخت. § (٢) عرّاف أو عِرافيّ .
forty [fôr'tĭ] *(n.)* pl. **-ties** (١) أربعون (٢) *pl.* : العقد الخامس من العمر أو القرن .
forty-five [fôr tĭ fīv'] *(n.)* (١) خمسة وأربعون (٢) مسدَّس من عيار ٤٥ مم. (٣) ذات الخمس والأربعين دورة : أسطوانة فونوغرافية تدور ٤٥ دورة في الدقيقة .
forty-niner [fôr tĭ nī'nər] *(n.)* أحد المندفعين نحو كاليفورنيا طلباً للذهب عام ١٨٤٩ .
forty winks *(n. pl.)* السِّنَة : نوم قصير وبخاصة في النهار .
forum [fō'rəm] *(n.)* pl. **-s; -ra** (١) «أ» السوق أو الساحة العامة (في مدينة رومانية) . «ب» منتدى عام للمناظرة والنقاش . «ج» منبر (كجريدة أو مجلة) للمناقشة (٢) محكمة (٣) اجتماع أو محاضرة يتميّزان بمناقشة عامة لقضية ما (٤) برنامج إذاعي أو تلفزيوني يناقش فيه عدد من الخبراء قضية عامة .
forward [fôr'wərd] *(adj.; adv.; n.; vt.)* (١) أماميّ (٢) «أ» توّاق ، نزّاع إلى ، مستعدّ . «ب» وقح (٣) مبكّر النضج ، ناضج باكراً (٤) تقدّميّ : منطلق أو مُفْضٍ إلى مركز أمامي (a sudden ~ movement) (٥) متطرف ، راديكاليّ (~statesmen) (٦) مقدمٌ : مقصود به الاستعداد للمستقبل (~ buying) § (٧) إلى أو نحو الأمام أو المقدمة § (٨) لاعب هجوم (في كرة السلة الخ.) § (٩) يعزز ، يقوّي ، يعجّل (١٠) «أ» يرسل ، يبعث . «ب» يشحن.
forwarder [fôr'wər-] *(n.)* (١) فا forward (٢) وكيل شحن.
forwarding [fôr'wər-] *(n.)* (١) مص forward (٢) الشِّحانة : صناعة شاحن السلَع .
forward pass *(n.)* الإمرار الأمامي : إمرار الكرة من لاعب إلى آخر في اتجاه هدف الخصم .
forwards [fôr'wərdz] *(adv.)* = forward.
forzando [fôr tsän'dō] *(adj.; adv.)* = sforzando.
fossa [fŏs'ə] *(n.)* pl. **-e** حُفرة ، نُقرة (ت).
fosse [fôs; fŏs] *(n.)* حفرة ، خندق ، قناة .

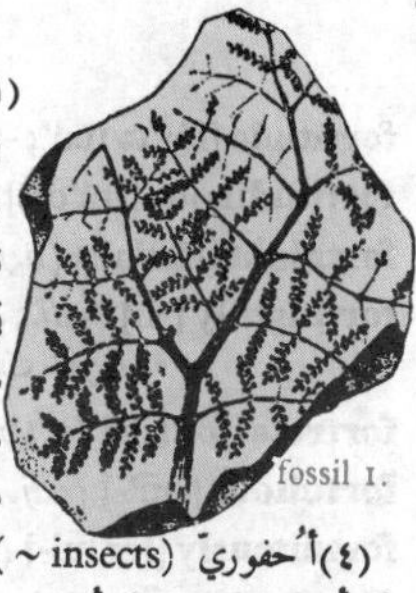

fossil 1.

fossil [fŏs'əl] *(n.; adj.)* (١) الأُحفور (والجمع أحافير)؛ المُستَحاث (والجمع مستحاثات): بقايا حيوان أو نبات من عصر جيولوجي سالف مستحجرةٌ في أديم الأرض (٢) «أ» المستحجر: شخص ذو آراء بالية أو عتيقة. «ب» شيء متحجّر § (٣) حَفَريّ: مستخرج من الأرض بالحَفْر (fuels ~) (٤) أُحفوريّ (insects ~) (٥) متحجّر؛ بالٍ؛ عتيق الزيّ.

fossiliferous [-ə lĭf'-] *(adj.)* ذو أحافير؛ محتوٍ على أحافير.

fossilization *(n.)* (١) تحفير؛ تحجير (٢) استحفار؛ استحجار؛ تحجر.

fossilize [fŏs'ə-] *(vt.; i.)* (١) يُحفِّر؛ يُحجِّر × (٢) يستحفر؛ يتحجر.

foster [fôs'-] *(vt.)* (١) «أ» يُرضِع؛ يُنشِّئ؛ يربّي. «ب» يَرعى. (٢) «أ» يعزّز؛ يشجّع. «ب» cherish.

fosterage [-'tər ĭj] *(n.)* (١) إرضاع؛ تربية الخ. (٢) تعزيز؛ تشجيع الخ.

foster brother *(n.)* أخٌ بالرّضاع أو التربية.

foster child *or* **son** *(n.)* الرّبيب: ابنٌ بالرضاع أو التربية.

foster father *(n.)* أبٌ بالتربية أو التنشئة.

fosterling [fôs'tər-] *(n.)* = foster child.

foster mother *(n.)* أمٌّ بالإرضاع أو التنشئة.

foster sister *(n.)* أختٌ بالرّضاع أو التربية.

fought [fôt] *past; past part. of* fight.

foul [foul] *(adj.; n.; adv.; vi.; t.)* (١) «أ» كريه. «ب» قذِر. «ج» فاسد؛ عفِن (٢) موحِل (٣) شنيع؛ شرير (٤) فاحش؛ داعر؛ بذيء (٥) «أ» ممطر؛ عاصف (weather ~). «ب» معاكس؛ غير موات (wind ~). «ج» قاسٍ؛ خشن؛ عنيف (War is a ~ game.) (٦) بشع (عب) (٧) «أ» غادِر؛ غير شريف (means ~). «ب» مخالف لقواعد اللعبة (٨) «أ» مثقل بالتعديلات (a ~ manuscript). «ب» مشحون بالأخطاء المطبعية (a ~ proof) (٩) شبه مسدود بمواد غريبة (a ~ chimney) (١٠) ملوّث (water ~) (١١) متشابك؛ معقّد؛ معَوق عن الحركة (a ~ fishline) § (١٢) تشابكٌ؛ تعقّد الخ. (مل) (١٣) «أ» مخالفة لقواعد اللعبة. «ب» ضربة أو رمية غير قانونية (رب) § (١٤) على نحو كَريه أو قذِر أو غادر أو مُخالف لقواعد اللعبة الخ. § (١٥) يَفسُد؛ ينتن؛ يتلوّث الخ. (١٦) ينسدّ بمواد غريبة (١٧) يتشابك؛ يتعقّد؛ يُعاق عن الحركة (١٨) يخالف قواعد اللعبة × (١٩) يُفسِد؛ يلوّث (٢٠) يَسُدّ (بمواد غريبة) (٢١) يعوق (٢٢) يلطّخ السمعة. — **foully** *(adv.)*

foulard [fōō lärd'] *(n.)* الفُولار: «أ» نسيج حريري مطبّع. «ب» وشاح أو رداء الخ. مصنوع منه.

foulmouthed [foul'mouthd'] *(adj.)* بذيء اللسان.

foulness [-'nĭs] *(n.)* (١) نَتَن؛ قذارة؛ تلوّث؛ بذاءة الخ. (٢) قذر.

foul play *(n.)* سلوك غير أخلاقي؛ وبخاصة: عنف.

found [found] *past; past part. of* find.

found [found] *(n.; vt.)* (١) طعام ومبيت بالمجان بالاضافة إلى الراتب § (٢) يؤسّس؛ ينشئ (٣) يسبك (المعادن).

foundation [foun dā'-] *(n.)* (١) تأسيس (٢) أساس؛ قاعدة (٣) «أ» مال موقوف (لتأمين نفقات مؤسّسة ما بشكل دائم). «ب» مؤسّسة وقفية (٤) مِشدّ؛ «كورسيه».

founder [foun'dər] *(n.; vi.; t.)* (١) المنشئ؛ المؤسّس. (٢) عرَج (للفرس خاصةً) (٣) سبّاك المعادن § (٤) يصاب (الفرس) بالعرج (٥) ينهار (٦) يَغرق (٧) يُخفق × (٨) يُغرق (٩) يصيب الفرسَ بالعرج.

founderous [foun'-] *or* **foundrous** *(adj.)* سَبِخ؛ مستنقعي.

foundling [found'lĭng] *(n.)* لقيط؛ طفلٌ لقيط.

foundry [foun'-] *(n.)* (١) «أ» سبْك المعادن. «ب» مسبوكات. (٢) مَسبَك.

fount [fount] *(n.)* (١) ينبوع؛ معين (٢) طقم حروف مطبعية.

fountain [foun'tən] *(n.)* (١) ينبوع (٢) مصدر (٣) «أ» نافورة. «ب» سبيل للشرب. «ج» فِسقية؛ حوض ينبجس منه ماء النافورة أو السبيل (٤) خزّان.

fountainhead [foun'tən-] *(n.)* (١) منبع (٢) مصدر رئيسي.

fountain pen *(n.)* المدّاد: قلم حبر.

four [fōr] *(n.)* (١) أربعة؛ أربع (٢) الرابع في سلسلة أو مجموعة. to be, go, *or* run on all ~*s* يحبو على الأربع.

four-cycle [fōr'-] *(adj.)* رباعيّ الدورة (a ~ engine).

four-dimensional [fōr'dĭ mĕn'shən əl] *(adj.)* رباعيّ الأبعاد.

four flush *(n.)* أربع ورقات من منظومة واحدة من أصل خمس (في البوكر).

four-flush [fōr'flŭsh] *(vi.)* يخدع؛ يبلف (وبخاصة في البوكر).

fourfold [fōr'fōld] *(adj.; adv.)* (١) رباعيّ (٢) أكبر بأربعة أضعاف (a ~ increase) § (٣) أربعةَ أضعاف (increased ~).

four-footed [fōr'fōōt'ĭd] *(adj.)* رباعي الأقدام؛ من ذوات الأربع.

fourgon [fōōr gôn'] *(F.)* الفُرْجون: عربة لنقل الأمتعة.

four-handed [fōr'hăn'dĭd] *(adj.)* (١) رباعيّ الأيدي (٢) مُعَدّ لأربع أيدٍ (كقطعة موسيقية على البيان) (٣) مُعَدّ لأربعة لاعبين (كبعض ألعاب الورق).

four-in-hand [fōr'ĭn hănd] *(n.)* (١) «أ» أربعة أفراس يسوقها شخص واحد. «ب» عربة ذات أفراس أربعة (٢) رباط رقبة طويل بعُقَد عقدةً منزلقة.

four-o'clock [fōr'ə klŏk] *(n.)* شبّ الليل: نبات تتفتح أزهاره قبيل المغيب.

four-poster

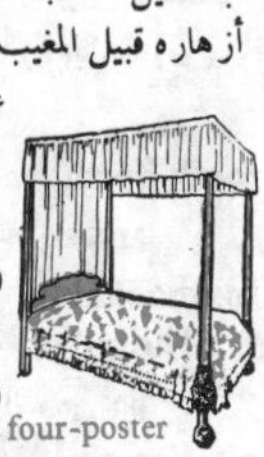

four-poster [fōr'pōs'-] *(n.)* عالي القوائم: سرير ذو أربع قوائم عالية معَدّة لتحمل ظُلّة أو ستائر.

fourscore [-'skōr'] *(adj.; n.)* (١) بالغٌ الثمانين § (٢) ثمانون.

foursome [-'səm] *(n.)* (١) الرباعيّ: مجموعة من أربعة أشخاص أو أشياء (٢) مباراة بين أربعة يؤلف كل اثنين منهم فريقاً.

foursquare [-'skwâr'] *(adj.)* (١) مربّع (٢) صُلب؛ عنيد. (٣) صريح.

fourteen [fōr'tēn'] *(n.)* أربعة عشر؛ أربع عشرة.

fourteenth [fōr'tēnth'] *(adj.; n.)* (١) الرابع عشر (the ~ day) (٢) بالغ جزءاً من ١٤ من كذا (a ~ share of the money) § (٣) الرابع عشر من كذا (the ~ of the month) (٤) جزء من اربعة عشر (a ~ of the total).

fourth [fōrth] *(adj.; n.)* (١) رابع (the ~ day) (٢) بالغٌ ربعَ كذا (a ~ share of the money) § (٣) الرابع من كذا (the ~ of the month) (٤) ربع (one ~ of the total).

fourth dimension *(n.)* البعد الرابع .

fourth estate *(n.)* الطبقة الرابعة : الصحافة .

fourthly [fōrth'lĭ] *(adv.)* رابعاً .

four-wheel [fōr'hwēl'] *(adj.)* رباعيّ العجلات أو الدواليب .

four-wheeler *(n.)* رباعية العجلات : عربة ذات أربعة دواليب .

fovea [fō'vĭ ə] *(n.)* pl. **-e** نُقْرة ، حُفَيْرة (أح) .

fowl [foul] *(n.; vi.)* (١) طَيْر من أيّ نوع (٢) ديك ، دجاجة . (٣) لحم الدجاج §(٤) يصطاد الطيور .

fowling piece *(n.)* بندقية خفيفة (لصيد الطيور) .

fox [fŏks] *(n.; vt.)* (١) «أ» ثعلب . «ب» جِلْد ثعلب (٢) شخص ماكر (٣).cap: هنديّ أحمر §(٤)«أ» يخدع ، يمكر . «ب» يربك (٥) يصلح (حذاءً) بتجديد جزئه الأعلى .

fox

foxed *(adj.)* أبقع : مُلَطَّخ ببُقَع سمراء مصفرّة .

foxglove [-'glŭv] *(n.)* قُفّاز الثعلب ؛ القِمَعيّة الأرجوانية (نب) .

foxglove

fox grape *(n.)* عنب الثعلب (نب) .

foxhole [-'hōl] *(n.)* حُفْرة المناوش : حفرة يتقي بها الجنديّ نار العدوّ .

foxhound [-'hound] *(n.)* صائد الثعالب : كلب ضخم يُصطنع في صيد الثعالب .

foxtail lily *(n.)* الذّنَبية ، أراموروس ، ذيل الثعلب (نب) .

fox terrier *(n.)* تِرْيَر الثعالب : كلب صغير من كلاب الصيد .

fox-trot [fŏks'-] *(n.; vi.)* (١) خطوة الثعلب : «أ» ضرب بطيء من عدْو الفرس . «ب» رقصة «الفوكسترَوت» §(٢) يرقص الفوكسترَوت .

foxy [fŏk'sĭ] *(adj.)* (١) «أ» ماكر . «ب» بارع (٢) ثعلبيّ اللون : أسمر ضارب إلى الصفرة أو الحمرة (٣) أبقع : ملطّخ ببقع سمراء مصفرة . **—foxily** *(adv.)* **—foxiness** *(n.)*

foyer [foi'ər; fwä yĕ'] *(F.)* ردْهة ، بهو .

Fra [frä] *(n.)* الأخ : لقبٌ لراهب إيطاليّ بخاصة .

fracas [frā'kəs; frăk'ä] *(n.)* مشاجرة ، شِجار .

fraction [frăk'-] *(n.)* (١) كَسْر (ر) (٢) كِسْرة ، جزء .

fractional [frăk'shən əl] *(adj.)* (١) «أ» كَسْريّ . «ب» جزئيّ (٢) ضئيل ، تافه (٣) استقطاري ، تفاضليّ (ك) .

fractional currency *(n.)* النقد الكَسْريّ : أوراق نقدية قيمة كلٍّ منها أقلّ من الوحدة النقدية الأساسية .

fractionalize [frăk'-] *(vt.)* يجزّىء ، يقسم إلى أجزاء .

fractionate [-'shə nāt] *(vt.)* (١) يجزّىء (٢) يقطّر تفاضلياً (ك) .

fractious [-'shəs] *(adj.)* (١) عنيد ، شَموس (٢) نَكِد ، شكس .

fracture [frăk'chər] *(n.; vt.; i.)* (١) «أ» كَسْر أو انكسار (العظم خاصةً) . «ب» تمزّق النسيج الليّن (٢) نتيجة الكَسْر أو التمزيق : كَسْر ، مزْق (٣) شقّ (في سطح معدن) §(٤) يكسر ، يمزّق ×(٥) ينكسر ، يتمزّق .

fragile [frăj'əl] *(adj.)* (١) قَصِم ، هَشّ ، سهل المَكْسر . (٢) ضعيف ، رقيق (٣) قصير ، سريع الزوال .

fragment [frăg'-] *(n.; vt.; i.)* (١) شَظية ، كِسْرة ، جزء . §(٢) يُشظّي ×(٣) يتشظّى .

fragmental [frăg mĕn'təl] *(adj.)* = fragmentary.

fragmentary [frăg'-] *(adj.)* شظويّ ، كِسْريّ : مؤلف من شظايا أو كِسَر .

fragmentate; fragmentize *(vt.; i.)* يُشظّي أو يتشظّى .

fragrance [frā'grəns] *(n.)* شذا ، أرَج ، عبير .

fragrant [frā'-] *(adj.)* أرِج ، عَطِر ، ذو عبير .

frail [frāl] *(n.; adj.)* (١) سلّة ، زنبيل §(٢) سهل الانقياد (نحو الاثم) (٣) قصِم ، سهل المكسَر (٤) «أ» ضعيف . «ب» ضئيل .

frailty [-'tĭ] *(n.)* (١) «أ» قصامة ، هشاشة . «ب» سهولة الانقياد (نحو الاثم) (٢) ضَعْف (٣) زلّة (ناشئة عن ضعف خُلقي) .

fraise [frāz] *(n.)* الحَسيكة : أوتاد مستدقة الأطراف تُغْرَز في المتاريس على نحو أفقيّ أو مائل .

frambesia [frăm bē'zhə] *(n.)* = yaws.

frame [frām] *(vt.; n.; adj.)* (١) «أ» يضع ، يستنبط . «ب» يصوغ ، يُفرغ في قالب . «ج» يشكّل ، يصنع ، ينشىء . «د» يبتدع ، يبتكر . «هـ» يضع مسوّدة (قانون أو دستور) . «و» يتخيّل ، يتصور (٢) يكيّف ، يعدّل ، ينظّم (٣) يركّب (أجزاء هيكل ما) (٤) يؤطّر : يحيط بإطار (٥) «أ» يلفق (تهمةً ضد فلان) . «ب» يزيّف : يرتّب مقدّماً (مسابقةً ما) بحيث تجيء نتائجها وفق رغباته (The wrestling matches were ~d.) § (٦) «أ» جسد . «ب» هيكل . «ج» قفص ، حاضن ، مِنْصَب ، قاعدة . «د» ماكينة محاطة بقفص أو قائمة على مِنْصب أو قاعدة (a spinning ~) (٧) مزاج ، حالة نفسية (an unhappy ~ of mind) (٨) إطار (٩) المادة أو المساحة المطوّقة بإطار ، مثل : «أ» نبذة صحفية منشورة ضمن إطار . «ب» صورة من صُوَر فيلم سينمائي . «ج» صورة كاملة مُرْسَلة تلفزيونياً . «د» حادثة أو أحداث تشكل خلفية «العمل» (را. action) في رواية أو مسرحية §(١٠) خشبيّ الهيكل (houses~) .

frame-up [-'ŭp] *(n.)* مكيدة (وبخاصة لاتّهام شخص بريء) .

framework [-'wûrk] *(n.)* (١) هيكل (of a ship ~) (٢) بِنية ، نظام (٣) نطاق ، إطار (٤) أغصانُ الشجرة الرئيسيةُ .

framing [frā'mĭng] *(n.)* = frame; framework.

franc [frăngk] *(n.)* الفرنك : وحدة النقد الفرنسية والسويسرية الخ .

franchise [frăn'chīz] *(n.)* (١) إعفاء (من عبء أو تكليف معيّن) (٢) امتياز (تمنحه الحكومة لشخص أو شركة) (٣) حق دستوريّ ، وبخاصة : حق الانتخاب .

Franciscan [frăn sĭs'-] *(adj.; n.)* (١) فرنسيسكانيّ §(٢) راهب فرنسيسكاني .

francium [frăn'-] *(n.)* الفرنسيوم : عنصر إشعاعي النشاط (ك) .

Franco- بادئة معناها : فرنسي (*Franco*-American) .

francolin [frăng'kə lĭn] *(n.)* الدرّاج : طائر كالحجل .

Francophile [-'kə fīl] *or* **Francophil** [-fĭl] *(adj.; n.)* (١) محبٌّ لفرنسة أو للثقافة الفرنسية §(٢) شخص محب لفرنسة الخ .

Francophobe [frăng'-] *(adj.; n.)* خائف من فرنسة أو مبغِض لها .

franc-tireur [frän tē rœr'] *(F.)* جندي أو قنّاص متطوع .

frangible [frăn'-] *(adj.)* قصِم ، قابل للكَسْر .

frank [frăngk] *(adj.; vt.; n.)* (١) صريح (٢) واضح سريرياً ؛ لا لَبْس فيه (anemia ~) § (٣) «أ» يدمغ رسالةً الخ . بتوقيع (أو علامة رسمية) يُشير إلى حق المُرسل في الافادة من خدمات البريد مجاناً . «ب» يرسل بالبريد مجاناً . «ج» يلصق طابعاً (أو علامة) يفيد أن أجر البريد مدفوع (٤) يجيز له المرور بحرية أو سهولة (٥) يُعْفي من §(٦) «أ» توقيع (أو علامة) على الرسالة الخ . يقوم مقام طابع البريد . «ب» رسالة الخ . موقّعة أو معلّمة على هذا النحو (٧) حقّ الارسال المجاني بالبريد .

Frank [frăngk] *(n.)* (١) الفرنْكيّ : واحد الفرنكيين وهم

ă at; ā date; â care; ä car; ĕ egg; ē me; ĭ in; ī bite; ŏ lot; ō bone; ô orphan; oi boil oo good; ōō boot; ou out; ŭ under; ū unity; û urgent; th thing; th this; zh vision; ə = *a* in alone, *e* in system, *i* in easily, *o* in gallop, *u* in circus.

قبائل جرمانية احتلت فرنسة في القرن السادس ب.م. (٢) الافرنجيّ: واحد الفرنجة أي الأوروبيين (عند الاغريق والعرب).

Frankenstein [-'ən stīn] *(n.)* (١) فرانكنشتاين: بطل رواية شهيرة يُلِمّ به الخراب على يد مارد خلقه هو بنفسه (٢) عمل أو وسيلة يسببان هلاك مبدعهما (٣) ماردٌ في صورة إنسان.

frankfurter [-'fər tər] *or* **frankforter** *or* **frankfurt** *or* **frankfort** *(n.)* لقانق أو مقانق فرنكفورت.

frankincense [frăngk'ĭn sĕns] *(n.)* لُبان؛ بَخور.

Frankish [frăngk'ĭsh] *(adj.; n.)* (١) فرَنكيّ؛ فرنجيّ: منسوب إلى الفرنكيين أو الفرنجة (را. Frank) § (٢) الفرَنكية: لغة الفرنكيين.

franklin [frăngk'lĭn] *(n.)* الفرانكلين: مالك أرض انكليزي (في العصر الوسيط) غير نبيل المحتد.

franklinite [frăngk'lĭ nīt] *(n.)* الفرانكلينيت (مع).

Franklin stove *(n.)* مَوْقِد فرانكلين.

frankly [-'lĭ] *(adv.)* (١) بصراحة (٢) حقاً؛ في الواقع؛ بلا ريب.

frantic [frăn'tĭk] *(adj.)* مسعور؛ شديد الاهتياج.

frantically; franticly [frăn'-] *(adv.)* بسُعْر؛ باهتياج شديد.

frap [frăp] *(vt.)* (١) يوثّق؛ يُحكِم الربط (٢) يضرب (ع).

frappé [fră pā'] *(adj.; n.)* (١) مثلوج § (٢) مزيج أو شراب مثلوج.

fraternal [frə tûr'nəl] *(adj.)* (١) أخويّ (٢) وديّ.

fraternity [frə tûr'nə tĭ] *(n.)* (١) الأخويّة: جماعة منظّمة لغرض مشترك (٢) جمعية (٣) إخاء؛ أخوّة.

fraternize [frăt'ər nīz] *(vi.)* (١) يتآخى أو يتصادق مع (٢) يختلط اختلاطاً ودياً (مع جماعة معادية وبخاصة إذا كان في ذلك مخالفة للأوامر العسكرية) (٣) يتحلّى بروح ودية.

fratricide [frăt'rə sīd] *(n.)* (١) قاتل أخيه أو أخته (٢) قتل الأخ أو الأخت.
—fratricidal *(adj.)*

Frau [frou] *(G.)* pl. **-en** (١) سيّدة (٢) زوجة.

fraud [frôd] *(n.)* (١) «أ» خِداع؛ احتيال. «ب» حيلة (٢) «أ» الدجّال. «ب» المُخادع؛ المحتال.

fraudulence *or* **fraudulency** [frô'jə-] *(n.)* خداع؛ احتيال.

fraudulent [frô'jə-] *(adj.)* (١) مخادع؛ محتال (٢) احتيالي.

fraught [frôt] *(adj.)* مملوء؛ مشحون؛ مُفعَم؛ محفوف بـِ.

fräulein [froi'līn] *(G.)* (١) آنسة (٢) مربية خصوصية.

fraxinella [frăk sə nĕl'ə] *(n.)* الدُّرَيْدار: عشب مُزْهِر.

fray [frā] *(n.; vt.; i.)* (١) «أ» مشاجرة؛ شجار. «ب» نزاع. «ج» مناظرة (٢) موضع منتَسِل أو بالٍ (من نسيج) § (٣) «أ» يبلي (حاشيةَ ثوب) بالحَكّ. «ب» يَنْسِل الخيوطَ (من حاشية ثوب) (٤) يُنهك؛ يثير × (٥) يَبلى؛ يتهرّأ.

frazzle [frăz'əl] *(vt.; i.; n.)* (١) يُبْلي؛ يُهرّىء (٢) يُنهك؛ يثير (٣) يُقلِق؛ يزعج إزعاجاً شديداً × (٤) يَبْلى؛ يتهرأ § (٥) بِلًى؛ تهرّؤ (٦) «أ» حاشية ثوب متهرئة. «ب» ارهاق عصبيّ.

freak [frēk] *(n.; adj.; vt.)* (١) نَزْوة؛ هوىً (٢) الفلتة: شيء استثنائي أو غير سويّ إلى حد بعيد؛ وبخاصة: شخص عجيب الخلقة يُعْرَض على الأنظار في سيْرك § (٣) استثنائي؛ غريب § (٤) يخطّط؛ يلوّن بخطوط.

freakish [frē'-] *(adj.)* (١) ذو نزوات (٢) غريب؛ عجيب.

freaky [frē'kĭ] *(adj.)* = freakish.

freckle [frĕk'əl] *(n.; vt.; i.)* (١) نَمَش؛ كَلَف § (٢) ينمّش؛ يُبقّع × (٣) يتنمّش.

free [frē] *(adj.; adv.; vt.)* (١) حرّ: «أ» متمتع بحقوق المواطن الشرعية والسياسية. «ب» متمتع بالاستقلال السياسي؛ مستقلّ. «ج» معتمد على نفسه (٢) «أ» حرّ الارادة. «ب» اراديّ؛ اختياريّ (~ actions). «ج» تلقائي (~ consent) (٣) «أ» متحرر من. «ب» مطلَق السراح (٤) حرّ: «أ» غير خاضع لقيود تجارية (~ port). «ب» غير خاضع لرقابة حكومية (~ economy) (٥) «أ» غير مشغول بعمل ما. «ب» مُعْفىً من الضريبة (٦) مُطلَق؛ غير مقيّد (٧) سالك (a ~ highway) (٨) طليق (to get one's arm ~) (٩) «أ» سخيّ (~ spending). «ب» صريح. «ج» غير متحفّظ. «د» خليع؛ فاسق (١٠) مجاني (a ~ gift) (١١) رشيق (a ~ step) (١٢) غير متصل أو متماسّ مع شيء آخر (a ~ surface) (١٣) غير مُتّحِد كيميائياً (~ oxygen) (١٤) «أ» غير حرْفيّ أو دقيق؛ بتصرف (~ translation). «ب» حرّ: غير مقيّد بالأشكال التقليدية (~ verse) (١٥) ملائم؛ مؤاتٍ (~ wind) (١٦) غير مُبيح للاسترقاق (a ~ state) (١٧) خِلْوٌ من (a night ~ from terrors) § (١٨) بحرّية؛ من غير قيد الخ. (١٩) مجاناً (admitted ~) § (٢٠) «أ» يحرر؛ يطلق. «ب» يُعفي من. «ج» يحل؛ يفك.
—freely *(adv.)*
~ and easy متميّز برفع الكُلْفة (مع الآخرين).

free alongside ship *or* **vessel** *(adv.; adj.)* مُسَلَّماً أو مُسلَّمٌ في رصيف ميناء التصدير (تج).

freeboard [frē'-] *(n.)* (١) الجزء الطافي من السفينة (٢) المسافة ما بين سطح الأرض ومَحْمِل السيارة (را. undercarriage).

freeboot [frē'bōōt'] *(vi.)* يقطع الطريق؛ يتقرصن.

freebooter [-'bōō tər] *(n.)* قاطع الطريق؛ القرصان.

freeborn [frē'-] *(adj.)* حُرّ المولد؛ مولود حراً (لا عبداً).

freedman [frēd'-] *(n.)* العتيق: العبد المُعْتَق أو المحرَّر.

freedom [frē'dəm] *(n.)* (١) «أ» حرية. «ب» استقلال. «ج» تحرّر من. «د» سهولة؛ طلاقة (able to speak French with ~). «هـ» صراحة. «ز» رفع الكلفة (مع الآخرين). «ح» حق الاستخدام غير المقيّد (gave his friend the ~ of the house) (٢) «أ» حق سياسي. «ب» حق.

free-for-all [frē'fər ôl] *(n.; adj.)* (١) مناقشة أو مشاجرة عامة § (٢) عام: مفتوح في وجه الجميع (a ~ discussion).

freehand [frē'-] *(adj.; n.)* (١) يدوي (~ drawing) § (٢) حرية التصرف.

freehanded [frē'hăn'dĭd] *(adj.)* سخيّ؛ كريم؛ جواد.

freehearted [frē'här'-] *(adj.)* (١) صريح؛ غير متحفّظ (٢) سخيّ.

freehold [frē'hōld] *(n.)* (١) التملّك الحرّ: امتلاك مُطْلَق لأرض ما (٢) أرض حرّة (أي ممتلكة امتلاكاً مطلقاً).

free lance *(n.)* الرمح الطليق: «أ» جندي أو فارس من المرتزقة. «ب» شخص يعمل على مسؤوليته (من غير ارتباط بشركة أو صاحب عمل). «ج» كاتب يمدّ المجلات والصحف بِنِتاج قلمه من غير أن يكون محرراً رسمياً فيها.

free-lance *(adj.)* طليق؛ مستقلّ (a ~ writer).

free-lance *(vi.; t.)* (١) يعمل بوصفه «رمحاً طليقاً»: يستقلّ (spent 5 years on the *Times*, until 1950, when he left to ~) × (٢) يعرض أو يكتب للنشر على طريقة المحررين غير الرسميين (She *free-lanced* pieces for British publications.)

free-liver *(n.)* المسرف في إشباع شهواته.

free-living *(adj.)* مُتّسِم بالاسراف في إشباع الشهوات.

free love *(n.)* الحبّ الطليق: الاتصال الجنسي أو العيش عيشَ

الأزواج من غير عقد شرعي .

freeman [frē'-] *(n.)* الرجل الحرّ : (١) شخص متمتّع بالحرية المدنية أو السياسية (٢) شخص متمتع بحقوق المواطن كاملةً .

Freemason [-'mā sən] *(n.)* البنّاء الحرّ : الماسوني .

freemasonry [frē'-] *(n.)* (١) *cap.* : الماسونية (٢) تعاطف ؛ مشاركة وجدانيّة .

freeness [frē'nĭs] *(n.)* = freedom.

free of charge *(adv.)* مجاناً ؛ بلا مقابل .

free on board *(adv.; adj.)* مُسلَّماً أو مُسلَّم على ظهر الباخرة (تج) .

free port *(n.)* الميناء الحرّ : ميناء حرّ لا تُتقاضى فيه رسوم جمركية .

freer [frē'ər] *(n.)* المحرِّر ؛ المُعتِق (للأرقّاء) .

freesia [frē'zhĭ ə] *(n.)* الفريزيّة : عشب أحمر الزهر أو أبيضه أو أصفره (نب).

free soil *(n.)* الأرض الحرّة : منطقة محرَّمٌ فيها الاسترقاق .

free-soil [frē'-] *(adj.)* حُرّ : لا استرقاق فيه (~ states) .

free-spoken [frē'spō'-] *(adj.)* مُصارِح : مُفْضٍ بآرائه بحريّة .

freestone [frē'-] *(n.)* (١) الحَجَر السَّلْس : حجر قابل للقَطْع بسهولة (٢) «أ» النواة المتحرِّرة : نواة غير ملتصقة بلبّ الثمرة . «ب» ثمرةٌ متحررة النواة .

freethinker [frē'thĭngk'ər] *(n.)* الحرّ الفكر ، وبخاصة : الملحد .

free trade *(n.)* التجارة الحرة ؛ حرية التجارة .

free verse *(n.)* الشعر الحر (المتحرر من الوزن والقافية) .

freeway [frē'wā] *(n.)* الطريق الحرة ؛ الطريق اللاحب .

freewheel *(n.; vi.)* (١) العجلة المطلقة (ملث) §(٢) ينطلق أو يحيا بحرية .

free will *(n.)* حرية الارادة .

freewill [frē'wĭl'] *(adj.)* طَوْعيّ ؛ اختياريّ ؛ إراديّ .

freeze [frēz] *(vi.; t.; n.)* (١) يتجمّد ؛ يتجلّد ؛ يصبح جليداً . (٢) «أ» يستشعر برداً شديداً . «ب» يسلك (مع الآخرين) سلوكاً رسمياً بارداً (٣) ينسدّ (الأنبوب) بالجليد (٤) يَجْمُد ؛ ينقطع عن الحركة ؛ وبخاصة : يصبح غير قادر على العمل أو الكلام ×(٥) «أ» يجمِّد . «ب» يجلِّد (٦) «أ» يبرِّد تبريداً شديداً . «ب» يعامل (شخصاً) ببرودة أو جفاء (٧) «أ» يُفسد (شيئاً) بالصقيع . «ب» يخدِّر بالبرد (٨) يجمِّد القروض المصرفية الخ . §(٩) صقيع (١٠) تجميد (١١) تجمُّد .

freeze-dry [frēz'-] *(vt.)* يجفِّف (شيئاً) بحالة متجمِّدة لحفظه .

freezer [frē'-] *(n.)* المجمِّد ؛ وبخاصة : حجرة التجميد (في ثلاّجة) .

freezing point *(n.)* نقطة التجمّد (صفر م. أو ٣٢ ف.) .

free zone *(n.)* المنطقة الحرة (في مرفأ) .

freight [frāt] *(n.; vt.)* (١) رسم أو أجرة الشحن (٢) «أ» شحنة ؛ حمولة . «ب» حِمْل ؛ عبء (٣) «أ» شَحْن . «ب» قطار شحن §(٤) يحمِّل بالبضائع المعدّة للشحن (٥) يُثقِل (٦) يشحن .

freightage [frā'tĭj] *(n.)* = freight.

freighter [frā'-] *(n.)* (١) الشاحن (٢) الشاحنة (سفينة كانت أو طائرة) .

fremitus [frĕm'-] *(n.)* الرَّفيف : خفقان الصدر أثناء الكلام (ط) .

French [frĕnch] *(adj.; n.)* (١) فرنسي §(٢) اللغة الفرنسية . (٣) الشعب الفرنسي .
—**Frenchman** *(n.)*
—**Frenchwoman** *(n.)*

French Canadian *(n.)* الكنديّ الفرنسيّ : أحد أبناء كندا الفرنسيّي الأصل .

French chalk *(n.)* الطبشور الفرنسي (لرسم الخطوط على القماش وإزالة البقع الدهنية في عمليات التنظيف الجافّ) .

French dressing *(n.)* المَرَق الفرنسي : مَرَق للسلَطة مؤلف من زيت وخلّ وملح وتوابل وخردل الخ .

French fry *(vt.; n.)* (١) يَقلي شرائحَ البطاطس بالدهن . §(٢) *pl.* عد : شريحة بطاطس مقلية بالدهن .

French heel *(n.)* العَقِب الفرنسي : عَقِبٌ عالٍ معقوف عادةً (لِحذاء نسويّ) .

French horn *(n.)* البوق الفرنسي (مو).

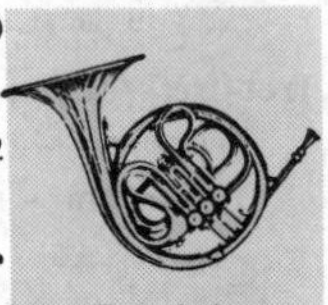

French horn

Frenchification *(n.)* (١) فَرْنَسَة . (٢) تفرنُس .

Frenchify [frĕn'chə fī] *(vt.)* يُفَرْنِس : يجعله فرنسياً .

French leave *(n.)* مُضيّ من غير استئذان ؛ انصراف سري أو عاجل .

French letter *(n.)* الغِمد العازل : غلاف للوقاية من الأمراض التناسلية أو لمنع الحمل .

frenetic [frə nĕt'ĭk] *(adj.)* = frenzied.

frenum [frē'-] *(n.)* pl. **-s** *or* **frena** قيْد ؛ لجام (ت) .

frenzied [frĕn'zĭd] *(adj.)* مسعور : شديد الاهتياج .

frenzy [frĕn'zĭ] *(n.; vt.)* (١) سُعْر ؛ جنون موقّت (٢) نوبة (a ~ of grief, despair, *or* joy) §(٣) يُسعِر ؛ يُخبِّل .

frequence [frē'kwəns] *(n.)* = frequency.

frequency [frē'kwən-] *(n.)* (١) تكرُّر (٢) التواتر (ر) (٣) التردّد (فز) .

frequency distribution *(n.)* توزيع التواتر (احص) .

frequency modulation *(n.)* تضمين التردد (رد) .

frequent [*adj.* frē'kwənt; *v.* frĭ kwĕnt'] *(adj.; vt.)* (١) مألوف (a ~ practice) (٢) «أ» متكرر الحدوث «في فترات قصيرة» (~ trips) . «ب» متكرر الوجود «على مسافات صغيرة» (a coast with ~ lighthouses) (٣) دائم ؛ معتاد (a ~ guest) §(٤) «أ» يألَف (مكاناً) . «ب» يتردد أو يختلف إلى مكان ما .

frequentation [-'kwən tā'-] *(n.)* التردد أو الاختلاف إلى مكان .

frequentative [frĭ kwĕn'tə-] *(adj.; n.)* (١) تكراريّ : دالّ على تكرّر حدوث العمل (Waggle is a ~ verb from wag.) §(٢) فعل تكراريّ (ل) .

frequently [frē'-] *(adv.)* كثيراً ؛ تكراراً ؛ في فترات قصيرة .

fresco [frĕs'kō] *(n.; vt.)* (١) التصوير الجصّي (على الجدران أو السقوف) (٢) لوحة جصية جدارية الخ . §(٣) يرسم لوحة جصية .

fresh [frĕsh] *(adj.; adv.; n.)* (١) «أ» عَذْب : غير مالح (~ water) . «ب» نقيّ ؛ طَلْق ؛ بليل ؛ منعش (~ air) . «ج» قويّ (~ wind) (٢) «أ» طازج (~ fish) . «ب» مُنْعَم بالنشاط ، مستعيد نشاطَه (Next morning he was ~ and gay.) . «ج» ناضر (a ~ complexion) . «د» طريّ ؛ حيّ (His memory is still ~ in the hearts of his people.) «هـ» أنيق (kept his clothes ~) (٣) «أ» جديد (a ~ start; ~ news) . «ب» قادم حديثاً ؛ غِرّ ؛ قليل الخبرة (men ~ from the country) . «ج» منتجة «حديثاً» عِجلاً منذ فترة قريبة (a ~ cow) (٤) وقح ؛ جِلف ؛ مشاكس (~ with the nurses) (٥) ثمِل ؛ سكران (ع) § (٦) حديثاً ؛ مُنْذُ لحظات (The sheepskin was ~ dried.) §(٧) سَيْل ؛ طوفان (٨) جدول أو ينبوع عذب يصب في البحر .
—**freshly** *(adv.)*
—**freshness** *(n.)*

freshen [-'ən] *(vi.; t.)* (١) «أ» تقوى (الريح) : تشتدّ .

«ب» يَنْضُر ؛ يُصبح ناضراً الخ. «ج» يَعْذُب (الماءُ) (٢) تُنتِج ؛ تلد (البقرةُ) عجلاً ×(٣) يزيل الملوحة من الماء (٤) يقوي ؛ ينعش ؛ يُنْضِر ؛ يجدد.

freshet [frĕsh'ĭt] *(n.)* طوفان ؛ سَيْل .

freshman [frĕsh'-] *(n.)* (١) المبتدىء (٢) طالبٌ في الصف الأول من الجامعة .

freshwater [-'wô-] *(adj.)* (١) نهريّ (~ fish) (٢)«أ» متعوِّد الملاحة في المياه العذبة فقط (a ~ sailor) . «ب» غير بارع .

fret [frĕt] *(vt.; i.; n.)* (١) يُغيظ (٢) «أ» يحتّ ؛ يبري ؛ يتأكّل . «ب» يُبْلي أو يقرح بالحكّ . «ج» ينْقِص ؛ يضائل . «د» يشقّ أو يصنع بالتأكل أو الحتّ (The stream ~ *ted* a channel.) (٣) يضيّع ؛ يبدد (٤) يثير ؛ يغضن ؛ يموّج (سطحَ الماء) (٥) يزخرف بنقوش شبكية ؛ يطرّز بالفضة أو الذهب (٦) يزين (سقفاً) بنقوش نافرة متعرّجة ×(٧)يتآكل ؛ يَبْلى بالحك (٨) يغتاظ ؛ يَقْلَق (٩) يضطرب ؛ يتموّج (الماء) §(١٠)«أ» تأكُّل . «ب» تآكل . «ج» موضعٌ متأكِّل (١١) قلق ؛ اهتياج (١٢)نقش شبكي (١٣)قبعة نسوية (١٤)عتب العود أو القيثارة (مج) .

frets 12.

fretful [-'fəl] *(adj.)* (١) نَكِد ؛ شكِس . (٢) مضطرب؛ متموج (~ water) (٣)متقطّع (~ wind).

fretsaw [frĕt'-] *(n.)* منشار الزخرفة : منشار دقيق الأسنان لزخرفة الخشب الرقيق برسوم متعرجة

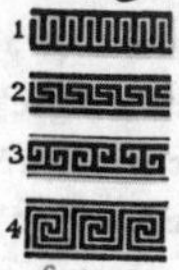

fretsaw

fretwork [frĕt'-] *(n.)* (١) نقشٌ شبكيّ . (٢) زخرفة بمنشار زخرفة .

friable [frī'ə-] *(adj.)* سهل الانسحاق : سهل التفتيت إلى ذرور .

friar [frī'ər] *(n.)* راهب ؛ أخ ؛ عضو أخوية دينية .

friarly [frī'-] *(adj.)* (١) راهباني : شبيه براهب (٢) رُهبانيّ : خاصّ بالرهبان .

friary [frī'ə rĭ] *(n.)* (١) دَير (٢) رَهْبَنة .

fribble [frĭb'əl] *(vi.; t.; n.; adj.)* (١) يَعْبَث ؛ يستهتر . ×(٢) يبدد (ثروةً الخ.) §(٣) شخص أو فكرة أو شيء عابث §(٤) عابثٌ .

fricassee [frĭk'ə sē'] *(n.; vt.)* (١) المُحَمَّرة : طعام من لحم مفروم مُحَمَّر §(٢) يفرم اللحم ويحمّره .

fricative [frĭk'ə-] *(adj.; n.)* (١) احتكاكيّ : تُسمَع حركة الهواء عند النطق به (ل) §(٢) حرف احتكاكي (ل) .

friction [frĭk'-] *(n.)* (١) حكّ ؛ وبخاصة : فَرْك الجلد أو البشرة. (٢) احتكاك (٣) خلاف .

frictional [-əl] *(adj.)* (١)احتكاكيّ (٢)مولّد أو مسيَّر بالاحتكاك.

friction clutch *(n.)* القابضُ الاحتكاكيّ (مك) .

friction match *(n.)* الثِقاب الاحتكاكي .

friction tape *(n.)* العازل : شريط قماشيّ دبقٌ عازل (كب).

Friday [frī'dĭ] *(n.)* الجُمُعَة ؛ يوم الجُمُعة .

fridge *also* **frig** [frĭj] *(n.)* = refrigerator.

fried [frīd] *past; past part. of* fry.

friend [frĕnd] *(n.; vt.)* (١)صديق (٢)نصير (٣) *cap.* : الصاحبيّ : واحد من طائفة الأصحاب أو المهتزّين (الكويكرز) وهم يؤكدون على البساطة في الملبس ويكرهون الطقوس الخارجية ويقاومون الحرب §(٤)«أ» يصادق . «ب» يؤازر .

to make ~*s* with يصادق (فلاناً) .

to make ~*s* again يتصالح (بعد خصام) .

friendless [frĕnd'-] *(adj.)* لا أصدقاء له ؛ عديم الأصدقاء .

friendly [-'lĭ] *(adj.; adv.)* (١) «أ»ودود ؛ محب ؛ صديق . «ب»مشجع أو نزّاع إلى التأييد والمساعدة (٢) دافىء أو موقِع في النفس شعوراً بالرضا والابتهاج (٣) مؤاتٍ (٤) ودي ؛ حبّي §(٥) على نحو ودي أو حبّي .

friendship [-'shĭp] *(n.)* صداقة ؛ مودّة .

frier [frī'ər] *(n.)* = fryer.

frieze [frēz] *(n.)* (١) الفَريز : نسيج صوفيّ غليظ (٢) إفريز ؛ طُنُف (عم).

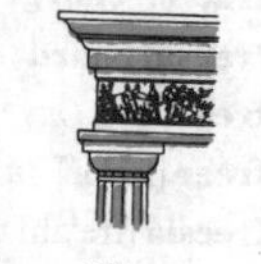

frieze 2.

frigate [frĭg'ĭt] *(n.)* (١)الحرّاقة : سفينة حربية شراعية (٢) الفِرغاطة : بارجة بين الطراد والمدمرة.

frigate bird *(n.)* الفِرقاط : طائر بحري يسلب طعام الطيور الأخرى .

fright [frīt] *(n.; vt.)* (١) رُعْب (٢) شيء مخيف أو غريب أو بشع (Salim's beard was a ~.) §(٣) يرعب .

frighten [frī'tən] *(vt.; i.)* (١) يرعب (٢) ينتزع (أو يُكره على أمر) بالترعيب ×(٣) يرتعب .

frightful [frīt'-] *(adj.)* (١)مرعب (٢) بغيض ؛ كريه (٣) مفرط .

frigid [frĭj'ĭd] *(adj.)* (١) «أ» قارس (~ weather) . «ب» فاتر العاطفة ؛ لامبالٍ ؛ مُعادٍ (٢)تَفِهٌ ؛ عديم الطَّعْم (٣)بارد جنسياً.

frigidaire [frĭj'ĭ dâr'] *(n.)* الثلاّجة : براد أوتوماتيكي .

frigidity [-'ĭ tĭ] *(n.)* برودة ؛ وبخاصة : البرودة الجنسية عند النساء.

frigid zone *(n.)* المنطقة القطبية المُنجمدة .

frigorific [frĭg'ə rĭf'ĭk] *(adj.)* مبرد ؛ مُحدِث برداً .

frill [frĭl] *(n.; vt.)* (١) هدب ؛ كَشكش (الثوب) (٢) «أ» ريش أو شعْر طويل حول عنق طائر أو حيوان. «ب» تكلّف ؛ كبرياء مصطنعة. «ج» شيء زخرفي ولكنه غير أساسي §(٣)يُهَدِّب.

fringe [frĭnj] *(n.; vt.)* (١) هُدّاب ؛ شراريب القماش . (٢) شيء كالهُدّاب : حافة ؛ حاشية الخ. (٣) «أ» شيء إضافي أو ثانوي . «ب» جماعة ذات آراء متطرفة §(٤) يهدّب .

fringe area *(n.)* المنطقة الهُدّابية : منطقة يكون فيها استقبال ما يُبَثّ من محطة ارسال معينة، ضعيفاً أو مشوّهاً .

fringe benefits الفوائد الهُدّابية : ميزات مضافة للأجور

fringy [frĭn'-] *(adj.)* (١) هُدّابيّ (٢) مُهَدَّب ؛ مزيّن بهُدّاب

frippery [frĭp'ə rĭ] *(n.)* (١) ملابس أو حلى رخيصة مبهرجة . (٢)«أ» تباهٍ أحمق . «ب» أناقة متكلّفة .

Frise aileron [frēz] *(n.)* جُنَيح فَريز ؛ الجُنَيْح الفَريزي(طي)

friseur [frē zœr'] *(F.)* حلاّق ؛ مزيّن .

frisk [frĭsk] *(vi.; t.; n.)* (١) يَطْفُر أو يرقص مرحاً . ×(٢) يفتّش(شخصاً) ؛ وبخاصة بأن يجسّ جيوبه بكفّيه بحثاً عن سلاح مخبوء §(٣)«أ» مَرَح. «ب» قَصْف ؛ مَرَحٌ صاخب (٤) تفتيش (عن السلاح) .

frisky [frĭs'kĭ] *(adj.)* مَرِح ؛ لَعوب

frit [frĭt] *(n.; vt.)* (١) الفَرِيتَة : المواد المتكلّسة أو شبه المنصهرة التي يُصنع منها الزجاج §(٢) يفرّت : يَصْهر الفريتة .

frith [frĭth] = firth.

fritter [frĭt'ər] *(n.; vt.; i.)* (١) فطيرة مقلية (تحتوي أحياناً على فاكهة) §(٢) يبدد ؛ يضيّع (~ *ed* away his time) (٣) يجزىء ؛ يفتّت ×(٤) يتكسّر (٥) يتبدد أو يتضاءل .

frivol [frĭv'əl] *(vi.)* يعبث ؛ يستهتر .

frivolity [frĭ vŏl'-] *(n.)* (١) عبثٌ ، طَيْش (٢) عمل أو شيء تافه .

frivolous [frĭv'-] *(adj.)* (١) تافه (٢) عابث ؛ طائش ؛ لعوب .

frizz [frĭz] *(vt.; i.; n.)* (١) يُجعِّد (الشعر) × (٢) يتجعّد . §(٣) جَعْدة (من الشعر) (٤) شعرٌ جَعْدٌ .

frizz [frĭz] *(vi.; t.)* = sizzle.

frizzle [frĭz'əl] *(vt.; i.)* (١) يقلي شيئاً حتى يصبح هشّاً متجعداً . (٢) يحرق ؛ يسفع × (٣) يئز عند الطهو .

frizzle [frĭz'əl] *(vt.; i.; n.)* = frizz 1-3

frizzly *or* **frizzy** [frĭz'-] *(adj.)* جَعْد (hair ~) .

fro [frō] *(prep.; adv.)* (١) مِنْ §(٢) ارتداداً ، إياباً . to and ~, جيئة وذهاباً ، ذهاباً وإياباً .

frock [frŏk] *(n.; vt.)* (١) رداء الراهب (٢)«أ» عباءة . «ب» smock frock . «ج» كنزة صوفية للبحارة (٣) ثوب نسائي §(٤) يُلبِسُهُ عباءة الخ . (٥) يجعل منه راهباً .

frock coat *(n.)* الفراك : سترة رجالية سوداء تبلغ الركبتين .

froe [frō] *(n.)* المِفْلَعَة : أداة فَلْع أو شق .

frog [frŏg; frôg] *(n.)* (١)«أ» ضِفدع ؛ ضِفْدعة . «ب» بُحّة (في الصوت) (٢) النَّسْر : طبقة قرْنية رقيقة في باطن حافر الفرس (٣)«أ» عروة الحزام (لتعليق سلاح أو أداة) . «ب» جديلة زينية لمقدَّم السترة مؤلفة من زرّ وعروة . «ج» «مِقصّ» (في السكة الحديدية) .

frog 3 *b.*

frogeye [frŏg'ī] *(n.)* عين الضفدع : مرض يصيب أوراق التبغ بخاصة فيحدث فيها بقعاً صغيرة بيضاء .

froghopper [frŏg'hŏp'ər] *(n.)* = spittlebug.

frogman [frŏg'-] *(n.)* الرَّجل الضِّفدع : غاطس مجهز بما يمكّنه من السباحة تحت الماء مدة طويلة .

frolic [frŏl'ĭk] *(adj.; vi.; n.)* (١) مَرِحٌ §(٢) يَمْرَح . §(٣) مُزاح (٤)«أ» مَرَح . «ب» حفلة سَمَر .

frolicsome [-səm] *(adj.)* (١) مَرِح (٢) مَزوح (٣) عابث .

from [frŏm] *(prep.)* (١) مِن (٢) مُنْذُ (٣) عَنْ .

frond [frŏnd] *(n.)* ورقة ؛ وبخاصة : سعْفة النخل وورقة السَّرخس (نب) .

frondose [frŏn'dōs] *(adj.)* (١) سَعَفيّ الشكل (٢) حامل سَعَفاً .

front [frŭnt] *(n.; vt.; i.; adj.)* (١)«أ» جبين ؛ وأيضاً : الوجه كله . «ب» سيماء ؛ وقفة ؛ مشية ؛ مسلك ؛ تصرّف ؛ وبخاصة في الشدائد . «ج» مظهر خارجي (متكلَّف عادةً) (٢)«أ» طليعة الجيش . «ب» جبهة ؛ خط النار . «ج» موقف من قضية ما : سياسة (to ~ change) . «د» حقل نشاط . «هـ» جبهة ، تكتّل سياسي (٣) واجهة مبنى (٤)«أ» مقدَّم الشيء أو صدره . «ب» متنزَّه على شاطىء البحر . «ج» صدر القميص . «د» رباط عنق (٥) صَدارة ؛ مركز تفوّق أو زعامة (٦) الواجهة : «أ» شخص أو شيء يتَّخذ وسيلة لإخفاء حقيقة شيء ما . «ب» شخص مرموق يولّى الرئاسة الاسمية لمشروع أو جماعة لكي يكسبهما اعتباراً أو احتراماً في أعين الناس §(٧) يجابه ؛ يقابل وجهاً لوجه (٨) يقاوم ؛ يتحدّى (٩) يجعل له واجهةً أو صدراً الخ . × (١٠) يواجه (The house ~s toward the east.) §(١١) أماميّ .

frontage [-'tĭj] *(n.)* (١) الأرض الواقعة ما بين المبنى والشارع . (٢) واجهة مبنى (٣) موقع المبنى بالنسبة إلى الرياح وأشعة الشمس .

frontal [-'təl] *(n.; adj.)* (١) ستارة المذبح (كن) (٢) واجهة مبنى §(٣) جبهي : خاصّ بالجبهة أو بالعظم الجبهي (ت) (٤)«أ» أماميّ . «ب» مباشر (assault ~) .

frontal bone *(n.)* العَظْم الجَبْهي (ت) .

frontal lobe *(n.)* الفَصّ الجبهي (من الدماغ) .

frontier [frŭn tĭr'; frŏn'-] *(n.; adj.)* (١) حدّ ؛ تَخْم . (٢)«أ» أقصى ما انتهى إليه العلم والبحث . «ب» حقلٌ جديد يُتيح مجالاً لنشاط الرواد والمستكشفين §(٣) واقع على الحدود (a ~ town) (٤) تُخوميّ : خاصّ بالحدود (~ life) (٥) رائد ؛ كشاف (research ~) .

frontiersman [-tĭrz'-] *(n.)* التخوميّ : ساكن التخوم أو الحدود .

frontispiece [frŭn'tĭs-] *(n.)* (١)«أ» واجهة مبنى . «ب» الموجّهة : مثلث مزخرف فوق نافذة أو رواق معمَّد (عم) (٢) المواجِهة : صورة مواجهة لصفحة العنوان من كتاب أو مجلة .

frontlet [-'lĭt] *(n.)* (١) عصابة للجبين (٢) جبين (الطائر بخاصة) .

front man *(n.)* رئيس صُوري أو اسمي .

front matter *(n.)* الصَّدر : كامل المادة التي تتقدَّم النص الرئيسي لكتاب .

front office *(n.)* المكتب الرئيسي أو التنفيذي (الراسم سياسة منظمة ما) .

front-page *(adj.; vt.)* (١) خطير ؛ مثير : عظيم القيمة الصحفية (news ~) §(٢) يصدِّر : ينشر على الصفحة الأولى من جريدة .

frosh [frŏsh] *(n. sing. and pl.)* = freshman.

frost [frôst] *(n.; vt.; i.)* (١)«أ» تجمُّد . «ب» درجة التجمّد . «ج» صقيع ؛ ندى أو بخار متجمّد (٢)«أ» برودة (في السلوك أو المزاج) . «ب» إخفاق (ع) §(٣)«أ» يكسو بالصقيع أو نحوه . «ب» يُصَنْفِر : يجعل للزجاج أو للمعدن سطحاً مُبرغلاً خشناً بعض الشيء (٤) يؤذي أو يقتل (النباتات) بالصقيع × (٥) يتجمد .

frostbite [-'bīt] *(vt.; n.)* (١) يؤذي بالصقيع §(٢) قَضْمة الصقيع : أثره في ناحية من الجسم .

frosted [frŏs'-] *(adj.)* مثلّج أو مكسوّ بالجليد (لحفظه من الفساد) .

frosting [frôs'tĭng] *(n.)* (١)«أ» icing 2. «ب» خَرْج أو زَرْكش للثوب (٢) الطَّلْية المُطْفَأة (را mat) .

frostwork [frôst'-] *(n.)* (١) الرسوم الصقيعية : رسوم يحدثها الصقيع على زجاج النوافذ (٢) الزخرفة الصقيعية : زخرفة تحاكي هذه الرسوم .

frosty [frôs'tĭ] *(adj.)* (١) بارد جداً (بحيث يُحْدث صقيعاً) . (٢)«أ» مكسوّ بالصقيع . «ب» أشيَب (٣) متحفّظ ؛ بارد .

froth [frôth] *(n.; vt.; i.)* (١) زَبَد ؛ رغوة (٢) شيء تافه . §(٣) يجعله يُزبد (٤) يكسو بالزَّبد × (٥) يزْبد ؛ يرْغي .

frothy [-'ĭ] *(adj.)* (١) مُزبِد (٢) خفيف ؛ تافه ؛ سطحي (٣) رقيق .

froufrou [frōō'frōō'] *(n.)* (١) حفيف (ملابس النساء الحريرية) . (٢) أهداب أو كشاكش الملابس النسائية (المحدِثة حفيفاً) .

frow [frō] *(n.)* = froe.

froward [frō'-] *(adj.)* شكِس ؛ متمرّد ؛ حَرون .

frown [froun] *(vi.; n.)* (١) يعبس ؛ يقطّب §(٢) عبوس ؛ تجهم .

frowsty [frou'-] *(adj.)* عفِن ؛ كريه الرائحة ؛ فاسد الهواء (ع) .

frowzy *or* **frowsy** [frou'zĭ] *(adj.)* (١) زري ؛ حقير ؛ أشعث ؛ يعوزه الترتيب (٢) تَفِه (المذاق) لِقِدَمِه ؛ كريه الرائحة .

froze [frōz] *past of* freeze.

frozen [frō'zən] *(adj.)* (١)«أ» مُنجمِد . «ب» مبرَّد ؛ مثلّج (custard~) (٢) بارد (look~) (٣) مجمَّد (.~ Prices were) .

fructify [frŭk'tə fī] *(vi.; t.)* (١) يُثْمِر × (٢) يُخصِب ؛ يجعله مثمراً .

fructose [frŭk'tōs] *(n.)* الفرُكتوز : سكّر الفاكهة والعسل .

fructuous [frŭk'chōō əs] *(adj.)* مثمِر ؛ مُنتِج ؛ مُربح .

frugal [frōō'gəl] *(adj.)* (١) مُقتصِد (٢) اقتصادي ؛ رخيص .

ă at; ā date; â care; ä car; ĕ egg; ē me; ĭ in; ī bite; ŏ lot; ō bone; ô orphan; oi boil; ŏŏ good; ōō boot; ou out; ŭ under; ū unity; û urgent; th thing; t͟h this; zh vision; ə = *a* in alone, *e* in system, *i* in easily, *o* in gallop, *u* in circus.

frugality [frōō găl'ə tĭ] *(n.)* اقتصاد (في الانفاق) .

frugivorous [frōō jĭv'-] *(adj.)* مُقْتَاتٌ بالثمار .

fruit [frōōt] *(n.; vi.; t.)* (١) *pl.* عد : غَلّة ؛ محصول . (٢)«أ»ثمرة . «ب» فاكهة (٣)نتيجة §(٤) يثمر×(٥)يجعله مثمراً .

fruitage [frōō'-] (١) إثمار (٢) ثمار . (٣) ثمرة عمل .

fruit bat

fruit bat *(n.)* خُفّاش الفاكهة : خفاش ضخم آكل للفاكهة .

fruiterer [frōō'tər ər] *(n.)* الفاكهانيّ : بائع الفاكهة .

fruit fly *(n.)* ذبابة الفاكهة .

fruitful [-'fəl] *(adj.)* (١) مثمر . (٢) مساعد على الإثمار (٣) خِصْب .

fruition [frōō ĭsh'ən] *(n.)* (١) تمتّع ؛ استمتاع (٢)«أ» إثمار . «ب» تحقّق (أملٍ أو هدف) .

fruitless [-'lĭs] *(adj.)* (١) عقيم ؛ غير مثمر (٢) مُخفق ؛ فاشل .

fruity [frōō'tĭ] *(adj.)* (١)«أ»فاكهيّ أو شبيه بالفاكهة . «ب» قويّ النكهة (~ wine) (٢)«أ» فعّال ؛ جذّاب ؛ ممتع جداً . «ب» عاطفيّ حتى الإفراط . «ج» مخبّل ؛ مضطرب العقل (ع) . جِنطيّ .

frumentaceous [frōō'mən tā'shəs] *(adj.)*

frumenty [frōō'mən tĭ] *(n.)* قمح مسلوق بالحليب .

frump [frŭmp] *(n.)* (١) امرأة رثّة الملبس (٢) شخص محافظ .

frustrate [frŭs'trāt] *(vt.; adj.)* (١)«أ» يُحبِط . «ب» يثبّط العزم (٢) يُبْطِل §(٣) «أ»مُخَيَّب . «ب» باطل ؛ عديم الجدوى .

frustration [frŭs trā'-] *(n.)* (١) إحباط ؛ تثبيط ؛ إبطال . (٢) خيبة ؛ فشل (٣) شيء مثبِّط أو مخيِّب .

frustum [frŭs'təm] *(n.)* pl. **-s** *or* **-ta** المخروط الناقص : مخروط مقطوع الرأس (هن).

F. frustum of cone

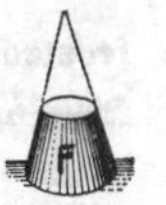

~ of cone المخروط الناقص (هن) .

~ of pyramid الهرم الناقص (هن) .

~ of sphere الكرة الناقصة (هن)

frutescent [frōō tĕs'ənt] *(adj.)* شُجَيْرِيّ (نب) .

fry [frī] *(vt.; i.; n.)* (١) يقلي ×(٢) ينقلي §(٣) طبق من طعام مقليّ (٤) مناسبة اجتماعيّة يُقلَى فيها الطعام ويؤكَل (٥) صغار السمك وغيره (٦) أعضاء جماعة أو فئة .

fryer [frī'ər] *(n.)* شيء مُعَدّ أو مستعمل للقلي ، مثل : «أ» فروج . «ب» مقلاة .

fuchsia [fū'shə] *(n.)* (١) الفُوشية : شجيرة ذات زهرات حمراء وأرجوانية (٢) لون أرجوانيّ ضارب إلى الحمرة .

fuchsine *or* **fuchsin** [fōōk'sĭn] *(n.)* الفوشين : صبغ أحمر مزرقّ .

fucus [fū'kəs] *(n.)* الفُوقَس : طُحْلُب أسمر .

fuddle [fŭd'əl] *(vi.; t.)* (١) يسرف في الشراب ×(٢)«أ»يُسْكِر . «ب» يُرَبِّك ؛ يُشوِّش .

fudge [fŭj] *(vi.; t.; n.)* (١) يغشّ ؛ يتصرف تصرّفاً غير أمين (٢) ينشر (نبأ الخ.) في آخر لحظة (٣) يمشي ببطء أو حذر (٤) يروغ ؛ يتجنب إعطاء جواب قاطع (محتفظاً لنفسه بخط الرجعة) ×(٥) يلفّق (حكاية الخ.) (٦) يتلاعب (بالحسابات) (٧) يتفادى §(٨) هراء (٩) نبأ ينشر والجريدة على الآلة الطابعة (١٠) الفَدْج : ضرب من الحلوى .

fuel [fū'əl] *(n.; vt.; i.)* (١) وقود §(٢)«أ» يزوّد بالوقود . «ب» يدعم ×(٣) يتزوّد بالوقود (The plane is ~*ing* up.).

fuel oil *(n.)* زيت الوقود .

fugacious [fū gā'shəs] *(adj.)* (١) سريع الزوال (٢) مبكّر السقوط أو الذبول (نب) .

-fuge لاحقة معناها : طارد (insecti*fuge*).

fugitive [fū'jə-] *(adj.; n.)* (١) آبق ؛ هارب (٢)هائم ؛ شارد (٣)«أ» قصير الأجل أو العمر . «ب» متملّص ؛ انفلاتيّ . «ج» سريع التبخّر أو التغيّر أو الذبول أو الزوال §(٤) لاجىء (٥) شيء يصعب الامساك به أو الحصول عليه .

fugleman [fū'gəl-] *(n.)* (١)«أ» الجنديّ القُدوة : جنديّ مدرب كانوا يوقفونه أمام الجند أثناء التمرينات العسكرية ليتخذوا منه مثلاً يُحتذى . «ب» نموذج يُحتذَى (٢) زعيم .

führer *or* **fuehrer** [fy'rər] *(n.)* (١) زعيم (٢) ديكتاتور .

fuji [fōō'jē] *(n.)* الفُوجي : نسيج حريري يابانيّ الأصل .

-ful لاحقة معناها : (١) مليء ؛ حافل (event*ful*). (٢) متّسم بـِ (beauti*ful*) (٣) ميّال إلى أو قادر على (harm*ful*) (٤) ملء (spoon*ful*).

fulcrum [fŭl'krəm] pl. **-s** *or* **-cra** *(n.)* نقطة ارتكاز ؛ وبخاصة : مُرْتَكَز المُخْل .

fulfill *or* **fulfil** [fōōl fĭl'] *(vt.)* (١)«أ» يُنجِز ؛ ينفّذ (وعداً الخ.) . «ب» يُنهي ؛ يُتِمّ ؛ يؤدي . «ج» يفي بـِ ؛ يجيء موافقاً لمتطلبات معينة (٢) يحقّق .

—fulfillment *(n.)*

fulgent [fŭl'jənt] *(adj.)* متألق ؛ ساطع .

fulgurant [fŭl'gyə rənt] *(adj.)* مُومِض كالبرق .

fulgurate [fŭl'gyə rāt] *(v t.)* (١) يطلق (وميضاً) الخ. (٢)يزيل (نامية غير سوية) بالكهرباء (ط) .

—fulguration *(n.)*

fulgurous [fŭl'gyə rəs] *(adj.)* (١) مُومِض (٢) شبيه بالبرق .

fuliginous [fū lĭj'ə-] *(adj.)* (١)سُخاميّ (٢)غائم ؛ غامض (٣)قاتم .

full [fōōl] *(adj.; adv.; n.; vi.; t.)* (١) مليء (٢) «أ» كامل (at ~ speed) . «ب» بَدْر (~ moon) . «ج» متمتع بجميع الخصائص المميزة : كامل (~ member) (٣)«أ» ممتلىء . «ب» منتفخ (~sails) . «ج» فضفاض (a ~skirt) (٤)«أ» حافل ؛ خصب (a ~ life) . «ب» مفصّل (a ~ report) (٥) شبعان ؛ وأيضاً : متخم (٦) شقيق ؛ من نفس الأبوين (~ sisters) (٧)جهوري (a ~voice) (٨) غارق أو مستغرق في (~ of work) (٩) غنيّ بـِ (~ of flavor) § (١٠) جداً ؛ إلى حدّ بعيد (~ well) (١١) تماماً (~ dark) (١٢) مباشرةً (The blow hit him ~ in the face.) §(١٣) الحدّ الأقصى (enjoyed the book to the ~) §(١٤) يصبح (القمر) بدراً ×(١٥) يجعله فضفاضاً (١٦) يقصّر أو يغلّظ (النسيج الصوفي) بالنقع أو الإحماء الخ.

in ~, بالتمام ؛ من غير حذف أو اختصار .

of ~ age بالغٌ سنّ الرُّشْد .

full blood *(n.)* (١) نَسَبٌ صريح أو خالص (a Negro of ~) (٢) قرابة من جهة الأبوين .

full-blooded [fōōl'blŭd'ĭd] *(adj.)* (١) صريح النسب خالصُه (~ Indians) (٢) قويّ (a ~ argument) (٣) حقيقي ؛ بكل ما في الكلمة من معنى (a ~ war) (٤) دقيق جداً (a ~ analysis).

full-blown [-'blōn'] *(adj.)* (١)«أ» في أوج التفتح (a ~rose). «ب» تام النضج (~ charms) (٢) كامل ؛ تام (a ~ scandal) .

ă at; ā date; â care; ä car; ĕ egg; ē me; ĭ in; ī bite; ŏ lot; ō bone; ô orphan; oi boil; ŏŏ good; ōō boot; ou out; ŭ under; ū unity; û urgent; th thing; th this; zh vision; ə = *a* in alone, *e* in system, *i* in easily, *o* in gallop, *u* in circus.

full-bodied [fōōl'bŏd'ĭd] *(adj.)* (١) ضخم الجسم . (٢) «أ» غنيّ النكهة (wine ~) . «ب» كامل القَوام (ink ~) (٣) هامّ (a ~ role) .

full dress *(n.)* اللباس الرسمي .

full-dress *(adj.)* (١) تامّ ؛ كامل (a ~ welcome)(٢) مستفيض .

fuller [-'ər] *(n.)* (١) القصّار : المقصّر للنسيج الصوفيّ بالنقع أو الاحماء (٢) المحزاز : مطرقة لتحزيز الحديد .

fuller's earth *(n.)* تراب القصّار (يستعمل لتقصير الأنسجة الصوفية أو إزالة البقع الدهنية عنها) .

full-fledged [fōōl'flĕjd'] *(adj.)* (١) ناضج (٢) تامّ الريش . (٣) كامل الرتبة (a ~ professor).

full house *(n.)* فُول : ثلاث ورقات من نوع واثنتان من غيره . كثلاثة ملوك وعَشْرتَين (في البوكر) .

a ~, مزدحم بالمشاهدين أو النظّارة .

full-length *(adj.)* بالطول أو الحجم الطبيعي (a ~portrait).

full moon *(n.)* بَدْر ؛ قمر ممتلىء .

full-scale *(adj.)* (١) بالقياس الطبيعي (a ~ drawing)(٢) كامل ؛ كلّيّ (a ~ war).

full stop *(n.)* النقطة : علامة الوقف الكامل في الكتابة .

full-time *(adj.)* كامل : «أ» مستخدَم أو مشتغل طوال ساعات الدوام المعتادة (clerks ~) . «ب» مستغرق كاملَ ساعات الدوام المعتادة (teaching ~) .

fully [fōōl'-] *(adv.)* (١) تماماً ؛ بكل ما في الكلمة من معنى . (٢) على الأقل (nine tenths of them ~).

fulmar

fulmar [fōōl'mər] *(n.)* الفُلْمار : طائر بحري من طيور القطب الشمالي .

fulminant [fŭl'-] *(adj.)* مداهم ؛ مفاجىء (plague ~).

fulminate [fŭl'mə nāt] *(vt.; i.; n.)* (١) يشجب بعنف (٢) يفجّر ×(٣) ينفجر (٤) يتفشّى فجأةً وبعنف §(٥) الفلمينات : مركّب متفجّر مشتقّ من الحامض الفلميني ، كفلمينات الزئبق (mercury ~).

fulminating [fŭl'-] *(adj.)* (١) قاصف ؛ شديد الانفجار . (٢) شاجب ؛ متوعد (a ~ bishop)(٣) مداهم (a ~ disease).

fulminic acid [fŭl mĭn'ĭk] *(n.)* الحامض الفلميني (ك) .

fulsome [fōōl'səm] *(adj.)* (١) مُغْثٍ ؛ باعث على الغثيان . (٢) مثير للاشمئزاز (prejudices ~) (٣) بغيض ؛ مقيت وبخاصة لانطوائه على الرياء (compliments ~).

fulvous [fŭl'vəs] *(adj.)* أسمر مصفرّ .

fumarole [fū'mə rōl'] *(n.)* المنفذ البركاني : مَنفذ في منطقة بركانية تنبعث منه الغازات والأبخرة .

fumble [fŭm'bəl] *(vi.; t.; n.)* (١) «أ» يتحسّس أو يتلمس بارتباك أو لغير ما هدف (~*d* nervously with her necklace before she answered) . «ب» يحاول البحث عن شيء (أو القيام به) في ارتباك (~*d* in his pocket for a coin) . «ج» يبحث بطريقة التجربة والخطأ . «د» يخطىء . «هـ» يتلعثم (٢) يتلمّس طريقه (٣) يفقد السيطرة على كرة القدم عند عَدْوِه بها ×(٤) يعمل شيئاً بغير إتقان (٥) يشق طريقه بارتباك أو تلمس §(٦) تحسّس ؛ تلمّس الخ .

fume [fūm] *(n.; vt.; i.)* (١) دخان (٢) غضب ؛ اهتياج . §(٣) يدخّن : يعرِض شيئاً للدخان أو يعالجه به (٤) يُطلق دخاناً ×(٥) يتبخّر ؛ يتصاعد كالدخان (٦) يستشيط غضباً .

—fumy *(adj.)*

fumigate [fū'-] *(vt.)* يدخّن ؛ يبخّر : يطهّر بالتعريض للدخان أو البخار أو الغاز .

—fumigation *(n.)*

fumigator [fū'mə gā tər] *(n.)* (١) فا fumigate (٢) مبخرة .

fumitory [fū'mə tōr ĭ] *(n.)* الشاهتْرَج ؛ بقلة المِلِك (نب) .

fun [fŭn] *(n.; vi.)* (١) مُزاح ؛ هزل (٢) لهو §(٣) يمزح ؛ يهزل .

for ~; in ~, بصورة مازحة أو غير جدية .

to make ~ of; to poke ~ at يهزأ به .

funambulist [fū năm'-] *(n.)* البهلوان : الماشي أو الراقص على الحبل .

function [fŭngk'shən] *(n.; vt.)* (١) مهنة ؛ عمل (٢) وظيفة . (٣) حفلة رسمية ؛ مناسبة اجتماعية ؛ مأدبة (٤) الدالّة (ر) §(٥) «أ» يؤدي (عملاً معيناً) . «ب» يعمل ؛ يؤدي وظيفته .

functional [-əl] *(adj.)* (١) وظيفيّ (٢) عمليّ (٣) فعّال .

functionalism *(n.)* المذهب العملي أو الانتفاعي (وبخاصة في العمارة) .

functionary [fŭngk'shə nĕr'ĭ] *(n.)* الموظف .

fund [fŭnd] *(n.; vt.)* (١) ذخيرة (a ~ of knowledge). (٢) «أ» اعتماد مالي (يخصّص لغرض ما) . «ب» *pl.* عد : ودائع مصرفية (تُسْحَب عليها الشيكات) . «ج» رأسمال . «د» *pl.* : سندات الدَّين الوطني البريطاني (٣) *pl.* : موارد مالية (٤) الصندوق : منظمة تتولى إنفاق اعتماد مالي معيّن (the International Monetary *Fund*) §(٥) يرصد مبلغاً لدفع فائدة دَين الخ . (٦) يجمع ؛ يدّخر (٧) يحوّل ديناً قصير الأجل إلى دين طويل الأجل .

fundament [fŭn'-] *(n.)* (١) أساس ؛ مبدأ (٢) «أ» إست . «ب» شَرْج .

fundamental [fŭn'də mĕn'-] *(adj.; n.)* (١) أصليّ ؛ أوليّ . (٢) أساسي (principles ~) (٣) جوهري (a ~ change) (٤) رئيسي (a ~ purpose) §(٥) الأساس : مبدأ أو قاعدة أو جزء أساسي (٦) النغمة الأساسية (مو) .

fundamentalism [fŭn'də mĕn'-] *(n.)* (١) مذهب العِصمة الحرفية : حركة عرفتها البروتستانتية في القرن العشرين تؤكد على أن الكتاب المقدس معصوم عن الخطأ لا في قضايا العقيدة والأخلاق فحسب بل أيضاً في كل ما يتعلق بالتاريخ ومسائل الغيب كقصة الخلق ، وولادة المسيح من مريم العذراء ، ومجيئه ثانية إلى العالم ، والحشر الجسدي (٢) الإيمان بهذا المذهب .

fundamentalist *(n.; adj.)* متعصب ؛ متشدد ؛ متزمّت .

fundamental law *(n.)* الدستور ؛ القانون الأساسي .

fundamental particle *(n.)* = elementary particle.

fundus [fŭn'dəs] *(n.)* قاع ؛ جوف (ت) .

funeral [fū'nər əl] *(adj.; n.)* (١) جنازيّ (٢) مأتميّ ؛ كئيب . §(٣) جنازة (٤) عظة جنائزية (٥) مشكلة خاصة (يتعين على المرء حلّها) .

funerary [fū'-] *(adj.)* دفنيّ ؛ خاصّ بالدفن (a ~ urn) .

funereal [fū nĭr'ĭ əl] *(adj.)* (١) جنازيّ (٢) مأتميّ ؛ كئيب .

fungal [fŭng'gəl] = fungous.

fungi- بادئة معناها : فُطْر (*fungi*form) .

fungible [fŭn'jə bəl] *(n.; adj.)* (١) *pl.* عد : المنقولات (كالأثاث الخ .) §(٢) ممكنٌ استبداله بشيء آخر مساوٍ في الكمية أو القيمة (كالمنقولات) .

fungicidal [fŭn jə sīd'əl] *(adj.)* مُبيدٌ للفُطْر .

fungicide [fŭn'jə sīd] *(n.)* مُبيدُ الفُطْر : مادة مُبيدة للفُطْر .

fungiform [fŭn'jə-] *(adj.)* فُطْرانيّ : فُطريّ الشكل .

ă at; ā date; â care; ä car; ĕ egg; ē me; ĭ in; ī bite; ŏ lot; ō bone; ô orphan; oi boil; ŏŏ good; ōō boot; ou out; ŭ under; ū unity; û urgent; th thing; t͟h this; zh vision; ə = *a* in alone, *e* in system, *i* in easily, *o* in gallop, *u* in circus.

fungoid[-'goid] *(adj.; n.)* (١) فُطْرِيّ (٢) فُطرانيّ : شبيه بالفُطْر .

fungous [fŭng'gəs] *(adj.)* فُطْرِيّ أو ناشيء عن الفُطْر .

fungus [fŭng'gəs] *(n.; adj.)* pl. **fungi** *also* **-guses** (١) فُطْر (٢) نامية اسفنجية (مض) §(٣) فُطْرِيّ .

fungi I.

fun house *(n.)* المَسْلَى : مبنى في حديقة ملاهٍ محتوٍ على ضروب التسلية .

funicular [fū nĭk'yə lər] *(adj.; n.)* (١) حَبْلِيّ ؛ توتّريّ . §(٢) سكّة حديد معلّقة .

funiculus [fū nĭk'yə ləs] *(n.)* pl. **-li** [-lī] (١) «أ» الحبل السُّرّي (ت) . «ب» الحبل العصبيّ (ت) . «ج» الحبل المَنَوي (ت) (٢) السُّرّ : الحبل السُّرّي الذي يَصِل البُيَيْضة بمشيمة المِبيض (نب) .

funk [fŭngk] *(n.; vi.; t.)* (١) ذُعْر (٢) جبان §(٣) يرتاع ؛ يَجْبُن ×(٤) يَخْشَى (٥) يُحجم عن .

funnel [fŭn'əl] *(n.; vi.; t.)* (١) قِمْع (٢) مدخنة ؛ أنبوب §(٣) يتقمّع : يتخذ شكل قمع (٤) يجري في قِمع أو نحوه ×(٥) يقمّع : «أ» يجعله على شكل قِمع . «ب» يجريه نحو بؤرة أو قناة مركزية .

funnelform [-'əl fôrm] *(adj.)* قِمعيّ الشكل .

funny [fŭn'ĭ] *(adj.; n.)* (١) مُسلٍّ ؛ مضحك ؛ هزليّ . (٢) غريب ؛ عجيب (٣) خادع §(٤) «أ» رسوم هزلية . «ب» الجزء الهزلي (من مجلة) .

funny bone *(n.)* (١) عَظْم الكوع (٢) حِسّ الدعابة أو النكتة .

funny farm *(n.)* بيمارستان (لمرضى الأمراض العقلية) (ع) .

fur [fûr] *(vt.; i.; n.)* (١) يُفَرّي : «أ» يكسو أو يبطّن بالفرو . «ب» يكسو بطبقة مَرَضية كأنها الفرو (a ~ *red* tongue) ×(٢) يتفرّى : يكتسي بطبقة كهذه §(٣) فرو (٤) ثوب مُفرّى (٥) «أ» الطِّلاء : مادّة بيضاء مَرَضيّة تكسو اللسان . «ب» وبر أو خَمْل النسيج .

furan [fyŏŏr'ăn] *(n.)* الفُوران : سائل ملتهب عديم اللون .

furbelow [fûr'-] *(n.; vt.)* (١) كشكش ؛ هُدْب ثوب نسائي . §(٢) يهدّب ؛ يزركش .

furbish [fûr'-] *(vt.)* (١) يَصْقُل ؛ يلمّع (٢) يجدّد ؛ يُحيي .

furcate[fûr'kāt] *(adj.; vi.)* (١) مُشَعَّب ؛ ذو شُعَب §(٢) يتشعب .

furcula [fûr'kyə lə] *(n.)* pl. **-e** تَرْقُوة الطائر .

furculum [-ləm] *(n.)* pl. **-la** = furcula.

furfuraceous [fûr fyə rā'shəs] *(adj.)* نُخاليّ .

furfural [fûr'fə răl] *(n.)* الفُرفورال : ألْدَهيد سائل (ك) .

furious [fyŏŏr'ĭ əs] *(adj.)* (١) «أ» غاضب ؛ مهتاج ؛ متميّز غيظاً . «ب» صاخب ؛ ناشط (٢) «أ» شديد ؛ قويّ ؛ كثيف . «ب» ضخم (lost such ~ sums).

—**furiously** *(adv.)* —**furiousness** *(n.)*

furl [fûrl] *(vt.; i.; n.)* (١) يلفّ ×(٢) يلتفّ §(٣) «أ» لَفّ . «ب» لفة .

furlong [fûr'-] *(n.)* الفَرْلُنْغ : مقياس للطول يساوي ثُمن ميل .

furlough [fûr'lō] *(n.; vt.)* (١) إجازة ؛ إذن بالغياب . §(٢) يمنح إجازة .

furmenty;furmity [fûr'-] *(n.)* = frumenty.

furnace [fûr'nĭs] *(n.)* فُرْن ؛ أتُّون .

furnish [fûr'nĭsh] *(vt.)* (١) يجهّز ، وبخاصة بالأثاث . (٢) يُمِدّ ؛ يزوّد بـ .

furnishings [fûr'-] *(n. pl.)* (١) «أ» ملابس . «ب» قمصان ؛ قبعات ؛ قفافيز (٢) أثاث .

furniture [fûr'nə chər] *(n.)* (١) أثاث (٢) تساكير (طع) .

furor [fyŏŏr'ôr] *(n.)* (١) غضب (٢) furore .

furore [fyŏŏr'ōr] *(n.)* (١) fad (٢) «أ» ضجة (حول شأن من الشؤون العامة) . «ب» اعجاب حماسي (يثيره كتاب الخ .) .

furred [fûrd] *(adj.)* (١) مُفَرّى : مكسوّ أو مبطّن بفرو . (٢) مُطَلّى : مكسوّ بالطِّلاء أو بمادة مَرَضية بيضاء (a ~ tongue) (٣) مُرتدٍ فَرْواً .

furrier [fûr'ĭ ər] *(n.)* الفرّاء : «أ» تاجر الفِراء أو دابغها . «ب» صانع الملابس الفرائية أو مُصلحها أو مُنظفها .

furriery [-'ĭ ə rĭ] *(n.)* الفِراءة : صناعة الفِراء أو تجارتها .

furrow [fûr'ō] *(n.; vt.; i.)* (١) «أ» ثَلْم . «ب» حَقْل (٢) شيء كالثلم ، مثل : «أ» أخدود . «ب» جعدة أو غَضْنة عميقة (في الوجه) §(٣) يشْلّم ؛ يخدّد ؛ يجعّد ×(٤) يتثلم ؛ يتخدد ؛ يتغضّن .

furry [fûr'ĭ] *(adj.)* (١) فروي (٢) مفرّى : مكسوّ بالفراء .

further [fûr'*th*ər] *(adv.; adj.; vt.)* (١) إلى (أو عند) مسافةٍ أبعد (It is not safe to go any ~.) (٢) أيضاً ؛ علاوة على ذلك (Let me ~ remark that...) (٣) إلى حدّ أو مدى أبعد §(٤) أبعد (the ~ side of the hill) (٥) «أ» إضافيّ (a ~ volume) . «ب» آخَر (till ~ notice) §(٦) يعزّز ؛ يؤيّد (to ~ the cause of peace).

furtherance [fûr'*th*ər əns] *(n.)* تعزيز ؛ تأييد .

furthermore [-mōr] *(adv.)* علاوةً على ذلك ؛ وإلى هذا .

furthermost; furthest [fûr'-] *(adj.)* الأبعد ؛ الأشدّ بعداً .

furtive [fûr'tĭv] *(adj.)* (١) «أ» مُختَلَس ؛ مُسْتَرَق . «ب» ماكر (٢) مسروق .

furuncle [fyŏŏr'ŭng kəl] *(n.)* خُرَاج ؛ دُمّل .

fury [fyŏŏr'ĭ] *(n.)* (١) غضب شديد (٢) «أ» *cap.* روح منتقمة (مث) . «ب» امرأة حقود (٣) ضراوة ؛ عنف بالغ .

furze [fûrz] *(n.)* الجَوْلَق ؛ الرَّتَم ؛ الوَزَّال (نب) .

furze

fuscous [fŭs'kəs] *(adj.)* داكن ؛ قاتم .

fuse [fūz] *(n.; vt.; i.)* (١) فتيل المُفرقعة الخ . (٢) الصمامة الكهربائية : أداة أمان تتألف من سلك صغير يذوب فيقطع التيارَ الكهربائيّ كلما أمست قوّته خطراً على السلامة §(٣) «أ» يصهر ؛ يذيب . «ب» يَلْحم (بالإذابة) (٤) يدمج (في كلٍّ واحدٍ) ×(٥) ينصهر (٦) يندمج .

fusee [fū zē'] *(n.)* (١) الفُوزية : بكرة زنبرك الساعة (٢) الفُوزيّ : «أ» فتيل المفرقعة . «ب» ضربٌ من الثقاب الاحتكاكيّ ضخم الرأس . «ج» ضوء أحمر للتحذير (في السكة الحديدية) .

fuselage[fū'zə lĭj] *(n.)* جسم الطائرة (المخصص للربابنة والمسافرين أو المشحونات) .

fusel oil [fū'zəl] *(n.)* الزيت الكحوليّ .

fusi- بادئة معناها : مِغزل ؛ مِغزليّ (*fusi*form) .

fusibility [fū zə bĭl'-] *(n.)* الانصهارية ؛ قابلية الانصهار .

fusible [fū'zə bəl] *(adj.)* منصهر ؛ قابلٌ للانصهار .

fusiform [fū'zə-] *(adj.)* مِغزَليّ (أو وَشَعِيّ) الشكل .

fusil [fū'zəl] *(F.)* الغدّارة : بندقية عتيقة الطراز .

fusilier *or* **fusileer** [fū zə lĭr'] *(F.)* الغدّاريّ : جنديّ مسلّح بغدّارة .

fusillade [fū'zə lād'] *(n.; vt.)* (١) وابل (من طلقات نارية) . (٢) سَيْل (من الأسئلة أو الانتقادات) §(٣) يهاجم أو يصرع بوابل من طلقات نارية .

fusion[fū'zhən] *(n.)* (١) «أ» صَهْر . «ب» انصهار (٢) «أ» اندماج . «ب» تكتّل سياسي (٣) التحام النَّوَى الذرية .

fusion bomb *(n.)* قنبلة هيدروجينية .

fusionist [fū'zhən-] *(n.)* التكتّليّ : المروّج لتكتّل الأحزاب السياسيّة أو المشترك في تكتّل سياسي .

fuss [fŭs] *(n.; vi.; t.)* (١) «أ» جلَبَة لا داعي لها : هَرْج ومرج . «ب» إطراء مفرط (٢) «أ» اهتياج ، وبخاصة حول مسألة تافهة . «ب» اعتراض ؛ احتجاج . «ج» شِجار §(٣) «أ» يهتاج أو يُحْدِث حالة اهتياج ، وبخاصة : يُمْطِر شخصاً بضروب العناية المتملّقة . «ب» يهتمّ أكثر ممّا ينبغي بالتفاصيل الصغيرة (٤) «أ» يقْلَق . «ب» يشكو ؛ يجادل ×(٥) يُثير ؛ يُقلق .

fussy [fŭs'ĭ] *(adj.)* (١) سريع الاهتياج (٢) «أ» مزخرَف ؛ منمَّق . «ب» متطلِّب عنايةً بالتفاصيل . «ج» شديد العناية بالتفاصيل . «د» نيِّق ؛ صعب الارضاء .

fustian[fŭs'chən] *(n.; adj.)* (١) الفُسْتيان : نسيج قطنيّ (٢) كلامٌ طنّان أو حافلٌ بالادّعاء §(٣) فُسْتياني (٤) طنّان (٥) تافه ؛ رخيص .

fustic [fŭs'tĭk] *(n.)* (١) الفُسْطيط : خشب شجرة أميركية استوائية يُستخرَج منه صِبْغٌ أصفر (٢) شجرة الفُسْطيط .

fustigate [fŭs'-] *(vt.)* (١) يضرب بهراوة (٢) ينتقد بقسوة .

fusty [fŭs'tĭ] *(adj.)* (١) عَفِن (٢) رجعيّ ؛ محافظ .

futile[fū'təl;-tĭl;-tīl] *(adj.)* (١) غير ذي جدوى ؛ لا طائل تحته (٢) منشغل بالتوافه (He's a ~ sort of person.).

futilitarian [-ə târ'-] *(n.; adj.)* (١) العبَثيّ : المؤمن بأن الكفاح الانسانيّ عَبَثٌ لاطائل تحته §(٢) عبثيّ : مؤمنٌ بعبثية الكفاح الانسانيّ .

futility [fū tĭl'-] *(n.)* عَبَث ؛ لا جدوى .

future [fū'chər] *(adj.; n.)* (١) مُقبِل ؛ آتٍ ؛ وبخاصة : أخرويّ ؛ كائن بعد الموت (٢) استقباليّ ؛ خاصّ بصيغة من صيغ الاستقبال أو مكوِّن لها (ل) §(٣) المستقبَل (٤) مُستقبل شخص أو شيء : ما يُتَوَقّع له من تقدم أو نجاح (٥) *pl.* عد : كل ما يشترى ويباع على أن يجري تسليمه في المستقبل (٦) صيغة استقبال (ل) .

futureless [fū'-] *(adj.)* لا مستقبل له ؛ غير مأمول تحسُّنه أو ازدهاره .

futurism [fū'chə rĭz əm] *(n.)* المستقبَلية : حركة في الفنّ والموسيقى والأدب نشأت في ايطاليا حوالى ١٩١٠ وتميّزت بالدعوة إلى اطّراح التقليد ومحاولة التعبير عن الطاقة الدينامية المميِّزة لحياتنا المعاصرة .

—futurist *(n.; adj.)*

futurity [fū tyŏŏr'ə tĭ] *(n.)* (١) مستقبل (٢) الاستقبالية : كون الشيء حادثاً في المستقبل (٣) *pl.* : أحداث المستقبل ؛ وبخاصة : الحياة بعد الموت .

futurity race *(n.)* (١) السباق الاستقبالي : سباق يُجْرَى بين أمهار لا تزيد سنها عادةً على سنتين شرطَ أن يُسجَّل اشتراكُها فيه عند ولادتها أو قبل ذلك (٢) المسابقة الاستقبالية : مسابقة يسجل راغبو الاشتراك فيها أنفسَهم قبل فترة طويلة من إجرائها .

fuze; fuzee = fuse; fusee.

fuzz [fŭz] *(n.; vi.; t.)* (١) زَغَب ؛ زِئْبر (٢) لحيةُ المراهق . (٣) شرطي (ع) §(٤) يزغابّ : يصبح زَغِباً ×(٥) يزغّب : «أ» يكسو بالزغب . «ب» يجعله زغِباً (٦) يجعله ضبابياً أو مشوّشاً أو غير واضح .

fuzzy [fŭz'ĭ] *(adj.)* (١) زغِبٌ (٢) «أ» غائم ؛ غير واضح . «ب» غامض . «ج» مشوّش (٣) جَعْد ؛ أجعد .

-fy لاحقة معناها : «أ» يجعله (simpli*fy*) . «ب» يطبعه بطابع كذا (citi*fy*).

fyce[fīs] *(n.)* = feist.

fyke[fīk] *(n.)* شبكة صيد (كيسيّة الشكل) .

fylfot[fĭl'fŏt] *(n.)* = swastika.

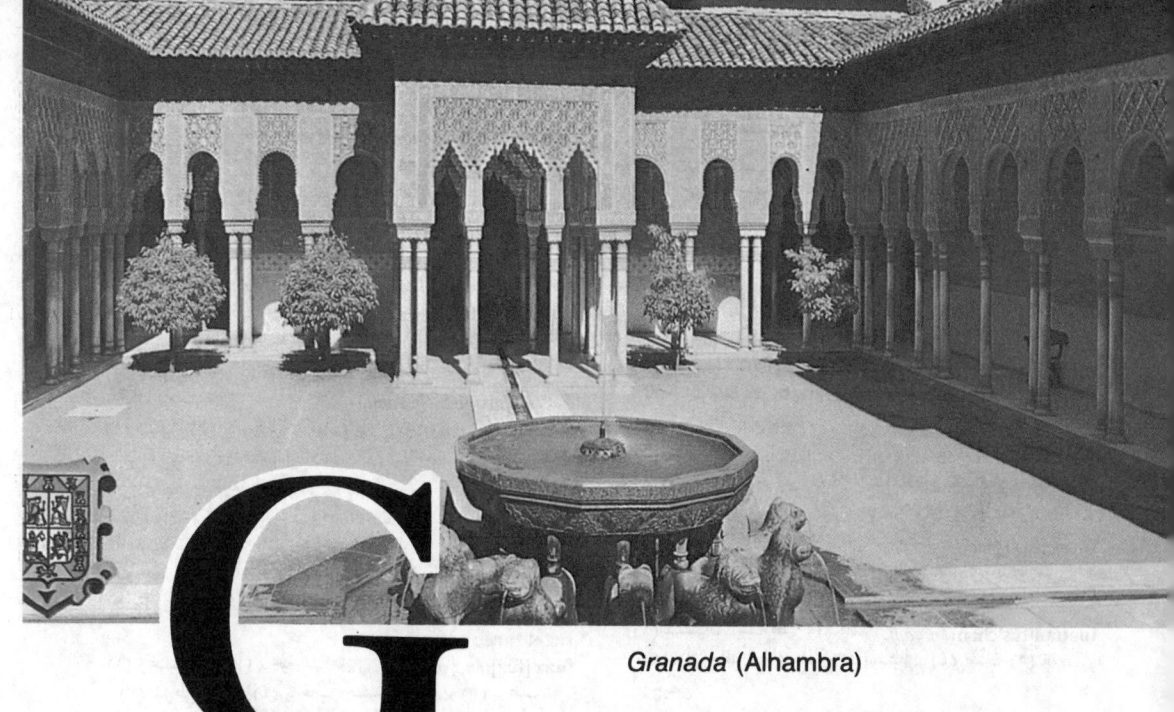

Granada (Alhambra)

G

g [jē] *(n. often cap.)* (١) الحرف السابع من الأبجدية الانكليزية. (٢) شيء معتبَر سابعاً من حيث الترتيب أو الطبقة (٣) ألف دولار (ع) (٤) شيء على صورة حرف **G** .

gab [găb] *(vi.; n.)* (١) يثرثر؛ يهذِر §(٢) ثرثرة؛ هذَر .

gabardine [găb'ər dēn] *(n.)* (١) gaberdine (٢) «أ» الغبردين: قماش متين. «ب» ثوب مخيط من الغبردين .

gabber [găb'ər] *(n.)* الثرثار؛ المهذار .

gabble [găb'əl] *(vi.; t.; n.)* (١) يهذر؛ يهرف (٢) «أ» يبربر؛ ينطق بكلام غير مفهوم. «ب» تصوت (الطيور) ×(٣) يقول بسرعة مِهذارة §(٤) هذَر؛ بربرة؛ ثرثرة .

gabby [găb'ĭ] *(adj.)* مهذار؛ ثرثار .

gabelle [gə bĕl'] *(n.)* ضريبة الملح (في فرنسة قبل عام ١٧٩٠) .

gaberdine [găb'ər dēn] *(n.)* (١) «أ» سترة طويلة (كان اليهود يرتدونها في القرون الوسطى). «ب» وزرة (للعمال الانكليز). «ج» ثوب (٢) gabardine .

gabion [gā'bĭ ən] *(n.)* قُفّة تراب (لوقاية الجند) .

gable [gā'bəl] *(n.)* الجملون: الجزء الأعلى، المثلث الزوايا، من جدار مكتنف بسطحين متحدرين (عم) .

gable

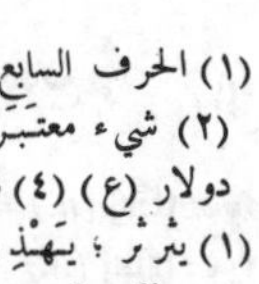

gabled [gā'-] *(n.)* مُجَمْلَن: ذو جملون أو أكثر (عم) .

gable roof *(n.)* السطح الجملوني أو الموشوري .

gaby [gā'bĭ] *(n.)* المُغفّل؛ الساذج (عب) .

gad [găd] *(n.; vi.)* (١) إزميل أو مِنخس. (٢) عصا؛ قضيب (ع) §(٣) يتسكّع؛ يهيم .

gadabout [găd'-] *(n.; adj.)* متسكع أو متجول (التماساً للمتعة) .

gadfly [găd'-] *(n.)* (١) النعرة: ذبابة الخيل والماشية (٢) شخص يزعج أو يوقظ من سُبات عميق .

gadget [găj'ĭt] *(n.)* أداة؛ وبخاصة: جزء من آلة .

gadoid [gā'doid] *(adj.; n.)* (١) قُدّي: خاص بسمك القُدّ أو شبيه به §(٢) القُدّية: سمكة من فصيلة القُدّ .

gadolinium [găd ə lĭn'-] *(n.)* الغادولينيوم: عنصر فلزي (ك) .

gadroon [gə drōōn'] *(n.)* الغَدْرونة: حلية مدورة (عم) .

gadwall [găd'-] *(n.)* السمارية: بطة بريّة (ح) .

Gael [gāl] *(n.)* الغيلي: «أ» اسكتلندي من سكان المرتفعات. «ب» سلتي من سكان ايرلندة أو اسكتلندة .

Gaelic [gā'-] *(adj.; n.)* (١) غيلي: متعلق بالغيليين أو لغتهم. §(٢) الغيلية: لغة السلتيين في ايرلندة والمرتفعات الاسكتلندية .

gaff [găf] *(n.; vt.)* (١) الغاف: «أ» رمح لطعن الأسماك أو السلاحف. «ب» خُطّاف لرفع الأسماك الثقيلة. «ج» مهماز لديك المصارعة. «د» كُلّاب الجزّار (٢) القرية: عارضة يمدّ عليها رأس الشراع (٣) «أ» خداع. «ب» حيلة (٤) معاملة خشنة (٥) غلطة أو زلة (في السلوك الاجتماعي) (٦) مسرح أو ملهى رخيص §(٧) يطعن أو يصطاد برمح أو خُطّاف (٨) يخدع (٩) يتلاعب بـ (بقصد الخداع) .

to blow the ~, يفشي السرّ الخ.؛ يبلّغ عن .

to stand the ~, يتحمل المشاقّ الخ .

gaffe [găf] *(F.)* غلطة أو زلة (في السلوك الاجتماعي) .

gaffer [găf'ər] *(n.)* (١) عجوز؛ شيخ (٢) «أ» المستخدِم؛ صاحب العمل (بر). «ب» كبير (أو ناظر) العمّال .

gag [găg] *(vt.; i.; n.)* (١) «أ» يكعم: يسدّ الفم بشيء. «ب» يُسكت؛ يحول دون حرية الكلام (٢) يُقَيِّئ: يجعله يتقيأ (٣) يسدّ ×(٤) يتقيأ (٥) يتوقف فجأة §(٦) «أ» الكِعام: شيء يُقحم في الفم لإبقائه مفتوحاً أو لمنعه من الكلام أو الصراخ. «ب» cloture «ج» وسيلة أو عمل لتقييد حرية الرأي (٧) ملاحظة أو عمل مثيران للضحك (٨) حيلة؛ خدعة؛ مزحة خادعة .

gage [gāj] *(n.)* (١) رمز للتحدّي؛ وبخاصة: قفّاز (أو قبعة) يُرمى إلى الأرض طلباً للمبارزة (٢) رهن؛ ضمان (٣) برقوق؛ خوخ (٤) gauge .

gaggle [găg'əl] *(n.)* (١) قطيع (٢) جماعة (٣) مجموعة .

gag rule *(n.)* القاعدة المقيِّدة: قاعدة لتقييد حرية المناقشة أو التعبير، وبخاصة في هيئة تشريعية .

gaiety [gā'ə tĭ] *(n.)* (١) ابتهاج؛ مرح (٢) *pl.* عد: مسرّات؛

(the *gaieties* of the New Year season) . مَباهِج

gaillardia [gā lär'dĭ ə] *(n.)* الغَيْرْدِية، الناعورة : نبات جميل الزهر من الفصيلة المركّبة (نب) .

gaily [gā'lĭ] *(adv.)* بابتهاج ؛ بمرح .

gain [gān] *(n.; vt.; i.)* (١) كَسْب ؛ ربح (٢) زيادة (في المقدار أو الحجم أو الدرجة) وبخاصة : الكَسْب «كب» و«رد») §(٣)«أ» يكسب ؛ يربح . «ب» ينال ؛ يفوز بـ . «ج»يُكسِب (What ~*ed* him such a reputation?) «د»يبلغ ؛ يصل إلى (The swimmer ~*ed* the shore.) (٤) يَلفِت (to ~ attention) (٥) يكتسِب ؛ يزداد (to ~ speed) (٦)«تقدّم» الساعةُ (~*s* a minute a day) ×(٧)«أ» يزداد. «ب» يزداد وزناً . «ج» تتحسّن صحته .

to ~ ground يُحرز تقدماً .

to ~ on *or* upon (١) يزداد قرباً منه حتى يَلْحق به (to ~ on the other runners)(٢)ينطلق بسرعة أعظم ؛ يزداد بعداً عن (~*ed* on his pursuers) (٣) يتقدّم تدريجياً غامراً جزءاً من اليابسة (The sea is ~*ing* on the land.)

to ~ the upper hand يفوز ؛ ينتصر .

gainer[gā'-] *(n.)* (١)الكاسب ؛ الرابح (٢)ضرب من الغطس (سباحة) .

gainful [gān'-] *(adj.)* مُرْبِح ، عائد على صاحبه بربح أو دخل حسن .

gainsay [-sā'] *(vt.)* (١)يُنكِر (٢) يخالف ؛ يناقض (٣) يقاوم .

gait [gāt] *(n.; vt.)* (١) «أ» مِشْية . «ب» طريقة في العَدْو . (٢) سرعة (أو نسبة) العمل أو الانتاج §(٣) يدرِّب على مشية الخ. خاصة .

gaited[gā'-] *(adj.)* ذو مِشية خاصة (slow-*gaited*).

gaiter [gā'tər] *(n.)* الغَيْتَر : «أ» جُرْموق ؛ طِماق. «ب» حذاء نصفي (مطاط الجانبين) لا يتجاوز أعلاه الكاحلَ . «ج» وِقاء يُلْبَس فوق الحذاء (مصنوعٌ جزؤهُ الأعلى من نسيج) .

gala [gā'lə; găl'ə; gā'-] *(n.)* مِهْرجان ، احتفال .

galact- *or* **galacto-** بادئة معناها : لبن ، حليب .

galactic [gə lăk'tĭk] *(adj.)* مَجَرّي : خاصّ بالمجرّة (فل) .

galactopoiesis [-tə poi ē'-] *(n.)* تكوّن اللبن ودرّه .

galactose [gə lăk'tōs] *(n.)* سكّر اللبن (ك) .

galantine [-'ən tēn] *(F.)* الغَلَنْتين : طبق من سمك أو لحم بارد.

galanty show *(n.)* = shadow play.

galavant [găl'ə vănt] *(vi.)* = gallivant.

galaxy [găl'ək sĭ] *(n.)* (١) *cap.* ك : المجرّة (فل) (٢) الكوكبة : حشدٌ من أشخاص (أو أشياء) لامعين أو بارزين .

galbanum [găl'bə nəm] *(n.)* الحِلْتِيتة : صمغ راتينجي .

gale [gāl] *(n.)* (١) عاصفة ؛ ريحٌ هوجاء (٢) نوبة (ضحك أو انفعال) (٣) مبلغ يدفع دورياً أجرةً للمسكن الخ.

galea [gā'lĭ ə] *(n.)* (١) القَلَنْسُوة (أح) (٢) قلنسوة الكأس أو التُوَيْج (نب) .

galena [gə lē'nə] *(n.)* الغالينة : كبريتيد الرصاص (ك) .

Galenic [gā lĕn'ĭk] *(adj.)* جالينوسي : خاص بجالينوس أو مذهبه الطبي.

galenical [gā lĕn'-] *(n.)* الجالينوسي : مستحضر طبي من أصل نباتي .

Galenism [gā'-] *(n.)* الجالينوسية : مذهب جالينوس الطبي .

Galilean [găl'ə lē'ən] *(adj.)* غاليليّ : منسوب إلى « غاليلي » أبي الفيزياء والفلك التجريبيّين .

galilee [găl'ə lē'] *(n.)* مُصَلّى (عند مدخل كنيسة) .

galimatias [găl'ə mā'shĭ əs; -măt'ĭ əs] *(n.)* هُراء .

galingale [găl'ĭn gāl] *(n.)* السُّعْد : نبات من الفصيلة السُّعدية .

galiot [găl'ĭ ət] *(n.)* = galliot.

galipot [găl'ə pŏt'] *(F.)* الغليبوت : راتينج زيتي تربنتيني خام .

gall [gôl] *(n.; vt.; i.)* (١)«أ» صفراء ؛ مِرّة . «ب» شيء مرير يصعب احتماله. «ج» حقد ؛ ضغينة ؛ سخط ؛ غضب (٢) وقاحة (٣) قَرْحٌ جلدي (٤) العَفْصة : تضخّم في النسيج النباتي ناشىء عن بعض الفطور أو الطفيليات (نب) §(٥)يقرِّح أو يُبْلي بالحكّ (٦)يغيظ ؛ يناكد ؛ يثير (٧)harass ×(٨)يتقرّح أو يَبْلَى بالحكّ .

gallant *(n.; adj.; vt.; i.)* (١) شاب أنيق (٢) «أ» الزير (را . ladies' man) . «ب» طالبُ يد المرأة . «ج» paramour §(٣) أنيق ؛ حسن البِزّة (٤) غَزِل أو متودِّد للنساء . (٥) «أ» فخم. «ب» شجاع «ج» شهم ؛ نبيل §(٦) يغازل ؛ يتودد للنساء .

gallantry [găl'ən trĭ] *(n.)* (١) كياسة بالغة (٢) تودّد للنساء (٣) بسالة .

gall bladder *(n.)* المَرارة ؛ الحُوَيْصلة الصفراوية (ت) .

galleass [găl'ĭ ăs] *(n.)* الغَلْياس : سفينة حربية شراعية ضخمة ذات مجاذيف (القرن ١٦ و ١٧) .

galleon

galleon [găl'ĭ ən] *(n.)* الغليون : سفينة شراعية ضخمة (حربية وتجارية)

gallery [găl'ə rĭ; găl'rĭ] *(n.)* (١) «أ» بهوٌ معمَّد. «ب» رواق . (٢)«أ» شرفة خارجية . «ب» منصّة في مؤخر السفينة الخ. (٣) دهليز ؛ سَرَب (في منجم) (٤)«أ» صالة عرض للآثار الفنية) . «ب» مؤسسة تعرض أو تتعاطى بيع الآثار الفنية (٥)«أ» شرفة المسرح؛ وبخاصة الشرفة العليا ذات المقاعد الأكثر رخصاً . «ب» جُمهور النظّارة في شرفة المسرح . «ج» الجمهور غير المميِّز (٦) استديو المصور الفوتوغرافي .

galley [găl'ĭ] *(n.)* (١) القادس : سفينة شراعية كبيرة ذات مجاذيف (٢) مطبخ سفينة أو طائرة (٣) لوح الطباعة : صينية فولاذية مستطيلة لحمل الأحرف الطباعية المنضّدة .

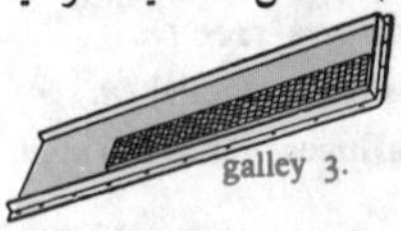

galley 3.

galley proof *(n.)* التجربة اللوحية : «بروفة» تسحب عن الأحرف الطباعية المنضّدة على لوح طباعي قبل تقطيعها إلى صفحات.

galley slave *(n.)* (١) عبد القادس : رقيق (أو مجرم) يعمل مجذِّفاً على سفينة شراعية كبيرة (٢) الكادح .

galley-west *(adv.)* تماماً ؛ كلية ؛ بصورة مهلكة أو مؤدية الى فوضى شاملة (Trade was knocked ~.) .

gallfly [gôl'flī] *(n.)* الآبِرة ؛ القِنفِشة ، ذبابة العَفْص .

galliard [găl'yərd] *(n.)* الغَلْيارة : رقصة قديمة مرِحة .

Gallic [găl'ĭk] *(adj.)* غاليّ : خاصّ ببلاد الغال أو فرنسة .

Gallican [găl'-] *(adj.)* (١)غاليّ (را . المادة السابقة) (٢) غاليكاني (را . المادة التالية) .

Gallicanism[găl'ə kə-] *(n.)* الغاليكانية : حركة نشأت في فرنسة ودعت إلى استقلال الكنيسة الاداري، في البلدان الكاثوليكية ، عن سيطرة البابا .

gallicism [găl'ə sĭz'əm] *(n. often cap.)* (١) مصطلح أو تعبير فرنسي (وارد في لغة أخرى) (٢) سِمة فرنسية .

gallicize [găl'ə-] *(vt.; i.)* (١) يُفَرْنِس ×(٢) يتفرنس .

galligaskins [găl'ə găs'-] *(n. pl.)* (١) بنطلون قصير فضفاض . (٢) الطِماق : كِساء للساق من جلد أو قماش .

gallinaceous [-nā'shəs] *(adj.)* دجاجي : خاص برتبة الدجاج .

galling [gô'lĭng] *(adj.)* مزعج ؛ مُسخِط ؛ مثير للحنق .

gallinipper [găl'-] *(n.)* الغَلَنْبَرِيّة : بعوضة أميركية ضخمة .

gallinule [găl'ə nūl] *(n.)* الفُرْفُر ؛ السُحْنُون : طائر مائي .

galliot [găl'-] *(n.)* الغاليوت : سفينة شراعية صغيرة ذات مجاذيف .

gallipot [găl'-] *(n.)* (١) حُق (فخاري للأدوية) (٢) الصيدلي .

gallium [găl'-] *(n.)* الغاليوم : عنصر فلزي نادر أبيض مُزْرَق (ك) .

gallivant [găl'ə vănt] *(vi.)* (١) يرافق الجنس الآخر (وبخاصة في تياه وطيش) (٢) يسافر أو يتسكع طلباً للمتعة .

gall mite *(n.)* عُثة العَفَص : عثة تحدث عفصة (را . gall 4) في أنسجة النبات

gallnut [gôl'-] *(n.)* العَفْصة الجوزية : عفصة شبيهة بالجوزة .

gallon [găl'ən] *(n.)* الغالون : مقياس للسوائل يساوي ٢٣١ إنشاً مكعباً أو ٣,٧٨٥٣ ليتراً (في الولايات المتحدة) و ٢٧٧,٤٢ إنشاً مكعباً أو ٤,٥٤٦ ليتراً (في انكلترة) .

gallonage [găl'ən ĭj] *(n.)* المقدار مقيساً بالغالونات .

galloon [gə lōōn'] *(n.)* خَرْج أو زَرْكَش (من مخرمات أو مطرزات أو خيوط معدنية) .

gallop [găl'əp] *(n.; vi.; t.)* (١) عَدْو الفَرَس § (٢) يجري بالفرس عَدْواً (٣) يعدو بسرعة ×(٤) يجعله يعدو بسرعة .

gallopade [găl ə pād'] *(n.)* الغَلْبادية : رقصة مرحة أو موسيقاها .

Galloway [găl'-] *(n.)* الغَلْوَية : بقرة اسكتلندية الأصل .

gallows [găl'ōz] *(n.; adj.)* (١) مشنقة (٢) كل هيكل قائم ذي قطعة متعارضة (٣) حِمالة البنطلون (توضع على الكتف وتُشد إلى أزراره) §(٤) مستحق الاعدام شنقاً .

gallows bird *(n.)* المستحق المشنقة : شخص يستحق الاعدام شنقاً

gallows tree *(n.)* مِشْنَقة .

gallstone [gôl'-] *(n.)* حصاة صفراوية (تتكوّن في المرارة الخ .) .

galluses [găl'əs ĭz] *(n. pl.)* حمالة البنطلون (توضع على الكتف وتُشد إلى أزراره)

gall wasp *(n.)* زنبور العَفْص : حشرة تُحدِثُ عفصة (را . gall 4) في أنسجة النبات .

gally [găl'ĭ] *(vt.)* يُفزِع ؛ يروع (ع) .

galoot [gə lōōt'] *(n.)* شخص ؛ وبخاصة : شخص غريب أو أحمق .

galop [găl'əp] *(n.)* الغُلُب : رقصة مرحة أو موسيقاها .

galore [gə lōr'] *(adj.; adv.; n.)* (١) وافر §(٢) بوفرة §(٣) وفرة .

galosh [gə lŏsh'] *(n.)* الكَلُوش : حذاء فوقي مطاطي يلبس فوق الحذاء العادي .

galvanic [găl văn'ĭk] *(adj.)* (١) كلفاني ؛ غلواني : «أ» مُحدِث تياراً كهربائياً بالتفاعل الكيميائي . «ب» خاص بالتيار الكهربائي أو ناشئ عنه (٢) «أ» منبه ؛ مثير . «ب» عصبي .

galvanism [găl'və nĭz'əm] *(n.)* الكلفانية ؛ الغلوانية : «أ» كهرباء مُحْدَثة بالتفاعل الكيميائي . «ب» فرع من الفيزياء يعنى بهذا الضرب من الكهرباء . «ج» استخدام هذا الضرب من الكهرباء في الأغراض الطبية .

galvanization [găl'və nĭ zā'-] *(n.)* الكَلْفَنة ؛ الغَلْوَنة .

galvanize [găl'və nīz'] *(vt.)* (١) يُكَلْفِن ؛ يُغَلْوِن : يُخضع لفعل تيار كهربائي (٢) ينبّه أو يثير بصدمة كهربائية (٣) يطلي بالزنك .

galvano- بادئة معناها : تيار كلفاني أو غلواني .

galvanometer [-nŏm'ə tər] *(n.)* المقياس الكلفاني (مج) .

galvanometer

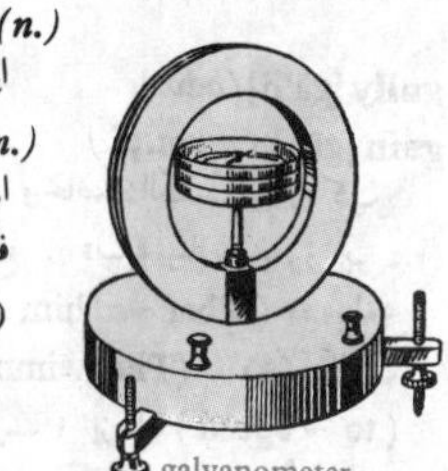

galvanoscope [găl'və nə-] *(n.)* المكشاف الكلفاني (مج) .

galyak [găl'-] *(n.)* فَرْو الحَمَل .

gam [găm] *(n.; vi.; t.)* (١) رِجْل (٢) زيارة أو حديث ودي في البحر أو على الشاطئ . وبخاصة بين صيادي الحيتان (٣) رعيل من الحيتان §(٤) يتحادث ×(٥) يُحدّث أو يزور (٦) ينفق (الوقت) متحدثاً .

gam- or **gamo-** بادئة معناها : «أ» متّحد (*gamo*petalous) «ب» تناسلي (*gamo*genesis) .

gambado [găm bā'dō] *(n.)* (١) الرِكاب الجلدي : حذاء (أو طِماق) طويل يعلق بجانبي السرج لوقاية قدمي الفارس ورجليه من البلل أو البرد (٢) وثبة فرس (٣) وثب ؛ طَفْر ؛ مَرَح .

gambit [găm'bĭt] *(n.)* (١) افتتاح لعب الشطرنج بالمغامرة ببيدق ثانوي أو أكثر تحسيناً لمركز اللاعب (٢) «أ» ملاحظة يراد بها استهلال المحادثة . «ب» مناورة .

gamble [găm'bəl] *(vi.; t.; n.)* (١) «أ» يقامر . «ب» يراهن . «ج» يضارب ×(٢) يغامر بـ §(٣) مقامرة (٤) «أ» مغامرة . «ب» شيء غير مضمون النتائج .
—gambler *(n.)*

gamboge [găm bōj'] *(n.)* (١) الصمغ الكمبودي : صمغ راتنجي أصفر يستخرج من بعض أشجار كمبوديا وسيام (٢) لون أصفر فاقع .

gambol [găm'bəl] *(n.; vi.)* (١) وثب ؛ طَفْر §(٢) يطفر مرحاً .

gambrel [găm'brəl] *(n.)* (١) عصا أو قضيب حديدي لتعليق الذبائح (٢) عرقوب الفرس وغيره .

gambrel roof *(n.)* السقف المنكسر : سقف كل جانب من جانبيه ثنائي الانحدار .

game [gām] *(n.; vi.; adj.)* (١) «أ» لهو . «ب» لعبة ؛ أداة لعب . «ج» مَزْحة (٢) «أ» خطة ؛ طريقة . «ب» خدعة ؛ حيلة . «ج» مهنة ؛ صناعة (٣) «أ» مباراة . «ب» جزء من مباراة . «ج» عدد النقط الضروري للفوز . «د» طريقة اللعب في مباراة . «هـ» قواعد لعبة ما (٤) «أ» الطرائد أو لحمها . «ب» الصيد : حيوانات مَصِيدة (٥) موضوع سخرية أو نقد §(٦) يقامر §(٧) مصمّم ؛ ثابت العزم (He was ~ to the end.) (٨) طَرَدي : خاص بالصيد (~ laws) (٩) أعرج (a ~ leg) .
The ~ is up. لقد أخفقت الخطة .
to die ~, يثبت أو يصمد حتى النهاية .
to have the ~ in one's hands يكون واثقاً من الفوز .
to make ~ of يهزأ به ؛ يجعله موضوع سخرية .
to play the ~, (١) يلتزم القواعد أو القوانين . (٢) يتصرف بطريقة مشرفة .

game bird *(n.)* الطريدة : طائر يصاد للحمه أو على سبيل الرياضة .

gamecock [gām'kŏk'] *(n.)* ديك المصارعة .

gamekeeper [-'kē pər] *(n.)* حارس الطرائد : شخص يُكلّف بمنع المتطفلين من صيد الطيور في عِزْبة أو أملاك ريفية .

gamely [gām'lĭ] *(adv.)* ببسالة ؛ بشجاعة .

ă at; ā date; â care; ä car; ĕ egg; ē me; ĭ in; ī bite; ŏ lot; ō bone; ô orphan; oi boil ŏŏ good; ōō boot; ou out;
ŭ under; ū unity; û urgent; th thing; th this; zh vision; ə = a in alone, e in system, i in easily, o in gallop, u in circus.

gamesmanship [gāmz'-] *(n.)* فنّ الفوز بالمباريات الرياضية بأساليب مُريبة من غير تخرّق فعليّ لقواعدها .

gamesome [gām'səm] *(adj.)* مَرِح ؛ لَعوب .

gamester [gām'stər] *(n.)* المقامر .

gamet- or gameto- بادئة معناها : مَشيج (أح) .

gametangium [găm ə tăn'-] *(n.)* pl. **-gia** خليّة الأمشاج : خلية تنشأ فيها الأمشاج (أح) .

gamete [găm'ēt; gə mēt'] *(n.)* المَشيج : خليّة جرثومية ناضجة إذا اتّحدت بخليّة جرثومية أخرى كوّنت فرداً جديداً (أح) .

gametic [gə mĕt'ĭk] *(adj.)* مَشيجيّ (أح) .

gametocyte[gə mē'-] *(n.)* الخليّة المَشيجيّة : خلية تنقسم لتُحدِث أمشاجاً (أح) .

gametogenesis [găm ə tō jĕn'-] *(n.)* تكوّن الأمشاج (أح) .

gametophore [gə mē'tə fōr] *(n.)* حامل الأمشاج (نب) .

gametophyte [gə mē'tə fīt] *(n.)* النابت المَشيجي : جزء النبات الذي تكون فيه الأمشاج (نب) .

gamic [găm'ĭk] *(adj.)* تناسليّ ؛ متطلّب تلقيحاً (أح) .

gamily [gām'i lĭ] *(adv.)* ببسالة ؛ بشجاعة .

gamin [găm'ĭn; gá măn'] *(F.)* ولدٌ متشرّد .

gaming [gā'mĭng] *(n.)* المقامرة ؛ لعِب القمار .

gamma [găm'ə] *(n.; adj.)* (١) غاما ؛ الجيم : الحرف الثالث من الأبجدية اليونانية (٢) درجة المغايرة في صورة فوتوغرافية مظهَّرة أو في صورة تلفزيونية (٣) microgram §(٤) جيميّ : ثالث في الترتيب ؛ وبخاصة في التصنيف العلمي .

gamma rays *(n. pl.)* الأشعة الجيمية ، أشعّة جمّا (فز) .

gammer [găm'ər] *(n.)* امرأة عجوز .

gammon[găm'ən] *(n.; vt.; i.)* (١) فخذخنزير مُقدَّد أومدخّن . (٢) « مَرْس » (في لعب النرد أو الطاولة) (٣) هراء خادع §(٤) يشدّ دقلاً مائلاً (را . bowsprit) إلى مقدَّم السفينة بحبل أو سلسلة (٥) يغلبه « مَرْساً » (٦) يخدع ×(٧)ينطق بهراء خادع (٨) يتظاهر بـ .

gamogenesis [găm'ə jĕn'ə sĭs] *(n.)* التناسُل .

gamogenetic [găm'ō jə nĕt'ĭk] *(adj.)* تناسليّ .

gamopetalous [găm'ə pĕt'-] *(adj.)* متحد البتلات أو التُّويجيات (نب)

gamopetalous flower

gamophyllous [găm ə fĭl'əs] *(adj.)* متّحد الأوراق (نب) .

gamosepalous[-ə sĕp'-] *(adj.)* متحد السبلات أو الكأسيات (نب).

gamp [gămp] *(n.)* مِظلّة كبيرة .

gamut [găm'ət] *(n.)* (١) سُلّم النّغَم (مو) . (٢) سلسلة كاملة.

gamy or gamey [gā'mĭ] *(adj.)* (١) جَسُور ، شجاع . (٢)«أ» ذو طعم كطعم لحم الطيور الموشك على الفساد . «ب» نتن (٣) مكشوف ، مثير ، غير محتشم (٤)فاسد ؛ سيء السمعة.

-gamy لاحقة معناها : زواج (poly*gamy*) .

gander [găn'dər] *(n.; vi.)* (١) ذكَر الإوزّ (٢) المغفّل . (٣) نظرة (ع) §(٤) يتسكّع ؛ يهيم على وجهه .

gang [găng] *(n.; vt.; i.)* (١) «أ» عُدّة . «ب»مجموعة ؛ طاقم ؛ « طقم » (a ~ of saws) (٢)«أ» جماعة (من العمال الخ.) . «ب» عصابة §(٣) يهاجم (شخصاً) كعصابة (٤) يطقّم : يركّب أو يُعمل (أجزاء ميكانيكية أو ألكترونية) على نحو جماعي (circuits ~*ed* together by gears) ×(٥) بشكّل جماعة أو عصابة أو يعمل على هذا النحو (٦) يذهب ؛ يسافر .

gangbusters *(adj.)* متفوّق ؛ متميّز ؛ كبير النجاح .

ganger[găng'ər] *(n.)* ناظر (أو مُقدَّم) جماعة من العمال .

gang hook *(n.)* الصِّنارة المركّبة (من عدة صنانير متلاحمة).

gangland [găng'lănd'] *(n.)* عالَم الإجرام المنظّم .

ganglion[găng'glĭ-] *(n.)* pl. **-glia;** *or* **-glions** (١)«أ» عُقْدة «ب» عُقدة أو كتلة عصبية (ت) (٢) مركز قوة أو نشاط .

gangplank [găng'-] *(n.)* المِعْبَر : لوح خشبي يُستخدم للعبور من المركب إلى البرّ .

gangrene[găng'grēn] *(n.; vt.; i.)* (١)الغنغرينا ؛ الأكال ؛ المُوات (٢) شرّ مميت §(٣) يغنغِر : يجعله غنغرينياً ×(٤) يتغنغَر : يصبح غنغرينياً .

—gangrenous *(adj.)*

gangster [-'stər] *(n.)* قاطع طريق ؛ عضو في عصابة .

gangue [găng] *(n.)* الشوائب المعدنية (مج) : الصخور المتضمِّنة معادن ثمينة

gangway [-'wā'] *(n.)* (١) مجاز ؛ وبخاصة : ممرّ موقّت من ألواح خشبية (٢) «أ» أيٌّ من جانبَيْ سطح السفينة الأعلى . «ب» gangplank (٣) ممشى «بين كراسي كنيسة أو قاعة الخ.» (را. aisle) (٤) ممرّ رئيسيّ (في منجم) (٥) ممرّ يقسم مجلس العموم البريطاني شطرين (٦) ممرّ سالك (وسط حشد) .

ganister [găn'ĭs tər] *(n.)* الحَبْدار ، الغَسْطر : حجر سيليكونيّ .

gannet [găn'ĭt] *(n.)* الأطيَش : طائر بحريّ آكلٌ للأسماك .

gantlet [gănt'lĭt; gônt'-] *(n.; vt.)* (١) قصاص عسكري سابق كان يحكم فيه على الجندي بأن يمرّ بين صفّين متقابلين من الجند الذين يضربونه أثناء ذلك بالعصيّ وما إليها (٢)جزء من سكة الحديد (في نفق أو فوق جسر) يتّحد فيه الخطّان في خطّ واحد §(٣)يوحّد خطين من خطوط السكة الحديدية في واحد.

gantlet 2.

gantry [găn'trĭ] *(n.)* (١) مِسنَد (خشبي) للبراميل (٢)جِسر الرافعة (الونش) المتنقلة (٣) جِسْرُ الاشارات (في سكة الحديد) .

gantry 3.

Ganymede [găn'ə mēd] *(n.)* (١) غانيميد : ساقي الآلهة (في الميثولوجيا الاغريقية) (٢) الساقي ؛ ساقي الخمر (٣)القمر الرابع من أقمار المشتري (فل) .

gaol [jāl] *(n.; vt.)* = jail.

gap [găp] *(n.; vt.; i.)* (١)فَجوة ؛ ثغرة ؛ فُرجة (٢)«أ» شِعْب ؛ ممرّ جبليّ . «ب» ravine . «ج» فُرجة الشرارة (كب) (٣)انقطاع في التسلسل (٤) تفاوت ؛ عدم تكافؤ §(٥)يُحدث ثغرةً في ×(٦) ينشق .

—gappy *(adj.)*

to bridge the ~ ، يَجسُر ؛ يسدّ الثغرة أو النقص .

gape [gāp; găp] *(vi.; n.)* (١)«أ» يفغَر فمه . «ب» ينفرج ؛ ينشقّ (٢) يحدّق فاغراً فاه (٣) يتثاءب §(٤)«أ» تثاوب . «ب» تحديق مع فتح الفم : انشداه (٥) ثغرة ؛ فجوة (٦)«أ»عرض الفم المفتوح . «ب» عرض فتحة ما *pl.*(٧) : «أ» الشُّهاق : مرض يصيب صغار الطير . «ب» نوبة تثاوب .

gapeseed [gāp'-] *(n.)* (١)شيء باعث على التحديق المشدوه (عب). (٢) شخص يحدّق فاغراً فمه (عب).

ă at; ā date; â care; ä car; ĕ egg; ē me; ĭ in; ī bite; ŏ lot; ō bone; ô orphan; oi boil; ŏŏ good; ōō boot; ou out; ŭ under; ū unity; û urgent; th thing; *th* this; zh vision; ə = *a* in alone, *e* in system, *i* in easily, *o* in gallop, *u* in circus.

gapeworm [gāp'-] *(n.)* دودة الشُّهاق : دودة سلكية تُحدث الشُّهاق في صغار الطير .

gar [gär] *(n.)* الخَرْمان ؛ أبو منقار (سمك) .

garage [gə räzh'] *(n.; vt.)* (١) مَرْأَب (لايواء السيارات أو إصلاحها) §(٢) يُرتّب : يؤوي في مرأب .

garb [gärb] *(n.; vt.)* (١) زِيّ (٢) ملابس §(٣) يكسو .

garbage [gär'bĭj] *(n.)* (١) نُفاية (٢) كلام تافه .

garble [gär'bəl] *(vt.; n.)* (١) يُغَرْبِل (٢) يحرِّف ؛ يشوِّه ؛ يشوِّش §(٣) نُفاية التوابل الناشئة عن الغربلة (٤) غربلة ؛ تحريف الخ . (٥) خطأ (في استقبال رسالة لاسلكية أو إرسالها) .

garçon [gȧr sôn'] *(F.)* النادل : خادم في مطعم .

garden [gär'dən] *(n.; vi.; t.; adj.)* (١) «أ» حديقة ؛ جُنَيْنة ؛ بستان . «ب» جنّة (٢) «أ» حديقة عامة . «ب» مطعم أو حانة في الهواء الطلق §(٣) يُبَسْتِن : ينشىء بستاناً أو يعمل في بستان ×(٤) يزين بالجنائن §(٥) «أ» حديقيّ ؛ متعلق بالحدائق . «ب» عادي ؛ مبتذل .

garden city *(n.)* المدينة الجنائنية : منطقة سكن ذات جنائن .

gardener [gärd'nər] *(n.)* البستاني ؛ الجنائنيّ .

gardenia [gär dē'nyə] *(n.)* الغردينيا : شجر من الفصيلة الفُوَّية ذو زهر أرِج أبيضَ أو أصفر (نب) .

garderobe [gärd'rōb] *(n.)* (١) خزانة ملابس أو محتوياتها (٢) حجرة خصوصية ، حجرة نوم (٣) كنيف .

garfish [gär'fĭsh] *(n.)* = gar.

Gargantuan [gär găn'chōō ən] *(adj.)* عملاقيّ ؛ ضخم ؛ هائل .

garget [gär'gĭt] *(n.)* = mastitis.

gargle [gär'gəl] *(vt.; i.; n.)* (١) يتغرغَر بالماء (٢) يقول محدثاً صوتاً كالغرغرة ×(٣) يحدث صوتاً كالغرغرة §(٤) سائل مستعمل في الغرغرة (٥) صوت الغرغرة ونحوها .

gargoyle [gär'goil] *(n.)* الكَرْغُل : «أ» ميزاب ناتىء من جانب السطح على صورة إنسان أو حيوان . «ب» تمثال أو شخص بشع الوجه .

gargoyle *a.*

garibaldi [găr'ə bôl'dĭ] *(n.)* الغاريبالدية : صدرة نسوية .

garish [gâr'ĭsh] *(adj.)* (١) مكسوّ بملابس صارخة الألوان . (٢) «أ» مُبَهْرَج . «ب» متوهّج حتى الازعاج (٣) مزخرف على نحو يعوزه الذوق .

garland [gär'lənd] *(n.; vt.)* (١) إكليل زهر (٢) حلقة معدنية أو حلقة حبل تستعمل للرفع الخ . (مل) (٣) مجموعة ؛ مختارات §(٤) يكلّل : يصنع الأكاليل أو يزيّن بها .

garlic [gär'lĭk] *(n.)* ثوم . **—garlicky** *(adj.)*

garment [gär'-] *(n.; vt.)* (١) ثوب ؛ كساء §(٢) يكسو .

garner [gär'nər] *(n.; vt.)* (١) الهُري ؛ مخزن الحبوب . §(٢) «أ» يجمع في هُرْي . «ب» يدّخر ؛ يكنز (٣) «أ» يكسب (تأييداً أو شعبية الخ .) . «ب» يكدّس ؛ يجمع .

garnet [gär'nĭt] *(n.)* (١) عقيق أحمر (٢) لون العقيق الأحمر . (٣) مِرْفاع (لتحميل السفن أو تفريغها) .

garnet paper *(n.)* ورق الصَّنْفَرة ؛ «ورق الزجاج» .

garnish [gär'nĭsh] *(vt.; n.)* (١) يزخرف ؛ يزيّن (٢) يزود بـ (٣) garnishee §(٤) زُخْرُف (٥) تابل (للنكهة أو الزينة) .

garnishee [gär'nĭ shē'] *(vt.; n.)* (١) يُشعِر (شخصاً) بأن لا يُسلِّم ما في حوزته من أموال المدَّعى عليه أو ممتلكاته إليه حتى يَفصِل القضاء في دعوى المدّعي (ق) (٢) يحجز رواتب مَدين (بحكم قضائي) §(٣) المُشْعَر بأن لا يسلّم ما في حوزته من أموال المدعى عليه أو ممتلكاته إليه (٤) المدّعو للمثول أمام القضاء (أثناء سماع دعوى بين فريقين آخرين) .

garnishment [gär'nĭsh-] *(n.)* (١) زخرفة (٢) إشعار رسمي ينذر شخصاً بضرورة الاحتفاظ بما لديه من أموال المدعي عليه أو ممتلكاته ريثما يفصِل القضاء في الدعوى (٣) دعوة (تُوجَّه إلى شخص ثالث) للمثول أمام القضاء (أثناء سماع دعوى بين فريقين آخرين) (٤) حجْز جزء معيّن من راتب شخص (حفظاً لحقوق الدائنين) .

garniture [gär'nĭ chər] *(n.)* زُخْرُف ؛ زينة .

garpike [gär'-] *(n.)* = gar.

garret [găr'ĭt] *(n.)* العِلِّيَّة : حجرة تحت السقف الأعلى مباشرة .

garrison [găr'ə sən] *(n.; vt.)* (١) «أ» موقع عسكري . «ب» حامية §(٢) يقيم حاميةً في موقع (٣) يحتلّ موقعاً أو حصناً .

garrison state *(n.)* الدولة العسكرية : دولة منظمة على أساس عسكري .

garrote *or* garotte [gə rōt'; -rŏt'] *(n.; vt.)* (١) «أ» الاعدام بالمِخنق أو الطوق الحديدي . «ب» مِخْنق (٢) «أ» خَنْقٌ بدافع السرقة . «ب» الأداة المستعملة في ذلك §(٣) يُعْدِم بالمِخنق ونحوه (٤) يخنق ويسرق .

garrulity [gə rōō'lə tĭ] *(n.)* ثرثرة ؛ هَذَر .

garrulous [găr'ə ləs; -yə-] *(adj.)* ثرثار ؛ مِهذار .

garter [gär'tər] *(n.; vt.)* (١) رباط للجورب الخ . (٢) *cap.* وسام رابطة الساق البريطاني §(٣) يثبّت برباط جورب أو نحوه .

garter snake *(n.)* الغَرْطر : حية أميركية غير سامة .

garter spring *(n.)* النابض أو الزنبرك الطَّوقيّ .

gas [găs] *(n.; vt.; i.)* (١) غاز (٢) «أ» غاز مخدِّر . «ب» غاز للوقود . «ج» غاز خانق (٣) تبجّح ؛ كلام فارغ (ع) (٤) بنزين §(٥) «أ» يغوِّز : يعالج بالغاز . «ب» يسمّم بالغاز × (٦) يطلق غازاً (٧) يثرثر (٨) يزوِّد سيارة أو طائرة بالبنزين .

gasbag [găs'băg] *(n.)* (١) كيس الغاز (في منطاد أو للاستعمال في طب الأسنان) (٢) الثرثار ؛ المِهذار .

gasboat [găs'-] *(n.)* زورق البنزين : زورق مزوَّد بمحرِّك سيارةٍ مُحوَّل .

gas chamber *(n.)* حجرة الغاز (لإعدام المعتقلين) .

gascon [găs'kən] *(n.; adj.)* (١) *cap.* الغاسكونيّ : أحد أبناء غاسكونيا بجنوب غرب فرنسة (٢) المتبجّح ؛ الكثير التبجّح §(٣) غاسكونيّ .

gasconade [găs'kə nād'] *(n.; vi.)* (١) تبجّح §(٢) يتبجّح .

gas engine *(n.)* محرِّك بنزين ، محرِّك داخلي الاحتراق (مك) .

gaseous [găs'ĭ əs] *(adj.)* (١) غازيّ (٢) مُحَمّىً كثيراً (~ steam) (٣) واهٍ ؛ مُهلهَل .

gas fitter *(n.)* مركِّب أو مُصلح أنابيب الغاز .

gash [găsh] *(vt.; i.; n.)* (١) يَجْرَح جرحاً بليغاً §(٢) جُرح بليغ .

gasholder [găs'-] *(n.)* وعاء أو خزّان الغاز .

gashouse [găs'-] *(n.)* مصنع الغاز ؛ مصنع لإنتاج الغاز .

gasification [găs ə fĭ kā'-] *(n.)* (١) التغويز : التحويل إلى غاز . (٢) التغوُّز : التحول الى غاز .

gasiform [găs'ə fôrm] *(adj.)* = gaseous.

gasify [găs'ə fī] *(vt.; i.)* (١) يغوّز : يحوّل الى غاز ×(٢) يتغوّز : يتحوّل الى غاز .

gasket [găs'kĭt] *(n.)* (١) الحَشْتَق : مَرْسة لتثبيت شراع مَطْويّ .

ă at; ā date; â care; ä car; ĕ egg; ē me; ĭ in; ī bite; ŏ lot; ō bone; ô orphan; oi boil oo good; ōō boot; ou out;
ŭ under; ū unity; û urgent; th thing; tℎ this; zh vision; ə = *a* in alone, *e* in system, *i* in easily, *o* in gallop, *u* in circus.

(٢) الحَشِيشة (مك) .

gaslight [găs'līt] *(n.)* (١) نور الغاز (٢) مصباح غاز .

gas mask *(n.)* قناع الغاز : كِمامة للوقاية من الغاز .

gasolier [găs'ə lîr'] *(n.)* ثريّا الغاز .

gasoline *or* **gasolene** [găs'ə lēn] *(n.)* الغازولين ؛ البنزين .

gasometer [găs ŏm'ə tər] *(n.)* (١) المِغْواز : أداة مَخْبرية لحمل الغاز و قياسِهِ (٢) وعاء أو خزان غاز .

gasp [găsp; gäsp] *(vi.; t.; n.)* (١)«أ» يلهث . «ب» يتلهَّف ؛ يتوق إلى ×(٢) يلفظ أو يُطلق لاهثاً §(٣) لُهاث .

gasper [găs'pər] *(n.)* سيكارة رخيصة (عب) .

gas plant *(n.)* = fraxinella.

gasser [găs'ər] *(n.)* (١) البئر الغازيّة : بئر بترول تنتج غازاً طبيعياً (٢) ثرثار(ع) (٣) شيء رائع (The new show is a real ~.).

gassiness [găs'ē nĕs] *(n.)* (١)الحالة الغازيـة (٢) تبجّح.

gas station *(n.)* محطة بنزين .

gassy [găs'ĭ] *(adj.)* (١) غازيّ (٢) متبجّح .

gastight [găs'tīt] *(adj.)* كتيم أو كاظم للغاز .

gastr- *or* **gastro-** *also* **gastri-** بادئة معناها: مَعِدة ؛ مَعِدِيّ و...

gastral [găs'-] *(adj.)* مَعِدِيّ: خاص بالمعِدة أو بالقناة الهضمية.

gastrectomy [găs trĕk'-] *(n.)* استئصال المعدة أو جزء منها(جر).

gastric [găs'trĭk] *(adj.)* مَعِديّ : خاصّ بالمعِدة .

gastric juice *(n.)* العُصارة المعِدية (كح) .

gastric ulcer *(n.)* القَرحة المَعِدية (مض).

gastrin [găs'trĭn] *(n.)* المَعِدين : هرمون مساعد على افراز العصارة المَعِدية (كح) .

gastritis [găs trī'tĭs] *(n.)* التهاب المعدة ؛ وبخاصة : التهاب غشاء المعدة المخاطي (مض) .

gastroenterologist *(n.)* الاختصاصي بأمراض المعدةوالامعاء .

gastroenterology [găs'trō ĕn'tə rŏl'ə jĭ] *(n.)* مَبْحَث أمراض المِعدة والامعاء (ط) .

gastrogenic *or* **gastrogenous** *(adj.)* مَعِدِيّ الأصل .

gastrointestinal *(adj.)* مَعِدِيّ مِعَوِيّ : ذو علاقة بالمعدة والامعاء معاً .

gastronome [găs'trə nōm] *(n.)* الذوّاقة : شخص ذو ذوق مرهف مميِّز في الطعام أو الشراب.

gastronomist [găs trŏn'-] *(n.)* = gastronome.

gastronomy [găs trŏn'ə mĭ] *(n.)* فنّ (أو علم) حُسن الأكل .

gastropod [găs'trə pŏd'] *(n.; adj.)* (١) البطنيّ الأقدام: واحد من بطنيات الأقدام **Gastropoda** وهي رتبة من الرخويات تشمل الحلازين (ح) §(٢) بطنيّ الأقدام .

—gastropodan *or* **gastropodous** *(adj.)*

gastroscope [găs'trə skōp] *(n.)* منظار المكشاف المعِدي : للكشف عن باطن المعدة(ط).

—gastroscopic *(adj.)*

gastrovascular [găs'trō văs'-] *(adj.)* هَضْمِيّوعائيّ: قائم بوظيفتَي المعدة والوعاء الدموي معاً (a ~ cavity).

gastrula [găs'trŏŏ lə] *(n.)* pl. **-s** *or* **-e** الجَسْترولة: جنين مكوَّن من كيس مفتوح الفم وجدران مؤلفة من طبقتين من الخلايا (أح).

gas turbine *(n.)* تربينة الغاز ؛ عَنَفة الغاز (مك).

gasworks [găs'-] *(n.)* مصنع الغاز : مصنع لإنتاج الغاز .

gat [găt] *(n.)* (١) قناة ؛ مجرى (٢) مسدس (ع) .

gate [gāt] *(n.; vt.)* (١) باب (٢) بوابة خارجية (٣)«أ»مدخل أو مخرج . «ب» شِعب؛ ممرّ ضيّق في جبل (٤) صِمام (٥) مَصَبّ (في قالب سَبْك) (٦) دَخْل مباراة رياضية . أو مجموع عدد مشاهديها الدافعين رسم الدخول عند البوابة الخارجية (٧) صَرْف ؛ طَرْد (gave her the ~) (٨) طريقة ؛ أسلوب (ع) §(٩) يجعل له باباً أو بوابة (١٠) يعاقب طالباً بحجزه داخل جدران الجامعة .

gate-crasher [gāt'krăsh'ər] *(n.)* الطفيليّ : الداخل من غير أن يدفع رسماً أو يتلقى دعوة .

gatefold [gāt'-] *(n.)* خريطة الخ . مطوية (في كتاب أو مجلة الخ.)

gatekeeper [gāt'kē pər] *(n.)* البوّاب .

gateleg table [gāt'-] *(n.)* المائدة المطوية : مائدة ذات جانبين مُسدلَين يرفعان عند الحاجة بتثبيتهما على قائمتين متحركتين .

gateleg table

gate money *(n.)* دَخْل حفلة رياضيةأونحوها.

gateway [gāt'-] *(n.)* (١)مَدخل (٢) إطار أو قوس بوّابة .

gather [găth'ər] *(vt.; i.; n.)* (١) يَجْمَع (٢)«أ» يجني ؛ يحصد. «ب» يكتسب تدريجياً (The car ~ed speed.) . «ج» يوضِب ؛ يجمع مرتّباً (He ~ed up his tools.) (٣)يستقطب: يكون مركز انجذاب لأشياء معينة (٤) يجبي (ضريبةً) (٥)«أ» يحشد. «ب»يستجمع قواه أو شجاعته (٦) يلمّ ؛ يضمّ أجزاء شيء بعضها إلى بعض (٧) يستنتج ؛ يحسب ؛ يعتقد (I ~ that the meeting was not a success.) ×(٨)«أ» يجتمع ؛ يلتئم . «ب» يحتشد حول مركز جَذْب (٩)«أ»يتقيّح (The boil is ~*ing*.) . «ب» ينمو ؛ يزيد §(١٠) طيّة (في ثوب) (١١) جَمْع أو تجمّع .

gathering [găth'ər ĭng] *(n.)* (١)جَمع ؛ تجميع (٢)«أ»اجتماع . «ب» حَشْد . «ج» خُرّاج (٣) مجموعة (٤) طيّة (في ثوب) .

gauche [gōsh] *(F.)* أخرق ؛ غير لبق (Her answer was typically ~.)

gaud [gôd] *(n.)* زينة ؛ حلية (رخيصة ومبهرجة عادة) .

gaudery [gô'də rĭ] *(n.)* حلى أو ملابس مبهرجة .

gaudy [gô'dĭ] *(adj.; n.)* (١) مُبَهْرَج ؛ مزوّق بطريقة تنمّ عن تباهٍ أو ذوق سقيم §(٢) مأدبة سنوية (في جامعة بريطانية) .

gauge [gāj] *(n.; vt.)* (١)«أ» قياس . «ب» سعة ؛ مدى ؛ حجم (٢) معيار ؛ مقياس (٣) موقع السفينة النسبي بالقياس إلى سفينة أخرى وإلى الريح (٤)«أ» عرض السكة الحديدية. «ب» المسافة بين دولابين على محور (٥)«أ» سماكة صفيحة معدنية . «ب»قُطر الشريط الخ. §(٦)«أ» يقيس؛ يعاير . «ب» يعيّن سعة شيء . «ج» يقدّر (٧) يمزج (المِلاط) بنِسَب معيّنة .

gauges 2.

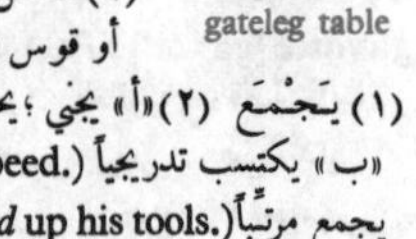

gauger [gā'jər] *(n.)* (١) القائس ؛ المعاير (٢) «أ» موظف يقيس سعة البراميل . «ب» مقدِّر الضرائب .

Gaul [gôl] *(n.)* (١) الغاليّ : سَلْتيّ من بلاد الغال (٢) الفرنسي .

Gaulish [gô'lĭsh] *(adj.; n.)* (١) غاليّ : خاص بالغاليّين أو لغتهم أو بلادهم (٢) الغاليّة : لغة الغاليين القدماء السلتية .

Gaullism [gōl'-] *(n.)* الديغولية: حركة سياسية قادها شارل ديغول خلال الحرب العالمية الثانية ضد حكومة فيشي .

gault [gôlt] *(n.)* تربة صلصالية سميكة.

gaum [gôm] *(vt.)* يلوّث أو يلطّخ (ع) .

gaunt [gônt] *(adj.)* (١)هزيل ؛ نحيل (٢)مُضْنًى (٣) كئيب ؛ كالح .

gauntlet [gônt'lĭt; gänt'-] *(n.)* (١) قُفاز لوقاية اليد من الجراح (ويعتبر جزءاً من الدرع) (٢) قفاز واق (يستعمل خاصة في الصناعة) (٣) تحدٍّ؛ طلبُ نزال (٤) قفاز طويل يمتدّ إلى ما فوق الرسْغ (٥) .gantlet 1 (٦) مِحنة .

gauntlet 1.

gauss [gous] *(n.)* الغاوْس: وحدة الحثّ المغنطيسي (فز).

gauze [gôz] *(Ar.)* (١) الغزّي؛ الشاش (٢) نسيج مماثل من معدن أو لدائن (plastic ~s) (٣) ضباب .

gauzy [gô'zĭ] *(adj.)* شفّاف؛ رقيق كالشّاش .

gavage [gə väzh'] *(F.)* التغذية الأنبوبية: إدخال الطعام إلى المعدة بأنبوب .

gave [gāv] *past of* give.

gavel [găv'əl] *(n.)* مطرقة البنّاء أو الرئيس أو الدلاّل .

gavial [gā'vĭ əl] *(n.)* الغَرْيال: تمساح هندي .

gavotte [gə vŏt'] *(F.)* (١) الغافوتية: رقصة ذات أصل فرنسي ريفيّ تتميّز برفع الاقدام (٢)موسيقى الغافوتية .

gavial

gawk [gôk] *(vi.; n.)* (١) يحدّق ببلَه § (٢) المغفَّل؛ الأخرق.

gawkish [gô'-] *(adj.)* = gawky.

gawky [gô'kĭ] *(adj.; n.)* (١)أخرق؛ غيرلبق §(٢)شخص أخرق.

gay [gā] *(adj.)* (١) مرِح؛ مبتهج (٢) زاهٍ ,colors ~) (٣) flowers, ornaments etc.) «أ» مولع بالمُتع الاجتماعية. «ب» مستهتر؛ خليع (to lead a ~ life).

gayety [gā'ə tĭ] *(n.)* = gaiety .

gayly [gā'lĭ] *(adv.)* = gaily.

gaze [gāz] *(vi.; n.)* (١) يحدّق؛ يتفرس في §(٢) نظرة محدّقة .

gazelle [gə zĕl'] *(Ar.)* غزال؛ ظَبْي .

gazette [gə zĕt'] *(n.; vt.)* (١) جريدة . (٢) جريدة رسمية (٣) إعلان (بيان) في جريدةرسمية §(٤)يعلن أوينشر في جريدةرسمية.

gazetteer [găz'ə tĭr'] *(n.)* (١) الصحافيّ (٢) معجم جغرافي .

gazelle

ge- or geo- بادئة معناها: (١) أرض؛ تربة (٢) جغرافي؛ جغرافيا و...

geanticlinal [jē'ăn tĭ klī'-] *(n.; adj.)* (١) تقوّس (في اديم الارض) §(٢)تقوّسي (جي) .

geanticline [jē ăn'tə klīn'] *(n.)* تقوّس (في أديم الأرض) .

gear [gĭr] *(n.; vt.; i.)* (١)«أ» ملابس . «ب» أموال منقولة . (٢) عُدّة (٣) هُراء (ع) (٤)«أ» جهاز (steering ~) . «ب» تِرس؛ مُسنّنة؛ دولاب مسنّن.«ج»تعشّق التروس(out of ~ (٥) تعشيقة (مج)؛ ناقل الحركة؛ جهاز تعشيق التروس (سي) §(٦) «أ» يكسو؛ يجهّز . «ب» يعشّق بالتروس أو المسنّنات (٧) «أ» يُعِدّ؛ يهيّء للعمل الفعّال. «ب» يعدّل؛ يكيّف (production ~ed to war needs) ×(٨)«أ» يتعشّق (مك). «ب» يتكيّف «بحيث يلائم غرضاً معيناً» (industry ~ing with consumer needs) in ~ (١) معشّق التروس أو المسنّنات (٢)جاهز للعمل. و،

gear 4 *b.*

out of ~, (١) في نقطة العطالة (سي) (٢) غير عامل ببلاسة أو انسجام

to ~ down a car يخفّف سرعة سيارة .

to ~ up a car يقود سيارة بسرعة أعظم .

to ~ up production يزيد سرعة الإنتاج

to throw out of ~, (١) يحلّ التعشيق (مك). (٢) يعطّل (٣) يزعج؛ يقلق .

gearbox [gĭr'-] *(n.)* علبة التروس أو المسنّنات (سي) .

gearing [gĭr'ĭng] *(n.)* (١)التَّريس: تزويد بالتروس (٢)«أ» جهاز التعشيق (مك) . «ب» مجموعة تروس أو مسنّنات (مك).

gear lever *(n.)* ذراع التروس أو المسنّنات أو مغيّرها (سي) .

gearshift [gĭr'-] *(n.)* مغيّر أو ناقل التروس؛ مبدّل السرعة (سي).

gear wheel *(n.)* = cogwheel.

gecko [gĕk'ō] *(n.)* pl. **-s** *or* **-es** وَزَغة؛ سام أبرص؛ أبو بُريص (ح) .

gee [jē] *(interj.; n.; vi.; t.)* (١) جي: لفظة تؤمر بها الجياد بالاسراع أو بالاتجاه نحو اليمين §(٢) رجل؛ شخص (ع) (٣) ألف دولار(ع) §(٤) يتجه نحو اليمين ×(٥)يدير نحو اليمين.

geese [gēs] *pl. of* goose.

geezer [gē'zər] *(n.)* رجل غريب أو غريب الأطوار (ع) .

Gehenna [gĭ hĕn'ə] *(n.)* (١) جهنم (٢) موطن (أو حالة) بؤس.

Geiger counter [gī'gər] *(n.)* عدّاد غايجر: أداة لاكتشاف الجُسَيمات المؤيّنة وإحصائها (فز) .

geisha [gā'shə] *(n.)* الغايشا: مغنية وراقصة يابانية .

gel [jĕl] *(n.; vi.)* (١) الجَل: مادة هلامية او صلبة تتشكل من محلول غرواني §(٢)يتجلّل: يتحول الى جَل .

gelatin *also* **gelatine** [jĕl'ə tĭn] *(n.)* (١) هُلام؛ جيلاتين . (٢) حلوى هلامية (٣) ورقة شفافة ملونة (لتلوين مصباح كهربائي على خشبة المسرح) .

gelatinize [jĭ lăt'ə nīz] *(vt.; i.)* (١) يُهلّم: «أ»يحول إلى هُلام. «ب» يطلي أو يعالج بالهلام ×(٢) يتهلّم: يتحول إلى هلام .

gelatinous [jĭ lăt'ə nəs] *(adj.)* (١) هُلاميّ (٢) لزِج؛ دبق .

gelation [jĭ lā'-] *(n.)* (١) تجليد؛ تثليج (٢) تجلّد؛ تثلّج . (٣) التجلّل: تحوّل المادة الغروانية الى جَلّ (را. gel).

geld [gĕld] *(vt.; n.)* (١) يخصي (٢)«أ» يحرِم . «ب» يُضعِف. «ج»يهذب(كتاباً) §(٣) ضريبة التاج (في تاريخ انكلترة القديم).

gelding [gĕl'-] *(n.)* (١)حيوان(وبخاصةفرَس)مخصي (٢)خَصِيّ.

gelid [jĕl'ĭd] *(adj.)* بارد جداً (waters ~) .

gelignite [jĕl'ĭg nīt] *(n.)* الجلِجنيت: نوع من الديناميت .

gem [jĕm] *(n.; vt.)* (١)«أ» جوهرة . «ب» حجر كريم (وأحياناً شبه نفيس) يُتّخذ حِلْيةً (٢)«أ» شيء بالغ الجمال أو كامل . «ب» محبوب (٣) muffin §(٤) يرصّع بالجواهر ونحوها .

geminate [*adj.* jĕm'ə nĭt; -nāt'; *v.* -nāt'] *(adj.; vt.; i.)* (١)مضاعَف؛مزدوج§(٢)يضاعف؛يزاوج ×(٣)يتضاعف؛يزدوج.

Gemini [jĕm'ə nī] *(n. pl.)* التوأمان؛ الجوزاء (فل) .

gemma [jĕm'ə] *(n.)* pl. **gemmae** بُرعم؛ زِرّ (نب) .

gemmate [-'āt] *(adj.)* (١) ذو براعم (٢) متكاثر بالتبرعم .

gemmiparous [jĕ mĭp'-] *(adj.)* مولّد براعمَ؛ متكاثر بالتبرعم.

gemmologist *or* **gemologist** [-ŏl'-] *(n.)* الخبير بالجواهر .

gemmology *or* **gemology** [jĕm ŏl'-] *(n.)* علم الجواهر .

gemmule [jĕm'ūl] *(n.)* البُرَيْعم: «أ» برعم صغير . «ب» كتلة

من الخلايا المتولدة بطريقة لاتناسلية والمتطوِّرة، بعدُ الى حيوان. «ج»ناقلة الصفات الوراثية «عند داروين» (أح).

gemmy [jĕm'ĭ] *(adj.)* (١) كالجوهرة (٢) متألق؛ ساطع.

gemot *or* **gemote** [gə mōt'] *(n.)* الجِيْموت: مجلس قضائي أو تشريعي في انكلترة قبل الفتح النورماندي.

gemsbok

gemsbok[gĕmz'bŏk]*(n.)* الجِمْـزْبوكة: مهاة كبيرة من مهى افريقية الجنوبية.

gen- *or* **geno-** بادئة معناها: «أ» جنس؛ عِرق. «ب» ضرب؛ نوع. «ج» المورِّثة؛ الجينة (أح).

-gen لاحقة معناها: مُحدِث؛ مولِّد؛ منتِج.

gendarme [zhän'därm] *(F.)* (١) دَرَكيّ (٢) شرطيّ (ع).

gendarmerie [zhän dàrm rē'] *(F.)* الدَّرَك؛ قوّة الدَّرَك.

gendarmery [zhän där'mə rĭ] *(n.)* = gendarmerie.

gender [jĕn'dər] *(n.)* (١) الجنس (من حيث الذكورة والأنوثة). (٢) الجنس (من حيث التذكير والتأنيث في اللغة).

gene [jēn] *(n.)* المُورِّثة؛ الجينة (أح).

genealogical[jē nĭ ə lŏj'-]*(adj.)* نَسَبِيّ: خاص بسلسلة النسب.

genealogist [jē nĭ ăl'-] *(n.)* الأنسابي: الاختصاصي بعلم الأنساب.

genealogy [jē nĭ ăl'ə jĭ] *(n.)* (١) سلسلة نَسَب (٢) سُلالة؛ أصل (٣) علم الأنساب.

genera [jĕn'ər ə] *pl. of* genus.

general [jĕn'ər əl] *(adj.; n.)* (١) عامّ (٢) شامل. (٣)«أ» سائد؛ شائع. «ب» كليّ (٤) كبير؛ رفيع المنزلة (a ~ officer)(٥)فكرة عامة؛مفهوم أو مبدأ عام (٦) الرئيس العام (لرهبنة الخ.) (٧) لواء؛ جنرال (جن).
in ~, عموماً؛ بوجه عام.

general assembly*(n.)* (١) المجلس الأعلى (في بعض الكنائس) (٢) مجلس تشريعي (٣) *cap. G; A* : الجمعية العمومية في منظمة الأمم المتحدة.

general delivery *(n.)* دائرة في مركز للبريد تحتفظ بالرسائل حتى يطلبها أصحابها.

generalissimo [jĕn ər ə lĭs'ə mō]*(n.)* القائد العام (جن).

generalist [jĕn'-] *(n.)* اللااختصاصي: شخص متعدد البراعات أو المواهب أو الكفاءات.

generality [jĕn'ə răl'ə tĭ]*(n.)* (١)العموميّة: كونُ الشيء عاماً. (٢)«أ» عبارة عامة أو قانون أو مبدأ عام. «ب» عبارة غامضة (٣) الأغلبية؛ الكثرة الكبيرة.

generalization[jĕn ər əl ə zā'-]*(n.)* (١)التعميم: إطلاق حكم عام (٢) «أ» عبارة عامة. «ب» قانون أو مبدأ عام.

generalize [jĕn'ər ə līz]*(vt.; i.)* (١)يستقري: يستخرج فكرةً عامةً أو مبدأً عاماً من تفاصيل مختلفة (٢) يعمِّم (to ~ the use of a new invention)(٣)يطلق تعميمات أو أحكاماً عامة: يعمِّم.

generally [jĕn'ər ə lĭ] *(adv.)* (١)«أ» عموماً. «ب» على وجه التعميم (~ speaking) (٢) عادةً (He ~ comes at noon.).

general officer *(n.)* ضابط كبير (فوق الكولونيل أو الزعيم).

general paralysis *or* **paresis** *(n.)* الشلل الجنوني: ضرب من الجنون المصحوب بالشلل ناشىءٌ عن السفلس (مض).

general practitioner *(n.)* الطبيب العام: طبيب غير متخصص في شُعبة واحدة من شُعَب الطب.

general-purpose *(adj.)* متعدّد الاستعمالات؛ كثير الاستعمالات.

generalship [jĕn'ər əl-]*(n.)* (١) منصب اللواء أو الجنرال. (٢)البراعة العسكرية (كما تتجلى عند جنرال) (٣)قيادة؛ زعامة.

general staff *(n.)* الأركان العامة (جن).

general store *(n.)* المَتْجَر العام: محلّ تجاري يبيع بالتجزئة ضروباً مختلفة من السلع ولكنه غير مقسَّم إلى دوائر أو شُعَب.

generate [jĕn'ə rāt'] *(vt.)* (١) يَلِد (٢) يولّد؛ يُحدث؛ يُنتج.

generating function*(n.)* الدالّة المولِّدة (ر).

generation[jĕn'ə rā'shən]*(n.)* (١)«أ»نَسْل؛ ذرية. «ب»جيل. (٢) «أ» توليد. «ب» تولّد. «ج» نشوء.

generative [-'ə rā tĭv] *(adj.)* (١) مولِّد؛ منتج (٢) توالدي.

generative cell *(n.)* = gamete.

generator [jĕn'ə rā-] *(n.)* (١) فا generate (٢) ميرجل. (٣) المولِّد (كب) (٤) generatrix.

generatrix [jĕn ə rā'-] *(n.)* راسم السطح الأسطواني (ر).

generic [jĭ nĕr'ĭk] *(adj.)* (١)«أ» عامّ؛ شامل. «ب»سائب: غير مصون من طريق التسجيل في دائرة العلامات التجارية (٢) جنسي: متعلّق بجنس أحيائي (~ name).

generosity[jĕn ə rŏs'ə tĭ]*(n.)* (١)«أ»سماحة في النفس، وبخاصة: كرم؛ سخاء؛ جود. «ب» عمل ينم عن كرم (٢) وفرة؛ اتساع؛ ضخامة.

generous [jĕn'ər əs] *(adj.)* (١)«أ» سَمْح؛ شهم؛ نبيل. «ب» كريم؛ سخيّ؛ جواد (٢)«أ» وافر؛ سخيّ؛ واسع. «ب» قويّ؛ غنيّ بالنكهة (a draught of some ~ wine).

genesis [jĕn'ə sĭs]*(n.)*: *cap.*(١) سِفر التكوين (٢) تكوُّن؛ أصل؛ نشوء.

genet

genet[jĕn'-]*(n.)* الرِّباح؛ الزَّرَيْقاء: حيوان من اللواحم بقدر السنّور.

genetic; -al [jə nĕt'-] *(adj.)* (١) أصليّ؛ تاريخيّ؛ تطوّريّ. (٢)«أ»عِلميّوراثي: خاص بعلم الوراثة. «ب»مُوَرِّثيّ؛ جينيّ (أح).

geneticist [jĭ nĕt'ə-] *(n.)* الاختصاصي في علم الوراثة.

genetics [jĭ nĕt'ĭks] *(n.)* (١) «أ» علم الوراثة. «ب» رسالة أو كتاب في علم الوراثة (٢) التركيب الوراثي: الخصائص الموروثة لكائن حي أو لمجموعة من الكائنات الحية (٣) أصل شيء أو تكوّنه.

geneva [jə nē'və] *(n.)* الجَنيف: شراب مُسكِر.

Geneva convention *(n.)* ميثاق جنيف: اتفاقية دولية خاصة بمعاملة أسرى (أو جرحى) الحرب.

Geneva cross *(n.)* الصليب الأحمر.

Geneva gown *(n.)* الجَنيفيّة: رداء القسّ البروتستانتي.

genial [jĕn'yəl] *(adj.)* (١) لطيف؛ معتدل؛ مُحْيٍ (~ sunshine) (٢) كريم؛ أنيس (a ~ disposition) (٣) عبقري.
—geniality *(n.)*

genial [jə nī'əl] *(adj.)* ذَقَنِيّ: خاص بالذقن (ت).

genic [jĕn'ĭk] *(adj.)* مُورِّثي؛ جِيني: خاصّ بالمورِّثات أو الجِينات (أح).

-genic لاحقة معناها: «أ» مُحدِث؛ مُسبِّب (carcinogenic). «ب» ناشئ عن (phytogenic) «ج» صالح أو ملائم لـ (telegenic).

genie [jē'nĭ] *(n.)* pl. -s *or* -nii جِنّيّ؛ عفريت.

genital [jĕn'ə təl] *(adj.)* تناسليّ: خاصّ بالأعضاء التناسلية.

genitalia [jĕn ə tāl'yə] *(n. pl.)* = genitals.

genitals [jĕn'ə təlz] *(n. pl.)* أعضاء التناسل .

genitive [jĕn'ə tĭv] *(n.; adj.)* (١) حالة المُضاف إليه ؛ حالة الجرّ . §(٢) إضافيّ ؛ جَرّي (ل) .

genitourinary [jĕn ə tō yŏŏr'ə-] *(adj.)* = urogenital.

genius [jēn'yəs] *(n.)* pl. **-es** *or* **genii** (١) الروح الحارسة (لشخصٍ أو مكان) (٢) نزعة ، مَيْل (٣) سَجِيّة ، صفة أو روح مميزة (٤) «أ» جِنّيّ ، عفريت . «ب» القرين : شخص يؤثّر في غيره تأثيراً صالحاً أو طالحاً (He was the evil ~ of that unhappy prince.) (٥) «أ» عبقرية ، نبوغ . «ب» عبقري ، نابغة .

geno- = **gen-**.

genocide [jĕn'ə sīd] *(n.)* الإبادة الجماعية (لشعب أو طائفة ما) . —**genocidal** *(adj.)*

genotype [jĕn'ə tīp] *(n.)* الطراز العِرْقيّ : «أ» البِنْية الوراثية لفرد أو جماعة . «ب» طبقة أو مجموعة من الأفراد تشترك في تركيب وراثي مخصوص .

-genous لاحقة معناها : «أ» مولِّد ، مسبِّب (pyro*genous*) . «ب» ذو أصل معيّن ، ناشىء عن كذا (neuro*genous*).

genre [zhän'r] *(n.)* (١) نَوْع ، ضَرْب (٢) «أ» رسوم تصور مشاهد وأحداثاً من الحياة اليومية . «ب» مذهب أو أسلوب في الرسم يتخذ من الحياة اليوميّة مادةً له (٣) نوع أدبيّ (كالرواية والمسرحية والمقالة الخ .) .

gens [jĕnz] *(n.)* pl. **gentes** عشيرة ؛ جماعة .

gent [jĕnt] *(n.)* [short for *gentleman*] شخص ؛ رجل .

genteel [jĕn tēl'] *(adj.)* (١) «أ» أنيق . «ب» ارستوقراطي . «ج» ظريف ، لطيف ، حسن المظهر . «د» مهذّب ، دمث ، رقيق (٢) «أ» متكلِّف . «ب» مقلد لطرائق الاثرياء وأساليبهم .

gentian

gentian [-'shən] *(n.)* الجِنْطيانا : زَهْرٌ من الفصيلة الجنطيانية (نب) .

gentile [jĕn'tīl] *(n.; adj.)* (١) *cap.* عند : شخص من غير اليهود ، وبخاصة : المسيحيّ (٢) الوثني §(٣) *cap.* عند : «أ» غير يهودي . «ب» مسيحي (٤) وثني (٥) قَبَليّ : خاص بقبيلة أو عشيرة (٦) دالّ على شعب أو بلاد (*Iranian* and *Canadian* are ~ nouns.)

gentility [jĕn tĭl'-] *(n.)* (١) «أ» نبالة المَحتِد . «ب» الطبقة الأرستوقراطية (٢) «أ» كياسة ، رقة ، دماثة . «ب» تكلُّف (٣) «أ» منزلة اجتماعية رفيعة . «ب» التعلق بمظاهر الحياة الأرستوقراطية (وبخاصة إذا كان المتعلق أفقر من أن يقوى على ذلك) .

gentle [jĕn'təl] *(adj.; vt.)* (١) «أ» نبيل المحتد . «ب» كريم (~ reader) (٢) «أ» وديع ، سهل الانقياد (a ~ horse) . «ب» لطيف ، دَمِث (a ~ nature) (٣) ناعم ، رقيق (٤) معتدل (~ heat) §(٥) «أ» يلطِّف ، يدمِّث . «ب» يروض (فرساً) . «ج» يسكّن ، يهدّىء . «د» يربّت (على الكتف الخ .) .

gentlefolk *also* **gentlefolks** [jĕn'-] *(n. pl.)* النبلاء ، الأشراف .

gentleman [jĕn'təl-] *(n.)* pl. **-men** *(n.)* (١) السيّد ، الماجد ، الجنتلمان : «أ» رجل نبيل المحتد . «ب» رجل يجمع الى نبالة المحتِد شهامة ومروءة . «ج» رجل ينسجم سلوكه مع مقياس رفيع من مقاييس السلوك الحسن . «د» رجل صاحب ثروة تغنيه عن الكدح والعمل (٢) وصيف (أو خادم) (gentleman's ~) (٣) رجل من أية طبقة اجتماعية .

gentleman-at-arms *(n.)* أحد رجال الحرس الملكي البريطاني .

gentlemanlike; gentlemanly [jĕn'-] *(adj.)* جنتلمانيّ .

gentleman of fortune المغامر .

gentleman's agreement *or* **gentlemen's agreement** اتفاقية الجنتلمان : اتفاقية سياسية أو ديبلوماسية عادةً لا ضامن لتنفيذها غير شرف المشتركين فيها .

gentleness [jĕn'təl-] *(n.)* رقة ، دماثة ، لطف .

gentle sex *(n.)* الجنس اللطيف : النساء .

gentlewoman [jĕn'təl wŏŏm ən] *(n.)* (١) «أ» سيدة نبيلة المحتِد . «ب» وصيفة (٢) سيدة فاضلة حلوة الشمائل .

gentry [jĕn'trĭ] *(n.)* (١) شرف المحتِد (٢) الطبقة العليا أو الحاكمة : الأرستوقراطية (٣) أهل ، جماعة ، أبناء طبقة ما .

genuflect [jĕn'yŏŏ flĕkt'] *(vi.)* يحني الركبة (تعبّداً أو احتراماً) .

genuflection *also* **genuflexion** [jĕn'yŏŏ flĕk'-] *(n.)* حني الركبة (تعبّداً أو احتراماً) .

genuine [-'yŏŏ ĭn] *(adj.)* (١) حقيقي ، غير زائف (٢) أصيل ، خالص النسب (٣) صادق ، خالٍ من الرياء أو التكلف .

genus [jē'nəs] *(n.)* pl. **genera** (١) جنس (أح) (٢) طبقة ، نوع .

geo- = **ge-**.

geocentric [jē'ō sĕn'-] *(adj.)* مركزيأرضي : متعلق بمركز الأرض أو مقيس منه أو كأنه ملاحَظ منه .

geochemical [jē'ō kĕm'-] *(adj.)* جيوكيميائي : كيميائي أرضي .

geochemistry [jē'ō kĕm'ĭs trĭ] *(n.)* الجيوكيمياء ، الكيمياء الأرضية : علم يبحث في التكوين الكيميائي لقشرة الأرض وفي التغيرات الكيميائية الطارئة عليها .

geode

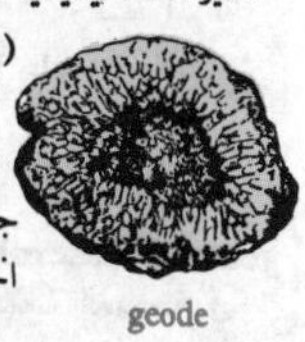

geode [jē'ōd] *(n.)* (١) الجَيود : حجر ذو تجويف مبطَّن ببلورات أو بمادة معدنية (جي) (٢) تجويف في جيود .

geodesic [jē'ə dĕs'ĭk] *(adj.)* جيوديسي .

geodesic line *(n.)* الخط الجيوديسي : أقصر خطّ بين نقطتين على سطح معين (ر) .

geodesist [jĭ ŏd'-] *(n.)* الجيوديسي : العالِم بالجيوديسيا .

geodesy [jĭ ŏd'ə sĭ] *(n.)* الجيوديسيا : فرع من الرياضيات التطبيقية يُعنى بدراسة شكل الأرض وبقياس سطحها .

geodetic [jē'ə dĕt'ĭk] *(adj.)* = geodesic.

geognosy [jĭ ŏg'nə sĭ] *(n.)* الجُغْنوسيا : فرع من الجيولوجيا يبحث في البنية العامة ، الداخلية والخارجية ، للأرض .

geographer [jĭ ŏg'rə fər] *(n.)* الجغرافيّ : العالِم بالجغرافيا .

geographic;-al [jē ə grăf'-] *(adj.)* جغرافي .

geography [jĭ ŏg'rə fĭ] *(n.)* (١) علم الجغرافيا (٢) الجغرافية ، السِّمات الجغرافية لمنطقة ما (the ~ of Syria) (٣) رسالة أو بحث في الجغرافيا .

geologic; -al [jē'ə lŏj'-] *(adj.)* جيولوجي : خاص أو متعلق بعلم طبقات الأرض .

geologist [jĭ ŏl'-] *(n.)* الجيولوجي : الاختصاصي بعلم طبقات الأرض .

geologize [jĭ ŏl'ə jīz'] *(vi.; t.)* (١) «أ» يدرس الجيولوجيا . «ب» يقوم بأبحاث جيولوجية ×(٢) يدرس جيولوجياً .

geology [jĭ ŏl'ə jĭ] *(n.)* (١) «أ» الجيولوجيا ، علم طبقات الأرض . «ب» دراسة المادة الصلبة من جرم سماوي (كالقمر) (٢) سِمات جيولوجية (٣) رسالة أو بحث في الجيولوجيا .

geomagnetic [jē ō măg nĕt'ĭk] *(adj.)* مغنطيأرضيّ : متعلّق بالمغنطيسية الأرضية .

ă at; ā date; â care; ä car; ĕ egg; ē me; ĭ in; ī bite; ŏ lot; ō bone; ô orphan; oi boil ŏŏ good; ōō boot; ou out; ŭ under; ū unity; û urgent; th thing; t͟h this; zh vision; ə = *a* in alone, *e* in system, *i* in easily, *o* in gallop, *u* in circus.

geomancy [jē'ə măn'sĭ] *(n.)* الضرب بالرمل (بغية التكهن وكشف الغيب) .

geometer [jĭ ŏm'ə tər] *(n.)* الاختصاصيّ بعلم الهندسة .

geometric;-al [jē'ə mĕt'-] *(adj.)* هندسيّ .

geometrician [jĭ ŏm'ə trĭsh'ən] *(n.)* = geometer.

geometric mean *(n.)* الوسط الهندسي (ر) .

geometric progression *(n.)* المتوالية الهندسية (ر) .

geometrid [jĭ ŏm'ə trĭd] *(n.; adj.)* (١) الأُرْفيّة ؛ الذارعة : ضربٌ من العُثّ §(٢) أُرْفي .

geometrize [jĭ ŏm'ə trīz] *(vi.; t.)* (١) يعمل بالطرائق الهندسية أو نحوها ×(٢) يعبّر أو يمثّل بأشكال هندسية (٣) يجعله منسجماً مع المبادىء والقوانين الهندسية .

geometry [jĭ ŏm'ə trĭ] *(n.)* (١) علم الهندسة (٢) رسالة أو بحث في علم الهندسة .

geomorphic [jē'ə môr'fĭk] *(adj.)* جيومورفيّ : خاص بشكل الأرض أو سِمات سطحها .

geomorphology[jē'ə môr fŏl'-] *(n.)* الجيومورفولوجيا : دراسة شكل الأرض وتضاريسها وتوزّع اليابسة والبحار على سطحها .

geophagy [jĭ ŏf'ə jĭ] *(n.)* أكلُ المواد الترابية (كالطين والطباشير) عند الشعوب البدائية .

geophysical[jē'ō fĭz'-] *(adj.)* جيوفيزيائي : خاص بفيزياء الأرض .

geophysics [jē'ō fĭz'ĭks] *(n.)* الجيوفيزياء : فيزياء الأرض ؛ علم طبيعة الأرض .

geophyte [jē'ə fīt] *(n.)* النبات الأرضي : نبتة ذات براعم نامية تحت سطح الأرض .

geopolitics [jē ō pŏl'ə tĭks] *(n.)* (١) علم السياسة الطبيعية : دراسة تأثير العوامل الجغرافية والاقتصادية والبشرية (من حيث كثافة السكان وتوزّعهم) في سياسة الدولة الخارجية خاصةً (٢) سياسة حكومية مبنيّة على أساس هذا العلم .

geoponic [jē'ə pŏn'ĭk] *(adj.)* زراعيّ .

geoponics [jē'ə pŏn'ĭks] *(n.)* فن أو علم الزراعة .

George [jôrj] *(n.)* جورج : «أ» أحد شعاريّ وسام ربطة الساق البريطاني . «ب» قطعة نقدية انكليزية تحمل صورة القديس جرجس .

Georgette [jôr jĕt'] *(n.)* الكريب جورجيت : قماش حريريّ .

Georgian [jôr'jən] *(n.; adj.)* (١) الجورجيّ : أحد سكان جورجيا القفقاسية أو ولاية جورجيا الأميركية (٢) الجورجية : لغة سكان جورجيا في القفقاس §(٣) جورجيّ : «أ» خاصّ بجورجيا القفقاسية أو بولاية جورجيا الأميركية . «ب» خاص بالعهد الجورجي في بريطانيا ، وهو عهد الملوك الأربعة الأُوَل الحاملين اسم جورج . «ج» خاصّ بعهد جورج الخامس البريطاني .

georgic [jôr'jĭk] *(n.; adj.)* (١) قصيدةٌ زراعية الموضوع . §(٢) زراعيّ .

geoscience [jē'ō sī'-] *(n.)* علم الأرض : علمٌ يُعنى بدراسة الأرض .

geostrategy [jē'ō străt'-] *(n.)* الستراتيجية الطبيعية : فرع من علم السياسة الطبيعية (را . geopolitics) يبحث في الستراتيجية .

geosyncline [jē'ō sĭn'klīn] *(n.)* انخفاض عظيم في قشرة الأرض .

geotropism[jĭ ŏt'rə pĭz'əm] *(n.)* الاستثراضية ؛ الانتحاء الأرضي : نزعة جذور النبات إلى الامتداد نحو مركز الأرض .

geranium [jĭ rā'nĭ əm] *(n.)* (١) الغُرْنُوقيّ ؛ إبْرة الرّاعي (نب) . (٢) لون أحمر قانٍ .

gerbera[gər'-] *(n.)* الجَرْبارة : نبات زهريّ من الفصيلة المركّبة .

gerbil

gerbil *or* **gerbille** [jûr'bĭl] *(n.)* العَضَل : حيوان من فصيلة الفأر على قدّ الجُرَذ .

gerent [jĭr'ənt] *(n.)* الحاكم ؛ المدير .

gerfalcon [jûr'fôl kən] *(n.)* = gyrfalcon.

geriatric [jĕr'ĭ ăt'-] *(adj.)* شيخوخيّ : خاص بالشيخوخة أو بالشيوخ أو بطبّ الشيخوخة .

geriatrician *or* **geriatrist** *(n.)* الاختصاصي بطبّ الشيخوخة .

geriatrics [jĕr'ĭ ăt'rĭks] *(n.)* طبّ الشيخوخة .

germ [jûrm] *(n.)* (١) جرثومة ؛ بِزرة (٢) أصل (٣) ميكروب .

german [jûr'mən] *(adj.)* (١) شقيق : من نفس الأبوين (brother-*german*) (٢) قريب لَحاً ؛ من الدرجة الاولى (cousin-*german*) .

German[jûr'mən] *(n.; adj.)* (١) الألماني ؛ الجرمانيّ (٢) اللغة الألمانية (٣) *not cap.* أ . ك : ضرب من الرقص §(٤) ألمانيّ ، جرماني .

germander[jər măn'dər] *(n.)* الجَعْدَة ؛ الطُوقَرْيُون : نبات من الفصيلة الشفويّة (نب) .

germane [jər mān'] *(adj.)* مناسب ؛ وثيق الصلة بالموضوع .

Germanic[jər măn'ĭk] *(adj.; n.)* (١) ألماني ؛ جرماني §(٢) اللغات الجرمانية : مجموعة من اللغات الهندية الأوروبية تشمل الانكليزية والألمانية والهولندية واللغات السكندنافية الخ .

Germanism[jûr'mə nĭz əm] *(n.)* (١) مصطلح ألماني (وارد في لغة أخرى) (٢) التعصّب لألمانيا أو لعادات الألمانية (٣) طرائق الألمان في التفكير والعمل الخ .

Germanist [jûr'-] *(n.)* الاختصاصي في لغة الألمان أو أدبهم .

germanium [jər mā'-] *(n.)* الجرْمانيوم : عنصر فلزّي نادر (ك) .

germanize [jûr'mə nīz] *(vt.; i.)* (١) يؤلمن : يُكسبه الخصائص الألمانية ×(٢) يتألمن .

German measles *(n.)* الحُمَيْراء ؛ الحصبة الألمانية (مض) .

Germano- بادئة معناها : «أ» ألماني . «ب» ألماني و . . .

German shepherd *(n.)* الراعي الألماني : كلب ذكي كثيراً ما يستعمل لأغراض بوليسية ولقيادة العميان .

German silver *(n.)* الفضة الألمانية : سبيكة فضية البياض من نحاس وزنك ونيكل .

germ cell *(n.)* الخَلِيّة الجرثوميّة (أح) .

germicidal [jûr'mə sīd'-] *(adj.)* مبيدٌ للجراثيم .

germicide[jûr'mə sīd'] *(n.)* مبيدُ الجراثيم : مادة مبيدة للجراثيم .

germinal [jûr'mə nəl] *(adj.)* (١) جنينيّ : في أولى مراحل التطوّر (٢) مبدع ؛ خلاّق (a highly original and ~ critic) (~ ideas) (٣) جرثوميّ .

germinal disk *(n.)* القرص الجرثومي « في البُيَيضة » (أح) .

germinal vesicle *(n.)* الحويصلة الجرثومية « في البُيَيضة » (أح) .

germinant [jûr'-] *(adj.)* نابت ؛ مُفْرِخ ؛ قابل للنموّ أو التطوّر .

germinate[jûr'mə nāt'] *(vt.; i.)* (١) «أ» يُنْبِت . «ب» ينشيء ؛ يُحْدِث ×(٢) «أ» ينْبُت ؛ يُفرِخ . «ب» ينشأ .

germinative [jûr'mə nā-] *(adj.)* (١) مُفْرِخ (٢) قابل للتطوّر .

germ plasm *(n.)* (١) الجِبلة الجرثومية : بروتوبلازما الخلايا الجرثومية الناقلة للوراثة (أح) (٢) المورِّثات ؛ الجينات (أح) .

germ theory *(n.)* النظرية الجرثومية : نظرية طبية تقول بأن الأمراض المُعدية الخ . ناشئة عن الجراثيم أو الأجسام المجهرية .

germ warfare *(n.)* الحرب الجرثومية : الحرب بالجراثيم المؤذية.

geront- *or* **geronto-** بادئة معناها : « شيخوخة ».

gerontocracy [jĕr'ŏn tŏk'rə sĭ] *(n.)* حكم الشيوخ أو المسنين .

gerontology [jĕr'ŏn tŏl'ə jĭ] *(n.)* علم الشيخوخة : علم يبحث في الشيخوخة ومشكلات الشيوخ .

-gerous لاحقة معناها : مُحْدِث ؛ مولِّد .

gerrymander [gĕr'ĭ măn'dər] *(vt.)* (١) يقسّم (وحدة اقليمية) إلى مناطق انتخابية ليعطي حزباً معيناً أغلبيةً انتخابية في عدد كبير من المناطق في حين يركّز القوة الاقتراعية للمعارضة في أقلّ عدد ممكن من المناطق (٢) يقسم (منطقةً) إلى وحدات سياسية لمصلحة جماعة معينة .

gerund [jĕr'ənd] *(n.)* صيغة المصدر المنتهية بـ *ing*.

gesso [jĕs'ō] *(n.)* الجِبس التصويري : جِبسٌ ممزوج بالغراء يستعمل للرسم أو للنقش الضئيل البروز.

gest *or* **geste** [jĕst] *(n.)* (١) مغامرة (٢) حكاية مغامرات (مفرغةٌ في قالب شعريّ خاصة) .

gestalt [gə shtält'] *(G.)* pl. **-en** *or* **-s** (١) شكل ؛ صورة . (٢) الجِشْتالت : بِنْيَة أو صورة من الظواهر الطبيعية أو البيولوجية أو السيكولوجية متكاملـةٌ بحيث تؤلف وحدة وظيفية ذات خصائص لا يمكن استمدادها من أجزائها بمجرّد ضمّ بعضها إلى بعض .

Gestalt psychology *(n.)* سيكولوجيا الجِشتالت ؛ سيكولوجيا «الكلّ» : دراسة الادراك والسلوك من زاوية استجابة الكائن الحيّ لوحدات او صور متكاملة ، مع التأكيد على تطابق الأحداث السيكولوجية والفيسيولوجيّة، ورفض تحليل المنبهات والمُدرَكات والاستجابات إلى عناصر متناثرة .

gestapo [gə stä'pō] *(G.)* الغستابو : البوليس السري النازي .

gestate [jĕs'tāt] *(vt.)* (١) تحمل (الأنثى) (٢) يتصور (فكرةً) ويطوّرها في ذهنه تدريجياً .

gestation [jĕs tā'shən] *(n.)* حَمْل ؛ حَبَل .

gestic [jĕs'tĭk] *(adj.)* إيمائي : خاص بحركات الجسم وإيماءاته.

gesticulate [jĕs tĭk'yə lāt'] *(vi.)* يومىء ؛ وبخاصة في أثناء الكلام.

—**gesticulation** *(n.)*

gesture [jĕs'chər] *(n.; vi.; t.)* (١) إيماء (٢) إيماءة § (٣) يومىء.

get [gĕt] *(vt.; i.; n.)* (١) «أ» ينال . «ب» يكسب (٢) «أ» يفوز بِـ . «ب» يستولي على. «ج» يصاب (بمرض) (٣) يَلِد (٤) «أ» يجلب . «ب» يُخْرِج (*got him out of the house*). «ج» يجعل ؛ يصيِّر في حالة ما (*got her feet wet*) (٥) يُعِدّ ؛ يهيّىء (promised to ~ breakfast by seven o'clock) (٦) «أ» يقبض على. «ب» يتغلب على . «ج» يحيّر (That ~*s* me.) «د» يثير ؛ يضايق. «هـ» ينتقم من ؛ وبخاصة : يقتل . «و» يصيب (The bullet *got* him in the leg.) (٧) «أ» يُمْنَى بـ . «ب» يتلقّى على سبيل العقاب (٨) «أ» يستظهر ؛ يحفظ عن ظهر قلب . «ب» يتوصل إلى نتيجة (من طريق الحساب). «ج» يسمع . «د» يفهم (I ~ you.) (٩) يُقنع (*got* him to bring out a new edition) (١٠) «أ» يملك (She has *got* five dollars.) . «ب» يجب ؛ يتعين على (You've *got* to eat more meat.) (١١) يتصل بـ (tried to *get* them on the telephone) × (١٢) «أ» يصل (to ~ home). «ب» يبلغ حالةً ما (finally *got* to sleep after midnight) (١٣) يكسب ثروة (Whilst he was minister... he had *gotten* vastly.) (١٤) يصبح (*got* tired) (١٥) ينصرف أو يرحل في الحال (told him to ~) § (١٦) وَلَد ؛ نَسْل ؛ ذرية .

to ~ about (١) يصبح قادراً على الحركة والمشي بعد مرض (٢) يذيع ؛ ينتشر (٣) يرحل من مكان إلى مكان.

to ~ across (١) يَعْبُر (٢) يجعله يعبر (٣) يوضح ؛ يجعله مفهوماً .

to ~ ahead (١) يفوز (٢) يسبق .

to ~ along (١) «أ» يتقدم . «ب» يدنو من الشيخوخة (٢) يَسْلُك (٣) يُفْلح في تدبّر أمر (٤) ينسجم مع (٥) يذهب ؛ يرحل .

to ~ among يصبح فرداً من .

to ~ around (١) يخدع (٢) يتجنّب .

to ~ at (١) يبلُغ ؛ يُدرك (٢) يرشو (٣) يلفت انتباهه إلى (٤) يقصد ؛ يحاول أن يثبت أو يوضح .

to ~ away (١) ينطلق (٢) ينصرف (٣) يفرّ . (٤) يُفلت من .

to ~ away with يفعل أمراً منكراً من غير أن يتعرّض لعواقب وخيمة .

to ~ back (١) يستردّ (٢) يعود ؛ يرجع .

to ~ before يَسْبق .

to ~ behind (١) يتخلّف (٢) ينفذ إلى ؛ يكشف سراً أو لغزاً .

to ~ behind the scenes يكتشف دخيلة أمر ما .

to ~ by (١) يتجنّب إخفاقاً أو كارثة (٢) يتقدم من غير أن يكتشف أو يُنتقد أو يُعاقَب (٣) يمرّ .

to ~ clear يُفلت ؛ ينجو ؛ يتحرر من .

to ~ down يترجّل ؛ ينزل .

to ~ down to يركّز التفكير على .

to ~ down with يُنْهي ؛ يختم .

to ~ even ينتقم ؛ يثأر .

to ~ in (١) يُنْتَخَب (٢) يَدْخل (٣) يجمع الغلال. (٤) يُفسِح مجالاً لـ .

to ~ it يتلقى تأنيباً أو عقوبة

to ~ into يرتدي ملابسه (ع) .

to ~ into one's head يقتنع بـ .

to ~ loose *or* **free** يفلت ؛ يتحرر من .

to ~ off (١) يفرّ ؛ ينجو من العواقب (٢) يرحل ؛ ينصرف (٣) يترجل (عن فرس أو من قطار) (٤) يُطلق نكتةً (٥) يبدأ .

to ~ on (١) يتقدم (٢) ينجح (٣) يكتسب معرفةً أو فهماً (٤) يزعج (٥) ينسجم أو يتفق (مع شخص) (٦) يعتلي ؛ يركب.

to ~ one's goat يزعج ؛ يُغضب.

to ~ out (١) يستخرج (٢) يخرج ؛ يفرّ (٣) يُقلع عن.

to ~ over (١) يتغلّب على ؛ يذلّل (٢) يتعافى من . (٣) يُقنع (٤) يقطع ؛ يجتاز (٥) يتسلّق .

to ~ quit *or* **rid of** يتخلّص من .

to ~ round = to get around.

to ~ somewhere ينجح ؛ يفوز .

to ~ the best of it ينتصر ؛ يفوز .

to ~ the worst of it يُهْزَم .

to ~ there ينجح .

to ~ through (١) يُنجز ؛ يُتمّ (٢) يصل إلى المكان

الذي يقصده (٣) يجتاز (امتحاناً) .

to ~ to (١) يبدأ ؛ يشرع (٢) يؤثّر في .

to ~ together (١) يكدّس؛ يجمع (٢) يجتمع . (٣) يصل إلى تفاهم او اتفاق .

to ~ under يُخضِع ؛ يسيطر على .

to ~ up (١) ينهض من فراشه (٢) ينتصب واقفاً . (٣) يتسلّق (٤) يتقدم؛ يسرع (تستعمل كأمر للخيل) (٥) يُعد، يهيّىء؛ ينظّم (٦) يكتسب معرفة بموضوع ما (٧) يُفرغ في أسلوب ما (٨) يبتكر (٩) يأخذ في الاشتداد (كالريح) .

to ~ wind of را . مادة wind

to ~ with child يحبّل المرأة، يجعلها حاملاً .

getaway [gĕt'ə wā] *(n.)* (١) انطلاق (٢) فرار .

Gethsemane [gĕtn sĕm'ə nĭ] *(n.)* (١) الجثمانية : الحديقة التي اعتقل فيها المسيح خارج القدس (٢) عذاب (أو موطن عذاب) روحيّ أو عقليّ .

getter [gĕt'-] *(n.)* (١) النائل؛ المدرك؛ الفائز بـ الخ. (٢) المستأصلة : مادة تُدخل في صمام مفرّغ الخ. لإزالة آثار الغاز منه (كب).

get-together [gĕt'-] *(n.)* اجتماع ؛ وبخاصة حفلة غير رسمية .

getup [gĕt'ŭp] *(n.)* (١) شكل؛ مَظهَر (~of a book) (٢) زيّ؛ لباس (going to the party in that ~) .

gewgaw [gū'gô] *(n.)* (١) شيء تافه (٢) حلية رخيصة .

geyser [gī'zər] *(n.)* (١) الحَمّة : نبع ماء حارّ (٢) المسخّن : جهاز لتسخين الماء .

ghastly [găst'lĭ] *(adj.)* (١) مروّع (a ~ murder) (٢) شبَحيّ؛ شاحب كالموتى (a ~ look) (٣) شنيع (a ~ failure) (٤) فاضح؛ ضخم (a ~ mistake) .

ghat [gôt] *(n.)* الغَوْط : دَرَج يُنزَل بواسطته إلى نهر في الهند .

ghee [gē] *(n.)* الجِيّة : نوع من الزّبدة .

ghat

gherkin [gûr'kĭn] *(n.)* الجِرْكين : خيار صغير يُتّخذ منه مُخلّل .

ghetto [gĕt'ō] *(It.)* الغيتّ : حيّ اليهود (أو الأقليات) بمدينة .

ghost [gōst] *(n.; vt.; i.)* (١) روح (٢) شبَح ؛ طيف (٣) روح شريرة (٤) « أ » ظِلّ ؛ أثر ضعيف باهت. «ب» ذرّة ؛ مثقال ذرّة § (٥) ينتاب (كما ينتاب الشبح محلاً) (٦) يؤلف لشخص آخر اشتهر عند الجمهور بأنه هو المؤلف ×(٧) يتحرك بصمت وكأنه شبَح .

ghost dance *(n.)* رقصة الأرواح : رقص جماعي يراد به الاتصال بأرواح الموتى (عند الهنود الحمر) .

ghostly [gōst'lĭ] *(adj.)* (١) روحيّ (٢) شبَحيّ ؛ طَيفيّ .

ghost town *(n.)* مدينة الأشباح : مدينة مهجورة كانت من قبلُ مزدهرة .

ghostwrite [gōst'-] *(vi.; t.)* يؤلف لشخص آخر اشتهر بأنه هو المؤلف .

ghoul [gōōl] *(Ar.)* (١) الغول : كائن خرافي شرير ينبش القبور ويحيا على الجثث (٢) شخص كالغول .

giant [jī'ənt] *(n.; adj.)* (١) المارد : كائن خرافيّ ضخم جبّار (٢) «أ» العملاق؛ «ب» شيء ضخم أو قويّ على نحو استثنائي § (٣) جبّار .

—giantess *(n.fem.)*

giant star *(n.)* النجم العملاق : نجم ضخم شديد التألق (فل) .

gib [gĭb] *(n.; vt.)* (١) هرّ ؛ وبخاصة : هرّ مخصيّ (٢) المِثبات : صفيحة معدنية الخ. لتثبيت أجزاء أخرى في مكانها § (٣) يثبّت بمثبات.

gibber [jĭb'ər] *(vi.)* يُبَربر ؛ يثرثر ؛ يهذر .

gibberish [jĭb'ər ĭsh; gĭb'-] *(n.)* (١) بربرة ؛ كلام غير مفهوم أو خِلوٌ من المعنى (٢) «أ» لغة تقنيّة أو سريّة. «ب» كلام غامض لغير ما ضرورة .

gibbet [jĭb'ĭt] *(n.; vt.)* (١) مِشنقة § (٢) يشنق (٣) يشهّر به ؛ يعرّضه لسخرية الناس .

gibbon [gĭb'ən] *(n.)* الجِبّون ؛ الشِّقّ : قرد رشيق الحركة .

gibbosity [gĭ bŏs'ə tĭ] *(n.)* (١) تحدّب ؛ احديداب (٢) ورم .

gibbon

gibbous [gĭb'əs] *(adj.)* (١) محدّب ؛ محدودب (٢) أحدب .

gibe [jīb] *(vi.; t.; n.)* (١) يهزأ بـ ؛ يعيّر. § (٢) هُزء ؛ تعيير .

giblet [jĭb'lĭt] *(n.)* pl. عد : قلب أو كبد أو حوصلة الطائر (تطبخ مستقلة) .

Gibraltar [jĭ brôl'-] *(Ar.)* (١) جبل طارق (٢) حصن عزيز المنال .

gid [gĭd] *(n.)* الجِدّ : داء يصيب الخراف .

giddy [gĭd'ĭ] *(adj.; vt.; i.)* (١) طائش؛ مستهتر (٢) «أ» مصاب بدُوار . «ب» مسبّب للدُّوار . «ج» دائر بسرعة مذهلة § (٣) يصيب (أو يُصاب) بدُوار .

gift [gĭft] *(n.; vt.)* (١) موهبة (٢) هِبة ؛ منحة (٣) مَنْحٌ ؛ إنعام § (٤) يَهَب ؛ ينعم على (٥) يُهْدي .

gifted [gĭf'-] *(adj.)* موهوب ؛ ذو موهبة (a ~ artist) .

gig [gĭg] *(n.; vi.; t.)* (١) «أ» شيء غريب أو شاذّ . «ب» معتوه (٢) الجِيْغ : «أ» قارب بمجاذيف مُعَدّ للسرعة . «ب» قارب محفوظ لربّان السفينة . «ج» عربة خفيفة ذات عجلتين يجرها جواد واحد . «د» مجموعة صنانير متلاحمة لصيد الأسماك من أجسادها § (٣) يركب جَيْغاً (٤) يصيد بجَيْغ (٥) ينخس ؛ يزعج ؛ يحثّ .

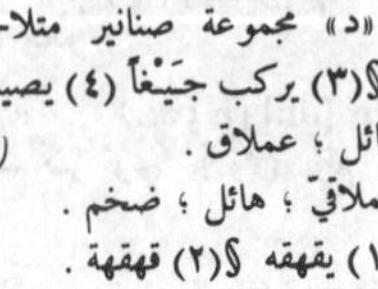

gig 2 *c.*

gigantesque [jī găn tĕsk'] *(adj.)* هائل ؛ عملاق .

gigantic [jī găn'tĭk] *(adj.)* عملاقيّ ؛ هائل ؛ ضخم .

giggle [gĭg'əl] *(vi.; n.)* (١) يقهقه § (٢) قهقهة .

gigolo [jĭg'ə lō'] *(n.)* (١) رجل يعيش على ما تكسبه امرأة (أو مومس) (٢) راقص محترف تستأجره النسوة لمراقصتهن في الحانات.

Gila monster [hē'lə] *(n.)* الهيليّة: عظاية أمريكية ضخمة.

Gila monster

gilbert [gĭl'bərt] *(n.)* الجِلبَرت: وحدة لقياس القوة الدافعة المغنطيسية (كب) .

gild [gĭld] *(vt.; n.)* (١) يطلي بالذهب (٢) يُموّه؛ يعطي الشيءَ مظهراً جذاباً خادعاً (to ~ a lie) § (٣) guild.

to ~ the lily يضيف زخرفاً غير ضروري إلى شيء جميل في ذاته .

to ~ the pill يجعل للشيء الكريه (أو للضرورة البغيضة) مظهراً سائغاً.

gill [gĭl] *(n.; vt.; i.)* (١) الجِل: مكيال للسوائل سعته ربع باينت (را. pint) (٢) خَيْشوم (٣) *pl.* عد: الغَبَب؛ اللُّغْد: لحمٌ متدلٍّ تحت الحنك أو حول الذقن (٤) وادٍ صغير (بر) (٥) نُهَير (بر) (٦) *cap.* عد: فتاة؛ معشوقة §(٧) يصيد السمك من خياشيمه بشبكة خاصة (را. gill net) ×(٨) يَعْلَق (السمكُ) في هذه الشبكة.

gillie *or* gilly *or* ghillie [gĭl'ĭ] *(n.)* (١) التابع؛ المرافق؛ الخادم. (٢) مرشد الصيّاد (٣) حذاء.

gill net *(n.)* الغِلّ: شبكة ذات عيون تجيز لرأس السمكة أن ينفذ إليها ولكنها تحجزه عندما تحاول الانسحاب.

gillyflower *(n.)* المنثور؛ الخِيريّ: زهرٌ من الفصيلة الصليبية.

gilt [gĭlt] *(adj.; n.)* (١) «أ» مذهَّب؛ مطليّ بالذهب. «ب» ذهبيّ اللون §(٢) ذهب أو شيء يشبه الذهب يُطلى به (٣) مالٌ (ع) (٤) بريق ظاهريّ (٥) خنزيرة صغيرة.

gilt-edged [gĭlt'ĕjd'] *(adj.)* (١) مذهَّب الأطراف (٢) من النوع الأفضل أو الممتاز.

gilthead [gĭlt'-] *(n.)* السَّرْب؛ العَرَيْض؛ الحفّار: سمك شبيه بالمرجان أو الفريدي.

gimbals [jĭm'bəlz] *(n.)* الجَمْبَل: أداة لإبقاء شيء ما (كبوصلة السفينة) في وضع أفقيّ.

gimcrack [jĭm'krăk] *(n.)* البَهْرَج: حلية تافهة قليلة النفع.

gimlet [gĭm'lĭt] *(n.; adj.; vt.)* (١) مِثقاب؛ مِخرز §(٢) ثاقب؛ نفّاذ §(٣) يثقب.

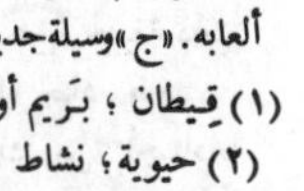
gimlet

gimmal [gĭm'-] *(n.)* زوج (أو سلسلة) حلقات متشابكة.

gimme *(n.)* الغنيمة: جائزة تُعطى للمرء (ولا سيّما في مباراة).

gimmick [gĭm'ĭk] *(n.)* وسيلة التحايل: «أ» أداة ميكانيكية للتلاعب أو التحكم بجهاز للمقامرة. «ب» أية أداة صغيرة يستعين بها الساحر، سرّاً، على أداء ألعابه. «ج» وسيلة جديدة أو فكرة بارعة لحلّ مشكلة أو تحقيق هدف.

gimp [gĭmp] *(n.; vi.)* (١) قِيطان، بَريم أو شريط حريري. (٢) حيوية؛ نشاط (٣) الأعرج §(٤) يَعْرُج.

gin [jĭn] *(n.; vt.)* (١) «أ» شَرَك. «ب» مِرفاع؛ رافعة أثقال. «ج» مِحْلج قطن (٢) الجِنّ: مُسْكِر قويّ § (٣) يوقع في شَرَك (٤) يحلج القطن.

ginger [jĭn'jər] *(n.; vt.)* (١) زَنْجَبيل (٢) نشاط؛ حيوية. (٣) لون بُنّيّ §(٤) ينعش؛ ينشّط.

ginger ale; ginger beer *(n.)* جَعة الزنجبيل: شراب غازيّ.

gingerbread [jĭn'-] *(n.)* (١) كعكة الزنجبيل (٢) حلية مبتذلة.

gingerly [jĭn'-] *(adj.; adv.)* (١) شديد الحذر §(٢) بحذر شديد.

gingersnap [jĭn'jər snăp] *(n.)* فطيرة الزنجبيل.

gingham [gĭng'əm] *(n.)* الجِنْهام: نسيج قطني مخطَّط.

gingiva [jĭn jī'və] *(n.)* pl. **-e** اللِّثَة —**gingival** *(adj.)*

gingivitis [jĭn'jə vī'tĭs] *(n.)* التهاب اللِّثة (مض).

gink [gĭngk] *(n.)* شخص؛ فتى (ع).

ginkgo *also* gingko [gĭngk'gō] *(n.)* الجِنْكة: شجر صينيّ مروحيّ الورق أصفر الثمر (را. الشكل في العمود التالي).

gin mill *(n.)* حانة.

gin rummy *(n.)* روميّ الجِنّ: ضربٌ من لعب الورق.

ginkgo

ginseng [jĭn'sĕng] *(n.)* الجِنْسة: عشبة صينية (نب).

Gipsy [jĭp'sĭ] *(n.)* = **Gypsy.**

giraffe [jə răf'] *(Ar.)* زَرافة (ح).

girandole [jĭr'ən dōl] *(n.)* (١) الثُّريا النارية: صاروخ يتفجر عند إطلاقه عن أنوار على شكل عنقود أو ثُريا (٢) شمعدان مزخرف ذو شُعَب (٣) نافورة ماء دوّارة.

giraffe

girasol *or* girasole [jĭr'ə sŏl] *(n.)* (١) حَرْشَف القدس؛ الطَّرطوفة (نب) (٢) عين الهر أو الشمس (مع).

gird [gûrd] *(vt.; i.; n.)* (١) «أ» يطوّق (بحزام). «ب» يثبّت (٢) يزود بـ؛ وبخاصة: يقلّده سيف الفروسية (٣) يستعد للعمل (٤) يهزأ بـ §(٥) ملاحظةٌ ساخرة.

to ~ up one's loins يشمّر عن ساعديه؛ يتأهّب للعمل.

girder [gûr'dər] *(n.)* عارضة (خشبية أو معدنية).

girder bridge *(n.)* جسر ذو عوارض.

girdle [gûr'dəl] *(n.; vt.)* (١) حزام؛ مِنطقة (٢) مِشدّ (للمرأة) (٣) الزُّنّار: قوس عظميّ لتثبيت طرف من أطراف الجسد (٤) الطّوق: حلقة تُحدَث حول جذع شجرة بنزع اللحاء عنه §(٥) «أ» يطوّق بحزام. «ب» يحيط بـ (٦) «أ» يُحدث حلقة حول جذع شجرة. «ب» يقتله بقطع الماء والغذاء عنه.

girdler [gûr'-] *(n.)* (١) الحزّام: صانع الأحزمة (٢) اللحّائية: حشرة تعيش على لحاء الشجر.

girl [gûrl] *(n.)* (١) فتاة (٢) امرأة (متزوجة أو عازبة مهما كانت سنّها) (٣) «أ» خادمة أو مستخدَمة. «ب» محبوبة؛ معشوقة. «ج» بنت؛ ابنة.
—**girlish** *(adj.)*

girl guide; girl scout *(n.)* المرشدة؛ الكشّافة.

girt [gûrt] *(vt.; i.)* (١) يطوّق بحزام (٢) يثبّت السرج بحزام. ×(٣) يقيس محيط الجسم.

girth [gûrth] *(n.; vt.)* (١) حزام السَّرج (٢) «أ» مقاس محيط الجسم أو الخصر. «ب» حجم §(٣) يطوّق (٤) يثبّت السّرج بحزام (٥) يقيس محيط الجسم.

gist [jĭst] *(n.)* (١) أساس القضية: الأساس الذي تقوم عليه دعوى قضائية (٢) جوهر؛ لُبّ؛ زبدة.

give [gĭv] *(vt.; i.; n.)* (١) يعطي (٢) يمنح؛ يَهَب (٣) تستسلم للرجل (في اتصال جنسي) (٤) يقدّم (to ~ a concert) (٥) يقيم (to ~ a party) (٦) يشرب نخب فلان (٧) يَخصّه بحصّة أو نصيب (٨) يُنتج (٩) «أ» يدفع. «ب» يبيع (١٠) يُطلق (صوتاً) (١١) يحكم عليه بكذا (The judge *gave* him six years.) (١٢) يُبدي (سبباً أو عُذراً) (١٣) «أ» يضحّي بـ. «ب» يقف؛ يكرّس (١٤) يُعْدي أو يصيب بـ (١٥) يبالي ×(١٦) «أ» يخضع (لضغط أو قوة). «ب» ينهار (The rail of the fence *gave* suddenly under his weight.) (١٧) يعتدل (الجوّ) §(١٨) «أ» خضوع (لضغط)؛ انهيار. «ب» مرونة.

to ~ away (١) يَهَب (٢) يزفّ العروس إلى عريسها.

(٣) يَخُون (٤) يُفْشِي ؛ يَفْضَح (٥) يوزّع (الجوائز) .

to ~ back   (١) يُعيد (٢) يتراجع .

to ~ birth to•   (١) تلد ؛ تضع (٢) يُحْدِث ؛ يُسبِّب .

to ~ chase to   يطارد ؛ يلاحق .

to ~ forth   ينشر ؛ يذيع .

to ~ ground   يتراجع (في وجه العدو) .

to ~ in   (١) يقدّم (أوراقه أو استقالته) . (٢) يستسلم .

to ~ into custody or charge   يسلّم (مجرماً) إلى الشرطة .

to ~ off   (١) يُطلع غُصناً (٢) يُخرِج ؛ يُطلق (٣) يتشعّب .

to ~ on   يُشرف (المنزل) على جهة ما .

to ~ out   (١) يصرّح ؛ ينشر (٢) يُطلق ؛ يُخرِج (٣)ينهار ، يصاب بالاجهاد (٤) يوزّع (٥)يَنْفَد .

to ~ over   (١) يكفّ عن (٢) يتخلى عن (٣) ييأس (٤) يكرّس ؛ يخصّص لغرض (٥)يعهد به إلى فلان .

to ~ rise to   يسبّب ؛ يكون باعثاً على .

to ~ the sack (the boot)   يصرف شخصاً بطريقة غير لائقة .

to ~ tongue   تنبح (الكلاب) عندماتسترّوح الطريدة .

to ~ up   (١) يتخلى عن (٢) يكفّ عن (٣) ه أ، ينقطع لعمل ما أو يستسلم لشعور ما . «ب» يخصّص شيئاً لغرض ما (٤)يعلن أن شيئاً غير قابل للشفاء أو الحل (٥) ييأس من رؤية كذا (٦) ينسحب من عمل ما (٧) يقرّ بعجزه (٨) يُسلّم إلى الشرطة .

to ~ way   (١) يتراجع (٢) ينهار (٣) يفسح مجالاً . (٤) يستسلم (للحزن الخ.) (٥) يوافق (على مطالب تُقدَّم إليه) (٦) يبدأ في التجديف .

give-and-take [gĭv’ən tāk’] (n.)   (١) تسوية ؛ إجراء تنازلات متبادلة (٢) تبادل آراء ، أخذ وعطاء .

giveaway [gĭv’ə wā] (n.)   (١)افشاء غير مقصود (٢)شيء يقدّم مجاناً (لتشجيع الزبائن على الشراء الخ.) (٣) برنامج إذاعي أو تلفزيوني تقدّم فيه جوائز .

given [gĭv’ən] (adj.)   (١) مقدَّم ؛ موهوب (٢) مليمن ؛ ميّال إلى (~ to drink) (٣) «أ» محدّد ؛ معيّن (at a ~ time) «ب» مُفْتَرَض .

given name (n.) = Christian name.

giver [gĭv’-] (n.)   المعطي ؛ المانح ؛ الواهب .

gizzard [gĭz’ərd] (n.)   (١) القانصة ؛ معدة الطير الثانية (٢)أحشاء .

glabella [glə bĕl’ə] (n.) pl. **-e**   البُلْجة : مَفْرِق الحاجبين .

glabrous [glā’brəs] (adj.)   أملس ؛ أجرد ؛ خالٍ من النتوء أوالشعر .

glacé [glä sě’] (adj.)   (١) مثلّج (٢) مصقول (٣) مغلّف بالسكّر .

glacial [glā’shəl] (adj.)   (١)«أ» بارد إلى أبعد حدّ . «ب» فاتر ؛ تعوزه حرارةالمودّة . (ج) هادىء؛ رابط الجأش (٢)جليديّ : «أ» متعلق بأنهار الجليد . «ب» شبيه بالجليد (~ acetic acid).

glacial acetic acid (n.)   حمض الخليك الجليدي (ك) .

glaciate [glā’shĭ āt] (vt.)   يجلّد : يحوّل إلى جليد .

glacier [glā’shər] (F.)   المُجلَّدة ؛ نهر الجليد (انظر الصورة في رأس العمود التالي) .

glacis [glā’sĭs ; glăs’-] (n.)   (١)الأَحْدور : منحدرٌ خفيف . (٢) «أ» buffer state • «ب» ميدان ؛ معترك .

glad [glăd] (adj.)   (١)مبتهج ؛ مسرور (٢)مبهج ؛ سارّ (~ tidings (٣) زاهٍ؛ بهيج (~ colors) .

glacier

—**gladness** (n.)

gladden [glăd’ən] (vt.)   يبهج ؛ يسرّ .

glade [glād] (n.)   فُرجة (أو أرضٌ فضاء) في غابة .

gladiator [glăd’ĭ ā tər] (n.)   المجالد : شخص ، وبخاصة عبدٌ أو أسير ، يقاتل حتى الموت ، لإمتاع الناس في رومة القديمة .

gladsome [glăd’səm] (adj.)   (١) مبهج ؛ سارّ (٢) مبتهج .

gladstone [glăd’stōn ; -stən] (n.)   الغلادستونية : حقيبة سفر تنفتح من وسطها إلى قسمين متساويين .

glair or **glaire** [glâr] (n.)   (١)الآحّ ؛ بياض البيض (٢) كل مادة ازجة كالآحّ .

gladstone

glamorous also **glamourous** [glăm’-] (adj.)   فاتن ؛ ساحر .

glamour or **glamor** [glăm’ər] (n.; vt.)   (١) فتنة ؛ يسحر . (٢) يفتن ؛ يَسحر .

glance [glăns ; gläns] (vi.; t.; n.)   (١) يطيش (منحرفاً عن الرمية) (٢) «أ» يبرق ؛ يومض . «ب» يقوم بحركات سريعة مفاجئة (٣) «أ» يلمح إلى . «ب» يغمز (من قناة شيء) × (٤) «أ» يَلْمح . «ب» يلقي نظرة عجلى على (٥) ومضة (٦) لمحة ؛ نظرة عجلى (٧) كلّ فِلزّ ذي بريق .

glancing [glăn’-] (adj.)   عَرَضيّ ؛ غير مباشر (٢) مرتجل .

gland [glănd] (n.)   (١) غُدّة (ت) (٢) سِدادة .

glanders [glăn’dərz] (n.)   الرّعام : مرض يصيب الخيل فيسيل مخاطها .

glandular [glăn’jə lər] (adj.)   (١) غُدّيّ (٢) فطريّ . (٣) جسديّ ؛ تناسليّ .

glans [glănz] (n.)   (١)حَشَفَة القضيب (ت) (٢)حشفة البظر (ت) .

glare [glâr] (vi.; t.; n.)   (١) يسطع (إلى حدّ يبهر البصر) . (٢) يحملق (مغضباً) (٣) §§ «أ» وهج . «ب» بهرجة ؛ زخرفة مبتذلة (٤) حملقة (٥) جليد ذو سطح أملس زَلِق .

glaring [glâr’ĭng] (adj.)   (١) ساطع (٢) مبهْرج ؛ زاهٍ على نحو مبتذل (٣) فاضح (~ errors) (٤) غاضب .

glary [glâr’ĭ] (adj.)   ساطع (إلى حدّ يبهر البصر) .

glass [glăs ; gläs] (n.; vt.; i.)   (١) «أ» زجاج . «ب» مادة كالزجاج (٢) شيء مصنوع من زجاج ؛ مثل «أ» كأس ؛ قدح ؛ «ب» مرآة . «ج» بارومتر . «د» منظار . «ه» pl. نظّارتان ؛ «عوينات» (٣) ملء كأس أو إناء زجاجيّ (٤) آنية زجاجيّة §(٥) «أ» يزجّج ؛ يزوّد بالزجاج . «ب» يضع في إناء زجاجي (٦) يجعله زجاجياً أو كالزجاج (٧) «أ» يعكس (كالمرآة) . «ب» يرى انعكاس كذا (٨) يشاهد أو يراقب (من خلال منظار) × (٩) يصبح زجاجياً (The river is ~ing in a breathless calm.)

—**glass blower** (n.)

glass blowing (n.)   نفخ الزجاج .

glass eye (n.)   «أ» عين صنعية (من زجاج) . «ب» العين الزجاجية .

«ب» عين ذات حدقة شاحبة أو ضاربة إلى البياض .

glassful [glăs'fōōl'] *(n.)* ميلء كأس أو قدح .

glasshouse [-'hous] *(n.)* (١) مصنع زجاج (٢) الدفيئة : بيت زجاجيّ لزراعة النباتات الرَّخْصة أو وقايتها .

glassine [glă sēn'] *(n.)* الزُجاجين : ورق مقاوم لنفاذ الهواء والدهن .

glassman [glăs'-] *(n.)* الزَجّاج : تاجر (أو صانع) الزجاج .

glass snake *(n.)* الأفعى الزجاجيّة : ضرب من العِظاء الاميركية .

glassware [glăs'wâr] *(n.)* آنية زجاجية .

glasswork [glăs'-] *(n.)* (١) «أ» صناعة الزجاج. «ب» *pl.* : مصنع زجاج (٢) آنية زجاجيّة .

—glassworker *(n.)*

glasswort [glăs'-] *(n.)* الأُشْنان ، الحُرُض : نبات من السَّرمقيات

glassy [glăs'ĭ] *(adj.)* «أ» كالزجاج . «ب» كامد . زجاجيّ : (١)

glaucoma [glô kō'mə] *(n.)* الزَّرَق (علة في العين) .

glaucous [glô'kəs] *(adj.)* (١) أخضر شاحب (٢)رمادي مزرق أو أبيض مزرقّ (٣)ذو زغب ذروري أو شمعي (كبعض الثمار) .

glaze [glāz] *(vt.; i.; n.)* (١) يزجج : يضع للشيء زجاجاً . (٢) يكسو أو يطلي بطبقة رقيقة صقيلة (٣) يصقل ×(٤)ينصقل ؛ يصبح صقيلاً §(٥) طبقة ملساء زلِقَةٌ من جليدٍ رقيق(٦) طلاء لتلميع الخزف والرسوم والاطعمة (٧) سطح أملس صقيل أو لامع (٨)غشاوة شبه زجاجيّة (the ~ of death over his eyes).

glazier [glā'zhər] *(n.)* الزَجّاج : مركب الزجاج .

glazing [glā'zĭng] *(n.)* (١) طَلْي ؛ صقل (٢) «أ» الزِّجاجة : صناعة الزَجّاج . «ب» زجاجٌ (مُعَدّ للتركيب في أُطُر) (٣) glaze .

gleam [glēm] *(n.; vi.)* (١) ومضة §(٢) يومض .

glean [glēn] *(vi.; t.)* (١) يلتقط فضلات الحصاد (٢) يجمع (المعلومات) شيئاً بعد شيء (٣) يكتشف ؛ يدرك ؛ يفهم .

gleanings [glē'-] *(n. pl.)* اللُقاطة : كلّ ما يُلتَقَط أو يُجمَع .

glebe [glēb] *(n.)* أرض ، وبخاصة إذا كانت ملكاً لكنيسة .

glede [glēd] *(n.)* الحدَأة ؛ الشوحة (طا) .

glee [glē] *(n.)* (١) مرَح ؛ طَرَب (٢) أغنية لثلاثة أصوات رِجالية عادةً (غير مصحوبةٍ بموسيقى) .

glee club *(n.)* نادٍ أو جوقة للغناء الجماعي .

gleed [glēd] *(n.)* (١)جَمْرة (عب) (٢) نارٌ (عب) .

gleeful [glē'fəl] *(adj.)* مرِح ؛ طرِب ؛ جذْلان .

gleet [glēt] *(n.)* (١) التهاب مزمن (في الانف الخ) (٢)إفراز من التهاب مزمن (كما في السيلان أو التعقيبة) .

glen [glĕn] *(n.)* وادٍ صغير منعزل .

glengarry [glĕn găr'ĭ] *(n.)* الجلينجارية : قبعة اسكتلندية صوفية .

glengarry

glib [glĭb] *(adj.)* (١) عفويّ ؛ طبَعيّ ؛ غير متكلّف (~ manners) (٢) مرتجَل ؛ غير مروّى فيه (~ answers)(٣)سطحيّ (~ generalizations) (٤) ذرِب (a ~ tongue) (٥) زلِق اللسان ؛ سلس البيان (٦) أملس ؛ زلق (ع) .

glide [glīd] *(vi.; t.; n.)* (١)ينزلق (٢) «أ» ينسلّ من . «ب» ينقضي ؛ يمرّ (٣) تنحدر (الطائرة) من غير استعانة بقوة المحرك ×(٤)يجعله ينزلق §(٥) انزلاق (٦) ماء ضحلٌ يجري بسلاسة .

glider [glī'dər] *(n.)* (١) «أ» المنزلِق . «ب» المنزلِقة : طائرة شراعية ، طائرة بلا محرّك (٢) كل ما يساعد على الانزلاق .

glim [glĭm] *(n.)* (١) بصيص ؛ وميض (٢) نظرة خاطفة (٣) ضوء .

glimmer [glĭm'ər] *(vi.; n.)* (١) يومض ؛ يضيء بوَهَن . (٢) يبدو على نحو غير واضح §(٣) وميض (٤) «أ» فكرة غامضة . «ب» بصيص ؛ مقدار ضئيل .

glimmering [glĭm'ər ĭng] *(n.)* = glimmer.

glimpse [glĭmps] *(vi.; t.; n.)* (١) يلقي نظرة خاطفة على . ×(٢) يَلمح §(٣) glimmer (٤) لمحة ؛ نظرة خاطفة .

glint [glĭnt] *(vi.; n.)* (١) يومض (٢) يتلألأ ؛ يتألق §(٣) ومضة .

glissade [glĭ säd'; -sād'] *(vi.; n.)* (١) ينزلق على الجليد (من غير استعانة بمزلَقَين) §(٢) انزلاق .

glisten [glĭs'ən] *(vi.; n.)* (١) يتلألأ §(٢) تلألؤ .

glister [glĭs'tər] *(vi.; n.)* = glisten.

glitch *(n.)* (١) خلَل (٢) حادث مؤسف (٣) مشكلة فنية ثانوية .

glitter [glĭt'ər] *(vi.; n.)* (١)«أ» يتألق . «ب» يلتمع ببريق بارد زجاجيّ (Little eyes ~*ed* cruelly.) (٢) يتبدى ؛ على نحو باهر (مبتذل او رخيص عادة) §(٣) تألق ؛ بهاء (٤) بهارج ؛ حلى صغيرة متألقة .

gloaming [glō'mĭng] *(n.)* الغسَق .

gloat [glōt] *(vi.; n.)* (١) يحدّق بإعجاب أو محبة (٢) يتأمّل في رضاً أو حبور (was ~*ing* over his gold) (٣) يطيل التفكير في شيء بارتياح خبيث (to ~ over another's misfortunes) §(٤) تحديقٌ معجَبٌ (٥) تأمّلٌ محبور (٦) شعور بالارتياح الظافر أو الخبيث .

global [glō'bəl] *(adj.)* (١) كرويّ (٢) عالميّ (٣) شامل .

global village *(n.)* القرية العالمية : العالم كمجتمع واحد اختصرت التكنولوجيا مسافاته .

globate [glō'bāt]; **-d** *(adj.)* كرويّ ؛ على شكل كرة .

globe [glōb] *(n.)* (١) كرة (٢) الكرة الأرضية (٣) كرة جغرافية (٤) كرة يعلوها صليب ترمز إلى سلطة الملك وعدالته .

globefish [glōb'-] *(n.)* الفَهْكة : سمك كرويّ .

globeflower [glōb'-] *(n.)* الطُرُلّيوس : نبات كرويّ الأزهار .

globe-trotter [glōb'-] *(n.)* الجوّاب ؛ الكثير الأسفار .

globin [glō'bĭn] *(n.)* الغلوبين : بروتين موجود في الهيموغلوبين أو خضاب الدم (كح) .

globoid [glō'boid] *(n.; adj.)* = spheroid.

globose [glō'bōs; glō bōs'] *(adj.)* كرويّ .

globular [glŏb'yə lər] *(adj.)* (١) «أ» كرويّ . «ب» عالميّ . (٢) كُرَيّيّ : ذو كُرَيّات أو مؤلّفٌ منها .

globule [glŏb'ūl] *(n.)* الكُرَيّة : كرة صغيرة .

globulin [-'yə lĭn] *(n.)* الغلوبيولين : بروتين لا ينحلّ في الماء (كح) .

glockenspiel [glŏk'ən spēl] *(G.)* الغلوكنسبيل : آلة موسيقية مؤلّفة من قضبان حديدية متدلية تُضرب بمطرقتين .

glomerate [glŏm'ər ĭt] *(adj.)* مُكتَتِل ؛ مكبّب .

glomeration [glŏm'ə rā'shən] *(n.)* (١)تكتيل ؛ تكبيب . (٢) تكتّل ؛ تكبّب (٣) كتلة مكبّبة .

glomerulus [glō mĕr'yōō ləs] *(n.)* كُبَيْبَة (ت) .

gloom [glōōm] *(vi.; t.; n.)* (١) يَغتمّ ؛ يكتئب ؛ يعبس . (٢) يُظلم ؛ يصبح قاتماً أو متوعداً (كالسماء) (٣) يبدو داكناً أو كئيباً ×(٤) يُحزن (٥) يجعله مظلماً أو كئيباً §(٦) «أ» ظلام . «ب» مكان مظلم (٧) كآبة ؛ غمّ .

gloominess [glōō'mĭ-] *(n.)* (١) ظلام (٢) كآبة .

gloomy [glōō'mĭ] *(adj.)* (١) «أ» مظلم . «ب» عابس .

«ج» كئيب (٢)«أ» مُوَرِّثٌ كآبةً (~ stories) «ب» متشائم

gloria [glōr'ĭ ə] *(n.)* (١) *cap.* : المجمدة: إحدى تسابيح ثلاث تُستهل كل منها بـ «المجد لله» (نص) (٢) هالة (٣) الغلور: قماش صقيل من حرير وصوف أو حرير وقطن.

Gloria in Excelsis Deo *(L.)* المجد لله في الأعالي (نص)

glorification [glōr'ə fə kā'-] *(n.)* (١) تمجيد (٢) تَمجُّد.

glorify [glōr'ə fī'] *(vt.)* يمجّد، يعظّم، يبجّل.

glorious [glōr'ĭ əs] *(adj.)* (١) مَجيد (٢) متألق (٣) رائع، بهيّ.

glory [glōr'ĭ] *(n.; vi.)* (١)«أ» شهرة. «ب» تمجيد، تسبيح. (٢)مَفخَرة، موضع اعتزاز (٣)«أ» تألّق، بهاء. «ب» شيء متّسم بالجمال أو البهاء. «ج» السعادة السماوية (٤) مجد (٥) هالة §(٦) يفاخر: يبتهج أو يتهلل (بغرور وتباه).

gloss [glôs] *(n.; vt.)* (١) لمعان، بريق (٢) مظهر جذاب خادع (٣)«أ» تعليق، تحشية (في هوامش كتاب). «ب» تفسير خاطىء (٤) مَسْرَد بالكلمات العسيرة مع شرح لها (٥) شرح أو تفسير (لنص كتاب) §(٦) يموّه: يعطي الشيء مظهراً خادعاً (٧) يصقل: يجعله لمّاعاً أو صقيلاً (٨)«أ» يعلّق، يحشّي. «ب» يشرح، يفسّر. «ج» يزوّد (كتاباً) بلائحة بالكلمات العسيرة مع شرح لها (٩) يفسّر تفسيراً خاطئاً أو محرّفاً.

gloss- or glosso- بادئة معناها: (١) لسان (٢) لغة.

glossal [glôs'əl] *(adj.)* لسانيّ: ذو علاقة باللسان.

glossarist; glossator [glŏs'-] *(n.)* (١) الشارح، المفسّر. (٢)المَسْردي: واضع المَسارِد (را. المادة التالية).

glossary [glŏs'ə rĭ] *(n.)* مَسْرد بالكلمات العسيرة مع شرح لها.

glossiness [glôs'-] *(n.)* صقَل، لمعان.

glossitis *(n.)* اللُّسان؛ التهاب اللِّسان.

glossographer *(n.)* = glossarist.

glossy [glôs'ĭ] *(adj.)* (١) صقيل، لامع (٢) مموّه، حسن الظاهر.

glottal [glŏt'əl] *(adj.)* زَرْدَميّ، مِزماريّ (را. المادة التالية).

glottis [glŏt'ĭs] *(n.)* الزَّرْدَمَة، المَزمار: فتحة في أعلى الحنجرة (ت).

glove [glŭv] *(n.; vt.)* (١) قُفّاز §(٢) يقفّز: يكسو بقفاز.
to throw down the ~, يطلب المبارزة
to take up the ~, يقبل المبارزة

glove compartment *(n.)* صندوقة القُفّاز: عُلبة في لوحة أجهزة القياس (را dashboard) في سيّارة.

glover [-'ər] *(n.)* القفافيزيّ: صانع القفافيز أو بائعها.

glow [glō] *(vi.; n.)* (١) «أ» يتوهج، يتوقّد. «ب» يتورّد. «ج» يحمرّ خجلاً (٢) يتّقد، يحتدم بالانفعال §(٣) توهج، تورّد (٤)«أ» اتقاد، احتدام. «ب» حرارة (٥) وَهَج.

glow discharge *(n.)* التفريغ التوهّجيّ (كب).

glower [glou'ər] *(vi.; n.)* (١) يحدّق بانشداه (عب)(٢) يحملق. §(٣) تحديق بانشداه (عب) (٤) حملقة.

glow plug *(n.)* الشمعة التوهّجية: أداة كهربائية صغيرة توضع داخل أسطوانة محرّك ديزل لتسهيل الانطلاق.

glowworm [glō'wûrm] *(n.)* الحُباحِب، سراج الليل (حش).

gloze [glōz] *(vt.)* يموّه: يعطي الشيء مظهراً خادعاً.

glucinum [glōō sī'nəm] *(n.)* الغلوسينوم: عنصر فلزّي (ك).

glucose [glōō'kōs] *(n.)* (١) الغلوكوز: سكّر العنب، سكر النشاء (٢) شراب النشاء.

glucoside [-'kə sīd] *(n.)* الغلوكوسيد: مركّب منتجٌ للغلوكوز (ك).

glue [glōō] *(n.; vt.)* (١) غِراء (٢) مادة غَرَوية §(٣) يُغرّي.

glum [glŭm] *(adj.)* كئيب، مكتئب، كالح الوجه.

glumaceous [glōō mā'shəs] *(adj.)* عَصَفيّ، ذو عَصَفات (را. المادة التالية).

glume [glōōm] *(n.)* العَصَفة، العُصافة، القُنْبُع: إحدى قِنابتين (را. bract) تحيطان خارجياً بقاعدة السُّنَيْبلة (نب).

glut [glŭt] *(vt.; i.; n.)* (١) يُتْخِم (٢) يُغْرِق (الأسواق) بالسّلع ×(٣) يأكل بشَرَه §(٤) إتخام، تخمة (ا.ق) (٥) وفرة، فيض.

glutamine [glōō'tə mēn] *(n.)* الغلوتامين: حامض أمينيّ متبلّر (ك).

gluteal [glōō tē'əl] *(adj.)* إلْييّ: خاصّ بالإلْيَة (ت).

gluten [glōō'tən] *(n.)* (١) الغلوتين، الدابوق: مادة بروتينية دبقة في الدقيق (٢) غِراء، مادة غَرَوية.

gluteus [glōō tē'əs] *(n.)* المأكمِيّة: إحدى عضلات الإلية (ت).

glutinous [glōō'tə nəs] *(adj.)* غَرَويّ، دبِق، لزج، لزق.

glutton [glŭt'ən] *(n.)* (١) النهِم، الشَّرِه (٢) اللقّام: حيوان ثدييّ نَهِم.

glutton 2.

gluttonous [glŭt'ən əs] *(adj.)* نَهِم، شَرِه.

gluttony [glŭt'ə nĭ] *(n.)* نَهَم، شَرَه.

glyc- or glyco- بادئة معناها: سكّر.

glycer- or glycero- بادئة معناها: غليسيرول، غليسيرين.

glyceric acid *(n.)* الحامض الغليسيريني (ك).

glycerin or glycerine [glĭs'ər ĭn] *(n.)* الغليسيرين (ك).

glycerinate [glĭs'-] *(vt.)* يُغَسْرِن: يعالج أو يحفظ بالغليسيرين.

glycerol [glĭs'ə rōl; -rŏl] *(n.)* = glycerin.

glyceryl [glĭs'ər ĭl] *(n.)* الغليسيريل (ك).

glycogen [glī'kə jən] *(n.)* الغليكوجين: سكّر الكَبِد (ك).

glycol [glī'kōl] *(n.)* غليكول الايثيلين (ك).

glycolic acid *(n.)* الحامض الغليكولي (ك).

glycoprotein [glī kō prō'-] *(n.)* الغليكوبروتين (ك).

glycoside [glī'kō sīd] *(n.)* = glucoside.

glycosuria [glī'kō sŏŏr'ĭ ə] *(n.)* البِيلة السُّكّرية، تَعَسْلُن البول (مض).

glyph [glĭf] *(n.)* (١) الخُشْخان: حِلية معمارية على شكل قناة عمودية (عم) (٢) صورة رمزية منقوشة نافرة.

glyptic [glĭp'-] *(n.; adj.)* (١) فن النقش في الجواهر §(٢) خاص بهذا الفن.

G-man [jē'măn] *(n.)* شرطيّ مباحث (في الولايات المتحدة الأميركية).

gnar or gnarr [när] *(vi.)* يهِرّ، ينبح.

gnarl [närl] *(vi.; t.; n.)* (١) يهِرّ، ينبح ×(٢) يلوي، يشوّه §(٣) عقدة في شجرة.

gnarled [närld] *(adj.)* (١) كثير العُقَد (٢) نَكِد المزاج.

gnash [năsh] *(vt.; n.)* (١) يصرّ بأسنانه، يَحْرق الأُرَّم §(٢) صرير الأسنان.

gnat [năt] *(n.)* (١) الجِرْجِسة: بعوضة صغيرة (٢) بعوضة.

gnath- or gnatho- بادئة معناها: فكّ، لَحْي.

gnathic [năth'ĭk] *(adj.)* فكّيّ، لَحْييّ: خاص بالفك أو اللحي.

-gnathous لاحقة معناها: ذو فكّ من نوع معيّن.

gnaw [nô] *(vt.; i.)* (١) «أ» يقرض، يقضم. «ب» يحفر بالقرض (Rats ~ *ed* a hole in the floor.) (٢) يزعج؛

يضايق (٣) ينخر ؛ يتآكّل ؛ يَحُتّ .

gneiss [nīs] *(n.)* النَّايس : صخر صوّاني .

gnome [nōm] *(n.)* (١) قول مأثور ؛ مَثَل سائر (٢) قَزَم خرافيّ (يحرس كنوز باطن الأرض) .

gnomon [nō'mŏn] *(n.)* (١) المِيْل : عقرب المزولة أو الساعة الشمسية (٢) بقية المتوازي : ذلك الجزء من متوازي الأضلاع الذي يتبقّى بعد أن يُقتطَع من إحدى زواياه متوازي أضلاع آخر (مثلاً : الجزء *b c d e f g* من الشكل) .

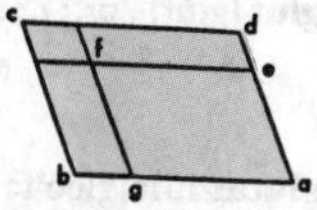

gnomon 2.

gnomonic [nō mŏn'ĭk] *(adj.)* مِيليّ : خاص بعقرب المِزولة .

gnosis [nō'sĭs] *(n.)* المعرفة الروحية ؛ المعرفة بالشؤون الروحية .

gnostic [nŏs'tĭk] *(adj.; n.)* (١) روحيّ (٢) *cap.* : غنوسطي . §(٣) *cap.* : الغنوسطيّ : أحد القائلين بالغنوسطية .

Gnosticism [nŏs'-] *(n.)* الغنوسطية : مذهب العرفان : مذهب بعض المسيحيين الذين اعتقدوا بأن المادة شرّ وبأن الخلاص يأتي من طريق المعرفة الروحية .

gnu [nōō; nū] *(n.)* النُّوّ : ثَيْتَل افريقي ذو رأس كرأس الثور ، وقرنين معقوفين وذيل طويل .

gnu

go [gō] *(vi.; t.; n.)* (١) يذهب ؛ يمضي (٢) يرحل ؛ يسافر (٣) «أ» يسلك نهجاً معيناً . «ب» يمتدّ إلى . «ج» يؤدّي ؛ يفضي إلى (٤) يكون عادةً في حالةٍ ما (to ~ in rags) (٥) «أ» يُستهلَك ؛ يُنفَق . «ب» يموت . «ج» ينقضي ؛ يمرّ (trip *went* quickly) . «د» يباع (went for less than their true value) «هـ» يضعُف (My sight is ~*ing*.) . «و» يتمزّق ؛ يتحطم ؛ ينهار (Sails *went* in the gale.) (٦) «أ» يَحْدُث (What's ~*ing* on here?) . «ب» يجري ؛ يسير (I only keep my eyes open and see how life ~*es*.) . «ج» يُسفِر عن ؛ تكون نتيجته كذا (How did the game ~?) . «د» ينجح (His first plays failed to ~.) (٧) يلجأ (to ~ to court) (٨) يدور : يعمل بالطريقة الملائمة أو المتوقعة (finally succeeded in getting the motor to ~) (٩) «أ» يُعرَف بـ (It now ~*es* by another name.) «ب» ينتشر ؛ يشيع ؛ تقول الاشاعة (The report ~*es* that the campaign was a failure.) (١٠) يساعد على (qualities that ~ to make a leader) (١١) يعتزم أو يوشك أن (She is ~*ing* to write.) (١٢) يصبح ؛ يصاب بـ (to ~ mad) (١٣) «أ» يقول : تجري كلماته على نَسَق معيّن (The third clause ~*es* thus.) . «ب» يُغَنّى أو يُعزَف بطريقة ما (The tune ~*es* like this.) (١٤) ينسجم (the sort of person who can ~ with any group) (١٥) يفضي ؛ ينزع إلى (This only ~*es* to prove the point.) (١٦) يصحّ في ؛ ينطبق على (The old saying that it takes all kinds of people to make a world ~*es* for our train.) (١٧)× يجتاز (١٨) «أ» يراهن أو يخاطر بـ (willing to ~ dollar on the outcome of the game) . «ب» يعرض ثمناً (to ~ 2800 dollars for the car) (١٩) يأخذ على عاتقه (He promised to ~ bail for his friend.) (٢٠) يتقاسم بنسبة كذا (decided to ~ halves if either of them found the treasure) (٢١) يقرع ؛ يدق ؛ يعلن (clock *went* nine) (٢٢) «أ» يطيق ؛ يتحمّل (I can't ~ his preaching.) . «ب» يقوى على دفع ثمن معين (She couldn't ~ $30,000 for a house.) «ج» يستمتع بـ (I could ~ a soda.) § (٢٣) ذهاب (the come and ~ of the seasons) (٢٤) الزيّ الأخير ؛ «آخر موضة» (elegant shawls labeled ... "quite the ~") (٢٥) حادثة (funniest ~ you ever did see) (٢٦) جرعة (a ~ of brandy) (٢٧) نشاط ؛ حيوية (full of ~) (٢٨) محاولة (to have a ~ at something) (٢٩) نجاح ؛ شيء ناجح (٣٠) صفقة رابحة (It's a *go*!) (٣١) مباراة ، وبخاصة في الملاكمة (٣٢) الجُوْ : لعبة يابانية تلعب بحجارة على رقعة ذات ٣٦١ مربّعاً .

no ~, غير مُجْدٍ ؛ عقيم .

on the ~, ناشطٌ في غير كلل .

to ~, باقٍ (three minutes ~ before the train leaves)

to ~ about (١) يشرع في (٢) يطوف ؛ يجول (٣) ينتشر .

to ~ abroad (١) يسافر إلى بلد أجنبيّ (٢) يغادر المنزل .

to ~ after يطلب ؛ يسعى وراء كذا .

to ~ against يقاوم ؛ يعارض ؛ يخالف .

to ~ ahead (١) ينطلق (٢) يحرز نجاحاً سريعاً . (٣) يبزّ أقرانه .

to ~ along (١) يتقدّم (٢) يرافق (٣) «أ» يتعاون ؛ يعمل متعاوناً مع . «ب» يعبّر عن موافقته على .

to ~ aside (١) يتنحّى ؛ يبتعد عن الآخرين. (٢) يضلّ ؛ يخطىء .

to ~ astray يضلّ ؛ يزوغ .

to ~ at (١) يهجم على (٢) يعمل بنشاط .

to ~ back from *or* upon يحنث بوعده .

to ~ back on (١) يتخلّى عن ؛ يخون ؛ يخذل . (٢) يحنث بوعده.

to ~ begging يقلّ الطلب عليه ؛ يصبح غير مرغوب فيه .

to ~ behind يستطلع خبايا الأمر .

to ~ between يتوسط (بين شخصين) .

to ~ beyond يتخطّى ؛ يتجاوز .

to ~ by (١) ينقضي (٢) يمرّ به أو بجانبه . (٣) يهتدي بـ (٤) يقوم بزيارة قصيرة .

to ~ down (١) ينخفض (٢) يُهزَم ؛ يَسقُط (٣) يَلْقَى قبولاً (٤) يغادر جامعةً (٥) يغرق (٦) يغرب (٧) يُبلَع (٨) يمتدّ الى (٩) يهدأ (١٠) ينزل.

to ~ down the line يؤيّد من كلّ قلبه .

to ~ dry يُقلِع عن الشراب .

to ~ far ينجح نجاحاً عظيماً .

to ~ for (١) يحاول أن يحصل على (٢) يُولَع بِـ . (٣) يهاجم (٤) يؤيد .

to ~ for broke يبذل كل قواه أو موارده .

to ~ forth (١) ينطلق ؛ يرحل (٢) يَذيع ؛ ينتشر .

to ~ great guns يحقّق نجاحاً عظيماً .

to ~ hard with تعاكس (الظروفُ) فلاناً .

to ~ in (١) يدخل (٢) يشترك في مباراة . (٣) يحتجب (الجرمُ السماويّ) خلف سَحابة (٤) ينضمّ الى .

to ~ in for (١) يؤيد ؛ يناصر (٢) يجعل شيئاً موضوع اهتمامه أو اختصاصه (٣) يولع بـ (٤) يشترك في .

to ~ into (١) يدخل (٢) يشترك في (٣) يبحث ؛ يناقش

to ~ it يتهور ؛ يندفع ؛ يسلك بطريقة طائشة أو هائجة .

to ~ long يضارب على الصعود (في البورصة).

to ~ off (١) يرحل (٢) يموت (٣) ينفجر . (٤) يفقد الوعي (٥) ينحطّ ؛ يتفسّخ (٦) يتقدّم ؛ يسلك السبيل المتوقع أو المرغوب فيه (٧) يغادر خشبة المسرح (٨) ينام .

to ~ off one's head يصاب بالجنون

to ~ on. (١) يثابر ؛ يواصل (٢) يسلك ؛ يتصرف (٣) ينقضي (٤) يتذمّر ؛ يشكو (٥) يظهر على خشبة المسرح .

to ~ one better يبزّه ؛ يتفوّق عليه .

to ~ out (١) يغادر منزله (٢) يخوض غمار المعركة. (٣) يرحل ؛ يهاجر (٤) يتوقف ؛ ينطفىء (٥) يَستَقيل (٦) يَبْطُل ؛ يُصْبح لاغياً (٧) يُضْرب عن العمل (٨) يتقوّض ؛ ينهار (٩) يرشّح نفسه لـ .

to ~ over (١) يفحص (٢) يعيد ؛ يكرر (٣) يدرس ؛ يراجع (٤) يقوم برحلة (٥) يغير مذهبه أو حزبه (٦) ينجح ؛ يلْقى قبولاً .

to ~ short يضارب على الهبوط (في البورصة).

to ~ through (١) يفحص أو يدرس بدقة (٢) يكابد ؛ يجتاز خبرة أو تجربة (٣) يقوم بِ ؛ يؤدّي .

to ~ through with يُنجِز ؛ يُنهي .

to ~to يساوي ؛ يعادل .

to ~ to one's head (١) يخبِل شخصاً أو يثيره أو يدوخه (٢) يُدخل الغرور في نفس فلان.

to ~ to pieces تنهار (أعصابه أو صحته) .

to ~ to town (١) يعمل بسرعة أو فعالية . (٢) ينجح نجاحاً ملحوظاً .

to ~ under (١) يشتهر (باسم أو لقب) . (٢) يغرق ؛ يهلك ؛ يموت .

to ~ up (١) يصعد (٢) يفلس (٣) يدخل الجامعة.

to ~ upon يعمل وَفْقَه (بوصفه مبدأً) .

to ~west يموت (ع) .

to ~ with (١) يرافق (٢) يفهم (٣) تحمل (المرأة) . (٤) ينحاز إلى أو يتفق أو ينسجم مع .

goa [gō'ə] *(n.)* الغوّة : غزال التيبت (ح).

goad [gōd] *(n.; vt.)* (١) مِهماز (٢) شوكة §(٣) ينخس بمهماز.

go-ahead [gō'-] *(adj.; n.)* (١) ناشط ؛ مغامر ؛ تقدّمي (٢) دال على الأذْن بالانطلاق (~ signal) § (٣) الضوء الأخضر : إشارة الإذن بالانطلاق .

goal [gōl] *(n.; vi.)* (١) الأمَد : منتهى الشوط أو السباق . (٢) هدف ؛ غاية (٣) مرمى (في كرة القدم الخ.) (٤) إصابة (في كرة القدم الخ.) §(٥) يسجل إصابة او يحاول ذلك (كرة القدم).

goalkeeper [-'kē'pər] *(n.)* حارس المرمى (كرة القدم) .

goat [gōt] *(n.)* (١) ماعز ؛ معزاة (٢) الخليع : شخص منغمس في الملذات (٣) كبش الفداء أو المحرقة .

goat antelope *(n.)* التيتل الماعزيّ (ح) .

goatee [gō tē'] *(n.)* العُثْنون : لحية صغيرة مشذّبة .

goatfish [gōt'fĭsh] *(n.)* أبو ذقن (سمك) .

goatish [gō'tĭsh] *(adj.)* (١) كالمعزاة (٢) شهواني .

goatsucker

goatsucker [gōt'-] *(n.)* السُّبَد ؛ الضُوَع (طا) .

gob [gŏb] *(n.)* (١) كتلة (٢) مقدار كبير (٣) بحّار .

gobbet [gŏb'ĭt] *(n.)* (١) قطعة لحم (٢) كتلــة .

gobble [gŏb'əl] *(vt.; i.; n.)* (١) يلتهم ؛ يزدرد (٢) يخطف . ×(٣) يكركر (الديكُ الروميّ) §(٤) الكركرة : صوت الديك الرومي .

gobbler [gŏb'lər] *(n.)* الديك الرومي .

Gobelin [gŏb'ə lĭn] *(n.; adj.)* (١) الغوبلين : سجاد باريسيّ . §(٢) غوبليني .

go-between [gō'bə twēn] *(n.)* الوسيط ؛ السمسار .

goblet [gŏb'lĭt] *(n.)* كأس ؛ قدَح ؛ طاس .

goblin [gŏb'lĭn] *(n.)* عِفريت ؛ جنّيّ ؛ غُول .

goby

goby [gō'bĭ] *(n.)* القُوْبيون : سمكٌ شائك الزعانف .

go-cart [gō'kärt'] *(n.)* (١) عربة صغيرة للأطفال (٢) المِمْشاة : هيكل على عجلات مُعَدّ لمساعدة الطفل على المشي (٣) عربة يد (٤) عربة خفيفة مكشوفة .

god [gŏd] *(n.; vt.)* (١) إله ؛ ربّ ؛ معبود (٢) حاكم قويّ . (٣) *cap.* : الله §(٤) يؤلّه .

godchild [gŏd'chīld] *(n.)* ابنٌ أو ابنةٌ بالمعمودية (نص) .

goddaughter [gŏd'dô'tər] *(n.)* ابنة بالمعمودية (نص) .

goddess [gŏd'ĭs] *(n.)* (١) إلاهة (٢) معبودة ؛ امرأةٌ فاتنة .

go-devil [gō'dĕv'əl] *(n.)* (١) المفجر : ثِقل يُلقى في بئر بترول الخ. لتفجير ديناميت موضوع فيها (٢) الأنابيبيّة : مِكشط يُدخَل في أنابيب الزيت لتنظيفها (٣) عربة صغيرة (تُجرَى على سكة حديدية لنقل العمال والمؤن) .

godfather [gŏd'-] *(n.; vt.)* (١) العرّاب : أبٌ في العماد (نص). §(٢) يكفل ولداً في العماد .

godhead [gŏd'-] *(n.)* (١) الألوهية ؛ الربوبيّة (٢) *cap.* : الله .

godhood [gŏd'hood] *(n.)* الألوهية ؛ الربوبيّة .

godless [gŏd'lĭs] *(adj.)* ملحد ؛ كافر .

godlike [gŏd'līk] *(adj.)* إلهيّ ؛ شبيه بإله ؛ له صفات إله .

godliness [gŏd'lĭ-] *(n.)* تقى ؛ ورَع ؛ صلاح .

godling [gŏd'lĭng] *(n.)* إلهٌ صغير ؛ إلهٌ محلّيّ .

godly [gŏd'lĭ] *(adj.)* (١) إلهيّ (٢) تقيّ ؛ ورع .

godmother [gŏd'-] *(n.)* العرّابة : أمٌ في العماد (نص) .

godown [gō doun'-] *(n.)* مستودع بضائع (في بلدٍ شرقيّ) .

godparent [gŏd'-] *(n.)* العرّاب ؛ العرّابة : أب أو أم في العماد (نص)

God's acre *(n.)* مقبرة ؛ مدفن ؛ جبّانة ؛ قرافة .

godsend [gŏd'sĕnd'] *(n.)* لُقيَة أو مُصادفة سعيدة غير منتظرة (فكأنها مُرسلة من عند الله) .

godson [gŏd'sŭn] *(n.)* ابنٌ بالمعمودية (نص) .

Godspeed [gŏd'spēd] *(n.)* (١) رحلة موفقة ؛ توفيق ؛ نجاح (wished him ~ and a safe return) (٢) دعاء بالتوفيق « لمناسبة السفر » (received a hearty ~).

godwit [gŏd'wĭt] *(n.)* اللّيموزية ؛ البُقَوْيقة السلطانية : طائر مخوّض (را. wading bird) من طيور العالمين

القديم والجديد طويل المنقار شبيه بالكروان .

godwit

goer [gō'-] *(n.)* (١) الذاهب ؛ الكثير الذهاب الى كذا (٢) فرس ؛ عربة.

goethite [gō'thīt] *(n.)* الغوثيت ؛ اكسيد الحديد المائي (مع) .

goffer [gŏf'ər] *(vt.; n.)* (١) يثني : يجعل له ثنايا §(٢) ثنية .

go-getter [gō'gĕt'ər] *(n.)* شخص مغامر (على نحو عدواني) .

goggle [gŏg'əl] *(vi.; adj.)* (١) يحملق §(٢) محملقة ؛ جاحظة.

goggle-eyed [gŏg'əl īd'] *(adj.)* جاحظ العينين .

goggles [gŏg'-] *(n. pl.)* منظار الوقاية : نظارتان واقيتان من أشعة الشمس أو الغبار .

going [gō'ĭng] *(n.; adj.)* (١) «أ» ذهاب . «ب» انطلاق . (٢) *pl.*: سلوك ؛ أعمال (٣) حالة الطريق (٤) تقدم §(٥) «أ» ذاهب. «ب» دائر ؛ عامل (٦) حي ؛ موجود (the finest novelist ~) (٧) جار ؛ سائد (~ price *or* rate).

goings-on *(n. pl.)* أعمال ؛ أحداث ؛ ماجريات .

goiter *or* **goitre** [goi'tər] *(n.)* الجوتر (مع) : تضخم الغدة الدرقية (مض) .

goitrous [goi'trəs] *(adj.)* (١) مجوتر : مصاب بتضخم الغدة الدرقية (٢) جوتري : خاص بتضخم الغدة الدرقية .

Golconda [gŏl kŏn'də] *(n.)* (١) منجم غني (٢) مصدر ثروة عظيمة.

gold [gōld] *(n.)* (١) ذهب (٢) «أ» قطعة أو قطع نقدية ذهبية . «ب» مال (٣) لون ذهبي .

goldbeater [gōld'-] *(n.)* مطرق الذهب (إلى رقائق) .

goldbeating [gōld'-] *(n.)* تطريق الذهب ؛ ترقيق الذهب .

goldbrick [gōld'-] *(n.)* (١) شيء زائف يبدو وكأنه ذهب (٢) شخص ، وبخاصة جندي ، يتهرب من المهام الموكولة إليه.

gold digger *(n.)* (١) المنقب عن الذهب (٢) الباحثة عن الذهب : امرأة تستغل جمالها لانتزاع الأموال والهدايا من الرجال.

golden [gōl'dən] *(adj.)* (١) ذهبي (٢) أشقر (٣) لامع (٤) ممتاز.

golden age *(n.)* العصر الذهبي : عصر الازدهار الأعظم .

golden eagle *(n.)* النسر الذهبي : نسر ضخم ريش مؤخر عنقه ذهبي .

goldeneye [gōl'-] *(n.)* ذهبي العين : ضرب من البط أصفر العينين.

goldeneye

golden glow *(n.)* الوهج الذهبي : نبتة طويلة صفراء الزهر .

golden mean *(n.)* الاعتدال ؛ اللاتطرف .

goldenrod [gōl'dən rŏd] *(n.)* عصا الذهب : نبتة ذات زهيرات كثيرة صفراء على سوق طويلة متفرعة (نب) .

golden rule *(n.)* (١) القاعدة الذهبية (التي تقول بأن على المرء أن يعامل الناس كما يحب أن يعاملوه) (٢) مبدأ هاد.

golden yellow *(n.)* الأصفر الذهبي (لون) .

goldfield [gōld'-] *(n.)* حقل الذهب : منطقة فيها مناجم ذهب .

gold-filled [-'fĭld] *(adj.)* مموه : مصنوع من معدن رخيص مكسو بطبقة من الذهب .

goldfinch [-'fĭnch] *(n.)* الحسون : طائر من العصافير .

goldfish [gōld'-] *(n.)* السمك الذهبي : سمك صغير ذهبي اللون.

gold foil *(n.)* رقائق الذهب .

gold leaf *(n.)* رقاقة ذهب .

gold of pleasure *(n.)* النضار : عشب ذو زهرات صغيرة صفراء.

goldsmith [gōld'smĭth'] *(n.)* الصائغ .

gold standard *(n.)* قاعدة الذهب (في أنظمة النقد) .

goldstone [gōld'-] *(n.)* الحجر الذهبي : زجاج أسمر كثيف يحتوي على دقائق ذهبية اللون .

golf [gŏlf; gôf] *(n.; vi.)* (١) لعبة الغولف . §(٢) يلعب الغولف .

golfer

golfer [gŏl'fər] *(n.)* لاعب الغولف .

golliwog *or* **golliwogg** [gŏl'-] *(n.)* (١) دمية سوداء بشعة ذات شعر كثيف منتصب (٢) شخص غريب أو مضحك المظهر .

golosh [gə lŏsh'] *(n.)* = galosh.

gon- *or* **gono-** بادئة معناها : «أ» تناسلي . «ب» مني . «ج» بزرة.

-gon لاحقة معناها : شكل ذو عدد معين من الزوايا .

gonad [gŏn'ăd] *(n.)* المنسل : غدة تناسلية (ت) .

gondola [gŏn'də lə] *(n.)* الغندول : «أ» زورق فينيسيا أو البندقية . «ب» عربة سكة حديد لا غطاء لها (لنقل السلع الضخمة) «ج» عربة مستطيلة تعلق بالجانب الأدنى من الطائرة . «د» كرسي منجد ينحرف ظهره إلى الأمام، عند الجانبين ، ليشكل ذراعيه . «هـ» شاحنة لنقل الاسمنت الممزوج .

gondola *a.*

gondolier [gŏn'də lĭr'] *(n.)* الغنادلي : مسير الغندول .

gone [gôn] *(adj.)* (١) ماض (٢) «أ» مستغرق في . «ب» مفتون ؛ متيم (was real ~ on that man) . «ج» حبلى (a woman six months ~) (٣) «أ» ميت . «ب» هالك . «ج» مرهق . «د» ضعيف ؛ واهن (a poor ~ body) . (a ~ feeling) (٤) عظيم (a real ~ fashion reporter).

goner [gôn'ər] *(n.)* الهالك ؛ الميئوس منه.

gong [gông] *(n.)* جرس : الجرس القرصي : جرس قرصي الشكل يقرع للتنبيه .

gongs

Gongorism *(n.)* الغنغورية : أسلوب أدبي يتسم بالغموض المتعمد وبالزخرفة اللفظية.

goni- *or* **gonio-** بادئة معناها : زاوية (*gonio*meter) .

gonidium [gə nĭd'ĭ əm] *(n.)* pl. **-nidia** الجونيد : خلية مولدة تنشأ لاجنسياً في الطحلب (نب) .

goniometer [gō'nĭ ŏm'ə tər] *(n.)* المنقل (مج) : مقياس الزوايا.

gonococcus [gŏn'ə kŏk'əs] *(n.)* pl. **-cocci** جرثومة السيلان أو التعقيبة .

gonocyte [gŏn'ə sīt] *(n.)* = gametocyte.

gonorrhea [gŏn'ə rē'ə] *(n.)* السيلان ؛ التعقيبة (مض) .

-gony لاحقة معناها : نشوء ؛ تكون (cosmo*gony*).

goo [gōō] *(n.)* (١) مادة لزجة (٢) عاطفية مفرطة .

goober [gōō'bər] *(n.)* الفول السوداني .

good [gŏŏd] *(adj.; n.; adv.)* (١) «أ» حسن ؛ جيد (~ health) . «ب» خصب . «ج» وسيم ؛ جذاب (had a ~ face) . «د» ملائم (This light is ~ for reading.) «هـ» صالح (fruit ~) . «و» سليم (Your hearing is ~.) . «ز» مفيد أو (~ to eat)

Left column:

(making a ~ thing out of it) رابح ؛ ضخم ؛ عريض

(~ profit) كامل «ط» ؛ تام «وجيه «ي»

(a ~ day's journey) مُقْنِع ؛ مفحم (~ reasons or arguments)

واقعي «كـ» حقيقيّ ؛ مُحقَّق (has made his promises ~)

(in ~ standing) «م» . صحيح أو سليم «من الوجهة القانونية»

(a ~ deed) (٢) أ» صالح ؛ فاضل (a truly ~ man)

(my ~ wishes) «ب» طيّب . «ج» نبيل ؛ كريم

(a ~ manager) «د» بارع ؛ كفوّ ؛ «هـ» مخلص (~ families)

(to know ~) (٣) أ» الخير (a ~ party man) صادق الولاء

(from evil) «ب» العنصر الخيّر (cherished the ~ in him)

(for the ~ of the whole) (٤) مصلحة ؛ نفع ؛ فائدة

(The ~) (٦) الأخيار . community (٥) pl. سِلَع ؛ بضائع

(didn't have the ~ to) (٧) بيّنة مثبتة للجريمة die young.)

جيداً (٨) (٩) تماماً ؛ بكل ما في الكلمة من
(when it got ~ dark.) معنى

as ~ as (He as ~ as في الواقع ؛ عملياً told me that I was a liar.)

as ~ as his word صادق الوعد ؛ موفٍ بالعهد

~ and تماماً ؛ بكل ما في الكلمة (was ~ and mad) من معنى

Good Book (n.) . الكتاب المقدس (نصّ)

good-bye or **good-by** [-bī'] (interj.) وداعاً ؛ أستودعكم الله

good fellow (n.) . شخص دمث حسَن العِشرة

good-for-nothing [gŏŏd'fər nŭth'-] (adj.; n.) (١) عديم القيمة (٢) شخص تافه عديم القيمة

Good Friday (n.) . الجمعة الحزينة (السابقة لعيد الفصح)

good-hearted [-'här'tid] (adj.) . طيّب ؛ كريم ؛ سمح الطبع

good-humored [-'hū'mərd] (adj.) . طلِق المحيا ؛ ودّي ؛ بهيج

goodly [gŏŏd'-] (adj.) (١) وسيم ؛ مليح (٢) كبير ؛ ضخم

good-natured [gŏŏd'nā'chərd] (adj.) = good-humored.

goodness [gŏŏd'nis] (n.) . طيبة ؛ جَوْدة ؛ صلاح

good-tempered [-'tĕm'-] (adj.) . رضيّ النفس ؛ دمث الخلق

goodwife [gŏŏd'-] (n.) (١) ربة بيت (ا.ق) (٢) سيدة (ا.ق)

goodwill [gŏŏd'wĭl'] (n.) (١) وداد ؛ شعور ودّي نحو الآخرين.
(٢) شهرة المحل : القيمة المعنوية التي يكتسبها محل تجاري على مرّ الزمن (٣) «أ» رضا ؛ ارتياح . «ب» حماسة

goody [gŏŏd'ĭ] (n.) (١) pl. عد : شيء لذيذ المذاق أو جذاب.
(٢) عجوز وضيعة المنزلة

goody-goody [gŏŏd'ĭ gŏŏd'ĭ] (adj.; n.) (١) فاضل (على نحو متكلّف) (٢) شخص فاضل (على نحو متكلّف) .

goof [gŏŏf] (n.) . الأبله ؛ الأحمق

goofy [gŏŏf'ĭ] (adj.) . أبله ؛ أحمق

goon [gŏŏn] (n.) (١) شخص يُستأجَر لترويع الخصوم أو القضاء عليهم (٢) الأبله ؛ الأحمق

goosander [gŏŏs ăn'dər] (n.) البَلَقْشَة : بطة منشارية المنقار آكلة للأسماك

goose [gŏŏs] (n.) pl. **geese** (١) وزّة ؛ إوزّة (٢) الساذج ؛ المغفّل (٣) pl. **gooses** المكواة الإوزية : مكواة يستخدمها الخياطون ذات مقبض شبيه بعنق الإوزة .

gooseberry [-'bĕr'ĭ] (n.) عنب الثعلب ؛ الرِباس ؛ الكشميش

goose flesh (n.) القُشَعْريرة : انكماش الجلد من بَرْد أو خوف

Right column:

goosefoot[-'fŏŏt] (n.) pl. -s. : نبات من السرمقيّات رجل الإوز

gooseherd [gŏŏs'hûrd] (n.) . راعي الإوز

gooseneck [gŏŏs'nĕk] (n.) كل ما هو معقوف على شكل عنق الإوزة

خطوة الإوزة (جن) . **goose step** (n.)

goosey [gŏŏ'sĭ] (adj.) . (١) إوزّي ؛ كالإوز (٢) أحمق ؛ أبله

gopher [gō'fər] (n.) (١) الغَوْفَرة : سُلَحفاة أميركية (٢) الغَوْفَر : سنجاب أميركي .

Gordian knot (n.) (١) العقدة الغوردية : عقدة أحكم شدّها غورديوس ملك فريجيا، وقد زعموا أنّه لن يحلها إلا سيّد آسية المُقبل، فجاء الاسكندر الكبير وقطعها بسيفه ؛ (٢) معضلة ؛ مشكلة عويصة .

Gordon setter (n.) السّاطر الغوردوني : كلب صيد طويل الشعر .

gore [gōr] (n.; vt.) (١) دم ؛ وبخاصة دم منحثِر (٢) قطعة أرض أو قماش صغيرة مثلثة (٣) يقطع على شكل مثلث (٤) يخرق أو يجرح بقرنَيْن الخ .

gore 2.

gorge [gôrj] (n.; vi.; t.) (١) أ» حلْق ؛ حلقوم (ب» معدة ؛ بطن (٢) مدّخل إلى حصن (٣) ممرّ ضيّق (٤) كتلة تسدّ مجرى (٥) يلتهم ؛ يأكل بنهم × (٦) يتخم .

gorgeous [gôr'jəs] (adj.) . بهيّ ؛ رائع ؛ فائق الجمال

gorget [gôr'jĭt] (n.) (١) درع للعنق (٢) أ» طوق زيني للعنق «ب» غطاء للنحر والكتفين (٣) شامة على العنق

gorgon [gôr'gən] (n.) (١) (cap.) الغرغونة : إحدى أخوات ثلاث ، في الميثولوجيا الاغريقية، مكسوّات الرؤوس بالأفاعي بدلاً من الشعر، كان كل من ينظر إليهن يتحوّل إلى حجر (٢) امرأة بشعة جداً .

gorgonize [gôr'gə nīz] (vt.) . يصعَق ؛ يشدَه ؛ يحجّر

Gorgonzola [-zō'lə] (n.) الغرغنزولة : جبن أزرق إيطالي الأصل

gorilla [gə rĭl'ə] (n.) (١) الغريلّى ؛ الغوريلّا (٢) أ» قرد افريقي ضخم شبيه بالإنسان بشع أو وحشي . «ب» سفّاح .

gormandize [gôr'mən dīz'] (vi.; t.) . يلتهم ؛ يأكل بنهم

gorse [gôrs] (n.) = furze.

gory [gôr'ĭ] (adj.) (١) مُلطّخ بالدم (٢) متجمّد للدم في العروق ؛ مثير .

gorilla I.

goshawk [gŏs'hôk] (n.) . الباز : طائر يصاد به

gosling [gŏz'-] (n.) (١) فرخ الإوز (٢) الغِرّ ؛ الأحمق

gospel [gŏs'pəl] (n.; adj.) (١) (cap.) عد : البشارة : أنباء سارة عن المسيح، ومملكة الرب، والخلاص (٢) (cap.) الإنجيل : أحد الكتب الأربعة الأولى من «العهد الجديد» المتحدثة عن حياة المسيح، وموته، وانبعاثه (٣) (cap.) مُختار من أحد الأناجيل الأربعة يُتْلَى في قدّاس (٤) رسالة معلّم ديني أو تعاليمه (٥) شيء مُعتبَر حقيقة لا ريب فيها (٦) إنجيلي .

gospeler or **gospeller** [gŏs'pəl ər] (n.) (١) المبشّر بالإنجيل (٢) قارئ الإنجيل أو مرتّله .

gossamer [gŏs'ə mər] (n.) (١) لُعاب الشمس ؛ مخاط الشيطان : غشاء كنسيج العنكبوت يطفو في الهواء حين يصفو الجوّ (٢) قماش أو ثوب رقيق .

gossip [gŏs'əp] (n.; vi.) (١) أ» أب أو أمّ بالمعمودية (عب)

«ب» رفيق . «ج» شخص من عادته أن يكشف أسراراً شخصية أو وقائع مثيرة (٢) قيلٌ وقالٌ §(٣) ينهمك في القيل والقال ؛ ينشر الاشاعات .

got [gŏt] *past; past part. of* get.

Goth [gŏth] *(n.)* (١) القُوطي: أحد القوطيين وهم شعب جرماني اجتاح الامبراطورية الرومانية في القرون الأولى للميلاد (٢) الفظّ ، الهمجيّ .

Gothic [gŏth'ĭk] *(adj.; n.)* (١)«أ» قُوطي: خاصّ بالقوطيين . «ب» جرماني . «ج» فظّ ؛ همجي (٢) قوطي: خاصّ أومتّسم بخصائص الطراز القوطي (في فن العمارة) الذي نشأ في شمالي فرنسة وانتشر في أوروبة الغربية من منتصف القرن ١٢ إلى أوائل القرن ١٦ للميلاد §(٣) القوطية: لغة القوطيين الجرمانية الشرقية (٤) الطراز القوطي (عم) (٥) القوطيّ: حرف طباعي ثخين قديم.

Gothic arch *(n.)* العَقْدُ القُوطي: عقد مستدقّ الرأس (عم) .

göthite [gœ'tīt] *(n.)* = goethite.

gotten [gŏt'ən] *past part. of* get.

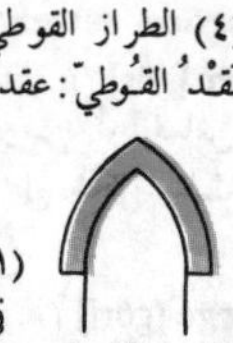

Gothic arch

gouache [gwäsh] *(n.)* (١) الغُواش: طريقة في الرسم بالألوان المائية (٢) الغُواشيّة: صورة مرسومة بهذه الطريقة (٣) الغواشيّ : صبغٌ مستخدم في الرسم الغواشيّ .

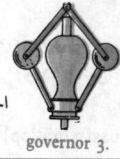

gouge [gouj] *(n.; vt.)* (١)المِظفار: ازميل مُقعَّر (٢) «أ» التظفير : حفرٌ بإزميل مقعَّر . «ب» المظفَّر: ثقب أو أخدود مُحدَث بالمظفار (٣) ابتزاز §(٤)يُظفِّر: يحفر بمِظفار (٥) يقلع العين بالاصبع (٦) يبتزّ مال فلان .

gouges I.

gourd [gōrd; gŏŏrd] *(n.)* قَرْع ؛ يَقْطِين (نب) .

gourmand [gŏŏr'mənd; gŏŏr män'] *(F.)* (١) النَّهِم، الشرِه . (٢) المتأنّق في الطعام والشراب .

gourmet [gŏŏr'mā] *(F.)* الخبير في اختيار المآكل والخمور والحكم عليها .

gout [gout] *(n.)* (١)النقرس: داء المفاصل (٢)قطرة أو لطخة دم الخ.

govern [gŭv'ərn] *(vt.; i.)* (١) يحكم؛ يسوس (٢) يتحكم في السرعة بوسائل آلية (٣)«أ» يوجه أو يؤثر تأثيراً شديداً في . «ب» يقرر؛ يعيّن؛ يحدد. «ج» يكبح ×(٤) يهيمن ؛ يسيطر ؛ يكون ذا نفوذ حاسم (٥) يمارس السلطة .

governance [gŭv'ər nəns] *(n.)* = government.

governess [gŭv'ər nĭs] *(n.)* (١) الحاكمة (٢) مربية الأطفال . (٣) زوجة الحاكم .

government [gŭv'ərn mənt] *(n.)* (١) حكم؛ توجيه؛ سيطرة. (٢) حكومة (٣) علم السياسة .

governmentalism [gŭv ərn mĕnt'-] *(n.)* الحكومانية: «أ» نظرية تدعو إلى توسيع نطاق النشاط الحكومي . «ب» نزعة إلى توسيع دَور الحكومة .

governmentalize [-ərn mĕnt'-] *(vt.)* يُخضع لسيطرة حكومية

governor [gŭv'ər nər] *(n.)* (١)«أ» الحاكم . «ب» المدير (لمؤسسة أو منظمة) (٢) المعلّم الخصوصي (٣) الحاكم: «أ» أداة ملحقةٌ بماكينة لضبطها أوتوماتيكياً أو للحدّ من سرعتها. «ب» أداة لضبط الضغط أو الحرارة أوتوماتيكياً (مك) .

governor 3.

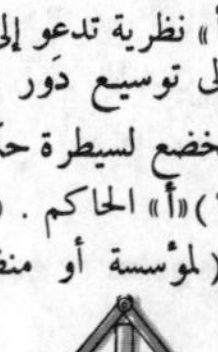

governorship [-shĭp] *(n.)* الحاكمية: منصب الحاكم أو مدة ولايته .

gown [goun] *(n.; vt.; i.)* (١) «أ» عباءة . «ب» البُرْد أو الرِّداء الجامعي أو المهني . «ج» ثوب نسائي . «د» وِزرة العمل (٢) «أ» منصبٌ أو مهنة مرموزٌ إليهما برداء مميز . «ب» جماعة الطلاب والأساتذة في كلية § (٣) يُلْبِس أو يَلْبِس (بُرداً الخ.) .

gownsman [gounz'-] *(n.)* المُبَرَّد: مَنْ يرتدي بُرْداً مميِّزاً يرمز إلى مهنته أو يدل على صفته الجامعية .

grab [grăb] *(vt.; i.; n.; adj.)* (١)«أ» ينتزع ؛ يختطف . «ب» يمسك بـ؛ يقبض على (٢) يغتصب (أرضاً الخ.) ×(٣) تمسّ قائمةُ الفرس الخلفيةُ قائمتَهُ الأمامية أثناء العدو §(٤)«أ» انتزاع؛ اختطاف . «ب» اغتصاب . «ج» شيء مختطَفٌ أو مغتصَبٌ (٥) خُطّاف ؛ كُلّاب (٦) الغُرابة: نوع من المراكب الشراعية §(٧) مُعَدّ للتمسّك (a ~ rail by the door of the bus) (٨) مأخوذٌ كيفما اتفق (a ~ sample).

grabble [grăb'əl] *(vi.)* (١) يتلمّس (طريقه الخ.) (٢) يستلقي أو يقع على بطنه .

grace [grās] *(n.; vt.)* (١) نعمة إلهية (٢) صلاة المائدة (نص) . (٣)«أ» فضْل؛ مِنّة . «ب» رحمة؛ عفو (ا.ق) . «ج» امتياز . «د» إمهال؛ مهلة . «هـ» موافقة؛ قبول (٤)«أ» جمال؛ حُسْن . «ب» تناسق . «ج» رشاقة؛ كياسة (٥)«أ» سموّ: لقب شرف لدوق أو دوقة . «ب» نيافة : لقب شرف لرئيس أساقفة (٦) «أ» فضيلة . «ب» قوة أخلاقية (٧) *pl., cap.* الإلاهات الحسن الثلاث: ثلاث إلاهات شقيقات كان الاغريق يعتبرونهن مانحاتٍ للفتنة والجمال §(٨) يشرِّف (to ~ an occasion with one's presence) (٩) يزيّن ؛ يزخرف .

Act of ~, عفو عام (يصدر بقانون من البرلمان) .
by the ~ of God بنعمة الله .
to be in the good ~s of يَلْقَى حظوة عند فلان .
with a bad ~, بتأفُّف ؛ على كره أو مَضَض .
with a good ~, عن طيب خاطر .

graceful [-'fəl] *(adj.)* (١)جميل؛ رشيق؛ حلو الشمائل (٢)لبق.

graceless [grās'lĭs] *(adj.)* (١) فاسد: يعُوزه حِسّ الفضيلة . (٢) سمج: تعوزه اللباقة أو الرشاقة أو الجمال .

gracile [grăs'ĭl] *(adj.)* (١) نحيل (٢) رشيق ؛ كيّس .

gracious [grā'shəs] *(adj.)* (١)«أ» كريم؛ لطيف؛ كيّس . «ب» مهذَّب؛ لبق؛ مصقول الحواشي . «ج» فاتن . «د»متّسم بحسن الذوق أو سماحة النفس (٢) شفوق ؛ رؤوف .

grackle [grăk'əl] *(n.)* السَّوادِيّة: طائر أسود الريش لمّاعُهُ .

gradate [grā'dāt] *(vi.; t.)* (١) «أ» يتدرّج. «ب»يتداخلُ (اللونُ باللون أو النغم بالنغم تداخلاً غير ملحوظ) (٢) يُدَرِّج .

gradation [grā dā'shən] *(n.)* (١)«أ»تسلسل؛ تعاقب. «ب»مرحلة؛ درجة (٢) تدرّج (٣) تداخل اللونِ باللون تدريجياً .

grade [grād] *(n.; vt.; i.)* (١) «أ» مرحلة؛ درجة . «ب» مرتبة ؛ منزلة . «ج» صفّ مدرسيّ . «د» رتبة عسكرية . «هـ» مرحلة من مراحل مرَض (٢)«أ» الطبقة: مجموعة أشخاص أو أشياء من منزلة أو درجة واحدة . «ب» علامة مدرسيّة (تمنح للطالب تبياناً لمدى نجاحه في التحصيل) (٣)«أ» درجة تحدُّر الطريق . «ب»طريق متحدِّر (٤)حيوانٌ مستولد من أبوين أحدهما أصيل والآخر غير أصيل §(٥)«أ» يصنِّف ؛ يفرز ؛ يبوِّب . «ب» يدرِّج ؛ يسلسل (٦) يمهّد طريقاً أو يجعلها متحدرة تحدراً تدريجياً (٧) يحسّن نسل الحيوان (بالمزاوجة بين إناثه غير الأصيلة وذكوره

الأصيلة)×(٨)يتدرّج(٩) يحتلّ درجة أومنزلةمعيّنة (a novel which ~s too low)

the ~s مدرسة ابتدائية .

grade crossing

grade crossing *(n.)* التقاطع المستوي: تقاطع الطرق أو السكك الحديدية (أو تقاطع طريق مع سكة حديدية) على مستوى واحد .

grader [grā'dər] *(n.)* (١)المصنف، المبوب، المدرج. (٢)الممهدة: آلة لتمهيد التربة (٣) تلميذ في صف من صفوف مدرسة ابتدائية أو ثانوية (a 4th ~) .

grade school *(n.)* مدرسة ابتدائية .

gradient [grā'dĭ ənt] *(n.)* (١)«أ» درجة الميل أو التحدّر . «ب» منحدر (٢) الممال (مج) : نسبة الزيادة أو النقص في الحرارة الخ . أو المنحنى الذي يمثلها .

gradin[grā'dĭn] *or* **gradine** [grə dēn'] *(n.)* درجة أو مقعد من سلسلة درجات أو مقاعد مدرّجة .

gradual [grăj'ōō əl] *(n.; adj.)* (١) ترنيمة (كن) (٢) كتاب الترانيم (كن) § (٣) تدريجي، تدرّجي .

gradually [grăj'-] *(adv.)* تدريجياً، شيئاً فشيئاً .

graduate [*n., adj.* grăj'ōō ĭt, -āt'; *v.* -āt'] *(n.; adj.; vt.; i.)* (١) خريج جامعة أو كلية (٢) أنبوبة مدرّجة §(٣) حامل شهادة جامعية (٤) ذو علاقة بالدراسات العليا التي تتلو درجة البكالوريوس (٥) مدرّج: مقسّم الى درجات §(٦) يخرّج: يمنح طالباً شهادة التخرّج من كلية أو جامعة (٧) «أ» يدرّج: يقسم (أنبوبة الخ .) إلى درجات . «ب» يقسّم إلى مراحل أو فترات ×(٨)يتخرّج من جامعة(٩) يتغيّر تدريجياً .

graduates 2.

—graduator *(n.)*

graduation[grăj'ōō ā'shən] *(n.)* (١)«أ»الدرجة: علامة على أداة أو وعاء لتبيان الدرجات أو المقادير . «ب» هذه العلامات مجتمعةً (٢)«أ» تخريج، تخرّج . «ب» حفلة توزيع الشهادات (في كلية أو جامعة) (٣) تدريج، تدرّج .

gradus [grā'dəs] *(n.)* القاموس العروضي : قاموس يُستعان به على النظم باليونانية أو اللاتينية .

Graeco- = Greco-.

graft [grăft; gräft] *(vt.; i.; n.)* (١) يطعّم (النباتَ) (٢)يلحم، يوحّد (٣) يطعّم (النسيجَ الحيّ) جراحياً (٤) يبتزّ المال (بطرق غير مشروعة) ×(٥)يتطعّم(النبات الخ.) §(٦)«أ»نبتة مطعّمة . «ب» عسلوج التطعيم . «ج» موضع إقحام عسلوج التطعيم (٧)«أ» تطعيم . «ب» شيء مطعّم؛ وبخاصة: نسيج حيّ يستعمَل في التطعيم (٨)«أ» ابتزاز المال . «ب» كسبٌ غير مشروع .

grafting

graftage [grăf'tĭj] *(n.)* (١)تطعيم النبات(٢)مبادىء تطعيم النبات .

grail [grāl] *(n.)* *cap.*(١) : الكأس المقدّسة (التي شرب المسيح منها في العشاء المقدس والتي راح المسيحيون في ما بعد يجدّون في البحث عنها) (٢) كل ما يُبحث عنه بحثاً طويلاً جاهداً .

grain [grān] *(n.; vt.; i.)* (١) «أ» حبّة . «ب» حبوب . «ج» النباتات المنتجة للحبوب (٢)«أ» حُبَيْبة أو بلّورة صغيرة قاسية . «ب» ذرّة، مقدار ضئيل . «ج» تحبّب، تبلّر دقيق (٣) القِرمِز أو الصبغ المستخرج منه (٤)«أ» سطح أو مظهر محبّب أو مُبَلّر . «ب» الجانب الخارجيّ (الذي عليه الشعر) من جلد الحيوان (٥) القمحة: مقياس للوزن (٦) التجزّع : تعرّق (أو اتجاه) الألياف في قطعة خشب (٧)«أ» طبع، مزاج . «ب» ضرب، نوع § (٨) يشرّب (٩) ينزع الشعر عن الجلد (١٠) يحبّب، يبلّر (١١) يجزّع، يعرّق: يرسم مقلّداً تعرّق الألياف في الخشب أو الرخام ×(١٢) يتحبّب، يتبلّر .

—grained *(adj.)*

against the ~, ضد مزاج المرء أو ميله الفطري .

with a ~ of salt بشك، بارتياب، بتحفظ .

grain alcohol *(n.)* = ethyl alcohol.

grainy [grā'nĭ] *(adj.)* (١) محبّب، مبلّر (٢) مجزّع، تجزّعي .

gram [grăm] *(n.)* حِمَّص، حِمْص (نب) .

gram *or* **gramme**[grăm] *(n.)* الغرام: ١/١٠٠٠ من الكيلوغرام .

-gram لاحقة معناها: شيء مرسوم أو مكتوب (dia*gram*) .

grama[grä'mə] *(n.)* الجَرامة: نوع من عشب المراعي بالولايات المتحدة .

gram atom *(n.)* الذرّة الغرامية: الوزن الذريّ بالغرام (ك) .

gram calorie *(n.)* السُّعْر أو الكالوري الغرامي (حر) .

gramineous [grə mĭn'ĭ əs] *(adj.)* نَجيليّ، عشبيّ .

grammar [grăm'ər] *(n.)* (١) علم النحو والصرف (٢) كتاب لتعليم النحو والصرف (٣) قواعد علمٍ أو فنٍّ ما .

grammarian[grə mâr'ĭ ən] *(n.)* النحويّ: العالم بالنحو والصرف .

grammar school *(n.)* (١) مدرسة ثانوية بريطانية، وبخاصة: ثانوية تؤكّد على تدريس اللاتينية واليونانية (٢) مدرسة متوسطة بين الابتدائية والثانوية .

grammatical [grə măt'-] *(adj.)* (١) نحويّ (٢) منطبق على قواعد اللغة .

gram molecule *(n.)* الوزن الجزيئي الغرامي (ك) .

gramophone

gramophone [grăm'ə fōn] *(n.)* الحاكي، الفونوغراف .

grampus [grăm'pəs] *(n.)* الغَرَمْبَس: حيوان بحري من رتبة الدلافين (ح) .

gram's method *(n.)* طريقة غرام : طريقة في تلوين الجراثيم، منسوبة إلى العالم « غرام » .

granary [grăn'ə rĭ; grā'-] *(n.)* (١)«أ» هُرْي، مخزن قمح . «ب» منطقة تنتج الحنطة بوفرة (٢) مصدر رئيسي .

grand [grănd] *(adj.; n.)* (١) كبير : ذو رتبة أعلى من أمثاله الحاملين نفس اللقب العام (a ~ duke) (٢)«أ» كليّ، إجماليّ (the ~ total) . «ب» حاسم، مفحم (~ proof) (٣) رئيسي (~staircase) (٤)ضخم(a ~ mistake) (٥)رفيع(~ ideas) (٦)«أ»فخم(a ~ palace) . «ب»جليل، مَهيب(a ~ character) «ج»رائع، ممتاز (~ weather *or* time) (٧) مقصود به التأثير (~ gestures) (٨) متشامخ، مغرور §(٩) ألف دولار (ع) .

grandam[grăn'dăm] *or* **grandame**[-'dām] *(n.)* (١)جدّة . (٢) امرأة عجوز .

grandaunt [grănd'ănt'] *(n.)* عمة (أو خالة) الأب (أو الأم) .

grandchild [grănd'chīld] *(n.)* (١) حفيد (٢) حفيدة .

granddaughter [grănd'dô tər] *(n.)* حفيـدة .

grand duchess *(n.)* غراندوقة .
grand duchy *(n.)* الغراندوقية : منطقة يحكمها غراندوق أو غراندوقة .
grand duke *(n.)* غراندوق .
grande dame [gränd däm'] *(F.)* السيدة الجليلة : سيدة (متقدمة في السن عادةً) تتمتع باحترام عظيم أو قدرة بالغة .
grandee [grăn dē'] *(n.)* نبيل (اسباني أو برتغالي) .
grandeur [grăn'jər; -jo͞or] *(n.)* جلال ؛ فخامة ؛ عظمة .
grandfather [grănd'-] *(n.)* (١) جدّ (٢) سَلَفٌ .
grandfather clock *(n.)* ساعة حائط (قائمة على الأرض مباشرة) .
grandiloquence[grăn dĭl'ə kwəns]*(n.)* (١) التفخيم : اصطناع الكلام الفخم الطنان (٢) الطنانيّة : كون الكلام طنّاناً .
grandiloquent[-'ə kwənt]*(adj.)* (١) مُفخّم : مصطنعٌ الكلامَ الفخم الطنان (a ~ speaker) (٢) مفخّم ؛ طنّان (a ~ style).
grandiose [grăn'dĭ ōs'] *(adj.)* (١) فخيم (٢) «أ» متكلّف العظمة أو الجلال . «ب» متسم بالمبالغة الحمقاء .
grand jury_(n.)_ هيئة المحلّفين الكبرى : هيئة من المحلفين تدرس ما إذا كان ثمة أساس يبرر إحالة المتهم إلى المحاكمة أمام هيئة المحلفين الصغرى (را . petit jury) .
Grand Lama_(n.)_ = Dalai Lama.
grandmother [grănd'-] *(n.)* الجدّة : أمّ الأب أو الأم .
grandnephew [-'nĕf ū] *(n.)* حفيد الأخ أو الأخت .
grandniece [-'nēs] *(n.)* حفيدة الأخ أو الأخت .
grandparent [grănd'pâr ənt] *(n.)* (١) جدّ (٢) جدّة .
grand piano *(n.)* البيان الكبير : بيانو ذو أوتار أفقية (مو) .
grandsire *or* **grandsir** *(n.)* (١) جدّ (٢) سَلَف (ا.ق.) .
grand slam *(n.)* انتصارٌ أو نجاحٌ تامّ .
grandson [grănd'sŭn] *(n.)* حفيد .
grandstand [-'stănd]*(n.; vt.)* (١) المدرّج المسقوف (في ملعب للرياضة أو ناد للسباق) (٢) النظارة : جمهور المشاهدين § (٣) يلعب أو يعمل بحيث يؤثّر في نفوس المشاهدين .

grandstand

grand touring car *(n.)* سيّارة تتسع لشخصين .
granduncle [grănd'-] *(n.)* عم (أو خال) الأب (أو الأم) .
grange [grānj] *(n.)* (١) مزرعة ؛ وبخاصة : بيت ريفيّ ملحقة به مبانٍ ثانوية أخرى (٢) *cap.* : مقرّ جمعية زراعية تعاونية ؛ وأيضاً : الجمعية نفسها .
granger [grān'jər] *(n.)* عضو في جمعية زراعية تعاونية .
grangerize [grān'jə rīz] *(vt.)* يزيّن كتاباً برسومٍ مجموعة من كتب أخرى .
grani- بادئة معناها : حبوب (*grani*vorous).
granite [grăn'ĭt] *(n.)* (١) الغرانيت ؛ الصوّان (٢) ثباتٌ عنيد .
granitic [grā nĭt'ĭk]*(adj.)* غرانيتي ؛ صوّانيّ .
graniteware [grăn'-] *(n.)* أواني الطبخ الحديدية المطليّة بالميناء .
granivorous *(adj.)* آكل حبوب ؛ مقتاتٌ بالحبوب .
granny *or* **grannie**[grăn'ĭ]*(n.)* (١) جدة (٢) شخص نيِّق صعب الارضاء (٣) ممرضة اوقابلة .
granny knot *(n.)* عقدة سهلة الفكّ .
grano- بادئة معناها : «أ» غرانيت ؛ صوان. «ب» غرانيتي ؛ صوّاني.
grant [grănt; gränt] *(vt.; n.)* (١) «أ» يخوله (حقاً أو امتيازاً) . «ب» يوافقه (على طلب) (٢) يمنح (٣) يسلّم بـِ §(٤) تحويل : منْح ؛ تسليم بـِ (٥) هبة ؛ منحة (٦) «أ» تحويل قانوني للمِلكية (الى شخص ما). «ب» المِلكية المحوّلة أو صكها.
to take for ~*ed* (١) يفترض ؛ يسلّم جدلاً ؛ يعتبره صحيحاً أو محتم الحدوث (٢) يستخفّ بـِ .
grantee [grăn tē'; grän-] *(n.)* الموهوب أو الممنوح له .
grant-in-aid *(n.)* (١) منحة تقدمها حكومة مركزية إلى حكومة محليّة (٢) منحة تقدم إلى مدرسة أو فرد .
granter; grantor [grăn'-] *(n.)* الواهب ؛ المانح .
granular [grăn'yə lər] *(adj.)* حُبَيْبيّ ؛ محبب ؛ مُبَرْغَل .
granulate [grăn'yə lāt'] *(vt.; i.)* (١) يحبب ؛ يبرغل . ×(٢) يتحبّب ؛ يتبرغل .
granulation [-yə lā'-] *(n.)* (١) تحبيب ؛ برغلة (٢) تحبُّب ؛ تبرغل (٣) الحُبَيْبة الحمراء : إحدى الحُبيبات الحمراء المتكونة على سطح الجرح عند التئامه .
granule [grăn'ūl] *(n.)* الحُبَيْبة (مج) .
granulite [grăn'yə līt'] الغرانوليت : صخر حُبَيْبي .
granuloma [grăn yə lō'mə] *(n.)* الورم الحُبَيْبيّ (مض) .
granulose [grăn'yə lōs'] *(adj.)* محبب ؛ مبرغل .
grape [grāp] *(n.)* (١) عِنَب (٢) كرمة (٣) قنبلة عنقودية .
grapefruit [grāp'fro͞ot] *(n.)* ليمون الجنة : الليمون الهندي أو الكريب فروت .
grapeshot [grāp'shŏt] *(n.)* قنبلة عنقودية ؛ قنبلة شظايا .
grape sugar *(n.)* سكر العنب .
grapevine [grāp'vīn] *(n.)* (١) كَرْمَة (٢) «أ» إشاعة. «ب» وسيلة لترويج الاشاعات الخ. «ج» مصدر سري للمعلومات.
graph [grăf; gräf] *(n.; vt.)* (١) رسم بيانيّ . (٢) خطّ بيانيّ (٣) تهجئة كلمة §(٤) يمثل برسم بيانيّ .

graph 1.
-graph لاحقة معناها : «أ» شيء مكتوب أو مرسوم (mono*graph*) . «ب» أداة تسجيل (chrono*graph*) . «ج» يكتب أو يرسم أو يصور (photo*graph*).
graphic [grăf'ĭk] *(adj.; n.)* (١) مكتوب أو مرسوم أو منقوش. (٢) حيّ ؛ نابض بالحياة (a ~ description of a scene) (٣) «أ» تصويريّ : خاص بالفنون التصويرية . «ب» نقشيّ ؛ فوتوغرافي . «ج» خاصّ بالحفر على المعدن أو الحجر أو الخشب . «د» طباعي : متعلق بفن الطباعة (٤) بياني : متعلّق بالرسوم أو الخطوط البيانية وما إليها (٥) كتابيّ : متعلق بالكتابة (~symbols) § (٦) صورة أو رسم بيانيّ أو خريطة يراد بها التمثيل أو التوضيح . **—graphically** *(adv.)*
graphic arts *(n. pl.)* الفنون التخطيطية (كالتصوير والزخرفة والكتابة والطباعة) .
graphics [grăf'ĭks] *(n.)* فنّ الرسم البياني أو الرياضي .
graphite[grăf'īt] *(n.)* الغرافيت : شكل من الكربون أسودُ طريّ تُصنَع منه أقلام الرصاص .
grapho- بادئة معناها : كتابة .
graphology [grā fŏl'ə jĭ] *(n.)* دراسة الخط (بوصفه تعبيراً عن شخصية الكاتب) .
Graphophone *(n.)* = phonograph.
graph paper_(n.)_ الورق البياني : ورق ذو مربعات للرسوم البيانية .
-graphy لاحقة معناها : الكتابة أو التصوير بطريقة ما أو

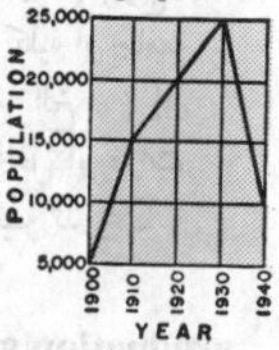

(stenography; photography) أو بوسيلة معينة.

grapnel [grăp'nəl] *(n.)* (١) مرساة (٢) كُلاّب.

grapnel

grappa [grăp'-] *(It.)* الغرابّا: شراب إيطالي مُسكر.

grapple [grăp'əl] *(n.; vt.; i.)* (١) «أ» كُلاّب. «ب» مرساة (٢) تماسكٌ بالأيدي (في المصارعة) §(٣) يمسك بِ؛ يتشبث بِ (٤) يصارع (٥) يُوثِق؛ يُحكم ربط شيء ×(٦) يثبت مركباً بمرساة (٧) يتصارع (الرجلان).

grappling [grăp'lĭng] *(n.)* (١) كُلاّب (٢) مرساة.

grapy [grā'pĭ] *(adj.)* (١) عِنَبيّ (٢) ذو مذاق عنبيّ وخمري.

grasp [grăsp; gräsp] *(vi.; t.; n.)* (١) يمسك بـ؛ يقبض على. ×(٢) يتمسّك، يتعلق (A drowning man ~*s* at a straw.) (٣) يعانق (٤) يفهم؛ يدرك §(٥) «أ» مِقبض؛ مسكة. «ب» عناق (٦) حَوْزة؛ سيطرة (٧) «أ» متناوَلُ الذراعين. «ب» القدرة على الامساك بشيء (٨) فهم؛ إدراك (a subject beyond one's ~).

grasping [grăs'-] *(adj.)* جشِع؛ طمّاع.

grass [grăs; gräs] *(n.; vt.; i.)* (١) عُشب؛ كلأ؛ نَجيل. (٢) مَرْعى (٣) أرض معشوشبة §(٤) يَرعى (الماشية) (٥) يكسو بالعشب؛ وبخاصة: يزرع الأرض عشباً ×(٦) يَعْشَوْشِب (The new lawns are ~*ing* up well.)

grasshopper [-'hŏp ər] *(n.)* الجُندُب: جراد صغير يعرف بالقَبّوط.

grass roots (١) التربة السطحية (٢) الريف (٣) الأساس؛ القاعدة.

grass widow *(n.)* (١) امرأة ذات ولد غير شرعي (٢) «أ» المطلّقة. «ب» المُغيب؛ المُغيبة: امرأةٌ زوجها غائب عنها موقتاً.

grass widower *(n.)* (١) المُطلّق: رجل مطلّق من زوجته أو مفصولٌ عنها (٢) المُغيب: رجل زوجتُه غائبة عنه موقتاً.

grassy [grăs'ĭ; gräs'ĭ] *(adj.)* (١) «أ» مُعْشِب؛ كثير العشب. «ب» عشبيّ. «ج» عشبيّ النكهة أو الرائحة (٢) أخضر.

grate [grāt] *(n.; vt.; i.)* (١) «أ» المُقَضَّب: حاجز ذو قضبان متوازية. «ب» الشَّعرية: نافذة مشبّكة ذات قضبان متصالبة (٢) «أ» حاملة الوقود: مِنْصَب ذو قضبان حديدية لحمل نار الموقد. «ب» مَوْقِد §(٣) يزوّد بمُقَضَّب أو شعرية أو حاملة وقود (٤) يَبْشُر؛ يحكّ بشدةٍ على شيء خشن (٥) يُثير (٦) يَصِرّ بِـ (to ~ the teeth) ×(٧) يزعج؛ يضايق.

grateful [grāt'fəl] *(adj.)* (١) «أ» شاكر؛ مُقِرّ بالجميل. «ب» معبِّر عن شكر (a ~ letter) (٢) مُستحَبّ (~ coolness).

grater [grāt'-] *(n.)* المِبْشَرة: أداة للبَشْر.

graticule [grăt'-] *(n.)* مِقياس العَيْنيّة (بص).

gratification [grăt ə fə kā'-] *(n.)* (١) إرضاء؛ إبهاج. «ب» رضاً؛ مسرّة؛ شِبَع (٢) مصدر رضاً أو مَسَرّة (٣) إشباع.

gratify [grăt'ə fī'] *(vt.)* (١) يكافىء (ا.ق) (٢) يُرْضي؛ يَسُرّ. (٣) يُشْبِع (to ~ desires *or* appetites).

gratifying [grăt'ə fī-] *(adj.)* مُرْضٍ؛ سارّ؛ مُشبِع.

gratin [grăt'ăn; grä tăn'] *(n.) (F.)* الغَرْتَن: قشرة سمراء تتكوّن، عند الطَّهْو، على سطح الطعام المكسوّ بطبقة من كِسَر الخبز المزبّدة أو من الجبن المبروش. أيضاً: الطعام نفسُه.

grating [grā'tĭng] *(n.)* (١) «أ» حاجزٌ مُشبَّك. «ب» مِنْصَب مُقَضَّب (ذو قضبان حديدية لحمل الوقود) (٢) شَعْرِيّة حديدية أو خشبية (٣) diffraction grating.

gratis [grā'tĭs; grăt'-] *(adv.; adj.)* (١) مَجّاناً §(٢) مجّاني.

gratitude [grăt'ə tūd] *(n.)* الإقرار بالفضل؛ عرفان الجميل.

gratuitous [grə tū'ə təs; -tōō'-] *(adj.)* (١) مجّانيّ (٢) بلا مسوّغ أو مبرِّر (a ~ insult).

gratuitous contract *(n.)* عَقْد لمصلحة أحد الفريقين فحسب.

gratuity [grə tū'ə tĭ] *(n.)* عطية، وبخاصة: نفحة؛ راشن؛ بقشيش.

gratulate [grăch'ə-] *(vt.)* يهنىء (ا.ق).

gratulation [grăch ə lā'-] *(n.)* (١) تهنئة (٢) ابتهاج.

gravamen [grə vā'mĕn] *(n.)* مادة الشكوى أو مدارُها.

grave [grāv] *(vt.; adj.; adv.; n.)* (١) يحفر (ا.ق) (٢) ينحت؛ ينقش (٣) يغرس (فكرةً في الذهن) (٤) ينظّف قعر السفينة ويطليه بالزفت §(٥) «أ» خطير، هام. «ب» مُهْلِك؛ مميت (٦) وقور؛ رزين (٧) قاتم (٨) خفيض (مو) §(٩) ببطء ووقار (مو) §(١٠) قبر.

—gravely *(adv.)*

graveclothes [grāv'klōz; -klōthz] *(n. pl.)* كَفَن.

gravel [grăv'əl] *(n.; vt.)* (١) حصىً؛ حصباء (٢) حَصَوات (في الكُلْيَة أو المثانة) §(٣) يَحْصِب؛ يفرش (طريقاً) بالحصباء (٤) «أ» يُرْبِك. «ب» يُثير؛ يغيظ.

gravelly [grăv'ə lĭ] *(adj.)* (١) «أ» حَصْبائيّ. «ب» مفروش بالحصباء (٢) أجَشّ.

graver [grā'vər] *(n.)* (١) النقّاش؛ النحّات (٢) إزميل؛ مِنقاش.

gravestone [grāv'stōn] *(n.)* الشاهد: بلاطة الضريح.

graveyard [grāv'-] *(n.)* مقبرة؛ مدفن؛ جبّانة؛ قرافة.

gravi- بادئة معناها: ثقيل.

gravid [grăv'ĭd] *(adj.)* حامل؛ حُبْلى.

gravimeter [gră vĭm'-] *(n.)* مقياس أو ميزان الثقل النوعي.

gravitate [grăv'ə tāt] *(vi.; t.)* (١) يتحرك بفعل الجاذبية. (٢) ينجذب ×(٣) يجذب.

gravitation [grăv ə tā'shən] *(n.)* (١) الجاذبية الارضية (فز). (٢) انجذاب (٣) نزعة عامة، وبخاصة: نزعة الى السقوط.

gravity [grăv'ə tĭ] *(n.)* (١) «أ» وقار؛ رزانة. «ب» خطورة. (٢) ثِقل (وبخاصة في عبارة *center of gravity*) (٣) «أ» جاذبية الأرض. «ب» الثقل النوعي (فز).

gravure [grə vyŏŏr'; grā'vyər] *(n.)* (١) الحفر الزنكوغرافي. (٢) «أ» رَوْسَم؛ كليشيه. «ب» طبعةٌ بِرَوْسَم أو رواسم.

gravy [grā'vĭ] *(n.)* (١) صلصة مرق اللحم (٢) كسبٌ غير مشروع.

gray [grā] *(adj.; n.; vt.; i.)* (١) رماديّ (٢) أشيب (٣) كئيب. §(٤) شيء رَماديّ اللون (كفرس أو ثوب الخ.) (٥) اللون الرمادي §(٦) يجعله رمادياً ×(٧) يصبح رمادياً.

graybeard [grā'bĭrd] *(n.)* شيخ؛ رجل عجوز.

grayfish [grā'fĭsh] *(n.)* كلب البحر (سمك).

grayish [grā'ĭsh] *(adj.)* ضاربٌ إلى الرمادي.

grayling [grā'lĭng] *(n.)* التيمالوس: سمك نهريّ.

gray matter *(n.)* (١) مادة الدماغ السِّنجابية (ت) (٢) عقل؛ تفكير.

graze [grāz] *(vi.; t.; n.)* (١) تَرعى (الماشيةُ) ×(٢) يُسيم الماشية لترعى (٣) يمسّ مسّاً عابراً رفيقاً (٤) يكشط؛ يَسْحَج؛ يجلط §(٥) كَشْطٌ؛ سَحْجٌ.

grazier [grā'zhər] *(n.)* راعي الماشية.

grease [*n.* grēs; *v.* grēs, grēz] *(n.; vt.)* (١) «أ» شحمٌ. «ب» مادة زيتية؛ مادة تزييت أو تزليق (٢) الصوف المجزوز قبل تنظيفه §(٣) يلوّث بالشحم (٤) يزيّت؛ يشحّم.

greasepaint *(n.)* (١) موادّ الماكياج المسرحي (٢) الماكياج المسرحي.

greasy [grē'sĭ; -zĭ] *(adj.)* (١) «أ» مشحم؛ ملوّث بالشحم.

«ب» زينيّ المظهر أو الملمس . «ج» زَلِق (٢) دُهْنيّ (~ food) .

great [grāt] (adj.; adv.) «أ» ضخم . «ب» وافر . «ج» واسع (in ~ detail) (٢) ساحق (the ~ majority) (٣) شديد على نحو استثنائي (~ pain or winds) (٤) مفعَم بِـ (~ with pride) (٥) «أ» كبير ؛ عظيم (Alexander the ~) «ب» ارستقراطي (~ ladies) (٦) طويل ؛ مديد (a ~ while) (٧) رئيسي (in the ~ hall) (٨) نبيل ؛ رفيع (~ thoughts) (٩) «أ» بارع إلى حدّ بعيد (~ at chess) . «ب» متحمّس لِـ (~ on science fiction) (١٠) رائع (We had a ~ time.) (١١) حلْوُ § (١٢) على نحوٍ حسن ؛ بنجاح (~ Things are going.)

great ape (n.) القرد الأعلى : أحد القردة الحديثة المشابهة للإنسان .

great-aunt (n.) = grandaunt.

Great Bear (n.) كوكبة الدب الأكبر (فل) .

Great Britain بريطانيا العظمى .

great circle (n.) الدائرة العظمى (ر) .

greatcoat [grāt’kōt] (n.) مِعْطف .

Great Dane (n.) الداني : كلبٌ قويّ ناعم الشعر قصيرُه .

greaten [grā’tən] (vt.; i.) (١) يكبّر ؛ يوسّع × (٢) يكبُر ؛ يتّسع .

great-grandchild [-grănd’-] (n.) ابن الحفيد أو الحفيدة .

great-grandfather [-grănd’-] (n.) أبو الجدّ .

great-hearted [grāt’här’tĭd] (adj.) (١) شجاع (٢) رحب الصدر ؛ كبير القلب .

greatly [grāt’lĭ] (adv.) (١) كثيراً ؛ جداً (٢) بعظمة ؛ بنبْل الخ .

great-nephew [-’něf’ū] (n.) حفيد الأخ أو الأخت .

great-niece [grāt’nēs] (n.) حفيدة الأخ أو الأخت .

Great Powers (n. pl.) الدول العظمى .

great-uncle [-’ŭng’kəl] (n.) عم (أو خال) الأب (أو الأم) .

greave [grēv] (n.) درع الساق (تَرِد بالجمع عادةً) .

grebe [grēb] (n.) الغطّاس ؛ الغوّاص : طائر مائيّ .

Grecian [grē’shən] (adj.; n.) = Greek.

Greco- بادئة معناها : «أ» الإغريق «ب» إغريقي و...

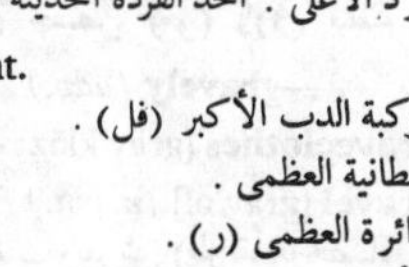

grebe

greed [grēd] (n.) جَشَع ؛ طمع .

greedy [grē’dĭ] (adj.) (١) شَرِه (٢) جشِع ؛ طمّاع (٣) شديد التوق إلى (~ of praise) .

—greedily (adv.)   **—greediness** (n.)

Greek [grēk] (n.; adj.) (١) الإغريقيّ ؛ اليوناني (٢) اللغة اليونانية (٣) not cap. : شيء غير مفهوم § (٤) إغريقيّ ؛ يوناني (٥) رومي : خاص بالكنيسة الشرقية أو اليونانيّة .

Greek Catholic (n.) (١) عضو في كنيسة شرقية (٢) عضوٌ في طائفة شرقية تابعة للكنيسة الرومانية الكاثوليكية .

Greek fire (n.) النار الإغريقية : نار تشتعل في الماء .

Greek Orthodox (adj.) ارثوذكسي شرقي ؛ تابع للكنيسة اليونانية .

green [grēn] (adj.; n.; vi.) (١) «أ» أخضر (٢) مكسوّ ؛ مخضرّ «ب» فاتن . «ج» معتدل (a ~ winter) بالعشب . «د» مولّد من أعشاب أو خُضَر (a ~ salad) (٣) مفعم بالحياة والقوة (~ memories) (٤) فجّ (~ apples) «ه» غضّ نضير (~ grasses) . «ب» طازج (~ meat) . «ج» جديد (٦) شاحب (a ~ wound) (٧) أخضر «ب» لم يدبَغ (~ hides) . يُدْخل النار . «ب» غير مدبوغ (~ bricks) (٨) «أ» أخرق (a ~ hand) . تعوزه البراعة «ب» ساذج ؛ مغفّل ؛

يُخْدَع بسهولة § (wasn't so ~as to expect...) (٩) اللون الأخضر (١٠) شيء ؛ وبخاصة : ثوب أو قماش أخضر (١١) pl. : أوراق نبات يزيّن بها . «ب» خُضَر ؛ خضار (١٢) مَرْج ؛ وبخاصة : § (١٣) يَخْضَرّ .

greenback [grēn’-] (n.) خضرة الظهر : ورقة نقدية أميركية .

greenbelt [grēn’bělt] (n.) الحزام الأخضر : طوق من الميادين المشجرة يحيط بحيّ من أحياء السكن .

greenery [grē’nə rĭ] (n.) (١) نباتات خضراء (٢) خُضَار ؛ خُضْرة .

green-eyed [grēn’īd’] (adj.) حسود .

greenfinch [grēn’fĭnch] (n.) عصفور الحُضَيْريّ ؛ الأخْضَرّ : أوروبي ذو ريش أخضر وأصفر .

greengage [-’gāj] (n.) البرقوق الأخضر : برقوق أو خوخ أخضر صغير مستدير ضارب إلى الخضرة .

greengrocer [grēn’grō’sər] (n.) الحُضَريّ : بائع الخضر والفاكهة .

greenhorn [grēn’hôrn] (n.) الغِرّ ؛ القليل الخبرة (ع) .

greenhouse [grēn’hous] (n.) الدفيئة : بيت زجاجيّ لزراعة النباتات الرخّصة أو لوقايتها .

greening [grē’nĭng] (n.) التفاح الأخضر : نوع من التفاح أخضر اللون .

greenish [grē’nĭsh] (adj.) مُخْضَرّ ؛ ضارب إلى الخضرة .

green light (n.) الضوء الأخضر : إشارة الأذن بالانطلاق .

greenling [grēn’lĭng] (n.) الخُضَيريّ : سمك في السواحل الصخرية من شمالي المحيط الهادئ .

greenness [grēn’-] (n.) (١) اخضرار (٢) نضارة (٣) «أ» غرارة ؛ قلة اختبار . «ب» سذاجة (٤) حيوية ؛ نشاط .

greenroom [grēn’rōōm] (n.) الحجرة الخضراء : غرفة يستريح فيها الممثلون والممثلات في مسرح .

greenshank [grēn’shăngk] (n.) الأخضر الساق : طيطَوى أخضر الساق (طا) .

greensickness [grēn’sĭk-] (n.) = chlorosis.

green soap (n.) الصابون الأخضر (لمعالجة أمراض الجلد) .

greenstone [grēn’stōn] (n.) الحجر الأخضر : ضرب من الصخر البازلتي ذو لون أخضر داكن .

greensward [grēn’swôrd] (n.) مَرْج ؛ مَرَجة .

green vitriol (n.) الزاج الأخضر : كبريتات الحديدوز .

greenwood [grēn’wōōd] (n.) الغابة الخضراء : غابة مخضرّة الأوراق .

greet [grēt] (vt.) (١) يرحب بِـ ؛ يحيي (٢) يستقبل بهتافات الاستحسان الخ . (٣) يتبدّى للعينْين (The sea ~s the eye.).

greeting [grē’tĭng] (n.) (١) ترحيب (٢) تحية (من غائب) .

gregarious [grĭ gâr’ĭ əs] (adj.) (١) اجتماعي ؛ نزّاع إلى العيش مع غيره من أبناء جنسه (٢) قطيعي ؛ يسرْبي ؛ عائش على شكل قطعان أو أسراب .

Gregorian calendar [grĭ gōr’ĭ ən] (n.) التقويم الغريغوري .

grenade [grĭ nād’] (n.) الرُّمّانة : «أ» قنبلة يدوية . «ب» زجاجة محتواة على مواد كيميائية طيارة يُقذف بها (لإطفاء حريق الخ.).

grenadier [grĕn’ə dĭr’] (n.) (١) رامي الرمانات أو القنابل اليدوية (٢) الغرْناد : سمك بحري .

grenadine [grĕn ə dēn’] (n.) الغرينادين : «أ» نوع من النسيج . «ب» عصير الرمان (يستعمل في تحضير بعض المسكرات) .

Gresham's law (n.) قانون غريشام : القانون القائل بأن العملة الرديئة تطرد العملة الجيدة (اد) .

grew [grōō] past of grow.

à at; ā date; â care; ä car; ĕ egg; ē me; ĭ in; ī bite; ŏ lot; ō bone; ô orphan; oi boil ōō good; ōō boot; ou out; ŭ under; ū unity; û urgent; th thing; ŧ͟h this; zh vision; ə = a in alone, e in system, i in easily, o in gallop, u in circus.

grewsome [grōō'səm] *(adj.)* = gruesome.

grey [grā] *(adj.; n.; vt.; i.)* = gray.

grey friar *(n. often cap. G; F.)* راهب فرنسيسكاني .

greyhound [grā'hound] *(n.)* السَّلوقيّ : كلب من كلاب الصَّيد .

greyhound

grid [grĭd] *(n.)* (١) المِصبعة : شبكة قضبان متصالبة (٢) «أ» لوح المِركم : صفيحة معدنية مثقّبة الخ . تُصطنع كموَصِّل في بطارية مختزنة . «ب» اللاحب الضابط : لاحِبٌ أو قطب كهربائي (مؤلف من أسلاك متوازية) في صِمام ألكتروني . «ج» الشبكة المتسامتة : شبكة ذات خطوط أفقية وعمودية متساوية الأبعاد .

grid circuit *(n.)* دائرة الشبكة (كب) .

grid condenser *(n.)* مكثّف الشبكة (كب) .

grid current *(n.)* تيّار الشبكة (كب) .

griddle [grĭd'əl] *(n.)* صينية أو صاج لخَبْز الكعك المحلّى .

griddle cake *(n.)* كعكة من مَخيض اللّبن والبيض .

gridiron [grĭd'ī'ərn] *(n.)* (١) مِشْواة . (٢) ملعب كرة القدم .

gridiron

gridlock *(n.)* ازدحام سَير خانق (يتوقف خلالَهُ السيرُ كليًّا) .

grief [grēf] *(n.)* (١) «أ» أسى ؛ حزن . «ب» مصدر أسًى أو حزن (Such a child is a ~ to his parents.) (٢) «أ» بلية ؛ نازلة . «ب» إخفاق ؛ كارثة (The expedition came to ~.).

grievance [grē'vəns] *(n.)* (١) ضَيْم ؛ مَظلمة (٢) شكْوى .

grievant [grē'-] *(n.)* المتظلِّم ؛ المتشكّي .

grieve [grēv] *(vt.; i.)* (١) يُحْزِن ؛ يُؤسي × (٢) يَحزن ؛ يأسَى .

grievous [grē'vəs] *(adj.)* (١) باهظ ؛ مرهِق ؛ ثقيل الوطأة (the ~ cost of war) (٢) مؤلم ؛ موجع ؛ محزن (٣) خطير ؛ فاحش (his most ~ fault) .

griffin [grĭf'ĭn] *or* **griffon** *(n.)* : الغِرْفين : حيوان خرافيّ نصفه نسرٌ ونصفه أسد .

griffin

griffon [grĭf'ən] *(n.)* الغَريف : كلب صغير بلجيكيّ الأصل .

grift *(vt.; n.)* (١) يكسب (المالَ) بالغشّ أو الاحتيال (ع) § (٢) أساليب كسب المال على نحوٍ غير مشروع (ع) .

—grifter *(n.)* .

grig [grĭg] *(n.)* شخصٌ مرح مفعم بالحيوية .

grigri [grē'grē] *(n.)* = gris-gris.

grill [grĭl] *(vt.; n.)* (١) يشوي (٢) «أ» يعذِّب . «ب» يستجوب بقسوة § (٣) مِشواة (٤) شِواء (٥) مطعم شُواء .

grillage [-'ĭj] *(n.)* الشُّبَيكَة : شبكة من العوارض الخشبية أو الفولاذية المتصالبة تشكّل أساساً في التربة السَّبِخة أو القابلة للانخساف .

grille *or* **grill** [grĭl] *(n.)* (١) المُصَبَّعة : حاجز من قضبان متصالبة . (٢) المُدَرَّأة : نافذة الخ . مزوّدة بمُصبَّعة .

grillroom [grĭl'-] *(n.)* مَطعم شِواء .

grilse [grĭls] *(n.)* سمكة سلَمون (أو سُليمان) صغيرة .

grim [grĭm] *(adj.)* (١) ضارٍ ؛ شرِس (٢) «أ» متجهّم ؛ كالح . «ب» مروِّع ؛ مقيت ؛ مثير للاشمئزاز .

grimace [grĭ mās'; -'məs] *(n.; vi.)* (١) كَشْرة § (٢) يكشّر (تألّماً أو اشمئزازاً أو ازدراءً) ؛ يلوي قسمات وجهه لإضحاك الآخرين .

grimalkin [-măl'kĭn; -môl'-] *(n.)* هرة ؛ وبخاصة : هرةٌ عجوز .

grime [grīm] *(n.)* سُخام ؛ وسخٌ متمكِّن على سطح شيء .

grimy [grī'mĭ] *(adj.)* وَسِخٌ ؛ مكسو بالسخام .

—griminess *(n.)*

grin [grĭn] *(vi.; n.)* (١) يبتسم ابتسامةً عريضةً (٢) يكشّر (غضباً أو ألماً أو استهزاءً) § (٣) ابتسامة عريضة (٤) تكشير .

grind [grīnd] *(vt.; i.; n.)* (١) يطحن ؛ يسحن ؛ يجرش (٢) يشحذ ؛ يسنّ ؛ يصقل (٣) يَصِرّ بأسنانه (٤) يظلم ؛ يضطهد × (٥) ينطحن ؛ ينسحن (٦) ينشحذ ؛ ينصقل (٧) يتحرك بعُسْر أو احتكاك (٨) يكدح ؛ وبخاصة : يدْرس بإجهاد § (٩) طحْن ؛ شحذٌ ؛ صرير الخ . (١٠) «أ» كدحٌ ؛ وبخاصة : درسٌ بإجهاد . «ب» تلميذ يدرس بإجهاد (١١) طِحْن ؛ طحين .

grinder [grīn'dər] *(n.)* (١) «أ» ضِرْس . «ب» pl. : أسنان . (٢) الطاحن ؛ الجارش ؛ الشّاحذ (٣) مِطحنة ؛ مِجرشة ؛ مِجلخة (٤) شَطيرة ؛ سندويشة .

grindstone [grīnd'stōn'] *(n.)* (١) حجر الرَّحى (٢) حجر الشّحذ ؛ مِجلخة .

grindstone 2.

grip [grĭp] *(vt.; n.)* (١) يُمسك (بإحكام وتشبّث) (٢) يستحوذ على (to ~ the mind) § (٣) «أ» مَسْكة ؛ قَبْضة . «ب» طريقة خاصة في المصافحة يتعارف بها أعضاء جمعية سرية (٤) سيطرة ؛ فَهْم (٥) مَقْبِض (٦) حقيبة سفر .

gripe [grīp] *(vt.; i.; n.)* (١) يُمسِك (بإحكام وتشبّث) . (٢) «أ» يوجع ؛ يُحزن . «ب» يثير ؛ يضايق (٣) يُحدِث مغصاً × (٤) يُصاب بمغص (٥) يشكو ؛ يتذمر § (٦) «أ» إمساك بتشبّث . «ب» مسكة ؛ قبضة . «ج» سيطرة (٧) مَظْلَمة ؛ شكوى (٨) pl. عد : مغصٌ (٩) مِكبح .

grippe [grĭp] *(F.)* الخَبْطَة ؛ الانفلوَنْزا ؛ النّزلة الوافدة (مض) .

grisaille [grĭ zāl'] *(F.)* رسم زخرفي . وبخاصة على الزجاج .

griseous [grĭs'ĭ əs; grĭz'-] *(adj.)* رماديّ ؛ رماديّ لؤلؤيّ .

grisette [grĭ zĕt'] *(F.)* عاملة فرنسية شابة .

gris-gris [grē'grē] *(n.)* تميمة ؛ تعويذة ؛ حجاب (عند زنوج افريقيا بخاصة) .

grisly [grĭz'lĭ] *(adj.)* (١) رهيب ؛ مروّع (٢) متجهِّم .

grist [grĭst] *(n.)* (١) حنطة (أو كميّة منها) معدّةٌ للطحن . (٢) طِحْن ؛ طحين (٣) عدد ؛ كمية (a ~ of bees) (٤) مادة ذات قيمة أو إمتاع تشكّل أساساً لقصة أو دراسة (local news ~ collected in police courts)

All is ~ that comes to his mill. انه يفيد من (أو يحوّل لمصلحته) كل شيء .

to bring ~ to the mill يشكّل فائدة ؛ يعود (على المرء) بربح .

gristle [grĭs'əl] *(n.)* غُضْروف .

gristly [grĭs'lĭ] *(adj.)* غُضْروفيّ .

gristmill [grĭst'mĭl] *(n.)* مِطحنة ؛ طاحونة قَمْح .

grit [grĭt] *(n.; vi.; t.)* (١) بُرْغُل ؛ جَريش (٢) «أ» حُبَيْبة رملية خشنة . «ب» مادةٌ كاشِطةٌ (مؤلّفة من حُبَيْبات رملية خشنة) (٣) صخر رملي (ذو حُبَيْبات خشنة) (٤) ثبات ؛ عزم § (٥) يَصِرّ ؛ يُحدِث صريراً × (٦) يصقل الرخام (بمادة كاشطة خشنة) (٧) يجعل الاسنان تصِرّ .

gritty [grĭt'ĭ] *(adj.)* (١) رمليّ (٢) حازم ؛ شجاع .
grivet [grĭv'ĭt] *(n.)* الهِجْرِس : قرد حبشيّ صغير .
grizzle [grĭz'əl] *(n.; vt.; i.)* (١)«أ» اللون الرمادي . «ب» حيوان رماديّ اللون §(٢) يجعله (أو يصبح) ضارباً إلى الرّمادي .
grizzled; grizzly [grĭz'-] *(adj.)* (١) منقّط أو مخطط بالرمادي . (٢)أشيَب .
groan [grōn] *(vi.; t.; n.)* (١) يئنّ ؛ يتأوّه (٢) يئطّ ؛ يَصْرِف ؛ يصِرّ (The ship's timbers ~ *ed* during the storm.) ×(٣) يعبّر أو يروي متأوهاً (She ~ *ed* out a sad story.) §(٤)أنين ؛ تأوّه (٥) همهمات سُخرية أو استنكار .
groat [grōt] *(n.)* (١) *pl.* عد : برغل أو جَرِيش خشن . (٢) الغُرُوْت : عملة بريطانية قديمة تساوي أربعة بنسات .
grocer [grō'sər] *(n.)* البقّال ؛ البدّال ؛ السمّان .
grocery [grō'sə rĭ] *(n.)* (١) البقالة : ما يبيعه البقّال (٢) دكان أو مخزن البقّال .
grog [grŏg] *(n.)* مشروب روحيّ ، وبخاصة : مُسْكِر ممزوج بالماء .
groggy [grŏg'ĭ] *(adj.)* (١) مترنّح (من أثر ضربة) (٢) سكران .
grogram [grŏg'rəm] *(n.)* الغُرْغَم : نسيج من حرير أو من حرير وصوف .
groin [groin] *(n.; vt.)* (١) الأُرْبيّة : أصل الفخذ (ت) (٢) الحَنِيّة : مُلتقى عَقدَين متقاطعين (عم) §(٣) يبني أو يزود بحنايا .

AA. groins

grommet [grŏm'ĭt] *(n.)* (١) حلقة مثبتة . (٢) عروة معدنيّة .
groom [groom] *(n.; vt.; i.)* (١)سائس خيل . (٢) عريس §(٣)يسوس الخيل : ينظّفها ويُعنى بها (٤) يَصْقل (٥) يُعِدّ ؛ يُهيّئ (to ~ a candidate for office) × (٦) يستعدّ ؛ يُعِدّ نفسَهُ (is said to be ~ *ing* for the top position)

grommets

groom's cake *(n.)* كعكة الزفاف ؛ كعكة العُرْس .
groomsman [groomz'-] *(n.)* الاشبين ؛ اشبين العريس .
groove [groov] *(n.; vt.; i.)* (١) أُخْدُود ؛ ثَلْم (٢)«أ» روتين : عمل نمطيّ رتيب . «ب» عادة (will get you into the ~ writing) . «ج» وضعٌ أو عملٌ ملائم لمقدُرات المرء أو أشواقه (found his ~ in advertising) § (٣) يخدّد ؛ يحفر ثلماً في ×(٤) يتخدّد ؛ يشكّل أخدوداً .
grope [grōp] *(vi.; t.)* يتلمّس طريقَهُ .
gross [grōs] *(adj.; n.; vt.)* (١) «أ» فادح ؛ فاضح ؛ جسيم (~ injustice) . «ب» مئة بالمئة ؛ بكل ما في الكلمة من معنى (a ~ traitor) . «ج» عِياني : يُرى بالعين المجردة (٢)ضخم ؛ وبخاصة : بدين جداً (a ~ girl) (٣) «أ» عامّ ؛ عريض (the ~ outlines of the matter) . «ب» إجمالي ؛ غير صافٍ (~ profits; ~ weight) (٤) جسدي ؛ غريزيّ (~*er* part of human nature) (٥) «أ» بدائيّ ؛ فظّ ؛ غير مهذّب (~ tastes) . «ب» رخيص ؛ عاديّ (fish and oil and such ~ commodities) . «ج» بذيء (~ language) (٦) كثيف (~ vapors) §(٧)المجموع الإجمالي(غير الصافي)(٨)الغروس : اثنتا عشرة دزينة §(٩) يربح (أو يَغِلّ) ربحاً غير صافٍ .
grot [grŏt] *(n.)* = grotto.
grotesque [grō tĕsk'] *(n.; adj.)* (١) الغَرْتَسْك : قطعة من الفنّ الزخرفي تتميّز بأشكال بشرية وحيوانية غريبة أو خيالية متناسجة عادةً مع رسوم أوراق نباتية أو نحوها مما يُحيل كل ما هو طبيعي إلى بشاعة أو إحالة أو كاريكاتور (٢) شيء غريب على نحو بشع أو مضحك §(٣)«أ» خياليّ ؛ غريب . «ب» متنافر على نحو متّسِم بالإحالة أو البشاعة . «ج» مغاير لكلّ ما هو طبيعي أو متوقّع أو نموذجيّ .

grotesque 1.

grotesquerie [grō tĕs'kə rĭ] *(F.)* (١) شيء غريب على نحو بشعٍ أو مضحك (٢) الغرابة ؛ المفارقة المضحكة .
grotto [grŏt'ō] *(n.)* غار ؛ كهف (طبيعي أو صناعي) .
grouch [grouch] *(n.; vi.)* (١)«أ» نوبة نكد أو ضيق خُلق . «ب» ضغينة ؛ حقد (٢) شخص سريع الاهتياج كثير التذمر §(٣) يغلب عليه النكد أو ضيق الخلق ؛ يتذمّر ؛ يشكو .
ground [ground] *(n.; vt.; i.)* (١) «أ» قاع . «ب» *pl.* : ثُفْل ؛ رواسب (coffee ~*s*) (٢) أساس معتقَدٍ أو عمل أو حجة : دافع ؛ سبب (٣)«أ»خلفية . «ب»أساس (٤)«أ»سطح الأرض . «ب» *pl.* عد: أرض مخصّصة لغرضٍ بعينه (baseball ~*s*) . «ج» *pl.* : المساحة المحيطة بمنزل الخ . والتابعة له . «د» الأرض المراد انتزاعها أو الدفاع عنها في معركة أو نحوها . «هـ» موضوع دراسة ما (٥) تربة (٦)«أ»الأرضيّ : شيء يقيم اتصالاً كهربائياً مع الأرض . «ب» جسم ضخم (كالأرض) يتّخذ كمُوَصل كهربائي . «ج» اتصال كهربائي مع جسم كهذا §(٧) يضع على الأرض (٨) يقدم سبباً أو مبرراً لـ (٩) يعلّم مبادىء علمٍ ما (١٠) يؤرّض : يصل كهربائياً بمُوَصّل ضخم (كالأرض) ×(١١) يعتمد (١٢) يرتطم بالقاع (١٣) يقع على الأرض .
forbidden ~, : المنطقة (أو الموضوع) الحرام : منطقة أو موضوع يتعيّن على المرء أن لا يقربهما .
on the ~, : على الأرض ؛ على الساحة .
ground [ground] *past; past part.* of grind.
ground cover *(n.)* كِساء الأرض : النباتات الصغيرة في غابة .
ground crew *(n.)* الركْب الأرضيّ : الميكانيكيون المكلّفون بالعناية بالطائرة وهي على الأرض .
ground floor *(n.)* الدور الأرضي (من مبنًى) .
groundless [-'lĭs] *(adj.)* لا مبرر أو أساس له (~ fears) .
groundling [-'lĭng] *(n.)* (١) «أ» مُشاهِد في المقاعد الأكثر رُخصاً (في مسرح) . «ب» شخص سقيم الذوق (٢)«أ»الأرضيّ : حيوان أو نبات يلازم سطح الأرض . «ب» القاعيّ : سمك يحيا في قاع البحر أو النهر .
ground loop *(n.)* الالتفاف الأرضيّ : التفاف حادّ على الأرض ، لا سبيل إلى السيطرة عليه ، عند الاقلاع أو الهبوط (طي) .
groundnut [-'nŭt] *(n.)* حَبّ العزيز ؛ الفول السوداني .
ground plan *(n.)* (١) تصميم الدور الأرضي (من مبنى) . (٢) تصميم أوّل أو أساسي .
ground plate *(n.)* (١)لوح التأريض (كب) (٢)اللوح الأرضي (عم) .
ground rent *(n.)* أجرة الأرض .
ground rule *(n.)* القاعدة الاجرائية : قاعدة من قواعد الإجراء (أو مبدأ من مبادىء العمل) معدّة لتناسب وضعاً معيناً أو حالة معينة .
groundsel [-'səl] *(n.)* (١) الشيخة ؛ زهرة الشيخ (نب) . (٢) اللوح الأرضي ؛ العتبة ؛ الأساس (عم) .

ă at; ā date; â care; ä car; ĕ egg; ē me; ĭ in; ī bite; ŏ lot; ō bone; ô orphan; oi boil oo good; ōō boot; ou out; ŭ under; ū unity; û urgent; th thing; th this; zh vision; ə = *a* in alone, *e* in system, *i* in easily, *o* in gallop, *u* in circus.

ground state *(n.)* الحالة الدَّرْكية : حالة الهمود (فزن) .

ground swell *(n.)* (١) موجة القَعْر : تموّج عميق عريض تحدثه (في مياه المحيط) عاصفة بعيدة أو زلزال (٢) نموّ تلقائي سريع (لرأي سياسي الخ.) .

groundwater [ground'-] *(n.)* المياه الجَوْفية .

ground wave *(n.)* الموجة السطحية : موجة من موجات الراديو تُبَثُّ في محاذاة سطح الأرض (رد).

groundwork [-'wûrk] *(n.)* أساس ؛ قاعدة .

group [grōōp] *(n.; vt.; i.)* (١) جماعة (٢) زُمْرة (٣) مُفْرَزة ؛ وحدة عسكرية (٤) المجموعة (في تصنيف النبات أو الحيوان أو الأجناس البشرية أو الصخور الخ.) §(٥)«أ» يضمّ. «ب» يصنف ×(٦) يتجمّع ؛ يشكّل جماعة أو مجموعة (٧) يؤلف جزءاً من جماعة أو مجموعة .

grouper[grōō'pər] *(n.)* القُشْر ؛ اللُّوْز ؛ الأخفس : سمك كبير يألف قيعان البحار الدافئة .

grouse

grouse [grous] *(n.; vi.)* (١) الطَّيْهُوْج : طائر من رتبة الدّجاج (٢) شكْوى §(٣) يشكو ؛ يتذمّر .

grout [grout] *(n.; vt.)* (١) ثُفل ؛ رواسب . (٢) «أ» الحَقِين : مِلاط رقيق . «ب» جِص §(٣) يحقُن ؛ يملّط ؛ يجصص .

grove [grōv] *(n.)* (١) أيكة ؛ غَيْضة (٢) بُسْتان .

grovel [grŭv'əl] *(vi.)* (١) «أ» يحبو ؛ يدِبّ . «ب» ينبطح على الأرض (٢) يتذلّل ؛ يعفّر وجهه بالتراب .
—grovel(l)er *(n.)*

grow [grō] *(vi.; t.)* (١)«أ» ينمو . «ب» ينبت (٢)«أ» يكبر ؛ يقوى الخ. «ب» يزداد (حكمةً الخ.) (٣)«أ» ينشأ ، ينتج عن. «ب» يبرز ؛ يظهر الى حيّز الوجود (٤)«أ» يصبح تدريجياً (to ~ old *or* pale) . «ب» يستحوذ ؛ يتملك (a habit that ~*s* on one) ×(٥) يُنبِت ؛ يزرع (٦) يربّي ؛ يطلق (to ~a beard).

growl[groul] *(vi.; t.; n.)* (١)«أ» يهدر ؛ يُدَمْدِم. «ب» يهرّ (الكلبُ) (٢) يتذمّر §(٣) هدير ؛ دمدمة ؛ هرير ؛ تذمّر .

growler [grou'lər] *(n.)* (١) الهادر ؛ المتذمّر الخ. (٢) جبل جليديّ صغير عائم (٣) النعّارة : أداة كهرطيسية تستخدم للمغنطة ولإزالة الخصائص المغنطيسية الخ . (كب) .

grown [grōn] *(adj.)* (١) ناضج ؛ تام النموّ (a ~ maiden) (٢) مُنتَج بطريقة خاصة (a home*grown* wine).

grown-up [grōn'-] *(n.; adj.)* (١) البالغ ؛ الراشد §(٢) بالغ ؛ راشد (٣) خاص بالبالغين (insisted on wearing ~ clothes).

growth [grōth] *(n.)* (١) «أ» نماء ؛ نموّ . «ب» تطوّر . «ج» نشوء . «د» ازدياد (٢)«أ» نامية ؛ شيء نام . «ب» ورم ؛ خُرّاج (٣) ثمرة ؛ نِتاج (٤) أصل (a story of Italian ~).

growth factor *(n.)* عامل النماء: مادة (كالفيتامين الخ.) تعجّل في نمو الجسم الحي .

grub [grŭb] *(vt.; i.; n.)* (١) يعزق ؛ ينكش (٢) يستأصل . ×(٣)«أ» ينبش (الأرضَ بحثاً عن شيء) . «ب» ينقّب عن (٤) يكدح §(٥) دُوَيْدة ؛ يرقانة دودية (٦)«أ» الكادح . «ب» شخص زري المظهر . «ج» شخص يعوزه التهذيب (٧) طعام (time for ~).

grubby[grŭb'ĭ] *(adj.)* (١) مبتلًى بالدُّوَيدات او اليرقانات الدودية (٢) قذِر (٣) حقير ؛ وضيع (~ motives).

Grub Street *(n.)* (١) حيّ غرْباب: حي لندني يقطنه فقراء المؤلفين (٢) جماعة المؤلفين المحتقَرين أو المستأجَرين .

grudge [grŭj] *(vi.; t.; n.)* (١) يشكو ؛ يتذمّر ×(٢)«أ» يحسُد. «ب» يُنكر عليه أمراً (I do not ~ him his superiority.) (٣) يضنّ عليه بـ (Her master ~*d* her even the food she ate.) §(٤) حقد ؛ حفيظة ؛ ضغينة (held no ~ against any... who had misused him)

gruel [grōō'əl] *(n.; vt.)* (١) ثريد ؛ عصيدة (٢) عقوبة ؛ قصاص. §(٣) يعاقب (٤) يرهق ؛ يُنهك .

grueling[-'əl ĭng] *(adj.; n.)* (١) مرهِق ؛ قاسٍ §(٢) عقاب شديد.

gruesome [-'səm] *(adj.)* رهيب ؛ مخيف ؛ شنيع (~ scenes of battle and death)

gruff [grŭf] *(adj.)* (١) فظّ (a ~ man) (٢) أجشّ .

grum [grŭm] *(adj.)* نَكِد ؛ متجهّم ؛ مكفهِر .

grumble [grŭm'bəl] *(vt.; i.; n.)* (١)«أ» يدمدم (٢)«أ» يهر . «ب» يتذمّر §(٣) دمدمة (٤)«أ» هرير . «ب» تذمّر .

grummet [grŭm'ət] = grommet.

grump [grŭmp] *(n.)* (١) *pl.* : نكَد ؛ رداءة طبْع (٢) شخص كثير التشكي والتظلّم .
—grumpy *(adj.)*

grungy *(adj.)* [grŭn' jĭ] (١) رثّ المظهر (٢) دنيء ؛ خسيس .

grunt [grŭnt] *(vi.; t.; n.)* (١) يقْبَع (الخنزير) ؛ ينخر . §(٢) القُباع : صوت الخنزير (٣) الناخر : سمك بحري استوائي .

Gruyère [grĭ yâr'] *(n.)* الغروبير : جبنٌ أصفر ذو ثقوب صغيرة .

gryphon [grĭf'ən] *(n.)* = griffin.

G suit *(n.)* [gravity *suit*] ثوب الجاذبية : ثوبٌ يرتديه الطيّار معَدّ لمقاومة الآثار الفسيولوجية الناشئة عن التعاجل .

guaiacum [gwī'ə kəm] *(n.)* الغُوَيْقَم : شجر أميركي استوائي .

guan [gwän] *(n.)* الغُوان : طائر أميركي شبيه بالديك الرومي .

guanaco [gwä nä'kō] الغَوْناق : حيوان ثدييّ أميركي من فصيلة الجمل.

guanaco

guano [gwä'nō] *(n.)* الغوانو : «أ» سماد طبيعي من ذَرْق الطيور البحرية . «ب» سماد صُنْعيّ من فضلات مصانع تعليب الأسماك .

guarantee [găr'ən tē'] *(n.; vt.)* (١) الضامن ، الكفيل . (٢) ضمانة ؛ كفالة (٣) الرّهن §(٤) يضمن ؛ يكفل .

guarantor [găr'ən tôr'; -tər] *(n.)* الضامن ؛ الكفيل .

guaranty [găr'ən tĭ] *(n.; vt.)* (١) ضمانة ؛ كفالة (٢) الرّهْن : شيء يعطى على سبيل التأمين (٣) الضامن ؛ الكفيل §(٤) يضمن ؛ يكفل.

guard [gärd] *(n.; vt.; i.)* (١) وضع دفاعي (في الملاكمة الخ.) . (٢) حماية ؛ دفاع (٣) حذَر (ا.ق) (٤)«أ» حارس. «ب» حُرّاس. «ج» *pl.* : حَرَس ملكيّ الخ . «د» كمْساري قطار (٥)«أ» لاعب يتخذ موقفه في وسط الملعب (كرة القدم) . «ب» أحد لاعبَين دفاعيين يتخذان موقفهما في مؤخرة الملعب (كرة السلة) (٦) وقاء ؛ وبخاصة أداة لحماية جزء من ماكينة أو لحماية مُشغِّل الماكينة §(٧) يقي حافة شيء بحاشية زينيّة (٨)«أ» يحمي ؛ يصون ؛ يدافع عن. «ب» يحرس (٩) يحاول أن يمنع (خصماً) من تسجيل إصابة ×(١٠) يحاذر (to ~ against errors)
to be on (*or* off) one's ~ يكون متيقّظاً (أو غير متيقّظ) لكلّ هجوم قد يُشَنّ عليه، أو مباغتة يُفاجأ بها .
to mount ~, يحرس ؛ يؤدي مهمة الحراسة.

guarded *(adj.)* حذِر ؛ متّسم بالحذر.

ă at; ā date; â care; ä car; ĕ egg; ē me; ĭ in; ī bite; ŏ lot; ō bone; ô orphan; oi boil ŏŏ good; ōō boot; ou out; ŭ under; ū unity; û urgent; th thing; th this; zh vision; ə = *a* in alone, *e* in system, *i* in easily, *o* in gallop, *u* in circus.

guardian [gär'dĭ ən] *(n.)* (١) حارس (٢)رئيس دير (٣)وَصيّ .

guardsman [gärdz'mən] *(n.)* الحَرَسيّ : أحد جنود الحرس .

guava [gwä'və] *(n.)* شجرة الغُوافة (أو الجُوافة) أو ثمرُها .

gubernatorial [gū bər nə tōr'ĭ əl] *(adj.)* حاكميّ: خاص بحاكم.

gudgeon [gŭj'ən] *(n.; vt.)* (١) الرُّسْغ ؛ المُرْتَكَز (مك) . (٢) القوبيون النهري: سمك من الشبوطيات (٣)«أ» ساذَجٌ سهلُ الانخداع . «ب» طُعْم §(٤) يخدع ؛ يحتال على .

gudgeon pin *(n.)* دبّوس الرُّسْغ ؛ المسمار المِعْصَميّ: مسمار أو دبّوس ناتىء من الكَرَنك (ذراع التدوير) أو الدولاب بحيث يربطه بذراع التوصيل (مك) .

guenon [gə nôn'] *(F.)* الغَيْنون : قرد افريقي رشيق طويل الذنب.

guerdon [gûr'dən] *(n.; vt.)* (١) مكافأة ؛ تعويض §(٢) يكافىء.

guerrilla *or* **guerilla** [gə rĭl'ə] *(n.)* (١) المَدْغَرة ؛ حرب العصابات (ا.ق) (٢) الداغر : المشارك في حرب العصابات .

guess [gĕs] *(vt.; i.; n.)* (١) يخمّن : يكوّن رأياً من غير بيّنة كافية (٢) يتحزّر (٣) يظنّ ؛ يحسب §(٤) تخمين ؛ حَزْر ؛ ظنّ .

guesstimate [gĕs'-] *(vt.)* يخمّن : يقدر من غير معلومات كافية (ع) .

guest [gĕst] *(n.; vt.; i.)* (١) «أ» ضيف . «ب» نزيل (بفندق الخ.) (٢) الطُّفَيْلِيّ : كائن حيّ (كحشرة الخ.) يقاسم كائناً حياً آخر مسكنَه §(٣) يُضيف : ينزله ضيفاً عنده ×(٤) ينزل ضيفاً على .

guffaw [gŭ fô'] *(n.; vi.)* (١) قهقهة §(٢) يُقهقه .

guggle [gŭg'-] *(vi.; n.)* = gurgle.

guidance [gī'dəns] *(n.)* إرشاد ؛ توجيه ؛ هَدْي ؛ هداية .

guide [gīd] *(n.; vt.; i.)* (١) «أ» المرشِد ، الدليل . «ب» الموجِّه ، الهادي (٢) المَعْلَم: لوحة تُنْصب على مفرق طريق لهداية المسافرين (٣) الموجِّهة: أداة لتوجيه حركة شيء ما §(٤) يُرشِد ؛ يَهدي (٥) «أ» يقود ؛ يسوس . «ب» يوجِّه.

guidebook [gīd'-] *(n.)* الدليل : كتاب لهداية السُّيّاح .

guided missile *(n.)* القذيفة المُوجَّهة : قذيفة جويّة (أو صاروخ) تُوجَّه أثناء طيرانها بإشارات لاسلكية الخ.

guideline *(n.)* (١) الدليل ؛ الخطّ الهادي (٢) موجز (لنهج أو سياسة)

guidon [gī'dən] *(n.)* (١) راية صغيرة (لتمييز وحدة عسكرية). (٢) حامل هذه الراية.

guild [gĭld] *(n.)* (١) نقابة للتجّار والصنّاع في القرون الوسطى . (٢) طائفة (في تصنيف النباتات) .

guilder [gĭl'dər] *(n.)* الجِيلْدر : وحدة النقد الهولندي .

guildhall [gĭld'hôl] *(n.)* (١) دار النقابة المِهنيّة (في القرون الوسطى) (٢) دار البلدية .

guile [gīl] *(n.)* (١) مكْر ؛ خداع (٢) رياء ؛ نفاق .

guileless [gīl'lĭs] *(adj.)* بريء ؛ ساذج ؛ صادق ؛ صريح.

guillemot [gĭl'ə mŏt'] *(n.)* الغِلْمُوت : طائر من طيور البحار الشمالية .

guilloche [gĭ lōsh'] *(n.)* الضَّفِيرة : حِلْيَة تتألف من عصائب أو خطوط متشابكة على شكل ضفيرة (عم) .

guillotine [*n.* gĭl'ə tēn; *v.* gĭl'ə tēn'] *(n.; vt.)* (١) مِقْصَلة (٢) آلة لاستئصال اللوزتين (٣) مقطع ورق (٤) وسيلة لمنع إعاقة إقرار مشروع ما (من طريق إطالة المناقشات على نحو متعمّد في البرلمان) بتحديد وقت معيّن لأخذ الأصوات §(٥) يُعدم بمقصلة (٦) يحدِّد وقتاً معيّناً لأخذ الأصوات (منعاً لإعاقة إقرار مشروع برلماني) .

guillotine I.

guilt [gĭlt] *(n.)* (١) إثم ؛ معصية (a life of ~ and shame) (٢) شعور بالإثم أو الذنب .

guiltless [-'lĭs] *(adj.)* (١) بريء (٢) غِرّ ؛ عديم الخبرة .

guilty [gĭl'tĭ] *(adj.)* (١) مذنب ؛ مجرم ؛ جانٍ (٢) إجراميّ (~ acts) (٣) شاعرٌ بالإثم (a ~ conscience).

guinea [gĭn'ĭ] *(n.)* جُنَيْه (انكليزي) .

guinea fowl; guinea hen *(n.)* الغِرْغِر ؛ الدجاج الحبشيّ .

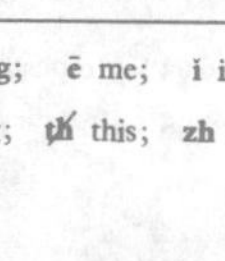

guinea fowl

guinea pig *(n.)* (١) خنزير غينيا ؛ الخنزير الهندي (٢) حقل التجارب : كل ما يُتّخذ موضوعاً أو وسيلة لإجراء البحوث والتجارب العلمية .

guinea pig

guipure [gĭ pyŏŏr'] *(F.)* الغَيْبُور : تخريم زخرفي .

guise [gīz] *(n.)* (١) زيّ (٢) هيئة ؛ مظهر .

guitar [gĭ tär'] *(n.)* قيثارة ؛ غيتار (مو) .

gulch [gŭlch] *(n.)* العقيق : وادٍ عميق ضيّق ؛ مَسيل ماء .

gulden [gōōl'dən] *(n.)* = guilder.

gulf [gŭlf] *(n.; vt.)* (١) خليج (٢) هاوية (٣) دُرْدُور ؛ دوّامة (٤) ثغرة واسعة §(٥) يَغْمر ؛ يبتلع .

gulfweed [-'wēd] *(n.)* عُشْب الخليج : طحلبٌ بحري .

guitar

gull [gŭl] *(n.; vt.)* النَّوْرَس ؛ زُمَّج الماء (طا) (٢) الساذج ، السهل الانخداع §(٣) يخدع ؛ يحتال على .

gullet [gŭl'ĭt] *(n.)* (١) المريء ؛ وتوسعاً: الحنجرة (ت) (٢) الوَقْب: المسافة بين سنّين متحاذيين من أسنان المنشار .

gullible [gŭl'ə bəl] *(adj.)* ساذج ؛ سهل الانخداع .

gully [gŭl'ĭ] *(n.; vt.)* (١) سكّين كبيرة . (٢) أخدود (من أثر المياه الجارية بعد المطر) §(٣) يخدِّد (بفعل المياه الجارية) .

gull I.

gulosity [gū lŏs'-] *(n.)* (١) جشَع (٢) نَهَم ؛ شَرَه .

gulp [gŭlp] *(vt.; i.; n.)* (١) يزدرد ؛ يتجرّع (بسرعة أو بمقادير وافرة) (٢) يُخمِد ×(٣) يَغُصّ (وكأنّه يتناول جرعة كبيرة) §(٤) ازدراد ؛ تجرّع (٥) بَلْعة ؛ جَرْعة .

gum [gŭm] *(n.; vt.; i.)* (١) لثة (٢) صَمْغ (٣) مادة صمغية (٤) الصَّمْغيّة: شجرة تفرز صمغاً (٥) مَضِيغة ؛ «علكة» §(٦) يغور (أسنانَ المنشار) : يوسّع المسافة ما بينها (٧) يصمّغ (٨) يطلي أو يختم أو يُلصق بالصمغ ×(٩) يُفرز أو يشكّل صمغاً (١٠) يصبح دبقاً .

gum ammoniac *(n.)* = ammoniac.

gum arabic *(n.)* الصَّمغ العربيّ .

gumbo [gŭm'bō] *(n.)* (١) بامية (٢) حساء البامية (٣) وحلٌ دبق.

gumboil [-'boil] *(n.)* الخُرّاج اللِّثَويّ : خُراج في اللثة .

gumdrop [gŭm'drŏp'] *(n.)* القرص الصَّمغيّ: قرص مسكّر محتوٍ

على صمغ عربيّ .

gumma [gŭm'ə] *(n.)* pl. **-s** *or* **-ta** الورم الصَّمغي : ورمٌ صَمغيّ القوام يميّز المرحلة الثالثة من السِّفْلِس (ط) .

gummous; gummy [gŭm'-] *(adj.)* (١) صَمغي (٢) دبِق .

gum plant *(n.)* نبتة الصمغ : نبتة أميركية تكسوها مُفرزات دَبِقة .

gumption[gŭmp'shən] *(n.)* (١) نباهة ، ذكاء (٢) روح المبادرة .

gum resin *(n.)* صَمغ راتينجي .

gumshoe [gŭm'shōō] *(n.)* شرطيّ سرّي ؛ شرطيّ مباحث .

gum tree *(n.)* شجرة الصَّمغ .

gun [gŭn] *(n.; vi.; t.)* (١) «أ» مدفع . «ب» بندقية . «ج» مسدس (٢) «أ» نار مدفع أو بندقية الخ . «ب» إشارة تُؤذِن ببدء أو ختام (٣) شخص بارع في استعمال المدفع أو البندقية (٤) شيء كالمدفع شكلاً أو وظيفة (٥) المِخنق : صِمامٌ خانق (سي) §(٦) يصيد ببندقية ×(٧) يطلق النار (٨) يزيد سرعةَ الطائرة فجأةً (٩) يُلْقِم بالبنزين فجأةً وبسرعة (to ~ an engine) .

gunboat [-'bōt] *(n.)* السفينة المدفعية : سفينة مزوَّدة بمدافع .

guncotton [gŭn'-] *(n.)* القطن المتفجّر : مادة متفجّرة تستخدم بخاصة في البارود اللادُخاني .

gun dog *(n.)* كلب الصيــد .

gunfire [gŭn'fīr] *(n.)* (١) إطلاق المدافع أو موعدُهُ (٢) فنجان شاي صباحي (في لغة الجند) .

gunflint [gŭn'-] *(n.)* الوارية : صوّانةُ البندقية القديمة .

gunlock [-'lŏk] *(n.)* زَنْد البندقية (المفجّر للقذيفة) .

gunman [gŭn'mən] *(n.)* (١) المسلّح ببندقية ؛ وبخاصة : القاتل المحترف (٢) البارع في استعمال البندقية .

gunnel [gŭn'əl] *(n.)* الغَنّل : سمك بحري صغير يألف الشواطىء الصخرية في شمالي الاطلسي .

gunner [gŭn'ər] *(n.)* (١) المِدفعيّ (٢) الصائد ببندقية (٣) نائب ضابط مكلّف بالاشراف على المدافع الخ . ومستودعاتها .

gunnery *(n.)* (١) رَمْي المِدفعية (٢) القِذافة : عِلم المِدفعية .

gunny [gŭn'ĭ] *(n.)* (١) خَيْش (٢) كيس خيْش .

gunpowder [gŭn'pou dər] *(n.)* بارود .

gun room *(n.)* حجرة صغار الضباط (في بارجة) .

gunrunner [gŭn'rŭn-] *(n.)* مهرّب الأسلحة والذخيرة .

gunrunning[gŭn'-] *(n.)* تهريب الاسلحة والذخيرة .

gunshot [-'shŏt] *(n.)* (١) طَلَق ناريّ (٢) مدى البندقية أو المدفع (٣) إطلاق النار من بندقية أو مدفع .

gunwale [gŭn'əl] *(n.)* الشَّفير : الحافّة العليا من جانب المركب .

gurgle [gûr'gəl] *(vi.; n.)* (١) يُقَرْقِر : يتدفق في تيار متقطّع ضاجّ (Water ~s from a bottle.) §(٢) قرْقرة .

gurnard[gûr'nərd] *(n.)* الغُرْنار ، الطَّريغلا : سمك شائك الرأس .

guru *(n.)* الغورو ؛ المرشد ؛ المعلّم الروحي (في الهندوسية) .

gush [gŭsh] *(vi.; n.)* (١) يتدفق ؛ يتفجّر §(٢) تدفُّق .

gusher [-'ər] *(n.)* المتدفق ، وبخاصة : بئر بترولية غزيرة الدفق .

gushy [gŭsh'ĭ] *(adj.)* متدفق العاطفة ، فيّاض الشعور .

gusset [gŭs'ĭt] *(n.)* البَنيقة : وَصْلة قماش مثلثة تُزاد على ثوب لتوسيع جزء منه أو تقويته .

gust [gŭst] *(n.)* (١) مَيْل ، ذَوْق (ا.م) (٢) استمتاع ، تقدير (٣) عصفة ريح (٤) تفجّر ماءٍ أو نار أو دخان أو صوت الخ . (٥) ثورة نفس ، انفجار عاطفي .

gustation [gŭs tā'-] *(n.)* (١) الذوق (٢) حاسة الذوق .

gustative; gustatorial *(adj.)* ذوقيّ : متعلق بحاسة الذوق .

gustatory [gŭs'tə tōr ĭ] *(adj.)* = **gustative.**

gusto [gŭs'tō] *(n.)* (١) ذَوْق ؛ مَيْل (٢) استمتاع أو تقدير شديد . (٣) حيوية بالغة .

gusty [gŭs'tĭ] *(adj.)* عاصف ؛ قاصف ، راعد الخ .

gut [gŭt] *(n.; vt.)* (١) «ا» *pl.* عد : احشاء . «ب» القناة الهضمية ، أو جزء منها (كالمعي أو المعدة) . «ج» بطن (٢) ممرٌ ضيّق (٣) شرنقة حرير (٤) وَتر (٥) *pl.* : شجاعة §(٦) يُخرج أحشاء شيء (٧) يُتلف الجزء الداخليّ من (Fire ~*ted* the building.) .

gutless [gŭt'-] *(adj.)* (١) جبان ، مخلوع الفؤاد (٢) عديم الحيوية .

gutsy *(adj.)* (١) شجاع ؛ باسل (٢) مُفعَم بالحيوية (٣) شهواني .

gutta [gŭt'ə] *(n.)* pl. **-e** (١) قَطْرة ، نقطة (٢) القَطْرية : حلية معمارية شبيهة بالقطرة (عم) .

gutta-percha [-pûr'chə] *(n.)* الغاتابرشا : مادة شبيهة بالمطاط .

gutted [gŭt'ĭd] *(adj.)* مُحْبَط ؛ يائس (عب) .

gutter [gŭt'ər] *(n.; vt.; i.)* (١) «أ» ميزاب ؛ مزراب . «ب» قناة ؛ بالوعة (في جانب الطريق) . «ج» ثلم أو قناة ضيقة مماثلة (٢) الفسحة البيضاء بين الهامشيْن الداخليّيْن من صَفحتيْ كتاب متقابلتين (٣) الحمأة : الدرْك الاسفل من حضارة المدن § (٤) «أ» يُميْزِب : يزوِّدُ المبنى بميازيب أو بواليع ×(٥) «أ» يجري سيولاً . «ب» يذوب عبر قناة من جانب الحفرة التي أحدثتها الفتيلة المشتعلة في رأس الشمعة (Candles ~*ed* down.) .

guttersnipe [-snīp] *(n.)* الزُقاقيّ : غلام من غلمان الأزقّة .

guttle [gŭt'-] *(vt.; i.)* يأكل بنهَم . —**guttler** *(n.)*

guttural [gŭt'ər əl] *(adj.)* حَلْقيّ ؛ بلعوميّ ، حَنْجَريّ

gutturalize [-īz] *(vt.)* يَلْفُظ حَلْقياً .

gutty [gŭt'-] *(adj.)* جريء ، مُتَحدٍّ (a ~ little kid) .

guy [gī] *(n.; vt.)* (١) الشدّادة : حبل (أو سلسلة) تثبيت . (٢) الأضحوكة : شخص غريب المظهر أو مضحكه (٣) شخص ، فتى (He's a nice ~.) §(٤) يَشُدّ : يثبّت بشدّادة (٥) يسخر من .

guzzle [gŭz'əl] *(vt.; i.)* يُسرف في الشراب .

gym [jĭm] *(n.)* = gymnasium.

gymkhana [-kä'-] *(n.)* حفلة رياضية (وبخاصة للتسابق في العَدْو) .

gymn- *or* **gymno-** بادئة معناها : عارٍ ، مجرد .

gymnasium [jĭm nā'zĭ əm] *(n.)* pl. **-s** *or* **-sia** الجِمنازيوم : «أ» حجرة أو مبنى للألعاب الرياضية . «ب» مدرسة ثانوية ألمانية .

gymnast [jĭm'-] *(n.)* الجِمنازيّ : الأخصائي بالرياضة الجِمنازية

gymnastic [jĭm năs'tĭk] *(adj.)* رياضيّ ؛ جِمنازيّ .

gymnastics[jĭm năs'tĭks] *(n.)* الرياضة الجِمنازية : رياضة بدنية يُقْصَد بها تَقْوية الأجسام وترويض العضلات .

gymnosperm[jĭm'nə spûrm] *(n.)* العاري البزر أو البزور (نب) .

Gymnospermae *(n. pl.)* عاريات البزور (نب) .

gyn- *or* **gyno-** بادئة معناها : (١) امرأة (٢) مَبيض .

gynandromorphism *(n.)* الخُنثوية ؛ ثنائية الجنس .

-gyne لاحقة معناها : (١) امرأة ؛ أنثى (٢) مَبيض .

gynec- *or* **gyneco-** بادئة معناها : امرأة (*gyneco*logy) .

gynecocracy *(n.)* حكومة النساء ؛ سيادة النساء السياسية .

gynecologist[gī nə kŏl'ə-] *(n.)* الطبيب النسائي : الطبيب الاختصاصي بأمراض النساء .

gynecology [gī nə kŏl'ə jĭ] *(n.)* علم أمراض النساء .

gynoecium [jī nē'sĭ əm] *(n.)* pl. **-cia** الوَزِيم ؛ المِدقّة : عضو التأنيث في الزهرة (نب) .

gynophore [jī'nə fōr] *(n.)* ساق الوَزِيم ؛ ساقُ المِدقّة : ساق عضو التأنيث في الزهرة .

gyp [jĭp] *(n.; vt.; i.)* (١) خادم بكلّية (٢) «أ» المخادع ؛ المحتال. «ب» خداع ؛ احتيال § (٣) يخدع ؛ يحتال على .

gypseous [jĭp'sē-] *(adj.)* جِصّي ؛ جِبسي .

gypsophila [jĭp sŏf'ə lə] *(n.)* الجِصّيّة : نبات من الفصيلة القرنفلية صغير الزهر .

gypsum [jĭp'səm] *(n.)* جِصّ ؛ جِبْس .

Gypsy [jĭp'sĭ] *(n.)* (١) الغَجَريّ (٢) لغة الغَجَر .

gyr- *or* **gyro-** بادئة معناها : «أ» حلقة ؛ دائرة . «ب» لولبيّ . «ج» جيروسكوب .

gyrate [*adj.* jī'rāt; *v.* -'rāt, -rāt'] *(adj.; vi.)* (١) ملتفّ ؛ ذو تلافيف حلزونية § (٢) يدوم : يدور حول نقطة أو محور (٣) يتذبذب بحركة دائرية أو لولبية . **—gyrator** *(n.)*

gyration [jī rā'-] *(n.)* (١) التدويم : دوران حول نقطة أو محور. (٢) شيء ملتفّ .

gyratory [jī'rə tōr ĭ] *(adj.)* مدوِّم ؛ دوّار ؛ لفّاف .

gyre [jīr] *(n.)* (١) حركة دائرية أو حلزونيّة (٢) «أ» شكلٌ دائري أو حلزونيّ . «ب» حلقة ؛ دائرة .

gyrene [jī rēn'; jī'rēn] *(n.)* = marine.

gyrfalcon [jûr'fôl kən] *(n.)* السُّنْقُر ؛ السُّنْقُور : ضربٌ من البازي .

gyro[1] [jī'rō] *(n.)* (١) gyroscope (٢) البوصلة الجيرسكوبية .

gyro[2] *(n.)* الجيرو : شطيرة (سندويتش) لحم وبصل وطماطم .

gyrocompass [jī'rō kŭm-] *(n.)* البوصلة الجيروسكوبية أو الدوّارة .

gyro horizon *(n.)* = artificial horizon.

gyromagnetic [jī rō măg nĕt'ĭk] *(adj.)* مغنطيسي جيروسكوبي : متعلق بالخصائص المغنطيسية لإحدى الدقائق الكهربائية الدوّارة .

gyropilot [jī'rō-] *(n.)* = automatic pilot.

gyroplane [jī'rə-] *(n.)* الجيرو ؛ الطائرة الجيروسكوبية أو الدوّارة .

gyroscope [jī'rə-] *(n.)* الجيروسكوب : اداة تستخدم لحفظ توازن الطائرة أو الباخرة ولتحديد الاتجاه الخ.

gyroscopic [jī rə skŏp'ĭk] *(adj.)* جيروسكوبيّ .

gyrostabilizer [jī rō stā'bə lī-] *(n.)* المُقِرّ الجيروسكوبي أو الدوّار : أداة لحفظ توازن السفينة أو الطائرة الخ .

gyroscope

gyrostat [jī'rə stăt] *(n.)* = gyrostabilizer.

gyrus [jī'rəs] *(n.)* pl. **-ri** التلفيفة : إحدى تلافيف الدماغ (ت) .

gyte [gīt] *(adj.)* مخبّل ؛ معتوه ؛ مجنون (اسك).

gyve [jīv] *(n.; vt.)* (١) *pl.* عد : قَيْد ؛ صِفاد ؛ غلّ § (٢) يقيّد ؛ يصفّد ؛ يكبّل .

ă at; ā date; â care; ä car; ĕ egg; ē me; ĭ in; ī bite; ŏ lot; ō bone; ô orphan; oi boil oŏ good; ōō boot; ou out; ŭ under; ū unity; û urgent; th thing; th this; zh vision; ə = *a* in alone, *e* in system, *i* in easily, *o* in gallop, *u* in circus.

H

hotel (Beirut)

h [āch] *(n. often cap.)* (١) الحرف الثامن من الأبجدية الانكليزية . (٢) شيءٌ مُعْتَبَرٌ ثامناً من حيث الترتيب أو الطبقة (٣) شيء على صورة حرف **H** .

ha [hä] *(interj.)* ها! : صوت يُعبّر عن العجب أو الفرح أو الحزن وأحياناً عن الشكّ أو التردد .

habanera [ä vä nā'rä] *(Sp.)* الهافانية : رقصة كوبيّة أو موسيقاها

habeas corpus [hā'bĭ əs kôr'pəs] *(L.)* (١) الأمر بالمثول : أمرٌ قضائي بإحضار شخص للمثول بين يدي المحكمة (٢) أمرٌ قضائي بالتحقيق في قانونيّة سَجْن شخصٍ معتقَل .

habeas corpus ad subjiciendum [ăd sŭb jĭs ĭ ən'-] *(L.)* = habeas corpus 2.

haberdasher [hăb'ər dăsh ər] *(n.)* (١) الخُردجي : بائع السّلع الصغيرة كالأزرار والإبر الخ . (٢) بائع السّلع الرجالية (كالقمصان وأربطة العنق والقفافيز الخ .) .

haberdashery [-ə rĭ] *(n.)* (١) الخُرْدوات (٢) دكان بيعها .

habile [hăb'ĭl] *(adj.)* ماهر ؛ بارع .

habiliments [hə bĭl'ə-] *(n. pl.)* ثياب ؛ ملابس .

habit [hăb'ĭt] *(n.; vt.)* (١) «أ» رداء؛ وبخاصة: رداء الراهب . «ب» بذلة ركوب الخيل (للسيدات) (٢) سلوك (٣) بِنْيَة؛ مظهر أو تركيب جسماني (٤) خُلق؛ طبْع (٥) «أ» عادة . «ب» عُرْف. «ج» دأب (٦) طريقة مميّزة في النمو أو الحدوث (Elms have a spreading ~.) (٧) إدمان §(٨) يكسو .

habitability [hăb ə tə bĭl'-] *(n.)* الصلاحية للسّكْنى .

habitable [hăb'ə tə bəl] *(adj.)* صالحٌ للسكنى .

habitant [hăb'ə tənt] *(n.)* الساكن ؛ المقيم ؛ المستوطن .

habitat [hăb'ə tăt'] *(n.)* (١) المَوْطن : بيئة الحيوان أو النبات . (٢) مَظِنّة الشيء أو مألفه : المكان الذي يوجد فيه عادةً .

habitation [hăb ə tā'shən] *(n.)* (١) سُكْنى (٢) مَسْكَن . (٣) مُستوطَن ؛ مُستعمرة .

habitual [hə bĭch'ōō əl] *(adj.)* (١) معتاد ؛ اعتياديّ ؛ ناشىء عن العادة(courtesy ~) (٢)مدمن (a ~ drunkard) (٣)مألوف (~ topics) (٤) فطري (faith ~).

habituate [hə bĭch'ōō āt'] *(vt.)* يعوِّد ؛ يروِّض على .

habituation [-ā'shən] *(n.)* (١) تعويد ؛ ترويض (٢) التعوّد : انعدام التأثّر بمخدّر ما بحكم الإدمان (narcotic ~).

habitude [hăb'ə tūd'] *(n.)* (١) دأب ؛ دَيْدَن (٢) عادةٌ .

habitué [hə bĭch'ōō ā'] *(n.)* المرتاد : من يكثر التردد على مكان ما من أماكن اللهو بخاصة .

hachure [hă shŏŏr'] *(n.; vt.)* (١) الرّقْن : خط قصير يستخدم في الرسم والحفر وبخاصة للتظليل وللدلالة على اختلاف السطوح §(٢) يرقّن .

hacienda [hä'sĭ ĕn'də] *(n.)* مزرعة أو المبنى الرئيسي فيها .

hack [hăk] *(vt.; i.; n.; adj.)* (١) «أ» يقطّع إرباً إرباً . «ب» يفرض . «ج» يقطّع بضربات متوالية (~*ed* off a branch with his knife) (٢) يعزق الأرض (٣) يرفُس قصبة رِجْل اللاعب (في كرة القدم الخ.) (٤) يبتذل شيئاً (بالاكثار من استعماله) ×(٥) يسعل سعالاً متقطعاً جافاً (٦) ينطلق في الشوارع بخطى عادية (٧) يقود سيارة أجرة §(٨) «أ» فأس . «ب» مِعزَقة (٩) حَزّة؛ جُرْح (وبخاصة في شجرة) (١٠) سعال متقطع جاف (١١) رفسة على قصبَة الرِّجل أثناء لعب الكرة (١٢) «أ» حصان أجرة . «ب» كديش (يُسخّر لمختلف الأغراض) . «ج» حصان رشيق للركوب (١٣) «أ» عربة أجرة . «ب» تاكسي ؛ سيارة أجرة . «ج» سائق عربة أو تاكسي (١٤) كاتب مستأجر أو مأجور §(١٥) مستأجَر ؛ مأجور (critic ~) (١٦) مبتذَل (dramatic scenes ~) .

hackamore [hăk'ə mōr] *(n.)* عِنان ؛ رَسَن .

hackberry [hăk'-] *(n.)* (١) المَيْس : شجر من الفصيلة البوقيصية . (٢) ثمر المَيْس أو خشبُه .

hackbut [hăk'bŭt] *(n.)* = **harquebus.**

hackie [hăk'ĭ] *(n.)* = **hackman.**

hackle [hăk'əl] *(n.; vt.)* (١) المِمْشَقَة مُشط الكتّان والقنب . (٢) «أ» إحدى ريشات عنق الطائر أو مؤخّر ظهره . «ب» ريش عنق الديك جملةً (٣) *pl.* : شعر عنق الكلب أو ظهره (٤) ذبابة

صُنْعيّة (يُستعان بها في صيد السمك وتُصْنَع عادةً من ريش عنق الديك)§(٥) يَمْشُق : يمشّط الكتّان أو القِنّب(٦) يَريش ذبابةً صنعيةً (٧) .I hack .

hackly [hăk'lĭ] *(adj.)* مفرَّض ؛ مثلَّم ؛ مفلول .

hackman [hăk'-] *(n.)* سائق عربة أو سيارة أجرة .

hackney [hăk'nĭ] *(n.; adj.; vt.)* (١) حصان ركوب أو جرّ . (٢) عربة أو سيارة أجرة § (٣) مُعَدّ للأجرة (~ carriages) (٤) مُبتذَل §(٥) يُكثر استعماله (٦) يبتذل (بكثرة الاستعمال).

hackneyed [hăk'nĭd] *(adj.)* مبتذَل ؛ مكرَّر حتى الابتذال .

hacksaw [hăk'sô] *(n.)* منشار المعادن .

hacksaw

hackwork [hăk'-] *(n.)* أثر أدبيّ أو فنيّ الخ. تجاريّ الطابع .

had [hăd] *past; past part. of* have.

haddock [hăd'ək] *(n.)* الحَدوق : سمك من فصيلة القُدّ ولكنه أصغر منه .

hade [hād] *(vi.; n.)* (١) ينحرف عن الوضع العمودي . §(٢) زاوية الصَّدع الرأسية (جي) .

Hades [hā'dēz] *(n.)* (١) حادس : مثوى الأموات في الميثولوجيا الاغريقية (٢) *often not cap.* : الجحيم .

hadj [hăj] *(n.)* = hajj.

hadji [hăj'ĭ] *(n.)* = hajji.

hadn't [hăd'ənt] = had not.

haem- *or* **haemo-** = hem-.

haemat- *or* **haemato-** = hemat-.

-haemia = -emia.

haemoglobin [hē'mə glō'bĭn] *(n.)* = hemoglobin.

hafnium [hăf'nĭ əm] *(n.)* الهَفْنيوم : عنصر فِلِزّيّ (ك) .

haft [hăft] *(n.; vt.)* (١) مِقْبَض ؛ نِصاب §(٢) يجعل للشيء مِقْبَضاً .

hag [hăg] *(n.)* (١)«أ» شيطانة ؛ عفريتة (ا.ق.) . «ب» جِنّيّة شريرة (ا.ق) (٢)عرّافة؛ ساحرة (٣) عجوز شمطاء .

hagfish [hăg'fĭsh] *(n.)* الجِرّيث : سمكٌ مفترسٌ للأسماك الأخرى .

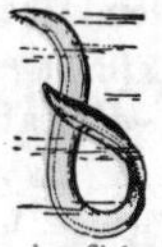

hagfish

Haggadah [hə gä'də] *(n.)* الهَغادة : الجزء الأسطوريّ من التلمود .

haggard [hăg'ərd] *(adj.; n.)* (١) جَموح ؛ شرس (صفة للصقر) (٢) مضنًى (من القلق أو الأرق) ؛ مهزول ، مُنهَك§(٣) صقر شرس .

haggis [hăg'ĭs] *(n.)* الهاجس : طعام اسكتلندي من قلب الخروف وكبده الخ .

haggish [hăg'ĭsh] *(adj.)* شمطاوي : هرِم وبشِع كالعجوز الشمطاء .

haggle [hăg'əl] *(vt.; i.; n.)* (١) يقطع بخشونة أو بغير براعة (to ~ a branch off) ×(٢) يساوم ؛ يماحك §(٣) قَطْع بخشونة (٤) مساومة ؛ مماحكة .

hagi- *or* **hagio-** بادئة معناها : (١) مقدَّس (٢) قدِّيسون .

Hagiographa [hăg ĭ ŏg'rə fə] *(n.)* الجزء الثالث من التوراة .

hagiographer [-'rə fər] *(n.)* كاتب سِيَر القدّيسين .

hagiography [-fĭ] *(n.)* (١) سِيَر القدّيسين (٢) سيرة تتّسم بتقديس الكاتب للمترجَم له أو بإظهاره بمظهر مثالي .

hagiolatry [-ĭ ŏl'ə trĭ] *(n.)* عبادة القديسين .

hagiology [-'ə jĭ] *(n.)* (١) أدب القداسة : شعبة من الأدب تعنى بسِيَر القدّيسين (٢) كتاب عن سِيَر القدّيسين (٣) مجموعة من هذه السِّيَر .

hagride [hăg'rīd] *(vt.)* يضايق ؛ يُنْهِك ؛ يعذّب .

hagseed [hăg'sēd] *(n.)* وَلَدُ الساحرة أو العرّافة .

ha-ha [hä'hä'] *(n.)* = sunk fence.

haik [hīk; hāk] *(Ar.)* الحَيْك : ثوب أبيض خارجي يرتديه أبناء شمالي افريقية .

haik

hail [hāl] *(n.; vi.; t.; interj.)* (١)بَرَد (٢)وابل (a ~ of bullets) كالبَرَد (٣) تحيّة ؛ ترحيب (٤)هتاف ؛ نداء §(٥)تُبرِد السماءُ ؛ تمطِر بَرَداً (٦) ينهمر كالبَرَد (٧)ينادي ؛ وبخاصة يحيّي سفينةً عابرة ×(٨) يُمطره بوابل من (~*ed* curses) (٩)يحيّي أو يرحّب بـ (١٠)ينادي بـ (~*ed* him king) (on him) §(١١) مرحباً .

to ~ a taxi ينادي مستوقفاً سيارة أجرة .

to ~ from يُقْبِل مِن ؛ يأتي من .

within ~, ضمن مدى الصوت.

hail-fellow *or* **hail-fellow-well-met** *(adj.; n.)* (١) وديّ ؛ إخوانيّ §(٢) صديق ؛ خدين (٣) صداقة .

Hail Mary *(n.)* = Ave Maria.

hailstone [hāl'-] *(n.)* البَرَدَة : حبّة من حبّات البَرَد .

hailstorm [hāl'-] *(n.)* عاصفة البَرَد : عاصفة مصحوبة ببَرَد .

hair [hâr] *(n.)* (١)«أ» شَعْر «ب» شعرة (٢)«أ» وبَر . «ب» نسيج من وبر (٣)«أ» مسافة ضئيلة أو مقدار ضئيل (She lost the race by a) «ب» دِقّة بالغة (You've described her to a ~.)

not to turn a ~, لا يُظهِر أيّ علامة من علامات التعب أو القلق ؛ يتجلّد .

to keep one's ~ on يحتفظ بهدوئه أو رباطة جأشه .

to split ~s يتماحكون ؛ يتجادلون في أمور لفظية أو صغيرة متجنبين موضوع المناقشة الرئيسي .

hairbreadth [-'brĕdth] *(n.; adj.)* (١) عرض شعرة : مسافة ضئيلة §(٢) بشق النفس ؛ بمعجزة (a ~ escape).

hairbrush [-'brŭsh] *(n.)* فرشاة الشَّعْر .

haircloth [-'klôth] *(n.)* نسيج من وبر الجمل ونحوه .

haircut [-'kŭt] *(n.)* الحِلاقة : قصّ الشعر أو أسلوبه .

hairdo [-'dōō] *(n.)* pl. **hairdos** تسريحة (لشعر النساء) .

hairdresser [hâr'-] *(n.)* (١) المزيّن (لشعر النساء) (٢) الحلاّق .

hairiness [hâr'-] *(n.)* التَّشعُّر : كثرة الشعر وطوله .

hairless [hâr'-] *(adj.)* أصلع ؛ أجرد ؛ أمرد ؛ عديم الشعر .

hairline [-'līn] *(n.)* (١) الخطّ الشَّعريّ : خط رفيع جداً ؛ مثل : «أ» صدع طفيف في سطح شيء . «ب» خط رفيع جداً على وجه حرف طباعيّ (٢)«أ» نقش في النسيج مؤلّف من خطوط عمودية أو أفقية بعرض خيط عادةً . «ب» النسيج المزوَّد بمثل هذا النقش (٣) حدّ الشَّعْر في فروة الرأس .

hairpin [hâr'pĭn] *(n.; adj.)* (١) دبّوس شعر (٢) منعطف حادّ (في طريق) §(٣) على شكل دبّوس شعر (a ~ curve).

hair-raiser *(n.)* شيء مثير ؛ وبخاصة : رواية أو مسرحية مثيرة.

hair-raising [hâr'-] *(adj.)* مرعب ؛ مثير ؛ مُدهِش .

hair seal *(n.)* الفُقْمة الشَّعْراء ؛ عجل البحر الأشعر .

hair space *(n.)* مجال الشعرة : فاصل ضيق جداً بين كلمة وأخرى (طع)

hairsplitter [-'split ər] *(n.)* المماحِك ؛ المجادل في أمور لفظية أو صغيرة .

—**hairsplitting** *(adj.; n.)*

hairspring [hâr'-] *(n.)* النابض (أو الزنبرك) الشَّعريّ : نابض لولبيّ رفيع ينظّم حركة عجلة الموازنة في ساعة ما .

hair trigger *(n.)* الزِّنْد (أو المِقداح) الشَّعري : زِنْد مُعَدّ لإطلاق النار (من بندقية) بأقلّ ضغط .

hairy [hâr'ĭ] *(adj.)* (١) «أ» مكسوّ بالشَعر (~ legs) . «ب» أشْعَر ؛ شعِر : كثير الشَعر (~ ape) (٢) زغِب ؛ أزغَبُ الساق والورق (نب) (٣) شعريّ : مصنوع من شعر (~ gown) (٤) «أ» وعر (~ country) . «ب» فظّ (~ bodyguard) . «ج» رهيب (~ moments) .

hajj [hăj] *(Ar.)* الحجّ (إلى بيت الله الحرام بمكة) .

hajji [hăj'ĭ] *(Ar.)* الحاجّ : مَن أدّى فريضة الحجّ (إس) .

hake [hāk] *(n.)* النازِلي : سمك من جنس القُدّ .

halation [hā lā'shən] *(n.)* (١) التجاوز الضوئي : انتشار الضوء إلى ما وراء حدوده الصحيحة (في صورة فوتوغرافية مُظهَرة) . (٢) الهالة : حلقة مشرقة تطوّق أحياناً شيئاً نيّراً على شاشة التلفزيون .

halberd *or* **halbert** [hăl'-] *(n.)* المِطْرد : سلاح قديم مؤلف من رمح وفأس حرب .

head of halberd

halcyon [hăl'sĭ ən] *(n.; adj.)* (١) القاوَنْد : طائر تزعم الأسطورة أنه يهدىء، في دور حضانته، أمواجَ البحر §(٢) «أ» هادىء ، رائق (a ~ atmosphere) . «ب» سعيد ؛ ذهبي (a ~ era) . «ج» مزدهر .

hale [hāl] *(adj.; vt.)* (١) سليم ؛ صحيح ؛ معافىً (a ~ body) §(٢) يجذب ؛ يسحب (٣) يسوق ؛ يُكرِه على الذهاب (to ~ a man into court) .

half [hăf; häf] *(n.; adj.; adv.)* (١) «أ» نصف . «ب» نصف ساعة (~ past seven) (٢) «أ» شطر . «ب» أحد زوجين . «ج» فصل (من فصول السنة المدرسيّة) (٣) نصف دولار (٤) ظهير مساعد (كرة القدم) §(٥) «أ» نصفي (a ~ share) . «ب» جزئيّ ؛ غير كامل (~ knowledge of a subject) §(٦) نصفياً ؛ بمقدار النصف (a bucket ~ full of water) (٧) جزئيّاً (~ cooked) .

by ~ إلى حدّ بعيد .

by halves جزئيّاً ؛ بفتور ؛ بغير حماسة .

in ~, نصفين ؛ إلى نصفين ، مناصفةً .

not ~ bad حسَنٌ جداً (ع) .

one's better ~, زوجة المرء ؛ نصفُهُ الأفضل .

half-and-half [hăf'ən hăf'] *(adj.; adv.; n.)* (١) متناصف : نصفُهُ الأول من شيء ما ونصفه الآخر من شيء مختلف (a ~ mixture) (٢) متساوٍ (a job demanding ~ cooperation) (٣) جزئي (~ success) § (٤) مناصفةً (divided ~) (٥) بالتساوي (a duty shared ~ by husband and wife) §(٦) «أ» شيء متناصف . «ب» مزيج من مشروبين روحيين .

halfback [-'băk] *(n.)* الظهير المساعد (في كرة القدم) .

half-baked [-'bākt'] *(adj.)* (١) فطير ؛ نصف مخبوز (٢) «أ» غير مدروس أو مُهيّأ جيداً . «ب» غِرّ ؛ جاهل .

halfbeak [-'bēk] *(n.)* أبو منقار : سمك بحريّ ذو منقار .

half binding *(n.)* التجليد النصفي : تجليد الكتب «نصف جلد» .

half blood *(n.)* (١) الخَيَف : القرابة الجامعة بين أشخاص أمهم واحدة وآباؤهم شتّى أو العكس (٢) الأُخْيَف ؛ الخيفاء (٣) المولَّد ؛ الهجين .

half-blooded [hăf'blŭd'ĭd] *(adj.)* مولَّد ؛ هجين .

half boot *(n.)* الحذاء النصفيّ : حذاء يتجاوز الكاحل بعض الشيء .

half-bound [-'bound] *(adj.)* مجلّد «نِصفَ جلد» (صفة لكتاب) .

half-bred; half-breed *(adj.; n.)* مولَّد ؛ هجين .

half brother *(n.)* أخٌ غير شقيق .

half-caste [hăf'kăst] *(adj.; n.)* مولَّد ؛ هجين .

half-cell *(n.)* البطاريّة النصفيّة : بطارية وحيدة القطب .

half cock *(n.)* (١) الصَّلْي النصفيّ : وضع يكون فيه زند البندقية نصف مَصْليّ (٢) حالة تتسم بالتشوش العقلي أو بالارتجال وعدم الاستعداد الكافي .

half-cocked [hăf'kŏkt'] *(adj.)* (١) نصف مَصْليّ (صفة لزند البندقية) (٢) مرتجَل ؛ غير مُعَدّ أو مدروس جيداً .

half crown *(n.)* نصف كراون (شلنان ونصف) .

half eagle *(n.)* قطعة نقدية ذهبية أميركية تساوي خمسة دولارات .

half-evergreen [hăf'ĕv'-] *(adj.)* نصف دائم الخضرة (نب)

half gainer *(n.)* ضربٌ من الغَطْس (في السباحة) .

halfhearted [hăf'här'-] *(adj.)* فاتر ؛ تُعوِزه الحماسة .

half hitch *(n.)* العُقدة النصفية : عقدة بسيطة سهلة الفكّ .

half hour *(n.)* (١) نصف ساعة (٢) منتصف الساعة .

half-hourly *(adj.; adv.)* (١) خاص بنصف ساعة أو دائم نصف ساعة (٢) حادث مرة كلّ نصف ساعة §(٣) طوال نصف ساعة .

half leather *(n.)* = half binding.

half-length [hăf'-] *(n.)* صورة نصفية (تمثل نصف الطول الكامل) .

half-life [hăf'-] *(n.)* العمر النصفي : الزمن الضروري لتفكك نصف ذرات مادة ذات نشاط إشعاعي (كف) .

half-light [hăf'-] *(n.)* (١) العتَمَة (٢) القتَمَة : جزء من الصورة الفنية يمثّل العتمة .

half line *(n.)* الخط النصفي : خط مستقيم يمتدّ من نقطة في اتجاه واحد فقط .

half-long [-'lông'] *(adj.)* متوسط الطول : لا بالطويل ولا بالقصير

half-mast [hăf'măst'] *(n.; vt.)* (١) منتصف السارية (حيث ينكَّس العَلَم حِداداً) §(٢) ينكّس العَلَم (حِداداً) .

half-moon [hăf'-] *(n.)* (١) هلال (٢) شيء هلاليّ الشكل .

halfpenny [hā'pə nĭ] *(n.)* pl. **-pence** *or* **-pennies** (١) نصف بنس (٢) مقدار ضئيل .

half sister *(n.)* أختٌ غير شقيقة .

half sovereign *(n.)* نِصْف سَفَرْن : قطعة نقدية ذهبية انكليزية تساوي عشرة شلنات .

half-staff [hăf'stăf'] *(n.)* = half-mast.

half step *(n.)* (١) نصف خطوة (جن) (٢) نصف نغمة (مو) .

half tide *(n.)* المدّ النصفي : الزمن أو الحالة المتوسطة بين المدّ والجزر .

half timber *or* **half-timbered** *(adj.)* نِصف خشبيّ : مؤلّف من هيكل خشبي وأقسام مكسوّة بالجص أو نحوه .

half time *(n.)* (١) الفاصل الانتصافي : فترة بين الشطرين الأول والثاني من مباراة في كرة القدم الخ . (٢) العمل النصفيّ : الشغل نصف ساعات النهار فقط وبنصف راتب .

half title *(n.)* العنوان الداخليّ : اسم الكتاب المدوَّن منفرداً في الصفحة اليمنى التي تسبق مباشرةً أول صفحة من النص ، أو في رأس الصفحة الأولى من النص .

halftone [hăf'-] *(n.)* (١) نصف نغمة (مو) (٢) اللون النصفيّ : لون في التصوير الزيتي أو الفوتوغرافي الخ . ليس بالداكن جداً ولا بالفاتح جداً .

—**halftone** *(adj.)*

half-track [hăf'-] *(n.)* سيارة (أو مُدرَّعة) نصف مِزنجرة .

half-truth [hăf'-] *(n.)* نصف الحقيقة : «أ» بيان أو إفادة صحيحة جزئياً فقط . «ب» بيان أو افادة تختلط فيها الحقيقة بالكذب مع قصدٍ إلى الغش والخداع .

halfway [hăf'wā'] *(adj.; adv.)* (١) متوسط بين نقطتين . (٢) جزئي (~measures) §(٣) إلى منتصف المسافة (The rope reaches only ~.) (٤) جزئياً ؛ تقريباً (The fighter ~ yielded.)

half-wit [hăf'-] *(n.)* شخص أحمق أو أبله **-ted** *(adj.)*

half-world [hăf'-] *(n.)* = demimonde.

halibut [hăl'ə bət] *(n.)* الهَلِبُوت : أضخم الأسماك المفلطحة .

halidom *or* **halidome** [hăl'-] *(n.)* شيء مقدّس (ا.ق) .

halitosis [hăl ə tō'sĭs] *(n.)* البَخَر : رائحة النفَس الكريهة .

hall [hôl] *(n.)* (١) «أ» قَصْر ملك أو نبيل (في القرون الوسطى) . «ب» حجرة الجلوس الرئيسية فيه (٢) البيت الريفيّ لصاحب أطيان (٣) مبنى فخم مُعَدّ لأغراض عامّة أو شبه عامة (٤) «أ» مبنى في جامعة مخصص لغرضٍ بعينه . «ب» كلية أو جزء من كلية في بعض الجامعات . «ج» حجرة الطعام العامة في كلية انكليزية . «د» وجبة طعام تقدَّم هناك (٥) «أ» ردهة . «ب» رواق (٦) قاعة اجتماع كبيرة (٧) ملهى .

hallelujah [hăl'ə lōō'yə] *(interj.; n.)* (١) هلّلويا ؛ الشكر لله . §(٢) ترنيمة شكر .

hallmark [hôl'-] *(n.; vt.)* (١) «أ» دمغة المصوغات . «ب» دمغة السلَع (لتبيان أصلها أو أصالتها وجودتها) (٢) صفة رسمية أو سِمة مميزة §(٣) يدمغ المصوغات أو السلَع .

hallo [hə lō'] *or* **halloo** [hə lōō'] = hollo.

hallow [hăl'ō] *(vt.)* (١) يقدِّس ؛ يكرِّس (٢) يبجِّل .

hallowed [hăl'ōd] *(adj.)* (١) مقدَّس ؛ مكرَّس (٢) مبجَّل .

Halloween *(n.)* عشية عيد جميع القديسين ؛ عشية ٣١ اكتوبر .

Hallowmas [hăl'ō məs] *(n.)* عيد جميع القديسين (أول نوفمبر) .

halls of ivy صروح اللُّباب : كُلّية أو جامعة .

hallucinate [hə lōō'sə nāt'] *(vt.; i.)* (١) يصيب بالهَلْوسة . ×(٢) يهَلْوِس ؛ يهذي .

hallucination [-nā'shən] *(n.)* هَلْوَسة ؛ اهتلاس ؛ هذيان .

hallucinosis [-nō'sĭs] *(n.)* الهُلاس : حالة عقلية مَرَضية متَّسِمة بالهَلْوَسة .

hallux [hăl'əks] *(n.)* pl. **-luces** إبهام الرِجل (ت) .

hallway [hôl'wā] *(n.)* (١) مَدْخَل (٢) رواق .

halo [hā'lō] *(n.; vt.)* (١) الهالة : دارة القمر ؛ طُفاوة الشمس (٢) «أ» هالة القداسة : إشعاع نورانيّ يطوِّق الرأس (في صورة قديس) . «ب» هالة تقديس (يحاط بها شخص أو شيء) §(٣) يشكّل هالة ؛ يطوِّق بهالة .

halo effect *(n.)* أثرُ الهالة : تأثُّر الرئيس في تقييمه لمرؤوسيه بشعوره الشخصي وليس بالاعتبارات الموضوعية .

halogen [hăl'ə jən] *(n.)* الهالوجين : مولِّد الملح (كالفلور والكلور) .

halogenate [hăl'-] *(vt.)* يُهَلْجِن : يعالج او يمزج بالهالوجين .

halophile [hăl'-] *(n.)* إلفُ المِلْح : متعضٍّ يحيا في بيئة مِلحة .

halophyte [hăl'ə fīt] *(n.)* النبات المِلحيّ : نبات ينمو في تربة مِلحة .

halt [hôlt] *(adj.; vi.; t.; n.)* (١) أعرج §(٢) يَعْرُج §(٣) يتردّد (٤) يتلعثم ؛ يتعثّر ؛ يترنّح ؛ يُظهِر ضعفاً (٥) يقف ؛ يتوقف (٦) ينقطع ؛ ينتهي ×(٧) يوقف (٨) يُنهي §(٩) وقوف ؛ توقّف (١٠) موقف ؛ محطة .

halter [hôl'tər] *(n.; vt.)* (١) رَسَن (٢) «أ» حبل المشنقة . «ب» الموت شنقاً (٣) صُدَيْرة نسائية (٤) الأعرج ؛ المتردِّد ؛ المتوقف الخ . (٥) الموازِن : أحد عضوين في حشرة يساعدانها على حفظ التوازن في الطيران § (٦) «أ» يرْسِن دابة . «ب» يشنق (٧) يعوق ؛ يقيِّد ؛ يكبّل .

halting [hôl'tĭng] *(adj.)* أعرج .

halve [hăv; häv] *(vt.)* (١) ينصِّف : يَشْطر إلى نصفين . (٢) ينزل إلى النصف (to ~ the cost) (٣) يقتسم بالتساوي .

halves [hăvz; hävz] *pl. of* half.

halyard *or* **halliard** [hăl'yərd] *(n.)* الكرّ : حبل لرفع راية أو شراع وخفضهما

ham [hăm] *(n.)* (١) المأبِض : باطن الركبة (٢) فخذ الخنزير . (٣) «أ» ممثّل غير بارع . «ب» هاوٍ (a radio ~).

Ham [hăm] *(n.)* حام : أصغر أبناء نوح

hamadryad [hăm ə drī'əd] *(n.)* (١) حورية الغابات (٢) الصِلّ : أفعى كبيرة سامّة (٣) الرُباح المقدَّس : قِرد كان يقدسه قدماء المصريين .

hamal *also* **hammal** [hə mäl'] *(Ar.)* الحمّال ؛ العتّال .

hamburger [hăm'bûr gər] *or* **hamburg** [-'bûrg] *(n.)* الهمبورغية : سندويشة أو شطيرة من لحم البقر .

hame [hām] *(n.)* السمط : جزء من رقابية الفرس يُشدّ إليه سَيرُ اللّجام .

Hamite [hăm'īt] *(n.)* الحاميّ : المتحدِّر من نسل حام بن نوح .

Hamitic [hă mĭt'ĭk] *(adj.; n.)* (١) حاميّ §(٢) اللغات الحاميّة .

Hamitic languages *(n. pl.)* اللغات الحامية (كالمصرية القديمة والقبطية) .

hamlet [hăm'lĭt] *(n.)* قرية صغيرة .

hammer [hăm'ər] *(n.; vi.; t.)* (١) مِطرقة (٢) شيء يشبه المِطرقة شكلاً أو عملاً ، مثل : «أ» زند البندقية . «ب» العظم المِطْرَقيّ (في الأذن الباطنة) . «ج» مطرقة رئيس الجلسة أو الدلال في مزاد علني § (٣) يطرق ؛ يدقّ (٤) «أ» يقوم بمحاولات متكررة . «ب» يكرر رأياً أو مسلكاً ×(٥) «أ» يطرق . «ب» يشكّل بمطرقة (٦) يُحدث بمثل الطرقات المتكررة (to ~ out a policy).

hammers

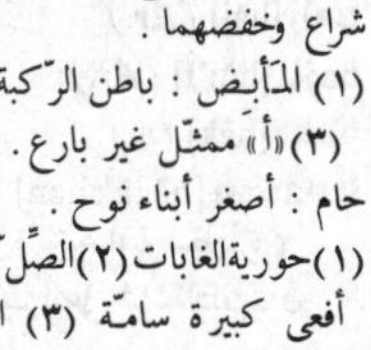

to come under the ~, يباع بالمزاد العلني .

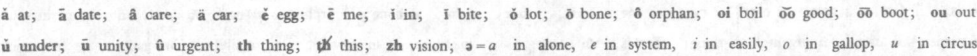

hammer and sickle *(n.)* المطرقة والمنجل (شعار الشيوعية) .

hammer and tongs *(adv.)* بقوّة وعنف كبيرين .

hammerhead [-hĕd] *(n.)* (١) الجزء الضارب من المطرقة . (٢) الغبيّ ؛ الأحمق (٣) أبو مطرقة (سمك) .

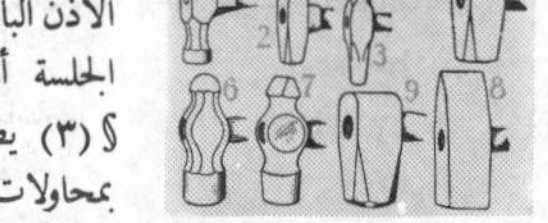

hammerhead 3.

hammerless [hăm'-] *(adj.)* محجوب أو مَخْفيّ الزّند (a ~gun).

hammer lock *(n.)* المسكة المِطرقيّة : مسكة في المصارعة تُلْوى فيها ذراع الخصم وتثبت خلف ظَهْره .

hammock [hăm'ək] *(n.)* الأُرجوحة الشبكية .

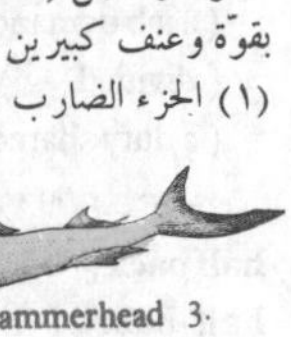

hamper [hăm'pər] *(vt.; n.)* (١) يعوق . (٢) يعرقل ؛ يشوش (٣) يكبح ؛ يقيد §(٤) عائق ؛ عقبة (٥) السَّبَت : سلة كبيرة ذات غطاء .

hammer lock

Hampshire [hămp'shĭr] *(n.)* الهَمْبْشَيري : «أ» جنس من الخنازير . «ب» جنس من الخراف .

hamster [hăm'stər] *(G.)* الهَمْسْتَر : حيوان من القوارض شبيه بالجُرذ .

hamstring [hăm'-] *(n.; vt.)* (١) أوتار المأبض : إحدى مجموعتي أوتار المأبض أو باطن الركبة § (٢) يُقعِد بقطع أوتار الرِّجل (٣) يجعله عاجزاً ؛ يسلبه الفعالية أو القوة .

hamulus [hăm'yə ləs] *(n.)* pl. **-li** (١) صنّارة ؛ خُطّاف صغير (٢) شُوَيْكة خُطّافيّة (نب) (٣) نامية أو زائدة كُلاّبيّة (ت) (٤) الكُلاّب : أداة لانتزاع الجنين (جر) .

hand [hănd] *(n.; vt.)* (١) يد (٢) شيء كاليد ، مثل : «أ» مؤشّر . «ب» عقرب ساعة . «ج» قرط موز . «د» حزمة من أوراق شجر عريضة (٣) *pl.* «أ» عد : مِلْك ؛ ممتلكات شخصية . «ب» سيطرة ؛ إشراف (٤) جانب ؛ جهة (٥) «أ» خط ؛ كتابة . «ب» إمضاء ؛ توقيع (Some writs require a judge's ~.) (٦) «أ» براعة ؛ حذق ؛ لَمسَة (a painting that shows a master's ~) . «ب» ضلع ؛ دور ؛ يد (في جريمة الخ .) (٧) مصدر ؛ مصدر معلومات الخ . (at first ~) (٨) القَبْضَة : وحدةٌ تساوي أربعة إنشات لقياس ارتفاع الخيل خاصةً (٩) «أ» عون ؛ مساعدة (to lend a ~) . «ب» مشاركة ؛ اهتمام . «ج» عاصفة تصفيق (won a good ~ for his acting) (١٠) «أ» لاعب (في لعبة ورق) . «ب» الأوراق في يد اللاعب . «ج» دورة أو «دَقّ» (في لعب الورق) (١١) «أ» الصانع ؛ المنتج ؛ الكاتب الخ . (a book by several ~s) «ب» العامل ؛ المستخدَم (a factory ~) . «ج» أحد نوتية المركب (all ~s on deck) . «د» البارع في عمل ما (a good ~ at writing letters) (١٢) أسلوب § (١٣) يطوي شراعاً أو رايةً (١٤) يقود أو يساعد باليد (to ~ a lady into a carriage) (١٥) «أ» يسلّم إلى باليد (to ~ a person a letter) «ب» يعطي ؛ يُنْزِل بـ (~ed him a terrible beating)

a heavy ~, قسوة ؛ ظلم .

a high ~, استبداد ؛ تحكّم .

at all ~s من قِبَل جميع الفرقاء ؛ من كل مكان .

at ~, (١) قريب (زماناً أو مكاناً) (٢) في المتناوَل . (٣) جاهز للاستعمال (٤) على وشك الحدوث .

at the ~ *or* ~s of على يد فلان ؛ بواسطة كذا .

by ~, باليدين (لا بالأدوات أو الآلات) .

clean ~s براءة (من إثم أو جرم) .

for one's own ~, (يعمل أو يلعب) لمصلحته الشخصية .

from ~ to ~, من شخص إلى آخر .

from ~ to mouth من غير تزوّد للمستقبل ؛ عيشة الكفاف .

~ and glove *or* ~ in glove على أتمّ الودّ مع فلان .

~ in ~, (١) يداً بيد (٢) بتعاون ؛ باتحاد .

~ over ~, بتقدّمٍ سريعٍ متواصل .

~s off! ارفع يدك عن . . . ! لا تتدخل ! لا تمسّ !

~s up! إرفعْ يديك ! استسلِم !

~ to ~, باشتباك متلاحم (في شجار أو معركة) .

in ~, (١) تحت سيطرة المرء أو إشرافه أو تصرّفه . (٢) في المتناول (٣) قَيْدَ التحضير أو الإعداد .

on all ~s *or* on every ~, في كل مكان .

on ~, (١) تحت اليد (مجازاً) (٢) على وشك الظهور . (٣) حاضر ؛ موجود .

on *or* upon one's ~s تحت يد المرء أو إشرافه أو مسؤوليته .

on the one ~, من ناحية ؛ من وجهة النظر هذه .

out of ~, (١) حالاً (٢) متمَّم ؛ منُجَز . (٣) خارج عن سيطرة المرء أو إشرافه المسؤول .

to ask the ~ of يطلب يدها (للزواج) .

to change ~s تنتقل ملكيته إلى شخص آخر .

to come to ~, يُستَلَم ؛ يَصل .

to ~ over يتخلّى عن ؛ يسلّم الى .

to have one's ~s full مشغول إلى أبعد حدّ .

to join ~ in ~, يتعاونون ؛ يعقدون الخناصر .

to lay ~s on يضع يده على ؛ يضبط ؛ يصادر .

to put *or* set one's ~ to يشرع ؛ يبدأ في العمل .

to shake ~s with يصافح فلاناً .

to take a ~, يشترك في اللعب (وبخاصة لعب الورق) .

to take in ~, يشرع في ؛ يحاول .

to wash one's ~s of يغسل يده من ؛ يتبرّأ من .

hand and foot *(adv.)* تماماً ؛ كليّة ؛ بكل ما في الكلمة من معنى .

handbag [-'băg] *(n.)* (١) حقيبة يد (٢) حقيبة يد للسيدات .

handball [-'bôl] *(n.)* (١) كرة اليد (٢) لعبة كرة اليد .

handbarrow [-'băr'ō] *(n.)* مِحفَة ؛ حمّالة .

handbill [hănd'bĭl] *(n.)* الاعلان أو البيان اليدوي (يوزع باليد) .

handbook [-'bo͝ok] *(n.)* (١) كتيب (٢) دليل السيّاح .

hand brake *(n.)* المِكبح اليدوي ؛ الفرملة اليدوية (سي) .

handbreadth [hănd'-] *or* **handsbreadth** *(n.)* عَرْض الكفّ : مقياس للطول (٢,٥ – ٤ انشات) .

handcar [-'kär] *(n.)* العَرَبَة الخفيفة : عربة خفيفة تُدْفَع باليد (على سكة حديدية) أو بمحرك صغير .

handcart [-'kärt] *(n.)* عربة اليد : عربة تُدفَع باليد .

handclasp [hănd'-] *(n.)* = handshake.

handcraft [hănd'-] *(n.; vt.)* (١) حرفة ؛ صنعة يدوية § (٢) يصنع يدوياً .

handcuff [-'kŭf] *(n.; vt.)* : *pl.* (١) عد قَيْد ؛ صَفَد ؛ غُلّ § (٢) يقيّد ؛ يصفّد ؛ يكبّل .

handcuffs

handed [hăn'dĭd] *(adj.)* (١) ذو يدين (٢) مستعمِلٌ يداً معيّنة (a left *-handed* person) .

handfast [hănd'-] *(n.)* عَقْد ؛ وبخاصة عقد خِطبة أو زواج (ا. ق) .

handful [-'fo͝ol] *(n.)* (١) حفنة ؛ قبضة (٢) مقدار ضئيل .

hand glass *(n.)* المرآة اليدوية : مرآة صغيرة ذات مقبض .

handgrip [-'grĭp] *(n.)* (١) إمساك باليد (٢) مِقبَض . (٣) *pl.* : شجار أو اشتباك بالأيدي .

handhold *(n.)* سَنَد ؛ دعامة ؛ عاصم ؛ متمسَّك (يقي من السقوط) .

handicap [hăn'dĭ kăp] *(n.; vt.)* (١) سباق العَدْل : سباق يُتساهَل فيه مع العنصر الضعيف أو يُفرض فيه على العنصر القوي عبء إضافي بحيث تصبح فُرَص الكسب متكافئة . وأيضاً : الأفضلية الممنوحة للضعيف أو العبء الاضافي المفروض على القويّ (٢) عائق ؛ عقبة § (٣) يُقيمُ العَدْلَ أو التكافؤ في سباق (٤) يعوق ؛ يشكّل عائقاً لـ (His age ~s him.)

handicapped [hăn'dĭ -] *(adj.)* مُعاق .

handicraft [hăn'dĭ krăft] *(n.)* (١) براعة يدوية (٢) حِرفة أو صنعة يدوية .

handily [hăn'-] *(adv.)* (١) بيُسْر أو سهولة (٢) ببراعة ؛ بإتقان .

handiwork [hăn'dĭ-] *(n.)* (١) عمل يدوي (٢) صنع اليدين : مُنْجَز شخصيّ أو فرديّ (.His fortune is his own ~) .

handkerchief [hăng'kər chĭf] *(n.)* (١) منديل ؛ محرمة . (٢)غِطاء لرأس المرأة ؛ وشاح للعنق .

handle [hăn'dəl] *(n.; vt.; i.)* (١) مِقْبَض ؛ مَسْكَة (٢) شيء يمكن أن يُمْسَك به ويُسْتَغَل : «مَمْسَك» (Your behavior may give a ~ to your enemies.) (٣) اسم ؛ لقب (bore an odd ~) (٤) مَلْمَس النسيج (has a soft ~) (٥) قيمة المال الاجمالية المراهَن بها في سباق أو لعبة § (٦) «أ» يَمَسّ ؛ يَلْمس ؛ يمسك . «ب» يستعمل (to ~ one's fists well in a fight) «ج» يسوس فرساً (٧) «أ» يعالج موضوعاً . «ب» يقود ؛ يوجّه ؛ يدبّر (٨) يعامل بطريقة خاصة (to ~ a person with tact) (٩) يتاجر بِ (handling new and used cars) × (١٠) يعمل (This car ~s well.)

handlebar [hăn'-] *(n.)* مِقْوَد الدرّاجة (الهوائيّة) .

handler [hăn'dlər] *(n.)* (١) فا handle (٢) من يسوس أو يحرِّض كلباً أثناء مباراة (٣) «أ» مدرّب الملاكم . «ب» البديل : من يحلّ محلّ الملاكم حين يستبدّ به التعب في مباراة .

handless [hănd'-] *(adj.)* (١) بلا يدَيْن (٢) أخرق ؛ غير بارع في الأعمال اليدوية .

handling [hăn'dlĭng] *(n.)* (١) معالجة (٢) معاملة (٣) «أ» تدبير . «ب» طريقة المعالجة أو التناول (٤) تعبئة أو شحن السِّلَع (إلى عميل أو وكيل) (٥) طريقة السير أو العمل (The ~ of the car was smooth.)

handmade [-'mād'] *(adj.)* يدويّ ؛ مصنوع باليد (لا بالآلة) .

handmaid *or* **handmaiden** [hănd'-] *(n.)* (١) وصيفة . (٢) خادمة .

hand-me-down *(adj.; n.)* (١) جاهز ورخيص (٢) مستعمَل (~ garments) § (٣) شيء جاهز أو مستعمل (كالملابس الخ.) .

handout [-'out] *(n.)* (١) الحَسَنة : ما يعطى للشحّاذ من طعام أو لباس أو مال (٢) نشرة للتوزيع المجاني (٣) بيان مُعَدّ للتوزيع على الصحف .

handrail [-'rāl] *(n.)* دَرابزون ؛ دَرابزين .

handsaw [hănd'sô] *(n.)* المنشار اليدوي .

handsel [hăn'səl] *(n.; vt.)* (١) هدية ؛ وبخاصة في رأس السنة . (٢) صفقة أولى ؛ « استفتاحة مباركة » (٣) قِسْط أوّل § (٤) يُهْدي ، وبخاصة في رأس السنة (٥) يستعمل أو يعمل للمرة الأولى .

handset [-'sĕt] *(n.)* التلفون المركّب : جهاز تلفوني يشتمل على أداتي الارسال والاستقبال مجموعتين في قطعة واحدة يمكن إسنادها إلى وجه المتكلم .

handshake [hănd'-] *(n.)* مصافحة .

handsome [hăn'səm] *(adj.)* (١) ملائم (ع) (٢) كبير ؛ ضخم (a ~ fortune) (٣) بارع (a ~ speech) (٤) كريم ؛ سخي (~ contributions to charities) (٥) وسيم ؛ مليح .

handspike [hănd'spīk] *(n.)* مُخْل ؛ عَتَلَة .

handspring [-'sprĭng] *(n.)* الشَّقْلَبَة اليدوية : قَلْبَة هوائية يلف فيها المرء عقبيه على رأسه بينا يحتفظ بتوازنه على إحدى يديه أو كلتيهما .

hand to hand *(adv.)* التحاميّاً : على نحو ملتحم (في القتال) .

hand-to-hand *(adj.)* (١) التحاميّ ؛ ملتحم (~ combat) . (٢) يداً بيد (~ delivery of registered mail) .

hand-to-mouth *(adj.)* كَفافيّ : لايكاد يفي بحاجات العيش الضرورية .

handwheel [hănd'hwēl'] *(n.)* العجلة اليدوية ؛ الدولاب اليدوي .

handwork [-'wûrk] *(n.)* العمل اليدوي .

handwrite [hănd'rīt] *(vt.)* يكتب (باليد) .

handwriting [-'rī tĭng] *(n.)* (١) كتابة ؛ خط (٢) مخطوطة .

handy [hăn'dĭ] *(adj.)* (١) قريب ؛ في المتناول (a ~ restaurant) (٢) «أ» ملائم للاستعمال أو المراجعة (a ~ volume) «ب» ملائم أو مُعدّ لاستعمالات مختلفة (a ~ tool) . «ج» هيِّن استعمالُه أو تسييره (a ~ ship) (٣) صَناع : بارع في استعمال اليدين .

handyman [hăn'-] *(n.)* رجل يُستخدَم لأداء ضروب مختلفة من العمل .

hang [hăng] *(vt.; i.; n.)* (١) «أ» يدلّي ؛ يعلِّق . «ب» يشنق . (٢) يزيّن «بتعليق صُوَر أو ستائر الخ.» (*hung* the room with...) (٣) ينكّس (٤) يلصق على جدار (٥) يجعل هيئة المحلفين عاجزة عن اتخاذ أيّ قرار وذلك بأن يرفض الموافقة على ما أجمعت عليه (٦) يعرض (صوراً) في صالة عرض × (٧) «أ» يتدلّى . «ب» يموت شنقاً (٨) يهدِّد ؛ يكون كالسيف المُصْلَت : (punishment ~*ing* over a wrong-doer) (٩) يتوقف على (Election ~*s* on one vote.) (١٠) «أ» يتشبّث ؛ يتمسّك بِ . «ب» يتكيء (She seemed faint and *hung* on his arm.) (١١) يبقى معلّقاً أو غير منجَز (The decision is still ~*ing*.) (١٢) يتسكّع § (١٣) طريقة تدلّي الشيء (The ~ of a drape) (١٤) منحدَر (١٥) «أ» مدار ؛ مغزى (got the ~ of a subject) «ب» طريقة العمل أو الاستعمال (to get the ~ of a tool) (١٦) تردّد أو تباطؤ في الحركة .

to ~ about *or* around يتسكّع .

to ~ back *or* off (١) يتخلّف عن الآخرين . (٢) يتردّد .

to ~ down ينحني ؛ يميل إلى أمام .

to ~ fire (١) تستطيل (نار البندقية) في الرمي ؛ يتأخر انطلاقها (٢) يتأخر .

to ~ heavy يتطاول ؛ يمرّ (الوقتُ) ببطء .

to ~ on (١) يتمسّك بكذا (٢) يرفض التخلي عن . (٣) يستمرّ بقوّة .

to ~ one on (١) يسدّد اليه ضربة عنيفة . (٢) يشرب حتى الثمَل .

to ~ together (١) يتساندون ؛ يتّحدون . (٢) يتماسك ؛ يشكّل وحدةً متماسكة .

to ~ up (١) يعلّق الثوب الخ. (٢) ينهي مكالمة تلفونية (بإعادة السماعة إلى موضعها) (٣) يعلّق (المفاوضات الخ.) .

to give *or* care a ~, يبالي ؛ يهمّ .

hangar [hăng'ər] *(F.)* حظيرة ، وبخاصة : حظيرة الطائرات .

hangdog [-'dôg] *(adj.; n.)* (١) مخجول ؛ مذنب (٢) مروَّع ؛ مثيرٌ للشفقة § (٣) شخص حقير أو بائس .

hanger [hăng'ər] *(n.)* (١) الشانق ؛ الجلاّد (٢) «أ» سيف صغير يستعمله البحّارة . «ب» غابة في أرض متحدرة (٣) «أ» عروة في حمالة السيف يُعلّق (السيف) بواسطتها . «ب» عروة في الثوب يُعلّق منها . «ج» حمّالة أو تعليقة الثياب .

hanger-on [hăng'ər ŏn'] *(n.)* العالة ؛ الطفيلي : من يلازم شخصاً

ă at; ā date; â care; ä car; ĕ egg; ē me; ĭ in; ī bite; ŏ lot; ō bone; ô orphan; oi boil oo good; ōō boot; ou out; ŭ under; ū unity; û urgent; th thing; *th* this; zh vision; ə = *a* in alone, *e* in system, *i* in easily, *o* in gallop, *u* in circus.

أو مؤسسة طمعاً في الربح الشخصي .

hanging [hăng'ĭng] *(n.; adj.)* (١) شَنْق (٢) «أ» ستارة . «ب» سجادة الخ تعلّق على جدار (٣) منحدَر §(٤) مائل ؛ متحدر (٥) مهدد ؛ مُصْلَت (٦) مستحق أو مُوجِب للاعدام شنقاً (a ~ crime) (٧) معلّق (a ~ garden) .

hangman [hăng'mən] *(n.)* الجلاّد ؛ الشانق .

hangnail [hăng'nāl] *(n.)* السَّأْف : جزء من الجلد متدلٍّ بجانب الظفر أو عند جذره .

hangout [hăng'out] *(n.)* المأْلَف : مكان مفضَّل يكثر المرء من التردد عليه .

hangover [-'ō vər] *(n.)* (١) أثر (أو عادة) متخلّف من الماضي . (٢) الآثار البغيضة التي يخلّفها في المرء إسرافُه في الشراب الخ .

hank [hăngk] *(n.)* (١) لِفيفة ؛ كُبّة ؛ شِلّة (٢) حلقة (حديدية او خشبية) يعلّق بها الشّراع .

hanker [hăng'kər] *(vi.)* يتوق (توقاً شديداً) .

hankering [hăng'kər ĭng] *(n.)* توْق (شديد أو مُلِحّ) .

hanky-panky [hăng'kĭ păng'kĭ] *(n.)* احتيال ؛ شعوذة ؛ دَجَل .

hansel [hăn'səl] *(n.; vt.)* = handsel.

hansom [hăn'səm] *(n.)* الهَنْسُومِيّة : مركبة بعجلتين مقعد الحوذيّ فيها خلفيّ .

hansom

hap [hăp] *(n.; vi.; t.)* (١) حَدَث (٢) حظّ (٣) كِساء ؛ غطاء §(٤) يحْدُث ؛ يتفق (٥) يعثر على شيء مصادفةً × (٦) يكسو ؛ يغطي .

haphazard [n.hăp'hăz'-; adj.; adv.-hăz'-] *(n.; adj.; adv.)* (١) مصادفة ؛ اتفاق §(٢) اتفاقي §(٣) «أ» مصادفةً . «ب» كيفما اتفق .

—**haphazardly** *(adv.)* —**haphazardness** *(n.)*

hapl- *or* **haplo-** بادئة معناها : مُفْرَد ؛ بسيط

hapless [hăp'lĭs] *(adj.)* قليل الحظ ؛ سيِّء الطالع .

haply [hăp'lĭ] *(adv.)* مصادفةً ؛ بالمصادفة ؛ اتفاقاً .

happen [hăp'ən] *(vi.)* (١) يَحْدُث بالمصادفة (٢) يقع ؛ يحدث (٣) يصادف ؛ يتفق أن يكون (I ~ *ed* to be out when she called.) (٤) يظهر أو يَبْرز او يعثر على (بالمصادفة) .

happening [-'ən ĭng] *(n.)* (١) حُدوث (٢) حادثة ؛ حَدَث .

happily [-'ə lĭ] *(adv.)* (١) لحسن الحظ (٢) بسعادة (٣) بلباقة ؛ بنجاح .

happiness [-'ĭ nĭs] *(n.)* (١) سعادة ؛ هناءة (٢) لباقة .

happy [hăp'ĭ] *(adj.)* (١) محظوظ ؛ مؤاتٍ (٢) لبق ؛ موافق لمقتضى الحال (٣) «أ» سعيد . «ب» مبتهج ؛ بهيج (a ~ mood).

happy-go-lucky *(adj.)* توكّليّ ؛ مُتَّكِل على الحظ ؛ مُهمِل .

Hapsburg [hăps'bûrg] *(n.)* الهابسبورغيّ : أحد أفراد آل هابسبورغ ؛ وبخاصة : عاهلٌ من آل هابسبورغ .

hara-kiri [hä'rə kĭr'ĭ] *(n.)* الهراكيري : طريقة يابانية في الانتحار ببَقْر البطن بخنجر تخلّصاً من العار .

harangue [hə răng'] *(n.; vt.; i.)* (١) خُطْبة (٢) خطاب رنّان ؛ كتابة رنّانة (٣) محاضرة §(٤) يخطب ؛ يحاضر .

harass [hăr'əs; hə răs'] *(vt.)* (١) يزعج بغارات متكررة (٢) «أ» يرهق ؛ يُنهِك . «ب» يضايق باستمرار .

harbinger [här'bĭn jər] *(n.; vt.)* (١) الرائد (٢) النذير ؛ البشير §(٣) يُنذر أو يبشّر بقرب حدوث شيء .

harbor *or* **harbour** [här'bər] *(n.; vt.; i.)* (١) مَلاذ ؛ ملجأ ؛ مَفْزَع (٢) ميناء ؛ مرفأ §(٣) يؤوي (٤) يُخْفي (to ~ smuggled goods) (٥) يُضْمِر ؛ يُكِنّ (~*ed* evil thoughts) × (٦) يلجأ ؛ يأوي إلى .

harborage [-ĭj] *(n.)* (١) إيواء ؛ ضيافة (٢) «أ» ملجأ . «ب» مرفأ .

harbor master *(n.)* رئيس (أو قائد) المرفأ .

hard [härd] *(adj.; adv.)* (١) صُلْب ؛ قاسٍ (٢) «أ» ثقيل ؛ مُسْكِر جداً . «ب» عَسِر : محتوٍ على أملاح تجعل الصابون لا يرغو بسهولة (~ water) (٣) نفّاذ ؛ شديد النفاذية (~ X rays) (٤) «أ» معدني (a shortage of ~ money) . «ب» صعب : قابل للتحويل الى ذهب (~ currency) . «ج» عالٍ وثابت (~ prices) (٥) مُحْكَم (~ knot) (٦) «أ» شديد القدرة على الاحتمال أو على مقاومة المرض . «ب» خالٍ من الضعف (٧) «أ» لا سبيل إلى إنكاره (~ facts) . «ب» واقعي (the ~ modern mind) . «ج» متحجّر (~ heart) (٨) «أ» عاثر ؛ سيِّء (had very ~ luck) . «ب» صعب الاحتمال (~ times followed) . «ج» ظالم ؛ قاسٍ (a ~ master) . «د» موجِع ؛ جارح (~ words) . «هـ» غير ودّي (no ~ feelings) . «و» صارم (~ religious system) ؛ «ز» شديد ؛ غزير (a ~ rain) . «ح» عنيف (a very ~ blow) . «ط» شاقّ (got where she is by ~ work). «ي» مثابر ؛ لا يعرف الكلل (one of the ~*est* workers) (٩) «أ» عويص (a very ~ problem) . «ب» عسير (The birth was ~.) . «ج» جافٍ ، لا تأنس إليه العين أو الأذن الخ . (١٠) ثقيل السمع الخ (~ of hearing) §(١١) بكدّ ؛ باجتهاد بالغ (to work ~) (١٢) «أ» بعنف ؛ بقسوة (laws which bore ~ on national prosperity) . «ب» بإمعان ؛ بتفحّص ؛ بتحديق (looked ~ at her) . «ج» بأسىً ؛ بغمّ (He took his defeat ~.) (١٣) بإحكام (to hold on ~).

~**up** (١) مُعْسِر ؛ في عَوَز شديد (٢) محروم حرماناً شديداً من كذا أو محتاج احتياجاً شديداً إلى كذا .

hard-and-fast *(adj.; adv.)* (١) مُلْزِم ؛ صارم ؛ لا سبيل إلى إغفاله أو انتهاكه (~ rules) §(٢) بإحكام (~ bound).

hard-boiled *(adj.)* (١) مسلوق جيداً (~ eggs) (٢) منشّى بإسراف (~ collars) (٣) «أ» متحجّر الفؤاد . «ب» عمليّ ؛ واقعي (on a friendly but ~ business basis).

hard disc *(n.)* القُرْص القاسي (في برامج الكومبيوتر) .

harden [här'dən] *(vt.; i.)* (١) يُقَسّي ؛ يُصَلِّد (٢) يُحجِّر (الفؤاد) (٣) يُمرّس ؛ يعوّده احتمالَ المشاقّ (to ~ troops by long marches) × (٤) يقسو ؛ يصبح قاسياً أو أشدّ قسوةً (٥) يتعوّد احتمال المشاقّ ؛ يخشوشن (٦) ترتفع (الأسعار) أو تصبح أقلّ تعرّضاً للتقلّب نزولاً .

hardener [här'dən ər] *(n.)* (١) فا harden (٢) المُصلِّد : مادة تضاف إلى دهان أو ورنيش لجعله أقلّ رخاوة .

hardening [här'dən -] *(n.)* (١) تَقْسِيَة ؛ تصليد (٢) تصلّب (~ of the arteries) (٣) المصلِّدة : مادة مُقَسِّية .

hardfisted [-'fĭs'-] *(adj.)* (١) بخيل ؛ منقبض الكف (٢) قويّ اليدين أو قاسيهما (~ laborers).

hardhanded [-'hăn'dĭd] *(adj.)* (١) خشن اليدين (من أثر الكدح) . (٢) صارم ؛ لا يرحم .

hardhead [härd'-] *(n.)* (١) «أ» شخص عملي الذكاء . «ب» الأحمق ؛ العنيد (٢) ضرب من السمك أو البط .

hardheaded [-'hĕd'ĭd] *(adj.)* (١) عنيد (٢) لا يُخدع بسهولة . (٣) عمليّ ؛ واقعي (a ~ appraisal of our position).

hardhearted [-'här'tĭd] *(adj.)* متحجّر الفؤاد ؛ عديم الرحمة .

hardihood [här'dĭ-] *(n.)* (١) بسالة ؛ جَراءة (٢) قِحة ؛ وقاحة (٣) قوة ؛ عزم .

hardiness [här'dĭ-] *(n.)* (١) جراءة ؛ شجاعة (٢) قِحة ؛ وقاحة . (٣) شدة القدرة على الاحتمال .

hard labor *(n.)* الأشغال الشاقّة (ق) .

hardliner *(n.)* المتشدِّد ؛ المتطرِّف ؛ المتعصِّب .

hardly [härd'lĭ] *(adv.)* (١) بقوّة (٢) بقسوة (٣) بصعوبة ؛ بجهد ؛ بشقّ النفس ؛ «بالكاد» (٤) نادراً ما ... قليلاً ما .

hard maple *(n.)* = sugar maple.

hardness [härd'-] *(n.)* صلابة ؛ قسوة الخ . (را . hard) .

hard palate *(n.)* الحَنَك الصُّلب (ت) .

hardpan [härd'păn] *(n.)* (١) طبقة من التربة طينيّة صُلْبة . (٢) أساسٌ ؛ جوهر ؛ اعماق .

hard rubber *(n.)* المطّاط الصَّلد .

hard-set [härd'sĕt'] *(adj.)* (١) ثابت ؛ مُحْكَم (٢) عنيد . (٣) في مركز حرج .

hard-shell [härd'-] *(adj.)* (١) صُلب القشرة (٢) متصلِّب ؛ عنيد .

hardship [härd'-] *(n.)* (١) شِدّة ؛ ضيق ؛ مَشَقّة (٢) جَوْر ؛ حرمان ؛ أذى .

hardtack [-'tăk] *(n.)* بسكويت البحر : بسكويتٌ قاس للبحّارة .

hardware [-'wâr] *(n.)* الخُرْدوات : الأدوات المعدنية (على اختلافها) .

hardy [här'dĭ] *(adj.)* (١) جريء ؛ شجاع ؛ جَسور . (٢) وقح (٣) شديد القدرة على الاحتمال .

hare [hâr] *(n.)* الأرنب الوحشية : أرنب بريّة مشقوقة الشفة العليا .

hare and hounds *(n.)* الأرانب وكلاب الصيد : لعبة في الهواء الطلق .

harebell [hâr'bĕl] *(n.)* الجُرَيْس المستدير الورق : عشبة نحيلة أزهارها زرقاء (نب) .

harebrained [hâr'-] *(adj.)* طائش ؛ أرعن ؛ خفيف العقل .

harelip [hâr'-] *(n.)* (١) الشفة الأرنبيّة ؛ الشفة الشَّرْماء . (٢) العَلَم : شقّ خِلْقيّ في الشفة العليا .

harem [hâr'əm] *(n.)* الحريم «أ» : جناح النساء في قصر إسلاميّ قديم . «ب» الزوجات والسَّراري والخادمات اللواتي يشتمل عليهن هذا الجناح .

haricot [hăr'ə kō] *(F.)* (١) فاصوليا (٢) يخنة الفاصوليا .

hari-kari [hä'rĭ kä'rĭ] *(n.)* = hara-kiri.

hark [härk] *(vi.)* يُصغي ؛ يُصيخ .

to ~ back يرجع إلى نقطة سابقة أو موضوع سابق .

harlequin [här'lə kwĭn; -kĭn] *(n.)* (١) المهرج ؛ المضحك . (٢) نقش ملوَّن (في نسيج) .

harlequinade [här lə kwĭ nād'] *(n.)* التهريجيّة : مسرحية إيمائيّة يلعب فيها المهرج دوراً أساسياً .

harlequin duck *(n.)* البط المبرقَش : بط بحري صغير مرقّط .

harlot [här'lət] *(n.)* بَغِيّ ؛ مومس ؛ بنت هوى .

harlotry [här'lə trĭ] *(n.)* (١) بغاء (٢) بغِيّ ؛ مومس .

harm [härm] *(n.; vt.)* (١) أذىً ؛ ضَرَر ؛ مَساءة §(٢) يُؤذي ؛ يَضُرّ ؛ يُسيء إلى .

harmful [härm'fəl] *(adj.)* مؤذٍ ؛ ضارّ .

harmless [-'lĭs] *(adj.)* (١) غير مصاب بأذى (ا.ق) (٢) غير مؤذٍ .

harmonic [här mŏn'ĭk] *(adj.; n.)* (١) موسيقي (٢) إيقاعي ؛ تناغميّ ؛ تآلفيّ (مو) (٣) متآلف ؛ متناسق ؛ مُطرب (٤) توافقيّ («ر» و«فز») §(٦) النغمة التوافقية (مو) .

harmonica [här mŏn'ə kə] *(n.)* الهرمونيكا : آلة موسيقية .

harmonic analysis *(n.)* التحليل التوافقيّ (ر) .

harmonic mean *(n.)* الوَسَط التوافقيّ (إحص) .

harmonic motion *(n.)* الحركة التوافقية (فز) .

harmonic progression *(n.)* المتوالية التوافقية (ر) .

harmonics [här mŏn'ĭks] *(n.)* الهرمونيقا ؛ التوافقيات : علم الأصوات الموسيقية .

harmonious [här mō'-] *(adj.)* (١) متناغم ؛ متآلف الألحان . (٢) متناسق (الأجزاء) (٣) منسجم (مع غيره في الشعور أو العمل) .

harmonium [här mō'-] *(n.)* القَدَميّة : ضرب من الأرغن .

harmonium

harmonize [här'mə nīz] *(vi.; t.)* (١) يغني أو يعزف بطريقة إيقاعيّة (٢) يتوافق ؛ ينسجم مع × (٣) يوفّق بين (to ~ the views).

—harmonizer *(n.)*

harmony [här'mə nĭ] *(n.)* (١) «أ» إيقاع ؛ تناغم ؛ تآلف الألحان . «ب» علم الإيقاع ؛ «هارموني» (٢) تآلف ؛ توافق ؛ تناسق (في الأجزاء) (٣) انسجام (في المشاعر أو الأذواق أو المصالح أو الآراء) .

—harmonist *(n.)*

harness [här'nĭs] *(n.; vt.)* (١) «أ» طقم الفرس . «ب» عُدّة ؛ جهاز . «ج» روتين العمل (to die in ~) (٢) عُدّة الحرب للفرس أو الانسان §(٣) يُطقِّم الفرس : يشدّ عليها عُدّتَها (٤) يشدّ إلى نير ؛ يربط ما بين (٥) يستخدم ؛ يسخّر .

harp [härp] *(n.; vi.)* (١) قيثار (مو) . §(٢) يعزف على القيثار (٣) يضرب على وتر واحد (continually ~*ing* on his misfortunes)

harp

harper; harpist [här'-] *(n.)* العازف على القيثار .

harpoon [här po͞on'] *(n.; vt.)* (١) الحَرْبون : رمح لصيد الحيتان §(٢) يحَرْبن : يطعن بالحربون .

harpsichord [-'sĭ kôrd] *(n.)* البيان القيثاريّ : بيان قديم قيثاري الشكل .

harpy [här'pĭ] *(n.)* (١) *cap.* الخطّاف : مخلوق خرافيّ خبيث نصفُه امرأة ونصفُه طير (٢) «أ» العالة ؛ الطفيلي . «ب» السلاّب ؛ النهّاب . «ج» المحتال (٣) امرأة مستهترة رديئة الطبع .

harquebus [här'kwə bəs] *(n.)* الهَرْكوبة : سلاح ناري قديم .

harridan [hăr'ə dən] *(n.)* عجوزٌ شكِسةٌ محبّةٌ للخصام .

harrier [hăr'ĭ ər] *(n.)* (١) «أ» الهرّار : كلب صيد ؛ وبخاصة لصيد الأرانب . «ب» العدّاء في سباق اجتياز الضاحية (٢) السلاّب ؛ المغير ؛ المضايق بهجمات متكررة أو نحوها (٣) الهارّ : ضرب من الصقور .

harrow [hăr'ō] *(vt.; n.)* (١) يسلب ؛ ينهب (ا.ق) (٢) يَسْحو أو يَسْلُف التربة (يمهّدها ويسويها) (٣) يعذّب ؛ يَغيظ §(٤) مِسْحاة ؛ مِسْلَفَة .

harry [hăr'ĭ] *(vt.)* (١) يغزو ؛ يغير على (٢) يسوقه بالقوّة . (٣) يضايق أو يُنهك بهجمات متكررة (حقيقةً أو مجازاً) .

harsh [härsh] *(adj.)* (١) «أ» خشِن (الملمس) . «ب» أجش (الصوت) (٢) مزعج ؛ مؤلم (٣) قاسٍ (~ treatment)

(٤) جافٍ : غير سائغ فنياً أو جمالياً .

hart [härt] *(n.)* ذكَرُ الأيِّل (اذا تجاوز الخامسة).

hartebeest

hartebeest [här'tə bēst] *(n.)* : الهَرْتبيس : ثَيْتَل افريقي ضخم .

hartshorn [härts'hôrn'] *(n.)* ماء النشادر .

harum-scarum [kâr'əm skâr'əm] *(adj.; adv; n.)* (١) متهور ؛ طائش §(٢) بتهوّر ؛ بطيش §(٣) المتهور ؛ الطائش.

haruspex [hə rŭs'-] *(n.)* pl. **-pices** العرّاف (في رومة القديمة).

harvest [här'vĭst] *(n.; vt.)* : (١) موسم الحصاد (٢) الحصاد : عملية الحَصْد (٣) غلّة ؛ محصول (٤) ثمرة جَهْدٍ ما §(٥) يَحْصُد ؛ يجني .

harvest home *(n.)* (١) الحصاد أو موسمه (٢) مهرجان الحصاد : مهرجان يقام عند انتهاء الحصاد (٣) أغنية الحَصاد : أغنية ينشدها الحصادون في ختام موسم الحصاد .

harvestman [här'vĭst-] *(n.)* (١) الحصَّاد ؛ الحاصد (٢) الحصَّاد : حيوان من العنكبوتيّات يشبه الرتيلاء .

has [hăz] *pres. 3d sing. of* have.

has-been [hăz'bĭn] *(n.)* الآفل : كل ما أفل نجمُه .

hasenpfeffer [hä'zĕn (p) fĕf ər] *(G.)* الأرانبية : طعام من لحم الأرانب المنقوع بالخلّ .

hash [hăsh] *(vt.; n.)* (١) يفرُم ؛ يهرِم (٢) يشوّش ؛ يُربك . (٣) يتحدث عن §(٤) لحم مفروم (٥) إعادة أو تكرير لشيء معروف من قبلُ (٦) مزيج ؛ خليط .

hashish [hăsh'ēsh; -ĭsh] *(Ar.)* «الحشيش» ؛ القِنَّب الهندي .

hasn't [hăz'ənt] = has not.

hasp [hăsp; häsp] *(n.; vt.)* (١) مِشبك (الباب أو غطاء صندوق) §(٢) يُغلق بمِشبك أو نحوه.

hasp

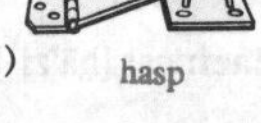

hassle [hăs'əl] *(n.; vi.)* (١) مشاحنة . (٢) قِتال §(٣) يتشاحن ؛ يتشاجر .

hassock [hăs'ək] *(n.)* (١) حزمةُ عُشْبٍ (٢) «أ» وسادة يُركَع عليها في الصلاة . «ب» مَسْنَد للقدَم .

hastate [hăs'tāt] *(adj.)* سِنانيّ الشكل .

hastate leaf

haste [hāst] *(n.; vi.)* (١) عجلة ؛ سرعة (٢) تهوّر (٣) تعجّل اضطراري (to be in great ~) §(٤) يعجّل ؛ يعمل بعجلة .

hasten [hā'sən] *(vt.; i.)* (١) يستعجله ؛ يحثّه على العجلة . (٢) يُسرِع ؛ يُعاجل ×(٣) يُعجّل ؛ يعمل بعجلة .

hastily [hās'-] *(adv.)* بعجلة ؛ بسرعة ؛ بتهور.

hasty [hās'tĭ] *(adj.)* (١) «أ» سريع . «ب» مُنْجَز بعجلة . «ج» مستعجل ؛ متعجّل (٢) متلهف ؛ فاقد الصبر (٣) متهوِّر ؛ طائش (٤) سريع الغضب .

hat [hăt] *(n.)* (١) قُبَّعة (٢) منصب ؛ وظيفة .
- ~ in the ring اشتراك (أو استعداد للاشتراك) في مسابقة .
- to hang up one's ~, «يأخذ راحته» في منزل شخص آخر .
- to pass *or* send round the ~, يجمع الصدَقات في اجتماع عام .
- to talk through one's ~, يتكلم عن شيء لا يفهمه .

hatbox [hăt'bŏks'] *(n.)* صندوق القبّعات .

hatch [hăch] *(n.; vi.; t.)* (١) بُوَيْب أو فتحة صغيرة (٢) «أ» باب أرضيّ (للهبوط إلى حجرة وبخاصة في سفينة) . «ب» حجرة (٣) باب الخزّان أو السدّ (٤) تفقيس البيض (٥) نِتاج ؛ مجموع الفراخ المفقَّسة (٦) خطّ تظليل (رم) § (٧) ينقُف (الفرخُ) البيضةَ (ينقبها ويبرز منها) (٨) تحتضن (الدجاجةُ) البيض ×(٩) يُفقّس البيضَ مستخدماً حرارةً طبيعيّة أو صناعية (١٠) يُحدث ؛ يُبرِز إلى الوجود . وبخاصة : يدبّر (مؤامرة الخ.) (١١) يُرقِّن ؛ يظلّل (رم) .

hatchery [hăch'-] *(n.)* المَفْقَس ؛ المَفْرَخ : مكان التفقيس أو التفريخ.

hatchet [hăch'ĭt] *(n.)* البُلَيْطة : فأس قصيرة اليد أو النصاب .
- to bury the ~, يعقد صلحاً .
- to take up the ~, يقاتل ؛ يشنّ حرباً .
- to throw the ~, يختلق الأكاذيب .

hatchet face *(n.)* وجه نحيل طويل .

hatchet-faced *(adj.)* ذو وجه نحيل طويل .

hatching [hăch'ĭng] *(n.)* (١) الترقين : رسم خطوط دقيقة متلازّة بقصد التظليل (٢) المُرقَّن : رسمٌ مرقّن .

hatchway *(n.)* باب أرضيّ أو مسحور (يفضي إلى قبو أو عنبر) .

hate [hāt] *(n.; vt.; i.)* (١) كُرْه ؛ بُغض (٢) شيء مكروه أو بغيض §(٣) يَكرَه ؛ يُبْغِض .
—hater *(n.)*

hateful [-'fəl] *(adj.)* (١) مُفعَم بالكُرْه (ا.ق) (٢) مكروه ؛ بغيض.

hatred [hā'trĭd] *(n.)* (١) بُغض (٢) ضغينة ؛ حزازة .

hatter [hăt'ər] *(n.)* القبّعيّ : صانع أو بائع أو مُصلح القبّعات.

hauberk *(n.)* دِرْع.

haughtiness [hô'tĭ-] غطرسة ؛ عجرفة .

haughty [hô'tĭ] *(adj.)* متغطرس ؛ متعجرف **-tily** *(adv.)*

haul [hôl] *(vt.; i.; n.)* (١) يغيّر اتجاه السفينة (وبخاصة بحيث يزداد قرباً من الريح) (٢) «أ» يجذب ؛ يسحب . «ب» ينقل في عربة (٣) يسوقه إلى ×(٤) تغيّر (الريح) اتجاهها §(٥) جَذْبٌ ؛ سحبٌ (٦) غنيمة ؛ صَيْدٌ (٧) «أ» نقلٌ بالعربات . «ب» المسافة التي ينقل عبرها حِمْل ما . «ج» حِمْل.

haulage [hô'lĭj] *(n.)* (١) النقل بالعربات (٢) رسم هذا النقل.

haulm [hôm] *(n.)* قشّ ؛ تِبن .

haunch [hônch; hänch] *(n.)* (١) وَرِك (٢) *pl.*: كَفَل ؛ عَجُز (٣) فخِذ الحيوان (٤) كتِف العَقْد (عم) .

haunt [hônt; hänt] *(vt.; i.; n.)* (١) «أ» يُكثر التردد على . «ب» يلازم شخصاً (٢) «أ» تنتابه أفكار ما (على نحوٍ مستمرٍ مزعج). «ب» ينتاب : يبرز على نحو موصول في مكان ما (٣) ينتاب الشبحُ محلاً × (٤) يتلكأ §(٥) مَثْوى ؛ مأوى (٦) شبحٌ .

haustellum [hô stĕl'əm] *(n.)* خرطوم الحشرة أو مِمصّها .

haustorium [hô stōr'ĭ əm] *(n.)* مِمَصّ النباتات الطفيلية .

hautbois *or* **hautboy** [hō'boi; ō'boi] *(F.)* مِزمار (مو).

haute couture [ōt kōō tyr'] *(F.)* (١) «أ» مؤسسات ابتداع أزياء النساء . «ب» مبتدعو هذه الازياء (٢) الأزياء المبتدَعة .

hauteur [hō tûr'; ō tœr'] *(F.)* غطرسة ؛ عجرفة .

Havana [hə văn'ə] *(n.)* الهافانيّ : «أ» سيكار من تبغ كوبا . «ب» تبغ كوبانيّ .

have [hăv] *(vt.; n.)* (١) «أ» يملك ؛ يحوز . «ب» يتضمّن ؛ يشتمل أو يحتوي على (The book *has* an index.) (٢) يُضطرّ إلى كذا ؛ يكون ملزماً بكذا ؛ يتعيّن عليه كذا (He *had* to leave.) (٣) يتلقّى (She *had* no news.) (٤) «أ» يعاني من (*had* a cold). «ب» يجري ؛ يقوم بـ (to ~ a talk). «ج» يُلقي (Let me ~ a

---

(~him come؛ يطلب إليه أو يحمله على عمل شيء (٥)look at it.)
(I'll not ~ it so.) يتحمّل ؛ يوافق على ؛ يسمح بـ (٦)here at four)
(٧) يعرف أو يفهم (to ~ neither Latin nor Greek)
(٨) «أ» يُحرجه أو يضعه في موضع لا بدّ أن يؤدّي إلى هزيمته
(a person not easily *had*) «ب» يخدع ·(They ~ him now.)
(٩) تلِد؛ تضع (to ~ a baby) (١٠) «أ» يتناول (to ~ dinner
«ب» يدخن؛ يأخذ (~a cigarette) (١١) يرشو at 8 o'clock)
(as long as judges can be *had* for a price) § (١٢) الغنيّ؛
الموسِر (war between the ~*s* and the have-nots).

I *had* rather — أُوْثِر؛ أرى من الأفضل.
The newspapers ~ it that··· — تزعم الصحف أن
to ~ a care — يتحذّر؛ يحترس.
to ~ at — يهاجم؛ يهجم على.
to ~ it in for — يُضمر الأذى لفُلان.
to ~ on — يرتدي؛ يلبس
to ~ it out — يحسم نزاعاً (إما بالمناقشة أو بالقتال).
to ~ nothing for it — ليس له في الأمر خِيار.

havelock [hăv'lŏk] *(n.)* الهَفْلُك: غطاء للقبعة يتدلى على العنق للوقاية من الشمس الخ.

haven [hā'vən] *(n.; vt.)* (١) مرفأ (٢) مَلاذ؛ مأْوًى؛ حِمًى. §(٣) يحمي؛ يؤوي.

have-not [hăv'-] *(n.)* الفقير؛ المُعوِز؛ المُعدِم.

haven't [hăv'ənt] = have not.

haversack [hăv'ər săk] *(n.)* جراب الجراية: جراب للمؤونة يحمله الجندي على إحدى كتفيه.

havoc [hăv'ək] *(n.; vt.; i.)* (١) خراب؛ دمار (٢) فوضى شديدة §(٣) يخرّب؛ يدمر.

haw [hô] *(n.; vi.)* (١) ثمر الزعرور البريّ (٢) زعرور بريّ. (٣) الغشاء الغامز أو الرامش (را. nictitating membrane) (٤) تلعثُم أو تردّد في الكلام §(٥) «أ» يتلعثم. «ب» يراوغ أو يقول كلاماً يحتمل معنيين (٦) يدور إلى الجهة اليسرى.

hawfinch [hô'fĭnch] *(n.)* البلبل الزيتوني؛ شُرْشور الكرز (ط).

hawk [hôk] *(n.; vi.; t.)* (١) صقر؛ باز. (٢) لوحة الطيّان (يَحْمِل عليها الطين أثناء العمل) (٣) تنخّع (لإخراج البلغم من الحلق) § (٤) يصيد مستعيناً بصقر (٥) يحلّق كالصقر (٦) يتنخّع ×(٧) يصيد كالصقرِ أثناء الطيران (٨) ينادي على بضاعته (متجولاً في الشوارع).

hawk

hawker [hô'kər] *(n.)* (١) مدرِّب الصقور أو المتصيّد بواسطتها. (٢) البائع المتجوِّل.

hawk-eyed [hôk'īd] *(adj.)* صقريّ العَين؛ حادّ البصر.

hawksbill [hôks'bĭl] *(n.)* سُلحفاة البحر.

hawse [hôz; hôs] *(n.)* (١) بَيت القَلْس: ثقب في مقدَّم المركب يُدخَل فيه الحبل (٢) الهَوْس: ذلك الجزء من مقدَّم السفينة المشتمل على ثقوب الحبال (٣) المسافة بين مقدَّم سفينةٍ راسيةٍ وبين مراسيها.

hawsehole [hôz'hōl] *(n.)* = hawse 1.

hawser [hô'zər] *(n.)* الهَوْسَر: حبلٌ ضخمٌ تُشدّ به السفينة إلى البرّ.

hawthorn [hô'thôrn] *(n.)* الزعرور البري.

hay [hā] *(n.; vi.; t.)* (١) قشّ؛ تبن؛ حشيش مجفَّف للعلف. (٢) مكافأة (٣) سرير؛ فراش (ع) (٤) مقدار قليل من المال §(٥) يقطع الحشيش ويجفّفه ويخزنه كعلف للدواب ×(٦) يعلف الدوابّ بالحشيش المجفّف.

haycock [hā'kŏk] *(n.)* كومة قشّ أو تبن.

hay fever *(n.)* حُمّى القشّ؛ حمّى الهشيم (مض).

hayloft [hā'lôft]; **haymow** [-'mou] *(n.)* المَتْبَن: مخزن التبن.

haymaker [hā'mā kər] *(n.)* (١) التبّان: صانعُ التبن أو مقدِّمه للدواب (٢) ضربة عنيفة.

hayrack [hā'răk] *(n.)* المِتْبَنة: حاملة يُقدَّم عليها التبن إلى الماشية أو الخيل أو توضع على عربة لنقل التبن.

hazard [hăz'ərd] *(n.; vt.)* (١) الهَزْرَد: ضرب من لعب النرد. (٢) «أ» مصدرُ خَطَر. «ب» مخاطرة؛ مجازفة (٣) «أ» تصادُفٌ «ب» مصادفة §(٤) يخاطر؛ يجازف.

hazardous [hăz'ər dəs] *(adj.)* (١) متوقف على المصادفة. (٢) منطوٍ على مخاطرة.

haze [hāz] *(vi.; t.; n.)* (١) يغيم: يصبح غائماً أو ضَبابياً. ×(٢) يغيّم: يجعله غائماً أو ضبابياً (٣) يُنهك امرءاً (أو يعاقبه) بأن يفرض عليه عملاً مرهقاً أو غير ضروري (٤) يُرهق (تلميذاً) بمواصلة السخرية منه § (٥) سديم؛ ضباب رقيق (٦) غموض في الذهن أو الادراك العقلي.

hazel [hā'zəl] *(n.; adj.)* (١) البُنْدُق (شجر). (٢) لون البُندق §(٣) بُندقيّ: مصنوع من خشب البُندق (٤) بُندقي اللون.

hazelnut [hā'zəl nŭt] *(n.)* البُنْدُقة: ثمرة البندق.

hazel

hazily [hā'-] *(adv.)* على نحوٍ ضَبابيّ أو غامضٍ أو غائم.

haziness [hā'zĭ-] *(n.)* (١) ضبابيّة (٢) غموض (٣) اكفهرار الجوّ بالغيوم.

hazy [hā'zĭ] *(adj.)* (١) ضبابيّ (٢) غامض (٣) غائم.

H-bomb [āch'-] *(n.)* القنبلة الهيدروجينية.

he [hē] *(pron.; n.)* (١) هو (٢) مَنْ (~ who hesitates is lost.) §(٣) ذكَرٌ من الانسان أو الحيوان (The ~*s* would quarrel and fight with the females.)

head [hĕd] *(n.; adj.; vt.; i.)* (١) رأس (٢) «أ» عقل. «ب» موهبة طبيعية. «ج» اتزان؛ رباطة جأش. «د» صُداع (٣) وجه القطعة النقدية (٤) «أ» فرد. «ب» «رأس» من الحيوانات الداجنة (٥) «أ» صدْر الشيء أو مقدَّمه. «ب» منبع. «ج» ممرّ أفقي (في منجم) (٦) رئيس؛ مدير مدرسة أو دائرة في مكتب أو مؤسسة (٧) «أ» قمة؛ أعلى الشيء. «ب» الجزء الضارب من سلاح (٨) مقدَّم السفينة (٩) مقام الزعامة أو الشرف أو القيادة (١٠) «أ» الرّأسيّة: كلمة مدوَّنة بحرف كبير نسبياً يصدَّر بها جزء من البحث. «ب» جزء أو موضوع مستقلّ. «ج» جزء من الصفحة يعلو أولَ سطورها المطبوعة (١١) الطرف الأعلى من كتاب أو شراع (١٢) رغوة (١٣) «أ» الجزء الموشك على الانفجار من بثْرة أو خرّاج. «ب» ذِروة؛ أوج (١٤) الرأس: جزء من الآلة يؤدي وظيفتها الرئيسية §(١٥) رأسي: «أ» خاص بالرأس. «ب» واقع أو قائم عند الرأس (١٦) رئيسي (١٧) أماميّ (~ sails) §(١٨) «أ» يحتزّ الرأس أو يقطعه. «ب» يحصد. «ج» يجعل له رأساً (to ~ an arrow) (١٩) يتزعم؛ يرئس (٢٠) «أ» يواجه أو يقاوم (to ~ a revolution) (~*ing* the

(waves) . «ب» يتقدم ؛ يتفوق على (٢١) «أ» يضع في رأس لائحة. «ب» يتوّج برأسية (a page ~ *ed* with the writer's name) · «ج» يتصدّر : يحتلّ المقام الأوّل في (~ *ed* the list of national heroes) (٢٢) يقود ؛ يوجّه (~ *ing* his horse toward home) ×(٢٣) يشكّل رأساً ؛ يصبح ذا رأس (The pimple ~ *ed.*) (٢٤) يتجه ؛ ينطلق نحو (Hounds ~ *ed* for the woods.) (٢٥)«أ» ينبع (النهرُ الخ.). «ب» يتدفق (النفط من آباره) بغير انقطاع .

~ and ears بِرُمّته ؛ بكامله .
~ over heels (١) رأساً على عقب (٢) مُتيَّمٌ بالحبّ .
off one's ~, (١) مخبول (٢) ذاهل (٣) في حالة اهتياج شديد .
out of one's ~, هاذٍ ؛ هارف .
to come to a ~, (١)يصبح للدمّل رأسٌ مليء بالصديد (٢) ينضج (٣) يبلغ مرحلة الأزمة أو الأوج .
to give one his ~, يطلق له الحرية ؛ يلقي له الحبل على الغارب .
to keep one's ~, يحتفظ بهدوئه أو رباطة جأشه .
to lay ~s together يجتمعون للتشاور أو التآمر .
to lose one's ~, يهتاج ؛ يفقد رباطة جأشه .

headache [hĕd'āk'] *(n.)* (١)صُداع (٢)مشكلة ؛ ورطة ؛ مأزق.
headband [hĕd'bănd] *(n.)* (١) عصابة للرأس (٢) العِصابة الرأسية : عصابة زخرفية مطبوعة في رأس صفحة أو فصل (٣) العصابة الظّهرية : قُماشة ضيّقة تخاط أوتلصق باليد على الجزءين الأعلى والأسفل من ظهر الكتاب .
headboard [hĕd'bōrd] *(n.)* اللّوحة الرأسية : لوحة خشبية تشكل مقدّم سريرٍ أو نحوه .
headcheese [hĕd'chēz] *(n.)* الهَدْشيز : لحم رأس الخنزير الخ . أو قوائمه (وأحياناً لسانه وقلبه) تُقطَّع وتُغلَى ويُضغط بعضها على بعض.
headdress [hĕd'drĕs] *(n.)* غطاءٌ (زينيّ عادةً) للرأس .
headed [hĕd'ĭd] *(adj.)* (١) ذو رأس (a ~ bolt) (٢)«أ» ذو رأس من نوع خاص (long-*headed*) . «ب» ذو عدد معين من الرؤوس (two-*headed*) .
header [hĕd'ər] *(n.)* (١) الحاصدة الرافعة : آلة حاصدة تقطع السنابل وترفعها إلى العربة (٢) اللَّبِنة المواجِهة ، الحَجَر المواجِه : لَبِنة (أو حجر) توضع في جدارٍ بحيث يؤلف طرفها جزءاً من سطحه (عم) (٣) غطسة ؛ غوصة (في السباحة) .
headfirst [-'fûrst'] *also* **headforemost** [-'fōr'mōst] *(adv.)* بوضع يكون فيه الرأس في المقدمة (كما في الغطس) .
headgear [hĕd'gir] *(n.)* (١) غطاء للرأس (٢) خوذة (٣) طقم رأس الفرس .
headhunt [hĕd'-] *(vt.; n.)* (١) يحتزّ رؤوس الأعداء (ويحتفظ بها) §(٢)غزوة لاحتزاز رؤوس الأعداء . **—headhunter** *(n.)*
headily [hĕd'ĭ lĭ] *(adv.)* (١) بعناد ؛ بتهوّر ؛ بعنف الخ . (٢) على نحوٍ مُسكِر .
headiness [hĕd'ĭ-] *(n.)* (١) عناد ؛ تهوّر ؛ عنف الخ . (٢) الإسكارية : كون الشيء مُسكِراً .
heading [hĕd'ĭng] *(n.)* (١) عنوان ؛ رأسيّة ؛ «ترويسة» . (٢) نفق أفقي (في منجم) .
headland [hĕd'-] *(n.)* (١) الأرض الرأسيّة : أرض غير محروثة محاذية لأطراف الأثلام أو قريبةٌ من سياج (٢) الرأس : لسان من الأرض داخلٌ في البحر .
headless [hĕd'lĭs] *(adj.)* (١)«أ» بلا رأس. «ب» مقطوع الرأس. (٢) بلا زعيم أو قائد (٣) بلا عقل : أحمق .
headlight [hĕd'līt] *(n.)* المصباح الأمامي : مصباح في مقدَّم القاطرة أو الترام أو السيارة .
headline [hĕd'līn] *(n.; vt.)* (١) الرأسية ؛ «الترويسة» : عنوان مقال في جريدة (٢) الخط الرأسيّ : كلمات توضع في رأس مقطع أو صفحة على سبيل التقديم أو التصدير §(٣) يجعل للمقال أو للصفحة رأسية الخ . (٤) يعلن في مكان بارز .
headliner [hĕd'lī nər] *(n.)* النّجم : ممثل لامع يُبْرَز اسمه في الاعلانات الخ .
headlock [hĕd'lŏk] *(n.)* قبضة الطوق : قبضة يطوّق فيها المصارع رأس خصمه بذراع واحدة .
headlong [hĕd'lông] *(adv.; adj.)* (١) بوضع يكون فيه الرأس في المقدّمة (٢) بتهوّر ؛ بطيش (٣) بغير تردّد أو توانٍ §(٤) شديد التحدر (ا.ق) (٥) متهوّر ؛ طائش (٦) غاطس في الماء ورأسُهُ في المقدمة .
headman [hĕd'mən] *(n.)* (١)«أ» رئيس العمال. «ب» الزعيم. (٢) الجلاّد .
headmaster [hĕd'măs'tər; -mäs'-] *(n.)* مدير المدرسة .
headmistress [hĕd'mĭs'trĭs] *(n.)* مديرة المدرسة .
headmost [hĕd'mōst] *(adj.)* الأوّل : الأكثر تقدّماً .
headphone [hĕd'fōn] *(n.)* سمّاعة الرّأس : سمّاعة تثبَّت على الأذن بعصابة مشدودة إلى الرأس .
headpiece [hĕd'pēs] *(n.)* (١)خوذة (٢)عقل ؛ ذكاء (٣)الزخرف الرأسيّ : زخرف في مطلع فصل من فصول الكتاب بخاصة .
headpin [hĕd'pĭn] *(n.)* القارورة الأماميّة (في لعبة البولنغ) .
headquarters [hĕd'kwôr'tərz] *(n.pl. or sing.)* (١) مركز القيادة (٢) المركز الرئيسي (لمؤسسة) .
headrace [hĕd'rās] *(n.)* المجرى الرأسي : مجرى يوصّل الماء إلى ناعورة أو تُربينة أو نحوهما .
head resistance *(n.)* المقاومة الرأسية أو الأمامية (طي) .
headrest [hĕd'rĕst] *(n.)* مِسند للرأس .
headsail [hĕd'-] *(n.)* الشراع الأمامي : شراع يكون في مكان متقدم على الصاري الأمامي .
headset [hĕd'sĕt] *(n.)* سمّاعتا الرأس : سماعتان تُثبَّتان على الأذنين بعصابة مشدودة إلى الرأس .
headship [hĕd'shĭp] *(n.)* الرئاسة : منصب الرئيس .
headsman [hĕdz'mən] *(n.)* الجلاّد ؛ قاطع الرؤوس .
headspring [hĕd'sprĭng] *(n.)* ينبوع ؛ عَيْن .
headstall [hĕd'stôl] *(n.)* العِذار : ما سال من اللجام على خدّ الفرس .
headstock [hĕd'stŏk] *(n.)* غُراب الرأس : مَحْمِل للجزء الدوار أو المتحرك من آلة (مك) .
headstone [hĕd'stōn] *(n.)* الشاهد : شاهد الضريح .
headstrong [hĕd'strông] *(adj.)* (١) عنيد (٢)جَموح ؛ جامح .
headwaiter [hĕd'wāt'ər] *(n.)* رئيس النُّدُل (في مطعم أو فندق) .
headway [hĕd'wā] *(n.)* (١) «أ» حركة إلى الأمام . «ب» تقدّم . (٢)فسحةٌ خالية (تحت قنطرة) (٣)الفترة الفاصلة بين قطارين منطلقين في اتجاه واحد وعلى نفس الطريق .

head wind *(n.)* الريح المقابلة : الريح المعاكسة لاتجاه سفينة أو طائرة.
headwork [-'wûrk] *(n.)* عمل عقليّ ؛ وبخاصة : تفكير بارع .
heady [hĕd'ĭ] *(adj.)* (١) عنيد ؛ متهور (٢) عنيف ؛ مندفع (٣) مُسكِر (٤) ذكيّ .
heal [hēl] *(vt.; i.)* (١) يُبْرِىء ؛ يَشْفي (٢) «أ» يعالج ؛ يداوي. «ب» يسدّ ثُلمةً الخ. ×(٣) يُشفى ؛ يندمل ؛ يلتئم.
health [hĕlth] *(n.)* (١) صِحّة (٢) ازدهار ؛ رخاء (٣) نَخب .
healthful [hĕlth'fəl] *(adj.)* (١) صحيّ : مفيد لصحة الجسد أو العقل (٢) معافىً ؛ متمتع بالصحة .
healthy [hĕl'thĭ] *(adj.)* (١) معافىً ؛ متمتّع بالصحة (٢) دالّ على الصحة (a ~ color in her cheeks) (٣) صحيّ ؛ نافع للصحة (~ exercise) (٤) «أ» سليم ؛ مزدهر (a ~ economy) «ب» ضخم (a ~ bit of income) . «ج» قويّ (a ~ appetite) .
—healthily *(adv.)*
heap [hēp] *(n.; vt.)* (١) كومة ؛ رُكام (٢) كمية كبيرة . §(٣) يكوم ؛ يكدس (٤) يغْدِق (~*ed* scorn upon her) (٥) يثقِل ؛ يملأ ؛ يُفْعِم (dishes ~*ed* high with food) .
hear [hĭr] *(vt.; i.)* (١) يَسْمع (٢) يعلم من طريق السماع . (٣) «أ» يصغي . «ب» يشهد حفلةً أو صلاةً (to ~ an opera; to ~ mass) (٤) يسمع (القاضي) الدعوى أو أقوال الشهود .
hearing [hĭr'ĭng] *(n.)* (١) «أ» سَمع ؛ سَمَاع ؛ وبخاصة : حاسة السمع . «ب» مدى السَّمْع أو الصوت (٢) «أ» فرصة تتاح للمرء للادلاء بوجهة نظره . «ب» استماع للحجج . «ج» تحقيق أوّلي في قضية جنائية . «د» جلسة تعقدها لجنة برلمانية الخ. لسماع مختلف الشهادات (٣) إشاعة .
hearing aid *(n.)* المساعد السمعيّ : أداة الكترونية يلبسها شخص ثقيل السمع لتكبير الأصوات .
hearing dog *(n.)* الكلب السامع : كلب مدرَّب على مساعدة الطرشان .
hearken [här'kən] *(vi.)* (١) يُصغي (٢) يُولي أذناً صاغية .
hearsay [hĭr'sā] *(n.)* شيء يُسمع من شخص آخر : إشاعة .
hearse [hûrs] *(n.; vt.)* (١) نَعْش (ا.ق) (٢) عربة الموتى . §(٣) «أ» يكفّن ؛ يضع في نعش (ا.ق) . «ب» ينقل بعربة الموتى (٤) يدفن .
heart [härt] *(n.)* (١) «أ» قلب ؛ فؤاد . «ب» صَدْر . «ج» صورة تمثّل قلباً (٢) الكوبة : ورقة لعب تحمل صورة قلب (٣) «أ» شخصية المرء (بما تشتمل عليه من سمات عقلية وعاطفية) . «ب» ذاكرة . «ج» رأي ؛ موقف . «د» طبيعة المرء العاطفية أو الأخلاقية . «هـ» حنان . «و» مزاج . «ز» حُبّ ؛ عواطف . «ح» شجاعة . «ط» مَيْل ؛ رغبة (likes music but has no ~ for grand opera) «ي» وَكْد ؛ همّ ؛ رغبة ثابتة (set her ~ on getting a new car) (٤) شخص ؛ مخلوق (Poor *heart*! Who would relieve her wants now?) (٥) لُبّ ؛ لُباب .

after his own ~, كما يرغب أو يحلو له تماماً .
at ~, (١) في أعماق القلب أو النفس (٢) في الواقع .
~ and soul بتفان ؛ قلباً ونفساً .
in one's ~ of ~*s* في أعمق أعماقه ؛ في أعماق قلبه .
to break a person's ~, يسحق قلب فلان حزناً .
to get *or* learn by ~, يستظهر ؛ يحفظ عن ظهر قلب .
to give *or* lose one's ~ to يقع في حب فلانة .
to have one's ~ in one's boots يروَّع ؛ يُذْعَر الخ.
to have one's ~ in the right place يتسم بالحنان والمشاعر الرقيقة .
to have something at ~, ينصرف بكليته إلى .
to have one's ~ in one's mouth يروع بشدة .
to lose ~, يقنط ؛ يهن عزمه .
to pluck up ~, يستردّ شجاعته .
to set one's ~ on (١) يعقد العزم على (٢) يتوق توقاً شديداً إلى .
to speak to one's ~, يعزي ؛ يشجّع .
to take ~, يتشجع ؛ يتشدّد .
to take to ~, (١) يفكر جدياً في (٢) يتأثر تأثراً عميقاً ؛ يأسى لِ .
to wear one's ~ upon one's sleeve يُفضي بسريرة نفسه ؛ يعمد إلى الصراحة الشديدة من غير تحفظ .

heartache [härt'āk'] *(n.)* حزن ؛ غم .
heart attack *(n.)* النوبة القلبية (ط.)
heartbeat [härt'bēt] *(n.)* (١) نبضة قلب (٢) القلب : مركز حيويّ أو قوّة دافعة (The school is the ~ of our society.).
heartbreak [-'brāk] *(n.)* حسرة ؛ أسىً ساحق للقلب .
heartbreaking [härt'-] *(adj.)* فاجع : مُورِث حزناً يسحق القلب.
heartbroken [-'brō kən] *(adj.)* منسحق القلب (من شدة الحزن).
heartburn [härt'-] *(n.)* حرقة في فم المعدة (ناشئة عن سوء الهضم).
heartburning [härt'-] *(n.)* حسد (أو امتعاض) شديد .
heart disease *(n.)* القُلاب : مرض القلب .
hearten [här'tən] *(vt.)* يشجع ؛ يشدّ العزم .
heartfelt [härt'-] *(adj.)* قلبيّ ؛ مخلص ؛ صادر من القلب .
heart-free [härt'frē'] *(adj.)* خليّ : غير عاشق .
hearth [härth] *(n.)* (١) موقد ؛ مدفأة (٢) مُصْطَلىً ؛ جانب الموقد (٣) بيت ؛ مأوى .
hearthstone [-'stōn] *(n.)* (١) مُصْطَلىً ؛ جانب الموقد (٢) بيت.
heartily [här'tə lĭ] *(adv.)* (١) بإخلاص (٢) بحماسة (٣) تماماً ؛ بكل معنى الكلمة (~ sick of that idle debate) .
heartiness [här'tĭ-] *(n.)* حماسة ؛ ودّ ؛ قوة ؛ شدة الخ .
heartless [härt'-] *(adj.)* (١) جبان (ا.ق) (٢) متحجر القلب ؛ عديم الرحمة أو الشفقة.
heartrending [härt'-] *(adj.)* فاجع ؛ مفطر للقلب ؛ ممزق للفؤاد.
heartsease [härts'ēz'] *(n.)* (١) طُمأنينة ؛ راحة بال (٢) زهرة الثالوث البرّية : نوع من البنفسج .
heartsick [härt'sĭk] *(adj.)* محزون الفؤاد ؛ قانط .
heartsore [härt'sōr] *(adj.)* = heartsick.
heart-stricken *or* **heart-struck** [härt'-] *(adj.)* (١) محزون القلب (٢) مروع الفؤاد .
heartstrings [härt'-] *(n. pl.)* أعمق المشاعر ؛ أوتار القلب (could touch the ~ of the audience)
heart-to-heart [härt'tə härt'] *(adj.)* صريح ؛ من القلب إلى القلب (a ~ talk).
heart-whole *(adj.)* (١) خليّ ؛ غير عاشق (٢) مخلص ؛ صادق.
heartwood *(n.)* الجِلْب : خشب القلب الصلب في جذع الشجرة.
hearty [här'tĭ] *(adj.; n.)* (١) «أ» حماسيّ . «ب» ودّيّ . «ج» قلبيّ ؛ صادر من القلب (٢) «أ» مُعافىً ؛ متمتّع بصحة جيدة (as ~ as a young lion) . «ب» حسَن الشهيّة : مستهلكٌ الطعامَ بوفرة

أو تلذذ (He is a ~ eater.) «ج» كافٍ؛ وافٍ؛ مُشْبِع (a ~ meal) «د» مُغَذٍّ؛ مقوٍّ (٣) عارم؛ قويّ؛ عنيف (~ waves) §(٤) رفيق؛ فتى شجاع (٥) بحار؛ نوتيّ.

heat [hēt] *(vi.; t.; n.)* (١) يَسْخَن؛ يحمى (٢) يغضب؛ يثور. ×(٣) يُسَخِّن؛ يحمّي (٤) يثير §(٥) «أ» احترار؛ حماوة. «ب» حرارة. «ج» حَرّ. «د» موضع حارّ. «هـ» فصل أو طقس حارّ. «و» إحماء. «ز» كميّة المادة المحمّاة. «ح» توقد؛ تأجّج (٦) اهتياج؛ انفعال؛ حدّة (answered with considerable ~) (٧) ذروة؛ معمعان؛ وطيس (in the ~ of battle) (٨) النزاء: الاهتياج الجنسي عند انثى الحيوان بخاصة (was like a bitch in ~) (٩) حرافة؛ حدّة في المذاق أو النكهة (١٠) جهد مفرد متصل، مثل: «أ» شوط من سباق. «ب» أحد السباقات التمهيدية التي تُجْرَى لغربلة المتسابقين وإبعاد العناصر الضعيفة نسبياً. «ج» تشدّد في تطبيق القانون أو في ملاحقة الخارجين عليه (ع) (١١) ضغط (يُقْصَد به التأثير في مجرى الأحداث الخ.).

heat engine *(n.)* المحرّك الحراري: آلة لتحويل الطاقة الحرارية الى طاقة ميكانيكية.

heater [hē'tər] *(n.)* (١) السّخّانة: جهاز التسخين (٢) المحمّي؛ المسخّن (٣) مسدس (ع).

heath [hēth] *(n.)* (١) الخَلَنْج (نب) (٢) «أ» أرض بور. «ب» مَرْج.

heathbird [hēth'bûrd'] *(n.)* الطَّيْهُوج الأسود (طا).

heath cock *(n.)* ذكر الطَّيْهُوج الأسود (طا).

heathen [hē'thən] *(adj.; n.)* (١) وثني (٢) غير متمدّن. §(٣) الوثني (٤) الهمجي.

heathendom [-dəm] *(n.)* (١) الوثنيّة؛ عبادة الأوثان. (٢) العالَم الوثني.

heathenish [-ish] *(adj.)* (١) وثنيّ (٢) همجيّ.

heathenism [hē'thə nĭz əm] *(n.)* (١) الوثنية؛ عبادة الأوثان. (٢) الهمَجيّة.

heathenize [hē'thə nīz] *(vt.)* يُوَثِّن: يجعله وثنياً.

heather [hĕth'ər] *(n.; adj.)* (١) الخَلَنْج (نب) §(٢) خلنجيّ. (٣) منقّط أو مُرَقَّط بألوان مختلفة.

heatstroke [hēt'strōk] *(n.)* ضربة الحرّ أو الشمس.

heat unit *(n.)* وحدة حرارية: سُعْر؛ كالوري.

heat wave *(n.)* الموجة الحراريّة: موجة من الحرّ الشديد أو فترة متطاولة منه.

heave [hēv] *(vt.; i.; n.)* (١) يرفع (٢) يطرح؛ يرمي (٣) يُطلق تنهّدة: يتنهّد (٤) يجعله ينتفخ أو يعلو (٥) يسحب ×(٦) يرتفع أو ينتفخ (٧) يناضل؛ يبذل جهداً (٨) «أ» يجيش: يعلو وينخفض على نحو إيقاعي. «ب» يلهث (٩) يتقيأ (١٠) «أ» يدفع؛ يسحب. «ب» يوجّه سفينة. «ج» تتّخذ (السفينة) اتجاهاً معيناً §(١١) رفعٌ؛ طرحٌ؛ سحبٌ؛ غثيان الخ. (١٢) تنهّدة (١٣) جَيَشان؛ ارتفاع وبخاصة على نحوٍ إيقاعيّ (١٤) *pl.* : رَبْو الخيل.

heaven [hĕv'ən] *(n.)* (١) *pl.* عد: السماء (٢) *cap.* عد: الجنة. (٣) *cap.* : الله (٤) «أ» فردوس. «ب» نعيم؛ سعادة قصوى.

good ~s! يا للسماء!

in the seventh ~, في نعيم؛ في سعادة قصوى.

heavenly [-lĭ] *(adj.)* (١) سماويّ (٢) «أ» مقدّس. «ب» مُبْهِج.

heavenward [hĕv'ən wərd] *(adv.; adj.)* (١) نحو السماء أو الأعالي §(٢) موجّه نحو السماء.

heavenwards [hĕv'-] *(adv.)* نحو السماء أو الأعالي.

heavy [hĕv'ĭ] *(adj.; n.; adv.)* (١) ثقيل: «أ» كبير الوزن. «ب» ذو ثقل نوعي عالٍ. «ج» مؤلف من ذرات ذات كتلة أكبر من المألوف (a ~ isotope). «د» متضمّن نظائر ثقيلة (~ ammonia) (٢) ثقيل الوطأة (~ taxes) (٣) خطير (a ~ offense) (٤) عميق (~ silence) (٥) «أ» مُثْقَل أو مرهق «بالهمّ» أو الأسى» (a ~ husband). «ب» حبلى، وبخاصة: على وشك الوضع (~ with child) (٦) «أ» بطيء؛ بليد. «ب» كئيب (a ~ heart). «ج» آخذة أسعاره في الهبوط (a ~ market) (٧) نعسان أو مُجْهَد (Her eyes were ~ from study.) (٨) «أ» ضخم؛ وافر (~ crops). «ب» كثيف (~ traffic). «ج» هائج (sea was ~). «د» منذر بالمطر (~ clouds; a ~ sky). «هـ» موحل؛ عائق للحركة (a ~ road). «و» عالٍ وعميق (a ~ sound). «ز» حادّ؛ شديد التحدّر. «ح» شاقّ؛ عسير (a ~ task). «ط» مُسْرِف (a ~ buyer; a ~ drinker) (٩) «أ» عسير الهضم؛ ثقيل على المعدة (~ food). «ب» فطير (~ bread) (١٠) ثقيل: منتِجٌ سلعاً (كالفحم الحجري والفولاذ) تُستعمل في صنع سلعٍ أخرى (~ industries) (١١) «أ» مزوّد بمدافع ضخمة: ثقيل. «ب» مدرَّع تدريعاً ثقيلاً (١٢) جدّيّ؛ رصين؛ وبخاصة في ما يتصل بالتمثيل المسرحي (a ~ part) § (١٣) ملاكم من الوزن الثقيل (١٤) «أ» ممثل يؤدّي دوراً رصيناً. «ب» دور مسرحي رصين (١٥) «أ» ممثل يؤدي دوراً شرّيراً أو خبيثاً. «ب» دور شرير أو خبيث §(١٦) على نحو ثقيل. — **heavily** *(adv.)*

heavy-duty [hĕv'ĭ dū'tĭ] *(adj.)* متين؛ لا يبلى بسرعة.

heavy-footed *(adj.)* (١) بطيء؛ ثقيل الحركة (٢) حبلى (ع).

heavy-handed [hĕv'ĭ hăn'-] *(n.)* (١) أخرق؛ تعوزه البراعة. (٢) جائر؛ ظالم؛ ثقيل الوطأة (~ tyranny).

heavy-hearted [hĕv'ĭ här'-] *(adj.)* محزون؛ منقبض الصدر.

heavy-laden [hĕv'ĭ lā'-] *(adj.)* مُثْقَل بالأحمال أو الهموم.

heavyset [-ĭ sĕt'] *(adj.)* ممتلىء الجسم، وأحياناً: أقرب إلى البدانة.

heavy water *(n.)* الماء الثقيل: ماء أُغْنِيَ بالهيدروجين الثقيل.

heavyweight [hĕv'ĭ wāt] *(n.)* (١) شخص بدين (٢) ملاكم من الوزن الثقيل (يزن ما لا يقلّ عن ١٧٥ باونداً).

hebdomad [hĕb'də măd] *(n.)* (١) سبعة (٢) أسبوع؛ سبعة أيام.

hebdomadal [hĕb dŏm'ə dəl] *(adj.)* أسبوعي.

hebephrenia [hē bə frē'nĭ ə] *(n.)* خَبَل البلوغ (ويتميّز بالهلوسة والمسلك الصبياني).

hebetate [hĕb'ə tāt] *(vt.; i.)* (١) يبلّد؛ يجعله بليداً أو ضئيل الحساسية ×(٢) يتبلّد.

Hebraic [hĭ brā'ĭk] *(adj.)* عِبريّ؛ عبرانيّ: خاصّ بلغة العبريين أو ثقافتهم.

Hebraist [hē'brā ĭst] *(n.)* العالِم باللغة والدراسات العبرية.

Hebraize [hē'brā īz] *(vt.; i.)* (١) يُهَوِّد ×(٢) يتهوّد.

Hebrew [hē'brōō] *(n.; adj.)* (١) اليهودي (٢) اللغة العبرانية. §(٣) يهوديّ؛ عِبريّ.

hecatomb [hĕk'ə tōm'; -tōōm'] *(n.)* (١) ذبيحة مئة ثور (عند قدماء اليونان والرومان) (٢) مجزرة.

heckle [hĕk'əl] *(vt.)* يُحْفي: يضايق بالاكثار من الأسئلة والتحدّيات.

hect- or hecto- بادئة معناها: مئة (*hecto*meter).

hectare [hĕk'târ] *(n.)* الهكتار : عشرة آلاف متر مربع .

hectic [hĕk'tĭk] *(adj.)* (١) دِقّيّ : متعلق بحمّى الدّق (٢) مصاب بحمّى الدّق أي حمّى السّل الرئوي (٣) محمرّ أو متورّد الخدين (٤) محموم ؛ قلِق (the ~ years after oil was discovered).

hectic fever *(n.)* حُمّى الدّق (مض) .

hecto- = hect-.

hectogram *or* **hectogramme** [hĕk'tə grăm] *(n.)*: الهكتوغرام: مئة غرام.

hectograph [hĕk'tə-] *(n.; vt.)* (١) المِنضحة (مج) : مطبعة هُلاميّة لاستخراج نُسَخ من شيء مكتوب أو مرسوم §(٢) يستخرج نُسخاً بمنضحة .

hectoliter *or* **hectolitre** [hĕk'tə lē-] *(n.)* الهكتولِتر : مئة لتر .

hectometer *or* **hectometre** [hĕk'tə mē tər] *(n.)* : الهكتومِتر : مئة متر .

hector [hĕk'tər] *(n.; vi.; vt.)* (١) المستبدّ ؛ المتغطرس ؛ المتوعّد. §(٢) يتغطرس ×(٣) يُرهبه بالوعيد أو الضغط .

he'd [hēd] = he had; he would.

hedge [hĕj] *(n.; vt.; i.; adj.)* (١) «أ» الوشيع : سياج من شجيرات . «ب» حاجز ؛ حدّ (٢) وِقاء (وبخاصة من الخسارة المالية) (٣) كلام مطّاط (مقصودٌ به أن يكون غير ملزِم) §(٤) يطوّق (٥) يعوق (٦) يقي نفسه من الخسارة (بأن يعقد صفقة تعويضية مقابلة) ×(٧) يُسيِّج (٨) يتجنّب إعطاء جواب قاطع (محتفظاً لنفسه بخط الرجعة) §(٩) وشيعيّ (١٠) «أ» مولود أو عائش أو مصنوع قرب الوشائع. «ب» سري (a ~ marriage). «ج» وضيع ؛ رديء النوع ؛ من الدرجة الثالثة (a ~ tavern).

hedgehog [hĕj'hŏg] *(n.)* (١) القُنفُذ (٢) حاجز قنفذيّ (جن) .

hedgehog 1.

hedgehop [-'hŏp] *(vi.)* يُسِيف (الطيّار) ؛ يقود طائرته مُسِفّاً .

hedgepig *(n.)* = hedgehog.

hedgerow [-'rō] *(n.)* الوَشيع : سياج من شجيرات أو أشجار .

hedonic [hē dŏn'ĭk] *(adj.)* مُتْعيّ : «أ» متعلق بالمتعة أو اللذة . «ب» قائل بأن اللذة أو السعادة هي الخير الأوحد أو الرئيسي في الحياة .

hedonism [hē'də nĭz əm] *(n.)* مذهب المتعة : مذهب يقول بأن اللذة أو السعادة هي الخير الأوحد أو الرئيسي في الحياة .

heed [hēd] *(vi.; t.; n.)* (١) ينتبه أو يلتفت إلى × (٢) يبالي . §(٣) انتباه ؛ اهتمام ؛ التفات.

to take *or* give *or* pay ~ to يلتفت إلى ؛ يبالي بـ .

heedful [hēd'fəl] *(adj.)* مُنْتَبِه ؛ حَذِر ؛ محترِس .

heedless [hēd'lĭs] *(adj.)* مُهْمِل ؛ غافل ؛ طائش .

hee-haw [hē'hô'] *(n.; vi.)* (١) نهيق (٢) قهقهة §(٣) ينهَق (الحمار) (٤) يُقَهقِه .

heel [hēl] *(n.; vt.; i.)* (١) العَقِب : «أ» عَقِب القَدَم . «ب» حافة الرغيف أو قالب الجبن الصلبة . «ج» كعب الحذاء أو الجورب . «د» مؤخّر المركب . «هـ» أسفل الصاري أو السلم (٢) شخص حقير (٣) مَيَلان ؛ جنوح §(٤) «أ» يُعقِّب : يجعل له عَقِباً . «ب» يزوّد وبخاصة بالمال (٥) يدوس أو يُدير أو يضرب بكعب الحذاء (٦) يُميل ×(٧) يَميل (المركبُ) ؛ يَجنَح (٨) يجري في أعقاب شخص ما (٩) يعدو ؛ يفرّ .

down *or* out at ~s (١) بالي الكعبين ؛ (٢) رثّ الملابس (٣) مُعْسِر .

~s over head *or* head over ~s رأساً على عقِب .

to be at ~ *or* upon one's ~s يتبعه على الأثر ؛

to tread upon one's ~s يجري في أثره .

to lay *or* clap by the ~s يعتقل ؛ يسجن .

to show the ~s

to take to one's ~s يهرب ؛ يلوذ بالفرار .

to turn on one's ~, يستدير ؛ ينقلب على عقِبَيْه .

under ~, مُخْضَع ، واقع تحت السيطرة .

heeltap [hēl'tăp] *(n.)* الثُمالة : بقية الشراب في الكأس .

heft [hĕft] *(n.; vt.)* (١) ثِقَل §(٢) يرفع (٣) يَزِن .

hefty [hĕf'tĭ] *(adj.)* (١) ثقيل جداً (٢) «أ» قويّ . «ب» جبّار . «ج» ضخم .

Hegelian [hā gā'lĭ ən] *(adj.)* هيغليّ : منسوب إلى فردريك هيغل.

Hegelianism [-'lĭ ə nĭz əm] *(n.)* الهيغلية : مذهب هيغل .

hegemony [hĭ jĕm'ə nĭ] *(n.)* سيطرة ؛ وبخاصة : سيطرة دولة على دول أخرى .

hegira *or* **hejira** [hĭ jī'rə; hĕj'ə rə] *(Ar.)* (١) *cap.* هجرة الرسول محمد (ص) من مكة إلى المدينة عام ٦٢٢ (٢) كل هجرة مماثلة .

heifer [hĕf'ər] *(n.)* عِجلة ؛ بقرة صغيرة .

heigh [hā; hī] *(interj.)* = hey.

heigh-ho [hī'hō'; hā'-] *(interj.)* (١) أُفّ (٢) وأأسفاه . (٣) صَيحة تشجيع .

height [hīt] *(n.)* (١) قِمّة ؛ أوج (٢) ارتفاع ؛ علوّ (٣) «أ» طول القامة. «ب» الشُّهُوق : كون الشيء شاهقاً (٤) «أ» مرتفَع ؛ أرض مرتفعة . «ب» أعلى (والجمع : أعالٍ) .

heighten [hī'tən] *(vt.; i.)* (١) «أ» يزيد ؛ يضاعف. «ب» يعمّق ؛ يقوّي. «ج» يُبرِز ؛ يوضح بقوة. «د» يجعله أكثر حدّة (٢) يرفع ؛ يُعلي ×(٣) يزداد ؛ يتقوّى .

heinous [hā'nəs] *(adj.)* شائن ؛ شنيع .

heir [âr] *(n.; vt.)* (١) وريث §(٢) يرِث .

heir apparent *(n.)* الوريث الشرعي : وريث لا ينازعه حقه الشرعي في الوراثة أيما شخص آخر شرط أن يمتد به الأجل إلى ما بعد وفاة المورِّث .

heiress [âr'ĭs] *(n.)* وريثة ؛ وبخاصة : وريثة ثروة ضخمة .

heirloom [âr'lōōm] *(n.)* (١) متاع (كلوحة زيتية تمثّل أحد الأسلاف الخ.) ينتقل إلى الوريث كجزء لا يتجزأ من الإرث (٢) شيء ذو قيمة خاصة يورثُه جيلٌ إلى جيل .

heir presumptive *(n.)* الوريث الحاليّ : وريث قد يسقط حقُّه في الإرث بولادة وارث أقرب نسَباً الخ .

heirship [âr'shĭp] *(n.)* (١) مركز الوريث أو حقوقه (٢) حق الوراثة (٣) وراثة .

held [hĕld] *past; past part. of* hold.

heli- *or* **helio-** بادئة معناها : شمس (*helio*latry) .

heliacal [hĭ lī'ə kəl] *(adj.)* (١) شمسيّ (٢) قريب من الشمس .

helic- *or* **helico-** بادئة معناها : حلزوني ؛ لولبيّ .

helical [hĕl'ə kəl] *(adj.)* حلزونيّ ؛ لولبيّ .

helicoid [hĕl'ə koid] *(adj.; n.)* (١) أو **helicoidal**: حلزوني ؛ لولبيّ §(٢) السطح الحلزوني (هن) .

ă at; ā date; â care; ä car; ĕ egg; ē me; ĭ in; ī bite; ŏ lot; ō bone; ô orphan; oi boil; ŏŏ good; ōō boot; ou out; ŭ under; ū unity; û urgent; th thing; t͟h this; zh vision; ə = *a* in alone, *e* in system, *i* in easily, *o* in gallop, *u* in circus.

helicon [hĕl'ə kŏn] *(n.)* الهليكون : آلة موسيقية .

helicon

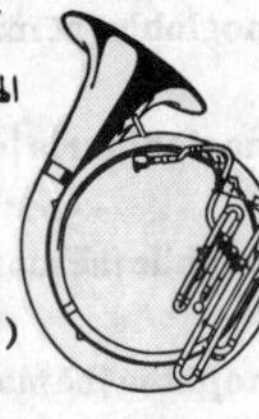

helicopter [hĕl'ə kŏp-] *(n.)* الهليكوبتر : الحوّامة أو الطائرة العمودية .

helio- = heli-.

heliocentric [hē lĭ ō sĕn'trĭk] *(adj.)* (١) شمسيّ المركز : مَقِيسٌ من مركز الشمس أو بادٍ وكأنّه منظور من هذا المركز (٢) شَمْسِيّمَرْكَزِيّ : خاصّ بالشمس باعتبارها مركزاً .

heliochrome [hē'-] *(n.)* صورة فوتوغرافية بالألوان الطبيعية .

heliograph [hē'lĭ ə grăf] *(n.; vt.; i.)* (١) الهِلْيوغراف : تلسكوب مُعَدّ لتصوير الشمس (٢) المِشماس ، المُبرِقة الشمسية : أداة لإرسال الاشارات التلغرافية بواسطة أشعة الشمس منعكسةً على مرآة §(٣) أبرقَ بالمِشماس .

—heliography *(n.)*

heliogravure *(n.)* [-grà vür'] *(F.)* الحفر الفوتوغرافي ؛ النقش بالتصوير الشمسي .

heliolatry [hē lĭ ŏl'-] *(n.)* عبادة الشمس .

heliometer [hē lĭ ŏm'-] *(n.)* الهليومتر : تلسكوب أُعِدّ أصلاً لقياس قطر الشمس .

Helios [hē'-] *(n.)* هِلْيُوس : إلهالشمس في الميثولوجيا الاغريقية.

heliostat [hē'lĭ ə stăt'] *(n.)* الهليوستات : أداة ذات مرآة تعكس أشعة الشمس في اتجاه واحد .

heliotherapy [hē'lĭ ə thĕr'ə pĭ] *(n.)* الاستشماس (مج) : المعالجة بأشعة الشمس .

heliotrope [hē'lĭ ə trōp] *(n.)* (١) رقيب الشمس (نب)(٢)حجر الدم: عقيق مُخضَرّ منقّط بالأحمر (٣) لون ارجواني معتدل .

heliotropism [hē'lĭ ŏt'rə pĭz'əm] *(n.)* الانتحاء الشمسي : مواجهة بعض النباتات للشمس .

heliport [hĕl'-] *(n.)* الهِلِبُرت : مَهْبِط الهليكوبتر أو موضع إقلاعها .

helium [hē'lĭ əm] *(n.)* الهِليوم : عنصر غازيّ خفيف عديم اللون(ك)

helix [hē'lĭks] *(n.)* : لولب ، شيء لولبي ؛ مثل : «أ» الحلزونية : حِلية معمارية حلزونية (عم) . «ب» المَحارة : حافة الأذن الخارجية(ت). «ج»حلزون(هن).

H. helix *a.*

hell [hĕl] *(n.)* (١) جهنم ؛ سَقَر (٢)«أ»الجحيم : حالة عذاب أو اضطراب أو خراب . «ب» المَقمَرة: مكان للعب القمار. «ج» توبيخ قاس . «د» مزاح ثقيل (٣) hellbox .

hellbender [hĕl'bĕn dər] *(n.)* الهَلْبَنْدَر : سَمَنْدَر أو سَمَنْدَل (salamander) مائيّ ضخم (ح) .

hellbender

hellbox [hĕl'-] *(n.)* صندوق الجحيم : وعاء يلقي فيه الطابع الحروفَ التالفة .

hellbroth [-'brôth] *(n.)* الحساء الجهنّميّ : حساء يُستخدَم في السحر .

hellcat [hĕl'-] *(n.)* (١) العرّافة ؛ الساحرة (٢) امرأة مشاكسة .

hellebore [hĕl'ə bōr] *(n.)* الخَرْبَق : عشبٌ جميل الزهر(نب) .

Hellene [hĕl'ēn] *(n.)* الإغريقيّ ؛ اليونانيّ .

Hellenic [hĕ lĕn'ĭk] *(adj.)* اغريقيّ ؛ يونانيّ .

Hellenism [hĕl'ə nĭz əm] *(n.)* (١) الهِلّينيّة : ولاء أو محاكاة للفكر الاغريقي والعادات والأساليب الاغريقية القديمة (٢) الحضارة الاغريقية .

Hellenist [hĕl'ən ĭst] *(n.)* (١) الهِلّيني : كل شخص من أصل غير اغريقيّ عاش في العصر الهلينيّ وتبنّى لغة الاغريق وأسلوبهم في الحياة . وبخاصة : يهوديّ متهلّن (٢) العالم باللغة أو الحضارة اليونانيّة القديمة .

Hellenistic [hĕl ə nĭs'tĭk] *(n.)* هِلّينيّ : خاص بتاريخ الاغريق أو ثقافتهم أو فنّهم بعد الاسكندر الكبير .

hellenize [hĕl'ə nīz] *(vi.; t.)* (١) يَتهلّن : يصبح اغريقياً . (٢)× يُهَلّن : يجعله اغريقياً شكلاً أو ثقافة .

heller [hĕl'ər] *(n.)* = hellion.

hellhound [hĕl'-] *(n.)* (١) كلب الجحيم : كلب تصوّره الميثولوجيا حارساً للجحيم (٢) شخص شرير .

hellion [hĕl'yən] *(n.)* شخص مزعج أو مؤذٍ .

hellish [hĕl'ĭsh] *(adj.)* (١) جهنّمي (٢) شيطاني .

hello [hĕ lō'; hĕl'ō] *(n.)* هالو : هتاف للترحيب أو لفت النظر أو التعجّب أو للاجابة على التلفون .

helm [hĕlm] *(n.; vt.)* (١) خُوذة (٢)«أ» مقبض دفة المركب . «ب» الدفة بكاملها (٣)إدارة ؛ توجيه ؛ رئاسة §(٤) يزود أو يغطي بخوذة (٥) يوجّه ؛ يدير دفة المركب .

helmet [hĕl'mĭt] *(n.)* (١)خوذة (٢)الخُوذيّة : السبَلَة أو البتلة العليا لبعض الأزهار .

helmet 1.

helminth [hĕl'mĭnth] *(n.)* دودة؛ وبخاصة : دودة معوية .

helminthiasis [hĕl'mĭn thī'ə sĭs] *(n.)* الدُّوَد : داء الديدان الطفيلية (مض) .

helminthology [hĕl'mĭn thŏl'ə jĭ] *(n.)* علم الديدان؛ وبخاصة : دراسة الديدان الطفيلية .

helmsman [hĕlmz'-] *(n.)* مدير الدفة (في مركب أو سفينة) .

helot [hĕl'ət] *(n.)* (١) .cap : الهَلُوت : أحد الأقنان بأسبارطة القديمة (٢) القِنّ ؛ العبد .

help [hĕlp] *(vt.; i.; n.)* (١) يساعد؛ يعاون (٢) يداوي ؛ يشفي. (٣) «أ» يفيد . «ب» يعزّز ؛ يقوّي (٤) «أ» يُصْلِح . «ب» يتمالك نفسَه عن (I couldn't ~ laughing at him.) . «ج» يمنع ؛ يحول دون ×(٥) يكون ذا جدوى (Every little bit ~s.) §(٦) مساعدة؛ عون (٧) مصدر عون (٨) علاج (a situation for which there was no ~) (٩) «أ» المُساعد ؛ العامل ؛ المستخدَم. «ب» خدمات العامل المستأجَر (They were without ~ again and she had all the work to do.) (١٠) حصّة من الطعام (على المائدة) .

Help yourself! تفضّل ؛ اخدم نفسك بنفسك على المائدة .

helper [hĕl'pər] *(n.)* المعاون؛ وبخاصة في عمل يدويّ .

helpful [hĕlp'fəl] *(adj.)* مساعد ؛ مفيد ؛ نافع .

helping [hĕl'-] *(n.)* (١)مص help (٢)حصة من الطعام على المائدة.

helpless [hĕlp'-] *(adj.)* (١)بائس؛لا عون له (٢)عاجز ؛ ضعيف.

helpmate [hĕlp'māt] *(n.)* رفيق مساعد؛ وبخاصة: زوجة .

helpmeet [hĕlp'mēt] *(n.)* = helpmate.

helter-skelter [hĕl'tər skĕl'tər] *(adv.; n.; adj.)* (١) شَذَرَ مَذَرَ §(٢) فوضى ؛ اختلاط §(٣)مندفع ؛ مستعجِل (باختلاط

واضطراب) (٤) تصادفيّ ؛ متوقف على المصادفة .

helve [hĕlv] *(n.)* النصاب : مِقبض أداة أو سلاح .

Helvetian [hĕl vē'shən] *(adj.; n.)* (١) سويسريّ . §(٢) السويسري : احد أبناء سويسرا .

hem [hĕm] *(n.; vt.; i.)* (١) حاشية ؛ هُدْب (٢) حافة . (٣) «أ» تَنَحنُحٌ . «ب» نحنحة § (٤) يجعل للثوب حاشية ؛ يهدّب (٥) يجعل للشيء حافةً (٦) يحْصر ؛ يطوّق (~*med* in by enemies) ×(٧) «أ» يتنحنح . «ب» يتردد في الكلام .

hem- *or* **hemo-** بادئة معناها : دَم .

hema- *or* **haema-** = hem-.

hemacytometer [hē mə sī tŏm'-] = erythrocytometer.

hemal [hē'məl] *(adj.)* (١) دمويّ (٢) وعائيدمويّ : خاص بالأوعية الدموية .

hemat- *or* **hemato-** = hem-.

hematal [hē'-] *(adj.)* = hemal.

hematic [hē măt'ĭk] *(adj.)* دمويّ .

hematin [hĕm'ə tĭn] *(n.)* الهيماتين : صِبْغ ينشأ عن انحلال الهيموغلوبين (كح) .

hematinic [hĕm ə tĭn'ĭk] *(n.)* الهيماتينيّ : دواء يزيد مقدار الهيموغلوبين في الدم .

hematite [hĕm'ə tīt] *(n.)* الهيماتيت ؛ حجر الدم : خام هامّ من خامات الحديد يكون أحمر اللون حين يُسْحَق (مع) .

hematogenous [hĕm ə tŏj'ə nəs] *(adj.)* (١) مولّد دماً . (٢) ناشئ في الدم .

hematology [hĕm ə tŏl'-] *(n.)* مَبْحث الدم : فرع من علم الأحياء يبحث في الدم والأعضاء المكوّنة له .

hematoma [hē mə tō'mə] *(n.)* الورم الدموي : ورم متضمن دماً (مض) .

hematopoiesis [hĕm'ə tō poi ē'sĭs] *(n.)* تكوّن الدم .

—**hematopoietic** *(adj.)*

hematozoon [-zō'ŏn] *(n.)* pl. **-zoa** الطفيليّ الدمويّ : طفيلي حيوانيّ يعيش في الدم (ح) .

hematuria [hē'-] *(n.)* البيلة الدموية : وجود الدم أو الخلايا الدموية في البول (مض).

heme [hēm] *(n.)* = hematin.

hemi- بادئة معناها : نِصْف *(hemi*sphere).

hemic [hē'mĭk] *(adj.)* دمويّ : ذو علاقة بالدم .

hemicellulose [hĕm ĭ sĕl'yə lōs] *(n.)* النصف سلولوز (ك) .

hemicycle [hĕm'-] *(n.)* (١) نصف دائرة (٢) بناء نصف دائريّ .

hemihydrate [hĕm'ĭ hī'drāt] *(n.)* النصف هيدرات (ك) .

hemiplegia [hĕm'ĭ plē'jĭ ə] *(n.)* الشلل أو الفالج النصْفي (مض).

hemipteran *or* **hemipteron** [hĭ mĭp'-] *(n.)* نصفية الجناح : حشرة من رتبة نصفيات الأجنحة (**Hemiptera**) وهي حشرات تتميز بأجنحةٍ نصفُها غشائي ونصفها جلديّ .

—**hemipterous** *(adj.)*

hemisphere [hĕm'ə sfĭr] *(n.)* (١) نصف الكرة (جغ) (٢) عالَم . (٣) نصف كرة (٤) خريطة تمثل نصف الكرة الأرضية أو السماوية (٥) نصف كرة الدماغ (ت).

—**hemispheric; -al** *(adj.)*.

hemistich [-'ə stĭk] *(n.)* شَطْر ؛ مِصراع ؛ نصف بيت شِعر .

hemlock [hĕm'lŏk] *(n.)* (١) الشوكران : نبات يُستخرج من ثمره شراب سام (٢) شراب الشوكران.

hemo- = hem-.

hemoglobin [hē mə glō'bĭn] *(n.)* اليحمور ؛ الهيموغلوبين ؛ خضاب الدم (كح) .

hemoglobinuria [-glō bə nyŏŏr'ĭ ə] *(n.)* البيلة اليحمورية : وجود اليحمور أو الهيموغلوبين في البول (مض) .

hemophile [hē'mə fīl] *(adj.; n.)* (١) محبّ للدم §(٢) النَعُور: شخص نَزْفيّ المزاج .

hemophilia [hē mə fĭl'ĭ ə] *(n.)* الناعوريّة ؛ المزاج النزفيّ : نزعة وراثية إلى النزف الدموي (مض).

hemophiliac [hē mə fĭl'-] *(n.)* النَعُور : شخص ذو نزعة وراثية إلى النزف الدموي .

hemophilic [-'ĭk] *(adj.)* محبّ للدم (~ bacteria) .

hemoptysis [hĭ mŏp'tə sĭs] *(n.)* نفث الدم : نفث الدم من الرئة .

hemorrhage [hĕm'ə rĭj] *(n.; vi.)* (١) نَزْف §(٢) ينزف .

hemorrhoids [hĕm'ə-] *(n.pl.)* البواسير : داء البواسير .

hemostasis [hĭ mŏs'tə sĭs] *(n.)* الإرقاء : وقف النزف الدموي

hemostat [hē'mə stăt] *(n.)* (١) المَرْقأة : القاطع للنزف . (٢) المِرقأة : أداة لضغط الأوعية الدموية النازفة .

hemostatic [hē'mə stăt'ĭk] *(n.; adj.)* (١) المَرْقأة : كل ما يقطع النزف §(٢) رَقوء ؛ مُرقِىء : قاطع للنزف .

hemp [hĕmp] *(n.)* (١) «أ» قِنّب . «ب» خيوط القنب (تُصنع منها الحبال وأكياس الخيش) (٢) «أ» قنّب هندي. «ب» عقّار مخدر (كالحشيش) مستخرج من القنب الهندي .

hemstitch [hĕm'stĭch] *(vt.; n.)* (١) يطرز النسيج (بسحب خيوط متوازية منه وجَمْع الخيوط الباقية في زُمَر تُحْبَك على أنماط مختلفة) § (٢) التطريز التنسيليّ : ضرب من شغل الابرة الزينيّ .

hemstitch

hen [hĕn] *(n.)* (١) «أ» دجاجة . «ب» انثى الطير والسمك. (٢) امرأة ؛ وبخاصة: امرأة نكدةٌ في خريف العمر .

henbane [hĕn'bān] *(n.)* البنْج : نبات ذو خصائص مخدِّرة وسامّة ضارة بالدجاج وما إليه (نب) .

hence [hĕns] *(adv.)* (١) «أ» بعيداً ؛ من هنا ؛ من هذا المكان (Get thee *hence*!) «ب» من هذا العالم أو الحياة (before I go ~ and be no more) (٢) من الآن (a week ~) (٣) إذن ؛ من ثمّ ؛ لهذا السبب (of the best quality and ~ satisfactory).

henceforth [-fōrth']; **henceforward** [-fôr'wərd] *(adv.)* من الآن فصاعداً .

henchman [hĕnch'mən] *(n.)* (١) تابعٌ أمين أو موثوق (٢) تابع سياسي تحدوه المصلحة الذاتية في المقام الأول .

henna [hĕn'ə] *(n.; vt.)* *(Ar.)* (١) «أ» الحِنّاء: شجيرة صغيرة الورق بيضاء الزهر . «ب» خِضاب الحِنّاء §(٢) يُحنّي: يخضب الشعر بالحِنّاء .

hennery [hĕn'ə rĭ] *(n.)* مزرعة دجاج ؛ وأيضاً : خُمّ أو قُنّ .

henotheism [hĕn'ə thē ĭz əm] *(n.)* الوحدانية المَشُوبة : عبادة إلهٍ واحد ولكن من غير إنكار لوجود آلهة أخرى .

henpeck [hĕn'pĕk] *(vt.)* تهيمن أو تسيطر (المرأة) على زوجها .

henry [hĕn'rĭ] *(n.)* هنري: وحدة المحاثة الكهربائية (كب) .

hep [hĕp] *(adj.)* حَسَن الإلمام بِـ ؛ مطّلع على أحدث التطورات أو مهتم بها (~ to swing music).

heparin [hĕp'ə rĭn] *(n.)* الكَبِدين : مادة في الكبد وغيره

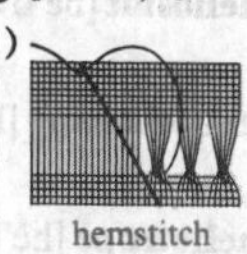

من أنسجة الجسم تعوق تخثّر الدم وتستخدم في معالجة الخَثَر (را . thrombosis) .

heparinize [hĕp'-] *(vt.)* يكَبْدِن : يعالج بالكِبْدين .

hepat- *or* hepato- بادئة معناها : كَبِد .

hepatic [hĭ păt'ĭk] *(adj.; n.)* (١) كَبِديّ §(٢) بقلة الكبد (نب) .

hepatitis [hĕp'ə tī'tĭs] *(n.)* التهاب الكبِد .

hepta- *or* hept- بادئة معناها : «أ» سبعة . «ب» متضمن سبع ذرات الخ .

heptad [hĕp'tăd] *(n.)* (١) سبعة (٢) مجموعة من سبعة .

heptagon [hĕp'tə gŏn] *(n.)* المُسَبَّع : شكل سباعي الزوايا والأضلاع (هن) .

heptagonal [hĕp tăg'-] *(adj.)* سباعيّ الزوايا (هن) .

heptahedron [-tə hē'drən] *(n.)* السباعي السطوح : شكل سباعي السطوح (هن) .

heptahedral [hĕp tə hē'-] *(adj.)* سباعي السطوح (هن) .

heptameter [hĕp tăm'ə tər] *(n.)* السباعي التفاعيل : بيت شعر مؤلف من سبع تفاعيل (عر) .

heptangular [hĕp tăng'yə lər] *(adj.)* سُباعيّ الزوايا (هن) .

heptarchy [hĕp'tär kĭ] *(n.)* (١) الحكومة السُّباعية (٢) الدولة السباعية : مجموعة من سبع مقاطعات أو ممالك متحالفة يحكم كلاً منها حاكمها الخاص .

Heptateuch [hĕp'tə tūk] *(n.)* الأسفار السبعة الأولى من التوراة .

her [hûr] *(adj.; pron.)* (١) خاص بالمفردة الغائبة بوصفها مالكةً (~ book) أو فاعلاً (~ paintings) أو مفعولاً (~ rescuer) §(٢) ضمير الغائبة المتصل الواقع في محل نصب (Give ~ the novel.) .

Hera

Hera [hĭr'ə] *(n.)* حيرا : ملكة السماء في الميثولوجيا الاغريقية ، وأخت وزوجة زيوس ، وإلاهة النساء والزواج .

Herakles *or* Heracles [hĕr'ə klēz'] = Hercules.

herald [hĕr'əld] *(n.; vt.)* (١) «أ» حكَم في مباريات التطاعن بالسلاح . «ب» رسول أو سفير بين الزعماء ، وبخاصة في الحرب . «ج» موظف مسؤول عن ابتكار ومنح شعارات النبالة (٢) المنادي أو الرسول الرسمي (٣) الرائد؛ البشير؛ النذير (٤) المذيع ؛ المعلن؛ الناطق بلسان شخص أو جماعة §(٥) يُذيع (٦) «أ» يُعلن . «ب» يرحّب بـ .

—heraldic *(adj.)*

heraldry [hĕr'əl drĭ] *(n.)* (١) «أ» علم شعارات النبالة . «ب» ابتكار (وصُنْع ومَنْح) شعارات النبالة وتحقيق الأنساب وتدوينها (٢) «أ» شعار النبالة (منقوشاً على درع) . «ب» رمز ؛ شعار (٣) إشعار او اعلان مسبّق (The play opened with no ~ to speak of.) (٤) أبهة .

herb [ûrb; hûrb] *(n.)* (١) عُشْب (٢) عشبة طبية أو عطرية .

herbaceous [hûr bā'shəs] *(adj.)* (١) عشبيّ (٢) عُشباني : شبيه بالعشب ؛ كالعشب .

herbage [ûr'bĭj; hûr'-] *(n.)* (١) عشب ؛ وبخاصة الكلأ أو عشب المراعي (٢) الأجزاء الريّا (الكثيرة الماء) من الأعشاب .

herbal [hûr'bəl; ûr'-] *(n.; adj.)* (١) كتاب في الأعشاب §(٢) عُشبيّ .

herbalist [hûr'bəl ĭst; ûr'-] *(n.)* (١) العَشّاب : جامع (أو زارع) الأعشاب (٢) الأعشابيّ : طبيب يداوي بالأعشاب .

herbarium [hûr bâr'ĭ əm] *(n.)* pl. **-baria** المَعْشَبة : «أ» مجموعة من نماذج الأعشاب المجفّفة مرتّبة ترتيباً نظامياً . «ب» مكان حفظ هذه المجموعة .

herb doctor *(n.)* الأعشابيّ : الطبيب المداوي بالأعشاب .

herbicide *(n.)* مادة مبيدة للأعشاب (الضارّة) .

herbivore [hûr'bĭ vōr] *(n.)* العاشب : حيوان مُقْتات بالأعشاب .

herbivorous [hûr bĭv'-] *(adj.)* عاشب : مُقْتات بالأعشاب .

herculean [hûr kū'lĭ ən] *(adj.)* (١) *cap.* : هِرَقْليّ : منسوب إلى هِرَقل (را . المادة التالية) أو مميز له (٢) ذو قوة أو حجم أو صعوبة استثنائية .

Hercules [hûr'kyə lēz] *(n.)* (١) هِرقْل : بَطَلٌ جبار من أبطال الميثولوجيا الاغريقية (٢) كوكبة الجاثي أو الراقص (فل) .

herd [hûrd] *(n.; vi.; t.)* (١) قطيع ؛ سِرب (٢) «أ» جماعة من الناس تنتظمها رابطة مشتركة . «ب» الجمهور ؛ الدهماء §(٣) يجتمع أو يسير على شكل قطيع (٤) يأتلف ؛ يمتزج في جماعة ×(٥) «أ» يرعى القطعان . «ب» يجمع ؛ يقود؛ يسوق (٦) يضع ضمنَ جماعة .

herder [hûr'-]; **herdsman** [hûrdz'-] *(n.)* الراعي ؛ راعي القطيع .

herd instinct *(n.)* غريزة القطيع ؛ غريزة التجمع (نف) .

here [hĭr] *(adv.; n.)* (١) «أ» هنا . «ب» الآن (~ it's August and summer's nearly over.) (٢) في هذه النقطة أو الموقع (٣) في الحياة الحاضرة أو الوضع الحاضر (٤) إلى هنا (Bring the table ~.) §(٥) هذا المكان : هنا (From ~ on the novel gets more interesting.)

neither ~ nor there لا في العير ولا في النّفير .

hereabout *or* hereabouts [hĭr'ə-] *(adv.)* في هذا الجوار .

hereafter [hĭr ăf'tər] *(adv.; n.)* (١) بعدُ ؛ بعدئذ ؛ في ما بعد . §(٢) *cap.* عد : المُستقبل (٣) الآخرة ؛ الحياة الأخرويّة .

hereaway *or* hereaways [hĭr'ə-] *(adv.)* في هذا الجوار (ع) .

hereby [hĭr bī'] *(adv.)* بهذه الواسطة ، وبخاصة : بموجب هذا القانون أو الوثيقة .

hereditament [hĕr'ə dĭt'ə-] *(n.)* مِلْكٌ قابلٌ لأن يُوَرَّث .

hereditary [hĭ rĕd'ə tĕr'ĭ] *(adj.)* (١) وراثيّ (٢) موروث (٣) ذو لقب أو ممتلكات بفضل الوراثة (a ~ proprietor).

heredity [hĭ rĕd'ə tĭ] *(n.)* (١) الوراثة (٢) «أ» مجموع الصفات الموروثة . «ب» انتقال الصفات بالوراثة من الآباء إلى الأبناء.

herein [hĭr ĭn'] *(adv.)* هنا؛ في هذا؛ في هذا الموضع أو الوثيقة .

hereinabove *(adv.)* آنفاً ؛ أعلاه (as ~ described) .

hereinafter [hĭr'ĭn ăf'tər] *(adv.)* في ما يلي .

hereinbefore [hĭr'ĭn bĭ fōr'] *(adv.)* آنفاً ؛ أعلاه .

hereinbelow [-lō'] *(adv.)* في ما يلي؛ في موضع تالٍ من هذا الكلام .

hereof [-ŏv'] *(adv.)* (١) لكذا (upon the receipt ~) . (٢) عن كذا؛ بخصوص كذا (more ~ later) .

hereon [hĭr ŏn'] *(adv.)* على هذه الوثيقة (endorsed ~) .

heresiarch [hĭ rē'sĭ ärk'] *(n.)* المبتدع : منشىء بِدْعة أو هرطقة .

heresy [hĕr'ə sĭ] *(n.)* بِدعة ؛ هرطقة .

heretic [hĕr'ə-] *(n.)* المُهَرطِق ؛ الهَرْطوقيّ ؛ المنشقّ عن عقيدة ما .

heretical [hə rĕt'-] *(adj.)* (١) ابتداعي ؛ هرْطقيّ (٢) خارجيّ ؛ منشقّ ؛ راديكالي .

hereto [hĭr tōō'] *(adv.)* بهذه الوثيقة (attached ~) .

heretofore [hĭr'tə fōr'] *(adv.)* حتى الآن .

hereunder [hĭr ŭn'dər] *(adv.)* (١) أدناه؛ في ما يلي (٢) وفقاً لهذه الوثيقة أو لأحكام هذا الاتفاق .

hereunto [hĭr ŭn'tōō] *(adv.)* إلى أو على هذه الوثيقة الخ .

hereupon [-'ə pŏn'] *(adv.)* على هذا ؛ عند هذا ؛ بعد هذا مباشرةً .

herewith *(adv.)* (١) مرفقاً بهذا ؛ طيّه (٢) بهذا ؛ بهذه الطريقة .

heritable [hĕr'ə-] *(adj.)* (١) قابلٌ للتوريث (٢) وراثيّ ؛ موروث .

heritage [hĕr'ə tĭj] *(n.)* (١) إرث ؛ ميراث ؛ تركة (٢) تُراث .

heritor [hĕr'ə tər] *(n.)* الوريث ؛ الوارث .

hermaphrodite [hûr măf'rə dīt] *(n.; adj.)* (١) خُنثى . (٢) خنثويّ .

hermaphrodite brig *(n.)* مركب شراعي .

hermeneutic [hûr mə nū'tĭk]; **-al** *(adj.)* تفسيريّ ؛ تأويليّ .

Hermes [hûr'mēz] *(n.)* هرميز : رسول الآلهة عند الاغريق ، وإله الطرق والتجارة والاختراع والفصاحة والمكر واللصوصية .

hermetic [hûr mĕt'ĭk] *(adj.)* (١) سِحْريّ ؛ متعلق بالكيمياء القديمة (٢) «أ» كتيم ؛ مُحكَم السد . «ب» لا يتأثر بالنفوذ الخارجي .

hermit [hûr'mĭt] *(n.)* (١) ناسك (٢) كعكٌ مُحلّى .

hermitage [hûr'mə tĭj] *(n.)* (١) «أ» صومعة . «ب» ملاذ . «ج» دير (٢) تنسُّك (٣) *cap.* : الهرميتيج : نبيذ فرنسي .

hern [hûrn] *(n.)* = heron.

hernia [hûr'nĭ ə] *(n.)* فَتْق ؛ «فتاق» (مض) . **—hernial** *(adj.)*

hero [hĭr'ō] *(n.)* البَطَل : (١) «أ» بطل أسطوري . «ب» محاربٌ بارز . «ج» شخص محوط بالاعجاب لمنجزاته أو صفاته (٢) الشخصية الرئيسية في حادثة أو أثر أدبي .

heroic [hĭ rō'ĭk] *(adj.; n.)* (١) بطوليّ (٢) «أ» نبيل . «ب» ضخم أو قويّ جداً §(٣) *pl.* : «أ» لغة طنانة أو رنانة . «ب» كلمات أو عواطف أو أعمال تبدو راشحة بالنبل ولكنها في حقيقتها متكلّفة أو مصطنعة (٤) heroic verse (٥) ملحمة .

heroic verse *(n.)* الوزن الملحمي : وزن ملائم للملاحم الشعرية (عر) .

heroin [hĕr'ō ĭn] *(n.)* الهيرويين : مخدر يصنع من المورفين .

heroine [hĕr'ō ĭn] *(n.)* البطلة : مؤنث *hero* بجميع معانيها .

heroism [hĕr'ō ĭz'əm] *(n.)* بطولة .

heron [hĕr'ən] *(n.)* مالكُ الحزين ؛ البَلَشُون (طا) .

heron

herpes [hûr'pēz] *(n.)* القُوباء : مرض جلديّ .

herpes zoster [zŏs'tər] *(n.)* داء المِنْطَقة ، القُوباء المِنطقية (مض) .

herpet- *or* **herpeto-** بادئة معناها : (١) زحّافة ؛ زحّافات (٢) قُوباء .

herpetic [hər pĕt'ĭk] *(adj.)* قُوبائيّ : منسوب إلى القُوباء وهي مرض جلديّ .

herpetologic; -al [hûr pə tə lŏj'-] *(adj.)* متعلق بمبحث الزحافات والبرمائيات .

herpetology [hûr pə tŏl'-] *(n.)* مبحث الزحافات والبرمائيات .

Herr [hĕr] *(G.)* pl. **-en** الهَرّ ؛ السيّد (عند الألمان) .

herring [hĕr'ĭng] *(n.)* الرَّنْكة : سمك من جنس السردين .

hers [hûrz] *(pron.)* خاصّتُها (Is that his or ~ ?) .

herself [hər sĕlf'] *(pron.)* (١) نفسُها (She ~ told me the news.) (٢) حالتُها السوية أو الحقيقية أو المعافاة صحياً وعقلياً (She came to ~.) .

herstory *(n.)* التاريخ (ولا سيما المكتوب من وجهة نظر نسائية) .

hertz *(n.)* الهَرْتز : وحدة تردُّدٍ تعادل دورة في الثانية .

hertzian wave [hĕrt'sĭ ən] *(n.)* الموجة الهَرْتزية (رد) .

he's [hēz] = he is.

hesitance; hesitancy [hĕz'-] *(n.)* تردّد ؛ حَيْرة .

hesitant [hĕz'ə tənt] *(adj.)* متردّد ؛ متحير .

hesitate [hĕz'ə tāt] *(vi.)* (١) يتردّد (٢) يتمهّل (٣) يتأتىء ؛ يُفأفىء .

hesitation [hĕz'ə tā'shən] *(n.)* (١) تردّد ؛ حَيْرة (٢) تأتأة ؛ فأفأة .

hesitative [hĕz'ə tā'tĭv] *(adj.)* متردّد . **-ly** *(adv.)*

Hesperian [hĕs pĭr'ĭ ən] *(adj.)* غَرْبي .

Hesperides [hĕs pĕr'ə dēz] *(n. pl.)* (١) حارسات التفاح الذهبي : الحوريات الحارسات بمعاونة تنّين حديقةً تنمو فيها شجرات تفاح ذهبي (مث اغريقية) (٢) حديقة التفاح الذهبي : حديقة أسطورية في الطرف الغربي من العالم تنتج تفاحاً ذهبياً .

hesperidin [hĕs pĕr'ə dĭn] *(n.)* الهسبيريدين : مادة غلوكوسيدية متبلّرة تكون في معظم الأثمار الحمضية وبخاصة في قشر البرتقال (ك) .

Hesperus [hĕs'pər əs] *(n.)* نجمة المساء ، وبخاصة : الزُهرة (فل) .

hessian [hĕsh'ən] *(n.; adj.)* (١) *cap.* : الهسّي : «أ» أحد مواطني هَسّ (ولاية في ألمانيا الغربية) . «ب» ألماني من المرتزقة العاملين في القوات البريطانية خلال الثورة الأميركية . «ج» جندي من المرتزقة (٢) خَيْش §(٣) *cap.* : هسّي .

hest [hĕst] *(n.)* أمر ؛ وصيّة (ا.ق) .

hetaera [hĭ tĭr'ə] *(n.)* pl. **-e** (١) مَحظيّة (اغريقية) . (٢) امرأة مشبوهة .

hetaira [hĭ tī'rə] *(n.)* pl. **-i** = hetaera.

heter- *or* **hetero-** بادئة معناها : مختلف ؛ متغاير .

heterocercal [hĕt'ər ə sûr'kəl] *(adj.)* متغاير الذيل : ذو ذيل (أو زعنفة ذيلية) غير متساوي الفَصّين (قا homocercal) .

heterocercal tail

heterochromatic [-krō măt'ĭk] *(adj.)* (١) «أ» متغاير الألوان : مؤلف من ألوان مختلفة . «ب» متعلق بألوان مختلفة (٢) متغاير الأطوال الموجية أو الترددات : ذو أطوال موجية أو تردّدات مختلفة (رد) .

heterochromosome [-krō'mə-] *(n.)* كروموسوم تناسليّ (أح) .

heterochromous [-krō'məs] *(adj.)* متغاير أو مختلف الألوان .

heterochthonous [-ôk'thō-] *(adj.)* أجنبي ؛ غير وطني .

heteroclite [hĕt'ər ə klīt] *(n.; adj.)* (١) لفظة غير قياسية . (٢) الشاذّ ؛ الخارج على المألوف §(٣) شاذّ ؛ غير قياسي .

heterodox [hĕt'ər ə dŏks] *(adj.)* (١) ابتداعي ؛ هرطقي . (٢) ذو آراء هرطقية .

heterodoxy [hĕt'ər ə dŏk'sĭ] *(n.)* (١) ابتداع ؛ هرطقة ؛ خروج على الاجماع (٢) بِدعة .

heterodyne [hĕt'ər ə dīn] *(adj.)* هِترودايني : متعلق باقتران تردّدين (رد) .

heterogamete [hĕt'ər ə gə mēt'] *(n.)* المَشيج المغاير (أح) .

heterogamous [hĕt'ə rŏg'ə məs] *(adj.)* متغاير الأمشاج (أح) .

heterogeneous [-ər ə jē'nĭ əs] *(adj.)* متغاير الخواص أو العناصر .

heterogenesis [-jĕn'ə sĭs] *(n.)* (١) التولّد التلقائي أو الذاتي (أح) (٢) اختلاف الذرية عن الأصل (أح) .

heterogenous [hĕt'ə rŏj'ə nəs] *(adj.)* (١) غريب المنشأ : غير ناشىء ضمن الجسم (أح) (٢) متغاير الخواص أو العناصر .

heterologous [hĕt'ə rŏl'ə gəs] *(adj.)* (١) متخالف ؛ متنافر .

(٢) مختلف الأصل : مشتق من نوع مختلف .

heterolysis[hĕt'ə rŏl'ə sĭs] *(n.)* التحلّل الخارجيّ : تحلّل الخلايا بفعل عامل خارجيّ (كح) .

heteromerous [hĕt'ə rŏm'-] *(adj.)* متغاير الأجزاء : مؤلَّف من أجزاء متباينة من حيث النوع وعدد العناصر الخ . (a ~ flower).

heteromorphic [hĕt'ər ə môr'fĭk] *(adj.)* (١) مُغاير الشكل : مغايرٌ شكلُهُ للمألوف (٢) متغاير الأشكال (في مختلف مراحل النموّ).

heteronomous [hĕt'ə rŏn'ə məs] *(adj.)* تابع : خاضع .

heteronomy [-'ə mĭ] *(n.)* التبعيّة ؛ وبخاصة : فقدان حرية تقرير المصير .

heteropetalous [hĕt'ər ə pĕt'əl əs] *(adj.)* متغاير البتَلات : ذو بتَلات متغايرة أو متخالفة (نب) .

heterophyllous [hĕt'ər ə fĭl'əs] *(adj.)* متغاير الأوراق : ذو أوراق مختلفة الأشكال (في نفس النبتة أو الساق) .

heterophyte [hĕt'-] *(n.)* نبتة طُفيلية (تعتمد في غذائها على كائنات أخرى أو نِتاجها) .

heteropterous [hĕt'ə rŏp'tər əs] *(adj.)* متغاير الأجنحة : من أو متعلق بمتغايرات الأجنحة **Heteroptera** وهي حشرات من رتبة نصفيات الأجنحة .

heterosexual [hĕt'ər ə sĕk'shōō əl] *(adj.)* (١) مشتهٍ للمغاير : مشتهٍ أفراد الجنس الآخر (٢) متغاير أو متباين الجنس (twins~).

heterosexuality[hĕt ər ə sĕk'shōō ăl'ə tĭ] *(n.)* اشتهاء المغاير : اشتهاء أفراد الجنس الآخر (قا homosexuality) .

heterosis [hĕt'ə rō'sĭs] *(n.)* تعاظم القدرة على النمو (عند النباتات أو الحيوانات المهجّنة) .

heterosporous[hĕt'ə rŏs'-] *(adj.)* متغاير(أو متباين)الأبواغ(نب)

heterotrophic [hĕt'ər ə trŏf'ĭk] *(adj.)* عُضْويّ التغذية : متطلِّبٌ مركباتٍ عضوية معقّدة من النيتروجين والكربون للتأليف أو التركيب الأيضيّ (أح).

heterotypic [hĕt'ər ə tĭp'ĭk] *(adj.)* عَرَوِيّ : دالّ على انقسام مُنَصِّف تنشطر فيه الصِّبغيات (الكروموسومات) في فترة مبكرة مع بقاء الأنصاف متحدةً عند أطرافها ومتفتحة إلى حلقات تمثّل كل منها صِبْغِيَّيْن (كروموسومَيْن) .

hetman [hĕt'mən] *(n.)* pl. **-s** الهَتْمان : زعيم قوزاقيّ .

het up *(adj.)* مهتاج أو غاضبٌ جداً (ع) .

heuristic [hyōō rĭs'tĭk] *(adj.)* (١) موجِّهٌ أو مساعدٌ على الكشف (٢) مشجِّعٌ الطالبَ على اكتشاف الأشياء بنفسه (صفة لبعض أساليب التعليم) .

hew [hū] *(vt.; i.)* (١) يقطع بفأس الخ . (٢) «أ» ينحت ؛ يَنْجُر . «ب» يشقّ ؛ يحفر (to ~ a passage) × (٣) يلتزم أو يعمل وفق كذا (He will ~ to the constitutional law.).

hex [hĕks] *(vi.; t.; n.)* (١) يمارس السحر أو العِرافة ×(٢) يعلّق تعويذةً على (٣) يَتَنَحّس §(٤) تعويذة ؛ رُقية (٥) ساحرة ؛ عرّافة.

hex [hĕks] *(adj.)* = hexagonal.

hexa- or hex- بادئة معناها : «أ» ستة . «ب» سُداسيّ الذرّات الخ .

hexad [hĕk'săd] *or* **hexade** [-'săd] *(n.)* مجموعة أو سلسلة سداسيّة .

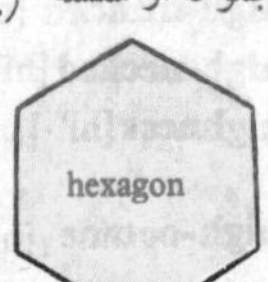

hexagon

hexagon [hĕk'sə gŏn] *(n.)* المسدَّس ؛ الشكل المسدّس ؛ مسدّس الزوايا والأضلاع (ر).

hexagonal [hĕks ăg'ə nəl] *(adj.)* مسدَّس الشكل ؛ مسدّس الزوايا والأضلاع (ر) .

hexagonal system *(n.)* النظام السداسي (بلو) .

hexagram [hĕk'-] *(n.)* شكلٌ شبيه بنجمة سداسية (هن) .

hexahedron [hĕk'sə hē'drən] pl. **-drons** *also* **-dra** المكعَّب ؛ المجسَّم السداسيّ ؛ ذو السطوح الستة (ر) .

hexahydrate [-hī'drāt] *(n.)* السداسي الجزيئات : مركَّب مؤلَّف من ستة جزيئات من الماء (ك) .

hexamerous[hĕks ăm'-] *(adj.)* سداسيّ الأجزاء(«نب» و«ح»).

hexameter [hĕks ăm'ə tər] *(n.)* السداسيّ التفاعيل (عر) .

hexane [hĕk'sān] *(n.)* الهكسين (ك) .

hexangular [hĕks ăng'-] *(adj.)* سُداسيّ الزوايا .

hexapod [hĕk'sə pŏd] *(n.; adj.)* (١) سداسية الأرجل : حشرة سداسية الأرجل §(٢) سداسيّ الأرجل (٣) متعلّق بالحشرات .

hexapodous [hĕks ăp'ə dəs] *(adj.)* = hexapod.

Hexateuch [hĕk'sə tūk'] *(n.)* الأسفار الستة الأولى من التوراة .

hexose [hĕk'sōs] *(n.)* الهكسوز : مونوسكّريد متضمّن ستّ ذرات كربون في الجزيء (ك).

hey [hā] *(interj.)* هاي ! هتاف للفت الانتباه أو للتساؤل والتعجب.

heyday [hā'-] *(n.)* ذروة ؛ أوج (in the ~ of his power).

hiatus [hī ā'təs] *(n.)* (١) ثغرة ؛ فجوة (٢) التقاء حرفين صوتيّين (ل).

hibernaculum [hī'bər năk'yə ləm] *(n.)* pl. **-la** (١) الغلاف الشتويّ (في نَبْتَة) (٢) الملجأ الشتوي (لحيوان أو حشرة) .

hibernal [hī bûr'nəl] *(adj.)* شِتْوِيّ ؛ شَتَوِيّ .

hibernate [hī'bər nāt] *(vi.)* يُسْبِت : يُنفق فصل الشتاء بالسُّبات.

hibernation[hī bər nā'-] *(n.)* الإسبات(مج) : سُبات الشتاء(ح).

Hibernian [hī bûr'nĭ ən] *(adj.; n.)* (١) ايرلنديّ §(٢) الايرلنديّ

Hiberno - English *(n.)* الإنكليزية المستخدمة في إيرلندة.

hibiscus [hī bĭs'kəs] *(n.)* الخُبازَى ؛ الخُبَيْزة (نب) .

hiccup *or* **hiccough** [hĭk'ŭp] *(n.; vi.)* (١) فُواق ؛ حازوقة . §(٢) يفوق ؛ «يحوزق» : يصاب بالفُواق أو الحازوقة .

hick [hĭk] *(n.)* شخص ريفيّ أخرق (ع) .

hickey [-'ĭ] *(n.)* (١) «أ» وصيلة(كب). «ب» حانية مواسير (٢)أداة.

hickory [hĭk'ə rĭ] *(n.)* (١) «أ» القارية ؛ الجوزية : شجر من فصيلة الجوز. «ب» خشب القارية (٢) عصا (لتأديب الأولاد) .

hid [hĭd] *past; past part. of* hide.

hid; hidden [hĭd'-] *(adj.)* مَخْفِيّ ؛ مَخبوء ؛ مستور .

hidalgo [hĭ dăl'gō] *(Sp.)* الهِيدَلْج : اسباني من طبقة النبلاء الدنيا.

hidden [hĭd'ən] *past part. of* hide.

hide [hīd] *(vt.; i.; n.)* (١) يُخفي ؛ يخبّيء (٢) يكتم (٣) يحجب (٤) يشيح بوجهه (خجلاً أو غضباً) (٥) يجْلِد (بالسَّوْط) ×(٦) يختبيء ؛ يحتجب (٧) يتوارى ؛ يتجنّب المسؤولية §(٨) الهَيْد : مقياس انكليزي قديم للأراضي (٩) جلد الحيوان (مدبوغاً كان أو غير مدبوغ) .

hide-and-seek [hīd'ən sēk'] *(n.)* الغَمْضيَّة : لعبة أطفال يُغمض فيها أحدهم عَيْنَيْه فيختبيء الآخرون ثم يبحث عنهم.

hideaway [hīd'-] *(n.; adj.)* (١) مُعْتَزَل ؛ ملاذ؛ ملجأ ؛ مخبأ. (٢) فندق أو ملهى صغير منعزل § (٣) «أ» مخفيّ (~ beds). «ب» منعزل (~ restaurant).

hidebound [hīd'bound'] *(adj.)* (١) جافّ الجلد ؛ ملتصق الجلد باللحم (a ~ horse) (٢) ضيق التفكير ؛ محافظ بعناد .

hideous [hĭd'ĭ əs] *(adj.)* (١) بَشِع (٢) شنيع ؛ شائن .

hideout [hīd'out'] *(n.)* ملجأ ؛ مخبأ .

hiding [hī'dĭng] *(n.)* (١) اختباء (٢) مخبأ (٣) جَلْد ؛ ضرب بالسِّياط .

hidrosis [hi drō'sĭs] *(n.)* التعرّق : إفراز العرَق من الجسم .

hie [hī] *(vi.; t.)* يُعجِّل ؛ يستعجل .

hier- or hiero- بادئة معناها : مُقدَّس .

hierarch [hī'ə rärk'] *(n.)* (١) زعيم دينيّ (٢) كاهن أكبر . **—hierarchal** *(adj.)*

hierarchy [hī'ə rär'kĭ] *(n.)* (١) مرتبة أو طبقة من الملائكة . (٢)«أ» هيئة كهنوت منظمة في مراتب متسلسلة . «ب» اساقفة مقاطعة أو دولة (٣)السلطة : هيئة من عدة أشخاص يتولون سلطة ما (٤) «أ» الهرَمية : التسلسُل الهرَميّ . «ب» سلسلة (أشخاص أو أشياء) . **—hierarchic; -al** *(adj.)*

hieratic [hī'ə răt'ĭk] *(adj.)* (١) هِيرِي : متعلق بشكل من أشكال الكتابة المصرية القديمة أبسط من الهيروغليفية (٢) كهنوتي .

hierodule [hī'ər ə dūl] *(n.)* عبدٌ في خدمة هيكل .

hieroglyph [hī'ər ə glĭf] *(n.)* حرف هيروغليفي .

hieroglyphic [hī'ər ə glĭf'ĭk] *(adj.; n.)* (١) هيروغليفي . (٢) مُبهَم (٣)حرف هيروغليفي (٤) *pl.* عد: الهيروغليفية: كتابة كهنة مصر القدماء التصويرية (٥) حروف مبهمة .

hieroglyphics

hierophant [hī'ə rə fănt] *(n.)* (١) الهيَرَفَنت : كاهن اغريقي قديم (٢)«أ» المفسِّر ؛ الشارح . «ب» النصير .

hi-fi [hī'fī'] *(n.)* (١) high fidelity (٢) أداة لإعادة إرسال الصوت المستقبَل بأمانة بالغة .

higgle [hĭg'əl] *(vi.)* يساوم ؛ يفرِط في المساومة (على الثمن) .

higgledy-piggledy [hĭg'əl dĭ pĭg'əl dĭ] *(adv.; adj.)* (١) بفوضى ؛ بحالة يختلط فيها الحابل بالنابل §(٢) مشوش ؛ مختلط .

high [hī] *(adj.; adv.; n.)* (١) «أ» عالٍ ؛ مرتفع . «ب» بالغٌ ارتفاعاً معيّناً (seven feet ~) (٢) «أ» بالغٌ ذروته أو أشدّه (It was now ~ July; during the ~ season) . «ب» بعيد ؛ سحيق (goes back to a ~ antiquity) (٣) سام ؛ نبيل (٤)«أ» رفيع ؛ ذو مرتبة عليا . «ب» جديّ ؛ خطير (~ crimes) (٥)«أ» عنيف (A ~ wind came up.) . «ب» متلاطم الأمواج (a ~ sea) . «ج» شديد؛ بالغ (~ anxiety) (٦)«أ» متبجّح . «ب» مرح ؛ بهيج ؛ سعيد (had a ~ old time together) . «ج» مبتهج ؛ محبور (Her heart was ~.) . «د» ثَمِل ؛ مخمور (Everything is so ~ nowadays.) (٧) غالٍ (~ as a kite) (٨) حرِج ؛ حاسم (at this ~ hour of England's history) §(٩)عالياً ؛ نحو العلاء الخ . (١٠) بترَف (to live ~) §(١١)مكان مرتفع ، مثل : «أ» تلّ ؛ كثيب . «ب» سماء (١٢)«أ» مرتفَع . «ب» قِمّة (١٣)الأعلى : ناقل الحركة الأعلى (الذي يجعل السيارة تنطلق بأقصى سرعتها) . **—highly** *(adv.)*

~ **and dry** (١) خارجَ الماء ؛ على اليابسة . (٢) مُتخلّى عنه ؛ في بؤس ؛ من غير ملجأ .

~ **and low** مختلف الطبقات (من الناس) .

~ **time** الوقت المناسب ؛ آخر لحظة قبل فوات الأوان .

on the ~ **horse** متكبّر ؛ متعجرف .

to play ~, يقامر بمبالغ كبيرة .

to run ~, (١) يَهيج البحرُ (٢) ينفعل ؛ يهتاج .

highball [hī'bôl] *(n.; vi.)* (١)«أ» إشارة السرعة القصوى (تُعطى لقطار) . «ب» قطار سريع (٢) جرعة من شراب مسكر أو غازيّ (تقدَّم في كأس طويلة) §(٣) ينطلق بأقصى السرعة .

high beam *(n.)* ضوء السيارة الأمامي البعيد المدى .

highbinder [hī'bīn'dər] *(n.)* (١) سفّاك محترف (يعمل في الحيّ الصيني من مدينة أميركية) (٢) سياسي فاسد .

highborn [hī'bôrn'] *(adj.)* كريم المحتِد ؛ شريف النسب .

highboy [hī'boi] *(n.)* خزانة ذات أدراج مُثبَّتَة على قاعدة عالية القوائم .

highboy

highbred [hī'brĕd] *(adj.)* عريق ؛ كريم المحتِد أو الأصل .

highbrow [hī'brou'] *(n.; adj.)* (١) الرفيع الثقافة ؛ الواسع العلم (تستعمل على سبيل التهكّم عادةً) §(٢) خاص بذوي الثقافة الرفيعة (٣) رفيع الثقافة .

high chair *(n.)* الكرسيّ العالي : كرسيّ للأطفال طويل القوائم مزوّد بصينية للأكل ومسند للقدمين .

High Church *(adj.)* مؤكِّد على الطقوس والعناصر التقليدية (كن) .

high command *(n.)* (١) القيادة العليا (٢) كبار المسؤولين في منظمة .

high commissioner *(n.)* المفوّض السامي ؛ المندوب السامي .

high-energy physics *(n.)* = particle physics .

higher criticism *(n.)* النقد الأعلى : دراسة أسفار التوراة لتقرير تاريخها الأدبيّ وأغراض كتّابها .

higher-up [hī'ər ŭp'] *(n.)* ضابط أو موظف رفيع المنزلة .

high explosive *(n.)* متفجّر قويّ .

highfalutin [hī'fə lōō'tən] *(adj.)* (١) مدّعٍ (٢) طنّان ؛ ذو ألفاظ رنّانة .

high fidelity *(n.)* الأمانة البالغة : إعادة إصدار الصوت المستقبَل (في جهاز للراديو الخ .) بدرجة عالية من الأمانة للأصل .

high-flown [hī'flōn'] *(adj.)* (١) رفيع (٢)طنّان ؛ مدّعٍ .

high-flying [hī'flī'ĭng] *(adj.)* (١) محلّق (٢) طنّان .

high frequency *(n.)* التردّد العالي (رد) .

high-handed [hī'hăn'dĭd] *(adj.)* (١) طاغٍ ؛ مستبدّ . (٢) اعتباطيّ ؛ تحكّميّ .

high hat *(n.)* القبعة العالية : قبعة رجالية حريرية عالية .

high-hat [hī'hăt] *(adj.)* متكبّر ؛ مترفّع (مع محاكاة لمن هم أعلى منه مقاماً) .

high jump *(n.)* القفز العالي (رب) .

highland [hī'lənd] *(n.; adj.)* (١) نجْد ؛ هضبة ؛ أرض جبلية . §(٢) نجديّ .

highlander [hī'lən dər] *(n.)* (١) النجدي : ساكن النِّجاد أو الهضاب (٢) *cap.* : أحد سكان نِجاد اسكتلندة .

high life *(n.)* بذخ ؛ ترَف .

highlight [hī'līt] *(n.; vt.)* (١) البقعة الأشدّ إشراقاً (في صورة زيتية) (٢) جزء (أو مشهد أو حادثة) ذو أهمية خاصة §(٣) يلقي ضوءاً قوياً على (٤) يركّز الانتباه على : يؤكّد (٥) يؤلّف (الشيء) جزءاً الخ . ذا أهمية خاصة .

high-minded [hī'mīn'-] *(adj.)* سامي المبادىء ؛ نبيل المشاعر .

high-necked [hī'nĕkt'] *(adj.)* عالي القبّة (صفة للثوب) .

highness [hī'-] *(n.)* (١) ارتفاع ؛ علُوّ (٢) سُمُوّ (the ~ of his aims; Her Royal *Highness*)

high-octane [hī'ŏk'tān] *(adj.)* عالي الأوكتينية : ذو عدد أوكتينيّ عالٍ ، وبالتالي ذو خصائص مانعة للخبْط (~ gasoline) .

ă at; ā date; â care; ä car; ĕ egg; ē me; ĭ in; ī bite; ŏ lot; ō bone; ô orphan; oi boil ŏŏ good; ōō boot; ou out; ŭ under; ū unity; û urgent; th thing; th this; zh vision; ə = *a* in alone, *e* in system, *i* in easily, *o* in gallop, *u* in circus.

high-pressure *(adj.; vt.)* (١) عالي الضغط (steam ~). (٢) منطوٍ على أساليب بيع عنيفة ومِلحاحة (salesmanship ~) §(٣) يبيعُ (أو يؤثر على) بأساليب عنيفة مِلحاحة.

high priest *(n.)* الكاهن الأكبر.

high-proof [hī'proof'] *(adj.)* عالي الكحولية (spirits ~).

high relief *(n.)* = alto-relievo.

highroad [hī'rōd'] *(n.)* (١) طريق عام (٢) السبيل الأكثر سهولة.

high school *(n.)* المدرسة العالية؛ المدرسة الثانوية.

high sea *(n.)* عُرض البحر (تَرِد بصيغة الجمع عادة).

high-sounding [hī'soun'-] *(adj.)* طنّان (titles ~).

high-spirited [hī'spĭr'ə tĭd] *(adj.)* جريء؛ مِقدام؛ شجاع.

high-strung [hī'strŭng'] *(adj.)* عصبيّ المزاج؛ شديد الحساسية.

hightail [hī'-] *(vi.)* ينطلق أو ينسحب أو يولي الأدبار بأقصى السرعة.

high tech = high technology.

high technology *(n.)* التِّقنية العالية: التكنولوجيا العالية (الك).

high-tension [hī'tĕn'shən] *(adj.)* عالي الجهد أو التوتر (كب).

high-test [hī'tĕst'] *(adj.)* سريع التطاير (gasoline ~).

high tide *(n.)* (١) ذروة المدّ (٢) قمّة؛ أوج.

high-toned [hī'tōnd'] *(adj.)* (١) «أ» رفيع المنزلة أو الاخلاق أو التفكير. «ب» ارستوقراطي (٢) «أ» مدّعٍ؛ متعجرف. «ب» أنيق (ع).

high treason *(n.)* الخيانة العظمى (ق).

high-water *(adj.)* شديد القِصَر (an ancient ~ suit).

highway [hī'wā] *(n.)* طريق عام.

highwayman [hī'wā'mən] *(n.)* قاطع طُرُق.

high-wrought [hī'rôt'] *(adj.)* شديد الاهتياج أو الانفعال.

hijack *or* **high-jack** [hī'jăk] *(vt.)* (١) يختطف أو يسطو (على عربة أو طائرة) (٢) يسرق (٣) يُكرِه؛ يَقسُر.

hike [hīk] *(vt.; i.; n.)* (١) «أ» يحرك أو يرفع أو يسحب بعنف. «ب» يزيده زيادة كبيرة أو مفاجئة (to ~ rents) ×(٢) «أ» يقوم بنزهة طويلة سيراً على القدمين. «ب» يسافر (٣) يرتفع §(٤) نزهة طويلة سيراً على القدمين (٥) ارتفاع؛ صعود.

hilarious [hĭ lâr'ĭ əs] *(adj.)* مَرِح؛ جَذِل (مع صَخَب).

hilarity [hĭ lăr'ə tĭ; hī-] *(n.)* قَصْف؛ مَرَح صاخب.

hill [hĭl] *(n.; vt.)* (١) تلّ؛ هَضْبة (٢) بذور أو نباتات مزروعة في مجموعة لا في صفّ §(٣) يكوم (٤) يحيط بكومة تراب (to ~ potatoes) (٥) يُخفي.

hillock [hĭl'ək] *(n.)* رابية؛ أكمة؛ تلّ صغير أو هضبة صغيرة.

hillside [hĭl'sīd] *(n.)* جانب التلّ؛ منحدر التلّ (بين قمته وسفحه).

hilly [hĭl'ĭ] *(adj.)* (١) كثير التلال (٢) شديد التحدّر.

hilt [hĭlt] *(n.)* مِقْبَض (السيف أو الخنجر خاصةً).
to the ~, تماماً؛ كليّةً (armed ~).

hilum [hī'ləm] *(n.)* pl. **hila** (١) «أ» نَقير؛ أُنْقُور؛ سُرّة (نب). «ب» نواة حبة نشوية (٢) سُرّة؛ نَقير (ت).

him [hĭm] *(pron.)* ضمير النصب والجر للمفرد الغائب.

himation [hĭ măt'ĭ ŏn] *(n.)* pl. **-matia** شَمْلَة (كان الاغريق يطرحونها على الكتف اليسرى).

himself [hĭm sĕlf'] *(pron.)* (١) نفسُه (٢) حالتُه السويّة أو المعافاة جسدياً وعقلياً (He came to ~.).

Himyarite [hĭm'yə rīt'] *(n.; adj.)* (١) الحِمْيَريّ: واحد الحِمْيَريّين عربِ اليمن القدماء §(٢) حِمْيَرِيّ.

hind [hīnd] *(n.; adj.)* (١) الأيّلة: أنثى الأيّل (٢) عامل انكليزي بمزرعة §(٣) خلفي (the ~ legs of an animal).

hindbrain [hīnd'brān'] *(n.)* الدماغ المؤخّر (ت).

hinder [hĭn'dər] *(vt.; i.)* (١) يعوق (٢) يمنع؛ يوقف.

hinder [hīn'-] *(adj.)* خلفيّ (the ~ part of a ship).

hindgut [hīnd'gŭt] *(n.)* المِعي الخلفي؛ المصران الخلفي.

Hindi [hĭn'dē] *(n.)* اللغة الهندية: لغة شمالي الهند الأدبية والرسمية.

hindmost [hīnd'-] *or* **hindermost** [hīn'dər-] *(adj.)* الأخير.

hindquarter [hīnd'kwôr-] *(n.)* جزء خلفيّ من جسد الذبيحة.

hindrance [hĭn'drəns] *(n.)* (١) إعاقة؛ عرقلة (٢) عائق.

hindsight [hīnd'sīt] *(n.)* الادراك المؤخّر: إدراك طبيعة الحادثة بعد وقوعها (~ is easier than foresight.).

Hindu *also* **Hindoo** [hĭn'dōō] *(n.; adj.)* (١) الهندوسيّ: أحد أتباع الديانة الهندوسية (٢) مواطن هندي §(٣) هندوسيّ.

Hinduism [hĭn'dōō ĭz-] *(n.)* الهندوسيّة أو الهندوكيّة: ديانة الهند الرئيسية.

Hindustani *also* **Hindostani** [hĭn'dōō stä'nĭ] *(n.)* الهندستانية: مجموعة من لهجات شمالي الهند تُعتبر الهندية الفصحى والأوردو من أشكالها المكتوبة.

hinge [hĭnj] *(n.; vt.; i.)* (١) «أ» مِفْصَلة. «ب» قصاصة من ورق رقيق مصمّغ لِلَصْق طابع بريد في «ألبوم» (٢) العامل المقرِّر أو الحاسِم §(٣) يُمَفْصِل: «أ» يركّب للشيء مِفصَلة. «ب» يعلّقه بمِفصَلة ×(٤) يتوقف على (Everything ~s on her decision.).

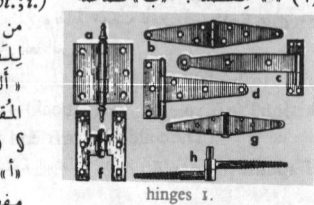

hinges I.

hinge joint *(n.)* المَفصِل الرَّزّي (كمِرْفق اليد).

hinny [hĭn'ĭ] *(n.)* وَلَد الأتان من الحصان.

hint [hĭnt] *(n.; vt.; i.)* (١) إلماع؛ تلميح؛ إشارة خفيّة (٢) ذرّة؛ أثر؛ مقدار ضئيل §(٣) يُلْمِع إلى؛ يلمّح.

hinterland [hĭn'tər-] *(n.)* المنطقة الخلفيّة: «أ» منطقة واقعة خلف ساحل. «ب» منطقة تزوّد غيرها بالمؤن الخ. «ج» منطقة نائية عن المدن.

hip [hĭp] *(n.; vt.)* (١) ثمر الورد البريّ (٢) «أ» وَرِك (ت). «ب» مفصِل الورك (٣) السَّنام: زاوية تنشأ عن التقاء سطحيّ سقف الخ. متحدّرَيْن §(٤) يسنّم: يجعل للسقف الخ. سناماً.

hip and thigh *(adv.)* بقسوة؛ من غير رحمة؛ بلا استبقاء.

hipbone [hĭp'bōn'] *(n.)* العَظْم الحَرْقَفيّ (ت).

hipp- *or* **hippo-** بادئة معناها: حصان؛ فرس.

hipped [hĭpt] *(adj.)* (١) «أ» ذو وَرِكَين (large-*hipped*). «ب» مسنّم: ذو سَنام (a ~ roof) (٢) محزون؛ مكتئب (٣) شديد الولع أو الافتتان بـ (~ on playing a tuba).

hippie *or* **hippy** [hĭp'-] *(n.)* الهِيبيّ؛ الخنفوس؛ الوجودي.

hippocampus [hĭp'ə kăm'pəs] *(n.)* pl. **-pi** (١) مارد البحر: حصان خرافيّ ذو قائمتين أماميتين وجسدٍ منتهٍ بذيل دلفين أو سمكة (٢) قرن آمون؛ قُرَيْن آمون (في الدماغ).

hippocras [hĭp'ə krăs] *(n.)* الهِبكْرَس: خمر ممزوجة بالتوابل.

Hippocratic oath *(n.)* يمين أبقراط (يُقسمها الأطباء في حفلة

التخرّج) .

hippodrome [hĭp'ə drōm] *(n.)*
المضمار : ميدان سباق الخيل .

hippogriff

hippogriff [hĭp'ə grĭf'] *(n.)*
الهِبغُريف : حيوان خرافي يشبه الغِرفين (را . .griffin)ولكن له جسداً وقائمتين خلفيتين كالتي للفرَس .

hippopotamus [hĭp'ə pŏt'ə məs] *(n.)* pl. **-muses** *or* **-mi**
البرْنيق ؛ فرس النهر ؛ جاموس البحر .

hippopotamus

-hippus
لاحقة معناها : فرس .

hip roof *(n.)*
السقف المُسنَّم : سقف ذو سطوح وأطراف متحدرة .

hire [hīr] *(n.; vt.; i.)*
(١) أجْر ؛ أجرة §(٢) يستخدم (~*d* a clerk) (٣) يستأجر (to ~ a car)(٤) يؤجِّر (٥) يرشو أو يكافىء (~*d* out most of his slaves)×(٦) يقبل العمل عند ؛ يعمل كمستخدم (asked me if I would ~ with him).

hireling [hīr'lĭng] *(n.)*
المأجور ، المرتزق : من يخدم لقاء أجر ، وبخاصة بدافع من أغراض نفعيّة خالصة .

hire purchase *(n.)*
الشراء بالتقسيط

hiring hall *(n.)*
مكتب التشغيل : مكتب تديره نقابةٌ مهمّته تأمين العمل لطالبيه من العمال العاطلين .

hirsute [hûr'sōōt] *(adj.)*
أهلب ؛ قاسي الشعر .

his [hĭz] *(adj.; pron.)*
(١) ضمير الغائب المتصل (~ book) . §(٢) خاصّته (The child is ~; a friend of ~).

Hispanic [hĭs păn'ĭk] *(adj.)*
اسبانيّ ، أو خاصّ باسبانية والبرتغال أو بأميركة اللاتينية .

hispid [hĭs'pĭd] *(adj.)*
شائك ؛ شوكيّ (~ leaves) .

hiss [hĭs] *(vi.; t.; n.)*
(١) يُهَسْهِس ، يَهُسّ : يطلق صوتاً شبيهاً بصوت الأفعى كتعبير عن الاستهجان أو الازدراء ×(٢) يستهجن بالهسهسة §(٣) هسهسة ؛ هسيس .

hist [hĭst] *(interj.)*
(١) صَهْ ، اسكت (٢) هس (هتاف للفت الانتباه) .

hist- *or* **histo-**
بادئة معناها : نسيج (*histo*chemistry).

histamine [hĭs'tə mēn] *(n.)*
الهِستمين : مركب يكون في الأرغوت (را . ergot) وفي كثير من الأنسجة الحيوانية (كح).

histidine [hĭs'tə dēn] *(n.)*
الهِستيدين : حامض أمينيّ (كح) .

histochemistry [hĭs tə kĕm'-] *(n.)*
كيمياء النسُج : علم يبحث في التركيب الكيميائي للأنسجة والخلايا .

histogenesis [hĭs'tə jĕn'ə-] *(n.)*
التنسّج : تكوّن الأنسجة العضوية .

histogram [hĭs'tə grăm] *(n.)*
الرسم البياني النسيجي : رسم بيانيّ مؤلف من سلسلة من المستطيلات (احص) .

histology [hĭs tŏl'ə jĭ] *(n.)*
(١) علم النسُج : علم يبحث في الأنسجة العضوية (٢) مؤلَّف في علم النسُج (٣) البِنْية النسيجية (the ~ of the liver).

histolysis [hĭs tŏl'ə sĭs] *(n.)*
انحلال النسُج أو الأنسجة (أح) .

histone [hĭs'tōn] *(n.)*
الهِستُون : مادة بروتينية ذات خصائص قاعدية قوية (كح) .

histopathology [hĭs tə pə thŏl'-] *(n.)*
(١) علم أمراض النسُج (٢) التغيّرات النسيجية التي تصيب عضواً أو ترافق مرضاً .

histophysiology [hĭs tə fĭz'ĭ ŏl'-] *(n.)*
علم وظائف النسُج .

historian [hĭs tôr'-] *(n.)*
المؤرِّخ : المؤلّف في التاريخ أو العالِم به .

historic [hĭs tôr'ĭk] *(adj.)*
تاريخيّ ؛ هامّ .

historical [hĭs tôr'ə kəl] *(adj.)*
تاريخيّ .

historical materialism *(n.)*
المادية التاريخية : نظرية ماركس في التاريخ والمجتمع القائلة بأن الفكرات (والمؤسسات الاجتماعية) لاتعدو أن تكون «بِنْية فوقية» قائمة على اساس اقتصادي مادي ، وبأن الصراع بين الطبقات يتحكم في سير التاريخ.

historical present *(n.)*
«الزمن» الحاضر المستعمل في رواية الحوادث الماضية وكأنها تحدث في الزمن الذي تُروَى فيه .

historicity [hĭs'tə rĭs'ə tĭ] *(n.)*
التاريخية : كون الشيء تاريخياً (غير أسطوريّ) .

historiographer [hĭs tōr'ĭ ŏg'-] *(n.)*
مؤرِّخ ؛ مؤرِّخ رسمي .

history [hĭs'tə rĭ] *(n.)*
(١) قِصّة ، حكاية (٢) «أ» تاريخ : سجلّ كرونولوجيّ للأحداث الهامة . «ب» مؤلَّف في التاريخ. «ج» بيان بِـ «الماضي» الطبّي لمريض (٣) علم التاريخ (٤) التاريخ : الأحداث الماضية .

histrionic [hĭs'trĭ ŏn'-] *(adj.)*
(١) مسرحي (٢) صناعيّ ؛ متكلّف .

histrionics [hĭs trĭ ŏn'ĭks] *(n. pl.)*
(١) التمثيل المسرحي . (٢) تكلّف في السلوك أو الكلام .

hit [hĭt] *(vt.; i.; n.)*
(١) «أ» يضرب . «ب» يصدم ؛ يرتطم بـ . (٢) يُهلِك ؛ يزعج بشدّة ؛ ينتقد بقسوة (٣) يكتشف أو يعثر على شيء وبخاصة بالمصادفة ؛ يحزر (to ~ the answer to a riddle) (٤) «أ» يلائم ؛ يطابق (This ~s my fancy.) . «ب» يصل ؛ يبلغ (to ~ town) . «ج» تعضّ (السمكةُ) على . «د» يجد أو يهتدي إلى (to ~ the right road). «هـ» يجيد التصوير أو الاداء (to ~ a likeness in a portrait) (٥) يسرف في الشراب (had been ~*ting* the bottle for days)×(٦) يهاجم (٧) يقع ؛ يحدث ؛ يصيب (٨) يوفق إلى إحراز شيء §(٩) «أ» ضربة . «ب» ارتطام (١٠) نجاح ؛ عملٌ ناجح بشكل واضح (The play is a ~ .) (١١) ملاحظة ساخرة الخ. (١٢) محصول وافر « من الفاكهة بخاصة » (ع) .

to ~ off
يصور أو يصِف بسرعة أو براعة .

to ~ on *or* upon
يعثر على أو يكتشف بالمصادفة .

hit-and-miss *(adj.)*
يصيب حيناً ويخطىء حيناً

hitch [hĭch] *(vt.; i.; n.)*
(١) يحرك « بالنخْع أو بطريقة ناخعة » (~*ing* her chair closer to the table) (٢) «أ» يعقد ؛ يربط بإحكام. «ب» يشدّ إلى عربة الخ. ×(٣) يسافر متطفّلاً (بأن يوقف السيارات ليركبها مجاناً) (٤) يتقدم على نحو متقطّع أو بتعثّر وتوقّف : يَعرُج (~*ing* slowly along on his cane)(٥) يَعلَق ؛ يتداخل ؛ يتشابك §(٦) نخعة ؛ حركة أو جذبة مفاجئة (٧) عرَج (٨) توقّف مفاجىء (٩) شدّ فرَس إلى عربة الخ. (١٠) فترة ، وبخاصة مُدّة الخدمة العسكرية (ع) (١١) عقدة ؛ أنشوطة (١٢) . lift 15 *b*

hitches 11.

hitchhike [hĭch'hīk] *(vi.)*
يسافر متطفّلاً (بأن يوقف السيارات ليركبها مجاناً) .

—**hitchhiker** *(n.)*

hither [hĭth'ər] *(adv.; adj.)*
(١) إلى هنا (Come ~.). §(٢) قريب (the ~ side of the mountain).

hithermost [hĭth'ər mōst'] *(adj.)*
الأقرب ؛ الأشدّ قرباً

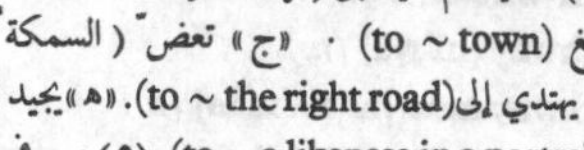

hitherto [hĭth'ər tōō'] *(adv.)* حتى الآن ؛ حتى اليوم .

hitherward *or* **hitherwards** [hĭth'ər-] *(adv.)* إلى هنا .

Hitlerism [hĭt'lər-] *(n.)* الهتلرية : «أ» المبادىء الهتلرية . «ب» الحركة الهتلرية .

hit or miss *(adv.)* كيفما اتفق .

hit-or-miss *(adj.)* اتفاقيّ التصميم : غير محدَّد التصميم ؛ غير ذي تصميم محدَّد مسبَقاً (a ~ carpet).

Hittite [hĭt'īt] *(n.; adj.)* (١) الحِثّيّ : واحد الحِثّيين وهم شعب فتح آسية الصغرى وسورية في الألف الثاني قبل الميلاد (٢) الحِثّية : لغة الحِثّيين §(٣) حِثّيّ .

hive [hīv] *(n.; vt.; i.)* (١) قفير ؛ خليّة نَحْل §(٢) يجمع في قفير (٣) يخزن في قفير أو نحوه : يدّخر ×(٤) يحتلّ (النحلُ) قفيراً (٥) يقيمون أو يحتشدون كالنحل .

hives [hīvz] *(n.)* الشَّرى : طفْح جلدي على صورة بثور تسبّب حكاكاً شديداً عادةً .

hoar [hōr] *(adj.; n.)* (١) أشيب §(٢) الصَّقيع : ندىً أو بخار متجمّد على سطح بارد .

hoard [hōrd] *(n.; vt.)* (١) ذخيرة ؛ مؤونة §(٢) يدّخر ؛ يختزن .

hoarding [hōr'dĭng] *(n.)* (١) سياج خشبيّ مؤقت حول مبنىً يُنْشأ أو يُرمَّم (٢) لوحة إعلانات ضخمة (على الجدران الخارجية).

hoarfrost [hōr'frôst] *(n.)* = hoar.

hoariness [hōr'-] *(n.)* (١) شَيْب (٢) قِدَم ؛ عِتْق ؛ وقار .

hoarse [hōrs] *(adj.)* (١) أجشّ (~ voice) (٢) أجشّ الصوت .

hoarseness [hōrs'-] *(n.)* بُحّة (في الصوت) .

hoary [hōr'ĭ] *(adj.)* (١) «أ» أشيَب . «ب» ذو أوراق زَغِبة عادةً ضارب لونُها إلى البياض (٢) «أ» قديم ؛ عتيق . «ب» وقور ؛ جليل .

hoax [hōks] *(vt.; n.)* (١) يخدع §(٢) خدعة .

hob [hŏb] *(n.; vt.)* (١) غول ؛ عفريت ؛ جنيّ مؤذٍ (٢) الحاجب الحديدي : نتوء في مؤخَّر أو جانب الموقِد لتسخين شيء (٣) مِقطَع مُسنَّنات مُخدَّد (ملث) §(٤) يزوِّد (النعل) بمسامير قصيرة عريضة الرؤوس (٥) يقطع (بمقطع مسنّنات محدّد) .

to play *or* raise ~, يثير المتاعب الخ .

hobble [hŏb'əl] *(vi.; t.; n.)* (١) يَعْرُج ×(٢) يصيبه بالعرج . (٣) «أ» يقيِّد ؛ يشدّ قوائم (الفرس الخ .) بالشِّكال . «ب» يَعُوق §(٤) عَرَج (٥) ورطة ؛ موقف حَرِج (ا.ق) (٦) قَيْد ؛ شِكال .

hobbledehoy [hŏb'əl dĭ hoi] *(n.)* (١) المُراهِق (٢) فتى أخرق .

hobble skirt *(n.)* التنّورة المقيِّدة : تنورة ضيّقة الطرف الأدنى إلى درجة تعوق القدرة على المشي بصورة طبيعيّة .

hobby [hŏb'ĭ] *(n.)* (١) هواية (٢) صقر أو فرس صغير .

hobbyhorse [hŏb'ĭ hôrs] *(n.)* (١) «أ» صورة فرس (تعلّق على الخصر في إحدى الرقصات الانكليزية) . «ب» راقص على خصره صورة فرس (٢) «أ» العصا الفَرَسية : عصا ذات رأس شبيه برأس الفرس يتظاهر الطفل بركوبها . «ب» حصان خشبي للأطفال (٣) «أ» موضوع يُكثِر المرء من العودة إليه . «ب» هواية .

hobbyhorse 2 *a.*

hobgoblin [-'gŏb'lĭn] *(n.)* (١) غول ؛ جنّيّ بشع مؤذٍ (٢) بُعْبُع .

hobnail [-'nāl] *(n.)* مسمار النعل : مسمار قصير غليظ الرأس للنعال .

hobnob [hŏb'nŏb'] *(vi.)* (١) يشربون معاً بمودّة (ا.ق) . (٢) يخادن ؛ يعاشر أو يتحدث رافعاً الكلفة .

hobo [hō'bō] *(n.)* (١) العامل المتجوِّل (٢) «أ» المتشرِّد ؛ الأفّاق . «ب» العالة .

Hobson's choice *(n.)* اختيار قَهْريّ أو اضطراريّ .

hock [hŏk] *(n.; vt.)* (١) عُرْقوب (في الخيل والطير) (٢) الهوك : ضرب من الخمر (٣) رهن (٤) سِجْن (ع) §(٥) يرهن .

hockey [hŏk'ĭ] *(n.)* الهُوكي : لعبة الكرة الخشبية والصولجان .

hocus [hō'kəs] *(vt.)* (١) يخدع (٢) «أ» يغش ؛ يَمْذُق ؛ يمزج بالماء . «ب» يخدِّر أو يحتال لإعطاء امرىء مخدِّراً .

hocus-pocus [-pō'kəs] *(n.; vt.)* (١) sleight of hand (٢) هراء أو تمويه يُصطنع لتغطية الخداع §(٣) يخدع .

hod [hŏd] *(n.)* (١) حوض لنقل المِلاط والآجرّ (٢) دلو لحمل الفحم .

hod carrier *(n.)* بنّاء مساعد يحمل حوض المِلاط الخ .

hodgepodge [hŏj'pŏj] *(n.)* خليط ؛ مزيج .

hoe [hō] *(n.; vt.; i.)* (١) مِعزَقة ؛ مِجرفة §(٢) يعزق الأرضَ .

hoecake [hō'kāk'] *(n.)* كعكة الذرة ؛ فطيرة الذرة .

hog [hŏg] *(n.; vt.; i.)* (١) خنزير (٢) «أ» **hogg** عَدَ : حَمَلٌ غير مَجزوز الصوف (بر) . «ب» صوف مجزوز من حَمَل (بر) (٣) شخص أنانيّ أو شرِه أو قذر §(٤) يجزّ شعر عنق الفرس (٥) يقوِّس (الظهرَ) جاعلاً إيّاه كظهر الخنزير (٦) يأخذ أكثر من نصيبه أو حقه ×(٧) يتقوس (قاع السفينة) .

hogback [hŏg'-] *(n.)* هضبة حادّة القمة متحدرة الجنبات (جي) .

hog cholera *(n.)* كوليرا الخنازير .

hogfish [hŏg'fĭsh] *(n.)* السمك الخنزيري : سمك شبيه بالخنزير .

hogfish

hoggish [hŏg'ĭsh] *(adj.)* (١) أنانيّ (٢) شَرِه (٣) قذِر .

hogshead [hŏgz'hĕd] *(n.)* (١) برميل كبير (تتراوح سعته بين ٦٣ و ١٤٠ غالوناً) (٢) مقياس للسَّعة ، وبخاصة مقياس أميركي للسوائل يعادل ٦٣ غالوناً .

hog-tie [hŏg'tī] *(vt.)* (١) يقيِّد قدَميه (٢) يجعله عاجزاً عن العمل (a police force *hog-tied* by corruption).

hogwash [hŏg'wŏsh] *(n.)* (١) نفاية المطابخ (تُقدَّم للخنازير) . (٢) كلام تافه .

Hohenzollern [hō'ən zŏl'ərn] *(adj.; n.)* (١) هوهنزلَرنيّ : متعلق بأسرة ألمانية حاكمة ينتسب إليها ملوك بروسيا من ١٧٠١–١٩١٨ وأباطرة ألمانيا من ١٨٧١ – ١٩١٨ §(٢) الهوهَنزُلَرنيّ : أحد أفراد أسرة هوهنزلرن ؛ وبخاصة : عاهلٌ من هذه الأسرة .

ho-hum [hō'hŭm'] *(adj.)* رتيب ؛ مُملّ ؛ مُضجِر .

hoi polloi [hoi'pə loi'] *(n.pl.)* الجماهير ؛ العامة .

hoise [hoiz] *(vt.)* يرفع (علماً أو شراعاً) .

hoist with one's own petard يُنْسَف أو يُقتَل بقنبلته هو ؛ يَحيق به مكرُه ؛ يقع في الشرك الذي نصبه لغيره .

hoist [hoist] *(vt.; i.; n.)* (١) يرفع (علماً أو شراعاً) ×(٢) يرتفع §(٣) رَفْع (٤) الرّافعة : آلة رافعة (٥) ارتفاع العَلَم (كما يُرى وهو منشور على ساريته) .

hoity-toity [hoi'tĭ toi'tĭ] *(n.; adj.)* (١) سلوك مستهتر طيّاش . §(٢) مستهتر ؛ طائش (٣) متشامخ ؛ متعجرف .

hokeypokey [hō'kĭ pō'kĭ] *(n.)* (١) hocus-pocus (٢) مثلّجات (يبيعها الباعة المتجولون).

hokum [hō'kəm] *(n.)* (١) عوامل إضحاك أو إثارة يُدخلها المخرج على المسرحية (٢) hocus-pocus .

hol- *or* **holo-** بادئة معناها : «أ» تامّ ، كامل . «ب» تماماً ، كليّةً .

hold [hōld] *(vt.; i.; n.)* (١) «أ» يملك ، يقتني . «ب» يضبط ؛ يحتجز . «ج» يحتفظ بـ (٢) «أ» يكبح ، يوقف . «ب» يؤخّر ؛ يعوق . «ج» يصدّ . «د» يقيّد . «هـ» يُلزم (٣) «أ» يحمل ؛ يُمسك ؛ يقبض . «ب» يُبقي (to ~ an emotion under rigid control.) «ج» يدعم . «د» يحبس ؛ يعتقل . «هـ» يحجز (غرفة في فندق الخ .) (٤) «أ» يلزم (to ~ silence) . «ب» يواصل (to ~ one's course due south) (٥) «أ» يتّسع لـ (This hotel ~s 250 guests.) . «ب» يغيّب ؛ يخبّىء (would like to know what the future ~s) (٦) «أ» يؤمن أو يعتقد بـ (to ~ a theory) «ب» يقبل (to ~ a point of view) . «ج» يعتبر (to ~ a person responsible) . «د» يقدّر ؛ يُعِزّ (to ~ one dear) (٧) «أ» يعقد (to ~ a meeting) . «ب» يُجري (to ~ a conversation) (٨) «أ» يَشْغل أو يتولى (*held* the presidency for two terms) . «ب» يحمل (~s a medal of honor) ×(٩) «أ» يصمد (troops *held* in the face of repeated attacks) . «ب» يستمرّ ؛ يدوم (Her anger *held* for several days.) (١٠) يظلّ عالقاً بشيء أو مشدوداً إليه (The anchor *held* in the rough sea.) (١١) يبقى (to ~ aloof from strangers) (١٢) يَصحّ (The rule ~s only in special cases.) (١٣) يواصل تقدّمه (travelers *held* on their way) (١٤) يتوقف ؛ يتمهّل (wished that she might ~ a while and stop her chatter) (١٥) يجري ؛ يحدث (Annual show and sale of highland ponies ~s on Monday.) §(١٦) معْقِل ؛ حِصْن (١٧) «أ» اعتقال ، احتجاز . «ب» سِجْن (١٨) «أ» إمساك . «ب» طريقة الامساك بالخصم (في المصارعة) . «ج» سلطة ، سيطرة . «د» فَهْم أو إدراك تام (١٩) سند ، دعامة (٢٠) وقفة مفاجئة في نهاية رقصة (٢١) أمر أو إيعاز بالتمهّل أو الإرجاء (٢٢) عنبر ، مخزن السفينة أو الطائرة .

- to ~ *or* keep back (١) يكبح (٢) يلغي .
- to ~ by يلزم ، يتشبّث بـ .
- to ~ forth (١) يبدي رأياً ، يقترح (٢) يلقي خطبة .
- to ~ good *or* true يصحّ ، يصْدُق ، يسري مفعوله .
- to ~ in (١) يكبح (٢) يكبح نفسه ، يلزم الصمتَ أو الهدوء .
- to ~ off (١) يبتعد ، ينأى بنفسه (٢) يُبْعِد ، يَصُدّ .
- to ~ on (١) يستمرّ ، يواصل التقدم بغير انقطاع . (٢) يقف ، ينتظر (ع) .
- to ~ one's own (١) يصمد ، يحتفظ بمركزه أو وضعه . (٢) يحتفظ برباطة جأشه أثناء المناقشة الخ . (٣) يحتفظ بقوّته العامة (أثناء مرض) .
- to ~ one's tongue *or* one's peace يلزم الصمتَ ؛ يكفّ عن الكلام .
- to ~ on one's way يواصل سيره باطراد .
- to ~ out (١) يَعْرِض ، يقدّم (٢) يصمد ، يتحمّل (٣) يرفض التفاهم أو الاذعان .
- to ~ over (١) يحتفظ بمنصبه (إلى ما بعد انقضاء المدة القانونية) (٢) يؤجّل (٣) يحتفظ بـ (٤) يبقي في منصب .
- to ~ the bag (١) يُترك صِفرَ اليدين (٢) يتحمّل وحده مسؤولية كان ينبغي أن يقاسمه إياها آخرون .
- to ~ to (١) يبقى أميناً لـ (٢) يؤمن بـ (٣) يلازم ؛ يبقى على مقربة من .
- to ~ together (١) يوحّد ؛ يجعله يتماسك (٢) يتّحد .
- to ~ up (١) يَعْرِض (٢) يعوق ؛ يوخر (٣) يوقف بالقوّة ابتغاء السلب (٤) يستمرّ في السرعة نفسها (٥) يقف ؛ يكفّ (٦) يدعم .
- to ~ water (١) يصدّ الماء (٢) يصمد للنقد أو التحليل .
- to ~ with يُقِرّ أو يوافق على .

holdall [hōld'ôl'] *(n.)* جراب ، حقيبة سفر قماشية .

holdback [hōld'băk'] *(n.)* (١) العائق ، الكابح (٢) «أ» إعاقة ؛ كبح . «ب» شيء مكبوح .

holder [hōl'dər] *(n.)* (١) «أ» المالك . «ب» مستأجر أرض . «ج» حامل السند أو الشيك (٢) الحاملة ، المِمسك : أداة لحمل شيء أو الإمساك به (a cigarette ~ ; a pen ~) .

holdfast [hōld'făst; -fäst] *(n.)* (١) قبضة أو مسكة شديدة . (٢) المثبّت ، الممكّن (كالمسمار الطويل المسطح الرأس) .

holding [hōl'dĭng] *(n.)* (١) «أ» أرض مستأجَرة ، وبخاصة من شخص أعلى مقاماً . «ب» *pl.* عد : ممتلكات (كالسندات وأسهم الشركات) (٢) حكم (في مسألة قضائية) .

holding company *(n.)* الشركة المهيمنة : شركة تملك جزءاً من أسهم شركة أخرى أو جميع أسهمها لكي تسيطر عليها .

holdover [hōld'ō-] *(n.)* المحتفظ بمنصبه (بعد المدة القانونية) .

hole [hōl] *(n.; vt.; vi.)* (١) ثقب (٢) «أ» حفرة . «ب» موضع عميق في جسم مائي (كنهر الخ .) (٣) جُحْر ، وجار (٤) نقيصة ؛ عيب ؛ نقطة ضعف (٥) مسكن حقير أو قذر (٦) ورطة ، مأزق §(٧) يثقب (٨) يُدخل في ثقب الخ . (٩) يشقّ (نفقاً الخ .) ×(١٠) «أ» يَدْخل جُحْراً أو وجاراً . «ب» يستكنّ (الحيوان) فترةَ الشتاء (تتبعها *up* عادةً) .

- in the ~ , تحت الصفر (في الألعاب) .

hole-in-the-wall *(n.)* آلة سحب المال خارجَ مصرف .

holiday [hŏl'ə dā'] *(n.; vi.)* (١) عيد دينيّ (٢) يوم عطلة . (٣) *pl.* عد : عطلة §(٤) يقضي العطلة (~*ing* at the seaside) .

holily [hō'lə lĭ] *(adv.)* (١) بقداسة (٢) بتقوى .

holiness [hō'lĭ nĭs] *(n.)* قداسة .

holland [hŏl'ənd] *(n.)* (١) *cap.* : هولندة (٢) النسيج الهولنديّ : نسيج قطنيّ أو كتّانيّ .

hollandaise [hŏl'ən dāz'] *(n.)* الصلصة الهولندية : صلصلة مؤلفة من زبدة وصفار البيض وخلّ الخ .

Hollands [hŏl'əndz] *(n.)* الجِنّ الهولندي : شراب مسكِر .

holler [hŏl'ər] *(vi.; t.; n.)* (١) يصيح (٢) يشكو ؛ يتذمر . ×(٣) يعبّر (عن شيء) بالصياح (to ~ encouragement) §(٤) صيحة (٥) شكوى (٦) اغنية زنجية اميركية .

hollo [hŏl'ō] *or* **holla** [hŏl'ə] *(interj.)* هالو : هتاف للفت الانتباه أو للتشجيع أو الابتهاج .

hollow [hŏl'ō] *(adj.; vt.; i.; n.; adv.)* (١) «أ» مجوَّف . «ب» غائر (~ cheeks) (٢) «أ» فارغ (a ~ ball) «ب» أجوف (a ~ victory) (٣) عميق ؛ مكتوم ؛ غير رنان (a ~ voice) (٤) كاذب ؛ خادع (a ~ truce) (٥) جائع §(٦) يجوِّف ×(٧) يتجوَّف §(٨) تجويف ؛ ثقب ؛ غَوْر (٩) حفرة (١٠) وادٍ

(to beat someone all ~) §(١١) تماماً ؛ بكل ما في الكلمة من معنى
—**hollowly** *(adv.)*

hollow ware *(n.)* آنية خزفية أو زجاجية أو معدنية مجوَّفة .

holly [hŏl'ĭ] *(n.)* : البَهْشِيَّة ؛ الإيلَكس : نبات ذو ورق صقيل شائك الأطراف وزهر صغير ضارب إلى البياض (نب).

holly

hollyhock [hŏl'ĭ hŏk] *(n.)* الخِطْمِيّ ؛ الخِطْمِيّ الوردي : جنس زهر من الخبّازيّات (نب) .

Hollywood [hŏl'ĭ-] *(n. often attrib.)* صناعة السينما الأميركية .

holm [hōm] *(n.)* (١) أرض منخفضة منبسطة بجانب نهر (٢) جزيرة صغيرة في نهر أو بحيرة .

holo- = hol-.

holoblastic [-blăs'-] *(adj.)* كاملة الانشقاق (صفةٌ للبُيَيْضة) .

holocaust [hŏl'ə kôst] *(n.)* (١) المُحْرَقة : الذبيحة التي تُحرَق تعبّداً لله (٢) المَحْرَقة : الإبادة الكاملة ، وبخاصة بالإحراق.

holograph [hŏl'ə grăf; -gräf] *(n.; adj.)* (١) السنَد الخطّي : سَنَدٌ أو وصية أو رسالة مكتوبةٌ بأكملها بخط واضعها §(٢) أو **holographic** : مكتوب بخط واضعِهِ (a ~ letter).

holohedral [hŏl'ə hē'-] *(adj.)* كاملة السطوح : مشتملةٌ على جميع السطوح التي يقتضيها التناسق التام (a ~ crystal).

holometabolous *(adj.)* كاملة الانسلاخ (صفةٌ للحشرة) .

holothurian [hŏl'ə thŏŏr'ĭ ən] *(n.)* خيار البحر : حيوان بحري من قنفذيات الجلد .

holster [hōl'-] *(n.)* قِراب المسدَّس (يُصنَع من الجلد) .

holt [hōlt] *(n.)* أجَمَة ، دَغَل ، غابةٌ صغيرة (ا.ق) .

holus-bolus [hō'ləs bō'ləs] *(adv.)* دفعةً واحدةً .

holy [hō'lĭ] *(adj.)* (١) مقدَّس (٢) تقيّ أو واقفٌ نفسه لخدمة الله والدين (a ~ man) (٣) دينيّ (~ rites) (٤) رهيب ؛ لا يصدَّق (was a ~ terror) (٥) مفعَم بقوة خفية أو خارقة مُهْلِكة (Some words are considered so ~ they must never be spoken aloud.)

Holy Communion *(n.)* العشاء الإلهي أو الربّاني (نص).

holy day *(n.)* (١) عيد ديني (٢) يوم صيام ٍ ديني .

Holy Father *(n.)* الأب الأقدس : البابا (نص).

Holy Ghost *(n.)* الروح القُدُس (نص) .

Holy Office *(n.)* محكمة التفتيش : محكمة كهنوتيّة مهمتها حماية الدين والأخلاق (نص) .

holy of holies قُدْس الأقداس .

Holy Order *(n.)* (١) الدرجات الكهنوتية (٢) *pl.* : رسامة الكهنوت

Holy Roman Empire *(n.)* الامبراطورية الرومانية المقدسة (من القرن ٩ أو ١٠ إلى ١٨٠٦) .

Holy Saturday *(n.)* سبْت النور (الذي يسبق الفصح) .

Holy Spirit *(n.)* = Holy Ghost.

holystone [hō'lĭ-] *(n.; vt.; i.)* (١) الرَّخْفَة ؛ حجر الخُفّان : حجر رقيق خفيف §(٢) يُرْخِف : يحكّ ظهر السفينة بحجر الخُفّان .

Holy Synod *(n.)* السِّنُودُس أو المجمع المقدَّس (في الكنيسة الشرقية)

Holy Thursday *(n.)* خميس الصعود (نص) .

Holy Week *(n.)* أسبوع الآلام (الذي يسبق الفِصح) .

Holy Writ *(n.)* الأسفار المقدَّسة (نص) .

hom- *or* **homo-** بادئة معناها : متجانس ؛ متماثل .

homage [hŏm'ĭj; ŏm'-] *(n.)* (١) «أ» البَيْعة : حفلة يعلن فيها المرء أنه من أتباع أمير إقطاعي . «ب» العلاقة بين الأمير الاقطاعي وتابعه . «ج» عملٌ يُعمل أو مالٌ يُدفَع وفاءً بالتزامات التبعية الاقطاعية (٢) «أ» إجلال ؛ ولاء. «ب» ثناء ؛ تقدير .

hombre [ôm'brĕ] *(n.)* رَجُل ؛ فتىً ؛ شخص .

homburg [hŏm'bûrg] *(n.)* الهامبورغية : قبعة للرجال.

home [hōm] *(n.; adv.; vi.; t.)* (١) «أ» بيت . «ب» منزل . (٢) الموطن : المكان أو الموطن الذي يكثر فيه وجود الحيوان أو النبات أكثر ما يكون (٣) «أ» وَطن ؛ مسقط الرأس . «ب» المقرّ الرئيسي (٤) ملجأ (٥) الهدف (في مختلف الألعاب) §(٦) نحو أو في البيت أو الوطن (٧) بإحكام ؛ إلى النهاية (drove the nail ~) §(٨) «أ» يعود إلى البيت أو إلى الوطن . «ب» يعود (الحيوانُ) إلى موطنه من مسافة ما (٩) يتخذ لنفسه مقراً (Several publishers have ~d in that city.) × (١٠) «أ» يبعث به إلى البيت أو الوطن أو الهدف . «ب» يُؤوي .

last *or* long ~, القبر

to be at ~, (١) يكون مطّلعاً أتمّ الاطلاع على (٢) يستقبل الزائرين .

to bring ~ to one يقنعه بأمرٍ ما .

to come ~ to one يؤثّر فيه ؛ ينفذ إلى قلبه أو وجدانه

to feel (make oneself) at ~, يأخذ حريته في بيت شخص آخر (وكأنه بيته هو) .

home- *or* **homeo-** بادئة معناها : مِثْل ؛ شبيه .

homebred [hōm'brĕd'] *(adj.)* وطنيّ ، غير أجنبي .

home brew *(n.)* شراب كحولي مصنوع في البيت .

home economics *(n.)* تدبير المنزل ؛ التدبير المنزلي .

homeland [hōm'lănd'] *(n.)* الوطن .

homeless [hōm'lĭs] *(adj.)* شريد: لا وطن أو مسكن له .

homelike [hōm'līk] *(adj.)* عائليّ : بهيج ؛ مُريح ؛ بسيط الخ .

homely [hōm'lĭ] *(adj.)* (١) homelike (٢) مألوف ؛ عاديّ (into ~ terms) (٣) عطوف (a ~ nurse) (٤) «أ» طبيعي ؛ غير متكلَّف (~ courtesy) . «ب» بسيط (~ food) . «ج» غير مزخرَف (written in ~ prose) (٥) بشع ؛ قبيح .

homemade [hōm'mād'] *(adj.)* (١) «أ» بيتيّ الصنع . «ب» مُنجَز بجهد المرء الشخصيّ (٢) وطنيّ الصنع .

homemaker [hōm'-] *(n.)* مدبّرة المنزل (كالزوجة أو الأم) .

homeo- = home-.

homeomorphism [hō mĭ ə môr'fĭz əm] *(n.)* تشابُه الشكل البلّوري (بين مركّبات كيميائية متباينة) .

homeopathy [hō mĭ ŏp'ə thĭ] *(n.)* المعالجة المِثْلِيّة : معالجة الداء بإعطاء المصاب جرعات صغيرة من دواء لو أعطي لشخص سليم لأحدث عنده مثل أعراض المرض المعالَج .

homeostasis [-stā'sĭs] *(n.)* الاتزان البدَني : اتزان (أو نزعة إلى الاتزان) بين عناصر الكائن الحيّ المختلفة .

homer [hō'mər] *(n.)* (١) الهُومَر : مكيال عِبريّ قديم . (٢) حَمام الزاجل .

Homeric [hō mĕr'ĭk] *(adj.)* هوميريّ : منسوب إلى هوميروس الشاعر الاغريقي القديم .

home rule *(n.)* الحكم الذاتي .

home secretary *(n.)* وزير الداخلية (في انكلترة) .

homesick [hōm'-] *(adj.)* مشُوق للعودة إلى الوطن والأسرة .

ă at; ā date; â care; ä car; ĕ egg; ē me; ĭ in; ī bite; ŏ lot; ō bone; ô orphan; oi boil ŏŏ good; ōō boot; ou out; ŭ under; ū unity; û urgent; th thing; th this; zh vision; ə = a in alone, e in system, i in easily, o in gallop, u in circus.

homesickness [hōm'-] *(n.)* الشُّواق: الحنين الى الوطن والأسرة.

homespun [hōm'-] *(adj.; n.)* (١)«أ» بَيْتِيّ النسج أو الصُّنْع . «ب» مصنوع من نسيج صوفي أو كتاني بيتي (٢)«أ» شعبيّ؛ عاميّ (~ tastes) . «ب» بسيط ؛ غير متكلف (dresses up her thoughts in ~ garments) (٣)عمليّ §(٤)نسيج صوفيّ أو كتاني (من غزل بيتيّ) .

homestead [hōm'stĕd; -stĭd] *(n.)* (١)«أ» المسكن وما حوله من أرض . «ب» منزل الأسرة ؛ بيت الآباء والاجداد . (٢) منزل .

homestretch [hōm'strĕch'] *(n.)* (١) نهاية المطاف (في سباق). (٢) مرحلة نهائيّة أو أخيرة .

homework [hōm'-] *(n.)* الفَرْض المنزلي : فَرْض مَدْرسي يُعَدّ في البيت .

homey *also* **homy** [hō'mĭ] *(adj.)* = homelike.

homicidal [-ə sī'dəl] *(adj.)* (١) قَتْليّ (٢) نزّاع إلى القتل .

homicide [hŏm'ə sīd] *(n.)* (١) القاتل (٢) القتل .

homily [hŏm'ə lĭ] *(n.)* (١) عظة دينية (٢) محاضرة أخلاقية .

homing pigeon *(n.)* حَمامُ الزاجل .

hominoid [hŏm'-] *(adj.; n.)* (١) شبيه بالإنسان (٢) ذو علاقة بالانسان §(٣) كائن «شبيه» بالانسان .

homo [hō'mō] *(n.)* (١) الإنسان (٢) إنسان .

homo- بادئة معناها : متجانس ؛ متماثل .

homocercal [hō'mə sûr'kəl] *(adj.)* (١) متجانس الذيل : ذو ذيل (أو زعنفة ذيلية) متساوي الفَصّين (قا heterocercal)(٢)متساوي الفَصّين(~tail).

homocercal tail

homochromatic [hō'mə krō măt'-] *(adj.)* (١) ذو علاقة بلون واحد (٢) متماثل اللون؛ وحيد اللون .

homoerotic [-ĭ rŏt'ĭk] *(adj.)* = homosexual.

homogamous [hō mŏg'ə məs] *(adj.)* (١) متجانس الزهر : ذو زهور كلها متماثلة أو من جنس واحد (٢) أَسْدِيَتُه ومِدقّاته بالغةٌ نضجَها في آنٍ معاً (نب) . —**homogamy** *(n.)*

homogeneous [hō mə jē'nĭ əs] *(adj.)* متجانس : من جنس واحد أو طبيعة واحدة أو تكوين واحد.

homogenize [hō mŏj'ə nīz] *(vt.)* يجانس : يجعله متجانساً .

homogenous [hō mŏj'ə-] *(adj.)* (١)متجانس التكوين «بسبب من نشوئه عن أصل مشترك» (~organs) (٢) homogeneous .

homogeny [hō mŏj'ə nĭ] *(n.)* تجانس الأعضاء بسبب من نشوئها عن أصل مشترك (أح) .

homogonous [hō mŏg'ə nəs] *(adj.)* ذو أسْدية ومدقّات متجانسة الطول النسبي (نب) . —**homogony** *(n.)*

homograft [hō'mō 'grăft] *(n.)* النسيج المتجانس : نسيج عضوي للتطعيم مأخوذ من مُعْطٍ ينتسب إلى نفس زمرة المتلقّي .

homograph [hŏm'ə grăf] *(n.)* اللفظة المجانِسة : لفظةٌ بينها وبين لفظة أخرى جِناس ، أي تماثل في الرّسم (الاملاء) واختلاف في الاشتقاق أو المعنى أو اللفظ (مثل *lead* بمعنى « يقود » ؛ و *lead* بمعنى « رصاص ») .

homoi- *or* **homoio-** = home-.

homoiothermic [hō moi ə thûr'-] *(adj.)* ثابت الحرارة : ذو حرارة جسمانية عالية نسبياً وثابتة لا تتأثر بتغيّر حرارة البيئة .

homologate [hō'mŏl'ə gāt] *(vt.)* يُقِرّ ؛ يجيز ؛ يصدّق على .

homological [hō'mə lŏj'ə kəl] *(adj.)* = homologous.

homologize [hō mŏl'ə jīz] *(vt.)* (١) يماثل ؛ يشاكل : يجعله متماثلاً أو متشاكلاً (٢) يُظهر التماثل أو التشاكل .

homologous [hō mŏl'ə gəs] *(adj.)* (١) متماثل ؛ متشاكل ؛ متناظر (في الوضع أو القيمة أو التكوين أو الوظيفة) (٢)مستمَدّ من مُتَعَضّيات متماثلة النوع (أح) .

homologous series *(n.)* السلسلة المتشاكلة (ر) .

homologous sides *(n. pl.)* الأضلاع المتشاكلة (ر) .

homologue *or* **homolog** [hŏm'ə lôg] *(n.)* المتماثل؛ المتشاكل.

homology [hō mŏl'ə jĭ] *(n.)* (١) تماثل ؛ تشاكل ؛ تناظر . (٢) التشاكل : تشابه في التكوين أو الوظيفة بين أعضاء كائنات حيّة مختلفة نتيجةً لنشوئها عن أصل واحد (أح) .

homolysis *(n.)* تحلّل (المركّب الكيميائي) إلى ذرتين محايدتين .

homomorphic; homomorphous [hō'mə môr'-] *(adj.)* متماثل الشكل .

homomorphism [-'mə môr'-]; **homomorphy** [hō'-] *(n.)* تماثلٌ أو تشابه الشكل (مع اختلاف في التكوين والأصل) .

homonym [hŏm'ə nĭm] *(n.)* (١) اللفظة المجانسة (را homophone و homograph) (٢) المجانِسة جناساً تاماً : إحدى لفظتين متماثلتين في الرسم (الاملاء) واللفظ مختلفتين في المعنى (مثل *pool* بمعنى البركة ، و *pool* بمعنى نوع من البليارد) (٣) السَّمِيّ : من يحمل نفس الاسم الذي يحمله غيره . —**homonymic** *(adj.)*

homonymous [hō mŏn'ə məs] *(adj.)* (١) غامض (٢)حاملٌ نفس الاسم (٣)جِناسيّ: متماثل في اللفظ أو الرسم مختلِف في المعنى .

homophone [hŏm'ə fōn] *(n.)* اللفظة المجانِسة : إحدى لفظتين أو أكثر متماثلة في اللفظ مختلفة في المعنى أو الاشتقاق أو الرَّسْم (مثل *rite* و *write* و *right*) .

homophyly [hō'mə fī lĭ] *(n.)* تشابه ناشيء عن النّسب المشترك .

homopterous [hō mŏp'tər əs] *(adj.)* متجانس الأجنحة : خاص أو متعلق بمتجانسات الأجنحة **Homoptera** وهي رُتْبة من الحشرات نصفية الجناح .

Homo sapiens [- sā'pĭ ĕnz] *(n.)* الانسان (بوصفه نوعاً بيولوجياً) .

homosexual [hō'mə sĕk'shōō əl] *(adj.; n.)* (١) لوطيّ §(٢) اللوطيّ ؛ مشتهي المماثِل .

homosexuality [hō'mə sĕk'shōō ăl'ə tĭ] *(n.)* اللواطة : اشتهاء المماثل (مج) .

homosporous [hō mŏs'pə rəs] *(adj.)* متجانس الأبواغ : ذو أبواغ من نوع واحد فقط (نب) .

homotaxis [hō'mə tăk'sĭs] *(n.)* تماثل التنضيد ؛ وبخاصة : تشابه في الأحافير (را . fossil) وفي ترتيب الطبقات الجيولوجية .

homotransplant [hō mō trăns'-] *(n.)* = homograft.

homunculus [hō mŭng'kyə-] *(n.)* pl. **-culi** [-lī] قَزَم .

homy [hō'mĭ] *(adj.)* = homey.

hone [hōn] *(n.; vt.; i.)* (١) حجر الشَّحْذ أو السَّنّ أو التجليخ §(٢) يَشْحَذ ؛ يسنّ (to ~ a razor) × (٣) يتذمر (ع) (٤) يتوق (ع) .

honest [ŏn'ĭst] *(adj.)* (١)«أ» صادق ؛ صحيح . «ب» أصلي ؛ غير مغشوش (~ commodities) . «ج» متواضع (apprenticed to some ~ trade) . «د» بسيط (~ food) (٢) محترم أو فاضل (في نظر المجتمع) (٣)«أ» أمين ؛ مستقيم . «ب» صريح؛ مخلص (٤) ساذج؛ بسيط ؛ بريء (the ~ average playgoer).

ă at; ā date; â care; ä car; ĕ egg; ē me; ĭ in; ī bite; ŏ lot; ō bone; ô orphan; oi boil ŏŏ good; ōō boot; ou out; ŭ under; ū unity; û urgent; th thing; t͟h this; zh vision; ə = *a* in alone, *e* in system, *i* in easily, *o* in gallop, *u* in circus.

—**honest; honestly** *(adv.)*

honesty [ŏn'ĭs tĭ] *(n.)* صِدق ؛ أمانة ؛ استقامة ؛ إخلاص الخ

honey [hŭn'ĭ] *(n.; vt.; i.; adj.)* (١) «أ» عسل ؛ شَهْد . «ب» رحيق الأزهار (٢) الحبيب ؛ العزيز (٣) حلاوة §(٤) يعسِّل : يُحلِّي بالعسل أو نحوه (٥) يتملّق §(٦) عسلي .

honeybee [hŭn'ĭ bē'] *(n.)* العَسَّالة : نحلة تُعطي عسلاً .

honeycomb [hŭn'ĭ kōm] *(n.; vt.; i.)* (١) قرص العسل (٢) شيء شبيه بقرص العسل من حيث التكوين أو المظهر §(٣) يُنَخْرِب : يجعله مليئاً بالثقوب كقرص العسل (٤) يقوِّض ؛ يُضْعِف × (٥) يتنخرب .

honeycomb

honeydew [hŭn'ĭ dū] *(n.)* المَنّ : مائية تنعقد على الشجر عسلاً وتجفّ كالصمغ .

honey eater *(n.)* آكل العسل : طائر ذو لسان طويل مُعَدّ لامتصاص رحيق الأزهار .

honey guide *(n.)* دليل المناحل : طائر يهدي الناس أو الحيوانات إلى أوكار النحل .

honey guide

honey locust *(n.)* الغلاديشية ذات الثلاث شوكات : شجر شمالأميركي شائك (نب) .

honeymoon [hŭn'-] *(n.; vi.)* (١) شهر العسل §(٢) يقضي شهر العسل .

honeysucker [hŭn'ĭ sŭk'ər] *(n.)* = honey eater.

honeysuckle [hŭn'ĭ sŭk'əl] *(n.)* صَرِيمة الجَدْي : شجيرةٌ أزهارها غنية بالرحيق .

honey-sweet [hŭn'ĭ swēt'] *(adj.)* عَسَلِيّ الحلاوة .

hong [hŏng] *(n.)* الهُنْغ : مؤسسة تجارية (أو مركز من مراكز التجارة الخارجية) في الصين .

honk [hŏngk] *(n.)* صياح الإوزّ أو صوتٌ شبيهٌ به .

honky-tonk [hŏng'kĭ tŏngk] *(n.)* حانة أو ملهى ليلي رخيص .

honor *or* **honour** [ŏn'ər] *(n.; vt.)* (١) «أ» سمعة حسنة . «ب» إجلال ، احترام (treated the clergy with ~) (٢) فخر ؛ مصدر شرف (to be an ~ to one's family) (٣) دليل أو رمز على امتياز ، مثل : «أ» لقبٌ أو مقام رفيع . «ب» وسام . «ج» *pl.* : مظاهر الحفاوة والتكريم . «د» *pl.* : درجة شرف : درجة امتياز تُمنح لطالب متفوق . «هـ» *pl.* : سلك الشرف : نهج دراسيّ مخصَّص للطلاب المتفوقين بدلاً من النهج العادي أو علاوةً عليه . «و» جائزة (٤) عفاف ؛ طهارة (٥) «أ» شرفٌ . «ب» كلمة شرف (تعطى كضمان لعمل شيء) (٦) إحدى الأوراق الرئيسية (في ورق اللعب) §(٧) «أ» يُبجِّل ؛ يعامل باحترام . «ب» يعبد (الله) (٨) يشرِّف : يُضفي شرفاً على (٩) «أ» ينفِّذ ؛ يفي بأحكام كذا (to ~ a treaty) . «ب» يقبل ويدفع عند الاستحقاق (to ~ a draft) .

funeral *or* last ~s مجالي الاحترام التي يُشيَّع بها راحلٌ إلى قبره .

~ bright شرفاً ؛ قسماً بالشرف (ع) .

maid of ~, وصيفة شرف .

military ~s المراسم العسكرية : مراسم احترام يؤديها الجند عند دفن جندي أو عند استقبال كبار الزائرين (كرؤساء الجمهوريات الخ) .

on *or* upon my ~, بشرفي ؛ أقسم بشرفي .

to do the ~s (of the table, house, etc.) يقوم بواجب الضيف ؛ يُحسِن وفادته .

Your *Honor* . فضيلتكم (لقب احترام يخاطب به القاضي) .

honorable *or* **honourable** [ŏn'ər ə bəl] *(adj.; n.)* (١) جديرٌ بالاحترام (٢) تبجيليّ : مُرْفَق بأمارات الاحترام (٣) «أ» شهير . «ب» محترم (صفةٌ تستعمل لقباً لأولاد بعض النبلاء البريطانيين ولمختلف موظفي الدولة) (٤) «أ» مشرِّف ؛ مُكْسِب صاحبه شرفاً (~ wounds) . «ب» شريف (~ peace terms) §(٥) الشريف : أحد أعضاء الأسر البريطانيّة النبيلة (٦) أحد الموظفين الذين يخاطبون بلقب *Honorable* .

honorarium [ŏn'ə râr'ĭ əm] *(n.)* pl. **-raria** *or* **-rariums** المكافأة الشرفية : مكافأة على خدمات يُحظِّر العُرف أو اللياقة وَضْع ثمن لها .

honorary [ŏn'ə rĕr ĭ] *(adj.; n.)* (١) «أ» شَرَفي . «ب» تذكاريّ . (٢) فخريّ «أ» : ممنوح للتشريف من غير أن يكون منطوياً على الواجبات والامتيازات والرواتب المألوفة (an ~ title) . «ب» حاملٌ لقباً أو شاغلٌ وظيفةً على سبيل التشريف (an ~ president) (٣) غير مأجور ؛ تطوّعي §(٤) «أ» شهادة فخرية . «ب» حامل الشهادة الفخرية .

honorific [ŏn'ə rĭf'ĭk] *(adj.; n.)* (١) «أ» مشرِّف ؛ مُضفٍ شرفاً . «ب» تشريفي ؛ تبجيلي §(٢) لقب أو عبارة تشريف أو تبجيل .

honors of war مَرَاسِم الحرب : امتيازات تمنح ، على سبيل المجاملة ، للعدو المغلوب (كالسماح له بمغادرة المعسكر أو المدينة مسلّحاً أو رافعاً علَمَ بلاده) .

hooch [hōōch] *(n.)* الخمرة (وبخاصة حين تكون رديئة ، أو مقطَّرة أو موزّعة بطريقة غير مشروعة) .

hood [hŏŏd] *(n.; vt.)* (١) «أ» قَلَنْسوة البرنس : غطاء للرأس والعنق معاً . «ب» غطاء واقٍ للرأس والوجه . «ج» غِماء الصقر (يغطي رأسه وعينيه) . «د» غِماء الفرس (للحؤول بينه وبين رؤية ما على يمينه أو شماله) (٢) طيّة زينيّة على ظهر الرداء الجامعي أو الثوب الكنسي (٣) «أ» غطاء أو كَبُّوت العربة أو السيّارة . «ب» غطاء محرّك السيارة المعدني §(٤) يزوّد بغطاء أو غِماء (٥) يستر ؛ يحجب .

-hood لاحقة معناها : «أ» حالة ؛ صفة (child*hood*) . «ب» جماعة (priest*hood*) .

hooded [-'ĭd] *(adj.)* (١) ذو غطاء أو غِماء أو قبعة برنس (٢) على شكل غطاء أو غِماء الخ . (٣) ذو رأس مختلف اللون بوضوح عن بقية الجسد (~ birds) (٤) مُقَلْنَس : ذو عُرْف شبيه بالغطاء (~ seals) .

hoodlum [hōōd'ləm] *(n.)* (١) السفّاح : عضو في عصابة إجرامية . (٢) قاطع طريق الخ . حديث السنّ .

hoodoo [hōō'dōō] *(n.; vt.)* (١) voodoo (٢) الجالب للنحس . (٣) حظٌّ عاثر §(٤) يجلب أو يسبّب النحس لِـ .

hoodwink [hŏŏd'wĭngk] *(vt.)* يخدع (بمظهره الكاذب) .

hooey [hōō'ĭ] *(n.)* هُراء .

hoof [hŏŏf; hōōf] *(n.; vt.; i.)* (١) حافر (الفرس) ؛ ظِلف (البقر) ؛ خُفّ (الجمل) (٢) حيوان من ذوات الحافر الخ . §(٣) يمشي (٤) يرفس ؛ يدوس × (٥) يرقص .

hoofed [hŏŏft] *(adj.)* ذو حوافر أو أظلاف أو أخفاف .

hoofer [hŏŏf'ər] *(n.)* (١) المسافر ماشياً (٢) الراقص المحترف .

hook [hŏŏk] *(n.; vt.; i.)* (١) كُلاّب ؛ خُطّاف ؛ عَقِيفة .

(٢) صنارة صيد (٣) شرك (٤) مِنجل §(٥) يعقف (٦) يكلّب : يمسك أو يثبّت بكلاّب (٧) يسرق (٨) يصيد بصنارة ×(٩) ينعقف (١٠) يتكلّب : يتشبّث في مكانه بواسطة كُلاّب أو وكأنه مثبّت بكُلاّب .

by ~ or by crook بأية وسيلة .
on one's own ~, على مسؤوليته الشخصية .
to drop off the ~s يموت .
to ~ it *or* to sling one's ~, (١) يتحمّل : يرفع الخيام ويرحل عن المكان (٢) يفرّ .

hookah [hŏŏk'ə] *(Ar.)* الحُقّة : نارجيلة ؛ شيشة.
hook-bill [hŏŏk'-] *(n.)* ببغاء او نحوه وبخاصة : ببغاء مدجّن.
hooked [hŏŏkt] *(adj.)* (١) أعقف ، معقوف ، أخجن . (٢) مكلّب : مزوّد بكُلاّب الخ. (٣) مُدْمِن المخدّرات (ع).
hooker [hŏŏk'ər] *(n.)* (١) فا hook (٢) مركب صيد وحيد الصاري (٣) مركب عتيق .
hooklet [hŏŏk'-] *(n.)* شِص ، كلاّب صغير .
hookup [hŏŏk'ŭp] *(n.)* (١) المُقْرَنة : «أ» مجموعة دارات كهربائية الخ. تستخدم لغرض بعينِهِ (كالارسال أو الاستقبال الاذاعي) . «ب» التصميم العام لهذه المجموعة . «ج» مجموعة أجزاء ميكانيكية (٢) تحالف (a ~ between two governments).
hookworm [hŏŏk'wûrm'] *(n.)* دودة الأنسيلوستوما .
hookworm disease *(n.)* = ancylostomiasis .
hooligan [hōō'lə gən] *(n.)* = hoodlum.
hoop [hōōp ; hŏŏp] *(n.; vt.)* (١) طوق ، طارة (٢) خاتم (٣) الطوق الموسع : دائرة أو سلسلة دوائر من مادة مَرِنة تستعمل لتوسيع التنورة §(٤) يطوّق أو يثبّت بطوق الخ .
hoopoe [hōō'pōō] *(n.)* الهُدهُد (طا) .
hoop skirt *(n.)* التنورة المطوّقة : تنّورة ذات أطواق موسعة .

hoopoe

hooray [hōō rā'] *(interj.)* = hurrah.
hoosegow [hōōs'gou] *(n.)* سِجن . (ع) .
hoot [hōōt] *(vi.; t.; n.)* (١) يصيح مستهزئاً أو مستهجناً (٢) ينعب أو يطلق صوتاً كنعيب البوم (٣) يُحدِث صوتاً ميكانيكياً صاخباً ×(٤) يقاطع بصيحات الاستهزاء او الاستهجان §(٥) نعيب البوم (٦) صياح استهزاء أو استهجان (٧) مقدار ضئيل جداً .
hop [hŏp] *(vi.; t.; n.)* (١) يثب ، وبخاصة على قدم واحدة : يتحجّل (٢) يقوم برحلة سريعة ، وبخاصة في الجو ×(٣) يثب (فوق شيء مرتفع) (٤) يركب ، وبخاصة بالمجان (٥) يعالج أو ينكّه بحشيشة الدينار (٦) يخدّره ؛ يعطيه مخدّراً (٧) يزيد قوة محرك الخ. §(٨) «أ» وثبة ، وبخاصة على قدم واحدة. «ب» وثب ؛ قفز (٩) رقص (١٠) «أ» طيران بطائرة . «ب» رحلة قصيرة . «ج» ركوب مجاني (١١) الجُنْجُل ، حشيشة الدينار : نبات عشبي مُعمّر (١٢) مخدر ، وبخاصة : أفيون .

~ it! إذهبْ ! أُغرُبْ ! (ع) .
to catch on the ~, يفاجئه ، يأخذه على حين غرّة .
to ~ off تنطلق (الطائرة) .
to ~ the twig (١) يموت (ع) (٢) يرتحل.

hope [hōp] *(vi.; t.; n.)* (١) يأمل ، يرجو §(٢) أمل ، رجاء .
hope chest *(n.)* صندوق الرجاء : صندوق تجمع فيه الفتاة بعض الملابس أو الأدوات على أمل الاستفادة منها في حال زواجها .

hopeful [hōp'fəl] *(adj.; n.)* (١) مُفعَم بالأمل (٢) مُشجّع ، مُوحٍ بالأمل (The future does not seem very ~.) §(٣) الواعد . الواعدة : فتى (أو فتاة) يُتوقّع له في مستقبله نجاح ملحوظ .
hopeless [hōp'lĭs] *(adj.)* (١) «أ» يائس . «ب» عُضال . (٢) «أ» ميئوس منه (The situation looked ~.) «ب» مستحيل ، متعذّر (a ~ task) .
hophead [hŏp'-] *(n.)* مدمن مخدّرات (ع) .
hoplite [hŏp'līt] *(n.)* الهبليت : محارب أثيني من المشاة مُدجّج بالسلاح .
hop-o'-my-thumb [hŏp'ə mī thŭm'] *(n.)* القزَم .
hopper [hŏp'ər] *(n.)* (١) الواثب ، القافز ، وبخاصة : الحشرة النطّاطة (٢) القادوس : وعاء قمعي الشكل لتلقيم الطاحون أو الآلة بالقمح أو الفحم الخ . (٣) الصفيحة المصرّفة : صفيحة للسوائل ذات أداة تمكّنها من تفريغ محتوياتها عبر أنبوب .
hopscotch [hŏp'skŏch] *(n.)* الحَجْلة : لعبة قِوامُها أن يقفز الصبي على قدم واحدة فوق مربّعات مرسومة على الأرض من غير أن تمس قدمه أضلاع المربّعات .
horary [hōr'ə rĭ] *(adj.)* ساعي : «أ» متعلق بساعة ، دالّ على الساعات . «ب» حادثٌ كل ساعة . «ج» دائم ساعةً .
horde [hōrd] *(n.)* (١) قبيلة (من البدو الرحّل) (٢) حشْد ، جماعة .
horehound [hōr'hound] *(n.)* الفراسيون : «أ» عشب ذو عصارة طبيّة مرّة . «ب» حلوى قصمة منكّهة بعصارة الفراسيون .
horizon [hə rī'zən] *(n.)* (١) الأفق (٢) أفق المرء العقلي الخ .
horizontal [hôr'ə zŏn'təl] *(adj.)* (١) أفقي (٢) مؤلف من أعضاء من طراز واحد أو ذوي وضع اجتماعي واحد : أفقي (~ labor unions).
hormone [hôr'mōn] *(n.)* الهرمون : «أ» مادة تفرزها بعض الغدد الصمّ فتزيد في نشاط الأعضاء التي تستقبلها عن طريق الدم (فس). «ب» مادة صُنعية تعمل عمل الهرمون .
horn [hôrn] *(n.; vi.)* (١) «أ» قرن . «ب» المادة القرنية التي تشكل الأظلاف والحوافر والأظفار الخ. «ج» قرن مجوّف يحمل فيه شيء (٢) شيء كالقرن ، مثل «أ» أحد طرفي الهلال . «ب» قمة جبل مستدقة . «ج» جزء من السندان مستدق الرأس . «د» قربوس السّرج (٣) «أ» بوق ، صُور . «ب» النفير : أداة لإطلاق إشارة تحذير (automobile ~) (٤) قوة ، سلطة ، مجد ، اعتبار (will help to elevate the ~ of the church) §(٥) يتطفّل : يشارك في أمر من غير دعوة (~*ed* in with some advice).
hornbill [hôrn'bĭl] *(n.)* البُوقِير ، الحُتُّو ، أبو قرن : طائر ضخم المنقار .
hornblende [hôrn'blĕnd] *(n.)* الهورنبلند : ضربٌ من الامفيبولات (مع) .

hornbill

hornbook [hôrn'bŏŏk'] *(n.)* (١) كتاب أولي لتعليم القراءة (٢) رسالة علمية أوليّة .
horned *(adj.)* (١) أقرن : ذو قرن أو أكثر (~ beasts). (٢) «أ» ذو قرون من نوع معيّن (broad-*horned*) . «ب» ذو عدد معيّن من القرون (four-*horned*).
horned pout *(n.)* البُلْهَد (را. bullhead) الأقرن
horned toad *(n.)* العلجوم الأقرن : عظاية أميركية صغيرة عريضة الجسم كثيرة الأشواك.

horned toad

hornet [hôr'nĭt] *(n.)* (١) زُنبور ، دبور (٢) شخص يجعل نفسه (بتصرفاته) بغيضاً إلى الناس .

hornless [hôrn'-] *(adj.)* أجلَح : عديم القرن أو القرون .

horn-mad [hôrn'măd'] *(adj.)* مسعور ؛ هائج .

horn of plenty = cornucopia .

hornpipe [hôrn'pīp] *(n.)* (١) المزمار القَرْني : آلة نفخ موسيقية قديمة (٢) الرقصة المزمارية : رقصة انكليزية شعبية مرحة كانت تؤدى في الأصل على أنغام المزمار القرني (٣) موسيقى الرقصة المزمارية .

hornstone [hôrn'-] *(n.)* الحجر القَرْني : ضرب من الكوارتز .

horntail [-'tāl] *(n.)* القرنية الذيل : حشرة من فصيلة الطنابير .

horny [hôr'nĭ] *(adj.)* (١) قَرْني (٢) صُلْب ؛ خشِن (~ hands) (٣) أقرن : ذو قرون أو ما يشبه القرون .

horologe [hôr'ə lōj'] *(n.)* الساعة : أداة لقياس الوقت .

horologer; horologist [hō rŏl'ə-] *(n.)* الساعاتي: صانع الساعات .

horology [hō rŏl'ə jĭ] *(n.)* (١) علم قياس الوقت (٢) فن صنع الساعات .

horoscope [hôr'ə skōp] *(n.)* خريطة البروج : رسم للسماء كان المنجِّمون يستعملونه لكشف الطوالع .

horrendous [hô rĕn'dəs] *(adj.)* رهيب ؛ مُريع .

horrent [hôr'ənt] *(adj.)* (١) أهلب (٢) خشن ؛ منتصب .

horrible [hôr'ə bəl] *(adj.)* (١) رهيب (٢) كريه إلى أقصى حد .

horrid [hôr'id] *(adj.)* (١) بشع ؛ مروِّع (٢) كريه أو بغيض أو رديء إلى أقصى حد (~ weather) .

horrific [hô rĭf'ĭk] *(adj.)* مروِّع ؛ رهيب .

horrify [hôr'ə fī] *(vt.)* يروِّع ؛ يُرهِب .

horror [hôr'ər] *(n.)* (١) «أ» رُعْب . «ب» اشمئزاز شديد . (٢) شيء مرعب .

hors de combat [ôr də kôn bä'] *(F.)* معطَّل ؛ عاجز (عن مواصلة القتال أو الكفاح) .

hors d'oeuvre [ôr dœ'vr] *(F.)* المشهّي ؛ المُقَبِّل: طعام يفتح الشهيّة .

horse [hôrs] *(n.; vt.; i.; adj.)* (١) فَرَس ؛ حصان (٢) «جحش» خشبي يُقفز فوقه في السباق الخ . (٣) فرسان ؛ خيالة (a thousand ~) (٤) القُدرة الحصانية (را . horsepower) § (٥) يزوِّد بجواد (٦) يرفع أو يجرّ أو يدفع بالقوة البدنية × (٧) تَوْدُق (الفرسُ) : تطلب العِشار أو تُريد الفحلَ (٨) يَهْزِل أو يمزح بخشونة § (٩) فَرَسي (١٠) مجرور بفَرَس (١١) ضخم (١٢) ممتطٍ صهوات الخيل (~ archers) . from the ~'s mouth من المصدر الأصلي .

horseback [hôrs'băk] *(n.; adv.)* (١) صهوة الجواد (٢) هضبة حادة القمة متحدرة الجنبات § (٣) على صهوة الجواد .

horsecar [hôrs'-] *(n.)* (١) عربة تجرها جياد (٢) عربة لنقل الجياد .

horse chestnut *(n.)* قَسْطَلُ الفَرَس ؛ كستناء الحصان (شجر) .

horseflesh [hôrs'-] *(n.)* (١) لحم الخيل (٢) خيل للركوب أو السباق .

horsefly [hôrs'-] *(n.)* النُّعَرة : ذبابة تعضّ الخيل .

horsehair [hôrs'-] *(n.)* (١) السَّبِيب : شعر ذيل الفرس أو عُرْفِه . (٢) السَّبيبيّ : قماش من السَّبِيب .

horsehide [hôrs'-] *(n.)* (١) جلد الفرس (٢) كرة البايسبول .

horselaugh [hôrs'lăf'; -läf'] *(n.)* القهقهة : ضحكٌ صاخب .

horse mackerel *(n.)* التُّن : سمك التُّن .

horseman [hôrs'-] *(n.)* (١) الفارس (٢) سائس الخيل . (٣) مربّي الخيل .

horsemanship [hôrs'-] *(n.)* الفروسية : رُكوب الخيل أو البراعة فيه .

horse opera *(n.)* أوبرا الخيل : فيلم سينمائي أو تمثيلية إذاعية أو تلفزيونية عن رعاة البقر عادةً .

horseplay [hôrs'plā'] *(n.)* مُزاح خشن أو سمج .

horsepower [hôrs'-] *(n.)* القدرة الحصانية : وحدة لقياس القوة أو العمل تساوي ما يُحتاج إليه لرفع ٥٥٠ باونداً إلى ارتفاع قدم واحد في ثانية واحدة .

horseradish [hôrs'-] *(n.)* الحِرجار : فجل حارّ .

horse sense *(n.)* = common sense.

horseshoe [-'shōō] *(n.; vt.)* (١) الحَدْوة : نعل الفرس (٢) *pl.* : لعبة الحَدَوات : لعبة قوامها رمي حَدْوة أو نحوها بحيث تطوّق مسماراً معدنياً مغروساً على مسافة ٣٠ أو ٤٠ قدماً § (٣) يُنعِل الفرسَ حدوةً .

horseshoer [hôrs'shōō ər] *(n.)* مُنعِل الأفراس أو «مُبيطرها» .

horseshoe crab *(n.)* = king crab.

horsetail [hôrs'-] *(n.)* الكُنْبُث ؛ ذنب الخيل : نبات لازهريّ .

horse trade *(n.)* مفاوضة مُرْفَقة بمساومات بارعة وتنازلات متبادلة . **—horse-trade** *(vi.)*

horsewhip [-'hwĭp] *(n.; vt.)* (١) سَوْط § (٢) يجلد بالسوط .

horsey *or* **horsy** [hôr'sĭ] *(adj.)* (١) فَرَسيّ (٢) خَيْليّ : متعلق بالخيل أو سباق الخيل .

hortative [hôr'tə tĭv] *(adj.)* وعظيّ ؛ نُصْحيّ ؛ تحذيريّ .

hortatory [hôr'tə tōr'ĭ] *(adj.)* = hortative.

horticultural [hôr tə kŭl'-] *(adj.)* بَسْتَنِيّ ؛ جِناني .

horticulture [hôr'tə kŭl chər] *(n.)* البَسْتَنَة ، الجِنانة : علم (أو فن) زراعة الأشجار المثمرة والخضر والزهور والنباتات الزينيّة .

hosanna [hō zăn'ə] *(interj.; n.)* (١) المجد لله . § (٢) صيحة تهليل .

hose [hōz] *(n.; vt.)* (١) جورب (٢) «أ» بنطلون ضيّق «ب» بنطلون قصير (٣) خرطوم مياه § (٤) يسقي أو يغسل بخرطوم .

hosiery [hō'zhə rĭ] *(n.)* (١) جورب (٢) ملابس محبوكة .

hospice [hŏs'pĭs] *(n.)* التَّكيّة : نُزُل للمسافرين أو الفقراء تنفق عليه منظّمة دينيّة .

hospitable [hŏs'pĭ tə bəl] *(adj.)* (١) «أ» مِضياف . «ب» كريم ؛ حسن الوفادة . «ج» ملائم (a soil sufficiently ~ for forest growth) (٢) منفتح ؛ حَسَن التقبّل (a mind ~ to new ideas) .

hospital [hŏs'pĭ təl] *(n.)* (١) مأوى ؛ ملجأ خيري (٢) مستشفى . (٣) محل لإصلاح بعض الأدوات (a fountain-pen ~) .

Hospitaler *or* **Hospitaller** [hŏs'pĭ təl ər] *(n.)* الاسبتاري : عضو في منظمة دينية عسكرية أنشئت في بيت المقدس في القرن ١٢ م . وتعرف بـ «الاسبتاريّة» .

hospitality [hŏs'pə tăl'ə tĭ] *(n.)* حُسْن الضيافة أو الوفادة .

hospitality suite *(n.)* جَناح الضيافة (في فندق) .

hospitalize [hŏs'-] *(vt.)* يُدخله إلى المستشفى للمعالجة .

hospital ship *(n.)* السفينة المستشفى .

host [hōst] *(n.; vt.)* (١) جيش (أ.ق) (٢) جمهرة ؛ جَمْع ؛ حشد (٣) المُضيف : «أ» مَنْ يَنزِل الضيفُ عنده . «ب» حيوان أو نبات يقدّم الغذاء أو المأوى لأحد الطفيليات (٤) خبز القربان المقدَّس (نص) § (٥) يُضيف ؛ يُنزِل في ضيافته . to reckon without one's ~ , يُغفل المصاعب أو الاعتبارات المهمّة ؛ يخطّط من غير أن يستشير

الشخص الرئيسي صاحب العلاقة .

hostage [hŏs'tĭj] *(n.)* الرهينة : شخص يُحتجَز كضمان

hostel [hŏs'təl] *(n.)* (١) نُزُل ؛ فندق (٢) بيت الشباب : دار يبيت فيها الشبان وبخاصة أثناء الرحلات على الدراجات الهوائية.

hosteler [-ər] *(n.)* (١) صاحب النزل أو الفندق (ا.ق) (٢) النزيل : في يبيت ليلةً في بيت من بيوت الشباب أثناء رحلة يقوم بها .

hostess [hōs'tĭs] *(n.)* المُضيفة .

hostile [hŏs'təl; -tīl] *(adj.)* (١) مُعادٍ ؛ خاصّ بالعدوّ (~ ground) (٢) عدائي ؛ غير ودّي (~ criticism) .

hostility [hŏs tĭl'ə tĭ] *(n.)* (١)«أ» عداء . «ب» عمل عدائي . «ج» *pl.* : حرب (٢) خصومة ؛ حِقد .

hostler [hŏs'lər; ŏs'lər] *(n.)* (١) سائس الخيل (٢) من يتولى تنظيف أو ترتيب أو صيانة قاطرة أو شاحنة أو آلة .

hot [hŏt] *(adj.; adv.)* (١) حارّ ؛ ساخن ؛ حامٍ (٢)«أ» حادّ ؛ سريع الاهتياج (a ~ temper) . «ب» عنيف ؛ ضارٍ (the ~*test* battle) . «ج» شهواني . «د» متحمس ؛ توّاق إلى (~ for reform) (٣)«أ» طازج ؛ جديد (~ from the press) . «ب» ماضٍ في إثره ؛ متعقب إياه على الأثر (~on the trail of the murderer) (٤)«أ» حرّيف ؛ لاذع (~ sauce) . «ب» مثير (~ scandal) (٥)«أ» ملائم أو موفّق إلى حدّ بعيد (The dice are ~ for him tonight.) . «ب» رائج (~ items in women's wear). «ج» ممتاز (He's ~ in physics.) . «د» سخيف ؛ لا يُصدّق (٦)«أ» إشعاعي النشاط (~material) . «ب» معنيّ بالمواد ذات النشاط الاشعاعي (~ laboratories) . «ج» سريع ؛ وبخاصة ذو سرعة هبوط عالية (a ~ airplane) (٧)«أ» مسروق حديثاً (~ jewels). «ب» مهرّب . «ج» هارب من وجه العدالة . «د» غير آمن بالنسبة إلى لاجىء أو هارب §(٨) على نحو حارّ أو حادّ أو عنيف الخ.

hot air *(n.)* هذَر ؛ كلام فارغ .

hotbed [hŏt'bĕd] *(n.)* (١) المُستنبَت: طبقة من التراب مطوّقة بالزجاج ومزوّدة بالسماد لإنتاج النباتات في غير مواسمها (٢) المرتَع : موضعٌ أو محيط ملائمٌ لنموّ شيء أو تطوّره بسرعة (~ of crime).

hot-blooded [hŏt'blŭd'ĭd] *(adj.)* (١) سريع الاهتياج . (٢) أصيل (a ~ horse).

hot- button *(adj.)* مثير للمشاعر ؛ مسبّب للاهتياج .

hotchpot [hŏch'pŏt] *(n.)* مزج مختلف الممتلكات لقسمتها بالتساوي وبخاصة بين أولاد شخص متوفى لم يترك وصية (ق).

hotchpotch [hŏch'pŏch] *(n.)* (١)«أ» مسبحة الدرويش: طعام مؤلف من لحم وصنوف مختلفة من الخضر. «ب» خليط ؛ مزيج (٢) hotchpot.

hot dog *(n.)* سندويشة سُجُق (لقانق) ساخن .

hotel [hō tĕl'; ō tĕl'] *(n.)* فندق ؛ أوتيل .

hotfoot [hŏt'fo͝ot'] *(adv.; vi.; t.; n.)* (١) بعجلة ؛ بغير إبطاء. §(٢) يستعجل ؛ يغذّ السير (تتبعها *it*) ×(٣) يزعج ؛ ينخس بمهماز §(٤) توبيخ ؛ إهانة (٥) مهماز (٦) مداعبة سمجة قوامها إقحام عود ثقاب ، خلسةً ، في حذاء امرىء ما وإشعاله .

hothead [hŏt'-] *(n.)* شخص حادّ الطبع أو عجول أو متهور .

hotheaded [-'hĕd'ĭd] *(adj.)* حادّ الطبع ؛ عجول ؛ متهور .

hothouse [hŏt'-] *(n.; adj.)* (١) الدفيئة : مُستنبَتٌ زجاجي عالي الحرارة وبخاصة لإنتاج النباتات الاستوائية §(٢) مُستنبَتٌ في دفيئة (٣) رقيق ؛ رَخص ؛ سريع التلف .

hot plate *(n.)* لوح التسخين : موقد كهربائي أو غازي للطهو .

hot plate

hot rod *(n.)* سيارة (عتيقةٌ عادةً) عُدِّل محركها لتصبح ذات سرعة أكبر .

hot seat *(n.)* الكرسي الكهربائي (ع) .

hotshot [hŏt'-] *(n.)* (١)«أ» قطار شحن سريع . «ب» طائرة (أو سيارة) سريعة جداً (٢)«أ» عامل بارع . «ب» لاعب بارع (وبخاصة في الغولف وكرة السلة الخ.) (٣) إطفائي.

hot spring *(n.)* الحَمّة : عين حارة ؛ ينبوع حار .

Hottentot [hŏt'ən tŏt] *(n.; adj.)* (١) الهوتنتوت : شعب جنوبأفريقي ذو بشرة داكنة ضاربة إلى الصفرة (٢) الهوتنتوتي : واحد الهوتنتوت (٣) الهوتنتوتية : لغة الهوتنتوت §(٤) هوتنتوتيّ .

hot war *(n.)* الحرب الساخنة : نزاع منطوٍ على قتالٍ فعلي .

hot water *(n.)* مأزق ؛ ورطة ؛ مشكلة .

hound [hound] *(n.; vt.)* (١)«أ» كلب . «ب» كلب صيد . (٢) شخص جدير بالازدراء (٣) dogfish (٤) المولع بكذا §(٥) يتعقّب ؛ يطارد (٦) يُغري (كلباً) بالمطاردة .

hour [our] *(n.)* (١) ساعة ؛ ستون دقيقة (٢) الساعة : الزمن الذي تشير إليه أداة لقياس الوقت (The ~ is half past nine.) (٣) *pl.* : موعد الإيواء إلى الفراش (Late ~*s* ruined his health.) (٤) ساعة كذا (in the ~ of danger) (٥) حصة تعليمية (a fifty-minute ~).

at the eleventh ~, في اللحظة الأخيرة .

hourglass [our'glăs] *(n.)* الساعة الرملية.

hourglass

houri [ho͞or'ĭ] *(Ar.)* الحورية : إحدى حور الجنة (إس).

hourly [our'lĭ] *(adv.; adj.)* (١) في كل ساعة ؛ باستمرار §(٢) مستمرّ ؛ متواصل (in ~ expectation of the rain's stopping) (٣) ساعيّ : محسوب أو مقدّر بالساعات (engaged and paid on an ~ basis).

house [*n.* hous; *v.* houz] *(n.; vt.; i.)* (١) منزل ؛ بيت . (٢)«أ» زريبة . «ب» مرأب (٣) أسرة ؛ عائلة (٤)«أ» بيت للطلاب . «ب» الطلاب النازلون فيه . «ج» مقرّ أخوية دينية (٥)«أ» مجلس تشريعي . «ب» دار المجلس التشريعي (٦)«أ» بيت تجاري ؛ مؤسسة تجارية (printing ~) . «ب» دار (publishing~) . «ج» إدارة نادٍ للقمار (A percentage of each pot goes to the ~.) . «د» نادٍ للقمار ؛ كازينو (٧)«أ» فندق ؛ مطعم ؛ حانة . «ب» ماخور ؛ مبْغى (had a drink on the ~) (٨)«أ» مسرح . «ب» النظارة : جماعة المشاهدين في مسرح الخ . (a good ~ at the opening) §(٩) يؤوي ؛ يُسكِن (١٠) يضع في مكان آمن (١١) يشتمل على (His library ~*s* thousands of volumes.) ×(١٢) يَسكن ؛ يقيم .

on the ~, مجانيّ ؛ كهدية من الادارة .

house agent *(n.)* سمسار المنازل

house arrest *(n.)* الاقامة الجبرية (تفرض على شخص في منزله بدلاً من السجن) .

houseboat

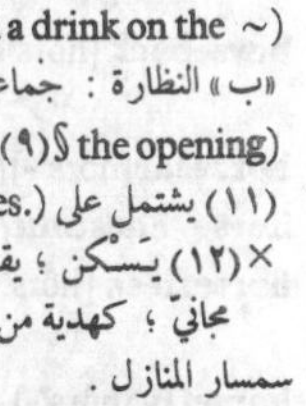

houseboat [hous'-] *(n.)* المركب البيت : مركب معدّ للسكنى (وبخاصة في نهر) .

housebreak [hous'-] *(vt.)* يروّض (كلباً) على الحياة ضمن جدران المنزل .

housebreaker [-'brā'kər] *(n.)* لص المنازل.

ă at; ā date; â care; ä car; ĕ egg; ē me; ĭ in; ī bite; ŏ lot; ō bone; ô orphan; oi boil o͝o good; o͞o boot; ou out; ŭ under; ū unity; û urgent; th thing; th this; zh vision; ə = *a* in alone, *e* in system, *i* in easily, *o* in gallop, *u* in circus.

housebreaking [hous'-] *(n.)* اللصوصيّة : اقتحام المنازل للسرقة.

housebroken [hous'brō'kən] *(adj.)* (١) مدرَّب على العيش في المنازل (ككلب الخ.) (٢) مروَّض ؛ مهذَّب .

houseclean [hous'-] *(vi.; t.)* (١) ينظف المنزل وأثاثه (٢) يتخلص من الأشياء أو الأشخاص غير المرغوب فيهم × (٣) يطهّر : يُصلح (إدارةً) بالتخلص من كل ما هو غير مرغوب فيه من أشخاص أو أساليب في العمل.

housecoat [hous'-] *(n.)* المِبْذَل : ثوب نسائي طويل تلبسه المرأة في بيتها .

housefly [hous'flī'] *(n.)* ذبابة المنازل .

houseful [hous'-] *(n.)* مِلءُ منزلٍ : قَدْرُ ما يتّسع له منزلٌ ما (a ~ of guests).

household [hous'-] *(n.; adj.)* (١) أسرة ؛ أهل البيت § (٢) منزليّ . (٣) مألوف ؛ عاديّ .

household arts *(n.)* علم تدبير المنزل .

householder [hous'hōl'dər] *(n.)* ربّ البيت (سواء أكان ساكناً وحده أو رأساً لأسرة) .

household troops *(n. pl.)* الحَرَس الملكي .

housekeeper [hous'-] *(n.)* مدبرة المنزل : امرأة تستخدَم لإدارة شؤون المنزل .

housekeeping [hous'-] *(n.)* (١) تدبير شؤون المنزل (٢) إدارة الممتلكات وتأمين التجهيزات والخدمات (لمؤسسة صناعية مثلاً) .

houseless [hous'-] *(adj.)* شريد : لا منزل أو مأوى له .

houselights [hous'-] *(n. pl.)* أضواء المسرح : الأضواء التي تنير أجزاء المسرح التي يحتلها النظارة .

housemaid [hous'mād'] *(n.)* الخادمة (في منزل) .

housemother [hous'-] *(n.)* مدبرة منزل (من منازل الطلاب) .

house of assembly مجلس تشريعي ؛ وبخاصة : مجلس النواب .

house of cards بيت كرتوني ؛ بيتٌ واهٍ .

House of Commons مجلس العموم ؛ مجلس النواب .

house of correction الإصلاحيّة : إصلاحية الأحداث .

House of Lords مجلس الأعيان أو اللوردات (في انكلترة) .

house of representatives مجلس النواب الأميركي .

house organ *(n.)* لسانُ المؤسسة : نشرة دورية تصدرها مؤسسة تجارية لتوزّع على مستخدَميها وزبائنها .

house party *(n.)* (١) استقبال الضيوف بضعة أيام في منزل . (٢) جماعة الضيوف .

house physician *(n.)* الطبيب المقيم (في مستشفى) .

houseroom [hous'-] *(n.)* حجرة أو متّسَع في منزل ؛ مبيتٌ في منزل (to give anyone ~).

housetop [hous'tŏp'] *(n.)* سطح البيت .

housewarming [hous'-] *(n.)* حفلة النَّقْلة : حفلة تقام لمناسبة الانتقال إلى منزل جديد .

housewife [hous'-] *(n.)* (١) ربة المنزل (٢) علبة الخياطة (للإبر والخيوط) .

housing [hou'zĭng] *(n.)* (١) «أ» إيواء ؛ إسكان . «ب» سُكْنَى . «ج» مأوى ؛ مسكن . «د» مساكن (٢) «أ» غطاء ؛ وقاء . «ب» علبة (لآلة أو أجزاء آلة الخ.) (٣) محراب (يوضع فيه تمثال) (٤) كسوة زينية للسَّرج (٥) *pl.* : حُلى ؛ زخارف .

hove [hōv] *past; past part. of* heave.

hovel [hŭv'-] *(n.)* (١) زريبة مكشوفة (٢) خيمة (٣) كوخ .

hover [hŭv'ər; hŏv'-] *(vi.; t.; n.)* (١) يرفرف (٢) «أ» يحوم حول مكان) . «ب» يتأرجح ؛ يتردّد (~*ing* between life and death) × (٣) تحضن بجناحيها (A hen ~*s* her chicks.) § (٤) رفرفة ؛ حَوْم ؛ تأرجُح الخ .

how [hou] *(adv.; conj.; n.)* (١) «أ» كيف ؟. «ب» لماذا ؟ (~ is it you are late?) (٢) كم ؛ إلى أيّ مدى أو درجة (~ much?) (٣) بكم ؛ بأيّ ثمن (~ do you sell these apples?) § (٤) كيفما (A reader can shift his attention ~ he likes.) § (٥) سؤال عن الطريقة (the eternal whys and ~*s* of small children) (٦) طريقة (Teach me the ~ of it.). ~ about? ما رأيك أو قولك في ؟

howbeit [-bē'ĭt] *(adv.; conj.)* (١) ومع ذلك § (٢) على الرغم .

howdah [hou'də] *(Ar.)* هَوْدَج .

however [hou ĕv'ər] *(conj.; adv.)* (١) كيفما (can go ~ she likes) § (٢) مهما (He will never succeed, ~ hard he works.) (٣) ومع ذلك ؛ من ناحية ثانية ؛ ولكن (I shall not oppose your design; I cannot, ~, approve of it.) (٤) كيف : بأية طريقة أو وسيلة؟ (~ did she manage to do it?).

howitzer [hou'ĭt sər] *(n.)* القذّاف : مدفع قذّاف .

howl [houl] *(vi.; t.; n.)* (١) يعوي ؛ ينبح (٢) «أ» يصرخ ؛ يولول . «ب» تعصف (الريح) (٣) ينفجر بِـ (They ~*ed* with laughter.) × (٤) يُسْكِته بالصياح المُعادي (to ~ down a speaker) § (٥) عُواء ؛ نباح (٦) «أ» ولولة . «ب» عزيف الريح (٧) ضحكة ساخرة .

howler [hou'lər] *(n.)* : (١) النابح ؛ المولول الخ. (٢) العَوّاء : قرد أميركي (٣) غلطة بلهاء أو مضحكة .

hoy [hoi] *(interj.; n.)* (١) هوْيْ : هتاف يستعمل للفت الانتباه أو في سَوْق الحيوانات § (٢) الهُوْي : «أ» سفينة صغيرة . «ب» مركب مسطّح القعر لنقل الأحمال الضخمة .

hoyden [hoi'dən] *(n.)* امرأة (أو فتاة) وقحة أو صخّابة أو مستهترة . —**hoydenish** *(adj.)*

hub [hŭb] *(n.)* (١) الصُّرّة ؛ القبّ : محور العجلة أو المروحة . (٢) محور (the ~ of the universe).

hubble-bubble *(n.)* (١) نارجيلة (٢) جلبة ؛ ضجيج .

hubbub [hŭb'ŭb] *(n.)* (١) ضجيج (٢) صَخَب ؛ هرج ومرج .

huckaback [hŭk'ə băk] *(n.)* الهَقَبَك : نسيجٌ تصنع منه المناشف .

huckster [hŭk'-] *(n.; vi.; t.)* (١) بائع متجول (٢) وكيل إعلانات إذاعية أو تلفيزيونية بخاصة § (٣) يساوم × (٤) يبيع بالتجزئة .

huddle [hŭd'əl] *(vt.; i.; n.)* (١) يعمل بإهمال وعجلة (٢) يجمع أو يركم بعجلة × (٣) «أ» يجتمع ؛ يحتشد . «ب» يجثم ؛ يربض (٤) يتشاورون ؛ يتداولون § (٥) حَشْد ؛ جَمهرة (a ~ of meaningless words) (٦) اجتماع ؛ مؤتمر .

hue [hū] *(n.)* (١) شكل ؛ مظهر (٢) لون ، وبخاصة : تدرّج اللون .

hue and cry *(n.)* (١) «أ» صيحة المطاردة (تُطلق في إثر مجرم) «ب» مطاردة مجرم (٢) احتجاج شعبي صاخب .

hued [hūd] *(adj.)* ذو لون معيّن (golden-*hued*) .

huff [hŭf] *(vi.; t.; n.)* (١) يُطلِق هبّات (من هواء أو بخار) : ينفخ (٢) «أ» يهوِّش : يطلق تهديدات فارغة . «ب» يتصرّف بسخط وحنق × (٣) ينفخ (٤) يعامل بازدراء (ا.ق) (٥) يُغضب § (٦) نوبة غضب .

huffish [hŭf'ĭsh] *(adj.)* (١) متغطرس ؛ متعجرف (٢) عابس ؛ متجهّم الوجه .

ă at; ā date; â care; ä car; ĕ egg; ē me; ĭ in; ī bite; ŏ lot; ō bone; ô orphan; oi boil o͝o good; o͞o boot; ou out; ŭ under; ū unity; û urgent; th thing; tħ this; zh vision; ə = *a* in alone, *e* in system, *i* in easily, *o* in gallop, *u* in circus.

huffy [hŭf'ĭ] *(adj.)* (١) متعجرف (٢) ساخط (٣) سريع الغضب.

hug [hŭg] *(vt.; n.)* (١) يعانق (٢)«أ» يهنىء . «ب» يتشبث أو يتعلق (بمعتقد الخ.) (٣) يَلْزَم : يظلّ محاذياً لِـ (The road ~s the river.) §(٤) عناق .

huge [hūj] *(adj.)* ضخم ؛ هائل .

hugeous [hūj'əs] *(adj.)* = huge.

hugger-mugger[hŭg'ər mŭg'ər] *(n.; adj.; vt.; i.)* (١) سِرّيّة؛ كتمان (٢) فوضى §(٣)سري؛ مكتوم (٤) مشوّش؛ مضطرب §(٥) يكتّم ؛ يطمس ؛ يمنع من الانتشار ×(٦) يعمل أو يتشاور خلسة.

hug-me-tight [hŭg'mē tīt] *(n.)* المُضَيِّقة: سترة صوفية نسوية ضيقة غير ذات ردنين .

Huguenot [hū'gə nŏt'] *(n.)* الهوغونوتي: البروتستانتي الفرنسي .

hula [hōō'lə] *or* **hula-hula** [hōō'lə hōō'lə] *(n.)* الهولا؛ الهولا هولا : رقصة وطنية في جزر هاواي .

hulk [hŭlk] *(n.; vi.)* (١) الهُلْك : «أ» سفينة ثقيلة بطيئة . «ب» هيكل سفينة عتيقة غير صالحة للعمل . «ج» *pl.* عد : سفينة تُستخدم كسجن (٢) شيء أو شخص ضخم ثقيل الحركة §(٣) يتحرك بتثاقل (٤) يبدو ضخماً .

hulking [hŭl'-] *(adj.)* ضخم ؛ ثقيل (~ battleships) .

hull [hŭl] *(n.; vt.)* (١) قشرة البذرة أو الثمرة (٢) بَدَن السفينة أو الطائرة المائية أو المنطاد (٣) غطاء ؛ غلاف §(٤) يقشّر (٥) يثقب أو يضرب بَدَنَ السفينة الخ .

hullabaloo [hŭl'ə bə lōō'] *(n.)* ضجة ؛ جلبة ؛ ضوضاء .

hullo [hə lō'] *(n.)* = hello.

hum [hŭm] *(vi.; t.; n.)* (١)«أ» يهمهم . «ب» يدندن ؛ يطنّ (٢)يَنشط نشاطاً بالغاً ×(٣) يترنّم بكذا (من غير إفصاح وشفتاه مغلقتان) §(٤) همهمة ؛ دندنة ؛ طنين (٥) ترنّم .

human [hū'mən] *(adj.; n.)* (١) آدمي ؛ بشريّ ؛ إنساني . §(٢) إنسان (two thousand million ~s).

humane [hū mān'] *(adj.)* (١) انسانيّ : شفوق ؛ عطوف . (٢) إنساني : مَعْنيّ بالانسان وثمرات عقله (~ studies).

human engineering *(n.)* الهندسة البشرية : «أ» إدارة الناس وشؤون الناس وبخاصة في الصناعة. «ب» علم يبحث في استنباط مختلف الأدوات والوسائل كي يستخدمها الناس بأكبر قدر ممكن من الفعالية .

humanism [hū'mə nĭz'əm] *(n.)* (١) الحركة الانسانية : إحياء الآداب الكلاسيكية والروح الفردية والنقدية والتأكيد على الهموم الدنيوية (كما تجلّى ذلك في عصر النهضة الأوروبية) (٢) الخيرية: محبّة الخير العام (٣) الفلسفة الانسانية : فلسفة تؤكّد على قيمة الانسان وقدرته على تحقيق الذات من طريق العقل . وكثيراً ما ترفض الإيمان بأية قوة خارقة للطبيعة .

humanitarian [hū măn'ə târ'ĭ ən] *(adj.; n.)* (١) خيّر : محبّ للخير العام والاصلاح الاجتماعي §(٢)«أ» الخيّر . «ب» المحسِن.

—humanitarianism *(n.)*

humanity [hū măn'ə tĭ] *(n.)* (١) الانسانية : الشفقة ؛ الحنوّ . (٢) «أ» البشرية؛ الطبيعة البشرية. «ب» *pl.* : الصفات البشرية (٣) *pl.*: العلوم أو الدراسات الثقافية (٤) الجنس البشري.

humanize [hū'mə nīz] *(vt.)* (١)«أ» يخلع عليه صفة بشرية ؛ يمثله في صورة بشرية . «ب» يعدّله ليلائم الطبيعة البشريّة أو ليصلح لاستعمال البشر له (٢) يلطّف ؛ يهذّب ؛ يمدّن .

humankind [hū'mən kīnd'] *(n.)* الجنس البشري .

humanly [hū'mən lĭ] *(adv.)* (١) «أ» بشرياً ؛ من الوجهة البشرية . «ب» ضمن نطاق القدرة البشرية (٢) بطريقة بشرية .

humble [hŭm'bəl] *(adj.; vt.)* (١)متواضع (٢)ذليل (٣)وضيع ؛ حقير §(٤)«أ» يُذِلّ . «ب» يَقْهَر ؛ يهزم على نحو حاسم .

humbly [hŭm'-] *(adv.)* (١) بتواضع (٢) بتذلل (٣) بِضِعَة .

humble-bee [hŭm'bəl bē'] *(n.)* = bumblebee.

humbug [hŭm'bŭg] *(n.; vt.)* (١)«أ» خدعة . «ب» دجّال . (٢) مخادعة ؛ احتيال (٣) هُراء §(٤) يخدع .

humdinger [hŭm dĭng'ər] *(n.)* شخص أو شيء ممتاز إلى حد رائع

humdrum [hŭm'drŭm] *(adj.; n.)* (١) رتيب ؛ مملّ . §(٢) رتابة (٣) حديث مملّ (٤) شخص مُضجِر .

humeral [hū'mər əl] *(adj.)* (١) عَضُديّ : ذو علاقة بالعَضُد (٢) كَتِفِيّ .

humerus [hū'mər əs] *(n.)* pl. **-meri** (١) عَظْم العَضُد (ت). (٢) العَضُد (ت) .

humic [hū'-] *(adj.)* دُبالي : متعلق بالدُّبال (را. humus).

humid [hū'mĭd] *(adj.)* رطب (~ air) .

humidifier[hū mĭd'-] *(n.)* المرطِّب، وبخاصة: المرطِّبة: أداة للتزويد بالرطوبة أو للاحتفاظ بها .

humidify [hū mĭd'ə fī'] *(vt.)* يرطّب : يجعله رطباً .

humidity [hū mĭd'ə tĭ] *(n.)* رطوبة .

humidor [hū'mə dôr'] *(n.)* المِرطاب: صندوق للسجاير مجهّز بوسيلة تبقي التبغ رطباً .

humiliate [hū mĭl'ĭ āt'] *(vt.)* يذلّ ؛ يخزي .

humiliation[-ĭ ā'shən] *(n.)* (١) إذلال ؛ إخزاء (٢) ذُلّ ؛ خِزْي .

humiliating [hū mĭl'-] *(adj.)* مذِلّ ؛ مُخزٍ .

humility [hū mĭl'ə tĭ] *(n.)* تواضع ؛ اتّضاع .

hummingbird [hŭm'ĭng-] *(n.)* الطنّان: الطائر الطنّان أو الذبابيّ.

hummock [hŭm'ək] *(n.)* (١) رابية ؛ أكمة (٢) نتوء (في حقل جليدي) .

humor *or* **humour**[hū'mər] *(n.; vt.)* (١) رطوبة ؛ بخار (ا.ق). (٢)«أ» الخِلْط : أحد الأخلاط الأربعة (الدم والبلغم والصفراء والسوداء) التي زعم القدماء أنها تقرر صحة المرء ومزاجه . «ب» عادة ؛ مزاج . «ج» حالة ذهنية مؤقتة . «د» نزوة (٣) «أ» الدعابة ؛ الفكاهة ؛ الظَّرف . «ب» حسّ الدعابة والفكاهة أو روحها : ملكة عقلية تمكن المرء من اكتشاف المضحكات أو تقديرها أو التعبير عنها . «ج» كلام منطوٍ على دعابة أو فكاهة §(٤) يلاطف ؛ يداري ؛ يساير (٥) يكيِّف نفسه وفقاً لِـ .

—humoral *(adj.)*

out of ~, مستاء ؛ ساخط ؛ متعكّر المزاج .

humoresque [hū'mə rĕsk'] *(n.)* لحن خفيف أو ظريف (مو).

humorist [hū'mər ĭst] *(n.)* الظريف : شخص منصرف إلى الفكاهة أو معروف بها .

humoristic [hū mər ĭs'tĭk] *(adj.)* = humorous .

humorous [hū'mər əs] *(adj.)* فكِه ؛ ظريف ؛ هَزْليّ .

hump [hŭmp] *(n.; vt.; i.)* (١)«أ» حَدَبة ؛ سَنام . «ب» رابية ؛ أكمة . «ج» جبل ؛ سلسلة جبال (٢) نوبة غم أو تعكر مزاج (٣) مرحلة حرجة أو عسيرة §(٤) يُجهد نفسه (٥) يُحدِّب : يجعله أحدب أو ذا سنام (٦) يضع أو يحمل على ظهره، وبخاصة: ينقل ×(٧) ينطلق بسرعة أو بأقصى السرعة.

humpback [hŭmp'-] *(n.)* (١) ظهرٌ مُسنَّم (٢) الأحدب . (٣) الحوت الأحدب : حوت ضخم محدَّب الظهر .

humpbacked [-'băkt]; **humped** [hŭmpt] *(adj.)* مُسنَّم ؛ مُحدَّب .

humph [hŭmf] *(interj.)* صوت يعبَّر به عن الشك أو الازدراء .

humpy [hŭm'-] *(adj.)* (١) كثير الحدبات أو النتوءات (٢) مُسنَّم .

humus [hū'məs] *(n.)* الدُّبال : مادة سمراء أو سوداء تنشأ من تحلّل المواد النباتية والحيوانية وتشكّل الجزء العضوي من التربة .

Hun [hŭn] *(n.)* (١) الهُونيّ : واحد الهُون وهم شعب مغولي مُترحِّل سيطر على جزء كبير من أوروبة الوسطى والشرقية بقيادة أتيلا حوالي عام ٤٥٠ ب.م. (٢) not cap.عد : «أ» شخص محبّ للتدمير . «ب» الألماني ؛ وبخاصة : الجندي الألماني.

hunch [hŭnch] *(vi.; t.; n.)* (١) يندفع إلى الأمام (٢) ينحني ؛ يحني ظهره × (٣) يدفع الى الأمام (٤) يحدّب (to ~ one's back) §(٥) دفعٌ الى الأمام (٦) «أ» حَدَبَة ؛ سنام . «ب» كتلة صلبة (٧) الحِسّ الباطني : شعور حدسيّ قويّ بأن شيئاً سوف يَحدُث .

hunchback [hŭnch'băk'] *(n.)* الأحدب ؛ ذو الحَدَبَة .

hunchbacked [hŭnch'băkt] *(adj.)* أحدب ؛ ذو حَدَبَة .

hundred [hŭn'drəd] *(n.)* (١) مئة (٢) ورقة المئة دولار .

hundredfold [-fōld] *(adv.; adj.)* (١) مئة ضِعف §(٢) أكبر بمئة مرة ؛ ضخم جداً .

hundred-percenter [pər sĕn'tər] *(n.)* الوطنيّ المتحمّس .

hundredth [-'drədth] *(adj.; n.)* (١) المئة (the ~ day) (٢) البالغ جزءاً من مئة (a ~ share of the money) § (٣) العضو المئة في سلسلة (٤) جزء من مئة .

hundredweight [hŭn'drəd wāt'] *(n.)* الهَنْدَرِدْوَيْت : وحدة وزن تساوي مئة باوند (في الولايات المتحدة الأميركية) أو ١١٢ باونداً (في انكلترة) .

hung [hŭng] *past; past part. of* hang.

Hungarian [hŭng gâr'ĭ ən] *(n.; adj.)* (١) الهنغاريّ ؛ المجريّ : أحد أبناء هنغاريا (٢) اللغة المجرية §(٣) هنغاريّ ؛ مَجَريّ .

hunger [hŭng'gər] *(n.; vi.; t.)* (١) جوع ؛ سَغَب (٢) توْق ؛ اشتهاء §(٣) يجوع (٤) يتوق ؛ يشتهي ×(٥) يجوّع .

hunger strike *(n.)* إضراب عن الطعام (يقوم به سجين الخ.) .

hungry [hŭng'grĭ] *(adj.)* (١) جائع (٢) توّاق . (٣) قاحلة (~ land) .

hunk [hŭngk] *(n.)* كتلة أو قطعة ضخمة .

hunks [hŭngks] *(n. sing. and pl.)* البخيل ؛ وبخاصة : السيّء الطبع .

hunky-dory [hŭngk'ĭ dōr'ĭ] *(adj.)* حَسَن ؛ رائع (ع) .

Hunnish [hŭn'ĭsh] *(adj.)* (١) هُونيّ : منسوب إلى الهُون أو متعلق بهم (را. Hun) (٢) همجيّ .

hunt [hŭnt] *(vt.; i.; n.)* (١) «أ» يصيد ؛ يصطاد . «ب» يستخدم في الصَّيْد (~s a pack of hounds) (٢) «أ» يطارد . «ب» يفتّش عن (Missing persons are ~ed by the police.) (٣) يطرد ؛ وبخاصة بالاضطهاد وضروب الازعاج (He was ~ed from the parish.) (٤) يجوس خلال المكان التماساً للطرائد (He ~s the woods.) (٥) يفتش تفتيشاً دقيقاً (~ed the house for the papers) §(٦) «أ» صَيْد . «ب» مطاردة (٧) جماعة من الصيادين.

hunter [hŭn'tər] *(n.)* (١) «أ» الصيّاد . «ب» كلب أو فرس صيد. (٢) الباحث عن كذا (a fortune ~).

hunting [hŭn'tĭng] *(n.; adj.)* (١) صَيْد (٢) شَطَط (كب) .

§(٣) طَرَدي : خاص بالصيد (a ~ cap).

huntress [hŭn'trĭs] *(n.)* الصيّادة ؛ الصائدة .

huntsman [hŭnts'-] *(n.)* (١) الصيّاد (٢) مدير الصيد .

hurdle [hûr'dəl] *(n.; vt.)* (١) وشيعٌ أو سياج نقّال أو موقّت (٢) الحاجز : حاجز خشبي يقفز الرياضيون (أو الخيل) فوقه (٣) عقبة §(٤) يثب فوق حاجز (أثناء العَدْو) (٥) يتغلّب على صعوبة الخ .

hurdle 2.

hurdy-gurdy [hûr'dĭ gûr'dĭ] = barrel organ.

hurl [hûrl] *(vi.; t.; n.)* (١) يندفع ؛ ينطلق بقوة × (٢) يقذف ؛ يرشق ؛ يرمي بعنف (٣) يخلع §(٤) قذْف ؛ رَشْق .

hurly [hûr'lĭ] *(n.)* = hurly-burly.

hurly-burly [hûr'lĭ bûr'lĭ] *(n.)* ضجيج ؛ جلَبَة ؛ هَرْج ومَرْج .

hurrah [hə rä'] *also* **hurray** [hə rā'] *(interj.; n.)* (١) هوراه ! : هتاف ابتهاج أو استحسان أو تشجيع §(٢) جعجعة ؛ هَرْج ومَرْج (٣) حماسة (٤) اهتياج وبخاصة حول مسألة تافهة (٥) مزاح .

hurricane [hûr'ĭ kān] *(n.)* إعصار (مصحوب بمطر ورعد وبرق) .

hurricane deck *(n.)* = promenade deck.

hurricane lamp *(n.)* المصباح الإعصاري : شمعة (أو مصباح كهربائي) مزوّدة بـ «مدخنة» زجاجية .

hurried [hûr'ĭd] *(adj.)* (١) مُسْرِع ؛ سريع (٢) مستعجِل . (٣) صاخب (~ life of a city).

hurry [hûr'ĭ] *(vt.; i.; n.)* (١) ينقل بعجلة ؛ يجعلُهُ يذهب بعجلة (An ambulance *hurried* him to the hospital.) (٢) يستعجل : ينخس أو يحثّ على الاسراع × (٣) يُسْرِع (~ up or you'll miss the train.) §(٤) عجلة ؛ سرعة .

hurry-scurry *or* **hurry-skurry** [-skûr'ĭ] *(n.; adv.; adj.)* (١) اندفاع مضطرب ؛ عجلة مضطربة §(٢) باندفاع مضطرب §(٣) متسِم باندفاع أو فرار مضطرب .

hurt [hûrt] *(vt.; i.; n.)* (١) «أ» يجرح . «ب» يؤذي ؛ يضرّ . (٢) «أ» يؤلم ؛ يوجع . «ب» يسيء إلى . «ج» يُضعف . «د» يعوق × (٣) يسبّب ألماً جسدياً أو عقلياً (My finger still ~s.) §(٤) أذى ؛ ضرر : «أ» جُرح . «ب» استياء . «ج» ضربة ؛ طعنة ؛ إساءة (It was a severe ~ to her pride.).

hurtful [hûrt'-] *(adj.)* مؤذٍ ؛ ضارّ ؛ مُوْجِع ؛ مؤلم .

hurtle [hûr'təl] *(vi.; t.)* (١) يندفع بعنف أو سرعة . × (٢) يسوق أو يقذف بعنف .

husband [hŭz'bənd] *(n.; vt.)* (١) زوج ؛ بَعْل §(٢) يسخّر للمصلحة العامة الخ. (٣) يدّخر ؛ يوفّر ؛ يقتصد في (to ~ one's strength *or* resources) (٤) يزوج : يوجد زوجاً لـ (ا.ق) .

husbandman [-mən] *(n.)* (١) المزارع (٢) الخبير في الزراعة .

husbandry [-'bən drĭ] *(n.)* (١) اقتصاد في النفقة (٢) زراعة . (٣) العناية العلمية بناحية من نواحي الزراعة ، وبخاصة بالحيوانات الداجنة .

hush [hŭsh] *(vt.; i.; adj.; n.; interj.)* (١) يهدّىء ؛ يسكّن . (٢) يُخمد ؛ يقمع (٣) يطمس ؛ يمنع من الانتشار (The story of her disgrace was ~ed up.) × (٤) يَهْدأ ؛ يَسْكُن §(٥) طَمْسيّ : مقصودٌ به طمس بعض المعلومات أو الحؤول دون انتشارها (a ~ policy concerning any faults in the American economy) §(٦) سكوت أو سكون ، بعد ضجة §(٧) صَهْ ! أُسْكُتْ !

hush money *(n.)* رشوة (تعطى للسكوت عن شيء ما) .

hush-hush [hŭsh'-] *(adj.)* سِرّيّ؛ مكتوم (diseases ~) .

husk [hŭsk] *(n.; vt.)* (١) قشرة الثمرة أو البذرة (٢) قشرة خارجية §(٣) يقشّر .
—husker *(n.)*

husking [hŭs'kĭng] *(n.)* (١) قَشْر ، وبخاصة : نزع قشور عرانيس الذُّرة (٢) **husking bee** .

husking bee *(n.)* اجتماع الجيران أو الأصدقاء لنزع قشور عرانيس الذُّرة .

husky [hŭs'kĭ] *(adj.; n.)* (١) قِشْريّ ، كالقِشْر . (٢) قَشِر ، كثير القِشْر (٣) أجشّ ، أبحّ الصوت (٤) قويّ ؛ ضخم §(٥) شخص قوي أو ضخم (عا) (٦) كلب الاسكيمو .

hussar [hōō zär'] *(n.)* الهوْصار : جندي في وحدة من الوحدات العسكرية الأوروبية المنظمة على طريقة سلاح الفرسان الهنغاري الخفيف في القرن الخامس عشر .

hussy [hŭs'ĭ; hŭz'ĭ] *(n.)* (١) امرأة فاجرة (٢) فتاة وقحة أو موقِحة .

hustings [hŭs'tĭngz] *(n. pl. or sing.)* (١) محكمة محليّة . (٢) منبر لتسمية المرشحين للانتخابات النيابية أو لإلقاء الخطب الانتخابية (٣) إجراءات حملة انتخابية .

hustle [hŭs'əl] *(vt.; i.; n.)* (١) يُخْرِج بخشونة أو بسرعة (They ~ *d* him out of the city.) (٢) يهزّ أو يدفع بخشونة (٣) «أ» يحصل على شيء ببذل نشاط ملحوظ ؛ يجمع ؛ يكسب (~ *d* new customers) . «ب» يبيعه شيئاً بالمكر والخداع . «ج» يسلبه مالَه بالقوة أو الخداع (~*s* schoolboys out of their lunch money) × (٤) يشقّ طريقَه (٥) يعجّل ؛ يُسْرِع (٦) يبذل جهوداً قوية للحصول على كسب غير مشروع (عادةً) § (٧) دَفْع بقوة (٨) نشاط بالغ (the ~ and bustle in construction of motels) (٩) عمل ؛ وظيفة (١٠) خداع ؛ احتيال .

hut [hŭt] *(n.; vt.; i.)* (١) كوخ (٢) سقيفة §(٣) يُسْكِن أو يَسْكُن في كوخ .

hutch [hŭch] *(n.)* (١) «أ» صندوق . «ب» خزانة منخفضة . (٢) زريبة صغيرة (٣) كوخ (٤) قفص .

hutment [hŭt'mənt] *(n.)* مُعَسْكَر ؛ مخيّم ؛ مجموعة أكواخ .

huzzah or **huzza** [hə zä'] *(interj.)* هتاف ابتهاج أو استحسان .

hyacinth [hī'ə sĭnth] *(n.)* (١) «أ» الصَّفَيْر : ضربٌ من الياقوت الأزرق . «ب» حجر كريم برتقالي محمرّ (٢) المكحلّة ؛ الحَدَقية ؛ الياقوتيّة : زهرة جميلة من الزنبقيات (٣) لون يُراوح بين البنفسجي الخفيف والأرجواني المعتدل .

hyacinth 2.

Hyades [hī'ə dēz] *(n. pl.)* القِلاص ؛ القلائص (فل) .

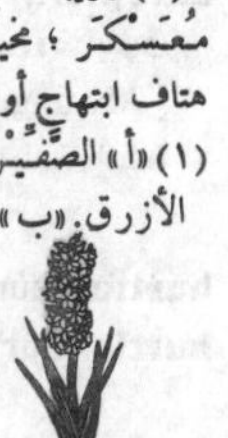

hyaena [hī ē'nə] = hyena.

hyal- or **hyalo-** بادئة معناها : زجاج أو زجاجيّ .

hyaline [hī'ə-] *(adj.; n.)* (١) زجاجيّ (٢) شفّاف §(٣) شيء شفّاف (كالجوّ الصافي الخ .) (٤) أو **hyalin** : الهيالين : مادة قرْنية تشبه الكيتين (را . chitin) .

hyalite [hī'ə līt] *(n.)* الهياليت : أوبال (را . opal) عديم اللون .

hyaloid [hī'ə loid'] *(adj.)* زجاجيّ ؛ شفاف .

hyaloplasm [hī'ə lō plăz'əm] *(n.)* الجِبِلّة الزجاجيّة : الجزء الشفّاف من بروتوبلازما الخليّة (أح) .

hybrid [hī'brĭd] *(adj.; n.)* هَجِين ؛ نغْل ؛ مُوَلَّد .

hybridization [hī'brĭd ə zā'shən] *(n.)* (١) تهجين ؛ تنغيل .

(٢) هُجْنة .

hybridize [hī'brə dīz] *(vt.; i.)* يهجّن ؛ ينغّل ؛ يخلط الأجناس .

hydr- or **hydro-** بادئة معناها (١) «أ» ماء (*hydro*electric) . «ب» مائع ، سائل (*hydro*dynamics) (٢) هيدروجين ؛ متضمن هيدروجيناً أو متحد مع الهيدروجين (*hydr*iodic acid) .

Hydra [hī'drə] *(n.)* (١) العُدار : افعوان خرافي ذو تسعة رؤوس قتله هرقل ، فكان كلما قطع رأساً من رؤوسه هذه نبت محلّه رأسان جديدان (٢) *not cap.* : شرّ متعدد العناصر لا يمكن التغلب عليه بجهد مُفرد (٣) كوكبة الشجاع (فل) (٤) *not cap.* : الهِدْرة : حيوان مائي متعدد الرؤوس .

hydrangea [hī drān'jə] *(n.)* الكوبيّة ، كوب الماء : جنبة للتزيين تشبه ثمارها كوب الماء (نب) .

hydrant [hī'drənt] *(n.)* (١) **fireplug** (٢) حنفية ؛ صُنْبور .

hydrate [hī'drāt] *(n.; vt.; i.)* (١) هيدرات ، إيدرات ؛ ماءات (ك) §(٢) يُمَيِّه : يجعله يتحد مع الماء ×(٣) يَتَمَيَّه .

hydraulic [hī drô'lĭk] *(adj.)* هيدروليكيّ : «أ» مُدار أو محرَّك بواسطة الماء . «ب» متعلق بعلم السوائل المتحركة أو الهيدروليكا (~ engineers) . «ج» متعلق بالمياه أو السوائل المتحركة (~ erosion of shore reef fronts) . «د» مكتسِبٌ صلابةً تحت الماء (~ lime) .

hydraulic ram *(n.)* المِكْباس الهيدروليكي : مضخة تستخدم طاقة المياهِ الساقطةِ لرفع جزء من الماء إلى ارتفاع أعلى من ارتفاع المصدر .

hydraulics [hī drô'lĭks] *(n.)* الهيدروليات : علم السوائل المتحركة .

hydrazine [hī'drə zēn] *(n.)* الهيدرازين (ك) .

hydric [hī'drĭk] *(adj.)* (١) وافر الرطوبة (٢) متعلق بوفرة الرطوبة أو متطلّب إياها .

hydride [hī'drīd] *(n.)* الهِدْريد : مركّب مؤلف من هيدروجين وعنصر آخر (ك) .

hydriodic acid *(n.)* حمض الهيدريوديك (ك) .

hydro [hī'drō] *(n.; adj.)* (١) المصحة المائية §(٢) كهربيمائي : كهربائي مائي (~ power) .

hydro- = hydr-.

hydro-airplane *(n.)* الطائرة المائية (طي) .

hydrobromic acid *(n.)* حمض الهيدروبروميك (ك) .

hydrocarbon [hī'drə kär'-] *(n.)* الهيدروكربون : مركب عضوي (كالبنزين والاسيتيلين) متضمن كربوناً وهيدروجيناً فقط (ك) .

hydrocele [hī'drə sēl] *(n.)* الأُدْرَة ؛ القِيلَة : تجمّع سائل مصليّ حول الخصية عادةً .

hydrocephalus also **hydrocephaly** *(n.)* استسقاء الرأس (مض) .

hydrochloric acid [hī'drə klōr'ĭk] *(n.)* حمض الهيدروكلوريك .

hydrochloride [hī'drə klōr'īd] *(n.)* الهيدروكلوريد (ك) .

hydrodynamic; -al [hī'drō dī năm'-] *(adj.)* هيدروديناميّ : متعلّق بالقوة المائية .

hydrodynamics [hī'drō dī năm'-] *(n.)* علم قوة الموائع (مج) .

hydroelectric [hī'drō ĭ lĕk'-] *(n.)* كهربيمائي : متعلق بتوليد الكهرباء من القوة المائية .

hydrofluoric acid *(n.)* حمض الهيدروفلوريك (ك) .

hydrogen [hī'drə jən] *(n.)* الهيدروجين ، الايدروجين (ك) .

hydrogenate [hī'drə jə nāt'] *(vt.)* يُهَدْرِج : يمزج أو يعالج بالهيدروجين .

hydrogenation [hī'drə jə nā'-] *(n.)* الهدْرَجة .

hydrogen bomb *(n.)* القنبلة الهيدروجينية .

hydrogen ion *(n.)* أيون الهيدروجين (ك) .

hydrogenize [hī'drə jə nīz'] *(vt.)* = hydrogenate.

hydrogenous [hī drŏj'ə nəs] *(adj.)* هيدروجيني .

hydrogen sulfide *(n.)* كبريتور الهيدروجين ؛ الهيدروجين المُكبْرَت (ك) .

hydrography[hī drŏg'rə fī] *(n.)* الهيدروغرافيا : علم وصف المياه (كمياه البحار والبحيرات والأنهار) .

hydroid [hī'droid] *(n.; adj.)* (١) الهِدْري ؛ العُداري : حيوان من الهِدْريات أو العُداريات وهي طُوَيفة من شعبة المجوّفات (ح) §(٢) هِدْريّ ؛ عُداريّ .

hydrokinetics [hī drō kī nĕt'-] *(n.)* علم الموائع المتحركة .

hydrologic; -al [hī drə lŏj'-] *(adj.)* هيدرولوجي : متعلق بالهيدرولوجيا أو المائيات .

hydrologist [hī drŏl'-] *(n.)* العالِم الهيدرولوجي أو المائي .

hydrology[hī drŏl'ə jī] *(n.)* الهيدرولوجيا ؛ المائيات ؛ علم المياه : علم يبحث في خصائص المياه وظواهرها وتوزّعها فوق سطح الأرض وفي التّربة وتحت الصخور وفي الجوّ .

hydrolysis [hī drŏl'ə sĭs] *(n.)* (١) الحَلْمَأة : التحليل بالماء . (٢) التَّحَلْمُؤ : التحلّل بالماء (ك) .

—hydrolyte *(n.)* **—hydrolytic** *(adj.)*

hydrolyze [hī'drə līz] *(vt.; i.)* (١) يُحلْمِىء : يحلّل بالماء . ×(٢) يَتَحَلْمَأ : يتحلّل بالماء (ك) .

hydromancer [hī'-] *(n.)* المنجِّم بالماء (أو غيره من السوائل) .

hydromancy [hī'drə-] *(n.)* التنجيم بالماء (أو غيره من السوائل) .

hydromel [hī'drə mĕl'] *(n.)* الماسل : شراب من ماء وعسل .

hydrometallurgy [hī'drə mĕt'ə lûr'jĭ] *(n.)* استخلاص الفلزات (من الخامات) بترشيحها في المحاليل (كالزئبق والحوامض الخ .) .

hydrometeor[hī'drə mē'tĭ ər] *(n.)* الظاهرة الجوية المائية : حدوث البخار المائي الجوي بمختلف أشكاله .

hydro-meter

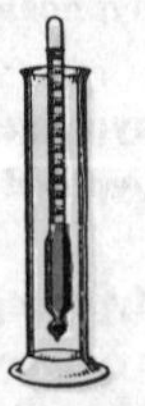

hydrometer [hī drŏm'ə-] *(n.)* المِسْيَل (مج) : مقياس الثقل النوعي للسوائل .

hydropathy [hī drŏp'ə-] *(n.)* المعالجة المائية التجريبية : معالجة الأمراض بالماء تجريبياً .

hydrophane [hī'drə fān] *(n.)* الهيدروفين : أوبال (را . opal) نصف شفاف إذا غُمِس بالماء أصبح شفافاً (مع) .

hydrophobia [hī'drə fō'-] *(n.)* (١) رهاب الماء : الخوف المَرَضي من الماء (٢) داء الكَلَب .

hydrophone [hī'drə fōn] *(n.)* المسماع المائي : أداة للاصغاء إلى الصوت المرسَل خلال الماء .

hydrophyte [hī'drə fīt] *(n.)* النبات المائي : نبات ينمو في الماء .

hydroplane [hī'drə-] *(n.; vi.)* (١) الزلاّقة المائية : زورق بخاري سريع (٢) ساعِدُ الغوص : دفّة على محور أفقي من الغواصة لتوجيهها إلى أعلى أو أدنى (٣) الطائرة المائية §(٤) ينزلق (الزورقُ) فوق الماء وقد انفصل جزء من بَدَنِهِ عن السطح (٥) يقود (أو يركب) طائرة مائية .

hydroponics [hī drə pŏn'ĭks] *(n.)* الزراعة بالماء : زراعة النباتات في ماء أُذيبتْ فيه بعض الموادّ المُغذّية .

hydropower [hī'-] *(n.)* القوة الكهربيمائية : قوة كهربائية مائية .

hydroquinone [hī'drə kwĭ nōn'] *(n.)* الكينون المائيّ : مركَّب أبيض متبلّر يستخدم في الطبّ وفي تظهير الصور الفوتوغرافية (ك) .

hydroscope [hī'drə skōp] *(n.)* منظار الأعماق : أداة بصرية تمكّن المرء من رؤية شيء على مسافة بعيدة تحت سطح الماء .

hydrosphere[hī'drə sfĭr] *(n.)* المحيط المائي : غلاف الأرض المائي .

hydrostat [hī'drə stăt] *(n.)* مِكشاف الماء : أداة كهربائية لاكتشاف وجود الماء (نتيجة لارتشاح أو فيض الخ .) .

hydrostatic; -al [hī drə stăt'-] *(adj.)* هيدروستاتي : متعلق بتوازن الموائع وضغطها .

hydrostatics [-'ĭks] *(n.)* الهيدروستاتيكا : علم توازن الموائع وضغطها .

hydrotherapy [hī'drə thĕr'-] *(n.)* المعالجة المائية العلمية : معالجة الأمراض بالماء بطريقة علمية (قا hydropathy) .

hydrothermal[hī'drə thûr'məl] *(adj.)* ماحاريّ : متعلّق بالمياه الحارة وبخاصة من حيث أثرها في تكوين المعادن .

hydrothorax[hī'drə thōr'-] *(n.)* استسقاء التجويف الجنبيّ (ط) .

hydrotropic[hī'drə trŏp'ĭk] *(adj.)* مائي الانتحاء (را . المادة التالية) .

hydrotropism [hī drŏt'rə pĭz'əm] *(n.)* الانتحاء المائيّ : نزعة جذور النبات إلى الاتجاه نحو الماء (نب) .

hydrous [hī'drəs] *(adj.)* مائيّ .

hydroxide [hī drŏk'sīd] *(n.)* الهيدروكسيد (ك) .

hydroxy- *or* hydrox- بادئة معناها : هيدروكسيل أو متضمنٌ هيدروكسيلاً .

hydroxyl [hī drŏk'sĭl] *(n.)* الهيدروكسيل (ك) .

hydrozoan [hī'drə zō'ən] *(n.; adj.)* (١) الأبابيّ : حيوان من الأبابيات Hydrozoa وهي رتبة من اللاحشويات (را . Coelenterata) §(٢) أبابي .

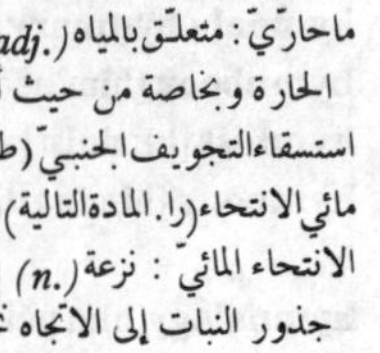

hyena

hyena [hī ē'nə] *(n.)* الضَّبُع (ح) .

hyet- *or* hyeto- بادئة معناها : مطر .

Hygeia [hī jē'ə] *(n.)* هَيْجيا : إلاهة الصحة عند الاغريق .

hygiene [hī'jēn] *(n.)* (١) عِلم الصحة (بنائِها وحفظِها) (٢) الأحوال والعادات (كالنظافة) المفضِية إلى الصحة .

hygienic [hī'jĭ ĕn'ĭk] *(adj.)* (١) صحيّ (٢) متعلّق بعلم الصحة .

hygienics [hī'jĭ ĕn'ĭks] *(n.)* علم الصحة (بنائِها وحفظِها) .

hygr- *also* hygro- بادئة معناها : رطوبة (*hygro*scope) .

hygrograph [hī'grə grăf'] *(n.)* المِرطاب الأوتوماتيكي : مقياس لتسجيل تقلّبات الرطوبة الجوية أوتوماتيكياً .

hygrometer [hī grŏm'ə tər] *(n.)* المِرطاب : أداة لقياس الرطوبة الجوية .

hygrometry [hī grŏm'ə-] *(n.)* المِرطابية : قياس الرطوبة الجوية .

hygrophyte [hī'-] *(n.)* = hydrophyte.

hygroscope [hī'grə skōp'] *(n.)* منظار الرطوبة : أداة تُظهر التغيّر الطارىء على الرطوبة الجوية .

hygroscopic [hī'grə skŏp'ĭk] *(adj.)* مسترطِب ؛ استرطابيّ : ماصّ للرطوبة ومحتفِظ بها .

hygrothermograph [-thûr'mə grăf'] *(n.)* المِرطابُ المحرار : أداة لتسجيل الرطوبة والحرارة معاً على رسم بيانيّ واحد .

hyl- *or* hylo- بادئة معناها «أ» خشب . «ب» مادة ؛ ماديّ .

hyla [hī'lə] *(n.)* = tree toad.

hylozoism [hī'lə zō'ĭz əm] *(n.)* مذهب حيوية المادة :

المذهب القائل بأن المادة كلّها ذات حياة .

hymen [hī'mən] *(n.)* (١) *cap.* : هَيْمان : إلٰه الزواج عند اليونان (٢) غشاء البكارة .

hymeneal [hī'mə nē'əl] *(adj.; n.)* (١) زواجي ؛ قِراني . §(٢) أنشودة الزفاف .

hymenium[-mē'-]*(n.)* الغشيّ : غشاء يجتمع فيه البوغ في بعض الفطور .

hymenopteran [hī'mə nŏp'-] *(adj.)* = hymenopterous.

hymenopteron [-'tər-] *or* **hymenopteran** *(n.)* pl. **-tera** الغشائية الأجنحة : إحدى غشائيات الأجنحة **Hymenoptera** وهي رتبة من الحشرات تنتظم الزنابير والنحل والنمل الخ .

hymenopterous[-'tər-]*(adj.)* غشائية الأجنحة (را. المادة السابقة) .

hymn[hĭm]*(n.; vt.; i.)* (١) ترتيلة ؛ ترنيمة §(٢) يسبّح الله بالتراتيل .

hymnal ; hymnary [hĭm'-]*(n.)* مجموعة تراتيل .

hymnbook [hĭm'bo͝ok] *(n.)* كتاب التراتيل .

hymnist [hĭm'nĭst] *(n.)* مؤلف التراتيل أو ناظمها .

hymnody [hĭm'nə dĭ] *(n.)* (١) إنشاد التراتيل (٢) نظم التراتيل (٣) تراتيل عصر أو بلد أو كنيسة .

hymnology[hĭm nŏl'-]*(n.)* (١) hymnody (٢) دراسة التراتيل .

hyoid [hī'oid] *(adj.)* لاميّ : ذو علاقة بالعظم اللاميّ (ت) .

hyoid bone *(n.)* العظم اللاميّ : عظم في قاعدة اللسان (ت) .

hyp- = **hypo-**.

hypabyssal rocks [hĭp'ə bĭs'əl] صخور الأغوار : صخور نارية تكون عادةً على عمق معتدل تحت سطح الأرض .

hypaethral [hĭ pē'thrəl] *(adj.)* (١) ذو باحة مركزية غير مسقوفة (~ temples) (٢) مكشوف ؛ غير مسقوف .

hype [hīp] *(n.)* (١) hypodermic (٢) مدمن مخدّرات .

hyper- بادئة معناها «أ» فوق (*hyper*physical). «ب» بإفراط (*hyper*critical). «ج» فَرْط ؛ مفرط (*hyper*esthesia).

hyperacid [hī'pər ăs'ĭd] *(adj.)* مفرط (أو زائد) الحموضة .

hyperacidity [hī'pər ə sĭd'ə tĭ] *(n.)* فَرْط الحموضة .

hyperactive[-ăk'-]*(adj.)* ناشط على نحوٍ مفرط أو على نحوٍ مَرَضيّ .

hyperbola [hī pûr'bə lə] *(n.)* القطع الزائد (هن) .

hyperbole [hī pûr'bə lē; -lĭ] *(n.)* غُلُوّ ؛ إغراق (بل) .

hyperbolic; -al [hī'pər bŏl'-] *(adj.)* (١) مُغْرِق ؛ مُتّسِم بالغلوّ (بل) (٢) زائديّ المقطع (هن) .

hyperbolize[hī pûr'bə-]*(vi.; t.)* (١) يغرق ؛ يغالي ×(٢) يبالغ في .

hyperborean [hī'pər bōr'ĭ ən] *(adj.; n.)* (١) متعلق بأحد الأصقاع الشمالية القصوى : مُنْجمِد ؛ متجمّد (٢) متعلق بأحد شعوب القطب الشمالي §(٣) *cap.* : أحد أفراد شعب سعيد اعتقد الإغريق بأنّه يقيم في منطقة شمالية تنعم بأشعة الشمس على نحوٍ سرمديّ (٤) المقيم في إقليم شمالي بارد .

hypercritic [hī pər krĭt'ĭk] *(n.)* الناقد المتعنّت أو المتطرّف .

hypercritical [hī pər krĭt'-]*(adj.)* متعنّت أو متطرّف في النقد .

hyperemia [hī pər ē'mĭ ə] *(n.)* فَرْط الدم : احتقان (مض) .

hyperesthesia[hī'pər əs thē'zhə;-zhĭ ə]*(n.)* فَرْط الحساسية .

hyperfocal distance *(n.)* المسافة فوق البؤرية (فو) .

hypergeometric[-mĕt'-]*(adj.)* فَوْهَنْدسيّ : متعلق بالهندسة الفوقية .

hyperglycemia [-glī sē'-]*(n.)* فَرْط (زيادة) السكّر في الدم .

hyperirritability [hī'pər ĭr'ə tə bĭl'-]*(n.)* فَرْط الاهتياج .

hypermetropia [hī pər mə trō'-] *(n.)* = hyperopia.

hypermnesia [-nē'-] *(n.)* فرط التذكّر لأحداث الماضي .

hyperope [hī'-]*(n.)* الطامس : المصاب بالطمَس أو طول البَصَر .

hyperopia [hī pər ō'pĭ ə] *(n.)* الطَّمَس : مدّ (أو طول) البَصَر .

hyperopic[hī pər ŏp'ĭk]*(adj.)* أطمس : مديد (أو طويل) البَصَر .

hyperostosis [hī'pər ŏs tō'sĭs] *(n.)* pl. **-ses** فَرْط التعظّم : إفراط في نموّ العظم (مض) .

hyperphysical [hī'pər fĭz'ə kəl] *(adj.)* فوق (أو وراء) المادي ؛ لا ماديّ ؛ خارق .

hyperpituitarism [hī'pər pĭ tū'ə tə rĭz'əm] *(n.)* فَرط النّخامية ؛ فرْط نشاط الغدّة النخاميّة (مض) .

hyperplasia [hī'pər plā'zhə; -zhĭ ə] *(n.)* فَرْط الاستنساج : تكاثر أنسجة الخلايا على نحو غير سويّ (مض) .

hyperpnea [hī pərp nē'ə] *(n.)* عسر التنفّس (مض) .

hyperpyrexia [hī'pər pī rĕk'sĭ ə]*(n.)* فَرْط الحمّى (مض) .

hypersensitive[hī'pər sĕn'sə tĭv]*(adj.)* مفرط الحساسية .

hypersensitivity [-sĕn sə tĭv'-] *(n.)* فرط الحساسية .

hypersonic [hī'pər sŏn'ĭk] *(adj.)* فَرْصَوْتيّ ؛ فَرْط صوتي : متعلق بالسرعة البالغة خمسة أضعاف سرعة الصوت في الهواء أو أكثر .

hypertension [hī'pər tĕn'shən] *(n.)* فرْط ضغط الدّم (الشريانيّ خاصةً) .

hyperthyroidism[hī'pər thī'roi dĭz'əm]*(n.)* فَرْط التدرّق : فَرْط نشاط الغدّة الدرقيّة (مض) .

hypertonic [hī'pər tŏn'ĭk]*(adj.)* زائد التوتّر ؛ مفرط التوتّر .

hypertrophy [hī pûr'trə fĭ]*(n.; vt.; i.)* (١) تضخّم (في نموّ عضو الخ .) §(٢) يضخّم ×(٣) يتضخّم .

hyphen [hī'fən] *(n.; vt.)* (١) الواصلة : خط قصير (-) بين جزئي الكلمة المركّبة ، أو أجزاء كلمة مقسّمة ، لتوضيح طريقة النطق بها §(٢) يَصِلُ بواصلة .

hyphenate[hī'fə nāt']; **hyphenize**[-nīz']*(vt.)*=hyphen.

hypn- *or* **hypno-** بادئة معناها : «أ» نوم . «ب» تنويم مغناطيسي .

hypnagogic *or* **hypnogogic** [-gŏj'ĭk] *(adj.)* نُعاسيّ .

hypnoanalysis [hĭp'nō ə năl'-]*(n.)* المعالجة بالتنويم : معالجة المرض العقلي بالتنويم المغنطيسي وبطرائق التحليل النفسي .

hypnogenesis[-jĕn'-] *(n.)* التنويم : إحداث حالة تنويم مغنطيسي .

hypnoid [hĭp'-]*or* **hypnoidal** [hĭp noi'-]*(adj.)* (١) نَوْميّ . (٢) تنويمي : ذو علاقة بالتنويم المغنطيسي .

hypnology [hĭp nŏl'ə jĭ] *(n.)* مَبْحثُ النوم .

hypnopompic [hĭp'nō pŏm'pĭk] *(adj.)* طاردٌ للنوم .

hypnosis[hĭp nō'sĭs]*(n.)* (١) النوم المغنطيسي (٢) حالة شبيهة بالنوم (٣) التنويم المغنطيسي .

hypnotherapy [hĭp'nō thĕr'-]*(n.)* المعالجة بالتنويم المغنطيسي .

hypnotic [hĭp nŏt'ĭk]*(adj.; n.)* (١) منوم (٢) ذو علاقة بالنوم المغنطيسي أو بالتنويم المغنطيسي §(٣) المنوم : مادة منوّمة (٤) شخص منوّم أو قابل للتنويم مغنطيسياً .

hypnotism[hĭp'nə-]*(n.)* (١) التنويم المغنطيسي (٢) النوم المغنطيسي .

hypnotist [hĭp'nə tĭst] *(n.)* المنوِّم المغنطيسي .

hypnotize [hĭp'nə tīz] *(vt.)* (١) ينوم مغنطيسياً (٢) يُخمد (المقاومة الخ .) بالايحاء التنويمي المغنطيسي أو يخمدها وكأنما يفعل ذلك بهذا الايحاء .

hypo [hī'pō] *(n.; vt.)* (١) hypochondria (٢) هيبوسلفيت الصوديوم المستعمل في التصوير الفوتوغرافي (٣) مِحقَنة

hypo- 443 hyster-

للزَّرْق تحت الجلد (٤) زَرْقَة أو حَقْنة تحت الجلد (٥) المنبِّه؛ المثير
§(٦) «أ» ينبِّه؛ يثير. «ب» يضاعف؛ يزيد.

hypo- *or* **hyp-** بادئة معناها: «أ» تحت (*hypo*dermic). «ب» أقلّ من السويّ (*hypo*tension).

hypoblast [hī'pə blăst] *(n.)* = endoblast.

hypobranchial [-brăng'kĭ-] *(adj.)* تَحْخَيْشُوميّ: واقعٌ تحت الخياشيم (ح).

hypocaust [hī'pə kôst] *(n.)* تدفئة مركزية (عند الرومان).

hypocenter [hī pō sĕn'-] *(n.)* المركز التحتاني: تلك النقطة من سطح الأرض الواقعة مباشرةً تحت مركز انفجار قنبلة نووية.

hypochlorous acid [hī'pə klōr'-] *(n.)* حمض هيبوكلوروز (ك).

hypochondria [hī'pə kŏn'drĭ ə] *(n.)* = hypochondriasis.

hypochondriac [hī'pə kŏn'-] *(adj.; n.)* (١) مَرَاقيّ: متعلق بمَراقّ البطن أي ما رقّ منه ولانَ في أسافله ونحوها (٢) مصاب بوسواس المرض أو ناشىء عنه §(٣) المصاب بوسواس المرض.

hypochondriasis [-kŏn drī'-] *(n.)* وسواس المرض: توسوس المرء على صحته، وبخاصة حين يكون مصحوباً بتوهّم وجود مرض جسمانيّ.

hypocorism [hī pŏk'-] *(n.)* (١) «أ» اسم التحبّب. «ب» استعمال أسماء التحبّب (٢) euphemism.

hypocrisy [hĭ pŏk'rə sĭ] *(n.)* رياء؛ نفاق، وبخاصة: التظاهر الكاذب بالفضيلة والدين.

hypocrite [hĭp'ə krĭt] *(n.; adj.)* مراءٍ؛ منافق.

hypocritical [hĭp'ə krĭt'-] *(adj.)* ريائيّ؛ نفاقيّ؛ كاذب؛ زائف.

hypoderm [hī'pə-] *(n.)* اللُّحَيْميّ: نسيجٌ ضامّ تحت الجلد.

hypodermal [hī pə dûr'-] *(adj.)* (١) لُحَيْميّ: ذو علاقة بالنسيج الضامّ تحت الجلد (٢) تَحْبَشَريّ: واقعٌ تحت البشرة.

hypodermic [hī'pə dûr'-] *(adj.; n.)* (١) تَحْجِلْديّ: «أ» متعلق بما تحت الجلد. «ب» مُعَدّ للاستعمال في الزَّرْق تحت الجلد. «ج» معطىً بطريقة الزَّرْق تحت الجلد (٢) شبيهٌ في تأثيره بالزَّرْق تحت الجلد: مثير §(٣) زَرْقَة (بالابرة) تحت الجلد (٤) مِحْقَنَة للزَّرْق تحت الجلد.

hypodermic injection *(n.)* الزَّرْقَة التَحْجِلدية: زَرْقَة (بالابرة) تحت الجلد.

hypodermic needle *(n.)* الابرة التحجِلدية: ابرة الزَّرْق تحت الجلد.

hypodermic syringe *(n.)* المِحْقَنَة التَحْجِلديّة: مِحقنة الزَّرْق تحت الجلد.

hypodermis [hī'pə dûr'mĭs] *(n.)* الجلد التحتاني («ح» و «نب»).

hypogastric [hī pə găs'trĭk] *(adj.)* خَثْليّ: متعلق بخَثْلة البطن أي ما بين السُّرة والعانة.

hypogastrium [hī'pə găs'-] *(n.)* خَثْلة البطن: ما بين السُّرة والعانة (ت).

hypogeal [hī pə jē'əl] *or* **hypogeous** [-pə jē'əs] *(adj.)* نامٍ تحت الأرض.

hypogene [hĭp'ə jēn'; hī'pə-] *(adj.)* = plutonic.

hypogenous [hī'pŏj'ə nəs] *(adj.)* سُفْليّ: نامٍ على الجانب الأسفل من الورقة (fungi ~).

hypogeum [hĭp'ə jē'əm] *(n.)* (١) قبو (٢) سرداب الموتى: مقبرة تحت الأرض.

hypoglossal [hī'pə glŏs'əl] *(adj.)* تَحْلِساني: واقع تحت اللسان.

hypoglycemia [hī pə glī sē'-] *(n.)* نَقْص السكّر: نَقْص غير سويّ في مقدار السكّر في الدم.

hypognathous [hī pŏg'-] *(adj.)* أكسَسّ: فكّه الأسفل اطول من الأعلى.

hypomania [hī pə mā'-] *(n.)* مَسّ (را. mania) معتدل.

hypopharynx [hī pə făr'-] *(n.)* الزائدة اللسانية: زائدة شبيهة باللسان في أفواه كثير من الحشرات.

hypophosphate [hī pə fŏs'fāt] *(n.)* الهيبوفسفات (ك).

hypophosphite [hī pə fŏs'fīt] *(n.)* الهيبوفسفيت (ك).

hypophysis [hī pŏf'ə sĭs; hĭ-] *(n.)* الغدّة النُّخاميّة (ت).

hypopituitarism [hī'pō pĭ tū'ə tə rĭz'əm] *(n.)* القصور النُّخاميّ: قصور في نشاط الغدة النخامية (مض).

hypoplasia [hī'pə plā'zhə; -zhĭ ə] *(n.)* نقص النموّ: توقّف نموّ عضو بحيث يظلّ أصغر من الحجم السويّ (مض).

hyposensitize [hī pō sĕn'-] *(vt.)* يُضعف الحساسية.

hypostasis [hī pŏs'tə sĭs] *(n.)* (١) «أ» الراسب: ما يرسب في قعر سائلٍ ما. «ب» ركود الدم (ط) (٢) «أ» أُقنوم. «ب» شخصية المسيح التي تجمع الطبيعتين الإلهية والبشرية (٣) طبيعة الفرد الأساسية.

hypostatize [hī pŏs'tə tīz] *(vt.)* يعتبر (الشيء المجرّد) شيئاً مادياً.

hypostyle [hĭp'ə stīl] *(adj.)* مرتكِز السقف على صفوف من الأعمدة (عم).

hyposulfite [hī'pə sŭl'fīt] *(n.)* الهيبوسلفيت (ك).

hyposulfurous acid [hī'pō sŭl fyŏŏr'-] *(n.)* حمض أو حامض هيبوسلفروز (ك).

hypotension [hī pō tĕn'shən] *(n.)* نَقْص التوتّر، وبخاصة: هبوط غير سويّ في ضغط الدم.

hypotenuse [hī pŏt'ə nūs] *(n.)* وتر المثلث (ذي الزاوية القائمة).

hypothalamus [hī pə thăl'ə məs] *(n.)* الهايبوتلاموس: ما تحت السرير البَصَريّ (ت).

hypothecate [hī pŏth'ə kāt'; hĭ-] *(vt.)* يرهن (عقاراً أو سندات).

hypothermal [hī pə thûr'-] *(adj.)* فاتر؛ معتدل السخونة.

hypothesis [hī pŏth'ə sĭs; hĭ-] *(n.)* (١) الفَرَضيّة؛ الظنّيّة: رأي علميّ لمّا يثبتْ بعد (٢) افتراض على سبيل الجدل.

hypothesize [-'ə sīz] *(vi.; t.)* (١) يضع فَرَضية ×(٢) يفترض.

hypothetical [hī pə thĕt'-] *(adj.)* افتراضيّ: قائم على الافتراض.

hypothyroidism [hī'pō thī'-] *(n.)* القصور الدَّرَقيّ: قصور الغدّة الدَّرَقية (مض).

hypotonic [hī'pə tŏn'ĭk; hĭp'-] *(adj.)* ناقص التوتّر (فس).

hypotrophy [hī pŏt'-] *(n.)* الضمور؛ نقص النموّ.

hypoxanthine [hī'pə zăn'thēn] *(n.)* الهيبوزَنْتين (ك).

hypoxia [hĭp ŏk'-] *(n.)* نقص في وصول الأكسجين إلى أنسجة الجسم.

hyps- *or* **hypso-** بادئة معناها: ارتفاع.

hypsography [hĭp sŏg'-] *(n.)* الهِبْسوغرافيا: علم قياس مرتفعات سطح الأرض ووضع الخرائط لها.

hypsometer [hĭp sŏm'ə-] *(n.)* الهِبْسومتر؛ مقياس الارتفاع: أداة لتقدير ارتفاع المناطق الجبلية من درجات غليان الموائع.

hypsometry [-'ə trĭ] *(n.)* قياس الارتفاع (بالنسبة إلى سطح البحر).

hyrax [hī'-] *(n.)* pl. **-raxes** *also* **-races** الوَبْر؛ الزَّلَم (ح).

hyson [hī'sən] *(n.)* الهَيْسُون: شاي صيني أخضر.

hyssop [hĭs'əp] *(n.)* الزوفا؛ اشنان داود (نب).

hyster- *or* **hystero-** بادئة معناها (١) رَحِمٌ (٢) هستيريا.

hysterectomize [hĭs'tə rĕk'-] *(vt.)* يستأصل الرَّحم (جر).

hysterectomy [hĭs'tə rĕk'tə mĭ] *(n.)* استئصال الرحم (جر).

hysteresis [hĭs'tə rē'sĭs] *(n.)* التخلّفية: نزعة المادة المغنطيسية إلى البقاء في حالة مغنطيسية ما؛ تخلّف الآثار المغنطيسية بعد زوال أسبابها.

hysteretic [hĭs'tə rĕt'ĭk] *(adj.)* تَخَلّفي (را. المادة السابقة).

hysteria [hĭs tĭr'ĭ ə] *(n.)* الهِستيريا؛ الهَرَع: «أ» اضطراب عصبي يسبّب نوبات عنيفة من الضحك أو البكاء، أو يسبب ضروباً من الأمراض الوهمية أو فقدان السيطرة على الذات. «ب» خوف (أو اهتياج عاطفي) لا سبيل إلى كبحه.

hysteric [hĭs tĕr'ĭk] *(adj.; n.)* (١) هِستيريّ؛ هَرَعي. § (٢) المُهَستَر؛ المهروع: المصاب بالهستيريا أو الهَرَع.

hysterical [-'ə kəl] *(adj.)* هِستيريّ؛ هَرَعي.

hysterics [-'ĭks] *(n.)* هِستيريا: نوبة ضحك أو بكاء لا سبيل إلى كبحها.

hystero- = hyster-.

hysterogenic [-rō jĕn'ĭk] *(adj.)* مُهَستِر: مسبّب للهستيريا.

hysteroid [hĭs'tə roid'] *(adj.)* هِستيراني؛ هَرَعاني: شبيهٌ بالهستيريا أو الهَرَع.

hysteron proteron [hĭs'tə rŏn' prŏt'ə rŏn'] *(n.)* القَلْب: «أ» كلام ينطوي على قلب للترتيب الطبيعي أو العقلاني (كقولك Then came the thunder and the lightning.). «ب» مغالطة قِوامُها اعتبارُ شيء (لازمٍ عمّا يراد إثباتُهُ) مقدّمةً منطقية.

hysterotomy [hĭs'tə rŏt'ə mĭ] *(n.)* شقّ الرحم (جراحياً)، وبخاصة: العملية القيصرية.

Hystricidae [hĭs trĭs'ĭ dē] *(n. pl.)*: الشياهم؛ فصيلة الشياهم: فصيلة من القوارض ذات أشواك طويلة كأنها المَسالّ (ح).

hystrix [hĭs'-] *(n.)* الشَّيْهَم؛ النَّيْص؛ الضَّرْب: حيوان من القوارض ذو شوك طويل كأنه المَسالّ.

hyte [hīt] *(adj.)* مجنون؛ مخبَّل؛ مضطرب العقل (اسك).

I

Iraq (Shatt al-Arab)

i [ī] *(n. often cap.)* (١) الحرف التاسع من الأبجدية الانكليزية . (٢) شيء مُعتَبَرٌ تاسعاً من حيث الترتيب أو الطبقة (٣) شيء على صورة حرف **I** .

I [ī] *(pron.)* أنا ؛ تُ ؛ ضمير المفرد المتكلم .

I [ī] *(n.)* pl. **I's** *or* **Is** الأنويّ : «أ» شخص شاعرٌ بفرديته المتميّزة . «ب» شخص يُكثر من التحدث عن نفسه (just a big ~).

-ia لاحقة معناها : «أ» حالة مَرَضية (pneumon*ia*) . «ب» جنس من النبات أو الحيوان (Dahl*ia*).

iamb [ī'ămb] *(n.)* العَمْبَق : تفعيلٌ أو بحرٌ عروضي مؤلف من مقطع قصير يتبعه مقطع طويل أو من مقطع غير مشدّد النطق يتبعه مقطع مشدّد النطق (مثل *invent*) .

iambic [ī ăm'bĭk] *(n.; adj.)* (١) العَمْبَق (را . المادة السابقة). (٢) الشعر العَمبقي ؛ القصيدة العمبقيّة : شِعر أو نظم على وزن بحر العَمبق §(٣) عَمْبَقِيّ .

iambus [ī ăm'bəs] *(n.)* pl. **-buses** *or* **-bi** = iamb.

-iasis لاحقة معناها : «أ» مرض متميّز بشيء معين (satyr*iasis*). «ب» مرض ناشيء عن شيء معين (ancylostom*iasis*).

iatric *also* **iatrical** [ī ăt'-] *(adj.)* طبيّ .

-iatrics لاحقة معناها : معالجة طبيّة (ped*iatrics*).

-iatry لاحقة معناها : معالجة طبية (psych*iatry*).

Iberian [ī bĭr'ĭ ən] *(n.; adj.)* ايبيريّ : «أ» قوقازي . «ب» اسباني أو برتغالي .

ibex [ī'bĕks] *(n.)* pl. **ibex** *or* **-es** الوَعْل ؛ البَدَن ؛ تيْس الجبل (ح) .

ibex

ibid., = ibidem .

ibidem [ĭ bī'dĕm] *(L.)* في نفس المكان : في نفس الكتاب أو الفصل أو الصفحة أو المقطع .

ibis [ī'bĭs] *(n.)* pl. **ibis** *or* **-es** أبو مِنْجل ؛ الحارس : طائر مائيّ طويل القائمتين والمنقار .

-ible = -able.

Icarian [ī kâr'ĭ ən; ĭ-] *(adj.)* إيكاروسيّ : منسوب إلى إيكاروس أو مميز له ، مثل : «أ» مسرف في التحليق على نحو يعرّض سلامته للخطر . «ب» غير ملائم لمشروعٍ طَموحٍ أو عاجزٌ عن القيام به (~ methods).

Icarus [ĭk'ə rəs; ī'kə-] *(n.)* إيكاروس : ابن ديدالوس وقد أسرف في التحليق ، عند فراره من السجن ، حتى أمسى على مقربة من الشمس فذاب جناحاه الشمعيّان وسقط في البحر (مث يونانيّة) .

ice [īs] *(n.; vt.; i.)* (١) «أ» جليد؛ جَمَد ؛ ثلج . «ب» رُقاقة أو امتداد من جليد (٢) برود (ناشيء عن التحفّظ أو التزام الأعراف والشكليات) (٣) **icing 2** (٤) الحلوى الجليدية : حلوى متجلدة تحتوي على عصير فاكهة ، وبخاصة : حلوى متجلدة لا تشتمل على حليب أو قشدة (٥) ماسات (جمع ماسة) أو جواهر (ع) § (٦) «أ» يكسو بالثلج أو يحوّل إلى جليد . «ب» يبرّد أو يزوّد بالثلج (٧) يكسو بعض المآكل المخبوزة بغطاء مؤلف من سكر وزبدة وحليب وبيض ×(٨) يصبح بارداً جداً (٩) يكتسي بالجليد أو الثلج .

on ~, شبه مضمون ؛ الفوز فيه شبه مؤكد .

on thin ~, في وضع محفوف بالمخاطر أو المصاعب .

ice age *(n.)* (١) عصر جليدي (٢) *cap. I and A* : عصر الجليد (جي) .

ice bag *(n.)* كيس الثلج : كيس ثلج صامدٌ للماء يوضع على ناحية من الجسم .

iceberg [īs'bûrg'] *(n.)* (١) الجبل الجليدي : جبل جليد عائم (منفصلٌ عن مَجلَدةٍ أو نهر جليد) (٢) شخص بارد عاطفياً .

iceblink [īs'blĭngk'] *(n.)* الوميض الجليدي : بريق في السماء مردّه إلى انعكاس الضوء عن الجليد .

iceboat [īs'bōt] *(n.)* (١) مركب الجَمَد : مركبة شبيهة بمركب شراعي تستخدم للانزلاق على الجليد (٢) icebreaker .

iceboat 1.

iceboating *(n.)* رياضة الانزلاق بمراكب الجَمَد (را. المادة السابقة) .

icebound [īs'bound] *(adj.)* محاطٌ أو محصورٌ بالجليد .

icebox [īs'bŏks'] *(n.)* ثلاّجة .

icebreaker [īs'brā'kər] *(n.)* (١) بناء حجري أو خشبي لحماية جسر من الجليد الزاحف (٢) كسّارة الجَمَد: سفينة لشق طريق وسط الجليد (٣) حاطمُ الجليد : شيء يتّخذ وسيلة للتغلب على التحفظ والبدء في الحديث (في حفلة أو مناسبة اجتماعيّة) .

ice cap *(n.)* قلنسوة الجليد : «أ» كيس ثلج على شكل قلنسوة (بحيث يلائم الرأس) . «ب» نهرٌ جليديّ مندفق من وَسْطه في جميع الاتجاهات .

ice-cold [īs'kōld'] *(adj.)* مثلوج؛ باردٌ إلى حدّ قصيّ .

ice cream *(n.)* مثلوجات؛ «بوظة» ؛ «جيلاتي» .

ice crystal *(n.)* = ice needle.

icefall [īs'-] *(n.)* الشلاّل الجليدي : شلاّل متجمّد أو متجلّد .

ice field *(n.)* حقل الجليد: طَوْفٌ جليدي (را. المادةالتالية)ضخم .

ice floe *(n.)* الطّوف الجليدي : رُقاقة كبيرة من جليد عائم .

icehouse [īs'hous] *(n.)* مخزن الجليد : مبنى لخزن الجليد .

Icelandic [īs lăn'dĭk] *(adj.; n.)* (١)إيسلندي: منسوب إلى إيسلندة §(٢) الايسلنديّة: لغة الايسلنديين السكندنافية .

Iceland poppy *(n.)* الخشخاش الايسلندي (نب) .

Iceland spar *(n.)* السبار (را . spar) الايسلنديّ .

iceman [īs'măn'] *(n.)* الثلاّج : بائع الثلج .

ice needle *(n.)* إبرة الجليد : إحدى الدقائق الجليدية الرفيعة التي تطفو في الهواء حين يكون الجو بارداً صافياً .

ice pack *(n.)* الجليد المترابط : مساحة واسعة من جليد عائم .

ice pick *(n.)* مِعول الثلج : أداة لتكسير الثلج .

ice plant *(n.)* المُلاّح البِلّوْري؛ عشبة الجليد (نب) .

ice-skate [īs'skāt'] *(vi.)* يتزلج (على الجليد) .

ice storm *(n.)* العاصفة الثلجية .

ice water *(n.)* ماء مبرّد أو مثلوج (للشرب خاصةً) .

ichn- *or* **ichno-** بادئة معناها : أثر القدَم؛ طبعة القدم .

ichneumon [ĭk nū'mən; -nōō'-] *(n.)* النِّمس (ح) .

ichneumon fly *(n.)* ذبابة النِّمْس .

ichnite [ĭk'nīt]; **ichnolite** [-'nə līt] *(n.)* أثر قدم مستحجر .

ichnology [ĭk nŏl'-] *(n.)* دراسة آثار الأقدام المستحجرة .

ichor [ī'kôr; ī'kər] *(n.)* (١) دم الآلهة (مث) (٢) المُهْل: سائل رقيق ينبعث من قرحة أو جرح (مض) .

ichthy- *or* **ichthyo-** بادئة معناها : سَمَكٌ .

ichthyoid [ĭk'thĭ oid'] *(adj.; n.)* (١) سَمَكانيّ: شبيهٌ بسمكة §(٢) السَّمَكانيّ : حيوان شبيه بسمكة .

ichthyoidal [ĭk thĭ oi'-] *(adj.)* = ichthyoid.

ichthyology [ĭk thĭ ŏl'ə jĭ] *(n.)* (١) علم الأسماك (٢) بحثٌ في الأسماك .

ichthyophagous [-ŏf'-] *(adj.)* آكلٌ للأسماك؛ مُقتات بالأسماك .

ichthyornis [ĭk'thĭ ôr'nĭs] *(n.)* الإكثور : طير منقرض ذو أسنان .

ichthyosaur [ĭk'thĭ ə sôr'] *(n.)* الإكصور : زحافة بحرية منقرضة سمكية الشكل .

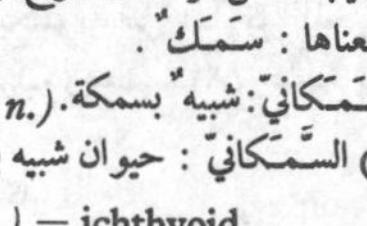

ichthyosaur

ichthyosis [ĭk'thĭ ō'sĭs] *(n.)* السُّماك ؛ داء السمك : مرض خِلقيّ تخشوشن فيه البشرة وتتقشّر باستمرار .

-ician لاحقة معناها : اختصاصي في (musician).

icicle [ī'sĭ kəl] *(n.)* (١) الدلاّة الجليدية: كتلة جليدية مدلاّة ناشئة عن تجمّد الماء أثناء تقطّره (٢) شخص عديم الاستجابة عاطفياً .

icily [ī'sə lĭ] *(adv.)* (١) على نحوٍ جليدي (٢) ببرود شديد .

iciness [ī'sĭ-] *(n.)* (١) الجليدية: كون الشيء جليدياً (٢) برود شديد .

icing [ī'sĭng] *(n.)* (١) تثليج (٢) الغطاء الجليديّ: غطاء للمآكل المخبوزة مؤلف من سكر وزبدة وحليب وبيض الخ .

icing sugar *(n.)* سكّر ذُروري ناعم .

icon [ī'kŏn] *(n.)* (١) تمثال (٢) ايقونة (نص) (٣) معبود .

iconic [ī kŏn'ĭk] *(adj.)* (١) ايقونيّ (٢) ايقوناني : شبيهٌ بأيقونة .

iconoclasm [ī kŏn'ə klăz'əm] *(n.)* تحطيم التماثيل الدينية أو مهاجمة المعتقدات أو المؤسسات التقليدية .

iconoclast [ī kŏn'ə klăst] *(n.)* (١) المحطّم للتماثيل الدينية أو المقاوِم لتقديسها (٢) المهاجم للمعتقدات أو المؤسسات التقليدية .

iconographer *(n.)* المصمّم : واضع الأشكال والرسوم الخ .

iconography [ī kə nŏg'-] *(n.)* (١) الأيقَنة : صنع الايقونات ؛ التمثيل من طريق الرسم أو التصوير الزيتي أو النحت (٢) موضوع الأيقونة أو الصورة أو مجموعةٍ من الايقونات والصور (٣)iconology .

iconolater [ī kə nŏl'-] *(n.)* عابد التماثيل أو الايقونات .

iconolatry [ī kə nŏl'ə trĭ] *(n.)* عبادة التماثيل أو الايقونات .

iconology [ī kə nŏl'-] *(n.)* دراسة الايقونات أو الرمزية الفنية .

iconoscope [ī kŏn'ə skōp] *(n.)* الايقونوسكوب : ضربٌ من آلات التصوير يستخدم في التلفزة .

iconostasis [ī kə nŏs'tə sĭs] *(n.)* pl. **-ses** الفاصل الايقوني : حاجز مزدان بالايقونات يفصل المذبح عن الجزء الأساسي من كنيسة شرقيّة .

icosahedral [ī kō sə hē'-] *(adj.)* عشرونيّ الوجوه (ر) .

icosahedron [ī kō sə hē'-] *(n.)* العشرونيّ الوجوه : مجسّم ذو عشرين وجهاً (ر) .

-ics لاحقة معناها: «أ» دراسة؛ معرفة؛ براعة (optics) . «ب» أعمال أو نشاطات مميّزة (gymnastics) . «ج» خصائص أو عمليات أو ظواهر مميزة (acoustics) .

icteric [ĭk tĕr'ĭk] *(adj.)* (١) يرَقاني (٢) مصاب باليرقان .

icterus [ĭk'tər əs] *(n.)* اليرَقان (مض) .

icy [ī'sĭ] *(adj.)* (١) «أ» جليديّ: كثيرُ الجليد أو مكسوٌّ به أو مؤلفٌ منه . «ب» بارد إلى حد بعيد (٢) بارد (got an ~ stare from the stranger)

id [ĭd] *(n.)* (١) الْهذا : ذلك الجانب اللاشعوري من النفس الذي يُعتبَر مصدر الطاقة الغرَزيّة أو البهيمية (نف) (٢) طفحٌ جلدي (مض) .

-idae لاحقة معناها : فصيلة من الحيوان (Felidae) .

-ide لاحقة تستخدم في صياغة المركبات الكيميائية (bromide) .

idea [ī dē'ə] *(n.)* (١) «أ» صورة ؛ مِثال (عند أفلاطون) . «ب» مثل أعلى . «ج» خطة ؛ تصميم ؛ مشروع (٢) فكرة .

ideal [ī dē'əl; ī dēl'] *(adj.; n.)* (١) «أ» تصوريّ ؛ خيالي . «ب» ذهني ؛ فكريّ ؛ مفهومي (٢) مِثاليّ §(٣) مثل أعلى (٤) هدف ؛ غاية .

idealise [ī dē'ə līz'] *(vt.; i.)* = idealize.

idealism [ī dē'ə lĭz'əm] *(n.)* (١) المذهب المثالي : «أ» نظرية تقول بأن الحقيقة المطلقة كامنة في عالم يتعدّى عالم الظواهر . «ب» نظرية تقول بأن الطبيعة الأساسية للحقيقة كامنة في الوعي أو العقل . (٢) المثالية (في السيرة والسلوك) (٣) المثالية الفنية : نظرية في الأدب والفن تعطي مظاهر الجمال المثالية أو الذاتية قيمة أعظم

ă at; ā date; â care; ä car; ĕ egg; ē me; ĭ in; ī bite; ŏ lot; ō bone; ô orphan; oi boil ŏŏ good; ōō boot; ou out; ŭ under; ū unity; û urgent; th thing; th this; zh vision; ə = *a* in alone, *e* in system, *i* in easily, *o* in gallop, *u* in circus.

من تلك التي تعطيها للصفات الشكلية أو المُحسّة، أو تؤكد على أن للخيال قيمة أسمى من قيمة النقل أو النسخ الأمين عن الطبيعة.

idealist [ī dē'əl ĭst] *(n.; adj.)* (١) المثاليّ: «أ» المشايع لمذهب فلسفي مثاليّ. «ب» فنان أو كاتب يناصر أو يمارس المثالية في الفن أو الكتابة. «ج» شخص يستهدي في سيرته بالمثل العليا؛ وبخاصة: من يقدّم المثل العليا على الاعتبارات العملية §(٢) مثاليّ.

idealistic [ī dē'ə lĭs'-] *(adj.)* مثاليّ.

ideality [ī dĭ ăl'ə tĭ] *(n.)* (١) «أ» مثالية. «ب» وجود في الفكرة فحسب (٢) شيء خيالي؛ مفهوم غير واقعي.

idealize [ī dē'ə līz] *(vt.; i.)* (١) يجعله مثالياً؛ يعطيه شكلاً مثالياً أو قيمة مثالية؛ ينسب إليه صفات مثالية (She tended to ~ her friends.) (٢) يعالج (موضوعاً أدبياً أو فنياً) على الطريقة المثالية (را. idealism 3) ×(٣) يكوّن مُثُلاً (٤) يعمل على نحو مثالي.
—**idealization** *(n.)*

ideally [ī dē'ə lĭ] *(adv.)* (١) ذهنياً (٢) مثالياً (٣) كلاسيكياً.

ideate [ī dē'āt] *(vt.; i.)* (١) يتصوّر؛ يتخيّل ×(٢) يكوّن فكرة.

ideational; ideative *(adj.)* تصوريّ؛ تخيّلي.

idée fixe [ē dĕ fēks'] *(F.)* = fixed idea.

idem [ī'dĕm; ĭd'ĕm] *(L.)* «مِثْلُه»، «شَرْحُه».

identic [ī dĕn'tĭk] *(adj.)* مماثل؛ مجانس.

identical [ī dĕn'tə kəl] *(adj.)* (١) نفسُه؛ ذاتُه (٢) مماثل؛ مطابق؛ متطابق.

identical equation *(n.)* المتطابقة؛ المعادلة المتطابقة (ر).

identically [ī dĕn'-] *(adv.)* بالتماثل؛ بالتطابق؛ على نحو متطابق.

identification [ī dĕn'tə fə kā'-] *(n.)* (١) «أ» مماثَلة؛ مطابقة. «ب» تماثلٌ؛ تطابق الخ. (٢) معيِّن الهوية: كل ما يعيّن هوية المرء أو يثبتها (Experienced travelers always carry some ~.) (٣) دمجُ المرء نفسَه في شخص أو جماعة دمجاً ينشأ عنه ارتباط عاطفي وثيق (نف).

identify [ī dĕn'tə fī] *(vt.; i.)* (١) «أ» يماثل؛ يطابق. «ب» يعتبر (الشيئين) شيئاً واحداً (to ~ the interests of subjects and their sovereigns) (٢) يعيّن الهوية أو الشخصية (٣) يعيّن النوعَ (الذي ينتسب إليه حيوان ما الخ.) ×(٤) يتماثل؛ يتطابق.

identity [ī dĕn'tə tĭ] *(n.)* (١) تماثُل؛ تطابق؛ وحدة (٢) هُويّة؛ ذاتية (٣) المتطابقة؛ المعادلة المتطابقة (ر).

ideo- بادئة معناها: فكرة (*ideograph*).

ideogram; ideograph [ĭd'ĭ ə-] *(n.)* (١) الايديوغرام: صورة (أو رمز) تستعمل في نظام كتابيّ ما (كالهيروغليفية والصينية) وتمثّل شيئاً أو فكرةً لا كلمةً خاصة بهذا الشيء أو تلك الفكرة (٢) اللوغوغرام: حرف أو رمز أو علامة تمثّل كلمة كاملة.

ideography [ĭd'ĭ ŏg'-] *(n.)* الايديوغرافيا: الكتابة بالرموز الايديوغرامية أو اللوغوغرامية (را. المادة السابقة).

ideological *or* **ideologic** [ī'dĭ ə lŏj'-] *(adj.)* (١) ايديولوجي. (٢) فكري؛ تصوري.

ideologist [ī'dĭ ŏl'ə jĭst] *(n.)* الايديولوجيّ: «أ» المناصر أو المشايع لنظام (أو معتقد) إيديولوجي معيّن. «ب» واضع النظريات؛ الحالم.

ideology [ī'dĭ ŏl'ə jĭ; ĭd'ĭ-] *(n.)* (١) وضع النظريات (بطريقة حالمة أو غير عملية) (٢) الإيديولوجية: «أ» مجموعة نظاميّة من المفاهيم في موضوع الحياة أو الثقافة البشرية. «ب» طريقة (أو محتوى) التفكير المميِّز لفرد أو جماعة أو ثقافة. «ج» النظريات والأهداف المتكاملة التي تشكّل قِوام برنامج

سياسي اجتماعي: مَذْهَب.

ides [īdz] *(n.)* العِيْدُس: اليوم الخامس عشر من آذار أو نوّار أو تموز أو تشرين الأول أو اليوم الثالث عشر من أي شهر آخر في التقويم الروماني القديم. وتوسعاً: هذا اليوم والأيام السبعة التي تسبقه.

idio- بادئة معناها: شخصي؛ منفصل؛ متميّز (*idioblast*).

idioblast [ĭd'-] *(n.)* (١) الخليّة المتميزة: خلية نباتية معزولة مختلفة اختلافاً بارزاً عن الخلايا المجاورة (٢) الوحدة المُفْتَرَضَة: وحدة تركيبية مفترضة (في الخلايا الحيّة).

idiocy [ĭd'ĭ ə sĭ] *(n.)* (١) بلاهة (٢) حماقةٌ بالغة.

idiographic [ĭd'ĭ ə grăf'-] *(adj.)* فرديّ: ذو علاقة بالدراسة المركّزة لحالة فرديّة، كالشخصية أو الوضع الاجتماعي (نف).

idiom [ĭd'ĭ əm] *(n.)* (١) «أ» لهجة؛ لغة. «ب» طبيعة اللغة أو «عبقريتها» الخاصة (٢) العبارة الاصطلاحية: عبارة ذات معنى لا يمكن أن يُستمد من مجرد فهم معاني كلماتها منفصلةً (مثل *in order to* بمعنى: لكي) (٣) أسلوب مميَّز في الموسيقى أو الفن الخ. (the ~ of Bach).

idiomatic [ĭd'ĭ ə măt'ĭk] *(adj.)* (١) اصطلاحيّ: متعلق بعبارة اصطلاحية (٢) فرديّ: مميِّز لفرد معيَّن أو جماعة معيَّنة.

idiomorphic [ĭd'ĭ ə môr'fĭk] *(adj.)* مكتمل الشكل (صفةٌ للمعادن التي لم يؤثّر أيما شيء في نموّها البلّوري).

idiopathic [ĭd'ĭ ə păth'ĭk] *(adj.)* (١) فرديّ؛ شخصيّ (٢) ذاتيّ العلّة؛ ناشيء عفوياً أو من علة غامضة أو مجهولة (~ epilepsy).

idiopathy [ĭd'ĭ ŏp'ə thĭ] *(n.)* العلّة الذاتيّة: العلة الناشئة عفوياً أو من سبب مجهول (مض).

idiophone [ĭd'ĭ ə fōn] *(n.)* الإيديوفون: آلة موسيقية تُصوِّت بارتجاج (أو تذبذب) المادّة المكوِّنة لها.

idioplasm [ĭd'ĭ ə plăz'əm] *(n.)* = germ plasm.

idiosyncrasy [ĭd'ĭ ə sĭng'krə sĭ] *(n.)* (١) خاصية (٢) «أ» خصوصية في البنية أو المزاج. «ب» فَرْط الحساسية (لطعام أو عقّار).

idiot [ĭd'ĭ ət] *(n.)* (١) الأبله؛ المعتوه (٢) الأحمق.

idiot box *(n.)* التلفزيون.

idiotic; idiotical [ĭd'ĭ ŏt'-] *(adj.)* (١) أبله؛ معتوه (٢) أحمق.

idiotism [ĭd'ĭ ə tĭz əm] *(n.)* (١) idiom 2. (٢) بلاهة (ا.ق).

-idium لاحقة معناها: صغير.

idle [ī'dəl] *(adj.; vi.; t.)* (١) «أ» تافه؛ لا قيمة أو أساس له (~ rumor). «ب» عديم الجدوى (٢) «أ» عاطلٌ عن العمل. «ب» غير مستخدَم استخداماً ملائماً أو مفيداً (~ capital) (٣) «أ» كسول؛ مهمِل (a careless ~ worker). «ب» غير ذي مهنة أو موارد شرعية واضحة §(٤) «أ» يتبطّل؛ ينفق وقته في البطالة. «ب» يتكاسل (٥) يدور على نحو غير ناقل للطاقة بحيث تضيع ولا تستخدم في عمل مفيد (The engine is *idling*.) ×(٦) ينفق (الوقتَ) بالتراخي والكسل (٧) «أ» يعطّل (عن العمل). «ب» يجعله يدور على نحو غير ناقل للطاقة الخ. (to ~ a motor).
—**idler** *(n.)*

idleness [ī'dəl-] *(n.)* تبطّلٌ؛ تعطّل؛ كَسَل.

idler pulley *(n.)* البكرة السائبة أو الوسيطة (مك).

idler wheel *(n.)* (١) العجلة الوسيطة (مك) (٢) البكرة السائبة أو الوسيطة (مك).

c idler wheel 1.

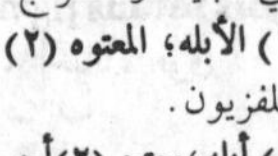

idlesse [ī'dlĕs] *(n.)* = idleness.

idol [ī'dəl] *(n.)* (١) وثَن؛ إله زائف. (٢) صورة (في مرآة الخ.) (٣) شبَح؛

طيف (٤) المعبود ، المحبوب (٥) وهم ، فكرة خاطئة .

idolater [ī dŏl'ə-] *(n.)* (١) الوثنيّ : عابدالأوثان (٢) المحبّ حباً أعمى .

idolatrous [ī dŏl'ə-] *(adj.)* (١) وثني (٢) محبّ حباً أعمى .

idolatry [ī dŏl'ə-] *(n.)* (١) الوثنية (٢) حبّ أو إعجاب أعمى .

idolize [ī'də līz] *(vt.; i.)* (١) «أ» يعبُد على نحو وثني . «ب» يولّه ؛ يحبه أو يُعجَب به بإفراط ×(٢) يمارس عبادة الأوثان.

idyll *or* **idyl** [ī'dəl] *(n.)* (١) «أ» الأنشودة الرَّعوية : قصيدة بسيطة (منظومة أو منثورة) تصف الحياة الريفية أو المشاهد المتعلقة بالرعاة أو توحي بجوّ من الرضا والطمأنينة . «ب» قصيدة قصصية تعالج موضوعاً ملحمياً أو رومانتيكياً أو مأساوياً (٢) موضوع ملائم لهذه القصيدة القصصية أو للأنشودة الرعوية (٣) اللحن الرَّعوي : قطعة موسيقية ذات طابع رَعويّ أو رومانتيكي .

idyllist [ī'dəl ĭst] *(n.)* ناظم الأناشيد الرعوية الخ .

if *(conj.; n.)* (١) إذا ؛ إنْ (٢) ما إذا (I wonder ~ he is at home.) (٣) لو ، ليت (Oh, ~ she could only come!) (٤) ولو أنه ، برغم أنّه (an interesting ~ untenable argument) (٥) شرطٌ § (an argument with too many ~*s*) (٦) افتراض (a theory full of ~*s*).

-iferous = -ferous.

iffy [ĭf'ĭ] *(adj.)* مشروط ، غير محدَّد ، مشكوك فيه (ع) .

-iform = -form.

-ify = -fy.

igloo *also* **iglu** [ĭg'lōō] *(n.)* (١) الكوخ القُبَبيّ : كوخ يقيمه الاسكيمو من ألواح الثلج على شكل قبة (٢) المبنى القُباني : مبنى على شكل قُبّة .

igneous [ĭg'nĭ əs] *(adj.)* (١) ناريّ (٢) بركانيّ .

ignescent [ĭg nĕs'ənt] *(adj.)* (١) مُطلِق شرَراً «عند قدحه» (~ stone) (٢) ملتهب (~ hate) .

ignis fatuus [ĭg'nĭs făch'ōō əs] *(n.)* pl. **ignes fatui** (١) الوهج المستنقعي : ضوء يبدو في الليل ، أحياناً ، فوق المستنقعات (٢) هدف أو أمل خادع : سراب .

ignitable *also* **ignitible** [ĭg nīt'-] *(adj.)* قابل للاشتعال .

ignite [ĭg nīt'] *(vt.; i.)* (١) يُشعِل ، يُلهِب ×(٢) يشتعل ، يلتهب .

ignition [ĭg nĭsh'ən] *(n.)* (١) «أ» إشعال . «ب» اشتعال . (٢) المُشعِلة : أداةالإشعال (كالشرارة الكهربائية الخ .)

ignoble [ĭg nō'-] *(adj.)* (١) وضيع المولد (٢) حقير ، خسيس .

ignominious [ĭg nə mĭn'ĭ əs] *(adj.)* (١) شائن ، مُخزٍ (٢) حقير (٣) مُذِلّ .

ignominy [ĭg'nə mĭn'ĭ] *(n.)* (١) خِزْي ، عار (٢) عمل أو سُلوك مُخزٍ .

ignoramus [ĭg nə rā'-] *(n.)* الجهول : شخصٌ تامّ الجهل .

ignorance [ĭg'nə rəns] *(n.)* جهلٌ ، جهالة .

ignorant [ĭg'-] *(adj.)* (١) جاهل (٢) ناشيء عن الجهل ؛ دالّ على الجهل (~errors) .

ignore [ĭg nōr'] *(vt.)* (١) يتجاهل (٢) يرفض (مذكرة الاتهام الخ.) .

iguana [ĭ gwä'nə] *(n.)* الإغوانة : عظاية أميركية استوائية ضخمة عاشبة (آكلة للأعشاب) .

iguanodon [ĭ gwăn'ə dŏn] *(n.)* الإغواندون : ضرب من الديّنوصور .

IHS يسوع المسيح (اختصاراً) .

ikon [ī'kŏn] *(n.)* = icon.

il- = in-.

ilang-ilang [ē'läng ē'läng] *(n.)* (١) الأيلنغ : شجرة فيليبينية أو مالايوية عطِرة الزهر (٢) عطر الأيلنغ : عطرٌ مستقطرٌ من زهر الايلنغ .

-ile لاحقة معناها : قابل لِ ؛ قادرٌ على (volat*ile*) .

ileac [ĭl'ĭ ăk] *(adj.)* لَفيفيّ ، لفائفيّ : متعلق بالمعي اللفيفي أو اللفائفي .

ileal [ĭl'-] *(adj.)* = ileac.

ileitis [ĭl ĭ ī'təs] *(n.)* التهاب اللفِيفي : التهاب المعي اللفيفي (مض) .

ileum [ĭl'ĭ əm] *(n.)* pl. **ilea** اللفِيفي ، اللفائفي : الجزء الأخير من المعي الدقيق (ت) .

ileus [ĭl'ĭ əs] *(n.)* العِلَّوْص (مج) : مغص شديد مصحوب بالقيء مردّه إلى انسداد معوي (مض) .

ilex [ī'lĕks] *(n.)* (١) البلوط الاخضر (نب) (٢) **holly** .

iliac *also* **ilial** [ĭl'-] *(adj.)* حرْقفيّ : متعلق بالعظم الحرْقفي .

Iliad [ĭl'ĭ əd] *(n.)* (١) «أ» الالياذة لهوميروس . «ب» حكاية طويلة (٢) سلسلة أعمال باهرة جديرة بأن تؤلف موضوع ملحمة (٣) سلسلة من البلايا والمصائب . —**Iliadic** *(adj.)*

ilium [ĭl'ĭ əm] *(n.)* pl. **ilia** الحَرْقَفَة ، العظم الحَرْقَفي (ت) .

ilk [ĭlk] *(n.)* أسرة ، طبقة ، نوع (he and all his ~) .

ill [ĭl] *(adj.; adv.; n.)* (١) شرير (~ deeds) (٢) «أ» سقيم (~health) . «ب» مريض ، عليل (~ with cancer) . «ج» مصاب بالغثيان (٣) «أ» سيء ، عاثر ، منحوس (~ luck) . «ب» صعب (~ to be defined) (٤) «أ» رديء (~ management) . «ب» فظ ، غير مصقول (~ behavior) (٥) «أ» معادٍ ، غير ودي (~ feeling) . «ب» قاس ، وحشيّ (~ treatment of minorities) § (٦) «أ» باستياء أو بعدم ارتياح (His remarks were ~received.) . «ب» بفظاظة (were ~ treated) (٧) على نحو جدير باللوم أو الشجب (an *ill*-spent youth) (٨) بصعوبة (can ~afford further expense) (٩) على نحوٍ سيّء أو منحوس (warned them that it would go ~ with them) (١٠) على نحو ناقص أو غير فعال (~ equipped) § (١١) شرّ (١٢) محنة (١٣) علة ، مرض (١٤) بلاء ، اضطراب ، صعوبة. ~ at ease مضطرب ، قلِق .

I'll [īl] = I will; I shall.

ill-advised [ĭl'əd vīzd'] *(adj.)* طائش ، غير حكيم .

illation [ĭ lā'shən] *(n.)* استنتاج .

illative [ĭl'ə tĭv] *(n.; adj.)* (١) كلمة أو عبارة استنتاجية . (٢) الاستنتاج : شيء مستنتَج § (٣) استنتاجي (an ~ word such as *therefore*)

illaudable [ĭ lô'də bəl] *(adj.)* ذميم ، غير مستحقّ للثناء .

ill-being [ĭl'bē'-] *(n.)* (١) شقاء ، ضِيق (٢) رداءة .

ill-boding [ĭl'bō'-] *(adj.)* مشؤوم ، منذرٌ بشرّ (~ stars) .

ill-bred [ĭl'brĕd'] *(adj.)* سيّء التنشئة ، غير مهذّب .

illegal [ĭ lē'gəl] *(adj.)* غير قانوني ، غير شرعيّ . —**illegality** *(n.)* —**illegally** *(adv.)*

illegible [ĭ lĕj'ə bəl] *(adj.)* مستغلِق ، غير مقروء .

illegitimacy [ĭl'ĭ jĭt'ə mə sĭ] *(n.)* (١) النغولة ، فساد النسب . (٢) اللاشرعية (٣) إنجاب ولد غير شرعي .

illegitimate [ĭl'ĭ jĭt'ə mĭt] *(adj.)* (١) نَغِل : مولود من أبوين لا تربط بينهما رابطة الزواج (٢) غير منطقي (an ~ inference) (٣) خارج عن المألوف ، شاذّ (٤) غير شرعيّ (an ~ government).

ill-fated [ĭl'fā'tĭd] *(adj.)* (١) منحوس : سيّء الطالع ، قليل الحظّ .

ă at; ā date; â care; ä car; ĕ egg; ē me; ĭ in; ī bite; ŏ lot; ō bone; ô orphan; oi boil ŏŏ good; ōō boot; ou out; ŭ under; ū unity; û urgent; th thing; th this; zh vision; ə = *a* in alone, *e* in system, *i* in easily, *o* in gallop, *u* in circus.

(an ~ person) (٢) مشؤوم : جالبٌ للنحس أو سوء الطالع (an ~ hour)

ill-favored [ĭl'fā'vərd] *(adj.)* (١) بشِع (an ~child). (٢) بغيض ؛ ذميم ؛ مُستهجَن (~ behavior).

ill-founded [ĭl'foun'dĭd] *(adj.)* واهٍ : قائم على أساس ضعيف أو غير منطقي.

ill-gotten [ĭl'gŏt'ən] *(adj.)* حَرام : مكسوب بطرائق غير شرعية (~ gains).

ill humor *(n.)* شكاسة ؛ رداءة طبع ؛ سرعة غضب.

ill-humored [ĭl'hū'-] *(adj.)* شكِس ؛ رديء الطبع ؛ سريع الغضب.

illiberal [ĭ lĭb'ər əl] *(adj.)* (١) «أ» غير مثقّف. «ب» جِلف (٢) بخيل (٣) متعصّب ؛ ضيّق أفق التفكير.

illicit [ĭ lĭs'ĭt] *(adj.)* محظور ؛ محرّم ؛ غير مشروع.

illimitable [ĭ lĭm'ĭt ə bəl] *(adj.)* لامتناهٍ ؛ لامحدود.

illinium [ĭ lĭn'ĭ əm] *(n.)* = promethium.

illiquid [ĭl lĭk'-] *(adj.)* غير سائل : غير نقديّ أو غير قابل للتحويل ، بسهولة ، إلى نقد (اد).

illiteracy [ĭ lĭt'ər ə sĭ] *(n.)* (١) الأميّة (٢) خطأ فاضح.

illiterate [ĭ lĭt'ər ĭt] *(adj.; n.)* (١) أمي (٢) جاهلٌ مبادىء علم ما §(٣) الأميّ : شخصٌ أمّي.

ill-mannered [ĭl'măn'ərd] *(adj.)* جِلف ؛ فظّ ؛ خشِن الأخلاق.

ill-natured [ĭl'nā'-] *(adj.)* شكس ؛ رديء الطبع.

illness [ĭl'nĭs] *(n.)* (١) اعتلال ، سُقم (٢) مرض.

illogic [ĭl lŏj'-] *(n.)* اللامنطقية : كونُ الشيء غيرَ منطقيّ.

illogical [ĭl lŏj'ə kəl] *(adj.)* غير منطقيّ ؛ مخالف للمنطق.

ill-sorted *(adj.)* متنافر ؛ غير متجانس (an ~ couple).

ill-starred [ĭl'stärd'] *(adj.)* منحوس ؛ سيّء الطالع.

ill-treat [ĭl'trēt'] *(vt.)* يعامل بقسوة ؛ يسيء المعاملة.

illume [ĭ lōōm'] *(vt.)* = illuminate.

illuminant [ĭ lōō'-] *(n.)* المُضيئة : أداة أو مادةٌ مضيئة.

illuminate [ĭ lōō'mə nāt'] *(vt.)* (١) «أ» يضيء ؛ ينير «ب» ينور (بالعلم أو المعرفة) (٢) يوضح ؛ يلقي ضوءاً على (٣) يشهره أو يصيّره شهيراً (٤) يزخرف (مخطوطةً بالذهب أو الفضةّ أو بالألوان الساطعة).

illuminati [ĭ lōō'mə nä'tĭ; nä'tē] *(n. pl.)* الطبقة المستنيرة (أو التي تدّعي انها مستنيرة).

illumination [ĭ lōō'mə nā'-] *(n.)* (١) إضاءة ؛ إنارة ؛ تنوير. (٢) استنارة (عقلية أو روحيّة) (٣) إضاءة زينية (٤) زخرفة المخطوطات الخ. بالذهب أو الفضة أو الألوان الساطعة (٥) الاضاءة : كثافة الضوء الساقط على سطح ما (٦) الإشراق (فف).

illuminative [ĭ lōō'mə nā'tĭv] *(adj.)* مضيء ؛ منير.

illumine [ĭ lōō'mĭn] *(vt.)* = illuminate.

ill-usage [ĭl'ū'sĭj] *(n.)* معاملة قاسية أو جائرة.

ill-use [ĭl'ūz'] *(vt.)* يسيء معاملته ؛ يعامله بقسوة أو جَوْر.

illusion [ĭ lōō'zhən] *(n.)* (١) انخداع (٢) الأخدوعة : «أ» صورة خادعة أو مضلّلة للبصر. «ب» شيء خادع أو مضلّل عقلياً (٣) وهم ؛ توهّم (٤) النسيج الكاذب : نسيج شبكيّ رقيق جداً يصنع من حرير ويُتّخذ منه حجاب المرأة الخ. —**illusional; illusionary** *(adj.)*

illusionism [ĭ lōō'zhə nĭz'-] *(n.)* الخِداعيّة : محاولة خلق الانطباعات الخادعة للبصر وبخاصة في الفن.

illusionist [-'zhən ĭst] *(n.)* «أ» فنان تتميز آثاره بالخِداعيّة (أي بخلق الانطباعات المضلّلة). «ب» المشعوذ ؛ الساحر. المخادع ؛ المضلّل ، وبخاصة :

illusive; illusory [ĭ lōō'-] *(adj.)* خادعٌ ؛ مُوْهِم.

illustrate [ĭl'ə strāt'; ĭ lŭs'trāt] *(vt.; i.)* (١) يزيّن (٢) «أ» يوضح. «ب» يوضح بإعطاء مثَل الخ. «ج» يزود (كتاباً) بالرسوم التوضيحية أو التزيينية ×(٣) يمثّل : يعطي مثلاً أو أمثلة. —**illustrator** *(n.)*

illustration [ĭl'ə strā'-] *(n.)* (١) تزيين ؛ توضيح ؛ تزويد بالرسوم التوضيحية أو التزيينية (أو نتيجةُ ذلك) (٢) «أ» مثَلٌ مُوَضِح. «ب» صورة إيضاحيّة تزيينية.

illustrative [ĭ lŭs'trə-; ĭl'ə strā-] *(adj.)* (١) تزييني (٢) توضيحي

illustrious [ĭ lŭs'-] *(adj.)* لامع ؛ شهير. **-ness** *(n.)*

illuviation [ĭ lū vĭ ā'-] *(n.)* التراكم التفتّي : تراكم التربة المتفتّتة في بقعة ما نتيجة لانتقالها إليها من بقعة أخرى بفعل المياه الجارية.

ill will *(n.)* بغض ؛ حِقد ؛ ضغينة.

ill-wisher [ĭl'wĭsh'-] *(n.)* الحسود ؛ الحقود ؛ المضطغن.

illy [ĭl'ĭ; ĭl'lĭ] *(adv.)* بطريقة رديئة الخ. (~ chosen).

ilmenite [ĭl'mə nīt'] *(n.)* الألمنيت : معدن حديديّ السواد مؤلف من حديد وتيتانيوم وأكسجين.

im- = in-.

I'm [īm] = I am.

image [ĭm'ĭj] *(n.; vt.)* (١) «أ» تمثال. «ب» صنم. «ج» ايقونة. (٢) صورة (٣) مثال ؛ عنوان ؛ رمز (He is the ~ of honesty.) (٤) «أ» صورة أو انطباعة ذهنية. «ب» فكرة ؛ مفهوم (٥) وصفٌ أو تصويرٌ حيّ (٦) تشبيهٌ ؛ استعارة ؛ صورة بلاغيّة (٧) صورةٌ طبق الأصل (a son who is the ~of his father) §(٨) يصف ، وبخاصة بطريقة نابضة بالحياة (٩) يتخيّل (١٠) يعكس الصورةَ (في مرآة) (١١) يبرز أو يُظهِر (فيلماً على الشاشة) (١٢) يصور ؛ يمثّل ؛ يجسّد في تمثال الخ. (١٣) يرمز إلى (acres of headstones *imaging* the losses of war).

imagery [ĭm'ĭj rĭ] *(n.)* (١) «أ» تمثال ؛ صنم ؛ ايقونة. «ب» تماثيل ؛ أصنام ؛ ايقونات (٢) فنّ صنع التماثيل أو الأصنام أو الايقونات (٣) المجاز ؛ اللغة المجازية (٤) تخيلات.

imaginable [ĭ măj'ə nə-] *(adj.)* ممكن تخيّلُهُ أو تصوّرُهُ.

imaginal [ĭ măj'ə-] *(adj.)* (١) خياليّ ؛ تخيّليّ (٢) يافعيّ : خاص أو متعلّق باليافعة (را . imago).

imaginary [ĭ măj'ə-] *(adj.)* خياليّ ؛ تخيّليّ ؛ متخيَّل.

imaginary number *(n.)* العدد التخيّلي (ر).

imaginary quantity *(n.)* الكمية التخيّليّة (ر).

imagination [ĭ măj'ə nā'-] *(n.)* (١) «أ» تخيّل. «ب» خيال. «ج» مَلَكة الخيال (٢) «أ» قدرة مُبْدِعة. «ب» حنكة ؛ دهاء (٣) «أ» ثمرة من ثمرات الخيال وبخاصة : أثرٌ شعريّ. «ب» وَهم (٤) مُعتقَد شعبي أو تقليدي.

imaginative [ĭ măj'ə nā-] *(adj.)* (١) خياليّ (٢) تخيّليّ. (٣) «أ» ميّال إلى التخيّل. «ب» واسع الخيال (٤) بارع التصوير المجازي.

imagine [ĭ măj'ĭn] *(vt.; i.)* (١) يتخيّل ؛ يتصوّر (٢) يظنّ ؛ يعتقد (I ~ it will rain.).

imagism [ĭm'ə jĭz'əm] *(n.)* التصويرية : مذهب شعري حديث

يدعو إلى التخلص من الأوزان وإلى التعبير عن الفكرات والانفعالات من طريق الصور الواضحه العارية عن الغموض والرمزية .
—imagist *(n.; adj.)* **—imagistic** *(adj.)*

imago [ĭ mā'gō] *(n.)* (١) اليافعة : حشرة في أتم نضجها الجنسي . (٢) الأمجية : صورة ذهنية متميزة بالتقديس والاعجاب عن شخص ما ، وعن النفس أحياناً (نف) .

imam [ĭ mäm'] *(Ar.)* الإمام : «أ» من يؤم المسلمين في الصلاة . «ب» أحد الأئمة الاثني عشر . «ج» حاكم متحدر من الدوحة النبوية يمارس السلطة الروحية والزمنية في بلد إسلامي .

imamate [ĭ mä'-] *(Ar.)* (١) الإمامة (٢) الامامية : بلد يحكمه إمام .

imaret [ĭ mä'rĕt] *(Ar.)* خان ؛ تكية (في تركيا) .

imbalance [ĭm băl'əns] *(n.)* اللاتوازن ، مثل «أ» اختلال التوازن الوظيفي بين أعضاء الجسم . «ب» التفاوت العددي بين الذكور والإناث (في بلد ما) .

imbecile [ĭm'bə sĭl] *(adj.)* أبله ؛ معتوه .

imbecility [ĭm'bə sĭl'ə tĭ] *(n.)* (١) بلاهة (٢) حماقة تامة .

imbed [ĭm bĕd'] *(vt.; i.)* = embed.

imbibe [ĭm bīb'] *(vt.; i.)* (١) يتشرب (٢) «أ» يمتص . «ب» يشرب ×(٣) يشرب نخب فلان .

imbibition [ĭm'bĭ bĭsh'ən] *(n.)* تشرب ؛ امتصاص الخ .

imbitter [ĭm bĭt'-] *(vt.)* = embitter.

imbosom [ĭm bŏŏz'-] *(vt.)* = embosom.

imbricate [*adj.* ĭm'brə kĭt; *v.*-kāt] *(adj.; vt.; i.)* (١) متراكب §(٢) يراكب ×(٣) يتراكب .

imbrication [ĭm brə kā'-] *(n.)* (١) تراكب ؛ تداخل الحواشي (كتداخل القرميد) (٢) زخرفة تراكبية .

imbrication I.

imbroglio [ĭm brōl'yō] *(n.)* (١) كومة مختلطة أو مشوشة (٢) وضع معقد (٣) سوء تفاهم مرتبك .

imbrue [ĭm brōō'] *(vt.)* يضرج أو يخضب (بالدماء) .

imbrute [ĭm brōōt'] *(vi.; t.)* (١) يتبهم : ينحدر إلى درجة البهائم ×(٢) يبهم : ينزل إلى درجة البهائم .

imbue [ĭm bū'] *(vt.)* (١) يصبغ (٢) يشرب (بفكرة أو عاطفة) .

imburse [ĭm bûrs'] *(vt.)* يضع في كيس نقود أو نحوه .

imide [ĭm'ĭd; ĭm'ĭd] *(n.)* الإميد (ك) .

imine [ĭ mēn'; ĭm'ĭn] *(n.)* الايمين (ك) .

imitable [ĭm'ə tə bəl] *(adj.)* قابل للمحاكاة ؛ جدير بالمحاكاة .

imitate [ĭm'ə tāt] *(vt.)* (١) يحاكي ؛ يقلد (٢) يشبه ؛ يبدو مثل (paper finished to ~ leather) (٣) يزيف .

imitation [ĭm'ə tā'] *(n.)* (١) «أ» محاكاة ؛ تقليد . «ب» تزييف . (٢) شيء زائف (٣) شبه قوي (أح) .

imitative [ĭm'ə tā'-] *(adj.)* (١) تقليدي : قائم على المحاكاة والتقليد أو متسم بهما (Acting is an ~ art.) (٢) مقلد : ميال إلى المحاكاة والتقليد (Man is an ~ animal.) (٣) زائف .

immaculacy; immaculateness [ĭ măk'-] *(n.)* نقاء ؛ طهارة .

immaculate [ĭ măk'yə lĭt] *(adj.)* (١) نقي ؛ طاهر (٢) خلو من الأخطاء أو العيوب (٣) نظيف (٤) غير منقط أو مرقط («نب و «ح») .

Immaculate Conception *(n.)* الحبل بلا دنس (نص) .

immane [ĭ mān'] *(adj.)* (١) هائل ؛ ضخم (ا. ق) .

(٢) وحشي (ا.ق) .

immanence *or* **immanency** [ĭm'ə-] *(n.)* الملازمة ؛ التأصل ؛ الحلول ؛ الذاتية (را. المادة التالية) .

immanent [ĭm'ə nənt] *(adj.)* (١) ملازم ؛ متأصل ؛ جوهري ؛ باطني (both ~ and external factors) (٢) حال في (the belief that God is ~ in nature) (٣) ذاتي : مقصور على الوعي أو على العقل (Cognition is an ~ act of mind.) .

immanentism [ĭm'ə-] *(n.)* الحلولية ؛ مذهب الحلول : مذهب يقول بأن الله حال في الكون وفي روح الانسان .

immaterial [ĭm'ə tĭr'ĭ əl] *(adj.)* (١) روحي ؛ لامادي (٢) غير هام ؛ غير أساسي (The exact form of government appears ~.) .

immaterialism [ĭm'ə tĭr'ĭ ə-] *(n.)* المذهب اللامادي : مذهب يقول بأن الأجسام الخارجية هي في جوهرها عقلية .

immateriality [ĭm'ə tĭr'ĭ ăl'ə tĭ] *(n.)* (١) اللامادية ؛ كون الشيء غير مادي (٢) شيء لامادي .

immaterialize [-'ĭ ə līz'] *(vt.)* يروحن : يجعله روحياً أو لامادياً .

immature [ĭm'ə työŏr'] *(adj.)* (١) فج ؛ غير ناضج (٢) خام .

immeasurable [ĭ mĕzh'ər-] *(adj.)* متعذر قياسه ؛ لا حد له .

immediacy [ĭ mē'dĭ ə sĭ] *(n.)* (١) المباشرية ؛ الفورية الخ : كون الشيء مباشراً أو فورياً الخ . (٢) *pl.* عد : شيء عاجل ملح (٣) البداهة : كون الشيء واضحاً بذاته من غير حاجة إلى برهان .

immediate [ĭ mē'dĭ ĭt] *(adj.)* (١) مباشر (the ~ heir to the throne; ~ contact) (٢) عاجل ؛ فوري (an ~ reply) (٣) حالي ؛ خاص بالزمن الحاضر (our ~ plans) (٤) قريب (the ~ future) .

immediately [ĭ mē'dĭ ĭt lĭ] *(adv.)* (١) مباشرة (٢) تواً ؛ فوراً .

immediateness [ĭ mē'-] *(n.)* = immediacy.

immedicable [ĭ mĕd'ə-] *(adj.)* عضال : لا سبيل إلى شفائه .

immemorial [ĭm'ə mōr'ĭ əl] *(adj.)* سحيق : ممعن في القدم .

immense [ĭ mĕns'] *(adj.)* (١) هائل ؛ ضخم (٢) ممتاز (ع) .

immensity [ĭ mĕn'sə-] *(n.)* (١) «أ» ضخامة . «ب» اتساع . (٢) شيء ضخم .

immensurable [ĭ mĕn'shōō rə-] *(adj.)* = immeasurable.

immerge [ĭ mûrj'] *(vt.; i.)* (١) يغمر ؛ يغطس ×(٢) ينغطس .

immerse [ĭ mûrs'] *(vt.)* (١) يغمر ؛ يغطس (٢) يعمد (نص) .

immersed [ĭ mûrst'] *(adj.)* (١) مغمور بالماء الخ . (٢) مستغرق في المطالعة الخ . (in ~ a book) (٣) معمد (نص) (٤) مغمور : نام كله تحت الماء (an ~ plant) .

immersion [ĭ mûr'shən] *(n.)* (١) غمر أو انغمار ؛ وبخاصة : تعميد (نص) (٢) الاحتجاب : احتجاب جرم سماوي خلف أو في ظل جرم آخر (فل) .

immesh [ĭm mĕsh'] *(vt.)* = enmesh.

immethodical [ĭm'mə thŏd'-] *(adj.)* غير منهجي : يعوزه المنهج أو النظام .

immigrant [ĭm'ə grənt] *(n.; adj.)* (١) المهاجر (٢) النبات أو الحيوان المهاجر (يبرز ويتوطن في منطقة لم يكن معروفاً فيها من قبل) §(٣) مهاجر .

immigrate [ĭm'ə grāt'] *(vi.; t.)* (١) يهاجر ×(٢) يهجر .

imminence [ĭm'ə nəns] *(n.)* (١) أو **imminency** : وشك ؛ قرب حدوث (٢) شيء وشيك الحدوث ؛ وبخاصة : شر أو خطر محدق .

imminent [ĭm'ə nənt] *(adj.)* وشيك ؛ قريب الحدوث ؛ وبخاصة : مُصْلَتٌ فوق رأس المرء .
immingle [ĭm mĭng'gəl] *(vt.; i.)* (١) يَمزج ؛ يَدْمج . (٢) ينمزج ؛ يندمج .
immiscible [ĭ mĭs'ə bəl] *(adj.)* غير قابل للامتزاج .
immitigable [ĭ mĭt'-] *(adj.)* غير قابل للتهدئة أو التسكين .
immix [ĭm mĭks'] *(vt.)* يمزج (مزجاً وثيقاً) .
immixture [-'chər] *(n.)* (١) مَزْج (٢) امتزاج .
immobile [ĭ mō'bĭl] *(adj.)* ثابت ؛ جامد ؛ لا متحرّك .
immobility [-bĭl'ə tĭ] *(n.)* ثبات ؛ جمود ؛ لا تحرّكيّة .
immobilize [ĭ mō'bə līz] *(vt.)* (١) يجمّده في مكانه ؛ يشلّ حركته (٢) يجمّد (اد) .
immoderacy [ĭ mŏd'-] *(n.)* إفراط ؛ تطرّف ؛ لااعتدال .
immoderate[ĭ mŏd'ər ĭt] *(adj.)* مُفْرِط ؛ مُتطرّف ؛ غيرمعتدل .
—immoderation *(n.)* **—immoderateness** *(n.)*
immodest [ĭ mŏd'ĭst] *(adj.)* (١) مدعٍ ؛ غير متواضع . (٢) وقح ؛ بذيء (٣) غير محتشم .
—immodesty *(n.)*
immolate [ĭm'ə lāt] *(vt.)* (١) يضحّي بـ ؛ يقدّمه قرباناً . (٢) يقتل ؛ يدمّر .
immolation [ĭm'ə lā'-] *(n.)* (١) تضحية (٢) أضحيّة ؛ قربان .
immoral[ĭ môr'əl] *(adj.)* (١) لاأخلاقي (٢) فاسق ؛ خليع .
immorality [ĭm'ə răl'-] *(n.)* (١) فُسوق ؛ فجور (٢) عمل لاأخلاقيّ .
immortal [ĭ môr'təl] *(adj.; n.)* (١)خالد ؛ لا يموت (٢)خلودي : ذو علاقة بالخلود (٣) خالد الذِّكر § (٤) «أ» شخص خالد . «ب» *pl. often cap.* : آلهة الاغريق والرومان (٥) «أ» شخص خالد الذكر . «ب» *cap.* : أحد أعضاء الاكاديمية الفرنسية الأربعين الملقبين بالخالدين .
immortality [ĭm'ôr tăl'-] *(n.)* (١) خلود ؛ بقاء (٢) شهرة دائمة .
immortalize [ĭ môr'tə līz'] *(vt.)* يخلّده ؛ يجعله خالداً .
immotile [ĭ mō'təl] *(adj.)* غير متحرك ؛ غير قادر على الحركة .
immovable[ĭ mōō'və bəl] *(adj.; n.)* (١) راسخ ؛ ثابت . (٢) صامد (٣) جامد الشعور ؛ عديم التأثر (عاطفياً) §(٤) شيء راسخ الخ . (٥) *pl.* : أموال غير منقولة .
immune [ĭ mūn'] *(adj.; n.)* (١) معفًى ؛ مُستثنى (من الضرائب الخ.) (٢)منيع ؛ حصين ؛ ذو مناعة أو حصانة (من مرض أو ضغط سياسي الخ.) §(٣) المعفى ؛ المستثنى (٤) المنيع ؛ الحصين .
immunity [ĭ mū'-] *(n.)* (١) إعفاء ؛ استثناء (٢) مناعة ؛ حصانة .
immunize [ĭm'yə nīz'] *(vt.)* يمنّع ؛ يحصّن : يجعله ذا مناعة أو حصانة .
immuno- بادئة معناها : مناعة ؛ حصانة .
immunology [ĭm'yōō nŏl'ə jĭ] *(n.)* مَبْحَث المناعة : فرع من الطب يبحث في ظواهر المناعة وأسبابها .
—immunologist *(n.)*
immure [ĭ myōōr'] *(vt.)* (١) «أ» يسوّر ؛ يحصر ضمن أسوار . «ب» يسجن (٢) يدفن في جدار .
immusical [ĭ mū'zə kəl] *(adj.)* غير موسيقي ؛ لا موسيقيّ .
immutable [ĭ mū'tə bəl] *(adj.)* ثابت ؛ غير قابل للتغيّر .
imp [ĭmp] *(n.)* (١) عُفَيْرِيت ؛ عِفريت صغير (٢) ولد موذٍ .
impact [*v.* ĭm păkt'; *n.* ĭm'păkt] *(vt.; n.)* (١) «أ» يرصّ ؛ يغرّز ؛ يثبّت ؛ يوتّد . «ب» يُدمج . «ج» يملأ ؛ يفعم ؛ يسُدّ (٢) يَصْدم (٣) يؤثّر في §(٤) تصادم ؛ صدمة (٥) أثر ؛ تأثير .
impacted [ĭm păk'tĭd] *(adj.)* (١)مرصوص (٢)مغروز بين عظم الفك وسنّ آخر (an ~ tooth).
impair [ĭm pâr'] *(vt.)* يُفسِد ؛ يُتلِف ؛ يُضعِف .
impale [ĭm pāl'] *(vt.)* (١) يطوّق ؛ يسيّج (ا.ق) (٢) يُخوزق ؛ يُميت على الخازوق .
impalpable [ĭm păl'pə bəl] *(adj.)* (١)غير محسوس : لا يمكن إدراكه بحاسة اللمس (an ~ pulse) (٢)دقيق جداً (~ powder; ~ distinctions)
impanel [ĭm păn'əl] *(vt.)* = empanel.
imparadise [ĭm păr'ə dīs'] *(vt.)* (١) يُدخله الجنّة أو شِبْهها . (٢) يُسْعِد إسعاداً عظيماً .
imparity [ĭm păr'ə tĭ] *(n.)* اختلاف ؛ تفاوت ؛ لا تكافؤ .
impart [ĭm pärt'] *(vt.)* (١) «أ» يمنح . «ب» يضفي على . (٢) «أ» ينقل . «ب» ينقل المعرفة (٣) يفشي ؛ يفصح عن .
impartial [ĭm pär'shəl] *(adj.)* نزيه ؛ متجرّد ؛ غير متحيّز .
impartiality [ĭm'pär shĭ ăl'-] *(n.)* نزاهة ؛ تجرّد ؛ لاتحيّز .
impartible [ĭm pär'-] *(adj.)* غير قابل للتجزئة أو التقسيم .
impassable [ĭm păs'ə bəl] *(adj.)* غير سالك : متعذّر اجتيازه .
impasse [ĭm păs'] *(n.)* (١) طريق مسدود أو غير نافذ (٢) مأزِق .
impassible [ĭm păs'ə bəl] *(adj.)* (١) ممتنع على الألم ؛ غير قابل للشعور بالألم (٢) ممتنع على الضرر : لا سبيل إلى إنزال الضرر فيه (٣) بليد الحس ؛ عديم التأثر .
impassion [ĭm păsh'ən] *(vt.)* يثير ؛ يحرّك العواطف .
impassioned [ĭm păsh'ənd] *(adj.)* مُتّقِد ؛ مُلتهب ؛ مشبوب العاطفة (an ~ speech) .
impassive [ĭm păs'ĭv] *(adj.)* (١)فاقد الحسّ أو الوعي (٢)جامد الشعور ؛ عديم العاطفة (٣) هادىء ؛ رائق (٤) جامد ؛ غير متحرك .
impaste [ĭm pāst'] *(vt.)* (١) يعجّن : يحوّل إلى معجونة . (٢) يطلي بطبقة كثيفة من الصِّبغ .
impasto [ĭm păs'tō] *(It.)* (١)الطَّلْي بصبغٍ كثيف (في التصوير الزيتي) (٢) الصِّبغ المستعمل في ذلك .
impatience [ĭm pā'shəns] *(n.)* (١) نفاد صبر ؛ فراغ صبر . (٢) تَوْقٌ متململٌ أو متلهف .
impatient [ĭm pā'shənt] *(adj.)* (١)برِمٌ ؛ نافد الصبر (٢)ضيّق الصدر بـ ؛ قليل الاحتمال لِـ (~ of any interruptions) (٣) شديد التوق الى (was ~ to see his sweetheart) .
impeach [ĭm pēch'] *(vt.)* (١) يتّهم ؛ وبخاصة : يتهم أمام القضاء رجلاً من رجال الدولة بالتقصير أو الخيانة (to ~ the president) (٢) يُجرّح : يشكّك في صحة شيء أو جدارته بالاعتبار (to ~ the testimony of a witness) .
impearl [ĭm pûrl'] *(vt.)* (١) يصوغ على شكل لآلىء (٢) يرصّعه باللآلىء أو يصنعه منها .
impeccable[ĭm pĕk'ə bəl] *(adj.)* (١)معصوم (عن الخطأ أو الإثم) (٢) خِلْوٌ من الأخطاء أو العيوب .
—impeccability *(n.)*
impecunious [ĭm'pə kū'nĭ əs] *(adj.)* معْدِم ؛ مفلس .
impedance [ĭm pē'dəns] *(n.)* المعاوَقة : المقاومة الظاهرية في دارة كهربائية ، لتيار متردد (كب) .
impede [ĭm pēd'] *(vt.)* يَعُوق ؛ يعترض السبيل .
impediment [ĭm pĕd'ə mənt] *(n.)* (١) إعاقة (٢) عائق . (٣) مانع شرعي (من الزواج) .
impedimenta[-ə mĕn'tə] *(n. pl.)* المعوِّقات (كالأمتعة والمؤن) .

impel [ĭm pĕl'] *(vt.)* (١) «أ» يُكره ؛ يدفعه إلى كذا ؛ يحمله على كذا. «ب» يفرض أو يسبّب عنوةً (٢) يسيّر.

impellent[-'ənt] *(adj.; n.)* (١)مُكرِه ؛ دافع الخ. §(٢) المُكرِه؛ الدافع الخ.

impeller [-'ər] *(n.)* (١) المُكرِه ؛ الدافع (٢) rotor.

impend [ĭm pĕnd'] *(vi.)* (١) يتوعّد ؛ يهدّد (٢) يوشك أن يَحْدُث.

impendent ; impending [ĭm pĕn'-] *(adj.)* وشيك ؛ مهدِّدٌ بوشْك الحدوث.

impenetrability [ĭm pĕn'ə trə bĭl'-] *(n.)* (١) اللااختراقية ؛ اللانفاذية (٢) اللاتحايزية : خاصية في المادة تجعل من المتعذر على جسمين اثنين أن يحتلاّ الحيّز نفسه في وقت واحد (فز).

impenetrable [ĭm pĕn'ə-] *(adj.)* (١)«أ»لا يُخترق ؛لا يُنفَذ إليه. «ب» متحجّر ؛عديمالتأثر (~ hearts) (٢)مستغلق ؛لا سبيل إلى فهمه(an ~ mystery) (٣) لاتحايزيّ (را . المادة السابقة).

impenitent [ĭm pĕn'ə-] *(adj.)* سادِرٌ ؛ غير نادم أو تائب.

imperative [ĭm pĕr'ə tĭv] *(adj.; n.)* (١) أمريّ : «أ» متعلق بصيغة الأمر(the ~ mood). «ب»دالّ على أمر (an ~gesture) (٢) إلزاميّ (an ~ duty) (٣) مُلِحّ ؛ أساسيّ ؛ لا سبيل إلى اجتنابه (It is ~ that we should have a strong army.) §(٤)«أ» صيغة الأمر(ل). «ب» جملة أمرية (ل)(٥) أمرٌ ؛ طلب (٦) قاعدة (lives by certain simple ~s) (٧) واجب (the sheer ~ of survival) (٨) حاجة ؛ ضرورة (social ~s of our age) (٩) حقيقةٌ ملحّة أو لا سبيل إلى تجاهلها (economic ~s).

imperator[ĭm'pə rā'tər] *(n.)* (١)حاكم أعلى أومطلق (٢)امبراطور

imperceivable [ĭm pər sē'-] *(adj.)* = imperceptible.

imperceptible [ĭm pər sĕp'tə-] *(adj.)* (١)غير مدرَك بالحسّ أو العقل (٢) ضئيل أو تدريجي أو دقيق إلى حدّ بعيد.

imperceptive [ĭm'pər sĕp'-] *(adj.)* غير مدرِك ؛يعوزه الادراك.

imperfect [ĭm pûr'-] *(adj.; n.)* (١)ناقص ؛غير تامّ (٢)ماضٍ ناقصٌ : دالّ على حالة مستمرة أو عمل غير تام وبخاصة في الماضي (ل) (٣) منقوص ؛ مطفَّف (٤)«أ» ناقص من الوجهة القانونيّة. «ب»غير مُلْزِم شرعاً (~ obligations) §(٥)«أ»صيغة الماضي الناقص (ل). «ب» فعل ماضٍ ناقص (ل).

—**imperfectly** *(adv.)* —**imperfectness** *(n.)*

imperfection [ĭm'pər fĕk'-] *(n.)* (١) نقصٌ (٢) عيب ؛شائبة.

imperforate[ĭm pûr'fə rĭt; -rāt'] *(adj.; n.)* (١)غير مثقوب ؛ وبخاصة : مسدود ؛ يعوزه الثقب الطبيعي (an ~ anus)(٢) غير مثقّب (an ~ stamp) §(٣) طابع بريدي غير مثقّب.

imperial[ĭm pĭr'ĭ əl] *(adj.; n.)* (١)امبراطوري(٢)ملوكي ؛ فخيم. (٣) استبدادي (٤) بالغ الضخامة أو الامتياز (٥) امبراطوري : متعلق بالموازين والمقاييس البريطانية الرسمية §(٦).*cap.*: أحدجنود أو أتباع الدولة الرومانيّة المقدّسة (٧) امبراطور (٨) القَطْع الامبراطوري : قطع من الورق (٢٣×٣١ إنشاً) (٩) اللحية الامبراطورية : لحية صغيرة مستدقة نامية تحت الشفة السفلى (١٠) شيء ضخم أو ممتاز إلى حدّ قصيّ.

imperialism [ĭm pĭr'ĭ ə lĭz'əm] *(n.)* (١) النظام أو السلطة أو الحكم الامبراطوري (٢) الإمبريالية ؛ الاستعمار.

imperialist [-ĭst] *(n.; adj.)* (١) المؤيِّد للحكم الامبراطوري أو للاستعمار §(٢) imperialistic.

imperialistic [-ĭ əl ĭs'-] *(adj.)* (١) امبراطوري (٢)استعماري.

imperil [ĭm pĕr'əl] *(vt.)* يُعرِّض للخطر ؛ يُوْقِع في خطر.

imperious [ĭm pĭr'ĭ əs] *(adj.)* (١) ملوكي ؛ مَهيب. (٢)«أ» متعجرف ؛ متغطرس . «ب» مستبدّ (an ~ tyrant) (٣) ملحّ ؛ لا سبيل إلى تجاهله (~ needs).

imperishability[-ĭsh ə bĭl'-] *(n.)* البقائية ؛ اللافنائية ؛ الخلود.

imperishable [ĭm pĕr'ĭsh ə-] *(adj.)* باقٍ ؛ غير فانٍ ؛ خالد.

imperium [ĭm pĭr'ĭ əm] *(n.)* (١)«أ»سلطة. «ب» امبراطورية. (٢) سيادةُ (الدولة).

impermanence; impermanency *(n.)* المؤقّتيّة ؛ اللادواميّة.

impermanent[ĭm pûr'mə nənt] *(adj.)* مؤقّت ؛زائل ؛غير دائم.

impermeability [-mĭ ə bĭl'-] *(n.)* الكِتامة ؛ اللامُنفذية.

impermeable[ĭm pûr'-] *(adj.)* كَتيم ؛غير مُنفِذ للماء الخ.

impermissible [ĭm pər mĭs'-] *(adj.)* محظور ؛ غير جائز.

impersonal [ĭm pûr'sən əl] *(adj.)* (١) مجهول ؛ مبنيّ للمجهول (٢) لا شخصيّ : صفة للفعل الذي لا يَرِدُ إلا في صيغة المفرد الغائب من غير ذكر للفاعل (methinks ; It's raining.) (٣)موضوعي ؛ مجرَّد ؛ غير متأثر بالشعور الشخصي (~criticism) (٤) لا مشخَّص ؛ لا مجسَّم (an ~ deity).

—**impersonality** *(n.)* —**impersonalize** *(vt.)*

impersonate[ĭm pûr'sə nāt'] *(vt.)* يتّخذ أو يمثّل شخصيةفلان.

—**impersonation** *(n.)* —**impersonator** *(n.)*

impertinence *also* **impertinency** [ĭm pûr'-] *(n.)* (١)عدم ارتباط (بموضوع البحث) (٢) وقاحة (٣)«أ» شيء غير مرتبط بموضوع البحث. «ب» شيء أو شخص وقح.

impertinent[ĭm pûr'tə-] *(adj.)* (١)غير مرتبط بموضوع البحث ؛ خارج عن موضوع البحث (~ details) (٢) وقح (~ boys).

imperturbable[ĭm'pər tûr'bə bəl] *(adj.)* هادئ ؛ رابط الجأش.

impervious [ĭm pûr'vĭ əs] *(adj.)* (١) كتيم : غير منفِذ للماء أو للأشعة (٢)منيع : لا يتأثر بكذا أو ينتزع منه (looked at her, ~ to her tears) (٣) مغلق : غير منفتح أو متقبِّل للوقائع أو الحجج المنطقية (~ to reason).

impetigo [ĭm'pə tī'gō] *(n.)* الحَصَف : داء جلدي.

impetiginous[ĭm'pə tĭj'ə nəs] *(adj.)* حَصَفيّ (را. المادةالسابقة)

impetrate [ĭm'pə trāt'] *(vt.)* (١) ينال بالطلب أو التوسّل (٢) يطلب ؛ يلتمس.

impetuosity [ĭm pĕch'ōō ŏs'ə tĭ] *(n.)* (١) تهوّر ؛ طيش. (٢) عنفٌ ؛اندفاع.

impetuous [ĭm pĕch'ōō əs] *(adj.)* (١) متهور ؛ طائش (an ~ boy) (٢) عنيف ؛ مندفع بعنف (~ winds).

impetus [ĭm'pə təs] *(n.)* (١) قوة دافعة (٢) دافع ؛ منبِّه ؛ مثير (٣) الزخم ؛ كمية التحرك (فز).

impiety [ĭm pī'ə tĭ] *(n.)* (١) لا تقوى ؛ عدم تقوى (٢) عُقوق. (٣) عملٌ متّسِم باللاتقوى أو بالعقوق.

impinge [ĭm pĭnj'] *(vi.; t.)* (١) يصطدم أو يرتطم بـِ (٢)يمس مسّاً وثيقاً (٣) يعتدي (على حقّ ما) ×(٤) يضرم (النار) أو يفجّر (الغاز).

impious [ĭm'pĭ əs] *(adj.)* (١) غير تقيّ أو ورِع (٢) عاقّ.

impish [ĭmp'ĭsh] *(adj.)* شيطانيّ ؛ عِفريتيّ ؛ وبخاصة : مؤذٍ.

implacable [ĭm plā'kə bəl] *(adj.)* (١) عنيد ؛ حقود ؛ لا يعرف الصفح (an ~ enemy) (٢) لا سبيل إلى تهدئته أوتسكينه

ă at; ā date; â care; ä car; ĕ egg; ē me; ĭ in; ī bite; ŏ lot; ō bone; ô orphan; oi boil ŏŏ good; ōō boot; ou out; ŭ under; ū unity; û urgent; th thing; th this; zh vision; ə = a in alone, e in system, i in easily, o in gallop, u in circus.

(an ~ resentment; an ~ disease) (٣) لا سبيل إلى تغييره.

implant [*v.* ĭm plănt'; *n.* ĭm'plănt'] *(vt.; n.)* (١) يَغْرِز ؛ يَغْرِس (٢) يُشْرِب ؛ يرسِّخ في الذهن (٣) يزدرع ؛ يزرع (نسيجاً حياً) §(٤) نسيجٌ حيّ مُزْدَرَع.

—**implanter** *(n.)* —**implantation** *(n.)*

implausible [ĭm plô'zə bəl] *(adj.)* غير مُحتمَل : غير قابل للتصديق (~ adventures).

implead [ĭm plēd'] *(vt.)* يقاضي : يشكو (شخصاً) أمام القضاء.

implement [*n.* ĭm'plə mənt; *v.* -mĕnt] *(n.; vt.)* (١) أداة ؛ آلة ؛ وسيلة § يُنجز ؛ يحقّق ؛ يُنَفِّذ (٣) يزوّد بأدوات الخ.

implicate [ĭm'plə kāt] *(vt.)* (١) imply (٢) يورط.

implication [ĭm'plə kā'-] *(n.)* (١) «أ» تضمين. «ب» تضمُّن. «ج» المتضمَّن : معنىً متضمَّن (was aware of the ~ to be found in her remarks) (٢) «أ» توريط. «ب» تورّط.

implicit [ĭm plĭs'ĭt] *(n.)* (١) «أ» ضِمنيّ : مفهومٌ ضِمناً (~ consent). «ب» كامنٌ في (The oak is ~ in the acorn.) (٢) مُطْلَق ؛ تامّ (~ obedience).

implied [ĭm plīd'] *(adj.)* ضِمنيّ : مفهوم ضمناً.

implicit function *(n.)* الدالّة الضمنيّة (ر).

implode [-plōd'] *(vi.)* ينفجر ضمناً أو داخلياً (ضدّ *explode*).

implore [-plōr'] *(vt.)* (١) يناشد ؛ يتوسل إلى (٢) يلتمس.

implosion [ĭm plō'zhən] *(n.)* انفجار ضمني أو داخلي.

imply [ĭm plī'] *(vt.)* (١) يتضمّن : «أ» يدلّ ضمناً على (Silence *implies* consent.). «ب» يقتضي ضمناً ؛ ينطوي بداهةً أو بالقوة على (War *implies* fighting.) (٢) يُلمع أو يلمح إلى.

impolite [ĭm pə līt'] *(adj.)* فَظّ ؛ جِلف ؛ غير مهذّب.

impolitic [ĭm pŏl'ə tĭk] *(adj.)* أخرق ؛ أحمق ؛ غير حكيم.

imponderable [ĭm pŏn'-] *(adj.)* لا موزون : غير قابل للوزن بدقة.

import [*v.* ĭm pōrt'; *n.* ĭm'pōrt] *(vt.; i.; n.)* (١) «أ» يعني ؛ يفيد (معنىً). «ب» يُفيد ضمناً (٢) يستورد ×(٣) يَهُمّ ؛ يكون ذا أهمية §(٤) معنى ؛ فحوى ؛ مضمون (٥) أهمية ؛ شأن (٦) سلعة مستورَدة (٧) استيراد.

importance [ĭm pôr'təns] *(n.)* أهمية ؛ شأن.

important [-'tənt] *(adj.)* (١) هامّ (٢) ذو شأن أو سلطة.

importation [ĭm'pōr tā'shən] *(n.)* (١) استيراد (٢) شيء مستورَد.

importunate [-'chə nĭt] *(adj.)* (١) مُزْعِج (٢) مُلِحّ ؛ مُلْحِف.

importune [ĭm'pôr tūn'; ĭm pôr'chən] *(adj.; vt.; i.)* (١) مزعج (٢) مُلحّ §(٣) يلحّ على ؛ يُلحِف (٤) يزعج.

importunity [-tū'nə tĭ] *(n.)* (١) إزعاج (٢) إلحاح ؛ إلحاف.

impose [ĭm pōz'] *(vt.; i.)* (١) يفرض (to ~ taxes). (٢) يرتّب الصفحات المنضَّدة (تمهيداً لطبعها) (٣) يفرض عليه سلعة بالحيلة أو الخداع (٤) يتطفّل على ×(٥) يستغِلّ (You have ~*d* on her good nature.) (٦) يَخْدَع (was clever enough to ~ on the public)

imposing [ĭm pō'zĭng] *(adj.)* جليل ؛ مَهيب.

imposition [ĭm pə zĭsh'ən] *(n.)* (١) مص impose. (٢) «أ» ضريبة. «ب» عبء ثقيل (٣) حيلة ؛ خدعة.

impossibility [ĭm pŏs'ə bĭl'-] *(n.)* (١) استحالة ؛ تعذُّر (٢) شيء مستحيل أو متعذِّر.

impossible [ĭm pŏs'ə bəl] *(adj.)* (١) مستحيل ؛ متعذّر.

(٢) «أ» بغيض ؛ يصعب التعامل معه (an ~ person). «ب» لا يطاق (an ~ situation).

impost [ĭm'pōst] *(n.)* (١) ضريبة ؛ رَسْم (٢) المُسْتَقَرّ : موضع من الجدار أو العمود يستقرّ عليه طَرَف القوس (عم) (٣) الثِّقل : ما يحمله فرسٌ السباق من ثِقل (بما في ذلك ثِقل الفارس).

impostor *or* **imposter** [ĭm pŏs'-] *(n.)* الدجّال ؛ المدّعي ؛ الأفّاك ؛ المحتال.

imposture [ĭm pŏs'chər] *(n.)* دَجَل ؛ خِداع . وبخاصة : انتحال شخصية امرئ آخر بقصد الخداع.

impotence *also* **impotency** [ĭm'-] *(n.)* العُنّة : العجز الجنسي.

impotent [ĭm'pə tənt] *(adj.)* (١) ضعيف ؛ واهن (٢) عِنِّين : عاجز جنسياً (٣) عقيم : لا ينجب أولاداً (صفة للذكور عادةً).

impound [ĭm pound'] *(vt.)* (١) «أ» يزرب : يَحْجِز في زريبة. «ب» يسجن (٢) يجمع (الماءَ) في سدّ أو خزان.

impoundment [-'mənt] *(n.)* (١) «أ» زَرْب ؛ حَجْز. «ب» جَمْع للماء في خزان الخ. (٢) انزراب ؛ انحجاز الخ. (٣) ماء مجمَّع في سدّ أو خزّان.

impoverish [ĭm pŏv'-] *(vt.)* (١) يُفقِر (٢) يسلبه القوة أو الخصب.

impracticability; impracticableness *(n.)* (١) اللاعملية ؛ اللاتطبيقية (٢) اللاسالكية (را. المادة التالية).

impracticable [ĭm prăk'-] *(adj.)* (١) غير عمليّ ؛ غير قابل للتطبيق ؛ متعذر التنفيذ (~ plans) (٢) غير سالك (an ~ road).

impractical [ĭm prăk'tə kəl] *(adj.)* لاعمليّ ؛ غير عمليّ.

—**impracticality** *(n.)* —**impracticalness** *(n.)*

imprecate [ĭm'prə kāt'] *(vt.; i.)* يلعن.

imprecation [ĭm'prə kā'shən] *(n.)* (١) لَعْن (٢) لَعْنة.

imprecise [ĭm prĭ sīs'] *(adj.)* (١) غير دقيق (٢) غامض.

impregnable [ĭm prĕg'nə bəl] *(adj.)* (١) منيع ؛ حصين. (٢) فوق النقد أو الشك أو الطعن (an ~ reputation) (٣) قابل للتلقيح أو الاخصاب (an ~ egg).

impregnate [*v.* ĭm prĕg'nāt; *adj.* -'nĭt] *(vt.; adj.)* (١) يُلقِح ؛ يُخْصِب (٢) يُشْرِب ؛ يَنْقَع §(٣) مُلَقَّح ؛ مُخصَب (٤) مُشْرَب ؛ منقوع.

impresario [ĭm prə sär'ĭ ō] *(It.)* (١) مدير الفرقة (مو) (٢) مَن يرعى حفلة أو معرضاً فنياً أو برنامجاً تلفزيونياً (٣) المدير أو المنتج.

imprescriptible [ĭm'prĭ skrĭp'tə bəl] *(adj.)* قائم : أساسي ؛ بمعزل عن القانون أو العادة . لا يجوز انتزاعه أو انتهاكه (the ~ rights of man)

impress [*v.* ĭm prĕs'; *n.* ĭm'prĕs] *(vt.; n.)* (١) يدْمغ ؛ يبْصم ؛ يختم ؛ يطبع (٢) يطبع (في الذهن) (٣) يؤثّر في ؛ يخلّف (في نفس المرء) أثراً أو انطباعاً قوياً (٤) يحوِّل ؛ ينقل (الحركة الخ.) (٥) يصادر للمصلحة العامة ؛ وبخاصة : يكره على الخدمة العسكرية (٦) يُكرِه ؛ يُجبِر §(٧) دَمْغ ؛ بَصْم ؛ خَتْم ؛ طَبْع (٨) دَمغة ؛ بَصْمة ؛ طبعة (٩) طابَع ؛ علامة مميِّزة (The work bore the ~ of a great artist.) (١٠) أثر ؛ تأثير.

impressible [ĭm prĕs'ə bəl] *(adj.)* حسّاس ؛ قابل للتأثر.

impression [ĭm prĕsh'ən] *(n.)* (١) دَمْغ ؛ بَصْم ؛ خَتْم ؛ طَبْع. (٢) «أ» دمغة ؛ بَصْمة ؛ طَبْعة. «ب» انطباع ؛ انطباعة أولى (في الذهن أو النفس) (٣) صورة منطبعة في الذهن (٤) «أ» مدى

الكبس : مقدار ضغط السطح المحبَّر على ورقة معدة للطبع . «ب» ورقة مطبوعة (نتيجةً لالتقاء السطح المحبَّر والمادة المعدّة للطبع). «ج» الطبعة: كامل النسخ المطبوعة من كتاب (٥) فكرة (أو ذكرى) غامضة (٦) «أ» الطَّلْية الأولى: طبقة الدهان الأولى. «ب» طَلْية من الدهان للزينة أو الصيانة .

impressionable [ĭm prĕsh'ən ə bəl] *(adj.)* (١) حسّاس ؛ سريع التأثّر (had an ~ heart) (٢) لَدْن: سَهْل القولبة (an ~ plastic material)

impressionism[ĭm prĕsh'-] *(n.)* الانطباعية: حركة ثورية حديثة، فرنسية المنشأ، في الفن والأدب والموسيقى، تقول بأن مهمة الفنان الحقيقية هي نقل «انطباعات» بَصَرِه أو عقله إلى الجمهور وليس تصويرَ الواقع الموضوعي .

impressionist [ĭm prĕsh'-] *(n.; adj.)* (١) الانطباعيّ: القائل بالانطباعيّة §(٢) انطباعي .

impressionistic [ĭm prĕsh ən ĭs'tĭc] *(adj.)* انطباعيّ .

impressive [ĭm prĕs'ĭv] *(adj.)* مؤثّر ؛ مثير للعاطفة وبخاصة للخشية أو الاعجاب .

impressment[ĭm prĕs'-] *(n.)* (١) مصادرةٌ من أجل المصلحة العامة. (٢) إكراه على الخدمة العسكرية .

imprest [ĭm'prĕst] *(n.)* سُلْفَة ؛ قَرْض .

imprimatur [ĭm'prĭ mā'tər; -prī-] *(L.)* (١) رُخصة بالطبع أو النشر (٢) موافقة على النشر في ظلّ رقابة رسمية (٣) «أ» موافقة. «ب» علامة الموافقة .

imprimis [ĭm prī'mĭs] *(L.)* أولاً ؛ في المقام الأول .

imprint [*v.* ĭm prĭnt'; *n.* ĭm'prĭnt] *(vt.; n.)* (١) يدمغ ؛ يبصم ؛ يختم §(٢) «أ» دمغة ؛ بصمة . «ب» دمغة الناشر : اسم الناشر (مع عنوانه وتاريخ الطبع عادةً) مطبوعاً في أسفل الصفحة الحاملة اسم الكتاب . «ج» السِمَة؛ أثرٌ مميّز لا سبيل إلى محوه أو إزالته .

imprison [ĭm prĭz'ən] *(vt.)* يسجن ؛ يحبس .

improbability [ĭm prŏb'ə bĭl'ə tĭ] *(n.)* اللااحتمالية: بُعْد احتمال الحدوث أو الصحّة .

improbable[ĭm prŏb'ə bəl] *(adj.)* غير محتمَل؛ بعيد الاحتمال؛ غير مرجّح الحدوث أو الصحّة .

improbity [ĭm prō'bə tĭ] *(n.)* عدم الاستقامة أو الأمانة .

impromptu [ĭm prŏmp'tū ; -too] *(adj.; adv.; n.)* (١) مرتَجَل §(٢) ارتجالاً §(٣) شيء مرتجَل.

improper [ĭm prŏp'ər] *(adj.)* (١) خاطىء (an ~ conclusion) (٢) غير ملائم؛ غير مناسب للظرف أو الغرض (an ~ dress to the tea) (٣) غير مهذّب أو لائق (~ conduct) (٤) بذيء (~ language) (٥) غير محتشم (~ dress).

improper fraction *(n.)* كَسْر غير حقيقي (ر) .

impropriety [ĭm'prə prī'ə tĭ] *(n.)* (١) خطأ؛ عدم صحّة . (٢) لا ملاءمة؛ عدم مناسبة (٣) قلّة احتشام أو لياقة (٤) شيء أو عمل غير لائق؛ ملاحظة غير لائقة؛ وبخاصة : بذاءة .

improvable [ĭm proov'-] *(adj.)* قابل للتحسين أو التحسن .

improve [ĭm proov'] *(vt.; i.)* (١) يُحسِّن (٢) يغتنم ؛ يفيد من ؛ يُحسن استغلال شيء (to ~ an opportunity; to ~ the occasion) × (٣) يتحسّن (٤) يُدخل تحسينات على (to ~ on the carburetor)

improvement [ĭm proov'-] *(n.)* (١) تحسين (٢) تحسُّن ؛ تقدّم (٣) التحسين : تغيير أو إضافة يتحسّن بهما شيء (noticed a number of ~s in the town)

improvidence [ĭm prŏv'-] *(n.)* إسراف؛ تبذير؛ قِصَر نَظَر.

improvident[ĭm prŏv'ə dənt] *(adj.)* مسرف؛ مبذّر؛ قصير النظر.

improvisation[ĭm'prə vĭ zā'-] *(n.)* (١) ارتجال (٢) شيء مرتجَل.

improvisator [ĭm prŏv'ə zā'tər] *(n.)* المرتجِل.

improvisatory [ĭm'prə vī'zə tōr'ĭ] *(adj.)* ارتجالي.

improvise [ĭm'prə vīz'] *(vt.; i.)* يرتجل. **—improviser** *or* **improvisor** *(n.)* مرتجِل.

improvised [ĭm'prə vīzd'] *(adj.)* مرتَجَل.

imprudence[ĭm proo'-] *(n.)* (١) حماقة؛ طَيْش (٢) عمل أحمق.

imprudent [ĭm proo'dənt] *(adj.)* أحمق؛ طائش؛ غير حكيم.

impudence [ĭm'pyə dəns] *(n.)* وقاحة؛ صفاقة.

impudent [ĭm'pyə dənt] *(adj.)* وقح؛ صفيق.

impudicity [ĭm'pyoo dĭs'ə tĭ] *(n.)* قلة حياء.

impugn [ĭm pūn'] *(vt.)* يفنّد؛ يكذّب؛ يطعن في.

impuissance [ĭm pū'ə-] *(n.)* عجز؛ ضَعف.

impuissant [ĭm pū'ə sənt] *(adj.)* عاجز؛ ضعيف.

impulse [ĭm'pŭls] *(n.)* (١) «أ» دَفْع. «ب» أثر الدفع؛ الحركة الناشئة عن قوة مفاجئة. «ج» الاندفاع : موجة من اهتياج تَنقُل عبر الأنسجة وبخاصة عبر الأعصاب والعضلات وينشأ عنها نشاط فسيولوجي (فس) (٢) دافع؛ حافز؛ باعث (٣) نزوة (٤) نَبْضة (كب).

impulsion[ĭm pŭl'shən] *(n.)* (١) «أ» دَفْع؛ اندفاع. «ب» دافع؛ حافز. «ج» زخم (٢) نزوة (٣) دافع لا يقاوَم.

impulsive [-'sĭv] *(adj.)* (١) دَفْعِي؛ دافع (٢) مندفع؛ متهور. (٣) نابض (كب).

impunity[ĭm pū'nə tĭ] *(n.)* حَصانة أو إفلات من عقوبة أو عاقبة (If laws are not enforced, crimes are committed with ~.)

impure [ĭm pyoor'] *(adj.)* غير طاهر، مثل : «أ» قذِر؛ بذيء (~ ideas; ~ language). «ب» ملوّث (~water). «ج» نَجِس. «د» ملحون فيه؛ غير صحيح نحوياً (~ Latin). «هـ» مدخول؛ مغشوش (~ food). «و» مهجن؛ ممزوج بشيء آخر (an ~ style of architecture) **—impureness** *(n.)*

impurity [-'ə tĭ] *(n.)* (١) لاطهارة : بذاءة؛ تلوّث؛ نَجَس؛ لَحن (في اللغة) (٢) مـادة قذِرة؛ لغة بذيئة الخ.

imputable [ĭm pū'-] *(adj)* ممكن عزوُه أو نسبتُه إلى كذا.

impute [ĭm pūt'] *(vt.)* (١) يُلصق به تهمةً الخ. (٢) يعزو؛ ينسب إلى.

in [ĭn] *(prep.; adv.; adj.; n.)* (١) في (~the city) (٢) إلى داخل (went ~ the house) (٣) بـ؛ بواسطة (was written ~pencil) (٤) إلى (broke ~ two) §(٥) إلى أو نحو داخل غرفة أو بيت (He flew ~ on the first plane) (٦) نحو مكان معين (climbed ~) (٧) على مقربة دانية (played close ~) §(٨) داخلي (the ~ part) (٩) حاكم؛ متمتع بالسلطة أو القوة (the ~ party) (١٠) آتٍ؛ وافد؛ قادم (the ~ train) §(١١) صاحب السلطة أو المنصب الخ. (He wanted to be an ~.) (١٢) نفوذ (enjoyed some sort of ~ with the colonel).

~ any case بأية حال؛ مهما يحدث.

~ itself بذاته؛ بمعزل عن الأشياء أو الاعتبارات الأخرى.

ă at; ā date; â care; ä car; ĕ egg; ē me; ĭ in; ī bite; ŏ lot; ō bone; ô orphan; oi boil oo good; oo boot; ou out; ŭ under; ū unity; û urgent; th thing; th this; zh vision; ə = a in alone, e in system, i in easily, o in gallop, u in circus.

~ the name of باسم فلان أو نيابةً عنه .

the ~s and the outs (١) الحكومة والمعارضة (مَنْ هم في الحكم ومَنْ هم خارج الحكم) (٢) تفاصيل ؛ بواطن الأمور وظواهرها .

to be ~ for (١) يتورّط (في متاعب) (٢) يسجّل (في مسابقة الخ.) .

to be ~ with يكون على علاقة وديّة مع .

in- بادئة معناها : «أ» غير ؛ لا (*in*organic) . «ب» في (*in*deed).

-in لاحقة معناها : «أ» مركب كيميائي محايد (insul*in*). «ب» انزيمة ؛ خميرة (pancreat*in*) . «ج» مضادّ للجراثيم (streptomyc*in*) . «د» مستحضَر صيدليّ (aspir*in*) .

inability [ĭn'ə bĭl'ə tĭ] *(n.)* عجز ؛ قصور ؛ عدم قدرة .

in absentia [ĭn ăb sĕn'shĭ ə] *(L.)* غيابياً .

inaccessible [ĭn'ək sĕs'-] *(adj.)* متعذّر بلوغه أو التأثير فيه أو الحصول عليه .

inaccuracy [ĭn ăk'yə rə sĭ] *(n.)* (١) عدم صحة ؛ عدم دقة (٢) خطأ ؛ غلطة .

inaccurate [ĭn ăk'yə rĭt] *(adj.)* (١) خاطئ ؛ غير دقيق (٢) به علّة .

inaction [ĭn ăk'shən] *(n.)* تبطّل ؛ كسل ؛ تراخٍ ؛ لا عمل .

inactivate [ĭn ăk'tə vāt'] *(vt.)* يُخمِّل ؛ يُهمِّد .

inactive [ĭn ăk'tĭv] *(adj.)* ساكن ؛ غير ناشط ؛ مثل : «أ» غير فعّال أو نشيط (an ~ police chief) . «ب» غير مستخدَم أو غير صالح للاستخدام (an ~ machine) . «ج» غير عامل (جن). «د» هامد ؛ غير مسبِّب آلاماً أو أعراضاً (an ~ disease) . «هـ» خاملٌ («ك» و «فز»).

inactivity [ĭn ăk tĭv'-] *(n.)* سكون ؛ لافعالية ؛ لا نشاط .

inadequate [ĭn ăd'ə kwĭt] *(adj.)* غير ملائم ؛ غير وافٍ .
—inadequacy; inadequateness *(n.)*
—inadequately *(adv.)*

inadmissible [-'əd mĭs'-] *(adj.)* غير مقبول (~ evidence) .

inadvertence [ĭn'əd vûr'-] *(n.)* (١) إهمال (٢) خطأ ناشئ عن إهمال .

inadvertency [ĭn'əd vûr'tən sĭ] *(n.)* = inadvertence.

inadvertent [-'tənt] *(adj.)* (١) مُهْمِل ؛ غافل (٢) دالّ على اهمال أو غفلة (٣) غير متعمَّد أو مقصود .

inadvisable [ĭn'əd vī'zə bəl] *(adj.)* غير مستحسَن أو مستصوب .

inalienable [ĭn āl'yən ə bəl] *(adj.)* غير قابل للتحويل : غير قابل لأن تحوَّل مِلكيّتُه إلى شخص آخر (~ rights) .

inalterable [ĭn ôl'tər-] *(adj.)* غير قابل للتغيير أو التبديل .

inamorata [-rä'tə] *(It.)* المحبوبة ؛ المعشوقة ؛ وبخاصة : الخليلة .

in-and-in [ĭn'ənd ĭn'] *(adv.)* على نحوٍ متكررٍ في الأسرة أو العشيرة نفسها (to breed stock ~).

inane [ĭn ān'] *(adj.; n.)* (١) فارغ ؛ تافه §(٢) فراغ .

inanimate [ĭn ăn'ə mĭt] *(adj.)* (١) لاحيّ ؛ غير ذي حياة (٢) فاقد الوعي أو القدرة على الحركة (٣) بليد ؛ تعوزه الحيوية .

inanition [ĭn'ə nĭsh'ən] *(n.)* (١) فراغ (٢) جوع (٣) لانشاط ؛ لاحيوية .

inanity [ĭn ăn'-] *(n.)* (١) فراغ ؛ تفاهة (٢) شيء فارغ أو تافه .

inapparent [ĭn ə păr'ənt] *(adj.)* غير واضح أو ظاهر .

inappeasable [ĭn'ə pē'zə-] *(adj.)* غير قابل للتهدئة أو الاسترضاء .

inappetence [ĭn ăp'ə təns] *(n.)* فقدان الشهوة (إلى الطعام) .

inapplicable [ĭn ăp'lə kə bəl] *(adj.)* (١) غير قابل للتطبيق . (٢) غير ملائم .

inapposite [ĭn ăp'ə zĭt] *(adj.)* غير ملائم أو سديد أو صائب .

inappreciable [ĭn'ə prē'shĭ ə-] *(adj.)* دقيق ؛ أصغر من أن يُرى .

inapproachable [ĭn'ə prō'chə bəl] *(adj.)* (١) متعذّرٌ بلوغُه أو الحصول عليه (٢) لا يُنافَس .

inappropriate [ĭn ə prō'prĭ ĭt] *(adj.)* غير ملائم .

inapt [ĭn ăpt'] *(adj.)* (١) غير ملائم (٢) غير بارع .

inaptitude [ĭn ăp'tə tūd'] *(n.)* (١) عدم ملاءمة أو صلاح . (٢) عدم براعة .

inarticulate [ĭn'är tĭk'yə lĭt] *(adj.)* (١) «أ» مُجَمْجَم : غير ملفوظ بوضوح . «ب» عييّ أو أخرس . «ج» ممتنع على التعبير : متعذّر التعبير عنه بالكلام (~ pain) (٢) عاجز عن الافصاح عن آرائه أو مشاعره (٣) لا مَفْصِليّ (ح) .

inartistic [ĭn'är tĭs'tĭk] *(adj.)* لافنّي ؛ غير فنّي .

inasmuch as *(conj.)* (١) بقَدْرِ ما . . . (٢) لأن ؛ بسبب ؛ نظراً لأن .

inattention [ĭn'ə tĕn'shən] *(n.)* غفلة ؛ قلة انتباه ؛ إهمال .

inattentive [ĭn'ə tĕn'tĭv] *(adj.)* غافل ؛ غير منتبه ؛ مهمل .

inaudible [ĭn ô'-] *(adj.)* غير مسموع ؛ متعذّر سماعه .

inaugural [ĭn ô'gyə rəl] *(adj.; n.)* (١) تدشينيّ (٢) افتتاحيّ . §(٣) خطاب التولية : خطاب يلقيه رئيس الجمهورية الخ . عند بدء ولايته .

inaugurate [ĭn ô'gyə rāt'] *(vt.)* (١) يولّي : يقلّده السلطة بالمراسم المألوفة (٢) «أ» يدشّن . «ب» يفتتح .
—inauguration *(n.)*

Inauguration Day *(n.)* يوم التولية : اليوم العشرون من شهر يناير التالي لانتخاب رئاسة الجمهوريـة في الولايات المتحدة الأميركية وفيه يتقلّد الرئيس منصبه رسمياً .

inauspicious [ĭn'ô spĭsh'əs] *(adj.)* منحوس ؛ مشؤوم .

inboard [ĭn'-] *(adv.; adj.)* (١) في داخل السفينة أو نحو وسطها (٢) نحو الداخل §(٣) داخليّ ؛ جوّانيّ .

inborn [ĭn'bôrn'] *(adj.)* (١) فطريّ ؛ طبيعيّ (٢) موروث ؛ وراثيّ .

inbound [ĭn'bound'] *(adj.)* متّجه أو مسافر نحو الداخل .

inbreathe [ĭn brēth'] *(vt.)* يتنشّق ؛ يستنشق .

inbred [ĭn'brĕd'] *(adj.)* (١) فِطريّ ؛ طبيعيّ (٢) داخليّ الاستيلاد : مُنْتَج بالاستيلاد الداخلي (را . inbreeding).

inbreed [ĭn brēd'] *(vt.; i.)* يستولد أو يتوالد داخلياً (را. المادة التالية) .

inbreeding [ĭn'brē'dĭng] *(n.)* (١) الاستيلاد الداخليّ : استيلاد يتمّ بين حيوانات ، أو نباتات ، تجمعها قرابةٌ وثيقة حفظاً أو تثبيتاً لبعض الصفات المرغوب فيها (٢) قَصْرُ الشيء على نطاقٍ ضيّق أو ضمن مجالٍ للاختيار محليّ أو محدود .

incalculable [ĭn kăl'kyə lə bəl] *(adj.)* (١) كثير جداً ؛ لا يُحصى . (٢) لا يمكن التنبّؤ به (٣) متقلّب (a lady of ~ moods) .

incalescence [ĭn kə lĕs'-] *(n.)* اتّقاد ؛ تعاظم في الحرارة .

incandesce [ĭn'kən dĕs'] *(vi.; t.)* (١) يتوهّج ×(٢) يوهّج .

incandescence [ĭn'kən dĕs'əns] *(n.)* التوهّج الحراري .

incandescent [-'ənt] *(adj.)* (١) متوهج (٢) ساطع (٣) برّاق .

incandescent lamp *(n.)* المصباح المتوهج (كب) .

incantation [ĭn'kăn tā'shən] *(n.)* (١) تعزيم ؛ تعويذ . (٢) رُقية ؛ تعويذة .

incapable [ĭn kā'pə bəl] *(adj.)* (١) عاجز ؛ غير قادر (٢) غير قابل لِـ (~ of exact measurement) (٣) غير كفوء (٤) غير مؤهَّل لِـ.
—**incapability** *(n.)* —**incapacity** *(n.)*

incapacitate [ĭn'kə păs'ə tāt] *(vt.)* (١) يُضعِف ؛ يُعجِز ؛ يجعله عاجزاً (٢) يجعله غير مؤهَّل أو غير أهل لِـ.

incarcerate [ĭn kär'sə rāt'] *(vt.)* (١) يسجن (٢) يحجز ؛ يحصر.
—**incarceration** *(n.)*

incarnadine [ĭn kär'nə dīn'; -dĭn] *(adj.; vt.)* (١) قرمزي أو بلون اللحم (٢) أحمر، وبخاصة : بلون الدم §(٣) يجعله بلون اللحم أو الدم : يحمّر.

incarnate [*adj.* ĭn kär'nĭt; *v.* -'nāt] *(adj.; vt.)* (١) «أ» ذو طبيعة وشكل جسديَّين، وبخاصة بشريَّين. «ب» مجسَّد ؛ مجسَّم (٢) بلون اللحم أو الدم §(٣) «أ» يجسِّد ؛ يجسِّم. «ب» يعطيه شكلاً واقعياً : يحقّق.

incarnation [-nā'-] *(n.)* (١) تجسيد أو تجسُّد (٢) «أ» تجسيد إلهٍ في شكل أرضيّ. «ب» *cap.* : تجسُّد المسيح : اتحاد الألوهية والناسوتية فيه. «ج» مثال ؛ عنوان (He was the very ~of deceit.).

incase [ĭn kās'] *(vt.)* = encase.

incaution [ĭn kô'shən] *(n.)* غفلة؛ إهمال؛ قلة حذر.

incautious [-'shəs] *(adj.)* غافل؛ مهمل؛ قليل الحذر.

incendiarism [ĭn sĕn'dĭ ə rĭz'-] *(n.)* الإحراقية : الإحراق عمداً.

incendiary [-'dĭ ĕr'ĭ] *(n.; adj.)* (١) «أ» الإحراقي : شخص يضرم النار عمداً في مبنى الخ. «ب» أداة إحراق (كالقنبلة المحرقة الخ.) (٢) المهيِّج : مثير الفتنة أو القلاقل §(٣) إحراقيّ : «أ» متّسِم بالإحراق عمداً (an ~ crime). «ب» قائم على استخدام القنابل المحرقة (~ warfare) (٤) محرق (~ bombs) (٥) «أ» مُلهِب ؛ مثير (~ speeches). «ب» مثير جنسياً (an ~ blonde).

incense [ĭn'sĕns] *(n.; vt.)* (١) بَخور (٢) «أ» عَبَق البخور عند إحراقه. «ب» رائحة زكية (٣) تملّق ؛ مداهنة §(٤) يبخّره (بإحراق البخور) (٥) يُحرق أو يقدِّم البخور إلى (٦) يثير سُخطه الشديد (Such careless waste ~*d* him.).

incentive [ĭn sĕn'-] *(n.; adj.)* باعث ؛ مثير ؛ محرِّك ؛ حافز.

incentive award *(n.)* جائزة تشجيعية.

incept [ĭn sĕpt'] *(vi.)* (١) يبدأ ؛ يستهل عملاً (٢) ينال درجة الماجستير أو الدكتوراه
—**inceptor** *(n.)*

inception [ĭn sĕp'shən] *(n.)* ابتداء؛ استهلال.

inceptive [-'tĭv] *(adj.)* (١) استهلاليّ (٢) شروعي : دالّ على الشروع (ل).

incertitude [ĭn sûr'tə tūd'] *(n.)* (١) شكّ ؛ لا يقين (٢) لا أمن ؛ عدم استقرار.

incessant [ĭn sĕs'ənt] *(adj.)* متوالٍ ؛ متواصل ؛ مستمرّ.

incessantly [ĭn sĕs'-] *(adv.)* باستمرار ؛ على نحوٍ متوالٍ أو متواصل.

incest [ĭn'sĕst] *(n.)* غِشيان المحارم (مج) ؛ سِفاح القُربى : الاتصال الجنسي بين من تحرِّم الشريعة الزواج بينهم من ذوي القربى.

incestuous [ĭn sĕs'cho͞o əs] *(adj.)* (١) خاص بسِفاح القُربى. (٢) متَّهَم بسِفاح القُربى.

inch [ĭnch] *(n.; vt.; i.)* (١) الإنش ؛ البوصة : واحد من اثني عشر جزءاً من القدم أو ٢,٥٤ سم (٢) جزيرة (ع) §(٣) يدفع أو يسير ببطء.

inchmeal [-'mēl] *(adv.)* إنشاً فإنشاً ؛ شيئاً فشيئاً ؛ تدريجياً.

inchoate [ĭn kō'ĭt] *(adj.)* (١) مبدوء به حديثاً (٢) ناقص ؛ بدائي.

inchoative [-'ə tĭv] *(adj.)* (١) استهلاليّ ؛ أوَّليّ (٢) شروعيّ : دالّ على الشروع (~ verbs).

incidence [ĭn'sə dəns] *(n.)* (١) «أ» حدوث ؛ وقوع. «ب» مدى الحدوث أو التأثير (the ~ of a disease) (٢) «أ» السقوط : سقوط الضوء الخ. على سطح ما (فز). «ب» زاوية السقوط (فز).

incident [ĭn'sə dənt] *(n.; adj.)* (١) حادث ؛ حادثة (٢) حدَث عَرَضيّ ؛ مسألة طفيفة (٣) شيء تابع لآخر أو متوقف عليه (ق) §(٤) عَرَضيّ (٥) تابع لشيء آخر أو متوقف عليه (ق) (٦) ساقط (~ light rays) (٧) خارجيّ (~ forces).

incidental [ĭn'sə dĕn'təl] *(adj.; n.)* (١) «أ» اتفاقيّ ؛ تصادفيّ. «ب» عَرَضيّ ؛ ثانوي (٢) طارئ §(٣) حادث عَرَضيّ ؛ طارئ (٤) *pl.* : نفقات طارئة.
—**incidentally** *(adv.)*

incinerate [ĭn sĭn'ə rāt'] *(vt.)* يُحرِق محوِّلاً إلى رماد ؛ يُرمِّد.

incinerator [-'ə rā-] *(n.)* المرمد، وبخاصة : موقد لإحراق القمامة.

incipiency *also* **incipience** [ĭn sĭp'-] *(n.)* بدء ؛ ابتداء.

incipient [ĭn sĭp'ĭ ənt] *(adj.)* أوّلي ؛ ابتدائيّ.

incise [ĭn sīz'] *(vt.)* (١) يحزّ ؛ يشقّ (٢) ينحت ؛ ينقش.

incised [ĭn sīzd'] *(adj.)* (١) محزوز ؛ منقوش (٢) مُحدَث بمدية قاطعة (an ~ wound) (٣) مثلّم الأطراف (~ leaves).

incision [ĭn sĭzh'ən] *(n.)* (١) «أ» تثلّم (في أطراف ورق النبات). «ب» جُرح (٢) حزّ ؛ شقّ ؛ نَقش (٣) حدة ؛ مضاء.

incisive [ĭn sī'sĭv] *(adj.)* (١) قاطع ؛ ماضٍ (٢) «أ» حادّ. «ب» واضح المعالم.

incisor [ĭn sī'zər] *(n.)* القاطعة : إحدى الأسنان القواطع (ت).

incitation [ĭn'sī tā'-] *(n.)* (١) تحريض ؛ حثّ (٢) المحرِّض ؛ الدافع.

incite [ĭn sīt'] *(vt.)* يحرِّض ؛ يحثّ.

incitement [ĭn sīt'mənt] *(n.)* (١) تحريض (٢) الدافع ؛ المحرِّض.

incivility [ĭn'sə vĭl'ə tĭ] *(n.)* (١) فظاظة (٢) عمل فظّ.

inclement [ĭn klĕm'ənt] *(adj.)* (١) عاصف (٢) صارم ؛ قاسٍ ؛ عديم الرحمة (an ~ judge).
—**inclemency** *(n.)*

inclinable [ĭn klī'-] *(adj.)* (١) ميّال إلى (٢) مؤيِّد ؛ مساعِد.

inclination [ĭn'klə nā'shən] *(n.)* (١) انحناءة (في السّلام) (٢) رغبة ؛ هوى (٣) «أ» مَيْل ؛ انحراف. «ب» درجة المَيْل. «ج» سطح مائل : منحدَر. «د» زاوية المَيْل (ر) (٤) نزعة.

incline [*v.* ĭn klīn'; *n.* ĭn'klīn] *(vi.; t.; n.)* (١) ينحني (٢) ينزع ؛ يميل إلى (٣) يَميل ؛ ينحرف × (٤) يحني (٥) يُقنع (٦) يُميل ؛ يُحدِر § (٧) مُنحدَر ؛ حُدور ؛ مستوىً مائل.

inclined [ĭn klīnd'] *(adj.)* (١) ميال أو نزّاع إلى (٢) مائل ؛ منحدِر (٣) مشكِّل زاوية مع خطّ أو سطح.

inclined plane *(n.)* المستوى المائل (مك).

inclinometer [ĭn'klə nŏm'ə-] *(n.)* المِمْيَلة : مقياس المَيْل أو الانحراف.

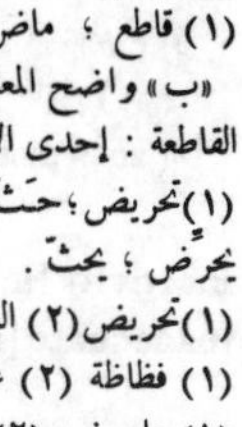

inclinometer

inclose; inclosure = enclose; enclosure.

include [ĭn klo͞od'] *(vt.)* (١) يَحصُر ؛ يطوِّق (٢) يتضمّن ؛ يشتمل على.

included angle *(n.)* الزاوية المحصورة (ر).

inclusion [ĭn klo͞o'zhən] *(n.)* (١) تضمين أو تضمُّن (٢) الضَّمِين : شيء متضمَّن.

inclusion body *(n.)* الجسم الضَّمِين (في خليّة مصابة بفيروس).

inclusive [ĭn kloō'sĭv] *(adj.)* (١) شامل (٢) مشتمِل (جميعَ النفقات أو الخدمات الخ. من غير رسوم إضافية) (٣) متضمِن، بما فيه (a household of nine persons, ~ of the servants). from Monday to Saturday ~, من الاثنين إلى السبت ضمناً.
inclusively [-lĭ] *(adv.)* (١)على نحو شامل أو مشتمِل (٢)ضمناً.
incoercible [ĭn'kō ûr'-] *(adj.)* لا يُضبَط، لا يُكبَح، لا يُحصَر.
incogitant [ĭn kŏj'ə tənt] *(adj.)* مُهمِل ؛ طائش.
incognita [ĭn kŏg'nə tə] *(adj.; adv.; n.)* مستخفية أو متسترة باسم مستعار.
incognito [ĭn kŏg'nə tō'] *(adj.; adv.; n.)* (١)مستخفٍ أو متستر باسم مستعار §(٢) بصفة غير صفة المرء الرسمية أو باسم مستعار (to travel ~) §(٣) شخص متستر باسم مستعار (٤) التستر باسم مستعار.
incognizant [ĭn kŏg'nə zənt] *(adj.)* غير عارف أو شاعرٍ بِـ.
incoherence *or* **incoherency** [ĭn kō hĭr'-] *(n.)* (١)تفكك. (٢)«أ» تشوّش. «ب» لا تماسك أو ترابط (٣) تنافر.
incoherent [-kō hĭr'-] *(adj.)* (١) متفكك (٢)«أ» مشوّش. «ب» غير متماسك أو مترابط (٣) متنافر.
incombustibility [ĭn'kəm bŭs'tə bĭl'-] *(n.)* اللااحتراقية.
incombustible [-'tə bəl] *(adj.)* لا يحترق، غير قابل للاحتراق.
income [ĭn'kŭm] *(n.)* دخل ؛ إيراد.
income tax *(n.)* ضريبة الدخل.
incoming [ĭn'kŭm'-] *(n.; adj.)* (١) مجيء، ورود، قدوم، حلول (the ~ of spring) (٢).*pl* عد: دخل، إيراد §(٣) آتٍ، قادم، وارد (~ waves) (٤) مستهل، جديد (the ~ year).
incommensurability [ĭn'kə mĕn'shə rə bĭl'-] *(n.)* (١) اللاقياسية (بنفس الوحدات) (٢) اللاتناسب ؛ اللاتكافؤ.
incommensurable [ĭn kə mĕn'shə-] *(adj.; n.)* (١) غير قابل للقياس (بنفس الوحدات) (٢)غير متناسب أو متكافىء.
incommensurate [ĭn'kə mĕn'shə rĭt] *(adj.)* غير متساوٍ أو متعادل مثل: «أ» غير قابل للقياس (بنفس الوحدات). «ب» غير ملائم. «ج» غير متكافىء أو متناسب.
incommode [ĭn'kə mōd'] *(vt.)* يزعج ؛ يضايق.
incommodious [ĭn kə mō'dĭ əs] *(adj.)* (١)غير ملائم أو وافٍ بالمرام (٢) ضيّق ؛ غير مريح.
incommodity [ĭn'kə mŏd'ə tĭ] *(n.)* شيء مزعج أو مضايق.
incommunicable [ĭn'kə mū'nə kə bəl] *(adj.)* (١) متعذر إبلاغُه أو قوله للآخرين (٢) متحفظ في الكلام.
incommunicado [ĭn kə mū'nə kä'dō] *(adv.; adj.)* من غير اتصال بالآخرين، في السجن الانفرادي (held ~ for 20 days).
incommunicative [ĭn'kə mū'-] *(adj.)* كتوم ؛ متحفظ.
incommutable [ĭn'kə mū'-] *(adj.)* (١) غير قابل للتبادل. (٢) غير قابل للتغير.
incomparable [ĭn kŏm'pə rə bəl] *(adj.)* (١) لا يُضاهَى (~ beauty) (٢) غير صالح للمقارنة (This report is ~ with the earlier reports.)
incompatible [ĭn'kəm păt'ə bəl] *(adj.)* (١) متعذرٌ حَمْلُه أو شغله من جانب شخص واحدٍ في وقت واحدٍ (~ dignities or offices) (٢) «أ» متنافر (~ colors). «ب» متضارب، متعارض (~ medicaments). «ج» لا متمازج: غير قابل للامتزاج مع غيره في خليط متجانس (an ~ solution).
incompetence *also* **incompetency** [ĭn kŏm'pə-] *(n.)* (١) عجز ؛ لا كفاءة (٢) لا أهلية ؛ لا صلاحية (٣) عدم وفاء بالمراد.
incompetent [ĭn kŏm'pə tənt] *(adj.)* (١) غير كفوء (٢) غير مؤهَّل أو صالح قانونياً (٣) غير وافٍ بالمراد.
incomplete [ĭn'kəm plēt'] *(adj.)* ناقص، غير تامّ، غير كامل.
incompliant [ĭn'kəm plī'ənt] *(adj.)* (١) متصلب ؛ عنيد. (٢) غير مطاوع أو لَدْن.
—**incompliance** *(n.)*
incomprehensible [ĭn'kŏm prĭ hĕn'sə bəl] *(adj.)* (١) مبْهَم (٢) لا يُسْبَر غَوْره.
incomprehension [ĭn'kŏm prĭ hĕn'-] *(n.)* لا فَهْم، لا إدراك.
incompressible [ĭn'kəm prĕs'ə bəl] *(adj.)* لا ينضغط ؛ غير قابل للانضغاط.
inconceivable [ĭn'kən sē'-] *(adj.)* لا يُتخيَّل ؛ لا يُتَصَوَّر ؛ لا يُصدَّق.
inconclusive [-'sĭv] *(adj.)* غير حاسم (~ evidence).
incondensable [-'sə bəl] *(adj.)* لا يُكثَّف ؛ غير قابل للتكثيف.
inconformity [ĭn'kən fôr'-] = nonconformity.
incongruence [ĭn kŏng'-] *(n.)* = incongruity.
incongruent [-kŏng'-] *(adj.)* غير متطابق (~ triangles).
incongruity [ĭn'kŏng groō'ə tĭ] *(n.)* (١) تنافر ؛ تعارض الخ. (را. المادة التالية) (٢) شيء متنافر أو متعارض الخ.
incongruous [ĭn kŏng'groō əs] *(adj.)* (١) متنافر ؛ متضارب (~ desires) (٢)متعارض مع (acts ~ with their principles) (٣) متناقض مع نفسه (an ~ story) (٤) غير مناسب أو لائق.
inconsecutive [ĭn'kən sĕk'-] *(adj.)* متقطع ؛ غير مترابط منطقياً.
inconsequent [ĭn kŏn'sə kwĕnt] *(adj.)* (١)«أ» غير منطقيّ. «ب» غير متساوق أو مترابط منطقياً (٢) غير ذي صلة بالموضوع (٣) غير هامّ.
—**inconsequence** *(n.)*
inconsequential [ĭn kŏn sə kwĕn'shəl] *(adj.)* (١)«أ» غير منطقي. «ب» غير ذي صلة بالموضوع (٢) غير هام.
inconsiderable [ĭn'kən sĭd'ər ə bəl] *(adj.)* طفيف ؛ تافه.
inconsiderate [ĭn'kən sĭd'ər ĭt] *(adj.)* (١) غير مرَوًى فيه. (٢)طائش ؛ متهور (٣)غير مراعٍ لحقوق الآخرين أو مشاعرهم.
—**inconsiderateness** *(n.)* —**inconsideration** *(n.)*
inconsistency *also* **inconsistence** [ĭn'kən sĭs'-] *(n.)* (١) تضارب (٢) تناقض ذاتي (٣) تنافر ؛ لا تناغم (٤) لا ترابط منطقي (٥) تقلّب.
inconsistent [ĭn'kən sĭs'-] *(adj.)* (١) متضارب (~ statements) (٢)متناقض مع نفسه (an ~ argument) (٣)متنافر، غير منسجم ؛ غير مشكَّل كلاًّ متناغماً (an ~ composition) (٤)«أ»غير متساوق أو مترابط منطقياً. «ب»عامل على نحو متعارض مع ما يعلنه من آراء. «ج» متقلب (٥) متعارض مع (Wisdom is not ~ with mirth.)
inconsolable [ĭn'kən sō'-] *(adj.)* (١) لا عزاء له (an ~ person) (٢) لا يُتَعَزّى عنه (an ~ grief).
inconsonance [ĭn kŏn'sə-] *(n.)* تنافر ؛ لا تناغم.
inconsonant [ĭn kŏn'sə-] *(adj.)* متنافر ؛ غير متناغم.
inconspicuous [ĭn'kən spĭk'-] *(adj.)* غير واضح أو جلي.
inconstancy [ĭn kŏn'-] *(n.)* تقلّب ؛ تحوّل.
inconstant [-'stənt] *(adj.)* متقلّب (~ winds).

ă at; ā date; â care; ä car; ĕ egg; ē me; ĭ in; ī bite; ŏ lot; ō bone; ô orphan; oi boil oŏ good; oō boot; ou out; ŭ under; ū unity; û urgent; th thing; th this; zh vision; ə = a in alone, e in system, i in easily, o in gallop, u in circus.

inconsumable [ĭn'kən sōō'mə bəl] *(adj.)* غير قابل للاستهلاك أو الإتلاف أو الإحراق .

incontestable [-'tə bəl] *(adj.)* محقَّق ؛ مقرَّر ؛ لا يقبل الجدل .

incontinence *also* **incontinency** [ĭn kŏn'-] (١) «أ» غُلْمة ؛ انقياد للشهوة الجنسية . «ب» فجور ؛ فُسوق (٢) سَلَس البول أو الغائط : عجز الجسم عن ضبط البول أو الغائط .

incontinent [ĭn kŏn'tə nənt] *(adj.)* (١) عاجز عن ضبط النفْس ؛ وبخاصة : غِلّيم ؛ منقاد للشهوة الجنسية (٢) عاجز عن الاحتفاظ بـ (of secrets ~) (٣) فيّاض ؛ غير مكبوح (an ~ flow of talk) (٤) مصاب بسَلَس البول أو الغائط .

incontrollable[-'lə bəl] *(adj.)* لا سبيل إلى ضبطه أو السيطرة عليه

incontrovertible [ĭn'kŏn trə vûr'tə bəl] *(adj.)* لا جدال فيه ؛ لا يقبل الجدَل (~ truth *or* evidence).

inconvenience [ĭn'kən vēn'yəns] *(n.; vt.)* (١) لا ملاءَمة ؛ إزعاج ؛ كون الشيء غير مريح (٢) عائق ؛ عقبة ؛ شيء مزعج أو مربك (loss of that extra income was a serious ~) §(٣) يزعج ؛ يضايق .

inconveniency[ĭn'kən vēn'yən sĭ] *(n.)* = inconvenience.

inconvenient [ĭn'kən vēn'yənt] *(adj.)* (١) غيرملائم أو لائق . (٢) مزعج ؛ مضايق .

inconvertible[ĭn'kən vûr'tə bəl] *(adj.)* (١) غير قابل للتحويل إلى عملة معدنية (paper money ~) (٢) غير قابل للتحويل . إلى عملةٍ أجنبية (~ currency).

incorporate [*v.* ĭn kôr'pə rat; *adj.* -'pə rĭt] *(vt.; i.; adj.)* (١) «أ» يدْمج . «ب» يدخِل في نقابة أو شركة (٢) ينشئ نقابة أو شركة (٣) يُجسِّد ×(٤) يندمج §(٥) مندمج ؛ متّحِد .

incorporated [ĭn kôr'pə rā tĭd] *(adj.)* (١) مندمج ؛ متَّحِد . (٢) محدودة (صفة لشركة) .

incorporation [-rā'shən] *(n.)* (١) دمج ؛ اندماج (٢) تأسيس شركة أو نقابة أو قبولٌ فيهما (٣) تجسيد (٤) شركة أو نقابة .

incorporeal [ĭn'kôr pōr'ĭ əl] *(adj.)* (١) روحيّ ؛ غير مادي . (٢) معنوي (~ rights) .

incorporeity [-pə rē'ə tĭ] *(n.)* اللاجسدية ، اللامادية ، المعنوية .

incorrect [ĭn'kə rĕkt'] *(adj.)* (١) غير دقيق ؛ ناقص ؛ فيه شوائب (an ~ copy) (٢) غير صحيح ؛ خاطىء (an ~ statement) (٣) غير لائق (~ behavior).

incorrigible [ĭn kôr'ĭ jə bəl] *(adj.)* (١) لا سبيل إلى تقويمه أو إصلاحه (an ~ liar) (٢) فاسد : لا ينفع فيه عقاب (an ~ child) (٣) راسخ : لا سبيل إلى تغييره (an ~ habit) (٤) حَرون ؛ شموس (~ hair) (٥) عنيد ؛ غير راغب في الاقلاع عن شيء (an ~ amateur mechanic) (٦) قويّ ؛ شديد (an ~ optimism).

incorrupt [ĭn kə rŭpt'] *(adj.)* (١) مستقيم ؛ قويم الخلق . (٢) خلوٌ من الخطأ .

incorruptible [ĭn'kə rŭp'tə bəl] *(adj.)* (١) غير قابل للفساد (Gold is ~ by chemical agents.) (٢) غير قابل للرشوة .

increase [*v.* ĭn krēs'; *n.* ĭn'krēs] *(vi.; t.; n.)* (١) يزداد ؛ ينمو (٢) يتكاثر (بالتوالد) ×(٣) يزيد ؛ ينمّي §(٤) ازدياد ؛ نموّ ؛ تكاثر (٥) «أ» زيادة . «ب» ذرّية . «ج» غلّة ؛ محصول . «د» ربح ؛ فائدة (على مال) .

increasingly [ĭn krēs'-] *(adv.)* على نحو متزايد ؛ أكثر فأكثر .

increate [ĭn'krĭ āt'] *(adj.)* غير مخلوق ؛ ذاتيّ الوجود .

incredible [ĭn krĕd'-] *(adj.)* لا يُصدَّق (an ~ story).

incredulity [ĭn'krə dū'lə tĭ] *(n.)* الشكوكيّة : الميْل إلى الشكّ .

incredulous [ĭn krĕj'ə ləs] *(adj.)* (١) شكوكيّ : ميّال إلى الشكّ أو مفطورٌ عليه (٢) معبر عن الشكّ (an ~ smile).

increment[ĭn'krə mənt; ĭng'-] *(n.)* (١) «أ» زيادة (في المقدار أو القيمة) . «ب» مقدار ؛ كميّة (٢) ربح ؛ إضافة (٣) الفَضْل ؛ التزايد (ر) .

incrementalism *(n.)* التَّدَرُّجيَّة : سياسة تدعو إلى الإصلاح التدريجي .

increscent[-krĕs'-] *(adj.)* متَنام : آخذ في النمو (~moon).

incretion [ĭn krē'-] *(n.)* (١) الإفراز الداخلي (٢) ثمرة ذلك : هرمون .

incriminate [ĭn krĭm'ə nāt] *(vt.)* (١) يجرم ؛ يتّهم بجريمة . (٢) يورِّط في جريمة . —**incrimination** *(n.)*

incrust [ĭn krŭst'] *(vt.; i.)* = encrust.

incrustation [ĭn'krŭs tā'-] *(n.)* (١) «أ» تلبيس بقشرة . «ب» تَلبُّس بقشرة (٢) قِشرة ؛ طبقة خارجيّة (٣) قشرة خشبية زينيّة .

incubate [ĭn'kyə bāt'] *(vt.; i.)* (١) «أ» تحضن (الدجاجةُ) بيضها ؛ ترْخُم . «ب» يُفقّس البيضَ بالحرارة الصنعية . «ج» يحضُن البكتيريا أو المواليد الذين وضعتهم أمهاتهم قبل الأوان (٢) يطوِّر ×(٣) يحضَنُ البيض (٤) يتطوَّر .

incubation [ĭn kyə bā'-] *(n.)* (١) حضانة ؛ رَخْم (٢) دور الحضانة : الفترة بين الاصابة بالمرض وظهور أماراته (ط) .

incubator [ĭn'kyə bā'tər] *(n.)* (١) طيرٌ حاضِنٌ (٢) المِحْضَن : «أ» جهاز لحضانة البيض أو تفقيسه صُنعيّاً . «ب» جهاز لحضانة البكتيريا أو المواليد الذين تضعهم أمهاتهم قبل الأوان .

incubator 2 *a.*

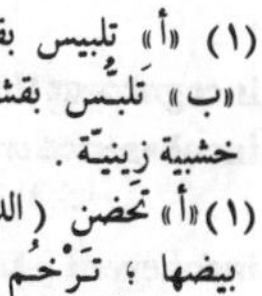

incubus[ĭn'kyə-] *(n.)* pl. **-bi** (١) الحَضُون : روح شريرة يزعمون أنها تُلِمّ بالنيام وأنها ، بخاصة ، تجامع النساء ليــلاً (٢) كابوس ؛ جاثوم ؛ جُثــام (٣) شخص أو شيء مرهق كالكابوس .

inculcate [ĭn kŭl'kāt] *(vt.)* يَطبَع أو يغرس في الذهن .

inculpable [ĭn kŭl'pə bəl] *(adj.)* بريء ؛ غير مذنب .

inculpate[ĭn kŭl'pāt] *(vt.)* = incriminate.

inculpation [ĭn kŭl pā'shən] *(n.)* (١) تجريم ؛ اتهام بجريمة . (٢) توريط بجريمة .

incult [ĭn kŭlt'] *(adj.)* فظّ ؛ غير مهذَّب .

incumbency [ĭn kŭm'bən sĭ] *(n.)* (١) تولّي منصب ما . (٢) واجب ؛ مسؤولية (٣) نطاق عمل صاحبِ المنصب أو مدةُ ولايته .

incumbent [ĭn kŭm'bənt] *(n.; adj.)* (١) صاحب منصب §(٢) مستند ؛ متكىء ؛ ضاغطٌ على (٣) إلزاميّ ؛ إجباريّ (٤) محتلّ منصباً معيناً .

incumber [ĭn kŭm'bər] *(vt.)* = encumber.

incur [ĭn kûr'] *(vt.)* (١) يتعرض أو يستهدِف لِـ (٢) يجلب على نفسه كذا .

incurable [-kyŏŏr'ə bəl] *(adj.; n.)* (١) عُضال §(٢) المصاب بداءٍ عُضال : المعضول .

incurious [ĭn kyŏŏr'ĭ əs] *(adj.)* غير مبالٍ ؛ غير مهتم بـ ؛ غافلٌ عن

incurrence [ĭn kûr'əns] *(n.)* تعريض ؛ تعرّض ؛ استهداف الخ .

incurrent [ĭn kûr'-] *(adj.)* داخليّ الوِجهة : متيحٌ لتيار ما أن يتدفق إلى الداخل (an ~ pore on a sponge) .

incursion [ĭn·kûr'zhən; -shən] *(n.)* غزوة ؛ غارة .

incursive [ĭn kûr'sĭv] *(adj.)* غازٍ ؛ مغير ؛ عدواني .

incurvate [*v.* ĭn kûr'vāt; *adj.* -'vĭt] *(vt.; adj.)* (١) يلوي (إلى الداخل) §(٢) مَلْويّ (إلى الداخل) .

incurve [*v.* ĭn kûrv'; *n.* ĭn'kûrv'] *(vt.; i.; n.)* (١) يلوي (إلى الداخل) ×(٢) يلتوي (إلى الداخل) §(٣) التواء الخ.

incus [ĭng'kəs] *(n.)* عَظْمُ السِّندان (في الأذن) .

ind- or indi- or indo- بادئة معناها : «أ» نيلة. «ب» شبيه بالنيلة .

Ind- or Indo- بادئة معناها : «أ» الهند . «ب» هندي أوروبي .

indaba [ĭn dä'bä] *(n.)* حديث؛ مشاورة (عند أهل جنوب افريقية) .

indamine [ĭn'də mēn'; -mĭn] *(n.)* الإندمين (ك) .

indebted [ĭn dĕt'ĭd] *(adj.)* مَدِين (بمال أو فَضْل) .

indebtedness [ĭn dĕt'ĭd nĭs] *(n.)* (١) المدينية ؛ المديونية : كونُ المرء مَدِيناً (٢) دَيْن .

indecency [ĭn dē'sən sĭ] *(n.)* (١) «أ» قلّة احتشام أو لياقة . «ب» بذاءة (٢)«أ» عمل غير محتشم أو لائق. «ب» كلمة بذيئة .

indecent [ĭn dē'sənt] *(adj.)* غير محتشم : «أ» غير لائق. «ب» بذيء .

indecipherable [ĭn'dĭ sī'fər ə bəl] *(adj.)* مُطَلْسَم : متعذّر فكّ مغالقه أو حل رموزه .

indecision [ĭn'dĭ sĭzh'ən] *(n.)* حيرة ؛ تردّد .

indecisive [ĭn'dĭ sī'sĭv] *(adj.)* (١) غير حاسم (٢) متردّد . (٣) غامض ؛ غير محدّد بوضوح (~ boundaries) .

indeclinable [ĭn'dĭ klī'nə bəl] *(adj.)* جامد ؛ غير متصرِّف (ل) .

indecomposable [ĭn'dē kəm pō'zə-] *(adj.)* لا ينحلّ (إلى عناصر أساسية) .

indecorous [ĭn dĕk'ə-] *(adj.)* غير محتشم أو لائق أو مهذّب .

indecorum [ĭn'dĭ kōr'əm] *(n.)* (١) شيء غير محتشم أو لائق . (٢) قلة احتشام أو لياقة .

indeed [ĭn dēd'] *(interj.; adv.)* (١)«أ» صحيح ؟ . «ب» غريب ! «ج» عجباً ! §(٢) حقاً ؛ في الواقع ؛ بالفعل .

indefatigable [ĭn'dĭ făt'-] *(adj.)* لا يتعب ؛ لا يعرف التعب .

indefeasible [ĭn'dĭ fē'zə bəl] *(adj.)* غير قابل للالغاء أو الابطال .

indefectible [ĭn'dĭ fĕk'tə bəl] *(adj.)* (١) باقٍ ؛ دائم ؛ سرمديّ (~ friendship) (٢) خِلْوٌ من الشوائب أو النقائص (~ wisdom) .

indefensible [-'sə bəl] *(adj.)* متعذِّر تبريره أو الدفاع عنه .

indefinable [ĭn dĭ fī'nə bəl] *(adj.)* متعذّر تعريفُه أو تحديده .

indefinite [-dĕf'-] *(adj.)* (١) تنكيريّ (~ article) (٢) غامض ؛ غير دقيق ؛ غير محدّد (٣) غير محدود .

indehiscent [ĭn'dĭ hĭs'ənt] *(adj.)* مُطْبَق : غير منفتح عند النضج (~ fruits) .

indelible [ĭn dĕl'ə bəl] *(adj.)* (١) متعذّر محوه أو إزالته (an ~ impression) (٢) مُثْبِت علامات لا تُمحى أو تزال بسهولة (an ~ pencil) .

indelicacy [ĭn dĕl'ə kə sĭ] *(n.)* (١)«أ» قلة احتشام. «ب» فظاظة . (٢) شيء فظّ أو غير محتشم .

indelicate [ĭn dĕl'ə kĭt] *(adj.)* (١) غير محتشم (٢) «أ» فظّ ؛ خشِن . «ب» غير مراعٍ لشعور الآخرين .

indemnification [ĭn dĕm'nə fə kā'-] *(n.)* (١) تأمين (ضد خطر أو خسارة) (٢) تعويض (عن ضرر الخ.) (٣) التعويض المدفوع .

indemnify [ĭn dĕm'nə fī'] *(vt.)* (١) يؤمّن (ضدّ خطر أو خسارة) (٢) يعوِّض (عن ضرر أو خسارة) .

indemnity [ĭn dĕm'nə tĭ] *(n.)* (١) «أ» وقاية أو أمان (من الأذى أو الخسارة أو الضرر) . «ب» عفو (عن جرائم) (٢)«أ» تأمين ضد خطر أو خسارة. «ب» تعويض عن ضرر.

indemonstrable [ĭn'dĭ mŏn'strə bəl] *(adj.)* متعذّرٌ إثباته أو إقامة الدليل عليه .

indent [*v.* ĭn dĕnt'; *n.* ĭn'dĕnt] *(vt.; i.; n.)* (١)«أ» يمزق طرف وثيقة (ذات نسختين أو أكثر) ابتغاءَ التثبّت والاستيثاق عند المقابلة. «ب» يحرر نسختين متماثلتين (أو أكثر) من اتفاقية أو نحوها (٢) يفرض ؛ يفُلّ ؛ يسنّن (٣) يستخدم (غلاماً ممهَّناً أو صانعاً متمرناً) بعقد رسمي لمدة معينة (٤) يكتب تاركاً بياضاً مشيراً إلى ابتداء الفقرة (٥) يطلب بضاعة (مُرسِلاً طلبَ شراء) (٦) يَبْعَج ×(٧) يتفرض ؛ يتثلّم ؛ يتسنّن ؛ ينبعج (٨) يقدِّم طلب شراء §(٩) «أ» وثيقة أو جزء من وثيقة مزّق طرفها ابتغاء التثبت والاستيثاق عند المقابلة. «ب» وثيقة رسمية ذات نسختين أو أكثر. «ج» عقدٌ لاستخدام غلام ممهَّن (١٠) «أ» طلب رسمي . «ب» طلب شراء (١١) indention (١٢) indentation .

indentation [ĭn'dĕn tā'shən] *(n.)* (١)«أ» ثُلْمة ؛ فَلّ . «ب» فجوة عميقة (في شاطىء) (٢)«أ» تثليم ؛ تسنين ؛ تضريس . «ب» تثلُّم ؛ تسنّن (٣) بَعْجة ، انبعاج (٤) فراغ يُترك في أول الفقرة .

indention [ĭn dĕn'shən] *(n.)* (١) «أ» تثليم ؛ تسنين ؛ تضريس. «ب» تثلّم ؛ تسنّن (٢) فراغ يُترك في أول الفقرة.

indenture [ĭn dĕn'chər] *(n.; vt.)* (١)«أ» وثيقة أو جزء من وثيقة مزّق طرفها ابتغاءَ التثبت والاستيثاق عند المقابلة . «ب» وثيقة رسمية ذات نسختين أو أكثر . «ج» عقد لاستخدام غلام ممهّن أو صانع متمرن (لأجَل معيّن) (٢)«أ» ثُلْمة ؛ فَلّ . «ب» فجوة عميقة في شاطىء (٣) بَعْجة ؛ انبعاج §(٤) يُلزِم (غلاماً ممهَّناً أو صانعاً متمرّناً) بعقد رسمي لمدة معينة .

independence [ĭn'dĭ pĕn'dəns] *(n.)* استقلال ؛ حريّة .

independency [-'dən sĭ] *(n.)* (١) استقلال (٢) دولة مستقلة .

independent [-dĭ pĕn'dənt] *(adj.; n.)* (١) مستقلّ : «أ» متمتع بالحكم الذاتي. «ب» حرّ ؛ مستقل في رأيه أو سلوكه. «ج» غير حزبي : غير منضوٍ تحت راية حزب. «د» غير معتمد في معاشه على أبويه. «ه» ميال إلى الحرية واطّراح القيود §(٢) الاستقلالي : أحد أنصار الحركة الدينيّة الانكليكانيّة الداعية إلى الاستقلال الكنسيّ (٣) شخص مستقلّ ، وبخاصة : شخص غير حزبي . —**independently** *(adv.)*

indescribable [ĭn dĭ skrī'bə bəl] *(adj.)* (١) لا يمكن وصفه (an ~ feeling) (٢) يفوق الوصف (~ horror) .

indestructible [-'tə bəl] *(adj.)* غير قابل للتخريب أو الإتلاف .

indeterminable [-'mə nə bəl] *(adj.)* (١) متعذّر الجزمُ أو الفصلُ فيه (٢) متعذر تحديدُه أو تقريره .

indeterminate [-'mə nĭt] *(adj.)* (١) «أ» غير محدّد ؛ غامض. «ب» غير معروف سلفاً . «ج» غير نهائي ؛ غير مؤدٍّ إلى نتيجة معيّنة (٢) عنقوديّ ؛ عُرْجونيّ ؛ عِذْقيّ (نب) .

indeterminism [ĭn'dĭ tûr'mə nĭz'əm] *(n.)* مذهب اللاحتمية : مذهب فلسفي يقول بحرية الارادة والاختيار .

index [ĭn'dĕks] *(n.; vt.)* pl. **-dexes** ; **-dices** (١) فِهرِست (٢) مؤشِّر (٣) علامة ؛ دلالة (٤) *cap.* : قائمة بالكتب الممنوعة قراءتها على الكاثوليك من قِبل السلطات الكنسيّة (٥) أُسّ ؛ دليل (ر) . (٦) السبّابة: رمز ☛ لتوجيه النظر إلى صورة الخ. (طع) §(٧) يفهرس : «أ» يجعل للكتاب فهرساً. «ب» يُدْخل (كلمةً) في فِهرس.

ă at; ā date; â care; ä car; ĕ egg; ē me; ĭ in; ī bite; ŏ lot; ō bone; ô orphan; oi boil; ŏŏ good; ōō boot; ou out; ŭ under; ū unity; û urgent; th thing; *th* this; zh vision; ə = *a* in alone, *e* in system, *i* in easily, *o* in gallop, *u* in circus.

index finger *(n.)* السبّابة: الإصبع التي بين الابهام والوسطى .

index of refraction *(n.)* دليل أو مُعامل الانكسار (ض) .

indi- = ind-.

India [ĭn'dĭ ə] *(n.)* الهند ؛ بلاد الهند .

India ink *(n.)* الحبر الهندي: «أ» صبغ أسود يُستخدم في الرسم والكتابة . «ب» حبر يُصنع من هذا الصبغ .

Indiaman [ĭn'-] *(n.)* سفينة شراعية ضخمة (للتجارة مع الهند) .

Indian [ĭn'dĭ ən] *(n.; adj.)* (١) الهندي: أحد أبناء الهند أو جزائر الهند الشرقية (٢) الهندي الأميركي: أحد هنود أميركا الحمر (٣) إحدى لغات هنود أميركا §(٤) هندي .

Indian clubs

Indian club *(n.)* الهراوة الهندية: أداة خشبيّة قاروريّة الشكل يُتَرَيَّض بها.

Indian corn *(n.)* ذُرَة (نب) .

Indian file *(n.)* الرَّتَل الهندي أو الإفرادي: رَتَل مؤلف من أشخاص أحدُهم خلف الآخر .

Indian corn

Indian·giver *(n.)* المانح الهنديّ: مَن يعطي شيئاً ثم يستردّه (أو يتوقع أن ينال لقاءه شيئاً مكافئاً) .

Indian hemp *(n.)* (١) القِنَّب الكندي أو الأميركي (٢) القِنّب الهندي .

Indian meal *(n.)* دقيق الذُّرَة .

Indian pipe *(n.)* البيبة الهندية: نبات وحيد الزهرة شبيه ببيبة التبغ

Indian pipe

Indian pudding *(n.)* الحلوى الهندية: حلوى من دقيق الذرة .

Indian red *(n.)* الأحمر الهنديّ: «أ» تراب أحمر ضاربٌ إلى الصفرة يُتخذ منه صِبغ . «ب» لونٌ أو صِبغٌ أحمر ضاربٌ إلى الصفرة .

Indian summer *(n.)* الصيف الهندي: «أ» فترة تتميّز بدفء الجو أو اعتداله في أواخر الخريف أو أوائل الشتاء . «ب» فترة هدوء أو سعادة أو ازدهار تقع قبيل انتهاء شيء ما (the ~ of czarist Russia)

India paper *(n.)* الورق الهندي: ورق رقيق للطباعة .

India rubber *(n.)* (١) المطّاط (٢) «أ» شيء مصنوع من مطاط . «ب» ممحاة .

Indic [ĭn'dĭk] *(adj.; n.)* (١) هندي: «أ» منسوب إلى الهند . «ب» متعلّق بالفرع الهنديّ من اللغات الهندية الأوروبية §(٢) اللغات الهندية: الفرع الهندي من اللغات الهندية الأوروبية.

indican [ĭn'də kən] *(n.)* الإنديكان (ك) .

indicant [ĭn'də kənt] *(n.)* المشير؛ الدالّ؛ المُظْهِر؛ المعبّر الخ.

indicate [ĭn'də kāt'] *(vt.)* (١) «أ» يشير إلى (to ~ a place on a map) «ب» يدلّ على (Her hesitation ~s unwillingness.) «ج» يُظْهِر؛ يبيّن (The thermometer ~s temperature.) «د» يوحي بضرورة شيء (Some illnesses ~ severe treatment.) (٢) يعبّر باختصار عن كذا (to ~ one's intentions).

indication [ĭn'də kā'shən] *(n.)* (١) تبيين؛ إظهار الخ. (٢) «أ» دلالة؛ إشارة؛ علامة . «ب» عَرَض (ط) . «ج» كل ما يُوحَى بأنّه ضروري أو مستصوب (In case of collapse the immediate ~ is artificial respiration.) (٣) الدرجة: الدرجة التي تشير إليها آلة مدرّجة (كميزان حرارة الخ) . (٤) *pl.*: دواعي الاستعمال (لدواء معيّن) .

indicative [-dĭk'ə-] *(n.; adj.)* (١) الصيغة الدلاليّة: صيغة تظهر العمل أو الحالة بوصفهما حقيقة موضوعية لا مجرد شيء في الذهن (٢) الفعل الدلاليّ: فعلٌ بالصيغة الدلاليّة (مثل *plays* في قولنا Dick *plays* football) §(٣) دلاليّ: متعلق بالصيغة الدلاليّة (the ~ mood) (٤) دالّ على (actions ~ of fear).

indicator [ĭn'-] *(n.)* (١) المؤشّر: «أ» عقرب الساعة. «ب» مقياس الضغط. «ج» أداة تشير أوتوماتيكياً إلى حالة آلة ما . «د» لوحة تسجّل حركة المِصعد الخ. (٢) الدليل: مادة تستعمل لإظهار حالة محلولٍ ما من طريق تغيّر اللون الخ. (ك) .

indices [ĭn'də zēz'] *pl. of* index.

indicia [ĭn dĭsh'ĭ ə] *(n. pl.)* sing. **-dicium** (١) دلائل؛ علامات (٢) الاشارات البريدية: إشارات تطبع على الطرود الضخمة بدلاً من الطوابع .

indict [ĭn dīt'] *(vt.)* (١) يتّهم (٢) يقاضي بتهمةٍ ما .

indictable [ĭn dī'tə bəl] *(adj.)* (١) عُرضةٌ للاتّهام والمقاضاة . (٢) مُعرِّض للاتّهام والمقاضاة (an ~ offense).

indiction [ĭn dĭk'shən] *(n.)* الخَمْسَعَشْرِيّة: وحدة زمنية مؤلّفة من ١٥ سنة كانت تُصْطَنَع، في الامبراطورية الرومانية وغيرها، لتأريخ الأحداث العادية .

indictment [ĭn dīt'mənt] *(n.)* (١) اتهام (٢) المُتَّهَميّة: كون المرء متّهماً بجريمة .

indifference [ĭn dĭf'ər əns] *(n.)* (١) لا تحيّز (٢) عدم أهمية (٣) لا مبالاة الخ .

indifferent [ĭn dĭf'ər ənt] *(adj.)* (١) غير متحيّز أو متغرِّض . (٢) غير هامّ؛ لا يقدّم ولا يؤخّر (٣) غير مبالٍ أو مكترث (٤) معتدل: غير متّسم بإفراط أو تفريط (٥) «أ» وسط: ليس بالجيد ولا بالرديء . «ب» ليس صواباً ولا خطأ (٦) حياديّ (٧) غير مُتخلّق: لم يتمّ تخلّقه (أح) .

indifferentism [ĭn dĭf'ər ən tĭz'əm] *(n.)* اللاتفرقية: الإيمان بأن جميع الأديان متساوية من حيث الصحة .

indigence [ĭn'də jəns] *(n.)* فقر؛ عوز .

indigene [ĭn'də jēn] *also* **indigen** [ĭn'də jən] *(n.)* حيوان أو نبات أهلي .

indigenous [ĭn dĭj'-] *(adj.)* (١) أهليّ؛ بلديّ (٢) فِطريّ؛ طبيعي .

indigent [ĭn'də jənt] *(adj.)* فقير؛ مُعْوِز .

indigested [ĭn'də jĕs'tĭd; -dī-] *(adj.)* (١) غير مهضوم . (٢) غير مُرَوّىً فيه (٣) غير مرتّب (٤) لا شكلَ له .

indigestible [ĭn'də jĕs'tə bəl'; -dī-] *(adj.)* عَسِر الهَضم .

indigestion [ĭn'də jĕs'chən; -dī-] *(n.)* (١) عُسْرُ الهَضم . (٢) سوء الهضم .

indigestive [ĭn'də jĕs'tĭv-] *(adj.)* مُصابٌ بعسر الهضم .

indignant [ĭn dĭg'nənt] *(adj.)* ساخط؛ ناقم .

indignation [ĭn'dĭg nā'shən] *(n.)* سُخْطٌ؛ نقمة .

indignity [ĭn dĭg'nə tĭ] *(n.)* (١) إهانة (٢) معاملة مهينة .

indigo [ĭn'də gō'] *(n.)* (١) النِّيلة: صِبغ أزرق (٢) اللون النيلي.

indigo plant *(n.)* شجرة النِّيلَة .

indigotin [ĭn dĭg'ə tĭn] *(n.)* النِّيلين: المادة الملوّنة في النِّيلة .

indirect [ĭn'də rĕkt'; -dī-] *(adj.)* (١) لا مباشر؛ غير مباشر .

(٢) مخادِع ؛ موارِب (٣) مداور ؛ مَرْوِيّ: ناصّ على ما قاله متكلمٌ أصليٌّ مع تغيير في الصياغة يجعل الكلام منسجماً ، من الوجهة اللغوية ، مع الجملة التي تتضمنه (discourse ~).

indirection [ĭn'də rĕk'shən] *(n.)* (١) مخادَعة ؛ موارَبة . (٢) عملٌ أو إجراءٌ غير مباشِر (٣) لاهدفية ؛ انعدام الهدف .

indirect lighting *(n.)* الاضاءة المداوِرة : إضاءة يكون فيها النور المنبعث من مصدر ما منعكساً انعكاساً انتشارياً (بواسطة السقف مثلاً) .

indirectly [-'lĭ] *(adv.)* مداورةً ؛ على نحو غير مباشر .

indirect object *(n.)* المفعول غير المباشر : المفعول الذي جرى الفعلُ لمصلحته (مثل *boy* في قولك She gave the *boy* a book).

indirect proof *(n.)* قياس الخُلْف : قياس أساسُه البرهنة على صحة المطلوب بإبطال نقيضه أو على فساد المطلوب بإثبات نقيضه (مق).

indirect tax *(n.)* الضريبة غير المباشرة .

indiscernible [ĭn'dĭ zûr'nə bəl] *(adj.)* متعذِّرٌ تمييزه ؛ غير مُدْرَك كشيء متميّز .

indiscipline [ĭn dĭs'-] *(n.)* اللاانضباط : عدم الخضوع للنظام .

indiscreet [ĭn'dĭs krēt'] *(adj.)* طائش ؛ أحمق ؛ غير حكيم .

indiscrete [ĭn'dĭs krēt'] *(adj.)* غير منفصل : غير مفصول إلى أجزاء متمايزة (an ~ mass of material).

indiscretion [ĭn dĭs krĕsh'ən] *(n.)* (١) طيش ؛ حماقة . (٢) عملٌ طائش أو أحمق .

indiscriminate [ĭn'dĭs krĭm'ə nĭt] *(adj.)* (١) غير مميز (~ viewing of television programs) (٢) غير مقيَّد ؛ غير شرعي أو غير مقصور على امرأة واحدة (~sexual intercourse) (٣) مختلِط ؛ مشوَّش (٤) غير متجانس .

indiscrimination [-ə nā'shən] *(n.)* اللاتمييز : عدم التمييز أو التفريق .

indispensable [ĭn'dĭs pĕn'sə bəl] *(adj.)* (١) لازب ؛ لا مفرّ منه (an ~duty) (٢) أساسيّ ؛ لا غنى عنه (~books in this field)

indispose [ĭn'dĭs pōz'] *(vt.)* (١) يجعله غير قابل أو صالح لـ . (٢) يُنفِّر (٣) يُوَعِّك الصحةَ (ا.ق) .

indisposed [-pōzd'] *(adj.)* (١) متوعّك ؛ منحرف الصحة (٢) نافرٌ من .

indisposition [-pə zĭsh'ən] *(n.)* (١) نُفُور (٢) توعّك ؛ انحراف الصحّة .

indisputable [ĭn dĭs pū'-] *(adj.)* لا يقبل الجدل (~facts) .

indissoluble [ĭn'dĭ sŏl'yə bəl] *(adj.)* (١) سرمديّ ؛ لا فِكاكَ منه (~vows) (٢) غير قابل للذوبان أو الانحلال (~ in water).

indistinct [ĭn'dĭs tĭngkt'] *(adj.)* (١) غير متميّز أو واضح (~ in the fog) (٢) باهِت (~light of a lantern) (٣) غامض .

indistinctive [-tĭngk'tĭv] *(adj.)* (١) عديم الخصائص المميزة . (٢) غير مميز

indistinguishable [-'gwĭsh ə bəl] *(adj.)* متعذّرٌ تمييزه ، مثل : «أ» غير محدَّد الشكل أو البِنْيَة . «ب» غامض «ج» تعوزه الخصائص المميزة .

indite [ĭn dīt'] *(vt.)* (١) ينظِم (to ~a poem) (٢) يُفْرِغ في قالب كتابي أو رسمي .

indium [ĭn'dĭ əm] *(n.)* الإنديوم : عنصر فلزّي نادر (ك) .

individual [ĭn'də vĭj'o͞o əl] *(adj.; n.)* (١) «أ» فرديّ ؛ شخصيّ ؛ خاصّ (~ traits) (٢) إفراديّ : معَدٌّ لشخص واحد (She served the pudding in ~portions.) (٣) مستقلّ ؛ قائم بذاته (٤) فذّ ؛ ذو شخصية متميّزة § (٥) فرد ؛ شخص

individualism [-'o͞o ə lĭz'əm] *(n.)* (١) الفردانية : «أ» مذهب يقول بأن مصالح الفرد هي أو يجب أن تكون ، أخلاقياً ، فوق كل اعتبار ؛ أيضاً : سلوكٌ يسترشد بهذا المذهب . «ب» القول بأن جميع القيَم والحقوق والواجبات تنبثق من الأفراد . «ج» نظرية تنادي بأن المبادرة والمصالح الفردية يجب أن لا تُخضع لسيطرة الحكومة أو المجتمع أو رقابتهما (٢) «أ» الشخصية الفردية . «ب» مزاج فردي .

individualist [-'o͞o əl ĭst] *(n.)* الفردانيّ : «أ» من ينهج في الفكر أو العمل نهجاً مستقلاً إلى حدٍّ بارز . «ب» الداعي إلى الفردانية أو ممارسُها .

individuality [-o͞o ăl'ə tĭ] *(n.)* (١) الشخصية الفردية (٢) شخصية .

individualize [-'o͞o ə līz'] *(vt.)* (١) يميِّز ؛ يضفي عليه صِفة فردية مميزة (٢) يخصِّص : يذكر أو يعيِّن أو يعالج بتخصيص وتفصيل (٣) يكيِّف وفقاً لحاجات فردٍ معيّن أو ظروفه الخاصة .

individually [-'o͞o ə lĭ] *(adv.)* على انفراد . كل بمفرده .

individuate [-'o͞o āt'] *(vt.)* (١) يشخِّص ؛ يميّز : يجعل له شخصيةً مميزة (٢) يُفرِّد : يعطيه شكلاً فردياً .

individuation [-o͞o ā'shən] *(n.)* (١) التشخيص : إضفاء شخصية مميزة على كذا (٢) التشخّص : العملية التي بها يطوِّر الفرد شخصيته الخاصة (٣) الوجود الشخصيّ أو الفرديّ .

indivisible [ĭn'də vĭz'ə bəl] *(adj.; n.)* (١) لا يتجزّأ ؛ غير قابل للانقسام (Reality is one and ~.) § (٢) كلٌّ لا يتجزأ .

Indo- = **Ind-**.

Indo-Aryan *(adj.; n.)* (١) هنديّ آريّ ؛ هندو آري : متعلق بالهندوآريين أو بلغات الهند الآرية § (٢) الهنديّ الآريّ : أحد أفراد شعوب الهند ذات اللسان والدَّم الآريَّين (٣) أحد الغزاة الهندو أوروبيين القُدامَى الذين اجتاحوا فارس وافغانستان والهند (٤) لغات الهند وباكستان الهندو أوروبية كمجموعة .

Indo-Chinese *(adj.; n.)* (١) هنديّ صينيّ ؛ هندو صينيّ ؛ منسوب إلى الهند الصينية § (٢) اللغات الصينيّة التيبيتيّة .

indocile [ĭn dŏs'ĭl] *(adj.)* (١) مستعصٍ على التعلم والانقياد . (٢) صعبُ المِراس .

indoctrinate [ĭn dŏk'trĭ nāt'] *(vt.)* (١) يعلّم (وبخاصة مبادىء المعرفة أو مبادىء فرع من المعرفة) (٢) يلقِّن : يُشْرِب شخصاً فكرةً (أو مبدءاً أو وجهة نظر) حزبيةً عادةً .

—**indoctrination** *(n.)* —**indoctrinator** *(n.)*

Indo-European *(adj.; n.)* (١) هندي أوروبي : متعلق باللغات الهندية الأوروبيّة § (٢) أسرة اللّغات الهنديّة الأوروبيّة (٣) الهندي الأوروبيّ : شخص من الأعراق الناطقة باللغات الهندية الأوروبيّة .

Indo-European languages *(n. pl.)* اللغات الهندية الأوروبيّة : أسرة من اللغات تنتظم اللغات المحكيّة في معظم أوروبة ، وفي الأجزاء التي استعمرها الأوروبيون من العالم منذ عام ١٥٠٠م. وفي إيران وشبه القارّة الهندية وأجزاء أخرى من آسية .

Indo-Germanic *(adj.; n.)* = **Indo-European**.

Indo-Hittite *(n.)* (١) اللغات الهِندية الحِثيّة : أسرة من اللغات تشمل اللغات الهندية الأوروبية والأناضولية (٢) الهِندية الحِثّية : لغةٌ أمّ افتراضية نشأت عنها اللغات الهندية الأوروبية والأناضوليّة .

Indo-Iranian *(n.; adj.)* (١) الهندية الإيرانية : إحدى المجموعات الرئيسية ضمن أسرة اللغات الهندية الأوروبية ، وتشمل الفارسية

ă at; ā date; â care; ä car; ĕ egg; ē me; ĭ in; ī bite; ŏ lot; ō bone; ô orphan; oi boil o͝o good; o͞o boot; ou out; ŭ under; ū unity; û urgent; th thing; t͟h this; zh vision; ə = *a* in alone, *e* in system, *i* in easily, *o* in gallop, *u* in circus.

ولغات الهند الهندية الأوروبية §(٢) هنديّ إيرانيّ .

indole [ĭn'dōl] *(n.)* الإندول : مركّب متبلّر (ك) .

indolence[ĭn'də ləns] *(n.)* (١)لا إيلام؛لا إيجاع (٢)تراخٍ ؛ كسل .

indolent [ĭn'də lənt] *(adj.)* (١) «أ» غير مؤلم ؛ غير مُوْجِع (an ~ tumor) . «ب» بطيء النموّ (an ~ disease). «ج»بطيء الشفاء (an ~ ulcer) (٢)«أ»متراخٍ ؛ كسلان (an ~ writer) . «ب» مُكسِل : مُفْضٍ إلى الكسل أو مشجّع عليه (~heat of the afternoon) . «ج» دالّ على الكسل (~ sighs) .

indomitable [ĭn dŏm'ə tə bəl] *(adj.)* لا يُقْهَر ، لا يُغْلَب .

Indonesian [ĭn'dō nē'shən; -zhən] *(n.; adj.)* (١) الماليزيّ : أحد أبناء ماليزيا (٢) الاندونيسي : أحد أبناء جمهورية اندونيسيا (٣) اللغة الاندونيسية §(٤) ماليزي (٥) اندونيسي .

indoor [ĭn'dōr'] *(adj.)* داخليّ : حادثٌ أو مستعمل في بيت أو مبنى لا خارج الجدران أو في الهواء الطلق (~ games) .

indoors[ĭn'dōrz'] *(adv.)* (١)في البيت أو المبنى (to stay ~) . (٢) إلى البيت أو المبنى (to go ~).

indophenol[- dō fē'nōl] *(n.)* الإندوفينول : صِبغ أزرق أو أخضر .

indorse [ĭn dôrs'] *(vt.)* = endorse.

indoxyl [ĭn dŏk'sĭl] *(n.)* الإندوكسيل : مركّب متبلّر يكون في النباتات والحيوانات (ك) .

indraft; indraught [ĭn'drăft'] *(n.)* (١) جَذْبٌ نحو الداخل . (٢) تيّار (هوائي أو مائي) مندفع نحو الداخل .

indrawn [ĭn'drôn'] *(adj.)* (١) مجذوب نحو الداخل (٢)متحفظ .

indubitable [ĭn dū'-] *(adj.)* ثابت : لا سبيل إلى الشكّ فيه .

induce [ĭn dūs'] *(vt.)* (١) يُقْنِع ؛ يغري ؛ يستميل (٢)يُحدِث ؛ يسبب (Opium ~s sleep.) (٣) يَحُثُّ ؛ يستحثّ (كب) (٤) يستقري : يتتبّع الجزئيات ليتوصل منها إلى حكمٍ كلّيّ .

induced charge *(n.)* الشّحنة المُسْتَحَثّة (كب) .

induced current *(n.)* التيار المُستَحَثّ (كب) .

induced magnetism *(n.)* المغنطيسية الحَثّية .

inducement [ĭn dūs'mənt] *(n.)* (١) إقناع ؛ إغراء (٢) دافع ؛ باعث (٣)مقدمة تُساق شرحاً للحجج الرئيسية في دعوى أو دفاع .

induct [ĭn dŭkt'] *(vt.)* (١) ينصب : يقلّده منصباً . (٢)«أ» يُدْخِلُه عضواً في . «ب» يعلّم (مبادىء علم أو عقيدة). «ج» يجنّد : يُدْخِل في الخِدمة العسكرية (٣) يقود ؛ يُفضي .

inductance [ĭn dŭk'təns] *(n.)* (١)المُحاثّة ؛ مُعامِل الحثّ (كب) (٢) ملفّ مُحاثّة (كب) .

inductile [ĭn dŭk'tĭl] *(adj.)* (١) غير قابل للسّحب أو الترقيق (صفة لبعض المعادن) (٢) صعب المراس أو الانقياد .

induction [ĭn dŭk'shən] *(n.)* (١)«أ» تنصيب ؛ تقليدٌ لمنصب . «ب» تجنيد : اخضاع المواطن المدني للخدمة العسكرية (٢) الاستقراء : تتبّع الجزئيات للتوصّل منها إلى حكم كلي ، أو نتيجةُ هذه العملية (٣) مقدّمة أو مشهد استهلالي (وبخاصة في المسرحيات الانكليزية القديمة) (٤) إحداث (~ of the hypnotic state) (٥) الحَثّ ، التأثير : العملية التي بها يستطيع جسم ذو خصائص كهربائيّة أو مغنطيسية أن يُحْدِث خصائص مماثلة في جسم مجاور من غير اتصال مباشر بينهما («كب» و«مغ») (٦) التخليق : مجموعة العمليات التي يتقرر بها مصير الخلايا الجنينية والتي يَحدُث التخلق البِنْيَـوي بواسطتها (أح).

induction coil *(n.)* ملفّ حَثّ أو مُحاثّة (كب) .

induction heating *(n.)* إحماء التسخين بالتيارات الحَثّيّة : المادة بواسطة تيار كهربائيّ يُجْرَى خلالها أو خلال وعائها بالحثّ الكهرطيسي .

inductive [ĭn dŭk'tĭv] *(adj.)* (١) مُغْرٍ ؛ مُغْوٍ ؛ مؤثّر . (٢) استقرائيّ (٣) حَثّيّ ؛ حاثّ (كب) (٤)افتتاحي ؛ استهلاليّ (٥) تخليقيّ : مُحدِثٌ للتخليق الجنيني (را . induction 6).

inductor [ĭn dŭk'tər] *(n.)* (١) المنصِّب : المقلّد منْصِباً . (٢) المِحثّ : أداة غرضها الأساسي إحداث التأثير الكهرطيسي في دارة كهربائيّة (٣) المخلِّقة : مادة قادرة على إحداث التخليق الجنيني (را . induction 6).

indue [ĭn dū'] *(vt.)* = endue.

indulge [ĭn dŭlj'] *(vt.; i.)* (١) يُطلِق العِنان لـ (٢) ينغمس في . (٣)«أ» يدلّل (to ~ a child) . «ب» يتساهل مع ×(٤) يشبع رغباتِه (بإطلاق العِنان لها) .

indulgence [ĭn dŭl'jəns] *(n.)* (١) غفران (تمنحه الكنيسة الكاثوليكية) (٢) «أ» تدليل . «ب» تساهل (٣) مهلة (تمنح لدفع دَيْن الخ.) (٤) «أ» انغماس في . «ب» الشيء المنغمَس فيه . «ج» الانغماس الذاتي : إطلاق المرء العِنانَ لأهوائه ورغباتِه وشهواتِه .

indulgent [-'jənt] *(adj.)* متساهل؛متسامح (~ parents) .

induline [ĭn'dyə lēn'] *(n.)* الإندولين : صِبْغٌ أزرق أو بنفسجي .

indult [ĭn dŭlt'] *(n.)* الرّخصة الكنسية : امتياز موقّت أو شخصي تمنحه الكنيسة الكاثوليكية ؛ « تحليلة » .

induplicate [ĭn dū'plə kĭt] *(adj.)* (١) مثنيّ الحوافي (نب) . (٢) ملففّ الحوافي (نب) .

indurate[*adj.* ĭn'dyŏŏ rĭt; *v.* -rāt] *(adj.; vt.; i.)* (١)قاسٍ أو مُقَسّىً §(٢) يُقَسّي العاطفةَ ، يجعله عنيداً (٣) يمرس ؛ يُعوِّد (٤) «أ» يقسّي . «ب» يزيد العناصر الليفية في (~*d* tissue) (٥) يرسخ ؛ يثبت ×(٦) يقسو (٧) يترسّخ ؛ يقوى.

indusium [ĭn dū'zĭ əm] *(n.)* pl. **-sia** (١) القميص : غشاء يكتنف الضامّات (را. sorus) في السراخس (نب) (٢) طبقة مُغلِّفة ؛ غشاء مغلِّف («ث» و«ح») .

industrial [ĭn dŭs'trĭ əl] *(adj.; n.)* (١) صناعي §(٢) عامل (في مصنع) (٣) شركة صناعية (٤).*pl.*: سندات صناعيّة الخ .

industrial arts *(n. pl.)* الفنون الصناعيّة : موضوع من موضوعات التعليم في مدرسة ابتدائية أو ثانوية يهدف إلى تنمية البراعة اليدوية عند الطلاب من طريق استخدام الأدوات والآلات .

industrialism [ĭn dŭs'trĭ ə lĭz'əm] *(n.)* الصناعيّة : تنظيم اقتصادي للمجتمع يعتمد في المقام الأول على الصناعة الآلية (لا على الزراعة أو التجارة أو الحرف اليدوية) .

industrialist [ĭn dŭs'trĭ əl ĭst] *(n.)* الصّناعي ؛ المنتج الصناعي ؛ صاحب المصنع .

industrialization *(n.)* (١)التصنيع (٢)التصنّع : كونُ البلد مصنّعاً .

industrialize [ĭn dŭs'trĭ ə līz] *(vt.; i.)* (١) يُصنِّع : يُدخل الصناعة إلى بلد ما على نطاقٍ واسع ×(٢) يتصنّع : يصبح (البلد) صناعياً .

industrial school *(n.)* المدرسة الصناعية .

industrious [ĭn dŭs'trĭ əs] *(adj.)* كادّ ؛ مُجِدّ ؛ كادح .

industry [ĭn'dəs trĭ] *(n.)* (١) كدّ ؛ مثابرة (٢) صناعة ؛ وبخاصة : صناعة تستخدم عدداً كبيراً من العمال ورساميل ضخمة (٣) الصناعة : النشاط الصناعيّ ككل .

indwell [ĭn'dwĕl'] *(vi.; t.)* يقيم أو يكمن في « بوصفه روحاً أو

قوّة محرّكة « (a creative power ~*ing* in the world).

indweller [ĭn'dwĕl-] *(n.)* (١) المقيم ؛ الساكن (٢) روح أو قوّة باطنية محرّكة .

-ine لاحقة معناها : «أ» منسوب إلى (Levant*ine*). «ب» مؤلف من ؛ شبيهٌ بـ (crystall*ine*). «ج» مادة كيميائيّة (chlor*ine*). «د» مركّب كربونيّ قاعديّ (quin*ine*).

inebriant[ĭn ē'brĭ-] *(adj.; n.)* (١)مُسْكِر §(٢)شراب مُسكر.

inebriate [*v.* ĭn ē'brĭ āt'; *adj., n.* ĭn ē'brĭ ĭt] *(vt. ;adj. ;n.)* (١) يُسْكِر (٢) يُبْهِج أو يخبّل أو يُذْهِل وكأنما بشراب مُسْكر §(٣)سكران(٤)سكّير §(٥)السكران ؛ وبخاصة : السكّير .

inebriated [ĭn ē'brĭ-] *(adj.)* سكران ؛ ثَمِل ؛ مخمور .

inebriety [ĭn'ĭ brī'ə tĭ] *(n.)* (١) سُكْر (٢) إدمان الشراب .

inedible [ĭn ĕd'ə bəl] *(adj.)* لا يُؤْكَل ؛ غير صالح للأكل .

inedited [ĭn ĕd'ĭt ĭd] *(adj.)* لم يُنشَر ؛ غير منشور أو مطبوع .

ineducable [ĭn ĕj'-]*(adj.)* متعذّرٌ تثقيفُه ؛ غير قابل للتعليم .

ineffable [ĭn ĕf'ə bəl] *(adj.)* (١) لا يوصف ؛ يفوق الوصف (~ anguish *or* joy) (٢) لا يُنْطَق به « لأنّه أقدَس من أن يُذكَر » (the ~ name).

ineffaceable [ĭn ĭ fā'sə bəl]*(adj.)* لا يُمْحَى ؛ متعذّرٌ محوُهُ (an ~ impression).

ineffective [ĭn ĭ fĕk'tĭv] *(adj.)* (١) باطل ؛ عقيم ؛ غير مُجْدٍ (~ efforts) (٢) عاجز ؛ غير كفوء (~ troops).

ineffectual[ĭn'ĭ fĕk'chōō əl]*(adj.)* (١)غيرفعّال أومؤثر أوناجع (an ~ remedy) (٢)عقيم ؛ غير مجدٍ (Our efforts were ~.).

inefficacious [ĭn'ĕf ə kā'shəs] *(adj.)* غير فعّال : عاجز عن إحداث الأثر المطلوب (The precaution is quite ~.).

inefficacy [ĭn ĕf'ə kə sĭ] *(n.)* اللافعاليّة : العجز عن إحداث الأثر المطلوب (~ of laws in preventing crime).

inefficiency [ĭn ĭ fĭsh'ən-] *(n.)* (١) لافعاليّة (٢) لاكفاءة .

inefficient [ĭn'ĭ fĭsh'ənt]*(adj.)* (١)غير فعّال : عاجز عن إحداث الأثر المطلوب(~measures) (٢) غير كفوء(an ~ workman).

inelastic [ĭn'ĭ lăs'-] *(adj.)* (١) غير مرِن (٢) عنيد ؛ غير مذعن.

inelegance [ĭn ĕl'ə-] *(n.)* لا أناقة ؛ لا انصقال ؛ لا رقّة .

inelegant [-'ə gənt] *(adj.)* غير أنيق أو مصقول أو رقيق .

ineligible[ĭn ĕl'ĭ jə bəl]*(adj.; n.)* (١) غير مؤهّل لأن يُختار لمنصب (٢)غير جدير بأن يُختار أو يُفضَّل §(٣)شخص غير جدير بأن يُختار خطيباً أو زوجاً أو عضواً في فريق رياضي الخ .

ineluctable [ĭn'ĭ lŭk'tə bəl] *(adj.)* متعذّرٌ اجتنابُهُ أو تغييره أو مقاومته (~ facts of human existence).

ineludible [ĭn'ĭ lōō'də bəl] *(adj.)* لا مفرّ منه .

inenarrable [ĭn ĭ năr'-] *(adj.)*= indescribable.

inept [ĭn ĕpt'] *(adj.)* (١) غير ملائم ؛ في غير محلّه (٢) أحمق ؛ سخيف (~ remarks) (٣) غير كفوء أو بارع (an ~ farmer)

—**ineptly** *(adv.)* —**ineptness; ineptitude** *(n.)*

inequality [ĭn'ĭ kwŏl'ə tĭ] *(n.)* (١) تفاوت ؛ تباين ؛ لا تساوٍ. مثل «أ» عدم استواء (في سطح شيء). «ب» تفاوت اجتماعي. «ج» ظلم ؛ تحيّز. «د» لا تكافؤ في التوزيع أو الفُرَص. «هـ» تقلّب (في الأحوال الجويّة الخ.). «و» عدم أهلية أو صلاحيّة لمنصب أو غرض (٢) المتباينة (ر) .

inequi- بادئة معناها : «أ»متفاوت ؛ غير متساوٍ. «ب» على نحوٍ متفاوت.

inequitable [ĭn ĕk'wə-] *(adj.)* جائر ؛ ظالم ؛ غير مُنْصِف .

inequity [ĭn ĕk'wə tĭ] *(n.)* جَوْر ؛ ظلم ؛ لاإنصاف .

inequivalve *(adj.)* متفاوتِ المِصْراعَيْن (صفة لبعض الرّخويات).

ineradicable [ĭn'ĭ răd'ə kə bəl] *(adj.)* متعذّرٌ استئصالُه .

inerrancy [ĭn ĕr'-] *(n.)* العصمة : العِصْمَة من الخطأ .

inerrant [ĭn ĕr'ənt] *(adj.)* معصوم : معصوم من الخطأ .

inert [ĭn ûrt'] *(adj.)* (١) جامد ؛ غير مزوّد بالقدرة على الحركة ؛ ذو عطالة أو قصور ذاتي (Matter is ~.) (٢) غير فعّال : عاجز عن إحداث الأثر المطلوب (an ~ drug) (٣) هامد ؛ خامل : فاقد النشاط الكيميائي أو البيولوجي (٤) كسول .

inertia [ĭn ûr'shə] *(n.)* (١) العطالة ؛ القصور الذاتي (فز) . (٢) كَسَلٌ ؛ جمود .

—**inertial** *(adj.)*

inescapable [ĭn'ĕs kā'pə bəl] *(adj.)* لا مفرّ منه .

inessential [ĭn'ĭ sĕn'shəl]*(adj.; n.)* (١)غير ذي جوهر أو كينونة (٢) غير جوهري §(٣) شيء غير جوهري .

inestimable[ĭn ĕs'tə mə bəl]*(adj.)* (١)متعذّرٌ تقديره أو إحصاؤه (٢) نفيسٌ جداً ؛ لا يُثَمَّن .

inevitable [ĭn ĕv'ə tə bəl] *(adj.)* محتوم ؛ متعذّرٌ اجتنابه .

inexact [ĭn'ĭg zăkt'] *(adj.)* (١) غير صحيح أو مضبوط (٢) غير دقيق .

—**inexactitude** *(n.)*

inexcusable [ĭn'ĭk skū'zə-] *(adj.)* متعذّرٌ اغتفارُهُ أو تبريره .

inexhaustible [ĭn'ĭg zôs'tə-]*(adj.)* (١) لا يَنْضَب أو يَنْفَد. (٢) لا يتعَب أو يكلّ .

—**inexhaustibility** *(n.)*

inexistent [ĭn'ĭg zĭs'-] *(adj.)* غير ذي وجود ؛ غير موجود .

inexorable [ĭn ĕk'sə rə bəl] *(adj.)* عنيد ؛ متصلّب ؛ متعذّرٌ إقناعُهُ أو استعطافه ؛ لا يرحم.

—**inexorability** *(n.)*

inexpedient[ĭn'ĭk spē'dĭ ənt] *(adj.)* (١) غير ملائم (٢) غير مستحسَن أو مستصوَب.

—**inexpedience; -diency** *(n.)*

inexpensive [ĭn ĭk spĕn'-] *(adj.)* رخيص ؛ معقول الثمَن .

inexperience[ĭn'ĭk spĭr'-] *(n.)* الغَرارة : قلة التجربة أو التمرّس.

inexperienced [ĭn'ĭk spĭr'ĭ ənst] *(adj.)* غِرّ ؛ قليل التجربة .

inexpert [ĭn'ĭk spûrt'] *(adj.)* غير خبير ؛ غير حاذق .

inexpiable [ĭn ĕk'spĭ ə bəl] *(adj.)* متعذّرٌ التكفير عنه ؛ لا يُغْتَفَر (an ~ crime; an ~ offense).

inexplainable[ĭn'ĭk splā'nə-]*(adj.)* متعذّرٌ تفسيرُهُ أو تعليلُه .

inexplicable [ĭn ĕks'plə kə bəl]*(adj.)* = inexplainable.

inexplicit [ĭn'ĭk splĭs'ĭt]*(adj.)* غير بيّن أو جلي أو صريح .

inexpressible [ĭn'ĭk sprĕs'ə bəl] = indescribable.

inexpressive [ĭn'ĭk sprĕs'ĭv]*(adj.)* غير معبّر ؛ خلوٌ من المعنى .

inexpugnable [ĭn'ĭk spŭg'nə bəl] *(adj.)* منيع ؛ حصين ؛ لا يؤخَذ عنوة (an ~ fort).

inextensible [ĭn'ĭk stĕn'sə bəl]*(adj.)* غير قابل للمدّ أو البَسْط .

in extenso [ĭn ĭk stĕn'sō] *(L.)* بإسهاب ؛ بتفصيل ؛ بغير اختصار أو إيجاز (The details of these observations will be reported ~ elsewhere.)

inextinguishable[ĭn'ĭk stĭng'-]*(adj.)* متعذّرٌ إطفاؤه أو إخماده

in extremis[ĭn ĭk strē'-]*(L.)* في النزع الأخير ؛ على عتبة الموت .

inextricable [ĭn ĕks'trə kə bəl]*(adj.)* (١) لا سبيل إلى الخلاص أو الخروج منه (an ~maze) (٢) «أ» لا يُفكّ أو يُحَلّ أو ينفصم (an ~ knot; ~ unity) . «ب» مُعقّد (~ designs) .

infallible [ĭn făl'ə bəl] *(adj.)* (١) معصوم ؛ لا يخطىء (~ marksmen) (٢) ناجع ؛ مؤكّد النجاح (an ~ remedy).

infamous [ĭn'fə məs] *(adj.)* (١) سيّءُ السمعة (an ~ city) · (٢) شائن ، مُورِثٌ أو جالبٌ لسوء السمعة (~ conduct) (٣) مُدان بجريمة شائنة (an ~ person) .

infamy [ĭn'fə mĭ] *(n.)* (١) عار ؛ شَنار ؛ سوء سمعة . (٢) سلوكٌ شرِّير أو لا أخلاقيّ (٣) عمل شائن (٤) الخِزْي : فقدان المرء اعتباره أو حقوقه المدنية نتيجةً لإدانته بجرم شائن .

infancy [ĭn'fən sĭ] *(n.)* (١) طفولة (٢) بداءة ؛ مستهَلّ ؛ المرحلة الأولى من نشوء شيء أو نموّه (٣) القصور ؛ سِنّ القصور (ما دون الحادية والعشرين من العمر) .

infant [ĭn'fənt] *(n.; adj.)* (١) طفل (٢) القاصر : شخص لم يبلغ الحادية والعشرين من العمر § (٣) طفليّ ؛ متعلق بالأطفال (٤) ناشىء : في مراحل النموّ الأولى (an ~ industry) (٥) مُعَدّ للأطفال .

infanta [ĭn făn'tə] *(Sp.)* ابنة ملك اسباني أو برتغالي .

infante [ĭn făn'tā] *(Sp.)* أيّ من أبناء ملك اسباني أو برتغاليّ باستثناء وليّ العهد .

infanticide [ĭn făn'tə sīd'] *(n.)* (١) قتل طفلٍ ما (٢) قاتل طفل .

infantile [ĭn'fən tīl; -tĭl] *(adj.)* (١) طفليّ ؛ طفوليّ (~ diseases) (٢) صبيانيّ (~ behavior) (٣) ناشىء : في مراحل نشوئه الأولى .

infantile paralysis *(n.)* شلل الأطفال .

infantilism [ĭn făn'tə lĭz əm] *(n.)* (١) الطَّفالة : الاحتفاظ بخصائص الطفولة الجسمانيّة أو العقلية أو العاطفية إلى ما بعد سنّ البلوغ . وبخاصة : القَصاعة ؛ إبطاء الشباب ؛ تأخّر البلوغ (٢) عمل صبيانيّ .

infantine [ĭn'fən tīn] *(adj.)* = infantile.

infantry [ĭn'fən trĭ] *(n.)* (١) المشاة ؛ جماعة جند المشاة . (٢) كتيبة مشاة .

infantryman [ĭn'fən trĭ-] *(n.)* جنديّ مشاة ؛ جندي من المشاة .

infarct [ĭn färkt']; **infarction** [-färk'-] *(n.)* احتشاء ؛ سُداد (ط) .

infare [ĭn'-] *(n.)* حفلة تقام على شرف عروسين .

infatuate [*v.* ĭn făch'o͝o āt'; *adj.* -ĭt, -āt] *(vt.; adj.)* (١) يخبّل (٢) يفتن ؛ يتيّم § (٣) مفتون ؛ متيّم .

infatuated [-'o͞o ā tĭd] *(adj.)* مفتون ؛ متيّم ؛ عميد .

infeasible [ĭn fē'zə bəl] *(adj.)* غير قابل للتطبيق ؛ متعذّر التنفيذ .

infect [ĭn fĕkt'] *(vt.)* (١) يلوّث (بالجراثيم أو البكتيريا) . (٢) «أ» يُعْدي (بمرض) . «ب» يصيب أو يغزو (الميكروب) شخصاً أو عضواً (٣) «أ» يُفْسِد (~ *ed* with greediness) . «ب» يُعدِي ، مجازياً (Her courage ~*ed* the others.) .

infection [ĭn fĕk'shən] *(n.)* (١) «أ» تلويث ؛ تلوّث . «ب» إفساد ؛ فساد ؛ خَمَج (٢) «أ» إعداء (بمرض) . «ب» عدوى (٣) «أ» إصابة . «ب» مرض مُعْدٍ (٤) ميكروب مُعْدٍ الخ . (٥) إعداء الآخرين مجازياً (بجعلهم يحذون حذو المرء في عواطفه أو صفاته من طريق الاحتكاك أو الاقتداء) .

infectious [ĭn fĕk'shəs] *(adj.)* (١) مُعْدٍ : «أ» مسبّب للعدوى . «ب» منتقل بالعدوى (٢) مُفْسِد ، ملوّث (٣) ممكنٌ بثّه أو نشرُه بسهولة .

infective [ĭn fĕk'tĭv] *(adj.)* = infectious.

infelicitous [ĭn'fə lĭs'ə təs] *(adj.)* (١) غير مناسب أو موفّق ؛ في غير محلّه (an ~ remark) (٢) فيه علة أو نقص (~ typesetting) .

infelicity [-'ə tĭ] *(n.)* (١) اللامناسبيّة : كون الشيء غير مناسب أو غير موفق (٢) ملاحظة غير موفقة ؛ شيء غير مناسب الخ .

infer [ĭn fûr'] *(vt.; i.)* (١) يستدلّ ؛ يستنتج (٢) يخمّن ؛ يحدس ؛ يحزر (ع) (٣) يُظهر ؛ يدلّ على (٤) يُلمع ؛ يلمّح إلى × (٥) يعْقِدُ استدلالات .

inference [ĭn'fər-] *(n.)* (١) الاستدلال ؛ الاستنتاج (مق) (٢) ما يُستدَلّ عليه أو يُستنتَج : استدلال ؛ استنتاج (made rash ~*s*) .

inferential [-rĕn'shəl] *(adj.)* استدلاليّ ؛ استنتاجي .

inferior [ĭn fĭr'ĭ ər] *(adj.; n.)* (١) أسفل ؛ سفليّ ؛ أدنى (~ rock strata) (٢) «أ» أدنى درجةً أو منزلة من (A major is ~ to a colonel.) · «ب» وضيع (a member of an ~ caste) (٣) رديء ؛ من نوع رديء (an ~ brand) (٤) «أ» دون ؛ أقلّ شأناً أو قيمة (considers himself ~ to his brother) «ب» ثانوي ؛ غير بارع (an ~ violinist) (٥) سفليّ : واقع تحت حرف أو رقم آخر § (٦) المرؤوس ؛ التابع ؛ شخص أدنى من غيره منزلةً أو مقاماً (was disdainful of his social ~*s*) (٧) حرف أو رقم سفليّ .
—**inferiority** *(n.)*

inferiority complex *(n.)* عقدة النقص ؛ مُركَّب الدّونية (نف) .

infernal [ĭn fûr'-] *(adj.)* (١) جهنّمي (٢) شيطانيّ (٣) لعين .

infernal machine *(n.)* الآلة الجهنّميّة : آلة مُعَدّة بطريقة شيطانيّة بحيث تنفجر وتقضي على الأنفس والممتلكات .

inferno [ĭn fûr'nō] *(It.)* الجحيم ؛ جهنّم .

infero- بادئة معناها : «أ» في الجهة السفلى . «ب» سُفليّ و ...

infertile [ĭn fûr'tĭl] *(adj.)* (١) مجدب ؛ ماحل (~ soil) (٢) غير مخصب (~ egg) .
—**infertility** *(n.)*

infest [ĭn fĕst'] *(vt.)* (١) يبتلي : يزعج أو يُقلق كثيراً بحضوره المتواصل أو بكثرة عدده (mountains ~ *ed* with robbers) (٢) يغزو باستمرار وبأعداد كبيرة (Fleas ~ dogs.) .

infidel [ĭn'fə dəl] *(n.; adj.)* (١) غير النصراني أو المقاوم للنصرانية . (٢) الكافر : غير المؤمن بالنسبة إلى دين معيّن (٣) الملحد ؛ المعطِّل (٤) الشكوكيّ : المنكر شيئاً معيّناً أو مقرّراً § (٥) غير نصراني ؛ مقاوم للنصرانية (٦) «أ» كافر ؛ ملحِد . «ب» كُفريّ .

infidelity [ĭn'fə dĕl'ə tĭ] *(n.)* (١) كفر ؛ إلحاد (٢) «أ» خيانة عهدٍ أو التزامٍ أخلاقي . «ب» خيانة زوجية .

infield [ĭn'fēld'] *(n.)* (١) حقل قرب بيت ريفيّ (٢) الميدان : رقعة الأرض المطوّقة بمضمار العَدْو أو السباق الخ .

infighting [ĭn'-] *(n.)* (١) ملاكمة تلاحميّة ؛ شجار تلاحميّ (يكون فيه كلٌّ من الفريقين المتنازعين على مقربة شديدة من الآخر) (٢) ملاكمة وحشية ؛ شجار وحشيّ .

infiltrate [ĭn fĭl'trāt] *(vt.; i.)* (١) يُرَشِّح (سائلاً من السوائل) . (٢) يُسلِّل (الجندَ فرداً فرداً أو بمجموعات صغيرة خلال ثغرات في خطوط العدوّ) × (٣) يترشح ؛ يتخلّل ؛ يتسرّب (٤) يتسلّل (جن) .

infiltration [ĭn'fĭl trā'-] *(n.)* (١) ترشيح ؛ تخليل ؛ تسريب . (٢) ارتشاح ؛ تخلّل ؛ تسرُّب (٣) الراشح ؛ الرَّشيح (٤) تسلّل (جن) .

infinite [ĭn'fə nĭt] *(adj.; n.)* (١) مطلق ؛ غير محدود (the ~ wisdom of God) (٢) لامتناهٍ ؛ لانهائي (وبخاصة في الرياضيات) (٣) «أ» ضخم إلى أبعد الحدود (a truth of ~ importance) «ب» لا ينضب ؛ لا ينفد § (٤) «أ» شيء غير محدود أو لا نهائي . «ب» لا نهاية (٥) عددٌ لا يُحصَى (an ~ of possibilities) .

infinitesimal [ĭn'fĭn ə tĕs'ə məl] *(adj.; n.)* (١) دقيق أو صغير الى أبعد الحدود (the ~ vessels of the nervous system) (٢) متناهي الصِّغَر ؛ لا نهائي (ر) § (٣) كمية متناهية الصِّغَر .

infinitival [ĭn fĭn ə tī'-] *(adj.)* مصدريّ : متعلق بالمصدر (ل) .

infinitive [ĭn fĭn'ə tĭv] *(n.; adj.)* (١) صيغة المصدر (ل). §(٢) مصدريّ.

infinitude [ĭn fĭn'ə tūd'] *(n.)* (١) اللاتناهي (٢) شيء لا متناهٍ. (٣) العدد اللامتناهي ؛ الكمية اللامتناهية (ر).

infinity [ĭn fĭn'ə tĭ] *(n.)* (١) «أ» اللاتناهي. «ب» اللامحدودية. (٢) العدد اللامتناهي ؛ الكمية اللامتناهية (٣) اللانهاية (ر).

infirm [ĭn fûrm'] *(adj.)* (١) عاجز ؛ واهن (وبخاصة بسبب الشيخوخة) (٢) متردّد ؛ غير حازم (٣) متقلقل ؛ غير مستقرّ.

infirmary [ĭn fûr'mə rĭ] *(n.)* المَشْفَى : حجرة أو بناية مخصصة للعناية بالمرضى أو المصابين بحادثٍ ما، وخاصّة في مدرسة أو مؤسسة أو ملجأ.

infirmity [ĭn fûr'mə tĭ] *(n.)* (١) عجز ؛ وَهَن ؛ ضَعف. (٢) مَرَض ؛ سقم (٣) نقيصة ؛ عيب (في الخُلق أو السلوك).

infix [*v.* ĭn fĭks'; *n.* ĭn'fĭks'] *(vt.; n.)* (١) يَغْرِز ؛ يُقحم ؛ يثبّت (~*ed* the fatal spear) (٢) يطبع أو يغرس في النفس أو الذهن (٣) يوسّط : يزيد حرفاً في وسط الكلمة §(٤) الواسطة : حرف مزيد في وسط كلمة.

inflame [ĭn flām'] *(vt.; i.)* (١) يُشْعِل ؛ يُضْرِم النار في. (٢) «أ» يُلهِب ؛ يثير. «ب» يؤجّج ؛ يُذْكي (٣) يَهيج ؛ يُغضِب (٤) يسبّب التهاباً (في نسيج من أنسجة الجسم) ×(٥) يشتعل (٦) يَهتاج ؛ يَغضَب (٧) يلتهب (النسيجُ الجسدي) ؛ يصاب بالتهاب.

inflammability [ĭn flăm ə bĭl'-] *(n.)* اللَّهوبية ؛ سرعة الالتهاب.

inflammable [ĭn flăm'ə bəl] *(adj.; n.)* (١) لَهُوب ؛ سريع الالتهاب (٢) سريع الاهتياج أو الغضب §(٣) مادة سريعة الالتهاب.

inflammation [ĭn'flə mā'shən] *(n.)* (١) «أ» إشعال ؛ تأجيج. «ب» اشتعال ؛ تأجّج (٢) التهاب (مض).

inflammatory [ĭn flăm'ə tōr'ĭ] *(adj.)* (١) مُلْهِب ؛ مثير. (٢) شَغَبيّ : مثير للفوضى أو العصيان (٣) التهابيّ (مض).

inflatable [ĭn flāt'-] *(adj.)* قابل للنفخ أو الازدهاء أو التضخيم.

inflate [ĭn flāt'] *(vt.; i.)* (١) ينفخ ؛ يملأ بالهواء (٢) يزدهيه ؛ يملأه ابتهاجاً أو غروراً (٣) يضخّم (إلى حدّ غير سويّ) ×(٤) «أ» ينتفخ. «ب» يزهو. «ج» يتضخّم.

inflated [ĭn flā'tĭd] *(adj.)* (١) منفوخ ؛ منتفخ (٢) طنّان ؛ مبالغ فيه (٣) مزهوّ ؛ مغرور (٤) مضخّم ؛ متضخّم.

inflation [ĭn flā'shən] *(n.)* (١) نفخ ؛ انتفاخ (٢) غرور ؛ ادّعاء فارغ (٣) «أ» التضخّم الماليّ : تضخّم في عملة بلد بسبب من إصدار النقد الورقيّ من غير غطاء ذهبي أو فضيّ. «ب» التضخّم : ارتفاع كبير في الأسعار ناشيء عن التضخم المالي.

—inflationary *(adj.)*

inflationism [ĭn flā'shə nĭz'əm] *(n.)* التضخّمية : سياسة التضخّم الاقتصادي.

inflationist [-'shən ĭst] *(n.)* المؤيّد للتضخّم الاقتصادي.

inflect [ĭn flĕkt'] *(vt.; i.)* (١) يَثْني ؛ يلوي ؛ يَعْطف (٢) يصرّف فعلاً (ل) (٣) يغيّر مقام أو درجة الصوت (مو) ×(٤) يتصرّف (الفعلُ).

inflection [ĭn flĕk'shən] *(n.)* (١) «أ» ثَنْي ؛ لَيّ ؛ عَطْف. «ب» انثناء ؛ التواء ؛ انعطاف (٢) تغيّر في مقام الصوت أو ارتفاعه (مو) (٣) «أ» تصريف (ل). «ب» بادئة أو لاحقة أو حرف من حروف الزيادة. «ج» علم الصَّرف.

inflectional [ĭn flĕk'shən əl] *(adj.)* تصريفيّ أو متميز بالتصريف (~ languages).

inflexed [ĭn flĕkst'] *(adj.)* مَلْويّ أو مَثْنِيّ أو منعطف إلى أدنى أو نحو الباطن (~ leaves).

inflexible [ĭn flĕk'sə bəl] *(adj.)* (١) صُلْب ؛ لا ينثني ؛ غير قابل للثّني (an ~ rod) (٢) عنيد (an ~ will) (٣) جامد : متعذّرٌ تغييرُه (The law is ~.).

inflexion [ĭn flĕk'shən] *(n.)* = inflection.

inflict [ĭn flĭkt'] *(vt.)* (١) «أ» يوجّه ؛ يسدد (ضربة). «ب» ينزِل به عقوبة الخ. (٢) يبتلي ؛ يصيب بـ.

infliction *(n.)* (١) توجيه ضربة ؛ إنزال العقوبة (٢) ضربة ؛ بلاء.

inflorescence [ĭn'flō rĕs'əns] *(n.)* (١) «أ» الازهرار : كيفيّة انتظام الزهرات على غصن أو ساق. «ب» ساق زهرية مع زهراتها. «ج» عنقود زهري، وأحياناً : زهرة مفردة (٢) الإزهار ؛ تفتّح الأزهار.

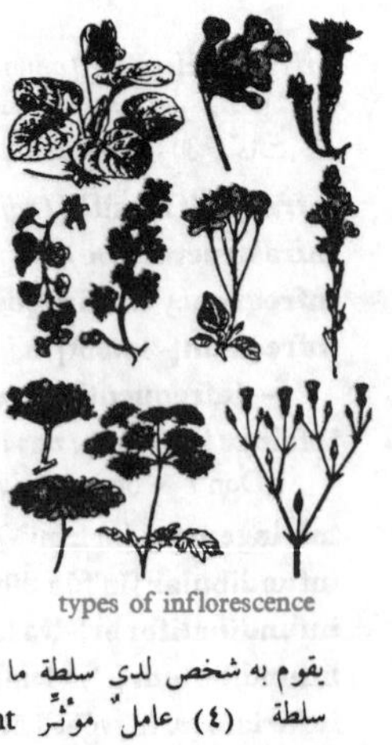

types of inflorescence

—inflorescent *(adj.)*

inflow [ĭn'flō'] *(n.)* = influx.

influence [ĭn'flōō əns] *(n.; vt.)* (١) «أ» سائل أثيريّ كان القدماء يعتقدون أنه يفيض من النجوم ويؤثّر في أفعال الناس وأقدارهم. «ب» فيض من قوة خفية زُعم أنها منبثقة من النجوم (٢) «أ» نفوذ ؛ تأثير. «ب» تدخّل غير مشروع يقوم به شخص لدى سلطة ما التماساً لكسب شخصي (٣) سطوة ؛ سلطة (٤) عامل مؤثّر (Heredity and environment are ~*s* on character.) (٥) شخص ذو نفوذ (٦) الحثّ ؛ التأثير (را. induction 5) §(٧) يؤثّر في.

influent [ĭn'flōō ənt] *(adj.; n.)* (١) متدفّق §(٢) رافد ؛ نُهَيْر.

influential [-ĕn'shəl] *(adj.)* (١) ذو سلطة أو نفوذ (٢) مؤثّر.

influenza [ĭn'flōō ĕn'zə] *(n.)* الانفلونزا ؛ النزلة الوافدة (مض).

influx [ĭn'flŭks'] *(n.)* (١) تدفّق ؛ دَفْق (٢) مصبّ النهر.

infold [ĭn fōld'] *(vt.; i.)* (١) enfold ×(٢) يلتفّ.

inform [ĭn fôrm'] *(vt.; i.)* (١) «أ» يعطيه شكلاً أو جوهراً. «ب» يكوّن. «ج» ينفخ فيه حياةً أو نشاطاً (٢) يُعلِم ؛ يخبر ×(٣) يشي بِ ؛ يبلّغ عن.

informal [ĭn fôr'-] *(adj.)* (١) غير رسمي (~ visit) (٢) عاميّ.

informant [-'mənt] *(n.)* (١) informer (٢) الراوية : مَن يقدّم معلومات لغوية للدراسة العلمية.

informa pauperis [ĭn fôr'ma pô'pĕ rĭs] *(L.)* مثل رَجل فقير ؛ وبالتالي : مُعفىً من رسوم المحاكمة لفقره.

informatics *(n.)* المعلوماتية ؛ علم المعلومات.

information [ĭn'fər mā'shən] *(n.)* (١) «أ» إعلام ؛ إخبار. «ب» عِلم ؛ إطّلاع. «ج» معرفة (٢) «أ» أخبار ؛ أنباء. «ب» حقائق ؛ معلومات (٣) اتهام رسمي (صادر عن النيابة العامة).

information media وسائل الإعلام (كالصحافة والاذاعة).

informative [ĭn fôr'mə-] *(adj.)* مثقِّف (~ books).

informer [ĭn fôr'mər] *(n.)* (١) المُعلِم ؛ المُخبِر. (٢) الواشي ؛ المبلِّغ ؛ وبخاصة : المبلِّغ المحترِف.

infra- بادئة معناها : تحت ؛ دون (*infra*red).

infract [ĭn fråkt'] *(vt.)* يخرق ؛ يخالف .

infraction [ĭn fråk'-] *(n.)* خَرْق أو مخالفة (لمعاهدة أو قانون) .

infra dig [ĭn'frə dĭg'] *(adj.)* حاطٌّ من قَدْر المرء (عب) .

infra dignitatem [dĭg'nə tā'təm] *(L.)* = infra dig.

infrahuman [ĭn frə hū'mən] *(adj.)* (١) دُونَبَشَرِيّ : دون مستوى البشر (attributes ~) (٢) مشابه للبَشَر .

infrangible [ĭn frăn'jə bəl] *(adj.)* (١) لا يُكْسَر أو يُجزَّأ . (٢) لا يُخْرَق أو يُنتهك .

infrared [ĭn'frə rĕd'] *(adj.; n.)* (١) دوأحمر ؛ دون الأحمر ؛ تحت الأحمر (فز) (٢) الأشعّة تحت الحمراء .

infrared rays *(n. pl.)* الأشعّة الدوحمراء : أشعة ما دون الأحمر ؛ الأشعة تحت الحمراء (فز) .

infrasonic [-sŏn'-] *(adj.)* دُونَسَمْعِيّ : «أ» ذو تردّد أدنى من مدى مسموعية الأذن البشرية . «ب» مصطَنِعٌ موجاتٍ أو تردّداتٍ أدنى من مدى السمع ، أو مُحْدِثٌ بهذه الموجات أو التردّدات .

infraspecific [-sĭf'-] *(adj.)* دُونَوْعِيّ : داخلٌ ضمن نوع من الأنواع .

infrastructure *(n.)* البنية التحتية ؛ الخفيضة .

infrequency *or* **infrequence** [ĭn frē'-] *(n.)* نُدْرة .

infrequent [-'kwənt] *(adj.)* (١) نادر (visits ~) (٢) غير نظاميّ ؛ غير مواظب (an ~ visitor) .
—**infrequently** *(adv.)*

infringe [ĭn frĭnj'] *(vt.; i.)* (١) يخرق ؛ يخالف (معاهدةً أو عقداً) × (٢) ينتهك حرمة كذا (Don't ~ on her privacy.) .

infringement [ĭn frĭnj'-] *(n.)* خَرْق ؛ مخالفة ؛ انتهاك ؛ تعَدٍّ .

infundibular [ĭn'fŭn dĭb'-] *(adj.)* قِمْعاني : قِمْعيّ الشكل .

infundibuliform [-'yə lə fôrm'] *(adj.)* = infundibular.

infundibulum [-'yə ləm] *(n.)* قِمْع ، قِمَع (ت) .

infuriate [*v.* ĭn fyŏŏr'ĭ āt'; *adj.* -'ĭ ĭt] *(vt.; adj.)* (١) يُغيظ ؛ يُحْنِق § (٢) مَغيظ ، مُحْنَق .

infuse [ĭn fūz'] *(vt.)* (١) يَصُبّ ؛ يسكب (٢) «أ» يُشْرِب ؛ يغرس في . «ب» ينفخ في (d fresh courage into soldiers~) (٣) يَنْقَع (من غير غَلْي ، لاستخراج الخواصّ المفيدة) .

infusibility [ĭn fū zə bĭl'-] *(n.)* اللاانصهارية : عُسْر الانصهار .

infusible [ĭn fū'zə bəl] *(adj.)* لا ينصهر ، صَعْب الانصهار .

infusion [ĭn fū'zhən] *(n.)* (١) صَبّ ؛ سكبٌ (٢) «أ» إشراب ؛ غرسٌ في . «ب» نفخٌ في (٣) نَقْع (بالماء غير المغليّ لاستخراج الخواص المفيدة) (٤) نقيع (٥) التشريب : إدخال سائل في الوريد (ط) .

infusoria [ĭn'fyŏŏ sōr'ĭ ə] *(n. pl.)* النُّقاعيات : حُيَيْوينات تكثر في نُقاعات المادّة العضوية (ح) .

infusorial [ĭn'fyŏŏ sōr'ĭ əl] *(adj.)* نُقاعيّ .

infusorian [-'ĭ ən] *(adj.; n.)* (١) نُقاعيّ § (٢) النُّقاعيّ : واحد النُّقاعيّات .

-ing لاحقة تستعمل لصياغة اسم الفاعل (going) .

-ing لاحقة معناها (١) عمل ؛ عملية (washing) . (٢) «أ» نتيجة عمل أو عملية (a painting) . «ب» شيء يستعمل في عمل أو عملية (the lining of a coat) (٣) عمل (أو عملية) له اتصال بشيء معيّن (iceboating) .

ingather [ĭn găth'ər] *(vt.; i.)* (١) يجمع ؛ يحصد × (٢) يجتمع .

ingeminate [ĭn jĕm'ə nāt'] *(vt.)* يكرر ؛ يعيد .

ingenious [ĭn jēn'yəs] *(adj.)* (١) مُبْدِع ؛ حاذق (an ~ mechanic) (٢) بارع : دال على براعة التركيب أو الاختراع (an ~ machine) .

ingenue *or* **ingénue** [ăn zhĕ ny'] *(F.)* فتاة ساذجة ؛ وبخاصة : ممثلة تؤدي دور فتاة ساذجة .

ingenuity [ĭn'jə nū'ə tĭ; -nŏŏ'-] *(n.)* (١) إبداع (٢) براعة (٣) أداة أو آلة بارعة .

ingenuous [ĭn jĕn'yŏŏ əs] *(adj.)* (١) صريح ؛ مخلص . (٢) ساذج ؛ بريء .

ingest [ĭn jĕst'] *(vt.)* (١) يتناول طعاماً (٢) يستوعب .

ingesta [ĭn jĕs'tə] *(n. pl.)* طعام ؛ غذاء .

ingle [ĭng'gəl] *(n.)* (١) لظى ؛ لهب (٢) مستوقَد ؛ مُصْطَلَى .

inglenook [-nŏŏk'] *(n.)* رُكْن المُصْطَلَى : زاوية قرب المستوقد .

inglorious [ĭn glōr'ĭ əs] *(adj.)* (١) مغمور ؛ غير مشهور (٢) مُخْزٍ ؛ شائن (flight ~) .

ingot [ĭng'gət] *(n.)* (١) قالب (لصب المعادن) (٢) الصُّبَّة : كتلة معدنيّة مصبوبة مُعَدَّة للتشكيل .

ingot iron *(n.)* حديد الصُّبَب : حديد مشتمل عادةً على أقل من عُشْر في المئة من الكربون وعلى نسب صغيرة مماثلة من المواد الدخيلة .

ingraft [ĭn grăft'; -gräft'] *(vt.)* = engraft.

ingrain [*v.* ĭn grān'; *adj., n.* ĭn'grān'] *(vt.; adj.; n.)* (١) يُشْرِب ، يغرس في النفس § (٢) مصنوع من خيوط صُبِغت قبل النسج (an ~ carpet) (٣) متأصل ؛ مغروس في النفس § (٤) شيء (كسجادة الخ .) مصنوع من خيوط صُبغت قبل النسج (٥) صفة متأصلة .

ingrained [-grānd'] *(adj.)* متأصل ؛ راسخ (habits ~) .

ingrate [ĭn'grāt] *(n.)* العاقّ : الجاحد للجميل أو الفضل .

ingratiate [ĭn grā'shĭ āt'] *(vt.)* يفوز بالحظوة عند فلان (بعد جهد يَبْذل في سبيل ذلك) .

ingratiating [-'shĭ āt ĭng] *(adj.)* (١) مُرْضٍ ؛ سارّ . (٢) متملِّق ؛ مداهِن .

ingratitude [ĭn grăt'ə tūd'; -tŏŏd'] *(n.)* العقوق ؛ الكُفْران : جُحود الجميل أو الفضل .

ingredient [ĭn grē'dĭ ənt] *(n.)* المقوِّم ؛ الجزء المقوِّم .

ingress [ĭn'grĕs] *(n.)* (١) دخول (٢) حقّ الدخول (٣) مَدْخل .

ingression [ĭn grĕsh'ən] *(n.)* دخول .

ingressive [ĭn grĕs'-] *(adj.)* = inchoative.

ingroup [ĭn'grŏŏp'] *(n.)* الجماعة التفضيلية : جماعة متماسكة تؤْثِر أعضاءها بمعاملة خاصة تنكرها على أعضاء الجماعات الأخرى .

ingrowing [ĭn'-] *(adj.)* نامٍ نحو الداخل أو في اللحم (nails ~) .

ingrown [-grōn'] *(adj.)* غارزٌ في اللحم (an ~ toenail) .

ingrowth [ĭn'grōth'] *(n.)* (١) نموّ نحو الداخل (وكأنما ليملأ فراغاً) (٢) النامية : شيء نامٍ في فراغ أو نَحْو فراغ .

inguinal [ĭng'gwə nəl] *(adj.)* أُرْبِيّ : ذو علاقة بالأُرْبيّة (أصل الفخذ) أو واقعٌ عندها .

ingulf [ĭn gŭlf'] *(vt.)* = engulf.

ingurgitate [ĭn gûr'jə tāt'] *(vt.)* يزدرد أو يبتلع بنَهَم .

inhabit [ĭn hăb'ĭt] *(vt.; i.)* يقطن ؛ يسكن ؛ يقيم في .

inhabitancy [ĭn hăb'ə tən sĭ] *(n.)* (١) سُكْنَى ؛ إقامة (٢) المأهوليّة : كون المكان مسكوناً أو مأهولاً .

inhabitant [ĭn hăb'ə tənt] *(n.)* الساكن ؛ القاطن ؛ المقيم في .

inhabitation [ĭn hăb'ĭ tā'shən] *(n.)* = inhabitancy.

inhabited [ĭn hăb'-] *(adj.)* مسكون ؛ مأهول ؛ آهل .

inhalant [ĭn hā'-] *(n.)* المُستَنشَق : علاج يُستَنشَق .

inhalation [ĭn'hə lā'shən] *(n.)* شهيق ؛ استنشاق .

inhalator [ĭn'hə lā'tər] *(n.)* المِنشاق : جهازٌ يُساعِد على استنشاق الهواء (في التنفس الصناعي) .

inhale [ĭn hāl'] *(vt.; i.)* (١) يَشهَق ؛ يستنشق الهواء . (٢) يدخّن (Do you ~ ?)×

inhaler [ĭn hā'lər] *(n.)* (١) المستنشِق؛ مَن يستنشق الهواء . (٢) المِنشاق : جهاز لاستنشاق البنج (٣) كأس (شرابٍ أسفلها عريض وأعلاها ضيّق) .

inharmonic [ĭn'här mŏn'ĭk] *(adj.)* (١) غير متآلف النغمات. (٢) متنافر .

inharmonious [ĭn'här mō'nĭ əs] *(adj.)* = inharmonic.

inharmony [ĭn här'-] *(n.)* تنافر ؛ لا تناغم ؛ لا انسجام .

inhaul [ĭn'hôl'] *(n.)* حبل الطيّ : حَبْل يُجَرّ به شراع المركب تمهيداً لطيّه (مل) .

inhere [ĭn hĭr'] *(vi.)* يلازم شيئاً (بوصفه جزءاً لا يتجزأ منه) .

inherence; inherency [ĭn hĭr'-] *(n.)* ملازمة ؛ تضمّن صُلْبيّ .

inherent [ĭn hĭr'-] *(adj.)* (١) ملازم ؛ متأصل ؛ صُلْبيّ : متضمَّن في صُلْب الشيء أو طبيعته الأساسيّة (Weight is an ~ property of matter.) (٢) فِطريّ (an ~ love of beauty).

inherit [ĭn hĕr'ĭt] *(vt.; i.)* يَرِث .

inheritable [ĭn hĕr'ə tə bəl] *(adj.)* يُوَرَّث : قابلٌ لأن يُوَرَّث.

inheritance [ĭn hĕr'ə təns] *(n.)* (١) وراثة (٢) إرث ؛ ميراث. (٣) منحة مشتركة من مِنَح الطبيعة .

inhibit [ĭn hĭb'ĭt] *(vt.)* (١) «أ» يمنع . «ب» يَنْهَى . (٢) «أ» يكبَح . «ب» يثبّط . «ج» يكبِت .

inhibition [ĭn'ĭ bĭsh'ən; ĭn'hĭ-] *(n.)* (١) مَنْع ؛ كَبْح ؛ كَبْت (٢) مانع ؛ كابح (٣) النَّهْي : إعاقة باطنية لحرية النشاط أو التعبير أو العمل مثل: «أ» نشاط نفسيّ كابح لنشاط آخر. «ب» كبح لعمل عضو من أعضاء الجسم أو انزيم من الانزيمات.

inhibitor *or* **inhibiter** [ĭn hĭb'ĭt ər] *(n.)* (١) المانع؛ الكابح الخ. (٢) الصادّ : عامل يبطّئ أو يعترض النشاط الكيميائي .

inhospitable [ĭn hŏs'pĭ tə -] *(adj.)* (١) غير مضياف (٢) قاسٍ؛ ماحل؛ لاضيافيّ : متّسم بصفات لا تساعد على العيش أو التماس المأوى (صفة لمناخ أو منطقة) . **—inhospitality** *(n.)*

inhuman [ĭn hū'mən] *(adj.)* (١) «أ» قاسٍ ؛ وحشي ؛ همجي؛ غير إنساني (an ~ tyrant). «ب» بارد؛ ميكانيكي (~ courtesy) (٢) غير جدير بالبشر أو ملائم لحاجاتهم (living in conditions that are ~) (٣) «أ» غير بشري (There is something ~ about them.) «ب» فَوْبَشَرِيّ ؛ فوق مستوى البشر أو الطاقة البشرية (some models of ~ perfection).

inhumane [ĭn'hū mān'] *(adj.)* غير إنساني ؛ قاسٍ ؛ وحشي .

inhumanity [ĭn'hū măn'ə tĭ] *(n.)* (١) وحشية ؛ بربرية . (٢) عمل وحشي أو بربري .

inhumation [ĭn'hū mā'shən] *(n.)* دَفْن ؛ لَحْد .

inhume [ĭn hūm'] *(vt.)* يَدْفِن ؛ يَلْحَد .

inimical [ĭn ĭm'ə kəl] *(adj.)* (١) «أ» مُعادٍ. «ب» غير وديّ. (٢) ضارّ بِـ ؛ غير ملائم لِـ (~to our interests).

inimitable [ĭn ĭm'ə tə bəl] *(adj.)* فذّ ؛ فريد ؛ لا يضاهَى.

iniquitous [ĭ nĭk'wə təs] *(adj.)* ظـالم ؛ جائر ؛ شرير .

iniquity [-'wə tĭ] *(n.)* (١) ظلم ؛ جَوْر ؛ شرّ (٢) إثم ؛ خطيئة .

initial [ĭ nĭsh'əl] *(adj.; n.; vt.)* (١) إبتـــدائي ؛ أوّلي . (٢) أوّل § (٣) الحرف الاستهلالي : «أ» الحرف الأول من كلمة أو اسم علَم. «ب» حرف كبير يُستَهَلّ به نص أو فصل أو فقرة (٤) البُداءة (مج): مجموعة من الخلايا يبدأ فيها تكوّن عضو النبات أو الحيوان § (٥) يوقّع بالحرف الأول من اسمه.

initiate [*v.* ĭ nĭsh'ĭ āt'; *adj., n.* -'ĭ ĭt, -āt'] *(vt.; adj.; n.)* (١) يبدأ ؛ يستهل (to ~ reforms) (٢) يُلقِّن مبادىء فن أو موضوع ما (٣) يُدخِل شخصاً في عضوية جمعية (مع أداء شعائر خاصة) § (٤) مبدوء، مُستَهَلّ (٥) ملقَّنٌ بسائطَ فن أو موضوع ما (٦) مُدْخَل في عضوية جمعية § (٧) الملقَّنُ بسائطَ فنّ أو موضوع ما (٨) المُدْخَل في عضوية جمعية (سرّيةٍ عادةً) (٩) المطّلع ؛ الخبير .

initiation [ĭ nĭsh'ĭ ā'shən] *(n.)* (١) بدءٌ بعمل ؛ استهلال . (٢) تلقين (أو تلقّن) بسائط فن أو موضوع ما (٣) إدخال شخص (أو دخوله) في عضوية جمعية مع أداء شعائر خاصة (٤) الشعائر أو الطقوس الخ. التي يتم بها إدخال شخص ما في عضوية جمعية أو تقليدُه منصباً معيناً (٥) اطّلاع ؛ معرفة .

initiative [ĭ nĭsh'ĭ ə tĭv] *(adj.; n.)* (١) تمهيدي ؛ أولي . §(٢) خطوة أولى أو تمهيدية : مبادرة (A new French ~ must now be anticipated.) (٣) روح المبادرة (A leader should have ~.) (٤) حقّ المبادرة : «أ» حق التقدم على الآخرين في أداء عمل ما أو سنّ تشريع ما. «ب» حق يجيز للناخبين اقتراح سنّ قانون أو تعديله ويكفل لهم عرضه على البرلمان لإقراره.

initiatory [ĭ nĭsh'ĭ ə tōr'ĭ] *(adj.)* (١) افتتاحي ؛ أوّلي؛ أوّل. (٢) ابتدائي ؛ تكريسيّ ؛ مستعمَل في الحفلات الخاصة بادخال الأعضاء الجدد إلى جمعية ما (~ rites) .

inject [ĭn jĕkt'] *(vt.)* (١) يُدخل (٢) يحقن ؛ يَزرق .

injection [ĭn jĕk'-] *(n.)* (١) «أ» إدخال . «ب» حَقْن ؛ زَرْق . (٢) الحَقْنة ؛ الزَّرْقة : سائل يحقن في الجسم لأغراض طبية.

injudicious [ĭn'jōō dĭsh'əs] *(adj.)* طائش ؛ أحمق ؛ غير حكيم .

injunction [ĭn jŭngk'shən] *(n.)* (١) أمر ؛ وصيّة ؛ نصيحة . (٢) إنذار قضائي .

injure [ĭn'jər] *(vt.)* (١) «أ» يظلم. «ب» يلطّخ سمعة فلان . «ج» يجرح (كبرياء أمرىء الخ .) (٢) «أ» يؤذي جسدياً . «ب» يُفسد. «ج» يُنزِل به ضرراً أو خسارة .

injurious [ĭn jŏŏr'ĭ əs] *(adj.)* (١) مؤذٍ ؛ ضارّ (٢) مُهين .

injury [ĭn'jə rĭ] *(n.)* (١) حَيْف ؛ ظُلْم (٢) أذًى ؛ ضرر ؛ خسارة.

injustice [ĭn jŭs'tĭs] *(n.)* (١) ظلم ؛ جَوْر (٢) عملٌ ظالم .

ink [ĭngk] *(n.; vt.)* (١) حِبر ؛ مداد (٢) مِداد الحَبّار : السائل الأسود الواقي الذي يُفرزه السمك المعروف بالحبّار (را. cuttlefish) §(٣) يحبِّر . **— inky** *(adj.)*

inkberry [-'bĕr'ĭ] *(n.)* (١) الإيلكس الحِبري : شجيرة ذات أوراق دائمة الخضرة وثمر أسود (٢) pokeweed (٣) ثمر هذين النباتين.

inkhorn [-'hôrn] *(n.; adj.)* (١) محبرة ؛ دواة §(٢) متحذلق.

inkle [ĭng'kəl] *(n.)* شريط كتاني ملوّن (أو الخيط الذي يُصنع منه).

inkling [ĭngk'lĭng] *(n.)* (١) إلماعة ؛ تلميح (٢) معرفة طفيفة أو فكرة غامضة .

inkstand [ĭngk'stănd'] *(n.)* (١) محبرة (٢) قلم ومحبرة .

inkwell [ĭngk'wĕl'] *(n.)* محبرة؛ دواة .

inky cap *(n.)* القلنسوة الحِبرية : ضرب من الفُطر يسيل من قلنسوته سائل حِبريّ (نب) .

ă at; ā date; â care; ä car; ĕ egg; ē me; ĭ in; ī bite; ŏ lot; ō bone; ô orphan; oi boil ŏŏ good; ōō boot; ou out; ŭ under; ū unity; û urgent; th thing; th this; zh vision; ə = *a* in alone, *e* in system, *i* in easily, *o* in gallop, *u* in circus.

inlaid [ĭn'lād; ĭn lād'] *(adj.)* (١) منزَّل، حَفْريتنزيلي: من نوع الزخرفة المعروفة بـ «الحفر والتنزيل» (an ~ design in wood) (٢) مطعَّم، مرصَّع (an ~ table).

inland [ĭn'-] *(n.; adj.; adv.)* (١) داخلية البلاد: الجزء الداخلي من بلاد § (٢) وطني: غير أجنبي (٣) داخلي: متعلق بداخلية البلاد § (٤) في الداخل، نحو الداخل.

inlander [ĭn'lən dər] *(n.)* القاطن في داخلية بلاد ما.

in-law [ĭn'lô'] *(n.)* نسيب أو قريب بحكم الزواج.

inlay [*v.* ĭn lā'; *n.* ĭn'lā'] *(vt.; n.)* (١) يطعِّم؛ يرصِّع (بطريقة الزخرفة المعروفة بـ «الحفر والتنزيل») § (٢) تطعيم؛ ترصيع الخ. (٣) «أ» شيء مطعَّم أو مرصَّع. «ب» الزخرف أو الرسم الناشىء عن عملية التطعيم أو الترصيع (٤) حشوة ضرس.

inlet [ĭn'lĕt] *(n.)* (١) جَوْن؛ خليج صغير (٢) مَدْخل (٣) زخرف منزَّل (بطريقة الحفر والتنزيل)؛ شيء مُقحَم.

inlier [ĭn'lī ər] *(n.)* المُكتَنَفة: طبقة صخرية يكتنف الجزءَ البارزَ منها على سطح الأرض صخورٌ أحدثُ عهداً (جي).

inly [ĭn'lĭ] *(adv.)* (١) داخلياً؛ باطنياً (٢) تماماً؛ بعمق.

inmate [ĭn'māt] *(n.)* (١) المُساكن: مَنْ يُشاطرك المسكن. (٢) النزيل (في مصحّة أو سجن أو مأوى).

in medias res [ĭn mē'dĭ ăs'rēz'] *(L.)* في أو نحو صميم الموضوع، وبخاصة: في أو نحو صُلب القصة أو الحبكة القصصية من غير تمهيدٍ أو مقدمات (plunged the reader ~).

in memoriam [ĭn mə mōr'ĭ ăm'] *(L.)* إحياءً لذكرى.

inmost [ĭn'mōst'] *(adj.)* (١) الأوغَل: الأشدّ إيغالاً نحو باطن الشيء (the ~ recesses of the forest) (٢) الأعمق: الواقع في أعمق اعماق الشخص (her ~ thoughts).

inn [ĭn] *(n.)* (١) «أ» خان: نُزُل؛ فندق صغير. «ب» حانة. (٢) بيت للطلبة البريطانيين في لندن.

innards [ĭn'ərdz] *(n. pl.)* (١) أحشاء (٢) الأجزاء الداخلية من.

innate [ĭ nāt'; ĭn'āt] *(adj.)* (١) فِطْري؛ جِبِلّي (~ modesty) (٢) ملازم؛ متأصّل؛ صُلْبي: متضمَّن في صُلب الشيء أو طبيعته الأساسية (an ~ defect in a plan) (٣) سَلِيقيّ: ناشيء بالسَّلِيقة؛ غير مكتسَب بالتجربة (~ ideas).

inner [ĭn'ər] *(adj.)* (١) «أ» داخليّ (an ~ door). «ب» قريب من المركز، وبخاصة: قريب من مركز السلطة أو النفوذ (~ circles) (٢) روحيّ أو عقليّ (the ~ life of man) (٣) باطنيّ؛ غير ظاهريّ (an ~ meaning).

innermost [ĭn'ər mōst'] *(adj.; n.)* (١) الأوغل أو الأعمق (را. inmost 1-2) § (٢) الجزء الأوغل أو الأعمق.

innersole [ĭn'ər sōl'] *(n.)* = insole.

inner tube *(n.)* الإطار الداخلي (في عجلة السيارة).

innervate [ĭ nûr'vāt] *(vt.)* (١) يُعَصِّب: يزوّد بأعصاب. (٢) ينبّه عصباً أو عضواً.

innervation [ĭn'ər vā'shən] *(n.)* (١) الإعصاب (را. المادة السابقة) (٢) توزُّع الأعصاب في جسم أو عضو.

innerve [ĭ nûrv'] *(vt.)* يقوّي؛ ينشّط؛ يمنحه قوةً عصبية.

innholder [ĭn'hōl dər] *(n.)* = innkeeper.

inning [ĭn'ĭng] *(n.)* (١) استصلاح الأرض أو استردادها (وبخاصة من البحر) (٢) نوبة؛ جولة (في البايسبول) (٣) دَوْر؛ فرصة للعمل أو لإظهار البراعة (Now the opposition will have its ~.).

innkeeper [ĭn'kē'pər] *(n.)* النُزُليّ: الخانيّ؛ صاحب الخان أو النُزُل.

innocence [ĭn'ə səns] *(n.)* (١) «أ» طهارة (من الأثم). «ب» براءة (من جريمة). «ج» سذاجة. «د» جهل (٢) شخص طاهر أو بريء أو ساذج أو جاهل (٣) «أ» الهُصطونية (را. bluet). «ب» الكُلنْسيّة الربيعية: عشبة أميركية.

innocency [ĭn'ə sən sĭ] *(n.)* (١) طهارة؛ براءة؛ سذاجة الخ. (٢) عمل متسم بالطهارة أو البراءة أو السذاجة الخ.

innocent [ĭn'ə sənt] *(adj.; n.)* (١) بريء: «أ» طاهر (~ children). «ب» خالٍ من سوء النية (an ~ misrepresentation). «ج» غير مؤذٍ (~ fun). «د» غير مذنب. «هـ» خِلوٌ أو محروم من (windows ~ of glass) (٢) «أ» ساذج؛ بسيط. «ب» جاهل.

innocuous [ĭ nŏk'yo͞o əs] *(adj.)* حميد: غير ضارّ أو مؤذٍ.

Inn of Court (١) إحدى مجموعات أربع من المباني في لندن تابعة لأربع جمعيات لطلاب الحقوق والمحامين (٢) إحدى جمعيات أربع من حقها وحدها منح الإجازة لممارسة مهنة الحقوق في بريطانية.

innominate [ĭ nŏm'ə nĭt] *(adj.)* (١) لا إسميّ؛ غير ذي اسم. (٢) غُفْل.

innominate bone *(n.)* العظم اللاإسميّ: أحد عَظْمَيّ الحَوْض (ت).

innovate [ĭn'ə vāt'] *(vt.; i.)* (١) يبتدع؛ يبتكر × (٢) يجدّد.

innovation [ĭn'ə vā'shən] *(n.)* (١) ابتداع؛ ابتكار؛ تجديد. (٢) فكرة أو طريقة أو أداة جديدة.

innuendo [ĭn'yo͞o ĕn'dō] *(n.; vi.; t.)* (١) تلميح؛ إلماع؛ وبخاصة: تعريض؛ غمز من قناة شخص (٢) إشارة تفسيرية (تُدخَل بين هلالين في نصّ وثيقة قانونية) § (٣) يعرِّض؛ يغمز الخ.

innumerable; innumerous [ĭ nū'-] *(adj.)* لا يُعَدّ أو يُحصَى.

innutrition [ĭn'yo͞o trĭsh'ən] *(n.)* لا تغذية؛ عدم تغذية.

innutritious [ĭn'yo͞o trĭsh'əs] *(adj.)* غير مغذٍّ.

inobservance [ĭn'əb zûr'vəns] *(n.)* (١) عدم انتباه. (٢) لا احترام (لأحكام معاهدة أو قانون الخ.).

inoculant [ĭ nŏk'yə lənt] *(n.)* = inoculum.

inoculate [ĭ nŏk'yə lāt'] *(vt.)* (١) يلقّح؛ يُطعِّم (٢) يُدخِل شيئاً في ذهن شخص: يُشْرِب (~*d* him with their own ideas of revolution).

inoculation [ĭ nŏk'yə lā'-] *(n.)* (١) تلقيح؛ تطعيم (٢) لِقاح.

inoculum [ĭ nŏk'yə ləm] *(n.)* pl. **-la** اللِّقاح: مادة التلقيح.

inoffensive [ĭn'ə fĕn'sĭv] *(adj.)* (١) غير مؤذٍ (٢) «أ» مُسالم. «ب» غير كريه.

inoperable [ĭn ŏp'ər ə bəl] *(adj.)* (١) عَصِيّ الجراحة: متعذِّر اجراءُ الجراحة عليه من غير خطر (an advanced and ~ cancer) (٢) متعذّر التطبيق.

inoperative [-'ə rā'tĭv] *(adj.)* (١) معطَّل: غير موضوع موضعَ التنفيذ (an ~ law) (٢) غير فعّال؛ عديم التأثير (~ remedies).

inopportune [ĭn ŏp'ər tūn'; -to͞on'] *(adj.)* في غير محله أو وقته (an ~ visit).

inordinate [ĭn ôr'də nĭt] *(adj.)* (١) جامح: غير مكبوح أو مُلْجَم (~ passions) (٢) متطرف أو مغالى فيه (~ demands).

inorganic [ĭn'ôr găn'ĭk] *(adj.)* (١) لا عضوي؛ غير عُضوي. (٢) «أ» اصطناعي؛ صُنْعيّ: غير ناشيء بالنمو الطبيعي (an ~ form of society). «ب» تعوزه الشخصية أو الحيوية (dull ~ things).

inorganic chemistry *(n.)* الكيمياء اللاعضوية.

inosculate [-ŏs'kyə lāt] *(vi.; t.)* (١) يتفمّم: يتّصل بعضه ببعض كاتصال أطراف الأنابيب (٢) يمتزج؛ يلتحم؛ يتّحد × (٣) يفمّم (٤) يمزج الخ.
—inosculation *(n)*

inositol [ĭ nō'sə tōl] *(n.)* الاينوسيتول: مادة متبلّرة حلوة توجد في النباتات والبزور وفي البول والأنسجة الحيوانية (ك).

inpatient [ĭn'pā'shənt] *(n.)* المريض المقيم (في مستشفى).

in personam [ĭn pər sō'năm] *(L.)* ضدّ شخص معيّن (كدعوى تقام أمام القضاء).

in petto [ĭn pĕt'ō] *(adv.; adj.)* (١) سراً (٢) على نحو مصغّر. § (٣) سِرّي (٤) مصغّر.

in propria persona *(adv.)* شخصياً: من غير مساعدة محامٍ.

input [ĭn'po͝ot'] *(n.)* (١) الزاد: «أ» مقدار الطاقة التي تزوّد بها آلة ما. «ب» المادة أو المعلومات التي تزوّد بها آلة حاسبة (٢) تزويد بالطاقة الخ.

inquest [ĭn'kwĕst] *(n.)* (١) «أ» استنطاق؛ استجواب، وبخاصة أمام هيئة محلّفين. «ب» هيئة (من المحلفين الخ) تجتمع لاستجواب شخص. «ج» نتيجة هذا الاستجواب أو الوثيقة التي يدوّن فيها (٢) تحقيق؛ بحث.

inquietude [ĭn kwī'ə tūd'; -to͞od'] *(n.)* قلق؛ اضطراب.

inquiline [ĭn'kwə līn; -lĭn] *(n.; adj.)* (١) الطُّفَيْلي: حيوان يحيا عادة في مسكن حيوان من نوع آخر § (٢) طُفَيْليّ.

inquire [ĭn kwīr'] *(vt.; i.)* (١) يسأل أو يستعلم عن (٢) يبحث؛ يحقق × (٣) يلقي سؤالاً (٤) يقوم بتحقيق (في مسألة تهمّ الرأي العام).
to ~ after يسأل عن صحة فلان.

inquiry [ĭn kwīr'ĭ; ĭn'kwə rĭ] *(n.)* (١) استعلام (٢) تحقيق (في مسألة تهمّ الرأي العام) (٣) سؤال.

inquisition [ĭn'kwə zĭsh'ən] *(n.)* (١) استعلام؛ بحث؛ تحقيق. (٢) «أ» تحقيق قضائي أو رسمي، أو استجواب أمام هيئة محلّفين عادة. «ب» نتيجة هذا التحقيق أو الاستجواب (٣) «أ» *cap.*: ديوان أو محكمة التفتيش: محكمة كاثوليكية (نشطت بخاصة في القرنين ١٥ و١٦) مهمتها اكتشاف الهرطقة ومعاقبة الهراطقة. «ب» تحقيق تعسّفي (لا يقيم اعتباراً للحقوق الفردية). «ج» استجواب قاسٍ.

inquisitive [ĭn kwĭz'ə tĭv] *(adj.)* (١) مُحِبّ للبحث والتحقيق. (٢) فضولي.

inquisitor [ĭn kwĭz'ə tər] *(n.)* (١) «أ» المحقق؛ الباحث. «ب» الفضولي (٢) «أ» قاضي التحقيق. «ب» أحد أعضاء محكمة التفتيش.

in re [ĭn rē'] *(L.)* في ما يتعلق بـ.

in rem [ĭn rĕm'] *(L.)* ضد شيء (قا in personam).

inroad [ĭn'rōd] *(n.)* (١) غارة؛ غزوة (٢) اعتداء؛ انتهاك (another ~ on the principle of free speech).

inrush [ĭn'rŭsh'] *(n.)* (١) تدفّق؛ دَفْق (٢) غَزْو.

insalivate [ĭn săl'ə vāt'] *(vt.)* يرَضِّب: يمزج الطعام بالرُّضاب أو اللُّعاب عند المضغ.

insalubrious [ĭn'sə lo͞o'brĭ əs] *(adj.)* وبيل؛ غير صحي؛ غير ملائم للصحة.

insane [ĭn sān'] *(adj.)* (١) مخبول؛ مجنون (٢) مُعَدّ أو مخصص للمجانين (an ~ asylum) (٣) جنوني (an ~ attempt).

insanitary [ĭn săn'ə-] *(adj.)* غير صحي (~ houses).

insanity [ĭn săn'-] *(n.)* (١) خَبَل؛ جنون (٢) حماقة قصوى.

insatiable [ĭn sā'shə-] *(adj.)* نهِم؛ لا يشبع (~ desire).

insatiate [ĭn sā'shĭ ĭt] *(adj.)* نهِم؛ لا يشبع (~ greed).

inscribe [ĭn skrīb'] *(vt.)* (١) «أ» ينقش (كلاماً). «ب» يُدرج (اسمَ شخص في قائمة) (٢) «أ» يكتب؛ يحفر؛ يطبع. «ب» يكتب صيغة الأهداء (على نسخة من كتاب يقدّمها إلى شخص). «ج» يُهْدي الكتابَ: يطبع في إحدى صفحاته الأولى ما يفيد أنه مُهْدىً إلى فلان تقديراً له أو اعترافاً بفضله (٣) يرسم (دائرةً مُماسةً) داخل مضلّع (ر).

inscribed circle *(n.)* الدائرة المخطوطة: الدائرة التي تمسّ أضلاع المضلّع من الداخل (ر).

inscription [ĭn skrĭp'shən] *(n.)* (١) «أ» نقش؛ كلام منقوش. «ب» عبارة مُقْتَبَسة يصدَّر بها كتاب أو فصل لتوحي بفكرته العامة. «ج» الكلام المنقوش على قطعة نقدية أو مدالية الخ. (٢) الاهداء: إهداء الكتاب أو الأثر الفني إلى شخص ما تقديراً له أو اعترافاً بفضله (٣) «أ» الكتابة؛ الحَفْر؛ الطَّبْع. «ب» الإدراج: إدراج اسم شخص في قائمة (٤) رسم دائرة مماسة من الداخل (ر).

inscriptive [-'tĭv] *(adj.)* نقشي؛ حَفْريّ؛ كتابيّ إلخ.

inscroll [ĭn skrōl'] *(vt.)* (١) يكتب على رَقّ (٢) يدوّن؛ يسجّل.

inscrutable [ĭn skro͞o'tə bəl] *(adj.)* غامض؛ مُبْهَم؛ مُلْغَز.

inseam [ĭn'-] *(n.)* الدَّرزة أو اللفقة الداخلية (في ثوب أو حذاء).

insect [ĭn'sĕkt] *(n.; adj.)* (١) حَشَرة (٢) دودة؛ سُلَحفاة؛ عنكبوت الخ. (٣) شخص تافه أو حقير § (٤) حَشَريّ: «أ» خاص بحَشَرة (~ eggs). «ب» مستخدَم في مكافحة الحشرات (~ powder).

insectarium [ĭn'sĕk târ'ĭ əm] *(n.)* pl. **-s** *or* **-taria** المَحْشَرة: موضع تحفظ فيه مجموعة من الحشرات (في حديقة للحيوانات).

insectary [ĭn'sĕk tĕr'ĭ] *(n.)* المَحْشَر: مختبر لدراسة الحشرات الحية.

insecticidal [ĭn sĕk tə sīd'-] *(adj.)* مبيدٌ للحشرات.

insecticide [-'tə sīd'] *(n.)* مبيدة الحشرات: مادة مبيدةٌ للحشرات.

insectifuge [-fūj] *(n.)* طاردة الحشرات: مادة طاردة للحشرات.

insectile [ĭn sĕk'tĭl] *(adj.)* حَشَريّ أو شبيه بالحشرة؛ وبخاصة: مؤلف من حشرات (~ mixture for feeding songbirds).

insectivore [-'tə vōr'] *(n.)* (١) آكل الحشرات: حيوان من آكلات الحشرات **Insectivora** وهي رتبة من الثدييات تشمل القنفذ والخلد (٢) حيوان أو نبات حَشَري (أي مُقتات بالحشرات).

insectivorous [-tĭv'ə rəs] *(adj.)* حَشَريّ: مُقتات بالحشرات.

insecure [ĭn'sĭ kyo͝or'] *(adj.)* (١) غير واثق أو متأكد (٢) غير آمن؛ معرَّض للخطر (٣) متزعزع (٤) متقلقل؛ غير مستقرّ.

inseminate [ĭn sĕm'ə nāt] *(vt.)* (١) «أ» يبَذُر؛ يلقي الحَبّ أو البِذار. «ب» يغرس في الذهن (٢) يُحْبِل؛ يُخْصِب؛ يُعَشِّر.
—insemination *(n.)*

inseminator [ĭn sĕm'-] *(n.)* المعشِّر: من يُعَشِّر المواشي صِناعياً.

insensate [ĭn sĕn'sāt; -sĭt] *(adj.)* (١) عادم الحِسّ (٢) خِلْوٌ من الإدراك أو التمييز. أيضاً: أحمق (٣) وحشي؛ بربري.

insensible [-'sə bəl] *(adj.)* (١) «أ» جامد؛ غير ذي حياة. «ب» فاقد الوعي (to fall ~). «ج» عادم الحسّ (was ~ to pain) (٢) غير مُدْرَك؛ وتوسّعاً: طفيف؛ تدريجيّ (~ transitions) (٣) «أ» لا مبالٍ (~ to fear). «ب» غافل عن؛ غير شاعر بـ (We are not ~ of his kindness.) (٤) خِلْوٌ من المعنى (٥) غير مصقول؛ تعوزه الرقة.
—insensibility *(n.)*
—insensibly *(adv.)*

insensitive [ĭn sĕn'sə-] *(adj.)* (١) غير حسّاس؛ تعوزه الحساسية (~ to light) (٢) متبلّد؛ متبلد الشعور (an ~ nature).

insentient [-'shĭ ənt] *(adj.)* عادم الحسّ أو الوعي أو الأدراك.

inseparable [ĭn sĕp'-] *(adj.; n.)* (١) متلازم ؛ غير منفصل ؛ متعذّرٌ فصلُه (companions ~) (٢) ملازِم § (٣) *pl.* عد : المتلازم ؛ وبخاصة: الرفيق الملازم .

insert [*v.* ĭn sûrt'; *n.* ĭn'sûrt] *(vt.; i.; n.)* (١) يُدْخِل؛ يُولِج؛ يُقحِم (٢) يُدْرِج (~an ad in a newspaper) × (٣) تَندرج : تتصل (العضلة) بالعضو المراد تحريكه § (٤) المُقْحَمة : ورقة مطبوعة تُقْحَم بين صفحات كتاب أو مجلة .

insertion [ĭn sûr'shən] *(n.)* (١) إدخال ؛ إيلاج ؛ إقحام ؛ إدراج . (٢) «أ» المندرِج : الجزء المندرِج من عضلة. «ب» المندرَج : موضع اندراج العضلة أو كيفيته. «ج» المُقْحَم : تطريز الخ. مُقحَم على سبيل التزيين بين قطعتيْ نسيج . «د» النشرة : نشرة واحدة من إعلان يُدْرَج في صحيفة .

insessorial [ĭn'sĕ sōr'ĭ əl] *(adj.)* جثوم ؛ جُثومي أو مُعَدّ للجُثوم (an ~ bird) .

inset [*n.* ĭn'sĕt'; *v.* ĭn sĕt'] *(n.; vt.)* (١) «أ» قناة. «ب» تدفّق. (٢) المُدْرَج : شيء مُدْرَج في آخر، مثل: «أ» صورة أو خريطة صغيرة مُدْرَجة في نطاق صورة أو خريطة أكبر منها. «ب» قطعة من قماش مثبّتة على ثوب ابتغاءَ الزينة § (٣) يُدْرِج ؛ يُقحِم.

inshore [ĭn'shōr'] *(adj.; adv.)* (١) واقع قرب الشاطئ (٢) مباشَرٌ أو مُنْجَز قرب الشاطئ (fishing ~) (٣) متجهٌ نحو الشاطئ (wind ~) § (٤) نحو الشاطئ (went closer ~) .

inside [*n., adj.*-'sīd'; *adv., prep.*-'sīd'] *(n.; adj.; adv.; prep.)* (١) باطن (the ~ of the hand) (٢) الجزء الداخلي من (the ~ of the house) (٣) «أ» طبيعة أو أفكار أو مشاعر باطنية. «ب» *pl.* عد : أحشاء (٤) «أ» مركز متميز بسلطة أو ثقة. «ب» معلومات سرية (has the ~ on what happened) § (٥) داخليّ (an ~ wall) (٦) مستمدٌّ من مصدر موثوق أو مطلع (~ information) § (٧) داخلاً ؛ داخلياً (was clean both ~ and outside) (٨) في أو نحو الداخل § (٩) داخل ؛ ضمن (~ the circle) .

insider [ĭn'sī'dər] *(n.)* المطّلع : شخص متمتع بمركزٍ من مراكز السلطة أو متيسّرةٌ له أسبابُ الاطّلاع على بواطن الأمور.

inside track *(n.)* باطن المضمار : «أ» الجانب الداخلي من مضمار منحنٍ من مضامير السباق. «ب» ميزة ؛ وضع يتيح لصاحبه أن يكون في مركز أفضل، بالنسبة إلى منافسيه (the candidate who has the ~) .

insidious [ĭn sĭd'ĭ əs] *(adj.)* (١) «أ» ماكر ؛ غادر . «ب» مغرٍ ؛ مغوٍ . (٢) غادِر : نامٍ على نحو تدريجيّ إلى حدّ يمكّنه من الرسوخ قبل أن يُكتشَف (an ~ disease) .

insight [ĭn'sīt'] *(n.)* التبصّر ؛ نفاذ البصيرة .

insignia [ĭn sĭg'nĭ ə] *(n.)* (١) الشارة : شارة السلطة أو الشرف. (٢) علامة مميزة .

insignificance [ĭn'sĭg nĭf'ə kəns] *(n.)* تفاهة ؛ حقارة الخ.

insignificancy [-'ə kən sĭ] *(n.)* (١) تفاهة (٢) شيء أو شخص تافه.

insignificant [ĭn'sĭg nĭf'ə kənt] *(adj.)* (١) تافه ؛ غير هام . (٢) حقير (٣) ضئيل .

insincere [ĭn sĭn sĭr'] *(adj.)* (١) غير مخلص (٢) منافق ؛ مُراءٍ .

insinuate [ĭn sĭn'yōō āt] *(vt.)* (١) «أ» يدسّ : يُدخِل في الذهن بطريقة لبقة أو غير مباشرة أو مبطّنة (to ~ doubt) . «ب» يُلمِع ؛ يلمّح (٢) يتسلّل إلى.

insinuating [ĭn sĭn'-] *(adj.)* (١) دسّيّ : مقصودٌ به أن يثير الشك أو عدم الثقة تدريجياً (~ remarks) (٢) متملّق .

insinuation [ĭn sĭn'yōō ā'shən] *(n.)* (١) تلميح ؛ وبخاصة : غَمزٌ ؛ تعريض (٢) تملّق .

insipid [ĭn sĭp'ĭd] *(adj.)* تَفِه : «أ» خلوٌ من الطعم أو النكهة (fruit ~) . «ب» غير مشوّق أو ممتع ؛ «بايخ» (an ~ tale).

insipience [ĭn sĭp'-] *(n.)* بلاهة ؛ حماقة . **-ient** *(adj.)*

insist [ĭn sĭst'] *(vi.; t.)* يُصِرّ ، يُلِحّ بإصرار.

insistence [ĭn sĭs'təns] *(n.)* إصرار ؛ إلحاح.

insistent [ĭn sĭs'tənt] *(adj.)* (١) مُلحّ ؛ مِلحاح (٢) شديد أو لافت للنظر (heat ~) .

in situ [ĭn sī'tū] *(L.)* في موضعه الأصلي أو الطبيعي.

insociable [ĭn sō'shə bəl] *(adj.)* = unsociable.

insolate [ĭn'sō lāt'] *(vt.)* يشمّس : يعرّض لأشعة الشمس .

insolation [ĭn'sō lā'shən] *(n.)* (١) تشميس ؛ تشمُّس . (٢) الرَّعْن : ضربة الشمس (٣) الاشعاع الشمسي (المنصب على جسم معيّن أو فوق منطقة معيّنة).

insole [ĭn'sōl'] *(n.)* (١) النعل الباطن (٢) ضَبان .

insolence [ĭn'sə ləns] *(n.)* (١) غطرسة ؛ عجرفة (٢) إهانة .

insolent [ĭn'sə lənt] *(adj.; n.)* (١) متغطرس (٢) وقح . § (٣) شخص متغطرس أو وقح .

insoluble [ĭn sŏl'yə bəl] *(adj.)* (١) لا يفسَّر ، لا يُحَلّ (problems ~) (٢) لا يذوب ، غير قابل للذوبان (an ~ salt).

insolvable [-'və bəl] *(adj.)* لا يُحَلّ ، مستعصٍ على الحل .

insolvency [ĭn sŏl'-] *(n.)* إفلاس أو عجز عن وفاء الديون .

insolvent [-'vənt] *(adj.; n.)* (١) «أ» مفلس ، عاجز عن الدفع . «ب» غير كافٍ لوفاء جميع الديون المقابلة له (an ~ estate) (٢) مُعْسِر ، مُعْوِز (٣) إفلاسيّ (laws ~) § (٤) المفلس ، العاجز عن الدفع .

insomnia [ĭn sŏm'nĭ ə] *(n.)* أرَق .

insomniac [ĭn sŏm'nĭ ăk'] *(n.; adj.)* مؤرَّق ، مصابٌ بالأرق .

insomuch [ĭn'sō mŭch'] *(adv.)* حتى أنه ، إلى درجة أنه ...

insomuch as *(conj.)* = inasmuch as.

insouciance [ĭn sōō'sĭ əns] *(F.)* لا مبالاة .

insouciant [-'sĭ ənt] *(adj.)* لا مبالٍ . **-ly** *(adv.)*

insoul [ĭn sōl'] *(vt.)* = ensoul.

inspect [ĭn spĕkt'] *(vt.)* (١) يفحص ، يعاين (٢) يفتش رسمياً (to ~ troops). **—inspection** *(n.)*

inspector [ĭn spĕk'-] *(n.)* (١) المفتّش ، المراقب (٢) ضابط الشرطة.

insphere [ĭn sfĭr'] *(vt.)* = ensphere.

inspiration [ĭn'spə rā'shən] *(n.)* (١) «أ» نفخ حياة أو روح . «ب» إثارة ، خلْق (٢) شهيق (ضد زفير) (٣) «أ» إلهام ، إيحاء . «ب» وَحْي ، أفكار مُوْحاة (٤) عامل أو تأثير مُلْهِم .

inspire [ĭn spīr'] *(vt.; i.)* (١) ينفخ فيه حياة أو روحاً (ا.ق). (٢) يشهق (ضد يزفر) (٣) «أ» يُلْهِم (بوحي إلهي) . «ب» يُلهِب ، يؤثر فيه تأثيراً مُحْيِياً (His courage *~d* his followers.) (٤) يثير ، يخلق ، يُحدِث ، يسبّب (٥) يحثّ ، يدفع (Opposition *~d* her to a greater effort.) (٦) ينشر إشاعة (بطرق غير مباشرة أو بواسطة شخص آخر).

inspirit [ĭn spĭr'ĭt] *(vt.)* يُحْيي ، يشجّع ، ينفخ فيه روحاً جديدة.

inspissate [ĭn spĭs'-] *(vt.; i.; adj.)* (١) يكثّف × (٢) يتكثّف .

§(٣) مكثّف .

instable [ĭn stā'bəl] *(adj.)* = unstable.

install *or* **instal** [ĭn stôl'] *(vt.)* (١) ينصّب ، يقلّده منصباً (باحتفال رسمي) (٢) يضع ، يُجلس ، يعيّن (٣) يركّب (to ~ a system of electric lighting)

installation [ĭn'stə lā'shən] *(n.)* (١) «أ» تنصيب أو تقلّد منصب. «ب» تعيين . «ج» تركيب (٢) تجهيزات أو تمديدات (كهربائية الخ.) (٣) معسكر أو حصن أو قاعدة عسكرية .

installment *or* **instalment** [ĭn stôl'-] *(n.)* (١) «أ» تنصيب أو تقلّد منصب. «ب» تعيين. «ج» تركيب (٢) قِسط ، جزء مقسّط من دَيْن (٣) حَلْقة (من كتاب متسلسل أو قصة متسلسلة) .

installment plan *(n.)* نظام الدفع بالتقسيط .

instance [ĭn'stəns] *(n.; vt.)* (١) اقتراح ، طلب (written at the ~ of the publishers) (٢) مَثَل ، شاهد (٣) محاكمة (وهي تستعمل اليوم في عبارات معينة كقولك a court of the first ~ أي المحكمة الابتدائية) (٤) مرحلة (in the first ~) §(٥) يشرح بمَثَل (٦) يضرب مثلا . مثلاً for ~,

instancy [ĭn'stən sĭ] *(n.)* (١) «أ» إلحاح. «ب» الإلحاحيّة : كون الشيء مُلِحاً أو متطلباً عملاً عاجلاً (the ~ of peril) (٢) وَشْك ، قرب حدوث (٣) تَوِّيّة ، فوريّة (the ~ of his response).

instant [ĭn'stənt] *(n.; adj.)* (١) لحظة (٢) الشهر الحاليّ أو الجاري (received your letter of the 10th ~.) §(٣) مُلحّ (~ need) (٤) حاليّ ؛ جار (the 10th of this ~ May) (٥) عاجل ، مباشر (~ relief) (٦) «أ» جاهز : ممزوج أو مطهوّ مُسْبَقاً بحيث يَسْهُل إعداده النهائي (~ cake mix). «ب» فوريّ الذوبان في الماء (some ~ coffee).

instantaneous [ĭn'stən tā'nĭ əs] *(adj.)* (١) تويّ ، فَوْريّ (an ~ explosion) (٢) لَحْظيّ : حادثٌ أو موجود في لحظة معيّنة (the ~value).

instanter [ĭn stăn'tər] *(adv.)* حالاً ، توّاً ، على الفور.

instantly [ĭn'stənt lĭ] *(adv.)* (١) بإلحاح (ا.ق) (٢) توّاً ، فوراً .

instar [*n.* ĭn'stär; *v.* ĭn stär'] *(n.; vt.)* (١) الطَّوْر : مرحلة في حياة الحشرة وغيرها من المَفْصِليات (٢) فَرْد في طور معيّن § (٣) يرصّع بالنجوم.

instate [ĭn stāt'] *(vt.)* ينصّب ، يعيّن ، يقيم ، يقرّ .

in statu quo [ĭn stā'tū kwō'] *(L.)* في الوضع الراهن .

instauration [ĭn'stô rā'shən] *(n.)* تجديد ، ترميم ، إصلاح .

instead [ĭn stĕd'] *(adv.)* بدلاً (من) ، عِوَضاً (عن).

instead of *(prep.)* بدلاً من ، عِوَضاً عن.

instep [ĭn'stĕp'] *(n.)* (١) مُشْط القدم أو سطحُها الأعلى (٢) ذلك الجزء من الحذاء أو الجورب المماسّ لمشط القدم .

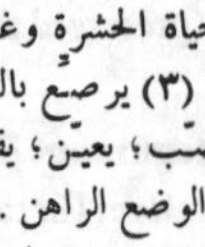

instep

instigate [ĭn'stə gāt'] *(vt.)* (١) يحرّض (على القيام بعمل ما). (٢) يثير (to ~ a quarrel).

instill *also* **instil** [ĭn stĭl'] *(vt.)* (١) يقطّر : يُدْخل (السائل) قطرةً قطرةً (٢) يغرس ، يطبع في النفس أو الذهن ببطء وتدريج (Courtesy must be ~*ed* in childhood.).

instinct [ĭn'stĭngkt] *(n.; adj.)* (١) موهبة ، مقدرة طبيعية (an ~ for music) (٢) غريزة §(٣) مُفْعَم ، مشحون بـ (a poem ~ with passion).

instinctive [ĭn stĭngk'-] *(adj.)* غريزي. **-ly** *(adv.)*

institute [ĭn'stə tūt'; -tōōt'] *(vt.; n.)* (١) ينصّب : يعيّن في منصب الخ. (٢) يقيم ، يؤسّس ، يُنشئ (to ~ a government) (٣) يبدأ ، يستهلّ ، يُدشّن (~*d* a new course) §(٤) «أ» مبدأ ، قانون. «ب» *pl.* : مجموعة مبادئ أو قوانين ، وبخاصة : موجز في القانون. «ج» جمعية ، مَجْمَع . «د» معهد تعليمي. «هـ» برنامج تعليمي موجز (مخصّص لفئة خاصة مَعْنيّة بنوع من أنواع النشاط أو المعرفة).

institution [ĭn'stə tū'shən] *(n.)* (١) إقامة ، تأسيس (٢) معهد ، مؤسسة ، مُنشأة (٣) عُرف ، عادة ، قانون (٤) المؤسسة الاجتماعية : نمط منظم من سلوك الجماعة راسخ الجذور ومعدودٌ جزءاً أساسياً من حضارة أو ثقافة كالزواج والرقّ. **-al** *(adj.)*

institutionalism [-'shən ə lĭz'əm] *(n.)* المؤسساتية : «أ» التوكيد على التنظيم (في الدين الخ.) على حساب العوامل الأخرى. «ب» العناية عن طريق المنظمات والجمعيّات بالمعوزين وذوي العاهات الخ.

instruct [ĭn strŭkt'] *(vt.)* (١) يعلّم (٢) «أ» يُرْشد ، يعطي تعليمات. «ب» يأمر .

instruction [ĭn strŭk'shən] *(n.)* (١) «أ» درس ، وصية. «ب» أمر. «ج» *pl.* : تعليمات (٢) تعليم ، تدريس .

instructive [-'tĭv] *(adj.)* مثقف ، منور (an ~ book).

instructor [-'tər] *(n.)* المعلّم ، وبخاصة : المدرّس : معلّم في جامعة لم يبلغ بعدُ مرتبة الاستاذية .

instructress [-'trĭs] *(n.)* المعلّمة ، المدرّسة.

instrument [ĭn'strə mənt] *(n.; vt.)* (١) وسيلة ، واسطة . (٢) آلة ، أداة (٣) آلة موسيقية (٤) صك ، حجّة ، سند ، اتفاقية §(٥) يضع أو يوزّع الالحان الموسيقية لاوركسترا (٦) يزوّد بأدوات أو آلات (٧) يوجّه (عريضةً الخ.) إلى .

instrumental [ĭn'strə mĕn'təl] *(adj.)* (١) «أ» مساعد ، مفيد ، ذو أثر (~ in finding work for a friend) . «ب» وسيليّ ، واسطيّ. «ج» مصنوع بأداةٍ ما (٢) آلاتيّ : ملحّن لآلة موسيقية أو معزوف عليها (~ music) (٣) ذرائعي (را. المادة التالية) .

instrumentalism [-'tə lĭz'əm] *(n.)* الذرائعية : مذهب يقول بأن الفكرات وسائل للعمل وأن فائدتها هي التي تقرّر قيمتها .

instrumentalist [-'təl ĭst] *(n.)* (١) الآلاتي أو العازف على آلة موسيقية (٢) الذرائعيّ : القائل بالفلسفة الذرائعية.

instrumentality [ĭn'strə mĕn tăl'ə tĭ] *(n.)* (١) فائدة ، نفع . (٢) وسيلة ، واسطة.

instrumentation [-tā'shən] *(n.)* (١) استخدام الآلات . (٢) التلحين أو التوزيع الموسيقي للأوركسترا (٣) «أ» علم تطوير الآلات وصُنْعها. «ب» آلات لغرض معيّن .

instrument panel *(n.)* لوحة القيادة ، لوحة أجهزة القياس (سي)

insubordinate [ĭn'sə bôr'də nĭt] *(adj.; n.)* (١) عاص ، متمرد (٢) غير محتمل منزلة أدنى §(٣) العاصي ، المتمرد الخ.

insubstantial [ĭn'səb stăn'shəl] *(adj.)* (١) خيالي ، وهمي . (٢) واهٍ ، ضعيف .

insufferable [ĭn sŭf'ər ə bəl] *(adj.)* لا يطاق أو يُحتمل .

insufficience; insufficiency [ĭn'sə fĭsh'-] *(n.)* (١) عدم كفاية (أخلاقية أو عقلية) (٢) نقص (في المؤن الخ.) (٣) القصور : عجز عضو من أعضاء الجسد عن اداء وظيفته بصورة سويّة (ط).

insufficient [-fĭsh'ənt] *(adj.)* (١) ناقص ، غير كافٍ (٢) غير كفؤ

insufflate [ĭn sŭf'lāt] *(vt.)* (١) ينفخ على أو في (٢) يرش ،

ă at; ā date; â care; ä car; ĕ egg; ē me; ĭ in; ī bite; ŏ lot; ō bone; ô orphan; oi boil ŏŏ good; ōō boot; ou out;
ŭ under; ū unity; û urgent; th thing; th this; zh vision; ə = *a* in alone, *e* in system, *i* in easily, *o* in gallop, *u* in circus.

يشبع الجوّ (to ~ a room with an insecticide).

insufflation [ĭn sŭf lā'-] *(n.)* (١) نفخٌ الخ . (٢) النفخ على الطفل في المعمودية (نص) .

insufflator[ĭn'-] *(n.)* المِنْفار : أداةٌ لِزَفْر شيء أو نفخِهِ أو رشِّهِ .

insulant[ĭn'-] *(n.)* العازل : مادة عازلة .

insular [ĭn'sə lər] *(adj.)* (١) جزَرِيّ ؛ جزيريّ ؛ متعلق بجزيرة أو مشكّلٌ لجزيرة (٢) معزول ؛ منفصل (٣) ضيّق ؛ متعصب (٤) جزَرِيّ : ذو علاقة بجزيرة (أي مجموعة منعزلة) من الخلايا والنُسُج (ط) .

insulate [ĭn'sə lāt'] *(vt.)* يَعزِل ، وخاصةً بمانع لانتقال الكهرباء أو الحرارة أو الصوت .

insulation [ĭn'sə lā'shən] *(n.)* (١) «أ» عَزْل . «ب» انعزال . (٢) العازل : مادة عازلة .

insulator [ĭn'sə lā'-] *(n.)* العازل ؛ وبخاصة : العازل الكهربائي .

insulin [ĭn'sə lĭn] *(n.)* الانسولين : هرمون بروتيني مُستخلَصٌ من بنكرياس الحيوانات يُستعمل في معالجة داء السكّر .

insult [*v.* ĭn sŭlt'; *n.* ĭn'sŭlt] *(vt.; n.)* (١) يُهين ؛ يحقّر . §(٢) إهانة (٣) أذى (يصيب الجسد أو أحد أعضائه) .

insuperable [ĭn so͞o'-] *(adj.)* (١) لا يُقهَر (~ heroes) . (٢) لا يُذلَّل (an ~ difficulty) (٣) لا يُتخطّى أو يُرتقى (~ barriers) .

insupportable[ĭn'sə pōr'tə bəl] *(adj.)* لا يطاق ؛ لا يُحتمل .

insuppressible[ĭn'sə prĕs'ə bəl] *(adj.)* متعذّرٌ قمعُه أو كبحُه أو السيطرة عليه .

insurable [ĭn sho͝or'ə bəl] *(adj.)* قابل للتأمين عليه .

insurance [ĭn sho͝or'əns] *(n.)* (١) «أ» التأمين (على شيء) . «ب» كون الشيء مؤمَّناً عليه . «ج» وسيلة التأمين (٢) «أ» صناعة التأمين (على الأشخاص والممتلكات) . «ب» ضمانٌ بعقد يتعهّد فيه أحد الفريقين بأن يعوّض على الآخر (أو يكفله) عند إصابته بأذىً معيّن . «ج» المبلغ الذي يؤمَّن شيء عليه .

insure [ĭn sho͝or'] *(vt.; i.)* (١) يؤمِّن : يُصْدِر أو يَستصدر صكّ تأمين (٢) يكفل ؛ يضمن .

insured [ĭn sho͝ord'] *(n.)* المؤمَّن (عليه) : شخص مؤمَّن على حياته أو ممتلكاته .

insurer [ĭn sho͝or'ər] *(n.)* المؤمِّن : مَنْ يؤمِّن شخصاً آخر ضد خطرٍ ما .

insurgence; insurgency [ĭn sûr'-] *(n.)* عِصيان ؛ تمرّد .

insurgent [ĭn sûr'jənt] *(n.; adj.)* (١) العاصي ؛ المتمرّد (على السلطة المدنية أو الحكومة القائمة) (٢) الخارج : العامل ضد سياسة أو قرارات حزبه السياسي §(٣) عاصٍ ؛ متمرّد .

insurmountable [ĭn'sər moun'-] = insuperable 2; 3.

insurrection [ĭn'sə rĕk'shən] *(n.)* عصيان مسلّح .

insusceptible [ĭn'sə sĕp'tə bəl] *(adj.)* (١) لا يتأثر بـ (is ~ of flattery) (٢) ذو مناعة (was ~ to infection) .

intact [ĭntăkt'] *(adj.)* (١) سليم ؛ لم يُمَسّ ؛ غير مصاب بأذى . (٢) «أ» بِكْر ؛ محتفظة ببكارتها . «ب» غير مخصيّ .

intaglio [ĭn tăl'yō; -täl'-] *(It.)* (١) «أ» النقش الغائر : نقش (في حجر أو أية مادة صلبة) معمّق تحت سطح المادة (كنقوش بعض الاختام) . «ب» فنّ أو عملية النقش الغائر . «ج» الطباعة الغائرة (بواسطة صفيحة نُقِش الرسم تحت سطحها) (٢) شيء (كجوهرة الخ .) مزدانٌ بنقوش غائرة .

intake [ĭn'tāk'] *(n.)* (١) المَسْرَب : فتحة يدخل منها السائل إلى قناة أو أنبوب (٢) «أ» أخذ ؛ امتصاص ؛ استنشاق الخ . «ب» تضييق ؛ تقلّص (٣) المقدار المأخوذ أو الممتصّ او المستنشق ؛ وبخاصة : الزاد أي مقدار الطاقة التي تزوّد بها آلة ما .

intangible [ĭn tăn'jə bəl] *(adj.; n.)* (١) «أ» غير ملموس . «ب» دقيق بحيث لا يُلحظ أو يُدرَك § (٢) شيء غير ملموس أو لا يُدرَك ، وبخاصة : الاسم التجاري أو القيمة المعنوية التي تكتسبها مؤسسة تجارية على مرّ الزمن .

intarsia [ĭn tär'sĭ ə] *(It.)* (١) فُسيفساء خشبية (٢) التلبيس بفيسفاء خشبية .

integer [ĭn'tə jər] *(n.)* (١) عدد صحيح (٢) كلٌّ تامٌّ .

integral[ĭn'tə grəl] *(adj.; n.)* (١) «أ» متمِّم ؛ مكمِّل (an ~ part) . «ب» صحيح ؛ غير كسريّ (ر) . «ج» تكامليّ (ر) . «د» مُتمام : مؤلّف مع غيره وحدةً تامة (٢) متكامل : مؤلّف من اجزاء مُتمامة (an ~ whole) (٣) كامل ؛ تامّ (~ repentance) §(٤) كلٌّ متكامل (٥) التكامل (ر) .

integral calculus *(n.)* حساب التكامل (ر) .

integral stress *(n.)* الإجهاد الكليّ (مك) .

integrand[ĭn'tə grănd'] *(n.)* التكاملية : الكمية المطلوب تكاملها (ر) .

integrant [ĭn'tə grənt] *(adj.; n.)* متمِّم ؛ مكمِّل ؛ مقوِّم .

integrate [ĭn'tə grāt'] *(vt.; i.)* (١) يوحِّد (٢) يدمج . (٣) يكامل ؛ يجري عملية التكامل (ر) ×(٤) يتحد (٥) يندمج .

integration [ĭn'tə grā'shən] *(n.)* (١) توحيد ، مثل : «أ» الدمج العنصري : دمج أفراد العناصر أو الأعراق المختلفة (كالبيض والزنوج) في المجتمع ، على قدم المساواة . «ب» التكامل : تساوق العمليات العقلية في شخصية سويّة فعّالة أو تساوقها مع بنية الفرد (نف) (٢) عملية التكامل (ر) .

integrationist[ĭn'tə grā'-] *(n.)* المؤيِّد أو المطبِّق للدمج العنصري .

integrator [ĭn'tə grā'tər] *(n.)* (١) الموحِّد ؛ الدامج . (٢) المكامِلة : أداة لاجراء عمليات التكامل (ر) .

integrity [ĭn tĕg'-] *(n.)* (١) سلامة ؛ كمال (Personality function depends upon the ~ of brain function.) (٢) استقامة ؛ أمانة (٣) التَمامية ؛ الوحدة التمامية : وحدة أراضي بلد نتيجةً لعدم تجزئتها أو ضياع شيء منها (preserved the ~ of the empire)

integument [ĭn tĕg'yə mənt] *(n.)* غشاء ؛ إهاب ؛ غلاف .

intellect [ĭn'tə lĕkt'] *(n.)* (١) الفكر ؛ العقل (٢) ذكاء ؛ فطنة . (٣) الألمعيّ : شخص ذو ذكاء متوقّد .

intellection [ĭn'tə lĕk'shən] *(n.)* (١) تفكير (٢) فكرة .

intellective [ĭn'tə lĕk'tĭv] *(adj.)* (١) فكريّ ؛ عقليّ (٢) ذكيّ .

intellectual[ĭn'tə lĕk'cho͞o əl] *(adj.; n.)* (١) «أ» فكريّ ؛ عقليّ . «ب» عقلانيّ : نابع من العقل لا من العاطفة أو الخبرة (٢) مفكّر : «أ» ميّال إلى الدرس والتفكير والتأمل . «ب» منهمك في نشاط يتطلب اصطناع العقل على نحو إبداعي §(٣) المفكر : شخص مفكر .

intellectualism [ĭn'tə lĕk'cho͞o ə lĭz'əm] *(n.)* (١) التعقّلية : التعبّد للعقل أو الانصراف إلى النشاطات العقلية (٢) المذهب العقليّ : المذهب القائل بأن المعرفة مستمدة من العقل المحض (فف) .

intellectualize [ĭn'tə lĕk'cho͞o ə līz'] *(vt.)* يُعَقْلِن : يعطي الشيء شكلاً أو مضموناً عقلانياً .

intelligence [ĭn tĕl'ə jəns] *(n.)* (١) «أ» عقل ؛ فكر . «ب» تفكير ، وبخاصة تفكير بارع . «ج» ذكاء (٢) مخلوق ذكيّ ؛

وبخاصة: مَلَكٌ ؛ مَلاك (٣) فهم ؛ إدراك (٤) «أ» نبأ. «ب» اتصال، تبادل معلومات. «ج» استخبارات؛ معلومات متعلقة بعدوّ أو بعدوّ محتمل أو بمنطقة ما. «د» دائرة استخبارات.

intelligence quotient *(n.)* حاصلُ الذكاء: رقم يمثّل ذكاء المرء كما تحدّده قِسمةُ سنِّه العقلي على عُمرِه وضَرْبُ حاصل القسمة بمئة (تر).

intelligencer[ĭn tĕl'ə jən sər] *(n.)* (١) الجاسوس (٢) المُخبِر؛ ناقل الأخبار (٣) جريدة؛ صحيفة.

intelligence test *(n.)* اختبار الذكاء (تر).

intelligent [-'ə jənt] *(adj.)* (١) «أ» عاقل (an ~ being). «ب» عقلانيّ: مُوَجَّه بالعقل (٢) «أ» ذكيّ: متقد الذهن. «ب» بارع؛ دالّ على ذكاء (~ answers).

intelligentsia [ĭn tĕl ə jĕnt'sĭ ə] *(n.)* أهل الفكر(المشكّلون نخبةً أو طليعةً فنيّة أو اجتماعية أو سياسية).

intelligibility [ĭn tĕl'ə jə bĭl'ə tĭ] *(n.)* (١) وضوح؛ جلاء. (٢) شيء واضح.

intelligible [ĭn tĕl'-] *(adj.)* (١) مفهوم؛ واضح؛ جليّ. (٢) مُدرَك بالعقل فقط (فف).

—**intelligibleness** *(n.)*.

intemperance [ĭn tĕm'pər əns] *(n.)* (١) إفراط؛ إسراف، (وبخاصة في إشباع شهوة أو هوى) (٢) إدمان المسكرات.

intemperate [ĭn tĕm'pər ĭt] *(adj.)* (١) مُفْرِط؛ مُسْرِف. (٢) مُدْمِن (معاقِرَ المسكرات).

intend [ĭn tĕnd'] *(vt.; i.)* (١)يعني؛ يقصد؛ يريد(٢)ينوي؛ يعتزم. (٣)يُعِدّ لغرض أو استعمال خاص» (books ~*ed* for reference).

intendance[ĭn tĕn'dəns] *(n.)* (١)إدارة؛ إشراف(٢)مصلحة إدارية

intendant [ĭn tĕn'dənt] *(n.)* الحاكم؛ المحافظ (وبخاصة في ظل الأنظمة الملكية الفرنسية أو الأسبانية أو البرتغالية).

intended [ĭn tĕn'dĭd] *(adj.; n.)* (١) مقصود؛ مُراد؛ مطلوب (produced the ~ effect) (٢) مُعَدّ لِكذا (a book ~ for reference) (٣) «عتيد»؛ مرتقَب؛ وبخاصة: مخطوب أو مخطوبة (his ~ bride) (٤) متعمَّد (~ insults) §(٥)الخطيب أو المخطوبة (He went to the residence of his ~.).

intendment [ĭn tĕnd'mənt] *(n.)* معنى؛ مراد؛ وبخاصة: فحوى قانونٍ ما.

intenerate [ĭn tĕn'ə rāt'] *(vt.)* يُليِّن؛ يُطرّي.

intense [ĭn tĕns'] *(adj.)* (١) شديد؛ حادّ (~ light)(٢) قوي؛ كثيف (~ heat) (٣) جاهد، مجهِد (~ study *or* thought) (٤) عاطفي؛ انفعالي (an ~ person).

intensify [ĭn tĕn'sə fī'] *(vt.; i.)* (١) يقوّي؛ يشدّد؛ يجعله أكثر حدّة (٢)يكثّف: يزيد كثافة صورة فوتوغرافية بالمعالجة الكيمائية ×(٣)يقوى؛ يشتدّ؛ يزداد حِدّة.

—**intensification** *(n.)*.

intension [-'shən] *(n.)* (١) «أ» قوة؛ كثافة؛ شدة. «ب» تعاظم؛ تكاثف؛ اشتداد (٢) عزم؛ تصميم (٣) مفهوم (مق).

intensity [-'sə tĭ] *(n.)* (١) قوة؛ كثافة؛ حِدّة (٢) شِدّة(فز).

intensive [ĭn tĕn'sĭv] *(adj.; n.)* (١) كثيف؛ شديد؛ مُركّز (~ fire from machine guns) (٢) مقوٍّ؛ مشدّد؛ وبخاصة: مؤكِّد (*Certainly* is an ~ adverb.) (٣) تكثيفي: متعلق بطريقة في الزراعة تهدف إلى زيادة إنتاجية أرض ما من طريق زيادة رأس المال واليد العاملة المخصَّصَيْن لها (وضدها *extensive*) §(٤) المؤكِّد (ل).

intent [ĭn tĕnt'] *(n.; adj.)* (١) قَصْد؛ نيّة (with ~ to kill)(٢)غرض؛ هدف (used her leisure time to good ~) (٣)معنى؛ فحوى §(٤) مركَّز (an ~ gaze) (٥) منكبّ على (~ on his job) (٦) مصمِّم على (was ~ on revenge).

intention [ĭn tĕn'shən] *(n.)* (١) «أ» عزم؛ تصميم؛ قَصْد. «ب» *pl.*(٢) : نيّة «في موضوع الزواج» (inquired concerning the young man's ~*s* toward his daughter) (٣) هدف؛ غرض(.Complete and final victory was her ~)(٤)معنى؛ مغزى (٥) مفهوم (٦) النَّدْب: التِئام الجرح.

intentional [ĭn tĕn'shən əl] *(adj.)* مقصود؛ متعمَّد.

intentionally [ĭn tĕn'shən-] *(adv.)* قصداً؛ عمداً.

inter [ĭn tûr'] *(vt.)* يدفن؛ يقبر.

inter- بادئة معناها (١) بَيْن؛ وسط (*inter*stellar). (٢) «أ» متبادَل (*inter*relation). «ب» على نحوٍ متبادل (*inter*marry) (٣) قائم بين(*inter*cultural) (٤) متخلّل؛ حادث بين (*inter*glacial).

interact [-ăkt'] *(vi.)* يتفاعل. —**interactive** *(adj.)*

interaction [ĭn'tər ăk'shən] *(n.)* تفاعُل. -**al** *(adj.)*

interbrain [ĭn'tər brān] *(n.)* الدماغ المتوسّط: الجزء الخلفي من مقدَّم المخ (ت).

interbreed [ĭn tər brēd'] *(vt.; i.)* (١) يهجِّن: يزاوج بين ذكر وأنثى من ضربَين أو سلالتين مختلفتين من النوع الأحيائي أو النباتي نفسه × (٢) يتهاجن.

intercalary [ĭn tûr'kə lĕr'ĭ] *(adj.)* (١) كبيس: مضافٌ إلى التقويم (an ~ day) (٢) كبيسة: مضافٌ اليها يوم (an ~ year) (٣) مُقْحَم «بين عناصر أخرى» (~ matter in a text).

intercalate [ĭn tûr'kə lāt'] *(vt.)* (١) يكبِس السنةَ: يزيد فيها يوماً (٢) يُدخل؛ يُقحم (بين عناصر موجودة أو قائمة).

intercede [ĭn'tər sēd'] *(vi.)* (١) يتوسّط (بين فريقين رغبةً في تسوية خلاف) (٢) يتشفّع؛ يلتمس الرحمة (لمجرم الخ.).

intercellular [-sĕl'yə lər] *(adj.)* بَيْنَخَلَوِيّ: واقعٌ بين الخلايا.

intercept [*v.* ĭn'tər sĕpt'; *n.* ĭn'-] *(vt.; n.)* (١)يوقفه أو يعترض سبيله (٢) يَحْصر (ر) §(٣) الجزء المحصور: جزءُ المستقيمِ الواقعُ بين خطين أو سطحين (ر).

intercepter; interceptor [ĭn'tər sĕp'-] *(n.)* (١) المُوقِف؛ المعترِض (٢) طائرة الاعتراض ؛طائرة التصدّي: طائرة سريعة مُعَدّة لملاقاة القاذفات المغيرة.

intercession [ĭn'tər sĕsh'ən] *(n.)* (١) توسّطٌ (بين فريقين رغبةً في تسوية خلاف) (٢) شفاعة؛ تشفّع.

intercessor [ĭn'tər sĕs'ər] *(n.)* (١) الوسيط (٢) الشفيع.

interchange [*v.* ĭn'tər chānj'; *n.* ĭn'-] *(vt.; i.; n.)* (١) يواضع: يضع أحد شيئين مكان الآخر (~*d* the two front tires) (٢) يتبادل (~ *d* blows) × (٣) يتواضعان؛ يتبادلان (المكانَ) §(٤) تبادُل (٥) تقاطع (أو التقاء) طريقين بنظام من المستويات المختلفة يتيح للسيارات أن تنتقل من إحداهما الى الأخرى من غير أن تَشُقّ سَيْلَ المواصلات.

interchangeable [ĭn'tər chān'jə bəl] *(adj.)* قابلٌ للتبادل؛ وبخاصة: متعاوض: ممكن وضع أحدهما أو استعماله مكان الآخر.

intercollegiate [-kə lē'jĭ ĭt] *(adj.)* جارٍ بين الكلّيات.

intercolumniation [ĭn'tər kə lŭm'nĭ ā'-] *(n.)* (١) الفرجة بين عمودين (من صف أعمدة) (٢)التعميد: نظام توزيع المسافات بين الأعمدة (عم).

intercom[-'tər kŏm] *(n.)* = intercommunication system.
intercommunicate[ĭn tər kə mū'-] *(vi.)* (١) يتشاور ؛ يتبادل الاتصال (٢) يصل بين حجرتين.
intercommunication system *(n.)* نظام الاتصال البَيْنِيّ ؛ نظام المواصلة الداخلية : نظام لتبادل الاتصال الداخلي بين مركزين في باخرة أو طائرة أو مبنى.
intercommunion [ĭn'tər kə mūn'yən] *(n.)* اتصال متبادَل ؛ علاقات متبادلة.
interconnect[-kə nĕkt'] *(vt.)* يرابط : يربط شيئاً بآخر ؛ وبخاصة : يصل بحيث تسبب حركةُ أيما جزء حركةَ الأجزاء الباقية (ملك).
intercontinental[ĭn'tər kŏn'tə nĕn'təl'] *(adj.)* بَيْقاري : جارٍ بين القارات (~ trade).
intercooler[-kōō'lər] *(n.)* المبرِّد البَيْنِيّ : جهاز لتبريد سائلٍ ما بين عمليات متعاقبة مولِّدة للحرارة.
intercostal [ĭn'tər kŏs'təl] *(adj.; n.)* (١) بَيْضِلْعِيّ : «أ» واقع بين الضلوع. «ب» متعلق بالعضلات الخ. الواقعة بين الضلوع §(٢) عضو بَيْضِلْعِيّ ؛ عضلة بَيْضِلْعية.
intercourse[ĭn'tər-] *(n.)* (١) اتصال ؛ تعامل ؛ علاقات (٢) جِماع.
intercrop [ĭn'tər krŏp'] *(vt.; i.)* يُحاصل : (١) يزرع محصولاً بين صفوف محصولٍ آخر × (٢) يزرع محصولين أو أكثر في حقل واحد.
intercross [ĭn'tər krôs'] *(vt.; i.; n.)* (١) cross §(٢) التهجين. (٣) نتيجة التهجين أو ثمرته.
intercultural [ĭn'tər kŭl'-] *(adj.)* بَيْثقافي : قائم بين ثقافتين أو أكثر أو متعلق بثقافتين أو أكثر (~ contact *or* education).
intercurrent[ĭn'tər kûr'ənt] *(adj.)* مقاطِع ؛ معترِض : حادثٌ وسط عمليةٍ ما.
interdenominational [ĭn'tər dĭ nŏm'ə nā'-] *(adj.)* بَيْطائفي : بين الطوائف الدينية.
interdental[ĭn'tər dĕn'təl] *(adj.)* بَيْسِنّي : «أ» واقع بين الأسنان. «ب» ملفوظٌ به ورأسُ اللسان مُخْرَجٌ بين الثنيّتَيْن.
interdepartmental [-mĕn'təl] *(adj.)* بَيْدائري : جارٍ بين دائرتين ، وبخاصة بين دائرتين في مؤسستين ثقافيتين.
interdepend[ĭn'tər dĭ pĕnd'] *(vi.)* (١) يتواقف : يتوقف بعضه على بعض (٢) يتكل بعضهم على بعض.
interdependence [ĭn'tər dĭ pĕn'-] *(n.)* (١) التواقف : توقف شيء على آخر (٢) الاتكال المتبادَل (~of members of a family).
interdict [*n.* ĭn'tər dĭkt; *v.* ĭn'tər dĭkt'] *(n.; vt.)* (١) الحِرْم : حِرْم من شركة المؤمنين (نص) (٢) مَنْع ؛ تحريم §(٣) يحرِم (من شركة المؤمنين) (٤) يمنع ؛ يحرّم (٥) يدمّر أو يقطع (خطّ تموين العدوّ الخ) بقذفه بالنيران.
interest [ĭn'tər ĭst] *(n.; vt.)* (١) «أ» حصة ، أسهم. «ب» مصلحة (an arbitrator having no ~ in the result). «ج» الولوع : شيء يولع به المرء (Her two great ~*s* in life are music and painting.) (٢) خير ؛ صلاح ؛ وبخاصة : منفعة ذاتية. (٣) «أ» فائدة ، ربا (إد). «ب» زيادة ، علاوة (٤) أصحاب النفوذ في مشروع أو حقل من حقول النشاط (banking ~) (٥) شوق ، عناية ؛ اهتمام (had little ~ in that subject) (٦) تشويق ؛ عنصر التشويق (Suspense adds ~ to a novel.) (٧) أهمية ؛ شأن (a question of primary ~) (٨) تأثير ؛ نفوذ شخصي (~ with the boss) §(٩) يرغّب ؛ يحثّ على الاشتراك (to ~ a banker in a loan) (١٠) يثير انتباه شخص أو فضوله (The movies did not ~ him.).
interested [ĭn'tər ĭs tĭd] *(adj.)* (١) راغب ؛ مهتمّ (٢) مشارك ؛ ذو حصة أو أسهم (one ~ in the funds) (٣) مستثار الانتباه (~ spectators) (٤) متأثر بدوافع شخصية أو أنانية (an ~ witness).
interesting [ĭn'tər ĭs tĭng] *(adj.)* مُمتِع ؛ ماتع ؛ مشوِّق.
interest rate *(n.)* معدل الفائدة (إد).
interface [ĭn'tər fās'] *(n.)* السطح البَيْني : سطح يشكّل حدوداً مشتركة بين جسمين أو حيّزين.
interfacial [-fā'shəl] *(adj.)* بَيْسطحي : واقع بين سطحين.
interfere [ĭn'tər fĭr'] *(vi.)* (١) تصطكّ قدماه أو ركبتاه (عند الجري أو العَدْو) (٢) يتضارب ؛ يتعارض ؛ يتصادم (*interfering* claims) (٣) يتدخل (أو يشارك) في شؤون الآخرين (٤) يتداخل : تلتقي (موجاتُ الضوء أو الصوت الخ.) فيقوّي أو يُضعف بعضُها بعضاً (فز) (٥) يدّعي (كلٌّ من فريقين أو أكثر) السبْقَ إلى اختراعٍ ما.
interference [ĭn'tər fĭr'əns] *(n.)* (١) «أ» اصطكاك ؛ تصادم ؛ تدخّل الخ. «ب» عقبة ؛ عائق (٢) تداخل (فز) (٣) «أ» التشوّش : اضطراب في الاشارات اللاسلكية المستقبَلة. «ب» المشوِّش : شيء يُحْدِث هذا الاضطراب.
interferometer[ĭn'tər fə rŏm'-] *(n.)* المِدخال ؛ مقياس التداخل : أداة تستخدم ظواهر التداخل الضوئي لتحديد طول الموجة ومُعامِل الانكسار الخ. (فز).
interfertile [-fûr'təl] *(adj.)* قابل للتهاجُن أو التهجين.
interfruitful[-frōōt'-] *(adj.)* قابل للإلقاح التهجيني المتبادَل (نب).
interfuse [-fūz'] *(vt.)* (١) يَلْحُم (٢) يبُثّ (٣) يتخلّل.
intergalactic *(adj.)* بَيْمَجَرّي : قائم أو حادثٌ بين المجرّات.
intergeneric *(adj.)* بَيْجنسي : واقع أو حادث بين الأجناس.
interglacial *(adj.)* بَيْجليدي : حادثٌ بين دورين جليديين (جي).
intergradation [ĭn'tər grā dā'shən] *(n.)* التدارج.
intergrade [*v.* ĭn'tər grād'; *n.* ĭn'-] *(vi.; n.)* (١) يتدارج : يندمج (أحدُ شيئين بالآخر) تدريجياً من طريق سلسلة متصلة من «الصوَر» أو الأشكال أو الانماط المتوسّطة §(٢) المتدارجة : الصورة المتوسطة أو الانتقالية.
intergraft[-grăft'] *(vi.)* يتطاعم : يكون قابلاً للتطعيم المتبادل ؛ يتّحد بالتطعيم (Most plums ~ freely.).
interim [ĭn'tər-] *(n.; adj.)* (١) فترة ؛ فاصل (~between arrival and departure) §(٢) موقّت (~ committee).
in the ~, في أثناء أو غضون ذلك.
interior [ĭn tĭr'ĭ ər] *(adj.; n.)* (١) داخليّ (٢) برّي ؛ بعيد عن الشاطيء (٣) أساسيّ (٤) باطنيّ : ذو علاقة بالحياة العقلية أو الروحية § (٥) الداخل : الجزء الداخلي من شيء (٦) داخلية البلاد (٧) الداخلية : الشؤون الداخلية لبلد أو دولة (Department of the *Interior*) (٨) صفة الشيء أو طبيعته الداخلية (٩) الصورة الداخلية لمبنىً أو حجرة.
interior decoration *(n.)* فن الزخرفة الداخلية (عم).
interject [-jĕkt'] *(vt.)* يُقحِم (to ~ a remark).
—**interjector** *(n.)* —**interjectory** *(adj.)*
interjection [ĭn'tər jĕk'shən] *(n.)* (١) «أ» التعجّب : إطلاق صوت خاطف دالّ على انفعال أو استغراب الخ. «ب» إقحام.

ă at; ā date; â care; ä car; ĕ egg; ē me; ĭ in; ī bite; ŏ lot; ō bone; ô orphan; oi boil ŏŏ good; ōō boot; ou out; ŭ under; ū unity; û urgent; th thing; th this; zh vision; ə = *a* in alone, *e* in system, *i* in easily, *o* in gallop, *u* in circus.

(۲) شيء معترض؛ ملاحظة مُقحَمَة (۳) «أ» صيغة تعجب *(hem! bah!)* . «ب» صوت تعجب *(O! Alas!)*.

interjectional[-'shən əl] *(adj.)* (۱) اعتراضي : مقحَم بين كلمات أخرى (۲) تعجّبي (ل).

interlace [ĭn'tər lās'] *(vt.; i.)* (۱) يحابك؛ يُشابك؛ يَضْفُرُ (۲) يمزج؛ يوشّح؛ يوشي ×(۳) يتحابك؛ يتشابك؛ يَنْضفِر.

interlacing arches (عم) الأقواس المتحابكة

interlacing arches

interlard [ĭn'tər lärd'] *(vt.)* يمزج بـ؛ يوشّح.

interlayer[ĭn'-] *(n.)* الطبقة البَيْنيّة : طبقة موضوعة بين طبقات أخرى.

interleaf *(vt.; n.)* (۱) interleave § (۲) الورقة البَيْنيّة : «أ» ورقة بيضاء تُقحَم بين ورقتين من كتاب . «ب» ورقة بيضاء توضع بين ورقتين مطبوعتين حديثاً (خشية أن يشوّه الحبر النديّ إحداهما).

interleave[ĭn'tər lēv'] *(vt.)* يورق بَيْنياً : «أ» يضع ورقة بيضاء بين ورقتي كتاب. «ب» يضع ورقة بيضاء بين ورقتين مطبوعتين حديثاً.

interline [ĭn'tər līn'] *(vt.)* يَكتب أو يقحِم بين السطور .

interline [ĭn'tər līn'] *(vt.)* يبطّن بَيْنياً : يزوّد ثوباً ببطانة بينيّة (را. interlining).

interlinear [ĭn'tər lĭn'ĭ ər] *(adj.)* (۱) بَيْنسَطري : مُقحَم بين السطور (۲) مُراوَح : مكتوب أو مطبوع بلغات مختلفة في سطور متناوبة أو مراوحة (the ~ Bible).

interlining [ĭn'tər lī'nĭng] *(n.)* البطانة البَيْنية : بطانة مَخيطة بين البطانة العادية وقماش الثوب .

interlink [ĭn'tər lĭngk'] *(vt.)* يُحالق : يربط ما بين شيئين أو أكثر بحلقة أو حلقات .

interlock [ĭn'tər lŏk'] *(vi.; t.; n.)* (۱) يتشابكُ *(~ing* branches) (۲) تتعشّق (تروسُ الآلة) ×(۳) يُشابك؛ يوشِّج (٤) يُعشِّق (تروسَ الآلة) (٥) ينظّم (إشارات السكة الحديدية) لتأمين حركة القُطُر على النحو المطلوب §(٦) تشابكٌ؛ تواشُج؛ تعشُّق (۷) مشابكة؛ توشيج؛ تعشيق الخ.

interlocution [ĭn'tər lə kū'shən] *(n.)* محادثة؛ حوار .

interlocutor [ĭn'tər lŏk'yə tər] *(n.)* المحادِث؛ المحاوِر؛ المشترك في حديث أو حوار .

interlocutory[ĭn'tər lŏk'yə-] *(adj.)* (۱) حواري (۲) غير نهائيّ .

interlope [ĭn'tər lōp'] *(vi.)* يتطفل على (تجارةٍ الخ.) .

interlude [ĭn'tər lōōd'] *(n.)* (۱) فصل إضافي (يتخلّل فصول مسرحية) (۲) فترة فاصلة (۳) لحن إضافي (يعزف بين أجزاء مسرحية أو قدّاس أو قطعةٍ موسيقية) .

interlunar[ĭn'tər lōō'nər] *(adj.)* مَحاقيّ : متعلق بفترة اختفاء القمر .

intermarriage [ĭn'tər măr'ĭj] *(n.)* (۱) التزاوج (بين اسرتين أو قبيلتين الخ.) (۲) الزواج اللُّحمي (را. endogamy).

intermarry [ĭn'tər măr'ĭ] *(vi.)* (۱) «أ» يتزاوج. «ب» تتزاوج (أسرتان أو قبيلتان) (۲) يتزوج لُحميّاً (ضمن نطاق الاسرة الواحدة).

intermeddle [ĭn'tər mĕd'əl] *(vi.)* يتطفل : يتدخل في ما لا يعنيه.
—**intermeddler** *(n.)*

intermediacy [-mē'dĭ ə sĭ] *(n.)* = intermediateness.

intermediary[-mē'dĭ ĕr'ĭ] *(adj.; n.)* (۱) متوسط · واقع في الوسط (۲) وسيط : قائم بمهمة الوساطة بين فريقين §(۳) «أ» الوسيط. «ب» واسطة ؛ وسيلة (٤) مرحلة (أو صورة) وسطى .

intermediate [ĭn tər mē'-] *(adj.; n.; vi.)* (۱) متوسط ؛ واقع في الوسط §(۲) شيء متوسط (۳) الوسيط (بين فريقين) (٤) المركّب الوسيط : مركّب كيميائي متشكّل كخطوة وسطى بين المادة الأصلية والناتج النهائيّ §(٥) يتدخّل؛ يتوسّط.

intermediateness [ĭn'tər mē'-] *(n.)* التوسطيّة : كون الشيء واقعاً في الوسط .

intermediation [-mē dĭ ā'shən] *(n.)* تدخُّل؛ توسُّط .

interment [ĭn tûr'mənt] *(n.)* دَفْن .

intermezzo [ĭn'tər mĕt'sō; - mĕd'zō] *(It.)* (۱) الفاصل المسرحيّ أو الموسيقي : فاصل مسرحي أو موسيقيّ خفيف بين فصلي تمثيلية أو مُغنّاة (۲) اللحن الفاصل : لحن قصير يُعزف بين أجزاء أثر موسيقي كبير (مو).

interminable [ĭn tûr'mə nə bəl] *(adj.)* (۱) لا متناهٍ . (۲) مطوّل أو متطاول حتى السأم (debates ~).

intermingle [ĭn'tər mĭng'gəl] *(vt.; i.)* = intermix.

intermission [ĭn'tər mĭsh'ən] *(n.)* (۱) «أ» قَطْع موقّت . «ب» تقطّع (۲) فترة استراحة ، وبخاصة في حفلة عامة .

intermit [ĭn'tər mĭt'] *(vt.; i.)* (۱) يقطع (موقّتاً) ×(۲) يتقطّع .

intermittence; intermittency [ĭn'tər mĭt'-] *(n.)* تَقَطُّع .

intermittent [-mĭt'-] *(adj.)* متقطّع (an ~ fever).

intermittent current *(n.)* التيار المتقطع (كب).

intermix [-mĭks'] *(vt.; i.)* (۱) يُمازِج × (۲) يتمازج .

intermixture [ĭn'tər mĭks'chər] *(n.)* (۱) تمازُج؛ تخالط . (۲) مزيج؛ خليط .

intermolecular [ĭn'tər mə lĕk'yə lər] *(adj.)* بَيْنجُزَيْئي : موجود أو عامل بين الجُزَيْئات (forces ~) .

intern *(adj.; n.; vt.; i.)* (۱) أو **interne** : داخليّ (ا.ق) . §(۲) المعتقَل؛ السجين (۳) أو **interne** : الطبيب المقيم (في مستشفى ، ويكون عادةً طبيباً متمرناً تخرّج منذ عهد قريب. §(٤) يعتقل؛ وبخاصة خلال الحرب ×(٥) يعمل كطبيب مقيم.

internal [ĭn tûr'nəl] *(adj.)* (۱) داخليّ (۲) مُعَدّ للاستعمال من طريق المعدة : داخلي (remedy ~) (۳) ذاتيّ (ضدّ : موضوعيّ) (٤) inherent I (٥) باطنيّ (stimulus ~).

internal-combustion engine *(n.)* المحرك الداخليّ الاحتراق.

internalize [ĭn tûr'-] *(vt.)* يُذَوِّت : يضفي عليه صفةً ذاتيةً ؛ وبخاصة : يدمجه في النفس بحيث يصبح مبدءاً هادياً.

internal medicine *(n.)* الطب الباطني : فرع من الطب يُعنى بتشخيص ومعالجة الأمراض غير الجراحية .

internal respiration *(n.)* التنفس الباطني : تبادل الغازات بين الدم وخلايا الجسم .

internal rhyme *(n.)* الإيقاع الداخلي : إيقاع بين لفظة في بيت شِعر ولفظة أخرى في نهاية ذلك البيت أو في بيت آخر .

internal secretion *(n.)* = hormone.

international[ĭn'tər năsh'ən əl] *(adj.; n.)* (۱) دُوَليّ : قائم بين دولتين أو أكثر §(۲) الدّولية؛ جماعة منظمة تتخطّى الحدود القومية ، مثل : «أ» إحدى المنظمات الاشتراكية أو الشيوعية ذات النطاق الدُوَلي (وقد تُرسم بهذا المعنى بزيادة e في آخرها) . «ب» اتحاد عمالي ذو فروع في أكثر من بلد واحد .

internationalism [ĭn'tər năsh'ən ə lĭz'əm] *(n.)* الدُوَلية : «أ» الاستشراف أو الصفة أو المبادىء أو المصالح الدولية. «ب» سياسة التعاون بين الدول وبخاصة في الحقلين السياسي والاقتصادي .

ă at; ā date; â care; ä car; ĕ egg; ē me; ĭ in; ī bite; ŏ lot; ō bone; ô orphan; oi boil ŏŏ good; ōō boot; ou out; ŭ under; ū unity; û urgent; th thing; *th* this; zh vision; ə = *a* in alone, *e* in system, *i* in easily, *o* in gallop, *u* in circus.

internationalize [ĭn'tər năsh'ən ə līz'] *(vt.)* يُدَوِّل؛ وبخاصة: يُخضع لإشراف دُوَلي.
international unit *(n.)* الوحدة الدَّوليّة: مقدار من الفيتامينات الخ. يُحْدِث أثراً بيولوجياً معيناً انعقد الاتفاق على أنه مقياس دولي.
internecine [ĭn'tər nē'sĭn; -sīn] *(adj.)* (١) مميت؛ وبخاصة مُهلِك على نحو متبادَل (~ duels) (٢) ضَروس (~ wars) (٣) داخليّ: دال أو منطوٍ على نزاع ضمن جماعةٍ.
internee [ĭn'tûr nē'] *(n.)* مُعتَقَل؛ أسير حرب.
Internet *(n.)* الإنترنت: شبكة الاتّصالات العالمية بالكومبيوتر.
internist [ĭn tûr'-] *(n.)* الطبيب الباطني: طبيب الأمراض الباطنية.
internment [ĭn tûrn'mənt] *(n.)* اعتقال، وبخاصة خلال الحرب.
internode [ĭn'tər nōd'] *(n.)* البَيْعُقْديّ: الجزء الواقع بين عُقدتَيْ ساق (نب).
internuncial [ĭn'tər nŭn'shəl] *(adj.)* (١) قاصديّ: ذو علاقة بقاصد رسوليّ (٢) بَيْعَصَبيّ: رابطٌ بين الخلايا العصبية الحسيّة والحركية (ت).
internuncio [-nŭn'shĭ ō'] *(n.)* (١) الوسيط (بين فريقين). (٢) القاصد الرسولي: سفير بابوي في بلد صغير.
interoceptive [ĭn'tər ō sĕp'tĭv] *(adj.)* استنباهيّ باطنيّ: متعلق بالمستَنْبِهات الباطنية interoceptors أو بالمنبِّهات المؤثرة فيها أو بمفاعيلها العصبية (قا exteroceptive).
interoceptor [ĭn'tər ō sĕp'tər] *(n.)* المُستَنْبِهُ الباطني: طَرَف عصبيّ يستجيب للمنبهات الناشئة داخلَ الجسم وبخاصة في الأحشاء (قا exteroceptor).
interoffice [-ôf'ĭs] *(adj.)* بَيْمكتبيّ: عاملٌ بين مكاتب مؤسسةٍ ما.
interpellate [-pĕl'āt] *(vt.)* يستجوب (وزيراً في مجلس النواب).
interpenetrate [ĭn'tər pĕn'ə trāt'] *(vt.; i.)* (١) يخترق. ×(٢) يتداخل (بعضه ببعض).
interpersonal [-pûr'sən əl] *(adj.)* بَيْشخصيّ: خاص بالعلاقات بين الاشخاص.
interphone [ĭn'tər fōn'] *(n.)* الهاتف البَيْنيّ: هاتف داخلي للاتصال بين المكاتب في مبنى.
interplanetary [ĭn'tər plăn'ə tĕr'ĭ] *(adj.)* بَيْكوكبيّ: واقع أو مُجرًى أو عاملٌ بين الكواكب السيارة (~ travel).
interplant [-plănt'] *(vt.)* يُحاصِل: يزرع محصولا بين نباتات من نوع آخر، وبخاصة: يغارس؛ يغرس شجيرات بين شجيراتٍ قائمة.
interplay [*n.* ĭn'-; *v.* -plā'] *(n.; vi.)* (١) تفاعُل §(٢) يتفاعل.
interplead [ĭn'tər plēd'] *(vi.)* يتقاضى فرعياً (للفصل في قضية جانبية).
interpleader [ĭn'tər plē'dər] *(n.)* (١) الدعوى الفرعية: دعوى يُفْصَل فيها في إدعاءات فريقين مطالِبَيْن بالحق في مال أو ممتلكات لكي يستطيع الفريق الثالث أن يعرف إلى أيهما يتعين عليه أن يدفع المال (ق) (٢) المتقاضي في دعوى فرعية.
interpolate [ĭn tûr'pə lāt'] *(vt.; i.)* (١) «أ» يحرّف نصاً. «ب» يدسّ (كلماتٍ) في نص أو محادثة (٢) يُقحم (بين عناصر موجودة أو قائمة) (٣) يولّد؛ يستوفي؛ يستكمل (ر).
interpolation [ĭn tûr'pə lā'-] *(n.)* التوليد؛ الاستيفاء (ر).
interpose [ĭn'tər pōz'] *(vt.; i.)* (١) «أ» يجعله أو يُدخله بين: يوسِّط (to ~ a paper between a light and the eye) «ب» يتطفّل (٢) يلقي بملاحظة (أثناء حديث أو جدل) ×(٣) يعترض (بين شيئين) (٤) يتوسّط؛ يتدخل (٥) يقاطع (في الكلام).

interpret [ĭn tûr'prĭt] *(vt.; i.)* (١) يفسّر (٢) يؤوِّل (٣) يؤدّي: يُبْرِز معنى القطعة الموسيقية أو الدور المسرحي من طريق التمثيل أو العزف (~*ed* the role of Hamlet) ×(٤) يترجم؛ يقوم بدور المترجم (بين متحدِّثين بلغتين مختلفتين). —**interpretation** *(n.)*.
interpretative [ĭn tûr'prə tā'tĭv] *(adj.)* تفسيري؛ تأويليّ.
interpupillary [-pū'-] *(adj.)* بَيْبُؤبُؤيّ: ممتد بين بؤبؤيْ العين.
interracial [ĭn'tər rā'shəl] *(adj.)* بَيْعِرقيّ: متعلّق بأفراد من أجناس مختلفة (an ~ conference).
interregnum [ĭn'tər rĕg'nəm] *(n.)* pl. **s** *or* **-na** (١) فترة خلوّ العرش (بين وفاة ملك وتولّي آخر) (٢) فترة تُعلَّق خلالها وظائفُ الحكومةِ السويّة (٣) انقطاعٌ في أيما شيء متّصل.
interrelate [ĭn'tər rĭ lāt'] *(vt.; i.)* (١) يقيم علاقة متبادلة بين. × (٢) يكون على علاقة متبادلة مع. —**interrelated** *(adj.)*
interrelation; interrelationship [-rĭ lā'-] *(n.)* علاقة متبادلة.
interrogate [ĭn tĕr'ə gāt'] *(vt.)* يستجوب؛ يستنطق.
interrogation point *(n.)* علامة استفهام.
interrogative [ĭn'tə rŏg'ə tĭv] *(adj.; n.)* (١) استفهامي. (٢) فضوليّ §(٣) استفهام (٤) أداة إستفهام (ل).
interrogator [ĭn tĕr'-] *(n.)* (١) المستجوِب؛ المستنطِق. (٢) جهاز إرسال واستقبال (ر د).
interrogatory [ĭn'tə rŏg'ə tōr'ĭ] *(n.; adj.)* (١) استجواب. (٢) علامة استفهام §(٣) إستفهامي.
interrupt [ĭn'tə rŭpt'] *(vt.; i.)* (١) يعوق؛ يعترض (٢) يقطع اطّراد شيء ×(٣) يقاطع (أثناء الكلام).
interrupter [ĭn'tə rŭp'tər] *(n.)* (١) فا interrupt (٢) المقطِّع: أداة لقطع التيار الكهربائي أوتوماتيكياً على نحو دَوْريّ (كب).
interscholastic [ĭn'tər skə lăs'tĭk] *(adj.)* بَيْمَدْرسيّ: قائم أو مُجْرىً بين المدارس (~ competition).
inter se [ĭn'tər sē'] *(L.)* بين بعضها أو بعضهم بعضاً (All species will breed ~.)
intersect [-sĕkt'] *(vt.; i.)* (١) يَشْطر؛ يقطع (One road ~*s* another.) ×(٢) تتقاطع (الخطوطُ أو الطرق) (٣) يتداخل؛ يتشابك (where positive law and morals ~).
intersection [-sĕk'-] *(n.)* (١) مص intersect (٢) نقطة التقاطع.
intersex [ĭn'tər sĕks] *(n.)* بَيْنيّ الجنس: فَرْد يتكشّف عن خصائص الذكورة والانوثة معاً (أح).
intersexual [ĭn tər sĕk'-] *(adj.)* بَيْجِنسيّ: «أ» قائم بين الجنسين (~hostility). «ب» متكشّف عن خصائص الذكورة والأنوثة معاً.
interspace [*n.* ĭn'tər spās'; *v.* ĭn tər spās'] *(n.; vt.)* (١) «أ» فُرْجة أو فسحة بين شيئين. «ب» فترة فاصلة §(٢) يفصل.
interspecific *(adj.)* بَيْنَوْعي: قائم أو ناشيء بين الأنواع (أح).
intersperse [ĭn'tər spûrs'] *(vt.)* (١) ينثر (هنا وهناك) (٢) يوشّي؛ يرصِّع (Her speech was ~*d* with long quotations.).
interstate [ĭn'tər stāt'] *(adj.)* بَيْولاياتي: متعلق بولايتين أو أكثر، وبخاصة من الولايات المتحدة الأميركية (~ commerce).
interstellar [ĭn'tər stĕl'ər] *(adj.)* بَيْنَجْميّ: واقع أو حادثٌ بين النجوم (~ space).
interstice [ĭn tûr'stĭs] *(n.)* (١) فترة فاصلة (٢) فُرْجة؛ صَدْع.
interstitial [ĭn'tər stĭsh'əl] *(adj.)* بَيْفُرجيّ: واقع بين فُرجتين؛ وبخاصة: واقع بين فُرَج نسيجٍ حيّ (ت).
intertestamental [-mĕn'təl] *(adj.)* بَيْعَهْديّ: متعلق بفترة القرنين

الفاصلة بين إنشاء آخر سِفر من أسفار العهد القديم وبين إنشاء أسفار العهد الجديد (نص).

intertill [-tĭl'] *(vt.)* يُحارِث: يحرث أو يزرع بين صفوف محصول.

intertribal [ĭn'tər trī'bəl] *(adj.)* قَبَلِيّ؛ بَينَقَبَلِيّ: واقع أو حادث بين القبائل (~ warfare).

intertropical [ĭn'tər trŏp'ə kəl] *(adj.)* (١) بَينَمَداري: واقع بين مداريْ السرطان والجَدْي (٢) استوائي.

intertwine [ĭn'tər twīn'] *(vt.; i.)* (١) يَضْفُر؛ يَجْدِل ×(٢) ينضفر؛ ينجدل.

intertwist [ĭn'tər twĭst'] *(vt.; i.; n.)* (١) يَضفُر×(٢) ينضفر§(٣) ضَفْر؛ جَدْل (٤) انضفار.

interurban [ĭn'tər ûr'bən] *(adj.)* بَيْنَمُدُنيّ: رابطٌ بين المدن.

interval [ĭn'tər vəl] *(n.)* (١) فاصل؛ فترة فاصلة (٢) فُرجة؛ فسحة (٣) الفاصلة (مو).

intervale [ĭn'tər vāl] *(n.)* أرض منخفضة في محاذاة نهر الخ.

intervene [ĭn'tər vēn'] *(vi.)* (١) يطرأ؛ يعترض؛ يحدث بحيث يغيّر نتيجةً أو يؤثّر فيها (I shall start on Monday if nothing ~s.) (٢) يتخلّل؛ يقع بين فترتين (the years that ~*d*) (٣) «أ» يتدخّل (لتسوية نزاع الخ). «ب» يتدخل بالقوة أو بالتهديد بالقوة في الشؤون الداخلية لدولة أخرى.

—intervention *(n.)*

interventionism [-vĕn'shən-] *(n.)* التدخلية: سياسة التدخل؛ وبخاصة: التدخل الحكومي في الشؤون الاقتصادية داخل الوطن أو في الشؤون السياسية لبلد آخر.

—interventionist *(n.; adj.)*

intervertebral [-vûr'-] *(adj.)* بَيْفِقَاريّ: واقع بين الفقارات.

intervertebral disk *(n.)* الطَّبَق البَيْفِقاري (ت).

interview [ĭn'tər vū'] *(n.; vt.)* (١) مقابلة؛ وبخاصة: مقابلة يجريها مندوب جريدة أو مجلة مع شخص لأخذ حديث صحفي (٢) حديث صحفيّ§(٣) يُجري مقابلة مع (to ~ the king).

—interviewer *(n.)*

inter vivos [-vē'vōs] *(L.)* (١) بين الأحياء (٢) من شخص حيّ إلى آخر (~ property transferred).

interweave [-wēv'] *(vt.; i.)* (١) يُناسِج؛ يُحابك (٢) يَمزج (~*d* truth with fiction) ×(٣) يتناسج؛ يتحابك؛ يتمازج.

intestate [ĭn tĕs'tāt; -tĭt] *(adj.; n.)* (١) غير مُوصٍ: مائتٌ من غير أن يكتب وصية (to die ~) (٢) غير مورَّث بوصية (~ estates)§(٣) اللامُوصي: شخص يموت من غير أن يكتب وصية.

intestinal [ĭn tĕs'tə nəl; -tī'nəl] *(adj.)* مِعَوِيّ.

intestinal fortitude *(n.)* شجاعة؛ قدرةٌ على الاحتمال.

intestine [ĭn tĕs'tĭn] *(adj.; n.)* (١) داخليّ؛ وبخاصة: أهليّ؛ متعلق بالشؤون الداخلية لدولة أو بلد (~ strife)§(٢) مِعىً؛ مَصير (ت).

intima [ĭn'tə mə] *(n.)* pl. **-e** *or* **-s** *(n.)* الطبقة الباطنة: الغشاء الباطني لوريد أو شريان (ت).

intimacy [ĭn'tə mə sĭ] *(n.)* (١) أُلفة؛ مودّة؛ صداقة حميمة (٢) عمل متّسمٌ بالألفة (كقبلة أو عناق) (٣) علاقات جنسية غير شرعية.

intimate [ĭn'tə-] *(vt.; adj.; n.)* (١) يعلن؛ يصرّح (٢) يُلمع؛ يلمّح§(٣) «أ» أساسيّ؛ جوهريّ (the ~ structure of organisms) «ب» صميميّ؛ متعلق بصميم طبيعة المرء (٤) «أ» حميم (his ~ friend). «ب» حميميّ: مُوحٍ بالألفة والدفء (~ clubs) (٥) خصوصي أو شخصيّ جداً (one's ~ affairs) (٦) مفصَّل؛ عميق (a more ~ analysis)§(٧) صديق حميم.

intimidate [ĭn tĭm'ə dāt'] *(vt.)* يخوّف؛ يرعب؛ يهوّل على؛ يُكرِه بالتهديد.

intinction [ĭn tĭngk'shən] *(n.)* غَمْس الخبز في الخمر وتقديمهما معاً إلى المتناول (نص).

into [ĭn'too; ĭn'tŏŏ] *(prep.)* (١) في (٢) إلى (٣) نحو.

intolerable [ĭn tŏl'-] *(adj.)* (١) لا يطاق؛ لا يُحتمل (٢) مُفْرِط.

intolerance [ĭn tŏl'ər əns] *(n.)* (١) عدم احتمال أو تحمُّل. (٢) تعصّب (٣) حساسية مُفرطة (لبعض المآكل أو العقاقير).

intolerant [ĭn tŏl'-] *(adj.)* (١) قليل الاحتمال أو التحمل لـ. (٢) متعصّب.

intonate [ĭn'tō nāt'] *(vt.)* يرنّم؛ ينغّم؛ يُنشد.

intonation [ĭn'tō nā'shən] *(n.)* (١) ترنيم؛ تنغيم؛ تجويد؛ وبخاصة: ترتيل (٢) شيء مرتَّل. وبخاصة: مطلع ترتيلة غريغورية (٣) الأداء: طريقة الغناء أو العزف أو الترنّم (٤) ارتفاع وانخفاض طبقة الصوت في الكلام.

intone [ĭn tōn'] *(vt.; i.)* (١) يرنّم؛ ينغّم؛ يرتّل ×(٢) يترنّم.

intorsion; intortion [ĭn tôr'-] *(n.)* ثُنَيّة؛ عَطْفة (في ساق نبتة).

in toto [ĭn tō'tō] *(L.)* جملةً؛ كليّةً؛ بأسره.

intoxicant [ĭn tŏk'-] *(adj.; n.)* (١) مُسْكِر§(٢) شراب مُسْكِر.

intoxicate [ĭn tŏk'sə kāt'] *(vt.)* (١) يسمّم (٢) يُسْكِر.

intoxicated [-kā'tĭd] *(adj.)* (١) سكران (٢) ثَمِل (بالنصر الخ).

intoxication [ĭn tŏk'sə kā'shən] *(n.)* (١) تسميم (٢) سُكْر (٣) ثَمَل (عاطفيّ).

intra- بادئة معناها: (١) «أ» ضِمن (intracellular). «ب» خلال (intranatal). «ج» واقع بين طبقات كذا (intradermal) (٢) نُشْبِيّ؛ في داخل (intramuscular).

intracellular [ĭn'trə sĕl'yə lər] *(adj.)* ضِمْخَلَويّ: واقع ضمن خليّة بروتوبلازمية.

intractable [ĭn trăk'-] *(adj.)* (١) شَموس؛ عنيد (٢) غير طَروق: يصعب تطريقه أو ترقيقه (~ metals) (٣) عسيرٌ تسكينُه أو معالجته (~ pain).

intracutaneous test *(n.)* اختبار المناعة أو فَرْط الحساسية (ويتم بزرْق الجلد بمقدار ضئيل مطفّف من مولّدات المُضاد).

intradermal *(adj.)* بَيْنَبَشَريّ: واقع بين أو ضمن طبقات البشرة.

intrados [-trā'dŏs] *(n.)* المنحنى الداخلي «من عقْد أو قنطرة» (عم).

intramolecular [ĭn'trə mə lĕk'-] *(adj.)* ضِمْجُزَيْئِيّ: موجود أو عاملٌ ضمن الجزيئ. أيضاً: متشكّل بالتفاعل بين مختلف أقسام الجزيئ الواحد.

intramural [ĭn'trə myŏŏr'əl] *(adj.)* ضِمْجِداريّ: (١) «أ» قائم أو حادثٌ ضمن نطاق جماعة أو مؤسسة (~ competition) «ب» دائر أو متنافَس فيه ضمن الجسم الطلاّبي فحسب (~sports) (٢) قائم أو جارٍ ضمن مادة جدران عضوٍ ما (~ circulation).

intramuscular [ĭn trə mŭs'kyə lər] *(adj.)* ضِمْعَضَليّ؛ نُشْبِعَضَلي: قائم ضمن عضلة؛ داخلٌ أو منشَبٌ في عضلة (~ fat; ~ injection).

intranatal [-nā'təl] *(adj.)* خِلالُولاديّ: حادثٌ خلال الولادة.

intransigeance; intransigence [ĭn trăn'-] *(n.)* عناد؛ تصلّب.

intransigent [-sə jənt] *(adj.; n.)* (١) عنيد؛ متصلّب (وبخاصة

في السياسة) §(٢) شخص عنيد أو متصلب (وبخاصة في السياسة).

intransitive [ĭn trăn'sə tĭv] *(adj.)* لازم؛ غير متعدٍّ (ل).

intrant [ĭn'trənt] *(n.)* الداخل؛ وبخاصة في مؤسسة ثقافية أو في رهبنة ما.

intrapsychic; -al [ĭn'trə sī'-] *(adj.)* ضِمْنَفْسي: واقع ضمن النفس أو العقل أو الشخصية (~ conflicts).

intraspecific[-sĭf'ĭk] *(adj.)* ضِمْنَوْعي: واقعٌ ضمن نوع أحيائي أو شاملٌ أعضاء من نوع أحيائي واحد.

intrastate [ĭn'trə stāt'] *(adj.)* ضِمْوِلائيّ: قائم أو حادث ضمن ولاية من الولايات (~ commerce).

intrauterine[-ū'-] *(adj.)* ضِمْرَحِميّ: قائم أو حادث ضمن الرحم.

intravenous [ĭn'trə vē'nəs] *(adj.)* (١) ضِمْوَريديّ: قائم ضمن الأوردة (an ~ inflammation) (٢) نُشْبِوريديّ: مُنْشَب أو مُدْخَل من طريق الأوردة (~ feeding).

intravital; intravitam [-vī'-] *(adj.)* (١) مُجْرًى على الكائن الحيّ أو موجود فيه (~ diagnosis; ~ blood clotting) (٢) قادر على صبغ الخلايا الحية من غير أن يقتلها.

intreat [ĭn trēt'] *(vt.)* = entreat.

intrench [ĭn trĕnch'] *(vt.; i.)* = entrench.

intrepid [ĭn trĕp'ĭd] *(adj.)* جريء؛ جَسور؛ باسل.

intricacy [ĭn'trə kə sĭ] *(n.)* (١) تعقيد (٢) شيء مُعقَّد.

intricate[ĭn'trə kĭt] *(adj.)* (١) مُعقَّد (٢) صعبٌ حلُّه أو تحليله.

intrigant *or* **intriguant** [ĭn'trə gənt; ăn trē gän'] *(F.)* المخادع؛ الكائد؛ المتآمر.

intrigue [*v.* ĭn trēg'; *n.* ĭn trēg'; ĭn'-] *(vt.; i.; n.)* (١) يخدع (٢) يكيد (٣) يأسر: يثير اهتمام شخص أو رغبته أو فضوله (a novel that ~s the reader) ×(٤) يتآمر §(٥) «أ» خداع؛ مكيدة. «ب» مخادعة؛ كَيْد (٦) علاقة غرامية سريّة أو غير شرعية. —**intriguer** *(n.)*

intrinsic; -al[ĭn trĭn'-] *(adj.)* (١) جوهري (٢) حقيقي؛ فعلي (٣) ناشيء أو واقع ضمن الجسم أو ضمن عضوٍ من أعضائه.

intro- بادئة معناها: «أ» في؛ إلى. «ب» ضمن؛ نحو الباطن.

introduce [ĭn'trə dūs'] *(vt.)* (١) يقود او يُدخل وبخاصة للمرة الأولى (٢) يضع موضع الاستعمال (٣) «أ» يعرّف (شخصاً إلى آخر). «ب» يقدّم شخصاً، بصورة رسمية، إلى بلاط أو مجتمع. «ج» يقدّم مشروع قانون الخ. «د» يصدِّر: يضع مقدمة لبحثٍ الخ. «هـ» يقدّم (ممثلاً أو مغنياً) إلى الجمهور للمرة الأولى (٤) يُدْخِل؛ يُولِج (٥) يُطْلِع شخصاً على مبادىء فنٍ ما (He ~d him to chess.)

introduction [ĭn'trə dŭk'shən] *(n.)* (١) «أ» مقدمة. «ب» مَدْخَل؛ رسالة أو دراسة تمهيدية في موضوع ما (an ~ to astronomy) «ج» مقدّمة موسيقية (٢) تقديم؛ تعريف (٣) إدخال؛ إيلاج (٤) شيء يُدخل للمرة الأولى، وبخاصةٍ: نبتة جديدة أو حيوان جديد.

introductory [-dŭk'tə rĭ] *(adj.)* تمهيدي؛ استهلالي؛ تقديمي.

introgression[-grĕsh'ən] *(n.)* دخول أو إدخال إحدى المورِّثات أو الجينات من مورِّثة مركَّبة إلى أخرى.

introit [ĭn trō'ĭt] *(n.)* (١) *cap.* ا ك: صلاة القداس الافتتاحية. (٢) اللحن الافتتاحي: قطعة موسيقية تُنشد أو تعزف عند افتتاح الصلاة (نص).

introject[-jĕkt'] *(vt.)* يُشْرِب: يغرس فيه فكرة بطريقة لا واعية.

intromission [-mĭsh'ən] *(n.)* (١) إدخال؛ إيلاج؛ إقحام. (٢) دخول؛ ولوج.

intromit [ĭn'trə mĭt'] *(vt.)* يُدْخل؛ يولج؛ يُقْحِم.

introrse [ĭn'trôrs'] *(adj.)* مُباطِن: متجهٌ نحو الباطن أو نحو محور النمو (نب).

introspect [ĭn'trə spĕkt'] *(vt.; i.)* يستبطن: يفحص (المرءُ) أفكاره ودوافعه ومشاعره (نف).

introspection [ĭn'trə spĕk'shən] *(n.)* الاستبطان: فَحصُ المرء أفكارَه ودوافعه ومشاعره (نف).

introversion [ĭn'trə vûr'shən; -zhən] *(n.)* الانطواء الذاتي؛ الانكفاء على الذات (نف).

introvert [*v.* ĭn'trə vûrt'; *n.*; *adj.*; ĭn'-] *(vt.; n.; adj.)* (١) يدير أو يلوي نحو الباطن (٢) يطوي: يركّز (افكاره) على ذاته على نحو انطوائي (نف) §(٣) المنطوي: شخص منطوٍ على ذاته §(٤) انطوائي.

intrude [ĭn trōōd'] *(vi.; t.)* (١) يتطفّل (٢) يَدْخل عنوةً ×(٣) يُدخل عنوةً.

intrusion [ĭn trōō'zhən] *(n.)* (١) تطفّل؛ اقتحام، وبخاصة: تعدٍّ على ممتلكات الآخرين (٢) الاسترساب: إقحام صخر ذائب في طبقات صخر آخر (جي).

intrusive [-'sĭv] *(adj.)* (١) «أ» تطفّلي؛ اقتحامي. «ب» متطفّل؛ مقتحم (٢) «أ» مسترسِب: مُقْحَم، وهو في الحالة العجينية، في طبقات صخر آخر (جي). «ب» مُقْحَم (كحرف أو صوت) من غير مبرر صرْفيّ أو نحويّ أو تاريخي (ل).

intrust [ĭn trŭst'] *(vt.)* = entrust.

intubate [ĭn'tyōō bāt'] *(vt.)* يُؤنْبِب (را. المادة التالية).

intubation [ĭn'tyōō bā'shən] *(n.)* الأنْبَبَة: إدخال أنبوب في عضوٍ أجوف (كقصبة الرئة) لابقائه مفتوحاً (ط).

intuit [ĭn'tyōō ĭt; -tōō-] *(vt.)* يَحْدِس؛ يعرف بالحَدْس.

intuition [ĭn'tyōō ĭsh'-; -tōō-] *(n.)* (١) حَدْس (٢) بديهة.

intuitionism[ĭn'tyōō ĭsh'ə nĭz'əm] *(n.)* الحَدْسية: «أ» مذهب يقول بأن ثمة حقائق أساسية تعرف بالحَدْس. «ب» مذهب يقول بأن القيم والواجبات الاخلاقية يمكن إدراكها بالبداهة.

intuitive [ĭn tū'ə tĭv] *(adj.)* (١) حَدْسي؛ بَدْهيّ (٢) مُدْرَك بالحدس أو البديهة (٣) نزّاع الى الحدس.

intumesce [ĭn'tyōō mĕs'; -tōō-] *(vi.)* ينتفخ؛ يتضخم.

intumescence [-'əns] *(n.)* (١) انتفاخ؛ تضخم (٢) شيء منتفخ.

intussuscept [ĭn'təs sə sĕpt'] *(vt.; i.)* (١) يُغْمِد ×(٢) ينغمد.

intussusception [-sĕp'shən] *(n.)* (١) الانغماد المعوي (مض). (٢) الاندماج: تمثيل أو هضم مادة جديدة واندماجها في المادة الأصلية.

Inuktitut *(n.)* الإينكتيتوت (مجموعة من لهجات الإسكيمو).

inulin [ĭn'yə lĭn] *(n.)* الإينولين: سُكَّر عَدادي يستخرج من جذور بعض النباتات (ك).

inunction [ĭn ŭngk'-] *(n.)* المَسْح: دَهْنٌ بزيت أو مَرْهم.

inundate [ĭn'ən dāt'; ĭn ŭn'dāt] *(vt.)* يَغْمر؛ يُغْرق.

inundation[ĭn ən dā'-] *(n.)* غَمْر؛ إغراق.

inure [ĭn yōōr'] *(vt.; i.)* (١) يُمَرِّس؛ يعوِّد (على المكاره). ×(٢) «أ» يتراكم. «ب» يصبح نافذ المفعول.

inurn [ĭn ûrn'] *(vt.)* (١) يُقَوْرِر: يضع في قارورة (٢) يدفن.

inutile [ĭn ū'tĭl] *(adj.)* عديم الجدوى؛ لا غَناء فيه.

in vacuo [ĭn văk'yōō ō'] *(L.)* في الخواء؛ في الفراغ.

invade [ĭn vād'] *(vt.)* (١) يغزو ؛ يجتاح (٢) يعتدي على ؛ ينتهك حُرمة كذا (~ *d* the rights of citizens).

invaginate [ĭn văj'ə nāt'] *(vt.; i.)* (١) يغْمد (٢) يطويه ظهراً لبطن × (٣) «أ» ينغمد. «ب» ينطوي ظهراً لبطن.

invagination [ĭn văj'ə nā'-] *(n.)* (١) إغماد (٢) انغماد. (٣) الانغماد المعوي (مض).

invalid [ĭn'-] *(adj.; n.; vt.)* (١) باطل ؛ لا أساس له من الصحة. (٢) لاغٍ ؛ لا إسناد له من القانون (٣) معتلّ ؛ مريض ؛ عاجز (٤) مَرَضي ؛ عَجْزي : خاص بمريض أو عاجز (~ diets) § (٥) المريض ؛ العاجز (٦) جندي أو بحار غير صالح للخدمة العسكرية §(٧) يُمرِض ؛ يجعله عاجزاً (was ~*ed* for life) (٨) يعفيه من الخدمة الفعلية بسبب مرض أو عجز.
—**invalidity** *(n.)*

invalidate [ĭn văl'-] *(vt.)* يُضْعِف ؛ يوهن. وبخاصة : يُبْطِل ؛ يَنْسَخ.

invalidism [ĭn'-] *(n.)* السَّقام : اعتلال صحيّ متطاول أو مزمن.

invaluable [ĭn văl'yoo ə bəl] *(adj.)* نفيسٌ ؛ لا يُثمَّن ؛ لا يقوَّم بمال.

invariability [ĭn vâr'ĭ ə bĭl'-] *(n.)* الثابتية ؛ اللامتغيّرية.

invariable [ĭn vâr'ĭ ə bəl] *(adj.; n.)* (١) ثابت ؛ لا متغيّر. §(٢) شيء ثابت أو لا متغيّر.

invariance [ĭn vâr'-] *(n.)* = invariability.

invariant [ĭn vâr'ĭ ənt] *(adj.; n.)* (١) ثابت ؛ لا متغيّر. § (٢) الكمية الثابتة (ر).

invasion [ĭn vā'zhən] *(n.)* (١) غزو ؛ اجتياح (٢) تعدٍّ ؛ انتهاك.

invasive [ĭn vā'sĭv] *(adj.)* (١) غَزَويّ ؛ اجتياحيّ ؛ عدواني (~wars) (٢) توسعيّ ؛ وبخاصة : نزّاع إلى غزو الانسجة السليمة (~ cancer cells) (٣) نزّاع إلى التعدي والانتهاك.

invective [ĭn vĕk'tĭv] *(adj.; n.)* (١) قَدْحيّ ؛ ذَمّيّ ؛ طَعْنيّ. § (٢) قَدْح ؛ ذم ؛ طعن.

inveigh [ĭn vā'] *(vi.)* يندّد بـ ؛ يهاجم بعنف.

inveigle [ĭn vē'gəl; -vā'-] *(vt.)* يُغري ؛ يغْوي (وبخاصة بالتملّق).

invent [ĭn vĕnt'] *(vt.)* (١) يلفّق (٢) يخترع.
—**inventer; inventor** *(n.)*

invention [ĭn vĕn'-] *(n.)* (١) كَشْف ؛ اكتشاف (٢) الابتكارية ؛ الإبداعية ؛ الخيال المبدع (٣) شيء مُبْتَدَع ، مثل : «أ» تلفيق ؛ كلام ملفّق. «ب» مُختَرَع ؛ أداة مخترَعة (٤) الاختراع ؛ عملية الاختراع.

inventive [ĭn vĕn'-] *(adj.)* (١) مُبْدِع ؛ خلاّق (٢) إبداعيّ.

inventiveness [ĭn vĕn'-] *(n.)* الإبداعية ؛ الابتكارية ؛ القدرة على الابتداع.

inventory [ĭn'vən tōr'ĭ] *(n.; vt.)* (١) «أ» قائمة الجَرْد (للسّلع أو الموجودات. «ب» مَسْحٌ للموارد الطبيعية. «ج» بيان مفصَّل (بالصفات والاهتمامات والقدرات يُستخدم لتقدير الخصائص أو البراعات الشخصية) (٢) المخزون : الموجود في المخزن من البضائع (٣) عملية الجَرْد §(٤) يَجْرُد.
—**inventorial** *(adj.)*

inverness [ĭn'vər nĕs'] *(n.)* الأنفرناسية : سترة ذات حزام ودِثار للكتفين.

inverse [ĭn vûrs'; ĭn'vûrs] *(adj.; n.)* (١) معكوس (٢) عكسيّ (٣) مقلوب رأساً على عقب §(٤) انقلاب ؛ ارتكاس (٥) عكس ؛ ضدّ.

inverse figure *(n.)* الشكل العكسيّ.

inverse function *(n.)* الدالة العكسية (ر).

inversely [ĭn vûrs'lĭ] *(adv.)* عكساً ؛ عكسياً.

inversely proportional متناسب عكسياً.

inverse ratio *(n.)* النسبة العكسية (ر).

inverse-square law *(n.)* قانون التربيع العكسي (ر).

inversion [ĭn vûr'zhən; -shən] *(n.)* (١) قَلْب ؛ عَكْس (٢) انقلاب ؛ ارتكاس (٣) تغيير في الوضع السويّ للكلمة ، وبخاصة : تقديم الفعل على فاعله (ل) (٤) القَلْب (مو) (٥) اللواطة ؛ اشتهاء المماثل (٦) العكس : تحويل مادة متميزة باليامنة إلى مادة متميزة بالمياسرة والعكس بالعكس (ك) (٧) تحويل تيار طرديّ إلى تيار متردد (كب) (٨) التعاكس (ر) (٩) زيادة في حرارة الهواء نتيجة لازدياد الارتفاع (بدلاً من انخفاضها).

inversive [ĭn vûr'sĭv] *(adj.)* قلبيّ ؛ عكسيّ.

invert [*v.* ĭn vûrt'; *n., adj.* ĭn'vûrt] *(vt.; n.; adj.)* (١) يقلب (بطناً لظهر أو رأساً على عقب) (٢) «أ» يعكس (الوضعَ أو الترتيبَ أو العلاقةَ). «ب» يقلب (مو). «ج» يعكس (ك). §(٣) «أ» شيء مقلوب أو معكوس. «ب» اللواطي ؛ مشتهي المماثل §(٤) معكوس : محوَّل من مادة متميزة باليامنة إلى مادة متميزة بالمياسرة والعكس بالعكس (ك).

invertase [ĭn vûr'tās] *(n.)* الإنفرتاز : انزيمة قادرة على تحويل سكر القصب إلى سكّر منقلب (كح).

invertebrate [ĭn vûr'tə brĭt; -brāt'] *(adj.; n.)* (١) لا فقاري (٢) ضعيف ؛ تعوزه القوة أو الحيوية §(٣) اللافقاريّ : حيوان لا فقاريّ (٤) شخص تعوزه القوة أو الحيوية.

inverted commas *(n. pl.)* علامتا الاقتباس « ».

inverter [ĭn vûr'tər] *(n.)* (١) العاكس ؛ القالب ؛ المحوِّل. (٢) المحوِّلة : أداة لتحويل التيار الطردي إلى تيار متردّد (بوسائل ميكانيكية أو الكترونية).

invert sugar *(n.)* السكّر المنقلب : مزيج من سكّر العنب وسكّر الفاكهة والعسل. أيضاً : سكّر عنب مستخرج من النشا.

invest [ĭn vĕst'] *(vt.; i.)* (١) «أ» يقلّده منصباً أو رتبة. «ب» يمنحه سُلطة (٢) يغطي ؛ يغلّف (٣) يكسو ؛ يزيّن (٤) يطوّق ؛ يحاصر (٥) يُشرِب ؛ يغرس في (٦) ينفق (~*ed* large sums on books) × (٧) يثمّر ؛ يوظّف مالاً.

investigate [ĭn vĕs'tə gāt'] *(vt.)* يبحث ؛ يحقّق في ؛ يستقصي (الأسبابَ الخ).
—**investigation** *(n.)*
—**investigative** *(adj.)* —**investigator** *(n.)*

investiture [ĭn vĕs'tə chər] *(n.)* (١) تقليد منصب او رتبة. (٢) كساء ؛ حلية.

investment [ĭn vĕst'mənt] *(n.)* (١) غلاف (٢) تقليد منصب أو رتبة (٣) تطويق ؛ حصار (٤) تثمير ؛ توظيف مال.

inveterate [ĭn vĕt'ər ĭt] *(adj.)* (١) متأصّل ؛ متمكّن ؛ راسخ الجذور (an ~ tendency) (٢) مدمن (an ~ smoker) (٣) عنيد ؛ ملحّ (~ demands) (٤) مستمرّ ؛ متواصل (~ smell).

invidious [ĭn vĭd'ĭ əs] *(adj.)* (١) مثير للاستياء أو البغض أو الحسد (٢) حسود (٣) مؤذٍ.

invigorate [ĭn vĭg'ə rāt'] *(vt.)* يقوّي ؛ ينعش ؛ ينشّط.

invincible [ĭn vĭn'sə bəl] *(adj.)* (١) لا يُغْلَب ؛ لا يُقهر (an ~ army) (٢) كؤود ؛ لا يُذلّل (an ~ difficulty).

inviolable [ĭn vī'-] *(adj.)* (١) حَرام ؛ لا تُنْتَهك حرمتُه (٢) منيع.

inviolate [ĭn vī'ə lĭt; -lāt'] *(adj.)* غير مُنْتَهَك ؛ وبخاصة :

«أ» طاهر ؛ صافٍ. «ب» سليم ؛ لم يُمَس. «ج» لا تُنتهَك حرمته.

invisible [ĭn vĭz'-] *(adj.)* خفيّ ؛ محجوب ؛ غير منظور.

invitation [ĭn'və tā'-] *(n.)* (١) «أ» دعوة. «ب» اقتراح (٢) إغراء.

invitatory [ĭn vī'-] *(adj.; n.)* (١) دَعَوِيّ : متضمِّن دعوة . §(٢) مزمور دَعَوِيّ (كالمزمور الذي مطلعه «تعالوا نرتّل»).

invite [*v.* ĭn vīt'; *n.* ĭn'vīt] *(vt.; n.)* (١) «أ» يشجع ؛ يغري (The cool water of the lake ~*s* us to swim.) «ب» يتصرف على نحو يفضي إلى كذا أو يزيد في احتمال حدوثه (to ~ danger) (٢) «أ» يدعو (إلى وليمة الخ.) «ب» يطلب بكياسة ؛ يعلن ترحيبه بـ (to ~ questions *or* opinions) § (٣) دعوة (ع).

inviting [ĭn vī'-] *(adj.)* جذّاب ؛ مُغْرٍ (~ offers).

in vitro [ĭn vē'trō] *(L.)* في الزجاج ؛ خارج الجسم الحيّ ؛ في أنبوب اختبار أو نحوه (~ cultivation of tissues).

in vivo [ĭn vē'vō] *(L.)* في الجسم الحيّ «للنبات أو حيوان» (~ synthesis of vitamin D)

invocate [ĭn'və kāt'] *(vt.)* = invoke.

invocation [ĭn'və kā'shən] *(n.)* (١) «أ» توسُّل ؛ تضرُّع ؛ وبخاصة : ابتهال ؛ دعاء (ديني). «ب» استرحام (٢) «أ» تعزيم ؛ تعويذ. «ب» رقية ؛ تعويذة (٣) الإنفاذ : وضعُ (قانونٍ الخ.) موضعَ التنفيذ.

invoice [ĭn'vois] *(n.; vt.; i.)* (١) الفاتورة : قائمة بالحساب أو المبيعات (٢) السِّلع المرسَلة أو المستلَمة §(٣) يُفَوْتر : يُعِدّ فاتورة.

invoke [-²vōk'] *(vt.)* (١) «أ» يتوسل أو يتضرَّع إلى. «ب» يستشهد بـ (to ~ Plato) (٢) يستحضر (روحاً) (٣) يُناشد (٤) يُنفِذ : يضع موضع التنفيذ (٥) يُحدِث ؛ يسبِّب.

involucel [ĭn vŏl'yə sĕl] *(n.)* القُنَيْب : قُناب صغير (نب).

a. involucre
b. involucel

involucral [-lōō'-] *(adj.)* (١) قُنابيّ : منسوب إلى القُناب (را. involucre) (٢) قُناباني : شبيه بالقُناب.

involucrate [ĭn'və lōō'krĭt] *(adj.)* مُقَنَّب : ذو قُناب (نب).

involucre [ĭn'və lōō'kər] *(n.)* القُناب : مجموعة من القِنابات (را. bract) في قاعدة الزهرة (نب).

involucred [ĭn'-] *(adj.)* = involucrate.

involucrum [ĭn'və lōō'krəm] *(n.)* pl. -cra = involucre.

involuntarily [ĭn vŏl'-] *(adv.)* (١) كَرْهاً ؛ لا طَوْعياً (٢) إلزامياً (٣) لا إرادياً.

involuntary [-'ən tĕr'ĭ] *(adj.)* (١) كَرْهيّ ؛ لا طَوْعيّ (٢) الزاميّ (٣) لا إراديّ.

involute [ĭn'və lōōt'] *(adj.; n.; vi.)* (١) «أ» ملتفّ (لولبياً). «ب» متلفِّف : مُلَوْلَب إلى الداخل (٢) معقَّد §(٣) المُنْحَنَى المُنْشَأ (هن) §(٤) يلتفّ (٥) «أ» ينكمش : يرجع إلى وضع سابق. «ب» يزول ؛ يختفي.

involution [ĭn'və lōō'shən] *(n.)* (١) «أ» لفّ ؛ التفاف. «ب» تركيب معقَّد ؛ فصل الفاعل عن فعله بإضافة جملة معترضة (ل). «ج» تعقيد ؛ تعقُّد (٢) الترقية (مج) : الرفع إلى القُوى (ر) (٣) انحناء نحو الداخل (٤) انكماش أو عودة إلى الحجم السابق (٥) التغيُّرات الارتداديّة : تغيرات تصيب الجسد بحكم التقدم في السنّ فتضعف من حيويّته (كانقطاع الحيض عند النساء).

involve [ĭn vŏlv'] *(vt.)* (١) «أ» يستخدم. «ب» يورِّط. «ج» يستغرق ؛ ينهمك في (٢) يحيط بـ ؛ يغلّف (٣) يربط ؛ يصل (٤) «أ» يشمل ؛ يتضمّن. «ب» يستلزم ؛ يقتضي ضمناً. «ج» يؤثّر في.

involved [ĭn vŏlvd'] *(adj.)* (١) مُلتَفّ أو مُلْتَوٍ (٢) «أ» معقَّد. «ب» مشوَّش ؛ متشابك ؛ «مُشربَك» (٣) متورِّط في.

invulnerable [ĭn vûl'-] *(adj.)* (١) متعذِّر جَرْحُه أو إيذاؤه أو إنزال الضرر فيه (٢) منيع ؛ حصين (٣) دامغ.

inward [ĭn'wərd] *(adj.; adv.; n.)* (١) داخليّ (٢) «أ» عقليّ. «ب» روحيّ ؛ باطنيّ. «ج» جوهريّ ؛ أساسيّ (٣) متجه نحو الداخل §(٤) إلى الداخل : نحو الداخل أو المركز (٥) إلى الباطن : نحو العقل والروح §(٦) جوهر ؛ روح (٧) جزء داخليّ.

inwardly [ĭn'wərd lĭ] *(adv.)* (١) عقلياً ؛ روحياً (٢) «أ» داخلياً (~ had bled). «ب» بين المرء وبين نفسه : سرّاً (~ laughed).

inwardness [-nĭs] *(n.)* (١) جوهر الشيء (٢) الداخلية : الصفة أو المادة الداخلية (became aware of the ~ of my body) (٣) الاستبطانيّة : استغراق المرء في حياته العقليّة أو الروحيّة.

inwards [ĭn'wərdz] *(adv.; n. pl.)* (١) inward 4-5 §(٢) الأجزاء الداخلية من (٣) أحشاء.

inweave [ĭn wēv'] *(vt.)* = interlace.

inwrought [ĭn rôt'] *(adj.)* (١) مزَخرَف (٢) مطرَّز (ا.ق).

iod- *or* iodo- بادئة معناها : يُوْد (*iod*ize; *iodo*form).

iodate [ī'ə dāt] *(n.; vt.)* (١) اليودات : ملح الحامض اليوديّ (ك). §(٢) يُيَوِّد : يُشبِع أو يعالج باليود. **—iodation** *(n.)*

iodic [ī ŏd'ĭk] *(adj.)* يوديّ : متعلّق باليود أو محتوٍ عليه (ك).

iodic acid *(n.)* الحامض اليوديّ (ك).

iodide [ī'ə dīd'; -dĭd] *(n.)* اليُوديد ؛ اليودور (ك).

iodination [ī ə də nā'-] *(n.)* التَّيْويد : المعالجة باليود أو المزج به.

iodine [ī'ə dīn'; -dĭn] *also* **iodin** [ī'ə dĭn] *(n.)* اليُوْد (ك).

iodize [ī'ə dīz'] *(vt.)* يُيَوِّد : يعالج باليود أو باليوديد.

iodo- = iod-.

iodoform [īō'də-; ī ŏd'ə-] *(n.)* اليودوفورم : مركب متبلّر شبيه بالكلوروفورم يستخدم كمطهِّر أو مانع للعفونة.

iodous [ī ō'dəs; ī ŏd'əs] *(adj.)* يوديّ : منسوب إلى اليود (ك).

ion [ī'ən; ī'ŏn] *(n.)* الأيون ؛ الدالف («فز و «ك»).

-ion لاحقة معناها (١) «أ» عمل أو عملية (rebell*ion*). «ب» نتيجة عمل أو عملية (solut*ion*) (٢) وضع أو حالة (subject*ion*).

ion exchange *(n.)* التبادل الأيونيّ ؛ تبادل الأيونات (ك).

ionic [ī ŏn'ĭk] *(adj.)* أيونيّ ؛ دالفيّ («فز» و «ك»).

Ionic [ī ŏn'ĭk] *(adj.; n.)* (١) أيونيّ : ذو علاقة بأيونيا أو بالأيونيّين (٢) أيونيّ الطراز (عم) §(٣) اللهجة الايونيّة : إحدى لهجات اللغة اليونانيّة القديمة.

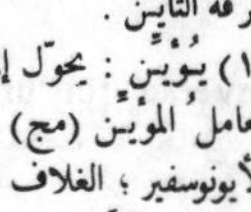

Ionic capital

ionium [ī ō'nĭ əm] *(n.)* الأيونيوم : نظيرٌ طبيعيّ للثوريوم إشعاعيّ النشاط (ك).

ionization [ī'ə nə zā'shən] *(n.)* (١) التأيين : تحويلٌ الى أيونات (٢) التأيُّن.

ionization chamber *(n.)* غرفة التأيُّن.

ionize [ī'ə-] *(vt.; i.)* (١) يُؤيِّن : يحوِّل إلى أيونات ×(٢) يتأيَّن.

ionizing agent *(n.)* العامل المؤيِّن (مج).

ionosphere [ī ŏn'ə sfĭr'] *(n.)* الأيونوسفير ؛ الغلاف الأيونيّ : ذلك الجزء المؤيَّن من جو الأرض الذي يبدأ على ارتفاع ٢٥ ميلاً تقريباً

ă at; ā date; â care; ä car; ĕ egg; ē me; ĭ in; ī bite; ŏ lot; ō bone; ô orphan; oi boil ŏŏ good; ōō boot; ou out; ŭ under; ū unity; û urgent; th thing; t͟h this; zh vision; ə = *a* in alone, *e* in system, *i* in easily, *o* in gallop, *u* in circus.

ويمتدّ إلى ارتفاع ٢٥٠ ميلاً أو أكثر .

iota [ī ō'tə] *(n.)* (١) إيوتا : الحرف التاسع في الأبجدية اليونانية . (٢) ذرة ؛ مقدار ذرة ؛ شيء ضئيل جداً .

IOU [ī'ō'ū'] *(n.)* إني مدين لك : ورقة اعتراف بدَيْن تحمل هذه الحروف الثلاثة (وهي مختصر I owe you)

ipecac [ĭp'ə kăk'] *or* **ipecacuanha** [ĭp'ə kăk'yōō ăn'ə] *(n.)* عِرق الذهب (نب) .

ipse dixit [ĭp'sĭ dĭk'sĭt] *(L.)* التوكيد التحكّمي : توكيد من غير دليل أو برهان .

ipsissima verba [ĭp sĭs'ĭ mȧ vûr'bȧ] *(L.)* الحرف الواحد : الكلمات نفسها المستعملة من قِبل شخص مُستَشهَدٍ بكلامه .

ipso facto [ĭp'sō făk'tō] *(L.)* في ذات نفسه ؛ بحكم الطبع ؛ بحكم طبيعة الحالة نفسها (Training in speech is ~ training in personality.)

IQ; I.Q = intelligence quotient.

ir- = in-.

Irak; Iraq [ĭ răk'] *(n.)* العراق ؛ بلاد العراق .

Iran [ĭ răn'; ī-] *(n.)* ايران ؛ بلاد الفرس .

Iranian [ī rā'nĭ ən] *(n.; adj.)* (١) الإيرانيّ : أحد أبناء ايران . (٢) الإيرانيّة : فرع من أسرة اللغات الهندية الأوروبية يشمل الفارسيّة والبُشتُو §(٣) ايرانيّ .

Iraqi [ē rä'kē] *(n.; adj.)* (١) العراقيّ : أحد أبناء العراق (٢) العامية العراقية : لهجة العراق العربية العاميّة §(٣) عراقيّ .

irascible [ī răs'ə bəl; ĭ-] *(adj.)* غَضوب ؛ سريع الغضب .

irate [ī'rāt] *(adj.)* (١) غاضب (٢) غضوب ؛ سريع الغضب .

ire [īr] *(n.)* غَضَب ؛ غيظ ؛ حَنَق .

irenic [ī rĕn'ĭk] *(adj.)* سِلْمِيّ : مُفْضٍ إلى السلام أو مُعِينٌ عليه .

irid- *or* **irido-** بادئة معناها (١) قوسُ قُزَح (*irid*escent) . (٢) قُزَحِيّة العين (٣) ايريديوم ؛ ايريديوم و... (*irid*osmine).

iridaceous [ī'rə dā'shəs; ĭr'-] *(adj.)* سوسنيّ ؛ متعلّق بالفصيلة السوسنيّة (نب) .

iridescence [ĭr'ə dĕs'əns] *(n.)* التقزّح اللونيّ : تلوّن قُزَحيّ في فقاقيع الصابون .

iridescent [ĭr'ə dĕs'ənt] *(adj.)* مُتَقَزِّح اللون .

iridic [ĭ rĭd'ĭk] *(adj.)* (١) ايريديوميّ (٢) حَدَقِيّ : متعلّق بحدقة العين .

iridium [ĭ rĭd'ĭ əm] *(n.)* الايريديوم : عنصر فلزّي نفيس شبيه بالبلاتين (ك) .

iridosmine [ĭr'ə dŏz'mĭn] *(n.)* الإيريدوسمين : خليط من ايريديوم وأوزميوم (مع) .

iris [ī'rĭs] *(n.)* pl. **irises** *or* **irides** (١) قوس قُزَح (٢) الحَدَقة ، القُزَحية ؛ قُزحية العين (٣) سوسن ؛ رفيف (نب) .

Iris [ī'rĭs] *(n.)* إيريس : إلاهة قوس قُزَح ورسولة الآلهة عند الإغريق .

iris diaphragm *(n.)* : الحجاب القُزَحي : أداة لتعديل مقدار الضوء النافذ عبر عدسة ما.

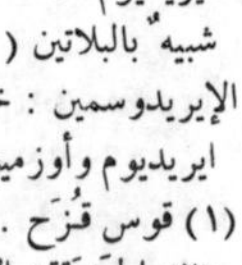

iris diaphragm

Irish [ī'rĭsh] *(n.; adj.)* (١) الإيرلنديون . (٢) الإيرلندية : اللغة الإيرلندية §(٣) ايرلندي.

Irish coffee *(n.)* القهوة الإيرلندية : قهوة حارّة مُحلاّة ممزوجة بالويسكي الإيرلنديّة والكريما المخفوقة .

Irish Gaelic *(n.)* الغيليّة الإيرلندية : لغةُ ايرلندة السلْتية ، وبخاصة كما استُعملت منذ نهاية العصر الوسيط .

Irishism [ī'rĭsh ĭz əm] *(n.)* المصطلح الإيرلندي : لفظٌ أو تعبير مميّز للإيرلنديين .

Irishman [ī'rĭsh mən] *(n.)* الايرلندي : أحد أبناء إيرلندة .

Irish setter *(n.)* السّاطِر الايرلندي : ضرب من كلاب الصيد .

Irish terrier *(n.)* التّريَر الإيرلنديّ : ضرب من كلاب الصيد .

Irish wolfhound *(n.)* الكلب الذئبيّ الإيرلندي .

Irishwoman [ī'rĭsh-] *(n.)* الإيرلندية : امرأة ايرلندية .

irk [ûrk] *(vt.)* يُضْجِر ؛ يضايق .

irksome [ûrk'səm] *(adj.)* مضجر ؛ مُضايِق .

iron [ī'ərn] *(n.; adj.; vt.; i.)* (١) حديد (٢) شيء مصنوع من حديد ، مثل : «أ» *pl.* عد : أصفاد ، أغلال . «ب» المِيسَم : حديدة الوسم . «ج» الحربون : رمح لصيد الحيتان . «د» مِكواة . «هـ» صولجان للغولف «حديديّ الرأس» (٣) قوة ؛ صلابة §(٤) حديديّ (٥) شبيه بالحديد (٦)«أ» قويّ ومعافى : متين . «ب» لا يلين § (٧) يزوّد أو يكسو بالحديد (٨) يقيّد بالأصفاد (٩) يزيل (التجاعيد الخ.) بالكيّ ×(١٠) يكوي (الملابس) . to ~ out يُمهِّد ؛ يسوّي ؛ يزيل النتوءات او الخلافات .

Iron Age *(n.)* عصر الحديد : «أ» آخر وأسوأ عصر من عصور العالم ويتميّز — في اعتقاد القدامى — بالكدح والأنانية والتفسّخ . «ب» العصر المتميّز بصهر الحديد واستخدامه في الصناعة ، ويبدأ قُبَيْل عام ألف ق.م في آسية الغربية ومصر .

ironbound [ī'ərn bound'] *(adj.)* (١) مطوّق أو مكبّل بالحديد (an ~ prisoner) (٢) وعر ؛ تكتنفه الصخور (an ~ coast) (٣) صارم ؛ قاسٍ (~ traditions) .

ironclad [ī'ərn klăd'] *(adj.; n.)* (١) مدرّع بالحديد (٢) صارم . §(٣) المدرّعة : سفينة حربيّة مدرّعة .

iron curtain *(n.)* الستار الحديديّ : حاجز سياسي أو عسكري أو أيديولوجيّ يعزل منطقة عن سائر العالم .

ironer [ī'ər nər] *(n.)* (١) الكوّاء (٢) mangle .

iron gray *(n.)* الرماديّ الحديديّ (لون) .

iron horse *(n.)* الجواد الحديديّ : «أ» قاطرة . «ب» دراجة هوائية .

ironic; -al [ī rŏn'-] *(adj.)* (١) سُخْرِيّ ؛ تهكّميّ (an ~ compliment) (٢) ساخر : ميّال إلى السخرية (an ~ writer).

ironing board *or* **table** *(n.)* لوح الكيّ ؛ طاولة الكيّ .

ironist [ī'rə nĭst] *(n.)* الساخر : الميّال إلى السخرية أو البارع فيها .

iron lung *(n.)* الرئة الحديدية : أداة للتنفس الاصطناعي .

ironmaster [ī'ərn-] *(n.)* صانع الحديد ، صاحب مصنع الحديد .

ironmonger [ī'ərn mŭng'gər] *(n.)* تاجر الحديد والأدوات المعدنية .

ironmongery [ī'ərn mŭng'gə rĭ] *(n.)* الحديد والأدوات المعدنية (أو تجارتها أو محلّ بيعها) .

iron pyrites *or* **iron pyrite** *(n.)* البيريت (مع) .

ironsmith [ī'ərn smĭth'] *(n.)* الحدّاد .

ironstone [ī'ərn stōn'] *(n.)* حجر الحديد .

ironware [ī'ərn wâr'] *(n.)* الأدوات الحديدية .

ironwood [ī'ərn-] *(n.)* (١) الخشب الحديديّ : أيّ من أشجار أو شجيرات ذات خشب شديد الصلابة (٢) خشب الخشب الحديديّ .

ironwork [ī'ərn-] *(n.)* (١) أجزاء أو أدوات حديديّة (ornamental ~) (٢) *pl.* : مصنع الحديد .

irony [ī'rə nĭ] *(n.)* (١) تجاهُلٌ ؛ تظاهر بالجهل أثناء المناقشة . (٢) «أ» سخرية ، تهكّم . «ب» تعبير ساخر (٣) سخرية الأقدار .

irradiance [ĭ rā'dĭ əns] *(n.)* إشعاع ؛ تألّق ؛ سطوع .

irradiancy [ĭ rā'dĭ ən sĭ] *(n.)* الإشعاعيّة ؛ التألقيّة ؛ السطوعيّة.
irradiant [ĭ rā'dĭ ənt] *(adj.)* مُشِعّ ؛ متألّق ؛ ساطع .
irradiate[ĭ rā'dĭ āt'] *(vt.)* (١) «أ» يُنير . «ب» يعالج بالطاقة المشعة.
(٢) «أ» يُشرق (a face ~*d* with happiness) · «ب» يُفيض ؛ ينشر (to ~ joy).
irradiation [ĭ rā'dĭ ā'shən] *(n.)* (١) إشعاع (٢) تعرّض أو تعريض للأشعة السينية أو الراديومية الخ .
irradicable [ĭr răd'-] *(adj.)* متعذّر استئصاله ؛ عميق الجذور .
irrational [ĭ răsh'-] *(adj.; n.)* (١) «أ» غير عاقل (~ animals) · «ب» يعوزه التفكير السليم (was ~ for several days after the accident) . «ج» لا عقلانيّ ؛ غير منطقيّ البتّة (~ fears) (٢) أصمّ (ر) §(٣) كائن غير عاقل أو لا عقلانيّ (٤) العدد الأصمّ (ر) .
irrationalism [ĭ răsh'ən ə lĭz'əm] *(n.)* اللاعقلانيّة : نظام يؤكّد على الحدس أو الغريزة أو الشعور أو الإيمان أكثر من توكيده على العقل ، أو يقول بأن الكون تسيّره قوىً غير عاقلة .
irreclaimable [ĭr'ĭ klā'mə-] *(n.)* متعذّر إصلاحه أو استصلاحه.
irreconcilable [ĭ rĕk'ən sī'-] *(adj.; n.)* (١) متناقض، متضارب؛ متضادّ (~statements) (٢) لدود ؛ لا يقبل المصالحة (~ enemies) §(٣) العنيد ؛ من يقاوم التسوية أو التعاون.
irrecoverable [ĭr'ĭ kŭv'-] *(adj.)* متعذّر استرداده أو معالجته أو إصلاحه .
irrecusable [ĭr'ĭ kū'zə-] *(adj.)* متعذّر رفضه او الاعتراض عليه.
irredeemable [ĭr'ĭ dē'mə bəl] *(adj.)* (١) متعذّر إنهاؤه بدفع رأس المال (~ bonds) (٢) غير قابل للتحويل إلى ذهب أو فضة (كبعض العملة الورقيّة) (٣) مُطْلَق ؛ غير قابل للتغيير (~gloom) (٤) ممعن في الضلال (٥) لا سبيل الى اصلاحه أو تعويضه.
irredenta [ĭr'ĭ dĕn'-] *(It.)* المسلوخة : مقاطعة متصلة تاريخيّاً أو عِرقيّاً بوحدة سياسيّةٍ ما ولكنها خاضعة حاليّاً لوحدة أخرى .
irredentist [ĭr'ĭ dĕn'-] *(n.; adj.)* (١) التحريريّ الوحدويّ : القائل بالتحرريّة الوحدويّة §(٢) تحريريّ وحدويّ .
irredentism [ĭr'ĭ dĕn'tĭz əm] *(n.)* التحريرية الوحدويّة : مبدأ سياسي ينادي بتحرير المقاطعات المتصلة تاريخيّاً أو عِرقيّاً بوحدة سياسيّة ما (والخاضعة حاليّاً لوحدة أخرى) وجمعها في نطاق هذه الوحدة الطبيعية .
irreducible [ĭr'ĭ dū'sə-] *(adj.)* (١) متعذّر إنقاصه (~ minimum) (٢) متعذّر اختزاله أو تحويله إلى وضع مطلوب أو سويّ أو أكثر بساطة (~ equations).
irrefragable[ĭ rĕf'rə gə bəl] *(adj.)* متعذّر دَحْضُهُ أو إنكارُه .
irrefrangible [ĭr'ĭ frăn'jə bəl] *(adj.)* (١) متعذّر خَرْقُه . (٢) غير قابل للانكسار (X-rays are ~.).
irrefutable[ĭ rĕf'yə tə bəl] *(adj.)* لا يُدْحَض ؛ لا يقبل الجدل.
irregardless [ĭr'ĭ gärd'lĭs] *(adj.)* = regardless.
irregular [ĭ rĕg'yə lər] *(adj.; n.)* (١) شاذّ (٢) «أ» مخالفٌ للقواعد أو الأصول (an ~ proceeding) · «ب» غير قياسيّ (~ verbs) · «ج» سرّي (~ marriage) · «د» غير نظاميّ (~ troops) (٣) «أ» وعر (a rough ~ terrain) · «ب» غير متناسق (~ teeth) (٤) غير منتظم ؛ تعوزه الاستمرارية أو نظاميّة الحدوث (~ intervals) §(٥) جندي غير نظاميّ (٦) *pl.* : بضاعة تشوبها شوائب .
irregularity [ĭ rĕg'yə lăr'-] *(n.)* (١) الشذوذيّة ؛ اللاقياسيّة.
(٢) شيء شاذّ .
irrelative [ĭ rĕl'-] *(adj.)* = irrelevant .
irrelevance *or* **irrelevancy** [ĭ rĕl'-] *(n.)* (١) اللاعَلاقيّة : كون الشيء غير متصل بالموضوع (٢) شيء لا علاقيّ .
irrelevant [ĭ rĕl'ə vənt] *(adj.)* لاعَلاقيّ : غير متصل بالموضوع .
irreligion [ĭr'ĭ lĭj'ən] *(n.)* زندقة ؛ مُروق ؛ لا دين .
irreligious [ĭr'ĭ lĭj'əs] *(adj.)* (١) زنديق ؛ مارق (٢) مجدِّف ؛ تجديفيّ (~ speech).
irremediable [ĭr'ĭ mē'dĭ ə bəl] *(adj.)* عُضال : لا سبيل إلى معالجته.
irremovable[ĭr'ĭ mōō'-] *(adj.)* متعذّر نقلُهُ أو طرده أو إزالتُه.
irreparable [ĭ rĕp'-] *(adj.)* متعذّر إصلاحُهُ أو ترميمُه أو تعويضُه .
irrepealable[ĭr'ĭ pē'-] *(adj.)* متعذّر إبطالُهُ أو إلغاؤهُ أو نسخُهُ.
irreplaceable [ĭr'ĭ plā'sə bəl] *(adj.)* لا يُستَبدَل : متعذّر إحلال شيء محلّهُ أو الاستعاضة بغيره عنه .
irrepressible [ĭr'ĭ prĕs'-] *(adj.)* متعذّر كَبْتُهُ أو كبحه أو السيطرة عليه (~ joy).
irreproachable [-prō'-] *(adj.)* لا عيب فيه (~manners).
irresistible [ĭr'ĭ zĭs'-] *(adj.)* لا يقاوَم (~ impulse).
irresoluble [-zôl'-] *(adj.)* = insoluble.
irresolute [ĭ rĕz'ə lōōt] *(adj.)* متردّد ؛ متحيّر .
irresolution [ĭ rĕz'ə lōō'shən] *(n.)* تردّد ؛ حَيرة .
irresolvable [ĭr'ĭ zŏl'-] *(adj.)* متعذّر حلُّهُ أو تحليلُهُ .
irrespective of [ĭr'ĭ spĕk'tĭv] *(prep.)* بصرْف النظر عن .
irrespirable [ĭr'ĭ spīr'ə bəl] *(adj.)* غير صالح للتنفّس .
irresponsible [ĭr'ĭ spŏn'sə bəl] *(adj.)* لا مسؤول ، مثل : «أ» غير مسؤول تجاه سلطة أعلى . «ب» مَقُولٌ أو مصنوعٌ من غير شعور بالمسؤوليّة . «ج» يعْوِزه حِسُّ المسؤوليّة . «د» غير قادر (وبخاصة عقليّاً أو ماليّاً) على تحمّل المسؤوليّة .
irresponsive [ĭr'ĭ spŏn'sĭv] *(adj.)* غير مستجيب ، وبخاصة : غير مستعدّ أو ميّال للاستجابة أو غير قادر عليها (The patient was ~ to treatment.)
irretrievable [ĭr'ĭ trē'və bəl] *(adj.)* =irrecoverable.
irreverence [ĭ rĕv'ər əns] *(n.)* (١) عدمُ توقير (٢) عمل أو كلام ينمّ عن عدم توقير .
irreverent [ĭ rĕv'ər ənt] *(adj.)* (١) غير موقّر (٢) غير متّسِم بالاحترام (an ~ reply).
irreversible[ĭr'ĭ vûr'sə bəl] *(adj.)* (١) لا يُلْغَى ؛ متعذّر إلغاؤه (~ decree) (٢) غير معكوس : لا يُقلب أو يُعكَس (~cushions).
irrevocable [ĭ rĕv'ə kə bəl] *(adj.)* (١) لا يُلْغَى أو يُنْسَخ (~ decrees) (٢) نهائيّ ؛ متعذّر تغييره (an ~ decision).
irrigate[ĭr'ə gāt'] *(vt.)* (١) يَروِي ؛ يسقي (٢) يَغسِل ؛ يَرْحَض: يزوّد (جرحاً الخ.) بدفق متواصل من سائلٍ ما (ط) .
irrigation [ĭr'ə gā'-] *(n.)* (١) رِيّ ؛ سَقْي (٢) غَسْل ؛ رَحْض .
irritability [ĭr'ə tə bĭl'ə tĭ] *(n.)* (١) نَزَق ؛ حدة طبع . (٢) التهيّجيّة : تهيّج مفرط أو غير سويّ يتكشف عنه عضو من أعضاء الجسم (ط) (٣) التأثّريّة ؛ قبول الإثارة : خاصية في البروتوبلازما والكائنات الحيّة تجعلها تستجيب للمنبهات.
irritable [ĭr'ə tə bəl] *(adj.)* (١) نزِق ؛ سريع الغضب أو الانفعال. (٢) سريع التهيّج (ط) (٣) قابلٌ للإثارة ؛ مستجيب للمنبهات.

irritant [ĭr'ə tənt] (*adj.; n.*) (١) مثير؛ مهيِّج §(٢) المثير؛ المهيِّج.

irritate [ĭr'ə tāt] (*vt.*) (١) يُغضِب؛ يُسخِط (٢) يُثير (فس).

irritated (*adj.*) (١) مُغْضَب (an ~ father) (٢) مُثار؛ مُهاج.

irritation [ĭr'ə tā'shən] (*n.*) (١) «أ» إثارة. «ب» شيء مثير. «ج» غضب؛ سُخط (٢) تهيّج (عضوٍ من أعضاء الجسم).

irritative [ĭr'ə tā tĭv] (*adj.*) (١) مثير (٢) إثاري؛ إهاجي.

irrupt [ĭ rŭpt'] (*vi.*) (١) يقتحم؛ يُغير على (٢) يزداد (عدد السكان) ازدياداً مفاجئاً: يتفجّر.

—irruption (*n.*)

irruptive [ĭ rŭp'tĭv] (*adj.*) (١) مقتحِم؛ مُغير (٢) مُستَترسِب: مُقْحَم (وهو في الحالة العجينية) في طبقات صخر آخر (جي) (٣) «أ» متزايدٌ فجأةً. «ب» متميز بازدياد فجائي.

is [ĭz] صيغة الغائب المفرد من فعل be في الزمن الحاضر.

is- *or* **iso-** بادئة معناها: «أ» متساوٍ. «ب» إيسومري؛ متجازىء (ك).

isallobar [ī săl'ə bär] (*n.*) خط تساوي التغيرات الضغطية: خط مرسوم على خريطة من خرائط الأحوال الجوية يربط المواطن المتساوية من حيث تغيّرات الضغط الجوي.

ischemia [ĭs kē'mĭ ə] (*L.*) الاسكيميّة: فقرُ دمٍ موضعيّ ناشئ عن عقبات تعترض تدفق الدم في الشرايين.

—ischemic (*adj.*)

ischial [ĭs'kĭ əl] (*adj.*) وَرِكيّ: متعلق بالورك أو واقعٌ قُرْبَه.

ischium [ĭs'kĭ əm] (*n.*) pl. **-chia** [-kĭ ə] الوَرِك (ت).

-ish لاحقة معناها: «أ» ذو علاقة بشعب أو بلد (Span*ish*). «ب» مِثل؛ على طريقة كذا (boy*ish*). «ج» ضارب إلى (purpl*ish*). «د» مدمن على؛ ميّال إلى (book*ish*). «هـ» مناهزٌ سناً معينة (forty*ish*).

isinglass [ī'zĭng-] (*n.*) (١) غِراء السمك (٢) mica.

Isis [ī'sĭs] (*n.*) ايزيس: إلاهة الأمومة والخصب المصرية.

Islam [ĭs'ləm; ĭs läm'] (*n.*) (١) الإسلام (٢) الحضارة الإسلاميّة (٣) مجموعة الدول الإسلاميّة.

—Islamic (*adj.*) **—Islamism** (*n.*)

Islamite [ĭs'lə mīt'] (*n.*) المُسْلِم: واحد المسلمين.

island [ī'lənd] (*n.; vt.*) (١) جزيرة: «أ» أرض يحيط بها الماء من كل جهة. «ب» شيء كالجزيرة في الانعزال. «ج» بقعة في شارع مزدحم يُحظَّر فيها مرور السيارات (حرصاً على سلامة المشاة). «د» بناء فوقيّ على ظهر حاملة طائرات الخ. «هـ» جماعة أو بقعة معزولة، وبخاصة: جماعةٌ عرقيّة معزولة. «و» مجموعة خلايا معزولة (فس) §(٢) يجزّر: «أ» يحوّل إلى جزيرة أو شِبهِها. «ب» ينقّط بجُزُر أو شيء يشبهها (٣) يَعْزِل.

islander [ī'lən dər] (*n.*) الجزَريّ: أحد سكّان جزيرة ما.

island universe (*n.*) العالم الجزَريّ: كل مَجرّةٍ غير «الطريق اللبنية» (فل).

isle [īl] (*n.; vt.*) (١) جزيرة؛ وبخاصة: جُزَيِّرة؛ جزيرة صغيرة. §(٢) يُجزِّر: يحوّله إلى جزيرة أو جُزَيِّرة (٣) يضع على جُزَيِّرة أو شيءٍ شبيهٍ بها.

islet [ī'lĭt] (*n.*) الجُزَيِّرة: جزيرة صغيرة.

ism [ĭz'əm] (*n.*) الإيزم؛ الايزمية: نظام أو نظرية أو مذهب مميَّز (This is the age of ~s.).

-ism لاحقة معناها: (١) «أ» عمل (critic*ism*) أو عملية (hypnot*ism*). «ب» طريقة في العمل أو السلوك مميِّزة لشخص معيّن (despot*ism*) (٢) «أ» حالة؛ خاصيّة (barbar*ism*). «ب» حالة غير سويّة ناشئة عن الافراط في شيء معيّن (morphin*ism*) (٣) «أ» مذهب (social*ism*). «ب» عقيدة (Calvin*ism*) (٤) صفة مميِّزة (colloquial*ism*).

isn't [ĭz'ənt] = is not.

iso- = is-.

isobar [ī'sə bär'] (*n.*) (١) خطّ تساوي الضغط الجوّي: خط مرسوم على خريطة من خرائط الأحوال الجويّة يربط أو يحدّد تلك المواطن من سطح الأرض التي يتساوى فيها الضغط البارومتري في فترة معيّنة أو طوال فترة بعينها (٢) المتكاتلة: واحدة المتكاتلات، وهي ذرات متساوية في العدد الكتلي أو في الوزن الذري ولكنها مختلفة في العدد الذري («فز» و «ك»).

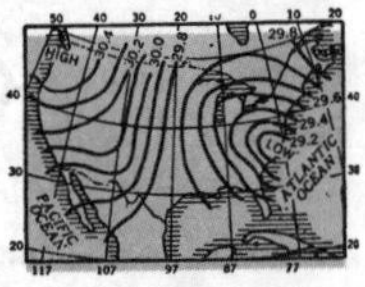

isobars 1.

isobaric [ī'sə băr'ĭk] (*adj.*) (١) متساوي الضغط الجويّ. (٢) متكاتل (را. المادة السابقة).

isochromatic [ī'sō krō măt'ĭk] (*adj.*) (١) متلاوِن: متساوٍ في اللون (بص) (٢) قويم اللون؛ أورثوكروماتيّ (را. orthochromatic).

isochronal; isochronous [ī sŏk'-] (*adj.*) (١) متساوي الزمن. (٢) متساوي الديمومة: متساوٍ من حيث مدة استمراره (٣) ثابت الدورة الزمنيّة: متكرّر في فترات منتظمة.

isochroous [ī sŏk'rō əs] (*adj.*) متصابغ: مصطبغ كلّه بلونٍ واحد.

isoclinal [-klī'-] (*adj.; n.*) (١) متماثل المَيْل؛ متساوي المَيْل المغنطيسي §(٢) خط تساوي المَيْل (مغ).

isocline [ī'sə klīn'] (*n.*) الطيّة المحدَّبة المتماثلة الميل (جي).

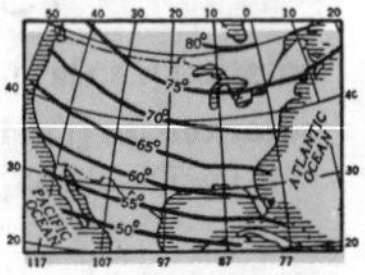

isoclinal lines

isoclinic [ī'sə klĭn'ĭk] (*adj.*) = isoclinal.

isoclinic line (*n.*) خط تساوي المَيْل (مغ).

isodiametric [ī sə dī'ə mĕt'rĭk] (*adj.*) متقاطر: متساوي الأقطار («نب» و «بلو»).

isodimorphism [ī'sō dī môr'fĭz əm] (*n.*) التشاكل الثنائيّ: تماثُلٌ بين شكلَيْ مادّتين ثنائيّتي الصورة.

—isodimorphous (*adj.*)

isodose [ī'sə dōs] (*adj.*) تجارُعيّ: متعلّق بالنقاط أو الأصقاع التي تتلقى مقادير أو جرعات إشعاعيّة متساوية.

isodynamic; -al [ī sō dī năm'-] (*adj.*) مُتَقاوٍ: متساوي القوّة (فز).

isodynamic line (*n.*) خطّ التّقاوي؛ خطّ تساوي القوى: خطّ على الخريطة يربط النقاط التي تكون فيها شدة المجال المغنطيسي للأرض واحدةً (مغ).

isoelectric [ī'sō ĭ lĕk'-] (*adj.*) مُتَكاهِر: متساوي الجُهْد الكهربائيّ (فز).

isoelectronic [-ĭ lĕk'trŏn'ĭk] (*adj.*) مُتَكارِن: متساوٍ في عدد الالكترونات.

isogamete [ī'sō gə mēt'] (*n.*) المَشيج المشابه: مَشيجٌ لا يختلف من حيث الشكل أو الحجم أو السلوك عن مَشيجٍ آخر. ويستطيع أن يتّحد معه (أح).

isogamous [ī sŏg'ə məs] (*adj.*) متماشج: متميّز باتّحاد مَشيجَيْن متشابهين (أح).

isogamy [ī sŏg'ə mĭ] (*n.*) التماشج: اتحاد مَشيجين متشابهين (أح).

isogloss [ī'sə glôs'] (*n.*) (١) الفاصل اللغوي: خط فاصل بين منطقتين مختلفتين في بعض السِّمات اللغوية (٢) سِمة لغوية يشترك فيها بعض

ă at; ā date; â care; ä car; ĕ egg; ē me; ĭ in; ī bite; ŏ lot; ō bone; ô orphan; oi boil; o͝o good; o͞o boot; ou out; ŭ under; ū unity; û urgent; th thing; th this; zh vision; ə = *a* in alone, *e* in system, *i* in easily, *o* in gallop, *u* in circus.

الناطقين بلهجة أو لغةٍ ما، لا كلّهم .

isogonic [ī sə gŏn'ĭk] *or* **isogonal** [ī sŏg'ə nəl] *(adj.; n.)* (١) «أ» متزاوٍ : متساوي الزوايا . «ب» تزاويّ : متعلق بالزوايا المتساوية §(٢) isogonic line.

isogonic *(adj.)* (١) متكافىء التنامي (٢)متعلق بالتنامي المتكافىء.

isogonic line *(n.)* خطّ التحارف ؛ خط تساوي الانحراف : خطّ على خريطة يربط المواضع التي يكون فيها الانحراف المغنطيسيّ واحداً.

isogony [ī sŏg'-] *(n.)* التنامي المتكافىء : نموّ الأعضاء نمواً نسبياً متكافئاً بحيث تظلّ صِلاتها الحجميّة ثابتة .

isogram [ī'sə grăm'] *(n.)* خط التساوي : خط على خريطة يربط النقاط المتساوية في ظاهرةٍ ما، كالحرارة أو الضغط الجوي أو هطول المطر .

isohel [ī'sə hĕl] *(n.)* خط التشارق : خطّ على خريطة يربط المواطن التي تتساوى فيها مدةُ استمرار إشراقيةِ ضياء الشمس .

isohyet [ī'sə hī'ət] *(n.)* خط التماطر : خط على خريطة يربط المواطن التي يكون فيها هطول المطر متساوياً في زمن معين أو طوال مدةٍ بعينها .

isohyetal[-hī'-]*(adj.)* تماطري: متعلّق بتساوي المطر أو دالّ عليه.

isolate [ī'sə lāt'] *(vt.; i.)* (١) يُفْرِد ، يَعْزِل (٢) يَفْرِز : يفصل (مركّباً كيميائياً) عن سائر المواد الأخرى (٣) يَعْزِل (بمانع لانتقال الكهرباء أو الحرارة أو الصوت) .

isolation [ī'sə lā'-] *(n.)* (١) عزْل (٢) عُزْلة؛ انعزال .

isolationism [ī'sə lā'shən-] *(n.)* الانعزالية : سياسة قِوامها الانعزال السياسيّ وصدوف الدولة عن إقامة العلاقات الاقتصاديّة مع الدول الأخرى .

isolationist [ī'sə lā'shən ĭst] *(n.)* الانعزاليّ: القائل بالانعزالية .

isoline [ī'sō līn] *(n.)* = isogram.

isomagnetic [ī'sō măg nĕt'ĭk]*(adj.)* (١) متساوي المغنطيسية : دال على تساوي القوة المغنطيسية او متعلق به (٢) رابط للمواطن التي تتساوى فيها القوة المغنطيسية (~ line on a map).

isomer [ī'sə mər] *(n.)* الأيسومر ؛ المتجازىء: مركّب كيميائي أيسومريّ أو متجازىء (را . المادة التالية) .

isomeric [ī'sə mĕr'ĭk] *(adj.)* أيسومريّ ؛ متجازىء: مؤلف من ذرات متماثلة النوع والعدد ولكنها مختلفة من حيث الترتيب والخصائص (ك) .

isomerism [ī sŏm'ə rĭz'əm] الأيسومريّة ؛ التجازئيّة (را . المادة السابقة) .

isomerous [ī sŏm'-]*(adj.)* مُتعادِد: متساوٍ في عدد الأجزاء(نب).

isometric [ī'sə mĕt'rĭk] *(adj.)* إيسومتري ؛ متقايس : متساوي القياس .

isometric drawing *(n.)* رسم المجسّمات المنظوريّة .

isometric line *(n.)* خطّ التحاجم : خط تساوي الحجم (مج) ؛ خطّ يمثّل تغيّر الضغط أو درجة الحرارة في الأحوال التي يكون فيها الحجم ثابتاً .

isometric projection*(n.)* الإسقاط الايسومتري أو المتقايس (رم).

isometropia [ī sō mə trō'pĭ ə] *(L.)* التكاسر : حالة يكون فيها انكسار الضوء متساوياً في كلتا العينين .

isometry [ī sŏm'ə trĭ] *(n.)* (١) التقايس : تساوي القياس . (٢) التشاهق : تساوٍ في الارتفاع عن سطح البحر (جغ) .

isomorph [ī'sə môrf'] *(n.)* (١) المشاكِل : كائنٌ حيٌ مماثل لآخر رغم الاختلاف في الأسلاف (٢) المتبالر : مادة مماثلة لأخرى في البنية التبلّرية رغم الاختلاف في التكوين الكيميائي .

isomorphic[ī sə môr'fĭk]*(adj.)* (١)متشاكل: متماثل في الشكل ؛ مختلف في الأسلاف ولكنه متساوٍ في الشكل (٢) isomorphous.

isomorphism [ī'sə môr'fĭz əm]*(n.)* (١) التشاكل: التماثل في الشكل (٢) التبالر : التماثل في البنية التبلّريّة .

isomorphous [ī'sə môr'fəs] *(adj.)* متبالر : متماثل في البنية التبلّريّة ولكنه مختلف في التكوين الكيميائي .

isonomy [ī sŏn'ə mĭ] *(n.)* التساوي أمام القانون .

isopiestic [ī sō pī ĕs'tĭk] *(adj.)* = isobaric .

isopod [ī'sə pŏd'] *(n.; adj.)* (١) المتساوي الأرجل : واحد من متساويات الأرجل **Isopoda** وهي حيوانات قشرية لها سبعة أزواج من الأرجل §(٢)متساوي الأرجل . **—isopodan***(adj.; n.)*

isoprene [ī'sə-] *(n.)* الإيزوبرين: هيدروكربون سائل ملتهب(ك).

isopropyl [ī'sə prō'pĭl]*(n.)* الإيزوبروبيل (ك).

isosceles triangle [ī sŏs'ə lēz] *(n.)* المثلث المتساوي الساقين (هن) .

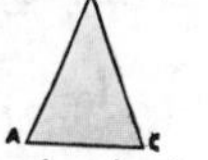

isosceles triangle

isoseismal [ī'sə sīz'-] *(adj.)* (١) متساوي الرَّجْفَة (مج) ؛ متراجف: متساوٍ في شدة الصدمة الزلزاليّة (٢) تراجفيّ: متعلق بتساوي الرَّجْفَة.

isosmotic [ī sŏs mŏt'ĭk] *(adj.)* (١) متساوي الأزموزية (مج) ؛ متساوي الضغط الأزموزي (٢) متعلق بتساوي الضغط الأزموزي .

isosporous [ī sə spōr'əs]*(adj.)* متباوغ : منتج أبواغاً جنسيّة أو لا جنسيّة من نوع واحد فقط (أح) .

isostasy [ī sŏs'tə sĭ] *(n.)* (١) التضاغطيّة : الخضوع لضغط متساوٍ من جميع الجهات (فز) (٢) توازن القشرة الأرضية(جي). **—isostatic** *(adj.)*

isotherm [ī'sə thûrm']*(n.)* خطّ التحارر: «أ» خط على خريطة لسطح الأرض يربط المواطن التي تكون فيها الحرارة واحدة في وقت معين أو يكون فيها متوسط الحرارة واحداً طوال فترة معينة.«ب» خطّ على خريطة يمثّل تغيّرات الحجم أو الضغط في الأحوال التي تكون فيها الحرارة ثابتة .

isothermal [ī'sə thûr'məl] *(adj.)* (١) متحارر : متساوي الحرارة(٢)تحارُريّ : «أ» متعلق بالتحارر أو تساوي الحرارة . «ب»متعلق أو متّسم بتغيرات الحجم أو الضغط في الأحوال التي تكون فيها الحرارة ثابتة .

isotonic [ī'sə tŏn'ĭk] *(adj.)* (١)«أ» متواتر : متساوي التوتّر . «ب» تواتريّ: متعلق بتساوي التوتر (٢) isosmotic .

isotope [ī'sə tōp'] *(n.)* النظير : واحد النظائر («ك» و «فز») .

isotropic [ī'sə trŏp'ĭk] *(adj.)* متساوي الخواص (مج) : موحّد الخصائص في جميع الجهات (فز)

isotropy [ī sŏt'rə pĭ]*(n.)* توحّد الخواصّ (را . المادة السابقة) .

Israeli [ĭz rā'lĭ] *(adj.; n.)* اسرائيليّ ؛ يهوديّ .

issuable [ĭsh'o͞o ə bəl] *(adj.)* (١) عرضةٌ للنزاع أو المناظرة أو المقاضاة أمام المحاكم (٢) مرخّص بإصداره (٣) ممكنٌ نشوؤه (كنتيجة عن شيء ما) .

issuance [ĭsh'o͞o əns] *(n.)* = issue.

issue [ĭsh'o͞o] *(n.; vi.; t.)* (١) *pl.*: رَيْع ، عائدات (٢) صدور ؛ انبثاق (٣) مَخْرَج ؛ مَنْفَذ (٤) ذريّة ؛ عَقِب (٥) نتيجة ؛ عاقبة (٦) «أ» قضيّة ؛ مسألة . «ب» نقطة خلاف أو نقاش . «ج» النقطة الفاصلة : نقطة تصبح فيها القضية جاهزة لاتخاذ قرار حاسم بشأنها (to bring a case to an ~) (٧)نزيف (٨) ثمرة ؛

نِتاج (~s of disordered imagination) (٩) «أ» إصدارُ أمرٍ أو كتابٍ أو طابعٍ بَريديّ أو عملة جديدة الخ. «ب» الإصدار: الشيء المصدَر أو كامل الكمية المصدَرة. «ج» العدد (من مجلة الخ.) §(١٠) «أ» يتدفّق. «ب» ينبعث؛ ينبثق (١١) ينتج كربح أو رَيْع (١٢) يتحدّر من أب أو سلف معيّن (١٣) ينشأ؛ يتولّد عن (١٤) يَصْدُر (من طريق النشر أو الطبع) (١٥) ينتهي؛ ينقضي ×(١٦) يُرْسِل؛ يُطلق؛ يقذف (١٧) «أ» يُصْدِر (أمراً أو كتاباً) أو طابعاً بريدياً الخ. «ب» يوزع (طعاماً أو ملابس أو أسلحة) على الجند.

in ~, تحت البحث أو النظر؛ موضع النزاع.

the point (matter) at ~, نقطة التناقش أو الخلاف؛ النقطة المتجادَل فيها.

to join (take) ~, يتجادلان؛ يختلفان؛ يتخذان موقفَين متعارضَين من نُقْطةٍ مُخْتَلَفٍ عليها.

-ist لاحقة معناها (١) «أ» القائم بعمل معيّن (duel*ist*). «ب» المنتج لأثر ما (novel*ist*). «ج» العازف على آلة موسيقية معينة (violin*ist*). «د» المشغّل لآلة ما (telegraph*ist*) (٢) المتخصص في علم أو فنّ معين (geolog*ist*) (٣) المناصر لمذهب أو مسلك معين (social*ist*).

isthmian [ĭs'mĭ ən] *(adj.; n.)* (١) بَرْزَخِيّ: متعلق ببرزخ أو واقع قرب برزخ، مثل: «أ» *cap.* عد: متعلق ببرزخ كورنث في اليونان أو بالألعاب التي كانت تقام فيه. «ب» *cap.*عد: متعلق ببرزخ بناما §(٢) البرزخيّ: «أ» المقيم في برزخ. «ب» *cap.*: أحد أبناء برزخ بناما.

isthmic [ĭs'mĭk] *(adj.)* = isthmian.

isthmus [ĭs'məs] *(n.)* بَرْزَخ («جغ» و «ت»).

-istic لاحقة معناها: متعلق بـِ؛ متّسم بـِ (pur*istic*).

istle [ĭst'lē] *(n.)* الإستلّ: ليف يستخرج من بعض النباتات الاميركيّة الاستوائيّة.

it [ĭt] *(pron.; n.)* (١) ضمير الغائب المفرد لجماد أو حيوان أو طفل صغير: هو؛ هي؛ ه؛ ها. (٢) ضمير الغائب المجهول (*It* is raining) §(٣) اللاعب المكلّف بالقيام بعملٍ ما (كالامساك باللاعبين الآخرين الخ. في بعض ألعاب الأطفال).

itacolumite [ĭt'ə kŏl'yə mīt'] *(n.)* الإيتاكوليت: صخرٌ كوارتزيّ شبيهٌ بالمَيْكَة.

Italian [ĭ tăl'yən] *(n.; adj.)* (١) الإيطاليّ: «أ» أحد أبناء إيطاليا. «ب» شخص إيطاليّ الأصل (٢) الإيطاليّة: اللغة الإيطاليّة §(٣) إيطاليّ.

italianate [ĭ tăl'yə nāt'] *(vt.)* يُطَلْيِن: يجعله إيطالياً.

Italianate [ĭ tăl'yə nāt'; -yən ĭt] *(adj.)* إيطاليّ الصفة أو الخصائص.

Italianism [ĭ tăl'yə nĭz'əm] *(n.)* الايطاليانيّة: «أ» صفة مميِّزة لإيطاليا أو الشعب الإيطالي. «ب» تلفّظ أو تعبير اصطلاحيّ يذكّر باللغة الإيطاليّة. «ج» حبّ للسياسات أو المُثُل الإيطالية أو ترويج لها.

Italianization [ĭ tăl'yə nĭ zā'-] *(n.)* الطَّلْيَنَة أو التَّطَلْيُن (را. المادة التالية).

italianize [ĭ tăl'yə nīz'] *(vi.; t.)* (١) يَتَطَلْيَن: يسلك مسلك الإيطاليّين؛ وبخاصة: يتّبع الأسلوب أو التقنية المأثورَيْن عن كبار الرسامين الإيطاليين ×(٢) يُطَلْيِن: يجعله إيطالياً.

italic [ĭ tăl'ĭk] *(adj.; n.)* (١) *cap.*: إيطاليقيّ: متعلق بإيطاليا القديمة أو شعوبها أو لغاتها الهندية الأوروبيّة (٢) مائلٌ: متعلق بالحرف الطباعي المائل (*These words are italic.*) §(٣) حرف طباعي مائل (*This sentence is in ~s.*)(٤)*cap.*: الفرع الإيطالي من أسرة اللغات الهندية الأوروبيّة.

Italicism [ĭ tăl'ə sĭz'əm] *(n.)* = Italianism *b.*

italicize [ĭ tăl'ə sīz'] *(vt.)* يُمَيِّل: «أ» يطبع بالحرف المائل. «ب» يضع خطاً مفرداً تحت الكلمات.

Italy [ĭt'ə lĭ] *(n.)* إيطاليا.

itch [ĭch] *(vi.; t.; n.)* (١) يستحكّه جلدُه (يدعوه إلى الحَكّ). (٢) يتلهّف ×(٣) يجعل الجلدَ متطلباً للحك (٤) يغضب؛ يثير §(٥) «أ» الحِكّة: علّةٌ توجب الحكّ. «ب» أُكَال (٦) تلهّف؛ شهوة إلى.

-ite لاحقة معناها: (١) «أ» المُواطن؛ المقيم (New Hampshir*ite*). «ب» التابع؛ المشايع؛ المؤيّد؛ النصير (Jacob*ite*) (٢) «أ» نِتاج (metabol*ite*). «ب» مُنْتَج مصنوع تجارياً (ebon*ite*) (٣) أُحفور؛ مستحجر (ammon*ite*) (٤) معدن؛ صخر (syen*ite*)(٥) جزء من جسد أو عضو (som*ite*) (٦) ملحٌ كذا (phosph*ite*).

item [ī'təm] *(n.)* (١) «أ» مادة؛ بَنْد؛ مُفْرَدة. «ب» موضوع. (٢) نبأ قصير (column of local ~*s*).

itemization *(n.)* (١) وَضْعُ جدول أو قائمة بـِ (٢)جدول؛ قائمة.

itemize [ī'tə mīz] *(vt.)* يعدد؛ يفصل المفردات؛ يضع جدولاً أو قائمةً بـِ.

iterance [ĭt'ər əns] *(n.)* إعادة؛ تكرارٍ (حتى الإملال).

iterant [ĭt'ər ənt] *(adj.)* مُعيد؛ مُكرر (حتى الإملال).

iterate [ĭt'ə rāt'] *(vt.)* يعيد؛ يكرِّر. **—iteration** *(n.)*

ithyphallic [ĭth'ə făl'ĭk] *(adj.)* (١) فالوسيّ: متعلق برمز الاستيلاد أو صورة عضو التناسل التي كانوا يحملونها في أعياد باخوس (٢) فاحش؛ فاسق.

itineracy; itinerancy [ī tĭn'-] *(n.)* (١) تَجوال؛ تَطْواف. (٢) جماعة متجوِّلة أو مطوِّفة.

itinerant [ī tĭn'ər ənt] *(adj.; n.)* (١)متجوِّل؛ متطوِّف؛ متنقل من مكان إلى مكان § (٢)المتجوِّل؛ المتطوف.

itinerary [ī tĭn'ə rĕr'ĭ; ĭ tĭn'-] *(n.; adj.)* (١) خطّ الرحلة أو التصميم الموضوع لرحلة (٢) يوميات المتطوف أو الرحّالة (٣) دليل الرحّالة أو السائح §(٤) تجواليّ؛ تَطْوافيّ (٥) متجول؛ متطوِّف.

itinerate [ī tĭn'ə rāt; ĭ tĭn'-] *(vi.)* يتطوّف: يقوم برحلة تبشيريّة أو قضائيّة.

-itious لاحقة معناها: متعلق أو متّسم بخصائص شيء ما (cement*itious*).

-itis لاحقة معناها: مرض؛ وبخاصة: التهاب في عضوٍ معيّن (bronch*itis*).

its [ĭts] *(adj.)* صيغة المِلكية من *it* (كقولك The fox broke ~ leg.)

it's [ĭts] = it is.

itself [ĭt sĕlf'] *(pron.)* نفسه؛ نفسها.

-ity لاحقة معناها: صفة؛ حالة؛ درجة (exterior*ity*).

-ium لاحقة معناها: عنصر كيميائي (uran*ium*).

-ive لاحقة معناها: «أ» ذو طبيعة أو صفة معيّنة (affirmat*ive*). «ب» ميّال إلى (destruct*ive*).

I've [īv] = I have.

ivied[ī'vĭd] *(adj.)* مُلَبْلَب ، مكسوّ باللّبلاب (walls ~).

ivory[ī'və rĭ; ī'vrĭ] *(n.; adj.)* (١) «أ» عاجٌ . «ب» ناب الفيل . (٢) لون العاج (الأصفرُ الشاحب) (٣) سِنٌّ ؛ ضِرس (ع) (٤) شيء (كزَهْر النرد أو أصابع البيان) مصنوع من عاج أو مادةٍ تُشبهه §(٥) عاجي ؛ مصنوع من عاج (٦) عاجيّ اللون.

ivory black *(n.)* أسود العاج (مج) : صِبْغ أسود يُصنع بتكليس العاج .

ivory tower *(n.)* البرج العاجيّ : مكان مُنْعَزِل للتأمّل .

ivy[ī'vĭ] *(n.; adj.)* (١) اللّبْلاب ، العَشَقَة : نباتٌ مُعْتَرِش . §(٢) جامعيّ ؛ نظريّ .

ivy vine *(n.)* الكَرْمِيّة ، الشُّكْرَمَة : نبات معترش من فصيلة الكرمة .

ixtle[ĭks'tlē; -tlĭ; ĭs'-] *(n.)* = istle.

-ization لاحقة معناها : عمل ؛ عملية ؛ حالة (steril*ization*).

-ize لاحقة معناها (١) «أ» يجعله أو يصيّره مثل كذا(liquid*ize*) . «ب» يخضعه لعمل معين(memor*ize*) . «ج» يُشبعه أو يعالجه أو يمزجه بِـ (hydrogen*ize*) . «د» يعامله مثل ... (idol*ize*) (٢) «أ» يصبح ؛ يصبح مثلَ (crystall*ize*) . «ب» ينهمك في نشاط معين (philosoph*ize*) . «ج» يتبنّى أو ينشر طريقة شخص ما في العمل والتعليم (calvin*ize*).

izzard[ĭz'ərd] *(n.)* الحرف z : الياء .
from A to ~, من الألف إلى الياء؛ من البداية إلى النهاية.

J

Jerusalem

j [jā] *(n. often cap.)* (١) الحرف العاشر من الأبجدية الانكليزية . (٢) واحد (٣) شيء معتبرٌ عاشراً من حيث الترتيب أو الطبقة (٤) شيء على صورة حرف **J** .

jab [jăb] *(vt.; i.; n.)* (١) يَخِز ؛ يَكِز ؛ يطعن (٢) يلطم ؛ يلكم . §(٣) «أ» وَخز ؛ طَعْن ؛ لَطْم . «ب» لكمة .

jabber [jăb'ər] *(vi.; t.; n.)* (١) يُهَذْرِم ؛ يبربِر ؛ يثرثر . ×(٢) يقول بغير وضوح §(٣) هَذْرَمَة ؛ بربرة ؛ ثرثرة .

jabiru [jăb'ə rōō'] *(n.)* الجَبِيْر : ضرب من اللقالق (طا) .

jaborandi [jăb'ə răn'dĭ] *(n.)* الجابورَنْدي : «أ» الأوراق المجففة لنبتة جنوبأميركية تعرف بالبيلوقَرْبوس . «ب» جذر ضرب من الفلفل البرازيلي .

jabot [zhă bō'; zhăb'ō] *(n.)* الجابوط : قطعة من قماش أو وشي تتخذ منها المرأة (وقديماً الرجل) زينة للعنق أو لصدر الثوب.

jaboticaba *(n.)* الطَّرْفاويّة ؛ الميريقارِيَة : شجيرة أميركية استوائية.

jacal [hə käl'] *(n.)* كوخ (في المكسيك وغربي الولايات المتحدة) .

jacamar [jăk'ə mär'] *(n.)* اليَقْمَر : طائرٌ مقتاتٌ بالحشرات يكثر في الغابات الأميركيّة الاستوائية .

jacamar

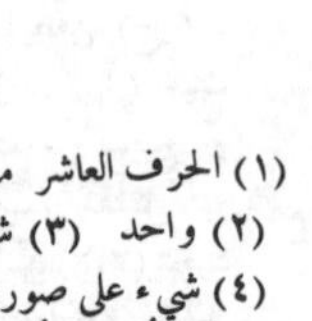

jaçana [zhä'sə nä'] *(n.)* اليَقَنَة : طائرٌ مخوِّضٌ طويل الساقين يألف المستنقعات والبرك في المناطق الدافئة .

jacaranda [jăk'ə răn'də] *(n.)* الجَكَرَنْدَة : شجرة أميركيّة استوائيّة .

jaçana

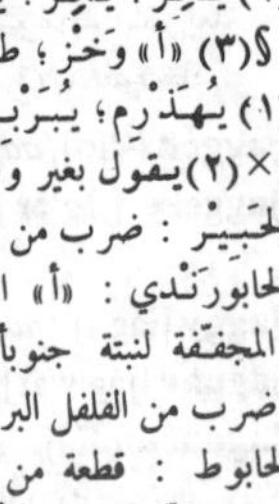

jacinth [jā'sĭnth] *(n.)* = **hyacinth I.**

jack [jăk] *(n.; vi.; t.)* (١) «أ» *cap.* : رَجُل ؛ وبخاصة : رجل يمثّل العامّة . «ب» *cap.* ا.ك : بحّار ؛ نوتيّ . «ج» عامل ؛ خادم . «د» حطّاب (٢) أداة ميكانيكيّة، مثل : «أ» المِدوار : أداة لتدوير السيخ أو السفّود . «ب» رافعة ؛ «عفريت» السيّارة (٣) عمود أفقيّ لتدعيم صاري السفينة (٤) «أ» الذكَر الصغير السنّ من سمك سليمان . «ب» حمار . «ج» زاغٌ زَرْعيّ (طا) (٥) «أ» شيء أصغر من القياس السويّ لنوعه . «ب» كرة صغيرة بيضاء تُتّخذ هدفاً في بعض الألعاب . «ج» علم وطني صغير ترفعه سفينة . «د» *pl.* : لعبةٌ قوامُها مجموعة حصىً أو قطع حديديّة يُقْذَف بها إلى أعلى ثُمّ يتلقّاها اللاّعِب . «هـ» إحدى هذه الحصوات أو القطع الحديدية (٦) «الولد» (في ورق اللعب) (٧) مال ؛ دراهم (ع) (٨) المَقْبِس : أداة وصل بين دارَتين كهربائيتين (٩) الجاك : ضرب من البراندي (شراب مُسْكر) (١٠) مِطواة كبيرة ؛ مدية جيب §(١١) يصيد السمك ليلاً (مستعيناً بمصباح خاص) ×(١٢) يحرّك أو يرفع بعفريت أو رافعة صغيرة (١٣) «أ» يزيد . «ب» يرفع مستوى شيء أو نوعيّته . «ج» يوبّخ ؛ يعنّف .

jackal [jăk'ôl; - əl] *(n.)* (١) ابن آوى (ح) (٢) شخص يقوم بعملٍ روتينيّ أو حقير لمصلحة شخص آخر .

Jack-a-Lent *(n.)* (١) دُمْيَة مَحْشُوّة (٢) شخص بسيط أو تافه .

jackanapes [jăk'ə nāps'] *(n.)* (١) قرد (٢) «أ» شخصٌ وقح أو مغرور . «ب» طفلٌ موذٍ .

jackass [jăk'ăs'] *(n.)* (١) حمار (٢) الغبيّ ؛ المغفّل .

jackassery [jăk'-] *(n.)* حماقة ؛ عملٌ أحمق .

jackboot [jăk'bōōt'] *(n.)* جزمة عسكريّة ثقيلة .

jackdaw [jăk'dô'] *(n.)* الزّاغ الزَّرْعيّ ؛ غراب الزيتون (طا) .

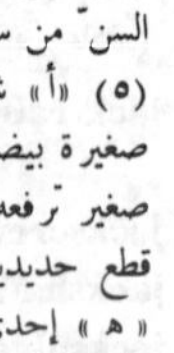

jackboot

jacket [jăk'ĭt] *(n.; vt.)* (١) سِتْرة ؛ جاكيت . (٢) «أ» الغلاف الطبيعي لحيوان . «ب» صوف حيوان ثدييّ . «ج» قشرة البطاطس (٣) الدِّثار ؛ الغلاف الخارجيّ ؛ مثل : «أ» غلاف من مادة غير موَصِّلة (للحؤول دون الاشعاع الحراري) . «ب» غلاف خارجيّ يَمُرّ خلاله سائل (للاحتفاظ بحرارة معيّنة) . «ج» غلاف معدني لقنبلة أو قذيفة. «د» غلاف أو ظرف لوثيقة رسمية . «هـ» القميص : غلاف ورقيّ لكتاب مجلّد . «و» ظرف أو غلاف لأسطوانة فونوغرافيّة §(٤) يكسو بسِترة (٥) يُدَثّر .

Jack Frost *(n.)* صقيع أو برد شديد .

jackhammer[jăk'-] *(n.)* (١)الثقّابة : آلة (يدوية عادةً) لثقب الصخور (٢) أداة لإعمال آلة بالهواء المضغوط .

jack-in-the-box [jăk'ĭn thə bŏks'] *(n.)* عِفريت العلبة : لعبة من لُعَب الأطفال .

jack-in-the-box

jack-in-the-pulpit [jăk'ĭn thə pool'pĭt] *(n.)* الأرسيمة : عشبة أميركية (نب) .

jackknife [jăk'nīf'] *(n. ; vt. ; i.)* (١)مطواة كبيرة؛ مدية جيب (٢) ضربٌ من الغطس يتّخذ فيه المرء، خلال حركته في الهواء ، وضعاً جسدياً مطوياً ثم يستقيم قبيل بلوغه سطح الماء §(٣) يقطع بمطواة كبيرة ×(٤) ينحني أو ينطوي مثل مدية جيب .

jackleg[jăk'-] *(adj.)* (١) هاوٍ ؛ تعوزه الخبرة (~editor) . (٢) غير مستقيم (~lawyers) (٣) موقّت (a ~system of landing lights)

jacklight[jăk'-] *(n.)* مصباح الصيد: مصباح يُستخدَم في الصيد ليلاً.

jack-of-all-trades [jăk'əv ôl'trādz] *(n.)* صاحب الصنائع السبع : شخص يُحسن مختلف الصنائع إلى درجة مقبولة .

jack-o'- lantern [jăk'ə lăn'tərn] *(n.)* (١) الوَهَج المستنقعي (را . ignis fatuus) (٢) مصباح يُصنَع من قرعة تُحفَر بحيث تبدو على صورة وجهٍ بَشَريّ .

jackpot[jăk'-] *(n.)* (١)الكَنز: مجموع متراكم من مراهنات سابقة. (٢)الجائزة الكبرى (في يانصيب) (٣)نجاح باهر (غير متوقَّع عادةً).

jack rabbit *(n.)* الأرنب الأميركي : أرنب أميركي ذو أذنين جد طويلتين وقائمتين خلفيّتين طويلتين .

jackscrew [jăk'skrōō'] *(n.)* المرفاع اللولبي .

jackscrew

jackshaft [jăk'-] *(n.)* عمود الادارة المتوسط (سي) .

jacksnipe [jăk'snīp'] *(n.)* الشُنَيْقِب : شُنْقُب صغير (طا) . (را . snipe)

jackstay [jăk'stā] *(n.)* حبلٌ أو قضيب يُشدّ إليه الشراع .

jackstraw [jăk'strô'] *(n.)* (١) عود (في لعبة « العيدانية ») . (٢)العيدانية : لعبة تُطرَح فيها مجموعة عيدان رفيعة ثم يُطلَب إلى كل لاعب أن يحاول استلالها واحداً بعد آخر من غير أن يحرّك العيدان الأخرى .

jack-tar [jăk'tär'] *(n. often cap.)* البحّار ؛ النوتيّ .

Jacobean [jăk'ə bē'ən] *(adj. ; n.)* (١) جَيْمِسيّ: متعلّق بجيمس الأول ملك انكلترة أو عصره §(٢) الجَيْمسي : كاتب من كتاب عصر جيمس الأول أو شخصية من شخصياته الخ .

jacobean lily *(n.)* الزنبقة اليعقوبيّة : نبتة مكسيكية حمراء الزهر .

Jacobin [jăk'ə bĭn] *(n.)* (١) راهب دومينيكي (٢) اليعقوبي : واحد اليعاقبة ، وهم جماعة سياسيّة متطرفة عُرفت بنشاطها الإرهابي خلال الثورة الفرنسيّة .

—**Jacobinic ; -al** *(adj.)*

Jacobite [jak'ə bīt'] *(n.)* الجَيْمِسي ، الستيوارتيّ: أحد أنصار جيمس الثاني ملك انكلترة أو آل ستيوارت بعد ثورة ١٦٨٨

—**Jacobitical** *(adj.)*

Jacob's ladder *(n.)* سُلّم يعقوب : «أ» سُلّم يقود إلى السماء رآه يعقوب في حُلم . «ب» نبتة ذات زهرات تتميّز بترتيبها السُلّميّ . «ج» مِرقاة حَبليّة ذات درجات خشبية .

Jacobus [jə kō'bəs] *(n.)* الجُنيه الجيمسي : جنيهٌ ذهبيّ بريطانيّ قديم سُكّ في عهد جيمس الأول .

jaconet [jăk'-] *(n.)* الجاكونيت : قماش قطني رقيق .

jacquard [jə kärd'] *(F.)* الجاكار : «أ» نَوْل جاكار (لحياكة الأقمشة المصوَّرة) . «ب» قماش مطبّع بألوان مختلفة .

jacquerie [zhȧk rē'] *(F.)* (١) *cap.* : الثورة الجاكيّة : ثورة قام بها الفلاحون الفرنسيون عام ١٣٥٨ (٢) ثورة فلاحين .

jactation [jăk tā'shən] *(n.)* تباهٍ ؛ تبجّح .

jactitation [jăk'tə tā'-] *(n.)* (١) تَبَجّح (٢) تَمَلْمُل ؛ انتفاض؛ قلق شديد .

jaculate [jăk'ū lāt] *(vt.)* يقذف ؛ يرمي (سهماً الخ.)

jade [jād] *(n. ; vt. ; i.)* (١) فرسٌ منهوك القوى أو غير أصيل . (٢) «أ» امرأة رديئة السمعة . «ب» فتاة مِغناج (تحاول انتزاع إعجاب الرجال) (٣) يَشْب ؛ يَشْم (حجر كريم) §(٤) يُنْهِك ×(٥) يكِلّ ؛ يُجْهَد .

jaded [jā'dĭd] *(adj.)* (١) مُنْهَك (٢) مُتْخَم .

jade green *(n.)* الأخضر اليَشْبيّ : لون أخضر مُزْرَقّ .

jadeite [jād'īt] *(n.)* الجاديت : معدن أخضر قِوامُهُ سَليكات الصوديوم والألمنيوم .

jaeger [yā'gər] *(n.)* (١) «أ» الصيّاد ؛ القنّاص . «ب» مرافق (مُرتَدٍ بِزّةَ قنّاص) لشخص ذي منزلة أو ثروة (٢) الكَرْكَر : طائر بحريّ شبيه بالنَّورس .

jag [jăg] *(vt. ; i. ; n.)* (١) يَخِز ؛ يطعن (ع) . (٢) «أ» يشقّ (ثوباً) بحيث يبدي ما تحته من نسيج أو لون . «ب» يَفُلّ ؛ يُثلِّم ؛ يسنّن ×(٣) يتحرك مترنّحاً أو ناخعاً §(٤) حِمل صغير (٥)نشوة ؛ طرب (بعد معاقرة الخمرة) (٦)نتوء حادّ .

jaeger 2.

jagged [-'ĭd] *(adj.)* (١)مُثلّم ؛ مُفَرَّض ؛ مَفْلول (٢) خشن .

jaggery [jăg'ər ĭ] *(n.)* الجَكَر : سكّر أسمر غير مكرّر مصنوع من عصارة النَخْل .

jaggy [jăg'ĭ] *(adj.)* مُثلّم ؛ مَفْلول ؛ مُفَرَّض .

jaguar [jăg'wär] *(n.)* اليَغْوَر : نمرٌ أميركيّ استوائيّ مرقّط .

jaguarundi [jä gwə rŭn'dĭ] *(n.)* اليَغْوَرَنْدي: سِنّورٌ أميركي هزيلٌ طويل الذَيل قصير الرجلين ضاربٌ لونه إلى الرماديّ .

Jahveh [yä'vĕ] *(n.)* يَهْوه : إله العبرانيّين .

jail [jāl] *(n. ; vt.)* (١) سِجن §(٢) يسجن .

jailbird [jāl'-] *(n.)* (١) السجين (٢)المجرم المزمن ؛ أليف السجون.

jailbreak [jāl'-] *(n.)* هروب أو فرار من السجن .

jail delivery *(n.)* (١) إخلاء السجن بسَوْق السجناء إلى المحاكمة. (٢) تحرير السجناء بالقوة .

jailer *or* **jailor** [jā'lər] *(n.)* السجّان .

Jain [jīn] *or* **Jaina** [jī'nə] *(n.)* اليانيّ : أحد أتباع اليانيّة .

Jainism [jī'nĭz əm] *(n.)* اليانيّة : دين هنديّ نشأ في القرن السادس ق.م. قوامهُ تحرير الروح بالمعرفة والإيمان وحسن السلوك .

jake leg *(n.)* شلل الإدمان : شلل ينشأ عن معاقرة المُسْكِرات القوية.

jalap [jăl'əp] *(n.)* الجَلَبَة : «أ» نبات مكسيكي ذو جذور مُسْهِلة . «ب» مُسْهِل مستحضر من جذور الجَلَبَة .

jalopy [jə lŏp'ĭ] *(n.)* سيارة أو طائرة عتيقة بالية .

jalousie [zhăl'ōō zē'; zhăl'ōō zē'] *(F.)* (١) حصيرة النافذة :

حصيرة تسمح للنور والهواء بدخول الحجرة وتردّ عنها أذى الشمس والمطر (٢) النافذة المحصَّرة : نافذة ذات حصيرة .

jam [jăm](*vt.; i.; n.*) (١) «أ» يضغط ؛ يثبّت بإحكام (~*med* his hat on) . «ب» يُلْصِب : يجعله يَعْلَق أو يتوتّد بحيث يتعطّل عن العمل (Your child ~*med* the typewriter keys.) . «ج» يصدّ ؛ يعترض سبيل كذا . «د» يملأ (حتى الإفراط عادةً) (٢) «أ» يدفع بقوة . «ب» يكبح السيارة فجأة وبقوة تامة (٣) يسحق؛ يهرس (٤) «أ» يشوّش (على برنامج إذاعي الخ.) : يجعله غير مفهوم بإطلاق إشارات أو رسائل معترضة . «ب» يجعل (الرادار) غير فعّال بإقحام إشارات معترضة أو مشوشة الخ . ×(٥) «أ» ينسدّ أو يَعْلَق . «ب» يَلْصَب : يتعطّل نتيجة لتوتّد جزء متحرك منه (٦) يشقّ طريقه (إلى مكان مزدحم) (٧) يشترك في حفلة يحييها عازفو موسيقى الجاز لمتعتهم الشخصية §(٨) «أ» ضغط ؛ تثبيت ؛ صَدّ ؛ رص ؛ دفعٌ بقوّة ؛ كَبْحٌ ؛ سحق؛ تشويش الخ . «ب» عقبة؛ عائق (٩) «أ» انضغاط ؛ امتلاء ؛ انهراس؛ انسداد؛ لَصَبٌ الخ . «ب» ازدحام (١٠) ورطة (١١) مربّى؛ مُرَبّى الفاكهة .

jamb [jăm](*n.*) (١) عضادة الباب أو النافذة . (٢) دِرع الرِّجْل .

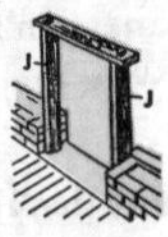
J. jamb

jambalaya [-lī'ə](*n.*) (١) أرزّ يطبخ مع اللحم أو المحار الخ . (٢) مزيج (من عناصر مختلفة) .

jambeau [jăm'bō] (*F.*) pl. **-x** دِرْع الرِّجْل .

jamboree [jăm'bə rē'] (*n.*) (١) احتفالٌ صاخبٌ مخمور . (٢) «أ» مِهْرجان. «ب» الجمبوري : مهرجان قومي أو دَوْلي للكشّافة (٣) برنامج لهو طويل منوّع .

jam session (*n.*) حفلة يحييها عازفو موسيقى الجاز لمتعتهم الشخصية .

jangle [jăng'gəl](*vi.; t.; n.*) (١) يثرثر (ا.ق) (٢) يتشاحن؛ يتشاجر (بالكلام) (٣) يحدِث صوتاً غير سائغ في الأذن ×(٤) يطلق (صوتاً) بطريقة مؤذية للأذن (٥) يثير §(٦) ثرثرة (٧) مُشادّة ؛ مُشاحنة (٨) صوت متنافر .

janissary [jăn'ə sĕr'ĭ] *or* **janizary** [-'ə zĕr'ĭ] (*n.*) (١) *cap.* عد : الانكشاري : أحد الانكشارية أو «الجند الجديد» (في التاريخ العثماني) (٢) عضو في جماعة من القوات أو الأتباع تتميّز بشدّة الولاء .

janitor [jăn'ə tər] (*n.*) الحاجب ؛ البوّاب .

Jansenism [jăn'sə nĭz'əm] (*n.*) (١) الينسينية : مذهب لاهوتي يقول بفقدان حرية الارادة وبأن الخلاص من طريق موت المسيح مقصور على فئة قليلة (٢) موقف أخلاقي سلبيّ صارم .

January [jăn'yōō ĕr'ĭ] (*n.*) يناير ؛ كانون الثاني : الشهر الأول في التقويم الغريغوري .

Janus [jā'nəs] (*n.*) يانوس : إلٰه الأبواب والبدايات عند الرومان .

japan [jə păn'] (*n.; adj.; vt.*) (١) *cap.* : اليابان : بلاد اليابانيين . (٢) اللَّكّ : ضرب من الورنيش (٣) «أ» شيء مُوَرْنَش أو مصوَّر على الطريقة اليابانية . «ب» خزف أو حرير يابانيّ §(٤) لكّيّ ؛ ذو علاقة باللّك (٥) مطليّ باللّك §(٦) يطلي باللّك أو نحوه (٧) يلمّع بقوّة .

Japanese [jăp'ə nēz'](*n.; adj.*) (١) الياباني (٢) اليابانية : اللغة اليابانية §(٣) يابانيّ .

Japanese beetle (*n.*) الخُنفساء اليابانية .

Japanese lantern (*n.*) المصباح اليابانيّ : مصباح ورقيّ للزينة .

Japanese quince (*n.*) السفرجل اليابانيّ : شجيرة زينيّة من الفصيلة الورديّة .

Japanize [jăp'-] (*vt.*) (١) يجعله يابانياً (٢) يخضعه للنفوذ اليابانيّ .

Japan wax (*n.*) الشمع اليابانيّ (يستعمل في مستحضرات الصَّقل) .

jape [jāp] (*vt.; n.*) (١) يَسْخَر من § (٢) مسرحيّة الخ . هزليّة (٣) نكتة .

japonica [jə pŏn'ə kə] (*n.*) = Japanese quince.

jar [jär](*vi.; t.; n.*) (١) «أ» يَصِر ، يَصْرِف : يحدث صوتاً لا تسيغه الأذن . «ب» يتنافر ؛ يتصادم ؛ يتضارب . «ج» يضايق : يترك أثراً مؤذياً للأعصاب أو المشاعر (٢) يرتجّ ×(٣) «أ» يجعله يَصِرّ أو يَصرِف . «ب» يُرَجّ §(٤) «أ» صرير ؛ صريف . «ب» تصادم؛ تضارب (٥) «أ» ارتجاج مفاجىء أو غير متوقَّع . «ب» صدمة (للنفس) (٦) جرّة ؛ مرطبان . on the ~, مفتوح فتحاً جزئياً (صفة لباب الخ .) .

jardiniere [jär'də nĭr'; zhär dē nyĕr'] (*F.*) (١) «أ» مِنْضدة زينية توضع عليها النباتات أو الأزهار . «ب» أصيص خزفيّ كبير (٢) حِلْيَة للَّحم مؤلّفة من عدة قطع مربّعة من الخُضَر المطهوّة .

jarful [jär'-] (*n.*) مِلء جرّة أو مرطبان .

jargon [jär'gən] (*n.; vi.*) (١) الرَّطانة : «أ» لغة مضطربة غير مفهومة . «ب» لغة أو لهجة غريبة . «ج» لغة أو لهجة هجينة مبسَّطة المفردات والنحو تستعمل للتفاهم بين الناطقين بلغات مختلفة (٢) اللغة الاصطلاحية لجماعة ما (medical ~) (٣) الجعجعة : كلام مُبْهَم موسوم بطابع التباهي عادة ، ويتميّز بالاطناب والكلمات الطويلة §(٤) يرطُن (٥) يغرّد .

jargonize [-'gə nīz] (*vi.; t.*) (١) يرطُن ×(٢) يحوّل إلى رطانة .

jargoon [jär gōōn'] *or* **jargon** [jär gŏn'](*n.*) اليَرْغُن : معدن عديم اللون ، أو أصفر شاحب ، أو بلون الدخان .

jarl [yärl] (*n.*) اليَرْل : نبيل اسكندينافيّ يلي الملك في الرتبة مباشرة .

jasey [jā'zĭ] (*n.*) جُمّة ؛ شعر مستعار .

jasmine[jăs'mĭn; jăz'-](*Ar.*) (١) ياسمين (٢) لون أصفر فاتح .

jasper [jăs'pər] (*n.*) (١) اليَشْب : حجرٌ كريم (٢) لون أخضر ضاربٌ إلى السواد . —**jaspery** (*adj.*)

Jat [jät; jôt] (*n.*) الجاتيّ : أحد أبناء شعب هندي أوروبيّ مقيم في البنجاب بالهند .

jato unit [jā'tō] (*n.*) وحدة الإقلاع : جهاز يتألف من محرّك صاروخي أو أكثر ، يستخدم لمساعدة الطائرة على الإقلاع .

jaundice[jôn'dĭs; jän'-](*n.; vt.*) (١) اليَرَقان (مض) (٢) شعور بالاشمئزاز أو العداء § (٣) يُيَرْقِن : يُصيبه باليرقان (٤) يُغرِّض : يجعله يتحامل على أو يتحيّز لـ ...

jaunt [jônt; jänt] (*vi.; n.*) (١) يقوم برحلة صغيرة لمجرد المتعة §(٢) رحلة للمتعة .

jaunting car (*n.*) الجَوْتَنْغ : عربة إرلندية ذات دولابين ومقعدين طولانيين جانبيين .

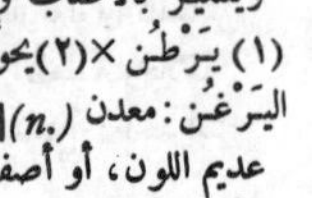
jaunting car

jaunty [jôn'tĭ; jän'-] (*adj.*) (١) أنيق (~ dress) (٢) طروب ؛ مرح . —**jauntily** (*adv.*) —**jauntiness** (*n.*)

Java [jä'və] (*n.*) (١) جاوة : جزيرة باندونيسية . (٢) *often not cap.* : قهوة (٣) الجاويّ : طير داجن .

Java man (*n.*) انسان جاوة : أحد رجلين قبتاريخيين prehistoric عثِر على جمجمتيهما في ترينيل Trinil بجاوة .

Javanese [jăv'ə nēz'](*n.; adj.*) (١) «أ» الشعب الجاويّ : شعب

جزيرة جاوة . «ب» الجاويّ : أحد أبناء جاوة (٢) الجاويّة : اللغة الجاويّة §(٣) جاويّ .

Java sparrow *(n.)* دُوْرِيّ جاوة ، عصفور جاوة (طا) .

javelin [jăv'lĭn; jăv'ə lĭn] *(n.)* (١) رمح (٢) الجريدة : عصا حديدية الرأس طولها ٢٦٠ سم على الأقلّ تُقذف في رياضة « رمي الجريد أو الرمح » .

Javelle water [zhə vĕl'] *(n.)* ماء جافيل : محلول يستعمل كمطهِّر أو مبيِّض الخ .

jaw [jô] *(n.; vt.; i.)* (١) فكّ ، حنَك (٢) شيء كالفكّ ، مثل : «أ» أحد جانبي ممرّ أو نفق ضيّق. «ب» فكّ الكمّاشة ونحوها (٣) «أ» كلام سليط أو مغضِب (ع). «ب» حديث ودّيّ (ع) §(٤) يتحدّث (إلى امرىء) بلهجة معنِّفة أو مملّة (ع) (٥) يُفحِش في الكلام (٦) يثرثر ؛ « يطكّ حنَكه » .

jawbone [jô'-] *(n.)* عظم الفكّ ، وبخاصة : الفك السفلي (ت) .

jawbreaker [jô'brā'kər] *(n.)* كاسرة الفكّ : «أ» كلمة يصعب التلفّظ بها . «ب» حلوى مستديرة قاسية .

jay [jā] *(n.)* (١) القِيق ؛ الزِّرياب ؛ أبو زُريق : طائر كالغراب . (٢) «أ» الثرثار الوقح . «ب» الغندور ؛ المتأنّق بإفراط . «ج» الغِرّ ؛ القليل الخبرة (٣) لون أزرق معتدل .

jay 1.

jayhawker [jā'kô'kər] *(n.)* (١) «أ» .cap : عضو في إحدى العصابات المناوئة للاسترقاق والمحاربة له في كانساس وميزوري قبل الحرب الأهلية وخلالها . «ب» قاطع طرق ؛ قرصان (٢) .cap : الكانساسيّ : أحد أبناء ولاية كانساس الأميركية .

jayvee [jā'vē'] *(n.)*[junior varsity] فريق رياضي جامعي (من الدرجة الثانية) أو أحد أعضائه .

jaywalk [jā'-] *(vi.)* يعبر الطريق مخالفاً أنظمة السير متعرّضاً للخطر .

jazz [jăz] *(vt.; i.; n.)* (١) «أ» ينعش ، ينشّط (تتبعها up عادةً) . «ب» يسرّع ؛ يعاجل (٢) يعزف على طريقة الجاز ×(٣) يهيم : يتنقّل من مكان إلى آخر (٤) يرقص على موسيقى الجاز §(٥) الجاز : «أ» موسيقى راقصة ذات طبيعة «حارّة» مرتجلة . «ب» رقصة شعبية تؤدّى على أنغام الجاز (٦) نشاط ؛ حيوية (٧) هراء ؛ كلام فارغ .

jazzy [jăz'ĭ] *(adj.)* (١) جازيّ : متّسم بخصائص موسيقى الجاز . (٢) ناشط أو مفعم بالحياة (على نحو غير مكبوح) .

jealous [jĕl'əs] *(adj.)* (١) غيور (a ~ husband) (٢) حسود . (٣) ضنين ؛ حريص على الاحتفاظ بـ (~of one's rights or reputation) (٤) يقِظ ؛ حذِر (kept a ~eye on me) .

jealousy [-'ə sĭ] *(n.)* (١) غَيْرة ؛ حسد ؛ حِرص (٢) يقظة شديدة .

jean [jēn; jān] *(n.)* (١) الجين : قماش قطني متين (٢) الجينيّ : بنطلون مَخيط من الجِين .

jeep [jēp] *(n.)* الجيْب : سيارة عسكرية أو مدنية صغيرة تتميّز بالبساطة والقدرة على الاحتمال .

jeer [jĭr] *(vi.; t.; n.)* (١) يسخر من §(٢) ملاحظة ساخرة .

jehad [jĭ häd'] *(n.)* = jihad.

Jehovah [jĭ hō'və] *(n.)* يَهْوَه ؛ الربّ ؛ الله .

jehu [jē'hū] *(n.)* سائق عربة .

jejune [jĭ jōōn'] *(adj.)* (١) تعوزه القيمة الغذائية (diets ~) . (٢) تافه ؛ تعوزه المتعة أو القيمة (His lectures seemed ~.) (٣) صِبيانيّ (behavior ~) .

jejunum [jĭ jōō'-] *(n.)* الصائم : الجزء الأوسط من المعي الدقيق (ت) .

Jekyll and Hyde [jĕk'əl] *(n.)* المزدوج الشخصية : شخص ذو شخصيّة مزدوجة ، جانب منها خيّر والآخر شرير .

jell [jĕl] *(vi.; t.)* (١) يتهلّم : يصبح ذا قوام هُلاميّ . (٢) يتبلور ×(٣) يُبلور .

jellify [jĕl'ə fī] *(vt.; i.)* (١) يُهلّم : يجعله هُلاميّ القوام . (٢) يُضْعِف ×(٣) يتهلّم .

jelly [jĕl'ĭ] *(n.; vi.; t.)* (١) الهُلام : حلوى رجراجة القوام تُعَدّ بغَلْي السكّر وعصير الفاكهة (٢) شيء كالهلام في قوامه أو كثافته (٣) خوف ؛ تردد (٤) كتلة عديمة الشكل §(٥) يتهلّم : يصبح هلامياً ×(٦) يُهلّم : يجعله هلاميّ القوام .

jelly bean *(n.)* (١) حلوى مغلّفة بالسكّر (على شكل حبات الفصوليا) (٢) شخص مخنّث أو ضعيف الشخصية .

jellyfish [jĕl'ĭ fĭsh] *(n.)* (١) رئة البحر ؛ قنديل البحر ؛ السمك الهُلاميّ (٢) شخص ضعيف الشخصيّة .

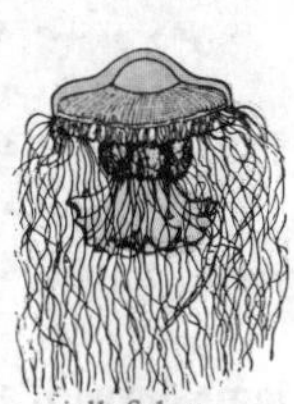
jellyfish 1.

jelly roll *(n.)* فطيرة الهُلام ؛ الفطيرة الهلاميّة .

jennet [jĕn'ĭt] *(n.)* (١) الزِّناتيّ : فرس اسبانيّ صغير (٢) «أ» أتان . «ب» ولد الأتان من الحصان .

jenny [jĕn'ĭ] *(n.)* (١) «أ» أنثى الطائر . «ب» أتان (٢) دولاب غزْل .

jeopard; jeopardize [jĕp'-] *(vt.)* يعرِّض للخطر .

jeopardous [jĕp'ər dəs] *(adj.)* خطِر ؛ محفوف بالمخاطر .

jeopardy [jĕp'ər dĭ] *(n.)* (١) خطَر . (٢) الخطر المحيق بمتهم (أمام المحكمة) .

jerboa [jər bō'ə] *(Ar.)* اليربوع .

jeremiad [jĕr'ə mī'ăd] *(n.)* نُواح (أو تشكٍّ) متطاول .

Jeremiah [jĕr'ə mī'ə] *(n.)* (١) ارميا النبيّ . (٢) المتشائم أو المتوقّع كوارثَ مقبلة .

jerkin

jerk [jûrk] *(vt.; i.; n.)* (١) ينتخع ؛ يرجّ ؛ يهزّ هزّاً عنيفاً (٢) يقذف بحركة سريعة تُكبح فجأة (٣) ينطق بطريقة متقطعة متشنّجة (٤) يُعِدّ (to ~sodas) (٥) يقدّد اللحم ×(٦) ينتخع ؛ يرتجّ ؛ يهتزّ § (٧) نَخْعة ، رجّة ، هزّة (٨) رعشة ؛ ارتعاش عصبي (٩) شخص غبي أو أحمق .

jerkin [jûr'kĭn] *(n.)* الجرْكينة : سترة طويلة ضيقة لا كمّين لها .

jerkwater [jûrk'-] *(adj.)* (١) ناءٍ وغير هام (towns~) (٢) تافه .

jerky [jûr'-] *(adj.; n.)* (١) مُنتخِع ؛ مرتج ؛ متشنّج (٢) متقلّب ؛ متّسم بتغيّرات مفاجئة (٣) أحمق ؛ مجنون §(٤) لحم مقدّد .

jeroboam [jĕr'ə bō'əm] *(n.)* زجاجة خمر تتسع لـ ⅘ الغالون .

Jerry [jĕr'ĭ] *(n.)* الألمانيّ : أحد أبناء ألمانيا (عب) .

jerry-build [jĕr'ĭ-] *(vt.)* يبني على نحو رخيص تعوزه المتانة .

jerry-built [jĕr'ĭ-] *(adj.)* مبنيّ على نحو رخيص تعوزه المتانة .

jersey [jûr'zĭ] *(n.)* (١) الجُرْسيّ : «أ» نسيج صوفيّ أو قطني أو حريري . «ب» قميص صوفيّ مُحكم الحبك يرتديه البحارة والرياضيون . «ج» ثوب مماثل محبوك من الصوف أو الحرير ترتديه النساء (٢) الجُرْسيّة : واحدة من سلالة من الأبقار الحلوبة ذات لبن غني بالدسَم .

Jerusalem [jĭ rōō'sə ləm] *(n.)* القُدس ؛ بيت المقدس .

Jerusalem artichoke *(n.)* الطَّرْطوفة ؛ حَرْشَف القدس ؛ القُلقاس الروميّ (نب) .

jess [jĕs] *(n.)* قَيْد البازيّ (يُعلَّق في رِجْلِهِ) .

jessamine [jĕs'ə mĭn] *(Ar.)* = jasmine.

jesse [jĕs'ĭ] *(n.)* توبيخ قاسٍ ؛ ضربٌ مبرِّح .

jest [jĕst] *(n.; vi.; t.)* (١) «أ» نكتة . «ب» حادثة مُضحكة . (٢) «أ» ملاحظة ساخرة . «ب» دُعابة (٣) «أ» مُزاح (done in ~) . «ب» مَرَح (٤) الأضحوكة : موضع سخرية الناس §(٥) يَسْخر (٦) يَمْزَح (٧) ينكّت ×(٨) يهزأ بـ .

jester [jĕs'tər] *(n.)* (١) المهرج ؛ المضحِّك (٢) المزّاح ؛ المولَع بالمُزاح .

Jesuit [jĕzh'ōō ĭt ; jĕz'yōō-] *(n.)* (١) اليسوعي : عضو جمعية دينيّة للرجال أسسها القديس اغناطيوس ليولا عام ١٥٣٤ (٢) شخص ماكر أو مدبّر للمكائد . **—Jesuitism** *(n.)*

Jesus [jē'zəs] *(n.)* يسوع ؛ المسيح .

jet [jĕt] *(n.; vi.; t.)* (١) الكَهْرَمان الأسود (٢) لون أسود فاحم (٣) «أ» تفجّر ، انبثاق الماء أو الغاز أو البخار من فتحة ضيقة . «ب» أنبوب ؛ خرطوم ؛ نافورة ؛ مِنفَث (٤) دَفْق ؛ فيض §(٥) ينبثق ؛ يتدفق ؛ يتفجّر ×(٦) يَدفُق (الماءَ الخ.) ؛ ينفث .

jet airplane ; jetliner [jĕt'lī-] *(n.)* الطائرة النفّاثة .

jet engine *(n.)* المحرِّك النفّاث أو النافوري (طي) .

jet-propelled [jĕt prə pĕld'] *(adj.)* نافوري : «أ» مُسيَّر بمحرك نفّاث . «ب» موحٍ أو مذكّر بسرعة طائرةٍ نفّاثة وقوتها .

jet propulsion *(n.)* الدفع النفثي أو النافوري ، وبخاصة : دفعُ الطائرة بواسطة محرِّكات نفّاثة .

jet pump *(n.)* المضخّة النافورية (مك) .

jetsam [jĕt'səm] *(n.)* (١) المطروحات : كل ما يُطرَح من عُدَد المركب وحُمولته تخفيفاً لثقله عند الشدائد فتغرق أو يقذفها الموج إلى الشاطئ (٢) .flotsam 2

jettison [jĕt'ə sən ; - zən] *(n.; vt.)* (١) الطَّرْح : طَرْح حمولة المركب في البحر تخفيفاً لثقله عند الشدائد (٢) هَجْر ؛ تخلٍّ عن §(٣) يطرح (حمولةَ المركب في البحر عند خوف الغرق) (٤) ينبذ ؛ يتخلّص من (٥) يلقي من الطائرة أثناء طيرانها .

jetty [jĕt'ĭ] *(n.; vi.; adj.)* (١) حاجز الماء (لوقاية الميناء الخ.) . (٢) الفُرْضَة : محطّ السُّفن في البحر §(٣) يَنتأ ؛ يبرز §(٤) أسود فاحم (كأنه الكهرمان الأسود) .

jeu d'esprit [zhœ dĕs prē'] *(F.)* مُلْحة ؛ نكتة ؛ فكاهة .

Jew [jōō] *(n.)* اليهوديّ : واحد اليهود .

jewel [jōō'əl] *(n.; vt.)* (١) حِلْيَة (من معدن نفيس مرصّع بالحجارة الكريمة الخ .) (٢) الدرّة : شيء ثمين أو نفيس (Her servant is a ~.) (٣) جوهرة ؛ حجر كريم (٤) حَجَر (في صناعة الساعات) §(٥) يرصّع بالجواهر (٦) يزيّن وكأنما بالجواهر .

jeweler *or* **jeweller** [jōō'əl ər] *(n.)* الجوهريّ «أ» : صائغ الجواهر والحِلَى . «ب» تاجر الجواهر والحجارة الكريمة والساعات وعادةً الآنية الفضية والخزفية .

jewelly [jōō'-] *(adj.)* (١) ذو جواهر أو مُتحلٍّ بها (٢) كالجوهرة .

jewelry [jōō'əl rĭ] *(n.)* حِليّ ؛ مجوهرات .

jewelweed [jōō'əl wēd'] *(n.)* المِجزاعة ؛ الزهرة المجزاعة (نب) .

Jewess [jōō'ĭs] *(n.)* اليهودية : فتاة أو امرأة يهودية .

jewfish [jōō'fĭsh] *(n.)* السمك اليهودي : سمك بحري كبير .

Jewish [jōō'ĭsh] *(adj.)* يهوديّ ؛ عِبْريّ .

Jewish calendar *(n.)* التقويم اليهودي (ويبدأ من عام ٣٧٦١ ق.م) .

Jewry [jōō'rĭ] *(n.)* (١) حيّ اليهود (في مدينة ما) (٢) الشعب اليهودي .

Jew's harp *or* **Jews' harp** [jōōz'härp] *(n.)* قيثار اليهوديّ : آلة موسيقية .

Jew's harp

jezebel [jĕz'ə bəl] *(n.)* امرأة وقحة أو فاسقة .

jib [jĭb] *(n.; vt.; i.)* (١) شراع السارية الأماميّة (٢) ذراع المرفاع أو الرافعة §(٣) يحرِف (الشراعَ) من أحد جوانب السفينة إلى آخر ×(٤) ينحرف (الشراع) من جانب إلى آخر (٥) يحرن ؛ يأبى المسير .

jibboom [jĭb'bōōm'] *(n.)* الجِبوم : سارية تشكّل امتداداً للدَّقَل المائل (مل) .

jibe [jīb] *(vi.; t.)* (١) ينحرف (الشراعُ) فجأة من جانب إلى آخر . (٢) يغيّر اتجاه المركب بحيث ينحرف الشراع (٣) يتفق أو ينسجم مع (٤) يهزأ بِ ؛ يعيّر ×(٥) يجعل الشراع ينحرف .

jiff [jĭf]; **jiffy** [jĭf'ĭ] *(n.)* لحظة (in a ~) .

jig [jĭg] *(n.; vt.; i.)* (١) «أ» الجيغ : رقصة سريعة مفعمة بالحيوية . «ب» موسيقى هذه الرقصة (٢) حيلة ؛ لعبة (The ~ is up.) (٣) الجِيْغة : أداة صيد شبيهة بالصنارة (٤) المُوجِّه (مك) (٥) الخضخاضة : أداة يُركّز فيها مسحوق المعدن الخام أو ينظَّف بها الفحم الحجري من طريق الخضخضة في الماء §(٦) يرقص بمثل سرعة رقصة الجيغ وحيويتها (٧) يُهزهِز (٨) يصيد بالجيغة × (٩) «أ» يرقص الجيغ . «ب» يتهزهز (١٠) يتصيّد بالجيغة (١١) يستعمل الموجّه في عمل ميكانيكي .

jigger [jĭg'ər] *(n.)* (١) فا jig (٢) «أ» الجِغْرة : عُدّة تُستعمل على ظهر المركب . «ب» الجيغة : أداة صيد شبيهة بالصنّارة (٣) الجِغْر : «أ» مركب صغير . «ب» صارٍ صغير في مؤخّر المركب . «ج» الصاري الخلفيّ في مركب رباعيّ الصواري (٤) «أ» أداة ميكانيكية ، وبخاصة إذا كانت ذات حركة ترددية . «ب» أداة معقّدة أو تافهة بحيث لا يستطيع المرء أن يسمّيها على نحو أدقّ (? What is that little ~ on your pistol) (٥) معيار لمزج المُسكِرات (٦) برغوث .

jiggle [jĭg'əl] *(vi.; t. n.)* (١) يتهزهز ×(٢) يهزهز §(٣) تهزهز .

jiggly [jĭg'-] *(adj.)* متهزهز ؛ متقلقل .

jigsaw [jĭg'-] *(n.; vt.)* (١) منشار المنحنيات §(٢) ينشر بمنشار منحنيات (٣) يرتّب بطريقة معقّدة أو متشابكة .

jigsaw puzzle *(n.)* أحجية الصور المقطوعة : أحجية مؤلّفة من قطع خشبية صغيرة يتعيّن على المرء أن يرتّبها بحيث تشكّل صورة ما .

jihad [jĭ häd'] *(Ar.)* الجهاد : «أ» حرب مقدّسة تُشَنّ لنصرة الإسلام . «ب» حملة أو حرب في سبيل مبدأ أو عقيدة .

jillion [jĭl'yən] *(n.)* عدد ضخم غير محدود .

jilt [jĭlt] *(n.; vt.)* (١) الناكثة : المرأة التي تنكث بعهدها فتنبذ رجلاً كانت من قبلُ تبادله الحب §(٢) تنبذ (المرأةُ) محبّاً .

Jim Crow [jĭm krō'] *(n.)* (١) الزنجيّ (بمعنى ازدرائي) . (٢) التمييز العرقي ضد الزنوج (سواء بحكم العرف أو بحكم القانون) .

jim-dandy [jĭm'dăn'dĭ] *(n.; adj.)* (١) شيء ممتاز أو رائع . §(٢) رائع ؛ ممتاز (.She had a ~ voice) .

jimjams [jĭm'jămz'] *(n. pl.)* (١) الهذيان الرُّعاشيّ ؛ هذيان

السكارى (٢) نرفزة شديدة ؛ اهتياج عصبيّ بالغ .

jimmy [jĭm'ĭ] *(n. ; vt.)* (١) مُخْل قصير ؛ عَتَلة قصيرة . §(٢) يخلع (باباً أو نافذة) بمخل قصير .

jingle [jĭng'gəl] *(vi. ; t. ; n.)* (١) يجلجل ؛ يُصَلْصِل ؛ يخشخش . (٢) تتناغم القوافي ×(٣) يجعله يجلجل أو يُصلصل الخ . §(٤)«أ» جلجلة ، صلصلة ، خشخشة . «ب» تناغم القوافي (٥)«أ» شيء مجلجل أو مُصَلصِل (كالصَّنج مثلاً) . «ب»أغنية مُقفّاة (٦) الجِنْكِل : عربة مغطاة ذات دولابين (تستعمل بخاصة في ارلندة وأوستراليا) .

jingo [jĭng'gō] *(interj. ; n.)* (١) صيغة قَسَم §(٢) الشوفينيّ أو الوطنيّ المتطرّف .

jingoism [jĭng'gō ĭz'əm] *(n.)* الشوفينيّة ؛ الغلوّ في الوطنيّة .

jink [jĭnk] *(n. ; vi.)* (١) *pl.* : نكات ، عَبَث ، مُزاح . (٢)رَوَغان ؛ تفادٍ ؛ فرار §(٣) يروغ ؛ يتفادى ؛ يفرّ منعطفاً بسرعة .

jinn [jĭn] *or* **jinni** [jĭ nē'] *(Ar.)* الجِنّيّ .

jinrikisha [jĭn rĭk'shô; -shä] *(Jap.)* الجِنْرِكْشة : عربة صغيرة بدولابين تتسع لشخص واحد عادةً ويجرّها رجل واحد (تُستعمَل في اليابان).

jinrikisha

jinx [jĭngks] *(n. ; vt.)* (١) الجالب للنحس أو الحظ العاثر §(٢) ينحِّس.

jipijapa [hē'pē hä'pä] *(Sp.)* (١) الهِيهاب : نبات أميركي استوائي يشبه النخيل §(٢) الهِيْهابية : قبعة من نوع قبعات باناما (را panama) مصنوعة من سَعَف الهِيهاب .

jitney [jĭt'nĭ] *(n.)* الجِتْنِيّ : «أ» قطعة نقد أميركيّة من فئة الخمسة سنتات (ع) . «ب» أوتوبيس صغير (لنقل الركاب بأجر مقداره، في الأصل، خمسة سنتات) .

jitter [jĭt'ər] *(vi.)* ينرفز ؛ يعمل بعصبيّة .

jitterbug [jĭt'ər bŭg'] *(n. ; vi.)* (١) الجِتَرْبَغ : رقصة بهلوانية . (٢) راقص الجِتربَغ §(٣) يرقص الجِتربَغ .

jitters [jĭt'ərz] *(n. pl.)* نرفزة شديدة ؛ اهتياج عصبي بالغ .

jittery [jĭt'ə rĭ] *(adj.)* شديد النرفزة أو العصبيّة .

jiujitsu *or* **jiujutsu** [jōō jĭt'sōō] *(Jap.)* = jujitsu.

jive [jīv] *(n. ; vi. ; t.)* (١) موسيقى السوينغ أو الرقص المؤدّى على أنغامها (٢)«أ» كلامٌ خادع أو أحمق (ع) . «ب»لغة المتحمسين للأنماط الجديدة في موسيقى الجاز أو السوينغ . « ج » لغة خاصة ذات تعابير صعبة أو عامية §(٣) يمزح (ع) (٤) يرقص على موسيقى السوينغ أو يعزفها ×(٥) tease .

jo [jō] *(n.)* الحبيب ؛ العزيز (بلغة اسكتلندة) .

job [jŏb] *(n. ; vi. ; t.)* (١) «أ» عمل؛ شغل لقاء أجر محدّد . «ب» نتاج أو ثمرة عمل ما (٢) «أ» شيء يُعمل لمنفعة خاصة . «ب» عمل إجراميّ ، وبخاصة : سرقة . «ج» عملٌ ضارّ (did a ~ on her) (٣) «أ» مهمّة . «ب» عملٌ يتطلب جهداً استثنائياً. «ج» واجب أو دور أو وظيفة خاصة . «د» منصب. «هـ» وضع ؛ حالة ؛ مسألة (to make the best of a bad ~) §(٤) يشتغل بين فترة وأخرى أعمالاً متقطعة لقاء أجر (٥) يستغلّ وظيفته الرسمية لتحقيق كسب شخصي (٦) يسمسر ؛ يقوم بعمل الوسيط ×(٧) يتاجر بالجملة ؛ يضارب بـ(٨) يؤجّر (عربة الخ.) لفترة معيّنة (٩) ينال (أو يحقّق كسباً) من طريق استغلال الوظيفة (١٠) يخدع . by the ~, بالقطعة ؛ بالمقاولة . to do the ~ for one يقتله ؛ يقضي عليه .

jobber [jŏb'ər] *(n.)* (١)«أ»سمسار الأوراق المالية. «ب»سمسار ؛ وسيط (٢)«أ» تاجر الجملة . «ب» المشتغل بالقطعة أو المقاولة (٣) المستغلّ وظيفته الرسميّة لتحقيق كسب شخصيّ .

jobbery [jŏb'ə rĭ] *(n.)* (١) استغلال الوظيفة : استغلال المرء وظيفته لتحقيق كَسْب شخصيّ (٢) الفساد الاداري أو السياسي .

jobholder [jŏb'-] *(n.)* الموظّف ؛ وبخاصة : الموظف الحكومي .

jobless [jŏb'-] *(adj.)* (١) عاطلٌ من الوظيفة (٢) متعلّق بمن لا وظيفة لهم أو عائدٌ عليهم بالفائدة (~ insurance) .

job lot *(n.)* (١) مجموعة سلع مختلفة تباع بالجملة لأحد باعة التجزئة عادةً (٢) مجموعة أشياء من صنفٍ دونٍ عادةً .

Job's comforter *(n.)* مُعزّي أيوب : من يحاول تعزية المرء ومؤاساته فلا يزيده إلاّ لوعةً وأسىً .

Job's news *(n.)* خبرٌ شؤم .

Job's post *(n.)* نذير الشؤم ؛ رسول الشؤم .

Job's tears *(n. pl.)* (١) دمع أيّوب : عشبة ذات حبوب بيضاء لؤلؤيّة قاسية يتخذون منها خرزاً (٢) حبوب دمع أيّوب .

job work *(n.)* الطبع التجاري (للبطاقات والمناشير والاعلانات) .

jock [jŏk] *(n.)* (١) الجوكيّ ؛ الفارس (٢) jockstrap .

jockey [jŏk'ĭ] *(n. ; vt. ; i.)* (١) الجوكي : فارس يمتهن ركوب الخيل في السباق (٢)سائق ؛ عامل §(٣) «أ» يركب جواداً (في سباق). «ب» يسوق ، يُعمل (٤) يخدع ؛ يحتال على ×(٥) يمتهن ركوب الخيل (في سباق) (٦) يناور (تحقيقاً لمنفعة شخصية) .

jockey club *(n.)* نادي السباق : ناد ينتظم المعنيين بسباق الخيل وينظّم سباقات الخيل، عادةً، في منطقة ما .

jockstrap [jŏk'străp] *(n.)* حِمالة الأعضاء التناسليّة (يلبسها الرياضيون والمشاركون في النشاطات المجهِدة) .

jocose [jō kōs'] *(adj.)* (١) ميّال للتنكيت أو الهزل ؛ مرِح . (٢) فَكِهٌ ؛ فكاهي .

jocosity [jō kŏs'ə tĭ] *(n.)* (١) مَرَح ؛ هَزْل (٢) عملٌ هازل ؛ ملاحظةٌ هازلة .

jocular [jŏk'yə lər] *(adj.)* (١) مَزُوح (٢) مازح .

jocularity [jŏk'yə lăr'ə tĭ] *(n.)* (١) مُزاح ؛ هَزْل (٢) مَزْحة .

jocund [jŏk'ənd ; jō'kənd] *(adj.)* مَرِح ؛ جَذِل .

jocundity [jō kŭn'də tĭ] *(n.)* (١) مَرَح (٢) مُزاح .

jodhpurs [jŏd' pərz ; jōd'-] *(n. pl.)* بنطلون (لركوب الخيل) .

jog [jŏg] *(vt. ; i. ; n.)* (١) يهزّ أو يدفع برفق (٢) ينبّه ؛ يثير (to ~ a person's memory) (٣) يحمل (الفرسَ) على العَدْو في تؤدة ×(٤) يهتزّ ؛ يتذبذب (٥) «أ» يعدو (الفرسُ) في غير إسراع . «ب» يمشي الهوينا §(٦) هزة أو دفعة رفيقة (٧) عَدْوٌ وئيد (٨) نتوء أو انحسار (في جدار الخ .) (٩) تغير وجيز مفاجىء في الاتّجاه .

joggle [jŏg'əl] *(vt. ; i. ; n.)* (١) يهزّ برفق (٢) يعشّق ؛ يوثّق بالتعشيق ×(٣) يهتزّ ؛ يتمايل ؛ يترنّح §(٤) العدْو الوئيد : خطوٌ أو سَيْر وئيد (٥) نَقْب التعشيق (نج) .

jog trot *(n.)* (١) العَدْوُ الوئيد : عَدْوُ الفَرَس في غير إسراع . (٢) عادة متأصلة أو عملٌ روتيني .

johannes [jō hăn'ēz] *(n.)* الجوهانس: عملة ذهبية برتغالية كانت متداولة في القرنين ١٨ و ١٩ .

John Barleycorn [jŏn] *(n.)* المُسْكِرات؛ المشروبات الروحية .

johnboat [jŏn'-] *(n.)* الجَنْبُوْت : مَرْكب ضيّق مُسطّح القعر

مربّع المؤخّرة .

John Bull [bo͝ol] *(n.)* جون بول : «أ» الشعب الانكليزي . «ب» الانكليزي النموذجي .

John Doe [dō] *(n.)* (١) فريق مجهول الاسم (في دعوى قضائيّة). (٢) شخص عاديّ .

John Dory [dōr'ĭ] *(n.)* الجُنْدُوْرِيّ : ضَرْبٌ من السّمك الأوروبي بيضاويّ الجسم في كلّ من جانبيه نقطةٌ داكنة .

John Hancock; John Henry *(n.)* توقيع المرء أو إمضاؤه .

johnny [jŏn'ĭ] *(n.)* (١) *cap.* أ.ك: فتىً ؛ رجل (٢) الجَوْنيّة : سترة قصيرة الكمّين لا قبّة لها يرتديها المرضى في المستشفيات .

johnnycake [jŏn'ĭ kāk] *(n.)* الجونكَيْك: خبز يصنع من دقيق الذرة ودقيق القمح والبيض واللبن .

Johnny-jump-up [jŏn'ĭ jŭmp'ŭp'] *(n.)* البَنْصة البرّيّة؛ زهرة الثالوث؛ البنفسج المثلث الألوان .

Johnny-on-the-spot *(n.)* الحاضر المترقّب : شخص حاضرٌ دائماً ومستعدٌ في كلّ لحظة لأداء مهمّة أو انتهاز فرصةٍ الخ .

Johnsonese [jŏn'sə nēz'; nēs'] *(n.)* الجونسونيّ : أسلوب أدبيّ يتميّز بأناقة الصياغة اللفظية واستعمال كثير من الكلمات اللاتينيّة الأصل (نسبة إلى الكاتب الانكليزي صموئيل جونسون).

joie de vivre [zhwȧ də vē'vr] *(F.)* الاستمتاع المرح بمباهج الحياة.

join [join] *(vt.; i.; n.)* (١) يُلْصِق ؛ يَصِل ؛ يربط ؛ يضمّ . (٢) يزاوج ؛ يزوّج (٣) يشتبك في قتال (٤)«أ» يَلحق بـ (I'll ~ you later.) . «ب» يلتحق بـ؛ يصبح عضواً في (to ~ a faculty) (٥)×«أ»يتّصل؛ يتّحد. «ب» يتجاور ؛ يتلاصق (At this point the two estates ~.) (٦) «أ» يتحالف (~ *ed* to combat crime) . «ب» ينخرط في سلك جماعة . «ج» يشترك في نشاط جَماعِيّ (~ *ed* in singing the national anthem) (٧)§ joint .

joinder [join'-] *(n.)* (١) conjunction (٢)اتحاد فريق أو أكثر بحيث يشكلون مدّعياً واحداً أو مدّعىً عليه واحداً في قضية(ق).

joiner [joi'nər] *(n.)* (١) فا join (٢) نجّار (٣) شخص اجتماعي ينضمّ إلى منظّمات كثيرة .

joinery [-'nə rĭ] *(n.)* (١) النجارة (٢) مصنوعات النجّار .

joint [joint] *(n.; adj.; vt.; i.)* (١) «أ» مَفْصِل . «ب» عُقْدة؛ موضع انبثاق الأغصان من ساق النبتة. «ج» ذلك الجزء(أو الفسحة) المتضمَّن بين مَفْصِلَين أو عقدتين. «د» قطعة لحم كبيرة للشيّ (٢)«أ»وُصلة؛ ملتقى شيئين أو نقطة اتصال بينهما (a ~ in a pipe) «ب» فُسحة بين سطحَيْ آجرّتين الخ. مُلْحَمَيْن بإسمنت أو ملاط (a thin ~) . «ج» صَدْعٌ طفيفٌ في صخر (٣) «أ» ملهى وضيع أو رديء السمعة (لتدخين الأفيون أو بيع المُسكرات). «ب» مؤسسة؛ مَسْكِن؛ مكان (٤)§ متّحِد؛ متّصِل (٥) مُشْتَرَك (~ ownership) (٦)متشارك في العلاقة أو المصلحة أو العمل (~ owners) (٧)§ «أ»يوصّل؛ يقرِن؛يضمّ (to ~ boards). «ب» يُمفصِل؛ يزوّد بِمَفْصِل. «ج» يمسح بالفأرة حافة لوح خشبيّ(تمهيداً لوصلِه بغيره) (٨) يقطّع (اللحمَ) (٩)× يتّصِل؛ يقترن «وكأنما بوُصَل» (The stones ~ neatly.).

out of ~, (١)«أ» مخلوع ؛ مفكوك . «ب» مضطرِب؛ مختلِط؛ مشوّش (٢)«أ»متنافر؛غير منسجم مع. «ب» ساخط ؛ ممتعض ؛ متبرّم .

to put someone's nose out of ~, (١) يقلق أو يزعج شخصاً (٢) يحلّ محله(وبخاصة بأسلوب ماكر).

joint account *(n.)* الحساب المشترَك (يُفتَح في مصرف باسم شخصين أو أكثر).

jointed [-'tĭd] *(adj.)* مُمَفْصَل؛ ذو مفاصل (a ~ doll) .

jointer [join'tər] *(n.)* (١) فا joint (٢) المِسْحَج؛ فأرة النجّار. (٣) ملعقة البنّاء .

joint grass *(n.)* عشب مُعترِش يُتّخَذ علفاً للحيوان .

jointly [joint'lĭ] *(adv.)* معاً ؛ بالاشتراك أو بالتعاون مع .

joint resolution *(n.)* القرار المشترك : قرار يتبنّاه مجلسا البرلمان معاً.

jointress [join'-] *(n.)* المعقورة : المرأة التي يَهبها زوجها بدلاً من المهر عقاراً معيناً .

joint stock *(n.)* رأس مال مشترك .

joint-stock company *(n.)* شركة مُحاصّة .

jointure [join'chər] *(n.)* المهر العقاري : عقار يَهَبُه الزوج زوجتَه بدلاً من المهر ويبقى ملكاً لها تتمتّع به طوال حياتها .

joist [joist] *(n.; vt.)* (١) الجائز : عارضة تدعم أرضية الحجرة أو سقفها (٢)§ يزوِّد بجيزان .

joke [jōk] *(n.; vi.; t.)* (١) «أ» نكتة ؛ دُعابة . «ب» العنصر المضحِك في شيء ما . «ج» مُزاح ؛ هَزْل . «د» المَزْحة العملية؛ المداعبة السمجة (را practical joke) . «هـ» الأضحوكة : ما يُضحَك أو يُسْخَر منه (٢) «أ» شيء تافه . «ب» شيء هيّن ميسور (٣)§ يَمْزَح ؛ يَهْزِل (٤)× يداعب؛ يمازح .

joker [jō'kər] *(n.)* (١) «أ» المزّاح ؛ المنكّت؛ الكثير المزاح أو التنكيت . «ب» فتىً ؛ شخص (٢) «أ» الجوكر (في ورق اللعب) . «ب» جملة غامضة تُقْحَم في وثيقة تشريعية بُغيةَ جعلها غير فعّالة الخ . «ج» جملة أو كلمة مضلّلة أو مُساءٌ فهمُها، في وثيقة ما، تُبطِل هذه الوثيقة أو تحرّفها تحريفاً كبيراً. «د» شيء يُحتفَظ به لتحقيق هدف أو اجتناب مأزق . «هـ» عامل غير متوقّع يُحبِط أو يعطّل فائدةً ظاهريّة .

jollification [jŏl'ə fə kā'shən] *(n.)* (١) ابتهاج صاخب ؛ «تهييص» (٢) حفلة يُطلَق فيها العنان للابتهاج الصاخب .

jollify [jŏl'ə fī'] *(vt.; i.)* يُبْهِج أو يبتهج بصَخَب .

jollity [-'ə tĭ] *(n.)* (١) ابتهاج صاخب (٢) حفلة ابتهاج صاخبة.

jolly [jŏl'ĭ] *(adj.; adv.; vi.; t.)* (١) «أ» مبتهج . «ب» مرِح . «ج» بهيج أو مُبْهِج (٢) ثَمِل قليلاً (٣) رائع ؛ ممتاز (٤)§ جداً؛ إلى حدّ بعيد (~ well) (٥)§ يمزح (٦)× يلاطف شخصاً (وبخاصة لتحقيق هدف ما) .

jolly boat *(n.)* القارب المُلْحَق : زورق مُلحَق بسفينة شراعيّة (لأداء بعض المهامّ اليسيرة) .

Jolly Roger [rŏj'ər] *(n.)* راية القرصان : راية سوداء تمثّل جمجمة بيضاء وعَظْمَين متصالبين .

jolt [jōlt] *(vt.; i.; n.)* (١) يَنْخَع : يجعله يسير بحركة مفاجئة مرتجّة (٢) يسدّد إليه ضربة عنيفة (في الملاكمة) (٣) يضايق ؛ يزعج : يُربك (٤)× ينتخع ؛ يرتجّ (مثل عربة في أرض وعرة) (٥)§ «أ» نخعة؛ رجّة . «ب» ضربة شديدة (في الملاكمة) (٦) صدمة ؛ خيبة أمل (٧) جزء صغير .

Jonah [jō'nə] *(n.)* (١) يونان؛ يُونُس: نبيّ ابتلعه الحوت(٢)شخص جالب للنحس.

Jonathan [jŏn'ə thən] *(n.)* (١) يوناثان : ابن شاوول وصديق داود (٢) شخص أميركي؛ وبخاصة: أميركي من أبناء نيو إنجلند .

jongleur [jŏng'glər] *(F.)* المغنّي أو الشاعر المترحّل .

jonquil [jŏng'kwĭl; jŏn'-] *(n.)* النَّرجس الأسَلي (نب) .

Jordan almond [jôr'dən] *(n.)* (١) لوز الجنائن: لوز فاخر يستعمل في إعداد الحلويات خاصةً (٢) الملبَّسة : لوزة مكسوّة بالسكّر .

Jordanian *(adj.; n.)* (١) أردني § (٢) مواطن أردني.

jorum [jōr'əm] *(n.)* طاس ؛ طاسة .

joseph [jō'zəf] *(n.)* اليوسفية : عباءة نسائية (في القرن ١٨) .

Joseph's coat *(n.)* قميص يوسف ؛ زهرة الغِمد (نب) .

josh [jŏsh] *(vt.; i.; n.)* (١) يهزأ بـ ×(٢) يمزَح §(٣) مَزْحة .

Joshua tree *(n.)* شجرة يَشُوع : ضربٌ من نبات اليُكّة قصير الأوراق ذو زهرات مُعنقَدة بيضاء ضاربة إلى الخضرة .

joss [jŏs] *(n.)* الجُس : وثن صيني .

joss house *(n.)* بيت الأجساس : هيكل صيني .

jostle [jŏs'əl] *(vi.; t.; n.)* (١) «أ» يحتكّ أو يصطدم بـ . «ب» يشقّ طريقه دافعاً الناس بمنكبيه . «ج» يحتشد (٢) يتنافس ×(٣) «أ» يَصْدِم . «ب» يَدْفع بالمنكب . «ج» يحرِّك ، يثير . §(٤) تصادُم ؛ دفعٌ بخشونة الخ .

jot [jŏt] *(n.; vt.)* (١) ذرّة ؛ مثقال ذرّة (I don't care a ~.) §(٢) يدوِّن باختصار وعلى عجل (The policeman ~*ted* down my address.)

jotting [jŏt'ing] *(n.)* مذكّرة موجزة .

joule [joul; jōōl] *(n.)* الجُول : وحدة عمل أو طاقة (فز) .

jounce [jouns] *(vi.; t.; n.)* (١) يثب ؛ وبخاصة : ترتجّ العربة أو تتنخع في سيرها على طريق وعرة ×(٢) يجعله يثب أو يرتجّ §(٣) رجّة ؛ نخعة .

journal [jûr'nəl] *(n.)* (١) «أ» دفتر اليوميّة (تج) . «ب» يوميّات . «ج» سجلّ محاضر (لهيئة تشريعية الخ.) . «د» سجلّ بسرعة السفينة أو تقدّمها اليومي (٢) «أ» جريدة ؛ صحيفة يوميّة . «ب» صحيفة دورية ؛ مجلة (٣) المَقْعَدة ؛ مرتكز العمود: ذلك الجزء من عمود الادارة المُتَّصِل بالمَحْمِل (ملك).

journal box *(n.)* مَحْمِل المَقْعَدة (ملك) .

journalese [jûr'nə lēz'; -lēs'] *(n.)* الأسلوب الصحفيّ .

journalism [jûr'nə lĭz'əm] *(n.)* (١) «أ» الصِّحافة . «ب» صناعة الصِّحافة . «ج» عِلم الصِّحافة (٢) الكتابة الصحفية : «أ» كتابة مُعَدّة للنشر في الصحف . «ب» كتابة متّسمة بالعرض المباشر للوقائع أو بوصف الأحداث من غير محاولة تعليلها . «ج» كتابة مقصودٌ بها أن تَروق لأذواق الجماهير (٣) الصحف والمجلات .

journalist [jûr'nəl ĭst] *(n.)* (١) الصحافيّ (٢) كاتب اليوميّات أو المذكّرات اليوميّة .

journalistic [jûr'nə lĭs'tĭk] *(adj.)* صِحافيّ ؛ صُحُفيّ .

journalize [jûr'nə līz'] *(vt.; i.)* (١) يدوِّن في دفتر يوميّة أو مذكّرات يوميّة ×(٢) يُمسِك دفتر يوميّة أو يوميّات .

journey [jûr'nĭ] *(n.; vi.)* (١) «أ» سفر . «ب» رحلة . (٢) «أ» المسافة التي يقطعها المسافر في يوم . «ب» عَمَل يوم (ع) §(٣) يسافر ؛ يقوم برحلة .

journeyman [jûr'nĭ-] *(n.)* (١) عامل مياوم (٢) عاملٌ بارع .

journeywork [jûr'nĭ-] *(n.)* نِتاج أو عَمَل العامل المياوم .

joust [jŭst; joust] *(vi.; n.)* (١) «أ» يثاقف : يُقارع (أحدُ الفرسان) بسيفه فارساً آخر . «ب» يتثاقف (الفارسان) : يتقارعان بسيفيهما (٢) يتنافس ؛ يتصارع §(٣) المثاقفة : مقارعة بالسيف بين فارسين (٤) شيء يُشبه المثاقفة : صراع .

Jove [jōv] *(n.)* جوبيتر : كبير آلهة الرومان .
by ~! وحق جوبيتر ! (هتاف معبّر عن الدهش أو التوكيد)

jovial [jō'vĭ əl] *(adj.)* (١) *cap.* : جوبيتريّ : ذو علاقة بجوبيتر كبير آلهة الرومان (٢) مرح ؛ جَذِل .

joviality [jō'vĭ ăl'ə tĭ] *(n.)* مَرَحٌ ؛ جَذَلٌ .

Jovian [jō'vĭ ən] *(adj.)* جوبيتريّ : متعلق بجوبيتر كبير آلهة الرومان .

jowl [joul; jōl] *(n.)* (١) الفكّ ؛ وبخاصة : الفكّ الأسفل . (٢) «أ» الخدّ . «ب» لحم خدّ الخنزير (٣) الغَبَب ؛ اللُّغْد (ر. dewlap) (٤) قطعة سمك مؤلفة من الرأس وما حوله .

joy [joi] *(n.; vi.)* (١) ابتهاج ؛ فرح شديد (٢) سعادة (٣) مصدر الابتهاج أو سببه §(٤) يبتهج ؛ يفرح فرحاً شديداً .

joyance [joi'əns] *(n.)* ابتهاج (ا.ق) .

joyful [joi'fəl] *(adj.)* (١) مبتهج ؛ فرح (٢) بهيج ؛ دالّ على البهجة (actions ~) (٣) مُبهِج ؛ سارّ (news ~).

joyless [joi'-] *(adj.)* (١) كئيب ؛ مكتئب (٢) مكدِّر ؛ مُغِم .

joyous [joi'əs] *(adj.)* = joyful.

joyride [joi'rīd] *(n.)* (١) نزهة بالسيارة (تتميز بتهوّر في قيادتها) (٢) شيء مثل هذه النزهة ، وبخاصة من حيث اللامبالاة بالنفقات أو النتائج .

juba [jōō'bə] *(n.)* الجُوبة : رقصية زنجية أميركيّة .

jubilant [jōō'bə lənt] *(adj.)* متهلّل : شديد الابتهاج .

jubilate [jōō'bə lāt'] *(vi.)* يتهلّل ؛ يبتهج بشدّة .

Jubilate [jōō'bə lä'tĭ; -lā'tĭ] *(n.)* (١) «أ» المزمور المئة (نص) . «ب» *not cap.* : أغنية متهلّلة ؛ انفعال متهلّل (٢) الأحد الثالث بعد عيد الفصح (نص) .

jubilation [jōō'bə lā'-] *(n.)* (١) تهلّل ؛ ابتهاج (٢) تعبير عن ابتهاج شديد ؛ هتاف الانتصار .

jubilee [jōō'bə lē'] *(n.)* (١) اليُوبِيل : «أ» يوبيل فضيّ ؛ احتفال بانقضاء ٢٥ سنة (silver ~) . «ب» يوبيل ذهبيّ ؛ احتفال بانقضاء ٥٠ سنة (golden ~) . «ج» يوبيل ماسيّ ؛ احتفال بانقضاء ٦٠ أو ٧٥ سنة (diamond ~) (٢) فترة الغفران : فترة يحددها البابا كلّ ٢٥ سنة عادةً يُمنح فيها الغفران لكل كاثوليكيّ يؤدّي أعمالاً دينيّة معيّنة (٣) «أ» تهلّل ؛ ابتهاج . «ب» موسم (أو مناسبة) ابتهاج عام (٤) التهلّلية : أغنية زنجيّة شعبية (تشتمل على إشارات إلى أيام سعيدة قادمة) .

Judah [jōō'də] *(n.)* يهوذا : ابن يعقوب وجدّ إحدى القبائل اليهودية .

Judaic [jōō dā'ĭk] *(adj.)* يهوديّ . **-al** *(adj.)*

Judaism [-'dĭ ĭz'əm] *(n.)* (١) اليهوديّة : ديانة اليهود (٢) اليهود .

Judaist [-'dĭ ĭst] *(n.)* اليهوديّ . —**Judaistic** *(adj.)*

Judaize [jōō'dĭ īz'] *(vi.; t.)* (١) يتهوّد ×(٢) يهوِّد .

Judas [jōō'dəs] *(n.)* (١) يوداس : يهوذا الاسخريوطي الذي خان المسيح (٢) الخائن ، وبخاصة : الخائن تحت ستار من التظاهر بالصداقة (٣) *not cap.* : الخَصاص : ثُقب الباب الخ .

Judas tree *(n.)* الأرْجُوان ؛ الزَّمْزَرِيق : شجر من الفصيلة القَرْنية جميل الزهر (نب) .

judge [jŭj] *(vt.; i.; n.)* (١) يحكم على (٢) يحاكم (٣) يُقدِّر (٤) يعتبر ؛ يرتئي ×(٥) يكوّن رأياً (٦) يقضي ؛ يُصدِر (القاضي) حكماً §(٧) «أ» قاض . «ب» حَكَم . «ج» الخبير : شخص مؤهّل لإصدار حكم نقديّ (a ~ of horses) .

judge advocate *(n.)* ممثّل النيابة العامة (في محكمة عسكريّة) .

judgeship [jŭj'shĭp] *(n.)* القضاء أو منصب القاضي .

judgmatic; -al [jŭj măt'-] *(adj.)* = judicious.

judgment *or* **judgement** [jŭj'mənt] *(n.)* (١) قضاء ؛ إصدار

حكم (٢) «أ» حكم ؛ قرار محكمة (The ~ was against her.).
«ب» دَيْن أو التزام ناشىء عن حكم محكمة (٣) «أ» .*cap*: يوم الحساب أو الدينونة. «ب» حكم إلهي ؛ وبخاصة : مصيبة يمكن اعتبارها عقاباً إلهياً (Your failure is a ~ on you for being so lazy.)
(٤) «أ» محاكمة عقلية : عملية تكوين راي من طريق التمييز والمقارنة. «ب» اجتهاد أو تقدير مكوّن بهذه الطريقة (٥) «أ» ملكة التمييز . «ب» استخدام هذه المَلَكَة (٦) رأي (in my ~).

judgment day *(n.)* *cap. J; D* (١) : يوم الحساب أو الدينونة
(٢) يوم حساب أخير .

judicable [jōō'də kə bəl] *(adj.)* قابل أو عرضة للمحاكمة .

judicative [jōō'də kā'tĭv] *(adj.)* مميِّز ؛ مؤهَّل للحكم على الأشياء (the ~ faculty) .

judicatory [jōō'də kə tōr'ĭ] *(n.; adj.)* (١) النظام القضائيّ . (٢) محكمة § (٣) قضائي (~ power) .

judicature [jōō'də kə chər] *(n.)* (١) القضاء : إقامة العدل بين الناس (٢) محكمة (٣) «أ» النظام القضائي . «ب» القضاة .

judicial [jōō dĭsh'əl] *(adj.)* (١) قضائي ؛ شرعي (~ proceedings) (٢) مَحْكَمِيّ ؛ صادر عن محكمة (a ~ separation) (٣) حصيف ؛ متّصف بحسن التمييز أو التقدير (a ~ mind) (٤) ناشىء عن قضاء إلهيّ ؛ مُنزَل بوصفه عقوبةً إلهيّة (a ~ pestilence) (٥) قاضَوِيّ ؛ متعلّق بقاضٍ ؛ لائق بقاضٍ (with stern ~ frame of mind).

judiciary[jōō dĭsh'ĭ ĕr'ĭ;-'ə rĭ] *(adj.; n.)* (١) قضائيّ ؛ شرعيّ § (٢) «أ» النظام القضائي . «ب» القضاة (٣) السلطة القضائية.

judicious [jōō dĭsh'əs] *(adj.)* حكيم : مُتَّسِم بحسن التمييز .

judo [jōō'dō] *(Jap.)* الجودو : ضربٌ حديثٌ من المصارعة اليابانية .

jug [jŭg] *(n.; vt.)* (١) ابريق (٢) سجن § (٣) يطبخ (أرنباً بريّاً) في وعاء فخّاري (٤) يَسْجُن .

jugate [jōō'-] *(adj.)* زَوْجي : ذو أوراق مرتّبة زوجاً زوجاً (نب).

jugful [jŭg'-] *(n.)* (١) مِلء ابريق (٢) كميّة وافرة .

juggernaut [jŭg'ər nôt'] *(Hin.)* القوة الماحقة : قوة هائلة عنيدة تمحق أو تسحق كل ما يعترض سبيلها (the ~ of war).

juggle [jŭg'əl] *(vi.; t.; n.)* (١) يُشَعْوِذ ؛ يقوم بألعاب المشعوذين (قاذفاً الكُرات والمُدى في الهواء) (٢) يتلاعب بـ × (٣) يَخْدَع (٤) يَقْذِف على طريقة المشعوذين (to ~ knives) § (٥) شعوذة ؛ خداع ؛ حيلة (٦) تلاعب .

juggler [jŭg'lər] *(n.)* (١) المشعوذ (٢) المحتال (٣) المتلاعب بـ .

jugglery [jŭg'lə rĭ] *(n.)* شعوذة ؛ احتيال ؛ خداع ؛ تلاعب .

jugular [jŭg'yə lər; jōō'gyə-] *(adj.)* وِداجيّ (ت) .

jugular vein *(n.)* الوريد الوِداجيّ (ت) .

jugulum [jŭg'-] *(n.)* pl. **jugula** النَّحْر : أعلى الصَّدر .

juice [jōōs] *(n.; vt.)* (١) «أ» عُصارة ؛ «ب» نُسْغ . (٢) «أ» جوهر الشيء . «ب» فحولة (٣) مصدر من مصادر الطاقة ، كالكهرباء والنفط الخ . § (٤) يستخرج عصارة شيء (٥) يضيف عصارة إلى .
to ~ up يمدّ شيئاً بالحياة أو القوة .

juiceless [jōōs'-] *(adj.)* (١) جافّ (٢) خِلوٌ من المتعة أو الإثارة أو الحياة .

juicer [jōō'-] *(n.)* العصّارة : أداة لعصر الفاكهة أو الخُضَر .

juiciness [jōō'sĭ-] *(n.)* العُصاريّة ؛ المائيّة ؛ الطَّراءة .

juicy [jōō'sĭ] *(adj.)* (١) كثير العُصارة (٢) مثمر ؛ رابحٌ :

عائدٌ على صاحبه بربح ماليّ (٣) «أ» مُمتع . «ب» مفعَم بالحيويّة . «ج» قويّ (٤) ممطر ؛ رطب .

jujitsu *or* **jujutsu** [jōō jĭt'sōō] *(Jap.)* المصارعة اليابانية (وقوامها الإمساكُ بالخصم بحيث تصبح قوتُهُ نفسُها أو ثقلُهُ نفسُهُ عبئاً عليه) .

juju [jōō'jōō] *(n.)* (١) الجوجو : تعويذة (عند قبائل افريقية الغربية) . (٢) القوة السحرية المنسوبة إلى هذه التعويذة .

jujube [jōō'jōōb] *(n.)* (١) «أ» عُنّاب . «ب» شجرة عُنّاب . (٢) عِلكة (أو قرص مُحلّى) لها نكهة الفاكهة .

jukebox[jōōk'-] *(n.)* الجُكْبُكْس : خزانة مشتملة على فونوغراف آلي تتيح للمرء سماع الأغنية المسجلة التي يختارها بمجرد وضع قطعة نقدية في ثقب خاص .

juke joint *(n.)* ملهى الجُكْبُكْس : ملهى صغير رخيص مخصّص لتناول الطعام والشراب وللرقص على أنغام الجُكْبُكْس.

julep [jōō'lĭp] *(Ar.)* الجُلاّب : «أ» شراب مُنعِش مُعَدّ من بعض الأعشاب العطِرة . «ب» شراب مُسكِر يُعَدّ من البراندي أو الويسكي مع شيء من السكّر والثلج والنعناع .

Julian calendar [jōōl'yən] *(n.)* التقويم اليوليوسي : التقويم الذي أدخله يوليوس قيصر إلى رومة ، عام ٤٦ ق.م ، والذي جعل عدد أيام السنة ٣٦٥ يوماً وجعل كلّ سنة رابعة مؤلّفةً من ٣٦٦ يوماً .

julienne [jōō'lĭ ĕn'; zhy lyĕn'] *(n.; adj.)* (١) الجوليانية : حساءٌ محتوٍ على رُقاقات من الخُضَر § (٢) جولياني : مقطّع إلى رقاقات طويلة (~ potatoes) .

July [jōō lī'] *(n.)* يوليو ؛ تموز : الشهر السابع في التقويم الغريغوري .

Jumada [jōō mä'dä] *(Ar.)* شهر جُمادى الأولى أو الثانية .

jumble [jŭm'bəl] *(vi.; t.; n.)* (١) يختلط بغير انتظام ؛ «يتلخبط» × (٢) يخلط ؛ «يُلخبط» § (٣) «أ» مجموعة أشياء مختلطة بغير انتظام . «ب» اختلاط ؛ «لخبطة» (٤) «أ» أشياء للبيع في سوق خيرية . «ب» سوقٌ خيرية (٥) كُعَيكَة رقيقة مسكّرة (على شكل حلقة عادةً) .

jumbo [jŭm'bō] *(n.; adj.)* (١) شيءٌ ضخم جداً بالنسبة إلى نظائره التي من نوعه) § (٢) ضخم جداً .

jump [jŭmp] *(vi.; t.; n.)* (١) يثب ؛ يقفز (٢) يوافق ؛ يتفق مع (It ~s with my humor.) (٣) «أ» ينتقل كيفما اتفق أو على غير هدىً . «ب» يغيّر عمله خارقاً شروط عقد . «ج» يعلو (مقامُهُ أو منزلتُهُ) فجأة . «د» يسارع إلى تكوين رأي وكأنّه يثب إليه وثباً (to ~ to conclusions) . «هـ» يقبل بلهفة (to ~ at an offer) (٤) يهاجم فجأةً (بدنياً أو لسانياً) × (٥) يتخطّى بوثبة (to ~ a stream) (٦) يُغفِل ؛ يقفز عن (to ~ a chapter) (٧) «أ» يفرّ من . «ب» يغادر ، وبخاصة على عجل أو خِلسة (~ *ed* town without paying their bills) . «ج» يترك فجأة (عملاً أو حفلة) (٨) ينحرف (القطار الخ.) عن الخط (٩) يغتصب ؛ يستولي بصورة غير شرعيّة على (١٠) «أ» يجعله يثب . «ب» يرفع منزلته أو مقامه . «ج» يزيد (السعْرَ) فَجأةً زيادةً كبيرةً . § (١١) «أ» وثبٌ ؛ قفز . «ب» وثبة ؛ قفزة . «ج» حاجز ؛ عقبة يُقفَز من فوقها (a racecourse with ~s) «د» إجفال ؛ حركة مفاجئة لاإرادية (١٢) «أ» طفرة ؛ ارتفاع شديد مفاجىء (a ~ in prices) . «ب» تغيير مفاجىء . «ج» رحلة قصيرة أو عاجلة ، وبخاصة جواً (a convenient one-night ~ from either Beirut or Cairo)

jumper [jŭmp'ər] *(n.)* (١) فا jump (٢) «أ» الوثّابة: أداة تعمل بحركة واثبة أو قافزة. «ب» مزلجة، مركبة جليد. «ج» وصلة تخطٍّ أو عبور: شريط قصير يستعمل موقتاً لسدّ ثغرة في دارة كهربائية (٣) الوثوب: فَرَس مدرَّب على القفز من فوق الحواجز (٤) الجُوبيّة: «أ» سترة يرتديها العمّال أو البحّارة. «ب» ثوب من قطعة واحدة لا كُمَّين له. «ج» *pl.* عد: مريَلة طفل. «د» كنزة للنساء أو الفتيات.

jumpiness [jŭmp'-] *(n.)* نرفزة؛ عصبية؛ اهتياج عصبيّ.

jumping jack *(n.)* الدمية الوثّابة: دمية تمثّل رجلاً مُمفصلاً إذا جذب المرء سلكاً مشدوداً إلى أوصاله أخذَ في الوثب والرقص.

jumping-off place [jŭmp'ĭng ôf'] *(n.)* (١) موضع نائٍ أو منعزل (٢) نقطة الانطلاق؛ المنطَلَق (a ~ for the conquest of the rest of Asia)

jump-off [-'ôf] *(n.)* الانطلاق: بدء سباق أو هجوم.

jump seat *(n.)* المقعد المتحرّك: «أ» مقعد عربة متحرك. «ب» مقعد قابل للطيّ بين المقاعد الأماميّة والمقاعد الخلفيّة من سيّارة ركّاب.

jumpy [jŭmp'ĭ] *(adj.)* (١) قفّاز، وثّاب (٢) متقلّب؛ متميّز بتغيّرات مفاجئة (٣) عصبيّ؛ سريع الاهتياج.

junco [jŭng'kō] *(n.)* الجَنْك: عصفور أميركي.

junction [jŭngk'shən] *(n.)* (١) «أ» وَصْل. «ب» اتّصال. (٢) «أ» نقطة اتصال. «ب» مُلتقى طُرُق (٣) صلة؛ رِباط.

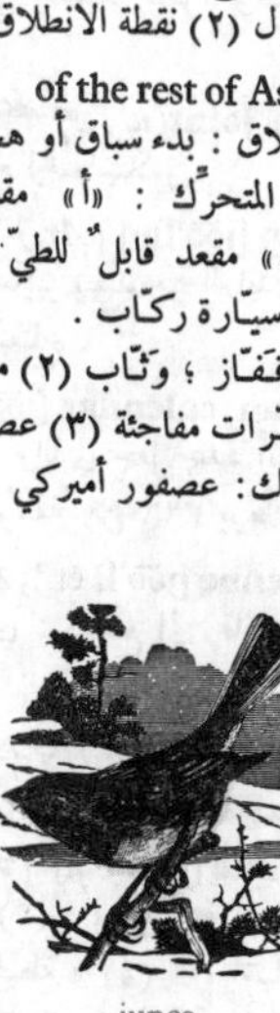

junco

juncture [jŭngk'chər] *(n.)* (١) «أ» وَصْل. «ب» اتّصال. (٢) «أ» نقطة اتّصال. «ب» مَفصِل. «ج» الدَّرْز: خط ناشيء عن الجمع بين قطعيّ قماش بالخياطة (٣) صلة؛ رِباط (٤) ظرف؛ وقت، وبخاصة: فترة أو مرحلة حاسمة (at this ~ in history).

June [jōōn] *(n.)* يونيو؛ حزيران: الشهر السادس في التقويم الغريغوري.

Juneberry [jōōn'-] *(n.)* الزّعروريّة: شجر أميركي من الفصيلة الورديّة أحمر الثمر.

jungle [jŭng'gəl] *(n.)* (١) دَغَلٌ، أجَمة (٢) معسكر للمتشرّدين. (٣) مجموعة أشياء مختلطة بغير انتظام (٤) الغاب: موطن يتنازَع فيه البقاء بقسوة ووحشية (turned international economy into a ~).

jungle fowl *(n.)* دجاجة الأدغال أو الآجام.

jungle gym *(n.)* هيكل من قضبان أفقيّة وعموديّة (يستعمله الأطفال في اللعب).

junior [jōōn'yər] *(n.; adj.)* (١) الأصغر، شخص أصغر سناً من آخر (٢) الأدنى: شخص ذو مرتبة أدنى (في هيئة منظّمة في مراتب متسلسلة) (٣) طالب في الصف قبل الأخير (من كلية من كليات الجامعة تتكوّن الدراسة فيها من أربع سنوات أو ثلاث) §(٤) «أ» أصغر؛ أحدث سناً (تستعمل عادة لتمييز ابنٍ يحمل نفس اسم أبيه، كقولك John Smith, *Junior*). «ب» مُعَدّ خصّيصاً للمراهقين (a ~ novel). «ج» أحدث عهداً. «د» أحدث عهداً وبالتالي ثانوي أو أقلّ أهمية (a ~ lien) (٥) أدنى منزلةً أو مرتبةً (~ partners) (٦) خاص بطلاب الصف قبل الأخير من كليّة أو مولّف منهم (the ~ class).

junior college *(n.)* كلية الراشدين أو الراشدات: معهدٌ عالٍ مدّة الدراسة فيه سنتان ويشتمل على صفّين معادلين للصفّين الأول والثاني في كلية تتكون فيها الدراسة من أربع سنوات.

junior high school *(n.)* مدرسة الأحداث العالية: مدرسة تشتمل على الصفين السابع والثامن من المرحلة الابتدائية وعلى السنة الأولى من المرحلة الثانوية.

Junior Leaguer *(n.)* العُصْبيّة الشابّة: شابّةٌ عضوٌ في عُصْبة مهمتها العمل التطوّعي في حقل الاصلاح الاجتماعي.

junior miss *(n.)* المراهِقة: فتاةٌ مراهقة.

junior varsity *(n.)* فريق رياضي جامعي من الدرجة الثانية.

juniper [jōō'nə pər] *(n.)* العَرْعَر: شجر من الفصيلة الصنوبرية.

juniper oil *(n.)* زيت العَرعَر: زيت يستخرج من ثمر العرعر ويستعمل بخاصة في إعداد بعض المُسكرات.

junk [jŭngk] *(n.; vt.)* (١) الرِّمَم: قطع من حبالٍ بالية تستعمل في صنع الحُصر الخ. (٢) لحمٌ بقريّ صُلْب مملّح (تتزوّد به السفن) (٣) «أ» الخُرْدة: حديد (أو زجاج أو ورق الخ.) عتيقٌ ممكنٌ استعماله من جديد في شكلٍ ما. «ب» سلع مستعملة أو بالية. «ج» سَقْط، رُذالة، نِتاجٌ دُونٌ. «د» شيء تافه (٤) مخدرات، وبخاصة: هيروين (ع) (٥) اليَنْك: سفينة شراعيّة صينية §(٦) بطرح شيئاً (بوصفه تافهاً أو بالياً).

junk 5.

Junker [yŏŏng'kər] *(G.)* اليُونْكر: عضوٌ من أعضاء الطبقة الأرستوقراطيّة الاقطاعيّة البروسيّة.

junket [jŭng'kĭt] *(n.; vi.)* (١) الجَنْكت: «أ» جُبْن معالَج بالقشدة أو طبقٌ من القشدة وخثارة اللبن. «ب» حلوى هلاميّة من حليب مُحلّى (٢) «أ» وليمة؛ مأدبة؛ حَفْلة. «ب» رحلة للمتعة. «ج» رحلة (على نفقة الدولة) يقوم بها موظسف §(٣) يولم؛ يقيم وليمة (٤) يقوم برحلة للمتعة أو برحلة على نفقة الدولة.

junkie [jŭng'kĭ] *(n.)* (١) تاجر الخردة أو السلَع المستعملة الخ. (٢) أو **junky**: بائع المخدرات المتجول أو مُدمِنها (ع).

Juno [jōō'nō] *(n.)* جونو: ملكة السماء في أساطير الرومان.

Junoesque [jōō'nō ĕsk'] *(adj.)* ذات جَمال مَهيب.

junta [jŭn'tə] *(n.)* (١) مجلس سياسي؛ لجنة سياسيّة؛ وبخاصة: عصبة مسيطرة على حكومة إثر انقلاب ثوريّ (٢) junto.

junto [jŭn'tō] *(n.)* الزُمرة: مجموعة أشخاص يجمعهم هدفٌ مشترك.

Jupiter [jōō'pə tər] *(n.)* (١) جوبيتر: كبير آلهة الرومان. (٢) المشتري: أكبر الكواكب السيّارة وخامسها من حيث البُعْد عن الشمس (فل).

Jura [jŏŏr'ə] *(n.)* العصر الجوراسي أو الجوريّ أو الصخور العائدة إليه (جي).

jural [jŏŏr'əl] *(adj.)* (١) قانونيّ؛ شرعيّ (٢) حقوقيّ: خاص بالحقوق أو الالتزامات.

Jurassic [jōō răs'ĭk] *(adj.; n.)* (١) جوراسيّ، جوري (جي). §(٢) العصر الجوراسي أو الجوريّ (جي).

jurat [jŏŏr'ăt] *(L.)* مذكّرة تضاف إلى إقرار مُعزَّز بقَسَم (تنص على زمان الاقرار ومكانه والمأمور الذي حرر أمامه).

juratory [jŏŏr'-] *(adj.)* قَسَميّ: متعلّق بقَسَم أو مُعبَّر عنه بقسَم.

jurel [hōō rĕl'] *(Sp.)* الهوريل: ضرب من أسماك البحار الدافئة.

juridical [jōō rĭd'ə kəl] *(adj.)* (١) عَدْليّ؛ قضائيّ: متعلق

ă at; ā date; â care; ä car; ĕ egg; ē me; ĭ in; ī bite; ŏ lot; ō bone; ô orphan; oi boil; ŏŏ good; ōō boot; ou out; ŭ under; ū unity; û urgent; th thing; th this; zh vision; ə = *a* in alone, *e* in system, *i* in easily, *o* in gallop, *u* in circus.

بالعدالة أو بمنصب قاضٍ (٢) شرعي ؛ قانوني .

jurisconsult [jŏŏr'ĭs kən sŭlt'] *(n.)* = jurist.

jurisdiction [jŏŏr'ĭs dĭk'shən] *(n.)* (١) السلطان القضائي : حقّ أو سلطة النظر في الدعاوى والفصل فيها (٢) حق الدولة ذات السيادة في الحكم والتشريع (٣) نطاقُ سلطةٍ ما أو مداها.

jurisprudence [jŏŏr'ĭs prōō'dəns] *(n.)* (١) «أ» القانون ؛ مجموعة قوانين. «ب» قرارات أو اجتهادات محاكم الاستئناف وغيرها من المحاكم العليا (٢) فلسفة التشريع (٣) القانون: شعبة أو فرع من القانون (medical ~).

jurisprudent [jŏŏr'ĭs prōō'dənt] *(n.)* = jurist.

jurist [jŏŏr'ĭst] *(n.)* القانونيّ ؛ الضليع في القانون : «أ» المحامي . «ب» القاضي .

juristic [jŏŏ rĭs'tĭk] *(adj.)* (١) «أ» متعلّق بمحامٍ أو قاضٍ . «ب» متعلق بفلسفة التّشريع (٢) شرعيّ ؛ قانونيّ .

juror [jŏŏr'ər] *(n.)* (١) «أ» المحلّف : عضوٌ في هيئة محلّفين . «ب» شخص يُدْعَى للقيام بمهمة المحلّف (٢) المُقْسِم : من يُقْسِم اليمينَ ، وبخاصة يمينَ الولاء (٣) الحَكَم : عضوٌ في هيئة محكّمين (في مباراة أو معرض) .

jury [jŏŏr'ĭ] *(n.; adj.)* (١) المحلّفون : هيئة المحلّفين . (٢) المحكّمون (في مباراة أو معرض) §(٣) موقّت ؛ مرتجل لأداء غرضٍ طارىء (a ~ anchor).

jus gentium [jŭs jĕn'shĭ əm] *(L.)* القانون الدولي

jus sanguinis [jŭs săng'-] *(L.)* حقّ الدم : قاعدة تقول بأنّ مواطنيّة الطفل تقرّرها مواطنيّة أبَوَيْه .

jussive [jŭs'ĭv] *(n.; adj.)* (١) صيغة الأمر (ل) §(٢) أمريّ .

jus soli [jŭs'sō'lĭ] *(L.)* حقّ التراب : قاعدة تقول بأن مواطنيّة الطفل يقرّرها مكانُ ولادته .

just [jŭst] *(vi.; n.)* = joust.

just [jŭst] *(adj.; adv.)* (١) «أ» صحيح ؛ صائب . «ب» مضبوط ؛ دقيق (~ proportions) (٢) «أ» منصف ؛ غير متحيّز (to be ~ in one's dealings) . «ب» مستقيم (a ~ man *or* conduct) (٣) «أ» مشروع ؛ مبنيّ على الحقّ (~ claims) . «ب» عادل ؛ مُستَحَقّ (~ punishment) § (٤) «أ» تماماً ؛ على وجه الضبط (This is ~ what I wanted.) . «ب» منذ لحظات (The bell ~ rang.) (٥) «أ» بصعوبة ؛ بشِقّ النفس (We only ~ caught the train.) «ب» مباشرةً (~ north of here) (٦) «أ» مجرّد (He is ~ an ordinary man.) . «ب» جداً ؛ بكل ما في الكلمة من معنى (The weather is ~ glorious.).

justice [jŭs'tĭs] *(n.)* (١) عَدْل ؛ إنصاف (٢) عدالة (قضيةٍ أو موقفٍ) (٣) حقّ (to complain with ~) (٤) استقامة (٥) قاضٍ .
to do ~, (١) يُنْصِف (٢) يَقْدُرُ (شيئاً) حقَّ قدره .
to do oneself ~, يعمل أو يسلك بطريقة جديرةٍ بكفاءاتِه أو مقدِراتِه .

justice of the peace قاضي الصلح .

justiciable [jŭs tĭsh'-] *(adj.)* صالحٌ لأن تَنْظُر فيه محكمة .

justifiable [jŭs'tə fī'ə bəl] *(adj.)* ممكنٌ تبريرُه .

justification [jŭs'tə fə kā'shən] *(n.)* (١) تبرئة (أو براءة) إلهيّة من الاثم يُعتبَر المرء بفضلها صالحاً وجديراً بأن ينعم بالخلاص (نص) (٢) تبرير ؛ تسويغ (٣) مبرِّر ؛ مسوِّغ ؛ عُذر (٤) تمليء السطور (را . justify) .

justificatory [jŭs tĭf'ə kə tōr'ĭ] *(adj.)* تبريريّ ؛ تسويغي .

justifier [jŭs'tə fī'ər] *(n.)* المبرِّر ؛ المسوِّغ .

justify [jŭs'tə fī'] *(vt.; i.)* (١) يبرِّر ؛ يسوِّغ (٢) يُثْبت أهليّته ككفيل (بأن يقسم على أنّه يملك قدْراً كافياً من الممتلكات) (٣) يبرىء من الإثم (٤) يملأ السطر « بأن يحسن توزيع الفسحات بين كلماته » (طع) .

jut [jŭt] *(vi.; t.; n.)* (١) ينْتَأ × (٢) يُنْتىء §(٣) نتوء .

jute [jōōt] *(n.)* (١) الجوتة ؛ قِنّب كلكتا : ألياف مستخرَجة من نبَاتَيْن هنديَّيْن تُستعمل في صنع الخيْش الخ . (٢) نبتة الجوتة (نب) (٣) *cap.* الجوتيّ : أحد أفراد قبيلة جرمانيّة غزت بريطانية من القارة الأوروبيّة واستقرّت في « كَنْت » في القرن الخامس .

jutty [jŭt'ĭ] *(n.)* جزء ناتىء (من مَبْنَى) .

juvenal [jōō'və nəl] *(adj.)* = juvenile.

juvenescence [jōō'və nĕs'-] *(n.)* تجدّد الشباب ؛ عَوْد الصبا .

juvenescent [-'ənt] *(adj.)* مجدِّد الشباب ؛ عائد إلى الصبا .

juvenile [jōō'və nəl; -nĭl; -nīl'] *(adj.; n.)* (١) حَدَث ؛ يافع (٢) أحْداثيّ : خاصّ بالأحداث أو اليافعين (a ~ book) (٣) صبيانيّ : دالّ على عدم نضج نفسيّ أو عقليّ (~ behavior) §(٤) «أ» الحَدَث ؛ اليافع . «ب» كتابٌ للأحداث (٥) «أ» فرَس سباق في الثانية من عمره . «ب» ممثّل (أو ممثّلة) أدوار الأحداث أو اليافعين (في المسرح والسينما) .

juvenile court *(n.)* محكمة الأحداث .

juvenile delinquent *(n.)* الجانح : مجرم حَدَثٌ أو يافع .

juvenile officer *(n.)* ضابط الجانحين : ضابط شرطة مكلّف بشؤون الجانحين .

juvenilia [jōō'və nĭl'ĭ ə] *(n. pl.)* (١) آثار الصِّبا : ما ينتجه الكاتب أو الفنّان من آثار أدبيّة أو فنيّة في عهد الصِّبا (٢) أدب الصِّبا : الآثار الأدبيّة (أو الفنية) المعدّة خصّيصاً للأحداث أو اليافعين .

juvenility [jōō'və nĭl'ə tĭ] *(n.)* (١) الحداثة ؛ الصِّبا (٢) سِمات أو تصرّفات الحداثة (٣) الأحداث ؛ اليافعون .

juxtapose [jŭks'tə pōz'] *(vt.)* يضع شيئاً بجانب آخر .

juxtaposition [jŭks'tə pə zĭsh'ən] *(n.)* (١) وَضْع شيءٍ بجانب آخر (٢) تجاوُرٌ ناشىء عن ذلك .

K

Kuwait

k [kā] *(n. often cap.)* (١) الحرف الحادي عشر من الأبجدية الانكليزية (٢) شيء معتَبَر عاشراً أو حاديَ عشر من حيث الترتيب أو الطبقة (٣) شيء على صورة حرف **K** .

Kaaba [kä'bə; kä'ə bə] *(Ar.)* الكعبة المشرَّفة (إس) .

kabala *or* **kabbala** *or* **kabbalah** [kăb'-] *(n.)* = cabala.

kabob [kə bŏb'] *(Ar.)* الكَباب ؛ اللحم المشويّ .

Kabuki [kə bōō'-] *(Jap.)* الكابوكية : مسرحيّة يابانيّة شعبيّة يصحبها غناء ورقص .

Kabyle [kə bīl'] *(Ar.)* (١) القبيلي : بربريّ من « القبيليين » وهم بربر المنطقة الساحلية الجبلية بشرقيّ الجزائر (٢) القبيلية : لغة « القبيليين » البربريّة .

Kaffir *or* **Kafir** [kăf'ər; kä'fər] *(Ar.)* الكفيريّ : عضو في مجموعة الشعوب الناطقة بلغة الـ « بانتو » في جنوب إفريقية .

Kafir [kăf'ər; kä'fər] *(n.)* الكَفِريّ : أحد أبناء كَفِرِستان ، وهي منطقة جبليّة في شمال شرقي أفغانستان .

kailyard school [kāl'yärd'] *(n.)* : المدرسة الاسكتلنديّة : مجموعة من الكتّاب تتميّز آثارهم بوصف الحياة الاسكتلندية وبالإسراف في استعمال لهجة الاسكتلنديّين العاميّة .

kainite [kī'nīt; kā'-] *or* **kainit** [kī nĭt'] *(G.)* القِينيت: ملح طبيعيّ يستعمل كسماد وكمصدر من مصادر البوتاس .

kaiser [kī'zər] *(G.)* قَيْصَر ، امبراطور ، وبخاصة : امبراطور ألمانية من ١٨٧١ إلى ١٩١٨ .

kaka [kä'kə] *(n.)* الكاكة : ببغاء نيوزيلندي .

kakapo [kä'kä pō'] *(n.)* : الكاكاب ببغاء نيوزيلندي .

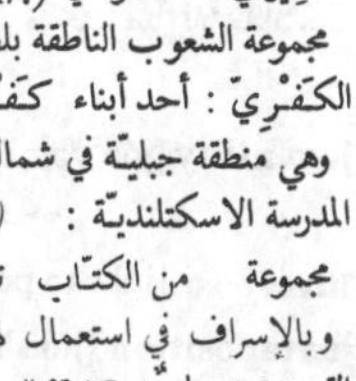

kaka

kakemono [kä'kĕ mô'nô] *(Jap.)* الكاكامونية : صورة أو كتابة يابانيّة على حرير أو ورق تعلّق على الجدران .

kale [kāl] *(n.)* (١) « أ » لِفت . « ب » كرنب (٢) مال ؛ دراهم (ع) .

kaleidoscope [kə lī'də skōp'] *(n.)* (١) المِشكال : أداة تحتوي على قطع متحرّكة من الزجاج الملوّن ما إن تتغيّر أوضاعها حتى تعكس مجموعة لا نهاية لها من الأشكال الهندسيّة المختلفة الألوان (٢) المِشكاليّ : رسم أو مشهد متغيّر مختلف الألوان .

kalends [kăl'əndz] *(n.)* = calends.

Kalmuck *or* **Kalmuk** [kăl'-] *or* **Kalmyk** [kăl mĭk'] *(Russ.)* (١) القلموقيّ : فرد من إحدى قبائل القلموق المغوليّة البوذيّة القاطنة في منطقة تمتدّ من غربي الصين إلى وادي نهر الفولغا الأدنى (٢) القلموقيّة : اللغة القلموقيّة .

kalsomine [kăl'sə mīn'; -mĭn] *(n.; vt.)* = calcimine.

kamala [kə mä'lə; kăm'ə lə] *(Skt)* الكَمَلَة : « أ » شجرة هنديّة (نب) . « ب » مسحوق من بذور الكَمَلَة يستعمل في صباغة الحرير والصوف أو كعلاج طاردٍ للديدان .

kame [kām] *(n.)* الكَيْم : كثيب يُخلّفه نهر جليديّ .

kamikaze [kä'mĭ kä'zē] *(Jap.)* : (١) الطيّار الفِدائي الياباني أحد أفراد فرقة طيران يابانيّة مهمّتها القيام بهجوم انتحاريّ على هدف عسكريّ (٢) الطائرة الانتحاريّة : طائرة تحتوي على متفجرات مهمتها أن تنقضّ على هدف عسكري انقضاضاً انتحارياً .

kangaroo [kăng'gə rōō'] *(n.)* الكَنْغَر : حيوان استراليّ من ذوات الجراب أو الكيس .

kangaroo

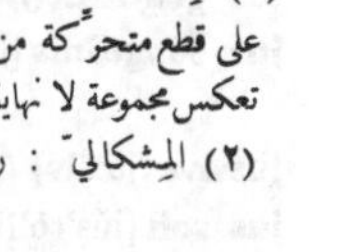

kangaroo court *(n.)* المحكمة الكَنْغَريّة : محكمة لا تُراعى فيها مبادىء القانون والعدالة .

Kantian [kăn'tĭ ən] *(adj.; n.)* (١) كَنْتيّ : ذو علاقة بعمانوئيل كَنْت (٢) الكَنْتيّ : أحد أتباع فلسفة كَنْت .

kaolin *also* **kaoline** [kā'ə lĭn] *(F.)* الكاولين : الصّلصال الصينيّ : صلصال نقيّ ، أبيض عادةً ، يستعمل في صناعة الخزف الصينيّ .

kaolinite [-lĭ nīt] *(n.)* الكولنيت : العنصر الأساسيّ في الكاولين .

Kapellmeister [kä pĕl'mīs-] *(G.)* قائد أوركسترا أو جوقة منشدين .

kapok [kä'pŏk; kăp'ək] *(n.)* القَبُك : كتلة ألياف حريريّة تكتنف بزور شجرة السِّيبة (را ceiba) وتستعمل لملءِ الحشايا والفُرُش والوسائد .

kaput [kä po͝ot'] *(adj.)* (١) مهزوم (أو مدمَّر) تماماً (٢) معطَّل (على نحو يصبح معه غير صالح للعمل) (٣) مهجور (لأن زِيّهُ قد بَطُل نهائياً) .

Karaism [kâr'-] *(n.)* القَرّائية : مذهب يهوديّ نشأ في بغداد في القرن الثامن وقِوامُهُ رفض التمسّك بسُنّة التلمود .
—Karaite *(n.)*

karakul[kăr'ə kəl] *(n.)* القَرَكول : «أ» خروف من خراف بُخارى التي يُتّخذ من جلدها فراءٌ نفيسة . «ب» جلد حَمَل من حملان هذه الخراف (يُتّخَذُ منه فروٌ نفيس) .

karaoke [kăr'ĭ ō'kĭ] *(n.)* كارِيُوكي : جهاز موسيقيّ يسجّل مستعملُه صوتَه مع الموسيقى .

karat [kăr'ət] *(n.)* = carat.

karate [kə rät'ĭ] *(Jap.)* الكاريت : طريقة يابانيّة في الدفاع عن النفس من غير سلاح .

karma [kär'mə] *(n. often cap.)* (١) الكَرْما : العاقبة الأخلاقيّة الكاملة لأعمال المرء بوصفها العامل الذي يقرّر قَدَرَ ذلك المرء (في الاعتقاد البوذي) في طورٍ تناسخيّ تالٍ (٢) قَدَرٌ .

kaross [kȧ rŏs'] *(n.)* الكاروس : ثوبٌ بسيط (عند قبائل جنوب افريقية) .

karroo [kə ro͞o'] *(n.)* القَرْو : نَجدٌ جافّ في جنوب افريقية .

kary- *or* **karyo-** بادئة معناها : نواة خليّة .

karyokinesis [kăr'ĭ ō kĭ nē'sĭs] *(n.)* الانقسام الفتيليّ (أح) .

karyology [-ŏl'ə jĭ] *(n.)* مبحث النوى الخلويّة (يبحث في طبيعة نوَى الخلايا وبخاصة في طبيعة الصبغيّات) .

karyolymph [kăr'ĭ ə lĭmf] *(n.)* السائل الشفّاف أو شبه الشفّاف في نواة الخليّة (نب) .

karyoplasm [kăr'ĭ ə-] *(n.)* الجِبلَة النوويّة ؛ جِبلة النواة (أح) .

karyosome [kăr'-] *(n.)* (١) الجِسم الملوّن : كتلة من مادّة صِبغيّة في نواة الخليّة (أح) (٢) نواةُ خليّةٍ (٣) الصِّبغِيّ ؛ الكروموسوم (أح) .

karyotype [kăr'ĭ ə-] *(n.)* مجموع خصائص نواة الخليّة (أح) .

Kashmiri [kăsh mĭr'ĭ] *(n.)* (١) الكشميري : أحد أبناء كشمير . (٢) الكشميريّة : لغة كشمير .

katharsis *(n.)* [kə thär'sĭs] = catharsis.

katydid [kā'tĭ dĭd] *(n.)* الجُندُب الأميركي (ح) .

kauri [kour'ĭ] *(n.)* (١) الكَوريّ : شجر من الفصيلة الصنوبريّة . (٢) خشب الكَوريّ (٣) صمغ الكَوريّ (يستعمل في صنع الورنيش) .

kava [kä'və] *(n.)* (١) فلفل كاوة (٢) مُسكِرٌ مصنوعٌ منه .

kayak [kī'ăk] *(n.)* الكَيّاك : «أ» زورق جلديّ من زوارق الأسكيمو . «ب» زورقٌ قابلٌ للنقل مكسوّ بالخيش (يكثر استعماله في الولايات المتّحدة الأميركيّة) .

kayak *a.*

kayo [kā ō'] *(n.; vt.)* (١) ضربة قاضية (في الملاكمة) §(٢) يصرع بضربة قاضية .

kea [kā'ə; kē'ə] *(n.)* الكاي : ببغاء نيوزيلندي ضخم .

kea

kedge [kĕj] *(vt.; n.)* (١) يَكْدُجُ : يَجُرّ مركباً (بواسطة حبلٍ مشدود إلى مرساةٍ) §(٢) الكَدْجة : مرساة صغيرة تستعمل بخاصةٍ لهذا الغرض .

keek [kēk] *(vi.; n.)* (١) يسترق النظر §(٢) نظرةٌ مسترَقة .

keel [kēl] *(n.; vt.; i.)* (١) الكِيلة : «أ» سفينة مسطّحة القعر (لنقل الفحم الحجري) . «ب» حِملُ سفينة من الفحم الحجريّ (٢) الكِيل : وحدةُ وَزنٍ بريطانيّة للفحم الحجريّ (٣) رافدة القَصّ : «أ» عارضة رئيسية أو قطعة فولاذيّة تمتدّ على طول قعر المركب . «ب» جزء مماثل لهذه العارضة في طائرة (٤) سفينة (٥) زورق التَّوَيْج (نب) (٦) المُغْرَة الحمراء (ع) (٧) قلم تلوين (يستعمله المهندسون الخ.) §(٨) يُبَرِّد (ع) (٩) يَقْلِب ×(١٠) يَبْرُد (ع) (١١) ينقلب (١٢) يقع مَغشياً عليه أو كأنّه قد أغمي عليه .

keelboat [kēl'-] *(n.)* الكَلْبَت : زورق نَقلٍ نهريّ مغطّىً ضَحل .

keelhaul [kēl'hôl'] *(vt.)* (١) يُرَفْقِص : يَجُرّ شخصاً تحت رافدة القَصّ (را . keel 3) من سفينةٍ ما ، على سبيل القصاص أو التعذيب (٢) يوبّخ بقسوة .

keelson [kĕl'sən; kēl'-] *(n.)* الكَلْسُون : مجموعة عوارض طُولانيّة (خشبيّة أو حديديّة) تُشَدّ فوق رافدة القَصّ (را . keel 3) تدعيماً لهيكل السفينة .

keen [kēn] *(adj.; vi.; t.; n.)* (١) «أ» ماضٍ ؛ قاطع ؛ باتر (~ blades) . «ب» لاذع (~satire) . «ج» حادّ ؛ قويّ (a ~ eyesight) (٢) «أ» متحمّس ؛ شديد التوق (~ to go on a picnic) . «ب» شديد؛ عارم (~ delight; a ~ desire) (٣) «أ» متوقّد ذكاءً (a ~ mind) . «ب» عنيف (~ competition) (٤) رائع ؛ ممتاز (ع) §(٥) يندب؛ يُعْوِل ×(٦) يعبّر (عن أساه الخ.) بالنَدب والعويل §(٧) نَدْب ؛ عويل .

keep [kēp] *(vt.; i.; n.)* (١) «أ» يفي (بوعد الخ.) . «ب» يقيم : يعمل وفق عُرفٍ ما كأن يقضي السبت في الاستجمام والعبادة (to ~ the Sabbath) . «ج» يأخذ نفسه بعادة أو مسلك ما ، كأن يعتاد العودة إلى منزله باكراً أو في ساعة متأخرة من الليل (to ~ early *or* late hours) . «د» يواصل أداء حركات توقيعيّة وفق نغمٍ ما (to ~ time) (٢) «أ» يصون؛ يحمي؛ يقي (prayed God to ~ and help her family) . «ب» يتعهد ؛ يُعْنَى بِـ (*kept* a garden for his sister) . «ج» يَعُول (to ~ a wife) . «د» يُبْقي في حالة جيّدة (objected to ~*ing* the house) . «هـ» يَلْزَم (to ~ silence) . «و» يبقي في مكان أو وضع معين (to ~ a light burning) . «ز» يحفظ (الطعام) بحالة غير فاسدة . «ح» يستبقي في خدمته أو تحت تصرّفه (to ~ a cook, a mistress *or* a horse) . «ط» يؤوي أو يُطعم بأجر (to ~ boarders) . «ي» يمسك حسابات (to ~ books for a business firm) . «ك» يدوّن يوميّات الخ . (to ~ a diary) . «ل» يحتفظ باستمرار بمقادير وافرة للبيع (٣) «أ» يحجز (He *kept* the children after school for disobedience.) . «ب» يمنع ؛ يكبت (*kept* her from going; *kept* his feelings in) . «ج» يَحْتَفِظ ؛ يبقي ؛ يدّخر . «د» يكتم (to ~ a secret) (٤) «أ» يحتفظ بِـ (found the money and figured she could ~ *it*) . «ب» يخفي (*kept* the sad news from his parents) . «ج» يضبط أو يسيطر على (*kept* his temper) (٥) يعتكف في (He ~*s* his room.) (٦) يلازم؛ يبقى في (~ your seat) (٧) يَصْمد؛ يواصل القِتال (to ~ the field under fire) (٨) يدير ؛ يملك (to ~ a shop) ×(٩) يسكن؛ يبيت (١٠) «أ» يَلْزَم مسلكاً أو اتّجاهاً معيّناً (*kept* to the north all day) . «ب» يواصل ؛ يستمرّ في (*kept* talking) . «ج» يواظب على (He *kept* on smoking in spite of warnings.) (١١) يظلّ ؛ يبقى ؛ مثل : «أ» يتجنّب : يظلّ بعيداً عن (*kept* off the grass) . «ب» يجاري : يظلّ على مستوى

واحد مع الآخرين بحيث لا يتخلّف عنهم (to ~ with the faster boys) · «ج» يظلّ بحالة جيّدة، لا يَفْسد (Meat will ~ in the freezer.) · «د» يَبْقى مصوناً فلا يُذاع (Her secret would ~.) (١٢) يُمسِك عن (She can't ~ from talking.) (١٣) ينعقد؛ يفتح أبوابه (Our school ~ s six days a week.) §(١٤) مص keep (١٥) الصائن؛ الحامي؛ الواقي؛ الحافظ الخ. (١٦) قلعة؛ حِصْن (١٧) سجن (١٨) قوت؛ طعام (The horse was hardly worth its ~.)

for ~ s — إلى الأبد.

~ your hair on! — لا تفقِد السَّيْطرة على أعصابك!

to ~ a person going — يبقيه حياً؛ يساعده بالمال.

to ~ at — يواظب على.

to ~ a term — يقيم في كليّة الخ. خلال فصل من فصول الدراسة.

to ~ back — (١) ينأى بنفسه عن؛ يتجنّب الاقتراب من. (٢) يصدّ؛ يُبعِد (٣) يكتم؛ أخفى.

to ~ company with — يصاحب؛ يخادن؛ يغازل.

to ~ down — (١) يُبقي (النفقات الخ.) منخفضة (٢) يقمع؛ يحول بينه وبين النموّ أو التقدم أو النجاح.

to ~ in touch with — يبقى على اتّصال بـ.

to ~ in with — يظلّ على علاقة وديّة مع.

to ~ off — (١) يصدّ؛ يُبْعِد (٢) يتجنّب؛ يبتعد عن.

to ~ on at a person — (١) يزعجه بالمطالب المتكرّرة. (٢) يوبخه باستمرار.

to ~ one's hand in — يتمرّس؛ يواصل ممارسة شيء.

to ~ out — يتجنب؛ يبتعد عن.

to ~ pace (with) — يجاريه (بحيث لا يتخلّف عنه).

to ~ step — يجاري (العصر أو خطوات الآخرين).

to ~ the fire in — يبقي النار متأجّجة أو لا يدعها تخمد.

to ~ to — (١) يلازم (الفراش الخ.) (٢) يلتزم (خطةً أو اتّفاقاً الخ.)

to ~ to oneself — (١) يكتم (٢) يعتزل (الناسَ).

to ~ under — يسيطر على (كما يسيطر الاطفائيّون على حريق ويحولون بينه وبين الامتداد).

to ~ up — (١) يبقيه في حالة جيدة (٢) يحول بينه وبين السقوط أو التناقص (٣) يَبْقى على اطّلاع حسَن (٤) يستمرّ؛ يتواصل بغير انقطاع.

to ~ up appearances — يحافظ على المظاهر؛ يجعل الأشياء تبدو مُرْضية على الرغم من أنها ليست كذلك.

to ~ up with — يجاري؛ يظلّ على مستوى واحد مع الآخرين بحيث لا يتخلف عنهم.

keeper [kē'pər] (n.) (١) فا keep؛ مثل: «أ» الحامي؛ الصائن؛ الحافظ الخ. «ب» gamekeeper «ج» القيّم على. «د» السجّان (٢) الحافظة: أداة تحفظ شيئاً في موضعه (٣) شيء صالح للحفظ (كالفاكهة التي لا تفسد بسرعة) (٤) سمكة كبيرة.

keeping [kē'pĭng] (n.) (١) مص keep؛ مثل: «أ» عناية؛ تعهّد. «ب» إعالة. «ج» التزام لعرف الخ. «د» حِفظ؛ إدّخار (٢) قوت؛ طعام (provided good ~ for the cattle) (٣) تطابق؛ انسجام (Her deeds are not in ~ with her words.).

keepsake [kēp'sāk] (n.) التذكار: شيء يُحتفَظ به (أو هديّةٌ تقدّم) للذكرى.

kef [kāf] (Ar.) (١) الكَيْف: حالة السكون الحالم الناشيء عن تعاطي المخدِّرات (٢) مُخدِّر.

kefir [kə fîr'] (Russ.) الكَفِير: مشروب فوّار يصنع من اللبن المختمر.

keg [kĕg] (n.) الكَيْغ: برميل صغير سعته ٣٠ غالوناً أو أقلّ.

keloid [kē'loid] (n.) الجُدْرَة: ندبة غليظة ناشئة عن إفراط في نموّ النسيج الليفي (مض).

kelp [kĕlp] (n.) (١) عُشْب البحر (٢) رماد عشب البحر (يُستعمل عادة كمصدر من مصادر اليود).

kelpie [kĕl'pĭ] (n.) الكالِب: «أ» جانّ بحري تزعم الأساطير الاسكتلنديّة أنّه يُغْرِق المسافرين أو يبتهج بغرقهم. «ب» كلب أوستّرالي (من كلاب الرعاة).

Kelt; Keltic = Celt; Celtic.

Kelvin scale [kĕl'vĭn] (n.) الميزان الكلفيني: ميزان الحرارة المطلقة وتعادل درجة الصفر فيه – ٢٧٣,١٦° مئوية.

kemp [kĕmp] (n.) بَطَل (من أبطال الحرب أو الرياضة).

ken [kĕn] (vt.; i.; n.) (١) يرى (ا. ق) (٢) يُدرك (ع) ×(٣) يعرف §(٤) «أ» مدى البَصَر. «ب» منظر؛ مشهد (٥) مدى الادراك أو الفهم أو المعرفة.

kenaf [kĕ năf'] (n.) التِّيل؛ الجُلْجُل: «أ» نباتٌ يُزْرَع لأليافه. «ب» ألياف التيل (وتستخدم في صنع الحبال).

Kendal green [kĕn'dəl] (n.) الكَنْدل الأخضر: نسيج صوفيّ أخضر.

kennel [kĕn'əl] (n.; vi.; t.) (١) «أ» وِجار الكلب. «ب» مَرْبَى الكِلاب: مؤسّسة لتربية الكلاب (٢) شرذمة كلاب (٣) قناة أو مجرى ماء بجانب الطريق §(٤) يأوي إلى وجار أو شبيه به ×(٥) يؤوي في وجار أو نحوه.

Kenny method [kĕn'ĭ] (n.) طريقة كيني: طريقة خاصّة في معالجة شلل الأطفال وضعتها الممرضة الاستّرالية اليصابات كيني.

keno [kē'nō] (F.) الكينو: لعبة من ألعاب القمار.

kentledge [kĕnt'lĭj] (n.) = ballast 1.

Kentucky coffee tree (n.) شجرة بُنّ كنتاكي: شجرة كانت بذورها تستعمل بديلاً من البُنّ.

kepi [kĕp'ĭ] (F.) الكَبِّيّة: قبعة عسكريّة فرنسيّة.

kept [kĕpt] *past and past part. of* keep.

kerat- or kerato- بادئة معناها: قرن أو قرنيّ.

keratin [kĕr'ə tĭn] (n.) القَرَتِين؛ المادة القَرْنيّة: بروتين ليفيّ يشكّل الأساس الكيميائي لأنسجة الجسم القرنية كالاظافر والقرون والحوافر الخ. (كح).

keratosis [kĕr ə tō'-] (n.) التقَرّن: موضع من الجلد متميّز بنموّ نسيج قرنيّ.

kerb [kûrb] (n.) حاجز حَجَريّ (عند حافة طريق).

kerchief [kûr'chĭf] (n.) (١) «أ» حجاب المرأة. «ب» وشاح نسويّ للعنق (٢) مِنديل؛ محرمة.

kerf [kûrf] (n.) ثَلْم أو شِقّ (ناشيء عن القطع بمنشار).

Kerman [kĕr män'] (n.) = Kirman.

kermes [kûr'mēz] (Ar.) قِرمِز.

kermis or kermess [kûr'mĭs] (n.) (١) مِهرجان (في بلجيكة وهولندة) (٢) سوقٌ خيرية.

kern or kerne [kûrn] (n.) (١) جنديّ مشاةٍ (في ايرلندة وأسكتلندة في العصور الوسطى) (٢) شخص ساذج من الأرياف أو المدن الصغيرة.

kern [kûrn] *(F.)* الجزء الناتىء من حرفٍ طباعيّ .

kernel [kûr'nəl] *(n.)* (١) النواة : بزرة الفاكهة (ع) (٢) لبّ النواة (٣) حبة القمح الخ . (٤) جوهر الشيء أو لُبابه .

kernite [kûr'nīt] *(n.)* الكَرْنيت : مادة بلوريّة شفافة تُعتبر مصدراً هاماً من مصادر البورق (مع) .

kerosine *or* **kerosene** [kĕr'ə sēn'] *(n.)* الكيروسين .

kerry [kĕr'ĭ] *(n.)* الكَرْيّة : بقرة ايرلنديّة سوداء حلوبٌ .

kersey [kûr'zĭ] *(n.)* الكِرْزِيّ : «أ» قماش صوفيّ خشن . «ب» ثوب أو بنطلون مصنوع منه .

kerseymere [kûr'zĭ-] *(n.)* الكَشْمير : نسيج صوفيّ ناعم .

kestrel [kĕs'trəl] *(n.)* العَوْسَق ؛ العاسُوق : ضرب من الصقور .

ket- *or* **keto-** بادئة معناها : كيتون (ك) .

ketch [kĕch] *(n.)* الكَتْش : نوع من السفن الشراعيّة ذو صاريَيْن .

ketch

ketchup [kĕch'əp] *(n.)* = **catsup.**

ketene [kē'tēn] *(n.)* الكِيتين : غاز سامّ عديم اللون (ك) .

keto- = ket-.

ketogenesis[-jĕn'-]*(n.)* التَّكَيْتُن : تكوُّن الأجسام الكيتونيّة (كما في داء البول السكّريّ) .

ketone [kē'tōn] *(n.)* الكِيتون : مركّب عضويّ (ك) .

ketosis [kĭ tō'sĭs] *(n.)* الكِيتوزيّة : زيادةٌ غير سويّة في مقدار الكِيتون في الجسم (كما في داء البول السكّريّ) .

kettle [kĕt'əl] *(n.)* (١) غلاّية ؛ وبخاصّة : غلاّية الشاي . (٢) الفجوة الدُّردوريّة : ثقب دائري في حوض النهر الصخري ناشىء عن دوران الحجارة والحصى التي يعصف بها الدُّردور .

kettledrum [kĕt'-]*(n.)* نقّاريّة ؛ طَبْلَة .

kettledrum

kettle of fish (١) فوضى ؛ اختلاط ؛ «الحبطة» (٢) مسألة .

kewpie [kū'pĭ] *(n.)* دُميةٌ صغيرة ممتلئة الجسم .

key [kē] *(n.; adj.; vt.; i.)* (١) مفتاح . (٢) «أ» مفتاح الرموز : قائمة بكلمات أو جمل تفسّر رموزاً أو مختصرات . «ب» بيان المصطلحات (في خريطة) (٣) «أ» الدبوس او المسمار الخابوري (ملك) . «ب» وتد ؛ خابور (٤) حجرُ العقْد (را . keystone) (٥) مفتاح أو إصبع البِيان أو الأرغن أو الآلة الكاتبة الخ . (٦) شخصٍ أو مبدأ رئيسي (٧) المقام الموسيقي (٨) «أ» أسلوب أو نغمة مميزة(writings all in the same ~). «ب» طبقة الصوت (spoke in a high ~) (٩) زينة أو تعويذة على شكل مفتاح (١٠) المفتاح : مِحْوَل صغير لوصل دارة كهربائيّة أو فصلها (١١) جزيرة منخفضة §(١٢)رئيسيّ ؛ أساسيّ (the ~ industries of France) §(١٣) يغلق بمفتاح (١٤)يزوّد (القنطرةَ) بحجر العقد (١٥) يعدّل المقام أو طبقة الصوت (مو) (١٦) يناغم بين شيئين (١٧) ينرفز ؛ يثير ×(١٨)«أ» يستعمل مفتاحاً . «ب» يستعمل مفتاحاً تلغرافياً .

keyboard [kē'bōrd] *(n.; vi.; t.)* (١) لوحة المفاتيح : «أ» لوحة المفاتيح في أُرْغن أو بيان أو آلة كاتبة . «ب» لوحة خشبية تعلّق عليها مفاتيح الأبواب § (٢) ينضّد الحروف (طع) .

keyboardist *(n.)* العازف على لوحة المفاتيح (في آلة موسيقية) .

keyed [kēd] *(adj.)* (١) مزود بمفاتيح (٢) مُقوّىً بحجر عقْد . (٣)مُعَدَّل أو مُكيَّف وفقَ كذا(~to the present situation) .

keyhole [kē'hōl'] *(n.; adj.)* (١) ثقب المفتاح : موضع المفتاح من القفل §(٢) كاشفٌ عن الدخائل والأسرار (a ~ report) (٣)شديد الاهتمام بالكشف عن الدخائل والأسرار (a ~ reporter).

keynote [kē'nōt'] *(n.; vt.)* (١) القرار ؛ الأراضي (مو) (٢) الحقيقة أو الفكرة الأساسيّة §(٣) يلقي خطاباً رئيساً في (را. المادة التالية).

keynote address *or* **speech***(n.)* الخطاب الرئيسُ : خطاب في مؤتمر سياسيّ الخ . يستعرض القضايا الأساسيّة ويهدف عادةً إلى إثارة الحماسة وتوحيد الصفوف .

keystone [kē'stōn] *(n.)* (١)حَجَرُ العقْد ؛ إقليد العقْد (عم) (٢) المرتكز : عِمادٌ ترتكز عليه سائر العناصر (في خطة أو سياسة) .

keystone

keytainer [kē'-] *(n.)* محفظة المفاتيح .

keyway [kē'-] *(n.)* (١) مجرى الخابور (ملك) (٢) ثقب المفتاح (أو موضعه من قفل ذي مفتاح فولاذيّ مسطّح) .

key word *(n.)* الكلمة المفتاح ؛ الكلمة الدّليليّة : كلمة تساعد على تفسير أو حلّ شيء مجهول أو صعب ؛ وبخاصة : كلمة تقدّم كمثلٍ لتعيين صوت حرف أو رمز (ككلمة *man* في قولك *a* as in *man*).

khaddar *or* **khadi** [kăd'-] *(Hin.)* القادَر أو القاديّ : قماش قطنيّ منزليّ النسج (في الهند) .

khaki [kăk'ĭ; kä'kĭ]*(Hin.)* (١) الكاكيّ : «أ» قماشٌ كاكيّ اللون منسوج من قطن أو صوف (تتّخذ منه ملابس الجند عادةً). «ب» ثوبٌ من الكاكيّ ؛ وبخاصة : بذلة عسكريّة (٢) لون أسمر ضاربٌ إلى الصفرة .

khaki Campbell [-kăm'əl] *(n.)* بطّ كامبل : ضرب من البط الانكليزي الصغير معروف بوفرة البيض وضخامته .

khamsin [kăm'sĭn; kăm sēn'] *(Ar.)* ريح الخمسين : ريح حارّةٌ تهبّ على مصر طوال خمسين يوماً (ابتداء من منتصف آذار).

khan [kän; kăn] *(n.)* (١) الخان : «أ» لقب خلفاء جنكيز خان . «ب» زغيم محليّ (في بلدان آسية الوسطى) (٢) خان ؛ فندق (في بعض البلدان الآسيويّة) .

khedive [kə dēv'] *(n.)* الخُدَيْويّ : لقب حكام مصر الخاضعين للسيادة العثمانيّة من عام ١٨٦٧ إلى عام ١٩١٤ .

khoum [kōōm; khōōm] *(n.)* الخُمْس : عُملة موريتانيّة .

kiang [kĭ ăng'] *(n.)* فَرَأ التَّبَتّ : حمار وحشي آسيوي .

kibbutz [kĭb ōōts'] *(n.)* الكيبوتز : مزرعة جماعية يهودية .

kibe [kĭb] *(n.)* تورم القدمين (من البرد) .

kibitz [kĭb'ĭts] *(vi.)* يتطفّل ، وبخاصة أثناء لعب الورق (ع) .

kibitzer [kĭb'ĭt sər] *(n.)* الفُضولي : المتدخّل (في لعب الورق بخاصة) بتقدم نصيحة أو إبداء رأي .

kibosh [kī'bŏsh; kĭ bŏsh'] *(n.)* (١) هُراء (٢) عائق .
to put the ~ on يعطّل ؛ يعرقل .

kick [kĭk] *(vi.; t.; n.)* (١) يرفس (٢) يقاوم ؛ يبدي معارضة أو عدم ارتياح (٣) يرتدّ أو يتراجع (السلاحُ الناريّ عند إطلاقه) (٤) يجول ؛ يطوف ؛ يضربُ في الأرض ×(٥) يصيب الهدف (في كرة القدم) (٦) يتحرّر من الادمان على مخدّر (ع) §(٧)«أ» رفسة . «ب» القدرة على الرفس . «ج» حركة القدمين التوقيعيّة (في السباحة) . «د» تعاظم مفاجىء في السرعة (أثناء سباق) (٨) ارتداد أو تراجع (السلاحِ الناري) (٩) «أ» اعتراض ؛ شكوى ؛ مقاومة . «ب» سبب الاعتراض (١٠) «أ» الصفة المنبّهة أو المُسْكِرة في مشروب كحوليّ .

«ب» نشاط ؛ حيوية . «ج» هِزة ابتهاج أو طرب (١١) مفاجأة ؛ تطور مفاجىء في الأحداث .

to ~ against the pricks يقاوم على غير طائل (بحيث لا يضرّ إلا نفسه) .

to ~ around (١) يعامله باستبداد أو من غير مراعاة لحقوقه أو مشاعره (٢) يدرس أو يناقش من زوايا مختلفة .

to ~ in (١) يُسهِم ؛ يكتتب (٢) يموت (ع) .

to ~ off (١) يستهلّ أو يستأنف اللعب في كرة القدم برفس الكرة للمرة الأولى (٢) يبدأ (٣) يموت (ع) .

to ~ one's heels يُضيع الوقت في الانتظار على غير طائل .

to ~ out يطرد .

to ~ over the traces يَحْرُن ؛ يتمرّد .

to ~ the bucket يموت (ع) .

to ~ up one's heels (١) يُظهِر ابتهاجاً مفاجئاً . (٢) يستمتع بوقته .

kickback [kĭk'băk'] *(n.)* (١) ردّ فعل عنيف (٢) استرداد صاحب العمل أو مُناظر العمال جزءاً من رواتب عمّاله (على سبيل الابتزاز أو بناء على اتفاق سرّيّ سابق) .

kickoff [kĭk'ôf'] *(n.)* (١) الرفسة الأولى (يُستهلّ أو يُستأنف بها اللعب في كرة القدم) (٢) بداية .

kickshaw [kĭk'shô'] *(n.)* (١) طعام شهيّ أو مترف (٢) شيء تافه غرّار .

kickup [kĭk'ŭp'] *(n.)* شِجار ؛ عراك .

kid [kĭd] *(n.; vt.; i.)* (١) «أ» الجَدْي : صغير الماعز . «ب» كلّ صغير من الحيوانات الشقيقة للماعز (٢) «أ» لحم (أو جلد) الجدي . «ب» شيء مصنوع من جلد الجدي (٣) طفل ؛ ولد §(٤) يَخْدع (٥) يسخر بِ ؛ يضحك من ×(٦) يَمْزح (٧) تلد (المعزاة) جَدْياً .

Kidderminster [kĭd'ər mĭn'-] *(n.)* : السجّادة الكِدِرمِنِسْتَرية : سجّادة مصنوعة من خيوط صُبغت قبل النسج .

kid glove *(n.)* القفاز الجَدْيِيّ : قفاز نفيس من جلد الجدي .

kid-glove *(adj.)* (١) لابسٌ قفازاً جَدْيِيّاً ؛ وبالتالي : أنيق . (٢) مترفّق ؛ متّسم باللين والهوادة (~methods; ~treatment) .

kidnap [kĭd'năp] *(vt.)* يخطف شخصاً (طمعاً في فِدْية) .

kidney [kĭd'nĭ] *(n.)* (١) كُلْيَة (ت) (٢) «أ» مزاج . «ب» ضرب ؛ نوع .

kidney bean *(n.)* الفاصولياء (نب) .

kidskin [kĭd'-] *(n.)* جلد الجَدْي (يستعمل في صنع السلع الجلدية) .

kier [kĭr] *(n.)* مِرجَل (لصبغ الأقمشة أو قَصْرها) .

kif [kĭf; kēf] *(n.)* = kef.

kilderkin [kĭl'dər kĭn] *(n.)* : (١) برميل صغير (٢) الكِلْدَرْك : وحدة سَعة تساوي عادةً ١٨ غالوناً .

kill [kĭl] *(vt.; i.; n.)* (١) «أ» يقتل . «ب» يذبح (خروفاً الخ.) (٢) «أ» يقضي على ؛ يضع حدّاً لِ . «ب» يهزم أو يردّ (The bill was ~*ed* on the first vote.) . «ج» يحذف كلمة أو فقرة الخ . (٣) «أ» يسكّن (~*ed* the pain with drugs) . «ب» يوقف . «ج» يقطع تدفّق التيّار الكهربائي (to ~ the motor) . «د» يُفسِد ؛ يُتلِف . «هـ» يخفّض السرعة (٤) يقتل الوقتَ (٥) «أ» يوجع (شخصاً) إيجاعاً شديداً . «ب» يُرهِق حتى الإجهاد (٦) يضرب الكرة بعنف يجعل رجعتها مستحيلة (في التنس) (٧) يستنفد (مشروباً) أو يأتي عليه تماماً ×(٨) يرتكب جريمة قتل §(٩) قَتْل ؛ ذَبْح (١٠) «أ» قتيل ؛ ذَبيح . «ب» القَنيص : حيوان مقنوص أو مَصِيْد . «ج» عدد الحيوانات المقنوصة في صيد أو فترة معيّنة (There was a plentiful ~.) . «د» طائرة (أو غواصة الخ.) عدوّة تدمّر بعمل حربيّ (١١) ضربة كرة (في التنس) قوية بحيث يتعذر على الخصم ردّها (١٢) قناة ؛ جدول ؛ نهر .

to ~ off يقتل ؛ يُبيد ؛ يستأصل .

to ~ the sea يجعل البحر أقلّ هِياجاً .

killdeer [kĭl'-] *(n.)* الزّقزاق أو السّقساق الأميركي (طا) .

killdeer

killer [kĭl'ər] *(n.)* (١) القاتل ؛ السفّاك (٢) السفّاح : حوت أسود ضارٍ يتراوح طوله بين ٢٠ و ٣٠ قدماً .

killick [kĭl'ĭk] *(n.)* مِرساة صغيرة .

killing [kĭl'ĭng] *(n.; adj.)* (١) قَتْل (٢) «أ» القَنيص : حيوان مقنوص أو مَصِيْد «ب» عدد الحيوانات المقنوصة في صيد أو فترة معيّنة (٣) ربح كبير مفاجىء §(٤) قاتل (٥) آسر ؛ مؤثر في النفس إلى حد لا يقاوَم (a ~ humor) .

killing field *(n.)* مكان للقتل الجماعيّ .

killjoy [kĭl'joi'] *(n.)* مُفسِد البهجة : شخص أو شيء يُفْسِد على القوم لهوهم أو متعتهم .

kiln [kĭl; kĭln] *(n.; vt.)* (١) أَتون ؛ تنّور §(٢) يُحرِق أو يخبز في أَتون أو تنور .

kilo [kĭl'ō; kē'lō] *(n.)* (١) كِيلوغرام (٢) كيلومتر .

kilo- بادئة معناها : ألْف (*kilo*watt) .

kilocalorie [kĭl'ə kăl'-] *(n.)* السُّعْر الألفيّ : مقدار الحرارة الضروريّ لرفع حرارة كيلوغرام من الماء درجة مئوية واحدة .

kilocycle [kĭl'ə sī'kəl] *(n.)* الكيلوسَيْكل : ألف دورة ؛ وبخاصة ألف دورة في الثانية (رد) .

kilogram [kĭl'ə grăm] *(n.)* الكيلوغرام : ألف غرام .

kilogram-meter *(n.)* الكيلوغرامتر : وحدة لقياس العمل تساوي القوة المطلوبة لرفع كيلوغرام واحد متراً واحداً .

kilohertz *(n.)* الكيلوهَرْتز : ألف هرتز في الثانية .

kiloliter [kĭl'ə-] *(n.)* الكيلولتر : ألف لتر ؛ متر مكعب .

kilometer [kĭl'ə-] *(n.)* الكيلومتر : ألف متر (أو ٠,٦٢١ ميلاً) .

kiloton [kĭl'ə-] *(n.)* الكيلوطن : «أ» ألف طن . «ب» قوة انفجارية تعادل تلك التي لألف طنّ من ثالث نتريت التولوين .

kilovolt [kĭl'ə vōlt] *(n.)* الكيلوفُلط : ألف فُلط (كب) .

kilovolt-ampere *(n.)* الكيلوفُلْط أمبير : وحدة لقياس القوة الظاهرية (في دارة كهربائيّة) تساوي ألف فُلط ـ أمبير (كب) .

kilowatt [kĭl'ə wŏt'] *(n.)* الكيلوواط : وحدة لقياس الطاقة تساوي ألف واط (كب) .

kilowatt-hour *(n.)* الكيلوواط السّاعيّ : وحدة عمل أو طاقة تعادل تلك التي يؤديها كيلو واط واحد في ساعة واحدة (كب) .

kilt [kĭlt] *(n.; vt.; i.)* (١) الكِلْتيّة : تنورة ذات ثنيات طُولية (يرتديها الرجال في اسكتلندة وأفراد الفرق الاسكتلندية في الجيش البريطاني) §(٢) يثنّي التنورة أو القماش (٣) يزود بتنورة ×(٤) ينطلق بخفّة ورشاقة .

kilter [kĭl'tər] *(n.)* حالة جيّدة ؛ انتظام « في العمل » .

kimono [kə mō'nə; -nō] *(Jap.)* الكيْمُونُو : «أ» ثوب فضفاض

واسع الرُّدنين يرتديه اليابانيّون . «ب» ثوب نسويّ فضفاض .

kin [kĭn] *(n.; adj.)* (١) عشيرة (٢) «أ» أنسباء المرء. «ب» النسيب ؛ القريب §(٣) «أ» نسيب ؛ قريب. «ب» متماثل : من طبيعة واحدة أو نوع واحد .

of ~, نسيب ؛ قريب ؛ من أسرة واحدة .

kind [kīnd] *(n.; adj.)* (١) نوع ؛ صنف (٢) طبيعة ؛ صفة أساسيّة . §(٣) حنون ؛ شفوق (٤) «أ» ودّيّ . «ب» لطيف ؛ كريم .

nothing of the ~, لا ؛ أبداً .

of a ~, من نوع واحد .

The room was ~ of dark. كانت الحجرة مظلمة بعض الشيء .

to pay in ~, يدفع الثمن سِلَعاً لا نقداً .

to repay insolence in ~, يردّ على الاهانة بمثلها .

kindergarten [kĭn'dər gär'tən] *(G.)* روضة أطفال .

kindergartner [-gärt nər] *(n.)* طفل أو معلّم في روضة أطفال .

kindhearted [kīnd'här'tĭd] *(adj.)* شفوق ؛ رقيق الفؤاد .

kindle [kĭn'dəl] *(vt.; i.)* (١) يُضْرِم النارَ (٢) يثير ؛ يهيج (٣) يوهّج ؛ يضيء × (٤) يضطرم (٥) «أ» يتّقد. «ب» يصبح مفعماً بالحيويّة (٦) يتوهّج (٧) تحملُ (الأرنبُ) أو تلد .

kindless [kīnd'-] *(adj.)* فظّ ؛ قاسٍ ؛ غليظ .

kindliness [kīnd'lĭ nĭs] *(n.)* (١) عَطْفٌ ؛ رقّة في الفؤاد . (٢) عملٌ متّسِمٌ بالعطف أو الودّ .

kindling [kĭn'dlĭng] *(n.)* الضِّرَم : مادة ملتهبة تُضْرَم بها النار .

kindly [kīnd'lĭ] *(adj.; adv.)* (١) ملائم ؛ موّاتٍ ؛ جيّد (climate ~) (٢) عطوف ؛ كريم ؛ رقيق الفؤاد (people ~) §(٣) على نحوٍ سويّ أو طبيعيّ أو تلقائيّ (٤) بعطف (٥) بقبولٍ حَسَن ؛ بصدرٍ رحب ؛ بارتياح (٦) بكرم ؛ بتعطّف (٧) لطفاً ؛ كرَماً (٨) من صميم القلب (I thank you ~.) .

kindness [kīnd'nĭs] *(n.)* (١) مِنّة ؛ فَضْل ؛ معروف . (٢) «أ» حنان ؛ شفقة . «ب» لطف ؛ كرم الخ .

kindred [kĭn'drĭd] *(n.; adj.)* (١) «أ» أسرة ؛ عشيرة ؛ شعب . «ب» أنسباء المرء §(٢) شقيق : من أصل واحد أو طبيعة واحدة (languages ~) .

kinema [kĭn'-] *(n.)* = cinema.

kinematic; -al [kĭn ə măt'-] *(adj.)* كينماتيّ : متعلّق بعلم الحركة المجردة .

kinematics[kĭn'ə măt'ĭks] *(n.)* الكينماتيكا ؛ علم الحركة المجرّدة : فرع من الديناميكا يُعْنَى بالحركة بصرف النظر عن اعتبارات الكتلة والقوة .

kinescope [kĭn'ə skōp'] *(n.)* الكينيسكوب : «أ» أنبوبة أشعة كاثود ذاتُ ستارة تُحْدَث عليها صُوَر مرئيّة (تلفز) «ب» شريط سينمائي مؤلف من أمثال هذه الصور التليفزيونيّة .

kinesthesia [kĭn'əs thē'zhə] *or* **kinesthesis** [-'sĭs] *(n.)* الإحساس بالحركة : الإحساس بالحركة في العضلات والأوتار العضلية .

kinetic [kĭ nĕt'ĭk; kī-] *(adj.)* (١) حرَكيّ (٢) «أ» ناشط ؛ مفعَم بالحياة (a ~ world) . «ب» منشّط ؛ ديناميّ .

kinetic energy *(n.)* الطاقة الحركيّة ؛ طاقة الحركة : الطاقة الناشئة عن الحركة .

kinetics [kĭ nĕt'ĭks; kī-] *(n.)* الكينيتيكا ؛ علم الحركة : علم يدرس أثر القوى في حركات الأجسام .

kinetic theory *(n.)* النظرية الحَرَكيّة : نظرية تقول بأن دقائق المادة هي أبداً في حركة ناشطة .

kinetograph [kĭ nē'-; kī nĕt'-] *(n.)* الكينتوغراف : كاميرا لتصوير الأشياء المتحركة .

kinetoscope [kĭ nĕt'-] *(n.)* الكينيتوسكوب : أداة لعرض الصور المأخوذة بالكينتوغراف (را . المادة السابقة) .

kinfolk [kĭn'fōk'] *(n.)* أنسباء ؛ أقارب .

king [kĭng] *(n.)* (١) مَلِك ؛ عاهل (٢) *cap.* : المسيح . (٣) الشاه (في الشطرنج) (٤) الملك (في ورق اللعب) .

~ of terrors ملك الأهوال : الموت .

kingbird [kĭng'bûrd] *(n.)* ملك العصافير : عصفور أميركي صائد للذباب .

kingbolt [-'bōlt'] *(n.)* المسمار الرئيسي (يربط محور العربة الأمامي وعجلاتها الامامية بالأجزاء الأخرى) .

king crab *(n.)* ملك السراطين : حيوان بحريّ من المَفْصِليّات .

kingcraft [-'krăft; -'kräft] *(n.)* سياسة المُلْك : فنّ حُكم الممالك وإدارتها .

kingcup [kĭng'kŭp'] *(n.)* = buttercup.

kingdom [kĭng'dəm] *(n.)* (١) المملكة : دولة ذات نظام ملكي . (٢) *cap.* عد : ملكوت الله ؛ ملكوت السماوات (٣) عالم ؛ دُنيا (the ~ of thought) (٤) المملكة : أحد أقسام العالم الطبيعي الرئيسية الثلاثة . وهي مملكة الجماد (mineral ~) ، ومملكة النبات (plant ~) ، ومملكة الحيوان (animal ~) .

kingfish [-'fĭsh] *(n.)* (١) ملك السمك : سمك يتميّز بضخامته الخ . (٢) سيّد غير مُنازَع في منطقة أو جماعة .

kingfisher [-'fĭsh'ər] *(n.)* القِرِلّى : الرَّفراف ؛ القاوند ؛ مُلاعِب ظلّه : طائر يعيش قرب الأنهار ويقتات بالأسماك .

kingfisher

kinglet [-'lĭt] *(n.)* (١) المُلَيْك : ملكٌ ضعيف أو صغير الشأن (٢) الصَّعْو ؛ الوَصَع : طائر صغير جداً .

kingly [-'lĭ] *(adj.; adv.)* (١) مَلَكيّ . (٢) «أ» ملوكيّ ؛ لائق بمَلِك . «ب» جليل فخيم §(٣) على نحوٍ مَلَكيّ أو ملوكيّ . —**kingliness** *(n.)*

kingmaker [kĭng'-] *(n.)* صانع الملوك : شخص يتمتّع بنفوذ عظيم في اختيار المرشحين للمناصب السياسيّة .

kingpin [-'pĭn] *(n.)* (١) القارورة الخشبية : إحدى القطع الخشبيّة الشبيهة بالقناني والتي تُتخذ هدفاً في لعبة البولنغ ؛ وبخاصة : القارورة الأماميّة أو الوسطى (٢) المقدّم : الشخص الرئيسيّ في جماعة أو مشروع (٣) kingbolt .

king post *(n.)* العَضُد الرئيسيّ (في سقفٍ مُسَنَّم) .

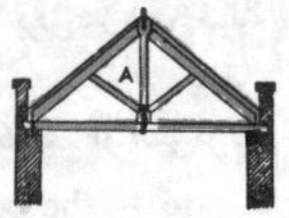

A.king post

King's Counsel *(n.)* محامي الملك : مستشار قانوني للتاج البريطاني .

King's English *(n.)* الانكليزيّة الفصحى (المتميّزة بالصفاء والصحّة) .

King's *or* Queen's evidence شاهد المَلِك (أو الملكة) : مَن يَشْهَد ضدّ شركائه في الجريمة مقابل الوعد بإطلاق سراحه (ويدعى في الولايات الأميركيّة المتحدة state's evidence) .

king's evil *(n.)* سُلّ الغدد ؛ داء المَلِك : الغُدَب ؛ الخنازيريّ : اللمفاوية وبخاصة في العنق .

ă at; ā date; â care; ä car; ĕ egg; ē me; ĭ in; ī bite; ŏ lot; ō bone; ô orphan; oi boil; ŏŏ good; ōō boot; ou out; ŭ under; ū unity; û urgent; th thing; *th* this; zh vision; ə = *a* in alone, *e* in system, *i* in easily, *o* in gallop, *u* in circus.

kingship [-'shĭp] *(n.)* (١) المَلَكيّة : منصب المِلِك أو مقامه . (٢) شخصيّة المِلِك (٣) حكومة مَلَكية .

king-size [-'sīz'] *or* **king-sized** [-'sīzd'] *(adj.)* (١) ملكيّ الطول : أطول من المعتاد أو القياسيّ (~ cigarettes) (٢) ضخم ؛ كبير (~ beds) (٣) استثنائيّ ؛ فذّ ؛ غير اعتياديّ (a ~ movie).

king snake *(n.)* ملكة الأفاعي : أفعى أميركيّة تلتهم القوارض .

kink [kĭngk] *(n.; vt.; i.)* (١) ليّة أو فتلة (في خيط أو حبل أو شعرة) (٢) «أ» غرابة أطوار . «ب» نزوة (٣) طريقة بارعة غير مألوفة في عمل شيء (٤) تشنّج في الرقبة أو الظهر (٥) خلل ؛ علّة § (٦) يلوي ؛ يفتل × (٧) يلتوي ؛ ينفتل .

kinkajou [kĭng'kə jōō'] *(F.)* الكِنْكاج : حيوان ثدييّ أميركيّ .

kinky [kĭngk'ĭ] *(adj.)* حُلَيقيّ ؛ مُفتَّل (~ hair) .

kinnikinnick *also* **kinnikinic** [-ĭ kĭ nĭk'] *(n.)* الكِنِكِنِك : مزيج من ورق الشجر ولحائه (وأحياناً من تبغ) يدخنه الهنود الأميركيون .

kinkajou

kinsfolk [kĭnz'fōk'] *(n.pl.)* أنسباء ؛ أقرباء .

kinship [kĭn'shĭp] *(n.)* قرابة ؛ نَسَب .

kinsman [kĭnz'-] *(n.)* القريب ؛ النسيب ؛ أحد الأقارب .

kinswoman [kĭnz'-] *(n.)* القريبة ؛ النسيبة ؛ إحدى القريبات .

kiosk [kĭ ŏsk'; kī'ŏsk] *(n.)* كُشك (في حديقة أو شارع) .

kip [kĭp] *(n.)* (١) «أ» حزمة من جلود صغار الحيوان أو الحيوانات الصغيرة . «ب» أحد هذه الجلود (٢) الكِبّ : «أ» وحدة وزن تساوي ألف رطل انكليزي . «ب» وحدة العملة اللاوسيّة .

kipper [kĭp'ər] *(n.; vt.)* (١) ذكَر سمك السَّلْمون (٢) سمكة سَلْمون (أو رنكة) مملّحة ومدخّنة § (٣) يعالج (السمكة) بالشقّ والتنظيف والتمليح والتدخين .

Kirghiz [kĭr gēz'] *(n.)* (١) «أ» القيرغيز : شعب من العرق المغولي يقطن في سهوب آسية الوسطى . «ب» القيرغيزيّ : واحد القيرغيز (٢) القيرغيزيّة : لغة القيرغيز التّركيّة .

kirk [kûrk] *(n.)* (١) كنيسة (٢) *cap.* : كنيسة اسكتلندة الوطنية .

Kirman [kĭr män'] *(n.)* الكِرْمانية : سجادة من صنع كرمان بإيران .

kirmess [kûr'mĭs] *(n.)* = kermis.

kirsch [kĭrsh] *(n.)* ماء الكرز : شراب مُسْكِر مصنوع من عصير الكرز المخمّر .

kirtle [kûr'təl] *(n.)* الكَرْتَل : «أ» سِترة رجاليّة (في القرون الوسطى) . «ب» ثوب نسويّ طويل .

kismet [kĭz'mĕt; kĭs'-] *(Ar.)* قِسْمة ؛ نصيب .

kiss [kĭs] *(vt.; i.; n.)* (١) يقبّل ؛ يلثم (٢) يلمس برفق . × (٣) يتبادلان القُبَل (٤) يمسّ أو يرتدّ برفق § (٥) قُبلة (٦) لمسة رفيقة (٧) القُبَليّة : «أ» حلوى مصنوعة من بياض البيض ومسحوق السكّر . «ب» قطعة من الكراميل أو الشوكولا .

- to ~ the book يلثم الكتاب المقدّس عند أداء اليمين .
- to ~ the dust يُهزَم ؛ يستسلم ؛ يموت ؛ يُقتَل .
- to ~ the ground *or* earth (١) ينحني أو ينبطح (احتراماً) (٢) يُهزَم .
- to ~ the rod يقبل العقوبة صاغراً .

kisser [kĭs'ər] *(n.)* (١) المُقبِّل ؛ اللاثم (٢) فم (ع) .

kissing bug *(n.)* البقّة اللاثمة : حشرة سامّة تعض الشفتين احياناً .

kit [kĭt] *(n.)* (١) دلو خشبيّ (٢) «أ» الطقم : مجموعة أدوات للاستعمال الشخصي (a travel ~) «ب» عُدّة (a plumber's ~) . «ج» صندوق الأدوات أو العدّة . «د» مجموعة للتركيب (model-airplane ~) (٣) زمرة ؛ مجموعة أشخاص أو أشياء (٤) كمان (كمنجة) صغيرة (٥) هُرَيْرة ؛ هرة صغيرة (٦) «أ» حيوان صغير من ذوات الفراء . «ب» جلد هذا الحيوان غير المدبوغ .

kitchen [kĭch'ən] *(n.)* (١) مطبخ (٢) جماعة الطهاة والنُّدُل .

kitchen cabinet *(n.)* (١) خزانة المطبخ (٢) وزارة المطبخ : مجموعة غير رسميّة من المستشارين المحيطين برئيس حكومة .

kitchenette [kĭch'ə nĕt'] *(n.)* مطبخ صغير .

kitchen garden *(n.)* بُستان لزراعة الخُضَر .

kitchen midden [mĭd'ən] *(n.)* رُكام ؛ نفايات ؛ وبخاصة : رابية كانت موقعاً سكنه الانسان البدائيّ .

kitchen police *(n.)* (١) مجنّدو المطبخ : مجنّدون مكلّفون بمساعدة الطهاة (جن) (٢) العمل الذي يؤديه مجنّدو المطبخ .

kitchenware [kĭch'-] *(n.)* آنية المطبخ ؛ أدوات المطبخ .

kite [kīt] *(n.; vi.; t.)* (١) الحَدَأة ؛ الحِدَأة ؛ الشُوحة : طائر من الجوارح (٢) المحتال ؛ الوغد (٣) طائرة ورقيّة (٤) «أ» كمبيالة إسعاف ؛ كمبيالة صورية . «ب» شك من غير مؤونة (٥) *pl.* : الكَيْتات : أخفّ الأشرعة في مركب (وأعلاها عادةً) § (٦) يحصل على المال بكمبيالة إسعاف (٧) «أ» يطير أو يعدو بخفّة وسرعة . «ب» يرتفع فجأة (Tin prices ~*d* in world markets.) × (٨) يستخدم كمبيالة إسعاف للحصول على المال (٩) يرفع (الأسعار الخ.) .

kith [kĭth] *(n.)* أصدقاء أو جيران أو أنسباء (~ and kin) .

kitsch [kĭch] *(n.)* سقط المتاع : مادة فنية أو أدبيّة من صِنفٍ دُونٍ .

kitten [kĭt'ən] *(n.; vi.; t.)* (١) هُرَيْرة ؛ هِرّة صغيرة (٢) صغير بعض الحيوانات الثدييّة الصغيرة الأخرى § (٣) تلد (الهِرّة) .

kittenish [-ĭsh] *(adj.)* هُرَيْراني ؛ كالهِرّة الصغيرة ؛ وبخاصة : مرِح ؛ لَعوب .

kittiwake [kĭt'ĭ wāk] *(n.)* النَوْرَس ؛ زُمّج الماء (ط) .

kitty [kĭt'ĭ] *(n.)* (١) هِرة ؛ وبخاصة : هُرَيرة ؛ هِرة صغيرة . (٢) الصندوق : «أ» صندوق يضع فيه كلّ لاعب (في البوكر الخ.) مبلغاً معيناً من مكاسبه تحقيقاً لغرض مشترك (كشراء المرطبات الخ.) . «ب» مبلغ من المال (أو مجموعة من السلع) يُجمع من تبرعات صغيرة .

kiva [kē'və] *(n.)* الكِيفة : حجرة واسعة واقعة كلّها أو جزء منها تحت الأرض ، في قرية من قرى الهنود الأميركيين ، تؤدى فيها الطقوس الدينيّة وغيرها .

kiwi [kē'wĭ] *(n.)* (١) الكِيوِيّ : طائر لا جناحيّ من طيور نيوزيلندة (٢) *cap.* عد : النيوزيلندي : شخص نيوزيلندي .

kiwi

Klan [klăn] *(n.)* = Ku Klux Klan.

klatch *or* **klatsch** [klăch] *(n.)* اجتماع لتبادل الأحاديث غير الرسميّة .

Kleenex [klē'nĕks] *(n.)* النَظيفيّ : منديل ورقيّ ناعم .

klept- *or* **klepto-** بادئة معناها : سرقة (*klepto*mania) .

kleptomania [klĕp'tə mā'nĭ ə] *(n.)* الدَّغَر : جِنّة الاختلاس ؛ هَوَس السرقة .

kleptomaniac [-'nĭ ăk] *(n.)* المدغور ؛ المُصاب بهوَس السرقة .

klieg eyes *or* **kleig eyes** [klēg] *(n. pl.)* الكليغليّة : التهاب واستسقاء العينين الناشيء عن طول التعرّض للأضواء في صناعة السينما الخ.

klieg light *or* **kleig light** [klēg] *(n.)* مصباح كليغل : مصباح ينبعث فيه النورُ القويّ من قوسٍ كهربائيّ (ويُستعمل في تصوير

ă at; ā date; â care; ä car; ĕ egg; ē me; ĭ in; ī bite; ŏ lot; ō bone; ô orphan; oi boil ŏŏ good; ōō boot; ou out; ŭ under; ū unity; û urgent; th thing; th this; zh vision; ə = *a* in alone, *e* in system, *i* in easily, *o* in gallop, *u* in circus.

المشاهد السينمائيّة في الاستديو) .

kloof [klōōf] *(n.)* الكُلُف : واد صغير ضيّق شديد الانحدار .

klystron [klīʹstrən] *(n.)* الكليسترون : أنبوبة مفرّغة لإحداث أو تقوية التيارات المتذبذبة ذات التردّد العالي .

knack [năk] *(n.)* (١) «أ» مهمّة تتطلب لباقة وبراعة. «ب» براعة في أداء عمل ما. «ج» حيلة؛ خدعة (٢) موهبة أو مقدرة خاصة.

knacker [năkʹ-] *(n.)* (١) مشتري الحيوانات الأليفة المهزولة أو جثثها (لاستعمالها كطعام للحيوان أو كسماد) (٢) مشتري المباني أو السفن القديمة للاستفادة من أنقاضها .

knap [năp] *(n.; vt.)* (١) قمة (ع) (٢) أكمة ؛ رابية (ع) . § (٣) يكسر بضربة عاجلة ؛ يشذّب أو يهندم الصوّان الخ .

knapsack [năpʹsăkʹ] *(n.)* حقيبة الظهر : حقيبة من جلد أو خيش توضع فيها الملابس الخ . ويشدّها الجندي الى ظهره .

knave [nāv] *(n.)* (١) «أ» خادم (ا.ق) . «ب» رجل وضيع المولد (ا.ق) (٢) المخادع ؛ المحتال؛ الوغد (٣) الولد (في ورق اللعب) .

knavery [nāʹvə rĭ] *(n.)* خداع ؛ احتيال؛ مكر؛ لؤم .

knavish [nāʹvĭsh] *(adj.)* خادع ؛ ماكر؛ لئيم .

knead [nēd] *(vt.)* (١) يعجن؛ يجبل (٢) يدلّك (الجسم).

knee [nē] *(n.; vt.)* (١) الرُّكبة (٢) رُكبة البنطلون : جزؤه الذي يكسو الركبة (٣) ضربة بالركبة المطويّة § (٤) يضرب بالركبة.

kneecap [nēʹ-] *(n.)* الرَّضْفَة : العظم المتحرّك في رأس الركبة .

knee-deep [nēʹdēpʹ] *(adj.)* (١) knee-high (٢) مغمور إلى الركبتين (٣) منهمك أو مشغول جداً .

knee-high [nēʹhīʹ] *(adj.)* مرتفع إلى الركبتين؛ بالغ الركبتين .

kneehole [nēʹ-] *(n.)* فجوة الركبة: فسحة لوضع الركبتين (تحت منضدة مثلاً) .

knee jerk *(n.)* نبرة الركبة : انتفاضة ناشئة عن ضربة خفيفة على الوتر العضلي تحت الرَّضْفَة .

kneel [nēl] *(vi.; n.)* (١) يركع ؛ يسجد؛ يجثو § (٢) ركوع .

kneepad [nēʹ-] *(n.)* (١) وقاء الركبة (٢) وقاء للجورب عند الركبة.

kneepan [nēʹ păn] *(n.)* الرَّضْفَة : العظم المتحرّك في رأس الركبة.

knell [nĕl] *(vi.; t.; n.)* (١) يُقْرَعُ الناقوس (لمناسبة وفاة أو جنازة أو كارثة) (٢) يُطلِق صوتاً فاجعاً أو محذّراً أو منذراً بشؤم × (٣) يدعو أو يعلن بقَرْع النواقيس أو نحوه § (٤) قرعة الناقوس (إيذاناً بوفاة أو جنازة أو كارثة) (٥) النَّعِيّ : صوتٌ (أو إشارة أخرى) يعلن وفاة شخص أو نهاية شيء أو إخفاقه .

knelt [nĕlt] *past; past part. of* kneel.

knew [nū; nōō] *past of* know.

knickerbocker [nĭkʹər bŏkʹər] *(n.)* (١) *cap.*: «أ» شخص متحدّر من سلالة المهاجرين الهولنديين الأولين الذين نزلوا في نيويورك . «ب» النيويوركي : مواطن من مواطني مدينة أو ولاية نيويورك (٢) *pl.*: النِّكَرْز : بنطلون قصير واسع مزموم عند الركبة.

knickers [nĭkʹərz] *(n. pl.)* النِّكَرْز : «أ» بنطلون قصير واسع مزموم عند الركبة . «ب» لباس نسوي تحتانيّ شبيه بهذا البنطلون .

knickknack [nĭkʹnăkʹ] *(n.)* حلية صغيرة تافهة .

knife [nīf] *(n.; vt.)* (١) مُدْيَة ؛ سكّين (٢) النَّصْل : شفرة أو أداة ماضية في ماكينة § (٣) يطعن بمدية (٤) يقطع أو يعلّم أو يبسط بمدية (٥) يحاول أن يهزم خصمه بأساليب ماكرة أو دنيئة (وبخاصة في السياسة) .

before you can say ~, فجأةً .

under the ~, تحت الجراحة ؛ تحت المبضع .

war to the ~, حرب لا هوادة فيها .

knife edge *(n.)* حدّ السكّين : «أ» حدّ المدية. «ب» شفرة فولاذية قاسية تُتَّخَذ مرتكزاً لميزان .

knight [nīt] *(n.; vt.)* (١) الفارس : رجلٌ ، نبيل المحتد عادةً ، كان الملك يرفعه في القرون الوسطى إلى رتبة عسكرية خاصّة ، بعد أن يجتاز مرحلة تدريب معيّنة . وكان الفارس يأخذ على نفسه عهداً بالقيام بالمآثر الحميدة (٢) الفَرَس (في الشطرنج) § (٣) يرفعه إلى رتبة فارس .

knight-errant [nītʹĕrʹənt] *(n.)* الفارس المطوِّف : فارس يطوف في الأرض بحثاً عن مغامرات يُظهر فيها براعته العسكرية وشجاعته وسخاءه .

knight-errantry [nītʹĕrʹən trĭ] *(n.)* (١) تجوال الفارس المطوف أو مغامراته (٢) مسلك دونكشوتي أو مثاليّ إلى حدّ غير عمليّ .

knighthood [nītʹhŏŏd] *(n.)* (١) الفروسيّة : مركز الفارس أو مهنته (٢) شهامة (٣) الفرسان (بوصفهم طبقةً أو جماعةً) .

knightly [nītʹlĭ] *(adj.)* (١) فروسيّ (٢) فرساني : مؤلف من فرسان .

Knight Templar *(n.)* الدّاويّ : «أ» أحد الدّاويّة أو فرسان الهيكل ، وهم أعضاء منظّمة دينية عسكرية أنشئت في القدس عام ١١١٨ لحماية الحجاج والقبر المقدّس. «ب» عضوٌ في منظمة ماسونيّة يُزعم أنها امتدادٌ لفرسان الداويّة القدماء .

knit [nĭt] *(vt.; i.)* (١) يَعْقِد ؛ يَرْبِط (٢) يَجْبُر (to ~ the parts of a fractured bone) (٣) يُشابك (٤) يشدّ برباط اجتماعيّ أو شرعيّ (to ~ persons together by marriage) (٥) يقطّب حاجبيه (٦) يَحْبك (بصنارة) × (٧) «أ» يتغضّن. «ب» يتماسك ؛ يتلازّ (٨) يلتئم ؛ ينجبر ؛ يلتحم .

knitting [nĭtʹĭng] *(n.)* (١) عَقْد ، رَبْط ، الخ . (٢) حَبْكٌ .

knitwear [nĭtʹ-] *(n.)* الملابس المحبوكة بالصنارة .

knob [nŏb] *(n.)* (١) «أ» عُقْدة ؛ عُجْرة (على جذع شجرة) ؛ بثرة (في الجلد) . «ب» حِلية صغيرة مدوّرة؛ زِرٌ زينيّ . «ج» مَسْكة (أو مقبض) باب مزخرفة (٢) هضبة مدوّرة (ومعزولة عادةً) (٣) قطعة ؛ كتلة (من فحم حجري الخ.) .

knobkerrie [nŏbʹ-] *(n.)* نبّوت (عند قبائل جنوب افريقية) .

knock [nŏk] *(vi.; t.; n.)* (١) يقرع ؛ يضرب شيئاً ضربةً مدوية . (٢) يصطدم بشيء (٣) يطوف ؛ يتجوّل (تتبعها *about*) (٤) يخبّط ؛ يقرقع (كبعض أجزاء الآلة) (٥) يعيب ؛ ينتقد × (٦) «أ» يضرب بعنف . «ب» يسيّر أو يحرّك بضربة (٧) يجعله يصطدم § (٨) «أ» ضربة عنيفة . «ب» مصيبة أو محنة قاسية (٩) الخَبْط : قرقعة ناشئة عن خلل في بعض أجزاء محرّك داخليّ الاحتراق (١٠) نَقْدٌ لاذع .

to ~ down (١) يصرع ؛ وبالتالي : يتغلب على . (٢) يعلن أن سلعة قد رست على فلان (في مزاد علني) (٣) يفكّك (أجزاء آلة لتسهيل نقلها) (٤) يتلقّى دخلاً أو راتباً (٥) يخفّض (السعر الخ.).

to ~ off (١) يكفّ عن عمل شي (٢) يعمل بعجلة أو بطريقة روتينيّة (٣) «أ» يقتل . «ب» يَهزم . «ج» يتغلب على. «د» يتخلّص من (٤) ينقص (من قيمة فاتورة الخ.) .

to ~ out (١) يعمل بعجلة أو بغير إتقان .

(٢) «أ» يهزم. «ب» يصرع (خصمه في الملاكمة) بضربة لا يستطيع النهوض منها (٣) يعطّل؛ يجعله غير صالح للعمل (٤) يرْهِق.

to ~ under يقر بأنه هزِم.

to ~ up (١) يوقظه (بالقرع على بابه) (٢) يرهق. (٣) يحبّل (امرأةً).

knockabout [nŏk'ə bout] *(adj.; n.)* (١) صالح للاستعمال الخشن(suits for boys ~) (٢) عنيف: مؤلَّف من ضربات عنيفة (clowns gave a ~ performance) (٣) فظّ؛ صخّاب §(٤) ممثّل (أو مشهدٌ تمثيليّ) في كوميديا تكثر فيها الضربات العنيفة (٥) شيء صالح للاستعمال الخشن أو غير الرسمي (a secondhand car that will serve as a ~).

knockdown [nŏk'-] *(n.; adj.)* (١) مص knock down. (٢) الصارعة: الضربة الصارعة أو الحاسمة (في الملاكمة) (٣) ضربة قاضية (It was a bad ~ for both of us.) (٤) شيء (كبعض الأثاث) يسهل تركيبه أو تفكيكه (٥) تعريف شخص إلى شخص (ع) §(٦) صارعٌ؛ طارحٌ أرضاً (a ~ blow) (٧) سهل التركيب أو التفكيك (a ~ piece of furniture).

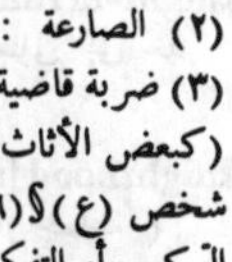
knocker

knocker [nŏk'ər] *(n.)* القارع؛ وبخاصة مِقرعة (مطرقة) الباب.

knock-knee [nŏk'nē'] *(n.)* الصدَف؛ الصَّكَك: التواء الرجلين نحو الباطن بحيث تتدانى الركبتان.

knock-kneed [-'nēd'] *(adj.)* أصدف؛ أصكّ (را. المادة السابقة).

knockout [nŏk'-] *(n.)* (١) مص knock out (٢) الضربة الصارعة أو الحاسمة (في الملاكمة) (٣) شيء جذاب أو لافتٌ للنظر إلى حدّ الاثارة (has produced a new film that is a ~).

knoll [nōl] *(n.)* هضبة صغيرة مدوَّرة.

knop [nŏp] *(n.)* زرّ زيني؛ حلية صغيرة مدوّرة.

knot [nŏt] *(n.; vt.; i.)* (١) عُقْدة؛ أُنشوطة (٢) مشكلة. (٣) رباط؛ وبخاصة: رباط الزوجيّة (٤) «أ» عُجْرة (في نسيج النبات). «ب» عقدة في الخشب (٥) زمرة؛ مجموعة أشخاص أو أشياء (٦) وردة من حرير؛ عقدة شريط القبّعة (٧) «أ» العُقْدة: وحدة للسرعة تساوي ميلاً بحرياً واحداً في الساعة. «ب» الميل البحريّ (را. nautical mile) (٨) الدُّرَيْجة: طائر من طيور الماء §(٩) «أ» يعْقِد. «ب» يكوِّن عقدة أو عُقداً في حبل الخ. (١٠) يُحكم وثاق شيء ×(١١) يتعقد؛ يصبح ذا عُقَد الخ. (١٢) يحبك وروداً صناعية.

to tie oneself (up) in(to) ~s يتورّط في متاعب أو مشاكل.

knotgrass [nŏt'-] *(n.)* البَطْباط؛ الجُنْجُر؛ عصا الراعي (نب).

knothole [nŏt'-] *(n.)* ثقب العُقْدة: ثقبٌ في لوح خشبيّ ناشيء عن سقوط عقدة كانت فيه.

knotted [nŏt'ĭd] *(adj.)* (١) معقود بأنشوطة (٢) مليء بالعُقَد. (٣) معقَّد؛ محيِّر (٤) مزيَّن بعُقَد؛ مرصع بأزرار زينيّة.

knotty [nŏt'ĭ] *(adj.)* (١) مليء بالعُقَد (٢) مُعقَّد؛ صعب.

knout [nout] *(n.; vt.)* (١) سوط (لجَلْد المجرمين) §(٢) يجْلد.

know [nō] *(vt.; i.; n.)* (١) «أ» يعلم؛ يعرف. «ب» يميِّز؛ يدرك طبيعة شيء. «ج» يعاني، يقاسي (٢) يدري بـ §(٣) معرفة.

in the ~ مُطّلِع على معلومات سرّيّة غير مُتاحة لغيره.

to ~ the ropes يَفْهَم تفاصيل أو طرائق عملٍ أو صناعة.

know-how [nō'hou] *(n.)* براعة؛ مهارة؛ حِذق (needed the ~ of a good carpenter).

knowing [nō'ĭng] *(n.; adj.)* (١) معرفة؛ دراية §(٢) «أ» عارف؛ مطّلع. «ب» فطن؛ ذكيّ (a ~ fellow) (٣) متعمَّد؛ مروِّى فيه.

know-it-all [nō'ĭt âl] *(n.)* المتعالم: مدّعي العلم بكل شيء.

knowledge [nŏl'ĭj] *(n.)* (١) «أ» معرفة؛ علم. «ب» دراية أو عِلمٌ بـ. «ج» مدى اطّلاع شخص أو فهمِه. «د» إدراك. «ه» اطّلاع (٢) جماع؛ مجامعة (ا.ق) (٣) مجموع المعارف الانسانية.

knowledgeable [nŏl'ĭj ə bəl] *(adj.)* (١) حسَن الاطّلاع. (٢) ذكيّ؛ لبيب.

known *past part. of* know.

known [nōn] *(adj.)* معلوم؛ معروف.

know-nothing [nō'-] *(n.)* (١) «أ» الجهول: شخص تامّ الجَهْل. «ب» اللاأدْريّ (را. agnostic) (٢) *cap.*: عضو في منظمة سياسيّة سرية أميركيّة (في القرن ١٩) كانت تقاوم نفوذَ الكاثوليك والمهاجرين الجُدُد السياسيّ.

knuckle [nŭk'əl] *(n.; vi.)* (١) البُرْجُمة: إحدى البراجم وهي مفاصل الأصابع أو العظام الصغار في اليد والرجل (ت) (٢) عظم رسغ الخروف الخ. واللحم المحيط به (يُضاف إلى الحساء خاصّةً) (٣) مَفصِل؛ محور مَفصِليّ (مك) (٤) *pl.*: البُرجمية: قطعة معدنيّة تُكْسَى بها البراجم في الملاكمة الخ. §(٥) يُبرْجم: يضع براجمه على الأرض أثناء لعب «الكِلّة» أو «البيلة» (٦) يَخضع؛ يذعن (تتبعها عادةً *under*) (٧) ينصرف إلى العمل باجتهاد وتصميم (تتبعها عادةً *down*).

knucklebone [nŭk'-] السُّلامَى: عظمةٌ بين مفصِلين من مفاصل الأصابع (ت).

knuckle-duster [nŭk'əl dŭs tər] *(n.)* = knuckle 4.

knuckle joint *(n.)* الوُصلة المَفْصِليّة (مك).

knur [nûr] *(n.)* عقدة أو عُجْرة (في جذع شجرة).

knurl [nûrl] *(n.)* (١) عقدة (في خشب) (٢) عُجْرة.

koala

koala [kō ä'lə] *(n.)* الكُوال: حيوان استراليّ من ذوات الجراب أو الكيس.

kobold [kō'bŏld] *(G.)* قزَم خرافيّ أو روح شرّيرة (في الفولكلور الألماني).

Kodak [kō'dăk] *(n.)* المصورة اليدويّة: آلة تصوير فوتوغرافي يدوية.

Koh-i-noor [kō'ə no͝or'] *(n.)* كوهينور؛ جبل النّور: ماسةٌ كبيرة اكتُشفت في الهند وجُعلت إحدى جواهر التاج البريطاني.

kohl [kōl] *(Ar.)* الكُحْل: ذرور تكتحل به النساء.

kohlrabi [kōl'rä'bĭ] *(n.)* الكُرُنْب الساقيّ؛ أبو رُكبة (نب).

koine [koi nā'] *(n.)* (١) *cap.*: اللغة اليونانيّة التي كانت لغة الكلام والكتابة في بلدان البحر الأبيض المتوسط الشرقيّة في الحقبتين الهلينية والرومانيّة (٢) لهجة (أو لغة) مقاطعة أمست هي اللغة السائدة في منطقة أكبر.

kola [kō'lə] *(n.)* = cola.

kola nut *(n.)* جوزة الكولا: جوزة شجرة الكولا وهي تحتوي على

مادة مخدِّرة ، وتستعمل في إعداد بعض الأشربة .

kola tree *(n.)* شجرة الكولا : شجرة افريقيّة يُستفاد من جوزها في إعداد بعض الأشربة .

kolinsky *or* **kolinski** [kə lĭn'skĭ] *(n.)* (١) الكَوْلنْسك : نِمسٌ آسيويّ (ح) (٢) فَرْوُ الكَوْلنْسك .

kolkhoz [kŏl kôz'] *(Russ.)* pl. **-y** *or* **-es** الكُلْخوز : مزرعة تعاونيّة في الاتّحاد السوفياتي .

kommandatura [-tŏŏr'ə] *(G.)* مقرّ القيادة لحكومة عسكريّة .

Kongo [kŏng'gō] *(n.)* (١) شعب الكونغو أو أحد أفراده . (٢) لغة الكونغو .

Konkani [kŏng'-] *(n.)* اللسان الكونكاني : لغة ساحل الهند الغربي .

koodoo [kōō'dōō] *(n.)* الكُوْد : بقرة وحشيّة افريقيّة .

koodoo

kookaburra [kŏŏk'ə bûr'ə] *(n.)* القِرِلّى أو القاوند الضحّاك : طائر مائيّ استراليّ بحجم الغراب يشبه صوته الضحكَ العالي .

kopeck *also* **kopek** [kō'pĕk] *(n.)* الكوبك : جزء من مئة من الروبل أي من وحدة النقد السوفياتي .

Koran [kō rän'; -răn'] *(Ar.)* القرآن الكريم .

Korean [kō rē'ən] *(n.; adj.)* (١) الكوريّ : أحد أبناء كوريا . (٢) الكوريّة : لغة الشعب الكوري § (٣) كوريّ .

koruna [kô rōō'nä] *(n.)* pl. **koruny** *or* **-nas** الكورون : وحدة النقد التشيكوسلوفاكي .

kosher [kō'shər] *(adj.; n.)* (١) مُباحٌ في الشريعة اليهودية . (٢) صحيح ؛ شرعي ؛ أصلي § (٣) «أ» طعام مُباحٌ أكلُهُ في الشريعة اليهوديّة . «ب» دكان لبيع هذا الطعام .

koumiss [kōō'mĭs] *(Russ.)* الكومِس : شراب مخمَّر كانت تصنعه في الأصل قبائل آسية الوسطى من لَبَن الفَرَس .

kowtow [kou'tou'; kō'-] *(vi.)* (١) يسجد (٢) يتزلف ؛ يتملق .

kraal [kräl] *(n.; vt.)* (١) الكَرال : «أ» قرية من قرى أهالي جنوب افريقية الأصليين . «ب» الكرال كوحدة اجتماعية (٢) زريبة للحيوانات الأليفة (في جنوب افريقية) § (٣) يزربُ (الماشيةَ) في زريبة .

kraft [kråft] *(G.)* الكرافت : ورق قويّ يُصْنَع من لُبّ الشجر .

krait [krīt] *(n.)* الكُرَيْت : أفعى سامّة من أفاعي آسية الشرقية .

kraken [krä'-; krā'-] *(n.)* الكَرَكَن : وحش بحريّ خرافيّ اسكنديناڤي .

K ration [kā'răsh'ən] *(n.)* جِراية الطوارىء : رزمة خفيفة تحتوي على جراية طعام توزع على الجنود المحاربين .

kraut [krout] *(G.)* الكَرَوْت : طعام مُعَدّ من كُرُنب مُخمَّر .

kremlin [krĕm'lĭn] *(Russ.)* (١) حصن (مشرفٌ على مدينة روسيّة) (٢) *cap.* : الكرملين ؛ الحكومة الروسيّة .

kreuzer *or* **kreutzer** [kroit'sər] *(G.)* الكروتزر : عملة معدنيّة صغيرة (كانت متداولة في النمسا وألمانيا) .

krimmer [krĭm'ər] *(G.)* القِرْمي : فرو رمادي يُتّخَذ من جلود حُمْلان شبه جزيرة القِرم .

kris [krēs] *(n.)* الكَرِيس : خنجر اندونيسي .

Krishnaism [krĭsh'-] *(n.)* الكرِشناوية : ضرب من العبادة الهندوسية .

Kriss Kringle [krĭs'krĭng'gəl] *(G.)* بابا نويل ؛ سانتا كلوز .

krona [krō'nə] *(n.)* *pl.* **kronur** (١) الكرونا : وحدة النقد في ايسلندة (٢) *pl.* **kronor** : وحدة النقد في السويد .

krone [krō'nĕ] *(n.)* *pl.* **kroner** (١) الكرَوْن : وحدة النقد الذهبيّة في الدنمرك ونروج (٢) *pl.* **kronen** : «أ» قطعة نقدية ذهبية ألمانيّة قيمتها عشرة ماركات ألغيت عام ١٩٢٤ . «ب» وحدة النقد السابقة في النمسا والمجر (١٨٩٢–١٩٢٥) .

kroon [krōōn] *(n.)* الكرُوْن : وحدة النقد في استونيا من ١٩٢٨–١٩٤٠ .

krypton [krĭp'-] *(n.)* الكربتون : عنصر غازيّ عديم اللون (ك) .

kudos [kū'dŏs] *(n.)* مجد ؛ شهرة .

kudu [kōō'dōō] *(n.)* = **koodoo.**

Ku Kluxer [kū'-] *(n.)* الكوكلوكسي : عضو في جمعيّة الكوكلوكس (را . المادة التالية) .

Ku Klux Klan [kū'klŭks'klăn'] *(n.)* جمعيّة الكوكلوكس : جمعيّة سرية أميركيّة نشأت بعد الحرب الأهلية لترسيخ سيطرة البيض على الزنوج .

kulak [kōō läk'] *(Russ.)* الكولاكي : مزارع غنيّ في روسيا .

kultur [kŏŏl tŏŏr'] *(G.)* (١) «أ» الثقافة بوصفها قوّة تطوّرية تفضي إلى بلوغ مراحل متقدمة في ميدان التنظيم الاجتماعي . «ب» مرحلة من مراحل هذا التنظيم أو نمطٌ من أنماطه (٢) الثقافة المؤكِّدة على الفعالية العملية وعلى إخضاع الفرد للدولة (٣) الثقافة الألمانيّة التي ذهب النازيّون إلى أنها متفوقة على سائر الثقافات .

Kulturkampf [-'kämpf'] *(G.)* النزاع الثقافي : نزاع بين الحكومة المدنيّة والسلطات الدينية (وبخاصة في ما يتعلق بالسيطرة على التربية والتعليم وبتعيين رجال الدين) .

kumiss [kōō'mĭs] *(n.)* = **koumiss.**

kümmel [kĭm'əl] *(G.)* الكُوْمل : شراب مُسْكِر .

kumquat [kŭm'kwŏt] *(n.)* البرتقال الذهبي (نب) .

kunzite [kōōnts'īt] *(G.)* الكونزيت : حجر كريم .

Kurd [kûrd] *(n.)* الكُرْديّ : واحد الأكراد .

Kurdish [kûr'dĭsh] *(adj.; n.)* (١) كُرديّ § (٢) اللغة الكردية .

Kurdistan [kûr'də stăn'] *(n.)* (١) كردستان : بلاد الأكراد . (٢) البساط الكرديّ : ضربٌ من البُسُط ينسجه الأكراد .

kurus [kōō'rōōsh'] *(n.)* pl. **kurus** قرش تركي .

kvass [kväs] *(Russ.)* الكفاس : ضرب من الجعة يُصْنَع في أوروبة الشرقيّة .

kyack [kī'ăk] *(n.)* خُرْج (يوضع على ظهر الدابة) .

kymograph [kī'mə grăf] *(n.)* الكيموغراف : مسجّلة (أداة تسجيل) الحركة أو الضغط .

Kymric [kĭm'rĭk] *(adj.; n.)* = **Cymric.**

kyphosis [kī fō'sĭs] *(n.)* الحَدَب : خروج الظهر ودخول البطن والصدر .

kyrie *also* **kyrie eleison** [kĭr'ĭ ē' ə lā'ə sŏn'] *(n. often cap.)* كريالَيْسون : صلاة مطلعها : «يا ربّ ارحمنا» (نص) .

kyte [kīt] *(n.)* معدة ؛ بطن (اسك) .

ŭ under; **ū** unity; **û** urgent; **th** thing; **th** this; **zh** vision; **ə** = *a* in alone, *e* in system, *i* in easily, *o* in gallop, *u* in circus.

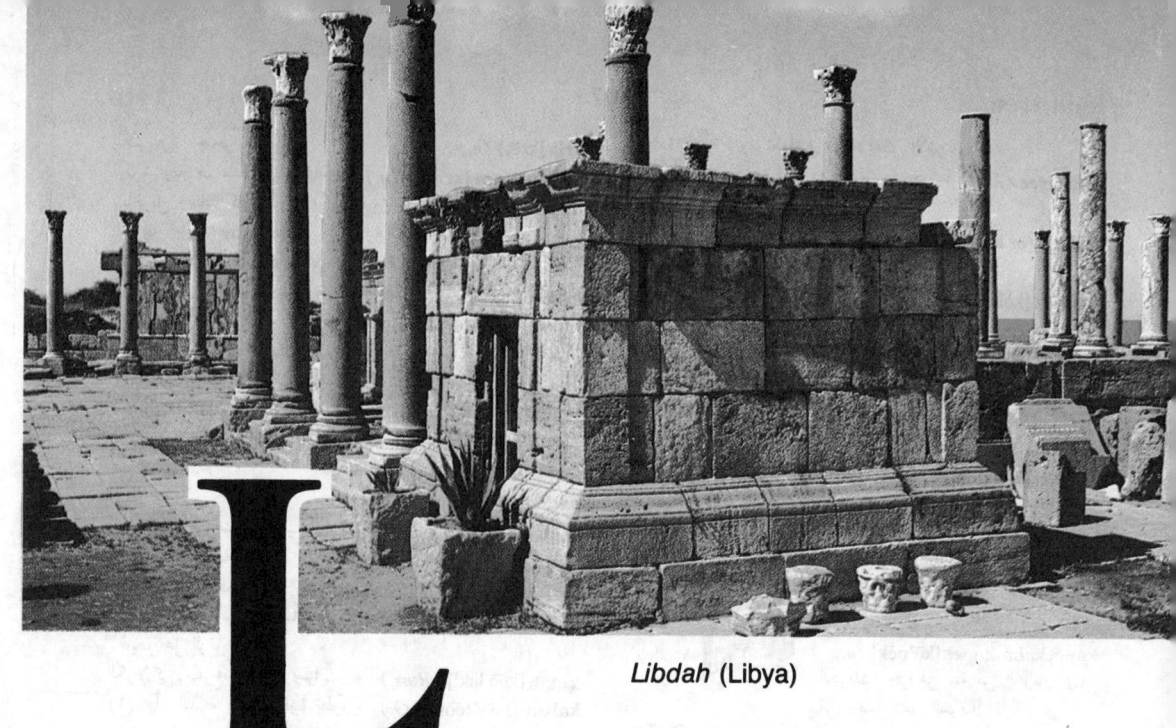

Libdah (Libya)

L

l [ĕl] *(n. often cap.)* (١) الحرف الثاني عشر من الأبجدية الانكليزية. (٢) خمسون (٣) شيء معتبَرٌ حاديَ عشر أو ثانيَ عشر من حيث الترتيب أو الطبقة (٤) شيء على صورة حرف **L**.

la [lä] *(n.)* لا : المقام السادس من السلّم الموسيقي.

la [lô; lä] *(interj.)* هُتاف للتوكيد أو التعجّب.

laager [lä'gər] *(n.; vi.)* (١) معسكر ؛ وبخاصة : معسكر دفاعيّ يحميه سياج من عرَبات (في جنوب افريقية) §(٢) «أ» يعسكر. «ب» يقيم معسكراً.

lab [lăb] *(n.)* = laboratory.

labarum [lăb'ə rəm] *(L.)* اللّبرومة : راية الأباطرة الرومان المتأخرين ؛ وبخاصة : راية الامبراطور قسطنطين بعد تنصّره.

labdanum [lăb'də nəm] *(L.)* اللاذَن : صمغ راتنجيّ يُستخرج من نبات «القَستوس» ويستعمل في صنع العطور.

label [lā'bəl] *(n.; vt.)* (١) «أ» رُقعة (من ورق أو قماش الخ.) تُثبّت على شيء ما ، لتدلّ على محتوياته أو مالِكيه أو الجِهة المُرسَل إليها. «ب» مادة مكتوبة أو مطبوعة تُرفَق بشيء للتعريف أو التوضيح. «ج» نعت ؛ لقب. «د» كلمة أو عبارة تضاف إلى تعريف قاموسيّ (لزيادة الإيضاح) (٢) حلية معمارية فوق باب أو نافذة أو على جوانبهما (٣) طابع (بريدي أو أميري) §(٤) «أ» يلصق رقعة على. «ب» يصف أو يميّز برقعة (The bottle was ~*ed* poison.) (٥) يصنّف شيئاً أو يضعه في زمرة كذا.

labellum *(L.)* pl. **-bella** الشّفة : الجزء الأوسط من تُويج زهرة من الفصيلة السّحلبيّة (نب).

labia [lā'bĭ ə] *pl. of* labium.

labial [lā'bĭ əl] *(adj.)* شَفَويّ : «أ» متعلق بالشفة. «ب» ملفوظ (كبعض الحروف الصحيحة أو الصامتة) بواسطة الشفتين.

labiate [lā'bĭ āt'; -ĭt] *(adj.; n.)* (١) مُشَفَّه : ذو أجزاء تشبه الشفاه في شكلها أو ترتيبها (٢) شفويّ ؛ من الفصيلة الشفوية (نب) §(٣) النبات الشَّفَويّ : نبات من الفصيلة الشفَويّة.

labile[lā'bĭl] *(adj.)* (١) متغيّر ؛ قابل للتغيير (٢) غير مستقرّ : خاضع باستمرار لتغيّر كيميائي أو فيزيائي أو بيولوجي (stable and ~ minerals)

labio- بادئة معناها : شَفَويّ و . . . (*labio*dental).

labiodental [lā'bĭ ō dĕn'təl] *(adj.; n.)* (١) شَفَوِيسِنّي : ملفوظ باشتراك الشفة والأسنان أو الشفتين والأسنان §(٢) حرف شَفَوِيسِنّي.

labium [lā'bĭ əm] *(L.)* pl. **-bia** (١) الشَّفْر : أحد شَفْرَيْ فرْج المرأة (ت) (٢) الشفة السّفلى من تُوَيْج ثُنائيّ الشفة (نب) (٣) «أ» الشفة السفلى لحشرة. «ب» الشفة : جزء شبيه بالشفة في كثيرٍ من اللافقاريات (ح).

labor [lā'bər] *(n.; vi.; t.; adj.)* (١) جُهد (جسدي أو عقلي) وبخاصة حين يكون عسيراً أو إلزامياً (٢) العمل : «أ» النشاط البشري الذي يؤمّن السّلع والخدمات في مجتمع ما. «ب» الخدمات التي يؤدّيها العمال لقاء أجور (٣) «أ» المخاض. «ب» مدّة المخاض (٤) مهمّة (٥) نِتاج جهدٍ أو عمل (٦) «أ» طبقة العمّال (the rights of ~). «ب» العمال المستخدمون في مؤسسة ما أو المتيسّر استخدامهم. «ج» المنظمات أو الهيئات الممثّلة لجماعات من العمال (٧) **Labour** عد: حزب العمال في بريطانية أو إحدى دول الكومنولث البريطاني §(٨) يعمل ؛ يكدح (٩) يجري بتثاقل أو جَهْد (١٠) يجيئها المخاضُ (١١) يَرْزَح ×(١٢) يعالج بتفصيل مفرط (Don't ~ the point.) (١٣) «أ» يثقل ؛ يرهق. «ب» يُحزن ؛ يُقلق §(١٤) عُمّاليّ : متعلق بالعمل أو العمال.

laboratory [lăb'rə tōr'ĭ] *(n.)* (١) مَخْبَر ؛ مُخْتَبَر (٢) الحصة المَخْبَريّة : حصة دراسيّة مخصصة للعمل في المختبر.

labor camp *(n.)* معسكر العمل الإلزامي.

Labor Day *(n.)* عيد العمال (أول مايو أو أول اثنين من سبتمبر)

labored [lā'bərd] *(adj.)* (١) مُنْتَج أو مُنْجَز بجهد (٢) تبدو عليه أمارات الجهد ؛ وبخاصة : متكلّف ؛ غير طبيعي (a ~ style).

laborer [lā'bər ər] *(n.)* العامل ؛ الشغّيل ؛ الكادح.

laborious [lə bōr'ĭ əs] *(adj.)* (١) كادّ ؛ مُجِدّ (٢) جاهِد : مُقْتَضٍ جهداً وكدحاً أو مُتّسِمٌ بهما (a ~ undertaking).

laborite [lā'bə rīt'] *(n.)* العُمّاليّ : (١) عضوٌ في جماعةٍ مناصِرةٍ للعمال (٢) *cap.* : «أ» عضو في حزب سياسيّ يُعْنى ، في المقام

الأول. بالدفاع عن مصالح العمال. «ب» **Labourite** عد: عضو في حزب العمال البريطاني.

laborsaving [lā'bər sā'vĭng] *(adj.)* موفر للعمل: مؤدٍّ إلى اقتصاد في العمل (a ~ device).

labor union *(n.)* نقابة عمال؛ اتحاد عمّال.

labour [lā'bər] *(n.; vi.; t.; adj.)* = labor.

labradorite [lăb'rə dôr īt'] *(n.)* اللَّبْرادوريت: نوع من الفَلْسبار (را feldspar).

labret [lā'brĕt] *(L.)* الشُّفيهة: حلية تعلّق في الشفة بعد ثقبها.

labrum [lā'-; lăb'-] *(L.)* الشفة العليا (لحيوان مفصلي).

laburnum [lə bûr'nəm] *(L.)* السيتيسوس؛ القوطيسوس: نبات من الفصيلة القَرْنية يزرع بعضه للتزيين.

labyrinth [lăb'ə rĭnth] *(n.)* (١) «أ» المتاهة: مكانٌ كثير الممرات والأزقة غير النافذة. «ب» شبكة من الممرات والمجازات المعقدة تفصل ما بينها وشائع مرتفعة (في حديقة) (٢) مشكلة؛ ورطة (٣) التيه؛ الأذن الباطنة (ت).

labyrinthian; labyrinthine [lăb'ə rĭn'-] *(adj.)* (١) متاهي أو كالمتاهة (٢) معقّد.

lac [lăk] *(Skt)* (١) اللَّك: صمغ اللَّك: مادة راتنجية تفرزها بعض الحشرات (٢) lakh.

laccolith [lăk'ə lĭth] *(n.)* الكتلة المُقْحَمة: كتلة من صخر ناريّ مقحمة بين الطبقات الصخرية الرسوبية (جي).

lace [lās] *(n.; vt.; i.)* (١) رباط الحذاء أو المِشد ونحوهما. (٢) بريم؛ شريط زيني للسُّترات العسكرية (٣) تخريم؛ مخرّمات ‖(٤) يعقد برباط (٥) يُدخل رباطاً في ثقوب حذاء (٦) يشدّ الخصر بعقد أربطة مِشدّ عقداً محكماً (٧) يزركش ببريم أو شريط زينيّ (٨) يرسم خطوطاً ملوّنة على شيء (٩) يضرب؛ يجلد (١٠) «أ» يضيف مقداراً طفيفاً من شراب مُسكر إلى شيء (كالقهوة). «ب» يعطيه نكهة ×(١١) يُشدّ أو يُعقد برباط (١٢) يهاجم (Reviewers ~d into the novel.)

lacerate [lăs'ə rāt; -ər ĭt] *or* **lacerated** *(adj.)* (١) ممزّق (٢) معذّب (٣) مُشرذَم: ممزّق الأطراف (~ leaves).

lacerate [-'ə rāt'] *(vt.)* (١) يمزّق (to ~the flesh) (٢) يجرح؛ يؤذي (~d her feelings).

laceration [lăs'ə rā'shən] *(n.)* (١) تمزيق (٢) تمزق.

lacertilian [lăs'ər tĭl'ĭ ən] *(adj.; n.)* (١) عِظائي: متعلق بالعظائيات **Lacertilia** وهي رُتبة أو رُتيبة من الزحّافات ‖(٢) العِظائي: حيوان من العظائيات.

lacewing [lās'-] *(n.)* شبكيّة الجناح: حشرة من شبكيّات الجناح.

laches [lăch'ĭz] *(n.)* إهمال في أداء واجب؛ وبخاصة: توانٍ في توكيد أو إثبات حقٍّ شرعي.

lachrymal *or* **lacrimal** [lăk'rə məl] *(adj.)* (١) دمعي: متعلق بالدمع أو بالغدد الدمعية (٢) دامع (a ~ farewell).

lachrymose [lăk'rə mōs'] *(adj.)* (١) بكّاء؛ كثير البكاء. (٢) كئيب؛ محزن؛ مُسيل للدموع (~ songs).

lacing [lā'sĭng] *(n.)* (١) مص lace (٢) رباط حذاء الخ؛ بريم أو شريط زيني؛ مخرمات (٣) طوق من لون مغاير (على ريشة طائر) (٤) «أ» مقدار ضئيل من مُسكر (يضاف إلى طعام أو شراب). «ب» «رشّة» الخ. تعطي الطعام (أو أي شيء آخر) نكهة خاصة (٥) جلْد؛ ضرب بالسياط.

lack [lăk] *(vi.; t.; n.)* (١) يُعوِز: يعوز الشيء فلا يوجد وأنت محتاج إليه (The Money was ~*ing* for the plan.) (٢) يفتقر إلى (٣) يُعْوِزُه؛ ينقصه × vote ~ *s* five of being a majority.) ‖(٤) فقدان؛ عدم وجود؛ احتياج أو افتقار إلى (to ~ wisdom) (٥) نَقْص (~ of money) (Skilled labor is the chief ~.)

lackadaisical [lăk'ə dā'zə-] *(adj.)* واهن تعوزه الحيويّة.

lackey [lăk'ĭ] *(n.; vt.)* (١) المُبَرْزَ: الخادم المرتدي بزّة خاصّة (٢) التابع الخانع أو المتزلف ‖(٣) يخدم بخنوع. بالحدم

lackluster [lăk'lŭs'tər] *(adj.)* باهت: يعوزه البريق أو الاشراق أو الحيويّة (~ eyes).

laconic [lə kŏn'ĭk] *(adj.)* مُوجَز؛ مقتضَب.

laconism [lăk'ə nĭz'-]; **laconicism** [lə kŏn'-] *(n.)* إيجاز.

lacquer [lăk'ər] *(n.; vt.)* (١) اللّك؛ ورنيش اللّك ‖(٢) يطلي بورنيش اللّك (٣) يصقل.
—**lacquerer** *(n.)*

lacrimal gland *(n.)* الغُدّة الدُّمعيّة (ت).

lacrimation *(n.)* إفراز الدموع (وبخاصة حين يكون مفرطاً).

lacrimator *or* **lachrymator** [lăk'rə mā-] *(n.)* (١) مُسيلة الدموع: مادة مسيلة للدموع (٢) الغاز المسيل للدموع.

lacrosse [lə krôs'] *(n.)* اللَّكْروس: لعبة يحاول المشتركون فيها تسديد الكرة، بمضارب طويلة المقابض، إلى مَرْمى الخصم.

lact- *or* **lacti-** *or* **lacto-** بادئة معناها: «أ» لبن. «ب» الحامض اللبنيّ. «ج» سكّر اللبن أو اللَّكتوز.

lactalbumin [lăk tăl bū'mən] *(n.)* الزلال اللبنيّ.

lactase [lăk'tās] *(n.)* اللَّكْتاز: أنزيمة في اللبن تحوّل اللكتوز (سكّر اللبن) إلى غلوكوز (ك).

lactate [lăk'tāt] *(n.; vi.)* (١) اللَّكْتات؛ اللَّبَنات: ملح الحامض اللبنيّ (ك) ‖(٢) يُفرز اللبن.

lacteal [lăk'tĭ əl] *(adj.; n.)* (١) لَبَنيّ: مؤلّف من لبن أو منتج لبناً أو شبيهٌ باللبن أو محتوٍ لبناً (٢) مِرْبَضِيّ: متعلق بالمرابض ‖(٣) المِرْبَض: واحد المرابِض وهي الأوعية اللمفاوية الناقلة للكَيْلوس (را chyle) من المعي الدقيق إلى القناة الصدرية (ت).

lacteous [lăk'tĭ əs] *(adj.)* لبنيّ؛ لبنيّ اللون.

lactescent [lăk tĕs'ənt] *(adj.)* (١) لبنيّ القوام (٢) لابن: «أ» مُفرز لبناً. «ب» منتج عصارة لبنية (كبعض النباتات).

lactic [lăk'tĭk] *(adj.)* لبنيّ: متعلّق باللبن أو مشتقّ منه.

lactic acid *(n.)* الحامض اللبنيّ: حامض اللبنيك (ك).

lactiferous [lăk tĭf'ə rəs] *(adj.)* لابن: «أ» مفرزٌ أو ناقلٌ لبناً. «ب» منتجٌ عصارةً لبنية.

lactobacillus [lăk'tō bə sĭl'əs] *(n.)* pl. **-cilli** [-sĭl'ī] العُصَيّة اللبنيّة: بكتيريا مكوّنة للحامض اللبنيّ.

lactose [lăk'tōs] *(n.)* اللَّكتوز: سكّر اللبن (ك).

lacuna [lə kū'nə] *(n.)* pl. **-e** *or* **-s** (١) ثغرة (٢) فجوة (ت).
—**lacunal; lacunar; lacunary** *(adj.)*

lacunar [lə kū'nər] pl. **-s** *or* **-ia** *(n.)* (١) المُغوَّر: سقف ذو أجزاء غائرة (على الطراز الروماني القديم) (٢) الغَوْر: أحد الأجزاء الغائرة في سقف.

lacunar 1.

lacustrine [lə kŭs'trĭn] *(adj.)* بُحَيْري: متعلّق بالبحيرات أو نامٍ فيها.

lacy [lā'sĭ] *(adj.)* شريطيّ؛ تخريميّ: متعلّق أو شبيهٌ بالشريط الزيني أو بالمخرّمات.

lad [lăd] *(n.)* (١) صبيّ ، غلام (٢) رجل.
ladanum [lăd'ə nəm] *(n.)* = labdanum.
ladder [lăd'ər] *(n.)* (١) سُلّم (من خشب أو معدن أو حبال) ؛ مِرقاة (٢) شيء يشبه السلّم ؛ وبخاصة : نَسْلٌ في جورب .
ladder-back [lăd'-] *(adj.)* سُلَّميّ الظهر : ذو ظهر مؤلَّف من عِمادَيْن تربط بينهما وُصلاتٌ خشبية (a ~ chair).
laddie [lăd'ĭ] *(n.)* غلام أو صبيّ صغير .
lade [lād] *(vt.; i.)* (١) «أ» يُحمِّل ؛ يَسِق . «ب» يشحن . «ج» يُثْقِل ؛ يُرهِق (٢) يَغْرِف ×(٣) يَنْقل (المركب) شحنةً.
laden [lā'-] *(vt.; adj.)* (١) lade §(٢) محمَّل ؛ موسوق .
ladies' man *(n.)* الزِير : المولَع بمحادثة النساء وملاطفتهنّ .
Ladin [lə dēn'] *(n.)* (١) اللادِنيّة : إحدى اللهجات المنطوق بها في أجزاء من سويسرة والتيرول (٢) اللادنيّ : أحد الناطقين بهذه اللهجة.
lading [lā'dĭng] *(n.)* (١) «أ» شَحْن ؛ وَسْق . «ب» غَرْف ؛ اغتراف (٢) شِحنة ؛ حِمْل .
Ladino [lä dē'nō] *(n.)* (١) الإسباعِبريّة : لهجةٌ مزيجٌ من الاسبانيّة والعبرية (٢) أميركيٌّ لاتينيٌّ ناطق بالاسبانيّة ، وبخاصة : شخص يجري في عروقه دمٌ أوروبيٌّ وهندي أميركي .
ladle [lā'dəl] *(n.; vt.)* (١) مِغْرَفة ؛ كَبْشة §(٢) يَغرف .
lady [lā'dĭ] *(n.)* (١) السيدة : «أ» امرأة ذات سُلْطة أو مِلْكيّة إقطاعيّة . «ب» امرأة تتلقّى ولاء فارس أو عاشق . «ج» *cap.*: مريم العذراء. «د» امرأة ذات مكانة اجتماعيّة عليا. «ه» امرأة ذات كياسة أو تهذيب رفيع . «و» امرأة . «ز» زوجة (٢) لايدي : لقب انكليزي للنساء يقابل لقب لورد للرجال .
lady beetle *(n.)* = ladybird.
ladybird; ladybug [lā'dĭ-] *(n.)* الدُّعسُوقة : خنفساء صغيرة مُرقَّطة الجناحين .

ladybird

Lady Chapel *(n.)* كنيسة العذراء .
Lady Day *(n.)* عيد البشارة « في ٢٥ مارس » (نص) .
ladyfinger [lā'-] *(n.)* إصبع السيّدة : حلوى على شكل إصبع .
lady-in-waiting [lā dĭ ĭn wā'-] *(n.)* وصيفة الملكة أو الأميرة .
lady-killer [lā'dĭ-] *(n.)* فاتن النساء ، ساحر النساء (ع) .
ladykin [lā'dĭ kĭn] *(n.)* سيدة صغيرة .
ladylike [lā'dĭ-] *(adj.)* (١) شبيه بسيدة من حيث المظهر أو الكياسة : مهذَّب ؛ مصقول الحواشي (٢) لائق بسيدة أو ملائم لها (٣) «أ» مُسرف في التأنق . «ب» مخنَّث ؛ تعوزه القوّة أو الفحولة.
ladylove [lā'dĭ lŭv'] *(n.)* الحبيبة ؛ المحبوبة ؛ المعشوقة .
ladyship [lā'dĭ shĭp'] *(n.)* (١) مقام السيدة النبيلة (٢) صاحبة النبل أو العصمة .
lady's maid *(n.)* الماشطة : خادمة مكلّفة بالعناية بملابس السيدة وبمساعدتها على اتخاذ زينتها .
lady's man *(n.)* = ladies' man.
lady's slipper *or* **lady slipper** *(n.)* خُفّ السيدة : نبات من الفصيلة الشفوية ذو زهر شبيه بالخُفّ .
lady's smock *(n.)* حُرْف الماء ، حُرْف المروج : نبات من الفصيلة الصليبية أبيض الزهر أو أرجوانيُّه .

lady's slipper

lag [lăg] *(vi.; t.; n.; adj.)* (١) «أ» يتخلّف ؛ يتلكأ . «ب» يتباطأ ؛ يتوانى (٢) يَفْتُر ؛ يَضعف تدريجياً ×(٣) يقذف بالقطعة النقدية أو بالكِلّة (البِيلة) ليرى لمن الأولوية في اللعب (٤) ينفي مجرماً أو يزجّ به في السجن (ع) (٥) يعتقل (ع) (٦) «أ» يزوّد البرميل بضلع . «ب» يغلّف : يغطي المرجل البخاريّ منعاً لتشعّع الحرارة §(٧) المتخلِّف ؛ المتلكِّىء ؛ سُكَيْت الحلبة (٨) «أ» تخلّف ؛ تلكّؤ ؛ تباطؤ ؛ فتور . «ب» مقدار ذلك أو مدّته . «ج» فترة فاصلة (٩) قَذْف القطعة النقدية أو «الكِلّة» لتقرير الأولوية في اللعب (١٠) «أ» المنفيّ (لجريمة ارتكبها) . «ب» المحكوم عليه بالسجن (مدةً طويلةً عادةً) . «ج» مدّة المحكوميّة بالسجن (١١) ضلع برميل (١٢) ضلع أو قِدّة تشكّل جزءاً من غطاء لشيء أسطوانيّ §(١٣) الأخير .
lagan [lăg'ən] *also* **lagend** [-'ĕnd] *(n.)* سِلع المطروحات : تُطْرَح في البحر ، مشدودةً إلى طافيةٍ أو عوّامةٍ ، لكي يُستطاع انتشالها في ما بعد .
lager [lä'gər; lô'-] *(n.)* جَعَة أو بيرة معتّقة .
laggard [lăg'ərd] *(adj.; n.)* متلكّىء ؛ متقاعس ؛ بطيء .
lagging [lăg'ĭng] *(n.)* (١) «أ» ضلع برميل . «ب» ضلع أو قِدّة تشكّل جزءاً من غطاء لشيء أسطوانيّ . «ج» تغليف (را. lag 6) . «د» مواد التغليف (٢) مثبّتات العقد : ألواح خشبية لتثبيت العَقْد أثناء البناء .
lagniappe [lăn yăp'; lăn'yăp] *(n.)* هدية صغيرة ؛ وبخاصة : هدية صغيرة يقدّمها التاجر إلى الزبون .
lagomorph [lăg'ə môrf'] *(n.)* الأرنبيّ : واحدُ الأرنبيات **Lagomorpha** وهي رتبة من الثدييات القاضمة تشمل الأرانب وغيرها.
lagoon [lə gōōn'] *(F.)* الهَوْر ، اللاّغون : بحيرة ضَحْلة ، وبخاصة إذا كانت قريبة من البحر أو متّصلة به (the ~s of Venice) .
laguna [lə gōō'nə] *(Sp.)* (١) lagoon (٢) بحيرة أو بركة .
laic [lā'ĭk] *(adj.; n.)* (١) خاصّ بجمهور المؤمنين (بوصفهم طبقة متميّزة عن طبقة رجال الدين) (٢) علمانيّ ؛ مدنيّ §(٣) العلمانيّ : شخص من غير رجال الدين .
—laical *(adj.)*
laicism [lā'ə sĭz əm] *(n.)* النظام العلمانيّ : نظام سياسيّ متميّز بإقصاء النفوذ الكهنوتيّ عن الدولة الخ .
laicize [lā'ə sīz'] *(vt.)* يُعَلْمِن : يجعله علمانياً ؛ ينزع عنه الصفة الكهنوتية .
laid [lād] *past; past part. of* lay.
laid paper *(n.)* الورق المدموغ : ورق في نسيجه علامات مائيّة .
lain [lān] *past part. of* lie.
lair [lâr] *(n.)* (١) سرير (٢) وِجار ؛ عرين (٣) ملجأ ؛ مخبأ .
laissez-faire [lĕs'ā fâr'] *(F.)* سياسة عدم التدخل : مبدأ يقاوم التدخّل الحكومي في الشؤون الاقتصاديّة إلا بمقدار ما يكون ذلك التدخّل ضرورياً لصيانة الأمن وحقوق المِلكية الشخصيّة (اد).
laissez-passer [lĕs ā pä sā'] *(F.)* جواز مرور .
laity [lā'ə tĭ] *(n.)* (١) الكافّة : جمهور المؤمنين باستثناء رجال الدين. (٢) سواد الناس (بوصفهم طبقة متميّزة عن أصحاب مهنة ما) .
lake [lāk] *(n.; vi.; t.)* (١) بحيرة (٢) اللَّيْك : «أ» صِبْغ أحمر ضارب إلى الأرجوانيّ مُعَدّ من اللَّكّ . «ب» صِبْغ مُعَدّ من مادّة حيوانيّة أو نباتيّة الخ . ملوّنة متحدة مع بعض المركبات المعدنية (٣) لون قرمزيّ §(٤) يتغيّر الدم بحيث ينحلّ اليحمور (الهيموغلوبين) في البلازما أو مصل الدم ×(٥) يغيّر الدّمَ بحيث ينحلّ على هذا النحو .
lake dweller *(n.)* ربيب البحيرات : من يسكن بيتاً في بحيرة .
lake dwelling *(n.)* بيتٌ في بحيرة (وبخاصة قبل التاريخ) .
lake herring *(n.)* رَنكة البحيرات : ضرب من السمك .

laker [lāk'-] *(n.)* (١) البُحَيْرِيّ : مَن يعيش أو يشتغل في بحيرة . (٢) السمكة البُحَيْرِيّة : سمكة تحيا في بحيرة أو تصاد منها (٣) المركب البُحَيْرِيّ : مركب للملاحة في البحيرات .

lakh [lăk] *(Hin.)* (١) مئة ألف (في الهند) (٢) عدد ضخم (في الهند).

lam [lăm] *(vt.; i.; n.)* (١) يضرب ؛ يجلد (٢) يفِرّ مسرعاً . §(٣) فرار مفاجىء أو عاجل، وبخاصة من وجه العدالة .

on the ~, فارّ ؛ لائذ بالفرار .

to take it on the ~, يلوذ بالفرار .

lama [lä'mə] *(n.)* اللاّما : راهب بوذيّ لاميّ .

Lamaism [lä'mə iz'əm] *(n.)* اللامية : بُوذيّة التيبت ومنغوليا .

Lamarckism [lə mär'kiz əm] *(n.)* اللاماركيّة : مذهب لامارك في التطوّر العضويّ ، وهو يؤكّد على أنّ التغيّرات البيئويّة تُحدث في الحيوانات والنباتات تغيّرات بِنْيَوِيّة تنتقل إلى الذرية (أح) .

lamasery [lä'mə-] *(n.)* الدير اللاميّ : دير للرهبان اللاميّين .

lamb [lăm] *(n.; vi.; t.)* (١) حَمَل (٢) «أ» الوديع ؛ الضعيف (فكأنه حَمَل) . «ب» العزيز ؛ الحبيب «ج» الساذج (٣) «أ» لحم الحَمَل . «ب» جلد الحمل §(٤) تلِد (النعجة) حَمَلاً ×(٥) يُعنى بالنعاج في فترة الوضع .

lambada *(n.)* اللامبادا : رقصة برازيليّة سريعة .

lambaste [lăm bāst'] *(vt.)* (١) يضرب ؛ يجلد (٢) يلوم ؛ يوبّخ .

lambent [lăm'bənt] *(adj.)* (١) خافق (a ~ flame) (٢) لامع ؛ بارق (~ eyes) (٣) رشيق : متميّز بالرقة والابداع وبخاصة في التعبير (~ humor) .
—**lambency** *(n.)*

lambert [lăm'bərt] *(n.)* اللامبرت : وحدة لقياس إشراقية سطح ما .

lambrequin [lăm'brə kĭn] *(F.)* (١) حجاب الخوذة : قماش يكسو خوذة الفارس (في القرون الوسطى) لوقايتها من الحرارة أو الصدإ الخ . (٢) الحجاب : ستارة زخرفيّة تكسو أعلى الباب أو النافذة أو تتدلى من رف .

lambskin [lăm'skĭn] *(n.)* جلد الحَمَل أو الفرو المتّخَذ منه .

lame [lām] *(adj.; vt.; n.)* (١) مُقْعَد ؛ كسيح . (٢) «أ» أعرج . «ب» معطوب إحدى الذراعين (٣) ضعيف ؛ واهٍ (a ~ excuse) § (٤) يجعله مُقْعَداً أو أعرج (٥) يُضْعِف §(٦) صفيحة معدنيّة رقيقة .

lamé [lä mā'] *(F.)* اللاّمية : نسيج تتخلّله خيوط معدنيّة .

lame duck *(n.)* البطّة العرجاء : «أ» صاحب منصب (أو مجموعة من مثلِه) يواصل النهوض بأعباء منصبه فترةً موقّتة تمتدّ بين هزيمته في انتخابات جديدة وبين تولّي الفائز في تلك الانتخابات منصبه رسمياً . «ب» الضعيف (في جسمه أو شخصيته أو عقله) .

lamella [lə mĕl'ə] *(L.)* pl. **-e** *also* **-s** الرقيقة : طبقة أو قشرة أو صفيحة رقيقة («ح» و «نب») .

lamellar [lə mĕl'ər] *(adj.)* = **lamellate.**

lamellate; -d [lăm'ə-] *(adj.)* رقائقيّ : مؤلف من رقائق أو شبيه بها .

lamellation [lăm ə lā'-] *(n.)* (١) الترقّق : الانقسام إلى رقائق أو صفائح (٢) الرّقيقة (را . lamella) .

lamellibranch [lə mĕl'ə brăngk] *(n.; adj.)* (١) الرقيقيّ الخياشيم : واحد من رقيقيات الخياشيم **Lamellibranchia** وهي رتبة من الرخويات تشمل المحار والبطلينوس الخ . §(٢) رقيقيّ الخياشيم .

lamellicorn [-'ə kôrn'] *(adj.; n.)* (١) رقيقيّ القرون : ذو قرون استشعاريّة منتهية برقائق أو صفائح §(٢) خنفساء رقيقية القرون .

lamelliform [lə mĕl'-] *(adj.)* رقيقيّ : شبيه بقشرة أو صفيحة رقيقة .

lament [lə mĕnt'] *(vi.; t.; n.)* (١) يَعْوِل ؛ ينوح ×(٢) يندب ؛ يرثي أو يتفجّع على §(٣) عويل ؛ نواح ؛ تفجّع (٤) مرثاة .

lamentable [lăm'ən tə bəl] *(adj.)* (١) مؤسف ؛ باعث على الأسى (a ~ misfortune *or* error) (٢) فاشل ؛ جدير بالرثاء (a ~ performance of a play) (٣) حزين (a ~ countenance) .

lamentation [lăm'ən tā'shən] *(n.)* (١) عويل ؛ نواح ؛ تفجّع . (٢) مناحة .

lamented [lə mĕn'tĭd] *(adj.)* متفجَّع أو مُنْتَحَب عليه .

lamia [lā'mĭ ə] *(n.)* (١) مصّاص الدماء : وحش خرافيّ زعموا أن له رأسَ امرأة وصدرها وجسمَ أفعى وأنه يغوي الأطفال والفتيان ليمتصّ دماءهم (٢) «أ» vampire 1 . «ب» العرّافة .

lamiaceous [lā'mĭ ā'shəs] *(adj.)* شفويّ : من الفصيلة الشفوية (نب) .

lamin- بادئة معناها : صفيحة ؛ صفيحة رقيقة (را . المادة التالية) .

lamina [lăm'ə nə] *(n.)* pl. **-nae** *or* **-nas** (١) صفيحة رقيقة . (٢) الصُّفيحة : «أ» نصل الورقة أو الجزء العريض المنبسط منها (نب) . «ب» إحدى الصفائح النسيجية الرقيقة التي تكسو اللحم ضمن جدار الحافر .

laminal; laminar [lăm'-] *(adj.)* صفائحيّ : مؤلف من صفائح رقيقة أو شبيه بها أو مرتّب كترتيبها .

laminar flow *(n.)* الاندفاق الصفَحيّ (في علم السوائل المتحرّكة) .

laminate [*v.* lăm'ə nāt'; *adj.* -'ə nāt'; -nĭt] *(vt.; i.; adj.; n.)* (١) يصفّح : «أ» يرقّق على شكل صفائح . «ب» يفصل الى صفائح رقيقة . «ج» يصنع بوضع صفيحة او طبقة فوق اخرى ×(٢) يتصفّح : ينفصل الى صفائح §(٣) مصفّح : «أ» مؤلف من صفائح . «ب» مكسوّ بصفائح §(٤) أحد المُنْتَجات المصنوعة بالتصفيح .

laminated [lăm'ə nā'tĭd] *(adj.)* مصفَّح : مؤلف من صفائح رقيقة او طبقات مضغوطة .

lamination [lăm'ə nā'-] *(n.)* (١) تصفيح (٢) تَصَفُّح . (٣) المصفّح : شيء مؤلف من صفائح رقيقة (٤) صفيحة رقيقة .

lamini- *or* **lamino-** = lamin-.

Lammas [lăm'əs] *(n.)* (١) أول أغسطس أو آب (ويُدعى أيضاً *Lammas Day*) (٢) الفترة الواقعة حوالي أول أغسطس أو آب (وتدعى أيضاً *Lammastide*) .

lammergeier *or* **lammergeyer** [lăm'ər gī'ər] *(G.)* كاسر العظام : طائر بين النسر والعُقاب .

lamp [lămp] *(n.)* (١) «أ» مصباح ؛ قنديل . «ب» مصباح كهربائي ؛ لمبة (٢) جِرم سماويّ (٣) مصدر إشعاع فكري أو روحي .

lampblack [lămp'blăk'] *(n.)* السِّناج : سُخام المصابيح .

lamper eel [lăm'pər] *(n.)* = **lamprey.**

lamplighter [lămp'lī'tər] *(n.)* (١) مُشعِل مصابيح الشوارع . (٢) لفافة ورقيّة أو رقاقة خشبية لإشعال المصابيح .

lampoon [lăm po͞on'] *(n.; vt.)* (١) أُهْجُوّة لاذعة . (٢) أُهْجُوّة خفيفة ساخرة §(٣) يهجو ؛ يسخر من .

lamprey [lăm'prĭ] *(n.)* الجَلَكَى ؛ الجَلْكا : سمك كالانقليس .

lanai [lä nä'ē] *(n.)* شرفة ؛ «فرندة» .

lanate [lā'nāt] *(adj.)* أصْوَف ؛ أوْبَر : وافر الصوف أو الوبر .

lance [lăns; läns] *(n.; vt.; i.)* (١) رمح ؛ مِزراق (٢) «أ» مِبضع ؛ مِشرط . «ب» حربة لصيد الحيتان (٣) الرمّاح : حامل الرمح §(٤) «أ» يطعن بالرمح . «ب» يبضع : يشق بمبضع أو نحوه (٥) يقذف ؛ يرشق ×(٦) يندفع بسرعة .

lance corporal *(n.)* وكيل عريف (في البحرية) .

lancelet [lăns'lĭt] *(n.)* الرميح : حيوان بحريّ صغير .

lanceolate [lăn'sĭ ə lāt;-lĭt] *(adj.)* رمحيّ الشكل : مستدقّ الطرف .

lancer [lăn'sər] *(n.)* (١) الرمّاح ؛ حامل الرمح (٢) مجموعة من خمس رقصات أو موسيقاها .

lancet [lăn'sĭt; län'-] *(n.)* مِبضَع ؛ مِفصَد .

lancet arch *(n.)* العَقد الرمحيّ : عَقد مُستدقّ الطَّرَف (عم) .

lanceted [lăn'sə tĭd] *(adj.)* مُرمَّح : «أ» ذو عَقد مستدقّ الطرَف (عم). «ب» ذو نوافذ رمحيّة (را . المادة التالية) .

lancet window *(n.)* النافذة الرمحية : نافذة عالية ضيقة تنتهي بعقد مستدقّ الطرَف .

lancinate [lăn'sə nāt'] *(vt.)* يطعن ؛ يجرح ؛ يمزّق .

land [lănd] *(n.; vt.; i.)* (١) اليابسة (٢) «أ» بلد ؛ منطقة . «ب» شعب بلد ما . «ج» عالَم ؛ دنيا (٣) «أ» أرض أو تربة ذات طبيعة خاصّة . «ب» *pl.* : ممتلكات إقليميّة (٤) عَقار ؛ قطعة أرض § (٥) يُنزِل إلى اليابسة (٦)«أ» يوصله إلى مكان أو حالة ما . «ب» يجعل الطائرة تهبط في مكان ما (٧)«أ» يصيد (to ~ a fish) . «ب» يعتقل ؛ يقبض على (The detective ~*ed* the criminal.) × (٨) «أ» يهبط (إلى اليابسة) . «ب» ترسو (السفينة) عند الشاطىء (٩) «أ» يصل (الى فندق الخ .) . «ب» يترجّل من طائرة أو قطار . «ج» يمسّ الأرض (عند السقوط أو الوثوب) . «د» تهبط (الطائرة) أو تحطّ .

landau [lăn'dô; -dou] *(n.)* اللَّنْدوية : «أ» عربة بأربع عجلات ذاتُ غطاء مقسوم إلى قسمين بحيث يستطاع طيّه أو إزالته . «ب» سيارة مقفلة ذات غطاء قصير قابلٍ للطي .

landau *a.*

landaulet [lăn'dô lĕt'] *(n.)* (١) لَنْدوية (را . landau) صغيرة. (٢) اللَّندوليت : سيّارة ذات غطاء للمقعد الخلفي قابل للطيّ في حين يكون المقعد الأمامي مكشوفاً أو غير مكشوف .

landed [lăn'-] *(adj.)* (١) مالكٌ أرضاً (a ~ proprietor). (٢) مؤلَّف من أراضٍ (~ property) .

landfall [lănd'fôl'] *(n.)* (١) بلوغ اليابسة أو ظهورها لعيْن المسافر (بعد رحلة بحرية أو جوية) (٢) اليابسة التي تبدو أول مرة لعين المسافر بحراً أو جواً .

land grant *(n.)* المنحة الأرضية : أرض تمنحها الحكومة للكلّيات الزراعيـة أو للمنفعة العامّة .

landgrave [lănd'grāv] *(G.)* اللَّنْغريف : نبيل أو «كونت» ألماني .

landholder [lănd'hōl'dər] *(n.)* مالك الأرض أو صاحبها .

landing [lăn'dĭng] *(n.)* (١) «أ» إنزال أو نزول إلى اليابسة . «ب» رسوّ (السفينة) . «ج» حطّ ؛ هبوط (الطائرة) (٢) رصيف المرفأ (٣) مُنبَسَط الدرج أو سلّم المبنى .

landing craft *(n.)* صَندل الإنزال : مركب لإنزال الجند أو العتاد إلى الشاطىء (جن) .

landing field *(n.)* المَهبِط ؛ المطار .

landing gear *(n.)* المِهبَطة : جهاز الهبوط أو عجلاته (طي) .

landing strip *(n.)* مَهبِط الطائرات .

landlady [lănd'-] *(n.)* (١) مالكة الأرض (٢) صاحبة الفندق الخ .

landlocked [lănd'-] *(adj.)* (١) مَحُوط أو مكتنَف بالأرض . (٢) محصور في المياه العذبة بحاجز ما (a ~ salmon) .

landlord [lănd'-] *(n.)* (١) مالك الأرض (٢) صاحب الفندق الخ .

landlordism [lănd'lôr dĭz'əm] *(n.)* الامتلاكيّة : نظام اقتصادي يملك بموجبه الأرضَ شخصٌ واحدٌ يؤجّرها للمزارعين .

landlubber [lănd'lŭb'ər] *(n.)* = landsman.

landmark [lănd'-] *(n.)* المَعلَم : «أ» علامة الحدود. «ب» حدَثٌ أو تطوّر يمثّل نقطة تحوّل (~ s of human progress) .

landmass [lănd'-] *(n.)* مساحة واسعة من الأرض .

land office *(n.)* مكتب مصلحة العقارات .

land-office business *(n.)* نشاط أو ازدهار تجاري .

landowner [lănd'-] *(n.)* مالك الأرض ؛ صاحب الأرض .

land-poor [lănd'pŏŏr'] *(adj.)* مُعْسِر أرض أو أطيان : مالكٌ أراضيَ واسعةً ولكنها مرهونة أو مثقلة بالديون بحيث يعوزه المال للعناية بها أو لدفع الديون المستحقة عليها .

land reform *(n.)* الإصلاح الزراعي : توزيع الأراضي الزراعيّة ، بموجب قانون حكوميّ ، توزيعاً أكثر عدالة

landscape [-'skāp'] *(n.; vt.; i.)* (١)«أ» صورة تمثّل منظراً طبيعياً في داخلية البلاد . «ب» فنّ تصوير هذه المناظر الطبيعية (٢) منظر طبيعي ريفي (رائع عادةً) § (٣) يحسّن أو يزيّن من طريق هندسة المناظر الطبيعية وما إليها (را . المادة بعد التالية) .

landscape architect *(n.)* مهندس المناظر (را . المادة التالية) .

landscape architecture *(n.)* هندسة المناظر : فن تعديل أو تحسين سمات المناظر الطبيعية والشوارع والمباني الخ. بحيث تخلّف في النفس أثراً جمالياً قوياً .

landscape gardening *(n.)* البَستنة المناظرية : فن ترتيب الأشجار والممرات والينابيع بحيث تخلّف في النفس أثراً مستحباً .

—landscape gardener *(n.)*

landside [lănd'-] *(n.)* عَظْم المحراث أو لوحه العريض .

landslide [-'slīd'] *(n.; adj.)* (١) «أ» الانهيال : انهيار الصخور أو التربة عند منحدر . «ب» الهَيْل : ما انهال من صخر أو تراب (٢) «أ» أغلبية كبيرة (ينالها حزب ما في الانتخابات) . «ب» انتصار ساحق § (٣) ساحق ؛ مُبين (a ~ victory) .

landslip [lănd'slĭp] *(n.)* = landslide 1.

landsman [lăndz'mən] *(n.)* (١) الريفيّ أو ساكن البرّ (٢) البحّار الغِرّ : بحّار قليل الخبرة .

landward [lănd'wərd] *(adv.; adj.)* (١) نحو اليابسة أو الشاطىء . § (٢) واقع أو متّجه نحو اليابسة .

landwards [lănd'-] *(adv.)* = landward.

lane [lān] *(n.)* (١) ممرّ ضيّق (بين الأسيجة أو الوشائع) . (٢) مجاز ضيّق نسبياً ، مثل «أ» طريق في الأوقيانوس تحدَّد للبواخر المبحرة في الاتجاه نفسه دفعاً للاصطدام . «ب» زُقاق . «ج» أحد المجازات المتوازية التي يتعين على المتبارين أن لا يغادروها أثناء سباقٍ في العَدْو . «د» مجاز لكُرات لعبة البولنغ .

langlauf [läng'louf] *(G.)* سباق التزلّج الطويل .

langley [lăng'lĭ] *(n.)* اللانغلي : وحدة لقياس الاشعاع الشمسي .

lang syne [lăng'sīn'; -zīn'] *(adv.; n.)* (١) منذ عهد بعيد . § (٢) العهود الخالية (اسك) .

language [lăng'gwĭj] *(n.)* (١) لغة (٢) أسلوب (٣) دراسة اللغة (وبخاصة كموضوع مدرسي) .

languet [lăng'gwĕt] *(n.)* اللسان : كل ما يشبه اللسان شكلاً أو وظيفة .

languid [lăng'gwĭd] *(adj.)* (١) واهن ؛ ضعيف ؛ مُضنًى . (٢) كسِيل ؛ فاتر الهِمّة (٣) بطيء .

languish [lăng'gwĭsh] *(vi.)* (١) يَهِن ؛ يَضعُف ؛ يَضنَى .

(٢) «أ» تفتر همته . «ب» يَهْزُل ؛ يَذْبل (٣) يشتاق الى (٤) يتخذ سِيما من الأسى أو الانفعال التماساً للعطف .

—languishing *(adj.)* **—languishment** *(n.)*

languor [lăng'gər] *(n.)* (١) وَهَن ؛ ضَنى (٢) تراخٍ ؛ كسل .

languorous [lăng'gər əs] *(adj.)* (١) واهن ؛ ضعيف ؛ متراخٍ . (٢) باعث على الوَهَن أو التراخي (~ fragrance) .

langur [lŭng gŏŏr'] *(n.)* اللَّنغور : قرد آسيوي طويل الذيل .

lank [lăngk] *(adj.)* (١) مهزول ؛ نحيل (a ~ boy) (٢) هزيل ؛ ضئيل (~ grass) (٣) سَبْط ؛ غير جَعْد (~ hair) .

—lankly *(adv.)* **—lankness** *(n.)*

lankily [lăngk'-] *(adv.)* على نحو طويل مع هزال أو ضمور .

lankiness [lăngk'-] *(n.)* طُول مع هزال أو ضمور .

lanky [lăngk'ĭ] *(adj.)* طويل مع هزال أو ضُمور .

lanner [lăn'ər] *(n.)* (١) الحُرّ: ضربٌ من الصقور (٢) أنثى الحُرّ.

lanneret [lăn'ə rĕt] *(n.)* ذَكَر الحُرّ (را . المادة السابقة) .

lanolin [lăn'ə lĭn] *(n.)* اللانولين ؛ دهن الصوف : مادة دهنية تستخرج من الصوف وتستعمل في إعداد المراهم .

lantana [lăn tā'nə; -tä'-] *(n.)* اللَّنتانة ؛ الملتوية : جَنْبَة استوائية ذات زهر أصفر أو برتقاليّ عطِر (نب) .

lantern [lăn'tərn] *(n.)* (١) المِشكاة: صندوق زجاجيّ يوضع فيه المصباح (٢) «أ» منارة ؛ فنار (ا.ق) . «ب» حجرة الضوء في منارة. «ج» مَنْوَر السقف. «د» برج صغير (٣) الفانوس السحري.

lantern-jawed *(adj.)* ذو فكّين طويلين هزيلين وخدّين غائرين.

lantern pinion *or* **wheel** *(n.)* التُرس الفَناري (مك).

lanthanum [lăn'thə nəm] *(n.)* اللَّنثانوم : عنصر فلزي (ك).

lantern pinion

lanuginous *or* **lanuginose** [lə nū'-] *(adj.)* أزغب : مكسوّ بالزَغَب .

lanugo [lə nū'gō; -nōō'-] *(n.)* زَغَب ؛ وبخاصة : زغب الجنين .

lanyard [lăn'yərd] *(n.)* (١) حَبْل قصير (٢) الحبْل العُنُقي : حبل يطوّق به العُنُق (لحمل مدية أو صافرة او كرمز على البسالة العسكرية) (٣) حَبْلة فتح النار (في بعض المدافع) .

Lao [lou] *or* **Laotian** [lā ō'shən] *(n.; adj.)* (١) اللاويّون : شعب بوذيّ يقيم في اللاوس والأجزاء المتاخمة من شمالي شرقيّ تايلند (٢) اللاويّ: أحد اللاويين (٣) اللاويّة : لغة اللاويين §(٤) لاويّ .

lap [lăp] *(n.; vt.; i.)* (١) الطرف المتراكب : طرف الثوب الذي يمتدّ متراكباً فوق طرفه الآخر (the front ~ of a coat) (٢) «أ» ذلك الجزء (من الثوب) الذي يغطي الركبتين والفخذين والجزء الأدنى من الجذع عند الجلوس . «ب» حِجر ؛ حِضن . «ج» مَهْد (the ~ of luxury) (٣) كَنَف (in the ~ of the gods) (٤) «أ» مدى التراكب : مقدار تراكب شيء فوق آخر . «ب» الجزء المتراكب (٥) المِصقلة : أداة صقل (٦) ثَنْية ؛ طيّة (٧) «أ» دورة مفردة (في سباق) . «ب» مرحلة من رحلة (٨) «أ» لَعْق ؛ لَحْس . «ب» لَعْقة ؛ لَحْسة (٩) شراب أو طعام غير مركّز (١٠) ارتطام الموج، برفق، بالصخور الخ. §(١١) يطوي؛ يلفّ (١٢) يَثْني (١٣) يَحتضن (١٤) يُراكب ؛ يضع جزءاً من شيء فوق شيء آخر (١٥) يصقل صقلاً شديداً (١٦) يَسبق منافسه في السباق بدورة واحدة أو أكثر (١٧) يلعق الطعام أو الشراب ×(١٨) ينطوي؛ يلتفّ (١٩) «أ» يُطِفّ على . «ب» يتراكب جزئياً (٢٠) يرتطم الموج ، برفق ، بالصخور .

laparotomy [-rŏt'-] *(n.)* شقّ البطن : فَتْح البطن بعملية جراحية.

lapboard [lăp'bōrd'] *(n.)* لوح الحِضْن أو الحُجْر : لوح رقيق يوضع على الحِضن ويستعاض به عن المنضدة .

lap dog *(n.)* كلب الحِضن : كلب صغير يوضع في الحضن .

lapel [lə pĕl'] *(n.)* طيّة صدر السّترة (وهي تشكّل امتداداً للقبّة) .

lapful [lăp'fŏŏl] *(n.)* مِلء الحضن أو الحُجْر .

lapidarian [-ə dâr'-] *(adj.)* (١) منقوش على الحجَر (~ records) (٢) بالغ الأناقة والدقة (~ phrases).

lapidary [lăp'ə dĕr'ĭ] *(n.; adj.)* (١) مُهَنْدِم أو صاقل الحجارة الكريمة أو الناقش عليها (٢) فنّ قطع وهندمة الحجارة الكريمة §(٣) «أ» منقوش على الحجر . «ب» متعلق بالحجارة الكريمة أو بفنّ قطعها وهندمتها (٤) بالغ الأناقة والدقة ؛ متّسِم بالأناقة والدقّة المصاحبتَيْن للنقش على النصب التذكارية .

lapillus [lə pĭl'əs] *(n.)* pl. **lapilli** اللُوَيْبة : فلذة حجرية أو زجاجية من الحمم يلفظها بركانٌ ثائر .

lapin [lăp'in] *(F.)* (١) أرنب ؛ وبخاصة : أرنب مخصيّ. (٢) فَرْوُ الأرنب .

lapis lazuli [lăp'is lăz'yōō lī; -lĭ] *(Ar.)* اللازَوَرْد : حجر سماويّ الزُرقة .

lap joint *(n.)* وُصلة تراكب .

Lapp [lăp] *(n.)* (١) اللابيّ : واحد اللابّيين وهم شعب مترحّل يعيش على صيد الأسماك والثدييات البحرية (في شمالي اسكنديناقية وفنلندة الخ.) (٢) اللابيّة : لغة اللابيّين .

lappet [lăp'ĭt] *(n.)* (١) طيّة أو حاشية (في ثوب أو غطاء للرأس) (٢) جزء مسطّح متدلّ أو متراكب ؛ مثل «أ» شحمة الأذن . «ب» زنمة الطائر . «ج» آجرّة سقف .

lapse [lăps] *(n.; vi.; t.)* (١) «أ» زلة ؛ هَفْوَة . «ب» سقوط (أو انحراف) موقّت إلى حالة أو وضع أدنى (٢) هبوط ؛ وبخاصة : هبوط في الحرارة أو الضغط بحكم ازدياد الارتفاع . «ب» انحطاط (٣) «أ» سقوط الحق (بحكم إهمال ممارسته ضمن مدة محدّدة) . «ب» انقطاع (٤) ارتداد (عن دِين) (٥) مرور أو انقضاء الزمن . أيضاً : فترة زمنية §(٦) «أ» يزلّ ؛ وبخاصة : يرتدّ عن السبيل القويم (أخلاقياً أو دينياً) . «ب» ينحدر تدريجياً (~*d* into bad habits) (٧) ينقطع ؛ يزول (٨) ينتقل من مالك إلى آخر (بحكم الإهمال أو سقوط الحق) (٩) يمرّ (أو ينقضي) الزمن ×(١٠) يُهْمِل أو يُبْطِل .

lapstrake [lăp'strāk] *also* **lapstreak** [-'strēk] *(adj.; n.)* (١) متراكب الألواح §(٢) سفينة متراكبة الألواح .

lapwing [lăp'-] *(n.)* الزَقزاق الشامي ؛ أبو طِيط : طائر مائي .

lar [lär] *(n.)* pl. **-es** [lâr'ēz] اللار : إلهٌ أو روحٌ حارس (عند الرومان) .

larboard [lär'bōrd] *(n.; adj.)* (١) الميْسَرة : الجانب الأيسر من السفينة أو الطائرة (بالنسبة إلى راكب موجهٍ وجْهَهُ نحو مقدّمها) §(٢) أيْسَر (the ~ side of a boat) .

larcener [lär'sə nər] ; **larcenist** [lär'sə nĭst] *(n.)* لص .

larcenous [lär'sə nəs] *(adj.)* (١) لصوصيّ (٢) «أ» مرتكبٌ سرقةً ؛ سارق . «ب» ميّال للسرقة .

larceny [lär'sə nĭ] *(n.)* سرقة ؛ لصوصيّة .

larch [lärch] *(n.)* (١) اللارَكْس ؛ الأرزية : شجرة من الفصيلة الصنوبرية (٢) خشب اللارَكْس .

lard [lärd] *(vt.; n.)* (١) «أ» يضيف شرائح من دهن الخنزير إلى اللحم قبل طهوه. «ب» يشحّم: يكسو أو يلوّث بالشحم (٢) ينمّق؛ يزخرف § (٣) دُهن أو شحم الخنزير.
larder [lär'dər] *(n.)* موضع لحفظ اللحوم وغيرها من الأطعمة.
lardoon [lär dōōn'] *or* **lardon** [lär'dən] *(n.)* شريحة من لحم الخنزير (تضاف إلى اللحم قبل طهوه).
lares and penates [pə nā'tēz] *(n.)* (١) الآلهة الحارسة للبيت. (٢) متاع شخصيّ أو منزليّ.
large [lärj] *(adj.; adv.)* (١) واسع؛ عريض (٢) «أ» ضخم. «ب» كبير، مشتغل أو متعامل على نطاق واسع (a ~ exporter) (٣) مُوات؛ ملائم (a ~ wind) (٤) متبجّح؛ متفاخر (~ talk) § (٥) والريح مواتية (to sail ~) (٦) بتبجّح (to talk ~).
at ~, (١) حرّ؛ مطلق السّراح (The murderer is *at large.*) (٢) بإسهاب (to discourse *at large* on a subject) (٣) «أ» بصورة عامّة. «ب» كيفما اتّفق (٤) ككلّ؛ كمجموع (society *at large*) (٥) منتخَب ليمثّل منطقة كاملة لا جزءاً من أجزائها فحسب (congressman-*at-large*).
on a ~ scale على نطاق واسع.
largehearted [lärj'här'tĭd] *(adj.)* كبير القلب؛ سَمْح النفس.
large intestine *(n.)* المِعي الغليظ (ت).
large-minded [lärj'mīn'dĭd] *(adj.)* واسع أفق التفكير.
large-scale [lärj'skāl'] *(adj.)* (١) ضخم؛ واسع النطاق (٢) كبير المقياس: مرسوم على أساس مقياس كبير (a ~ map).
largess *or* **largesse** [lär'jĭs] *(F.)* (١) سخاء (٢) هِبَة أو هِبات سخيّة (٣) سماحة (في العقل أو الروح).
large white *(n.)* خنزير إنكليزي أبيض ضخم طويل الجسم.
larghetto [lär gĕt'ō] *(adj.; adv.; n.)* (١) ماهِل؛ بطيء بعض الشيء (مو) § (٢) على نحو ماهِل (مو) § (٣) حركة ماهِلة (مو).
largish [lär'jĭsh] *(adj.)* واسع أو عريض أو ضخم قليلاً.
largo [lär'gō] *(adj.; adv.; n.)* (١) أرْيَث؛ بطيء جداً (مو). § (٢) على نحو أرْيَث (مو) § (٣) حركة رَيْثاء (مو).
lariat [lăr'ĭ ət] *(Sp.)* (١) الوَهَق: حبل في طرفه أنشوطة يُصطنع لصيد الحيوان (٢) الطِّوَل: حَبْل تُشَدّ به الماشية إلى وتِد لكي لا تبرح — وهي ترعى العشب — نطاقاً معيناً.
lark [lärk] *(n.; vi.)* (١) قُنْبُرة؛ قُبَّرة (طا) (٢) مُزاح؛ لَهْو؛ مَرَح § (٣) يمزح؛ يلهو؛ يمرح.
larkspur [lärk'spûr] *(n.)* العائق؛ العايق: نبات جميل الزهر.
larrikin [lăr'ə kĭn] *(n.; adj.)* (١) المتسكّع المُشاكِس § (٢) مُشاكِس.
larrup [lăr'əp] *(vt.; n.)* (١) يَضْرب؛ يَجلِد (ع) (٢) يهزم هزيمة تامة (ع) § (٣) ضربة؛ لكمة (ع).
larum [lăr'əm] *(n.)* = alarm.
larva [lär'və] *(n.)* pl. **-e** *also* **-s.** يَرَقانة؛ يَرَقة؛ سَرْء.
larval [lär'vəl] *(adj.)* يَرَقاني؛ يَرَقي؛ سَرْئي.
larvi- بادئة معناها: يَرَقانة؛ يَرَقة؛ سَرْء.
larvicide [-'və sīd] *(n.)* مُبيد (أو قاتل) اليرقانات المؤذية.
laryng- *or* **laryngo-** بادئة معناها: «أ» حَنْجَرة. «ب» حَنْجَري و...
laryngeal [lə rĭn'jĭ əl] *(adj.; n.)* (١) حَنْجَري؛ حَلْقي: متعلق بالحنجرة أو الحلق § (٢) صوت حَلْقي.
laryngitic [lăr'ən jĭt'ĭk] *(adj.; n.)* (١) التهابيحنجريّ: متعلّق بالتهاب الحنجرة (٢) مصاب بالتهاب الحنجرة § (٣) المصاب بالتهاب الحنجرة.
laryngitis [-jī'tĭs] *(L.)* التهاب الحَنْجَرة (مض).
laryngo- = laryng-.
laryngology [lăr ĭng gŏl'-] *(n.)* علم أمراض الحنجرة.
laryngoscope [-'gə skōp'] *(n.)* مِكشاف أو مِنظار الحنجرة.
laryngotomy *(n.)* شقّ الحنجرة: عملية شقّ الحنجرة (جر).
larynx [lăr'-] *(n.)* pl. **larynges** *or* **larynxes** الحَنْجَرة (ت).
lascar [lăs'kər] *(Hin.)* اللَّسْكَريّ: بَحّار، أو خادم عسكريّ أو جنديّ مدفعيّة (في جزر الهند الشرقية).
lascivious [lə sĭv'ĭ əs] *(adj.)* فاسق؛ داعر.
laser [lā'zər] *(n.)* اللازر: أداة لتضخيم إشعاع التّرددات ضمن (أو قرب) منطقة النور المنظور.
laser disc *(n.)* أسطوانة الليزر.
laser printer *(n.)* طابعة الليزر.
lash [lăsh] *(vi.; t.; n.)* (١) يندفع فجأة أو بعنف (٢) يجلد؛ يضرب بالسياط × (٣) «أ» يهجو؛ يسلق بألسِنةٍ حِدادٍ. «ب» يسوق؛ ينخس بمهماز (٤) يقذف فجأة وبسرعة (٥) يربط أو يشتّ بحبل أو سلسلة § (٦) «أ» جَلْدة؛ ضربة بالسوط. «ب» الجزء المرن من السوط. أيضاً: سوط. «ج» ضربة عنيفة مفاجئة (٧) «أ» هجاء. «ب» مِهماز (٨) هُدْب العين.
lashing [lăsh'ĭng] *(n.)* (١) مص lash (٢) رباط؛ وثاق.
lashings [lăsh'-] *(n. pl.)* كثرة؛ وفرة.
lash-up [lăsh'-] *(n.)* أداة ميكانيكية.
lass [lăs] *(n.)* (١) فتاة (٢) حبيبة؛ معشوقة.
lassie [lăs'ĭ] *(n.)* (١) فتاة صغيرة (٢) حبيبة صغيرة.
lassitude [lăs'ə tūd'] *(n.)* (١) كَلال؛ تعب (٢) تراخ؛ كسل.
lasso [lăs'ō] *(n.; vt.)* (١) الوَهَق: حبل في طرفه أنشوطة يستعمل لاقتناص الخيل والأبقار § (٢) يَهِق: يصيد بالوَهَق.
last [lăst; läst] *(vi.; vt.; adj.; adv.; n.)* (١) يدوم؛ يبقى (so long as the world ~s) (٢) «أ» يتحمّل؛ «يخدم»؛ «يضاين»؛ يظل جديداً أو مصوناً من الفساد (This cloth ~s well.). «ب» يثبُت؛ يستمر في قوة وفعالية (to ~ in a race) × (٣) يضع الحذاء في قالب § (٤) «أ» أخير. «ب» آخِر (٥) سابق (~ week) (٦) الأدنى منزلةً أو رتبة. أيضاً: أسوأ (٧) حاسم (the ~ word in an argument) (٨) في المؤخّرة (Which horse came in ~?) § (٩) آخرَ مرة قبل الزمن الحاضر (When did you ~ get a letter from John?) (١٠) أخيراً؛ ختاماً § (١١) نهاية؛ ختام (to the ~ of one's life) (١٢) اللَّسْت: وحدة وزن تقدَّر غالباً بـ ٤٠٠٠ باوند (١٣) قالب الأحذية.
at long ~, أخيراً؛ بعد لأي؛ بعد تأخر طويل.
on one's ~ legs على شفير الإفلاس أو الانهيار.
lasting [lăs'tĭng] *(adj.; n.)* (١) باقٍ؛ دائم؛ ثابت (a novel of ~ significance) § (٢) نسيج متين.
lastly [lăst'lĭ; läst'-] *(adv.)* أخيراً؛ في الختام.
Last Supper *(n.)* العشاء الأخير (نص).
last word *(n.)* (١) «أ» الكلمة الأخيرة. «ب» الكلمةُ الفَصْل (في أمرٍ أو خلاف) (٢) «أ» ذروة. «ب» آخر المبتكرات وأحدثها.
lat [lät] *(n.)* اللات: وحدة النقد في لاتفيا (من ١٩٢٢ – ١٩٤٠).
latakia [lăt'ə kē'ə] *(n.)* اللاذقاني: ضرب ممتاز من التبغ.

latch [lăch] *(n.; vt.; i.)* (١) مِزلاج ؛ سُقّاطة الباب . §(٢) «أ» يُمسِك بـ. «ب» يكسب؛ يمتلك. «ج» يفهم. يدرك (٣)يتعلق أو يولَع بـ (~ onto a girl like this) (٤) يثبِّت بمزلاج (~ *ed* the door) ×(٥)يُثبَّت بمزلاج(.This door won't ~).

latchet [lăch'it] *(n.)* شريط الحذاء .

latchkey [lăch'kē'] *(n.)* مفتاح المزلاج : مفتاح لردّ السقّاطة ، وبخاصة في بابٍ خارجيّ .

latchstring [lăch'-] *(n.)* حبْل المزلاج ؛ حبْل السقّاطة .

late [lāt] *(adj.; adv.)* (١) «أ» مُبْطِيء ؛ متأخر في المجيء . «ب» متطاول إلى ما بعد الميقات المألوف (~ frosts) . «ج» متأخر : متعلق بفترة أحدث أو مرحلة أكثر تطوراً (~ Latin) . «د» متأخّر (a ~ session)(a ~ hour)(٢)«أ» سابق ؛ قديم (~ belligerents) . «ب» فقيد ؛ راحل (the ~ king) . «ج» حديث (the ~ *st* fashion) §(٣) متأخراً (came ~) (٤) حتى ساعة متأخرة من الليل (to work ~) (٥) حديثاً ؛ منذ مدة غير بعيدة .

~ *r* on في ما بعد .

of ~, حديثاً ؛ منذ عهد قريب .

It is too ~ سبق السيف العَذَل .

lated [lā'tĭd] *(adj.)* = belated.

lateen [lă tēn'; lə-] *(adj.; n.)* (١) «أ» ذو شراع مثلث الشكل «ب» متعلّق بشراع مثلّث الشكل §(٢)أو **lateener** : اللّتينة : سفينة ذات شراع مثلّث الشكل (٣) شراع مثلّث الشكل .

lateen 2.

Late Greek *(n.)* اللغة اليونانيّة المتأخرة (من القرن الثالث إلى القرن السادس ب.م) .

Late Latin *(n.)* اللغة اللاتينية المتأخرة (كما استعملها ، خصوصاً ، آباء الكنيسة في القرن السادس ب.م.) .

laten [lā'-] *(vi.; t.)* (١) يتأخّر ؛ يطول ×(٢) يؤخّر .

lately [lāt'lĭ] *(adv.)* حديثاً ؛ منذ عهد قريب .

latency [lā'tən sĭ] *(n.)* كُمون ؛ استتار .

latent [lā'-] *(adj.)* كامن ؛ مستتر (~ infection) .

latent period *(n.)* (١)دور الكمون ؛ فترة الحضانة أو التفريخ (مض) (٢) الفترة الفاصلة بين التنبيه والاستجابة (نف) .

-later لاحقة معناها : عابد (icono*later*) .

lateral [lăt'ər əl] *(adj.; n.)* (١) جانبيّ §(٢) شيء جانبيّ .

laterite [lăt'ə rīt] *(n.)* اللّطْريط : صخر أحمر مَسامّي (جي) .

laterization[-zā'shən] *(n.)* اللّطْرطة : تحويل الصخر إلى لَطْريط .

latex [lā'tĕks] *(n.)* اللّثَى : لَبَن الشجر أو عصارتُه .

lath [lăth; läth] *(n.; vt.)* (١) الشريحة الخشبية : لوح خشبيّ ضيّق رقيق تغطّى بأمثاله الجدران والسقوف ثم تُكسَى بالجِص (٢) مجموعة شرائح خشبية §(٣) يكسو بشرائح خشبيّة .

lathe [lāth] *(n.; vt.)* (١) مِخرطة (الخشبِ والمعادن) §(٢) يخرط .

lather [lăth'ər] *(n.; vt.; i.)* (١) «أ» رغوة الصابون. «ب» زَبَد. (٢) اهتياج عصبيّ §(٣) يُزَبِّد : يكسو بالزَّبَد (٤) يجلد ؛ يضرب بقسوة ×(٥) يُرْغي ؛ يُزْبِد: يُطلع رغوةً أو زَبَداً .

lathing [lăth'ĭng] *(n.)* (١) التلويح : تغطية الجدران والسقوف بشرائح أو بألواح خشبية ضيقة رقيقة لكي تُكْسَى بعد ذلك بالجص (٢) مجموعة شرائح خشبيّة .

latifundium [lăt'ə fŭn'-] *(L.)* pl. **-dia** عِزبة كبيرة .

Latin [lăt'ən; -ĭn] *(adj.; n.)* (١) لاتينيّ §(٢) اللاتينيّة : اللغة اللاتينيّة (٣) اللاتيوميّ : أحد أفراد شعب لاتيوم القديمة (٤) شخص كاثوليكي لاتينيّ الطقس (٥) اللاتينيّ : واحد من أبناء أحد الشعوب اللاتينيّة (٦) الأبجديّة اللاتينيّة .

Latin Americanist *(n.)* العالم بحضارة أميركة اللاتينية .

Latinate [lăt'-] *(adj.)* لاتيني .

Latin cross *(n.)* الصليب اللاتينيّ .

Latinism [lăt'ə nĭz'əm] *(n.)* (١) اصطلاح (أو كلمة أو تعبير) مشتق من اللاتينيّة أو مُحاكٍ لها (٢) الطابع اللاتينيّ ؛ الأسلوب اللاتينيّ في التفكير .

Latinist [lăt'ə nĭst] *(n.)* العالم باللاتينية أو بالثقافة الرومانية .

Latinity [lə tĭn'ə tĭ] *(n.)* (١) استعمال اللسان أو الأسلوب اللاتينيّ أو العبارات الاصطلاحية اللاتينيّة (٢) Latinism .

Latinize [lăt'ə nīz] *(vt.; i.)* (١) يُلَتْيِن : «أ» يعطيه شكلاً لاتينياً . «ب» يترجم إلى اللاتينيّة . «ج» يجعله شبيهاً بالكنيسة الكاثوليكية الرومانيّة أو يبثّ الفكرات الكاثوليكيّة الرومانيّة فيه (to ~ the Church of England) ×(٢) يستعمل الألفاظ والعبارات الاصطلاحيّة اللاتينيّة .

Latin Quarter *(n.)* الحيّ اللاتينيّ : حيّ الطلاب والفنانين بباريس .

latish [lā'tĭsh] *(adj.)* متأخر بعض الشيء .

latitude [lăt'ə tūd'; -tōōd'] *(n.)* (١) خطّ العَرْض (جغ) . (٢) منطقة (كقولك ~ *high* s أي مناطق بعيدة عن خط الاستواء، أو *low* ~ s أي مناطق قريبة من خط الاستواء) (٣) مدى ؛ نطاق (٤) حريّة العمل أو الاختيار —**latitudinal** *(adj.)*

latitudinarian [lăt'ə tū'də nâr'-] *(adj.; n.)* (١) متحرّر أو متسامح أو واسع أفق التفكير (وبخاصة في ما يتصل بالمعتقدات الدينيّة الخ.) §(٢) المتحرّر ؛ المتسامح .

latrine [lə trēn'] *(n.)* مِرحاض ، وبخاصة في ثكنة أو معسكر .

-latry لاحقة معناها : عبادة (helio*latry*) .

latten *or* **lattin** [lăt'ən] *(n.)* (١) اللاّتِن : ضرب من النحاس الأصفر يُطرّق ليصبحَ صفائحَ رقيقة (٢)«أ» صفيحة حديديّة مكسوّة بالقصدير . «ب» كلّ معدن مطرّق على شكل رقائق .

latter [lăt'ər] *(adj.)* (١) ثانٍ ؛ أحدث عهداً (the ~ half of the year) (٢) أخير ؛ ختاميّ (the ~ years of her life) . (٣) الثاني من شيئين مذكورين (I prefer the ~ proposition.)

latter-day [lăt'ər dā'] *(adj.)* عصريّ .

latterly [lăt'ər lĭ] *(adv.)* حديثاً، منذ عهد قريب ؛ في هذه الأيام .

lattice [lăt'ĭs] *(n.; vt.)* (١) شَعرية ؛ شبكيّة (٢)نافذة (أو باب) مزوّدة بشَعْرية (٣) الشبيكة؛ النظام الشّبكي §(٤) يشعّر : يزوّد النافذة الخ.. بشَعْرية (٥) يعطيه شكلاً شبيهاً بالشَّعْرية .

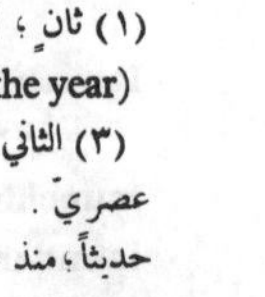

lattice 1.

latticed [lăt'-] *(adj.)* (١) مشبَّك ؛ متشابك . (٢) مُشعَّر : مزوّد بشَعْرية .

latticework [lăt'is wûrk] *(n.)* شَعْريّة ؛ تعريشة .

Latvian [lăt'vĭ ən] *(n.;adj.)* (١) اللاتفيّ : أحد أبناء لاتفيا (٢) اللاتفيانيّة : لغة اللاتفيين §(٣) لاتفي : منسوب الى لاتفيا .

laud [lôd] *(n.; vt.)* (١) *pl. often cap.* : تسبيحة الضحى : صلاة تقام في الأديرة عند الضحى عادةً (٢) ثناء ؛ تمجيد §(٣) يسبّح (بحمده) ؛ يمجّد .

laudable [lô'də bəl] *(adj.)* جدير بالثناء .

laudanum [lô'də nəm] *(n.)* (١) اللَّوْدَنُوم : مستحضَر

ă at; ā date; â care; ä car; ĕ egg; ē me; ĭ in; ī bite; ŏ lot; ō bone; ô orphan; oi boil ŏŏ good; ōō boot; ou out; ŭ under; ū unity; û urgent; th thing; th this; zh vision; ə = a in alone, e in system, i in easily, o in gallop, u in circus.

أفيوني (٢) صبغة الأفيون .

laudation [lô dā'shən] *(n.)* مَدْح ؛ ثناء ؛ تمجيد .

laudative; laudatory [lô'-] *(adj.)* مَدْحيّ ؛ تمجيديّ .

laugh [lăf; läf] *(vi.; t.; n.)* (١) يضحك ×(٢) يعبّر عن كذا ضاحكاً أو بضحكة (~ *ed* her consent) (٣) يجعله كذا (أو يدفعه إلى كذا) من طريق الضحك (eat and drink and ~ himself fat) §(٤) «أ» ضحِك. «ب» ضحكة (٥) «أ» نكتة . «ب» سخرية .

to ~ at يسخر من ؛ يهزأ بـ .

to ~ away a person's fears or doubts يبدد بالضحك مخاوف فلان أو شكوكه .

to ~ down يُسكِت بضحكة ساخرة .

to ~ in one's sleeve يضحك سراً (في حين يظل الجدّ غالباً على أساريره) .

to ~ off يتجنب الاحراج الخ. أو يتخلّص منه بالضحك .

to ~ on the wrong side (on the other side) of one's mouth يستشعر الخيبة بعد الابتهاج والرضا .

to ~ out of court يعتبره ، من طريق السخرية ، غير جدير بالنظر أو الاهتمام .

to ~ to scorn يمتهن ؛ يعامل بأقصى الازدراء .

laughable [lăf'-; läf'-] *(adj.)* مضحِك : مثير للضحك أو الهزء .

laughing gas *(n.)* الغاز المضحِّك : مخدر يُستعمل في طب الأسنان .

laughing jackass *(n.)* = kookaburra.

laughingstock [lăf'ĭng-] *(n.)* الأضحوكة : موضع سخرية النّاس .

laughter [lăf'tər; läf'-] *(n.)* ضَحِك .

launce [lăns; läns] *(n.)* الانقليس الرملي (سمك) .

launch [lônch; länch] *(vt.; i.; n.)* (١) «أ» يقذف بقوّة . «ب» يُطلق (~ *ed* two rockets) . «ج» يستهلّ ؛ يبدأ . «د» يشنّ هجوماً الخ. (٢) «أ» يعوِّم ؛ ينزل سفينة إلى الماء . «ب» يقدِّم فتاةً إلى المجتمع ؛ يأخذ بيد شابٍّ (في مستهلّ حياته التجارية أو المهنية) . «ج» يَضَعُ (سِياسة) . «د» يطرح في الأسواق (سلعة جديدة) . «و» يروج (لكتاب جديد الخ.) ×(٣) «أ» ينطلق. «ب» يندفع بجرأة (إلى الكلام أو العمل) §(٤) مص launch (٥) اللَّنْش : زورق بخاريّ .

launcher [lôn'-] *(n.)* فا launch مثل : «أ» قاذفة الرّمّانات (جن) . «ب» مُطلِقة الصواريخ : أداة لإطلاق الصواريخ . «ج» المِنْجنيق .

launching pad *(n.)* مِنصّة الإطلاق (يُطْلَق منها صاروخ الخ.) .

launder [lôn'dər; län'-] *(vt.; i.; n.)* (١) يغسِل الملابس . (٢) يكوي الملابس بعد غسلها ×(٣) ينغسل وينكوي : يحتمل الغسل والكيّ (This cloth ~ *s* well.) §(٤) المِصْوَل المائيّ (لفصل المعادن الثمينة عن الاتربة المعدنيّة) .

laundress [lôn'-; län'-] *(n.)* الغسّالة ؛ امرأة تحترف غسل الملابس وكيّها .

laundromat [lôn'-; län'-] *(n.)* الغسّالة الكهربائيّة .

laundry [lôn'-; län'-] *(n.)* (١) ملابس مغسولة أو مُعَدّة للغسل. (٢) المَغْسَل : حجرة غسل الملابس (في بيت) (٣) المصبغة : مؤسسة لغسل الملابس وكيّها .

laundryman [lôn'-; län'-] *(n.)* (١) المَصْبَغيّ : مدير مصبغة لغسل الملابس وكيّها ، أو عاملٌ فيها (٢) رجل يجمع الملابس المعدّة للغسل والكيّ أو يسلّمها إلى أصحابها .

laundrywoman [lôn'drĭ-] *(n.)* = laundress.

laura [läv'rə] *(n.)* دير (من أديار الكنيسة الشرقيّة) .

laureate [lôr'ĭ ĭt] *(adj.; n.; vt.)* (١) مكلّل بالغار (٢) ممتاز ؛ وبخاصة من حيث الموهبة الشعريّة §(٣) الحائز على تقدير أو تشريف خاص لنبوغه في فنّ أو علم ؛ وبخاصة : شاعر البلاط الملكي §(٤) يكلِّل بالغار (٥) يجعله أو يعيّنه شاعرَ بلاط .

laurel [lôr'əl; lŏr'əl] *(n.; vt.)* (١) الغار (نب) (٢) إكليل غار (٣) *pl.* عد : مجد (يكتسبه المرء بنبوغه في فنّ أو علم) §(٤) يكلّل بالغار .

lauric acid *(n.)* حَمْض الغار ؛ حمض اللوريك (ك) .

lava [lä'və] *(It.)* الحُمَم ؛ اللابة : مقذوفات البراكين .

lavabo [lə vä'bō] *(L.)* (١) *cap.* ا.ك : وُضوء الكاهن القائم بالقدّاس بعد تقديم الذبيحة الإلهيّة (نص) (٢) المنديل أو الحوض المستعملان في هذا الوضوء (٣) مَغْسَلة (في جدار) (٤) حوض جداريّ (تُزرع فيه نباتات تزيينيّة) .

lavage [lăv'ĭj; lȧ vȧzh'] *(F.)* غَسْل ؛ وبخاصة : الرَّحْض : غَسْل عضوٍ من أعضاء الجسم (كالمعدة الخ.) طبياً .

lavaliere *or* **lavalliere** [lăv'ə lĭr'] *(F.)* قِلادة .

lavation [lă vā'shən] *(n.)* غَسْل ؛ تنظيف .

lavatory [lăv'ə tōr'ĭ] *(n.)* (١) مَغْسَلَة (٢) جُرن ماء الكنيسة . (٣) حجرة لغسل اليدين والوجه الخ. (٤) مرحاض .

lave [lāv] *(n.; vt.; i.)* (١) ثُفْل ؛ راسب ؛ ثمالة . §(٢) «أ» يغسل. «ب» تغسل (أمواجُ البحر أو النهر) شيئاً (٣) يصبّ ×(٤) يغتسل (ا.ق) .

lavender [lăv'ən dər] *(n.; vt.)* (١) الخزامى ؛ خِيريّ البرّ (نب) . (٢) لون أرجوانيّ شاحب §(٣) يعطِّر بالخُزامى .

laver [lā'vər] *(n.)* (١) حوض ؛ جُرْن (ا.ق) (٢) مَغْسَلة الهيكل عند اليهود (٣) اللافِر : عشب بحريّ .

lavish [lăv'ĭsh] *(adj.; vt.)* (١) مُسرِف ؛ مبذِّر (٢) سخيّ ؛ مُنْفَق بسخاء (his ~ gifts) (٣) وافر ؛ مُنْتَج بكثرة §(٤) يجود بـ ؛ يبدّد ؛ ينفق بغير حساب .

law [lô] *(n.; vi.; t.)* (١) «أ» قانون ؛ ناموس . «ب» سلطان القانون أو النظامُ والأمن الناشئان عن فرضه وتطبيقه . «ج» قضاء . «د» مقاضاة أمام المحاكم . «ﻫ» محاكمة (٢) قاعدة (٣) مجموعة القوانين المتعلقة بموضوع (٤) «أ» مهنة المحاماة . «ب» الفقه ؛ الحقوق §(٥) يلجأ إلى القضاء ×(٦) يقاضي ؛ يقيم دعوى على .

to follow (go in for) the ~, يمارس المحاماة أو يدرُس الحقوق .

to go to ~ against a person
to have the ~ of a person } يقيم الدعوى على فلان .

to lay down the ~, يتكلم بثقة أو بطريقة ديكتاتوريّة .

to practice the ~, يمارس المحاماة .

to take the ~ into one's own hands يثأر لنفسه ؛ يأخذ حقّه بالقوّة .

law-abiding [lô'ə bī'dĭng] *(adj.)* مُطيع للقانون .

lawbreaker [lō'brā-] *(n.)* الخارق للقانون ؛ المنتهك للقانون .

lawful [lô'fəl] *(adj.)* (١) قانونيّ : مطابق للقانون أو مرخَّص به قانوناً (~ acts) (٢) شرعيّ (the ~ king) (٣) مطيع للقانون (~ citizens) .

lawgiver [lô'-] *(n.)* (١) صاحب الشريعة (٢) الشارع ؛ المشرِّع .

law-hand [lô'-] *(n.)* الخطّ الوثائقيّ : ضرب من الخطّ كانت تُكتب به الوثائق القانونيّة الانكليزيّة .

lawless [lô'-] *(adj.)* (١) بلا قانون ؛ غير خاضع لسيطرة القانون

(the ~ desert) (٢) «أ» متمرّد «على قانونٍ ما» (~ traders).
«ب» جامح (~ passions) (٣) مخالف للقانون ؛ غير شرعي (~ activity).

lawmaker [lô'mā'kər] *(n.)* الشارع ؛ المشرِّع ؛ المشترِع .

law merchant *(n.)* pl. **laws merchant** القانون التجاري .

lawn [lôn] *(n.)* (١) شاش ؛ شفّ (٢) مَرْجة ، مَخْضَرة .

lawn mower *(n.)* جزّازة العشب : آلة لجزّ العشب في مَرْجة .

lawn tennis *(n.)* تَنِس المَخْضَرة : لعبة تَنِس تجري في ملعب معشوشب .

lawny [lôn'ĭ] *(adj.)* (١) شاشيّ (٢) مَرْجيّ ، معشوشب .

law of nations القانون الدوليّ .

lawrencium[lô rĕn'-]*(n.)* اللورنسيوم : عنصر إشعاعيّ النشاط (ك).

lawsuit [lô'sōōt'] *(n.)* قضيّة ، دعوى قضائيّة .

lawyer [lô'yər] *(n.)* المحامي ، الممارس للمحاماة .

lax [lăks] *(adj.)* (١) مُسْهَل ، مصاب بإسهال (٢) «أ» غير صارم (~ discipline) . «ب» منحل ، متّسم بالانحلال (~ morals) . «ج» مُهْمِل (~ habits) (٣) رِخو ؛ مهلهَل النسج (~ cords) (٤) غامض ، غير دقيق (~ ideas) (٥) متناثر أو متباعد الأجزاء (a ~ flower cluster) (٦) ليّن ، منطوق به باسترخاء نسبيّ (~ vowels) .

—**laxly** *(adv.)* —**laxness** *(n.)*

laxation [lăk sā'shən] *(n.)* (١) «أ» تليين . «ب» إرخاء . (٢) «أ» انحلال . «ب» ارتخاء (٣) دواء مُسْهِل .

laxative [lăk'sə tĭv] *(adj.; n.)* (١) مُسْهِل ، مليّن للامعاء . (٢) مُسْهَل ، مصاب بإسهال (٣) «فالت» ، غير مكبوح (~ tongues) §(٤) مُسْهِل لطيفٌ للامعاء .

laxity [lăk'sə tĭ] *(n.)* ليْن ، انحلال ، ارتخاء .

lay [lā] *(vt.; i.; n.; adj.)* (١) يَطرَح على الأرض بقوة . (٢) «أ» يضع . «ب» يُهْجِع ، وبخاصة : يدفن (٣) تبيض (الدجاجة) (٤) «أ» يُخْمِد (*laid* the dust) . «ب» يهدىء (٥) يراهن (٦) يمهّد ، يسوّي ، يجعله أملس (٧) «أ» يمدّ ، يبسط ، يكسو بـِ (to ~ plaster) . «ب» يُعِدّ ، يرتّب (*laid* the table for dinner) «ج» يصفّ ، يرصُف (to ~ brick) «د» يفتل ، يبرم (to ~ up rope) (٨) «أ» يفرض (ضريبةً) . «ب» يلقي اللوم على فلان ، يحمّله مسؤوليّة كذا (٩) يرسم ، يدبّر (well-*laid* plots) (١٠) يسدّد مدفعاً (١١) يصيّر ، يجعل (~ *s* him open to blackmail) (١٢) «أ» يدّعي لنفسه حقاً . «ب» يعرِض (*laid* her case before the commission) ×(١٣) ينكبّ على العمل (*laid* to their oars) §(١٤) طبقة (من دهان أو جص) (١٥) مخبأ ، مكمن ، وِجار (١٦) «أ» خطة . «ب» مهنة ، عمل (١٧) «أ» سعر (sold it at a good ~) «ب» حصة من الأرباح (تدفع في رحلة صيد بدلاً من الراتب) (١٨) رصّة الجَدْل : مدى إحكام فَتْل الحبل (١٩) موقع (the ~ of the land) (٢٠) قصة شِعريّة بسيطة (٢١) أنشودة ، أغنية §(٢٢) علمانيّ ، غير اكليركيّ (٢٣) عاديّ (~ citizen) .

to ~ about one يقاتل بضراوة .
to ~ apart يبعده أو يضعه جانباً .
to ~ aside يهمل ، يترك ، يضعه جانباً .
to ~ away يضع الشيء جانباً (لكي يستعمله أو يسلّمه في المستقبل) .
to ~ by (١) يُهمِل ، يترك (٢) يدّخر للمستقبل .
to ~ down (١) يستسلم ، يلقي السلاح (٢) يضع ، يرسم ، يخطّط (٣) يعلن ، يوكّد (٤) يخزن ، يحفظ (٥) يدفع (٦) يراهن (٧) يضحّي .
to ~ fast يمسك بـ ، يمنعه من الهرب .
to ~ for يترصّد ، يكمن لـ .
to ~ heads together يتشاورون ، يتذاكرون .
to ~ hold of *or* on يمسك ، يقبض على .
to ~ in يدّخر للمستقبل .
to ~ off (١) يسرح العاملَ موقّتاً (٢) يغلق (مصنعاً). (٣) يجتنب ، يقلع عن (٤) يدعه وشأنه (٥) ينقطع عن العمل .
to ~ on (١) يهاجم ، يضرب (٢) يمدّ (طبقةً من الدهان الخ.) على سطح ما (٣) يُعِدّ (الورقَ الخ.) للتلقيم أو يلقّم ماكينةَ الطباعة ورقاً .
to ~ open (١) يفتح (٢) يكشف (٣) يفسّر .
to ~ out (١) يكفّن (٢) يصرع بضربة قاضية ، يقتل (٣) يخطّط : يضع خطةً مفصّلة لـ . . . (٤) ينفق (٥) يمدّ ، ينشر (٦) يفسّر (٧) يجتهد ، يكدّ .
to ~ over يؤجّل ، يُرجِىء .
to ~ siege to يحاصر ، يضرب الحصار على .
to ~ to (١) يوقف المركب أو يثبّته في مكانه (٢) يضع المركب في حوض للسفن أو مكانٍ آخر آمن .
to ~ to heart (١) يتأثر تأثراً شديداً . (٢) يفكّر في الأمر جدّياً .
to ~ to sleep *or* rest يدفن .
to ~ under يُخْضِعُهُ لـ .
to ~ up (١) يدّخر للمستقبل (٢) يُقعِده أو يُلزِمه الفراش (لمرض أو غيره) (٣) يُخرِجه من الخدمة الفعلية .

lay [lā] *past of* **lie**.

lay day *(n.)* (١) يوم التحميل أو التفريغ (لمركب) (٢) يوم التأخّر في المرفأ .

layer [lā'ər] *(n.; vt.; vi.)* (١) فا lay . مثل «أ» مركّب القرميد على السطح . «ب» الدجاجة التي تضع بيضاً (٢) طبقة (a ~ of paint; a ~ of clay) (٣) «أ» الغُصَيْن المرقَّد : غُصَيْن يُطمر تحت الأرض بحيث يصبح له جذر جديد مع بقائه متصلاً بالنبتة الأمّ . «ب» النبتة المرقَّدة §(٤) يُرقِّد النباتَ ×(٥) ينفصل إلى طبقات (٦) يترقّد النباتُ .

layerage[lā'ər ĭj] *(n.)* ترقيد النبات (را . المادة السابقة) .

layer cake *(n.)* الكعكة المُطبَّقة : كعكة مؤلّفة من طبقتين أو أكثر يتخلّلها مُربّى أو شوكولا الخ .

layerage

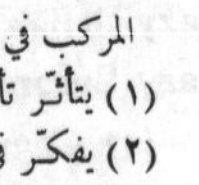

layette [lā ĕt'] *(F.)* كُسْوة الطفل المولود ولوازمه .

lay figure *(n.)* (١) الدمية النموذج : قالب ذو مفاصل مُفرَّغ على هيئة البشر يتّخذه الفنانون نموذجاً عندما يعوزهم النموذج البشري أو يستعمله التجار لعرض الملابس الجاهزة (٢) شخص تافه أشبه بالدّمية .

layman [lā'-] *(n.)* (١) العلماني : شخص غير اكليركيّ (٢) الشخص العادي (غير المنتسب إلى مهنة أو صناعة مقصودةٍ بالكلام) .

layoff [lā'ôf'] *(n.)* (١) التسريح الموقّت (للعمّال) (٢) وَقْف

العمل (في مصنع) (٣) فترة تبطُّل أو لا عمل .

layout [lā'out] *(n.)* (١) تصميم ؛ تخطيط (٢) «أ» النموذج الطباعي (را dummy 4) . «ب» النسَق : طريقة ترتيب العمال والماكينات في مصنع (٣)«أ» مَجْلَى : شيءٌ مبسوط أو منشور أو معروض (The dinner was a fine ~.) . «ب» غطاء مخطَّط لبعض موائد القمار (٤) مبنى (lived in an elaborate ~) (٥) عُدّة ؛ مجموعة ادوات .

layover [lā'ō'vər] *(n.)* توقف (أو مَوْقِف) في رحلة .

layperson *(n.)* = layman.

lay reader *(n.)* واعظ بروتستانتي غير اكليركي .

laywoman [lā'-] *(n.)* العلمانية : امرأة غير اكليركية .

lazar [lā'zər] *(n.)* المبتلى بمرض بغيض ، وبخاصة : المجذوم .

lazaretto [lăz ə rĕt'ō] *or* **lazaret** [-rĕt'] *(It.)* (١) مستشفى الأمراض السارية (٢) مَحْجَر صحّي (٣) مخزن المؤن (في سفينة) .

laze [lāz] *(vi.; t.)* (١) يتكاسل ×(٢) يُنفق (الوقت) بالتبطّل أو الاسترخاء .

lazuli [lăz'yōō lī] *(n.)* اللازَوَرْد . **—lazuline** *(adj.)*

lazulite [-'yə līt'] *(G.)* اللازوليت : معدن لازورديّ الزرقة .

lazy [lā'zĭ] *(adj.; vi.)* (١) كسول (٢) بطيء (٣) مشجِّع على الكسل أو ملائم للكسل (a ~ afternoon) §(٤) يتكاسل .

lazybones [lā'zĭ bōnz'] *(n.)* الكسول ؛ المتواني ؛ القُعَدة .

lazyish [lā'zĭ-] *(adv.)* كسول قليلاً ؛ كسولٌ بعضَ الشيء .

lazy Susan [sōō'zən] *(n.)* الصينيّة الدوّارة (توضع على المائدة وتزود بالأطعمة والتوابل) .

lazy Susan

lazy tongs *(n. pl.)* المِلقطة الكسول : سلسلة من القضبان المُمَفْصَلة القابلة للمدّ (وكانت تستعمل في الأصل لالتقاط شيء عن بُعْد) .

lazy tongs

lazzarone [lăz'ȧ rō'nĭ] *(It.)* pl. **-ni**[-'nĭ] الهائم ؛ المشرَّد : أحد مشرَّدي نابولي .

lea [lē] *(n.)* مَرْجة ؛ مَخْضَرة ؛ مَرْعَى .

leach [lēch] *(n.; vt.; i.)* = leech.

leach [lēch] *(vt.; i.; n.)* (١) يرشِّح ؛ يصفّي ؛ يروِّق . ×(٢) يترشح §(٣) وعاء الترشيح (٤) عملية الترشيح .

lead [lēd] *(vt.; i.; n.; adj.)* (١) «أ» يَهْدي . «ب» يُرْشِد . (٢) «أ» يحيا ؛ يعيش (led a very peaceful life) «ب» يجعله يحيا حياةً من نوع معيّن (She *led* him a dog's life.) (٣) «أ» يقود . «ب» يتزعم ؛ يتصدّر (He ~s the world in the production of tin.) (٤) يسدّد ويطلق النار إلى نقطة أبعد من تلك التي بلغها هدف متحرك لكي يكفل بذلك إصابة ذلك الهدف» (to ~ an airplane) (٥) يسدد ضربة إلى خصمه في الملاكمة ×(٦)يؤدي ؛ يفضي إلى (٧) «أ» يتقدّم (غيره) . «ب» يلعب الورقة الأولى §(٨)«أ» طليعة ؛ مركز أمامي . «ب» مبادرة . «ج» حق الابتداء باللعب (في ورق الشدّة) . «د» الورقة الأولى . «هـ» قيادة . «و» حَذْو ؛ غِرار (٩) «أ» راسب تِبْريّ أو محتوٍ على ذهب (في حوض نهر) . «ب» قناة عبر حقل جليد . «ج» دليل ؛ مفتاح لحلّ مشكلة أو لغز . «د» دور (أو ممثّل) رئيسي في مسرحية . «هـ» مِقْوَد الحيوان . «و» مقدمة مقال أو خبر صحفي . «ز» مقال أو خبر صحفي ذو أهمية رئيسيّة . «ح» سلك التوصيل : سلك مكسو بمادة عازلة (كب) (١٠) طول الحبل من أقصاه إلى أقصاه (١١) تصويب الى نقطة أبعد من تلك التي بلغها هدف متحرك §(١٢) متقدِّم ؛ سائر الخ . في المقدّمة (the ~ horse) (١٣) رئيسيّ (~ editorials) .

to ~ a person a (fine *or* pretty) dance يُعَنّيه أو يُرْهِقه قبل أن يمكّنه من نيل ما يريد .

to ~ astray يُضِل ؛ يُغْوي .

to ~ away يحمله على أن يتبعه من غير تفكير .

to ~ by the nose يسيطر (على شخص) سيطرة تامّة ؛ يملك قياد شخص .

to ~ captive يأسره .

to ~ off يبدأ ؛ يستهلّ .

to ~ on يغْريه بسلوك سبيل الضلال .

to ~ the way يتقدم غيره ؛ يدل على الطريق ؛ يقوم بالخطوة الأولى .

to ~ up to (١) يوجّه الحديث (تدريجياً أو بطريقة غير مباشرة) نحو موضوع معيّن (٢) يؤدّي إلى (٣) يمهّد السبيل لـ (٤) يلعب بطريقة تحمل الخصم على إلقاء ورقة معينة (من ورق اللعب) .

lead [lĕd] *(n.; vt.)* (١)الرصاص (مع) (٢) «أ» خيط الرصاص (لسبر غور البحر) . «ب» *pl.* : سقف مسطّح مكسو بصفائح معدنية . «ج» *pl.* : إطار رصاصيّ لألواح زجاج النوافذ . «د» الرَّقيقة الفاصلة : صفيحة معدنيّة رقيقة تستعمل للفصل بين سطور الصفحة المعدّة للطباعة (٣) «أ» إصبع الغرافيت الذي يشتمل عليه قلم الرصاص . «ب» اسبيداج (٤) رصاص ؛ قذائف (٥)رابع إيثيل الرصاص (ك) §(٦)يرصِّص : يكسو أو يبطّن أو يثقّل بالرصاص (٧) يثبّت (زجاجَ النوافذ) بأُطُر رصاصيّة (٨) يفصل بين السطور (المعدّة للطبع) برقائق معدنية (٩) يمزج بالرصاص أو بمركّب رصاصيّ (~*ed* zinc) .

lead acetate *(n.)* خلاّت الرصاص (ك) .

lead arsenate *(n.)* زَرْنيخات الرصاص (ك) .

lead colic *(n.)* القولنج الأُسْرُبّي : مغص مصحوب بإمساك شديد .

leaden [lĕd'ən] *(adj.)* (١) رصاصيّ : «أ» مصنوع من رصاص . «ب» بلون الرصاص (٢) رديء النوع (٣) «أ» ثقيل حتى الإرهاق . «ب» بطيء (~ pace) (٤) كئيب (~ mood) .

leader [lē'dər] *(n.)* (١) كلّ ما يقود الخ . مثل: «أ» الغصن الرئيسيّ من نبتة . «ب» وَتَر عضلي . «ج» *pl.* : نقاط (في فهرست) تُصْطَنَع لتوجيه العين أفقياً إلى اللفظ أو الرقم المقصود . «د» افتتاحية (في صحيفة) . «هـ» شيء يقود السمك إلى شَرَك . «و» أنبوب . «ز» سلعة تباع بسعر منخفض جداً اجتذاباً للزبائن . «ح» شيء يحتل مقام الطليعة (٢) القائد ؛ كل من يقود ، مثل : «أ» الهادي ؛ المرشد . «ب» قائد وحدة عسكرية . «ج» زعيم . «د» زعيم حزب سياسي بريطانيّ . «هـ» زعيم برلمانيّ . «و» رئيس المجلس التشريعي . «ز» زعيم «فَرْد» (في بلد ديكتاتوريّ) . «ح» قائد فرقة موسيقيّة . «ط» الممثّل الأول في فرقة مسرحيّة (٣) الفرَس المقدَّم (بين أفراس عربة الخ .) (٤) المدير ؛ كبير العمّال الخ . **—leadership** *(n.)*

leader of the opposition زعيم المعارضة (في البرلمان الانكليزي) .

lead glass *(n.)* الزجاج الرصاصي : زجاج محتوٍ على أكسيد الرّصاص .

lead-in [lēd'ĭn] *(n.)* السلك الواصل : ذلك الجزء من الهوائيّ الذي يتصل بجهاز الراديو المستقبِل .

leading [lē'dĭng] *(adj.)* (١) مقدَّم ؛ أماميّ (٢) موجِّه ؛ هادٍ (٣) مؤدٍّ ؛ مُوْصِل (٤) «أ» رئيسيّ : منشور في مكان بارز من

الصحيفة (~ editorials) . «ب» قيادي (played a ~ part).

leading article (n.) (١) افتتاحيّة (في صحيفة) (٢) مقال رئيسي (بمجلة).

leading lady (n.) السيدة الأولى: الممثلة الأولى في مسرحية أو فيلم.

leading man (n.) الممثل الأوّل (في مسرحيّة أو فيلم).

leading question (n.) السؤال الإيحائي (المَصُوغ بألفاظ توحي بالجواب).

leading strings (n. pl.) حبال أو سيور لمساعدة الطفل على المشي. in ~, مُتّكل على الآخرين أو خاضع لوصاياتهم؛ مَقُودٌ مثلَ طفلٍ صغير.

leading tone or **note** (n.) الحسّاس (مو).

lead line [lĕd] (n.) حبْل السَّبر (يُسبَر به غور البحر).

leadoff [lĕd'ôf'] (n.; adj.) (١) عملٌ افتتاحي أو استهلالي. (٢) اللاعب الذي يفتتح اللعب §(٣) افتتاحي.

lead pencil (n.) قلم الرصاص؛ القلمُ الرصاص.

lead poisoning (n.) التسمّم الرصاصي: تسمّم يصيب العمّال المشتغلين بالرصاص أو مركّباته.

leadsman [lĕdz'-] (n.) السّابر: من يستعمل حبل السَّبْر لمعرفة عمق المياه.

lead-up [lēd'-] (n.) تمهيد؛ ممهِّد.

leadwork [lĕd'-] (n.) (١) شيءٌ مصنوع من رصاص (٢) عمل قِوامه معدن الرصاص.

leady [lĕd'ĭ] (adj.) رَصاصي.

leaf [lēf] (n.; vi.; t.) (١) «أ» ورقة نبات. «ب» مجموع أوراق نبتة. «ج» أوراق نبات ما (بوصفها سلعة تجاريّة) (٢) شيء كورقة النبات، مثل: «أ» ورقة كتاب. «ب» مصراع باب أو نافذة. «ج» جناح خوانٍ متحرِّك. «د» رُقاقة؛ صفيحة رقيقة. «هـ» حافة القبّعة §(٣) يورق النباتُ ×(٤) يتصفّح؛ يقلّب صفحات كتاب (~ed a new novel).

to take a ~ out of a person's book يحذو حذوَه؛ يقلّده أو يحاكيه.

to turn over a new ~, يستهلّ صفحةً جديدةً في حياته (كأن يُقلع عن عاداته السيئة الخ.).

leafage [lē'fĭj] (n.) مجموع أوراق نبتة.

leaf bud (n.) برعم الورقة؛ زِرّ ورق النبات.

leafed [lēft] (adj.) مُورِق؛ ذو أوراق.

leaf fat (n.) دهن التجويف البطني (المغلِّف لكُلْيَتَي الخنزير).

leafhopper [lēf'-] (n.) الحشرة النطّاطة: حشرة نطاطة تمتص عصارات النبات.

leaf lard (n.) دهن خنزير ممتاز (يستخرج من تجويفه البطني).

leaflet [lēf'lĭt] (n.) (١) الوُرَيْقة: «أ» جزء من ورقة مركّبة. «ب» ورقة صغيرة أو غضّة (٢) جزء أو عضو ورقيّ الشكل (٣) كُرّاسة.

leaflike [lēf'līk] (adj.) ورَقاني: شبيهٌ بورقة.

leaf spring (n.) النابض الورقيّ: زنبرك طويل ضيّق متعدد الطبقات (ملك).

leafstalk [lēf'stôk] (n.) = petiole.

leafy [lē'fĭ] (adj.) (١) «أ» مُورِق؛ ورِق. «ب» ذو أوراق عريضة النصل. «ج» مؤلف من أوراق (٢) ورَقاني: شبيه بورقة؛ وبخاصة: مكسوّ بصفائح أو قشور رقيقة.

league [lēg] (n.; vt.; i.) (١) الفرسخ: قياس للطول يتراوح بين ٢،٤ و٤،٦ من الميل (٢) فرسخ مربّع (٣) «أ» عصبة أمم. «ب» عصبة (أفرادٍ أو جماعات أو نوادٍ). «ج» تحالف غير رسمي (٤) طبقة؛ فئة §(٥) يوحِّد (أو يتّحد) في عصبة أو حلف.

leaguer [lē'gər] (n) (١) معسكر حربيّ (٢) حِصار (٣) عُضوُ عصبة.

leak [lēk] (vi.; t.; n.) (١) يرْشح (السقفُ الخ.) (٢) يتسرب الغازُ أو الخبر الخ. ×(٣) يسرِّب: يجعله يتسرب §(٤) «أ» شِق؛ خرْق؛ ثُقب. «ب» التسرُّب: ضياع في الطاقة الكهربائية (ناشئ عن عزْل غير مُحكَم). «ج» موضع هذا التسرّب (٥) «أ» ارتشاح؛ تسرّب. «ب» المادّة المرتشحة الخ.

leakage [lē'kĭj] (n.) (١) ارتشاح؛ تسرّب (٢) الشيء المرتشح أو مقداره.

leaky [lē'kĭ] (adj.) (١) راشح؛ سَرِب: تنفذ السوائل منه أو إليه. (٢) مذياع؛ غير كتوم للسر.

leal [lēl] (adj.) مخلص؛ وفيّ (اسك).

lean [lēn] (vi.; t.; adj.; n.) (١) «أ» يميل؛ يتحدّر. «ب» يتكىء على (جدارٍ الخ) (٢) يستند إلى؛ يتكل على (٣) يميل، برأيه أو عاطفته، إلى (to ~ toward communism) ×(٤) يحْني (رأسه) (٥) يُسند (ذراعه) (٦) يضغط على §(٧) يهزِل؛ ينحل §(٨) «أ» هزيل؛ نحيل. «ب» هَبْر: قليل الدهن أو خالٍ منه (ate only ~ meat) (٩) «أ» أعجف؛ عقيم (~ days). «ب» قاحل (~ soil). «ج» غثّ: مفتقر إلى الموادّ المغذّية (a ~ diet) (١٠) مفتقر: محتوٍ على قليل من المعدن الثمين (~ ore) (١١) موجز (in ~ prose) §(١٢) ميْل؛ تحدّر (١٣) لحمٌ هبرٌ (لا دهن فيه).

leaning [lē'nĭng] (n.) نزعة؛ ميْل.

leant [lĕnt] *chiefly Brit. past and past part. of* lean.

lean-to [lēn'too'] (n.; adj.) (١) جناح (أو امتدادٌ من مبنىً) مُنحدرُ السطح (٢) كوخ منحدِر السطح §(٣) «أ» منحدِر (a ~ roof). «ب» منحدِر السطح (a ~ shelter).

leap [lēp] (vi.; t.; n.) (١) يثب؛ يقفز ×(٢) يتخطّى شيئاً بوثبة (to ~ a ditch) (٣) يحمله على الوثب (to ~ a horse across a ditch) §(٤) «أ» وثبة. «ب» الموضع الموثوب من فوقه. «ج» المسافة المقطوعة بوثبة (٥) انتقال مفاجىء.

leapfrog [lēp'-] (n.; vi.; t.) (١) القَفْزيّة: لعبة ينحني فيها أحد الأولاد فيقفز الآخر فوق ظهره §(٢) «أ» يقفز (كالاولاد في «القفزية»). «ب» يتقدم بوثبات أو بالتجاوز ×(٣) يتقدم أحدُهما الآخرَ كلٌّ بدوره.

leapfrog

leap year (n.) سنةٌ كبيسةٌ (مؤلّفة من ٣٦٦ يوماً).

learn [lûrn] (vt.; i.) (١) «أ» يتعلّم؛ يدْرُس. «ب» يحفظ عن ظهر قلب (٢) يعلّم (ع) (٣) يكتشف (٤) يعْلم (I ~ that she will arrive shortly.)

learned [lûr'-] (adj.) (١) عالِم؛ مثقّف (٢) علميّ (٣) مكتسَب بالتعلّم.

learner [lûr'nər] (n.) المتعلّم؛ التلميذ؛ الطالب المبتدىء.

learning [lûr'nĭng] (n.) (١) تعلّم (٢) معْرفة.

lease [lēs] (n.; vt.) (١) «أ» عقد الإيجار. «ب» التأجير أو مدّته. (٢) العقار المؤجَّر §(٣) يؤجِر (٤) يستأجر.

a new ~ of life فرصة جديدة للعيش أو النشاط ناشئة عن استعادة الصحة أو زوال القلق.

leasehold [lēs'-] *(n.; adj.)* (١) أرض مستأجَرة §(٢) مستأجَر .
leaseholder [lēs'hōl'dər] *(n.)* المستأجِر ؛ المؤجَّر له .
leash [lēsh] *(n.; vt.)* (١) مِقْوَد ؛ رَسَن (٢) ثلاثة ؛ مجموعة من ثلاثة §(٣) يُوثِق بمِقْوَد أو نحوه (٤) يكبح (العواطف الخ.) .
least [lēst] *(adj.; n.; adv.)* (١) الأدنى ؛ الأصغر ؛ الأقلّ §(٢) المقدار الأقلّ : أقلّ §(٣) أقلّ ما يكون (Samir worked ~ and was paid most.)
not in the ~, البتّة ؛ على الإطلاق .
least common denominator *(n.)* المقام المشترَك الأصغر (ر.) .
least common multiple *(n.)* المضاعف المشترَك الأصغر (ر.) .
leastways; leastwise [lēst'-] *(adv.)* على الأقل .
leather [lĕth'ər] *(n.; vt.)* (١) جلدٌ مدبوغ (٢) الجزء المتدلي من أذن الكلب (٣) شيء مصنوع (كلياً أو جزئياً) من جلد مدبوغ §(٤) يكسو بالجلد (٥) يجلد ؛ يضرب بالسِّياط .
leatherback [lĕth'-] *(n.)* جِلديّة الظهر : كبرى السلاحف البحرية .
leather-backed *(adj.)* جِلديّ الكعب : مجلَّد بكعب جِلديّ .
Leatherette [lĕth ər ĕt'] *(n.)* الورق أو القماش الجِلديّ .
leathern [lĕth'-] *(adj.)* جِلديّ ؛ مصنوع من جلد أو شبيهٍ به .
leatherneck [lĕth'ər-] *(n.)* = marine 4.
Leatheroid [lĕth'ər oid'] *(n.)* الجِلدانيّ : جِلد اصطناعيّ .
leathery [lĕth'ə rĭ] *(adj.)* (١) جِلديّ ؛ كالجلد (٢) متين ومَرِن .
leave [lēv] *(vt.; i.; n.)* (١) يورِّث بوصيّة (٢) يخلّف (أثراً الخ.) (٣) يترك (٤) يغادر (٥) يهجر (٦) يتخلى عن ×(٧) يسافر (٨) يُورِق النباتُ §(٩) إذْن (He asked ~ to read a short statement.) (١٠) إجازة (was on ~) (١١) انصراف ؛ استئذان بالانصراف .
to ~ behind (١) يخلّفه وراءه (فلا يصطحبه معه) (٢) يسبق ؛ يتفوّق على .
to ~ off (١) يكفّ عن (٢) يُقلع عن لُبْسه .
to ~ (something) out يُهْمِل ؛ يُسْقِط .
to ~ (a matter) over يرجىء التفكير في مسألة .
to ~ (a person) to himself *or* to his own devices يترك له حريّة العمل أو السلوك .
to ~ word (with) يترك رسالةً أو تعليمات (عند فلان) .
to take French ~, ينصرف من غير استئذان أو وداع .
to take ~, يستأذن بالانصراف ؛ يودّع .
to take ~ of one's senses يُجَنّ .
leaved [lēvd] *(adj.)* ذو أوراق (~ branches) .
leaven [lĕv'ən] *(n.; vt.)* (١) خميرة §(٢) يضيف خميرة (إلى العجين) (٣) يمزجه بشيءٍ ملطِّف أو منشِّط .
leavening [lĕv'ən ĭng] *(n.)* (١) تخمير (٢) خميرة .
leaves [lēvz] *pl. of* leaf.
leave-taking [lēv'tā-] *(n.)* توديع ؛ استئذان ؛ رحيل .
leavings [lē'vĭngz] *(n. pl.)* رواسب ؛ بقايا ؛ فضلات .
Lebanon [lĕb'ə nən] *(n.)* لبنان ؛ الجمهورية اللبنانيّة .
Lebanese [lĕb ə nēz'] *(adj.; n.)* لبنانيّ .
lebensraum [lā'bəns roum'] *(G.)* مجالٌ حيويّ .
lecher [lĕch'ər] *(n.)* الفاسق ، المنغمس في الشهوات .
lecherous [lĕch'-] *(adj.)* (١) فاسق ؛ داعر (٢) باعثٌ على الفسق .
lechery [lĕch'ə rĭ] *(n.)* فِسق ؛ انغماس في الشهوات .
lecithin [lĕs'ə thĭn] *(n.)* اللِّسِتيين : مادة دهنيّة في صَفار البيض وأنسجة الحيوان والنبات .

lectern [lĕk'tərn] *(n.)* المِقْرَأ : منضدة لتلاوة الكتاب المقدّس في الكنائس .
lection [lĕk'shən] *(n.)* (١) فَصْل من الكتاب المقدّس (خاصةً) يُتْلى في قدّاس (٢) القراءة : إحدى قراءات كتابٍ مختلف النّسخ .
lectionary [lĕk'shə nĕr'ĭ] *(n.)* كتاب الفُصول : كتاب متضمّن فصولاً من التوراة للتلاوة في قداس الخ .
lector [lĕk'tər] *(n.)* القارىء : شخص مهمته تلاوة فصول من الكتاب المقدّس في قداس .
lecture [lĕk'chər] *(n.; vi.; t.)* (١) محاضرة (٢) توبيخ رسميّ §(٣) يحاضر : يلقي محاضرة أو سلسلة محاضرات ×(٤) يوبّخ رسمياً .
lecturer [-ər] *(n.)* (١) المُحاضر (٢) المدرّس المُحاضر (في جامعة) .
led [lĕd] *past and past part. of* lead.
lederhosen [lād'ər hōz-] *(G.)* بنطلون جلديّ قصير (في بافاريا) .
ledge [lĕj] *(n.)* (١) رفّ (٢) سلسلة صخور تحت الماء ، وبخاصة قرب الشاطىء (٣) افريز ؛ وبخاصة : الطُنُف ؛ الحَيْد : ما نتأ من الجبل (٤) عِرق معدني .
ledger [lĕj'ər] *(n.)* (١) الدفتر الأستاذ (مس) (٢) الجسر ؛ الخشبة المستعرضة (في صقالة البناء) .
ledger board *(n.)* اللوحة المستعرضة : رافدة أفقيّة فوق أعلى السياج أو الدرابزون .
lee [lē] *(n.; adj.)* (١) مأوى ؛ ملاذ ؛ حِمىً (٢) جانب السفينة المحجوب عن الريح §(٣) محجوب عن الريح .
leech [lēch] *(n.; vt.; i.)* (١) طبيب ؛ جرّاح (ا.ق) (٢) علَقة (٣) طفيليّ (٤) أحد الضّلعين العموديّين من شراع مربّع §(٥) يستخرج دماً بواسطة علَقة (٦) يستنزف ×(٧) يتطفّل .
leek [lēk] *(n.)* الكُرّاث (نب) .
to eat the ~, (١) يسحب كلامه ؛ يعتذر عن كلام قاسٍ صدرَ عنه (٢) يُضطرّ إلى قبول الإهانة .
leer [lĭr] *(vi.; n.)* (١) ينظر شَزْراً §(٢) نظرة شَزْراء أو خبيثة .
leery [lĭr'ĭ] *(adj.)* حذِر ؛ ماكِر ؛ خبيث .
lees [lēz] *(n. pl.)* ثُفْل ؛ عُكارة ؛ رواسب .
lee shore *(n.)* الشاطىء الذي تهبّ نحوه الريح .
leeward [lē'wərd] *(adj.; n.)* (١) باتّجاه الرّيح §(٢) الجهة التي تهب نحوها الريح .
leeway [lē'wā'] *(n.)* (١) انحراف السفينة مع الريح (٢) زاوية الانحراف (طي) (٣) متأخّرات عمل ؛ وقتٌ ضائع (٤) «أ» التفاوت المسموح (مك) . «ب» مهلة .
left [lĕft] *(adj.; n.)* (١) أيسر ؛ يُسْرَى (٢) *cap.* عد : يساريّ (في السياسة) §(٣) «أ» اليد اليسرى . «ب» يسار ؛ الجهة اليُسرى (٤) *cap.* عد : «أ» مقاعد اليسار : المقاعد الواقعة إلى يسار رئيس المجلس التشريعي وهي تخصّص عادةً للنوّاب الاشتراكيين والراديكاليين . «ب» حزب يساريّ (٥) *cap.* عد : اليساريّون : ذوو الآراء المتّسمة عادة بالرغبة في الإصلاح أو في تقويض النظام القائم .
left [lĕft] *past and past part. of* leave.
left-hand [lĕft'hănd] *(adj.)* (١) أيسر ، واقع إلى اليسار . (٢) أعسر ؛ عاملٌ بيساره .
left-handed [-'hăn'dĭd] *(adj.)* (١) أعسر ؛ «عسراويّ» ؛ عاملٌ بيساره (٢) متعلق باليد اليسرى أو معمول بها أو مُعَدّ لها (٣) morganatic (٤) «أ» أخرق ؛ غير لبق ؛ غير مُتْقَن . «ب» غير صادق ؛ خبيث ؛ يحتمل معنيين (~ compliments) .

(٥) ذو اتجاه معاكس لحركة عقارب الساعة .

—left-handed; -ly *(adv.)*

left heart *(n.)* القلب الأيسر : نصفُ القلب المشتملُ على الأُذَين والبُطَين الأيسرَين .

leftism [lĕf'tĭz əm] *(n.)* اليساريـة : «أ» المبادىء اليساريّة . «ب» الحركة اليسارية . «ج» تأييد المبادىء اليساريّة أو التزامها .

leftist [-'tĭst] *(n.)* اليساري : صاحب المبادىء اليساريّة .

leftover [lĕft'-] *(adj.; n.)* (١) مُتبقّى ؛ متخلّف §(٢) بقايا؛ وبخاصة : بقايا الطعام تُقدَّم في وجبة تالية .

left wing *(n.)* (١) الجناح المتطرّف (من حزب) (٢) اليساريون.

left-winger [lĕft'-] *(n.)* (١) عضو في الجناح المتطرف (من حزب) (٢) اليساريّ.

leg [lĕg] *(n.; vt.)* (١) «أ» رِجل . «ب» ساق . «ج» قائمة . (٢) «أ» دِعامة . «ب» قائمة الكرسيّ الخ . «ج» إحدى شُعبتَي الفرجار الخ . (٣) ذلك الجزء من الجورب أو البنطلون الذي يغطّي الرِّجل (٤) انحناءة احترام أو خضوع (made a ~) (٥) أحد ساقَي المثلث (٦) دفعٌ إلى فوق؛عَون؛تشجيع (gave him a ~ up) (٧) مرحلة (another ~ of her continental journey) (٨) جزء ؛ فرع ؛ شعبة §(٩) يركض ؛ يعدو .

~ and ~, متعادل (في السباق أو لعب الورق) .

not to have a ~ to stand on لا يجد عذراً أو حجةً يبرّر بها عمله .

on one's last ~s على شفير الإفلاس أو الموت .

to feel (find) one's ~s يصبح (الطفل) قادراً على الوقوف أو المشي .

to get on one's ~s يقف ؛ وبخاصة ليلقي خطاباً .

to pull a person's ~, يخدع ؛ « يبلف » .

to run a person off his ~s (١) يبقيه مشغولاً باستمرار (٢) يرهقه بمهام كثيرة .

to shake a ~, يرقص (ع) .

to show a ~, يغادر الفراش (ع) .

to stand on one's own ~s. يستقلّ ؛ «يقف على قدميه» .

to stretch one's ~s يخرج في نزهة على القدمين .

to walk a man off his ~s يرهقه بالمشي .

legacy [lĕg'ə sĭ] *(n.)* (١) ميراث بوصيّة (٢) تُراث .

legal [lē'gəl] *(adj.)* (١) قانونيّ : متعلق بالقانون (٢) شرعيّ : مطابق للقانون؛ جائز شرعاً (٣) حقوقيّ : ذو علاقة بمهنة المحاماة.

legal cap *(n.)* ورق المحامين: ورق كتابة مسطّر يستعمله المحامون.

legalism [lē'gə lĭz'əm] *(n.)* التقيّد الحرفيّ أو المفرط بالقانون أو بشرع دينيّ أو أخلاقيّ.

—legalist *(n.)*

legality [lĭ găl'ə tĭ] *(n.)* (١) التزام القانون أو المحافظة عليه . (٢) قانونيّة؛ شرعيّة (the ~ of an act) (٣) *pl.*: التزامات مفروضة بموجب القانون .

legalize [lē'gə līz'] *(vt.)* يحلّل؛ يجيز؛ يجعله قانونياً .

legal reserve *(n.)* الاحتياطي القانوني : الحد الأدنى من الودائع المصرفيّة التي يفرض القانون الاحتفاظ بها كاحتياطيّ.

legal tender *(n.)* العملة القانونيّة : العملة التي يفرض القانون على الدائن أن يقبلها وفاءً لالتزام ما .

legate [lĕg'ĭt] *(n.)* (١) موفد رسميّ (٢) ممثّل للبابا .

legatee [lĕg'ə tē'] *(n.)* الوارث بوصيّة ؛ المُوصَى له .

legation [lĭ gā'shən] *(n.)* (١) انتداب ؛ إيفاد مندوب رسميّ . (٢) بِعثة؛ وَفد؛ وبخاصة : مفوضية (في بلد أجنبيّ) (٣) دار المفوضية .

legato [lĭ gä'tō] *(adj.; adv.)* (١) مُتّسِق (مو) §(٢) باتّساق (مو) .

legator [lĭ gā'tər] *(n.)* المُوصي ؛ المورّث بوصية .

legend [lĕj'ənd] *(n.)* (١) «أ» أسطورة ؛ خرافة . «ب» أساطير ؛ خرافات . «ج» شخص أو شيء يلهم الأساطير (٢) «أ» نقش أو شعار (على مدالية أو قطعة نقدية) . «ب» عنوان أو تعليق تفسيري ملحق بصورة مطبوعة . «ج» المفتاح: قائمة تفسيرية بالمصطلحات المستعملة في خريطة أو رسم بيانيّ .

legendary [lĕj'ən dĕr'ĭ] *(adj.)* أسطوريّ ؛ خرافيّ .

legendry [lĕj'ən drĭ] *(n.)* أساطير ؛ خرافات .

legerdemain [lĕj ər də mān'] *(n.)* (١) خفّة اليد ؛ شعوذة . (٢) خداع (٣) حيلة .

legerity [lə jĕr'ĭ tĭ] *(n.)* خفّة ؛ رشاقة .

leges [lē'jēz] *pl. of* lex.

legged [lĕg'ĭd] *(adj.)* ذو عدد أو نوع معين من الأرجل .

legging [lĕg'ĭng] *or* **leggin** *(n.)* الطِّماق: كساء للساق من جلد أو قماش (ترد بصيغة الجمع عادةً) .

leggy [lĕg'ĭ] *(adj.)* (١) طويل الساقين (٢) جميل الساقين (٣) طويل «مع نحول وهشاشة» (~ plants) .

leghorn [lĕg'hôrn *for* 1 ; lĕg'ərn *for* 2.] *(n.)* (١) «أ» قشّ القبّعات . «ب» قبعة مصنوعة منه (٢) اللّجْرَن : ضرب من الدجاج كثير البيض .

legible [lĕj'ə-] *(adj.)* واضح؛ مقروء. **—legibility** *(n.)*

legion [lē'jən] *(n.)* (١) الفَيْلَق : الوحدة الرئيسيّة في الجيش الرومـاني (٢) جيش (٣) حَشْد ؛ جمع غفير (٤) رابطة للمحاربين القدماء .

legionary [lē'jə nĕr'ĭ] *(adj.; n.)* (١) فيلقيّ : متعلّق بفيلق أو مؤلَّف فَيلَقاً §(٢) legionnaire .

legionnaire [lē jə nâr'] *(F.)* (١) الفيلَقيّ : عضو في فيلق . (٢) عضو في رابطة للمحاربين القدماء .

Legion of Honor وسام جوقة الشرف (وسام فرنسيّ) .

Legion of Merit وسام الاستحقاق

legislate [lĕj'ĭs lāt] *(vi.)* يشرّع ؛ يسنّ القوانين .

legislation [lĕj'ĭs lā'shən] *(n.)* (١) التشريع ؛ سَنّ القوانين . (٢) «أ» شريعة ؛ قانون . «ب» شرائع ؛ قوانين .

legislative [lĕj'ĭs lā-] *(adj.; n.)* (١) تشريعيّ §(٢) السلطة أو الهيئة التشريعية .

legislative assembly *(n.)* الجمعية التشريعية .

legislator [lĕj'ĭs lā'tər] *(n.)* المشرع ؛ المشترع ؛ وبخاصة : العضو في هيئة تشريعيّة .

legislatorial [lĕj'ĭs lə tōr'ĭ əl] *(adj.)* اشتراعيّ .

legislatress; legislatrix [lĕj'ĭs lā'-] *(n.)* المشرعة ؛ المشترعة .

legislature [lĕj'ĭs lā chər] *(n.)* الهيئة التشريعيّة .

legist [lē'jĭst] *(n.)* القانونيّ ؛ المتشرّع .

legit [lə jĭt'] *(adj.)* = legitimate.

legitimacy [lĭ jĭt'ə mə sĭ] *(n.)* (١) شرعية (٢) صحة .

legitimate [*adj.* lĭ jĭt'ə mĭt; *v.* -'ə māt'] *(adj.; vt.)* (١) شرعيّ (a ~ child) (٢) صحيح ؛ حقيقيّ (had ~ grievances) (٣) منطقيّ (~ conclusions) (٤) تقليديّ : «أ» صفة للمسرحية التي يمثلها ممثلون محترفون ولكنها لا تشتمل على أغانٍ هجائية

أو على عنصر كوميدي موسيقي الخ (drama ~) · «ب» مشترك في تمثيل مسرحيّة كهذه (actors ~) §(٥) يجعله شرعيّاً : «أ» يجيز ؛ يحلّل . «ب» يعترف قانونيّاً ببنوّة ولد غير شرعيّ .

—legitimation *(n.)*

legitimatize [lĭ jĭt'ə mə tīz'] *(vt.)* = legitimate.

legitimist [lĭ jĭt'ə mĭst] *(n.)* المناصر للسلطة الشرعية ؛ وبخاصة : المناصر لشخص يدّعي الحقّ في العرش على أساس من التحدّر المباشر .

—legitimism *(n.)*

legitimize [lĭ jĭt'ə mīz'] *(vt.)* = legitimate.

legman *(n.)* (١) المُخبِر الصّحفيّ (٢) مساعد (يجمع المعلومات) .

leg-of-mutton *(adj.)* مُثلّثيّ ، مثلّث الشكل (sails ~) .

legume [lĕg'ūm ; lĭ gūm'] *(n.)* (١) «أ» بقول كالحمص والفول . «ب» كلّ صنف من الخُضَر (٢) نباتٌ بقليّ .

leguminous [lĭ gū'mə nəs] *(adj.)* بقلي ؛ قرنيّ : من الفصيلة البقلية أو القرنيّة (نب) .

lehua [lā hōō'ä] *(n.)* (١) اللَّهْوَع ، الإكليل : شجرة حمراء الزّهر ، صلبة الخشب منتشرة في جزر المحيط الهادىء (٢) زَهر اللَّهْوَع .

lei [lā'ĭ; lā] *(n.)* إكليل أو عقد من الزهور (في هاواي) .

Leicester [lĕs'tər] *(n.)* اللّستريّ : غنم انكليزي أبيض الوجه .

leister [lē'stər] *(n.; vt.)* (١) الرمح الشائك : رمح ذو ثلاث شُعَب شائكة تُطعن به السمكة §(٢) يطعن (السمكة) برمح شائك .

leisure [lē'zhər] *(n.; adj.)* (١) فراغ ؛ خلوّ من العمل ، وبخاصة : وقت الفراغ (٢) راحة §(٣) فارغ ؛ غير مستخدَم (hours ~) .

at ~ (١) عندما يتفرّغ المرء أو تتاح له الفرصة (٢) على مهل (٣) غير مشغول .

at one's ~, في أوقات فراغ المرء

leisured [lē'zhərd] *(adj.)* مرفّه ، متْرَف ؛ متنعّم بكثير من أوقات الفراغ (the ~ classes) .

leisurely [lē'zhər lĭ] *(adj.; adv.)* (١) متْرَو أو مُرَوّىً فيه . (٢) متمهّل ؛ غير متعجّل (in a ~ manner) §(٣) برويّة ؛ على مَهَل (working ~) .

—leisureliness *(n.)*

leitmotiv *or* **leitmotif** [līt'-] *(G.)* فكرةٌ مهيمنة متكرّرة .

lemma [lĕm'ə] *(n.)* pl. **-s** *or* **-ta** (١) المأخوذ (مج) ؛ القضية المساعِدة : قضيّة إضافيّة مفروضةٌ صحّتُها يُؤتى بها لأقامة البرهان على قضيّة أخرى (٢) عنوان ؛ رأسيّة ؛ ترويسة (٣) القِنابة السّفلى (را . bract) (نب) .

lemming [lĕm'-] *(n.)* اللاّموس : ضرب من القوارض قصير الذّيل .

lemon [lĕm'ən] *(n.; adj.)* (١) «أ» ليمون ؛ ليمون حامض . «ب» شجرة الليمون (٢) إخفاق ؛ شيء أو شخص فاشل §(٣) ليمونيّ .

lemonade [lĕm'ə nād'] *(n.)* الليموناضة : عصير الليمون المحلّى .

lemon balm *(n.)* الترُنْجان ، الحَبَق الترُنْجاني (نب) .

lemon law *(n.)* قانون يُلزم صانعي السيارات باسترداد السيارات الجديدة التي يَثْبُت عدمُ صلاحها أو إعادة ثمنها إلى المشتري .

lemon yellow *(n.)* اللون الليموني (أصفر ضاربٌ إلى الخضرة) .

lemur [lē'mər] *(n.)* اللّيمُور ؛ الهبّار ، الهَوْبر : حيوان من فصيلة القردة طويل الذنب .

lemur

lemures [lĕm'yə rēz'] *(n. pl.)* أرواح الموتى .

lend [lĕnd] *(vt.; i.)* (١) «أ» يُعير . «ب» يُقرض (مالاً) (٢) يزود بـ ؛ يضفي على ؛ يُضيف إلى (A becoming dress ~s charm to a girl.) (٣) يساعد ؛ يقدّم يد العون (لقضية الخ .) (٤) يسترسل في ؛ يستسلم لـ (He ~s himself to illusory hopes.) (٥) يعير نفسه لـ ؛ يكون ملائماً لـ (The book ~s itself to reading.) (٦) يوجه إلى ؛ يسدد ضربةً إلى (ع) × (٧) يعقد قرضاً .

Lend-Lease Act قانون الاعارة والتأجير : قانون صادر في ١١ مارس ١٩٤١ قدّمت الولايات المتحدة الأميركيّة بموجبه ضروبَ المساعدات الماديّة إلى الدول الحليفة المحاربة لألمانيا وإيطالية .

length [lĕngkth] *(n.)* (١) طول (٢) مدّة (٣) مسافة ؛ امتداد . (٤) حدّ (went to the ~ of saying that ...) (٥) قطعة من شيء ؛ قطعة قماش كافية لتفصيل بذلة الخ . (٦) الطول : طول الفرس أو المركب من أقصاه إلى أقصاه كوحدة لقياس المسافات في سباق (His horse won by two ~s.) .

at full ~, بأقصى امتداد جسمه .

at ~, (١) أخيراً (٢) بتفصيل تامّ .

to go to all ~s / **to go to any ~,** لا يألو جهداً ؛ يبذل كلّ جهد مستطاع .

lengthen [-'thən] *(vt.; i.)* (١) يطوّل ؛ يمدّ × (٢) يَطُول ؛ يمتدّ .

lengthily [-'thĭ lĭ] *(adv.)* بتطويل ؛ بإسهاب ؛ بتفصيل تامّ .

lengthways [lĕngkth'wāz'] *(adv.)* بالطول ؛ طولاً .

lengthwise [lĕngkth'wīz'] *(adv.; adj.)* (١) بالطّول . §(٢) متحرك أو موضوع أو موجّه بالطول .

lengthy [-'thĭ] *(adj.)* (١) مطوّل جداً (٢) طويل ؛ فارع الطّول .

leniency *or* **lenience** [lē'-] *(n.)* رِفق ؛ لِين ؛ تساهل .

lenient [lē'nĭ ənt] *(adj.)* رفيق ؛ ليّن ؛ متساهل .

Leninism [lĕn'ĭ nĭz'əm] *(n.)* اللينينيّة : مذهب لينين في الشيوعية .

—Leninist; Leninite *(n.; adj.)*

lenitive [lĕn'ə tĭv] *(adj.; n.)* مسكّن ، ملطّف للألم .

lenity [lĕn'ə tĭ] *(n.)* رِفق ، لين ؛ تساهل .

lens [lĕnz] *(n.; vt.)* (١) عدَسة ؛ عدَسيّة . (٢) عدَسَة العين (ت) §(٣) يصوّر ، وبخاصة للسينما .

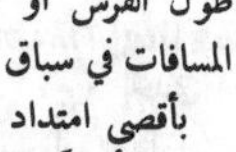

A B C D E F
lenses

lent *past and past part. of* lend.

Lent [lĕnt] *(n.)* (١) الصوم الكبير (نص) . (٢) فترة صوم دينيّ .

lentamente [lĕn tä mĕn'tĕ] *(adv.)* رويداً (مو) .

lentando [lĕn tän'dô] *(adv.; adj.)* (١) بتمهّل (مو) . §(٢) متمهّل (مو) .

Lenten [lĕn'tən] *(adj.)* (١) صَوْميّ ؛ متعلّق بالصوم الكبير (نص) (٢) ملائم للصوم الكبير : ضئيل ؛ هزيل (٣) قاتم ؛ حِداديّ (color *or* dress ~) .

lentic [lĕn'-] *(adj.)* متعلّقٌ بالمياه الساكنة أو عائش فيها .

lenticel [lĕn'tə sĕl'] *(n.)* العدَسيّة ، المسامّة العدَسيّة : مسامّة في سُوق بعض النباتات (نب) .

—lenticellate *(adj.)*

—lenticulate *(adj.)*

lenticular [lĕn tĭk'-] *(adj.)* (١) مزدوج التحدّب (٢) عدَسيّ .

lentil [lĕn'tĭl] *(n.)* (١) نبات العدس (٢) عدسٌ .

lentissimo [lĕn tĭs'ə mō] *(adj.; adv.)* (١) شديد البطء (مو) . §(٢) ببطء شديد (مو) .

lento [-'tô] *(adj.; adv.)* (١) رائث ؛ بطيء (مو) §(٢) بِريْث ؛ ببطء .

Leo [lē'ō] *(n.)* برج الأسد (فل) .

Leonardesque [lē'ə när dĕsk'] *(adj.)* ليوناردي : على طريقة ليوناردو دافنشي في الرسم .

Leonids [lē'ə-] *(n. pl.)* الأسَدِيّات : شهب أو نيازك منهمرة (فل) .

leonine [lē'ə nīn] *(adj.)* (١) أسَدِيّ (٢) كالأسد .

leopard [lĕp'ərd] *(n.)* (١) نَمِر ؛ نَمْر (ح) (٢) رسم يمثّل أسداً يتقدّم نحو المُشاهِد (كالأسد البريطانيّ) .

leotard [lē'ə tärd'] *(n.)* ثوب الراقص أو البَهْلَوان .

leper [lĕp'ər] *(n.)* (١) المجذوم ، المصاب بالجُذام (٢) المنبوذ .

lepid- or **lepido-** بادئة معناها : قشرة ؛ حَرْشَفَة .

lepidolite [lĭ pĭd'ə līt; lĕp'-] *(n.)* الليبيدوليت (مع) .

lepidopter; lepidopteran [lĕp'ə dŏp'-] *(n.)* القِشْريّة الجناح : حشرة من قشريّات الأجنحة **Lepidoptera** وهي تشمل الفراشات وغيرها .

—**lepidopteral** *(adj.)*

—**lepidopteran** *(adj.)*—**lepidopterous** *(adj.)*

lepidopteron [-'tər ən] *(n.)* pl. **-tera** = lipidopter.

lepidote [lĕp'ə dōt] *(adj.)* مكسوّ بالقشور والحراشف .

leprechaun [-'rə kôn'] *(n.)* جِنّيّ خبيث (في الأساطير الايرلندية) .

leprose [lĕp'rōs] *(adj.)* قِشْريّ ؛ حَرْشَفيّ .

leprosy [lĕp'rə sĭ] *(n.)* الجُذام (مض) .

leprous [lĕp'rəs] *(adj.)* (١) «أ» مجذوم . «ب» جُذاميّ . (٢) قِشْريّ ؛ حَرْشَفيّ .

-lepsy لاحقة معناها : نوبة عنيفة (epi*lepsy*)

lepto- or **lept-** بادئة معناها : صغير ؛ ضعيف ؛ نحيل .

lepton [lĕp'tŏn] *(n.)* pl. **lepta** اللِّبتون : قطعة نقد يونانيّة تساوي جزءاً من مئة من الدراخما .

leptus [lĕp'-] *(n.)* اللِّبتوس : عثّة يَرَقانيّة سداسية الأرجل .

lesbian [lĕz'-] *(adj.; n.)* (١) سِحاقيّ §(٢) امرأة مُساحِقة .

lesbianism [lĕz'bĭ ə nĭz-] *(n.)* السِّحاق : جماع المرأة للمرأة .

lese majesty or **lèse majesté** [lēz'măj'ĭs tĭ] *(F.)* العيب أو الطعن في الذات الملكيّة .

lesion [lē'zhən] *(n.)* (١) أذىً ؛ ضرر (٢) آفة (ط) .

less [lĕs] *(adj.; adv.; prep.; n.)* (١) أقلّ (٢) أدنى مرتبةً (the ~ *er* nobility) (٣) أصغر ، أضأل §(٤) بدرجة أقلّ §(٥) ناقصاً أو مطروحاً منه كذا §(٦) جزء أو مقدار أصغر (٧) شيء أقلّ أهميّة .

none the ~, ومع ذلك ؛ وبرغم ذلك

-less لاحقة معناها : «أ» بلا ؛ بدون؛ محروم من (child*less*; home*less*) . «ب» غير قابل لِـ (fade*less*; count*less*) .

lessee [lĕ sē'] *(n.)* المستأجِر ؛ الموجَّر له .

lessen [lĕs'ən] *(vi.; t.)* (١) يقلّ ؛ يصغُر ×(٢) ينقِص ؛ يخفّض (٣) يقلّل من شأن كذا .

lesser [lĕs'ər] *(adj.; adv.)* (١) أقلّ ، أصغر (٢) أهوَن ؛ أقلّ شأناً (~ evils) §(٣) بدرجة أقلّ (works of *lesser*-known poets).

Lesser Bear *(n.)* الدبّ الأصغر (فل) .

Lesser Dog *(n.)* الكلب الأصغر (فل) .

lesson [lĕs'ən] *(n.; vt.)* (١) فَصْل (من الكتاب المقدّس يُتلى في قداس) (٢) «أ» دَرْس . «ب» عِبرة ؛ أمثولة (٣) توبيخ §(٤) يعلّم (٥) يوبّخ .

lessor [lĕs'ôr; lĕ sôr'] *(n.)* المؤجِّر بموجب عقد .

lest [lĕst] *(conj.)* خشيةَ أن ، مَخافةَ أن .

let [lĕt] *(vt.; i.; n.)* (١) يَدَع ؛ يترك (٢) «أ» يؤجِّر . «ب» يُلزِم (بعد مناقصة) ×(٣) يؤجر (The flat ~ *s* for $ 56 a month.) §(٤) تأجير (بر) (٥) بيت مؤجَر ؛ شقّة مؤجّرة (بر) (٦) عائق (without ~) (٧) ضربة غير معدودة أو محسوبة ؛ ضربة من الضروريّ إعادتها (في التنس الخ.) .

~ alone إذا تجاوزنا عن ذكر كذا . . .

to ~ alone; to ~ be يتركه وشأنه .

to ~ blood يفصد ؛ يستخرج الدم .

to ~ down (١) يُدَلّي ؛ يدعه يغرق أو يسقط (٢) يُذِلّ (٣) يخذل شخصاً أو يتخلّى عنه .

to ~ drive (١) يضرب بضراوة (٢) يسدّد ضربة إلى .

to ~ fall (١) يُسقِط (٢) يشير إلى شيء مصادفةً أو بطريقة تبدو وكأنّ الاشارة مجرد مصادفة .

to ~ fly (١) يقذف (٢) يسدّد ضربة إلى (٣) يشتُم .

to ~ go (١) يطلق سراحه (٢) يصرِف من الذهن .

to ~ in (١) يُدْخِل (٢) يُقحِم (٣) يخدع ؛ يغشّ .

to ~ into (١) يُدخِل ؛ يسمح بالدخول (٢) يُقحِم (٣) يُطْلِعه على سرّ (٤) يهاجم بعنف .

to ~ loose يطلق سراحه

to ~ off (١) يعفو عن (٢) يعذِر (٣) يُطلِق (قوساً أو مدفعاً الخ.) .

to ~ on يفشي سرّاً .

to ~ oneself go يطلق العنان لعواطفه

to ~ out (١) يُخرِج ؛ يدعه يخرج أو يسيل . (٢) يمكّنه من الفرار (٣) يوسّع أو يطوّل ثوباً (٤) يؤجر (٥) يضرب ؛ يجلد (٦) يقذف ؛ يرمي .

to ~ out at يهاجم بعنف (بدنياً أو كلامياً) .

to ~ slip (١) يمكّنه من الفرار (٢) يخسر . (٣) يُضيع أثره .

to ~ up (١) ينقُص أو يتباطأ (٢) يكفّ ؛ يتوقّف (٣) يلين ؛ يصبح أقلّ قسوةً .

-let لاحقة معناها : «أ» شيء صغير (stream*let*) . «ب» شيء يُلبَس في كذا (ank*let*) .

letdown [lĕt'-] *(n.)* (١) خيبة أمل (٢) هبوط ؛ فتور (the ~ in steel production) (٣) هبوط الطائرة (استعداداً للحطّ على أرض المطار) .

lethal [lē'thəl] *(adj.; n.)* (١) مميت ؛ مهلك §(٢) تشويه خِلْقيّ مؤدٍّ إلى موت الكائن المصاب به (٣) lethal gene .

lethal gene *(n.)* الجينة المُهلِكة : جينة أو صِبغيّة قد تؤدّي إلى موت الكائن الحي أو تحول دون نموّه (أح) .

lethargic; -al [lĭ thär'-] *(adj.)* (١) «أ» نواميّ ؛ سباتيّ . «ب» كسول ؛ بليد (٢) لامبالٍ .

lethargy [lĕth'ər jĭ] *(n.)* (١) نُوام (مج) ؛ سُبات ؛ نعاس أو نوم غير سويّ (٢) كسل ؛ بلادة (٣) لامبالاة .

Lethe [lē'thĭ] *(n.)* (١) نهر النسيان (مث) (٢) نسيان .

let's [lĕts] = let us.

letter [lĕt'ər] *(n.; vt.)* (١) حرف (أبجديّ) (٢) رسالة . (٣) *pl.* : «أ» الأدب ، الآداب . «ب» صناعة الأدب أو الكتابة . «ج» معرفة ؛ ثقافة (٤) المعنى الحرفي (٥) «أ» حرف طباعيّ . «ب» نوع خاص من هذا الحرف . «ج» الحروف الطباعيّة جملةً (٦) المؤجِّر §(٧) يَطْبَع (٨) يكتب ؛ ينقش .

to the ~, (١) حرْفياً (٢) إلى أبعد مدى .

letter box *(n.)* صندوق البريد .

letter carrier *(n.)* ساعي البريد .

lettered [lĕt'ərd] *(adj.)* (١) «أ» عالِم . «ب» مثقَّف (٢) مكتوبٌ أو منقوش بأحرف .

letterhead [lĕt'ər-] *(n.)* (١) ورقة طُبع في رأسها اسم المؤسّسة وعنوانها . (٢) رأسيّة هذه الورقة (أي اسم المؤسسة وعنوانها المطبوعان عليها) .

lettering [lĕt'ər ĭng] *(n.)* (١) كتابة ؛ نقْش (٢) الحروف المكتوبة أو المنقوشة .

letter missive *(n.)* رسالة من سلطة عليا (تحمل أمراً أو توصية أو إذناً أو دعوة) .

letter(s) of credence أوراق الاعتماد (يقدّمها سفير أو وزير مفوَّض إلى رئيس الدولة في البلد الذي يمثّل حكومته فيه) .

letter of credit كتابُ الاعتماد (يبعث به مَصْرِف إلى أحد مراسليه أو إلى أحد عملائه) .

letter-perfect [-'ər pûr'-] *(adj.)* بالغ الدقّة ؛ وبخاصة : حرْفيّ .

letterpress [lĕt'-] *(n.)* (١) الحَرْفية : مادة مطبوعة عن أحرف منضّدة (لا عن كليشيهات) (٢) النصّ : نصّ الكتاب تمييزاً له عن الرسوم المزيّنة له .

letters of administration أوراق الإدارة : أوراق تثبت حق شخص في إدارة أموال أو أملاك ميّت .

letters patent *(n. pl.)* البراءة : رخصة خطيّة حكوميّة .

letters testamentary *(n. pl.)* تفويض بتنفيذ الوصيّة : تفويض قضائي يخوّل الوصيّ سلطةَ تنفيذ وصية الميت .

lettre de cachet [lĕt'r də kȧ shĕ'] *(F.)* الرقيم المختوم : رسالة تحمل ختماً رسمياً كانت تُصْطَنَع في العهود الملكيّة بفرنسة للإلقاء بأيّ شخص في غياهب السجن من غير محاكمة .

lettuce [lĕt'ĭs] *(n.)* الخَسّ (نب) .

letup [lĕt'ŭp'] *(n.)* (١) فتور (٢) انقطاع (٣) نقصان ؛ تناقص .

leuc- *or* **leuco-** *also* **leuk-** *or* **leuko-** بادئة معناها : «أ» أبيض عديم اللون أو ضعيفهُ (*leuko*cyte) «ب» كُريّة بيضاء (*leuk*emia) .

leucocyt- *or* **leucocyto-** = leukocyt-.

leucoma [lo͞o kō'-] *(n.)* كثافة القَرْنيّة ؛ كثافة قَرْنيّة العين .

leucomaine [lo͞o kō mə ēn] *(n.)* اللّوكومين : مادة سامة تُحْدَث في الجسم من طريق الأَيْض (را. metabolism) .

leukemia [lo͞o kē'mĭ ə] *(n.)* اللّوكيميا ؛ ابيضاض الدم (مض) .

leukocyt- *or* **leukocyto-** بادئة معناها : كريّة بيضاء .

leukocyte [lo͞o'kə sīt] *(n.)* الكُرَيْضَة : كُرَيّة بيضاء (فس) .

leukocytosis [lo͞o'kō sī tō'sĭs] *(n.)* كثرة الكُرَيْضات : تكاثر كريّات الدم البيض (فس) .

leukopenia [lo͞o'kə pē'nĭ ə] *(n.)* قلّة الكُرَيْضات : نقص في كريّات الدم البِيْض (فس) .

leukopoiesis [lo͞o'kō poi ē'sĭs] *(n.)* تكوّن الكُرَيضات : تكوّن الكريّات البيض (فس) .

leukorrhea [lo͞o kə rē'ə] *(n.)* السَّيَلان الأبيض أو المَهْبِليّ (مض) .

leukosis [lo͞o kō'-] *(n.)* = leukemia. **-kotic** *(adj.)*

Levant [lĭ vănt'] *(n.; vi.)* (١) الشرق ؛ المشرق §(٢) *not cap.* : يفرّ تخلّصاً من دَيْن .

levanter [-'ər] *(n.)* (١) *cap.* : المشرقيّ : أحد أبناء الشرق . (٢) المشرقيّة : ريحٌ شرقيّة متوسطيّة شديدة .

Levantine [lĭ văn'tĭn; lĕv'ən tīn'] *(adj.; n.)* (١) شرقيّ ؛ مشرقيّ §(٢) المشرقيّ ؛ أحد أبناء الشرق (٣) *not cap.* : المشرقيّ :

نسيج حريري .

levator [lĭ vā'-] *(n.)* (١) الرافع (٢) العضلة الرافعة (ت) .

levee [lĕv'ĭ] *(n.; vt.)* (١) استقبال الصباح (يستقبل فيه ملكٌ أو أميرٌ الزائرين عند نهوضه من النوم) (٢) استقبال الأصيل : حفلة تقام بعد الظهر يستقبل فيها الملك البريطانيّ أو ممثّلُه الرّجالَ فقط (٣) استقبال (يقام عادةً على شرف شخص) (٤) «أ» سدّ (لمنع الفيضان) . «ب» رصيف الميناء (٥) حاجز ؛ إحدى الرّبَى الصغيرة المطوِّقة لحقل يُرادُ ريّهُ §(٦) يقيم سدّاً أو حاجزاً .

level [lĕv'əl] *(n.; vt.; i.; adj.)* (١) «أ» الشاقول الأُفقيّ ؛ ميزان البنّائين . «ب» مِسْوَاة المسّاح (٢) قياس التفاوت في الارتفاع (بين نقطتين) بواسطة مِسْوَاة المسّاح (٣) مُسْتَوًى (٤) سطح (1350 feet above sea ~) (٥) سَهْل ؛ منبسَط (٦) منزلة ؛ مرتبة (to find one's ~) §(٧) يسطّح ؛ يجعله مسطّحاً أو أفقياً (٨) «أ» يسدّد أو يصوّب (البندقيّة) . «ب» يوجّه (to ~ an accusation at a person) (٩) يسوّي ؛ يمهّد (١٠) «أ» يهدم ؛ يسوّي بالأرض (to ~ ground) (Hiroshima was ~*ed* by one atomic bomb.) «ب» يَصْرع ؛ يطرحه أرضاً (١١) يساوي بين (Death ~*s* all men.) (١٢) يحدّد ارتفاع نقاط مختلفة (في قطعة أرض) وبخاصة بمسواة المسّاح ×(١٣) يتكلم بصراحة ووضوح (١٤) يوجّه جهده الخ. إلى §(١٥) مسطّح ؛ أفقيّ ؛ منبسط (١٦) «أ» مستوٍ . «ب» متساوٍ في المنزلة الخ . «ج» رتيب . «د» ثابت ؛ مطّرد . «هـ» هادئ ؛ رابط الجأش . «و» متكافئ (١٧) رصين ؛ رزين (١٨) متساوي الجهد (كب) (١٩) ملائم لمرتبة معيّنة أو مستوًى من المقدرة معيّن (the nature of top-*level* thinking) (٢٠) صادق ؛ مخلص ؛ لا خداع فيه (٢١) تقسيطيّ : متعلّق بتوزيع الثمن على أقساط متساوية تدفع خلال فترة من الزمن .
—**levelly** *(adv.)*
—**levelness** *(n.)*

on the ~, صادق ؛ مخلص ؛ لا خداع فيه .

to do one's ~ best يبذل قصارى جهده .

level crossing *(n.)* = grade crossing.

leveler [lĕv'-] *(n.)* (١) فا level (٢) المساوِي : «أ» المؤيّد للمساواة السياسيّة أو الاجتماعيّة الخ . «ب» المسوّي ؛ المساوي بين الناس : شيء ينزع إلى تخفيف الفروق بين الناس أو إزالتها (War has always been the great ~.)

levelheaded [lĕv'əl hĕd'ĭd] *(adj.)* حصيف ؛ مُتّزِن العقل .

leveling rod *(n.)* الشاخص ؛ القامة (عند المهندسين والمسّاحين) .

leveller [lĕv'-] *(n.)* = leveler.

lever [lĕv'ər; lē'vər] *(n.; vt.)* (١) رافعة (مج) ؛ مُخْل ؛ عَتَلَة §(٢) يرفع أو يحرّك بمُخْل (٣) يدير أو يشغّل أداة على طريقة المخل .

leverage [lĕv'ər ĭj; lē'-] *(n.)* (١) «أ» فِعْل الرافعة أو المُخْل . «ب» الفائدة الميكانيكيّة المكتسَبة من فعل الرافعة (٢) فعّالية ؛ قوّة ؛ نفوذ .

leveret [lĕv'ər ĭt] *(n.)* الخِرْنِق : الفتيّ من الأرانب .

leviable [lĕv'-] *(adj.)* ممكنٌ فرضُه أو جبايتُه (كضريبة الخ.) .

leviathan [lĭ vī'ə thən] *(n.; adj.)* (١) «أ» *cap.* عد : لوياثان : وحش بحريّ يرمز إلى الشر، في الكتاب المقدّس . «ب» اللوياثان : حيوان بحريّ ضخم . «ج» باخرة اقيانوسيّة ضخمة (٢) *cap.* : الدولة ؛ وبخاصة : الدولة ذات النظام الدكتاتوريّ (٣) شيء ضخم ورهيب §(٤) ضخم ؛ هائل .

levigate [lĕv'ə gāt'] *(vt.)* (١) يصقل ؛ يجعله أملس (٢) «أ» يسحن ؛ يسحق (شيئاً وهو رطب). «ب» يفصل الذرور عن المواد الأكثر خشونة بتعليقها في الماء الخ.

levirate [lĕv'ə rĭt; -rāt'] *(n.)* عادة يهوديّة تُجبر أخا المتوفّى من غير عَقِب على الزواج من أرملته.

Levi's [lē 'vīz] *(n.)* اللّفيز : بنطلون أزرق ضيّق تزوّد أجزاؤه الأكثر تعرّضاً للبِلى بأشباه أزرار نحاسية مُقَوِّية.

levitate [lĕv'ə tāt'] *(vi.; t.)* (١) يرتفع أو يسبح في الهواء لفرْط خفّته ×(٢) يجعله يسبح في الهواء.

Levite [lē'vīt] *(n.)* اللاويّ : فردٌ من قبيلة لاوي العبرانيّة.

levity [lĕv'ə tĭ] *(n.)* (١) «أ» خفّة ؛ طيش. «ب» تقلّب. (٢) خفّة في الوزن.

levo [lē'vō] *(adj.)* = levorotatory.

levorotation [lē vō rō tā'-] *(n.)* المياسرة («بص» و «ك»).

levorotatory *or* **levorotary** [lē vō rō'-] *(adj.)* مُياسِر ؛ أيْسَرُ الدوران («بص» و «ك»).

levulose [lĕv'yə lōs'] *(n.)* اللّفيلوز : سكّر الفاكهة والعسل.

levy [lĕv'ĭ] *(vt.; i.; n.)* (١) يَفْرِض أو يجبي ضريبةً (٢) يجنّد (٣) يشنّ حرباً ×(٤) يصادر §(٥) «أ» فرض أو جباية الضرائب. «ب» المبلغ المفروض أو المَجْبِيّ (٦) «أ» تجنيد. «ب» القوّات المجنّدة.
—levier *(n.)*

levy en masse [lĕv'ĭ ĕn măs'; än mȧs'] *(F.)* التجنيد العفويّ العام : لجوء الشعب بطريقة عَفْويّة إلى حمل السلاح دفاعاً عن النفس عند اقتراب عدوّ ما من غير أن يجد (الشعب) فرصةً كافية لتنظيم صفوفه وفقاً للقواعد العسكريّة المقرّرة.

lewd [lo͞od] *(adj.)* (١) «أ» فاسق ؛ داعر. «ب» مثير للشهوة. (٢) «أ» بذيء. «ب» خليع.
—lewdness *(n.)*

lewis [lo͞o'ĭs] *(n.)* رافعة الحجارة : أداة لرفع الحجارة.

lewisite [lo͞o'ə sīt'] *(n.)* اللويزيت : غازٌ حربيٌّ سامّ (ك).

lex [lĕks] *(n.)* pl. **leges** [lē'jēz] القانون.

lexical [lĕk'sə kəl] *(adj.)* (١) مُفْرَداتيّ : ذو علاقة بمفردات اللغة بوصفها شيئاً متميّزاً عن النحو وتركيب الجملة (٢) معجميّ ؛ قاموسيّ : ذو علاقة بمعجم أو بالصناعة المعجميّة.

lexical meaning *(n.)* المعنى الجَذْريّ : المعنى المشترك بين الكلمات المشتقّة من جذْرٍ واحد برغم اختلافها في الصورة.

lexicographer [lĕk'sə kŏg'-] *(n.)* المعجميّ : مؤلّف المعجم.

lexicographic [lĕk sə kō grăf'ĭk] *(adj.)* معاجميّ : متعلّق بتأليف المعاجم.

lexicography [lĕk sə kŏg'rə fĭ] *(n.)* الصناعة المعجميّة : صناعة تأليف المعاجم.

lexicon [lĕk'sə kən] *(n.)* معجم ؛ قاموس.

ley [lē] *(n.)* = lea.

Leyden jar [lī'-] *(n.)* وعاء لَيْدن (كب).

Leyden jar

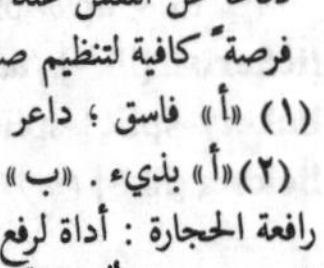

li [lē] *(n.)* اللّي : وحدة صينيّة للمسافات (حوالي ثلث ميل).

liability [lī ə bĭl'ə tĭ] *(n.)* (١) «أ» مسؤوليّة قانونيّة. «ب» تعرّض لـ. «ج» احتمال حدوثٍ (٢) دَيْن (٣) عائق.

liable [lī'ə bəl] *(adj.)* (١) مسؤول قانونياً (He is ~ for the debt.) (٢) عُرْضة لـ (~ to diseases).

liaise [lē āz'] *(vi.)* (١) يقيم صلةً مع (٢) يعمل كضابط ارتباط.

liaison [lē'ā zôn'] *(F.)* (١) «أ» صلة وثيقة ؛ علاقة متبادلة. «ب» علاقة غراميّة قصيرة الأجل (٢) ارتباط أو اتّصالٌ متبادل ، وبخاصة بين شُعَبِ قوةٍ مسلّحة.

liana [lĭ ä'nə] *or* **liane** [lĭ än'] *(n.)* نبتة متعرّشة أو متسلّقة.

liar [lī'ər] *(n.)* الكذّاب ؛ الكذوب ؛ الأفّاك.

Lias [lī'əs] *(adj.)* لِياسيّ : متعلّق بقسم فَرْعي من العصر الجوراسي الأوروبي (جي).

libation [lī bā'-] *(n.)* (١) «أ» الإراقة : سكب سائل ما ، كالخمر ، على الأرض أو على جسد الأُضحيّة ، تكريماً لإلـه. «ب» السائل المُراق على هذا النحو (٢) «أ» شُرْب. «ب» شراب ، وبخاصة ، شرابٌ كحوليّ.

libber [lĭ b'ər] *(n.)* مُدافع أو مُدافعة عن حقوق المرأة (عا).

libel [lī'bəl] *(n.; vi.; t.)* (١) طعن ؛ قذف ؛ تشهير (٢) «أ» نشر الكتابات أو الصور التجديفيّة أو البذيئة أو الباعثة على التمرّد الخ. «ب» الجريمة الناشئة عن ذلك (٣) بيان خطيّ يقدّمه المدّعي (ق) §(٤) يقذف ؛ يطعن ؛ يشهّر (٥) يقيم الدعوى على (ق).
—libeler; libelist *(n.)*

libelant *or* **libellant** [lī' bəl ənt] *(n.)* (١) المدّعي (ق). (٢) «أ» القاذف ؛ الطاعن ؛ المشهّر. «ب» من ينشر كتابات أو صوراً تجديفيّة أو بذيئة الخ.

libelee *or* **libellee** [lī bə lē'] *(n.)* المدّعى عليه (ق).

libelous *or* **libellous** [lī'-] *(adj.)* قَذْفيّ ؛ تشهيريّ.

liberal [lĭb'ər əl] *(adj.; n.)* (١) عقليّ : مُوَجَّهٌ نحو تنمية العقل لا نَحْوَ الحاجات المهنيّة أو التقنيّة (~ education) (٢) «أ» كريم ؛ جواد (a ~ giver). «ب» سخيّ ؛ وافر (~ rewards). «ج» كبير ؛ ضخم (a ~ bosom) (٣) غير حرفيّ ؛ متصرِّف فيه (a ~ translation of the Arabic text) (٤) متسامح ؛ غير متعصّب ؛ وبخاصة : متحرّرٌ (من التزام السّنَن والأشكال التقليدية الخ.) (٥) «أ» تحرّريّ : مؤيّد للنظم الديموقراطيّة والاصلاحات الاجتماعية. «ب» ليبرالي : مؤيّد لمذهب الليبراليّة الاقتصاديّة أو مبنيّ عليه. «ج» .cap أحراريّ : متعلق بحزب الأحرار البريطانيّ ، المنادي بالحرية الفرديّة وبخاصة الاقتصادية وبالاصلاح الدستوريّ والاداريّ §(٦) المتسامح ؛ المتحرّر ؛ المتساهل في التزام السّنَن والأشكال التقليديّة (٧) .cap : العضو في حزب الأحرار (٨) التحرّريّ : المنادي بالتحرّريّة (وبخاصة في ما يتّصل بحقوق الفرد).
—liberally *(adv.)* **—liberalness** *(n.)*

liberal arts *(n. pl.)* الفنون العقلية : اللغات والعلوم والفلسفة والتاريخ الخ. التي تؤلّف برنامج التعليم غير المهنيّ في كليّة.

liberalism [lĭb'ər ə lĭz'əm] *(n.)* (١) التحرريّة (٢) «أ» عد .cap : الليبرالية البروتستانتيّة : حركة في البروتستانتيّة الحديثة تؤكّد على الحرية العقلية وعلى المحتوى الروحي والأخلاقي في النصرانيّة. «ب» الليبراليّة الاقتصادية : نظرية في الاقتصاد تؤكّد على الحرية الفردية وتقوم عادةً على المنافسة الحرة وقاعدة الذهب. «ج» الليبراليّة السياسيّة : فلسفة سياسيّة تقوم على الإيمان بالتقدم واستقلال الفرد الذاتي وتنادي بحماية الحريات السياسيّة والمدنيّة. «د» .cap : مبادىء حزب الأحرار.

liberality [lĭb'ə răl'ə tĭ] *(n.)* (١) تحرّر (٢) «أ» سخاء. «ب» تسامح. «ج» سعة عقل (٣) هديةٌ سخيّة (٤) وفرة ؛ اتساع.

liberalize [lĭb'-] *(vt.; i.)* يجعله (أو يصبح) متسامحاً أو تحرّرياً الخ.

liberate [-'ə rāt] *(vt.)* يحرّر ؛ يُطْلِق ؛ يعتق. **-tor** *(n.)*

liberation [-ə rā'-] *(n.)* (١) تحرير ؛ إطلاق ؛ إعتاق (٢) تحرّر الخ .

libertarian [lĭb'ər târ'ĭ ən] *(adj.; n.)* (١) مؤيّد لمذهب حرية الارادة (٢) مؤيّد لمبادىء الحرية (وبخاصة في الفكر والعمل) .

libertinage [lĭb'ər-] *(n.)* = libertinism.

libertine [lĭb'ər tēn'] *(n.; adj.)* (١) العتيق : عبدٌ رومانيّ مُعْتَق . (٢) الخليع : شخص فاسقٌ أو فاجر §(٣) خليع ؛ فاسق .

libertinism [-'ər tēn ĭz'əm] *(n.)* خلاعة ؛ فِسْق ؛ فُجور .

liberty [lĭb'ər tĭ] *(n.)* (١) «أ» حرّية . «ب» خِيار (٢) امتياز (٣) تجاوز للحدود الطبيعية ، مثل : «أ» اجتراء ؛ تخطٍّ لآداب السلوك أو اللياقة ؛ رفع للكلفة (to take a ~) . «ب» انتهاك للقواعد أو الأصول . «ج» تحريف للحقيقة (٤) إذن ؛ إجازة غياب من العمل في الأسطول (لمدة تقلّ عادةً عن ٤٨ ساعة) .

at ~, (١) حرّ (٢) غير مشغول بعمل ما (٣) غير مُستخدَم (ككتاب غير مستعار ، في مكتبة عامة).

to set at ~, يُطلِق ؛ يُعتِق .

liberty cap

liberty cap *(n.)* قلنسوة الحريّة : قلنسوة مخروطية ضيّقة تبنّاها رجال الثورة الفرنسيّة واعتبرت رمزاً للحرية وبخاصة في الولايات الأميركيّة المتحدة قبل عام ١٨٠٠ .

liberty pole *(n.)* سارية الحرية : سارية علَمٍ طويلة تعلوها « قلنسوة حرية » (را. liberty cap) أو راية دولة جمهوريّة (تُنْصَب رمزاً للحريّة) .

libidinal [lĭ bĭd'-] *(adj.)* لِبيديّ : ذو علاقة باللّبيد أو الليبدو .

libidinous [lĭ bĭd'-] *(adj.)* (١) «أ» شهوانيّ ؛ شَبِق . «ب» فاسق ؛ داعر (٢) لِبيديّ : ذو علاقة باللّبيد أو الليبدو .

libido [lĭ bī'dō; -bē'dō] *(L.)* (١) اللّبيد ؛ الليبدو : طاقة انفعاليّة أو نفسيّة مستمدة من الدوافع البيولوجيّة الأوّليّة وذاتُ هدف (٢) الشهوة الجنسيّة .

libra [lī'brə *for* 1 *and* 2a; lē'brä *for* 2b] *(n.)* (١) *cap.* : الميزان ؛ برج الميزان (فل) (٢) الليبرة : «أ» وحدة وزن رومانيّة قديمة تعادل ٣٢٧,٤٥ غرام . «ب» وحدة وزن اسبانيّة أو برتغاليّة أو كولومبيّة أو فنزويليّة .

librarian [lī brâr'ĭ ən] *(n.)* أمين المكتبة ؛ قيّم المكتبة.

librarianship [-'ĭ ən shĭp'] *(n.)* أمانة المكتبة .

library [lī'brĕr'ĭ] *(n.)* (١) مكتبة عامة ؛ دار كتب (٢) «أ» المكتبة : مجموعة كتب أو مخطوطات للدراسة أو المراجعة . «ب» سلسلة كتب متماثلة الحجم أو التجليد الخ . تصدرها دارٌ للنشر .

library science *(n.)* الصناعة المكتبيّة : علم تنظيم دُور الكتب .

libration [lī brā'shən] *(n.)* تَرَجُّح ؛ مَيَسان ؛ نَوَدان (فل) .

librettist [lĭ brĕt'ĭst] *(n.)* واضع كلمات الأوبرا .

libretto [lĭ brĕt'ō] *(It.)* (١) نصّ الأوبرا أو كلماتُها (٢) الكتاب المحتوي على هذا النصّ .

libriform [lī'brə fôrm] *(adj.)* لِيفيّ أو شبيهٌ بألياف الشجر .

Libyan [lĭb'ĭ ən] *(adj.; n.)* (١) ليبيّ §(٢) مواطن ليبيّ .

lice [līs] *pl. of* louse.

license *or* **licence** [lī'səns] *(n.; vt.)* (١) «أ» إذْن ؛ ترخيص بعمل . «ب» حرية العمل (٢) إجازة رسمية (لمباشرة صناعة أو مهنة الخ.) (٣) «أ» حرية يُساء استعمالها . «ب» فسق ؛ فجور (٤) انحراف عن الشكل أو القاعدة يقوم به الفنان أو الكاتب لِما يُحْدِثه ذلك من أثر مستحبّ في نفس الناظر أو القارىء (poetic ~) §(٥) يمنحه رُخصة رسمية (٦) يجيز ، وبخاصة بترخيص رسمي .

—**licenser** *or* **licensor** *(n.)*

licensee [lī'sən sē'] *(n.)* المرخَّص له ؛ صاحب الرخصة .

licensure [lī'sən shər] *(n.)* التّرخيص ، وبخاصة بممارسة مهنة .

licentiate [lī sĕn'shĭ ĭt; -āt'] *(n.)* (١) المُجاز : شخص يحمل إجازة رسمية ، وبخاصة من جامعة ، لممارسة مهنة مّا (٢) الليسانس : شهادة أدنى من الدكتوراه تمنحها بعض الجامعات الأوروبيّة .

licentious [lī sĕn'shəs] *(adj.)* (١) فاسِق (٢) متحرّر ؛ مُغْفِل أو غير ملتزم للقواعد الصارمة .

lichen [lī'kən] *(n.; vt.)* (١) الأُشْنَة (نب) (٢) الحزاز : مرض جلديّ §(٣) يكسو بالأُشْنَة أو الحزاز .

lich gate *(n)* مَدْخَلٌ مسقوف إلى الكنيسة أو المدافن المُلْحَقة بها.

licit [lĭs'ĭt] *(adj.)* مَشْروع (مج) ؛ مُباح ؛ جائز شرعاً .

lick [lĭk] *(vt.; i.; n.)* (١) يلعق ؛ يلحس (٢) «أ» يجلد ؛ يضرب بالسياط . «ب» يهزم ؛ يتفوّق على (٣) يمسّ (كالأمواج أو النار) مسّاً رفيقاً ؛ يُحْرِق ×(٤) ينطلق بأقصى السرعة §(٥) «أ» لَعْق . «ب» لَعْقَة . «ج» مقدار ضئيل . «د» جهدٌ تعوزه الرويّة والإتقان (٦) «أ» ضربة عنيفة . «ب» فرصة (٧) المَلْحة : موطن (كينبوع ماء الخ.) تلعقه الوحوش لِما فيه من ملح .

to ~ into shape يمنحه الشكلَ الملائم ؛ يجعله فعّالاً أو حسن المظهر .

to ~ one's lips يتلمّظ ؛ يُظهِر تلهّفاً أو رضاً .

to ~ one's shoes *or* boots يتملّق فلاناً أو يتذلّل له .

to ~ up *or* off ينظّف باللعق أو باللحس .

lickerish [lĭk'-] *(adj.)* (١) شره ؛ نَهِم (٢) شبِق ؛ شهواني .

lickety-split [-splĭt'] *(adv.)* بسرعة عظيمة ؛ بسرعة بالغة .

licking [lĭk'-] *(n.)* (١) لَعْق ؛ لَحْس (٢) «أ» جَلْد عنيف . «ب» هزيمة .

lickspittle [lĭk'spĭt'əl] *(n.)* المتزلّف ؛ المتملّق .

licorice [lĭk'ə rĭs] *(n.)* (١) السُّوس (نب) (٢) عِرق السوس .

lictor [lĭk'tər] *(n.)* اللِّكْتَر : موظف مهمته إفساح الطريق للحاكم الرومانيّ في الاحتفالات العامة .

lid [lĭd] *(n.; vt.)* (١) غطاء (لصندوق أو إناء الخ.) (٢) جَفْن العين (٣) «أ» قبّعة (ع) . «ب» أحد غلافي الكتاب (ع) (٤) حَظْر رَسميّ (The ~ was clamped on gambling.) §(٥) يغطي ؛ يزوّد بغطاء الخ .

lidless [lĭd'-] *(adj.)* (١) بلا جفن أو غطاء (٢) يَقِظ ؛ حذِر .

lido [lē'dō] *(n.)* اللِّيدُو : ملهى أنيق في شاطىء رملي .

lie [lī] *(vi.; t.; n.)* (١) «أ» يتمدّد ؛ يضطجع . «ب» يتربّص ؛ يترصّد في كمين (٢) يكون في وضع صعب لا يستطيع معه الدفاع عن نفسه (The city *lay* at the mercy of the invader.) (٣) يكون موضوعاً (a book *lying* on the shelf) (٤) يتّجه ؛ يمتدّ (The road *lies* before you.) (٥) «أ» يقع (France ~*s* west of Germany.) «ب» يكمن في (The real remedy *lies* in education.) «ج» يُثْقِل ؛ يرهق (The crime *lay* heavy on her conscience.) «د» يحظى بالقبول (His appeal will not ~.) (٦) يظلّ (المركب) راسياً أو ثابتاً في مكانه لانقطاع الريح (٧) يكذب ×(٨) ينقذ نفسه الخ . عن طريق الكذب (He *lied* himself out of trouble.) §(٩) وَضْع ؛ مَوْقع (the ~ of a golf ball) (١٠) مكمن الطائر أو الحيوان أو السمكة (١١) اضطجاع ؛ استلقاء (١٢) «أ» كذِب . «ب» كِذْبة ؛

أكذوبة (١٣) شيء مضلل أو خادع (١٤) اتهام بالكذب .

to find out how the land *lies* · يستكشف حقيقة الوضع .

to give a person the ~ , يتهمه بالكذب .

to give the ~ to something يدحض أو يكذّب شيئاً .

to let sleeping dogs ~ , يتجنّب مناقشة المسائل التي قد تثير المتاعب .

to ~ at one's heart يكون مصدر قلق (أو تلهف) لفلان .

to ~ back يستلقي (مستريحاً في كرسي الخ .)

to ~ by (١) يكون أو يبقى على مقربة (٢) يوضع جانباً . (٣) يستريح (٤) يهدأ (٥) يظلّ غير مستعمل .

to ~ down (١) يستلقي في فراشه (ليستريح برهة قصيرة) (٢) يُغضي ؛ يقبل الهزيمة أو الإهانة بذلّ (٣) يهمل أداء واجبه عمداً .

to ~ in (١) يبقى في سريره إلى ما بعد الوقت المعتاد . (٢) تلزم فراشها عند الولادة .

to ~ in one يكون في مستطاعه أو طاقته .

to ~ in the way يقف حجرَ عثرة في الطريق .

to ~ low (١) «أ» يستلقي على الأرض . «ب» يُهزَم . «ج» يُذَلّ أو يُخزَى (٢) يظلّ مختبئاً ؛ يحاول اجتناب الأنظار (٣) يظلّ مستعداً ، سرّاً ، للعمل .

to ~ off (١) يبقى بعيداً بعض الشيء عن الشاطىء أو عن مركب آخر (٢) يكفّ عن العمل فترة (٣) يكبح جماحه في المرحلة الأولى من سباق .

to ~ on *or* upon يتوقف على .

to ~ on one's hands (١) يبقى غير مَبيع (٢) يتطاول (الوقتُ) أو يمرّ ببطء .

to ~ on the head of تقع عليه مسؤولية حادث الخ .

to ~ over (١) يتأجّل (٢) يظلّ غيرَ مدفوع .

to ~ to يظلّ المركبُ ثابتاً في مكانه .

to ~ up (١) يلزم الفراش لمرض أو التماساً للراحة . (٢) يَمضي المركبُ إلى حوض السفن أو يظلّ فيه .

to ~ with (١) يبيت أو يسكن مع (٢) يضاجع ؛ يجامع امرأة (٣) يتوقف على .

lied [lēd; lēt] *(G.)* pl. **lieder** [lē'dər] . اللِّيْدة : أغنية ألمانية .

Liederkranz [lē'dər kränts'] *(n.)* اللدَرْكَنس : نوع من الجبن .

lie detector *(n.)* مِكشاف الكذب : أداة تكشف عن أمارات التوتر المصاحِبة للكذب .

lief [lēv; lēf] *(adv.)* بسرور ؛ عن طيب خاطر .

liege [lēj] *(adj.; n.)* (١) «أ» متمتّع بحقّ الولاء الإقطاعي يقدّمه إليه أتباعه (responsibilities to his ~ lord) . «ب» مرتبط بعهد الولاء نحو سيّد إقطاعيّ (~ subjects) (٢) مخلص ، موالٍ § (٣) «أ» التابع المرتبط بعهد الولاء الاقطاعي . «ب» التابع المخلص (٤) المولى أو السيد الإقطاعي .

lien [lēn; lē'ən] *(n.)* (١) حقّ الحجز على ممتلكات شخص استيفاءً لدَيْن أو التزام قانوني (٢) رَهْن عقاري .

lienal [lī ən'əl] *(adj.)* طِحاليّ : منسوب إلى الطِّحال .

lierne [li ûrn'] *(n.)* الضِّلع المستعرض : ضلع يربط بين الأضلاع الرئيسية في العقود أو القناطر القوطية (عم) .

lieu [lōō] *(n.)* مكان ؛ بدل .

in ~ of بدلاً من

lieutenancy [lōō tĕn'ən sĭ] *(n.)* منصبُ الملازم الأول أو وظيفته .

lieutenant [lōō tĕn'ənt; lĕf tĕn'ənt] *(n.)* (١) القائم مقام : موظف ينوب مناب رئيس في غيابه (٢) ملازم أول (جن) .

lieutenant colonel *(n.)* مُقدَّم (جن) .

lieutenant commander *(n.)* رائد بحري (جن) .

lieutenant general *(n.)* فريق ؛ قائد (جن) .

lieutenant governor *(n.)* نائب الحاكم (في ولاية أميركية) .

lieutenant junior grade *(n.)* ملازم ثان (في البحرية) .

life [līf] *(n.; adj.)* (١) حياة (٢) عيشة (٣) سِيرة ؛ ترجمة حياة . (٤) عُمر (٥) معيشة ؛ رزق (٦) كائن حيّ ؛ وبخاصة : شخص (٧) مبدأ أو قوة مُحْيِيَة (٨) حيويّة (٩) روح (Adib was the ~ of the enterprise.) (١٠) فرصة أخرى تُمنح لشخص محتمَل أن يخسر § (١١) ذو علاقة بكائن حيّ (~ instincts) (١٢) دائم مدى الحياة (a ~ member) (١٣) مستعمِل نموذجاً حيّاً في تعليم الرسم (a ~ class) (١٤) متعلق بالتأمين على الحياة (a ~ policy) (١٥) نابض بالحياة ؛ شديد الشبه بالأصل (a ~ portrait) .

a bad ~ , شخص من المرجّح أن لا يبلغ متوسط العمر المتوقّع (في التأمين على الحياة) .

a good ~ , شخص من المرجّح أن يبلغ متوسط العمر المتوقّع (في التأمين على الحياة) .

for ~ , مدى الحياة .

for the ~ of me; upon my ~ , ولو كانت حياتي متوقّفة على ذلك ؛ ولو قُطِعَتْ رأسي .

to bring to ~ , (١) يُحْيِي (٢) يُعيد شخصاً مَغْشِيّاً عليه إلى وعيه (٣) يشفي مصاباً بمرض خطير .

to come to ~ , (١) يبدأ الحياة (٢) يفيق من إغماء .

to have the time of one's ~ , يمتّع نفسه أكثر مما فعل في أيّما وقت مضى .

to run for one's ~ *or* for dear ~ *or* for very ~ , يهرب طلباً للنجاة من الموت .

to take a person's ~ , يقتل فلاناً .

to take one's own ~ , ينتحر .

to the ~ , بكثير من الدقّة والأمانة للأصل .

life belt *(n.)* (١) حِزام النجاة (من الغرق) (٢) حزام الأمان .

lifeblood [līf'-] *(n.)* (١) دم الحياة (٢) قِوام الحياة .

lifeboat [līf'-] *(n.)* قارب النجاة (من الغرق) .

life buoy *(n.)* طافيةُ النجاة : عوّامة تُطْرَح من القارب إلى شخص مشرف على الغرق .

life cycle *(n.)* دورة الحياة : «أ» سلسلة من التطورات في الشكل والنشاط الوظيفي يمرّ بها كائن حيّ خلال رجعات متعاقبة لمرحلة أوّلية معيّنة . «ب» life history . «ج» سلسلة من المراحل التي يجتازها الفرد (أو الجماعة أو الثقافة) خلال الحياة .

life expectancy *(n.)* متوسط العمر المتوقّع .

lifeful [līf'-] *(adj.)* (١) مُفعَم بالحيوية (٢) منعِش ؛ مانحٌ للحيوية .

life-giving [līf'-] *(adj.)* (١) مُعْطٍ حياةً (٢) منشِّط .

lifeguard [līf'gärd] *(n.)* (١) عامل الإنقاذ : سبّاح محترف مكلّف بانقاذ السابحين عند تعرّضهم للغرق (٢) حَرَس .

life history *(n.)* تاريخ الحياة : (١) «أ» تاريخ التغيرات التي يمر بها كائن حيّ في تطوّره من مرحلة البيضة أو غيرها من مراحل الحياة الأولية إلى موته الطبيعي . «ب» سلسلة من هذه التغيرات (٢) تاريخ تطور فردٍ ما في بيئته الاجتماعية .

life insurance *(n.)* التأمين على الحياة .

life jacket *(n.)* صِدار النجاة : ثوب من فلّين للوقاية من الغرق .
lifeless [līf'-] *(adj.)* غير ذي حياة : «أ» ميّت . «ب» فاقد الوعي أو الحسّ . «ج» تعوزه الحيويّة أو الروح (a ~ novel) . «د» مقفر ؛ غير مأهول (~ planets) .
lifelike [līf'-] *(adj.)* حيّ ؛ نابض بالحياة ؛ ممثّل أو محاكٍ للحياة الواقعية بدقة (a ~ portrait) .
lifeline [līf'-] *(n.)* (١) حبل السلامة ، مثل : «أ» حبل لانقاذ الحياة يُلقى من الشاطىء إلى سفينة . «ب» حبل مشدود إلى خوذة الغاطس كوسيلة لتنزيله أو رفعه . «ج» حبل يدلّى به شخص من مكان عال (٢) الطريق الحيويّة : طريق برية أو بحرية أو جوية تعتبر ضروريّة للحياة .
lifelong [līf'-] *(adj.)* مستمرّ مدى الحياة (~ study) .
life net *(n.)* شبكة الانقاذ : شبكة يمسك بها الإطفائيّون فيقفز إليها الأشخاص من المباني المحترقة .
life office *(n.)* مكتب شركة تأمين .
life peer *(n.)* نبيل بريطاني لا يرث أبناؤه لقبه .
life preserver *(n.)* (١) صِدار النجاة : ثوبٌ من فلين للوقاية من الغرق (٢) هراوة مكسوّة بالجلد .
lifer [lī'fər] *(n.)* المؤبَّد : المحكوم عليه بالسجن المؤبَّد .
life raft *(n.)* رَمَثُ النجاة .
lifesaver [līf'-] *(n.)* (١) منقذ الغرقى (٢) نعمة ؛ بَرَكة .
lifesaving [līf'-] *(n.; adj.)* (١) إنقاذ الغرقى §(٢) مُعَدّ لإنقاذ الحياة أو مُستخدَم في ذلك .
life-size [līf'sīz'] *or* **life-sized** [-'sīzd'] *(adj.)* بالحجم الطبيعي ، بحجم الأصل (~ statues) .
lifetime [līf'-] *(n.)* (١) العُمْر : حياة المرء أو مداها (٢) عُمْر الأيون («ك» و «فز») .
life vest *(n.)* = life jacket.
lifeway [līf'wā] *(n.)* طريقة في العيش .
lifework [līf'wûrk'] *(n.)* عَمَل العمر : «أ» كامل ما يقوم به المرء في حياته من أعمال أو أهمّ ما يقوم به خلالها . «ب» عمل يستغرق عمراً بكامله .
lift [lĭft] *(vt.; i.; n.)* (١) «أ» يرفع . «ب» يرقّي ؛ يعلّي . «ج» يزيد المعدّل أو المقدار (٢) يرفع «الحصار عن» (٣) يُبطل ؛ يلغي (٤) «أ» يسرق . «ب» ينتحل آراء غيره (٥) يقتلع (البطاطا ونحوها) من الأرض (٦) يفكّ رهناً الخ . (٧) يَنقل الرَّمْيَ بنار المدافع من منطقة إلى أخرى (٨) يَنقل من مكان إلى آخر ×(٩) «أ» يرتفع ؛ يصعد . «ب» يبدو مرتفعاً (عن الأشياء المحيطة به) (١٠) «أ» ينقشع (السحاب أو الضباب) . «ب» ينقطع (المطر) موقتاً §(١١) حمولة (١٢) حَمْل ؛ رَفْع ؛ رَفْعة (١٣) رافعة (١٤) سرقة (١٥) «أ» مساعدة ، عَوْن . «ب» نَقْلة الطريق : نقل المرء المنطلق بسيارته إلى جهة ما شخصاً آخر إلى موضع واقع على الخطّ نفسه (١٦) إحدى طبقات كعب الحذاء (١٧) تقدّم ؛ ارتفاع في المنزلة (١٨) «أ» ارتفاع بسيط . «ب» مدى الارتفاع (١٩) مجموعة مضخّات (تستعمل في منجم) (٢٠) «أ» مِصعد (في مبنى) . «ب» مِصعَد (لنقل الناس في منحدر جبل) (٢١) «أ» قوّة منشّطة . «ب» نشاط .
  to ~ the hand يسدّد ضربةً (إلى) .
  to ~ up one's head (١) يرفع رأسه (٢) يستردّ صحّته .
liftman [lĭft'-] *(n.)* عامل المِصعد (في مبنى) .
lift truck *(n.)* شاحنة صغيرة معدّة لرفع الأثقال ونقلها .

ligament [lĭg'ə mənt] *(n.)* (١) رباط (ت) (٢) رابطة .
ligamentary *or* **ligamentous** [lĭg ə mĕn'-] *(adj.)* رباطيّ .
ligan [lī'gən] *(n.)* = lagan.
ligate [lī'gāt] *(vt.)* (١) يربط (٢) يربط وعاءً دموياً .
ligation [lī gā'-] *(n.)* (١) رَبْط (٢) ligature .
ligature [lĭg'ə chŏŏr; -chər] *(n.)* (١) «أ» رباط ؛ وبخاصة : خيط لربط الأوعية الدموية (جر) . «ب» رابطة (٢) رَبْط (٣) الحرف المزدوج : حرف مؤلّف من حرفين متصلين (مثل œ) .
light [līt] *(n.; vi.; t.; adj.; adv.)* (١) ضوء ؛ نور (٢) «أ» ضياء النهار . «ب» فجر (٣) مصدر ضوء ، مثل : «أ» جِرم سماويّ . «ب» شمعة . «ج» مصباح كهربائيّ (٤) «أ» نور باطني أو روحي . «ب» تَنوُّر . «ج» الحقيقة (٥) المظهر الذي يتبدّى (أو يُرى) فيه شيء (This shows up in a favorable ~.) (٦) «أ» نافذة . «ب» منوَر (في سقف مبنى أو على سطح مركب) (٧) *pl.* فلسفة حياة (said that one should worship according to one's ~*s*) (٨) المَنار : شخصٌ بارز في منطقة أو حقل معيّن (٩) التماع أو وميض أو تعبير (في العين) (١٠) «أ» منارة . «ب» إشارة من إشارات السير (١١) أثر الضوء الساقط على شيء أو مشهدٍ كما تمثّله صورةٌ فنيّة (١٢) وسيلة إشعال ، مثل : شرارة ؛ عود ثقاب §(١٣) يُشْرق (Sami's face *lit* up.) (١٤) يشتعل (١٥) يترجّل (١٦) يحطّ (الطائر) (١٧) يقع أو ينقضّ على نحوٍ غير متوقع (١٨) يجد أو يعثر (على الحلّ الخ .) مصادفةً ×(١٩) يُشْعِل (٢٠) «أ» يَهْدي ؛ يُرشد . «ب» ينير ؛ يضيء . «ج» يملأه بالاشراق §(٢١) مشرق منير (the ~*est* room in the house) (٢٢) فاتح اللون (She has ~ eyes.) (٢٣) «أ» خفيف ، غير ثقيل . «ب» مُعَدّ للسرعة أو لنقل الأحمال الخفيفة نسبياً (a ~ airplane) . «ج» ذو وزن أقلّ من الوزن الشرعيّ أو المألوف (~ coin) (٢٤) «أ» تافه . «ب» زهيد ؛ هزيل (٢٥) لطيف ؛ رفيق (٢٦) «أ» يسير ؛ محتمَل . «ب» هيّن (٢٧) رشيق (had ~ fingers) (٢٨) «أ» طائش ؛ مستهتر (her ~ conduct) . «ب» متقلّب (a ~ man) . «ج» فاسق ؛ داعر (~ women) (٢٩) مبتهج ؛ خالٍ من الهموم (a ~ heart) (٣٠) خفيف : مُعَدّ للتسلية في الدرجة الأولى (~ ballet music) (٣١) «أ» مخفَّف ؛ غير مركّز (~ wine) . «ب» ذو نكهة معتدلة نسبياً (٣٢) خفيف : سهل الهضم (~ soup) (٣٣) خفيف السّلاح (a fairly ~ cavalry) (٣٤) سهل التفتت (a ~ soil) (٣٥) مصاب بدوار (٣٦) «أ» مزوّد بحمولة ضئيلة أو غير مزوّد بأية حمولة (Our ship returned ~.) . «ب» خفيف : بسيط الآلات نسبياً أو منتج سلعاً للاستهلاك المباشر (~ industry) §(٣٧) lightly .
  in the ~ of على ضوء كذا .
  the ~ of one's countenance رضا المرء أو موافقته .
  to bring to ~, يكشف ؛ يُظهر ؛ يُعلِن .
  to come to ~, يَظْهر ؛ يبين ؛ يصبح معروفاً .
  to ~ into يهاجم بعنف .
  to ~ out يرحل بعجلة فائقة .
  to make ~ of يُهمِل ؛ يستهين ؛ ينظر إليه نظرته إلى شيء يمكن اغتفارُه .
  to see (the) ~, (١) يولد ؛ يرى النور ؛ يأتي الى حيّز الوجود (٢) يَظْهر للعِيان (٣) يُنْشَر (الكتابُ) .

to shed *or* throw ~ upon يلقي ضوءاً على ؛ يوضح ؛ يفسّر.

to stand in a person's ~, يقف حجر عثرة في طريق نجاح فلان الخ.

to stand in one's own ~, يعمل ضد مصالحه الشخصية ؛ يضرّ نفسه.

light adaptation *(n.)* التهايؤ أو التكيّف الضوئي (بص).

light air *(n.)* الريح الخفيفة.

light bread *(n.)* خبز القمح ؛ خبز الحنطة.

lighten [lī'tən] *(vt.; i.)* (١) يضيء ؛ ينير (٢) يفتّح (اللونَ) (٣) يخفّف (٤) يُبهج (٥) يلطّف ×(٦) «أ» يسطع. «ب» يزداد إشراقاً (٧) يومض ؛ يبرق (٨) يَخِفّ (٩) يصبح أكثر ابتهاجاً.

lighter [lī'tər] *(n.; vt.)* (١) الصَّنْدل : مركب مسطح القاع لتفريغ أو تحميل السفن (٢) المضيء ؛ المُشْعِل الخ. (٣) قدّاحة §(٤) يُصَنْدِل : ينقل بالصنادل.

lighterage [lī'tər ij] *(n.)* (١) أجرة النقل بالصنادل (٢) الصَّندلة : تحميل أو تفريغ أو نقل البضائع بالصنادل (٣) صنادل.

lightface [līt'-] *(n.)* الحرف الرقيق : حرف غير ثخين (طع).

light-fingered [līt'fĭng'gərd] *(adj.)* (١) خفيف اليد في السرقة، وبخاصة : نشّال (٢) رشيق.

light-footed [līt'fo͝ot'-] *also* **light-foot** [-'fo͝ot'] *(adj.)* (١) رشيق الخطى (~ girls) (٢) رشيق الحركة (~ opera).

light-headed [līt'hĕd'ĭd] *(adj.)* (١) مصاب بدوار (٢) طائش.

lighthearted [līt'här'-] *(adj.)* خليّ ؛ خالٍ من الهموم ؛ جذِل.

light heavyweight *also* **light heavy** *(n.)* ملاكم من الوزن الثقيل الخفيف (يبلغ وزنه الأقصى ١٧٥ باونداً).

lighthouse [līt'-] *(n.)* منارة (لهداية الملاحين).

lighthouse

light housekeeping *(n.)* تدبير المنزل الخفيف : «أ» عمل منزلي مقصور على المهام الأقل اقتضاء للجهد والعناء. «ب» تدبير المنزل في المواطن التي لا تتوفر فيها وسائل الطهو.

lighting [lī'tĭng] *(n.)* (١) «أ» إضاءة «ب» إشعال (٢) ضوء صنعي أو الجهاز الذي يزوّدك به.

lightless [līt'-] *(adj.)* (١) مظلم (٢) غير منير (~ stars).

lightly [līt'lĭ] *(adv.)* (١) برفق (٢) قليلاً (٣) بسهولة ؛ بيُسْر (٤) برشاقة (٥) بلا مبالاة ؛ باستخفاف (٦) بمَرَح ؛ بطيش أو استهتار.

light-minded [līt'mīn'dĭd] *(adj.)* طائش ؛ مستهتر.

lightness [līt'-] *(n.)* (١) إضاءة ؛ إشراق (٢) خفّة في اللون أو الوزن (٣) «أ» خفّة ؛ طيش. «ب» مرح (٤) رشاقة (٥) رفق ؛ رقّة.

lightning [līt'nĭng] *(n.; adj.; vi.)* (١) بَرْق (٢) حظّ سعيد مفاجىء §(٣) سريع أو مفاجىء كالبرق §(٤) تَبرُق السماءُ.

lightning arrester *(n.)* دافع الصاعقة : أداة لوقاية الجهاز الكهربائي أو جهاز الراديو المستقبِل من أذى البرق.

lightning bug *or* **beetle** *(n.)* يراعة ؛ حُباحِب.

lightning rod *(n.)* مانعة الصواعق.

light-o'-love [līt'ə lŭv'] *(n.)* (١) مومس (٢) خليلة.

lightplane [līt'plān'] *(n.)* الطائرة الخفيفة ؛ وبخاصة : طائرة رُكّاب صغيرة يملكها فردٌ.

lightproof [līt'pro͞of'] *(adj.)* صامدٌ للضوء : لا ينفذ إليه الضوء.

light quantum *(n.)* الفوتون (را. photon).

lights [līts] *(n. pl.)* الرئتان ؛ وبخاصة : رئتا حيوانٍ ذبيح.

lightship [līt'-] *(n.)* المنارة العائمة : مركبٌ منارٌ يثبّت بمَراسٍ في موضع من البحر خطر على السفن المُبْحِرة (تحذيراً لها منه).

lightsome [līt'-] *(adj.)* (١) رشيق (٢) مرح ؛ خليّ ؛ خالٍ من الهموم (٣) طائش ؛ مستهتر (٤) منير ؛ وضّاء (٥) حسَن الإضاءة.

lights-out *(n.)* (١) أمرٌ أو إنذار بضرورة إطفاء الأنوار (٢) موعد الإيواء إلى الفراش (بالنسبة إلى الأشخاص الخاضعين لنظام معيّن).

light-struck [līt'-] *(adj.)* مُفْسَدٌ أو مُغَشّىً من جرّاء التعرض غير المقصود للضوء (صفة لفلم فوتوغرافي).

lighttight [līt'tīt] *(adj.)* = lightproof.

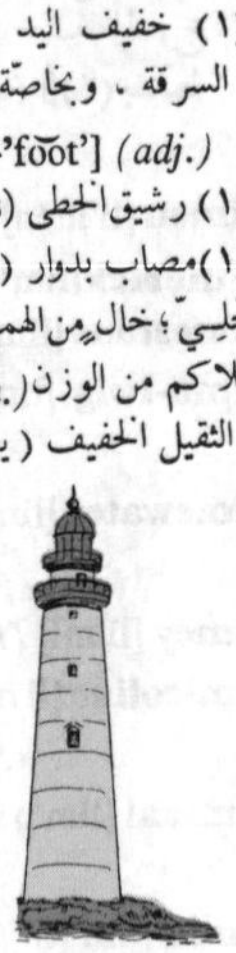

lightweight [līt'-] *(n.; adj.)* (١) شخص دون المتوسط وزناً ، وبخاصة : ملاكم من الوزن الخفيف (وزنه الأقصى ١٣٥ باونداً) (٢) شخص ضئيل الشأن أو المقدرة §(٣) متعلق بملاكم من الوزن الخفيف (٤) دون المتوسط وزناً (٥) غير هامّ.

lightwood [līt'-] *(n.)* الخشب اللَّهوب : خشب سريع الاشتعال.

light-year [līt'yĭr'] *(n.)* السنة الضوئية : وحدة طُوْل تعادل المسافة التي يجتازها الضوء في عام واحد في خَواء أي ٥,٨٧٨,٠٠٠,٠٠٠,٠٠٠ ميلاً.

lign- *or* **ligni-** *or* **ligno-** بادئة معناها : خشب.

ligneous [lĭg'nĭ əs] *(adj.)* (١) خشبيّ (٢) كالخشب.

lignify [lĭg'nə fī'] *(vt.; i.)* (١) يخشّب : يحوّل إلى خشب أو نسيج خشبيّ ×(٢) يتخشّب : يصبح خشباً أو خشبياً.

lignin [lĭg'nĭn] *(n.)* الخشبين : مادة عضوية تشكّل مع السليلوز قِوامَ النسيج الخشبيّ.

lignite [-'nīt] *(n.)* الليجنيت : ضرب من الفحم الحجري.

lignocellulose [lĭg'nō sĕl'yə lōs'] *(n.)* السلولوز الخشبي.

ligula [lĭg'yə lə] *(n.)* اللُّسَيْن : «أ» الزائدة الغشائية الناتئة من قمة غمد الورقة في كثير من الأعشاب. «ب» الجزء المفصّص الأقصى من «شفة» الحشرة.

ligule [lĭg'ūl] *(n.)* = ligula *a*.

ligure [lĭg'yo͝or] *(n.)* الليغور : حجر كريم.

likable [lī'-] *(adj.)* جدير بأن يُحَبّ (a very ~ fellow).

like [līk] *(vt.; i.; n.; adj.; prep.; adv.; conj.)* (١) يلائم ؛ يرضي (It ~*s* me not.) (٢) يميل إلى (٣) يودّ ؛ يرغب في ×(٤) يوافق على (٥) يشاء (٦) يُحبّ §(٧) ما يحبّه المرء (~*s* and dislikes) (٨) المثيل ؛ النظير (No one has seen his ~.) §(٩) مماثل ؛ مشابه (suits of ~ design) (١٠) ميّال إلى (to feel rather ~ taking a walk) (١١) «أ» مرجّح «ب» مشرف على أو كأنه مشرف على (They are ~ to meet again.) (~ to die) §(١٢) «أ» كـ ؛ مثل . «ب» من عاداته أو خصائصه المميزة (was ~ him to remember me at Christmas) §(١٣) على الأرجح (That was he, ~ enough.) (١٤) إلى حدّ ما (a small-*like* car; shrunk up ~ and went away) (١٥) تقريباً §(١٦) مثلما (١٧) وكأنه (acted ~ he felt sick).

likelihood [līk'lĭ-] *(n.)* ترجّح ؛ أرجحية ؛ احتمالٌ قويّ.

likely [līk'lĭ] *(adj.; adv.)* (١) مُحتمَل ؛ قابل للتصديق (a ~ story) (٢) مرجّح (It isn't ~ that he will win.) (٣) ملائم (a ~ place to fish) (٤) واعدٌ ؛ مرجوٌّ ؛ منتظرٌ نجاحُه (~ men) (٥) جذّاب ؛ فاتن (a ~ girl) §(٦) على الأرجح.

like-minded [lĭk'mīn'dĭd] *(adj.)* من نفس المزاج أو الغرض أو الرأي أو التفكير .

liken [lī'kən] *(vt.; i.)* (١) يُشَبِّه ×(٢) يُشْبِه .

likeness [lĭk'nĭs] *(n.)* (١) شَبَه (٢) شكل ؛ مَظْهَر خارجيّ (assumed the ~ of a lion) (٣) صورة ؛ رسم زيتيّ أو فوتوغرافيّ.
The portrait is a good ~ (هذه) الصورة الزيتية (لشخص ما) تُشبه الأصل .

likewise [līk'wīz'] *(adv.)* (١) بطريقة مماثلة (٢) أيضاً ؛ فوق ذلك.

liking [lī'-] *(n.)* مَيْل ؛ ولوع (a great ~ for cigars).

lilac [lī'lək] *(Ar.)* (١) اللَّيْلَج ، اللَّيْلَك : جنبة عطِرة الزهر (نب). (٢) لون أرجوانيّ فاتح .

Liliaceae *(n. pl.)* الزنبقيات ؛ الفصيلة الزنبقية (نب).

liliaceous [lĭl'ĭ ā'shəs] *(adj.)* زنبقيّ ؛ من الزنبقيات (نب) .

lilied [lĭl'ĭd] *(adj.)* (١) كالزنبقة ، أبيض (٢) حافل أو مكسوّ أو مزيّن بالزنابق .

Lilith [lĭl'ĭth] *(n.)* ليليت : «أ» روح شريرة ، في الميثولوجيا الساميّة ، تقيم في المواطن المهجورة وتهاجم الأطفال. «ب» زوجة آدم الأولى (في الأساطير اليهودية). «ج» عرّافة مشهورة (في المعتقدات الوسيطيّة).

Lilliput [lĭl'ĭ pŭt] *(n.)* (١) ليليبوت : جزيرة خياليّة يقطنها أقزام (وصفها سويفت في كتابه « رحلات جليفر ») (٢) القزَم .

Lilliputian [lĭl'ĭ pū'shən] *(adj.; n.)* (١) ليليبوتي : ذو علاقة بجزيرة ليليبوت الخياليّة وأقزامها (٢) «أ» قزَم . «ب» تافه ؛ صغير العقل §(٣) الليليبوتي : قزَم من جزيرة ليليبوت الخياليّة يبلغ طوله ستة إنشات (٤) *not cap.* أ. ك : القزَم .

lilt [lĭlt] *(vt.; i.; n.)* (١) يغنّي بجذل ×(٢) يغني أو يتكلّم على نحوٍ إيقاعيّ (٣) يتحرّك بخفة ونشاط §(٤) أغنية مرحة (٥) خفة ؛ نشاط .

lilting [lĭl'tĭng] *(adj.)* (١) إيقاعيّ (٢) مرِح .

lily [lĭl'ĭ] *(n.; adj.)* (١) «أ» الزنبق ، السَّوْسَن. «ب» النَّيْلُوفر ؛ زنبق الماء §(٢) كالزنبقة في الجمال أو النقاء أو الهشاشة .

lily-livered [lĭl'ĭ lĭv'ərd] *(adj.)* جبان ، مخلوع الفؤاد .

lily of the valley *(n.)* زنبق الوادي ؛ المَضْعَف (نب) .

lily pad *(n.)* الورقة الطافية : إحدى ورقات النيلوفر الكبيرة الطافية.

lily-white [lĭl'ĭ hwīt'] *(adj.; n.)* (١) ناصع البياض (كالزنبقة). (٢) متّسم بعزل الزنوج وبخاصة عن السياسة أو مؤيّد لهذا العزل (٣) بريء ، طاهر §(٤) عضو في منظمة سياسيّة تنادي بعزل الزنوج.

limacine [lĭm'ə sīn'; -sĭn; lī'-] *(adj.)* حلزونيّ .

limb [lĭm] *(n.; vt.)* (١) الوُصْل: أحد أطراف الحيوان، وبخاصة: رِجل الانسان أو ذراعه (والجمع أوصال) (٢) غصن كبير أو رئيسي (٣) عضو أو عامل فعّال (٤) فرع ؛ شعبة ؛ امتداد (٥) طفل مؤذٍ (٦) الحاشية المدرّجة (في أداة لقياس الزوايا) (٧) طُنُف الجرم السماويّ أو الحافة الخارجيّة من قرصِه (٨) الجزء المنتشر من بَتَلَة أو سبَلَة أو ورقة (نب) §(٩) يوزّب ؛ يقطّع الأعضاء أو الأوصال ، وبخاصة : ينزع أغصان شجرةٍ مقطوعة.
a ~ of the law (١) محامٍ (٢) شرطيّ .

limbate [lĭm'bāt] *(adj.)* ذو حاشية (كزهرة يكتنف فيها لونٌ بحاشية من لون آخر) .

limber [lĭm'bər] *(n.; adj.; vt.; i.)* (١) القادمة : الجزء الأمامي من عربة مدفع §(٢) لدن ؛ سهل الانثناء (٣) رشيق §(٤) يلدِّن ؛ يرشّق : يجعله لدناً أو رشيقاً ×(٥) يصبح لدناً أو رشيقاً .

limbless [lĭm'lĭs] *(adj.)* عديم الأوصال أو الأطراف .

limbo [lĭm'bō] *(n.)* (١) *cap.* أ. ك : اليَمْبوس ؛ الأعراف : موطن الأرواح التي تُحْرَم دخولَ الجنة لغير ذنب اقترفته (كأرواح الأطفال غير المعمَّدين الخ.) (٢) «أ» سِجن . «ب» كون المرء سجيناً (٣) «أ» إهمال ؛ نسيان . «ب» موطن إهمال أو نسيان (٤) موطنٌ متوسط أو انتقاليّ ؛ حالةٌ متوسطة أو انتقاليّة .

Limburger [lĭm'bûr gər] *(n.)* اللَّمْبرْج : ضرب من الجبن.

limbus [lĭm'bəs] *(n.)* pl. **-bi** [-bī] حاشية ملوّنة ؛ طرف ملوّن.

lime [līm] *(n.; adj.; vt.)* (١) دِبْق (٢) «أ» كِلْس ؛ جير . «ب» كلسيوم (٣) زيزفون (نب) (٤) اللَّيْم : ضرب من الليمون الحامض §(٥) كلسيّ §(٦) يكسو أغصان شجرة بالدبق (٧) يوقِع في شَرَك (٨) يكلّس : يعالج أو يكسو بالكلس .

limeade [lī mād'] *(n.)* عصير اللَّيم (را. المادة السابقة) .

lime glass *(n.)* الزجاج الجيريّ ؛ الزجاج العاديّ .

lime-juicer [līm'-] *(n.)* (١) «أ» سفينة بريطانيّة (ع). «ب» بحّار بريطانيّ (ع) (٢) رجل انكليزيّ (ع) .

limekiln [līm'kĭl'; -kĭln'] *(n.)* الكلاّسة : أتون لحرق حجر الكلس وتحويله إلى كلس .

limelight [līm'līt'] *(n.; vt.)* (١) «أ» نور الكلس (لإضاءة المسرح). «ب» ضوء المسرح (الناشيء عن ذلك) . «ج» ضوء يسلّط على شخص أو شيء أو جماعة فوق خشبة المسرح (٢) الأضواء ؛ بريق الشهرة (was fond of the ~) §(٣) يسلّط الأضواء أو انتباه الجمهور على .

limen [lī'mĕn] *(L.)* عتبة الشعور (نف) .

limerick [lĭm'ər-] *(n.)* اللِّمريكية : قصيدة فكاهية خماسية الابيات .

limestone [līm'stōn'] *(n.)* حجر الكلس ، حجر الجير .

lime-twig [līm'-] *(n.)* (١) قضيب دِبْقٍ (لصيد العصافير) . (٢) شَرَك ؛ فخّ .

limewater [līm'-] *(n.)* (١) ماء الكلس : محلولٌ كلسيّ يستعمل كمضادّ للحموضة (٢) المياه الكلسيّة .

limey [lī'mĭ] *(n.)* (١) بحار انكليزي (ع) (٢) رجل انكليزي (ع) .

limicoline [lī mĭk'ə līn'; -lĭn] *(adj.)* (١) سَحُوليّ : ساكن السواحل (٢) سَحُوليّ : متعلق بالطيور السَّحولة .

liminal [lĭm'ə nəl; lī'mə-] *(adj.)* متعلّق بعتبة الشعور ؛ واقع على عتبة الشعور (نف) .

limit [lĭm'ĭt] *(n.; vt.)* (١) تَخْم ؛ حدّ جغرافي أو سياسيّ . (٢) «أ» قَيْد . «ب» المدى الأقصى (٣) الحدّ الأقصى أو الأدنى من مقدار أو كميّة (٤) حدّ ؛ نهاية (ر) §(٥) يعيّن ؛ يحدّد (٦) «أ» يقيّد ؛ يَحْصُر . «ب» يُنقص ؛ يختصر .

limitary [lĭm'-] *(adj.)* (١) محدود (~ authority) (ا.ق) . (٢) «أ» حدّيّ ؛ تخميّ (ا.ق). «ب» مطوّق ؛ حاصر ؛ محدِّد.

limitation [lĭm'ə tā'-] *(n.)* (١) تحديد ؛ تقييد (٢) عجز ؛ قصور (٣) حدّ ؛ قيد (٤) المهلة القانونية.

limitative [lĭm'ə tā-] *(adj.)* تحديديّ ؛ تقييديّ ؛ محدِّد ؛ مُقيِّد.

limited [lĭm'ĭt ĭd] *(adj.)* (١) «أ» محدود ؛ محصور ضمن حدود . «ب» مقصور : مقصور على عدد محدّد من الركاب ولا يقف إلا في عدد محدود من المحطات (a ~ express) (٢) مقيّد بدستور (~ monarchy) (٣) محدود : ضيّق أفقِ التفكير .
a ~ (or ~ liability) company شركةٌ محدودة .

limiting [lĭm'ĭt ĭng] *(adj.)* محدِّد ؛ مقيِّد ؛ نهائيّ .

limiting value *(n.)* القيمة الحدّيّة أو النهائية .

limitless [lĭm'ĭt lĭs] *(adj.)* لا حدّ له ؛ لا يعرف حدّاً .

limmer [lĭm'ər] *(n.)* (١) وَغْد (اسك) (٢) مومس (اسك) .

limn [lĭm] *(vt.)* (١) «أ» يرسم . «ب» يخطّط (٢) يصف .

limnetic [lĭm nĕt'ĭk] *(adj.)* متعلق بالمياه العذبة أو عائشٌ فيها .

limnology [lĭm nŏl'ə jĭ] *(n.)* علم المياه العذبة .

limonite [lī'mə nīt] *(n.)* الليمونيت : أكسيد الحديد المائي .

limousine [lĭm'ə zēn'] *(n.)* الليموزين : سيارة ركاب مترفة .

limp [lĭmp] *(vi.; n.; adj.)* (١) «أ» يَعرج ؛ يَظْلَع . «ب» يترنّح ؛ يمشي مضطرباً (٢) يتقدّم ببطء أو بصعوبة § (٣) عَرَجٌ ؛ ظَلَعٌ § (٤) رخو ؛ ليّن (٥) «أ» مترهّل . «ب» مُنْهَك ؛ مُضْنًى . «ج» ضعيف (Her character is rather ~.) .

limpet [lĭm'pĭt] *(n.)* (١) البَطْلينوس : حيوان من الرخويات يلتصق بالصخور (٢) اللَّصقة : شخص لا يفارق شخصاً أو شيئاً آخر (٣) المُلْتَصِقة : متفجّرة مُعَدَّة للالتصاق ببدن السفينة .

limpid [lĭm'-] *(adj.)* (١) «أ» شفّاف . «ب» واضح (٢) رائق .

limpkin [lĭmp'-] *(n.)* الواق الأغرّ : طائر كبير مخوِّض يشبه الواق (را bittern) ويتميّز بخطوط بيضاء على رأسه وعنقه .

limpsy [lĭm(p)'sĭ] *(adj.)* = limp.

limulus [lĭm'yə ləs] *(n.)* pl. **-li** [-lī] مِلِك السراطين : حيوان بحريّ من المفصليّات .

limy [lī'mĭ] *(adj.)* (١) دَبِق (٢) كلسيّ (٣) شبيه بالكلس .

linage [lī'nĭj] *(n.)* (١) عدد الأسطر (التي تتألف منها مادة مطبوعة أو مكتوبة) (٢) الأجر السطريّ : أجرٌ يُدفَع للأديب على أساس السطر .

linalool [lĭ năl'ō ōl] *(n.)* اللينالوول : ضرب من الكحول (ك) .

linchpin [lĭnch'pĭn] *(n.)* مسمار العجلة (أو الدولاب) .

Lincoln [lĭng'kən] *(n.)* اللِّنكون : ضرب من الخراف الانكليزية .

lindane [lĭn'dān] *(n.)* اللِّندين : مُبيد للحشرات .

linden [lĭn'dən] *(n.)* (١) الزيزفون (نب) (٢) خشب الزيزفون .

lindy [lĭn'-] *(n.)* اللِّندي : ضرب من الرقص .

line [līn] *(vt.; i.; n.)* (١) يُبطِّن (سترةً الخ.) (٢) يحشو ؛ يملأ . (٣) يكسو ؛ يغطّي (٤) يسطّر (٥) يرسم (٦) «أ» يشكّل صفاً على (shabby houses *lining* mean streets) . «ب» يُقيم أو ينشئ صفاً على طول كذا (to ~ a coast with colonies) (٧) «أ» يَصُفّ ؛ يُراصِف (~*d* up the troops) . «ب» ينظّم (to ~ up support for the candidate) (٨) يقذف الكرة بحيث تنطلق بسرعة من غير ارتفاع كثير × (٩) «أ» يشكّل صفاً . «ب» يصطفّ (١٠) يصطاد بالصنّارة § (١١) خيط ؛ سِلك ؛ حبْل . مثل : «أ» حبل رفيع . «ب» حبل غسيل . «ج» صنّارة (لصيد السمك) . «د» مقياس من حبل أو شريط . «هـ» شبكة أنابيب . «و» سلك تلغرافيّ أو تلفونيّ أو شبكة من هذه الأسلاك : خطّ (١٢) «أ» سطر . «ب» بيت (من الشِّعر) . «ج» رسالة قصيرة (a ~ from a friend) . «د» pl. : وثيقة الزواج . «هـ» pl. عد : الكلمات التي تشكّل دور ممثّل في مسرحية (١٣) «أ» سلسلة متصلة (من دُرْز أو جبال الخ.) . «ب» صفّ (من أشجار الخ.) . «ج» غَضَنٌ (في الوجه) . «د» مسلك ؛ مجرى ؛ اتجاه شيء متحرّك . «هـ» انسجام ؛ اتفاق . «و» pl. عد : تَخْم ؛ حدّ . وبخاصة لقطعة أرض . «ز» خطّ السكّة الحديدية (١٤) «أ» مجرى التفكير أو العمل أو السلوك . «ب» حقل نشاط المرء أو اهتمامه . «ج» ذرابة لسان مقنعة عادةً (١٥) حدّ فاصل (tried to draw a ~ between right and wrong) (١٦) «أ» أسرة . «ب» سلسلة نَسَب (١٧) «أ» pl. عد : خطوط القتال . «ب» صفّ من الجند . «ج» سفن حربيّة في ترتيب نظاميّ . «د» القوّات المقاتلة من جيش (تمييزاً لها عن الأركان الخ.) ؛ رجال الأسطول النظاميّ . «هـ» ضباط القوّات المقاتلة من جيش أو أسطول . «و» مجموعة أشياء من صنف واحد . «ز» مجموعة من وسائل النقل العامّة ؛ وتوسّعاً : شبكة مواصلات أو الشركة التي تملكها أو تديرها (١٨) خطّ . مثل : «أ» خطّ من خطوط الطول أو العرض على خريطة . «ب» خطّ الاستواء . «ج» خطّ (من خطوط رسم) (١٩) «أ» الخطّ الكِفافيّ : خطّ يمثّل محيط الشكل المنحرف أو المتعرّج (a ship of fine ~*s*) . «ب» pl. عد : مخطّط ؛ تصميم ؛ خطّة عامّة (٢٠) وحدة تساوي سُدس إنش تستعمل في قياس الحروف المطبعية (٢١) مخزون سِلَع من فئة عامّة واحدة .

all along the ~, على طول الخطّ ؛ من أول الأمر إلى آخره .

hard ~*s* حظّ عاثر ؛ طالعٌ نَكِد .

in ~ with بتوافق أو بانسجام أو بتراصف مع .

~ engaged ! الخطّ (التلفوني) مشغول .

on the ~, (١) على مستوى عين الرائي (٢) مكشوفاً تماماً (٣) على الحد الفاصل (٤) على الخط التلفوني (٥) حالاً ؛ في الحال (٦) في خطر شديد .

to bring (a person) into ~, يقنعه بالتعاون ؛ يجعله يتعاون معه .

to come into ~ with يتفق مع ؛ يقبل وجهات نظر فلان ؛ يتعاون .

to give one ~ enough يُملي له ؛ يُمهله ؛ يصبر عليه ليعود فيضرب على يده آخر الأمر .

to go up the ~, يغادر القاعدة إلى الخطوط الأمامية .

to ~ one's purse (pocket) يحشو كيسه أو جيبه بالمال (وبخاصة بالمال المكتسب بطريق غير شريفة) .

to ~ out (١) يضع خطّاً تحت كلام يجب أن يُحذَف . (٢) يرسم ؛ يخطط (٣) يندفع مسرعاً إلى .

to read between the ~*s* يقرأ بين السطور ؛ يبحث عن المعنى المحجوب أو غير المعبّر عنه في رسالة أو خطبة الخ.

to take (keep to) one's own ~, يعمل بالاستقلال عن الآخرين .

to toe the ~, يَخْضَع للنظام ؛ يطيع الأوامر ؛ يقبل برنامج حزبه أو آراءه .

lineage [lĭn'ĭ ĭj] *(n.)* (١) نَسَب (٢) نَسْلٌ ؛ ذُرّيّة .

lineage [lī'nĭj] *(n.)* = linage.

lineal [lĭn'ĭ əl] *(adj.)* (١) linear (٢) مؤلّف من خطوط . (٣) «أ» مباشر (a ~ heir *or* descendant) . «ب» وراثيّ (٤) «أ» متحدّر من سلالة واحدة . «ب» نَسَبيّ ؛ سُلاليّ (٥) متعلق بالقوّات المقاتلة من جيش أو أسطول أو بضباط هذه القوّات .

lineament [lĭn'ĭ ə mənt] *(n.)* (١) pl. عد : أسارير ؛ قَسَمات . (٢) pl. عد : سِمَة مُميِّزة .

linear [lĭn'ĭ ər] *(adj.)* (١) خَطّيّ : مؤلّفٌ من خطوط ؛ شبيه بخطّ ؛ مستقيمٌ (٢) تخطيطيّ : مُتّسِم بالتأكيد على الخطوط (~ art) (٣) خيطي ؛ شبيه بالخيط ؛ ضيّق وطويل (~ leaves) (٤) طوليّ (~ measures) .

linear leaf

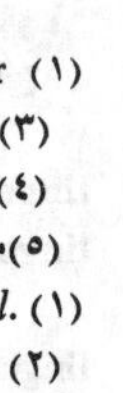

linear equation *(n.)* المعادلة الخطيّة (ر) .

linear measure *(n.)* (١) المقياس الطوليّ (٢) نظام مقاييس طوليّة .

linear perspective *(n.)* المنظور الطوليّ أو الخطّي .

lineation[lĭn'ĭ ā'-] *(n.)* (١) «أ» تخطيط . «ب» مُخَطَّط (٢) خطوط

linebreeding [līn'brē'-] *(n.)* الإنسال السلالي : الإنسال بين أفراد من سلالة معينة ابتغاء الاحتفاظ ببعض المزايا والخصائص المستحبة.

line drawing *(n.)* رسم تخطيطي .

line engraving *(n.)* (١) الحفر التخطيطي على (النحاس وأشباهه). (٢) التخطيطية : «أ» صفيحة محفورة تخطيطياً . «ب» صورة مطبوعة عن هذه الصفيحة .

lineman [līn'-] *(n.)* (١) عامل الأسلاك : مركّب أسلاك البرق أو التلفون الخ. أو مُصْلحها (٢) لاعب هجوم رئيسي (رب).

linen [lĭn'ən] *(n.; adj.)* (١) «أ» كتّان. «ب» خيط من كتّان. (٢) «أ» ملابس كتانية (كالقمصان وغيرها من الملابس التحتية). «ب» بياضات (كالمناديل وأغطية الأسرّة الخ.) (٣) الورق الكتاني : ورق مصنوع من ألياف كتانية أو شبيه بالكتان §(٤) كتاني .

to wash one's dirty ~ in public يناقش خلافاته العائلية على مسمع من الناس أو في حضرتهم .

line officer *(n.)* نقيب أو ملازم أول (جن) .

line of force خط القوة (في مجالٍ مغنطيسي الخ.) .

line of sight (١) خط البَصَر (٢) خط الرؤية (بص) .

line of vision خط الرؤية (بص) .

lineolate *or* **lineolated** [lĭn'-] *(adj.)* مَوْسوم بخطوط رفيعة .

liner [lī'nər] *(n.)* (١) «أ» الراسم ؛ المسطّر ؛ المبطِّن. «ب» بطانة . (٢) قلم (يستخدم في الماكياج) (٣) الباخرة أو الطائرة الخطّية : باخرة أو طائرة تعمل في خط مواصلات نظامي .

linesman[līnz'-]*(n.)* (١) lineman 1 (٢) مساعد الحَكَم (في مختلف الألعاب) .

lineup [līn'ŭp] *(n.)* (١) صف (من أشخاص يقفون ، بخاصة ، ليفتّشهم رجال الشرطة أو ليطّلعوا على هوياتهم) (٢) «أ» لائحة (بأسماء اللاعبين المشتركين في مباراة البايسبول الخ.). «ب» اللاعبون المسجلون على هذه اللائحة (٣) تكتّل أشخاص أو شركات لغرض مشترك أو مصلحة مشتركة .

ling [lĭng] *(n.)* (١) اللنغ (سمك) (٢) الخَلَنْج (نب) .

-ling لاحقة معناها: «أ» شيء ذو علاقة بكذا أو له صفة كذا (nest*ling*). «ب» الصغير ؛ الفتي (prince*ling*) . «ج» في اتجاه كذا (side*ling*).

linger [lĭng'gər] *(vi.; t.)* (١) يتلبّث؛ يتريّث ؛ يبقى في مكان ما (بعد مغادرة الآخرين له) (٢) يتخلّف: يبقى (على قيد الحياة) برغم تلاشيه التدريجي (Old customs ~.) (٣) يتوانى ؛ يتباطأ أكثر مما ينبغي ؛ يتردد (٤) يمشي ببطء ؛ يتسكّع ×(٥) يُمضي الوقت بطريقة متمهّلة أو مُضجرة .

lingerie [län'zhə rā'; lăn'zhə rē'] *(F.)* ملابس النساء التحتية.

lingo [lĭng'gō] *(n.)* لغة غريبة مثل: «أ» لغة أجنبية. «ب» المعجمية (الألفاظ) الخاصة بفن ما . «ج» لغة مميّزة لشخصٍ ما .

lingu- *or* **lingui-** *or* **linguo-** بادئة معناها: «أ» لغة . «ب» لسان .

lingua [lĭng'gwə] *(n.)* pl. -e لسان أو زائدة كاللسان .

lingua franca [frăng'kə] *(n.)* (١) اللغة المشتركة : «أ» لغة مشتركة قوامها الإيطالية ممزوجةً بالفرنسية والاسبانية واليونانية والعربية (يُتكلّم بها في موانيء البحر الأبيض المتوسط) . «ب» إحدى اللغات المستخدمة كلسان مشترك أو تجاري بين أقوام مختلفي اللغة (٢) شيء يُشبه لغةً مشتركة .

lingual [lĭng'gwəl] *(adj.)* (١) لساني (٢) لغوي .

linguiform [lĭng'gwə fôrm] *(adj.)* لساني الشكل .

linguist [lĭng'gwĭst] *(n.)* (١) المتكلّم لغاتٍ متعددة (٢) اللغوي.

linguistic; -al[-gwĭs'-] *(adj.)* لغوي: ذو علاقة باللغة أو علم اللغة.

linguistic atlas *(n.)* الأطلس اللغوي : أطلس تدوَّن على خرائطه الفروق المحلية أو الإقليمية الخاصة بلغةٍ ما .

linguistic form *(n.)* الوحدة الكلامية المفيدة (كالجملة والكلمة والبادئة واللاحقة الخ .) .

linguistic geography *(n.)* الجغرافيا اللغوية : دراسة الفروق المحلية أو الإقليمية الخاصة بلغةٍ ما .

linguistician [lĭng gwĭs tĭsh'ən] *(n.)* العالِم اللغوي .

linguistics [lĭng gwĭs'tĭks] *(n.)* علم اللغة .

lingulate [lĭng'gyə lāt'] *(adj.)* لساني الشكل .

liniment [lĭn'ə mənt] *(n.)* مَرُوخ ؛ مرهم .

linin [lī'nĭn] *(n.)* شبكة النواة (أح) .

lining [lī'nĭng] *(n.)* (١) بِطانة الثوب الخ . (٢) تبطين .

Every cloud has a silver ~. لكل سحابة بطانة فضية : كثيراً ما ينطوي الشر على شيء من الخير .

link [lĭngk] *(n.; vt.; i.)* (١) وُصْل ، أداة رَبْط ، مثل: «أ» حَلْقَة (من سلسلة حديدية) . «ب» زرّ معدني (لأكمام القمصان) . «ج» الجزء القابل للذوبان من صمامة كهربائية أو «فيوز» . «د» جزء من مئة من سلسلة المسّاح : ٧,٩٢ إنش (٢) شيء يشبه الحلقة ، مثل : «أ» قطعة نقانق متصلة مع غيرها في حبل طويل . «ب» رِباط ؛ صلة (٣) *pl.* : «أ» تعرّج نهر . «ب» الأرض الممتدة في محاذاة هذا التعرج (٤) مِشعل (لهداية السّاري في الشوارع) §(٥) يزاوج أو يربط (بحلقة) ×(٦) يرتبط (بحلقة) .

linkage [lĭngk'ĭj] *(n.)* (١) الوُصْلية ؛ وبخاصة : طريقة تسلسل الذرّات في جُزَيْء (٢) ترابط ؛ ارتباط ؛ وبخاصة : الترابط الإسهامي : علاقة بين الجينات أو المورِّثات تجعلها تعبّر عن نفسها معاً في الوراثة (أح) (٣) «أ» رَبْط . «ب» ارتباط . «ج» مجموعة أوصال ، سلسلة من حلقات أو قضبان .

linkboy [lĭngk'boi] *(n.)* المِشعَلِي ، حامل المِشعل (لهداية الساري في الشوارع) .

linked [lĭngkt] *(adj.)* مترابط ؛ وبخاصة : إسهامي الترابط (را linkage) كبعض الجينات أو المورِّثات (أح)

linkman [lĭngk'-] *(n.)* = linkboy.

links[lĭngks] *(n. pl.)* (١) تلال (محاذية للشاطىء) (٢) ملعب الغولف.

linksman [lĭngks'-] *(n.)* لاعب الغولف .

linkup [lĭngk'ŭp] *(n.)* (١) اجتماع ؛ اتصال (٢) صِلة .

linkwork [lĭngk'-] *(n.)* (١) سلسلة (٢) linkage 3 c .

linn [lĭn] *(n.)* (١) شلاّل (اسك) (٢) جُرُف (اسك) .

linnet [lĭn'ĭt] *(n.)* التُفّاحي ؛ الزُقَيْقيّة : طائر مغرّد .

lino [lī'nō] *(n.)* = linoleum.

linoleic acid[lĭn'ə lē'-] *(n.)* حامض لينوليك : حمض زيت الكتان .

linoleum [lĭ nō'-] *(n.)* مُشمَّع الأرضية ؛ مشمّع لفَرْش الأرض.

Linotype [lī'nə tīp'] *(n.)* (١) اللينوتيب ، المنضّدة السطرية : ماكينة لتنضيد الأحرف المطبعية في سطور مسبوكة (٢) «أ» السطور المنضّدة باللينوتيب . «ب» طباعة تُجرى بهذه السطور .

linsang [lĭn'săng] *(n.)* اللِنْسَنْغ : حيوان ثديي يشبه الهر .

linseed [lĭn'sēd'] *(n.)* بزر الكتّان .

linsey-woolsey [lĭn'zĭ wŏŏl'zĭ] *(n.)* الكتَّصُوف : قماش خشن متين من كتان وصوف .

ă at; ā date; â care; ä car; ĕ egg; ē me; ĭ in; ī bite; ŏ lot; ō bone; ô orphan; oi boil ŏŏ good; ōō boot; ou out; ŭ under; ū unity; û urgent; th thing; th this; zh vision; ə = *a* in alone, *e* in system, *i* in easily, *o* in gallop, *u* in circus.

linstock [lĭn'-] *(n.)* مِضْرَم المدفع : قضيب في طرفه عود ثقاب (لإطلاق نيران المدافع القديمة).

lint [lĭnt] *(n.)* (١) ضِمادة كتانية (٢) نَسِيل ؛ نُسالة.

lintel [lĭn'təl] *(n.)* الأُسْكُفَّة (مج) : عتبة الباب (أو النافذة) العليا.

L. lintel

linter [lĭn'-] *(n.)* (١) مُزيلة النُّسالة (٢) نُسالة القُطْن (بعد حلْجِه).

lintwhite [lĭnt'hwĭt] *(n.)* = linnet.

linty [lĭn'tĭ] *(adj.)* نُسالِيّ : «أ» كالنُّسالة. «ب» مكسوّ بالنُّسالة.

lion [lī'ən] *(n.)* (١) «أ» الأسد. «ب» الكُوجَر : أسد أو نمر أميركي (٢) *pl.* : بُرج الأسد (فل) (٣) الشعار الوطني البريطاني (٤) *cap.* : معالم المدينة التي ينبغي للزائرين أن يشاهدوها.

lion

a ~ in the path *or* way خطر أو عقبة (موهومة بخاصة)

the ~'s share حصة الأسد؛ النصيب الأكبر أو الأفضل.

to twist the ~'s tail يلوي ذيل الأسد : يثير أو يُهين الشعب الانكليزي أو الحكومة الانكليزية.

lioness [lī'ən ĭs] *(n.)* اللَّبُوءة : أنثى الأسد.

lionhearted [lī'ən-] *(adj.)* شجاع ؛ جريء الفؤاد ؛ «قلب الأسد».

lionize [lī'ə nīz] *(vt.)* (١) يكرِّم ؛ يحتفي بِـ (٢) يُريه معالم بلدٍ ما.

lion's mouth *(n.)* فم الأسد : موضع شديد الخطر.

lip [lĭp] *(n.; adj.; vt.)* (١) شَفَة (٢) جوابٌ وقح (ع). (٣) labium (٤) «أ» حافة ؛ طرف. «ب» شفة وعاء أو تجويف الخ. «ج» الجزء الماضي من طرف المِثْقَب ونحوه §(٥) كاذب : صادر من الشفتين لا من القلب ؛ غير مخلص (٦) شفويّ : ملفوظ بواسطة الشفتين (~ reverence) (~ consonants) §(٧) يقبّل (٨) يلفظ (٩) يغني (ع).

to bite one's ~ *or* ~s (١) يحرق الأُرَّم (٢) يحاول أن يكبِت ضحكةً أو انفعالاً.

to curl one's ~, يُبدي أمارات الازدراء.

to hang on a person's ~s يصغي بتلهف إلى كلّ كلمة يقولها.

to make a ~, يُبْرِز أو يَنْتَئِيء شفتيه تجهّماً أو ازدراءً.

lip- *or* **lipo-** بادئة معناها : دُهن ؛ دُهنيّ.

lipase [lī'pās] *(n.)* حالَّةُ الدُّهن : خميرة حالّة للدُّهْن (كح).

lip-deep *(adj.)* من الشفتين فقط (لا من القلب) ؛ كاذب ؛ غير مخلص.

lipids *(n. pl.)* اللِّبيدات : مركّبات عضوية تشمل ضروباً من الدهن والشمع

lipoid [lĭp'oid] *(adj.; n.)* (١) دُهْنيّ §(٢) مادة دهنيّة.

lipolysis [lĭ pŏl'ə sĭs] *(n.)* التحلّل الدهني (ك).

lipoma [lĭ pō'mə] *(n.)* pl. **-s** *or* **-ta** ورمٌ دهنيّ (مض).

lipoprotein [lĭ pō'prō'tē ĭn] *(n.)* البروتين الدُّهنيّ (كح).

lipped [lĭpt] *(adj.)* (١) مُشَفَّه ؛ ذو شَفَة (٢) شفويّ : من الفصيلة الشفويّة (نب).

lippy [lĭp'ĭ] *(adj.)* وقح ؛ سليط.

lip-read [lĭp'-] *(vt.; i.)* (١) يَسْتَشْفِه : يفهم بواسطة لغة الشفاه. ×(٢) يستعمل لغة الشفاه.

—**lip-reader** *(n.)*

lipreading [lĭp'-] *(n.)* الاستشفاه ؛ لغة الشفاه : وسيلة لتعليم الصمّ قِوامُها فَهْمُ كلمات المتحدث من غير سماع صوته وذلك بمراقبة حركات وجهه وشفتيه.

lip service *(n.)* تملّق ؛ ولاءٌ كلاميّ كاذب.

lipstick [lĭp'stĭk'] *(n.)* أحمر الشفاه ؛ إصبع أحمر الشفاه.

liquate [lī'kwāt] *(vt.)* يفصل بالصَّهْر : يفصل بالحرارة الأجزاءَ الأسهل إذابةً عن مادة متحدة مع هذه الأجزاء.

liquefacient [lĭk wə fā'shənt] *(n.)* المُميِّع ؛ المُسيِّل ؛ المُذيب.

liquefaction [lĭk'wə făk'-] *(n.)* (١) تمييع ؛ تَميُّع (٢) سيولة.

liquefy [lĭk'wə fī] *(vt.; i.)* (١) يميّع ؛ يُسيِّل ×(٢) يتميّع.

liquescent [lĭ kwĕs'ənt] *(adj.)* ذائب أو مائل للذوبان.

liqueur [lĭ kûr'] *(F.)* مُسْكِر مُعَطَّر (وعادةً مُحلًّى).

liquid [lĭk'wĭd] *(adj.; n.)* (١) سائل ؛ مائع (٢) صافٍ ؛ برّاق (~ eyes) (٣) «أ» رخيم ؛ عذب (~ notes *or* tones). «ب» سَلِس. «ج» ملفوظ بلطف ؛ شبيه بحرف علّة (~ consonant) (٤) مائع ؛ متغيّر بسهولة (~ opinions) (٥) سائل : نقديّ أو ممكنٌ تحويلُه بسهولة إلى نقد (~ assets) §(٦) السائل : مادّة سائلة (٧) حرف صامت ملفوظ بلطف (كحرف *r* أو *l*).

liquid air *(n.)* الهواء السائل : هواء في حالة السيولة يُعَدّ بتعريضه لضغط عظيم ثم بتبريده.

liquidambar [lĭk'-] *(n.)* المَيْعة السائلة : «أ» شجرة أميركيّة تُفرز سائلاً بلسمياً عطراً يُستعمل في الأغراض الطبية. «ب» هذا السائل.

liquidate [lĭk'wə dāt'] *(vt.; i.)* (١) يُصفّي : «أ» يُقدِّر بالاتفاق أو بالاحتكام إلى القانون القيمةَ الصحيحة (لدَيْن أو خسائر أو حسابات). «ب» يسدّد دَيْناً. «ج» يتخلّص من ؛ وبخاصة : يقتل (٢) يُسيِّل : يحوّل (الموجودات) إلى نقد.

—**liquidation** *(n.)*

liquidator [lĭk'wə dā'tər] *(n.)* المُصفّي ؛ وبخاصة : شخص يعيّنه القاضي لتصفية موجودات مؤسسة ما.

liquidity [lĭ kwĭd'ə tĭ] *(n.)* سيولة ؛ ميوعة.

liquidize [lĭk'wə dīz] *(vt.)* يُسيِّل ؛ يميّع.

liquid measure *(n.)* مقياس (أو مقاييس) الموائع.

liquor [lĭk'ər] *(n.; vt.; i.)* (١) مادة سائلة ، مثل : «أ» شراب كحوليّ مُقَطَّر. «ب» محلول مائي لمادة طبية §(٢) «أ» يعالج بمادة سائلة. «ب» يزيّت ؛ يشحم (٣) يُسْكِر (شخصاً) بشراب كحوليّ ×(٤) يُسْرِف في معاقرة الخمر (تتبعها *up* عادةً).

liquorice [lĭk'ə rĭs] *(n.)* = licorice.

lira [lē'rä] *(n.)* pl. **lire** [lē'rē] *also* **liras** الليرة : وحدة النقد في إيطاليا ولبنان وسوريا وتركية.

liripipe [lĭr'ĭ pīp'] *(n.)* لِفاع ؛ وشاح ؛ قُبّعة بُرْنُس.

lisle [līl] *(n.)* خيط قطني ناعم مُبْرَم (مُحكَم الفتل).

lisp [lĭsp] *(vi.; t.; n.)* (١) يلْثَغ (٢) يتكلّم بتلعثم أو بطريقة صبيانيّة §(٣) لثغة.

—**lisper** *(n.)*

lis pendens [lĭs pĕn'dĕnz] *(L.)* دعوى قائمة (لم يُفْصَل فيها بعد).

lissome *also* **lissom** [lĭs'əm] *(adj.)* (١) لَدْن ؛ مَرِن (٢) رشيق.

list [lĭst] *(vt.; i.; n.)* (١) يُرضي ؛ يلائم (٢) ينزع قطعة طويلة ضيقة من حاشية شيء (٣) يحرث الأرض (أو يزرعها) أثلاماً (٤) «أ» يعدّد ؛ يضع قائمة بِـ. «ب» يسجّل (ضمن قائمة) (٥) يُميل ؛ يجعله ينحرف ×(٦) يودّ ؛ يشاء (٧) يصغي إلى (٨) يُدْرَج في بيانٍ ينصّ على سعر البيع (٩) يَميل ؛ ينحرف §(١٠) «أ» العِصابة : حِلْية مسطّحة ضيّقة (عم). «ب» حاشية ؛ حرف ؛ حافة. «ج» قطعة مستطيلة ضيّقة من أيّ شيء (وبخاصة من خشب) (١١) *pl.* : «أ» الحَلْبة ؛ المُجْتَلَد : الجزء المتوسّط الخاص

بالمتصارعين من مدرّج روماني . «ب» ميدان نزاع أو تنافس (١٢) «القلم» : خطّ بلون مختلف (في قماش الخ.) (١٣) «أ» جدْول ؛ قائمة ؛ ثَبَتٌ ؛ كشف . «ب» فِهرس ؛ بيان (١٤) ميَلان (السفينة) إلى جانب .

listel [lĭs'təl] *(n.)* العصابة : حِلية مسطّحة ضيّقة (عم) .

listen [lĭs'ən] *(vi.; n.)* (١) يصغي ؛ ينصِت §(٢) إصغاء .

lister [lĭs'-] *(n.)* (١) المُجدْوِل : واضع الجداول أو القوائم . (٢) المُفهرِس (٣) محراث .

listing [lĭs'-] *(n.)* (١) الجدْوَلة : «أ» إعداد الجداول أو القوائم . «ب» إدراج في جدول أو قائمة (٢) جدول ؛ قائمة .

listless [lĭst'lĭs] *(adj.)* كسول ؛ متوانٍ ؛ فاتر الهمّة .

list price *(n.)* سِعر البيان : السعر المُدْرَج في بيان مؤسسة تجاريّة والخاضع للحَسْم .

lit [lĭt] *past; past part. of* light.

litany [lĭt'ə nĭ] *(n.)* الابتهال ؛ صلاة مؤلّفة من سلسلة ابتهالات يرفعها الكاهن فيردّد المصلون، من بعده، جملةً خاصةً .

litchi [lē'chē'] *(Chin.)* اللِّتشيّة : «أ» ثمرة شجر صينيّ ذات لبّ هُلاميّ حلوٍ وبزرة واحدة . «ب» الشجرة نفسها .

-lite لاحقة معناها : «أ» معدن. «ب» صخر . «ج» أحفور ؛ مستحاث .

liter [lē'tər] *(n.)* اللِّتر : وحدة مكاييل تعادل حجم كيلوغرام من الماء.

literacy [lĭt'ər ə sĭ] *(n.)* معرفة القراءة والكتابة .

literal [lĭt'ər əl] *(adj.)* (١) «أ» حرفي. «ب» بسيط ؛ غير مزخرف. «ج» موضوعي ؛ واقعيّ ؛ ملتزِم للحقائق بأمانة (٢) أحرُفيّ : ذو علاقة بالأحرف أو معبّر عنه بها. **—literally** *(adv.)*

literalism [lĭt'ər ə lĭz'əm] *(n.)* (١) الحرفية : التمسّك بالمعنى الحرفي (٢) الموضوعيّة ؛ الواقعية : التزام الحقائق بأمانة .

literality [lĭt'ə răl'ə tĭ] *(n.)* (١) الحرفية : كون الشيء حرفياً. (٢) تفسير أو معنى حرفيّ .

literalize [lĭt'ər ə līz'] *(vt.)* يأخذ بالمعنى الحرفيّ : يفسّر أو يفهم أو يطبّق وفقاً للمعنى الحرفي .

literary [lĭt'ə rĕr'ĭ] *(adj.)* (١) أدبي (~ magazines) . (٢) واسع الاطلاع (على الأدب) (٣) أديب : منصرف إلى التأليف أو الأدب كصناعة (~ men) .

literate [lĭt'ər ĭt] *(adj.; n.)* (١) «أ» مثقّف. «ب» متعلّم ؛ غير أمّيّ (٢) متضلّع من الأدب (٣) أدبي (٤) مصقول ؛ متقَن ؛ بارع الصنعة §(٥) المثقّف (٦) المتعلّم ؛ غير الأمّي .

literati [lĭt'ə rä'tĭ] *(It.)* (١) الطبقة المثقّفة (٢) رجال الأدب.

literatim [lĭt'ə rā'tĭm] *(adj.; adv.)* (١) حرفيّ §(٢) حرفياً .

literator [lĭt'-] *(n.)* = litterateur.

literature [lĭt'ər ə chər] *(n.)* (١) صناعة الأدب : إنتاج الآثار الأدبيّة وبخاصة على سبيل الاحتراف (٢) «أ» الأدب : مجموع الآثار النثرية والشعرية المتميّزة بجمال الشكل أو الصياغة والمعبّرة عن فكرات ذات قيمة باقية . «ب» مجموع ما كُتب في موضوع معيّن . «ج» مادّة مطبوعة (كالنشرات أو الاعلانات).

lith- *or* **litho-** بادئة معناها : «أ» حَجَر . «ب» ليثيوم .

-lith لاحقة معناها : بناء أو صورة أو أداة من حجر .

litharge [lĭth'ärj] *(n.)* المَرْتَك، أوّل أكسيد الرصاص (ك) .

lithe [līth]; **lithesome** [-'səm] *(adj.)* (١) لَدْن (٢) رشيق.

lithia [lĭth'ĭ ə] *(n.)* الليثية : أكسيد الليثيوم الأبيض (ك) .

lithiasis [lĭth ī'-] *(n.)* تكوّن الحصاة (في المرارة الخ.) .

lithia water *(n.)* ماء الليثية : مياه معدنيّة تحتوي على أملاح الليثيوم.

lithic [lĭth'ĭk] *(adj.)* (١) حجري (٢) ليثيومي .

-lithic لاحقة تدلّ على مرحلة معيّنة من مراحل استعمال الانسان للأدوات الحجريّة (Neo*lithic*) .

lithium [lĭth'ĭ-] *(n.)* الليثيوم : عنصر فلزيّ فضيّ البياض (ك) .

lithograph [lĭth'ə grăf'; -gräf'] *(vt.; n.)* (١) يطبع حجرياً : يطبع بطريقة الطباعة الحجريّة §(٢) طبعة بهذه الطريقة . **—lithographer** *(n.)* **—lithographic** *(adj.)*

lithography [lĭ thŏg'-] *(n.)* الطباعة الحجريّة ؛ الطباعة على الحجر.

lithology [lĭ thŏl'-] *(n.)* (١) علم الصخور (٢) طبيعة تكوّن صخرٍ ما.

lithomarge [lĭth'ə märj'] *(n.)* اللِّثرْمج : صلصال صينيّ كثيف.

lithophyte [lĭth'ə fīt] *(n.)* (١) المتعضّي الحجري : متعضٍّ حجريّ التركيب (كالمرجان الخ.) (٢) النبات الصخريّ: نبات ينمو على سطح الصخور .

lithoprint [lĭth'ə-] *(vt.)* يطبع بطريقة الأوفست .

lithosphere [lĭth'ə-] *(n.)* اليابسة : الجزء اليابس من الأرض .

lithotomy [lĭ thŏt'ə mĭ] *(n.)* استخراج حصاة المثانة (جر) .

Lithuanian [lĭth'ŏŏ ā'-] *(n.; adj.)* (١) اللِّتوانيّ : أحد أبناء لتوانيا (٢) اللِّتوانية : لغة اللتوانيين §(٣) لتوانيّ

litigable [lĭt'ə gə bəl] *(adj.)* يُقاضَى : ممكنٌ أن تقام من أجله دعوى (أمام القضاء) .

litigant [lĭt'ə gənt] *(n.; adj.)* (١) خَصْم أو طَرَف (في دعوى). §(٢) مُتقاضٍ .

litigate [-gāt'] *(vi.; t.)* (١) يرفع دعوى (أمام القضاء) ×(٢) يقاضي .

litigious [lĭ tĭj'əs] *(adj.)* (١) «أ» مُشاكِس ؛ مُحِبّ للخصام . «ب» ميّال إلى إقامة الدعاوى (٢) ذو علاقة بالمقاضاة

litmus [lĭt'məs] *(n.)* صِبغة عبّاد الشمس .

litmus paper *(n.)* ورق عبّاد الشمس .

litotes [lī'tə tēz] *(n.)* صِيغة بلاغيّة يُعبّر فيها عن الموجَب بضدّ المنفي (كقولك *not a bad novelist*) .

litre [lē'tər] *(n.)* = liter.

litter [lĭt'ər] *(n.; vt.; i.)* (١) «أ» مِحَفّة (لنقل مسافر واحد) . «ب» حمّالة (لنقل مريض أو جريح) (٢) «أ» مِهاد من قشٍ (يُفرش لترقد عليه الحيوانات) . «ب» نِثار من الأوراق والأغصان الميتة يكسو أرض الغابة (٣) البَطْن : مجموع الجِراء التي يلدها حيوان دفعةً واحدة (٤) «أ» ركام مبعثَر ؛ فضلات مبعثرة . «ب» تشوش ؛ اختلاط ؛ عدم ترتيب §(٥) يفرش للحيوان مهاداً من قشٍ (٦) يَلِد (الحيوان) (٧) «أ» يكسو بأشياء مبعثرة . «ب» يبعثر ×(٨) تلد (أنثى الحيوان) بطناً (مجموعةً من الجراء).

litterae humaniores [lĭt'ə rē' hū măn'ĭ ōr'ēz] *(n. pl.)* العلوم أو الدراسات الثقافية .

litterateur [lĭt'ə rə tûr'] *(F.)* الأديب ؛ وبخاصة : الكاتب المحترف.

little [lĭt'əl] *(adj.; adv.; n.)* (١) «أ» صغير . «ب» قليل العدد . «ج» واهن ؛ ضعيف (a ~ voice) . «د» ضيّق ؛ غير متحرر (the pettiness of ~ minds) (٢) «أ» ضئيل (had ~ hope). «ب» قصير ، وجيز (a ~ sleep) . «ج» قزم ؛ قصير القامة (a ~ man) (٣) تافه (~ things) §(٤) «أ» قليلاً (slept ~ last night) «ب» البتّة ؛ على الاطلاق (She ~ knows what awaits her.) (٥) نادراً (I see Salim very ~.) §(٦) مقدار ضئيل (٧) «أ» فترة قصيرة . «ب» مسافة قصيرة . **—littleness** *(n.)* in ~, على نطاق ضيّق ؛ وبخاصة : على نحوٍ مصغّر .

~ by ~, تدريجياً ؛ شيئاً فشيئاً .

Little Bear *(n.)* الدبّ الأصغر (فل) .

Little Office *(n.)* صلاة تقام تمجيداً لمريم العذراء (نص) .

little theater *(n.)* المسرح الصغير : مسرح صغير (يمثّل فيه الهُواة).

littoral [lĭt'ə rəl] *(adj.; n.)* (١) ساحليّ §(٢) منطقة ساحلية .

liturgical [lĭ tûr'jə kəl] *(adj.)* طَقْسيّ : «أ» ذو علاقة بالطقوس الدينيّة . «ب» ممارس أو محبِّذ لممارسة الطقوس الدينية.

liturgics [lĭ tûr'-]; **liturgiology** *(n.)* دراسة الطقوس الدينيّة .

liturgist [lĭt'ər jĭst] *(n.)* (١) «أ» المتمسك بالطقوس الدينيّة أو المحبِّذ لها . «ب» الكاهن الذي يقود المؤمنين في أداء الطقوس الدينيّة (٢) الاختصاصيّ في الطقوس الدينيّة .

liturgy [lĭt'ər jĭ] *(n.)* (١) طَقْس دينيّ ؛ طقوس دينيّة . (٢) *cap.* : طقس القربان المقدس .

livable *also* **liveable** [lĭv'ə bəl] *(adj.)* (١) ملائم للعيش فيه أو معه (٢) مُحْتَمَل ؛ يُطاق .

live [*v.* lĭv; *adj.* līv] *(vi.; t.; adj.)* (١) يحيا ؛ يعيش (٢) يقتات بـ . (٣) يسلك أو يقضي حياته وَفْقَ كذا (My father ~*d* up to his principles.) (٤) يقيم ؛ يسكن (٥) يَخْلُد (٦) يحيا حياة غنيّة بالخبرات والتجارب ×(٧) ينفق أو يقضي حياته (٨) يمارس ؛ يطبّق ؛ يعمل وفقاً لـ (to ~ the Gospel) §(٩) حيّ (~ cattle) (١٠) مفعَم أو نابض بالحياة (Her portrait is always ~.) (١١) «أ» مشتعل ؛ متوهّج (She tossed a ~ cigarette.) «ب» مشحون بتيّار كهربائي . «ج» حيّ ؛ معبأ ؛ مُعَمَّر (~ ammunition) (١٢) حيّ : مثير للاهتمام الدائم ؛ موضع نقاش ؛ لم يُفصَل فيه بعد (were ~issues) (١٣) نقيّ ؛ في حالته النقيّة أو الطبيعيّة (١٤) زاهي اللون (١٥) «أ» جديد ؛ بِكْر ؛ لم يُطبَع به بعد (~ type) . «ب» لم يُنَضَّد طباعياً بعد (~ copy) (١٦) حيّ : مذاع مباشرةً عند إنتاجه لا نقلاً عن أسطوانة أو شريط (~ radio programs) .

to ~ and let ~, يعيش ويترك غيره يعيش .

to ~ close يحيا ببُخْل أو شُحّ .

to ~ down يحيا بطريقة تُنْسَى أو تُغفر معها جريمة ارتكبها من قبل .

to ~ out يظل حياً خلال . . .

live-box [līv'-] *(n.)* صندوق الحياة : صندوق يعلق في المياه لإبقاء الحيوانات المائيّة حيّة .

lived [līvd] *(adj.)* ذو حياة (من نوع أو مدى معيّن) .

livelihood [līv'-] *(n.)* الرِّزق : أسباب العيش أو سُبُله .

livelong [lĭv'lông'] *(adj.)* كلّ ؛ طولَ ؛ بكامله ؛ بتمامه . (The ~ day she studied.)

lively [līv'lĭ] *(adj.; adv.)* (١) مُفْعَم بالحياة (٢) نشيط ؛ ناشط (a ~ trade) (٣) منعش (~ air) (٤) زاهٍ (~ colors) (٥) رشيق (a ~ boat) (٦) مثير (gave them a ~ time) (٧) قويّ ؛ واضح (a ~ recollection) §(٨) بحيويّة ؛ بنشاط الخ.

—**livelily** *(adv.)* —**liveliness** *(n.)*

liven [lī'vən] *(vt.; i.)* يُفعِم (أو يَفعَم) بالحياة .

live oak [līv] *(n.)* البلّوط الحيّ : بلّوط أميركي دائم الخضرة (نب)

liver [lĭv'ər] *(n.)* (١) كَبِد (٢) العائش ، وبخاصة بطريقةٍ معيّنة (evil ~s) (٣) الساكن ؛ المقيم (a ~ in New York).

fast (loose) ~, خليع : منغمس في الشهوات .

liver complaint *(n.)* الكُباد : اعتلال الكبد .

liver fluke *(n.)* المُتَقَّبة الكَبِديّة : دودة تغزو كبِد الانسان .

liveried [lĭv'ər ĭd] *(adj.)* مبزَّز : مرتدٍ بزّةً مميزة .

liverish [lĭv'ər ĭsh] *(adj.)* (١) كِبدانيّ : شبيه بالكبد وبخاصة من حيث اللون (٢) مكبود : مصاب باعتلال في الكبد (٣) «أ» نكِد ؛ سيء الطبع . «ب» كئيب .

liverwort [lĭv'ər-] *(n.)* حشيشة الكبد : نبات طُحْلُبيّ .

liverwurst [lĭv'-] *(n.)* لقانق الكبد : سُجق محشوّ كبداً .

livery [lĭv'ə rĭ] *(n.; adj.)* (١) البزّة : زيّ مميز (للخدم الخ.) (٢) «أ» عَلْف الخيل أو إيواؤها في الاسطبلات لقاء أجر . «ب» مؤسّسة تقدّم العربات على اختلافها لقاء أجر (٣) تسليم مِلكية العقار الشرعيّة §(٤) كَبِدانيّ : شبيه بالكَبِد (٥) liverish.

livery company *(n.)* نقابة للصنّاع وأصحاب الحرف (بلندن).

liveryman [lĭv'ə rĭ-] *(n.)* (١) النقابيّ المبزَّز : لندنيّ مؤهّل لارتداء الزيّ الخاصّ بنقابة الصناع التي ينتمي إليها (٢) العرباتيّ : صاحب مؤسّسة تقدّم العربات لقاء أجر .

livery stable *(n.)* اسطبل العربات : إسطبل لتأجير الخيل والعربات (أو لإيوائها والعناية بها لقاء أجر) .

lives [līvz] *pl. of* **life.**

live steam [līv] *(n.)* البخار الحيّ (المندفع من المرجل مباشرة) .

livestock [līv'stŏk'] *(n.)* دواجن ؛ مواشٍ ؛ دوابّ .

live wire [līv] *(n.)* شخص يَقِظٌ نشيطٌ عُدْوانيّ .

livid [lĭv'ĭd] *(adj.)* (١) مُزْرَقّ (من أثر لطمة) (٢) شاحب .

living [lĭv'ĭng] *(adj.; n.)* (١) حيّ (٢) فعّال ؛ قويّ (٣) مفعم بالحياة (٤) متقّد ؛ مضطرم (~ coals) (٥) متعلق بالاحياء (within ~ memory) (٦) ملائم للحياة (the ~ area) §(٧) الحياة (~ is expensive these days.) (٨) رِزق (to earn a ~ as a teacher)

living death *(n.)* حياة الموت (المفتقرة الى ما يجعلها جديرة بأن تُعاش).

living room *(n.)* (١) حجرة الجلوس (٢) مجال حيويّ .

living space *(n.)* مجال حيويّ .

living wage *(n.)* الأجر الكافي : الأجر الذي يستطيع صاحبه العيش عليه والذي يفي بمطالبه الجسديّة والفكرية المعقولة (إد) .

lixiviate [lĭk sĭv'ĭ āt'] *(vt.)* يُرشِّح ؛ يُصفّي .

lizard [lĭz'ərd] *(n.)* العَظّاءة ؛ السحليّة ؛ السّقّاية (أح) .

llama [lä'mə] *(n.)* اللامة : حيوان جنوبأميركي كالجمل ولكنه أصغر منه وليس له حدبة .

llama

LL.D., دكتور في الحقوق .

Lloyd's [loidz] *(n.)* شركة لويد اللندنية للتأمين البحري .

lo [lō] *(interj.)* (١) أُنظُر ! (٢) عجباً !

loach [lōch] *(n.)* اللَّتْش : سمك نهريّ من الشبابيط .

load [lōd] *(n.; vt.; i.)* (١) «أ» حِمل . «ب» حُمولة . «ج» شِحنة . (٢) «أ» ثِقل . «ب» عِبء ؛ مسؤولية ثقيلة (٣) مقدار مُسكِر من شراب كحوليّ (٤) *pl.* عدد : عددٌ وافر (~s of people) (٥) حُشْوة أو شِحنة سلاح ناريّ §(٦) يحمّل ؛ يَسِق (٧) «أ» يُثقِل . «ب» يُرهِق (٨) «يُمسك» زهر النرد : يحاول التحكّم به عند إلقائه (٩) يَغْمر ؛ يزوّد بوفرة (to ~ a man with honors) (١٠) «أ» يُلقِم أو يحشو (سلاحاً ناريّاً) . «ب» يُقحمه في (to ~ film in a camera) (١١) يمذِق ؛ يغشّ (to ~ wine) (١٢) يحمّل : «أ» يضيف

مبلغاً إلى قسط التأمين تغطيةً للنفقات الادارية والطوارىء . «ب» يضيف إليه مبلغاً بعد حساب النفقات والأرباح (~ *ed* prices) ×(١٣) يتلقى حملاً ؛ يأخذ ركاباً .

—loader *(n.)*

loaded [lō'-] *(adj.)* (١) مُحمَّل ؛ موسوق (٢) مُلْقَم ؛ مَحْشُوّ (صفة لسلاح ناري) (٣) سكران (ع) (٤) ذو مال وافر .

loading [lō'dĭng] *(n.)* (١) مص load (٢) حِمْل ؛ حمولة . (٣) المُحمَّل : مبلغ يضاف إلى قسط التأمين تغطية للنفقات الادارية والطوارىء (٤) حَشْو ؛ حَشْوة .

load line *(n.)* خطّ الماء التحميليّ : خطّ على جانب سفينة يشير إلى العمق الذي تستطيع أن تَهبط إليه في الماء عندما تكون محمّلة تحميلاً سوياً .

loadstar [lōd'stär'] *(n.)* = lodestar.

loadstone [lōd'stōn'] *(n.)* = lodestone.

loaf [lōf] *(n.; vi.)* (١) رغيف (٢) «أ» كتلة مخروطيّة من السكر . «ب» طبق طعام (من لحم أو سمك) مخبوزٍ على شكل رغيف §(٣) يتسكّع ؛ يضيع الوقت في التبطّل .

loafer [lō'-] *(n.)* (١) المتسكّع ؛ المتبطّل (٢) حذاء شبيه بالموكاسان .

loam [lōm] *(n.)* (١) الطَّفال الرمليّ : مزيج من طين ورملٍ وقش يستخدم في صنع قوالب السبك (٢) الطَّفالية : تربة خصبة مؤلّفة من طين ورمل ومادة عضوية الخ .

—loamy *(adj.)*

loan [lōn] *(n.; vt.)* (١) «أ» قَرْض بفائدة . «ب» العارية : شيء مُعار (٢) إعارة (٣) كلمة دخيلة §(٤) يُقرض ؛ يعير .

loanword [lōn'-] *(n.)* الكلمة الدخيلة : كلمة مستعارة من لغة أخرى .

loath [lōth] *(adj.)* مشمئزّ أو نافرٌ من ؛ كارهٌ لِـ .

loathe [lōth] *(vt.)* يعاف ؛ يشمئزّ من .

loathing [lō'thĭng] *(n.)* عِياف ؛ اشمئزاز .

loathly [lōth'lĭ] *(adj.; adv.)* (١) كريه §(٢) كرْهاً ؛ على كُرْه .

loathsome [lōth'-]; **loathy** [lō'-] *(adj.)* كريهٌ ؛ تعافه النفس .

lob [lŏb] *(vt.; i.; n.)* (١) «أ» يقذف كرة الكريكيت بحركة بطيئة . «ب» يقذف كرة التنس، ببطء ، في خطّ أشبه بالقوس العالي ×(٢) يتحرك ببطء وتثاقل §(٣) «أ» كرة كريكيت مقذوفة ببطء . «ب» كرة تنس مقذوفة ببطء في خطّ أشبه بالقوس العالي (٤) شخص بليدٌ أخرق .

lob- *or* lobo- بادئة معناها : فَصّ ؛ فِلقة .

lobar [lō'bər] *(adj.)* (١) مفصّص : ذو فصوص (٢) فَصّي .

lobate; -d [lō'-] *(adj.)* (١) مُفَصَّص (٢) شبيه بفصّ .

lobation [lō bā'-] *(n.)* (١) تَفَصُّص (٢) «أ» فصّ . «ب» فُصَيْص .

lobby [lŏb'ĭ] *(n.; vt.; i.)* (١) رواق أو رَدْهة أو حجرة انتظار (the ~ of a hotel *or* theater) (٢) رَدهة المجلس : الرَدهة الكبرى في مجلس العموم (بانكلترة) أو مجلس الشيوخ (بالولايات الاميركية المتحدة) حيث يستطيع الاعضاء أن يقابلوا الناس (٣) جماعة الضغط : جماعة تحاول التأثير على اعضاء هيئة تشريعية كمجلس الشيوخ §(٤) «أ» يؤثر على أعضاء هيئة تشريعية . «ب» يحاول أن يكسب التأييد لمشروع قانون من طريق التحدث الى أعضاء المجلس التشريعي في ردهته الكبرى (to ~ a bill) .

lobe [lōb] *(n.)* (١) فَصّ ؛ فِلْقة (٢) شحمة (الأذن) .

lobectomy [lō bĕk'-] *(n.)* استئصال الفَصّ : جراحة لاستئصال فَصٍّ عضوٍ (كالرئة) .

lobed [lōbd] *(adj.)* مُفَصَّص ؛ ذو فصوص .

loblolly [lŏb'lŏl'ĭ] *(n.)* (١) ثريدٌ كثيف (٢) شخص أخرق غير لبق .

lobo [lō'bō] *(n.)* اللُّبُس : ذئب أميركيّ كبير .

lobotomy [lō bŏt'ə mĭ] *(n.)* الجراحة الفَصّيّة : جراحة تُجرى في فصوص المخ الجَبْهيّة .

lobscouse [lŏb'skous] *(n.)* اللُّبْسُكُس : طبق من لحم وخُضَر .

lobster [lŏb'stər] *(n.)* (١) «أ» الكَرْكَنْد ؛ جراد البحر ؛ سرطان بحري . «ب» الكَرْكَنْد الشائك (٢) شخص مغفّل أو أخرق .

lobster Newburg *or* lobster Newburgh *(n.)* لحم الكركَنْد أو جراد البحر مَطْهُوّاً مَعَ مُحّ البيض الخ .

lobster pot *(n.)* شَرَكٌ لصيد الكَرْكَند أو جراد البحر .

lobular [lŏb'-] *(adj.)* (١) فُصَيْصيّ (٢) شبيهٌ بفُصَيْص .

lobulate; -d [lŏb'-] *(adj.)* فُصَيْصي : مؤلّف من فُصَيْصات .

lobule [-'ūl] *(n.)* (١) فُصَيْص ؛ فَصّ صغير (٢) جزء من فَصّ .

local [lō'kəl] *(adj.; n.)* (١) موضعيّ (٢) محليّ (٣) متوقّف في جميع المحطات (a ~ train) §(٤) قطار يتوقف في جميع المحطات (٥) نبأ محليّ (في صحيفة) (٦) فرع محليّ من منظّمة الخ .

local color *(n.)* اللون المحليّ : طابع في الكتابة قائم على تصوير السّمات والخصائص المميزة لإقليم من البلاد أو لأبناء ذلك الاقليم .

locale [lō kăl'; -käl'] *(F.)* موضع ؛ موقع ؛ مكان .

local government *(n.)* الحكومة المحليّة .

localism [lō'kə lĭz'əm] *(n.)* (١) الاقليميّة : التعصب لإقليم معيّن (٢) «أ» عبارة اصطلاحيّة محلية . «ب» خاصيّة محليّة .

locality [lō kăl'ə tĭ] *(n.)* (١) المحليّة : كَوْن الشيء محلياً . (٢) مركز ؛ موقع ؛ موضع .

localization [-kăl ə zā'shən] *(n.)* (١) مَرْكَزة (٢) تَمَرْكُز .

localize [lō'kə līz'] *(vt.; i.)* (١) يُمَرْكِز ×(٢) يتمركز .

local option *(n.)* الخِيار المحليّ : حقّ الاقليم (أو الولاية) في أن يقرّر باستفتاء شعبيّ مدى قابليّة قانون ما للتطبيق المحليّ .

locate [lō'kāt; lō kāt'] *(vi.; t.)* (١) يستقرّ في مكان ما ×(٢) يعيّن موضع شيء أو حدوده (٣) يقيم أو ينشىء في مكان معيّن (٤) يكتشف موضع شيء .

—locater; locator *(n.)*

location [lō kā'shən] *(n.)* (١) مص locate (٢) «أ» موقع ؛ مركز . «ب» قطعة أرض معَدّة لغرض . «ج» مكان خارج الاستديو يصوَّر فيه الفلم السينمائي أو جزء منه .

locative [lŏk'ə tĭv] *(adj.; n.)* (١) ظَرْفيّ ؛ مكانيّ (ل) . §(٢) «أ» الظرفيّة . «ب» ظرف مكان (ل) .

loci [lō'sī] *pl. of* locus.

lock [lŏk] *(n.; vt.; i.)* (١) «أ» خصلة شعر . «ب» *pl.* : شعر الرأس (٢) خصلة صوف أو قطن الخ . (٣) «أ» قُفْل ؛ غَلَق . «ب» عُدّة السّلاح الناريّ : الآلة المُفجِّرة لشُحنتِه (٤) هَوِيس القناة (لرفع السفن أو خفضها من مستوى إلى آخر) (٥) «أ» مِكبح العربة . «ب» تثبيت . «ج» ازدحام معطِّل للسير . «د» مَسْكَة (في المصارعة) ، وبخاصة : مسكةٌ تُضْفَر بها يد المصارع أو رِجْلُه حول يد خصمه أو رجْلِه §(٦) يُقفِل ؛ يُغلق (٧) «أ» يحبس ؛ يحجز . «ب» يثبّت (٨) «أ» يشبِّك ؛ يشابك . «ب» يمسك بِهِ (في المصارعة) . «ج» يثبِّت (بالمِغلَق أو الطوق) أحرفَ الملزمة المعدّة للطبع (٩) يحبس رأس المال : يوظفه من غير أن يتأكّد من سهولة تحويله ، بعد ذلك ، إلى نقد (١٠) يهوِّس : «أ» يسمح (للباخرة) بالمرور بالاستعانة بهَوِيس القناة . «ب» يزوّد بهَوِيس ×(١١) ينقفل (This door ~ *s* easily.) (١٢) يتثبّت ؛ يتشابك (١٣) ينشىء هَوِيساً (١٤) تجتاز (السفينةُ قناةً) بواسطة هَوِيس .

to ~ away يضع (شيئاً) في صندوق أو درج مُقفَل .

to ~ in يحبس شخصاً الخ . في غرفة .
to ~ out (١) يحرم شخصاً من الدخول بإقفال الباب من الداخل (٢) يُقفل (ربّ العمل) مصنعه كلياً أو جزئياً لإكراه العمّال على الرضا بشروطه.

lockage [lŏk'ĭj] *(n.)* (١) مرور الباخرة في هَويس القناة (٢) سلسلة من الهَوِيسات في قناة (٣) رسم المرور عبر هَوِيس .

locker [lŏk'ər] *(n.)* (١) خزانة أو درج أو صندوق يُقفل . (٢) حُجَيرة لخزن الأطعمة المثلّجة (٣) «أ» المقفِل ؛ المغلِق . «ب» مِكبح العربة .
not a shot in one's ~ , فارغ الجيب ؛ لا مالَ في جيبه .

locker paper *(n.)* ورق خاص للفّ الأطعمة المثلجة المخزونة .

locker room *(n.)* حجرة الأدراج المُقفَلة ؛ وبخاصة : حجرة يكون فيها لكلّ لاعب رياضيّ درجهُ الخاصّ يضع فيه ملابسه وأدواته.

locket [lŏk'ĭt] *(n.)* المِدْلاة : عُلَيْبَة معدنيّة نفيسة (تحتوي على تذكار كرسم شخص أو خصلة شعر) يُدلّيها المرء من قلادة أو سلسلة.

lockjaw [lŏk'jô'] *(n.)* الكُزاز : مرض مُعْدٍ تتشنّج معه عضلات الفك .

locknut [lŏk'-] *(n.)* حَزْقة التثبيت : « عَزْقة » تُشَدّ فوق أخرى تثبيتاً لها .

lockout [lŏk'-] *(n.)* الاغلاق التعجيزيّ : إغلاق ربّ العمل مصنعَهُ كلّياً أو جزئياً لإكراه العمّال على الرضا بشروطه .

lockram [lŏk'-] *(n.)* اللّكْرَم : نسيج كتّانيّ خشن .

locksmith [lŏk'-] *(n.)* القفّال : صانع الأقفال أو مُصلحها .

lockstitch [lŏk'-] *(n.)* الدَّرزة المتشابكة .

lock, stock, and barrel *(adv.)* برمّته ؛ بكامله .

lockup [lŏk'-] *(n.)* (١) «أ» إقفال . «ب» انقفال (٢) سجن ؛ وبخاصة : سجن محليّ يُحتجَز فيه المتهمون قبل محاكمتهم .

loco [lō'kō] *(n.; vt.; adj.)* (١) نبتة الجنون (را. locoweed) (٢) جنون الماشية (را . locoism) § (٣) يُسمِّم بنبتة الجنون (٤) يُخبِّل ، يُجن § (٥) مُخبَّل ؛ مجنون .

locofoco [lō'kō fō'kō] *(n.)* (١) عود ثقاب أو سيكار قابل لأن يُشْعَل من طريق الاحتكاك بأي سطح خشنٍ جافّ (٢) *cap.* : عضو في الحزب الديموقراطي الأميركي .

locoism [lō'kō-] *(n.)* جنون الماشية : داء عصبيّ يصيب الخيل والماشية من جراء أكلها نبتة الجنون (را. locoweed) .

locomotion [lō'kə mō'-] *(n.)* (١) تحرّك ؛ تنقّل (٢) سَفَر .

locomotive *(adj.; n.)* (١) «أ» تحرّكي ، تَنَقّلي . «ب» قادر على التحرّك المستقلّ من مكان إلى آخر (٢) سَفَريّ (٣) سيّار : ذو قدرة على السّير أو الانتقال بمجرد إعمال آليّتِه (~ cranes) § (٤) القاطرة .

locomotor [lō'kə mō'-] *(adj.)* تحرّكيّ ؛ حَرَكيّ .

locomotor ataxia [ə tăk'sĭ ə] *(n.)* الخُلاع : اختلال في الجهاز العصبيّ يتميّز باضطراب المشية وفقدان السيطرة على الحركات الارادية (مض) .

locomotor organs *(n. pl.)* أعضاء الحركة (مج) .

locoweed [lō'kō wēd'] *(n.)* نبتة الجنون : نبتة سامّة إذا أكلتها الماشية أصيبت بالداء العصبيّ المعروف بـ « جنون الماشية » .

locoweed

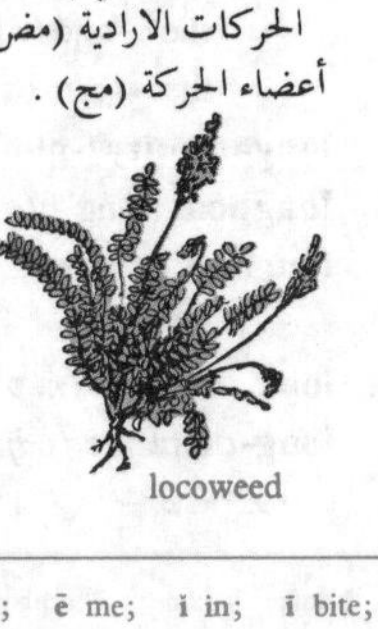

locular; loculate; -d [lŏk'-] *(adj.)* ذو خلايا أو غُرَيفات .

loculus [lŏk'yə ləs] *(n.)* pl. **-li** [lī] الغُرَيفة : غرفة صغيرة أو تجويف صغير ؛ وبخاصّة : «أ» خليّة مبيض النبات . «ب» تجويف كيس اللقّح (نب) .

locum tenens [lō'kəm tē'nĕnz] *(L.)* القائم مقام غيره ، موقّتاً ، في وظيفة (تقال بخاصة في طبيب أو كاهن) .

locus [lō'kəs] *(n.)* (١) مكان ؛ موضع ؛ محلّ (٢) المحلّ الهندسيّ (هن) .

locus classicus [lō'kəs klăs'-] *(L.)* الشاهد الكلاسيكيّ : جملة أو عبارة مأثورة تُورَد للتمثيل على معنى كلمة أو لشرح موضوع .

locust [lō'kəst] *(n.)* (١) «أ» جراد . «ب» شخص نَهِم مُخرِّب (٢) شجرة الخرنوب أو خشبها .

locution [lō kū'-] *(n.)* (١) عبارة ؛ تعبير (٢) أسلوب الكلام .

lode [lōd] *(n.)* (١) قناة ؛ ممرّ مائي (عب) (٢) عِرق معدنيّ (٣) ذخيرة وافرة .

lodestar [lōd'stär'] *(n.)* (١) نجم هادٍ ؛ وبخاصة : نجم القطب . (٢) الهادي ؛ المنار .

lodestone [lōd'-] *(n.)* (١) حجر المغنطيس (٢) كل ما يجذب بقوّة .

lodge [lŏj] *(vt.; i.; n.)* (١) «أ» يُؤوي . «ب» يؤجره غرفة في منزله (٢) يحنيه حتى يلامس الأرض (oats ~ *d* by the rain) (٣) يغرز ؛ يُقِرّ في ؛ يغيّب (to ~ a sword in one) (٤) يودِع (~ *d* his money in the bank) (٥) يخوّل ؛ يُنيط (to ~ powers in a commission) (٦) يقدّم شكوى الخ. (إلى السلطة المختصة) × (٧) «أ» يَبيت . «ب» يقطن ؛ يقيم . «ج» يَسكُن (بالأجرة) غرفةً في منزل شخص آخر (٨) يستقرّ في (The bullet ~ *d* in his leg.) (٩) يسقط ؛ ينحني على الأرض § (١٠) مأوى (١١) محفل ماسوني (١٢) بيتٌ يُنزَل فيه موقّتاً في موسم الصيد الخ . (١٣) المُستَجَمّ : فندق للاستجمام (١٤) كوخ البوّاب الخ . (١٥) وجار (a beaver's ~) (١٦) «أ» كوخ من أكواخ الهنود الحمر . «ب» أسرة من هنود أميركة الشمالية .

lodger [lŏj'ər] *(n.)* النزيل : المستأجر غرفةً في منزل شخص آخر .

lodging [lŏj'ĭng] *(n.)* (١) «أ» منزل ؛ مسكن . «ب» مُستقَرّ ، مستودَع (٢) «أ» أسباب الراحة الخاصة بالمبيت والنوم . «ب» مثوى موقّت . «ج» *pl.* : غرفة أو غرف مستأجرة (في منزل شخص آخر) (٣) إقامة ؛ سُكنى .

lodging house *(n.)* النُّزُل : بيت ذو غُرَف مفروشة للإيجار .

lodgment *or* **lodgement** [lŏj'mənt] *(n.)* (١) «أ» مسكن ؛ مثوى . «ب» حجرة في منزل شخص آخر يحتلّها مستأجر (٢) «أ» إيواء . «ب» اثتواء (٣) «أ» وَضْع ؛ إيداع . «ب» تقديم الشكوى الخ . (إلى السلطة المختصة) . «ج» استقرارٌ على (٤) «أ» شيء متراكم . «ب» مُستَقَرّ .

loess [lō'ĭs] *(G.)* الراسب الطُّفالي (را. loam) .

loft [lôft; lŏft] *(n.; vt.; i.)* (١) عِلّيّة (٢) «أ» شرفة في كنيسة أو قاعة . «ب» دَوْر علويّ (وبخاصة إذا كان غير مجزّأ إلى غرف) في مستودع أو مَبنًى مؤسّسة . «ج» مَتْبَن ؛ مخزن تبن (٣) ضَرْب الكرة عالياً في الهواء § (٤) يضع أو يخزن في عِلّيّة أو دور علويّ من مستودع أو مبنى مؤسّسة (٥) يضرب الكرة بحيث ترتفع ارتفاعاً حاداً .

lofty [lôf'tĭ] *(adj.)* (١) متغطرس ؛ متكبّر (٢) «أ» رفيع ؛ نبيل . «ب» عالي المقام (٣) شامخ ؛ سامق (٤) ضئيل القيمة العملية .

log [lôg; lŏg] *(n.; vt.; i.)* (١) زَنْد الخشب : جزء من جذع الشجرة (يزيد طوله على ستة أقدام) مُعَدّ للنشر (٢) اللّوك : جهاز لقياس سرعة السفينة (٣) «أ» سِجلّ سرعة السفينة أو تقدّمها اليوميّ . «ب» سِجلّ الطائرة (٤) سِجلّ الأداء : سجلّ لأيّ عمل يؤدّى

(٥) اللوغارتم § (٦) يقطع (الأشجار) ليتخذ منها أخشاباً (٧) يدوّن تفاصيل الرحلة في سجل الباخرة أو الطائرة (٨) يجتاز مسافة معيّنة أو يبلغ سرعة معيّنة يسجّلهما اللّوك .

log- *or* **logo-** سابقة معناها : كلمة ؛ كلام ؛ فكر .

loganberry [lō'gən-] *(n.)* توت لوغان : ضربٌ من العُلّيق .

logaoedic [lŏg'ə ē'-] *(adj.)* مختلط الأوزان أو متعدّدها (عر) .

logarithm [lôg'ə rĭth'əm] *(n.)* اللوغارتم (ر) .

logarithmic; -al [lôg'ə rĭth'-] *(adj.)* لوغارتميّ (ر) .

logbook [lôg'-] *(n.)* (١) «أ» سجلّ السفينة : سجلّ سرعة السفينة أو تقدّمها اليومي . «ب» سجلّ الطائرة (٢) سجلّ الأداء : سجلّ لأيّ عملٍ يؤدّى .

loge [lōzh] *(F.)* اللّوج : مقصورةٌ في مسرح أو دار للسينما .

logged [lôgd] *(adj.)* مُثْقَلٌ إلى حدّ يعوق حركته جزئياً أو كلياً .

logger [lôg'-] *(n.)* (١) الحطّاب (٢) حمّالة الخشب : آلة لتحميل الخشب .

loggerhead [lôg'ər-] *(n.)* (١) الأبله ؛ المغفّل . (٢) رأس ضخم (٣) ضخمة الرأس : سلحفاة بحرية كبيرة ضخمة الرأس (٤) كرة حديديّة ذات مقبض طويل تستعمل، بعد إحمائها، لإذابة القطران.

at ~s (with) في حالة خلاف أو خصام مع .

loggerhead 3.

logic [lŏj'ĭk] *(n.)* (١) علم المنطِق (٢) منطق (الأحداث الخ.) .

logical [lŏj'ə kəl] *(adj.)* (١) منطقيّ (٢) منطقيّ التفكير .

logician [lō jĭsh'ən] *(n.)* المنْطِقيّ : العالِم بالمنطق .

logion [lŏg'ĭ ŏn] *(n.)* pl. **-gia** *or* **-gions** قولٌ مأثور .

logistic [lō jĭs'tĭk] *(adj.; n.)* (١) ذو علاقة بالمنطق الرمزي . (٢) سَوْقيّ : ذو علاقة بنقل الجنود وإيوائهم وتموينهم § (٣) المنطق الرمزي (را. symbolic logic) .

logistician [-tĭsh'ən] *(n.)* السَّوْقيّ : الاختصاصيّ في فنّ السَّوْقيات .

logistics [-'tĭks] *(n.)* السَّوْقيات : فنّ نقل الجنود وإيوائهم وتموينهم .

logjam *(n.)* (١) أخشاب طافية متشابكة (يتعذر تحركها) (٢) ورطة ؛ مأزق .

logogram [lôg'ə grăm']; **logograph** [lôg'ə-] *(n.)* اللوغوغرام ؛ اللوغوغراف : حرف أو رمز أو علامة تمثّل كلمة كاملة .

logogriph [lôg'ə grĭf] *(n.)* لغز أو أحجية لفظيّة .

logomachy [lō gŏm'ə kĭ] *(n.)* نزاع على الألفاظ .

logorrhea [lŏg'ə rē'ə] *(n.)* لَغْو ؛ ثرثرة ؛ هَذَرٌ .

Logos [lŏg'ŏs] *(n.)* (١) اللّوجوس ؛ العقل : المبدأ العقلاني في الكون (في الفلسفة اليونانية القديمة) (٢) المسيح ؛ كلمة الله (نص).

logotype [lôg'ə tīp] *(n.)* (١) حرفان أو ثلاثة أحرف طباعيّة مسبوكة معاً (مثل *the* أو *and*) (٢) صفيحة طباعيّة تحمل اسم جريدة أو علامة (ماركة) مسجّلة .

logrolling [lôg'rō'lĭng] *(n.)* (١) «أ» دحرجة الأخشاب الطافية في الماء بالدَّوْس عليها . «ب» رياضة قِوامها هذه الدحرجة (٢) تبادل المعونة والخدمات، وبخاصة : مقايضة في الأصوات تُجرى بين فريقَين من أعضاء مجلس تشريعيّ رجاةَ أن يؤدّي ذلك إلى توفّق كلّ فريق إلى إقرار مشروعات القوانين التي تهمّه الخ.

-logue *or* **-log** لاحقة معناها : «أ» حوار ؛ حديث (dia*logue*) «ب» اختصاصيّ أو عالِمٌ في (sino*logue*) .

logwood [lôg'-] *(n.)* (١) البَقَّم (شجر) (٢) خشب البَقَّم .

logy [lō'gĭ] *(adj.)* (١) بليد الحركة (٢) متبلّد التفكير .

-logy لاحقة معناها : «أ» تعبير شفهيّ أو كتابيّ (phraseo*logy*) «ب» مذهب ؛ نظرية ؛ علم (bio*logy*).

loin [loin] *(n.)* (١) خاصرة ؛ حَقْو (٢) *pl.* : «أ» عَوْرة ؛ منطقة العانة . «ب» الأعضاء التناسليّة .

sprung from the ~s of متحدّرٌ من صُلْب فلان .

loincloth [loin'-] *(n.)* المِئْزر : ستارُ العورة في المناطق الحارّة .

loiter [loi'tər] *(vi.)* (١) يتوانى ؛ يتلكأ (٢) «أ» يتسكّع . «ب» يتخلّف ؛ يتأخّر .

loll [lŏl] *(vi.; t.)* (١) يتدلّى (٢) يتراخى ؛ يتكاسل × (٣) يُدلّي .

Lollard [lŏl'ərd] *(n.)* الويكلفيّ : أحد أتباع المصلح الديني وِيكْلف .

lollipop *or* **lollypop** [lŏl'ĭ pŏp'] *(n.)* قطعة كراميل في طرَف عود .

lollop [lŏl'-] *(vi.)* (١) يتراخى ؛ يتكاسل (عب) (٢) يمشي وثْباً .

lolly [lŏl'ĭ] *(n.)* قطعة حلوى؛ وبخاصة : قطعة كراميل (بر.) .

Lombard [lŏm'-] *(n.)* (١) اللمباردي : أحد اللمبارديين وهم شعب تيوتوني غزا ايطالية عام ٥٦٨ ب.م (٢) المَصْرِفيّ ؛ المرابي .

Lombard Street *(n.)* شارع لمبارد : حيّ المال في لندن .

Londoner [lŭn'dən ər] *(n.)* اللندني : أحد أبناء لندن .

lone [lōn] *(adj.)* (١) «أ» متوحّد ؛ من غير رفيق. «ب» أعزب . «ج» أرمل . «د» مؤثِر للعزلة (٢) منعزل .

lonely [lōn'lĭ] *(adj.)* (١) «أ» متوحّد ؛ من غير رفيق (a ~ traveler) . «ب» منعزل (a ~ town) (٢) مهجور ؛ غير مطروق (a ~ road) (٣) مُوحَش ؛ شاعر بالوحشة أو بوطأة التوحّد (~ hearts) (٤) مُوحِش ؛ مُوقِعٌ في النفس حِسَّ التوحّد (a ~ sky) .

—loneliness *(n.)*

lonesome [lōn'səm] *(adj.)* (١) «أ» مُوحَش ؛ شاعر بالوحشة أو بوطأة التوحد (felt ~) . «ب» موحِش ؛ موقع في النفس حِسّ التوحّد (a ~ house) (٢) «أ» مهجور ؛ غير مطروق (~ roads). «ب» منعزل (a ~ railroad line) .

long [lông; lŏng] *(adj.; adv.; n.; vi.)* (١) «أ» طويل. «ب» مستطيل (٢) ذو طول معيّنٍ (six meters ~) (٣) مَديد ؛ غير وجيز (٤) طويل: أكبر أو أطول من المألوف (a ~ dozen *or* mile) (٥) طويل الأجل : متوجّب الدفع بعد مدّة طويلة (٦) متزوّد بمخزون كبيرٍ من مادّة معيّنة ارتقاباً لارتفاع الأسعار (~ of cotton) § (٧) طويلاً (٨) منذ عهد بعيد (٩) طوالَ ~ (all day ~) § (١٠) فترة طويلة (Shall you be away for ~?) (١١) مقطع لفظيّ طويل (١٢) *pl.* : بنطلون طويل § (١٣) يتوق إلى .

a ~ face وجه تعلوه أمارات الأسى والاكتئاب .

as ~ as *or* so ~ as (١) ما دام ؛ طالما (٢) إذا ؛ شريطة أن.

at ~ last أخيراً ؛ بعد طول انتظار .

in the ~ run في النهاية ؛ في خاتمة المطاف .

~ ago منذ عهد بعيد .

~ in the tooth عجوز ؛ هَرِم .

so ~, وداعاً ؛ إلى اللقاء .

the ~ and (the) short خلاصة القول ؛ زبدة القول .

the ~ arm of قوة الشيء أو سلطته البعيدة النطاق أو الأثر .

longanimity [-nĭm'ə tĭ] *(n.)* اصطبار ؛ صَبْر ؛ طول أناة .

longboat [lông'-] *(n.)* المركب الطويل: أكبر مركبٍ تحمله سفينة تجاريّة .

longbow [lông'bō] *(n.)* القوس الطويل : قوس كبير يُطلِق سهماً مَريشاً طويلاً .

long clothes *(n. pl.)* ثياب الرضيع .

long-distance *(adj.; adv.; n.)* (١) «أ» ناءٍ ؛ قَصِيّ . «ب» طويل (a ~ race) (٢) بعيد المدى ؛ خارجيّ : متعلق بمخابرة

تلفونيّة مع منطقة نائية §(٣) بالتلفون البعيد المدى §(٤) مخابرة تلفونيّة بعيدة المدى (٥) عامل أو مركز تلفون بعيد المدى .

long division *(n.)* القِسمة الطويلة (في الحساب) .

long dozen *(n.)* الدزينة الطويلة : ثلاثة عشر .

longeron [lŏn'jə rən] *(n.)* الضلع الطّولاني الرئيسيّ (طي) .

longevity [lŏn jĕv'ə tĭ] *(n.)* (١) تعمير ؛ طول العمر (٢) أقدميّة .

longevous [lŏn jē'vəs] *(adj.)* مُعَمِّر ؛ طويل العمر .

long green *(n.)* العملة الورقيّة (عا) .

longhair [lông'-] *(n.)* (١) شخص ذو مواهب أو اهتمامات فنيّة ؛ وبخاصة : المحبّ للموسيقى الكلاسيكيّة (٢) مفكّر غير عملي أو بعيدٌ عن الحياة اليومية **—long-hair; long-haired** *(adj.)*

longhand [lông'-] *(n.)* الكتابة العاديّة (نقيض الاختزال) .

longhead [lông'-] *(n.)* رأس أو شخصٌ مستطيل الجمجمة .

longheaded [lông'-] *(adj.)* (١) حكيم (أو بعيد النظر) إلى حدّ بعيد (٢) مستطيل الجمجمة .

longhorn [lông'-] *(n.)* الطويل القرن : رأس من الماشية الطويلة القرون (التي كانت توجد بكثرة في الأجزاء الجنوبيّة الغربيّة من الولايات الأميركية المتحدة) .

longi- بادئة معناها : طويل (*longi*caudal) .

longicaudal [lŏn jə kô'-] *(adj.)* طويل الذيل ؛ ذو ذيل طويل .

longicorn [lŏn'jə kôrn'] *(adj.; n.)* (١) قَرَنبيّ : «أ» ذو علاقة بالخنافس الطويلة القرون . «ب» ذو قرنين استشعاريّين طويلَين §(٢) القَرَنْبَى : خنفساء ذات قرنين طويلين جداً .

longing [lông'ĭng] *(n.)* تَوْق ؛ تشوُّف ؛ رغبة شديدة .

longish [lông'ĭsh] *(adj.)* طويلٌ قليلاً ؛ طويلٌ بعضَ الشيء .

longitude [lŏn'jə tūd'] *(n.)* (١) طُول (٢) خطّ الطّول (جغ) .

longitudinal [lŏn'jə tū'də nəl] *(adj.)* (١) طُوليّ (٢) طُولانيّ : موضوع أو ممتدّ بالطول .

long jump *(n.)* القفز العريض ، القفز الطّوليّ (رب) .

long-lived *(adj.)* (١) معمّر ؛ طويل العمر (٢) مستمرٌ مدةً طويلة .

Longobard [lŏng'gō bärd'] *(n.)* pl. **-s** *or* **-i**=Lombard.

long play *(n.)* = LP.

long-playing *(adj.)* ذو علاقة بأسطوانة فونوغرافية يتراوح قطرها ما بين ١٠ و١٢ إنْشاً (را LP) .

long-range *(adj.)* (١) طويل الأجل أو الأمد (٢) بعيد المدى .

longshoreman [lông'-] *(n.)* مفرِّغ المراكب أو محمِّلها .

long shot *(n.)* (١) متسابق غير متوقَّع فوزه (٢) رهان قليل الحظّ من النجاح ولكن مكاسبه المحتملة عظيمة (٣) مغامرة تنطوي على مخاطرة ضخمة ولكنها تعود على صاحبها ، إذا ما حالفها النجاح ، بربح عظيم .

longsighted [lông'sī'tĭd] *(adj.)* = farsighted.

longsome [lông'-] *(adj.)* مُضْجِر ؛ طويلٌ حتى الإملال .

longspur طويل المهاز : طائر ذو برثن طويل شبيه بالمهاز

long-suffering [lông'sŭf'ər ĭng] *(n.; adj.)* (١) احتمال الأذى بصبر §(٢) صَبورٌ على الأذى .

long suit *(n.)* العمل (أو الحقل) الذي يتفوّق فيه المرء .

long-term [lông'tûrm] *(adj.)* (١) طويل الأمد (٢) طويل الأجل .

Long Tom [tŏm] *(n.)* (١) مدفع بحري قديم (٢) مدفع بعيد المدى .

long ton *(n.)* الطن الانكليزي (ويساوي ٢٢٤٠ باونداً) .

longueur [lôn gœr] *(F.)* فقرة أو مقطوعة مُمِلّة .

long-winded *(adj.)* (١) طويل النَّفَس (٢) طويل حتى الإملال

loo [lōō] *(n.)* (١) اللّوّ : نوع قديم من لَعِب الورق (٢) المال المُراهَن به في اللّو .

looby [lōō'bĭ] *(n.)* الأخرق : شخص أخرق تعوزه اللباقة .

look [lŏŏk] *(vt.; i.; n.)* (١) يراقب ؛ يفحص (٢) يعبّر بعينيه أو بتعبيرات وجهه عن **(to~one's thanks *or* consent)** (٣) يبدو على نحوٍ متفقٍ مع **(to ~ one's age)** × (٤) ينظر (٥) يبدو **(She ~*ed* pale.)** (٦) يُطِلّ ؛ يشرف **(The window ~*s* upon the valley.)** (٧) يواجه ؛ يقابل **(Our house ~*s* to the east.)** (٨) يحدّق بدَهَش (٩) يشير إلى ؛ يدلّ على اتجاه أو نزعة **(The evidence ~*s* to acquittal.)** §(١٠) «أ» نظرٌ . «ب» نظرة (١١) «أ» سيما الوجه أو تعبيراته . «ب» *pl.* عد : طلعة ؛ هيئة ؛ وبخاصة : وسامة ؛ جمال **(beginning to lose her ~*s*)** (١٢) مَظْهَر .

~ **alive !; ~ sharp!** عجّل ! أسْرِع !

to ~ about one (١) يحترس ؛ يحاذر (٢) يتفحّص ما حوله (٣) يعطي نفسه وقتاً كافياً يضع خلاله خططه .

to ~ after (١) يُعْنَى بـِ ؛ يسهر على (٢) يُتْبِعُهُ نظراتِهِ .

to ~ ahead (١) ينظر أمامه (٢) يفكر في المستقبل .

to ~ a person in the face يواجهه بجرأة .

to ~ at (١) ينظر إلى (٢) يفحص الشيء بعناية (لكي يحسّنه أو يصحّحه أو يُصْلِحه) .

to ~ back (١) يلتفت بأفكاره إلى شيءٍ ماضٍ (٢) يكفّ عن التقدّم .

to ~ black يقطّب ؛ يعبس ؛ يبدو مُغْضَباً .

to ~ blue يبدو حزيناً أو مستاءً .

to ~ down *or* up on يزدري ؛ لا يبالي بـِ .

to ~ down one's nose at ينظر إليه باستياء أو ازدراء نصف محجوب .

to ~ for (١) يتشوّف ؛ يتطلّع إلى (٢) يبحث عن .

to ~ forward to يتشوّف ؛ يتطلّع إلى (بأمل ولهفة) .

to ~ in *or* on him يزوره زيارة قصيرة .

to ~ into (١) ينعم النظر في (٢) يتصفّح (كتاباً) .

to ~ on *or* upon with distrust ينظر إليه بارتياب .

to ~ oneself again يستردّ صحته (بعد مرض) .

to ~ out (١) يَحْذَر ؛ ينتبه (٢) يُطِلّ من نافذة .

to ~ (something) out يختار (شيئاً) بعد الغربلة والموازنة .

to ~ over (١) يفحص (٢) يتغاضى عن ؛ يغفر .

to ~ round يدرس الاحتمالات قبل وضع خطة ما .

to ~ through (١) ينظر من خلال (٢) يفحص بعناية (٣) يتجلّى من خلال .

to ~ to (١) يهتمّ ؛ يُعْنَى بـِ (٢) يتوقع أو ينتظر منه (شيئاً مرغوباً فيه) (٣) يعتمد على (٤) ينتبه (٥) يراقب .

to ~ up (١) يرفع بصره (٢) تزدهر الأحوال ؛ تروج السّوق .

to ~ (a person) up يقوم بزيارة فلان .

to ~ (a person) up and down يقلّب النظر في فلانٍ بعناية أو بازدراء .

to ~ (a thing) up يبحث عن شيء (كلفظة في معجم) .

looker [lŏŏk'ər] *(n.)* (١) الناظر ، المشاهد الخ . (٢) شخص ذو سِمات أو مظهرٍ من نوع معيّن **(She's a good ~.)** .

looker-on [lŏŏk'ər ŏn'] *(n.)* المشاهد ؛ المتفرج .

looking glass *(n.)* مرآة .

lookout [lŏŏk'-] *(n.)* (١) الرقيب ؛ الحارس (٢) المَرْقَب ؛ نقطة

المراقبة (٣) حَذَر ؛ سَهَر (٤) مشهد (٥) المستقبَل المنتظر (كقولك It is a bad ~ for the new generation أي أن مستقبل الجيل الجديد يبدو مظلماً) (٦) موضوع عناية المرء أو اهتمامه .

loom [lōōm] *(n.; vi.; t.)* (١) نَوْل (٢) الجزء الاسطواني من المجذاف. (٣) المظهر غير الواضح أو المضخَّم أو المحرَّف لشيء يلوح في الأفق أو وسط الظلمة أو الضباب (٤) طيف يلوح من بعيد على نحو غير واضح § (٥) يلوح : يبدو للعيان وبخاصة فوق سطح البحر أو الأرض في شكل مضخَّم أو محرَّف أو غير واضح (٦) يبدو في شكل ضخم أو مغالىً فيه ؛ يلوح وكأنه يهدِّد بوشْك الوقوع (The dangers of the international situation ~ large in their minds.) × (٧) ينسج على نَوْل .

loon [lōōn] *(n.)* (١) «أ» المتبطِّل ؛ المنفق وقته في البطالة . «ب» شخص ريفي أخرق . «ج» الوَغْد (٢) العاهرة ؛ بنت الهوى (إسك) (٣) «أ» المخبَّل ؛ المجنون . «ب» الساذج (الذي يَسْهُل خِداعُه) (٤) الغوّاص السامك ؛ آكل السمك (طا) .

loon 4.

loony *or* **looney** [lōō'nĭ] *(adj.)* معتوه .

loop [lōōp] *(n.; vi.; t.)* (١) عُقْدة ؛ أنشوطة (٢) التحلّق ؛ الانقلاب : ضرب من الطيران (٣) حلقة ؛ عروة (٤) دارة كهربائية مقفلة § (٥) يعقِد أنشوطة (٦) يتحلّق ؛ ينقلب (في الطيران) × (٧) يثبّت بعروة (٨) يُكمل الدائرة الكهربائية (كب) .

loophole [lōōp'hōl] *(n.; vt.)* (١) «أ» فتحة الرمي : فُرْجة في جدار تُطلَق منها نيران الأسلحة الصغيرة . «ب» كُوّة (٢) منفذ ؛ مهرَب ، وبخاصة : غموض أو سقْط (في نص ما) يمكّن المرء من التهرّب من موجبات عقد أو التزام § (٣) يزوّد بفتحات للرّمي .

loose [lōōs] *(adj.; vt.; adv.)* (١) «أ» غير مربوط بإحكام . «ب» متمتع بحرية نسبية في الحركة . «ج» ليِّن ومصحوب عادةً بنفْث مادة مخاطية (a ~ cough) . «د» غير ثابت (~ dyes) . «ﻫ» متقلقل (had a ~ tooth) . «و» فضفاض (~ clothing) (٢) «أ» حرّ ؛ طليق . «ب» محلول ؛ مفكوك (٣) مُهلهَل النّسج (٤) «أ» «فالت» (has a ~ tongue) . «ب» خليع ؛ فاجر (was a ~ woman) (٥) رخوٌ (٦) «أ» غير دقيق أو مُحكم (~ thinking) . «ب» مُفْسِحٌ المجال لتأويلات مختلفة § (٧) يحرّر (من قيد أو التزام الخ .) (٨) يَحُلّ ؛ يفكّ (to ~ a knot) (٩) يُطلق (سهماً) (١٠) يُرخي § (١١) على نحوٍ طليق أو مهلهل أو خليع أو رخو الخ .

—loosely *(adv.)*

~ bowels أمعاء مُسْهَلة (مُصابة بالإسهال) .

on the ~, طليق من قيود الأخلاق أو النظام .

There is a screw ~ somewhere هناك علّة أو شيء يدعو إلى الارتياب في مكانٍ ما .

to give a ~ to يطلق العنان للسانهِ أو عواطفهِ .

to have a screw ~, به مَسّ من الجنون .

to let *or* set ~, يُطلق سراحه .

loose end *(n.)* (١) الطَّرَف السائب : شيء يُترَك مُتدلّياً (٢) جزء غير منجَز من عمل .

loose-jointed [lōōs'join'tĭd] *(adj.)* (١) سَيِّب المفاصل : ذو مفاصل تبدو وكأنها مُخلَّعة (٢) مُتّسِم بحرية استثنائية في الحركة .

loosen [lōō'sən] *(vt.; i.)* (١) «أ» يحلّ ؛ يفكّ . «ب» يحرّر ؛ يُطلق (٢) يُرخي (٣) «أ» يُسهّل الامعاء . «ب» يليّن ؛ يجعله أقل جفافاً (This medicine ~ *s* your cough.) (٤) يجعله أقل صرامة × (٥) ينحلّ ؛ يرتخي الخ .

loot [lōōt] *(n.; vt.; i.)* (١) غنيمة (٢) شيء كالغنيمة : «أ» كلّ ما يؤخذ بالقوّة . «ب» مكاسب الموظفين غير المشروعة . «ج» مال (٣) سَلْب ؛ نهب § (٤) يَسْلُب ؛ ينهب (٥) يغنم (في الحرب بخاصة) .

lop [lŏp] *(vt.; i.; n.)* (١) «أ» يشذّب ؛ يقضّب ؛ يهذّب . «ب» يبتر (عضواً) × (٢) يتدلّى (٣) يتوانى (٤) يثب § (٥) الأغصان المقطوعة من شجرة (٦) صغار الأغصان .

—lopper *(n.)*

lope [lōp] *(vi.; n.)* (١) يتبختر (٢) يقفز § (٣) تبختُر (٤) قفز .

—loper *(n.)*

lop-eared [lŏp'ĭrd'] *(adj.)* متدلّي (أو مسترخي) الأذنين .

loppy [lŏp'ĭ] *(adj.)* مترهّل ؛ مسترخٍ .

lopsided [lŏp'sī'dĭd] *(adj.)* (١) منكفىء ؛ مائل إلى جانب (٢) لا متوازن ؛ لا متناسب ؛ يعوزه التناغم أو الانسجام .

loquacious [lō kwā'shəs] *(adj.)* ثرثار ؛ مهذار .

loquacity [lō kwăs'ə tĭ] *(n.)* ثرثرة ؛ هذَر .

loquat [lō'kwŏt; -kwăt] *(n.)* البشْمَلة : شجر مُثْمِر من الفصيلة الورديّة .

loran [lōr'ən] *(n.)* جهاز لوران : أداة يعيّن بها الملاّح موقع الباخرة أو الطائرة الجغرافيّ .

lord [lôrd] *(n.; vi.)* (١) سيّد ؛ مولىً ؛ مثل : «أ» أمير ؛ ملك ؛ عاهل . «ب» المُقْطِع : سيّد إقطاعيّ تُستأجَر منه الأرض . «ج» مالِكُ الأرض . «د» زوج (٢) *cap.* : «أ» الله . «ب» المسيح (٣) صاحب مقام رفيع ؛ مثل : «أ» لورد ؛ نبيل انكليزيّ . «ب» أسقف (في الكنيسة الانكليزية) (٤) *pl. cap.* : مجلس اللوردات (في بريطانية) (٥) شخص يُختار لترؤس مهرجان § (٦) يستبدّ ؛ يطغى .

lord chamberlain *(n.)* كبير الأُمناء (في بلاط) .

lord chancellor *(n.)* رئيس مجلس اللوردات والرئيس الأعلى للقضاء (في بريطانية) .

lordliness [lôrd'-] *(n.)* (١) السيادة ؛ اللورديّة : كون المرء سيّداً أو لورداً (٢) «أ» جلال ؛ وقار . «ب» تكبّر ؛ غطرسة .

lordling [lôrd'-] *(n.)* لورد صغير المقام أو ضئيل الشأن .

lordly [lôrd'lĭ] *(adj.)* (١) لورديّ : ذو علاقة بلورد ؛ لائق بلورد (٢) جليل ؛ وقور (٣) فخْم (٤) متكبّر .

lordosis [lôr dō'sĭs] *(n.)* البزَخ : انحناء العمود الفقري إلى أمام ؛ دخول الظَّهر .

Lord's day *(n. often cap. D)* يوم الأحد .

lordship [lôrd'-] *(n.)* (١) «أ» اللورديّة : رتبة اللورد أو مقامه ، وتُستعمل لقباً (His *Lordship* is sick.) . «ب» سيادة ؛ سلطان (٢) اللورديّة : المقاطعة الخاضعة لسلطة لورد .

Lord's Prayer *(n.)* الصلاة الربّانية (أبانا الذي في السموات الخ .)

Lord's Supper *(n.)* العشاء الربّاني (نص) .

Lord's Table *(n.)* مائدة الربّ ؛ مائدة القربان (نص) .

lore [lōr] *(n.)* (١) «أ» معرفة مكتسبة من طريق الدرس أو الخبرة . «ب» معرفة تقليدية ؛ مُعتقَد تقليدي (٢) مجموعة معيّنة من المعارف أو التقاليد (٣) ما بين عين الطائر ومنقاره (أو المنطقة المقابلة لهذه المنطقة من زحّافة أو سمكة) .

lorgnette [lôr nyĕt'] *(F.)* (١) نظارات (٢) منظار للأوبرا (ذو يد) .

lorgnon [lôr nyôn'] *(F.)* = lorgnette.

lorica [lō rī'kə] *(L.)* pl. **-e** [-kē; -sē] (١) درع رومانيّ .

ă at; ā date; â care; ä car; ĕ egg; ē me; ĭ in; ī bite; ŏ lot; ō bone; ô orphan; oi boil ŏŏ good; ōō boot; ou out; ŭ under; ū unity; û urgent; th thing; *th* this; zh vision; ə = *a* in alone, *e* in system, *i* in easily, *o* in gallop, *u* in circus.

(٢) صفيحة أو غطاء واق (كالذي يكون لبعض الحيوانات).

loricate; -d [lôr'-] *(adj.)* (١) مدرَّع (٢) مصفَّح (صفةٌ لحيوان).

lorikeet [lôr'ə kēt'] *(n.)* اللُّورِكْت: ضرب من البغاوات.

loris [lōr'ĭs] *(n.)* اللُّورِس: لَيْمور هندي؛ قرد هندي.

lorn [lôrn] *(adj.)* بائس؛ متخلّىً عنه (~ widows).

Lorraine cross [lō rān'; lô rĕn'] *(n.)* صليب اللورين.

lorry [lôr'ĭ] *(n.)* اللوري: «أ» عربة كبيرة منخفضة لا جوانب لها. «ب» لوري؛ شاحنة؛ سيارة شحن؛ وبخاصة إذا كانت مكشوفة. «ج» شاحنة حديديّة تجري على قضبان حديديّة.

lory [lōr'ĭ] *(n.)* اللُّوْر: ضرب من بيغاوات أستراليا وغينيا الجديدة.

lory

losable [lōō'zə bəl] *(adj.)* ممكنٌ ضياعُهُ أو فقدانُه.

lose [lōōz] *(vt.; i.)* (١) يُضيع؛ يَخْسر. (٢) «أ» يفقد. «ب» يحتسب: يفقد من طريق الموت (ولداً) (٣) يضيّع وقتاً أو فرصةً الخ. (٤) يخسّر: يجعله يخسر كذا (One careless statement *lost* him the election.) (٥) يستغرق في (was *lost* in thought) (٦) «أ» يتيه؛ يَضِلّ الطريق (*lost* her way). «ب» يسبق ملاحقيه فلا يدركونه (He *lost* his pursuers.) (٧) يتخلّص المرء من (بعض وزنه) ×(٨) يُخفق؛ ينهزم؛ يخسر (٩) تبطىء (الساعةُ).

to ~ face يفقد اعتباره أو احترامه.

to ~ ground (١) يتراجع؛ يستسلم (٢) يفقد مركزه أو اعتباره.

to ~ one's head (١) يفقد صوابه (٢) يرتبك.

to ~ one's heart يقع في الغرام.

to ~ one's place (in a book etc.) يعجز عن معرفة السطر (أو المقطع) الذي توقّف عنده في قراءتِهِ.

to ~ one's reason (senses). يفقد صوابه؛ يهتاج بضراوة.

to ~ one's temper (١) يغضب (٢) ينفد صبره.

to ~ out (١) يخسر (في سباق أو مسابقة) (٢) يخفق في الفوز بمكافأة متوقَّعة أو ربح مرتقَب.

losel [lō'zəl] *(n.)* شخصٌ تافهٌ لا قيمة له.

loser [lōō'zər] *(n.)* الخاسر.

loss [lôs; lŏs] *(n.)* (١) خُسْران؛ فقدان (٢) شخص أو شيء أو مقدار يُخْسَر، مثل: «أ» *pl.*: الخسائر: القتلى أو الجرحى أو الأسرى (في معركة). «ب» الفَقْد: نقصان في قوة دارة كهربائيّة ناشىء عن تحوّل جزء من الطاقة إلى حرارة. «ج» خسارة (٣) نَقْص (في المقدار أو الحجم أو الدرجة).

at a ~, مُرْتبِك؛ متردّد؛ متحيّر.

loss leader *(n.)* المجتذِبة: سلعة تباع بخسارة (اجتذاباً للزبائن).

loss ratio *(n.)* نِسْبة المدفوعات: النسبة بين ما دفعته شركة تأمين نتيجة للإصابات التي تعرّض لها المؤمَّنون عندها وبين أقساط التأمين المدفوعة إليها، خلال مدة معيّنة (تأ).

lost [lôst] *(adj.)* (١) «أ» مُضيَّع (~ opportunities). «ب» خاسر؛ غير مقترن بالنصر (~ battles) (٢) «أ» ضالّ؛ تائه (a ~ sheep). «ب» تعوزه الثقة بالنفس (٣) «أ» يائس. «ب» محطَّم (~ boats) (٤) «أ» مفقود (~ friends). «ب» منْسِيّ؛ مُهْمَل؛ لم يعد معروفاً أو مُمارَساً (~ arts) (٥) فاقِد لِ (~ to all sense of honor) (٦) مستغرِقٌ في (was ~ in reverie).

lost *past; past part. of* lose.

lot [lŏt] *(n.; vi.; t.)* (١) كلّ ما يُلْقَى أو يُسْحَب لتقرير أمرٍ بالقُرْعَة (٢) «أ» قُرْعَة. «ب» نتيجة القُرعة (٣) «أ» حصة؛ نصيب. «ب» قَدَر؛ «قِسمة» (٤) «أ» قطعة أرض. «ب» قطعة أرض محدّدة أو ممسوحة. «ج» الاستديو السينمائي والأراضي المجاورة التابعة له (٥) «أ» مجموعة أشخاص أو أشياء. «ب» نوع «من الأشخاص» (He is a bad ~.) (٦) عددٌ وافر (a ~ of pencils) §(٧) يُلقي أو يسحب قرعةً ×(٨) يقسم أرضاً إلى قِطَع (٩) يُحَصِّص؛ يقسم حِصَصاً.

to cast ~s يلقي قُرْعَةً (كأن يرمي زهرَ النّرْد الخ. لتقرير أمر).

to draw ~s يسحب قُرعةً.

loth; lothly; lothsome = loath, etc.

lothario [lō thâr'ĭ ō'] *(n.)* فاتِن (أو مُغْوِي) النساء.

lotion [lō'shən] *(n.)* (١) غَسْل (٢) الغَسُول: مستحضَرٌ سائلٌ يُستعمل لأغراض تجميليّة أو طبّيّة.

lottery [lŏt'ə rĭ] *(n.)* (١) يانصيب (٢) مسألة حظّ.

lotus *or* **lotos** [lō'təs] *(n.)* اللُوطس؛ النَّيْلُوفَر (نب).

lotus-eater *or* **lotos-eater** [lō'təs ē'-] *(n.)* آكل اللّوطس: فَرْدٌ من شعب ورد ذكره في أوذيسة هوميروس يقتات باللوطس ويحيا في حالة التراخي والكسل التي يُحْدِثُها.

loud [loud] *(adj.; adv.)* (١) «أ» عالٍ؛ مرتفع. «ب» مدوّ؛ مُحْدِثٌ صوتاً مرتفعاً (~ knocking) (٢) صاخب؛ كثير الضجيج (~ streets) (٣) صارخ؛ فاقع؛ مُبَهْرَج (~ colors; ~ jewelry) (٤) مسرف؛ مُلِحّ (to be ~ in one's praises) (٥) كَريه الرّائحة الخ. §(٦) بصوتٍ عالٍ.

—**loudly** *(adv.)* —**loudness** *(n.)*

louden [loud'-] *(vt.; i.)* يُعْلي أو يعلو (الصوت).

loudmouthed [loud'mouthd] *(adj.)* صخّاب: كثير الكلام بصوت عالٍ مزْعِج.

loudspeaker [loud'-] *(n.)* المِجهار: مكبِّر أو مضخِّم الصوت.

lough [lŏk; lŏkh] *(n.)* (١) بحيْرَة (٢) خليج.

louis d'or [lōō'ĭ dôr'] *(F.)* اللويسيّة الذهبيّة: جنيه ذهبي فرنسيّ.

Louis Quatorze [kə tôrz'] *(adj.)* من طراز عصر الملك لويس الرابع عشر الفرنسي في العمارة أو الأثاث.

Louis Quinze [kănz] *(adj.)* من طراز عصر الملك لويس الخامس عشر الفرنسي في العمارة أو الأثاث.

lounge [lounj] *(vi.; t.; n.)* (١) «أ» يتكاسل. «ب» يتسكّع. ×(٢) ينفق الوقت متبطّلاً §(٣) «أ» حجرة الجلوس (في بيت). «ب» الرَّدهة: قاعة الانتظار أو الاستراحة (في فندق الخ.) (٤) مُتّكأ؛ أريكة.

—**lounger** *(n.)*

lounge car *(n.)* حافلة الاستراحة: حافلة من حافلات السكّة الحديدية مزودة بالأرائك وبالوسائل المساعدة على تقديم المرطّبات الخ.

lour [lour] *(vi.; n.)* (١) يعبس؛ يكفهرّ §(٢) عبوس؛ اكفهرار.

louse [lous] *(n.; vt.)* (١) قملة §(٢) يفلّي القمل.

lousewort [lous'wûrt'] *(n.)* عشبة القمل (نب).

lousy [lou'zĭ] *(adj.)* (١) «أ» قَمِل؛ مُقمِّل. «ب» قذِر (٢) حقير؛ خسيس (٣) متخَم؛ مفعَم (was ~ with money).

—**lousily** *(adv.)* —**lousiness** *(n.)*

lout [lout] *(vi.; t.; n.)* (١) ينحني باحترام (٢) ينحني بخضوع: يُذعن ×(٣) يحتقر §(٤) شخص أخرق أو مغفّل أو جِلْف.

loutish [lou'tĭsh] *(adj.)* جِلْف ؛ غليظ .

louver *or* **louvre** [lōō'vər] *(n.)* (١) كوّة ؛ فتحة (على سطح مبنىً لخروج الدخان أو دخول النور) (٢) نافذة مزوّدة بأباجور (أي بعوارض منحنية ثابتة أو متحركة لتسهيل دخول الهواء مع حجب الشمس وردّ المطر) (٣) شِقّ التهوية : واحدة من سلسلة فتحات مستطيلة في غطاء محرّك السيارة المعدنيّ لتسهيل خروج الهواء الساخن .

lovable *also* **loveable** [lŭv'ə-] *(adj.)* محبَّب ؛ جدير بأن يُحَبّ .

lovage [lŭv'ĭj] *(n.)* الكاشم : الأنجُدان الرومي : عشب أوروبي .

love [lŭv] *(n.; vt.; i.)* (١) محبّة ؛ مودّة (٢) «أ» ولوع ؛ شَغَف . «ب» موضوع هذا الولوع أو الشغف (Automobiles were his first ~.) (٣) «أ» حُبّ . «ب» صلة غراميّة ؛ قصة غرام . «ج» جِماع (٤) المحبوب §(٥) يُحِبّ (٦) «أ» يعشق . «ب» يلاطف ؛ يربّت الخ . (٧) يُولَع ؛ يُشغف بـِ .

for ~ or money بوسيلة أو بأخرى .

for the ~ of إكراماً لـِ .

in ~ (with) محبّ ، عاشق ، مفتون أو متيّمٌ بـِ .

~ all صِفْر للفريقَين (في التنس خاصةً) .

to play for ~ يلعب لمجرّد المتعة (من غير أن يُراهِن) .

love affair *(n.)* صِلة غراميّة ؛ قصة حبّ .

love apple *(n.)* طماطم ؛ بندورة (نب) .

lovebird [lŭv'-] *(n.)* البغاء المتيّمة (دعيت بذلك لولوعها بقرينها) .

love child *(n.)* ابن سِفاح ؛ ابن زِنا .

love feast *(n.)* وليمة المحبّة : «أ» وليمة كان يقيمها قدماء النصارى كدليل على المحبة الأخوية بينهم . «ب» وليمة تقام لإصلاح ذات البين أو لتوكيد عرى المودّة .

love god *(n.)* كيوبيد : إلـٰه الحبّ .

love knot *(n.)* عقدة الحبّ : أنشوطة تُتّخَذ رمزاً للحبّ .

loveless [lŭv'-] *(adj.)* (١) غير مُحِبّ (٢) غير محبوب .

loveliness [lŭv'lĭ-] *(n.)* فتنة ؛ جمال ؛ ملاحة .

lovelock [lŭv'lŏk] *(n.)* خُصلة الحب : خُصلة شعر طويلة كان الرجال في القرنين السابع عشر والثامن عشر يرسلونها فوق الكتف .

lovelorn [lŭv'-] *(adj.)* محروم من الحبّ أو من الحبيب .

lovely [lŭv'lĭ] *(adj.)* (١) محبَّب إلى النفس (a ~ character). (٢) فاتن ؛ جميل (a ~ girl) (٣) بهيج ؛ مُمْتِع (a ~ time).

lovemaking [lŭv'-] *(n.)* (١) مغازلة (٢) جِماع .

love match *(n.)* زواج الحب (تمييزاً له عن زواج المصلحة) .

lover [lŭv'ər] *(n.)* (١) المحِبّ ، العاشق (٢) صديق مُحِبّ . (٣) نصير متحمّس (٤) خليل .

love seat *(n.)* الكرسيّ المزدوج .

love seat

love-sick *(adj.)* (١) مُلتاع ؛ مُضْنًى (من الحبّ) (٢) معبر عن لوعة الحبّ .

lovesome [lŭv'-] *(adj.)* (١) فاتِن ؛ ساحر ؛ جميل (٢) مُحِبّ ؛ مُغْرَم .

loving [lŭv'ĭng] *(adj.)* = affectionate.

—lovingly *(adv.)* **—lovingness** *(n.)*

loving cup *(n.)* كأس المحبة : «أ» وعاء للشرْب مُزخرَف ضخم ذو يدَين أو أكثر . «ب» كأس كهذا يقدَّم على سبيل الذكرى .

low [lō] *(adj.; adv.; n.; vi.)* (١) «أ» منخفِض ، واطئ . «ب» منخفِض العنق ؛ مقوّر الصدر والظهر (a ~ dress) (٢) «أ» ميْت . «ب» منبطح على الأرض (٣) خفيض (a ~ murmur) (٤) قريب من خطّ الاستواء (a ~ latitude) (٥) وضيع ؛ حقير (a man of ~ birth) (٦) «أ» ضعيف ؛ واهن . «ب» مكتئب (in a ~ state of mind) (٧) «أ» صغير (a ~ number) . «ب» رخيص (a very ~ price) . «ج» ضئيل ؛ غير كافٍ (~ supply) . «د» بسيط ؛ ضئيل القوة الغذائيّة (a ~ diet) (٨) «أ» خسيس ؛ دنيء (This is a ~ trick.) . «ب» فظّ أو مبتذَل (~ language) (٩) أدنى ؛ دُنيا ؛ غير متقدّم في مجال التطوّر (~ organisms) (١٠) سيّء : دالّ على عدم الرضا أو الإعجاب (She has a ~ opinion of him.) §(١١) على نحوٍ منخفض أو وضيع أو ضعيف أو رخيص الخ. §(١٢) «أ» شيء منخفض . «ب» منطقةٌ منخفضة الضغط البارومتري (١٣) الأدنى ، الأوّل : ناقل الحركة الذي يزوِّد السيّارة بالسرعة الدنيا والذي يُستعمل عادةً عند بدء الانطلاق (١٤) خُوار البقرة §(١٥) تخور (البقرةُ) .

to lay ~, (١) يَصْرع (٢) يقتل .

low beam *(n.)* ضوء السيّارة الأمامي القصير المدى .

low blood pressure *(n.)* ضغط الدم الواطئ .

lowborn [lō'bôrn'] *(adj.)* وضيع المَوْلِد ؛ وضيع المَحْتِد .

lowboy [lō'boi] *(n.)* الصوان المنخفض (ويبلغ ارتفاعه حوالى ٣ أقدام) .

lowboy

lowbred [lō'brĕd'] *(adj.)* جِلْف ؛ فَظّ ؛ غير مهذَّب أو مصقول .

lowbrow [lō'brou'] *(n.; adj.)* (شخص) ضئيل الثقافة أو منخفض المستوى الفكري .

Low Church *(adj.)* مقلِّل من شأن الكهنوت والطقوس ومؤكِّد عادةً على المبادىء الانجيليّة .

—Low Churchman *(n.)*

low comedy *(n.)* الكوميديا أو المَهْزَلَة الخفيفة .

low-down [lō'doun'] *(adj.)* وضيع ؛ حقير ؛ دنيء .

lowdown *(n.)* الحقائق المجرّدة ؛ واقع الحال مستقىً من مصدر ثقة .

lower [lou'ər] *(vi.; n.)* (١) يُقطّب ؛ يعبس (٢) يكفهرّ (الجوّ) §(٣) عبوس (٤) اكفهرار .

lower [lō'ər] *(adj.; vi.; t.)* (١) أدنى ؛ أوطأ (٢) مؤلِّف الفرعَ الشعبيّ من هيئة تشريعيّة ذات مجلسَين (كقولك *Lower* Chamber *or* House أي مجلس العموم ببريطانية أو مجلس النواب بالولايات الأميركيّة المتحدة) (٣) «أ» سُفْليّ : واقع (أو معتقَد أنّه واقع) تحت سطح الأرض . «ب» *cap.* : متعلّق بتكوّن جيولوجيّ (أو بحقبة جيولوجيّة) أسبق (٤) جنوبيّ (~ New York State) §(٥) ينخفض ؛ ينقُص (Stocks ~*ed* in value.) ×(٦) «أ» يُدَلّي ؛ يُسْدل . «ب» يُنْزِل (٧) «أ» يخفض (~*ed* her voice) . «ب» يُخفِّض (~*ed* the price) (٨) يُضعِف (٩) يُذِل .

lowercase [lō ər kās'] *(adj.; n.; vt.)* (١) صغير ، غير استهلالي (~ letters) §(٢) الأحرف الطباعيّة الصغيرة (مثل a, b, c، تمييزاً لها عن الأحرف الاستهلاليّة مثل A, B, C) §(٣) يطبع أو ينضد بأحرف صغيرة .

lower class *(n.)* العامّة ؛ الطبقة الاجتماعيّة الدنيا .

lowerclassman [lō ər klăs'-] *(n.)* طالب في السنة الأولى أو الثانية من جامعة .

lower criticism *(n.)* النقد الأدنى أو نقد النصّ (للتوراة) .

lowering [lou'ər-] *(adj.)* (١) مكفهِرّ (~ sky) (٢) عابس .

lowermost [lō'ər mōst] *(adj.)* الأدنى ؛ الأسفل .

lower world *(n.)* (١) الجحيم (٢) الأرض .

lowery [lou'ər ĭ] *(adj.)* غائم ؛ مكفهر (a ~ sky)

lowest common multiple *(n.)* المضاعف المشترك الأصغر (ر) .

low frequency *(n.)* التردد المنخفض (د) .

low-key [lō'kē'] *(adj.)* (١) مكبوح ؛ مكبوت (٢) قاتم الظلال (على نحو يجعله قليل الحظ من المقابلة أو التغاير أي ضئيل الفرق بين الصفاء والقتمة في الصورة) .

lowland [lō'lənd] *(n.; adj.)* (١) بلاد منخفضة أو واطئة . §(٢) متعلق ببلاد منخفضة .

lowlander [lō'lənd ər] *(n.)* (١) أحد سكان منطقة منخفضة . (٢) *cap.* : أحد سكان أراضي اسكتلندة المنخفضة .

lowly [lō'lĭ] *(adj.; adv.)* (١) متواضع ، وديع ؛ منخفض الجناح (٢) وضيع ؛ حقير (٣) غير متقدم في معارج التطور البيولوجي أو الثقافي (٤) منخفض الرتبة (في هيئة ذات مراتب متسلسلة) (٥) مبتذل §(٦) بتواضع ؛ بوداعة ؛ بضعة الخ .

low mass *(n. often cap. L; M)* القداس الخفيض : قداس يتلى تلاوة ولا ينشد إنشاداً .

low-minded [lō'mīn'dĭd] *(adj.)* حقير أو منحط التفكير .

lown [loun] *(adj.)* هادىء ؛ ساكن (ع) .

low-necked [lō'nĕkt'] *or* **low-neck** [lō'-] *(adj.)* منخفض العنق : مقور الصدر والظهر ؛ « ديكولتيه » .

low-pitched [lō'pĭcht'] *(adj.)* (١) خفيض النغم (٢) قليل الانحدار .

low-pressure [lō'prĕsh'ər] *(adj.)* (١) منخفض الضغط (٢) easygoing .

low relief *(n.)* = bas-relief.

low-spirited [lō'spĭr'-] *(adj.)* مكتئب ؛ محزون ؛ منقبض الصدر .

low spirits *(n.)* كآبة ؛ حزن ؛ انقباض .

Low Sunday *(n.)* يوم الأحد الذي يلي عيد الفصح (نص) .

low-tension [lō'tĕn'shən] *(adj.)* منخفض الجهد (كب) .

low-test [lō'tĕst'] *(adj.)* منخفض التطايرية أو التبخرية .

low tide; low water *(n.)* أدنى درجات الجزر .

lox [lŏks] *(n.)* [*l*iquid *ox*ygen] الأكسجين السائل .

lox [lŏks] *(n.)* سلمون (سمك سليمان) مدخن .

loyal [loi'əl] *(adj.)* (١) موال للدولة (٢) وفي ؛ مخلص .

loyalist [loi'əl ĭst] *(adj.)* الموالي : المخلص لحزب أو حكومة أو ملك .

loyalty [loi'əl tĭ] *(n.)* ولاء ؛ وفاء ؛ إخلاص .

lozenge [lŏz'ĭnj] *(n.)* (١) المعين : شكل ذو أضلاع أربعة متساوية وزاويتين حادتين وزاويتين منفرجتين (هن) (٢) شيء على شكل المعين ؛ وبخاصة : المعينة : قطعة كراميل (أو حلوى) صغيرة مشتملة عادة على مادة طبية .

lozenge

LP [ĕl'pē'] *(n.)* [*l*ong *p*lay] المطولة : أسطوانة فونوغرافية يتراوح قطرها بين ١٠ و١٢ إنشاً وتدور ٣٣ دورة وثلث في الدقيقة .

LSD *or* **LSD-25** ال. أس. دي : مادة مخدرة .

lubber [lŭb'ər] *(n.)* (١) شخص ضخم أخرق أو مغفل . (٢) ملاح غير بارع .

lube [lōōb] *(n.)* = lubricant.

lubricant [lōō'brə kənt] *(n.; adj.)* (١) المزلق : زيت أو شحم التزليق §(٢) مزلق ؛ مزيت ؛ مخفف للاحتكاك .

lubricate [lōō'brə kāt] *(vt.; i.)* يزلق ؛ يزيت (محركاً الخ) . —**lubrication** *(n.)* —**lubricative** *(adj.)*

lubricator [-kā tər] *(n.)* (١) المزلق (٢) المزلقة : أداة للتزليق .

lubricious [lōō brĭsh'əs] *or* **lubricous** [-'brə kəs] *(adj.)* (١) «أ» فاسق ؛ منغمس في الفجور . «ب» مثير للشهوة الجنسية (٢) «أ» زليق ؛ أملس . «ب» متقلب .

lubritorium [-tōr'ĭ əm] *(n.)* محطة لتزييت أو تشحيم السيارات .

Lucan [lōō'kən] *(adj.)* لوقاني : متعلق بالقديس (أو بإنجيل) لوقا .

lucarne [lōō kärn'] *(F.)* = dormer.

lucency [lōō'-] *(n.)* (١) سطوع ؛ إشراق (٢) صفاء ؛ شفافية .

lucent [lōō'sənt] *(adj.)* (١) ساطع (٢) صاف ؛ رائق ؛ شفاف .

lucerne *also* **lucern** [lōō sûrn'] *(n.)* = alfalfa.

lucid [lōō'sĭd] *(adj.)* (١) «أ» مشرق ؛ نير . «ب» صاف ؛ رائق ؛ شفاف (٢) «أ» صافي التفكير (a ~ mind) . «ب» متسم بسلامة العقل (John is mad but has ~ intervals.) (٣) واضح ؛ جلي ؛ ممكن فهمه أو إدراكه . —**lucidness** *(n.)*

lucidity [lōō sĭd'-] *(n.)* (١) وضوح الفكر أو الأسلوب . (٢) استبصار ؛ بعد نظر .

Lucifer [lōō'sə fər] *(n.)* (١) الشيطان ؛ ابليس (٢) الزهرة (حين تكون نجمة صبح) (٣) *not cap.* : ضرب من عيدان الثقاب .

luciferin [lōō sĭf'ər ĭn] *(n.)* اللوسيفرين : مواد مولدة للنور تكون في المتعضيات الوضاءة (كالحباحب الخ .) .

luck [lŭk] *(n.)* (١) حظ (٢) «أ» حسن الطالع . «ب» نجاح ؛ توفيق . to be down on one's ~, يمنى بسوء الحظ .

luckily [lŭk'ə lĭ] *(adv.)* لحسن الحظ ؛ لحسن الطالع .

luckiness [lŭk'ĭ-] *(n.)* السعد : حسن الحظ أو الطالع .

luckless [lŭk'lĭs] *(adj.)* (١) قليل الحظ (٢) أشأم ؛ مشؤوم .

luck-money; luck-penny *(n.)* فلس الحظ : مبلغ صغير يعاد (استجلاباً للحظ) إلى المشتري ، وذلك من قبل متلقي المال بموجب بيع أو عقد .

lucky [lŭk'ĭ] *(adj.)* (١) محظوظ ؛ حسن الحظ (٢) سعيد ؛ موات (a ~ accident *or* hour) (٣) مسعد : جالب (أو معتقد أنه جالب) للحظ الحسن (a ~ star) . to cut one's ~, ينزح ؛ يرتحل ؛ يركن للفرار .

lucrative [lōō'krə tĭv] *(adj.)* مربح ؛ رابح ؛ مكسب .

lucre [lōō'kər] *(n.)* (١) ربح (٢) مال ؛ دراهم .

lucubrate [lōō'kyōō brāt] *(vi.)* (١) يعمل أو يكتب أو يدرس (منفقاً جهداً كبيراً ، وبخاصة ليلاً) (٢) يسهب ؛ يطنب .

lucubration [lōō'kyōō brā'-] *(n.)* (١) عمل أو درس (منطو على جهد كبير وبخاصة ليلاً) (٢) أثر أو نتاج فكري .

luculent [lōō'kyōō lənt] *(adj.)* (١) واضح ؛ جلي (٢) مقنع .

Lucullan *or* **Lucullian** [[lōō kŭl'-] *(adj.)* مترف ؛ سخي ؛ متسم بالاسراف والتبذير (~ feasts) .

Luddite [lŭd'īt] *(n.)* محطم الماكينات : أحد أعضاء جماعة من العمال الانكليز عمدت في أوائل القرن ١٩ إلى تحطيم ماكينات المصانع لاعتقادها بأن استعمال هذه الماكينات سوف يفضي إلى تناقص الطلب على الأيدي العاملة .

ludicrous [lōō'də krəs] *(adj.)* (١) مضحك (لغرابته أو سخفه) (٢) جدير بأن يضحك أو يسخر منه .

lues [lōō'ēz] *(n.)* الزهري ؛ السفلس (مض) .

luff [lŭf] *(n.; vi.)* (١) الإبحار بالمركب نحو الريح (٢) حافة الشراع الأمامية §(٣) يدير رأس المركب نحو الريح ؛ يبحر نحو الريح .

lug [lŭg] *(vt.; i.; n.)* (١) يسحب ؛ يجر (٢) يحمل بمشقة أو جهد

(٣) يُقحِم (~ged a story into the conversation) ×(٤) يجرّ بجهد (٥) يسير أو يدور بتثاقل أو بحركات متنخعة أو ارتجاجية §(٦) كبرياء مصطنعة (the way these doctors put on ~s) (٧) شراعٌ رباعيّ الأضلاع (٨) ابتزاز المال (٩) أُذُن (ع) (١٠) شيء كالأُذُن، مثل: عروة؛ مَسْكَة (١١) شخص مغفّل أو أخرق.

luggage [lŭg'ĭj] *(n.)* أمتعة ؛ حقائب سفَر .

lugger [lŭg'ər] *(n.)* اللُّغر: مركب ذو شراع رباعيّ الاضلاع أو أكثر.

lugsail [lŭg'sāl] *(n.)* شراع رباعي الاضلاع .

lugubrious [lo͞o gū'brĭ əs] *(adj.)* حزين ؛ كئيب .

lugworm [lŭg'-] *(n.)* دودة حَلَقية (تستعمل طُعماً في صيد السمك).

Lukan [lo͞o'kən] *(adj.)* = **Lucan.**

lukewarm [lo͞ok'wôrm'] *(adj.)* (١) فاتر (٢) تُعوزه الحماسة .

lull [lŭl] *(vt.; n.)* (١) يُهَدهِد؛ يُهَوِّد : يهزّ أو يغنّي للطفل حتى ينام (٢) يهدّئ ؛ يُسكِّن (الألمَ الخ.) §(٣) هدوء موقّت قبل العاصفة أو خلالها (٤) خمود أو ركود موقّت .

lullaby [lŭl'ə bī'] *(n.; vt.)* (١) التهويدة: أغنية رقيقة تُغري الطفل بالنوم (٢) حفيف ؛ خرير §(٣) يهوّد (يغنّي) للطفل حتى ينام .

lulu [lo͞o'lo͞o] *(n.)* الرائع ؛ البديع : شيء رائع أو بديع (ع) .

lum [lŭm] *(n. chiefly Scot.)* = **chimney.**

lumbago [lŭm bā'gō] *(L.)* القُطان ؛ العِناج ؛ الخَزْرَة : ألم عصبيّ في القَطَن (أسفل الظهر) .

lumbar [lŭm'-] *(adj.)* قَطَنِيّ : ذو علاقة بأسفل الظهر .

lumber [lŭm'bər] *(vt.; i.; n.)* (١) «أ» يملأ بأشياء مبعثَرة تعوق الحركة . «ب» يعوق (٢) يكوم على نحو مبعثَر (٣) يقطع الأشجار وينشر خشبها ×(٤) يتحرك بتثاقل (٥) يُقعقِع ؛ « يقرقع » §(٦) سَقَطُ المتاع : الفائض أو الرديء من الأثاث يُخزَن في موضع ما (٧) خشب منشور (على شكل ألواح) .

lumberjack [lŭm'bər jăk'] *(n.)* = **logger.**

lumberman [lŭm'bər-] *(n.)* (١) قاطع الأخشاب أو ناشرها . (٢) تاجر الأخشاب .

lumbermill [lŭm'-] *(n.)* المَنْشَرة : منشرة الخشب .

lumberyard [lŭm'bər yärd] *(n.)* فِناء الأخشاب : موضع تُخزن فيه الأخشاب للبيع .

lumbricoid [lŭm'brə koid] *(n.; adj.)* (١) الخراطينية : دودة شبيهة بالخراطين أي ديدان الأرض §(٢) خراطينيّ .

lumen [lo͞o'-] *(n.)* pl. **-mina** *or* **-mens** (١) تجويف عضو أنبوبيّ (the ~ of the intestine) (٢) تجويف أنبوبة (the ~ of a hollow needle) (٣) اللومَن : وحدة لقياس تدفق الضوء من مصباح الخ . أو لتدفق الضوء على سطح (فز) .

lumin- *or* **lumini-** *or* **lumino-** بادئة معناها : ضوء .

luminance [lo͞o'mə-] *(n.)* النورانية ؛ الإشراقية ؛ التّضوع .

luminary [lo͞o'mə-] *(n.)* (١) النجم : شخص بارزٌ في حقل اختصاصه (٢) ضوءٌ صُنعيّ (٣) جسمٌ نيِّر ؛ وبخاصة : جِرمٌ سَماويّ .

luminesce [lo͞o'mə nĕs'] *(vi.)* يتلألأ ؛ يتألّق .

luminescence [-'əns] *(n.)* تلألؤ ؛ تألّق **-cent** *(adj.)*

luminiferous [lo͞o'mə nĭf'ər əs] *(adj.)* نيِّر؛ مضيء؛ وضّاء.

luminist [lo͞o'mə nĭst] *(n.)* النوراني : رسّام يُعنى بتصوير أثر الضوء في الأشياء الملوّنة .

luminosity [lo͞o'mə nŏs'ə tĭ] *(n.)* (١) «أ» نورانيّة؛ إشراقيّة؛ سطوع . «ب» شيء نيّر أو مضيء أو ساطع (٢) «أ» الجلاء : المقدار النسبيّ للضوء . «ب» إشراق .

luminous [lo͞o'mə nəs] *(adj.)* (١) نيّر ؛ مضيء (٢) مُضاء ؛ حسَن الإضاءة (٣) «أ» مستنير ؛ ذكيّ . «ب» واضح يَسْهل فَهْمه (a ~ writer) .

luminous energy *(n.)* الضَّوء ؛ الطاقة الضوئيّة .

luminous flux *(n.)* التدفّق الضيائي (ويقاس باللومن لا بالواط).

luminous paint *(n.)* الطّلاء المضيء ؛ الطّلاء الفوسفوري .

lummox [lŭm'əks] *(n.)* شخص أخرقُ مُغفّل .

lump [lŭmp] *(n.; vt.; i.)* (١) قطعة؛ كتلة (a ~ of sugar) (٢) «أ» جملة ؛ إجمال . «ب» (taken in the ~) أكثرية ؛ أغلبية ؛ جمهور (٣) نتوء ؛ وبخاصة : وَرَم (٤) شخص ضخم الجسم ، وبخاصة : المغفّل ؛ البليد §(٥) يكوم ؛ يجمع من غير تمييز (٦) يكتّل (٧) يحرك بجلَبة أو خُرْق (٨) يتحمّل ؛ يصبر على شيء بغيض ×(٩) يتكتّل (١٠) يمشي بجلبة أو خُرْق (١١) يرتمي بثِقَل (على مقعد الخ .) .

lumper [lŭmp'ər] *(n.)* عامل يُستخدَم لتحميل أو تفريغ السفن.

lumpish [lŭmp'ĭsh] *(adj.)* (١) بليد ؛ كسول (٢) ثقيل ؛ أخرَق؛ مُغَفّل (٣) مكتّل (٤) مملّ ؛ مضجر.

lump sugar *(n.)* سُكّر قِطَع (تمييزاً له عن السكّر المُذرّر) .

lumpy [lŭmp'ĭ] *(adj.)* (١) «أ» مُكتّل ؛ كثير الكتل (The gravy is ~.) «ب» متلاطم الأمواج (٢) ثقيل؛ أخرق (٣) وعر.

luna [lo͞o'nə] *(n.)* (١) القمر (بوصفه إلاهة رومانية) . *cap.* (٢) فضة (عند أصحاب الكيمياء القديمة) .

lunacy [lo͞o'nə sĭ] *(n.)* (١) جنون (٢) حماقة كبرى .

lunar [lo͞o'nər] *(adj.)* (١) «أ» قمَريّ . «ب» هلاليّ (٢) فضيّ .

lunar caustic *(n.)* نترات الفضة المصهورة (ك) .

lunate [lo͞o'nāt] *(adj.)* هلاليّ ؛ هلاليّ الشكل .

lunatic [lo͞o'nə tĭk] *(adj.; n.)* (١) «أ» مجنون ؛ مجذوب . «ب» مُعَدّ للعناية بالمجاذيب (~ asylums) (٢) طائش §(٣) المجنون الخ.

lunatic fringe *(n.)* الجناح المتطرّف (في حركة سياسية الخ).

lunation [lo͞o nā'shən] *(n.)* الشهر القمري (٢٩ يوماً و١٢ ساعة و ٤٤ دقيقة و ٢,٨ ثانية) .

lunch [lŭnch] *(n.; vi.; t.)* (١) وَجْبَة خفيفة ؛ وبخاصة : الغداء §(٢) يتناول الغداء ×(٣) يقدّم الغداء إلى .

luncheon [lŭn'chən] *(n.)* (١) غَداء (٢) مأدبة صغيرة .

luncheonette [lŭn'chə nĕt'] *(n.)* المَغْدَى : مطعم يتناول فيه الناس طعامَ الغداء .

lunchroom [lŭnch'-] *(n.)* المطعم السريع : مطعم صغير مخصَّص لتقديم الأطعمة الجاهزة أو المُعدّة بسرعة .

lunes [lo͞onz] *(n. pl.)* نَوْبات جنون .

lunette [lo͞o nĕt'] *(n.)* (١) «أ» كُوّة في عَقْد . «ب» فتحة هلاليّة الشكل مزدانة بصورة أو برسم زينيّ جداريّ (عم) (٢) استحكام عسكري شبه هلاليّ (٣) صورة الهلال أو شكله .

lung [lŭng] *(n.)* (١) رئة (٢) رئة ميكانيكيّة . He has good ~s إنّ له لصوتاً قوياً أو جهورياً .

lunge [lŭnj] *(vt.; i.; n.)* (١) يطعن ×(٢) يندفع بقوّة §(٣) طعنة (بسَيْف الخ.) (٤) اندفاع (إلى أمام) .

lunged [lŭngd] *(adj.)* (١) ذو رئتين (٢) ذو عدد معيّن من الرئات.

lunger [lŭn'jər] *(n.)* (١) الطاعن (٢) المندفع بقوّة .

lunger [lŭng'ər] *(n.)* المسلول ؛ المصدور .

lungfish [lŭng'fĭsh] *(n.)* السمك الرئوي : سمك يتنفّس بواسطة مثانة هوائيّة وبالخياشيم أيضاً .

ă at; ā date; â care; ä car; ĕ egg; ē me; ĭ in; ī bite; ŏ lot; ō bone; ô orphan; oi boil o͝o good; o͞o boot; ou out; ŭ under; ū unity; û urgent; th thing; *th* this; zh vision; ə = *a* in alone, *e* in system, *i* in easily, *o* in gallop, *u* in circus.

lungwort [lŭng'-] *(n.)* الرئوية ؛ حشيشة الرئة (نب) .

lunisolar [lōō'nə sō'lər] *(adj.)* قَمَرِيشَمْسِي : متعلق بالقمر والشمس أو مَعْزُوٌ إليهما .

lunitidal [lōō'nə tī'dəl] *(adj.)* قَمَرِيمَدِّي : متعلّق بالمدّ والجزْر المتوقّفين على القمر .

lunker [lŭng'kər] *(n.)* الضخم من أيّ شيء ؛ وبخاصة : سمكة ضخمة .

lunkhead [lŭngk'hĕd'] *(n.)* المُغفّل ؛ الغبيّ .

lunt [lŭnt] *(n. chiefly Scot.)* (١) «أ» كبريت بطيء الاشتعال . «ب» مِشعل (٢) «أ» دخان . «ب» بُخار حارّ .

lunulate [lōō'nyə lāt] *(adj.)* (١) هُلَيْلي : شبيه بهلال صغير . (٢) ذو علامات هلاليّة .

lunule [lōō'-] *(n.)* علامة هلاليّة (كالعلامة البيضاء في قاعدة الظفر) .

luny [lōō'nĭ] *(adj.)* = loony.

lupanar [lōō pā'nər] *(L.)* ماخور ؛ مَبْغَى ؛ بيت دعارة .

Lupercalia [lōō pər kā'lĭ ə] *(L.)* مهرجان الخِصب : مهرجان روماني قديم كانوا يقيمونه في ١٥ فبراير لضمان « الخصب » للنّاس والقطعان والحقول .

lupine [lōō'pĭn] *(n.)* التّرمس (نب) .

lupine [lōō'pīn] *(adj.)* ذئبيّ ؛ كالذئب ؛ ضارٍ .

lupus [lōō'pəs] *(L.)* الذئبة : داء جلديّ .

lupus vulgaris [vŭl gă'-] *(L.)* الذئبة العاديّة : داء جلديّ .

lurch [lûrch] *(vi.; t.; n.)* (١) يطوف بالمكان خلسةً (٢) يتمايل ؛ يترنّح ×(٣) يغشّ ؛ يخدع (ا.ق) §(٤) مَيَلان السفينة ، فجأةً ، إلى جانب (٥) تمايلٌ ؛ ترنّح (٦) هزيمة منكرة (في لعبة ما) . to leave in the ~ , يترك (شخصاً) في مركز حَرِج .

lurcher [lûr'chər] *(n.)* (١) المتربّص ؛ الجاسوس ؛ اللص (ا.ق) . (٢) كلبٌ هجين ؛ وبخاصة كلبٌ هجين يستعمله سُرّاق الصيد .

lurdane [lûr'-] *(n.; adj.)* (١) المغفّل الكسول (ا.ق) . §(٢) مغفّل كسول (ا.ق) .

lure [lŏŏr] *(n.; vt.)* (١) ريش البازيار : حزمة ريش مشدودة إلى حبل طويل يستعملها مدرّب البزاة لاسترداد الصقر بعد تركه يطير بحريّة (٢) إغراء ؛ إغواء (٣) شَرَك ؛ وبخاصة : طُعْم §(٤) يستردّ (البازيارُ) الصقرَ الخ . (٥) يُغري ؛ يغوي .

lurid [lŏŏr'ĭd] *(adj.)* (١) ممتقع ؛ شديد الشحوب (٢) «أ» متوهّج كالنّار . «ب» مُنْذِر (٣) «أ» رهيب ؛ فظيع ؛ شنيع . «ب» مُثير .

lurk [lûrk] *(vi.)* (١) «أ» يكمن ؛ يترصّد . «ب» ينسلّ ؛ يندسّ . (٢) «أ» يبقى ؛ يتخلّف ؛ وبخاصةٍ على نحوٍ مُسْتَتِر (Some suspicion still ~ *ed* in Adib's mind.) . «ب» يختبىء ؛ يتوارى .

—**lurker** *(n.)*

lurking-place *(n.)* مَخْبَأ ؛ مَكْمَن ؛ مُتَرَصَّد .

luscious [lŭsh'əs] *(adj.)* (١) «أ» حلو المذاق . «ب» زكيّ الرائحة . (٢) مُغْوٍ ؛ مُغْرٍ (٣) مُتْرَف ؛ منمّق ؛ مزخرف .

lush [lŭsh] *(adj.; n.; vi.; t.)* (١) «أ» مُوْرِق ؛ كثير الإيراق (a land of ~ pastures) . «ب» أخضر ؛ خصب (~ grass) (٢) «أ» موفور ؛ وافر (a ~ growth of grass) . «ب» مزدهر ؛ رابح ؛ مُرْبِح (the ~ war industries) (٣) «أ» لذيذ ؛ مُشَهٍّ . «ب» شهوانيّ . «ج» مُتْرَف ؛ غنيّ بـ (~ prose; an edition ~ with illustrations) §(٤) شرابٌ مُسْكِر (ع) (٥) السِّكّير §(٦) يعاقر الخمرة ×(٧) يقدّم الخمرة إلى .

lust [lŭst] *(n.; vi.)* (١) رغبة (٢) رغبة جنسية قوية : شَبَق (٣) «أ» توق شديد : شهوة (~ to dominate) . «ب» تلهف ؛ تحرّق §(٤) «أ» يتحرّق إلى . «ب» يرغب في الجماع .

luster *or* **lustre** [lŭs'tər] *(n.; vi.; t.)* (١) لمعان ؛ بريق . (٢) رونق ؛ بهاء (٣) شهرة ؛ مجد (٤) ثُريّا (٥) نسيجٌ صقيلٌ من قطن وصوف (٦) **lusterware** (٧) فترة خمس سنوات §(٨) يلمع ؛ يبرق × (٩) يمنحه شهرةً أو مجداً (١٠) يصقل ؛ يكسو بطلاء لمّاع .

lusterware [lŭs'tər-] *(n.)* آنية خزفيّة مَطْليّة بطلاء لمّاع .

lustful [lŭst'-] *(adj.)* شَهوانيّ ؛ شَبِق ؛ غَلِم .

lustihood [lŭst'ĭ hŏŏd'] *(n.)* (١) حيوية ؛ قوة (٢) الرغبة أو القدرة الجنسيّة .

lustily [lŭs'-] *(adv.)* على نحو شهوانيّ أو قويّ أو مفعم بالحيوية .

lustiness [lŭs'-] *(n.)* (١) غُلْمَة ؛ شَهْوانيّة (٢) حيويةٌ (٣) قوة .

lustral [lŭs'trəl] *(adj.)* مُطَهِّر ؛ منظِّف .

lustrate [lŭs'trāt] *(vt.)* يطهّر (وفقاً لطقوس معيّنة) .

lustring [lŭs'-] *(n.)* (١)lutestring (٢)الصَّقْل النهائيّ (للقماش) .

lustrous [lŭs'-] *(adj.)* (١) صقيل ؛ لمّاع (٢) شهير ؛ لامع .

lustrum [lŭs'trəm] *(L.)* pl. **-s** *or* **-tra** (١) «أ» التطهير العام : تطهير الشعب الروماني كلّه بعد إحصاء يُجْرَى كلّ خمس سنوات . «ب» الاحصاء الروماني للسكان (مع تقييم ممتلكاتهم) (٢) فترة خمس سنوات .

lusty [lŭs'tĭ] *(adj.)* (١) شهوانيّ (٢) مُفْعَم بالحيويّة (٣) قويّ .

lusus naturae [lōō'səs nə tyŏŏr'ē] *(L.)* فلتة الطبيعة ؛ فلتة من فلتات الطبيعة : حيوان أو نبتة أو زهرة تتكشّف عن سِمَاتٍ غير سويّة إلى حدٍّ ملحوظ .

lutanist [lōō'tə nĭst] *(n.)* العوّاد : العازف على العود .

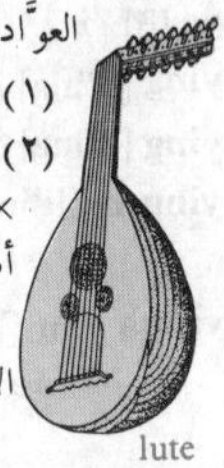

lute

lute [lōōt] *(n.; vi.; t.)* (١) عُود ؛ مِزْهَر (مو) . (٢) طين ؛ مِلاط §(٣) يعزف على العود ×(٤) يطيّن ؛ يكسو بالمِلاط .

luteous [lōō'tĭ əs] *(adj.)* أصفر ضاربٌ إلى البرتقاليّ أو الأحمر .

lutestring [lōōt'-] *(n.)* الأطلس : نسيج حريريّ صقيل .

lutetium *or* **lutecium** [lōō tē'shĭ əm] *(L.)* اللوتيتيوم : عنصر فِلِزّي ثلاثيّ التكافؤ (ك) .

Lutheran [lōō'thər ən] *(adj.; n.)* (١) لوثريّ : ذو علاقة بالمصلح الديني لوثر (١٤٨٣ — ١٥٤٦) أو بمذهبه أو بالكنائس البروتستانتية المتمسكة بتعاليمه §(٢) اللوثريّ : عضو في كنيسة بروتستانتية لوثريّة .

luting [lōō'tĭng] *(n.)* طين ؛ مِلاط .

lutist [lōō'tĭst] *(n.)* (١) العوّاد : عازف العود (٢) العِيدانيّ : صانع العيدان .

lux [lŭks] *(n.)* اللّكْس : وحدة إضاءة تعادل لومناً (را lumen 3) واحداً في المتر المربّع (فز) .

luxate [lŭk'sāt] *(vt.)* يخلع ؛ يحلّ المفصل .

luxe [lŏŏks; lŭks] *(F.)* ترف ؛ بذخ (articles *de* ~) .

luxuriant [lŭg zhŏŏr'ĭ ənt; lŭk shŏŏr'-] *(adj.)* (١) خِصْب . (٢) وافر النّماء (٣) منمّق ؛ شديد الزخرفة (٤) مُتْرَف : مُتَّسِمٌ بالتّرَف .

—**luxuriance** *(n.)*

luxuriate [lŭg zhŏŏr'ĭ āt; lŭk shŏŏr'-] *(vi.)* (١) ينمو بوفرة . (٢) يتكاثر ؛ يتوالد (٣) يحيا حياة ترفٍ وبذخ (٤) يسترسل في (He ~ *d* in description.) .

luxurious [lŭg zhŏŏr'ĭ əs; lŭk shŏŏr'-] *(adj.)* : (١) مُتْرَف : مزوّد بأسباب الترف ، دالّ على الترف (a ~ hotel; ~ food) (٢) مولَع بالترَف (٣) منمّق ، شديد الزخرفة .
-ness *(n.)*

luxury [lŭk'shə rĭ] *(n.)* (١) «أ» ترَف ، رفاهية ، تنعّم . «ب» وسائل الترف وأسبابه (٢) إسراف ، تبذير .

-ly لاحقة معناها : «أ» شبيهٌ من حيث المنظر أو الطريقة أو الطبيعة (**queen*ly*; father*ly***) . «ب» كلّ (dai*ly*) . «ج» بطريقة معيّنة (rapid*ly*) . «د» من وجهة نظر معيّنة (geological*ly*).

lyase *(n.)* اللِّياز : ضرب من الأنزيمات أو الخمائر (كح).

lycanthrope [lī'kən thrōp'] *(L.)* (١) المُسْتَذْئِب : مجنون يتوهم أنه مُسِخ ذئباً (٢) المذؤوب : شخص مُسِخ ذئباً .

lycanthropy [lī kăn'thrə pĭ] *(n.)* الاستذئاب : جنون يتوهم المصاب به أنه مُسِخ ذئباً .

lycée [lē sā'] *(F.)* الليسيه : مدرسة ثانوية فرنسية .

lyceum [lī sē'əm] *(L.)* (١) قاعة للمحاضرات أو المناقشات العامة (٢) جمعية لإقامة المحاضرات أو إحياء الحفلات الموسيقية (٣) lycée .

lych-gate [lĭch'gāt] *(n.)* = lich gate.

lychnis [lĭk'nĭs] *(L.)* اللَّخْنيس : نبات من الفصيلة القرنفلية زهرُهُ أحمر أو أبيض .

lycopod [lī'kə-] ; **lycopodium** [lī'kə pō'-] *(L.)* رِجْلُ الذِّئب : نبات من اللازهريات الوعائية .

lyddite [lĭd'īt] *(n.)* اللِّدّيت : متفجِّر شديد .

lye [lī] *(n.)* محلول القِلْي (يستعمل في الغسل وصنع الصابون) .

lying [lī'ĭng] *(n.; adj.)* (١) الكذِب §(٢) كاذب .

lying [lī'ĭng] *pres. part. of* lie.

lying-in [lī'ĭng ĭn'] *(n.; adj.)* (١) وَضع ، نِفاس §(٢) خاصّ بالولادة (a ~ hospital) .

lymph [lĭmf] *(L.)* اللِّنف : سائلٌ عديم اللون تقريباً تشتمل عليه الأوعية اللنفاوية ويتألف من بلازما الدم وكريّات دم بيضاء («ت» و «فس») .

lymph- *or* **lympho-** بادئة معناها : لِنْف ، نسيج لنفاوي .

lymphadenitis [lĭm făd'ə nī'-] *(L.)* التهاب الغدد اللنفاوية .

lymphatic [lĭm făt'ĭk] *(adj.; n.)* (١) لِنفاويّ (٢) كسول ، فاتر الهمّة §(٣) وعاء لنفاويّ (ت) .

lymph cell *(n.)* الخليّة اللّنفاويّة (ت) .

lymph gland *or* **node** *(n.)* الغُدّة اللّنفاويّة (ت) .

lymph nodule *or* **follicle** *(n.)* العُقَيْدة اللنفاوية : غدّة لِنفاوية بسيطة صغيرة (ت) .

lymphocyte [lĭm'fə sīt'] *(n.)* الكُرَيْفاوة : الكُرَيّة اللنفاويّة (ت) .

lymphocytic *(adj.)* كُرَيفاوي : متعلق بالكريّات اللنفاوية (ت).

lymphocytosis [-sī tō'sĭs] *(L.)* فَرْط الكُرَيفاوات : زيادة الكُرَيّات اللنفاوية في الدم .

lymphoid [lĭm'foid] *(adj.)* لِنفاويّ : متعلق باللّنف أو بالنسيج اللّنفاوي .

lymphoma [lĭm fō'mə] *(L.)* **pl. -s** *or* **-ta** الورَم اللنفاويّ .
—lymphomatous *(adj.)*

lyncean [lĭn sē'ən] *(adj.)* حادّ البَصَر .

lynch [lĭnch] *(vt.)* يَلْنِش : يُعْدِم من غير محاكمة قانونية .

lynch law *(n.)* اللَّنْش : إعدام من غير محاكمة قانونية .

lynx [lĭngks] *(L.)* الوَشَق : حيوان من فصيلة السنانير أصغر من النمر .

lynx

lynx-eyed [lĭngks'īd'] *(adj.)* حادّ البَصَر .

lyonnaise [lī'ə nāz'] *(F.)* مَطْهُوّ مع البَصَل .

lyophilize [lī ŏf'ə līz] *(vt.)* = freeze-dry.

Lyra [lī'rə] *(L.)* كوكبة القيثارة : النَّسْر الواقع (فل) .

lyrate *or* **lyrated** [lī'-] *(adj.)* قيثاريّ الشكْل .

lyre [līr] *(n.)* (١) قيثارة (٢) *cap.* : كوكبة القيثارة (فل) .

lyre 1.

lyrebird [līr'-] *(n.)* الطائر القيثاريّ : طائر كالطاووس لذكَرِه ذيل يتخذ، عند انتشاره ، شكلَ القيثارة .

lyric; lyrical [lĭr'-] *(adj.)* (١) قيثاري (٢) غنائيّ : «أ» صالح للغناء على أنغام القيثارة أو للتلحين والغناء . «ب» معبر عن أفكار الشاعر وعواطفه الخاصة (~ poetry) . «ج» عاطفيّ أو حماسيّ إلى حدّ الإفراط .
—lyrically *(adv.)*

lyrebird

lyric [lĭr'ĭk'] *(n.)* (١) قصيدة من الشعر الغنائي (٢) *pl.* : كلمات أغنية شعبية .

lyricism [lĭr'ə sĭz'əm] *(n.)* (١) الغنائيّة : «أ» كونُ الشيء غنائياً . «ب» الصفة الغنائية في الشعر (٢) حماسة مفرِطة ؛ مبالغة في الأسلوب أو العاطفة .

lyricist [lĭr'ə sĭst] *(n.)* الشاعر الغنائيّ .

lyrism [lĭr'ĭz əm] *(n.)* = lyricism.

lyrist [lĭr'ĭst *for* 1; lĭr'ĭst *for* 2] *(n.)* (١) عازف القيثارة (٢) الشاعر الغنائيّ .

lysis [lī'sĭs] *(L.)* (١) إقلاع الحُمّى البطيء (ط) (٢) تفسّخ أو انحلال الخلايا الخ (كح) .

-lysis لاحقة معناها : «أ» حلّ ، تحليل . «ب» انحلال .

lysol [lī'sōl; -sŏl] *(n.)* الليزول : سائل زيتيّ مُطهِّر .

-lyte لاحقة معناها : مادة قابلة لتحلّل من نوع معيّن .

lytic [lĭt'ĭk] *(adj.)* (١) انحلاليّ : ذوبانيّ (٢) مُحْدِث انحلالَ الخلايا الخ .

-lytic لاحقة معناها : متعلق بتحلّل من نوع معيّن أو مُحْدِث له .

lytta [lĭt'ə] *(L.)* الدودة اللسانيّة : غضروف طويل دوديّ الشكل في لسان الكلب وغيره من اللواحم .

-lyze لاحقة معناها : يَحُلّ أو يتحلّل (hydro*lyze*) .

ă at; ā date; â care; ä car; ĕ egg; ē me; ĭ in; ī bite; ŏ lot; ō bone; ô orphan; oi boil ŏŏ good; ōō boot; ou out;
ŭ under; ū unity; û urgent; th thing; th this; zh vision; ə = *a* in alone, *e* in system, *i* in easily, *o* in gallop, *u* in circus.

M

Mecca

m [ĕm] *(n. often cap.)* (١) الحرف الثالث عشر من الأبجديّة الانكليزيّة (٢) ألْف (٣) شيء معتبَرٌ ثانيَ عشر أو ثالث عشر من حيث الترتيب أو الطبقة (٤) شيء على صورة حرف **M**.

ma [mä] *(n.)* أمّ ؛ والدة ؛ « ماما » (ع).

M.A., (*M*agister *A*rtium) « أستاذ في الفنون أو العلوم » : درجة علمية بين البكالوريوس والدكتوراه.

ma'am [măm; mäm] *(n.)* = madam.

Mab [măb] *(n.)* مَلِكةَجِنّيّة (زُعِمَ أنّها تهيمن على أحلام الرّجال).

mac [măk] *(n.)* = mackintosh.

macabre [mə kä'bər] *(adj.)* (١) «أ» مُتّخِذ من الموت موضوعاً. «ب» مشتمل على تصوير تشخيصيّ للموت (٢) رهيب ؛ مروِّع.

macadam [mə kăd'əm] *(n.)* (١) طريق مرصوفة بالحصباء. (٢) حصباء.

macadamize [-'ə mīz'] *(vt.)* يرصف (طريقاً) بالحصباء.

macaque [mə käk'] *(F.)* المَكّاك : قِردٌ آسيويّ.

macaque

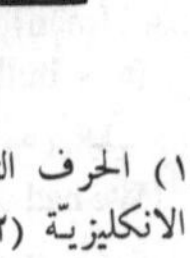

macaroni [măk'ə rō'nĭ] *(It.)* (١) معكرونة (٢) «أ» أحد أفراد طبقة من الشبّان الانكليز الرحّالين (أواخر القرن ١٨ وأوائل الـ١٩) الذين أولعوا بمحاكاة الشعوب الأجنبية في طرائقها الخ. «ب» شابّ متكلّف. «ج» غندور ؛ رجل شديد التأنّق في ملبسه.

macaronic [măk'ə rŏn'ĭk] *(adj.; n.)* (١) خليط من كلمات لغة وطنيّة وكلمات لاتينيّة (٢) خليط من لغتين (٣) خليط.

macaroon [măk'ə ro͞on'] *(F.)* المَعكرون : حلوىً من بياض البيض وسكّر ولوز.

macaw [mə kô'] *(n.)* المَقْو : ببغاء أميركي ضخم طويل الذّيل.

Maccabean [măk'ə bē'ən] *(adj.)* مَكابيّ : منسوب إلى المكابيّين (را. المادة التالية).

Maccabees [măk'ə bēz] *(n. pl.)* المكابيّون : أسرة معروفة في تاريخ العبرانيّين.

maccaboy [măk'ə-] *(F.)* سعوط (مصنوع في المارتينيك).

McCarthyism [mə kär'thē ĭz əm] *(n.)* المكارثيّة : نزعة سياسيّة ظهرت في منتصف القرن العشرين تتّسم باصطناع العنف في مقاومة العناصر الّتي تعتبرها الدولة هدّامة وبشنّ حملات التشهير على الأفراد من غير تحرٍّ أو تحقيق.

McCoy [mə koi'] *(n.)* الأصيل ؛ الحقيقي ؛ اللابديل.

mace [mās] *(n.)* (١) قضيب شائك (كانوا يستخدمونه في القرون الوسطى لكَسْر الدروع) (٢) «أ» صولجان السلطة. «ب» حامل الصولجان (٣) «أ» عصا البليار. «ب» عصا البغاتيلة (لعبة كالبليار) (٤) تابلٌ مستخرج من قشرة جوزة الطّيب الخارجيّة.

macédoine [măs'ĭ dwän'] *(F.)* (١) الكوكتيل المقدوني ؛ السَّلَطة المقدونيّة : مزيج من الفاكهة والخُضَر يقدَّم كَسَلَطة أو « كوكتيل » (٢) مزيج ؛ خليط.

Macedonian [măs'ə dō'-] *(n.; adj.)* (١) المقدونيّ : أحد أبناء مقدونية القديمة أو الحديثة (٢) لغة مقدونيةَ الحديثةِ السّلافيّة (٣) لغةُ مقدونيةَ القديمةِ المرجّحِ أنها هنديّةٌ أوروبية § (٤) مقدوني.

macerate [măs'ə rāt'] *(vt.; i.)* (١) يُضْعِف أو يُذْبِل بفَرْط الصيام الخ. (٢) يحلّ أو يطرّي بالنَّقْع أو نحوه × (٣) ينحلّ بالنَّقْع.

machete [mä chā'tā; mə shĕt'] *(Sp.)* (١) مِنجل أو مُدية ضخمة (لقطع القَصَب) (٢) قيثارة برتغاليّة صغيرة (مو).

Machiavellian [măk'ĭ ə vĕl'ĭ ən] *(adj.)* مكيافلّي : «أ» ذو علاقة بمكيافلّي أو المكيافلّية. «ب» مُذَكِّر بمبادىء السلوك الّتي وضعها مكيافلّي ؛ وبخاصة : متّسِمٌ بالمكر والنفاق وسوء النيّة.

Machiavellianism [măk'ĭ ə vĕl'-] *(n.)* المكيافلّيّة : مذهب مكيافلّي في السياسة ؛ وبخاصة : النظرة القائلة بأن السياسة لا علاقة لها بالأخلاق، وان كلّ وسيلة مهما تكن لاأخلاقيّة أو غير قويمة مبرَّرةٌ من أجل تحقيق السلطان السياسي.

machicolate [mə chĭk'-] *(vt.)* يُكَوّي : يزوده بكُوىً تُلقى منها القذائف على العدوّ المهاجم.

machicolation [mə chĭk'ə lā'-] *(n.)* (١) الكُوَة : كوّة لإطلاق القذائف على المهاجِمين (٢) شرفة مكوّاة ؛ متراس مُكَوّى.

machinate [măk'ə nāt] *(vt.; i.)* يكيد ؛ يدبّر مكيدة.

machination [măk'ə nā'-] *(n.)* (١) كَيْد (٢) مكيدة .

machinator [măk'ə -] *(n.)* الكائد ؛ مدبّر المكائد .

machine [mə shēn'] *(n.; vt.)* (١) «أ» عربة ، وبخاصة : سيارة . «ب» آلة ؛ ماكينة ؛ مَكِنَة . «ج» مُخْل ؛ عتلة (٢) «أ» كائن حيّ أو أحد أجهزته الوظيفية . «ب» الآلة : شخص (أو منظمة) يعمل كالآلة . «ج» الجهاز : مجموعة أشخاص يعملون معاً لغرض مشترك والوسائل التي يستعملونها . «د» جماعة سياسية منظمة تنظيماً دقيقاً تحت إمرة رئيس (٣) وسيلة أدبية لزيادة التأثير المسرحي § (٤) يصنع بآلة أو ماكينة .

machine gun *(n.)* الرشّاش : مدفع أوتوماتيكيّ صغير .

machine-gun [mə shēn'-] *(vt.; i.)* يرشّ بالرشّاش (جن) .

machine gunner *(n.)* الرشّاش : الرامي بالرشّاش (جن) .

machinelike *(adj.)* كالآلة ، وبخاصة من حيث انتظام العمل او من حيث الانتاج المتماثل الذي تعوزه الأصالة والشخصية .

machinery [mə shē'nə rĭ] *(n.)* (١) الالات أو الماكينات عموماً (equipped the factory with new ~) كوحدة وظيفية (٢) «أ» جهاز لإحداث ضروب التأثير المسرحي . «ب» وسائل أدبية تصطنع بخاصة لتقوية التأثير المسرحي (٣) الآلية : الطرائق والوسائل والأنظمة التي بها يُدار شيء (the ~ of government).

machine shop *(n.)* ورشة الانشاءات الميكانيكية .

machine tool *(n.)* الآلة المكنية : ماكينة ضخمة تُدار بالطاقة (لقطع المعادن أو ثقبها) ؛ ماكينة (كالمخرطة) لصنع الآلات .

machinist [mə shē'nĭst] *(n.)* (١) الميكانيكيّ : «أ» عامل يصنع أو يجمع أو يُصلح الآلات . «ب» صانع بارع في استعمال الآلات المكنية (را. المادة السابقة) . «ج» مشغّل الماكينة (٢) ضابط صفّ مهمته مراقبة الآلات (جن) .

Mach number [mŏk] *(n.)* العدد الماخي أو الموكي : رقم يمثّل النسبة بين سرعة جسم ما وسرعة الصوت في الجو المحيط به .

mackerel [măk'ər əl] *(n.)* الإسقُمْريّ : سمك بحريّ .

mackerel sky *(n.)* السماء الإسقمرية : سماء تتلبّد فيها صفوف من السحب شبيهة بالسيور التي تسم ظهر السمك الإسقمريّ .

mackinaw [măk'ə nô'] *(n.)* (١) القارب الماكيناويّ : قارب مسطّح القعر ذو مقدَّم مستدقّ ومؤخّر مربّع (٢) البطانية الماكيناوية : بطانية صوفية كانت الحكومة الأميركية توزعها على الهنود الحمر (٣) «أ» الجوخ الماكيناوي : ضرب من النسيج الصوفي . «ب» السترة الماكيناوية : سترة قصيرة من الجوخ الماكيناوي .

mackintosh *also* **macintosh** [măk'ĭn tŏsh'] *(n.)* (١) المِمْطَر : معطف واقٍ من المطر (٢) المكنتش : نسيج خفيف الوزن كتيم للماء .

mackle [măk'əl] *(n.; vt.)* (١) لطخة أو ازدواج في الطبع (كما يحدث عند انزلاق الورقة على الآلة الطابعة) § (٢) يلطخ .

macle [măk'əl] *(n.)* (١) «أ» بلّورة توأمية أو مزدوجة . «ب» ماسة مسطّحة (مستطيلة غالباً) تكون عادةً بلّورة توأمية (٢) نمرة أو نكتة داكنة (في معدن) .

macr- *or* **macro-** بادئة معناها : «أ» طويل . «ب» كبير .

macro [măk'rō] *(adj.)* (١) ضخم ؛ كبير (٢) واسع النطاق (٣) عِيانيّ : يُرى بالعين المجرّدة .

macrobiotic *(adj.)* (١) نباتيّ (٢) مُطيل للعمر .

macrocephalous [măk rō sĕf'ə ləs] *(adj.)* أرأس ؛ قَنْدَل ؛ كبير الرأس أو الجمجمة (~ idiots) .

macrocosm [măk'rə kŏz əm] *(n.)* العالَم الكبير : الكون .

macrocyte [măk'rə sīt'] *(n.)* الكُريّة الحمراء الضخمة (تكون عند المصابين بفقر الدم) .

macroevolution [măk rə ĕv'ə lōō'shən] *(n.)* التطور الكبير : تغيّر تطوّري ينطوي على خطوات واسعة ومعقّدة نسبياً .

macrogamete [măk'rō gə mēt'] *(n.)* المشيج الكبير (أح) .

macron [mā'krŏn] *(n.)* علامة المدّ (توضع فوق حرف علّة) .

macronutrient [măk rō nū'-] *(n.)* المغذّي الكبير : عنصر كيميائي يحتاج نموّ النبات احتياجاً أساسياً إلى مقادير منه كبيرة نسبياً .

macropterous [mă krŏp'-] *(adj.)* كبير الأجنحة أو الزعانف .

macroscopic; -al [măk'rə skŏp'-] *(adj.)* عِيانيّ : يُرى بالعين المجرّدة (ضد *microscopic*) .

macrural [mə krōōr'-] *(adj.)* ذيوليّ : خاصّ بالذيوليات **Macrura** وهي مرتبة من القشريات العشارية الأرجل تتميز بطول الذيل . **—macruran** *(adj.; n.)* **—macruroid** *(adj.)*

macrurous [mə krōōr'əs] *(adj.)* (١) طويل الذيل (٢) ذَيوليّ .

macula [măk'yə lə] *(n.)* pl. **-e** لطخة ؛ نقطة ؛ بقعة ؛ نُكتة ؛ نُمْرة .

maculate; -d [măk'yə-] *(adj.)* (١) أبقع ؛ مُبقَّع (٢) مُلطَّخ ؛ ملوّث .

maculation [măk'yə lā'-] *(n.)* (١) بقعة ؛ لطخة ؛ نقطة . (٢) التبقّع ؛ التنقّط : ترتيب البقع أو النقط على إهاب حيوان أو نبات .

macule [măk'ūl] *(n.)* بقعة ؛ لطخة ؛ سُفعة (في الجلد) .

mad [măd] *(adj.; n.; vt.; i.)* (١) مجنون ؛ مخبّل (٢) «أ» أحمق . «ب» غير منطقيّ (a ~ project) (٣) «أ» هائج (a ~ bull) . «ب» غاضب (٤) متيّم أو مفتون بـ (~ about her) (٥) كَلِب (a ~ dog) (٦) جَذِل على نحوٍ صاخب (We had a ~ time.) (٧) مسعور ؛ شديد الاهتياج § (٨) غضب ؛ نوبة غضب شديد § (٩) «أ» يُجنّ ؛ يُخبّل . «ب» يُهيّج ؛ يُغضب غضباً شديداً × (١٠) «أ» يُجَنّ . «ب» يَغْضَب غضباً شديداً .

madam [măd'əm] *(F.)* (١) سيدتي (في توجيه الخطاب إلى سيدة وجمعها **mesdames**) (٢) سيّدة ؛ مثل : «أ» ربة بيت . «ب» مديرة مدرسة الخ . (٣) مديرة ماخور (٤) زوجة .

madame [măd'əm; mȧ dȧm'] *(F.)* (١) سيدة (لقب احترام للمرأة المتزوجة ، وجمعها **mesdames**) (٢) مديرة ماخور (وجمعها **madames**) .

mad-brained [măd'brānd'] *(adj.)* أرعن ؛ متهوّر .

madcap [măd'-] *(adj.; n.)* (١) طائش ؛ متهوّر § (٢) شخص طائش .

mad cow disease *(n.)* مرض جنون البقر (را. B.S.E.).

madden [măd'ən] *(vi.; t.)* (١) يُجن أو يتصرّف كالمجنون . × (٢) يُجنّن ؛ يُخبّل (٣) يُغضب ؛ يُثير .

maddening [măd'ən ĭng] *(adj.)* (١) مُجنّن ؛ مُخبّل (٢) مُغضِب ؛ مُثير .

madder [măd'ər] *(n.)* (١) الفُوّة : نبات صِبغيّ (٢) «أ» جذر الفوّة (وكان يستعمل في الصباغة) . «ب» صِبغ مستخرج منه «ج» لون أحمر متراوح ما بين المعتدل والقاني .

madding [măd'ĭng] *(adj.)* (١) مسعور ؛ شديد الاهتياج (far from the ~ crowd) (٢) مُخبِّل ؛ مُجنّن (~ defects) .

maddish [măd'ĭsh] *(adj.)* ممسوس ؛ مجنون بعض الشيء .

made [mād] *past and past part. of* make.

made [mād] *(adj.)* (١) «أ» صُنْعيّ ؛ صناعيّ (~ goods) . «ب» مُختَلَق ؛ مُلفَّق (~ excuses) . «ج» مُعَدّ من

أصناف أو عناصر مختلفة (a ~ dish) (٢) واثق من النجاح (a ~ man forever) .

~ up of مركّب أو مؤلّف من . . . .

Madeira [mə dĭr'ə] *(n.)* الماديرا : ضرب من الخمرة منسوب إلى جزر ماديرا (على ساحل افريقية الشمالي الغربي) .

mademoiselle [măd'mwə zĕl'] *(F.)* (١) آنسة (٢) مُربية أطفال فرنسيّة .

made-up [măd'ŭp'] *(adj.)* (١) مَجْلُوب ؛ مُمَكْيَج ؛ مُجمَّل بالماكياج (a ~ complexion) (٢) مُلفّق ؛ مختَلَق (~ stories) (٣) صنعيّ ؛ صِناعيّ (٤) مُصمِّم ؛ عازم عزماً أكيداً (~ minds) .

madhouse [măd'hous] *(n.)* البيمارستان ؛ مستشفى المجانين .

madly [măd'lĭ] *(adv.)* (١) بجنون (٢) بسُعْر (٣) بحماقة .

madman[măd'-]*(n.)* المجنون ؛ المُخبَّل .

madness [măd'-] *(n.)* (١) «أ» جنون . «ب» حماقة قصوى . «ج» غضب شديد. «د» نشوة ؛ ابتهاج غامر ؛ حماسة (٢) كَلَب .

Madonna [mə dŏn'ə] *(It.)* (١) سيدة (ا.ق) (٢) مريم العذراء.

madras [măd'rəs] *(n.)* المَدْراس : «أ» قماش قطنيّ للملابس أو السُجُف. «ب» منديل قطنيّ أو حريريّ كبير ذو ألوان زاهية يُعْتَمَر به.

madrepore [măd'rə pōr'] *(F.)* المَرْجان المتشعّب .

madrepore

madrigal [măd'rĭ gəl] *(It.)* (١) قصيدة قصيرة ، غزلية عادةً (٢) موسيقى موضوعة لقصيدة غزليّة .

madrona *or* **madrone** *or* **madrono** [mə drō'-] *(Sp.)* المَدْرونَة : نبات دائم الخضرة من الفصيلة الخَلَنْجيّة .

maduro [mə dōōr'ō] *(Sp.)* المَدُيُور : سيجار داكن حادّ .

madwort [măd'-] *(n.)* (١) الآلوسن (را. alyssum) (٢) النُضار (را. gold of pleasure) .

Maecenas[mē sē'-] *(L.)* النصير السخيّ وبخاصّةٍ للأدب أو الفنّ .

maelstrom [māl'-] *(n.)* (١) دُردور هائل (٢) اضطراب عظيم .

maenad [mē'năd] *(L.)* الميِنادَة : «أ» امرأة تشارك في مهرجانات باخوس . «ب» امرأة شديدة الاهتياج أو مُخالَطَة في عقلها .

maestoso [mä'ĕs tô'sô] *(It.)* بفخامة ؛ بجلال (مو) .

maestro [mīs'trō] *(It.)* pl. **-s** *or* **-stri** أستاذ في فنّ ما ؛ وبخاصة : ملحِّن (أو قائد فرقة موسيقيّة) بارز أو لامع .

Mae West [mā] *(n.)* صِدار (أو رداء) نجاةٍ .

maffick [măf'ĭk] *(vi.)* يحتفل بصَخَب .

Mafia [mä'fĭ ä] *(It.)* المافية : «أ» جمعيّة سريّة للارهابيّين السياسيّين. «ب» منظمة سريّة (مؤلفة في المقام الأول من مجرمين) تتولى تهريب المخدِّرات وابتزازَ الأموال بالتهديد وغير ذلك من الأعمال غير المشروعة (كالقمار الخ.) في طول العالم وعرضه .

mafic *(adj.)* = ferromagnesian.

mag [măg] *(n.)* = magazine.

magazine [măg'ə zēn'] *(Ar.)* (١) مستودع ؛ مخزن للبضائع (٢) مخزن الذخيرة (في قلعة أو سفينة) (٣) محتويات مخزن ؛ مثل : «أ» ذخائر حربيّة. «ب» مخزون من المؤن أو السِّلَع (٤) مجلّة (٥) «أ» مخزن البندقيّة. «ب» حجرة الأفلام (في آلة التصوير) .

magazinist [măg'ə zē'nĭst] *(n.)* المَجَلّيّ : «أ» الكاتب في المجلات . «ب» محرِّر المجلّة .

magdalen; -e [măg'də-] *(n.)* (١) cap. : مريم المجدليّة . (٢) مومس تائبة (٣) إصلاحيّة البغايا .

Magdalenian [măg'də lē'-] *(adj.)* مَجدليني : متعلق بحقبة من العصر الحجري القديم تميّزت بالأدوات الصوانية والعظمية والعاجية وبالنحت والرسم .

magenta [mə jĕn'tə] *(n.)* (١) الفُوشين : صباغ أحمر مزرقّ . (٢) لون أحمر ضاربٌ إلى الأرجوانيّ .

maggot [măg'ət] *(n.)* (١) يرَقَة ؛ سُرْء (٢) نزوة .

maggoty [măg'ə tĭ] *(adj.)* (١) كثير اليرقات أو الدُوَيدات . (٢) كثير النزوات .

magi [mā'jī] *(n. pl.)* (١) cap. : المجوس (٢) سَحَرة .

Magian [mā'jĭ ən] *(n.; adj.)* (١) أحد المَجوس §(٢) مجوسيّ .

magic [măj'ĭk] *(n.; adj.)* (١) السِّحر : صناعة السّاحِر (٢) سِحْر ؛ فتنة (the ~ of Hugo's poetry) (٣) شعوذة §(٤) سِحْرِيّ (some ~ medicine to drink) (٥) فاتن ؛ ساحر (her ~ beauty) .

—magical *(adj.)*

magic circle *(n.)* الدائرة السِحريّة: دائرة ذات خصائص مماثلة لخصائص المربّع السحريّ (را. magic square) .

magician [mə jĭsh'ən] *(n.)* (١) السّاحر (٢) المشعوذ .

magic lantern *(n.)* الفانوس السِّحريّ .

magic square *(n.)* المربّع السِّحريّ: سلسلة من الأرقام مُثْبَتَةٌ في مربّع بحيث يكون مجموعها واحداً سواءٌ أُجْمِعَت عمودياً أو أُفقياً أو قُطْرياً .

Maginot Line [măzh'ə nō-] *(n.)* خط ماجينو : خطّ من الحصون الدفاعيّة انشىء قبل الحرب العالمية الثانية لحماية حدود فرنسة الشرقيّة ولكنّ الألمان التفوا حولَه في يُسْر .

magisterial [măj'ĭs tĭr'ĭ əl] *(adj.)* (١) «أ» جَزْميّ ؛ أمريّ ؛ لائق بسيّد أو معلّم (~ pronouncements) . «ب» جليل ؛ وقور ؛ رزين ؛ متّسِمٌ بالأبهة (٢) خاصّ بشهادة الماجستير في الفنون أو العلوم أو ضروريّ للفوز بها (٣) حاكميّ : ذو علاقة بحاكمٍ أو قاضٍ .

magistracy [măj'ĭs trə sĭ] *(n.)* (١) الحاكميّة : «أ» كونُ المرء حاكماً أو قاضياً . «ب» منصب الحاكم أو القاضي أو سُلطتُه (٢) هيئة حكام أو قضاة (٣) الحاكميّة : مقاطعة خاضعة لسلطة حاكمٍ أو قاضٍ .

magistral [măj'ĭs trəl] *(adj.)* = magisterial 1.

magistrate [măj'ĭs trāt'; -trĭt] *(n.)* (١) الحاكم (٢) القاضي .

—magistratical *(adj.)* **—magistratically** *(adv.)*

magistrature [măj'ĭs trā'chər] *(n.)* = magistracy.

magma [măg'mə] *(n.)* pl. **-mata** (١) ثُفْل ؛ رواسب (ا.ق) (٢) عجينة (٣) الفِطَحْل ؛ الصُهارة : مادة صخريّة مُذابة في باطن الأرض ينشأ الصخر البركاني منها حين تبرد (جي) .

Magna Charta *or* **Carta** [măg'nə kär'tə] *(L.)* (١) الوثيقة العظمى: وثيقة الحقوق التي أكرهَ النبلاء الانكليز الملكَ جون على إقرارها في عام ١٢١٥ (٢) وثيقة تشكّل ضماناً أساسياً للحقوق .

magna cum laude [măg'nə kŭm lô'dĭ] *(L.)* بامتياز كبير : درجة تقدير للممتازين من الطلاب تُمنَح عند التخرّج .

magnanimity [măg'nə nĭm'ə tĭ] *(n.)* (١) شهامة (٢) عمل يَنِمّ عن شهامة .

magnanimous [măg năn'ə məs] *(adj.)* (١) شَهم (٢) رحبُ الصدر ؛ سَمْح التفكير .

magnate [măg'nāt] *(n.)* القُطْب : شخص ذو مكانة أو سلطة

أو تفوّق في حقلٍ ما .

magnesia [măg nē'shə] *(n.)* (١) المَغْنِيسْيا (ك) . (٢) المَغْنِيسْيوم (ك) .

magnesite [-'nĭ sīt'] *(n.)* المَغْنَسِيت : كربونات المغنسيوم (ك) .

magnesium [măg nē'shĭ əm] *(n.)* المَغْنِيسْيُوم (ك) .

magnesium light *(n.)* ضوء المغنِسيوم : ضوء قويّ للتصوير الفوتوغرافي الخ .

magnet [măg'nĭt] *(n.)* (١) «أ» حجر المغنطيس . «ب» مغنطيس . (٢) شيء أو شخص جذّاب .

magnet- *or* **magneto-** بادئة معناها : «أ» قوةٌ مغنطيسيّة . «ب» مغنطيسيّ . «ج» كَهْرَطِيسيّ .

magnetic [măg nĕt'ĭk] *(adj.)* (١) مغنطيسيّ (٢) ساحر ؛ فاتن .

magnetic attraction *(n.)* الجذب المغنطيسيّ .

magnetic battery *(n.)* الحاشدة أو البطاريّة المغنطيسيّة .

magnetic deviation *(n.)* الانحراف المغنطيسيّ .

magnetic equator *(n.)* خطّ الاستواء المغنطيسيّ .

magnetic field *(n.)* المجال المغنطيسيّ ؛ الحقل المغنطيسيّ .

magnetic flux *(n.)* التدفّق المغنطيسيّ .

magnetic moment *(n.)* العزم المغنطيسي .

magnetic needle *(n.)* الابرة المغنطيسيّة .

magnetic north *(n.)* الشمال المغنطيسيّ .

magnetic pole *(n.)* القطب المغنطيسي .

magnetic recording *(n.)* التسجيل المغنطيسيّ (للصوت أو لبرنامج تلفيزيوني الخ) .

magnetic storm *(n.)* العاصفة المغنطيسية : اضطراب موقّت في مجال الأرض المغنطيسيّ يُعزَى إلى الكُلَف الشمسية .

magnetic tape *(n.)* الشريط المغنطيسيّ : شريط من ورق أو لدائن يستعمل في التسجيل المغنطيسيّ للصوت .

magnetic wire *(n.)* السِّلك المغنطيسي : سلك رفيع للتسجيل المغنطيسي .

magnetism [măg'nə tĭz'əm] *(n.)* (١) «أ» المغنطيسيّة . «ب» علم الظواهر المغنطيسيّة (٢) سِحر ؛ فتنة .

magnetite [-'nə tīt'] *(n.)* المَغْنَتِيت : أكسيد الحديد الأسود .

magnetizable [măg'-] *(adj.)* يُمَغْنَط : قابل للمَغْنَطَة .

magnetization [măg'nə tĭ zā'-] *(n.)* (١) «أ» مَغْنَطَة . «ب» تَمَغْنُط (٢) درجة التمغنط .

magnetize [măg'-] *(vt.)* (١) يفتِن ؛ يسحر ؛ يجذب (٢) يُمَغنِط .

magneto [măg nē'tō] *(n.)* المَغْنِيط : جهاز كهربائي لاحداث الشَّرَر في محرّك داخليّ الاحتراق .

magnetoelectric [măg nē tō ĭ lĕk'-] *(adj.)* كَهْرَطِيسيّ : كهربائيّ مغنطيسي .

magnetoelectricity [-lĕk trĭs'ə tĭ] *(n.)* الكهرطيسيّة : الكهرباء المغنطيسية .

magnetogenerator [măg nē tō jĕn'-] *(n.)* المولّد الكهرطيسيّ .

magnetometer [măg'nə tŏm'-] *(n.)* مقياس المغنطيسيّة : أداة لقياس قوة مجال الأرض المغنطيسيّ .

magnetomotive force *(n.)* القوّة الحَرَكَطِيسيّة : القوة الدافعة المغنطيسية .

magneton [măg'nə-] *(n.)* المَغْنِيطُون : وحدة العزم المغنطيسيّ .

magnetostriction [măg ne'tō strĭk-] *(n.)* التحصّر المغنطيسي : التغير البسيط الطارىء على طول قطعة من المعدن عند مغنطتها .

magnetron [măg'nə trŏn] *(n.)* المَغْنِيطْرُون : صِمام مفرَّغ يكون تدفّق الالكترونات فيه خاضعاً لتأثير مجالٍ مغنطيسي خارجي .

magnific [măg nĭf'ĭk] *(adj.)* (١) بهيّ ؛ فخيم (٢) جليل . (٣) سامٍ (٤) أُبَّهِيّ ؛ مُتَّسِمٌ بالأبهة .

magnificat [măg nĭf'ə kăt'] *(L.)* *cap.* (١) تسبيحة مريم العذراء (٢) أنشودة (أو ترنيمة) تمجيد .

magnification [măg nə fə kā'-] *(n.)* (١) «أ» تسبيح ؛ تمجيد . «ب» تعظيم ؛ تبجيل . «ج» تكبير . «د» مبالغة (٢) كون الشيء ممجَّداً أو مبجّلاً أو مكبّراً أو مبالغاً فيه (٣) التعاظم : الكِبر الظاهريّ الناشىء عن النظر إلى شيء من خلال عدسة مكبرة .

magnificent [măg nĭf'ə sənt] *(adj.)* (١) كبير ؛ عظيم (Suleiman the *Magnificent*) (٢) فخم (a ~ house) (٣) جميل أو مهيب جداً (had a ~ physique) (٤) سامٍ ؛ رفيع (~ prose) (٥) رائع إلى حدّ استثنائي (~ soup) .

—**magnificence** *(n.)*

magnifico [măg nĭf'ə kō] *(It.)* pl. **-es** *or* **-s** (١) نبيل من نبلاء البندقية (٢) شخصية بارزة .

magnify [măg'nə fī'] *(vt.; i.)* (١) «أ» يُسبِّح ؛ يُمجِّد . «ب» يعظِّم ؛ يبجِّل (٢) «أ» يكبِّر . «ب» يبالغ ×(٣) تكبِّر (العَدَسَةُ) .

magniloquent [măg nĭl'ə kwənt] *(adj.)* (١) مفخِّم : متكلّم بأسلوب فخم كثيراً ما يكون طنّاناً (٢) فخم : مُفْرَغ في أسلوب متّسِم بالفخامة .

—**magniloquence** *(n.)*

magnitude [măg'nə tūd'; -tōōd'] *(n.)* (١) «أ» كِبَرٌ ؛ عِظَمٌ . «ب» جِرْم ؛ حجم . «ج» مقدار ؛ مبلغ . «د» مدى ارتفاع الصوت (٢) أهمية ؛ شأن ؛ خطر (٣) قَدْر ؛ مرتبة (فل) .

magnolia [măg nō'lĭ ə] *(L.)* المَغْنُولية : نبات من الفصيلة المغنوليّة جميل الورق والزهر .

magnolia family *(n.)* الفصيلة المَغْنُولية (نب) .

magnum [măg'-] *(L.)* زجاجة خمر ضخمة (حوالي خُمْسَي الغالون) .

magnum opus [ō'pəs] *(L.)* الرائعة ؛ التحفة الأدبيّة أو الفنيّة ؛ وبخاصة : أعظم ما أبدعته براعة الكاتب أو ريشة الفنان .

magnus hitch [măg'-] *(n.)* عُقدة مَغْنوس : ضرب من العُقَد .

magpie [măg'pī'] *(n.)* (١) العَقْعَق : غراب أبقَعُ طويل الذيل (٢) شخص كثير الثرثرة بصوت عالٍ .

magpie

maguey [măg'wā] *(Sp.)* (١) الأغاف أو الصبّار الأميركي (نب) (٢) ألياف الأغاف أو الصبّار الأميركي .

magus [mā'gəs] *(n.)* pl. **-gi** (١) المجوسيّ (٢) الساحر ؛ المشعوذ .

Magyar [măg'yär] *(n.; adj.)* (١) المجريّ : واحدُ المَجَر وهم شعبُ هنغارية الرئيسي (٢) اللغة المجريّة §(٣) مَجَرِيّ .

maharaja *or* **maharajah** [mä'hə rä'jə] *(Skt)* المَهْراجا : أمير هندي .

maharani *or* **maharanee** [mä'hər ä'nē] *(Hin.)* المَهْرانَة : زوجة المَهراجا .

mahatma [mə hät'mə] *(Skt)* المهاتما ؛ ذو الروح الكبيرة : «أ» شخص مُبجَّل لحكمته وسموّ مبادئه ونكرانه لذاته . «ب» شخص متمتّع بمنزلة رفيعة في حقل ما .

Mahayana [mä hə yän'ə] *(Skt)* المَهايانيّة : شعبة من البوذية تقول بوجود الله .

Mahdi [mä'dē] *(Ar.)* المَهْدي المنتظَر (اس) .

Mahican [mə hē'kən] *(n.)* المَهيقان : شعب من هنود أميركة الحمر .

Mah-Jongg [mä'jông'] *(n.)* المَهجُونغ : لعبة صينيّة الأصل .

mahlstick [mäl'stĭk'; môl'-] *(n.)* = maulstick.

mahogany [mə hŏg'ə nĭ] *(n.)* (١) خشب الماهوغاني : خشب صلب بُنّي ضارب إلى الحمرة يُصْنَع منه الأثاث الفاخر (٢) الماهوغانية : شجرة الماهوغاني (٣) الماهوغانيّ : لونٌ بُنّيّ ضارب إلى الحمرة .

mahout [mə hout'] *(Hin.)* الفَيّال ؛ سائق الفيل .

maid [mād] *(n.)* (١) البِكْر ؛ العذراء (٢) الخادمة .

maiden [mā'dən] *(n.; adj.)* (١) البِكر ؛ العذراء (٢) مقصلة . (٣) فرس لم يسبق له أن فاز بأيّ سباق §(٤) «أ» عانس . «ب» بِكر ؛ عذراء (٥) بتوليّ ؛ عُذْريّ (٦) أوّل (~ voyage) (٧) جديد ؛ لم يُمَسّ ؛ لم يُستعمل .

maidenhair [mā'dən-] *(n.)* كُزبرة البئر : نبات من السَّرْخَسيات .

maidenhead [mā'dən-] *(n.)* (١) عُذْرة ؛ بكارة ؛ بتُولة . (٢) غشاء البكارة .

maidenhood [mā'dən ho͝od'] *(n.)* عُذْرة ؛ بكارة ؛ بتُولة .

maidenliness [mā'-] *(n.)* خَفَر ؛ حَياء ؛ تصرّف لائق بعذراء .

maidenly [mā'dən lĭ] *(adj.)* (١) عَذْراويّ : خاصّ بعذراء (~ years) (٢) لطيف ؛ رقيق ؛ عذري : لائق بعذراء .

maiden name *(n.)* اسم البُتولة : اسم أسرة المرأة قبل الزواج .

maidhood [mād'-] *(n.)* = maidenhood.

maid-in-waiting [mā dən wā'-] *(n.)* وصيفةُ أميرة أو ملكة .

maid of honor *(n.)* وصيفة الشرف : «أ» عذراء من أسرة عريقة تَعْمل وصيفةً لملكة أو أميرة . «ب» إشبينةُ العروسِ الرئيسيةُ غيرُ المتزوجة .

maidservant [mād'sûr'vənt] *(n.)* خادمة .

maieutic [mā ū'tĭk] *(adj.)* تَسْآلي : خاصّ بالطريقة السقراطيّة القائمة على توجيه الأسئلة المتعاقبة أو شبيهٌ بهذه الطريقة .

mail [māl] *(n.; vt.)* (١) حقيبة (اسك) (٢) «أ» أكياس البريد . «ب» الرسائل المُبْرَدة . «ج» عربة البريد (٣) «أ» البريد : نظام البريد في بلد ما . «ب» موادّ بريديّة (٤) زَرَديّة ؛ دِرع (٥) دِرع السلحفاة (طِبقتُها العظميّة) §(٦) يُبرِد : يرسل بالبريد (٧) يزرِّد ؛ يدرِّع : يكسو أو يسلّح بزرديّة أو درع .

mailable [mā'-] *(adj.)* ممكنٌ أو مُجازٌ إرسالُه بالبريد .

mailbag [māl'-] *(n.)* (١) حقيبة البريد (يحملها الساعي على ظهره) (٢) كيس البريد .

mailbox [māl'bŏks] *(n.)* صندوق البريد .

mail-coach *(n.)* عربة البريد : عربة خيلٍ تحمل البريد والمسافرين .

mailed [māld] *(adj.)* مدرَّع ؛ مصفَّح .

mailed fist *(n.)* تهديدٌ بالقوّة المسلّحة .

mailer [mā'lər] *(n.)* (١) المُبْرِد : مَنْ يُرْسِلُ رسالةً بالبريد . (٢) المُبرِدة : آلة لكتابة عناوين المجلات والجرائد المرسَلة بالبريد (٣) مَرْكَب لنقل البريد (ا.ق) .

mailing [mā'-] *(n.)* (١) مزرعة مؤجّرة (اسك) (٢) أجرة هذه المزرعة (اسك) (٣) إبْراد أو ارسال بالبريد (٤) بريد .

maillot [mȧ'yō'] *(F.)* المايّو : «أ» ثوب ضيّق للرقص والألعاب الرياضية الجمبازية . «ب» ثوب سباحة للنساء ذو قطعة واحدة .

mailman [māl'-] *(n.)* ساعي البريد ؛ موزع البريد .

mail order *(n.)* الطلب البريديّ : طلبُ سلعٍ تتلقّاه مؤسّسة ما بالبريد وتلبّيه بواسطته .

mail-order house *(n.)* مؤسسة الطلبات البريديّة : مؤسّسة تجاريّة للبيع بالتجزئة تتلقى الطلبات بالبريد وتلبّيها بواسطته .

maim [mām] *(vt.)* (١) يجدَع ؛ يبتر ؛ يشوه (٢) يُقعِد ؛ يُعطِّل .

main [mān] *(n.; adj.)* (١) القوة البدنية (٢) «أ» البرّ الرئيسيّ (را . mainland) . «ب» عُرْض البحر (٣) الجزء الرئيسي ؛ النقطة الأساسيّة (٤) الخطّ الأمّ أو الرئيسي (تتفرع منه أنابيب شبكة) (٥) الشراع الرئيسي (٦) الصاري الرئيسي (٧) رقم يُسْحَب في لعبة من لُعَب الحظّ (٨) مباراة في صراع الديوك §(٩) بارز (١٠) رئيسي ؛ أساسيّ (١١) مَحْض ؛ صِرْف : أقصى (by ~ force) (١٢) متعلق بالشراع (أو الصاري) الرئيسي

in *or* for the ~, في الأغلب أو الأكثر ؛ على الجملة .

the ~ chance (١) المسألة أو النقطة الأساسيّة . (٢) مصلحة شخصية (٣) ربح .

with might and ~, بأقصى قوّة المرء البدنيّة .

to have an eye to the ~ chance يهتمّ بمصالحه الخاصّة .

mainframe *(n.)* الحاسبة الألكترونية (الكبيرة) .

mainland [mān'-] *(n.)* البرّ الرئيسي : الجزء الرئيسي من بلاد أو قارة (تمييزاً له عن الجزر الواقعة على سواحله) .

mainly [mān'lĭ] *(adv.)* (١) في الدرجة الأولى ؛ في الأكثر . (٢) جداً ؛ إلى حدّ بعيد .

mainmast [mān'măst'] *(n.)* الصاري الرئيسُ أو الرئيسيّ (مل) .

mainsail [mān'sāl'] *(n.)* الشراع الرئيسُ أو الرئيسي (مل) .

mainsheet [mān'shēt'] *(n.)* حَبْلُ الشراعِ الرئيسيّ (مل) .

mainspring [mān'-] *(n.)* (١) النابض أو الزُّنْبُرُك الرئيسي (في ساعة) (٢) الباعث أو العامل أو السبب الرئيسي أو الأقوى .

mainstay [mān'stā'] *(n.)* (١) الحبل المثبّت للشراع الرئيسي . (٢) عِماد ؛ دعامة أساسيّة .

main stem *(n.)* (١) مجرى النهر الرئيسي (٢) الخطّ الرئيسيّ (في سكة حديدية) (٣) الشارع الرئيسي (في مدينة) .

mainstream [mān'-] *(n.)* الاتجاه السائد (في حقل نشاط ما) .

Main Street *(n.)* (١) الشارع الرئيسي في مدينة صغيرة (٢) تلك الأجزاءُ من البلاد المتمركزةُ حول مُدنها الصغيرة .

maintain [mān tān'] *(vt.)* (١) يحافظ على ؛ يصون (٢) يدافع عن . (٣) يحتفظ (برباطة جأشِهِ الخ.) (٤) «أ» يعيل ؛ ينفق على . «ب» يُبقي على ؛ يساعد على استمرار كذا (٥) يؤكّد بإيراد الدليل أو الحجة .

maintenance [mān'tə nəns] *(n.)* (١) محافظة على ؛ دفاع عن ؛ احتفاظ بِـ ؛ إعالة ، إبقاء على ، توكيد بالحجّة أو الدليل (٢) رِزق (٣) صيانة (للممتلكات أو التجهيزات) (٤) تدخّل غير مشروع في دعوى قضائيّة من طريق تزويد أحد الفريقين بالوسائل الضرورية للاستمرار فيها (ق) .

maintop [mān'-] *(n.)* المنصة الرئيسية (في أعلى الصاري الرئيسي) .

main-topmast [mān'tŏp'-] *(n.)* الصاري الأعلى (يكون فوق الصاري الرئيسي) .

main yard *(n.)* قائم الشراع الرئيسي (مل) .

maisonette [mā'zə nĕt'] *(F.)* البُيَيْت : «أ» بيت صغير . «ب» شقّة (ذات دورين عادة) .

maître d'hôtel [mĕ'tr dō tĕl'] *(F.)* القهرمان : «أ» مدير الخدم في قصر . «ب» رئيس النُّدُل (في مطعم أو مقهى) «ج» صلصة من زبدة مذوبة وبقدونس مفروم وملح وبهار وعصير ليمون .

maize [māz] *(n.)* الذُّرة (نب) .

majestic; -al [mə jĕs'-] *(adj.)* ملوكي ؛ مَهيب ؛ فخم .

majesty [măj'ĭs tĭ] *(n.)* (١) «أ» سلطان ؛ سلطة ملكيّة .
«ب» جلالة (لقب الملك أو الملكة أو الامبراطور أو الامبراطورة) (٢) جلال ؛ فخامة ؛ عظمة .
His (Her) Majesty صاحب (أو صاحبة) الجلالة .

majolica [mə jŏl'ə kə; mə yŏl'-] *(It.)* الميــــوليق : «أ» ضربٌ من الخزف الإيطاليّ (في عصر النهضة الأوروبيّة) مزخرفٌ ومطليّ بالمينا . «ب» محاكاةٌ حديثة للميوليق الإيطالي القديم .

major [mā'jər] *(adj.; n.; vi.)* (١) أسمى ؛ أرفع ؛ أهمّ . (٢) أكبر ؛ أعظم (٣) راشد ؛ بالغٌ سنّ الرشد (٤) بارز ؛ هامّ (٥) خطير (a ~ illness) (٦) رئيسيّ : «أ» ذو علاقة بموضوع من موضوعات الدراسة (في جامعة) يُختار كحقل اختصاص . «ب» ذو علاقة بمادة من مواد الدراسة (في مدرسة ثانوية) تتطلّب حدّاً أعلى من ساعات التدريس (٧) كبير (في قولك major scale أي السلّم الكبير في الموسيقى) §(٨) الراشد ؛ من بلغ سن الرشد (٩) «أ» الأسمى؛ الأرفع ؛ الأهم . «ب» السلّم الكبير ؛ المفتاح الكبير الخ . (مو) (١٠) الرائد : رتبة عسكريّة فوق النقيب وأدنى من المقدّم (١١) «أ» موضوع من موضوعات الدراسة الجامعيّة يُختار كحقل اختصاص . «ب» طالب متخصّص في موضوع كهذا §(١٢) يتخصص في موضوع معين من موضوعات الدراسة (في جامعة) .

majordomo [mā'jər dō'mō] *(Sp.)* القَهْرَمان ؛ وكيل الخَرْج ؛ كبير الخدم (في قصر) .

major form class *(n.)* أحد أقسام الكلام (كالاسم والفعل والحرف) .

major general *(n.)* لواء (رتبة عسكريّة) .

majority [mə jôr'ə tĭ] *(n.)* (١) «أ» سنّ الرشد؛ وبخاصة : سنّ الحادية والعشرين . «ب» الرُّشْد : وَضْعُ من بلغ سنّ الحادية والعشرين (٢) «أ» الأكثرية ؛ الأغلبية . «ب» المقدار الأكبر ؛ الحصة الكبرى (٣) حزب الأكثرية (٤) رتبة اللواء أو وظيفته (جن) .
to join the ~, يموت ؛ يُتَوَفّى .

majority rule *(n.)* قاعدة الأغلبية : مبدأ سياسيّ يقول بأن للأغلبية (مهما تكن ضئيلة) سلطةَ اتخاذ القرارات المُلْزِمة للمجموع .

major party *(n.)* حزب الأغلبية (في البرلمان) .

major premise *(n.)* المقدّمة الكبرى (مق) .

major term *(n.)* الحدّ الأكبر (مق) .

majuscule [mə jŭs'kūl] *(n.; adj.)* (١) الحرف الاستهلاليّ ؛ الحرف الكبير §(٢) استهلاليّ ؛ كبير (صفةُ حرف) .

make [māk] *(vt.; i.; n.)* (١) «أ» يُحْدِث ؛ يخلق ؛ يُسبِّب «ب» يعجّل نشوءه أو حدوثه: يُفْضي إلى (~ trouble for her) (Haste ~s waste.) (٢) «أ» يعمل ؛ يَصْنَع . «ب» يَنظِم (قصيدةً) . «ج» ينشىء (to ~ a park) (٣) يرسم ؛ يضع (to ~ plans) (٤) يبني ؛ يشيّد (a house *made* of stone) (٥) يقدِّر ؛ يحسب (to ~ the distance five miles) (٦) «أ» يُضْرِم (to ~ a fire) . «ب» يهيّىء ؛ يُعِدّ (to ~ a bed) . «ج» يخلط ورق اللعب (٧) «أ» يجعل (She *made* herself useful.) «ب» يعيّن ؛ ينصّب (He *made* her a member of his cabinet.) (٨) «أ» يسُنّ (قانوناً الخ .) «ب» يحدّد ؛ يعيّن (سعراً) (٩) «أ» يُغْلِق . «ب» يُتِمّ دارةً كهربائيّةً (١٠) «أ» يستنتج ؛ يفهم (I could ~ nothing of her words.) «ب» يعتبر (not the fool some ~ him) (١١) «أ» يشن (to ~ war) . «ب» يؤدي بحركة جسدية (*made* a bow) «ج» يجري ؛ يعقد (*made* a bargain) . «د» يُلقي (*made* a speech) . «هـ» يقطع ؛ يجتاز (*made* forty miles an hour) (١٢) يتناول ؛ يأكل (He *made* a good breakfast.) (١٣) يُكْرِهه على (to ~ him resign) (١٤) يكفل له النجاح (Anyone he takes a liking to is *made*.) (١٥) يَصْنَع : «أ» يشكّل الوجود الجوهري لكذا (One swallow does not ~ a summer.) «ب» يكون قابلاً للتحويل إلى (Rags ~ the best paper.) (١٦) يصبح من طريق التطوّر (My son will ~ a good lawyer.) (١٧) «أ» يصل إلى (to ~ a port) . «ب» يبلغ رتبة كذا (*made* colonel) (١٨) «أ» يكسب مالاً أو ثروة (She *made* a fortune.) . «ب» يحرز نقاطاً في لعبة ما (١٩) يُدْرِك (in time to ~ the morning train) (٢٠) يُغوي (امرأةً) (٢١) يشكّل ؛ يساوي (Two and two ~ four.) (٢٢) يتصرّف بطريقة ما (كقولك to ~ merry أي يمرح ؛ يبتهج) (٢٣) يبدأ أو يبدو وكأنه يبدأ عملاً ما (She *made* to reply and then stopped.) (٢٤) يندفع نحو (*making* after the fox) (٢٥) يتعاظم ؛ يتضخّم (tide is *making* now) (٢٦) يمتدّ في اتجاه معيّن (The road ~s toward Paris.) (٢٧) يعزز ؛ يساعد على (Disarmament ~s for peace.) (٢٨) يذهب ؛ يندفع إلى (to ~ for home) (٢٩) يهجم على (Her dog *made* for me.) (٣٠) يُصْنَع (Bolts are *making* in that shop.) §(٣١) «أ» طراز ؛ شكل (cars of all ~s) . «ب» منشأ السلعة المصنوعة (What ~ is your car?) (٣٢) بِنْيَة المرء الجسدية أو العقلية أو الخُلقية : طبيعة ؛ خُلُق (٣٣) «أ» إنتاج ؛ صُنع . «ب» النِتاج ؛ الناتج ؛ المقدار المنتَج (٣٤) إغلاق أو إكمال دارة كهربائية (٣٥) خلْط ورق اللعِب .

on the ~, (١) رهْن (أو قَيْد) التكوّن أو النموّ أو التحسّن (٢) توّاق إلى الكسب الماديّ أو إلى الفوز بمنزلة اجتماعيّة أسمى (٣) باحث عن مغامرة جنسية أو غراميّة .

to ~ account of يهتم بـ ؛ يبالي بـ .

to ~ a clean breast يعترف .

to ~ against يعاكس ؛ يكون ضدّ كذا .

to ~ a face يقطّب ؛ يكشّر .

to ~ as if يتظاهر بـ .

to ~ at يندفع نحوه وبخاصة على نحو عدائيّ : يهجم على .

to ~ away with (١) ينفق ؛ يبدّد (٢) «أ» يتخلص من . «ب» يدمّر ؛ يقتل (٣) يستهلك ؛ يأكل .

to ~ believe يدّعي ؛ يتظاهر بـ .

to ~ bold يغامر ؛ يخاطر ؛ يجترىء على .

to ~ bones يتردد في .

to ~ eyes يرنو بعين الغرام (إلى) .

to ~ free with يرفع الكلفة مع .

to ~ good (١) يحقق ؛ يُنجز (٢) يسدّ نقصاً ؛ يعوّض خسارة (٣) يفي بالعهد (٤) يثبت (تهمةً) (٥) ينجح .

to ~ hay (while the sun shines) يفيد من فرصة متاحة (وبخاصة لتحقيق مكاسب مبكرة) .

to ~ head (١) يتقدّم ؛ وبخاصة رغم المقاومة (٢) يقوم بثورة مسلّحة .

to ~ light *or* little of يستخفّ بـ ؛ يستهين بـ .

to ~ love (١) يغازل (٢) «أ» يعانق ؛ يقبّل . «ب» يجامع .

to ~ much of (١) يلاطف (٢) يبجّل ؛ يعظّم .

to ~ no doubt يوقن ؛ يكون متأكداً من .

to ~ off يغادر المكان فجأةً أو على عجل ؛ ينسلّ هارباً .

to ~ or mar يسبّب نجاحَ شيء أو فشلَه .

to ~ out (١) يبعث فاتورةً أو شيكاً (٢) يكتشف أو يفهم المعنى (٣) يُثبت ؛ يبرهن (٤) يتمّم ؛ يكمل (٥) يصف أو يرسم بتفصيل (٦) يميّز (٧) ينجح :

to ~ over (١) ينقل أو يحوّل الملكية (٢) يعهد بشيء إلى شخص آخر (٣) يجدّد أو يعدّل (ثوباً الخ.) .

to ~ place *or* **room** يفسح مكاناً لـ .

to ~ public يعلن ؛ يفشي ؛ يُذيع .

to ~ sail (١) يرفع أو ينشر شراعاً (٢) يُبحِر .

to ~ sure of يتأكّد أو يتحقق من .

to ~ time (١) يسافر على جناح السرعة (٢) يكسب الوقت (٣) يحرز تقدّماً في طريق الفوز برضا فلان.

to ~ tracks (١) ينطلق بسرعة (٢) يفرّ .

to ~ up (١) «أ» يجمع . «ب» يخترع (٢) «أ» يركّب . «ب» يرتّب الموادّ الطباعيّة المنضّدة (على شكل أعمدة أو صفحات) (٣) يلفّ ؛ يحزم (٤) «أ» ينظّم ؛ يرتّب . «ب» يخلط ورق اللعب (٥) يسدّ نقصاً (٦) تتّحد (الأجزاءُ) لتشكّل كلّاً كاملاً (٧) يشكّل ؛ يؤلف (٨) «أ» يبرز الممثلَ في المظهر الجسدي الملائم لدور ما. «ب» يجمّل الوجه بالمساحيق (٩) «أ» يعيد امتحاناً في مادة كان قد سقط فيها . «ب» يتقدم إلى امتحان سبق له أن تغيّب عنه (١٠) يسوّي الخلافات حُبّيّاً (١١) يتمّ ؛ يكمل (١٢) يتصالح (بعد نزاع) (١٣) يغازل ؛ يقبّل (١٤) يعوض عن (١٥) يستعمل المساحيق التجميلية .

to ~ up one's mind يقرر ؛ يعزم على .

to ~ water (١) ينفذ الماء الى المركب (٢) يبول .

to ~ way (١) يفسح الطريق لِـ (٢) يحرز تقدّماً .

make-believe [māk'bə lēv'] *(n.; adj.)* (١) تظاهر بـ ؛ ادّعاء. (٢) المتظاهر ؛ المدّعي §(٣) كاذب ؛ زائف .

make-do [māk'dōō'] *(n.; adj.)* = makeshift.

makefast [māk'-] *(n.)* مَربَط السفينة : شيء تُشدّ إليه السفينة.

maker [mā'kər] *(n.)* (١) الصانع (٢) *cap.* : الله (٣) الموقّع سنداً أو كمبيالة .

makeready [māk'rĕd'ĭ] *(n.)* (١) التحضير النهائي (للكليشيهات ونحوها بوضع الورق المقوّى تحتها لكي تبرز على نحو متساوق لا تفاوت فيه) (٢) مُقوّى التحضير: الورق المقوّى المستعمل في ذلك.

makeshift [māk'-] *(n.; adj.)* (١) بديل موقّت §(٢) مستعمل كبديل موقّت .

makeup [māk'ŭp'] *(n.)* (١) «أ» تركيب ؛ بِنية . «ب» البِنية الجسدية أو العقلية أو الخُلُقيّة (٢) ترتيب الموادّ الطباعيّة المنضّدة (على شكل أعمدة أو صفحات) (٣) «أ» الماكياج . «ب» الموادّ المستعملة في الماكياج . وبخاصة مستحضرات تجميل الوجه (٤) امتحان إكمال (ع) .

makeweight [māk'-] *(n.)* (١) تتمة الوزن: شيء يوضع في كفّة الميزان إكمالاً لوزن مطلوب (٢) شخص أو شيء يُسَدّ به نقصٌ أو ثغرة ما (٣) ثِقلٌ أو نفوذ مقابِل أو موازِن .

making [mā'kĭng] *(n.)* (١) عمل ؛ صُنْع ؛ إحداث (٢) «أ» تقدّم ؛ نجاح . «ب» وسيلة التقدّم أو النجاح (Misfortune was the ~ of him.) (٣) نِتاج ؛ شيء مصنوع ؛ وبخاصة : المقدار المُنتَج دفعةً واحدة (٤) *pl.* : الموادّ التي يُصنع منها شيء ؛ وبخاصة : ورق السجاير وتبغها .

in the ~, قيدَ الصنع أو الإعداد أو التحضير .

mal- بادئة معناها : (١) «أ» سيّء . «ب» على نحو سيّء . (٢) «أ» غير سويّ. «ب» على نحو غير سويّ (٣) «أ» غير ملائم أو وافٍ . «ب» على نحو غير ملائم أو وافٍ .

malac- *or* **malaco-** بادئة معناها : رِخو ، ليّن .

malacca cane [mə lăk'ə] *(n.)* عصا أو عكّاز مَلَقّا

malachite [măl'ə kīt'] *(n.)* الملكيت (مع) .

malacology [măl'ə kŏl'ə jĭ] *(n.)* علم الرخويات : فرع من علم الحيوان يبحث في الرخويات .

malacostracan [măl'ə kŏs'trə kən] *(n.; adj.)* (١) القِشريّ الرخو : حيوان من القشريات الرّخوة §(٢) قِشريّ رخو .

maladaptation [măl'ăd'əp tā'-] *(n.)* سوء التهايؤ ؛ سوء التكييف .

maladjusted [măl'ə jŭs'tĭd] *(adj.)* سيّء التوافق : يعوزه الانسجام مع بيئته نتيجةً لعجزه عن تحقيق التوافق بين رغباته الذاتية وبين أوضاع حياته .

maladjustment [-jŭst'mənt] *(n.)* سوء التوافق (را. المادة السابقة) .

maladminister [măl'əd mĭn'-] *(vt.)* يسيء الادارة .

maladroit [măl'ə droit'] *(adj.)* أخرق : تعوزه البراعة .

maladroitness [măl'ə droit'-] *(n.)* الخُرْق : قلة البراعة .

malady [măl'ə dĭ] *(n.)* (١) مرض ؛ داء (٢) علّة .

mala fide [mā'lə fī'dĭ] *(L.)* بسوء نيّة ؛ على نحو محرَّف .

Malaga [măl'ə gə] *(n.)* المالَقيّة : خمر منسوبة إلى مالقة باسبانية .

Malagasy [măl'ə găs'ĭ] *(n.; adj.)* (١) المدغشقري : أحد أبناء مَدَغشقَر (٢) المدغشقرية : لغة مدغشقر §(٣) مدغشقري .

malaise [mă lāz'] *or* **malease** [-lēz'] *(n.)* (١) التوعّك : انحراف في الصحة يؤذن ببدء العلّة أو يصاحبه (٢) ضيق ؛ قلق ؛ انزعاج.

malapert [măl'ə pûrt'] *(adj.)* وَقِح ؛ سَليط .

malaprop [măl'ə prŏp] *or* **malapropian** [-ə prŏp'-] *(adj.)* مُسيء استعمالَ الألفاظ أو متّسِم بسوء استعمالها .

malapropism [măl'ə prŏp ĭz'əm] *(n.)* (١) إساءة استعمال الألفاظ (٢) لفظة أسيء استعمالها .

malapropos [măl'ăp rə pō'] *(F.)* في غير وقته أو محلّه .

malar [mā'lər] *(adj.)* وجْنيّ : متعلق بالوجنة أو الخدّ .

malaria [mə lâr'ĭ ə] *(n.)* الأَجَمِيّة ؛ البُرَداء ؛ الملاريا (مض) .

—malarial; malarian; malarious *(adj.)*

Malay [mā'lā] *(n.; adj.)* (١) الملاييّ : أحد أبناء شبه جزيرة الملايو (٢) لغة الشعب الملاييّ §(٣) ملاييّ .

—Malayan *(adj.)*

Malayo- بادئة معناها : ملاييّ و... (*Malayo*-Indonesian).

malcontent [măl'kən tĕnt'] *(adj.; n.)* (١) ساخط ؛ ناقم ؛ وبخاصة على نظام أو حكومة §(٢) سخط ؛ نِقمة (٣) السّاخط الخ.

mal de mer [mäl də mĕr'] *(F.)* الهُدام : دُوار البحر .

male [māl] *(adj.; n.)* (١) ذَكَري (~ organs) (٢) مذكَّر : مؤلّف من ذكور ؛ وبخاصة من رجال (a ~ choir) (٣) ذَكَر : مُعَدّ بحيث يكون ملائماً للإدخال في جزء مجوّف (a ~ gauge) §(٤) الذَّكَر (من الإنسان أو الحيوان أو النبات) .

malediction *(n.)* (١) لعن؛ لعنة (٢) قذف؛ تشويه للسمعة.

malefaction [măl'ə făk'-] *(n.)* إثم؛ جناية.

malefactor [măl'-] *(n.)* (١) المجرم (٢) الشرير؛ فاعل الشر.

malefic [mə lĕf'ĭk] *(adj.)* مؤذٍ؛ مُهلِك؛ خبيث.

maleficence [mə lĕf'ə səns] *(n.)* (١) الإيذاء؛ اقتراف الشر. (٢) جُرم (٣) الإيذائية؛ الشرية: كون الشيء مؤذياً أو شريراً.

maleficent [mə lĕf'ə sənt] *(adj.)* مؤذٍ؛ شرير.

malevolence [mə lĕv'ə ləns] *(n.)* حقد؛ ضغينة؛ غِلّ.

malevolent [mə lĕv'ə lənt] *(adj.)* حاقد؛ مضطغن؛ ذو غِلّ.

malfeasance [măl fē'zəns] *(n.)* الارتكاب: الاقدام على عمل محظور (وبخاصة من قِبَل موظف).

malformation [-mā'-] *(n.)* تشوّه. وبخاصة في الجسم الحي.

malformed [măl fôrmd'] *(adj.)* مُشوَّه؛ شائه.

malfunction [măl fŭngk'-] *(vi.; n.)* (١) يتقصّر: يعجز عن الأداء أو العمل بالطريقة السوية أو المألوفة § (٢) قصور.

malgré [măl grē'] *(F.)* رَغْم؛ برغم.

malic acid [măl'ĭk; mā'lĭk] *(n.)* حَمْض التفاح (ك).

malice [măl'ĭs] *(n.)* حِقد؛ مكر؛ خبث؛ تعمد الأذى.

malicious [mə lĭsh'əs] *(adj.)* حقود؛ ماكر؛ خبيث.

malign [mə līn'] *(adj.; vt.)* (١) مؤذٍ؛ ضار؛ خبيث؛ مُهلِك § (٢) يعيب؛ يقذف أو يقدح في؛ يفتري على.

malignance; malignancy [mə lĭg'-] *(n.)* (١) «أ» طبيعة شريرة أو مؤذية أو مهلكة. «ب» حِقد؛ عداوة شديدة (٢) «أ» الخباثة: كون الورم الخ. خبيثاً. «ب» ورم خبيث.

malignant [mə lĭg'nənt] *(adj.)* (١) «أ» مؤذٍ؛ ضار. «ب» حقود. «ج». متمنٍ السوء للآخرين او مبتهج به (٢) «أ» مُهلِك؛ مميت(malaria ~). «ب» خبيث(tumors ~).

malignity [mə lĭg'nə tĭ] *(n.)* (١) «أ» طبيعة شريرة أو مؤذية أو مهلكة أو خبيثة: خباثة. «ب» حقد؛ عداوة شديدة (٢) عمل أو حدث أو سلوك شرير أو مؤذٍ أو مهلك أو خبيث.

malinger [mə lĭng'gər] *(vi.)* يتمارض (تهرّباً من واجب).

malison [măl'ə zən;-sən] *(n.)* لعنة.

malkin [mô'kĭn] *(n.)* (١) امرأة قذرة (عب) (٢) «أ» هرة. «ب» الأرنب الوحشية (را. hare).

mall [môl] *(n.; vt.)* = maul.

mall [môl; măl] *(n.)* (١) «أ» عصا لعبة البَلْمَل. «ب» لعبة البَلْمَل (را. pall-mall). «ج» مجاز البَلْمَل (٢) «أ» متنزه للمشاة (تكتنفه الأشجار الظليلة). «ب» رقعة معبدة أو مكسوة بالعشب بين طريقين.

mall *(n.)* المُول: مركز تجاري يتضمن عدة سوبرماركات.

mallard [măl'ərd] *(n.)* البُرْكة: بطة بريّة.

malleability [măl'ĭ ə bĭl'-] *(n.)* الطَّروقيّة: قابلية التطريق.

malleable [măl'ĭ ə bəl] *(adj.)* (١) طَروق: قابل للطَّرق أو المَطْل (٢) طيّع؛ مِطواع.

mallee [măl'ē] *(n.)* (١) المَلْي: نوع قصير من الأوكالبتوس الأسترالي (نب) (٢) غابة مَلْي.

mallemuck [măl'ə mŭk'] *(n.)* الأوقيانوسي: أيّ من عدة طيور أوقيانوسية ضخمة كالفُلْمار والقَطْرس.

mallet [măl'ĭt] *(n.)* (١) الميتدة: مِطرقة ذات رأس خشبي برميلي الشكل (٢) مِضرَب الكرة.

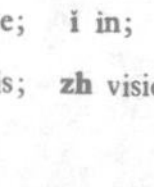

mallet 1.

malleus [măl'ĭ əs] *(n.)* pl. **-lei** العظم المِطْرَقي (في آذان الثدييات).

mallow [măl'ō] *(n.)* الخُبّازَى؛ الخُبّاز؛ الخبّازة (نب).

malm [mäm] *(n.)* المَلْم: «أ» ضرب من حجر الكلس طباشيري ليّن. «ب» مزيج صُنْعِيّ من طين وطباشير (يستعمل في صنع الآجرّ).

malmsey [mäm'zĭ] *(n. often cap.)* المَمْزِيّ: «أ» نبيذ حلو عطري الرائحة. «ب» النوع الأكثر حلاوة من خمرة ماديرا.

malnourished [măl nûr'-] *(adj.)* مَسْغول: سيّء التغذية.

malnutrition [măl'nū trĭsh'ən] *(n.)* السَّغَل: سوء التغذية.

malodor [măl ō'dər] *(n.)* رائحة كريهة.

malodorous [măl ō'dər əs] *(adj.)* كريه الرائحة.

Malpighian [măl pĭg'ĭ ən] *(adj.)* ملبيجي: متعلق بعالم التشريح الإيطالي مرسيلو ملبيجي أو مكتشَف من قِبَله.

Malpighian corpuscle *(n.)* الكُريّة الملبيجية (ت).

Malpighian layer *(n.)* الطبقة الملبيجيّة (ت).

Malpighian tube *(n.)* الانبوب الملبيجي (ت).

malposition [măl'pə zĭsh'ən] *(n.)* وضعٌ خاطىء (كوضع الجنين. أحياناً. في الرحم).

malpractice [măl prăk'tĭs] *(n.)* (١) سوء التصرف: تقصير متعمّد أو غير متعمّد في أداء الواجب المهني ينشأ عنه خسارة أو ضرر (وبخاصة في حقل الطب) (٢) الارتكاب: الإقدام على عمل محظور (وبخاصة من قِبَل موظّف). **—malpractitioner** *(n.)*.

malt [môlt] *(n.; vt.; i.)* (١) المَلْت: شعير مُنْبَتٌ بالنقع في الماء (٢) malted milk § (٣) يُمَلِّت: يحوّل إلى مَلْت (٤) يصنع أو يمزج بالملت × (٥) يتملّت: يتحوّل إلى مَلْت. **—malty** *(adj.)*.

Malta fever *(n.)* الحُمّى المالطيّة (مض).

maltase [môl'tās] *(n.)* المَلْتاز: خميرة تحوّل المالتوز (سكر الشعير) إلى غلوكوز (سكر العنب أو النشاء).

malted milk *(n.)* (١) اللّبن المُملّت: ذرور مُعَدّ من لبن مجفف وضروب من القطاني (الحبوب) المعالجة بالمَلْت (٢) الشراب المملّت: شراب يُصنَع بأذابة ذرور اللبن المملّت في الحليب أو سائل غيره.

Maltese [môl tēz'] *(n.; adj.)* (١) المالطي: أحد أبناء مالطة. (٢) المالطية: اللغة المالطية § (٣) مالطيّ.

Maltese cat *(n.)* الهرة المالطية: هرة أليفة قصيرة الشَّعر.

Maltese cross *(n.)* (١) صليب مالطة (٢) اللُّخْنِيس (نب).

Maltese cross

maltha [măl'thə] *also* **malthite** [-'thīt] *(n.)* المَلْثة: مادة سوداء لَزِجة متوسّطة بين البترول والأسفلت.

Malthusian [măl thōō'zĭ ən] *(adj.)* مالثوسي: ذو علاقة بمالتوس (١٧٦٦ – ١٨٣٤) أو بنظريته القائلة بأن عدد السكان يتزايد بنسبة تفوق ازدياد الموارد الغذائيّة وبأن النسل يجب أن يُحدَّد أو يُضبَط. **—Malthusianism** *(n.)*.

malt liquor *(n.)* مشروب المَلْت: مشروب (كالجعة الخ.) يُصنَع من المَلْت.

maltose [môl'tōs] *(n.)* المَلْتوز: سُكّر المَلْت أو الشعير.

maltreat [măl trēt'] *(vt.)* يخاشِن: يعامل بخشونة أو قسوة. **—maltreatment** *(n.)*

maltster [môlt'stər] *(n.)* الملاّت: صانع المَلْت أو المُتاجر به.

malvasia [măl'və sē'ə] *(It.)* = malmsey.

malversation [măl'vər sā'shən] *(F.)* (١) فساد (في الادارة) اختلاس؛ ارتشاء (٢) إدارة فاسدة.

malvoisie [măl'voi zĭ] *(F.)* = malmsey.

mamba [mäm'bä] *(n.)* المَمْبَة : أفعى افريقية سامة .

mambo [mäm'bō] *(n.; vi.)* (١) المامبو : ضربٌ من الرقص السريع §(٢) يرقص المامبو .

mamma *or* **mama** [mä'mə] *(n.)* أُمّ ؛ والدة .

mamma[măm'ə]*(n.)*pl. **-e** [-'ē] ثَدْي (ت) .

mammal [măm'əl] *(n.)* الثَدْييّ : حيوان من الثدييّات أو ذوات الأثداء **Mammalia** التي تشمل الانسان وسائر الحيوانات التي ترضع صغارها لبناً تفرزه غُددها الثديية .

—mammalian *(adj.; n.)*

mammalogy [mă măl'-] *(n.)* علم الثدييات : فرع من علم الحيوان يبحث في الثدييات .

mammary [măm'ə rĭ] *(adj.)* ثدييّ : ذو علاقة بالثدي .

mammiform; mammillary [măm'-] *(adj.)* ثدييّ : «أ» ذو علاقة بالثدي أو شبيه به. «ب» مرصَّع بنتوءات شبيهة بالأثداء.

mammillate; -d [măm'-] *(adj.)* (١) حَلَمِيّ (٢) ثدييّ .

mammock [măm'-] *(n.; vt.)* (١) كِسرة ؛ مِزْقة §(٢) يكسّر .

mammogram *(n.)* صورة الثدي (بأشعة أكس).

mammon [măm'ən] *(n.)* (١) ثروة (٢) *cap.*: شيطان الجشع

mammonism[-'ə nĭz'əm]*(n.)* حبّ المال ؛ التماس الثروة بجشع .

mammonist; mammonite [măm'-] *(n.)* عابد المال .

mammoth [măm'əth] *(n.; adj.)* (١) الماموث : فيل منقرض . (٢) عملاق ؛ شيء ضخم §(٣) هائل ؛ ضخم جداً .

mammoth

mammy [măm'ĭ] *(n.)* (١) أمّ ؛ والدة (٢) مربية زنجية للأطفال البيض.

man[măn]*(n.; vt.)* (١) «أ» إنسان ؛ وبخاصة : رَجُل . «ب» زوج (~ and wife) . «ج» الانسان (~ is mortal.) . «د» فتى ؛ غلام (٢) «أ» التابع ؛ المرؤوس ؛ الجندي (officers and *men* of the army) . «ب» خادمٌ بالغ . «ج» *pl.* : الأيدي العاملة (تمييزاً لها عن ربّ العمل ومديريه) (٣) شخص ؛ فرد (٤) الحَجَر : إحدى القطع التي تُلعب بها لعبة (كَبِيْدَق الشطرنج أو حجر الداما) §(٥) يزوّد بالجند أو بالرجال (to ~ a fleet) (٦) يُحصّن .

a ~ of letters أديب ؛ كاتب .

a ~ of the world رجل مجرّب أو واسع الخبرة بالحياة.

as one ~, بالإجماع .

~ and boy من سنّ الصبا فصاعداً .

~ to ~, بصراحة تامّة .

the ~ in the street رَجُل الشارع ، الرجل العاديّ .

to a ~, من غير استثناء .

mana [mä'nä]*(n.)* (١) قوى الطبيعة مجسَّدةً (٢) سُلطة أدبية؛ اعتبار

man-about-town [mən'ə bout'toun']*(n.)*: الثَريّ المتبطّل غنيّ يُنفق أيامه في النوادي والمسارح وسباق الخيل الخ.

manacle [măn'ə kəl] *(n.; vt.)* (١) غُلّ ؛ قَيْد ؛ صِفاد . §(٢) يَغُلّ ؛ يُقيِّد ؛ يصفِّد .

manage [măn'ĭj] *(vt.; i.; n.)* (١) يُدير ؛ يدبّر (٢) يروِّض ؛ يسوس ؛ يُخضع (٣) يقتصد (في النفقة) (٤) يستعمل ؛ يستخدم (٥) يتدبّر الأمر ؛ يحتال للأمر (I don't know how I'll ~ it but I'll be there.) (٦) يأكل (Can you ~ another cake?) (٧)× ينجح (في تحقيق غرضه أو غايته) §(٨) «أ» ترويض الخيل . «ب» مدرسة الفروسية : معهد لتعليم ركوب الخيل ولترويض الأفراس .

manageable [măn'ĭj ə bəl] *(adj.)* طيِّع ؛ سهل القياد .

management [măn'ĭj mənt] *(n.)* (١) إدارة ؛ تدبير الخ . (٢) لباقة (٣) براعة إدارية (٤) هيئة الادارة (في مؤسسة) .

manager [măn'ĭj ər] *(n.)* فا manage مثل : «أ» مدير الشركة أو المؤسسة . «ب» القيم على النفقة في منزل ، يتولاّها بحسن تدبير واقتصاد (Your wife is an excellent ~.) . «ج» مدير الفريق الرياضي الخ .

managerial [măn ə jĭr'-] *(adj.)* إداريّ ؛ مديريّ : متعلق بالإدارة أو المدير .

managing [măn'-] *(adj.)* نزّاع إلى التسلّط ؛ مولع بإصدار الأوامر والنواهي .

man ape*(n.)* (١) القرد الأعلى : أحد القردة الحديثة المشابهة للانسان. (٢) الانسان القرد (المتوسّط بين الانسان الحديث والقردة العليا) .

man-at-arms [măn'ət ärmz'] *(n.)* جنديّ ؛ وبخاصة : فارسٌ مدجّج بالسلاح .

manatee [măn'ə tē']*(Sp.)* خَروف البحر : حيوان ثدييّ مائيّ من آكلات العشب .

manchet [măn'chət] *(n.)* رغيف (من خبز القمح الممتاز) .

manchineel [măn'chə nēl'] *(Sp.)* المنشنيل : شجر استوائي أميركيّ ذو عصارة سامّة .

Manchu [măn choo'] *(n.; adj.)* (١) المانشوويّ : أحد المانشو ، وهم شعب منشوريا المنغولي الذي غزا الصين وأسس فيها سلالة حاكمة عام ١٦٤٤ §(٢) مانشوويّ .

manciple [măn'sə pəl] *(n.)* متعهد المؤن (في كلية أو دير) .

-mancy لاحقة معناها : التكهّن (chiro*mancy*).

mandala [mən'-]*(Skt)* المَنْدالة : رمز الكون عند الهندوس والبوذيين وبخاصة : دائرة تطوّق مربّعاً وعلى كل من جانبيها رسم إله .

mandamus [măn dā'məs]*(L.)* أمرٌ قضائي (تصدره محكمة عليا) .

mandarin [măn'də rĭn] *(n.; adj.)* (١) موظف كبير (في الامبراطورية الصينية القديمة) (٢) *cap.*: «أ» اللغة الصينية الشمالية (التي كانت لغة البلاط والطبقات الرسمية في عهد الامبراطورية) . «ب» اللغة الصينية الرئيسية المنطوق بها في حوالي أربعة أخماس الصين (٣) «أ» المندرين ؛ اليوسفيّ : شجر من الفصيلة البرتقالية. «ب» ثمر المندرين أو اليوسفي §(٤) متّسم بالأناقة اللغوية (~ style).

mandatary [măn'də tĕr'ĭ] *(n.)* = mandatory.

mandate [măn'dāt] *(n.; vt.)* (١) أمرٌ رسمي أو شرعي . (٢) تفويض (يمنح لممثل أو مندوب) (٣) انتداب ؛ وبخاصة : «أ» تكليف « عصبة الأمم » دولةً من أعضائها بإقامة حكومة مسؤولة في مستعمرة ألمانية أو عثمانية الخ . سابقة . «ب» بلدٌ واقعٌ تحت الانتداب §(٤) يضع بلداً تحت الانتداب .

mandator [măn dā'tər] *(n.)* المفوِّض ؛ المنتدِب .

mandatory [măn'də tōr'ĭ] *(adj.; n.)* (١) إلزامي ؛ إجباري . (٢) «أ» انتدابيّ : ذو علاقة بالانتداب من قِبل « عصبة الأمم » . «ب» مُنتَدَب : مكلَّف بالانتداب على بلد آخر §(٣) المنتدَب ؛ وبخاصة : دولة منتدَبة (من قِبل «عصبة الأمم» لحُكم بلدٍ آخر).

mandible[măn'də bəl]*(n.)* فكّ ؛ وبخاصة : الفكّ الأسفل (ت) .

mandibular [măn dĭb'yə lər] *(adj.)* فكّيّ .

mandibulate[-'yə lĭt; -lāt]*(adj.; n.)* (١) ذو فكّين مُعَدّين

ă at; ā date; â care; ä car; ĕ egg; ē me; ĭ in; ī bite; ŏ lot; ō bone; ô orphan; oi boil oo good; ōō boot; ou out; ŭ under; ū unity; û urgent; th thing; th this; zh vision; ə = *a* in alone, *e* in system, *i* in easily, *o* in gallop, *u* in circus.

للمضغ (كبعض الحشرات) (٢) ذوفكٍ أسفل (كمعظم الفقاريات).

Mandingo [măn dĭng'gō] *(n.)* (١) «أ» الماندينغ : شعب زنجيّ منتشر في افريقية الغربية . «ب» الماندينغي : أحد أفراد الماندينغ (٢) الماندينغية : اللغة الماندينغية .

mandolin

mandolin [măn'də lĭn] *(It.)* المندولين : آلة موسيقية .

mandolinist [măn'-] *(n.)* المندوليني : عازف المندولين .

mandragora [măn drăg'ə rə] *(n.)* = mandrake.

mandrake [-'drāk; -drĭk] *(n.)* : اليَبْروح ؛ اللُّفّاح : نبات عشبيّ من الفصيلة الباذنجانية (نب) .

mandrel *also* **mandril** [măn'drəl] *(n.)* الشاقة : عمود دوران المخرطة (ملك) .

mandrill [măn'drĭl] *(n.)* المَيْمون : قرد ضخم ضارٍ من قرود افريقية الغربيّة .

mandrill
mane [mān] *(n.)* العُرْف : شعرُ عنقِ الفرس وغيره .

man-eater [măn'ē'tər] *(n.)* (١) آكل لحوم البشر (٢) قِرْش ضارٍ يهاجم الانسان ويفترسه (٣) أسد أو نمرٌ اكتسب عادة الاقتيات بلحم البشر .

manege *also* **manège** [mă nĕzh'; -nāzh'] *(F.)* (١) مدرسة الفروسية (لتعليم ركوب الخيل ولترويض الأفراس) (٢) «أ» الفروسية . «ب» ترويض الخيل (٣) تَبَختُر الفرس المروَّض أو خَطْوُه .

manes [mā'nēz] *(L.)* (١) *cap.* : أرواح موتى وآلهةِ العالم الأدنى (في المعتقد الروماني القديم) (٢) أرواح الأسلاف المؤلَّهة .

maneuver [mə nōō'vər] *(n.; vi.; t.)* (١) *pl.* عد : مناورات عسكرية (٢) «أ» مناورة ؛ خطة بارعة . «ب» لباقة أو دهاء § (٣) يقوم بمناورة عسكرية (٤) «أ» يناور ؛ يخدع . «ب» يتأتّى للأمر في لباقة أو دهاءٍ × (٥) يحرك (الجيوش أو السفن الحربيّة) في مناورة .

manful [măn'fəl] *(adj.)* شجاع ؛ مصمِّم ؛ ثابت العزم .

mangan- *or* **mangano-** بادئة معناها : منغنيز .

manganate [măng'gə nāt'] *(n.)* المنغنات : ملح الحامض المنغنيزي .

manganese [măng'gə nēs'; -nēz'] *(n.)* المنغنيز : عنصر فلزّي (ك) .

manganese spar *(n.)* = rhodonite.

manganic [măn găn'ĭk] *(adj.)* منغنيزي : محتوٍ على منغنيز (ك) .

manganic acid *(n.)* الحامض المنغنيزي (ك) .

manganite [măng'gə nīt] *(n.)* المنغنيط : اكسيد المنغنيز المائي (ك) .

manganous [măng'gə-] *(adj.)* مَنْغنيزي : محتوٍ على منغنيز (ك) .

mange [mānj] *(n.)* الجَرَب ؛ الحُكاك (مض) .

mangel-wurzel [măng'gəl wûr'zəl] *(n.)* شمندر الماشية : ضربٌ من الشمندر يقدَّم طعاماً للماشية .

manger [mān'jər] *(n.)* المِذْوَد : مَعْلَف الدابة .

mangle [măng'gəl] *(n.; vt.)* (١) المكواة الاسطوانية : آلة لكيّ الملابس بإمرارها بين أسطوانتين محمّاتَيْن § (٢) يشوّه ؛ يمثّل بـ ؛ يشوّه بالبَتر أو السَّحق (٣) يُفسِد ؛ يُتلف (*d* the ~ text by poor typesetting) (٤) يكوي الملابس (بمكواة اسطوانية) .

mangle

mango [-'gō] *(n.)* الأنبَج ؛ المَنْجا (نب) .

mangonel [măng'gə nĕl'] *(n.)* المَنْجنيق : آلة قديمة لقذف الحجارة على الأسوار .

mangosteen [măng'gə stēn'] *(n.)* (١) جَوْز جَنْدم : شجر ذو ثمر له نكهة كنكهة الدرّاق والأناناس (٢) ثمر هذه الشجرة .

mangrove

mangrove [măng'grōv] *(n.)* : المَنْغروف : شجرٌ استوائيّ تنبثق من أغصانه جذورٌ جديدة .

mangy [mān'jĭ] *(adj.)* (١) «أ» جَرِبي . «ب» أجرب (٢) رثّ ؛ بالٍ ؛ حقير .

manhandle [măn'hăn'dəl] *(vt.)* (١) يحرّك أو يدير بالقوة البدنيّة (من غير استعانة بأية قوة ميكانيكية) (٢) يعامل بخشونة أو قسوة .

manhattan [măn hăt'ən] *(n. often cap.)* : كوكتيل ماناهاتان : مزيج من فيرموت حلو وويسكي الخ .

manhole [măn'-] *(n.)* فتحة الدخول : فُتحة يستطيع الرجل أن ينفذ من خلالها إلى مجرور أو بالوعة أو مِرْجل بخاريّ لتنظيفه أو إصلاحه .

manhood [măn'hŏŏd] *(n.)* (١) الناسوت : الطبيعة الانسانيّة . (٢) رجوليّة ؛ شجاعة (٣) رجولة ؛ سِنّ الرجولة (grew to ~ in a remote village) (٤) الرجال كافةً (the ~ of Syria) .

man-hour [măn'our'] *(n.)* العمل الساعيّ : وحدة تمثّل مقدار العمل الذي يؤديه عاملٌ واحد في ساعة واحدة وتُتّخذ أساساً لتقدير نفقات الانتاج وتحديد أجور العمال .

manhunt [măn'hŭnt] *(n.)* القَنْص البشري : مطاردة منظّمة (وكثيفةٌ عادةً) لمتّهم بجريمة .

mania [mā'nĭ ə] *(n.)* (١) المَسّ : ضرب من الجنون يتميّز بالانفعال الشديد (٢) هَوَس ؛ ولوع شديد (a ~ for moving pictures) .

maniac [mā'nĭ ăk'] *(adj.; n.)* (١) ممسوس ؛ مجنون (٢) مسعور ؛ شديد الاهتياج § (٣) الممسوس ؛ المجنون (٤) المهووس : ذو الولع الشديد بشيء ما .
—**maniacal** *(adj.)*

manic [mā'nĭk] *(adj.; n.)* (١) ممسوس ؛ مجنون ؛ مهووس . (٢) مَسّيّ ؛ جنونيّ ؛ هَوَسيّ § (٣) الممسوس ؛ المجنون ؛ المهووس .

manic-depressive [măn'ĭk dĭ prĕs'ĭv] *(adj.)* : مَسّيّ انقباضيّ : مُتّسِم بتناوب المسّ والانقباض .

Manichaean *or* **Manichean** [măn'ə kē'ən] *(n.; adj.)* (١) المانَويّ : أحد أتباع ماني الفارسي (٢١٦؟ـ٢٧٦؟ ب.م) الذي دعا إلى الإيمان بعقيدة ثَنَوية قِوامها الصراع بين النور والظلام (٢) الثَنَويّ : المؤمن بعقيدة دينية أو فلسفية ثنوية § (٣) مانويّ .

manicure [măn'ə kyŏŏr'] *(n.; vt.)* (١) التدريم : تَسْوية الأظافر وصبغها بعد القصّ (٢) المدرم : مدرم الأظافر § (٣) يدرِّم (الأظافرَ) (٤) يقلِّم ؛ يشذِّب .

manicurist [-ĭst] *(n.)* المدرم : مدرم الأظافر (را. المادة السابقة) .

manifest [măn'ə fĕst] *(adj.; vt.; n.)* (١) «أ» ظاهر ؛ جليّ . «ب» واضح ؛ مُدْرَك بيُسْر § (٢) «أ» يُظهر ؛ يُبدي ؛ يجلو . «ب» يُثبت ؛ يبرهن (٣) يقدّم بياناً بحمولة السفينة § (٤) مَظْهر (٥) بيان رسمي بالأهداف أو الدوافع أو وجهات النظر (٦) بيان (بأسماء ركاب السفينة أو الطائرة أو حمولتها) .

manifestant [măn'ə fĕs'-] *(n.)* المتظاهر : المشارك في مظاهرة .

manifestation [măn'ə fĕs tā'-] *(n.)* (١) «أ» إظهار ؛ إبداء ؛ جلاء . «ب» ظهور ؛ تجلٍّ (٢) مظْهر ؛ مَجْلَى (٣) تظاهرة ؛ مظاهرة .

manifesto [măn'ə fĕs'tō] *(n.; vi.)* (١) بيانٌ رسمي (بالأهداف أو الدوافع أو وجهات النظر) § (٢) يصدر بياناً رسمياً .

manifold [măn'ə fōld'] *(adj.; n.; vt.)* (١) منوع ؛ متنوِّع . (٢) متعدِّد (الأجزاءِ أو العناصرِ أو السِّماتِ أو الأشكالِ) (٣) متشعِّب الجوانب : مستحق صفة معيّنة لأسباب متعدّدة أو من وجوه متعدّدة (a ~ traitor) (٤) مُضاعَف

ă at; ā date; â care; ä car; ĕ egg; ē me; ĭ in; ī bite; ŏ lot; ō bone; ô orphan; oi boil ŏŏ good; ōō boot; ou out; ŭ under; ū unity; û urgent; th thing; th this; zh vision; ə = *a* in alone, *e* in system, *i* in easily, *o* in gallop, *u* in circus.

manifold 5 *b.*

§(٥)«أ» كلٌّ مؤلَّف من عناصر مختلفة أو جامعٌ لعناصر مختلفة . «ب» المَشْعَب : وُصْلة ذات فتحات جانبية لربط انبوب بآخر (٦) نسخة أو صورة (عن رسالة) §(٧) يستخرج عدة نسخ عن . (to ~ a letter) (٨) يضاعف .

manikin *or* **mannikin** [măn'ə kĭn] *(n.)* (١) المُنَيْكين : «أ» تمثال لعَرْض الملابس الخ. «ب» عارضة أزياء (٢) قزَم .

manila *also* **manilla** [mə nĭl'ə] *(adj.; n.)* (١) مانيلّي : «أ» مصنوع من ورق مانيلاّ . «ب» *cap.* : مصنوع من قِنّب مانيلاّ §(٢) ورق مانيلاّ (٣) قنّب مانيلا .

Manila hemp *(n.)* = abaca.

Manila paper *(n.)* ورق مانيلاّ : ورق متين صُنع أصلاً من قنّب مانيلاّ .

manioc [măn'ĭ ŏk; mā'-] *(F.)* = cassava.

maniple [măn'ə pəl] *(L.)* (١) الذِّراعة : جزء من ثياب القدّاس يوضع على الذراع اليسرى (٢) شِرذمة رومانية (١٢٠أو ٦٠ جندياً).

manipular [mə nĭp'-] *(adj.)* (١) شِرذَمي : متعلق بشِرذمة رومانية (٢) يدويّ أو معالَج باليد .

manipulate [mə nĭp'yə lāt'] *(vt.)* (١) يُعالج أو يُعمِل باليد (أو بوسائل ميكانيكية) وبخاصة في براعة (٢) يؤثّر في ، وبخاصة بأساليب غير قويمة (He knows how to ~ his supporters.) (٣) يتلاعب بـ (to ~ accounts) (٤) يضارب بـ ؛ يناور في السوق التجاريّة للتأثير على الأسعار .

manipulation [-yə lā'shən] *(n.)* (١) معالجة بارعة باليَد (أو بوسائل ميكانيكية) (٢) تلاعُب (٣) مناورة في السوق التجارية للتأثير على الأسعار .

manipulative; manipulatory [mə nĭp'-] *(adj.)* يدويّ الخ .

manitou *or* **manitu** [măn'ə tōō'] *also* **manito** [-tō'] *(n.)* المانيت : إلَهٌ أو روح مسيطرٌ على قوى الطبيعة (عند الهنود الحمر) .

man jack *(n.)* فَرْد ؛ رجُل (every ~) .

mankind [măn kīnd'] *(n.)* (١) الجنس البشري (٢) الرجال .

manlike [măn'-] *(adj.)* (١) رَجُلانيّ : شبيهٌ بالرجل (٢) رَجُليّ : خاص بالرجل أو مميّز له (vigorous ~ passions) .

manliness [măn'-] *(n.)* رجولة ؛ قوة ؛ شجاعة ؛ عزْم .

manly [măn'lĭ] *(adj.)* (١) متمتع بصفات الرجل الحق : قويّ ؛ شجاع ؛ شريف (٢) رَجُليّ : خاص بالرجل أو لائق به (~ sports) .

man-made [-'mād'] *(adj.)* صُنْعِيّ ؛ صِناعيّ ؛ من صنع الانسان .

manna [măn'ə] *(n.)* (١) «أ» المنّ (الذي أُنزل على بني اسرائيل) «ب» غذاء سماوي أو روحي (٢) المَنّ : مادة متحلّبة من شجرة الدردار الأوروبي تجفّف وتُتّخذ مليّناً أو مُسهلاً خفيفاً .

manned *(adj.)* مُؤنْسَن ؛ بشري : حامل إنساناً أو مُنجَزٌ من قِبَل إنسان (~ stellar explorations) .

mannequin [măn'ə kĭn] *(n.)* = manikin.

manner [măn'ər] *(n.)* (١) ضَرْب ؛ نوع (٢) «أ» عادة . «ب» نمط ؛ طريقة ؛ أسلوب . «ج» *pl.* : عادات شعْب أو أسلوب حياته . «د» تصرّف ؛ طريقة المرء في مخاطبة الناس أو معاملتهم أو في المشي أو القعود . «هـ» *pl.* : سلوك . «و» *pl.* : عادات حميدة ؛ سلوك حسن (Has she no ~s?) . «ز» سيماء امتياز أو أناقة (Salma had quite a ~.) .

by all (no) ~ of means البتة ؛ على الاطلاق .

in a ~, إلى حدّ ما ؛ إلى درجة ما .

mannered [măn'-] *(adj.)* (١) ذو عادات معيّنة (well-mannered folk) (٢) متكلّف (rather cold and ~) .

mannerism [măn'ə rĭz'əm] *(n.)* (١) تكلّف ؛ تأنّق (٢) طريقة مميّزة (في الكلام أو السلوك أو الأسلوب يُعرَف بها المرء) .

mannerless [măn'ər lĭs] *(adj.)* فظّ ؛ خشن ؛ غليظ .

mannerly [măn'ər lĭ] *(adj.; adv.)* (١) دَمِث ؛ مهذّب . §(٢) بدماثة ؛ بتهذيب .

—**mannerliness** *(n.)*

mannish [măn'ĭsh] *(adj.)* (١) مسترجل ؛ كالرجل (~ women) (٢) لائق برجُل أكثر منه بامرأة (her ~ clothes) .

mannite [măn'īt] ; **mannitol** [măn'ə tōl'] *(n.)* المَنّيت ؛ المنّيتول : مادة كحولية متبلّرة تكون في كثير من النباتات وتستعمل بخاصة في اختبار مدى أداء الكُلْية وظيفتها (ك) .

mannose [măn'ōs] *(n.)* المَنّوز : سكر يُستحضر بأكسدة المنّيتول .

manoeuvre [mə nōō'vər] *(n.; vi.; t.)* = maneuver.

man-of-war [măn'əv wôr'] *(n.)* بارجة ؛ سفينة حربيّة .

manometer [mə nŏm'ə tər] *(n.)* المِضْغاط : «أ» أداة لقياس ضغط الغازات والأبخرة . «ب» أداة لقياس ضغط الدم .

manometric; -al [măn'ə mĕt'-] *(adj.)* مِضغاطيّ .

manor [măn'ər] *(n.)* (١) «أ» قصر مالك العِزبة . «ب» عِزْبة ؛ مزرعة (٢) «أ» الإقليم : وحدة إدارية في التنظيم القديم للأرياف الانكليزية . «ب» مزرعة مستأجرة (في أميركة الشمالية) .

manor house *(n.)* قصر مالك العِزْبة .

man power *(n.)* (١) القوة البشرية : القوةُ المتيسّر الحصولُ عليها من الجهد البشري (٢) **manpower** عد : الطاقة البشرية : مجموع الأشخاص الذين يؤلّفون كامل قوة الدولة الخ. وبخاصة : مجموع الأشخاص الممكن إخضاعُهم للخدمة العسكرية في دولة ما .

manqué [män'kā'] *(F.)* فاشل ؛ مخفق (an artist ~) .

manrope [măn'-] *(n.)* حبْل جانبيّ (يستعمل كدرابزون في سفينة) .

mansard [măn'särd] *(F.)* السقْف السَّنَديّ : سقف له في جميع جوانبه منحدَران أسفلهما أشدّ انحداراً من أعلاهما .

mansard

manse [măns] *(n.)* منزل القسّ .

manservant [măn'sûr'vənt] *(n.)* خادم .

mansion [măn'shən] *(n.)* (١) «أ» قصر صاحب العِزبة . «ب» قصر . «ج» شِقة (في مبنى ضخم) (٢) المنزل : أحد منازل القمر الثماني والعشرين أي مداراته التي يدور فيها حول الأرض (فل) .

man-size *or* **man-sized** [măn'-] *(adj.)* ملائم لرجُل أو متطلّب رجلاً (a ~ job) .

manslaughter [-'slô'tər] *(n.)* (١) القتل (٢) القتل غير العَمْد .

manslayer [măn'slā'ər] *(n.)* القاتل ؛ السفّاح .

mansuetude [-'swĭ tūd] *(n.)* وداعة ؛ لطف ؛ خفْض جناح .

manta [măn'tə] *(Sp.)* (١) عباءة (٢) devilfish .

manteau [măn'tō] *(F.)* المَنْط : معطف أو ثوبٌ فضفاض .

mantel [măn'təl] *(n.)* رفّ المُستوقَد (المُصْطَلى) أو إطارُه .

mantelet [-'təl ĕt] *(n.)* (١) عباءة (أو وشاح) قصيرة جداً . (٢) وقاء أو سِتْرٌ نقّال كان المحاصِرون يستخدمونه عند الهجوم.

mantelletta [-tə lĕt'ə] *(It.)* رداء الكاردينال أو الأسقف .

mantelpiece [măn'təl-] *(n.)* رفّ المستوقد أو المُصْطَلى .

mantic [măn'tĭk] *(adj.)* تَنَبُّئيّ ؛ تكهُّنيّ .

manticore [măn'tĭ kōr] *(n.)* المنتيقور : حيوان خرافيّ له رأس إنسان وجسم أسد وذيل تنين أو عقرب .

mantilla [măn tĭl'ə] *(Sp.)* (١) طَرحة (ترتديها النسوة الاسبانيات

والأميركيات اللاتينيات) (٢) عباءة (أو وشاح) قصيرة رقيقة.

mantis [măn'-] *(L.)* . السُّرعوف ؛ جمل اليهود ؛ فرس النبيّ(حش)

mantissa [măn tĭs'ə] *(L.)* . الجزء العشري (من اللوغارثم)

mantle [măn'təl] *(n.; vt.; i.)* ؛ (١) عباءة (٢) غطاء ؛ حجاب ؛ سِتر (٣) «أ» المعطف : طيّة أو فص أو فصّان في الجدار المبطن للمحارة (في الرخويات) . «ب» الغلاف : الجدار الخارجي لأتون صهر المعادن (٤) ظهر الطائر وجناحاه المطويّان (٥) الرّتيينة : غطاء مخرّم (من مادة غير قابلة للاحتراق) يوضع فوق الشعلة فيتوهج ويضيء (٦) رفّ المستوقد (المصطلى) أو إطاره §(٧) يغطي ؛ يحجب ؛ يستر ×(٨) يكتسي بطبقة ما (٩) يمتدّ ؛ ينتشر (١٠) يحمرّ وجهه (خجلاً أو ارتباكاً) .

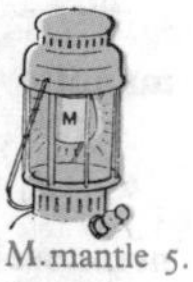

M.mantle 5.

mantrap[măn'-]*(n.)* شَرَك(لإلقاءالقبض على الرجال)

mantua [măn'choo ə] *(F.)* . المَنْطَة : ثوبٌ فضفاضٌ

manual [măn'yoo əl] *(adj.; n.)* ؛ (١) يدوي §(٢) كتيب ؛ وجيز (a shorthand ~) (٣) تمارين خاصة على استعمال سلاحٍ ما (the ~ of the rifle) (٤) لوحة مفاتيح الأرغن الخ.

manual alphabet *(n.)* . الأبجدية اليدوية (للصمّ البُكم)

manual training*(n.)* التدريب اليدوي(على مختلف الصنائع اليدوية)

manubrium [mə nū'brĭ əm] *(L.)* pl. **-bria** *also* **-ums** نِيصاب القَص (ت) .

manufactory [măn'yə făk'tə rĭ] *(n.)* . مَصنع ؛ معمل

manufacture[-'yə făk'chər]*(n.; vt.; i.)* (١) سلعة (مصنوعة من مواد خام) (٢)الصناعة (٣)صُنْعٌ §(٤)يصنع (٥)يلفّق ؛ يختلق (to ~ an excuse) (٦) يؤلف بكثرة ، وعلى نحو يعوزه الابتكار أو الالهام : « يفبرك» (to ~ textbooks)× (٧) ينصرف إلى الصناعة.

manufactured gas*(n.)* الغاز المصنوع : مزيج غازيّ ملتهب مصنوع من منتجات الفحم الحجري أو فحم الكوك أو البترول.

manufacturer [-făk'chər ər] *(n.)* . صاحب المصنع أو المعمل

manumission [măn'yə mĭsh'ən] *(n.)* . الإعتاق ؛ تحرير الأرقاء

manumit [măn'yə mĭt'] *(vt.)* . يُعْتِق ؛ يحرّر من العبودية

manure[mə nyoor'; -noor']*(vt.; n.)* . (١) يسمّد §(٢)سَماد

—**manurer** *(n.)* —**manurial** *(adj.)*

manus [mā'nəs]*(L.)* (١) اليد ؛ القائمة الأمامية (٢) السلطة على الأشخاص ، كسلطة الزوج على زوجته أو الرجل على أولاده(ق).

manuscript[măn'yə skrĭpt']*(adj.; n.)* . (١) «أ» مخطوطٌ باليد «ب» مطبوع على الآلة الكاتبة §(٢) المخطوطة : نسخة مخطوطة أو مطبوعة على الآلة الكاتبة .

in ~, في حالته أو صورته المخطوطة ؛ لم يُطبع بعد.

manward [-'wərd] *(adv.; adj.)* (١)نحو الانسان §(٢) موجه نحو الانسان .

Manx cat

Manx cat*(n.)* . المَنْك : قطّ أليف لا ذيل له

many[mĕn'ĭ]*(adj.; n.)* (١) كثير ؛ متعدّد §(٢) عددٌ كثير (A good ~ came.) (٣) السواد الأعظم ؛ الكثرة الكبيرة من النّاس (the ~) .

to be one too ~ for . يفوقه براعةً ودهاءً

many-sided [mĕn'ĭ sī'dĭd] *(adj.)* (١) متعدّد الجوانب أو المظاهر (٢) متعدّد الاهتمامات أو المؤهلات .

manzanita [măn'zə nē'tə] *(Sp.)* . المَنْزَنِيتَة : نبتة شمالأميركية

Maori[mä'ō rĭ]*(n.)* (١) «أ» الشعب الماووري : شعب نيوزيلندة الأصلي. «ب» الماووريّ : أحد أفراد هذا الشعب (٢)لغةالماووريين.

map[măp] *(n.; vt.)* (١) خريطة ؛ مصوّر جغرافي§(٢) يرسم خريطة لِ (٣) ينظّم ؛ يضع أو يرسم بتفصيل (to ~ out one's time; to ~ out a program) .

—**mapper** *(n.)* —**mapping** *(n.)*

maple [mā'pəl]*(n.)* . (١) القَيْقَب (نب) (٢) خشب القَيْقَب

maple sugar *(n.)* سكّر القَيْقَب

maquette [mä kĕt'] *(F.)* . الماكيت : نموذج تمهيديّ صغير

maquillage [măk'ē yäzh'] *(F.)* . مستحضرات التجميل

Maquis [mȧ kē'] *(n. sing. or pl.)* الماكيّ : مقاتل في حركة المقاومة الفرنسية ضدّ المحتلّين الألمان خلال الحرب العالمية الثانية .

mar [mär] *(vt.)* . يُفسِد ؛ يشوّه

marabou *or* **marabout** [măr'ə boo'] *(F.)* (١) أبو سُعْن : طائر من اللقالق (٢) كَواسي أبي سُعْن (أي الصغار من ريشه) المستعملة في القبعات النسائية (٣) المَرْبوت : ضرب من الحرير .

marabout [măr'ə boo'] *(Ar.)* . المُرابط : الناسك أو الوليّ المسلم

maraca [mä rä'kä] *(n.)* القَرْعِية: قَرْعة مجففة (أو خُشخُشة كالقرعة) تشتمل على بزور مجففة وتستخدم كأداة موسيقية .

maraschino[măr'ə skē'nō]*(It.)* (١)المرسكين : شراب مُسكِر يُصْنَع من عصير الكرز البرّي المرّ المخمّر (٢) الكرز المَرَسكينيّ : كرز يطبخ ثم يُحفَظ في المَرَسكين .

marasmus [mə răz'məs] *(L.)* . الضوى (مج) : هُزال تدريجي

Maratha [mə rä'tə] *(n.)* (١) المراثاويون : شعب هندي (في الدَّكن الغربي واقليم بومباي) (٢) المراثاوي : أحد المراثاويين.

marathon [măr'ə thŏn'] *(n.)* (١) سباق طويل المسافة : «أ» سباق المَرَثون : سباق في العدو (مسافته عادةً ٢٦ ميلاً و ٣٨٥ ياردة) . «ب» سباق في غير العَدْو طويل المسافة جداً (٢) مباراة في القدرة على الصبر والاحتمال .

maraud [mə rôd'] *(vi.; t.)* (١) يطوف ويغزو (طمعاً في الأسلاب) ×(٢) يغزو ؛ ينهب .

marauder[-'ər]*(n.)* . السلاّب ؛ النهّاب : المغير ابتغاء السلب والنهب

marble[mär'bəl]*(n.; vt.; adj.)* (١) «أ» رخام ؛ مرْمَر . «ب» شيء مصنوع من رُخام ؛ وبخاصة : تمثال رخامي (٢) «أ» البِلْية ؛ « الكِلّة » : كرة رخامية أو زجاجية صغيرة يلعب بها الأطفال . «ب» لعِب البِلْية أو « الكِلّة » (٣) marbling §(٤) يرخّم : يعرّق أو يجزّع على نحو شبيه بتعرق الرخام أو تجزّعه §(٥) «أ» رخامي : مصنوع من رخام . «ب» شبيه بالرخام.

marble cake *(n.)* . الكعكة المرخّمة : كعكة مجزّعة كتجزّع الرخام

marbled[-'bəld]*(adj.)* مجزّع ؛ معرّق ؛ كالرخام في تجزّعه أو تعرّقه

marbleize [mär'bə līz] *(vt.)* = marble.

marbling [mär'blĭng] *(n.)* (١) تجزّع أو تعرّقٌ شبيه بتجزّع الرخام وتعرّقه (٢) تداخل الدهن والهبر في قطعة لحم .

marbly [-'blĭ] *(adj.)* . شبيه بالرخام ؛ صُلْب أو بارد الخ. كالرخام

marc [märk] *(F.)* (١) ثُجير أو ثُفْل الفاكهة المعصورة (٢) براندي (شراب مُسْكِر) يُصْنَع من ثُجير الفاكهة المعصورة .

marcasite[mär'kə sīt']*(n.)* . (١) المَرْكَزيت (مع) (٢)حِلية منه

marcel [mär sĕl'] *(n.; vt.)* (١) تموّج الشعر (بعد كيّه بمكواة خاصة) §(٢) يموّج (الشعرَ) .

march [märch] *(n.; vi.; t.)* (١) حدّ ؛ تَخم (٢) .*pl* : مناطق الحدود بين انكلترة واسكتلندة وبين انكلترة وويلز (٣) «أ» زحفٌ. «ب» خطوٌ ؛ سَيْر . «ج» المسيرة : المسافة المجتازة بالسير على

الأقدام خلال فترة معيّنة «د» مسيرة ؛ مظاهرة . «هـ» تقدّم (٤) مارش ؛ لحن عسكري .cap (٥) : مارس ؛ آذار : الشهر الثالث في التقويم الغريغوري §(٦) يُتاخِم (٧) «أ» يزحف . «ب» يخطو ؛ يسير . «ج» يتقدم ×(٨) يُسيِّر (٩) يجتاز .

märchen [mĕr'khən] *(G.)* قصة ؛ حكاية أو أسطورة شعبية .

marcher [mär'chər] *(n.)* (١) التخومي : المقيم في منطقة حدود. (٢) الزاحف ؛ السائر . (٣) المتظاهر : السائر في مظاهرة.

marchesa [mär kĕ'zä] *(It.)* pl. **-se** [-zĕ] المركيزة: زوجة المركيز

marchese [mär kĕ'zĕ] *(It.)* pl. **-si** [-zē] المركيز : نبيل إيطالي

marchioness [mär'shən ĭs] *(L.)* = marchesa.

marchpane [märch'pān'] *(n.)* = marzipan.

march-past [märch'păst] *(n.)* عرض الجند: سَيْر الجند (أثناء استعراض) أمام رجل عظيم .

Marconi [mär kō'nĭ] *(adj.)* مركونيّ : متعلق بطريقة الإبراق اللاسلكي التي اخترعها مركوني .

marconigram [-grăm] *(n.)* البرقيّة المركونيّة أو اللاسلكية .

Mardi Gras [mär'dĭ grä'] *(F.)* ثلاثاء المرَفَع (نص) .

mare [mâr] *(n.)* الفَرَس : أنثى الخيل .

mare [mā'rĭ] *(L.)* pl. **maria** البحر: إحدى البقاع الداكنة المترامية الأطراف على سطح القمر أو المريخ (فل) .

mare clausum [mâr'ĭ klô'səm] *(L.)* البحر الموصَد: بحرٌ خاضع لسلطان أو سيادة دولة واحدة موصدٌ في وجه الدول الأخرى .

mare liberum [mâr'ĭ lĭb'ə rəm] *(L.)* (١) البحر المُشْرَع (المفتوح لجميع الدول) (٢) حرية البحار .

mare's-nest [mârz'nĕst'] *(n.)* (١) وهم؛ سراب (٢) «أ» فوضى بالغة «ب» موطن تسوده الفوضى .

mare's-tail [mârz'tāl'] *(n.)* (١) الذيلية : سحابة طُخْرورية (بيضاء رقيقة) شبيهة بذيل الفرس (٢) horsetail .

margaric acid *(n.)* حامض المرغريك ؛ حامض الزبّاد (ك) .

margarine [mär'jə rēn] *(F.)* المرغرين : سمن صناعي نباتي .

margay [mär'gā] *(F.)* المارِج: هِرّ نَمِريّ اميركي صغير .

margin [mär'jĭn] *(n.; vt.)* (١) هامش الكتاب (٢) حافة (٣) احتياطيّ (من المال أو الوقت) (٤) الحدّ : النقطة التي يتعذّر تحتها مواصلة النشاط الاقتصادي في ظلّ الأحوال السوية (٥) الفرق بين سعر الشراء وسعر البيع (تج) (٦) تأمين مالي (٧) مقدار الفرق أو درجته §(٨) يهمّش : «أ» يجعل له هامشاً أو حاشية . «ب» يدوّن أو يلخّص في هوامش كتاب (٩) يُحفّي : يزوّد الشيء بحافة .

by a narrow ~, بصعوبة ؛ بشِق النفس .

marginal [mär'jə-] *(adj.)* (١) هامشي (~ notes) . (٢) تَخْميّ : مقيم في مناطق الحدود (~ clans) (٣) حافيّ : واقع على حافة الوعي (~ sensations) (٤) حدّيّ : قريب من الحد الأدنى للجدارة أو القبولية (possessed only ~ ability) .

marginalia [mär'jə nā'lĭ ə] *(L.)* ملاحظات هامشية .

marginal land *(n.)* الأرض الحدّية : الأرض التي يكون ناتجها مساوياً لما أُنفق عليها .

marginal producer *(n.)* المنتج الحدّي: المنتج الذي تتساوى نفقة إنتاجه وقيمةُ ما ينتجه .

marginal return *(n.)* الغلة الحدّية: الغلة المساوية لنفقات الانتاج.

marginal worker *(n.)* العامل الحدّي : العامل الذي يكون أجره مساوياً لما أنتجه .

marginate [mär'-] *(vt.)* يهمّش؛ يحفّي: يزوّده بهامش أو حافة.

marginate *or* **marginated** [mär'-] *(adj.)* مُحَفّى : ذو حافة أو حاشية من لون متميز (is ~ with purple) .

margravate [mär'grə-] *or* **margraviate** [-grā'vĭ āt'] *(n.)* المرغريفية : منطقة يحكمها مَرْغريف (را. المادة التالية) .

margrave [mär'grāv] *(n.)* المَرْغَريف: «أ» الحاكم العسكري لمنطقة ألمانية من مناطق الحدود . «ب» نبيل ألماني .

margravine [mär'grə vēn'] *(n.)* المرغريفة : زوجة المرغريف .

marguerite [mär'gə rēt'] *(F.)* اللؤلؤية ؛ المَرْغريتا (نب) .

mariachi [mär ē äch'ĭ] *(n.)* (١) ألمَرْياتشية : فرقة موسيقية مكسيكية تطوف في الشوارع (٢) المرياتشي : موسيقيّ في هذه الفرقة.

Marian [mâr'ĭ ən] *(adj.)* مَرْيَمي: «أ» ذو علاقة بماري تيودور أو عهدها (١٥٥٣—١٥٥٨) . «ب» ذو علاقة بمريم العذراء .

Marianist [mâr'-] *(n.)* المَرْيَميّ : كاهن أو أخٌ كاثوليكي فرنسي منصرف إلى العمل في حقل التعليم .

marigold [măr'ə gōld] *(n.)* الآذَرْيون ؛ القطيفة (نب) .

marihuana *or* **marijuana** [mä'rə hwä'nə] *(Sp.)* المرهوانة: «أ» قِنّب هندي . «ب» أوراق المرهوانة وزهراتها المجففة (تدخّن بوصفها مخدّراً) .

marimba [mə rĭm'bə] *(n.)* المَرِمبَة: آلة موسيقية افريقية الأصل.

marimba

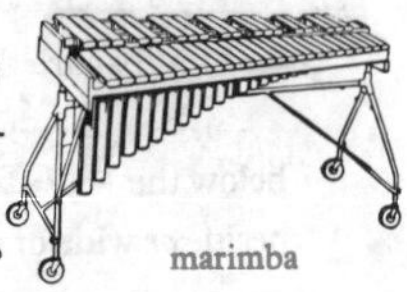

marina [mə rē'nə] *(It.)* حَوْض لرسوّ السفن أو إصلاحها الخ .

marinade [măr'ə nād'] *(n.)* ماء مالح أو مَرَق تخليل يُنقع فيه اللحم أو السمك .

marinade [măr'ə nād]; **marinate** [-nāt] *(vt.)* ينقع (اللحم أو السمك) في الماء المالح أو الخلّ .

marine [mə rēn'] *(adj.; n.)* (١) «أ» بحريّ . «ب» مِلاحي (~ charts) . «ج» تجاريّ بحري (~ law) (٢) خاص بالرماة البحريين (~ barracks) §(٣) الأسطول التجاريّ والحربيّ لدولة ما (٤) الرامي البحريّ : جندي من البحرية الأميركية مدرَّب على الخدمة في البحر والبرّ (٥) الدائرة البحرية : دائرة رسمية تُعْنَى بشؤون الأسطول (في فرنسة الخ.) (٦) صورة أو لوحة زيتية تمثّل موضوعاً بحرياً .

Tell that to the ~s. تعبير يصطنع للدلالة على الارتياب في صحة قصةٍ غير معقولة .

marine glue *(n.)* الغِراء البحري : مادة دبقة لا تنحلّ في الماء .

mariner [măr'ə nər] *(n.)* البحّار ؛ الملاّح ؛ النوتيّ .

mariner's compass *(n.)* البوصلة الملاحية؛ بوصلة الملاّحين.

Mariolatry [mâr'ĭ ŏl'ə trĭ] *(n.)* عبادة مريم العذراء (نص) .

marionette [măr'ĭ ə nĕt'] *(F.)* دُمْيَة متحرّكة (بالأسلاك أو اليد).

Marist [mâr'ĭst] *(n.)* = Marianist.

marital [măr'ə təl] *(adj.)* زوجيّ : متعلق بالزواج .

maritime [măr'ə tīm'] *(adj.)* (١) بحريّ ؛ مِلاحيّ ؛ تجاريّ - بحريّ (~ law) (٢) مجاورٌ للبحر (in the ~ provinces of the U.S.S.R.) (٣) مميّزٌ للملاّحين (a ~ appearance) .

marjoram [mär'jə rəm] *(n.)* السَّمْسَق ؛ المَرْدَقُوش ؛ العِتْرَة : نبات عطري من الفصيلة الشفوية .

mark [märk] *(n.; vt.)* (١) «أ» المَعْلَم : علامة بارزة لهداية المسافرين . «ب» إحدى قطع الجلد الموضوعة على مسافاتٍ

معيّنة من خيط السّبر . «ج» هدف (في الرماية) . «د» خط الانطلاق (في سباق في العدْو الخ.) . «هـ» غرض ؛ غاية . «و» ضحية خداع أو سخرية (was an easy ~) . «ز» النقطة المطروحة على بساط البحث . «ح» مستوى (أو نموذج) الفعالية أو الكفاءة أو الجودة (was below the ~) (٢) «أ» علامة ؛ إشارة ؛ رمز . «ب» سِمة ؛ نَدْبة ؛ خَدْش . «ج» صفة مميزة . «د» رمز يستعمل للدلالة على المِلْكية . «هـ» علامة صليب يوقع بها الأميّ . «و» الماركة : علامة تجارية . «ز» دمغة ؛ ختم البريد . «ح» علامة مدرسيّة (لتبيان مدى نجاح الطالب في التحصيل) (٣) «أ» انتباه ؛ ملاحظة . «ب» أهمية ؛ شأن ؛ شهرة (is a man of ~) . «ج» انطباعة قوية (٤) منتصف المعدة (في الملاكمة) (٥) المارك : «أ» وحدة وزن أوروبية قديمة للذهب والفضة تعادل حوالى ثماني أونسات . «ب» وحدة نقد إنكليزية قديمة تعادل ١٣ شلناً و ٤ بنسات . «ج» وحدة النقد الألماني (٦) *cap.* : مُرقُص : صاحب الانجيل الثاني من أناجيل «العهد الجديد» §(٧) يعيّن الحدود أو التخوم (٨) «أ» يعيِّن أو يفرِد لغرض أو مهمة (is ~*ed* for greatness). «ب» يَسِم ؛ يعلِّم . «ج» يلصق رقعة على سلعة تبياناً لسعرها أو نوعها . «د» يدوّن باختصار أو على عجل . «هـ» يسجِّل ؛ يدوّن . «و» يعطي (الطالبَ) علامة مدرسيّة . «ز» يميّز (What are the qualities that ~ a great poet?) (٩) يصغي ؛ ينتبه إلى (*Mark* my words.) (١٠) يُبْدِي ؛ يُظهِر .

below the ~, (١) من صنف رديء (٢) منحرف الصحة .

beside *or* wide of the ~, (١) طائش ؛ بعيد عن الهدف (٢) لا صلة له بالموضوع ؛ غير صحيح .

save the ~, هتاف سخرية أو ازدراء .

to hit the ~, يُوفَّق ؛ يصيب الهدف .

to ~ down (*or* up) يخفض السعر (أو يرفعه) .

to ~ off يفصل (شيئاً عن آخر) بحدّ أو خطّ .

to ~ out يرسم خطاً أو خطوطاً تُظهر حدود شيء .

to ~ out for يَختار ؛ يُفْرِد أو يخصّص لـ .

to ~ time (١) يراوح الخطى (وهو واقفٌ في مكانه) (٢) لا يحرز أيّ تقدّم .

to miss the ~, يخفق ؛ يخطىء إصابة الهدف .

to toe the ~, يؤدي واجبه ؛ يقوم بالتزاماته .

markdown [märk'-] *(n.)* تخفيض السعر (أو مقدار هذا التخفيض) .

marked [märkt] *(adj.)* (١) معلَّم ؛ موسوم بعلامة (٢) ملحوظ ؛ واضح (a ~ capacity for...) (٣) «أ» مشهور . «ب» مشبوه .

marker [mär'kər] *(n.)* : (١) المعلِّم أو الواسِم بعلامة (٢) العلامة : شيء يُصطنع كعلامة (مثل شاهد القبر ، أو مثل الشريط الذي يوضع بين ورقتي كتاب للدلالة على الموضع الذي بلغه القارىء في مطالعته) (٣) المسجِّل : شخص يسجّل النقاط المُحرَزة في لعبة رياضية الخ. (٤) المِعْداد : عدّاد يُصْطنع في لعب الورق .

market [mär'kĭt] *(n.; vi.; t.)* (١) سُوق (٢) متْجر للبيع بالتجزئة (a meat ~) (٣) السعر الجاري أو الدارج (a rising ~) §(٤) يتجر في السوق ×(٥) يعرض للبيع في السوق (٦) يبيع .

to bring one's eggs (hogs) to a bad *or* to the wrong ~, يخفق في خططه أو مشروعاته ؛ يخفق لأنه التمس العون عند من لا يُرتَجى عندهم العون .

to find a ~, يروج ؛ يلقى رواجاً .

marketability [mär kĭt ə bĭl'-] *(n.)* (١) صلاحية للعرض في السوق (٢) رواج .

marketable [mär'kĭt ə bəl] *(adj.)* (١) صالح للعرض في السوق . (٢) ذو علاقة بالشراء أو البيع (٣) رائج .

market garden *(n.)* أرض تُزرع فيها الخُضَر لبيعها في السوق .

marketing [mär'-] *(n.)* التسويق (اد) .

market order *(n.)* أمر التصرّف : أمر بشراء السلع أو السندات أو الأسهم أو بيعها بأفضل سعر متيسّر عند تنفيذ الأمر .

marketplace [mär'-] *(n.)* (١) ساحة السوق : موضع مكشوف تقام فيه السوق (في بلدة) (٢) سوق (٣) عالم التجارة .

market price *(n.)* السّعر السوقي : السعر الجاري في السوق (اد) .

market research *(n.)* الاستطلاع السوقيّ : جمع المعلومات الواقعية عما يرغب فيه المستهلك أو يؤثره من سلع وخدمات .

market value *(n.)* القيمة السوقية (مج) : متوسط قيمة السلعة في سوق معيّنة خلال فترة قصيرة .

marking [mär'kĭng] *(n.)* (١) وَسْم ؛ إعلام ؛ وضع علامة أو علامات (٢) «أ» علامة . «ب» ترتيب العلامات أو نَسَقُها .

markka [märk'kä] *(n.)* pl. **-a** *or* **-s** المَرْكة : وحدة النقد الفنلدي .

marksman [märks'-] *(n.)* الرامي : البارع في الرماية .

markup [märk'ŭp] *(n.)* (١) رَفْع للسعر (٢) مبلغ يضاف إلى الثمن الأصلي أو التكلفة الأساسيّة ابتغاءَ تعيين سعر البيع .

marl [märl] *(n.; vt.)* (١) المَرْل : طين غنيّ بكربونات الكلسيوم يُستعمل سماداً §(٢) يمرّل : يُسمِّد الأرض بالمَرْل (٣) يثبّت أو يكسو بحَبْل ذي طاقَيْن .

marlin [mär'lĭn] *(n.)* (١) المَرْلين : سمك اقيانوسي ضخم . (٢) الراموح (را . spearfish) .

marline *also* **marlin** [mär'lĭn] *(n.)* الفتيل : حَبْل ذو طاقَيْن (مُقَيَّر عادةً) تُكْسَى به الحبال المعدنية أحياناً .

marlinespike *also* **marlinspike** [mär'lĭn-] *(n.)* مَخرز الفتيل : أداة حديديّة مستدقة الطرف تُفْصَل بها طاقات الحبل بعضها عن بعض .

marlite [märl'īt] *(n.)* المَرْليت : ضرب من المَرْل (را. marl) .

marmalade [mär'mə lād] *(n.)* المَرْملاد : مُرَبّى أو هُلام مشتملٌ على قِطَع من الفاكهة وقشورها .

marmoreal; marmorean [- mōr'-] *(adj.)* مرمري ؛ رُخامي .

marmoset [mär'mə zĕt'] *(n.)* القِشّة : قِرد أميركي صغير .

marmot [mär'mət] *(F.)* : المَرْمُوط : حيوان من القوارض .

marmot

Maronite [măr'ə nīt] *(n.)* : المارونيّ : واحدُ الموارنة .

maroon [mə rōōn'] *(n.; vt.)* (١) *cap.* : العبد الآبق (في جزر الهند الغربيّة وغيانة) أو شخصٌ من ذريّته (٢) شخصٌ مُلْقًى على ساحل مهجور أو مخلّف في وضع يائس (٣) لون أحمر داكن §(٤) يُلقي شخصاً على ساحل جزيرة مهجورة (٥) يخلّف شخصاً في عزلة أو وضع يائس يتعذّر معه الفرار .

marplot [mär'-] *(n.)* الفضوليّ المفسِد : مَن يُفسِد بتطفّلِهِ خطّةً ما .

marque [märk] *(F.)* . «ماركة» ؛ نَوْع .

marquee [mär kē'] *(F.)* (١) سُرادق ؛ فُسْطاط (٢) ظُلّة (من معدن وزجاج) ثابتة فوق مدخل فندق أو مسرح .

marquee 2.

marquess [mär'kwĭs] *or* **marquis** [-'kwĭs; mär kē'] *(n.)* . المركيز : نبيل من نبلاء أوروبة واليابان .

marquetry *also* **marqueterie**[mär'kə trĭ] *(n.)* (١) تطعيم الخشب (بالصدف والعاج) (٢) خَشَبٌ مطعَّم .

marquise [mär kēz'] *(F.)* (١) المَركيزة : زوجة المركيز . (٢) **marquee** .

marquisette[mär kĭ zĕt'] *(F.)* المركيزيت : نسيج رقيق مشبَّك .

Marrano [mă rŏn'ō] *(Sp.)* يهوديّ (أو مسلم) أندلسيّ متنصِّر .

marriage [măr'ĭj] *(n.)* (١)زواج (٢)عُرْس (٣)اتحادٌ وثيق العُرى .

marriageable [-ə bəl] *(adj.)* صالحٌ للزواج (وبخاصة لبلوغه السن المؤهِّلة لذلك) .

marriage of convenience *(n.)* زواج المصلحة : زواج يُعقَد طمعاً في كسْب اجتماعي أو سياسي أو اقتصاديّ .

married [măr'ĭd] *(adj.; n.)* (١) متزوج (٢) زيجيّ ، زَوْجيّ : متعلق بالزواج (٣) متّحِد ؛ مشترك §(٤)المتزوّج : الشخص المتزوّج .

marron [măr'ən] *(F.)* (١) كَسْتَناء (٢) *.pl*: مُرَبّى الكستناء .

Marron [mă rōn'] *(F.)* = **maroon 1.**

marrow [măr'ō] *(n.)* (١) النِّقْي : مُخّ العظم (٢) «أ» أفضل الطعام . «ب» لبّ الشيء أو جوهره (٣) الكوسا (نب) .

marrowbone[-'ō bōn'] *(n.)* (١)العظم النخاعيّ *.pl.*(٢): الرُّكبتان .

marrowfat [măr'ō-] *(n.)* المَرْفات : نوع من البسِلّة أو البزيلا .

marry [măr'ĭ] *(vt.; i.)* (١) «أ» يزوج . «ب» يتزوج مِن . (٢) يوحِّد ، يجمع في اتحادٍ وثيق العرى ×(٣) يتزوج ، تتزوج (٤) يتّحِد ، يتمازج .

Mars [märz] *(n.)* (١) مارِس : إله الحرب (٢) المِرّيخ (فل) .

Marseillaise[mär sə lāz'; mar sĕ yĕz'] *(F.)* المرسييز : النشيد الوطني الفرنسي .

Marseilles [mär sālz'] *(F.)* المَرسيّ : قماش قطني متين .

marsh [märsh] *(n.)* مُستنقع ؛ سَبْخَة .

marshal [mär'shəl] *(n.; vt.; i.)* (١)«أ» قيِّم (في قصر ملكي) . «ب»قيِّم المراسِم أو التشريفات (في حفلة أو احتفال) (٢) المشير ؛ المارشال (جن) (٣) «أ» القيِّم على السجناء . «ب» الشريف ، «عمدة» البلد . «ج» مُرافق القاضي . «د» مدير شرطة المدينة أو دائرة الاطفاء فيها §(٤) يرتّب ؛ يصفّ (~*ed* the troops) (٥) ينظِّم (~*ed* her arguments) (٦) يُرشد ؛ يقوم بمهام الدليل المرافق (في حفلة) ×(٧) ينتظم ؛ ينظِّم .

marsh elder *(n.)* بَقْل السِّباخ : نبات بكثرة في الأراضي السَّبخة .

marsh gas *(n.)* المِيثان : غاز المستنقعات والمناجم .

marsh hen *(n.)* دجاجة المستنقعات : طائر أميركي من الطيور المخوِّضة .

marshiness [mär'-] *(n.)* السَّبَخيَّة : كونُ الأرض سَبِخة أو كثيرة المستنقعات .

marshmallow [märsh'măl'ō] *(n.)* (١) الخِطْميّ : عشب من الفصيلة الخبّازية (٢) حلوى الخِطميّ : حلوى تُعدّ من جذور الخِطميّ أو من سكر وهُلام وزلال بيض .

marsh marigold *(n.)* آذَرْيون الماء (نب) .

marshy [mär'shĭ] *(adj.)* سَبِخ ؛ مُستنقعيّ .

marsupial [mär sōō'pĭ əl] *(adj.; n.)* (١) جِرابيّ (مج) ؛ كيسيّ §(٢) الجرابيّ : حيوان من الجرابيات أو ذوات الجراب **Marsupialia** كالكنغر وأضرابه .

marsupium [-sōō'pĭ əm] *(n.)* pl. **-pia** جراب ؛ كيس بطنيّ .

mart [märt] *(n.; vt.)* (١) سُوق §(٢) يتّجر بـِ ؛ يبيع (ا.ق.) .

Martello tower *(n.)* بُرْج أو حِصْن دائريّ .

marten

marten [mär'tən; -tĭn] *(n.)* (١) الدَّلَق ؛ الخَزّ ؛ السِّنسار (ح) (٢) فَرْو الدَّلق .

martial[-'shəl] *(adj.)* (١)حربيّ (٢)عسكريّ (٣) شجاع .

martial law *(n.)* (١) القانون العُرْفيّ (٢) الحكم العُرْفيّ .

Martian [mär'shən] *(adj.; n.)* (١) مِرِّيخي §(٢) المِرِّيخيّ : أحد سكان المرّيخ (المُفترض وجودهم فيه) .

martin [mär'tən] *(n.)* الخُطّاف : طائر كالسنونو .

martinet [mär'tə nĕt'] *(n.)* الضابط الصارم (في فرض النظام) .

martingale [mär'tən gāl'] *(n.)* (١) اللَّبَب : سَيْرٌ يُشَدّ إلى حزام السَّرج ، مارّاً بين قائمَي الفرس الأماميتين ، حتى يتصل باللِّجام (٢) القائم الدَّقَليّ : قائم قصير تحت الجزء الأقصى من دَقَل السفينة المائل (مل) (٣) نظام في القمار يُضاعَف فيه المبلغ المقامَر به عند كل خسارة .

M

M. martingale 2.

martini [mär tē'nē] *(n.)* المارتينيّ : مُسكِر مُعَدّ من جِنّ وفيرموت .

Martin Luther King Day *(n.)* يوم مارتن لوثر كينغ (في الخامس عشر من كانون الثاني) .

Martinmas [mär'tĭn məs] *(n.)* عيد القدّيس مارتن (١١ نوفمبر) .

martlet [märt'lĭt] *(n.)* الخُطّاف الأوروبي : طائر كالسنونو .

martyr [mär'tər] *(n.; vt.)* (١) الشهيد : «أ» من يضحي بحياته في سبيل الدين أو المبدأ . «ب» من يقاسي آلاماً متواصلة (من مرض الخ .) §(٢) يقتله من أجل المعتقَد أو المبدأ (٣) يعذّب . to make a ~ of oneself يستضحي : يضحّي برغباته .

martyrdom [mär'tər dəm] *(n.)* (١) الاستشهاد : الموت في سبيل الدين أو المبدأ (٢) عذابٌ عظيم أو متطاول .

martyrize [-'tə rīz'] *(vt.; i.)* (١)يجعله شهيداً ×(٢) يستشهد .

martyrology [mär'tə rŏl'-] *(n.)* (١) سجلّ الشهداء : جدول بأسماء شهداء الكنيسة الكاثوليكية وقدّيسيها (٢) تاريخ الشهداء : تاريخ كنسيّ يبحث في حياة الشهداء وآلامهم .

martyry[mär'tə rĭ] *(n.)* مزار قدّيس أو كنيسة تشيَّد إحياءً لذكره .

marvel [mär'-] *(n.; vi.; t.)* (١) أعجوبة ، معجزة §(٢)يعْجَب ؛ يتعجّب ؛ يُدهَش .

marvelous *or* **marvellous** [mär'vəl əs] *(adj.)* (١)عجيب ؛ مُدهِش (٢) أعجوبيّ (٣) رائع .

Marxian[märk'sĭ ən] *(adj.)* ماركسيّ : منسوب إلى كارل ماركس .

Marxism [-'sĭz əm] *(n.)* الماركسية : مذهب ماركس الاشتراكيّ .

Marxism-Leninism *(n.)* الماركسيّة اللينينيّة .

marzipan [mär'zə păn'] *(n.)* المَرْزَبانية : حلوى من مسحوق اللوز والسكّر وزلال البيض .

mascara [măs kăr'ə] *(n.)* المَسْكَرة : مُسْتَحضر تجميلي لصبغ الأهداب والحواجب .

mascot [măs'kət] *(n.)* جالب الحظّ : شخص أو حيوان أو شيء يُظَنّ أنّه يجلب الحظّ السعيد .

masculine [măs'kyə lĭn] *(adj.; n.)* (١) «أ» ذُكوريّ : خاصّ بالذكور أو مؤلَّف منهم أو مستعمَل من قِبلِهم . «ب» **manly** . «ج» مسترجلة (a ~ woman) (٢) مذكّر (ل) §(٣) الذَّكَر (٤) المذكَّر (ل) .

maser [mā zer] *(n.)* المازر : أداة لتضخيم النبضات الكهربائية بابتعاث الاشعاعات وحفْزها .

mash [măsh] *(n.; vt.)* (١) الهَريس : «أ» جريش (من حنطة أو مَلْت) يُنقع ويحرّك في الماء الساخن (لاستعماله في صنع الجعة) . «ب» مزيج من حنطة ونُخالة وماء حار (يقدّم طعاماً للماشية) (٢) معجون (٣) «أ» تدلّهٌ في الغرام . «ب» المُدَلَّه أو المُدلَّه §(٤) يَهْرِس (٥) ينقع (المَلْتَ المجروش) ويحرّكه في الماء الساخن (٦) يغازل .

masher [-'ər] *(n.)* (١) «أ» الهارس . «ب» الهرّاسة : أداة الهَرْس (٢) المُغازل .

mashie [măsh'ĭ] *(F.)* الماشِي : نوع من عِصِيّ الغولف .

mask [măsk; mäsk] *(n.; vi.; t.)* (١) «أ» قناع ؛ وجه مُستعار . «ب» شخص مقنَّع . «ج» مسرحية قصيرة يمثلها ممثلون مقنَّعون. «د» قناع التنكّر (في كرنفال) . «هـ» رأس منحوت في حَجَر العَقْد (عم). «و» صورة عن الوجه تؤخذ بضغط الشمع أو الطين على وجه شخص ميّت (٢) «أ» كِمامة (للوقاية من الغازات أو لتسهيل التنفّس) . «ب» قناع التجميل : طِلاء للوجه يساعد عند جفافه على « شدّ » البشرة (٣) وجه الثعلب أو الكلب الخ. §(٤) يشترك في حفلة تنكّرية (٥) «أ» يتقنّع : يرتدي قناعاً . «ب» يتنكر . «ج» يخفي حقيقة نيّاته ×(٦) «أ» يحجب عن العِيان. «ب» يَستُر : يجعله غير واضح أو مُدرَك. «ج» يُخفي ؛ يقنّع (٧) «أ» يغطّي . «ب» ينكّه : يضيف إليه نكهة خاصة .

masked [măskt] *(adj.)* (١) «أ» متنكر . «ب» محتجب أو محجوب عن البصر . «ج» كامن ؛ مستتر (a ~ fever) (٢) «أ» متقنّع ؛ متنكّر (a ~ dancer) . «ب» تنكري (a ~ ball) .

masker [măs'kər] *(n.)* المقنَّع ؛ المتنكّر ؛ المرتدي قناعاً .

masochism [măz'ə kĭz'əm] *(n.)* الماسوشيّة : انحراف جنسيّ يتلذّذ فيه المرء بالتعذيب يُنزله به رفيقه . وتوسعاً : تلذّذ المرء بالاضطهاد الخ . يُنزَل به .

—masochist *(n.)*

—masochistic *(adj.)*

mason [mā'sən] *(n.; vt.)* (١) البنّاء (٢) *cap.* : البنّاء الحرّ ؛ الماسونيّ §(٣) يبني .

mason bee *(n.)* النحل البنّاء : نحل يبني قُفرانه من طين .

Mason-Dixon line *(n.)* خط مايسون — ديكسون : خط الحدود بين ماريلاند وبنسلفانيا ، ويعتبر التخمّ الفاصل بين شمالي الولايات المتحدة المعادي للاسترقاق وجنوبيها المؤيد له .

Masonic [mə sŏn'ĭk] *(adj.)* ماسونيّ : ذو علاقة بالماسونيّة .

Masonite [mā'sə nīt'] *(n.)* الماسونيت : ألواح مصنوعة من ألياف الخشب المضغوطة .

mason jar *(n.)* جرّة مايسون : وعاء زجاجيّ منزلي كاظمٌ للهواء .

masonry [mā'sən rĭ] *(n.)* (١) «أ» مَبْنَى الخ. «ب» صناعة البناء «ج» عَمَل البنّاء (٢) *cap.* : الماسونيّة .

mason wasp *(n.)* الزنبور البنّاء : زنبور يبني وكره من طين .

masque [măsk; mäsk] *(n.)* (١) masquerade (٢) مسرحية قصيرة (في القرنين ١٦ و ١٧) يمثّلها ممثلون مقنّعون .

masquer [măs'kər; mäs'-] *(n.)* = masker.

masquerade [măs'kə rād'] *(n.; vi.)* (١) «أ» حفلة تنكرية . «ب» لباس يُرتدى في حفلة تنكرية (٢) تنكّر §(٣) «أ» يتنكّر . «ب» يشترك في حفلة تنكّرية .

mass [măs] *(n.; vt.; i.; adj.)* (١) *cap.* : قُدّاس (٢) موسيقى القدّاس (٣) «أ» كتلة ؛ وبخاصة : كتلة كبيرة . «ب» حجم ؛ مقدار . «ج» ضخامة . «د» الجزء الرئيسي (٤) الكتلة (فز) (٥) عدد أو مقدار كبير (٦) «أ» جمهور . «ب» *pl.* : عد الجماهير ؛ العامّة ؛ الطبقات العاملة §(٧) يكتّل ×(٨) يتكتّل §(٩) «أ» جماهيريّ (psychology ~) . «ب» جَماعي (demonstrations ~) . «ج» جُمْلي ؛ على نطاق واسع (production ~) . «د» إجماليّ (the ~ effect) .

in the ~, إجمالاً ؛ على وجه الإجمال .

massacre [măs'ə kər] *(vt.; n.)* (١) يذبح §(٢) مذبحة (٣) قتلٌ وحشيّ (٤) ذبح الحيوانات بالجملة .

massage [mə säzh'; măs'äzh] *(n.; vt.)* (١) تدليك ؛ دَلْك. §(٢) يدلّك .

—massager *(n.)*

massasauga *(n.)* المُجلْجلة الصغيرة : أفعى من ذوات الأجراس .

mass card *(n.)* بطاقة القدّاس : بطاقة تُرسل لإعلام المرسل إليه بأن قداساً سوف يقام عن روح فقيد الخ.

mass defect *(n.)* النقصان الكُتلي : الفرق بين كتلة النظير وعدَده الكُتلي (فزن) .

mass-energy equation *(n.)* معادلة الكتلة والطاقة (فز) .

masseter [mă sē'tər] *(L.)* العضلة الماضغة أو المضغية (ت) .

masseur [mă sœr'] *(F.)* المدلِّك : محترف التدليك .

masseuse [mă sœz'] *(F.)* المدلِّكة : محترفة التدليك .

massicot [măs'ĭ kŏt'] *(n.)* المَسِّيكوت : أول أكسيد الرصاص (ك) .

massif [măs'ĭf] *(F.)* المَسّيف : «أ» الجزء الرئيسي أو المركزي من جبل أو سلسلة جبال (جي) . «ب» منطقة من قشرة الأرض تحدّها صُدوع (جي) .

massive [măs'ĭv] *(adj.)* (١) «أ» ضخم ؛ كبير . «ب» ثقيل . «ج» مُصْمَت (مج) : ممتلىء متماسك لا جوف لـه (٢) «أ» شديد ؛ بعيد (a sudden and ~ effect) . «ب» قويّ نسبياً (a ~ dose) . «ج» غزير (a ~ discharge of blood) . «د» خطير : مستفحل ؛ منتشر في جزء واسع من الأنسجة a ~ disease) . «هـ» عظيم ؛ جليل ؛ مهيب .

—massiveness *(n.)*

mass media *(n. pl.)* وسائل الإعلام (كالصحافة والإذاعة والتلفزيون) .

mass number *(n.)* العَدَد الكتلي (فزن) .

mass-produce [măs prə dūs'] *(vt.)* يُنتج على نطاق واسع .

mass production *(n.)* الإنتاج الجُملي : الانتاج على نطاق واسع .

massy [măs'ĭ] *(adj.)* كبير ؛ ضخم ؛ ثقيل .

mast [măst] *(n.; vt.)* (١) الدقَل ؛ صاري المركب (٢) السّارية (radio ~s) (٣) محاكمة (يجريها قائد من قواد الأسطول للمتّهمين من رجاله) (٤) ثمر البلوط وغيره (بوصفه طعاماً للخنازير الخ.) §(٥) يزوّد بدقَل أو سارية .

before the ~, كبحّار أو نوتيّ عاديّ .

mast- بادئة معناها : ثدي ؛ حلمة (mastectomy) .

mastaba [măs'tə bə] *(Ar.)* المَصْطَبة : قبر فرعوني مستطيل .

mastectomy [măs tĕk'-] *(n.)* قطع الثدي ؛ استئصال الثدي (جر) .

master [măs'tər; mäs'-] *(n.; vt.; adj.)* (١) «أ» مدرِّس . «ب» حامل شهادة الماجستير (~ of arts) . «ج» *cap.* ا.ك : زعيم دينيّ موقّر . «د» المعلّم : صانع مؤهّل لتدريب الصبيان المتمهّنين . «هـ» الأستاذ : رسام أو موسيقي من الطراز الأول (٢) «أ» الحاكم ؛ المَوْلى . «ب» المنتصر ؛ المتغلب . «ج» رُبان السفينة التجارية . «د» السيّد : مالك العبد أو الحيوان «هـ» ربّ العمل . «و» الزوج ؛ البَعل (ع) . «ز» ربّ البيت (٣) رئيس مؤسسة أو جمعية (٤) «أ» أداة رئيسية . «ب» الأسطوانة الفونوغرافيّة الأمّ (التي عنها تؤخذ النسخ المتعدّدة) §(٥) يَقهر ؛ يُخضِع (٦) يبرع في ؛ يتضلّع من ؛ يفهم فهماً كاملاً (٧) يَحلّ

§(٨) مسيطر ، متغلّب (a ~ race) (٩) بارع (a ~ carpenter)
(١٠) رئيسيّ (the ~ bedroom) .

master-at-arms [măs'tər ət ärmz'] *(n.)* ضابط النظام في سفينة

masterful [măs'tər fəl] *(adj.)* (١) مستبدّ ، نزّاع إلى السيطرة
(٢) بارع : «أ» دالّ على براعة فنية أو تقنية (a ~ woman)
(~ paintings) . «ب» ذو براعة (a ~ speaker) .

master key *(n.)* المفتاح العمومي : مفتاح مُعَدّ لفتح أقفال مختلفة .

masterly [măs'tər lĭ] *(adj.; adv.)* (١) أستاذيّ : دالّ على براعة أستاذ أو فنان مبدع (a ~ performance) §(٢) على نحو أستاذيّ .
—masterliness *(n.)*

mastermind [măs'tər-] *(n.)* العقل الموجّه (لمشروع أو مؤسسة) .

master of ceremonies مدير المراسم أو التشريفات .

masterpiece [măs'tər pēs'] *(n.)* (١) القطعة الممتازة : نموذج من عمل يقدَّم إلى نقابة للصنّاع (في القرون الوسطى) كدليل على أهلية الصانع لرتبة «معلّم في الصنعة» (٢) الرائعة ، التحفة ، الطُّرفة : أثر عقلي أو فنّيّ من الطراز الأعلى .

master race *(n.)* العِرق السيّد : شعبٌ يُزْعَم أنّه متفوّق ، عِرقيّاً ، على غيره من الشعوب ، وأنّه بالتالي مؤهّل لحكمها واستعبادها .

mastership [măs'tər-] *(n.)* السيادة ، الاستاذية ، البراعة الخ .

mastersinger [măs'tər sĭng'ər] *(n.)* = Meistersinger.

masterstroke [măs'tər-] *(n.)* عمل أستاذيّ ، «ضربة معلّم» .

masterwork [măs'tər wûrk'] *(n.)* = masterpiece.

mastery [măs'tə rĭ] *(n.)* (١) «أ» سيادة ، سيطرة . «ب» تفوّق .
(٢) «أ» براعة فائقة . «ب» تمكّن أو تضلّع (من موضوع) .

masthead [măst'hĕd] *(n.)* (١) أعلى الدَّقَل أو الصّاري .
(٢) «أ» البيانات الادارية : بيانات تُنشَر في كلّ عدد من أعداد جريدة أو مجلة وتتضمن اسمها واسم صاحبها وأجور الاعلان وبدلات الاشتراك . «ب» اسم الجريدة أو المجلة منشوراً في أعلى الصفحة الأولى منها .

mastic [măs'tĭk] *(n.)* (١) المَصْطَكَى ، المُصْطَكاء : «أ» شجر يستخرج منه صمغٌ يُعْلَك . «ب» صمغ هذا الشجر
(٢) المَصْطَكاويّ : معجون يُستعمل كطلاء واقٍ أو كمادّةٍ لحشو الثقوب في الجدران المجصّصة .

masticate [măs'tə kāt'] *(vt.)* (١) يمضغ ، يعلك (٢) يعجن .

masticatory [măs'tə kə tōr'ĭ] *(adj.; n.)* (١) ماضغ : مُعَدّ لمضغ الطعام (the ~ mouth of a bee) (٢) مضغيّ : متعلق بأعضاء المضغ (~ paralysis) §(٣) عِلك ، عِلكة ، مَضيغة .

mastic tree *(n.)* شجرة المَصْطَكَى أو المُصطَكاء .

mastiff [măs'tĭf] *(n.)* الدِرْواس : كلب ضخم من كلاب الحراسة .

mastitis [măs tī'tĭs] *(L.)* التهاب الثدي (مض) .

masto- = mast-.

mastodon [măs'tə dŏn'] *(L.)* المَستودون : حيوان بائد شبيه بالفيل .

mastoid [măs'toid] *(adj.; n.)*

mastodon

(١) حَلَمانيّ : شبيه بحلمة الثدي
(٢) خُشائيّ : متعلق بالخُشّاء
§(٣) الخُشّاء : العظم الناتىء خلف الأذن (ت) (٤) «أ» التهاب الخُشّاء (مض)
«ب» جراحة تجرى لإزالة هذا الالتهاب .

mastoid cell *(n.)* الخليّة الخُشّائية أو الحَلَمانيّة (ت) .

mastoidectomy [măs toi dĕk'-] *(n.)* استئصال الخُشّاء (جر) .

mastoiditis [măs'toi dī'tĭs] *(n.)* التهاب الخُشّاء (مض) .

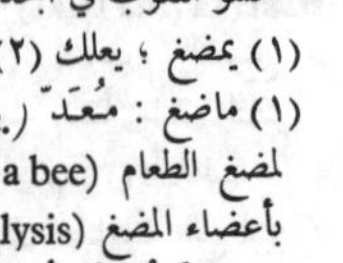

masturbate [măs'-] *(vi.)* يستمني باليد ، يمارس العادة السريّة .

masturbation [măs'tər bā'shən] *(n.)* الاستمناء باليد ، جَلْدُ عُمَيْرَة ، العادة السرية .

masurium [mə sōōr'ĭ əm] *(n.)* الماسوريوم : عنصر كيميائي .

mat [măt] *(n.; vt.; i.; adj.)* (١) «أ» حصير . «ب» ممسحة الأرجل . «ج» قطعة قماش مخرّمة توضع تحت طبق مائدة أو مصباح كهربائيّ أو زهرية . «د» الحَشِيَّة : وسادة كبيرة يتلاكم عليها الملاكمون (٢) الجديلة : شيء مجدول (٣) حاشية الصورة : حاشية تكون بين الصورة وإطارها (٤) الطَّلْيَة المُطْفَأة : لَمْسَة أو طبقة أخيرة يعوزها البريق (في الرسم الزيتيّ أو في التمويه بالذهب) §(٥) يزوّد (المكانَ) بحصير أو ممسحة للأرجل الخ . (٦) يضفر ، يجدل (٧) يُعتِم : يجعل المعدن أو الزجاج أو اللون طافئاً غير ذي بريق (٨) يجعل للصورة حاشية ×(٩) يتضفر : يصبح كالجديلة §(١٠) طافىء (مج) ، يعوزه البريق (~ colors) (١١) **matte** عد : ذو سطح خشن أو مبُرْغَل (*matte* bacterial colonies) .

matador [măt'ə dôr'] *(Sp.)* الماتَدور : «أ» مصارع ثيران يقوم بالدور الرئيسي ويقتل الثور المصارع . «ب» ورقة رئيسية (في بعض ألعاب الورق) .

match [măch] *(n.; vt.; i.)* (١) «أ» صِنو ، نِدّ ، كفوْ (finally met his ~) . «ب» مثيل ، نظير (has no ~ in history) (٢) زوج مُتّسِم بالتناسب أو الانسجام (a jacket and necktie that are a good ~) (٣) مباراة (٤) «أ» زواج . «ب» شريك حياة متوقّع (That rich merchant is a good ~.) (٥) فتيل (لإطلاق السلاح الناري أو البارود) (٦) عُودُ ثِقاب §(٧) «أ» يباري ، يجاري ، يُصارع . «ب» يضع موضع المقارنة (Salim is ready to ~ his strength with yours.) «ج» يزوّد بمنافس كفوْ .
(٨) يزوّج (شخصاً من آخر) (٩) «أ» يلائم : يجعله متلائماً مع .
«ب» يكافىء (شيئاً) : يماثله أو يساويه . «ج» ينسجم مع .
«د» يضاهي (١٠) يناغم : يلائم بين شيئين (١١) ينقر القطعة النقدية بظفره مطيّراً إياها في الهواء ثم يرى على أيّ وجهٍ استقرّت ×(١١) «أ» يتكافأ . «ب» يتلاءم ، يتناغم (gloves that ~ nicely with his coat)
—matcher *(n.)*

matchable [măch'-] *(adj.)* يُجارَى ، يُبارَى ، يُضارَع .

matchboard [măch'bōrd'] *(n.)* اللوح المعشّق : لوح خشبيّ مضمومٌ إلى نظائره من طريق التعشيق .

matchbook [măch'-] *(n.)* دفتر الثقاب : علبة كبريت رقيقة مؤلفة من صفّيْ عيدان ورقيّة .

matchless [măch'-] *(adj.)* فذّ ، منقطع النظير ، لا يُضارَع .

matchlock [măch'-] *(n.)* (١) فتيل (لإشعال بندقيّة) (٢) بندقية فتيل .

matchmaker [măch'-] *(n.)* (١) الثقّاب : صانع عيدان الثّقاب .
(٢) منظّم المباريات (٣) صانع الزّيجات : شخص مولع بالجمع بين الناس من طريق الزواج .

match play *(n.)* مباراة في الغولف (ذات قواعد خاصة) .

match point *(n.)* نقطة الفوز : النقطة الأخيرة الضرورية لكسب المباراة .

matchwood [măch'-] *(n.)* شظايا خشبية (صغيرة) .

mate [māt] *(n.; vt.; i.)* (١) «أ» الرفيق ، الأليف . «ب» المساعد ، المعاون (the cook's ~) (٢) وكيل الربّان (في سفينة تجارية)
(٣) أحد زوجين ، وبخاصة : الزوج ، الزوجة (٤) إماتة الشاه

(شطرنج) §(٥) يزاوج (٦) يزوّج (٧) يُميت الشاه (شطرنج) ×(٨)«أ» يتزاوج «ب» يتعشّق (The gears ~ well.) .

maté *or* **mate** [mä'tā] *(F.)* (١) الماتي : شرابٌ شبيه بالشاي (في أميركة الجنوبيّة خاصة) (٢) الماتية : نبتة جنوبأميركيّة تُستعمل أوراقُها وأماليدها في صنع الماتيّ . أيضاً : أوراق الماتية وأماليدها .

matelote [măt'ə lōt'] *(F.)* المَتْلوت : سمك يُطهَى بصلصة من خمر وبصل وتوابل .

mater [mā'tər] *(L.)* = mother.

materfamilias [mā'tər fə mĭl'ĭ ăs] *(L.)* ربّة البيت .

material [mə tĭr'ĭ əl] *(adj.; n.)* (١) «أ» ماديّ (the ~ world) . «ب» جسدي (our ~ needs) (٢) هامّ ؛ أساسي (a ~ factor) (٣) «أ» دنيوي . «ب» ماديّ : غير روحيّ أو عقلي (was interested only in ~ progress) §(٤) مادة (٥) *pl.* : أدوات؛ لوازم (writing ~s) .

materialism [mə tĭr'ĭ ə lĭz'əm] *(n.)* (١) المذهب الماديّ : «أ» نظرية تقول بأن المادة هي الحقيقة الوحيدة، وبأن الوجود ومظاهره وعملياته يمكن تفسيرها كظواهر أو نتائج للمادة . «ب» مذهب يقول بأن القيم والأهداف العليا (أو الوحيدة) هي تلك التي تتمثّل في الرفاهية المادية وفي تعزيز التقدم المادي . «ج» مذهب يقول بأن التغير الاقتصادي أو الاجتماعي ناشىء عن عوامل مادية (٢) المادية : الانشغال بالشؤون المادية بدلاً من الفكرية أو الروحيّة (أو التوكيدُ على هذه الشؤون) .

—**materialist** *(n.)* —**materialistic** *(adj.)*

materiality [mə tĭr'ĭ ăl'ə tĭ] *(n.)* (١) مادة ؛ شيء ماديّ . (٢) الماديّة : كون الشيء ماديّاً .

materialize [mə tĭr'ĭ ə līz'] *(vt.; i.)* (١) «أ» يُمَدّي؛ يجعل الشيء ماديّاً ؛ يجسّد (to ~ a vague idea in words) . «ب» يستحضر في شكل جسديّ (to ~ the spirits of the dead) ×(٢) يتمدّى ؛ يتجسّد (٣) «أ» يتحقّق : يصبح حقيقة واقعة (Her plans did not ~.) . «ب» تتخذ (الروحُ) شكلاً مرئيّاً أو مجسّداً . «ج» يبرز فجأةً .

—**materialization** *(n.)*

materia medica [mə tĭr'ĭ ə mĕd'ĭ kə] *(L.)* (١) المادّة الطبيّة : مادة تُستعمل في تركيب الأدوية (٢) «أ» الأقراباذين : فرع من الطب يبحث في مصادر الأدوية وطبيعتها وخصائصها وتحضيرها . «ب» رسالة أو بحث في الاقراباذين .

matériel *or* **materiel** [mə tĭr'ĭ ĕl'] *(F.)* (١) أجهزة ؛ لوازم (٢) أسلحة ؛ ذخيرة ؛ معدات عسكرية .

maternal [mə tûr'nəl] *(adj.)* (١) أُمّي : ذو علاقة بالأمّ أو مميّزٌ لها (~ affection) (٢) «أ» قريبٌ أو نسيبٌ من ناحية الأم (my ~ aunt) . «ب» موروث أو مستمَدّ من الأمّ (~ traits of character) .

maternity [mə tûr'nə tĭ] *(n.)* (١) «أ» أمومة . «ب» حنان ؛ عطف (٢) مستشفى توليد .

math [măth] *(n.)* = mathematics.

mathematical [-ə măt'ĭ kəl] *(adj.)* (١) رياضيّ (٢) «أ» دقيق ؛ مضبوط . «ب» ثابت ؛ يقينيّ (٣) ممكن ولكنه بعيد الاحتمال جداً (had only a ~ chance) .

mathematical logic *(n.)* = symbolic logic.

mathematician [-ə mə tĭsh'ən] *(n.)* الرياضي : المتخصص بالرياضيات .

mathematics [măth'ə măt'ĭks] *(n.)* الرياضيات ؛ علم الرياضيات .

matin [măt'ĭn] *(adj.)* (١) صباحيّ (٢) متعلقٌ بصلاة الصبح .

matinal [măt'-] *(adj.)* (١) صباحيّ (٢) مبكر ؛ باكر .

matinee *or* **matinée** [măt'ə nā'] *(F.)* الحفلة النهارية : حفلة موسيقية أو مسرحية أو اجتماعية أو عامة تقام نهاراً وبخاصة بعد الظهر .

matins [măt'ĭnz] *(n. pl.)* (١) صلاة منتصف الليل أو الفجر (في الكنيسة الكاثوليكية) (٢) صلاة الصبح (في الكنيسة الانجليزية) .

matr- *or* **matri-** *or* **matro-** بادئة معناها : أم .

matriarch [mā'trĭ ärk'] *(n.)* الأمّ الرئيسة : امرأة تحكم أسرة أو جماعة أو دولة ؛ وبخاصة : أمّ ترئس (وتحكم) أسرتها وذريّتها .

—**matriarchal** *(adj.)*

matriarchate [mā'trĭ är'kĭt; -kāt] *(n.)* (١) الأسرة أو الدولة الأموميّة : أسرة (أو جماعة) أو دولة تحكمها أمّ رئيسة (٢) المرحلة الأموميّة : مرحلة نظرية من مراحل المجتمع البدائيّ كانت السلطة العليا فيها للأمهات .

matriarchy [-kĭ] *(n.)* (١) matriarchate (٢) النظام الأموميّ : نظام اجتماعيّ يُرْجَع فيه إلى الأم في النسب والوراثة .

matricide [mā'trə sīd'] *(n.)* (١) قَتْل الأمّ (بيَد ابنها أو ابنتها) (٢) قاتل أمّه ؛ قاتلة أمّها .

—**matricidal** *(adj.)*

matriculant [mə trĭk'yə lənt] *(n.)* الطالب المرشّح (للانتساب إلى كلية أو جامعة) .

matriculate [-'yə lāt'] *(vt.; i.)* (١) يتقبّله عضواً في جماعة ؛ وبخاصة : يقبل طالباً في كلية أو جامعة بعد امتحان عادةً ×(٢) يُقْبَل في جماعة أو في كلية أو جامعة .

matriculation [mə trĭk yə lā'shən] *(n.)* (١) قَبُولٌ في جامعة الخ . (٢) امتحان القبول بجامعة .

matrilineal [mă trə lĭn'ĭ əl] *(adj.)* أخواليّ : متعلّق بناحية الأمّ أو مبنيّ عليها أو مُرْجِعٌ النسبَ من خلالها (a ~ society) .

matrimonial [măt'rə mō'-] *(adj.)* زوْجيّ ؛ متعلق بالزواج .

matrimony [măt'rə mō'nĭ] *(n.)* (١) زواج (٢) ضرب من ألعاب الورق أو «الشدّة» .

matrimony vine *(n.)* العَوْسَج ؛ الحَوْلان (نب) .

matrix [mā'trĭks] *(L.)* pl. **-trices** *or* **-trixes** (١) «أ» مادة النسيج البَيْخَلَوية (الواقعة بين الخلايا) . «ب» النسيج الغشائيّ الغليظ في قاعدة الظفر (الذي منه تنشأ مادة الظفر الجديدة) (٢) «أ» منبت ؛ منشأ . «ب» رَحِم (٣) «أ» قالب . «ب» الأمّ ؛ القالب الأمّ (في آلة سبك طباعية الخ) . «ج» الأسطوانة الفونوغرافية الأمّ (التي عنها تؤخذ النسخ المتعدّدة) . (٤) المصفوفة : جدول مقسّم الى خلايا او خانات .

matron [mā'trən] *(n.)* (١) العَقِيلَة : امرأة كهلة متزوجة ذات مقام اجتماعي رفيع (٢) القيّمة (على النساء أو الأطفال في مدرسة الخ.) (٣) الرئيسة (في منظمة نسوية) .

matronize [mā'trə nīz] *(vt.)* ترعى (شخصاً) وكأنها أمّه .

matronly [mā'-] *(adj.)* (١) قيّميّ : متعلق بالقيّمة على النساء أو الأطفال في مدرسة الخ . (her ~ duties) (٢) رزين؛ وقور .

matron of honor *(n.)* وصيفة الشرف (في عُرْس) .

matt *or* **matte** [măt] = mat.

matte [măt] *(F.)* المَتّ : خليطٌ معدنيّ (من نحاس ورصاص ونيكل) .

matted [măt'ĭd] *(adj.)* مُتَلَبِّد .

matter [măt'ər] *(n.; vi.)* (١) «أ» مسألة ؛ أمر ؛ شأن . «ب» قضيّة ؛ موضوع خلاف أو تقاض (٢) «أ» مادّة .

«ب» غائط . «ج» بول . «د» صديد ؛ قيح (٣) مقدار غير معيّن عادةً : حوالَى (a ~ of five years) (٤) «أ» شيء مطبوع أو مكتوب. «ب» أحرف طباعيّة منضّدة. «ج» المحتوى : مادة الكتاب، تمييزاً لها عن أسلوبه أو رسومه (٥) بريد (٦) شيء هامّ (It is no ~.) §(٧) يَهُمّ (It doesn't ~ much.) (٨) يتقيّح (a ~ *ing* wound).

a hanging ~, جريمة عقوبتها الموت شنقاً.
for that ~; for the ~ of that بقَدْر ما يتعلّق الأمر بكذا.
in the ~ of فيما يتعلق بـ.
no laughing ~, شيء جدّيّ إلى حدّ بعيد.
no ~ what مهما.

matter of course شيء متوقع (بوصفه نتيجة طبيعية او منطقية).
matter-of-fact [măt'ər əv făkt'] *(adj.)* واقعيّ ؛ عمليّ.
as a ~, في الواقع ؛ في الحقيقة.
mattery [măt'-] *(adj.)* متقيّح، مشتمل على قيح أو ما يشبهه.
matting [măt'ĭng] *(n.)* (١) «أ» مادة لصنع الحصر. «ب» حصيرة. (٢) حُصُر (٣) السطح الطافيء: سطح غير لامع (كسطح بعض المشغولات المعدنيّة).
mattock [măt'ək] *(n.)* مِعوَل.
mattress [măt'rĭs] *(n.)* (١) حَشِيّة ؛ فراش (٢) الفَرْشة : كتلة من قضبان وأغصان مقطوعة متشابكة لحماية ضفة نهر الخ. من التآكل أو التعرية.
maturate [măch'ŏŏ rāt'; măt'yŏŏ-] *(vt.; i.)* = mature.
maturation [măch'ŏŏ rā'shən] *(n.)* (١) «أ» نُضج . «ب» إنضاج (٢) تقيّح الخ.
mature [mə tyŏŏr'; -chŏŏr'] *(adj.; vt.; i.)* (١) مدروس ؛ مُرَوًّى فيه (٢) «أ» ناضج. «ب» تامّ النموّ جسماً أو عقلاً. «ج» مُعتَّق (~ wines) (٣) مستحقّ الأداء أو الدفع (~ loans) §(٤) يُنضِج ×(٥) يَنضَج (٦) يستحقّ أداؤه أو دفعه (This note ~d yesterday.).
maturity [mə tyŏŏr'ə tĭ; -chŏŏr'-] *(n.)* (١) «أ» نُضج. «ب» رُشد، إدراك (٢) استحقاق دَيْن.
matutinal [mə tū'tə nəl; -tōō'-] *(adj.)* صباحيّ ؛ مُبكِّر.
matzo [mät'sō] *(n.)* pl. **matzoth** *or* **matzos** خبز فطير (يأكله اليهود في عيد فِصْحِهِم).
maudlin [môd'lĭn] *(adj.)* (١) جيّاش العاطفة (مع ضَعف ونزوع إلى البكاء) (٢) ثَمِل (إلى حدّ يجعله يهذي ويسفح الدمع).
maul [môl] *(n.; vt.)* (١) مِيدَقّة، مطرقة خشبية §(٢) «أ» يدقّ؛ يَضرِب. «ب» يَهرِس. «ج» يخاشن ؛ يعامل بخشونة ؛ يُهْمِل (٣) يفلق الخشب (بِمِدَقّة ووتد).
maulstick [môl'stĭk'] *(n.)* تُكَأة الرسّام: عصا يُسنِد الرسّام يدَه إليها أثناء العمل.
maund [mônd] *(n.)* المَنْد: وحدة وزن هندية تعادل ٨٢,٢٨ باونداً.
maunder [môn'dər] *(vi.)* (١) يتسكّع (٢) يهذي؛ يُجَمْجِم.
Maundy Thursday [môn'dĭ] *(n.)* خميس العهد؛ خميس الغُسْل.
mausoleum [mô'sə lē'əm] *(L.)* pl. **-s** *or* **-lea** (١) ضريح؛ قبر ضخم فخم ؛ وبخاصة : مبنى حجري مشتمل على مَواطن لدفن الموتى فوق الأرض (٢) بناية (أو حجرة) ضخمة مُظلمة.
mauve [mōv] *(n.; adj.)* (١) الخُبّازيّ أو البنفسجيّ الزاهي §(٢) خُبّازيّ.

maverick [măv'ər ĭk] *(n.)* (١) بقرة أو نعجة الخ. لم تُوسَم بِمِيسَم صاحبها. وبخاصة : عِجل فُصِل عن أمّه (٢) الخارج : شخص يخرج على جماعته أو حزبه ويختطّ لنفسه مسلكاً مستقلاً.
mavis [mā'vĭs] *(n.)* (١) السُّمنة المطربة (طا) (٢) سُمنة الدبق (طا).
maw [mô] *(n.)* (١) «أ» مَعِدة. «ب» حَوْصلة الطائر (٢) الفم أو البلعوم أو الفكّان (وبخاصة من حيوانٍ لاحم).
mawkish [mô'kĭsh] *(adj.)* (١) مُغثٍ: مثير للغثيان (٢) عاطفيّ على نحو متهافت أو صبيانيّ (~ love tales).
maxi [măk'sĭ] *(adj.; n.)* (١) طويل § (٢) ثوب طويل.
maxilla [măk sĭl'ə] *(L.)* pl. **-e** *or* **-s** الفكّ الأعلى (ت).
maxillary [măk'sə lĕr'ĭ] *(adj.; n.)* (١) فكّيّ : متعلق بالفك أو بعظم الفك أو بالفك الأعلى §(٢) عظم الفكّ الأعلى.
maxilliped *or* **maxillipede** [măk sĭl'ə-] *(n.)* الرُّجَيلة الفكّيّة (في القِشريات).
maxillo- بادئة معناها : فكّي و . . . (*maxillo*facial).
maxim [măk'sĭm] *(n.)* (١) حقيقة عامة ؛ مبدأ أساسيّ ؛ قاعدة سلوك (٢) حكمة أو مَثَل سائر.
maximal [măk'sə məl] *(adj.)* أعلى ؛ أكبر ؛ أكمل.
maximalist [-ĭst] *(n.)* المتطرف؛ وبخاصة : الاشتراكي المتطرف : اشتراكي ينادي بضرورة الاستيلاء العاجل على السلطة بوسائل ثورية (قا. minimalist).
maximize [măk'sə mīz'] *(vt.; i.)* (١) يزيد إلى الحدّ الأعلى. (٢) يعزو أهمية قصوى إلى ×(٣) يفسّر (شيئاً) بمعناه الأوسع.
maximum [măk'sə məm] *(n.; adj.)* (١) الحدّ الأعلى؛ الحدّ الأقصى؛ النهاية الكبرى §(٢) «أ» أعلى؛ أقصى. «ب» عُليا؛ قصوى.
maxwell [măks'wĕl] *(n.)* المَكسْويل: وحدة التدفق المغنطيسي.
may [mā] *(aux. v.; n.)* (١) «أ» يستطيع؛ يُمكنه (You ~ continue now.) «ب» قد، ربّما ؛ جائز أن (You ~ be wrong.) (٢) فَلْ . . . ؛ أداة دعاء (~ they all be damned.) (٣) لكي ؛ لعلّ ؛ رجاءَ أن (flatters so that she ~ win favor) (٤) يجب (في بعض النصوص القانونيّة حيث تقتضي القرينةُ ذلك) §(٥) *cap.* : مايو ؛ نوّار : الشهر الخامس في التقويم الغريغوري (٦) ربيع الحياة (٧) احتفالات عيد أول نوار (٨) «أ» زعرور برّي . «ب» أغصان الزعرور البري الخ . المستعملة للتزيين في عيد أول نوّار.
Maya [mä'yə] *(n.)* (١) «أ» المايا : شعب يقطن هندوراس البريطانيّة وغواتيمالا الشمالية الخ. «ب» المايانيّ : واحدٌ من المايا (٢) لغة قدماء المايانيين.
Mayan [mä'yən] *(n.; adj.)* (١) اللغات المايانيّة: مجموعة لغات يُنطق بها في أميركة الوسطى والمكسيك (٢) «أ» الشعوب المايانية: الشعوب الناطقة باللغات المايانية. «ب» المايانيّ : واحدٌ من أبناء هذه الشعوب §(٣) مايانيّ.
mayapple [mā'-] *(n.)* (١) البودوفلّون الدرَقيّ : عشب شمالأميركي ذو ثمر بيضيّ الشكل (٢) ثمرتُه.
maybe [mā'bĭ; mā'bē] *(adv.)* ربّما.
May Day *(n.)* عيد أول نوار ؛ عيد العمال.
mayflower [mā'-] *(n.)* زهرة نوّار أو مايو (نب).
mayfly [mā'-] *(n.)* ذبابة نوّار أو مايو (حش).
mayhap [mā hăp'; mā'hăp] *(adv.)* ربّما.
mayhem [mā'hĕm] *(n.)* (١) «أ» التشويه المستديم: تشويه شخص ببتر أحد أعضائه. «ب» إقعاد؛ تعطيل (٢) أذىً أو ضرر متعمَّد.

Maying [mā'-] *(n.)* التَنَوُّر : الاحتفال بعيد أول نوار .

mayonnaise [mā'ə nāz'] *(F.)* الميُونيز : صلصة كثيفة من صفار البيض المخفوق والخلّ والزيت والتوابل الخ .

mayor [mā'ər; mâr] *(n.)* المحافظ ؛ رئيس البلدية .

mayoralty [mā'ər-] *(n.)* المحافظية : منصب المحافظ أو مدةُ ولايته .

mayoress [mā'ər ĭs] *(n.)* (١) زوجة المحافظ أو رئيس البلدية . (٢) رئيسة بلدية .

maypole [mā'-] *(n.)* سارية نوّار : عمود مزيّن بالأشرطة والأزهار الخ . يُنصب في العراء ليُرقَص حوله في عيد أول نوار أو مايو .

maypole

maypop [mā'pŏp'] *(n.)* زهرة الآلام : نبات مُعترِش أو ثمرُه .

May queen *(n.)* ملكة نوّار : فتاة تنتخب ملكةً لعيد أول نوّار .

Maytide *or* **Maytime** [mā'-] *(n.)* شهر نوار أو مايو .

mazard [măz'-] *(n.)* رأس ؛ وجه (ع) .

maze [māz] *(vt.; n.)* (١) يُذْهِل ؛ يَشْدَهُ (٢) يحيّر ؛ يُرْبِك . §(٣) المتَاهة : شبكة من الممرات المعقّدة المحيّرة (٤) حيرة ؛ ذهول .

mazer [mā'-] *(n.)* الميْزَر : طاس كبير كان يُصنَع من خشب .

mazurka [mə zûr'kə] *(Russ.)* (١) المازوركا : رقصة بولندية . (٢) موسيقى المازوركا .

mazy [mā'zĭ] *(adj.)* محيِّر ؛ مُذهِل ؛ كثير الالتواءات المعقّدة .

mazzard [măz'ərd] *(n.)* المَزْرَد : ضربٌ من الكرز (نب) .

M.D., *(Medicinae Doctor)* دكتور في الطب .

M-day [ĕm'dā'] *(n.)* يوم التعبئة : اليوم الذي تبدأ فيه التعبئة العسكرية .

me [mē] *(pron.)* ضمير المتكلّم في حالتيْ النصب والخفض .

mead [mēd] *(n.)* الميد : شراب مخمر يُعَدّ من عسل ومَلْت وخميرة . مرْج ؛ أرض خضِرة .

meadow [mĕd'ō] *(n.)*

meadow grass *(n.)* الكَلَئيّة المَرْجية : عشب من الفصيلة النجيلية .

meadowlark [mĕd'ō lärk] *(n.)* قُبَّرة المروج (طا) .

meadow mouse *(n.)* فأرة المروج .

meadow saffron *(n.)* السُورَنْجان : نبات عشبيّ ذو فوائد طبيّة .

meadowsweet [mĕd'ō-] *(n.)* إكليليّة المروج (نب) .

meager *or* **meagre** [mē'gər] *(adj.)* (١) نحيل (had a ~ face) (٢) هزيل ؛ ضئيل (a ~ salary) .

meal [mēl] *(n.)* (١) وَجْبَة ؛ وقعة طعام (٢) تناول الطعام أو وقتُه (٣) جَريش ؛ وبخاصة : دقيق الذرة أو القمح .

mealie [mē'lĭ] *(n.)* (١) ذُرَة (٢) كوز ذرة .

mealtime [mēl'tīm] *(n.)* وقت الطعام .

mealworm [mēl'wûrm] *(n.)* سوسة الدقيق .

mealy [mē'lĭ] *(adj.)* (١) سهل التفتّت (٢) «أ» دقيقيّ : محتوٍ على دقيق . «ب» مُغبَّر : مغطّى بدقيق . «ج» منقّط ؛ مرقّط . «د» شاحب (٣) مَلِق ؛ معسول اللسان .

mealybug [mē'lĭ-] *(n.)* البقّة المُغبَّرة : حشرة مُغبَّرة الإهاب مُتلفة للأشجار المثمرة .

mealymouthed [- mouthd'] *(adj.)* مَلِق ؛ معسول اللسان .

mean [mēn] *(adj.; n.; vt.; i.)* (١) وضيع (of ~ birth) (٢) عاديّ ؛ تعوزه القوة أو البراعة (Adib is no ~ scholar.) (٣) حقير (built a ~ house) (٤) دنيء ؛ خسيس (~ motives) (٥) شحيح ؛ بخيل (was ~ about money) (٦) «أ» أنانيّ ؛ خبيث . «ب» مضايِق ؛ مزعج . «ج» ممتاز ؛ فعّال (ع) (٧) «أ» مُخجِل (Her ready cooperation made me feel ~ for what I had said.) «ب» منحرف الصحة (٨) وسط ؛ متوسّط §(٩) الوَسَط ؛ المتوسط (١٠) *pl.* : وسيلة (١١) *pl.* : «أ» موارد ماليّة (lived beyond her ~ *s*) . «ب» غنىً (was a man of ~ *s*) §(١٢) «أ» يقصد ؛ يعني ؛ يريد . «ب» تفيد (الكلمةُ) معنىً (١٣) ينوي ؛ يضمر ؛ يعتزم (١٤) يُعِدّ لغرض مخصوص (was *meant* for a soldier) ×(١٥) يعني : يكون ذا درجة معيّنة من الأهمية (said that health ~*s* everything) .

by all ~*s* بأيّ ثمن ؛ مهما كلّف الأمر .

by any ~*s* بأية طريقة ممكنة ؛ بطريقة ما .

by ~*s* of بواسطة كذا .

by no ~*s* بأية حال ؛ على الإطلاق .

by some ~*s* (or other) بطريقة ما ؛ بطريقة أو بأخرى .

~ *s* to an end وسيلة لغاية .

to ~ well by *or* to يضمر مشاعرَ وِدّية نحوَ .

meander [mĭ ăn'dər] *(n.; vi.)* (١) تَمعّج ؛ تعرّج ؛ تلَوٍّ (٢) labyrinth §(٣) يتمعّج ؛ يتعرّج ؛ يتلوّى (٤) يتسكّع ؛ يهيم على وجهه .

mean distance *(n.)* متوسط البعد (فل) .

meaning [mē'nĭng] *(n.; adj.)* (١) معنى ؛ مدلول (٢) قصد ؛ مُراد ؛ غرض (٣) مغزى (a book full of ~) §(٤) ذو مغزى (a ~ look) .

—meaningly *(adv.)*

meaningful [-fəl] *(adj.)* ذو معنى أو هدف (~ training) .

meaningless [mē'nĭng lĭs] *(adj.)* خِلوٌ من المعنى أو المغزى .

meanly [mēn'lĭ] *(adv.)* (١) بحقارة ؛ بدناءة ؛ ببخل الخ . (٢) على نحو رديء .

meanness [mēn'nĭs] *(n.)* حقارة ؛ دناءة ؛ خِسّة ؛ بُخل الخ .

mean proportional *(n.)* المتناسب الوسط (ر) .

mean (solar) time *(n.)* متوسط الزمن الشمسي (فل) .

means test *(n.)* استطلاع الموارد : تحقيق رسمي حول دخْل شخص يتلقّى إعانة مخصصة للعاطلين عن العمل (في بريطانية) .

meant *past and past part. of* mean.

meantime [mēn'tīm'] *(n.; adv.)* (١) الوقت المتخلّل (الواقع بين فترتين معيّنتين) §(٢) في غضون أو خلال ذلك .

for the ~, (١) في الوقت الحاضر (٢) في غضون ذلك .

in the ~, في غضون ذلك ؛ في الوقت نفسه .

meanwhile [mēn'hwīl'] *(n.; adv.)* = meantime.

measled [mē'zəld] *(adj.)* محْصوب : مصاب بالحصْبة .

measles [mē'zəlz] *(n.)* الحَصْبة (مض) .

measly [mē'zlĭ] *(adj.)* (١) محصوب ؛ مصاب بالحصبة (٢) تافه .

measurability [mĕzh'ər ə bĭl'-] *(n.)* المقياسية : القابلية للقياس .

measurable [mĕzh'ər ə bəl] *(adj.)* يُقاس ؛ قابل للقياس .

measure [mĕzh'ər] *(n.; vt. i.)* (١) «أ» درجة معتدلة . «ب» اعتدال (٢) «أ» حدّ ؛ حدود . «ب» حجم ؛ سعة ؛ وزن ؛ قياس . «ج» مقدار ؛ درجة (٣) «أ» مقياس ؛ مكيال ؛ معيار . «ب» نظام مقاييس (metric ~) (٤) أخذُ قياس الشيء (٥) «أ» رقصة ؛ وبخاصة رقصة بطيئة . «ب» ميزان موسيقي (مج) . «ج» بحر (عر) . «د» تفعيل (عر) (٦) القاسم (ر) (٧) مِحكّ للنقد (٨) إجراء ؛ تدبير §(٩) يضبط ؛ ينظّم (~*d* her acts) (١٠) يَقسِم أو يوزّع بمقادير مَقيسة (~*d* out 4 cups) ×(١١) يقيس (١٢) يبلغ قياسه (Our room ~ *s* 16 feet across.) .

ă at; ā date; â care; ä car; ĕ egg; ē me; ĭ in; ī bite; ŏ lot; ō bone; ô orphan; oi boil oo good; ōō boot; ou out; ŭ under; ū unity; û urgent; th thing; th this; zh vision; ə = *a* in alone, *e* in system, *i* in easily, *o* in gallop, *u* in circus.

beyond ~, (١) مُفرط ؛ كبير جداً (٢) بإفراط .
greatest common ~, القاسم المشترك الأعظم (ر) .
in a ~, إلى حدّ ما ؛ إلى درجة معينة .
in a great (large) ~, إلى حدّ بعيد .
in some ~, إلى حدّ ما .
made to ~, مَخِيطٌ وَفْقَ مقاييس جسم المرء .
to ~ one's length يسقط منبطحاً على الأرض .
to ~ up (١) يتناسب مع ؛ يكون على مستوى كذا . (٢) يباري ؛ يضارع .
to set ~s to يحدّ ؛ يضع حداً لِ .
to take ~s يتخذ الاجراءات الضرورية .
to take one's ~, يأخذ (الخياط) قياس جسم المرء .
without ~, بإفراط ؛ بغير اعتدال .

measured [mĕzh'ərd] *(adj.)* (١) متناسب (٢) موزون (عروضياً). (٣) «أ» مدروس ؛ مروّىً فيه (his ~ speech) . «ب» متعمَّد (~ insolence) .

measureless [mĕzh'ər-] *(adj.)* لا يُقاس ؛ لا حدّ له .

measurement [mĕzh'ər mənt] *(n.)* (١) القياس : أخْذُ قياس الشيء (٢) قياس ؛ حجم الخ . (٣) نظام مقاييس .

meat [mēt] *(n.)* (١) «أ» طعام (~ and drink) . «ب» اللبّ : الجزء الذي يؤكل من الثمرة أو الجوزة الخ . (٢) لحم ؛ لحم الماشية (٣) وجبة الطعام الرئيسية (said grace before ~) .

meat by-product *(n.)* حصيلة الذَّبح الثانية : كل ما ينشأ عن ذبح الحيوانات من نتاج مفيد (باستثناء اللحم) .

meatman [mēt'-] *(n.)* الجزّار ؛ القصّاب ؛ اللحّام .

meatus [mĭ ā'təs] *(n.)* صِماخ ؛ قناة (كصِماخ الأذن الخ.) .

meaty [mē'tĭ] *(adj.)* (١) لحميّ ؛ كاللحم (٢) «أ» لحِيم ؛ كثير اللحم . «ب» قويّ ؛ مغذٍّ . «ج» موفور اللب ؛ غنيّ بالمادة الفكرية .

mecca [mĕk'ə] *(n.)* (١) *cap.* : مكة المكرمة (٢) محجّة ؛ قِبلة .

mechan- or mechano- بادئة معناها : «أ» ماكينة . «ب» ميكانيكي .

mechanic [mə kăn'ĭk] *(adj.; n.)* (١) يدويّ : مُقْتَضٍ براعةً يدوية (the ~ arts) (٢) ميكانيكيّ (~ devices) §(٣) الحِرَفيّ ؛ الصّانع اليدوي (٤) الميكانيكيّ ؛ وبخاصة : مُصْلِح الماكينات .

mechanical [mə kăn'ə kəl] *(adj.)* (١) «أ» ميكانيكيّ : ذو علاقة بالماكينات والآلات . أيضاً : مُنْتَجٌ أو مُسيَّر بماكينة . «ب» يدوي ؛ حِرَفيّ ؛ متعلق بالأعمال اليدوية أو بطبقة الصُّناع الحِرَفيين (٢) آليّ ؛ أوتوماتيكيّ ؛ مُنْجَزٌ من غير تفكير (~ movement) (٣) متعلق بعلم الميكانيكا أو مُخْضَعٌ لمبادىء هذا العلم .

~ equivalent of heat . المكافىء الميكانيكي للحرارة (فز) .

mechanical advantage *(n.)* الفائدة الميكانيكية (ملك) .

mechanical drawing *(n.)* الرسم الميكانيكي .

mechanically [mə kăn'-] *(adv.)* ميكانيكيّاً ؛ آليّاً .

mechanician [mĕk'ə nĭsh'ən] *(n.)* الميكانيكيّ : البارع في صُنع الآلات أو تشغيلها أو إصلاحها .

mechanics [mə kăn'ĭks] *(n.)* (١) الميكانيكا ؛ عِلم الحِيَل : شعبة من الفيزياء تبحث في الطاقة والقوى وأثرها في الأجسام (٢) التطبيق العمليّ لهذا العلم في صنع الماكينات وتشغيلها (٣) التِّقْنية ؛ الجانب التِّقنيّ من (the ~ of writing plays) .

mechanism [mĕk'ə nĭz'əm] *(n.)* (١) تِقْنيّة (٢) «أ» الآلات الميكانيكية جُملةً . «ب» الآليّة : طبيعة تركيب الأجزاء في آلة ما أو في شيء يشبهها (the ~ of the body) (٣) المذهب الآليّ أو الميكانيكي : المذهب القائل بأن العمليات الطبيعية (كالحياة) قابلة للتفسير بنواميس الفيزياء والكيمياء .

mechanist [mĕk'ə-] *(n.)* المؤمن بالمذهب الآلي (ر. المادة السابقة) .

mechanistic [mĕk'ə nĭs'tĭk] *(adj.)* ميكانيكيّ .

mechanization [mĕk'ə nĭ zā'-] *(n.)* (١) المَكْنَنَة : جعل الشيء ميكانيكياً (٢) التمكْنُن : صيرورة الشيء ميكانيكيّاً .

mechanize [mĕk'ə nīz'] *(vt.)* (١) يُمَكْنِن ؛ يُؤَلِّي : «أ» يجعل الشيء ميكانيكيّاً أو آليّاً ، وبخاصة : يجعله أوتوماتيكياً أو روتينياً . «ب» يزوّد بالماكينات أو الآلات وبخاصة لتحلّ محلّ الجهد البشري أو الحيوانيّ . «ج» يزوّد بالمصفّحات ونحوها (٢) ينتج بالماكينات أو على نحو شبيه بالانتاج الميكانيكي .

Mechlin [mĕk'lĭn] *(n.)* تخريم مكْلِن : ضرب من المخرَّمات .

meconium [mĭ kō'-] *(L.)* العِقْيُ : مادة داكنة تخرج من بطن المولود بُعَيْدَ ولادته .

medal [mĕd'əl] *(n.)* مَدالية ؛ نَوْط ؛ وسام .

medal-bedecked *(adj.)* مزيّن بالمداليات ؛ مرصّع بالمداليات .

Medal for Merit *(n.)* وِسام الاستحقاق .

medalist or medallist [mĕd'əl-] *(n.)* (١) الوَسّام : مصمّم الأوسمة أو ناقشُها أو صانعُها (٢) المُوسَّم : الحامل وساماً ما .

medallion [mə dăl'yən] *(n.)* الرَّصيعة : «أ» مدالية كبيرة . «ب» رسمٌ نافر (أو حِلية نافرة) في جدار أو نافذة الخ .

medal play *(n.)* مباراة في الغولف (ذات قواعد خاصة) .

meddle [mĕd'əl] *(vi.)* يتطفّل : يتدخّل في أمر لا يعنيه .

meddler [mĕd'lər] *(n.)* المتطفّل : المتدخّل في ما لا يعنيه .

meddlesome [mĕd'əl səm] *(adj.)* فضوليّ .

medi- or medio- بادئة معناها : وَسَط (medieval) .

media [mē'dĭ ə] *pl. of* medium. وسائل الإعلام .

media [mē'-] *(n.)* pl. **-e** الطبقة الوسطى (من جدارِ وعاء دمويّ) .

mediacy [mē'dĭ ə sĭ] *(n.)* التوسّط : كون الشيء في موقع متوسط .

medial [mē'dĭ əl] *(adj.)* (١) متوسّط : محتلّ موقعاً وَسَطاً (٢) وَسَطيّ : ذو علاقة بالمعدّل أو المتوسط (٣) عاديّ .

median [mē'dĭ ən] *(n.; adj.)* (١) المتوسط : الواقع في الوَسَط (٢) العدد الأوسط (في سلسلة من الأعداد) (٣) المستقيم المتوسط (في مثلّث) §(٤) متوسط : واقع في الوسط أو مارّ عبر الوسط .

mediastinal [mē'dĭ ăs tī'-] *(adj.)* مَنْصَفيّ (ر. المادة التالية) .

mediastinum [mē'dĭ ăs tī'nəm] *(n.)* pl. **-tina** المَنْصَف : الحيّز المشتمل على القلب وكلّ ما في الصدر باستثناء الرئتين (ت) .

mediate [*adj.* mē'dĭ ĭt; *v.* mē'dĭ āt'] *(adj.; vi.; t.)* (١) متوسط : محتلّ موقعاً وَسَطاً (٢) غير مباشر §(٣) يتوسّط (لإصلاح ذات البين الخ.) (٤) يسوّي الخلافات ×(٥) يُحدِث أو يحقّق من طريق التوسّط (~*d* a settlement) .

mediation *(n.)* التوسّط (لإصلاح ذات البين أو لإيجاد تسوية) .

mediative [mē'dĭ ā'tĭv] *(adj.)* توسّطيّ ؛ وساطيّ .

mediator [mē'dĭ ā'tər] *(n.)* الوسيط ؛ القائم بالوساطة .

mediatory [mē'dĭ ə tōr'ĭ] *(adj.)* توسّطيّ ؛ وساطيّ : ذو علاقة بالتوسط أو مُوجَّهٌ نحوه .

mediatress [mē'dĭ ā'trĭs] *(n.)* الوسيطة : القائمة بالوساطة .

mediatrice [mē'dĭ ā'-]; **mediatrix** [-trĭks] = mediatress.

medic [mĕd'ĭk] *(n.)* (١) alfalfa (٢) «أ» طبيب . «ب» طالب طب .

medicable [mĕd'-] *(adj.)* يُعالَج ، مُمكنٌ علاجُهُ أو شفاؤهُ .

medical [mĕd'ə kəl] *(adj.)* (١) طبّي (٢) «أ» متطلّب معالجةً طبية . «ب» مكرّس للمعالجة الطبية .

medical examiner *(n.)* الطبيب الشرعي : طبيب رسمي يفحص الجثّة لتحديد أسباب الوفاة (وبخاصة في حوادث الانتحار وجرائم القتل) .

medical jurisprudence *(n.)* الشرع الطبي أو الطبّ الشرعي .

medicament [mə dĭk'ə-] *(n.)* دواء ؛ عِلاج .

medicate [mĕd'ə kāt'] *(vt.)* (١) يطبّب ؛ يداوي (٢) يُشبع أو يمزج بمادة طبية .

medication [mĕd'ə kā'shən] *(n.)* (١) تطبيب ؛ مداواة ؛ معالجة . (٢) دواء ؛ علاج .

medicinal [mə dĭs'ə nəl] *(adj.)* شفائيّ ؛ دوائيّ ؛ طبيّ .

medicine [mĕd'ə sən] *(n.; vt.)* (١) دواء ؛ علاج (٢) الطبّ ؛ علم الطب (٣) «أ» شيء يمكّن من السيطرة على القوى الطبيعية أو السحرية (عند الهنود الحمر) . «ب» قوة سحرية أو طقس سِحري (٤) شراب مُسْكِر (ع) §(٥) يعالج ؛ يداوي .

medicine ball *(n.)* كرة التريّض : كرة كبيرة صلبة ثقيلة مكسوّة بالجلد يقذفها شخص إلى آخر على سبيل الرياضة .

medicine man *(n.)* العرّاف ؛ الطبيب المشعوذ أو الدجّال .

medico [mĕd'ə kō] *(Sp.)* (١) طبيب (٢) طالب طب .

medico- بادئة معناها : «أ» طبّيّ . «ب» طبّيّ و . . .

medieval *or* **mediaeval** [mē dĭ ē'vəl] *(adj.)* قروسطيّ : متعلق بالقرون الوسطى .

medievalism [mē'dĭ ē'və lĭz'əm] *(n.)* القروسطية : «أ» صفة القرون الوسطى . «ب» الاخلاص لمؤسسات القرون الوسطى وفنونها وأعرافها .

medievalist [mē'dĭ ē'-] *(n.)* القروسطيّ : «أ» العالِمُ المتخصّص في تاريخ القرون الوسطى وثقافتها . «ب» المُعجَب بتاريخ القرون الوسطى وثقافتها .

medio- = **medi-**.

mediocre [mē'dĭ ō kər] *(adj.)* متوسّط ؛ عاديّ ؛ معتدل الجودة أو ضئيلها .

mediocrity [mē'dĭ ŏk'-] *(n.)* (١) «أ» التوسّط : كونُ الشيء معتدل الجودة أو ضئيلها . «ب» مَقْدِرة (أو براعة الخ.) معتدلة (٢) شخص متوسّط المقدِرة .

meditate [mĕd'ə tāt'] *(vt.; i.)* (١) يفكّر ملياً في (٢) يعتزم أمراً (looked at him *meditating* revenge)× (٣) يستغرق في التأمل . **—meditator** *(n.)*

meditation [mĕd'ə tā'shən] *(n.)* تأمُّل ؛ تفكّر .

meditative [mĕd'ə tā-] *(adj.)* (١) مُولَع بالتأمل (٢) تأمّلي .

mediterranean [mĕd'ə tə rā'nĭ ən] *(adj.)* (١) متوسط : مُحاط أو شبه مُحاط باليابسة (٢) *cap.* : متوسّطيّ : ذو علاقة بالبحر الأبيض المتوسط أو بشعوبه .

Mediterranean Sea *(n.)* البحر الأبيض المتوسط .

medium [mē'dĭ əm] *(n.)* pl. **-s** *or* **-dia** (١) «أ» شيء متوسط أو معتدل . «ب» توسّط ؛ اعتدال (٢) «أ» الناقل : مادة متخلّلة تعمل عبْرَها قوةٌ ما أو يُحْدِثُ أثرٌ ما (The air is a ~ for sound.) . «ب» مادة محيطة بشيء أو مغلّفة له . «ج» وسيلة ؛ سبيل ؛ أداة (Radio is an advertising ~.) «د» وسيط . «هـ» «الوسيط» : شخص يزعم أنّه صلة وصل بين العالم الأرضي وعالم الأرواح (في التنويم المغنطيسي) . «و» الوسائل المادية أو التقنية للتعبير الفني (٣) «أ» بيئة (مج) ؛ وسَط . «ب» مُسْتَنْبَت (للبكتيريا) . «ج» الوسيط (مج) : سائل يمزج به الرسّام أصباغه (٤) قياس من الورق (١٨×٢٣ إنشاً عادةً) .

through the ~ of بواسطة كذا .

medium [mē'-] *(adj.)* متوسط (~ waves) .

medium frequency *(n.)* التردّد المتوسّط (رد) .

medium of exchange واسطة التبادل : شيء يُتعامل به بمثابة النقد (كالخراف أو عقود الأصداف أو الحلقات النحاسية) .

medlar [mĕd'-] *(n.)* المُشْمُلة : شجرٌ من الفصيلة الورْدية أو ثمَرُهُ .

medley [mĕd'lĭ] *(n.; adj.)* (١) خليط ؛ مزيج (٢) اللحن الخليط : لحن موسيقي مؤلف من مقاطع منتزعة من ألحان مختلفة §(٣) مختلط ؛ متخالط .

Médoc [mĕ dôk'] *(F.)* المِيدُوك : ضرب من خمر بوردو .

medulla [mĭ dŭl'ə] *(L.)* pl. **-s** *or* **-e** (١) النِّقْي : نخاع العظم (٢) «أ» الحشوة : النسيج الداخلي من عضو من أعضاء الحيوان . «ب» الجُمّار : لبّ النباتات (٣) الغِمد النخاعي (ت) .

medulla oblongata [ŏb'lŏng gä'tə] *(L.)* النخاع المستطيل (ت) .

medullary [mĕd'ə lĕr'ĭ] *(adj.)* (١) نِقْييّ ؛ نخاعيّ : ذو علاقة بنخاع العظم ؛ وبخاصة : ذو علاقة بالنخاع المستطيل (٢) جُمّاريّ : ذو علاقة بلبّ النباتات .

medullary sheath *(n.)* الغمد النخاعي (ت) .

medullated [mĕd'ə lā tĭd] *(adj.)* مُنخّع : ذو غمد نخاعي (ت) .

medusa [mə dū'sə; -zə; -dōō'-] *(L.)* : *cap.* (١) المَدُوزة : إحدى الغرغونات الثلاث (را. gorgon) (٢) رئة البحر ؛ قنديل البحر : سمك هلامي . **—medusoid** *(adj.)*

meed [mēd] *(n.)* مكافأة ؛ أجر ؛ جزاء .

meek [mēk] *(adj.)* (١) حليم (٢) خنوع (٣) معتدل .

meerschaum [mĭr'shəm; -shôm] *(G.)* (١) المَرْشُوم ؛ الرّغْفة : معدِن قوامه سليكات المغنسيوم تُصنع منه غلايين التدخين (٢) غليونٌ (بيبة) مرشوميّ .

meet [mēt] *(vt.; i.; n.; adj.)* (١) «أ» يلتقي (He *met* his fate.) . «ب» يلتقي بـ (I *met* her in the street.) . «ج» يجتمع إلى ؛ يقابل (to ~ the president) . «د» يمَسّ (His hand *met* hers.) . «هـ» يبدو للعيان . «و» يطرق السمع (the sounds that *met* his ear) (٢) يواجه ؛ يقاوم ؛ يقاتل (٣) يستقبل ؛ يرحّب بـ (*met* his guests at the door) (٤) «أ» يلائم ؛ يوافق ؛ يفي بالمرام . «ب» يُشبِع ؛ يُرْضي (to ~ his wishes) (٥) يدفع القيمة كاملةً (Did they ~ the costs?) (٦) يواجه (أو يردّ على) بطريقة مُرْضية (to ~ objections *or* criticisms etc.) ×(٧) «أ» يلتقي ؛ يتلاقى . «ب» يجتمع (٨) يتصادم ؛ يلتحم في قتال (٩) يتّحد §(١٠) «أ» اجتماع (للقنّاصين ابتغاءَ الصيد أو لراكبي الدرّاجات ابتغاءَ التباري في ركوبها الخ.) . «ب» المجتمعون في اجتماع كهذا . «ج» مكان الاجتماع §(١١) ملائم ؛ مناسب .

to ~ a person halfway يلتقيه في منتصف الطريق : يستجيب لعروضه الرامية إلى إيجاد تفاهم بينهما .

meeting [mē'tĭng] *(n.)* (١) «أ» اجتماع ؛ لقاء . «ب» جَلْسة . (٢) «أ» اجتماع ديني . «ب» حفلة (في سباق الخيل) (٣) مُلْتَقًى .

meeting house *(n.)* المُصلّى : مبنى للعبادة (عند البروتستانت خاصة) .

ă at; ā date; â care; ä car; ĕ egg; ē me; ĭ in; ī bite; ŏ lot; ō bone; ô orphan; oi boil ŏŏ good; ōō boot; ou out; ŭ under; ū unity; û urgent; th thing; th this; zh vision; ə = *a* in alone, *e* in system, *i* in easily, *o* in gallop, *u* in circus.

mega- or meg- بادئة معناها : «أ» ضخم (*mega*spore) . «ب» مليون (*mega*cycle) .
megacephalic [mĕg'ə sə făl'ĭk] *(adj.)* ضخم الرأس .
megacephalous [-ə sĕf'ə ləs] *(adj.)* = megacephalic.
megacycle [mĕg'ə sī'-] *(n.)* الميغاسيكل : مليون دورة في الثانية (رد) .
megagamete [mĕg'ə gə mēt'] *(n.)* = macrogamete.
megahertz *(n.)* الميغاهَرْتز : مليون هرتز في الثانية .
megahit *(n.)* الفتح ؛ عمل باهر (The play was a ~.)
megal- or megalo- بادئة معناها : ضخم (*megalo*polis) .
megalith [mĕg'ə lĭth] *(n.)* المِغْليث : حجر ضخم غير منحوت مُستخدَم في كثير من الآثار الراقية إلى ما قبل التاريخ .
megalomania [mĕg'ə lə mā'nĭ ə] *(n.)* جنون العظَمة .
megalomaniac [-mā'nĭ ăk'] *(n.)* المصاب بجنون العظَمة .
megalopolis [mĕg ə lŏp'ə lĭs] *(n.)* مدينة ضخمة .
megaphone [mĕg'ə fōn] *(n.; vt.; i.)* (١) بوق ؛ صُور §(٢) يبوّق : يتكلم أو يخاطب بواسطة بوق .
megascopic [mĕg ə skŏp'ĭc] *(adj.)* (١) مكبِّر ؛ مضخِّم . (٢) «أ» مرئيّ بالعين المجرّدة . «ب» مبنيّ على ملاحظات بالعين المجردة (أو متعلق بهذه الملاحظات) .
megasporangium [-spō răn'-] *(L.)* الكيس البوغي الكبير (نب) .
megaspore [mĕg'ə spōr'] *(n.)* البَوْغ الكبير أو الضخم (نب) .
megathere [-'ə thĭr] *(L.)* البَهْضَم : بهيمة ضخمة منقرضة من الدرداوات.

megathere

megaton [mĕg'ə tŭn] *(n.)* الميغاطن : قوة انفجاريّة تعادل قوة انفجار مليون طن من ثالث نتريت التولين .
megawatt [mĕg'ə wŏt] *(n.)* الميغاواط : مليون واطّ (كب) .
megilp [mĭ gĭlp'] *(n.)* المَغْلَب : مُستحضر هُلاميّ يستعمله الرسّامون .
megohm [mĕg'ōm] *(n.)* الميغاأوم : مليون أوم (كب) .
megrim [mē'grĭm] *(n.)* (١) «أ» الشقيقة : ألَم نصف الرأس . «ب» دُوار (٢) نَزْوة (٣) كآبة (٤) المغريم : سمك مفلطح .
meiosis [mī ō'sĭs] *(L.)* الانقسام المُنصِّف (أح) .
meiotic [mī ŏt'ĭk] *(adj.)* متعلق بالانقسام المنصِّف (أح) .
Meistersinger [mīs'tər-] *(G.)* راعي الشعر والموسيقى : أحد أفراد نقابة من النقابات الألمانيّة المؤلّفة في المقام الأول من صنّاع حِرَفيّين ، والمَعْنيّة برعاية الشعر والموسيقى (في القرنين ١٥ و١٦) .
melamine [mĕl'ə mēn] *(G.)* الميلامين : مُركّب متبلّر أبيض (ك) .
melan- or melano- بادئة معناها : أسود ؛ قاتم .
melancholia [mĕl'ən kō'lĭ ə] *(L.)* السَّوْداء ؛ المَلَنْخوليا .
melancholiac [-'lĭ ăk] *(n.)* السوداويّ : المصاب بالسوداء .
melancholic [-kŏl'ĭk] *(adj.)* (١) كئيب (٢) سوداوي ؛ مَلَنْخوليّ (٣) مُحزِن ؛ مُوقِع في النفس انقباضاً .
melancholy [mĕl'ən kŏl'ĭ] *(n.; adj.)* (١) «أ» الانقباضية : نزوع إلى الحزن أو الانقباض . «ب» السوداء ؛ المَلَنْخوليا (٢) كآبة §(٣) سوداويّ ؛ كئيب (a ~ mood) .
Melanesian [mĕl'ə nē'shən] *(n.; adj.)* (١) الميلانيزيّ : أحد أبناء جزر ميلانيزيا (٢) اللغة الملانيزية §(٣) ميلانيزيّ .
mélange [mā länzh'] *(F.)* مزيج ؛ خليط .
melanic [mĕ lən'ĭk] *(adj.)* أسود ؛ أسفع ؛ قاتم البشرة .
melanin [mĕl'ə nĭn] *(n.)* القَتامِين ؛ الصِّبْغ السافع (كح) .

melanism [mĕl'ə nĭz'əm] *(n.)* السَّفَع : قَتام البَشَرة الخ .
melanite [mĕl'ə nīt'] *(G.)* الملانيت : عقيق أسود (مع) .
melanize [mĕl'ə nīz] *(vt.)* يقتّم ؛ يسوّد : يجعله قاتماً أو أسود .
melano- = melan-.
melanoid [mĕl'ə noid] *(adj.)* قتاميّ : «أ» متسِّم بأصباغ سافعة . «ب» متعلق بالتشبّع القتاميّ .
melanoma [mĕl'ə nō'mə] *(L.)* الورم القَتاميّ (مض) .
melanosis [mĕl'ə nō'sĭs] *(L.)* التشبّع القَتاميّ (مض) .
melanous [mĕl'ə-] *(adj.)* أسفع : ذو شعر أسود وبشرة داكنة .
melaphyre [mĕl'ə fīr'] *(F.)* الملافير : صخر بركانيّ داكن .
melba toast [mĕl'bə] *(n.)* شرائح خبز رقيقة محمّصة .
Melchite or Melkite [mĕl'kīt] *(n.)* المَلَكيّ : أحد المسيحيين المَلَكيين أي الأرثوذكس الشرقيين الذين خضعوا للمجمع الخلقيدوني (عام ٤٥١) .
meld [mĕld] *(vt.; i.; n.)* (١) يُصرِّح : يعلن أن في يده تشكيلة متجانسة من الأوراق أو يكشف عن هذه التشكيلة (في البيناكل وغيره من ألعاب الورق) §(٢) تصريح (عن امتلاك تشكيلة متجانسة من ورق اللعب) (٣) تشكيلة متجانسة من ورق اللعب.
melee [mā'lā; mĕl'ā] *(F.)* شِجار ؛ عِراك صاخب .
melic [mĕl'ĭk] *(adj.)* غِنائي ؛ وبخاصة : متعلق بالشعر الغنائي اليوناني في القرنين السابع والسادس ق.م.
melilot [mĕl'ə-] *(n.)* الحَنْدَقُوق ؛ الذُرَق ؛ إكليل الملك (نب) .
melinite [mĕl'ə nīt'] *(n.)* المَلِنيت : متفجّر شديد .
meliorate [mēl'yə rāt'] *(vt.; i.)* (١) يحسّن ×(٢) يتحسّن .
meliorism [-rĭz əm] *(n.)* التحسّنية : الإيمان بأنّ العالَم ينزع إلى التحسّن وبأن في ميسور الانسان أن يساعد على تحسينه .
—meliorist *(adj.; n.)*
mell [mĕl] *(vt.; i.)* (١) يمزج ؛ يخلط ×(٢) يمترج ؛ يختلط (عب) .
melliferous [mə lĭf'ər əs] *(adj.)* مُعَسِّل : مولّد عسلاً .
mellifluent; mellifluous [mə lĭf'lōō-] *(adj.)* (١) معسول ؛ مُحلّى بالعسل (٢) منساب برقّة (a ~ voice) .
mellow [mĕl'ō] *(adj.; vt.; i.)* (١) «أ» يانع (~ peach) . «ب» معتّق (~ wine) (٢) مصقول الحاشية : ليّن العريكة بفضل السن والخبرة (٣) طريّ ؛ ليّن (~ soil) (٤) «أ» رخيم . «ب» رقيق ؛ لطيف (٥) «أ» مرح ؛ مبتهج . «ب» ثَمِل بعض الشيء §(٦) يجعله (أو يصبح) يانعاً أو معتّقاً الخ .
melodeon [mə lō'dĭ ən] *(G.)* الملَدْيون : أرغن مزماريّ صغير .
melodic [mə lŏd'ĭk] *(adj.)* لحنيّ : ذو علاقة باللحن (مو) .
melodious [mə lō'-] *(adj.)* (١) رخيم ؛ شجيّ (٢) لحنيّ (مو) .
melodist [mĕl'ə dĭst] *(n.)* (١) المغنّي (٢) الملحّن .
melodize [-'ə dīz] *(vt.)* (١) يجعله رخيماً أو شجياً (٢) يلحّن .
melodrama [mĕl'ə drä'mə] *(F.)* (١) الميلودراما ؛ المَشجاة : تمثيلية عاطفية مثيرة تعتمد على الحادثة والعقدة أكثر مما تعتمد على تصوير الشخصيات (٢) أحداث مثيرة ؛ سلوك مثير .
melodramatic [mĕl'ə drə măt'ĭk] *(adj.)* (١) ميلودراميّ ؛ مَشجاتيّ (٢) مثير .
melodramatics [-'ĭks] *(n. pl.)* سلوك ميلودراميّ ؛ سلوك مثير .
melody [mĕl'ə dĭ] *(n.)* (١) اتّساق الأصوات (٢) لحن .
meloid [mĕl'oid] *(adj.; n.)* (١) مُحْرِقيّ : ذو علاقة بالمحرقات **Meloidae** وهي ضرب من الخنافس §(٢) المُحرِقة ؛ الخنفساء المحرقة .

melolonthid [mĕl ə lŏn'-] *(n.)* = cockchafer.
melon [mĕl'ən] *(n.)* (١) «أ» القاوون : شَمّام أو بطيخ أصفر . «ب» البطيخ الأحمر (٢) «أ» شيء مستدير كالبطيخ . «ب» كَرْش ؛ بطن ضخم (٣) «أ» فائض أرباح (يوزَع على حملة الأسهم) . «ب» ربح مفاجيء أو غير متوقَّع .
to cut a ~ , يعلن عن فائض أرباح سيوزَّع على المساهمين .
Melpomene [mĕl pŏm'ə nĭ] *(n.)* ملبومينة : ربّة المأساة عند الاغريق .
melt [mĕlt] *(vi.; t.; n.)* (١) يذوب ؛ يَميع ؛ يَنصهر . (٢) «أ» ينحل ؛ يتفكّك . «ب» يتلاشى ؛ يتبدّد تدريجياً (fog ~*ed* away) (٣) يَرِقّ ؛ يلين (Her heart ~ *ed.*) ×(٤) يُذيب ؛ يُميع ؛ يَصْهر (٥) يُلاشي ؛ يُبدِّد (٦) يُلين ؛ يعطِف قلبَه (Pity ~ *ed* his heart.) §(٧) «أ» الذائب ؛ الصَّهير ؛ الصُّهارة . «ب» المقدار الذائب أو المصهور (خلال فترة معينة) (٨) «أ» إذابة ؛ صَهْر . «ب» ذوبان ؛ انصهار (٩) طحال (ت) .
melting point *(n.)* نقطة الانصهار ؛ درجة الانصهار .
melting pot *(n.)* (١) بوتقة ؛ بُودقة (٢) البلد البوتقة : بلاد ينصهر فيها المهاجرون (على اختلاف أعراقهم) في مواطنية واحدة .
melton [mĕl'-] *(n.)* الملْتُون : نسيج صوفيّ ناعم للمعاطف الخ .
meltwater [mĕlt'-] *(n.)* الذَّوْبُ المائيّ : الماء الذائب من جليد أو ثلج .
member [mĕm'bər] *(n.)* (١) عضو (في جسد) ، مثل : «أ» ذراع ؛ رجل ؛ جناح . «ب» القضيب ؛ ذكر الرَّجُل (٢) عضو (في جماعة أو حزب) (٣) «أ» سِمة معمارية ثانوية في مبنًى . «ب» الطَّرَف : أحد طرَفَيْ معادلة جبرية .
membership [-ship] *(n.)* (١) عُضوية (٢) مجموع الأعضاء .
membranaceous [mĕm'brə nā'shəs] *(adj.)* غِشائي .
membrane [mĕm'brān] *(n.)* غِشاء (حيوانيّ أو نباتيّ) .
membrane bone *(n.)* العظم الغشائيّ : عظم ينشأ في نسيج غشائي .
membranous [-'brə nəs] *(adj.)* (١) غشائيّ (٢) رقيق .
membranous labyrinth *(n.)* التّيه الغشائيّ (في الأذن الباطنة) .
memento [mĭ mĕn'tō] *(L.)* (١) التّذْكِرة : شيء يذكّر أو يحذّر (٢) تَذْكار .
memento mori [mōr'ī] *(L.)* تَذْكِرة الموت : جمجمة أو نحوها تُتّخذ مُذكِّراً بالموت .
memo [mĕm'ō] *(n.)* = memorandum.
memoir [mĕm'wär] *(F.)* (١) «أ» سيرةٌ ذاتية : ترجمة حياة المرء بقلمه (٢) سيرة ؛ ترجمة حياة (٣) تقرير (عن شيء ذي أهمية) (٤) *pl.* : مجموعة تقارير مقدمة الى جمعية علمية الخ . *pl.* (١) : «أ» مذكّرات . «ب»
memorabilia [mĕm'ə rə bĭl'ĭ ə] *(L.)* (١) أشياء جديرة بالتذكّر (٢) سجلّ بأشياء كهذه .
memorable [mĕm'ə rə bəl] *(adj.)* بارز : جدير بأن يُذْكَر .
memorandum [mĕm'ə răn'dəm] *(L.)* pl. **-dums** *or* **-da** (١) مذكِرة (٢) مذكرة دبلوماسيّة تنطوي على خلاصة لمسألة ما وعلى الأسباب الداعية إلى اتخاذ موقف معين منها .
memorial [mə mōr'ĭ əl] *(adj.; n.)* (١) تذكاريّ (٢) ذاكريّ : متعلّق بالذاكرة §(٣) نُصُب تذكاريّ (٤) مذكرة .
Memorial Day *(n.)* يوم الذكرى : يوم ٣٠ نوّار (مايو) الذي يحتفل فيه في أكثر الولايات الأميركيّة المتحدة بذكرى الجنود الذين سقطوا صرعى في ساحة القتال .
memorialize [mə mōr'-] *(vt.)* (١) يقدّم مُذكِّرةً إلى .
(٢) يحيي ذكرى .
memoriter [mə mŏr'ĭ tər] *(L.)* عن ظهر قلب .
memorize [mĕm'ə rīz'] *(vt.)* يستظهر ؛ يحفظ عن ظهر قلب .
memory [mĕm'ə rĭ] *(n.)* (١) «أ» التذكّر . «ب» الذاكرة . (٢) ذكرى (his earliest *memories*) (٣) إحياء لذكرى (a monument in ~ of Saladin) (٤) مدى أو نطاق الذاكرة (a time within the ~ of living men) .
memsahib [mĕm'sä'ĭb; -hĭb] *(Hin.)* الممْصاحب : سيدة أجنبية بيضاء وبخاصة : زوجة موظف بريطاني في الهند .
men [mĕn] *pl. of* man.
men- *or* **meno-** بادئة معناها : طَمْث . (*meno*rrhagia)
menace [mĕn'ĭs] *(n.; vt.; i.)* (١) تهديد ؛ وعيد (٢) خطرٌ (٣) شخصٌ مزعج §(٤) يهدّد ؛ يتوعّد (٥) يعرّض للخطر ×(٦) يتهدّد .
menad [mē'năd] *(n.)* = maenad.
ménage [mā näzh'] *(F.)* (١) منزل (٢) تدبير شؤون المنزل .
menagerie [mə năj'ə rĭ] *(F.)* (١) معرض الوحوش (٢) مجموعة وحوش (في معرض) .
mend [mĕnd] *(vt.; i.; n.)* (١) «أ» يُصْلح . «ب» يصحّح . «ج» يرفو ؛ يرتق ؛ يرمّم . «د» يشفي ×(٢) يتحسّن (وبخاصة صحياً) §(٣) إصلاح ؛ رَتْق ؛ ترميم (٤) فَتْق مرتوق الخ .
on the ~ , في تحسّن (وضعاً أو صحةً) .
to ~ a fire يذكي النارَ (بمقدار من الفحم جديد) .
to ~ one's pace يُغِذّ السَّيْر ؛ يُسْرِع الخطى .
mendacious [mĕn dā'shəs] *(adj.)* (١) كَذوب ؛ كثير الكَذِب (a ~ boy) (٢) كاذب (~ reports *or* memoirs) .
mendacity [mĕn dăs'ə tĭ] *(n.)* (١) الكِذّاب : كثرة الكذب أو اعتياده (٢) كَذِب ؛ كِذْبة .
mendelevium [mĕn də lē'-] *(L.)* المندليفيوم : عنصر إشعاعيّ النشاط يُنْتَج صناعياً (ك) .
Mendelian [-dē'lĭ ən] *(adj.)* مَنْدَليّ : متعلق بقانون مندل .
Mendelism [-'də lĭz əm] *(n.)* المَنْدَلية : مذهب مَنْدل في الوراثة .
Mendel's law *(n.)* قانون مَنْدَل (الخاص بتوارث الصفات في الحيوانات والنباتات) .
mendicancy [mĕn'də-] *(n.)* تسوّل ؛ استجداء ؛ شِحاذة .
mendicant [mĕn'də kənt] *(n.; adj.)* (١) المتسوّل ؛ المستجدي ؛ الشحّاذ (٢) الراهب المستجدي (مج) : عضوٌ في أخوية دينية تعيش على الصدقات §(٣) متسوّل ؛ عائش على الصدقات .
mendicity [mĕn dĭs'ə tĭ] *(n.)* = mendicancy.
menhaden [mĕn hā'-] *(n.)* المَنْهيدن : سمك من جنس الرَّنكة .
menhir [mĕn'hĭr] *(n.)* المَنْهير : نُصُب حجري عموديّ قَبْتاريخيّ prehistoric الأصل عادةً .
menial [mē'nĭ əl] *(adj.; n.)* (١) حقير ؛ وضيع (٢) عُبوديّ §(٣) خادم .
mening- *or* **meningo-** *also* **meningi-** بادئة معناها : سَحايا .
meningeal [mĭ nĭn'jĭ əl] *(adj.)* سَحائيّ : متعلق بالسحايا (ت) .
meninges [mĭ nĭn'jēz] *(n. pl.)* السَّحايا ؛ أغشية الدماغ (ت) .
meningitis [mĕn'ĭn jī'-] *(L.)* التهاب السحايا (مض) .
meningococcus [-kŏk'əs] *(L.)* pl. **-cocci** المكوّرة السَّحائيّة .
meninx [mēn'-] *(L.)* pl. **meninges** السِّحاية : إحدى سَحايا الدماغ أي أغشيته (ت) .

meniscus [mĭ nĭs'kəs] *(n.)* pl. **-nisci** (١) هلال أو جسم هلاليّ الشكل (٢) الغضروف المفصليّ : غضروف ليفي ضِمن مَفْصِل، وبخاصة ضمن مفصِل الركبة (٣) عدَسة مُقعَّرة مُحدَّبة (٤) السطح الهلاليّ : سطحُ السائل المقعَّر أو المحدَّب بسبب الخاصة الشَّعرية (را. capillarity) .

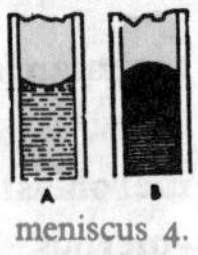

meniscus 4.

menopausal[mĕn ə pô'zəl] *(adj.)* إياسيّ : خاصّ بسنّ اليأس.

menopause [mĕn'ə pôz'] *(n.)* سِن اليأس أو الإياس : سِن انقطاع الطَّمْث (بين الخامسة والأربعين وبين الخمسين) .

menorrhagia [mĕn'ə rā'jĭ ə] *(L.)* فرْط الطمث ؛ زيادة الطمث.

mensal [mĕn'səl] *(adj.)* (١) مائديّ : متعلق بالمائدة (٢) شهريّ .

menses [mĕn'sēz] *(n. pl.)* الطَّمْث ؛ الحَيْض .

Menshevik [mĕn'shĕ vĭk] *(n.)* pl. **-s** *or* **-i** المَنْشفيّ (وجمعها المناشفة) : عضو في جناح من الحزب الديموقراطي الاشتراكي الروسي ، قبل الثورة الروسية وخلالها ، مؤمن بتحقيق الاشتراكية التدريجي بالطرائق البرلمانيّة مخالفاً بذلك سياسة البلاشفة .

—**Menshevism** *(n.)* —**Menshevist** *(adj.)*

menstrual[-'strōō əl] *(adj.)* (١) طَمْثيّ ؛ حَيْضيّ (٢) شهريّ .

menstruate [-'strōō āt'] *(vi.)* تَطْمِث ؛ تحيض .

menstruation[mĕn strōō ā'-] *(n.)* الطمث ؛ الحَيْض (أو فترته) .

menstruous [mĕn'-] *(adj.)* (١) طَمْثيّ (٢) طامث ؛ حائض .

menstruum [-'strōō əm] *(L.)* pl. **-s** *or* **-strua** المذيب : المادة المذيبة أو المحلّلة .

mensurable [mĕn'shər ə bəl] *(adj.)* يُقاس ؛ قابلٌ للقياس .

mensural [mĕn'shə-] *(adj.)* قياسي : متعلق بالقَيْس أو القياس .

mensuration [mĕn'shə rā'shən] *(n.)* (١) القَيْس ؛ القياس : أخذ قياس الشيء (٢) فنّ القياس (للمساحات والأحجام) .

-ment لاحقة معناها : (١) «أ» نتيجة عمل معيّن . «ب» وسيلة عمل معيّن (٢) «أ» عمل ؛ عمليّة . «ب» مكان عمل معيّن (٣) حالة ؛ وضع .

mental [mĕn'təl] *(adj.)* (١) «أ» عقلي ؛ ذهنيّ . «ب» فكريّ . «ج» روحيّ (٢) ذقنيّ ؛ خاصّ بالذقن (ت) .

mental age *(n.)* العُمر العقلي : درجة ذكاء الفَرْد أو تطوّره العقلي بالقياس إلى متوسط الذكاء عند الأطفال الأسوياء في مختلف الأعمار .

mental deficiency *(n.)* القصور (أو النقص) العقلي (نف) .

mentality [mĕn tăl'-] *(n.)* (١) عقل ؛ ذكاء (٢) عقلية ؛ ذهنية .

mentally [mĕn'tə lĭ] *(adv.)* عقلياً ، ذهنياً الخ .

menthene [-'thēn] *(n.)* المنتين : هيدروكربون زيتيّ عديم اللون (ك) .

menthol [mĕn'thōl] *(n.)* المَنْتُول : مادة تستخرج من زيت النعناع وتستعمل لتخفيف الألم (ك) .

mentholated [-'thə lā'tĭd] *(adj.)* مُمَنْتَل : محتوٍ على منتول أو مُشْبَع به .

mention [mĕn'shən] *(vt.; n.)* (١) «أ» يَذْكُر ؛ يشير إلى . «ب» ينوّه بِـ §(٢) «أ» ذِكْر ؛ إشارة عابرة . «ب» تنويه بِـ .

—**mentionable** *(adj.)* · —**mentioner** *(n.)*

not to ~, هذا فضلاً عن . . .

mentor [mĕn'tər] *(n.)* (١) الناصح المخلص (٢) المعلم الخاص.

menu [mĕn'ū; mā'nū] *(F.)* (١) قائمة الطعام (في مطعم) . (٢) ألوان الطعام المقدَّمة في وَجبة ، أو الوجبة نفسُها .

meow [mĭ ou'; myou] *(n.; vi.)* (١) المُواء : صوت الهرّ . (٢) ملاحظة حاقدة أو خبيثة §(٣) تموء (الهرة) .

meperidine [mə pər'-] *(n.)* الميبيريدين : عقّار مخدِّر .

Mephistopheles [mĕf'ə stŏf'ə lēz'] *(n.)* مفيستوفيليس : أحد الشياطين السبعة الرئيسيين (في أساطير القرون الوسطى) .

mephitic [mĭ fĭt'ĭk] *(adj.)* (١) نتِن (٢) سامّ .

mephitis [mĭ fī'tĭs] *(L.)* (١) «أ» نتانة ؛ وخَم . «ب» رائحة كريهة (٢) الظَّرِبان الأميركي : حيوان مُنتِن الرائحة .

mer- بادئة معناها : بحر (**merman**) .

mercantile [-'kən tĭl; -tīl] *(adj.)* (١) تجاريّ (٢) مَرْكَنْتليّ .

mercantilism [mûr'kən tĭl ĭz-] *(n.)* (١) التجاريّة ؛ الروح التجارية (٢) المركنتليّة : نظام اقتصادي نشأ في أوروبة خلال تفسّخ الاقطاعيّة لتعزيز ثروة الدولة من طريق التنظيم الحكومي الصارم لكامل الاقتصاد الوطني وانتهاج سياسات تهدف إلى تطوير الزراعة والصناعة وإنشاء الاحتكارات التجارية الخارجيّة .

mercaptan [mər kăp'-] *(n.)* المَرْكَبْتان : مركّب كيميائي .

Mercator projection [mər kā'tər] *(n.)* الإسقاط المركاتوري : طريقة في رسم الخرائط تمثّل فيها خطوط الطول والعرض بخطوط مستقيمة لا بخطوط منحنية .

Mercator projection

mercenary [mûr'sə nĕr'ĭ] *(n.; adj.)* (١) المرتزق : مَن يَخدُم لمجرد الأجْر ؛ وبخاصة : الجنديّ المستأجَر ؛ أحد الجنود المرتزقة المستأجرين للخدمة في جيش أجنبي §(٢) «أ» مرتزِق . «ب» جشع (٣) مستأجَر (للخدمة في جيش دولة أجنبية) .

mercer [mûr'sər] *(n.)* البزّاز : تاجر الأقمشة وبخاصة الحريرية .

mercerize [mûr'sə rīz'] *(vt.)* يُمَرْسِر : يُمتِّن القطن المغزول ويصقله ويجعله أكثر تقبّلاً للأصباغ بمعالجته بالصودا الكاوية .

mercery [mûr'sə rĭ] *(n.)* (١) البزازة : الاتّجار بالأقمشة وبخاصة الحريرية (٢) دكان البزّاز أو الأقمشة التي يتّجر بها .

merchandise[*n.* mûr'chən dīz';-dīs'; *v.* -dīz'] *(n.; vi.; t.)* (١) بضائع ؛ سِلَع (٢) تجارة (ا.ق) §(٣) يتاجر ×(٤) يروّج السِّلَع (يعرضها عرضاً جذاباً وبالاعلان عنها) .

merchant [mûr'chənt] *(n.; adj.; vt.)* (١) تاجر (٢) صاحب حانوت §(٣) تجاريّ (ships ~) §(٤) يتّجر بِـ .

merchantable [mûr'chən tə bəl] *(adj.)* موافق للسّوق ؛ صالح للعرض في السوق .

merchantman [mûr'-] *(n.)* (١) تاجر (ا.ق) (٢) سفينة تجارية .

merchant marine *(n.)* (١) الأسطول التجاري (لدولة ما) . (٢) ربابنة الأسطول التجاري وملاّحوه .

merciful [mûr'sĭ-] *(adj.)* رحيم ؛ رؤوف .

merciless [mûr'sĭ-] *(adj.)* قاسي الفؤاد ؛ عديم الرحمة .

mercur- *or* **mercuro-** بادئة معناها : زئبق .

mercurate [mûr'kyə rāt] *(vt.)* يزأبق : يمزج أو يعالج بالزئبق .

mercurial [mər kyŏŏr'ĭ əl] *(adj.; n.)* (١) عُطارديّ : ذو علاقة بالسيّار عُطارد (٢) فصيح أو ماكر أو متلصّص (مثل الإله عطارد) (٣) متقلّب ؛ زئبقي المزاج (٤) زئبقي §(٥) العقّار الزئبقي : مُستَحضر صيدلي أو كيميائيّ متضمّن زئبقاً .

mercuric [-'ĭk] *(adj.)* زئبقي : متضمّن زئبقاً ثنائيّ التكافؤ .

mercurochrome [-'ə krōm] *(n.)* المَرْكوكروم : ذرور ينحلّ في الماء فينشأ عنه سائل أحمر يُستعمل كمطهّر وقاتل للجراثيم .

mercurous [-'əs] *(adj.)* زئبقي : متضمّن زئبقاً أُحاديّ التكافؤ .

mercury [mûr'kyə rĭ] *(n.)* (١) *cap.* عُطارد : رسول الآلهة ،

وإله التجارة والفصاحة والمكر واللصوصية (عند الرومان) (٢) «أ» زئبق . «ب» زئبق المِحَرّ (الترمومتر) أو البارومتر (٣) cap. : عُطارد : أقرب السيارات إلى الشمس (فل) (٤) الحَلْبوب ، عصا هِرْمِس : نبات أوروبي سامّ .

mercury chloride *(n.)* كلوريد الزئبق (ك).

mercury-vapor lamp *(n.)* مصباح البخار الزئبقي : ضربٌ من المصابيح الكهربائية .

mercy [mûr'sĭ] *(n.)* (١) «أ» رحمة ، رأفة . «ب» الرحمة : السجن بدلاً من الإعدام (لمتّهم بجريمة عقوبتها الموت) (٢) نِعمة ، بركة (That's a ~ !) .

mercy seat *(n.)* (١) الغطاء الذهبي لتابوت العهد اليهودي القديم . (٢) عرش الرحمة : عرش الله .

mere [mĭr] *(n.; adj.)* (١) بِركة (٢) حدّ ، تخم (ا.ق) . §(٣) مجرَّد (He's a ~ child.) .

-mere لاحقة معناها : جزء .

merely [mĭr'lĭ] *(adv.)* فحسب ، ليس غير .

meretricious [mĕr'ə trĭsh'əs] *(adj.)* (١) مومسي : خاصّ بمومس (٢) «أ» مُبَهْرَج ، مزوّق . «ب» كاذب ، خادع .

merganser [mər găn'sər] *(n.)* البَلَقْشة : ضرب من البط الغوّاص .

merge [mûrj] *(vt.; i.)* (١) يُدْمِج (الشيءَ في الشيء) ×(٢) يندمج .

mergence [mûr'jəns] *(n.)* (١) إدماج (٢) اندماج .

merger [mûr'jər] *(n.)* الاندماج : اندماج مؤسسة الخ. في أخرى (ق) .

meridian [mə rĭd'-] *(n.; adj.)* (١) الهاجرة : منتصف النهار (ا.م.) (٢) دائرة خط الزوال (فل) (٣) «أ» دائرة خط الطول (جغ). «ب» خط التنصيف (جغ) (٤) أوج (النجاح أو الشهرة أو السعادة أو القوة) §(٥) «أ» هاجريّ ؛ زواليّ . «ب» ظُهْريّ (the ~ hour) (٦) أوجيّ ، بالغٌ الذروة (~ splendor) .

meridional [mə rĭd'ĭ ə nəl] *(adj.; n.)* (١) جنوبيّ (٢) هاجري ؛ زواليّ §(٣) الجنوبيّ : أحد سكان أوروبة الجنوبية وبخاصة فرنسة الجنوبيّة .

meringue [mə răng'] *(F.)* المَرَنْغ : «أ» مزيج من السكّر وبياض البيض المخفوق تُكْسَى به الحلوى . «ب» كعكة صغيرة مُعَدّة من هذا المزيج .

merino [mə rē'nō] *(Sp.)* المرينوس : «أ» غنم أسباني أبيض نفيس الصوف . «ب» نسيج صوفي (أو صوفي وقطني) ناعم يشبه الكشمير . «ج» غزل صوفي وقطنيّ ناعم يستعمل في الحبك .

meristem [mĕr'ə stĕm'] *(n.)* البارض ، البارضة ، المَرِسْتيمة : نسيج جنيني مؤلف من خلايا قادرة على الانقسام غير المحدود (نب) .

merit [mĕr'ĭt] *(n.; vt.; i.)* (١) جدارة ، استحقاق ، أهلية . (٢) حَسَنَة ، فضيلة ، ميزة (the ~ s of his book) (٣) pl. : وقائع الحالة الموضوعية « من غير تأثر بالعواطف الشخصية » (You must decide the case on its ~s) §(٤) يستحق ، يستأهل .

merited [mĕr'ĭt ĭd] *(adj.)* مُسْتَحَق ، مُستأهَل .

meritorious [mĕr'ə tōr'ĭ əs] *(adj.)* أهلٌ للمكافأة أو التقدير .

merit system *(n.)* نظام الجدارة : نظام تكون فيه التعيينات والترقيات الادارية مبنيّة على الكفاءة لا على المحاباة السياسيّة .

merl *or* **merle** [mûrl] *(n.)* الشُحرور (طا) .

merlin [mûr'lĭn] *(n.)* اليُويُو ، الجَلَم : صقر صغير .

merlon [mûr'lən] *(F.)* المَرْلون : الجدار الفاصل بين فتحتين في شرفة حِصن .

mermaid [mûr'măd'] *(n.)* حورية الماء : مخلوقة بحرية خرافية لها جسد امرأة وذيل سمكة .

merman [mûr'măn'] *(n.)* غُرانِق الماء : مخلوق بحري خرافي له جسد رجُل وذيل سمكة .

meroblastic [mĕr'ə blăs'-] *(adj.)* جزئيّة الانشقاق (صفة للبييضة) .

-merous لاحقة معناها : ذو عددٍ معيّن من الأجزاء .

Merovingian [mĕr'ə vĭn'jĭ ən] *(adj.)* ميروفنجي : ذو علاقة بالأسرة الفرنكية (الفرنجية) الأولى التي تولت الحكم في بلاد الغال وألمانية من حوالي ٥٠٠ إلى ٧٥١ ب.م. **—Merovingian** *(n.)*

merrily [mĕr'ĭ lĭ] *(adv.)* بمَرَح ، بقَصْف ، بجَذَل .

merriment [mĕr'ĭ mənt] *(n.)* (١) مَرَح ، قَصْف (٢) مِهرجان .

merry [mĕr'ĭ] *(adj.)* (١) مَرِح (٢) بهيج ، متّسم بالبهجة (a ~ Christmas) (٣) رشيق ، ناشط (a ~ pace) .

to make ~, يَمْرَح ، يَقْصِف .

to make ~ over يهزأ بـ ، يسخر من .

merry-andrew [mĕr'ĭ ăn'drōō] *(n.)* المُهرِّج ، المُضحِّك .

merry-go-round [mĕr'ĭ gō-] *(n.)* (١) دُوّامة الخيل (٢) المَدْوَرَة : ملتقى طرق تتخذ فيه السيارات اتجاهاً دائرياً فقط (٣) الدُّوّامة : «أ» حركة دائرية سريعة . «ب» تعاقب الأحداث على نحو سريع مثير .

merry-go-round 1.

merrymaker [mĕr'ĭ mā'kər] *(n.)* القاصف ، المُمَهْرِج : المشارك في قَصْف أو مِهرجان .

merrymaking [mĕr'ĭ mā-] *(n.)* القَصْف : لهوٌ صاخب .

merrythought [mĕr'ĭ thôt'] *(n.)* عظم ترقُوة الطائر .

mes- *or* **meso-** بادئة معناها : «أ» أوسط . «ب» متوسط الحجم .

mesa [mā'sə] *(Sp.)* المَيْسَة : هضبة مستوية السطح متحدّرة الجوانب .

mésalliance [mā zăl'ĭ əns] *(F.)* الزواج غير المتكافىء : زواج المرء من شخص ذي منزلة اجتماعيّة أدنى من منزلته .

mescal [mĕs kăl'] *(n.)* المَسْكَل : «أ» ضرب من الصبّار (نب) . «ب» مُسْكِر مكسيكي يُستقطَر من أوراق المَسْكَل الداخليّة .

mesdames [mē dám'] *pl. of* **madam** *or of* **madame.**

mesdemoiselles [mĕd mwȧ zĕl'] *pl. of* **mademoiselle.**

meseems [mē sēmz'] *(v. impers.)* يبدو لي (ا.ق) .

mesencephalon [mĕs'ĕn sĕf'ə lŏn] *(L.)* الدماغ الأوسط (ت) .

mesenchyme [-'ĕng kĭm] *(G.)* المَزَنْشيم ، الطبقة المتوسطة (أج) .

mesenchymal [mĕsĕng'kə məl] *(adj.)* مزَنْشيمي (أج) .

mesenteric [mĕs ən tĕr'ĭc] *(adj.)* مساريقي : ذو علاقة بالمساريقا .

mesenteron [mĕz ĕn'-] *(L.)* pl. **-tera** العَفْج (أو المعي) الأوسط .

mesentery [mĕs'ən tĕr'ĭ] *(L.)* المساريقا : الأغشية (أو أحد الأغشية) التي تغلّف الامعاء وتربطها بالجدار البطني (ت) .

mesh [mĕsh] *(n.; vt.; i.)* (١) العَيْن : إحدى عيون الشبكة أو نحوها (٢) pl. : خيوط الشبكة (٣) «أ» شبكة . «ب» شَرَك (٤) تعشيق ، اشتباك التروس (in ~) §(٥) «أ» يلتقط بشبكة . «ب» يُوقع في شَرَك (٦) يشبّك : يجعله شبيهاً بشبكة (٧) «أ» يشابك ، يوشّج . «ب» يعشّق (تروسَ الآلة) ×(٨) يقع في شبكة أو شَرَك (٩) تتعشّق (تروسُ الآلة) (١٠) يتناغم ، ينسجم .

meshwork [mĕsh'wûrk'] *(n.)* شَبَكَة .

meshy [mĕsh'ĭ] *(adj.)* مشبَّك : ذو عيون شبكيّة .

mesial [mē'zĭ əl; mĕs'ĭ əl] *(adj.)* أوسط ، وبخاصة : قاسِمٌ

الحيوانَ إلى نصفين أيمن وأيسر .

mesitylene [mĭ sĭt'-] *(n.)* الميسيتيلين : هيدروكربون زيتيّ (ك) .

mesmeric [mĕs mĕr'ĭk] *(adj.)* (١) مَسْمَريّ (٢) فاتن ؛ ساحر .

mesmerism [mĕs'mə rĭz'əm] *(n.)* المَسْمَرِيّة: التنويم المغنطيسي .

mesmerize [mĕs'-] *(vt.)* (١) يمسْمِر ؛ ينوّم مغنطيسياً . (٢) يفتن ؛ يَسْحَر .

mesne [mēn] *(adj.)* متخلِّل ؛ متوسط (من حيث زمن الحدوث) .

mesne lord [mēn] *(n.)* إقطاعيّ مستأجر أرضاً من آخر أكبر منه .

mesoblast[mĕz'ə blăst] *(n.)* الطبقة الجرثوميّة الوسطى (من جنين) .

mesocarp [mĕz'ə kärp] *(n.)* لُبّ الثمرة (نب) .

mesoderm [mĕz'ə dûrm'] *(n.)* = mesoblast.

mesoglea *or* **mesogloea** [mĕz ə glē'ə] *(L.)* الحَشْوُ المَرِن؛ الهُلام المتوسط : مادة هُلاميّة تكون بين الوُرَيْقة الجوّانية والطبقة الجرثوميّة الخارجية من الاسفنج واللاحشويّات .

Mesolithic [-lĭth'ĭk] *(adj.)* ميزوليتي : خاص بالعصر الحجري الأوسط .

meson [me'zŏn] *(n.)* الميزون : دقيقة ذات كتلةٍ وسَطٍ بين البروتون والالكترون (فز) .

—**mesonic** *(adj.)*

mesonephric[mĕz'ə nĕf'-] *(adj.)* خاص بالكُلْيَة الوسطى (أح) .

mesonephros [-'rŏs] *(L.)* pl. **-roi** الكُلْيَة الوسطى (أح) .

mesophyll [mĕz'-] *(L.)* النسيج الأوسط (من ورقة النبات) .

mesophyte [mĕz'ə fīt'] *(n.)* النبتة المعتدلة؛ نبتة الرطوبة المعتدلة : نبتة تنمو في تربة معتدلة الرطوبة .

mesosphere [mĕz'ə-] *(n.)* الميزوسفير : طبقة من الغلاف الجوي واقعة فوق الايونوسفير ويتجاوز ارتفاعها عادة ٢٥٠ ميلاً فوق سطح الأرض .

mesothelium [mĕz'ə thē'lĭ əm] *(L.)* الطبقة الطلائية : ظِهارة تبطِّن تجاويف الجنين («ت» و «أح») .

mesothorax [mĕz'ə thō'răks] *(L.)* الصَّلا : الفلقة الوسطى من فلقات صَدْر الحشرة الثلاث (ت) .

mesothorium [-'ĭ əm] *(L.)* الثوريوم الأوسط : «أ» نظير الراديوم (ويدعى أيضاً *mesothorium* 1.) . «ب» نظير الاكتينيوم (ويدعى أيضاً *mesothorium* 2.) .

mesotron[mĕz'ə trŏn] *(n.)* = meson.

Mesozoic [mĕz ə zō'ĭk] *(n.; adj.)* (١) الدهر الوسيط (جي) . §(٢) دَهْرِيْوَسيطي : خاص بالدهر الوسيط (جي) .

mesquite [mĕs kēt'] *(Sp.)* المَسْكِيت : نبات شائك .

mess [mĕs] *(n.; vt.; i.)* (١) مقدار من الطعام (٢) «أ» لون من الطعام ليّن . «ب» خبيص؛ خبيصة . «ج» قَدْر من طعام معيّن كافٍ لطبق أو لوقعة (٣) «أ» رفاق المائدة : مجموعة أشخاص يتناولون طعامهم، عادةً، معاً . «ب» مائدة مشتركة (٤) فوضى؛ «لخبطة» ؛ لا ترتيب (His room was in a ~.) (٥) مأزق؛ ورطة (got into a ~) (٦) «أ» مجموعة أشياء مختلطة بغير نظام (a ~ of documents) . «ب» مقدار؛ عدد (a little ~ of eggs) §(٧) يزوّد (الجندَ) بالطعام (٨) «أ» يوسّخ (شيئاً)؛ يجعله عديم الترتيب. «ب» يُفسِد؛ «يُلَخْبِط» (٩) يتدخل في (١٠) يُخاشن: يعامل بخشونة ×(١١) يُعِدّ الطعام (لرفاق مائدة) (١٢) يتناول الطعام (decided to ~ together) (١٣) يعبث (١٤) يتدخل في ما لا يعنيه .

to make a ~ of the job يُفسِد العملَ أو المهمّة أو يؤدّيهما على نحو رديء جداً .

message [mĕs'ĭj] *(n.; vt.)* (١) رسالة §(٢) يبعث برسالة .

messaline [mĕs'ə lēn'] *(n.)* الميسلين : نسيج حريري رقيق .

messenger [mĕs'ən jər] *(n.)* الرسول ؛ الساعي .

messiah [mə sī'ə] *(n.)* (١) *cap.* : المسيح (٢) مخلِّصٌ منتظر .

Messias [mə sī'əs] *(n.)* المسيح ؛ يسوع المسيح .

messieurs [mĕs'ərz; mĕ syœ'] *pl. of* monsieur.

messily [mĕs'-] *(adv.)* من غير ترتيب ؛ على نحوٍ متسم بالفوضى أو الاختلاط أو القذارة .

messiness [mĕs'-] *(n.)* لاترتيب ؛ اختلاط ؛ فوضى ؛ قذارة .

mess jacket *(n.)* سِترة رجالية قصيرة ضيّقة .

mess kit *(n.)* صندوق يحتوي طبقاً معدنياً وأدوات مائدة (للجند) .

Messrs (*pl..of* Mister) السادة ؛ حضَرات . . .

messuage [mĕs'wĭj] *(n.)* الدار (مع المباني والأرض التابعة لها) .

messy [mĕs'ĭ] *(adj.)* غير مرتّب؛ مُتّسم بالفوضى أو القذارة .

mestiza[mĕs tē'zə] *(Sp.)* الهجينة؛ وبخاصة : بنت أو امرأة من أبوين أحدهما أوروبي والآخر هندي أميركي .

mestizo [mĕs tē'zō] *(Sp.)* الهجين ، وبخاصة ولدٌ أو رجلٌ من أبوين أحدهما أوروبي والآخر هندي أميركي .

met [mĕt] *past and past part. of* **meet.**

meta- *or* **met-** بادئة معناها : (١) «أ» بَعْد ؛ ما بعد . «ب» وراء ؛ ما وراء . «ج» أعلى ؛ أسمى (٢) تغيُّر ؛ تحوّل .

metabolic; -al [mĕt'ə bŏl'-] *(adj.)* أيضيّ؛ متعلّق بالأيض (أح) .

metabolism [mə tăb'ə lĭz'əm] *(n.)* الأيض: مجموع العمليات المتصلة ببناء البروتوبلازما ودثورها . وبخاصة: التغيرات الكيميائية (في الخلايا الحيّة) التي بها تؤمَّن الطاقة الضروريّة للعمليات والنشاطات الحيوية والتي بها تُمثَّل الموادّ الجديدة للتعويض عن المندثر منها (أح) .

metabolite [-'ə līt'] *(n.)* الأَيْضَة: مادة ناشئة عن الأَيْض (أح) .

metabolize [-'ə līz'] *(vt.)* يؤيِّض (أح) .

metacarpal [mĕt'ə kär'pəl] *(adj.; n.)* (١) سِنعي؛ مِشْطيّ . §(٢) عظم سِنعي (ت) .

metacarpus [-'pəs] *(L.)* pl. **-pi** [-pī] السِّنْع: مِشط اليد (ت)

metacenter [mĕt'ə sĕn'tər] *(n.)* المركز البَيْنيّ : مركز ثِقَل الجزء غير المغمور من جسمٍ طافٍ .

metachromatism [mĕt'ə krō'mə tĭz'əm] *(n.)* التحوّل اللّوني : تغيُّر اللّون الناشيء عن تغيُّر حرارة الجسم .

metagalaxy [- găl'-] *(n.)* (١) المجرّات الخارجيّة (٢) الكون .

metagenesis [mĕt'ə jĕn'ə sĭs] *(n.)* التولّد الانحرافي (أح) .

metal [mĕt'əl] *(n.; vt.)* (١) فِلِزّ ؛ مَعْدِن (٢) «أ» مِزاج ؛ طَبْع . «ب» معدِن الشخص أو الشيء أو جوهره (٣) الصُّهير : الزجاج المصهور (٤) «أ» مادة طباعية منضّدة أو مصفوفة. «ب» كون هذه المادة مصفوفةً (٥) حَصْباء (٦) قضبان السكة الحديدية (Our train ran off the ~s.) §(٧) يكسو أو يصفّح بمعدن .

metallic [mə tăl'ĭk] *(adj.)* (١) معْدِنيّ (٢) رنّان؛ صُلب الخ .

metalliferous[mĕt'ə lĭf'-] *(adj.)* متضمّن معْدِناً ؛ مُنتِج معدِناً .

metallographer[mĕt'ə lŏg'-] *(n.)* المَعْدِغرافيّ : الاختصاصيّ في المعدغرافيا .

metallography [mĕt'ə lŏg'-] *(n.)* المَعْدِغرافيا : دراسة المعادن ، وبخاصة مِجهرياً .

—**metallographic** *(adj.)*

metalloid[mĕt'ə loid'] *(n.; adj.)* (١) اللافِلِزّ (٢) شبه الفِلِزّ . §(٣) فِلِزّانيّ : شبيه بالفِلِزّات (٤) لا فِلِزيّ .

metallurgist [mĕt'ə lûr jĭst] *(n.)* العالم أو الخبير بالمعادن .

metallurgy [mĕt'ə lûr'jĭ] *(n.)* الميتالورجيا ؛ علم المعادن: علم يبحث في استخراج المعادن وتأشيبها (خلطها) وطبيعتها الكيميائية .

—metallurgic; -al *(adj.)*

metalworking [mĕt'-] *(n.)* صُنْع الأدوات المعدنيّة .

metamere [mĕt'ə mĭr'] *(n.)* الخُدامة ؛ السِّيّ : جزء من سلسلة الأجزاء الطوليّة المتماثلة التي تنقسم إليها أجسام بعض الحيوانات .

—metameric *(adj.)*

metamorphic [mĕt'ə môr'fĭk] *(adj.)* (١) مَسْخِيّ . (٢) انسلاخيّ (أح) (٣) متحوّل (جي) .

metamorphism [-'fĭz -] *(n.)* (١) metamorphosis . (٢) التحوّل: تغيّر في بِنْيَة الصخر ؛ وبخاصة : تغيّر شديد ناشىء عن الضغط والحرارة والماء يُفضي إلى حالة أشدّ إحكاماً وتبلّراً (جي) .

metamorphose [-'fōz] *(vt.; i.)* (١) «أ» يَمْسَخ . «ب» يغيّر مظهرَ الشيء أو صِفته تغييراً صارخاً (٢) يحوّل (بِنْيَة الصخر) ×(٣) «أ» يُمْسَخ . «ب» يتحوّل .

metamorphosis [-'fə sĭs] *(L.)* (١) «أ» المَسْخ ؛ الانمساخ . «ب» التحوّل ؛ الاستحالة : تغيّر صارخ في المظهر أو الصفة أو الظروف (٢) الانسلاخ ، في الحشرات خاصة (مج) .

metanephric [mĕt ə nĕf'-] *(adj.)* خاصّ بالكُلْيَة الخلفية (أج) .

metanephros [mĕt ə nĕf'rŏs] *(L.)* الكُلْيَة الخلفية (أج) .

metaphase [mĕt'ə fāz'] *(n.)* المرحلة الانتقاليّة (من مراحل انقسام الخليّة) .

metaphor [mĕt'ə fər; -fôr'] *(n.)* المجاز ؛ الاستعارة (بل) .

metaphorical [mĕt'ə fôr'ə kəl] *(adj.)* مجازيّ ؛ استعاريّ .

metaphosphate [-fŏs'fāt] *(n.)* الميتافوسفايت (ك) .

metaphosphoric acid [-fŏs fôr'ĭk] *(n.)* حمض الميتافوسفوريك .

metaphysic [mĕt'ə fĭz'ĭk] *(n.; adj.)* (١) «أ» ما وراء الطبيعة . «ب» نظام غيبيّ معيّن (٢) مجموعة المبادىء التي يقوم عليها موضوعٌ معيّن §(٣) غيبيّ ؛ ما ورائيّ .

metaphysical [-'ə kəl] *(adj.)* (١) ماورائيّ ؛ غيبيّ (٢) فَوْطبيعيّ : فوق الطبيعة أو خارقٌ لها (٣) تجريديّ أو عويص إلى حد بعيد .

metaphysician [-fĭ zĭsh'ən] *(n.)* الماورائيّ : الضليع في «ما وراء الطبيعة» .

metaphysics [-fĭz'ĭks] *(n.)* (١) ما وراء الطبيعة ؛ الميتافيزيقا : شعبة من الفلسفة تشمل الأونتولوجيا (علم الوجود) والكوزمولوجيا (علم أصل الكون وتكوينه) . وتوسّعاً : الفلسفة في فروعها الأكثر صعوبةً وتعقيداً . وبمعنى أضيق : الأونتولوجيا أو علم الوجود وحدَه (٢) مجموعة المبادىء التي يقوم عليها موضوع معين .

metaplasia [mĕt'ə plā'-] *(L.)* التَّنَسُّج : تحوّل ضرب من النسيج الخَلَويّ إلى آخر ، كتحوّل الغضروف إلى عظم (فس) .

metaplasm [-'ə plăz'əm] *(L.)* (١) الاشتقاق (ل) (٢) المَتَبلازم : ذلك الجزء من محتويات الخلية المؤلف من مادة غير حيّة (أح) .

—metaplasmic *(adj.)*

metaprotein [mĕt'ə prō'tē ĭn] *(n.)* الميتابروتين : إحدى المواد المشتقة من البروتين بفعل الأحماض أو القلويات (كح) .

metapsychology [mĕt ə sī kŏl'-] *(n.)* علم النفس التأمّلي أو التبصّري : علم النفس الذي يهدف إلى إكمال حقائق السيكولوجيا (ونواميسها المبنية على الملاحظة والاختبار) بالتأمّل في العلاقة بين العمليات العقلية والعمليات الجسمانيّة أو في مكانة العقل في الكون .

metasomatism [-sō'mə tĭz'əm] *(n.)* التَّحَوُّل : تحوّل ينطوي على تغيرات في تكوين الصخور الكيميائي وفي نسيجها أيضاً (جي) .

metastable [-stā'-] *(adj.)* شِبه مُستقِر (~ compounds) .

metastasis [mə tăs'tə sĭs] *(L.)* (١) الانبثاث : انتقال «عِلّة» الداء أو العامل المسبّب له من مقرّه الأساسي إلى جزء آخر من الجسم (كما في السرطان) (٢) نموّ انبثاثيّ ثانوي لورم خبيث .

metastasize [-'tə sīz'] *(vi.)* ينبثّ : ينتشر بالانبثاث .

metatarsal [mĕt'ə tär'səl] *(adj.; n.)* (١) وَظَفيّ : ذو علاقة بمِشط القَدَم (ت) §(٢) عَظمٌ وَظَفيّ (ت) .

metatarsus [-ə tär'səs] *(L.)* الوظيف : مِشْط القَدَم (ت) .

metathesis [mə tăth'ə sĭs] *(n.)* pl. **-ses** [-sēz] تغيّر المكان أو الوضع ؛ وبخاصة : الإبدال ؛ القَلْب (ل) .

metathorax [mĕt'ə thō'răks] *(L.)* مؤخَّر الصدر : الفلقة الخلفية من فلقات صدر الحشرة الثلاث .

Metazoa [mĕt'ə zō'ə] *(n. pl.)* التوالي (مج) ؛ المتَزَوِّيات ؛ الحيوانات ذوات الخلايا الكثيرة .

metazoan [-'ən] *(n.; adj.)* (١) المتَزَوِّيّ : أحد المتَزَوِّيات . §(٢) متَزَوِّيّ .

mete [mēt] *(vt.; n.)* (١) يوزّع (حِصصاً) §(٢) حدّ ؛ تخم .

metempsychosis [mə tĕmp'sə kō'sĭs] *(L.)* التقمّص ؛ التناسخ .

metencephalic [mĕt'ĕn sə făl'ĭk] *(adj.)* خاصّ بالمخ المتأخر .

metencephalon [-sĕf'ə lŏn'] *(L.)* المخّ المتأخّر ؛ الدماغ الخلفيّ .

meteor [mē'tĭ ər] *(n.)* (١) ظاهرةٌ جويّة (كالبرق وقوس قزح الخ .) (٢) «أ» شِهاب . نَيْزَك . «ب» الأثر النيزكي : خط من نور ينشأ عند مرور نَيْزك (فل) .

meteoric [mē'tĭ ôr'ĭk] *(adj.)* (١) جَوّيّ (٢) شِهابيّ ؛ نَيْزَكيّ .

meteorite [mē'tĭ ə rīt'] *(n.)* الرَّجْم ؛ الحَجَر النيزكيّ : شهاب يبلغ سطحَ الأرض من غير أن يتبدّد تبدّداً كاملاً .

meteoritics [mē tĭ ə rĭt'ĭks] *(n.)* علم الشهُب أو النيازك .

meteorograph [mē'tĭ ər ə-] *(n.)* المِنْوَأة (مج) : جهاز لتدوين الظواهر الجويّة .

meteorographic *(adj.)* مِنْوَئيّ (مج) : متعلق بالمِنْوَأة .

meteoroid [mē'tĭ ə roid] *(n.)* (١) النيزك الدائر (حول الشمس) . (٢) الجُسَيْم النيزكيّ (بصرف النظر عن الظاهرة التي يُحدثها عندما يدخل جوّ الأرض) .

meteorologic; -al [mē tĭ ər ə lŏj'-] *(adj.)* أرصاديّ .

meteorologist [-rŏl'-] *(n.)* الأرصاديّ : العالم بالأرصاد الجويّة .

meteorology [-'ə jĭ] *(n.)* (١) الأرصاد الجويّة : علم يبحث في الجوّ وظواهره ، وبخاصة في الأحوال الجوية والتكهّن بها (٢) الظواهر والأحوال الجويّة (لمنطقة ما) .

meter *or* **metre** [mē'tər] *(n.; vt.)* (١) بَحْر ؛ وَزْن (عر) . (٢) وزن الألحان (مو) (٣) المِتْر : وحدة الطّول في النظام المتري (٣٩,٣٧ إنشاً) (٤) عدّاد ؛ جهاز قياس (a water-*meter*) §(٥) يقيس بالمتر أو الأمتار .

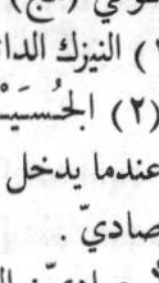

meter 4.

-meter لاحقة معناها : عدّاد ؛ أداة للقياس (thermo*meter*) .

metered mail *(n.)* البريد الموسوم : مادة بريدية مدفوعةٌ أجرتها مقدّماً فهي لا تحمل طابعاً بريدياً ولكنها موسومة بعلامة تقوم مقامه .

meter-kilogram-second system نظام المتر — كيلوغرام — ثانية .

methacrylate [mĕth ăk'-] *(n.)* الميثاكريليت : ملح حمض الميثاكريليك (ك) .

methacrylic acid [mĕth ə krĭl'ĭk] *(n.)* حمض الميثاكريليك .

methadone *or* **methadon** [mĕth'-] *(n.)* الميثادون : عقّار مخدّر .

ă at; ā date; â care; ä car; ĕ egg; ē me; ĭ in; ī bite; ŏ lot; ō bone; ô orphan; oi boil; ŏŏ good; ōō boot; ou out; ŭ under; ū unity; û urgent; th thing; th this; zh vision; ə = *a* in alone, *e* in system, *i* in easily, *o* in gallop, *u* in circus.

methane [mĕth'ān] *(n.)* الميثان : غاز المستنقعات والمناجم (ك) .

methanol[-'ə nōl]*(n.)* الميثانول : سائل كحولي ملتهب سام (ك).

metheglin [mĭ thĕg'lĭn] *(n.)* = mead.

methemoglobin [mĕt hē mə glō'bĭn] *(n.)* المتهيموغلوبين : مركّب من اكسجين وهيموغلوبين ينشأ في الدم نتيجةً لاستعمال بعض العقاقير (كح) .

methenamine [mĕ thē'nə mēn] *(n.)* الميثينامين : مادة تستعمل كمذيب للحامض البولي (صي) .

methinks[mĭ thĭngks'] *(v. impers.)* يبدو لي ؛ يُخيّل إليّ (ا.ق) .

methionine [mĕ thī'ə nēn] *(n.)* الميثيونين : حامض أمينيّ يوجد في بعض البروتينات كزلال البيض والخميرة (كح) .

method [mĕth'əd] *(n.)* طريقة ؛ منهج ؛ نظام .

methodic; -al [mə thŏd'-] *(adj.)* منهجيّ ؛ نظاميّ .

Methodism [mĕth'ə dĭz'əm] *(n.)* الميثودية : كنيسة الميثوديين أو تعاليمها (را. المادة التالية)

methodist [mĕth'əd ĭst] *(n.)* (١) المنهجيّ ؛ النظاميّ : شخص شديد التمسّك بالمنهج أو الطريقة (٢) *cap.* : الميثوديّ ؛ المنهجيّ : أحد أتباع الحركة الدينية الإصلاحيّة التي قادها في اكسفورد (عام ١٧٢٩) تشارلز وجون ويزلي محاولَيْن فيها إحياء كنيسة انكلترة .

—methodist; methodistic *(adj.)*

methodize [mĕth'ə dīz'] *(vt.)* ينهج ؛ ينظّم .

methodology [mĕth ə dŏl'-]*(n.)* الميثودولوجيا : علم المنهج .

methyl [mĕth'ĭl] *(n.)* الميثيل (ك) . **-ic** *(adj.)*

methylal [-ə lăl'] *(n.)* الميثيلال : مركّب سائل يستعمل كمنوّم .

methyl alcohol *(n.)* الكحول المثيلي (ك) .

methylamine[-əl ə mēn']*(n.)* الميثيلامين : غاز متفجّر ملتهب .

methylate [mĕth'ə lāt']*(n.; vt.)* (١) الميثيلات: مركّب مشتق من الميثانول (ك)§(٢) يُمَثْيِلن : يشبع أو يمزج بالميثانول (٣) يُمَيْثِل : يمزج بالميثيل .

methylated spirit *(n.)* الكحول المُمَيْثَل : كحول للإضاءة والتسخين.

methylene [mĕth'ə lēn] *(n.)* الميثيلين : جذر هيدروكربوني ثنائيّ التكافؤ مشتق من الميثان (ك) .

methylene blue *(n.)* أزرق الميثيلين (ك) .

meticulous [mə tĭk'-] *(adj.)* مُوَسْوِس : شديد التدقيق في التوافه والتفاصيل .

métier [mĕ tyĕ'] *(F.)* صَنْعة ؛ مهنة ؛ حقل اختصاص .

métis [mĕ tēs'] *(F.)* الهجين (إنساناً كان أو حيواناً) .

metol [mē'tōl] *(n.)* الميتول : ذرور يُستعمل في تظهير الأفلام .

metonym [mĕt'ə nĭm] *(n.)* لفظ مستعمل في الكناية (بل) .

metonymy [mĭ tŏn'ə mĭ] *(L.)* الكناية أو المجاز المرسل (بل) .

—metonymic; metonymical *(adj.)*

metope [mĕt'ə pē'; -ōp] *(n.)* الميتوب : الفسحة الفاصلة بين واجهتين في إفريز أو طُنُف مُشيّد وفق فنِ العمارة الدوريّ (وتكون عادة مزدانةً بصورةٍ منحوتة) .

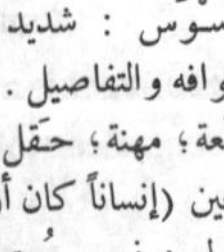

metopon [mĕt'-] *(n.)* الميتوبون: عقّار مخدّر مشتق من المورفين.

metr- or metro- بادئة معناها : رَحِم (metritis) .

metrazol[mĕt'rə zōl']*(n.)* الميترازول : عقّار منشّط للقلب والرئتين .

metre [mē'tər] *(n. chiefly Brit.)* = meter.

metric *or* **metrical** [mĕt'-] *(adj.)* مِتْري : مبنيّ على المتر كوحدة قياس .

-metric or -metrical لاحقة معناها : «أ» متعلّق بعدّاد أو بجهاز قياس معيّن أو مستخدِمٌ ذلك العدّاد . «ب» متعلّق بفنّ معيّن أو طريقة معينة في قياس الأشياء .

metrical *or* **metric** [mĕt'-] *(adj.)* (١)«أ» عروضي : متعلق بموازين الشعر . «ب» موزون ؛ منظوم (٢) قِيَسيّ ؛ قياسيّ : متعلق بقياس الأشياء .

metric hundredweight *(n.)* الهَنْدَرْدوَيْت المتري : وحدة وزن تعادل ٥٠ كيلوغراماً .

metric system *(n.)* النظام المتري : نظام عشريّ للأوزان والمقاييس مبني على المتر والكيلوغرام .

metric ton *(n.)* الطن المتري : ألف كيلوغرام .

metrist [mĕt'rĭst] *(n.)* (١) النظّام (٢) البارع في استخدام الأوزان الشعرية .

metritis [mĭ trī'tĭs] *(L.)* التهاب الرَحِم (مض) .

metro [mĕt'rō] *(F.)* المترو : قطار كهربائي تحت الأرض .

metrology [mĭ trŏl'ə jĭ] *(n.)* (١) علم القياس (٢) نظام مقاييس وموازين .

metronome [mĕt'rə-]*(n.)* المِسْرَع (مج)؛ بندول الإيقاع (مو) .

metronome

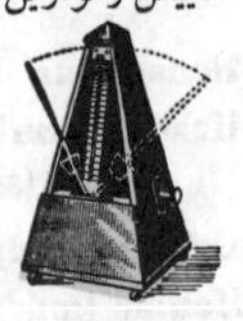

metropolis[mə trŏp'ə lĭs]*(L.)* (١)المدينة أو الولاية الأم في مستعمرة مّا (وبخاصة عند الاغريق) (٢) العاصمة ؛ الحاضرة (٣) المطرانيّة : كرسيّ المطران .

metropolitan [mĕt'rə pŏl'ə tən] *(n.; adj.)* (١) المطران . (٢) العاصميّ: أحد أبناء العاصمة §(٣) مطرانيّ (٤) عاصميّ ؛ حاضريّ (the ~ police) .

metrorrhagia [mē'trə rā'jĭ ə] *(L.)* النزف الرَحِميّ (مض) .

-metry لاحقة معناها : فنّ (أو عمليّة) قياس شيء معيّن .

mettle [mĕt'əl] *(n.)* (١) مِزاج ، طَبْع (٢)«أ» حماسة ؛ همّة ؛ نشاط . «ب» جَلَد ؛ احتمال .

on one's ~ مُستحَثّ على بذل أقصى جهده .

mettled; mettlesome [mĕt'-] *(adj.)* مُتّقِدٌ نشاطاً .

mew [mū] *(n.; vi.; t.)* (١) الزمّج ؛ النَوْرَس (طا) (٢) المواء : صوت الهر (٣) قفص الصَّقر (ا.ق) (٤) ملجأ ؛ مُعتزَل (٥) *pl.* : «أ» مجموعة اسطبلات . «ب» شارع خلفيّ §(٦) يموء أو يطلق صوتاً كالمواء ×(٧) يحجز ؛ يحبس .

mewl [mūl] *(vi.)* يبكي كالأطفال .

Mexican [mĕk'sə kən]*(n.; adj.)* (١) المكسيكيّ: «أ» أحد أبناء المكسيك . «ب» شخص من أصل مكسيكيّ §(٢) مكسيكيّ .

Mexican bean beetle*(n.)* الدُّعسوقة المكسيكية : خنفساء مرقّطة تقتات بأوراق اللوبياء .

Mexican hairless *(n.)* المكسيكيّ الأزعر : كلب صغير قليل الشعر .

Mexican Spanish*(n.)* الاسبانيّة المكسيكية : لغة المكسيك الاسبانية.

mezereon [mĭ zĭr'ĭ ŏn]*(n.)* المازَرْيون : نبتة أرجوانية الزهر.

mezzanine [mĕz'ə nēn; -nĭn]*(n.)* (١) الدور المسروق : طابق متوسط بين الطابق الارضي والذي فوقه (٢) «أ» شرفة المسرح الدنيا . «ب» الصفوف القليلة الأولى في هذه الشرفة .

mezzo forte [mĕt sō fôr'tā] *(adj.; adv.)* مرتفع باعتدال (مو).

mezzo-relievo [-rĭ lē'vō] *(It.)* النقش المتوسط : نقش متوسط البروز (عم) .

mezzotint [mĕt'sō-](*It.*) النقش التظليلي (على النحاس أو الفولاذ).

mho [mō] (*n.*) المُوْه : وحدة المُوَصِّلية الكهربائية (كب).

mi- or mio- بادئة معناها : أقلّ ؛ أصغر.

Miami [mī ăm'ĭ] (*n.*) (١) الياميون : شعب هندي أحمر في انديانا الشمالية (٢) اليامي : أحد أفراد هذا الشعب.

miaow [mĭ ou'; myou] (*n.*; *vi.*) = meow.

miasma [mī ăz'mə; mĭ-] (*L.*) (١) الميَزْم : «أ» بخارٌ عفن منبعث من مستنقع الخ. «ب» جوّ خانق (من دخان التبغ الخ.) (٢) تأثير أو جوّ ضارّ.

miasmal [-'məl] (*adj.*) مَيَزْميّ ؛ وخيم ؛ عفِن الأبخرة.

miasmatic [-măt'-]; **miasmic** [-'mĭk] (*adj.*)=miasmal.

mica [mī'kə] (*L.*) الميكة : مادة شبه زجاجية يمكن أن تُشطَر إلى رُقاقات تُستعمل عازلاً كهربائياً.

mice [mīs] *pl. of* mouse.

micelle [mĭ sĕl'] (*L.*) المُذَيْلَة : جُسَيْم مُكَهْرَب في مادة شبه غروية (ك).

Michaelmas [mĭk'əl məs] (*n.*) عيد القديس «ميكائيل» كبير الملائكة (٢٩ سبتمبر — أيلول).

Michaelmas daisy (*n.*) = aster.

Mickey Finn [mĭk'ĭ fĭn'] (*n.*) الشراب المزغول : مُسْكِر أضيف إليه مُسْهِلٌ أو مخدِّر (slipped her a ~).

mickle [mĭk'əl] (*adj.*; *n.*) (١) كثير §(٢) مقدار كبير (اسك).

Micmac [mĭk'măk] (*n.*) (١) الميكماكيّون : شعب هندي أحمر في نيوفوندلند وكندا (٢) الميكماكيّ : واحد الميكماكيين. (٣) الميكماكيّة : لغة الميكماكيين.

micr- or micro- (١) بادئة معناها : «أ» صغير (*micro*copy). «ب» مكبِّـــر (*micro*scope) (٢) جزء من مليون من وحدة معيّنة (*micro*second) (٣) مِجهريّ : مرئيّ بالمجهر فقط (*micro*organism) (٤) مَحلّيّ (*micro*climate).

micro [mī'krō] (*adj.*) = microscopic.

microbarograph [mī'krō băr'-] (*n.*) مِرسَمة الضغط المِصْغَريّ : بارومتر أوتوماتيكي لتسجيل التغيرات الطفيفة والسريعة.

microbe [mī'krōb] (*n.*) الحُيَيّ (مج) ، الميكروب ؛ الجرثوم.

microbial or microbic [mī krō'-] (*adj.*) ميكروبيّ ؛ جرثوميّ.

microbicide [-'bĭ sīd] (*n.*) مبيد الجراثيم.

microbiology [mī krō bī ŏl'-] (*n.*) علم الأحياء المِجهري : شعبة من البيولوجيا تعنى ، بخاصة ، بأشكال الحياة المجهرية.

microclimate [mī krō'-] (*n.*) المناخ المحليّ : المناخ الخاص بمنطقة صغيرة.

microcline [mī'-] (*n.*) الميكروكلين : معدن من المجموعة الفَلْسبارية.

micrococcus [mī'krə kŏk'əs] (*L.*) pl. **-cocci** المكوَّرة الدقيقة : جرثومة صغيرة مكوَّرة (والجمع : المكوَّرات الدّقاق).

microcopy [mī'-] (*n.*; *vi.*; *t.*) (١) النسخة المصغَّرة : نسخة فوتوغرافيّة مصغّرة عن مادة مطبوعة §(٢) يستخرج نسخة مصغّرة عن.

microcosm [mī'krə kŏz'əm] (*n.*) (١) عالَمٌ صغير (٢) كل ما يُعْتَبر عالَماً صغيراً (٣) الإنسان ، بوصفه صورة مصغّرة عن العالم.

microcrystalline [mī'krō krĭs'tə lĭn; -līn] (*adj.*) مجهريّ التبلّر : ذو بلورات لا تُرى إلا بالمجهر.

microcyte [mī'krə sīt'] (*n.*) الكُرَيَّة الدقيقة : كُرَيَّة دم حمراء صغيرة على نحوٍ غير سويّ تكون في بعض حالات فقر الدم ، بخاصة (ط).

microevolution [mī krō ĕv ə lōō'-] (*n.*) التطوّر الخفيّ (أح).

microfilm [mī'krə-] (*n.*; *vi.*; *t.*) (١) الفُلَيْم : فيلم يحمل صوراً فوتوغرافيّة مصغّرة عن صفحات كتاب الخ. §(٢) يفَلّيم : يصوّر على فُلَيْم ×(٣) يأخذ فُلَيْماتٍ عن.

microgamete [mī'krō gə mēt'] (*n.*) المَشيج الصغير (أح).

microgram [mī'krō-] (*n.*) الميكروغرام : جزء من مليون من الغرام.

micrograph [mī'krō grăf; -gräf] (*n.*) (١) المِرسَمة المِجهارية (٢) الرسم أو الصورة المجهرية : رسم أو صورة الشيء كما يرى في الميكروسكوب.

micrography [mī krŏg'rə fĭ] (*n.*) التجهير : «أ» الفحص بالمجهر. «ب» استخراج الرسوم والصور المجهرية (را. المادة السابقة).

microgroove [mī'-] (*n.*) (١) الثَلْم الدقيق : ثلم على شكل حرف v شديدُ الالتزاز بغيره (يُستعمل في التسجيلات الفونوغرافية المعدّة لتدور بسرعة ٣٣ دورة ونصف في الدقيقة) (٢) أسطوانة مسجلة بطريقة التثليم الدقيق.

micrometeorite [mī krō mē'-] (*n.*) النيزك الدقيق : شِهابٌ صغير إلى درجة تمكّنه من أن يخترق جوّ الأرض من غير أن يصبح متّقد الحرارة.

micrometer [mī krŏm'ə tər] (*n.*) المِصغَر (مج) : أداة تستعمل مع تلسكوب أو ميكروسكوب لقياس الأبعاد والزوايا البالغة الصِّغَر.

micrometer caliper

micrometer caliper (*n.*) المِسماك المِصْغَريّ : أداة لقياس سُمْك الأشياء الدّقاق.

micrometry [mī krŏm'ə trĭ] (*n.*) المِصغَرية : القياس بالمِصغَر.

micromicron [mī krō mī'-] (*n.*) الميكروميكرون : جزء من مليون من الميكرون (را. المادة التالية).

micron [mī'krŏn] (*n.*) الميكرون : جزء من ألف من المليمتر.

Micronesian [mī'krə nē'zhən] (*n.*; *adj.*) (١) الميكرونيزي : أحد سكان ميكرونيزيا وهي مجموعة جزر صغيرة واقعة شرقيّ الفيلبين (٢) مجموعة من لغات الجزر الميكرونيزية §(٣) ميكرونيزي.

micronize [mī'-] (*vt.*) يُمَكْرِن : يسحن إلى جُسَيمات لا يزيد قطر كلٍّ منها على بضعة ميكرونات (را. micron).

microorganism [mī krō ôr'-] (*n.*) المُتَعَضّي المجهري.

micropaleontology [-pā lĭ ən tŏl'ə jĭ] (*n.*) الأحافيرية المجهريّة : دراسة الأحافير أو المستحاثات fossils المجهرية.

microparasite [-păr'ə sīt] (*n.*) الطُّفَيْلِيّ : مُتَعَضٍّ طُفيليّ مجهريّ.

microphone [mī'krə fōn'] (*n.*) المِذْياع (مج) ؛ الميكروفون : أداة لتحويل موجات الصوت إلى تيارات كهربائية.

microphotograph [mī krō fō'-] (*n.*) (١) الصورة المِجهرية : صورة صغيرة جداً (٢) صورة مجهرية مكبّرة.

microprint [mī'krō prĭnt'] (*n.*) الطبعة المِجهرية : صورة مِجهرية تُطبع ثم تقرأ بمكبّر.

microprojector [mī krō prə jĕk'tər] (*n.*) المِسْلاط المِجهريّ : بروجكتور لتسليط صورة مكبّرة جداً عن شيء مجهري على الشاشة.

micropyle [mī'krə pīl'] (*n.*) الفُوَيْهَة : فتحة صغيرة جداً.

microradiograph [mī krō rā'-] (*n.*) الصورة المشعاعية الدقيقة : صورة بأشعة أكس تُظهِر دقائق التكوين الداخليّ.

microreader [mī'krō rē dər] (*n.*) المِقرَأ الدقيق : جهاز يكبّر الصورة المجهرية لكي تسهُل « قراءتها ».

microscope

microscope [mī'krə skōp'] *(n.)* المِجْهَر ؛ الميكروسكوب .

microscopic; -al [mī krə skŏp'-] *(adj.)* مِجْهَرِيّ ؛ ميكروسكوبيّ ؛ بالغ الصِغَر .

microscopy [mī krŏs'-] *(n.)* الإجهارية : استعمال المجهر أو البحث بواسطته .

microsecond [mī krō sĕk'-] *(n.)* الميكروثانية : جزء من مليون من الثانية .

microseism [mī'krō sī'zəm] *(n.)* الرَّجَيْفَة : هزة أرضية خفيفة .

microsome [mī'krə sōm'] *(n.)* الميكروسوم : إحدى الحُبَيْبات في بروتوبلازما خلايا الحيوان والنبات (أح) .

microsporangium [mī'krō spō răn'jĭ əm] *(L.)* الكُيَيْس البَوْغي : كيس بوغي محتوٍ على بُوَيغات (نب) .

microspore [mī'krə spōr'] *(n.)* البُوَيغ ؛ البَوْغ الدقيق (نب) .

microsporophyll [mī'krə spōr'ə fĭl] *(n.)* الوُرَيقة البوغية : ورقة بوغيّة دقيقة (نب) .

microstructure [mī'krō-] *(n.)* البِنْيَة المِجهرية (لمادة ما) .

microwave [mī'-] *(n.)* المَوجة الصغرى : موجة كَهْرطيسيّة قصيرة جداً .

micturate [mĭk'chə rāt'] *(vi.)* يبول ؛ يبوّل .

micturition [mĭk'chə rĭsh'ən] *(n.)* تبوّل ؛ مَبالة ؛ بُوال .

mid [mĭd] *(adj.; prep.)* (١) مُنتَصَف (٢) أوسط §(٣) وَسْط ؛ بَيْن .

midbrain [mĭd'brān'] *(n.)* الدماغ الأوسط (ت) .

midday [-'dā] *(n.; adj.)* (١) الظُّهْر §(٢) ظُهْريّ .

midden [mĭd'ən] *(n.)* (١) مَزْبَلَة أو كومة رَوْث (٢) ركام قاذورات ؛ وبخاصة : رابيةٌ كانت موقعاً سكنه الانسان البدائيّ .

middle [mĭd'əl] *(adj.; n.)* (١) أوسط ؛ متوسّط §(٢) وسَط (٣) منتصَف (٤) خَصْر .

middle age *(n.)* الكُهولة ؛ خريف العمر (بين الأربعين والستين) .

middle-aged [mĭd'əl ājd'] *(adj.)* كهل ؛ في خريف العمر .

Middle Ages *(n. pl.)* القرون الوسطى (من حوالى ٥٠٠ ب.م إلى حوالى ١٥٠٠) .

middlebreaker ; middlebuster [mĭd'-] *(n.)* محراث .

middlebrow [mĭd'əl brou] *(n.; adj.)* (١) المتوسّط الثقافة §(٢) متوسّط الثقافة .

middle class *(n.)* الطبقة الوسطى (من الناس) .

middle distance *(n.)* (١) الوَسَطِيّة : ذلك الجزء من الصورة الزيتية الواقع بين أماميّتها (صَدْرها) وخلفيّتها (٢) السباق المتوسّط : سباق في العَدْو تتراوح مسافتُهُ بين ٤٠٠ متر و ١٥٠٠ متر .

Middle East *(n.)* الشرق الأوسط : الجزء الجنوبيّ الغربيّ من آسية والجزء الشمالي الشرقي من افريقية .

Middle English *(n.)* الانكليزية المتوسطة : اللغة الانكليزية في مخطوطات الفترة الممتدة من القــرن ١٢ إلى القرن ١٥ م .

Middle French *(n.)* الفرنسيّة المتوسطة : اللغة الفرنسيّة في مخطوطات الفترة الممتدة من القرن ١٤ إلى القرن ١٦ م .

Middle Greek *(n.)* اليونانيّة المتوسّطة : اللغة اليونانيّة كما استُعمِلت في الفترة الممتدة من القرن السابع إلى القرن ١٥ م .

middleman [mĭd'əl măn'] *(n.)* الوسيط ؛ السمسار .

middle term *(n.)* الحدّ الأوسط (مق) .

middleweight [mĭd'əl wāt'] *(n.)* (١) شخص متوسّط الوزن . (٢) ملاكم من الوزن المتوسط (لا يزيد وزنه على ١٦٠ باونداً) .

Middle West *(n.)* الغرب الأوسط (في الولايات المتحدة الأميركيّة) .

middling [mĭd'lĭng] *(adj.; adv.; n.)* (١) معتدل ؛ متوسط (حجماً أو درجةً أو جودةً) (٢) عاديّ ؛ من الدرجة الثانية §(٣) باعتدال (is ~ tall) §(٤) سلعة متوسطة (حجماً أو جودةً) (٥) *pl.* : جَرِيش الطحين (ممزوجاً بالنخالة) .

middorsal [mĭd'dôr'-] *(adj.)* نِصْفَظَهْرِيّ : واقع في منتصف الظَّهر .

middy [mĭd'ĭ] *(n.)* (١) مُرَشّح البحريّة : ضابط صف في البحرية (٢) البلوزة البحرية : بلوزة فضفاضة ذات قَبّة بحرية (يرتديها النساء والأطفال) .

midge [mĭj] *(n.)* ذبابة صغيرة (من ذوات الجناحين) .

midget [mĭj'ĭt] *(n.; adj.)* (١) قَزَم (٢) شيء أصغر بكثير من القياس المألوف §(٣) قَزَميّ ؛ صغير جداً .

midgut [mĭd'gŭt'] *(n.)* المِعَى الأوسط (ت) .

midiron [mĭd'-] *(n.)* مضرِب حديدي (من مضارب لعبة الغولف) .

midland [mĭd'-] *(n.; adj.)* (١) الجزء الأوسط أو الداخليّ من بلاد . (٢) *cap.* عد : «أ» الانكليزية المنطوق بها في الأجزاء الوسطى من بريطانية . «ب» الانكليزية المنطوق بها في أجزاء من ولايات نيوجرزي وديلاوار وبنسلفانيا الوسطى والجنوبيّة الخ . §(٣) *cap.* : داخلي : متعلق بالأجزاء الداخلية من بلاد .

midmost [mĭd'-] *(adj.; adv.; n.)* (١) أوسط (٢) أعمق §(٣) في الجزء الأوسط §(٤) الجزء الأوسط .

midnight [mĭd'-] *(n.; adj.)* (١) منتصف الليل (٢) ظلمة دامسة أو متطاولة §(٣) نِصْفلَيْليّ : واقعٌ في منتصف الليل (~ hours) . to burn the ~ oil يعمل حتى ساعة متأخرة من الليل .

midnight sun *(n.)* شمس منتصف الليل : الشمس المنظورة عند نصف الليل في منتصف الصيف بمناطق القطبين الشمالي والجنوبي .

midnoon [mĭd'nōōn'] *(n.)* الظُّهر ، الظهيرة .

midpoint [mĭd'point] *(n.)* النقطة الوسطى .

midrash [-'răsh] *(n.)* المِدْراش : التفسير اليهودي التقليدي للتوراة .

midrib [mĭd'rĭb] *(n.)* الضلع الأوسط (في ورقة النبات) .

midriff [mĭd'rĭf] *(n.)* (١) الحجاب الحاجز (ت) (٢) الجزء الأوسط من جذع الانسان (٣) «أ» جزء من ثوب المرأة يكسو هذا الجزء من جسمها . «ب» ثوب نسائيّ ذو قطعتين يكشف عن هذا الجزء .

midsection [mĭd'-] *(n.)* القسم الأوسط ؛ وبخاصة : الجزء الأوسط من جذع الانسان .

midshipman [mĭd'-] *(n.)* مُرَشّح البحرية ؛ ضابط صفّ بحريّ .

midships [mĭd'shĭps'] *(adv.)* = amidships.

midsize *(adj.)* [mĭd' sīz] متوسط الحجم (~ car) .

midst [mĭdst] *(n.; prep.)* (١) وَسَطٌ (٢) غمرة §(٣) وَسْطَ كذا .

midsummer [-'sŭm'ər] *(n.)* منتصف الصيف .

Midsummer Day *(n.)* عيد ميلاد يوحنا المعمدان (٢٤ يونيو) .

midsummer madness *(n.)* جنون مُطبِق ؛ جنون تامّ .

midway [mĭd'wā] *(n.; adv.; adj.)* (١) جناح الملاهي : جانب من معرض الخ . مخصَّصٌ لضروب التسلية البريئة §(٢) في منتصف الطريق §(٣) متوسّط ؛ واقع في الوسط .

midweek [mĭd'-] *(n.; adj.)* (١) منتصف الأسبوع §(٢) واقع في منتصف الأسبوع .

midweekly [mĭd'wēk'lĭ] *(adj.; adv.)* (١) واقع في منتصف الأسبوع §(٢) في منتصف الأسبوع .

Midwest [mĭd'wĕst'] *(n.; adj.)* (١) الغرب الأوسط (بالولايات المتحدة الأميركية) §(٢) متعلق بالغرب الأوسط .

ă at; ā date; â care; ä car; ĕ egg; ē me; ĭ in; ī bite; ŏ lot; ō bone; ô orphan; oi boil ōō good; ōō boot; ou out; ŭ under; ū unity; û urgent; th thing; th this; zh vision; ə = *a* in alone, *e* in system, *i* in easily, *o* in gallop, *u* in circus.

midwife [mĭd'-] *(n.)* القابلة ؛ المولِّدة ؛ « الداية » .
midwifery [mĭd'wĭf'ə rĭ] *(n.)* القِبالة : فنّ توليد النساء .
midwinter [mĭd'wĭn'-] *(n.)* منتصف الشتاء .
midyear [mĭd'yĭr] *(n.; adj.)* (١) «أ» منتصف السنة . «ب» منتصف السنة الدراسية (٢) «أ» امتحان يجرى في منتصف السنة الدراسية . «ب» *pl.* : مجموعة امتحانات منتصف السنة . أيضاً : الفترة المخصّصة لها §(٣) متعلق بمنتصف السنة أو واقع فيها .
mien [mēn] *(n.)* (١) سيماء ؛ طلعة ؛ سِحنة (٢) مَظْهر .
miff [mĭf] *(n.; vt.)* (١) استياء ؛ كَدَر (٢) شِجار تافه §(٣) يُغضب .
might [mīt] *past of* may.
might [mīt] *(n.)* (١) قوة ؛ قدرة (٢) مقدار كبير (ع) .
mightily [mī'tə lĭ] *(adv.)* (١) بقوة (٢) كثيراً ؛ إلى حد بعيد .
mightiness [mī'-] *(n.)* قوة ؛ جبروت ؛ عظمة .
mighty [mī'tĭ] *(adj.; adv.)* (١) قويّ ؛ جبّار ؛ عظيم (٢) ضخم (٣) استثنائي ؛ رائع §(٤) جداً ؛ إلى حدّ بعيد (~ wise) .
mignonette [mĭn'yə nĕt'] *(F.)* البُلَيحاء العطرية : نبات فوّاح .
migraine [mī'grān] *(F.)* الشَّقيقة : ألم نصف الرأس .
migrant [mī'-] *(n.; adj.)* (١) المهاجر (٢) الطير المهاجر §(٣) مهاجر .
migrate [mī'grāt] *(vi.)* يهاجر ؛ ينزح ؛ يرتحل .
migration [mī grā'shən] *(n.)* هجرة ؛ نزوح ؛ ارتحال .
migration of ions ارتحال الايونات : اندفاع الايونات نحو قُطْب أو لاحب أثناء التحليل أو الحلّ الكهربائي .
migratory [mī'grə tōr'ĭ] *(adj.)* (١) مهاجر (~ species) (٢) هِجريّ ؛ ترحّلي : متعلق بالهجرة أو الترحّل (~ movements of birds) (٣) مترحِّل ؛ متنقِّل .
migratory birds *(n. pl.)* القواطع : الطيور القواطع التي تعيش في فصل في أحد الأقاليم ثم تهجره إلى آخر في الفصل التالي .
mikado [mĭ kä'dō] *(Jap.)* الميكادو : امبراطور اليابان .
mike [mīk] *(n.)* = microphone.
mil [mĭl] *(L.)* المِلّ : «أ» وحدة طول تساوي جزءاً من ألف من الإنش وتستعمل بخاصة لقياس قطر السلْك . «ب» وحدة قياس زاويّ تستعمل في المدفعيّة وتعادل $\frac{1}{6400}$ من ٣٦٠ درجة . «ج» جزء من ألف من الجنيه القبرصي .
milady [mĭ lā'dĭ] *(n.)* (١) امرأة انكليزية كريمة المحتِد (٢) woman of fashion (را. fashion) .
milch [mĭlch] *(adj.)* حلوب (a ~ cow) .
mild [mīld] *(adj.)* (١) لطيف (٢) معتدل (٣) بارد : غير حادّ أو حامٍ (a ~ cigar) (٤) طَرِيق : قابل للطَّرْق أو المطل (~steel) .
—**mildly** *(adv.)* —**mildness** *(n.)*
(١) لا تبالغ (٢) تصرّف بطريقة عاقلة ! Draw it ~ !
mildew [mĭl'dū] *(n.; vt.; i.)* (١) «أ» العفَن الفُطري : عفن تُحدِثه بعض الفطريات على المادّة العضويّة أو على النباتات الحيّة . «ب» الفُطر العفنيّ : فُطر مكوِّن لهذا العفن (٢) تغيّر في اللون ناشىء عن بعض الفطريات §(٣) يُعَفِّن ×(٤) يتعفّن .
mile [mīl] *(n.)* (١) المِيل : وحدة طول تساوي ١٧٦٠ ياردة أو ١٦٠٩,٣٥ متراً (٢) الميل البحري (را. nautical mile) .
mileage [mī'lĭj] *(n.)* (١) التعويض الميلي : تعويض لتغطية نفقات السفر بنسبة معيّنة في الميل الواحد (٢) الطول (أو المسافة) بالميل (٣) الرسم المِيلي : رَسْم يُتقاضَى على أساس المِيل الواحد (في النقل بالسكة الحديدية) .
milepost [mīl'-] *(n.)* المَعْلَم الميلي : «أ» مَعْلَم يدُلّ على المسافة بالأميال من نقطة معيّنة . «ب» مَعْلَم منصوب على مَبْعَدة ميل من مَعْلَم مماثل .
miler [mī'lər] *(n.)* المتسابق الميليّ : شخص أو فرَس يشترك في سباق مسافتُه مِيل .
miles gloriosus [mī'lēz glōr'ĭ ō'səs] *(L.)* pl. **milites gloriosi** [mĭl'ĭ tēz glōr'ĭ ō'sī] جنديّ متبجّح .
milestone [mīl'-] *(n.)* (١) مَعْلَم ؛ صُوّة (٢) المَعْلَم : حدث هامّ يمثّل مرحلة من مراحل التاريخ أو الحياة الانسانية .
milfoil [mĭl'foil'] *(n.)* الألفيّة : ذات الألف ورقة (نب) .
miliaria [mĭl'ĭ âr'ĭ ə] *(L.)* الدُّخْنِيّة ؛ الجاوَرْسيّة : التهاب جلديّ يتّسم بالحكّ والتعرّق المفرط (مض) .
miliary [mĭl'ĭ ĕr'ĭ] *(adj.)* دُخنيّ ؛ جاوَرْسي : مصحوب ببنفاط شبيهة بحَبّ الدُّخْن أو الجاوَرْس .
milieu [mē lyœ'] *(F.)* وسَط ؛ مُحيط ؛ بيئة .
militancy [mĭl'ə-] *(n.)* (١) القِتالية : حالةُ الاشتباك في قتال (٢) النِضاليّة .
militant [mĭl'ə tənt] *(n.; adj.)* (١) مقاتل ؛ محارب ؛ مشتبك في حرب أو قتال (٢) مناضل .
militarily [mĭl'ə tĕr-] *(adv.)* عسكرياً .
militarism [mĭl'ə tə rĭz'əm] *(n.)* العسكرية : (١) «أ» التسلّط العسكري ؛ سيطرة الطبقة العسكرية أو مُثُلها . «ب» تقديس الفضائل والمثُل العسكرية (٢) الروح الحربيّة ؛ سياسة الاستعداد العسكري العدواني .
—**militaristic** *(adj.)*
militarist [mĭl'ə tə rĭst] *(n.)* المُشْرَب بالروح الحربيّة .
militarize [mĭl'ə tə rīz'] *(vt.)* (١) يزوّد بالقوى ووسائل الدفاع العسكرية (٢) يضفي الصفة العسكرية على .
military [mĭl'ə tĕr'ĭ] *(adj.; n.)* (١) عسكريّ §(٢) القوات المسلحة (٣) رجال الجيش ؛ وبخاصة : ضبّاط الجيش .
military police *(n.)* الشرطة العسكرية ؛ شرطة الجيش .
militate [mĭl'ə tāt'] *(vi.)* يَعْمل (ضدّ شيء أو لصالحه) ؛ يؤثّر .
militia [mĭ lĭsh'ə] *(L.)* الميليشيا : «أ» جزء من القوات المسلحة النظاميّة يُدْعى إلى الخدمة عند الطوارىء فحسب . «ب» جميع المواطنين الذكور الأصحاء الأجسام الصالحين للخدمة العسكرية .
militiaman [-mən] *(n.)* الجنديّ الرديف ؛ جندي من الميليشيا .
milium [mĭl'ĭ əm] *(L.)* pl. **milia** العُدَّة الدُّخْنيّة : حُبَيْبَة في البشرة ضاربة إلى البياض شبيهة بحَبّ الدُّخْن .
milk [mĭlk] *(n.; vt.; i.)* (١) حليب ؛ لبن (٢) «أ» النَّسَل : لبن التين الأخضر . «ب» الدَّمّاع : ما يسيل من الكرْم حين يُقطع . «ج» ماء جوز الهند §(٣) يحلب (٤) يبتزّ ؛ يستغل (٥) يستنزف ×(٦) تنتج (البقرة) لبناً .
milk-and-water [-'ən wô'tər] *(adj.)* خفيف ؛ تفِه ؛ غير مركّز .
milker [mĭl'kər] *(n.)* (١) الحالب ؛ المُستحلِب (٢) المِحلَب : ماكينة الحلْب (٣) الحَلُوب : بقرة منتجة لبناً .
milk fever *(n.)* حُمّى الإرضاع أو اللبَن .
milk leg *(n.)* الرُّجال الولادي : ورم مؤلم في الرِّجل عند الولادة .
milk-livered [mĭlk'lĭv'-] *(adj.)* جبان ؛ رِعْديد ؛ مخلوع الفؤاد .
milkmaid [mĭlk'mād] *(n.)* = dairymaid.
milkman [mĭlk'măn] *(n.)* الحلاّب : بائع الحليب أو اللبن .
milk of magnesia *(n.)* حليب المانيزيا : مُسْهِل ومقاوم للحموضة .
milk punch *(n.)* البَنْش اللبني : شراب من كحول وحليب وسكر .

ă at; ā date; â care; ä car; ĕ egg; ē me; ĭ in; ī bite; ŏ lot; ō bone; ô orphan; oi boil oo͝ good; o͞o boot; ou out; ŭ under; ū unity; û urgent; th thing; t͟h this; zh vision; ə = *a* in alone, *e* in system, *i* in easily, *o* in gallop, *u* in circus.

milk shake *(n.)* المخفوق اللَّبَنيّ : شراب من لبن يُخفَق مع البيض بعد إضافة مادة مُنكِّهة .

milk sickness *(n.)* داء اللبن : مرض من أعراضه التقيؤ والإمساك يحدث من تناول ألبان الماشية المسمَّمة أو لحومها .

milk snake *(n.)* أفعى اللبن : أفعى أميركيّة غير سامّة .

milksop [mĭlk'sŏp'] *(n.)* المخنَّث ؛ الشابّ المخنَّث .

milk sugar *(n.)* اللَّكتوز ؛ سكّر اللبن .

milk tooth *(n.)* الراضعة : إحدى الأسنان اللبنية المؤقّتة .

milkweed [mĭlk'wēd] *(n.)* الصِّقلاب ؛ حشيشة اللبن (نب) .

milkwort [mĭlk'-] *(n.)* المُسْتَدِرَّة : نبات من المُستدِرّات .

milky [mĭl'kĭ] *(adj.)* (١) لبنيّ (٢) «أ» أنيس ؛ وديع . «ب» جبان (٣) لابن ؛ حلوب .

Milky Way *(n.)* المجرّة ؛ الطريق اللبنيّة ؛ دَرْب اللبّانة (فل) .

mill [mĭl] *(n.; vt.; i.)* (١) مِطحنة ؛ طاحونة ؛ طاحون . (٢) مصنع ؛ معمل (٣) «أ» السّكاكة : آلة لضرب النقود . «ب» مِعصرة . «ج» المِصْقَل : آلة للصقل (٤) المِل : وحدة نقدية تعادل جزءاً من ألف من الدولار الأميركي §(٥) يطحن (٦) يسكّ (العملة) (٧) يخفق ؛ يجعله مزبداً (to ~ chocolate) ×(٨) يلاكم (٩) يتحرك دائرياً في غير نظام (كقطيع ماشية) (١٠) يُطْحَنُ الخ .

millboard [mĭl'bōrd] *(n.)* الكرتون ؛ الورق المُقَوّى .

milldam [mĭl'dăm] *(n.)* (١) سدّ الطاحون : سدّ يقام على نهر لإدارة دولاب الطاحون (٢) millpond .

millenarian [mĭl'ə nâr'ĭ ən] *(adj.; n.)* (١) أَلْفِيّ : «أ» متعلق بألف سنة . «ب» متعلق بالإيمان بالعصر الألفي السعيد §(٢) الألفيّ : المؤمن بالعصر الألفي السعيد . **—millenarianism** *(n.)*

millenary [mĭl'ə nĕr'ĭ] *(n.; adj.)* (١) «أ» ألف . «ب» ألف سنة (٢) الألفيّ : المؤمن بالعصر الألفيّ السعيد §(٣) «أ» ألفيّ . «ب» متعلق بالعصر الألفي السعيد .

millennial [mĭ lĕn'ĭ əl] *(adj.)* = millenary.

millennium [-'ĭ əm] *(L.)* pl. **-nia** *or* **-ums** (١) «أ» ألف عام . «ب» الذكرى الألفية أو الاحتفال بها (٢) «أ» العصر الألفيّ السعيد (الذي سيملك فيه المسيح على الأرض) . «ب» فترة سعادة أو عدالة مطلقة أو تحرر من نقائص الوجود البشري .

millepore [mĭl'ə pōr] *(n.)* الألفيّ المسامّ ؛ غاب البحر : مرجان ضخم متشعّب .

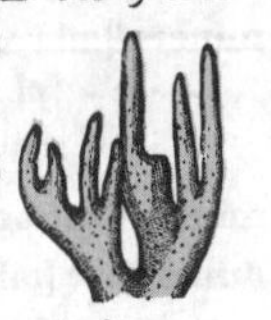

millepore

miller [mĭl'ər] *(n.)* (١) الطحّان (٢) المُغَبِّرة : ضرب من العثّ أو الفَراش ذروريّ الأجنحة (٣) milling machine .

millerite [mĭl'ə rīt] *(G.)* المِلَّريت : سُلفيد النيكل (مع) .

miller's-thumb *(n.)* إبهام الطحان : سمك نهري شائك الزعانف .

millesimal [mĭ lĕs'ə məl] *(n.; adj.)* (١) جزء من ألف §(٢) «أ» مؤلف من أجزاء من ألف . «ب» متعلق بجزء من ألف .

millet [mĭl'ĭt] *(n.)* (١) الدُّخْن ؛ الجاوَرْس (نب) (٢) حبّة الدُّخن .

milli- بادئة معناها : جزء من ألف (*milli*meter) .

milliampere [-ăm'pĭr] *(n.)* المِلّيَمْبير : $\frac{1}{1000}$ من الأمبير .

milliard [mĭl'yərd; -yärd] *(F.)* المِليار : ألف مليون .

milliary [mĭl'ĭ-] *(adj.)* ميليّ : متعلق بالميل الروماني (١٦٢٠ ياردة) .

millibar [mĭl'ə bär'] *(n.)* المِلّيبار : وحدة لقياس الضغط الجويّ تساوي $\frac{1}{1000}$ من البار (را. bar) أو ألف داين (را. dyne) .

في السنتمتر المربّع .

millicurie [mĭl ə kyŏŏr'ē] *(n.)* المِلّيكوري : جزء من ألف من الكوري (را. curie) .

millieme [mē'lyĕm'] *(n.)* المِلّيم : جزء من ألف من الجنيه المصري .

millifarad [mĭl ə fâr'əd] *(F.)* المِلّيفاراد : جزء من ألف من الفاراد (را. farad) .

milligram [mĭl'ə-] *(n.)* المِلّيغرام : جزء من ألف من الغرام .

millihenry [mĭl'ə hĕn rĭ] *(n.)* المِلّيهنري : جزء من ألف من الهنري (را. henry) .

millilambert [mĭl ə lăm'bərt] *(n.)* المِلّيلامبرت : جزء من ألف من اللامبرت (را. lambert) .

milliliter [mĭl'ə lē-] *(n.)* المِلّيليتر : جزء من ألف من الليتر .

millimeter [mĭl'ə mē-] *(n.)* المِلّيمتر : جزء من ألف من المتر .

millimicron [mĭl'ə mī krŏn] *(n.)* المِلّيميكرون : جزء من ألف من المكرون (را. micron) .

milliner [mĭl'ə-] *(n.)* مصمّم أو صانع أو بائع القبعات النسائية .

millinery [mĭl'ə nĕr'ĭ] *(n.)* (١) قبعات نسائية (٢) تصميم أو صُنْع أو بيع القبعات النسائيّة .

milling [mĭl'ĭng] *(n.)* الحافّة المثلّمة (من قطعة نقدية) .

milling cutter *(n.)* مِقطع التفريز (مك) .

milling machine *(n.)* ماكينة التفريز (مك) .

million [mĭl'yən] *(n.)* (١) المليون : ألف ألف (٢) عدد ضخم جداً (٣) العامة ؛ عامة الشعب (تسبقها *the* عادة) .

millionaire [mĭl'yə nâr'] *(F.)* المليونير : رجل تُقدَّر ثروته بمليون جنيه أو دولار الخ . أو أكثر .

millionth [mĭl'yənth] *(adj.; n.)* (١) المليون (من حيث الترتيب) . (٢) بالغ جزءاً من مليون (٣) مرسوم بقياس يعادل جزءاً من مليون من الحجم الطبيعي (a ~ map) §(٤) الجزء المليون من سلسلة (٥) جزء من مليون .

millipede [-'ə pēd] *(L.)* الدودة الألفية : دودة ألفية الأرجل .

milliroentgen [mĭl ə rĕnt'gən] *(n.)* المِلّيرونتجن : جزء من ألف من الرونتجن (را. roentgen) .

millisecond [mĭl'ə-] *(n.)* المِلّيثانية : جزء من ألف من الثانية .

millivolt [mĭl'ə-] *(n.)* المِلّيفُلط : جزء من ألف من الفُلط (كب) .

millpond [mĭl'pŏnd] *(n.)* بركة الطاحون : بركة يستعان بمائها لإدارة دولاب الطاحون .

millrace [-'rās] *(n.)* (١) قناة الطاحون : قناة تتدفق فيها المياه إلى دولاب الطاحون ومنه (٢) تيار المياه الذي يدير دولاب الطاحون .

millstone [mĭl'-] *(n.)* (١) حجر الرَّحى (٢) عبء ثقيل .

millstream [mĭl'-] *(n.)* (١) جدول الطاحون : جدول يُستعان بمياهه لإدارة الطاحون (٢) millrace .

mill wheel *(n.)* دولاب الطاحون ؛ دولاب الطَّحْن .

millwright [-'rīt] *(n.)* مصمِّم أو باني أو مركِّب الطواحين .

milord [mĭ lôrd'] *(n.)* الميلورد : رجل انكليزي كريم المحتِد .

milreis [mĭl'rās] *(n.)* المِلرَيْس : «أ» وحدة نقد برتغاليّة (حتى ١٩١١) تساوي ألف رَيْس (را. reis) . «ب» وحدة النقد البرازيلي حتى عام ١٩٤٢ . «ج» قطعة نقدية تساوي ألف رَيْس .

milt [mĭlt] *(n.; vt.)* (١) «أ» المَمْنَى : غدد التناسل عند ذكور السمك حين تمتلىء باللَّقْح . «ب» اللَّقْح نفسه §(٢) يلقّح .

milter [mĭl'tər] *(n.)* الملقِّح : ذَكَر السمك في زمن التلقيح .

Miltonic [mĭl tŏn'ĭk] *or* **Miltonian** [-tō'nĭ ən] *(adj.)* : ملتونيّ

ذو علاقة بالشاعر الانكليزي ملتون أو بشعره أو مميّز لهما .

mime [mīm] *(n.; vi.; t.)* (١) ممثّل في « مَيْم » (٢) المقلّد ؛ المهرج (٣) المَيْم : مسرحيّة قديمة تمثّل مشاهد من الحياة بأسلوب ساخر مضحك (٤) التمييم : فنّ التمثيل بحركات جسدية §(٥) يُمَيِّم : يُمثّل (تمثيلاً صامتاً عادة) بحركات جسدية ×(٦) «أ» يُقلّد ؛ يُحاكي . «ب» يسخر (من طريق التقليد والمحاكاة) . **—mimer** *(n.)*

mimeograph [mĭm'ĭ ə-] *(n.; vt.)* (١) الناسخة : آلة لنسخ الرسائل §(٢) ينسخ .

mimesis [mĭ mē'sĭs] *(L.)* (١) تقليد ؛ محاكاة (٢) التنكّر البيئيّ (را. mimicry) .

mimetic [mĭ mĕt'ĭk] *(adj.)* (١) متّسِم بالتقليد والمحاكاة . (٢) تنكّريبيئيّ : ذو علاقة بالتنكّر البيئي (~ coloring) .

mimic [mĭm'ĭk] *(n.; adj.; vt.)* (١) ممثّل في مَيْم (را. mime) (٢) المقلّد؛المحاكي §(٣)«أ» متّسِم بالتقليد والمحاكاة. «ب» صُوْريّ ؛ كاذب (~ battles) (٤) تمييميّ : ذو علاقة بالتمييم أو فن التمثيل بحركات جسدية §(٥) يقلّد ؛ يحاكي (٦) يسخر منه (من طريق التقليد والمحاكاة) (٧) يُشبه (من طريق التنكّر البيئي أو البيولوجي) .

mimicry [mĭm'ĭk rĭ] *(n.)* (١) مص mimic (٢) التنكّر البيئيّ : شَبَهٌ سطحيّ بين مُتَعَضٍّ وآخر أو بينه وبين الأشياء الطبيعية التي يحيا وسْطها (ابتغاءَ التخفّي أو الحماية الذاتيّة الخ.).

mimosa [mĭ mō'sə; -zə] *(L.)* الميموزا ؛ السَّنْط (نب) .

mina [mī'nə] *(L.)* ألمَيْنا : وحدة وزن قديمة (١–٢ باوند) .

minacious [mĭ nā'shəs] *(adj.)* مُهَدِّد.

minaret [mĭn ə rĕt'] *(Ar.)* مِئذنة .

minatory [mĭn'ə tōr'ĭ] *(adj.)* مهدِّد.

mince [mĭns] *(vt.; i.; n.)* (١) يَفْرم. (٢) يلفظ متصنّعاً ×(٣) يتخطّر ؛ يتبختر (في مشيته) §(٤) قِطع صغيرة جداً (من شيء مفروم) ؛ وبخاصة : لحم مفروم .

minarets

mincemeat [mĭns'mēt] *(n.)* (١) لحم مفروم (٢) خليط مفروم من زبيب وتفاح (ولحم أحياناً).

mince pie *(n.)* الفطيرة المحشوّة (بمزيج مفروم) .

mincing [mĭn'sĭng] *(adj.)* أنيق أو رقيق على نحوٍ متكلَّف .

mind [mīnd] *(n.; vt.; i.)* (١)ذاكرة(to keep in ~) (٢)عقل. (٣) نيّة ؛ رغبة (٤) رأي ؛ وجهة نظر (٥) مزاج ؛ طَبْع (٦) المقدرة العقلية §(٧) يُذكّر (٨) يتذكّر (٩) ينصرف إلى ؛ينكبّ على (to ~ one's own business) (١٠)«أ» يلاحظ ؛ يرى (ع) . «ب» يعتزم ، يعقد النية على (١١) يطيع (شخصاً أو تعليمات)؛ يعمل وفقَ نصيحة (١٢) يَكره ؛ يجد مانعاً أو بأساً في (I don't ~ the change.) (١٣)«أ» ينتبه إلى؛ يتدبّر ؛ يتبصّر (~ what you are doing.) . «ب» يَحْذر (~ the dog.) (١٤) يتعهّد ؛ يُعنى بِ (to ~ a baby) ×(١٥) يقلق ؛ يهتمّ (١٦) يطيع ؛ ينصاع (The dog ~s well.) .

never ~, (١) لا بأس (٢) لا تقلق .

not to know one's own ~, يستبدّ به الشكّ أو التردُّد.

out of one's (right) ~, مجنون ؛ معتوه .

Out of sight, out of ~. البُعْد مَدعاةٌ للنسيان .

time out of ~, من عهد لا ترقَى إليه ذاكرة أحد .

to be in two ~s يتردّد .

to be of a (one) ~, يتفقان أو يتفقون في الرأي .

to be of (a person's) ~, يتفق معه في الرأي .

to be of the same ~, (١) يتفقان أو يتفقون في الرأي (٢) يبقى على رأيه ؛ لا يغيّر رأيه .

to call (bring) to ~, (١)يعيد الى الذاكرة (٢)يتذكر .

to give (a person) a piece (bit) of one's ~, يصارحه برأيه فيه أو في سلوكه .

to give one's ~ to يركّز انتباهه على .

to have a good (great) ~ to يميل إلى شيءٍ مّا ميلاً شديداً.

to have half a ~ to يميل إلى شيءٍ مّا بعض الميل .

to one's ~, (١) في رأيه (٢) وَفْق هواه أو ذوقِه .

to put one in ~ of يذكّره بِ .

to set one's ~ on يَعْقِد العزمَ على .

to speak one's ~, يعبّر عن رأيه بصراحة .

minded [mīn'-] *(adj.)* (١) ذو عقل (من ضَرْب معيّن) (٢) ميّال ؛ نزّاع إلى .

mindful [mīnd'-] *(adj.)* (١) منتبِه ؛ متنبّه (٢) يقِظ ؛ واعٍ . **—mindfully** *(adv.)* **—mindfulness** *(n.)*

mindless [mīnd'-] *(adj.)* (١) غبيّ؛غير ذكيّ (٢) غافلٌ عن . **—mindlessly** *(adv.)* **—mindlessness** *(n.)*

mind reader *(n.)* قارىء الأفكار .

mind's eye *(n.)* الخيال ؛ القدرة على التخيّل .

mine [mīn] *(pron.; n.; vi.; t.)* (١) مِلكي ؛ خاصّتي ؛ لي §(٢) منجم (٣) نفق تحت موقع من مواقع العدوّ (٤) لَغَمٌ (٥) كنز ؛ مَنْجم ؛ مصدر غنيّ لشيءٍ مّا (His book is a ~ of information.) §(٦) يحفر منجماً ×(٧) «أ» ينفّق : يحفر نفقاً تحت موقع العدوّ . «ب» يقوّض (٨) يعدّن : يبحث عن المعادن أو يستخرجها (٩) يَلْغم ؛ يزرع لغماً (١٠) يعالج شيئاً لكي يستخرج منه مقوّماً أو عنصراً طبيعياً (to ~ sea water for magnesium)

minelayer [mīn'lā ər] *(n.)* زارعة الألغام : سفينة حربيّة لزرع الألغام تحت الماء .

miner [mī'-] *(n.)* (١) المعدّن : المشتغِل بالتعدين (٢)زارع الألغام.

mineral [mĭn'ər əl] *(n.; adj.)* (١)معْدِن (٢)الجماد : شيء ليس بحيوان ولا نبات (٣) مادة غير عضوية (٤) *pl. Brit.* : مياه معدنية §(٥) مَعْدِنيّ (٦) غير عضوي (٧) مُشْبَع بالمواد المَعدنيّة .

mineralization [mĭn ər ə lĭ zā'-] *(n.)* (١)المَعْدَنة (٢)التمعدُن

mineralize [mĭn'ər ə līz] *(vt.)* (١) يُمَعْدِن : «أ» يحوّل إلى مادة معدنيّة . «ب» يُشْبع أو يزوّد بموادّ معدنيّة (٢) يحجّر (~d leaves *or* bones) .

mineralogical [mĭn'ər ə lŏj'ə kəl] *(adj.)* عِدانيّ : متعلق بالعِدانة أو علم المعادن .

mineralogist [mĭn'ə răl'-] *(n.)* العِدانيّ : المتخصّص بعلم المعادن.

mineralogy [-'ə jĭ] *(n.)* العِدانة : علم المعادن .

mineral oil *(n.)* الزيت المعدِني : زيت معدِني الأصل (كالبترول الخ.).

mineral pitch *(n.)* قارٌ ؛ أسفلت .

mineral tar *(n.)* = maltha.

mineral water *(n.)* الماء المعدِني : ماء مُشبَع بالأملاح أو الغازات المعدِنيّة .

mineral wax *(n.)* الشمعُ المعدِني ؛ وبخاصة : الأوزوكريت .

mineral wool *(n.)* الصوف المعدني : مادة عازلة للحرارة والصوت .

Minerva [mĭ nûr'və] *(n.)* مينيرفا : إلاهة الحكمة عند الرومان .

minestrone [mĭn'ə strō'nĭ] *(It.)* المينيسترون : حساء كثيف من خُضَر ومعكرونة الخ .

minesweeper [mīn'-] *(n.)* كانسة الألغام : سفينة حربيّة لإزالة الألغام .

mingle [mĭng'gəl] *(vt.; i.)* (١) يمزج ؛ يخلط ×(٢) يمتزج .

mini- بادئة معناها : مصغَّر (minicab) .

miniature [mĭn'ĭ ə chər] *(n.; adj.)* (١) المُصغَّر ؛ المُنمنَم : «أ» نسخة مصغرة جداً . «ب» رسم صغير جداً (على عاج أو معدن الخ .) (٢) النَّمنَمة : فنّ رسم المُصغَّرات أو المنمنَمات §(٣) مصغَّر ؛ منمنَم .

miniaturist [mĭn'-] *(n.)* المُنَمنِم : رسّام الصوَر المنمنَمة .

miniaturize [mĭn'-] *(vt.)* يُنَمنِم : يصمِّم أو ينشىء بحجم صغير .

minicab [mĭn'-] *(n.)* السيارة المنمنَمة : سيارة عمومية صغيرة جداً .

minicam *also* **minicamera** [mĭn'-] *(n.)* المصورة المنمنَمة : آلة تصوير صغيرة جداً .

minify [mĭn'ə fī'] *(vt.)* يصغّر ؛ يقلّل ؛ يخفف .

minim [mĭn'əm] *(n.; adj.)* (١) البيضاء : نصف نغمة (مو) . (٢) شيء دقيق أو صغير جداً (٣) القطرة ؛ النقطة : وحدة وزن للسوائل §(٤) «أ» الأصغر . «ب» دقيق ؛ صغير جداً .

minima [mĭn'ə mə] *pl. of* minimum.

minimal [mĭn'-] *(adj.)* الأدنى ؛ الأقلّ : متعلق بالحدّ الأدنى .

minimalist [mĭn'ə məl-] *(n.)* المعتدل : من يدعو إلى قَصْر سلطات حزب (أو منظمة سياسيّة) على الحدّ الأدنى ، أو إلى الاكتفاء بتحقيق الحدّ الأدنى من برنامج (قا maximalist) .

minimize [mĭn'ə mīz'] *(vt.)* (١) يخفض إلى الحد الأدنى . (٢) يقدّر على أساس الحدّ الأدنى (٣) يقلّل من شأنه .

minimum [mĭn'ə məm] *(n.; adj.)* (١) الحدّ الأدنى ؛ النهاية الصغرى §(٢) الأدنى ؛ الأصغر (a ~ wage) .

minimum wage *(n.)* (١) living wage (٢) الأجر الأدنى : الأجر الأدنى الممكن دفعه إلى عمال صناعة ما (وهو يحدَّد بالاتفاق مع النقابة المعنيّة أو من قِبَل السلطة الشرعيّة) .

mining [mī'nĭng] *(n.)* (١) التعدين : استخراج المعادن من المناجم (٢) زرع الألغام .

minion [mĭn'yən] *(F.)* (١) التابع ؛ الآلة المسخَّرة (٢) المحبوب ؛ المعبود (٣) المرؤوس ؛ الموظف الثانوي .

mini skirt *(n.)* التنورة القصيرة أو المصغّرة .

minister [mĭn'ĭs tər] *(n.; vi.)* (١) وكيل ؛ ممثّل (٢) «أ» كاهن . «ب» قس بروتستنتي (٣) رئيس أخوية دينيّة (٤) وزير (٥) «أ» سفير . «ب» وزير مفوَّض §(٦) يقوم بمهامّ الكاهن (٧) يُسْعِف ؛ يخدم ؛ يمدّ يد العون إلى .

ministerial [mĭn'ĭs tĭr'ĭ əl] *(adj.)* (١) كهَنوتيّ (٢) وزاريّ (٣) تنفيذيّ ؛ إجرائيّ (٤) وسيليّ ؛ واسطيّ : مساعدٌ على .

minister plenipotentiary *(n.)* الوزير المفوَّض مُطلَق الصلاحية .

minister resident *(n.)* الوزير المقيم : ممثل ديبلوماسي أقلّ من الوزير المفوَّض رتبةً .

minister without portfolio *(n.)* وزير دولة ؛ وزير بلا وزارة .

ministrant [mĭn'ə strənt] *(adj.; n.)* خادم ؛ مُسْعِف ؛ مُساعد .

ministration [mĭn'ə strā'-] *(n.)* (١) خدمة كهنوتية . (٢) خدمة ؛ إسعاف ؛ مساعدة .

ministry [mĭn'ĭs trĭ] *(n.)* (١) ministration (٢) منصب الكاهن أو الوزير أو واجباته أو وظائفه (٣) الكهنوت : رجال الدين (٤) .cap أ.ك : «أ» الوزارة . «ب» أعضاء الوزارة (٥) «أ» وزارة (~ of education) . «ب» مبنى الوزارة .

minium [mĭn'ĭ əm] *(n.)* المينيوم : أكسيد الرصاص الأحمر (ك) .

miniver [mĭn'ə vər] *(n.)* فرو أبيض أو منقَّط بالبياض .

mink [mĭngk] *(n.)* (١) المِنْك : حيوان ثدييّ لاحم (٢) فرو المنك .

minnow [mĭn'ō] *(n.)* المِنوَة : سمك أوروبي صغير .

Minoan [mĭ nō'ən] *(adj.)* مِينَوِيّ : ذو علاقة بحضارة جزيرة اقريطش (كريت) القديمة (٣٠٠٠ — ١١٠٠ ق.م.) .

minor [mī'nər] *(n.; adj.)* (١) القاصر : من لم يبلغ سن الرشد . (٢) سلّم موسيقي ثانوي (٣) موضوع ثانوي (من موضوعات الدراسة في جامعة) §(٤) ثانويّ ؛ غير هامّ (٥) قاصر (٦) غير خطير (a ~ operation) .

to ~ in يدرس مادةً ما بوصفها موضوعاً ثانوياً من موضوعات التحصيل (في جامعة) .

minorca [mĭ nôr'kə] *(n.)* المينورقيّة : سلالة من الدجاج منسوبة إلى مينورقة إحدى جزر الباليار .

Minorite [mī'nə rīt'] *(n.)* راهب فرنسيسكاني .

minority [mĭ nôr'ə tĭ; mī-] *(n.)* (١) «أ» سنّ القصور : سنّ ما قبل الرشد . «ب» القصور : كون المرء قاصراً غير راشد (٢) أقليّة .

minor party *(n.)* حزب الأقليّة .

minor premise *(n.)* المقدّمة الصغرى (مق) .

minor suit *(n.)* المنظومة الصغرى : ورق الإسباتي أو الديناري في البريدج .

minor term *(n.)* الحدّ الأصغر (مق) .

Minotaur [mĭn'ə tôr'] *(n.)* المينوطور : حيوان خرافيّ نصفه على صورة رَجُل ونصفه الآخر على صورة ثور .

minster [mĭn'stər] *(n.)* (١) كنيسة دير (٢) كاتدرائيّة .

minstrel [mĭn'strəl] *(n.)* (١) المغنّي (وبخاصة على أنغام القيثار في القرون الوسطى) (٢) «أ» الموسيقي . «ب» الشاعر (٣) «أ» الكوميدي المُستَزْنِج : عضو في فرقة كوميدية مؤلّفة عادةً من ممثلين بِيضٍ يظهرون على المسرح بمظهر الزنوج ويقدّمون للنظارة ضروباً من الأغاني والنكات الخ . «ب» البرنامج المُستَزْنِج : برنامج مسرحيّ تقدّمه هذه الفرقة الكوميدية .

minstrelsy [mĭn'strəl sĭ] *(n.)* (١) الغناء على أنغام القيثار . (٢) جماعة من المغنين على أنغام القيثار (٣) مجموعة أغان أو قصائد .

mint [mĭnt] *(n.; vt.; adj.)* (١) دار الضرب (حيث تُسكّ العملة) . (٢) مصنع (٣) مبلغ أو مقدار كبير (٤) كلّ نبات من الفصيلة الشفوية ؛ وبخاصة : نعناع (٥) حلوى منكّهة بالنعناع §(٦) يضرب أو يسكّ العملة (٧) يخترع ؛ ينحت (to ~ words) §(٨) جديد ؛ في حالته الأصلية ؛ كأنّه خارج من دار الضرب (~ specimens of postage stamps) .

mintage [mĭn'tĭj] *(n.)* (١) ضَرْب العملة أو سكّها (٢) النقش المضروب (على قطعة نقدية) (٣) العملة (٤) نفقة ضَرْب العملة .

mint julep *(n.)* = julep *b.*

minuend [mĭn'yōō ĕnd'] *(L.)* المطروح منه (ر) .

minuet [mĭn'yōō ĕt'] *(F.)* (١) المينيُوويت : رقصة بطيئة رزينة (٢) موسيقى المينيُوويت .

minus [mī'nəs] *(prep.; n.; adj.)* (١) ناقص (six ~ four) (٢) بدون (~ his hat) §(٣) علامة ناقص (—) (٤) كمية سلبية (٥) نقص ؛ عيب ؛ شائبة §(٦) دالّ على الطرح

(a ~ quantity) (٧) سلبيّ (the ~ sign)
minuscule [mĭ nŭs'kūl] (*n.*; *adj.*) (١) حرف صغير §(٢) مكتوب بأحرف صغيرة (٣) صغير جداً .
minute [mĭn'ĭt] (*n.*; *vt.*) (١) الدقيقة: جزء من ستين من الساعة أو الدرجة (٢) لحظة (٣) «أ» مذكّرة. «ب» مسوّدة. «ج» *pl.*: محضر رسمي لوقائع جلسة §(٤) يدوّن بإيجاز ؛ يأخذ مذكّرة بكذا .
minute [mī nūt'] (*adj.*) (١) دقيق ؛ صغير جداً (٢) تافه (٣) مدقّق ؛ متّسم بالاهتمام البالغ بالتفاصيل . **—minuteness** (*n.*)
minute hand (*n.*) عقرب الدقائق (في الساعة) .
minutely [mī nūt'lĭ] (*adv.*) (١) إلى قِطع صغيرة جداً (٢) بدقة.
minutely [mĭn'ĭt-] (*adv.*; *adj.*) (١) كلّ دقيقة §(٢) واقع كل دقيقة
minute steak [mĭn'ĭt] (*n.*) الشّريحة السريعة: شريحة لحم صغيرة رقيقة تُطهى بسرعة .
minutiae [mĭ nū'shĭ ē'] (*n. pl.*) sing. **-tia** تفاصيل ؛ تفصيلات
minx [mĭngks] (*n.*) فتاة وقحة .
Miocene [mī'ə-] (*adj.*) ميوسيني: متعلق بالعصر الثّلثيّ الأوسط (جي) .
miracle [mĭr'ə kəl] (*n.*) معجزة ؛ أعجوبة .
miracle play (*n.*) التمثيلية الأعاجيبية : مسرحية تمثل مشاهد من حياة قديس ذي معجزات .
miraculous [mĭ răk'yə ləs] (*adj.*) (١) إعجازيّ ؛ أعجوبيّ ؛ خارق (٢) رائع ، معْجِز (٣) مجْتَرِح للمعجزات .
mirador [mĭr'ȧ dōr'] (*Sp.*) شرفة أو نافذة ناتئة (عم) .
mirage [mĭ räzh'] (*F.*) (١) سراب ؛ آل (٢) شيء وهميّ .
mire [mīr] (*n.*; *vt.*; *i.*) (١) مستنقع (٢) وحل (٣) حمأة §(٤) يغرز في الوحل الخ . (٥) يورّط ؛ يوقع في شَرَك (٦) يلوّث بالوحل أو القذر ×(٧) يغوص في الوحل الخ .
mirk [mûrk] ; **mirky** [mûr'kĭ] = murk; murky.
mirror [mĭr'ər] (*n.*; *vt.*) (١) مِرآة §(٢) يعكس صورة كذا .
mirth [mûrth] (*n.*) مَرَح ؛ طَرَب .
mirthful [-'fəl] (*adj.*) (١) مَرِح ؛ طرِب (٢) باعث على المرح.
mis- بادئة معناها: «أ» على نحو سيّء أو خاطىء (*mis*interpret). «ب» سيّء ؛ خاطىء (*mis*conduct). «ج» نقيض؛ عدم ؛ قلّة (*mis*trust). «د» غير ؛ لا (*mis*constitutional).
mis- or **miso-** بادئة معناها : كُره ، بُغْض .
misadventure [-'chər] (*n.*) بَلِيّة ، وبخاصة : بليّة طفيفة .
misalliance [mĭs'ə lī'əns] (*n.*) اتحاد غير ملائم ؛ وبخاصة : زواج غير موفّق .
misanthrope [mĭs'ən thrōp' ; mĭz'-] (*n.*) مُبغِض البَشَر .
misanthropic [mĭs'ən thrŏp'ĭk] (*adj.*) مُبغِض للبشر .
misanthropy [mĭs ăn'thrə pĭ] (*n.*) بُغض الجنس البشري .
misapplication [-ăp lə kā'-] (*n.*) إساءة التطبيق أو الاستعمال.
misapply [mĭs'ə plī'] (*vt.*) يسيء التطبيق أو الاستعمال .
misapprehend [-'ăp rĭ hĕnd'] (*vt.*) يسيء الفهم ؛ يخطىء الفهم.
misapprehension [-hĕn'shən] (*n.*)=misunderstanding.
misappropriate [mĭs'ə prō'prĭ āt'] (*vt.*) (١) يستعمل شيئاً لغير الغرض المخصّص له (٢) يختلس. **—misappropriation** (*n.*)
misbecome [mĭs'bĭ kŭm'] (*vt.*) لا يلائم ؛ لا يليق بِـ .
misbegotten [mĭs'bĭ gŏt'ən] (*adj.*) (١) غير شرعي ؛ مولود سفاحاً (٢) من أصل مُريب (٣) «أ» مشوّه. «ب» جدير بالازدراء.
misbehave [mĭs'bĭ hāv'] (*vi.*) يسيء السلوك أو التصرّف .
misbehavior [mĭs bĭ hāv'-] (*n.*) سوء سلوك أو تصرّف .
misbelief [mĭs'bĭ lēf'] (*n.*) مُعتَقَد أو رأيٌ خاطىء .
misbrand [-brănd'] (*vt.*) يخطىء أو يغش في وضع العلامة التجارية.
miscalculate [- kăl'kyə lāt'] (*vt.*; *i.*) يخطىء التقدير أو الحساب.
miscall [mĭs kôl'] (*vt.*) يخطىء في التسمية .
miscarriage [mĭs kăr'ĭj] (*n.*) (١) سوء إدارة ؛ وبخاصة : عدم إقامة العدل (٢) «أ» إجهاض . «ب» إخفاق .
miscarry [mĭs kăr'ĭ] (*vi.*) (١) تُجهِض (الحامل) (٢) يُخفق.
miscast [mĭs kăst'] (*vt.*) يُعطي (الممثلَ الخ.) دوراً لا يلائمه .
miscegenation [mĭs'ĭ jə nā'shən] (*L.*) تمازج الأجناس (من طريق التزاوج) ؛ وبخاصة : زواج بين شخص أبيض وغير أبيض.
miscellanea [mĭs'ə lā'-] (*L.*) مجموعة أشياء أو كتابات مختلفة.
miscellaneous [mĭs'ə lā'nĭ əs] (*adj.*) (١) «أ» متنوّع ؛ شتيت. «ب» شتّى (٢) ذو خصائص أو مظاهر مختلفة (٣) مَعْنيّ بموضوعات أو اهتمامات متنوّعة .
miscellanist [mĭs'ə lə-] (*n. chiefly Brit.*) كاتب منوّعات .
miscellany [mĭs'ə lā'nĭ] (*n.*) (١) مزيج (٢) *pl.*: «أ» المجموع ؛ كتابات متفرّقة مجموعة في مجلّد . «ب» المنوّعات: مجموعة كتابات في موضوعات مختلفة .
mischance [mĭs chăns'] (*n.*) (١) سوء حظّ أو طالع (٢) بَلِيّة.
mischief [-'chĭf] (*n.*) (١) أذى (٢) سبب الأذى أو مصدره ؛ وبخاصة : شخص مؤذٍ (٣) «أ» عمل مزعج أو مثير . «ب» نزوع إلى الأذى أو الازعاج .
to make ~ (between ...) . . . يُوقع الشّقاق بين
to play the ~ with (١) يؤذي (٢) يفسد نظام شيء.
mischievous [mĭs'chə vəs] (*adj.*) (١) مؤذٍ (٢) «أ» مولع بالازعاج أو بالأذى الطفيف (أو قادرٌ عليه). «ب» عابث ؛ لعوب.
miscible [mĭs'ə bəl] (*adj.*) قابلٌ للامتزاج .
misconceive [mĭs'kən sēv'] (*vt.*) يخطىء في الفهم أو الحكم .
misconception [-sĕp'shən] (*n.*) اعتقاد خاطىء ؛ فكرة خاطئة.
misconduct [*n.*-kŏn'-; *v.* -kən dŭkt'] (*n.*; *vt.*) (١) سوء الادارة أو التصرف ؛ إساءة الأداء للواجبات الحكوميّة أو العسكريّة (٢) malfeasance (٣) سوء سلوك ؛ وبخاصة: زنا §(٤) يسيء الادارة أو التصرف أو السلوك .
misconstruction [mĭs'kən strŭk'-] (*n.*) سوء الفهم أو التفسير.
misconstrue [mĭs'kən strōō'] (*vt.*) يسيء الفهم أو التفسير .
miscount [mĭs kount'] (*vt.*; *i.*; *n.*) (١) يخطىء في العدّ أو الحساب. §(٢) خطأ في العدّ أو الحساب .
miscreant [mĭs'krĭ ənt] (*adj.*; *n.*) (١) كافر (٢) وغد ؛ لئيم.
miscue [mĭs kū'] (*n.*; *vi.*) (١) ضربة خاطئة (في البليار) (٢) خطأ §(٣) يخطىء (في البليار أو في أداء دور مسرحي) .
misdeal [mĭs dēl'] (*vt.*; *i.*; *n.*) (١) يخطىء في توزيع (ورق اللعب خاصة) §(٢) خطأ في التوزيع .
misdeed [mĭs dēd'] (*n.*) إثم ؛ ذنب ؛ جُرم ؛ عملٌ شرير .
misdeem [mĭs dēm'] (*vt.*) يخطىء في الظن أو الاعتبار أو التقدير.
misdemeanant [mĭs'dĭ mē'nənt] (*n.*) المتّهم بجنحة .
misdemeanor [mĭs'dĭ mē'nər] (*n.*) (١) الجُنحة: جرم تطبّق عليه عقوبة جزائية (ق) (٢) عمِلٌ شرير .
misdirect [mĭs'dĭ rĕkt'] (*vt.*) (١) يُعَنْوِن (رسالةً) خطـأ . (٢) يخطىء في توجيه كذا (~*ed* his energies) (٣) يوجّه (القاضي المحلّفين) توجيهاً خاطئاً . **—misdirection** (*n.*)
misdo [mĭs dōō'] (*vt.*) يخطىء ؛ يسيء الأداء .

ă at; ā date; â care; ä car; ĕ egg; ē me; ĭ in; ī bite; ŏ lot; ō bone; ô orphan; oi boil; ŏŏ good; ōō boot; ou out; ŭ under; ū unity; û urgent; th thing; t͟h this; zh vision; ə = *a* in alone, *e* in system, *i* in easily, *o* in gallop, *u* in circus.

misdoing [mĭs dōō'-] *(n. usu. pl.)* خطأ ؛ سوء تصرف .

misdoubt [mĭs dout'] *(vt.; n.)* (١) يشكّ ؛ يرتاب (٢) يخشى . §(٣) شكّ ؛ ارتياب .

mise-en-scène [mē zän sĕn'] *(F.)* (١) الاخراج (في المسرح) . (٢) «أ» مسرح حادثة ما . «ب» محيط ، وسَط .

miser [mī'zər] *(n.)* البخيل ؛ الشحيح ؛ المقبوض اليد .

miserable [mĭz'ər ə bəl; mĭz'rə-] *(adj.)* (١) «أ» هزيل ؛ غير كافٍ . «ب» باعث على الشقاء (a ~ slum) (٢) بائس ؛ تعيس (٣) «أ» مُخزٍ . «ب» مثير للشفقة أو الرثاء (~ failure) .

miserere [mĭz'ə râr'ĭ; -rĭr'ĭ] *(L.)* (١) «أ» *cap.* : المزمور الخمسون . «ب» موسيقى خاصة بالمزمور الخمسين (٢) misericord 2.

misericord *or* **misericorde** [mĭz'ər ə kôrd'] *(L.)* (١) خنجر الإجهاز أو الرحمة (٢) جزء من كرسيّ الكنيسة يستند إليه الواقف للصلاة .

miserliness [mī'zər-] *(n.)* بخل ؛ شحّ .

miserly [mī'zər lĭ] *(adj.)* (١) بُخليّ (٢) بخيل .

misery [mĭz'ə rĭ] *(n.)* (١) بؤس ؛ تعاسة ؛ شقاء (٢) ألم (ع) .

misesteem [mĭs'ĕs tēm'] *(vt.)* يسيء تقدير شيء أو احترامه .

misestimate [mĭs ĕs'tə māt'] *(vt.)* يخطىء في تقدير كذا .

misfeasance [- fē'zəns] *(n.)* تجاوُز القانون ؛ إساءة استعمال السلطة .

misfile [mĭs fīl'] *(vt.)* يضع الأوراق في غير ملفّها الصحيح .

misfire [mĭs fīr'] *(vi.; n.)* (١) يكبو ؛ يختلّ (السلاحُ الناريّ) . (٢) يخفق في إحداث تأثير مطلوب §(٣) الكَبْوُ : خلَل الإشعال .

misfit [mĭs fĭt'] *(n.)* (١) سيّء التطابق : شيء يتطابق مع غيره على نحوٍ قلق (٢) سيّء التهايؤ : شخص يعوزه الانسجام والتكيّف مع مجتمعه .

misfortune [mĭs fôr'chən] *(n.)* (١) سوء الحظّ (٢) محنة ؛ بليّة .

misgive [mĭs gĭv'] *(vt.; i.)* (١) يحدّثه قلبُه (بما يوقع الشكّ أو الخوف في النفس) ؛ تساوره الظنون ×(٢) يُوجِس خِيفةً .

misgiving [mĭs gĭv'ĭng] *(n.)* هاجس ؛ رِيبة ؛ شك ؛ ظنّ .

misgovern [mĭs gŭv'ərn] *(vt.)* يسيء الحكم أو السياسة أو الادارة .

misgovernment [mĭs gŭv'-] *(n.)* سوء الحكم أو السياسة أو الادارة .

misguidance [mĭs gīd'-] *(n.)* تضليل .

misguide [mĭs gīd'] *(vt.)* يُضلّل .

mishandle [mĭs hăn'dəl] *(vt.)* (١) يخاشن : يسيء المعاملة . (٢) يسيء الادارة أو التدبير .

mishap [mĭs'hăp] *(n.)* (١) حظ عاثر (٢) حادث مؤسف .

mishmash [mĭsh'-] *(n.)* خليط ؛ مزيج ؛ أشياء مختلطة بغير نظام .

Mishnah *or* **Mishna** [mĭsh'nə] *(n.)* المِشْنا : مجموعة القوانين غير المكتوبة التي جُمعت حوالى عام ٢٠٠ ب.م والتي تشكّل أساس التلمود .

—Mishnaic *(adj.)*

misinform [mĭs'ĭn fôrm'] *(vt.)* يسيء الإعلام : يعطي معلومات خاطئة أو مضلِّلة .

misinterpret [-'ĭn tûr'-] *(vt.)* (١) يسيء الفهم (٢) يسيء التفسير .

misjudge [mĭs jŭj'] *(vt.; i.)* (١) يخطىء في تقدير شيء (٢) يكوّن رأياً خاطئاً عن ×(٣) يخطىء في الحكم على .

misknow [mĭs nō'] *(vt.)* يُسيء الفهم .

mislay [-lā'] *(vt.)* يُضيع : يضعه في مكانٍ ما ثم ينسى أين وضعه .

mislead [mĭs lēd'] *(vt.)* يضلِّل ؛ يُضلّل ؛ يخدع .

mislike [mĭs līk'] *(vt.)* يكْرَه ؛ يبغِض ؛ يعاف .

mismanage [-măn'ĭj] *(vt.)* يُسيء الادارة أو التدبير .

mismarriage [-măr'ĭj] *(n.)* زواج غير ملائم أو غير سعيد .

mismatch [mĭs măch'] *(vt.)* يزوج أو يزاوج على نحو غير ملائم .

mismate [mĭs māt'] *(vt.)* = mismatch.

misname [-nām'] *(vt.)* يخطىء في التسمية ؛ يدعو باسم مغلوط .

misnomer [mĭs nō'mər] *(n.)* (١) الخطأ في تسمية شخص (في وثيقة قانونيّة) (٢) «أ» استعمال اسم مغلوط . «ب» اسم مغلوط .

miso- بادئة معناها : بُغْض ؛ كُرْه .

misogamist [mĭ sŏg'-] *(n.)* كاره الزواج .

misogamy [mĭ sŏg'ə mĭ] *(n.)* كُرْه الزواج .

misogynist [mĭ sŏj'-] *(n.)* كاره النساء .

misogyny [mĭ sŏj'ə nĭ] *(n.)* كُرْه النساء .

misology [mĭ sŏl'ə jĭ] *(n.)* كُرْه التفكير أو النقاش أو الاستنارة .

misoneism [mĭs'ō nē'ĭz əm] *(n.)* كُرْه الجديد أو التجديد .

misplace [mĭs plās'] *(vt.)* (١) «أ» يضع الشيء في غير موضعه . «ب» mislay (٢) يمنح (ثقته أو حبّه) من لا يستحقهما .

misplay [mĭs plā'] *(vt.; n.)* (١) يخطىء في اللعب ؛ يلعب بغير براعة . §(٢) لعب خاطىء أو غير بارع : خطأ .

misprint [-prĭnt'] *(vt.; n.)* (١) يخطىء في الطبع §(٢) خطأ مطبعيّ .

misprision [mĭs prĭzh'ən] *(n.)* (١) «أ» إهمال أو خطأ في أداء واجب رسمي . «ب» تستّر على جريمة . «ج» تحريض على عصيان (٢) سوء فهم : خطأ (٣) ازدراء ؛ احتقار .

misprize [mĭs prīz'] *(vt.)* (١) يزدري ؛ يحتقر (٢) يُهمِل ؛ يقلّل من شأنه .

mispronounce [-nouns'] *(vt.)* يخطىء في اللفظ ؛ يلفظ بطريقة خاطئة .

misquote [mĭs kwōt'] *(vt.)* يخطىء في الاستشهاد أو الاقتباس .

misread [mĭs rēd'] *(vt.)* (١) يخطىء في القراءة (٢) يسيء الفهم أو التفسير .

misreckon [mĭs rĕk'ən] *(vt.; i.)* يخطىء في الحساب أو التقدير .

misremember [mĭs rĭ mĕm'bər] *(vt.)* (١) يتذكّر على نحو خاطىء (٢) ينسى (ع) .

misreport [mĭs'rĭ pōrt'] *(vt.; n.)* (١) يروي أو يبلّغ على نحوٍ كاذب §(٢) رواية كاذبة ؛ خبر كاذب .

misrepresent [mĭs'rĕp rĭ zĕnt'] *(vt.)* (١) يحرّف ؛ يشوّه الحقائق ؛ يعطي فكرة خاطئة عن شيء (٢) يسيء تمثيل شخصٍ أو حكومةٍ الخ .

—misrepresentation *(n.)*

misrule [mĭs rōōl'] *(vt.; n.)* (١) يسيء الحكم أو السياسة . §(٢) «أ» إساءة الحكم . «ب» سوء الحكم (٣) اضطراب ؛ فوضى .

miss [mĭs] *(vt.; i.; n.)* (١) يخطىء المرمى (٢) يفتقد (to ~ a person) (٣) يفوته كذا (~*ed* the train) (٤) يتجنب ؛ ينجو من (She just ~*ed* being caught.) (٥) يحذف ؛ يُغفل (~ *ed* out the third and fourth verses) (٦) يقصر عن فهم شيء أو إدراكه (to ~ the point) (٧) يقصّر عن أداء شيء أو حضوره (~*ed* the appointment) ×(٨) «أ» يُخفق . «ب» يكبو ؛ يختلّ اشتعاله (The engine ~*ed*.) §(٩) حسرة (على فقدان شيء) (١٠) «أ» عدم الإصابة . «ب» إخفاق (١١) كبْوٌ ؛ خلَل الاشتعال (١٢) آنسة ؛ فتاة (١٣) *cap.* : ملكة جمال (*Miss* America) .

missal [mĭs'əl] *(n.)* كتاب القدّاس : كتابٌ يشتمل على كل ما يقال أو يُنشد في القدّاس خلال السنة بكاملها .

missend [-sĕnd'] *(vt.)* يخطىء في الإرسال (*missent* mail) .

misshape [mĭs shāp'] *(vt.)* يشوّه . **-shapen** *(adj.)*

missile [mĭs'əl] *(adj.; n.)* (١) قابلٌ للقذف (بحيث يصيب هدفاً بعيداً) (٢) مُعَدٌّ لإطلاق القذائف §(٣) قذيفة (٤) صاروخ.

missileer [mĭs ə lir']; **missileman** [mĭs'əl-] *(n.)* القذائفي: من يساعد في تصميم أو صُنع أو إطلاق القذائف الموجّهة.

missilery *also* **missilry** [mĭs'-] *(n.)* (١) قذائف، وبخاصة: قذائف موجّهة (٢) علم القذائف الموجّهة.

missing [mĭs'ing] *(adj.)* مفقود؛ ضائع.

missing link *(n.)* الحلقة المفقودة (التي يُفترض انها تربط بين القردة المشابهة للانسان وبين الانسان).

mission [mĭsh'ən] *(n.; vt.; adj.)* (١) «أ» إرسالية دينية (تبشيرية). «ب» العمل في حقل التبشير. «ج» مقرّ أو دار الارسالية التبشيرية. «د» كنيسة أو أبرشية محلية. «هـ» *pl.*: نشاط تبشيري منظم (٢) «أ» بعثة دبلوماسية أو ثقافية الخ. «ب» سفارة؛ مفوضية (٣) مهمّة؛ رسالة §(٤) يبعث؛ يوفد (٥) ينهض بأعباء رسالة دينية (في مكان ما أو بين جماعة ما) §(٦) إرساليّ: متعلّق بطراز اصطُنع في مباني الارساليات الاسبانية الأولى في جنوب غربي الولايات المتحدة الأميركية (~ architecture).

missionary [mĭsh'ə nĕr'ĭ] *(n.; adj.)* (١) المبشّر §(٢) تبشيري.

missioner [mĭsh'-] *(n.)* المبشّر؛ المُرْسَل الديني.

missis [mĭs'iz] *(n.)* = missus.

Mississippian [mĭs'ə sĭp'ĭ ən] *(adj.)* مسيسيبيّ: «أ» متعلق بولاية مسيسيبيّ أو بنهر المسيسيبيّ. «ب» خاص بالعصر الجيولوجي المعروف بالمسيسيبيّ (في أميركة الشمالية).

missive [mĭs'iv] *(n.; adj.)* (١) رسالة خطيّة §(٢) مرسَل، وبخاصة من مصدر رسميّ.

misspell [mĭs spĕl'] *(vt.; i.)* يخطىء في التهجئة.

misspelling [mĭs spĕl'ĭng] *(n.)* خطأ في التهجئة.

misspend [mĭs spĕnd'] *(vt.)* يبدّد: يسيء انفاق المال او الوقت.

misstate [mĭs stāt'] *(vt.)* يحرّف أو يشوّه (الحقائق الخ.).

misstatement [mĭs stāt'-] *(n.)* بيان كاذب أو غير صحيح.

misstep [-stĕp'] *(n.)* (١) عثرة؛ خطوة خاطئة (٢) خطأ؛ زلّة.

missus [mĭs'əz] *(n.)* (١) زوجة (٢) ربّة البيت أو المشرفة على خدمه.

missy [mĭs'ĭ] *(n.)* آنسة؛ فتاة.

mist [mĭst] *(n.; vi.; t.)* (١) السَّديم: ضبابٌ رقيق (٢) غشاوة (على البصر) §(٣) يُسْدِم: يكون أو يصبح كثير السَّديم (٤) تُمطر رذاذاً (٥) يصبح مُعْتماً أو غير واضح ×(٦) يُغَشّي.

mistake [mĭs tāk'] *(vt.; i.; n.)* (١) يخطىء (٢) «أ» يسيء فهم المعنى أو الغرض. «ب» يكوّن رأياً خاطئاً (عن شخصية فلان أو مقدرته) (٣) يحسبه شخصاً أو شيئاً آخر (I *mistook* you for your sister.) §(٤) خطأ، غلط. **—mistakable** *(adj.)* **—mistaker** *(n.)*

and no ~, من غير شك.

by ~ خطأً؛ بالخطأ، بالغلط.

mistaken [mĭs tā'kən] *(adj.)* (١) مخطىء (٢) غير صحيح.

mister [mĭs'tər] *(n.)* (١) «أ» سيّد، مستر (وتكتب *Mr.* عادةً وفي الجمع *Messrs.*). «ب» بطل، «مليك» (*Mr.* Football) (٢) سيِّدي (ع) (٣) رجلٌ لا يحمل لقباً تشريفياً أو مهنياً (He is just a plain ~.) (٤) زوج.

mistily [mĭs'tĭ lĭ] *(adv.)* بطريقة سديمية أو ضبابية أو غامضة.

mistime [mĭs tīm'] *(vt.)* يسيء التوقيت: يعمل أو يقول في غير الوقت المناسب.

mistiness [mĭs'-] *(n.)* سديمية، ضبابية، غموض، لا وضوح.

mistletoe [mĭs'əl tō'] *(n.)* الهدال، الدبق: نبات طفيلي.

mistook [mĭs to͝ok'] *past of* mistake.

mistral [mĭs'trəl] *(n.)* المسترال: ريح شمالية عنيفة باردة جافة تهبّ على المقاطعات الفرنسية الواقعة على البحر الأبيض المتوسط.

mistranslate [-lāt'] *(vt.; i.)* يخطىء في الترجمة: يسيء الترجمة.

mistreat [mĭs trēt'] *(vt.)* يسيء المعاملة: يعامله معاملة سيئة أو ظالمة.

mistress [mĭs'trĭs] *(n.)* (١) «أ» ربّة البيت. «ب» القيّمة على الخدم. «ج» مديرة مدرسة أو مؤسسة أخرى (٢) معلّمة (٣) سيّدة (٤) خليلة.

mistrial [-trī'əl] *(n.)* الدعوى الفاسدة (بسبب خطأ في الاجراءات).

mistrust [mĭs trŭst'] *(n.; vt.; i.)* (١) ارتياب؛ سوء ظن؛ عدم ثقة §(٢) يرتاب أو يسيء الظن في.

misty [mĭs'tĭ] *(adj.)* (١) سديمي؛ ضبابي (٢) غير جليّ؛ غامض.

misunderstand [mĭs'ŭn dər stănd'] *(vt.)* يسيء الفهم.

misunderstanding [-stăn'dĭng] *(n.)* سوء فهم أو تفاهم.

misusage [mĭs ū'sĭj] *(n.)* (١) معاملة سيئة (٢) استعمال خاطىء.

misuse [*v.* mĭs ūz'; *n.* mĭs ūs'] *(vt.; n.)* (١) يسيء الاستعمال؛ يستعمل خطأً (٢) يسيء المعاملة §(٣) استعمال خاطىء؛ سوء استعمال.

misvalue [mĭs văl'ū] *(vt.)* = undervalue.

misventure [mĭs vĕn'chər] *(n.)* = misadventure.

miswrite [-rīt'] *(vt.)* يخطىء في الكتابة؛ يكتب على نحو خاطىء.

mite [mīt] *(n.)* (١) سُوس، عُثّ (٢) «أ» قطعة نقدية صغيرة: فَلْس. «ب» مبلغ من المال ضئيل (٣) «أ» مقدارٌ قليل جداً. «ب» شيء أو مخلوق صغير جداً.

miter *or* **mitre** [mī'tər] *(n.; vt.)* (١) تاج الأسقف (٢) ملتقى قطعتين من خشب مُدخَلة إحداهما بالأخرى عند زاوية قائمة عادةً §(٣) «أ» يزيّن رأسَه بتاج الأسقف. «ب» يرفعه إلى رتبة أسقف (٤) يُولج قطعة خشب في أخرى عند زاوية قائمة عادةً.

miter

miter box *(n.)* مِضباط الزاوية: أداة يُستعان بها في ضبط الزاوية عند نَشْر القِطَع الخشبية بحيث يصبح في الامكان إيلاج بعضها في بعض عند زاوية قائمة عادةً.

Mithras [mĭth'răs] *(n.)* مِثرا: إلّه النور وحامي الحقيقة وعدوّ قِوى الظلام عند الفُرس. **—Mithraic** *(adj.)*

mithridate [mĭth'rə dāt] *(L.)* ترياق (مُقاوِم للسمّ).

mithridatism [mĭth'rə dā'tĭz əm] *(n.)* المناعة السُّمِّيّة: مناعة تُكتَسَب بأخذ جرعات من السمّ متزايدة تدريجياً.

miticide [mīt'ə sīd] *(n.)* مُبيد السّوس: مادة مبيدة للسوس.

mitigable [mĭt'-] *(adj.)* ممكنٌ تسكينُهُ أو تلطيفُهُ أو تخفيفُهُ.

mitigate [mĭt'ə gāt'] *(vt.)* يسكّن؛ يلطّف؛ يخفّف الألم.
—mitigation *(n.)* **—mitigator** *(n.)*

mitigative; mitigatory [mĭt'-] *(adj.)* مسكّن؛ ملطّف؛ مخفّف.

mitosis [mĭ tō'sĭs] *(L.)* انقسام الخلية الانقسام الفتيلي (مج)؛ غير المباشر (أح). **—mitotic** *(adj.)*

mitrailleuse [mē trá yœz'] *(F.)* الميتْرَيُوز، الرشاش: مدفع أوتوماتيكي صغير سريع الطلقات.

mitral [mī'-] *(adj.)* (١) شبيه بتاج الأسقف (٢) قَلَنْسيّ، تاجيّ.

mitral valve *(n.)* الصِّمام أو المِصراع القَلَنْسيّ أو التاجيّ (ت).

mitt [mĭt] *(n.)* (١) «أ» قفاز نسويّ يبقي الأصابع عاريةً

ă at; ā date; â care; ä car; ĕ egg; ē me; ĭ in; ī bite; ŏ lot; ō bone; ô orphan; oi boil; o͝o good; o͞o boot; ou out; ŭ under; ū unity; û urgent; th thing; t͟h this; zh vision; ə = *a* in alone, *e* in system, *i* in easily, *o* in gallop, *u* in circus.

mitten I. «ب» . «ج» قفّاز البايسبول . «د» قفاز الملاكمة (ع) (٢) يد (ع) .

mitten [mĭt'ən] *(n.)* (١) قفّاز لليد والرسغ يكسو الأصابع الأربع معاً ويكسو الابهام منفرداً (٢) mitt I *a* .

to get the ~, (١) يرُفَض حبُّه (٢) يُطرَد .

to give the ~, (١) يرفض حبّ مُحِبّ (٢) يَطرُد .

mittimus [mĭt'ə məs] *(L.)* أمرٌ قضائيّ بالسَّجن (ق) .

mix [mĭks] *(vt.; i.; n.)* (١) يمزج ؛ يخلط (٢) يشوّش (الذهنَ) ×(٣) يمتزج ؛ يختلط (٤) يخالط ؛ يعاشر (٥) يتهاجن : يتزاوج ذكر أو أنثى من سلالتين مختلفتين من النوع الأحيائي أو النباتي نفسه (٦) يتورّط §(٧)مَزْج (٨) مزيج ؛ وبخاصة : مزيج من عناصر غذائيّة مُعَدّ إعداداً تجارياً .

mixed [mĭkst] *(adj.)* (١) ممزوج ؛ مختلِط ؛ متنوّع . (٢) مختلَط : «أ» جامعٌ لسِمات نظامين حكوميين أو أكثر (a ~ constitution) . «ب» مؤلَّف من أشخاص مختلفين عرقاً أو ديناً أو طبقةً . «ج» مشتمل على أشخاص من الجنسين (~ schools) . «د» ناشيء من عِرقين أو سلالتين مختلفتين (٣) مشوّش الذهن ، وبخاصة من أثر الخمر (٤) متفاوت . (Reactions were ~.) .

mixed farming *(n.)* الزراعة المختلَطة : زرع المحاصيل الغذائية والعلفية وتربية المواشي في مزرعة واحدة .

mixed number *(n.)* العدد الكَسْري (مثل : 6.34 أو $4^3/_5$) .

mixer [mĭk'sər] *(n.)* (١) المازج ؛ الخالط (٢) الاجتماعي : شخص يحب الاختلاط بالناس (My brother is a good ~.) .

mixture [mĭks'chər] *(n.)* (١) «أ» مَزْج . «ب» امتزاج . (٢) مزيج (٣) نسيج من خيوط مختلفة الألوان .

mix-up [mĭks'ŭp'] *(n.)* (١) تشوش (٢) مزيج (٣) خلاف ؛ شجار .

Mizar [mī'zär] *(Ar.)* الإزار (نجم) .

mizzen *or* **mizen** [mĭz'ən] *(n.; adj.)* (١) الميزَن : شراع منصوب على الصاري الأقرب إلى مؤخّر المركب (٢) الصاري الميزَني (را. المادة التالية) §(٣) ميزَنيّ (~ shrouds) .

mizzenmast [mĭz'ən măst'] *(n.)* الصّاري الميزَنيّ : الصّاري الأقرب إلى مؤخّر المركب .

mizzle [mĭz'əl] *(vi.; n.)* (١) تُمطِر رذاذاً (٢) يتحمّل : يقوّض خيامه ويرتحل سرّاً أو على عجل §(٣) رذاذ .

mnemonic [nē mŏn'ĭk] *(adj.)* (١) مُساعد للذاكرة (٢) متعلق بفنّ تقوية الذاكرة (٣) ذاكري : متعلق بالذاكرة .

mnemonics [nē mŏn'ĭks] *(n.)* فن الاستذكار؛ فن تقوية الذاكرة .

moa [mō'ə] *(n.)* المُوَة : طائر نيوزيلندي منقرض .

Moabite [mō'ə bīt'] *(n.)* المُوآبي : أحد المؤابيّين وهم شعب سامي قديم .

moa

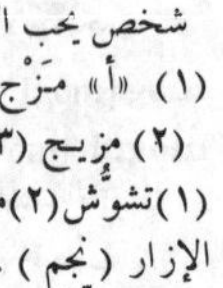

—**Moabite** *or* **Moabitish** *(adj.)*

moan [mōn] *(n.; vt.; i.)* (١) عويل ؛ نُواح . (٢) أنين §(٣) يندب ×(٤) يُعْوِل ؛ ينوح (٥) يئن .

moat [mōt] *(n.; vt.)* (١) خندق مائيّ (يُحفر حول الحصن) §(٢) يحيط (الحصنَ) بخندق مائيّ .

mob [mŏb] *(n.; vt.)* (١) الجماهير ؛ سواد الناس (٢) «أ» الغوغاء ؛ الرَّعاع ؛ السُّوقة . «ب» حشدٌ من الناس (٣) عصابة إجراميّة §(٤) يتجمهر ويهاجم ؛ يحتشد ويُقلق الراحة .

mobbish [mŏb'ĭsh] *(adj.)* غوغائيّ ؛ رَعاعيّ ؛ سُوقيّ .

mobcap [-'kăp] *(n.)* قلنسوة نسائية (تُربط تحت الذقن عادةً) .

mobile [mō'bəl; mō'bēl] *(adj.)* (١) متحرك : قابل للحركة أو التحريك (٢) متحوِّل ؛ متقلّب (٣) مترحِّل ؛ متنقِّل (٤) مُتّسم بامتزاج الفئات الاجتماعيّة (٥) مستخدِم السيارات الخ. وسيلةً للمواصلات (~ warfare) .

mobility [mō bĭl'ə tĭ] *(n.)* التحرّكيّة : قابليّة التحرك أو الانتقال .

mobilization [mō bĭ lĭ zā'-] *(n.)* (١) تحريك (٢) تعبئة (جن) .

mobilize [mō'bə līz'] *(vt.; i.)* (١) يحرّك ؛ يدير (٢) يعبّىء : «أ» يحشد ويؤهّب للحرب . «ب» ينظّم أو يكيّف (الصناعات الخ.) لخدمة الحكومة زمنَ الحرب ×(٣) يُعبَّأ ؛ يُحشَد .

mobocracy [mŏb ŏk'rə sĭ] *(n.)* (١) حكم الغوغاء (٢) الغوغاء بوصفها طبقةً حاكمة .

mobster [mŏb'stər] *(n.)* عضو في عصابة إجراميّة .

moccasin [mŏk'ə sən; -zən] *(n.)* المقْسِين : «أ» حذاء لا كعب له مصنوع من جلد ناعم ، ومرفوع النعل عند جوانب القدم وفوق أصابعها حيث يتصل بقطعة جلدية على شكل حرف U فوق أعلى القدم . «ب» أفعى سامّة .

Mocha [mō'kə] *(n.)* (١) «أ» المُخاوي : بُنّ يمني . «ب» بن ممتاز . (٢) المُخاويّة : مادة منكّهة مؤلّفة من مزيج من الكاكاو (أو الشوكولا) والبنّ (٣) الجلد المُخاويّ : جلد ناعم للقفّازات .

mock [mŏk] *(vt.; i.; n.; adj.; adv.)* (١) يهزأ بـِ (٢) «أ» يخدع ؛ يُضلّل . «ب» يخيّب (آمال فلان) (٣) يتحدّى بازدراء ؛ يُحْبِط (٤) «أ» يقلّد . «ب» يسخر من فلان بتقليد حركاته أو محاكاتها ×(٥) يسخر ؛ يتهكم على §(٦) هزء ؛ سخرية (٧) الهُزأة : شخص يُهزأ منه (٨) «أ» تقليد . «ب» سُخرية (بتقليد الحركات أو محاكاتها) (٩) شيء مقلَّد أو زائف §(١٠) كاذب ؛ زائف ؛ صُوريّ (a ~ battle) §(١١) بطريقة زائفة أو غير صادقة (*mock*-serious) .

mockery [mŏk'ə rĭ] *(n.)* (١) سخرية ؛ استهزاء ؛ تهكم . (٢) الهُزأة : شخص يُهزأ به (٣) تقليد ؛ زَيْف ؛ مظهر كاذب (٤) شيء غير ملائم إلى حدّ يثير السخرية .

mock-heroic [mŏk'hĭ rō'ĭk] *(adj.)* ساخر من الأسلوب أو العمل البطولي أو مقلّد له (~ poems) .

mockingbird [mŏk'ĭng-] *(n.)* الطائر المحاكي : طائر غرِّيد متميّز بقدرته البارعة على محاكاة أصوات الطيور الأخرى .

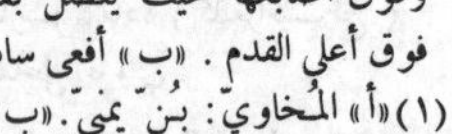

mockingbird

mock orange *(n.)* البرتقال الكاذب أو الزائف (نب) .

mock-up [mŏk'ŭp] *(n.)* نموذج بالحجم الطبيعي أو الحقيقي .

modal [mō'dəl] *(adj.)* (١) مشروط : موقوف على شرط (كبعض العقود والوصايا) (٢) شكلي : متعلق بالشكل لا بالجوهر .

modality [mō dăl'ə tĭ] *(n.)* (١) «أ» المشروطيّة ؛ الشكلية : كون الشيء مشروطاً أو شكلياً . «ب» شكل (٢) «أ» وسيلة علاجية (كإحداث الحرارة في أنسجة الجسم بواسطة تيارات كهربائيّة سريعة الذبذبة) . «ب» جهاز يُستعان به في اصطناع هذه الوسيلة .

mode [mōd] *(n.)* (١) صيغة (ل) (٢) «أ» شكل . «ب» أسلوب . (٣) طريقة (عمل شيء) (٤) زيّ سائد .

model [mŏd'əl] *(n.; adj.; vt.; i.)* (١) نسخة ؛ صورة (٢) مخطّط ؛ مجسّم (٣) نموذج (٤) طِراز (من السيارات الخ.) (٥) غِرار (٦) مِثال ؛ مثَل يُحتَذَى (٧) الموديل : شخص يجلس أمام الرسام أو النحات لكي يستعين به على إبداع صورة أو تمثال (٨) «أ» عارضة أزياء . «ب» ثوب الخ . تعرضه عارضة الأزياء (the latest Paris ~*s*) §(٩) نموذجيّ ؛ مثالي (a ~ teacher) §(١٠) يخطّط ؛ يشكّل (وفقاً لنموذج) (١١) «أ» يصوغ

على غرار كذا. «ب» يقتدي بـ (١٢) تعرض (عارضة الأزياء) ثوباً جديداً ×(١٣)تعمل (الفتاة) عارضة أزياء. **—modeler** *(n.)*

moderate [*adj., n.* mŏd'ər ĭt; *v.* -'ə rāt] *(adj.; n.; vt.; i.)* (١) «أ» معتدل. «ب» هادىء؛ لطيف (٢) «أ» متوسط (مقداراً أو حجماً). «ب» متوسط الجودة أو ضئيلها (٣) اعتدالي: متجنّب التدابيرَ السياسيّة أو الاجتماعيّة المتطرفة (٤) محدود المدى أو الأثر (٥) غير غالٍ؛ معقول السعر أو منخفضه (٦)خفيف (colors ~) §(٧) الاعتدالي: شخص ذو آراء معتدلة غير متطرفة في السياسة والدين §(٨) يهدّىء؛ يلطّف (٩) يرئس (اجتماعاً) ×(١٠) يهدأ؛ يتلطّف؛ يلين.

moderato [mŏd ə rä'tō] *(adj.; adv.)* (١) رَسْل (مو). §(٢) بطريقة رَسْلة أو معتدلة (مو).

moderator [mŏd'ə rā tər] *(n.)* (١) الوسيط؛ القائم بالوساطة. (٢) رئيس الجلسة أو المجلس (٣)المرسِل: مادة (كالغرافيت الخ.) تُستعمل لتَبْطيء النيوترونات في مُفاعِلٍ نوويّ.

modern [mŏd'ərn] *(adj.; n.)* (١) حديث. عصريّ. §(٢)العصريّ: «أ» شخص من أهل العصر الحديث. «ب» شخص ذو آراء عصرية. «ج» ضرب من الأحرف الطباعية. **—modernness** *(n.)*

modernism [mŏd'ər nĭz'əm] *(n.)* (١) تعبير (أو استعمال) عصريّ (٢) العصرانية: الصفة العصرية. النزعات العصرية؛ حبّ الجديد أو العصريّ (٣) الحركة العصرانية: «أ» *cap.* أ. ك: حركة في الفكر الكاثوليكي سعت إلى تأويل تعاليم الكنيسة على ضوء المفاهيم الفلسفية والعلمية السائدة في أواخر القرن ١٩ وأوائل القرن العشرين. «ب» *cap.* أ. ك: النزعة اللاهوتيّة التحررية في البروتستانتية. «ج» نزعة في الفن الحديث تهدف إلى قطع الصلات بالماضي والبحث عن أشكال من التعبير جديدة.

—modernist *(n.; adj.)* **—modernistic** *(adj.)*

modernity [mō dûr'-] *(n.)* (١) العصرية: كون الشيء عصرياً. (٢) شيء عصري.

modernization [mŏd ər nĭ zā'-] *(n.)* (١) التعصير: جعل الشيء عصرياً. التجديد (٢) التعصّر: كون الشيء عصرياً (٣) شيء معصَّر.

modernize [mŏd'ər nīz'] *(vt.; i.)* (١) يعصّر: يجعله عصرياً (من حيث الذوق أو الأسلوب أو الاستعمال) ×(٢) يجدّد: يتبنّى أو يصطنع الطرائق العصرية. **—modernizer** *(n.)*

modest [mŏd'ĭst] *(adj.)* (١) «أ» متواضع؛ غير مغرور. «ب» خجول. حييّ (٢) محتشم (في الملبس أو السلوك) (٣) «أ» معتدل. «ب» بسيط. متواضع (houses ~).

modesty[mŏd'əs tĭ] *(n.)* (١)«أ» تواضع. «ب»حياء (٢)احتشام. (٣) «أ» اعتدال. «ب» بساطة؛ اتّضاع.

modicum [mŏd'ə kəm] *(L.)* القليل. اليسير.

modifiable [mŏd'-] *(adj.)* قابل للتلطيف أو التعديل أو التحوير.

modification [mŏd'ə fə kā'-] *(n.)* (١) مص modify وبخاصة: «أ» تقييد المعنى. «ب» تعديل (٢) تكييف (اح).

modifier [mŏd'-] *(n.)* (١) الملطِّف. المعدِّل. المحوِّر. (٢) المقيِّد النحوي.

modify [mŏd'ə fī'] *(vt.; i.)* (١) يلطّف؛ يخفّف (٢) يقيِّد المعنى (Adjectives ~ nouns) (٣) «أ» يُعدِّل. «ب» يحوِّل. يحوّر ×(٤) يتحوّل؛ يتغيّر.

modillion

modillion [mō dĭl'yən] *(It.)* المُقَرْنَس: واحد من سلسلة مساند زينية تحت الطنُف أو الكورنيش في فنّ العمارة الكورنثية أو غيره.

modish [mō'dĭsh] *(adj.)* مطابق للزيّ الحديث «على المودة».

modiste [mō dēst'] *(F.)* خيّاط (أو خيّاطة) الملابس النسائيّة وفقاً للزيّ الحديث.

modulate [mŏj'ə lāt'] *(vt.; i.)* (١) «أ» يغيِّر أو يعدِّل (طبقة الصوت). «ب» يلطِّف (٢) يجوِّد؛ يترنم بـ (to ~ a prayer) (٣) يُضمِّن؛ يعدِّل: يغيِّر تردّد الموجات الكهربائية بأن يسلّط عليها موجاتٍ أخرى ذات تردّد أكثر بطئاً، عادةً ×(٤) ينتقل من نَغْميّة إلى أخرى (مو). **—modulator** *(n.)* **—modulatory** *(adj.)*

modulation[mŏj'ə lā'-] *(n.)* (١) تغيير أو تغيّر في طبقة الصوت أو مقامه (٢) التضمين؛ التعديل (را. modulate 3) (٣) انتقال من نَغْميّة إلى أخرى (مو).

module [mŏj'ōōl] *(L.)* (١)وحدة قياس (٢)مركَبة (قمرية الخ.).

modulus [mŏj'ə ləs] *(L.)* مُعامِل (the ~ of elasticity).

modus operandi [mō'dəs ŏp'ə răn'dĭ] *(L.)* طريقة العمل.

modus vivendi [vĭ vĕn'dĭ] *(L.)* (١) طريقة العيش. (٢) تسوية موقّتة.

mofette or moffette [mō fĕt'] *(F.)* المَوْف: مَنْفَذ في الأرض ينبعث منه ثاني اكسيد الكربون وبعض النتروجين والأكسجين.

mog [mŏg] *(vi.)* (١) يرتحل (ع) (٢) يمشي الهوينا(ع).

mogul [mō'gŭl; mō gŭl'] *(n.; adj.)* (١) *cap.* المغولي: أحد أفراد الشعب المغولي؛ وبخاصة: أحد فاتحي الهند الأتراك أو ذريّتهم (وترسم أحياناً: Moghul) (٢) قُطْب؛ شخص بارز (في حقل ما) §(٣) مغوليّ.

mohair [mō'hâr'] *(Ar.)* المُخَيَّر؛ الموهير: «أ» نسيج من وبَر معزاة أنقرة الحريري الطويل. «ب» وبر معزاة أنقرة نفسه.

Mohammedan[-hăm'ə dən] *(adj.; n.)* = Muhammadan.

Mohawk [mō'hôk] *(n.)* (١) الموهوك: قبيلة من هنود أميركة الشماليّة الحمر (في وادي نهر الموهوك بولاية نيويورك) (٢) الموهوكيّ: أحد الموهوك (٣) الموهوكيّة: لغة الموهوك.

Mohegan [mō hē'gən] *or* **Mohican** [mō hē'kən] *(n.)* (١)الموهيغان: قبيلة من هنود أميركة الحمر (في الجزء الجنوبيّ الشرقي من ولاية كونكتيكوت) (٢) الموهيغانيّ: أحد الموهيغان.

Mohock [mō'hŏk] *(n.)* الموهوكيّ: أحد أفراد عصابة من الفتّاك الأرستوقراطيين الذين كانوا يعتدون على الناس في شوارع لندن في أوائل القرن الـ ١٨.

Mohs' scale [mōz] *(n.)* سُلَّم مُوز: سلّم وضعه العالِم موز مرتّباً فيه صلابة المعادن.

mohur[mō'hər] *(Hin.)* المُوهَر: عملة ذهبيّة هنديّة وفارسيّة قديمة.

moidore [moi'dōr] *(n.)* المُويْدور: عملة ذهبيّة برتغاليّة قديمة.

moiety [moi'ə tĭ] *(L.)* (١) «أ» نِصْف. «ب» جزء؛ شطر. (٢) الفَخِذ: فرع من قبيلة.

moil [moil] *(vt.; i.; n.)* (١) يبلّل أو يوسّخ (ع) ×(٢) يكدح. §(٣) كَدْح (٤) فوضى؛ اضطراب؛ اهتياج. **—moiler** *(n.)*

moiling [moi'lĭng] *(adj.)* (١) «أ» شاقّ: متطلّب عملاً شاقاً. «ب»كادّ. مُجِدّ. كادح (٢) صاخب. ضاجّ. شديد الاهتياج.

moiré [mwä rā'; mōr'ā] *(n.; adj.)* (١) «أ» تموّج (في نسيج).

«ب» رسم متموّج (على طابع بريدي) (٢) نسيج متموّج المظهر §(٣) متموّج .

moist [moist] *(adj.)* (١) رَطْب ؛ نَدِيّ ، مُخْضَلّ (٢) دامِع .

moisten [mois'ən] *(vt.; i.)* (١) يُرطِّب ؛ يُندّي ؛ يُخَضِّل . ×(٢) يَخْضَلّ .

moisture [mois'chər] *(n.)* رطوبة ؛ نداوة .

moke [mōk] *(n.)* (١) حمار ؛ أبله (ع) (٢) فرس هرِمٌ أو ضعيف (ع) .

molal [mō'ləl] *(adj.)* جزَيْئيغرامي : متعلق بالوزن الجُزَيْئي في الغرام (ك) .

molality [mō lăl'-] *(n.)* التركيز الجُزَيْئي الغراميّ (ك) .

molar [mō'lər] *(n.; adj.)* (١) ضِرْس §(٢) طاحن ؛ جارش . (٣) ضِرْسي (٤) كُتْلي : متعلق بكتلة المادة تمييزاً لها عن خصائص وحركات الجزيئات أو الذرات (٥) **molal** .

molarity [mō lăr'-] *(n.)* التركيز الجُزَيْئي الغراميّ (ك) .

molasses [mə lăs'ĭz] *(L.)* دبس السكّر : مادة لزجة تُفْصَل عن السكر الخام عند صنع السكّر .

mold [mōld] *(n.; vt.; i.)* (١) تراب ؛ وبخاصة ثرى ناعم غنيّ بالمادّة العضويّة (٢) «أ» سطح الأرض (عب) . «ب» قبر (عب) (٣) طراز أو صفة مميِّزة (٤) قالب (٥) شكل (٦) حلية معمارية (بارزة أو مقعّرة) (٧) عَفَنٌ (٨) فُطر يُحدث عفناً §(٩) «أ» يقولب : يُفرغ في قالب. «ب» يصوغ ؛ يشكّل (١٠) يزيّن بالنحت أو بحلى معمارية ×(١١) يتعفّن .

moldboard [mōld'-] *(n.)* (١) الدُّجْر : حديدة عقفاء في المحراث ترفع التربة وتقلبها (٢) أحد الألواح الخشبية التي تشكّل قالباً للاسمنت .

molder [mōl'dər] *(vi.)* يبلى ؛ يتهرّأ ؛ يتفسّخ .

moldiness [mōl'-] *(n.)* عفونة ؛ تعفّن .

molding [mōl'dĭng] *(n.)* (١) «أ» القَوْلبَة : إفراغ الشيء في قالب . «ب» القالب : شيء مُنتَج بالقَوْلبَة (٢) حلية معماريّة (بارزة أو مقعّرة) .

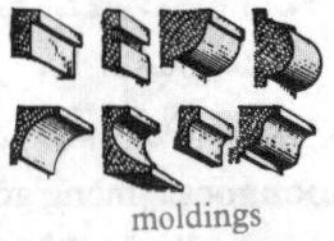

moldings

moldy [mōl'dĭ] *(adj.)* (١) عفِن ؛ متعفّن ؛ بالٍ (٢) «أ» عتيق ؛ غير عصريّ . «ب» رجعيّ ؛ محافظ .

mole [mōl] *(n.)* (١) خالٌ ؛ شامة . (٢) «أ» الخُلد (ح) . «ب» شخص يعمل في الظلام (٣) «أ» سدّ ؛ حاجز الأمواج . «ب» مرفأ مَصُون بحاجز للأمواج (٤) الجنين الكاذب : كتلة غير سويّة (تشتمل على أنسجة جنينيّة) تتكوّن في الرحم (٥) أو **mol** : الوزن الجُزَيْئي الغرامي (ك) .

mole

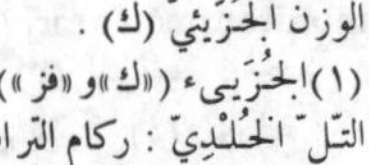

molecular [mə lĕk'yə lər] *(adj.)* (١) جُزَيْئيّ (ك) (٢) فرديّ .

molecular weight *(n.)* الوزن الجُزَيْئيّ (ك) .

molecule [mŏl'ə -] *(n.)* (١) الجُزَيء «ك» و «فز» (٢) مثقال ذرة .

molehill [mōl'hĭl'] *(n.)* التلّ الخُلْديّ : ركام التراب المتجمّع نتيجةً لحَفْر الخُلْد جُحْرَهُ .

to make a mountain out of a ~, يبالغ ؛ يجعل من الحبّة قبّة .

moleskin [mōl'skĭn] *(n.)* (١) فَرْو الخُلْد (٢) «أ» قماش قطني متين يزدان أحد وجهيه بزغب مخملي قصير . «ب» *pl.* عد : ثوب مصنوع من هذا القماش .

molest [mə lĕst'] *(vt.)* (١) يُزعج ؛ يضايق (٢) يتحرّش بِ .

—molestation *(n.)* **—molester** *(n.)*

moll [mŏl] *(n.)* (١) بَغِيّ ؛ مومس (٢) «أ» **doll 2** . «ب» محبوبة قاطع الطريق .

mollie *also* **molly** [mŏl'ĭ] *(n.)* = mollienisia.

mollienisia [mŏl ĭ nĭzh'ĭ ə] *(L.)* الموليينيزي: سمك زاهي الألوان .

mollify [mŏl'ə fī'] *(vt.)* يهدّئ ؛ يلطّف ؛ يسكّن .

molluscan *also* **molluskan** [mə lŭs'-] *(adj.)* رِخْويّ : متعلق بالرخويات (ح) .

molluscoid [mə lŭs'koid] *(adj.; n.)* (١) رِخْوانيّ : شبيهٌ بحيوان رِخْويّ §(٢) الرِّخوانيّ : حيوان رِخوانيّ .

mollusk *or* **mollusc** [mŏl'əsk] *(n.)* الرِّخْويّ : حيوان من الرخويات **Mollusca** كالمحار والسبيدج والحلزون .

mollycoddle [mŏl'-] *(n.; vt.)* (١) رجل متخنّث §(٢) يدلّل ؛ يدلّع .

Moloch *or* **Molech** [mō'lŏk] *(n.)* مولوخ : «أ» إلّه ساميّ كان يعبد من طريق تضحية الأطفال على مذبحه . «ب» شيء يتطلب تضحية رهيبة (the ~ of war) .

Molotov cocktail [mô'lŏ tŏf] *(n.)* كوكتيل مولوتوف : قنبلة يدوية مصنوعة من زجاجة ملأى بسائل ملتهب .

molt [mōlt] *(vi.; t.; n.)* (١) يَطرح شعره أو ريشه الخ . دوريّاً ×(٢) يَطْرح (الحيوانُ المفصليّ) إهابَه القديم §(٣) طَرْح الشعر أو الريش أو الإهاب القديم .

molten [mōl'tən] *(adj.)* (١) «أ» مصهور ؛ مذوّب بالحرارة . «ب» متوهّج (٢) مَسْبُوك .

molto [môl'tô] *(It.)* كثيراً ؛ جداً ؛ (مو) .

moly [mō'lĭ] *(L.)* المُوْلي : نبات أسطوري ذو جذر أسود وزهرات لبنيّة البياض وقوّة سحريّة .

molybdenite [mə lĭb'də nīt'] *(L.)* الموليبدينيت : معدن أزرق .

molybdenum [-'də nəm] *(L.)* الموليبدينوم : عنصر معدنيّ يشبه الكروم في كثير من الخصائص ويستعمل في تَقْسِيَة الفولاذ .

molybdic; molybdous [mə lĭb'-] *(adj.)* موليبدينومي .

mome [mōm] *(n.)* الأحمق ؛ الأبله ؛ المغفّل (ا.ق) .

moment [mō'mənt] *(n.)* (١) لحظة (٢) فترة امتياز أو تفوّق (She has her ~s) (٣) أهمية (an affair of great ~) (٤) مرحلة في تطوّر الأحداث (٥) العَزْم (مك) .

~ of force عَزْم القوّة (فز) .

~ of inertia عزم العطالة أو القصور الذاتي .

the man of the ~, رَجُل الساعة .

the ~ (that) حالما .

to the ~, بدقّة بالغة (في المحافظة على المواعيد) .

momentarily [mō'-] *(adv.)* (١) لحظةً (hesitated ~) (٢) كل لحظة ، من لحظة إلى لحظة (~ increasing) (٣) في أية لحظة (~ liable to occur) .

momentary [mō'mən tĕr'ĭ] *(adj.)* (١) خاطف ؛ سريع الانقضاء ؛ وجيز جداً (٢) حادث أو متكرّر في أية لحظة .

momently [mō'mənt lĭ] *(adv.)* (١) من لحظة إلى أخرى ؛ كلّ لحظة (٢) في أية لحظة (٣) لحظةً ؛ طوالَ لحظة .

momento [-mĕn'tō] *(n.)* = memento.

momentous [mō mĕn'təs] *(adj.)* خطير ؛ هامّ جداً .

momentousness [mō mĕn'təs-] *(n.)* خطورة ؛ أهمية بالغة .

momentum [mō mĕn'təm] *(L.)* pl. **-ta** *or* **-tums** الزَّخم ؛ كميّة التحرّك (فز) ؛ وتوسّعاً : القوة الدافعة .

ă at; ā date; â care; ä car; ĕ egg; ē me; ĭ in; ī bite; ŏ lot; ō bone; ô orphan; oi boil; ŏŏ good; ōō boot; ou out; ŭ under; ū unity; û urgent; th thing; th this; zh vision; ə = *a* in alone, *e* in system, *i* in easily, *o* in gallop, *u* in circus.

Momus [mō'məs] *(n.)* (١) موموس : إله السخرية (عند الاغريق) (٢) ناقِدٌ عيّاب أو معادٍ.

mon- or mono- بادئة معناها : واحد ؛ مُفْرد ؛ أُحاديّ.

monachal [mŏn'ə kəl] *(adj.)* = monastic.

monachism [mŏn'ə kĭz'əm] *(n.)* = monasticism.

monad [mŏn'ăd; mō'năd] *(L.)* (١) «أ» وحدة ؛ واحد. «ب» الجوهر الفرد (عند القدماء). «ج» أحد عناصر الوجود الأوليّة ، وبخاصة في فلسفة ليبنتز (٢) متعضٍّ (أو وحدة عضوية) بسيط بالغ الصغر (٣) عنصر أو ذرّة أو جذر أُحاديّ التكافؤ. **—monadic** *(adj.)* **—monadism** *(n.)*

monadelphous [mŏn'ə dĕl'fəs] *(adj.)* أُحاديّ الأُخوّة : صفة تطلق على بعض أسْدية النبات التي تكون جميعها متحدة في أنبوب واحد أو حزمة واحدة (نب).

monadnock [mə năd'-] *(n.)* المونَدنوك : هضبة تحيط بها أرض جرّدتها عوامل التَعْرية.

monandrous [mə năn'-] *(adj.)* (١) أُحاديّ السَّداة (نب). (٢) «أ» أحادية البعل (صفة للمرأة ذات البعل الواحد). «ب» متميّز بالأحادية البعلية (the ~ system).

monandry [mə năn'drĭ] *(n.)* (١) الأُحاديّة البعلية : زواج المرأة من رجل واحد في وقت واحد (٢) وحدة السَّداة (نب).

monarch [mŏn'ərk] *(L.)* (١) مليك (٢) المِلِكَة : فراشة ضخمة.

monarchal [-när'kəl]; **monarchial** [-'kĭ əl] *(adj.)* ملَكيّ.

monarchical [-'kə kəl] *or* **monarchic** [-'kĭk] *(adj.)* مَلَكيّ.

monarchism [mŏn'ər kĭz'əm] *(n.)* المبادىء الملكيّة أو الدعوة لها.

monarchist [-kĭst] *(adj.; n.)* (١) مَلَكيّ : مناصر للمَلَكية أو مؤمن بمبادئها §(٢) المَلكيّ : المناصر للمَلَكية الخ.

monarchy [-'ər kĭ] *(n.)* (١) المَلَكيّة (٢) دولة أو حكومة مَلَكية.

monarda [mə när'də] *(L.)* المُونَرْدَ : نعناع أميركي (نب).

monasterial [mŏn'ə stĭr'-] *(adj.)* دَيْريّ : متعلق بالأديرة أو حياتها.

monastery [mŏn'ə stĕr'ĭ] *(n.)* دَيْر.

monastic [mə năs'tĭk] *(adj.; n.)* (١) دَيري ؛ رهبانيّ §(٢) راهب.

monasticism [-'tə sĭz'əm] *(n.)* الرَّهبانيّة : النظام الرهبانيّ ؛ الحياة الرهبانيّة.

monatomic [mŏn'ə tŏm'ĭk] *(adj.)* أُحاديّ الذرّة أو التكافؤ (ك).

monaxial [mŏn ăk'sĭ əl] *(adj.)* أُحاديّ المحور (نب).

monazite [mŏn'ə zīt] *(G.)* المونازيت : فسفات السيريوم واللّنثانوم.

Monday [mŭn'dĭ] *(n.)* الاثنين ؛ يوم الاثنين.

Monel metal [mō nĕl'] *(n.)* معدِن مونيل : أُشابة تحتوي على ٦٧٪ نيكلاً و ٢٨٪ نحاساً و ٥٪ من المعادن الأخرى.

monetarily [mŭn'ə tĕr-] *(adv.)* عُملياً ؛ فيما يتصل بالعُملة.

monetary [mŭn'-] *(adj.)* (١) عُمْليّ : متعلق بالعُملة (٢) ماليّ.

monetary unit *(n.)* وحدة العُملة ؛ وحدة النقد.

monetize [mŭn'ə tīz] *(vt.)* (١) يسكّ (الذهب الخ.) عُمْلةً (٢) يجعله عُملةً قانونيّة.

money [mŭn'ĭ] *(n.)* pl. **moneys** *or* **monies** (١) عُملة ؛ نقد ؛ مال (٢) الثروة مقدَّرةً بالعُملة (٣) «أ» المجلّي والمصلّي والذي يجيء ثالثاً في سباق للخيل أو الكلاب. «ب» جائزة من جوائز السباق (My horse took third ~.) (٤) أثرياء أو شركات عظيمة الثّراء.

moneybag [mŭn'ĭ băg'] *(n.)* (١) كيس نقود (٢) *pl.* : «أ» ثروة (ع). «ب» الغنيّ ؛ الثري (ع).

money box *(n.)* الحصّالة : صندوق لادّخار النقود أو جمع التبرعات.

money changer *(n.)* الصرّاف ؛ الصَّيْرفيّ.

moneyed *or* **monied** [mŭn'ĭd] *(adj.)* (١) ثريّ ؛ غنيّ. (٢) ماليّ : قائمٌ على المال ، مستمَدٌّ من المال ؛ ناشىء عن المال.

moneyer [mŭn'-] *(n.)* ضارب العملة أو ساكّها (بتفويض رسمي).

moneylender [mŭn'ĭ lĕn'-] *(n.)* المرابي : مُقرِض المال لقاء فائدة.

money-maker [mŭn'ĭ-] *(n.)* (١) جامع المال : المنهمك في جمع المال أو الموفّق في اكتسابه (٢) شيء يعود على صاحبه بربح مالي.

money order *(n.)* حوالة بريدية.

monger [mŭng'gər] *(n.; vt.)* (١) تاجر ؛ بائع §(٢) يتّجر بـ.

Mongol [mŏng'gəl; -gŏl; -gōl] *(n.; adj.)* (١) المُغوليّ ؛ المنغوليّ : شخص من أبناء منغوليا (٢) المغولية : لغة الشعب المغولي أو المنغولي (٣) Mongoloid §(٤) مُغوليّ ؛ منغوليّ.

Mongolian [mŏng gō'lĭ ən] *(adj.; n.)* (١) مُغوليّ ؛ منغوليّ. (٢) Mongoloid (٣) *not cap.* : مُغْلي : ذو علاقة بالمُغْليّة أو مُصابٌ بها (را. mongolism) §(٤) المغوليّ ؛ المنغوليّ (٥) المغولية : لغة الشعب المغوليّ.

Mongolic [mŏng gŏl'-] *(adj.; n.)* (١) Mongoloid §(٢) مجموعة لغات تشمل المغولية والقلموقية.

mongolism [mŏng'gə lĭz'əm] *(n.)* المُغْليّة ؛ البلاهة المُغْليّة : بلاهة خِلْقيّة يكون الطفل المُصاب بها ، عند ولادته ، منحرفَ العينين مسطّح الجمجمة عريض اليدين قصير الأصابع.

Mongoloid [mŏng'gə loid'] *(adj.; n.)* (١) مغولانيّ : «أ» شبيه بالمغول. «ب» ذو علاقة بعرق آسيوي رئيسي يشمل شعوب آسية الشمالية والشرقيّة والاسكيمو وفي كثير من الأحيان هنودَ أميركة الحمر §(٢) المغولانيّ : شخص من العرق المغولاني.

mongoose [mŏng'gōōs] *(Hin.)* النِّمْس.

mongrel [mŭng'-] *(n.; adj.)* (١) الهجين §(٢) مهجّن.

mongoose

moniker; monicker [mŏn'ə kər] *(n.)* لقب ؛ كنية (ع).

moniliform [mō nĭl'-] *(adj.)* سُبْحانيّ : شبيه بخرزات السُّبحة المنظومة («نب و«ح»).

monism [mŏn'ĭz əm; mō'-] *(G.)* (١) الأحَديّة : «أ» القول بأنّ ثمّة مبدأً غائياً واحداً ، كالعقل أو المادة. «ب» القول بأن الحقيقة كلٌّ عضويّ واحد (٢) monogenesis.

monition [mō nĭsh'ən] *(n.)* (١) تحذير ؛ تنبيه (٢) حِسّ باطني (بالخطر خاصةً) (٣) دعوة للمثول أمام القضاء.

monitor [mŏn'ə tər] *(n.; vt.)* (١) العريف : طالب يعين لمساعدة المدرس (٢) المحذِّر ، المنذِر ، المرشِد (٣) المِرقاب : جهازٌ مستقبِلٌ يُستعمل لمراقبة الصورة التلفزيونيّة (٤) الوَرَل : حيوان من الزحافات (٥) المونيطور : ضرب من السفن الحربية §(٦) يراجع بواسطة جهاز مستقبل عملَ جهاز إذاعي أو تلفزيونيّ مُرْسِل (٧) يختبر سطحاً الخ. لمعرفة قوة النشاط الإشعاعي (٨) يراقب ؛ يضبط (٩) يَرصُد : يلتقط الإذاعات الأجنبية.

monitory [-'ə tōr'ĭ] *(adj.; n.)* (١) محذِّر ؛ تحذيريّ §(٢) رسالة تحذير.

monk [mŭngk] *(n.)* (١) راهب (٢) ناسك.

monkery [mŭng'kə rĭ] *(n.)* (١) monasticism (٢) دير.

monkey[mŭng'kĭ] *(n.; vi.; t.)* (١) النسناس؛ السعدان: قرد صغير طويل الذنب (٢) ولدٌ مؤذٍ (٣) اسم يطلق على أدوات وآلات مختلفة §(٤) يتصرّف بطريقة مضحكة أو مؤذية (٥) «أ» يعبث بـ. «ب» يتدخل في ما لا يعنيه ×(٦) يقلّد؛ يحاكي.

monkey

—monkeyish *(adj.)*

monkey jacket *(n.)* سترة النسناس: سترة رجالية قصيرة ضيّقة.

monkey nut *(n.)* الفول السوداني.

monkeyshine[mŭng'kĭ-] *(n.)* مزحة أو حيلة خبيثة أو مضحكة.

monkey wrench *(n.)* (١) المفتاح الانكليزي: مفتاح ربط منزلق الفكّ (٢) كلّ ما يمزّق أو يفسد- (Their proposals threw a ~ into the peace negotiations.)

monkey wrench

monkhood [mŭngk'hŏŏd] *(n.)* (١) الرّهبانيّة: صفة الراهب أو حالته أو مهمته (٢) طبقة الرهبان.

monkish [mŭngk'ĭsh] *(adj.)* (١) رهبانيّ (٢) نُسْكيّ.

monk's cloth *(n.)* قماش الراهب: نسيج من صوف خشن تُخاط منه مسوح الرهبان ولكنه يُنسج اليوم أكثر ما يُنسج من قطن أو كتان لتُتّخذ منه الستائر.

monkshood [mŭngks'-] *(n.)* قَلَنْسُوَة الراهب: عُشْب سامّ.

mono- = mon-.

monoacid [mŏn'ə ăs'ĭd] *(adj.; n.)* أُحاديّ الحمض (ك).

monobasic [mŏn'ə bā'sĭk] *(adj.)* أُحاديّ القاعدة (ك).

monocarpellary [mŏn'ə kär'-] *(adj.)* أُحاديّ القَرْبلة؛ أحادي المبيض (نب).

monocarpic[mŏn'ə kär'pĭk] *(adj.)* أُحاديّ الإثمار: صِفة للنبات الذي يثمر مرةً واحدة في حياته ثم يموت.

monochasium[mŏn'ə kā'zhĭ əm] *(n.)* أُحاديّ المحور (نب).

monochlamydeous[mŏn ə klă mĭd'-] *(adj.)* أحادية المحيط: صفة للزهرة التي لا بتَلات أو لا سبلات لها.

monochord [mŏn'ə kôrd'] *(n.)* المِصْوات (مج): آلة موسيقية وحيدة الوتر.

monochromat[mŏn'ə krō măt] *(n.)* المصاب بالعمى اللوني التامّ.

monochromatic [mŏn'ə krō măt'ĭk] *(adj.)* (١) أُحاديّ اللون (٢) أُحاديّ الطول المَوْجي (٣) متعلق بالعمى اللونيّ التام.

monochromatism [mŏn'ə krō'-] *(n.)* العمى اللونيّ التامّ.

monochrome[mŏn'ə krōm'] *(n.; adj.)* (١) صورة أُحادية اللون §(٢) أُحاديّ اللون.

monocle [mŏn'ə kəl] *(F.)* المونوكل: نظّارة أحادية الزجاجة.

monocled [mŏn'ə-] *(adj.)* لابس نظّارةً أُحادية الزجاجة.

monoclinal [mŏn'ə klī'nəl] *(adj.; n.)* (١) أُحاديّ المَيْل: ذو انحدار مائل مُفْرد (جي) §(٢) monocline.

monocline [mŏn'ə klīn] *(n.)* الطيّة الأُحادية المَيْل (جي).

monocoque [mŏn'-] *(n.)* الإنشاء الأُحاديّ القِشرة (طي).

monocot *or* **monocotyl** [mŏn'-] *(n.)* = monocotyledon.

monocotyledon[mŏn'ə kŏt'ə lē'dən] *(n.)* الأُحاديّ الفِلْقة: نبات وحيد الفِلْقة.

—monocotyledonous *(adj.)*

monocracy [mō nŏk'rə sĭ] *(n.)* حكم الفَرْد؛ حكومة الفرد.

monocrat [mŏn'-] *(n.)* (١) المستبدّ (٢) المؤيِّد للاستبداد.

monocular [mə nŏk'-] *(adj.)* (١) أُحاديّ العين (٢) مُعَدّ لِعَيْنٍ واحدة (a ~ microscope).

monoculture[mŏn'ə kŭl'chər] *(n.)* الزراعة الأُحاديّة: الاكتفاء بزراعة محصول واحد وعدم استغلال الأرض بأية طريقة أخرى.

monocycle [mŏn'ə sī kəl] *(n.)* الأُحاديّ العجلة أو الدولاب.

monocyclic [mŏn ə sī'klĭk] *(adj.)* أُحاديّ الدورة (أح).

monodrama [mŏn'ə-] *(n.)* المونودراما: مسرحيّة يمثلها شخص واحد.

monody [mŏn'ə dĭ] *(L.)* (١) المونوديّة: قصيدة ينشدها صوت واحد (كما في التراجيديا الاغريقية) (٢) مَرْثاة؛ قصيدة رثاء.

—monodic *(adj.)* **—monodist** *(n.)*

monoecious[mə nē'shəs] *(adj.)* (١) خُنْثَوِيّ (أح) (٢) أحاديّ المَسْكَن: ذو أزهار ذكرية وأزهار أنثوية في نبتة واحدة (نب).

monoecism [mə nē'sĭz əm] *or* **monoecy** [mŏn'ē sĭ] *(n.)* أُحادية المسكن: حالةٌ تكون فيها الأزهار الذكرية والأزهار الأنثوية مجتمعة في نبتة واحدة.

monofuel [mŏn'ō-] *(n.)* = monopropellant.

monogamic [mŏn ə găm'ĭk] *(adj.)* = monogamous.

monogamist [mə nŏg'ə mĭst] *(n.)* الأُحاديّ الزواج: الممارس للزواج الأُحاديّ أو المؤيِّد له.

monogamous[mə nŏg'ə məs] *(adj.)* أحاديّ الزواج: «أ» ممارس أو مؤيِّد للزواج الأحادي. «ب» خاصّ بالزواج الأحادي.

monogamy[mə nŏg'ə mĭ] *(F.)* الزواج الأحادي: «أ» الزواج مرة واحدة في العمر. «ب» الزواج من شخص واحد فقط في وقت واحد.

monogenesis [mŏn'ə jĕn'ə sĭs] *(n.)* أحادية الأصل: تحدّر الكائنات الحية كلها، افتراضياً، من خلية واحدة.

monogenic [-jĕn'ĭk] *(adj.)* أُحاديّ الأصل؛ مشترَك الأصل.

monogram [mŏn'ə grăm'] *(n.; vt.)* (١) المونوغرام: علامة ترمز إلى شخص ما وتتألف من أحرف اسمه الأولى مرقومةً على نحوٍ متشابك §(٢) يَسِم أو يُعلِّم بمونوغرام.

monograph [mŏn'ə grăf'] *(n.; vt.)* (١) الدراسة: «أ» رسالة علمية في حقل ضيّق من حقول المعرفة. «ب» مقالة عن شيء مفرد §(٢) يكتب دراسة عن كذا.

—monographic *(adj.)*

monographer [mə nŏg'rə fər] *(n.)* كاتب الدراسات.

monogyny [mə nŏj'ə nĭ] *(n.)* أُحاديّة الزوجة: الزواج من امرأة واحدة في وقت واحد.

—monogynous *(adj.)*

monolatry [mə nŏl'ə trĭ] *(n.)* أحادية العبادة: عبادة ربّ واحد (مع الإيمان بوجود آلهة اخرى).

monolingual [mŏn ə lĭng'gwəl] *(adj.)* أحاديّ اللغة: «أ» معبر عنه بلغة واحدة فقط. «ب» عارفٌ أو مستخدِمٌ لغة واحدة فقط.

monolith [mŏn'ə lĭth] *(F.)* المَنْليث: حجر ضخم مفرد يكون عادةً على شكل عمود أو مِسلّة.

monolithic[mŏn ə lĭth'ĭc] *(adj.)* (١) مَنليثيّ: متعلق بمَنْليث. (٢) متكشف عن وحدة متراصة وتناغم كليّ (a ~ party *or* culture).

monologue *also* **monolog** [mŏn'ə lôg'] *(F.)* المونولوج: (١) «أ» مناجاة المرء نفسَهُ على المسرح. «ب» مشهد مسرحي يؤديه ممثل واحد (٢) مونولوج أدبيّ (٣) حديث طويل يحتكر فيه شخص واحدٌ الكلامَ أثناء محادثة.

—monologuist *or* **monologist** *(n.)*

monomania[mŏn'ə mā'nĭ ə] *(L.)* المَسّ الأُحاديّ: «أ» اعتلال عقلي مقصورٌ على فكرة واحدة أو مجموعة من الفكرات. «ب» التركيز المفرط على شيء واحد أو فكرة واحدة.

monomaniac[-'ə mā'nĭ ăk'] *(n.; adj.)* (١) الممسوس الأحاديّ: شخص مصاب بالمسّ الأحادي §(٢) أحاديّ المسّ.

monometallic [-mə tăl'ĭk] *(adj.)* أحاديّ المعدن : «أ» مؤلَّف من معدن واحد . «ب» مستخدِم معدناً واحداً (لسكّ العملة) .

monometallism [mŏn'ə mĕt'ə lĭz'əm] *(n.)* أحادية المعدن : اصطناع معدن واحد (كالذهب أو الفضة) في العملة .

monomial [mō nō'mĭ əl] *(adj.; n.)* (١) أحاديّ الحدّ (ر) . (٢) أحاديّ : دالّ على اسم مؤلف من لفظة واحدة (أح) §(٣) مقدار أحاديّ الحدّ (ر) (٤) اسم أحاديّ (أح) .

monomorphic *or* **monomorphous**[mŏn'ə môr'-] *(adj.)* أحاديّ الصورة (أح) .

Monongahela [mə nŏng'gə hē'lə] *(n.)* المونُنغهيل : ضربٌ من الويسكي .

mononuclear [-nū'klĭ ər] *(adj.)* أُحادي النواة (أح) .

monophagous[mə nŏf'ə gəs] *(adj.)* أحاديّ الاغتذاء : مُغْتَذٍ بضرب واحد من النبات أو الحيوان .

monophase[mŏn'ə fāz] *(adj.)* أحاديّ الطور (كب) .

monophobia [mŏn'ə fō'bĭ ə] *(n.)* هلَع الانفراد : الخوف المَرَضي من الانفراد .

monophonic [mŏn'ə fŏn'ĭk] *(adj.)* أحاديّ الصوت (مو) .

monophony [mə nŏf'ə nĭ] *(n.)* لحن أحاديّ الصوت .

monophthong [-'əf thông] *(Gk.)* صوت عِلّي مُفْرَد بسيط (ل)

monophyletic [mŏn'ə fī lĕt'ĭk] *(adj.)* أحادي الأرومة : متحدّر من أصل مشترك .

Monophysite [mə nŏf'ə sīt] *(n.; adj.)* (١)الوحدِيطبيعي : القائل بأن للمسيح طبيعة واحدة §(٢) أو **Monophysitic** : وحْدِيطَبيعي (نص) .

Monophysitism [mə nŏf'ə-] *(n.)* المذهب الوَحْدِيطَبيعيّ : مذهب القائلين بأنّ للمسيح طبيعةً واحدة (نص) .

monoplane [mŏn'-] *(n.)* أُحادية السطح : طائرةٌ أُحادية السطح .

monopode [mŏn'ə pōd'] *(adj.; n.)* أحادي القدَم .

monopodial [mŏn'ə pō'-] *(adj.)* صادق المحور : ذو عساليج متفرعة من محور رئيسي (نب) .

monopolist[mə nŏp'ə-] *(n.)* (١)المحتكِر (٢)المؤيد للاحتكار .

monopolistic [mə nŏp ə lĭs'tĭk] *(adj.)* احتكاري

monopolize [mə nŏp'ə līz'] *(vt.)* يحتكر .

—**monopolization** *(n.)* —**monopolizer** *(n.)*

monopoly [mə nŏp'ə lĭ] *(L.)* (١) احتكار (٢) سلعة محتكَرة . (٣) «أ» المحتكِر . «ب» شركةٌ محتكِرة .

monopropellant [-prə pĕl'ənt] *(n.)* الدافع الأُحاديّ : دافعٌ صاروخيّ يشتمل على كلا الوقود والمؤكسِد في مادة واحدة .

monorail [mŏn'ə rāl] *(n.)* الخطّ الأُحادي : خط حديدي مفرد .

monosaccharide [mŏn'ə săk'ə rīd'; -rĭd] *(n.)* المونوسكريد : سكر بسيط لا ينحلّ بالتحليل المائيّ .

monosepalous[mŏn'ə sĕp'əl əs] *(adj.)* أُحاديّ السَّبلة (نب) .

monospermous *also* **monospermal**[mŏn'ə spûr'-] *(adj.)* أُحادي البزرة (نب)

monostomous [mə nŏs'tə-] *(adj.)* أحاديّ الفم ، ذو فم واحد .

monostylous [mŏn'ə stī'-] *(adj.)* أحاديّ القلَم (نب) .

monosyllable[mŏn'-] *(n.)* الأحادية المقطع : كلمة ذات مقطع واحد .

monotheism [mŏn'ə thē ĭz'əm] *(n.)* التوحيد : الإيمان بإله واحد .

monotheist [mŏn'ə thē ĭst] *(n.)* الموحِّد : المؤمن بإله واحد .

monotheistic; -al [mŏn ə thē ĭs'-] *(adj.)* توحيدي .

monotint [mŏn'ə tĭnt] *(n.)* أحاديّة اللون : صورة أُحادية اللون .

monotone[mŏn'ə tōn'] *(n.; adj.)* (١)اطّراد رتيب (في الكلمات والجمل الخ .) (٢) نغمة مفردةٌ وتيرية (جارية على وتيرة واحدة) (٣)تماثلٌ مُميل §(٤)رتيب. —**monotonic** *(adj.)* رتيب ؛ مُملّ .

monotonous [mə nŏt'ə nəs] *(adj.)*

monotony [mə nŏt'ə nĭ] *(n.)* (١) رتابة ، رتُوب (٢) الوتيرية : اطّراد النغم أو الصوت على وتيرة واحدة .

monotrematous [mŏn'ə trĕm'ə təs] *(adj.)* أحاديّ المسلك : متعلق بوحيدات المسلك **Monotremata** وهي مرتبةٌ دُنيا من الثدييات لأعضائها التناسلية والبوليّة والهضمية مخرج أو مسلك واحد.

Monotype [mŏn'ə tīp'] *(n.)* (١) المونوتيب ، السابكة أو المنضدة الحرْفية أو الأُحاديّة : ماكينة لسبك الأحرف المطبعية وتنضيدها أُحادياً بحيث يكون كلٌّ منها منفصلاً عن الآخر (٢) مادة منضّدة بالمونوتيب أو طباعةٌ مُنجزَةٌ بالمونوتيب.

monotypic [mŏn'ə tĭp'ĭk] *(adj.)* (١) مونوتيبي (٢) أُحاديّ الطراز (أح) : ذو طراز أو ممثل واحد (صفة تطلق بخاصة على كلّ جنس **genus** ذي نوع **species** واحد) .

monovalence *or* **monovalency** [mŏn'ə vā'-] *(n.)* أُحادية التكافؤ (ك) .

monovalent [mŏn'ə vā'lənt] *(adj.)* أحاديّ التكافؤ (ك) .

monovular [mō nō'-] *(adj.)* مُنسّل من بيَيْضَة واحدة .

monoxide [mŏn ŏk'sīd; mə nŏk'-] *(n.)* الأكسيد الأحادي : أكسيد محتوٍ على ذرّة من الأكسجين في الجزيىء (ك) .

Monroe Doctrine [mən rō'] *(n.)* مذهب مونرو : مبدأ في السياسة الخارجية للولايات المتحدة الأميركيّة أعلنه الرئيس مونرو في رسالته إلى الكونغرس (٢ ديسمبر ١٨٢٣) وقوامهُ أن الولايات المتحدة تعارض كل تدخل أوروبي في شؤون نصف الكرة الغربي.

monseigneur [môn sĕ nyœr'] *(F.)* المونسينيور : «أ» لقب تشريف فرنسي يُطلق على الأمراء والأساقفة وغيرهم من ذوي المكانة الاجتماعية . «ب» شخص يحمل هذا اللقب .

monsieur [mə syœ'] *(F.)* مسيو ؛ سيّد (في فرنسة) .

Monsignor [mŏn sē'nyər] *(It.)* المُونْسِنيِنْيَر : «أ» لقب يُطلَق على بعض الأساقفة . «ب» أسقف يحمل هذا اللقب .

monsoon [mŏn sōōn'] *(Ar.)* (١) ريح موسمية ، وبخاصة في المحيط الهندي وجنوب آسية (٢)الموسم الذي تهبّ فيه الريح الموسمية الجنوبغَرْبيّة في الهند والبلاد المجاورة لها. —**monsoonal** *(adj.)*

monster [mŏn'stər] *(n.)* (١) «أ» الهُولَة : حيوان أو نبات ذو صورة أو بنْيَة غير سويّة . «ب» الشاذّ : المنحرف عن السلوك أو الخُلق السويّ (٢) قوّة مهدِّدة (٣) «أ» حيوان غريب الشكل أو مخيفُه . «ب» شيء ضخم بالنسبة إلى نوعه (٤) المِسْخ : شخص في منتهى البشاعة أو التشويه الخِلْقِيّ أو الوحشيّة أو النزعة إلى الشرّ .

monstrance [mŏn'strəns] *(n.)* وعاء القربان المقدّس (نص) .

monstrance

monstrosity [mŏn strŏs'ə tĭ] *(n.)* (١)«أ» الهُولة : حيوان أو نبات مشوّه الخِلقة . «ب» شيء شاذّ (٢)«أ» الهُوليّة : كَوْن الشيء هولةً . «ب» فظاعة ، ضخامة ، بشاعة فائقة (٣) شيء رهيب الحجم أو القوة أو التعقيد .

monstrous[mŏn'strəs] *(adj.)* (١)هائل ؛ ضخم جداً (٢)هولي ؛ مشوه الخِلقة (٣) «أ» رهيب ، شديد البشاعة . «ب» خاطىء

أو سخيف إلى حد فظيع (٤) شاذّ ؛ غير سويّ .

montadale [mŏnt'ə dāl] *(n.)* المُنْتَدَلي : واحد من سلالة خراف أميركيّة بيضاء الوجوه عديمة القرون .

montage [mŏn täzh'] *(F.)* (١) صورة مركّبة (تُصنع بضمّ عدد من الصور المستقلة بعضها إلى بعض) (٢) نِتاج أدبيّ أو موسيقيّ أو فنيّ مؤلف من عناصر متباينة ضُمّ بعضها إلى بعض (٣) المونتاج ؛ الإعداد : اختيار وترتيب المشاهد المصوَّرة فوتوغرافياً لشريط سينمائي .

—montage *(vt.)*

montan wax [mŏn'tăn] *(n.)* الشمع الجبليّ : شمع معدنيّ .

mont-de-piété [môn'də pyĕ tĕ'] *(F.)* بنك الاسعاف : مصرف للتسليف بفائدة معقولة ، وبخاصة للفقراء .

monte [mŏn'tĭ; mōn'tā] *(Sp.)* المَنْت : ضرب من لعب الورق

montero [mŏn tăr'ō] *(Sp.)* المُنْتيرو : قبعة مستديرة يرتديها القنّاص

Montessorian [mŏn'tə sōr'-] *(adj.)* مونتيسوريّ : خاص بمذهب في التربية وضعته المربية ماريا مونتيسوري (١٨٧٠ — ١٩٥٢) وهو يدعو إلى تعليم الأطفال من طريق الارشاد الفرديّ .

montgolfier [mŏnt gŏl'fĭ ər] *(F.)* منطاد الهواء الساخن .

month [mŭnth] *(n.)* الشهر : ثلاثون يوماً .

monthly [mŭnth'lĭ] *(adv.; adj.; n.)* (١) شهرياً ؛ مرةً كلّ شهر . § (٢) شهريّ § (٣) مجلة شهرية (٤) *pl.* : فترة الطمث .

month's mind *(n.)* قدّاس الثلاثين : قدّاس يقام عن روح الميت بعد شهر من وفاته (نص) .

monticule [mŏn'tĭ kūl] *(F.)* جُبَيْل ؛ هضبة ، وبخاصة : قمة بركان ثانوية .

monument [mŏn'yə mənt] *(n.)* (١) أثرٌ باقٍ (يذكّر بشخص أو شيء بارز) (٢) نُصُب تذكاري أو مَبْنى تذكاري (٣) مَعْلم يشير إلى حدود أرض ما (٤) جبل (أو منطقة) تحتفظ به الحكومة كمِلْكٍ عام .

monumental [mŏn'yə mĕn'təl] *(adj.)* (١) «أ» ضخم . «ب» بارز ، هامّ (٢) تذكاريّ ، نُصُبيّ .

monumentalize [-'tə līz'] *(vt.)* يخلّد بنُصُبٍ تذكاريّ أو نحوه .

monzonite [mŏn'zə nīt] *(F.)* المونزونيت : صخر بركانيّ مُبَلّر .

moo [mōō] *(vi.; n.)* (١) تخور (البقرة) § (٢) خُوار .

mooch [mōōch] *(vi.; t.)* (١) «أ» يتسكّع . «ب» ينسلّ خلسةً . × (٢) يسرق (٣) يستجدي .

mood [mōōd] *(n.)* (١) مزاج ؛ حالة نفسية (٢) نوبة غضب (ارق) . (٣) طَبْع ؛ خُلُق (٤) صيغة الفعل (ل) .

moodily [mōō'dĭ lĭ] *(adv.)* بكآبة ؛ بنَكَد .

moodiness [mōō'dĭ-] *(n.)* كآبة ؛ نَكَد .

moody [mōō'dĭ] *(adj.)* (١) كئيب ؛ نَكِدٌ (٢) متقلّب المزاج .

mool [mōōl] *(n.)* (١) تربة (عب) (٢) *pl.* ا.ك : قبر (عب) .

moola *or* **moolah** [mōō'lə] *(n.)* مال ؛ نقود (عب) .

moon [mōōn] *(n.; vt.; i.)* (١) القمر : الجرم السماوي الدائر حول الأرض (٢) «أ» قمر : جِرم سماوي دائرٌ حول جِرم أكبر منه . «ب» قمر صِناعي (٣) ضوء القمر § (٤) ينفق (الوقت) متكاسلاً × (٥) يحلُم .

once in a blue ~, نادراً جداً .

moonbeam [mōōn'bēm'] *(n.)* شعاع القمر .

moon-blind [mōōn'-] *(adj.)* أعشى : سيّء البَصَر في الليل .

moon blindness *(n.)* (١) التهاب متكرّر في عين الفرَس . (٢) العَشى : سوء البصر في الليل .

mooncalf [mōōn'kăf'] *(n.)* (١) الهولة : حيوان أو نبات ذو صورة أو بنية غير سويّة (٢) «أ» المغفّل . «ب» الشارد الذهن .

moon-eyed [mōōn'īd'] *(adj.)* مُحملق : فاتح عينيه على مدى اتّساعهما .

moonfish [mōōn'fĭsh] *(n.)* القَيْصان : سمكٌ بحريّ قصير مُفلْطَح فضيّ اللون .

moonfish

moonflower [mōōn'flou'ər] *(n.)* زهرة القَمر (نب) .

moonish [mōō'nĭsh] *(adj.)* (١) قمَرانيّ : شبيه بالقمر (٢) نزَويّ : متقلّب المزاج .

moonlet [mōōn'-] *(n.)* القُمَيْر : قمر طبيعيّ أو صناعي صغير .

moonlight [mōōn'līt] *(n.; adj.)* (١) ضوء القمر § (٢) مُقمِر .

moonlighter [mōōn'līt ər] *(n.)* ذو الوظيفتين ؛ القائم بوظيفتين .

moonlit [mōōn'lĭt] *(adj.)* مُقمِر ؛ مُضاء بنور القمر .

moonrise [-'rīz'] *(n.)* (١) طلوع القمر (٢) وقت طلوع القمر .

moonscape [mōōn'skāp] *(n.)* سطح القمر .

moonseed [mōōn'-] *(n.)* حبّ القمر : نبات هلاليّ البزور أسود الثمار .

moonset [-'sĕt'] *(n.)* (١) غروب القمر (٢) وقت غروب القمر .

moonshine [-'shīn'] *(n.)* (١) ضوء القمر (٢) هراء ، كلام فارغ . (٣) مُسْكِر ، وبخاصة : ويسكي تُستَقطر بطريقة غير شرعيّة .

moonshiner [-'shī'nər] *(n.)* صانع أو بائع الويسكي غير الشرعيّة .

moonstone [-'stōn'] *(n.)* حجَر القمر : فَلْسْبار شفّاف لؤلؤيّ البريق تُتّخذ منه الحلى .

moonstruck [mōōn'strŭk'] *(adj.)* (١) ممسوس ، مختلط العقل . (٢) عاطفيّ على نحوٍ رومانتيكيّ (٣) ذاهل ؛ شارد الذهن .

moony [mōō'nĭ] *(adj.)* (١) قمريّ (٢) «أ» هلاليّ الشكل . «ب» كالبدر : مستدير (٣) مُقْمِر (٤) حالم ؛ ذاهل ؛ شارد الذهن .

moor [mōōr] *(n.; vt.; i.)* (١) مستنقع ، أرضٌ سَبِخَة . § (٢) يوثق ؛ يربط ؛ يُرسي السفينة × (٣) ترسو (السفينة) .

Moor [mōōr] *(n.)* (١) «أ» المَغربيّ ؛ وبخاصّة : أحد فاتحي الأندلس المسلمين (في القرن الثامن ب . م) . «ب» البربري ؛ شخص من البربر (٢) المُسلم .

—Moorish *(adj.)*

moorage [mōōr'ĭj] *(n.)* (١) إرساء (٢) رُسُوّ (٣) مَرْسى . (٤) رَسْم الإرساء .

moorhen [mōōr'hĕn] *(n.)* دجاجة الماء (ط) .

mooring [mōōr'ĭng] *(n.)* (١) إرساء (٢) مَرْسى (٣) سلسلة ؛ حبل ؛ مرساة (٤) *pl.* عد : وسيلة أمان .

moose [mōōs] *(n.)* المُوْظ : حيوان ضخم من حيوانات أميركة الشمالية شبيه بالإلْكة (را. elk).

moose

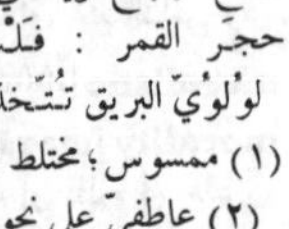

moot [mōōt] *(n.; vt.; adj.)* (١) المُوط : مجلس شعبيّ انكليزي قديم متمتع بسلطات سياسيّة وإدارية وقضائيّة § (٢) يناقش § (٣) موضع نقاش ؛ فيه نظر (a ~ point) (٤) تجريديّ ؛ غير ذي أهميّة عمليّة .

moot court *(n.)* محكمة صوريّة (لتمرين طلاب الحقوق) .

mop [mŏp] *(n.; vt.)* (١) مِمسَحة (لتنظيف أرض الغرفة الخ.) (٢) كتلة شعر كثيفة § (٣) «أ» يمسح . «ب» ينظّف .

to ~ up (١) يتخلص من (٢) «أ» يلتهم بشَرَه ؛ «ب» يهزم هزيمةً حاسمة . «ج» يطهّر من بقايا جيش العدوّ (٣) يتمّ عملاً أو مهمة .

to ~ the floor with (a person) يهزمه هزيمة كاملة .

ă at; ā date; â care; ä car; ĕ egg; ē me; ĭ in; ī bite; ŏ lot; ō bone; ô orphan; oi boil ŏŏ good; ōō boot; ou out; ŭ under; ū unity; û urgent; th thing; th this; zh vision; ə = *a* in alone, *e* in system, *i* in easily, *o* in gallop, *u* in circus.

mopboard [mŏp'bōrd'] *(n.)* = baseboard.
mope [mōp] *(vi.; t.; n.)* (١) يستغرق في تفكير كئيب . (٢) يتسكّع أو يضيع الوقت سُدىً ×(٣) يجعله كئيباً أو فاتر الهمة §(٤) المستغرق في تفكير كئيب ؛ الفاتر الهمّة (٥) *pl.* : كآبة.
mopish [mō'pĭsh] *(adj.)* كئيب ؛ منقبض الصدر ؛ فاتر الهمة .
moppet [mŏp'ĭt] *(n.)* طفل ؛ حدَث .
moquette [mō kĕt'] *(F.)* الموكيت : بساط أو نسيج مخمليّ الوبر.
moraine [mə rān'] *(F.)* ركام ترابٍ وحجارة يجرفه نهر جليديّ .
moral [môr'əl] *(adj.; n.)* (١) أخلاقيّ ؛ مناقبيّ (٢) افتراضي : محتمل ولكنه غير مثبت بالبرهان (٣) «أ» أدبيّ . «ب» معنوي §(٤) «أ» مغزى القصة الخ . «ب» المقطع (الأخير عادة) المشتمل على مغزى القصة (٥) *pl.* : «أ» السلوك الأخلاقيّ ؛ التعاليم الأخلاقية . «ب» علم الأخلاق (٦) معنوية ؛ معنويات .
morale [mə răl'; -räl'] *(F.)* معنوية ؛ معنويات .
moral hazard *(n.)* المخاطرة الأدبية : امكانية تعرّض شركة التأمين للخسارة بسبب خُلُق المؤمَّن أو ظروفه (تأ) .
moralism [môr'ə lĭz'əm] *(n.)* (١) التوجيه أو النصح الأخلاقيّ. (٢)الحكمة الأخلاقيّة (المنطوية على حقيقة أخلاقيّة) (٣)الأخلاقيّة : التمسّك بالفضيلة (بوصفه شيئاً متميزاً عن الدين) .
moralist [môr'əl ĭst] *(n.)* (١) الفاضل : المتمسّك في حياته بمبادىء الفضيلة والأخلاق (٢) أستاذ في علم الأخلاق (٣)المعلّم الأخلاقيّ : موجّه معْنيّ برفع مستوى الأخلاق عند الناس .
moralistic [môr əl ĭs'tĭk] *(adj.)* (١) أخلاقيّ (٢) تزمّتيّ .
morality [mə răl'ə tĭ] *(n.)* (١) «أ» درس أخلاقيّ . «ب» أثر أدبي منطوٍ على درس أخلاقيّ (٢) «أ» مذهب أو نظام في علم الأخلاق . «ب» *pl.* : مبادىء أخلاقيّة أو قواعد سلوك خاصة (٣) الأخلاقيّة : الانسجام مع المُثُل الأخلاقيّة العليا (٤) الفضيلة.
morality play *(n.)* التمثيلية الأخلاقيّة : مسرحيّة رمزية (راجت بخاصّة في القرنين ١٥ و١٦ م.) يشخّص فيها الممثلون بعضَ الصفات والمعاني الأخلاقيّة .
moralize [môr'ə līz'] *(vt.; i.)* (١)يفسّر أو يؤوّل أخلاقياً ؛ يستخرج درساً أخلاقياً من (٢) «أ» يضفي عليه صفة أخلاقيّة أو يُخضعه لسلطان القيَم الأخلاقيّة. «ب» يرفع المستوى الأخلاقيّ (efforts to ~ business) ×(٣) يعبّر عن خواطره في الأخلاق والمسائل الأخلاقيّة . **—moralization** *(n.)*
moral philosophy *(n.)* الفلسفة الأخلاقيّة : علم الأخلاق .
morass [mə răs'; mō-] *(n.)* (١) مستنقَع ؛ أرض سَبِخَة. (٢) شَرَك ؛ عائق ؛ شيء مُربِك (٣) ارتباك ؛ تشوّش .
moratorium [môr'ə tōr'ĭ əm] *(L.)* **pl. -s** *or* **-toria** (١) الموراتوريوم : «أ» قرار رسميّ بتأجيل دفع الديون المستحقّة (عند اشتداد الأزمة الاقتصادية) . «ب» الفترة التي يكون فيها هذا القرار نافذ المفعول (٢) تعليق أو توقيف للنشاط . **—moratory** *(adj.)*
Moravian [mō rā'vĭ ən] *(n.; adj.)* (١) المورافي : «أ» أحد أفراد الطائفة المورافية ، وهي طائفة بروتستانتية استلهمت تعاليمها من المصلح الديني البوهيميّ جون هَسّ المتوفّى عام ١٤١٥ . «ب» أحد سكان مورافيا (٢) المورافية : مجموع اللهجات التشيكية التي ينطق بها الشعب المورافي §(٣) مورافيّ .
moray [môr'ā] *(n.)* الموراي : ضرب من الانقليس (سمك) .
morbid [môr'bĭd] *(adj.)* (١) مرَضيّ : «أ» ذو علاقة بالأمراض (~ anatomy). «ب» ناشىء عن مرض (a ~ state). «ج» مولِّد مرضاً (a ~ substance) (٢) كئيب إلى حدّ غير سويّ (a ~ man) (٣) رهيب ؛ مروِّع (a ~ story) . **—morbidness** *(n.)*
morbidity [môr bĭd'ə tĭ] *(n.)* (١) المرَضيّة : كون الشيء مرَضياً (٢) النسبة المرَضيّة : نسبة انتشار المرض في منطقة ما.
mordacious [môr dā'shəs] *(adj.)* (١) قارص ؛ لاذع (٢) عضّاض.
mordancy [môr'dən sĭ] *(n.)* (١) لَذْعٌ (في الأسلوب) (٢) قسوة.
mordant [môr'-] *(adj.; n.; vt.)* (١) لاذع (~ criticism) . (٢) مُرْسِخ لِلّون (٣) كاوٍ ؛ محرِق §(٤) المُرْسِخ : مادة كيميائية تثبّت اللون أو الصبغة (٥) الأكّالة : مادة أكّالة تستعمل في حفر الكليشيهات الخ. §(٦) يعالج بمادة مثبّتة للّون أو بمادة أكّالة ...
more [mōr] *(adj.; adv.; n.)* (١) أكثر (٢) إضافيّ §(٣) مرة أخرى (٤) بدرجة أكبر ؛ إلى حدّ أبعد : أكثر §(٥) مقدار أكبر (٦) شيء إضافي .
~ **and** ~, باطّراد ؛ أكثر فأكثر .
~ **or less** تقريباً (It's an hour's journey ~.) .
to be no ~, يموت ؛ يقضي نحبه .
moreen [mə rēn'] *(n.)* المُورين : قماش تُصنع منه الستائر الخ .
morel [mə rĕl'] *(n.)* الغُوشْنَة : فُطر صالح للأكل (نب) .
morello [mə rĕl'ō] *(n.)* الموريل : ضربٌ من الكرز (نب) .
moreover [mōr ō'vər] *(adv.)* علاوةً على ذلك ؛ فضلاً عن ذلك.
mores [mō'rēz] *(n. pl.)* (١) عُرْف (٢) عادات .
Moresque [mə rĕsk'] *(adj.; n.)* (١) مغربيّ : متّسِم بخصائص فنّ العمارة المغربي §(٢) الزخرف المغربي : زخرف مغربي الطراز.
Morgan [môr'gən] *(n.)* المُرغِنيّ : فرس من سلالة أميركية خاصة.
morganatic [môr'gə năt'ĭk] *(adj.)* مرْغَنَطيّ : ذو علاقة بزواج غير متكافىء بين شخص من أسرة أوروبيّة مالكة أو نبيلة وشخصٍ من طبقة اجتماعيّة أدنى مقاماً ، بشرط أن تظلّ منزلة الفريق الأدنى على حالها وأن لا يرث الأبناء لقب الفريق الأسمى أو ممتلكاته .
morganite [-'gə nīt] *(n.)* المُرغنيت : حجر كريم ورديّ اللون.
morgen [môr'gən] *(n.)* المَرْجن : مقياس هولندي وجنوبأفريقي للأراضي (يساوي ٢,١١٦ من الأكر) .
morgue [môrg] *(F.)* (١) معرض الجثث : موضع تُعرض فيه الجثث المجهولة ليتعرف إليها من يهمّه الأمر (٢) مجموعة المراجع (في دار جريدة أو مجلة ما) .
moribund [môr'ə bŭnd] *(adj.)* (١) مُحْتَضَر ؛ (٢) هاجع في طور السُّبات .
morion [mōr'ĭ ŏn'] *(n.)* المَرْيُون : «أ» خوذة عالية. «ب» ضرب من الكوارتز (صخر) داكن اللون.

morion

Mormon [môr'mən] *(n.; adj.)* (١) المورمونيّ : عضوٌ في طائفة دينية أميركية أنشأها جوزيف سمث عام ١٨٣٠ وقد أباحت تعدد الزوجات فترةً ثم حظرته §(٢) مورمونيّ. **—Mormonism** *(n.)*
morn [môrn] *(n.)* (١) الضحى (٢) الصباح .
morning [môr'nĭng] *(n.)* (١) «أ» الضحى . «ب» الصباح . (٢) فجر ؛ بداءة ؛ مرحلة تطور أولية .
morning glory *(n.)* مجد الصباح ؛ نجمة الصباح (نب) .
mornings [môr'nĭngz] *(adv.)* كلّ صباح .
morning sickness *(n.)* غثيان الصباح (مج) : غثيان صباحيّ يصيب الحوامل في الأشهر الأولى من الحمل خاصة .
morning star *(n.)* نجم الصباح : نجم ساطع (كالزهرة الخ.) يُرى في السماء الشرقيّة قبل شروق الشمس أو عند شروقها .

Moro [mōr'ō] *(n.)* (١) المُورُويّ: شخص من الشعوب الإسلامية المختلفة في جنوبي الفيليبين (٢) المُورُوية: لغة المورُويين.

morocco [mə rŏk'ō] *(n.)* المراكشيّ: جلد فاخر منسوبٌ إلى مُرّاكش يُتَّخذ من جلد الماعز.

moron [mōr'ŏn] *(n.)* الأبله؛ الغبيّ؛ المغفّل.

moronic [mə rŏn'ĭk] *(adj.)* أبله؛ غبيّ؛ مُغفَّل.

morose [mə rōs'] *(adj.)* (١) نَكِد المزاج (٢) كئيب.

morph- *or* **morpho-** بادئة معناها: شَكْل.

-morph لاحقة معناها: شيء ذو شكل معيّن.

Morpheus [môr'fĭ əs] *(n.)* مورفيوس: إلَه الأحلام عند الاغريق.

morphia [môr'fĭ ə] *(n.)* = morphine.

-morphic لاحقة معناها: ذو شكلٍ معين.

morphine [môr'fēn] *(n.)* المورفين: مادة مخدِّرة.

morphinism [môr'fĭ nĭz'əm] *(n.)* المورفينيّة: حالة مَرَضيّة يحدثها إدمان المورفين.

-morphism لاحقة معناها: كون الشيء ذا شكلٍ معيّن.

morphogenesis [môr'fə jĕn'ə sĭs] *(n.)* التكوّن التشكّلي (أج).

morphological [môr fə lŏj'-] *(adj.)* (١) مورفولوجي؛ تشكّلي. (٢) صَرْفي (ل).

morphology [môr fŏl'ə jĭ] *(n.)* (١) علم التشكّل (مج)؛ المورفولوجيا: فرع من علم الأحياء يبحث في شكل الحيوانات والنباتات وبِنْيتِها (٢) علم الصَّرْف (٣) «أ» دراسة في بِنية شيء أو شكله. «ب» بِنْيَة؛ شكل.

—morphologist *(n.)*

-morphous لاحقة معناها: ذو شكلٍ معيّن.

-morphy لاحقة معناها: كون الشيء ذا شكل معيّن.

morris [môr'ĭs] *(n.)* المِريسة: رقصة إنكليزية ناشطة يؤديها الرجال وهم يرتدون ملابس طريفة ويحملون أجراساً.

morris chair *(n.)* كرسيّ موريس: كرسي ذو ذراعين وظهرٍ قابل للتعديل وحشايا يمكن نَزْعها.

morrow [môr'ō] *(n.)* (١) الصباح (ا.ق) (٢) الغد.

Morse code [môrs] *(n.)* نظام مورس؛ رموز مورس: نظام مؤلف من نقط وقواطع يُستخدَم لتوجيه الرسائل البرقية وغيرها.

morsel [môr'səl] *(n.; vt.)* (١) لقمة (٢) كِسرة؛ مقدار صغير. (٣) طبق طعام شهيّ (٤) شخص تافه أو جدير بالإهمال §(٥) «أ» يقسّم (إلى أجزاء صغيرة). «ب» يوزّع (بمقادير صغيرة).

mort [môrt] *(n.)* (١) نفخة القنْص: نفخة في البوق عند اقتناص أيّل من الأيائل (٢) قَتْل (٣) مقدار أو عددٌ كبير.

mortal [môr'təl] *(adj.; adv.; n.)* (١) قاتل؛ مُهلِك؛ مُميت (٢) «أ» ميّت: فانٍ؛ عُرضةٌ للموت (All men are ~.) . «ب» ممكن تخيّله أو وروده في الخاطر؛ أرضيّ (every ~ thing). «ج» متطاولٌ أو مضجرٌ إلى حد بعيد (five ~ hours) (٣) لدود (his ~ enemy) (٤) «أ» مميت: معرِّض للموت الروحي (a ~ sin) . «ب» شديد؛ مُفْرِط (~ hurry) . «ج» هائل؛ رهيب (It's a ~ shame.) (٥) بشريّ (a scream of ~ agony) (~ genius) (٦) مَوتيّ: ذو علاقة بالموت §(٧) على نحوٍ مهلك أو مُميت الخ. (ع) §(٨) إنسان؛ مخلوق بشري.

mortality [môr tăl'ə tĭ] *(n.)* (١) الفَنائيّة: كون الشيء فانياً أو عرضةً للموت (٢) الموت الجماعي: موت على نطاق واسع (من حرب أو طاعون أو مجاعة الخ.) (٣) الجنسِ البشري (٤) «أ» عدد الوفيات في زمن أو مكان معيّن. «ب» معدّل الوفيات خاصةً بالوفيات خلال عدد معيّن من السنين (تأ).

mortality table *(n.)* جدول التعمير: جدول مبنيّ على إحصائيات

mortally [môr'-] *(adv.)* على نحو قاتل أو مميت الخ.

mortar [môr'tər] *(n.; vt.)* (١) هاوَن (٢) مِدفع الهاوَن (٣) مِلاط §(٤) يملّط؛ يثبّت بالمِلاط.

mortar

mortarboard [môr'tər-] *(n.)* (١) لوح المِلاط: لوح مربّع يستخدمه البنّاؤون عادةً لحمل المِلاط (٢) القلنسوة الجامعية.

mortarboard 2.

mortgage [môr'gĭj] *(n.; vt.)* (١) رَهْنٌ؛ رَهْنٌ عقاريّ (٢) صك الرهن §(٣) يرهن.

mortgagee [môr'gĭ jē'] *(n.)* المُرْتَهِن: الشخص الذي يُرْهَن عنده العقار.

mortgagor *also* **mortgager** [môr'gĭ jər] *(n.)* الراهن (لعقارٍ ما).

mortician [môr tĭsh'ən] *(n.)* الحانوتي: مجهِّز الموتى للدفن.

mortification [môr'tə fə kā'-] *(n.)* (١) إماتة الجسد (بكبح الشهوات أو بالتعذيب الذاتي) (٢) الغنغرينا؛ الأُكال؛ المَوات (٣) «أ» الشعور بالخزي. «ب» العار.

mortify [môr'tə fī'] *(vt.; i.)* (١) يُميت الجسدَ (بكبح الشهوات أو بالتعذيب الذاتي) (٢) يُخْزي؛ يجرح المشاعر ×(٣) يتَغَنْغَر: يصبح غنغرينياً (مصاباً بالغنغرينا).

mortise *also* **mortice** [môr'tĭs] *(n.; vt.)* (١) النَقْر: تجويف مستطيل في قطعة خشب أو نحوها يدْخل فيه لسان §(٢) يصِل أو يثبّت بلسان ونقْر (٣) يحفر نقراً في.

A. mortise

mortmain [môrt'mān] *(n.)* (١) «أ» التملّك الموقوف «ب» الموقوفية: حالة المِلْك الموقوف لأغراض دينية أو خيرية أو عامة (٢) سُلطان الماضي: أثر الماضي بوصفه قوةً تتحكم بالحاضر.

mortuary [môr'chōō ĕr'ĭ] *(n.; adj.)* (١) مستودَع الجثث: قاعة أو بناية تحفظ فيها جثث الموتى ريثما تدفن §(٢) دفنيّ؛ متعلق بالدفن (٣) مَوتيّ: متعلق بالموت أو مميِّزٌ له.

morula [môr'yōō lə; -ōō-] *(n.)* pl. **-e** التُوتية: كتلة الخلايا الكروية الناشئةُ عن انقسام البُيَيْضة عند كثير من الحيوانات في مراحل تطورها الأولى (أج).

mosaic [mō zā'ĭk] *(n.; vt.; adj.)* (١) «أ» فُسَيْفساء. «ب» عملية تركيب الفُسيفساء (٢) صورة مرسومة بالفُسيفساء (٣) شيء يشبه الفُسيفساء في تركيبه (٤) داء الفُسيفساء: داء فيروسي يصيب النباتات فينقّط أوراقها بألوان مختلفة (٥) الخريطة الفسيفسائية: خريطة تتألف من مجموعة من الصور مأخوذة من الجو (لأغراض المساحة) §(٦) يزيّن بالفسيفساء §(٧) فُسيفسائيّ (٨) مركّب من عناصر مختلفة (٩) *cap.* مُوسَوِيّ.

mosaicist [mō zā'-] *(n.)* (١) «أ» مُصَمِّم الفسيفساء. «ب» عامل مشتغل بتركيب الفسيفساء (٢) تاجر الفسيفساء.

Moselle [mō zĕl'] *(G.)* الموزلية: ضربٌ من الخمر.

Moses [mō'zĭz; -zĭs] *(n.)* موسى (النّبيّ).

mosey [mō'zĭ] *(vi.)* (١) يرتحل أو يغادر المكان (٢) يمشي الهوينا (من غير ما هدف).

Moslem [mŏz'ləm; mŏs'-] *(n.)* المُسْلِم.

mosque [mŏsk] *(Ar.)* المسجد؛ الجامع.

mosquito [mə skē'tō] *(Sp.)* pl. **-toes** *also* **-tos** بَعُوضَة

mosquito hawk *(n.)* = dragonfly.

mosquito net *(n.)* كِلّة؛ ناموسيّة.

ă at; ā date; â care; ä car; ĕ egg; ē me; ĭ in; ī bite; ŏ lot; ō bone; ô orphan; oi boil; ŏŏ good; ōō boot; ou out; ŭ under; ū unity; û urgent; th thing; tћ this; zh vision; ə = *a* in alone, *e* in system, *i* in easily, *o* in gallop, *u* in circus.

moss [môs] *(n.; vt.)* (١) أُشنة ، طُحلُب (٢) مستنقع (اسك). §(٣) يكسو بالطحلب .

moss agate *(n.)* العقيق المُوشَّن أو المُطَحْلَب : عقيق مزدان بعلامات سوداء أو خضراء شبيهة بالطحلب .

mossback [môs'băk'] *(n.)* (١) «أ» السلحفاة الطحلبيّة : سلحفاة على ظهرها نماء شبيه بالطحلب . «ب» سمكة ضخمة بطيئة (٢) الرجعيّ : شخص شديد المحافظة .

moss-grown [môs'-] *(adj.)* (١) مكسوّ بالطحلب (٢) عتيق الطراز .

moss pink *(n.)* القَبْس (أو الفلوكس) المِخْرَزي (نب) .

moss-trooper [môs'-] *(n.)* (١) السلاّب المستنقعيّ : عضو في طبقة من السلاّبين عاثت فساداً في المستنقعات القائمة على الحدود بين انكلترة واسكتلندة في القرن السابع عشر (٢) قاطع طريق .

mossy [môs'ĭ] *(adj.)* (١) مُطَحْلَب : مكسوّ بالطحلب أو نحوه . (٢) طُحْلُبانيّ : شبيه بالطحلب .

most [mōst] *(adj.; adv.; n.)* (١) معظم (~ children) . (٢) أقصى ؛ أعظم (with the ~ speed) §(٣) إلى أبعد حد (٤) إلى حد بعيد جداً (~ dangerous) (The argument was ~ persuasive.) (٥) تقريباً (~ anywhere in Asia) §(٦) قُصارَى ؛ غاية (This is the ~ I can do for him.) (٧) الأكثرية ، معظم الناس. (is cleverer than ~) .
for the ~ part عادةً ، في الأعمّ الأغلب .
to make the ~ of يُفيد إلى أبعد حدود الافادة من .

-most لاحقة معناها : «أ» الأكثر ، الأشد (inner*most*) . «ب» الأقرب إلى (head*most*) .

mostly [mōst'lĭ] *(adv.)* في الأغلب ؛ في المقام الأول .

mote [mōt] *(n.)* الدقيقة ، الهباءة ، الذرّة (من الغبار خاصة) .

motel [mō tĕl'] *(n.)* الموتيل : فندق على الطريق العام يبيت فيه الرحّالون ليلتهم ويوقفون في ساحته سياراتهم .

moth [môth] *(n.)* (١) عثّة ، عثّة الملابس (٢) فراشة ، بَشّارة.

mothball [môth'-] *(n.)* (١) كُرة العُث : كرة صغيرة تُصنع من النفتالين لصيانة الملابس من العث (٢) *pl.* : المحفوظيّة : كون الشيء محفوظاً في مكان واقٍ .

moth-eaten [môth'-] *(adj.)* (١) مَعثوث : منقوب بالعُث . (٢) شبيه بالملابس المعثوثة ، مُبْطَل الزي .

mother [mŭth'ər] *(n.; adj.; vt.)* (١) أمّ (٢) «أ» الأم : رئيسة دير . «ب» امرأة متقدمة في السن (٣) مصدر ؛ أصل (٤) حنان الأمومة (٥) أمّ الخلّ ، الطُّفاوة الخَليّة : غشاء مؤلف من خميرة وخلايا بكتيرية يتكون على سطوح السوائل المتخمّرة تخمراً خليّاً §(٦) «أ» أميّ ، أموميّ (~ love) . «ب» الأم ؛ قائم مقام الأم (a ~ church) (٧) قوميّ (~ tongue) §(٨) «أ» تلد. «ب» يُحْدِث ؛ يولّد (٩) يعتني به عناية الأم بأولادها (١٠) تتبنّى (المرأةُ) ولداً (١١) «أ» ينسب إلى شخص معيّن أصل شيء أو أمومته. «ب» تعترف بأنها أمّ لفلان ؛ يعترف بأنه صانع كذا .

motherhood [mŭth'ər hood'] *(n.)* الأمومة .

Mother Hubbard *(n.)* عباءة أو ثوب نسويّ فضفاض .

mother-in-law [mŭth'ər ĭn lô'] *(n.)* (١) الحماة : أمّ الزوج أو الزوجة (٢) زوجة الأب .

motherland [mŭth'-] *(n.)* (١) الوطن (٢) الوطن الأم : وطن أسلاف المرء .

motherless [mŭth'ər-] *(adj.)* يتيم الأم : فاقدٌ أمّه .

motherliness [mŭth'ər lĭ-] *(n.)* حنان ، رأفة ، عطف .

motherly [mŭth'ər lĭ] *(adj.)* (١) أُموميّ : ذو علاقة بالأم أو مميِّز لها (٢) رؤوم ، حنون ، عطوف .

mother-of-pearl [mŭth'ər əv pûrl'] *(n.)* عِرق اللؤلؤ ، أُم اللآلئ : مادة صلبة ناعمة قُزَحية اللون تشكل بطانة بعض الأصداف وتُستخدم في صنع الأزرار والحُلَى .

Mother's Day *(n.)* عيد الأم (يوم الأحد الثاني من مايو) .

mother tongue *(n.)* (١) لغة المرء القوميّة (٢) اللغة الأم : لغة أصلية تفرعت منها لغة أخرى .

mother wit *(n.)* الذكاء الفطري .

motif [mō tēf'] *(F.)* (١) الموضوع : الفكرة الرئيسية في عمل فنيّ (٢) رسم (أو لون) مُفرَد أو متكرّر (٣) الحافز ، الباعث .

motile [mō'təl] *(adj.)* متحرك أو قادر على الحركة (أح) .

motion [mō'shən] *(n.; vt.; i.)* (١) «أ» اقتراح . «ب» استدعاء يقدّم إلى محكمة أو قاضٍ (٢) حركة (٣) حافز أو ميل (٤) أداة ؛ آلة (٥) تغيّر في طبقة الصوت (مو) (٦) تغوّط §(٧) يشير أو يومىء إلى .
—**motional** *(adj.)*

motionless [mō'shən lĭs] *(adj.)* ساكن ، غير متحرك .

motion picture *(n.)* شريط أو فيلم سينمائي .

motion sickness *(n.)* دُوار الحركة : دوار مصحوب بغثيان يصيب المسافرين بالطائرة أو السيارة أو الباخرة .

motivate [mō'tə vāt'] *(vt.)* (١) يحثّ ، يحرّض (٢) يجعل (الدراسة الخ.) ممتعة .
—**motivation** *(n.)*
—**motivational** *(adj.)* —**motivative** *(adj.)*

motive [mō'tĭv] *(n.; adj.; vt.)* (١) الباعث ، الحافز . (٢) motif I §(٣) محرِّك أو نزّاع إلى تسبيب الحركة (٤) حَرَكيّ ، تحريكيّ : ذو علاقة بالحركة أو تسبيب الحركة (~ energy) §(٥) يحثّ ، يحرّض .

motive power *(n.)* القوّة المحرِّكة (كالماء والبخار) .

motivity [mō tĭv'ə tĭ] *(n.)* (١) المحرِّكيّة : قوة التحريك أو إحداث الحركة (٢) الطاقة المتيسّرة أو المُتاحة .

mot juste [mō zhyst'] *(F.)* الكلمة الصحيحة أو المناسبة .

motley [mŏt'lĭ] *(adj.; n.)* (١) متعدد الألوان (a ~ coat) . (٢) متنافر ، مؤلف من عناصر مختلفة (a ~ crowd) §(٣) نسيج متعدّد الألوان (٤) ثوب مصنوع من هذا النسيج ، وبخاصة : ثوب مهرّج البلاط (٥) مهرّج البلاط (٦) مزيج .

motmot [mŏt'mŏt] *(Sp.)* المَطْمُوط : طائر استوائي اميركي .

motoneuron [-nyoor'ŏn] *(n.)* الخليّة العصبية الحرَكيّة (ت) .

motocar; motocycle [mō'-] *(n.)* = motorcar; motorcycle.

motor [mō'tər] *(n.; adj.; vi.; t.)* (١) قوّة محرِّكة (٢) المحرِّك ؛ الموطور (٣) سيّارة §(٤) محرِّك ؛ باعث على الحركة (٥) حَرَكيّ (٦) «أ» مُمَوْطَر : مزوّد أو مُدار بموطور. «ب» متعلق بسيّارة. «ج» مُعَدّ للسيارات أو سائقيها §(٧) يقود سيارة ×(٨) ينقل بسيّارة.

motorbike *(n.)* الموطوربيك : دراجة بُخارية صغيرة.

motorboat [mō'-] *(n.)* الزورق الموطوري : زورق مزوّد بمحرّك.

motor bus; motor coach *(n.)* الأوتوبوس : سيارة كبيرة للركاب.

motorcade [mō'tər kād'] *(n.)* موكب سيارات .

motorcar [mō'tər kär'] *(n.)* السيارة ، الأوتوموبيل .

motor court *(n.)* = motel.

motorcycle [mō'tər sī'kəl] *(n.; vi.)* (١) الدرّاجة البخارية . §(٢) يركب درّاجة بخاريّة .

motorcyclist [mōʹ-] *(n.)* الموتورسيكلي: سائق الدراجة البخارية.

motordrome [mōʹtər drōmʹ] *(n.)* ميدان سباق السيارات أو الدراجات البخارية.

motorist [mōʹtər ĭst] *(n.)* سائق السيّارة أو راكبها.

motorize [mōʹtə rīzʹ] *(vt.)* يُمَوْطِر: يزوّد بموطور، مثل: «أ» يزود بعربات مدارة بمحركات (بدلاً من عربات الخيل الخ). «ب» يزوّد (مشاة الجند) بعربات مدارة بمحركات. «ج» يزوّد بالسيارات.

motor lodge *(n.)* = motel.

motorman [mōʹ-] *(n.)* سائق العربة المدارة بمحرّك (وبخاصة الترام).

motor torpedo boat *(n.)* زورق طوربيد.

motortruck [mōʹ-] *(n.)* الشاحنة: سيارة لشحن البضائع.

mottle [mŏtʹəl] *(n.; vt.)* (١) الوَكْتة: نقطة ملوّنة (٢) مَظْهَر مُرَقَّش §(٣) يُرقّش.

motto [mŏtʹō] *(It.)* pl. **-es** *also* **-s** شِعار.

mouflon *or* **moufflon** [mōōfʹlŏn] *(F.)* المَفْلُون: أُرْوِيّة كورسيكا وسردينيا (ح).

mouflon

mouillé [mōō yāʹ] *(F.)* حَلْقيّ: ملفوظ حَلْقيّاً.

moujik [mōō zhĭkʹ; mōōʹ-] *(n.)* = muzhik.

moulage [mōō läzhʹ] *(F.)* (١) التبصيم: أخذ البصمات في قوالب من الجِبْس الخ. لاستخدامها في التحقيق الجنائي (٢) بصمة.

mould [mōld] *(n.; vt.; i.)* = mold.

moult [mōlt] *(vi.; t.; n.)* = molt.

mound [mound] *(n.)* (١) «أ» متراس. استحكام. «ب» رابية؛ هضبة صغيرة (٢) كومة؛ ركام.

mount [mount] *(n.; vi.; t.)* (١) جبل (٢) متراس؛ استحكام. (٣) رُكوب؛ وبخاصة: فرصة لامتطاء فرس في سباق (٤) الرَّكوبة، الحاضن، السِّناد، مثل: «أ» لوح من كرتون تُركّب عليه الصورة. «ب» رَكوبة الجوهرة أو الحجر الكريم. «ج» رَكوبة المدفع أو المحرّك. «د» قصاصة من ورق رقيق مُصَمَّغ للصق الطابع في ألبوم. «هـ» شريحة زجاجية توضع عليها مادة معدّة للفحص المِجهريّ (٥) مطيّة، وبخاصة: فرس مُعَدّ للركوب §(٦) يزداد؛ يتعاظم (٧) يرتفع؛ يصعد ×(٨) «أ» يرتقي (سلّماً). «ب» يعتلي (عرشاً). «ج» يمتطي (فرساً). «د» ينزو؛ يجامع (٩) «أ» يرفع؛ يُعْلي. «ب» ينصب (مدفعاً). «ج» يضع شيئاً (كالمدفع الخ.) على رَكوبة (١٠) «أ» يركّب أو يُرَكِّب. «ب» يجهز بحيوانات للركوب (١١) يقيم أو ينصب لأغراض الدفاع أو المراقبة (١٢) «أ» يُلصق على حاضن. «ب» يُخرج (مسرحيّاً). «ج» يَعْرِض. «د» يرتّب أو يجمع للاستعمال أو العرض (١٣) يُعِدّ (عَيّنَةً) للفحص أو العرض.

mountain [mounʹtən; -tĭn] *(n.)* (١) جبل (٢) «أ» كتلة ضخمة. «ب» عدد أو مقدار وافر.

mountain ash *(n.)* الغُبَيْراء؛ رماد الجبل (نب).

mountain chain *(n.)* سلسلة جبال.

mountain cranberry *(n.)* توت الجبل (نب).

mountain dew *(n.)* = moonshine 3.

mountaineer [mounʹtə nĭrʹ] *(n.; vi.)* (١) الجبليّ: ساكن الجبل. (٢) متسلّق الجبال §(٣) يتسلق الجبال.

mountaineering [-ʹĭng] *(n.)* رياضة تسلّق الجبال.

mountain goat *(n.)* البَدَن؛ ماعز الجبل (ح).

mountain goat

mountain-high *(adj.)* شاهق كالجبال.

mountain laurel *(n.)* غارُ الجبل (نب).

mountain lion *(n.)* = cougar.

mountainous [mounʹtə-] *(adj.)* (١) جبليّ. (٢) ضخم.

mountain sheep *(n.)* الأُرْوِية؛ كبش الجبل (ح).

mountain sickness *(n.)* دُوار الجبل: دوار يصيب المرء في المناطق التي يزيد ارتفاعها على ١٠ آلاف قدم.

mountainside [mounʹ-] *(n.)* السَّنَد: جانب الجبل أو منحدره.

mountaintop [mounʹ-] *(n.)* قِمّة؛ قُنّة؛ ذِروة الجبل.

mountainy [mounʹ-] *(adj.)* جَبَلِيّ.

mountant [mounʹ-] *(n.)* اللَّصوق: مادة دبقة لإلصاق رسم على لوحة.

mountebank [mounʹtə-] *(n.; vi.)* (١) بائع الأدوية الزائفة (من على منبر في الأماكن العامة) (٢) المُشَعْوِذ؛ الدجّال §(٣) يشعوذ؛ يدجّل الخ.

—**mountebankery** *(n.)*

mounted [mounʹtĭd] *(adj.)* (١) فارس، راكب فرساً (٢) مزوّد بشاحنات أو خيل؛ محمول (٣) مُثَبَّت في حاضن (~ gems) (٤) منصوب (a ~ gun).

mounting [mounʹtĭng] *(n.)* = mount 4.

mourn [mōrn] *(vi.; t.)* (١) يندب؛ يتفجّع على (٢) يلبس ثوب الحِداد (٣) يَهْدِل (الحمام).

—**mourner** *(n.)*

mournful [mōrnʹfəl] *(adj.)* (١) حِداديّ: دالّ على الحزن (٢) حزين (٣) مُحْزِن.

mourning [mōrʹ-] *(n.)* (١) حِداد (٢) ثوب الحِداد.

mourning cloak *(n.)* عباءة الحِداد: فَراش ضاربٌ لونه إلى السواد، لأجنحته حواشٍ عريضة صفراء.

mourning dove *(n.)* الهدّال: حَمام بريّ أميركيّ ذو هديل حزين.

mouse [*n.* mous; *v.* mouz] *(n.; vi; t.)* (١) فأر؛ فأرة. (٢) «أ» امرأة (ع). «ب» جبان (٣) كدمة حول العين (من أثر ضربة) §(٤) يصيد الفئران (٥) يبحث أو يجول خِلسةً ×(٦) يكتشف.

mouse-ear [-ʹĭr] *(n.)* أُذنِ الفأر: نبات ذو أوراق صغيرة كثيرة الوبر.

mouser [mouʹzər] *(n.)* الفَأّارة: هِرّة بارعة في صيد الفئران.

Mousquetaire [mōōs kə târʹ] *(F.)* الفارس الملكيّ: أحد فرسان الحرس الملكي الفرنسي بين عامي ١٦٢٢ و ١٧٨٦.

mousse [mōōs] *(F.)* المُوسِيّة: حلوى من قشدة مخفوقة وهلام الخ.

mousseline [mōōs lēnʹ] *(F.)* الموسلين: نسيج شفّاف يشبه الموصلين (را. muslin).

mousseline de soie [də swäʹ] *(F.)* الموسلين الحريري.

moustache [məs tăshʹ; mŭsʹ-] *(F.)* الشارب: ما ينبت على الشفة العليا من الشعر.

moustachio [məs täʹshō] *(n.)* = mustachio.

mousy *or* **mousey** [mouʹsĭ; -ʹzĭ] *(adj.)* (١) فأريّ أو كالفأرة، مثل: «أ» هادىء. «ب» جبان (٢) كثير الفئران؛ يعجّ بالفئران.

mouth [*n.* mouth; *v.* mouth] *(n.; vt.; i.)* (١) «أ» فم. «ب» كَشْرة، تكشيرة (٢) «أ» تعبير (to give ~ to one's thoughts). «ب» ناطق بلسان حكومة أو حزب الخ. (٣) شيء يشبه الفم وبخاصة من حيث إتاحتُهُ سبيلاً للدخول أو الخروج، مثل: «أ» مصبّ النهر. «ب» مَدْخَل. «ج» فتحة الوعاء الخ. «د» ثقب جانبيّ في ناي أو فلوت §(٤) «أ» يتكلم. «ب» يتشدّق

في الكلام . «ج» يكرّر من غير فهم أو إخلاص . «د» يغمغم ؛ ينطق بغير وضوح (٥) يتناول طعاماً ؛ يلعق ؛ يمسّ بالفم ×(٦) يقلب شفتيه ازدراءً .

down in the ~, حزين ؛ مكتئب .
to give ~, ينبح (الكلبُ) .
to make ~*s* / to make a wry ~, يقلب شفتيه احتقاراً .
to stop the ~ of يُسكت فلاناً .

mouthbreeder [mouth'brē'-] *(n.)* السمكة الفَمَوية : سمكة تحمل بيضها وصغارها في فمها .

mouthful[mouth'-] *(n.)* (١) «أ» مِلء الفم . «ب» لقمة (٢) مقدار ضئيل (٣) كلمة أو جملة طويلة جداً .

mouth organ *(n.)* الشفوية (مج) ؛ الهرمونيكا : آلة موسيقية .

mouthpiece [mouth'pēs] *(n.)* (١) الفم : شيء يوضع في الفم أو يشكّل فماً (٢) جزء من لجام الفرس يعترض فمه (٣) جزء من الآلة الموسيقية يوضع بين الشفتين أو في الفم (٤) «أ» الناطق بلسان حكومة أو حزب الخ . «ب» المحامي الجنائيّ (ع) .

mouthy [mou'thĭ; mou'thĭ] *(adj.)* (١) ثرثار (٢) طنّان .

movability *or* **moveability** [moo'və bĭl'-] *(n.)* التحريكية : قابلية التحريك .

movable *or* **moveable** [mōō'və bəl] *(adj.; n.)* (١) قابلٌ للتحريك (٢) غير ثابت التاريخ (feasts ~) §(٣) قطعة أثاث غير مثبتة في مكانها (٤) *pl.* عد : المنقولات (ق) .

move [mōōv] *(vi.; t.; n.)* (١) «أ» يتقدّم . «ب» يرتحل . «ج» ينتقل إلى منزل أو مقر آخر . «د» ينتقل من يد إلى يد (من طريق البيع أو الإيجار) (٢) «أ» يتحرك . «ب» تدور (الآلة الخ .) . «ج» يُظهر نشاطاً ملحوظاً (٣) ينشط في حقل خاص (had to ~ in society) (٤) يَعْمل ؛ يبدأ العملَ (٥) يستدعي ؛ يقدم استدعاء (~*d* for a new trial) (٦) يستطلق بطنُهُ ؛ يمشي بطنُهُ ×(٧) «أ» يحرّك . «ب» يزَحزح . «ج» ينَقّل . «د» يجعله ينتقل من يد إلى يد (من طريق البيع أو التأجير) (٨) «أ» يدفع إلى الأمام . «ب» يُدير (آلةً) . «ج» يوقظ (٩) يُقنع ؛ يحمله على (١٠) يثير مشاعر فلان (١١) يقدّم اقتراحاً رسمياً إلى (١٢) يُطلق (أو يُسْهل) البطنَ §(١٣) «أ» نقْل حجر الشطرنج من موضع إلى آخر . «ب» دور اللاعب في النقل (١٤) «أ» خطوة تُتخذ لتحقيق هدف (What's the next *move*?) . «ب» حركة . «ج» انتقال ؛ تغيير للمنزل أو المقرّ .

—mover *(n.)*

on the ~, (١) في حالة تنقّل من مكان إلى آخر . (٢) في حالة تقدّم .
to get a ~ on يُسرع ؛ يعجّل (ع) .
to make a ~, (١) ينتقل إلى مكان آخر (٢) يبدأ العملَ .
to ~ heaven and earth يبذل جهوداً جبارة ؛ يحاول بكل طريقة ممكنة .
to ~ on (١) ينتقل إلى مكان آخر (٢) يأمره بالانتقال إلى مكان آخر .

moveless [mōōv'-] *(adj.)* ثابت ؛ راسخ ؛ غير متحرك .

movement [mōōv'mənt] *(n.)* (١) «أ» حركة . «ب» مناورة أو تحرّك عسكريّ (جن) . «ج» عمل ؛ نشاط . «د» تغيّر في سعر سلعة الخ . (٢) «أ» نزعة ؛ اتجاه . «ب» حركة سياسيّة أو اجتماعيّة الخ . (٣) الأجزاء الناقلة أو المحوِّلة للحركة (في آلة) (٤) جزء رئيسي في عمل موسيقي طويل (٥) الحركة : تعاقب الأحداث في رواية أو مسرحيّة (٦) «أ» تغوّط . «ب» غائط .

movie[mōō'vĭ] *(n.)* (١) فيلم ؛ شريط سينمائي (٢) *pl.* : «أ» السينما . «ب» الصناعة السينمائية .

moving[mōō'-] *(adj.)* (١) متحرّك (٢) «أ» محرِّك . «ب» مثير للمشاعر .

moving picture *(n.)* شريط أو فيلم سينمائي .

moving sand *(n.)* الرمل المتحرك ؛ الرمال المتحركة أو الغائرة .

moving staircase; moving stairway *(n.)* = escalator.

mow [mou *for* 1, 2, 5; mō *for* 3-4] *(n.; vt.; i.)* (١) مخزن التبن (٢) تكشيرة ؛ قلب للشفتين §(٣) يجزّ ؛ يحصد (٤) «أ» يقتل بأعداد كبيرة وفي غير رحمة . «ب» يسقط . «ج» يقهر ؛ يسحق ×(٥) يكشّر (استنكاراً أو ازدراءً الخ .) .

mower [mō'ər] *(n.)* (١) فا mow (٢) الجزّازة ؛ الحصّادة (ملك) .

moxie [mŏk'sĭ] *(n.)* (١) قوة ؛ نشاط (ع) (٢) شجاعة (ع) .

moyen-âge [mwȧ yĕ näzh'] *(n.; adj.)* (١) القرون الوسطى . §(٢) قُرُوَسْطِيّ : ذو علاقة بالقرون الوسطى .

mozzetta [mō zĕt'ə] *(It.)* المُوزيتّة : رداء قصير يطرح على الكتفين ذو قلنسوة مزخرفة (يرتديه البابا والكرادلة والأساقفة) .

Mr. [mĭs'tər] pl. **Messrs.** مستر ؛ سيّد .

Mrs. [mĭs'ĭz; -ĭs; mĭz'-] pl. **Mmes.** مسز ؛ سيّدة .

muc-; muci-; muco- بادئة معناها : «أ» مخاط . «ب» مخاطي و.....

much [mŭch] *(adj.; adv.; n.)* (١) كثير (~ work) . §(٢) بكثير ؛ إلى حد بعيد (~ longer) (She (٣) كثيراً doesn't swim ~.) (٤) تقريباً (This is ~ the same as the others.) §(٥) مقدار وافر : كثير (learned ~ from that experience) (٦) شيء عظيم أو هام أو مؤثر (is not ~ to look at) .

as ~ as you want قدْرَ ما تريد .
He was too ~ for me. كان أقوى أو أبرع من أن أتفوق عليه .

muchness [mŭch'nĭs] *(n.)* كثرة ؛ وفرة .

much of a ~, متشابهون إلى حد بعيد ؛ متماثلون تقريباً .

mucic [mū'sĭk] *(adj.)* صَمْغي ؛ دَبِق .

muciferous [mū sĭf'-] *(adj.)* مخاطيّ (~ ducts) .

mucilage [mū'sə lĭj] *(n.)* (١) الهلام النباتيّ : مادة هلاميّة توجد في بعض النباتات وبخاصة في الأعشاب البحرية (٢) سائل الصمغ (يستعمل كمادة مُلْصِقَة) .

mucilaginous [mū'sə lăj'ə-] *(adj.)* (١) لَزِج ؛ دَبِق . (٢) هُلاميناتيّ : ذو علاقة بالهلام النباتي أو مفرز هلاماً نباتياً .

mucin [-'sĭn] *(n.)* الموسين ؛ المخاطين . **-ous** *(adj.)*

muck [mŭk] *(n.; vt.)* (١) السماد الحيوانيّ (المُتَّخَذ من روث البقر الخ .) (٢) قَذَر (٣) قَذْف ؛ ملاحظات أو كتابات مشوِّهة للسمعة (٤) «أ» تربة داكنة غنية بالمواد العضوية . «ب» وحل §(٥) يُزبل الروث أو القذر (٦) يسمّد بالروث (٧) يلوّث .

—mucker *(n.)* **—mucky** *(adj.)*

muckrake[mŭk'rāk] *(vi.)* يبحث عن فضائح ذوي الشأن وينشرها على الملأ : يُشهِّر بِـ .

—muckraker *(n.)*

mucoid[mū'koid] *(n.; adj.)* (١) الميوكود : واحد من مجموعة من المواد الشبيهة بالمُخاطين والموجودة في النسيج الضامّ الخ . (كح) §(٢) مُخاطاني : شبيه بالمخاط .

mucoprotein [mū'kō prō'tē in] *(n.)* الميوكوبروتين : مركّب يحتوي على سكر عُدادي ويكون في أنسجة الجسم وسوائله (كح) .

mucosa [-'sə] *(L.)* pl. **-e** غشاء مُخاطيّ . **-sal** *(adj.)*

---

mucoserous [mū'kō sĭr'əs] *(adj.)* مُخاطَصْلي : مخاطيّ مصليّ : محتوٍ على مادة مخاطيّة ومادة مَصْلية أو مُولّد لهما معاً .

mucous [mū'kəs] *(adj.)* مخاطيّ . **—mucosity** *(n.)*

mucous membrane *(n.)* الغشاء المخاطيّ (ت) .

mucro [mū'krō] *(n.)* pl. **-nes** [mū krō'nēz] الأسَلة : رأس مستدق الطرَف (في ورقة نبات الخ) .

mucronate; mucronated [mū'krō-] *(adj.)* مستدقّ الطرَف .

mucus [mū'kəs] *(n.)* مخاط ؛ مادة مخاطيّة .

mud [mŭd] *(n.; vt.)* (١) وَحْل ؛ طين (٢) تشهير ؛ قَذْف . §(٣) يُوحِل أو يعكِّر . to throw (fling) ~ at يشهِّر بـ ؛ يحاول تشويه سمعة فلان .

mud bath *(n.)* حمّام الطين : غَمْر الجسم أو عضو منه في طين محتوٍ على أملاح ، وبخاصة كعلاج للروماتيزم والنِقرس .

mud dauber *(n.)* زُنبور الطين : ضرب من الزنابير ينشئ خلايا طينية .

muddily [mŭd'ĭ lĭ] *(adv.)* على نحوٍ مُوحِلٍ أو عَكِرٍ أو مشوَّش الخ .

muddiness [mŭd'ĭ-] *(n.)* (١) توحُّل (٢) تعكُّر (٣) تشوُّش .

muddle [mŭd'əl] *(vt.; i.; n.)* (١) يعكِّر أو يُوحِّل (٢) يُخبِّله أو يُفقده رشده (من طريق المُسْكِر بخاصة) (٣) يمزج ؛ يحرِّك ؛ يخفق (٤) يشوِّش ؛ «يلخبط» × (٥) يفكر أو يعمل بطريقة مشوَّشة §(٦) تشوّش ذهني (٧) اختلاط ؛ «لخبطة» .

muddleheaded [mŭd'əl hĕd'ĭd] *(adj.)* مشوَّش الذهن .

muddy [mŭd'ĭ] *(adj.; vt.)* (١) قذر : غير طاهر أخلاقياً (٢) «أ» مُوحِل . «ب» عَكِر . «ج» داكن اللون (٣) مشوَّش (~ ideas) §(٤) يُوحِّل : يلوّث بالوحل (٥) يعكِّر (٦) يشوِّش .

mudguard [mŭd'-] *(n.)* وِقاء الطين : «أ» رفرف العجلة أو الدولاب (في درّاجة أو سيارة) . «ب» قطعة من نسيج الخ . يُكسى بها الحذاء للوقاية من الرطوبة أو لمجرد الزينة .

mud puppy *(n.)* سَمَنْدَل الطين : حيوان بَرْمائي .

mud puppy

mudsill [mŭd'sĭl] *(n.)* العَتَبَة الدنيا .

mudslinger [mŭd'-] *(n.)* الطاعن البذيء (وبخاصة في خصم سياسي) .

mudstone [mŭd'-] *(n.)* الحجر الطينيّ (يتكوّن من تصلّب الطين) .

mud turtle *(n.)* سُلحفاة الطين : سلحفاة المياه العذبة .

Muenster [mŭn'stər] *(n.)* المَنْسْتَر : ضَرْبٌ من الجبن .

muezzin [mū ĕz'ĭn; mōō-] *(Ar.)* المؤذِّن للصلاة (إس) .

muff [mŭf] *(n.; vt.; i.)* (١) المُوفَة : «أ» غطاء أنبوبيّ طويل مكسوّ بالفِراء الخ . لتدفئة اليدين . «ب» مجموعة من الريش تكون على جانبي الوجه عند بعض الدواجن (٢) شخص قليل البراعة في الألعاب الرياضية (٣) أداءٌ غير بارع ؛ وبخاصة : إخفاق في التقاط الكرة §(٤) يعمل بغير براعة ؛ وبخاصة : يخفق في التقاط الكرة .

muff 1 a.

muffin [mŭf'ĭn] *(n.)* الموفينية : فطيرة رقيقة مسطّحة مدوَّرة .

muffle [mŭf'əl] *(vt.; n.)* (١) يلفع : يلُفّ بلِفاع (٢) يعصب العينين (٣) «أ» يلُفّه بشيء لكي يُضعف صوته . «ب» يكظم أو يكتم الصوت (٤) يُخمِد ؛ يكبت §(٥) خَطْم ؛ مِشفر الحيوان الثدييّ .

muffler [mŭf'lər] *(n.)* (١) «أ» لِفاع (يُلَفّ حول العنق) . «ب» قناع . (٢) كاتم الصوت (مك) .

mufti [mŭf'tĭ] *(Ar.)* (١) المفتي (إس) (٢) اللباس المدني .

mug [mŭg] *(n.; vi.; t.)* (١) الكوز : ابريق خزفي أو معدني أسطواني الشكل (٢) «أ» الوجه ؛ الفم . «ب» كشرة ؛ تكشيرة . «ج» صورة فوتوغرافية لوجه شخص مشبوه (٣) السفّاح (٤) المغفل ؛ الساذج (عب) §(٥) يكشّر أو يلوي قسمات وجهه (وبخاصة لإضحاك النظّارة) (٦) يصوّر فوتوغرافياً (٧) يهاجم شخصاً من الخلف ويحاول خنقه بقصد السلب .

mugger [mŭg'ər] *(n.)* (١) فا mug (٢) المجّار : تمساح نهري آسيوي .

muggy [mŭg'ĭ] *(adj.)* رطبٌ حارّ (~ weather) . **—muggily** *(adv.)* **—mugginess** *(n.)*

mugwump [mŭg'-] *(n.)* المستقلّ : ذو الرأي السياسيّ المستقل .

Muhammadan [-hăm'-] *(adj.; n.)* (١) إسلاميّ §(٢) المسلم .

Muhammadanism [mōō hăm'-] *(n.)* الإسلام ؛ الدين الإسلامي .

Muhammadan calendar *(n.)* التقويم الهجري أو الإسلامي .

mujik [mōō zhĭk'; mōō'zhĭk] *(Russ.)* = **muzhik.**

mukluk [mŭk'lŭk] *(n.)* المكلوك : حذاء من جلد الفقمة يلبسه الاسكيمو .

mulatto [mə lăt'ō; mū-] *(n.; adj.)* (١) المُولَّد ؛ الخُلاسيّ : شخص مولود من أبوين أحدهما أبيض والآخر زنجيّ §(٢) أسمر ضارب إلى الصفرة كلون الخُلاسيّين .

mulberry [mŭl'bĕr'ĭ] *(n.)* (١) شجرة التوت أو ثمره (٢) اللون التوتيّ : لون أرجوانيّ داكن أو أسودُ ضارب إلى الأرجوانيّ .

mulch [mŭlch] *(n.; vt.)* (١) المِهاد : طبقة من النُّشارة أو التبن تُفرَش على الأرض لوقاية جذور النباتات الغضّة من الحرارة أو البرد أو لإبقاء الثمار المتساقطة نظيفة §(٢) يَفرُش مِهاداً .

mulct [mŭlkt] *(n.; vt.)* (١) غرامة §(٢) يُغرِّم (٣) «أ» يسلبه شيئاً من طريق الخداع . «ب» يكسب شيئاً من طريق الاحتيال أو التهديد .

mule [mūl] *(n.)* (١) بَغْل (ح) (٢) شخص عنيد جداً (٣) المِوْل : مِغزَل آليّ (٤) الخُفّ : مَشّاية لا عَقِب لها .

mule deer *(n.)* الأيّل الأُذانيّ : أيّل طويل الأذنين .

mule skinner *(n.)* = muleteer.

muleteer [mū'lə tĭr'] *(n.)* البغّال : سائق البغال .

muley *also* **mulley** [mū'lĭ] *(adj.)* عديم القرون .

muliebrity [mū lĭ ĕb'-] *(n.)* (١) النِّسوية (٢) الأنوثة ؛ الأنثوية .

mulish [mū'lĭsh] *(adj.)* (١) بغليّ ، كالبغل (٢) عنيد .

mull [mŭl] *(vt.; n.)* (١) يُسخِّن (٢) يفكّر مليّاً في (٣) يُسخّن (الخمرة) ويحلّيها ويضيف إليها التوابل §(٤) المُل : نسيج قطنيّ أو حريريّ شفاف .

mullah [mŭl'ə] *(Ar.)* المُلاّ : الفقيه ، وبخاصة : إمام المسجد .

mullein *also* **mullen** [mŭl'ən] *(n.)* آذان الدب (نب) .

muller [mŭl'ər] *(n.)* المِسْحَنة : مِدَقة يُسْحَن بها .

mullet [mŭl'ĭt] *(n.)* (١) البُوريّ (سمك) (٢) أبو ذقن (سمك) .

mulligan [mŭl'ĭ-] *(n.)* المُلْجين : طعام من خُضَر ولحم أو سمك .

mulligatawny [mŭl'ĭ gə tô'nĭ] *(n.)* ماء التوابل : حساء دجاج مع الكَري أو البهار الهندي .

mullion [mŭl'yən] *(n.; vt.)* (١) العِماد : عمود حجريّ عادةً يقسم النافذة إلى أجزاء §(٢) يزوّد (النافذة) بعُمُد .

A. A. mullions

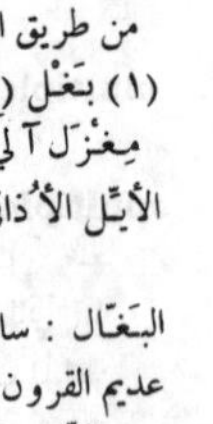

multi- (*multi*cellular) بادئة معناها : متعدِّد ؛ كثير .

multicellular [mŭl'tĭ sĕl'-] *(adj.)* متعدِّد الخلايا ؛ كثير الخلايا .

multicolored [mŭl'tĭ kŭl'ərd] *(adj.)* متعدد الألوان ؛ كثير الألوان .

multidimensional [-dĭ mĕn'shən əl] *(adj.)* متعدّد الأبعاد.

multifarious [mŭl'tə fâr'ĭ əs] *(adj.)* متنوع ؛ متعدّد الأنواع .

multifid [mŭl'tə fĭd] *(adj.)* متعدّد الأجزاء .

multifold [mŭl'tə fōld'] *(adj.)* = manifold.

multiform [mŭl'-] *(adj.; n.)* (١) متعدد الأشكال §(٢) شيء متعدد الأشكال .

multilateral [mŭl'tĭ lăt'ər əl] *(adj.)* (١) متعدد الجوانب . (٢) جَمْعِيّ : متميّز باشتراك أكثر من دولتين أو حزبين (a ~ treaty) .

multimillionaire [mŭl'tə mĭl'yən âr'] *(n.)* المليونير الكبير : مَن يملك عدة ملايين من الدولارات أو الجنيهات الخ .

multinomial [mŭl'tĭ nŏm'-] *(adj.)* متعدّد الحدود (ر) .

multinominal [mŭl'tĭ nŏm'ə nəl] *(adj.)* متعدّد الأسماء .

multinucleate *or* **multinuclear**[-nū'-] *(adj.)* متعددالنوَى .

multiparous [mŭl tĭp'ə rəs] *(adj.)* (١)متعدّدة المواليد: منتجة عدة مواليد دَفعةً واحدة (٢) وَلود : سَبَقَ لها أن وَلَدَت مرةً أو أكثر (٣) مولّد عدة محاور جانبيّة (a ~ cyme) .

multipartite[mŭl'tĭ pär'tīt] *(adj.)* (١)متعدّدالأجزاء(٢)متعدد الأعضاء أو الفُرقاء أو الموقّعين (a ~ treaty) .

multiped [mŭl'tə pĕd'] *(adj.; n.)* (١) متعدّد الأرجل . §(٢) المتعدد الأرجل : حيوان له أكثر من أربع قوائم .

multiphase [mŭl'tə fāz] *(adj.)* متعدّد الأطوار (كب) .

multiple [mŭl'tə pəl] *(adj.; n.)* (١) متعدّد ؛ كثير الأجزاء أو العناصر (٢) مضاعَف (٣) مُرَكّب §(٤) المُضاعَف (ر) .

multiple-choice [mŭl tə pəl chois'] *(adj.)* مشتمل على عدة أجوبة يُختار الصحيح من بينها (a ~ question) .

multiple star *(n.)* النجوم المُتلازِّة : مجموعة نجوم متقاربة إلى حدّ تبدو معه وكأنّها تؤلف نظاماً واحداً (فل) .

multiple voting *(n.)* (١) الاقتراع المضاعَف الشرعيّ : تصويت المواطن الواحد في عدة دوائر انتخابيّة يملك في كلّ منها المؤهِّلات القانونيّة لذلك (في ظلّ قانون الانتخاب البريطانيّ قبل عام ١٩١٨) (٢)الاقتراع المضاعَف غير الشرعي: تصويت المواطن الواحد، بطريقة غير مشروعة ، في أكثر من دائرة انتخابيّة واحدة.

multiplex[mŭl'tə plĕks'] *(adj.; vt.; i.)* (١)متعدّد؛ مضاعَف. (٢) مُضاعِف الإرسال : متعلق بنظام إرسالٍ متميّز بتوجيه عدة رسائل في آن واحد على نفس الموجة أو القناة §(٣) يوجه عدة رسائل أو إشارات بطريقة الإرسال المضاعَف .

multipliable; multiplicable [mŭl'-] *(adj.)* قابل للضرب .

multiplicand [mŭl'tə plĭ kănd'] *(n.)* المضروب (ر) .

multiplicate [mŭl'tə plĭ kāt] *(adj.)* متعدد ؛ مضاعَف .

multiplication [mŭl'tə plə kā'-] *(n.)* (١) «أ» مضاعَفة . «ب» تضاعُف (٢) الضَرب (ر) .

multiplicative [mŭl'tə plə kā'tĭv] *(adj.)* مكثِّر ؛ مضاعِف .

multiplicity [mŭl'tə plĭs'ə tĭ] *(n.)* (١)التعدّدية (٢)عدد وافر .

multiplier [mŭl'tə plī'ər] *(n.)* (١) المضروب فيه (ر) . (٢) المُضاعِف : أداة لمضاعفة أثرٍ ما (كالحرارة) أو تقويته (فز) (٣) الضاربة : آلة لضرب الأرقام .

multiply [mŭl'tə plī] *(vt.; i.; adj.)* (١) يكثِّر ؛ يضاعف ؛ يزيد (٢)يَضرِب (عدداً في آخر) ×(٣) يزداد؛ يتضاعف؛ ينتشر (٤) يتكاثر ؛ يتناسل §(٥) متعدّد الطيّات أو الطبقات .

multipolar [mŭl'tĭ pō'lər] *(adj.)* متعدّد الأقطاب .

multiracial [-rā'shəl] *(adj.)* متعدّد الأعراق : مؤلَّف من أعراق أو أجناس مختلفة .

multistage [mŭl'-] *(adj.)* متعدد المراحل (a ~ rocket) .

multitude [mŭl'tə tūd'; -tōōd'] *(n.)* (١) التعدّد ؛ الوفرة (٢) عدد وافر (٣) حَشْد (were like the stars in ~) (٤) العامة ؛ الدهماء ؛ الجماهير .

multitudinous [mŭl'tə tū'də nəs] *(adj.)* (١) «أ» محتشِد ؛ حاشِد ؛ مُزدحِم . «ب» كثير السكّان (٢)وافر ؛ كثير جداً (٣)متعدّد العناصر أو المظاهر إلى حد بعيد. **—multitudinousness** *(n.)*

multivalent [mŭl'tə vā'lənt] *(adj.)* (١) متعدد التكافؤ (ك) . (٢) متعدّد القِيَم أو المعاني أو الاغراءات .

multum in parvo [mŭl'təm ĭn pär'vō] *(L.)* الكثير في الحيِّز الضئيل .

mum [mŭm] *(adj.; interj.; vi.; n.)* (١) صامت §(٢) صَهْ ؛ أسْكُت §(٣) يمثّل متنكّراً (٤) يمرح ويقصف متنكراً (في مهرجان) §(٥) جعة قوية (٦) الأقحوان ؛ زهرة الذهب (نب) .

mumble [mŭm'bəl] *(vi.; t.)* (١) يُغمغم ؛ يتمتم (٢) يمضغ بعُسْر (كمن لا أسنان له) .

mumbo jumbo [mŭm'bō jŭm'bō] *(n.)* (١) *cap.* الممبو جامبو : إلـه افريقي زعموا أنه يحمي قرى السودان الغربي الزنجية (٢) «أ» الفتَتِش : شيء كانت الشعوب البدائية تعتبر أن له قدرة سحرية على حماية صاحبه أو مساعدته . «ب» بُعبع (٣) «أ» طقس ديني (يؤدّى بملابس مزدانة بحُلًى وزخارف) . «ب» نشاط مُعقَّد يُقصَد به التشويش أو الإرباك (٤) البربرة : كلام غير مفهوم أو خلوٌ من المعنى .

mummer[mŭm'ər] *(n.)* (١) الممثل (وبخاصة في مسرحيّة صامتة) . (٢)المُمَهْرِج المتنكر: مَن يمرح ويقصف متنكراً (في مهرجان ما) .

mummery [mŭm'ə rĭ] *(n.)* (١) المسرحيّة الصامتة (٢) مراسم أو شعائر سخيفة أو مُرائِية .

mummification [mŭm'ə fĭ kā'shən] *(n.)* (١) «أ» تحنيط . «ب» تجفيف (٢)«أ» تحنُّط . «ب» جفاف متغضّن .

mummify [mŭm'ə fī] *(vt.; i.)* (١) «أ» يُحنِّط . «ب»يُجفّف (to ~ fruits) ×(٢) يتحنّط ؛ يجفّ متغضّناً كالمومياء .

mummy [mŭm'ĭ] *(n.; vt.)* (١) مومياء §(٢) يحنّط .

mump [mŭmp] *(vt.; i.)* (١) يعبر مغمغماً ×(٢) يكشّر وبخاصة عند الابتهاج أو الضحك (عب) (٣) يكتئب (٤) يستجدي ؛ يتطفّل أو يحيا على حساب الآخرين .

mumps[mŭmps] *(n.)* النُكاف؛ التهاب الغدّة النكفية؛ «أبو كعب» .

munch [mŭnch] *(vt.; i.)* يَمْضغ بصوت طاحن .

mundane [mŭn'dān] *(adj.)* دُنْيَوِيّ ؛ أرضيّ .

mungo [mŭng'gō] *(n.)* pl. **-s** المَنغ : صوف رديء .

municipal [mū nĭs'ə pəl] *(adj.)* (١) بلديّ : «أ» ذو علاقة بالشؤون الداخلية لدولةٍ ما . «ب» ذو علاقة ببلدية من البلديات (٢)متمتّع باستقلالٍ ذاتيّ محليّ (٣)محليّ: مقصور على محلّة واحدة.

municipality [mū nĭs ə păl'-] *(n.)* (١) بلدية (٢)المجلس البلدي .

municipalize [mū nĭs'ə pə līz'] *(vt.)* يُبلِّد : يُخضِع شيئاً لإشراف البلدية أو يجعله مِلْكاً لها .

munificent [mū nĭf'ə sənt] *(adj.)* (١) كريم ؛ جَوَاد . (٢) سخيّ : مُتَسِم بالسخاء . **—munificence** *(n.)*

muniments[mū'nə-] *(n. pl.)* مستندات ؛ وثائق ؛ حجَج ؛ صكوك .

munition [mū nĭsh'ən] *(n.; vt.)* (١) *pl.* عد : ذخائر ؛ أعتدة حربية §(٢)يُذَخّر : يجهز بالذخائر والأعتدة الحربية .

muntjac *or* **muntjak** [mŭnt'jăk] *(n.)* . المُنتَجَق : أيِّل صغير .

mural [myŏŏr'əl] *(adj.; n.)* (١) جداريّ §(٢) الجدارية : صورة زيتية جدارية .

murder [mûr'dər] *(n.; vt.; i.)* (١) القتل العَمْد (ق) (٢)شيء عسير أو خطِر إلى حد استثنائي §(٣) يقتل عمداً (٤) يذبح بطريقة وحشية (٥) «أ» يقضي على . «ب» يعذّب . «ج» يُفسِد (بالأداء أو النطق الخ . الرديء) ×(٦) يرتكب جريمة القتل العمد.
~ will out. كل سرّ لا بدّ أن يشيع ؛ كل جريمة لا بدّ أن تكتشف عاجلاً أو آجلاً .

murderer [mûr'-] *(n.)* . القاتل : مرتكب جريمة القتل العَمْد الخ .

murderess [mûr'-] *(n.)* . القاتلة : مرتكبة جريمة القتل العَمْد الخ .

murderous[mûr'dər əs] *(adj.)* (١)قاتل ؛ مهلك (٢)عسير جداً .

mure [myŏŏr] *(vt.)* = immure.

murex [myŏŏr'ěks] *(L.)* (١)المُرِّيق : ضرب من الرَّخويات البحرية يُنتج صِبغاً أرجوانياً (٢) لون أحمر ضارب إلى الأرجواني .

muriate [myŏŏr'ĭ āt'; -ĭt] *(n.)* . موريات ؛ كلوريد (ك) .

muriatic acid [myŏŏr'ĭ ăt'ĭk] *(n.)* . حامض المورياتيك (ك) .

muricate *also* **muricated**[myŏŏr'-] *(adj.)* . شائك ؛ ذو أشواك .

murine [myŏŏr'īn; -ĭn] *(adj.; n.)* (١) فأريّ : خاص بالفأريات **Muridae** وهي فصيلة من القوارض تشمل الفئران والجرذان §(٢) الفأري : حيوان من فصيلة الفأريات .

murk [mûrk] *(n.; adj.)* . (١)ظلمة (٢)ضباب §(٣)مُظلِم (ا.ق).

murky [mûr'kĭ] *(adj.)* . (١) مظلم (٢) مُضبِب ؛ كثير الضباب .

murmur [mûr'mər] *(n.; vt.; i.)* (١) تذمّر (٢) «أ» خرير . «ب» حفيف . «ج» هفيف الريح . «د» طنين النحل . «ه» همهمة ؛ دمدمة (٣) اللَّغط (ط) §(٤) يتذمّر (٥) يخرّ ؛ يدمدم (٦) يهمس ؛ يقول بصوت خفيض .

—**murmurer** *(n.)* —**murmuring** *(adj.)*

murmurous [-əs] *(adj.)* . (١) مغمغَم ؛ خفيض غير واضح (٢) مدمدِم ؛ ذو خرير .

murphy [mûr'fĭ] *(n.)* . بطاطا ؛ بطاطِس (نب) .

murrain [mûr'ĭn] *(n.)* طاعون الماشية .

murre [mûr] *(n.)* . المُوْر : طائر من طيور البحار الشمالية .

murrey [mûr'ĭ] *(n.)* . اللون التوتيّ : أسود ضارب للأرجواني .

murther [mûr'thər] *(n.; vt.; i.)* = murder.

muscadine [mŭs'kə dĭn; -dīn] *(n.)* . العِنب المِسكيّ .

muscae volitantes[mŭs'sē vŏl'ĭ tăn'tēz] *(L.)* : السَّمادير : نقاط تتراقص أمام العين كأنها الذباب الطائر .

muscat [mŭs'kət; -kăt] *(F.)* (١) المُسكات : عنب طيّب الشذا والنكهة (٢) خمر المُسكات : خمر تُعصَر من المُسكات .

muscatel[-'kə tĕl'] *(n.)* . (١)خمر المُسكات (٢)زبيب المُسكات .

muscle [mŭs'əl] *(n.; vt.)* . (١) عَضَلة (٢) «أ» القوة العضلية . «ب» قوة §(٣) يشق طريقه عنوة .

muscle-bound[mŭs'əl-] *(adj.)* (١)مُعتقَل العضل : متضخم العضل مع قلة في المرونة (بسبب الاسراف في التمرينات الرياضية أحياناً) (٢) جامد ، عديم المرونة .

muscle sense *(n.)* . الحِسّ العضلي («فس» و «نف»).

muscovado [mŭs'kə vä'dō] *(Sp.)* . سكّر خام (غير مكرّر) .

muscovite [mŭs'kə vīt'] *(n.; adj.)* : *cap.*(١) «أ» المسكوفيّ : أحد سكان موسكو . «ب» الروسيّ (٢) المسكوفيط : ضرب من المَيكَة (را. mica) يستعمل كعازل كهربائي (مع)

§(٣) «أ» مسكوفي . «ب» روسيّ .

Muscovy duck [mŭs'kə vĭ] *(n.)* . البط المسكوفيّ : بطّ ضخم .

muscul- *or* **musculo-** . بادئة معناها : عَضَل ؛ عضلي .

muscular [mŭs'kyə lər] *(adj.)* : (١)عَضَلي (٢)نامي العضلات ؛ قويّ .

—**muscularity** *(n.)*

muscular dystrophy *(n.)* : الحَثَل العَضَليّ : مرض وراثي يتميّز بهزال العضلات التدريجي .

musculature [mŭs'kyə lə chər] *(n.)* . الجهاز العضليّ .

musculoskeletal[mŭs'kyə lō skĕl'-] *(adj.)* : عَضَليّهيكَليّ : ذو علاقة بالجهاز العَضَلي والهيكل العظمي معاً .

muse [mūz] *(vi.; t.; n.)* . (١) يتأمّل ؛ يستغرق في التفكير ×(٢) يقول متأملاً §(٣) تأمّل ؛ استغراق في التفكير (٤) *cap.* : المُوْزية : إحدى الإلاهات التسع الشقيقات اللواتي يحمين الغناء والشعر والفنون والعلوم (في الميثولوجيا الاغريقية) (٥) مصدر وحي ، وبخاصة : عروس الشعر (٦) شاعر .

musette [mūzĕt'] *(F.)* . الموزيت : «أ» مزمار قِربة صغير . «ب» حقيبة ظهر الجندي (وتدعى أيضاً musette bag) .

museum [mū zē'əm] *(L.)* . (١) مُتْحَف (٢) مَعرِض .

mush [mŭsh] *(n.; vt.; i.)* (١)دقيق الذرة المَغْليّ في الماء : عصيدة (٢) شيء طريّ لا شكل له (٣) «أ» عاطفيّة واهية . «ب» تدلّه ؛ تهافُت في الغرام (٤) رحلة أو نزهة على الثلج بمزلجة تقودها كِلاب §(٥) يفتّت ×(٦) يرتحل أو يتنزّه وبخاصة على الثلج بمزلجة تقودها كِلاب .

mushroom [mŭsh'rōōm] *(n.; vi.)* (١) الفُطْر (نب) (٢)شيء كالفُطر §(٣) ينبت فجأة ويتكاثر بسرعة (٤) يتفلطح طرَفه أو ينتشر (بحيث يشبه الفُطر) .

mushroom 1.

mushy [mŭsh'ĭ] *(adj.)* (١) طريّ (٢) رقيق أو عاطفي إلى حد متطرّف أو متهافت .

music [mū'zĭk] *(n.)* . (١) «أ» فنّ الموسيقى . «ب» موسيقى (٢) عقاب ؛ قصاص (٣) مصاحبة موسيقية (٤) اللحن مدوّناً على الورق .

to face the ~ , يواجه منتقديه ؛ يواجه محنةً ما بجرأة .

musical [mū'zə kəl] *(adj.; n.)* (١)موسيقيّ (٢)مولَع بالموسيقى أو بارع فيها §(٣)المسرحية الموسيقية ؛ الفيلم الموسيقي .

musicale [mū'zĭ kăl'] *(F.)* السهرة الموسيقية : حفلة تشكّل الموسيقى العنصر الأساسيّ فيها .

musicality [mū'zĭ kăl'-] *(n.)* (١) الموسيقية (٢) «أ» الحساسية أو الموهبة الموسيقية . «ب» العلم بالموسيقى .

music box *or* **musical box** *(n.)* الصندوق الموسيقي .

music hall *(n.)* . مسرح المنوّعات (للرقص والغناء والألعاب البهلوانية) .

musician [mū zĭsh'ən] *(n.)* الموسيقيّ ؛ وبخاصة : المؤلّف الموسيقيّ ؛ العازف المحترِف .

music stand *(n.)* حامل المُجسّدة (مج) : حامل النوتة الموسيقية .

musicology [mū'zĭ kŏl'-] *(n.)* : علم الموسيقى : دراسة الموسيقى كفرع من فروع المعرفة أو كحقل من حقول البحث .

music stand

musing [mū'zĭng] *(n.; adj.)* (١) تأمّل ؛ استغراق في التفكير §(٢) متأمّل ؛ مستغرق في التفكير .

musk [mŭsk] *(Skt.)* (١) المِسْك : مادة نفّاذة العبير تُستخرَج من

جراب يكون تحت الجلد البطني لأيّل المسك (٢) عبير المِسك (٣) النبتة المِسكيّة : كل نبتة مسكية الرائحة وبخاصة : نبات المِسك .

musk deer *(n.)* أيّل المِسك : أيّل يُستخرج المسك من جراب تحت جلده البطني .

musk deer

muskellunge [-'kə lŭnj'] *(n.)* المَسْقَلَنج : سمك ضخم من أسماك أميركة الشمالية .

musket [mŭs'kĭt] *(n.)* المَسْكِيت : بندقية قديمة الطراز خاصةً بجند المشاة .

musketeer [mŭs'kə tĭr'] *(n.)* المَسْكِيتيّ : جندي مُسلَّح بمسْكيت .

musketry [mŭs'kĭt rĭ] *(n.)* (١) muskets (٢) حَمَلة المَسْكيتات (٣) نار المَسْكيت (٤) فنّ أو علم استخدام الأسلحة الصغيرة ، وبخاصة في المعركة .

muskiness [mŭs'kĭ-] *(n.)* المِسْكيّة : كون الشيء شبيهاً بالمسك أو مسكيّ العبير أو الطعم .

muskmelon [mŭsk'-] *(n.)* القاوون ؛ الشمّام؛ البطيخ الأصفر .

musk ox *(n.)* ثور المِسك : ثور بريّ غرينلنديّ أو أميركيّ .

musk plant *(n.)* نبات المِسك : عشبة شمالأميركية صفراء الزهر .

muskrat [mŭsk'răt'] *(n.)* (١) فأر المِسك : حيوان مائيّ شمالأميركي شبيه بالفأر (٢) فرو فأر المِسك .

musk rose *(n.)* وَرْد المِسك : وردٌ مِسكيّ العبير .

musk turtle *(n.)* سلحفاة المِسك: سلحفاة أميركيّة مِسكيّة الرائحة .

musky [mŭs'kĭ] *(adj.)* مِسكيّ: مِسكيّ العبير أو الطعم ؛ شبيه بالمِسك.

Muslim [mŭz'ləm; mŭs'-] *(n.; adj.)* مُسْلِم .

muslin [mŭz'lĭn] *(Ar.)* الموصلين : نسيج قطني رقيق .

musquash [mŭs'kwŏsh] *(n.)* = muskrat.

muss [mŭs] *(n.; vt.)* (١) شِجار (٢) فوضى ؛ لا ترتيب ؛ « لخبطة » §(٣) يجعله عديم الترتيب ؛ « يلخبط » .

mussel [mŭs'əl] *(n.)* بَلَحُ البحر : ضرب من الرِّخويات (ح) .

Mussulman *also* **Mussalman** [mŭs'əl-] *(n.)* المُسْلِم .

mussy [mŭs'ĭ] *(adj.)* غير مرتّب ؛ عديم الترتيب .

must [mŭst] *(aux. v.; n.)* (١) فعل مساعد يفيد معنى الوجوب أو الاضطرار الخ. : يجب (I ~ go to school.) §(٢) ضرورة ؛ شيء ضروري أو حيوي (This law is a ~.) (٣) الخمر الفطير : عصير العنب الخ. قبل التخمّر وأثناءه (٤) مِسك (٥) تعفّن ؛ عفَن .

mustache [mŭs'tăsh; məs tăsh'] *(n.)* = moustache.

mustachio [məs tä'shō] *(n.)* شاربان ؛ وبخاصة : شاربان كبيران.

mustachioed [məs tä'shōd] *(adj.)* ذو شاربين .

mustang [mŭs'tăng] *(n.)* المَسْتَنْغ : فرس السهول الأميركيّة الصغير البري أو نصف البري .

mustard [mŭs'tərd] *(n.)* (١) الخَرْدَل (نب) (٢) ذُرور الخردل (٣) غاز الخردل .

mustard gas *(n.)* غاز الخردل (يستعمل كغاز حربيّ) .

mustard plaster *(n.)* لَصْقة الخردل .

muster [mŭs'tər] *(vt.; i.; n.)* (١) يجنّد (٢) يجمع ؛ يحشد . ×(٣) يجتمع ؛ يحتشد §(٤) عيِّنة ؛ « مسطرة » (٥) «أ» تجمّع ؛ وبخاصة : تفقّد عسكري رسمي. «ب» امتحان دقيق. «ج» مجموعة. «د» اجتماع . «هـ» سجلّ الوحدة أو السفينة (را. muster roll).

to ~ out يصرف أو يفصل من الخدمة .

to pass ~ يُعتبَر مُرضياً ؛ يفي بالغرض المطلوب .

muster roll *(n.)* سجلّ الوحدة أو السفينة : سجل بأسماء ضباط وجنود الوحدة العسكرية أو السفينة الحربيّة .

mustiness [mŭs'tĭ-] *(n.)* (١) تعفّن (٢) عِتق ؛ ابتذال .

musty [mŭs'tĭ] *(adj.)* (١) عَفِن (٢) عتيق ؛ بالٍ ؛ مبتذل .

mutability [-tə bĭl'ĭ tĭ] *(n.)* التحوليّة ؛ التغيّريّة ؛ اللااستقرارية .

mutable [mū'tə bəl] *(adj.)* (١) متحوّل ؛ متغيّر ؛ متقلّب ؛ غير مستقرّ (٢) قابل للتحوّل أو التحويل (شكلاً أو صِفةً أو طبيعةً) .

mutafacient [mū'tə fā'shənt] *(adj.)* قادرٌ على إحداث التَّغيار الأحيائي (را. mutation) .

mutate [mū'tāt] *(vt.; i.)* (١) يحوّل ؛ يغير ×(٢) يتحول ؛ يتغير .

mutation [mū tā'shən] *(n.)* (١) تحوّل ؛ تغيير هام وأساسي . (٢) «أ» التَّغيار الأحيائي : تغيّر افتراضي مفاجىء في الوراثة يُحدث مواليد جديدة مختلفة عن الأبوين المنتجين اختلافاً أساسياً. وذلك بسبب تحولات طارئة على الصبغيات (الكروموسومات) أو على المورِّثات (الجينات) . «ب» ثمرة التَّغيار الأحيائي (سواء أكانت فَرْداً أم سلالةً) . «ج» حيوان من سلالة مُدَجَّنَة يختلف لونه عن لون نوعه البري .

mutatis mutandis [mū tā'tĭs mū tăn'dĭs] *(L.)* بعد اجراء جميع التغييرات الضرورية .

mutchkin [mŭch'kĭn] *(n.)* المَتْشكين : مكيال اسكتلندي للسوائل يعادل ٠,٩٠ من البايَنْت (را. pint) .

mute [mūt] *(adj.; n.; vt.; i.)* (١) أخرس . أبكم (٢) صامت . §(٣) الأخرس . الأبكم (٤) الحرف الصامت (٥) المِخْفات : أداةٌ لتخفيف صوت الآلة الموسيقية §(٦) يخفّف الصوت أو اللون ×(٧) يَسْلَح (يذْرِق) الطائر .

mutilate [mū'tə lāt'] *(vt.)* (١) يبتُر ؛ يَجْدَع ؛ يَجذِم ؛ يمثّل بِ (٢) يشوّه ؛ يُفسِد .

—mutilation *(n.)*

mutineer [mū tə nĭr'] *(n.)* المتمرد : جندي أو بحار متّهم بالتمرّد على قائده .

mutinous [mū'tə-] *(adj.)* (١) متمرّد أو ميّال إلى التمرد (٢) تمرّدي .

mutiny [mū'tə nĭ] *(n.; vi.)* (١) تمرّد ؛ وبخاصة : تمرّد الجند أو البحارة على ضبّاطهم §(٢) يتمرّد (الجنديّ الخ.) .

mutt [mŭt] *(n.)* (١) المُغفَّل ؛ الساذج (٢) كلب مُهجَّن .

mutter [mŭt'ər] *(vi.; t.; n.)* (١) يغمغم ؛ يدمدم ؛ يبربر . (٢) يتذمر §(٣) غمغمة ؛ دمدمة ؛ بربرة ؛ تذمّر .

mutton [mŭt'ən] *(n.)* لحم الضأن.

—muttony *(adj.)*

mutton chop *(n.)* (١) شريحة من لحم الضأن ؛ « كستلاتة » . (٢) *pl.* : « شاربان خدّيّان » ضيّقان عند الصدغين وعريضان مستديران عند الفكّين الأسفلين .

mutual [mū'chŏŏ əl] *(adj.)* (١) «أ» متبادَل (~ aid) «ب» مشترَك (~ friend) (٢) تبادليّ ؛ تعاونيّ : متعلق بطريقة يشارك أعضاء المؤسسة ، بموجبها ، في الأرباح والنفقات. وبخاصة : متعلق بطريقة في التأمين يكون فيها حملة السندات هم أعضاء الشركة.

mutualism [mū'chŏŏ'-] *(n.)* مذهب تبادل المنفعة .

mutuality [mū'chŏŏ ăl'ə tĭ] *(n.)* (١) التبادليّة : كون الشيء مُتبادَلاً (٢) تبادل العواطف الخ.

mutualization [mū'chŏŏ əl ĭ zā'shən] *(n.)* جَعْل الشيء (أو صيرورته) متبادلاً أو مشتركاً الخ .

mutualize [mū'chŏŏ ə līz] *(vt.)* (١) يجعله متبادلاً أو مشتركاً (٢) يحوّل شركةً ما إلى مؤسسة تبادلية (را. mutual 2.) .

mutual savings bank مصرف بنك التوفير التبادلي أو التعاوني .

توفير (من غير رأسمال) يوزع أرباحه على المُوْدِ عين .

muzhik [moō'zhĭk'; moō'-] (Russ.) فلاح روسي .
الموجيك

muzzle [mŭz'əl] (n.; vt.) (١) الخَطْم : أنف الحيوان وفكّاه
الناتئتان (٢) «أ» كِمامة للفم الحيوان. «ب» شيء يكبح حرية
التعبير (٣) فَوَّهة البندقية أو المدفع §(٤) يكمّم (٥) يكبت .

muzzy [mŭz'ĭ] (adj.) (١)مشوّش الذهن ؛ثَمِل (٢)قابض للصدر .

my [mī] (pron.; interj.) (١) «ي» : ضمير المتكلم المضاف إليه
(٢) هتاف يفيد معنى التعجب (Oh, My! ~ book)

my- or myo- بادئة معناها : « عَضَلة » (myology)

myalgia [mī ăl'jĭ ə] (L.) ألَمٌ في عضلة أو أكثر .
الميالجيا

myasthenia [mī'əs thē'nĭ ə] (L.) الوهن العَضَلي (مض) .

myc- or myco- بادئة معناها : فُطْر (mycologist)

mycelium [mī sē'-] (L.) pl. -lia شبيكة من الغُصَيْنات
الخيوط توَّلف الجزء النباتي من الفُطْر . **—mycelial** (adj.)

Mycenaean also **Mycenian** [mī'sĭ nē'ən] (adj.) : مسيني
«أ» ذو علاقة بمدنية مسيني القديمة، في جنوب اليونان . «ب» ذو
علاقة بالحضارة الايجية التي ازدهرت هناك (١٤٠٠–١١٠٠ ق.م).

mycetophagous [mī sĭ tŏf'-] (adj.) مُغْتَذٍ بالفُطْريات .

mycobacterium (L.) pl. -teria الجرثومة الفُطْرية .

mycologist [mī kŏl'-] (n.) العالم بالفُطور أو الفُطْريات .

mycology [mī kŏl'ə jĭ] (L.) (١) علم الفُطور أو الفُطْريات
(٢) فُطْريات منطقة ما . **—mycologic; -al** (adj.)

mycosis [mī kō'sĭs] (L.) (١) الفُطار : داء يُسَبّبه فُطْر ما .
(٢) إصابة بالفُطار .

mycotic [mī kŏt'ĭk] (adj.) فُطاري : ذو علاقة بالفُطار .

mydriasis [mī drī'ə sĭs; mī-] (L.) تمدّدُ الحَدَقة (بسبب
المرض أو المخدّرات الخ.) .

mydriatic [mĭd'rĭ ăt'ĭk] (adj.) متعلّق بتمدّدِ بِحَدَقة :
بتمدّد الحدقة .

myel- or myelo- بادئة معناها : نِقْي ؛ مُخّ العظم ؛ النُّخاع الشوكي .

myelencephalon [mī'ə lĕn sĕf'ə lŏn] (L.) مؤخَّر الدماغ (ت)

myelin [mī'ə lĭn] also **myeline** [mī'ə lēn] (ت)النُّخاعيين .

myelinic [mī ə.lĭn'ĭk] (adj.) نخاعيّي : متعلق بالنُّخاعين .

myelin sheath (n.) الغِمْد النُّخاعي (ت) .

myelitis [mī'ə lī'tĭs] (L.) التهاب النخاع الشوكي (مض) .

myelogenous [mī'ə lŏj'-]or **myelogenic** [-lō jĕn'-] (adj.)
نِقْيِي ؛ نِقْيِيّ المنشأ : متعلق بمخّ العظم أو ناشئ فيه أو عنه .

myeloid [mī'ə loid] (adj.) (١) شوكَاني : متعلق بالنخاع الشوكي .
(٢) «أ» نِقْياني : شبيه بالنِّقي (مخّ العظم) . «ب» نِقْيِيّ :
متعلق بمخّ العظم .

myna or **mynah** [mī'nə] (Hin.) المَيْنَة : طائر آسيوي .

mynheer [mīn hâr'] (n.) سيِّد (لقب هولندي مقابل لمِسْتَر) .

myocardial [-ō kär'-] (adj.) عَضَليقَلْبي :متعلق بالعضلةالقلبية .

myocardial infarction (n.) الذبحة القلبية (ط) .

myocardiograph [mī'ō kär'dĭ ə gräf'] (n.) راسمة العضلة
القلبية : أداة تسجيل حركات عضلة القلب .

myocarditis [mī'ō kär dī'tĭs] (L.) التهاب العضلة القلبية (ط) .

myocardium [mī'ō kär'-] (L.) العضلةالقلبية ؛عضلةالقلب (ت) .

myogenic [mī ə jĕn'ĭk] (adj.) عَضَليّ المنشأ .

myoglobin [mī'ə glō'bĭn] (n.) الميوغلوبين : صِبْغٌ بروتيني
(أحمر محتوٍ على حديد)يكونفي العضلاتويشبهالهيموغلوبين (كح) .

myograph [mī'ə gräf'] (n.) الراسمة العَضَلية : أداة لتسجيل
الانقباضات والاسْترخاءات العضلية .

myology [mī ŏl'ə jĭ] (F.) علم العضلات .

myoma [mī ō'mə] (L.) pl. -s or -ta. وَرم عضليّ النسيج
. الميوما

myomatous [-ŏm'ə-] (adj.) متعلّق بورم عضلي النسيج . ميوميّ

myoneural [mī ō nyoor'əl] (adj.) عَضَليعَصَبيّ : متعلق
بالعضل والعصب معاً .

myope [mī'ōp] (n.) شخص مصاب بالحَسَر أو قِصَر البصَر . الحسير

myopia [mī ō'pĭ ə] (L.) (١) الحَسَر : قِصَر البصَر (٢) قلّة
التبصّر أو التمييز . **—myopic** (adj.)

myosin [mī'ə sĭn] (n.) العَضَليين : غلوبيولين (بروتين لا
ينحلّ في الماء) يكون في بلازما العَضَل (كح) .

myosis [mī ō'sĭs] (L.) تضيّق الحدقة ؛ انقباض الحدَقة (مض) .

myosotis [mī'ə sō'tĭs] (L.) أُذُن الفأر (نب) .

myotic [mī ŏt'ĭk] (adj.; n.) (١) انقباضيحَدَقيّ : متعلق
بانقباض الحدَقة (٢) قابض للحدقة (كالأفيون) (٣) مصاب
بانقباض الحدَقة §(٤) عقّار قابض للحدقة (كالأفيون) .

myriad [mĭr'ĭ əd] (n.; adj.) (١) عشرة آلاف (٢) عددٌ ضخم
§(٣) وافر ، لا يُعدّ ولا يحصى (٤) ذو مظاهر أو عناصر لاتعدّ .

myriameter [mĭr'ĭ-] (n.) الميريامتر : عشرة آلاف متر .

myriapod [mĭr'ĭ ə pŏd'] (adj.; n.) (١) كثير الأرجل ؛ متعلق
بكثيرات الأرجل §(٢)حيوان مفصلي من كثيرات الأرجل .

Myriapoda [mĭr'ĭ ăp'ə də] (n. pl.) كثيرات الأرجل (ح) .

myriopod [mĭr'ĭ ə pŏd'] (adj.; n.) = myriapod.

myrmec- or myrmeco- بادئة معناها : نَمْل .

myrmecology [mûr'mĭ kŏl'-] (n.) علم النَّمْل .

myrmecophagous [-kŏf'ə gəs] (adj.) مُقتاتٌ أو مُغْتَذٍ بالنمل .

myrmecophile [mûr'mĭ kō fīl'; -fĭl] (n.) الحشرة النملية
حشرة تُشاطِط النمل مَسْكَنَه .

myrmidon [mûr'mə dŏn'] (L.) (١) cap. المرميدوني : أحد
أفراد شعب تساليا الذين رافقوا ملكهم أخيّيل إلى حرب طروادة
(٢) التابع الوفيّ ؛ وبخاصة : مرؤوس ينفّذ أوامر سيّده تنفيذاً
أعمى أو عديم الرحمة .

myrobalan [mī rŏb'ə lən; mī-] (Gk.) الإهليلَج : جنس شجر
هنديّ من أنواعه « الهِنْدي الشعيريّ » .

myrrh [mûr] (n.) المُرّ : صمغ راتينجي يخرج من ساق شجر المُرّ .

myrtaceous [mûr tā'shəs] (adj.) آسيّ ؛ متعلّق بالآس (نب) .

myrtle [mûr'təl] (n.) الآس : نبات عطري .

myself [mī sĕlf'] (pron.) (١) أنا ؛ نفسي ؛ بنفسي (٢) حالي
أو نفسي السليمة أو الصحيحة (.~ I was once more) .

mystagogue [mĭs'tə gôg'] (L.) معلّم أسرار الدين .

mysterious [mĭs tîr'ĭ əs] (adj.) (١) خفيّ ؛ غامض ؛ مُلْغَز
(a ~ crime) (٢) مُكْتَنِف بالأسرار (a ~ stranger) .

mystery [mĭs'tə rĭ] (n.) (١) «أ» سرّ (من أسرار الدين يعرفه
المرء بالوحي وحده ولا يستطيع أن يفهمه فهماً كاملاً) . «ب» cap.:
سرّ من أسرار النصرانية ، وبخاصة : سرّ القربان المقدّس .
«ج» طقس ديني سرّي يُعتقَد أنّه يُوقع السعادة الدائمة في
قلوب الداخلين الجدد (٢) «أ» أحجيّة ؛ لغز . «ب» الأعراف
أو الطقوس السرية الخاصة بمهنةمن المهن أو جماعة من الناس .
«ج» رواية بوليسية (تُعنى عادة بحل جريمةٍ خفيّة) (٣) خفاء؛
غموض (٤)حرفة ؛ صناعة (ا.ق) (٥)نقابة حِرَفيّة (ا.ق)

(٦) تمثيلية دينية تدور حوادثها حول حياة المسيح بخاصة .

mystic [mĭs'tĭk] *(adj.; n.)* (١) سِرّي : ذو علاقة بطقس من الطقوس السريّة (٢) صوفيّ؛ باطنيّ (٣) خفيّ؛ غامض؛ مُلْغَز §(٤) الصوفيّ؛ الباطنيّ : مَن يسلك طريق المتصوّفة أو الباطنيّة .

mystical [mĭs'tə kəl] *(adj.)* (١) ذو معنى روحيّ غير بادٍ للحواس أو مدرَكٍ بالعقل : رمزي (The church is the ~ body of Christ.) (٢) صوفيّ؛ باطنيّ : «أ» ذو علاقة بالاتصال المباشر بالله من طريق التأمّل أو الرؤيا أو النور الباطنيّ . «ب» ناشىء عن هذا الاتصال (٣) خفيّ؛ غامض؛ مُلْغَز .

mysticism [mĭs'tə sĭz'əm] *(n.)* (١) التصوّف؛ المذهب الباطنيّ : الإيمان بأن المعرفة المباشرة بالله أو بالحقيقة الروحية يمكن أن تتمّ للمرء من طريق التأمّل أو الرؤيا أو النور الباطني وبطريقة تختلف عن الإدراك الحسيّ العاديّ أو اصطناع التفكير المنطقيّ (٢) تأمّلٌ مُبْهَمٌ أو لاعقلانيّ (٣) كل نظرية تؤكّد إمكان نَيْل المعرفة أو القوة من طريق الإيمان أو التبصّر الروحي .

mystification [mĭs'tə fĭ kā'-] *(n.)* (١) «أ» إرباك؛ تحيير . «ب» تَعْمِية؛ إلغاز (٢) «أ» ارتباك؛ حيرة. «ب» غموض؛ خفاء (٣) شيء مُعَدّ للإرباك أو التحيير .

mystify [mĭs'tə fī'] *(vt.)* (١) يُرْبِك؛ يحيّر (٢) يُعَمّي؛ يُلْغِز .

myth [mĭth] *(Gk.)* (١) أسطورة؛ خرافة (٢) شخص أو شيء خرافيّ (٣) الأساطير أو الخرافات جملةً .

mythical [mĭth'ə kəl] *(adj.)* (١) أسطوريّ؛ خرافيّ . (٢) مُلَفّق؛ خياليّ .

mythicize [mĭth'ə zīz'] *(vt.)* (١) يُؤَسْطِر : يحوّله إلى أسطورة أو يُلبسه ثوبَ الأسطورة (٢) يعتبره خرافة . **—mythicizer** *(n.)*

mythographer [mĭth ŏg'rə fər] *(n.)* الأساطيريّ : مَن يجمع الأساطير أو يكتُب عنها .

mythologer [mĭth ŏl'-] *(n.)* = mythologist.

mythological *also* **mythologic** [mĭth'ə lŏj'-] *(adj.)* (١) ميثولوجي : ذو علاقة بالأساطير أو بعلم الأساطير (٢) خرافيّ؛ خياليّ .

mythologist [-thŏl'ə jĭst] *(n.)* العالِم الميثولوجيّ؛ العالِم بالأساطير .

mythologize [mĭ thŏl'ə jīz'] *(vt.; i.)* (١) يُؤسطِر : ينشىء أسطورة حول كذا؛ يحوّله إلى أسطورة ×(٢) يخرّف : يروي أو يصنّف أو يشرح الأساطير . **—mythologizer** *(n.)*

mythology [mĭ thŏl'ə jĭ] *(F.)* الميثولوجيا : «أ» مجموعة أساطير؛ وبخاصة : الأساطير المتصلة بالآلهة وأنصاف الآلهة والأبطال الخرافيين عند شعب ما . «ب» علم الأساطير .

mythomania [mĭth'ə mā'nĭ ə] *(L.)* المَسّ الأساطيري : نزوع مفرط أو غير سويّ إلى الكذب والمبالغة . **—mythomaniac** *(n.; adj.)*

mythopoeia [mĭth'ə pē'ə] *(L.)* خَلْقُ الأساطير . **—mythopoetic; -al** *(adj.)*

myxedema [mĭk'sĭ dē'mə] *(L.)* الخَزَب : مَرَضٌ جلدي ناشىء عن قصور الغدة الدرقيّة ويتميّز بجفاف الجلد وبفقدان النشاط العقلي والجسدي . **—myxedematous** *(adj.)*

myxoma [mĭk sō'mə] *(L.)* pl. **-s** *or* **-ta** الورَم الهُلامي : ورمٌ مؤلّف من نسيجٍ هلاميّ ضامّ . **—myxomatous** *(adj.)*

myxomycete [mĭk'sō mī sēt'] *(n.)* الفُطْر الغَرَويّ (أح) . **—myxomycetous** *(adj.)*

Najaf (Iraq)

N

n [ĕn] *(n. often cap.)* (١) الحرف الرابع عشر من الأبجدية الانكليزية (٢) شيء مُعْتَبَرٌ ثالثَ عشر أو رابع عشر من حيث الترتيب أو الطبقة (٣) شيء على صورة حرف **N**.

nab [năb] *(vt.)* يعتقل ؛ يقبض على.

nabob [nā'bŏb] *(Hin.)* (١) النوَّاب : حاكم إقليمي من حكام الامبراطورية المغولية في الهند (٢) شخص ذو ثروة أو مكانة عظيمة.

nacelle [nə sĕl'] *(F.)* الباسنة ؛ كِنَّةُ المُحرِّك : حجرة مقفلة في طائرة خاصّةٌ بالمُحرِّك وقد تُفرَد أحياناً للملاّحين.

nacre [nā'kər] *(Ar.)* عِرق اللؤلؤ (را. mother-of-pearl).

—**nacred** *(adj.)* —**nacreous** *(adj.)*

nadir [nā'dər; nā'dir] *(Ar.)* (١) النَّظير ؛ نظير السَّمت (فل). (٢) الحضيض ؛ الدَّرْك الأسفل.

nag [năg] *(n.; vi.; t.)* (١) فرَس ؛ وبخاصة : فرس هَرِم أو ضعيف §(٢) يتذمّر أو يشكو باستمرار ؛ «ينق» (٣) يزعج إزعاجاً مُتَّصِلاً ×(٤) يضايق ؛ يناكد.

naiad [nā'ăd; nī'-] *(L.)* pl. **-s** *or* **-es** : النَّيادة ؛ حوريّة الماء : حورية تزعم الأساطير اليونانيّة والرومانيّة أنها تقيم في البحيرات والأنهار والينابيع وتمنحها الحياة والبقاء.

naïf [nä ēf'] *(F.)* بسيط ؛ ساذَج.

nail [nāl] *(n.; vt.)* (١) «أ» ظُفْر. «ب» بُرْثُن (٢) مسمار. (٣) $\frac{1}{16}$ من اليـاردة §(٤) «أ» يسمِّر (بمسمار أو مسامير). «ب» يثبِّت في مكان. «ج» يركّز عينيه على (٥) يوقف ؛ يعتقل (٦) ينتزع ؛ يسرق (٧) يَضرب.

to hit the right ~ on the head : يصيب المَرْمَى ؛ يطبِّق المحزّ ؛ يعطي التفسير الصحيح الخ.

to ~ a lie to the counter يُثبت بُطلان كلام ما.

to ~ (a person) down (to a promise) يحمله على إنجاز وعده.

to ~ one's colors to the mast يعلن آراءه أو مبادئه بوضوح وصراحة (مؤكداً أنه لن يغيّرها أو يتخلى عنها).

to pay on the ~, يدفع في الحال ومن غير تأخير.

nail brush *(n.)* فرشاة الأظافر.

nailer [nāl'ər] *(n.)* (١) صانع المسامير (٢) المسمِّر : المثبّت بالمسامير (٣) المسمِرة : ماكينة للتسمير الآلي (٤) شيء ممتاز.

nailhead [nāl'-] *(n.)* رأس المسمار أو حلية معمارية شبيهة به.

nail-headed *(adj.)* مسماريّ الرأس : ذو رأس كرأس المسمار.

nainsook [nān'so͝ok] *(n.)* النَّنْسوك : ضرب من الموصلين (قماش).

naïve *also* **naive** [nä ēv'] *(adj.)* بسيط ؛ ساذَج.

—**naïvely** *(adv.)* —**naïveness** *(n.)*

naïveté *also* **naiveté** [nä ēv'tā'] *(F.)* (١) بساطة ؛ سذاجة. (٢) ملاحظة ساذجة ؛ عمل ساذج.

naivety *also* **naïvety** [nä ēv'-] *(n.)* = naïveté.

naked [nā'kĭd] *(adj.)* (١) «أ» عارٍ ؛ معرًّى ؛ مجرَّد من. «ب» مسلول ؛ غير مُغْمَد (a ~ sword) (٢) هزيل الأثاث (~ rooms) (٣) أعزل ؛ عرضة للهجوم أو الأذى (٤) صريح ؛ واضح (facts ~ and glaring) (٥) مجرَّد ؛ غير مُعانٍ بمجهر أو بتلسكوب (visible to the ~ eye).

nakedness [nā'kĭd-] *(n.)* عُرْي ؛ تجرّد ؛ وضوح الخ.

namby-pamby [năm'bĭ păm'bĭ] *(adj.; n.)* (١) ضعيف ؛ لين ؛ رخو (٢) عابث ؛ مخنّث ؛ صبياني السلوك §(٣) شيء او شخص ضعيف الخ.

name [nām] *(n.; vt.; adj.)* (١) اسم (٢) نعت أو لقب (مُهين عادةً) (٣) «أ» سمعة ؛ صِيت ؛ وبخاصة : مجد (to seek ~ and fortune). «ب» المشهور : شخص مشهور (the great ~s of history) (٤) أسرة ؛ عشيرة §(٥) يسمّي ؛ يدعو (٦) «أ» يذكره أو يشير إليه باسمه (She was ~ *d* in the report.) «ب» يتهمه مُسمِّياً إياه باسمه (٧) يعيِّن (شخصاً) ؛ يُسند إليه منصباً (٨) يعيّن ؛ يحدّد (to ~ a price) §(٩) عظيم ؛ ذو شهرة واسعة.

to call a person ~*s* يهينه ؛ يشتمه.

to ~ the day تحدّد (الفتاة) يومَ زفافها.

to take a ~ in vain يذكر اسماً (وبخاصةٍ اسمَ الله) بطريقة مُهينة.

nameable *also* **namable** [nā'mə bəl] *(adj.)* (١) ممكنٌ تسميتُهُ (٢) بارز : جديرٌ بأن يُذكَر .
name day *(n.)* عيد الشفيع : عيد القديس الذي يحمل المرء اسمَهُ .
nameless [nām'-] *(adj.)* (١) مغمور ؛ غير مشهور (٢) نغل ؛ غير شرعي (٣) غير مُسمّى : مُحتَفَظٌ باسمه رغبةً في عدم إحراجه الخ . (٤) مجهول ؛ غير حامل اسماً (a ~ grave) (٥) «أ» متعذرٌ وصفه ؛ لا يوصف (a ~ charm) . «ب» قبيح إلى حد يتعذرُ ذكرُهُ (~ vices) .
namely [nām'lĭ] *(adv.)* أعني ؛ عَنَيْتُ ؛ أيْ .
nameplate [nām'plāt] *(n.)* لوحة ؛ لافتة ؛ بطاقة .
namesake [nām'sāk'] *(n.)* السَّمِيّ ؛ وبخاصة : شخص سُمّيَ على اسم شخص آخر .
nankeen *also* **nankin** [năn kēn'] *(Chin.)* النَّنْكين : «أ» قماش قطني متين (كان يُنسج ، أصلاً ، بطريقة يدوية ، في الصين) . «ب» *pl.* : بنطلون مَخيطٌ من النَّنكين . «ج» *cap.* : خزف صيني مدهون باللون الأزرق على خلفيّة بيضاء .
nanny goat [năn'ĭ] *(n.)* مِعزاة (ح) .
nano- بادئة معناها : جزء من بليون من كذا (*nano*second) .
naos [nā'ŏs] *(Gk.)* pl. **naoi** = cella.
nap [năp] *(vi.; t.; n.)* (١) يَقيل : يأخذ سِنَةً من النوم (وبخاصة في النهار) (٢) يغفُل ×(٣) يُزَأبِر : يجعل للنسيج زِئبراً §(٤) سِنَةٌ من النوم (٥) الزِّئبر : زغَب أو وبَر المنسوجات .
to be caught ~ *ping* يؤخَذ على حين غِرّة .
napalm [nā'päm] *(n.)* النَّيْبَم : مادة شديدة الالتهاب تستعمل في صنع القنابل الخ .
nape [nāp; năp] *(n.)* مؤخّر العنق ؛ قفا العنق .
napery [nā'pə rĭ] *(n.)* « البياضات » المنزليّة ؛ وبخاصة : غطاء المائدة ومناشفها .
naphth- *or* **naphtho-** بادئة معناها : «أ» نفط . «ب» نفثالين .
naphtha [năp'thə; năf'-] *(Per.)* النِّفْط .
naphthalene [năf'thə lēn'; năp'-] *(n.)* النَّفْثالين (ك) .
naphthene [năf'thēn; năp'-] *(n.)* النَّفْثِيْن (ك) .
naphthol [năf'thōl; năp'-] *(n.)* النَّفْثُول (ك) .
Napierian logarithms [nə pĭr'ĭ ən] اللوغاريتمات النابيرية أو الطبيعية أو الزائدية (ر) .
napiform [nā'pə-] *(adj.)* لِفتيّ الشكل (~ roots) .
napkin [năp'kĭn] *(n.)* (١) منديل ؛ وبخاصة : منديل المائدة . (٢) « حِفاض » الطفل (بر) .
napoleon [nə pō'lĭ ən] *(F.)* النابوليون : «أ» عملة فرنسيّة ذهبية تساوي ٢٠ فرنكاً . «ب» ضرب من لعِب الورق . «ج» حلوى مستطيلة ذات طبقات محشوّة بالكريما أو القَسْدر أو الهلام .
Napoleonic [nə pō'lĭ ŏn'ĭk] *(adj.)* نابوليونيّ : ذو علاقة بنابوليون الأول أو أسرته أو مميزٌ لهما .
napper [năp'ər] *(n.)* (١) القائل : من ينام القيلولة أو يأخذ سِنَةً من النوم (٢) «أ» المُزَأْبِر : من يجعل للنسيج زِئبراً أو زغباً . «ب» المُزَأْبِرَة : آلة لزأبرة النسيج .
nappy [năp'ĭ] *(adj.; n.)* (١) قويّ : شديد التأثير (صفةٌ للشراب المُسْكِر) (٢) أزغب ؛ ذو زغب أو زِئبر §(٣) شراب مُسْكِر ؛ وبخاصة : مِزْر (٤) صحن قليل العمق (زجاجيّ عادةً) .
narcism [när'sĭz əm] *(n.)* = narcissism.
narcissism [när sĭs'ĭz əm] *(G.)* (١) الأنانيّة ؛ حبُّ الذات . (٢) النَّرْجِسيّة : افتتان المرء بجسده (نف) .
—**narcissist** *(n.; adj.)* —**narcissistic** *(adj.)*
narcissus [när sĭs'əs] *(Gk.)* (١) *cap.* : نرسيسوس: شاب جميل تزعم الأسطورة الاغريقية أنه افتُتِن بجمال صورته في الماء فذوى جسده وتحوّل إلى نرجسة (٢) النرجِس (نب) .
narcolepsy [när'kə lĕp'sĭ] *(n.)* الخُدار : حالة مرضية تتميز بنوبات نوم عميق قصيرة .
narcosis [när kō'sĭs] *(L.)* pl. **narcoses** الخَدَر : تخدُّر من أثر مادةٍ مُخدِّرة .
narcotic [när kŏt'ĭk] *(n.; adj.)* (١) المخدِّر : مادة مخدِّرة كالأفيون وغيره (٢) المسكِّن : الملطِّف (٣) مُدمِن المخدرات §(٤) مخدِّر (٥) ذو علاقة بالمخدرات (٦) ذو علاقة بمدمني المخدِّرات أو مُعَدٌّ لهم .
narcotize [när'-] *(vt.; i.)* (١) يخدِّر (شخصاً) ×(٢) يخدَّر .
nard [närd] *(n.)* (١) النارديْن ؛ سُنْبُل الطّيب (نب) (٢) مرهم الناردين
narghile [när'gə lĭ] *(Per.)* نارجيلة .
naris [nâr'ĭs] *(L.)* pl. **nares** [-'ēz] المَنْخِر : ثُقْب الأنف .
—**narial ; narine** *(adj.)*
nark [närk] *(n.)* العَيْن : جاسوس يعمل في خدمة البوليس .
narrate [nă rāt'; năr'āt] *(vt.)* يَقُصّ ؛ يروي ؛ يحكي .
narrater; narrator [năr'-] *(n.)* القاصّ ؛ الراوية .
narration [nă rā'shən] *(n.)* (١) القَصّ ؛ رواية القِصص . (٢) قصة ؛ حكاية .
narrative [năr'ə tĭv] *(n.; adj.)* (١) قصة ؛ حكاية (٢) سَرْد الأخبار أو فنّ سَرْدها : القَصَص §(٣) قَصَصيّ .
narrow [năr'ō] *(adj.; n.; vi.; t.)* (١) ضيّق (٢) هزيل ؛ محدود (~ resources) (٣) «أ» ضيّق أفق التفكير . «ب» بخيل (٤) دقيق ؛ مدقّق (to make a ~ search) §(٥) ممرّ ضيّق (٦) *pl.* : مضيق ؛ بوغاز §(٧) يَضيق ؛ يتقلّص ×(٨) «أ» يضيّق . «ب» يحدّد .
—**narrowness** *(n.)*
a ~ escape نجاة بمشقّة ؛ نجاة بشِق النفس .
a *narrow*-gauge railroad سكة حديدية ضيّقة .
a ~ majority أكثرية ضئيلة .
a ~ victory نصرٌ مُحرَزٌ بشِقّ النفس .
the ~ way الطريق الضيّق : طريق الفضيلة .
narrowly [năr'ō lĭ] *(adv.)* (١) بدقة ؛ بتدقيق (٢) بشكل ضيّق أو محدود (٣) بِشِقّ النفس (٤) بقوّة ؛ بعزم .
narrow-minded *(adj.)* (١) متعصب (٢) ضيِّق أفق التفكير .
narrow-mindedness *(n.)* (١) تعصّب (٢) ضِيْق في أفق التفكير .
narthex [när'thĕks] *(Gk.)* المجاز المؤدي إلى صحن الكنيسة .
narwhal *also* **narwal** [när'wəl] *or* **narwhale** [-'hwāl] *(n.)* النَّرْوَل ؛ كَرْكَدَنّ البحر ؛ حريش البحر .

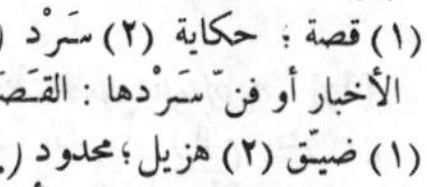
narwhal

nas- *or* **naso-** *or* **nasi-** بادئة معناها : «أ» أنف ؛ أنفيّ . «ب» أنفيّ و ...
nasal [nā'zəl] *(n.; adj.)* (١) الأنفيّة : جزء من الخوذة يقي الأنف . (٢) عظمٌ أنفيّ (٣) الحرف الأنفيّ : حرف يلفظ من الأنف (مثل *m, n*) §(٤) أنفيّ (٥) حادّ ؛ ثاقب (مو) .
nasalize [nā'zə līz'] *(vt.; i.)* يلفظ أو يتكلم من الأنف .
nascence *also* **nascency** [năs'-] *(n.)* مولد ؛ أصل .
nascent [năs'ənt] *(adj.)* ناشىء ؛ وليد ؛ حديث التولّد .
nasopharyngeal [nā zō fə rĭn'jĭ əl] *(adj.)* أنفيبلعوميّ :

متعلق بالأنف والبلعوم .

nasopharynx [-făr'ingks] *(L.)* البُلعوم الأنفي : الجزء الأعلى من البلعوم المتصل مباشرةً بالمسالك الأنفية (ت) .

nastily [năs'-] *(adv.)* بقذارة ؛ ببذاءة ؛ بطريقة بغيضة أو مؤذية الخ .

nasturtium [nă stûr'shəm] *(L.)* (نب) الكَبُّوسين ؛ أبو خنجر .

nasty [năs'tĭ] *(adj.)* (١) مُقْرِف ؛ مُغْثٍ ؛ قذر إلى حد يثير الغثيان (٢) بذيء ؛ فاحش (~ stories) (٣) بغيض ؛ كريه (a ~ habit) (٤) مؤذٍ أو خطير جداً (a ~ fall) (٥) مُعَقَّد (٦) رديء الطبع ؛ شرير (a ~ dog) . **—nastiness** *(n.)*

natal [nā'təl] *(adj.)* (١) native (٢) مولدي ؛ متعلق بمولد المرء (one's ~ day) (٣) وِلادِيّ : راقٍ إلى عهد الولادة ؛ مؤثّر في المرء عند الولادة (~ influences) .

natality [nā tăl'ə tĭ] *(n.)* نسبة المواليد (إلى مجموع السكان) .

natant [nā'tənt] *(adj.)* (١) سابح (٢) عائم ؛ طافٍ على وجه الماء .

natation [nā tā'shən] *(n.)* (١) سباحة (٢) فنّ السباحة .

natatorial [nā'tə tōr'ĭ əl] *(adj.)* (١) سَبْحيّ ؛ سباحيّ : ذو علاقة بالسباحة (٢) عوّام ؛ سابح (~ birds) .

natatorium [-'ĭ əm] *(L.)* مَسْبَح ؛ وبخاصة : بركة داخلية للسباحة .

nates [nā'tēz] *(n. pl.)* العَجُز ؛ الكَفَل ؛ الرِّدفان .

natheless [nāth'lĭs] *or* **nathless** [năth'-] = nevertheless.

nation [nā'shən] *(n.)* (١) أمة ؛ شعب ؛ قوم (٢) دولة . (٣) عشيرة ؛ عشائر .

national [năsh'ən əl] *(adj.; n.)* (١) قومي : خاصّ بأمّة أو شعب (٢) وطنيّ : مُحِبّ لوطنه §(٣) مُواطن ؛ وبخاصة : مواطن مقيم في دولة أجنبية (American ~s in Japan) (٤) *pl.* عد : مباراة قوميّة : مباراة تُجْرَى على نطاق قومي .

national bank *(n.)* البنك الأهلي ؛ البنك الوطني .

National Debt *(n.)* الدَّين القوميّ : دَيْن على الحكومة لمُقْرِضيها .

National Guard *(n.)* الحرس الوطني .

national income *(n.)* الدخل القومي : مكاسب الأمّة من السلع التي ينتجها (والخدمات التي يؤديها) جميع أفرادها خلال فترة معينة (اد) .

nationalism [năsh'ən ə lĭz'əm] *(n.)* القوميّة : وعيٌ قوميّ يمجّد أمّةً معيّنة ويضع التوكيد على تعزيز ثقافتها ومصالحها .

nationalist [năsh'ən əl ĭst] *(n.; adj.)* (١) القوميّ : المنادي أو المؤمن بالقوميّة ؛ وبخاصة : المجاهد لتحقيق الاستقلال القومي §(٢) قوميّ (the ~ aspirations of the Arabs) .

nationalistic [năsh'ən əl ĭs'-] *(adj.)* (١) قوميّ : خاصّ بالقومية أو مُتَّسِم بها أو مؤيّد لها (٢) وطني : خاص بأمة أو شعب .

nationality [năsh'ə năl'ə tĭ] *(n.)* (١) الصفة القوميّة (٢) القوميّة ؛ الشعور القومي (٣) الجنسية ؛ التابعيّة (٤) الاستقلال السياسي (٥) شعب ؛ قوميّة (the various *nationalities* of America) .

nationalization [-zā'shən] *(n.)* (١) مص nationalize (٢) تأميم .

nationalize [năsh'ən ə līz'] *(vt.)* (١) يجعلهم أمة أو دولة مستقلة . (٢) يُضفي عليه الصفة القوميّة ؛ يعمّمه بحيث يشمل الوطن كله (to ~ a holiday) (٣) يجنّس (شخصاً) ؛ يجعله مواطناً (~*d* Poles in the U.S.A.) (٤) يؤمّم (to ~ industries) .

national park *(n.)* المُتَنَزَّه الوطني : قطعة من الأرض ذات أهميةٍ خاصة (من حيث المناظر الطبيعية أو وجهة النظر التاريخية أو العلمية) تُفردها الدولة وتُعْنَى بها وبخاصة للترويح عن النفس أو للأغراض الدراسيّة .

national product *(n.)* الإنتاج القومي : قيمة السِّلع والخدمات التي ينتجها أو يؤديها مجموع أفراد الأمة خلال عام .

national socialism *(n.)* الاشتراكيّة الوطنيّة : النازية .

nation-state [nā'shən stāt'] *(n.)* الدولة القوميّة : دولة مؤلّفة من قوميّة واحدة لا من قوميّات متعدّدة .

nationwide [nā'shən wīd'] *(adj.)* قوميّ النطاق : شاملٌ أرجاء الدولة كلها (a ~ campaign against tuberculosis) .

native [nā'tĭv] *(adj.; n.)* (١) فِطْريّ (~ cheerfulness) . (٢) وطني : مولود في موطن معيّن (a city's ~ sons) (٣) أهليّ : ذو علاقة بالسكان الوطنيين (~ customs) (٤) قومي (~ language) (٥) «أ» محليّ (~ art) . «ب» بلدي (~ species) (٦) «أ» طبيعيّ . «ب» غير متكلّف أو مجلوب (~ beauty) (٧) أصلي (salt in its ~ state) (٨) فطري : موجود في الطبيعة بحالة صافية وغير متحد بغيره (~ copper) §(٩) ابن البلد ؛ أحد مواليد مدينة معيّنة (a ~ of London) (١٠) أحد السكان الوطنيين (the ~*s* of China) (١١) حيوان (أو نبات) بلدي ، أي موجود أصلاً في بلدٍ ما (The kangaroo is a ~ of Australia.) . **—nativeness** *(n.)*

nativism [nā'tĭ vĭz'əm] *(n.)* الأهلانيّة : «أ» سياسة تقوم على حماية مصالح أهل البلاد الأصليين وتقديمها على مصالح المهاجرين «ب» إحياء الثقافة الأهلية أو الوطنيّة أو تعزيزها .

nativity [nā tĭv'ə tĭ; nə-] *(n.)* (١) *cap.* «أ» ميلاد المسيح . «ب» عيد الميلاد (نص) (٢) ولادة (٣) طالع ؛ نجم (٤) أصل ؛ مولد .

natrolite [năt'rə līt'; nā'trə-] *(G.)* النَّطروليت (مع) .

natron [nā'trŏn] *(Ar.)* النَّطْرون (مع) .

nattily [năt'ĭ lĭ] *(adv.)* بأناقة ؛ على نحوٍ أنيق .

natty [năt'ĭ] *(adj.)* أنيق . **—nattiness** *(n.)*

natural [năch'ə rəl] *(adj.; n.)* (١) فِطْريّ : مبنيّ على حسّ فِطريّ للخير والشرّ (principles of ~ justice) (٢) طبيعيّ (٣) غير شرعي : طبيعي (a ~ child) (٤) جِبِلّيّ : بحكم الولادة أو الجِبِلّة ؛ بالفطرة (a ~ fool) (٥) مُسْتَمَدّ أو مستدَلّ عليه من الطبيعة (~ theology) (٦) سويّ ؛ مألوف §(٧) المعتوه ؛ الأبله (٨) علامة الالغاء (مو) (٩) «أ» شخص موهوب . «ب» شيء مُحتمَلٌ أن ينجح نجاحاً عاجلاً «ج» شيء ملائم لغرض معيّن .

natural gas *(n.)* الغاز الطبيعي : غازٌ ملتهب يتشكّل طبيعياً في الأراضي المنتجة للنفط ويُستعمل كوقود الخ .

natural history *(n.)* (١) التاريخ الطبيعيّ : «أ» علم الحيوان وعلم النبات وعلم المعادن . «ب» دراسة الأشياء الطبيعية . وبخاصة من وجهة نظر الهواة أو من وجهة نظر شعبية (٢) رسالة أو بحث في مظهر من مظاهر التاريخ الطبيعي (a ~ of spiders) .

naturalism [năch'ə rə lĭz'əm] *(n.)* (١) العمل أو النزوع الطبيعي : عملٌ أو نزوع مبنيّ على الرغبات والغرائز الطبيعية فحسب (٢) المذهب الطبيعي : «أ» مذهب يُنكر أن يكون للحادثة أو للشيء معنى خارقٌ للطبيعة ، وبخاصة : المذهب القائل بأنّ النواميس العلمية مؤهّلة لتعليل جميع الظواهر . «ب» الواقعيّة في الفنّ أو الأدب ؛ وبخاصة : نظرية في الأدب تؤكّد على مراقبة الحياة مراقبةً علمية من غير محاولة لاجتناب البشع أو القبيح الخ .

naturalist [năch'ə rəl ĭst] *(n.; adj.)* (١) المنادي بالمذهب الطبيعي أو الممارس له (٢) العالِم بالتاريخ الطبيعي ؛ وبخاصة : العالِم بالحيوانات والنباتات §(٣) **naturalistic** أو : ذو علاقة

بالمذهب الطبيعيّ أو مُتَّسِم به أو جارٍ وَفْقَه .

naturalize [năch'ə rə līz'] *(vt.; i.)* (١) يتبنّى : يُدخل عادة أو لفظة إلى بلدٍ ما أو لغة ما (to ~ a Spanish phrase) (٢) يؤقلم : يجلب نباتاً (أو حيواناً) إلى منطقة ويجعله يزدهر فيها (٣) يطبّع : يجعله منسجماً مع الطبيعة (٤) يمنحه حقوق المواطن ؛ وبخاصة : يجنّس : يمنحه جنسية البلد × (٥) يتأقلم . **—naturalization** *(n.)*

natural law *(n.)* الشريعة الطبيعية : شرعٌ أو مبدأ (يُزعَم أنه مستَمَدّ من الطبيعة) يفرض سلطانه على المجتمع البشري عند فقدان القانون الوضعي أو بالاضافة إليه .

natural logarithms *(n. pl.)* اللوغاريتمات الطبيعية (ر) .

natural philosophy *(n.)* الفلسفة الطبيعية : «أ» دراسة الكون الطبيعي . «ب» علم الفيزياء .

natural resources *(n. pl.)* الموارد الطبيعية : ثروة البلاد المؤلّفة من أرضها وغاباتها ومناجمها ومياهها ومصادر الطاقة فيها .

natural science *(n.)* العلوم الطبيعية : فروع المعرفة المعنيّة بالأشياء الطبيعية ، وتشمل علم الأحياء والجيولوجيا وعلم المعادن والفيزياء والكيمياء .

natural selection *(n.)* الاصطفاء الطبيعي : العملية الطبيعية المفضية ، في رأي داروين ، إلى « بقاء الأنسب » (أي بقاء تلك الأشكال من النبات والحيوان الأكثر تهايؤاً مع الأحوال التي تعيش في ظلها) وإلى انقراض الأشكال التي تعجز عن تحقيق هذا التهايؤ .

nature [nā'chər] *(n.)* الطبيعة : (١) «أ» جوهر الشيء أو صفاته المميِّزة (the ~ of steel) . «ب» مِزاج (contrary to one's ~) (٢) «أ» قوّة خلاّقة ومهيمنة في الكون . «ب» قوة باطنية أو مجموع من القوى الباطنية (كالغرائز الخ.) في فرد ما (٣) ضرب ؛ نوع (٤) بِنْيَة المتعضّي أو حوافزه الطبيعية (٥) سَجِيّة (كالكَرَم الخ.) (٦) العالم الخارجي بكامله (the study of ~) (٧) «أ» حالة الانسان الأصلية أو الطبيعية (to return to ~) . «ب» طراز حياة مبسّط شبيهٌ بهذه الحالة (٨) المشاهد الطبيعية (to enjoy ~) .

naturopath [nā'chə-] *(n.)* المعالِج بالطبيعة (را . المادة التالية) .

naturopathy [nā chə rŏp'-] *(n.)* المعالجة بالطبيعة : طريقة في معالجة الأمراض تتجنب استعمال العقاقير وتؤثر الاستعانة بالوسائل الطبيعية كأشعة الشمس والهواء والماء والتمرينات الرياضيّة .

naught [nôt] *(n.; adj.)* (١) «أ» لا شيء . «ب» عدم (٢) صِفْر . (٣) دمار ؛ هلاك أو إخفاق تام (to bring to ~) § (٤) تافه ؛ غير ذي أهمية .

to set at ~, يستخفّ بِـ ؛ لا يكترث بِـ .

naughty [nô'tĭ] *(adj.)* (١) «أ» شرير (ا.ق) . «ب» غير مطيع ؛ سيء السلوك (a ~ boy) (٢) فاحش ؛ داعر ؛ بذيء (~ pictures) .
—naughtily *(adv.)* **—naughtiness** *(n.)*

naumachia [nô mā'kĭ ə] *(L.)* pl. **-e** (١) معركة بحرية صُوَرية (عند الرومان) (٢) موضع تَجْرِي فيه هذه المعركة .

nauplius [nô'plĭ əs] *(L.)* pl. **-plii** [-plĭ ī] النَّبلوس : الشكل الأول من أشكال حياة بعض القِشْريات (كالسرطان وجَراد البحر) .

nausea [nô'shə; -shĭ ə; -sĭ ə] *(L.)* (١) غَثَيان (٢) دُوار البحر . (٣) اشمئزاز شديد . **—nauseant** *(adj.; n.)*

nauseate [nô'shĭ āt'; -sĭ-] *(vi.; t.)* (١) يصاب بالغثيان . (٢) يشمئز × (٣) يُغْثي أو يُوقع الاشمئزاز في النفس . **—nauseating** *(adj.)*

nauseous [nô'shəs; -shĭ əs] *(adj.)* مُغْثٍ ؛ مُقرِف .

nautch [nôch] *(Hin.)* حفلة راقصة (تُحييها في الهند راقصات محترفات) .

nautical [nô'tə kəl] *(adj.)* بحريّ : متعلق بالبحّارة أو الملاحة أو السفن .

nautical mile *(n.)* الميل البحري (وهو في انكلترة يساوي ٦٠٨٠ قدماً أو ١٨٥٣,٢ متراً. أما الميل البحري الدولي فيساوي ٦٠٧٦,١١٥ قدماً أو ١٨٥٢ متراً وقد تبنّته الولايات المتحدة الأميركيّة حديثاً) .

nautilus [nô'tə ləs] *(L.)* pl. **-es; -li** النوتي ؛ البحّار : حيوان من رأسيات الأرجل (را. cephalopod) .

naval [nā'vəl] *(adj.)* بَحْريّ .

nave [nāv] *(n.)* (١) صُرّة العَجَلة ؛ محور الدولاب (٢) صحن الكنيسة : جزؤها الرئيسيّ الذي يجلس فيه المصلّون .

navel [nā'vəl] *(n.)* (١) السُّرّة (ت) (٢) الوسط : النقطة الوسطى .

navel orange *(n.)* أبو سُرّة : برتقال ذو سُرّة .

navicular [nə vĭk'yə lər] *(adj.)* زورقيّ ؛ زورقيّ الشكل (ت) .

navicular [nə vĭk'-] *also* **naviculare** [nə vĭk'yə lâr'ĭ] *(n.)* عظم زَوْرَقِيّ ؛ وبخاصة : عظم الرُّسْغ (ت) .

navigability [năv ə gə bĭl'ə tĭ] *(n.)* الصلاحية للملاحة .

navigable [năv'ə gə bəl] *(adj.)* (١) صالح للملاحة (كنهر الخ.) (٢) يُقاد ؛ قابل لأن يُقاد (Our ship was not in a ~ condition.) .

navigate [năv'ə gāt'] *(vi.; t.)* (١) يُبْحِر (٢) يقود (سفينةً أو طائرة) × (٣) يجتاز (managed to ~ the house on her knees) .

navigation [năv'ə gā'shən] *(n.)* (١) إبحار (٢) ملاحة .

navigator [năv'ə gā'-] *(n.)* (١) الملاّح : ربّان السفينة أو الطائرة . (٢) الملاّح المستكشف : ملاّح بارع يرود البحار بُغية الاستكشاف .

navvy [năv'ĭ] *(n.)* عاملٌ غير بارع (بر) .

navy [nā'vĭ] *(n.)* (١) أسطول (٢) الأسطول : سلاح الدولة البحري .

navy blue *(n.)* الأزرق البحري ؛ الأزرق الداكن .

navy yard *(n.)* الترسانة البحرية (لبناء السفن الحربيّة أو إصلاحها) .

nay [nā] *(adv.; n.)* (١) لا ؛ كلا (٢) بل ؛ ليس هذا فحسب بل (I suspect, ~, I am certain that she is wrong.) § (٣) رفض (٤) «أ» جواب سلبيّ . «ب» صوتٌ سلبيّ (في اقتراع) . «ج» المصوِّت بالرفض .

Nazarene [năz'ə rēn'] *(n.)* (١) الناصريّ : أحد أبناء الناصرة بفلسطين (٢) النصرانيّ ؛ المسيحي (٣) البروتستانتيّ الناصري : أحد أفراد طائفة بروتستانتيّة ظهرت عام ١٩٠٨ .

Nazi [nä'tsĭ; năt'sĭ] *(n.; adj.)* (١) النازيّ : عضو في الحزب الوطني الاشتراكي الذي سيطر على ألمانيا بزعامة أدولف هتلر من ١٩٣٣ إلى ١٩٤٥ § (٢) نازيّ . **—Nazism; Naziism** *(n.)*

Nazirite *or* **Nazarite** [năz'ə rīt] *(n.)* المنذور : يهودي من العهود التوراتية نُذر لله فلا يحلّ له أن يعاقر الخمر أو يحلق شعره أو يمس جثّة .

N.B. ملاحظة ؛ حاشية (مختصر *nota bene*) .

ne- *or* **neo-** بادئة معناها : جديد ؛ حديث ؛ مُحْدَث ؛ وبخاصة : عَهْدٌ أو شكل جديدٌ مختلف لعقيدة أو مذهب أو لغة (*Neo*platonism) .

Neanderthal [nĭ ăn'dər täl'] *(adj.)* نياندرتالي : «أ» منسوب إلى وادي النياندرتال قرب دوسيلدورف بألمانية حيث وُجدت بقايا هيكل عظمي لإنسان قديم . «ب» مُذَكِّرٌ بإنسان الكهوف شكلاً أو سلوكاً (~ ferocity) .

Neanderthal man *(n.)* الانسان النياندرتالي (را. المادة السابقة) .

neap [nēp] *(adj.)* جَزْريّ محاقيّ : متعلق بالجَزْر المحاقي .

Neapolitan [nē'ə pŏl'ə tən] *(adj.; n.)* (١) نابوليّ : منسوب إلى مدينة نابولي بإيطالية § (٢) النابوليّ : أحد أبناء نابولي .

neap tide *(n.)* الجَزْر المحاقيّ : جَزْر تامّ يَحْدث في الرّبْع

ă at; ā date; â care; ä car; ĕ egg; ē me; ĭ in; ī bite; ŏ lot; ō bone; ô orphan; oi boil; o͝o good; o͞o boot; ou out; ŭ under; ū unity; û urgent; th thing; th this; zh vision; ə = *a* in alone, *e* in system, *i* in easily, *o* in gallop, *u* in circus.

الأول والثالث من عمر القمر .

near[nĭr] *(adv.; prep.; adj.; vi.; t.)* (١) قُرْبَ ؛ بالقرب ؛ على مقربة (٢)تقريباً (dead ~)(٣)على نحوٍ وثيقٍ أوحميم §(٤)«أ»وثيق الصلة أو القرابة(relatives ~) . «ب»حميم (his ~*est* friend) (٥) «أ» قريب (the ~ future) . «ب» مُنْجَز بشقّ النفس (a ~ escape) (٦) «أ» الأقرب، الأقلّ بعداً (the ~ side of the hill) . «ب» الأيسر (the ~ wheel of a cart) (٧) قصير ؛ مباشر(by the ~*est* road) (٨) بخيل (a ~ man)(٩) «أ» أمين ؛ شبيه جداً بالأصل (a ~ translation) . «ب» مُقاربٌ للأصليّ (~ silk) §(١٠) يدنو ، يقترب ×(١١) يقترب من .

nearby [nĭr'bī'] *(adj.)* قريب ، مجاور (a ~ school).

Nearctic [nē ärk'tĭk; -är'-] *(adj.)* متعلق بجزء من العالم الجديد يشمل غرينلند والأصقاع الشماليّة والجبلية من أميركة الشماليّة .

nearly [nĭr'lĭ] *(adv.)* (١) تقريباً (٢) على نحوٍ وثيق .

nearsighted[nĭr'sī'-]*(adj.)* حسير : مصاب بالحَسَر أو قِصَر البصر .

neat [nēt] *(n.; adj.)* (١) بقرة ، ثور §(٢) «أ» صِرْف ؛ غير ممزوج (~ brandy) . «ب» أملس ، ناعم (٣) أنيق(a ~ dress) (٤) «أ» دقيق ، مُحكَم (a ~ answer) . «ب» بارع ، مُتْقَن (a ~ characterization) (٥) نظيف ، مرتّب (~ rooms) (٦) صافٍ (~ profit)(٧) رائع (had a ~ time at the circus).

—neatly *(adv.)* **—neatness** *(n.)*

neath [nēth; nēth] *(prep.)* = beneath.

neatherd [nēt'hûrd] *(n.)* الراعي ، راعي البقر .

neb [nĕb] *(n.)* (١) «أ» منقار . «ب» فم الانسان . «ج» أنف ، وبخاصة: أنف الحيوان (٢) سنّ ، رأس ، طرفُ الشيء المستدقّ .

nebula [nĕb'yə lə] *(L.)*pl. **-s** *or* **-e** (١) غمامة (على قرنيّة العين) (٢) سديم ، غيمة سديميّة (فل) . **—nebular** *(adj.)*

nebular hypothesis *(n.)* الفرَضيّة السديميّة : فرضية تقول بأن النظام الشمسيّ نشأ عن سديم غازيّ (فل) .

nebulize [nĕb'yə līz'] *(vt.)* يرذّذ : يحوّل إلى رَذاذ .

nebulosity [nĕb'yə lŏs'ə tĭ] *(n.)* (١) ضبابيّة ، سديميّة ، غموض (٢) سديم .

nebulous [nĕb'yə ləs] *(adj.)* (١) «أ» غائم ، ضبابيّ (ا.ق) . «ب» غامض ، غير واضح (~ recollections) (٢) سديمي .

necessarily [nĕs'ə sĕr'ə lĭ] *(adv.)* ضرورةً ، بالضرورة .

necessary[nĕs'ə sĕr'ĭ]*(n.; adj.)* (١) «أ»ضرورة،شيء ضروري . «ب» مال ، نقود (٢) مرحاض §(٣) ضروريّ .

necessitarian [nə sĕs'ə târ'ĭ ən] *(n.; adj.)* (١) الجبريّ ؛ القائل بالمذهب الجبريّ §(٢) جبريّ .

necessitarianism [nə sĕs'ə târ'ĭ ə nĭz'əm] *(n.)* الجبريّة ؛ المذهب الجبريّ : مذهب القائلين بأن الانسان مُسيَّر لا مُخيَّر .

necessitate [nə sĕs'ə tāt'] *(vt.)* يوجب ، يحتّم ، يستلزم .

necessitous [nə sĕs'ə təs] *(adj.)* (١) معْوِز ، فقير (٢)مُلِحّ ، عاجل (٣) ضروري .

necessity [nə sĕs'ə tĭ]*(n.)* (١) ضرورة (٢) اضطرار (٣) عوز ، فقر (٤) «أ» شيء ضروري . «ب» حاجة أو رغبة ملحّة .

of ~, ضرورةً ، بالضرورة .

~ knows no law. الضرورات تبيح المحظورات .

to make a virtue of ~, يجعل من الاضطرار فضيلة ، يدّعي لنفسه الفضل لإقدامه على عمل (او لإحجامه عن عمل) بحكم الاضطرار .

neck [nĕk] *(n.; vt.; i.)* (١) عنق ، رقبة (٢)عنق الزجاجة أو الثمرة أو الكمان الخ . (٣) «أ» شقّة أرض ضيقة . «ب» مضيق ، بوغاز (٤) عنق العمود : الجزء الأدنى من تاجه (عم) §(٥) يخنقه أو يقطع رأسه (٦) يقبّل ، يعانق ×(٧) يَضيق .

~ and crop كلّيّة ، بسرعة ، في غير إبطاء .

~ and ~, عنقاً لعنق (كما يجري في سباق الرهان) .

~ or nothing بيأس ، مغامراً بكل شيء ، مواجهاً إما النصر المؤزّر وإما الهزيمة المنكرة .

to get it in the ~, بلام أو يُعاقَب بقسوة ، يعاني تجربة أليمة .

to win by the ~, يفوز (الجواد) بالرقبة .

neckerchief [-'ər chĭf] *(n.)* منديل أو لفاع الرقبة .

necking [nĕk'ĭng]*(n.)* (١) العُناقة : حلية معمارية صغيرة قرب أعلى العمود (عم) (٢) تقبيل ، عناق .

necklace [nĕk'lĭs] *(n.)* عِقد ، قِلادة .

necktie [nĕk'tī] *(n.)* الأُرْبة : ربطة العنق .

necr- *or* **necro-** بادئة معناها: (١)«أ» موتى (*necro*latry) . «ب» مَيْت (*necro*psy) (٢) موت ، تحوّل إلى نسيج ميت .

necrolatry [nĕ krŏl'ə trĭ] *(n.)* عبادة الموتى .

necrology [nĕ krŏl'ə jĭ] *(n.)* (١)سِجلّ الوفيات (٢) نعي شخص مع ترجمة قصيرة لحياته .

necromancer [nĕk'-] *(n.)* (١) مستحضر الأرواح (٢) الساحر .

necromancy [nĕk'-]*(n.)* (١)استحضار الأرواح (٢)سحر ، عرافة .

necrophagia [-'rə fā'-]*(L.)* أكل الجِيَف . **-gous** *(adj.)*

necrophilia [nĕk'rə fĭl'ĭ ə] *(L.)* اشتهاء الموتى (مج) ، الانجذاب المرَضيّ نحو الجثث .

necrophobia [-fō'bĭ ə] *(L.)* الخوف المرَضيّ من الموت أو الموتى.

necropolis[nĕ krŏp'ə-]*(L.)*pl.**-lises** *or* **-les** *also* **leis** *or*-**li** مدينة الموتى : مقبرة كبيرة .

necropsy [nĕk'rŏp sĭ] *(n.)* تشريح الجثّة بعد الوفاة .

necrosis[nĕ krō'-]*(L.)* التنكرُز : موت موضعيّ يحل بالنسيج الحيّ .

necrotize [nĕk'-]*(vi.)* يتنكرز : يصاب بالتنكرز (را. المادة السابقة) .

nectar [nĕk'tər]*(Gk.)* (١) «أ» الرحيق الإلهي : شراب آلهة اليونان والرومان . «ب» كلّ شراب لذيذ (٢) الرحيق : سائل حلو المذاق تفرزه غدد بعض النباتات ويشكّل مادة العسل الخام الرئيسية .

—nectarous *(adj.)*

nectarine [-tə rēn']*(n.)* الرَّحيقاني : ضرب من الدرّاق أو الخوخ .

nectary [-'tə rĭ] *(n.)* الغدّة الرحيقية : غدّة تُفرز الرحيق (نب) .

née *or* **nee** [nā] *(F.)* مولودة ، بالولادة : صيغة تُلحَق باسم المرأة المتزوجة للتعريف باسم أسرتها قبل زواجها .

need [nēd] *(n.; vi.; t.)* (١) حاجة ، ضرورة (٢) ضِيق ، شدّة (a friend in ~) (٣) عوز ، فاقة (to live in ~) §(٤) يكون ضرورياً أو مطلوباً (playing as quietly as ~*ed*)×(٥) يحتاج إلى.

needful [nēd'fəl] *(adj.; n.)* (١) ضروري §(٢)شيء ضروري ؛ وبخاصة : مال .

neediness [nē'dĭ nĭs] *(n.)* فقر ، فاقة ، عوز .

needle [nē'dəl] *(n.; vt.; i.)* (١) «أ» إبرة . «ب» صنّارة الحبْك . «ج» إبرة جراحيّة . «د» المِحْقَن : أداة جوفاء لإدخال مادة إلى الجسم أو استخراجها منه (٢) إبرة مغنطيسية (٣) شيء كالإبرة : «أ» بلّورة مستدقّة الرأس . «ب» المَسَلّة : نُصُب عمودي رباعيّ الأضلاع في أعلاه هرم صغير . «ج» ورقة نبات إبرية الشكل . «د» إبرة فونوغراف §(٤) يخيط أو يثقب

بإبرة (٥) ينخس ؛ يستحثّ (٦) يقوّي (شراباً) بإضافة مقدار من الكحول الصِّرف ×(٧) يخيط ؛ يطرّز. —**needler** *(n.)*
to look for a ~ in a bundle of hay يبحث عن شيء ما حيث يتعذر عليه أن يجده.

needlefish [nē'dəl fĭsh] *(n.)* السمك الإبري : سمك متطاول شبيه بأبي منقار.

needlepoint [nē'dəl-] *(n.)* (١) تخريم إبريّ (٢) تطريز إبريّ.

needless [nēd'-] *(adj.)* غير ضروري. **-ly** *(adv.)*

needlewoman [nē'dəl-] *(n.)* المشتغلة بالإبرة، وبخاصة : الخيّاطة.

needlework [nē'dəl-] *(n.)* شغل الإبرة ؛ وبخاصة : التطريز.

needs [nēdz] *(adv.)* ضرورةً ؛ بالضرورة.

needy [nē'dĭ] *(adj.)* فقير ؛ معْوِز.

ne'er [nâr] *(adv.)* = never.

ne'er-do-well [nâr'dōō wĕl] *(n.; adj.)* (١) شخص متبطّل عديم النفع §(٢) عديم النفع.

nefarious [nĭ fâr'ĭ əs] *(adj.)* شائن ؛ شنيع.

negate [nĭ gāt'; nē'gāt] *(vt.)* (١) يُنكر (وجود شيء أو حقيقته). (٢) يُبطل (تأثير شيء أو مفعوله).

negation [nĭ gā'shən] *(n.)* (١) إنكار ؛ رفض (٢) مذهب أو جواب أو شيء سلبيّ (٣) عدم ؛ لا وجود (٤) نقيض.

negative [nĕg'ə tĭv] *(adj.; n.; vt.)* (١) سلبي : «أ» غير إيجابيّ (a ~ answer) . «ب» هدّام ؛ غير بنّاء (~ criticism) «ج» دالّ على عدم وجود الجرثومة أو الحالة المبحوث عنها (a ~ test for tuberculosis) . «د» أقلّ من ضغط الجوّ (~ pressure) . «هـ» معكوس الأضواء والظلال (a ~ photographic image) (٢) سالب («فز» و «كب» و «ر») §(٣)سَلْبٌ ؛ رأي أو عبارة أو كلمة سلبية (٤)رَفْض (٥)نقيض (٦) الجهة المدافعة عن وجهة النظر السلبية (في مناظرة) (٧) العدد السالب (ر) (٨) اللوح السالب (كب) (٩) الصورة السلبية (فو) §(١٠) «أ» يرفض. «ب» يصوّت بالرفض. «ج» ينقض (١١) يدحض (١٢) يُنكر (١٣) يضادّ ؛ يُبْطِل ؛ يحايد. in the ~, سلباً ؛ سلبياً ؛ بالسلب.

negativism [nĕg'ə tĭ vĭz'əm] *(n.)* السلبية : «أ» موقف عقلي متّسم بالشكّ في جُلّ ما يؤكّده الآخرون. «ب» نزعة إلى رفض القيام بما يُسأل المرءُ أداءَه أو إلى القيام بخلافه أو نقيضه.
—**negativist** *(n.)* —**negativistic** *(adj.)*

negatron [nĕg'ə trŏn] *also* **negaton** [-tŏn] = electron.

neglect [nĭ glĕkt'] *(vt.; n.)* (١) يستخفّ بـ (٢) يهمل. §(٣) استخفاف (٤) إهمال. —**neglecter** *(n.)*

neglectful [-'fəl] *(adj.)* مُهْمِل (~ of her appearance).

negligee [nĕg lə zhā'] *also* **negligé** [-glē zhĕ'] *(F.)* (١)المِبذَل : ثوب نسويّ طويل فضفاض (٢)الفَضْلَة : لباس البيت.

negligence [nĕg'lə jəns] *(n.)* إهمال.

negligent [nĕg'lə jənt] *(adj.)* مهمِل ؛ متهاون.

negligible [nĕg'lə jə bəl] *(adj.)* تافه ؛ جديرٌ بالاهمال.

negotiability [nĭ gō shĭ ə bĭl'ĭ tĭ] *(n.)* الصلاحية للمفاوضة أو التحويل والتداول الخ.

negotiable [nĭ gō'shĭ ə bəl] *(adj.)* (١) صالح للتفاوض فيه. (٢) صالح للتحويل والتداول الخ. (٣) ممكن تحقيقه او إنجازه.

negotiant; negotiator [nĭ gō'shĭ-] *(n.)* المفاوِض الخ.

negotiate [nĭ gō'shĭ āt'] *(vi.; t.)* (١) يفاوض ؛ يتفاوض. ×(٢) «أ» يحوّل (شيكاً الخ.) إلى شخص آخر. «ب» يحوّل إلى نقد (to ~ securities) (٣) «أ» يتغلّب على عقبة (a difficult corner for a big car to ~) . «ب» يتمّ ؛ يُنجز (to ~ a trip).

negotiation [nĭ gō'shĭ ā'shən] *(n.)* مفاوَضة ؛ تفاوض.

Negress [nē'grĭs] *(n.)* الزنجيّة ؛ امرأة زنجية.

Negrillo [nĭ grĭl'ō] *(Sp.)* القزم الزّنجانيّ الافريقي : قزم من أحد الشعوب شبه الزنجيّة، القصيرة القامة، في افريقية.

Negrito [nĭ grē'tō] *(Sp.)* القزم الزنجاني الآسيوي : قزم من أحد الشعوب شبه الزنجيّة، القصيرة القامة، في أوقيانوسية وجنوب شرقي آسية.

Negro [nē'grō] *(n.; adj.)* زنجيّ ؛ أسود.

Negroid [nē'groid] *(n.; adj.)* زنجانيّ : شبيه بالزنجيّ.

Negrophile [nē'grə fīl] *or* **Negrophil** [-fĭl] *(n.)* نصير الزنوج.

Negrophobe [nē'-] *(n.)* الشديد المقت للزنوج أو الخوف منهم.

Negrophobia [nē grə fō'bĭ ə] *(n.)* شدة المقت للزنوج أو الخوف منهم.

negus [nē'gəs] *(n.)* (١) النَّجاشيّ : لقب امبراطور الحبشة. (٢) النيجُوس : شراب يُعَدّ من خمر وماء جار مع شيء من السكّر وعصير الليمون الخ.

neigh [nā] *(vi.; n.)* (١) يَصْهَل (الفرسُ) §(٢) صهيل.

neighbor [nā'bər] *(n.; adj.; vt.; i.)* (١) جارٌ (٢) أخٌ في الانسانيّة §(٣) مجاوِر §(٤) «أ» يجاور. «ب» يتاخم. ×(٥) يتعايش او يتزاور كالجيران.

neighborhood [nā'-] *(n.)* (١)الجِوار ؛ صِلة التجاور (٢) مجاورة ؛ قُرْب (٣) «أ» منطقة مجاورة : جوار. «ب» مقدار تقريبي : ما يقارب (has in the ~ of $20,000) (٤) «أ» الجيران (She was laughed at by the whole ~.) . «ب» حيّ ذو خصائص مميّزة عادةً.

neighboring [nā'bər ĭng] *(adj.)* (١) مجاور (٢) متاخم.

neighborly [nā'bər lĭ] *(adj.)* وُدّي ؛ لائق بجار.

neighbour [nā'bər] *(n.; adj.; vt.; i.)* = neighbor.

neither [nē'thər; nī'-] *(adj.; pron.; conj.; adv.)* (١)ولا واحد من §(٢) لا هذا ولا ذاك §(٣) لا . . . (في قولك «لا أحمر ولا أزرق» ~ red nor blue) (٤) ولا (~ do I) §(٥) أيضاً ؛ فوق ذلك.

nekton [nĕk'tŏn] *(G.)* السوابح : صغار الأحياء السابحة قرب سطح البحر أو البحيرة.

nemat- *or* **nemato-** بادئة معناها (١) سِلك ؛ خيط (٢) دودة سِلكية أو خيطية.

nemathelminth [nĕm'ə thĕl'-] *(n.)* الدودة الأسطوانيّة : دودة سِلكيّة أسطوانيّة الجسم.

nematocidal [nĕm ə tə sīd'-] *(adj.)* مبيد للديدان السِّلكية.

nematocyst [nĕm'ə tə sĭst] *(n.)* الكيس السِّلكيّ (مج) : حُمَةٌ لاسعة في الحيوان اللاحَشْويّ.

nematode [nĕm'ə tōd'] *(n.)* الدودة السِّلكيّة أو الخيطية : دودة من السِّلكيّات أو الخيطيات **Nematoda** وهي طائفة من الديدان الأسطوانية المتطاولة التي تتطفل على الحيوانات والنباتات أو تحيا في التربة أو المياه.

nematology [nĕm ə tŏl'-] *(n.)* علم السِّلكيّات أو الخيطيات.

nemertean [nĭ mûr'tĭ ən] *(n.; adj.)* (١) الدودة الساحليّة : دودة من السّاحليّات **Nemertea** وهي طائفة من الديدان البحرية

ă at; ā date; â care; ä car; ĕ egg; ē me; ĭ in; ī bite; ŏ lot; ō bone; ô orphan; oi boil ŏŏ good; ōō boot; ou out; ŭ under; ū unity; û urgent; th thing; th this; zh vision; ə = a in alone, e in system, i in easily, o in gallop, u in circus.

ANIMALS (1) حيوانات "١"

sloth bear
دُبّ كَسلان
hyena
ضَبُع
llama
لامَة
hippopotamus
بِرْنيق
beaver
قُنْدُس ؛ سَمُّور
giraffe
زَرافة
black bear
دُبّ أسود
kangaroo
كَنْغَر
rhinoceros
كَرْكَدَنّ
gorilla
غِرِلّى
المورد

ANIMALS (2) حيوانات "٢"

gnu
نُوّ
black buck
ظبي أسود
kudu
كَوْد
chamois شَمْواة
jaguar
يَغْوَر
spaniel
سَبَنْيَلِيّ
Clydesdale
كَلَنْدِسدال
bighorn
كبش الجبال الصخرية
lion
أسَد
tiger
نَمِر
المورد

BIRDS

طــيور

hummingbird
طنّان

bee eater
وَرْوار

turkey
ديك رومي

toucan
طُوْقان

goose
إِوَزَّة

pheasant
تَدْرُج

parrakeet
بَرَكِيْت

hornbill
بُوْقِير

penguin
بِطْرِيْق

macaw
مَقْو

swan
تَمّ

peacock
طاوُوْس

المورد

FISHES

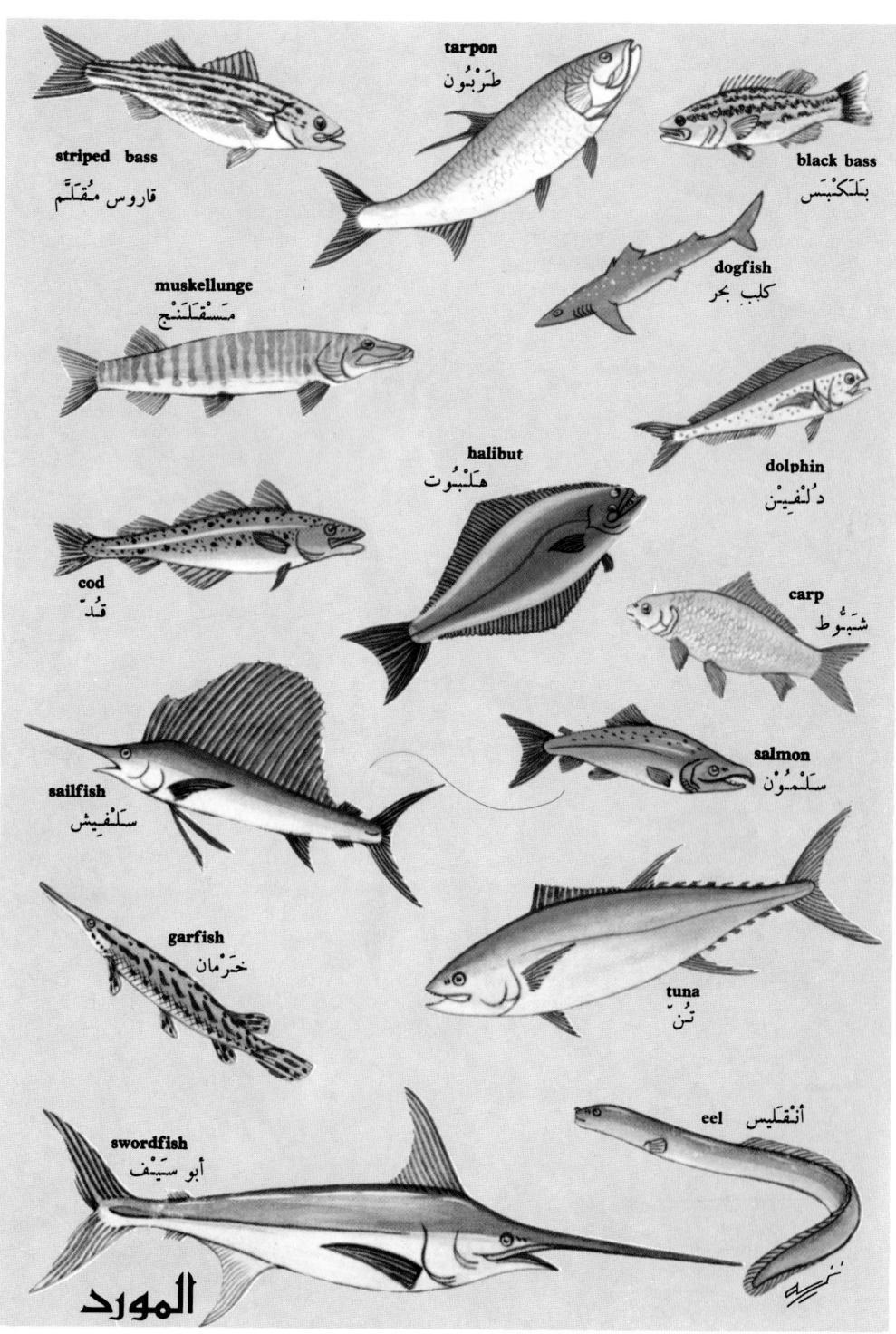

اسماك

tarpon
طَرْبُون
striped bass
قاروس مُقَلَّم
black bass
بَلَكْبَس
dogfish
كلب بحر
muskellunge
مَسْقَلَنْج
dolphin
دُلْفِين
halibut
هَلِبُوت
cod
قُدّ
carp
شَبُّوط
salmon
سَلْمُون
sailfish
سَلْفِيش
garfish
خَرْمان
tuna
تُنّ
eel أنقليس
swordfish
أبو سَيْف
المورد

FLOWERS ازهـــار

hollyhock
خِطْمِيّ
hyacinth
مُكَحَّلة
iris
سَوْسَن
pansy
زهرة الثالوث
chrysanthemum
أقْحُوَان
fuchsia
فُوشِيَة
rose
وَرْد
pink
قَرَنْفُل
cyclamen
بَخور مَرْيَم
المورد

FRUITS

فواكه

apricots
مِشْمِش
peach
دُرّاق
cherries
كَرَز
pineapple
أنَناس
grapes
عِنَب
fig
تِين
apple
تُفّاح
orange
بُرْتُقال
bananas
مَوْز
pear
إجّاص
المورد

GEMS حجارة كريمة

emerald
ruby
ياقوت
sapphire
صَفِّير
diamond
ماس
cat's-eye
عين الهرّ
agate
عقيق
onyx جَزْع
morganite مُرْغنيت
star sapphire صَفِّير نجميّ
amethyst جَمَشْت
kunzite
كونزيت
lapis lazuli
لازَوَرْد
jade
يَشْب
turquoise
فَيروز
tourmaline
تُرمالين
chrysolite
زَبَرْجَد زيتوني
rose quartz
مَرْو وردي
moonstone
حجر القمر
garnet
عقيق أحمر
aquamarine
زَبَرْجد
beryl
بَرِيل
pearl
لؤلؤ
topaz
توباز
citrine
سِتْرين
black opal
اوبال أسود
bloodstone
حجر الدم
sardonyx
جَزْع عقيقي
المورد

VEGETABLES خضَـر

onion
بَصَل
cauliflower
قُنَّبيط
cucumber
خِيار
pea
بِسِلّى ؛ بازِلاّ
spinach
اسفاناخ
tomato
طماطم
asparagus
هِلْيَوْن
beet
شَمَنْدر
lettuce
خسّ
carrot
جَزَر
المورد

الملوّنة يحيا معظمها في أجحار تحتفرها في الطين أو الرمل على ساحل البحر §(٢) ساحليّ .

nemesis [nĕm'ə sĭs] *(n.)* (١) *cap.* إلاهة الانتقام عند الاغريق. (٢) «أ» المنتقم . «ب» الخصم الرهيب (٣) «أ» انتقام . «ب» لعنة ؛ نِقمة (ضدّ : نعمة) .

nemophila [nĭ mŏf'-] *(L.)* = baby blue-eyes.

neo- = ne-.

Neocene [nē'ə sēn] *(adj.; n.)* (١) نيوسينيّ: متعلق بالجزء الأخير من العصر الثُّلْثي (جي) §(٢) العصر النيوسيني (جي) .

Neo-Darwinism [nē'ō där'wĭ nĭz'əm] *(n.)* الداروينية المُحْدَثة: نظرية تقول بأن الاصطفاء الطبيعي هو العامل الأساسي في التطور وتُنكِر بخاصة إمكانَ وراثة الصفات المكتسَبة .

neodymium [nē'ō dĭm'-] *(L.)* النيوديميوم : عنصر فلزّي (ك).

neogenesis [nē'ō jĕn'ə sĭs] *(L.)* تكوّن جديد : انبعاث ؛ تجدّد.

neo-impressionism [-im prĕsh'ə nĭz'əm] *(n.)* الانطباعية المُحْدَثة : مذهب فرنسي في الفن نشأ في أواخر القرن التاسع عشر واتّسم بمحاولة لجعل الانطباعية (را. impressionism) أكثر دقة وإحكاماً، من حيث الشكل، وباستعمال الخطوط المؤلّفة من نقط.

Neo-Latin [nē'ō lăt'ən] *(n.)* (١) New Latin (٢) اللغات الرومانسية : اللغات الناشئة عن اللاتينية .

neolith [nē'ə lĭth] *(n.)* أداة حجرية (من العصر الحجري الحديث).

neolithic [nē'ə lĭth'ĭk] *(adj.)* (١) *cap.* عد: حَجَريّ حَدِيثيّ : خاص بالعصر الحجري الحديث (جي) (٢) قديم ؛ عتيق .

Neolithic period *(n.)* العصر الحجري الحديث (جي) .

neological [nē'ə lŏj'ə kəl] *(adj.)* نيولوجيّ: خاصّ أو متّسِمٌ باستعمال الألفاظ الجديدة .

neologism [nĭ ŏl'ə jĭz əm] *(n.)* لفظة جديدة ؛ تعبير جديد .

neology [nĭ ŏl'ə jĭ] *(F.)* النيولوجيا : «أ» استعمال لفظة جديدة أو تعبير جديد . «ب» استعمال لفظة ما بمعنى جديد أو مختلف .

neomycin [nē'ō mī'sĭn] *(n.)* النيومايسين: عقّار مضادّ للجراثيم.

neon [nē'ŏn] *(Gk.)* (١) غاز النيون : عنصر غازيّ هامد عديم اللون والرائحة يوجد بمقادير طفيفة في الهواء ويستعمل في المصابيح الكهربائيّة (٢) النيون : «أ» مصباح تفريغ أنبوبيّ الشكل يكون فيه الغاز محتوياً على مقدار كبير من النيون . «ب» لافتة نيونيّة .

neonatal [nē'ō nā'-] *(adj.)* مواليديّ : متعلق بالمواليد الجديدة أو مؤثّرٌ فيها (وبخاصة بالطفل البشري في الشهر الأول بعد ولادته) .

neophyte [nē'ə fīt'] *(L.)* (١) المعتنِق الجديد (لدين ما) . (٢) «أ» كاهن كاثوليكيّ تمّت سيامتُهُ حديثاً . «ب» المبتدىء في الرهبنة (٣) المبتدىء (في فنّ ما) .

neoplasia [nē'ə plā'-] *(L.)* التّنشّؤ الوَرَميّ: تكوّن الأورام الخبيثة.

neoplasm [nē'ə plăz'əm] *(n.)* ورم ؛ نماء خبيث (مض) .

neoplastic [nē'ə plăs'tĭk] *(adj.)* (١) ورميّ: خاص بنماء خبيث. (٢) تصنيعيّ (را . المادة التالية) .

neoplasty [nē'ə plăs'tĭ] *(n.)* التصنيع ؛ الترميم الجراحي : تجديد أو ترميم عضوٍ ما بالجراحة اللدائنيّة .

Neoplatonism [nē'ō plā'tə nĭz'əm] *(n.)* الأفلاطونيّة المُحْدَثة : مذهب نشأ في القرن الثالث للميلاد ، وهو عبارة عن الفلسفة الأفلاطونيّة مُعدَّلةً بحيث تنسجم مع المفاهيم الأرسطوْطيّة والشرقيّة . وقد تصور أصحابه العالَمَ فيضاً منبثقاً عن الذات الإلهية التي تستطيع الروح الاتحاد بها في حالة الانجذاب الصوفي .

neoprene [nē'ə prēn'] *(n.)* النيوبرين : مطّاط صناعي .

Neo-scholasticism [nē'ō skə lăs'tə sĭz'əm] *(n.)* السكولاستية المُحْدَثة : حركة كاثوليكية حديثة تهدف إلى تعديل طرائق وتعاليم السكولاستية القروسْطية بحيث تلائم حاجات العصر الفكرية .

neoteric [nē'ə tĕr'ĭk] *(adj.; n.)* (١) عصريّ §(٢) كاتب عصري .

Nepali [nə pŏl'ĭ] *(n.; adj.)* (١) اللغة النيبالية : لغة سكان نيبال (بين شمالي الهند والتيبت) (٢) النيباليّ : أحد سكان نيبال §(٣) نيباليّ .

nepenthe [nĭ pĕn'thĭ] *(L.)* (١) شراب السُّلوان : شراب كان القدماء يستعملونه لتخفيف الألم والحزن (٢) السَّلوَى : شيء قادر على إدخال السُّلوان إلى قلب الحزين .

nepheline [nĕf'ə lĭn] *or* **nephelite** [-līt] *(F.)* النِّفيلين (مع) .

nephelinite [nĕf'ə lĭ nīt] *(n.)* النِّفيلينيت : صخر بركاني داكن اللون.

nephew [nĕf'ū] *(n.)* (١) «أ» ابن الأخ . «ب» ابن الأخت . (٢) ابن غير شرعي لكاهن .

nephoscope [nĕf'ə skōp'] *(Gk.)* النِّفوسكوب : أداة لمراقبة اتجاه الغيوم وسرعتها .

nephr- *or* **nephro-** بادئة معناها : كُلْيَة (*nephritis*) .

nephralgia [nĭ frăl'jĭ ə] *(n.)* الألم الكُلْوي : ألم في الكُلْيَة (مض).

nephrectomy [nĭ frĕk'tə mĭ] *(n.)* استئصال الكُلْيَة (جر).

nephridium [nĭ frĭd'ĭ-] *(L.)* pl. **-ia** الكُلَيْيَة : كُلْيَة صغيرة.

nephrite [nĕf'rīt] *(G.)* النِّفريت: ضرب من اليَشْب (حجر كريم).

nephritic [nĭ frĭt'ĭk] *(adj.)* (١) كُلْويّ (٢) خاصّ بالتهاب الكُلْيَة أو مصاب به .

nephritis [nĭ frī'tĭs] *(L.)* التهاب الكُلْيَة (مض) .

nephrogenic [nĕf rə jĕn'-] *(adj.)* (١) كُلْويّ : ناشىء في الكُلْيَة (٢) «أ» متطوّرٌ إلى نسيج كُلْويّ . «ب» مُحْدِث نسيجاً كُلْوياً.

nephrotomy [nĭ frŏt'ə mĭ] *(n.)* خَزْع الكُلْيَة أو شقّها « لاستخراج الحصاة » (جر) .

ne plus ultra [nē'plŭs ŭl'trə] *(L.)* ذِروة ؛ قمة ؛ أوج .

nepotism [nĕp'ə tĭz'əm] *(F.)* محاباة الأقارب (في التوظيف الخ.) .

Neptune [nĕp'tūn; -tōōn] *(n.)* نبتون : «أ» إلٰه البحر عند الرومان . «ب» السيّار الثامن من حيث البُعْد عن الشمس (فل) .

Neptunian [nĕp tū'nĭ ən] *(adj.)* نبتونيّ : «أ» ذو علاقة بنبتون إلٰه البحر الروماني. «ب» بحريّ . «ج» ذو علاقة بالسيّار نبتون (فل).

neptunium [nĕp tū'nĭ əm] *(L.)* النبتونيوم : عنصر فلزي إشعاعيّ النشاط شبيه باليورانيوم .

Nereid [nĭr'ĭ ĭd] *(L.)* النّاريدة : واحدة من حوريّات بحريّة زعمت الأسطورة الاغريقية أنهن بنات إلٰه البحر نيروس **Nereus** .

neroli oil [nĕr'ə lĭ] *(n.)* الزيت النارولي : زيتٌ عَطِر يستخرج من زهر البرتقال .

Neronian [nĭ rō'-] *or* **Neronic** [-rŏn'ĭk] *(adj.)* نيرونيّ : خاص بالامبراطور الروماني نيرون أو بعصره أو مميز لهما .

nerv- *or* **nervi-** *or* **nervo-** بادئة معناها : عَصَب .

nervation [nûr vā'shən] *(n.)* التعرّق : نظام انتشار العروق (في أوراق النبات او اجنحة الحشرات) .

nerve [nûrv] *(n.; vt.)* (١) عَصَب ؛ وتر (٢) «أ» مصدر هداية أو قوة . «ب» جَلَد ؛ قوة . «ج» جسارة ؛ جرأة . «د» وقاحة (٣) *pl.* هستيريا (a fit of ~*s*) (٤) عِرق (في ورقة النبات) (٥) عصب الضرس §(٦) يقوّي ؛ يشجّع .

nerve cell *(n.)* الخلية العصبية («ت» و «فس») .

nerve center *(n.)* (١) مركز عصبي (ت) (٢) مَصدر قيادة أو نفوذ .

nerve fiber *(n.)* الليفة العصبية («ت» و «فس») .

ă at; ā date; â care; ä car; ĕ egg; ē me; ĭ in; ī bite; ŏ lot; ō bone; ô orphan; oi boil ŏŏ good; ōō boot; ou out; ŭ under; ū unity; û urgent; th thing; th this; zh vision; ə = a in alone, e in system, i in easily, o in gallop, u in circus.

nerve gas *(n.)* الغاز العصبي : غاز حربي مؤذٍ للأعصاب والرئتين.

nerveless [nûrv'lĭs] *(adj.)* (١) عديم الأعصاب (٢) واهن ؛ ضعيف (٣) رابط الجأش (a ~ champion) .

nerve-racking *or* **nerve-wracking** *(adj.)* مرهِق للأعصاب.

nerviness [nûr'-] *(n.)* (١)جسارة (٢)وقاحة (٣)عصبيّة في المزاج.

nervous [nûr'vəs] *(adj.)* (١) متقِد الفكر أو الشعور أو الأسلوب (٢) عصبيّ : «أ» ذو علاقة بالخلايا العصبيّة أو مؤلَّف منها . «ب»ذو علاقة بالأعصاب أو ناشىء فيها أو متأثر بها. «ج»عصبيّ المزاج (٣) «أ» هلِع ؛ خائف (a ~ smile) . «ب» عصيب (The moment was ~.) . «ج» قلِق ؛ غير مستقرّ (a ~ boat) .

nervous breakdown *(n.)* النيوراستينيا ؛ النَّهك العصبيّ .

nervous Nellie *(n.)* الهَلُوع : شخص جبان أو ضعيف .

nervous system *(n.)* الجهاز العصبيّ (ت) .

nervure [nûr'vyo͝or] *(F.)* العِرق : عِرق جناح الحشرة .

nervy [nûr'vĭ] *(adj.)* (١) جسور (٢) وقح (٣) عصبيّ المزاج .

nescience [nĕsh'əns] *(n.)* جَهْل . **-cient** *(adj.)*

ness [nĕs] *(n.)* الرأس : أرض داخلة في البحر .

-ness لاحقة معناها : حالة ؛ وضع ؛ صفة ؛ درجة .

Nesselrode [nĕs'əl rōd] *(Russ.)* النَّسلرُد : مزيج من أثمار مسكّرة وجوز (يستعمل في الحلويات والمرطّبات) .

nest [nĕst] *(n.; vi.; t.)* (١) عشّ (٢) مأوى ؛ مُعتَزَل ؛ مُستراح (موضع تُلتَمَس فيه الراحة) (٣) وكر (a ~ of vice) (٤) المترددون على وكرٍ ما (٥) مجموعة (٦)مجموعة من الصناديق أو الأدراج أو الطاولات المتداخلة §(٧) يبني عشّاً أو يأوي اليه (٨) يتداخل بعضُه في بعض ×(٩) يجعل بعضَه متداخلاً في بعض (١٠) يضع في عش أو نحوه . **—nester** *(n.)*

a nest of tables

nest egg *(n.)* بيضة العش : «أ»بيضة طبيعيّة أو صناعيّة تُترك في عشّ لإغراء الطير على الاستمرار في وضع البيض فيه. «ب» مالٌ مدّخر .

nestle [nĕs'əl] *(vi.; t.)* (١)يستكنّ (~*d* down in bed) ×(٢) يؤوي (٣) يحضن (~*d* the baby in her arms) .

nestling [nĕst'lĭng] *(n.)* (١) الفَرخ : صغير الطير (٢) طفل .

nestor [-'tər] *(L.)* (١)المرشد الحكيم المتقدم في السنّ (٢)الزعيم ؛ السيد.

Nestorian [nĕs tōr'ĭ ən] *(adj.)* نَسطوريّ: «أ»ذو علاقة بمذهب نسطوريوس الذي اعتُبر هرطقةً عام ٤٣١ والذي ذهب إلى أن الطبيعتين الإلهية والبشرية ظلّتا منفصلتين في يسوع المسيح . «ب» ذو علاقة بكنيسة انفصلت عن النصرانيّة البيزنطيّة بعد عام٤٣١ وانتشرت في فارس ولا تزال قائمة ينتسب إليها الأشوريون.

net [nĕt] *(n.; adj.; vt.)* (١) «أ» شبكة. «ب» شبكة لصيد الأسماك أو الطيور أو الحشرات (٢) شَرَك ؛ أحبولة (٣) شبكة خطوط أو ألياف أو رسوم (٤) كرة تصيب الشبكة (في التنس) (٥) «أ» شبكة من محطّات المواصلات العاملة تحت إشراف موحّد. «ب» شبكة محطات إذاعة أو تلفزيون يُربَط بعضها ببعض بحيث تتمكّن كلها من بثّ البرنامج نفسه في وقت واحد (٦) مقدار صافٍ ؛ ربحٌ أو وزن أو سعر صافٍ (٧) جوهر ؛ لبّ ؛ زبدة §(٨) صافٍ (a ~ weight) (٩) نهائيّ (a ~ result) §(١٠) يغطّي أو يطوّق بشبكة (١١) يصيد بشبكة ؛ يوقع في شَرَك (١٢) يضرب الكرة فيصيب الشبكة (في التنس) (١٣) «أ»يَربح ربحاً صافياً. «ب» يغلّ ربحاً صافياً (١٤) يُكسِبه أو يعود عليه بـ . **—netlike** *(adj.)* **—netty** *(adj.)*

nether [nĕth'ər] *(adj.)* (١) سُفلي (٢)واقع تحت سطح الأرض.

nethermost [nĕth'ər mōst] *(adj.)* الأسفل ؛ الأدنى ؛ الأوطأ.

netherworld [nĕth'ər wûrld] *(n.)* (١) العالم السفليّ : الجحيم. (٢) الآخرة (٣) عالم الجريمة المنظّمة .

nett [nĕt] = net.

netting [nĕt'ĭng] *(n.)* (١) شبكة (٢) التشبيك : صُنع الشِّباك . (٣) «أ» صيد السمك بالشِّباك . «ب» حقّ الصيد بالشِّباك .

nettle [nĕt'əl] *(n.; vt.)* (١) القُرّاص : نبات ذو وَبَر شائك. §(٢) يلدغ ؛ يَلْسع (٣) يُغضِب ؛ يَغيظ .

nettle rash *(n.)* الشَّرى ؛ الطَّفح القُرّاصيّ (مض) .

nettlesome [nĕt'əl-] *(adj.)* مغضِب ؛ مثير ؛ مُغيظ .

network [nĕt'-] *(n.)* (١) شبكة (٢) «أ» شبكة محطات إذاعة أو تلفزيون يُربَط بعضها ببعض بحيث تتمكّن كلها من بثّ البرنامج نفسه في وقت واحد . «ب» شركة إذاعة أو تلفزيون تنتج البرامج لبثّها على مثل هذه الشبكة .

neur- *or* **neuro-** بادئة معناها : عَصَب (*neur*ology) .

neural [nyo͝or'əl; no͝or'-] *(adj.)* (١) عصبيّ (٢) ظَهريّ .

neuralgia [nyo͞o răl'jə] *(L.)* النورالجيا : الألم العصبيّ .

neurasthenia [nyo͝or'əs thē'-] *(L.)* النوراستينيا ؛ النَّهك العصبيّ.

neurilemma [-ə lĕm'ə] *(L.)* الغِمد العصبيّ ؛ غِمد العصب (ت).

neuritis [nyo͞o rī'tĭs] *(L.)* التهاب العصب (مض) .

neurogenic [nyo͝or'ə jĕn'ĭk] *(adj.)* عصبيّ المنشأ .

neuroglia [nyo͞o rŏg'-] *(L.)* المُوثِق العصبيّ : النسيج الضامّ الدقيق الذي يشدّ عناصر النسيج العصبي الرئيسية في الدماغ والحبل الشوكي(ت) .

neurologist [nyo͞o rŏl'-] *(n.)* طبيب الأمراض العصبيّة .

neurology [-'ə jĭ] *(n.)* مَبحث الأعصاب ؛ دراسة الجهاز العصبيّ.

neuroma [nyo͞o rō'mə] *(L.)* pl. **-s** *or* **-mata** الورم العصبيّ.

neuromuscular [-mŭs'kyə lər] *(adj.)* عَصَبيّعَضَليّ : متعلق بالأعصاب والعضلات .

neuron [nyo͝or'ŏn] *also* **neurone** [nyo͝or'ōn] *(L.)* العَصَبَة ؛ العَصَبون ؛ الخليّة العصبيّة . **—neuronic** *(adj.)*

neuropathy [nyo͞o rŏp'ə thĭ] *(n.)* العُصابة ؛ المرض العصبيّ .

neuropteran [nyo͞o rŏp'-] *(n.; adj.)* (١) شبكية الجناح : حشرة من شبكيات الجناح **Neuroptera** وهي رتبة من الحشرات ذات اجنحة شبكية §(٢) شبكيّ الجناح .

neurosis [nyo͞o rō'sĭs] *(L.)* العُصاب : اضطراب عصبي وظيفي.

neurotic [-rŏt'ĭk] *(adj.; n.)* (١) عُصابيّ : ذو علاقة بالعُصاب. §(٢) العُصابيّ : المُصاب بالعُصاب .

neurotomy [nyo͞o rŏt'ə mĭ] *(n.)* قَطع العَصَب (جراحياً) .

neuter [nū'tər] *(adj.; n.; vt.)* (١) مُحيِّر. «أ»ليس بالمذكّر ولا بالمؤنّث . «ب» لازم (ل) (٢) حياديّ ؛ محايد (٣) عديم الأعضاء التناسلية أو ذو أعضاء تناسلية ناقصة النموّ §(٤) اسم الخ. ليس بالمذكر ولا بالمؤنّث (٥) فعل لازمٌ (٦) شخص مُحايد ؛ دولة محايدة (٧) «أ» نحلة عاملةٌ أو شغّالة . «ب» حيوان مخصيّ §(٨) يَخصي .

neutral [nū'trəl] *(adj.; n.)* (١) «أ» محايد ؛ حيادي . «ب» ذو علاقة بدولة محايدة (٢) «أ» متحايد ؛ متعادل . «ب» ماصح ؛ لالونيّ ؛ خالٍ من اللون . «ج» شبه ماصح . «د» neuter 3 . «هـ» عديم الأسْدِية او المدقات (نب) . «و» ليس حامضاً ولا قاعدياً (ك) . «ز» غير ذي شحنة كهربائية §(٣) شخص محايد ؛ دولة محايدة (٤) اللالونيّ ؛ اللون الماصح (٥) اللاتعشيق : حالة تكون فيها تروس الماكينة غير مُعَشَّقة (in ~) .

neutral axis *(n.)* محور التعادل (مك) .

neutralism [nū'trə lĭz'əm] *(n.)* (١) الحياد (٢) سياسة الحياد.

neutrality [nū trăl'ə tĭ] *(n.)* الحياد ، وبخاصة : حصانة تجنّب الدولةَ غزو الدول المتحاربة لأراضيها أو استخدامها إياها .

neutralization [nū trə lĭ zā'shən] *(n.)* (١) محايَدة ؛ معادلة. (٢) تحايُد ، تعادُل (٣) تحييد .

neutralize [nū'trə līz'] *(vt.; i.)* (١) يُحايد ؛ يعادل : «أ» يجعله لا حامضاً ولا قاعدياً (ك) . «ب» يُبْطِل ، يقضي على تأثير كذا . «ج» يجعله محايداً أو متعادلاً (كب) (٢) يحيّد ؛ يمنحه صفة الحياد الدولي ×(٣) يتحايد ؛ يتعادل .

neutral wire *(n.)* سلك التعادل (كب) .

neutrino [nū trē'nō] *(It.)* النيوترين : دقيقة أولية متعادلة ذات كتلة أصغر من كتلة الالكترون (فز) .

neutron [nū'trŏn] *(n.)* النيوترون : دقيقة أوّليّة متعادلة ذات كتلة تعادِلُ كتلة البروتون تقريباً .

névé [nā vā'] *(F.)* (١) ثلج حُبَيْبِيّ (يتراكم على الجبال الشامخة). (٢) حقل ثلج حُبَيْبِيّ .

never [nĕv'ər] *(adv.)* قطّ ؛ أبداً ؛ مُطْلَقاً .

nevermore [nĕv'ər mōr'] *(adv.)* بعد اليوم أبداً .

never-never land [nĕv'ər nĕv'-] *(n.)* مكان مثاليّ أو خياليّ .

nevertheless [nĕv'ər thə lĕs'] *(adv.)* ومع ذلك؛ وبرغم ذلك.

nevus [nē'vəs] *(L.)* pl. **nevi** شامة ؛ خال؛ وَحْمة .

new [nū] *(adj.; adv.)* (١) جديد ؛ حديث (٢) عصري . (٣) مستجدّ في ؛ غير متعوّد كذا (She is ~ to the work.) (٤) غريب ؛ جديدٌ على ؛ غير مألوف (ideas ~ to us) (٥) طازج (~ milk) §(٦) حديثاً (*new*-crowned) .

newborn [nū'-] *(adj.)* (١) مولودٌ حديثاً (٢) مولود من جديد .

Newburg *or* **Newburgh** [nū'bûrg] *(adj.)* مُعَدّ بصلصة مصنوعة من الكريما والزبدة والخمر وصفار البيض .

Newcastle disease [nū'kăs'əl] *(n.)* داء نيوكاسل : مرض من أمراض الدجاج الخ .

newcomer [nū'kŭm'ər] *(n.)* الوافد ؛ القادم الجديد .

New Deal *(n.)* البرنامج الجديد : برنامج تشريعيّ وإداري وضعه الرئيس الأميركي فرنكلين روزفلت ابتغاءَ الانعاش الاقتصادي والاصلاح الاجتماعي خلال العقد الرابع من هذا القرن .

newel [nū'əl] *(n.)* قائم الدرابزين: العمود الذي بأسفل الدرج.

newfangled [nū'făng'gəld] *(adj.)* (١) مُولَع بالجديد. (٢) عصري ؛ وفق أحدث طراز .

newel

newfashioned [nū'făsh'ənd] *(adj.)* (١) مستحدَث : مصنوع بطريقة جديدة أو شكل جديد (٢) عصريّ .

Newfoundland [nū'fənd-] *(n.)* نيوفاوندلند: كلب ضخم معروف بقدرته على السباحة .

Newgate [nū'gāt] *(n.)* نيوغايت: سجنٌ لندنيّ شهير .

Newfoundland

New Greek *(n.)* اليونانيّة الحديثة : اللغة اليونانيّة الحديثة كما استعملها اليونان منذ نهاية القرون الوسطى .

New Hampshire [hămp'shər] *(n.)* دجاج هامبشير : دجاج أميركي يضع البيض ، بوفرة ، في الشتاء .

New Latin *(n.)* اللاتينيّة الحديثة : اللغة اللاتينيّة كما استعملت منذ نهاية القرون الوسطى ، وبخاصة في الوصف والتصنيف العلميّين.

newly [nū'lĭ] *(adv.)* (١) حديثاً ؛ مؤخّراً (٢) من جديد . (٣) بطريقة جديدة .

newlywed [-wĕd] *(n.)* المتزوّج حديثاً ؛ المتزوج منذ عهد قريب .

newmarket [nū'-] *(n.)* سترة طويلة ضيقة (للرجال والنساء) .

new moon *(n.)* (١) هلال (٢) اليوم الأول من الشهر العبري .

news [nūz] *(n.)* (١) نبأ ؛ خبر (٢) أنباء ؛ أخبار .

news agency *(n.)* وكالة الأنباء (تزوّد الصحف والإذاعات بالأخبار)

news agent *(n.)* صاحب محلّ لبيع الصحف والمجلات .

newsboy [nūz'-] *(n.)* بائع الصحف (أو من يسلّمها إلى المشتركين).

newsbreak [nūz'-] *(n.)* حدث ذو أهمية إخبارية .

newscast [nūz'-] *(n.)* نشرة الأخبار (في الراديو أو التلفزيون) .

newscaster [nūz'-] *(n.)* مذيع نشرة الأخبار أو محرّرها .

news conference *(n.)* مؤتمر صُحُفيّ .

newsletter [nūz'-] *(n.)* الرسالة الإخبارية : صحيفة تشتمل على أنباء أو معلومات ذات أهمية ، وبخاصة بالنسبة إلى جماعة معينة.

newsman [nūz'-] *(n.)* = newspaperman.

newsmonger [nūz'-] *(n.)* مروّج الأخبار ؛ ناقل القيل والقال .

newspaper [nūz'-] *(n.; vi.)* (١) صحيفة ؛ جريدة §(٢) يعمل في حقل الصحافة .

newspaperman [nūz'-] *(n.)* الصحافي : المشتغل في الصحافة .

newsprint [nūz'prĭnt] *(n.)* ورق الصحف .

newsreel [nūz'rēl'] *(n.)* جريدة السينما : فيلم إخباري قصير يُعرض في دور السينما .

news room *(n.)* غرفة مطالعة الصحف (في مكتبة عامة) .

newsstand [nūz'stănd] *(n.)* كُشْك الصحف: كشك لبيع الصحف.

New Style *(adj.)* (١) مستخدِم التقويم الغريغوري (٢) وفق التقويم الغريغوري .

news vendor *(n.)* بائع الصحف والمجلات .

newsworthy [nūz'-] *(adj.)* ذو أهمية إخبارية .

newsy [nūz'ĭ] *(adj.; n.)* (١) حافل بالأخبار §(٢) بائع صحف (ع) .

newt [nūt; no͞ot] *(n.)* سَمَنْدَل الماء (ح) .

New Testament *(n.)* العهد الجديد : القسم الثاني من الكتاب المقدس .

newton [nū'tən] *(n.)* النيوتن : وحدة القوة في نظام المتر – كيلوغرام – ثانية (مك) .

newt

Newtonian [nū tō'-] *(adj.)* نيوتنيّ : متعلق بإسحق نيوتن .

New World *(n.)* العالم الجديد : الأميركتان الشمالية والجنوبيّة .

new world order *(n.)* النّظام العالميّ الجديد.

New Year *(n.)* عيد رأس السنة (والأيام التي تليه أحياناً) .

New Year's Day *(n.)* عيد رأس السنة (أول يناير) .

New York *(n.)* نيويورك ؛ مدينة نيويورك .

next [nĕkst] *(adj.; adv.; prep.)* (١) تالٍ (~ time) . §(٢) ثمّ ؛ بعد ذلك مباشرة (we drove home ~) (٣) بعد ذلك ؛ في المرة التالية §(٤) أقرب إلى (a seat ~ to the fire) .

~ door البيتُ التالي أو المجاور.

next-door neighbors جاران مُلاصِقان (منزلُ أحدهما يتاخم منزل الآخر) .

~ to impossible مجاورٌ للمستحيل ؛ مستحيلٌ تقريباً .

~ to nothing لا شيء تقريباً .

next friend *(n.)* شخص تعيّنه المحكمة لتمثيل طفل (أو

امرأة متزوجة أو شخص عديم الأهلية) في دعوى .

next of kin أقرب الأنسباء (إلى شخص ما) .

nexus [nĕk'səs] *(L.)* (١) رابطة (٢) سلسلة أشياء مترابطة .

niacin [nī'ə sĭn] *(n.)* الحامض النيكوتيني .

Niagara [nī ăg'rə; -ăg'ə rə] *(n.)* طوفان .

nib [nĭb] *(n.; vt.)* (١) منقار (٢) سنّ ؛ طرف مستدقّ (٣) ريشة الكتابة § (٤) يسنّن ؛ يجعل له رأساً مستدقاً (٤) يبري القلم .

nibble [nĭb'əl] *(vt.; i.; n.)* (١) «أ» يقضم برفق . «ب» يأكل أو يلوك مصغّراً لقمته × (٢) يعيب ؛ ينتقد § (٣) قضمٌ رفيق أو متأنٍّ (٤) مقدار صغير جداً .

niblick [nĭb'lĭk] *(n.)* مضرب غولف حديديّ الرأس .

nibs [nĭbz] *(n.)* شخص ذو أهمية او شأن .

niccolite [nĭk'ə līt] *(L.)* النّيكوليت : معدن ذو بريق .

nice [nīs] *(adj.)* (١) «أ» نَيِق ؛ صعب الارضاء ؛ مفرط التأنّق (was very ~ in his dress) . «ب» شديد الحرص على التزام قواعد السلوك الشريف (Sami is not too ~ in his business methods.) (٢) «أ» لذيذ (~ food) . «ب» لطيف ؛ وديّ (He is always ~ to strangers.) (٣) «أ» دقيق (~ distinctions) . «ب» متطلّب عناية ودقّة (a ~ point of law) (٤) «أ» مليح ؛ بهيج ؛ سارّ (~ time) . «ب» قريب إلى النفس (Salim is a ~ person.) (٥) محكَم ؛ متقَن ؛ بارع (a ~ bit of satire) (٦) رديء ؛ خبيث ؛ لعين (got us into a ~ mess !) (٧) «أ» مهذَّب ؛ رفيع التهذيب (~ people) . «ب» طاهر ؛ متمسّك بأهداب الفضيلة (Salma is a ~ girl.) .

—**nicely** *(adv.)* —**niceness** *(n.)*

Nicene [nī sēn'] *(adj.)* نِيقاوِيّ : منسوب إلى المجمع المسكوني المنعقد في نِيقِية بآسية الصغرى عام ٣٢٥ م .

nicety [nī'sə tĭ] *(n.)* (١) سِمة أنيقة ؛ شيء لذيذ أو لطيف (the *niceties* of life) (٢) نقطة دقيقة ؛ تفصيل . وفي الجمع : دقائق ؛ تفاصيل (*niceties* of protocol) (٣) صحة ؛ إحكام (~ of judgment) (٤) الدقّة ؛ الدقيّة : كون الشيء متطلباً دقّة في المعالجة (a question of great ~) (٥) إفراط في التأنّق ؛ صعوبة في الإرضاء . to a ~, على نحو مُحكَم أو صائب جداً .

niche [nĭch] *(n.; vt.)* (١) «أ» المِشكاة : كوّة في الحائط غيرُ نافذة يوضع فيها تمثال أو زهرية . «ب» محراب (٢) «أ» الموضعُ اللائق : المكان أو العمل أو النشاط الملائم لكفاءات المرء . «ب» البيئة الملائمة : بيئة تتوفر فيها العوامل الضرورية لوجود متعضٍّ أو نوع من الأنواع الأحيائية § (٣) يضعه في مِشكاة او موضع لائق .

niche

nick [nĭck] *(n.; vt.; i.)* (١) «أ» شِقّ ؛ حزّ ؛ ثَلْم (وبخاصة على جسم حرفٍ طباعي) . «ب» موضع مكسور ، في آنية خزفية (~s in china) (٢) اللحظة النهائية الحرجة أو الحاسمة (in the ~ of time) § (٣) يحزّ ؛ يثلّم الخ . (٤) يدوّن ؛ يسجّل (٥) يختصر (٦) «أ» يلحق (بالقطار) أو يدركه في اللحظة المناسبة (قبيل إقلاعه) . «ب» ينتهز في الوقت المناسب (٧) يخدع ؛ يتقاضى منه ثمناً أعلى مما يجب × (٨) يشنّ هجماتٍ صغيرة (٩) يتمّم أحدهما الآخر ، وراثياً ، فيُنجبان ذريّةً ممتازة . Old *Nick* الشيطان ؛ ابليس .

nickel [nĭk'əl] *(n.; vt.)* (١) النيكل (مع) (٢) النكلة : قطعة نقدية قيمتها خمسة سنتات § (٣) ينكّل ؛ يطلي أو يغشّي بالنيكل .

nickelic [nĭk'əl ĭk] *(adj.)* نيكليّ : متعلق بالنيكل أو محتوٍ عليه .

nickeliferous [nĭk'ə lĭf'-] *(adj.)* متضمن نيكلاً أو محتوٍ عليه .

nickelodeon [nĭk'ə lō'dĭ ən] *(n.)* (١) المسرح النيكلي : مسرح رسم الدخول إليه خمسة سنتات (٢) jukebox.

nickelous [nĭk'-] *(adj.)* نيكليّ : متعلق بالنيكل أو محتوٍ عليه .

nickel silver *(n.)* = German silver.

nicker [nĭk'ər] *(vi.; n.)* (١) يَصْهَل (الفرسُ) (٢) يضحك § (٣) صهيل (٤) ضحِك .

nicknack [nĭk'năk'] *(n.)* = knickknack.

nickname [nĭk'nām'] *(n.; vt.)* (١) لقب ؛ كُنْيَة (للتهكّم أو التحبّب) (٢) صيغة تحبّبٍ لاسم علَم (مثل Jim بدلاً من James) § (٣) يدعو او يسمّي خطأً (٤) يلقّب ؛ يكنّي .

nicotiana [nĭ'kō shĭ ā'nə] *(L.)* النيكوتيانيّ : ضرب من التبغ .

nicotine [nĭk'ə tēn] *(F.)* النيكوتين : مادة سامّة في التبغ .

nicotinic [nĭk'ə tĭn'ĭk] *(adj.)* نيكوتينيّ : منسوب إلى النيكوتين .

nicotinic acid *(n.)* الحامض النيكوتينيّ (ك) .

nictitate [nĭk'tə tāt'] *(vi.)* = wink.

nictitating membrane *(n.)* الغشاء الغامز أو الرامش : غشاء رقيق تحت الجفن السفلي من عين الحيوان .

nidification [nĭd'ə fə kā'-] *(n.)* التعشيش : بناء الأعشاش .

nidifugous [nī dĭf'-] *(adj.)* مفارقٌ العشَّ بعد التفقّف مباشرة .

nidus [nī'dəs] *(L.)* pl. **-di** (١) المَفْرَخ : موضعٌ (أو مادةٌ) في الحيوان أو النبات تعشش فيه البكتيريا وتفرخ (٢) المنبِت : موطن نشوء الشيء أو نموّه .

niece [nēs] *(n.)* (١) ابنة الأخِ أو الأختِ (٢) ابنة أخي الزوجِ أو أختِه (٣) ابنةُ أخي الزوجةِ أو أختِها .

niello [nĭ ĕl'ō] *(n.; vt.)* (١) النَّلّ : خليط معدني فاحم اللون تملأ به خطوط الرسوم المنقوشة على الصفائح المعدنيّة (٢) فن زخرفة المعادن بهذه الطريقة (٣) صفيحة معدنيّة مزخرفة بهذه الطريقة § (٤) ينَلّل : يزخرف بالنّلّ .

nifty [nĭf'tĭ] *(adj.)* (١) رائع ؛ ممتاز (٢) أنيق .

niggard [nĭg'ərd] *(n.; adj.)* (١) البخيل ؛ الشحيح § (٢) بخيل .

niggardliness [nĭg'ərd lĭ-] *(n.)* بُخل ؛ شُحّ .

niggardly [nĭg'ərd lĭ] *(adj.; adv.)* (١) بخيل (٢) ضئيل ؛ هزيل (~ gifts) § (٣) بِبُخْل ؛ بشُحّ .

nigger [nĭg'ər] *(n.)* الزنجيّ (وتستعمل على سبيل الازدراء) .

niggle [nĭg'əl] *(vi.; t.)* (١) «أ» يعبث . «ب» ينفق جهداً مغالىً فيه على التفاصيل الثانوية (٢) ينتقد (على نحوٍ متواصل مهتماً بالصغائر والسفاسف) (٣) يقرض ؛ يقضم × (٤) يعطي ببخل أو تقتير .

niggling [nĭg'-] *(adj.)* (١) حقير ؛ صغير ؛ تافه (٢) متطلب عناية بالغة .

nigh [nī] *(adv.; adj.; prep.)* (١) قريباً (٢) تقريباً § (٣) قريبٌ (٤) قصير أو مباشر (٥) أيسر (the ~ horse) § (٦) قرب .

night [nīt] *(n.; adj.)* (١) لَيْل (٢) ليلة (٣) ظلام (٤) الغروب ؛ هبوط الليل § (٥) ليليّ .

night-blind [nīt'-] *(adj.)* أعشى : سيّء البصر في الليل .

night blindness *(n.)* العَشى : سوء البصر في الليل .

nightcap [nīt'-] *(n.)* (١) قلنسوة النوم (٢) شراب مُسْكِر عادةً يُؤخذ عند النوم (٣) المسابقة الأخيرة (أو السباق الأخير) في سلسلة مباريات .

nightcap

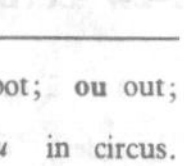

nightclothes [nīt'-] *(n. pl.)* ثياب النوم .

nightclub [nīt'-] *(n.)* ملهى ليليّ .

night crawler *(n.)* الخرْطُوْن ، دودة الأرض .

nightdress [nīt'-] *(n.)* (١) المنامة : ثوب طويل فضفاض يلبس عند النوم (٢) ثياب النوم .

nightfall [nīt'-] *(n.)* الغروب ، الغسق ، هبوط الليل .

nightgown [nīt'goun'] *(n.)* = nightdress 1.

nighthawk [nīt'hôk'] *(n.)* (١) السُّبَد ، الضُّوَع (طا) (٢) السهّار أو السَّرّاء : شخص يُكثر من السهر أو من التطواف في الليل .

nighthawk

night heron *(n.)* واقُ الشجر ، غراب الليل ، البَلَشون الليلي (طا) .

night heron

nightingale [nī'tən gāl] *(n.)* الهَزار ، العندليب .

nightjar [nīt'jär] *(n.)* السُّبَد ، الضُّوَع (طا) .

night latch *(n.)* المِزلاج الليلي : مزلاج يُفتح من الخارج بمفتاح ومن الداخل بمسكة أو مقبض .

night letter *(n.)* البرقية الليلية : برقية ترسل ليلاً ، بسعر مخفَّض ، لتسلَّم صباح الغد .

nightlong [nīt'lông'] *(adj.; adv.)* (١) مستمر طولَ الليل § (٢) طوالَ الليل .

nightly [nīt'lĭ] *(adj.; adv.)* (١) ليلي § (٢) «أ» كلَّ ليلة . «ب» ليلاً .

nightmare [nīt'mâr'] *(n.)* الجُثام ، الكابوس : «أ» روح شريرة كانوا يعتقدون أنها تسوم الناس ، في الليل ، سوء العذاب . «ب» حُلم مروِّع . «ج» خبرة مروِّعة أو رهيبة ، ذعر عظيم ؛ ذكرى مثل هذه الخبرة أو الذعر .

night owl *(n.)* = nighthawk 2.

night raven *(n.)* غراب الليل : طائر يصيح في الليل .

night rider *(n.)* فارس الليل : عضو عصابة سرية من الفرسان المقنَّعين الذين يطوّفون في الليل فيروّعون الناس .

night-robe [nīt'rōb] *(n.)* = nightgown.

nights [nīts] *(adv.)* ليلياً ، كلَّ ليلة (.He works ~) .

nightscope [nīt'skōp] *(n.)* المِنظار الليلي : جهاز يحسّن الرؤية الليلية .

nightshade [nīt'-] *(n.)* (١) عنب الثعلب (نب) (٢) البلاّدونّة ؛ حشيشة ستّ الحسن (نب) (٣) البَنْج (را. henbane) .

nightshirt [nīt'shûrt'] *(n.)* قميص النوم : قميص طويل يرتديه الرجل أو الولد عند النوم .

night soil *(n.)* السَّماد البشري : الغائط البشري يُجمع لتسميد التربة .

nightstick [nīt'stĭk] *(n.)* عصا الشرطي .

nighttide [nīt'tīd'] ; **nighttime** [nīt'tīm'] *(n.)* الليل .

nightwalker [nīt'wô kər] *(n.)* (١) الطائف الليلي : شخص يتجوّل ليلاً وبخاصة لأغراض إجرامية أو لاأخلاقية (٢) الماشي وهو نائم .

night watch *(n.)* (١) العَسَس : الحارس الليلي (٢) الهزيع : قطعة من الليل .

night watchman *(n.)* العَسَس ، الحارس الليلي .

nigrescence [nī grĕs'-] *(n.)* الاسوِداد : صيرورة الشيء أسود .

nigrescent [nī grĕs'ənt] *(adj.)* مُسْوَدّ ، ضاربٌ إلى السَّواد .

nigritude [nĭg'rə tūd'; -tōōd'] *(n.)* (١) سواد (٢) شيء أسود .

nihil [nī'hĭl] *(L.)* (١) لاشيء (٢) شيء عديم القيمة .

nihilism [nī'ə lĭz'əm] *(G.)* العَدَمية ؛ النهلستية : (١) «أ» وجهة نظر تقول بأنّ القيَم والمعتقدات التقليدية لا أساس لها من الصحة وأن الوجود لا معنى له ولا غَناء فيه . «ب» مذهب ينكر أن يكون للمبادىء الأخلاقية أيّ أساس موضوعي (٢) «أ» مذهب يقول بأن الأحوال في المجتمع هي من السوء بمحل يجعل الهدم مرغوباً فيه لذاته وبمعزل عن أيّ برنامج انشائي . «ب» .cap عد : برنامج تبنّاه أحد الأحزاب الروسية في القرن ١٩ ودعا إلى الإصلاح الثوري واللجوء إلى الديكتاتورية وسياسة الاغتيال . «ج» الإرهاب .

—nihilist *(n.)*

—nihilist *or* **nihilistic** *(adj.)*

nihility [nī hĭl'ə tĭ] *(n.)* لاشيئية ، عَدَم .

nihil obstat [nī hĭl'ŏb'stăt] *(L.)* (١) الإجازة الرقابية : شهادة من قِبَل رقيب رسميّ تابع للكنيسة الكاثوليكية بأن كتاباً ما قد رُوجع فوجد خِلْواً من كل ما يتعارض مع العقيدة أو الأخلاق (٢) إجازة أو موافقة رسمية .

Nike [nī'kē; nē'kā] *(n.)* نايكي : إلاهة النصر عند الإغريق ، وتمثَّل عادةً على صورة فتاة مجنّحة تحمل بإحدى يديها إكليلاً وبالأخرى سَعَفة نخيل .

nil [nĭl] *(L.)* لا شيء ، صِفْر (.~ Profits were) .

Nile [nīl] *(n.)* النيل ، نهر النيل .

nile green *(n.)* اللون الأخضر النيلي .

nill [nĭl] *(vt.; i.)* يرفض ، يأبى (ا.ق) .

will you ~ you سواء أردْتَ أم أبَيْت .

Nilotic [nī lŏt'ĭk] *(adj.)* نيليّ : منسوب إلى نهر النيل .

nimble [nĭm'bəl] *(adj.)* (١) رشيق (a ~ climber) (٢) نبيه ، ذكيّ ، فطِن (has a ~ mind) .

nimbostratus [nĭm'bō strā'təs] *(L.)* الخَسيف : طبقة من السحب الخفيضة ذات لون رمادي داكن .

nimbus [nĭm'bəs] *(L.)* pl. **-bi** *or* **-buses** (١) هالة نورانية (حول رأس إلَه أو قدّيس) (٢) المُعْصِرة : «أ» سحابة ممطرة منتشرة في طول السماء وعرضها . «ب» سحابة يَسِحّ منها المطر .

nimbus 1.

nimiety [nĭ mī'ə tĭ] *(L.)* فَرْط ، إفراط .

niminy-piminy [nĭm'ə nĭ pĭm'ə nĭ] *(adj.)* (١) رقيق أو أنيق بصورة متكلّفة (٢) مُخنَّث .

nimrod [nĭm'rŏd] *(n.)* (١) .cap : نَمْرود : صيّاد عظيم من أحفاد نوح (٢) صياد عظيم .

nincompoop [nĭn'kəm pōōp'] *(n.)* المُغفَّل ، الساذج .

nine [nīn] *(n.)* (١) تسعة ، تسع (٢) التاسع (٣) .cap : الموزيّات التِّسع (را. muse 3) (٤) فريق بايسبول .

to the ~*s* إلى أقصى درجة ، على أتمّ وجه .

nine days' wonder *(n.)* شيء يثير اهتمام الناس فترة ثم يُنْسَى .

ninefold [nīn'-] *(adj.; adv.)* (١) تُساعيّ (٢) أكبر بتسعة أضعاف .

ninepence [nīn'pəns] *(n.)* تسعة بَنْسات .

ninepins [nīn'pĭnz] *(n. pl.)* لعبة القناني الخشبية : لعبة تُدَحْرَج فيها الكرة لتصيب تسعَ قطع خشبية مصنوعة على شكل القناني .

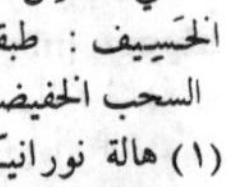

ninepins

nineteen [nīn'tēn'] *(n.; adj.)* (١) تسعة عشر § (٢) بالغٌ عددُه تسعةَ عشر .

to talk ~ to the dozen يتحدّث بغير انقطاع .

nineteenth [nīn'tēnth'] *(adj.; n.)* (١) التاسع عشر (٢) بالغ جزءاً من ١٩ من كذا § (٣) التاسع عشر من كذا (the ~ of March) . (٤) جزء من ١٩ .

ninetieth [nīn'tĭ ĭth] *(adj.; n.)* (١) التسعون (٢) بالغ جزءاً من

تسعين من كذا §(٣) التسعون من كذا (٤) جزء من تسعين .

ninety [nīn'tĭ] *(n.; adj.)* (١) تسعون (٢) *pl.* : التسعونات ؛ العقد العاشر من العمر أو القرن §(٣) تسعون : بالغٌ عددُه تسعين (years ~).

ninny [nĭn'ĭ]; **ninnyhammer** [nĭn'ĭ-] *(n.)* المُغفّل ؛ الساذج .

ninon [nē'nŏn] *(F.)* النّينون : نسيج ناعم شفّاف .

ninth [nīnth] *(adj.; n.)* (١) التاسع (٢) تُسْعيّ : بالغٌ جزءاً من تسعة (a ~ share) §(٣) التاسع من كذا (the ~ of May). (٤) التُّسْع : جزء من تسعة .

niobium [nī ō'bĭ əm] *(L.)* النيوبيوم : عنصر فلزيّ (ك) .

nip [nĭp] *(vt.; i.; n.)* (١) يَقرص ؛ يَقْرِض ؛ يعضّ . (٢) «أ» يقصّ ؛ يقطع . «ب» يعطّل نموّ كذا أو نضجَهُ . «ج» يكبح بشدّة (٣) يَقرِسُه البردُ أو يلذعه (٤) يختطف ؛ يسرق ×(٥) ينطلق برشاقة أو سرعة (٦) يرشف (شراباً مُسكِراً) §(٧) شيء قارص أو قارض ، مثل «أ» تعليق لاذع . «ب» برد قارس . «ج» طَعْمٌ حِرّيف (٨) «أ» قَرْص ؛ عضّ . «ب» قَرْصة ؛ عضة (٩) مقدار ضئيل (١٠) رشفةٌ (من شراب مُسكِر) .

to ~ along يُعجّل ؛ يُسْرِع .

to ~ in (١) يدخل بسرعة قبل شخص آخر . (٢) يقاطع شخصاً في الحديث .

to ~ in the bud يقضي عليه في المهد .

nip and tuck *(adv.)* بطريقة يكون فيها السَّبْق مُساجلةً : سِجالاً بين متنافسَيْن فما إن يتقدّم أحدُهما الآخرَ حتى يعود هذا فيسبقه ، وهكذا . . .

nipper [nĭp'ər] *(n.)* (١) القرّاضة ؛ الكمّاشة (٢) قاطعة الفرَس : إحدى أسنانه القواطع (٣) الكُلّاب : زائدة شبيهة بالكمّاشة في أطراف القشريات والعنكبوتيات (٤) «أ» الغلام المساعد لسائق عربة نقل . «ب» طفل .

nipping [nĭp'-] *(adj.)* قارص ؛ قارض ؛ قارس ؛ معطِّل نموّ شيء الخ .

nipple [nĭp'əl] *(n.)* (١) الحلمة ؛ حلمة الثدي (ت) (٢) حلمة زجاجة الإرضاع (٣) النِّبْل : وصلة تصِل بين أنبوبين .

Nipponese [nĭp'ə nēz'] *(adj.; n.)* ياباني .

nippy [nĭp'ĭ] *(adj.)* (١) قارص ؛ قارض (٢) رشيق ؛ نشيط (٣) حِرّيف ؛ لاذع (٤) قارس ؛ شديد البرد (a fall ~ day).

nirvana [nĭr vä'nȧ] *(Skt.)* النرفانا : «أ» السعادة القصوى التي تتخطّى الألم والتي تُلتمَسُ ، في البوذية ، من طريق قتل شهوات النفس . «ب» موطن (أو حال) يُنْسَى فيه الهمّ والألم والواقع الخارجي .

nisei [nē'sā'] *(Jap.)* pl. **-sei** *or* **-seis** النّيسيّ : شخص من أبوين يابانيّين مهاجرين يولد في الولايات المتحدة ويتلقّى العلم فيها .

nisi [nī'sī] *(L.)* مشروط : نافذ المفعول في وقت معيّن إلا إذا عُدّل أو اجتُنِب مسبّقاً باتخاذ إجراءاتٍ لاحقة أو بتنفيذ شرطٍ ما (The decree is ~ and not absolute.) .

Nissen hut [nĭs'ən] *(n.)* كوخ نيسّن : كوخ برميليّ الشكل يُبنَى من صفائح حديدية مغضّنة جاهزة .

nisus [nī'səs] *(L.)* pl. **nisus** مسعى ؛ جهد ؛ ميل .

nit [nĭt] *(n.)* (١) الصُّؤابة : بيضة القمل (٢) القملة الصغيرة .

niter *also* **nitre** [nī'tər] *(n.)* النِّتْر : «أ» نترات البوتاسيوم (ك) . «ب» نترات الصوديوم (ك) .

nitr- *or* **nitro-** بادئة معناها : «أ» نِتْر . نترات . «ب» نتروجين .

nitrate [nī'trāt] *(n.; vt.)* (١) النِّترات : ملح حامض النّتريك . (٢) نترات الصوديوم أو نترات البوتاسيوم مستعمَلاً كسَماد §(٣) يُنَتْرِت : يعالج أو يمزج بحامض النّتريك أو بالنّترات . ويخاصة : يحوّل مركّباً عضوياً إلى نترات .

nitric [nī'-] *(adj.)* نتريك : محتوٍ على نتروجين خماسيّ التكافؤ (ك) .

nitric acid *(n.)* حامض النّتريك أو الأزوتيك : حامض غير عضوي يُستخدم في صنع الأسمدة والمتفجرات والأصباغ الخ (ك) .

nitric bacteria *(n. pl.)* البكتيريا النّتريكية (بك) .

nitric oxide *(n.)* أكسيد النتريك : غاز سامّ عديم اللون (ك) .

nitride [nī'trīd; nī'trĭd] *(n.)* النِّتريد ؛ الأزوتيد (ك) .

nitrification [nī'trə fə kā'-] *(n.)* (١) النّترتة (٢) النّترجة (ك) .

nitrify [nī'trə fī] *(vt.)* (١) يُنَتْرِت : يحوّل (مركّبات النشادر الخ.) إلى نتريتات أو إلى نتراتات (٢) يُشبِع (التربة) بالنترات (٣) يُنَتْرِج : يمزج أو يشبع بالنتروجين أو بمركب نتروجيني .

nitrile [nī'trĭl; -trēl; -trīl] *(n.)* النّتْريل (ك) .

nitrite [nī'trīt] *(n.)* النّتريت : ملح الحامض النّتريّ (ك) .

nitro- = **nitr-**

nitrobacteria [nī'trō băk tĭr'ĭ ə] *(n. pl.)* = **nitric bacteria.**

nitrobenzene [nī'trō bĕn'zēn] *(n.)* نترات البنزين : زيت سامّ (ك) .

nitrocellulose [-sĕl'yə-] *(n.)* النتروسليلوز : سليلوز مُنَتْرَت (ك) .

nitrogen [nī'trə jən] *(n.)* النتروجين ؛ غاز النتروجين (ك) .

nitrogen fixation *(n.)* التثبيت النتروجيني : عملية مزج نتروجين الهواء بعناصر أخرى سواء بالوسائل الكيميائيّة أو بفعل البكتيريا .

nitrogen-fixing *(adj.)* مثبِّت للنتروجين (bacteria ~) .

nitrogenize [nī'-] *(vt.)* يُنَتْرِج : يمزج أو يشبع بالنتروجين (ك) .

nitroglycerin; -e [nī'trə glĭs'ər ĭn] *(n.)* النتروغليسرين : زيت عديم اللون شديد التفجّر (ك) .

nitroparaffin [nī'trə păr'ə fĭn] *(n.)* البرافين النتريّ (ك) .

nitrous [nī'trəs] *(adj.)* نِتْريّ : «أ» متعلّق بالنتر أو محتوٍ عليه (را . niter) . «ب» محتوٍ على نتروجين ثلاثيّ التكافؤ عادةً .

nitrous acid *(n.)* الحامض النّتريّ (ك) .

nitrous bacteria *(n.)* البكتيريا النّترية : بكتيريا تحوّل مشتقات النشادر إلى نتريت أي إلى ملح الحامض النّتري (ك) .

nitrous oxide *(n.)* الأكسيد النّتريّ : الغاز المضحك .

nitwit [nĭt'wĭt'] *(G.)* شخص أحمق أو مغفّل .

nix [nĭks] *(n.; adv.; vt.)* (١) النِّكْس : روحٌ مائيّة تتخذ ، في الأساطير الجرمانيّة ، صورةَ امرأة حيناً وصورة رجل حيناً أو صورةً نصفها رجل ونصفها سمكة (٢) لا شيء ؛ لا أحد (ع) §(٣) لا §(٤) يعترض ؛ يمنع .

nixie [nĭk'sĭ] *(n.)* النِّكْسة : أنثى النِّكس (را . المادة السابقة) .

nizam [nĭ zäm'] *(Ar.)* (١) *cap.* : النظام : لقب حكام حيدر آباد بالهند ، من عام ١٧١٣ إلى عام ١٩٥٠ (٢) النظاميّ : جندي تركي .

no [nō] *(adv.; adj.; n.)* (١) لا ؛ كلّا (٢) إطلاقاً ؛ البتّة (She is ~ better yet.) §(٣) قليل أو قصير جداً (It's ~ distance from the house to the hospital.) (٤) ليس كذا ؛ مختلف كلّ الاختلاف عن كذا (كقولك Samir is ~ fool أي ان سميراً ليس مغفلاً ، على العكس ، إنه ذكي) §(٥) رفض (٦) «أ» قرارٌ أو صوتٌ سلبي . «ب» *pl.* : المقترعون سلباً (٧) *cap.* : النُّو : دراما كلاسيكية يابانيّة راقصةٌ ذات موضوع بطوليّ .

~ smoking ! التدخين ممنوع

~ sooner said than done لقد نُفِّذ حالاً أو في الحال .

Noachian [nō ā'kĭ ən] *(adj.)* (١) نُوحيّ : ذو علاقة بنوح أو عصره (٢) قديم ؛ عتيق الطراز .

ă at; ā date; â care; ä car; ĕ egg; ē me; ĭ in; ī bite; ŏ lot; ō bone; ô orphan; oi boil oo good; ōō boot; ou out; ŭ under; ū unity; û urgent; th thing; t͟h this; zh vision; ə = *a* in alone, *e* in system, *i* in easily, *o* in gallop, *u* in circus.

nob [nŏb] *(n.; vt.)* (١) الرأس (٢) شخص رفيع المنزلة . §(٣) يضربه على الرأس (في الملاكمة) .

nobble [nŏb'əl] *(vt.)* (١) يُوهِن جوادَ سباقٍ بإعطائه عقاراً . (٢) «أ» يكسبه إلى جانبه (عب). «ب» يسرق. «ج» يغش ؛ يخدع .

nobby [nŏb'ĭ] *(adj.)* (١) أنيق (٢) ممتاز .

nobelium [nō bē'-] *(n.)* النوبليوم : عنصرٌ إشعاعيّ النشاط (ك).

Nobel prize [nō bĕl'] *(n.)* جائزة نوبل : إحدى جوائز خمس (للسلام والأدب والطب والكيمياء والفيزياء) تُمنح سنوياً وفقاً لوصية ألفرد نوبل المتوفى عام ١٨٩٦ .

nobiliary [nō bĭl'-] *(adj.)* أشرافي : خاصٌ بطبقة النبلاء والأشراف .

nobility [nō bĭl'ə tĭ] *(n.)* (١) «أ» نبالة ؛ نُبْل . «ب» فخامة . «ج» شهامة (٢) «أ» النبلاء ؛ الأشراف . «ب» طبقة النبلاء .

noble [nō'bəl] *(adj.; n.)* (١) «أ» بارز . «ب» شهير (٢) نبيل : شريف المولد أو سامي المنزلة (٣) ممتاز ؛ رفيع (٤) فخم ؛ مهيب (a ~ monument) (٥) شهم (٦) كريم : لا يتطرق اليه الصدأ ، كالذهب الخ . §(٧) النبيل ؛ الشريف (٨) النوبل : قطعة نقد ذهبية انكليزية قديمة قيمتها ثمانية شلنات ونصف (٩) رئيس جماعة من الأشخاص المستأجَرين ليحلّوا محلّ العمال المضربين (ع).

nobleman [nō'-] *(n.)* النبيل . **-woman** *(n. fem.)*

nobleness [nō'-] *(n.)* نبل ؛ شرف ؛ رفعة ؛ فخامة ؛ مهابة .

noblesse [nō blĕs'] *(F.)* (١) النبالة : نُبلُ المولد أو المنزلة . (٢) طبقة النبلاء ، وبخاصة في فرنسة .

noblesse oblige [ô blēzh'] *(F.)* النبالة تفرض أو تقتضي : تعبير فرنسي الأصل يُشار به إلى ما يفترضه نبلُ المولد أو سموّ المنزلة الاجتماعية على أصحابه من التزام جادّة الشرف والجود والسلوك المسؤول .

nobly [nō'blĭ] *(adv.)* بنبل ؛ بشرف الخ .

nobody [nō'-] *(pron.; n.)* (١) لا أحد (~ knows) §(٢) النكِرة : شخص عديم النفوذ أو الشأن أو القيمة (He is a mere ~.) .

nocent [nō'sənt] *(adj.)* موذٍ ؛ ضارّ .

nociceptive [nō sĭ sĕp'tĭv] *(adj.)* أليم ؛ موذٍ .

nock [nŏk] *(n.; vt.)* (١) قطعة معدنية أو لدائنيّة تكون في طرف السهم (٢) ثلم في طرف السهم يولَج فيه وتر القوس §(٣) يثلّم (طرفَ السهم) (٤) يوتّر السهم .

noct- *or* **nocti-** *or* **nocto-** بادئة معناها : ليل .

noctambulation [-byə lā'-] *(n.)* السَّرنمة : السّير في النوم .

noctambulism [-tăm'byə lĭz-] *(n.)* = noctambulation.

nocturn [nŏk'tûrn] *(n.)* جزء أساسي من صلاة الفجر (نص) .

nocturnal [nŏk tûr'nəl] *(adj.)* ليليّ : «أ» متعلق بالليل أو حادثٌ فيه (a ~ journey) . «ب» ناشطٌ في الليل (~ birds) . «ج» متفتّح في الليل فقط (a ~ flower) .

nocturne [nŏk'tûrn] *(F.)* (١) المقطوعة الحالمة : قطعة موسيقية حالمة (تعزف على البيان) (٢) اللوحة الليلية : صورة زيتية لمشهد في الليل .

nocuous [nŏk'yōō əs] *(adj.)* موذٍ (~ vapors) .

nod [nŏd] *(vi.; t.; n.)* (١) «أ» يومىء برأسه (علامة الموافقة أو التحية) . «ب» يتداعى للسقوط . «ج» يَحني الرأسَ نُعاساً (٢) ينوس ؛ يتمايل (٣) يزلّ ؛ يخطىء × (٤) ينكّس رأسَه (٥) يعبّر (عن كذا) بإيماءة (to ~ consent) §(٦) إيماءة (٧) تمايل (٨) انحناء الرأس لا إرادياً عند النعاس . **—nodder** *(n.)*

a *nodding* acquaintance with معرفة ضئيلة بـ

Homer sometimes ~s. لكل عالم هفوة ؛ لكل جوادٍ كبوة .

the land of ~, النوم ؛ دنيا الكرى .

nodal [nō'dəl] *(adj.)* عُقَدي : مؤلَّفٌ عُقَداً أو متعلقٌ بعقدة أو واقعٌ عند عقدة أو قربها .

noddle [nŏd'əl] *(n.; vt.; i.)* (١) الرأس §(٢) يحني رأسه تكراراً .

noddy [nŏd'ĭ] *(n.)* (١) شخص أحمق أو مغفل (٢) الأبله : طائر مائي يُظهِر من اللامبالاة بالانسان ما يجعله يبدو أحمق أو أبله .

node [nōd] *(n.)* (١) مأزق (٢) ورمٌ صلب (وبخاصة في مفصِل) (٣) نقطة اللقاء ؛ نقطة تقاطع مدارَيْن (فل) (٤) العُجْرة : منبت الأوراق من ساقٍ (نب) (٥) العُقْدة («ر» و «فز») .

N
N

N. node 4.

nodical [nŏd'-] *(adj.)* لقائي : خاصٌ بنقطة اللقاء (فل).

nodose [nō'dōs] *(adj.)* كثير العُجَر أو العُقَد .

nodosity [nō dŏs'-] *(n.)* العُجَرية ؛ العُقَدية ؛ كثرة العُجَر أو العُقَد .

nodular [nŏj'ə-] *(adj.)* عُجَيريّ ؛ عُقَيدي (را. المادة التالية) .

nodule [nŏj'ōōl] *(L.)* عُجَيرة ؛ عُقَيدة ؛ عُقدة صغيرة .

nodulose [nŏj'ə-] *also* **nodulous** [-'ə ləs] *(adj.)* ذو عُجَيرات (أو عُقَيدات) دقيقة .

nodus [nō'dəs] *(L.)* pl. **-di** [-dī] عقدة ؛ وبخاصة : مشكلة .

noel [nō ĕl'] *(n.)* (١) أنشودة الميلاد (٢) *cap.* عيد الميلاد (نص).

noes [nōz] *pl. of* no.

noetic [nō ĕt'ĭk] *(adj.)* عقلي ؛ فكري .

nog [nŏg] *(n.)* (١) «أ» وتِد . «ب» لوحة التسمير : لوح خشبي على شكل قطعة طوب (تُجعل جزءاً من الجدار ، عند البناء ، لكي تُدَقّ فيها المسامير) (٢) النّوغ : «أ» ميزر (ضرب من الجعة) ثقيل . «ب» شرابٌ مُسكِر ، عادةً ، محتوٍ على بيض مخفوق أو حليب أو عليهما معاً .

noggin [nŏg'ĭn] *(n.)* (١) كوز أو إبريق صغير (٢) مقدار من الشراب قليل يعادل ربع باينت (٣) رأس الإنسان .

nogging [nŏg'-] *(n.)* آجرّ تملأ به الفجوات في هيكل خشبي .

nohow [nō'hou'] *(adv.)* البتة ؛ مطلقاً ؛ بأية حال (ع) .

noil [noil] *(n.)* نُدْفة (أو نُدَف) الصوف أو الحرير .

noise [noiz] *(n.; vt.; i.)* (١) ضجة ؛ ضجيج ؛ ضوضاء ؛ جلَبة . §(٢) يشيع (It was ~*d* abroad that the president was dying.) × (٣) يثرثر أو يتكلم بصوت عالٍ (٤) يُحدِث ضجة .

noiseless [noiz'-] *(adj.)* صامت : غير مُحدِث صوتاً .

noisemaker [noiz'mā'kər] *(n.)* الضاجّ : مُحدِث الضجة ؛ وبخاصة : أداة لإحداث الضجيج في الحفلات الساهرة الخ .

noisily [noi'zĭ lĭ] *(adv.)* بضجة ؛ بضجيج ؛ بضوضاء ؛ بجلبة .

noisiness [noi'zĭ-] *(n.)* الضوضائية : كونُ الشيء كثير الضجيج .

noisome [noi'səm] *(adj.)* (١) موذٍ ؛ ضارّ (٢) كريه الرائحة ؛ مثير للاشمئزاز .

noisy [noi'zĭ] *(adj.)* (١) ضاجّ : مُحدِث ضجةً شديدةً (the ~ crowd) (٢) مُفعَم بالضجيج (~ streets) .

noli me tangere [nō'lī mē tăn'jə rĭ] *(L.)* لا تلمسني : تحذير من المسّ أو التدخّل .

noma [nō'mə] *(L.)* أُكال (أو غنغرينا) الفم (مض) .

nomad [nō'măd] *(n.; adj.)* (١) البدوي (ضد : الحضَريّ) (٢) الهائم على وجهه §(٣) «أ» بدويّ . «ب» هائم على وجهه .

nomadic [nō măd'ĭk] *(adj.)* = nomad.

nomadism [nō'măd ĭz əm] *(n.)* البداوة ؛ حياة الترحّل .

no-man's-land [nō'-] *(n.)* (١) «أ» منطقةٌ مَشاع أو غير آهلة . «ب» منطقة حرام ؛ منطقة مجرّدة من السلاح (٢) منطقة متنازَع عليها .

ă at; ā date; â care; ä car; ĕ egg; ē me; ĭ in; ī bite; ŏ lot; ō bone; ô orphan; oi boil; ŏŏ good; ōō boot; ou out; ŭ under; ū unity; û urgent; th thing; th this; zh vision; ə = *a* in alone, *e* in system, *i* in easily, *o* in gallop, *u* in circus.

nom de guerre [nôn də gĕr'] *(F.)* اسمٌ مستعار .

nom de plume [nŏm'də plōōm] *(F.)* اسم مستعار (لكاتب) .

nome [nōm] *(Gk.)* ولاية (في مصر ، قديماً ، وبلاد اليونان حديثاً) .

nomen [nō'mən] *(L.)* pl. **nomina** الاسم الثاني من أسماء الروماني القديم الثلاثة .

nomenclator[nō'mən klā'tər] *(n.)* (١) كتاب يتضمن مجموعات كلمات أو لوائح كلمات (٢) واضع الأسماء أو مخترعها .

nomenclature [nō'mən klā'chər] *(n.)* (١) اسم (٢) تسمية ؛ إعطاء الشيء اسماً (٣) مجموعة مصطلحات أو رموز (في علم أو فن) .

nominal [nŏm'ə nəl] *(adj.)* (١) اسميّ : «أ» ذو علاقة بالاسم والأسماء (ل) . «ب» حاملٌ اسم شخص معيّن (~ shares of stock) . «ج» بالاسم فقط (~ head of the state) . «د» ضئيل بحيث لا يكاد يستحق الاسم (a ~ price) (٢) أسمائيّ : مشتمل على أسماء فقط (~ register) . **—nominally** *(adv.)*

nominalism [nŏm'ə nə lĭz əm] *(n.)* الإسمانيّة : مذهب فلسفي يقول بأن المفاهيم المجرَّدة ، أو الكليّات ، ليس لها وجودٌ حقيقيّ ، وانها مجرد أسماء ليس غير .

nominal value *(n.)* القيمة الاسمية (المدوَّنة على شهادة الأسهم) .

nominal wages *(n. pl.)* الأجور الاسمية : الأجور مَقِيْسَةً بالوحدات النقدية التي يحصل عليها العامل بصرف النظر عن قوتها الشرائيّة الحقيقية .

nominate[nŏm'ə-] *(vt.)* (١) يسمّي (٢) يعيّن ؛ ينصّب (٣) يرشّح لمنصب (٤) يُنزِل (فرساً) في سباق . **—nominator** *(n.)*

nomination [nŏm'ə nā'shən] *(n.)* (١) تسمية (٢) تعيين ؛ تنصيب (٣) ترشيح (٤) إنزال فرس في سباق .

nominative[nŏm'ə nə tĭv] *(adj.; n.)* (١) دالّ على حالة الرفع (ل) (٢) «أ» معيَّن (في منصب) أو مرشح (لمنصب) (٣) اسميّ : حاملٌ اسمَ شخص (~ shares) § (٤) حالة الرفع (ل) .

nominee [nŏm'ə nē'] *(n.)* المعيَّن أو المرشَّح لمنصب ما .

nomogram *or* **nomograph** [nŏm'-] *(n.)* مخطَّط بيانيّ .

nomology [nō mŏl'ə jĭ] *(n.)* علم النواميس الطبيعية والمنطقية .

-nomy لاحقة معناها : نظام من النواميس المهيمنة في حقل بعينه أو مجموعة المعارف المتصلة بها (astro*nomy*) .

non- بادئة معناها : غير ؛ عدم (*non*rigid; *non*payment) .

nonage [nŏn'ĭj; nō'-] *(n.)* (١) سنّ القصور ؛ سنّ ما قبل البلوغ (٢) «أ» حداثة ؛ صِبا . «ب» عدم نضج .

nonagenarian [nŏn'ə jə nâr'ĭ ən] *(adj.; n.)* (١) تسعونيّ : في العقد العاشر من العمر § (٢) التسعونيّ : شخص تسعونيّ .

nonagon[nŏn'ə-] *(n.)* التُّساعيّ : تُساعيّ الأضلاع (ر) .

nonagon

nonalignment [nŏn ə lĭn'-] *(n.)* عدمُ الانحياز .

nonce [nŏns] *(n.; adj.)* (١) المناسبة الحاضرة ؛ الغرض أو الاستعمال الحاضر (وترد أكثر ما ترد في قولهم for the ~ أي موَقتاً ، للوقت الحاضر فحسب) § (٢) حادثٌ أو مستعمَلٌ أو مصنوعٌ مرةً واحدةً فحسب ، أو لمناسبة خاصة (~ word) .

nonchalance [nŏn'shə ləns] *(F.)* (١) لامبالاة ؛ عدم اكتراث . (٢) رباطة جأش .

nonchalant [nŏn'shə lənt] *(adj.)* (١) لا مبالٍ ؛ غير مكترث . (٢) رابط الجأش .

noncom [nŏn'kŏm'] *(n.)* = noncommissioned officer.

noncombatant [nŏn kŏm'bə tənt] *(n.; adj.)* (١) اللامحارب : عضو في القوات المسلّحة (كالقسيس الخ.) ليس من مهامّه الاشتراك في القتال (٢) المدنيّ ؛ غير العسكريّ § (٣) غير محارب (٤) مدنيّ .

noncommissioned officer[-mĭsh'-] *(n.)* ضابطُ صَفّ (جن) .

noncommittal [-kə mĭt'əl] *(adj.)* (١) مُلْتَبِس : غير دالّ بوضوح على موقف المرء أو شعوره (a ~ answer) (٢) غير ذي شخصيّة واضحة أو مميّزة ؛ غير ذي معنى محدد أو واضح .

non compos mentis [nŏn kŏm'pəs mĕn'tĭs] *(L.)* معتوه .

nonconductor[-dŭk'tər] *(n.)* اللامُوَصِّل : مادة غير مُوَصِّلة (فز) .

nonconformist[-kən fôr'mĭst] *(n.; adj.)* (١) *cap.* عد : المنشقّ (وبخاصة عن كنيسة انكلترة) (٢) المستقل : من لا يلتزم نمطاً مقرّراً في الرأي أو العمل § (٣) منشق ؛ مستقل .

nonconformity [nŏn'kən fôr'mə tĭ] *(n.)* (١) «أ» الانشقاقيّة : الخروج على أعراف كنيسةٍ ما . «ب» *cap.* ا.ك : الحركة البروتستانتية الانكليزية أو مبادؤها . «ج» *cap.* ا.ك : جماعة المنشقّين عن الكنيسة الانكليزية (٢) اللاامتثالية ؛ الاستقلاليّة : رفض الامتثال لعقيدة قائمة أو تقليدية (٣) اللاتوافق ؛ عدم الانسجام .

noncooperation [nŏn'kō ŏp'ə rā'-] *(n.)* اللاتعاون ؛ وبخاصة : رفض الشعب، من طريق العصيان المدني، أن يتعاون مع حكومة البلاد. **—noncooperative** *(adj.)* **—noncooperator** *(n.)*

nondescript[-'dĭ skrĭpt'] *(adj.; n.)* (١) غريب ؛ عسيرٌ وصفُه أو تصنيفُه § (٢) شخص أو شيء يَصْعُب وصفه أو تصنيفه .

none [nŭn] *(pron.; adv.; n.)* (١) لا أحد (~ of us care.) (٢) لا شيء (Half a loaf is better than ~.) § (٣) البتّة ، مطلقاً ، بأية حال (The supply is ~ too great.) § (٤) «أ» العصر . «ب» صلاة العصر (نص) . ~ but فقط ؛ فحسب .

nonentity [nŏn ĕn'tə tĭ] *(n.)* (١) شيء غير موجودٍ ، أو موجودٌ في الخيال فحسب (٢) العدم ؛ اللاوجود (٣) شخص أو شيء تافه .

nones [nōnz] *(n. pl.)* (١) اليومُ السابع من آذار ونوّار وتموز وتشرين الأول أو الخامسُ من أي شهر آخر (في التقويم الروماني القديم) (٢) *cap.* ا.ك : «أ» العصر . «ب» صلاة العصر (نص) .

nonesuch [nŭn'sŭch'] *(n.; adj.)* (١) الفذّ : شخص أو شيء لا نظير له § (٢) فذّ ؛ منقطع النظير .

nonetheless [nŏn'thə lĕs'] *(adv.)* مع ذلك ؛ برغم ذلك .

non-euclidean [nŏn ū klĭd'ĭ ən] *(adj.)* لااقليدسيّ : غير منطبق على جميع مسلّمات اقليدس (~ geometry) .

nonfeasance [nŏn fē'zəns] *(n.)* إهمال ؛ وبخاصة : إهمالُ ما كان يتعيّن القيام به (ق) .

nonferrous [nŏn fĕr'əs] *(adj.)* لا حديديّ ؛ غير حديديّ .

nonillion [nō nĭl'yən] *(F.)* النونيليون : عدد يساوي في (الولايات المتحدة الأميركيّة وفرنسة) واحداً إلى يمينه ٣٠ صِفراً ، ويساوي (في بريطانية وألمانية) واحداً إلى يمينه ٥٤ صِفراً .

noninductive [-'ĭn dŭk'-] *(adj.)* لاحثّيّ (را. induction) .

nonintervention [-ĭn tər vĕn'shən] *(n.)* (١) عدم التدخل . (٢) سياسة عدم التدخل : امتناع دولة عن التدخل في شؤون غيرها.

nonjuring [nŏn jŏŏr'-] *(adj.)* غير مُقْسِم يمين الولاء .

nonjuror [nŏn jŏŏr'ər] *(n.)* الرافض أن يُقسِم يمين الولاء ؛ وبخاصة : أحد رجال كنيسة انكلترة الذين رفضوا عام ١٦٨٩ أن يقسموا يمين الولاء للملك وليم والملكة ماري .

nonliterate *(adj.)* nŏn' lĭ' tə rə t] (١) غير مثقّف (٢) غير ذي لغة مكتوبة (~ tribe).

nonmetal [nŏn'mĕt'əl] *(n.)* اللافِلِز : عنصر تعوزه خصائص المعادن.

ă at; ā date; â care; ä car; ĕ egg; ē me; ĭ in; ī bite; ŏ lot; ō bone; ô orphan; oi boil ŏŏ good; ōō boot; ou out; ŭ under; ū unity; û urgent; th thing; th this; zh vision; ə = *a* in alone, *e* in system, *i* in easily, *o* in gallop, *u* in circus.

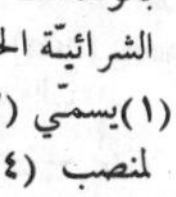

nonmetallic [nŏn mə tăl'ĭk] *(adj.)* لا فِلِزّي . لا معدِني .

no-no *(n.)* المحظور: شيء محرَّم أو غير مقبول.

nonobjective [nŏn'əb jĕk'tĭv] *(adj.)* تجريدي (فج) .

non obstante [nŏn ŏb stăn'tĭ] *(L.)* = notwithstanding.

non-oil *(adj.)* لا نفطي : غير منتج للنفط .

nonorgasmic *(adj.)* عاجز عن الاستمتاع بهزة الجماع

nonpareil [nŏn'pə rĕl'] *(adj.; n.)* (١) منقطع النظير §(٢) الفذ : شخص أو شيء لا نظير له (٣) فسحة بين السطور الطباعيّة مقدارها ستة بنوط (٤) «أ» قرص شوكولا رقيق مكسوّ بحبّات سكرية بيضاء . «ب» كرات سكرية صغيرة مختلفة الألوان .

nonpartisan [nŏn pär'tə zən] *(adj.)* لا حِزبي ؛ غير حزبي .

nonpasserine [-păs'ər ĭn] *(adj.)* لاجاثم ؛ من الطيور اللاجواثم .

non placet [nŏn'plā'sət] *(L.)* صوتٌ سلبي (في اقتراع) .

nonplus [-plŭs'] *(n.; vt.)* (١) ارتباك ؛ حيرة §(٢) يربِك ؛ يحيّر .

non possumus [nŏn pŏs'ə məs] *(L.)* صيغة للتعبير عن العجز عن عمل شيء ما (ومعنى الصيغة الحرفي : « لا نستطيع ») .

nonproductive [-prə dŭk'tĭv] *(adj.)* (١) غير منتج (٢) غير منتجٍ للسلع مباشرة ، كمراقبي العمال الخ . (٣) جافّ (a ~ cough) .

nonrepresentational [-rĕp rĭ zĕn tā'shən-] *(adj.)* تجريدي .

nonresidence; nonresidency [nŏn rĕz'ə-] *(n.)* اللاّإقامة : عدم الإقامة في مكان معيّن .

—nonresident *(adj.; n.)*

nonresistance [nŏn'rĭ zĭs'-] *(n.)* اللامقاومة : «أ» الإذعان للسلطة القائمة ولو كانت جائرة . «ب» عدم مقاومة العنف بالقوة .

nonrigid [nŏn rĭj'ĭd] *(adj.)* غير جاسيء : محتفظ بشكله بواسطة ما يشتمل عليه من غاز ضاغط (a ~ airship) .

nonscheduled [nŏn skĕj'o͝old] *(adj.)* غير مُدْرَج : مجازٌ له أن ينقل الركاب أو البضائع . جواً . من غير برنامج نظاميّ محدِّد المواعيد (~ airline) .

nonsectarian [-târ'ĭ ən] *(adj.)* لاطائفيّ : غير ذي صفة طائفية .

nonsense [nŏn'sĕns] *(n.)* (١) هُراء (٢) توافه ؛ سفاسف (٣) عمل أو سلوك أحمق .

—nonsensical *(adj.)*

non sequitur [sĕk'wə tər] *(L.)* الاستنباط الخُلْفيّ : استنباط أو استنتاج غير متفق مع المقدّمات (مق)

nonsignificant [nŏn sĭg nĭf'ə kənt] *(adj.)* (١) تافه لا أهمية له (٢) لا معنى له .

nonsked [nŏn'skĕd'] *(n.)* طائرة غير مُدرَجة ؛ خطّ جوي غير مُدْرَج (را. nonscheduled) .

nonskid [nŏn'skĭd'] *(adj.; n.)* (١) غير منزلق: مغضّن أو مموّج السطح بحيث يقاوم الانزلاق (tires ~) §(٢) دولاب غير منزلق .

nonsporting *(adj.)* غير قنّاص : تعوزهُ صفات كلاب الصيد .

nonstandard [nŏn'stăn'dərd] *(adj.)* (١) غير قياسي ؛ غير عياريّ (٢) غير فصيح : غير متفق (من حيث اللفظُ أو التركيب النحوي أو تركيب الكلمات) مع الفصاحة

nonstop [nŏn'stŏp'] *(adj.; adv.)* (١) موصول ؛ مُنْجَز بغير توقف (a ~ flight from Beirut to Rome) §(٢) على نحوٍ موصول ؛ بلا توقف .

nonsuch [nŭn'sŭch'] *(n.; adj.)* = nonesuch.

nonsuit [nŏn'so͞ot'] *(n.; vt.)* (١) إبطال دعوى المدّعي (ق) §(٢) يُبطِل الدعوى .

nonsupport [nŏn'sə pōrt'] *(n.)* اللاإعالة : عدم إعالة المرء زوجتَه أو طفلَه الخ . وفقاً لموجبات القانون .

non troppo [nôn trôp'pô] *(It.)* بغير إفراط (مو) .

nonunion [nŏn ūn'yən] *(adj.)* لانقابي ؛ غير نقابي : «أ» غير منتسب إلى نقابة عمال . «ب» غير معترف بنقابات العمال أو مؤيّدٍ لها أو لأعضائها .

nonuse [nŏn'ūs'] *(n.)* عدم استعمال . **—nonuser** *(n.)*

nonverbal [nŏn'vûr'bəl] *(adj.)* (١) غير شفهيّ (٢) ضئيل البراعة اللفظية .

nonviable [nŏn'vī'ə bəl] *(adj.)* غير قابل للحياة .

nonviolence [nŏn'vī'ə ləns] *(n.)* اللاعنف . مبدأ اللاعنف .

nonvolatile [nŏn'vŏl'ə tĭl] *(adj.)* غير متطاير (ك) .

noodle [no͞o'dəl] *(n.)* (١) المغفّل . الساذج (٢) الرأس (ع) . (٣) العصائبيّة : ضرب من المعكرونة المسطّحة على شكل عصائب أو شرائط .

nook [no͝ok] *(n.)* (١) زاوية ؛ رُكْن (٢) مكان منعزل .

noon [no͞on] *(n.)* (١) الظُهر (٢) منتصف الليل (في الاستعمال الشعري) (٣) أوج ؛ قمة .

noonday [-'dā] *(n.; adj.)* (١) الظهر ؛ منتصف النهار §(٢) ظُهريّ .

nooning [no͞o'nĭng] *(n.)* (١) غداء (ع) (٢) فترة الظهيرة المخصصة للغداء أو الراحة (ع) .

noontide [no͞on'tīd'] *(n.)* (١) الظُهر (٢) أوج ؛ قمة .

noontime [no͞on'tīm'] *(n.)* = noontide.

noose [no͞os] *(n.; vt.)* (١) أُنشوطة (٢) شَرَك ؛ أُحبولة . §(٣) يُوقِع في شرك (٤) يشنق (٥) يَنْشِط : يَعقِد أنشوطةً في حبل . to put one's head in the ~ يعرّض نفسه للاعتقال الخ .

nopal [nō'pəl] *(n.)* الصبّار ؛ التين الشوكي (نب) .

no-par *or* **no-par-value** [nō'pär'] *(adj.)* غير ذي قيمة اسمية .

nor [nôr] *(conj.)* ولا (neither white ~ black) .

Nordic [nôr'dĭk] *(adj.; n.)* (١) شماليّ : «أ» ذو علاقة بالشعوب الجرمانيّة المقيمة في أوروبة الشماليّة وبخاصة في اسكنديناڤيا . «ب» ذو علاقة بما تتميّز به أجسام هذه الشعوب من طول القامة والرأس ومن الشُقرة وزرقة العيون §(٢) الشماليّ : «أ» أحد سكان شمالي أوروبة. «ب» شخص من أبناء اسكنديناڤيا.

Norfolk jacket [nôr'fək] *(n.)* سترة نورفوك : سترة فضفاضة ذات صفّ واحد من الأزرار .

noria [nōr'ĭ ə] *(Ar.)* ناعورة ؛ سانِية .

norland [nôr'lənd] *(n.)* = northland.

norm [nôrm] *(n.)* (١) نموذج ؛ معيار ؛ قاعدة (٢) «أ» مبدأ أو قاعدة سلوك . «ب» حكمة ، قول مأثور (٣) المعدّل الإحصائي (تر) .

normal [nôr'məl] *(adj.; n.)* (١) عموديّ ؛ متعامد (ر) (٢) قياسيّ ؛ نظاميّ (٣) طبيعيّ ؛ حادثٌ بصورة طبيعية (٤) «أ» سَويّ ؛ عاديّ . «ب» سليم العقل (~ immunity) (٥) عِياريّ (solution ~) §(٦) خطّ متعامد (٧) شخص أو شيء سَويّ (٨) المعدَّل ؛ المتوسّط ؛ الحالة السويّة .

—normally *(adv.)*

normalcy [nôr'məl sĭ] *(n.)* الاستواء ؛ السَّواء ؛ الحالة السوية .

normality [nôr măl'ə tĭ] *(n.)* = normalcy.

normalize *(vt.)* يُطبِّع ؛ يُسوّي : يجعله طبيعيًا أو سويًا .

normal school *(n.)* دار المعلمين الابتدائية .

Norman [nôr'mən] *(n.; adj.)* (١) النورمَنديّ : «أ» أحد أبناء نورمنديا بفرنسة . «ب» أحد فاتحي نورمنديا الاسكندينافيين في القرن العاشر م. «ج» أحد فاتحي انكلترة الاسكندينافيين ـ الفرنسيين عام ١٠٦٦ م . (٢) Norman-French §(٣) نورمنديّ .

Norman-French *(n.)* الفرنسيّة النورمنديّة : «أ» لغة النورمنديين الفرنسيّةُ في القرون الوسطى . «ب» لهجة نورمنديا الحديثةُ .

normative [nôr'mə tĭv] *(adj.)* معياريّ . **-ness** *(n.)*

Norn [nôrn] *(n.)* النّورن : إحدى إلاهات القَدَر الثلاث (في الأساطير الاسكندينافية) .

Norse [nôrs] *(n.; adj.)* (١) «أ» الاسكندينافيون . *pl.* «ب» النرويجيون (٢) «أ» اللغة النرويجية . «ب» إحدى اللهجات أو اللغات الاسكندينافية الغربية . «ج» المجموعة الاسكندينافيّة من اللغات الجرمانيّة §(٣) اسكندينافيّ قديم : متعلق باسكندينافيا القديمة أو لغة سكانها (٤) نرويجي .

Norseman [nôrs'mən] *(n.)* أحد أبناء الاسكندينافي القديم : اسكندينافيا القدماء .

north [nôrth] *(adv.; adj.; n.)* (١) شَمالاً §(٢) شَماليّ . §(٣) الشَّمال (٤) *cap.* : بلاد الشمال ؛ البلدان الشماليّة .

northbound [nôrth'-] *(adj.)* مسافر أو مقود نحو الشمال .

northeast [nôrth'ēst'] *(adv.; n.; adj.)* (١) نحو أو في الشمال الشرقي §(٢) الشمالُ الشرقي §(٣) شماليّ شرقيّ .

northeaster [nôrth ēs'tər] *(n.)* عاصفة أو ريح شماليّة شرقية .

northeasterly [nôrth'ēs'tər lĭ] *(adj.; adv.)* (١) شماليّ شرقيّ . §(٢) نحو (أو من) الشمال الشرقيّ .

northeastern [-'tərn] *(adj.)* شماليّ شرقيّ : «أ» *cap.* ا. ك : متعلق بمنطقة شمالية شرقيّة أو مميزٌ لها . «ب» واقعٌ نحو الشمال الشرقي أو آتٍ منه .

Northeasterner [-'tər nər] *(n.)* أحد أبناء الشمال الشرقي من البلاد .

northeastward [nōrth'ēst'-] *(adv.; adj.; n.)* (١) نحو الشمال الشرقي §(٢) واقع نحو الشمال الشرقي §(٢) الشمالُ الشرقي .

northeastwards [-'wərdz] *(adv.)* نحو الشمال الشرقي .

norther [nôr'thər] *(n.)* الشَّمَأَل : الريح الشماليّة .

northerly [nôr'-] *(adj.; adv.; n.)* (١) شَماليّ §(٢) شمالياً ؛ نحو الشمال (٣) من الشمال §(٤) الشَّمأَل : ريح شماليّة .

northern [nôr'thərn] *(adj.; n.)* (١) شَماليّ §(٢) الشَّماليّ : أحد أبناء الشمال (٣) اللهجة الشماليّة : لهجة انكليزية يُنطق بها في بعض المناطق الشماليّة من الولايات المتحدة الأميركيّة .

Northern Cross *(n.)* صليب الشمال : ستة نجوم على شكل صليب في كوكبة الدجاجة (فل) .

Northern Crown *(n.)* الإكليل الشمالي (فل) .

Northerner [nôr'thər nər] *(n.)* الشَّماليّ : أحد سكان الشمال ؛ وبخاصة : أحد أبناء الجزء الشمالي من الولايات المتحدة الأميركيّة .

northern lights *(n. pl.)* الشفق القطبي الشمالي (فل) .

northing [nôr'thĭng; -thĭng] *(n.)* (١) الإشمال : حركةٌ أو انحرافٌ نحو الشمال (٢) المسافة المجتازة نحو الشمال .

northland [nôrth'-] *(n. often cap.)* الجزء الشماليّ من البلاد .

Northman [nôrth'-] *(n.)* = Norseman.

North Pole *(n.)* القطب الشماليّ («جغ» و «فل») .

North Star *(n.)* النجم القطبي (فل)

Northumbrian [nôr thŭm'-] *(adj.; n.)* (١) نورثمبريّ : متعلّق بنورثمبريا (مملكة انكليزية قديمة) أو شعبها أو لغتها (٢) نوثمبرلنديّ : متعلق بنورثمبرلند (مقاطعة في شمال شرقي انكلترة) أو شعبها أو لغتها §(٣) النورثمبريّ : أحد أبناء نورثمبريا القديمة (٤) النورثمبرلنديّ : أحد أبناء نورثمبرلند (٥) النورثمبرية : لهجة نورثمبريا الانكليزية القديمة (٦) النورثمبرلندية : لهجة نورثمبرلند الانكليزيةُ الحديثة .

northward [nôrth'-] *(adv.; adj.; n.)* (١) شمالاً ؛ نحو الشمال . §(٢) «أ» متحرك أو واقع نحو الشمال . «ب» مواجهٌ للشمال §(٣) الجهة الشماليّة ؛ الجزء الشمالي .

northwards [nôrth'-] *(adv.)* شمالاً ؛ نحو الشمال .

northwest [nôrth'wĕst'] *(adv.; adj.; n.)* (١) نحو أو في الشمال الغربيّ §(٢) شماليّ غربيّ §(٣) الشمالُ الغربيّ .

northwester [nôrth'wĕs'tər] *(n.)* ريح شماليّة غربيّة .

northwesterly [-'wĕs'-] *(adv.; adj.)* من أو نحو الشمال الغربي .

northwestern [nôrth'wĕs'-] *(adj.)* شماليّ غربيّ .

Northwesterner [-wĕs'-] *(n.)* أحد أبناء الشمال الغربيّ من البلاد .

northwestward [-wĕst'wərd] *(adv.; adj.; n.)* (١) نحو الشمال الغربي §(٢) شمالي غربي §(٣) الشمالُ الغربيّ .

northwestwards [-'wərdz] *(adv.)* نحو الشمال الغربي .

Norwegian [nôr wē'jən] *(n.; adj.)* (١) النرويجي : أحد أبناء النرويج (٢) اللغة النرويجيّة §(٣) نرويجي .

Norwegian elkhound *(n.)* الكلب النرويجيّ .

nos- or noso- بادئة معناها : مرض (nosology) .

nose [nōz] *(n.; vt.; i.)* (١) «أ» أنف . «ب» خَطْم (٢) حاسّة الشمّ (٣) «أ» جاسوس ؛ مُخبِر . «ب» مقدرة على تسقّط الأخبار (a ~ for news) (٤) الجزء الناتىء من أي شيء (٥) مقدَّم المركب أو الطائرة §(٦) يستروِح ؛ يكتشف بالشم ؛ يكتشف بالغريزة أو البحث (٧) «أ» يدفع أو يحرّك بأنفه . «ب» يدفع الى الأمام (٨) يمسّ أو يفرك بأنفه (٩) يسبق (منافسَه) بشقّ النفس ×(١٠) يشمّ (١١) يتطفّل ؛ يتدخل في ما لا يعنيه (١٢) يتقدّم ببطء أو حذر .

a ~ of wax (١) شخص سهل الانقياد (٢) شيء سهل التكييف أو القَوْلبَة .

(right) under one's very ~, أمامه مباشرةً ؛ أمام عينيه .

to bite (snap) a person's ~ off . يخاطبه بحدّة وغضب .

to count (tell) ~s. يُحصي عدد الأشخاص أو الأصوات .

to cut off one's ~ to spite one's face يُنزل الضرر بمصالحه الشخصية في نوبة نزق أو غضب .

to follow one's ~, يتقدم في خط مستقيم .

to keep one's ~ to the grindstone يواصل العملَ بهمّة وكدّ .

to lead (a person) by the ~ يقوده من أنفه ؛ يجعله طوع أمره في كل شيء .

to ~ around (١) يبحث (الكلبُ) عن الطريدة . (٢) يتسقّط الأخبار .

to ~ down يُميل الطائرة نحو الأرض .

to pay through the ~, يدفع ثمناً أعلى مما يجب بكثير

to turn up one's ~ at. ينظر باز دراء إلى .

nose bag *(n.)* المِخلاة : ما يُجعَل فيه العلف ويعلّق بعنق الدابة .

noseband *(n.)* المَخْطَمَة : جزء من اللِّجام يمرّ فوق أنف الدابّة .

nosebleed [nōz'blēd'] *(n.)* الرُّعاف : نزف أنفيّ .

nose cone *(n.)* المخروط الأماميّ : مخروط واقٍ يؤلّف الجزء الأماميّ من الصاروخ .

nose dive *(n.)* (١) الانقضاض الرأسي (طي) (٢) هبوط عنيفٌ مفاجىء .

nosegay [nōz'gā'] *(n.)* باقة زهر صغيرة .

nose job *(n.)* تجميل الأنف .

nosepiece [nōz'pēs] *(n.)* (١) المأنْفَة : قطعة من الدِّرع لوقاية الأنف (٢) noseband (٣) الأنفيّة : ذلك الجزء من المجهر الذي تعلّق فيه الشريحة الزجاجيّة المراد فحصها (٤) «جسر» النظارة أو «النظارات» .

no-show [nō'shō'] *(n.)* الحاجز المتخلّف : مَنْ يحجز مكاناً في قطار أو سفينة أو طائرة ثم يتخلّف عن السفر من غير أن يلغي الحجز .

nosily [nō'zĭ lĭ] *(adv.)* بفضول ؛ على نحو فضوليّ .

nosiness [nō'zĭ-] *(n.)* الفضول ؛ حبّ الاستطلاع .

nosing [-'zĭng] *(n.)* الحافة البارزة (من درجة سلّم أو حِلية معمارية) .

nosologic; nosological [nŏs'ə lŏj'-] *(adj.)* تَصْنيفيمَرَضي : متعلق بتصنيف الأمراض .

nosology [nō sŏl'ə jĭ] *(n.)* (١) علم تصنيف الأمراض (٢) تصنيف للأمراض أو قائمةٌ بها .

nostalgia [nŏs tăl'jə ; -jĭ ə] *(n.)* (١) الوُطان : الحنين إلى الوطن . (٢) التَّوْقُ إلى الماضي : توق غير سويّ للعودة إلى الماضي أو إلى استعادة وضعٍ يتعذّر استردادُه .
—nostalgic *(adj.)*

nostril [nŏs'trəl] *(n.)* المَنْخِر : ثُقْبُ الأنف .

nostrum [nŏs'trəm] *(n.)* (١) عقّار أو دواء سرّيّ التركيب . (٢) «أ» علاج لا يُطمأنّ إليه . «ب» علاج شافٍ من جميع الأمراض .

nosy *or* **nosey** [nō'zĭ] *(adj.)* فضوليّ ؛ محبّ للاستطلاع .

not [nŏt] *(adv.)* (١) لم ؛ لا ؛ لن (٢) ليس .
~ but what *or* that على الرغم من .
~ half بإفراط (ع) .
~ in it (١) غير مطّلع (على سرّ) (٢) غير مشارك (في منفعة) .
~ in the running غير جدير بالتفكير فيه .
~ to be thought of مستحيل ؛ غير وارد ؛ لا مجال للتفكير فيه البتّة .

not- *or* **noto-** بادئة معناها : الظَّهر ؛ الجزء الخلفي .

nota bene [nō'tə bē'nĭ] *(L.)* ملحوظة ؛ حاشية .

notability [nō'tə bĭl'-] *(n.)* (١) وجاهة ؛ شهرة (٢) الوجيه ؛ ذو الشهرة أو المكانة في قومه .

notable [nō'tə bəl] *(adj.; n.)* (١) جديرٌ بالذِّكر (٢) فذّ ؛ بارز § (٣) الوجيه : ذو المكانة أو الشهرة في قومه .

notarial [nō târ'ĭ əl] *(adj.)* (١) توثيقيّ : متعلق بالموثّق أو الكاتب العَدْل (٢) مُوثَّق : مُنْجَز من قِبَل الموثّق أو الكاتب العَدل .

notarization [nō tə rĭ zā'-] *(n.)* (١) التوثيق (من قبل الكاتب العدل) . (٢) الموثَّقة : شهادة التوثيق الملحقة بعقْد الخ .

notarize [nō'tə rīz'] *(vt.)* يوثّق (الكاتبُ العدل) عقْداً الخ .

notary [nō'tə rĭ] *(n.)* = notary public.

notary public *(n.)* الموثِّق العام ؛ الكاتب العدل .

notate [nō'tāt'] *(vt.)* يدوِّن ؛ ينوِّت (راجع المادة التالية) .

notation [nō tā'shən] *(n.)* (١) «أ» تدوين . «ب» ملاحظة . (٢) التَّنْويت : التدوين بمجموعة خاصة من العلامات أو الرموز (٣) مجموعة رموز (كالعلامات الموسيقية الخ .) .

notch [nŏch] *(n.; vt.)* (١) سِنّ ؛ ثَلْم ؛ فَلّ (٢) شِعْب ؛ ممر جبليّ (٣) درجة § (٤) يثْلم ؛ يفلّ (٥) «أ» يدوّن أو يعلّم (بواسطة ثَلْم يُحْدِثُه في عصاً) . «ب» يكسب ؛ يُحرز .

note [nōt] *(vt.; n.)* (١) ينتبه إلى ؛ يلاحظ بعناية (~ my words.) (٢) يدوّن (٣) «أ» يشير ؛ يلاحظ (شفهياً أو كتابياً) . «ب» يُظهِر § (٤) «أ» نغمة موسيقية . «ب» نداء ؛ صوت (the ~ raven's) «ج» تغريد ؛ سَجْع . «د» جَرْس . «هـ» مجسِّدة (مج) ؛ علامة موسيقية ؛ «نوتة» . «و» إصبع البيانو . «ز» علامة (~ of exclamation) (٥) سِمَة مميزة (٦) «أ» مذكّرة ؛ مفكّرة ؛ مدوّنة موجزة أو غير رسمية عن شيء ما . «ب» تعليق أو تفسير موجز . «ج» حاشية (في هامش كتاب) «د» كمبيالة . «هـ» ورقة نقدية . «و» رسالة موجزة غير رسمية . «ز» مذكرة ديبلوماسية رسمية . «ح» مقالة قصيرة (٧) «أ» شهرة ؛ امتياز ؛ بُعد صيت (a family of ~) . «ب» ملاحظة ؛ انتباه (took no ~ of it) . «ج» أهمية ؛ شأن (no other thing of ~ this year) . «د» إشارة .
to strike the right ~, يضرب على الوتر الحسّاس .

notebook [nōt'-] *(n.)* مفكّرة ؛ مذكّرة ؛ دفتر ملحوظات .

notecase [nōt'-] *(n.)* (بر) . محفظة جيب جلدية للأوراق المالية الخ .

noted [nō'-] *(adj.)* شهير ؛ ذائع الصيت (a ~ poet) .

noteless [nōt'-] *(adj.)* (١) مغمور ؛ خامل الذكر (٢) غير موسيقيّ .

note of hand كمبيالة ؛ صكّ تعهّدي .

note paper *(n.)* ورق الرسائل .

noteworthy [nōt'-] *(adj.)* جدير بالملاحظة أو الانتباه : رائع .

nothing [nŭth'ĭng] *(n.; adv.)* (١) لا شيء (٢) «أ» شيء غير موجود ؛ عَدَم . «ب» صِفر (ر) (٣) شيء أو شخص عديم القيمة أو ضئيلها § (٤) البتّة ؛ على الاطلاق .
for ~, (١) مجاناً ؛ بلا مقابل (٢) لغير ما داعٍ ؛ بلا سبب (٣) عبثاً ؛ على غير طائل .
to come to ~, يُخفق إخفاقاً تاماً ؛ لا يأتي بأية نتيجة .
to make ~ of (١) يعجز عن فهم كذا (٢) يستخفّ أو يستهين بـِ (٣) يهمل ؛ يضيع فرصةً سانحة .

nothingness [-nĭs] *(n.)* (١) «أ» عدم ؛ لا وجود . «ب» تفاهة ؛ لا أهمية . «ج» موت (٢) شيء تافه أو عديم القيمة (٣) فراغ .

notice [nō'tĭs] *(n.; vt.)* (١) إنذار ؛ إشعار ؛ إعلام . (٢) «أ» انتباه ؛ اهتمام . «ب» ملاحظة (٣) كياسة ؛ معاملة متّسمة باللطف وحسن الرعاية (٤) بيان ؛ بلاغ (٥) تقرير موجز (عن كتاب أو فيلم جديد) § (٦) يُنْذِر ؛ يُشْعِر ؛ يُعلم (٧) «أ» يعلّق على . «ب» يشير الى . «ج» يكتب تقريراً موجزاً عن (to ~ a book) (٨) يعامل بكياسة ولطف (٩) يلاحظ ؛ يرى الخ .
at short ~, من غير إعطاء مهلة كافية لأخذ الحيطة والاستعداد .
to take ~, (١) يرى ؛ يلاحظ ؛ ينتبه (٢) يتكشّف (الطفل) عن دلائل الذكاء .

noticeable [nō'tĭs ə bəl] *(adj.)* (١) جدير بالملاحظة أو الاهتمام ؛ لافتٌ للنظر (٢) قابلٌ لأن يلاحَظ أو يُرى .

notice board *(n.)* لوحة الاعلانات .

notification [-kā'-] *(n.)* (١) إعلام ؛ إشعار ؛ إنذار (٢) بيان ؛ بلاغ .

notifier [nō'tə-] *(n.)* المُعْلِم ؛ المُشْعِر ؛ المُنذِر ؛ المبلّغ .

notify [nō'tə fī'] *(vt.)* يُعلِم ؛ يُشعِر ؛ يُنذِر ؛ يُبلّغ .

notion [nō'shən] *(n.)* (١) «أ» فكرة عامة أو غامضة . «ب» انطباعة شخصية ؛ مفهوم شخصيّ . «ج» نظريّة أو عقيدة (يقول بها شخص أو جماعة) «د» نزوة ؛ حماقة (٢) نيّة (٣) *pl.* أدوات صغيرة مختلفة (كالدبابيس والإبر والعصائب) .

notional [-əl] *(adj.)* (١) نظريّ (~ sciences) (٢) خياليّ ؛ وهميّ (٣) ذو نزوات أو تصوّرات حمقاء (٤) ذو علاقة بفكرةٍ ما أو معبّر عن فكرةٍ ما .

noto- = not-.

notochord [nō'tə kôrd'] *(n.)* الحبْل الظَّهْريّ (أح) .

notoriety [nō'tə rī'ə tĭ] *(n.)* (١) الشُهرة ؛ وبخاصة : سوء الشهرة ؛ رداءة السمعة (٢)المشهور ؛وبخاصة : المشهَّر : شخص رديء السمعة.

notorious[-tōr'-] *(adj.)* مشهور ؛وبخاصة : مُشَهَّر ؛ رديء السمعة .

notwithstanding[nŏt'wĭth stăn'dĭng] *(adv.; conj.; prep.)* (١) ومع ذلك §(٢) على الرغم من .

nougat [nōō'gət; -'gä] *(F.)* النوغة : حلوى بيضاء معجونة بالفستق الخ.

nought [nôt] *(n.; adj.)* = naught.

noumenon[nōō'mə-] *(G.)* pl. **-na** الشيء أو مفهوم الشيء كما هو في ذات نفسه أو كما يبدو للعقل المحض (في الفلسفة الكانتيّة) .

noun [noun] *(n.)* الاسم (في علم النحو) .

nourish [nûr'ĭsh] *(vt.)* (١) يربّي (٢) يغذّي ؛ يغْذو . (٣) «أ» يُطعم ؛ يُقيت . «ب» يعَضُد .

nourishing [nûr'ĭsh ĭng] *(adj.)* مُغَذٍّ .

nourishment [nûr'ĭsh mənt] *(n.)* (١)غذاء ؛ قوت (٢)تغذية ؛ إقاتة (٣) اغتذاء .

nous[nōōs] *(Gk.)* (١)العقل (٢)العقل الفيّاض (في الافلاطونية المُحدَثة)

nouveau riche [nōō vō rēsh'] *(F.)* المُحدَث الثراء : شخص أثرى منذ فترة قريبة .

nouvelle cuisine *(n.)* المطبخ الجديد : طريقة في الطهو تتميّز بالإكثار من الأعشاب.

nova [nō'və] *(L.)* pl. **-s** *or* **-e** المُستَسْعِير : نجم يتعاظم ضياؤه فجأة ثم يخبو في بضعة شهور أو بضع سنين (فل) .

novaculite *(n.)* النُوفَقُلِيت : صخر يُتّخذ منه حجر السَّن .

novation [nō vā'-] *(n.)* استبدال الالتزام : استبدال سنَد الدَّين بغيره.

novel [nŏv'əl] *(adj.; n.)* (١) جديد ؛ لم يُسبق إلى مثله . (٢) غريب ؛ غير مألوف §(٣) الرواية : قصة طويلة .

novelette[nŏv'ə lĕt'] *(n.)* (١) رواية قصيرة (٢) أقصوصة طويلة.

novelist [nŏv'-] *(n.)* الروائي : مؤلّف الروايات أو القصص الطويلة.

novelistic *(adj.)* روائيّ : متعلّق بالروايات أو مميّز لها .

novelize [nŏv'-] *(vt.)* يحوّله إلى رواية ؛ يُفرغه في قالب رواية .

novella [nô vĕl'lä] *(It.)* (١)حكاية قصيرة (٢)novelette .

novelty [nŏv'əl tĭ] *(n.)* (١) البِدْع : شيء جديد أو غير مألوف. (٢) جِدّة (٣) *pl.* عد : حليّ شخصية أو منزلية .

November [nō vĕm'bər] *(n.)* نوفمبر ؛ تشرين الثاني : الشهر الحادي عشر في التقويم الغريغوري .

novena [nō vē'nə] *(L.)* التاسوعيّة : عبادة تستمر تسعة أيام (كث).

novice [nŏv'ĭs] *(n.)* (١) المُتَرَهْبِن : الراهب قبل التثبيت . (٢) الداخل حديثاً في المسيحية (٣) المبتدىء (a ~ in politics) .

novitiate [nō vĭsh'ĭ ĭt] *(n.)* (١) «أ» التَرَهْبُن : حالة الراهب قبل التثبيت . «ب» مدة الترهبن (٢) novice 1,3. (٣) بيت المترهبنين : بيت يدرَّب فيه الرهبان قبل التثبيت .

novocaine [nō'və kān'] *(n.)* النوفوكين : مخدِّر موضعي .

now[nou] *(adv.; conj.; n.; adj.)* (١) «أ» الآن. «ب» منذ لحظة. (٢) توّاً ؛ حالاً (٣) والآن . . . : صيغة تُستعمل لاستهلال الكلام أو السؤال (٤) حيناً (~ one and ~ another) (٥) في هذه الأيام ؛ في ظلّ الظروف الحاضرة §(٦) لمّا كان . أما وقد (~ that you are well again, you can travel.) §(٧) الوقت الحاضر §(٨) حاليّ (the ~ king) . ~ and then أحياناً ؛ بين حين وآخر .

nowadays [-'ə dāz'] *(adv.)* في هذه الأيام ؛ في الوقت الحاضر .

noway *or* **noways** [nō'-] *(adv.)* البتّة ، مطلقاً ؛ بأية حال .

nowhere [nō'hwâr'] *(adv.; n.)* (١) ليس في أيّ مكان (٢) إلى لا مكان §(٣) لا مكان .

nowheres [nō'hwârz] *(adv.)* = nowhere.

nowhither [nō'hwĭth'ər] *(adv.)* إلى لا مكان .

nowise [nō'wīz'] *(adv.)* البتة ؛ مطلقاً ؛ بأية حال .

Nox[nŏks] *(n.)* نوكس : إلاهة الليل عند الرومان .

noxious [nŏk'shəs] *(adj.)* (١) مؤذٍ أو ضارّ بالصحة (٢) هدّام ؛ مفسد أخلاقياً (٣) بغيض ؛ ذميم . **—noxiousness** *(n.)*

nozzle[nŏz'əl] *(n.)* (١) فُوهة ؛ بَزْباز ؛ فم خرطوم المياه (٢) الأنف.

nozzles 1.

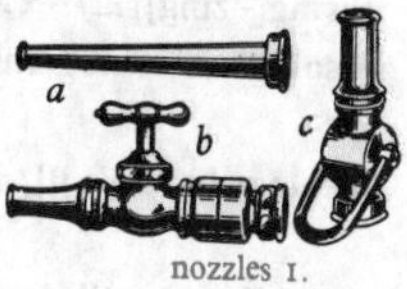

nth [ĕnth] *(adj.)* أقصى ؛ أعلى (attains the ~ power) .

nuance[nū äns'; nōō-] *(F.)* ظِل من الفرق ؛ فارق دقيق لا يكاد يُدرَك (في اللون أو المعنى الخ.)

nub[nŭb] *(n.)* (١)عقدة ؛ عُجرة ؛ نتوء (٢)«أ» كتلة أو قطعة صغيرة. «ب» **nubbin** (٣) جوهر ؛ لبّ ؛ زبدة (the ~ of the book) .

nubbin [nŭb'ĭn] *(n.)* (١) كوز ذرة صغير أو غير تام النموّ . (٢) شيء صغير أو غير تامّ النمو.

nubble[nŭb'əl] *(n.)* (١) كتلة أو قطعة صغيرة (٢) عجرة أو نتوء صغير .

Nubian [nū'bĭ ən; -nōō'-] *(n.; adj.)* النوبيّ : أحد أفراد الشعب النوبي (٢) لغة بلاد النوبة §(٣) نوبيّ .

nubile [nū'bĭl] *(adj.)* صالح للزواج (وبخاصة من حيث السنّ) .

nubility [nū bĭl'-] *(n.)* الصلاحية للزواج (وبخاصة من حيث السنّ).

nubilous[nū'bə ləs] *(adj.)* (١) غائم ؛ مُضِبّ (٢)غامض ؛ مُبْهَم.

nucellar[nū sĕl'ər] *(adj.)* جُوَيزيّ ؛ نَوَسِيليّ (را. المادة التالية).

nucellus [nū sĕl'əs; -nōō-] *(L.)* pl. **-celli** [-sĕl'ī] الجُوَيْزة ؛ النَوْسِيلَة : جزء البُيَيْضَة المركزيّ الذي يكتنف الكيس الجنينيّ (نب).

nuchal [nū'kəl] *(adj.)* ذو علاقة بمؤخّر العنق .

nucle- *or* **nucleo-** بادئة معناها : «أ» نواة. «ب» الحامض النووي .

nuclear [nū'klĭ ər; nōō'-] *(adj.)* نَوَوِيّ .

nuclear energy *(n.)* الطاقة النَوَويّة .

nuclear fission *(n.)* الانشطار النَوَويّ .

nuclear physics *(n.)* الفيزياء النوويّة ؛ الطبيعيات النووية .

nuclear sap *(n.)* العُصارة النَوَويّة (مج) .

nuclear wall *(n.)* الغُلُوف : جدار النواة (مج) .

nucleate [nū'-] *(vt.; i.; adj.)* (١) يُنوّي ×(٢) يتَنَوّى . §(٣)مُنَوًّى : ذو نواة أو نوى (~ cells) . **—nucleation** *(n.)*

nuclei [nū'klĭ ī'] *pl. of* nucleus.

nucleic acid [nū klē'ĭk] *(n.)* الحامض النووي (كح) .

nuclein [nū'klĭ ĭn] *(n.)* النُوَيْن : مادة تُستخرج من نوى الخلايا.

nucleolar [nū klē'ə lər] *(adj.)* نُوَيّيّ : ذو علاقة بنُوَيّة أو مشكّل نُوَيّة (أح) .

nucleolus [nū klē'ə ləs] pl. **-li** [-lī'] *(n.)* النُوَيّة (أح) .

nucleon[nū'-] *(n.)* النُوَيّة : بروتون أو نيوترون وبخاصة في نواة الذرّة.

nucleonics [nū'klē ŏn'ĭks] *(n.)* النُوَويّات : فرع من الفيزياء يبحث في النُويّات أو في جميع ظواهر نواة الذرّة (فز) .

nucleoplasm [nū'klĭ ə plăz'əm] *(n.)* الجِبلة النَووية ؛ جبلة النواة (أح) .

nucleoprotein [nū klĭ ə prō'tēn] *(n.)* البروتين النَوَوي : بروتين يكون في نوى الخلايا الحيّة ، بخاصة . ويُعتبر مقوّماً

أساسياً من مقوّمات الجينات والفيروسات .

nucleus [nū'klĭ əs] (*L.*) pl. **-clei** *also* **-es** (فل) (١) رأس المذنّب (٢) نواة («أح» و «فز» و «ك») (٣) قلبٌ ؛ مركز .

nuclide [nū'klīd] *(n.)* النُّويدة : ذرةٌ تتميّز بتركيب نواتها الخاص وبالتالي بعدد بروتوناتها ونيوتروناتها ومحتواها الطاقي (فز) .

nude [nūd; nōōd] *(adj.; n.)* (١) ناقص . وبالتالي باطل (ق) . (٢) عارٍ ؛ عُرْيان §(٣) «أ» صورة زيتية عارية ؛ تمثال عارٍ . «ب» شخص عارٍ (٤) عُرْي (in the ~) .

—nudeness *(n.)* **—nudity** *(n.)*

nudge [nŭj] *(vt.; n.)* (١) يمسّ أو يدفع برفق ؛ وبخاصة : يَكِز (شخصاً) بمرفقه استرعاءً للانتباه §(٢) وكزة .

nudibranch [nū'də brăngk] *(n.)* عاري الخيشوم : حيوان من عاريات الخيشوم **Nudibranchia** وهي رتبة من الرخويات البحرية .

nudism [nū'dĭz əm] *(n.)* العُرْيِيّة ؛ مذهب العُرْي : مذهب القائلين بالعُرْي لأغراض صحيّة أو ممارسة ذلك المذهب .

nudist [nū'dĭst] *(n.)* العُرْيِي : المنادي بمذهب العري أو ممارسه .

nugatory [nū'gə tōr'ĭ] *(adj.)* (١) تافه (٢) باطل ؛ لاغٍ .

nugget [nŭg'ĭt] *(n.)* كتلة صلبة ؛ وبخاصة : شَذْرة ؛ كتلة من معدن نفيس خام (a ~ of gold) .

nuisance [nū'səns; nōō'-] *(n.)* (١) أذى ؛ إزعاج (٢) شيء مزعج أو بغيض .

nuisance tax *(n.)* الضريبة البغيضة : ضريبة تُجبى بمقادير صغيرة من المستهلك مباشرة .

null [nŭl] *(adj.)* (١) باطل ؛ لاغٍ ؛ غير ذي قوة شرعية مُلزِمة . (٢) عديم الوجود (٣) تافه ؛ عديم القيمة .

nullah [nŭl'ə] *(Hin.)* وادٍ صغير شديد الانحدار .

null and void *(adj.)* باطل ؛ لاغٍ ؛ غير ذي قوة شرعية مُلزِمة .

nullification [nŭl'ə fə kā'-] *(n.)* (١) إبطال (٢) بُطْلان . (٣) الإحباط : محاولة ولايةٍ أميركيّة منعَ تنفيذ قانون من قوانين الولايات المتحدة الأميركية ضمن أراضيها .

nullify [nŭl'ə fī'] *(vt.)* (١) يُبطِل ؛ يلغي (٢) يُحبِط .

nullity [nŭl'ə tĭ] *(n.)* (١) بُطلان . وبخاصة من وجهة النظر القانونية (٢) شيء باطل ؛ وبخاصة : عمل باطل قانونياً .

null line *(n.)* خطّ الخمود (ر) .

null plane *(n.)* مستوى الخمود (ر) .

null point *(n.)* نقطة الخمود (ر) .

numb [nŭm] *(adj.; vt.)* (١) خَدِر ؛ فاقد الحسّ وبخاصة بسبب البرد (٢) لا مبالٍ §(٣) يُخَدِّر ؛ يُفقِد الحسّ .

—numbness *(n.)*

number [-'bər] *(n.; vt.)* (١) عدد (٢) رقم (٣) *pl.* : الحساب (skill in ~*s*) (٤) جماعة ؛ مجموعة (٥) الكميّة (The difference is in ~ not in kind.) (٦) إمكانيّة العدّ أو الاحصاء (times beyond ~) (٧) حلقة من سلسلة ؛ عدد من جريدة أو مجلة (the April ~ of the magazine) (٨) جزء من برنامج (٩) *pl.* : «أ» الوزن ؛ البحر (عر) . «ب» شِعر §(١٠) يَعُدّ ؛ يُحصي (١١) يُعَدِّد (١٢) يرقِّم (to ~ the pages) (١٣) يعتبر ؛ يحسب ؛ يَعُدّ (to ~ a person among one's friends) (١٤) يبلغ عددُه كذا . (Those present ~*ed* fifty.)

by the ~*s* بطريقة نظاميّة أو روتينية أو ميكانيكية .

His ~ is up. إنّه مشرف على الموت .

to look after (take care of) ~ one يُعنى بنفسه أو بمصالحه الشخصيّة (ع) .

without ~, لا يُعَدّ ولا يُحصى .

numberless [nŭm'bər lĭs] *(adj.)* لا يُعَدّ أو يُحصى .

Numbers [-'bərz] *(n.)* سِفْر العَدَد : السِّفر الرابع من «العهد القديم» .

numbfish [nŭm'fĭsh'] الرعّاد الكهربائي (سمك) .

numbing [nŭm'ĭng] *(adj.)* مُخَدِّر : مُحْدِث في الجسم خدَراً .

numbskull [nŭm'skŭl'] *(n.)* = numskull.

numen [nū'mĭn] *(L.)* pl. **-mina** روح أو قوة إلهيّة .

numerable [nū'-] *(adj.)* يُعَدّ : قابلٌ لأن يُعَدّ أو يُحْصَى .

numeral [nū'mər əl] *(adj.; n.)* (١) عَدَدي §(٢) عَدَد .

numerary [nū'mə rĕr'ĭ] *(adj.)* عددي : متعلّق بعدد أو أعداد .

numerate [nū'mə rāt'] *(vt.)* = enumerate.

numeration [nū'mə rā'shən] *(n.)* (١) عدّ ؛ إحصاء (٢) العَدّ اللفظي : قراءة الأعداد .

numerator [nū'mə rā'tər] *(n.)* (١) البَسْط : صورة الكسر (مثل ٢ أو x في هذين المثلين: $\frac{٢}{٥}$ و $\frac{x}{y}$) (٢) العادّ ؛ المُحصي الخ .

numerical [nū mĕr'ə kəl] *(adj.)* عَدَدي .

numerical coefficient *(n.)* المُعامل العددي (ر) .

numerical constant *(n.)* الثابت العَدَدي (ر) .

numerology [nū'mə rŏl'ə jĭ] *(n.)* العِدادة : دراسة معاني الأعداد السحرية أو التنجيمية .

numerous [nū'mər əs] *(adj.)* عديد ؛ متعدِّد ؛ كثير ؛ وافر .

numerously [nū'mər əs lĭ] *(adv.)* بكثرة ؛ بوفرة .

numerousness [nū'mər əs-] *(n.)* كثرة ؛ وفرة ؛ تعدّد .

numinous [nū'-] *(adj.)* (١) خارق للطبيعة (٢) مقدَّس (٣) روحي .

numismatic [nū'mĭz măt'ĭk] *(adj.)* (١) نُمِّيّ : ذو علاقة بدراسة أو جمع القطع النقدية والمداليات والأوراق المالية الخ . (٢) عُمْلي : ذو علاقة بالعُمْلة .

numismatics [nū'mĭz măt'ĭks] *(n.)* علم النُّمِّيَّات : دراسة أو جمع القطع النقدية والمداليات والأوراق المالية الخ .

—numismatist *(n.)*

numismatology [nū mĭz'mə tŏl'-] *(n.)* = numismatics.

nummular [nŭm'yə lər] *(adj.)* دائريّ أو بيضيّ الشكل .

numskull [nŭm'skŭl'] *(n.)* الأحمق ؛ المغفَّل .

nun [nŭn] *(n.)* راهبة .

nunciature [nŭn'shĭ ə chər] *(It.)* السِّفارة البابويّة : «أ» منصب السفير البابويّ أو مدّة تولّيه هذا المنصب . «ب» بعثة بابوية يرئسها سفير .

nuncio [nŭn'shĭ ō'] *(It.)* السفير البابوي : سفير البابا .

nuncle [nŭng'kəl] *(n.)* عمّ ؛ خال (ع) .

nuncupative [nŭng'kyə pā'tĭv] *(adj.)* شفهي ؛ غير مكتوب .

nunnery [nŭn'ə rĭ] *(n.)* (١) دير للراهبات (٢) رهبنة أو أخوية نِسْوية .

nuptial [nŭp'shəl] *(adj.; n.)* (١) زواجيّ ؛ زيجيّ ؛ زفافيّ ؛ عُرْسيّ §(٢) *pl.* عد : زفاف ؛ عُرْس .

nurse [nûrs] *(n.; vt.; i.)* (١) «أ» الظِّئْر : المرضعة لغير ولدها . «ب» الحاضنة : مربية تُعنى بأمر طفل صغير (٢) المُمرِّضة ؛ المُمرِّض §(٣) «أ» يُرْضِع . «ب» يَرْضَع من (٤) يربّي ؛ ينشّئ (٥) «أ» يغذو ؛ يعزّز نموّ شيء أو تطوّره . «ب» يدبّر بعناية

أو اقتصاد. «ج» يتعهّد، يرعى (٦) يُبقي أو يحضن في الذهن أو الذاكرة (٧) يداري ×(٨) تعمل (المرأة) كممرّضة. **—nurser** *(n.)*

to ~ a cold يحاول معالجة الزكام (بأن يلزم بيته متدفئاً الخ.).

nursemaid [nûrs'mād] *(n.)* الحاضنة ؛ مربّية الأطفال .

nursery [nûr'sə rĭ] *(n.)* (١) حجرة نوم الطفل (٢) «أ» بيت الحضانة . «ب» بيت الحضانة النهاري (للعناية بالأطفال خلال ساعات النهار وبخاصة حين تكون أمهاتهم منصرفات إلى أداء وظائفهن في المكاتب أو المصانع) (٣) «أ» كل ما يَرعى أو يطوّر أو يعزّز. «ب» موطن تدريب أو تنشيءٍ أخلاقيّ أو فكري (٤) مَشْتَل زراعي .

nurserymaid [nûr'sə rĭ mād] *(n.)* = nursemaid.

nurseryman[nûr'-] *(n.)* المَشْتَليّ : صاحب المشتل الزراعي أو مديره.

nursery rhyme *(n.)* أغنية الأطفال : حكاية شعرية للأطفال .

nursery school *(n.)* مدرسة الحضانة (للأطفال دون الخامسة عادة).

nursing bottle *(n.)* زجاجة الإرضاع أو الرَّضاع .

nursling; nurseling [nûrs'lĭng] *(n.)* (١) الرضيع ؛ وبالتالي : شخص أو شيء يُعْنَى به عناية بالغة أو موسوسة (٢) «أ» الصغير من الحيوان . «ب» شتلة ؛ غَرْسة .

nurture [nûr'chər] *(n.; vt.)* (١) تنشئة ؛ تربية (٢) غذاء . §(٣) يغذّي (٤) ينشّىء ؛ يربّي (٥) يحضن ؛ يرعى ؛ يعزّز . **—nurturer** *(n.)*

nut [nŭt] *(n.; vt.)* (١) «أ» جوزة ؛ بندقة . «ب» قلبُ الجوزة أو البندقة (٢) مشكلة ؛ معضلة ؛ مهمة عسيرة (٣) صَمولة ؛ حزَقة ؛ عزقة (٤) .pl : هراء (٥) رأس الانسان (ع) (٦) «أ» شخص أحمق أو مخبول أو غريب الأطوار . «ب» المولع أو المفتون بشيء §(٧) يجمع الجوز . **—nutlike** *(adj.)*

nut 3.

a hard ~ to crack مشكلة عسيرة جداً .

for ~s البتّة ؛ إطلاقاً ؛ حتى في أحسن الأحوال .

off his ~, (١) مخبول (٢) سكران .

to be ~s or dead ~s on (١) يبتهج بِ (٢) يولع به ولعاً شديداً (٣) يبرع في .

nutant [nū'tənt; nōō'-] *(adj.)* متدلّ ؛ منحني الرأس نعاساً .

nutation [nū tā'shən] *(n.)* (١) تدلٍّ ؛ انحناء الرأس نُعاساً . (٢) التهوّم ؛ الترنّح : رَجَفٌ في محور الأرض بفعل الشمس والقمر معاً (فل) (٣) حركة النمو (نب) .

nut-brown [nŭt'broun'] *(adj.)* بندقي : بلون البندق عند حفظه مدة طويلة .

nutcracker [nŭt'krăk'ər] *(n.)* كسّارة الجوز أو البندق .

nuthatch [nŭt'hăch'] *(n.)* كاسر الجوز ؛ خازن البندق : طائر يتسلق الأشجار ويغتذي بصغير الجوز وبالحشرات .

nutlet [nŭt'-] *(n.)* (١) «أ» جُوَيْزة ؛ جوزة صغيرة . «ب» ثُمَيْرة شبيهة بالجوزة (٢) بزرة ثُمَيْرةٍ وحيدةِ النواة .

nutmeg[nŭt'mĕg] *(n.)* (١) جوزة الطيب (٢) شجرة جوز الطِّيب .

nutpick [nŭt'pĭk'] *(n.)* مِلقاط الجوز : أداة مائدةٍ مستدقةُ الطّرَف لاستخراج لبّ الجوز .

nutria[nū'trĭ ə] *(n.)* (١) الكَيْبب (را. coypu) (٢) فَرْوُ الكَيْبب.

nutrient [nū'trĭ ənt] *(adj.; n.)* (١) مغذٍّ §(٢) مادة مغذية .

nutriment [nū'trə mənt] *(n.)* غذاء ؛ قوت .

nutrition [nū trĭsh'ən] *(n.)* (١) تغذية (٢) اغتذاء (٣) غذاء .

nutritionist [-'ən ĭst] *(n.)* الغَذَويّ : المتخصص في دراسة التغذية.

nutritious [nū trĭsh'əs] *(adj.)* مُغَذٍّ .

nutritive [nū'-] *(adj.)* (١) غَذَويّ ؛ متعلّق بالتغذية (٢) مُغَذٍّ .

nutshell [nŭt'shĕl'] *(n.)* (١) صدفة الجوزة : غلاف الجوزة الخارجيّ (٢) شيء صغير الحجم أو المقدار أو النطاق .

in a ~, بإيجاز كلّيّ ؛ بكلمات قليلة .

nutty [nŭt'ĭ] *(adj.)* (١) «أ» كثير الجوز . «ب» منتِجٌ جوزاً . (٢) «أ» غريب الأطوار . «ب» مختلّ العقل (٣) جوزيّ النكهة .

nux vomica [nŭks vŏm'ə kə] *(L.)* جوزُ القيء : «أ» شجر يُستخرج منه الاستركنين . «ب» ثمر هذا الشجر .

nuzzle [nŭz'əl] *(vi.; t.)* (١) يمرّغ أنفه في التراب (كالخنزير الخ.) (٢) يستكنّ (في دَعَة ودفء) ×(٣) يحكّ بأنفه ؛ يمسّ بأنفه . (٤) يدفع ؛ يُقْحِم .

nyct-; nycti-; nycto- بادئة معناها : ليل .

nyctalopia [nĭk'tə lō'-] *(n.)* العَشَى : سوء البصر في الليل .

nylon [nī'lŏn] *(n.)* (١) النَّيْلُوْن : مادة صُنْعِيّة تُعَدّ منها خيوطٌ ذات متانة ومرونة فائقتين وتستخدم بخاصة في صناعة النسيج واللدائن (٢) .pl : جَوْرب نَيْلون .

nymph [nĭmf] *(n.)* (١) الحورية : إلاهة ثانوية من إلاهات الطبيعة التي كانت الميثولوجيا القديمة تمثّلها على صورة عذارى فاتنات تقيم في الجبال والغابات والمروج والمياه (٢) فتاة (٣) الحوراء (مج) : حشرة في الطور الانتقالي بين اليرقانة والحشرة الكاملة .

nympholepsy[nĭm'fə lĕp'sĭ] *(n.)* (١) السُّعْر الحُوريّ : حماسة مسعورة كانوا يزعمون أنها تصيب مَن سَحَرَتْه إحدى الحوريات (٢) اهتياج عاطفي شديد .

nympholept [nĭm'fə lĕpt'] *(n.)* المصاب بالسُّعْر الحُوريّ .

nympholeptic [nĭm'fə lĕp'tĭk] *(adj.)* سُعْرِيحُوْرِيّ : ذو علاقة بالسُّعْر الحوريّ .

nymphomania [nĭm'fə mā'nĭ ə] *(n.)* الغُلْمَة النِّسوية : شَبَق مَرَضيّ عند بعض النساء .

nymphomaniac [-'fə mā'nĭ-] *(adj.; n.)* (١) غُلْمِيْنِسْوي : ذو علاقة بالغلمة النسوية أو شَبَق النساء §(٢) المصابة بالغُلْمة النسوية .

nystagmic [nĭs tăg'mĭk] *(adj.)* رَأْرَئِيّ : ذو علاقة بالرأرأة أي تذبذب المقلتين .

nystagmus [nĭs tăg'məs] *(n.)* الرَّأْرَأة : تَذبذب المقلتين السريع اللاإرادي .

Nyx [nĭks] *(n.)* نِكْس : إلاهة الليل في الميثولوجيا اليونانية .

O

offshore oil gathering station (Arabian Gulf)

o [ō] *(n. often cap.)* (١) الحرف الخامس عشر من الأبجدية الانكليزية . (٢) شيء مُعْتَبَرٌ رابعَ عشر أو خامس عشر من حيث التّرتيب أو الطبقة (٣) شيء على صورة حرف **O** ؛ وبخاصة : صِفر .

O [ō] *(interj.)* = oh.

o- *or* **oo-** بادئة معناها : بيضة ؛ وبخاصة : بُيَيْضَة .

oaf [ōf] *(n.)* (١) «أ» وَلَد الجنيّة . «ب» البديل : طفلٌ يُستبدَل بآخرٍ ، بطريقة سرية ، أو بواسطة الجنّيات ، منذ الطفولة (٢) «أ» طفل مشوّه الخلقة أو مخبول . «ب» الساذج ؛ الأَبله . «ج» الأخرق .

oafish [ō'fĭsh] *(adj.)* ساذج ؛ أبله ؛ أخرق ؛ أحمق .

oak [ōk] *(n.)* (١) البلّوط ؛ السنديان (نب) (٢) خشب البلوط أو وَرَقُه .

to sport one's ~ يوصد باب حجرته عليه تهرّباً من الزائرين .

oak apple; oak gall *(n.)* عَفْص البلوط .

oaken [ō'kən] *(adj.)* بلّوطيّ ؛ سندياني .

oak-leaf cluster *(n.)* مدالية ورق السنديان : مدالية برونزية أو فضيّة تمثّل غصناً يحمل أربع ورقات سنديان وثلاث بلّوطات .

oakum [ō'kəm] *(n.)* المُشاقة : مُشاقة الحبال القديمة .

oar [ōr] *(n.; vt.; i.)* (١) مِجذاف (٢) المجذِّف § (٣) يجذّف .

chained to the ~, مُكْرَهٌ على العمل بكدّ ونشاط .

to lie *or* rest on the ~*s* يكفّ عن العمل فترة (طلباً للراحة) .

to put one's ~ in يتدخل في الحديث الخ .

to ship ~*s* يضع المجاذيف في مواضعها (استعداداً للتجذيف)

oarfish [ōr'-] *(n.)* السمك المِجذافي : سمك بحريّ طويل دقيق الجسم .

oarlock [ōr'lŏk'] *(n.)* مِسند المِجذاف ؛ بيت المِجذاف .

oarlock

oarsman [ōrz'mən] *(n.)* المجذِّف ؛ البارع في التجذيف .

oasis [ō ā'sĭs; ō'ə sĭs] *(L.)* pl. **oases** (١) الواحة . (٢) النُّجْعَة : كلّ ما يُلْجأ إليه فراراً بالنفس من المألوف أو البغيض أو الكريه .

oat [ōt] *(n.)* الشُّوفان ؛ الخَرْطال ؛ الهُرْطُمان (نب) .

to feel one's ~*s* (١) يستشعر البهجة أو الحيوية . (٢) يعي أهميّته وقوته الذاتيّتين ويستخدمهما .

to sow one's wild ~*s* ينغمس في حماقات الشباب أو شهواته .

oatcake [ōt'-] *(n.)* فطيرة الشوفان : فطيرة رقيقة من دقيق الشوفان .

oaten [ō'tən] *(adj.)* شوفانيّ : متعلق بالشوفان أو دقيق الشوفان .

oat grass *(n.)* العشب الشوفاني : عشب شبيه بالشوفان (نب) .

oath [ōth] *(n.)* (١) يمين ؛ قَسَم (٢) تجديف .

oatmeal [ōt'mēl'] *(n.)* دقيق أو طحين الشوفان .

ob- بادئة معناها : عكسيّاً ؛ على نحو مقلوب (*ob*ovate) .

obbligato [ŏb'lə gä'tō] *(adj.; n.)* (١) إلزاميّ ؛ ضروري (مو) . § (٢) لحنٌ مصاحِب يُعزف عادةً على آلة مفردة (a violin ~) .

obconic [ŏb kŏn'ĭk] *(adj.)* مخروطيّ مقلوب .

obduracy [ŏb'dyə rə sĭ] *(n.)* (١) قسوة الفؤاد (٢) استرسال في الإثم (٣) عناد .

obdurate [ŏb'dyə rĭt] *(adj.)* (١) فظّ ؛ قاسي الفؤاد (٢) مسترسل بعنادٍ في الإثم أو الشرّ (٣) عنيد .

obeah [ō'bĭ ə] *(n.)* الأوبيا : «أ» ضرب من السِّحر كان يمارسه الزنوج ، وبخاصة في جزر الهند الغربية البريطانية والأجزاء الجنوبية الشرقية من الولايات المتحدة الأميركية . «ب» رُقْية ؛ تعويذة (ع) .

obedience [ō bē'dĭ əns] *(n.)* (١) طاعة ؛ امتثال ؛ إذعان (٢) منطقة نفوذ أو سلطة ، اكليركية بخاصة (٣) أمرٌ خطي ، عادةً ، من رئيس دينيّ إلى أحد أبناء رعيته .

obedient [ō bē'dĭ ənt] *(adj.)* مطيع ؛ ممتثل ؛ مذعن .

obeisance [ō bā'səns; ō bē'-] *(n.)* (١) انحناءة احترام . (٢) إجلال ؛ احترام .

—**obeisant** *(adj.)*

obelisk [ŏb'ə lĭsk] *(L.)* (١) المَسَلّة : نصبٌ عموديّ رباعيّ الأضلاع هرميّ الرأس (٢) الخِنجرية : علامة (†) تحيل القارىء الى الهامش أو ترمز إلى تاريخ الوفاة .

obelize [ŏb'ə līz'] *(vt.)* يشير بعلامة (—) أو (÷) إلى كلمات او فقرات مشْتَبَهٍ بها .

obelus [ŏb'ə ləs] *(L.)* pl. **-li** [-lī] علامة (—) أو (÷) كانت تُستعمل في المخطوطات القديمة للدلالة على كلمات او فقرات مشتَبَهٍ بها .

obelisk

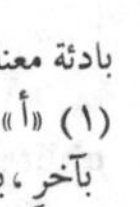

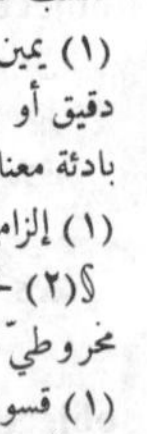

obese [ō bēs'] *(adj.)* بدين ؛ سمين .

obesity [ō bē'sə tĭ] *(n.)* بدانة ؛ سِمنَة .

obey [ō bā'] *(vt.; i.)* يُطيع ؛ يمتثل .

obfuscate [ŏb fŭs'kāt] *(vt.)* يُقتِم ؛ يعتِم ؛ يشوّش ؛ يربِك .

obi [ō'bĭ] *(Jap.)* الأوبي : زنار عريض يُشَدّ فوق ثوب ياباني .

obi [ō'bĭ] *(n.)* = obeah.

obit [ō'bĭt; ŏb'ĭt] *(n.)* = obituary.

obiter dictum [ŏb'ə tər dĭk'təm] *(L.)* pl. **obiter dicta** (١) رأي عَرَضيّ غير ملزِم يصدر عن قاضٍ (٢) ملاحظة عابرة .

obituary [ō bĭch'ōō-] *(L.)* النَّعْيُ (مرفقاً بترجمة موجزة للفقيد) .

object [*n.* ŏb'jĭkt; *v.* əb jĕkt'] *(n.; vt.; i.)* (١) شيء ؛ شيء مُدْرَك بالحواس (٢) موضع (was an ~ of admiration) (٣) هدف ؛ قصد . «ب» باعث ؛ دافع (٤) «أ» المفعول به (ل) . «ب» المجرور (ل) §(٥) يعترض على ؛ يعارض في . (٦) يرفض الموافقةَ على .

object ball *(n.)* الكرة المستهدَفة : «أ» الكرة التي يهدف لاعب البليارد إلى إصابتها بالكرة التي يضربها بعَصاه . «ب» الكرة التي لا يضربها لاعب البليارد بعَصاه .

object glass *(n.)* عَدَسة الشيئيّة : العدسة (أو مجموعة العدسات) التي تتلقى الأشعة من الشيء ، أول ما تتلقاها . والتي تشكّل صورته المرئية (ض) .

objectify [əb jĕk'tə fī] *(vt.)* (١) «أ» يُشَيِّئ : يجعل له شكلاً مُحَسّاً . «ب» يُمَوْضِع : يجعله موضوعياً (٢) externalize 3 .

objection [əb jĕk'-] *(n.)* (١) معارضة (٢) اعتراض ؛ رفض .

objectionable [əb jĕk'shən ə bəl] *(adj.)* كريه ؛ بغيض ؛ غير مرغوب فيه ؛ مثير للاعتراض .

objective [əb jĕk'tĭv] *(adj.; n.)* (١) هدَفي : ذو علاقة بالهدف المقصود (to reach our ~ point) (٢) مُحَسّ ؛ مُدْرَك بالحواس (٣) موضوعي ؛ غير ذاتي . وبالتالي : مجرّد عن الغرض ؛ غير متحيّز (an ~ discussion) (٤) مفعوليّ ؛ مجروريّ : ذو علاقة بالمفعول به أو بالمجرور (ل) §(٥) هدف ؛ غرض (٦) شيء موضوعيّ (٧) «أ» حالة المفعولية أو المجرورية . «ب» كلمة واقعة في محل مفعول به أو مجرور (ل) (٨) object glass .

objectivism [əb jĕk'tĭ vĭz'əm] *(n.)* الموضوعانية : «أ» إحدى نظريات مختلفة تؤكّد على الحقيقة الموضوعية ؛ وبخاصة بوصفها متميزة عن الخبرة الذاتية الخ . «ب» نظرية أخلاقية تقول بأن الخير حقيقيّ على نحوٍ موضوعيّ . «ج» القول بضرورة اعتماد الموضوعية في الأدب والفن . أيضاً : تطبيق هذه النظرية عملياً .

objectivist [əb jĕk'-] *(n.)* الموضوعانيّ : القائل بالموضوعانية .

objectivistic [-jĕk tĭ vĭs'-] *(adj.)* موضوعانيّ : خاصّ بالموضوعانية .

objectivity [ŏb'jĕk tĭv'ə tĭ] *(n.)* (١) الموضوعية : كون الشيء موضوعياً (٢) المُحَسّيّة : كون الشيء مُحَسّاً (٣) حقيقة موضوعية .

object lesson *(n.)* الدرس العِيانيّ : درس يتمّ فيه التعليم بواسطة أشياء ماديّة مُحَسّة أو منظورة . ومجازاً : درس عمليّ .

objet d'art [ôb zhĕ dár'] *(F.)* أثر فنيّ .

objurgate [ŏb'jər gāt'] *(vt.)* يشجب أو يوبّخ بقوة .

oblanceolate [ŏb lăn'sĭ ə lĭt; -lāt'] *(adj.)* رمحيّ مقلوب ؛ على شكل رمح مقلوب (an ~ leaf) .

oblate [ŏb'lāt] *(adj.; n.)* (١) مُفَلْطَح ؛ مسطّح أو منبعج عند القطبين §(٢) شخص منذور للخدمة في دير من غير أن ينتظم في سلك الرهبان (٣) عضو في إحدى الجمعيات الكاثوليكية الدينية .

oblation [ŏb lā'shən] *(n.)* (١) قربان (٢) التَّقْدِمة : شيء يُقدَّم لغرض دينيّ أو خيريّ .

obligate [*adj.* ŏb'lə gĭt, -gāt'; *v.* ŏb'lə gāt'] *(adj.; vt.)* (١) مُسيَّر : ذو طريقة حياتية واحدة لا يستطيع غيرها ؛ كبعض الطفيليات (قا facultative) (٢) أساسيّ ؛ ضروريّ §(٣) «أ» يُلزِم . أخلاقياً أو شرعياً . «ب» يطوّق عنقه بيمينة أو فضل .

obligation [ŏb'lə gā'-] *(n.)* (١) تعهُّد ؛ إلزام المرء نفسَه بأداء عمل ما (٢) عهد ؛ التزام (٣) صك ؛ سَنَد (٤) واجب (٥) مِنّة ؛ فَضْل (٦) المديونية : كون المرء مديناً لآخر بمنّة أو فضل .

obligatory [ə blĭg'ə tōr'ĭ] *(adj.)* (١) مُلزِم (an ~ promise) (٢) إلزاميّ ؛ إجباريّ .

oblige [ə blīj'] *(vt.)* (١) يُكرِه ؛ يُجبِر ؛ يُلزم (٢) يتفضل عليه (بجميل أو خدمة) ؛ يطوّق عنقه بمِنّة . **—obliger** *(n.)*

obligee [ŏb'lə jē'] *(n.)* (١) المتعهَّد له (ق) (٢) المتفضَّل عليه .

obliging [ə blī'jĭng] *(adj.)* لطيف ؛ كريم ؛ ميّال للمساعدة .

obligor [ŏb'lə gôr'; ŏb'-] *(n.)* المتعهِّد ؛ المقيَّد بعهد (ق) .

oblique [ə blēk'] *(adj.; n.)* (١) مائل ؛ منحرف (٢) «أ» غير مباشر . «ب» ملتوٍ ؛ منحرف ؛ تعوزه الأمانة أو الاستقامة (٣) مأخوذ من الجوّ على نحوٍ مائل الى أدنى : مائل (~ photographs) §(٤) المائل ؛ المنحرف (٥) عضلة منحرفة (ت) ، وبخاصة . إحدى العضلات الرقيقة المسطّحة التي تشكّل الطبقاتِ الوسطى والخارجية من جدران البطن الجانبية . **—obliquely** *(adv.)* **—obliqueness** *(n.)*

oblique angle *(n.)* الزاوية المائلة : زاوية حادة أو منفرجة (ر) .

obliquity [ə blĭk'wə tĭ] *(n.)* (١) انحراف ؛ لاأمانة ؛ لااستقامة . (٢) «أ» مَيْل ؛ ميَلان ؛ انحراف . «ب» انفراج ؛ مقدار المَيْل (٣) «أ» غموض متعمَّد في الكلام أو السلوك . «ب» كلام غامض أو مشوّش .

~ of the ecliptic مَيْل دائرة البروج (فل) .

obliterate [ə blĭt'ə rāt'] *(vt.)* (١) يطمس (٢) يمحو ؛ يزيل . (٣) يلغي . **—obliteration** *(n.)* **—obliterative** *(adj.)*

oblivion [ə blĭv'-] *(n.)* (١) «أ» نسيان . «ب» سُلوان (٢) عَفْو .

oblivious [ə blĭv'ĭ əs] *(adj.)* (١) نَسّاء ؛ كثير النسيان ؛ ناس . (٢) مُنتسٍ (٣) غافل عن ؛ غير واعٍ لِـ (~ to the risk) .

oblong [ŏb'lông] *(adj.; n.)* (١) مستطيل §(٢) شكل مستطيل .

obloquy [ŏb'lə kwĭ] *(n.)* (١) طعن ؛ قذف ؛ قَدْح (٢) خزي ؛ عار .

obnoxious [əb nŏk'shəs] *(adj.)* (١) عرضة «لكل ما هو بغيض» (actions ~ to censure) (٢) بغيض ؛ ذميم .

obnubilate [ŏb nū'bə lāt] *(vt.)* = becloud.

oboe [ō'bō; ō'boi] *(It.)* مِزْمار (مو) .

oboist [ō'bō ĭst] *(n.)* الزمّار : العازف على المزمار .

obol [ŏb'əl] *(Gk.)* الأوبول : قطعة نقد اغريقية تساوي ⅙ دراخما .

obovate [-ō'vāt] *(adj.)* بيضيّ مقلوب (كبعض أوراق الشجر) .

obovoid [ŏb ō'void] *(adj.)* بيضيّ مقلوب (كبعض الثمار) .

obscene [əb sēn'; ŏb-] *(adj.)* فاحش ؛ داعر ؛ قذِر .

obscenity [əb sĕn'ə tĭ] *(n.)* (١) فُحْش ؛ قذارة (٢) شيء فاحش او قذر .

obscurant [əb skyōōr'ənt] *(n.; adj.)* (١) الظَّلاميّ : مَن يناضل لإعاقة التقدم أو انتشار المعرفة §(٢) ظلاميّ .

obscurantism [-'ən tĭz'əm] *(n.)* (١) الظَّلامية (مج) :

ă at; ā date; â care; ä car; ĕ egg; ē me; ĭ in; ī bite; ŏ lot; ō bone; ô orphan; oi boil; ŏŏ good; ōō boot; ou out; ŭ under; ū unity; û urgent; th thing; th this; zh vision; ə = *a* in alone, *e* in system, *i* in easily, *o* in gallop, *u* in circus.

نزعة إلى إعاقة التقدّم وانتشار المعرفة (٢) غموض متعمَّد .

obscure[əb skyo͞or'] *(adj.; vt.; n.)* (١)مظلم ؛ قاتم (٢)«أ»ناءٍ ؛
منعزل(an ~ village) .«ب» غامض؛ مبهم ؛ عويص. «ج» مغمور ؛
غير مشهور (an ~ writer) . «د» باهت ؛ غير واضح §(٣)يُقتِم :
يجعله قاتماً أو مظلماً (٤) يعمّي : يجعله مُبهماً (٥) يحجب ؛
يُخفي §(٦) «أ» ظلمة . «ب» جزء مظلم (من الصورة الخ.)
—obscurely *(adv.)* **—obscureness** *(n.)*

obscurity [-'ə tĭ] *(n.)* (١) ظلمة ؛ قتام (٢) غموض ؛ إبهام .
(٣) خمول ذكر ؛ عدم شهرة (٤) شخص أو شيء مغمور
(غير مشهور) أو ضئيل الشأن .

obsequies [ŏb'sə kwĭz] *(n. pl.)* جنازة ؛ مأتم .

obsequious [əb sē'kwĭ əs] *(adj.)* متذلّل ؛ خنوع .

observable [əb zûr'və bəl] *(adj.)* (١) جدير بالملاحظة .
(٢) ممكنة رؤيتُهُ أو ملاحظتُه .

observance [əb zûr'vəns] *(n.)* (١) «أ» عادة ؛ طقس ؛
شَعيرة . «ب» النظام الذي يخضع له أعضاء أخويّة دينيّة
(٢) تقيّد بالقانون أو القاعدة أو العادة (٣) مراقبة ؛ ملاحظة .

observant [əb zûr'-] *(adj.)* (١) شديد الانتباه (٢) يقظ ؛ سريع
الملاحظة (٣) حريص على التقيد بالقوانين أو القواعد أو العادات .

observation [ŏb'zər vā'shən] *(n.)* (١) «أ» مراقبة ؛ ملاحظة ؛
مشاهدة . «ب» قوة الملاحظة (a man of no ~) (٢) رَصْد
(٣) حكم ؛ تعليق ؛ ملاحظة (٤) انتباه (to escape a person's ~).

observational [-əl] *(adj.)* شهوديّ : متعلق بالمشاهدة أو المراقبة.

observation balloon *(n.)* مُنطاد المراقبة .

observation car *(n.)* حافلة المشاهدة : حافلة قطار عريضة النوافذ
إلى حد يتيح للركاب استمتاعاً وافياً بالمشاهد الطبيعيّة .

observatory [əb zûr'və tōr'ĭ] *(n.)* (١) مَرْصَد (فل) .
(٢) مَرْقَب ؛ نقطة مراقبة .

observe [əb zûrv'] *(vt.; i.)* (١) يطيع ؛ يتقيّد (بقانون أو قاعدة).
(٢) يحتفل بعيد الخ . وفقاً للمراسم المألوفة (to ~ Christmas)
(٣) يرى ؛ يلاحظ (٤) يدرك ، وبخاصة بعد درس للوقائع
(٥) يُبْدي ملاحظة × (٦) ينتبه (٧) يراقب (علمياً) (٨) يعلّق على.

observer [əb zûr'vər] *(n.)* المراقب ؛ وبخاصة : «أ» مندوب يرسَل
للمراقبة ولكنه لا يشترك رسمياً في أعمال المؤتمر الخ. «ب» شخص
يرافق ربان الطائرة للقيام بأعمال المراقبة .

obsess [əb sĕs'] *(vt.)* (١) يُقلِق (ا.ق) (٢) تنتابه الهواجس ؛
تستبدّ به فكرة ما على نحو غير سويّ .
—obsessed *(adj.)*

obsession [əb sĕsh'ən] *(n.)* (١) الاستحواذ : تسلّط فكرة أو
شعور ما على المرء تسلّطاً مقلقاً غير سويّ (٢) الهاجس : فكرة
(أو شعور) تستبدّ بالمرء على هذا النحو المقلق غير السويّ .

obsessive [əb sĕs'ĭv] *(adj.)* استحواذيّ : «أ» ميّال إلى إحداث
الاستحواذ (را . obsession) . «ب» ذو علاقة بالاستحواذ
أو مُتّسِم به (٢) مُفْرِط إلى درجة غير سويّة ، عادةً .

obsidian [ŏb sĭd'-] *(L.)* السَّبَج : زجاج بركاني أسود عادةً .

obsolescent [ŏb'sə lĕs'ənt] *(adj.)* (١) آيلٌ إلى الإهمال
(~ words) (٢) آيلٌ إلى الزوال (~ organs) .
—obsolescence *(n.)*

obsolete [ŏb'sə lēt'] *(adj.)* (١) مُمات ؛ مهجور ؛ مهمَل
(~ words) (٢) عتيق الزيّ ؛ من طراز قديم (~ battleships)
(٣) أثري الخ. (را. vestigial) .
—obsoleteness *(n.)*

obstacle [ŏb'stə kəl] *(n.)* عقَبَة ؛ عائق ؛ حائل .

obstacle race *(n.)* سباق الحواجز (رب) .

obstetric [əb stĕt'rĭk] *(adj.)* قِباليّ : متعلق بالقِبالة أو التوليد.

obstetrician [ŏb'stə trĭsh'ən] *(n.)* المولّد : الطبيب المولّد .

obstetrics [əb stĕt'rĭks] *(n.)* علم القِبالة : صناعة التوليد .

obstinacy [ŏb'stə nə sĭ] *(n.)* (١) عِناد (٢) استعصاء على المعالجة.

obstinate [ŏb'stə nĭt] *(adj.)* (١) عنيد (٢) عُضال ؛ مستعصٍ
على المعالجة .
—obstinateness *(n.)*

obstreperous [əb strĕp'ər əs] *(adj.)* (١) صاخب (٢) جَموح ؛
شَمُوس ؛ صعب المراس .

obstruct [əb strŭkt'] *(vt.)* (١) يسدّ (طريقاً أو أنبوباً الخ.) .
(٢) يعوقه أو يعترض سبيله (٣) يحجبه عن النظر .
—obstructor *(n.)*

obstructive [əb strŭk'tĭv] *(adj.)* سادّ ؛ عائق ؛ حاجب للنظر .

obstruction [əb strŭk'shən] *(n.)* (١) «أ» سدّ ؛ إعاقة ؛ تعويق .
«ب» انسداد ؛ تعوّق (٢) تعوّق أو إعاقة مشروع ما في البرلمان
(٣) عقبة ؛ عائق .

obstructionism [əb strŭk'-] *(n.)* التعويقية : تدخّل متعمَّد لإعاقة
عملٍ ما في مجلس تشريعي بخاصة .
—obstructionistic *(adj.)*

obstructionist [əb strŭk'shən ĭst] *(n.)* المُعوِّق : مَن يعوّق
عملاً وبخاصة من أعمال البرلمان .

obtain [əb tān'] *(vt.; i.)* (١) يُحْرِز ؛ يحصل على × (٢) يَسُود
— obtainment *(n.)* (morals that ~*ed* in Rome) .

obtainable [əb tān'-] *(adj.)* ممكنٌ إحرازُهُ أو الحصول عليه .

obtect [ŏb tĕkt'] *also* **obtected** [ŏb tĕk'tĭd] *(adj.)* مُغْمَد :
مغلّف (بغلاف قرنيّ صلب) .

obtest [ŏb tĕst'] *(vt.; i.)* (١) يتوسّل أو يتضرّع الى (٢) يُشْهِد :
يدعوه للشهادة × (٣) يتوسل (٤) يحتجّ .
—obtestation *(n.)*

obtrude [əb tro͞od'] *(vt.; i.)* (١) يَبْثق ؛ يُخرج ؛ يُبرز إلى العيان
(٢) يُقْحِم عنوةً ؛ يُدْلي (برأيه) من غير دعوة × (٣) يتطفل .

obtruder [əb tro͞o'dər] *(n.)* المتطفل : وبخاصة فا obtrude .

obtrusion [əb tro͞o'zhən] *(n.)* (١) بَثْق ؛ إخراج ؛ إبراز
للعيان (٢) إقحام (٣) تطفّل (٤) شيء مُخْرَج أو مُقْحَم الخ.

obtrusive [əb tro͞o'sĭv] *(adj.)* (١) ناتىء (٢) متطفّل ؛ فضوليّ .

obtrusiveness [əb tro͞o'sĭv-] *(n.)* تطفّل ؛ فضول .

obturate [ŏb'tyə rāt'] *(vt.)* يسدّ . **-tion** *(n.)*

obturator [ŏb'tyə rā tər] *(n.)* (١) السادّ ؛ السِّداد (ت) .
(٢) الحابسة : أداة لمنع تسرّب الغاز (جن) .

obturator nerve *(n.)* العَصَب السادّ (ت) .

obtuse [əb tūs'] *(adj.)* (١) بليد ؛ متبلّد الذهن أو الحسّ ؛
أبله (٢) «أ» منفرجة (an ~ angle) . «ب» منفرج الزاوية
(٣) كليل : «أ» غير حادّ أو مستدقّ الطرف . «ب» مكتوم
(~ sound) . «ج» مدوَّر عند الطرَف الطليق (~ leaf) .
—obtuseness *(n.)*

obverse [*adj.* ŏb vûrs'; *n.* ŏb'vûrs] *(adj.; n.)* (١) مواجِه ؛
مُقابِل (٢) ضيّق القاعدة : قاعدته أضيق من قمته (an ~ leaf)
§(٣) «أ» وجه العملة أو المدالية أو الورقة النقدية. «ب» وجه الشيء
(٤) الجانب أو المظهر الآخر من حقيقة ما الخ . **-ly** *(adv.)*

obversion [ŏb vûr'shən; -zhən] *(n.)* قَلْب ؛ عَكْس .

obvert [ŏb vûrt'] *(vt.)* يقلب (بحيث يُبرز وجهاً جديداً) .

obviate [ŏb'vĭ āt'] *(vt.)* يتحاشى ؛ يتفادى ؛ يتجنّب .

obviation [ŏb vĭ ā'shən] *(n.)* تحاشٍ ؛ تفادٍ ؛ تجنُّب .

obvious [ŏb'vĭ əs] *(adj.)* واضح ؛ جليّ ؛ بيّن .

ă at; ā date; â care; ä car; ĕ egg; ē me; ĭ in; ī bite; ŏ lot; ō bone; ô orphan; oi boil o͝o good; o͞o boot; ou out;
ŭ under; ū unity; û urgent; th thing; th this; zh vision; ə = *a* in alone, *e* in system, *i* in easily, *o* in gallop, *u* in circus.

obviously [ŏb'vĭ əs lĭ] *(adv.)* بوضوح ؛ بجلاء ؛ على نحوٍ بيّن.

obviousness [ŏb'vĭ əs-] *(n.)* وضوح ؛ جلاء ؛ بيان.

obvolute [ŏb'və lōōt'] *(adj.)* مُلْتَفّ ؛ متراكب ؛ متداخل.

ocarina [ŏk'ə rē'nə] *(n.)* الأُكَرِينَة : آلة موسيقية بسيطة من آلات النفخ.

ocarina

occasion [ə kā'zhən] *(n.; vt.)* (١) فرصة ؛ فرصة ملائمة (٢) مناسَبة (٣) سبب ؛ وبخاصة : سببٌ مباشر أو ثانويّ (٤) حادثة (٥) داعٍ ؛ ضرورة (You have no ~ to be angry.) (٦) *pl.* : شأن ؛ عمل (٧) احتفال ؛ مهرجان § (٨) يُحدث ؛ يسبِّب ؛ (~ *ed* a delay of three weeks).

on ~, أحياناً ؛ بين الفينة والفينة ؛ عند الاقتضاء.

to rise to the ~, يُظهِر من الكفاءة مقداراً يتناسب مع أهمية الحَدَث : يرتفع إلى مستوى الأحداث.

to take ~ to ينتهز الفرصة لـ.

occasional [ə kā'zhən əl] *(adj.)* (١) عَرَضيّ ؛ اتفاقيّ (٢) سببيّ ؛ مشكِّل سبباً ثانوياً لِـ (٣) مناسَبيّ : منظوم لمناسبة خاصة (an ~ poem) (٤) حِينيّ : حادثٌ أحياناً أو في المناسبات (٥) اقتضائيّ : مُعَدّ للاستخدام عند الاقتضاء (an ~ table).

occasionally [ə kā'zhən ə lĭ] *(adv.)* أحياناً ؛ بين الفينة والفينة.

occident [ŏk'sə dənt] *(n.)* (١) *cap.* عد : الغرب : أوروبة وأميركة (٢) *cap.* عد : نصف الكرة الغربيّ (٣) المناطق الغربيّة.

Occidental [ŏk'sə dĕn'təl] *(adj.; n.)* (١) غربيّ § (٢) الغربيّ.

Occidentalism [ŏk'sə dĕn'tə lĭz'əm] *(n.)* الغُروبة : ثقافة الشعوب الغربيّة أو سِماتها المميزة.

Occidentalist [ŏk'sə dĕn'-] *(n.)* المستغرِب : المؤيّد للثقافة الغربيّة.

Occidentalize [-'tə līz'] *(vt.)* يغرِّب : يجعله غربيّ السمة أو الثقافة.

occipital [ŏk sĭp'ə təl] *(adj.; n.)* (١) قَذاليّ : متعلّق بمؤخّر الرأس أو بالعظم القَذاليّ § (٢) العظم القَذاليّ (ت).

occipital bone *(n.)* العظم القَذاليّ : عظم مؤخّر الرأس (ت).

occiput [ŏk'sə pŭt'] *(L.)* pl. -s *or* **occipita** القَذال : مؤخّر الرأس أو الجمجمة (ت).

occlude [ə klōōd'] *(vt.; i.)* (١) يسدّ (٢) يحبس (٣) يمتصّ × (٤) تنطبق (الأسنان).

—occludent; occlusive *(adj.)*

occlusion [ə klōō'zhən] *(n.)* (١) «أ» سدّ . «ب» انسداد (٢) «أ» إطباق الأسنان . «ب» مدى انطباق الأسنان.

occult [ə kŭlt'] *(vt.; i.; adj.; n.)* (١) يَستر ؛ يخفي ؛ يحجب (٢) يكسف ؛ يخسف (فل) × (٣) يستتر ؛ يحتجب ؛ ينكسف § (٤) سِرّيّ (٥) غامض ؛ ممتنعٌ على الفهم ؛ مكتنَف بالأسرار (٦) خفيّ ؛ مستتر (٧) سِحريّ : ذو علاقة بالسحر أو التنجيم وما إليهما § (٨) مسائل السحر والتنجيم.

~ sciences السحر أو التنجيم وما إليهما.

occultation [ŏk'ŭl tā'shən] *(n.)* (١) استتار ؛ احتجاب (٢) كسوف ؛ خسوف (فل).

occulting *(adj.)* ساتر ؛ حاجب ؛ كاسف («بص» و «فل»).

occultism [ə kŭl'tĭz əm] *(n.)* الإيمان بالقوى الخفيّة وبإمكان إخضاعها للسيطرة البشرية.

—occultist *(n.)*

occupancy [ŏk'yə pən sĭ] *(n.)* (١) احتلال ؛ تملّك (٢) الامتلاك بوضع اليد (ق).

occupant [ŏk'yə pənt] *(n.)* (١) المتملك بوضع اليد (ق) (٢) الشاغل ؛ وبخاصة : المستأجر ؛ الساكن ؛ المقيم.

occupation [ŏk'yə pā'shən] *(n.)* (١) «أ» شُغل ؛ عمل . «ب» حرفة ؛ مهنة ؛ صنعة (٢) «أ» امتلاك أرض أو استعمالها أو الاقامة فيها . «ب» تولّي منصب أو مركز . «ج» شَغْلٌ لمنزل الخ. (٣) «أ» احتلال . «ب» القوة العسكرية المحتلّة.

occupational [-'shən əl] *(adj.)* (١) مِهَنيّ أو ناشىء عن مهنة معينة (an ~ disease) (٢) احتلاليّ : ذو علاقة بالاحتلال العسكريّ.

occupational therapy *(n.)* المعالجة بالعمل ؛ المداواة بالانشغال : طريقة في المعالجة قوامها تكليف المريض أداءَ ضرب من العمل الخفيف يصْرِفه عن التفكير في نفسه ويعجّل في شفائه.

occupied [ŏk'yə-] *(adj.)* (١) منهمك ؛ منشغل بِـ ؛ مشغول (٢) محتَلّ.

occupy [ŏk'yə pī'] *(vt.)* (١) يَشْغَل (اهتمام شخص أو نشاطه) (٢) «أ» يحتلّ (مكاناً ما) . «ب» يستغرق (زماناً ما) (٣) يتولى أو يَشْغَل منصباً (٤) يَشْغَل منزلاً.

—occupier *(n.)*

occur [ə kûr'] *(vi.)* (١) يوجَد ؛ يَظْهَر (Two misprints ~ on the last page.) (٢) يَحْدُث (٣) يخطُر في البال.

occurrence [-'əns] *(n.)* (١) حُدوث (of frequent ~) (٢) بروز ؛ ظهور (a fish of regular ~ along the coast) (٣) حادثة ؛ وبخاصة : مصادفة ؛ حادثة غير متوقّعة (a happy ~).

occurrent [ə kûr'-] *(adj.)* (١) جارٍ : حادثٌ في الزمن الحاضر (٢) عَرَضيّ ؛ اتّفاقيّ.

ocean [ō'shən] *(n.)* (١) البحر : مجموع البحار والمحيطات التي تغطي نحواً من ثلاثة أرباع سطح الكرة الأرضية (٢) محيط ؛ أوقيانوس.

oceangoing [ō'shən-] *(adj.)* سَفَرْبَمُحيطِيّ : ذو علاقة بالسفر في المحيطات أو ملائمٌ له.

oceanic [ō'shĭ ăn'ĭk] *(adj.)* (١) أوقيانوسيّ (٢) واسع ؛ عظيم.

Oceanid [ō sē'ə nĭd] *(Gk.)* الأُقيانِدة : إحدى حوريّات الأوقيانوس في الميثولوجيا الاغريقية.

oceanographer [ō'shĭ ə nŏg'-] *(n.)* الأوقيانوغرافيّ : العالِم بالمحيطات أو الأوقيانوسات.

oceanographic; -al [ō'shĭ ə nə grăf'-] *(adj.)* أوقيانوغرافيّ.

oceanography [ō'shĭ ə nŏg'rə fĭ] *(n.)* الأوقيانوغرافيا : علم المحيطات أو الأوقيانوسات وظواهرها.

Oceanus [ō sē'ə nəs] *(n.)* أُقيانُس : إلَه البحر الخارجيّ الكبير الذي زعمت الأساطير الاغريقية أنّه يطوّق الأرض.

ocellar [ō sĕl'-] *(adj.)* عُيَيْنيّ : متعلق بعُيَيْنَة (را. المادة بعد التالية).

ocellated [ŏs'ə lā'-] *(adj.)* (١) ذو عُيَيْنات (٢) شبيهٌ بعُيَيْنَة.

ocellus [ō sĕl'əs] *(L.)* pl. **ocelli** [-'ī] (١) العُيَيْنَة : عين الحيوان اللافقاري الصغيرةُ البسيطة (٢) بقعة شبيهة بعُيَيْنَة (كالتي تكون على ريش الطاووس).

ocelot [ō'sə lŏt'] *(F.)* الأَسْلُوت : حيوان أميركي يشبه النمر.

ocher *or* **ochre** [ō'kər] *(Gk.)* (١) المَغْرَة : أكسيد الحديديك المائيّ الطبيعي (وتكون صفراء أو حمراء عادةً) (٢) نقود ؛ وبخاصة : عملة ذهبية (ع) (٣) لون المَغْرَة ، وبخاصة : لون المَغْرَة الصفراء.

ocherous *or* **ochreous** [ō'kər əs] *(adj.)* (١) مَغْريّ : ذو علاقة بالمغرة أو محتوٍ عليها (٢) مَغْريّ اللون ؛ بلون المَغْرَة الصفراء.

ochlocracy [ŏk lŏk'-] *(Gk.)* حكومة الدهماء ؛ حكم الرعاع.

—ochlocrat *or* **ochlocratical** *(adj.)*

ochlocrat [ŏk'lə krăt] *(n.)* المناصر أو المؤيّد لحكم الرعاع.

-ock لاحقة معناها : شيء صغير (hill*ock*).

o'clock [ə klŏk'] *(adv.)* وفقاً للساعة ؛ حسْب الساعة.

what ~ is it? كم الساعة ؟

ă at; ā date; â care; ä car; ĕ egg; ē me; ĭ in; ī bite; ŏ lot; ō bone; ô orphan; oi boil ŏŏ good; ōō boot; ou out; ŭ under; ū unity; û urgent; th thing; t͟h this; zh vision; ə = *a* in alone, *e* in system, *i* in easily, *o* in gallop, *u* in circus.

ocrea [ŏk'rĭ ə](*L.*)pl.-**e**. الغِمد الأنبوبي : غمدٌ حول قاعدة السُّويقة.

ocreate [ŏk'rĭ āt] (*adj.*) مغمَّد ؛ ذو غمدٍ أنبوبي (را . المادة السابقة).

octa- *or* **octo-** *also* **oct-** بادئة معناها : ثمانية .

octagon [ŏk'tə gŏn'](*L.*) المُثَمَّن : مُثمَّن الزوايا والأضلاع (ر) .

ocrea

octagonal [ŏk tăg'-] (*adj.*) مُثمَّن : ذو ثماني زوايا وأضلاع (ر).

octahedral[ŏk'tə hē'-](*adj.*) ثمانيّ الأسطح : ذو ثمانية أسطح(ر).

octahedron[-hē'-](*n.*)pl.-**s** *or* **-dra** المُجسَّم الثمانيّ : جسم مُثمَّن الأسطح.

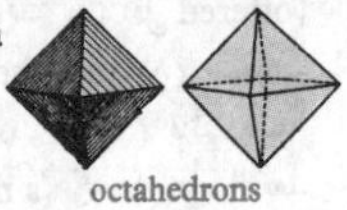

octahedrons

octamerous [ŏk tăm'ər əs] (*adj.*) مُثمَّن الأجزاء أو ذو أجزاء منظّمة ثمانيةً ثمانيةً (an ~ flower).

octameter [ŏk tăm'ə tər] (*n.*) ثُمانيّ التفاعيل (عر) .

octane [ŏk'tān](*n.*) الأوكتِين: هيدروكربون بارافيني في جزيئه ثماني ذرات من الفحم (ك) .

octane number *or* **octane rating** (*n.*) : العدد الأوكتيني : مقياس للخصائص المانعة للخبْط في البنزين.

octangular [ŏk tăng'-] (*adj.*) ثُمانيّ الزوايا: ذو ثماني زوايا (ر).

octant [ŏk'tənt] (*L.*) (١) ثُمْن الدائرة : زاوية مقدارها ٤٥ درجة. (٢) الثُّمنِيَّة : أداة لقياس الزوايا ذات قوس منقسم إلى ٤٥ درجة.

octave [ŏk'tĭv; -tāv](*L.*) (١) اليوم الثامن بعد العيد (نص). (٢)«أ» الثُّمانية : مقطوعة شعرية ذات ثمانية أبيات. «ب» الثُّمانيّ : مجموعة من ثماني وحدات (٣) الجواب(مو).

octavo [ŏk tā'vō; -tä'-](*L.*) (١) قَطْعُ الثُّمْن (طع) (٢) كتاب أو ورق بحجم قطْع الثمن .

octet [ŏk tĕt'] (*n.*) (١) اللحن الثُّمانيّ : لحنٌ مُعدّ لثماني آلات أو ثمانية أصوات (٢) مجموعة ثمانية ، مثل : «أ» الثُّمانيّ: الموسيقيون الذين يعزفون لحناً ثُمانياً. «ب» الثُّمانيّة: الأبيات الثمانية الأولى من القصيدة المعروفة بـ « السّونيت » .

octillion [ŏk tĭl'yən] (*F.*) الأقتيليون : عددٌ يساوي (في الولايات المتحدة الأميركيّة وفرنسة) واحداً إلى يمينه ٢٧ صفراً ، ويساوي (في انكلترة وألمانية) واحداً إلى يمينه ٤٨ صفراً .

October [ŏk tō'bər] (*n.*) (١) أُكتوبَر ؛ تشرين الأول : الشهر العاشر في التقويم الغريغوري (٢) بِيرْ اكتوبر : بِيرْ (جعة) يُعَدّ في أكتوبر (بر).

octodecimo [ŏk'tə dĕs'ə mō'] (*L.*) : الحجم الثَّمانِيْعَشْرِيّ : حجم كتاب (حوالى ٤ × ٦ ¼ إنشاً) يتمّ بالطباعة على أوراق مطوية بحيث تشكّل ١٨ ورقة أو ٣٦ صفحة .

octogenarian [ŏk'tə jə nâr'ĭ ən] (*n.; adj.*) (١) الثمانونيّ : شخص في العقد التاسع من العمر ‖(٢) ثمانونيّ .

octonary [ŏk'tə nĕr'ĭ] (*adj.; n.*) (١) ثُمانيّ : ذو علاقة برقم ٨ ؛ مؤلّف من ثمانية ‖(٢) «أ» الثُّمانيّ : مجموعة ذات ثماني وحدات. «ب» الثُّمانيّة: مقطوعة شعرية ذات ثمانية أبيات.

octoploid [ŏk'tə ploid] (*adj.*) ثُمانيّ الأجزاء أو المظاهر .

octopod [ŏk'tə pŏd'] (*n.; adj.*) (١) الأُخْطُبوطيّ : حيوان من رتبة الأُخْطُبوطيات أو ذوات الثماني الأرجل **Octopoda** التي منها الأُخْطُبوط ‖(٢) أُخْطُبوطيّ .

—octopodan (*adj.; n.*)

octopus [ŏk'tə pəs] (*L.*) (١) الأُخْطُبوط (ح) . (٢) شيء كالأخطبوط ؛ وبخاصة : مؤسّسة ذات فروع كثيرة تسيطر بواسطتها على المؤسسات الأخرى .

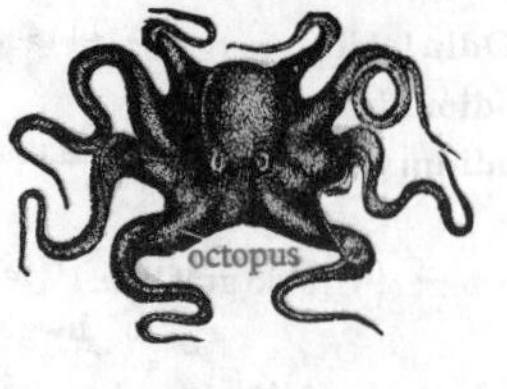

octopus

octoroon [ŏk'tə rōōn'] (*n.*) ثُمن الزنجي : شخص نسبة الدم الزنجي فيه إلى الدم غير الزنجيّ تساوي ⅛ .

octosyllable [ŏk'tə sĭl'ə bəl] (*n.*) ثمانيّ المقاطع : لفظٌ (أو بيتٌ من الشعر) ثمانيّ المقاطع .

—octosyllabic (*adj.*)

octroi [ŏk'troi; ôk trwä'] (*F.*) : رسم الدخول ؛ « الدخوليّة » : رسم تجبيه البلديات عن السلَع المجلوبة إلى المدينة .

ocul- *or* **oculo-** بادئة معناها : عين (*oculo*motor) .

ocular [ŏk'yə lər] (*adj.; n.*) (١) عَيْنيّ : «أ» ذو علاقة بالعين. «ب» مُنْجَزٌ أو مُدْرَك بالعين أو بالبصر . «ج» شبيه بالعين من حيث الشكل أو الوظيفة (٢) عِيانيّ : مبنيّ على ما رُئي بالعين (evidence ~) ‖(٣) العَيْنيّة : عدسة المجهر .

oculist [ŏk'yə lĭst] (*n.*) الكحّال ؛ طبيب العيون .

oculomotor [ŏk'yə lō mō'-] (*adj.*) (١) مُحرِّك للعين . (٢) حَرَكِيعَيْنيّ : متعلق بحركة العين أو بالعصب الحَرَكِيعَيْنيّ .

oculomotor nerve (*n.*) العَصَب الحَرَكِيعَيْنيّ (ت) .

Od *or* **Odd** [ŏd] (*interj.*) صيغة مخففة عن لفظة *God* .

odalisque [ō'də lĭsk](*Turk.*) الجارية؛المحظية(في حريم السلطان).

odd[ŏd] (*adj.*) (١) مُفْرَد ؛ ينقصه الجزء المتمّم له two pairs of shoes and an ~ shoe) (٢) «أ» زائد ؛ باقٍ . «ب» نيّف (sixty and some ~ miles) (٣) وِتْريّ ؛ غير شَفْعيّ (كالأعداد ٣ و ٥ و ٧) (٤) شاذٌ ؛ غريب (٥) ناءٍ ؛ منعزل (٦) عَرَضيّ ؛ اتفاقيّ ؛ غير نظاميّ (makes a living by doing ~ jobs)

—oddly (*adv.*) **—oddness** (*n.*)

oddball[ŏd'-](*n.; adj.*) (١)الغريب الأطوار ‖(٢) غريب الأطوار.

oddity [ŏd'ə tĭ](*n.*) (١)«أ» شيء أو حادث غريب. «ب»شخص غريب الأطوار (٢) غرابة ؛ شذوذ .

oddment [ŏd'mənt] (*n.*) (١) بقيّة ؛ شيء باقٍ أو زائد . (٢) oddity (٣) مزيدات الكتاب أو ملحقاته (كصفحة العنوان وصفحة المحتويات الخ .)

odds [ŏdz] (*n. pl. and sing.*) (١) «أ» فرق . «ب» ميزة ؛ أفضلية ؛ أرجحية . «ج» منفعة ؛ فائدة (٢) خلاف ؛ نزاع (٣) محاباة ؛ تحيّز (٤) علاوة المساواة : علاوة تمنح للفريق الأضعف لمساواته بالفريق الأقوى في مباراة الخ.

at ~ with في نزاع أو خصام مع .

by long ~, بفرق أو فارق كبير .

It makes no ~, سِيان ؛ لا فرق .

What's the ~, وأيّ فَرْقٍ ؟ وأيّ بأسٍ ؟

odds and ends (*n. pl.*) (١) نثريات (٢) بقايا .

odds-on [ŏd zŏn'] (*adj.*) مُرَجَّح فوزه .

ode[ōd] (*n.*) القصيدة الغنائيّة : قصيدة من الشعر الغنائي .

-ode لاحقة معناها : مَسْلَك ؛ طريق .

odeum [ō dē'əm] (*L.*),pl. **odea** مسرح للموسيقى والتمثيل .

odic[ō'dĭk](*adj.*) قصيدىغنائيّ : متعلّق بقصيدة غنائيّة أو مكوّن لها .

Odin [ō'dĭn] *(n.)* أودين : ربّ الأرباب في الميثولوجيا الجرمانية.

odious [ō'dĭ əs] *(adj.)* كريه ؛ بغيض ؛ قبيح .

odium [ō'dĭ əm] *(L.)* (١) «أ» خِزْي ؛ عار . «ب» بُغْض ؛ كُره (٢) وصمة عار .

odograph [ō'də grăf'] *(n.)* : odometer(١) (٢) عدّاد الخطى : أداة لتسجيل طول وسرعة وعدد خطى الماشي .

odometer [ō dŏm'ə tər] *(n.)* عدّاد المسافات : أداة أوتوماتيكية لتسجيل المسافة التي اجتازتها سيارة .

odont- *or* **odonto-** بادئة معناها : سِن (*odont*ology) .

-odont لاحقة معناها : ذو أسنان من نوع معيّن .

-odontia لاحقة معناها : شكل الأسنان أو حالتها أو طريقة معالجتها .

odontoid [ō dŏn'toid] *(adj.)* سِنّيّ الشكل : ذو شكل كشكل السنّ .

odontology [ō'dŏn tŏl'ə jĭ] *(n.)* عِلم الأسنان (وأمراضها) .

odor *or* **odour** [ō'dər] *(n.)* (١) رائحة (٢) صفةٌ غالبة : نكهة (a faint ~ of romance) (٣) سمعة (to be in bad ~) .

odorant [ō'də-] *(adj.; n.)* odorous(١) §(٢)مادةٌ ذات رائحة.

odoriferous [ō'də rĭf'-] *(adj.)* (١)ذو رائحة (٢) كريهٌ أخلاقياً.

odorless [ō'dər-] *(adj.)* عديم الرائحة ، غير ذي رائحة .

odorous [ō'dər əs] *(adj.)* ذو رائحة ؛ مثل «أ» أرِج ؛ عطِر . «ب» كريه الرائحة .

odyssey [ŏd'ə sĭ] *(n.)* (١) *cap.* : ملحمة الأوديسة لهوميروس. (٢) تجوال طويل ؛ سلسلة أسفار .

oecumenical [ĕk'yōō mĕn'-] *(adj.)* = ecumenical.

Oedipal [ĕd'ə-] *(adj.)* أوديبيّ : متعلّق بعقدة أوديب .

Oedipus complex [ĕd'ə pəs; ē'də-] *(n.)* (١) عقدة أوديب : عقدة نفسية تتّسم بحبّ الابن لأمه والبنت لأبيها حبّاً مفرطاً مصحوباً بتحيّز ضدّ الأب في الحالة الأولى وضدّ الأمّ في الحالة الثانية (وأوديب هو ملك طِيبة الذي قتل أباه وتزوّج أمه) .

oeil-de-boeuf [œ'y də bœf'] *(F.)* كُوّة مُستديرة أو بيضيّة .

oeillade [œ yăd'] *(n.)* نظرة غرام .

oenology [ē nŏl'ə jĭ] *(n.)* = enology.

oenomel [ē'nə mĕl'] *(Gk.)* : الخَمْسَل : شراب اغريقيّ من خمر وعسل (٢)شيء يجمع إلى القوة عذوبةً وحلاوةً .

oeil-de-boeuf

o'er [ōr] *(adv.; prep.)* = over.

oersted [ûr'stĕd] *(n.)* الإرْسْتَد : وحدة الشدّة المغنطيسية (كب).

oesophagus [ē sŏf'ə gəs] *(n.)* pl. **-gi** [-jī] = esophagus.

oestrous; oestrus [ĕs'trəs] = estrous; estrus.

oeuvre [œ'vr] *(F.)* الأعمال الكاملة: مجموع آثار الكاتب أو الفنان.

of [ŏv; ŭv] *(prep.)* (١) أداة إضافة (south ~ the town) . (٢) «أ» من (a man ~ humble origin) . «ب» بسبب ؛ من (died ~ hunger) (٣) «أ» عن (stories ~ her travels) . «ب» بشأن ؛ بخصوص ؛ في ما يتعلق بـ (was slow ~ speech) (٤) بِـ (is fond ~ candy) (٥) «أ» في (plays golf ~ a Sunday) . «ب» قبل (quarter ~ five) .

ofay [ō fā'] *(n.)* شخص أبيض أو غير زنجي (ع) .

off [ôf; ŏf] *(adv.; prep.; adj.; vi.)* (١) «أ» بعيداً (drove the dog ~) . «ب» بعيداً عن اليابسة . «ج» جانباً (They turned ~ into a bypath.) «د» نحو حالة من اللاوعي (dozed ~ for a while) (٢) بحيث يؤدي إلى حالة من الانقطاع أو الاستنفاد (broke ~ negotiations) (drank ~ a glass) (to smooth ~ the corners) (٣) على مبعده من حيث المكان (stood six paces ~) أو من حيث الزمان (Summer is only a month ~.) (٤)في طريق المرء أو أثناء سفره (to see a friend ~ on a trip) §(٥) عن (fell ~ the horse) (٦)«أ» من (borrowed five dollars ~ her). «ب» على حساب (lived ~ her brother) . «ج» بحيث يستهلك (He dined ~ oysters.) (٧) «أ» أداة تدل على الانقطاع المؤقت عن وظيفة أو عمل مألوف (was ~ duty) . «ب» أداة للدلالة على الامتناع عن (~ liquor) . «ج» تحت المستوى المألوف. «د» أقلّ (offered her the goods at 5% ~ the regular price) (٨) منحرف عن شيء سويّ أو مألوف (~ one's balance) (٩) قائم بعيداً عن (a bookstore just ~ the main street) §(١٠) «أ» الأبعد (the ~ side of the wall) . «ب» الأيمن (~ horse in a team) (١١) «أ» لاغٍ ، مُلْغى . «ب» مُعطّل ، متوقّف عن العمل (١٢) «أ» مخطئ (He is ~ on that point.) . «ب» مخبول ؛ غريب الأطوار (That fellow is a little ~.) . «ج» ضئيل (only an ~ chance) (١٣) من أيام العطلة أو الاجازة ؛ من ساعات الفراغ (an ~ day; one's ~ hours) (١٤) «أ» فاتِر ؛ راكد ؛ متسم بالكساد أو عدم الرواج (an ~ season in the cotton trade) «ب» رديء ؛ غير طازج (This fish is a bit ~.) «ج» في حالة هبوط أو نزول (Stocks are ~.) (١٥) في حالة صحية منحرفة (am feeling rather ~ today) §(١٦)انصرِفْ ! اذهبْ ! اغرُبْ ! (~, or I shoot.)

- badly ~, مُعوِز ؛ في حالة عُسرٍ مالي .
- ~ and on على نحوٍ متقطّع ؛ بين فترة وأخرى .
- ~ one's feed فاقدُ الشهوة إلى الطعام .
- ~ one's head فاقدٌ صوابه ؛ مضطرب العقل بعض الشيء.
- ~ the map زائل ؛ لم يعُدْ له وجود .
- well ~, مُوسِر ؛ في خفضٍ من العيش .

offal [ôf'əl] *(n.)* (١) فضلات الذبيحة (٢) فضلات ؛ نفايات .

offbeat [ôf'bēt'] *(adj.)* شاذّ ؛ غير عادي ؛ غريب الأطوار .

offcast [ôf'-] *(adj.; n.)* (١) مُهمَل ، منبوذ §(٢) المهمل ؛ المنبوذ.

off-color [ôf'kŭl'ər] *(adj.)* (١) «أ» حائل اللون أو ضعيفُهُ (an ~ gem) . «ب» منحرف المزاج أو الصحة. «ج» دون المستوى (٢)«أ» غير محتشم (an ~ story). «ب» مريب ؛ موضع ريبة.

offend [ə fĕnd'] *(vi.; t.)* (١) يأثم ؛ يُذْنب (٢) «أ» يضايق ؛ يزعج ؛ يؤذي . «ب» يُغضب ؛ يغيظ ؛ يجرح مشاعر فلان (٣) ينتهك . **— offended** *(adj.)* **—offender** *(n.)*

offense *or* **offence** [ə fĕns'] *(n.)* (١) «أ» إساءة ؛ إهانة . «ب» إزعاج ؛ أذى (٢)هجوم (weapons of ~) (٣)«أ» إغاظة ؛ إغضاب . «ب» اغتياظ ؛ غضب ؛ استياء (٤)«أ» إثم . «ب» جريمة . **—offenseless** *(adj.)*

offensive [ə fĕn'sĭv] *(adj.; n.)* (١) هجومي ؛ عدواني (his ~ movements) (٢) كريه؛ مزعج ؛ مُغثٍ (~ odors) (٣) مُهين ؛ مغضِب (~ language) §(٤) الهجوم : موقف أو حالة الهجوم (took the ~) (٥) هجوم (an ~ at the enemy's capital) **—offensiveness** *(n.)*

offer [ôf'ər; ŏf'ər] *(vt.; i.; n.)* (١) «أ» يقدّم قرباناً . «ب» يصلّي ؛ يرفع صلاة (٢) يقدّم (سيكارة الخ.) (٣) «أ» يقترح . «ب» يبدي استعداده أو رغبته (~*ed* to accompany her) (٤) «أ» يُبْدي (The enemy ~*ed* stub-

(He ~ *ed* to strike «ب» يهدّد ؛ يتوعّد · born resistance.)
her.) (٥) يعرض للبيع أو للعيان (٦) يعرض سِعراً
×(٧) تسنحُ الفرصة (٨) يقدّم عرضاً؛ وبخاصة : يطلب الزواج من
§(٩)«أ»عَرْض . «ب» طلبُ اليد للزواج (١٠) الثمن المعروض
(من قِبل الراغب في الشراء) (١١) محاولة ، سعي .
as occasion ~ *s*. عندما تسنح الفرصة .

offering [ôf'ər ĭng] *(n.)* (١) «أ» تقديم ؛ عَرْض . «ب» شيء يُقدّم ؛ وبخاصة : قربان ؛ ذبيحة . «ج» إعانة للكنيسة (٢)شيء معروض للبيع (٣) فرصة للدراسة (في معهد علميّ) .

offertory [ôf'ər tōr'ĭ] *(L.)* (١) «أ» تقدمة الذبيحة الإلهيّة (في قداس) . «ب» صلاة التقدمة : صلاة تتلى أو تُنشَد في مستهل هذه التقدمة (٢)«أ» جَمْعُ الصدقات من المؤمنين (أثناء القداس أو الصلاة) . «ب» الصدقات نفسها . «ج» الموسيقى التي تعزف أو الترانيم التي تُنشَد أثناء جمع هذه الصدقات .

offhand [ôf'-] *(adj.; adv.)* (١) مُرْتَجَل (an ~ remark) (٢) خشن ؛ فظّ ؛ تعوزه الكياسة (acted in an ~ way) §(٣)ارتجالاً ؛ بطريقة مُرتَجَلة (couldn't decide ~) .

offhanded [ôf'hăn'dĭd] *(adj.)* مُرتَجَل .

offhandedly [ôf'hăn'dĭd lĭ] *(adv.)* ارتجالاً .

office [ôf'ĭs] *(n.)* (١) «أ»منصب. «ب»الحكم (Labor Party was out of ~.) (٢)*cap.* : قُدّاس احتفاليّ (٣)شعيرة ؛ طقس دينيّ (٤) «أ» مهمّة ؛ واجب ؛ دَوْر . «ب» وظيفة (٥)«أ» مكتب الموظف أو المحامي الخ. «ب» مكتب الشركة (٦) *pl.* : مَرافق الدار : جزء من البيت أو من مبنى آخر يُجرَى فيه العمل المنزلي (٧) «أ» وزارة (foreign ~) . «ب» دائرة (the post ~) .
good ~ *s* مساعٍ حميدة .
the last ~ *s* الصلاة على الميت .

office boy *(n.)* صبيّ المكتب ؛ ساعي المكتب .

officeholder [ôf'ĭs hōl'dər] *(n.)* الموظف؛ الموظف الحكوميّ.

office hours *(n. pl.)* ساعات الدوام (في مكتب أو دائرة) .

officer [ôf'ə sər] *(n.; vt.)* (١) شرطيّ (٢) موظف (٣) ضابط (في الجيش أو الأسطول) (٤) ربان باخرة تجارية الخ . §(٥) يزوّد بالموظفين أو الضباط (٦) يأمر ؛ يوجّه؛ يقود ؛ يدير.

official [ə fĭsh'əl] *(n.; adj.)* (١) موظف §(٢) رسميّ . (٣) «أ» مرخّص به . «ب» اقرباذيني ؛ قانونيّ : مقرر في دستور الأدوية أو كتاب الاقرباذين .

officialdom [ə fĭsh'əl dəm] *(n.)* طبقة الموظفين .

officialism [ə fĭsh'ə lĭz'əm] *(n.)* روتينيّة الموظّفين : قلّة في المرونة والمبادرة ، مع تقيّد مفرط بالأنظمة ، يتّسم بهما عادةً سلوك موظفي الدولة .

officially [ə fĭsh'-] *(adv.)* رسمياً ؛ بصورة رسمية .

officiant [ə fĭsh'-] *(n.)* المقدِّس : الكاهن القائم بالقدّاس .

officiary [ə fĭsh'ĭ ĕr'ĭ] *(n.; adj.)* (١) «أ»ضابط. «ب» موظف. (٢) جماعة من الضبّاط أو الموظفين §(٣) مَنْصِبيّ : ذو علاقة بمنصب أو مستمدّ منه (~ titles) (٤) حامل لقباً بفضل تولّيه منصباً معيّناً (~ earls) .

officiate [ə fĭsh'ĭ āt'] *(vi.; t.)* (١) يؤدّي مهمة أو وظيفة. (٢) يعمل بوصفه موظفاً ×(٣) يقدّس ؛ يرئس قداساً (٤) يتولى مهمة الحَكَم (في مباراة) .

officinal [ə fĭs'ə nəl] *(adj.; n.)* (١) «أ» مهيّأ : جاهز (~ drugs) . «ب» اقرباذينيّ؛ قانونيّ : مقرّر في دستور الأدوية أو كتاب الاقرباذين (٢) طبّيّ : ذو فوائد طبيّة (an ~ herb) §(٣) «أ» دواء جاهز . «ب» نبات طبّيّ .

officious [ə fĭsh'əs] *(adj.)* (١) فضوليّ : عارضٌ خدماته من غير أن يُسأَلَ ذلك (٢) غير رسميّ (an ~ conversation) .

offing [ôf'ĭng] *(n.)* (١) عُرض البحر : ذلك الجزء من وسط البحر الممكن رؤيته من الشاطىء (٢) «أ» المستقبل القريب . «ب» مقربة ؛ مسافة قريبة .
in the ~ , (١) غير بعيد جداً (٢) قريب بحيث تُمكِن رُؤيتُه (٣) وشيك أو محتمل الحدوث .

offish [ôf'ĭsh] *(adj.)* نَفور : ميّال إلى التحفّظ والاعتزال .

offprint [ôf'prĭnt'] *(n.; vt.)* (١) المُستَخْرَج : طبعة جديدة منفصلة لمقال ظهر أصلاً في مجلة ما §(٢) يستخرج المطبوعَ : يعيد طبع المقال، بشكل منفصل، مستخرَجاً من مجلة نُشِرفيها .

offscouring [ôf'skour'-] *(n.)* (١) نُفاية (٢) شخص منبوذ .

offset [*n.; adj.;* ôf'sĕt; *v.* ôf'sĕt'] *(n.; adj.; vt.; i.)* (١)«أ» فسيلة (من نبات) . «ب» فرع ؛ شعبة (من أسرة أو عِرق) (٢) تغيّر مفاجىء في أبعاد شيء (٣) التواء (في أنبوب الخ.) تحقيقاً لغرض خاص (٤) الموازِن ؛ المقابِل ؛ المعادِل ؛ العِوَض (٥) انتقال الحبر غير الجاف انتقالاً غير مقصود من صفحة مطبوعة إلى الصفحة المقابلة (٦) الطباعة بـ« الأوفسيت » ، وهي طريقة تُطبَع فيها الصوَر (أو السطور المنضّدة) على مطاط طريّ أو مادة أخرى مماثلة ومن ثم تُنقَل إلى الورق §(٧)ذو علاقة بطباعة « الأوفسيت » أو مطبوع بطريقة الأوفسيت §(٨) يوازن ؛ يعادل : يجعله يتوازن أو يتعادل (to ~ onething by another) (٩) يتكافأ مع ؛ يعوّض عن (The gains ~ the losses.) ×(١٠)ينبثق كفرع أو شعبة (١١)ينطبع الحبر غير الجاف انطباعاً غير مقصود على صفحة مقابلة .

offshoot [ôf'-] *(n.)* فرع (من نبتة أو أسرة أو عِرق أو سلسلة جبال).

offshore [ôf'shōr'] *(adv.; adj.)* (١) من الشاطىء (٢) بعيداً عن الشاطىء (٣) آتٍ من الشاطىء (~ winds) (٤) بعيدٌ عن الشاطىء (~ fisheries) .

off side [ôf'sīd'] *(adj.; adv.)* بعيدٌ أو بعيداًعن الجانب الصحيح ؛ في وضع لا يجوز فيه رفس الكرة أو مسّها (في كرة القدم أو الهوكي).

offspring [ôf'-] *(n.)* (١) ذُرّية ؛ نَسْل ؛ عَقِب (٢)نِتاج ؛ نتيجة.

offstage [ôf'stāj'] *(adv.; adj.)* (١) بعيداً عن المسرح (٢) بعيداً عن أنظار الجمهور §(٣) بعيدٌ عن المسرح او الانظار .

off-the-record [ôf thə rĕk'-] *(adj.)* مُسَرّ : مُدْلًى به مُسارّةً (أو مُنجَز سرّاً) وليس للنشر أو الاذاعة .

off-the-wall *(adj.)* غريب؛ عجيب؛ غير مألوف .

off-white [ôf'hwīt'] *(n.)* أبيض ضارب إلى الصفرة .

off year *(n.)* (١) السنة اللاانتخابيّة : سنة لا تُجرى فيها انتخابات رئيسية (٢) سنة الركود : سنة تتّسم بنقص في النشاط أو الانتاج .

oft [ôft; ŏft] *(adv.)* = often.

often [ôf'ən; ôf'tən] *(adv.)* كثيراً ما ؛ في أحوال كثيرة .

oftentimes [ôf'ən-] *or* **ofttimes** [ôf(t)'-] *(adv.)* = often.

ogee *also* **OG** [ō jē'; ō'jē] *(n.)* (١) حِلية معمارية جانبيّتُها (بروفيلها) على شكل حرف S (٢) عقد مستدقّ الرأس في كل من جانبيه منحنى معكوس قرب الذروة .

ogham *or* **ogam** [ŏg'əm] *(n.)* الأوغمية : ألفباء استعملها الايرلنديون القدماء في القرنين الخامس والسادس م. . وتتألف من عشرين حرفاً تصوّر الصوتيةُ منها على شكل فُلُول أو أثلام والصامتةُ على شكل خطوط منقوشة على جوانب شواهد القبور .

ogham

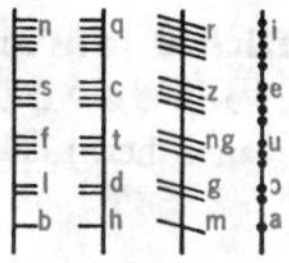

ogive [ō'jīv; ō jīv'] *(n.)* (١) ضلع منحرف (من ضلعيْ عقد أو قوس). (٢) القوس القوطي ؛ القوس المستدقّ الرأس .
—ogival *(adj.)*
ogle [ō'gəl] *(vt.; i.; n.)* (١) يرمق بنظرة غرامية ×(٢) يسدّد نظراتٍ غرامية §(٣) نظرة غرامية .
—ogler *(n.)*
ogre [ō'gər] *(n.)* (١) الغول : عملاق بشع رهيب تزعم القصص الشعبية أنه يأكل البشر (٢) شخص أو شيء رهيب .
—ogreish; ogrish *(adj.)* **—ogress** *(n. fem.)*
oh [ō] *(interj.; n.)* (١) أوه : صوت يعبّر به عن الدهَش أو الألم أو الرغبة (٢) يا : أداة نداء §(٣) صِفر .
ohm [ōm] *(n.)* الأوم : وحدة المقاومة الكهربائية (كب) .
ohmic resistance [ō'mĭk] *(n.)* المقاومة الأوميّة (كب) .
ohmage [ō'mĭj] *(n.)* المقاومة الأوميّة : مقاومة الموصِّل الأومية (كب) .
ohmmeter [ōm'mē-] *(n.)* الأومتر : المقياس الأومي الامبيري (كب) .
-oid لاحقة معناها : شبيه بشيء معيّن (anthropoid) .
oil [oil] *(n.; vt.; adj.)* (١) «أ» زيت . «ب» نفط ؛ بترول . (٢) مادّة زيتية القَوام (٣) «أ» لون زيتيّ (يستخدمه الرسام) . «ب» لوحة بالألوان الزيتية (٤) كلام متملّق §(٥) يلوّث أو يزيّت أو يزوّد بالزيت (٦) يرشو (٧) يرقّق أو يلطف (الكلمات) (٨) يحوّل (الزبدة) إلى زيت بوضعها على النار §(٩) زيتيّ .
to ~ a person's palm يرشو شخصاً .
oil beetle *(n.)* المُحرِقة : خنفساء تفرز من أرجلها سائلاً زيتياً .
oil cake *(n.)* الكُسْب : ثُفل بزور القطن الخ . بعد عصرها .
oil-can [oil'kăn] *(n.)* مِزْيَتة .
oilcloth [oil'klôth'] *(n.)* القماش الزيتيّ : قماش مزيّت (للموائد الخ.) .
oil color *(n.)* (١) اللون الزيتي (صِبغ) (٢) صورة زيتية .
oiler [oi'lər] *(n.)* (١) المزيِّت ؛ مزيّت الماكينات (٢) مِزيَتة . (٣) بئر بترولية منتجة (٤) «أ» باخرة تتّخذ من النفط وقوداً . «ب» ناقلة نفط (٥) *pl.* : بذلة من قماش مشمّع .
oil field *(n.)* حقل زيت ؛ حقل نفط .
oilily [oi'lĭ lĭ] *(adv.)* بتملّق ؛ بطريقة معسولة أو منافقة .
oiliness [oi'lĭ-] *(n.)* (١) الزيتيّة ؛ الدهنية (٢) تملّق ؛ نفاق .
oil-man *(n.)* (١) الزيات ؛ بائع الزيت (٢) بائع الألوان الزيتية (رم) .
oil of vitriol زيت الزاج : حمض الكبريتيك المركّز (ك) .
oil paint *(n.)* الدهان الزيتي .
oil painting *(n.)* (١) التصوير بالزيت (٢) صورة زيتية .
oil palm *(n.)* نخلة الزيت : نخلة افريقية يُستخرج من ثمرها زيت .
oil pan *(n.)* وعاء الزيت (في سيارة) .
oil shale *(n.)* الطَفْل الصَفحي الزيتي .
oil silk *(n.)* الحرير المشمّع : قماش حريريّ معالج بالزيت .
oilskin [oil'skĭn'] *(n.)* (١) المشمّع : قماش مزيّت كتيم للماء . (٢) الممطر : معطف واقٍ من المطر (٣) *pl.* : بذلة من قماش مشمّع .
oil slick *(n.)* طبقة رقيقة من الزيت طافية على الماء .
oilstone [oil'stōn'] *(n.)* المِسَنّ الزيتيّ : حجر مِسَنّ بالزيت .
oil tanker *(n.)* ناقلة زيت ؛ ناقلة نفط .
oil well *(n.)* بئر زيت ؛ بئر نفط .

oily [oi'lĭ] *(adj.)* (١) زيتيّ (٢) مكسوّ أو مُشبَع أو ملوّث بالزيت (٣) متملّق ؛ مداهن .
ointment [oint'mənt] *(n.)* مَرهم .
OK *or* **okay** [ō'kā'] *(adj.; adv.; vt.; n.)* (١) حسن ؛ مضبوط §(٢) حسناً ؛ أنا موافق §(٣) يُقِرّ ؛ يوافق أو يصدّق على §(٤) موافقة ؛ تصديق .
okapi [ō kä'pĭ] *(n.)* الأُكاب : حيوان افريقي من فصيلة الزرافة ولكنه غير طويل العنق .

okapi

oke [ōk] *or* **oka** [ō'kə] *(Ar.)* الأقة : وحدة وزن في مصر وتركية واليونان .
Okie [ō'kĭ] *(n.)* عامل زراعي مهاجر (من أوكلاهوما بخاصة) .
okra [ō'krə] *(n.)* البامية (نب) .
-ol لاحقة معناها : كحول (naphth*ol*) .
old [ōld] *(adj.; n.)* (١) «أ» قديم ؛ عتيق (~ customs) . «ب» مزمِن (~ pains) (٢) بالغٌ سنّاً معيّنة (a man forty years ~) (٣) «أ» عجوز ؛ متقدم في السنّ (an ~ man) . «ب» معتّق (~ wine) (٤) متمرّس ؛ خبير (Salim is an ~ hand at that work.) (٥) سابق (my ~ students) (٦) «أ» بالٍ (~ clothes) . «ب» مُهمَل ؛ لم يَعُدْ مستعملاً (~ rags) (٧) معروف ؛ مألوف (the same ~ excuse) (٨) جداً (had a good ~ time) §(٩) الماضي ؛ العصور الماضية (in days of ~) (١٠) شخص بالغٌ سنّاً معيّنة (a 4-year-*old*) .
any ~ thing أيّ شيء مهما يكن .
~ age شيخوخة ؛ هرم .
the ~, الشيوخ ؛ العجائز .
old country *(n.)* وطنُ المهاجر الأصلي ؛ وبخاصة : أوروبة .
olden [ōl'dən] *(adj.)* قديم ؛ سالف ؛ غابر (~ days) .
Old English *(n.)* (١) الانكليزية العتيقة : «أ» لغة الشعب الانكليزي منذ القرن السابع إلى حوالى ١١٠٠ ب.م. «ب» اللغة الانكليزية في أي عهد سابق لعهد الانكليزية العصرية (٢) black letter .
oldfangled [ōld'făng'-] *(adj.)* = old-fashioned.
old-fashioned [ōld'făsh'ənd] *(adj.)* (١) عتيق الطراز ؛ بَطُل استعماله (~ dress) (٢) محافظ (an ~ family) .
Old French *(n.)* الفرنسيّة العتيقة : اللغة الفرنسيّة من القرن التاسع إلى القرن الثالث عشر للميلاد .
Old Glory *(n.)* راية الولايات المتحدة الأميركيّة .
old gold *(n.)* الذهبيّ العتيق : لون أصفر داكن .
Old Guard *(n.)* الجناح المحافظ (من حزب سياسي الخ) .
oldish [ōl'dĭsh] *(adj.)* (١) عتيق قليلاً (٢) مُسِنّ بعضَ الشيء .
old-line [ōld'līn'] *(adj.)* (١) راسخ ؛ تقليديّ (٢) محافِظ .
old maid *(n.)* (١) العانس (٢) شخص عصبي المزاج صعب الإرضاء . (٣) ضرب من لعب الورق .
—old-maidish *(adj.)*
old man *(n.)* (١) «أ» الزوج . «ب» الأب (٢) *cap.* : صاحب سلطة ؛ وبخاصة : قائد ؛ قائد قطعة عسكرية .
old master *(n.)* (١) المعلّم أو الأستاذ القديم : أحد أساطين فنّ الرسم الزيتيّ في القرنين ١٦ و١٧ وأوائل القرن ١٨ (٢) لوحة فنيّة بريشة معلّم قديم .
old rose *(n.)* لون أحمر ضارب إلى الرماديّ .
old school *(n.)* المدرسة القديمة : المحافظون أو المتمسكون بالقديم .
old sledge *(n.)* = seven-up.

old-squaw [ōld'skwô'] *(n.)* ضرب من البط البحري .

oldster [ōld'stər] *(n.)* (١) العجوز ؛ الهَرِم ؛ المُسِنّ (٢) الكهل .

Old Testament *(n.)* العهد القديم : القسم الأول من الكتاب المقدّس .

old-time [ōld'tīm'] *(adj.)* قديم ؛ عتيق .

old-timer [ōld'tī'mər] *(n.)* (١) المقيم في مكان (أو المُتَوَلّي مركزاً) منذ عهد بعيد (٢) المتمرس ؛ الخبير ؛ ذو الخبرة القديمة (٣) oldster (٤) «أ» شيء عتيق الطراز . «ب» المحافظ : المتمسك بالطرائق والفكرات والعادات القديمة .

Old Tom *(n.)* الجِين المُحَلّى : ضرب من المُسْكِر المعروف بالجِين .

oldwife [ōld'-] *(n.)* : (١) الزوجة العجوز (٢) سمك بحريّ . (٢) بطّ بحريّ .

oldwife

old wives' tale *(n.)* (١) حكاية عجائز (٢) فكرة خرافية أو تقليديّة .

Old World *(n.)* العالم القديم : نصف الكرة الشرقي ؛ وبخاصة : أوروبا .

old-world [-'wûrld'] *(adj.)* (١) خاصّ بالعالم القديم (٢) عتيق الطراز .

oleaginous [ō'lĭ ăj'ə nəs] *(adj.)* (١) زيتيّ (٢) متملّق ؛ مداهن .

oleander [ō'lĭ ăn'dər] *(n.)* الدِّفْلَى : نبتة سامّة عَطِرة الزهر .

oleaster [ō'lĭ ăs'tər] *(n.)* العُتْم ؛ الزيتون البري (نب) .

oleate [ō'lĭ āt'] *(n.)* زَيْتات ؛ أُولِيات (ك) .

olecranon [ō lĕk'-] *(n.)* الزُّجّ : طرَف المِرفق ؛ الناتىء المِرفقيّ (ت) .

olefin [ō'lə fĭn] *(n.)* الأولفين (ك) . **-ic** *(adj.)*

oleic [ō lē'ĭk] *(adj.)* (١) زيتيّ (٢) متعلّق بحامض الزيتيك .

oleic acid *(n.)* حامض الزيتيك ؛ حامض الأوليبك (ك) .

olein [ō'lĭ ĭn] *(n.)* (١) الزَّيتين ؛ الأولين (ك) (٢) أو **oleine** : الجزء السائل من أيّ دهن .

oleo [ō'lĭ ō'] *(n.)* (١) السمن الصناعيّ (٢) oleograph .

oleograph [ō'lĭ ə grăf'] *(n.)* اللوحة الزيتيّة المقلّدة : صورة بالألوان مطبوعة على الخيش أو القماش تقليداً للّوحات الزيتية .

oleomargarine [ō lĭ ō mär'jə-] *(F.)* المرغرين ؛ السمن الصناعي .

oleoresin [ō'lĭ ō rĕz'ən] *(n.)* الراتينج الزيتيّ .

olericulture [ŏl'ər ĭ kŭl chər] *(n.)* زراعة الخُضَر وتسويقها .

oleum [ō'lĭ əm] *(L.)* pl. **olea** زيت .

olfaction [ŏl făk'shən] *(n.)* (١) حاسّة الشمّ (٢) شمّ .

olfactory [ŏl făk'tə rĭ] *(adj.)* شَمّيّ : ذو علاقة بحاسة الشمّ .

olfactory nerve *(n.)* العصب الشّمّيّ : أحد العصبَيْن الشّمّيّيْن .

olfactory organ *(n.)* عضو الشمّ .

olibanum [ō lĭb'ə nəm] *(Ar.)* لُبان ؛ بخور .

olig- *or* **oligo-** بادئة معناها : قليل (*oligo*phagous) .

oligarch [ŏl'ə gärk'] *(Gk.)* الأوليغاركيّ : عضو في حكومة القلّة أو مؤيّد لحكم القلّة .

oligarchic [ŏl'ə gär'kĭk]; **-al** [-'kĭ kəl] *(adj.)* أوليغاركيّ .

oligarchy [ŏl'ə gär'kĭ] *(Gk.)* الأوليغاركيّة : «أ» حكم القلّة . «ب» حكومة تهيمن عليها جماعة صغيرة همّها الاستغلال وتحقيق المنافع الذاتية . «ج» منظمة خاضعة لسلطة أوليغاركيّة أو جماعة تمارس هذه السلطة .

Oligocene [-'ə gō-] *(n.)* الضَّحْوِيّ ؛ العصر الحديث اللاحق (جي) .

oligocythemia [ŏl'ə gō sī thē'mĭ ə] *(n.)* قلّة الحمراوات ؛ نقص كريّات الدم الحمراء (مض) .

oligophagous [ŏl ĭ gŏf'ə gəs] *(adj.)* آكل أصنافاً قليلة معيّنة من الطعام . **—oligophagy** *(n.)*

oligopoly [ŏl'ĭ gŏp'-] *(n.)* احتكار القلّة (إد) .

olio [ō'lĭ ō'] *(Sp.)* (١) طبق من لحم وخُضَر متنوّعة (٢) مزيج ؛ كشكول .

olivaceous [ŏl'ə vā'shəs] *(adj.)* زيتونيّ اللون .

olivary [ŏl'ə vĕr'ĭ] *(adj.)* زيتونيّ الشكل .

olive [ŏl'ĭv] *(n.; adj.)* (١) «أ» شجرة الزيتون . «ب» زيتون . (٢) خشب الزيتون (٣) اللون الزيتوني §(٤) زيتونيّ اللون .

olive branch *(n.)* غصن الزيتون (رمز السّلام) .

olive drab *(n.)* (١) الأصفر المخضرّ (لون) (٢) «أ» نسيج صوفي أو قطنيّ ذو لون كهذا . «ب» بذلة نظاميّة من هذا النسيج .

olive green *(n.)* الأخضر الزيتونيّ (لون) .

olivine [ŏl'ə vēn] *(G.)* الزَّبَرْجَد الزَّيْتونيّ (مع) .

olla [ŏl'ə] *(Sp.)* (١) قُلّة ؛ جَرّة (٢) طبق من لحم وخُضَر متنوّعة .

olla podrida [ŏl'ə pə drē'də] *(Sp.)* = **olio**.

Olympiad [ō lĭm'pĭ ăd'] *(Gk.)* الأولمبياد : «أ» فترة أربع سنوات تفصل ما بين مهرجانات المباريات الأولمبية وآخر (عند الاغريق) . «ب» مهرجان يقام اليوم مرة كل أربع سنوات وتُجرى فيه مباريات دولية في الألعاب الرياضية .

Olympian [-'pĭ ən] *(adj.; n.)* (١) أولمبيّ : «أ» ذو علاقة بمنطقة أولمبيا الاغريقية القديمة . «ب» ذو علاقة بمهرجان المباريات الأولمبية . «ج» ذو علاقة بجبل أولمبوس في تساليا ، في الجزء الشرقيّ من اليونان ، وكان الاغريق يعتبرونه مثوى الآلهة . «د» جليل ؛ مَهيب §(٢) أحد آلهة جبل أولمبوس (عند الاغريق (٣) الأولمبيّ : المشترِك بمهرجان المباريات الأولمبية .

Olympian games *(n. pl.)* مهرجان المباريات الأولمبية : مهرجان اغريقي قديم كان يقام كل أربع سنوات ، وتُجرَى فيه مباريات في الألعاب الرياضية والموسيقى والأدب .

Olympic [-'pĭk] *(adj.)* = **Olympian** 1 *c, d.*

Olympic games *(n. pl.)* (١) Olympian games (٢) إحياء معدّل لهذا المهرجان يقام في عصرنا الحاضر مرة كل أربع سنوات وتُجرى فيه مباريات رياضية دولية (ويطلق على هذه المباريات لفظ **Olympics** أيضاً) .

-oma pl. **-s** *or* **-ta** لاحقة معناها : ورم (aden*oma*) .

omasum [ō mā'səm] *(L.)* pl. **-sa** ذات التلافيف : المعدة الثالثة (في الحيوانات المجترّة) .

omber; ombre [ŏm'bər] *(F.)* الأومبر : ضرب قديم من لعب الورق .

ombudsman *(n.)* المحقق في الشكاوي (ضدّ موظفي الدولة) .

omega [ō mē'gə] *(n.)* (١) آخر حروف الأبجدية اليونانيّة (٢) نهاية .

omelet *also* **omelette** [ŏm'ə lĭt] *(F.)* الأومليت : عُجّة البيض .

omen [ō'mən] *(n.; vt.)* (١) بشير ؛ فألٌ (٢) نذيرٌ بنحس . §(٣) يكون بشيراً أو نذيراً بِـ (٤) يتكهّن بِـ .

omental [ō mĕn'-] *(adj.)* ثَرْبِيّ : متعلّق بالثّرب (را . المادة التالية) .

omentum [ō mĕn'-] *(L.)* pl. **-ta** الثّرْب : غشاء الامعاء الشحمي .

ominous [ŏm'ə-] *(adj.)* مشؤوم ؛ منذِرٌ بسوء (~ silence) .

omissible [ō mĭs'ə bəl] *(adj.)* ممكن حذفُه أو إغفالُه أو إهمالُه .

omission [ō mĭsh'ən] *(n.)* (١) «أ» لامبالاة بالواجب أو إهمال له . «ب» شيء مُهْمَل أو مُغْفَل (٢) حَذْف ؛ إسقاط ؛ إغفال .

omissive [ō mĭs'ĭv] *(adj.)* مُغْفِل ؛ مُسْقِط ؛ مُهْمِل .

omit [ō mĭt'] *(vt.)* (١) يحذف ؛ يُسقِط ؛ يُغفِل (٢) يُهْمِل .

ommatidium [ŏm'ə tĭd'ĭ əm] *(L.)* pl. **-tidia** العُوَيْنة : العين الصغيرة (في الحيوانات المَفْصليّة) .

omni- بادئة معناها : كلّ (*omni*vorous) .

omnibus [ŏm'nə bŭs'] *(n.; adj.)* (١) الأومنيبوس : سيارة

ă at; ā date; â care; ä car; ĕ egg; ē me; ĭ in; ī bite; ŏ lot; ō bone; ô orphan; oi boil; o͝o good; o͞o boot; ou out; ŭ under; ū unity; û urgent; th thing; t͟h this; zh vision; ə = *a* in alone, *e* in system, *i* in easily, *o* in gallop, *u* in circus.

عموميّة كبيرة للركاب (٢) المجموع : كتاب يشتمل على مواد منقولة عن عددٍ من المؤلَّفات §(٣) جامع ؛ شامل ؛ مشتمل على أشياء وبنود كثيرة في وقت واحد (an ~ bill) .

omnidirectional antenna *(n.)* هوائيٌ لجميع الاتّجاهات(رد).

omnifarious [ŏm'nə fâr'ĭ əs] *(adj.)* متنوّع ؛ من جميع الأصناف والأشكال.

omnificent [ŏm nĭf'ə sənt] *(adj.)* كلّي الإبداع أو الخلق.

omnipotence [ŏm nĭp'ə təns] *(n.)* (١) القدرة الكليّة . (٢) قوّةٌ كليةُ القدرة .

omnipotent [ŏm nĭp'ə tənt] *(adj.; n.)* (١) *cap.* عد : كليّ القدرة (٢) كليّ السلطة أو النفوذ §(٣) شخص ذو سلطة مطلقة أو نفوذ غير محدود (٢) *cap.* : الله ؛ الكليّ القدرة .

omnipresence [ŏm'nə prĕz'əns] *(n.)* كليّة الوجود : وجود الشيء في كلّ مكان في جميع الأوقات .

omnipresent [-'ənt] *(adj.)* كليّ الوجود (را. المادة السابقة) .

omniscience [ŏm nĭsh'əns] *(L.)* (١)العلم بكل شيء (٢)معرفة غير محدودة (٣) *cap.* : الله .

omniscient[ŏm nĭsh'ənt] *(adj.; n.)* (١) كليّ العِلْم ؛ ذو معرفة غير محدودة §(٢) كائن كلّيّ العِلم (٣) *cap.* : الله .

omnium-gatherum [ŏm'nĭ əm găth'ər əm] *(L.)* خليط .

Omnivora [ŏm nĭv'ə rə] *(L.)* القَوارِت (مج) : الحيوانات الآكلة كل شيء أو المقتاتة بالمواد الحيوانيّة والنباتية معاً .

omnivore [ŏm'nĭ vōr] *(n.)* القارت : واحد القوارت .

omnivorous [ŏm nĭv'ə rəs] *(adj.)* قارت «أ» : مقتات بالمواد الحيوانيّة والنباتيّة معاً . «ب» مُلْتَهِمٌ كل شيء بنهم .

on [ŏn] *(prep.; adv.; adj.)* (١) على ؛ فوق . «ب» على متن (~ the early train) (٢)ضدّ (had some evidence ~ her) (٣) في ؛ عن (views ~ public matters) (٤) عندَ ؛ حالَ (٥) بِـ ؛ بواسطة (I heard it ~ the radio.) (cash ~ delivery) (٦) بَعْدَ ؛ إثرَ (loss ~ loss) cut his finger ~ a knife) §(٧) على رأسه ؛ على جسمه (put a hat ~; had nothing ~) (٨) قُدُماً ؛ إلى الأمام (went ~) §(٩) دائر ؛ جارٍ (The battle is now ~.) (١٠) مرسوم ؛ مُعَدّ ؛ مُهيّأ (have nothing ~ for tonight).

~ and off على نحو متقطّع ؛ بين الفينة والفينة .
~ and ~, باستمرار ؛ بغير انقطاع .
~ high إلى السماء .
~ the cheap برُخص ؛ بثمنٍ بَخْس .
~ time في الموعد المحدّد .
to be ~ a committee يكون عضواً في لجنة .

onager [ŏn'ə jər] *(n.)* pl. **-gri** [-grī]; **-gers.** (١)الأخْدَر ؛ الأخْدَريّ : نوع من الحُمُر الوحشيّة (٢) مَنْجَنيق .

onanism [ō'nə nĭz'əm] *(n.)* (١) الجماع الناقص : جِماعٌ يتمّ بالقذف خارجاً تجنّباً للحمل (٢) جَلْد عُمَيْرة : استمناء باليد.

once [wŭns] *(adv.; adj.; n.; conj.)* (١)«أ» مرّة . «ب» ذات مرة (٢) يوماً ؛ في أيّ وقت ؛ ولو مرّةً واحدة (if the facts ~ become known) (٣) في ما مضى (was ~ very powerful) §(٤) سابق ؛ قديم (the ~ province of Britain) §(٥) مرّةٌ أو مناسبةٌ واحدة (for this ~; ~ is enough.) §(٦) ما إن ؛ حالَما (~ you show any sign of fear, he will attack you.)

all at ~, (١) فجأة (٢) في وقت واحد .
for (this) ~, هذه المرّة فقط .
~ and again بين الفينة والفينة ؛ من حين إلى آخر .
~ for all مرةً وإلى الأبد ؛ نهائياً وعلى نحو حاسم .
~ in a way *or* while نادراً جداً .
~ upon a time… يحكى أنّه كان… في سالف الزمان .

once-over [wŭns'-] *(n.)* فحص سريع ؛ نظرة سريعة .

oncology [ŏng kŏl'ə jĭ] *(n.)* علم الأورام ؛ دراسة الأورام .

oncoming [ŏn'-] *(adj.; n.)* (١) مقترب ؛ دانٍ (the ~ tide) §(٢) اقتراب ؛ دنوّ (the ~ of summer) .

on dit [ôn dē'] *(F.)* يقولون ؛ يقال .

one [wŭn] *(adj.; pron.; n.)* (١) واحد ؛ واحدة (٢) ذات (You will see her ~ day.) (٣) وحيد ؛ أوحد (was the ~ person she wanted to marry) §(٤) أحد (~ of the boys) (٥) المرء ؛ الانسان (as good as ~ would desire) §(٦) واحد ؛ الرقم واحد (٧) شخص أو شيء واحد (٨) ورقة نقدية من فئة الدولار الواحد .

at ~, منسجمة ؛ متحدة ؛ منسجمون ؛ متحدون .
~ and all كافّةً ؛ قاطبةً .
~ by one واحداً فواحداً .
~ with another على العموم .
to be made ~, يتزوجان .

one-egg [wŭn'ĕg] *(adj.)* = monovular.

one-horse[wŭn'hōrs'] *(adj.)* (١)مجرور أو مُشْغَل بحصان واحد. (٢)صغير ؛ ثانويّ ؛ غير هامّ (stop overnight in a ~ town) .

oneirocritical [ō nī'rə krĭt'-] *(adj.)* خاصّ أو متخصّص بتفسير الأحلام .

oneiromancy[ō nī'-] *(n.)* تفسير الأحلام ؛ التكهّن بواسطة الأحلام.

oneness [wŭn'nĭs] *(n.)* (١) توحّد ؛ تفرّد ؛ أحَدية (٢) انسجام. (٣) تماثل (٤) وحدة ؛ اتحاد .

onerous [ŏn'ər əs] *(adj.)* مرهِق ؛ شاقّ (~ duties) .

oneself [wŭn sĕlf'] *also* **one's self** *(pron.)* (١)نفسه (٢)نفس المرء أو حالته السويّة أو السليمة (will come to ~) .

one-shot [wŭn'shŏt] *(adj.)* (١) وحيد الطَلْقة : مكتمِل أو فعّال بمجرد القيام به أو استعماله مرةً واحدة فقط (a ~ cure) (٢) يتيم : غير مُتْبَع بشيءٍ آخر من جنسه (a ~ sale) .

one-sided [wŭn'sī'dĭd] *(adj.)* (١) وحيد الجانب ؛ ذو جانب واحد (٢) مُغْرِض ؛ متحيّز (a ~ interpretation) (٣) من طرف واحد ؛ مُلزِمٌ طرفاً واحداً فقط (a ~ decision) .

one-step [wŭn'stĕp'] *(n.)* رقصة الخطوة أو موسيقاها .

onetime [wŭn'tīm'] *(adj.; adv.)* (١) سابق ؛ قديم (a ~ professor of Arabic) §(٢) سابقاً ؛ ذاتَ يوم .

one-track [wŭn'trăk'] *(adj.)* (١) «أ» وحيد السكّة أو المسلك (كبعض خطوط القُطُر الحديدية) . «ب» غير متنوّع (٢) ضيّق ؛ محدود (a ~ mind) .

one-way [wŭn'wā'] *(adj.)* وحيد الاتجاه (~ traffic) .

ongoing [ŏn'gō ĭng] *(adj.)* نامٍ ؛ متطوّر ؛ متقدّم باستمرار .

onion [ŭn'yən] *(n.)* (١) البَصَل (نب) (٢) بصلة .

onionskin [ŭn'yən-] *(n.)* الورق البصلي : ورقٌ قويٌّ شفّاف .

onlooker [ŏn'-] *(n.)* المشاهد ؛ المتفرج .

only [ōn'lĭ] *(adj.; adv.; conj.)* (١) الأفضل (was the ~ man for the position) (٢) وحيد (his ~ son) §(٣) فقط ؛

(It will ~ make you sick.) فحسب (٤) في النهاية؛ آخر الأمر
(You may go, ~ come back as soon as §(٥) «أ» لكن
(It looks very nice, ~ possible.) · «ب» إلا أنّ؛ ومع ذلك
(I'd help you with (٦) لولا أن we can't use it.)
pleasure, ~ I'm too busy.)

onomastic [ŏn ə măs'tĭk] *(adj.)* اسميّ : «أ» ذو علاقة باسم أو أسماء. «ب» مؤلَّف من اسم أو أسماء.

onomastics [-'tĭks] *(n.)* (١) عِلم أصول الكلمات وأشكالها. (٢) عِلم الأعلام: دراسة أصل وأشكال أسماء الأشخاص والأماكن.

onomatopoeia [ŏn'ə măt'ə pē'ə] *(L.)* (١) تسمية الأشياء أو الأفعال بحكاية أصواتها (مثل *crack; splash, buzz*) (٢) استعمال الكلمات التي يوحي لفظها بمعناها.

onrush [ŏn'rŭsh] *(n.)* اندفاع؛ تدفّق؛ هجوم.

onset [ŏn'sĕt'] *(n.)* (١) هجوم (٢) بداية؛ مُستَهَلّ.

onshore [ŏn'shōr'] *(adj.; adv.)* = ashore.

on side *(adj.; adv.)* في الجانب الصحيح؛ في وضع يجوز فيه رفس الكرة أو مسّها (في كرة القدم أو الهوكي).

onslaught [ŏn'slôt'] *(n.)* انقضاض؛ هجوم ضارٍ.

ont- or **onto-** بادئة معناها: «أ» وجود. «ب» كائن حي.

-ont لاحقة معناها: خلية؛ متعضّ؛ كائن حي.

ontic [ŏnt'ĭk] *(adj.)* (١) خاصّ بالوجود الحقيقي (٢) حقيقيّ الوجود.

onto [ŏn'tōō] *(prep.)* (١) على؛ فوق (٢) مدرك أو شاعر بـِ.

ontogeny [ŏn tŏj'-] *(n.)* تطوّر الكائن الفرد (أح).

ontological [ŏn'tə lŏj'ə kəl] *(adj.)* (١) عِلْمِيُوجودي: ذو علاقة بعِلم الوجود (٢) وجودي: ذو علاقة بالوجود أو مبنيّ عليه.

ontologist [ŏn tŏl'ə jĭst] *(n.)* الباحث المتخصّص في عِلم الوجود.

ontology [ŏn tŏl'-] *(n.)* (١) عِلم الوجود (٢) نظرية في طبيعة الوجود.

onus [ō'nəs] *(L.)* عِبء؛ مسؤولية.

onus probandi [ō'nəs prō băn'dĭ] *(L.)* = burden of proof.

onward [ŏn'wərd] *(adv.; adj.)* (١) أو **onwards**: إلى الأمام. §(٢) موجّه أو مندفع إلى الأمام (an ~ march).

-onym لاحقة معناها: اسم؛ كلمة (ant*onym*).

onyx [ŏn'ĭks; ō'-] *(n.)* الجَزْع؛ العقيق اليماني.

oocyte [ō'ə sīt'] *(n.)* البُيَيْضة قبل النضج (أح).

oogenesis [ō'ə jĕn'ə sĭs] *(n.)* تكوّن البُيَيْضة ونضجها (أح).

oolite [ō'ə līt'] *(n.)* الأوليت؛ السَّرْئيّ: صخر كلسيّ.

oology [ō ŏl'ə jĭ] *(n.)* علم بيض الطيور.

oolong [ōō'lông] *(Chin.)* التنّين الأسود: شاي مخمّر جزئياً قبل تجفيفه. يجمع خصائص الشاي الأسود والشاي الأخضر معاً.

oomiak *also* **oomiack** [ōō'mĭ ăk'] *(n.)* = umiak.

oomph [ōōmf] *(n.)* (١) فتنة؛ سِحر (٢) جاذبية جنسية (٣) حيوية؛ حماسة.

oosphere [ō'ə sfĭr'] *(n.)* بُيَيْضة غير مُلقَّحة (أح).

ootheca [ō'ə thē'kə] *(L.)* غلاف البيض (في بعض الحشرات).

ooze [ōōz] *(n.; vi.; t.)* (١) الرَّدْغة: راسبٌ من طين الخ. في قعر المحيط الخ. (٢) مستنقع؛ سَبْخة (٣) نقيع لِحاء البلوط الخ. (يستعمل في الدباغة) (٤) النزّ؛ التحلّب؛ الرّشح (٥) الناز؛ المتحلّب: شيء ينزّ أو يتحلّب §(٦) ينزّ؛ يتحلّب؛ يرشح (٧) تتسرّب (المعلوماتُ الخ.) (٨) يضمحلّ (His courage is *oozing* away.) ×(٩) يُطْلِق بطريقة ارتشاحية أو نحوها: يتصبّب (Samir was *oozing* sweat.).

oozy [ōō'zĭ] *(adj.)* (١) رَدْغيّ؛ طيني (٢) نازّ؛ متحلّب؛ راشح.

opacity [ō păs'ə tĭ] *(n.)* (١) الكُمْدة (مج)؛ اللاإنفاذيّة؛ اللاشفافية (٢) إبهام (٣) غَباء (٤) بقعة عاتمة في جسم شفاف.

opah [ō'pə] *(n.)* الأُوباه: سمك بحري ضخم ساطع الألوان.

opah

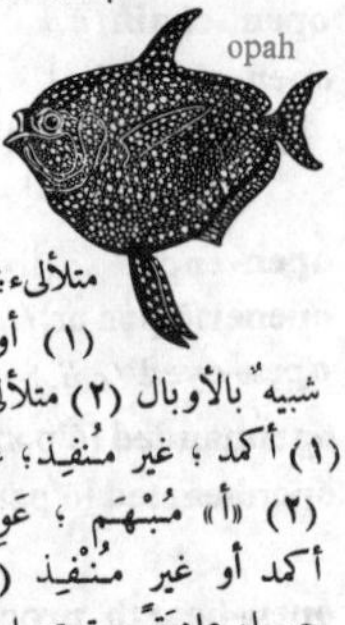

opal [ō'pəl] *(Skt.)* الأوبال: حجر كريم تتغيّر ألوانه تغيّراً جميلاً (مع).

opalescence [ō'pə lĕs'-] *(n.)* تلألؤ؛ بريق.

opalescent [ō'pə lĕs'ənt] *(adj.)* متلألئ؛ برّاق.

opaline [ō'pəl īn] *(adj.)* (١) أوبالانيّ: شبيه بالأوبال (٢) متلألئ.

opaque [ō pāk'] *(adj.; n.)* (١) أكمد؛ غير مُنفِذ؛ غير شفاف. (٢) «أ» مُبْهَم؛ عَوِيص. «ب» غبيّ؛ أبله §(٣) شيء أكمد أو غير مُنفِذ (٤) المُعتِمة: مادة ملوّنة، سوداء أو حمراء عادةً، تستعمل لتعتيم جزء من الصورة السلبية (فو).

ope [ōp] *(adj.; vt.; i.)* = open.

open [ō'pən] *(adj.; vt.; i.; n.)* (١) مفتوح (٢) صريح؛ غير متحفّظ (a very ~ manner) (٣) «أ» مكشوف. «ب» عرضة لِـ (is ~ to infection) (٤) «أ» عامّ؛ مُباحٌ الدخول إليه (~ meeting). «ب» جائزٌ الاشتراك فيه للهواة والمحترفين (an ~ tournament) (٥) «أ» غير مطوّق بحواجز (~ space). «ب» خلوٌ من الجليد (~ water in arctic regions) (٦) تحت البحث؛ لم يُفصَل فيه بعد (an ~ question) (٧) جائزٌ الصيد فيه قانوناً (an ~ season *or* brook) (٨) مفتوحة: غير محتلّة أو غير مدافَع عنها بقوّات عسكرية، وبالتالي فهي ذات مناعة، وفقاً للقانون الدولي، تجعلها في نجوة من نيران مدافع العدوّ (an ~ city) (٩) «أ» كريم؛ سخيّ. «ب» منفتح؛ راغب في الاستماع لكلّ ما يُعْرَض عليه وفي تفهمه بروح سمحة (١٠) «أ» جيّد المساميّة أو الإنفاذية (~ soil). «ب» متناثر؛ غير متّسم بالكثافة (~ population). «ج» مُوسَّع: ذو فسحات واسعة، نسبياً، بين الكلمات أو الأسطر (~ printed matter) (١١) حرّ: «أ» مُتّسِم بانعدام التنظيم الفعّال لمختلف الأعمال التجاريّة (notorious as an ~ town). «ب» غير مُلْجَم بضوابط تشريعيّة (~ gambling). «ج» غير مُقيَّد بقيود كابحة أو معوِّقة (an ~ economy) §(١٢) «أ» يفتح. «ب» ينشئ؛ يؤسس (to ~ an office) (١٣) يكشف؛ يَعرِض للأنظار (١٤) «أ» يشقّ (to ~ a way through a crowd). «ب» يحرّر (مجرى الخ.) من العوائق (١٥) ينوّر؛ يجعله منفتحاً للمعرفة الخ. (١٦) يجعله جيّد المساميّة أو الإنفاذيّة (to ~ the soil) (١٧) يبدأ؛ يستهلّ؛ يفتتح (to ~ a campaign) ×(١٨) ينفتح (١٩) ينفغر؛ يتّسع (His wounds ~*ed* under the strain.) (٢٠) ينكشف (٢١) يصبح (العقلُ) متنوّراً أو منفتحاً (٢٢) يفضي إلى؛ ينفتح على (The door ~*s* into a garden.) (٢٣) يعبّر عن أفكاره أو مشاعره §(٢٤) فتحة؛ ثغرة (٢٥) أرض مكشوفة؛ مساحة خالية من الشجر (٢٦) مباراة مفتوحة للهواة والمحترفين.

~ weather *or* winter جوّ (أو شتاء) معتدل.

the ~, (١) العَراء؛ الهواء الطلق (٢) عرْض البحر.

to come into the ~, يصرّح بأفكاره أو خططه؛ يعمد إلى الصراحة التامّة.

to ~ up (١) يبدأ إطلاق النار (٢) يبدو للعيان (٣) يشنّ هجوماً (٤) يكشِف (٥) يتيح (فرصةً).

with ~ arms بمودّة أو حماسة أو ترحيب .

open air *(n.)* العَراء ؛ الهواء الطلق .

open-air [ō'pən âr'] *(adj.)* جارٍ أو حادثٌ في الهواء الطلق .

open-and-shut [ō'pən ən shŭt'] *(adj.)* واضحٌ ؛ سهلٌ جداً .

open chain *(n.)* السلسلة المفتوحة (ك) .

open door *(n.)* (١) حرية الدخول للجميع (٢) الباب المفتوح : سياسة قوامها حرية التجارة وإلغاء التعرفات الجمركيّة والسماح لمختلف الدول بالمتاجرة مع بلدٍ ما ، على قدم المساواة .

open-ended غير محدَّد ؛ قابل للتعديل (تبعاً لتطور الأحوال)

opener [ō'pən ər] *(n.)* (١) فاتح open (٢) فتّاحة العُلَب أو الزجاجات .

open-eyed *(adj.)* (١) مفتوح العينين (٢) يَقِظ (٣) مندهش .

openhanded [ō'pən hăn'-] *(adj.)* كريم ؛ سخيّ ؛ مَبْسوط اليد .

openhearted [ō'pən här'tĭd] *(adj.)* (١) مخلص (٢) صريح . (٣) عطوف ؛ كريم النفس .

open-hearth process *(n.)* أسلوب المَجْمَرَة المكشوفة (في صنع الفولاذ) .

open-hearth steel *(n.)* فولاذ المَجْمَرَة المكشوفة ؛ فولاذ سيمنز مارتن

open house *(n.)* دعوةٌ عامة أو مفتوحة .

opening [ō'pən ĭng] *(n.)* (١) «أ» فتح . «ب» تفتّح (٢) ابتداء ؛ استهلال ؛ وبخاصة : افتتاح رسمي (٣) «أ» فتحة ؛ ثغرة . «ب» مساحة خالية من الأشجار أو متباعدة الأشجار (في غابة) «ج» صفحتان متقابلتان في كتاب (٤) حفلة الافتتاح (٥) فرصة ملائمة

open letter *(n.)* الكتاب المفتوح : رسالة احتجاج أو مناشدة مُوجَّهةٌ إلى فَرْد أو هيئة ولكنها تُرسَل إلى إحدى الجرائد أو المجلات فتُنشر على صفحاتها لكي يطّلع عليها جمهور القرّاء .

open-minded [ō'pən mīn'dĭd] *(adj.)* منفتح العقل : ذو عقل منفتح للحجج والأفكار الجديدة .

openmouthed [ō'pən mouthd'] *(adj.)* (١) فاغر الفم . (٢) مشدوه (٣) نَهِم (٤) صخّاب (٥) واسع الفم (vessels ~) .

open-pollinated [ō'pən pŏl'ə-] *(adj.)* طبيعيّ التلقّح : ملقّح بالوسائل الطبيعيّة من غير تدخّل من جانب الانسان (نب) .

open sesame [sĕs'ə mĭ] *(n.)* (١) إفتحي يا سِمسِم : صيغة سحرية استعان بها علي بابا على فتح مغارة اللصوص (في إحدى قصص ألف ليلة وليلة) (٢) الوسيلة السحرية الناجحة

open shop *(n.)* المُنْشأة المفتوحة : مصنع أو مَتجر يستخدم العمال النقابيين واللانقابيين من غير تمييز .

openwork [ō'pən wûrk'] *(n.)* نقْش مُخرَّق أو مخرَّم .

opera [ŏp'ə rə] *pl. of* opus.

opera [ŏp'ər ə; ŏp'rə] *(It.)* (١) الأوبرا ؛ المسرحيّة الموسيقية أو المُغنّاة (٢) دار الأوبرا .

comic ~ الأوبرا الهزليّة : أوبرا تتميّز باشتمالها على حوارٍ ملفوظ وبالصفة الكوميدية الغالبة على موضوعها .

grand ~ الأوبرا الجليلة : أوبرا تتميّز بخلوّها من الحِوار الملفوظ وبالصفة التراجيديّة الغالبة على موضوعها .

light ~ الأوبرا الخفيفة : أوبرا تتميّز بموضوعها غير الجدّي .

operable [ŏp'ər ə bəl] *(adj.)* ممكنٌ إجراؤه ؛ وبخاصة : طيّع الجراحة ؛ قابلٌ للمعالجة جراحياً (an ~ cancer) .

opéra bouffe [ŏp'ər ə bōōf'] *(F.)* الأوبرا الهزليّة : أوبرا تتميّز باشتمالها على حوارٍ ملفوظ وبالصفة الكوميدية الغالبة على موضوعها .

opéra comique [kô mēk'] *(F.)* = opéra bouffe.

opera glasses *or* **glass** *(n.)* منظار الأوبرا (الصورة في العمود التالي) .

opera glasses

opera hat *(n.)* قبعة حريرية سوداء عالية قابلة للطيّ .

opera house *(n.)* دار الأوبرا ، وتوسعاً : مسرح .

operant [ŏp'ər-] *(n.; adj.)* (١) فا operate (٢) § عامل ؛ مؤثّر ؛ فعّال .

operate [ŏp'ə rāt'] *(vi.; t.)* (١) يَعْمل (٢) يؤثّر ؛ يُحْدِث أثراً ملائماً (٣) «أ» يقوم بعملية أو سلسلة من العمليات . «ب» يُجري عملية جراحية . «ج» يقوم بمهمة عسكرية × (٤) يُعْمِل ؛ يُشغِّل (the machine ~d) (٥) يدير (Our company ~s five factories.) (٦) يُجري له عمليةً جراحيّة .

operatic [ŏp'ə răt'ĭk] *(adj.)* أوبريّ : ذو علاقة بالأوبرا أو شبيهٌ بها أو صالحٌ لها .

operating table *(n.)* مائدة البَضْع ؛ مائدة العمليات الجراحيّة .

operating theater *(n.)* قاعة البَضْع : حجرة في مستشفى (مزوّدة بمقاعد للطلبة) تُجرَى فيها العمليات الجراحيّة .

operation [ŏp'ə rā'shən] *(n.)* (١) عمل ؛ عملية (٢) فعالية ؛ قوة . (٣) عمليّة جراحيّة (٤) عمليّة رياضيّة أو تجارية أو عسكريّة .

operational [ŏp'ə rā'shən əl] *(adj.)* (١) ذو علاقة بالعمليات الحربيّة (٢) جاهز للعمل أو للقيام بمهمّة ما (The fleet was ~.) .

operative [ŏp'ə rā'tĭv; -ər ə tĭv] *(adj.; n.)* (١) فعال ؛ مؤثّر (an ~ dose) (٢) نافذ المفعول (ق) (٣) جراحيّ (~ dentistry) § (٤) العامل . وبخاصة في إحدى الصناعات الميكانيكيّة (٥) شرطي سرّي ؛ رجل مباحث خصوصي .

operator [ŏp'ə rā'tər] *(n.)* (١) «أ» العامل الميكانيكي (كعامل التلغراف الخ .) . «ب» مدير مؤسّسة صناعيّة أو تجاريّة . «ج» الجرّاح ؛ الطبيب الجراح . «د» المضارب بالأسهم الماليّة (٢) «أ» الدجّال ؛ المشعوذ . «ب» الداهية . «ج» البارع في فن ما .

opercular [ō pûr'-] *(adj.)* غطائيّ ؛ صِمّيّ (را . operculum) .

operculate *or* **operculated** [ō pûr'-] *(adj.)* ذو غطاء أو صِمّة .

operculum [ō pûr'kyə ləm] *(L.)* pl. **-la** *also* **-lums.** (١) غطاء ؛ صِمّة («نب» و«ح») (٢) الغطاء الواقي لخياشيم السمك .

operetta [ŏp'ə rĕt'ə] *(It.)* الأوبريت : أوبرا قصيرة خفيفة .

operose [ŏp'ə rōs'] *(adj.)* (١) شاق ؛ مُرهِق (٢) كدود ؛ مُجِدّ .

ophicleide [ŏf'ə klīd'] *(F.)* الأوفكليد : آلة موسيقية .

ophicleide

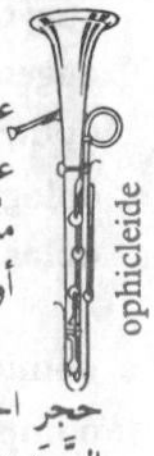

ophidian [ō fĭd'ĭ ən] *(adj.; n.)* (١) أفعوانيّ : ذو علاقة بالأفاعي أو شبيهٌ بها § (٢) أفعى .

ophiolatry [ŏf'ĭ ŏl'ə trĭ] *(n.)* عبادة الأفاعي أو الحيّات .

ophiology [ŏf'ĭ ŏl'ə jĭ] *(n.)* علم الأفاعي أو الحيّات .

ophiophagous [ō fĭ ŏf'ə-] *(adj.)* مُغتذٍ أو مقتاتٌ بالأفاعي .

Ophir [ō'fər] *(n.)* أوفير : أرض غنيّة بالذهب (ورد ذكرها في التوراة) .

ophite [ŏf'īt] *(L.)* حجر الحيّة : صخر مرقّط (أخضر عادةً) .

ophthalmia [ŏf thăl'mĭ ə] *(L.)* الرَّمَد ؛ التهاب العين (مض) .

ophthalmic [-'mĭk] *(adj.)* عينيّ : متعلّق بالعين أو واقعٌ قربها .

ophthalmitis [ŏf'thăl mī'tĭs] *(L.)* التهاب العين (مض) .

ophthalmologist [-mŏl'ə jĭst] *(n.)* الكحّال ؛ طبيب العيون .

ophthalmology [ŏf'thăl mŏl'ə jĭ] *(n.)* طبّ العيون .

ophthalmoscope [ŏf thăl'-] *(n.)* المِعيان : أداة لفحص باطن العين .

-opia لاحقة معناها : «أ» نوع معيّن من العين . «ب» خللٌ معيّن في العين .

opiate [*adj., n.* ō'pĭ ĭt; *v.* ō'pĭ āt] *(adj.; n.; vt.)* (١) أفيوني : محتوٍ على أفيون أو ممزوجٌ به (٢) منوم ؛ مخدِّر § (٣) المستحضر الأفيوني ؛ وتوسعاً : المخدِّر (٤) المسكِّن : المهدِّئ للمشاعر § (٥) يخدِّر .

opine [ō pīn'] *(vt.; i.)* (١) يرتئي ؛ يعتقد ×(٢) يعبّر عن رأيه .

opinion [ə pĭn'yən] *(n.)* (١) رأي (٢) اعتقاد .
to act up to one's ~ *s* يعمل وفقاً لما يعتقد .
to have the courage of one's ~ *s* يعبّر عن مُعتقَداته ويَعمل وَفقها .

opinionated [ə pĭn'yə nā'-] *(adj.)* عنيد ؛ متشبّث برأيه .

opinionative [-tĭv] *(adj.)* (١) عقَدي : ذو علاقة برأي أو عقيدة (٢) عنيد .

opium [ō'pĭ əm] *(Gk.)* الأفيون : مخدّر يستخرج من الخشخاش .

opium den *(n.)* وكر الافيونيين : مكان يتعاطى فيه الأفيون .

opium eater *(n.)* آكل الأفيون ؛ مدمن الأفيون .

opium poppy *(n.)* الخشخاش : نبات يتّخذ منه الأفيون .

opium smoker *(n.)* مدخّن الأفيون .

opossum [ə pŏs'əm] *(n.)* الأبوسوم : حيوان أميركي من ذوات الجراب يتظاهر بالموت عندما يحدق به الخطر .

opossum

opponent [ə pō'nənt] *(n.; adj.)* (١) الخصم ؛ المناوىء (٢) العضلة المعترضة : عضلة تقاوم أو تحدّد عمل عضلة أخرى (ت) §(٣) مقاوم ؛ معادٍ (٤) مقابل ؛ مواجه .

opportune [ŏp'ər tūn'; tōōn'] *(adj.)* (١) ملائم ؛ مناسب ؛ مؤاتٍ (at an ~ moment) (٢) في وقته أو محلّه ؛ حادث في الوقت المناسب (an ~ assistance) .

opportunism [-tū'nĭz əm] *(n.)* الانتهازية : سياسة انتهاز الفُرص والإفادة من الظروف ، وبخاصة من غير ما اعتبار للمبادىء الأخلاقية .

opportunist [ŏp'ər tū'nĭst] *(adj.; n.)* (١) انتهازيّ ؛ نفعيّ §(٢) الانتهازيّ ؛ النفعي : شخص انتهازيّ أو نفعيّ .

opportunity [-tū'nə tĭ; -tōō'-] *(n.)* فرصة ؛ مناسبة .

opposable [ə pō'zə bəl] *(adj.)* (١) ممكن معارضتُه أو مقاومته (٢) ممكن وضعه تجاه شيء آخر .
—opposability *(n.)*

oppose [ə pōz'] *(vt.)* (١) يضعه تجاه كذا (٢) يقابل ؛ يقارن ؛ يوازن (٣) يقاوم ؛ يعارض .

opposeless [ə pōz'-] *(adj.)* لا يقاوَم ؛ لا سبيل إلى مقاومته .

opposite [ŏp'ə zĭt] *(n.; adj.; prep.)* (١) الضِدّ ؛ النقيض . (٢) antonym §(٣) مواجه ؛ مقابل (the shop ~ to ours ; the ~ side of the street) (٤) متقابل (~ angles *or* leaves) (٥) متعارض ؛ متضادّ (~ sides of the question) (٦) مضادّ ؛ معاكس (in the ~ direction) §(٧) أمام ؛ تجاه (lived ~ the post office)
—oppositely *(adv.)*
—oppositeness *(n.)*

opposite number *(n.)* النظير المقابل : شخص أو شيء يحتل مركزاً موازياً لمركز مثيله في مجموعة أخرى .

opposition [ŏp'ə zĭsh'ən] *(n.)* (١) الاستقبال ؛ المقابلة (فل) . (٢) تقابُل القضايا (مق) (٣) «أ» المقابلة ؛ وضع الشيء تجاه شيء آخر . «ب» تقابل (٤) تعارض ؛ تضادّ (٥) مقاومة (٦) المعارضة ؛ حزب المعارضة (leader of the ~) .
—oppositional *(adj.)*

oppress [ə prĕs'] *(vt.)* (١) يُخمِد ؛ يقمع (ا.ق) (٢) يظلم ؛ يضطهد (٣) يغيم ؛ يُحزِن .
—oppressor *(n.)*

oppression [ə prĕsh'ən] *(n.)* (١) «أ» ظلم ؛ اضطهاد «ب» عمل ظالم (٢) غمّ ؛ ضِيق صَدْر .

oppressive [ə prĕs'ĭv] *(adj.)* (١) ظالم ؛ جائر (~ laws) . (٢) مستبد (an ~ king) (٣) مضايق ؛ ثقيل الوطأة ؛ قابض للصدر (~ heat) .
—oppressively *(adv.)*

opprobrious [ə prō'brĭ əs] *(adj.)* (١) محقّر ؛ دالّ على الازدراء (~ language) (٢) حقير ؛ جدير بالازدراء (~ den of shame) (٣) مخزٍ ؛ شائن (~ behavior) .

opprobrium [ə prō'brĭ əm] *(L.)* (١) عمل او سلوك مُخزٍ . (٢) خزي ؛ عار (٣) احتقار ؛ ازدراء .

oppugn [ə pūn'] *(vt.)* (١) يهاجم (بالنقد أو الحجة أو العمل) . (٢) يفنّد ؛ يناقش ؛ يدحض .
—oppugner *(n.)*

Ops [ŏps] *(n.)* أوبس : إلاهة الحصاد (عند الرومان) .

opsonic [ŏp sŏn'ĭk] *(adj.)* طاهويّ : متعلق بالطاهية (را. المادة التالية) .

opsonin [ŏp'sə nĭn] *(L.)* الطّاهية : مادة في مصل الدم .

-opsy لاحقة معناها : فحص (necr*opsy*) .

opt [ŏpt] *(vi.)* يختار ؛ يؤثِر .

optative [ŏp'tə tĭv] *(adj.; n.)* (١) دالّ على التمني (ل) (٢) معبّر عن تمنٍّ §(٣) صيغة التمنّي (ل) .

optic [ŏp'tĭk] *(adj.; n.)* (١) بَصَريّ ؛ عينيّ §(٢) العين .

optical [ŏp'-] *(adj.)* (١) بَصَرياتي : متعلق بالبصريات (٢) بَصَريّ .

optical activity *(n.)* الفاعلية البصرية («فز» و «ك») .

optic axis *(n.)* المحوَر البصريّ (بلو) .

optic disk *(n.)* القُرص البصريّ (ت) .

optician [ŏp tĭsh'ən] *(n.)* (١) صانع أو بائع الأدوات البصرية . (٢) النظاراتي : صانع النظارات وفقاً لتعليمات طبيب العيون .

optic nerve *(n.)* العصب البَصَريّ (ت) .

optics [ŏp'tĭks] *(n.)* البَصَريات : عِلم البصريات .

optic thalamus *(n.)* المِهاد البصريّ (في الدماغ المتوسط) .

optimal [ŏp'tə məl] *(adj.)* الأحسن ؛ الأفضل ؛ الأمثل .

optimism [ŏp'tə mĭz'əm] *(n.)* (١) التفاؤليّة : الإيمان بأن هذا العالم خير العوالم الممكنة وأن الخير سوف ينتصر آخر الأمر ، على الشر (٢) التفاؤل : النزوع إلى رؤية الجانب المشرق من الأشياء .

optimist [ŏp'tə mĭst] *(n.)* المتفائل ؛ الميّال للتفاؤل .

optimistic; -al [ŏp'tə mĭs'-] *(adj.)* (١) متفائل (٢) تفاؤليّ .

optimize [ŏp'tə-] *(vi.; t.)* (١) يتفاءل ×(٢) يجعله أقرب ما يكون إلى الكمال أو الفعالية (~ the distribution of raw materials) .

optimum [ŏp'tə-] *(L.)* pl. **-tima** *also* **-timums** (١) الدرجة المثلى (٢) الدرجة القصوى أو العظمى .

optimum [ŏp'-] *(adj.)* الأمثل ؛ الأفضل (~ conditions) .

option [ŏp'shən] *(n.)* (١) اختيار (٢) «أ» حقّ الاختيار ؛ حرية الاختيار . «ب» حق طلب تنفيذ عقدٍ ما في أيّ يوم ضمن مدة معيّنة . «ج» حق بيع أو شراء أسهم أو سلع معيّنة بسعر معيّن خلال مدة العقد . «د» حقّ المؤمَّن عليه في اختيار طريقة دفع الأموال المستحقة له بموجب سند التأمين .

optional [ŏp'shən əl] *(adj.)* اختياريّ ؛ غير إلزامي أو إجباري .

optometer [ŏp tŏm'ə tər] *(n.)* المِبصار : أداة لقياس مدى البصر .

optometric; -al [ŏp tŏm'-] *(adj.)* مِبصاريّ : متعلّق بالمِبصارية .

optometrist [ŏp tŏm'-] *(n.)* المِبصاريّ : المتخصص في المِبصارية .

optometry [ŏp tŏm'ə trĭ] *(n.)* المِبصارية : «أ» قياس مدى البصر بالمِبصار . «ب» فحص العين بحثاً عن عِللها أو عيوبها ووصف العدسات أو التمرينات المساعِدة في التغلب عليها .

opulence [ŏp'yə ləns] *(n.)* (١) ثروة ؛ غنى (٢) وفرة ؛ غزارة .

opulent [ŏp'yə lənt] *(adj.)* (١) غنيّ (٢) وافر ؛ غزير .

ă at; ā date; â care; ä car; ĕ egg; ē me; ĭ in; ī bite; ŏ lot; ō bone; ô orphan; oi boil oo good; ōō boot; ou out; ŭ under; ū unity; û urgent; th thing; th this; zh vision; ə = *a* in alone, *e* in system, *i* in easily, *o* in gallop, *u* in circus.

opuntia [ō pŭn'shĭ ə] *(L.)* التين الشوكيّ ؛ الصبّار (نب) .

opus [ō'pəs] *(L.)* pl. **opera** قطعة (أو مجموعة قطع) موسيقيّة .

opuscule [ō pŭs'kūl] *(F.)* = opusculum.

opusculum [ō pŭs'-] *(L.)* pl. **-cula** مؤلَّف أدبي أو موسيقيّ قصير أو ثانويّ .

or [ôr] *(conj.; n.)* (١) «أ» أو (sooner ~ later) «ب» أم . . . (٢) وإمّا ؛ أو (either this ~ that) (whether he wins ~ not) §(٣) اللون الذهبي أو اللون الأصفر .

~ else وإلاّ .

-or لاحقة معناها : الفاعل ؛ فاعل الشيء (distribut*or*) .

oracle [ôr'ə kəl] *(L.)* (١) «أ» وسيط الوحي : كاهن أو كاهنة (عند الاغريق) يُعتقَد أن الإله يجيب بواسطته عن سؤال حول أمر من أمور الغيب . «ب» المَوْحَى ؛ مهبط الوحي : هيكل يهبط فيه الجواب الإلهي عن هذا السؤال . «ج» الوحي الإلهي : جواب الإله عن السؤال الموجّه إليه (٢) المشاور الحكيم أو الموثوق . «ب» جوابٌ حكيم أو موثوق .

oracular [ō răk'yə lər] *(adj.)* (١) وَحْييّ ؛ نُبوئيّ . (٢) «أ» حكيم ؛ مَهيب . «ب» مُبْهَم .

oral [ôr'əl] *(adj.; n.)* (١) شفهيّ ؛ ملفوظ (٢) فميّ : «أ» متعلق بالفم (the ~ mucous membrane) . «ب» معطىً من طريق الفم (an ~ dose of medicine) §(٣) فحص شفهيّ (في مدرسة أو كلية الخ.)

—orally *(adv.)*

orange [ôr'ĭnj] *(n.; adj.)* (١) «أ» البرتقال (نب) . «ب» برتقالة . (٢) البرتقاليّ (لون) §(٣) برتقالي .

orangeade [ôr'ĭnj ād'] *(n.)* عصير البرتقال المُحَلّى (ممزوجاً بالماء القَراح أو بالمياه الغازيّة) .

orange blossom *(n.)* زهر البرتقال

orange pekoe [pē'kō] *(n.)* شاي هندي أو سيلانيّ ممتاز .

orangery [ôr'ĭnj rĭ] *(n.)* دفيئة البرتقال : بيت زجاجي لزراعة البرتقال .

orange stick *(n.)* عود البرتقال : عود من خشب البرتقال (للعناية بالأظافر)

orange tip *(n.)* الفَراش البرتقالي : ضرب من الفَراش الصغير .

orange wife *(n.)* بائعة البرتقال

orangewood [ôr'ĭnj-] *(n.)* خشب البرتقال : خشب شجرة البرتقال .

orangish *(adj.)* [ŏr ' ən jĭsh] برتقاليّ اللون ؛ ضارب إلى البرتقاليّ .

orangutan *or* **orangoutan** [ō răng'ōō-] *(n.)* إنسان الغاب : ضرب من القردة العليا الشبيهة بالانسان يقطن في بورنيو وسومطرة .

orangutan

orate [ō rāt'; ôr'āt] *(vi.)* (١) يخطب ؛ يلقي خُطبة (٢) يتفاصح (وكأنه يلقي خطبة) .

oration [ō rā'shən] *(n.)* خُطْبة ؛ خطاب رسميّ .

orator [ŏr'ə tər] *(n.)* (١) المدّعي (ق) (٢) الخطيب : شخص يجيد الخطابة .

oratorical [ôr'ə tôr'-] *(adj.)* خَطابيّ : متعلق بالخطيب أو الخطابة .

oratorio [ôr'ə tōr'ĭ ō] *(It.)* الموشَّحة الدينية : قطعة موسيقيّة ذات موضوع ديني .

oratory [ôr'ə tōr'ĭ] *(L.)* (١) المُصلّى : كنيسة خصوصية صغيرة . (٢) «أ» فنّ الخطابة . «ب» خُطبة .

orb [ôrb] *(n.; vt.)* (١) فَلَك ؛ مدار ؛ دائرة (٢) جِرم سماويّ . (٣) عين (٤) «أ» كرة . «ب» الكرة السلطانيّة : كرة يعلوها صليب (ترمز إلى السلطة والعدالة الملكيّتين) §(٥) يكوّر ؛ يدوّر .

orbicular [ôr bĭk'-] *(adj.)* (١) كرويّ ؛ دائريّ (٢) كامل ؛ تامّ .

orbiculate [ôr bĭk'yə lĭt; -lāt] *(adj.)* مدوَّر ؛ مستدير .

orbit [ôr'bĭt] *(n.; vt.; i.)* (١) مَحْجِر العين ؛ حجاج العين . (٢) مَدار ؛ فَلَك §(٣) يُطلقه في مَدار ×(٤) يدور ؛ يحوّم .

orbital [ôr'-] *(adj.)* (١) مَحْجِريّ ؛ حجاجيّ (٢) مداريّ .

orc [ôrk] *(n.)* = grampus.

orchard [ôr'chərd] *(n.)* (١) بستان فاكهة (٢) أشجار البستان .

orchardist *or* **orchardman** [ôr'-] *(n.)* البستانيّ : مالك بساتين الفاكهة أو المشرف على العناية بها .

orchestra [ôr'kĭs trə] *(L.)* الأوركسترا : «أ» الفرقة الموسيقية . «ب» الموضع المخصَّص للفرقة الموسيقية في مسرح ما . «ج» المقاعد الأماميّة التي تشغل مقدّمة أرض المسرح .

orchestral [ôr kĕs'trəl] *(adj.)* أوركستريّ : «أ» ذو علاقة بالأوركسترا أو مؤلَّف لها أو معزوف من قِبلها . «ب» شبيه بالأوركسترا أو بصفاتها الموسيقية (a poem of ~ grandeur) .

orchestrate [ôr'kĭs trāt'] *(vt.)* (١) يُؤَركِس : «أ» يؤلّف الألحان الموسيقية للأوركسترا أو يوزّعها عليها . «ب» يُخرج أوركستريّاً (to ~ a waltz) (٢) ينسّق أو يزاوج بحيث يحقق أقصى ما يمكن من التأثير (He ~*d* the elements of his arts.) .

—orchestrator *also* **orchestrater** *(n.)*

orchestration [ôr'kĭs trā'-] *(n.)* الأَرْكَسَة (را. المادة السابقة) .

orchid [ôr'kĭd] *(L.)* (١) السَّحْلَبيّة : نبتة من الفصيلة السَّحلبية . (٢) لون أرجوانيّ خفيف .

orchis [ôr'kĭs] *(L.)* السَّحْلب ؛ خُصى الثعلب (نب) .

ordain [ôr dān'] *(vt.; i.)* (١) يرسمه أو يَسِيمه كاهناً (٢) يعيّن ؛ يقيم (٣) يُقدِّر على (God has ~*ed* us to die.) ×(٤) يقضي ؛ يأمر ؛ يُصدر أمراً .

—ordainer *(n.)* **—ordainment** *(n.)*

ordeal [ôr dēl'; -dē'əl] *(n.)* (١) المحاكمة بالتعذيب : وسيلة بدائية كانت تُصطنَع لمعرفة ما إذا كان المتّهم بريئاً أو مجرماً وذلك باخضاعه لضروبٍ من الامتحان الخطِر أو المؤلم كان الناس يحسبونها خاضعة لسيطرة قوى خارقة للطبيعة (٢) مِحنة .

order [ôr'dər] *(n., vt.; i.)* (١) «أ» أخويّة . «ب» رهبنة . «ج» درجة كهنوتيّة (٢) وسام عسكريّ (٣) «أ» طبقة ؛ جماعة . «ب» رتبة («أح» و «ح» و «نب») (٤) ضرب ؛ نوع ؛ طراز (He has talents of a high ~.) (٥) حالة ؛ وضع (Affairs were in good ~.) (٦) «أ» ترتيب (in alphabetical ~) . «ب» مرتبة (ر) (٧) نظام (٨) طقس دينيّ (٩) أمر (The colonel gave the ~ to halt.) (١٠) طراز معماري . كلاسيكيّ عادةً ؛ وبخاصة : شكل العمود (Doric ~) (١١) تحويل ؛ حوالة (١٢) «أ» طلب تجاري . «ب» مقدار من السلع المشتراة §(١٣) يرتّب (١٤) «أ» يأمر . «ب» يقدّر ؛ يعيّن بقضاء وقَدَر (١٥) يصف دواءً (١٦) يطلب (They ~*ed* three steaks.) ×(١٧) ينظّم ؛ يدير (١٨) يُصدر الأوامر .

a large (tall) ~. مُهِمّة عسيرة .

in ~ , (١) مرتّب ؛ منظّم (٢) بالتتابع ؛ بالتسلسل (٣) مسموح به وفقاً لقواعد الاجراء البرلمانيّة .

in ~ of size *or* importance بحسب الحجم أو الأهمية .

in ~ to لكي ؛ لأجل .

in short ~, حالاً ؛ في الحال .

made to ~, مُعَدّ وفقاً لتعليمات الزبون أو لمقاييس جسمه .

on ~, (١) تحت الطلب ؛ تحت طلب المشتري . (٢) طُلِب ولكنّه لم يُسلَّم بعد .
~ book (١) دفتر الطلبات ؛ دفتر الطلبات الواردة (تج). (٢) سجلّ الاقتراحات (في مجلس العموم) .
~ form أنموذج طلب : ورقة مطبوعة يدوّن عليها الزبون حاجته من السلع (بأن يملأ الفراغ المُعَدّ لذلك).
~ of battle ترتيب الوحدات ؛ ترتيب القتال .
~ of the day (١) جدول الأعمال (في جمعية تشريعية). (٢) الحالة الغالبة أو السائدة .
~ paper جدول الأعمال (في مجلس العموم) .
out of ~, (١) غير مرتّب ؛ مشوّش (٢) غير صالح للتشغيل أو الاستعمال .
to ~ (a person) about (١) يرسله من مكان إلى مكان (٢) يستبدّ به أو يواصل إصدار الأوامر إليه .
to take (holy) ~s يُرْسَم كاهناً ؛ يُصبح كاهناً .

orderliness [ôr'-] *(n.)* (١) نظام ؛ ترتيب (٢) محافظة على النظام .

orderly [ôr'dər lĭ] *(adj.; adv.; n.)* (١) «أ» منظَّم. «ب» مرتَّب (an ~ room) . «ج» خاضع لنظام (an ~ universe) . «د» منهجيّ (an ~ mind *or* person) (٢) محافظ على النظام (an ~ citizen) (٣) ذو علاقة بإرسال الأوامر العسكرية (كما في قولك the ~ room أي مكتب الوحدة) §(٤) على نحو نظاميّ أو منهجيّ أو متسلسل §(٥) الحاجب ؛ الوصيف ؛ عامل الارتباط : جندي ملحق بضابط فهو ينقل رسائله ويقدّم إليه مختلف الخدمات (٦) الممرّض : تابع يؤدّي مهمّات عامّة (في مستشفى).

orderly bin *(n.)* صندوق النفايات (في شارع) .

orderly book *(n.)* سجلّ الأوامر (جن) .

orderly officer *(n.)* ضابط الخدمة ؛ ضابط النَّوْبة .

ordinal [ôr'də nəl] *(n.; adj.)* (١) كتاب الرِّسامة : كتاب يشتمل على مجموعة صيغ تستعمل في رسامة الكهان (٢) العدد الترتيبيّ (مثل first; fifth; tenth) §(٣) ترتيبيّ (~ numbers) (٤) رُتْبَويّ : ذو علاقة برتبة من الحيوان أو النبات .

ordinal number *(n.)* العدد الترتيبي (را . المادة السابقة) .

ordinance [ôr'də nəns] *(n.)* (١) أمر ؛ وبخاصة : قانون محليّ أو بلديّ (٢) تقدير إلهيّ ؛ قضاء ؛ قدَر (٣) طقس دينيّ ؛ وبخاصة : سرّ العشاء الربانيّ (نص) .

ordinarily [ôr'-] *(adv.)* (١) على نحوٍ عاديّ أو مألوف (٢) عادةً .

ordinariness [ôr'-] *(n.)* الاعتيادية : كونُ الشيء اعتيادياً أو مألوفاً .

ordinary [ôr'də nĕr'ĭ] *(adj.; n.)* (١) اعتياديّ ؛ مألوف ؛ معتاد . (٢) «أ» عاديّ . «ب» دون المتوسّط ؛ رديء بعضَ الشيء §(٣) «أ» أسقف ؛ مطران . «ب» كاهن كان يعيَّن لإعداد المحكوم عليهم بالاعدام لمواجهة الموت . «ج» قاضٍ في محكمة الإشهاد (أي المحكمة المكلّفة بالتثبّت من صحة وصيّة الميت) (٤) *cap.* عد : أجزاء القدّاس الثابتة (التي لا تتغير من يوم إلى يوم) (٥) الاعتيادي ؛ المألوف (out of the ~) (٦) «أ» وجبة طعام تقدَّم إلى جميع الوافدين بسعر محدَّد . «ب» مطعم أو فندق يقدِّم وجبات طعام نظاميّة .
in ~, في الخدمة الفعليّة ؛ ذو وظيفة ثابتة .

ordinate [ôr'də nāt'] *(n.)* الإحداثيّ الرأسي (ر) .

ordination [ôr'də nā'-] *(n.)* رِسامة الكاهن ؛ سيامة الكاهن .

ordnance [ôrd'nəns] *(n.)* (١) مُعدّات حربيّة (٢) مصلحة المُعَدّات (في جيش) (٣) مدفع ؛ مدفعيّة .

ordo [ôr'dō] *(L.)* pl. **ordines** تقويم الطقوس والأعياد (كث) .

ordonnance [ôr'də nəns] *(F.)* (١) تناسق (٢) مرسوم ؛ قانون .

Ordovician period[-'də vĭsh'-] *(n.)* العصر الأُردفيشي (جي) .

ordure [ôr'jər; ôr'dyoor] *(n.)* (١) غائط ؛ قذر (٢) القذارة : شيء قذر أو مُفْسِد أخلاقياً .

ore [ōr] *(n.)* (١) رِكاز ؛ خامة ؛ معدن خام (٢) مصدر تستخرج منه مادة نفيسة (٣) معدن نفيس .

öre [œ'rə] *(n.)* pl. **öre** الأورة : عملة دانمركيّة ونرويجيّة تعادل $\frac{1}{100}$ من الكرون ، وسويدية تعادل $\frac{1}{100}$ من الكرونا .

oread [ōr'ĭ ăd'] *(L.)* الأريادة : حورية الجبال والهضاب (مث) .

ore dressing *(n.)* تهذيب الرِّكاز (بالسَّحق أو السَّحن) .

organ [ôr'gən] *(n.)* (١) الأرغُن : آلة موسيقية (٢) عضو ؛ جارحة (٣) أداة (Parliament is the chief ~ of government.) (٤) جريدة أو مجلّة ناطقة بلسان حزب أو جماعة : لسانُ حال.

organ- *or* **organo-** بادئة معناها : «أ» عضو . «ب» عضويّ .

organdy *also* **organdie** [ôr'gən dĭ] *(F.)* الأورغندي : ضرب من الموصلين الرقيق الشفّاف .

organ grinder *(n.)* عازف الأرغن اليدوي في الشوارع .

organic [ôr găn'ĭk] *(adj.)* (١) عُضْويّ (٢) «أ» مؤلِّف جزءاً لا يتجزأ من كلّ . «ب» متناسق الأجزاء (to make an ~ whole) (٣) أساسيّ ؛ دستوريّ : ذو علاقة بدستور البلاد أو قوانينها الأساسيّة.

organic chemistry *(n.)* الكيمياء العضوية .

organicism [ôr găn'ə sĭz'əm] *(n.)* العضوانيّة : النظرية القائلة بأن العمليات الحيوية تنشأ من نشاط أعضاء الكائن الحيّ كلّها بوصفها نظاماً متكاملاً («أح» و «فف») .

organism [ôr'gə nĭz'əm] *(n.)* (١) المُتَعَضّي ؛ الكائن الحيّ . (٢) نظام (the social ~) .

organist [ôr'gən ĭst] *(n.)* الأرغنيّ : العازف على الأرغن .

organization [ôr'gən ə zā'-] *(n.)* (١) «أ» تَعَضّية «ب» تعَضٍ (مج) (٢) «أ» تنظيم. «ب» نظام (٣) «أ» منظّمة. «ب» هيئة الإدارة في منظّمة .

organize [ôr'gə nīz] *(vt.; i.)* (١) يُعضّي (مج) ، يجعله ذا بنية عضوية (٢) ينظّم ؛ ينشىء ؛ يؤسّس ×(٣) يتعضّى (مج) (٤) ينشىء منظّمة ؛ وبخاصة : ينشىء نقابة للعمال أو يقنع العمال بالانضمام إلى نقابة .

organizer [ôr'gə nī zər] *(n.)* (١) فا organize وبخاصة : مسؤول نقابيّ ينشىء فروعاً جديدة لإحدى نقابات العمال (٢) المخلِّقة (را. inductor 3) .

organogenesis[ôr gə nō jĕn'-] *(L.)* تولّد الأعضاء أو تكوّنها (أح).

organography [ôr'gə nŏg'rə fĭ] *(n.)* وصفُ الأعضاء : الدراسة الوصفية لأعضاء الحيوان أو النبات .

organology [ôr'gə nŏl'ə jĭ] *(n.)* علم الأعضاء : فرع من علم الأحياء يبحث في بِنْية الأعضاء ووظائفها .

organon [ôr'gə nŏn'] *(Gk.)* pl. **-a** *or* **-s** وسيلة لاكتساب المعرفة وبخاصة : مجموعة مبادىء خاصة بالبحث العلمي أو الفلسفي .

organotherapy [ôr'gə nō thĕr'ə pĭ] *(n.)* الاستعضاء : معالجة المرض باستعمال أعضاء الحيوان أو خلاصاتها .

organum [ôr'gə nəm] *(L.)* (١) organon (٢) تعدّد أو تفرّع الأصوات (في موسيقى القرون الوسطى) .

organza [ôr găn'zə] *(n.)* الأورغنزة : نسيج حريريّ رقيق .

organzine [ôr'găn zēn] *(F.)* الأرغنزين : حرير تُتَّخَذ منه سَداة الأنسجة الحريرية .

orgasm [ôr'găz əm] *(n.)* هِزَّة الجماع : هزّة التهيّج الجنسي (قُبَيْل انقضاء الجماع) . **—orgasmic** *or* **orgastic** *(adj.)*

orgeat [ôr'zhăt; ôr zhă'] *(F.)* شراب اللوز : شراب غير كحولي مُنَكَّه باللوز يُستعمل في إعداد الكوكتيل وتطييب المآكل.

orgiastic [ôr'jĭ ăs'tĭk] *(adj.)* (١) طقسيّ عربيدي : ذو علاقة بالطقوس العربيدة (را. orgy) (٢) متسم بالقصف والعربدة .

orgy [ôr'jĭ] *(n.)* (١) الطقوس العربيدة : طقوس سرية كانت تقام في أعياد آلهة الاغريق والرومان وتتميز بالغناء النشوان والرقص العربيد (٢) قصف ؛ لهو مُعَرْبِد (٣) انغماس مُفرط في نشاطٍ ما .

oriel [ōr'ĭ əl] *(n.)* مَشْرَبيّة ؛ نافذة ناتئة .

oriel

orient [*n.*; *adj.* ōr'ĭ ənt; *v.* ōr'ĭ ĕnt'] *(n.; adj.; vt.)* (١) *cap.* : الشرق ؛ المَشرِق . (٢) «أ» لؤلؤة متألقة . «ب» تألّق لؤلؤة §(٣) متألّق ، متلألىء §(٤) يجعله مواجهاً للشرق، وبخاصة : يبني كنيسةً بحيث يكون مذبحها الرئيسيّ في الطرف الشرقي (٥) يكيّف وفقاً للظروف أو الحقائق أو الأوضاع (٦) يوجّه .

oriental [ōr'ĭ ĕn'təl] *(adj.; n.)* (١) *cap.* ا.ك : شرقيّ ؛ مَشْرِقيّ (٢) نفيس ؛ متألّق ؛ قيّم (٣) *cap.* ا.ك : شرقيّ الخصائص §(٤) *cap.* : الشرقيّ : أحد أبناء الشرق .

orientalism [ōr ĭ ĕn'tə lĭz'əm] *(n.)* (١) *cap.* ا.ك : سِمَة (أو تعبير أو عادة) شرقيّة (٢) *cap.* ا.ك : الاستشراق : معرفة ودراسة اللغات والآداب الشرقيّة .

orientalist [ōr'ĭ ĕn'-] *(n. often. cap.)* المستشرق : الدارس للغات الشرق وفنونه وحضارته .

orientalize [ōr'ĭ ĕn'tə līz'] *(vt.; i.)* (١) *cap.* ا.ك : يشرّق : يجعله شرقياً ×(٢) *cap.* ا.ك. : يستشرق : يصبح شرقياً .

orientate [ōr'ĭ ĕn tāt] *(vt.; i.)* (١) orient (٢) يواجه الشرق .

orientation [ōr'ĭ ĕn tā'-] *(n.)* (١) توجيه أو اتجاه نحو الشرق. (٢) تكييفٌ وفقاً للظروف أو الحقائق أو الأوضاع (٣) توجيه .

orifice [ôr'ə fĭs] *(n.)* فتحة ؛ ثقب ؛ فُوَهة .

oriflamme [ôr'ə flăm'] *(n.)* (١) راية الحرب : علَمٌ حريري أحمر كان ملوك فرنسة القدماء يرفعونه في الحرب (٢) علَمٌ أو رمزٌ أو مثلٌ أعلى يُلهم التفاني أو الشجاعة .

origan [ôr'ə gən]; **origanum** [ə rĭg'-] *(n.)* = marjoram.

origin [ôr'ə jĭn] *(n.)* (١) أرومة ؛ محتِد (٢) «أ» نشوء ؛ ظهور ؛ ابتداء . «ب» أصل ؛ مصدر ؛ منشأ ؛ منبت (٣) الأصل : نقطة تقاطع محاور الإحداثيات (ر) .

original [ə rĭj'ə nəl] *(adj.; n.)* (١) أصليّ (٢) جديد ؛ مبتكَر (an ~ idea) (٣) أصيل ؛ مبدِع ؛ قادر على توليد المعاني الجديدة (an ~ French poet) §(٤) الأصل ؛ النسخة الأصلية : «أ» الشكل أو الانموذج الأصلي الذي تستخرج عنه نسخ مختلفة . «ب» المؤلَّف أو الأثر الفنّي الأصلي (تمييزاً له عن أية نسخة مأخوذة عنه أو مُحاكية له) . «ج» الشخص أو الشيء المُتَّخَذُ موضوعاً لرسم أو وصف (٥) «أ» شخص مبدع أو مجدِّد . «ب» شخص غريب الأطوار .

originality [ə rĭj'ə năl'ə tĭ] *(n.)* (١) الأصلية : كون الشيء أصلياً (٢) جِدّة ؛ طرافة (٣) أصالة ؛ إبداع .

originally [-'ə nə lĭ] *(adv.)* (١) أصلاً ؛ في الأصل (٢) «أ» أولاً «ب» في المقام الأول (٣) على نحوٍ جديد أو أصيل .

original sin *(n.)* الخطيئة الأصلية (نص) .

originate [ə rĭj'ə nāt] *(vt.; i.)* (١) يُبدىء ؛ يُنشِىء . ×(٢) يبدأ ؛ ينشأ . **—origination** *(n.)* **—originator** *(n.)*

originative [ə rĭj'ə nā'tĭv] *(adj.)* مبدِعٌ ؛ قادرٌ على الإبداع .

oriole [ōr'ĭ ōl] *(F.)* الصُفّارية ؛ الصافر (طا) .

oriole

Orion [ō rī'ən] *(L.)* الجوزاء : كوكبة الجبّار (فل) .

orison [ôr'ĭ zən] *(n.)* صلاة .

-orium pl. **-s** *or* **-oria** لاحقة معناها : موضع كذا أو موضعٌ لكذا (audit*orium*) .

orlon [-'lŏn] *(n.)* الأورلون : ضربٌ من النايلون .

orlop; orlop deck [ôr'lŏp] *(n.)* ظهر السفينة الأسفل .

ormolu [ôr'mə lōō'] *(F.)* الذهب الزائف : نحاسٌ أصفر يستعاض به عن الذهب (في الترصيع والتزيين) .

ornament [*n.* ôr'nə mənt; *v.* ôr'nə mĕnt'] *(n.; vt.)* (١) حِلية ؛ زينة ؛ زخرف (٢) المفخرة : شخص يُعتبر ، بفضائله أو محاسنه أو تألُّقه ، زينةً لمجتمعه أو مفخرةً له (٣) تزيين ؛ زخرفة (by way of ~) §(٤) يزيّن ؛ يزخرف .

ornamental [ôr'nə mĕn'təl] *(adj.; n.)* (١) زينيّ ؛ زخرفيّ . §(٢) شيء زينيّ (٣) نبتة الزينة : نبتة تزرع لجمالها لا لفائدتها .

ornamentation [ôr'nə mĕn tā'shən] *(n.)* (١) تزيين ؛ زخرفة . (٢) حِلية ؛ زخرف .

ornate [ôr nāt'] *(adj.)* (١) منمّق (~ style) (٢) مزخرَف .

ornery [ôr'nə rĭ] *(adj.)* (١) مشاكس ؛ سيّء الطبع (٢) عنيد. (٣) خسيس (٤) عاديّ . **—orneriness** *(n.)*

ornith- *or* **ornitho-** بادئة معناها : طير ؛ طائر .

ornithic [ôr nĭth'ĭk] *(adj.)* طَيْريّ : ذو علاقة بالطيور .

ornithologic; -al [ôr'nə thə lŏj'-] *(adj.)* متعلق بعلم الطيور .

ornithologist [ôr'nə thŏl'ə jĭst] *(n.)* الطُّيوريّ : العالِم بالطيور .

ornithology [ôr'nə thŏl'ə jĭ] *(n.)* علم الطيور أو رسالة فيه .

ornithopter [ôr'nə thŏp'tər] *(n.)* الأورنيثوبتر : طائرة ذات جناحين خفاقين كجناحَي الطائر ؛ طائرة بلا محرّك .

oro- بادئة معناها : «أ» جبل . «ب» فم . «ج» فميّ و . . .

orogenic [ôr'ə jĕn'-] *also* **orogenetic** [ôr ə jə nĕt'ĭc] *(adj.)* متعلّق بتكوّن الجبال .

orogeny [ō rŏj'-] *also* **orogenesis** [-jĕn'-] *(n.)* تكوّن الجبال.

orographic; -al [ôr'ə grăf'-] *(adj.)* جِباليّ ؛ ذو علاقة بالجبال.

orography [ō rŏg'rə fĭ] *(n.)* عِلم الجبال (فرع من الجغرافية الطبيعية)

oroide [ōr'ō ĭd'] *(F.)* الأُشابة الذَّهَبانيّة : مزيج معدنيّ (من نحاس وزنك) يشبه الذهب في مظهره ويستعمل في صنع الحلى الرخيصة.

orometer [ō rŏm'ə-] *(n.)* الأورومتر : مقياس ارتفاع الجبال .

orotund [ôr'ə tŭnd'] *(adj.)* (١) جَهْوَريّ (٢) طنّان ؛ رنّان .

orphan [ôr'fən] *(n.; adj.; vt.)* (١) «أ» اليتيم : الصغير الفاقد أحد أبويه . «ب» اللَّطيم : الصغير الفاقد أبويه كليهما (٢) صغير الحيوان الفاقد أمَّه §(٣) خاصّ بالأيتام (an ~ asylum) §(٤) يتيم §(٥) يُيَتِّم ؛ يلطِّم .

orphanage [ôr'fən ĭj] *(n.)* (١) يُتْم (٢) مَيْتَم ؛ دار الأيتام .

orphanhood [ôr'fən hŏŏd] *(n.)* يُتْم ؛ تيتّم .

orphic [ôr'fĭk] *(adj.)* (١) *cap.* : أورفيوسي ؛ ذو علاقة بأورفيوس **Orpheus** وهو في الأسطورة الاغريقية موسيقي تبع زوجته يُوريديس إلى « مثوى الأموات » فأجاز له بلوتو .

وقد سُحِر بألحانه ، أن يخرجها من ذلك المثوى شرطَ أن لا ينظر إلى الوراء ، ولكنه فَعَل في اللحظة الأخيرة ففقَدها (٢) مُبهَم (٣) مُطْرِب ؛ شجِيّ .

orphrey [ôr'frĭ] *(n.)* (١) تطريز بارع أو غنيّ (٢) حاشية مزخرفة (في ثوب كاهن) .

orpiment [ôr'pə-] *(n.)* الرّهج الأصفر ؛ كبريتور الزّرنيخ الأصفر .

orpine [ôr'pĭn] *(n.)* حيّ العالَم : نبات من فصيلة المخلّدات (نب) .

Orpington [ôr'pĭng-] *(n.)* الأوربنغتون : دجاج إنكليزيّ ضخم .

orrery [ôr'ə rĭ] *(n.)* المِبْيان : أداة تبيّن حركات ومواقع الكواكب الخ . في النظام الشمسي .

orris [ôr'ĭs] *(n.)* السّوسن الفلورنسيّ (نب) .

ort [ôrt] *(n.)* كِسْرَة ؛ فُتاتة تخلّف على المائدة .

orth- *or* **ortho-** بادئة معناها : «أ» مستقيم ؛ قائم ؛ عمودي . «ب» صحيح ؛ مصحح ؛ مقوم .

ortho [ôr'thō] *(adj.)* حامض أو مشتقّ من حامض (ك) .

orthocephalic [ôr'thō sə făl'ĭk] *(adj.)* مستقيم الجمجمة : متوسط النسبة بين ارتفاع الجمجمة وطولها أو عرضها .

orthochromatic [ôr'thō krō măt'ĭk] *(adj.)* أورثوكروماتيّ : «أ» مُمثّل العلاقاتِ الصحيحة بين الألوان كما هي في الطبيعة أو متصل بهذه العلاقات . «ب» حسّاس لجميع الألوان ما عدا الأخمر (فو) .

orthoclase [ôr'thə klās'; -klāz'] *(G.)* الأورثوكلاز (مع) .

orthodontia [ôr'thə dŏn'shə; -shĭ ə] *(L.)* = orthodontics.

orthodontic[ôr'thə dŏn'tĭc] *(adj.)* متعلق بتقويم الأسنان المُعوجة .

orthodontics [ôr'thə dŏn'-] *(n.)* طبّ الأسنان المعوجة : فرع من طبّ الأسنان يبحث في الأسنان المعوجة وطرق تقويمها .

orthodontist [-'tĭst] *(n.)* الطبيب المقوِّم للأسنان المعوجة .

orthodox [ôr'thə dŏks'] *(adj.)* (١) راشد؛ قويم الرأي أو المعتقَد (وبخاصة في الدين) (٢) مألوف ؛ تقليديّ (~ opinions) (٣) ارثوذكسيّ : متعلق بالكنائس الشرقيّة .

orthodoxy [ôr'thə dŏk'sĭ] *(n.)* (١) استقامة الرأي (٢) معتقَد قويم او تقليدي (٣) الأرثوذكسيّة : العقيدة الأرثوذكسيّة (نص) .

orthoepy [ôr thō'ə pĭ; ôr'thō-] *(L.)* (١) «أ» ضَبط اللفظ . «ب» اللفظ الصحيح (٢) علم اللفظ (ل) . —**orthoepic** *(adj.)*

orthogenesis [ôr'thō jĕn'ə sĭs] *(L.)* التكوّن القويم : «أ» نظرية تقول بأن التنوّع في الأجيال المتعاقبة يسير بموجب نظام مقرّر لا يتأثّر بالعوامل الخارجيّة (اح) . «ب» نظرية تقول بأن التطور الاجتماعي يتمّ في الاتجاه نفسه وعبر المراحل نفسها في كلّ ثقافة من الثقافات رغم اختلاف الأحوال الخارجيّة (أع) .

orthogenic [ôr'thō jĕn'ĭk] *(adj.)* (١) خاصّ بالتكوّن القويم (را. المادّة السابقة) (٢) متعلّق بذلك النوع من المعالجة التربويّة والطبية الهادفة إلى التغلّب على العلل العقلية والعَصَبية عند الأطفال .

orthognathous [ôr thŏg'nə-] *(adj.)* مستقيم الفَكّ ؛ سويّ الفكّ .

orthogonal [-'ə nəl] *(adj.)* (١) متعامد (ر) (٢) مستقلّ إحصائيّاً .

orthogonal circles *(n. pl.)* الدائرتان المتعامدتان (ر) .

orthograde [ôr'thə grād] *(adj.)* منتصب القامة (في السير) .

orthographic [ôr'thə grăf'ĭk] *(adj.)* (١) متعامد (ر) . (٢) «أ» إملائيّ . «ب» صحيحٌ إملائيّاً .

orthographic projection *(n.)* الإسقاط المتعامِد أو الأورثوغرافي (في الرسم الهندسي) .

orthography [ôr thŏg'-] *(n.)* (١) ضبط التهجئة (٢) علم الإملاء .

orthopedic; orthopaedic [ôr'thə pē'-] *(adj.)* (١) تجبيريّ : متعلق بتقويم الأعضاء (٢) مُشوَّه .

orthopedics *also* **orthopaedics** [ôr'thə pē'-] *(n.)* التجبير ؛ تقويم الأعضاء .

orthopedist [ôr'thə pē'dĭst] *(n.)* المجبر ؛ مقوِّم الأعضاء .

orthophosphoric acid [ôr'thō fŏs fôr'ĭk] *(n.)* حَمض ارثوفوسفوريك (ك) .

orthopsychiatry [ôr'thō sī kī'ə trĭ] *(n.)* طبّ الأمراض العقلية عند الناشئة خاصة .

orthopter [ôr thŏp'tər] *(n.)* = ornithopter.

Orthoptera [ôr thŏp'-] *(n. pl.)* مستقيمات الأجنحة (حش) .

orthopteran ; orthopteron [ôr thŏp'-] *(n.)* مستقيمة الأجنحة : حشرة من مستقيمات الأجنحة .

orthopteran ; orthopterous [ôr thŏp'-] *(adj.)* مستقيم الأجنحة (حش) .

orthoptic [ôr thŏp'tĭk] *(adj.)* خاصّ بالبصر السويّ .

orthorhombic system [ôr'thə rŏm'bĭk] *(n.)* نظام المعيَّن المستقيم (بلو) .

orthotropic [ôr'thə trŏp'ĭk] *(adj.)* مُستعمِد : محوره الأطول عموديّ تقريباً (نب) .

orthotropous [ôr thŏt'rə pəs] *(adj.)* مستقيم البُذَيرة (نب) .

ortolan [ôr'tə lən] *(F.)* الأرطُلان ؛ بلبل الشعير (طا) .

ortolan

-ory لاحقة معناها : «أ» موضعٌ كذا أو موضعٌ لكذا (observat*ory*) «ب» ذو علاقة بـِ او متّسم بـ (audit*ory*) . «ج» مُحْدِث أو مُساعدٌ على (prohibit*ory*) .

oryx [ōr'ĭks] *(L.)* المارِية : ضرب من بقر الوحش الافريقي .

oryx

os [ŏs] *(L.)* (١) pl. **ossa** : عَظْم ؛ عَظْمَة (٢) pl. **ora** : فم ؛ فتحة ؛ فوهة .

os [ōs] *(n.)* pl. **osar** = esker.

Oscan [ŏs'kən] *(n.)* (١) الأُسكانيّ : واحدٌ من الأُسكان وهم شعب من شعوب إيطالية القديمة (٢) الأسكانيّة : لغة الأُسكان .

Oscar [ŏs'kər] *(n.)* جائزة أوسكار : تمثال ذهبيّ صغير يُمنَح تقديراً للاجادة في صناعة السينما .

oscillate [ŏs'ə-] *(vi.)* (١) يتذبذب ؛ ينوس ؛ يترجّح (٢) يتقلّب .

oscillation [ŏs'ə lā'shən] *(n.)* (١) تذبذُب ؛ نَوَسان ؛ ترجّح (٢) تقلّب (٣) ذبذبة (كب) . —**oscillational** *(adj.)*

oscillator [ŏs'-] *(n.)* (١) المتذبذب الخ. (٢) المُذَبْذِب (رد) .

oscillatory [ŏs'-] *(adj.)* (١) متذبذب ؛ مترجّح (٢) تذبذبيّ .

oscillogram [ə sĭl'ə grăm] *(n.)* رَسْم تَذَبْذُبِيّ (كب) .

oscillograph; oscilloscope[ə sĭl'ə-] *(n.)* المِنْوَسَة ؛ مِرسمة الذبذبات (كب) .

osculate [ŏs'kyə lāt'] *(vt.)* يقبّل . **-tory** *(adj.)*

osculation [ŏs'kyə lā'-] *(n.)* (١) تقبيل (٢) قبلة .

-ose لاحقة معناها : «أ» حافلٌ بـِ ؛ له صفاتُ كذا . «ب» سكّر .

osier [ō'zhər] *(n.)* (١) صفصاف السلاّلين : شجر تُصنع من أغصانه السّلال (٢) غصنٌ منه يُستعمل في صنع السّلال .

Osiris [ō sī'rĭs] *(n.)* أوزيريس : أحد آلهة مصر القديمة .

-osis لاحقة معناها : «أ» عمل ؛ عملية ؛ حالة (osm*osis*) . «ب» حالة مَرَضيّة أو غير سويّة (melan*osis*) . «ج» فَرْط ؛

زيادة ؛ تكوّن (leukocyt*osis*) .

Osmanli [ŏz măn'lĭ] *(n.; adj.)* (١) العثمانيّ : تركيّ من الفرع الغربيّ من الشعوب التّركيّة (٢)التّركيّة : اللغة التّركيّة §(٣)عثمانيّ.

osmic [ŏz'mĭk] *(adj.)* . (ك) أوزميوميّ : منسوب إلى عنصر الأوزميوم

osmiridium [ŏz mĭ rĭd'-] *(n.)* = iridosmine.

osmium [ŏz' mĭ əm] *(n.)* . (ك) الأوزميوم : عنصر فلزيّ قاسٍ ثقيل

osmose [ŏz mōs'] *(vt.; i.)* (١) يُخضع للتناضح ×(٢) يتناضح.

osmosis [ŏz mō'sĭs; ŏs-] *(n.)* التناضح ؛ التنافذ ؛ الأزموزية : تبادلٌ يحصل بين سوائلَ مختلفةِ الكثافة ومفصولةٍ بعضُها عن بعض بغشاءٍ عضويّ حتى يتجانس تركيبها .

osmous [ŏz'məs] *(adj.)* = osmic.

osprey [ŏs'prĭ] *(n.)* (١) العُقاب النُّسارية : عُقاب تألف البحار وتأكل السمك (٢) زركشة من ريش (للقبعات).

osprey

ossein [ŏs'ĭ ĭn] *(n.)* العَظْمِين : بروتين العظام الذي يعطي الهلام عند غليها بالماء الحارّ .

osseous [ŏs'ĭ əs] *(adj.)* عظميّ : مؤلّف من عظمٍ أو محتوٍ عليه أو شبيهٌ به .

ossicle [ŏs'ə kəl] *(n.)* عُظَيْم ؛ عُظَيْمَة ؛ عظمة صغيرة .

—ossicular; ossiculate *(adj.)*

ossification [ŏs'ə fə kā'-] *(n.)* (١) التعظّم : «أ» تكوّن العظام. «ب» تحوّل النسيج العضليّ الخ. إلى عظم (٢) كتلة من نسيج عضويّ متعظّم (٣) التحجّر (في العاطفة أو التفكير) .

ossifrage [ŏs'ə frĭj] *(n.)* (١) كاسِر العظام : طائر بين النسر والعُقاب (٢) osprey .

ossify [ŏs'ə fī] *(vi.; t.)* (١)يتعظّم : يتحوّل إلى عظم (٢)يتحجّر (عاطفياً أو فكرياً) ×(٣) يُعَظِّم : يحوّل غضروفاً إلى عظم (٤) يحجّر (عاطفياً أو فكرياً) .

ossuary [ŏs'ŏŏ ĕr'ĭ; ŏsh'-] *(L.)* المَعْظَمَة : مستودع تحفظ فيه عظام الموتى .

oste- or osteo- بادئة معناها : عظم (*osteo*logy) .

osteal [ŏs'tĭ əl] *(adj.)* = osseous.

osteitis [ŏs'tĭ ī'tĭs] *(L.)* التهاب العظم (مض) .

ostensible [ŏs tĕn'sə bəl] *(adj.)* ظاهريّ ؛ مزعوم ؛ غير حقيقي .

ostensive [ŏs tĕn'sĭv] *(adj.)* = ostensible.

ostentation [ŏs'tĕn tā'shən] *(n.)* تفاخُر ؛ تباهٍ .

ostentatious [ŏs'tĕn tā'shəs] *(adj.)* (١) متفاخر ؛ متباهٍ ؛ مولعٌ بالتفاخر والتباهي (٢)تفاخريّ : مُعَدّ لِلفتِ الأنظار (~jewelry) .

osteo- بادئة معناها : عظم (*osteo*logy) .

osteoblast [ŏs'tĭ ə-] *(n.)* . (أح) خليّة التعظّم : الخليّة البانية للعظم

osteoclast [ŏs'tĭ ə klăst'] *(n.)* ناقضة العظم : خليّة تعمل على إتلاف العظم غير المرغوب فيه (أح) .

osteogenesis [ŏs'tĭ ə jĕn'ə sĭs] *(n.)* . (فس) تكوّن العظم أو العظام

osteoid [ŏs'tĭ oid'] *(adj.)* عَظْمانيّ : شبيهٌ بالعظم .

osteologist [ŏs'tĭ ŏl'ə-] *(n.)* العالِم بالعظام ؛ المتخصص بعِلم العظام.

osteology [ŏs'tĭ ŏl'ə jĭ] *(n.)* (١) عِلم العظام : فرع من عِلم التشريح يبحث في العظام (٢) البِنْيَة العظمية (the ~ of the head) .

osteoma [ŏs'tĭ ō'mə] *(L.)* pl. **-s** *or* **-ta** الورم العَظْميّ : ورمٌ حميد مؤلّف من نسيج عظميّ (مض) .

osteomalacia [-mə lā'shə] *(L.)* الرَّخَوْدَة (مج) ؛ لِين العظام .

osteomyelitis [ŏs'tĭ ō mī'ə lī'tĭs] *(L.)* التهاب النِّقْي ؛ التهاب نِقي العظام (مض) .

osteopath [ŏs'tĭ ə păth'] *(n.)* الطبيب المعالِج بتقويم العظام .

osteopathy [ŏs'tĭ ŏp'ə thĭ] *(n.)* المعالجة بتقويم العظام : طريقة في معالجة بعض الأمراض بتقويم العظام .

osteophyte [ŏs'tĭ ə fīt] *(n.)* الزائدة العظمية (مض) .

osteoplastic [-ə plăs'-] *(adj.)* ترقيعيعَظْميّ : خاص بترقيع العظام.

osteoplasty [ŏs'tĭ ə plăs'tĭ] *(n.)* ترقيع العظام (جر) .

osteotomy [ŏs'tĭ ŏt'-] *(n.)* . (جر) قَطْع العظم أو استئصال جزء منه

ostiary [ŏs'tĭ ĕr'ĭ] *(L.)* (١) بوّاب ؛ بوّاب كنيسة (٢) رجل من رجال الكنيسة الكاثوليكية ذو مرتبة دُنيا .

ostinato [ŏs'tē nä'tô] *(It.)* . (مو) اللازمة : مقطع متكرر باستمرار

ostiole [ŏs'tĭ ōl'] *(L.)* الفُتَيْحة ؛ الفُوَيهة : فتحة أو فوهة صغيرة .

ostium [ŏs'tĭ əm] *(L.)* pl. **-tia** فتحة ؛ منفذ ؛ ثغرة .

ostler [ŏs'lər] *(n.)* = hostler.

-ostosis لاحقة معناها : تعظّمُ جزءٍ معيّن أو تعظّمٌ إلى درجة معيّنة.

ostracism [ŏs'trə sĭz'əm] *(n.)* (١) النفي من غير محاكمة أو تهمة معيّنة (عند الاغريق) (٢) النبذ (من المجتمع) .

ostracize [ŏs'trə sīz'] *(vt.)* (١)ينفي من غير محاكمة أو تهمة معيّنة. (٢) ينبذ (من المجتمع) .

ostrich [ôs'trĭch] *(n.)* (١) نعامة (ح) . (٢) النّعامة : من يحاول اجتناب الخطر برفض مواجهته .

ostrich

Ostrogoth [ŏs'-] *(n.)* القُوطيّ الشرقيّ : أحد القوط الشرقيين .

-gothic *(adj.)*

ot- or oto- بادئة معناها : أذن (*ot*itis) .

other [ŭth'ər] *(adj.; n.; pron.; adv.)* (١) آخَر ؛ أخرى ؛ آخرون (٢) غير (It was none ~ than Ramzi.) (٣) ماضٍ أو فائت منذ عهد قريب (كقولك the ~ day أي منذ بضعة أيام) (٤) سابق ؛ خالٍ (men of ~ days)§(٥) الآخر (One stayed and the ~ left.)§(٦) غير ؛ على نحوٍ مختلف (She could not do ~ than she did.)

every ~ day, week etc. كلَّ يومين أو أسبوعين الخ.

on the ~ hand من ناحية أخرى ؛ من ناحية ثانية .

~ things being equal : إذا استوت سائر الأحوال لو كانت سائر الأحوال متماثلة في كل شيء إلا في النقطة التي هي موضوع البحث .

otherness [ŭth'ər-] *(n.)* (١) الآخَريّة : كون الشيء شيئاً آخر أو مختلفاً (٢)شيء آخَر أو مختلف .

otherwhere [ŭth'ər-] *(adv.)* . (١)في مكان آخر (٢)الى مكان آخر

otherwhile; -s [ŭth'-] *(adv.)* (١) في وقت آخر (٢) أحياناً .

otherwise [ŭth'ər wīz] *(adv.; adj.)* . (١)بطريقة أخرى (٢)وإلاّ (٣) من نواحٍ أخرى (weak but ~ well) §(٤) مختلف ؛ من نوع آخر (if conditions were ~) .

otherworld [ŭth'ər-] *(n.)* الآخِرة ؛ العالم الآخر .

otherworldly [ŭth'ər-] *(adj.)* (١) أُخرويّ ؛ غيبيّ ؛ذو علاقة بعالم غير العالم الواقعي (٢) منصرف بكليّته إلى الأغراض والاهتمامات الفكرية أو الخياليّة .

otic [ō'tĭk; ŏt'ĭk] *(adj.)* أُذْنيّ ؛ سَمْعيّ .

otiose [ō'shĭ ōs'] *(adj.)* (١) «أ» متبطّل ؛ غير منهمك بعمل. «ب» كسول (٢) عقيم ؛ لا طائل تحته (٣) عديم النفع أو الأثر .

otitis [ō tī'tĭs] *(L.)* التهاب الأُذن (مض) .

ă at; ā date; â care; ä car; ĕ egg; ē me; ĭ in; ī bite; ŏ lot; ō bone; ô orphan; oi boil ŏŏ good; ōō boot; ou out; ŭ under; ū unity; û urgent; th thing; th this; zh vision; ə = *a* in alone, *e* in system, *i* in easily, *o* in gallop, *u* in circus.

oto- بادئة معناها : أُذن (*oto*laryngology) .

otocyst [ō'tə sĭst] *(n.)* الكيس السَّمعيّ (في اللافقاريات) .

otolaryngology [ō'tō lăr'ĭng gŏl'ə jĭ] *(n.)* طب الأذن والأنف والحنجرة .

otolith [ō'tə lĭth] *(F.)* الحُصَيّة الأُذُنيّة (ت) .

otter [ŏt'ər] *(n.)* (١) القُضاعة ؛ ثعلب الماء : حيوان طويل الذنب قصير القوائم (٢) فَرْو القُضاعة .

otter

otto [ŏt'ō] *(n.)* = attar.

ottoman [ŏt'ə mən] *(n.; adj.)* (١) *cap.* : العثماني؛ التركي (٢) «أ» مُتَّكأ . «ب» مسند القدم §(٣) *cap.* : عثماني .

oubliette [ōō'blĭ ĕt'] *(F.)* زنزانة (في سجن) .

ouch [ouch] *(n.; interj.)* (١) قَفَص الفَصّ : موضع الحجر الكريم من الخاتم الخ. (٢) جوهرة ؛ حلية ، وبخاصة : دبوس زينيّ مرصّع بالحجارة الكريمة §(٣) أوتش : صوت يُعبِّر به عن الألم أو الاستياء المفاجئين .

ought [ôt] *(v. aux.; n.)* (١) يجب (٢) يَحْسُن (٣) يُتوقَّع ؛ يُحتَمَل (٤) يتعيّن أو يَلْزم منطقياً §(٥) واجب (٦) صِفْر .

ounce [ouns] *(n.)* (١) الأونس : وحدة وزن تساوي ٢٨,٣٥ غراماً أو ٣١,١ غراماً (٢) مقدار قليل (٣) النمر الأبيض؛ النمر الثلجيّ .

our [our] *(adj.)* «نا» ؛ مِلْكنا ؛ خاصتنا (~ songs) .

Our Father *(n.)* (١) الله (٢) الصلاة الربّانيّة (أبانا الذي في السماوات) .

Our Lady *(n.)* السيدة ؛ مريم العذراء .

ours [ourz] *(pron.)* مِلكنا ؛ خاصتنا (This car is ~.) .

ourself [our sĕlf'] *(pron.)* نفسي (في لغة الملوك ومن إليهم) .

ourselves [our sĕlvz'] *(pron. pl.)* (١) أنفُسنا (٢) نحن .

-ous لاحقة معناها : زاخر بِـ ؛ متّصف بِـ (joyous) .

oust [oust] *(vt.)* (١) يجرّده (من مِلكيةٍ أو حق) (٢) يطرد؛ يُخرج . (٣) يَحِلّ محلّ .

ouster [ous'tər] *(n.)* (١) تجريد (من مِلكيةٍ أو حق) (٢) طَرْد .

out [out] *(adv.; vt.; i.; adj.; n.)* (١) «أ» خارجاً؛ الى الخارج . «ب» بعيداً عن الشاطىء أو المنزل أو العمل الخ. (٢) إلى أجزاء أو حصص (They parceled ~ the farm.) (٣) «أ» حتى النفاد ؛ إلى النهاية (pumped the well ~) . «ب» حتى الانطفاء أو العدم (to burn ~) . «ج» في حالة نفاد أو انتهاء : انقضى (now that the winter is ~) (٤) «أ» للعيان ؛ إلى الوجود . «ب» عالياً (to call ~) §(٥) «أ» يُخرج . «ب» يصرع في الملاكمة (He was ~*ed* in the second round.) ×(٦) يذيع ؛ ينتشر ؛ ينكشف (Murder will ~.) §(٧) خارجيّ (٨) بعيد؛ ناءٍ (the ~ islands) (٩) خارج الحكم ؛ غير متولٍّ مقاليد الحكم (١٠) أكبر من المألوف (of an ~ size) (١١) مخطىء (was ~ in my calculations) (١٢) على خلافٍ مع (~ with his friends) (١٣) المنصرف؛ الراحل؛ المغادر (the ~ train) §(١٤) شخص خارجَ الحكم (the ins and the ~*s*) (١٥) سلعة نافدة (١٦) *pl.* : خلاف؛ نزاع (was at ~*s* with everyone) (١٧) مَخْرج ؛ مَنْفَذ ؛ وسيلة للفرار من مكان أو عقوبة أو تبعة (She always left herself an ~.) .

~ and away بما لا يقاس .

~ of breath لاهث ؛ مقطوع النفَس .

~ of curiosity بسبب الفضول ؛ بدافع الفضول .

~ of date عتيق الزيّ أو الطِّراز .

~ of it (١) مُهْمَل (٢) مخطىء (٣) في حيرة .

~ of money فارغ الجيب ؛ يُعوِزه المال .

~ of print نافد ؛ نفدت طبعته .

~ of sight غائب عن النظر .

~ of sorts متوعّك ؛ منحرف الصحة .

~ of temper مُحْنَق ؛ مغتاظ .

~ of trim مشوَّش ؛ يُعوزه النظام .

~ of work عاطل عن العمل .

The workers are ~. العمال مضربون .

outage [ou'tĭj] *(n.)* (١) مقدار الخسارة (أثناء النقل أو بسبب الخَزْن) (٢) انقطاع ؛ توقف (٣) فترة انقطاع في التيار الكهربائي .

out-and-out [out'ənd out'] *(adj.; adv.)* (١) صريح ؛ غير مقنَّع . (٢) مئة بالمئة §(٣) بصراحة (٤) بكلّ معنى الكلمة .

out-and-outer [out'ənd out'ər] *(n.)* المتطرف ؛ شخص متطرِّف .

outbalance [out băl'-] *(vt.)* يرجح ؛ يفوقه وزناً أو قيمةً أو أهمية .

outbid [out bĭd'] *(vt.)* يَعرض ثمناً أعلى من غيره (في مزايدة علنية) .

outboard [out'-] *(adj.; adv.)* (١) برّانيّ §(٢) بعيداً عن وسط المركب أو الطائرة .

outboard motor *(n.)* المحرك المؤخّر : محرك صغير بمؤخّر الزورق .

outbound [out'-] *(adj.)* مسافر للخارج (a ship ~ for Italy) .

outbrave [out brāv'] *(vt.)* (١) يواجهه أو يقاومه بتحدٍّ . (٢) يفوقه شجاعةً .

outbreak [out'brāk'] *(n.)* (١) نشوب (الحرب) ؛ انفجار (الغضب) ؛ تفشّي (المرض) (٢) ثورة (a slave ~) .

outbreed [out brēd'] *(vt.)* يزاوج بين الأباعِد (را. المادة التالية) .

outbreeding [out'brēd ĭng] *(n.)* المزاوجة بين الأباعد (لتحسين نسل الحيوان بخاصة) .

outbuilding [out'bĭl'dĭng] *(n.)* المبنى الإضافي : مبنى منفصل عن المبنى الرئيسي ولكنه مُلحَقٌ به .

outburst [out'bûrst] *(n.)* (١) انفجار أو جَيَشان عاطفيّ . (٢) تفجُّر (نشاطٍ أو نماءٍ) (٣) ثَوَران ؛ هَيَجان .

outcast [out'kăst; -käst'] *(n.; adj.)* (١) المنبوذ (من المجتمع) . (٢) المُتشرِّد (٣) نُفاية §(٤) منبوذ (٥) خاص بالمنبوذين .

outcaste [out'kăst'] *(n.)* المنبوذ : «أ» هنديّ لا طائفة أو طبقة له . «ب» هنديّ مطرود من طائفته أو طبقته لخرقه تقاليدها أو أنظمتها .

outclass [out klăs'; -kläs'] *(vt.)* يبزّ ؛ يتفوّق عليه تفوّقاً عظيماً (فكأنّه من طبقة أعلى) .

outcome [out'kŭm'] *(n.)* نتيجة ؛ حصيلة .

outcrop [*n.* out'krŏp'; *v.* out krŏp'] *(n.; vi.)* (١) البروز : بروز طبقة من الصخر فوق سطح الأرض (٢) البارزة : الطبقة البارزة من الصخر فوق سطح الأرض (٣) ثَوَران ؛ انفجار §(٤) يبرز فوق سطح الأرض (٥) يبرز ؛ يظهر .

outcross [out'krôs] *(vt.; n.)* (١) يزاوج بين الأباعد (٢) يهجّن . §(٣) تهجين (٤) هجين .

—outcrossing *(n.)*

outcry [*n.* out'krī; *v.* out krī'] *(n.; vt.)* (١) «أ» صيحة عالية . «ب» احتجاجٌ عنيف (٢) مزاد علني §(٣) يفوقه في الصِّياح .

outdated [out dāt'əd] *(adj.)* مُسِنّ؛ مهجور؛ مهمَل؛ عتيق الزيّ .

outdistance [out dĭs'təns] *(vt.)* يسبق ؛ يبزّ .

outdo [out dōō'] *(vt.)* (١) يفوق؛ يبزّ على (٢) يهزم؛ يتغلب على .

outdoor [out'-] *or* **outdoors** [out dōrz'] *(adj.)* خلَوِيّ ؛ في الهواء الطلق .

outdoors *(adv.; n.)* في أو إلى الهواء الطلق ؛ الهواء الطلق .

outer [ou'tər] *(adj.)* (١) خارجيّ (٢) موضوعي (فف) . the ~ man مظهر الرجل الخارجيّ أو ملابسه الخ .

outerdirected [ou tər dĭ rĕk'-] *(adj.)* متّفق مع قيَم المجتمع .

outermost [ou'tər mōst'] *(adj.)* الأقصى ، الأبعد ، الأكثر بُعداً .

outer space *(n.)* الفضاء الخارجيّ : «أ» الفضاء الواقع خارج جوّ الأرض مباشرة . «ب» الفضاء البَيْكَوْكَبِيّ (الذي بين الكواكب) أو البَيْنَجمي (الذي بين النجوم) .

outface [out fās'] *(vt.)* (١) يُحدّق إلى شخص (إلى أن يُشعره بالضيق) (٢) يتحدّى ؛ يواجه بتحدٍّ .

outfall [out'fôl'] *(n.)* مَصَبّ نهر أو جدول أو قناة الخ .

outfield [out'-] *(n.)* أقصى الملعب (في البايسبول) أو اللاعبون هناك .

outfight [out fīt'] *(vt.)* يهزم ؛ يتغلب على .

outfit [out'fĭt'] *(n.; vt.; i.)* (١) تجهيز ، تزويد (٢) عُدّة ؛ مُعَدّات ؛ تجهيزات (٣) ثوب خاص (للزفاف او التخرج الخ.) (٤) مؤهّلات جسمانية أو عقلية أو خُلقية (٥) جماعة ؛ فريق (٦) سَرِيّة ؛ كتيبة الخ. (٧) مؤسسة §(٨) يجهّز ؛ يزوّد ×(٩) يتجهّز ؛ يتزوّد .

outfitter [-ər] *(n.)* (١)المجهِّز ؛المزوِّد (٢)haberdasher (٣) بائع لوازم الرحلات وتجهيزاتها .

outflank [-flăngk'] *(vt.)* (١)يلتف حول (جيش العدوّ) (٢)يتفادى .

outflow [out'flō'] *(n.)* (١) تدفّق (٢) دَفْق ؛ شيء متدفق .

outfoot [out fo͝ot'] *(vt.)* يسبقه أو يبزّه في السرعة .

outfox [out fŏks'] *(vt.)* يفوقه في الحيلة والدهاء .

out-front *(adj.)* صريح ؛ غير مُتحفِّظ .

outgas [out găs'] *(vt.)* يزيل الغازات المُتَشرَّبة من (بالتسخين عادةً) .

outgeneral [out jĕn'ər əl] *(vt.)* (١) يتفوّق على قائد العدوّ في التكتيك الحربي (٢) outmaneuver .

outgo [*v.* out gō'; *n.* out'gō'] *(vt.; n.)* (١)يفوق ؛ يبزّ §(٢)نفقة ؛ مصروف (٣)«أ»خروج ؛ تدفّق. «ب»رحيل (٤)مَخْرَج ؛ منفذ.

outgoing [out'-] *(adj.; n.)* (١)«أ» منصرف ، راحل. «ب» منسحب من مكان أو موقع (٢)وديّ ؛ غير متحفظ ؛ منبسط (نف) §(٣)دَفْق (٤) *pl.* عد : نفقة ؛ مصروف .

outgrow [out grō'] *(vt.)* (١) يفوقه في النموّ (Salim has ~*n* his elder brother.) (٢) يكبر بحيث تضيق ملابسه عليه (He *outgrew* his new suit.) (٣) يفقد أو يتخلص (من شيء) مع الزمن (*outgrew* the bad habits of boyhood) (٤) يكبر إلى حدّ الاستغناء عن كذا (have ~*n* children's books) . to ~ one's strength ينمو بسرعة فائقة بحيث يصبح أطول قامة من سنّه وبحيث تسوء صحته نتيجةً لذلك .

outgrowth [out'-] *(n.)* (١) نماء ؛ نموّ (٢) نامية (an ~ on that tree) (٣) نتيجة ؛ ثمرة (an ~ of cooperation) .

outguess [out gĕs'] *(vt.)* (١) يحزر نيّات فلان أو اتجاه كذا (٢) يخدعه أو يفوقه حيلةً ودهاءً .

outhaul [out'hôl'] *(n.)* حبل السارية : حبل لنشر شراع على سارية .

out-Herod [out hĕr'əd] *(vt.)* يفوقه عنفاً وقسوة .

outhouse [out'-] *(n.)* (١) outbuilding (٢)مرحاض خارجي .

outing [ou'tĭng] *(n.)* نزهة (an ~ at the beach) .

outing flannel *(n.)* فلانيلّة قطنية خفيفة قصيرة الزِّئبر .

outland [out'lănd] *(n.; adj.)* (١) أرض أجنبية (٢) *pl.* : المناطق النائية من البلاد §(٣) اجنبيّ (٤) ناءٍ (~ districts) .

outlander [out'lăn'dər] *(n.)* الأجنبيّ ؛ الغريب .

outlandish [out lăn'dĭsh] *(adj.)* (١) أجنبيّ (٢) غريب ؛ غير مألوف ؛ همجيّ (٣) بعيد عن الحضارة .

outlast [-lăst'] *(vt.)* يصمد أكثر ؛ يفوقه قدرةً على الاستمرار .

outlaw [out'lô'] *(n.; vt.)* (١) المحروم من حماية القانون (٢) الخارج على القانون ؛ طريد العدالة ؛ المجرم المحترف §(٣) يحرمه حمايةَ القانون (٤) يحرّم ؛ يحظُر (٥) يُبطِل .

outlawry [out'lô'rĭ] *(n.)* الحرمان أو المحرومية من حماية القانون .

outlay [*v.* out lā'; *n.* out'lā'] *(vt.; n.)* (١) يُنفق (المالَ) §(٢)إنفاق (٣) نفقة ؛ مبلغ يُنفَق .

outlet [out'lĕt] *(n.)* (١) «أ» مَخْرَج ؛ منفذ . «ب» مُتَنَفَّس (لانفعالٍ) (٢) جدول متدفق من بحيرة أو بركة (٣) سوق لسلعةٍ ما (٤) مأخذ التيّار : نقطة في شبكة الأسلاك يُؤخذ منها التيّار لتزويد الأدوات الكهربائية به .

outlier [out'lī'ər] *(n.)* (١)المقيم بعيداً عن مقرّ عمله أو عزبته الخ. (٢) القائم بعيداً عن جسم رئيسي الخ.

outline [out'līn'] *(n.; vt.)* (١) «أ» حدّ ؛ تَخْم . «ب» شكل ؛ خطّ كِفافي (را. contour) (٢)«أ» الرسم الكِفافي : طريقة في الرسم تُبْرِز فيها الخطوط الكِفافية أو المحيطية من غير تظليل . «ب» الصورة الكِفافية : صورة مرسومة بهذه الطريقة (٣)مختصر ؛ موجز (٤)مخطط تمهيدي §(٥)يرسم محيط شيء (٦)يختصر ؛ يوجز .

outlive [out lĭv'] *(vt.)* (١) يعمّر أكثر من (٢) يعيش أو يَسْلَم إلى ما بعد زوال شيء الخ . (The boat ~*d* the storm.) .

outlook [out'-] *(n.)* (١) «أ» مَطَلّ ؛ مَشْرَف . «ب» منظر (من مكان معيّن) (٢) الاستشراف : طريقة المرء في النظر إلى الأشياء : وجهة نظر (٣) ارتقاب ؛ مراقبة (٤) المرتقَب ؛ المستقبل المتوقَّع ؛ دلائل المستقبل (a bad ~ for poetry) .

outlying [out'lī'ĭng] *(adj.)* ناءٍ ؛ قصيّ ؛ بعيد عن المركز .

outmaneuver [out'mə no͞o'-] *(vt.)* (١)يهزمه أو يُحبط مناوراته باصطناع مناورات أبرع (٢) يفوقه براعةً في اصطناع المناورات .

outmatch [out măch'] *(vt.)* يبزّ ؛ يفوق ؛ يبرز على .

outmode [out mōd'] *(vt.)* يُبْطِل ؛ يجعله مهجوراً أو مُبطَلَ الزيّ .

outmoded [-'əd] *(adj.)* (١)مُبْطَل الزيّ ؛ عتيق الزيّ (٢)مهجور .

outmost [out'mōst] *(adj.)* = outermost.

outnumber [out nŭm'bər] *(vt.)* يفوقه عدداً .

out-of-door *or* **out-of-doors** *(adj.)* = outdoor.

out-of-doors [out'əv dōrz'] *(n.)* العراء ؛ الهواء الطلق .

out-of-the-way [out'əv t͟hə wā'] *(adj.)* (١) بعيد ؛ ناءٍ ؛ غير مطروق (٢) غير مألوف .

outpatient [out'pā'shənt] *(n.)* المريض الخارجيّ : مريض يتردّد على المستشفى للمعالجة أو التشخيص ولكنّه لا يقيم فيه .

outplay [out plā'] *(vt.)* يغلبه أو يتفوق عليه في اللعب .

outpoint [out point'] *(vt.)* (١) يُبْحِر على نحو أقرب إلى الريح (من مركب آخر) (٢) يحرز نقطاً أكثر (في مسابقة الخ.) .

outpost [out'pōst] *(n.)* (١) «أ» مخفر أمامي (لحماية الجيش من هجوم مفاجىء) . «ب» قوات المخفر الأمامي (٢) مركز أو نقطة الحدود (٣) القاعدة الأمامية : قاعدة عسكرية تُنشَأ بمعاهدة أو اتفاق ، في بلاد أخرى .

outpour [*v.* out pōr'; *n.* out'pōr'] *(vt.; i.; n.)* (١) يصبّ ؛

يَدْفُق ×(٢) ينهمر ؛ يتدفّق §(٣) انهمار (٤) دَفْق .

outpouring [out'pōr'ĭng] *(n.)* (١) انهمار ؛ تدفّق (٢) دَفْق .

output [out'pŏŏt] *(n.)* (١) نِتاج ؛ محصول ؛ مردود ؛ خَرْج . (٢) القدرة ؛ السَّعة (ملك) (٣) صُنْع ؛ إنتاج .

outrage [out'rāj] *(n.; vt.)* (١) اعتداء ؛ هجوم وحشي ؛ انتهاكٌ لحرمة القانون أو الاحتشام (٢) إساءة ؛ إهانة (٣) غضب ؛ حَنَق §(٤) يعتدي على ؛ ينتهك حرمة القانون أو الحشمة (٥) «أ» يغتصب امرأةً . «ب» يهين ؛ يزدري بِ (٦) يثير ؛ يُغضب .

outrageous [out rā'jəs] *(adj.)* (١) مفرط ؛ خيالي ؛ باهظ ؛ لا يُطاق أو يُحتمَل (٢) عنيف ؛ غير مكبوح (٣) «أ» شائن ؛ فاضح ؛ شنيع . «ب» وحشيّ ؛ فظيع ؛ مهين ؛ مُسْخِط .

outrance [ōō träns'] *(F.)* النهاية القصوى ؛ النهاية المريرة .

outrange [-rānj'] *(vt.)* (١) يفوقه مدىً ؛ يكون أوسع مدىً (٢) يبزّ .

outré [ōō trĕ'] *(F.)* شاذّ ؛ غريب ؛ مخالف للمألوف أو الحشمة .

outreach [*v.* out rēch'; *n.* out'rēch'] *(vt.; i.; n.)* (١) يفوق ؛ يجاوز (٢) يخدع ؛ يحتال على ×(٣) يذهب إلى أبعد مما يجب (٤) يمتدّ §(٥) امتداد (٦) متناوَل .

outride [out rīd'] *(vt.)* (١) يسبقه أو يتفوق عليه في ركوب الخيل . (٢) تصمد السفينةُ في وجه العاصفة وتخرج منها سالمةً .

outrider [out'rī'dər] *(n.)* المرافق الراكب : خادمٌ يواكب العربة أو يتقدمها ممتطياً صهوة جواده .

outrigger [out'rĭg'ər] *(n.)* مدّاد ؛ مِسنَد ؛ ركيزة ؛ ذراع امتداد .

outright [*adv.* out'rīt'; *adj.* -'rīt'] *(adv.; adj.)* (١) كُلّيّةً ؛ برُمّتِهِ ؛ وبخاصة : دفعةً واحدة (٢) حالاً ؛ فوراً (was killed ~ by a blow) (٣) بصراحة ؛ بغير تحفّظ §(٤) «أ» تامّ ؛ كامل . «ب» صريح ؛ غير متحفّظ (an ~ denial) (٥) إجمالي (the ~ expense) .

outrun [out rŭn'] *(vt.)* (١) «أ» يسبق ؛ يفوقُه سرعةَ عَدْوٍ . «ب» يتجاوز ؛ يتخطّى (٢) يتجنّب ؛ ينجو من (to ~ punishment) .

outrunner [out'rŭn'ər] *(n.)* (١) المرافق العدّاء : خادم يعدو بجانب عربة أو أمامها (٢) طليعة الكلاب : الكلب الأمامي من فريق كلاب تجرّ مزلجة أو مركبة جليد .

outsell [-sĕl'] *(vt.)* (١) يفوق غيره في نسبة المبيعات منه (٢) يبيع أكثر من غيره ؛ يفوقُهُ بيعاً أو يبزّه في فنّ البيع (٣) يفوقُه قيمةً .

outset [out'sĕt'] *(n.)* (١) بدء (٢) بداية ؛ مستهلّ .

outshine [out shīn'] *(vt.; i.)* (١) «أ» يفوقُه بريقاً . «ب» يفوقه بهاءً (٢) يكسف ؛ يبزّ ×(٣) يتألّق .

outshoot [*v.* out shōōt'; *n.* out'shōōt'] *(vt.; i.; n.)* (١) يتفوق عليه في الرماية (٢) يتخطى ؛ يذهب الى ابعد ×(٣) يبرُز ؛ ينتأ §(٤) «أ» بروز ؛ نتوء . «ب» شيء بارز أو ناتيء .

outside [*n., adj., adv.,* out'sīd'; *prep.* out'sīd'] *(n.; adj.; adv.; prep.)* (١) «أ» الخارج . «ب» خارجُ الشيء أو الجزء الخارجيّ منه (٢) مظهر خارجيّ (٣) الحدّ الأقصى ؛ أقصى التقدير (not more than thirty at the ~) §(٤) خارجيّ (٥) أقصى ؛ أبعد (more than their ~ estimate) (٦) ضئيل ؛ أو شِبه متعذّر (has an ~ chance of winning the election) §(٧) «أ» خارجاً . «ب» من الخارج . «ج» في الخارج ؛ في الهواء الطلق §(٨) خارج كذا ؛ في الناحية الخارجيّة من (٩) خارج نطاق أو حدود كذا (~ the law) (١٠) إلى خارج كذا (ran ~ the house) (١١) غير ؛ سوى (No one knows ~ the members of her family.) .

outsider [out sī'dər] *(n.)* (١) الدخيل (على جماعة) ؛ الغريب (عن جماعة) ؛ اللامنتمي (إلى جماعة) (٢) فرس الخ . ضئيل الحظّ من الفوز (في سباق) .

out sister *(n.)* الراهبة الخارجيّة : راهبة تخدم الدّير بالعمل خارجَه .

outsit [out sĭt'] *(vt.)* (١) يجلس مدّةً أطول من غيره (to ~ another guest) (٢) يبقى جالساً ، أو منعقداً ، إلى ما بعد وقتٍ معيّن (to ~ twilight) .

outsize [out'sīz'] *(n.; adj.)* (١) حجم شاذّ أو غير مألوف (٢) بذلة ذات قياس أكبر من المألوف §(٣) أو **outsized** : كبير أو ثقيل إلى حد غير مألوف (٤) أكبر مما ينبغي .

outskirts [out'-] *(n.pl.)* ضواحي (the ~ of a town) .

outsmart [out smärt'] *(vt.)* يفوقه حيلةً أو دهاءً .

outsoar [out sōr'] *(vt.)* يحلّق فوق أو الى أعلى من .

outsole [out'sōl] *(n.)* النعل الخارجيّ ؛ نعل الحذاء الخارجيّ .

outspeak [out spēk'] *(vt.)* (١) يبزّه في الكلام (The lawyer for the defense *outspoke* the prosecutor.) (٢) يعلن بصراحة أو جراءة .

outspent [out spĕnt'] *(adj.)* = exhausted.

outspoken [out'spō'kən] *(adj.)* صريح ؛ متكلّم أو مَقُولٌ بصراحة .
—outspokenly *(adv.)* **—outspokenness** *(n.)*

outspread [*v.* out sprĕd'; *adj.* -'sprĕd] *(vt.; adj.)* (١) يمدّ ؛ ينشر §(٢) ممدود ؛ منشور ؛ مُرْسَل (~ arms; ~ hair) .

outstand [out stănd'] *(vt.; i.)* (١) يقاوم بعناد (عب) (٢) يبقى مدة أطول (من وقت معيّن أو شخص آخر) ×(٣) يبرز بوضوح .

outstanding [-stăn'-] *(adj.)* (١) ناتيء (٢) «أ» غير مدفوع . «ب» معلّق ؛ غير مبتوت فيه (٣) «أ» ظاهر ؛ واضح . «ب» بارز ؛ رائع .

outstation [out'stā'shən] *(n.)* محطة نائية أو قصيّة .

outstay [out stā'] *(vt.)* (١) «أ» يبقى إلى ما بعد انقضاء وقت معيّن . «ب» يبقى أكثر من غيره (٢) يفوق غيره في القدرة على البقاء .

outstretch [-strĕch'] *(vt.)* يمدّ ؛ ينشر (~*ed* arms) .

outstrip [out strĭp'] *(vt.)* (١) يسبق ؛ يتقدّم غيره في سباق . (٢) يبزّ ؛ يبرز على .

outturn [out'tûrn'] *(n.)* نِتاج ؛ محصول .

outward [-'wərd] *(adj.; adv.; n.)* (١) خارجيّ (٢) «أ» جسديّ . «ب» ماديّ (٣) ظاهريّ (٤) مستهتر ؛ منغمس في الملذات ؛ سكّير (عب) §(٥) أو **outwards** : نحو الخارج ؛ الى الخارج §(٦) «أ» شكل أو مظهر خارجي . «ب» العالَم المادي .
~ bound . مُبْحِر إلى الخارج (صفةٌ لمركب) .
~ things . الأشياء المرئيّة أو المُحَسّة أو الماديّة .
to ~ seeming . ظاهرياً .

outwardly [out'-] *(adv.)* (١) «أ» خارجياً . «ب» نحو الخارج . (٢) ظاهرياً .

outwardness [out'wərd-] *(n.)* (١) الخارجيّة ؛ الظاهرية ؛ المادية (٢) الاهتمام بالأمور الماديّة .

outwear [out wâr'] *(vt.)* (١) يُبلي ؛ يُنهِك (٢) يدوم أكثر من .

outweigh [out wā'] *(vt.)* يرجَح ؛ يفوقه وزناً أو قيمةً أو أهميةً .

outwit [out wĭt'] *(vt.)* يخدعه أو يفوقُه حيلةً ودهاءً .

outwork [*v.* out wûrk'; *n.* out'wûrk'] *(vt.; n.)* (١) يتمّ ؛ يُكمِل (٢) يتفوق عليه في العمل ؛ يعمل أكثر منه أو أسرع منه §(٣) *pl.* عد : تحصينات خارجيّة (the ~*s* of his castle) .

outworn [out'wōrn'] *(adj.)* (١) رثّ ؛ بالٍ (٢) مبتذل من كثرة الترديد أو الاستعمال (full of ~ quotations) .

Left column

ov- or ovi- or ovo- بادئة معناها : بيضة ؛ بُيَيْضة .

ova [ōʹvə] *pl. of ovum.*

oval [ōʹvəl] (*adj.; n.*) (١)بَيْضَوِيّ؛اهليلجيّ (٢)شكل بيضاويّ .

ovarian *also* **ovarial** [ō vârʹ-] (*adj.*) مَبيضيّ ؛ متعلق بالمِبيَض .

ovariectomy [ō vârʹĭ ĕkʹtə mĭ] (*n.*) استئصال المَبيَض (جر)

ovariotomy [ō vârʹĭ ŏtʹə mĭ] (*n.*) قطع المِبيَض أو استئصاله (جر)

ovaritis [ō vʹə rīʹtĭs] (*L.*) التهاب المِبيَض (مض)

ovary [ōʹvə rĭ] (*n.*) (١) المَبيَض (ت) (٢) مبيض النبات : الجزء الأسفل المنتفخ من المِدقّة (نب)

ovate [ōʹvāt] (*adj.*) بيضوِيّ ؛ بيضوِيّ الشكل .

ovation [ō vāʹshən] (*n.*) احتفاء ؛ ترحيب حماسي .

oven [ŭvʹən] (*n.*) فُرن ؛ تَنّور .

ovenbird *or* **ovenbuilder** [ŭvʹən-] (*n.*) : الفرّان ، الطائر الفرّان طائر أميركي يبني عشّه على الأرض بشكل قبّة أو فرن .

over [ōʹvər] (*adv.; prep.; adj.; vt.*) (١) فوق (٢) إلى الجانب الآخر أو من جانب إلى آخر (٣) «أ» على الأرض الخ . (knocked the man ~) «ب» • حتى الفَوَران (The soup boiled ~.) «ج» من شخص أو فريق إلى آخر • the ~ hand) (won him ~) «د» إلى جانبه (٤) زيادة ؛ نيّف money) . (paid the full sum and something ~) «ب» حتى وقت تالٍ (٥) بِرُمّته (The woodwork so glad you can stay ~) «ب» انتهى ؛ انقضى (Those is covered ~ with paint.) (٦) great days are ~.) (to look ~) (٧) من البداية إلى النهاية (to think it ~) (٨) مَلِيّاً ؛ بعناية (٩) مرّة أخرى (costs ~ twenty) (١٠)أكثر من (did the work ~) (١١)«أ» على (dollars) «ب» في طول كذا وعرضه (~ the stony roads) «ج» على طول كذا (~ the entire state) (١٢) «د» على ؛ بواسطة (~the telephone) الجانب الآخر ؛ من طريق (a little shop ~ the way) (١٣) «أ» طوال ؛ خلال (~ the past forty years)«ب» حتى نهاية كذا وانقضائه (spent (stay ~ the weekend)(١٤)«أ» في انهماك أو انشغال «ب» بسبب . . two hours ~ cards) (trouble ~ money) (١٥)«أ» أعلى . «ب» أسمى (١٦) خارجيّ (١٧) مفرط (١٨) باقٍ ؛ زائد(١٩) يثب من فوق (ed a stile ~)

~ again مرّة أخرى ؛ من جديد

~ against (١) تجاه (٢) بالمقابلة أو المقابلة مع

~ and above علاوة على ذلك ؛ بالاضافة الى ذلك

~ and ~, تكراراً .

~ head and ears منهمك انهماكاً تامّاً في

~ one's head فوق قدرة المرء على الفهم .

~ there في أوروبا (عأ)

Our friends were ~ yesterday زارنا أصدقاؤنا أمس .

overabundance [ō vər ə bŭnʹ-] (*n.*) فَرْط ؛ وفرة مفرطة .

overact [-ăktʹ] (*vt.*) يمثّل دورَه المسرحيّ بطريقة مبالغ فيها .

overactive [ōʹvər ăkʹtĭv] (*adj.*) مفرط النشاط .

overage [ōʹvər ājʹ] (*adj.*) (١)عتيق (٢)فوق السن ؛متجاوزُ السن .

overage [ōʹvər ĭj] (*n.*) (١) فائض (٢) سلَع فائضة .

overall [ōʹvər ôlʹ] (*adv.; adj.; n.*) (١) عموماً ؛ ككل

Right column

§(٢)§ إجماليّ §(٣)§ *pl.* : الرداء السّروالي : بنطلون فضفاض ذو حمّالتين يلبسه العامل أو الميكانيكي فوق بنطلونه العادي وقاية له من الاتّساخ (٤) الوِزَرة : ثوب فضفاض يُرْتَدى فوق الملابس العادية لوقايتها من الاتّساخ .

overalls 3.

overarm [ōʹvər-] (*adj.*) مُنجَزٌ برفع الذراع فوق الكتف (في البايسبول الخ) .

overawe [ōʹvər ôʹ] (*vt.*) يُرهِب ؛ يُهَوِّل على .

overbalance [ō vər bălʹəns] (*vt.; n.*) (١) يرَجِّح ؛ يكون أرجح منه وزناً (٢)يُفقِدُه توازنه §(٣)§ رجحان (٤) شيء راجح .

overbear [ō vər bârʹ] (*vt.; i.*) (١) «أ» يقهَر (بالقوة) «ب» يُفحِم (بالحجّة) (٢) «أ» يستبدّ بـ «ب» يرَجِّح على (٣)× يثمر أو يلد بإفراط .

overbearing [ō vər bârʹĭng] (*adj.*) (١)مستبدّ (٢)متغطرس .

overbid [*v.* ō vər bĭdʹ؛ *n.* oʹvər bĭdʹ] (*vt. i.; n.*) (١)يدفع في الشيء ثمناً أعلى من قيمتِه (٢) يزايد على ؛ يعرض ثمناً أعلى من غيره (في مزايدة علنية) §(٣)§ دفعُ ثمن أعلى الخ .

overblown [ō vər blōnʹ] (*adj.*) (١)بَدين (٢) منتفخ (٣) مُفرِّط التفتّح (an ~ rose) .

overboard [ōʹvər-] (*adv.*) (١) مِنْ فوق جانب المركب إلى البحر (٢) إلى أقصى حدود الحماسة (٣) جانباً .

overbuild [ō vər bĭldʹ] (*vt.; i.*) يسرف أو يفرط في البناء .

overburden [ōʹvər bûrʹ-] (*vt.*) يُثقِل على ؛ يحمّله ما لا يطيق حَمله .

overbuy [ō vər bīʹ] (*vt.*) يسرف في الشراء (بأكثر من الحاجة أو من القدرة على الدفع) .

overcame [ō vər kāmʹ] *past of* overcome.

overcapitalize [ō vər kăpʹə-] (*vt.*) (١) يسرف في تقييم رأس مال شركةٍ ما (٢) يسرف في تمويل مشروع ما .

overcast [ōʹvər kăstʹ] (*vt.; adj.; n.*) (١) يجعله مظلماً أو مُعتِماً (٢) يكلفِق (طرَف الثوب حتى لا يَنسَل) §(٣)§ مظلم ؛ ملبّد بالغيوم §(٤)§غطاء ؛ وبخاصة : دثار من السحب يحجب السماء .

overcautious [-kôʹshəs] (*adj.*) حَذور ؛ مبالِغ في الحَذَر .

overcharge [*v.* -chärjʹ؛ *n.* oʹvər chärjʹ] (*vt.; n.*) (١) يقتضيه أو يطلب منه ثمناً باهظاً (٢) يحمّله أكثر مما يطيق (٣) يُفرط في شَحْن البندقية أو البطارية (٤) يبالغ §(٥)§ عبء مفرط الثِقَل (٦) ثمن فاحش (٧) شحنة مفرطة (لبندقية أو بطارية) .

overclothes [ōʹvər klōzʹ] (*n.pl.*) الملابس الخارجية .

overcloud [ō vər kloudʹ] (*vt.; i.*) (١) يلبّد بالغيوم (٢) يجعله مظلماً أو كئيباً (٣)× يتلبّد بالغيوم .

overcoat [ōʹvər kōtʹ] (*n.*) معطَف .

overcome [ōʹvər kŭmʹ] (*vt.; i.*) (١) يقهر ؛ يهزِم (في صراع الخ.) (٢) يتغلّب على (المعارضة أو المصاعب الخ.) (٣) يُنهِك ؛ يشِلّ القوى × (٤) ينتصر ؛ يفوز .

overcompensation [ō vər kŏmʹpən sāʹshən] (*n.*) الافراط في التعويض (وبخاصة عن شعور بالنقص) .

overconfidence [ōʹvər kŏnʹfə dəns] (*n.*) فَرْط الثقة .

overconfident [ōʹvər kŏnʹfə dənt] (*adj.*) مُسرِفٌ في الثقة .

overcrowd [-kroudʹ] (*vt.; i.*) (١) يكظِّ ؛ يملأ بالنّاس × (٢)يكتظّ ؛ يزدحم بـ .

overcrowded (*adj.*) مكتظّ ؛ مزدحم بالنّاس (~ rooms) .

overdevelop [-dĭ vĕlʹəp] (*vt.*) يفرط في تحميض فيلم أو تظهيره .

---

overdo [-dōō'] *(vt.; i.)* (١) يُفْرِط في (to ~ exercise). (٢) «أ» يبالغ. «ب» يمثّل دورَه المسرحيّ بطريقة مبالَغ فيها (٣) يبالغ في طهو شيء (*overdone* beef) (٤) يُنهك؛ يرهق × (٥) يتطرّف.

overdose [*n.* ō'vər dōs'; *v.* ō'vər dōs'] *(n.; vt.)* (١) جرعة مفرطة § (٢) يعطيه جرعة مفرطة أو عدداً من الجرعات يتجاوز الحاجة.

overdraft [ō'vər drăft'] *(n.)* (١) «أ» فَرْط السَّحب: سَحْب على بنك بمبلغ أكبر من رصيد الساحب. «ب» المبلغ المسحوب (٢) التيار الفوقيّ: تيار من الهواء يمرّ فوق نار في فرن.

overdraw [ō'vər drô'] *(vt.; i.)* (١) يفرط في السَّحب: يسحب على بنك بأكثر من الرصيد الذي له فيه (٢) يبالغ.

overdress [ō'vər-] *(n.)* الثوب الفوقيّ: ثوب يُلبَس فوق آخر.

overdrive [ō'vər-] *(n.)* مُسنَّنُ مضاعفةِ السرعة (سي).

overdue [ō'vər dū'] *(adj.)* متأخر: «أ» فات موعد استحقاقه؛ غير مدفوع عند استحقاقه (an ~ note). «ب» فات موعد وصوله (The train is ~.).

overemphasize [ō'vər ĕm'-] *(vt.; i.)* يغالي في التوكيد.

overestimate [*v.* ō'vər ĕs'tə māt'; *n.* -ĕs'tə mĭt] *(vt.; n.)* (١) يغالي في التقدير § (٢) تقديرٌ مغالى فيه.

overexpose [-ĭk spōz'] *(vt.)* يفرط في التعريض للنور بخاصة.

overfeed [ō'vər fēd'] *(vt.)* يُتْخِم؛ يُطعِم حتى التخمة.

overfill [ō'vər fĭl'] *(vt.; i.)* (١) يُفْعِم؛ يملأه حتى يفيض. × (٢) يمتلىء حتى يفيض.

overflow [*v.* ō'vər flō'; *n.* ō'vər flō'] *(vt.; i.; n.)* (١) يغمر؛ يُغْرِق (٢) يجعله يفيض أو يَطْفح × (٣) يفيض؛ يطفح § (٤) فيضان (٥) فائض (٦) منفذ للمياه الفائضة أو غرفة لحفظها. an ~ meeting اجتماع الفَضْلَة (يُعقَد للذين تضيق عن استيعابهم قاعةُ الاجتماع الأساسي).

overgarment [ō'vər gär'mənt] *(n.)* الرداء الخارجيّ.

overglaze [ō'vər glāz'] *(n.)* الطِّلاء الفوقي: طِلاء يوضع فوق آخر.

overgrow [ō'vər grō'] *(vt.; i.)* (١) يكسو (العشبُ) الأرضَ. (٢) يفقد أو يتخلّص من شيء مع الزمن (to ~ childish prejudices) × (٣) يفرط في النموّ أو ينمو بأسرع مما ينبغي (٤) يكتسي (بالعشب الخ.). ~*n* with مُكْتَسٍ بـِ . . .

overgrowth [ō'vər grōth'] *(n.)* (١) كساء من عشب الخ. (٢) إفراط في النموّ.

overhand [ō'vər-] *(adj.; adv.; vt.)* (١) مُنْجَزٌ بذراع مرتفعة فوق الكتف (في السباحة والتنس الخ.) § (٢) بذراعٍ مرتفعة فوق الكتف § (٣) يَخِيط بدَرَزات عمودية قصيرة.

overhang [ō'vər hăng'] *(vt.; i.; n.)* (١) يتدلّى (أو ينتأ) مُشرفاً على (cliffs ~ the lake) (٢) يهدّد؛ يتوعّد (~*ing* dangers) § (٣) جزء متدلٍّ أو ناتىء، وبخاصة من سقف.

overhaul [ō'vər hôl'] *(vt.; n.)* (١) «أ» يفحص بعناية. «ب» يُصلح (٢) يُدرِك؛ يلحق بـِ (~*ed* the U.S.A. in atomic research) § (٣) فحص دقيق.

overhead [*adv.* -hĕd'; *adj., n.* ō'vər hĕd'] *(adv.; adj.; n.)* (١) فوق؛ فوق الرأس؛ في السماء (~ was a cloud.) § (٢) فوقيّ؛ علويّ؛ قائمٌ فوق رأس المرء (~ wires) § (٣) سقف.

overhead charges *or* **expenses** نفقات عامة أو غير مباشرة.

overhead conductor *(n.)* المُوَصِّل العلوي (كب).

overhead railway *(n.)* سِكّة الحديد المعلّقة.

overhear [ō'vər hĭr'] *(vt.; i.)* (١) يسمع مصادفةً أو اتفاقاً. (٢) يسترق السمع

overheat [ō'vər hēt'] *(vt.; i.)* يحمّي أو يَحْمَى أكثر مما ينبغي.

overindulge [ō'vər ĭn dŭlj'] *(vt.; i.)* (١) يفرط في الاستمتاع بأسباب الترف الخ. (٢) يدلّل بإفراط.

overissue *(vt.; n.)* (١) يفرط في الإصدار § (٢) فَرْط الإصدار

overjoy [ō vər joi'] *(vt.)* يملأه ابتهاجاً. **-ed** *(adj.)*

overkill *(n.)* (١) إسراف؛ مبالغة (٢) إسراف في القتل أو التدمير.

overland [ō'vər-] *(adv.; adj.)* (١) برّاً؛ بطريق البرّ § (٢) برّيّ.

overlap [*v.* ō'vər lăp'; *n.* ō'vər lăp'] *(vt.; i.; n.)* (١) يتخطّى. (٢) يتوافق مع × (٣) يتداخل؛ يتراكب؛ يتشابك (Tiles ~.) (٤) يتطابقان جزئياً؛ يشتركان في صفة ما (٥) يحدث في وقت واحد (The two meetings ~.) § (٦) تداخُل؛ تراكُب؛ تشابك.

overlay [*v.* ō'vər lā'; *n.* ō'vər lā'] *(vt.; n.)* (١) يغشّي؛ يكسو (بطبقة ما) (٢) يزوّد رِفادة الآلة الطابعة الخ. بطبقات من الورق بغية الحصول على طباعة أوضح أو أكثر استواءً (٣) يخنق طفلاً بالانقلاب فوقه (أثناء النوم) § (٤) غشاء؛ طِلاء؛ غطاء (٥) أوراق تضاف إلى رفادة الآلة الطابعة بغية الحصول على طباعة أوضح.

overleap [-lēp'] *(vt.)* (١) يثب أو يقفز فوق (٢) يُهمِل؛ يغفل. to ~ oneself يخفق في تحقيق غايته بسبب من فَرْط الطموح.

overlie [ō'vər lī'] *(vt.)* (١) يعلو شيئاً (وكأنه غطاء او طبقة فوقية). (٢) يخنق طفلاً بالانقلاب فوقه (أثناء النوم).

overload [*v.* ō'vər lōd'; *n.* ō'vər lōd'] *(vt.; n.)* (١) يحمّل بإفراط؛ يحمّله أكثر مما يطيق § (٢) حِمل زائد.

overlong [ō'vər lông'] *(adj.; adv.)* أطول مما ينبغي.

overlook [ō'vər lŏŏk'] *(vt.)* (١) يفحص؛ يعاين (٢) يطلّ؛ يشرف على (٣) «أ» يَغفل عن؛ يفوته الانتباه إلى. «ب» يُهْمِل؛ يُغْفِل. «ج» يغتفر؛ يتغاضى عن (٤) يراقب؛ يلاحظ (٥) يسحر؛ يصيب بالعين الخ.

overlord [ō'vər-] *(n.)* (١) سيّد أعلى (٢) حاكم مطلق أو أعلى.

overly [ō'vər lĭ] *(adv.)* بإفراط؛ أكثر مما ينبغي.

overman [*n.* ō'vər mən; *v.* o'vər măn'] *(n.; vt.)* (١) كبير العمال الخ. § (٢) يزوّد بعدد من العمال أو البحارة أكثر مما ينبغي.

overmaster [ō'vər măs'-] *(vt.)* يغلب؛ يهزم؛ يُخضِع؛ يقهر.

overmatch [ō'vər măch'] *(vt.)* يبزّ؛ يفوق؛ وبالتالي: يهزم.

overmuch [ō'vər mŭch'] *(adj.; adv.; n.)* (١) مُفرط. § (٢) بإفراط؛ أكثر مما ينبغي § (٣) فَرْط؛ زيادة.

overnight [*adv.* ō'vər nīt'; *adj.; n.* ō'vər'nīt'] *(adv.; adj.; n.)* (١) طوالَ الليل؛ حتى الصباح التالي (stayed with friends ~) (٢) أثناء الليلة الفائتة (We made the preparations ~.) (٣) فجأة؛ بين عشيّة وضحاها (became rich ~) § (٤) ليليّ أو مستغرقٌ الليلَ كلَّه (an ~ journey) (٥) مُعَدّ للاستعمال في الرحلات القصيرة (an ~ bag) § (٦) الليلة الفائتة أو السابقة.

overpass [*v.* ō'vər păs'; *n.* ō'vər păs'] *(vt.; n.)* (١) يعبر؛ يجتاز (٢) يبزّ؛ يتفوق أو يتغلب على (٣) يتخطّى؛ يتجاوز (٤) يهمل؛ يُغفل؛ يتغاضى عن § (٥) المَعْبَر الفوقيّ: جسر أو طريق فوق سكة حديد أو قناة أو طريق أخرى.

overpay [-pā'] *(vt.)* (١) يفيه فوق حقّه (٢) يدفع أكثر مما يجب.

overpersuade [ō'vər pər swād'] *(vt.)* (١) يستميله بالاقناع. (٢) يقنعه بالعمل بما يناقض رغبته أو اعتقاده.

overplay [ō'vər plā'] *(vt.)* (١) «أ» يمثّل (دوراً مسرحياً)

ă at; ā date; â care; ä car; ĕ egg; ē me; ĭ in; ī bite; ŏ lot; ō bone; ô orphan; oi boil ŏŏ good; ōō boot; ou out; ŭ under; ū unity; û urgent; th thing; t͟h this; zh vision; ə = *a* in alone, *e* in system, *i* in easily, *o* in gallop, *u* in circus.

بطريقة مغالىً فيها . «ب» يبالغ في التأكيد (٢) يتكل أكثر مما يجب على قوة كذا (٣) يهزمه أو يتفوق عليه في اللعب .

overplus [ō'vər-] *(n.)* (١) فائض ؛ فَضْلة (٢) فَرْط ؛ وفرة .

overpower [ō'vər pou'ər] *(vt.)* (١) يغلب ؛ يهزم ؛ يُخضِع . (٢) يستبدّ به (الأسى أو النوم الخ.) (٣) يفرط في تزويده بالطاقة .

overpowering [-ĭng] *(adj.)* بالغ ؛ طاغٍ ؛ شديد جداً ؛ لا يقاوَم .

overpraise [ō'vər prāz'] *(vt.)* يُسرف أو يُفرط في الثناء على .

overprice [-prīs'] *(vt.)* يغالي في التسعير ؛ يحدّد له ثمناً فاحشاً .

overprint [*v.* ō'vər prĭnt'; *n.* ō'vər prĭnt'] *(vt.; n.)* (١) يطبع مادة إضافيّة أو لوناً إضافياً فوق صحيفة مطبوعة سابقاً § (٢) «أ» شيء يضاف بهذه الطريقة ، وبخاصة : رقم أو كلمة أو علامة تُطبع على الطابع البريدي لتغيير قيمته أو ابتغاء الاحتفال بذكرى معيّنة . «ب» طابع بريدي يحمل مثل هذا الرقم أو الكلمة أو العلامة .

overprize [ō'vər prīz'] *(vi.)* يغالي في التقدير أو التقييم .

overproduce [ō'vər prə dūs'] *(vt.)* يُفرط في الانتاج .

overproduction [-dŭk'-] *(n.)* فَرْط الانتاج ؛ إفراط في الانتاج .

overprotect [ō'vər prə tĕkt'] *(vt.)* يفرط في الحماية أو العناية بـِ .

overrate [ō'vər rāt'] *(vt.)* يبالغ في التقدير .

overreach [ō'vər rēch'] *(vt.; i.)* (١) «أ» يتخطى ؛ يتجاوز . «ب» ينتشر (بحيث يغطي شيئاً) (٢) يخدع ؛ يمكر بـِ ؛ يحتال على × (٣) تصطكّ قائمتا الفرس الأمامية والخلفية (٤) يبالغ ؛ يغالي .
to ~ oneself يخفق في تحقيق غايته نتيجة لشدّة التلهف عليها أو الرغبة في الكسب أكثر مما ينبغي .

override [*v.* ō'vər rīd'; *n.* o'vər rīd'] *(vt.; n.)* (١) «أ» يقطع أو يجتاز (وبخاصة وهو راكب) . «ب» يدوس متلِفاً أو ساحقاً (٢) يركب الفرسَ حتى ينهكه (٣) «أ» يهيمن أو يطغى على . «ب» يلغي ؛ يُبطل (٤) يتجاهل (٥) يتجاوز (على نحو متراكب) § (٦) عمولة تدفع إلى مدير المبيعات عن مبيعات قام بها رجاله .

overripe [ō'vər rīp'] *(adj.)* (١) يانع أو ناضج أكثر مما ينبغي ؛ ناضج حتى التهرّؤ (٢) متفسّخ ؛ آخذ في الانحطاط .

overrule [ō'vər ro͞ol'] *(vt.)* (١) يفرض سلطانه أو نفوذه على . (٢) يتحكّم بـِ ؛ يهيمن على (٣) ينقض ، يفسخ ؛ يحكم ضدّ .

overrun [*v.* ō'vər rŭn'; *n.* o'vər rŭn'] *(vt.; n.)* (١) يجتاح ؛ يسحق ؛ يكتسح ؛ يغزو (٢) «أ» يسبقه في العدو . «ب» يتجاوز ؛ يتخطى (٣) يدوِّر : يعدِّل تنضيد السطور بنقل بعض الكلمات من سطر إلى آخر أو بعض السطور من صفحة إلى أخرى (طع) (٤) يغمر ؛ يفيض على (A river ~s its banks.) § (٥) اجتياح ؛ تجاوز الخ .

oversea [ō'vər sē'; ō'vər sē] *(adj.; adv.)* = overseas.

overseas [ō'vər sēz'; ō'vər sēz'] *(adv.; adj.)* (١) عَبْر البحار ؛ ما وراء البحار § (٢) واقع عبر البحار (lands ~) (٣) خارجيّ .

oversee [ō'vər sē'] *(vt.)* (١) يراقب ؛ يشرف على (٢) يفحص .

overseer [ō'vər sē'ər] *(n.)* المراقب ؛ المناظر ؛ المشرِف .

oversell [ō'vər sĕl'] *(vt.)* يفرط في البيع .

oversensitive [-sĕn'sə tĭv] *(adj.)* مفرط الحساسية .

overset [*v.* ō'vər sĕt'; *n.* ō'vər sĕt'] *(vt.; n.)* (١) يُقلِق ؛ يُزعج (٢) «أ» يَقلِب . «ب» يُسقِط ؛ يُطيح بـِ . «ج» يُفسِد ؛ يُحبِط (to ~ a plot) (٣) يُضيِّق التنضيد : ينضِّد (المقال او الكتاب) على نحو مكتظّ أو ملتزّ (طع) § (٤) اقلاق ؛ ازعاج الخ .

oversexed [ō'vər sĕkst'] *(adj.)* شَبِق ؛ غَلِم ؛ شهواني .

overshade [ō'vər shād'] *(vt.)* = overshadow.

overshadow [-shăd'ō] *(vt.)* (١) يلقي ظلاً على ؛ يجعله معتِماً أو مظلماً (٢) يكسفه أو يحجب نوره (٣) «أ» يبزّ . «ب» يرجح على .

overshoe [ō'vər sho͞o'] *(n.)* = galosh.

overshoot [ō'vər sho͞ot'] *(vt.)* (١) «أ» يرمي طويلاً ؛ يجاوز الهدف . «ب» يتطرّف ؛ يتجاوز حدّ الاعتدال (٢) يبزّه في الرّماية .
to ~ the mark (١) يجاوز الحدّ (٢) يخطىء الهدف .

overshot water-wheel

overshot [ō'vər shŏt] *(adj.)* (١) ناتىء الفكّ الأعلى (كالكلب) (٢) مُدار بالدفع العلوي : مدار بثقل المياه المنحدرة من فوقه (~ water wheels) .

oversight [ō'vər sīt'] *(n.)* (١) مراقبة ؛ إشراف (٢) سهو ؛ خطأ غير مقصود .

oversimplify [ō'vər sĭm'-] *(vt.; i.)* يُفرط في تبسيط شيء إلى حدّ يؤدي إلى التشويه أو الخطأ أو سوء الفهم .

oversize [-sīz'] *or* **oversized** [-sīzd'] *(adj.)* أكبر من المعتاد .

overskirt [ō'vər-] *(n.)* التنّورة الفوقيّة : تنورة تُلْبَس فوق أخرى .

oversleep [ō'vər slēp'] *(vi.)* يستغرق في النوم (إلى ما بعد وقت الاستيقاظ المألوف) .

oversoul [ō'vər sōl] *(n.)* الروح الأعلى ؛ الحقيقة المطلقة .

overspend [ō'vər spĕnd'] *(vt.; i.)* (١) يستنفد ؛ يستهلك ؛ يُبلي (٢) ينفق أكثر من × (٣) ينفق أكثر مما تسمح له موارده .

overspread [ō'vər sprĕd'] *(vt.)* (١) ينشر (شيئاً فوق آخر) . (٢) يغطي بـِ (٣) يغمر ؛ ينتشر فوق كذا .

overstate [-stāt'] *(vt.)* يبالغ أو يغالي في . **-ment** *(n.)*

overstay [ō'vər stā'] *(vt.)* يمكث (متجاوزاً وقتاً معيناً) .

overstep [-stĕp'] *(vt.)* يتجاوز ؛ يتخطى (الحدود أو الصلاحيات) .

overstock [*v.* ō'vər stŏk'; *n.* ō'vər stŏk'] *(vi.; t.; n.)* (١) يسرف في خزن البضائع × (٢) يُتخم بالبضائع المختزَنة الخ . (to ~ a shop) § (٣) المكدَّس : مقدار من البضائع مختزَن بإفراط .

overstrain [*v.*-strān'; *n.* ō'vər-] *(vt.; n.)* (١) يُرهِق § (٢) إرهاق .

overstrew [ō'vər stro͞o'] *(vt.)* ينثر (شيئاً فوق شيء) .

overstrung [ō'vər strŭng'] *(adj.)* مفرط التوتر ؛ مفرط الحساسية .

overstuff [ō'vər stŭf'] *(vt.)* (١) يُتخِم ؛ يَكظّ ؛ يحشو حتى الامتلاء (٢) ينجّد (كرسياً أو أريكة) .

overt [ō'vûrt] *(adj.)* علنيّ ؛ صريح (~ hostility) .

overtake [ō'vər tāk'] *(vt.)* (١) «أ» يُدرِك ؛ يَلحق بـِ . «ب» يتجاوز ؛ يتخطّى (٢) يفاجىء ؛ يباغت (٣) يستبد به (الخوف أو العَجَب الخ .) .

overtax [-tăks'] *(vt.)* (١) يرهقه بالضرائب (٢) يُرهِق ؛ يُجْهِد .

overthrow [*v.* ō'vər thrō'; *n.* ō'vər thrō'] *(vt.; n.)* (١) يَقلِب (٢) يهزم (٣) يُسقِط ؛ يطيح بـِ (٤) يدمّر ؛ يخرّب § (٥) «أ» هزيمة . «ب» إسقاط أو سقوط . «ج» تدمير أو دمار .

overtime [ō'vər tīm'] *(n.; adj.; adv.)* (١) ساعات العمل الإضافيّة أو أجرُها § (٢) إضافيّ § (٣) إضافياً (worked ~) .

overtone [ō'vər tōn'] *(n.)* (١) النغمة التوافقية (مو) (٢) لون الضوء الذي يعكسه سطح مدهون (٣) *pl.* عد : معنىً إضافيّ .

overtop [ō'vər tŏp'] *(vt.)* (١) يعلو (شيئاً) (٢) «أ» يفوقه قوةً أو أهمية أو مقاماً . «ب» يبزّ (الاقرانَ الخ.) .

overtrade [ō'vər trād'] *(vi.)* يفرط في الاتّجار : يتاجر بأكثر مما يسمح له رأسماله .

overtrain [-trān'] *(vt.; i.)* يفرط في التدريب أو التدرّب (رب) .

overture [ō'vər chər] *(n.; vt.)* (١) عَرْض ؛ اقتراح ؛ مفاتحة .

ă at; ā date; â care; ä car; ĕ egg; ē me; ĭ in; ī bite; ŏ lot; ō bone; ô orphan; oi boil o͝o good; o͞o boot; ou out; ŭ under; ū unity; û urgent; th thing; th this; zh vision; ə = *a* in alone, *e* in system, *i* in easily, *o* in gallop, *u* in circus.

(٢) تمهيد ؛ مقدمة (٣) الاستهلال : مقطوعة موسيقية تعزفها الموسيقى كمقدمة لأوبرا §(٤) يعرض ؛ يقترح ؛ يفاتح .

overturn [*v.* ō'vər tûrn'; *n.* ō'vər tûrn'] *(vt.; i.; n.)* (١) يقَلِّب (٢) يُسْقِط (to ~ a ministry) ×(٣) ينقلب §(٤) «أ» قَلْب ؛ إسقاط . «ب» انقلاب ؛ سقوط .

overuse [*n.* ō'vər ūs'; *v.* ō'vər ūz'] *(n.; vt.)* (١) فَرْط الاستعمال §(٢) يفرط في استعمال كذا .

overwear [ō'vər wâr'] *(vt.)* يُبلي (بكثرة الاستعمال) .

overweary [ō'vər wĭr'ĭ] *(vt.; adj.)* (١) يرهِق ؛ ينهِك . §(٢) مُرهَق ؛ مُنْهَك .

overweening[ō'vər wē'-] *(adj.)* (١) مَزْهُوّ بنفسه ، متعجرف . (٢) مفرط ؛ مُبالَغٌ فيه .

overweigh [ō'vər wā'] *(vt.)* (١) يَرْجَح : يكون أرجح منه وزناً (٢) يرهقه أو يحمّله ما لا يطيق .

overweight[*n.* ō'vər wāt' ; *adj.,v.* ō'vər wāt'] *(n.;adj.;vt.)* (١) وزن زائد عن المطلوب أو المسموح به (٢) حِمل ثقيل §(٣) أثقل من الضروري أو المسموح به §(٤) يعطيه أهمية أو يُوْلِيه اهتماماً أكثر مما ينبغي. (٥) يحمّله بإفراط أو أكثر مما يطيق (٦) يرْجَح : يكون أرجح منه وزناً .

overwhelm [ō'vər hwĕlm'] *(vt.)* (١) يَغْمر ؛ يغرِق . (٢) يسحق ؛ يقْهَر (٣) يُرْبِك (Her kindness ~*ed* me.) .

overwhelming [-hwĕl'-] *(adj.)* (١) غامِر (~ joy) . (٢) ساحق (~ victory *or* majority) .

overwind [-wĭnd'] *(vt.)* يُبْرِم : يُحكم فتل الحبل أو لفّ الزنبرك .

overword [ō'vər wûrd] *(n.)* اللازمة ؛ الكلمة المكرّرة .

overwork [*v.* ō'vər wûrk'; *n.* ō'vər wûrk'] *(vt.; i.; n.)* (١) يُجْهِد ؛ يرْهِق بالعمل (to ~ a horse) (٢) يزخرف على نحو شامل (٣) يفرط في تجويد شيء أو تحسينه أو إحكامه (٤) يسرف في استعمال كذا ×(٥) يجهد نفسه بالعمل §(٦) عمل شاقّ (٧) عملٌ إضافيّ .

overwrite[ō'vər rīt'] *(vt.; i.)* (١) يكتب على سطح كذا (٢) يكتب بأسلوب طنّان أو منمّق الخ . ×(٣) يُفرط في الكتابة .

overwrought [ō'vər rôt'] *(adj.)* (١) مُجْهَد ؛ مرهَق من كثرة العمل (٢) مُثار أو مُهتاج إلى حد بعيد ؛ في حالة عصبية (٣) منمّق أو مجوّد بإفراط .

ovi- بادئة معناها : بَيْضة ؛ بُيَيْضَة .

ovicidal [ō vĭ sīd'əl] *(adj.)* قاتل أو مُبيد للبُيَيْضات .

ovicide [ō'vĭ sīd] *(n.)* مُبيد البُيَيْضات : مادة قاتلة للبُيَيْضات .

oviduct[ō'vĭ-] *(n.)* قناة البُيَيْضات ؛ ناقلة البُيَيْضات («ت» و«ح») .

ovine [ō'vīn; ō'vĭn] *(adj.)* غَنَميّ ؛ ضأنيّ .

ovipara [ō vĭp'ə rə] *(L.)* البَيُوضات ؛ الحيوانات البَيُوضة أو الواضعة للبيض (ح) .

oviparous [ō vĭp'ə rəs] *(adj.)* بَيُوض ؛ بَيّاض .

oviposit [ō vĭ pŏz'ĭt] *(vi.)* تبيض الحَشَرة ؛ تضع بيضاً .

ovipositor [ō vĭ pŏz'ə tər] *(n.)* حامل البيض : عضو في مؤخَّر بطن الحشرة تحفظ فيه بيضها .

ovo- بادئة معناها: بيضة ؛ بُيَيْضة .

ovoid [ō'void] *(adj.; n.)* (١) أو **ovoidal** : بيضيّ الشكل . §(٢) جسم بيضيّ الشكل .

ovolo [ō'və lō] *(It.)* البَيْضيّة : حلية مستديرة محدّبة (عم) .

ovular [ō'vyə lər] *(adj.)* (١) بُذَيْري : خاص بالبُذَيْرَة (نب) . (٢) بُيَيْضي : خاصّ بالبُيَيْضَة (أح) .

ovulation [ō'vyə lā'shən] *(n.)* الإباضة : خروج البُيَيْضة من المبيض (أح) .

ovule [ō'vūl] *(L.)* (١) بُذَيْرَة (نب) (٢) بُيَيْضة ؛ وبخاصة : بييضة في مراحل النموّ الأولى (أح) .

ovum [ō'vəm] *(L.)* pl. **ova** [ō'və] بُيَيْضَة (مج) .

owe [ō] *(vt.; i.)* (١) يُكِنّ أو يُضْمِر له (~*s* her master a grudge) (٢) يكون مديناً له بِـ (You ~ me six shillings.) (٣) يَدين بكذا لِـ . . (She ~*s* her success to good luck; . . to ~ allegiance to one's country.) .

owing [ō'ĭng] *(adj.)* مستحقّ الدفع ؛ مطلوب .

owing to *(prep.)* بسبب ؛ بداعي (absent ~ illness) .

owl [oul] *(n.)* بومة (طا) .

owl

owlet [ou'lĭt] *(n.)* (١) البُوَيْمَة : بومة صغيرة . (٢) فَرْخ البوم .

owlish [ou'lĭsh] *(adj.)* شبيهٌ بالبوم ؛ مذكّر بالبوم .

own [ōn] *(adj.; vt.; i.)* (١) خاصّته ؛ مِلكه . §(٢) يملك (٣) يعترف بِـ (to ~ a mistake) ×(٤) يقرّ ؛ يعترف (I ~ up to having taken them.) .

~ brother (sister) أخٌ شقيق ؛ أختٌ شقيقة .

to be one's ~ man (١) يتمتع بحرية التصرف ؛ يعمل وفق هواه (٢) يكون ذا عمل مستقلّ أو حرّ (أي غير موظف في مؤسّسة الخ.) (٣) يسيطر على حواسّه المدركة سيطرة تامّة .

to do the work on his ~, يقوم بالعمل من غير مساعدة أو إرشاد ؛ يقوم بالعمل على مسؤوليته .

to live on his ~, يحيا مستقلاً عن أبويه (كاسباً رزقه بنفسِهِ) .

ox [ŏks] *(n.)* pl. **oxen** ثَوْر . —**oxlike** *(adj.)*

ox- *or* **oxo-** بادئة معناها : أكسجين .

oxalate [ŏk'sə lāt'] *(n.)* أكسالات (ك) .

oxalic acid [ŏks ăl'ĭk] *(n.)* حامض الأكساليك (ك) .

oxalis [ŏk'sə lĭs] *(L.)* الحُمّاض ؛ الحُمَيْض (نب) .

oxbow [-'bō'] *(n.)* (١) سِناد النِّير (يكون على شكل حرف U ويطوّق عنق الثور) (٢) شيء على شكل سِناد النّير (كمنعطَف نهر الخ.) .

oxen [ŏk'sən] *pl. of* ox.

oxeye [ŏks'ī] *(n.)* عين الثّور (نب) .

oxford [ŏks'-] *(n.)* حذاء أكسفورد : ضربٌ خفيض من الأحذية .

Oxford Down *(n.)* غنم أكسفورد: ضرب من الخراف الانكليزية الضخمة عديمة القرون .

oxheart [ŏks'-] *(n.)* قلب الثور : كرزٌ حلوٌ ضخم قلبيّ الشكل .

oxidant [ŏk'sə-] *(n.)* المُؤكسِد ؛ العامل المؤكسِد (ك) .

oxidase [ŏk'sə dās'; -dāz'] *(n.)* الاكسيداز : خميرة من مجموعة خمائر مؤكسِدة (كح) .

oxidation [ŏk sə dā'shən] *(n.)* (١) أكْسَدة (٢) تأكسُد .

oxidation-reduction potential *(n.)* جهد الأكسدة والاختزال .

oxide [ŏk'sīd; -sĭd] *(n.)* أُكسيد (ك) .

oxidizable [ŏk'sə dīz'-] *(adj.)* قابل للتأكسد أو الأكسدة (ك) .

oxidize [ŏk'sə dīz'] *(vt.; i.)* (١) يُؤكسِد ؛ يمزج بالأكسجين . (٢) يكسوه بالصدأ ×(٣) يتأكسد ؛ يتحد بالأكسجين (٤) يصدأ .

oxidizer [ŏk'sə dīz ər] *(n.)* المؤكسِد (ك) .

oxlip [ŏks'lĭp'] *(n.)* شَفة الثور (نب) .

Oxonian [ŏk sō'nĭ ən] *(n.; adj.)* (١) الاكسفورديّ : «أ» المقيم في مدينة أكسفورد . «ب» أحد طلاب جامعة أكسفورد أو خرّيجيها §(٢) اكسفورديّ .

oxtail [ŏks'tāl] *(n.)* ذيل الثور ؛ وبخاصة : ذيل الماشية الذي يصنَع منه الحساء .

oxtongue [ŏks'tŭng'] *(n.)* لسان الثّور (نب) .

oxy- بادئة معناها : «أ» أكسجين ؛ محتوٍ على أكسجين . «ب» حادّ .

oxyacetylene [ŏk'sĭ ə sĕt'ə lēn'] *(adj.)* اكسجينيّ استيليني : ذو علاقة بمزيج من الأكسجين والأسيتيلين أو مستخدِم مزيجاً منهما (welding ~) .

oxycalcium [ŏk'sĭ kăl'sĭ əm] *(adj.)* اكسجيني كالسيوميّ : ذو علاقة بالاكسجين والكالسيوم (the ~ light or limelight) .

oxygen [ŏk'sə jən] *(n.)* الأكسجين (ك) .

oxygen acid *(n.)* الحمض الأكسجينيّ : حمض محتوٍ على اكسجين (ك) .

oxygenate [ŏk'sə jə nāt'] *(vt.)* يؤكسج : يشبّع أو يمزج أو يزوّد بالاكسجين .

oxygenated [ŏk'-] *(adj.)* مؤكسَج (را . المادة السابقة) .

oxygenation [ŏk'sə jən ā'-] *(n.)* أكسجة (را. المادة قبل السابقة) .

oxygenic [ŏk sə jən'ĭk] *(adj.)* اكسجينيّ .

oxyhemoglobin [ŏk sĭ hē'mə glō bĭn] *(n.)* الأكسيموغلوبين : هيموغلوبين مشتمل على أكسجين يزوّد به الأنسجة .

oxyhydrogen [ŏk'sĭ hī'drə jən] *(adj.)* اكسجيني هيدروجينيّ : ذو علاقة بمزيج من الأكسجين والهيدروجين أو مستخدِم مزيجاً منهما (torch ~) .

oxymoron [ŏk'sĭ mōr'ŏn] *(Gk.)* **pl. -mora** الإرداف الخُلفيّ : اجتماع لفظتين متناقضتين (كقولك *a cheerful pessimist*) .

oxytocic [ŏk'sĭ tō'sĭk] *(adj.)* مُعجِّل للولادة .

oxytone [ŏk'sĭ tōn'] *(adj.; n.)* (١) مشدَّد المقطع الأخير . §(٢) لفظٌ مشدَّد المقطع الأخير .

oyes; oyez [ō'yĕs; ō'yĕz] *(interj.)* إسمعوا ! أنصِتوا !

oyster [ois'tər] *(n.)* (١) المحارة ؛ المَحار (من الرخويات البحرية) . (٢) الصَّموت : شخص كثير الصمت .

oyster bed *(n.)* مِهاد المَحار ؛ مَربَى المَحار (في قاع البحر) .

oyster catcher *(n.)* أكّال المَحار ؛ صائد المحار : طائر بحري .

oyster crab *(n.)* سرطان المَحار : سرطان يعيش في خيشوم المحارة .

oyster cracker *(n.)* بسكويتة المَحار : بسكويتة مملّحة تقدَّم مع المَحار أو الحساء الخ .

oysterman [ois'tər-] *(n.)* المَحّار : جامعُ المَحار أو مُربّيه أو بائعه .

ozokerite [ōzō kə'rīt] *or* **ozocerite** [-sə'rīt] *(G.)* الأوزوكريت : الشمع المعدنيّ .

ozone [ō'zōn; ō zōn'] *(G.)* (١) الأوزون : شكلٌ من أشكال الأكسجين (٢) الهواء النقيّ المنعش .

ozonic [ō zŏn'ĭk; ō zō'nĭk] *(adj.)* أوزونيّ .

ozoniferous [ō zə nĭf'ər əs] *(adj.)* أوزونيّ .

ozonize [ō'zə nīz'] *(vt.; i.)* (١) يؤوزِن : «أ» يحوّل الأكسجين إلى أوزون . «ب» يعالج أو يُشبع أو يمزج بالأوزون ×(٢) يتأوزَن : يتحوّل إلى أوزون . **—ozonization** *(n.)*

ozonizer [ō'zə nīz ər] *(n.)* المؤوزِن ؛ وبخاصة : جهاز لتحويل الاكسجين إلى أوزون (ك) .

ozonometer [ō zə nŏm'ə tər] *(n.)* الأوزونومتر : اداة لمعرفة مقدار الأوزون في الهواء .

ozonosphere [ō zə'-] *(n.)* الطبقة الأوزونيّة : طبقة من طبقات الجوّ يتراوح ارتفاعها بين ٢٠ و ٣٠ ميلاً وتشتمل على نسبة عالية من الأوزون .

ozonous [ō'zə nəs] *(adj.)* أوزونيّ (را. ozone) .

ozostomia [ō zŏs tō'mĭ ə] *(L.)* البَخَر ؛ نَتانة النَّفَس ؛ رائحة الفم الكريهة .

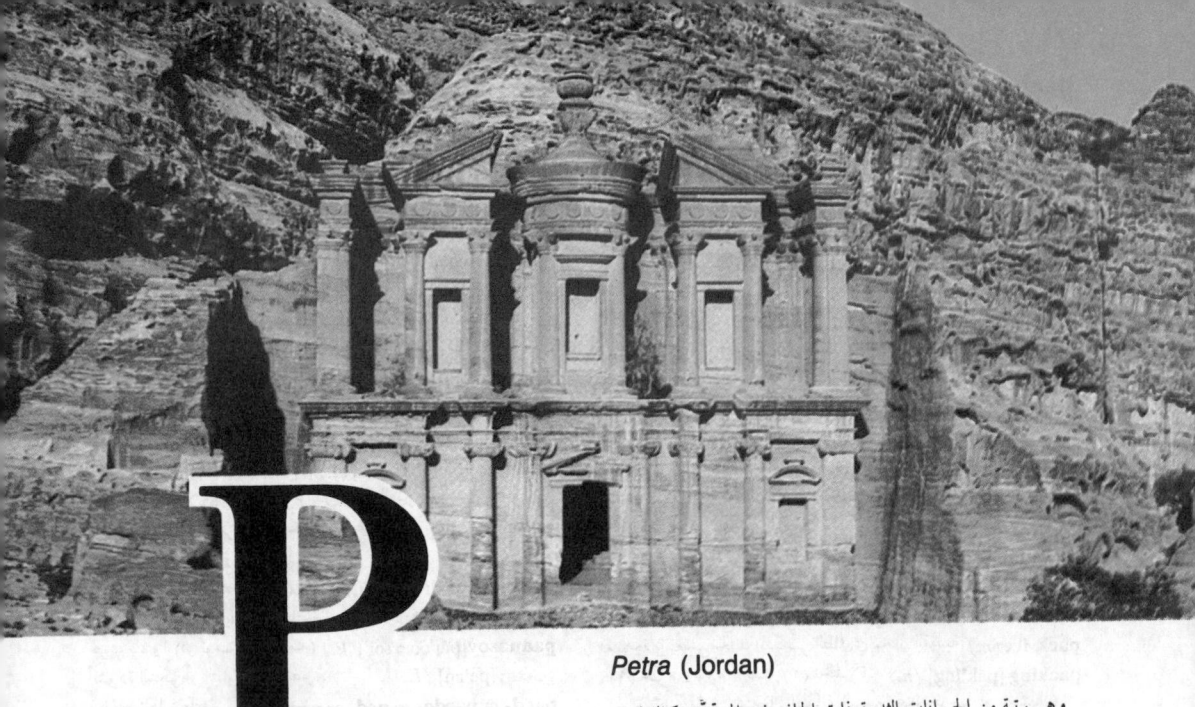

Petra (Jordan)

P

p [pē] *(n. often cap.)* (١) الحرف السادس عشر من الأبجدية الانكليزية (٢) شيء معتبرٌ خامسَ عشر أو سادسَ عشر من حيث الترتيب أو الطبقة (٣) شيء على صورة حرف **P** .

pa [pä] *(n.)* أب ؛ والد (مختصر لفظة *papa*) .

pabulum [păb'yə ləm] *(L.)* (١) غذاء ؛ قوت (٢) غذاء عقلي. (٣) قطعة أدبيّة تافهة .

paca [pä'kə] *(Pg.)* الباكة : حيوان أميركي من القوارض .

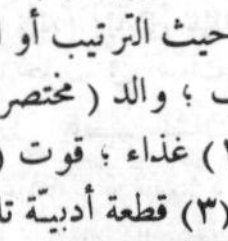

paca

pace [pās] *(n.; vi.; t.)* (١) سرعة «السَّير أو العَدْو» (كقولك : to go at a good ~ أي بسرعة) (٢) نسبة التقدم (٣) «أ» طريقة الخطو أو السير . «ب» خطوة (٤) «أ» إظهار للبراعة أو الكفاءة . «ب» الخبَب : ضرب من عَدْو الفرس يَنْقل فيه أيامنه وأياسره معاً (٥) مِنصّة § (٦) «أ» يمشي الهُوَيْنا أو بخطىً موزونة . «ب» يتقدَّم (٧) يخبّ الفرس : يعدو خَبَباً × (٨) «أ» يقيس بالخَطْو . «ب» يَذْرع المكان جيئةً وذُهوباً (was *pacing* the room) (٩) يدرّب على خَطْو معيّن (to ~ a horse) (١٠) «أ» يسبق ؛ يتقدَّم على ؛ يقود . «ب» يجاريه ؛ يسايره (بحيث لا يتخلّف عنه) (١١) يعيّن سرعةَ الانطلاق لفارسٍ أو عدّاءٍ (في سباق) .

to go the ~, (١) ينطلق بسرعة عظيمة (٢) يُنفق بإسراف .

to put a person through his ~*s* ؛ يعجم عودَه ؛ يمتحن صفاته وكفاءاته .

pacemaker [pās'-] *(n.)* (١) أو **pacesetter** : محدِّد الخطوة أو محدِّد سرعة الانطلاق : فارس أو عدّاء يحدِّد - بسرعة الانطلاق التي يختارها لنفسه - سرعةَ انطلاق غيره في السباق (٢) القُدْوَة .

pacemaker *(n.)* الميقاع ؛ ضابطة النبض : أداة كهربائية لإثارة نبضات القلب أو ضبط إيقاعها (توضع في صدر المريض) .

pacer [pā'sər] *(n.)* (١) فا pace وبخاصة : فرس يعدو خَبَباً . (٢) محدِّد الخطوة ؛ محدِّد سرعة الانطلاق .

pachisi [pə chē'zĭ; pä-] *(Hin.)* البرجيس ؛ لعبة البرجيس .

pachyderm [păk'ə dûrm'] *(F.)* الشَّثْني : حيوان من الشَّثْنيّات وهي رتبة من الحيوانات الثديية ذات الحافر غير المجترّة (كالفيلة والخيل) تتميّز عادةً بجلدها الصفيق .

pachydermatous [păk ə dər'-] *(adj.)* (١) شَثْنيّ : متعلق بالشَّثْنيات (را. المادة السابقة) (٢) «أ» سميك ؛ غليظ (skin ~) . «ب» عديم الحساسية أو الشعور .

pacific [pə sĭf'-] *(adj.)* (١) «أ» سِلميّ (settlement ~) . «ب» مسالِم (a ~ disposition) (٢) هادئ (٣) *cap.* متعلق بالمحيط الهادئ .

pacificate [pə sĭf'ə kāt] *(vt.)* يهدّئ . **-tor** *(n.)*

pacification [păs'ə fə kā'-] *(n.)* (١) تهدئة (٢) معاهدة صلح .

pacificism [pə sĭf'ə sĭz'əm] *(n.)* = pacifism.

Pacific Ocean *(n.)* المحيط الهادئ ؛ المحيط الباسيفيكي .

pacifier [păs'ə fī'ər] *(n.)* (١) فا pacify (٢) المصّاصة ؛ المُسكِّتة : أداة على شكل حلَمة يُلهّى الطفل بمصّها أو العضّ عليها .

pacifism [păs'ə fĭz'əm] *(n.)* السّلامية ؛ اللاعنفية : معارضة الحرب أو العنف ورفض اللجوء إليهما في حلّ النزاعات ؛ وبخاصة : رفض حمل السلاح لأسباب أخلاقيّة أو دينية .

—**pacifist** *(n.)* —**pacifist** *or* **pacifistic** *(adj.)*

pacify [păs'ə fī'] *(vt.)* (١) يهدّئ (٢) يُشبع (رغبةً) .

pack [păk] *(n.; vt.; i.)* (١) «أ» صُرّة . «ب» حزمة . «ج» رزمة . «د» علبة . «هـ» حِمْل (٢) «أ» محتويات الصرّة أو الرزمة الخ . «ب» مقدار وافر ؛ كومة . «ج» مجموعة كاملة من ورق اللعب أي « الشدّة » (٣) «أ» مجموعة . «ب» فريق من الكلاب مُعَدّ للصيد معاً . «ج» قطيع . «د» جماعة ؛ زمرة ؛ عصابة (٤) الكِمادة : قماشة نديّة ماصّة يعالج بها الجسد (٥) معجون تجميلي (يُكسى به الوجه ويترك عليه حتى يجفّ) (٦) علاوةٌ لا مبرّر لها يضيفها التاجر إلى ثمن السلعة . § (٧) «أ» يَصِرّ ؛ يَحزِم ؛ يرزم . «ب» يوضّب (to ~ fruit) . «ج» يعلّب ؛ يحفظ الأغذية في علب صفيحية . «د» يحمّل (فرساً الخ.) (٨) «أ» يحشر ؛ يحشد (to ~ people in a hall) . «ب» يملأ (The crowd ~*ed* the hall.) (٩) «أ» يصرفه أو يأمره بالانصراف فجأة وبجفاء (were ~*ed* off to school) . «ب» يُنهي (١٠) ينقل ماشياً أو على ظهر دابة (١١) يسدّ (~*ed* the leaking joint) (١٢) يختار أعضاء لجنة أو هيئة محلّفين الخ. بحيث تأتي

قراراتهم في مصلحته (to ~ a jury) (١٣) يُكَمِّد : يعالج بالكمادات أو الأقمشة المبلّلة ×(١٤) ينصرف على عجل (١٥) يُرْزَم ؛ يَصْلُح للرَّزم (١٦) يجتمع ؛ يحتشد (١٧) يتراص ؛ يتراكم متراصّاً (١٨) يرتحل: يسافر (على متن جواد الخ.) مزوّداً بأمتعته.

~ animal دابة ؛ حيوان تحميل .

to ~ up يكفّ عن العمل (ع) .

package [păk'ĭj] *(n.; vt.)* (١) صُرّة ؛ رُزْمة ؛ طَرْد بريديّ . (٢) صندوق (٣) اتفاقية ؛ صفقة (a trade~) (٤) رَزْم § (٥) يرزم.

package deal *(n.)* صفقة شاملة أو كاملة .

package store *(n.)* محل تُباع فيه المشروبات الكحوليّة بالزجاجة الخ . ولا يجوز ، شرعيّاً ، معاقرتها ضمن جدرانه .

packer [păk'ər] *(n.)* (١) الرازم ؛ الحازم ؛ المعبّىء ؛ وبخاصة : تاجر الجملة (tea ~) (٢) «أ» الحمّال ؛ العتّال. «ب» المُكاري: ناقل السلَع على ظهور الدوابّ .

packet [păk'ĭt] *(n.)* (١) «أ» مجموعة من الرسائل تُوَجَّه دفعةً واحدة . «ب» كتلة أو مجموعة صغيرة (٢) سفينة تنقل البريد والركاب والسلَع في مواعيد نظامية (٣) رزمة صغيرة .

pack ice *(n.)* مساحة واسعة من الجليد المتكسّر الطافي في البحار القطبية .

packing [păk'ĭng] *(n.)* (١) حَزْم ؛ رَزْم ؛ تعبئة (٢) الحَشْوة: «أ» كلّ مادة تُستعمل لصيانة السلَع عند حزمها أو تعبئتها . «ب» مادة (كالقطن الخ.) تستعمل لوقاية الأنابيب من البرد أو لِسدّ الثقوب أو مواطن الارتشاح في آلة .

packing case *(n.)* صندوق التعبئة .

packing house *or* **packing plant** *(n.)* مصنع تعليب اللحوم .

packing needle *(n.)* المسلّة ؛ المِيبَر : إبرة كبيرة لخياطة الخيش .

packman [păk'mən] *(n.)* البائع المتجوّل .

packsack [păk'săk'] *(n.)* حقيبة الظَّهر .

packsaddle [păk'săd'əl] *(n.)* سَرْج التحميل : سرج مُعَدّ لنقل الأحمال على ظهور الدواب .

packthread [păk'-] *(n.)* المَصِيص: خيط قِنَّبِيّ تُرزم به الطرود .

pact [păkt] *(n.)* ميثاق ؛ وبخاصة : معاهدة دولية .

pad [păd] *(n.; vt.; i.)* (١) دِثار ؛ وسادة رقيقة ، مثل : «أ» لِبادة توضع تحت السَّرج . «ب» لِبادة يحشى بها جزء من الثوب . «ج» ضِمادة . «د» مِختَمة (لتحبير الختْم المطاطيّ قبل استعماله) (٢) «أ» قدم الحيوان. «ب» لِبْد القَدَم: غِلَظٌ كالوسادة في باطن قدم الكلب أو الثعلب الخ. (٣) الورقة الطافية من نبات مائيّ (٤) إضمامة الورق : مجموعة من ورق الكتابة مُغرّاة من أحد جوانبها (٥) مِنصّة الإطلاق (يُطلق منها صاروخ) (٦) «أ» شقة ؛ غرفة (ع) . «ب» سرير (ع) (٧) «أ» ممرّ ؛ طريق (عب) . «ب» قاطع طريق (٨) فرس معتدل الخطو (٩) صوت خافت (كوقع الأقدام على الأرض) § (١٠) «أ» يحشو ؛ يُبَطِّن . «ب» يخنق الصوت (١١) يطيل بالحشو (to ~ a short article) (١٢) يجتاز سيراً على القدمين ×(١٣) يمشي ؛ يرتحل سيراً على القدمين (١٤) يمشي بخطى خافتة.

padding [păd'ĭng] *(n.)* (١) الحَشْوة : مادة (كالقطن أو القش) يُحشَى بها شيء (٢) الحَشْو (في الكتابة) (٣) حَشْوٌ ؛ تبطين الخ.

paddle [păd'əl] *(n.; vi.; t.)* (١) مِغْدَف ؛ غادوف ؛ مِجذاف. (٢) مِحراك (لتحريك السوائل أو مزجها أو خفقها) (٣) أحد الألواح الخشبية العريضة المثبّتة في محيط السّانية (الناعورة) أو عجلة التغذيف § (٤) يُغَدِّف ؛ يجذِّف (٥) يحرّك يديه أو قدميه في الماء الضَّحْل (٦) يمشي بخطى قصيرة مترنحة مثل طفل صغير ×(٧) يضرب ؛ يعاقب .

—paddler *(n.)*

to ~ one's own canoe يعتمد على نفسه فقط .

paddle box *(n.)* صندوق عجلة التغذيف (مل) .

paddle steamer *(n.)* المِغدافية : باخرة مزوّدة بعجلات تغذيف .

paddle wheel *(n.)* عجلة أو دولاب التغذيف (مل) .

paddock [păd'ək] *(n.)* المُسْتَراد : «أ» حقل صغير قرب منزل أو اصطبل لترويض الخيل بخاصة . «ب» حقل معشوشب في نادٍ لسباق الخيل تُسْرَج فيه الأفراس وتُستعرَض قبل تباريها .

paddy [păd'ĭ] *(n.)* (١) أرزّ ، وبخاصة : أرزّ غير مقشور (٢) حقل أرزّ .

paddy wagon *(n.)* = patrol wagon.

padishah [pä'dĭ shä'] *(Per.)* العاهل ؛ الملك ؛ وبخاصة: شاه ايران .

padlock [păd'lŏk] *(n.; vt.)* (١) قُفْل (من النوع الذي تراه في الصورة) § (٢) يُقْفِل.

padlock

padre [pä'drĭ] *(Sp.)* (١) قِسّيس (٢) قسيس ملحق بالجيش أو الأسطول .

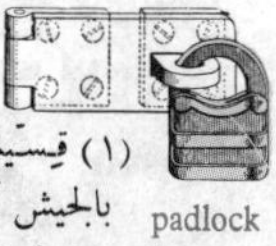

padrone [pə drō'nĭ] *(It.)* (١) صاحب فندق إيطاليّ (٢) وسيط يساعد المهاجرين الإيطاليين بخاصة ، في العثور على عمل .

paduasoy [păj'ōō ə soi'] *(F.)* حرير بادْوا (أو ثوب مصنوع منه) .

paean [pē'ən] *(L.)* أنشودة الشكر أو التسبيح أو النصر .

paed- *or* **paedo-** *or* **ped-** *or* **pedo-** بادئة معناها : طفل .

paeon [pē'ən] *(L.)* البَيُون : أحد أوزان الشعر .

pagan [pā'gən] *(n.; adj.)* وثنيّ . **—paganish** *(adj.)*

paganism [pā gə nĭz'əm] *(n.)* (١) الوثنية (٢) دِيْن وثنيّ .

paganize [pā'gə nīz'] *(vt.; i.)* (١) يجعله وثنياً × (٢) يصبح وثنياً .

page [pāj] *(n.; vt.)* (١) غلام الفارس : غلام يعمل في خدمة فارس من فرسان القرون الوسطى استعداداً للدخول في سلك الفرسان (٢) الوصيف : غلام في خدمة شخص عظيم الشأن (٣) خادم (في فندق أو سينما الخ.) يرتدي عادة بزّة مميزة (٤) صفحة (من كتاب الخ.) § (٥) يرقّم (صفحات كتاب الخ.). (٦) يستدعي شخصاً (بتكرار مناداته باسمه).

pageant [păj'ənt] *(n.)* (١) أبهة فارغة (٢) مهرجان ؛ وبخاصة : مهرجان مسرحي يمثّل مشاهد من تاريخ مقاطعة أو بلد ويقام في الهواء الطلق عادةً (٣) موكب ؛ وبخاصة : موكب مؤلّف من أشخاص يمتطون متون الجياد ويرفلون بأبهى الحلل .

pageantry [păj'ən trĭ] *(n.)* (١) «أ» المهرجانات والمواكب جملةً . «ب» مهرجان ؛ موكب (٢) أبهة (٣) أبهة فارغة .

page boy *(n.)* (١) خادم ؛ وصيف (٢) قَصّة **pageboy** عد : نسائية يُرسَل فيها الشعر حتى الكتفين حيث يلتفّ نحو الداخل .

paginal [păj'ə nəl] *(adj.)* صَفْحِيّ : «أ» متعلّق بصفحة كتاب الخ . (ب) مؤلف من صفحات . (ج) مصوّر أو مطبوع صفحةً صفحةً .

paginate [păj'ə nāt'] *(vt.)* يرقّم (الصفحات) .

pagoda [pə gō'də] *(Pg.)* الباغودة : هيكل أو معبد (هندي أو صيني أو ياباني) متعدّد الأدوار .

pagoda

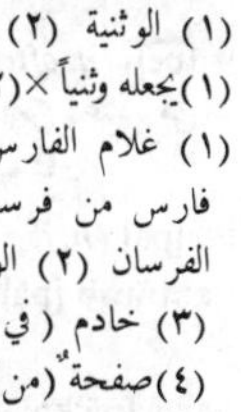

pahlavi [pä'lə vē] *(Per.)* (١) البهلويّ: وحدة النقد الإيراني ، وتساوي مئة ريال (٢) «أ» *cap.* : البهلوية : لغة الفرس الساسانيين . «ب» الخط البهلوي .

paid [pād] *past; past part. of* pay.

pai-hua [bī'hwä'] *(Chin.)* البايهوية : شكل من اللغة الصينية المكتوبة مبنيّ على العاميّة الحديثة .

pail [pāl] *(n.)* (١) دَلْو ؛ سَطْل (٢) مِلْءُ دَلْو .

pailful [pāl'fŏŏl'] *(n.)* مِلْءُ دلو ؛ مِلْءُ سَطْل .

paillette [păl yĕt'] *(F.)* شيء صغير برّاق (كالتِّرتر أو البرَق الذي تزيَّن به الملابس) .

paillon[pȧ'yôn'] *(F.)* رُقاقة معدنيّة (تُستعمل في التذهيب خاصةً).

pain [pān] *(n.; vt.; i.)* (١) عقوبة ؛ قصاص (٢) «أ» ألم ؛ وجع . «ب» أسىً ؛ غمّ (٣) *pl.* : المخاض ؛ آلام الولادة (٤) *pl.* : جهد §(٥) يؤلم ؛ يوجع (٦) يُزعج ؛ يثير .

to spare no ~*s* لا يألو جَهداً .

to take ~*s* يبذل جهداً عظيماً .

under (on) ~ of تحت طائلة العقوبة بكذا .

painful [pān'fəl] *(adj.)* (١) «أ» مؤلِم ؛ مُوجِع ؛ مُحزِن . «ب» مُوْجَع ؛ مُصاب بألم (a ~ arm) (٢) مزعِج (٣) شاقّ .

painless [pān'-] *(adj.)* (١) غير مؤلم ؛ بلا ألم (٢) لا يعرف الألم .

painstaking [pānz'tā'kĭng] *(n.; adj.)* (١) اجتهاد ؛ كدّ ؛ بَذْل الجهد §(٢) «أ» جاهِد : مُتَّسِم بالمثابرة في بذل الجهد (~ work) . «ب» مجتهد : باذلٌ غاية الجهد والعناية (a ~ worker) .

paint [pānt] *(vt.; i.; n.)* (١) «أ» يلوّن ؛ يصبغ . «ب» يلوّن (الوجهَ أو الشفةَ) بمستحضرٍ تجميليّ . «ج» يدهن ؛ يطلي (٢) «أ» يصوّر ؛ يرسم (بالأصباغ) . «ب» يزخرف بالخطوط والألوان . «ج» يصف وصفاً نابضاً بالحياة ×(٣) يمارس فنّ الرسم (٤) يتبرج ؛ يستعمل مستحضرات التجميل §(٥) الصِّبْغ ؛ الدّهْن ؛ التصوير ؛ أو شيء ناشىء عن ذلك (٦) صِبْغ تجميلي ؛ مستحضر تجميلي (٧) دهان ؛ طلاء .

paintbox [pānt'-] *(n.)* علبة الألوان أو الأصباغ (للرسم الزيتيّ) .

paintbrush [pānt'brŭsh'] *(n.)* فرشاة التصوير أو الدّهن .

painter [pān'-] *(n.)* (١) الرّسام ؛ الدهّان (٢) حبل يوثَق به المركب .

painter's colic *(n.)* = lead colic.

painting [pān'tĭng] *(n.)* (١) صورة زيتية (٢) «أ» دَهْن . «ب» تصوير زيتيّ .

pair [pâr] *(n.; vt.; i.)* (١) «أ» زوج (a ~ of socks) . «ب» شيء مؤلّف من قطعتين متقابلتين (a ~ of scissors *or* trousers) (٢) «أ» زوج من الحيوان . «ب» زوجان ؛ خطيبان ؛ حبيبان . «ج» ورقتا لَعِبٍ متماثلتا القيمة . «د» فرَسان مشدودان (جنباً إلى جنب) إلى عربة . «هـ» عضوان (في جمعية تشريعية) مختلفان في الرأي يتفقان على أن لا يصوّتا على قضيّة ما خلال مدة معينة . «و» اتفاق من هذا الضرب بين عضوين . «ز» *pl.* : شريكان في اللعب §(٣) «أ» يُزْوِج ؛ يَقْرِن . «ب» يزوّج (٤) يعقد اتفاقاً على عدم التصويت على مسألة معينة (في جمعية تشريعية الخ.) (٥) يرتّب زوجاً زوجاً (She ~*ed* her guests.) ×(٦) يزدوجان ؛ يقترنان (٧) يتجمّعون أو يتوزّعون أزواجاً (The happy crowd gradually ~*ed* off.) .

pair-oar [pâr'ōr] *(n.)* زوجيّ التجذيف : مركب يجذّف فيه رجلان أحدهما جالسٌ خلف الآخر (ولكل منهما مجذاف واحدٌ يُعمِله) .

pair-oared [-'ōrd] *(adj.)* زوجيّ التجذيف (a ~ boat) .

paisley [pāz'lĭ] *(n.; adj.)* (١) البَيْسَليّ : نسيج صوفيّ مزركش بالرسوم (٢) شيء مصنوع من البَيْسليّ §(٣) بَيْسَليّ : مصنوع من البَيْسليّ وعلى نحوٍ شبيه بالشّال الكشميريّ (a ~ shawl) .

pajama [pə jăm'ə] *(Per.)* = pajamas.

pajamas [pə jăm'əz; pə jä'məz] *(n. pl.)* مَنامة ؛ بيجامة .

pal [păl] *(n.; vi.)* (١) صديق ؛ خدَين §(٢) يتصادق ؛ يتخادن .

palace [păl'ĭs] *(n.)* (١) بَلاط (٢) قصر (٣) مبنى ضخم للّهو .

paladin [păl'ə dĭn] *(F.)* (١) البَلادِن : «أ» نصير لأحد الأمراء في القرون الوسطى . «ب» بطل أسطوريّ (٢) نصيرٌ بارز لقضيّة ما .

palaestra [pə lĕs'trə] *(L.)* pl. **-e** *or* **-s** (١) معهد المصارعة (عند الاغريق) (٢) الجمنازيوم : حجرة أو مبنى للألعاب الرياضية .

palanquin [păl'ən kēn'] *(Pg.)* مِحَفّة .

palanquin

palatability [păl ət ə bĭl'ə tĭ] *(n.)* السائغية أو المستساغية : كون الشيء سائغاً أو مستساغاً .

palatable [păl'ət ə bəl] *(adj.)* (١) سائغ ؛ لذيذ المذاق (٢) مستساغ (عقليّاً) .

palatal [păl'ə təl] *(adj.; n.)* (١) حنَكيّ §(٢) صوتٌ حنَكيّ .

palatalize[păl'ə-] *(vt.)* ينطق حنَكيّاً أو يحوّل إلى صوت حنَكيّ .

palate [păl'ĭt] *(n.)* (١) الحنَك : أعلى باطن الفم (٢) حاسة الذوق (٣) ذوق ؛ مَشْرَب .

palatial [pə lā'shəl] *(adj.)* (١) بَلاطيّ ؛ قَصريّ (٢) فَخْم .

palatinate [pə lăt'-] *(n.)* البَلاطِينيّة : مقاطعة يحكمها بَلاطِين .

palatine [păl'ə tīn'; păl'ə tĭn] *(n.; adj.)* (١) البَلاطِين : «أ» موظف كبير في بلاط امبراطوري . «ب» أمير إقطاعي ذو امتيازات ملكية في مقاطعته (٢) *cap.* : البلاطينيّ : أحد أبناء «البلاتينايت» **Palatinate** وهما مقاطعتان ألمانيتان كان يحكم كلاً منهما ، في عهد الامبراطورية الرومانية المقدسة ، أمير بلاطينيّ (٣) فرو يكسو العنق والمنكبين (٤) عظمٌ حنَكيّ §(٥) «أ» بلاطيّ ؛ وبخاصة : متعلق ببلاط امبراطور رومانيّ أو ببلاط أحد أباطرة الامبراطورية الرومانية المقدسة . «ب» فخم (٦) «أ» متمتع بامتيازات ملكية . «ب» بَلاطِينيّ : متعلق بأحد البلاطِين أو بمقاطعة يحكمها بَلاطِين (٧) حنَكيّ : متعلق بالحنَك أو واقعٌ قربه .

palaver [pə lăv'ər; -lä'vər] *(n.; vi.; t.)* (١) «أ» مناقشة طويلة (تدور عادةً بين أناسٍ متفاوتي الثقافة) . «ب» حديث ؛ محاورة (٢) «أ» هَذْر ؛ لَغْو . «ب» تملّق . «ج» كلام مضلِّل أو خادع §(٣) يهذر ؛ يلغو ؛ يثرثر (٤) يحادث ؛ يناقش ×(٥) يتملّق .

pale [pāl] *(adj.; vi.; t.; n.)* (١) شاحب (٢) باهت (٣) ضعيف ؛ واهن §(٤) يَشْحُب ؛ يَبْهُت ×(٥) يُشحِب ؛ يُبهِت (٦) يُسيِّج §(٧) وَتِد (من أوتاد السياج) (٨) «أ» حظيرة . «ب» مقاطعة . «ج» نطاق ؛ حدود . **—paleness** *(n.)*

beyond, outside, *or* out of, the ~ of خارج حظيرة أو نطاق أو حدود كذا .

pale- *or* **paleo-** *or* **palae-** بادئة معناها : «أ» باحث في الأشكال القديمة (*paleo*zoology) . «ب» قديم ؛ بدائيّ (*paleo*lithic) .

palea [pā'lĭ ə] *(L.)* pl. **-e** [-ē] حَرْشف النبات .

paleethnology [pā'lĭ ĕth nŏl'ə jĭ] *(n.)* البَلِثْنولوجيا : فرع من عِلم الأعراق والسلالات البشرية يبحث في إنسان ما قبل التاريخ .

paleface [pāl'fās'] *(n.)* الأبيض : شخص من العرق الأبيض .

paleoanthropology *(n.)* الباليوأنثروبولوجيا : علم يبحث في أصول الإنسان القديم وتطوّره .

paleobotanical [pā'lĭ ō bə tăn'ə kəl] *(adj.)* نباتيّ إحاثيّ : متعلق بعلم النبات الإحاثيّ (را . المادة التالية) .

paleobotany [pā'lĭ ō bŏt'ə nĭ] *(n.)* عِلم النبات الإحاثيّ : علم يبحث في المستحاثات أو الأحافير أو المتحجرات النباتية .

Paleocene[pā'lĭ ə sēn'] *(n.; adj.)* (١) الباليوسين : العصر الحديث الأسبق (جي) §(٢) باليوسيني .

paleographer [pā lĭ ŏg'-] *(n.)* البليوغرافيّ : العالم بالبِليوغرافيا .

paleographic; -al [pā'lĭ ə grăf'-] *(adj.)* بليوغرافيّ .

paleography [pā'lĭ ŏg'rə fĭ] *(n.)* (١) «أ» طريقة قديمة في

الكتابة . «ب» كتابات قديمة (٢) البليوغرافيا : دراسة الكتابة والنقوش القديمة .

paleolith [pā'lĭ ə-] *(n.)* أداة حجرية من العصر الحجري القديم .

Paleolithic Period [pā'lĭ ə lĭth'ĭk] *(n.)* العصر الحجري القديم .

paleontological *or* **paleontologic** [pā'lĭ ŏn'tə lŏj'-] *(adj.)* بليونتولوجي ؛ إحاثيّ : متعلق بالبليونتولوجيا أو عِلم الإحاثة .

paleontologist [-tŏl'ə-] *(n.)* العالِم البليونتولوجي أو الإحاثيّ .

paleontology [pā'lĭ ən tŏl'ə jĭ] *(n.)* البليونتولوجيا ؛ علم الإحاثة : عِلم يبحث في أشكال الحياة في العصور الجيولوجية السالفة كما تمثّلها المتحجّرات أو المستحاثات الحيوانيّة والنباتيّة .

Paleozoic Era [pā lĭ ə zō'ĭk] *(n.)* الدّهر القديم (جي) .

paleozoological [pā'lĭ ō zō'ə lŏj'ə kəl] *(adj.)* حيوانيّ إحاثيّ .

paleozoology [pā'lĭ ō zō ŏl'ə jĭ] *(n.)* علم الحيوان الإحاثيّ : فرع من البليونتولوجيا (را. paleontology) يبحث في الحيوانات القديمة أو المستحاثة .

Palestinian *(adj.; n.)* (١) فِلَسْطيني § (٢) مواطن فِلَسْطيني .

palet [pā lĭt'] *(n.)* = palea.

palette [păl'ĭt] *(F.)* (١) المَلْوَن ؛ لوحة ألوان الرسام : لوحة رقيقةٌ بيضيّة أو مستطيلة في أحد أطرافها ثقب للابهام يحملها الرسام ويمزج عليها ألوانه (٢) مجموعة الألوان الموضوعة على مَلْوَن .

palette

palette knife *(n.)* المَزّاجَة : مُديَة يمزج بها الرسّام ألوانه .

palfrey [pôl'frĭ] *(n.)* البَلْفَريّ : جواد صغير تمتطيه السيدات .

Pali [pä'lĭ] *(Skt.)* الباليّة : لغة الأسفار البوذية المقدّسة .

palimony *(n.)* نفقة [تدفع إلى الخليلة عند هجرها] .

palimpsest [păl'ĭmp sĕst'] *(L.)* الرّق (أو اللوح) المَمْسوح : رَقّ أو لوح يكتب عليه مرتين أو ثلاثاً بعد مسح الكتابة الأولى عنه .

palindrome [păl'ĭn drōm'] *(Gk.)* لفظة (مثل : *level*) أو جملة (مثل : *Able was I ere I saw Elba*) تُقْرَأ طرداً وعكساً .

paling [pā'lĭng] *(n.)* (١) حَسِيكَة (را. palisade) ؛ سياج . (٢) خشب تُتخذ منه أوتاد الحَسِيكَة (٣) وَتِد السّياج .

palingenesis *(L.)* (١) ولادة ثانية ؛ وبخاصة : المعمودية (٢) تناسخ .

palinode [păl'ə nōd'] *(Gk.)* (١) القصيدة التّراجعيّة : قصيدة يتراجع فيها شاعرٌ عن شيء قاله في قصيدة سابقة (٢) تراجع .

palisade [păl'ə sād'] *(n.; vt.)* (١) «أ» الحَسِيكَة : سياج من أوتاد خشبية قوية مستدقة . «ب» أحد أوتاد الحسيكة (٢) أجراف شاهقة شديدة التحدّر § (٣) يطوّق أو يحصّن بحسائك .

palish [pā'lĭsh] *(adj.)* شاحب الخ . بعض الشيء .

pall [pôl] *(n.; vi.; t.)* (١) طيلسان البابا أو الأسقف (٢) «أ» غطاء النعش (يصنع عادة من جوخ مخمليّ أسود أو أرجوانيّ) . «ب» نعش ؛ وبخاصة حين يكون مشتملاً على جثة (٣) حجاب قاتم كثيف ؛ شيء ينتشر فيوقع في النفس الكآبة (a ~ of smoke) § (٤) يَضْعُف ؛ يَهِن (٥) يصبح تافهاً أو بغيضاً أو مُمِلاً (٦) يَمَلّ × (٧) يجعله تافهاً الخ . (٨) يُتْخِم (٩) يغطّي ؛ يحجب .

palladium [pə lā'dĭ əm] *(Gk.)* (١) *cap.* : تمثال «بالاّس أثينا» إلآهة الحكمة عند الاغريق ، وكانوا يعتقدون أن سلامة مدينة طروادة مرهونةٌ به (٢) الحافظ ؛ الواقي (والجمع **palladia**) (٣) البلاّديوم : عنصر فلزّي من المجموعة البلاتينية (ك) .

Pallas [păl'əs] *(n.)* (١) بالاّس : إلآهة الحكمة عند الاغريق ، وتدعى أيضاً **Pallas Athena** (٢) السّيّير : واحدٌ من آلاف الكُوَيكبات السيارة الواقعة بين المريخ والمشتري (فل) .

pallbearer [pôl'bâr'ər] *(n.)* حامل بساط الرحمة (في جنازة) .

pallet [păl'ĭt] *(n.)* (١) «أ» حشيّة قشّ . «ب» فِراش قشّ . (٢) «أ» المُشَكِّلَة : أداة لتشكيل الفخّاريات . «ب» palette (٣) السّقّاطة ؛ الحابسة ؛ «شاكوش الساعة» (٤) مِنصّة نقّالة ، خشبية أو معدنيّة ، توضع عليها السّلَع لخزنها أو لنقلها (في مستودع أو مصنع الخ.) (٥) منقاش تذهيب ؛ مِيْسَم تذهيب .

A. pallet 3.

palletize [păl'ĭt īz] *(vt.)* يضع أو ينقل على منصّة نقالة .

pallette [păl'ĭt] *(n.)* صفيحة الإبط (في درع) .

palliasse [păl yăs'; păl'-] *(F.)* فِراش قَش .

palliate [păl'ĭ āt'] *(vt.)* (١) يلطّف ؛ يسكّن الألمَ الخ . (٢) يبرّر جزئيّاً ؛ يلطّف من خطورة الجرم بأن يلتمس لمرتكبه المعاذيرَ والظروف المخفّفة (tried to ~ the crime) .

palliative [păl'ĭ ā'tĭv] *(adj.; n.)* ملطّف ؛ مسكّن ؛ مخفّف .

pallid [păl'ĭd] *(adj.)* شاحب .

pallium [păl'ĭ əm] *(L.)* pl. **pallia** *or* **palliums** : (١) البليوم : رداء رِجاليّ مستطيل (عند الاغريق والرومان) (٢) طيلسان البابا أو الأسقف (٣) «أ» لِحاء الدماغ (ت) . «ب» معطف الحيوان الرّخوي (را. mantle 3 *a*)

pall-mall [pĕl'mĕl'] *(F.)* (١) البَلْمَل : لعبة قديمة تُدفَع فيها كرةٌ خشبية بمضرب خاص بُغية إمرارها في حلقة حديدية عند طَرَف مجازٍ تجري فيه (٢) مَجاز البَلْمَل .

pallor [păl'ər] *(n.)* شحوب غير طبيعيّ ؛ امتقاع في اللون .

palm [päm; pälm] *(n.; vt.)* (١) «أ» نخلة . «ب» سَعَف النخل بوصفه رمزاً للنصر والابتهاج . «ج» غصن غارٍ الخ . يتّخذ للغرض نفسه . «د» رمز الانتصار . أيضاً : نَصْر ؛ ظَفَر . «ه» ملحق ذو سَعَف لوسام عسكري (٢) راحة اليد (٣) راحة المجذاف : الجزء المسطّح الرقيق منه (٤) البَلْم : عرض الكفّ أو طولها من المعصم الى رؤوس الاصابع (٥) شيء (كجزء من قفّاز) يُغطّي راحة اليد § (٦) «أ» يمسّ براحة اليد . «ب» يصافح (٧) يخفي في راحة اليد أو بها (٨) «أ» يخدع . «ب» يبيع شيئاً (من سقط المتاع) وكأنه شيء نفيس . «ج» يفرض (عليه سلعة الخ.) بالحيلة والخداع (٩) يَرْشو (ع) .

to bear (carry off) the ~, ينتصر ؛ يفوز .

to have an itching ~, يكون متلهّفاً دائماً على أخذ الرشوة .

to yield the ~ to يسلّم بهزيمته ؛ يقرّ لفلان بالانتصار عليه .

palmar [păl'mər] *(adj.)* راحيّ : ذو علاقة براحة اليد .

palmary [păl'mə rĭ] *(adj.)* بارز ؛ رئيسيّ ؛ أفضل .

palmate *also* **palmated** [păl'-] *(adj.)* راحيّ : شبيه براحة اليد وقد انفرجت أصابعها (صفةٌ لورقة نبات أو قرن وعل الخ.) .

palmatifid [păl măt'-] *(adj.)* راحيّ الانفراج : مشقوق على شكل راحة اليد وقد انفرجت أصابعها (a ~ leaf) .

palmer [pä'mər] *(n.)* الحاجّ المُسَعَّف : حاجٌ عائد من الديار المقدّسة يزين صدره بسَعْفَتَيْن متصالبتين رمزاً لذلك .

palmerworm [pä'mər-] *(n.)* دودة الأشجار المثمرة .

palmetto [păl mĕt'ō] *(Sp.)* pl. **-s** *or* **-es** البَلْميط : ضرب من النخل قصيرٌ مِرْوحيّ السّعَف .

palmiped [păl'-] *(adj.)* كَفّيّ القدم : ذو قدم ملتحمة الأصابع .

palmist [pä'mĭst; päl'-] *(n.)* قارىء الكفّ .

palmistry [pä'-; päl'-] *(n.)* قراءة الكفّ ؛ قراءة خطوط الكفّ .

palmitate [păl'mə tāt'] *(n.)* بَلْمِيتات ؛ نخليلات (ك).

palmitic acid [păl mĭt'ĭk] *(n.)* الحامض النَّخيليّ (ك).

palmitin [păl'mə tĭn] *(F.)* البَلْمِتين ؛ النَّخْلين (ك).

palm oil *(n.)* زيت النخيل (ك).

palm reader *(n.)* قارىء الكفّ.

Palm Sunday *(n.)* أحَدُ السَّعَف: يوم الأحد الذي يسبق الفِصح وفيه تُحْيَى ذكرى دخول المسيح ظافراً إلى بيت المقدس حيث نُثِر على طريقه سَعَفُ النخل.

palmy [pä'mĭ; päl'-] *(adj.)* (١) كثير النخيل أو مظلَّل بالنخيل (a ~ island) (٢) مزدهر ؛ ناجح.

palmyra [păl mī'rə] *(Pg.)* البلمير: نخل طويل مِروحيّ السَّعَف.

palomino [păl'ə mē'nō] *(Sp.)* البَلُمين: فَرَسٌ عربيّ النِّجار.

palp [pălp] *(n.)* = palpus. **—palpal** *(adj.)*

palpable [păl'pə-] *(adj.)* (١) ملموس ؛ محسوس (٢) واضح ؛ صريح.

palpate [păl'pāt] *(vt.; adj.)* (١) يَجُسّ: يفحص طبيّاً باللمس § (٢) ذو مِلمس أو مَلامس (صفة للحشرة). **—palpation** *(n.)*

palpebral [păl'pə-] *(adj.)* جَفنيّ: خاص بالجفون أو واقع قربها.

palpi [păl'pī] *pl. of* palpus.

palpitant [păl'pə tənt] *(adj.)* (١) نابض ؛ خافق (٢) مرتجف.

palpitate [păl'pə-] *(vi.)* (١) يَجِب: ينبض بسرعة (٢) يرتجف.

palpitation [păl'pə tā'-] *(n)* الوجيب: خفقان القلب بسرعة وقوة.

palpus [păl'pəs] *(L.)* pl. **-pi** [-pī] المِلْمَس: عضو اللمس في فم الحشرة.

palsgrave [pôlz'grāv'] *(n.)* الأمير البلاطيّ: كونت ألمانيّ من كونتات الامبراطوريّة الرومانيّة المقدسة ذو امتيازات ملكية في مقاطعته.

palsied [pôl'zĭd] *(adj.)* (١) مشلول (٢) مصاب بالشلل الارتجافيّ.

palsy [pôl'zĭ] *(n.; vt.)* (١) شلل (٢) الشلل الارتجافي القاهر: حالة تتّسم بارتجاف الجسد أو أحد أعضائه على نحوٍ لا سبيل إلى السيطرة عليه § (٣) يَشُلّ.

palter [pôl'-] *(vi.)* (١) يراوغ (٢) يعبث (٣) يساوم (عند الشراء).

paltriness [pôl'trĭ-] *(n.)* (١) رداءة (في النوع) (٢) حقارة ؛ خِسّة (٣) تفاهة.

paltry [pôl'trĭ] *(adj.)* (١) رديء ؛ من نوع رديء (٢) حقير ؛ خسيس ؛ جدير بالازدراء (٣) تافه.

paludal [pə lōō'dəl; păl'yə-] *(adj.)* سَبِخ ؛ مُسْتَنْقَعِيّ.

paludism [păl'yə dĭz'əm] *(n.)* = malaria.

paludrine [păl'yə drēn] *(n.)* البلودرين: عقّار مقاوم للملاريا.

paly [pā'lĭ] *(adj.)* = palish.

palynology [păl ə nŏl'ə jĭ] *(n.)* البلينولوجيا: فرع من علم النبات يبحث في اللّقَح والأبواغ.

pampa [păm'pə] *(Sp.)* البَمْبَ: سهلٌ معشوشب مترامي الأطراف بأميركة الجنوبية.

pampean [păm pē'ən] *(adj.)* بَمْبِيّ: متعلق بسهول أميركة الجنوبيّة المعشوشبة أو بسكّانها الهنود.

pamper [păm'pər] *(vt.)* (١) يُدلِّل (طفلاً) (٢) يُشْبِع (رغبةً).

pampero [päm pâr'ō] *(Sp.)* البَمبير: ريح قوية غربيّة باردة تهبّ على سهول أميركة الجنوبيّة المعشوشبة.

pamphlet [păm'flĭt] *(n.)* كُرّاسة ؛ كتيِّب.

pamphleteer [păm'flə tĭr'] *(n.; vi.)* (١) الكراريسيّ: مؤلِّف الكراريس § (٢) يؤلف وينشر الكراريس.

pan [păn] *(n.; vi.; t.)* (١) مِقلاة (٢) كِفّة الميزان (٣) وعاء معدني مستدير قليل العمق لفصل الذهب، بغسْلِه، عن الأتربة (٤) «أ» غور ؛ منخفَض ؛ حوض طبيعي. «ب» حوض اصطناعي (لصنع الملح بتبخير المياه المالحة الخ.) (٥) قطعة منجرفة من الجليد المتشكّل في الخلجان وعلى الشواطىء (٦) hardpan I (٧) مخزن البارود (في بندقية قديمة) (٨) وَجه (ع) (٩) التدوير الفوتوغرافي: تدوير أو تحريك المصوِّرة السينمائية أو التلفزيونيّة عمودياً وأفقياً بغية إضفاء مسحة بنوراميّة على الصورة § (١٠) يغسل التراب والحصى الخ. في وعاء بحثاً عن الذهب الخ. (١١) «أ» يُنتج أو يعطي معدناً نفيساً من طريق الغسل في وعاء. «ب» ينجح ؛ يحالفه التوفيق (تتبعها *out*) (١٢) تدور (المصوِّرة السينمائية أو التلفزيونيّة) عمودياً وأفقياً × (١٣) يفصل (الذهبَ الخ.) عن الأتربة بغسله في وعاء (١٤) ينتقد بقسوة (١٥) يدور (المصورةَ السينمائية أو التلفزيونية) عمودياً وأفقياً.

pan [pän] *(Hin.)* (١) ورقة التَّنبول (را. betel) (٢) مَضيغة تُتَّخذ من ورق التنبول.

Pan [păn] *(n.)* بان: إلَه الغابات والمراعي والرعاة (عند الاغريق).

pan- بادئة معناها: (١) كلّ ؛ جميع (*pan*chromatic) (٢) «أ» شاملٌ جميع أجزاء مجموعة معيّنة (*Pan*-American). «ب» مؤيِّد لاتحاد مجموعة معيّنة (*Pan*-Slav) (٣) عامّ.

panacea [păn'ə sē'ə] *(L.)* الدواء العامّ: دواء لجميع الأمراض.

panache [pə năsh'; -näsh'] *(L.)* البَنّاش: حزمةٌ زينية (من ريش الخ.) تكون على خوذة.

panada [pə nä'də; -nā'-] *(Sp.)* الثَّريد: لونٌ من الطعام يشتمل على فتات خبز منقوع (chicken ~).

panama [păn'ə mä'] *(Sp.)* قبعة بناما: قبعة خفيفة من قشّ ملوَّن.

Pan-American [păn'ə mĕr'ə kən] *(adj.)* خاص بجميع بلدان أميركة الشماليّة والوسطى والجنوبيّة أو جميع شعوبها.

Pan-Americanism [-ə mĕr'ə kə nĭz'əm] *(n.)* حركة الجامعة الأميركيّة: حركة تهدف إلى إقامة تعاون أوثق بين جميع الدول الأميركيّة وبخاصة في الدفاع والتجارة والثقافة.

panatela [păn ə tĕl'ə] *(Sp.)* الباناتيلا: سيجارٌ طويل رفيع.

pancake [păn'kāk] *(n.; vi.; t.)* (١) فَطيرةٌ مُحلاّة § (٢) تَهْبيط (الطائرةِ) هبوطاً مسطّحاً × (٣) يجعل (الطائرة) تهبط هبوطاً مسطّحاً.

Pan-Cake [păn'-] *(n.)* قُرْص ذرور (بودرة) لتجميل الوجه.

pancake landing *(n.)* الهبوط المسطّح ؛ الهبوط الشمعداني (طي).

panchromatic [păn'krō măt'ĭk] *(adj.)* بانكروماتيّ: حسّاس لجميع الألوان المرئية في الطيف (~ films).

pancratium [păn krā'shĭ əm] *(L.)* البنكراتيوم: مباراة رياضية اغريقية تشتمل على الملاكمة والمصارعة معاً.

pancreas [păn'-] *(L.)* المِعْقَد (مج) ؛ البنكرياس ؛ المُعَثْكَلة (ت).

pancreatic juice *(n.)* العصارة المِعقديّة أو البنكرياسيّة (فس).

pancreatin [păn'krĭ ə tĭn] *(n.)* المِعقدين ؛ البنكراتين: مزيج خمائر من العصارة المِعقدية أو البنكرياسيّة (كح).

panda[păn'də] *(F.)* البَنْدة : حيوانٌ ثدييٌ ضخم من حيوانات التيبت شبيه بالدب.

panda

pandect [păn'děkt] *(L.)* (١) مجموعة قوانين ؛ مجلة أحكامٍ عَدلية (٢) رسالة (بحثٌ) شاملة في موضع ما.

pandemic [păn děm'ĭk] *(adj.; n.)* (١)وبائي ؛ فاشٍ §(٢) وباء. (~ malaria)

Pandemonium [păn'də mō'nĭ əm] *(L.)* (١) عاصمة الجحيم في «الفردوس المفقود» لملتن (٢) الجحيم (٣) *not cap.* : هَرْج ؛ صخب ؛ جلبة .

pander [păn'dər] *(n.; vi.)* (١) القوّاد ؛ سمسار الفاحشة . §(٢) يقود ؛ يعمل قوّاداً .

pandora [păn dōr'ə] *(n.)* (١) البَنْدور : آلة موسيقية تشبه القيثارة (٢) *cap.* : بندورا : امرأة أرسلها زيوس عقاباً للجنس البشري ، بعد سرقة بروميثيوس للنار ، وأعطاها علبةً **(Pandora's box)** ما إن فتحتها بدافع الفضول ، حتى انطلقت منها جميع الشرور والرزايا فعمّت البشر ولم يبق فيها غير الأمل(مث).

pandowdy [-dou'dĭ] *(n.)* البندودة : حلوى تُعدّ من التفاح الخ.

pandurate[păn'dyə rāt]; **panduriform**[-dyŏŏr'-] *(adj.)* كَمانيّ الشكل ؛ على شكل الكمان

pane [pān] *(n.)* (١) جزء أو قطعة أو جانب من شيء . مثل : «أ» لوح زجاجي (في نافذة أو باب). «ب» أحد جوانب الصمولة أو العزقة (٢)أحد أقسام صحيفة الطوابع البريدية.

pandurate leaf

panegyric [păn'ə jĭr'ĭk] *(L.)* مديح ؛ إطراء .

panegyrist [păn'ə jĭr'ist] *(n.)* المادح ؛ المُطْري.

panel [păn'əl] *(n.; vt.)* (١) «أ» جدول المحلّفين : جدول بأسماء المرشحين لأن يُدْعَوا للمشاركة في هيئة محلّفين . «ب» هيئة محلّفين. «ج» هيئة مستشارين . «د» جماعة من المتناقشين (على ملأ من الناس) في مسألة سياسية أو اجتماعية . «ه» مناقشة عامة . «و» ضيوف البرنامج (يشاركون في الاجابة عن ضروب من الأسئلة والأحاجيّ توجّه إليهم في برنامج من برامج التسلية الإذاعية أو التلفزيونية) (٢) لوح ؛ لوحة ؛ جزء مستقلّ أو متميز من سطح ما . مثل : «أ» جزء من الدرابزين أو السياج واقع بين عمودين . «ب» لوح الباب : أحد أجزائه المستطيلة ، عادةً ، المطوَّقة بإطار . «ج» لوح زجاجيّ في نافذة. «د» جزء من سطح ما (كجدار أو سقف الخ.) ، غائرٌ أو بارز ، مفصولٌ عن غيره بإطار . «ه» قطعة عريضة من القماش نفسه أو من قماش آخر تخاط على نحوٍ عموديّ، ابتغاء الزينة الخ، فوق تنورة المرأة . «و» إحدى الوحدات التي يتألف منها سطح جناح الطائرة (٣) «أ» قطعة خشبية رقيقة ترسم عليها صورة . «ب» صورة مرسومة على قطعة خشبية رقيقة . «ج» صورة فوتوغرافية طولية (٤) جزء من لوحة المفاتيح (الكهربائية الخ.) §(٥) يزوّد أو يزيّن بألواح أو نحوها (٦) يختار هيئة المحلفين.

panel doctor *(n.)* طبيب الجدول : طبيب مكلّف بمعالجة من يشملهم الضمان الصحي (في انكلترة) .

panel heating *(n.)* التدفئة الإشعاعية : تدفئة بيت أو حجرة بالحرارة المشعّة من أجزاء من السقف أو الأرضية أو الجدران الخ. مزوّدةٍ بموصّلات كهربائية أو أنابيب مياه حارّة .

paneling [păn'əl ĭng] *(n.)* الكُسْوة: ألواح خشبية زينية متصلة يُكْسى بها جدار الخ.

panelist [păn'əl ĭst] *(n.)* (١) عضو في هيئة مستشارين . (٢) المشترك في مناقشة عامة (٣) أحد المشاركين في برنامج إذاعيّ أو تلفزيوني قوامه طرح الأسئلة والأحاجيّ والاجابة عنها.

panel truck *(n.)* شاحنة صغيرة خفيفة مقفلة (لتسليم البضائع) .

panetela *or* **panetella** [păn'ə tĕl'ə]*(Sp.)*= panatela.

pan fish *(n.)* سمكة القلي : سمكة صغيرة صالحة للقلي كاملةً .

pang [păng] *(n.)* (١) ألم مفاجىء لاذع (٢) غصّةٌ؛ وخز .

pangenesis [păn jĕn'ə sĭs] *(L.)* شُمولية التكوين : نظرية في الوراثة من نظريات داروين تقول بأن جميع خلايا الكائن الحي تقذف جُسَيْماتٍ ناقلةً للوراثة تُطوف في أرجاء الجسد بحرية وتتوالد بالانقسام وتتجمع في بُيَيْضَات تتضمّن نتيجةً لذلك جُسَيْماتٍ مستقاةً من أجزاء الوالد كلها (أح) .

pangolin [păng gō'lĭn] *(n.)* البنغول ؛ أمّ قِرفة : حيوان من آكلات النمل جسمه مكسوٌ بقشور شبيهة بحراشف السمك .

pangolin

panhandle [păn'-] *(n.; vi.; t.)* (١) يد المقلاة (٢) لسان أرضٍ شبيهٌ بيد المقلاة (كالجزء الشمالي الغربي من ولاية أوكلاهوما)§(٣)يستجدي ؛ يستعطي.

Panhellenic [păn'hə lĕn'ĭk] *(adj.)* ذو علاقة ببلاد اليونان كلها أو باليونانيين جميعاً .

Panhellenism [păn hĕl'ə nĭz'əm] *(n.)* الجامعة اليونانية : الفكرة القائلة بتوحيد اليونانيين في ظل راية وطنية واحدة .

panic [păn'ĭk] *(adj.; n.; vt.)* (١)مسعور (driven by a ~ fear) (٢) بانيّ : منسوب إلى الإله «بان» (را. Pan) §(٣) رُعْب ؛ ذعر ؛ هلَع وبخاصة : ذعر مفاجىء لا مبرّر له مصحوب عادةً بهروب جماعي (٤) ذعرٌ ماليّ (٥) شيء مُسَلٍّ أو مضحك جداً (ع) §(٦) يُرْعب ؛ يصيب بالذعر (٧) يُمتِع النظارةَ أو ينتزع إعجابهم بِـ .

panic grass *(n.)* البَنِيك : نبات عشبيّ من النجيليات .

panicky[păn'ĭ kĭ]; **panic-stricken**[păn'ĭk-] *(adj.)* مذعور.

panicle [păn'ə kəl] *(L.)* عنقود ؛ عنقود زَهْرِي .

panicled [păn'ə kəld]; **paniculate** [pə nĭk'yə lāt'] *(adj.)* مُعَنْقَد ؛ مرتب بشكل عناقيد .

Panjabi [pŭn jä'bĭ] *(n.)* البنجابية : لغة البنجاب في الهند.

panjandrum [-jăn'-] *(n.)* شخصية ذات سلطان ؛ موظّف مُدّعٍ .

panne [păn] *(F.)* البَنّة : مخمل أو أطلس حريري .

pannier *or* **panier** [păn'yər; -ĭ ər] *(n.)* (١) سل ؛ سلّة كبيرة ؛ وبخاصة : سلّ كبير يُحمل على ظهر الحيوان أو منكبَيْ شخص (٢) «أ» طوق التنورة : طوق من مادة لدنة (لتوسيع التنورة) . «ب» التنّورة المنفوخة : تنورة موسّعة بطوق أو اكثر .

pannikin[păn'ə kĭn] *(n.)* (١) كوب معدنيّ صغير (٢) قِدر صغيرة.

panocha [pə nō'chə] *or* **panoche** [-'chĭ] *(n.)* = penuche.

panoply [păn'ə plĭ]*(Gk.)* (١) «أ» دِرْع كاملة. «ب» كسوة ؛ بزة رسمية (٢) غطاء واقٍ (٣) أبهة . **—panoplied** *(adj.)*

panorama [păn'ə răm'ə; -rä'mə] *(n.)* البانوراما : «أ» سلسلة متواصلة من الصور مرتبة في داخل أسطوانة بحيث يراها المرء من نقطة مركزية ، وقد تُعْرَض الصور أمام ناظريّ المشاهد . «ب» منظر شامل عريض ؛ منظر كامل في كل اتجاه. «ج» مشهد

دائم التغيّر. «د» نظرة شاملة إلى موضوع ما.

panoramic [păn'ə răm'ĭk] *(adj.)* بانوراميّ؛ شامل الرؤية.

panpipe [păn'pīp'] *(n.)* المِصْفار (مج): آلة موسيقية بدائية من آلات النفخ تتألف من سلسلة أنابيب متدرجة الطول.

panpipe

pansy [păn'zĭ] *(n.)* (١) زهرة الثالوث: نوع من البنفسج (٢) «أ» شاب مخنّث. «ب» شاب مصاب بالانحراف الجنسي.

pant [pănt] *(vi.; t.; n.)* (١) «أ» يلهث. «ب» يركض لاهثاً. «ج» ينفث البخار أو نحوه نفثاً شبيهاً باللهاث (٢) يتلهف؛ يتوق (She ~*ed* for revenge.) (٣) ينبض؛ يخفق ×(٤) ينطق أو يقول لاهثاً §(٥) لُهاث (٦) «أ» نبْض؛ خفَقان. «ب» نفْث.

pant- *or* panto- بادئة معناها: كلّ (*panto*logy).

pantalets *or* pantalettes [păn'tə lĕts'] *(n. pl.)* سروال تحتيّ.

pantaloon[-lōōn'] *(F.)* (١) المهرج (في تمثيلية إيمائية) (٢) *pl.*: بنطلون.

pantechnicon [păn tĕk'nə kŏn'] *(n.)* عربة أو شاحنة مقفلة.

pantheism [păn'thē ĭz'əm] *(F.)* وحدة الوجود: المذهب القائل بأن الله والطبيعة شيء واحد وبأن الكون المادي والانسان ليسا إلا مظاهر للذات الإلهية.

—pantheistic; -al *(adj.)*

pantheist [-'thē ĭst] *(n.)* الوَحْدَويّ؛ الوُجوديّ: القائل بوحدة الوجود.

pantheon [păn'thĭ ŏn'] *(Gk.)* البانثيون: «أ» هيكل مكرّس لجميع الآلهة. «ب» مدفن عظماء الأمة. «ج» آلهة شعبٍ ما.

panther [păn'thər] *(n.)* (١) النَّمِر (٢) الكُوجَر: الأسد الأميركي (٣) اليَغْوَر (را. jaguar).

pantie *or* panty [păn'tĭ] *(n.)* سروال تحتيّ قصير (للنسوة والأطفال، وترد اللفظة بصيغة الجمع عادةً).

pantie girdle *(n.)* مِشدّ نِسويّ.

pantiles

pantile [păn'tīl'] *(n.)* قِرميد مُمَوَّج متراكب.

pantofle [păn'tə fəl] *(F.)* بابوج؛ خُفّ.

pantograph [păn'tə grăf'] *(n.)* المِنساخ (مج)؛ البنتوغراف: أداة لنسخ التصاميم والرسوم البيانية مكبَّرة أو مصغَّرة.

pantology [păn tŏl'ə jĭ] *(n.)* نظرة نظامية إلى المعارف البشرية برمّتها.

pantomime [păn'tə mīm'] *(n.; vt.; i.)* (١) ممثل في مسرحية إيمائية (في رومة القديمة) (٢) الايمائية: مسرحية يعبّر فيها المثلون عما يريدون بالاشارات (٣) فنّ التمثيل الإيمائي §(٤) يمثّل إيمائياً.

pantomimic[-'tə mĭm'ĭk] *(adj.)* إيمائيّ: خاص بالتمثيل الإيمائي.

pantomimist [păn'tə mī'-] *(n.)* الممثل في إيمائية أو واضعها.

pantoscope[păn'-] *(n.)* (١) كاميرا بانورامية (٢) عدسة عريضة الزاوية.

pantoscopic [păn tə skŏp'ĭk] *(adj.)* بانوراميّ؛ شامل الرؤية.

pantropic [păn trŏp'ĭk] *(adj.)* حادثٌ أو موزّع في طول المناطق الاستوائية وعرضها.

pantry [păn'-] *(n.)* (١) حجرة (أو خزانة) تحفظ فيها المؤن وأدوات المائدة الفضية والخزفية والزجاجية (٢) حجرة لإعداد الأطعمة الباردة.

pants [pănts] *(n.pl.)* (١) بِنطال؛ بنطلون (٢) سروال تحتيّ رجاليّ قصير (٣) pantie.

pantywaist [pănt'ĭ wāst] *(n.)* (١) بنطلون طفليّ يتصل بصُدرة (بواسطة الأزرار) (٢) شاب أو غلام مخنّث.

panzer [păn'zər] *(n.; adj.)* (١) دبابة §(٢) مدرّع.

panzer division *(n.)* فرقة ألمانية مدرّعة.

pap [păp] *(n.)* (١) حَلَمة الثدي (٢) شيء كالحلمة (٣) طعام ليّن للأطفال والمرضى (٤) «أ» رعاية سياسية. «ب» أرباح أو امتيازات تُكتسب من طريق الرعاية الرسمية (٥) شيء تافه أو فارغ.

papa [pä'pə; pə pä'] *(n.)* أبٌ (بلغة الأطفال).

papacy [pā'pə sĭ] *(n.)* (١) منصب البابا (٢) جماعة الباباوات المتعاقبة (٣) مدة ولاية البابا (٤) *cap.*: البابوية: نظام الحكم في الكنيسة الرومانية الكاثوليكية الذي يعتبَر البابا رأسه الأعلى.

papal [pā'pəl] *(adj.)* بابويّ: خاصّ بالبابا أو بالكنيسة الكاثوليكية.

papaveraceous [pə păv'ə rā'shəs] *(adj.)* خشخاشيّ (نب).

papaverine [-'ə rēn'] *(n.)* الخشخاشين: مادة مشتقة من الأفيون.

papaw [pô'pô] *(Sp.)* (١) البَبْو: شجر شمالأميركي ذو زهرات أرجوانية وثمر أصفر يؤكل (٢) ثمر البَبْو.

papaya [pə pä'yə] *(Sp.)* (١) البَبّايا: شجر أميركي استوائيّ من فصيلة الببّاياوات ذو ثمر أصفر ضخم مستطيل (٢) ثمر البَبّايا.

papaya

paper [pā'pər] *(n.; vt.; i.; adj.)* (١) «أ» ورق. «ب» ورقة (٢) وثيقة (٣) مقالة؛ بحث (٤) ورقة أو حافظة ورقية تحتوي على عدد معيّن من كذا (a ~ of pins) (٥) صحيفة؛ جريدة (٦) ورق الجدران: ورق زينيّ تكسى به جدران الغرفة (٧) «أ» بطاقات؛ وبخاصة: بطاقات مجانية. «ب» من يسمح لهم بالدخول مجاناً (إلى حفلة مسرحية الخ.) (٨) الأوراق المالية من حوالات وشيكات الخ. §(٩) يلفّ أو يغلّف بالورق (١٠) يورّق: يكسو أو يزيّن (جداراً) بالورق (١١) يملأ (مسرحاً) بمنح البطاقات المجانية ×(١٢) يعلّق ورق الجدران §(١٣) ورقيّ (١٤) مكتوب أو مطبوع على الورق (١٥) ورقيّ الغلاف (~ books) (١٦) اسميّ؛ نظريّ؛ وهميّ (~ profits) (١٧) أكثره مُدخَل مجاناً (~ audience).

~ warfare حرب الأقلام؛ حربٌ سلاحها القلم.

to send in one's ~*s* يستقيل.

paperback [pā'pər băk'] *(n.; adj.)* (١) كتاب ورقيّ الغلاف §(٢) ورقيّ الغلاف.

paper birch *(n.)* التامول الأميركي: شجر طويل ثمين الخشب.

paperboard[pā'-] *(n.; adj.)* (١) كرتون؛ ورق مقوّى §(٢) كرتونيّ.

paperbound [pā'-] *(adj.)* ورقيّ الغلاف (~ books).

paper chase *(n.)* = hare and hounds.

paper cutter *(n.)* (١) paper knife (٢) مِقطع ورق (في مطبعة).

paper hanger *(n.)* مورّق الجدران (بالورق الزينيّ).

paper hanging *(n.)* التوريق: كسوة جدران الغرف بورق زينيّ.

paper hangings *(n.pl.)* ورق الجدران (را. paper 6).

paperiness[pā'-] *(n.)* الورَقانية: كون الشيء كالورق رقّةً أو قواماً.

paper knife *(n.)* (١) قطّاعة الورق: شبه مُدْية صغيرة معدنية أو عاجية ذات حدّين كليلين تُفتح بها ظروف الرسائل وصفحات الكتب والمجلات (٢) شفرة مِقطع الورق (في مطبعة).

paper money *(n.)* (١) أوراق النقد (٢) الأوراق المالية (شيكات الخ.)

paper mulberry *(n.)* توت الورق: شجر يُتّخذ من لحائه ورق.

paperweight [pā'pər wāt'] *(n.)* المُثقَّلة (مج): شيء يوضع على الأوراق لمنعها من التطاير.

paper work *(n.)* العمل الورَقيّ: كتابة أو مراجعة تقارير الجيش والمقالات والامتحانات المدرسية الخ.

papery [pā'-] *(adj.)* ورَقانيّ: شبيه بالورق في رقّته أو قوامه.

papeterie [păp'ə trĭ] *(F.)* المورَقة: صندوق زينيّ للأوراق وغيرها من أدوات الكتابة.

Paphian [pā'fĭ ən] *(adj.; n.)* (١) بافوسي : ذو علاقة بـ«بافوس» وهي مدينة قبرصية قديمة كانت مركزاً لعبادة أفروديت (٢) خليع ؛ فاجر § (٣) البافوسي : أحد أبناء بافوس (٤) *not cap.* : بغي ؛ مومس.

papier collé [pȧ pyĕ' kô lĕ'] *(F.)* = collage.

papier-mâché [pā'pər mə shā'; pȧ pyĕ'mȧ shĕ'] *(F.)* الورق المعجّن ؛ الورق الملْكُوك : مادة صُلْبة مصنوعة من عجينة الورق ممزوجة بالغراء وغيره من المواد الدبقة .

papilionaceous [pə pĭl'ĭ ə nā'shəs] *(adj.)* (١) مفيرش ؛ فراشي ؛ شبيهٌ بالفراشة (٢) leguminous .

papilla [pə pĭl'ə] *(L.)* pl. **-e** [-'ē] حُلَيْمَة ؛ حَلَمة صغيرة .

papillary; papillate; papillose [păp'-] *(adj.)* حُلَيْمِيّ .

papilloma [păp'ə lō'mə] *(n.)* pl. **-s** *or* **-ta** ورمٌ حُلَيْمِيّ .

papillon [păp'ə lŏn'] *(F.)* كلبٌ صغير (يُعْنَى به ويُدلَّل) .

papillote [păp'ə lōt'] *(F.)* (١) قُصاصة ورق لتجعيد الشعر . (٢) قصاصة ورق مزيّنة تُلفّ بها « الكستلاتة » عند طهوها .

papist [pā'pĭst] *(n.)* البابويّ : شخص كاثوليكيّ المذهب .

papistry [pā'pĭs trĭ] *(n.)* الكثلكة (تُستعمل استخفافاً وازدراءً) .

papoose [pă po͞os'] *(n.)* البابوس : طفل هندي شمالأميركي أحمر .

pappose [păp'ōs] ; **pappous** [-'əs] *(adj.)* فَبّوسي أو مُفَبّس .

pappus [păp'əs] *(n.)* pl. **pappi** [păp'ī] الفَبّوس : زائدة أو مجموعة زوائد تُتوّج المبيض أو الثمرة في بعض النبات .

paprika [pă prē'kə] *(n.)* فلفل حُلْو .

papular [păp'yə lər] *(adj.)* حَطاطيّ ؛ بَثْريّ .

papule [păp'ūl] *(L.)* حَطاطة ؛ بَثْرة .

papyrus [pə pī'-] *(L.)* pl. **-ruses** *or* **-ri** (١) البَرْديّ (نب) . (٢) ورق البَرْدي المُتّخذ للكتابة (٣) «أ» شيء مكتوب على ورق البردي . «ب» دَرْج من ورق البردي يحمل كلاماً مكتوباً .

par [pär] *(L.)* (١) سِعر التكافؤ (بين عملتين) : القيمة الرسمية لوحدة النقد في بلدٍ ما معبّراً عنها بوحدة النقد في بلد آخر يستعمل المعدن نفسَهُ كمقياس للقيمة . وأصل التعبير mint par of exchange (٢) القيمة الاسمية ؛ سعر الإصدار (السعر المحدّد للسندات عند إصدارها ويدعى ايضاً par value) (٣) تساوٍ ؛ تكافؤ (Gains and losses are on a ~) (٤) معدّل ، متوسط .

above ~ (١) بأعلى من القيمة الاسمية أو السعر الأصلي (٢) فوق المعدل (من حيث العافية أو الصحة بخاصة).

at ~, بالقيمة الاسمية أو السعر الأصلي .

below *or* under ~ (١) بأقلّ من القيمة الاسمية أو السعر الأصلي (٢) دون المعدّل (من حيث الصحة بخاصة).

para [pä rä'] *(n.)* البارة : «أ» وحدة نقدية تركية (جزء من أربعة آلاف جزء من الليرة) . «ب» جزء من مئة من الدينار اليوغوسلافي .

para- *or* **par-** بادئة معناها : «أ» بجانب ؛ بمحاذاة *(para-thyroid)* «ب» شاذ ؛ غير سويّ *(paresthesia)* «ج» نظير ؛ شديد الشبه بـ *(paratyphoid)* . «د» مِظلّة ؛ باراشوت *(paratrooper)* .

parabiosis [păr'ə bī ō'sĭs] *(L.)* الاتحاد التشريحي والفسيولوجي (بين متعضّيين) .

parable [pâr'-] *(n.)* مَثَل أو حكايةٌ رمزيّة ذات مغزى أخلاقيّ .

parabola [pə răb'ə lə] *(L.)* القَطْع المُكافىء (هن) .

parabolic [păr'ə bŏl'ĭk] *(adj.)* قَطعي مُكافىء (هن) .

paraboloid [pə răb'ə loid'] *(n.)* الجسم المكافىء الدورانيّ (هن) .

parachute [păr'ə sho͞ot'] *(n.; vt.; i.)* (١) باراشوت ؛ مِظلّة هبوط (طي) § (٢) ينْزل (جنوداً أو معدّات) بالباراشوت × (٣) يهْبط بالباراشوت .

parachute

—parachutic *(adj.)*

parachutist [-ĭst] *(n.)* المِظلّيّ : جنديّ مِظلّة الهبوط أو الباراشوت .

Paraclete [-'ə klēt'] *(n.)* البارَقليط ؛ المُعزّي : لقب الروح القدس .

parade [pə rād'] *(n.; vt.; i.)* (١) عَرْض ؛ إظهار للبراعة أو القوة أو الثروة الخ. (٢) «أ» استعراض عسكري . «ب» موضع يقام فيه هذا الاستعراض (٣) موكب (٤) «أ» متنزه . «ب» جماعة المتنزهين § (٥) يستعرض (الجند) (٦) يَعْرِض بتباهٍ (to ~ one's skill) × (٧) يمشي في موكب (٨) يصطفّ (الجندُ) للاستعراض (٩) يتنزه .

paradigm [păr'ə dĭm] *(L.)* (١) مثال ؛ نموذج (٢) مجموع الصيغ الصرفيّة لجذر معيّن (ل) .

paradisaic; -al [păr'ə dĭ sā'-] *(adj.)* = paradisiacal.

paradisal [păr ə dī'səl] *(adj.)* = paradisiacal.

paradise [păr'ə dīs'] *(n.)* (١) الجنّة ؛ جنّة عَدْن (٢) فردوس .

paradisiacal [-dĭ sī'ə kəl] *or* **paradisiac** [-dĭs'ĭ ăk'] *(adj.)* (١) فردوسيّ (٢) شبيه بالجنّة .

paradox [păr'ə dŏks'] *(L.)* (١) العبارة المُوهِمة للتناقض : عبارة متناقضة ظاهريّاً أو مناقضة للعقل ومع ذلك فإنها قد تكون صحيحة (٢) العبارة المُوهِمة للصحة : عبارة منطوية على تناقض ذاتيّ تبدو ، لأول وهلة ، صحيحة (٣) الظاهريّ التناقض : كلّ ذي صفات متناقضة ظاهريّاً (٤) مفارقة .

—paradoxical *(adj.)*

paraesthesia [păr'əs thē'zhə; -zĭ ə] *(n.)* = paresthesia.

paraffin [păr'ə fĭn] *(n.; vt.)* (١) البارافين : مادة دهنية تستخرج من الخشب والفحم الحجري والبترول وتُستعمل في صنع الشموع (٢) الكيروسين (بر) § (٣) يكسو أو يُشبِّع بالبارافين .

paragenesis [păr'ə jĕn'ə sĭs] *(L.)* النشوء الاحتكاكي : نشوء المعادن على نحوٍ احتكاكيّ بحيث يؤثّر بعضها في تكوين بعضها الآخر .

paragon [păr'ə gŏn'] *(n.)* (١) مثال ؛ نموذج (٢) «أ» ماسة مثالية أو بالغةٌ حدّ الكمال (من مئة قيراط فما فوق) . «ب» لؤلؤة كاملة التكوّر ضخمة إلى حد استثنائي .

paragraph [păr'ə grăf'; -gräf'] *(n.; vt.; i.)* (١) «أ» فِقرة . «ب» كلمة أو مقالة قصيرة (في صحيفة يومية) (٢) علامة مثل (¶) تشير إلى بدء الفقرة § (٣) يفقّر : يقسّم إلى فقرات × (٤) يفقّر : يكتب المقالات القصيرة (في جريدة الخ.) .

paragrapher [păr'ə grăf'ər; -gräf'ər] *(n.)* المُفقّر : كاتب المقالات القصيرة وبخاصة لصفحة الافتتاحيات (صح) .

parakeet [păr'ə kēt'] *(n.)* = parrakeet.

paraldehyde [pə răl'də hīd'] *(n.)* البارالديهايد (ك) .

parallactic [păr'ə lăk'tĭk] *(adj.)* اختلافيمنظري : متعلّق باختلاف المنظر (را. المادة التالية) .

parallax [păr'ə lăks'] *(F.)* اختلاف المنظر (مج) ؛ تغيّر ظاهريّ في موقع الشيء ، وبخاصة الجرم السماوي ، المنظور ، بسبب من التغيّر أو الاختلاف في مكان الناظر .

parallax error *(n.)* خطأ الاختلاف المنظري (را. المادة السابقة) .

parallel [păr'ə lĕl'] *(adj.; n.; vt.)* (١) متوازٍ (٢) موازٍ . (٣) متماثل ؛ متطابق § (٤) خط أو منحنٍ أو سطحٌ موازٍ

(٥) المتوازيان : علامة مطبعية (॥) توضع في متن الصفحة للفت النظر إلى هامش مسبوقٍ بعلامة مماثلة (٦)«أ» النظير ؛ المثيل؛ النِّدّ (without ~ in modern times) . «ب» شَبَه ؛ تَماثُل (٧) تواز §(٨) يقارن (٩) «أ» يشابه ؛ يضارع . «ب» يُطابِق؛ يكون مطابقاً لِـ(١٠)يجعله موازياً لِـ(١١)يحاذي؛ يجري في خطٍ موازٍ لِـ(.The canal ~s the railroad) . خطوطُ العرض (جغ) . ~s of latitude

parallel bars

parallel bars *(n. pl.)* . المتوازيان (رب).

parallelepiped [păr'ə lĕl'ə pī'pĭd] *(Gk.)* متوازي السطوح : موشور سُداسيّ ذو أوجهٍ متوازية الأضلاع .

parallel forces *(n. pl.)* . القوى المتوازية (مك) .

parallelism [păr'ə lĕl'ĭz əm] *(n.)* (١) تَوازٍ ؛ موازاة (٢) شَبَه ؛ تَطابُق (٣) نظرية التوازي : نظرية تقول بأن العمليات العقلية والجسدية متلازمة ، وأن أحدها يتغيّر بتغيّر الآخر ، ولكن من غير أن يكون بين سلسلتَيْ التغير أية علاقة سببيّة (فف) .

parallelogram [păr'ə lĕl'ə grăm'] *(L.)* متوازي الأضلاع (هن) .

parallelogram

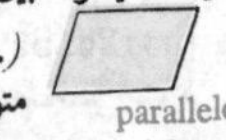

paralogism [pə răl'ə jĭz'əm] *(n.)* مغالطة ؛ قياس فاسد (مق) .

paralysis [pə răl'ə sĭs] *(L.)* (١) شَلَل (٢) عَجْز (٣) ركود.

paralysis agitans [ăj'ə tănz'] *(L.)* . الشلل الرُّعاشيّ ؛ الشلل الهازّ.

paralytic [păr'ə lĭt'ĭk] *(adj.; n.)* (١)شَلَليّ (٢)أشلّ ؛ مشلول. (٣) شالّ : نزّاع إلى إحداث الشلل §(٤) الأشلّ ؛ المشلول .

paralyzation [-ə lə zā'-] *(n.)* (١) شَلَل (٢)شَلّ (٣) تعطيل.

paralyze [păr'ə līz'] *(vt.)* (١) يَشُلّ (٢) يُشَدِّه ؛ يَصْعَق.

paramagnet [păr'ə măg'nĭt] *(n.)* متوازي المغنطيسية : جسمٌ (أو مادةٌ) متوازي المغنطيسية (را . المادة التالية) .

paramagnetic [păr'ə măg nĕt'ĭk] *(adj.)* متوازي المغنطيسية : قابلٌ للمَغْنَطَة مثلَ الحديد ولكن إلى درجة أضعف بكثير (كالألومنيوم والبلاتين) .

paramatta [păr'ə măt'ə] *(n.)* البَرْمَتيّ : نسيج رقيق من حرير وصوف أو من قطنٍ وصوف .

paramnesia [păr ăm nē'zhə] *(L.)* اعتلال الذاكرة : حالة يتعذّر معها تذكّر معاني الكلمات الحقيقيّة .

paramorphic *or* **paramorphous** [păr'ə môr'-] *(adj.)* تَحَوُّليّ تبلّريّ : متعلّق بالتحوّل التبلّري (را . المادة التالية) .

paramorphism [păr ə môr'fĭz əm] *(n.)* التحوّل التبلّريّ : تحوّل نوع من الأنواع المعدنية إلى آخر بسبب تغيّر في البِنية التبلرية لا في التركيب الكيميائي .

paramount [păr'ə mount'] *(adj.; n.)* (١) أسمى ؛ أعلى ؛ أعظم (a duty ~ to all) (٢) ذو سلطة عليا §(٣) حاكم أعلى .

paramour [păr'ə mŏŏr'] *(n.)* (١) خليل ؛ عشيق (٢) خليلة .

parang [pä'răng] *(n.)* سيف (أو مدية أو ساطور) قصير .

paranoia [păr'ə noi'ə] *(L.)* (١)«أ» جنون الاضطهاد. «ب» جنون العظمة (٢) جنون الارتياب : نزعة عند الأفراد والجماعات تجعلهم شديدي الشك والارتياب في الآخرين.

—paranoiac *(adj.; n.)*

paranormal [-nôr'məl] *(adj.)* خارق : متعذّرٌ تعليلُه علمياً .

paranymph [păr'ə-] *(L.)* (١)اشبين العريس (٢)اشبينة العروس.

parapet [păr'-] *(It.)* (١)متراس (٢)حاجز السقف أو الجسر أو الشرفة.

paraph [păr'əf] *(n.)* الباراف : شكل مؤلف من خطوط أنيقة يُختم بها التوقيع (دفعاً للتزوير) .

paraphernalia [păr'ə fər nāl'yə] *(L.)* (١) ممتلكات الزوجة الشخصية (التي يجيز القانون أن تورّثها بوصية أو أن تتخلّى عنها في حياتها) (٢) ممتلكات شخصية (٣) أدوات ؛ معدّات .

paraphrase [păr'ə frāz'] *(n.; vt.; i.)* (١) إعادة السبك : صياغة جديدة لنصّ أو مقطوعة يقدّم فيها المعنى بألفاظ مختلفة (على سبيل التوضيح الخ.) §(٢) يعيد السبك أو الصياغة (بألفاظ أخرى مع المحافظة على المعنى).

—paraphraser *(n.)*.

paraphrastic [păr'ə frăs'tĭk] *(adj.)* . تفسيري ؛ شَرْحي ؛ تأويلي .

paraphysis [pə răf'ə sĭs] *(L.)* pl. **-ses** . الخيط البَوْغي (نب) .

paraplegia [păr'ə plē'jĭ ə] *(L.)* الكُساحة : شَلَل يصيب النصف السفليّ من الجسد .

parapsychology [păr'e sī kŏl'ə jĭ] *(n.)* فرع من علم النفس يبحث في التخاطر (را. telepathy) وما أشبه .

parasang [păr'ə săng'] *(Per.)* الفَرْسَخ : وحدة قياس فارسيّة قديمة تعادل ٤ أميال تقريباً .

paraselene [păr'ə sĭ lē'nĭ] *(L.)* pl. **-nae** [-nē] . القمر الكاذب.

parasite [păr'ə sīt'] *(n.)* (١) الطُّفَيْلي : «أ» من يَغْشَى موائد الأثرياء من غير أن يدعى إليها ، ويكسب رزقه بالتملق. «ب»حيوان أو نبات متطفل على حيوان أو نبات آخر (٢) العالة (على غيره) .

parasitic *also* **parasitical** [păr'ə sĭt'-] *(adj.)* . طُفَيْليّ .

parasiticidal [păr ə sĭt ə sīd'əl] *(adj.)* . مُبيد للطّفيليات .

parasiticide [-'ə sīd'] *(n.)* . مُبيد الطفيليات : مادةٌ مبيدة للطفيليات .

parasitism [păr'ə sī'tĭz əm] *(n.)* : (١) التطفّل (٢) الطفيليّة : العلاقة القائمة بين الطفيلي والحيوان أو النبات الذي يعيش (الطفيليّ) عالةً عليه (٣) parasitosis.

parasitize [păr'ə sĭ tīz] *(vt.)* . يتطفل على ؛ يعيش عالةً على .

parasitology [păr ə sĭ tŏl'ə jĭ] *(n.)* . علم الطفيليات .

parasitosis [păr ə sĭ'tō'sĭs] *(n.)* الداء الطُّفَيْليّ : داءٌ ناشىء عن الطفيليات .

parasol [păr'ə sôl'] *(F.)* البارَسُول : «أ» مِظلّة خفيفة للوقاية من الشمس (للنساء خاصةً) . «ب» طائرة أُحادية السطح ذات جناحين مرتفعين الى ما فوق رأس الملاّح لتمكينه من رؤية الأرض .

parasympathetic [păr'ə sĭm'pə thĕt'ĭk] *(adj.)* نظير الوُدّيّ ؛ نظير السمبثاوي (ت) .

parasympathetic nervous system *(n.)* الجهاز العصبيّ نظيرُ الوُدّيّ ؛ الجهاز العصبيّ نظيرُ السمبثاوي (ت) .

parasynthesis [păr'ə sĭn'thə sĭs] *(L.)* تكوين الكلمات بالاشتقاق والتركيب معاً (كما في قولك denationalize) .

parataxis [-tăk'sĭs] *(L.)* الإرداف : إتباع الجملة بالجملة أو الكلمة بالكلمة من غير أداة ربط تَصِل ما بينهما أو تفسّر العلاقة بينهما .

parathion [păr ə thī'ən] *(n.)* . مُبيدٌ للحشرات شديد السّميّة .

parathyroid [păr'ə thī'roid] *(adj.)* جَنْبْدَرَقي : خاصّ بالغدة الجَنْبْدَرَقية أو ناشىء عنها (نب) .

parathyroid gland *(n.)* الغدّة الجَنْبْدَرَقية ؛ جارةُ الدَّرَق : إحدى أربع غُدَدٍ صُمّ صغيرة مجاورة للغدّة الدَّرَقية أو دفينة فيها.

paratroop [păr'ə trōōp] *(adj.)* . مِظَلّيّ : خاصّ بجند المِظلات .

paratrooper [-'ə trōō'pər] *(n.)* المِظَلّيّ : واحدٌ من جند المِظلاّت .

paratroops [păr'ə-] *(n. pl.)* . المِظلّيّون ؛ جند المِظلاّت ؛ مشاة الجوّ.

paratyphoid [păr'ə tī'foid] *(adj.; n.)* (١) «أ» شبيهٌ بحمّى التيفوئيد . «ب» باراتيفوئيديّ : خاصّ بالباراتيفوئيد أو بالمتعضّيات المسبِّبة لها §(٢) الباراتيفوئيد ؛ الحمّى نظيرةُ التيفية.

paravane [păr'ə vān'] *(n.)* . جرّافة الألغام (في البحار) .

ă at; ā date; â care; ä car; ĕ egg; ē me; ĭ in; ī bite; ŏ lot; ō bone; ô orphan; oi boil ŏŏ good; ōō boot; ou out; ŭ under; ū unity; û urgent; th thing; ṯẖ this; zh vision; ə = *a* in alone, *e* in system, *i* in easily, *o* in gallop, *u* in circus.

par avion [pȧr ȧ vyôn'] *(F.)* بالطائرة ؛ بالبريد الجوّي .

parboil [pär'-] *(vt.)* (١) يَسلق (٢) تَسفَع (الشمسُ) الوجه .

parbuckle [pär'bŭk'əl] *(n.; vt.)* (١) الأنشوطة المزدوجة (لرفع أو خفض البراميل أو المدافع) §(٢)يرفع أو يخفض بأنشوطة مزدوجة.

parcel [pär'səl] *(n.; vt.; adj.; adv.)* (١) قِسم ؛ جزء ؛ قطعة. (٢) قطعة أرض (٣) مجموعة (٤) «أ» رزمة ؛ طَرْد . «ب» علبة ؛ «باكيت» (٥) parceling 2 §(٦) يقسّم ؛ يوزّع (٧) يلفّ ؛ يرزم (٨) يكسو (حبلاً) بقطع من الخيش مستطيلة §(٩) جزئي §(١٠) جزئياً .

parceling *or* **parcelling** [pär'-] *(n.)* (١) «أ» تقسيم ؛ توزيع . «ب» رَزْم (٢) «أ» تغطية شقوق ألواح المركب (بعد سدّها) بسيور من الخيش ثم تقييرها . «ب» سيور من خيش مطليّ بالقطران يلفّ بها الحبل وقايةً له من الرطوبة .

parcel post *(n.)* (١) دائرة الطرود البريدية (٢) طرود بريدية .

parcenary [pär'sə nĕr'ĭ] *(n.)* شَركة في الإرث .

parcener [pär'sə nər] *(n.)* شريك في الإرث .

parch [pärch] *(vt.; i.)* (١) يحمص تحميصاً خفيفاً (٢) يجفف . (٣) يُظمِىء ؛ يُعطِش ×(٤) يَجِف (٥) يَظمأ .

parcheesi [pär chē'zĭ] *(Hin.)* = pachisi.

parchment [pärch'mənt] *(n.)* (١) رَق (٢) البرشمان : ورق نفيس شبيه بالرقوق (٣) «أ» مخطوطة رقّية . «ب» شهادة جامعيّة .

pard [pärd] *(n.)* (١) نمِر (ا.ق) (٢) رفيق ؛ صديق (ع) .

pardner [pärd'nər] *(n.)* رفيق ؛ صديق (ع) .

pardon [pär'dən] *(n.; vt.)* (١) «أ» عَفْو . «ب» مغفرة إلهية . (٢) غفران (تمنحه الكنيسة الكاثوليكية) (٣) صَفْح ؛ مسامحة §(٤) «أ» يعفو عن . «ب» يغفر لـ (٥) يصفح عن ؛ يسامح .
I beg your ~; ~ me! عفواً! معذرة! لم أسمعْ ما قلتَ .

pardonable [pär'-] *(adj.)* ممكنٌ اغتفارُه أو الصفح عنه .

pardoner [pär'dən ər] *(n.)* (١) بائع الغفران : مبشّر من مبشّري القرون الوسطى يجمع الأموال للأغراض الدينية من طريق منح صكوك للغفران صادرة عن البابا (٢) الغافر ؛ الصافح .

pare [pâr] *(vt.)* (١) يقشّر (٢) «أ» يكشُط ؛ يبري . «ب» يقلّم ؛ يُشذِّب (٣) يخفّض تدريجياً (~*d* down her expenses) .

paregoric [păr'ə gôr'ĭk] *(n.; adj.)* (١) صِبغُ الأفيون الكافوري (لتسكين الألم) (٢) عقّار مسكّن للألم §(٣) مسكّن للألم .

parenchyma [pə rĕng'kĭ mə] *(L.)* ؛ البرنشيمة ؛ اللُّحمة ؛ النسيج الحشوي : نسيج مؤلَّف من خلايا حيّة تسمى خلايا اللُّحمة .
—parenchymatous; parenchymal *(adj.)*

parent [pâr'ənt] *(n.)* (١) أبٌ أو أمّ (٢) أصل ؛ مصدر ؛ سبب .

parentage [pâr'ən tĭj] *(n.)* (١) «أ» نَسَب . «ب» أصل (٢) أُبوّة .

parental [pə rĕn'təl] *(adj.)* أبويّ ؛ والدي .

parenteral [păr ĕn'tər əl] *(adj.)* غير مِعَويّ ؛ وبخاصة : لامريئيّ : مأخوذ من غير طريق المريء أو الامعاء .

parenthesis [pə rĕn'thə sĭs] *(L.)* pl. **-ses** [-sēz'] (١) كلمة أو جملة معترضة (توضع بين قاطعتين أو فاصلتين أو هلالين) (٢) فترة فاصلة (٣) هلال أو هلالان : ( ) .

parenthesize [-sīz'] *(vt.)* يهلّل : يحصُر (كلمةً الخ.) بين هلالين .

parenthetic; -al [păr'ən thĕt'-] *(adj.)* (١) خاصّ بجملة معترضة (٢) محصور بين هلالين (٣) معترِض ؛ ثانويّ (~ remarks) .

parenthood [pâr'ənt hŏŏd'] *(n.)* أبوّة ؛ والديّة .

paresis [pə rē'sĭs; păr'ə sĭs] *(L.)* (١) الخَدَل ؛ الشُّلال : شللٌ طفيفٌ أو جزئيّ (٢) general paralysis .

paresthesia [păr'əs thē'zhə] *(L.)* تشوّش الحسّ : إحساس بالخدَر أو التنمّل أو الحِكّة من غير سبب ظاهر .

paretic [pə rĕt'ĭk] *(adj.; n.)* (١) خَدَليّ ؛ شُلاليّ §(٢) المخذول : المصاب بالخذل .

pareve [pär ə vä'] *(adj.)* مُعَدّ بدون حليب أو لحم أو مشتقاتهما .

par excellence [pär ĕk'sə läns'] *(F.)* رقم واحد ؛ غير منازَع .

par exemple [pȧr ĕg zän'pl] *(F.)* مثلاً ؛ على سبيل المثال .

parfait [pär fā'] *(F.)* البارفية : حلوى مثلّجة تعدّ من كريما وبيض .

parfleche [pär'flĕsh] *(n.)* (١) جلد الماشية غير المدبوغ ينقع بمحلول القِلْيِ لإزالة الصوف عنه ثم يجفّف (٢) شيء مصنوع منه .

parget [pär'jĭt] *(n.; vt.)* (١) جص (٢) زخرف جِصّيّ للجدران . §(٣) يجصّص ؛ وبخاصة : يكسو (جداراً) بجِصّ تزييني .

parhelic circle [pär hē'lĭk] *(n.)* الدائرة الشُّمَيْسيّة (فل) .

parhelion [-hē'lĭ ən] *(L.)* pl. **-lia** الشُّمَيْسة ؛ الشمس الكاذبة .

pariah [pə rī'ə; pä'rĭ ə] *(n.)* (١) المنبوذ : عضوٌ في طبقة اجتماعية دُنيا في بورما وجنوبي الهند (٢) شخص منبوذ .

pariah dog *(n.)* كلب الطرقات : كلبٌ هجينٌ لا مالكَ له .

parian [pâr'ĭ ən] *(adj.)* باروسيّ : «أ» *cap.* : منسوب إلى جزيرة باروس اليونانية الشهيرة برخامها . «ب» متعلق بالخزف الأبيض .

paries [pâr'ĭ ēz'] *(n.)* pl. **parietes**. الجدار : جدار عضوٍ أجوف .

parietal [pə rī'ə təl] *(adj.)* (١) جداريّ : «أ» خاص بجدران عضوٍ أو تجويف . «ب» خاص بجدار الرأس الخلفيّ الأعلى . «ج» متصل بالجدار الرئيسيّ للمبيض (٢) داخليّ : خاصّ بالحياة ضمن جدران الكليّة أو تنظيمها (~ rules) .

parietal bone *(n.)* العظم الجِداري (في الجمجمة) .

pari-mutuel [păr'ĭ mū'chŏŏ əl] *(n.)* (١) الرهان المشترَك : مراهنة على الخيل يقتسم فيها المراهقون على الجواد الرابح جميع المبالغ المراهن بها (بعد إسقاط نسبة مئوية معيّنة لتغطية النفقات والضرائب الخ.) (٢) ماكينة الرهان المشترك (تسجّل بواسطتها مبالغه) .

paring [pâr'ĭng] *(n.)* (١) «أ» تقشير . «ب» تقليم ؛ تشذيب . (٢) قُشارة ؛ قُلامة (potato ~*s*; nail ~*s*) .

paring chisel *(n.)* إزميل قَشْر .

pari passu [pâr'ī pӑs'ŏŏ; păr'ĭ] *(L.)* (١) بخطىً متساوية ؛ بسرعة متساوية ؛ جنباً إلى جنب (٢) بنسبة أو درجة واحدة .

Paris green *(n.)* (١) أخضر باريس : صِبغٌ ذُروريّ أخضر زاهٍ شديد السُّميّة يستعمل قاتلاً للحشرات (٢) لون أخضر مصفرّ .

parish [păr'ĭsh] *(n.)* (١) «أ» أبرشية . «ب» أبناء الأبرشية . (٢) الدائرة : إحدى وحدات التقسيم الاقليمي الاداري في انكلترة .
to go on the ~, يتلقى الإعانة المالية من صندوق الأبرشيّة .

parishioner [pə rĭsh'ən ər] *(n.)* الأبرشيّ : أحد أبناء أبرشية ما .

Parisian [pə rĭz'ĭ ən] *(n.; adj.)* (١) الباريسيّ §(٢) باريسيّ .

parity [păr'ə tĭ] *(n.)* (١) تَساوٍ ؛ تكافؤ (٢) تماثُل ؛ شَبَه . (٣) تعادُل القيمة : تعادلٌ في القوّة الشرائيّة ، بنسبةٍ ثابتة تحدَّد بقانون ، بين عملات البلدان المختلفة (إد) (٤) «أ» الإنجابية : كونُ المرء قد أنجب أولاداً . «ب» عدد هؤلاء الأولاد .

park [pärk] *(n.; vt.; i.)* (١) أرض مسيّجة مخصَّصة لصيد الطرائد أو للنزهة (وتكون ملحقة عادة ببيت ريفي) (٢) ميدان ؛ مُتَنَزَّه ؛ حديقة عامة (٣) الوادي المستوي : وادٍ مرتفع شبيه بالنجْد واقعٌ بين سلسلتي جبال (٤) الرَّحبة : «أ» رقعة من الأرض الفضاء تحيط بها الأحراج . «ب» أرض مخصصة للحيوانات

أو العربات أو المعدّات العسكريّة . «ج» ملعب مقفل مخصّص لألعاب الكرة (٥) الموقف : باحة مخصّصة لوقوف السيارات الخ. §(٦) يَحْصر في أرض مسيّجة (٧) «أ» يوقف السيّارة في ناحية من الشارع مخصصة لوقوف السيارات. «ب» يوقف السيارة في باحة مخصصة لوقوف السيّارات أو في مِرأب. «ج» يهبط بالطائرة أو يتركها في مكان معيّن (٨) يضع ويترك موقتاً (He ~ed his bag at the club.) (٩) يجمع (المُعَدّات الخ.) في رَحْبة عسكرية.

—parker *(n.)*

parka [pär'kə] *(Russ.)* البَرْكة : «أ» سترة فرائية مُقَلْنَسَة (ذات قلنسوة متصلة بها) تُلْبَس في مناطق القطب الشمالي. «ب» سترة رياضية أو عسكرية.

parka

parking lot *(n.)* الموقف : باحة مخصصة لوقوف السيارات الخ .

parkinsonism [pär'kən sə niz əm] *(n.)* (١) الشَّلَل الرُّعاشي (٢) البَرْكنسيّة : اضطراب عصبي مزمن يتّسم بتصلّب عضلي ولكنه غير مصحوب بارتعاش.

Parkinson's disease [pär'kən sənz] *(n.)* الشّلل الرعاشي (مض).

parkway [-'wā] *(n.)* شارع عريض مزدان بالأشجار ورقاع العشب.

parlance [pär'ləns] *(F.)* (١) حديث ؛ وبخاصة : محادثة رسمية. (٢) لغة ؛ طريقة في التعبير (in legal ~).

parlay [pär'lī; pär lā'] *(n.; vt.)* (١) البارولي: سلسلة مراهنات على الخيل تُجرَى مُسبقاً بحيث يُراهَن بالمبلغ الأصلي (وبما قد يحقّقه من ربح) في شوط آخر §(٢) يراهن بكذا في البارولي (٣) يَسْتَغِلّ بنجاح .

parley [pär'lī] *(vi.; n.)* (١) يفاوض ؛ يتداول مع غيره ؛ وبخاصة: يفاوض عدواً (في شروط الاستسلام الخ.) §(٢) «أ» مؤتمر (للبحث في نقاط مختلَف عليها) . «ب» مفاوضة مع العدو (للبحث في شروط الاستسلام الخ.) (٣) محادثة ؛ مناقشة .

parliament [pär'lə mənt] *(n.)* (١) البرلمان : مجلس نوّاب الأمة (٢) المحكمة العليا (في إحدى مقاطعات فرنسة قبل الثورة).

parliamentarian [pär'lə měn târ'-] *(n.)* (١) *cap.* عد: أحد مؤيّدي البرلمان ضد الملك خلال الحرب الأهلية الانكليزية (٢) البرلماني: البارع في الاجراءات البرلمانيّة أو في النقاش البرلماني.

parliamentary [pär'lə měn'tə rī] *(adj.)* برلماني ؛ نيابي .

parliamentary law *(n.)* القانون الداخليّ : مجموع القواعد والأعراف المنظّمة لإجراءات العمل وللمناقشات في البرلمان الخ.

parlor *or* **parlour** [pär'lər] *(n.)* (١) الرَّدْهَة (مج) : قاعة الاستقبال في بيت أو فندق (٢) دار ؛ مؤسسة تجارية (beauty ~).

parlor car *(n.)* الحافلة الرَّدْهيّة : حافلة مترفة من حافلات السكة الحديدية مزوّدة بمقاعد إفرادية وبأسباب للراحة استثنائية .

parlormaid [pär'lər mād'] *(n.)* جارية الرَّدْهة : خادمة في بيت تُعْنَى بردهة الاستقبال وتقوم بخدمة الضيوف .

parlous [pär'-] *(adj.; adv.)* (١) محفوف بالخطر أو بالمخاطرة . §(٢) جداً ؛ الى حد بعيد (She is ~ handsome.) .

Parmesan [pär'mə zăn'] *(n.)* جُبْن بارما : جُبْن جافّ حرّيف.

Parnassian [pär năs'ĭ ən] *(adj.; n.)* (١) شِعري (٢) برناسيّ : ذو علاقة بمدرسة شِعرية فرنسيّة (في النصف الثاني من القرن ١٩) وضع رجالُها التوكيدَ على الشكل الشعري أكثر مما وضعوه على العاطفة §(٣) البرناسيّ : أحد رجال المذهب البرناسيّ في الشعر .

parochial [pə rō'kĭ əl] *(adj.)* (١) أبرشيّ : ذو علاقة بأبرشية . (٢) محدود ؛ ضيّق (~ mentality) .

parochialism [pə rō'kĭ ə lĭz'əm] *(n.)* ضِيق في أُفق التفكير .

parochial school *(n.)* مدرسة الأبرشيّة : مدرسة ابتدائية أو ثانوية تديرها وتموّلها منظمة اكليريكيّة .

parodist [păr'ə dĭst] *(n.)* واضع البارودِيا (را . المادة التالية) .

parody [păr'ə dĭ] *(n.; vt.)* (١) «أ» البارودِيا : أثر أدبي أو موسيقيّ يُحاكَى فيه أسلوب أحد المؤلّفين على نحو يثير الضحك والهزء . «ب» البارودية : المحاكاة الساخرة لأحد المؤلّفين (٢) محاكاة تهكميّة أو ساخرة §(٣) يُحاكي على سبيل السخرية.

parol [pə rōl'; păr'əl] *(n.; adj.)* (١) لفظة (وتكاد لا تستعمل اليوم إلا في التعبير القانوني ~ by أي شفهياً) §(٢) شفهي (a ~ contract).

parole [pə rōl'] *(n.; vt.)* (١) عهد ؛ وَعْد شرف ؛ وبخاصة : عهد يأخذه الأسير على نفسه بأن لا يحاول الهرب ، وبأن يرجع — إذا ما أُطلِق سراحُه موقتاً — إلى معتقله وبأن يحجم عن حمل السلاح في وجه آسريه (٢) كلمة السرّ (جن) (٣) إطلاق سراحٍ مشروط §(٤) يُطلِق سراح الأسير لقاء عهد يقطعه على نفسه .
on ~، مرتبطٌ بوعد شرف قطعه على نفسه .

parolee [pə rō lē'] *(n.)* العتيق المعاهِد : أسير أُطلِق سراحُه موقتاً بعد أن أخذ على نفسه عهداً بالعودة .

paronomasia [păr'ə nō mā'zhĭ ə; -zĭ ə] *(L.)* الجِناس (بل) .

paronomastic [păr'ə nō măs'tĭk] *(adj.)* جِناسيّ (بل) .

paronym [-'ə nĭm] *(L.)* مُشْتَرَك الجذر: لَفظ مشترك الجذر .

paronymous [pə rŏn'ə məs] *(adj.)* مُشْتَرَك الجذر .

parotid [pə rŏt'ĭd] *(adj.)* نَكَفيّ : خاصّ بالغدّة النكفيّة .

parotid gland *(n.)* الغدّة النَّكَفِيّة (ت) .

parotitis [păr'ə tī'tĭs] *(n.)* النُّكاف : التهاب الغدّة النكفية .

-parous لاحقة معناها : مُنْجِب ؛ حامل ؛ مُنتِج ؛ مُفرِز .

paroxysm [păr'ək sĭz'əm'] *(F.)* (١) البُرَحاء : اشتداد مفاجىء في أعراض المرض، يحدث بين فترة وأخرى (٢) نوبة (a ~ of rage).

paroxytone [păr ŏk'sə tōn'] *(adj.; n.)* (١) مُشدَّدُ النُّطق المؤخَّر : مشدّدة النطق في المقطع الذي قبل المقطع الأخير §(٢) لفظة مشدّدة النطق المؤخَّر .

parquet [pär kā'; pär kĕt'] *(n.; vt.)* (١) الباركيه : «أ» أرضيّة مفروشة بقطع خشبية مزخرفة تقوم مقام البلاط . «ب» الخَشَاب : خشب مزخرف تفرش به ارضية الحجرة . «ج» جزء من المسرح يمتدّ من مقدّم خشبَته إلى الجزء الواقع تحت شُرُفاته الداخلية §(٢) «أ» يُبَرْكِت : يزوّد الحجرة بأرضية مفروشة بقطع خشبية مزخرفة. «ب» يُخَوْشِب : يصنع من خَشَاب يقوم مقام البلاط .

parquet circle *(n.)* حَلْقَة الباركيه : جزء من المسرح واقع تحت شُرُفاته الداخلية .

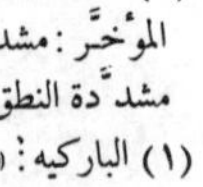

parquetry

parquetry [-'kĭt rĭ] *(n.)* الخَشَاب : خشب مزخرف مؤلف من قطع تُفرش بها أرضيّة الحجرة .

parr [pär] *(n.)* (١) البَرّة : سمكة سَلْمون أو سليمان صغيرة (٢) صغير أيٍّ من الأسماك الأخرى.

parrakeet [păr'ə kēt] *(Sp.)* البَرّكيت : بَبَّغاء صغير هزيل .

parricide [păr'ə sīd'] *(L.)* (١) قاتل أبيه أو أمّه أو أحد أقربائه الأدْنَين (٢) قَتْل الأب أو الأمّ أو أحد الأقرباء الأدْنَين .

parrot [păr'ət] *(n.; vt.; adj.)* (١) بَبَّغاء (٢) شخص يردّد أقوال غيره كالببغاء §(٣) يردّد أقوال الآخرين كالببغاء §(٤) بَبّغائي .

parrot disease *or* **fever** *(n.)* داء البَبَّغاء؛ حمّى الببغاء: مرض من أمراض الطيور يتميّز بالإسهال والهزال .

parrot fish *(n.)* السمكة البَبَّغائيّة : سمكة بحرية دُعَيْت

بذلك بسبب من الوانها وشكل فكيّيها .

parry [păr'ĭ] *(vt.; i.; n.)* (١) يتفادى (ضربةً الخ.) (٢) يتجنّب. §(٣) تفادٍ (٤) تجنّبٌ (٥) حركة دفاعية (في المبارزة بالسيف) .

parse [pärs; pärz] *(vt.; i.)* (١) يُعْرِب ×(٢) تُعْرَب (الكلمةُ) .

parsec [pär'sĕk'] *(n.)* الفَرْسَخ النجمي : وحدة لقياس المسافات بين النجوم تعادل ثلاث سنوات نوريّة وثلاثة أعشار السنة(٣,٣).

Parsi *also* **Parsee** [pär'sē] *(Per.)* (١) البارْسيّ: زَرادَشْتيّ متحدّر من أصلاب اللاجئين الفرس المقيمين في بومباي وغيرها (٢) البارْسيّة : اللهجة الايرانيّة الخاصة بالأدب البارْسيّ الدينيّ .

parsimonious [pär'sə mō'-] *(adj.)* شديد البُخْل أو الشحّ .

parsimony [pär'sə mō'nĭ] *(n.)* (١) بخل شديد (٢) اقتصاد .

parsley [pärs'lĭ] *(n.)* البَقْدونِس (نب) .

parsnip [pärs'nĭp] *(n.)* الجَزَر الأبيض (نب) .

parson [pär'sən] *(n.)* كاهن؛ وبخاصة : قسّ بروتستانتيّ .

parsonage [pär'sən ĭj] *(n.)* بيت الكاهن أو القسّ .

part [pärt] *(n.; vi.; t.; adv.; adj.)* (١) «أ» جزء؛ قِسم. «ب» عضو. «ج» قطعة (من جهاز) ؛ قطعة غيار؛ قطعةٌ بديلة (٢) نصيب؛ حِصّة (٣) دور؛ مشاركة؛ تبعة (My brother had a small ~ in these events.) (٤) طَرَف؛ جانب (٥) *pl.* عد: ناحية؛ منطقة (a stranger in these ~s) (٦) «أ» دور (في مسرحية) . «ب» كلمات أو سطور الدور المسرحي (٧) *pl.* عد: موهبة؛ كفاءة (Salim is a man of ~s.) (٨) فَرْق؛ مَفْرِق الشَّعْر §(٩) يفترق؛ ينفصل عن (We'll ~ no more.) (١٠) يتفرّق (Friends ~*ed* in anger.) (١١) «أ» ينصرف؛ يرحل. «ب» يموت (١٢) ينشقّ؛ ينفصِم؛ ينفلق (١٣) يتخلّى عن (He ~*ed* with his gold.) ×(١٤) يقسّم (إلى أجزاء) (١٥) يُفَرِّق (~*ed* the crowd) (١٦) يفرِق شَعْره (١٧) يوزّع؛ يُحصّص (١٨) يَفْصِل؛ يَفْصِم §(١٩) جزئياً (at least ~ right) §(٢٠) جزئيّ .

for my ~, من ناحيتي؛ من جهتي؛ بقدر ما يتعلق الأمر بي .

for the most ~, في أغلب الأحوال .

in good ~, برضيً ؛ بقبول حَسَن ؛ برحابة صدر .

in ~, جزئياً ؛ إلى حدٍّ ما .

on the ~ of من قِبَل فلان .

~ and parcel جزء أساسيّ ؛ جزء لا يتجزّأ من .

~ of speech قسم من أقسام الكلام (كالاسم والفعل والحرف)

to ~ company (١) يسافران في اتجاهين مختلفين (٢) يفترق؛ يقطع العلاقة أو الصداقة (٣) يخالفه في الرأي .

to play a ~, يُخادع ؛ يوارب .

to take ~ (in) يشترك أو يشارك (في) .

to take the ~ of يتعصّب لِـ؛ ينحاز إلى .

partake [pär tāk'] *(vi.; t.)* (١) يقاسم ؛ يشاطر ؛ يشارك في . (٢) يتناول الطعام أو الشراب (تتبعها *of* عادةً) (٣) ينضح أو يرشح بِـ؛ تكون له بعض صفات كذا أو شيء من طبيعة كذا (His manner ~*s* of insolence.)

—**partaker** *(n.)*

parted [pär'tĭd] *(adj.)* (١) مُجزّأ (٢) مُجزّع : ذو شقوق تكاد تصل إلى القاعدة (5-*parted* leaf).

parterre [pär târ'] *(F.)* (١) الرَّوضة : حديقة تفصِل بين أحواض الزرع فيها ممرّات ومَماشٍ (٢) parquet circle .

parthenocarpy [pär'thə nō kär pĭ] *(n.)* الإثمار اللاإلقاحيّ : حَمْل الثمر من غير إلقاح (نب).

—**parthenocarpic** *(adj.)*

parthenogenesis [pär'thə nō jĕn'-] *(L.)* التوالد العُذْريّ أو البكريّ: حَمْلٌ من غير إخصاب أو إلقاح («ح» و«نب»).

parthenogenetic [-jə nĕt'ĭk] *(adj.)* عُذْرِيّ أو بِكريّ التوالد.

Parthenon *(Gk.)* البارثينون : هيكل الإلاهة أثينا في مدينة أثينا .

partial [pär'shəl] *(adj.)* (١) مُتحيّز ؛ مُحابٍ؛ مغْرِض . (٢) مُولَع ولعاً شديداً بِـ (٣) جزئيّ (~ success) .

partial fractions *(n. pl.)* الكسور الجزئيّة (ر) .

partiality [pär shăl'ə tĭ] *(n.)* (١) تحيّز ؛ محاباة (٢) وَلَعٌ بِـ .

partible [pär'tə bəl] *(adj.)* قابلٌ للقسمة أو للتقسيم .

participant [pär tĭs'ə pənt] *(n.; adj.)* (١) المُشارِك او المشترِك في. §(٢) مشارك ؛ مُقاسِم .

participate [pär tĭs'ə pāt'] *(vi.; t.)* (١) يشترك في أو مع . ×(٢) يشارك ؛ يقاسم .

—**participator** *(n.)*

participation [-'ə pā'-] *(n.)* (١) اشتراك (٢) مشاركة؛ مقاسَمة .

participial [pär'tə sĭp'ĭ əl] *(adj.)* خاصّ باسم الفاعل أو اسم المفعول أو مُكوَّنٌ منهما .

participle [pär'tə sə pəl] *(n.)* (١) اسم الفاعل (٢) اسم المفعول.

particle [pär'tə kəl] *(n.)* (١) جُسَيْم ؛ دقيقة (فز) (٢) أصغر جزء أو مقدار ممكن : ذرّة (٣) حرف ؛ أداة (ل) (٤) البرشانة : رقاقة من خبز فطير يوزّع في القدّاس (كن) .

particle physics *(n.)* فيزياء الجُسَيمات (فزن).

parti-colored [pär'tĭ kŭl'ərd] *(adj.)* ملوّن؛ متعدّد الألوان .

particular [pər tĭk'yə lər] *(adj.; n.)* (١) مفرد ؛ مستقلّ (each ~ item of the report) (٢) شخصيّ ؛ خصوصيّ (one's ~ interests) (٣) هامّ ؛ جديرٌ بالذكر (He had no ~ news.) (٤) خاصّ ؛ استثنائيّ (took ~ pains) (٥) دقيق (a full and ~ account of...) (٦) «أ» أنيق . «ب» مدقّق ؛ نيّق (~ in dress) §(٧) «أ» بَنْد ؛ واقعة مفردة. «ب» نقطة (His report was complete in every ~.) (٨) تفصيل (full ~s of the accident) .

in ~, بخاصة ؛ على وجه التخصيص .

to go into ~s يسْرد أو يعطي التفاصيل .

particularism [pər tĭk'yə lə rĭz'əm] *(n.)* (١) الانصرافية : انصراف المرء كلياً إلى العناية بموضوع أو حزب معين أو بمصلحة أو طائفة معيّنة (٢) التخصيصيّة ، الاصطفائيّة : نظرية لاهوتيّة تقول بأن الخلاص بالمسيح مقصورٌ على النخبة فقط (٣) الاقليمية : نظرية سياسيّة تقول بأن لكل جماعة سياسية الحق في تعزيز مصالحها (وفي التمتّع بالاستقلال خاصةً) بصرف النظر عن مصالح الجماعات التي تفوقها عدداً وشأناً (٤) الأحَدية : نزعة إلى ردّ الظواهر الاجتماعيّة المعقّدة أو عَزْوها إلى عاملٍ واحدٍ أو سببٍ مفرد.

particularity [pər tĭk'yə lăr'ə tĭ] *(n.)* (١) «أ» تفصيل ؛ نقطة تفصيلية. «ب» ميزة ؛ خاصيّةٌ (٢) الخصوصيّة : كون الشيء خاصاً لا عاماً (٣) «أ» تدقيق ؛ عناية بالتفاصيل . «ب» كون المرء نيّقاً أو صعب الارضاء .

particularize [pər tĭk'yə lə-] *(vt.; i.)* (١) يخصّص ؛ يعيّن؛ يعمد إلى التخصيص لا إلى التعميم (٢) يفصّل ؛ يعالج بتفصيل.

particularly [pər tĭk'yə lər lĭ] *(adv.)* (١) بوضوح ؛ بشكل بارز (٢) بخاصة ؛ خصوصاً (Her good humor was ~ noticed.) (٣) بتفصيل (I cannot go into it ~ now.) .

particulate [pər tĭk'-] *(adj.)* هَبائيّ ؛ دقائقيّ .

parting [pär'tĭng] *(n.; adj.)* (١) مص part (٢) «أ» انصراف ؛ رحيل. «ب» موت (٣) «أ» مُفْتَرَق . «ب» فَرْق ؛ مَفْرِق

(٤)حاجز §(٥) «أ» مُفارِق؛راحل . «ب» مختصَر (٦) فاصل ؛ قاسم (٧) وداعيّ (a ~ salute) (٨) منصرم (the ~ day) .

parti pris [pär tē' prē'] *(F.)* (١) تَحيُّز ؛ تغرّض (٢) رأي أو قرار سَبْقيّ (أي مكوّن أو مُتّخَذ سلفاً) .

partisan *or* **partizan** [pär'tə zən] *(n.; adj.)* (١)المُشايِع ؛ المُحازِب ؛ الموالي (٢) النّصير (والجمع : أنصار) : عضوٌ في قوة غير نظامية مهمتها إزعاج العدوّ بشنّ الغارات المتكررة عليه (٣) الحَرْبَة ، سلاح قديم §(٤) مشايع ؛ محازب ؛ موالٍ (٥) أنصاريّ : خاص بالأنصار أو بعملياتهم الحربيّة .

partite [pär'tīt] *(adj.)* = parted.

partition [pär tĭsh'ən] *(n.; vt.)* (١) «أ» تقسيم. «ب» انقسام. (٢) تجزئة (٣) حاجز ؛ قاطع ؛ جدار داخليّ فاصلٌ (٤) قِسمٌ ؛ جزء §(٥) يقسّم ؛ يجزّىء (٦) يفصل بحاجز أو قاطع .

partitive [pär'tə-]*(adj.n.)* (١) مجزّىء (٢) تبعيضيّ : دالّ على جزء من شيء مجزّأ (ل) §(٣) لفظٌ تبعيضيّ (مثل *some*).

partlet [-'lĭt] *(n.)* البُرْتيليت: رداء مطرّز يغطي العنق والكتفين.

partly [pärt'lĭ] *(adv.)* جزئياً ؛ إلى حدّ ما .

part music *(n.)* الموسيقى المقسّمة : موسيقى ذات «أصوات» معدّة لعازفَين مستقِلّيْن أو أكثر.

partner [pärt'nər] *(n.; vt.; i.)* (١) «أ» رفيق ؛ زميل . «ب» المراقص : مَن ترقص معه . «ج» الشريك (في اللعب). «د» زوج؛ زوجة (٢) الشريك (في عمل تجاري) §(٣) يشارك.

partnership [pärt'nər shĭp'] *(n.)* (١) اشتراك ؛ مشاركة . (٢)«أ» شركة . «ب» عَقد الشركة.

partook [pär to͝ok'] *past of* partake.

partridge[-'trĭj]*(n.)* الحجَل (طا) .

partridge

partridgeberry[-bĕr'ĭ]*(n.)* عُلَّيْق الحِجال ؛ عِنَب الحِجال (نب) .

part-song [pärt'-] *(n.)* الأغنية المُقتَسَمة : أغنية يتوزّع «أصواتها» مغنّون مختلفون .

part-time [pärt'tīm']*(adj.)* جزئيّ : مستغرِقٌ جزءاً من يوم العمل أو أسبوع العمل فقط (~ teaching) .

parturient [pär tyo͝or'ĭ ənt] *(adj.)* (١) «أ» ماخض : صفةٌ للمرأة التي جاءها المخاض. «ب» مَخاضيّ ؛ولاديّ (٢)متمخّض: على وشك أن يَطّلِعَ بفكرة أو اكتشاف الخ.

parturition [-tyo͝o rĭsh'ən] *(n.)* مَخاض ؛ وَضْع ؛ وِلادة .

party [pär'tĭ] *(n.; adj.)* (١) طَرَف ؛ فريق (في نزاع أو دعوى أو عقد) (٢) حزب (٣) المشارك أو المشترك (was a ~ to their conspiracy) (٤)شخص (He is a shameless old ~.) (٥) المُفْرَزة : جماعة من الجند يُناط بها أداء مهمة ما (٦) المآنُسة : حفلة أنسٍ وسَمَر §(٧) حزبيّ (~ issues) .

party-colored [pär'tĭ kŭl'ərd]*(adj.)* ملوّن، متعدّد الألوان.

party line *(n.)* (١) *pl.* : سياسةٌ حزبيّة (elections not fought on ~s) (٢) الخطّ الجماعيّ : خط تلفونيّ مُفْرَد يربط عدداً من المشتركين بمركز التوزيع (ويدعى أيضاً **party wire**) (٣) السياسة الرسمية للحزب الشيوعي .

party wall *(n.)* جدار مشترك (بين مبنَيَيْن متلاصقين) .

parure [pə ro͝or'] *(F.)* طقمُ مجوهَرات .

parvenu [pär'və nū'; -no͞o'] *(n.; adj.)* (١) محدَث النعمة. §(٢) شبيهٌ بمحدَث النعمة أو مميّزٌ له .

parvis [-'vĭs] *(n.)* (١)فِناء الكنيسة (٢)بَهْوٌ مُعمَّد (أمام كنيسة).

pas [pä] *(F.)* (١) حقّ التصدّر ؛ حقّ التقدّم على الغير . (٢) خطوة أو جُمْلَة خطىً (في الرقص) (٣) رقصة .

Pasch [păsk]*(n.)* (١)عيد الفِصح عند اليهود (٢)عيد الفِصح(نص).

paschal lamb [păs'kəl] *(n.)* (١) الحَمَل الفِصْحيّ : حَمَل يُضحّى ويُؤكل في عيد الفِصح عند اليهود (٢) *cap.* : «أ» المسيح. «ب» حَمَل الربّ : صورة حَمَل ترمز للمسيح .

pas de deux[pä də dœ']*(F.)* الرقصة الثنائية : رقصة يؤدّيها راقصان .

pas de trois[pä də trwä']*(F.)* الرقصة الثلاثيّة : رقصة يؤدّيها ثلاثة راقصين .

paseo [pə sā'ō] *(Sp.)* (١) نُزْهة (٢) جادّة (٣) دخول مصارعي الثيران إلى الحلبة .

pasha [pə shä'] *(Turk.)* باشا : لقب تركي قديم .

Pashto [pŭsh'tō]*(Per.)* الباشتو : اللغة الإيرانيّة التي يُنطق بها في افغانستان الشرقيّة وبلوخستان الشماليّة وجزء من باكستان .

pasqueflower [păsk'flou'ər] *(F.)* زهرة الفِصح (نب) .

pasquinade [păs'kwĭ nād']*(F.)* (١) أُهْجُوّة تُعلَّق في مكان عام (٢) مقطوعة هجائيّة .

pass [păs; päs] *(vi.; t.; n.)* (١) يمُرّ (٢) «أ» يرحل . «ب» يموت (تتبعها *on* عادةً) (٣) «أ» ينقضي (الوقت) . «ب» يزول (٤) يتجاوز أو يتخطى (سيارةً) (٥) «أ» يشقّ طريقه . «ب» يمرّ من غير اعتراض (Let her remark ~.) (٦) «أ» يجلس للنظر في دعوى . «ب» يصدر (حكماً) ؛ يعطي (رأياً) (٧) «أ» ينتقل إلى (throne ~*ed* to his daughter). «ب» يتحوّل؛ ينتقل من حالة إلى أخرى (to ~ from a solid to a liquid state) (٨) يَحدُث (٩) يتَبادَل (Few words ~*ed*.) (١٠) تتَداوَل (العملةُ) ؛ ينتقل من شخص إلى آخر (١١) «أ» يُقرّ ؛ يقترن بموافقة مجلس تشريعي الخ. «ب» ينجح في امتحان (١٢) يُمرّر الكرةَ (إلى لاعب آخر من الفريق نفسه) (١٣) يتخلّى عن دوره في اللّعِب (في لعب الورق) ×(١٤) «أ» يفوق . «ب» يتجاوز ؛ يتخطّى (١٥) «أ» يلغي (إعلانَ وتوزيع الأرباح) . «ب» يُغفِل (في الرواية أو السرد) . (You may ~ the details.) (١٦) «أ» يَعْبُر ؛ يجتاز . «ب» يُنفِق ؛ يقضي (~*ed* the winter at Paris) (١٧) يجتاز بنجاح (to ~ the exam) (١٨) «أ» يُقِرّ (The parliament ~*ed* the bill.) «ب» يتغاضى عن (١٩) «أ» يَعِد (had ~*ed* her word that she would repay the debt) . «ب» يحوّل (حقّاً أو مِلكية إلى شخص آخر) (٢٠) «أ» يضع في التداول (~*ed* bad checks) . «ب» يحوّل من شخص إلى آخر . «ج» ينقل . «د» يُدخل ؛ يولج (to ~ a rope through a hole) . «هـ» يقذف ؛ يرمي (٢١) «أ» يُصْدِر (حكماً) . «ب» ينطق؛ يلفظ (٢٢) «أ» يُمِرّ ؛ يُجيز له المرور عبر حاجز . «ب» يستعرض الجندَ (The king ~*ed* the troops in review.) (٢٣) يتغوّط ؛ يتبرّز §(٢٤) طريق ؛ مجاز ؛ وبخاصة : شِعْب (في جبل) (٢٥) «أ» موقع حصين يحمي شِعباً الخ. «ب» موقع يتحتّم الاحتفاظ به (٢٦)مرور (٢٧)حالة؛ وضع ؛ وبخاصة: مأزِق (Things have come to a pretty ~.) (٢٨) «أ» جواز مرور . «ب» إجازة ؛ إذن بالتغيب عن مركز عسكري لفترة قصيرة . «ج» بطاقة أو تذكرة مجانيّة (للسفر أو للدخول إلى مسرح الخ.) (٢٩) طَعْنَة «في المبارزة بالسيوف» (٣٠) «أ» نقل الأشياء بخفّة اليد أو بغيرها من الأساليب الخادعة . «ب» تحريك اليدين فوق شيء (وبخاصة

كما يفعل السحرة والمشعوذون) (٣١) «أ» اجتياز امتحانٍ ما . «ب» شهادة (٣٢) عملية ميكانيكيّة مفردة كاملة (٣٣) إمرار الكرة من لاعب إلى آخر من لاعبي الفريق نفسه (٣٤) تخلّي المرء عن الاستفادة من دوره في اللعب (كأن يمتنع عن سحب ورقة من أوراق اللعب الخ.) (٣٥)رمية نَرْد حاسمة (٣٦)انطلاق الطائرة أو أيّ شيء من صنع الانسان فوق مكان ما أو نحو هدف ما (٣٧) جهد؛ محاولة (٣٨) إيماءة الخ. ترشح بالاغراء الجنسي .

to hold the ~, يؤيّد قضيّةً أو يدافع عنها .
to ~ a remark يُبْدي مُلاحظةً ؛ يقول شيئاً .
to ~ away (١) يزول ؛ ينقضي (٢) يموت .
to ~ by (١) يَمُرّ بـ (٢) يُغْفِل؛ يتغاضى عن .
to ~ by the name of يُعْرَف بـ .
to ~ for another يُظَنّ (أو يحسبه الناس) شخصاً آخر .
to ~ off (١) يزول أو يتضاءل (٢) يَحْدُث (٣) يحوّل الأنظار عن (٤) يقدّم إلى الناس شيئاً زائفاً موهماً إياهم أنّه حقيقي أو أصيل (٥) ينتحل شخصية.
to ~ (oneself) off as . . . ينتحل صفةً ما . . .
to ~ out (١) يُغمَى عليه (٢) يموت .
to ~ over (١) يتغاضى عن (٢) يُهمِل ؛ يستخفّ بمطالبه .
to ~ the time of day يتبادل التحيّات .
to ~ through يعاني ؛ يقاسي .
to ~ up يرفض .
to sell the ~, (١) يخون قضيّة ما (٢) يتخلّى عن موقع .

passable [păs'ə bəl] *(adj.)* (١) سالِك (roads ~) . (٢) قابل للتداول (٣) مقبول ؛ متوسّط الجودة .

passably [-'ə blĭ] *(adv.)* على نحوٍ مقبول أو متوسط الجودة .

passacaglia [päs'sä kä'lyä] *(Sp.)* الباسّاكاغليا : «أ» لحن إيطاليّ أو اسبانيّ راقص قديم . «ب» رقصة قديمة تؤدّى على هذا اللحن.

passado [pə sä'dō] *(It.)* الطعنة القدّمية : طعنة يُنفِذها المبارز بالسيف وإحدى قدميه متقدّمة إلى الأمام بعض الشيء .

passage [păs'ĭj] *(n.; vi.)* (١) «أ» مرور . «ب» انتقال من حالة إلى أخرى (٢) «أ» ممرّ ؛ طريق ؛ قناة الخ. «ب» مجاز يفضي إلى مختلف حُجُرات المبنى أو أقسامه (٣) رحلة بالبحر أو بالجوّ (٤)«أ» حقّ السفر على متن سفينة (to book one's ~) . «ب» بَدَل هذا السفر أو أجرته (٥) إقرار قانون أو إجراء تشريعيّ (٦) «أ» حقّ المرور . «ب» حرية المرور . «ج» الإذن بالمرور (٧) «أ» حادث ؛ حادثة . «ب» ما يجري بين شخصين (كالمفاوضة أو الشجار أو مطارحة الغرام الخ.)(٨)«أ»مقطع ؛ فقرة ؛ شاهد (من كتاب أو خطاب أو مقال الخ.). «ب» مقطع من لحن موسيقي §(٩) يَعْبُر .
in ~, على عجل ؛ من غير تدقيق .
~ of *or* at arms قِتال ؛ نِزال .

passageway [päs'ĭj wā'] *(n.)* مَمَرّ ؛ مَجاز ؛ مَسْلَك .

passbook [păs'bŏŏk'] *(n.)* = bankbook.

pass degree *(n.)* بكالوريوس بدرجة اجتياز .

passé [pă sā'] *(F.)* (١) ذابل ؛ ذاوٍ (٢) مُبْطَل الزيّ ؛ عتيق الزيّ.

passel [păs'əl] *(n.)* مجموعة ؛ عدد كبير .

passementerie [păs mĕn'trĭ] *(F.)* الزَّرْكَش القَيْطانيّ : مُحبَك من خيوط حريريّة ومعدنيّة تُزركَش به أطراف الثوب.

passenger [-'ən jər] *(n.)* (١) عابر السبيل (٢) الراكب؛ المسافر.

passenger pigeon

passenger pigeon *(n.)* الحمامة المُهاجِرة : واحدة من نوع أميركي منقرض من الحمام المُهاجر (الذي يعيش في فصل في أحد الأقاليم ثم يهجره إلى آخر في الفصل التالي) .

passe-partout [păs pär tōō'] *(F.)* (١) المفتاح العمومي (را. master key) (٢) «أ» حاشية الصورة : حاشية تكون بين الصورة وإطارها . «ب» التأطير التصميغي : طريقة في تأطير الصّوَر تكون فيها الصورة وحاشيتها واللوح الزجاجيّ والخلفيّة الكرتونيّة مثبّتةً عند حافاتها بقطع من الورق أو القماش المُصمَّغ (٣) ورق التصميغ : ورق قويّ مصمَّغ يُستعمَل بخاصة لتركيب الصّوَر على خلفيّاتها الكرتونيّة .

passerby [păs'ər bī'] *(n.)* المارّ ؛ عابر السبيل .

passerine [păs'ər ĭn; -ə rīn'] *(adj.; n.)* (١) جاثم ؛ من الطيور الجواثم §(٢) الجَثوم : طائر من الجواثم (كالحسّون والسنونو والغراب).

pas seul [pä sœl'] *(F.)* الرقصة الأُحاديّة (يؤدّيها راقص واحد).

passible [păs'ə bəl] *(adj.)* حسّاس ؛ سريع التأثّر .

passim [păs'ĭm] *(L.)* هنا وهناك ؛ في كل مكان (تستخدم بخاصة مع اسم كتابٍ أو كاتب إلماعاً إلى أن كلمة ما (أو عبارة أو فكرة ما) ترد في مواطن كثيرة في ذلك الكتاب نفسه الخ.).

passing [păs'ing] *(n.; adj.; adv.)* (١) مص pass ، وبخاصة : موت §(٢) مارّ ؛ عابر (A ~ boy called up to him.) (٣) زائل ؛ سريع الزوال (a ~ fancy) (٤) جارٍ ؛ حادث الآن (٥) عابر ؛ عَرَضيّ (a ~ remark) (٦) اجتيازيّ : دالّ على اجتياز امتحان الخ. (a ~ grade) §(٧) جداً ؛ بإفراط (~ rich). in ~, بالمناسبة ؛ «على فكرة» ؛ «بين هلالين» .

passing bell *(n.)* ناقوس النّعْي (يُقْرَع إيذاناً بوفاة شخص) .

passion [păsh'ən] *(n.)* (١) .cap عد «أ» آلام المسيح بين ليلة العشاء الأخير وموته . «ب» لحن موسيقيّ مبنيّ على رواية الانجيل لآلام المسيح (٢) «أ» عاطفة ؛ هوى. «ب» انفعال ؛ نوبة انفِعال . «ج» غضب شديد (٣) «أ» حبّ ؛ هيام . «ب» ولع ؛ شَغَف (a ~ for fishing) . «ج» هواية (Fishing is her present ~.) . «د» رغبة جنسية .
to fly into a ~, يثور ثائره ؛ ينفجر غاضباً .

passional [păsh'ən əl] *(adj.; n.)* (١) عاطفيّ §(٢) كتاب آلام القديسين وشهداء الكنيسة .

passionate [păsh'ən ĭt] *(adj.)* (١) «أ» سريع الغضب . «ب» غاضب (٢) «أ» انفعاليّ ؛ عاطفيّ . «ب» متحمّس (٣) عميق ؛ متّقد ؛ مشبوب العاطفة (٤) شهويّ ؛ شهوانيّ .

passionflower

passionflower [păsh'ən flou'ər] *(n.)* زهرة الآلام (نب) .

Passion play *(n.)* مسرحية الآلام : تمثيلية تصوِّر آلام المسيح .

Passion Sunday *(n.)* أحد الآلام : الأحد الخامس من الصوم الكبير (نص) .

Passion Week *(n.)* أسبوع الآلام : الأسبوع الذي يسبق الفِصح .

passive [păs'ĭv] *(adj.; n.)* (١)«أ» منفعل ؛ موثَّر فيه (من قبل قوة خارجيّة) ؛ تأثّري أو قابل للتأثيرات الخارجيّة. «ب» مبنيّ للمجهول (a ~ verb) . «ج» كسول؛ بليد (٢) «أ» غير فعّال . «ب» كامن ؛ مستتر . «ج» هامد : فاقد النشاط الكيميائي (٣) مستسلم ؛ مُذعِن (~ obedience) (٤) سلبيّ : قائم أو

موجود ولكنه غير فعّال او صريح (support ~) §(٥) فعل مجهول (ل) (٦) صيغة المجهول (ل) . **—passively** *(adv.)*

—passiveness *(n.)*

passive resistance *(n.)* المقاومة السلبية: مقاومة الحكومة أو السلطة المحتلة بطرائق وأعمال لاتعاونية بدلاً من أعمال العُنف .

passivism [păs'ĭv ĭz əm] *(n.)* السلبية: موقف أو سلوك سلبيّ .

passivity [păs ĭv'-] *(n.)* (١) المُنْفَعِلِيّة: المُؤثَّرِيّة؛ التأثُّرِيّة . (٢) اللافعالية ؛ الكُمون؛ الهمود (٣) الاستسلام (٤) السلبية .

passkey [păs'kē] *(n.)* (١) master key (٢) مفتاح خاص .

Passover [păs'ō'vər] *(n.)* عيد الفصح (عند اليهود) .

passport [păs'pōrt] *(n.)* (١) جواز سفر (٢)إجازة مرور أو إقامة.

password [păs'-] *(n.)* كلمة المرور ؛ كلمة السرّ ؛ كلمة التعارف.

past [păst; päst] *(adj.; prep.; adv.; n.)* (١) منصرم ؛ منقضٍ منذ عهد قريب (for the ~ few weeks) (٢) ماضٍ ؛ غابر (in times ~) (٣) دالّ على الماضي (the ~ tenses) (٤) سابق (~ commander) §(٥) متجاوزٌ سنّاً معيّنة (an old man ~ eighty) (٦) «أ» إلى أبعد ؛ إلى ما وراء (She walked ~ the gate.)· «ب» بَعْدَ (~ noon) (٧)فوق؛ وراء؛ يفوق (His conduct is ~ bearing.) §(٨) ماراً به أو في محاذاته (Samir walked ~ without noticing me.) §(٩) الماضي ؛ الزمن الماضي أو أحداثه (١٠) صيغة الماضي (ل) (١١) «أ» ماضٍ (a glorious ~) · «ب» ماضٍ غير مشرِّف (كما في قولك ~ a woman with a أي امرأة ذاتُ ماضٍ) .

at half ~ three في (الساعة) الثالثة والنصف .

~ endurance فوق الطاقة ؛ وراء الاحتمال .

~ praying for في وضع يائس (بحيث لا يجديه الدعاء له أو الصلاة من أجله) .

~ work أكبر سناً أو أضعف من أن يعمل أو يشتغل .

pasta [päs'tə] *(It.)* الباستا : ضرب من المعكرونة أو طبقٌ منه .

paste [păst] *(n.; vt.)* (١) عجينة ؛ معجونة (٢) حلوى ذات قَوام عجينيّ (٣) معكرونة (٤) لَصوق ؛ عجينةُ إلصاق (٥) مزيج من الصلصال والماء (لصنع الخزف) (٦) زجاج برّاق (لصنع الحلى الزائفة) (٧) ضربة عنيفة §(٨) يُلصِق (٩) يكسو بمعجونة ما (١٠) يسدّد ضربة قوية (إلى الوجه أو الجسد) .

pasteboard [pāst'bōrd'] *(n.; adj.)* (١) كرتون؛ ورق مقوّى. (٢)«أ» بطاقة زيارة.«ب» ورقة من (أوراق اللعب أو «الشدّة»). «ج» تذكرة ؛ بطاقة دخول أو سفر §(٣) كرتونيّ (٤) زائف.

pastel [păs tĕl'] *(n.; adj.)* (١) «أ» البَسْتَل : عجينة من صِبغ مسحوق تستعمل في صنع الأقلام الملوّنة.«ب» المِرقم (مج): قلم بَستَليّ ملوّن (٢) «أ» صورة مرسومة بالمِرقم. «ب» فن الرسم بالمِرقم (٣) صورة وصفية أدبيّة خفيفة (٤) لونٌ فاتحٌ §(٥)«أ» بَسْتَليّ. «ب» مرسوم بالأقلام الملوّنة (٦) فاتح اللون (٧) رقيق .

pastelist *or* **pastellist** [păs'tĕl-] *(n.)* المِرقميّ: رسّام بالمراقِم.

pastern [păs'tərn] *(F.)* رُسْغُ الدابّة .

pasteurization [păs'tər ĭ zā'-] *(n.)* البَسترة: تعقيم الحليب وغيره تعقيماً جزئياً بحرارة تقتل المتعضيات المؤذية من غير أن تُحدث في المادة المُبَستَرَة تغييراً كيميائياً جوهرياً .

pasteurize [păs'tə rīz'] *(vt.)* يُبَسْتِر ؛ يُعَقِّم .

Pasteur treatment [päs tœr'] *(n.)* المعالجة الباستورية : طريقة باستور للوقاية من الأمراض (بالتلقيح بجرثوم ملطَّف تُزاد جرعتُه تدريجياً) .

pasticcio [päs tēt'chô] *(It.)* pl. **-ci** [-chē] = pastiche.

pastiche [păs tēsh'; päs-] *(F.)* (١) المُعارَضة (والجمع : المعارضات) : أثرٌ أدبي أو فنيّ أو موسيقيّ يحاكي فيه صاحبُه أسلوب أثرٍ سابق (٢) «أ» المجموع (والجمع : المجاميع) : لحن موسيقيّ أو أثر أدبيّ مؤلف من مختارات من ألحان أو آثار أدبيّة مختلفة . «ب» خليط ؛ مزيج .

pastille [păs tēl'] *also* **pastil** [-'tĭl] *(F.)* (١) كرة التبخير : كتلة صغيرة من معجون عطريّ (لتبخير الغرف) (٢)قرص طبّي مُحَلّى.

pastime [păs'tīm; päs'-] *(n.)* تسلية؛ سلوى ؛ كل ما يُسلّيك .

pastiness [pās'-] *(n.)* (١)العجينيّة : كون الشيء عجينياً (٢)الشحوب.

past master *(n.)* (١)الرئيس السابق لجمعية الخ. (٢)الخبير ؛ الضليع .

pastor [păs'tər; päs'-] *(n.)* القسّ ؛ راعي الأبرشيّة .

pastoral [păs'tə rəl; päs'-] *(adj.; n.)* (١)«أ» رَعَويّ: خاص بالرعاة أو بتربية الماشية . «ب» ريفيّ . «ج» مصوِّر لحياة الرعاة أو أهل الريف (~ poetry) . «د» بريء ؛ ساذج ؛ بسيط (٢) رِعاويّ: «أ» خاص برعاية الكاهن لأبناء أبرشيّته.«ب» خاصّ براعي الأبرشيّة (~ duties) §(٣) الرسالة الرِّعاوية : رسالة يوجّهها الأسقف إلى أبناء أبرشيّته (٤) الأثر الرَّعوي: أثرٌ أدبيّ يصور حياة الرعاة وأهل الريف (٥)الشعر الرَّعويّ؛ المسرحية الرعوية (٦) صورة ريفية ؛ مشهد ريفيّ (٧) صولجان أو عصا الأسقف .

pastorale [păs'tə rä'lĭ] *(It.)* (١) الأوبرا الرَّعوية : أوبرا تصوّر حياة الرّعاة أو أهل الريف (٢) اللحن الرعويّ : قطعة موسيقية تصوّر الحياة الريفيّة .

pastorate [păs'tər ĭt; päs'-] *(n.)* (١) وظيفة راعي الأبرشيّة أو نطاق سلطته أو مدةُ ولايته أو بيتُه (٢) جماعة من رعاة الأبرشيات.

past participle *(n.)* اسم المفعول (مثل defeated) .

past perfect *(n.; adj.)* صيغةُ الماضي الأسْبَق أو خاص بها (ل).

pastrami [pə strä'mĭ] *(n.)* البَسطُرْما: لحم قديد معالج بالتوابل.

pastry [pās'trĭ] *(n.)* (١) معجنات ؛ فطائر حلوة (٢) فطيرة .

past tense *(n.)* صيغة الماضي (ل) .

pasturage [păs'chər ĭj; päs'-] *(n.)* = pasture.

pasture [păs'chər; päs'-] *(n.; vi.; t.)* (١) كلأ ؛ عشب . (٢) مرعى ؛ مُنْتَجَع (٣) رَعْيُ الماشية §(٤) تَرْعَى (الماشيةُ) ×(٥) يَرْعَى (الماشيةَ) (٦) يتّخذه مَرْعى .

pasty [păs'tĭ] *(n.)* فطيرة بلحم .

pasty [pās'tĭ] *(adj.)* (١) عجينيّ ؛ كالعجين (٢) شاحب .

pat [păt] *(n.; vt.; i.; adj.; adv.)* (١) تَرْبِيتة ؛ ضربة خفيفة. (٢) نقرة إيقاعيّة خفيفة (٣) قالب الزبدة : قطعة مربعة من الزبدة أو شيء شبيه بها §(٤) يربّت: يضرب بلطف (٥) يُسوّي أو يُملِّس بضرباتٍ خفيفة ×(٦) يمشي أو يعدو بضرباتٍ إيقاعيّة خفيفة §(٧) ملائم ؛ مناسب (٨) مدروس أو مُستَظْهَرٌ بدقة بالغة §(٩) في الوقت المناسب (His reply came ~.) (١٠) جاهزاً ؛ حاضراً (She had her excuse ~.) .

to stand ~ (١) يتمسّك برأيه (٢) يقاوم كلَّ تغيّر.

patagium [pə tā'-] *(L.)* pl. **-gia** الغشاء الجناحيّ (كالذي للخفّاش).

patch [păch] *(n.; vt.)* (١) رُقْعَة (a ~ on a sail) . (٢) اللَّصوق التجميليّ : قطعة صغيرة جداً من حرير أسود تلصقها المرأة على وجهها أو عنقها لإخفاء عيب فيهما أو كوسيلة من وسائل التبرّج (في القرنين الـ ١٧ و ١٨) (٣) اللَّصوق : قطعة من قماش دَبِق خاص يغطّى بها الجرح أو تُتّخذ وقاءً للعين غير السليمة (٤) قطعة صغيرة من أيّ شيء (٥) الرُّقعة :

مساحة صغيرة متميّزة عما حولها (cabbage ~) §(٦) يَرْقع (٧) يغطّي بلصوق تجميليّ أو واقٍ (٨) يُصلح أو يرمّم وبخاصة على عجَل (تتبعها *up* عادةً) (٩) يَصْنع من رُقَع مُوصَّلة (~ed a quilt) (١٠) يحلّ ؛ يسوّي (~ed up their quarrel).

not a ~ on لا يُدانيه ؛ لا مجال لمقارنته به .

patchouli; -ly [-'ŏŏ lĭ] *(It.)* البتشول : عشبٌ عَطِرٌ أو عِطرُه .

patch pocket *(n.)* الجيبُ المثبّت (بالخياطة فوق الثوب) .

patch test *(n.)* اختبار فرْط الحساسية .

patchwork [păch'-] *(n.)* (١) خليط ؛ مزيج ؛ كشكول (a ~ of verses) (٢) المُرقَّعة : قطع من قماش مختلفة الألوان والأشكال تُخاط لتصبح غطاء للحاف أو وسادة .

patchy [păch'ĭ] *(adj.)* (١) «أ» مرقَّع . «ب» شبيهٌ بالرُقَع ؛ مؤلّفٌ من رُقَع مزروعة (٢) كشكوليّ : مؤلف من أجزاءٍ مختلِطة أو متفاوتة.

pate [pāt] *(n.)* (١) رأس (٢) قمة الرأس (٣) عقل .

pâté [pä tē'] *(F.)* فطيرة لحم أو سمك .

pâte [pät] *(n.) (F.)* معجونة ؛ معجونة الخزف .

patella [pə tĕl'ə] *(L.)* pl. **-tellae** [-tĕl'ē] *or* **-tellas**: الرَّضْفَة : العظم المتحرّك في رأس الركبة .

—patellar *(adj.)*

patellate [pə tĕl'ĭt; -āt] *(adj.)* (١) ذو رَضْفَة (٢) شبيهٌ بالرَضْفة.

patelliform [pə tĕl'ə fôrm'] *(adj.)* رَضْفانيّ : شبيهٌ بالرَضْفة.

paten [păt'ən] *(n.)* (١) طَبَقُ القربان المقدّس (نص) (٢) طبق.

patent [păt'ənt] *(adj.; n.; vt.)* (١) «أ» مُرخَّصٌ به ببراءة . «ب» مُسجَّل ؛ مَصُونٌ ببراءة (٢) بَرائيّ : خاصّ أو معنيّ بمنح البراءات وبخاصة براءات الاختراع (٣) مفتوح ؛ مباح (٤) ممتدّ ؛ منتشر (نب) (٥) واضح ؛ جليّ §(٦) البراءة : رخصة خطية حكوميّة (٧) «أ» براءة الاختراع : شهادة تضمن للمخترع ، طوال مدة معيّنة ، الحقّ المطلقَ المقصور عليه وحده في تطبيق اختراعه أو استخدامه أو بيعه . «ب» الحقّ الممنوح بموجب هذه البراءة . «ج» الاختراع المسجّل (٨) امتياز ؛ رخصة §(٩) يمنح براءةً (١٠) «أ» ينال براءة. «ب» يسجّل اختراعاً.

—patency *(n.)*

patentee [păt'ən tē'] *(n.)* صاحب البراءة أو الامتياز

patent flour *(n.)* دقيق قمحٍ ممتاز .

patent leather *(n.)* جلد لمّاع ؛ جلد صقيل.

patent medicine *(n.)* العقّارُ المسجّل: دواء يُحاط تركيبه بسياج من السريّة ويسجّل اسمه وحقّ صنعه في دوائر حماية الملكية .

patent office *(n.)* مكتب براءات الاختراع .

patentor [păt'ən tər] *(n.)* مانح الامتياز.

patent right *(n.)* الحقّ المسجَّل : حقّ ممنوحٌ ببراءة ؛ وبخاصة : حقّ المخترع في تطبيق اختراعه أو استخدامه أو بيعه .

pater [pā'-] *(n.)* (١) *cap.* عد: الصلاة الربانية (نص) (٢) أبٌ (عب).

paterfamilias [pā'tər fə mĭl'ĭ əs] *(L.)* ربّ الأسرة ؛ ربّ البيت.

paternal [-tûr'-] *(adj.)* (١) أبويّ (٢) مستمدّ أو موروث من الأب. (٣) من جهة الأب (كقولك his ~ grandfather أي جدّه لأبيه).

paternalism [pə tûr'nə lĭz'əm] *(n.)* الطريقة الأبوية (تنتهجها الحكومة في إدارة البلاد أو تنتهجها هيئة أو شخص ذو سلطان — في معاملة الجماعات والأفراد) .

—paternalist *(n.; adj.)*

—paternalistic *(adj.)*

paternity [pə tûr'nə tĭ] *(n.)* (١) أبوّة (٢) أصل ؛ منشأ .

paternoster [pā'tər nŏs'-] *(n.)* (١) *cap.*: الصلاة الربانية (نص). (٢) الصيغة المكرورة : صيغة تُردَّد بوصفها صلاةً أو رُقْيَة .

path [păth] *(n.)* (١) طريق ؛ مجاز ؛ سبيل (٢) طريقة في الحياة.

path- *or* **patho-** بادئة معناها : مَرَض (*patho*genesis).

-path لاحقة معناها : «أ» شخص يمارس طريقة خاصة في معالجة الأمراض (hydro*path*). «ب» شخص مصاب بداء معيّن (neuro*path*).

Pathan [pə tän'; pət hän'] *(Hin.)* البَتْهانيّ : أفغانيّ مقيم بالهند.

pathetic [pə thĕt'ĭk] *(adj.)* (١) «أ» مُحزِن ؛ مُشجٍ . «ب» مثير للشفقة (٢) حزين .

—pathetical *(adj.)*

pathetic fallacy *(n.)* التشخيص: خلع المشاعر أو الصفات البشرية على الطبيعة الجامدة (كقولك a pitiless storm) .

pathfinder [păth'fīn'dər] *(n.)* الرائد ؛ المستطرِق ؛ المستكشف : شخص يرود المجاهل بغيةَ اكتشاف طريق جديد.

pathless [păth'lĭs; päth'-] *(adj.)* غير مطروق أو مسلوك .

pathogen [păth'-] *(n.)* المُمْرِض ؛ الكائن المُمْرِض (كالجرثوم الخ.).

pathogenesis [păth'ə jĕn'ə-] *(L.)* نشوء المرض ؛ تولّد المرض.

pathogenetic [păth'ō jə nĕt'ĭk] *(adj.)* (١) متعلّق بنشوء المرض. (٢) مُمْرِض ؛ مسبب مرضاً .

pathogenic [păth'ə jĕn'ĭk] *(adj.)* = pathogenetic.

pathognomonic [pə thŏg nə mŏn'-] *(adj.)* مميِّزٌ لمرض معيّن.

pathologic; -al [păth ə lŏj'-] *(adj.)* (١) باثولوجيّ (٢) مَرَضِيّ.

pathologist [pə thŏl'ə jĭst] *(n.)* الباثولوجي : الاخصائيّ في عِلم الأمراض ، وبخاصة : مَن يجري الفحوص بعد الوفاة أو من يشخِّص التغيّرات المرضيّة في الأنسجة المستأصَلة بالجراحة .

pathology [-'ə jĭ] *(n.)* الباثولوجيا ؛ عِلم الأمراض (أسبابها وأعراضها).

pathometer [pə thŏm'ə tər] *(n.)* مكشاف الكذب : أداة لاكتشاف الكذب.

pathos [pā'thŏs] *(Gk.)* (١) العاطف للقلب : العنصر المثير للشفقة (في الحياة أو في التصوير الأدبيّ أو الفنيّ) (٢) شفقة ؛ رثاء .

pathway [păth'wā'; päth'-] *(n.)* طريق ؛ مجاز ؛ سبيل .

-pathy لاحقة معناها : «أ» شعور (tele*pathy*) . «ب» مرض من نوع بعينه (psycho*pathy*) . «ج» مذهب في الطب مبني على عامل معيّن (osteo*pathy*).

patience [pā'shəns] *(n.)* (١) «أ» صَبْر . «ب» حِلم ؛ طول أناة (٢) ضرب من لعب الورق (يلعبه شخص واحد عادةً) .

~ of Job صبر أيّوب ؛ صبرٌ لا نهاية له .

to have no ~ with يضيق ذرعاً بِـ ؛ لا يُطيق .

patient [pā'shənt] *(adj.; n.)* (١) «أ» صابر ؛ صبور . «ب» حليم ؛ طويل الأناة (٢) صامد (٣) قابلٌ لِـ (~ of only one interpretation) §(٤) المريض (الخاضع للمعالجة الطبية أو الجراحيّة) (٥) الزبون (She found the beauty shop filled with ~*s*.).

patina [păt'ə nə] *(L.)* (١) «أ» غِشاء العِتق : غِشاء أخضر عادةً يُخلِّفُه تقادم العهد (أو يُحدَث صناعياً بالأحماض) على النحاس أو البرونز فيُكسِبُه قيمة جمالية . «ب» مظهرُ شيءٍ أكسبه تقادمُ العهد جمالاً خاصاً (٢) طبق القربان المقدّس (نص) .

patine [pă tēn'] *(n.; vt.)* (١) غِشاء العِتق (را. المادة السابقة) . §(٢) يعتّق : يكسو بغِشاء العِتق .

patio [pä'tĭ ō'] *(Sp.)* (١) فِناء (٢) الفِناء المرصوف : باحة مرصوفة محاذية للدار تُستخدَم بخاصة لتناول الطعام في الهواء الطلق .

patois [păt'wä] *(F.)* (١) لهجة عاميّة أو محليّة (٢) اللغة الخاصة المميِّزة لجماعةٍ ما أو لأهل صناعة ما .

patr- *or* **patri-** *or* **patro-** بادئة معناها : أبٌ .

patriarch [pā'trĭ ärk'] *(Gk.)* (١) «أ» الأب : أحد آباء الجنس البشري المذكورين في التوراة . «ب» أبٌ ؛ مؤسِّس

«ج» مُمثّل جماعة ما أو أكبر أعضائها سنّاً . «د» شيخٌ جليل (٢) بَطْريَرْك (نص) .

—patriarchal *(adj.)*

patriarchate [pā'trĭ är'kĭt] *(n.)* (١) «أ» مَنصِب البطريرك أو نِطاق سُلطتِه أو مُدة ولايته . «ب» البطريركيّة : مقرّ البطريرك (٢) patriarchy .

patriarchy [pā'trĭ är'kĭ] *(n.)* (١) النظام الأبوي : نظام اجتماعيّ يتميّز بسلطة الأب المطلقة على العشيرة أو الأسرة وبانتساب الأبناء إليه لا إلى أمهاتهم (٢) المجتمع الأبويّ : مجتمع منظّم وفقاً لهذا النظام .

patrician [pə trĭsh'ən] *(n.; adj.)* (١) شريف رومانيّ . (٢) الشريف ؛ النبيل ؛ الأرستوقراطي §(٣) «أ» شريف ؛ نبيل . «ب» أرستوقراطي ؛ لائق بنبيل (aloofness ~) .

patriciate [pə trĭsh'ĭ ĭt; -āt'] *(n.)* (١) النبالة : منزلة النبيل أو مقامه (٢) طبقة نبلاء .

patricide [păt'rə sīd] *(L.)* (١) قاتلُ أبيه (٢) قَتْلُ الولد أباه .

patrimony [păt'rə mō'nĭ] *(n.)* (١) إرْث ؛ ميراث (٢) وقفٌ كنسيّ .

—patrimonial *(adj.)*

patriot [pā'trĭ ət] *(n.)* الوطنيّ : المحبّ لوطنه المتحمّس في الدفاع عنه .

patriotic [pā'trĭ ŏt'ĭk; păt-] *(adj.)* وطنيّ .

patriotism [pā'trĭ ə tĭz'əm; păt'-] *(n.)* الوطنيّة ؛ حبّ الوطن .

patristic; -al [pə trĭs'-] *(adj.)* ذو علاقة بآباء الكنيسة أو كتاباتهم .

patrol [pə trōl'] *(n.; vt.; i.)* (١) «أ» خَفَر ؛ عَسّ . «ب» خفير ؛ عاسّ . «ج» دوريّة ؛ عَسَسٌ (٢) زُمرة (من الكشّافين أو الكشّافات) §(٣) يَخْفِر ؛ يَعُسّ .

patrolman [-'mən] *(n.)* الخفير ؛ العاسّ ؛ وبخاصة : الشرطيّ الخفير .

patrol wagon *(n.)* سيارة الدوريّة : سيارة مقفلة لنقل السجناء .

patron [pā'trən] *(n.)* (١) النصير ؛ الظهير ؛ الحامي ؛ الراعي . (٢) زبون دائم (٣) السيّد المُعتِق : سيّد يُعتِق عبده ولكنه يحتفظ ببعض الحقوق عليه (٤) صاحب مؤسسة (كالنُزُل أو الفندق الخ.) (٥) رئيس محفل ماسونيّ ينتظم أعضاء من الجنسين .

patronage [pā'trən ĭj; păt'-] *(n.)* (١) حقّ تعيين كاهن لكنيسة . (٢) مناصرة ؛ رعاية (٣) تفضّل ؛ إحسانٌ كإحسان السيّد إلى المسود أو مسلكٌ كمسلك السيّد مع مَسُوده (an air of ~) (٤) الزبانة : إيثار الزبائن فندقاً أو محلاً تجارياً معيناً وتعاملهم معه باستمرار (٥) «أ» القدرة على التعيين في الوظائف الحكوميّة على أساس غير أساس الكفاءة وحدها . «ب» المحسوبية : إسناد الوظائف على هذا الأساس . «ج» الوظائف المُسْنَدَة على أساس المحسوبيّة .

patroness [pā'trən ĭs] *(n.)* النصيرة ؛ الظهيرة ؛ الحامية ؛ الراعية .

patronize [pā'-] *(vt.)* (١) يناصر ؛ يُظاهر ؛ يَرْعَى (٢) يتفضّل عليه ؛ يعامله بتنازل (٣) يتعامل مع (متجر بوصفه زبوناً دائماً) .

patron saint *(n.)* القديس الشفيع : القديس الحامي لشخص أو كنيسة .

patronymic [păt'rə nĭm'ĭk] *(n.; adj.)* (١) اسم الأب أو الأسرة ، مسبوقاً ببادئة أو مُتْبَعاً بلاحقة تدلّ على النسب مثل *MacDonald* (ابن دونالد) أو *Ivanovich* (ابن إيفان) (٢) اسم الأسرة §(٣) دالّ على اسم الأب أو الأسرة وبخاصة بإضافة بادئة أو لاحقة تدل على النسب (names ~) (٤) دالّ على نسب كهذا (a ~ prefix) .

patten [păt'ən] *(n.)* القَبْقاب : نَعْل من خَشَب .

patter [păt'ər] *(vt.; i.; n.)* (١) يدمدم ؛ يتمتم ×(٢) يثرثر أو يتكلم بطلاقة (٣) يقول أو يغني بسرعة بالغة (على المسرح) (٤) يضرب أو يربّت بسرعة وتكرار (٥) يعدو بخُطىً سريعة خفيفة الوقع §(٦) لغة اللصوص الخ. (٧) كلام البائع المتجوّل أو مُرَغّب الناس بالدخول إلى سِيرْك (٨) ثرثرة ؛ هَذْر (٩) كلمات الأغنية الهزلية (١٠) طقطقة .

pattern [păt'ərn] *(n.; vt.)* (١) مثال ؛ نموذج يُحتَذَى أو يُحاكَى (٢) نموذج للتفصيل وغيره (a dressmaker's ~) (٣) قالب السبك (٤) عيّنة ؛ «مَسْطَرَة» من قماش لصنع ثوب (٥) «أ» نمط ؛ رسم ؛ شكل ؛ مخطّط . «ب» نقش (على سجادة أو قماشة الخ.) . «ج» شكل ناشىء بالمصادفة أو عن ظاهرة طبيعية (~ s of frost on the window) . «د» الأسلوب أو الشكل (في تأليف أدبي أو موسيقيّ) (٦) قطعة قماش (كافية لخياطة ثوب) §(٧) يقتدي أو يتأسّى بـِ ؛ يكيّف وفقَ نموذج (٨) «أ» يصنَع على منوال كذا أو غِراره . «ب» يحاكي ؛ يقلّد (٩) يزيّن بالرسوم أو النقوش .

patty *also* **pattie** [păt'ĭ] *(n.)* (١) فطيرة صغيرة (٢) فطيرة صغيرة محشوّة باللحم المفروم (٣) قرص (peppermint *patties*) .

patulous [păch'ə ləs] *(adj.)* منتشر ؛ متشعّب من مركز .

paucity [pô'sə tĭ] *(n.)* (١) قِلّة (٢) نُدْرة .

Pauline [pô'līn] *(adj.)* بولسيّ : منسوب إلى بولس الرسول أو تعاليمه .

paulownia [pô lō'nĭ ə] *(L.)* البُولُفِينِيّة : شجرٌ صينيٌّ عطِر الزهر .

paunch [pônch; pänch] *(n.)* (١) «أ» بطن . «ب» كرش ؛ بطنٌ ضخم (٢) المعدة الأولى (لحيوان مجترّ) .

paunchiness [pôn'chĭ nĭs] *(n.)* التكرّش : ضخامة البطن .

paunchy [pôn'chĭ] *(adj.)* متكرّش ؛ ضخم البطن .

pauper [pô'pər] *(n.)* (١) العالة : فقير يحيا على المعونة التي يتلقاها من صندوق لإسعاف المُعوزين (٢) الشديد الفقر .

pauperism [pô'pə rĭz'əm] *(n.)* إملاق ؛ فقر شديد .

pauperize [pô'pə rīz'] *(vt.)* يُفْقِرُه إفقاراً شديداً .

pause [pôz] *(n.; vi.)* (١) توقّف موقّت (٢) وَقْف قصير (في الكلام أو القراءة) (٣) تردّد (٤) «أ» علامة الإطالة في الموسيقى (⌣ or ⌢) . «ب» فاصلة ؛ نقطة (في الكتابة والطباعة) §(٥) يتوقف ؛ يتردّد ؛ يتأنّى .

to give ~ to يجعل فلاناً يتردّد .

pavan *or* **pavin** [păv'ən] *(F.)* = pavane.

pavane [păv'ən; pȧ vän'] *(F.)* البافان : رقصة قديمة أو موسيقاها .

pave [pāv] *(vt.)* يرْصف ؛ يبلّط ؛ يعبّد . **—paver** *(n.)*

to ~ the way for يمهّد السبيل لِـ .

paved [pāvd] *(adj.)* (١) مرصوف ؛ مبلّط (٢) أو **pavé** : ملزوز ؛ مركّب بطريقة متلازّة بحيث يخفي قاعدته المعدنيّة (jewels ~) .

pavement [pāv'-] *(n.)* (١) سطحٌ مرصوف ، مثل : «أ» أرضية الشارع المرصوفة . «ب» رصيف الشارع (بر) (٢) حجارة الرصف .

pavement artist *(n.)* فنان الرصيف : فنان يرسم الصور على الأرصفة بالطباشير الملوّنة كسباً للمال من السابلة .

pavid [păv'ĭd] *(adj.)* جبان ؛ مخلوع الفؤاد .

pavilion [pə vĭl'yən] *(n.; vt.)* (١) سُرادق ؛ فُسْطاط ؛ خيمة كبيرة (٢) جناح (من مبنىً أو معرض) (٣) مقصورة (في حديقة) (٤) الجزء الأسفل من حجر كريم (٥) الصِوان : الجزء الخارجيّ من الأذن (ت) §(٦) يُظلّ في سرادق (٧) يزوّد (المبنى أو المعرض) بالأجنحة ؛ يزود (الحديقة) بالمقاصير .

paving [pā'vĭng] *(n.)* = pavement.

pavior *or* **paviour** [pāv'yər] *(n.)* الراصف ؛ المبلّط .

paw [pô] *(n.; vt.; i.)* (١) كفّ الحيوان (كالكلب أو الأسد) ذات البراثن (٢) «أ» قدم الحيوان . «ب» يد الانسان (ع) §(٣) يَمَسّ بخُرْق أو تودّد أو خشونة (٤) يمسّ أو يضرب ببراثنه (٥) يضرب

ă at; ā date; â care; ä car; ĕ egg; ē me; ĭ in; ī bite; ŏ lot; ō bone; ô orphan; oi boil oo good; ōō boot; ou out; ŭ under; ū unity; û urgent; th thing; t͟h this; zh vision; ə = a in alone, e in system, i in easily, o in gallop, u in circus.

أو ينبش الأرض بحافره (٦) يُمسك بقوة .

pawky [pô'kĭ] *(adj.)* ماكر ؛ داهية («بر» و «اسك») .

pawl [pôl] *(n.)* السَّقّاطة ؛ الماسكة (ملك) .

pawn [pôn] *(n.; vt.)* (١) «أ» الرَّهن : ما يوضع عند شخص آخر على سبيل الضمان . «ب» hostage (٢) الارتهان : كون الشيء مُرْتَهَناً عند شخص آخر (٣) ضمان (٤) رَهْنُ شيء عند شخص آخر (٥) بَيْدق ضعيف أو قليل الشأن (في الشطرنج) (٦) الآلة ؛ اللعبة : شخص يُستخدَم لتحقيق مآرب شخص آخر §(٧) يرْهَن .

pawn 5.

pawnbroker [pôn'-] *(n.)* المسترهِن : مُقرِض المال لقاء رَهْن .

pawnshop [pôn'-] *(n.)* المَرْهَن : مكتب المسترهِن (را. المادة السابقة) .

pawpaw [pô'pô] *(n.)* = papaw.

pax [păks] *(L.)* (١) ايقونة (كان يقبّلها الكاهن والمصلون ، أثناء القداس) (٢) قُبلة السلام في القداس (٣) سلام ؛ سِلْم .

pay [pā] *(vt.; i.; n.; adj.)* (١) «أ» يدفع . «ب» يستخدم (مقابل مبلغ من المال) . «ج» يؤدّي ؛ يفي (٢) «أ» يعود عليه بفائدة (It ~ *s* you to be honest.) . «ب» يغُلّ ؛ يرُدّ (The stock ~ *s* seven percent.) (٣) يُرْخي حبلاً (تتبعها *out*) (٤) يكسو بمادّة صامدة للماء ×(٥) يُكسِب ؛ يُرْبِح ؛ يستحقّ الجهد أو النفقة (They say that farming doesn't ~.) §(٦) دَفْع (٧) أجر ؛ راتب (٨) جزاء ؛ مثوبة ؛ عقوبة (٩) شخص حريص على دفع ديونه في مواعيدها (He is good ~.) §(١٠) محتوٍ على شيء نفيس ، كالذهب أو النفط (~ rock) (١١) مزوّد بجهاز تُلْقَى فيه القطعة النقدية عند الاستعمال (a ~ telephone) (١٢) متطلّب أجراً : غير مجّاني (~ hospitals) .

in the ~ of the enemy في خدمة العدو ؛ مأجور من قِبَل العدوّ .

to ~ attention to ينتبه إلى .

to ~ (money) back يرُدّ ؛ يُرْجِع (دَيْناً) .

to ~ a call on someone / to ~ someone a visit يزوره ؛ يقوم بزيارته .

to ~ for يدفع الثمن ؛ يدفع ثمن (غلطة أو مسلك طائش) .

to ~ for one's whistle يدفع غالياً ثمن نزوةٍ من نزواته .

to ~ off (١) يعطي (العاملَ) حسابه ويصرفه من الخدمة . (٢) «أ» يدفع الدين بكامله . «ب» يفي الدائنَ دَينَه بكامله (٣) ينتقم من (٤) يَغُلّ ؛ ينتج ربحاً .

to ~ one's way يتجنّب الدَّيْن .

to ~ (a person) out يعاقبه ؛ يثأر منه .

to ~ (money) out يُنفق .

to ~ up يدفع كلّ ما عليه .

payable [pā'ə-] *(adj.)* (١) ممكنٌ أو واجبٌ دفعهُ (٢) مُرْبِح .

payday [pā'dā'] *(n.)* يوم الدفع ؛ يوم دفع الرواتب .

pay dirt *(n.)* (١) تربة غنيّة بالمعادن (٢) اكتشاف مفيد أو مُرْبِح .

payee [pā ē'] *(n.)* (١) المدفوع له (٢) المستفيد : الشخص الذي تُسْحَب لأمره الكمبيالة وتُدْفَع إليه قيمتها في تاريخ الاستحقاق (تج) .

payer *also* **payor** [pā'ər] *(n.)* (١) الدافع (٢) دافع الكمبيالة .

payload [pā'lōd'] *(n.)* (١) الحِمل الآجِر ؛ الحمولة الصافية . (٢) الشحنة المتفجرة (في رأس القذيفة) .

paymaster [pā'-] *(n.)* صرّاف الرواتب (في دائرة حكومية أو شركة) .

payment [pā-] *(n.)* (١) دَفْع (٢) دَفْعَة (monthly ~ *s*) (٣) جزاء ؛ مكافأة ؛ عِقاب .

paynim [pā'nĭm] *(n.)* الوثنيّ ؛ الكافر .

payoff [pā'ôf'] *(n.; adj.)* (١) دَفْع الرّواتب أو الارباح أو موعد ذلك (٢) «أ» ربح ؛ مكافأة . «ب» عِقاب (٣) ذروة ؛ أوج ؛ وبخاصة : المرحلة التي يتم فيها حلّ العقدة القصصيّة (٤) عاملٌ حاسمٌ §(٥) حاسم (gave him the ~ shot) .

payroll *or* **paysheet** [pā'-] *(n.)* جدول الرواتب .

pay station *(n.)* تلفون للعموم مزوّد بجهاز تُلقَى فيه القطعة النقدية .

PDQ *(adv.)* [abbr. of *pretty damned quick*] حالاً ؛ في الحال .

pea [pē] *(n.)* (١) «أ» البِسِلَّى ؛ البازِلاّ (نب) . «ب» حبة البِسِلّة . (٢) شيء صغير كحبّة البِسِلّة .

as like as two ~ *s* متشابهان تماماً ؛ «كأنهما فولةٌ انقسمت»

peace [pēs] *(n.; vi.)* (١) أمْنٌ (٢) طمأنينة (~ of mind) (٣) وئام (٤) «أ» سِلم ؛ سَلام . «ب» معاهدة صلح §(٥) يصمت ؛ يلتزم الهدوء (ترِد بصيغة الأمر غالباً) .

at ~, (١) في سلام (٢) في حالة مودة أو صداقة أو اطمئنان .

king's *or* queen's ~, أمْنُ البلاد العام وسيادة حكم القانون فيها .

to hold one's ~, يلزم الصمت ؛ يكفّ عن الكلام .

to keep the ~, يطيع القوانين .

to make ~, يكفّ عن القتال ؛ يعقد الصلح مع .

peaceable [pē'sə-] *(adj.)* (١) مُسالِم (٢) سِلمِيّ .

peaceful [pēs'fəl] *(adj.)* (١) مُسالِم (٢) هادئ ؛ خلوٌ من الاضطراب (a ~ reign) (٣) سِلمِيّ . —**peacefully** *(adv.)*

peacemaker [pēs'-] *(n.)* المُصْلِح ؛ مُصْلِح ذات البَين .

peace offering *(n.)* تقدمة سلام ؛ كل ما يُقدَّم على سبيل الاسترضاء .

peace officer *(n.)* شرطيّ ؛ رَجُلُ أمْنٍ الخ .

peace pipe *(n.)* = calumet.

peacetime [pēs'tīm] *(n.; adj.)* (١) زمن السِّلْم §(٢) سِلميّ : منسوب إلى زمنِ السِّلْم (~ uses of atomic energy) .

peach [pēch] *(n.; adj.; vt.; i.)* (١) خَوْخ ؛ دُرّاق (٢) لون قرنفليّ ضارب إلى الصفرة (٣) شخص أو شيء محبوب (كالخوخ حلاوةً أو جمالاً الخ.) §(٤) خَوْخيّ اللون §(٥) يَشي بِـ .

peachblow [pēch'blō'] *(n.)* الطِّلاء الخوخيّ : طلاء خوخيّ اللون يُستعمَل في صنع الخزف الصينيّ .

peachy [pē'-] *(adj.)* (١) خَوْخيّ ؛ كالخوخ (٢) ممتاز ؛ رائع (ع) .

peacock [pē'kŏk'] *(n.; vi.)* (١) الطاووس (طا) (٢) شخص مغرور أو معجَب بنفسِهِ §(٣) يتطوّس ؛ يَتيه مُعجَباً بنفسِهِ —**peacockish; peacocky** *(adj.)*

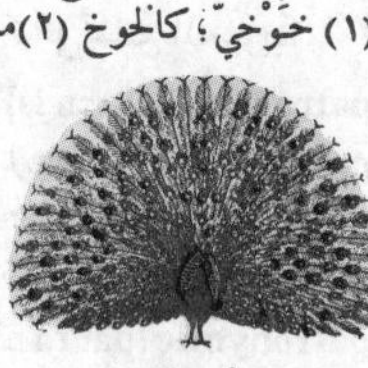
peacock

peacock blue *(n.)* الأزرق الطاووسيّ : لون أزرق مخضرّ .

peafowl [pē'foul] *(n.)* (١) طاووس (٢) طاووسة .

pea green *(n.)* الأخضر البِسِلّي : لون أخضر فاتح .

peahen [pē'hĕn'] *(n.)* الطاووسة : أنثى الطاووس .

pea jacket *(n.)* سِترة البحّار أو النوتيّ .

peak [pēk] *(n.; vi.; t.; adj.)* (١) حافّة ناتئة (the ~ of a cap) (٢) قُنّة داخلة في البحر (٣) «أ» قمة . «ب» جبل ؛ هضبة (٤) ذروة ؛ أوج §(٥) يهْزُل ؛ يُصيبه الهزال (٦) يتضاءل (٧) يبلغ الذروةَ أو الأوج ×(٨) يجعله يبلغ الذروة (٩) يُمسك

بالمِجذاف رافعاً جزءه المسطّح الرقيق إلى أعلى §(١٠) بالغ الذروة.

peaked [pēkt] *(adj.)* (١) مُحَدَّد؛ مُستدِقّ الرأس (٢) شاحب.

peal [pēl] *(n.; vi.)* (١) جلجلة الأجراس (٢) مجموعة أجراس (٣) «أ» رنين الضحك. «ب» ضجيج الاستحسان. «ج» قصف الرعد. «د» دويّ المدافع §(٤) يُجلجل؛ يرنّ؛ يقصف؛ يدوّي.

peanut [pē'-] *(n.; adj.)* (١) «أ» فول سوداني. «ب» حبّة فول سوداني (٢) شخص تافه أو ضئيل الجسم (٣) *pl.*: مقدارٌ تافه أو ضئيل §(٤) تافه (politicians ~).

pear [pâr] *(n.)* الإجّاص؛ الكُمَّثرى (نب).

pearl [pûrl] *(n.; vt.; i.; adj.)* (١) «أ» لؤلؤة. «ب» عرق اللؤلؤ (را. mother-of-pearl) (٢) شيء كاللؤلؤة جمالاً أو مظهراً (مثل امرأة أو دمعة أو قطرة ندىً) (٣) لون رماديّ فاتح جداً (٤) حرف مطبعي صغير (٥ أبناط) §(٥) يرصّع باللآلئ أو بما يشبهها (٦) يحبّب؛ يبرغل ×(٧) يشكّل قطراتٍ كاللؤلؤ (٨) يصيد اللؤلؤ §(٩) «أ» لؤلؤيّ. «ب» شبيه باللؤلؤ. «ج» مرصّع باللآلئ (١٠) محبَّب؛ مبرغَل: ذو حبّات متوسطة الحجم.

pearl barley *(n.)* شعير محبّب أو مبرغَل.

pearl danio *(n.)* السمك اللؤلؤيّ: سمك صغير لمّاع.

pearl diver *(n.)* الغوّاص؛ صائد اللؤلؤ.

pearl gray *(n.)* (١) الرمادي الفاتح (٢) الأزرق الفاتح.

Pearl Harbor *(n.)* بيرل هاربور: هجوم غادر.

pearlite [pûr'līt] *(n.)* البَرْليت (مع).

pearl millet *(n.)* الدُّخْن اللؤلؤيّ (نب).

pearl oyster *(n.)* مَحار اللؤلؤ.

pearl shell *(n.)* = mother-of-pearl.

pearly [pûr'lĭ] *(adj.)* (١) لؤلؤيّ: شبيه باللؤلؤ أو بعرق اللؤلؤ أو محتوٍ عليهما أو مرصّع بهما (٢) بالغ النفاسة.

pearmain [pâr'mān] *(n.)* البيرْمي: ضربٌ من التفاح.

peart [pĭrt] *(adj.)* (١) مبتهج (٢) بارع.

peasant [pĕz'ənt] *(n.)* (١) الفلاّح (٢) القرَويّ؛ الريفيّ.

peasantry [pĕz'-] *(n.)* (١) الفلاحون (٢) حالة الفلاحين أو وضعهم.

pease [pēz] *(n. chiefly Brit.)* = pea.

pease [pēz] *pl. of* pea.

peasecod *or* **peascod** [pēz'kŏd] *(n.)* قرن البيسلّى أو البزلاّ.

pea soup *(n.)* (١) حِساء البيسلّى (٢) ضبابٌ كثيف.

peat [pēt] *(n.)* (١) الخُثّ: نسيج نباتي نصف متفحّم يتكوّن بتحلّل النباتات تحلّلاً جزئياً في الماء (٢) قطعة خُثّ تُتّخذ وقوداً (٣) امرأة مَرِحة وقِحة.

peavey *or* **peavy** [pē'vĭ] *(n.)* البَيْفة: مُخْل يستخدمه الحطابون.

pebble [pĕb'əl] *(n.; vt.)* (١) حصاة (٢) «أ» البلور الصخري: كوارتز شفاف لا لون له. «ب» عدسة نظارات مصنوعة من بلور صخري (٣) سطح متجعّد أو مُبَلّر أو غير مستوٍ §(٤) يحَصّب؛ يرجم بالحصى (٥) يرصف أو يفرش بالحصى أو بالحصباء (٦) يعالج (الجلودَ) بحيث تصبح متبلّرة السّطح. —**pebbly** *(adj.)*

pecan [pĭ kän'; pĭ kăn'] *(n.)* (١) البقّان: ضربٌ من الجِقَّور أو شجر الجوز الأميركي (٢) جَوْز البقّان.

peccability [pĕk'ə bĭl'-] *(n.)* اللاّعِصمة: قابلية اقتراف الإثم.

peccable [pĕk'ə-] *(adj.)* غير معصوم: معرَّض لاقتراف الإثم.

peccadillo [pĕk'ə dĭl'ō] *(Sp.)* زلّة؛ هفوة؛ عثرة؛ إثم طفيف.

peccant [pĕk'ənt] *(adj.)* (١) آثم؛ مذنب (٢) منتهك لمبدأ أو قاعدة (من قواعد الذوق أو الحشمة الخ.) (٣) سقيم؛ مُورِثٌ ألماً أو إزعاجاً (a ~ tooth). —**peccancy** *(n.)*

peccary [pĕk'ə rĭ] *(n.)* البقَّريّ: حيوان أميركي شبيه بالخنزير.

peccary

peccavi [pĕ kä'vī; -kä'vē] *(L.)* إقرارٌ بالإثم.

peck [pĕk] *(vt.; i.; n.)* (١) «أ» ينقُد أو ينقُر (الطائر). «ب» يثقب (٢) يلتقط (بالمنقار) ×(٣) يتذمّر باستمرار؛ ينقّ؛ يوبّخ (تتبعها at) (٤) يقضم برفق؛ يأكل مصغّراً لقمته §(٥) نقرة؛ ثقب (٦) «أ» نَقْدة طائر. «ب» قبلة عجلى (تُطبَع بدافع الواجب أكثر مما تُطبَع بدافع العاطفة) (٧) البَكّ: مكيالٌ يساوي رُبْع بوشل (٨) مقدار كبير (a ~ of dirt).

pecker [pĕk'-] *(n.)* (١) الناقر؛ طائر ينقُد الحَبّ (٢) أنف (٣) فم (٤) الشهوة إلى الطعام (٥) مرَح؛ ابتهاج (٦) شجاعة. keep your ~ up! حافِظ على مرحِك أو شجاعتك!

pecksniffian [pĕk snĭf'ĭ ən] *(adj.)* متظاهر بالتقوى والصلاح.

pectate [pĕk'tāt] *(n.)* البكتات: ملح الحامض البكتيني (ك).

pecten [pĕk'tən] *(L.)* (١) الغشاء المشطيّ: غشاء كالمشط يكون في أعين الطيور والزحافات (٢) الأسقلوب: محار مِروَحيّ الشكل.

pectic acid [pĕk'-] *(n.)* الحامض البكتيني؛ الحامض البكتيكي (ك).

pectin [pĕk'tĭn] *(F.)* البكتين: مادة توجد في الثمار اليانعة، وبخاصة التفاح، تنحلّ في المياه الغالية ثم تشكّل عند التبخّر مادة هلاميّة (ك).

pectinate *or* **pectinated** [pĕk'-] *(adj.)* مِشْطيّ؛ كأسنان المِشط.

pectoral [pĕk'tə rəl] *(adj.; n.)* (١) صَدْريّ (٢) نافع لأمراض الجهاز التنفسيّ (٣) وجدانيّ: نابعٌ من الصدر (أو القلب) بوصفه مركز العاطفة §(٤) صُدْرَة؛ شيء يلبس على الصدر.

pectoral cross *(n.)* الصليب الصدري (يعلّقه الأسقف في صدره).

pectoral fin *(n.)* الزِّعنفة الصَّدريّة (في الأسماك).

pectoral girdle *(n.)* الزُّنّار الصَّدري (في الفقاريات).

peculate [pĕk'-] *(vt.)* يختلس. —**peculation** *(n.)*

peculiar [pĭ kūl'yər] *(adj.; n.)* (١) خاصّ (his own ~ property) (٢) مميِّز (a custom ~ to France) (٣) خصوصيّ؛ فريد؛ متميّز (a matter of ~ interest) (٤) غريب (a ~ costume) (٥) غريب الأطوار (a ~ poet) §(٦) مِلْكٌ أو امتياز خاص (٧) كنيسة أو أبرشيّة خاصة.

peculiarity [pĭ kū'lĭ ăr'ə tĭ] *(n.)* (١) الخصوصيّة: كون الشيء متميزاً أو فريداً أو غير مألوف (٢) مِيزة (٣) غرابة أو شيء غريب.

peculiarly [pĭ kūl'-] *(adv.)* (١) «أ» على نحوٍ مميز. «ب» الى حد استثنائي (٢) «أ» بطريقة غريبة. «ب» من الغريب.

pecuniary [pĭ kū'nĭ ĕr'ĭ] *(adj.)* ماليّ (a ~ reward).

ped- = paed-.

-ped لاحقة معناها: قَدَم (quadru*ped*).

pedagogic; -al [pĕd'ə gŏj'-] *(adj.)* بيداغوجيّ.

pedagogics [pĕd'ə gŏj'ĭks] *(n.)* = pedagogy.

pedagogue *also* **pedagog** [pĕd'ə gŏg] *(n.)* المدرِّس؛ المعلِّم.

pedagogy [pĕd'ə gō'jĭ] *(n.)* البيداغوجيا: علم أصول التدريس.

pedal [pĕd'əl] *(n.; adj.; vi.; t.)* (١) دوّاسة؛ دَعْسَة؛ قدَميّة §(٢) قدَميّ (٣) دوّاسيّ؛ دَعْسيّ §(٤) يستعمل أو يُعمِل دوّاسة (٥) يركب درّاجة ×(٦) يُعمِل دوّاساتِ كذا.

pedal line *(n.)* مستقيم المواقع؛ خطّ المواقع (ر).

pedal point *(n.)* النغمة المفردة أو المهيمنة (مو).

pedal pushers *(n. pl.)* سِروال نسائيّ أو بناتيّ يصل إلى ربلة الساق.

pedant [pĕd'ənt] *(n.)* : (١) المعلّم (٢) المتحذلق (٣) الصَّحَفي : مَن اكتسب ثقافته من صحائف الكتب فحسب (مع افتقار إلى الحكمة العملية) . **—pedantic** *(adj.)* **—pedantry** *(n.)*

pedate [pĕd'āt] *(adj.)* (١) ذو قَدَم أو أكثر . (٢) راحيّ مشقوق (~ leaves) .

pedate leaf

peddle [pĕd'əl] *(vi.; t.)* (١) يتجوّل لبيع بضاعته . (٢) يشتغل بالتوافه ×(٣) يبيع متجوّلاً ، وبالتالي : يبيع بالتجزئة (٤) ينشر ؛ يوزّع .

peddler *or* **pedlar** [pĕd'lər] *(n.)* البائع المتجوّل .

peddlery *or* **pedlary** [pĕd'lə rĭ] *(n.)* (١) بضاعة الباعة المتجوّلين (٢) صناعة البائع المتجوّل .

peddling [pĕd'lĭng] *(adj.)* تافه ؛ حقير .

pederast [pĕd'ə răst; pē'də-] *(n.)* اللوطي .

pederasty [-răs tĭ] *(n.)* اللّواطة .

pedestal [pĕd'ĭs təl] *(n.; vt.)* (١) قاعدة (العمود أو التمثال) (٢) أساس §(٣) يضعه فوق قاعدة ؛ يزوّده بقاعدة .

to set a person on a ~, ينظر إليه نظرته إلى شخص كامل الصفات .

pedestal 1.

pedestrian [pə dĕs'trĭ ən] *(adj.; n.)* (١) مبتذَل (٢) ماشٍ ؛ راجل (٣)مُنجز سيراً على القدمين (a ~ journey) (٤)مَشْيِيّ : ذو علاقة بالمشي §(٥) الماشي ؛ الراجل .

pedestrianism [-ə nĭz'əm] *(n.)* (١) «أ» المشي . «ب» عادة المشي (بغية الرياضة أو الترويح عن النفس) (٢) ابتذال .

pediatric [pē dĭ ăt'rĭk] *(adj.)* ذو علاقة بطبّ الأطفال .

pediatrician[pē'dĭ ə trĭsh'ən]*or* **pediatrist**[-ăt'rĭst]*(n.)* طبيب الأطفال .

pediatrics [pē dĭ ăt'rĭks; pĕd'-] *(n.)* طبّ الأطفال .

pedicel [pĕd'ə səl] *(L.)* (١) سُوَيْقَة ؛ زُنَيْد (نب) . (٢) رُجَيْلَة ؛ عُنَيْق (ح) .

pedicellate [-sə lĭt; -lāt'] *(adj.)* ذو سُوَيْقَة أو سُوَيْقات الخ .

pedicle [pĕd'ə kəl] *(L.)* = pedicel.

pedicular[pĭ dĭk'yə lər]*(adj.)* (١)قَمْليّ (٢)قَمِل ؛ مُقَمِّل .

pediculosis [pĭ dĭk'yə lō'sĭs] *(L.)* التقمّل ؛ الإصابة بالقمل .

pediculous [pĭ dĭk'yə ləs] *(adj.)* قَمِل ؛ مُقَمِّل .

pedicure [pĕd'ə kyŏŏr'] *(F.)* (١)الأقدامي : الاختصاصيّ المعالج للقَدَم (٢) العناية بالأقدام وأظافرها . **—pedicurist** *(n.)*

pedigree [pĕd'ə grē] *(n.; adj.)* (١) نَسَب ؛ شجرة النسب . (٢) أصل ؛ تاريخ ؛ اشتقاق (٣)أصالة ؛ محتِد كريم §(٤)أصيل .

pedigreed[pĕd'ə grēd']*(adj.)* أصيل : ذو نسب كريم معروف .

pediment [pĕd'ə mənt] *(n.)* القَوْصَرة : مُثلّث في أعلى واجهة المبنى (عم) .

P

P. pediment

pedlar [pĕd'lər] *(n.)* بائع متجوّل .

pedo- = paed-.

pedogenesis [pĕd ə jĕn'ə sĭs] *(L.)* تكوّن التربة .

pedologist [pĭ dŏl'-]*(n.)* البيدولوجي : الاختصاصيّ بعلم التربة .

pedologist [pē dŏl'-] *(n.)* البيدولوجي : الاختصاصي بدراسة حياة الأطفال وتطورهم .

pedology [pĭ dŏl'ə jĭ] *(n.)* البيدولوجيا : علم التربة .

pedology[pē dŏl'-]*(n.)* البيدولوجيا : دراسة حياة الأطفال وتطورهم .

pedometer [pĕ dŏm'ə-]*(n.)* عدّاد الخُطى ؛ مقياس مسافة السير .

peduncle[pĭ dŭng'kəl]*(L.)* (١)سُوَيْقة تحمل زهرة أو عنقوداً (نب) . (٢) رُجَيْلَة ؛ ذُنَيْب (ح) . **—peduncled** *(adj.)* **—peduncular** *(adj.)*

pedunculate; pedunculated [-dŭng'-] *(adj.)* (١)مسوّق : ذو سُوَيْقَة أو نام على سُوَيْقَة (نب) (٢)مرجّل ؛ ذو رُجَيلة (ح) .

peek [pēk] *(vi.; n.)* (١) «أ» ينظر خلسةً . «ب» يختلس النظر من خلال ثقب أو من مخبأ (٢) يلقي نظرةً خاطفة §(٣) نظرةٌ خاطفةٌ أو مختَلَسة .

peel [pēl] *(vt.; i.; n.)* (١) «أ» يقشّر ؛ يُقَشّر . «ب» يسلخ . ×(٢) يتقشّر ؛ يتجرّد (٣) يخلع ثيابه §(٤) قشرة الثمرة (٥) حِصْن (وبخاصة على الحدود الانكليزية الاسكتلندية في القرن ١٦ م) (٦) المِخباز : لوح على شكل جاروف يُدخل به الخباز العجين إلى النار ثم يُخرجه منها .

to ~ off ينحرف عن السِّرب للانقضاض أو الهبوط (طي) .

peeler [pē'lər] *(n.)* (١) «أ» فا peel . «ب» مِقْشَرة . (٢) زند حطب ضخم (٣) شرطي .

peeling [pē'lĭng] *(n.)* (١) قَشْر ؛ تقشير (٢) قُشارة .

peen *or* **pein** [pēn] *(n.)* مؤخّر المطرقة أو الجزء الخلفيّ الحادّ أو الكرويّ الخ . من رأسها .

peen [pēn] *(vt.)* ينزع أو يلوي أو يسطّح بمؤخّر المطرقة الحادّ .

peep [pēp] *(vi.; t.; n.)* (١) يزقو ؛ يَصِيء : يطلق صوتاً ضعيفاً كصوت طائر صغير أو فأرة صغيرة (٢) «أ» يختلس النظر من خلال ثقب . «ب» ينظر بحذر أو مَكْر (٣) يلوح ؛ يبزغ ×(٤) يُظهر أو يُبرز قليلاً أو بعضَ الشيء §(٥) صوت ضعيف واهن (٦) «أ» شكوى خافتة . «ب» احتجاج خافت (٧) بزوغ ؛ انبثاق (٨) نظرة خاطفة أو مختَلَسة .

~ of day الفجر .

peeper [pē'pər]*(n.)* (١) «أ» فا peep . «ب» ضفدعة (٢)مختلِس النظر من خلال ثقب ، وبخاصة : مَن يشبع رغبته الجنسية من طريق النظر إلى الأعضاء الجنسية أو إلى العمل الجنسي (٣) عين .

peephole [pēp'-] *(n.)* ثقب الباب ؛ ثقب يُختَلَس منه النظر .

Peeping Tom *(n.)* (١) توم المختلس للنظر : اسم يطلق على كل من يَستَرِق النظر إلى قوم في خلوة (٢) peeper 2 .

peep show *(n.)* صندوق الدنيا ؛ صندوق الفرجة .

peep sight *(n.)* منظار البندقية : صفيحة ذات ثقب صغير ينظر الرامي من خلاله إلى الهدف .

peer [pĭr] *(n.; vi.)* (١)النظير ؛ النِّدّ ؛ الصِّنْو (٢)النبيل ؛ الشريف ؛ الأمير §(٣) يحدّق ؛ يُنعم النظر إلى (٤) يلوح ؛ يبدو للعيان .

peerage [pĭr'ĭj] *(n.)* (١) طبقة النبلاء (٢) رتبة النبيل أو مقامه . (٣) كتاب يشتمل على أسماء النبلاء .

peeress [pĭr'ĭs] *(n.)* النبيلة : «أ» امرأة تحمل لقب النبالة . «ب» زوجة النبيل أو أرملته .

peerless [pĭr'-] *(adj.)* فذّ ؛ فريد ؛ منقطع النظير ؛ لا يُضارَع .

peeve [pēv] *(vt.)* يُغيظ ؛ يُغضِب ؛ يُزعج .

peevish [pē'vĭsh] *(adj.)* (١) نكِد ؛ شكِس (٢) عنيد . (٣) بَرِم ؛ مُتَسِم بالنكد والتذمّر (a ~ remark) .

peewee[pē'wē]*(n.)* (١)شيء صغير جداً (٢)شخص ضئيل الجسم .

peewit [pē'wĭt] *(n.)* = pewit.

peg [pĕg] *(n.; vt.; i.; adj.)* (١) «أ» وتِد ؛ إسفين . «ب» ملقط غسيل (بر) . «ج» مستوى تثبّت عنده الأسعار (٢) «أ» مِشجب . «ب» علامة حدود . «ج» حجة ؛ ذريعة (٣) مِلوَى العود

أو الكمان (٤) سِدادة (لثقب في برميل) (٥) دَرَجَة (٦) كُلاّب (للإمساك أو النَّزع) (٧) قَدَم ؛ رِجْل . أيضاً: سنّ (ع) (٨) شراب مسكِر (٩) رَمْية §(١٠) «أ» يُوَتِّد . «ب» يشبك الثياب على حبل غسيل (بر) . «ج» يثبِّت (الأسعارَ) في مستوى معين . «د» يصنِّف ؛ يضعه في زمرة معيّنة (١١) يعيِّن الحدود أو التخوم (١٢) يرمي ؛ يسدد ×(١٣) يعمل في اطِّراد وانكباب (١٤) يندفع بعزم أو استعجال §(١٥) أو **pegged** : واسع الأعلى ضيّق الأسفل (~ trousers) .

a square ~ in a round hole شخص غير مؤهَّل للوظيفة المسندة إليه .

to ~ away (at) يواصل العمل في . . .

to ~ out (١) يموت (٢) يفلِس (٣) يصاب بالإرهاق .

to take a person down a ~ or two . يُذِلّ شخصاً

Pegasus [pĕg'ə səs] *(n.)* : (١) بيغاسوس : فرس مجنّح جعل الماءَ يتدفّق ، برفسة من حافره ، من نبع هيبوكرين (مث) (٢) إلهام شعري ؛ عبقرية شعرية (٣) الفرس الأعظم ؛ الفرس الثاني (فل) .

Pegasus

pegmatite [-'mə tīt'] *(n.)* : البغماتيت : ضرب من الصوان أو الغرانيت .

peg top *(n.)* : (١) خُذْرُوف ؛ «بلبل» (٢) *pl.* : بنطلون واسع الأعلى ضيق الأسفل .

peg-top *or* **peg-topped** *(adj.)* = peg 15.

peignoir [pān wär'] *(F.)* البنوار : مِبذل نِسوي فضفاض .

pejorative [pē'jə rā-] *(adj.)* إزدرائي ؛ منتقص من القَدْر .

Pekin [pē'kĭn'] *(Chin.)* بطّة بكين : بطة كبيرة بيضاء من أصل صيني .

Pekingese [pē'kĭng ēz'] *or* **Pekinese** [pē'kə nēz'] *(n.)* (١) البكّيني : أحد أبناء بكين (٢) البكّينية : لهجة بكين الصينيّة (٣) كلب بكين : كلب صغير قصير القوائم عريض الوجه طويل الشعر ناعمه .

Peking man *(n.)* إنسان بكين : إنسان منقرض يرقى إلى العصر البلستوسيني أو العصر الحديث الأقرب .

pekoe [pē'kō] *(Chin.)* البيكو : شاي أسود ممتاز .

pelage [pĕl'ĭj] *(F.)* إهاب الحيوان الثديّ (أي شعره أو فروه أو صوفه) .

Pelagian [pə lā'jĭ ən] *(n.; adj.)* (١) البيلاجيوسي : أحد أتباع بيلاجيوس (حوالى ٣٦٠ – حوالى ٤٢٠م) الراهب البريطاني الذي أنكر الخطيئة الأصلية وقال بحرية الارادة التامّة §(٢) بيلاجيوسي .

pelagic [pə lăj'ĭk] *(adj.)* أوقيانوسي : متعلق بالأوقيانوس .

pelargonium [pĕl'är gō'-] *(L.)* الغُرْنُوقي : نبات مُزْهِر .

pelerine [pĕl'ə rēn'] *(F.)* البَلَرين : وشاح نسويّ طويل الأطراف .

pelf [pĕlf] *(n.)* مال ؛ ثروة .

pelican [pĕl'ə kən] *(n.)* البَجَع : طائر مائيّ كبير .

pelisse [pə lēs'] *(F.)* البَلِيس : «أ» معطف أو سترة طويلة من فراء (أو مبطّنة أو مزركشة الأطراف بالفراء) . «ب» معطف نِسوي خفيف عريض القبّة مزركش الأطراف بالفراء .

pelican

pellagra [pə lā'grə; pə lăg'rə] *(n.)* البَلاّغرا ؛ الحُصَاف ؛ داء الذُرَة : مرض مزمِن غير مُعْدٍ ينشأ عن نقص في التغذية .

pellet [pĕl'ĭt] *(n.; vt.)* (١) «أ» كُرَيّة ؛ كرة صغيرة (من طعام الخ.) . «ب» حبّة دواء (٢) «أ» كرة حجرية كانت تستخدم كقذيفة في القرون الوسطى . «ب» قنبلة ؛ قذيفة مدفع . «ج» رصاصة . «د» خردقة أو رصاصة صغيرة . «ﻫ» رصاصة زائفة (من شمع أو ورق) §(٣) يكوّر : يجعله على شكل كرة صغيرة الخ. (٤) يرمي بِكُرَاتٍ او قذائف .

pellicle [pĕl'ə kəl] *(n.)* قشرة رقيقة ؛ غشاء رقيق .

pellitory [pĕl'ə tōr'ĭ] *(n.)* حشيشة الزجاج (نب) .

pell-mell [pĕl'mĕl'] *(adv.; adj.; n.)* (١) شَذَرَ مَذَرَ ؛ بفوضى واختلاط (٢) بعجلة شديدة أو مضطربة ؛ بتهوّر §(٣) مختلِط حابلُه بنابله §(٤) فوضى .

pellucid [pə lōō'sĭd] *(adj.)* (١) شفّاف (٢) صافٍ ؛ رائق . (٣) سهل الفهم جداً .

Pelmanism [pĕl'-] *(n.)* البَلْمَنية : طريقة حديثة في تمرين الذاكرة .

pelota [pĕ lô'tä] *(Sp.)* البَلُوتة : نوع من لعب الكرة والمضرب .

pelt [pĕlt] *(n.; vt.; i.)* (١) جلد الحيوان غير المدبوغ (٢) ضربة . §(٣) يسلخ (جلدَ الحيوان) (٤) يقذف ؛ يرشق ؛ يرجم ×(٥) يَضْرِب بغير انقطاع (٦) ينطلق بسرعة وعزم .

peltate [pĕl'tāt] *(adj.)* تُرْسيّ ؛ تُرسيّ الشكل .

peltate leaf

peltry [pĕl'trĭ] *(n.)* جلود ؛ فراء ؛ وبخاصة جلود غير مدبوغة .

pelvic [pĕl'-] *(adj.)* حَوْضيّ : ذو علاقة بالحوض او واقعٌ قربه (ت) .

pelvic fin *(n.)* . الزِعنفة الحوضية (في الأسماك)

pelvic girdle *(n.)* . الزُنّار الحوضيّ (في الفقاريات)

pelvis [pĕl'vĭs] *(L.)* pl. **-vises** *or* **-ves** (١) الحوض (ت) . (٢) تجويف الحوض (ت) (٣) تجويف الكُلْيَة الذي يتلقّى البول قبل إمراره في الحالب (ت) .

pemmican *also* **pemican** [pĕm'ə kən] *(n.)* البَمِيكان : «أ» طعام مركّز من أطعمة هنود أميركة الحمر يتألف من لحم هبرٍ مفروم مقدّد ممزوج بالدُّهن المذوَّب . «ب» طعام مماثل من دقيق ولحم بقر مقدّد .

pemphigus [pĕm'fə gəs] *(L.)* الفُقّاع : داء يتميّز بظهور بثور كبيرة على البشرة والغشاء المخاطي .

pen [pĕn] *(n.; vt.)* (١) «أ» حظيرة صغيرة للخراف الخ. «ب» خُمّ الدجاج . «ج» ماشية أو طيور في حظيرة صغيرة أو خُمّ . «د» قطيع صغير (٢) «أ» زريبة للثيران . «ب» playpen (٣) حوض لإصلاح الغواصات (٤) «أ» ريشة الكتابة (تُتَّخذ من ريش الطائر) . «ب» ريشة الكتابة المعدنيّة . «ج» حاملة الريشة المعدنيّة وريشتها . «د» مِدَاد ؛ قلم حبر (٥) «أ» القلم بوصفه أداة الكتابة والتعبير . «ب» الكاتب ؛ المؤلف (٦) الغلاف الداخلي القرنيّ الشبيه بريشة الطائر (في بعض الحيوانات البحرية) (٧) أنثى التَّم أو الإوزّ العِراقيّ (٨) سِجْن (ع) §(٩) يزرب ؛ يحبس في حظيرة الخ. (١٠) يكتب ؛ يدبّج .

penal [pē'nəl] *(adj.)* (١) جزائيّ (~ laws) (٢) معرّض للعقوبة (a ~ offense) (٣) مُتَّخَذ مكاناً للعقاب (a ~ colony) .

penal code *(n.)* قانون الجزاء ؛ قانون العقوبات .

penalize [pē'nə līz'; pĕn'ə-] *(vt.)* (١) يعاقب (٢) يعتبر (عملاً ما) إجرامياً أو واقعاً تحت طائلة القانون (٣) يَعُوق .

penalty [pĕn'əl tĭ] *(n.)* (١) عِقاب ؛ قصاص ؛ حدّ (٢) غرامة . (٣) جزاء (يُنْزَل باللاعب الرياضي لمخالفته قواعد اللعبة) .

forbidden under ~ of ... محظورٌ تحت طائلة المعاقبة بِـ

penance [pĕn'əns] *(n.; vt.)* (١) الكفّارة ؛ العمل التكفيري : عقوبة ذاتية يُنزلها الآثم بنفسه ، وبخاصة بتوجيه من الكاهن ، تعبيراً عن توبته §(٢) يفرض عليه عقوبة ذاتية (تكفيراً عن خطيئة) .

to do ~, يعاقب نفسه (تكفيراً عن خطيئة) .

penates [pə nā'tēz] *(L.)* آلهة البيت عند الرومان .

pence [pĕns] *pl. of* penny.

penchant [pĕn'chənt] *(F.)* وَلَعٌ ، وَلوع ، مَيْل .

pencil [pĕn'səl] *(n.; vt.)* (١) ريشة الرسّام (٢) براعة الرسام أو أسلوبه الشخصيّ (٣)«أ» قلم رصاص. «ب»قلم أحمر الشفاه وما إليه (٤) حزمة («ر» و «بص») §(٥) يرسم ، يخطّط ، يكتب .

penciled *or* **pencilled**[pĕn'-] *(adj.)* (١) مرسوم أو مخطّط بالقلم (٢) مُزَجَّج (eyebrows ~) (٣) مُشَبَّع .

penciling *or* **pencilling** [pĕn'-] *(n.)* عَمَلُ القَلَم أو الريشة أو نِتاج ذلك (delicate ~ in a picture) .

pencraft [pĕn'-] *(n.)* صناعة الكتابة .

pendant *also* **pendent** [pĕn'dənt] *(n.)* (١) شيء متدلٍّ ؛ مثل : «أ» قِلادة . «ب» قُرْط ، شَنْف . «ج» ثُرَيّا (٢)حِلْية مُتَدَلّية (عم) (٣) «أ» حبلٌ قصير متدلٍّ من أعلى سارية المركب . «ب» راية بحرية على شكل مثلّث (٤) حلقة ساعة الجيب (٥) ملحق ، ذيل .

pendency [pĕn'-] *(n.)* (١) تَدَلٍّ (٢) المُعَلَّقِيّة : كون الشيء مُعَلَّقاً لمّا يُفْصَلْ فيه بَعْدُ (during the ~ of a suit at law) .

pendent *or* **pendant** [pĕn'-] *(adj.)* (١) مُتَدَلٍّ (٢) ناتىء أو مشرف على (٣)معلّق ، غير مبتوت أو مفصول فيه (a claim still ~) .

pending [pĕn'-] *(prep.; adj.)* (١) خلال ، أثناء (the ~ investigation) (٢) في انتظار ، إلى حين كذا (her return ~) §(٣) معلّق ، غير مبتوت أو مفصول فيه (a question that is ~) (٤)متدلٍّ ، ناتىء أو مشرف على ، وبالتالي : وشيك ، قريب الحدوث.

pendragon [pĕn drăg'ən] *(n.)* مَلِك ، عاهل .

pendular [pĕn'jə lər; -'dū lər] *(adj.)* (١)بندوليّ ، نُوَاسيّ . (٢) شبيه بحركة رقاص الساعة .

pendulous[pĕn'jə ləs;-'dū-]*(adj.)* (١) متدلٍّ (٢) متذبذب ، متخطّر (كرقّاص الساعة) .

pendulum [pĕn'jə ləm; -'dū-] *(L.)* البندول ، رقّاص الساعة .

peneplain *also* **peneplane** [pē'nə plān'] *(n.)* السَّهْب : بقعة جبليّة حوّلتها عوامل التعرية إلى شبه سَهْل (جي) .

penetrability [pĕn'ə trə bĭl'-]*(n.)* المُخْتَرَقِيّة : كون الشيء قابلاً لأن يُخْتَرَق .

penetrable [pĕn'ə-] *(adj.)* قابلٌ للاختراق ، قابلٌ لأن يُخْتَرَق.

penetralia [pĕn'ə trā'lĭ ə] *(L.)* (١) أعماق ، وبخاصة : قُدْس أقداس الهيكل الخ . (٢) دخائل ، أسرار ، خبايا .

penetrameter [pĕn ə trăm'ə tər] *(n.)* مقياس الاختراقية : أداة لقياس قدرة أشعة اكس أو غيرها على الاختراق .

penetrance [pĕn'-] *(n.)* النفوذية : قدرة «الجينة» أو المورّثة النسبية على إحداث أثرها الخاص في الكائن الحيّ التي هي جزء منه (أح).

penetrant [pĕn'-] *(adj.; n.)* (١) penetrating §(٢) المختَرِق أو القادر على الاختراق .

penetrate [pĕn'ə trāt'] *(vt.; i.)* (١) يخترق ، ينفذ إلى . (٢) «أ» يرى من خلال كذا . «ب» يدرك ، يفهم ، يكتشف معنى شيء أو محتوياته الداخلية (٣) يتخلّل شيئاً ×(٤) يتغلغل في (٥) يؤثر في الحواس أو المشاعر تأثيراً قوياً .

penetrating [pĕn'ə trā'-] *(adj.)* (١) نافذ ، نفّاذ ، مخترق . (٢) شديد ، حادّ (a ~ shriek) (٣) ثاقب ، ذكيّ (a ~ mind) .

penetration [pĕn'ə trā'-] *(n.)* (١) اختراق (٢) تغلغلُ نفوذ بلدٍ في حياة بلدٍ آخر (٣) هجومٌ مخترقٌ لجبهة العدوّ أو أراضيه (٤)«أ» مدى الاختراق. «ب» الاختراقيّة : القدرة على الاختراق ، وبخاصة : القدرة على التمييز والفهم بعمق وحدّة ذهن .

penetrative [pĕn'ə trā'-]*(adj.)* (١) مخترق ، نافذ ، ثاقب . (٢) ذكيّ ، حادّ (٣) مؤثّر ، شديد التأثير .

penetrativeness [pĕn'-] *(n.)* المُخْتَرِقِيّة ، النافذية الخ .

penetrometer [pĕn ə trŏm'ə tər]*(n.)* (١)المِقْوام : أداة لقياس قوام الأجسام نصف الصلبة (٢) penetrameter .

pen feather *(n.)* = pinfeather.

pen fish *(n.)* الحبّار ، السَّبِيدَج ، الصَّبِيدَج (سمك) .

pengö [pĕn'gœ'] *(n.)* البنغو : وحدة النقد في المجر (من ١٩٢٥–١٩٤٦).

penguin [pĕn'gwĭn] *(n.)* البِطْريق : طائر مائيّ قصير القدمين والجناحين عاجز عن الطيران .

penguin

penholder [pĕn'hōl'dər] *(n.)* : حاملة الريشة « مَسْكَة » ريشة الكتابة المعدنيّة .

penicillate [pĕn'ə sĭl'ĭt; -āt] *(adj.)* : مخصّل مزوّد بخصلة خيوط دقيقة .

penicillin [pĕn'ə sĭl'ĭn] *(n.)* البنيسيلين : عقّار مضادّ للجراثيم .

penicillium [pĕn'ə sĭl'ĭ əm] *(L.)* pl. **-lia** [-'ĭ ə] البنيسيلة ، البِنيسيليوم : فُطْر بعض أنواعه تستعمل في صنع الجُبْن وبعضها يُستخرَج منها البنيسيلين .

penile [pē'nīl] *(adj.)* قَضِيبِيّ : ذو علاقة بالقضيب أو آلة الرَّجُل.

peninsula [pə nĭn'sə lə; -syə lə] *(L.)* شِبْه جزيرة .

penis [pē'nĭs] *(L.)* pl. **-nes** *or* **-nises** القضيب ، آلة الرَّجل .

penitence [pĕn'ə təns] *(n.)* نَدَم ، تَوْبَة .

penitent [-tənt] *(adj.; n.)* (١) نادم ، تائب §(٢) النادم ، التائب.

penitential [pĕn'ə tĕn'shəl] *(adj.)* تَوْبِيّ ، تكفيريّ .

penitentiary [pĕn'ə tĕn'shə rĭ] *(n.; adj.)* (١) «أ» الكاهن المكلّف بالنظر في الخطايا التي يحتفظ الأسقف أو البابا بحق الحكم فيها . «ب» مجمع التوبة الرسوليّ : محكمة كاثوليكية ، يرئسها كاردينال ، مهمتها النظر في القضايا الروحية الخاصة (٢) «أ» سجن . «ب» اصلاحيّة §(٣) penitential (٤)عقوبتهُ السجن (a ~ offense) (٥) متعلّق بالسجن أو مُعَدّ له .

penknife [pĕn'nīf'] *(n.)* سكّين القلم : سكين (أو مطواة) جيب .

penman [pĕn'-] *(n.)* (١) الناسخ ، الخطاط (٢)الكاتب ، المؤلّف.

penmanship[pĕn'-]*(n.)* (١)فنّ الخط (٢)طريقة أو أسلوب الخطّ.

penna [pĕn'ə] *(L.)* pl. **-e** ريشة (من ريش الجناح أو الذيل) .

pen name *(n.)* الاسم القلميّ : اسم مستعار يتخذه الكاتب .

pennant [pĕn'ənt] *(n.)* (١) عَلَم مُثلّث الشكل عادةً . (٢) عَلَم البطولة : عَلَمٌ يرمز إلى بطولة رياضية .

pennate [pĕn'āt] *also* **pennated** [-əd]*(adj.)* ريشيّ الشكل .

penni [pĕn'ĭ] *(n.)* pl. **-a** *or* **-s** البِنِّي : عملة فنلندية صغيرة .

penniless [pĕn'ĭ lĭs] *(adj.)* مُعْدِم ، مفلس ، لا يملك فَلْساً .

pennon [pĕn'ən] *(n.)* (١) عَلَمٌ طويل مثلّث الشكل (يعلّق في رأس الرمح) (٢)علم بحريّ مثلّث الشكل (٣)راية (٤)جناح ، ريشة.

pennoncel *or* **penoncel** [pĕn'ən sĕl'] *(n.)* = pennon I.

penny [pĕn'ĭ] *(n.)* (١) البنس : $\frac{1}{12}$ من الشلينغ أو $\frac{1}{240}$ من الجنيه الانكليزي (والجمع : **pence**) (٢) قطعة نقدية صغيرة ، مثل: «أ» درهم (را. denarius I) . «ب» سَنْت ($\frac{1}{100}$ من الدولار الأميركي أو الكندي ، والجمع : **pennies**) (٣)مبلغ من المال.

a pretty ~, مبلغ ضخم من المال .

In for a ~, in for a pound إذا بدأ المرء عملاً فإن عليه أن ينجزه مهما كلف الأمر .

penny-wise and pound-foolish مقتصدٌ في التوافه مُسْرِفٌ في عظائم الأمور .

to turn an honest ~, يكسب المال بشرف .

penny-a-line [pĕn'i ə-] *(adj.)* (١) رخيص (٢) سطحي .

penny-a-liner [pĕn'i ə lī'-] *(n.)* (١) الكاتب البِنْسي : كاتب يحرّر في الصحف لقاء بنس واحد لكل سطر (٢) كاتب مستأجَر .

penny ante *(n.)* البوكر البِنْسي : بوكر يُراهَن فيه بمبالغ ضئيلة .

penny arcade *(n.)* المَلْهى البِنْسي : مركز للّهو كل أداة من أدوات التسلية فيه يمكن إعمالها لقاءَ بنس واحد .

penny dreadful *(n.)* الرواية البنسية : رواية من روايات الاجرام والمغامرات العنيفة كانت تباع في الأصل ببنس واحد .

penny-pinch [pĕn'-] *(vt.)* يقتّر على . **-er** *(n.)*

pennyroyal [pĕn'i roi'əl] *(n.)* نعنع بوليو ؛ نعنع الماء (نب) .

pennyweight [pĕn'i wāt'] *(n.)* البي ويْت : وحدة وزن تساوي ٢٤ قمحة أو ١/٢٠ من الأونس .

pennywort [pĕn'ĭ-] *(n.)* سُرّة الأرض ، آذان القسيس (نب) .

pennyworth [pĕn'i wûrth'] *(n.)* (١) المقدار الممكن شراؤه ببنس واحد (٢) صفقة (a good ~) (٣) مقدار صغير .

penological [pē'nə lŏj'ə kəl] *(adj.)* بانولوجي : متعلق بالبانولوجيا .

penologist [pē nŏl'ə jĭst] *(n.)* البانولوجي : الأخصائي في البانولوجيا .

penology [pē nŏl'ə jĭ] *(n.)* البانولوجيا : فرع من علم الجريمة يبحث في إدارة السجون ومعاملة المجرمين .

pensile [pĕn'sĭl] *(adj.)* (١) متدلٍّ ؛ معلّق (كأعشاش بعض الطيور) (٢) معلّق العُش ؛ بانٍ عشّاً معلّقاً .

pension [pĕn'shən] *(n.; vt.)* (١) «أ» منحة حكومية . «ب» معاش تقاعد § (٢) يعطيه منحة أو معاش تقاعد (٣) يحيله إلى التقاعد .

pension [pän syôn'] *(F.)* مثوى (مج) ؛ بنسيون ؛ فندق عائلي .

pensionable [pĕn'shən-] *(adj.)* موهّل أو موهَّل للتقاعد .

pensionary [pĕn'shə nĕr'ĭ] *(n.; adj.)* (١) المتقاعد : المحال إلى التقاعد (٢) hireling § (٣) تقاعدي (٤) متناولٌ معاشَ تقاعد .

pensioner [pĕn'shen ər] *(n.)* المتقاعد ؛ المحال إلى التقاعد .

pensive [pĕn'sĭv] *(adj.)* (١) مستغرق في تفكير متأملٍ أو حالم أو حزين (٢) كئيب : معبّر عن تفكير حزين (poems ~) .

penster [pĕnz'tər] *(n.)* الكاتب ؛ وبخاصة : الكاتب المستأجَر .

penstock [pĕn'stŏk'] *(n.)* (١) بوّابة الخزّان (لضبط مياه الفيضان وغيرها) (٢) قناة أو أنبوب لإسالة الماء .

pent [pĕnt] *past; past part. of* pen.

pent *(adj.)* حبيس ؛ مكبوت ؛ مكظوم (*pent*-up feelings) .

penta- *or* **pent-** بادئة معناها : خمسة (*penta*dactyl) .

pentacle [pĕn'tə kəl] *(n.)* نجمة خماسية تُستخدَم كرمز سحري .

pentad [pĕn'tăd] *(Gk.)* (١) خمسة (٢) خمسة ايام أو أعوام .

pentadactyl [pĕn tə dăk'tĭl] *(adj.)* خُماسيّ الأصابع .

pentagon [pĕn'tə gŏn'] *(n.)* (١) المخمَّس (هن) . (٢) *cap.* : البانتاغون : مقر وزارة الدفاع الاميركية .

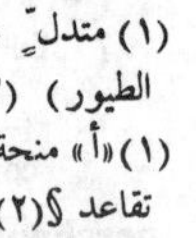

pentagon I.

pentagonal [pĕn tăg'ə nəl] *(adj.)* خماسيّ الزوايا والأضلاع .

pentagram [pĕn'tə grăm'] *(n.)* = pentacle.

pentahedron [pĕn'tə hē'drən] *(L.)* المُجسَّم الخماسي (هن) .

pentamerous [pĕn tăm'ər əs] *(adj.)* خماسيّ الأجزاء .

pentameter [pĕn tăm'ə tər] *(n.)* الخماسيّ التفاعيل (عر) .

pentane [pĕn'tān] *(n.)* البُنتان ؛ البرافين (ك) .

pentangle [pĕn'-] *(n.)* = pentacle.

pentarchy [pĕn'tär kĭ] *(Gk.)* حكومة الخمسة ؛ الحكومة الخماسيّة .

Pentateuch [pĕn'tə tūk'; -tōōk'] *(L.)* : أسفار موسى الخمسة : الأسفار الخمسة الأولى من «العهد القديم» .

pentathlon [pĕn tăth'-] *(Gk.)* المباراة الخماسيّة : مباراة رياضية يُطْلَب من المتباري فيها الاشتراكُ في خمس مسابقات مختلفة .

pentavalent [pĕn'tə vā'lənt] *(adj.)* خماسيّ التكافؤ (ك) .

Pentecost [pĕn'tə kôst'] *(n.)* (١) عيد الحصاد (عند اليهود) . (٢) عيد الخمسين أو العنصرة (نص) .

penthouse [pĕnt'hous'] *(n.)* (١) «أ» سقيفة . «ب» بناء إضافي (تابع لمبنى رئيسي) (٢) شقة أو حجرة فوق سطح المبنى .

pentomic [pĕn tŏm'ĭk] *(adj.)* خماسيّ : «أ» مؤلّف من خمس مجموعات مقاتلة (army division ~) . «ب» مقسم إلى فرق تتألف كل منها من خمس مجموعات مقاتلة (a ~ army) .

pentosan [pĕn'tə săn'] *(n.)* البنتوزان (ك) .

pentose [pĕn'tōs] *(n.)* البنتوز (ك) .

pentoxide [pĕnt'-] *(n.)* خامس أُكسيد ؛ الأكسيد الخماسي (ك) .

pentstemon *or* **penstemon** [pĕn(t) stē'mən] *(L.)* البَنْطِصْطَمون : عشب أميركي ذو زهر أزرق أو أصفر أو أبيض .

penuche [pə nū'chē] *(Sp.)* البَنيُوتْشي : حلوى تُعَدّ من سكر وزبدة وحليب وجوز .

penult [pē'nŭlt] *also* **penultimate** [pĭ nŭl'tə mĭt] *(L.)* الجزء قبل الأخير ؛ وبخاصة : المقطع قبل الأخير (من كلمة) .

penultimate [pĭ nŭl'tə mĭt] *(adj.)* (١) قبل الأخير (٢) متعلق بالمقطع قبل الأخير (من كلمة) .

penumbra [pĭ nŭm'brə] *(L.)* pl. **-brae** [-brē] *or* **-bras** شِبْه الظلّ ؛ الظل الناقص (فل) .

penurious [pə nyŏŏr'-] *(adj.)* (١) فقير ؛ قاحل (٢) بخيل .

penury [pĕn'yə rĭ] *(n.)* (١) فقر مدقع (٢) نُدرة ؛ قلّة .

peon [pē'ən] *(Pg.)* pl. **-s** *or* **-es** (١) البِيُون : «أ» عامل هندي أو سيلاني . «ب» عامل كادح لا يملك أرضاً (في أميركا اللاتينية) (٢) المدين المسخَّر : شخص ملزَم بالعمل في خدمة سيّدِه وفاءً لدَيْن (٣) الكادح : عامل أو خادم يكدح لقاء أجر ضئيل (٤) رسول .

peonage [pē'ən ĭj] *(n.)* (١) البِيُونِيّة : وضْع العامل أو الكادح (٢) تسخيرُ العمال (وفاءً لدَيْن) (٣) نظام السخرة التأجيري : نظام يؤجَّر بموجبه المحكوم عليهم بالسّجن لجماعة من الملتزمين يسخّرونهم في مختلف الأعمال .

peony [pē'ə nĭ] *(L.)* الفاوانيا ؛ عود الصليب : نبات ذو زهرات كبيرة حمراء أو قرنفلية أو بيضاء .

people [pē'pəl] *(n.; vt.)* (١) الناس (٢) أبناء ؛ أهالي (٣) أنسباء ؛ أقارب (to visit one's ~) (٤) الشعب ؛ عامة الشعب (was a man of the ~) (٥) شعب § (٦) يُؤْهِل ؛ يجعله آهلاً بالسكان .

peopled [pē'-] *(adj.)* آهِل ؛ مأهول بالسكان .

pep [pĕp] *(n.; vt.)* (١) حيوية ؛ نشاط (عأ) § (٢) ينفخ فيه الحيوية أو النشاط (them up ~) .

peplos *also* **peplus** [pĕp'ləs] *(L.)* البِبْلوس : ثوب أشبه بالشال كانت ترتديه الإغريقيات .

ă at; ā date; â care; ä car; ĕ egg; ē me; ĭ in; ī bite; ŏ lot; ō bone; ô orphan; oi boil ŏŏ good; ōō boot; ou out; ŭ under; ū unity; û urgent; th thing; th this; zh vision; ə = *a* in alone, *e* in system, *i* in easily, *o* in gallop, *u* in circus.

pepper [pĕp'-] *(n.; vt.)* (١) فُلْفُل (٢) نبات الفلفل §(٣) يُتبِّل بالفلفل (٤) يمطره بوابل من الحُردق أو الأسئلة المتلاحقة .

pepper-and-salt [pĕp'ər ən sôlt'] *(adj.)* أرقط : ذو سواد وبياض متخالطَيْن فكأنه مزيج من الملح والفلفل (cloth ~) .

pepperbox [pĕp'-] *(n.)* مَبْهَرة "(يُرَش" منها البهار على الطعام) .

pepper-caster; pepper-castor *(n.)* = pepperbox.

peppercorn [pĕp'ər kôrn'] *(n.)* (١) حبّ الفلفل (٢) بَدَل أو مقابل تافِه أو اسميّ .

peppercorn rent *(n.)* قيمة إيجار اسميّة .

peppergrass [pĕp'ər grăs'] *(n.)* الرَّشاد : بقلة حرّيفة .

peppermint[pĕp'ər-] *(n.)* (١)النعنع البستاني أو الفلفلي : نعنع يزرع في الدُّور والبساتين يستخرج منه روح النعنع (٢)حلوى منكَّهة به.

pepper pot *(n.)* (١) pepperbox (٢) طعام (أو حساء) من خضر ولحم وتوابل .

peppertree [pĕp'ər trē] *(n.)* شجرة الفلفل : شجرة بيروفيّة (نسبةً إلى البيرو) دائمة الخضرة .

peppery [pĕp'ə rĭ] *(adj.)* (١)فلفليّ أو كثير الفلفل (٢)حِرِّيف. (٣) حادّ الطبع (٤) لاذع ، قارص (satire ~) .

peppiness [pĕp'ĭ-] *(n.)* نشاط ، حيويّة .

peppy [pĕp'ĭ] *(adj.)* مُفْعَم بالنشاط والحيوية .

pepsin [pĕp'sĭn] *(G.)* البَبْسين، الهَضْمِين : «أ» خميرة الهضم في المعِدة (تحوّل البروتين إلى ببتون). «ب» مستحضَر محتوٍ على ببسين مستخرج من معدة الخنزير خصوصاً ويُستعمل لتسهيل الهضم .

pepsinogen [pĕp sĭn'ə jən] *(n.)* البيسينوجين : مادة في الغُدَد المَعِديّة تنتج البيسين (كح) .

peptic [pĕp'tĭk] *(adj.)* (١) مُهضِم ، مُساعد على الهضم (٢) ببسيّ ، هَضْميني (٣) متعلق بعمل العصارات الهضمية أو ناشيء عنه (a ~ ulcer) .

peptide [pĕp'tīd; -tĭd] *(n.)* البَبْتيد (كح) .

peptize [pĕp'tīz] *(vt.)* يُشْبِغِر : يحوّل إلى سائلٍ شبه غَرَويّ .

peptone [pĕp'tōn] *(G.)* البَبْتُون ، الهَضْمون : مادة تنشأ عن البروتينات نتيجةً للهضم .

peptonize[pĕp'-] *(vt.)* يُببْتِن : يحوّل إلى ببتون أو يمزج بالببتون .

per [pûr] *(prep.)* (١) بِـ ؛ بواسطة ؛ من طريق (post ~) . (٢) لكلّ (person ~) (٣) في (cent ~ ١٥) (٤) وَفْق ؛ وفقاً لـ ؛ بحَسَب (list price ~) .

peracid [pûr'-] *(n.)* البراسيد : حامض مشتمل على نسبة عالية من الأكسجين بالقياس إلى الحامض الذي يحمل اسمه (ك) .

peradventure [pûr'əd vĕn'chər] *(adv.; n.)* (١)ربما (ا.ق.) (٢) بالمصادفة ، بحكم المصادفة (If, ~, you fail...) §(٣) شك (Beyond ~ she will come.) .

perambulate [pər ăm'byə lāt'] *(vt.; i.)* (١) يجتاز ، يقطع. (٢)يفتش (الحدودَ)رسمياً سيراً على الأقدام ×(٣) يطوف ؛ يتجوّل.

perambulator [-lā'tər] *(n.)* (١) فا perambulate (٢) عربة أطفال (٣) مقياس المسافات : أداة يستخدمها المسّاحون لقياس المسافات .

perambulator

per annum [pər ăn'əm] *(L.)* في السنة ؛ سنوياً .

perborate [pər bōr'āt] *(n.)* الفَرْبورات : ملح مركّب من « بورات » وثاني أكسيد الهيدروجين (ك) .

percale [pər kăl'] *(Per.)* البِرْكال : قماش قطنيّ .

percaline [pûr'kə lēn'] *(F.)* البركالين : قماش قطنيّ لتجليد الكتب .

per capita [pər kăp'ə tə] *(L.)* لكل فرد أو شخص .

perceivable[pər sē'və bəl] *(adj.)* ممكن إدراكه (حسيّاً أو عقلياً) .

perceive [pər sēv'] *(vt.)* (١) يَعي ، يفهم (٢) يدرك عن طريق الحواس ، وبخاصة : يرى ؛ يلاحظ .

percent [pər sĕnt'] *(adv.; n.)* (١) في المئة (ورمزها ٪) . (٢) جزء من مئة (٣) *pl.* : سندات ذات فائدة معينة (بر) .

percentage [pər sĕn'tĭj] *(n.)* (١) نسبة مئوية (٢) حسْم أو عمولة في المئة (٣) «أ» حصة من الأرباح . «ب» رِبح (٤) نسبة .

per centum [pər sĕn'təm] *(L.)* = percent.

percept [pûr'sĕpt] *(n.)* المُدْرَك الحسيّ ؛ المُدرَك بالحواس .

perceptibility [pər sĕp tə bĭl'ə tĭ] *(n.)* المُدْرَكيّة الحسية أو العقلية : كون الشيء قابلاً لأن يُدْرَك حسياً أو عقلياً .

perceptible [pər sĕp'tə bəl] *(adj.)* = perceivable.

perception[pər sĕp'-] *(n.)* (١)«أ»ملاحظة. «ب»المدرَك الحسيّ. (٢) الإدراك الحسيّ (٣)«أ» نفاذ البصيرة. «ب» القدرة على الفهم.

perceptive [pər sĕp'tĭv] *(adj.)* (١) مدرِك ، مميز ، حادّ . (٢) حادّ الملاحظة (٣) متّسم بالتبصر أو بالتفهم العاطف .

perceptiveness [pər sĕp'tĭv-] *(n.)* الإدراكية الحسّية .

perceptual[-'chōō əl] *(adj.)* إدراكيحسيّ : خاص بالادراك الحسيّ.

perch [pûrch] *(n.; vt.; i.)* (١) عمود الادارة الرئيسيّ الرابط بين المحاور الأمامية والخلفية لعجلات المركبة أو نحوها (٢) عمود أو سارية يعلَّق عليهما شيء (٣) «أ» مَجثَم الطائر. «ب» مقعد؛ كرسيّ ، وبخاصة : مقعد الحوذي (في مركبة) . «ج» علياء ؛ مكانة رفيعة (٤) القصبة : مقياس للطول يساوي خمسة ياردات ونصف (٥) الفَرْخ : ضرب من السمك النهري §(٦) يضع أو يقيم (في مكان عالٍ أو خطِر) ×(٧) يجثم ؛ يحطّ (الطائرُ) على مجثم (بصورة غير مريحة أو خطرة عادةً) (٨) يجلس .

come off your ~, إنزِلْ من عليائك! إخفِض جناحك!

perchance [pər chăns'] *(adv.)* (١) بالمصادفة (٢) ربّما .

perchlorate [-klōr'āt] *(n.)* البركلورات : ملح حامض البركلوريك .

perchloric acid [pər klōr'ĭk] *(n.)* حامض البركلوريك (ك) .

percipience [pər sĭp'ĭ-] *(n.)* = perception.

percipient [pər sĭp'ĭ ənt] *(adj.; n.)* مدرِك ، مميِّز .

percoid [pûr'-] *(adj.; n.)* (١) فَرْخيّ ، خاص بالفَرْخيّات وهي أسماك شائكة الزعانف **Percoidea** §(٢) سمكة فرخية .

percolate [*v.* pûr'kə lāt; *n.* pûr'kə lĭt] *(vt.; i.; n.)* (١) يرشّح ، يقطّر ×(٢) يتخلّل ، ينفذ إلى (٣) يترشّح ؛ يتقطّر (٤) يصبح ناشطاً أو مرحاً §(٥) سائل مقطّر .

percolator [pûr'-] *(n.)* (١) فا percolate (٢) راووق القهوة : جهاز يمكّن المياه الغالية من أن تتخلّل البنّ رويداً رويداً .

percolator

per contra [pər kŏn'-] *(It.)* (١) على العكس . (٢) بالمقابلة ، بالمقارنة ؛ من ناحية ثانية .

percuss [pər kŭs'] *(vt.)* يطْرق ، يقْرع ، ينْقر ، يقْدح .

percussion [pər kŭsh'ən] *(n.)* (١) مص percuss مثل : «أ» قدْح الكبسولة (لإطلاق النار من بندقية) . «ب» النقر (على آلة موسيقية) . «ج» القرْع (على سطح جسم لتعرف حالة الأجزاء التي تحته من رنة صوتها) (٢) قرْع الصوت للأذن (٣) آلات النقر (وخاصة بوصفها جزءاً من الأوركسترا) .

percussion cap *(n.)* كبسولة أو شعيلة القدْح (في البندقية) .

ă at; ā date; â care; ä car; ĕ egg; ē me; ĭ in; ī bite; ŏ lot; ō bone; ô orphan; oi boil; ŏŏ good; ōō boot; ou out; ŭ under; ū unity; û urgent; th thing; t͟h this; zh vision; ə = *a* in alone, *e* in system, *i* in easily, *o* in gallop, *u* in circus.

percussion instrument *(n.)* آلة النَّقْر : إحدى الآلات الموسيقية التي يعزف عليها بالنقر .

percussionist [pər kŭsh'-] *(n.)* النقّار : البارع في العزف على آلات النقر الموسيقية .

percussion lock *(n.)* زَنْد القَدْح (في السلاح الناري) .

percussive[pər kŭs'ĭv] *(adj.)* طَرْقيّ ؛ قَرْعيّ ؛ نقريّ ؛ وبخاصة : طارق ؛ قارع ؛ يَعمَل بالطَرق (~ force; a ~ drill) .

percutaneous [pər kū tā'nĭ əs] *(adj.)* جِلْديّ ؛ مُحْدَث أو مُنْجَز من طريق الجِلد .

per diem [pər dī'əm] *(L.)* مياومةً ؛ باليوم .

per diem *(n.)* (١) علاوة يومية لتغطية نفقات الموظف المعيشية خلال رحلة يقوم بها لمصلحة المؤسسة (٢) أجر يوميّ .

perdition [pər dĭsh'ən] *(n.)* (١) هلاك ؛ خراب (ا.ق) . (٢) «أ» هلاك روحيّ أبديّ . «ب» جهنّم .

perdu *or* **perdue** [pər dū'; -dōō'] *(adj.)* محجوب ؛ مَخْفِيّ .

perdurable [pər dyŏŏr'ə bəl] *(adj.)* ثابت او متين جداً .

peregrinate [pĕr'ə grə nāt'] *(vi.; t.)* (١) «أ» يرحل ، وبخاصة ماشياً . «ب» يمشي ×(٢) يجتاز ؛ يقطع .

peregrination [pĕr'ə grə nā'-] *(n.)* (١) ارتحال (٢) رحلة .

peregrine [pĕr'ə grĭn] *(adj.; n.)* (١) جوّال §(٢) البازُ الجوّال .

peremptorily [pə rĕm'-] *(adv.)* على نحو باتّ أو نهائي الخ .

peremptoriness [pə rĕm'tə rĭ-] *(n.)* بتّ ؛ قَطْع ؛ حَسْم الخ .

peremptory [pə rĕm'-] *(adj.)* (١) «أ» باتّ ؛ قاطع . «ب» نهائي ؛ حاسم (٢) أمريّ ؛ آمر (٣) «أ» متعجرف . «ب» ديكتاتوريّ .

perennial [pə rĕn'ĭ əl] *(adj.; n.)* (١) دائم طوال السنة (٢) معمِّر : ذو دورة حياتية تدوم أكثر من سنتين (~ plants) (٣) دائم ؛ خالد (~ youth) (٤) متواتر ؛ متكرر بانتظام §(٥) نبتة معمِّرة .

perfect [*adj.*; *n.* pûr'fĭkt; *v.* pər fĕkt'] *(adj.; n.; vt.)* (١) «أ» كامل ؛ مثاليّ ؛ بالغٌ حدّ الكمال . «ب» أمينٌ للأصل . وبخاصة : حَرْفيّ . «ج» صحيح من الناحية الشرعية (٢) «أ» تامّ ؛ مضبوط ؛ مستكمل جميع الشروط (drew a ~ circle) . «ب» كلّيّ ؛ مطلَق ؛ تامّ (~ silence) . «ج» خالص ؛ صِرْف (~ yellow) . «د» بكل معنى الكلمة (a ~ fool) (٣) دالّ على عمل أو وَضْع مُتَمَّم وقت التكلم أو في وقت متكلَّم عنه : تامّ (the ~ tense) §(٤) «أ» صيغة الفعل التامّ (She *has written* three letters.) . «ب» فعلٌ تامّ §(٥) يحسِّن ؛ يهذِّب ؛ يُتقنُهُ أو يصيِّره كاملاً (٦) يُنجز ؛ يُتِمّ .

perfectibility [pər fĕk'tə bĭl'-] *(n.)* (١) الاكتمالية : إمكانية بلوغ الشيء مرتبة الكمال (٢) كمال .

perfectible [pər fĕk'tə bəl] *(adj.)* ممكنٌ بلوغُهُ (أو تحسينُهُ حتى يبلغَ) مرتبةَ الكمال .

perfection [pər fĕk'shən] *(n.)* (١) «أ» كمال . «ب» خلوّ من العيب . «ب» نُضْج . «ج» قداسة (٢) «أ» أنموذج الكمال (is the very ~ of beauty) . «ب» حدّ الكمال أو أعلى درجاته (to do something to ~) (٣) تحسين ؛ تهذيب ؛ إتقان ؛ جعلُ الشيءِ بالغاً حدّ الكمال (٤) تمكّن اوتضلّع تامّ (من فن ما) .

perfectionism [-'shə nĭz'əm] *(n.)* الكماليّة : «أ» مذهب يقول بأن الارتفاع بالخُلُق إلى مرتبة الكمال هو أسمى الغايات الأخلاقيّة . «ب» مذهب لاهوتيّ يقول بأن في الامكان التحرر من الإثم في هذه الحياة الدنيا . «ج» نزعة إلى رفض كل ما دون مرتبة الكمال .

—perfectionist *(n.; adj.)*

perfective [pər fĕk'tĭv] *(adj.)* متحسّن ؛ آخذ في التحسّن .

perfectly [pûr'fĭkt lĭ] *(adv.)* (١) على نحوٍ كامل أو تامّ (٢) تماماً .

perfecto [pər fĕk'tō] *(Sp.)* السيجار المُوَشَّع : سيجار غليظ الوسط مستدقّ الطرفين شبيهٌ بالوشيعة .

perfect participle *(n)* = past participle.

perfect square *(n.)* المربّع التام (ر) .

perfervid [pər fûr'vĭd] *(adj.)* شديد الاتّقاد أو الحماسة .

perfidious [pər fĭd'ĭ əs] *(adj.)* خَؤون ؛ غادر بطبعه .

perfidiously [-lĭ] *(adv.)* بخيانة ؛ بغدر ؛ على نحوٍ خؤون أو غادر .

perfidiousness [pər fĭd'ĭ əs-]; **perfidy** [pûr'fə dĭ] *(n.)* خيانة ؛ غدر (وبخاصة حين يكونان شيمةً من شيم النفس) .

perfoliate[pər fō'lĭ ĭt; -āt'] *(adj.)* مَسْوقة : متميزة بمرور الساق من خلالها (a ~ leaf) .

perfoliate leaves

perforate[*v.* -'fə rāt'; *adj.* -'fə rĭt] *(vt.; i.; adj.)* (١) يثقُب ؛ وبخاصة : يثقِّب ؛ يخرِّم ؛ يُحدث صفاً من الثقوب (في ورقة) تسهيلاً لفصل جزء منها عند الاقتضاء ×(٢) يخترق §(٣) مُثقَّب .

perforated[-'fə rā'təd] *(adj.)* مثقَّب ؛ مُخرَّم .

perforation [pər'fə rā'shən] *(n.)* (١) «أ» ثَقْب ؛ تثقيب . «ب» انثقاب ؛ تثقُّب ؛ تخرّم (٢) «أ» ثُقْب . «ب» واحد من سلسلة الثقوب المُحْدَثة بين الطوابع لفصل بعضها عن بعض بسهولة .

perforce[pər fōrs'] *(adv.)* بحكم الظروف أو الحاجة أو الاضطرار .

perform [pər fôrm'] *(vt.; i.)* (١) يفي (بعهد أو وعد) . (٢) «أ» يُنجز ؛ يعمل شيئاً حتى الإنجاز . «ب» يصنع ؛ يقوم بـ ؛ يجترح (~*ed* miracles) . «ج» يُجري أو يؤدّي وفقاً لعُرفٍ معيّن (to ~ a marriage ceremony) (٣) «أ» يمثّل (to ~ a play) . «ب» يؤدّي (بالعزف أو الغناء) ×(٤) يعمل (٥) يعزف (٦) يمثّل في مسرحية .

—performable *(adj.)* **—performer** *(n.)*

performance [pər fôr'məns] *(n.)* (١) «أ» تأدية ؛ قيام بـ . «ب» عمل ؛ عمل عظيم (٢) إنجاز أو تنفيذ (لوعد أو طلب الخ.) (٣) «أ» تمثيل (في مسرحية) . «ب» مسرحية ؛ حفلة موسيقية الخ. (٤) «أ» فعالية ؛ كفاءة . «ب» الأداء : الطريقة التي تَعمل بها آلة . «ج» سلوك .

perfume [*n.* pûr'fūm; *v.* pər fūm'] *(n.; vt.)* (١) عبير ؛ شذا ؛ ريّا (٢) عِطر ؛ طِيب §(٣) يعطِّر .

perfumer [pər fū'mər] *(n.)* (١) المُعطِّر (٢) العطّار : صانع العطور أو بائعها .

perfumery [pər fū'mə rĭ] *(n.)* (١) «أ» صُنْع أو صناعة العطور . «ب» عطور (٢) المَعْطَرَة : محل صنع العطور أو بيعها .

perfunctory [pər fŭngk'tə rĭ] *(adj.)* (١) روتينيّ ؛ ميكانيكيّ (a ~ smile) (٢) لامبالٍ ؛ تعوزه الحماسة .

perfuse [pər fūz'] *(vt.)* (١) يكسو ؛ يغطّي ؛ يرش ؛ يُفْعِم (بمادة سائلة الخ.) (٢) يَنْضَح أو يُشْبِع بـ .

—perfusion *(n.)* **—perfusive** *(adj.)*

pergola [pûr'gə lə] *(It.)* التعريشة : «أ» ممشى مُظلَّل تلتف الورود الخ. حول أعمدته . «ب» جزء من مبنى شبيه بتعريشة .

perhaps [pər hăps'] *(adv.; n.)* (١) ربما ؛ لعلّ ؛ قد يكون . §(٢) شيءٌ عُرْضَةٌ للشك أو التخمين : فرض ؛ افتراض .

peri [pĭr'ĭ] *(Per.)* (١) البارِيّ : مخلوق خرافيّ تزعم الأساطير الفارسيّة أنّه من نسل الملائكة الساقطة (٢) فتاة أو امرأة جميلة .

peri- بادئة معناها : «أ» حَوْل (*peri*cardial) . «ب» قرب (*peri*helion) . «ج» مُحيط ؛ مطوِّق (*peri*odontal) .

perianth [pĕr'ĭ ănth'] *(L.)* الكِمّ : غلاف الزهرة (نب) .

periapt [pĕr'ĭ ăpt'] *(n.)* تميمة ؛ تعويذة ؛ حجاب .

pericardiac; pericardial [pĕr'ə kär'-] *(adj.)* (١) تأموري ؛ شِغافيّ : متعلق بالتأمور أو الشِّغاف (٢) واقعٌ حول القلب .

pericarditis [pĕr'ə kär dī'tĭs] *(n.)* التهاب التأمور أو الشِّغاف .

pericardium [pĕr'ə kär'dĭ əm] *(L.)* pl. **-dia** التأمور : الشِّغاف أو غلاف القلب (ت) .

pericarp [pĕr'ə kärp'] *(n.)* غِلاف الثمرة أو البذرة (نب) .

perichondrial *also* **perichondral** [pĕr'ə kŏn'-] *(adj.)* غِلافِغُضروفي : خاص بغلاف الغضروف (ت) .

perichondrium [-'drĭ əm] *(L.)* pl. **-dria** غِلاف الغضروف .

Periclean [pĕr'ə klē'ən] *(adj.)* بيريكليسي : ذو علاقة ببيريكليس السياسي الاغريقي (حوالى ٤٩٠ — ٤٢٩ ق.م) أو بعصره .

pericline [pĕr'ə klīn] *(Gk.)* البَريكلين (مع) .

pericranial [pĕr'ə krā'-] *(adj.)* سِمْحاقِيجُمْجُميّ : متعلّق بسِمْحاق الجمجمة (ت) .

pericranium [pĕr'ə krā'nĭ əm] *(L.)* pl. **-nia** (١) سِمحاق الجمجمة : غِشاء من النّسيج الضامّ يكسو الجُمجُمة (٢) جُمجمة ؛ دماغ (ع) .

pericycle [pĕr'ə sī'kəl] *(n.)* إطار الدائرة ؛ حُوق الدائرة : طبقة رقيقة من الخلايا تكون في الجذْر بين الأدمة الباطنية من جهة واللحاء من جهة ثانية (نب) .

periderm [pĕr'ə dûrm'] *(n.)* الأدَمَة المحيطيّة : نسيج في أطراف السُّوق والجذور البالغة (نب) .

peridium [pĭ rĭd'ĭ əm] *(L.)* pl. **-ridia** الغلاف الخارجيّ لحامل البَوْغ في كثير من الفطور (نب) .

peridot [pĕr'ə-] *(F.)* الزَّبَرْجَد : حجر كريم شفاف أخضر مصفرّ .

peridotite [pĕr'ə dō'tīt] *(F.)* البريدوتيت : صخر بركاني صوانيّ .

perigean [pĕr'ə jē'ən] *(adj.)* حضيضِيقَمَريّ (را. المادة التالية) .

perigee [pĕr'ə jē] *(L.)* الحضيض القَمَريّ : أقرب نقطة في مدار القمر إلى الأرض (فل) .

perigynous [pə rĭj'ə nəs] *(adj.)* محيطيّ : صفة للأسْدِية حين تكون مرتكزة على قرص الزهرة حول المبيض (أو صفة للزهرة المتميّزة بأمثال هذه الأسْدية) .

periheliar [pĕr ə hē'-] *(adj.)* حضيضِيشَمْسيّ (را. المادة التالية) .

perihelion [pĕr'ə hē'lĭ ən] *(L.)* الحضيض الشمسيّ : أقرب نقطة في مدار الكوكب السيّار أو أيّ جرم سماويّ آخر إلى الشمس (فل) .

peril [pĕr'əl] *(n.; vt.)* (١) خَطَرٌ §(٢) يعرّض للخطر ؛ يخاطر بـ .

perilous [pĕr'ə ləs] *(adj.)* خطِر ؛ محفوفٌ بالمخاطر .

perimeter [pə rĭm'ə tər] *(n.)* (١) المُحيط : محيط الشكل أو حدّهُ الخارجيّ (٢) خطٌ يطوّق منطقة أو يحميها (٣) حدود خارجية (٤) المِحْوَط : جهاز لفحص المجال البصري وقياس مَداه (بص) .

perimetric; -al [pĕr'ə mĕt'-] *(adj.)* مُحِيطِيّ أو مِحْوَطِيّ .

perimorph [pĕr'ə môrf'] *(n.)* المُكِنة : بِلّورة من نوع معيّن تطوّق بِلّورة من نوع آخر .

perineal [pĕr'ə nē'əl] *(adj.)* عِجانيّ ؛ شَرَجيّ (ت) .

perineum [pĕr'ə nē'əm] *(L.)* pl. **-nea** العِجان ؛ الشَّرج (ت) .

perineuritis [pĕr'ə nyoo rī'-] *(n.)* التهاب ظِهارة العصب (مض) .

perineurium [pĕr'ə nyoor'ĭ əm] *(L.)* pl. **-neuria** ظِهارة العَصَب : غلاف من النسيج الضامّ يحيط بحزمة ألياف عصبية (ت) .

period [pĭr'ĭ əd] *(n.)* (١) «أ» جملة تامة ؛ وبخاصة : جملة طويلة معقدة التركيب . «ب» *pl.* : لغة منمّقة بالمحسّنات البلاغية (٢) «أ» النقطة : علامة الوقف التامّ في الكتابة والطباعة . «ب» نهاية ؛ خاتمة (٣) «أ» دَوْر (the ~ of incubation) . «ب» فترة التذبذب (فز) . «ج» المدة ؛ الدورة : المدة التي يستغرقها دوران قمر حول كوكب سيّار . «د» دور الطمث (٤) «أ» فترة (a ~ of cool weather) . «ب» عَهْد (the ~ of the American Revolution) . «ج» العصر : قسم من أقسام الأحقاب الجيولوجيّة (٥) «أ» حصة دراسية . «ب» حصة (من برنامج رياضي) .
to put a ~ to يضع حداً لِـ .

periodic [pĭr'ĭ ŏd'ĭk] *(adj.)* (١) «أ» دَوْريّ ؛ متكرر في فترات نظاميّة . «ب» ذو علاقة بفترة أو عهد أو دور (٢) منمّق (بل) .

periodical [-'ə kəl] *(adj.; n.)* (١) دوري : «أ» متكرر في فترات نظامية . «ب» منشور في فترات ثابتة تفصل بين الأعداد (~ publications) . «ج» منشور في مجلة دورية أو مميزّ لها أو متعلّق بها (~ book reviews) §(٢) مجلة أو نشرة دورية .

periodically [pĭr'ĭ ŏd'-] *(adv.)* دَوْرياً ؛ على نحو دَوْريّ .

periodic decimals *(n. pl.)* الكسور العَشْرية الدائرة (ر) .

periodicity [pĭr'ĭ ə dĭs'ə tĭ] *(n.)* الدّورية : كون الشيء دورياً ؛ نزعةٌ إلى تكرّر الحدوث في فترات نظامية .

periodic law *(n.)* القانون الدّوريّ : قانون يقول بأن الخصائص الكيميائية للعناصر هي وظائف دوريةٌ لأعدادها الذرية (ك) .

periodic table *(n.)* الجدول الدوريّ : جدولٌ تُرتَّب فيه العناصر الكيميائية وفقاً لتكوينها الذريّ (ك) .

periodontal [pĕr'ĭ ō dŏn'-] *(adj.)* محيطٌ بالسنّ أو مطوّق له (ت) .

perionychium [pĕr'ĭ ō nĭk'-] *(L.)* pl. **-ia** سابقة الظُّفر ؛ مقدّمة الظُّفر : النسيج المُحاذي لجذر الظُّفْر وجوانبه (ت) .

periost- *or* **perioste-** *or* **periosteo-** بادئة معناها : سِمحاق .

periosteal [pĕr ĭ ŏs'tĭ əl] *(adj.)* سِمحاقيّ : ذو علاقة بالسِّمحاق .

periosteum [pĕr'ĭ ŏs'tĭ əm] *(L.)* pl. **-tea** [-tĭ ə] السِّمحاق : غشاء من النسيج الضامّ يكسو العظام (ت) .

periostitis [pər'ĭ ŏs tī'tĭs] *(L.)* التهاب السِّمحاق (مض) .

periotic [pĕr'ĭ ō'tĭk] *(adj.)* محيطٌ بالأُذُن ، واقع حول الأذن (ت) .

peripatetic [pĕr'ə pə tĕt'ĭk] *(adj.; n.)* (١) *cap.* : مَشّائيّ ؛ ارسطوطاليسيّ : منسوب إلى أرسطو الذي كان يعلّم وهو يتمشّى في الليسيوم بأثينا (٢) مشّاء ؛ متجوّل §(٣) *cap.* : الارسطوطاليسيّ : أحد أتباع أرسطو (٤) المتجوّل ؛ المتنقّل (٥) *pl.* : التجوّل ؛ التنقّل من مكان إلى مكان .

peripheral [pə rĭf'ər əl] *(adj.)* (١) محيطيّ : مؤلَّف محيطاً أو متعلق بمحيط (را. المادة التالية) (٢) خارجيّ : واقعٌ بعيداً عن المركز (٣) سطحيّ : متعلق بسطح الجسم (~ termination of a nerve) .

periphery [pə rĭf'ə rĭ] *(F.)* (١) المحيط : «أ» محيط الدائرة أو نحوها . «ب» محيط المضلّع أو الكثير الأضلاع (٢) الحدّ الخارجيّ ؛ السطح الخارجيّ (لأيّ جسم) (٣) المنتهى العصبيّ : المناطق التي تنتهي عندها الأعصاب (ت) .

periphrasis [pə rĭf'rə sĭs] *(L.)* (١) إسهاب ؛ إطْناب ؛ حَشْو . (٢) مواربَة ؛ دوران حول المعنى .
—periphrastic *(adj.)*

perique [pə rēk'] *(F.)* البَرِيك : تبغ لويزيانا القوي الرائحة .

ă at; ā date; â care; ä car; ĕ egg; ē me; ĭ in; ī bite; ŏ lot; ō bone; ô orphan; oi boil oo good; ōō boot; ou out; ŭ under; ū unity; û urgent; th thing; th this; zh vision; ə = *a* in alone, *e* in system, *i* in easily, *o* in gallop, *u* in circus.

perisarc [pĕr'ə-] *(n.)* الإهاب الخارجي لحيوانٍ من العُداريات.

periscope [pĕr'ə skōp] *(n.)* المِنْفاق (مج) ؛ البريسكوب : منظار الأفق (يُستخدم في الغواصات والمتاريس).

periscope

periscopic [pĕr'ə skŏp'ĭk] *(adj.)* مِنْفاقيّ ؛ بريسكوبي : «أ» كاشفٌ لجميع الجوانب (~ lenses) . «ب» ذو علاقة بمِنْفاق أو بريسكوب (را. المادة السابقة).

perish [pĕr'ĭsh] *(vi.; t.)* (١) يَهْلِك ؛ يفنى ؛ يموت (٢) يَفْسُد (ع) ×(٣) يُهلِك؛ يُميت(ع) (٤) يُضعف.

perishability [pĕr ĭsh ə bĭl'-] *(n.)* الهلاكية ؛ الفنائية الخ.

perishable [pĕr'ĭsh ə bəl] *(adj.; n.)* (١) هالك ؛ فانٍ ؛ قابل للفساد §(٢) *pl.* عد : شيء قابل للفساد (كالطعام الخ.).

perispore [pĕr'ə spōr'] *(n.)* الغشاء المطوِّق للبَوْغ (نب).

perissodactyl [pə rĭs'ō dăk'tĭl] *(adj.)* (١) مُفْرَد الأصابع . (٢) متعلق بمفردات الأصابع (را. المادة التالية).

Perissodactyla [pə rĭs'ō dăk'-] *(n. pl.)* : مُفْرَدات الأصابع : رتبة من الحيوانات ذات أصابع مُفْرَدة أو وترية.

peristalsis [pĕr'ə stăl'sĭs] *(L.)* pl. **-ses** [-sēz] التَّحَوِّي ؛ التمعّج : موجات متعاقبة من التقلّص اللاإرادي تَحْدُث في جدران الامعاء فتدفع محتوياتها إلى أمام (فس).

peristaltic [-stăl'tĭk] *(adj.)* تَحَوّيّ ؛ تَمَعُّجي (را. المادة السابقة).

peristome [pĕr'ə stōm'] *(L.)* (١) الشفة المُشَرشَرة : دائرة أو دائرتان من اللواحق الصغيرة المستدقّة الشبيهة بالأسنان تحيط بفتحة غلاف بذور الطحلب (نب) (٢) المَلْغَم (مج) : المنطقة المحيطة بالفم في مختلف اللافقاريات (ح).

peristyle [pĕr'ə stīl'] *(F.)* بَهْوٌ مُعَمَّد (عم).

perithecium [pĕr'ə thē'shĭ-] *(L.)* pl. **-cia** [-shĭ ə] حاملة الزِّقاق : تجويف كرويّ أو أسطوانيّ أو قاروريّ الشكل يشتمل على الزِّقاق أي المَحافِظ الغِشائيّة التي تتكوّن بداخلها الأبواغ في بعض الفُطور (نب) . **—perithecial** *(adj.)*

periton- *or* **peritone-** *or* **peritoneo-** بادئة معناها: صِفاق(ت)

peritoneal [pĕr'ə tə nē'əl] *(adj.)* صِفاقيّ : خاصّ بالصِّفاق(ت).

peritoneum [pĕr'ə tə nē'əm] *(L.)* pl. **-s** *or* **-nea** الصِّفاق : الغشاء المَصْليّ الشفاف المبطِّن للتجويف البطني في الحيوان الثدييّ (ت).

peritonitis [pĕr'ə tə nī'tĭs] *(L.)* التهاب الصِّفاق (مض).

periwig [pĕr'ə wĭg'] *(n.)* = peruke.

periwinkle [pĕr'ə wĭng'kəl] *(n.)* (١) الوِنْكة ؛ العِناقيّة : نبتة معترشة زرقاء الزهر (٢) البَرْوَنْق : ضرب من الحلازين البحرية.

perjure [pûr'jər] *(vt.)* (١) يحلف يميناً كاذبة (٢) يَحْنَث بقَسَمِه.

perjured [pûr'jərd] *(adj.)* (١) مُقسِم يميناً كاذبة (a ~ witness) (٢) كاذب (~ testimony).

perjurer [pûr'-] *(n.)* (١) المُقسِم يميناً كاذبة (٢) الحانث بقسمه.

perjurious [-jŏŏr'-] *(adj.)* كاذب ؛ مُتَّسِم بسِمة اليمين الكاذبة.

perjury [pûr'jə rĭ] *(n.)* (١) الحَلِف كذباً (٢) الحنث باليمين.

perk [pûrk] *(vi.; t.)* (١) «أ» يُتْلِع عنقه أو يمدّ رأسه بغطرسة. «ب» يمشي أو يرفع رأسه أو يتصرّف بمرح (٢) يتطوّس ؛ يتزيّن ؛ يتهندم (٣) ينشط أو يبتهج ؛ وبخاصة بعد فترة من الضعف أو الانقباض (تتبعها *up* عادةً) ×(٤) يطوّس ؛ يزين ؛ يهندم (٥) ينشّط ؛ يُبْهج (٦) يُتلع أو يرفع بسرعة الخ. (to ~ the ears).

perky [pûr'kĭ] *(adj.)* (١) مغرور ؛ متغطرس (٢) مَرِح (٣) أنيق.

perlite [pûr'līt] *(F.)* البَرْليت : زجاج بركاني.

permafrost [pûr'-] *(n.)* الجَمَد السرمديّ : طبقة متجلّدة باستمرار على عمق متفاوت تحت سطح الأرض في المناطق القطبية المنجمدة.

permanence [pûr'mə nəns] *(n.)* دوام ؛ استمرار ؛ بقاء.

permanency [pûr'mə nən sĭ] *(n.)* (١) دوام ؛ استمرار ؛ بقاء. (٢) شخص أو شيء أو مركز دائم.

permanent [pûr'mə nənt] *(adj.; n.)* (١) دائم ؛ مستمرّ ؛ باقٍ. §(٢) التموّج الدائم : تموّج في الشَّعر يُحْدَث بوسائل آليّة وكيميائية فيدوم عدّة أشهر.

permanent magnet *(n.)* المغنطيس الدائم : مغنطيس يحتفظ بمغنطيسيته بعد إزالة القوة المُمَغْنِطة.

permanent tooth *(n.)* السنّ الدائم : أحد أسنان الحيوان الثدييّ النابتة بعد سقوط الأسنان اللَّبَنيّة، وهي عند الانسان اثنان وثلاثون.

permanganate [pər măng'gə nāt'] *(n.)* البرمنغانات : مركّب متبلّر ارجوانيّ داكن يُستعمل في التطهير من الجراثيم الخ. (ك).

permanganic acid [pûr'măn găn'ĭk] *(n.)* الحامض البرمنغاناتي.

permeability [pûr'mĭ ə bĭl'ə tĭ] *(n.)* المُنْفِذيّة ؛ النفيذيّة.

permeable [pûr'mĭ ə bəl] *(adj.)* مُنْفِذ ؛ نَفِيذ ؛ يُنْفَذ منه.

permeance [pûr'mĭ əns] *(n.)* (١) نفاذ ؛ اختراق ؛ تخلّل. (٢) المُنافَذة المغنطيسية.

permeate [pûr'mĭ āt'] *(vt.; i.)* (١) ينفذ في ؛ يخترق (٢) يتخلل.

permeation [pûr mĭ ā'shən] *(n.)* (١) نفاذ؛ اختراق (٢) تخلّل.

permeative [pûr'-] *(adj.)* نافذ ؛ مخترق ؛ متخلّل.

per mensem [pər mĕn'səm] *(L.)* في الشهر ؛ شهرياً.

Permian [pûr'mĭ ən] *(adj.; n.)* (١) بِرْميّ : متعلّق بالعصر الأخير من الدهر القديم (جي) §(٢) العصر البِرْميّ (جي).

per mill *or* **per mil** *(adv.)* في الألف.

permissibility [pər mĭs ə bĭl'ə tĭ] *(n.)* الجوازية ؛ المباحيّة ؛ كون الشيء جائزاً أو مُباحاً.

permissible [pər mĭs'ə bəl] *(adj.)* جائز ؛ مُباح ؛ مسموح به.

permission [pər mĭsh'ən] *(n.)* (١) الاجازة أو الترخيص بالشيء. (٢) إذْن ؛ رُخْصة.

permissive [pər mĭs'ĭv] *(adj.)* (١) مُجيز ؛ مرخِّص ؛ متساهل. (٢) جائز ؛ مُباح (٣) اختياري.

permit [*v.* pər mĭt'; *n.* pûr'mĭt] *(vt.; i.; n.)* (١) يُجيز ؛ يرخّص (٢) يتيح الفرصة لِـ ؛ يجعله ممكناً (vents that ~ the escape of gases) ×(٣) يسمح (if time ~*s*) §(٤) إجازة ؛ رخصة (a ~ to fish) (٥) إذن (had their ~ to proceed).

permittivity [pər mĭ tĭv'-] *(n.)* المُجاوزيّة ؛ المُنفِذية الكهربائية.

permutable [pər mūt'-] *(adj.)* قابل للتبديل أو الاستبدال أو التبادل.

permutation [pûr'myə tā'-] *(n.)* (١) تغيير أساسيّ (٢) تبديل ؛ تعديل، وبخاصة في ترتيب شيء (٣) التَّبَدُّلة (والجمع تبادِل) : أيّ من التغيّرات في الموقع أو الترتيب الممكن إجراؤها ضمن مجموعة ما (ر).

permute [pər mūt'] *(vt.)* يبدّل ترتيب كذا ؛ وبخاصة : يعيد الترتيب على مختلف الوجوه الممكنة.

pernicious [pər nĭsh'əs] *(adj.)* (١) ضارّ ؛ مؤذٍ (~ teachings) (٢) مُهلِك ؛ مميت ؛ خبيث (~ disease).

pernicious anemia *(n.)* فقر الدم الخبيث (مض).

pernickety [pər nĭk'ə tĭ] *(adj.)* (١) نيِّق ؛ صعب الإرضاء (ع). (٢) دقيق ؛ متطلّب عناية بالغة (her ~ job).

pernod [pĕr nō'] *(F.)* البَرْنود : شراب فرنسي مُسْكِر .

peroneal [pêr'ə nē'əl] *(adj.)* شَظِيِيّ : ذو علاقة بالشظية أو واقعٌ قربها (را. fibula 2) .

perorate[pĕr'-]*(vi.)* (١)يلقي خطاباً طويلاً أو طناناً (٢)يختم خُطبةً .

peroration [pĕr'ə rā'-]*(n.)* (١)خاتمة الخطبة (٢)خُطبة مُنمَّقة .

peroxide [pər ŏk'sīd] *(n.; vt.)* (١) البَروكسيد ؛ الأكسيد الفوقي ؛ فوق أكسيد : أكسيد محتوٍ على نسبة عالية من الأكسجين (ك) §(٢) يعالج بالبروكسيد ، وبخاصة : يبيّض (الشَّعر) بالبروكسيد .

perpend [*v.* pər pĕnd'; *n.* pûr'pənd] *(vt.; i.; n.)* (١)يفكّر مليّاً (ا.ق) §(٢) حَجَرُ الرِّباط : حجر ضخم يتخلّل الجدار حتّى يبرز من جانبيه توثيقاً له وتمكيناً .

perpendicular [pûr'pən dĭk'yə-] *(adj.; n.)* (١)«أ» عموديّ «ب» متعامد (٢) قائم الانحدار ؛ متحدّر جداً (٣) عموديّ الخطوط : ذو علاقة بطراز معماري انكليزي قوطيّ تسيطر فيه الخطوط العمودية §(٤) خطّ عموديّ (٥) سطح خارجي شديد التحدّر .

perpendicular plane *(n.)* المستوى المتعامد .

perpendicularity[-dĭk yə lər'-]*(n.)* (١)العمودية (٢)التعامدية .

perpendicularly [-'pən dĭk'-] *(adv.)* (١)عمودياً (٢)تعامدياً .

perpetrate [pûr'-]*(vt.)* (١) يرتكب (٢) يعمل على نحو رديء .

perpetration [pûr'pə trā'-] *(n.)* (١) ارتكاب (٢) جريمة .

perpetual [pər pĕch'ōō əl] *(adj.)* (١) أبديّ ؛ سرمديّ (٢) دائم ؛ ثابت ؛ مستمرّ (٣) دائم الإزهار (طوال الفصل) .

perpetual calendar *(n.)* التقويم الدائم : تقويم يمكن استعماله باستمرار أو طوالَ سنوات وسنوات .

perpetually [pər pĕch'ōō-] *(adv.)* دوماً ؛ على الدوام ؛ إلى الأبد .

perpetuate [-'ōō āt'] *(vt.)* يؤبِّد ؛ يُسَرْمِد ؛ يُخلِّد ؛ يُديم .

perpetuity [pûr'pə tū'ə tĭ; -tōō'-] *(n.)* (١) أبدية ؛ دوامية (٢) السَّناهية الدائمة (مج) : راتب سنوي يُدفع إلى الأبد .

in ~, إلى الأبد ؛ إلى ما شاء الله .

perplex [pər plĕks'] *(vt.)* (١) يُربِك ؛ يُحيِّر (٢) يُعقِّد .

perplexed[pər plĕkst']*(adj.)* (١)مُرْتَبِك ؛ متحيِّر (٢)مُعقَّد .

perplexity [pər plĕk'sə tĭ] *(n.)* (١) ارتباك ؛ حَيْرة (٢) شيء مُربِك (٣) تعقيد ؛ شيء معقَّد او متشابك .

perquisite [pûr'kwə zĭt] *(n.)* (١) علاوة ؛ أجر إضافي (٢) مِنحة ؛ بقشيش .

perron [pĕr'ən]*(F.)* السلّم الخارجيّ (يُفضي إلى مدخل المبنى) .

perry [pĕr'ĭ] *(n.)* عصير الإجّاص (المخمَّر عادةً) .

per se [pûr sē'] *(L.)* بذاته ؛ في ذاته ؛ جوهرياً .

per second per second *(adv.)* « في الثانية كلَّ ثانية » (فز) .

persecute [pûr'sə kūt']*(vt.)* (١) يضطهد (٢) يبرم ؛ يضايق .

—**persecutive** *(adj.)* —**persecutory** *(adj.)*

persecution [pûr'sə kū'shən] *(n.)* (١) اضطهاد (٢) مضايقة .

Perseus [pûr'sūs; pûr'sĭ əs] *(n.)* (١) فرساوس : بطل من من أبطال الميثولوجيا الاغريقية (٢) كوكبة الجبار ؛ فرساوس .

perseverance [pûr'sə vĭr'əns] *(n.)* مثابرة ؛ مواظبة ؛ دأب .

persevere [pûr'sə vĭr'] *(vi.)* يثابر ؛ يواظب ؛ يدأب .

Persia [pûr'zhə; -shə] *(n.)* فارس ؛ إيران .

Persian [pûr'zhən; -shən]*(n.; adj.)* (١) الفارسي ؛ الإيرانيّ : أحد أبناء فارس أو إيران (٢) اللغة الفارسيّة (٣) الحرير الفارسي : حرير رقيق كانوا يتخذون منه بِطانة الملابس §(٤)فارسي ؛ إيراني .

Persian cat *(n.)* الهرة الفارسيّة : هرّة طويلة الوبر حريريّتهُ .

Persian carpet *or* **rug** *(n.)* سجادة عجمية .

Persian lamb *(n.)* (١) الحَمَل الفارسي : صغير بعض الخراف الآسيوية ، وبخاصة خراف بُخارَى ، التي يؤخذ منها الاستراخان لصناعة الفراء (٢) أفخر أنواع الاستراخان (را. astrakhan) .

Persian wheel *(n.)* ناعورة ؛ سانية .

persiflage [pûr'sə fläzh'] *(F.)* (١) مُزاح (٢) سخرية ؛ تهكم .

persimmon [pər sĭm'ən] *(n.)* (١) البرسيمون : شجر ذو ثمر أصفر الخ . (٢) ثمر البرسيمون .

persist [pər sĭst'; -zĭst'] *(vi.)* (١) يثابر ؛ يواصل بعزم وعناد . (٢) يُصِرّ على (٣) يستمرّ ؛ يدوم (rain ~*ing* for days) .

persistence; persistency [pər sĭs'-; zĭs'-] *(n.)* مثابرة ؛ إصرار ؛ استمرار .

persistent [pər sĭs'tənt; -zĭs'-] *(adj.)* (١) مثابر ؛ مواظب ؛ مُصِرّ (٢) متواصل ؛ مستمرّ (a ~ cold) (٣) دائم ؛ متشبّث ؛ باقٍ متعلقاً طوال الشتاء رغم ذبوله (~ leaves) .

persistently [pər sĭs'-; -zĭs'-]*(adv.)* بمثابرة ؛ بمواظبة ؛ بإصرار .

person [pûr'sən] *(n.)* (١) شخص ؛ إنسان (٢) أقنوم (نص) . (٣)«أ» جسد الانسان (offenses against the ~) «ب» مظهر الانسان الخارجي (to keep one's ~ neat) (٤) النفس ؛ الذات .

artificial ~, شخص معنوي (كجمعية الخ .) .

in ~, شخصياً ؛ بالذات .

natural ~, شخص حقيقي أو طبيعي .

persona [pər sō'nə] *(L.)* pl. **-sonae** [-nē] (١) شخص . (٢) *pl.* : أشخاص الرواية أو المسرحيّة .

personable[pûr'-]*(adj.)* فاتن ؛ جذّاب ؛ حسن المظهر (الشخصي) .

personage [pûr'sən ij]*(n.)* (١) شخصية بارزة (٢) شخصية مسرحيّة أو روائية أو تاريخية (٣)شخص ؛ فرد (a very singular ~) .

persona grata [pər sō'nə grä'tə] *(L.)* pl. **personae gratae** *or* **persona grata** الشخص المقبول أو المحبّب ، وبخاصة : ديبلوماسيّ مرغوبٌ فيه شخصياً عند حكومة البلد التي يكلّف بتمثيل وطنه لديها .

personal [pûr'-]*(adj.; n.)* (١)شخصيّ (~ property) . (٢) ذاتيّ (~ pride) (٣)جِسمانيّ (~ beauty) (٤)شخصانيّ : متحدِّث عن شخص معين ، وبخاصة في معرض نقدهِ أو لفت النظر إليه (avoid being ~) (٥) موجّه ضدّ شخص معيّن (~ remarks) §(٦) النبذة الشخصيّة : نبذة قصيرة عن النشاط الاجتماعي الخ. لشخصية او جماعة محلية (في جريدة) .

personal computer *(n.)* كومبيوتر صغير جداً .

personal effects*(n. pl.)* المملوكات الشخصيّة (كالملابس والكتب وما إليها وغير ذلك مما يخلّفه ، بخاصة ، شخص متوفّى) .

personal equation*(n.)* المعادلة الشخصية : «أ» كل انحراف أو خطأ (في الملاحظة أو الحكم أو الطريقة) ناشيءٍ عن خصائص الفرد الشخصيّة . «ب» تصحيح لهذا الانحراف أو الخطأ أو أخذٌ له بعين الاعتبار .

personalism[pûr'sən ə lĭz'əm]*(n.)* الشَّخصانية : مذهب يؤكّد على أهمية الشخصية وكونها شيئاً فذاً وعلى أنّه لا يجوز انتهاك حرمتها .

personality [pûr'sə năl'ə tĭ] *(n.)* (١) الوجود الشخصي ؛ الهوية الشخصيّة (٢) نقد شخصيّ أو ملاحظة شخصيّة معادية (to indulge in *personalities*) (٣) الشخصية : «أ» كامل خصائص الفرد (أو الجماعة أو الأمة الخ.) الذاتية المميِّزة .

ă at; ā date; â care; ä car; ĕ egg; ē me; ĭ in; ī bite; ŏ lot; ō bone; ô orphan; oi boil ōō good; ōō boot; ou out; ŭ under; ū unity; û urgent; th thing; th this; zh vision; ə = *a* in alone, *e* in system, *i* in easily, *o* in gallop, *u* in circus.

«ب» مجموع نزعات الفرد السلوكيّة والعاطفية (٤)«أ» قوة الشخصيّة أو جاذبيّتها (~ a man with) . «ب» شخص قويّ الشخصيّة أو جذّابها (٥) شخص؛ وبخاصة : شخصية بارزة .

personalize [pûr'sən ə līz'] *(vt.)* (١) personify (٢) يجعله شخصياً ؛ وبخاصة : يَسِم شيئاً بعلامة تدلّ على أنّه مِلك خاص لشخص معيّن (٣)يعتبر الملاحظة موجهةً ضدّه شخصياً.

personally[pûr'sən-]*(adv.)* (١)بطريقةشخصيّة (٢)شخصياً .

personal pronoun *(n.)* الضمير(مثل: *I, we, he, it.*).

personal property *or* **estate** *(n.)* المنقولات؛ الممتلكات المنقولة.

personalty [pûr'sən əl tī] *(n.)* = personal property.

persona non grata [pər sō'nə nŏn grä'tə] *(L.)* pl. **personae non gratae** *or* **persona non grata** الشخص غير المقبول أو غير المرغوب فيه ؛ وبخاصة : شخص غير مرغوب فيه شخصياً عند حكومة البلد الّتي يكلّف بتمثيل وطنه لديها .

personate[pûr'sən ĭt; -sə nāt']*(adj.)* (١) قِناعيّ ، على شكل قِناع : صفة لتُوَيْج ذي شفتين (نب) (٢) مُقنَّع : شفته السفلى مرتفعة بحيث تُوْصِد الثغرة الّتي بين الشفتين (a ~ flower).

personate [pûr'sə nāt'] *(vt.)* (١) «أ» يمثّل شخصيّة ما (في مسرحية). «ب» ينتحل شخصيّة ما (بغْيةَ الخداع) (٢)يشخّص: يخلع على الشيء شخصيّة أو صفاتٍ بشريّة (في الفنّ والشعر الخ.).

—**personation** *(n.)* —**personative** *(adj.)*

personification [-sŏn'ə fə kā'shən] *(n.)* (١)«أ» التشخيص: إضفاء الصفات البشرية على شيء ما أو على مفهوم تجريديّ . «ب» المشخَّص : إلهٌ أو كائن خيالي يتُصوَّر أنّه يمثّل شيئاً أو فكرة تجريدية (٢) الصفةُ مجسّدةً ؛ شخصٌ تتمثّل فيه صفة ما إلى حدٍّ بارز (She is the ~ of pride.) .

personify [pər sŏn'ə fī'] *(vt.)* (١) يُشخِّص : يتصوّر شيئاً أو يمثّله وكأنّه بشر أو وكأنّه ذو قوىً بشريّة (٢) يجسّد : تتمثّل في شخصه صفةٌ ما إلى حد يُوْهِم بأنها قد تجسّدت فيه (He *personifies* honor.) .

personnel [pûr'sə nĕl'] *(F.)* (١) «أ» المِلاك : مجموع الموظفين أو المستخدمين في مصلحة عامة أو مصنع أو مكتب أو مؤسسة . «ب» أشخاص (٢) دائرة الموظفين أو المستخدمين : دائرة (في مؤسسة ما) تُعنَى بشؤون الموظفين والمستخدمين .

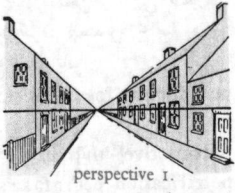

perspective [pər spĕk'tĭv] *(n.; adj.)* (١)«أ» الرسم المنظوري : فن رسم الأشياء بطريقة تُحدِث في النفس عين الانطباع (من حيث الأبعاد النسبية والحجم الخ.) الذي تُحدثه هي ذاتُها حين يُنظر إليها من نقطة معيّنة. «ب» رسمٌ منظوريّ (أي صورة مرسومة بهذه الطريقة) (٢) «أ» المنظور : مَظهَر الموضوع كما يتبدّى للعقل من زاوية معيّنة (historical ~) . «ب» القدرة على رؤية الأشياء وفقاً لعلاقاتها الصحيحة أو أهميتها النسبية (٣) «أ» منظر ؛ مشهد . «ب» نظرة ؛ وجهة نظر (٤) المنظورية : بُدُوّ الأشياء للعين وفقاً لبعدها النسبي ومواقعها النسبية §(٥) منظوريّ .

perspective 1.

in ~, (١) وفقاً لقواعد الرسم المنظوري (٢) وفقاً لعلاقات الشيء الصحيحة أو أهميته النسبية.

perspicacious [-spə kā'shəs] *(adj.)* حادّ الذهن ؛ ثاقب الفكر .

perspicacity [pûr'spə kăs'ə tī] *(n.)* حدّة الذهن .

perspicuity [-kū'ə tī] *(n.)* (١) وضوح ؛ سهولة (٢) حدّة الذهن .

perspicuous [pər spĭk'yōō əs] *(adj.)* واضح ؛ سَهْل .

perspiration [pər'spə rā'shən] *(n.)* (١) التعرّق : ترشّح العرق من الجسم (٢) عَرَق .

perspiratory [pər spīr'ə tōr'ī]*(adj.)* (١) عَرَقيّ (٢) مُعرِّق. (٣) مُفْرِزٌ عَرَقاً .

perspire [pər spīr'] *(vi.)* يَعْرَق ؛ يُفْرِز عَرَقاً .

persuadable [pər swād'-] *(adj.)* قابل للإقناع ؛ ممكِن إقناعهُ .

persuade [pər swād'] *(vt.)* (١) يُقْنِع (٢) يحثّ .

persuasible [pər swā'sə bəl] = persuadable.

persuasion [pər swā'zhən] *(n.)* (١) «أ» إقناع . «ب» حَثّ . «ج» القدرة على الإقناع (٢) اقتناع (٣) «أ» رأي ؛ معتقَد ؛ وبخاصة : مذهب . «ب» طائفة ؛ جماعة تؤمن بمعتقدات معينة (٤) نوع ؛ جنس (~ we of the male) .

persuasive [-swā'sĭv]*(adj.; n.)* (١)مُقْنِع §(٢)شيء مُقْنِع .

persuasiveness[pər swā'sĭv-]*(n.)* الاقناعيّة ؛ القدرة على الاقناع.

pert [pûrt] *(adj.)* (١) سَليط ؛ وقح (a ~ answer) (٢) أنيق . (٣) مُفْعَمٌ بالحيوية والنشاط .

pertain [pər tān'] *(vi.)* (١) يَخُص (٢) يتصل أو يتعلق بِـ . (٣) يلائم ؛ يناسِب .

pertinacious [pûr'tə nā'shəs]*(adj.)* (١) عنيد (٢) مُلِحّ ؛ مُلْحف(~ beggar)(٣)متواصل؛ مستمر(~ efforts; ~ fever).

pertinacity [pûr'tə năs'ə tī] *(n.)* عناد ؛ إلحاح ؛ استمرار .

pertinence *or* **pertinency** [pûr'-] *(n.)* وثاقة الصلة (بالموضوع).

pertinent [pûr'tə nənt] *(adj.)* وثيق الصلة بالموضوع .

perturb [pər tûrb'] *(vt.)* (١) يُقلق (٢) يشوّش (٣) يجعل الجرمَ السماويّ يضطرب في حركته المدارية المألوفة .

perturbation [pûr'tər bā'shən] *(n.)* (١) إقلاق ؛ تشويش. (٢) قلقٌ ؛ تشوّش (٣) الاضطراب : الترجاف : اضطراب الجرم السماوي في حركته المدارية بسبب من قوة غير تلك الّتي تسبب دورانه النظامي (فل) .

pertussis [pər tŭs'ĭs] *(L.)* السُعال الديكي ؛ الشهقة (مض) .

peruke [pə rōōk'] *(F.)* شَعر مستعار .

peruke

perusal [pə rōō'zəl] *(n.)* (١)دراسة ؛ تمعُّنٌ في (٢) قراءة .

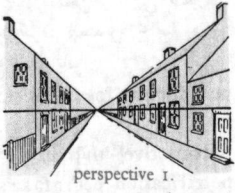

peruse [pə rōōz'] *(vt.)* (١)يدْرس ؛ يتمعّن في. (٢) يقرأ .

Peruvian [pə rōō'-]*(adj.; n.)* (١) بيروفيّ : منسوب الى البيرو وبأميركة الجنوبية §(٢)البيروفيّ : احد ابناء البيرو.

Peruvian bark *(n.)* اللحاء البيروفي : لحاء الكينا .

pervade [pər vād'] *(vt.)* ينتشر في ؛ يتخلّل ؛ يعمّ .

perverse [pər vûrs'] *(adj.)* (١) «أ» منحرف ؛ فاسد ؛ ضالّ ؛ شرّير. «ب»خاطىء؛غير صحيح(~ reasoning). «ج» معاكس؛ مضادّ لرغبات المرء (~ circumstances) (٢) احمق ؛ عنيد (٣) سيّء الطبع ؛ شكِس .

—**perverseness** *(n.)*

perversion [pər vûr'zhən; -shən] *(n.)* (١) إفساد ؛ إضلال. (٢) «أ» اساءة استعمال . «ب» تحريف (٣) انحراف ؛ ضلال (٤) شكلٌ منحرف من كذا ؛ وبخاصة : انحراف جنسي .

perversity [pər vûr'sə tī] *(n.)* (١) انحراف ؛ فساد ؛ ضلال. (٢) حماقة ؛ عناد ؛ معاندة (٣) شكاسة ؛ سوء طبع .

perversive [pər vûr'-]*(adj.)* (١)مُفسِد ؛ مُضِلّ (٢)مُنحرِف .

ă at; ā date; â care; ä car; ĕ egg; ē me; ĭ in; ī bite; ŏ lot; ō bone; ô orphan; oi boil ŏŏ good; ōō boot; ou out; ŭ under; ū unity; û urgent; th thing; th this; zh vision; ə = a in alone, e in system, i in easily, o in gallop, u in circus.

pervert [*v.* pər vûrt'; *n.* pûr'vûrt] *(vt.; n.)* (١) يُفسِد ؛ يُضِلّ (٢)«أ» يسيء استعماله ؛ يستعمله في غير وجهه . «ب» يحرّف (المعنى الخ) §(٣) المارق (من الدين) (٤) المنحرف ؛ وبخاصة : المصاب بانحراف جنسيّ .

perverted [pər vûr'tĭd] *(adj.)* (١) فاسد ؛ شرير (٢) منحرف .

pervious [pûr'vĭ əs] *(adj.)* = permeable.

Pesach [pā'säkh] *(n.)* = Passover.

peseta [pə sā'tə] *(Sp.)* البيزيتا : وحدة النقد الاسباني .

pesky [pĕs'kĭ] *(adj.)* مزعج (ع) .

peso [pā'sō] *(Sp.)* البيزو : «أ» قطعة نقد فضية قديمة في اسبانية وأميركة الاسبانيّة . «ب» وحدة النقد في الأرجنتين وكولومبيا وكوبا والمكسيك والجمهورية الدومينيكانية والفيليبين والأورغواي .

pessary [pĕs'ə rĭ] *(n.)* (١) تحميلة للمَهْبِل (٢) الفِرزَجة « كعكة » تُقْحَم في المهبل لمنع الحمل أو لتصحيح وضع الرحم .

pessimism [pĕs'ə mĭz'əm] *(F.)* (١) تشاؤم (٢) التشاؤمية : «أ» الاعتقاد بأن عالمنا هذا هو أسوأ العوالم الممكنة أو بأن جميع الأشياء تنزع بطبيعتها إلى الشر . «ب» الاعتقاد بأن كفّة الشرّ والشقاء أرجح ، في هذا العالم ، من كفّة الخير والسعادة .

pessimist [pĕs'ə mĭst] *(n.)* (١) المتشائم (٢) التشاؤميّ : المؤمن أو القائل بالتشاؤمية (را . المادة السابقة) .

pessimistic [pĕs'ə mĭs'tĭk] *(adj.)* متشائم .

pest [pĕst] *(n.)* (١) وباء ؛ وبخاصة : طاعون (٢) حشرة أو نبتة مؤذية (٣) شيء أو شخص مزعج أو بغيض .

pester [pĕs'tər] *(vt.)* يزعج ؛ يضايق .

pesthole [pĕst'-] *(n.)* الموطن الوخيم : مكان معرّض لانتشار الأوبئة .

pesthouse [pĕst'-] *(n.)* مستشفى الأمراض الوبائية أو المُعْدِية .

pesticide [pĕs'tə sīd'] *(n.)* مُبيد الذباب أو الجرذان أو الطحالب : مادة قاتلة للذباب أو الجرذان أو الطحالب الخ .

pestiferous [pĕs tĭf'ər əs] *(adj.)* (١) خبيث ؛ خطِر على المجتمع أو الأخلاق أو الأمن (٢) «أ» وبائي ؛ مُهْلِك . «ب» مصاب بمرض وبائي (poor ~ creatures) (٣) مزعج .

pestilence [pĕs'tə-] *(n.)* وباء ؛ طاعون ؛ وبخاصة : الطاعون الدّبْلي .

pestilent [pĕs'tə lənt] *(adj.)* (١) مُهْلِك ؛ سامّ الخ . (٢) خطِر على الأمن أو الأخلاق الخ . (٣) مُغيظ ؛ مثير (٤) مُعْدٍ .

pestilential [pĕs'tə lĕn'shəl] *(adj.)* (١) «أ» مُهْلِك . «ب» وبائيّ (٢) ضارّ بالأخلاق (٣) مزْعِج ؛ مغضب .

pestle [pĕs'əl; pĕs'təl] *(n.; vt.; i.)* (١) يد الهاون (٢) مِدقّة . §(٣) يَسْحَن ×(٤) يستعمل يدَ هاون .

pet [pĕt] *(vt.; i.; n.; adj.)* (١) يدلّل ×(٢) يلاطف ؛ يعانق ؛ يقبّل (٣) يغضب ؛ يتكدّر ؛ يزعل §(٤) الحيوان المدلل : حيوان أليف يُقْتَنى على سبيل الاستمتاع لا الاستفادة (٥) طفل مدلّل (ومُدلّع أو مغْنَج عادةً) (٦) المحبوب ؛ الحبيب (٧) نوبة غضب أو سوء مزاج §(٨) مُدلَّل (٩) تحبّبيّ ؛ دالّ على التحبّب (a ~ name) (١٠) أثير ؛ مُفضَّل (~ stories) · ~ aversion أبغض الاشياء الى المرء .

petal [pĕt'əl] *(n.)* البَتَلَة ؛ التُويْجية (نب) .

petaloid [pĕt'ə loid] *(adj.)* بتَلاني : «أ» شبيه بالبتَلة . «ب» مؤلّف من عناصر بتَلانيّة .

petalous [pĕt'əl əs] *(adj.)* مُبتّل : ذو بتَلات (نب) .

petard [pĭ tärd'] *(F.)* (١) منجنيق (٢) مفرقعة نارية .

petasos *or* **petasus** [pĕt'ə səs] *(L.)* البتاسوس : قبعة خفيضة عريضة الحاشية كان يعتمر بها الاغريق والرومان ؛ وبخاصة : قبعة هرميز (را . Hermes) المجنّحة .

pet cock *(n.)* صُنْبور صغير ؛ صِمام صغير .

petechia [pə tē'kĭ ə] *(L.)* pl. **-e** [-'kĭ ē] نقْطة ؛ بَثْرة .

peter [pē'tər] *(vi.)* (١) يتلاشى (٢) يصاب بالارهاق .

Peter [pē'-] *(n.)* بطرس الرسول : أحد تلامذة المسيح الاثني عشر . to rob ~ to pay Paul يأخذ من الواحد ليعطي الآخر .

Peter's pence *(n.)* فَلْس بطرس : «أ» ضريبة مقدارها بنس واحد كان يدفعها ربّ الأسرة ، في انكلترة ، إلى الكرسي البابويّ . «ب» تبرّع سنوي يقدمه الكاثوليك إلى الكرسي البابويّ .

petiolar [pĕt'ĭ ə lər] *(adj.)* (١) سُوَيقيّ (نب) (٢) رُجَيْليّ (ح) .

petiolate [pĕt'ĭ ə lāt'] *(adj.)* (١) مُسوَّق : ذو سُوَيقة (نب) . (٢) مرَجَّل : ذو رُجَيلة (ح) .

petiole [pĕt'ĭ ōl'] *(L.)* (١) سُوَيقة (نب) (٢) رُجَيْلة ؛ ذُنَيب (ح) .

petit [pĕt'ĭ; pə tē'] *(F.)* صغير ؛ ثانوي (بلغة القضاء) .

petit bourgeois *(F.)* متعلق بالبورجوازية الصغيرة أو مميّز لها .

petite [pə tēt'] *(F.)* صغيرة الجسم مع أناقة (صفة للمرأة) .

petite bourgeoisie *(F.)* البورجوازية الصغيرة : « الطبقة الوسطى » الدّنيا وتشمل بخاصة الحِرَفيين وأصحاب الدكاكين الصغار .

petit four [fōr'; fo͞or'] *(F.)* البتي فور : كعك صغير مُحلّى .

petition [pə tĭsh'ən] *(n.; vt.; i.)* (١) توسّل ؛ التماس (٢) عريضة (٣) مَطْلَب §(٤) يتوسّل ×(٥) يقدّم عريضة .

petitionary [pə tĭsh'ə nĕr'ĭ] *(adj.)* توسّليّ ؛ التماسيّ .

petitioner [-'ə nər] *(n.)* (١) المتوسِّل ؛ الملتمِس (٢) مقدّم العريضة .

petitio principii [pĭ tĭsh'ĭ ō' prĭn sĭp'ĭ ī'] *(L.)* مغالطة منطقية .

petit jury [pĕt'ĭ] *(n.)* هيئة المحلّفين الصّغرى : هيئة من المحلفين تنظر في القضايا الجنائيّة التي تحوّلها إليها هيئة المحلفين الكبرى (را . grand jury) .

petit larceny *(n.)* السّرقة الصغيرة (ق) .

petit-maître [pə tē mĕtr'] *(F.)* = fop.

petit mal [pə tē mäl'] *(F.)* الصَّرْع الخفيف (مض) .

petr- *or* **petri-** *or* **petro-** بادئة معناها : حجر ؛ صخر .

petrel [pĕt'rəl] *(n.)* طائر النَّوء : طائر بحريّ صغير طويل الجناحين يُمعِن في الطيران بعيداً عن اليابسة .

petrel

petri dish *(n.)* صَحْفة بِتْري (والجمع : صِحاف بِتْري) : صحن زجاجي صغير رقيق ذو غطاء مَرِن يستعمل بخاصة في المختبرات لزرع البكتيريا .

petrifaction [pĕt'rə făk'shən] *(n.)* (١) تحجير (٢) شيء متحجّر (٣) تحجّر .

petrifactive [-'tĭv] *(adj.)* مُحجِّر : محوّل المادة العضوية إلى حجر .

petrification [pĕt'rə fə kā'shən] *(n.)* = petrifaction.

petrify [pĕt'rə fī'] *(vt.; i.)* (١) يحجّر : يحوّل إلى حجر أو مادة حجرية (٢) «أ» يميت . «ب» يصْعق ؛ يشُلّ (من خوفٍ أو ذهول) ×(٣) يتحجّر ؛ يستحجر .

Petrine [pē'trīn] *(adj.)* بطرسيّ : ذو علاقة ببطرس الرسول .

petrochemical [-'rō kĕm'-] *(n.; adj.)* (١) المادة البتروكيمائية : مادة كيمائية من البترول أو الغاز الطبيعي §(٢) بتروكيميائي .

petroglyph [pĕt'rə glĭf] *(F.)* نَقْش على صخر .

petrographer [pĭ trŏg'-] *(n.)* البتروغرافي : الأخصائيّ بالبتروغرافيا .

petrographic; -al [pĕt'rə grăf'-] *(adj.)* بتروغرافيّ .

petrography [pĭ trŏg'-] *(n.)* البتروغرافيا : وصف الصخور وتصنيفها.

petrol [pĕt'rəl] *(F.)* = gasoline.

petrolatum [pĕt'rə lā'təm] *(L.)* البترولاتوم : الفازلين ؛ هلام البترول.

petroleum [pə trō'lĭ əm] *(L.)* النفط ؛ البترول.

petrologic ; -al [pĕt'rə lŏj'-] *(adj.)* بترولوجي.

petrologist [pĭ trŏl'-] *(n.)* البترولوجي : المتخصص بعلم الصخور.

petrology [pĭ trŏl'ə jĭ] *(n.)* البترولوجيا ؛ علم الصخور : علم يبحث في أصل الصخور وتاريخها وتركيبها الكيميائي وتصنيفها.

petronel [pĕt'-] *(F.)* البترونيل : نوع من البنادق القديمة (القرن ١٥).

petrosal [pĭ trō'səl] *(adj.)* (١) صلب ؛ حجري (٢) صخري : ذو علاقة بالقسم الصلب من العظم الصدغي (ت).

petrous [pĕt'rəs ; pē'trəs] *(adj.)* = petrosal.

petticoat [pĕt'ĭ kōt] *(n. ; adj.)* (١) تنورة ؛ وبخاصة : تنورة تحتانية (٢) ثوب نسائي ؛ وبالتالي : امرأة ؛ فتاة (٣) شيء كالتنورة : سجف أو ستار الطاولة (٤) العازل الكأسي أو المفضلي (كب) §(٥) نسوي ؛ نسائي.

petticoat government *(n.)* حكم المرأة.

petticoat insulator *(n.)* العازل الكأسي أو المِفْضَلِيّ (كب).

pettifog [pĕt'ĭ fŏg'] *(vi.)* (١) يتلاعب أو يخادع (في القضايا القانونية) (٢) يتولى الدفاع في القضايا الصغيرة أو الحقيرة (٣) يثير اعتراضات تافهة.

—**pettifoggery** *(n.)*

pettifogger [pĕt'ĭ fŏg-] *(n.)* (١) المحامي الصغير (الذي يتولى الدفاع في القضايا الثانوية أو الحقيرة) (٢) مثير الاعتراضات التافهة.

pettifogging [pĕt'ĭ-] *(adj.)* (١) مشتغل بالتوافه (٢) تافه ؛ حقير.

pettily [pĕt'ĭ lĭ] *(adv.)* على نحو ثانوي أو تافه أو حقير الخ.

pettiness [pĕt'ĭ-] *(n.)* (١) تفاهة ؛ حقارة الخ. (٢) شيء تافه الخ.

pettish [pĕt'ĭsh] *(adj.)* نكِد ؛ سيىء الطبع ؛ سريع الغضب.

—**pettishly** *(adv.)* —**pettishness** *(n.)*

pettitoes [pĕt'ĭ tōz'] *(n. pl.)* (١) أكارع الخنزير (٢) قدما الانسان وبخاصة قدما الطفل.

petty [pĕt'ĭ] *(adj.)* (١) صغير ؛ ثانوي (a ~ prince). (٢) تافه (~ affairs) (٣) ضيق الأفق أو التفكير (a ~ mind) (٤) حقير (a ~ revenge).

petty cash *(n.)* المبلغ الصغير : مبلغ نقدي صغير يحتفظ به للانفاق على الأمور الثانوية.

petty jury *(n.)* = petit jury.

petty larceny *(n.)* = petit larceny.

petty officer *(n.)* ضابط صف (في الأسطول).

petulant [pĕch'ə-] *(adj.)* (١) وقح أو فظ (في الكلام أو السلوك). (٢) نكِد ؛ شكِس ؛ رديء الطبع.

—**petulance; -cy** *(n.)*

petunia [pə tū'nĭ ə ; -tōō'-] *(L.)* البطونية : نبات أميركي من الفصيلة الباذنجانية.

pew [pū] *(n.)* (١) مقصورة في كنيسة (٢) أحد المقاعد الخشبية الطويلة، ذات الظهر وأحياناً ذات الأبواب، المثبتة صفوفاً في كنيسة (٣) مقعد.

pewee [pē'wē] *(n.)* البيوي : طائر خاطف للذباب.

pewit [pē'wĭt ; pū'ĭt] *(n.)* البويت ؛ أبو طيط (طا).

pew opener *(n.)* دليل يرشد الناس إلى المقاعد (في كنيسة).

pewter [pū'tər] *(n.)* (١) البيوتر : أشابة معدنية مقومها الأساسي القصدير (٢) أوانٍ بيوترية.

pewterer [pū'tər ər] *(n.)* صانع الأواني البيوترية.

peyote [pā ō'tĭ] *or* **peyotl** [pā ō'-] *(n.)* البيوت : «أ» ضرب من الصبار الأميركي محتوٍ على مادة مخدرة. «ب» مخدر يستخرج منه.

pfennig [pf ĕn'ĭg] *(G.)* pl. **-s** [-ĭgz] *or* **-e** [-ĭ gə] البفنغ : جزء من مئة من المارك الألماني.

phaeton 1.

phaeton [fā'ə-] *(F.)* (١) الفيتون : مركبة جياد خفيفة ذات أربع عجلات (٢) السيارة السياحية : سيارة لأربعة ركاب أو خمسة.

-phage لاحقة معناها : الآكل ؛ الملتهم (bacteriophage).

-phagia = -phagy.

phagocyte [făg'ə sīt'] *(n.)* البلعم : خلية تبتلع الأجسام الغريبة والبكتيريا وتقضي عليها (والجمع : بلاعم).

phagocytic index [făg'ə sĭt'ĭk] *(n.)* الدليل البلعمي (مج).

phagocytize [făg'ə sīt ĭz] *(vt.)* يبلعم : يقضي على جسم غريب بالبلعمة.

phagocytosis [făg'ə sī tō'sĭs] *(n.)* البلعمة (مج) : ابتلاع البلاعم للأجسام الغريبة والقضاء عليها.

-phagous لاحقة معناها : آكل (saprophagous).

-phagy لاحقة معناها : أكل مادة معينة (geophagy).

phalange [făl'ənj] *(F.)* السلامي : عظم من عظام أصابع اليد أو الرجل في الحيوان الفقاري (والجمع : السلاميات).

phalangeal [fə lăn'jĭ əl] *(adj.)* سلاموي : ذو علاقة بالسلامى أو بالسلاميات.

phalanger [fə lăn'jər] *(L.)* الفلنجر : حيوان استرالي يتراوح حجمه بين حجمي الفأرة والقطة.

phalanstery [făl'ən stĕr'ĭ] *(F.)* (١) «أ» الكتائبية : إحدى «المستعمرات» التعاونية التي دعا الفيلسوف الاشتراكي فورييه إلى إقامتها. «ب» المباني التي يحتلها أفراد الكتائبية (٢) شيء يشبه الكتائبية.

phalanx [fā'lăngks] *(L.)* pl. **phalanxes** *or* **phalanges** (١) كتيبة (٢) السلامى (را. phalange) (٣) «أ» جماعة أو مجموعة من الناس أو الحيوان أو الأشياء. «ب» جماعة منظمة (٤) «مستعمرة» تعاونية فوريييية (را. phalanstery).

phalarope [făl'ə rōp'] *(F.)* الفلروب : طائر شطآني صغير.

phallic [făl'ĭk] *(adj.)* (١) عباديقضيبي : خاص بعبادة القضيب أو آلة الرجل (٢) قضيبي : خاص بالقضيب أو شبيه به.

phallicism [făl'ə sĭz'əm] *(n.)* عبادة القضيب أو آلة الرجل.

phallus [făl'əs] *(L.)* (١) الفالوس : رمز أو صورة للقضيب أو آلة الرجل (٢) «أ» قضيب. «ب» بظر (ت).

-phane لاحقة معناها : مادة ذات شكل أو صفة أو مظهر معين.

phanerogam [făn'ər ə găm] *(F.)* النبات البزري أو الزهري.

phantasm [făn'tăz əm] *(n.)* (١) «أ» وهم. «ب» شبح. «ج» خيال (٢) صورة ذهنية «عن شيء حقيقي» (٣) مظهر خادع أو وهمي لشيء ما.

phantasma [făn tăz'mə] *(L.)* pl. **-ta** = phantasm 1.

phantasmagoria [-tăz'mə gōr'ĭ ə] *(F.)* (١) اجتماع الأوهام : انطباع بصري تبدو معه صور الشاشة، احياناً، وكأنها تندفع نحو المشاهد بزيادة هائلة في الحجم (٢) «أ» سلسلة من الأوهام تتعاقب في الذهن نتيجة لكابوس أو حمى. «ب» مشهد دائم التغير.

phantasy [făn'tə sĭ ; -zĭ] *(n.)* = fantasy.

phantom [făn'təm] *(n. ; adj.)* (١) «أ» شبح. «ب» وهم ؛ سراب. «ج» بعبع (٢) طيف ؛ خيال (٣) صورة أو مثال لشيء تجريدي أو

مثاليّ (She was a ~ of delight.) §(٤) «أ» وهميّ. «ب» كاذب.

phantom tumor *(n.)* الورم الكاذب (ط).

pharaoh [fâr'ō; fâr'ĭ ō'] *(n.)* (١) فرعون (٢) طاغية.

pharaoh ant *(n.)* نملة فرعون: نملة صغيرة حمراء.

pharisaic [făr'ə sā'-] *(adj.)* فَرّيسيّ؛ مُراءٍ؛ متظاهر بالتقوى.

pharisaical [făr'ə sā'-] *(adj.)* مراءٍ؛ متظاهر بالصلاح والتقوى.

pharisaism [făr'ə sā ĭz'əm] *(n.)* (١) *cap.*: الفَرّيسيّة: معتقدات الفَرّيسيين وأعمالهم (٢) *cap.* ا.ك: خُلُقٌ أو روح أو موقفٌ مُراءٍ.

pharisee [făr'ə sē] *(n.)* (١) *cap.*: الفَرّيسيّ: واحدُ الفَرّيسيين، وهم طائفة من يهود عهد المسيح عُرِفَت بتمسّكها بالطقوس وبالتقوى الكاذبة (٢) المرائيّ؛ المتظاهر بالصلاح والتقوى.

pharmaceutic [fär'mə sōō'tĭk] *(adj.)* = pharmaceutical.

pharmaceutical [-'mə sōō'-] *(adj.; n.)* (١) صيدليّ: ذو علاقة بالصيدلة أو بالصيادلة §(٢) مستحضرٌ صيدليّ.

pharmaceutics [fär'mə sōō'tĭks] *(n.)* = pharmacy ɪ.

pharmacist [fär'mə sĭst] *(n.)* الصيدليّ.

pharmaco- بادئة معناها: عقّار؛ دواء (*pharmaco*logy).

pharmacodynamics *(n.)* مَبحث تأثير الأدوية: فرع من علم العقاقير يبحث في التفاعل بين الأدوية والكائنات الحيّة.

pharmacological *or* **pharmacologic** [-kə lŏj'-] *(adj.)* عقاقيري: متعلق بعلم العقاقير.

pharmacologist [-kŏl'-] *(n.)* العقاقيري: الأخصائي في عِلم العقاقير.

pharmacology [fär'mə kŏl'ə jĭ] *(n.)* (١) عِلم العقاقير (٢) خصائص الأدوية وتأثيرها.

pharmacopoeia [fär'mə kə pē'ə] *(L.)* (١) الأقرَباذِين: دستور الصيدلة أو الأدوية (٢) مجموعة (أو مخزون) أدوية.

pharmacy [fär'mə sĭ] *(n.)* (١) الصيدلة: عِلم تركيب الأدوية (٢) «أ» صيدلية. «ب» drugstore (٣) مجموعة (أو مخزون) أدوية.

pharos [fâr'ŏs; fā'rŏs] *(Gk.)* منارة (لإرشاد السفن).

pharyng- *or* **pharyngo-** بادئة معناها: بُلعوم.

pharyngeal [fə rĭn'jĭ əl] *(adj.)* بُلْعُوميّ.

pharyngitis [făr'ĭn jī'tĭs] *(n.)* التهاب البلعوم (مض).

pharyngology [făr'ĭng gŏl'ə jĭ] *(n.)* مبحث البلعوم: فرع من الطب يبحث في البلعوم وأمراضه.

pharynx [făr'ĭngks] *(L.)* pl. **pharynges** *also* **pharynxes** البُلعوم: مجرى الطعام في الحلق.

phase [fāz] *(n.)* (١) وجهٌ (من أوجه القمر) (٢) طَور؛ دَوْر (٣) مَظْهَر أو جانب (من مظاهر حالة أو مسألة أو جوانبها) (٤) حالة؛ صورة؛ شكل.

phased *(adj.)* مُمَرحَل: منفَّذ على مراحل أو وفقاً لخطة مرسومة.

-phasia لاحقة معناها: خللٌ في النطق (dys*phasia*).

pheasant [fĕz'ənt] *(n.)* التَّدْرُج: طائر ذَيّال شبيه بالحَجَل.

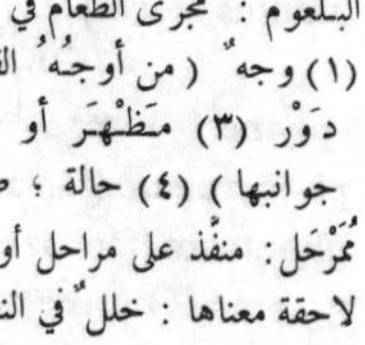

pheasant

phelloderm [fĕl'ə dûrm] *(n.)* الأدَمة النَّجَبِيّة أو الفَلّينيّة: نسيجٌ في بعض النباتات ينشأ من نشاط مُولِّدة النَّجَب (را. المادة التالية).

phellogen [fĕl'ə jən] *(n.)* مُولِّدة النَّجَب أو مولِّدة الفلّين: مَرِستيمة (را. meristem) ثانوية تولّد الفلّين خارجياً والأدَمة النَّجَبية داخلياً (نب).

phen- *or* **pheno-** بادئة معناها: محتوٍ على فينيل (ك).

phenacaine *or* **phenocain** [fē'nə kān'] *(n.)* الفيناكين (صي).

phenacetin [fə năs'ə tĭn] *(n.)* الفيناسيتين (صي).

phenakite [fĕn'ə kīt'] *or* **phenacite** [-'ə sīt'] *(G.)* الفيناكيت؛ الفيناسيت: معدن زجاجيّ.

phenanthrene [fə năn'thrēn] *(n.)* الفينانثرين (ك).

phenazine [fĕn'ə zēn; -zĭn] *(n.)* الفينازين (ك).

phenetidine [fə nĕt'ə dēn'; -dĭn] *(n.)* الفيناتيدين (ك).

phenetole [fĕn'ə tōl'] *(n.)* الفينتُول (ك).

phenix [fē'nĭks] *(n.)* = phoenix.

phenol [fē'nōl] *(n.)* الفينول؛ حامض الكربوليك (ك).

phenolate [fē'nə lāt'] *(n.)* الفانولات: ملح الفينول (ك).

phenolic [fĭ nō'lĭk] *(n.)* الرّاتِينَنج الفينوليّ (ك).

phenology [fĭ nŏl'ə jĭ] *(n.)* (١) الفينولوجيا: عِلم يبحث في العلاقة بين المناخ والظواهر الأحيائية الدَّورية (٢) الظواهر الفينولوجية (الخاصة بنوع من المتعضيّات). **—phenological** *(adj.)*

phenolphthalein [fē'nōl thăl'ēn] *(n.)* الفينولفثالين: مركّب كيميائي متبلّر أبيض أو أبيض مصفرّ (ك).

phenomena [fĭ nŏm'ə nə] *pl. of* phenomenon.

phenomenal [fĭ nŏm'ə nəl] *(adj.)* (١) ظاهراتي: «أ» مُدْرَك بالحواس. «ب» ذو علاقة بالظاهرات لا بالفرضيات (٢) استثنائي؛ غير اعتيادي؛ ضخم (~ speed).

phenomenalism [fĭ nŏm'ə nə lĭz'əm] *(n.)* الظاهراتية: «أ» نظرية تَقْصُر المعرفة على الظاهرات فقط. «ب» نظرية تقول بأنّ الظاهرات هي وحدها الحقائق. **—phenomenalistic** *(adj.)*

phenomenalist [fĭ nŏm'-] *(n.)* الظاهراتيّ: القائل بالظاهراتية.

phenomenological [fĭ nŏm ən ə lŏj'-] *(adj.)* فينومينولوجي؛ ظاهراتيّ: ذو علاقة بالفينومينولوجيا أو بالظاهرات.

phenomenologist [fĭ nŏm'ə nŏl'-] *(n.)* الفينومينولوجيّ: المشتغل بالفينومينولوجيا.

phenomenology [fĭ nŏm'ə nŏl'ə jĭ] *(n.)* الفينومينولوجيا؛ علم الظاهرات: «أ» فرع من العلم يبحث في وصف الظواهر وتصنيفها. «ب» الدراسة الفلسفية لتطور العقل. «ج» الوصف العلمي للظاهرات الواقعية مع اجتناب كل تأويل أو شرح أو تقييم.

phenomenon [fĭ nŏm'ə nŏn'] *(Gk.)* pl. **-na** *or* **-s** (١) الظاهرة: «أ» واقعةٌ أو حادثة يمكن ملاحظتها. «ب» شيء أو مَظهَر مُدْرَك بالحواس لا بالفكر أو الحدْس. «ج» الشيء كما يبدو لنا، تمييزاً له عن الشيء في ذاته (في فلسفة كَنْت). «د» واقعة أو حادثة قابلة للوصف والتفسير العلميين (٢) «أ» واقعة أو حادثة نادرة. «ب» ظاهرة تستحق الدرس: شخصٌ أو شيء أو حادث استثنائي أو شاذّ. «ج» شخص فائق البراعة.

phenothiazine [fĭ nō thī'ə zēn] *(n.)* الفينوثيازين (ك).

phenyl [fĕn'ĭl] *(n.)* الفينيل (ك).

phenylene [fĕn'ə lēn'; fē'nə-] *(n.)* الفينيلين (ك).

phial [fī'əl] *(n.)* قارورة؛ قنينة؛ زجاجة.

phil- *or* **philo-** بادئة معناها: مُحِبّ (*philo*sophy).

-phil *or* **-phile** لاحقة معناها: مُحِبّ (Franco*phile*).

Philadelphia lawyer *(n.)* المحامي الذكيّ المتمرّس في صناعته.

philander [fĭ lăn'dər] *(vi.)* يُغازِل أو ينهمك في المغازلة.

philanthropic; -al [fĭl'ən thrŏp'-] *(adj.)* (١) خيِّر؛ إنسانيّ؛ محبٌّ للبشر (٢) معتمِد على الصدقات؛ مُناصِر بأموال البِرّ.

ă at; ā date; â care; ä car; ĕ egg; ē me; ĭ in; ī bite; ŏ lot; ō bone; ô orphan; oi boil ŏŏ good; ōō boot; ou out; ŭ under; ū unity; û urgent; th thing; th this; zh vision; ə = *a* in alone, *e* in system, *i* in easily, *o* in gallop, *u* in circus.

philanthropist [fĭ lăn'thrə pĭst] *(n.)* (١) الخيّر ، الإنسانيّ ؛ محِبّ البشر (٢) المُحْسِن .

philanthropy [fĭ lăn'thrə pĭ] *(n.)* (١) الخيرية ، الإنسانية ؛ حبّ البشر والعمل على تعزيز السعادة الإنسانيّة (٢)«أ» صدقة ؛ إحسان. «ب» مؤسسة توزّع أموال البرّ والاحسان أو تعيش عليها .

philatelic [fĭl'ə tĕl'ĭk] *(adj.)* طوابعي : خاص بجمع الطوابع البريدية ودراستها .

philatelist [fĭ lăt'-] *(n.)* الطوابعي : جامع الطوابع البريدية ودارسها.

philately [fĭ lăt'ə lĭ] *(F.)* الطوابعيّة : جمع الطوابع البريدية ودراستها.

philharmonic [fĭl'här mŏn'ĭk] *(adj.; n.)* (١) محبّ للموسيقى. (٢) فيلهارموني: خاص بجمعية موسيقية، وعلى الأخص بأوركسترا سيمفونية §(٣) جمعية موسيقية .

philhellene [fĭl hĕl'ēn] *or* **philhellenic** [fĭl'hĕ lĕn'-] *(adj.)* معجَب بالإغريق أو ببلادهم.

philhellene; philhellenist [fĭl hĕl'-] *(n.)* المُعجَب بالاغريق أو ببلادهم.

-philia لاحقة معناها : «أ» نزعةٌ إلى (hemo*philia*) . «ب» ولعٌ غير سويّ بِـ (necro*philia*) .

-philic لاحقة معناها : محبّ لـ (photo*philic*) .

philippic [fĭ lĭp'ĭk] *(n.)* الفيلبيّة : «أ» *cap.* : إحدى خطب ديموستين ضدّ فيليب المقدوني . «ب» خطبة مفعَمة بالتقريع وقارص الكلام .

Philistine [fĭ lĭs'tĭn; fĭl'ə stēn'] *(n.; adj.)* (١) الفلسطيني القديم (٢) شخص ماديّ النزعة ؛ شخص محافظ أو متعلّق بكــلّ ما هو قديم § (٣) ذو علاقة بقدماء الفلسطينيين (٤) ماديّ ؛ محافظ على القديم .

philo- = phil-.

philogyny [fĭ lŏj'ə nĭ] *(Gk.)* حبّ النساء ؛ الكَلَف بالنساء .

philologian [fĭl'ə lō'jĭ ən] *(n.)* = philologist.

philological [fĭl'ə lŏj'-] *(adj.)* فيلولوجي : متعلق بفقه اللغة .

philologist [fĭ lŏl'-] *(n.)* الفيلولوجي : العالِم بفِقه اللغة .

philology [fĭ lŏl'ə jĭ] *(n.)* الفيلولوجيا : «أ» فِقه اللغة التاريخي والمقارَن . «ب» دراسة اللغة وعلى الأخص بوصفها أداة التعبير في الأدب وحقلاً من حقول البحث يلقي ضوءاً على التاريخ الثقافي.

philomel [fĭl'ə mĕl] *(L.)* الهَزار ؛ العندليب (طا) .

philoprogenitive [fĭl'ō prō jĕn'ə tĭv] *(adj.)* (١) ولود ؛ منتِج . (٢) «أ» مُحِبّ لأولاده . «ب» ذو علاقة بحبّ المرء أولادَه .

philosophe [fĭ lə zŏf'] *(F.)* الفيلسوف : أحد الكتاب أو المفكرين الأحرار الذين ارتبط اسمهم بعصر التنوير الفرنسي (في القرن ١٨).

philosopher [fĭ lŏs'ə fər] *(n.)* (١) الفيلسوف ؛ الحكيم . (٢)شخص ذو نظرة فلسفية تمكّنه من مواجهة الشدائد برباطة جأش.

philosophers' stone *(n.)* حجر الفلاسفة : حجر (أو مادة أو مستحضر كيميائي) خيالي اعتقد أصحاب الكيمياء القديمة أنّه قادرٌ على تحويل المعادن الخسيسة إلى ذهب أو فضة وعلى إطالة الحياة.

philosophic; -al [fĭl'ə sŏf'-] *(adj.)* (١)فلسفي (٢)رابط الجأش.

philosophize [fĭ lŏs'-] *(vi.)* يتفلسف : يفكر على طريقة الفلاسفة.

philosophy [fĭ lŏs'ə fĭ] *(Gk.)* (١) الفلسفة : «أ» حبّ الحكمة . «ب» البحث عن الحقيقة من طريق التفكير المنطقي لا الملاحظة الواقعية (٢) الفلسفة : «أ» العلم الذي ينتظم علوم المنطق والأخلاق والجمال وما وراء الطبيعة ونظرية المعرفة . «ب» الفنون العقلية (را. liberal arts) والعلوم ما عدا الطب والحقوق واللاهوت (doctor of ~) (٣) الفلسفة : «أ» نظام من المفاهيم الفلسفية . «ب» مجموعة المبادىء التي يقوم عليها فرع من المعرفة أو نظامٌ دينيّ أو حقل من حقول النشاط البشري (of history ~) (٤) فلسفة : معتقدات ومفاهيم ومواقف الشخص أو الجماعة (٥) هدوء ؛ رباطة جأش (عند الشدائد) .

-philous لاحقة معناها : محبّ لِـ ؛ ميّال إلى .

philter *or* **philtre** [fĭl'tər] *(F.)* (١) شراب المحبّة : شراب (أو عقّار أو تعويذة) ذو قدرة على إحداث الحب أو العشق (٢) الشراب السحري : شراب يُزعم أن له قوةً سحرية .

phiz [fĭz] *(n.)* pl. **phizes** وجه ؛ مُحيّا .

phleb- *or* **phlebo-** بادئة معناها : وريد (*phleb*itis) .

phlebitis [flĭ bī'tĭs] *(L.)* التهاب الوريد (مض) .

phlebotomist [flĭ bŏt'-] *(n.)* الفصّاد: فاصد الوريد أو قاطعه .

phlebotomize [flĭ bŏt'ə mīz'] *(vt.; i.)* (١) يفصد ؛ يقطع الوريد ×(٢) يمارس الفِصاد.

phlebotomy [flĭ bŏt'ə mĭ] *(n.)* الفَصْد ؛ الفِصاد ؛ شَقّ الوريد.

phlegm [flĕm] *(n.)* (١) البَلْغَم : خِلْط من أخلاط البدن ، عند الأقدمين ، وكانوا يزعمون أنّه يسبّب الكسل (٢) بَلْغَم (٣)«أ» برودة ؛ لامبالاة. «ب» رباطة جأش.

—phlegmy *(adj.)*

phlegmatic; -al [flĕg măt'-] *(adj.)* (١) بلغميّ (٢) بارد ؛ لا مبالٍ ؛ رابط الجأش.

phloem [flō'ĕm] *(G.)* اللّحاء (نب) .

phlogistic [flō jĭs'tĭk] *(adj.)* التهابي ؛ حُمّي : متعلق بالالتهابات والحُمّيات .

phlogiston [flō jĭs'tŏn] *(L.)* اللاهوب : مادة كيميائية وهمية كان يُعتقَد ، قبل اكتشاف الأكسجين ، انها مقوّم أساسيّ من مقوّمات الأجسام الملتهبة .

phlogopite [flŏg'ə pīt'] *(G.)* الفلوغوبيت : نوع من الميْكَة .

phlox [flŏks] *(L.)* القَبَس ؛ الفُلُوكس (نب).

phlyctenule [flĭk tĕn'-] *(n.)* بُثَيْرة ؛ نُفَيْطة (في قرنيّة العين).

-phobe لاحقة معناها : الخائف من ؛ المُبْغِض لِـ (Anglo*phobe*) .

phobia [fō'bĭ ə] *(L.)* الرُّهاب ؛ الفوبيا : هلَعٌ مَرَضيّ من شيء معيّن أو طائفة من الأشياء معيّنة (نف) .

phobic [fō'bĭk] *(adj.)* (١) رُهابيّ ؛ فوبيائيّ (را. المادة السابقة). (٢) نزّاع إلى الابتعاد عن شيءٍ بغيض .

-phobic *or* **-phobous** لاحقة معناها : مُبغِض بشدة .

phoebe [fē'bĭ] *(n.)* الفِيبيّ : طائر أميركي خاطفٌ للذباب .

Phoebus [fē'bəs] *(n.)* = Apollo.

Phoenician [fĭ nĭsh'ən] *(n.; adj.)* (١) الفينيقي : أحد أبناء فينيقية (٢) اللغة الفينيقية §(٣) فينيقي .

phoenix [fē'nĭks] *(Gk.)* (١) الفُونِيكس ؛ العنقاء : طائر خرافي زعمَ قدماء المصريين أنّه يعمر خمسة قرون أو ستة ، وبعد أن يحرق نفسه ينبعث من رماده وهو أتمّ ما يكون شباباً وجمالاً (٢) شخص أو شيء ذو جمال لا يُضارَع .

phon- *or* **phono-** بادئة معناها : صوت (*phono*graph) .

phonate [fō'nāt] *(vi.)* ينطق ؛ يُخرج أصواتاً كلامية .

phonation [fō nā'-] *(n.)* لَفظ ؛ نُطق ؛ إخراج الأصوات الكلامية.

phone [fōn] *(n.; vi.; t.)* (١) صوت كلامي (٢) المِسماع (را. earphone) (٣) تلفون §(٤)«أ» يتلفن . «ب» يخاطب بالتلفون.

-phone لاحقة معناها : صوت (tele*phone*) .

phonematic [fō nĭ măt'ĭk] *(adj.)* = phonemic.

phoneme [fō'nēm] *(F.)* الفونيمة : إحدى وحدات الكلام الصغرى التي تساعد على تمييز نطق لفظة ما عن نطق لفظة أخرى في لغة أو لهجة (مثلاً : الـ .p في pin والـ .f في fin هما فونيمتان مختلفتان).

phonemic [fō nē'mĭk] *(adj.)* فونيمي (راجع المادة السابقة) .

phonemics [fō nē'mĭks] *(n.)* (١) التحليل الفونيمي : فرع من التحليل اللغوي قِوامـه دراسة الفونيمات (را. phoneme) (٢) البِنْية الفونيمية : بنية اللغة كما تتجلّى في فونيماتها .

phonetic [fō nĕt'ĭk] *(adj.)* (١) «أ» صوتيّ ؛ لفظي : متعلق بالأصوات الكلاميّة أو باللغة الملفوظة . «ب» متعلق بعلم تمثيل أو تصوير الأصوات (٢) ممثِّل أو مصوِّر الأصواتَ الكلاميّة بعلامات متميّزة . —**phonetical** *(adj.)*

phonetician [fō'nə tĭsh'ən] *(n.)* الأصواتيّ : العالم بتمثيل الأصوات أو تصويرها .

phonetics [fō nĕt'ĭks] *(n.)* (١) عِلم تمثيل أو تصوير الأصوات : دراسة الأصوات الكلاميّة والعلامات المستعملة في تصويرها (٢) نظام الأصوات الكلاميّة في لغةٍ أو مجموعة من اللغات .

phonic [fŏn'ĭk; fō'nĭk] *(adj.)* (١) «أ» صوتيّ . «ب» متعلق بأصوات الكلام (٢) عِلْميصَوْتي : متعلق بعِلم الصوت .

phonics [fŏn'ĭks; fō'nĭks] *(n.)* (١) عِلم الصوت (٢) الطريقة الصوتية : طريقة في تعليم المبتدئين القراءة واللفظ ، من طريق إدراكهم القيمة الصوتية للحروف ومجموعات الحروف وبخاصةٍ المقاطع .

phonily [fō'nĭ lĭ] *(adv.)* على نحوٍ زائف أو مزور .

phoniness [fō'nĭ-] *(n.)* زَيْف ؛ زُيُوفَة .

phonogram [fō'nə grăm'] *(n.)* الفونوغرام : «أ» رمز يُستعمل لتصوير كلمة أو مقطع . «ب» حروف ذات قيمة صوتية واحدة تتعاقب في عدة كلمات (مثل *ight* في bright, fight, light) .

phonograph [fō'nə grăf'; -grăf'] *(n.)* الحاكي ؛ الفونوغراف .

phonographic [fō'nə grăf'ĭk] *(adj.)* فونوغرافيّ : «أ» متعلق برسم الكلمات وَفقاً للفظها . «ب» متعلق بالاختزال الصوتي . «ج» متعلق بفونوغراف .

phonography [fō nŏg'-] *(n.)* (١) الرسم الصوتي : رَسْم الكلمات وفقاً لِلَفظها (٢) الاختزال الصوتي : طريقة في الاختزال مبنية على أساس الصوت .

phonolite [fō'nə līt'] *(n.)* الفونوليت : صخر بركاني .

phonologic; -al [fō'nə lŏj'-] *(adj.)* فونولوجي : خاصّ بعلم الأصوات الكلامية .

phonologist [fō nŏl'ə-] *(n.)* الفونولوجي : العالِم بالأصوات الكلامية .

phonology [fō nŏl'ə jĭ] *(n.)* الفونولوجيا : عِلم الأصوات الكلامية .

phonoreception [fō nō rĭ sĕp'-] *(n.)* السَّماع ؛ سَماع الأصوات .

phony *or* **phoney** [fō'nĭ] *(adj.; n.)* (١) زائف § (٢) «أ» شيء زائف . «ب» الدجّال ؛ المحتال .

-phony *also* **-phonia** لاحقة معناها : «أ» صوت (tele*phony*) «ب» عُسْر في النطق من نوع معيَّن (dys*phonia*) .

-phore لاحقة معناها : الحامل (antho*phore*) .

-phoresis لاحقة معناها : انتقال (electro*phoresis*) .

phos- بادئة معناها : ضوء (*phos*gene) .

phosgene [fŏs'jēn] *(n.)* الفوسجين : غاز عديم اللون كريه الرائحة كان يحضَّر أصلاً بالاستعانة بأشعة الشمس .

phosph- *or* **phospho-** بادئة معناها : فوسفور .

phosphatase [fŏs'fə tās'] *(n.)* الفوسفاتاز : خميرة في أنسجة الجسم تحلّل المركّبات المؤلفة من فحمائيات وفوسفات (كح) .

phosphate [fŏs'fāt] *(n.)* (١) الفوسفات (ك) (٢) شراب فوّار مُعَدّ من مياه غازيّة مع مقدار قليل من حامض الفوسفوريك الخ (٣) مادة فوسفاتية تُستعمل سَماداً .

phosphatic [fŏs făt'ĭk] *(adj.)* فوسفاتي : منسوب إلى الفوسفات (ك) .

phosphatide [fŏs'fə tīd'; -tĭd] *(n.)* الفوسفاتيد : واحد من مجموعة المركّبات الدّهنية الموجودة في المتعضيات الحَلَوية ويتألف من إسترات فوسفورية (كح) .

phosphatization [fŏs făt ə zā'shən] *(n.)* الفَسْفَتَة .

phosphatize [fŏs'fə tīz'] *(vt.)* يُفَسْفِت : «أ» يحوّل إلى فوسفات . «ب» يعالج بحامض الفوسفوريك أو بفوسفات (ك) .

phosphaturia [fŏs'fə tyŏŏr'ĭ ə] *(L.)* البِيلة الفوسفاتية : فَرْط الفوسفات في البول (مض) .

phosphene [fŏs'fēn] *(n.)* الفوسفان : صورة مضيئة ناشئة عن الإثارة الميكانيكية للشبكيّة (كأن يُضغَط بالاصبع على المُقْلة حين يكون الجفن مُغمَضاً) .

phosphide [fŏs'fīd; -fĭd] *(n.)* الفوسفيد (ك) .

phosphine [fŏs'fēn; fŏs'fĭn] *(n.)* الفوسفين : غاز ملتهب سامّ عديم اللون كريه الرائحة (ك) .

phosphite [fŏs'fīt] *(n.)* الفوسفيت : ملح الحامض الفوسفوري (ك) .

phospholipide [fŏs fō lĭp'īd] *(n.)* = phosphatide.

phosphonium [fŏs fō'nĭ əm] *(L.)* الفوسفونيوم (ك) .

phosphoprotein [-fō prō'tē ĭn; -tēn] *(n.)* البروتين الفوسفوري .

phosphor [fŏs'fər] *(L.)* (١) .*cap* : الزهرة ؛ نجمة الصباح (٢) أو **phosphore** : مادة مُتفسفِرة ؛ وبخاصة : مادة تُطلِق ضوءاً حين تُثار بالاشعاع .

phosphorate [fŏs'-] *(vt.)* يُفَسْفِر : يمزج أو يُشبِع بالفوسفور (ك) .

phosphor bronze *(n.)* البرونز الفوسفوري : برونز محتوٍ على قليل من الفوسفور .

phosphoresce [fŏs'fə rĕs'] *(vi.)* يَتَفَسْفَر ؛ يومض كالفوسفور .

phosphorescence [fŏs'fə rĕs'əns] *(n.)* (١) التفَسْفُر ؛ الوميض الفوسفوري : تألّق ينشأ عن امتصاص الاشعاعات ويستمرّ مدة بعد انقطاعها (٢) تألّق .

phosphorescent [-'ənt] *(adj.)* مُتَفَسْفِر ؛ متألّق ؛ مومِض .

phosphoreted *or* **phosphoretted** [fŏs'fə rĕt'ĭd] *(adj.)* مُفَسْفَر : مُشبَع أو مُتحد بالفوسفور .

phosphoric [fŏs fôr'ĭk] *(adj.)* فُوسفوري .

phosphoric acid *(n.)* حامض الفوسفوريك (ك) .

phosphorism [fŏs'fə rĭz'əm] *(n.)* التسمّم بالفوسفور (مض) .

phosphorite [fŏs'fə rīt] *(n.)* الفوسفوريت (ك) .

phosphorous [fŏs'fə rəs] *(adj.)* فوسفوريّ (ك) .

phosphorous acid *(n.)* الحامض الفوسفوريّ (ك) .

phosphorus [fŏs'fə rəs] *(L.)* الفُوسْفور (ك) .

phosphorylase [fŏs'fôr ə lās] *(n.)* الفوسفوريلاز : خميرة تُحلّل الفحمائيات وحامض الفوسفوريك (كح) .

phosphorylate [fŏs'fôr ə-] *(vt.)* يحوّل إلى فوسفات عضوي .

phot [fŏt; fōt] *(n.)* الفُت : وحدة التدفق الضوئي (فز) .

phot- *or* **photo-** بادئة معناها : «أ» ضوء . «ب» فوتوغرافي «ج» كهربائي ضوئي .

photic [fō'tĭk] *(adj.)* (١) ضوئي (٢) مُخْتَرَق بضوء الشمس خاصةً .

photo [fō'tō] *(n.; vt.; i.; adj.)* (١) صورة فوتوغرافية § (٢) يصوِّر أو يتصوَّر فوتوغرافياً § (٣) فوتوغرافي .

photobiotic [fō tō bī ŏt'ĭk] *(adj.)* ضَوْحَيَويّ : محتاج إلى الضوء لكي يحيا .

photocell [fō'tə sĕl] *(n.)* = photoelectric cell.

photochemical [-kĕm'-] *(adj.)* كيميائي ضوئيّ (را. المادة التالية).

photochemistry [fō tə kĕm'-] *(n.)* الكيمياء الضوئيّة : فرعٌ من الكيمياء يبحث في أثر الطاقة المُشِعّة في إحداث التغيّرات الكيميائيّة.

photochronograph [fō'tə krŏn'ə grăf'] *(n.)* (١) المِرسام الزمني : جهاز لتصوير شيء متحرك في فترات نظاميّة قصيرة (٢) صورة فوتوغرافيّة مأخوذة بِمِرسامٍ زمني .

photoconductive [fō tə kən dŭk'-] *(adj.)* ذو مُوَصِّليّة ضوئيّة .

photoconductivity [-kən dŭk tĭv'-] *(n.)* المُوَصِّليّة الضوئيّة .

photocopy [fō'-] *(n.; vt.)* (١) نسخة فوتوغرافية (عن شيء مكتوب أو مطبوع) §(٢) يستخرج نسخةً فوتوغرافية عن كذا .

photocurrent [fō'-] *(n.)* التيار الضوئي : تيار من الالكترونات يُحْدَث من طريق التأثير الكهربائي الضوئي الخ .

photodrama [fō'tə drä'mə] *(n.)* فيلم سينمائي .

photoduplicate [*n.* -'plə kĭt; *v.* -kāt] *(n.; vt.)* = photocopy.

photodynamic [fō'tə dī năm'ĭk] *(adj.)* ديناميّ ضوئيّ : ذو خاصيّة تمكّنه من إحداث ارتكاس reaction سُمّيّ للضوء ، وبخاصة لضوء الشمس ، في الكائنات الحية ، أو متعلق بهذه الخاصيّة .

photoelectric [fō'tō ĭ lĕk'-] *(adj.)* كَهْرَضَوْئيّ ؛ كهربائيّ ضوئيّ .

photoelectric cell *(n.)* الخلية الكَهْرَضَوئيّة أو الكهربائية الضوئية .

photoelectron [fō'tō ĭ lĕk'trŏn] *(n.)* الالكترون الضوئيّ : ألكترون مُنبَعِث بتأثير الضوء (كف) .

photoemission [fō'tō ĭ mĭsh'ən] *(n.)* الانبعاث الالكتروني الضوئي : انطلاق الالكترونات من معدنٍ تحت تأثير الضوء (كف).

photoengrave [-ĕn grāv'] *(vt.)* يَحْفِر ضوئياً أو فوتوغرافياً .

photoengraving [fō'tō ĕn grā'vĭng] *(n.)* (١) الحَفْر الضوئي ؛ حَفْر الكليشيهات (٢) كليشيه (٣) شيء مطبوع عن كليشيه.

photo finish *(n.)* السَّبْق الضوئيّ : تنازع متسابقَيْن على الفوز في سباق تنازعاً شديداً إلى حدّ لا يُستطاع معه معرفة أيهما الفائز إلا بأخذ صورة فوتوغرافيّة لهما وهما يجتازان خطّ الانتهاء .

photoflash [fō'tə flăsh] *(n.)* مصباح ومضيّ كهربائيّ (للتصوير).

photoflood [fō'tə flŭd'] *(n.)* المصباح الغامر : مصباح كهربائي يَستخدِم فُولتيّة مُفرِطة لأخذ الصور الفوتوغرافيّة .

photogene [fō'-] *(n.)* الصّورة التَّلْوِية (را. afterimage) .

photogenic [fō'tə jĕn'ĭk] *(adj.)* (١) ضوئيّ : مُحدِث بالضوء. (٢) نيّر ؛ متألّق (٣) تَصْواريّ : مستجيب أو ملائم للتصوير وبخاصة من وجهة النظر الجَماليّة.

photogram [fō'-] *(n.)* الصورة المَساحية الضوئية.

photogrammetry [-grăm'ə-] *(n.)* التصوير المَساحيّ الضوئي.

photograph [fō'tə grăf'; -gräf'] *(n.; vt.; i.)* (١) صورة ضوئية أو فوتوغرافية §(٢) يصوّر أو يتصور فوتوغرافياً .

photographer [fə tŏg'-] *(n.)* المصوّر الضوئيّ ؛ المصوّر الفوتوغرافي.

photographic [fō'tə grăf'ĭk] *(adj.)* (١) ضوئي ؛ فوتوغرافي. (٢) ممثّلٌ الطبيعةَ أو البَشَرَ بمثل دقة الصورة الفوتوغرافية (٣) قادرٌ على الاحتفاظ بانطباعات حيّة (a ~ mind) .

photography [fə tŏg'rə fĭ] *(n.)* الفوتوغرافيا : التصوير الضوئي أو الفوتوغرافي .

photogravure [fō'tə grə vyŏŏr'] *(F.)* (١) الحفر الضوئي أو الفوتوغرافي (٢) كليشيه أو طبعة منجزة بالحفر الضوئي .

photoheliograph [fō'tə hē'lĭ ə grăf'] *(n.)* = heliograph 1.

photokinesis [fō'tə kĭ nē'sĭs] *(L.)* الحركة الضوئيّة : حركة ناشئة عن التعرّض للضوء (فس) .

photokinetic [-nĕt'ĭk] *(adj.)* حَرَكِيضَوْئيّ (را. المادة السابقة).

photolith [fō'tə lĭth] *(n.; adj.; vt.; i.)* (١) الليثوغرافيا الضوئية (را. photolithography) §(٢) ليثوغرافي ضوئيّ §(٣) يطبع بالليثوغرافيا الضوئيّة .

photolithograph [fō'tə lĭth'ə grăf'] *(n.; vt.)* (١) طبعةٌ حَجَرِيضَوْئية ؛ طبعةٌ حجرية ضوئيّة §(٢) يطبع بالليثوغرافيا الضوئيّة.

photolithography [fō'tə lĭ thŏg'rə fĭ] *(n.)* الليثوغرافيا الضوئيّة ؛ الطباعة الحَجَرِيضَوئيّة : طباعة حجرية تستعمل فيها صفائح مُعَدَّة ضوئياً .

photolysis [fō tŏl'ə sĭs] *(L.)* التحلّل الضوئيّ : تفكّك كيميائي بتأثير الطاقة المشعّة .

photomap [fō'-] *(n.)* الخريطة الضوئيّة أو التصويرية : صورة أُخذت من الطائرة عمودياً ثم أضيفت إليها الخطوط أو المعلومات المألوفة في صناعة الخرائط .

photomechanical printing *(n.)* الطبع المَكَنِي الضوئيّ .

photometer [fō tŏm'ə tər] *(n.)* المِضْواء (مج) ؛ الفوتومتر : أداة لقياس الشدّة الضوئيّة .

photometric; -al [fō'tə mĕt'-] *(adj.)* مِضْوائيّ ؛ فوتومتريّ .

photometry [fō tŏm'ə trĭ] *(n.)* المِضْوائيّة ؛ الفوتومترية : فرع من العلم يبحث في قياس الشدّة الضوئيّة .

photomicrograph [fō'tə mī'krə grăf'] *(n.; vt.)* (١) صورة مِجْهَريّة §(٢) يصوّر مِجهرياً .

photomicrographic [fō'tə mī krə grăf'ĭk] *(adj.)* صُوْرِمِجْهَريّ : خاصّ بصورة مِجهريّة .

photomural [-myŏŏr'əl] *(n.)* الجِدارية الفوتوغرافية : صورة فوتوغرافية مُكبَّرة جداً تُعلَّق على الجدار للتزيين .

photon [fō'tŏn] *(n.)* الفوتون : وحدة الكم الضوئي (فز) .

photo-offset [fō'tō ôf'sĕt'] *(n.)* الأوفسيت الفوتوغرافي : أوفسيت تُستخدَم فيه كليشيه مُعَدَّة فوتوغرافياً (را. offset 6) .

photoperiod [fō tō pĭr'-] *(n.)* الفترة الضوئيّة : طول النهار الأمثل ـ أو فترة الضوء اليومي ـ الضروري لنمو النبتة ونضجها السَّوِيّين (نب).

photoperiodic; -al [fō tō pĭr ĭ ŏd'-] *(adj.)* فَتْرِيضَوْئيّ : ذو علاقة بالفترة الضوئيّة (را. المادة السابقة) .

photophilic [-fĭl'ĭk] *(adj.)* مُحِبّ للضوء (~ plants) .

photophobia [fō'tə fō'bĭ ə] *(L.)* فوبيا الضوء ؛ رُهاب الضوء : الخوف المَرَضي من الضوء .

photophobic [fō'tə fō'-] *(adj.)* (١) مُجتَنِبٌ الضوءَ (٢) نامٍ أحسن ما يكون في الضوء الضعيف (٣) فُوبِيضَوئيّ : ذو علاقة بفوبيا الضوء (را . المادة السابقة) .

photoplay [fō'tə plā'] *(n.)* المسرحيّة السينمائيّة : تمثيلية تُخْرَج سينمائياً وتُعْرَض على الشاشة .

photoreception [fō'tə rĭ sĕp'-] *(n.)* البَصَر ؛ الإبصار .

photosensitive [fō'tə sĕn'sə tĭv] *(adj.)* حسّاس للضوء .

photosphere [fō'-] *(n.)* (١) كُرةٌ ضوئيّة (٢) سطح الشمس النيّر .

photostat [fō'tə stăt'] *(n.; vt.; i.)* (١) الفوتوستات : جهازٌ للنَّسْخ بالتصوير الفوتوغرافي (٢) نسخة فوتوستاتية §(٣) ينسخ فوتوستاتياً.

photosynthesis [-sĭn'-] *(L.)* التخليق أو التركيب الضوئي (نب) .

photosynthetic [fō'tə sĭn thĕt'ĭk] *(adj.)* تَخليقيضَوئيّ : متعلق بالتخليق الضوئي (را. المادة السابقة) .

phototactic[-tăk'-] *(adj.)* حرَكيضَوئي : متعلق بالحركة الضوئية .

phototaxis [fō tə tăk'sĭs] *(L.)* الحركة الضوئية : حركةٌ عاملُها الموجِّه هو الضوء (أح) .

phototelegraphy [fō'tō tə lĕg'-] *(n.)* الإبراق الضوئي : إرسال الصّور بالراديو . .

phototherapy [fō'tə thĕr'-] *(n.)* المعالجة الضوئيّة : معالجة الأمراض بأشعة الضوء .

phototthermic [-thûr'-] *(adj.)* حَراريضَوئي : متعلق بالحرارة والضوء معاً .

phototropic[-trŏp'-] *(adj.)* انتِحائيضَوئي : متعلق بالانتحاء الضوئي .

phototropism[fō tŏt'rə pĭz'əm] *(n.)* الانتحاء الضَّوئي : تأثُّر نموّ النبات بالضوء وميلُه عنه أو إليه (نب) .

phototube [fō'tə tūb] *(n.)* الأنبوب الضوئي (إلك) .

photovoltaic [fō'tō vŏl tā'ĭk] *(adj.)* (١) كَهرَبيضَوئي ؛ كهربائي ضوئي (٢) دالّ على خليّة كهربائية ضوئية يولّد فيها الضوءُ قوةً حركيّة كهربائية .

photozincography [-zĭng kŏg'-] *(n.)* الحفر الزنكوغرافي (طع) .

phrase [frāz] *(n.; vt.)* (١) أسلوب ؛ طريقةٌ في التعبير (٢) «أ» تعبير موجز ؛ وبخاصة : شِعار . «ب» كلمة (٣) العبارة الموسيقية (مج) ؛ المقطع الموسيقي (٤) عبارة ؛ شِبه جملة § (٥) يعبّر بكلمات ؛ وبخاصة بكلمات ملائمة (٦) يقَسِّم إلى عبارات موسيقية .

—phrasal *(adj.)*

phraseogram; phraseograph[frā'zĭ-] *(n.)* الرمز العِباري : رمز على عبارة (في الاختزال) .

phraseological [frā'zĭ ə lŏj'ə kəl] *(adj.)* (١) «أ» مصوغٌ بعبارات رسمية حافلة عادةً بالحِكَم والمواعظ الباردة أو المتكلّفة . «ب» متّسِمٌ بالاكثار من استعمال هذه العبارات (٢) خاصّ بالأسلوب أو الصّياغة اللفظيّة .

phraseologist[frā'zĭ ŏl'ə jĭst] *(n.)* (١) البارع في سَكّ الألفاظ أو صوغها (٢) الميّال إلى استعمال العبارات الوعظية أو المنافقة.

phraseology [frā'zĭ ŏl'ə jĭ] *(n.)* (١) أسلوب (٢) لغة مُميزَة.

phrasing [frā'zĭng] *(n.)* (١) أسلوب التعبير (٢) جمع النغمات في مقاطع (مو) .

phratry [frā'trĭ] *(Gk.)* عشيرة ؛ بطن ؛ فرعٌ من قبيلة .

phren- *or* phreno- بادئة معناها : «أ» عقل. «ب» الحجاب الحاجز.

phrenetic [frĭ nĕt'ĭk] *(adj.)* = frenetic.

-phrenia لاحقة معناها : اضطراب في الوظائف العقلية .

phrenic [frĕn'ĭk] *(adj.)* (١) حِجابي : خاص بالحجاب الحاجز (ت) (٢) عقلي .

phrenologic;-al[-'ə lŏj'-] *(adj.)* فِراسيدِماغي: خاص بفِراسة الدماغ.

phrenologist [frĕ nŏl'-] *(n.)* العالم بفِراسة الدماغ .

phrenology [frĕ nŏl'ə jĭ] *(n.)* فِراسة الدماغ : دراسة شكل الجمجمة بوصفه مظهراً دالاً على الشخصيّة والملكات العقلية .

phrensy [frĕn'zĭ] *(n.)* = frenzy.

Phrygian [frĭj'ĭ ən] *(n.; adj.)* (١) الفريجي : أحد أبناء فريجيا القديمة بآسية الصغرى (٢) الفريجية : لغة الفريجيين § (٣) فريجي .

phthalein [thăl'ēn] *(n.)* الإفثالين : صِبغ عضويّ صُنعي (ك) .

phthalic acid [thăl'ĭk] *(n.)* حامض الإفثاليك (ك) .

phthiriasis [thə rī'ə sĭs] *(L.)* التقمّل : الإصابة بالقَمل .

phthisic [tĭz'ĭk] *(n.; adj.)* (١) السُّل الرئوي § (٢) سُلّي .

—phthisical; phthisicky *(adj.)*

phthisis [thī'sĭs; fthī'-] *(L.)* السّل الرئوي .

phycology [fī kŏl'ə jĭ] *(n.)* عِلم الطحالب .

phycomycete [fī'kō mī'sēt] *(n.)* الفُطر الطحلبيّ .

phyl- *or* phylo- بادئة معناها : قبيلة ؛ شعب .

phylactery [fə lăk'tə rĭ] *(n.)* تميمة ؛ تعويذة ؛ حجاب .

phyle [fī'lē] *(Gk.)* pl. **-lae** [-lē] قبيلة ؛ عشيرة (عند الإغريق) .

phylesis [fī lē'sĭs] *(L.)* تطوّر ؛ ارتقاء .

phyletic [fī lĕt'ĭk] *(adj.)* عِرقي ؛ نَوعي .

phyll- *or* phyllo- بادئة معناها : ورقة نبات (*phyll*oid) .

-phyll لاحقة معناها : ورقة نبات (sporo*phyll*) .

phylline [fĭl'ĭn; -ēn] *(adj.)* وَرَقاني : شبيهٌ بورقة النبات .

phylloclade [fĭl'ə klād'] *(L.)* الفِلقاد ؛ الساق الورقية : ساق أو غصن مسطّح يعمل عملَ الورقة (نب) .

phyllode [fĭl'ōd] *(L.)* الفَلّود ؛ العنق الورقي : سُوَيقة عريضة تشبه الورقة وتعمل عملها (نب) .

phyllode

phyllodium[-lōd'-] *(L.)* pl. **phyllodia** = phyllode.

phylloid [fĭl'oid] *(adj.)* وَرَقاني : شبيهٌ بورَقة (نب) .

phyllome [fĭl'ōm] *(n.)* الفَلّوم : ورقة نبات .

phyllomic [fĭ lŏm'ĭk] *(adj.)* فَلّومي : منسوب إلى الفَلّوم .

phyllophagous [fĭ lŏf'ə gəs] *(adj.)* مقتاتٌ بأوراق النبات .

phyllopod [fĭl'ə pŏd'] *(n.; adj.)* (١) الورقيّ الأقدام : واحد من ورقيات الأقدام **Phyllopoda** وهي طائفة من القِشريات ذات زوائد شبيهة بأوراق النبات تستعين بها على السباحة § (٢) ورقيّ الأقدام.

—phyllopodan *(adj.; n.)* **—phyllopodous** *(adj.)*

phyllotactic; -al [fĭl ə tăk'-] *(adj.)* إنتِظاميوَرَقي : خاص بانتظام الورق (نب) .

phyllotaxy [fĭl'ə-] *also* **phyllotaxis** [fĭl'ə tăk'sĭs] *(L.)* (١) انتظام الورق : ترتيب أو نظام ورق النبات على الساق (٢) دراسة انتظام الورق والنواميس التي يخضع لها (نب) .

-phyllous لاحقة معناها : ذو عدد أو نوع معيّن من الورق .

phylloxera [fĭl'ək sĭr'ə] *(L.)* الفِلكْسَر : نوع من قمل النبات .

phylo- بادئة معناها : قبيلة .

phylogenetic [fī'lə jə nĕt'ĭk] *(adj.)* (١) تاريخيعِرقي : نُشوئينَوعي : خاص بالتاريخ العِرقي أو النشوء النوعي (را . المادة التالية) (٢) عِرقي : مكتسَب خلال التطوّر النوعي .

phylogeny [fī lŏj'ə nĭ] *(n.)* (١) التاريخ العِرقي (لنوع من المتعضّيات) (٢) النشوء أو التطوّر النوعيّ : نشوء أو تطوّر نوع من الحيوان أو النبات (٣) تاريخ أو تطوّر شيء ما .

phylon [fī'lŏn] *(L.)* pl. **phyla** [-'lə] قبيلة ؛ سلالة (أح) .

phylum [fī'ləm] *(L.)* pl. **phyla** [-'lə] (١) الشُّعْبَة (في تصنيف الحيوان والنبات) (٢) الأُسرَة (من اللغات) .

physi- *or* physio- بادئة معناها : «أ» طبيعة . «ب» طبيعي .

physiatrics [fĭz ĭ ə'trĭks] *(n.)* = physical therapy.

physic [fĭz'ĭk] *(n.)* = physics.

physic[-'ĭk] *(vt.)* (١) يُداوي ؛ وبخاصة : يُعطي مُسهِلاً (٢) يشفي .

physical [fĭz'ə kəl] *(adj.)* (١) مادّي (٢) طبيعي ؛ فيزيائي (٣) «أ» بدني (exercise ~) . «ب» جَسَداني : معنيّ في الدرجة الأولى بالجسد وحاجاته .

physical education *(n.)* التربية البدنيّة .

ă at; ā date; â care; ä car; ĕ egg; ē me; ĭ in; ī bite; ŏ lot; ō bone; ô orphan; oi boil ŏŏ good; ōō boot; ou out; ŭ under; ū unity; û urgent; th thing; *th* this; zh vision; ə = *a* in alone, *e* in system, *i* in easily, *o* in gallop, *u* in circus.

physical geography *(n.)* الجغرافيا الطبيعية .

physical science *(n.)* العِلم الطبيعي : العلوم الطبيعية ، (كالفلك وعِلم المعادن والجيولوجيا) التي تُعنَى بالموادّ غير الحيّة .

physical therapy *(n.)* المداواة الطبيعيّة : معالجة المرض بالوسائل البدنيّة والميكانيكيّة (كالتدليك والتمارين الرياضية والماء والضوء والحرارة والكهرباء) .

physician [fə zĭsh'ən] *(n.)* الطبيب .

physicist [fĭz'ə sĭst] *(n.)* الفيزيائيّ ؛ العالِم بالطبيعيات .

physicochemical [fĭz ĭ kō kĕm'-] *(adj.)* (١) كيميفيزيائيّ ؛ كيميائي فيزيائي (٢) متعلق بالكيمياء الفيزيائيّة (التي تبحث في الخصائص الكيميفيزيائية للمواد) .

physics [fĭz'ĭks] *(n.)* (١) الفيزياء ؛ الطبيعيات ؛ عِلم الطبيعة . (٢) الفيزيائية : «أ» تركيب شيء ما وخصائصه الفيزيائيّة (the ~ of soils) . «ب» مجموع العمليات والظواهر الفيزيائية في كذا (the ~ of a cell) .

physio- = physi-.

Physiocrat [fĭz'ĭ ə krăt'] *(F.)* الفيزيوقراطي : أحد أتباع المذهب الفيزيوقراطي ، في الاقتصاد السياسي ، وهو مذهب نشأ في فرنسة في القرن ١٨ وقال أصحابه بحرّية الصناعة والتجارة وبأنّ الأرض هي مصدر الثروة كلها. **—Physiocratic** *(adj.)*.

physiognomic; -al [fĭz'ĭ ŏg nŏm'-; -ĭ ə nŏm'-] *(adj.)* فِراسيّ ؛ أساريريّ : ذو علاقة بعلم الفراسة أو بأسارير الوجه .

physiognomy [fĭz'ĭ ŏg'nə mĭ; -ŏn'ə mĭ] *(n.)* (١) عِلم الفراسة (٢) ملامح الوجه أو أساريره ، وبخاصة باعتبارها دليلاً على المزاج والخُلق (٣) «أ» مظهر خارجيّ . «ب» صِفةٌ باطنية متجلية خارجياً .

physiographer [-'rə fər] *(n.)* الفيزيوغرافيّ: العالِم بالفيزيوغرافيا.

physiographic; -al [fĭz'ĭ ə grăf'-] *(adj.)* فيزيوغرافيّ .

physiography [fĭz'ĭ ŏg'rə fĭ] *(n.)* الفيزيوغرافيا : «أ» وصف الطبيعة أو الظواهر الطبيعية عموماً. «ب» الجغرافيا الطبيعية .

physiologic; -al [fĭz'ĭ ə lŏj'-] *(adj.)* (١) وظائفيّ ؛ فيسيولوجي ؛ فسلَجيّ (٢) مميِّز أو ملائم لأداء الأعضاء وظائفها السويّة .

physiologist [fĭz'ĭ ŏl'-] *(n.)* الوظائفي (مج) ؛ العالِم بالفسلجة.

physiology [fĭz'ĭ ŏl'ə jĭ] *(n.)* عِلم الوظائف (مج) ؛ الفيسيولوجيا ؛ الفسلَجة ؛ عِلم وظائف الأعضاء .

physiotherapy [fĭz'ĭ ō thĕr'ə pĭ] *(n.)*=physical therapy.

physique [fĭ zēk'] *(F.)* بِنية الجسم (من حيث التكوين أو المظهر أو القوة) .

physostigmine [fī'sō stĭg'mēn; -mĭn] *(n.)* الفيزوستغمين : مادة شبه قلويّة سامّة (ك) .

phyt- *or* **phyto-** بادئة معناها : نبات (*phyto*logy) .

-phyte لاحقة معناها : «أ» نبات ذو ميزة معيّنة . «ب» نامية مَرَضيّة .

phytin [fī'tĭn] *(n.)* الفيتين : مركّب عضويّ محتوٍ على فوسفور (ك) .

phytogenic [fī'tō jĕn'ĭk] *(adj.)* نباتيّ الأصل .

phytogeography [fī'tō jĭ ŏg'rə fĭ] *(n.)* الجغرافيا النباتية : جغرافية النباتات ودراسة توزّعها على سطح الكرة الأرضية .

phytography [fī tŏg'rə fĭ] *(n.)* عِلم النبات الوصفي .

phytolite; phytolith [fī'-] *(n.)* أحفور نباتيّ (را. fossil) .

phytology [fī tŏl'ə jĭ] *(n.)* عِلم النبات .

phytopathologic; -al [fī tō păth'ə lŏj'-] *(adj.)* متعلق بعِلم أمراض النبات .

phytophagous [fī tŏf'ə gəs] *(adj.)* نباتيّ : مقتاتٌ بالنبات .

phytoplankton [fī tō plăngk'tən] *(n.)* النباتات المغمورة أو المعلّقة (أي التي تعيش مغمورة في المياه لا طافيةً ولا راسبةً) .

phytosociology [fī tō sō'sĭ ŏl'ə jĭ; -sō'shĭ-] *(n.)* عِلم الاجتماع النباتي : دراسة العلاقات المتبادلة بين نباتات منطقة معينة.

phytotoxic [-tŏk'-] *(adj.)* سامّ للنبات ؛ ذو تأثير سُمّيّ على النبات .

pi [pī] *(n.; vt.; i.)* (١) الحرف ١٦ من الأبجدية اليونانية (٢) باي: الرمز π الذي يمثّل النسبة بين طول محيط الدائرة وقطرها ، أي ٣,١٤١٥٩٢٦٥ (٣) أحرف طباعية مختلطة أو مبعثرة § (٤) يُبعثِر الأحرف المطبعية أو يُسيء توزيعها × (٥) تتبعثر (الأحرفُ المطبعية).

pial [pī'əl] *(adj.)* حَنونيّ: خاص بالأم الحنون (را . المادة التالية) .

pia mater [pī'ə mā'tər] *(L.)* الأمّ الحنون: الغشاء الوعائي الرقيق الذي يؤلف الطبقة الداخلية من أغشية المخ والحبل الشوكي الثلاثة (ت).

pianissimo [pē'ə nĭs'ə mō'] *(adj.; adv.)* (١) رقيق جداً (مو) . § (٢) برقّة فائقة (مو) .

pianist [pĭ ăn'ĭst; pē'ə-] *(n.)* البِيانيّ : عازف البِيان .

piano [pĭ ä'nō] *(adj.; adv.)* (١) رقيق (مو) § (٢) برقّة (مو) .

piano [pĭ ăn'ō] *(It.)* بِيان ؛ بِيانة ؛ بيانو (مو) .

piano accordion *(n.)* الأكورديون البِياني (مو) .

pianoforte [pĭ ăn'ə fōr'tĭ; pĭ ăn'ə fōrt'] *(It.)* = piano.

piassava [pē'ə sä'və] *(Pg.)* البيئسّافة : «أ» لِيف النخل البرازيلي المستخدَم في صنع الحبال والفراشي الخ. «ب» نخلة البرازيل .

piaster *or* **piastre** [pĭ ăs'tər] *(F.)* (١) البِيزو أو الدولار الاسباني القديم (٢) قِرش ؛ غِرش .

piazza [pĭ ăz'ə] *(It.)* (١) ساحة ؛ ميدان (في مدينة إيطالية خاصةً) (٢) رواق مُقَنْطَر مسقوف (٣) شُرفة .

pibroch [pē'brŏkh] *(n.)* البيبراخ : قطعة موسيقية عسكرية أو مأتميّة تعزف على مزمار القِربة (في اسكتلندة) .

pica [pī'kə] *(L.)* (١) البِيكا : «أ» حرف مطبعي صغير (١٢ بنطاً) . «ب» وحدة لقياس الحروف المطبعية تساوي سُدس إنش (٢) الوَحَم للطعام غير الطبيعي .

picador [pĭk'ə dôr; pē'kä dôr'] *(Sp.)* البيكادور : فارس يفتتح مصارعة الثيران بإهاجة الثور بوخز الرماح ليوهن عضلات عنقه وكتفيه.

picara [pē'kä rä] *(Sp.)* المحتالة ؛ المتشرّدة ؛ الأفّاقة .

picaresque[pĭk'ə rĕsk'] *(adj.)* تشرّدي: «أ» ذو علاقة بالمتشردين. «ب» ذو علاقة بنوع من القصة ، اسبانيّ الأصل ، يصوّر حياة المتشردين.

picaro [pē'kä rō] *(Sp.)* المحتال ؛ المتشرّد ؛ الأفّاق .

picaroon *or* **pickaroon** [pĭk'ə rōōn'] *(Sp.)* (١) المحتال ؛ المتشرد ؛ الأفاق (٢) القرصان .

picaroon [pĭk'ə rōōn'] *(vi.)* يتقرصن ؛ يحترف القرصنة .

picayune [pĭk'ĭ ūn'] *(n.; adj.)* (١) البيكيُون : نصف ريال اسبانيّ قديم (٢) شيء تافه § (٣) «أ» تافه . «ب» صغير العقل .

picayunish [-'ish] *(adj.)* = picayune.

piccalilli [-'ə lĭl'ĭ] *(n.)* المُخلَّل : مُقبِّل من خُضَر وتوابل .

piccolo [pĭk'ə lō] *(n.; adj.)* (١) السُّرناي (مج) : فلوتٌ صغير (مو) § (٢) أصغر من الحجم العادي (~ piano) .

pice [pīs] *(Hin.)* pl. **pice** البايْس: «أ» عملة هندية سابقة تساوي $\frac{1}{64}$ من الروبية. «ب» وحدة نقدية باكستانيّة تساوي $\frac{1}{100}$ من الروبية .

piceous [pĭs'ĭ əs; pī'sĭ əs] *(adj.)* (١) قاريّ ؛ زفتيّ أو شبيه بالقار والزفت (٢) ملتهب ؛ قابل للاشتعال (٣) أسود بلون الزفت (ح).

pick [pĭk] *(vt.; i.; n.)* (١) يثقب أو يكسر بآلة مستدقة الرأس. (٢) «أ» ينزع قطعةً قطعةً (to ~ meat from bones). «ب» يلتقط (الطائرُ) الحبَّ. «ج» يعَرِّق العظمَ: يزيل اللحم العالق به (٣)«أ» يقطف؛ يجني. «ب» يختار؛ ينتقي (٤) يسرق؛ يَنْشُل (suspected of ~*ing* pockets) (٥) يتمحّل الخصام أو يلتمس له أسباباً تُوجبه (to ~ a quarrel) (٦) «أ» ينقر (وترَ الآلة الموسيقية) بالريشة أو بالأصابع. «ب» يحلّ أو يفصل أو يسحب (الخيوطَ) (٧) يُخلّل أسنانه: يُخرج ما بقي من المأكول بينها بعود خاص (٨) يفتح قفلاً بآلة مستدقة الرأس (ابتغاء السرقة) (٩) «أ» ينتف الريش (to ~ a fowl). «ب» ينتقد متكلّفاً البحث عن الأخطاء (١٠) يَقْذِف بجهد ×(١١) يَسْرق مقادير صغيرة (١٢) يأكل بتأنّق وتكلّف §(١٣) ضربة بأداة مستدقة الرأس (١٤) «أ» اختيار؛ اصطفاء. «ب» نخبة؛ صفوة (١٥) القَطْفَة؛ الجَنْيَة (من زَهَرٍ أو فاكهة) (١٦) «أ» قَذْف. «ب» شيء يُقْذَف (١٧) مِعْوَل (١٨) «أ» الخِلال: عودٌ يُخلَّل به الأسنان. «ب» آلة يفتح بها اللص الأقفال. «ج» ريشة العود أو العوّاد.

to have a bone to ~ (with...) يجد سبباً للشكوى من...

to ~ at (١) يعيب؛ ينتقد (٢) يزعج (ع).

to ~ off (١) ينتف (٢) يسدّد النار (إلى الأشخاص الخ.) فيُرْديهم واحداً واحداً.

to ~ on يزعج؛ يضايق.

to ~ one's way (steps) يمشي في حذر واحتراس.

to ~ out (١) يختار؛ ينتخب (٢) يميّز؛ يتبيّن (٣) يفهم (معنى جملة الخ.) بإمعان التفكير فيها.

to ~ over يتخيّر؛ ينتقي.

to ~ to pieces يحلّل وينتقد.

to ~ up (١) يحفر بالمعول (٢) «أ» يلتقط (عن الارض). «ب» يرفع. «ج» يأخذ القطارُ الركّابَ (٣) يكسب (رزقه) (٤) يتعرّف (إلى أصدقاء) (٥) يجعله في نطاق البصر أو السمع (٦) يعتقل (٧) «أ» يُنعش؛ ينشّط. «ب» يزيد (٨) يَنْهَض (من سَقْطَةٍ أو عثرة) (٩) يستعيد صحته أو نشاطه.

to ~ up with يُصادِقُه؛ يتخذه صديقاً.

pickaback [pĭk'ə băk'] *(adv.)* على الظهر والكتفين.

pickaninny *or* **picaninny** [pĭk'ə nĭn'ĭ] *(n.)* طفل زنجي.

pickax *or* **pickaxe** [pĭk'ăks'] *(n.; vt.; i.)* (١) مِعْوَل. §(٢) يحفر بالمعول ×(٣) يعمل بالمعول.

picked [pĭkt] *(adj.)* (١) مُتَخيَّر؛ مُنتقى (٢) مُستدِق الطرف.

pickerel [pĭk'ər əl] *(n.)* الصغير من سمك الكراكيّ.

pickerelweed [pĭk'ər əl wēd'] *(n.)* عشبة البِكَرَيل: نباتٌ مائي.

picket [pĭk'ĭt] *(n.; vt.; i.)* (١) وَتِد؛ خازوق. (٢) «أ» مُفْرَزة طوارىء (لحماية الجيش من هجوم غادر). «ب» خفير (٣) ناظر الإضراب: شخصٌ تُكلّفه نقابة عمّالية بالمرابطة أمام أبواب مؤسّسةٍ ما لكي يَثْني العمال والزبائن عن دخول المبنى أثناء الإضراب §(٤) يوتّد: يطوّق أو يسيّج أو يحصّن بأوتاد (٥) يضع خفيراً أو مُفْرَزة طوارىء (٦) يَعْقِل (الدابة) أو يشدّها إلى وَتِد (٧) يكلّف امرءاً بالمرابطة أمام أبواب المؤسّسات المُضْرِب عمّالها لكي يثني العمال والزبائن عن الدخول ×(٨) «أ» يتخفّر. «ب» يرابط أمام أبواب مؤسسة ما ليثني العمال الخ. عن الدخول.

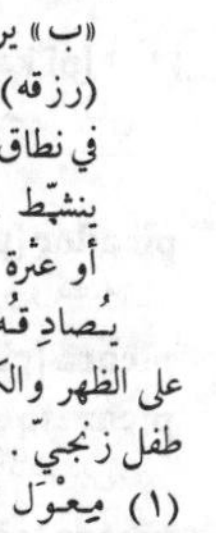

pickerelweed

pickings [pĭk'ĭngz] *(n. pl.)* (١) الفُتات؛ اللُّقاط؛ كلّ ما يُلْتَقَط ويُجْمَع (٢) «أ» عائدات. «ب» حصة من الغنيمة.

pickle [pĭk'əl] *(n.; vt.)* (١) «أ» مَرَق التخليل. «ب» حمّام حمضي (للتنظيف الكيميائي) (٢) ورطة (٣) المخلّل؛ «الطُّرْشي» (٤) ولد موذٍ (ع) (٥) مقدار ضئيل (اسك) §(٦) يخلّل؛ يحفظ في الخلّ (٧) ينظف أو يعالج بمحلول حمضيّ.

to have a rod in ~ for يُعِدّ العصا أو العِقاب لفلان.

picklock [pĭk'lŏk'] *(n.)* (١) فاتحة الأقفال: أداة لفتح الأقفال (ابتغاء السرقة) (٢) لص.

pick-me-up *(n.)* المُنْعِش: شرابٌ مُقَوٍّ أو منشّط.

pickpocket [pĭk'pŏk'ĭt] *(n.)* النشّال: سَرّاق الجيوب.

pickup [pĭk'ŭp'] *(n.)* (١) «أ» انتعاش اقتصادي. «ب» تسريع؛ تعاجل (سي) (٢) «أ» المسافر متطفّلاً (بأن يوقف السيارات ليركبها مجاناً). «ب» صديق تتعرّف إليه مصادفةً ومن غير أن يقدّمه إليك أحد (٣) حاملة الإبرة الفونوغرافية (التي تحوّل الصوت المسجّل على الأسطوانة إلى تيار كهربائي) (٤) «أ» التقاط الصوت في الجهاز المُرْسِل لتحويله إلى موجات كهربائية (رد). «ب» لاقط الصوت: الجهاز الرئيسي المستخدَم في عملية التقاط الصوت هذه (رد). «ج» محطة الإرسال (رد). «د» الجهاز الكهربائي المستخدَم في ربط برنامج مُنْتَج خارج الاستديو بمحطة الإرسال (رد) (٥) «أ» تحويل صورة المشهد إلى طاقة كهربائية في الجهاز المرسِل (تلفز). «ب» الجهاز المستخدَم في هذه العملية (٦) شاحنة خفيفة لنقل السلع وتوزيعها.

picky [pĭk'ĭ] *(adj.)* نيق؛ صعب الإرضاء (a ~ eater).

picnic [pĭk'nĭk] *(n.; vi.)* (١) نزهة (يتناول فيها المتنزهون طعاماً يحملونه معهم عادةً في الهواء الطلق) (٢) مهمة سهلة §(٣) يتنزه أو يأكل في الهواء الطلق. **—picnicker** *(n.)*

picoline [pĭk'ə lēn'; -lĭn] *(n.)* البِكُولين (ك).

picot [pē'kō] *(n.; vt.)* (١) عروة زينيّة على حوافي تخريم أو عصابة. §(٢) يزيّن بعروة كهذه.

picotee [pĭk'ə tē'] *(F.)* البِيكُوت: قرنفل تتميز بتَلاتُه بحاشية خارجية من لون مغايرٍ أحمرَ عادةً (نب).

picrate [pĭk'rāt] *(n.)* البكرات: ملح حامض البكريك (ك).

picric acid [pĭk'rĭk] *(n.)* حامض البكريك (ك).

picrotoxin [-rə tŏk'-] *(n.)* البكروتوكسين: مادة مُرّة سامّة (ك).

pictograph [pĭk'tə grăf'; -gräf'] *(n.)* البِكتوغراف: «أ» صورة أو حرف هيروغليفي يمثّل فكرة. «ب» شيء مكتوب بهذه الرموز.

pictography [pĭk tŏg'-] *(n.)* الكتابة التصويرية؛ الكتابة بالصُّوَر.

pictorial [pĭk tōr'ĭ əl] *(adj.; n.)* (١) رَسْمِيزِيتي: ذو علاقة برسم الصور الزيتيّة أو راسِمِها (٢) «أ» مؤلّف من صُوَر (~ records). «ب» مُصوَّر (a ~ magazine). «ج» تصويري (~ writing) §(٣) مجلة مصوّرة.

picture [pĭk'chər] *(n.; vt.)* (١) صورة (٢) وصف دقيق (٣) صورة أو نسخة عن (the ~ of her mother) (٤) «أ» شريط سينمائي. «ب» *pl.*: السينما (٥) «تابلوه»؛ لوحة (في الاخراج المسرحي) (٦) شخص أو شيء أو مشهد جميل (٧) عنوان؛ نموذج مجسِّد لِـ (She looks the ~ of health.) (٨) صورة ذهنية؛ انطباعة (٩) حالة §(١٠) يصوِّر؛ يرسم (١١) يصف (١٢) يتصوّر؛ يتخيّل (١٣) يتجلّى؛ يتمثّل؛ يرتسم.

picture book *(n.)* كتاب مصوَّر (للأطفال خاصةً).

picture card *(n.)* الورقة المصوَّرة (را. face card) .

picture gallery *(n.)* معرِض الصور أو الرسوم .

picture hat *(n.)* قبّعة أنيقة للسيدات عريضة الحافّة .

picture postcard *(n.)* بطاقة بريديّة مصوَّرة (تحمل صورة) .

picturesque [pĭk'chə rĕsk'] *(adj.)* (١) مَنْظَرانيّ : شبيه بصورة رائعة ؛ جدير بأن يكون موضوعاً لصورة رائعة (a ~ inn) (٢) فاتن ؛ رائع (٣) حيّ ؛ مثير للصور الذهنية (a ~ description).

picture writing *(n.)* الكتابة التصويرية : شكل بدائي من الكتابة استُخدمت فيه الصوَر رموزاً للمعاني .

picul [pĭk'ŭl] *(n.)* البيكُول : وحدة وزن صينية .

piddle [pĭd'əl] *(vi.)* يعبث ؛ يضيع الوقت سدى .

piddling [pĭd'lĭng] *(adj.)* تافه ؛ زهيد ؛ ضئيل القيمة .

piddock [pĭd'ək] *(n.)* البيدُك : حيوان بحريّ من الرّخويات .

pidgin [pĭj'ĭn] *(n.)* لغة مُبسّطة تُستخدم للتفاهم بين الشعوب الناطقة بلغات مختلفة . وبخاصة : رطانة انكليزية تستخدَم في الأغراض التجاريّة في الموانىء الصينية .

pie [pī] *(n.)* (١) magpie (٢) حيوان ملوَّن أو متعدّد الألوان . (٣) فطيرة (٤) حلوى (٥) البابة : وحدة نقد هندية قديمة .

pie [pī] *(n.; vt.; i.)* = pi.

piebald [pī'-] *(adj.; n.)* (١) ملوَّن ؛ مختلف الألوان (٢) «أ» أرقط : منقّط ببياض وسواد . «ب» أبقع : موسوم ببقع بيضاء وغير بيضاء (٣) مزيج ؛ غير متجانس §(٤) فرس الخ. أرقط أو أبقع .

piece [pēs] *(n.; vt.)* (١) قطعة ؛ جزء (٢) نموذج ؛ عيّنة . (٣) «أ» قطعة أدبيّة . «ب» لوحة زيتية . «ج» تمثال . «د» مسرحيّة . «هـ» قطعة موسيقية (٤) سلاح ناري (٥) قطعة نقدية (٦) بيدق شطرنج (عالي القيمة) (٧) «أ» فترة قصيرة (ع). «ب» مسافة قصيرة (ع) §(٨) يرقع ؛ يُصْلِح (٩) يضمّ شيئاً إلى آخر (ليَنتج من ذلك كلٌّ كامل) .

a ~ of one's mind رأي صريح أو جريء .

in ~s محطَّم .

of a *or* one ~ (with) مجانس ؛ من نفس النوع .

to ~ out يتمّم ؛ يكمّل (بإضافة بعض الأجزاء) .

to ~s إرْباً إرْباً .

to ~ up يرقّع ؛ يُصلِح .

to work by the ~ يشتغل على أساس المقاولة أو بالقطعة .

Does this machine take to ~s ? هل في الإمكان تفكيك هذه الآلة ؟

pièce de résistance [pyĕs də rĕ zēs täns'] *(F.)* (١) اللون الرئيسي (من ألوان الطعام في مأدبة) (٢) العنصر الرئيسي (في مجموعة).

piece-dye [pēs'dī] *(vt.)* يَصْبغ بعد النسج أو الحبك .

piece goods *(n. pl.)* الأقمشة أو السّلَع التي تُنسَج أو تباع عادةً بالقطعة أو بأطوال محدّدة .

piecemeal [pēs'mēl'] *(adv.; adj.)* (١) شيئاً فشيئاً ؛ تدريجياً . (٢) إرْباً إرْباً (The beasts will tear thee ~.) §(٣) تدريجيّ (engaged in ~ attacks upon. . .).

piece of eight *(n.)* الثُمانيّ : بيزو اسباني قديم يساوي ٨ ريالات .

piecework [pēs'wûrk'] *(n.)* الشغل بالقطعة أو مقاولةً .

pied [pīd] *(adj.)* أرقط ؛ أبقع ؛ متعدّد الألوان .

pied-à-terre [pyĕ dȧ tĕr'] *(F.)* مَسْكَن مؤقّت .

piedmont [pēd'mŏnt] *(adj.)* واقع في سفوح الجبال .

pieplant [pī'plănt'] *(n.)* الراوَنْد البستاني (نب) .

pier [pĭr] *(n.)* (١) دعامة جسر (٢) رصيف ممتد في البحر . (٣) عمود ؛ ركيزة (٤) جدار بين بابين أو نافذتين .

pierce [pĭrs] *(vt.; i.)* (١) يطعن ؛ يَخِز (٢) يثقب (٣) يَخترق ؛ يخترق (٤) يفهم ؛ يدرك (٥) ينفذ (إلى القلب الخ.) .

piercing [pĭr'sĭng] *(adj.)* ثاقب ؛ نافذ ؛ حادّ .

pier glass *(n.)* مرآة الحائط (وبخاصة بين نافذتين) .

Pierian [pī ĭr'ĭ ən] *(adj.)* (١) بيَريّ : ذو علاقة بمقاطعة بيَيْريا الساحلية ، التي تشمل جبل الأولمب ، في مقدونية القديمة (٢) مُوزيّ : ذو علاقة بالمُوزيّات (را. muse 3.) .

Pierian spring *(n.)* ينبوع المعرفة والإلهام الشعري .

Pierrot [pē'ə rō'] *(F.)* المهرج (في المسرحيات الإيمائية الفرنسية) .

pier table *(n.)* طاولة تحت مرآة صغيرة (وبخاصة بين نافذتين) .

pietà [pĭ ā tä'] *(It.)* المنتحِبة : صورة تمثل العذراء تنتحب فوق جثمان المسيح .

pietism [pī'ə tĭz'əm] *(n.)* (١) *cap.* التقَويّة : حركة دينية نشأت في ألمانيا في القرن ١٧ وأكّدت على دراسة الكتاب المقدّس والخبرة الدينية الشخصيّة (٢) «أ» تقَوْى . «ب» تقوى متكلّفة.

—**pietist** *(n.)* —**pietistic** *(adj.)*

piety [pī'ə tĭ] *(n.)* (١) «أ» طاعة الوالدين. «ب» الولاء للأسرة او للعِرق (٢) تقوى (٣) عمل أو معتقد الخ. نابعٌ عن تقوى .

piezo- بادئة معناها : ضغط (*piezo*meter) .

piezoelectric [pī ē'zō ĭ lĕk'-] *(adj.)* كَهرَبيضغطي ؛ كهربي ضغطي ؛ كهربي إجهادي .

piezoelectricity [-ĭ lĕk'trĭs'ə tĭ] *(n.)* الكهربائية الضغطية ؛ كهربائيّة الإجهاد .

piezometer [-zŏm'-] *(n.)* البيزومتر : مقياسُ الضغط أو الانضغاطية .

piezometric; -al [pī ē'zə mĕt'-] *(adj.)* بيزومتري .

piezometry [-zŏm'-] *(n.)* البيزومتريّة : قياس الضغط أو الانضغاطية .

piffle [pĭf'əl] *(vi.; n.)* (١) «أ» يهْذي. «ب» يعْبَث §(٢) هُراء.

pig [pĭg] *(n.; vi.; t.)* (١) خنزير (٢) «أ» لحم خنزير . «ب» جلد خنزير (٣) شخص شَرِه أو قَذِر أو عنيد (٤) كتلة مستطيلة مصبوبة من معدن خام (٥) امرأة مستهترة أو فاجرة (ع) §(٦) تَلِد الخنازيرَ (٧) يحيا كالخنازير .

~s might fly. قد تحدث العجائب .

to bring one's ~s to the wrong market يخفق في بيع شيء ؛ يخفق في عمل أو مشروع .

to buy a ~ in a poke يشتري شيئاً من غير أن يراه أو يعرف قيمته .

to make a ~ of oneself يأكل بشَرَه .

pig bed *(n.)* القالب الخنزيريّ : قالب من رمل يُصَبّ فيه الحديد.

pigboat [pĭg'bōt'] *(n.)* غوّاصة (ع) .

pigeon [pĭj'ən] *(n.; vt.)* (١) حمامة ؛ واحدة الحمام (٢) فتاة . (٣) الساذج : شخص يسهل خداعه (٤) الحمامة الطينيّة (را. clay pigeon) (٥) شأن ؛ عمل (That is your ~.) §(٦) يحتال على .

pigeon breast *(n.)* الصدْر الحماميّ : تشوّه في الصّدر يتميّز بنتوء حادّ في عظم القَص .

pigeon-breasted [pĭj ən brĕs'tĭd] *(adj.)* حَماميّ الصّدر ؛ ذو صدرٍ حَماميّ (را. المادة السابقة) .

ă at; ā date; â care; ä car; ĕ egg; ē me; ĭ in; ī bite; ŏ lot; ō bone; ô orphan; oi boil o͝o good; o͞o boot; ou out; ŭ under; ū unity; û urgent; th thing; *th* this; zh vision; ə = *a* in alone, *e* in system, *i* in easily, *o* in gallop, *u* in circus.

pigeon hawk

pigeon hawk *(n.)* صقر الحَمام : صقر صغير يقتات بالحمام .

pigeonhearted [pĭj'ən här'tĭd] *(adj.)* جبان ؛ مخلوع الفؤاد .

pigeonhole [pĭj'ən hōl] *(n.; vt.)* (١) بيت الحَمام : «أ» عين من عيون برج الحمام . «ب» «عين» من العيون المربّعة لتصنيف الأوراق وغيرها في خزانة أو منضدة كتابة §(٢)«أ» يضعه في «عَيْن» من عيون الخزانة أو المنضدة. «ب» يهمله أو يضعه جانباً؛ يضعه على الرف (٣) يصنّف؛ يرتّب.

pigeon-livered [pĭj ən lĭv'-] *(adj.)* وديع ؛ رقيق الجانب .

pigeon pea *(n.)* البِسيلة الهنديّة : جُنَيْبَة من الفصيلة القرنية (نب).

pigeon-toed [pĭj ən tōd'] *(adj.)* حَمامي الأصابع : أصابع قدميه مرتدّة إلى الداخل .

pigeonwing [pĭj'ən-] *(n.)* جناح الحمام : «أ» حركة في الرقص تتّسِم بالوثب وبضرب إحدى الرجلين بالأخرى . «ب» سلسلة حركات في التزلّج تشبه انتشار جناح الحمامة .

pigfish [pĭg'fĭsh] *(n.)* النّاخر : ضرب من السمك البحري .

piggery [pĭg'ə rĭ] *(n.)* زريبة أو حظيرة الخنازير .

piggin

piggin [pĭg'ĭn] *(n.)* البيجّن : دلو خشبيّ إحدى أضلاعه مرتفعة على شكل مقبض .

piggish [pĭg'ĭsh] *(adj.)* شبيه بخنزير : قذر ؛ شره؛ عنيد.

piggy [pĭg'ĭ] *(n.; adj.)* (١) خِنّوص ؛ خنزير صغير . §(٢) شَرِه ؛ نَهِم .

piggyback [pĭg'ĭ băk'] *(adv.; adj.)* على الظّهر والكتفين .

piggy bank *(n.)* الحصّالة الخنزيرية: حصالة نقود على شكل خنزير.

pigheaded [pĭg'hĕd'ĭd] *(adj.)* عنيد ؛ عنيد مع حماقة .

pig iron *(n.)* تماسيح الحديد: الحديد الخام عند خروجه من أتون الصهر.

pig lead *(n.)* الرصاص الخام المصبوب قطعاً مستطيلة .

piglet *(n.)* الخِنوص: ولد الخنزير؛ خنزير صغير.

pigment [pĭg'mənt] *(n.; vt.)* (١) صِبْغ (٢) الخِضْب ؛ الخِضاب : المادّة الملوّنة في أنسجة أو خلايا الحيوانات والنباتات (أح) §(٣) يَصْبُغ ؛ يَخْضِب .

pigmentary [pĭg'mən tĕr'ĭ] *(adj.)* صِبْغيّ؛ خِضْبيّ؛ خِضابيّ.

pigmentation *(n.)* (١) صَبْغ؛ خَضْب (٢) اصطباغ؛ اختضاب .

pigmy [pĭg'mĭ] *(n.)* = pygmy.

pignut [pĭg'nŭt'] *(n.)* شجر الجِقّور الأميركي أو جوزه .

pigpen [pĭg'pĕn'] *(n.)* (١) زريبة خنازير (٢) مكان قذر .

pigskin [pĭg'-] *(n.)* (١) جلد الخنزير (٢)«أ» سَرْج. «ب» كرة قدم.

pigstick [pĭg'stĭk'] *(vi.)* يصيد الخنازير البريّة بالرماح .

pigsty [pĭg'stī'] *(n.)* زريبة خنازير .

pigtail [pĭg'tāl] *(n.)* ذيل الخنزير : «أ» تبغ مجدول على شكل حبال أو لفائف صغيرة . «ب» ضفيرة تتدلى من مؤخر الرأس .

pigtailed [pĭg'-] *(adj.)* ذو أو ذات ضفيرة متدلية من مؤخر الرأس.

pigwash [pĭg'-] *(n.)* طعام الخنازير: فضلات يُلْقى بها إلى الخنازير.

pigweed [pĭg'-] *(n.)* (١) رِجل الإوز (نب) (٢) سالف العروس (نب).

pika [pī'kə] *(n.)* البيكة : حيوان ثدييّ صغير من فصيلة الأرانب .

pika

pike [pīk] *(n.; vi.; t.)* (١)«أ» رمح. «ب» قناة الرمح (٢)«أ» مِنخس . «ب» مسمار طويل مستدق الرأس . «ج» رأس الرمح (٣) جبل (أو هضبة) ذو قمة مستدقة الرأس (٤) سمك الكراكي : سمك نهري ذو رأس طويل مستدق الطرف (٥)«أ» باب (في طريق عام) تُدفع المكوس لاجتيازه . «ب» الرسم المدفوع عند هذا الباب §(٦)«أ» يرحل فجأة أو بسرعة (ع) . «ب» يشق طريقه (along ~) ×(٧) يطعن أو يجرح أو يقتل برمح.

piked [pīkd] *(adj.)* مؤسّل ؛ مروّس ؛ مستدق الطرف .

pikeman [pīk'mən] *(n.)* الرامح : جندي حامل رمحاً .

pike perch *(n.)* الفَرْخ الرامح: فَرْخ (سمك نهري) شبيه بالرمح.

piker [pī'kər] *(n.)* (١) المقامر أو المضارب بمبالغ صغيرة (٢) من يعمل شيئاً ما بطريقة خسيسة أو رخيصة .

pikestaff [pīk'stăf'] *(n.)* (١) العصا الرامحة : عصا في طرفها حديدة مستدقة الرأس للسير في الأراضي الزّلِقة (٢) قناة الرمح.

pil- or pili- or pilo- بادئة معناها : شَعْر .

pilaf or pilaff [pĭ läf'] or **pilau** [pĭ lō'] *(Per.)* البيلاف : طعام شرقيّ من ارز ولحم وتوابل .

pilasters

pilaster [pĭ lăs'tər] *(It.)* العِماد : عمود مستطيل ذو تاج وقاعدة ناتئ بعض الشيء من جدار (عم) .

pilchard [pĭl'chərd] *(n.)* البِلْشار : سمك بحريّ صغير شبيه بالرّنكة .

pile [pīl] *(n.; vt.; i.)* (١) ركيزة؛ دعامة (٢) رأس سهم (٣)«أ» ركام؛ كومة . «ب» المَحْرَقة : كومة حطب لإحراق جثة أو أضحية . «ج» مقدار وافر (٤) مبنى ضخم أو مجموعة مبانٍ ضخمة (٥) ثروة (٦)«أ» الجُرْزة: سلسلة صفائح من معادن مختلفة يفصل ما بينها قماش أو ورق مبلّل بحامض ما لتوليد تيار كهربائي . «ب» بطارية ؛ حاشدة (كب) (٧) مُفاعِل ذرّيّ (٨) وَبَر ؛ زَغَب (٩) زئبر النسيج المخملي ونحوه (١٠)«أ» باسور. pl. «ب» بواسير. pl. «ج» حالة المصاب بالبواسير §(١١) يدعم بركائز (١٢) يَركُم ؛ يكدّس (١٣) يُثقل (to ~ a table with food) ×(١٤) يتراكم؛ يتجمع؛ يتكدّس.

pileate [pī'lĭ ĭt; -āt] or **pileated** [pī'lĭ-] *(adj.)* (١) مُظَلّل : ذو مظلة (كالفطريات) (٢) مُقَنْزَع : ذو قُنْزُعة (كالطيور).

piled [pīld] *(adj.)* مزأبر: ذو زئبر (كالمخمل وغيره من الأنسجة).

pile driver *(n.)* (١) مِدقّ الركائز أو الخوازيق (٢) مَنْ يُعْمِل هذه الآلة .

pile hammer *(n.)* مِطرقة الركائز أو الخوازيق .

pileous [pī'lĭ əs] *(adj.)* (١) شَعْريّ (٢) مكسوّ بالشَّعر ؛ كثير الشَّعر .

pileum [pī'lĭ əm] *(L.)* pl. **pilea** [pī'lĭ ə] قُنْزُعة الطائر .

pileus [pī'lĭ əs] *(L.)* pl. **pilei** [-'lĭ ī'] (١) المِظلّـــة : الجزء الشبيه بالمظلّة في الفطريات (نب) (٢) القلنسوة اللبدية : قلنسوة لبدية كان يعتمر بها الرومان والاغريق .

pilewort [pīl'-] *(n.)* (١) نبتة الخطاطيف (٢) عشبة البواسير (نب).

pilfer [pĭl'fər] *(vi.; t.)* يسرق؛ وبخاصة : يسرق بمقادير صغيرة .

pilferage [pĭl'-] *(n.)* السرقة؛ الاختلاس، وبخاصة بمقادير صغيرة.

pilferer [pĭl'-] *(n.)* السارق؛ المختلس ؛ وبخاصة بمقادير صغيرة .

pilgarlic [pĭl gär'lĭk] *(n.)* (١)«أ» رأس أصلع . «ب» شخص أصلع (٢) المسكين: شخص يُنظر إليه بازدراء هازل أو بإشفاق ساخر.

pilgrim [pĭl'grĭm] *(n.)* (١) الرحّالة ؛ السائح (٢) الحاجّ (٣) cap. المهاجر : أحد المهاجرين الانكليز الذين أنشأوا أول مستعمرة في نيو إنغلند بالولايات المتحدة الأميركية عام ١٦٢٠ .

pilgrimage [pĭl'grə mĭj] *(n.; vi.)* (١) رحلة، وبخاصة : حِجّة إلى مكان مقدّس (٢) رحلة طويلة (٣) الحياة §(٤) يحجّ .

piliferous [pī lĭf'ər əs] *(adj.)* أشْعَر ؛ ذو شَعْر .

piliform [pĭl'ə fôrm'] *(adj.)* شَعْرانيّ : شبيهٌ بالشَّعْر .

piling [pī'lĭng] *(n.)* (١) كلّ ما بُني على دعائم (٢) دعائم .

pill [pĭl] *(vi.; t.; n.)* (١) يتقشَّر ×(٢) يقشُر (٣) يجزّىء الدواء إلى جرعات موزَّعةٍ في حبوبٍ (٤) يصوّت أو يقترع ضدَّ كذا §(٥) حبة دواء (٦) شيء كريه يتعيّن على المرء قبوله أو احتماله (٧) شيء كحبة الدواء حجماً أو شكلاً (٨)شخص بغيض أو مزعج(ع) (٩) كرة التنس ؛ كرة الغولف.

pillage [pĭl'ĭj] *(n.; vt.; i.)* (١) سَلْبٌ ؛ نَهْبٌ ؛ وبخاصة في الحرب §(٢) يسلب ؛ ينهب .
—pillager *(n.)*

pillar [pĭl'ər] *(n.; vt.)* (١) «أ» عمود ؛ دعامة ؛ قائمة . «ب» نُصُب تذكاريّ §(٢) يدعم أو يقوّي بدعامة .
from ~ to post (١) من مكان إلى آخر أو من حالة إلى أخرى (٢) جيئة وذهوباً (٣) في حيرة من أمره لا يدري ما الذي يجب أن يفعله في الخطوة التالية.

pillar-box

pillar-box [pĭl'-] *(n.)* صندوق بريد عموديّ (بر) .

pillared[-'ərd] *(adj.)* معمَّد ؛ مدعَّم ؛ ذو أعمدة أو دعائم.

pillbox [pĭl'bŏks] *(n.)* (١) علبة الحبوب : علبة توضع فيها حبوب الدواء (٢) مَعْقِل صغير ؛ قلعة صغيرة منخفضة (٣) قبعة صغيرة مستديرة لا حافة لها.

pill bug *(n.)* حمار قبّان : دويبّة صغيرة كثيرة القوائم إذا لمسها المرء اجتمعت مثل حبّة أو شيء مطويّ .

pillion [pĭl'yən] *(n.; adv.)* (١) «أ» سَرْج خفيف (للنساء) . «ب» وسادة توضع وراء السرج (لركوب المرأة خلف الفارس) . (٢) سرج إضافيّ خلف مقعد سائق الدراجة البخارية أو الهوائية §(٣) على السَّرْج أو المقعد الخلفي (riding ~) .

pillory [pĭl'ə rĭ] *(n.; vt.)* (١) المُشْهَرة : آلة خشبية للتعذيب تُدخل فيها يدا المجرم ورأسه ابتغاء التشهير به (٢) وسيلة من وسائل التشهير §(٣) يعذّب أو يشهّر بالمشهَرة (٤) يشهّر بِـ .

pillory 1.

pillow [pĭl'ō] *(n.; vt.; i.)* (١)وِسادة §(٢)يوسِّد : يريح على وسادة (٣) يقوم مقام الوسادة لِـ ×(٤) يتوسد ؛ يستلقي على وسادة.

pillow block *(n.)* مَحْمِل ؛ كرسي تحميل (مك) .

pillowcase [pĭl'ō kās'] *(n.)* كيس المخدّة ؛ غطاء الوسادة .

pillow sham *(n.)* كيس مخدّة مزخرف .

pillow slip *(n.)* = pillowcase.

pilo- بادئة معناها : شَعْر .

pilocarpine [pī'lō kär'pēn] *(n.)* البيلوكاربين : مادةشبهقلوية(ك).

pilose [pī'lōs] *(adj.)* أشعر : مكسوّ بشعر (ناعم عادةً) .

pilot [pī'lət] *(n.; vt.)* (١) «أ» مدير الدفّة (في مركب) . «ب» مرشد السفن (في قناة أو مرفأ) (٢) المرشد؛ الدليل؛ القائد (٣) cowcatcher (٤) رُبّان الطائرة (٥) الدليل : أداة تَضْبط عمل جزء من ماكينة أو محرّك (مك) §(٦) يُرشد ؛ يقود (٧) يسيّر سفينة ؛ يقود طائرة .

pilotage [pī'lət ĭj] *(n.)* (١)مص pilot (٢)أجرة المرشد أو الربان.

pilot balloon *(n.)* المُنْطاد الاسترشادي : منطاد من غير رُبّان يُطْلَق كوسيلة لتحديد وجهة الريح وسرعتها .

pilot biscuit; pilot bread *(n.)* = hardtack.

pilot engine *(n.)* القاطرة الدليلية : قاطرة تتقدم القطار للتأكد من أن الطريق سالكة .

pilot fish *(n.)* الزّامور : سمك بحريّ صغير مُزْرَقّ كثيراً ما يرافق الأقراش والسفن وكأنّه يُرْشدها .

pilothouse [pī'lət hous'] *(n.)* حجرة مدير الدفّة (في مركب) .

pilot light *(n.)* (١) أو **pilot lamp**: المصباح الدليلي أو الدالّ : مصباح يدلّ على موضع المحوِّل أو القاطع للتيار الكهربائي أو يدل على ما إذا كان المحرّك دائراً أم لا (٢) الشعلة الدائمة : شعلة صغيرة دائمة الاضطرام تُستعمل لإشعال الغاز في موقد .

Piltdown man [pĭlt'doun'] *(n.)* إنسان بِلْتْداون : إنسانٌ قَبْتاريخي prehistoric مزعوم اكتُشفت بقاياه المستحجرة في بلتداون بإنكلترة عام ١٩١٢ .

pilular [pĭl'yə lər] *(adj.)* حبّاني : شبيهٌ بحبّة الدواء أو متعلق بها.

pilule [pĭl'ūl] *(n.)* حبّة ؛ حبة صغيرة .

pimento [pĭ mĕn'tō] *(Sp.)* البِيمَنْت : فُلفل حلو .

pimento cheese *(n.)* الجبن المفلفَل : جبن مُنَكَّهٌ بفلفل حلو .

pi-meson [pī'mē'-] *(n.)* البايميزون : ميزون (را. meson) ذو كتلة أكبر من كتلة الالكترون بـ ٢٧٠ مرة تقريباً (فز) .

pimiento [pĭ myĕn'tō] *(Sp.)* البِيمْيِنْت : فلفل حلو .

pimola [pĭ mō'lə] *(n.)* الزيتون المُفَلْفَل (المحشوّ بفلفل أحمر حلو).

pimp [pĭmp] *(n.; vi.)* (١)القوّاد؛ سمسار الفاحشة§(٢)يعمل قوّاداً.

pimpernel [pĭm'pər nĕl'] *(n.)* كُزبرة الثعلب: عشبة ذات أزهار قرمزية أو ارجوانيّة أو بيضاء تنطبق حين تسوء الأحوال الجوية .

pimping [pĭm'pĭng] *(adj.)* (١) تافه (٢) ضعيف ؛ سقيم .

pimple [pĭm'pəl] *(n.)* بَثْرة؛ نفطة (أو شيء شبيهٌ بها) .

pimpled [-'pəld] ; **pimply** [-'plĭ] *(adj.)* مُبَثّر ؛ منفّط .

pimpmobile *(n.)* سيارة مُتْرَفة جداً.

pin [pĭn] *(n.; vt.)* (١) «أ» وَتِد ؛ خابور . «ب» القارورة الخشبية : إحدى القطع الخشبية الشبيهة بالقناني والتي تُتّخذ هدفاً في لعبة القناني الخشبية (را. ninepins) وفي البولنغ . «ج» سارية العَلَم الدالّ على ثقب في مجرى كرة الغولف . «د» مِلْوَى العود او الكمان. «ﻫ» ذلك الجزء (من المفتاح) الذي يدخل في القفل (٢) «أ» دبوس . «ب» مسمار . «ج» شيء تافه . «د» شارة ذات دبوس يثبّتها على الثوب . «ﻫ» بروش ؛ دبوس زينيّ . «و» دبوس شعر . «ز»دبوس الأمان ؛ دبوس افرنجي (٣) رِجْل (ع) §(٤) يدبّس ؛ يشبك بدبوس (٥) يُثبّت (في موضع ما) (٦) يعلّق (الآمال الخ.) (٧) يلقي اللوم أو المسؤولية.
Don't care a ~. لا تبالِ البتّة .
on ~s and needles على أحرّ من الجمر .
~s and needles إحساس كوخز الإبر نتيجة خدَر الخ.
to ~ one's faith to يتكل اتكالاً تاماً على .

pinaceous [pī nā'shəs] *(adj.)* صنوبري؛ من الفصيلة الصنوبرية.

piña cloth [pē'nyä] *(n.)* القماش الأناناسي : قماش شفاف يُنسَج من ألياف الأناناس الحريرية .

pinafore [pĭn'ə fōr'] *(n.)* مِئزرٌ للأطفال من غير كُمَّيْن .

pinaster [pī năs'tər; pī-] *(L.)* الصنوبر المتوسّطي : ضرب من الصنوبر في منطقة البحر الأبيض المتوسط .

pinball machine *also* **pinball game** [pĭn'-] *(n.)* لعبة الكرة والدبابيس: أداة تسلية تُتّخذ للمقامرة احياناً تُدْفَع فيها كُرَةٌ فوق سطح متحدّر وسط دبابيس وأهداف ؛ فليبرز.

pinbone [pĭn'bōn'] *(n.)* العظم الحَرْقَفِيّ (عند ذوات الأربع) .

ă at; ā date; â care; ä car; ĕ egg; ē me; ĭ in; ī bite; ŏ lot; ō bone; ô orphan; oi boil oo good; ōō boot; ou out; ŭ under; ū unity; û urgent; th thing; th this; zh vision; ə = a in alone, e in system, i in easily, o in gallop, u in circus.

pince-nez [păns'nā] *(F.)* . النظّارة الأنفية

pince-nez

pincer [pĭn'sər] *(n.)* : *pl.* (١) «أ» كمّاشة ؛ مِسْحبة . «ب» كُلّاب (را. chela) . (٢) أحد فكّي « الكماشة » العسكريّة .

pincerlike [-līk] *(adj.)* . كمّاشي ، كالكمّاشة ؛ شبيه بكمّاشة .

pinch [pĭnch] *(vt.; i.; n.)* (١) «أ» يقرص . «ب» يشذّب (الأغصان) . «ج» يضغط بشكل موجع (كفعل الحذاء الضيّق) . «د» يولِم جسدياً أو عقلياً . «هـ» ينحل ؛ يُذْبِل ؛ يُذْوي (٢) يقتّر على (٣) «أ» يسرق (ع) . «ب» يعتقل (ع) (٤) يُبحِر في محاذاة الريح ×(٥) يبخَل (٦) يضيق ؛ يتضيّق §(٧) «أ» مأزق . «ب» ضغط . «ج» شِدّة ؛ ضِيق ؛ حرمان . «د» عجز ، نقص (٨) «أ» قرص ؛ قرصة . «ب» لذع ؛ عض (the ~ of hunger) . «ج» قبْصة (a ~ of salt *or* snuff) . «د» مقدار ضئيل (٩) «أ» سرقة (ع) . «ب» اعتقال (ع) . «ج» غارة (من غارات الشرطة) . at a ~ ; if it comes to the ~ عندالحاجة ؛ عندالاضطرار ,

pinch bar *(n.)* . عتَلة القَرْص : مُخْل أعقف (لدحرجة الدواليب) .

pinchbeck [pĭnch'bĕk] *(n.; adj.)* (١) البِنشْبِك : مزيج من نحاس وزِنك يُستعمل بخاصة لمحاكاة الذهب في الحلى الرخيصة (٢) شيء مزيّف §(٣) زائف ؛ رخيص (a ~ throne) .

pinchcock [pĭnch'kŏk'] *(n.)* الصنبور القارص : مِلزم للضغط على أنبوب مطّاطي لضبط أو وقْف تدفّق السائل فيه .

pincher [pĭn'chər] *(n.)* . (١) فا pinch (٢) *pl.* : كمّاشة .

pinch-hit [pĭnch'hĭt'] *(vi.)* (١) يضرب الكرة بدلاً من لاعب آخر (من لاعبي البايسبول) وذلك في موقف يقتضي مثل هذا العمل أشد الاقتضاء (٢) يقوم مقامه أو ينوب منابه .

pinch hitter *(n.)* (١) لاعب بايسبول يُطلب إليه أن يضرب الكرة بدلاً من لاعب آخر عند الضرورة القصوى (٢) من ينوب مناب شخص آخر عند الاقتضاء .

pin curl *(n.)* العقْصة الدبوسيّة : عقْصة من عقصات الشعر تمّ بتبليل خصلة منه بالماء أو بغَسول ، ثم تثبيتها بدبوس شعر .

pincushion [pĭn'kŏŏsh'ən] *(n.)* وسادة الدبابيس (تغرز فيها الدبابيس لاستعمالها عند الحاجة) .

Pindaric [-dăr'ĭk] *(adj.)* . بنداري : متعلق بالشاعر الاغريقي بندار .

pindling [pĭn'dlĭng] *(adj.)* ضعيف ؛ سقيم .

pine [pīn] *(n.; vi.)* (١) صنوبرة (٢) خشب الصنوبر (٣) أناناس (نب) §(٤) ينحُل ؛ يهزُل (٥) يتوق توقاً شديداً .

pineal [pĭn'ĭ əl; pī'-] *(adj.)* (١) صنوبري الشكل . (٢) غُدّيصَنَوبري : خاصّ بالغُدّة الصنوبرية .

pineal body *or* **pineal gland** *(n.)* الغدّة الصنوبريّة : غدة مخروطية الشكل مجهولة الوظيفة في دماغ جميع الفقاريات ذوات الجمجمة .

pineapple [pīn'-] *(n.)* (١) «أ» الأناناس ؛ الأناناس : نبات ذو ثمار عنبية متراصة على شكل أكواز الصنوبر . «ب» ثمر الأناناس (٢) «أ» قنبلة ديناميتية . «ب» قنبلة يدويّة .

pineapple

pinedrops [pīn'drŏps'] *(n.)* : البندرُبْس : عشبة شماأميركيّة نحيلة عديمة الأوراق ذات زهرات بيضاء تنمو تحت الصنوبر .

pinene [pī'nēn] *(n.)* البايِنين (ك) .

pine needle *(n.)* إبرة الصنوبر : إحدى ورقات الصنوبر الشديدة النحول .

pine nut *(n.)* الصنوبرة : حبّة الصنوبر .

pinery [pī'-] *(n.)* . (١) مُستنْبَت أو دفيئة الأناناس (٢) غابة صنوبر .

pine siskin *(n.)* . عصفور الصنوبر : عصفور أميركي مقلّم الريش .

pine tar *(n.)* . القطران الصنوبري ؛ قطران الصنوبر .

pinetum [pī nē'təm] *(L.)* pl. **-ta** [-tə] (١) المَشْجَر الصنوبري : مجموعة علمية من الشجرات الصنوبرية الحيّة (٢) رسالة (بحث) في أشجار الصنوبر .

pinewood [pīn'-] *(n.)* . (١) غابة صنوبر (٢) خشب الصنوبر .

piney [pī'nĭ] *(adj.)* = piny.

pinfeather [pĭn'-] *(n.)* الرُّيَيْشة : ريشة صغيرة (غير تامة النمو) . **—pinfeathered ; pinfeathery** *(adj.)* .

pinfold [pĭn'-] *(n.; vt.)* . (١) زريبة (٢) مُحْتجَز §(٣) يزرب .

ping [pĭng] *(n.; vi.)* . (١) أزيز الرصاص §(٢) يئزّ (الرصاص) .

ping-pong [pĭng'pŏng'] *(n.)* . البِنغْبُنْغ ، كرة الطاولة .

pinhead [pĭn'hĕd'] *(n.)* . (١) رأس دبوس (٢) الأبله ؛ المغفّل .

pinheaded [-'hĕd'ĭd] *(adj.)* . أبله ؛ مغفّل . **-ness** *(n.)*

pinhole [pĭn'hōl] *(n.)* . ثُقْبة ؛ ثُقَيْب ؛ ثُقْب صغير .

pinion [pĭn'yən] *(n.; vt.)* . (١) جناح الطائر (٢) «أ» ريشة . «ب» القوادم : ريشات كبار في مُقدَّم الجناح (٣) piñon (٤) ترس صغير (تتداخل أسنانه في ترس كبير) §(٥) يمنع الطائر من الطيران بقص قوادم جناح من جناحيه (٦) «أ» يُوثِق . «ب» يكبّل .

pinion 4.

pinite [pĭn'īt; pī'nīt] *(G.)* . البينيت : مادة شبيهة بالمَيْكة .

pink [pĭngk] *(n.; adj.; vt.)* (١) قرنفل (٢) اللون القرنفلي (الأحمر الوردي) (٣) «أ» ثوب قرنفليّ اللون . «ب» *pl.* : بنطلون فاتح اللون كان يرتديه الضباط في ما مضى (٤) «أ» الشديد الأناقة ؛ المرتدي ملابس مخيطة وفقاً للزي الأخير . «ب» صفوة ؛ نخبة (٥) أوج (in the ~ of health) (٦) سفينة ذات مؤخّر ضيّق (٧) الراديكالي المعتدل : شخص ذو أفكار سياسيّة أو اقتصادية تقدميّة (أو راديكالية معتدلة) §(٨) قرنفليّ اللون (٩) ذو آراء سياسيّة أو اقتصادية راديكاليّة معتدلة ، وفي كثير من الأحيان اشتراكيّة (١٠) غاضب ؛ مهتاج §(١١) «أ» يطعن (بسيف أو رمح أو خنجر) . «ب» يجرح (بالسخرية أو النقد) (١٢) «أ» يخرّم . «ب» يزيّن . «ج» يسنّن (حاشيةَ الثوب) .

pink-collar *(adj.)* خاصّ بالمشتغلين في التمريض .

pinkeye [pĭngk'ī'] *(n.)* . التهاب المُلتحِمة : التهاب باطن العين .

pinkie *or* **pinky** [pĭngk'ĭ] *(n.)* . الخِنصَر : الإصبع الصغرى .

pinking shears *(n. pl.)* المِقَصّ المُشَرْشَر : مقصّ يقطع القماش . الخ . على نحو مُشَرْشَر كأسنان المنشار .

pinkish [-'ĭsh] *(adj.)* . (١) قرنفليّ قليلاً (٢) تقدّمي .

pink lady *(n.)* . كوكتيل مؤلف من جِنّ وبراندي وعصير الليمون .

pin knot *(n.)* . العُقَيْدة : عقدة في الخشب لا يزيد قطرها على ½ انش .

pinko [pĭngk'ō] *(n.)* . الراديكاليّ المعتدل (را. pink 7) .

pinkroot [-'rōōt] *(n.)* . البنكروت : عشبة أميركية مزهرة .

pin money *(n.)* (١) مصروف جيب (يقدمه الرجل لزوجته أو ابنته) (٢) مال يُفرد جانباً لشراء الحاجات الطارئة .

pinna [pĭn'ə] *(L.)* pl. **-e** *or* **-s** (١) وُرَيقة أو قسم رئيسي من ورقة ريشية (نب) (٢) ريشة أو جناح أو نحوهما (٣) زعنفة (٤) الصوان : الجزء الخارجيّ الغضروفي من الأذن . **—pinnal** *(adj.)* .

pinnace [pĭn'ĭs] *(n.)* (١) مركب شراعي صغير (يُستخدم غالباً لتأمين الاتصال بين الشاطىء والسفينة) (٢) قارب السفينة .

pinnacle [pĭn'ə kəl] *(n.; vt.)* (١) برج ؛ قبّة مستدقّة . (٢) قِمّة عالية (٣) أَوْج ؛ ذِروة (the ~ of fame) §(٤) يبرِّج : يجعل له برجاً (٥) يضعه فوق نقطة عالية .

pinnacle

pinnate; -d [pĭn'-] *(adj.)* ريشيّ الشكل .

pinnatifid [pĭ năt'ə fĭd] *(adj.)* ريشيّ الانشقاق .

pinnatisect [pĭ năt'ə-] *(adj.)* مشقوق ريشياً حتى الضلع الأوسط (نب) .

pinner [pĭn'ər] *(n.)* (١) البِنّار : قبعة نسائية ذات حاشيتين طويلتين متدليتين (٢) فا pin .

pinniped [pĭn'ə pĕd'] *(n.; adj.)* (١)الزِعنِفيّ الأقدام : حيوان من رتبة زِعنِفيّات الأقدام **Pinnipedia** وهي ثدييّات مائيّة لواحمُ (كالفُقْمة الخ.) §(٢) زعنفيّ الأقدام .

pinnula [pĭn'yə lə] *(n.)* pl. **-e** (١) pinnule (٢) « شُعيرة » من شُعَيرات قصبة الريشة . **—pinnular** *(adj.)*

pinnulate *or* **pinnulated**[-'yə-]*(adj.)* رُيَيْشيّ ؛ ذو رُيَيْشات .

pinnule [pĭn'ūl] *(n.)* الرُيَيْشة : (١) «أ» عضو شبيه بشُعَيْرة من شُعَيْرات الريشة (ح) . «ب» زِعنِفة ؛ زِعنِفة صغيرة (٢) أحد الأقسام الرئيسية من ورقة مزدوجة التريّش (نب) .

pinochle [pē'nŭk'əl] *(F.)* البيناكل : لعبة بورق الشدة .

pinole [pē nō'lĕ] *(Sp.)* البينول : دقيق الذرة المحمَّصة .

piñon [pĭn'yən; pēn'yōn]*(Sp.)* (١) البِنيون : صنوبر يكثر في غربي أميركة الشماليّة (٢) حَبّ البنيون .

pinpoint [pĭn'-] *(n.; vt.; adj.)* (١) «أ» رأس الدبوس . «ب» شيء صغير أو دقيق جداً أو تافه §(٢) يعيّن الموقع أو يسدّد الرميّ بكثير من الدقة والضبط (٣) يحدّد أو يعيّن بدقّة (٤) يُبرز أو يسلط الأنوار على §(٥) بالغ الدقة أو الضبط (bombing ~) . (٦) متطلّب دقّة في الرمي (targets ~) .

pinprick [pĭn'-] *(n.; vt.; i.)* (١) تُقَيْب (مُحْدَث بدبوس أو نحوه) (٢) فَعلة أو ملاحظة طفيفة مزعجة §(٣) يضايق بمزعجات أو إهانات صغيرة .

pint [pīnt] *(n.)* البايْنت : «أ» وحدة وزن تساوي نصف كوارْت أو ثُمن غالون . «ب» وعاء يتّسع لباينت واحد .

pintable [pĭn'-] *(n.)* = pinball machine.

pintail [pĭn'tāl] *(n.)* كل طائر ذي ريشات طويلة في وسط الذيل ؛ وبخاصة : البُلْبول وهو نوع من البط .

pin-tailed [pĭn'-] *(adj.)* ذو ريشات طويلة في وسط الذيل .

pintle [pĭn'təl] *(n.)* محور ارتكاز رأسيّ .

pinto [pĭn'tō] *(adj.; n.)* (١) أرقط ؛ منقّط §(٢) فرس أرقط .

pint pot *(n.)* الوعاء البايْنتيّ : وعاء يتسع لباينت واحد .

pint-size *or* **pint-sized** [pīnt'-] *(adj.)* صغير ؛ ضئيل .

pinup [pĭn'ŭp'] *(n.; adj.)* (١) شيء يُعلّق على جدار ، مثل : «أ» صورة لفتاة الجدار (را. المادة التالية) . «ب» مصباح جداريّ §(٢)ذو علاقة بفتيات الجدار (٣)مُعَدّ للتعليق على جدار .

pinup girl *(n.)* فتاة الجدار : فتاة فاتنة إلى حدّ يؤهّلها لأن تكون موضوعاً لصورة فوتوغرافيّة يعلّقها مُعْجَب على جدار حجرته .

pinwheel [pĭn'-] *(n.)* (١) دولاب الهواء : لعبة للأطفال مؤلّفة من دولاب ورقيّ ملوّن مثبّت بدبوس في رأس قضيب بحيث يدور مع الريح (٢)دولاب النار : ضرب من الألعاب الناريّة على شكل دولاب دوّار من نار ملوّنة .

pinworm [pĭn'-] *(n.)* الدودة الدبّوسيّة : دودة خيطية صغيرة تصيب المعي المستقيم وبخاصة عند الأطفال .

piny [pī'nĭ] *(adj.)* (١)مكسوّ بالصنوبر (hills ~) (٢)صنوبريّ .

pion [pī'ən] *(n.)* = pi-meson.

pioneer [pī'ə nēr'] *(n.; vi.; t.; adj.)* (١) الرائد ؛ ممهّد الطريق : «أ» مهندس ملحق بوحدة عسكرية (لشقّ الطرق وإقامة الجسور الخ.) . «ب» من يتقدم الآخرين ممهّداً السبيل لهم كي يتبعوه (~ s of reform) . «ج» من يستقرّ في جزء من البلاد لم يكن يحتلّه من قبلُ غير القبائل البدائية ~ s of the American West) . «د» نبات أو حيوان يغزو منطقة قاحلة ويستقر فيها §(٢) يرود ؛ يمهّد الطريق ، يبدع شيئاً جديداً أو يشارك في تطوير شيء جديد §(٣) أوّلي ؛ أصليّ (٤) ريادي ؛ رائد .

piosity [pī'ŏs ə tĭ] *(n.)* تقوىً ظاهرية أو مغالىً فيها .

pious [pī'əs] *(adj.)* (١) تقيّ ؛ وَرِع (٢) دينيّ ؛ غير دنيويّ . (٣)مطيع أو موالٍ للوالدين أو للأسرة أو للعرق(ا.ق) (٤)«أ» مُراءٍ . «ب» كاذب ؛ زائف (٥) ممتاز ، جدير بالثناء (a ~ effort) . **—piously** *(adv.)* **—piousness** *(n.)*

pip [pĭp] *(n.; vi.; t.)* (١)«أ» خانوق الدجاج (مض). «ب» مرض خفيف (٢) إحدى النقاط على ورقة اللعب أو حجر الدومينو أو زهر الطاولة (٣) نجمة دالة على رتبة صغار الضباط الانكليز (تعلّق على الكتفين) (٤) بذرة التفاحة أو البرتقالة الخ. (٥) شيء أو شخص رائع أو مستحوذ على الاعجاب إلى حد بعيد (ع) §(٦) peep I (٧) ينقُف : يثقب البيضة ليخرج منها .

pipage [pī'pĭj] *(n.)* (١) النقل بالأنابيب أو أجرته (٢) أنابيب .

pipal [pē'pəl]*(Hin.)* تِينُ المعابِد : تين هندي ضخم معمّر(نب) .

pipe [pīp] *(n.; vi.; t.)* (١) «أ» مِزمار . «ب» أحد أنابيب الأرغن . «ج» .pl عد : مِزمار القربة . «د» .pl : صوت ؛ حبل صوتي . «هـ» أنغام المزمار . «و» صفارة عريف الملاحين (٢) «أ» أنبوبة ؛ أنبوب ؛ ماسورة . «ب» فجوة أنبوبيّة (في بركان) (٣) «أ» برميل كبير (للخمر أو للزيت) . «ب» وحدة وزن للسوائل (٤) «أ» بيبة ؛ غليون للتدخين . «ب» مقدار التبغ الذي يتّسع له الغليون (٥) شيء هيّن §(٦) يعزف على المزمار (٧) يُصدر (عريف الملاحين) الأوامر بصفارته (٨) «أ» يتكلم أو يغني بصوت عالٍ أو حاد . «ب» يطلق صوتاً حاداً ×(٩) يدعو (عريفُ الملاحين) بصفارته (All hands were ~d on deck.) (١٠) يزيّن حاشية الثوب بطيّة شبيهة بالقيطان (١١) يزوّد أو يجهّز بالأنابيب (١٢) ينقل بالأنابيب ؛ وبخاصة : ينقل سلكياً (١٣) يلاحظ ؛ يرى (ع) .

to ~ down يهدأ ؛ يكفّ عن الكلام أو الصياح .

to ~ up يشرع في العزف أو الغناء أو الكلام .

pipe clay *(n.)* طين الانابيب : طين أبيض لدائنيّ يُستخدم في صنع بيبات التبغ وتبييض الأحذية وتنظيف الاحزمة .

pipe-clay [pīp'-]*(vt.)* يبيّض أو ينظّف بطين الانابيب .

pipe cleaner *(n.)* أداة لتنظيف باطن الأنابيب أو ساق البيبة .

pipe cutter *(n.)* مِقطَعة الانابيب .

pipe dream *(n.)* أمل كاذب ؛ خطة أو قصة وهميّة .

pipefish [pīp'fĭsh] *(n.)* السمك الأنبوبيّ ؛ أبو زمّارة .

pipe fitter *(n.)* ممدّ أو مُصلِح الأنابيب .

pipe fitting(n.) (١)وُصلة أنابيب (٢)تمديد أو إصلاح الأنابيب.

pipeful [pīp'-] *(n.)* مِلء بيبة من التبغ .

pipeline [pīp'-] *(n.)* (١) خط أنابيب (٢) سبيل مباشر لاستقاء الأخبار (من مصدر مطّلع) (٣) مجموع العمليات المُفضية الى

انتقال السِّلَع من المنشأ إلى المستهلِك .

in the ~, في الطريق ؛ على وشك أن تُسلَّم (تُقال في الكلام عن السِّلَع) .

pipe major *(n.)* العازف الرئيسي (في فرقة للعزف بمزمار القِربة).

pipe of peace *(n.)* = calumet.

piper [pī'pər] *(n.)* (١) المِزماريّ : العازف على مزمار وبخاصة على مزمار القِربة (٢) صانع الأنابيب أو مُمَدِّدها أو مُصلِحها.

to pay the ~, يدفع ثمن انغماسه في المُتَع والملذّات ؛ يتحمّل النتائج أو العواقب .

piperazine [pī pěr'ə zēn] *(n.)* البِبَرازين : مادةٌ قاعديّةٌ تستعمل بخاصة لطرد الديدان من الأمعاء .

piperidine [-'ə dēn] *(n.)* البِبَّريدين : مادة قاعدية سائلة (ك).

piperine [pĭp'ə rēn'] *(n.)* البِبَّرين ؛ الفُلْفُلين : مادة شبه قلوية متبلّرة تشكّل العنصر الفعال في الفلفل .

piperonal[pĭp'ər ə-] *(n.)* البِبَّرونال : مادة تستعمل في صناعة العطور.

pipestone [pīp'-] *(n.)* حَجَر الغليون (يَصنع منه الهنود الحمرُ غلايين التدخين) .

pipette *also* **pipet** [pĭ pět'] *(F.)* المِمَصّ ؛ الماصّة : أنبوبٌ نحيلٌ مدرّج لقياس السوائل ونقلها من وعاء إلى آخر بواسطة المَصّ .

piping [pī'pĭng] *(n.; adj.)* (١) «أ» أنغام المِزمار . «ب» صوت حادّ (٢) مجموعة أو شبكة أنابيب (٣) خيوط من مزيج من السكر والحليب والبيض تزيَّن بها الحلويات (٤) بريم أو شريط لتزيين حواشي الملابس §(٥) هادىء ؛ رائق ؛ سِلْمِيّ (٦) حادّ .

piping hot *(adj.)* حارٌ جداً ؛ ساخنٌ جداً .

pipit [pĭp'ĭt] *(n.)* الجُشْنَة ؛ العُزَيْزاء : طائر يشبه القُبَّرة .

pipkin [pĭp'kĭn] *(n.)* قِدر فخارية أو معدِنية صغيرة .

pippin [pĭp'ĭn] *(n.)* (١) تفاح (٢) بِزرة (نب) (٣) شخص أو شيء رائع أو مستحوذٌ على الإعجاب إلى حد بعيد .

pip-pip [pĭp'pĭp'] *(interj. Brit.)* = good-bye.

pipsissewa [-sĭs'ə wə] *(n.)* البَبْسُوَّة : عشبة ذات فوائد طبية .

pip-squeak [pĭp'skwēk] *(n.)* شخص أو شيء تافه أو حقير .

pipy [pī'pĭ] *(adj.)* (١) أنبوبيّ الشكل (٢) حادّ الصوت .

piquancy [pē'kən sĭ] *(n.)* حَرافة ؛ حِدّة .

piquant [pē'kənt] *(adj.)* (١) حِرّيف ؛ حادّ (٢) مُثير (٣) فاتن.

pique [pēk] *(n.; vt.)* (١) استياء ؛ غضب ؛ غِلّ ؛ كبرياء جريح §(٢) يجرح (كبرياءَ فلان) (٣) يُثير (الفضول الخ) .

to ~ oneself on *or* upon يعتزّ أو يفاخر بـ .

piqué *or* **pique** [pĭ kā'] *(F.)* البيكيّ : نسيج قطنيّ أو حريري مضلّع تُتّخذ منه الملابس .

piquet [pĭ kět'; -kā'] *(F.)* البيكيت : ضرب من لَعِب الورق .

piracy [pī'rə sĭ] *(n.)* (١) قرصنة (٢) انتحال مؤلّفات الآخرين أو اختراعاتهم أو أفكارهم أو استخدامها من غير ترخيص .

piragua [pĭ rä'gwə] *(Sp.)* (١) الزورق الشجري : زورق يُصنَع بتجويف جذع شجرة (٢) مركب مسطّح القعر ذو صاريين .

piranha [pĭ rän'yə] *(Pg.)* = caribe.

pirate [pī'rət] *(n.; vt.; i.)* (١) «أ» القرصان . «ب» منتحل مؤلّفات الآخرين أو اختراعاتهم أو أفكارهم §(٢) يتقرصن : «أ» يقوم بأعمال القرصنة في البحر . «ب» ينتحل مؤلّفات الآخرين أو اختراعاتهم أو أفكارهم أو يستخدمها من غير ترخيص.

piratical [pĭ răt'ə kəl] *(adj.)* (١) قُرْصانيّ (٢) قَرْصنيّ .

pirogue [pĭ rōg'] *(F.)* (١) الزورق الشجري : زورق يصنع بتجويف جذع شجرة (٢) كَنَوٌ (را. canoe) .

pirouette [pĭr'o͞o ět'] *(n.; vi.)* (١) البَرْوَتَة : دوران (في رقص الباليه) على قدم واحدة أو على أصابيع القَدَم §(٢) يُبَرْوِت : يرقص بهذه الطريقة .

pis aller [pē zȧ lě'] *(F.)* السهم الأخير ؛ السبيل الوحيد الباقي .

piscary [pĭs'kə rĭ] *(n.)* (١) حق الصيد في مياه شخص آخر . (٢) المَسْمَك : موطنٌ يُصطاد فيه السمك .

piscatorial [pĭs'kə tōr'-] *(adj.)* خاص بصيد السمك أو صيّاديه.

piscatory [pĭs'kə tōr'ĭ] *(adj.)* = piscatorial.

Pisces [pĭs'ēz] *(L.)* السمكتان ؛ برج الحوت (فل) .

pisci- بادئة معناها : سمك (*pisci*vorous) .

pisciculture [pĭs'ĭ kŭl'chər] *(n.)* تربية الأسماك .

piscina [pĭ sī'nə; -sē'-] *(L.)* pl. **-nae** [-nē] جُرن الماء الكَنَسي .

piscine [pĭs'īn; -ĭn] *(adj.)* سمكيّ .

piscivorous [pĭ sĭv'ə rəs] *(adj.)* مُسْمِك ؛ مُقْتاتٌ بالأسماك.

pish [pĭsh] *(interj.)* أفٍّ : صوت يعبّر به عن الازدراء أو نفاد الصبر .

pisiform [pī'sə fôrm'] *(adj.; n.)* (١) بِسِيلانيّ ؛ على شكل حبّة البِسِلّة او البزيلا §(٢) العظم البِسِيلانيّ (ت) .

pismire [pĭs'mīr] *(n.)* نملة .

pisolite [pī'sə līt] *(L.)* البيزوليت : حجرٌ كلسيّ .

piss [pĭs] *(vi.; n.)* (١) يبول §(٢) بول .

pissoir [pĭ swär'] *(F.)* مَبْوَلة عامة (في الشارع) .

pistachio [pĭs tä'shĭ ō] *(It.)* (١) شجرة الفستق (٢) فُستقة .

pistil [pĭs'tĭl] *(L.)* المِدَقّة : عضو التأنيث في النبات .

pistillate [pĭs'tə lĭt; -lāt'] *(adj.)* مِدَقّيّ ؛ ذو مِدَقّات ؛ وبخاصة : ذو مِدَقّات ولكن من غير أسْدِية (نب) .

pistol [pĭs'təl] *(n.; vt.)* (١) مُسَدَّس §(٢) يُطلِق نار المسدَّس.

pistole [pĭs tōl'] *(n.)* البِسْتُول : عملة ذهبية اسبانية أو أوروبية.

pistoleer [pĭs'tə lĭr'] *(n.)* حامل المسدَّس أو مُستَعمِله .

piston [pĭs'tən] *(n.)* الكَبّاس ، المِكبَس ، البِستُون (مك) .

piston pin *(n.)* مِسمار الكَبّاس (مك) .

piston ring *(n.)* حلقة الكَبّاس أو طوقُه (مك) .

piston rod *(n.)* ذراع الكَبّاس (مك) .

pit [pĭt] *(n.; vt.; i.)* (١) «أ» حفرة . «ب» الوَجْرَة : حفرة مستورة تُتّخذ شَرَكاً لصيد الوحوش . «ج» خطر كامنٌ . «د» حلبة للمصارعة (بين الكلاب أو الديكة) . «هـ» جزء في مقدّم المسرح مخصّص للأوركسترا . «و» الجزء الخلفي من قاعة المسرح الرئيسية (حيث المقاعد أرخص) . «ز» محتلّو هذا الجزء الخلفيّ . «ح» ركن في البورصة مخصص لفئة خاصة من الأسهم (the wheat ~) (٢) جهنّم أو جزء منها (٣) «أ» فم ؛ تجويفٌ في جسم الحيوان أو النبات (the ~ of the stomach). «ب» نقرة أو ندبة صغيرة كالتي يخلّفها الجدري في الوجه (٤) نواة الخوخ أو التمر الخ. (٥) قبر كبير يتّسع لعدة جثث (٦) موضع تقف عنده السيارات للتزوّد بالبنزين أو لتبديل الاطارات (في سباق للسيارات) §(٧) يضع أو يدفن أو يدّخر في حفرة (٨) يحفر أو ينقر ، وبخاصة : يخلّف ندوباً كندوب الجدري (٩) «أ» يغري الكلاب أو الديكة بالمصارعة . «ب» يثير ؛ يحرّض (١٠) يُخرج النوى (من الفاكهة) ×(١١) يتنقّر ؛ يتندّب (١٢) تحتفظ (البشرة) موقتاً بآثار الضغط عليها بالأصبع .

pita[pē'tə] *(Sp.)* (١) البيتة : نبات تتخذ من أليافه الحبال (٢) ألياف البيتة.

pit-a-pat [pĭt'ə păt] *(adv.; n.; vi.)* (١) بِطَقْطَقة ؛ بخفقان

ă at; ā date; â care; ä car; ě egg; ē me; ĭ in; ī bite; ŏ lot; ō bone; ô orphan; oi boil o͝o good; o͞o boot; ou out; ŭ under; ū unity; û urgent; th thing; th this; zh vision; ə = *a* in alone, *e* in system, *i* in easily, *o* in gallop, *u* in circus.

§(٢) طقطقة ؛ خفقان §(٣) يطقطق ؛ يخفق .

pitch [pĭch] *(vt.; i.; n.)* (١) يطلي أو يعالج بالزفت (٢) يَنْصِب (خيمةً) (٣) يقذف (الكرةَ أو القطعة النقدية) ؛ يطرح (٤) يبيع أو يعلن بأساليب عنيفة مِلحاحة (٥) «أ» يجعله في مستوى معيّن أو درجة معيّنة . «ب» يعيّن درجة النغم أو طبقة الصوت ×(٦) «أ» يحطّ ؛ يغوص . «ب» تترجّح السفينةُ بحيث يغوص مقدّمها في الماء ثم يعلو. «ج» يَثِب (الفرس) (٧) «أ» يُعسكِر ؛ يستقرّ في مكان . «ب» يختار (أو يقرّر) شيئاً كيفما اتفق أو من غير تفكير طويل (٨) ينحدر §(٩) مص pitch (١٠) زفت ؛ قار ؛ قير (١١) درَجة الميْل أو الانحدار (١٢) الخطْوة : «أ» المسافة بين كلّ من أسنان الترس (أو الدولاب المسنّن) والآخر . «ب» المسافة بين شيئين في ماكينة (١٣) أوج ؛ ذروة (ا.ق) (١٤) «أ» درجة (the lowest ~ of bad fortune) . «ب» ارتفاع . «ج» درجة النغم ؛ طبقة الصوت («مو» و«صو») (١٥) منْحدَر (١٦) ضرب من لعِب الورق أو الشدّة (١٧) إعلان (١٨) رَمْيَة (للكرة الخ.) .

to ~ in (١) يبدأ العملَ (٢) يُسهِم في جهد مشترك .
to ~ into (١) يهاجم بعنف (٢) ينهمك في .
to ~ on *or* upon يختار ؛ ينتقي .
to ~ out ينبذ ؛ يطرَح جانباً .
to queer somebody's ~, يُفسِد خطط فلان .

pitch-and-toss [pĭch ən tŏs'] *(n.)* لعبة النقود : لعبة مهارة وحظ تُقذف فيها القِطع النقدية إلى هدفٍ ما .

pitch-black [pĭch'blăk] *(adj.)* فاحم ؛ شديد السواد .

pitchblende [pĭch'blĕnd] *(n.)* البِتْشْبلَنْد : معدن أسود لامع (أكسيد اليورانيوم) يُنتج الراديوم .

pitch-dark [pĭch'därk'] *(adj.)* فاحم ؛ شديد السواد .

pitched battle *(n.)* المعركة الضارية أو المرتَّبة : معركة يلتحم فيها الجيشان التحاماً وثيقاً (بعد أن يكونا قد استعدا لها واتّخذا من أجلها مواقع ملائمة) .

pitcher [pĭch'ər] *(n.)* (١) ابريق (٢) الورقـة الابريقية : ورقة النابنط (را. المادة التالية) (٣) القاذف ، الرامي (في البايسبول).

pitcher plant *(n.)* النابَنْط ؛ السَّلوى : نبات تنتهي أوراقُه بحِقاقٍ صغار فيها سائل سكّري إذا ورَدَتْه الحشرة أطبقت عليها الأوراق وامتصّتها .

pitchfork [pĭch'fôrk'] *(n.; vt.)* (١) مِذْراة §(٢) يذرّي .

pitchman [pĭch'-] *(n.)* بائع الرصيف ؛ صاحب البَسْطة : بائع يبيع سلعه الصغيرة من موقف موقّت يلتزمه في شارع أو سوق .

pitch pine *(n.)* الصنوبر الراتنجي (نب) .

pitch pipe *(n.)* مزمار النغم : مزمار يستخدَم لتعيين طبقة النغم .

pitchstone [pĭch'stōn'] *(n.)* الحجر الزفتي : حجر بركانيّ لمّاع يشبه في مظهره الزفت المُقسّى .

pitchy [pĭch'ĭ] *(adj.)* (١) كثير الزفت (٢) «أ» زفتي ؛ كالزفت . «ب» دَبِق (٣) فاحم .

piteous [pĭt'ĭ əs] *(adj.)* (١) جدير بالشفقة ؛ يُرثى له (٢) تافه (ع) .

pitfall [pĭt'-] *(n.)* (١) شَرَك ؛ وبخاصة : وَجْرة (را. pit) . (٢) خطر أو مأزق مستور أو لا يَسهُل إدراكه .

pith [pĭth] *(n.; vt.)* (١) اللُّبّ : «أ» لبّ الثمرة . «ب» النسيج الاسفنجي المركزي في ساق النبات (٢) النقيّ : مخّ العظم أو الريشة (٣) لُباب ؛ زُبدة ؛ جوهر (the ~ of his speech) (٤) «أ» قوّة . «ب» أهمية ؛ شأن §(٥) «أ» يقتل (الماشية الخ.) بقطع حبلها الشوكي . «ب» يعطّل دماغ الضفدعة الخ. أو حبلها الشوكي (٦) ينزع اللبّ (من ساق شجرة الخ.) .

Pithecanthropus [pĭth'ə kăn thrō'-] *(L.)* pl. **-pi** [-pī; -pĭ] إنسان جاوة : إنسان بدائي منقرض وُجدت بقاياه في جاوة .

pithy [pĭth'ĭ] *(adj.)* (١) لُبّيّ (٢) «أ» قويّ ؛ زاخر بالقوة أو المادة أو المعنى (~ criticism) . «ب» بليغ (~ sayings) .
—**pithily** *(adv.)* —**pithiness** *(n.)*

pitiable [pĭt'ĭ ə-] *(adj.)* (١) جدير بالشفقة ؛ يرثى له (٢) تافه ؛ حقير .

pitier [pĭt'ĭ ər] *(n.)* المُشفِق ؛ الشَّفوق .

pitiful [pĭt'ĭ-] *(adj.)* (١) جدير بالشفقة ؛ يرثى له (٢) حقير ؛ هزيل .

pitiless [pĭt'ĭ lĭs] *(adj.)* عديم الرحمة .

pitman [pĭt'mən] *(n.)* pl. **-men** *for* 1; **-mans** *for* 2 (١) عامل منجّم (٢) ذراع توصيل (ملك) .

piton [pē tōn'] *(F.)* الرزّة الصخرية أو الجليدية : رزّة تُقحَم في الصخر أو الجليد، وكثيراً ما يكون لها عين يُولج فيها حبْل (وتُستخدَم في تسلّق الجبال).

piton

Pitot-static tube [pē tō'] *(n.)* أنبوب «بيتو» الإستاتي (لتعيين سرعة السائل النسبية) .

Pitot tube *(n.)* أنبوب « بيتو » (لتعيين سُرعة تدفّق السائل) .

pit saw *(n.)* منشار الشقّ : منشار يستخدمه رجلان أحدهما واقف فوق قطعة الخشب المراد شقّها والآخر واقف تحتها .

pittance [pĭt'əns] *(n.)* (١) علاوة صغيرة ؛ أجر زهيد . (٢) مقدار صغير ؛ حصة صغيرة .

pitted [pĭt'əd] *(adj.)* مُنقّر (كالوجه المجدور) .

pitter-patter [pĭt'ər păt ər] *(n.; adv.; vi.)* (١) طقطقة ؛ سلسلة سريعة من الضربات الخفيفة §(٢) بطقطقة §(٣) يطقطق .

pituitary [pĭ tū'ə tĕr'ĭ] *(n.; adj.)* (١) الغُدّة النُّخامية (٢) عقّار مُستخرَج منها §(٣) نُخاميّ : «أ» ذو علاقة بالغدة النُّخامية . «ب» دالّ على شكل من البنية الجسدية البدينة الطويلة العظام يُعتقَد أنه ناشىء عن فرْط افراز الغدة النخامية (٤) مخاطي أو مُفرِز مخاطاً .

pituitary body *(n.)* = pituitary gland.

pituitary gland *(n.)* الغدّة النُّخامية : غدة صغيرة صمّاء بيضيّة الشكل واقعة في قاعدة الدماغ تفرز هرمونات ذات أثر في النموّ .

pituitrin [pĭ tū'ə-] *(n.)* النُّخامين : خلاصة الغُدّة النُّخامية .

pity [pĭt'ĭ] *(n.; vt.; i.)* (١) شفقة ؛ رحمة ؛ رثاء ؛ أسَف (٢) شيء يدعو للأسف والرثاء §(٣) يُشفِق على ؛ يرثي لِ ؛ يرحم .

pitying [pĭt'-] *(adj.)* مُشفِق أو مُعبِّر عن الاشفاق .

pityriasis [pĭt'ə rī'ə sĭs] *(L.)* النُّخالية : داء جلدي (مض) .

pivot [pĭv'ət] *(n.; vi.; t.; adj.)* (١) مِحوَر ؛ مُرتَكز . (٢) شخص أو شيء أو عامل من العوامل ذو دَوْر أو وظيفة أو أثر أساسي §(٣) يدور على محور ×(٤) يُمحْوِر ؛ يزوّد بمحور (٥) يدير على محور §(٦) دائر على محور (٧) pivotal .

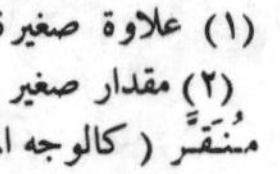

pivot

pivotal [pĭv'-] *(adj.)* (١) مِحوَريّ (٢) حيويّ ؛ بالغ الأهمية .

pivot tooth *or* **pivot crown** *(n.)* التاج الصُّنعي : «تاج» اصطناعي يُشدّ إلى جِذر الضرس بمحور .

pixie *or* **pixy** [pĭk'sĭ] *(n.; adj.)* (١) جنّيّة ؛ وبخاصة : جنية صغيرة مَرِحة مؤذية §(٢) عابث ؛ مازح ؛ مَزوح .

pixilated [pĭk'sə lā'tĭd] *(adj.)* مُخبَّل أو مختلط العقل قليلاً .

pizza [pēt'sə] *(It.)* البِتْزة : فطيرة من طماطم وجبن ولحم مفروم .

pizzeria [pĭt sə rē'ə] *(It.)* محل لبيع فطائر البتزة أو صُنعها .

pizzicato [pĭt'sə kä'tō] *(adj.; adv.; n.)* (١) معزوف بنقر أوتار الكمان الخ. بالاصبع §(٢) نغمة معزوفة بهذه الطريقة .

pizzle [pĭz'əl] *(n.)* (١) قضيب الثور الخ. أو عضوه التناسلي . (٢) سَوط مصنوع من قضيب الثور .

placable [plā'kə bəl] *(adj.)* سَمْح ؛ صَفوح ؛ ليّن العريكة .

—placability; placableness *(n.)* **—placably** *(adv.)*

placard [*n.* plăk'ärd; *v.* plə kärd', plăk'ärd] *(n.; vt.)* (١) إعلان (يعلَّق في مكان عامّ) §(٢) يكسو (الجدار) بالاعلانات (٣) يعلّق إعلاناً (على الجدران الخ.) (٤) يعلن عن.

placate [plā'kāt; plăk'āt] *(vt.)* يهدّئ ؛ يسترضي .

—placation *(n.)* **—placative; placatory** *(adj.)*

placater[-ər] *(n.)* المهدّئ ؛ المسترضي ؛ وبخاصة : مُصْلِح ذات البين.

place [plās] *(n.; vt.; i.)* (١) «أ» مكان . «ب» موضع . «ج» صُقْع . «د» مَبْنَى . «هـ» مدينة ؛ قرية . «و» منطقة . «ز» منزل (٢) «أ» درجة . «ب» مرتبة مرموقة (في مسابقة) (٣) لحظة مناسبة ؛ فرصة ملائمة (٤) واجب ؛ مهمّة ؛ شأن (It is not my ~ to find fault.) (٥) منزلة (في الحساب) (٦) عمل ؛ وظيفة ؛ وبخاصة : منصب رسمي (٧) «أ» منزلة اجتماعية . «ب» منزلة رفيعة (٨) «أ» ميدان ؛ ساحة عامّة . «ب» شارع قصير §(٩) يرتّب (١٠) «أ» يضع (في مكان معين). «ب» يَعرِض أو يقدّم للدرس والمناقشة (a question ~*d* before the group) (١١) «أ» يعيّن شخصاً في وظيفة . «ب» يوجِد عملاً لشخصٍ ما (١٢) «أ» يصنّف ؛ يعيّن للشيء موضعاً في سلسلة الخ. «ب» يقدّر ؛ يقيّم. «ج» يميّز شخصاً (أو يدرك هويته) بربطه بخبرةٍ سابقة أو بقرينة زمانية أو مكانية ما (I know that woman's face, but I can't ~ her.) (١٣) يقدم طلباً بشراء شيء (~*d* an order for a car) × (١٤) يفوز بمرتبة مرموقة في مسابقة، وبخاصة : يصلّي ؛ يحلّ ثانياً (في سباق للخيل).

in ~, في الموضع الصحيح أو الملائم .

in ~ of محلّ كذا ؛ بدلاً من كذا ؛ عِوَضاً عن كذا .

in the first ~, أولاً ؛ في المقام الأول .

out of ~, في غير محلّه ؛ غير ملائم .

to give ~, (١) يفسح لِـ (٢) يذعن ؛ يستسلم .

to give ~ to يُفْسِح لِـ ؛ يُخلي مكانه لِـ.

to know one's ~, يعرف حدّه فيقف عنده .

to take ~, يحدث ؛ يقع .

to take the ~ of يحلّ محلّه .

placebo [plə sē'bō] *(L.)* (١) صلاة الأصيل أو المساء عن روح الميت (كث) (٢) «أ» دواء يُعْطَى لمجرد إرضاء المريض . «ب» كلّ ما يُهدّئ أو يُرْضي .

place-kick [plās'kĭk] *(n.; vt.; i.)* (١) رَفْس كرة القدم بعد أن توضع على الأرض §(٢) يرفس كرة القدم الموضوعة على الأرض .

placeman [plās'-] *(n.)* موظّف حكوميّ (وبخاصّة في بريطانية) .

placement [plās'-] *(n.)* (١) وَضْع (٢) «أ» وَضْع كرة القدم على الأرض لرفسها نحو الهدف . «ب» رفس هذه الكرة (٣) تعيين المكان الملائم (كالصفّ المدرسي أو الوظيفة) لشخصٍ ما .

place-name [plās'nām] *(n.)* اسمٌ لموقع جغرافيّ .

placenta [plə sĕn'tə] *(L.)* pl. **-s** *or* **-e** المَشيمة ؛ السُّخْد : «أ» غشاء الجنين الذي يخرج معه عند الولادة (ت) . «ب» جزء من سطح المبيض تقوم البُيَيْضات أو البُذَيرات عليه (نب) .

placental [-'təl] *(adj.)* (١) مَشيميّ (٢) مُشيَّم ؛ ذو مَشيمة .

placentation[plăs'ən tā'-] *(n.)* (١) التشيّم : تكوّن المشيمة (ح) . (٢) النظام المَشيمي : شكل اتصال البُيَيْضات أو البُذيرات بالمبيض في مِدقة الزهرة (نب) .

placer [plăs'ər] *(n.)* (١) المُتبِر : راسب غرينيّ محتوٍ على دقائق من الذهب أو غيره من المعادن النفيسة (٢) المَتْبَرة : موضع يُغسَل فيه هذا الراسب لاستخلاص ما يشتمل عليه من دقائق الذهب .

placer mining *(n.)* الاستبار : غَسْل الراسب الغرينيّ لاستخلاص دقائق الذهب التي يشتمل عليها .

place setting *(n.)* أدوات مائدة لشخص ما .

placid [plăs'ĭd] *(adj.)* (١) هادئ ؛ رائق (٢) رابط الجأش .

—placidity; placidness *(n.)* **—placidly** *(adv.)*

placket [plăk'ĭt] *(n.)* (١) «أ» فتحة الثوب (التي تسهّل ارتداءه) . «ب» جيب التنّورة (ا.ق) (٢) «أ» تنورة (ا.ق). «ب» امرأة (ا.ق).

plafond [plȧ fôN'] *(F.)* سقف مُزَخْرَف .

plagal cadence *(n.)* المحطّ المتوهَّم (مو) .

plagiarism [plā'jĭ ə rĭz'əm] *(n.)* (١) الانتحال : انتحال آراء مؤلّف آخر أو كلماته (٢) شيء مُنتَحَل .

plagiarist; plagiarizer [plā'-] *(n.)* المنتحِل آراء مؤلّف آخر.

plagiarize [plā'jĭ ə-] *(vt.; i.)* ينتحل آراء مؤلّف آخر أو كلماتِه .

plagiary [-rĭ] *(n.)* (١) المنتحِل لآراء غيره (٢) انتحال آراء الغير .

plagioclase[plā'jĭ ə klās] *(n.)* البلاجيوكلاز : ضرب من الفَلْسبار .

plague [plāg] *(n.; vt.)* (١) كارثة ؛ بلاء (٢) «أ» وباء. «ب» طاعون . (٣) مصدر إزعاج §(٤) يصيبه بطاعون (٥) ينزِل به كارثة أو بلاءً (٦) يزعج ؛ يغيظ ؛ يعذّب .

~ on it ! لعنها الله ! عليها لعنة الله !

plaguesome [plāg'-] *(adj.)* مُزْعِج ؛ مُهلِك ، وبائي .

plaguey *or* **plaguy** [plā'gĭ] *(adj.)* مزعج (ع) .

plaguey [plā'gĭ] ; **plaguily** [-lĭ] *(adv.)* على نحو مزعج .

plaice [plās] *(n.)* البلايْس : ضرب من السمك المُفَلْطح .

plaid [plăd] *(n.; adj.)* (١) نسيج مُربّع النقش أو متصالبه . §(٢) مُربّع النقش أو متصالبه (a ~ dress) .

plain [plān] *(vi.; n.; adj.; adv.)* (١) يشكو ؛ يتذمر («ا.ق» و «عب») §(٢) سهل ؛ أرض منبسطة (٣) شيء بسيط غير مزخرف §(٤) مستوٍ ، منبسط ؛ أملس (٥) بسيط ؛ غير مزخرف (clothes ~) (٦) محض ؛ صِرف ؛ خالص (folly ~) (٧) واضح ؛ جليّ (٨) صريح ؛ مخلص ؛ صادق (speech ~) (٩) عاديّ ؛ بسيط (is a ~ man of the people) (١٠) سهل ؛ غير معقد (١١) بسيط أو قليل التوابل (food ~) (١٢) قبيح §(١٣) بوضوح (١٤) بصراحة .

—plainly *(adv.)* **—plainness** *(n.)*

plainchant [plān'-] *(n.)* = plainsong.

plain-clothes man *(n.)* بوليس سرّيّ ؛ شرطيّ التحري .

plain dealing *(n.)* التعامل الصريح أو الشريف (مع الآخرين) .

plain sailing *(n.)* (١) الإبحار الهيّن (الذي لا تكتنفه مصاعب أو عقبات) (٢) تقدّم غير مُعْتَرَض بعقبةٍ ما .

plainsman [plānz'mən] *(n.)* السَّهليّ : ساكن السهول .

plainsong [plān'-] *(n.)* موسيقى لعدد من الأصوات (كن) .

plainspoken [plān'-] *(adj.)* صريح . **-ness** *(n.)*

plaint [plānt] *(n.)* (١) تفجّع (٢) احتجاج ؛ شكوى (٣) تهمة (ق) .

plaintful [plānt'-] *(adj.)* = mournful.

plaintiff [plān'tĭf] *(n.)* (١) المدّعي (ق) (٢) جانب الادّعاء (ق) .

plaintive [plān'-] *(adj.)* حزين ؛ كئيب (~ music) .

plait [plāt] *(n.; vt.)* (١) طية ؛ ثَنْيَة (في ثوب) (٢) ضفيرة ؛ جديلة §(٣) يطوي ؛ يثني (٤) يضفر ؛ يجدل .

plan [plăn] *(n.; vt.; i.)* (١) خريطة لمبنى أو مدينة أو أرض . (٢) تصميم ؛ رسم بيَاني (لأجزاء آلة) (٣)«أ» طريقة . «ب» هدف ؛ غاية (٤) خطة ؛ مشروع§(٥) يخطط :«أ» يرسم خريطة لمبنى الخ.«ب»يرسم خطةً أو خططاً (٦) يعتزم ؛ ينوي (٧) يوجّه ؛ينظّم (a ~*ned* economy) . **—planning***(n.)*

plan- *or* **plano-** بادئة معناها : «أ»متجوّل ؛متطوّف. «ب» مسطّح .

planarian [plə nâr'ĭ ən] *(n.)* المستورقة : دودة صغيرة مسطّحة على شكل ورقة نبات (ح) .

planchet [plăn'chĭt] *(n.)* قرص السّك : قطعة معدنية مسطّحة تُسكّ نقداً .

planchette [plăn chĕt'] *(F.)* اللُّوَيحة : لوحة صغيرة قائمة على عجلتين وقلمٍ عموديّ يعتقد أنها تكتب آلياً عند مسّها بالاصابع .

Planck's constant *(n.)* ثابت « بلانك » (فز) .

plane [plān] *(vt.; i.; n.; adj.)* (١) «أ» يسوّي : يجعله أملس مستوياً . «ب» يَسْحَج (بفارة النجار) (٢) يقشط ×(٣) يستعمل مِسْحاجاً (٤) يَسْحَج (This tool ~ *s* well.) (٥)«أ» يطير. «ب» يرتفع من المياه جزئياً أثناء الانطلاق (كالزلاقة المائية) (٦) ينزلق كالطائرة (٧) يسافر بالطائرة §(٨) الدُّلْب (شجر) (٩) المِسْحاج : فأرة النجار (١٠)سطحٌ مستوٍ (١١)مُستوىً (١٢)«أ» السَّطْح(طي). «ب» طيّارة §(١٣) مستوٍ ؛ منبسط .

plane 9.

~ of symmetry مستوى التماثل .

plane angle *(n.)* الزاوية المستوية (ر) .

plane geometry *(n.)* الهندسة المستوية .

planer [plā'nər] *(n.)* (١) المُسَوّي ؛ الساحِج ؛ القاشط . (٢) المِقْشَطَة : مِسْحاج آليّ للأخشاب أو المعادن (٣)المِسواة : قطعة خشبية ملساء الوجه تُسَوّى بها الحروف المُنضَّدة (طع) .

planer tree *(n.)* البَلانيرة المائية : شجرة أميركية صغيرة الأوراق ذات ثمر بيضيّ الشكل .

planet [plăn'ĭt] *(n.)* (١) الكوكب السيّار : أحد الأجرام السماوية الدائرة حول الشمس ؛ وبخاصة : الأرض (٢) نجم ؛ طالع (في علم التنجيم) (٣) النجم : شخص بارز في حقل اختصاصه.

plane table *(n.)* اللوحة المستوية (لمسح الأراضي) .

planetarium [plăn'ə târ'ĭ-] *(L.)* pl. **-tariums** *or* **-taria** (١) نموذج يمثل النظام الشمسي (٢) البلانيتاريوم : «أ» جهاز يُظهِر حركات الشمس والقمر والكواكب السيّارة والنجوم بتسليط النور على داخل قبّة. «ب» البناية أو الحجرة المشتملة على هذا الجهاز .

planetary [plăn'ə tĕr'ĭ] *(adj.)* (١) «أ» كوكبي ؛ سيّاري . «ب» سيّار ؛ طوّاف ؛ شارد . «ج» ذو حركة كحركة الكوكب السيار (~ electrons) . «د» هائل ؛ ضخم (٢) أرضيّ ؛ دنيويّ ؛ عالميّ (٣) كوكبيّ التروس (مك) .

planetesimal [plăn'ə tĕs'ə-] *(n.)* الكُوَيكِب : أحد الكُوَيكبات وهي أجرام سماوية صغيرة يُظَنّ أنها وُجدت في مرحلة مبكرة من نشوء النظام الشمسي .

planetesimal hypothesis *(n.)* الفَرْضيّة الكُوَيكِبية : فرضية تقول بأن الكواكب السيارة نشأت نتيجةً لاتحاد الكويكبات (فل) .

planetoid [plăn'ə toid] *(n.)* (١) الكوكبانيّ : جسم شبيه بكوكب سيّار (٢) السُّيَيّر (را . asteroid) .

planet-stricken; planet-struck [plăn'ĭt-] *(adj.)* (١)متأثر بنفوذ نجم أو طالع (٢) مذعور .

planet wheel *(n.)* العجلة الكوكبية : العجلة الكوكبية التروس (مك) .

plangent [plăn'jənt] *(adj.)* (١) متلاطم (كالأمواج) (٢)مِرنان ؛ مدوّ (٣) كئيب ؛ حزين .

plani- بادئة معناها : مسطّح ؛ مستوٍ (*plani*metry) .

planimeter [plə nĭm'ə tər] *(n.)* المِمْساح : أداة لقياس مساحة الشكل المستوي .

planimetry [-trĭ] *(n.)* المِمساحية : قياس المساحات المستوية .

planish [plăn'ĭsh] *(vt.)* (١) يطرّق (المعادن) (٢) يَصْقُل .

planisphere [-'ə sfĭr] *(L.)* البلانيسفير : خريطة لنصف الكرة السماوية أو أكثر ذاتُ أداة تشير إلى الجزء المنظور منه في وقت معين.

plank [plăngk] *(n.; vt.)* (١) لوح خشب ثقيل وثخين (٢) شيء مصنوع من ألواح خشب (٣) بند رئيسي من بنود سياسة أو برنامج §(٤) يلوح : يفرش بألواح خشبية (٥) يُلقي بقوّة (Sami ~ *ed* down the package.) (٦) يدفع فوراً (~ *ed* out his money) (٧) يطبخ ويقدّم على لوح خشبيّ (a ~ *ed* steak) .

planking [plăngk'ĭng] *(n.)* (١) التلويح: فرش الأرض بألواح خشبية (٢) ألواح خشبية .

plank-sheer [plăngk'shĭr'] *(n.)* لوح خشبيّ ثخين يؤلف الحافة الخارجية من ظهر المركب .

plankton [plăngk'tən] *(G.)* العوالق : الكائنات الحيوانية أو النباتية الصغيرة المعلّقة أو الطافية في المياه (أح) .

planless [plăn'-] *(adj.)* عاملٌ أو حادثٌ من غير خطة أو هدف .

plano- = plan-.

plano-concave [plā'nō kŏn'kāv] *(adj.)* مقعّر مُستوٍ .

plano-convex [plā'nō kŏn'vĕks] *(adj.)* مُحَدَّبٌ مُستوٍ .

planography [plā nŏg'rə fĭ] *(n.)* (١) الطباعة المستوية : عملية الطبع عن سطح مستوٍ (٢) مادة مطبوعة بهذه الطريقة .

planometer [plə nŏm'ə tər] *(n.)* ميزان استواء السطوح .

plan position indicator *(n.)* مبيّن المواقع الإسقاطي (رار) .

plant [plănt] *(vt.; i.; n.)* (١) يغرس ؛ يزرع (٢) «أ» ينشئ ؛ يؤسّس . «ب» يمصّر ؛ يعمّر ؛ يؤهِل بالسكان . «ج» يُدخل سلالة من الحيوان إلى بلد. «د» يضع صغار السمك الخ. في موطن جديد لتنمو وتتكاثر (٣) يثبّت ؛ يرسّخ (٤) يطمر ؛ يخفي (سلعاً مسروقة) (٥) يضع شيئاً من الذهب الخام الخ. في منجم ليخدع الناس ويعطيهم فكرة كاذبة عن قيمة الأرض (٦)يسدّد ضربة (ع) §(٧) «أ» نبتة ؛ عشبة ؛ شجيرة . «ب» غرسة (٨) مَصْنَع (٩) مباني وتجهيزات مؤسسة ما (a college ~) (١٠)الغَرْس ؛الزرع : عملية الغرس أو الزرع (١١) خدعة ؛ مكيدة.

Plantagenet [plăn tăj'ə nĭt] *(n.)* البلانتاجينيّ : أحد أعضاء الأسرة المالكة التي حكمت انكلترة من عام ١١٥٤ — ١٤٨٥ .

plantain [plăn'tĭn] *(n.)* (١) لسان الحَمَل ؛ آذان الجدي (نب) . (٢) موز الجنة (نب) .

plantar [plăn'-] *(adj.)* أخمصيّ : منسوب إلى أخمص القدم أي باطنها .

plantation [plăn tā'shən] *(n.)* (١)زَرع ؛ زُروع (٢)المستعمرة : موطن يُعمَّر ويُستقَرّ فيه ببلد جديد أو منطقة جديدة (٣)مزرعة .

planter [plăn'-] *(n.)* (١) «أ» فلاح ؛ مزارع . «ب» صاحب مزرعة . (٢) المستعمِر : من يعمّر أو يشارك في تعمير موطن تستقرّ فيه جماعة ما في منطقة جديدة (٣) أَصِيص (تُزرع فيه الرياحين) .

plant food *(n.)* قُوْت النبات : «أ» مواد غير عضوية يمتصها النبات في صورة غازيّة أو في محلول مائيّ . «ب» سماد .

plantigrade [plăn'tə grād'] *(adj.; n.)* (١) أَخمَصيّ السَّيْر : ماشٍ على باطن القَدَم وقد مسَّ عَقِبُها الأرض (كالانسان والدبّ الخ.) §(٢) حيوان أخمصيّ السير .

plant louse *(n.)* الأَرَقَة ؛ المَنّة (را. aphid) .

planula [plăn'yə lə] *(L.)* pl. **-lae** [-lē'] البَلَنْيولة : يَرَقة الحيوانات اللاحشوية (ح) .

plaque [plăk] *(F.)* (١) دبّوس زينيّ ؛ بروش (٢) صفيحة معدنية رقيقة للتزيين (٣) لوحة منقوش عليها كلام (للتعريف أو الذكرى).

plash [plăsh] *(n.; vt.; i.)* = splash.

-plasia *or* **-plasy** لاحقة معناها : نشوء ؛ تكوّن .

plasm [plăz'əm] *(n.)* = plasma.

plasm- *or* **plasmo-** بادئة معناها : جُبَيْلة ؛ بلازما .

-plasm لاحقة معناها : مادّة مكوِّنة أو مكوَّنة .

plasma [plăz'mə] *(L.)* (١) كوارتز (صخر) أخضر شبه شفاف (٢) «أ» الجُبَيْلة (مج) ؛ البلازما ؛ مصل الدم . «ب» مصل اللبن : الجزء المائيّ منه (٣) protoplasm (٤) غازٌ مؤيَّن يحتوي على أعداد متساوية تقريباً من الأيونات والالكترونات الموجبة (فز) .
—plasmatic *(adj.)*

plasmo- = plasm-.

plasmodium [plăz mō'dĭ əm] *(L.)* pl. **-dia** (١) الرَّغَويّ : كتلة من البروتوبلازما تتكوّن من اندماج عدد من الخلايا التَّمَوُّرانيّة (أح) (٢) جرثومة الملاريا .

plasmolysis [plăz mŏl'ə-] *(L.)* انكماش بروتوبلازما الخلية (نب).

plasmolyze [plăz'mə līz] *(vt.; i.)* (١) يجعل بروتوبلازما الخلية تنكمش ×(٢) تنكمش بروتوبلازما الخلية .

-plast لاحقة معناها : خلية (proto*plast*) .

plaster [plăs'tər; pläs'-] *(n.; vi.; t.)* (١) اللَّصوق ؛ اللَّزقة ؛ وتوسّعاً : المسكِّن للألم (٢) جِصّ §(٣) يجصص ؛ يكسو بالجِصّ (٤) يضع لَصوقاً أو لزقة (٥) يجعله أملَسَ أو مستوياً (٦) يُلْصِق .

plasterboard [plăs'-] *(n.)* اللوح الجِصّي : لوح رقيق يُعَدّ من جِصّ ولبّاد ويُكسَى بالورق (يُستخدَم في إقامة الجدران الداخلية الحاجزة أو الفاصلة) .

plaster cast *(n.)* (١) القالب الجِصّي : قالب يصنعه النحّات من جِصّ باريس (٢) الجبيرة الجِصّيّة : قالب يُصنَع من عصابة شاش ومن جِصّ باريس لتجبير العظام .

plastered [plăs'tərd] *(adj.)* ثَمِل ؛ سَكْران (ع) .

plastering [plăs'tər ĭng] *(n.)* (١) تجصيص (٢) وضع لَصوق أو لزقة (٣) طبقة جِصّ (٤) ضرب ؛ جَلْد ؛ هزيمة منكرة .

plaster of Paris *(n.)* المَصِيص ؛ جِصّ باريس .

plastic [plăs'tĭk] *(adj.; n.)* (١) مُكَوِّن ؛ مُبدِع (the ~ force of nature) (٢) طيِّع ؛ مِطواع ؛ لَدْن (Wax is a ~ substance.) (٣) تشكيليّ (~ arts) (٤) لدائنيّ : مصنوع من مادة لدائنية أو بلاستيكية §(٥) *pl.* ك ا. : اللدائن ؛ البلاستيك .

plasticine [plăs'tĭ sēn] *(n.)* اللدائنية : مادة لدائنية تشبه الطين تُستعمل لتعليم الصغار صنع الأشكال المختلفة .

plasticity [plăs tĭs'ə tĭ] *(n.)* المطاوَعة ؛ اللُّدونة ؛ اللَّدانة ؛ اللَّيان .

plasticize [plăs'tə sīz] *(vt.)* يلدِّن : يجعله لَدْناً أو مطواعاً .

plasticizer [-sī zər] *(n.)* الملدِّن : مادة تضاف لزيادة اللَّدانة (ك) .

plastic surgeon *(n.)* الاختصاصي بالجراحة التقويمية أو التعويضية .

plastic surgery *(n.)* الجراحة التقويمية (مج) ؛ الجراحة التعويضية : فرع من الجراحة يُعنى بتقويم أو ترقيع أعضاء الجسم المشوَّهة أو بالتعويض عن أجزائه المفقودة .

plastid [plăs'tĭd] *(G.)* الجُبَيْلة : جُبَيلة أو بروتوبلازما صغيرة (أح) .

plastron [plăs'trən] *(F.)* (١) الصِّدار الواقي : «أ» درع للصدر . «ب» واقية جلدية يضعها المثاقِف (المبارز بالسيف) فوق صدره (٢) صُدْرة السُّلَحْفاة (٣) «أ» الجزء الأمامي المزركش من صُدْرة المرأة . «ب» الجزء المُنَشّى من مقدَّم قميص الرجل .

-plasty لاحقة معناها : جراحة تعويضية (auto*plasty*) .

-plasy = -plasia.

plat [plăt] *(n.; vt.)* = plait.

plat [plăt] *(n.; vt.)* (١) قطعة أرض صغيرة (٢) «أ» خريطة لأرض أو مدينة . «ب» الارض او المدينة نفسها §(٣) يضع خريطة لـِ .

platan [plăt'ən] *(n.)* شجرة الدُّلْب (نب) .

plate [plāt] *(n.; vt.)* (١) «أ» صفيحة ؛ صفيحة معدنيّة . «ب» صفيحة عظمية أو قرنيّة (كالتي تكون لبعض الزحافات والأسماك) . «ج» شريحة (من لحم البقر) (٢) معدن نفيس ؛ وبخاصة : سبيكة فضيّة (٣) «أ» أدوات المائدة الفضيّة أو الذهبية أو المموّهة بالفضة أو الذهب . «ب» صَحْفَة (مج) ؛ طبق ؛ صحن . «ج» مِلء صَحفة أو صحن . «د» لون رئيسيّ من ألوان الطعام المقدَّمة على المائدة . «هـ» أطباق الطعام المقدَّمة إلى شخص واحد (على مائدة) . «و» جائزة . «ز» مباراة رياضيّة ؛ وبخاصة : سباق خيل . «ح» طبق يدار به في الكنيسة لجمع التبرعات (٤) «أ» كليشيه . «ب» رقاقة أو شريحة زجاجية مطلية بمادّة حساسة للضوء . «ج» الأنود : القطب الموجب من بطارية (٥) اللوح الجداري (را . wall plate) (٦) طقم أسنان ؛ «بدلة» (٧) اللوحة : صورة على صفحة كاملة من كتاب أو مجلّة (تُطبع عادة على ورق مختلف) §(٨) يصفّح : يكسو بصفائح معدنيّة للوقاية (٩) يموّه أو يطلي (بالفضة أو الذهب الخ.) (١٠) يَصْقُل الورق (١١) يصنع كليشيه للطباعة (١٢) يزوّد بلوح جداري .

plateau [plă tō'] *(n.; vt.)* (١) النَّجْد ؛ السهل الواسع المرتفع . (٢) مستوىً أو مرحلة أو حالة تتسم باستقرار نسبيّ §(٣) يبلغ مرحلة أو طوراً من أطوار الاستقرار .

plated [plā'tĭd] *(adj.)* (١) مصفَّح (٢) مطليّ ؛ مموّه .

plateful [plāt'-] *(n.)* مِلء صحن ؛ مقدار من الطعام يملأ صحناً .

plate glass *(n.)* بِلَّور للمرايا والنوافذ الكبيرة .

platelet *(n.)* (١) صُفَيْحة (٢) اللُّوَيْحة : إحدى لُوَيْحات الدم (فس) .

platelike [plāt'-] *(adj.)* صفَحانيّ : أملس أو مسطَّح كالصفيحة .

platen *(F.)* (١) برميل ماكنة الطباعة (٢) أسطوانة الآلة الكاتبة .

plater [plā'tər] *(n.)* (١) فا plate (٢) فرس سباق من طبقة دُنيا .

platform [plăt'fôrm] *(n.)* (١) «أ» خطة ؛ برنامج . «ب» البرنامج السياسي (لحزب أو مرشح) (٢) منصّة ؛ منبر (٣) رصيف في محطة للسكة الحديدية (٤) مُنبَسَط الدرج أو سُلَّم المبنى .

platform car *(n.)* = flatcar.

platform scale *(n.)* ميزان ذو مِنصّة أو طبليّة .

platin- *or* **platino-** بادئة معناها : بلاتين .

platina [plăt'-; plə tē'-] *(n.; adj.)* (١) بلاتين §(٢) بلاتينيّ اللون.

plating [plā'tĭng] *(n.)* (١) تصفيح (٢) طلي ؛ تمويه (٣) طبقة من الصفائح المعدنيّة (٤) طِلاء معدني .

platinic [plə tĭn'ĭk] *(adj.)* بلاتينيّ : متعلق بالبلاتين أو مُحتوٍ عليه .

platiniridium [plăt'ən ĭ rĭd'ĭ əm] *(n.)* البلاتينيريديوم : أُشابة أو سبيكة طبيعية من بلاتين واريديوم .

platinize [plăt'ə nīz'] *(vt.)* يُبَلْتِن : يطلي أو يمزج بالبلاتين .

platinoid [plăt'ə noid] *(adj.; n.)* (١) بلاتيناني : شبيهٌ بالبلاتين. §(٢) البلاتينويد : سبيكة من نحاس ونيكل وزنك مع قليل من التنغستون والألومينيوم .

platinotype [plăt'ə nō tīp'] *(n.)* (١)الطَّبْعة البلاتينية : طَبْعَةٌ فوتوغرافية استُخدم فيها أسودُ البلاتين (٢) الطباعة البلاتينيّة (فو) .

platinous [plăt'ə nəs] *(adj.)* بلاتيني .

platinum [plăt'ə nəm] *(L.)* (١) البلاتين : عنصر فلزيّ أبيض نفيس ضاربٌ إلى الرمادي (٢) لون رمادي معتدل .

platinum black *(n.)* أسْوَد البلاتين : ذرور أسود (ك) .

platinum blonde *(n.)* (١) الشُقْرة البلاتينيّة (٢) فتاة أو امرأة ذات شعر بلاتينيّ الشُقْرة .

platitude [plăt'ə tūd'; -tōōd'] *(n.)* (١) تفاهة ؛ ابتذال . (٢) ملاحظة تافهة أو مبتذلة .

platitudinal; platitudinous [-ə tū'-] *(adj.)* تافه ؛ مبتذل .

platitudinarian *(n.)* شخص يكثر من ابداء الملاحظات المبتذلة .

platitudinize [plăt'ə tū'də nīz'] *(vi.)* يتتافه ؛ يتباذل : ينطق بالملاحظات التافهة أو المبتذلة .

platonic [plə tŏn'ĭk; plā-] *(adj.)* (١) *cap.* : أفلاطونيّ : ذو علاقة بأفلاطون أو فلسفته أو مميزٌ لهما (٢)عذري؛ أفلاطوني (٣)«أ» مِثالي ؛ غير عمليّ . «ب» اسميّ ؛ نظريّ .

Platonic love *(n.)* (١) الحب الأفلاطوني : حبّ تصوّره أفلاطون متسامياً عن العاطفة نحو الفرد إلى التأمّل في الكُلّيّ والمثاليّ (٢) الحبّ العذري .

Platonism [plā'tə nĭz'əm] *(n.)* (١) «أ» الافلاطونية ؛ فلسفة أفلاطون . «ب» الأفلاطونيّة المُحْدَثة (٢) الحبّ الأفلاطونيّ .

—**Platonist** *(n.)* —**Platonistic** *(adj.)*

Platonize [plā'tə nīz'] *(vi.; t.)* (١) يتَفَلْطَن : «أ» يتّبع آراء أفلاطون أو مذاهبه . «ب» يفكّر على طريقة أفلاطون ×(٢) يفَلْطِن : «أ» يخلع صفةً أفلاطونيّةً على . «ب» يشرح وفقاً للمبادىء الأفلاطونيّة .

platoon [plə tōōn'] *(F.)* (١) فصيلة (من الجند) (٢) شِرْذِمَة ؛ عصبة ؛ جماعة صغيرة .

Plattdeutsch [plät'doich'] *(G.)* عاميّة ألمانيا الشماليّة (ل) .

platter [plăt'ər] *(n.)* (١) طبق كبير (وبخاصة لتقديم اللحم على المائدة) (٢) أسطوانة فونوغرافية .

platy- *or* **plat-** بادئة معناها : عريض ؛ مسطّح .

Platyhelminthes [plăt'ĭ hĕl mĭn'thēz] *(n. pl.)* العَرِيضات : شُعَيْبَةُ الديدان العراض (ومنها الشَّرِيطيّات) .

platypus [plăt'ə pəs] *(L.)* البَلاتِبوس : منقار البطة : حيوان مائي ثَدْيِيّ بَيوض من حيوانات استراليا منقارُه كمنقار البطة.

platypus

platyrrhine [plăt'ə rīn'] *(adj.; n.)* (١) عريض الأنف قصيرُه §(٢) فردٌ عريض الأنف قصيرُه .

plaudit [plô'dĭt] *(L.)* (١) تصفيق الاستحسان (٢)موافقة حماسيّة

plausible [plô'zə bəl] *(adj.)* (١) معقولٌ أو مقبولٌ ظاهرياً (~ stories) (٢)جديرٌ، ظاهرياً، بالتصديق (~ adventurers).

—**plausibility; plausibleness** *(n.)* —**plausibly** *(adv.)*

plausive [plô'sĭv] *(adj.)* مُصَفِّق ؛ مُظْهِرٌ الاستحسان .

play [plā] *(n.; vi.; t.)* (١) «أ» حركة أو مناورة في لُعْبَة . «ب» مُداعبَة ؛ مغازلة . «ج» لعِب ؛ لهو . «د» دور في اللعب (It is my ~.) . «هـ» مُزاح ؛ هزل (She said it merely in ~.) . «و» تلاعب بالألفاظ . «ز» مقامرة (٢) «أ» طريقة اللعب أو أسلوبه (rough ~ in a football match) . «ب» معاملة ؛ سلوك ؛ تصرّف . «ج» نشاط ؛ عمل (in full ~) . «د» حركة رشيقة (~ of sunlight on leaves) . «هـ» الحركة الحرّة أو غير المعوّقة (لجزء من أجزاء الآلة) . «و» حرية العمل، مجال النشاط (كقولك gave free ~ to his emotions أي أطلقَ العِنانَ لها) (٣)«أ» تمثيل . «ب» تمثيلية ؛ مسرحية §(٤) «أ» يلعب ؛ يلهو . «ب» يعبث . «ج» يمزح . «د» يتلاعب بالألفاظ (٥) «أ» يتحرك أو يعمل بحرية . «ب» يعمل أو يُطلِق بغير انقطاع (٥)«أ» يعزف . «ب» ينطق بالألحان (The organ was ~*ing*.) . «ج» يمثّل (على المسرح) . «د» يَصْلح (الشيءُ) للتمثيل (٦)«أ» يشترك في لعبة. «ب»يقامر. «ج» يتصرّف(to ~ fair). «د» يتظاهر بـ (Don't ~ innocent.) ×(٧) يسبّب ؛ يُحدث (to ~ havoc) (٨) «أ» يمثّل دوراً مسرحياً (to ~ Lady Macbeth) . «ب» يمثّل في (to ~ the leading theaters) . «ج» يمثّل في الحياة دورَ كذا : يتصرف تصرّف الـ... (to ~ the fool) (٩) يُطلِق (~*ed* their guns on the enemy's lines) (١٠) يُلاعب (Will you ~ me at chess ?) (١١) «أ» يحرك حجر الشطرنج. «ب» يلعب ورقتَهُ (في لَعِب الشدّة) .

to be ~*ed* out يُسْتَهْلَك ؛ يُسْتَنْفَد ؛ يصبح فاقد القوة أو النفع .

to ~ at (١) ينهمك في لعبة (٢) ينهمك في شيء بطريقة عابثة أو خالية من الحماسة .

to ~ back يستمع إلى اسطوانة أو شريط بعد تسجيله مباشرة.

to ~ down ينتقص أو يقلّل من أهمية شيء أو قيمته .

to ~ fair يلعب أو يتصرف بأمانة وصدق وإنصاف .

to ~ foul يلعب أو يتصرّف بختْل وغشّ الخ.

to ~ into the hands of يتصرّف بطريقة تعود على الخصم بالفائدة وتعود عليه بالضرر .

to ~ on *or* upon يستغلّ ؛ يستخدم .

to ~ one person off against another يثير فلاناً على فلان (وبخاصة لمصلحته الشخصيّة) .

to ~ out (١) يُتِمّ إلى النهاية (٢) يُنْهي (٣) يفقد قوّتَه ؛ يصاب بالارهاق .

to ~ up (١) يُبْرِز ؛ يُظْهِر ؛ يؤكّد (٢)يُفرغ كامل قوّته في اللعب الخ. (٣) يَشِبّ (الفَرَس) .

to ~ up to يتملّق ؛ يحاول أن يفوز بالحظوة عنده .

to ~ upon words يتلاعب بالألفاظ .

to ~ with (١) يتلاعب بـ (٢) يفكّر بأمرٍ ولكنْ بقليل من الجِدّ .

playact [plā'-] *(vi.)* (١)يحترف التمثيل (٢)ينتحل شخصية اخرى.

playback [plā'-] *(n.)* الاستماع إلى الأسطوانة بعد تسجيلها مباشرة.

playbill [plā'-] *(n.)* (١)إعلان عن تمثيلية (٢)برنامج حفلة مسرحية.

playboy [plā'boi'] *(n.)* المستهتِر، المنغمس في الملذّات .

play-by-play *(adj.)* (١) لعبةً لعبةً (٢) مفصّل ؛ مُسْهَب .

player [plā'ər] *(n.)* (١)«أ» اللاعب. «ب» الموسيقي. «ج» الممثّل. «د» المقامر (٢) أداة ميكانيكيّة تُشغَّل بها الآلة الموسيقية ،

وبخاصة البيانو ، أوتوماتيكياً .

player piano *(n.)* البِيان الآلي: بيانو تشتمل على أداة ميكانيكية تشغّلها أوتوماتيكياً .

playfellow [plā'fĕl'ō] *(n.)* = playmate.

playful [plā'fəl] *(adj.)* (١) لَعُوب (٢) مازح ؛ هازل .

playgoer [plā'-] *(n.)* مُحِبّ المسرح ؛ المولَع بمشاهدة التمثيليات.

playground [plā'ground'] *(n.)* مَلْعَب (وبخاصة للأطفال) .

playhouse[plā'-] *(n.)* (١)مسرح (٢)مبنى صغير للأطفال يلعبون فيه.

playing card *(n.)* ورقة اللعب : إحدى أوراق « الشدّة » .

playing field *(n.)* ملعب رياضي .

playland [plā'-] *(n.)* = playground.

playlet [plā'lĭt] *(n.)* مسرحية قصيرة .

playmate [plā'māt'] *(n.)* رفيق اللَّعِب ؛ زميل اللَّعِب .

play-off [plā'-] *(n.)* المباراة الفاصلة : مباراة إضافيّة تُجْرَى بين فريقين رياضيّين تعادَلا في مباراة سابقة .

playpen [plā'-] *(n.)* حظيرة نقّالة (يلعب ضمنها الطفل) .

playroom [plā'-] *(n.)* حجرة اللعِب أو السَّمَر : حجرة (في القسم الواقع تحت الأرض من المنزل) مخصّصة للألعاب وحفلات السمَر.

playsuit [plā'-] *(n.)* لباس اللعِب (للنساء والأطفال) .

plaything [plā'thĭng'] *(n.)* (١) دُمْيَة ؛ لُعْبَة (٢) ألعوبة .

playtime [plā'-] *(n.)* وقت اللعِب ، وقت اللّهْو أو التسْلية .

playwright [-'rīt] *(n.)* الكاتب المسرحيّ: مؤلف الروايات المسرحية.

plaza [plä'zə; plăz'ə] *(Sp.)* ساحة عامّة (في مدينة) .

plea [plē] *(n.)* (١) دعوى قضائيّة (٢) «أ» بيّنة . «ب» دَفْع فرعي ؛ جواب المتهَم على تهمة توجّه إليه أمام القضاء (٣) ذريعة ؛ حجة ؛ عذر (٤) التماس ؛ طلب (a ~ for mercy) .

pleach [plēch] *(vt.)* يَضْفر ؛ يَجْدل ؛ يحبك .

plead [plēd] *(vi.; t.)* (١) يدافع ؛ يترافع أمام القضاء (٢) يردّ على الخصم (بإنكار الوقائع أو بتقديم وقائع جديدة) (٣) يجيب عن تهمة أمام القضاء (to ~ not guilty) (٤) «أ» يدافع عن زعم أو يردّ على زعم . «ب» يناشد ؛ يلتمس ×(٥) يبرّر عمله (أو عمل موكّلِهِ) بعذْرٍ ما (The woman who stole ~*ed* poverty. Her counsel ~*ed* insanity.)

—pleader *(n.)*

pleading [plē'-] *(n.)* (١) مص plead (٢) دفاع ؛ مرافعة ؛ محاجة.

pleasance [plĕz'əns] *(n.)* (١) مسرّة ؛ ابتهاج (٢) مُتَنَزَّه تابعٌ عادَةً ، لقَصْر .

pleasant [plĕz'ənt] *(adj.)* (١) سارّ ، مُرْضٍ ؛ سائغ (٢) لطيف ؛ دَمِث (٣) صافٍ ؛ غير عاصف .

—pleasantly *(adv.)*

—pleasantness *(n.)*

pleasantry [plĕz'ən trĭ] *(n.)* (١) مُزاح ؛ هَزْل (٢) مَزْحة .

please [plēz] *(vi.; t.)* (١) يَسُرّ ؛ يُرْضي (٢) يحبّ ؛ يشاء (Do what you ~.) (٣) من فضلك ؛ أرجوك (Four coffees, ~.)

if you ~, إذا سمحت ؛ من فضلك .

~ God إن شاء الله ؛ إذا كانت هذه هي مشيئة الله .

pleasing [plē'zĭng] *(adj.)* سارّ ؛ مُرْضٍ .

pleasurable [plĕzh'ər ə bəl] *(adj.)* مُرْضٍ ؛ سار .

—pleasurability *(n.)* **—pleasurableness** *(n.)*

pleasure [plĕzh'ər] *(n.; vi.; t.)* (١) مشيئة ؛ رغبة (٢) سرور ؛ ابتهاج (٣) الملذات ؛ المتَع الحسيّة (٤) متعة ؛ مصدر سرور وابتهاج §(٥) يبتهج (٦) يسعى وراء الملذات ×(٧) يَسُرّ ؛ يرضي.

pleat [plēt] *(vt.; n.)* (١) يَطْوي ، يُثَنّي (القماش) ؛ يجعله ذا ثنْيات §(٢) طيّة ؛ ثَنْيَة (في القماش) .

pleb [plĕb] *(n.)* = plebeian.

plebe [plēb] *(F.)* تلميذ في الصف الأول أو الأدنى (من كلية عسكرية أو بحرية) .

plebeian [plĭ bē'ən] *(n.; adj.)* (١) العاميّ الروماني: أحد العامة في روما القديمة (٢) العاميّ : أحد العامة §(٣) عاميّ : ذو علاقة بالعامّة (٤) «أ» عاديّ ، مُبْتَذَل . «ب» خشن ؛ جِلف .

plebiscite [plĕb'ə sīt; -sĭt] *(L.)* استفتاء عامّ .

plebs [plĕbz] *(L.)* pl. **plebes** [plē'bēz] (١) العامة في روما القديمة (٢) العامة : الدهماء .

plectognath [plĕk'tŏg năth'] *(n.; adj.)* (١) مَلْحومة الفكّ : سمكة من مَلْحومات الفكّ **Plectognathi** وهي رتبة من السمك العظميّ §(٢) ملحومة الفكّ .

plectrum [plĕk'trəm] *(L.)* pl. **-tra** *or* **-trums** ريشة العازف : ريشة عاجيّة أو معدِنية يُنْقَر بها على أوتار القيثار الخ .

pledge [plĕj] *(n.; vt.)* (١) «أ» ضمان ؛ رَهْن . «ب» الارتهان : كون الشيء موضوعاً كرهن (in ~) (٢) «أ» العربون : شيء يُقدّم كدليل على المودة والحبّ . «ب» ولد ؛ ثمرة (the ~ of their youthful love) (٣) نَخْب (٤) عهد ؛ تعَهّد ؛ موَثيق §(٥) يَرْهن ؛ يودع على سبيل الرهن (٦) يشرب نَخْبَه (٧) يتعهّد بِ ؛ يأخذ على نفسه عهداً .

to take the ~, يأخذ على نفسه عهداً بالامتناع عن شرب المُسكِرات .

pledgee [plĕj ē'] *(n.)* المُرْتَهِن ، مَنْ يأخذ الرَّهن .

pledger; pledgor [plĕj'-] *(n.)* الراهن: من يودع شيئاً على سبيل الرهن.

pledget [plĕj'ĭt] *(n.)* ضِمادة (لجُرح أو نحوِه) .

-plegia لاحقة معناها : شَلَل (hemi*plegia*) .

pleiad [plē'əd; plī'əd] *(F.)* مجموعة من سبعة أشخاص لامِعين أو سبعة أشياء متألقة .

Pleiad [plē'əd; plī'əd] *(n.)* (١) إحدى بنات « أطلس » السبع (را. المادة التالية) (٢) أحد نجوم الثّريا .

Pleiades [plē'ə dēz; plī'-] *(F.)* (١) بنات « أطلس » السبع اللّواتي حوّلن ، وفقاً للأسطورة الاغريقيّة ، إلى مجموعة نجوم (٢) الثّريا : ستّ نجوم ساطعة ، وواحدة لا ترى بالعين المجردة ، في كوكبة الثور (فل) .

Pleistocene [plīs'tə sēn'] *(adj.; n.)* (١) بلستوسيني : ذو علاقة بالعصر الحديث الأقرب (جي) §(٢) العصر الحديث الأقرب (جي).

plenary [plē'nə rĭ] *(adj.)* (١) تامّ ؛ مطلق ؛ غير محدود (~ authority) (٢) مكتمل : منعقد بجميع أعضائه (~ assembly).

plenary indulgence *(n.)* الحِلّ المطلق ؛ الغفران الكامل (كث).

plenipotent [plə nĭp'ə tənt] *(adj.)* مطلَق الصلاحية .

plenipotentiary [plĕn'ĭ pō tĕn'shĭ ĕr'ĭ] *(n.; adj.)* (١) مبعوث سياسي مطلَق الصلاحية §(٢) مطلَق الصلاحية .

plenish [plĕn'ĭsh] *(vt.)* يجهّز أو يزوّد بِ .

plenitude [plĕn'ə tūd'] *(n.)* (١) تمام ؛ كمال (٢) وَفْرَة .

plenitudinous [plĕn ə tūd'-] *(adj.)* (١) تامّ أو وافر (٢) بدين.

plenteous [plĕn'tĭ əs] *(adj.)* (١) مُثْمِر (٢) وافر .

plentiful [plĕn'tĭ fəl] *(adj.)* = plenteous.

plenty [plĕn'tĭ] *(n.; adj.; adv.)* (١) «أ» وفرة. «ب» مقدار وافر . §(٢) وافر ؛ كثير §(٣) بوفرة ؛ كثيراً ؛ جداً .

plenum [plē'nəm] *(L.)* pl. **-nums** *or* **-na** (١) التهيُّل: حيِّز

ممتلىء بالهيولى أو المادة (ضدّ vacuum) (٢) امتلاء (٣) الجلسة المكتملة : جلسة يشهدها جميع الأعضاء .

pleomorphism [plĭ ə mŏr'fĭz əm] *(n.)* : التشكّل المتعدّد : حدوث أكثر من شكل متميّز واحد في دورة حياة النبات .

pleonasm [plē'ə năz'əm] *(n.)* حَشْو (في الكلام) .

pleophagous [plĭ ŏf'ə gəs] *(adj.)* (١) مقتاتٌ بضروب مختلفة من الطعام (٢) غير مقتصر على ضرب واحد من «المُضيف» (parasites ~) .

pleopod [plē'ə pŏd'] *(n.)* القَدَم البَطنيّة : أحد الأوصال البطنية في القشريات (ح) .

plesiosaur [plē'sĭ ə sôr'] *(n.)* (١) البِلَسْصُور : زحافة بحرية منقرضة .

plesiosaur

plethora [plĕth'ə rə] *(n.)* (١) الامتلاء الدموي ؛ وفرة الدم (٢) فَرْط ؛ زيادة .

pleura [plo͝or'ə] *(n.)* pl. **-e** *or* **-s** غشاء الجَنْب (ت) .

pleural [-'əl] *(adj.)* غشائيجَنْبيّ : خاصّ بغشاء الجنب (ت) .

pleurisy [plo͝or'ə sĭ] *(n.)* ذات الجنب (مض) .

pleuritic [plo͞o rĭt'ĭk] *(adj.)* ذاتيجَنْبيّ : متعلق بذات الجنب .

pleuropneumonia [plo͝or'ō nū mō'-] *(n.)* ذات الجنب والرئة .

plexiform [plĕk'sə fôrm'] *(adj.)* ضفيريّ ؛ ضفيريّ الشكل .

plexus [plĕk'səs] *(n.)* (١) الضفيرة : شبكة من الأعصاب أو الأوعية الدموية المنضفرة أو المتحابكة (٢) شبكة (a ~ of routes) .

pliability [plī ə bĭl'-] *(n.)* (١) الطَّوَوِيّة (مج) : قابلية الانطواء ؛ مرونة (٢) لِين العريكة (٣) قابليّة التكيّف .

pliableness [plī'-] *(n.)* = pliability.

pliable [plī'ə bəl] *(adj.)* (١) طَوِيّ (مج) ؛ مَرِن (٢) سَمْح ؛ ليّن العريكة (٣) متكيّف .

pliancy [plī'ən sĭ] *(n.)* (١) الطَّوَوِية (مج) ؛ قابليّة الانطواء ؛ مرونة (٢) مِطواعيّة (٣) ملاءمة ؛ موافقة (٤) قابليّة التكيّف .

pliant [plī'ənt] *(adj.)* (١) طَوِيّ (مج) ؛ مَرِن (٢) مِطواع (٣) ملائم ؛ موافق (٤) متكيّف .

plica [plī'kə] *(n.)* pl. **-e** [-'sē] طيّة ؛ وبخاصة : سُرّ ؛ غَضَن (ت) .

plicate [plī'kāt] *(adj.)* (١) بِروَجيّ الطيّ : مَطْوِيّ طولياً كالمروحة (a ~ leaf) (٢) متوازي التجاعيد .

plication [plī kā'-] *(n.)* (١) «أ» طيّ . «ب» انطواء . (٢) طيّة .

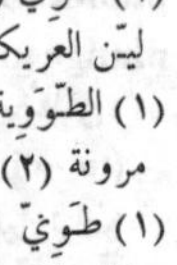

plicate leaf

pliers [plī'ərz] *(n.pl.)* الزَّرَديّة : كمّاشة صغيرة طويلة الفكّين تُمسَك بها الأشياء الصغيرة أو تُلْوَى وتُقْطَع بها الأسلاك .

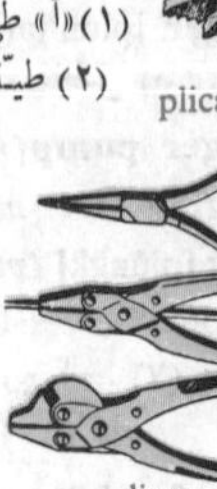

pliers

plight [plīt] *(vt.; n.)* (١) يأخذ على نفسه عهداً أو موثِقاً ؛ وبخاصة : يخطب فتاة الخ . §(٢) «أ» عهد ؛ وعد ؛ مَوثِق . «ب» خِطبة (٣) حالة ، وبخاصة : ورطة ؛ مأزِق .

plimsoll [plĭm'-] *(n.)* حذاء خفيف (من قماش ونعل مطاطي) .

Plimsoll mark *(n.)* خطّ التحميل ؛ خطّ عوم المركب (مل) .

plinth [plĭnth] *(n.)* الوطِيدة : «أ» الجزء الأدنى المربّع من قاعدة العمود (عم) . «ب» قاعدة التمثال المربّعة .

Pliocene [plī'ə sēn'] *(adj.; n.)* (١) بِلْيوسينيّ : متعلق بالعصر الحديث القريب (جي) §(٢) العصر الحديث القريب (جي) .

Pliofilm [plī'ə-] *(n.)* البِلْيوفيلم : ضرب من الغشاء المطاطيّ الصقيل يستخدم في صنع المعاطف الواقية من المطر ولِلَفّ الفاكهة الخ .

plissé *or* **plisse** [plĭ sā'] *(F.)* البليسيه : قماش مغضّن .

plod [plŏd] *(vi.; t.; n.)* (١) يتهادى : يمشي بتثاقل أو بطء . (٢) يكدح §(٣) التهادي الخ . (٤) وقع الاقدام .

plop [plŏp] *(vi.; t.; n.)* (١) يسقط أو يتحرك فجأةً محدثاً صوتاً كصوت شيء يغطس في الماء (٢) يغطس ؛ يرتمي بقوة (٣) يلقي بقوة §(٤) مص plop (٥) صوت شبيه بصوت شيء يغطس في الماء .

plosive [plō'sĭv] *(adj.)* انفجاريّ (مثل p في *top*) .

plot [plŏt] *(n.; vt.; i.)* (١) قطعة أرض (٢) خريطة (لأرض أو مدينة) . (٣) حبكة الرواية أو المسرحية (٤) مكيدة ؛ مؤامرة (٥) رسم بياني §(٦) يَفْرِز الأرض ؛ يقسّمها إلى قطع صغيرة (٧) يضع خريطة أو حبكة روائيّة أو رسماً بيانياً لـ (٨) يعيّن موقع شيء (على خريطة أو رسم بياني) ×(٩) يتآمر ؛ يدبّر مكيدة .

Plotinism [plō tī'nĭz əm] *(n.)* الأفلوطينية : فلسفة « أفلوطين » ؛ الافلاطونيّة المُحدَثة .
—**Plotinist** *(n.)*

plottage [plŏt'ĭj] *(n.)* مساحة البقعة ؛ مساحة قطعة الأرض .

plotting board *(n.)* جدول الرمي البياني (جن) .

plough [plou] *(n.; vt.; i.)* = plow.

plover [plŭv'ər] *(n.)* الزَّقزاق ؛ السَّقْساق ؛ رسول الغيث (طا) .

plow [plou] *(n.; vt.; i.)* (١) مِحْراث (٢) الجرّافة ؛ ماكينة لجَرْف الثلج أو إزالته (٣) أرض محروثة (250 acres of ~) (٤) *cap.* : برج الدب الأكبر (فل) §(٥) يحرث الأرض (٦) يشقّ (المركبُ) سطحَ الماء (٧) يخدّد الوجه بالتجاعيد (٨) «أ» يجرف الثلجَ . «ب» يقتلع (to ~ up old roots) (٩) يرفض مرشّحاً بعد امتحان (The examiners ~*ed* half the candidates.) ×(١٠) تنحرث (الأرضُ) (١١) يتقدّم بجَهْد . —**plower** *(n.)*

to ~ back the profits of a business يردّ الأرباح على المشروع ؛ يستعملها كرأسمال ؛ يعيد توظيفها .

to ~ the sands يحرث الرمال ؛ يقوم بعمل غير مُجدٍ .

to ~ under يدفن ؛ يطمر ؛ يُزيل من الوجود .

to put one's hand to the ~ يبدأ عملاً أو مشروعاً .

plowable [plou'ə bəl] *(adj.)* مُنحرِث ؛ قابل للحراثة .

plowboy [plou'boi'] *(n.)* (١) صبيّ المحراث (٢) غلام ريفي .

plowman [plou'mən] *(n.)* (١) الحارث ؛ الحرّاث (٢) الفلاّح .

plowshare [plou'shâr'] *(n.)* شفرة المِحراث (التي يشق الأرضَ بها) .

ploy *(n.)* حيلة ؛ خدعة .

pluck [plŭk] *(vt.; n.)* (١) يقتلع (الأعشابَ الخ.) (٢) ينتف (الشعر) (٣) يقطف ؛ يجني (٤) يسلب ؛ يحتال على (ع) (٥) «أ» يحرك أو يدفع أو يمزق بقوة . «ب» يهدم (٦) «أ» يمسك بـ . «ب» ينقر (أوتارَ الآلة الموسيقية) (٧) يرفض مرشحاً (بعد امتحان) §(٨) مص pluck (٩) «مِعلاق» الذبيحة (١٠) عزم ؛ شجاعة ؛ إقدام .

to ~ at يمسك بالشيء ويسحبه (فِعلَ الطفل بثوب أمه الخ.) .

to ~ up يقتلع ؛ يستأصل .

to ~ up heart *or* courage يستجمع شجاعته .

pluckiness [plŭk'-] *(n.)* شجاعة ؛ جرأة ؛ إقدام .

plucky [plŭk'ĭ] *(adj.)* شجاع ؛ جريء ؛ مقدام .

plug [plŭg] *(n.; vt.; i.)* (١) سِدادة ؛ سِطام (٢) قرص تبغ مضغوط (٣) «أ» ضربة . «ب» طَلْق ناريّ (٤) شيء دون ؛ وبخاصة : فرس مُسِنّ غير صالح (٥) «أ» خرطوم ماء لإطفاء الحريق . «ب» شمعة ؛ شمعة الإشعال (سي) (٦) القابس ؛ المأخذ : أداة للتوصيل الكهربائي §(٧) يَسُدّ (٨) «أ» يصيب بطلق ناريّ . «ب» يضرب بجُمْع الكفّ (ع) (٩) يعلن بغير انقطاع ×(١٠) ينسدّ (تتبعها *up* عادةً) (١١) يكدح ؛ يعمل باستمرار .

to ~ in يوصّل بالقابس الكهربائي .

plugged [plŭgd] *(adj.)* (١) مسدود (٢) مُوصَّل بالقَبْس (كب).

plug hat *(n.)* القبعة العالية (يعتمر بها الرجال في الحفلات الرسمية).

plug-ugly [plŭg'ŭg'lĭ] *(n.)* الجِلْف ؛ وبخاصة : جِلْف يُستأجَر للتهويل على الناس .

plum [plŭm] *(n.)* (١) شجرة البرقوق أو الخوخ (٢) ثمر البرقوق أو الخوخ (٣) قطعة حلوى أو بُنْبون (٤) شيء ممتاز أو مرغوب فيه ؛ وبخاصة : «أ» وظيفة حسنة الراتب . «ب» مكافأة على خدمة (٥) لون أرجوانيّ مُزْرَقّ داكن .

plumage [plōō'mĭj] *(n.)* ريش الطائر .

plumate [plōō'māt; -mĭt] *(adj.)* ريشاني : شبيه بريشة .

plumb [plŭm] *(n.; vt.; i.; adj.; adv.)* (١) الفادن : أداة (مؤلّفة من خيط في طرفه قطعة رصاص) يُسْبَر بها غور المياه أو تمتحن استقامة الجدار (٢) ثِقْل رصاص §(٣) يُثْقِل بالرصاص (٤) «أ» يسبر الغور بالفادن . «ب» يفحص بدقّة (٥) يعدّل أو يمتحن (استقامة الجدار) بالفادن (٦) يختم أو يلحم بالرصاص ×(٧) يشتغل رصّاصاً أو سَمْكريّاً §(٨) عموديّ أو صحيح تماماً (٩) تامّ؛ كامل؛ مئة بالمئة §(١٠) عمودياً (١١) «أ» مباشرةً . «ب» تماماً . «ج» حالاً ؛ على التوّ (١٢) بكل ما في الكلمة من معنى (He is ~ crazy) .

out of ~ ; off ~ , (١) غير عموديّ (٢) غير صحيح .

plumb- *or* **plumbo-** بادئة معناها : رصاص .

plumbaginous [plŭm băj'-] *(adj.)* غرافيتيّ أو شبيه بالغرافيت .

plumbago [plŭm bā'gō] *(L.)* (١) graphite (٢) الرصاصية : نبات استوائيّ جميل الزَّهر .

plumb bob *(n.)* ثِقل الفادن : الرصاصة التي بطرف خيط الفادن .

plumbeous [-'bĭ əs] *(adj.)* (١) رصاصيّ (٢) رصاصانيّ : كالرصاص .

plumber [plŭm'ər] *(n.)* (١) تاجر الرصاص (٢) الرصّاص ؛ السَّمكريّ .

plumber's snake *(n.)* أفعى الرصّاص : قضيب مَرِن لتنظيف الأنابيب المسدودة .

plumbery [plŭm'ə rĭ] *(n.)* الرِّصاصة : عمل الرصّاص أو السمكري .

plumbic [plŭm'bĭk] *(adj.)* رصاصيّ : محتوٍ على رصاص .

plumbiferous [-bĭf'ər əs] *(adj.)* رصاصيّ : محتوٍ على رصاص .

plumbing [plŭm'ĭng] *(n.)* (١) مص plumb (٢) الرصاصة : عمل الرصّاص أو السمكريّ (٣) أنابيب المياه (في مبنى) .

plumbism [plŭm'bĭz əm] *(n.)* الرُّصاص : التسمّم بالرصاص .

plumb line *(n.)* (١) plumb 1 (٢) خط عموديّ .

plumbous [-'bəs] *(adj.)* رصاصيّ : متعلق بالرصاص أو محتوٍ عليه .

plumb rule *(n.)* مِسْطرة الفادن (يستعملها البناؤون والنجارون) .

plume [plōōm] *(n.; vt.; i.)* (١) «أ» ريشة كبيرة . «ب» ريش الطائر (٢) ريشة أو مجموعة من الريش ونحوه (يُتَزَيَّن بها) (٣) علامة شرف أو امتياز أو بسالة (٤) ذيل الحيوان الكثّ §(٥) يزوّد أو يزيّن بالريش ×(٦) يسوّي أو يرتّب (الطائر) ريشه .

to ~ oneself on يفتخر أو يتباهى بـ .

plumelet [plōōm'lĭt] *(n.)* رُيَيْشَة ؛ ريشة صغيرة .

plumlike [plŭm'līk] *(adj.)* خَوْخانيّ : شبيه بالخوخة .

plummet [-'ĭt] *(n.; vi.)* (١) ثِقْل الفادن : الرصاصة التي بطرف خيط الفادن (٢) الفادن (را. plumb) §(٣) يَهْبط عمودياً .

plumose [plōō'mōs] *(adj.)* (١) مَريش : ذو ريش (٢) ريشاني : شبيه بالريش .

plump [plŭmp] *(vi.; t.; n.; adj.; adv.)* (١) يَسْقُط أو يغطس فجأة أو بقوّة (٢) يؤيّد بقوة (٣) يَسْمَن ؛ يتربّل ×(٤) يُسقط أو يُلقي أو يضع فجأة أو بقوة (٥) يُسمِّن ؛ يربّل §(٦) «أ» سقطة أو غطسة أو ضربة مفاجئة . «ب» الصوت الناشىء عن ذلك (٧) جماعة ؛ مجموعة (ع) §(٨) ريّان ؛ ممتلىء الجسم (على نحوٍ جميل عادةً) §(٩) مباشر ؛ صريح §(١٠) فجأة (١١) مباشرة ؛ بصراحة .

plumper [plŭmp'ər] *(n.)* (١) المُرَبِّل : شيء يوضع في الفم لإظهار الخدّ الغائر بمظهر رَبيل أو ريّان (٢) سقطة قوية مفاجئة (٣) ضربة قوية (٤) كِذْبَة مَحْضة (٥) صوت يُمْنَح لمرشّح واحد فقط في انتخابات يُطْلَب فيها الاقتراع لأكثر من مرشح واحد .

plumpish [plŭm'-] *(adj.)* ريّان قليلاً ؛ ممتلىء الجسم بعض الشيء .

plumply [plŭmp'lĭ] *(adv.)* من صميم الفؤاد ؛ بدون تردّد .

plumpness [plŭmp'-] *(n.)* (١) امتلاء الجسم (على نحوٍ جميل) (٢) صراحة ؛ عدم تردد الخ .

plumule [plōō'mūl] *(L.)* (١) السّاق الجنينية (نب) (٢) ريشة زَغَبية ؛ ريشة صغيرة ناعمة .

plumy [plōō'-] *(adj.)* (١) زَغَبيّ (٢) مَريش : ذو ريش (٣) مزدان بريشة أو ريش (~ helmets) (٤) ريشانيّ : شبيه بالريشة .

plunder [plŭn'dər] *(vt.; i.; n.)* (١) يسلب ؛ ينهب (٢) يسرق §(٣) سَلْب ؛ نَهْب ؛ سَرقة (٤) غنيمة (٥) كل ما يؤخَذ سرقة أو احتيالاً (٦) متاع ؛ أمتعة الخ (عا).

—plunderer *(n.)*

plunderable [plŭn'-] *(adj.)* قابلٌ أو عرضةٌ للسلب أو جديرٌ به .

plunderage [plŭn'dər ĭj] *(n.)* (١) سَلْب ؛ نَهْب ؛ وبخاصة اختلاس على ظهر السفينة (٢) مسلوبات ؛ منهوبات .

plunderous [plŭn'-] *(adj.)* سلاّب ؛ نهاب ؛ ميّال إلى السلب والنهب .

plunge [plŭnj] *(vt.; i.; n.)* (١) «أ» يغْمر ؛ يُغَطّس ؛ يُغمد . «ب» يطمر (٢) يُقحم (to ~ a nation into war) ×(٣) يغْطس ؛ يغوص (٤) يقتحم بتهوّر ؛ يخوض متهوّراً (to ~ into war) (٥) يندفع بسرعة بالغة ؛ يدخل فجأة أو على غير توقّع (~*d* through the doorway) (٦) يراهن أو يضارب أو يقامر بتهوّر §(٧) «أ» غَطْس ؛ غوْص . «ب» غَطْسة ؛ غَوْصة (٨) مَغْطَس (٩) اندفاع متهوّر (١٠) مقامرة أو مضاربة متهوّرة.

to take the ~, يقوم بعمل حاسم .

plunger [plŭn'jər] *(n.)* (١) الغاطس ؛ الغوّاص (٢) المقامر أو المضارب المتهور (٣) مِكْبَس ؛ كبّاس ؛ غاطس (مك) .

plunger pump *(n.)* مضخّة ذات مِكبس أو كبّاس أو غاطس.

plunging fire *(n.)* نيران متساقطة أو منصبّة (جن) .

plunk [plŭngk] *(vt.; i.; n.; adv.)* (١) ينقر (أوتار العود الخ) (٢) plump 4 ×(٣) يَرِنّ ؛ يَطِنّ (٤) يغطس ؛ يغوص (٥) يؤيّد : يناصر (تتبعها *for*) §(٦) نَقْر ؛ رنين الخ. (٧) ضربة قويّة (٨) دولار (ع) §(٩) بصوتٍ مِرنٍّ (١٠) تماماً .

pluperfect [plōō pûr'fĭkt] *(n.; adj.)* = past perfect.

plural [plōōr'əl] *(n.; adj.)* (١) جَمْع ؛ صيغة الجَمْع (ل) §(٢) جَمْعِيّ : «أ» متعلّق بصيغة الجَمْع . «ب» متعلق بأكثر من نوع أو جنس واحد أو مؤلف من أكثر من نوع أو عرق واحد (a ~ society) .

pluralism [plōōr'ə lĭz'əm] *(n.)* (١) تعدُّد (٢) تعدّد الوظيفة : تولّي المرء وظيفتين أو أكثر في وقت واحد (٣) التعدّديّة : مذهب يقول بأن ثمة أكثر من حقيقة مطلقة واحدة.

—pluralist *(n.)* **—pluralistic** *(adj.)*

plurality [plōō răl'ə tĭ] *(n.)* (١) «أ» تعدّد . «ب» جَمْع ؛

عدد وافر (٢) «أ» تعدّد الوظيفة : تولّي المرء وظيفتين أو أكثر في وقت واحد. «ب» إحدى هذه الوظائف (٣) أكثرية ؛ أغلبيّة.
pluralize [plōōr'ə līz'] *(vt.)* يجمع أو يعبّر بصيغة الجمع .
pluri- بادئة معناها : متعدّد ؛ كثير *(pluri*axial) .
pluriaxial[plōōr ĭ ăk'sĭ əl] *(adj.)* متعدّد المحاور ؛ كثير المحاور .
plus [plŭs] *(prep.; n.; adj.)* (١) زائد (5 ~ 4 equals 9.) .
(٢) وَ . . . أيضاً (The work of a physician requires intelligence ~ experience.) §(٣) مِقدارٌ مَزيدٌ ؛ شيء إضافيّ (٤) عدد إيجابيّ (٥) فائض ؛ كسب (٦) علامة زائد(+) §(٧) إيجابيّ (ر) (٨) زائد ؛ إضافي (٩) أكبر ؛ أكثر (١٠) مُوجَب (كب) .
plus fours *(n. pl.)* بنطلون رياضي قصير واسعٌ مزموم تحت الركبة.
plush [plŭsh] *(n.; adj.)* (١) البَلَش : نسيج ذو زئبر أطول من زِئبر المخمل §(٢) بَلَشِيّ : ذو علاقة بالبلش أو شبيهٌ به أو مصنوع منه (٣) مُتْرَف جداً .
—plushy *(adj.)*
plushly [plŭsh'lĭ] *(adv.)* بِتَرَف ؛ على نحوٍ مُترَف .
plus sign *(n.)* علامة زائد ؛ علامة الجمع أو الإيجاب (+) .
Pluto [plōō'tō] *(n.)* (١) بلوتو : إلّه الموتى والجحيم (عند الأغريق والرومان) (٢) أفلُوطُن : السيّار الأكثر بعداً عن الشمس (فل).
plutocracy [plōō tŏk'rə sĭ] *(Gk.)* البلوتوقراطية : «أ» حكومة الأثرياء. «ب» طبقة ثرية حاكمة .
plutocrat [plōō'-] *(n.)* البلوتوقراطيّ : شخص متنفذ بسبب ثروته .
plutocratic [plōō'tə krăt'ĭk] *(adj.)* بلوتوقراطيّ : «أ» ذو علاقة بحكومة الأثرياء أو بالأثرياء ذوي الكلمة المسموعة. «ب» ذو نفوذ أو سلطان بسبب ثروته .
Plutonian [plōō tō'nĭ ən] *(adj.)* (١) بلُوتُوِيّ ؛ جحيميّ : متعلّق ببلوتو إلّه الموتى أو بالجحيم (٢) أفلوطنيّ : متعلق بأفلوطن (را. Pluto 2) .
plutonic [plōō tŏn'ĭk] *(adj.)* (١) بلوتونيّ ؛ جوفيّ : دالّ على صخور بركانيّة تحجّرت في باطن الأرض (٢) Plutonian .
plutonium [plōō tō'nĭ əm] *(L.)* البلوتونيوم : عنصر فلزيّ إشعاعيّ النشاط شبيه كيميائياً باليورانيوم (يستخدم في صنع القنابل الذرية).
Plutus [plōō'təs] *(n.)* أفلُوطُس : إلّه الثروة عند الاغريق .
pluvial [plōō'vĭ əl] *(adj.)* (١) «أ» مَطَريّ. «ب» غزير المطر . (٢) أمطاريّ: ناشيء عن فِعل الأمطار (geologic changes ~) .
pluvian[-'vĭ ən] *(adj.)* (١) ماطِر ؛ مُمْطِر (٢) ممطار : كثير المطر .
pluviometer [plōō'vĭ ŏm'-] *(n.)* المِغْياث : مقياس المطر .
pluviometric [-vĭ ə mĕt'rĭk] *(adj.)* مِغْيَاثيّ : متعلق بالمِغياث .
pluviometry [-vĭ ŏm'-] *(n.)* المِغياثيّة : فنّ قياس الغيث أو المطر .
pluviose [plōō'vĭ ōs'] *(adj.)* غزير أو كثير الأمطار .
pluvious [plōō'vĭ əs] *(adj.)* (١) مَطَريّ (٢) مُمْطِر ؛ ماطر .
ply [plī] *(vt.; i.; n.)* (١) يَجْدِل (٢) يستعمل ؛ يعمل بِـ ؛ يعمل بكدّ واجتهاد (٣) يُمْطِر بالأسئلة (٤) يزوّد بإلحاح (plied him with food) (٥) يذرع جَيْئةً وذهوباً (Ships ~ the river.) ×(٦) يكدّ ؛ يناضل (٧) يسافر باستمرار §(٨) «أ» لَيّة . «ب» طيّة ؛ ثَنْيَة (٩) الرقيقة : طبقة من طبقات الخشب الرقائقي أو الورق أوالكرتون (١٠) ميل؛ نزعة .
plywood [plī'wŏŏd'] *(n.)* الخشب الرقائقي : خشب مصنوع من طبقات رقيقة مُغَرّاة .
p.m. [*post meridiem*] *(L.)* بعد الظهر ؛ ب.ظ.
-pnea *or* **-pnoea** لاحقة معناها : تَنَفُّس ؛ تنفّس .

pneum- بادئة معناها : «أ» هواء. «ب» رئة. «ج» تنفّس. «د» ذات الرئة .
pneuma [nū'mə; nōō'-] *(Gk.)* روح ؛ نَفْس .
pneumat- بادئة معناها : «أ» هواء ؛ غاز. «ب» تنفّس .
pneumatic [nū măt'ĭk; nōō-] *(adj.)* (١) هوائيّ ؛ غازيّ . (٢) «أ» عاملٌ بالهواء المضغوط (drills ~) . «ب» مملوء بالهواء المضغوط (tires ~) (٣) روحيّ .
pneumatics [nū măt'ĭks] *(n.)* عِلم الخصائص الميكانيكيّة للهواء.
pneumato- بادئة معناها: (١) «أ» هواء. «ب» تنفّس (٢) روح .
pneumatology[nū'mə tŏl'-] *(n.)* دراسة الكائنات والظواهر الروحية .
pneumatometer[nū'mə tŏm'ə tər] *(n.)* المِنْفاس : أداة لقياس مقدار الجهد الذي تبذله الرئتان في التنفس .
pneumectomy [nū mĕk'-] *(n.)* استئصال النسيج الرئوي (جر) .
pneumo- = pneum-.
pneumobacillus [nū'mō bə sĭl'əs] *(L.)* العُصَيّة الرئويّة : الجرثوم المسبّب لذات الرئة وغيرها من التهابات قناة التنفّس .
pneumococcus [nū'mə kŏk'əs] *(L.)* جرثوم ذات الرئة الفَصِيّة.
pneumoconiosis [-kō nĭ ō'sĭs] *(L.)* الغُباريّة (مج) ؛ تغبّر الرئة : داء رئويّ ناشيء عن فَرْط استنشاق الدقائق المعدنيّة .
pneumogastric [nū'mə găs'trĭk] *(adj.)* رئويّ معديّ : ذو علاقة بالرئتين والمعدة .
pneumograph [nū'mə grăf] *(n.)* المِرْسمة التنفّسيّة : أداة لتسجيل حركات الصدر عند التنفّس .
pneumonectomy[nū'mə nĕk'tə mĭ] *(n.)* استئصال الرئة (جر).
pneumonia [nū mō'nyə; nōō-] *(L.)* ذات الرئة (مض) .
pneumonic [nū mŏn'ĭk] *(adj.)* (١) رئوي (٢) ذاتِيٌّ رئويّ : منسوب إلى ذات الرئة أو مصابٌ بها (a ~ lung) .
pneumothorax [nū'mō thōr'ăks] *(L.)* الاسترواح الصَّدري : وجود الهواء أو الغاز في التجويف الغشائيّ الجنبيّ (مض) .
poach [pōch] *(vt.; i.)* (١) يَسْلُق البيضة بِفَقْصها في الماء الغالي. (٢) «أ» ينتهك حُرمة أرض شخص آخر . «ب» يسرق الصيدَ أو السمك ×(٣) «أ» يغوص في الوحل أثناء السير. «ب» يَلِيْن أو يصبح موحلاً عندما يُداس .
—poacher *(n.)*
pochard [pō'chərd] *(n.)* البوشار : بَطٌّ غوّاصٌ ضخم الرأس .
pock [pŏk] *(n.; vt.)* (١) بَثْرة ؛ نافِطة (كنافطة الجُدَري) . §(٢) يُجدِر : ينقّر الجلدَ بمثل ندوب الجُدَري .
pocket[pŏk'ĭt] *(n.; vt.; adj.)* (١) «أ» محفظة ؛ كيس. «ب» جَيْب. (٢) قدرة مالية (٣) «أ» جيب في زاوية مائدة البليار . «ب» جراب (في بعض الحيوانات) (٤) الجيب : منطقة معزولة يحتلّها العدوّ (~s of resistance) (٥) «أ» تجويف محتوٍ على ذهب أو ماء الخ. «ب» جيب أو مطبّ هوائيّ (٦) «أ» زقاق مسدود أو غير نافذ. «ب» وضعٌ يكون فيه المشترك في سباق مطوّقاً بالآخرين §(٧) «أ» يضع في جيبه. «ب» يسرق. «ج» يضع الفيتو على مشروع القانون بإبقائه من غير توقيع إلى ما بعد انقضاء دورة المجلس التشريعي (٨) يقبل ؛ يسكت على (She ~ed the insult.) (٩) يكبح ؛ يكبت (He ~ed his anger.) (١٠) «أ» يحاصر ؛ يطوّق. «ب» يدفع الكرة إلى جيب مائدة البليار الخ. (١١) يجعل له جيوباً §(١٢) «أ» جيبيّ : صغير بحيث يوضع في الجيب (a ~ edition) . «ب» مُعَدّ للوضع في الجيب (a ~ handkerchief) (١٣) ماليّ (١٤) محمولٌ في الجيب أو مدفوع من جيب المرء الخاص تغطيةً للنفقات الصغيرة (~ money) .

to be in *or* out of ~, يكسب (أو يخسر) مالاً نتيجةً لقيامِهِ بعمل ما .

to put one's pride in one's ~, يأبى عَمَلاً خليقاً به عادةً أن يشعُر المرء بالخجل والخزي .

pocket battleship *(n.)* بارجة الجيب : بارجة صغيرة تُبنى وفقاً لقيود تفرضها معاهدةٌ ما على التسلّح .

pocketbook[pŏk'ĭt-] *(n.)* (١) كتاب من كتب الجيب (٢) «أ» مِحفظة الجيب . «ب» محفظة يد للسيّدات (٣) «أ» دَخْل ؛ موارد مالية . «ب» مصالح اقتصادية .

pocket edition *(n.)* (١) طبعة الجيب : كتاب من كتب الجيب . (٢) صورة مصغرة عن (He was a perfect ~ of a man.) .

pocketful [pŏk'-] *(n.)* مِلءُ جيب ؛ مقدار ما تَسَعُ الجيب .

pocketknife [pŏk'ĭt nīf'] *(n.)* المِطواة : سكّين الجيب .

pocket money *(n.)* مال الجيب ؛ مصروف الجيب

pocket veto *(n.)* فيتو الجيب : « فيتو » غير مباشر يضعه الرئيس الأميركي على مشروع قانون يقدَّم إليه ، وذلك بأن يُبقيه من غير توقيع إلى ما بعد انقضاء دورة الكونغرس .

pockmark [pŏk'märk'] *(n.; vt.)* (١) الهَزْمَة : أثر بثرة الجُدَري في الجلد §(٢) يهزم : يكسو الجلد بالهَزَمات .

pocky [pŏk'ĭ] *(adj.)* مُبَثَّر : مكسوّ بالبثور ؛ وبخاصة : سِفلِسِيّ .

poco [pō'kô] *(It.)* قليلاً ، بعضَ الشيء (مو) .

poco a poco [pô'kô ä pô'kô] *(It.)* تدريجياً ؛ شيئاً فشيئاً (مو) .

pococurante [pō kō kōō rän'tĭ] *(It.)* غير مبالٍ ؛ لا مبالٍ .

pod [pŏd] *(n.; vi.)* (١) خُدَّة أو أُخدود مستقيم (في مثقب) . (٢) القَرْنَة : غلاف حبّات البِسِلة ونحوها (نب) (٣) «أ» جيب ؛ جراب (ح) . «ب» كيس بيض الجندب (٤) قطيع ؛ سِرب (٥) حجيرة الوقود الخ . (تحت جناح الطائرة) §(٦) تُقَرِّن البِسِلةُ ونحوها .

-pod لاحقة معناها : قَدَم ؛ عضوٌ شبيه بالقدم .

-poda لاحقة معناها : كائنات ذات شكل أو عددٍ معيّن من الأقدام .

podagra [pō dăg'rə] *(n.)* النِّقرس ؛ داء المفاصل .

podesta [pō dĕs'tə] *(It.)* البُودَسْتَ : «أ» حاكم إيطاليّ واسع الصلاحية (في القرون الوسطى) . «ب» عمدة معيّن من قِبَل الحزب (في إيطاليا الفاشستية) .

podgy [pŏj'ĭ] *(adj.)* قصيرٌ وبدين .

podiatry [pō dī'ə trĭ] *(n.)* = chiropody.

podium [pō'dĭ əm] *(L.)* pl. **-s** *or* **-dia** (١) جدار خفيض ؛ وبخاصة : الجدار المحيط بالمُجْتَلَد أي بالجزء الخاصّ بالمتصارعين في مدرَّج روماني (٢) منصّة عالية (كالتي يقف عليها قائد الأوركسترا) (٣) قَدَم (ح) (٤) مِقْرأ (را . lectern) .

-podium pl. **-podia** لاحقة معناها : قدمٌ أو عضوٌ شبيه بالقدم .

Podunk [pō'dŭngk] *(n.)* بلدة ثانوية صغيرة معزولة .

podzol [pŏd'-] *(n.)* تُربة بَيْضاء أو رمادية (وبخاصة في شمال روسيا) .

poem [pō'ĭm] *(n.)* (١) قصيدة (٢) شيء جميل .

poesy [pō'ə sĭ; -zĭ] *(n.)* شِعر .

poet [pō'ĭt] *(n.)* (١) الشاعر ؛ ناظم الشعر (٢) الفنان الموهوب .

poetaster [-ăs'tər] *(n.)* المتشاعر ؛ الشُوَيْعِر ؛ الشُعْرُور ؛ النظّام .

poetess [pō'ĭt ĭs] *(n.)* الشاعرة ؛ ناظمة الشعر .

poetic [pō ĕt'ĭk] *(adj.)* (١) شِعري (٢) ذو موهبة شعرية .

poetical [pō ĕt'-] *(adj.)* (١) شِعريّ (٢) «أ» خياليّ . «ب» واسع الخيال (writers ~) .

poeticalness[pō ĕt'-] *(n.)* الشِعرية : الصفة الشعرية ؛ الطابع الشِّعري .

poeticize[-'ə sīz] *(vt.)* يطبعه بطابع الشِّعر ؛ يُضْفي عليه مسحة الشِّعر .

poetic justice *(n.)* العدالة الخياليّة : التوزيع المثاليّ للثواب والعقاب (كما هو مألوف في الشِّعر والرواية) .

poetic license *(n.)* الجواز الشِّعري : ما يجوز للشاعر من خروج على القواعد أو الشكل التقليدي أو المنطق رغبةً في إحداث أثرٍ مطلوب .

poetics [pō ĕt'ĭks] *(n.)* (١) «أ» بحث أو رسالة في الشِّعر أو علم الجمال . «ب» عِلم العروض (٢) الأحاسيس الشعرية الخ .

poetize [pō'ĭ tīz'] *(vi.; t.)* (١) ينظم الشِّعر ×(٢) يطبعه بطابع الشِّعر ؛ يضفي عليه مسحة الشِّعر .

poet laureate *(n.)* (١) شاعر البلاط (٢) الشاعر الأول (في بلدٍ ما) .

poetry [pō'ĭt rĭ] *(n.)* (١) «أ» الشِّعْر (English ~) . «ب» قصائد (a collection of ~) (٢) الصفة الشعرية ؛ الروح الشعرية ؛ الاحساس الشِّعري .

pogonip [pŏg'ə nĭp] *(n.)* ضبابٌ شتويّ كثيف .

pogrom [pō'grəm; pō grŏm'] *(n.; vt.)* (١) مَذْبَحَة منظَّمة (يذهب ضحيّتها الآمنون) §(٢) يقتل في مذبحة .

pogromist [pō'-] *(n.)* مدبِّر المذبحة المنظّمة أو المُشارك فيها .

pogy [pō'gĭ; pŏg'ĭ] *(n.)* = menhaden.

poi [poi] *(n.)* البوي : طعام يُعِدُّه أهل هاوايي من جذر القلقاس .

-poiesis لاحقة معناها : تكوّن (hemato*poiesis*) .

-poietic لاحقة معناها : مكوِّن ؛ مُنتِج (hemato*poietic*) .

poignancy [poin'ən sĭ] *(n.)* حدّة ؛ لَذْع ؛ حَرافة الخ .

poignant [poin'ənt] *(adj.)* (١) حادّ ؛ شديد (٢) مؤثّر : مثير للمشاعر (٣) لاذع (satire ~) (٤) حِريف (sauces ~) (٥) صائب ؛ في محلّه .

poikilothermal;poikilothermic[poi'kə lō thûr'-] *(adj.)* متغيّر الحرارة (مج) : ذو حرارة جسدية تتغيّر تبعاً لتغيّر حرارة البيئة (ح) .

poilu [pwä'lōō] *(F.)* جنديّ فرنسي .

poinciana [poin'sĭ ā'nə] *(L.)* البُوَنْسِيانة : شجر للتزيين من الفصيلة القرنية .

poinsettia [poin sĕt'ĭ ə] *(L.)* البونسيتة : نبات مكسيكي .

point [point] *(n.; vt.; i.)* (١) «أ» نقطة . «ب» النقطة الأساسية . «ج» قوّة ؛ فعاليّة . «د» ميزة (Singing is not her strong ~.) . «هـ» خاصية (٢) غرض ؛ قصد ؛ غاية (٣) «أ» موضع ؛ موقع . «ب» شَفا ؛ حافة ؛ شفير . «ج» مرحلة . «د» درجة (boiling ~) (٤) «أ» سِنّ ؛ رأس ؛ طَرَف ؛ أسَلَة . «ب» سلاح أو أداة مستدقة الطَرَف . «ج» مأخذ التيار الكهربائي (را . 4 outlet) (٥) «أ» رأس ؛ لسان أرض داخل في الماء . «ب» ميزة جسدية لحيوان . «ج» محوِّل السكة الحديدية : أداة لتمكين القطار من الانتقال من خطّ إلى خطّ (٦) مقطع موسيقي (٧) رباط تُشَدّ أو تُعقَد به أجزاء الثوب (وبخاصة في القرنين ١٦ و١٧) (٨) الخانة ؛ البيت : «أ» إحدى الخانات الـ ٣٢ في البوصلة . «ب» إحدى الخانات الـ ٢٤ في طاولة النرد (٩) رأس المقدمة أو رأس المؤخرة (جن) (١٠) تخريم إبريّ (١١) البُنْط : «أ» وحدة قياس تساوي $\frac{1}{72}$ من الانش تعيَّن بها أحجام الحروف المطبعية . «ب» وحدة من وحدات الأسعار في البورصة (stock that has gone up a ~) (١٢) إلماع ؛ تلميح (ع) (١٣) «أ» موقع اللاعب (في ألعاب مختلفة) . «ب» اللاعب المحتلّ ذلك الموقع §(١٤) «أ» يحدِّد ؛ يُبرّس (to ~ a pencil) . «ب» يعطي مزيداً من القوة أو التوكيد (to ~ up a remark) (١٥) يملِّط :

يضع المِلاط بين حجارة الجدار (١٦) «أ» ينقّط (جملةً أو رقماً ذا كسرٍ عشريّ) . «ب» يَعْجُم الكلمةَ أو يشْكُلها (١٧) «أ» يشير إلى أو يلفت نظر امرىء إلى (to ~ out a mistake) . «ب» يدلّ (الكلبُ) على وجودِ الطريدة بأن يقف مكانه وينظر نحوها (١٨) يسدد؛ يصوب؛ يوجّه ×(١٩)يدل ؛ يشير (Everything ~*s* to his guilt.) (٢٠)يمتدّ أو يتّجه في اتجاه معيّن (The signboard ~*s* south.) (٢١)يستقرِن (الخرّاج): يصبح ذا رأس (٢٢)يُبحر (المركبُ) في محاذاة الريح (٢٣) يتدرّب لمباراة معيّنة.

a ~ of honor (conscience) مسألة شرف (أو ضمير).

a ~ of view وجهة نظر

at *or* on the ~ of على وشك ؛ على شفا . . .

in ~, في صميم الموضوع ؛ وثيق الصلة بالموضوع .

in ~ of fact في الواقع ؛ في الحقّ .

off (away from) the ~. بعيداً أو خارجاً عن الموضوع .

~ duty مهمّة شرطيّ السير أو حالة القيام بها .

~*s* man العامل المكلّف بتحويل خطوط السكة الحديدية .

the ~ of no return نقطة اللارجوع .

to carry (gain) one's ~, يُقنع الآخرين بالموافقة على غرضه أو هدفه .

to make a ~ of يُصرّ على ؛ يعتبره شيئاً أساسياً .

to the ~, في صميم الموضوع ؛ على نحوٍ وثيق الصلة بالموضوع .

when it came to the ~, حين حانت لحظة العمل .

point-blank [point'blănk'] *(adj.; adv.)* (١) مسدَّد إلى الهدف مباشرةً أو من مسافة قريبة جداً (a ~ shot) (٢) صريح ؛ مباشر (a ~ refusal) §(٣) عن كثَب (to fire ~ at...) (٤) بصراحة (She refused ~.) .

point d'appui [pwăn dȧ pwē'] *(F.)* نقطة ارتكاز .

pointe [pwănt] *(F.)* توازن على رأس الأصبع (في رقص الباليه) .

pointed [poin'tĭd] *(adj.)* (١) محدَّد ؛ مسنَّن ؛ مستدقّ الرأس (a ~ arch) (٢) حادّ ؛ ثاقب (had a ~ wit) (٣) موجَّه ضدّ شخص معيّن أو ضدّ سلوكه (a ~ reproof) (٤) بارز ؛ واضح ؛ شديد (Kamal showed her ~ attention.) .

pointer [poin'-] *(n.)* (١) فا point . (٢) المؤشِّرة : عصا يشار بها إلى موقع على خريطة أو كلام على لوح أسود الخ. (٣) «أ» عقرب الساعة . «ب» إبرة الميزان (٤) كلب صيد (٥) إلماع ؛ تلميح .

pointer 4.

pointillism [pwăn'tə lĭz'əm] *(F.) (n.)* التنقيطيّة : التصوير بالنقَط (مذهب في الرسم) .

point lace *(n.)* تخريم إبَري .

pointless [point'-] *(adj.)* (١) كليل ؛ غير مستدِق الرأس . (٢) أحمق ؛ دالّ على حماقة (٣) بارد ؛ تافه (٤) خِلوٌ من النُقَط .

pointy [poin'tĭ] *(adj.)* (١) مستدِقّ الرأس جداً (٢) شائك .

poise [poiz] *(vt.; i.; n.)* (١) «أ» يوازن . «ب» يحفظ توازنَه . ×(٢) يتوازن (٣) يرفرف (كطائر في الفضاء) §(٤) توازُن (٥) اتّزان؛ رباطة جأش (٦) طريقة المرء في المشي أو القعود الخ.

poison [poi'zən] *(n.; vt.; i.; adj.)* (١)«أ» سمّ . «ب»شيء خطِر أو هدّام أو مُهلِك §(٢) يسمِّم ؛ يقتل بالسمّ (٣) يُفسِد ×(٤) يَدُسّ السمَّ في §(٥) سامّ (٦) مسموم (~ arrows) .

poisoner [poi'zən ər] *(n.)* (١) المُسمِّم (٢) المفسِد .

poison gas *(n.)* الغاز السامّ : غاز يُستعمل في الحرب الكيميائية .

poison hemlock *(n.)* = hemlock.

poison ivy *(n.)* اللبلاب السامّ (نب) .

poison oak *(n.)* = poison sumac.

poisonous [poi'zən əs] *(adj.)* (١) سامّ (٢) خطِر ؛ مؤذٍ .

poison-pen [poi zən'pĕn] *(adj.)* مسموم : محرر بروح من الخبث والحقد ، ومن غير توقيع عادةً (wrote a ~ letter) .

poison sumac *(n.)* السُّماق السامّ (نب) .

poke [pōk] *(vt.; i.; n.)* (١) «أ» يلكز ؛ يَكِز ؛ ينخس . «ب» يحرّك الجمرات (لإذكاء النار) . «ج» يثقب ؛ يطعن . «د» يُحدث «ثقباً» (~*d* a hole) . «هـ» يضرب ؛ يسدد ضربة بجمع الكفّ (٢) «أ»يبرز ؛ ينتئ . «ب» يدُسّ ؛ يقحم (~*s* his nose into everything) ×(٣) «أ» يبحث بفضول . «ب» يتدخل في ما لا يعنيه (٤) يتسكع ؛ يضيع الوقت سدى (٥) يبْرز ؛ ينتأ §(٦) كيس (ع) (٧)«أ» لكزة ؛ وكزة . «ب» تحريكٌ للجمرات . «ج» ضربة بجمع الكف (٨) شخص بليد أو متسكّع (ع) (٩)البوْك : حاشية ناتئة في مقدَّم قبعة المرأة (١٠) عنب الذئب أو الثعلب (نب) .

to ~ fun at somebody يهزأ به ؛ يسخر منه .

pokeberry [pōk'bĕr'ĭ] *(n.)* عنب الذئب (نب) .

poke bonnet *(n.)* البوكيّة : قبعة نسائية لمقدَّمِها حاشية ناتئة .

poker [pō'kər] *(n.)* (١) «أ» مُذكي النار. «ب» المِسعَر: قضيب معدني لإذكاء النار (٢)البوكر : لعبة بورق اللعِب أو الشدة.

poke bonnet

poker face *(n.)* الوجه اللامعبِّر : وجه لا ينمّ عن مشاعر صاحبه أو عما يجول في خاطره (كوجه الخبير بلعبة البوكر) .

—poker-faced *(adj.)*

pokeweed [pōk'wēd'] *(n.)* عِنَب الذئب أو الثعلب (نب) .

pokey [pō'kĭ] *(n.)* سِجن (ع) .

poky *or* **pokey** [pō'kĭ] *(adj.)* (١) ضيّق (a ~ room) (٢) بليد ؛ بطيء (٣) غير أنيق (~ dress) (٤) خالٍ من الامتاع او الحيوية .

Polack [pō'lăk] *(n.)* بولنديّ الأصل : شخص من أصل بولندي .

Poland China *(n.)* خنزير أميركي أسود مرقَّط بالبياض .

polar [pō'lər] *(adj.)* (١) قُطبيّ : «أ» منسوب إلى القطب الشمالي أو الجنوبي . «ب منسوب إلى قطب مغنطيسي أو قطب في بطارية كهربائية (٢) مُرشِد ؛ هادٍ كالنجم القطبيّ (a ~ principle) (٣) متناقض (كقطبي المغنطيس) (٤) مُوَيَّن (ك) (٥) مِحْوَري ؛ مركزيّ .

polar bear *(n.)* الدبّ القطبيّ : دبّ القطب الشماليّ الأبيض الضخم .

polar bear

polar body *(n.)* الخليّة القطبية (أح) .

polar circles *(n. pl.)* الدائرتان القطبيّتان : المنطقة القطبية الشماليّة والمنطقة القطبية الجنوبيّة .

polar coordinates *(n. pl.)* الإحداثيات القطبية (ر) .

polar front *(n.)* الجبهة القطبية : الحدود بين هواء المنطقة القطبية البارد وبين الهواء الدافىء نسبياً في المنطقة الأقرب إلى خط الاستواء .

polarimeter [pō'lə rĭm'ə tər] *(n.)* المِقطاب : «أ» أداة لتعيين مقدار استقطاب الضوء . «ب» مقياس دوران مستوى الاستقطاب.

Polaris [pō lâr'ĭs] *(L.)* نجم القطب (فل) .

polariscope [pō lăr'ə skōp] *(n.)* (١) مِكشاف الاستقطاب (ض) . (٢) polarimeter *b* .

polariscopic [pō lăr ə skŏp'ik] *(adj.)* مِكشافيّ استقطابيّ (ض) .

polarity [pō lăr'ə tĭ] *(n.)* (١) القطبية ؛ الاستقطابيّة (فز) . (٢) التناقض الكامل ؛ التكشّف عن مبدأين أو نزعتين متناقضتين .

polarization [pō'lər ə zā'shən] *(n.)* الاستقطاب (فز) .

polarize[pō'lə rīz'] *(vt.; i.)* (١) يستقطِب (موجات الضوء الخ.) ×(٢) يتقطّب : يصبح مستَقْطَباً . **—polarizer** *(n.)*

polarography *(n)* البولاروغرافيا : طريقة في التحليل الكيميائي

polaroid [pō'lə roid'] *(n.)* المُستقطِبة : مادة مستقطِبة للضوء تُستعمَل في المصابيح والنظارات الخ. لمنع السّطوع المؤذي للعين.

polder [pōl'-] *(n.)* البَلْدَر : أرض منخفضة مُستَصلَحة من البحر.

pole [pōl] *(n.; vt.)* (١) «أ» عمود ؛ سارية ؛ قائم . «ب» عريش العربة (الفاصل بين جواديها) (٢) «أ» وحدة قياس للطول تساوي ٥ ياردات ونصف . «ب» وحدة مساحة تساوي $\frac{1}{4}$ ٣٠ ياردةً مربّعة (٣) القُطْب : «أ» أحد قطبي الأرض الشمالي والجنوبي . «ب» قطب البطارية الكهربائيّة . «ج» قطب المغناطيس . «د» قطب الخليّةِ أو البيضةِ (أح) (٤) «أ» أحد طَرَفَيْ نَقيض. «ب» نقطة هداية أوجذب (٥) *cap.* : البولنديّ : «أ» أحد أبناء بولندا . «ب» شخص بولنديّ الأصل §(٦) يزود بأعمدة (٧) يدفع (مَرْكَباً الخ.) بعمود .

poleax; -e [pōl'ăks'] *(n.)* (١) فأس الحرب (٢) فأس الجزّار .

polecat [pōl'kăt'] *(n.)* فأر الخيل ؛ ابن عِرس المنتِن (ح) .

polecat

pole horse *(n.)* جواد العريش : أحد جوادَيْ العربة المشدودين إلى عريشها .

pole jump *(n.)* = pole vault.

polemic [pō lĕm'ĭk] *(n.; adj.)* (١) «أ» هجوم عنيف على آراء شخص آخر أو مبادئه (أو تفنيدٌ لها). «ب» *pl.* عد : فنّ الجدل والمناظرة (٢) المجادل العنيف ؛ المناظِر العدواني (٣) *pl.* : اللاهوت الجدليّ §(٤) أو **polemical** : جَدَليّ .

polemicist [pō lĕm'ə sĭst] *(n.)* = polemist.

polemicize [pō lĕm'ə sīz] *(vi.)* = polemize.

polemist [pōl'ə mĭst]. *(n.)* المناظر أو المجادل العنيف .

polemize [pŏl'ə mīz] *(vi.)* يناظر أو يجادل بعنف .

polenta [pō lĕn'tə] *(It.)* عصيدة من دقيق الذرة (في ايطاليا) .

poler [pō'lər] *(n.)* (١) جواد العَرِيْش : أحد جَوادَيْ المركبة المشدودَيْن إلى عريشها (٢) مَنْ يدفع مركباً بعمود .

polestar [pōl'stär] *(n.)* (١) نجم القطب : النجم القطبي (فل) . (٢) مُرْشِدٌ ؛ هادٍ ؛ مبدأ هادٍ (٣) مركز جذب أو اهتمام أو انتباه.

pole vault *(n.)* القفز (العالي) بالعصا (رب) .

pole-vault [pōl'vôlt'] *(vi.)* يقفز عالياً بالعصا (رب) .

police [pə lēs'] *(n.; vt.)* (١) تنظيم المجتمع ، وبخاصة في ما يتصل بشؤون الأمن والأخلاق والصحة العامة (٢) دائرة الشرطة أو البوليس (٣) «أ» الشرطة ؛ البوليس . «ب» رجال الشرطة أو البوليس (٤) «أ» تنظيف ؛ ترتيب ؛ وبخاصة : تنظيف المعسكرات الحربيّة وترتيبها. «ب» الجنود المكلفون بأداء هذه المهمة §(٥) يحافظ على النظام ؛ يضبط الأمن (٦) ينظف أو يرتّب معسكراً .

police court *(n.)* محكمة الجُنَح .

police dog *(n.)* (١) الكلب البوليسيّ : كلب مدرَّب على مساعدة الشرطة وبخاصة في تعقّب المجرمين (٢) German Shepherd .

police force *(n.)* الشرطة : هيئة الشرطة ؛ قوة الشرطة .

policeman [pə lēs'mən] *(n.)* شُرْطيّ .

police reporter *(n.)* المُخبر البوليسي : صحفي يتقصّى أخبار الجريمة.

police state *(n.)* الدولة البوليسية : دولة تقوم على كَبْت الحكومة للحياة السياسيّة والاقتصادية والاجتماعيّة باستخدام قوة البوليس ، وبخاصة قوة البوليس السرّيّ ، استخداماً اعتباطياً.

police station *(n.)* مَخْفَر الشرطة .

policlinic [pŏl'ĭ klĭn'ĭk] *(n.)* عيادة المستشفي : عيادة ملحقة بأحد المستشفيات يُعالَج فيها المرضى الخارجيون (أي غير المقيمين في المستشفى).

policy [pŏl'ə sĭ] *(n.)* (١) حكمة ؛ حكمة عملية (٢) سياسة . (٣) دهاء سياسي (٤) عَقْد أو سند تأمين (٥) يانصيب .

policyholder [pŏl'ə sĭ-] *(n.)* حامل السَّنَد ؛ حامل عَقْد التأمين.

polio [pō lĭ ō] *(n.)* = poliomyelitis.

poliomyelitic [pō lĭ ō mī ə lĭt'ĭk] *(adj.)* (١) شَلَلِيطِفْليّ : ذو علاقة بشلل الأطفال (٢) مصاب بشلل الأطفال .

poliomyelitis [pō lĭ ō mī ə līt'ĭs] *(n.)* شلل الأطفال (مض) .

polis[pŏl'ĭs] *(n.)* pl. **poleis**[pŏl'ās] دولة المدينة (مج) ؛ الدولة المدينية

-polis لاحقة معناها : مدينة (metro*polis*) .

polish [pŏl'ĭsh] *(vt.; i.; n.)* (١) يجلو ؛ يَصْقُل ؛ يلمّع . (٢) يهذِّب ؛ يَصقُل السلوك أو الذوق أو الاهتمامات الفكريّة (٣) يُحسِّن (ع) (٤) «أ» يأتي عليه أو يُنْفِدُه أو ينهيه بسرعة (~*ed* off a plateful of rice) . «ب» يتخلص منه بسرعة (~*ed* off his opponent) ×(٥) ينصقل ؛ يصبح لامعاً أو صقيلاً (٦) يتهذب ؛ يصبح مصقول السلوك أو الذوق §(٧) «أ» الصَّقَل : كون الشيء أملس لامعاً . «ب» رقّة ؛ تهذيب ؛ كياسة (٨) جلاء ؛ صَقْل ؛ تلميع (٩) مادة صاقلة أو ملمِّعة (shoe ~) .

Polish [pō'lĭsh] *(adj.; n.)* (١) بولندي §(٢) اللغة البولندية .

politburo [pŏ lĭt'byŏŏr'ŏ] *(Russ.)* المكتب السياسي : اللجنة التنفيذية في حزب شيوعيّ .

polite [pə līt'] *(adj.)* (١) لطيف ؛ كيّس (a ~ answer) . (٢) مهذّب ؛ رفيع (~ society) .

politeness [pə līt'-] *(n.)* لطف ؛ كياسة ؛ تهذيب .

politesse [pŏl'ĭ tĕs'; pô lē tĕs'] *(F.)* = politeness.

politic [pŏl'ə tĭk] *(adj.)* (١) سياسيّ (٢) ماكر ؛ داهية ؛ متَّسِمٌ بالدَّهاء (٣) حكيم ؛ حصيف ؛ عاقل (٤) لبِق .

political [pə lĭt'ə kəl] *(adj.)* سياسيّ .

political economist *(n.)* الاختصاصيّ بالاقتصاد السياسيّ .

political economy *(n.)* الاقتصاد السياسيّ .

political science *(n.)* علم السياسة .

political scientist *(n.)* الاختصاصي بعِلم السياسة .

politician [pŏl'ə tĭsh'ən] *(n.)* (١) السياسيّ ؛ رجل السياسة . (٢) السياسيّ المحترِف أو النفعيّ .

politicize [pə lĭt'ə sīz'] *(vi.; t.)* (١) ينغمس أو يتحدّث في السياسة ×(٢) يسيِّس : يضفي الصفةَ السياسيّة على .

politick *(vi.)* ينهمك في نقاش أو نشاط سياسي.

politico [pə lĭt'ə kō] *(n.)* = politician **2.**

politico- بادئة معناها : سياسيّ و . . . (*politico*-social) .

politics [pŏl'ə tĭks] *(n.)* (١) عِلم السياسة (٢) «أ» السياسة . «ب» الأساليب أو المناورات السياسيّة (٣) آراء المرء وميوله السياسيّة.

polity [pŏl'ə tĭ] *(n.)* (١) حكومة (٢) شكل أو نظام الحكم (٣) دولة.

polka [pōl'kə] *(n.; vi.)* (١) البولكا : رقصة بوهيميّة الأصل مُفعمة بالحيوية (٢) موسيقى البولكا §(٣) يرقص البولكا .

polka dot *(n.)* (١) نقطة (من مجموعة نقط تشكل نقشاً على قماش) (٢) قماش منقّط .

poll [pōl] *(n.; vt.; i.)* (١) رأس (٢) «أ» القَذال : جُماع مؤخر الرأس . «ب» مؤخر العنق (٣) طرف المطرقة العريض أو المسطح (٤) ببغاء (٥) «أ» اقتراع ؛ تصويت . «ب» تسجيل أصوات المقترعين أو إحصاؤها . «ج» *pl.* : صناديق الاقتراع . «د» مجموع الأصوات المقترعة . «هـ» نتيجة الاقتراع العددية . «و» قائمة ؛ وبخاصة : جدول بأسماء الناخبين أو المكلفين بدفع الضريبة (٦) استفتاء يوجه إلى أشخاص مختارين كيفما اتفق أو إلى أشخاص يمثلون مختلف الجماعات والنزعات استطلاعاً لرأي الجمهور في شأن من الشؤون العامة § (٧) «أ» يجز (الشعرَ أو الصوفَ) . «ب» يجم : يقطع قرن الحيوان . «ج» يقطع أعلى الشجرة إلى قريب من جذعها لكي تنمو أغصانها بعد ذلك بكثافة (٨) يُدْرِج في جدول للناخبين أو المكلفين بدفع الضرائب (٩) يجيء بالناخبين إلى صناديق الاقتراع (١٠) يسجل أصوات المقترعين (١١) ينال عدداً معيناً من الأصوات (١٢) يستفتي أشخاصاً مختارين استطلاعاً لرأي الجمهور في قضية عامة × (١٣) يقترع : يدلي بصوته في الانتخابات . **—poller** *(n.)*

pollack *or* **pollock** [pŏl'-] *(n.)* البلوق : سمك من نوع القُد .

pollard [pŏl'ərd] *(n.; vt.)* (١) الأجم : كل حيوان عديم القرون من نوع ذي قرون عادةً (٢) شجرة قُطع رأسها حتى الجذع تقريباً لكي تنمو أغصانها بعد ذلك بكثافة § (٣) يقطع رأس الشجرة على هذا النحو .

polled [pōld] *(adj.)* أجم : عديم القرون .

pollen [pŏl'ən] *(L.)* (١) لقاح ؛ لَقَح ؛ غبار الطلع (نب) . (٢) طبقة غبارية على جسم حشرة .

pollex [pŏl'ĕks] *(L.)* pl. **pollices** [-ə sēz] الإبهام (ت) .

pollical [pŏl'ə kəl] *(adj.)* إبهامي : ذو علاقة بالإبهام (ت) .

pollin- *or* **pollini-** بادئة معناها : لقاح ؛ غبار الطلع .

pollinate [pŏl'ə nāt] *(vt.)* يُلقِّح ؛ يُؤبِّر (نب) .

pollination [pŏl'ə nā'shən] *(n.)* تلقيح ؛ تأبير (نب) .

polliniferous [pŏl'ə nĭf'ər əs] *(adj.)* (١) لِقاحي : حامل أو مُنتج لقاحاً (نب) (٢) مُعَدّ لحمل اللقاح (ح) .

pollinium [pə lĭn'ĭ əm] *(L.)* pl. **-linia** [-lĭn'ĭ ə] اللاقوح : كتلة من اللقاح أو غبار الطلع (نب) .

pollinize [pŏl'ə nīz] *(vt.)* = pollinate.

pollinose [-'ə nōs] *(adj.)* مكسو بطبقة غبارية (كبعض الحشرات) .

pollinosis *or* **pollenosis** [pŏl'ə nō'sĭs] *(L.)* = hay fever.

polliwog *or* **pollywog** [pŏl'ĭ wŏg'] *(n.)* = tadpole.

pollster [pōl'stər] *(n.)* المُستفتي : مستطلع رأي الجمهور في قضية عامة .

poll tax *(n.)* ضريبة الرؤوس : ضريبة مفروضة على كل شخص من البالغين .

pollutant; polluter [pə lōōt'-] *(n.)* (١) المُدنِّس (٢) الملوِّث .

pollute [-lōōt'] *(vt.)* (١) يدنس (شيئاً مقدساً) (٢) يلوث (الماء) .

pollution [pə lōō'shən] *(n.)* (١) تدنيس ؛ تلويث (٢) تدنس ؛ تلوث (٣) دنس .

Pollux [pŏl'əks] *(n.)* رأس هِرَقْل ؛ رأس التوأم المؤخر (فل) .

pollyanna [pŏl'ĭ ăn'ə] *(n.)* المُفْرِط في التفاؤل .

pollywog [pŏl'ĭ wŏg'] *(n.)* = polliwog; tadpole.

polo [pō'lō] *(n.)* (١) البولو : لعبة رياضية شبيهة بالهوكي تمارس على متون الخيل بمضارب طويلة وكرة خشبية (٢) كرة الماء (رب) .

polo coat *(n.)* معطف من وبر الجمال ونحوه .

polonaise [pŏl'ə nāz'] *(F.)* البولناز : «أ» معطف نسائي . «ب» رقصة بطيئة بولندية الأصل . «ج» موسيقى هذه الرقصة .

polonium [pə lō'-] *(L.)* البولونيوم : عنصر فلزي إشعاعي النشاط .

poltergeist [pōl'tər gīst] *(G.)* الشبح الضاج : روح شريرة تُنسب إليها الأصوات المستعصية على التفسير .

poltroon [pŏl trōōn'] *(n.; adj.)* رعديد ؛ جبان إلى أبعد الحدود .

poltroonery [pŏl trōō'nə rĭ] *(n.)* شدة الجبن .

poltroonish [pŏl trōō'nĭsh] *(adj.)* جبان .

poly- بادئة معناها : «أ» كثير ؛ متعدد . «ب» مُفْرِط ؛ غير سوي .

polyadelphous [pŏl ĭ ə dĕl'fəs] *(adj.)* متعددة التآخي (صفة للأسدية المجتمعة حزماً) .

polyandric [pŏl ĭ ăn'drĭk] *(adj.)* ذو علاقة بتعدد الأزواج .

polyandrous [pŏl ĭ ăn'drəs] *(adj.)* (١) متعدد الأسدية (نب) . (٢) «أ» متعددة الأزواج في وقت واحد (صفة لامرأة) . «ب» ذو علاقة بتعدد الأزواج .

polyandry [pŏl'ĭ ăn'drĭ] *(Gk.)* (١) تعدد الأزواج : زواج المرأة من أكثر من رجل واحد في وقت واحد (٢) تعدد الأسدية (نب) .

polyanthus [pŏl'ĭ ăn'thəs] *(L.)* (١) primrose (٢) نرجس الطاقات ؛ نرجس اسطنبول (نب) .

polyatomic [pŏl ĭ ə tŏm'ĭk] *(adj.)* متعدد الذرات (فز) .

polybasic [pŏl'ĭ bā'-] *(adj.)* متعدد القاعدية ؛ عديد القاعدية (ك) .

polycarpic *or* **polycarpous** [pŏl ĭ kär'-] *(adj.)* متعدد الكربلات أو الأخبية (نب) .

polychromatic [-krō măt'-]; **polychromic** [-krō'-] *(adj.)* متعدد الألوان .

polychrome [pŏl'ĭ krōm'] *(adj.)* (١) متعدد الألوان (٢) مُزَخْرَف بألوان متعددة .

polychromy [pŏl'ĭ krō'mĭ] *(n.)* فن الزخرفة بعدة ألوان .

polyclinic [pŏl'ĭ klĭn'ĭk] *(n.)* عيادة عامة أو مستشفى عام (لمعالجة مختلف الأمراض) .

polycot *or* **polycotyl** [pŏl'ĭ-] *(n.)* = polycotyledon.

polycotyledon [pŏl ĭ kŏt ĭ lē'-] *(L.)* نبتة متعددة الفلقات . **—polycotyledonous** *(adj.)*

polycythemia [pŏl ĭ sī thē'-] *(L.)* احمرار الدم : ازدياد غير سوي في عدد الكريات الحمر (مض) .

polydactyl; polydactylous [pŏl'ĭ dăk'-] *(adj.)* متعدد الأصابع ، وبخاصة : أزمع : زائد الأصابع .

polydipsia [-dĭp'sĭ ə] *(L.)* السهاف : عطش شديد أو غير سوي .

polyembryony [pŏl'ĭ ĕm'brĭ ō nĭ] *(n.)* التضاعف الجنيني : إنتاج أكثر من جنين واحد من بُيَيْضة واحدة (أح) .

polygala [pə lĭg'ə lə] *(L.)* المُسْتَدِرّات : جنس نبات من الفصيلة المُسْتَدِرّة اشتهر بإكثاره الدر في الضأن والبقر (نب) .

polygamic; -al [pŏl ĭ găm'-] *(adj.)* = polygamous.

polygamist [pə lĭg'ə mĭst] *(n.)* المعدد لزوجاته أو المؤيد لتعدد الزوجات .

polygamize [pə lĭg'ə mīz] *(vi.)* يعدد زوجاته : يتزوج بأكثر من واحدة في وقت واحد .

polygamous [pə lĭg'ə məs] *(adj.)* (١) خاص بتعدد الزوجات . (٢) متعدد الزوجات : متزوج بأكثر من واحدة في وقت واحد .

polygamy [pə lĭg'ə mĭ] *(n.)* تعدد الزوجات (أو الأزواج) .

polygenesis [pŏl'ĭ jĕn'ə sĭs] *(L.)* تعدد الأصول : تحدر نوع أو عرق ما من أكثر من أصل واحد .

polygenetic [pŏl'ĭ jə nĕt'ĭk] *(adj.)* (١) متعدّد الأصول . (٢) ناشىء في مواطن وأزمان مختلفة .

polyglot [pŏl'ĭ glŏt'] *(n.; adj.)* (١) الكثير اللغات : «أ» من يتكلم (أو يكتب بـِ) عدة لغات. «ب» كتاب (وبخاصة الكتاب المقدس) يتضمّن نفس النصّ منشوراً بعدة لغات (٢) مزيج من اللغات §(٣) كثير اللغات : «أ» متكلّم (أو كاتبٌ بـ) عدة لغات . «ب» مؤلَّف من عدة مجموعات لغوية . «ج» محتوٍ على مادة منشورة بعدة لغات (٤) مؤلّف من عناصر من لغاتٍ مختلفة .

polyglotism *or* **polyglottism** [pŏl'ĭ glŏt ĭz əm] *(n.)* (١) استعمال لغات متعددة (٢) القدرة على التكلم بعدة لغات

polygon [pŏl'ĭ-] *(L.)* المضلّع : شكل كثير الأضلاع والزوايا (هن).

polygon of forces مضلّع القُوَى (مك) .

polygonum [pə lĭg'ə-] *(L.)* عصا الراعي : نبات من البطباطيات .

polygraph [pŏl'ĭ grăf'] *(n.)* (١) الآلة الناسخة (٢) المِرسامة المضاعَفة : أداة لتسجيل عدة نبضات مختلفة في وقت واحد، كنبضات القلب والشرايين معاً (٣) مِكشاف الكذب (را. lie detector) .

polygynous [pə lĭj'ə nəs] *(adj.)* (١) متعدّد الزوجات . (٢) متعدّد المِدقّات (نب) .

polygyny [-'ə nĭ] *(n.)* (١) تعدد الزوجات (٢) تعدّد المِدقّات (نب).

polyhedral [pŏl'ĭ hē'-] *(adj.)* متعدّد السطوح ؛ كثير السطوح (هن).

polyhedron [pŏl'ĭ hē'drən] *(n.)* pl. **-drons** *or* **-dra** [-drə] المتعدّد السطوح : مجسّم كثير السطوح (هن) .

polyhistor [pŏl'ĭ hĭs'tər] *(L.)* شخص متعدد جوانب الثقافة .

polyhydroxy [pŏl'ĭ hī drŏk'sĭ] *(adj.)* متعدّد الهيدروكسيل (ك).

Polyhymnia [-ĭ hĭm'-] *(L.)* الإنشاد المقدّس : مُوزيّة (را. muse).

polymath [pŏl'ĭ-] *(adj.; n.)* متعدّد جوانب الثقافة ؛ انسيكلوبيدي الثقافة .
—**polymathic** *(adj.)* —**polymathy** *(n.)*

polymer [pŏl'ĭ-] *(n.)* البوليمر : مركّب كيميائي يُشكَّل بالتَبَلْمُر.

polymeric [pŏl'ĭ mĕr'ĭk] *(adj.)* (١) بوليمريّ (ك) (٢) مؤلّف من عدّة أجزاء متماثلة .

polymerization [pə lĭm'ər ə zā'-] *(n.)* (١) التَّبَلْمُر : اتحاد جُزَيْئَين (أو أكثر) من مركّبٍ مّا لتشكيل مركّب ذي وزن جُزَيْئي أكبر (٢) البَلْمَرَة : تحويل مركّب مّا إلى آخر بمثل هذه الطريقة .

polymerize [pŏl'ĭ-] *(vt.; i.)* (١) يُبَلْمِر ×(٢) يتَبَلْمَر (ك).

polymerous [pə lĭm'ər əs] *(adj.)* متعدّد الأجزاء أو الأعضاء .

polymorph [pŏl'ĭ môrf'] *(n.)* المتعدّد الأشكال : مُتَعَضٍّ (أو مادّة) متعدّد الأشكال .

polymorphic *or* **polymorphous** [pŏl'ĭ môr'-] *(adj.)* متعدّد الأشكال .

polymorphism [pŏl'ĭ môr'fĭz əm] *(n.)* تعدّد الأشكال .

polynomial [pŏl'ĭ nō'mĭ əl] *(adj.; n.)* متعدّد الحدود (جب).

polynuclear [pŏl'ĭ nū'-] *(adj.)* متعدّد النوَى أو النُوَيات .

polyp [pŏl'ĭp] *(n.)* (١) البَوْلَب : اسم يطلق على أشكال من الحيوانات المائية البسيطة كالمرجان ونحوه (٢) السَّليلة المخاطية : ورَمٌ في غشاء مخاطيّ .

polypetalous [pŏl'ĭ pĕt'əl-] *(adj.)* كثير أو منفصل البتلات (نب).

polyphagia [pŏl'ĭ fā'jĭ ə] *(Gk.)* (١) الشَّرَه ؛ النَّهَم (٢) القَرْوت : الاقتيات بضروب مختلفة من الطعام (ح) .

polyphagous [pə lĭf'ə gəs] *(adj.)* قارِت : مُغتذٍ بضروب مختلفة من الطعام (ح) .

polyphase [pŏl'ĭ fāz'] *(adj.)* متعدّد الطَّوْر (كب) .

polyphone [pŏl'ĭ fōn'] *(n.)* حَرْف متعدّد الأصوات (كحرف a في الانكليزية) .

polyphonic [pŏl'ĭ fŏn'-] *or* **polyphonous** [pə lĭf'ə-] *(adj.)* (١) متعدّد الأصوات (٢) متفرّع الأصوات ؛ متعدّد النغمات (مو).

polyphony [pə lĭf'ə nĭ] *(Gk.)* (١) تعدّد الأصوات (٢) تفرّع الأصوات أو النغمات (مو) .

polyphyletic [pŏl'ĭ fī lĕt'ĭk] *(adj.)* متعدّد الأصول : متحدّر من أكثر من عرق واحد أو سلالة واحدة .

polyploid [pŏl'ĭ ploid] *(adj.)* متعدّد المظاهر ؛ وبخاصة : كثير الصِّبْغيّات أو الكروموسومات (أح) .

polypnea [pŏl ĭ(p)nē'ə] *(L.)* البُهْر : تتابع النفَس أو تقطّعه .

polypod [pŏl'ĭ pŏd] *(adj.; n.)* كثير الأقدام (أح) .

polypody [pŏl'ĭ pō'dĭ] *(n.)* كثير الأرجل : نبات من السَّرخسيات.

polypoid; polypous [pŏl'ĭ-] *(adj.)* بَوْلَبيّ (را. polyp).

polypus [pŏl'ə pəs] *(L.)* pl. **-pi** [-pī] = polyp.

polysaccharide [pŏl'ĭ săk'ə rīd; -rĭd] *(n.)* السُكَّر العُدادي .

polysemous [pŏl ĭ sē'məs] *(adj.)* متعدّد المعاني .

polysemy [pŏl'ĭ sĭ mĭ] *(n.)* تعدّد المعاني .

polysepalous [pŏl ĭ sĕp'-] *(adj.)* منفصل السَّبَلات أو الكأسيات .

polysyllabic [pŏl'ĭ sĭ lăb'ĭk] *(adj.)* (١) متعدّد المقاطع (٢) متميّز بكلمات متعدّدة المقاطع (~ languages) (~ words) .

polysyllable [pŏl'-] *(n.)* متعدّدة المقاطع : كلمة كثيرة المقاطع .

polytechnic [pŏl'ĭ tĕk'nĭk] *(adj.; n.)* (١) متعدّد الفنون : ذو علاقة بتدريس كثير من الفنون التِقنية أو العلوم التطبيقية (أو مخصَّصٌ لهذا التدريس) §(٢) متعدّدة الفنون : كلية متعددة الفنون.

polytheism [pŏl'ĭ thē-] *(F.)* الشِّرك : الإيمان بعدة آلهة أو عبادتُها .

polytheist [pŏl'ĭ thē ĭst] *(n.)* المُشْرِك : المؤمن بعدّة آلهة .

polytheistic; -al [pŏl'ĭ thē ĭs'-] *(adj.)* شِرْكيّ .

polytrophic [pŏl'ĭ trŏf'ĭk] *(adj.)* متعدّد الأغذية : مستمدّ غذاءه من أكثر من مادة عضوية واحدة (كبعض الجراثيم) .

polytypic; -al [pŏl'ĭ tĭp'-] *(adj.)* متعدّد الطُرُز .

polyuria [pŏl'ĭ yŏŏr'ĭ ə] *(L.)* البُوالة : غزارة البول (مض) .

polyvalence *or* **polyvalency** [pŏl'ĭ vā'-] *(n.)* (١) تعدّد التكافؤ (ك) (٢) تعدّد القُوَى (بك) .

polyvalent [pŏl'ĭ vā'-] *(adj.)* (١) متعدّد التكافؤ (ك) (٢) متعدّد القُوَى : محتوٍ على أجسام مضادّة لجراثيم عدد من الأمراض المتماثلة.

polyzoan [pŏl'ĭ zō'ən] *(n.; adj.)* = cestode.

pomace [pŭm'ĭs] *(L.)* (١) ثُفْل التفاح أو العنب الخ. (٢) كل مادة لُبّيّة مسحوقة .

pomaceous [pō mā'shəs] *(adj.)* تفاحيّ .

pomade [pō mād'] *(n.; vt.)* (١) مرهم عطريّ (وبخاصة للشعر). §(٢) يدهن (الشعر) بمرهم عطري .

pomander [pō'măn dər] *(n.)* الكُرَة العطرية : «أ» مزيج من المواد العطرية ، كرويّ الشكل عادةً ، كان الناس يحملونه كَطِيبٍ أو كواقٍ من العدْوى . «ب» العلبة الخاصة بهذا المزيج .

pomatum [pō mā'təm; -mä'-] *(L.)* = pomade.

pome [pōm] *(n.)* الثمرة التفاحيّة : ثمرة من الفصيلة التفاحية (كالتفاحة والاجاصة والسفرجلة الخ.) .

pomegranate [pŏm'grăn'ĭt] *(n.)* (١) الرمّان (٢) شجرة الرمّان.

pomelo [pŏm'ə lō'] *(n.)* = grapefruit.

Pomeranian [pŏm'ə rā'nĭ ən] *(n.; adj.)* (١) البوميراني : أحد أبناء بوميرانيا في بولندة (٢) الكلب البوميراني : ضرب من الكلاب الصغيرة الطويلة الشعر §(٣)بوميراني .

pomiferous [pō mĭf'-] *(adj.)* حامل ثمراً تفاحياً (صفة لشجرة).

pommel [pŭm'əl] *(n.; vt.)* (١) الرُّمّانة : العُجْرة المدوَّرة في مَقبِض السيف أو الخِنجر الخ. (٢) القَرَبوس ؛ الحِنو : قِسمٌ من السَّرج مُقَوَّس مرتفعٌ من قُدّام المِقعد ومن مؤخَّره §(٣) يضرب ؛ يلكم .

pomological [pō'mə lŏj'ə-] *(adj.)* فَكاهي : منسوب إلى الفَكاهة.

pomologist [pō'mŏl'ə-] *(n.)* الفَكاهي : المتخصص في الفَكاهة.

pomology [pō mŏl'ə jĭ] *(n.)* الفَكاهة : عِلم زراعة الفاكهة .

Pomona [pə mō'nə] *(n.)* بومونا : إلاهة الأشجار المثمرة عند الرومان.

pomp [pŏmp] *(n.)* (١) أُبَّهة (٢) موكب عظيم (٣) عُجْب ؛ خُيَلاء.

pompadour [pŏm'pə dōr'] *(F.)* تسريحة بومبادور : «أ» تسريحة للنساء يرفع فيها الشعر عالياً فوق الجبين . «ب» تسريحة للرجال يُرفع فيها الشعر من الجبين ثم يُرَدّ إلى الوراء .

pompano [pŏm'pə nō'] *(Sp.)* البُنبان : سمك يُؤكَل من أسماك جزر الهند الغربيّة وسواحل أميركة الشماليّة .

pom-pom [pŏm'-] *(n.)* البُمبُم : مدفع رشّاش مضاد للطائرات.

pompon [pŏm'pŏn] *(F.)* (١) البُمبونة : «أ» كتلة أو كرة من ريش أو حرير يُزيَّن بها ثوبٌ أو قبعة أو حذاء . «ب» كُرَةٌ صوفية تكون في مقدَّم بعض قبعات الجند (٢) الدَّهليّة ؛ الأضاليا (نب).

pomposity [pŏm pŏs'ə tĭ] *(n.)* (١) الأبَّهيّة : كونُ الشيء مُتَّسِماً بالأُبَّهة (٢) تباهٍ ؛ افتخار المرء، على نحوٍ أُبَّهيّ، بأهميّته الذاتية.

pompous [pŏm'pəs] *(adj.)* (١) أُبَّهيّ ؛ مُتَّسِمٌ بالأُبَّهة ؛ فخم (٢) مغرور ؛ متَّسِم بالغرور (٣) طنّان ؛ رنّان (~ language).

—pompousness *(n.)*

pompously [pŏm'-] *(adv.)* على نحوٍ أُبَّهيّ أو مغرور أو طنّان.

poncho [pŏn'chō] *(Sp.)* البُنْش : «أ» شِبهُ عباءة (في أميركة الجنوبيّة) . «ب» مِمْطَر ؛ مِعطف واقٍ من المطر .

pond [pŏnd] *(n.)* بِركة .

ponder [pŏn'-] *(vt.; i.)* (١) يتَفكَّر ؛ يفكّر مليّاً (٢) يتأمّل.

ponderable [pŏn'dər ə bəl] *(adj.; n.)* (١) قابل للوزن أو القياس. (٢) ذو ثِقل أو وزن أو أهمية §(٣) *pl.* : الأحداث والأحوال التي يمكن تقديرها أو أخذها بعين الاعتبار .

ponderosity [pŏn'də rŏs'ə tĭ] *(n.)* (١) ثِقَل (٢) خُرْق ؛ عدم رشاقة (٣) إملال .

ponderous [pŏn'dər əs] *(adj.)* (١) ثقيل جداً (٢) ثقيل وأخرق ؛ تعوزه الرشاقة (~ movements) (٣) مُمِلّ ؛ مضجر (a ~ style).

—ponderousness *(n.)*

pond scum *(n.)* طُفاوة البِرَك : طحالب تُحدِث طُفاوةً خضراء على سطح المياه العذبة .

pondweed [pŏnd'wēd] *(n.)* جارُ النهر : نبات مائي .

pone [pōn] *(n.)* خبز أو رغيف أو كعكة من دقيق الذُرَة .

pongee [pŏn jē'] *(n.)* البُنجي : قماش حريري بلون الحرير الطبيعي.

pongid [-'jĭd] *(n.)* البُنجِد : قِردٌ مشابهٌ للانسان .

poniard [-'yərd] *(n.; vt.)* (١) خِنجر §(٢) يطعن أو يقتل بخنجر.

pons [pŏnz] *(L.)* pl. **pontes** [pŏn'tēz] (١) جِسر (ت) (٢) pons Varolii .

pons asinorum [pŏnz'ăs'ə-] *(L.)* جِسر الحمير : «أ» القضية الخامسة من هندسة إقليدس القائلة بأنّه إذا كان للمثلث ضلعان متساويان فإن الزاويتين المقابلتين لهذين الضلعين تكونان متساويتين أيضاً . «ب» اختبار عسير يُفرض على الجاهل أو قليل الخبرة .

pons Varolii [pŏnz'və rō'lĭ ī'] *(L.)* جِسْر فارول : كتلة ألياف عصبية في الدماغ (ت) .

Pontic [pŏn'tĭk] *(adj.)* متعلّق بالبحر الأسود .

pontifex [pŏn'tə fĕks'] *(L.)* pl. **pontifices** [pŏn'tĭf'ə sēz'] الحَبْر : عضو مجلس الكهنة الأعلى (في روما القديمة) .

pontiff [pŏn'tĭf] *(n.)* (١) الحَبْر (را . المادة السابقة) . (٢) كبير الكهنة (٣) الأسقف (٤) البابا .

pontifical [pŏn tĭf'ə kəl] *(adj.; n.)* (١) «أ» أسقفيّ. «ب» بابوي (٢) حَبْريّ : يقوم به أسقف (Mass ~) (٣) فخم ؛ أُبَّهيّ §(٤) *pl.* عد : الملابس الأسقفية (يرتديها الأسقف القائم بالقداس الحبري) (٥) الكتاب الأسقفيّ (يشمل الطقوس التي يؤديها الأسقف).

pontificate [*n.* -'ə kĭt, -kāt; *v.* -'kāt] *(n.; vi.)* (١) منصب الحبر أو الأسقف أو البابا أو مُدَّتُه §(٢) يقوم بقداس حَبْريّ (٣) يتكلم على طريقة الأساقفة أو بمثل سلطانهم .

Pont l'Evêque [pōn lā vĕk'] *(F.)* جُبْن أصفر .

ponton [pŏn'tən] *(F.)* = pontoon.

pontonier [pŏn'tə nĭr'] *(F.)* المجسِّر ؛ جندي التجسير : شخص أو جندي ينشىء جسراً عائماً .

pontoon [pŏn tōōn'] *(F.)* (١) عوّامة ؛ طَوْف ؛ رَمَث (٢) زورق التجسير : طوف يستعمل في بناء جسر موقت (٣) طَوْفُ الطائرة.

pontoon bridge *(n.)* الجسر العائم ؛ جسرُ الأطواف .

pontoon bridge

pony [pō'nĭ] *(n.; vt.; i.)* (١) «أ» فرس قزم أو مُسْتَكّ . «ب» جواد سِباق (٢) «أ» شيء أصغر من القياس النظامي. «ب» كأس صغيرة من شراب مُسْكِر (ع) (٣) ترجمة حرفيّة تُستعمل في دراسة نصّ أجنبيّ أو لغة أجنبية §(٤) يُسدِّد حساباً (تتبعها up) ×(٥) يدفع (تتبعها up) .

pony express *(n.)* نظام سريع لنقل البريد على متون الجياد الرشيقة.

ponytail [pō'-] *(n.)* ذَيْلُ الفَرَس : طريقة في تسريح شعر الفتيات.

pooch [pōōch] *(n.)* كلب (ع) .

pood [pōōd] *(Russ.)* البُود : وزن روسيّ (٣٦ باونداً تقريباً) .

poodle [pōō'dəl] *(n.)* البُودِل : كلب ذكيّ كثيف الشَّعر أجعده.

pooh [pōō] *(interj.)* أفّ : صوت يعبّر عن نفاد الصبر أو الازدراء الخ.

pooh-bah [pōō'bä] *(n.)* (١) المتولّي عدة مناصب (٢) الرفيع المنزلة.

pooh-pooh [pōō'pōō'] *also* **pooh** [pōō] *(vi.; t.)* (١) يزدري (٢) يتضجّر ×(٣) يسخر من .

pool [pōōl] *(n.; vt.)* (١) بِركة (٢) بركة قذرة موحلة (كالتي تنشأ عن تجمّع الأمطار في أخاديد الشوارع) (٣) جزء من النهر تكون فيه المياه هادئة عميقة (٤) حوض للسباحة أو الاستحمام (٥) حَوْضٌ منتجٌ للنفط أو الغاز (٦) «أ» رهان مشترك يُسهم فيه جميع اللاعبين . «ب» مجموع الأموال التي يقامر بها عددٌ من اللاعبين (٧) اتفاق بين عدة شركات الخ. للقضاء على المنافسة (٨) اتفاقية بين المضاربين (في البورصة) (٩) البُولة : ضربٌ من لعِب البليارد (تتميّز مائدته بجيوب يسعى اللاعبون إلى إسقاط الكُرات فيها) (١٠) مالٌ يقدمه عدة أشخاص لغرض مشترك (١١) مقدارٌ من الدم يُجمع من عدد من المتبرعين ويخزن للاستفادة منه عند الاقتضاء (١٢) مجموعة من الاختصاصيين

يمكن استخدامهم في حقل معيّن §(١٣) يُسْهِم في صندوق مشترك أو جهد مشترك.

poolroom [pōōl'rōōm'] *(n.)* (١) مكتب للمراهنة على جياد السباق. (٢) حجرة البولة (را. pool 9).

poop 2.

poop [pōōp] *(n.; vt.; i.)* (١) مؤخَّر السفينة (ا.م) (٢) سطح مرتفع عند مؤخر السفينة (فوق ظهرها العادي) (٣)معلومات رسمية أو غير رسمية (ع) §(٤)تلطم (الموجةُ) مؤخَّرَ السفينة (٥) يُرْهِق؛ يُنهِك (ع) ×(٦) يُرْهَق؛ يُنْهَك؛ يذوي (تتبعها *out* عادةً).

poop deck *(n.)* = poop 2.

poor [pōōr] *(adj.; n.)* (١) فقير (٢) «أ» هزيل. «ب» زهيد؛ ضئيل القيمة (٣) مسكين؛ مثير للشفقة (The ~ father was in despair.) (٤)رديء؛ سقيم؛ عليل (her ~ health) (٥)عاجز؛ قليل البراعة (is a ~ cook) (٦) متواضع (in a ~ house) (٧) حقير؛ جدير بالازدراء؛ جبان (٨) نحيل؛ مهزول الجسم (٩) ماحل؛ مجدب §(١٠) الفقراء (تسبقها *the* عادةً).

poor box *(n.)* صندوق الصَّدَقات (الموضوع قرب باب كنيسة).

poor farm *(n.)* مزرعة الفقراء: مزرعة لإيواء الفقراء أو تشغيلهم.

poorhouse [pōōr'-] *(n.)* تكيّة؛ ملجأ؛ بَيْت البِرّ.

poorish [-'ĭsh] *(adj.)* فقير بعضَ الشيء؛ فقير قليلاً.

poor law *(n.)* قانون إسعاف الفقراء وإعالتهم.

poorly [pōōr'lĭ] *(adv.; adj.)* (١) على نحوٍ فقير أو هزيل أو رديء الخ. §(٢) متوعّك؛ منحرف الصحة.
~ off مُعْوِز؛ محتاج إلى المال.

poor-spirited [pōōr'spĭr'ĭt ĭd] *(adj.)* جبان؛ رعديد.

poor white *(n.)* الأبيض الوضيع: شخص أبيض لا يملك لا عقاراً ولا مركزاً اجتماعياً (في جنوبيّ الولايات المتحدة الأميركيّة).

poor white trash *(n.)* جماعة البِيض الوضيعين (را. المادة السابقة).

pop [pŏp] *(vt.; i.; n.; adj.; adv.)* (١) يضرب بقوة (٢) يدفع أو يضع أو يدسّ فجأة (٣) يشوي (الذرة أو الكَسْتناء) حتى تتفتّق (٤)يطلق النار على (٥)يطرح السؤالَ فجأةً (٦)يرْهَن (ع) ×(٧) يذهب أو يجيء أو يدْخل فجأةً (٨) يفرقع؛ ينفجر (٩) يَجْحَظ (The surprise made his eyes ~ out.) §(١٠) فرقعة؛ انفجار (١١) طلقة بندقية الخ. (١٢) شرابٌ غازيّ (١٣) أغنية شعبية؛ أسطوانة شعبية (ع) §(١٤) شعبيّ (~ singers) §(١٥) بفرقعة؛ بصوتٍ مُفرقِع (١٦) فجأةً.
in ~, مرهون؛ مرتَهَن عند شخص آخر (ع).
to go ~, يفرقع؛ يُطلق صوتاً مُفرقِعاً.
to ~ off (١)«أ» يغادر المكان فجأة. «ب» يموت فجأة. (٢)يتكلم من غير تفكير (وبغضب أو صوت مرتفع).
to ~ the question يطلب الزواجَ من.

popcorn [pŏp'-] *(n.)* الفُشار: حبّ الذرة يُشوَى حتى يتفتّق.

pope [pōp] *(n.)* (١) *cap.* ا.ك : البابا: رأس الكنيسة الكاثوليكيّة. (٢) شخص كالبابا سلطةً أو مقاماً.

popery [pō'pə rĭ] *(n.)* البابوية؛ الكثلكة.

popeyed [pŏp'īd'] *(adj.)* جاحظ العينين (من مرَض أو دَهَش).

popgun [pŏp'-] *(n.)* بندقية الهواء أو الفلّين (يلهو بها الأطفال).

popinjay [pŏp'ĭn jā'] *(n.)* (١) «أ» المتبجّح؛ المغرور؛ المزهوّ. «ب» الثرثار (٢) الأخيَل: نقّار خشب أخضر اللون (طا).

popish [pō'pĭsh] *(adj.)* كاثوليكيّ.

poplar [pŏp'lər] *(n.)* (١) الحَوْر (نب) (٢) خشب الحَوْر.

poplin [pŏp'lĭn] *(F.)* البُبْلين: قماش قطني للقمصان الخ.

popliteal [pŏp lĭt'ĭ əl] *(adj.)* مَأبِضِيّ: خاصّ بالمأبِض أو باطن الركبة (ت).

pop-off [pŏp'-] *(n.)* المتكلّم بغير رويّة أو بصوت مرتفع.

popover [pŏp'-] *(n.)* البَبْفَر: فطيرة تُعدّ من بيض وحليب ودقيق.

popper [pŏp'-] *(n.)* (١)فا pop (٢)وعاء لتحميص الذُّرة حتى تتفتّق.

poppet [pŏp'ĭt] *(n.)* (١) العزيز؛ المحبوب (بر) (٢) الدليل؛ الدِّعمة (مك) (٣) الصِّمام القفّاز (مك).

poppethead [-hĕd] *(n.)* الغراب: غراب الرأس أو غراب الذيل (مك).

poppied [-'ĭd] *(adj.)* (١)مكسوّ بالخشخاش (٢)مخدِّر (٣)مُخدَّر.

popple [pŏp'əl] *(n.; vi.)* (١) شجر الحَوْر (ع) (٢) جيَشان الماء (عند غَلَيانه) (٣) بحر متلاطم الأمواج §(٤) يجيش الماء (عند غَلَيانه) (٥) يتلاطم (الموج).

poppy [pŏp'ĭ] *(n.)* (١) الخَشْخاش: «أ» نبات مخدّر يُصنع منه الأفيون أو يُزرَع للتزيين. «ب» أفيون (٢) لونٌ أحمر فاتح.

poppycock [pŏp'ĭ kŏk'] *(n.)* هُراء؛ كلام فارغ (ع).

poppyhead [pŏp'ĭ hĕd'] *(n.)* (١) رأس الخشخاش أو كوزُه. (٢) نقش زينيّ في الجزء الأعلى من ظهر المقعد الخشبيّ (في كنيسة).

populace [pŏp'yə lĭs] *(n.)* العامة؛ الجماهير.

popular [pŏp'yə lər] *(adj.)* شعبيّ: «أ» خاصّ بعامة الشعب أو مُمثّل لها (~ discontent). «ب» مبسَّط؛ ميسَّر؛ مُفرَّغ في صيغة يفهمها سواد الناس (~ science). «ج» رخيص؛ ملائم لجيوب العامة (~ prices). «د» رائج؛ شائع بين عامة الناس (~ songs). «هـ» محبوب (~ heroes).
—**popularly** *(adv.)*

popular front *(n.)* الجبهة الشعبية: تكتّل الأحزاب اليسارية ضدّ عدوّ مشترك. وبخاصة: تكتّل يساريّ يشارك فيه الشيوعيّون كوسيلة للوصول إلى الحكم.

popularity [pŏp'yə lăr'ə tĭ] *(n.)* الشعبية: كون الشيء شعبياً.

popularize [pŏp'-] *(vt.)* يُبسِّط؛ يجعله في متناول مَدارك الجمهور.

populate [pŏp'yə lāt'] *(vt.)* (١) يقْطُن؛ يسكُن؛ يحتلّ. (٢) يؤهِل؛ يزوِّد بالسكّان.

population [pŏp'yə lā'shən] *(n.)* (١) السكّان: سكان مدينة أو بلادٍ ما (٢) عدد السكان (٣) جزء أو قِطاع من السكان (the female ~) (٤) تأهيل؛ تزويد بالسكان.

Populism [pŏp'yə lĭz'əm] *(n.)* مبادىء حزب الشعب الأميركي.

Populist [pŏp'yə lĭst] *(n.; adj.)* (١) الشعبي: أحد أفراد حزب الشعب الأميركي الذي أنشىء عام ١٨٩١ والذي دعا إلى سيطرة الدولة على السكك الحديدية والحدّ من الملكية الخاصة للأراضي §(٢) شعبيّ.
—**Populistic** *(adj.)*

populous [pŏp'yə ləs] *(adj.)* (١) كثيف السكان (٢) مزدحم.

porbeagle [pôr'bē'-] *(n.)* البُرْبِيجِل: ضرب من الأقراش الصغيرة.

porcelain [pōr'sə lĭn] *(n.)* الصينيّ؛ الخزف الصينيّ.
—**porcelaneous** *or* **porcellaneous** *(adj.)*

porch [pōrch] *(n.)* (١) الرِّواق: مدخل مسقوف لمبنى (٢) شُرْفة.

porcine [pôr'sīn; -sĭn] *(adj.)* خِنزيريّ.

porcupine [pôr'kyə pīn'] *(n.)* الشَّيْهَم؛ النَّيْص: حيوان شائك من القوارض.

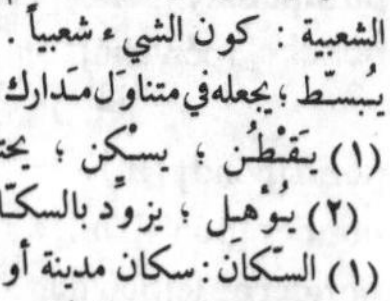

porcupine

pore [pōr] *(vi.; n.)* (١) يحدِّق. (٢)يستغرق في القراءة (٣)يتفكّر؛

يتأمل §(٤) سَمّ (والجمع مَسام).

pored [pōrd] *(adj.)* مَسامِيّ ؛ ذو مَسام.

porgy [pôr'gĭ] *(n.)* البَغْرُوس: سمك بحريّ يؤكَل.

Porifera [pō rĭf'ər ə] *(n. pl.)* التَّقَبيّات، الاسفنجيّات (ح).

poriferan [pō rĭf'-] *(n.; adj.)* (١) الثَّقَبيّ، الاسفنجيّ: حيوان من الثَّقَبيّات أو الاسفنجيات §(٢) ثقبيّ ؛ إسفنجيّ.

poriferous [pō rĭf'ər əs] *(adj.)* = pored.

pork [pōrk] *(n.)* (١) لحم الخِنزير (٢) مال (أو منصب الخ.) حكوميّ يُمْنَح (أو يُسْنَد) لأسباب سياسية أو مَصْلَحيّة.

pork barrel *(n.)* مشروع حكوميّ يعود على الأنصار والمحاسيب بمكاسب كبيرة.

porker [pōr'kər] *(n.)* خنزير ؛ وبخاصة: خِنَّوص مُسَمَّن.

porky [pōr'kĭ] *(adj.)* (١) خِنزيريّ (٢) كالخنزير ؛ بدين.

pornographic [pôr'nə grăf'ĭk] *(adj.)* إباحيّ ؛ فاحش ؛ داعر.

pornography [pôr'nŏg'rə fĭ] *(n.)* (١) الأدب أو الفنّ الإباحيّ. (٢) كتابات أو صوَر داعرة.

porosity [pō rŏs'ə tĭ] *(n.)* (١) المَسامِيّة (٢) سَمّ (والجمع مَسام).

porous [pōr'əs] *(adj.)* (١) pored (٢) نفيذ: تنفذ إليه السوائل.

porphyritic [pôr'fə rĭt'ĭk] *(adj.)* سُمّاقيّ ؛ بُرفيريّ.

porphyroid [pôr'fə roid'] *(n.)* الحجر السُّمّاقانيّ: حجر شبيه بالحجر السُّمّاقيّ.

porphyry [pôr'fə rĭ] *(n.)* الحجر أو الرخام السُّمّاقيّ.

porpoise [pôr'pəs] *(n.)* (١) خنزير البحر (٢) الدُّلْفين.

porridge [pôr'ĭj] *(n.)* عصيدة ؛ ثَرِيد.

porringer [pôr'ĭn jər] *(n.)* قَصْعة (لإطعام الأطفال).

port [pōrt] *(n.; adj.; vt.)* (١) مرفأ ؛ ميناء (٢) ميناء جوي (٣) باب ؛ بوّابة (اسك) (٤) المَنْفَذ: «أ» فتحة للبخار أو الهواء أو الماء في ماكينة. «ب» فتحة في جنب السفينة لدخول الضوء أو الهواء أو لتحميل البضائع. «ج» فتحة في عربة مصفحة أو حِصن تُطلَق منها النيران (٥) قيافة ؛ طريقة المشي أو القعود (٦) المياسرة: الوضع الذي تكون عليه البندقيّة حين تُحمل بالعَرْض وماسورتها قرب الكتف اليُسْرى (٧) المَيْسَرة: الجانب الأيسر من سفينة أو طائرة (بالنسبة إلى راكب موجهٍ وجهَه نحو مقدّمتها) (٨) البورت: ضربٌ من الخمر برتغالي الأصل §(٩) أيسر ؛ واقع على الجانب الأيسر من السفينة §(١٠) يُياسر: «أ» يحمل البندقية بالعرضِ جاعلاً ماسورتها قرب الكتف اليسرى. «ب» يُدير (سُكّانَ السفينة الخ.) إلى اليسار.

portability [pōr'tə bĭl'-] *(n.)* الحَمْلِيّة ، النَّقْلِيّة: قابلية الشيء للحَمل أو النقل.

portable [pōr'tə bəl] *(adj.)* قابل للحَمل أو النقل.

portage [pōr'tĭj] *(n.)* (١) حَمْل ؛ نَقْل (٢) أُجرة النقل (ا.ق.) (٣) نقل المراكب أو السّلع ، برّاً ، من نهرٍ إلى آخر الخ.

portal [pōr'təl] *(n.; adj.)* (١) مَدْخل ؛ وبخاصة: مدخل قَصر الخ. (٢) الباب: نقطة يدخل منها شيء ما إلى الجسد §(٣) بابيّ (ت).

portal vein *(n.)* الوريد البابيّ: وريد ضخم يحمل الدم من اعضاء الهضم والطحال الى الكبد (ت).

portamento [pōr'tə mĕn'tō] *(It.)* التخلّص: انتقال تدريجي من نغمة إلى أخرى (مو).

portative [pōr'tə tĭv] *(adj.)* = portable.

portcullis

portcullis [pōrt kŭl'ĭs] *(n.)* شَعْرِيّة التحصين: شَعْرِيّة حديدية يُحمى بها مدخل الحصن.

Porte [pōrt] *(F.)* الباب العالي: الامبراطورية العثمانية.

porte cochere [pōrt'kō shâr'] *(F.)* رواق العربات: مدخل مسقوف عند باب المبنى تقف تحته العربات أو السيارات بحيث يتمكن أصحابها من امتطائها أو الترجل منها من غير أن يتعرضوا لأذى الشمس او المطر.

porte-monnaie [pōrt'mŭn'ĭ] *(F.)* مِحفظة ؛ حافظة نقود.

portend [pōr tĕnd'] *(vt.)* (١) يُنذِر أو يبشّر بكذا (٢) يتنبأ. (٣) يدلّ على.

portent [pōr'-] *(n.)* (١) نذير ؛ بشير (٢) أعجوبة ؛ معجزة.

portentous [pōr tĕn'təs] *(adj.)* (١) منذر أو مبشّر بِ ؛ مُثْقَل بالاحتمالات (٢) عجيب ؛ رائع (٣) هائل ؛ استثنائي (٤) inflated.

porter [pōr'tər] *(n.)* (١) البوّاب (٢) الحمّال ، العتّال. (٣) مستخدَم في حافلة مترفة (من حافلات القطار) يسهر على راحة الركاب (٤) البُرْتَر: ضرب من الجعة الثقيلة الداكنة.

porterage [-ĭj] *(n.)* (١) العِتالة: عملُ الحمّال (٢) أجرة الحمّال.

porterhouse [pōr'tər-] *(n.)* (١) حانة (٢) شريحة من لحم البقر.

portfolio [pōrt fō'lĭ ō'] *(It.)* (١) حقيبة (للأوراق والوثائق). (٢) وزارة ، منصب الوزير (٣) سندات وأوراق تجارية.

porthole [pōrt'hōl] *(n.)* (١) كُوّة (في جانب سفينة أو طائرة). (٢) فتحة الرمي (تُطلق منها النار).

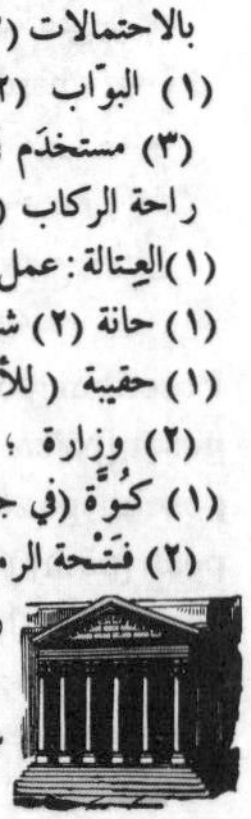

portico

portico [pōr'tə kō] *(It.)* رواق مُعَمَّد (عند مدخل المبنى).

portiere [pōr tyâr'] *(F.)* سِتْر ، سِجف (لمدخل أو باب).

portion [pōr'shən] *(n.; vt.)* (١) «أ» حِصّة من هِبةٍ أو إرث. «ب» بائنة ، دوطة. «ج» حصة من الطعام (على مائدة) (٢) قِسْمَة ، نصيب ، قَدَر (٣) «أ» جزء ، قِسْم. «ب» مقدار محدود §(٤) يقسِم ، يحصّص ، يوزع (٥) يعطي حصّة أو إرثاً أو بائنة الخ.

portionless [pōr'-] *(adj.)* لا حصة له ؛ وبخاصة: لا بائنة لها أو إرث.

Portland cement *(n.)* إسمنت بورتلاند: ضرب من الاسمنت يُصْنَع بإحراق حجر الكلس والصلصال في أتّون.

portliness [pōrt'-] *(n.)* (١) مَهابة ، جلال (٢) سِمَن ، بدانة.

portly [pōrt'lĭ] *(adj.)* (١) مَهيب ، جليل (٢) بدين.

portmanteau [pōrt măn'tō] *(F.)* pl. **-s** *or* **-x** العَيْبَة (مج): حقيبة السفَر.

portmanteau word *(n.)* المنحوتة: كلمة منحوتة من كلمتين (مثل ***brunch*** بدلاً من ***lunch*** و ***breakfast***).

port of call *(n.)* مرفأ التوقّف (للتزوّد بالمؤن أو لإصلاح عطب الخ.).

port of entry *(n.)* مرفأ الدخول: «أ» نقطة جمركية يُخلّص فيها على البضائع المستوردة. «ب» نقطة يجاز فيها للأجانب الدخول إلى بلد ما.

portrait [pōr'trāt; -trĭt] *(F.)* (١) صورة ؛ وبخاصة: صورة شخص تُظهِر وجهَه عادةً (٢) تمثال (٣) وصف ؛ صورة قلمية.

portraitist [-'trā tĭst] *(n.)* مصور الأشخاص ، وبخاصة زيتياً.

portraiture [pōr'trĭ chər] *(n.)* (١) فن التصوير أو الرسم أو النحت أو الوصف (٢) portrait.

portray [pōr trā'] *(vt.)* (١) يصوِّر (بالرسم أو الزيت أو النحت أو نحو ذلك) (٢) يَصِف ؛ يصوِّر بالألفاظ (٣) يمثّل (على خشبة المسرح).

portrayal [pōr trā'əl] *(n.)* (١) التصوير بالرسم أو بالألفاظ الخ. (٢) «أ» صورة. «ب» وصف.

portress [pōr'trĭs] *n. fem. of* porter.

Portuguese [pōr'chə gēz'] *(n.; adj.)* (١) البرتغاليّ: أحد أبناء البرتغال (٢) البرتغالية: لغة البرتغال والبرازيل §(٣) برتغاليّ.

Portuguese man-of-war *(n.)* البارجة البرتغالية: حيوان من الأبابيّات (را. hydrozoan) أعلاه يشبه الشراع.

Portuguese man-of-war

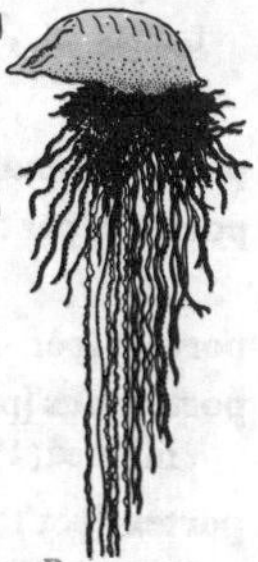

portulaca [pōr'chə lăk'ə] *(n.)* الرِّجْلَة: عشب استوائي ذو زهر مختلف الالوان (نب).

posada [pô sä'dä] *(Sp.)* خان؛ فندق.

pose [pōz] *(vt.; i.; n.)* (١) يَسْتَوْضِع: يوقف (الفنانُ) شخصاً في «وضْعة» خاصة نكي يرسمه (٢) يطرح سؤالاً أو قضيّة الخ. (~d a hard problem) (٣) يُربك أو يحيّر تحييراً شديداً ×(٤) يتوضّع: يتخذ «وضْعة» خاصة (أمام الفنان) (٥) يتظاهر بـ §(٦) الوِضْعة (مج): وَضْع خاص يُتخذ عند التصوير الخ. (٧) تكلّف؛ وضعٌ متكلّف.

Poseidon [pō sī'dən] *(n.)* بوسيدون: إله البحر عند الاغريق.

poser [pō'zər] *(n.)* (١) فا pose (٢) أحجية؛ سؤال محيّر.

poseur [pō zûr'] *(F.)* المدّعي؛ المتكلّف صفةً أو وضعاً معيّناً.

posh [pŏsh] *(adj.)* (١) أنيق (~ clothes) (٢) ممتاز.

posit [pŏz'ĭt] *(vt.)* (١) يَضَع؛ يثبّت (٢) يفترض (وجود كذا).

position [pə zĭsh'ən] *(n.; vt.)* (١) «أ» وضع للشيء في مكان معيّن. «ب» ترتيب؛ تنظيم. «ج» افتراض. «د» نظرية (٢) «أ» موضِع؛ موقع. «ب» موضع صحيح أو ملائم (out of ~). «ج» وضع جسمانيّ. «د» وَضْع. «ﻫ» حالة (٣) موقفٌ من قضيّة (٤) «أ» مركز اجتماعي. «ب» مركز اجتماعي رفيع (a man of ~) (٥) عمل؛ وظيفة (a ~ in the department of state) (٦) موقع يعطي صاحبه أفضليّةً أو امتيازاً (Our army maneuvered for ~ before attacking.) §(٧) يضعه في موضع معين أو ملائم (٨) يحدّد موقع كذا.

positive [pŏz'ə tĭv] *(adj.)* (١) وضعيّ (~ laws) (٢) باتّ؛ قاطع (٣) واثق من نفسه (أكثر مما ينبغي) (٤) «أ» تامّ؛ مَحض. «ب» ثابت؛ أكيد؛ لا يعتريه الشكّ. «ج» لا يقبل الجدل (~ proof) (٥) واقعيّ؛ حقيقيّ؛ يقينيّ (٦) عمليّ (~ help) (٧) إيجابيّ (٨) مُوجَب §(٨) شيء إيجابيّ (٩) كميّة إيجابيّة (ر) (١٠) صورة مُوْجَبة (فو) (١١) صيغةُ الصفةِ البسيطة (تمييزاً لها عن صيغة التفضيل) (١٢) حقيقة. **—positively** *(adj.)*.

positive angle *(n.)* الزاوية الموجبة (ر).

positive electricity *(n.)* الكهرباء المُوجِبَة (كب).

positive fluid *(n.)* السيّال الموجِب (كب).

positivism [pŏz'ə tĭv ĭz'əm] *(n.)* (١) الفلسفة الوضعية: فلسفة أوغوست كونت التي تُعنى بالظواهر والوقائع اليقينية فحسب مهملةً كلَّ تفكير تجريديّ في الأسباب المُطلَقَة (٢) «أ» الوضعية. «ب» ثقة؛ يقين. **—positivist** *(adj.; n.)* **—positivistic** *(adj.)*

positivity [pŏz ə tĭv'-] *(n.)* الوضعيّة؛ اليقينية؛ الإيجابية الخ.

positron [pŏz'ə trŏn'] *(n.)* البوزترون: جُسَيْم مُوجب ذو كتلة تعادل كتلة الألكترون (فز).

posology [pə sŏl'-] *(n.)* مبحث مقادير الأدوية (ط).

posse [pŏs'ĭ] *(L.)* (١) حَشْد؛ جماعة (٢) جماعة يدعوها عمدة البلدة (الأميركي) لمساعدته في إقرار الأمن والنظام.

possess [pə zĕs'] *(vt.)* (١) يتملّك (٢) «أ» يملك؛ يمتلك. «ب» يحرز؛ يحوز؛ يقتني. «ج» يعرف (٣) يحتفظ (بهدوئه أو رباطة جأشه) (٤) يسيطر على؛ وبخاصة: «يتلبّس» العفريتُ شخصاً.

possessed [pə zĕst'] *(adj.)* (١) «أ» ممسوس: به مسٌّ من شيطان يتخبّطه؛ خاضع لروح شريرة «تَلَبَّسَتْه». «ب» معتوه؛ مجنون. «ج» متلهفٌ على عمل شيء أو امتلاكِهِ (٢) هادىء؛ رابط الجأش.

possession [pə zĕsh'ən] *(n.)* (١) «أ» تملّك؛ امتلاك؛ حيازة؛ إحراز؛ اقتناء؛ الخ. «ب» استيلاء؛ وضع اليد على شيء ما. «ج» مِلْكيّة (٢) مِلْك؛ ممتلكات (٣) استحواذ شعور ما أو فكرة ما على المرء (٤) ضبط النفس؛ رباطة الجأش.

possessive [pə zĕs'ĭv] *(adj.; n.)* (١) مِلْكِيّ: دالّ على المِلْكيّة (مثل *my, your, his, our*) (٢) تملّكيّ؛ اقتنائيّ؛ نزّاع إلى التملّك والاقتناء أو إلى الاستئثار بحبّ شخص واهتمامه (My sister had a ~ nature.) §(٣) صيغة المِلْك أو لفظة بهذه الصيغة (ل).

possessor [pə zĕs'ər] *(n.)* المتملّك؛ المالك؛ المحرز؛ المقتني الخ.

possessory [pə zĕs'ə rĭ] *(adj.)* (١) «أ» تملّكيّ؛ امتلاكيّ. «ب» ناشيء عن المِلْكيّة (٢) متملّك؛ مالك (٣) نزّاع إلى التملك.

possibility [pŏs'ə bĭl'-] *(n.)* (١) إمكانيّة (٢) شيء ممكن الخ.

possible [pŏs'ə bəl] *(adj.)* (١) ممكن؛ مُستطاع؛ متيسّر (no ~ cure) (٢) جائزٌ حدوثُه أو عدم حدوثه: محتمَل الوقوع (~ emergencies) (٣) محتمَل: مُؤهَّل لأن يُصْبِحَ أو لأن يُصْطَنَع الخ. (a ~ site for a capitol).

possibly [pŏs'ə blĭ] *(adv.)* (١) بأية حال؛ مهما حدث (I cannot ~ come.) (٢) في أول فرصة ممكنة (I will go as soon as I ~ can.) (٣) ربما؛ جائز.

possum [pŏs'əm] *(n.)* الأبوسوم (را. opossum). to play ~, يتمارض أو يتماوت (عا).

post [pōst] *(n.; vt.; i.; adv.)* (١) «أ» عمود؛ سارية؛ قائمة؛ دعامة. «ب» مَعْلَم (٢) «أ» نظام البريد (بر). «ب» بريد (this morning's ~). «ج» مكتب البريد (بر). «د» صندوق البريد (بر). «ﻫ» ساعي البريد (٣) «أ» مخفر؛ مركز؛ موقع. «ب» معسكر. «ج» جنود المخفر الخ. «د» مُهِمّة (٤) منصب؛ وظيفة (٥) محطة تجارية (وبخاصة في بلد غير متحضّر أو غير آهل بالسكّان) (٦) قياس ورق (حوالى ١٦×٢٠ انشاً) §(٧) «أ» يلصق إعلاناً على جدار. «ب» ينشر؛ يذيع؛ يعلن. «ج» يُدْرِج (اسماً) في قائمة تُنشر أو تلصق على جدار. «د» يحذّر من دخول أرض (بوضع إعلان على الحدود) (٨) يُبْرِد؛ يرسل بالبَريد (٩) يُرحّل الحِسابات (تج) (١٠) يُعلِم؛ يُطلِع؛ يحيطه علماً (١١) «أ» يضع (حارساً أو جنداً الخ.) في موقع معين. «ب» يعيّن؛ يُسْنِد إليه وظيفة معينة (جن) ×(١٢) «أ» يرحل (ممتطياً جياد البريد). «ب» يسافر على جناح السرعة: يُسْرِع §(١٣) «أ» بجياد البريد. «ب» على جناح السرعة.

post- بادئة معناها: «أ» تالٍ؛ متأخر (*post*date). «ب» بعد؛ ما بعد (*post*doctoral). «ج» خَلْف (*post*axial).

postage [pōs'tĭj] *(n.)* (١) أجرة البريد (٢) طوابع بريدية.

postage stamp *(n.)* طابع بريديّ.

postal [pōs'təl] *(adj.; n.)* (١) بريديّ §(٢) بطاقة بريدية (عا).

postal card *(n.)* بطاقة بريدية.

ă at; ā date; â care; ä car; ĕ egg; ē me; ĭ in; ī bite; ŏ lot; ō bone; ô orphan; oi boil; o͝o good; o͞o boot; ou out; ŭ under; ū unity; û urgent; th thing; t͟h this; zh vision; ə = *a* in alone, *e* in system, *i* in easily, *o* in gallop, *u* in circus.

postal union *(n.)* اتحاد البريد الدَّوْليّ.

postaxial [-ăk'sĭ əl] *(adj.)* خَلْفِيمِحْوَرِيّ: واقع خلف المحور.

postbellum [pōst bĕl'əm] *(adj.)* حادثٌ بعد الحرب (وبخاصة بعد الحرب الأهلية الأميركيّة).

postbox [pōst'bŏks] *(n.)* صندوق البريد.

postboy [pōst'boi] *(n.)* (١) حُوذيّ مُمْتَطٍ أحد جياد المركبة. (٢) ساعي البريد.

postcard [pōst'kärd] *(n.)* بطاقة بريدية.

postcardinal [-kärd'-] *(adj.)* خَلْفِيقَلْبِيّ: واقعٌ خلف القلب.

post chaise *(n.)* مركبة أجرة ذات أربع عجلات.

postclassical [pōst klăs'ə kəl] *(adj.)* مُوَلَّد: منسوب الى فترة واقعة بعد عصرٍ كلاسيكيّ.

post-communion [pōst kə mūn'yən] *(n.)* صلاة ما بعد التناول: صلاة يتلوها الكاهن في القدّاس بعد التناول (نص).

postdate [pōst'dāt'] *(vt.)* يؤخِّر التاريخ: يجعل للشيك الخ. تاريخاً متأخراً عن تاريخ اليوم الذي وقّعه فيه.

postdiluvian [pōst'dĭ lōō'vĭ ən] *(adj.; n.)* (١) بَعْدِيطُوفانيّ: ذو علاقة بما بعدطوفان نوح §(٢)البَعْدِيطوفانيّ: من عاش بعد الطوفان.

postdoctoral [pōst dŏk'-] *(adj.)* بَعْدِيدُكتوراتي: متعلّق بما بعد شهادة الدكتوراه.

poster [pōs'tər] *(n.)* (١) جواد من جياد البريد (٢) المُلْصَق: إعلان اوبيان يلصق في محلّ عام (٣) مُلصِق الاعلانات.

poste restante [pōst'rĕs tänt'] *(F.)* (١) «يُحفَظ في شباك البريد»: اصطلاح يدوّنه المرسِل على غلاف الرسالة مُبْدِياً بذلك رغبته في احتفاظ ادارة البريد بها حتى يأتي المرسَل إليه بنفسه فيطلبها (٢) general delivery.

posterior [pŏs tĭr'ĭ ər] *(adj.; n.)* (١) «أ» تالٍ، لاحق «ب» لازم كنتيجة منطقيّة (٢) خَلْفِيّ §(٣) الأجزاء الخلفيّة من الجسد، وبخاصة: الكَفَل، العجيزة.

posteriority [pŏs tĭr'ĭ ôr'ə tĭ] *(n.)* التَلَوِيّة؛ اللازمية المنطقيّة: كون الشيء تالياً أو لازماً كنتيجة منطقيّة.

posterity [pŏs tĕr'ə tĭ] *(n.)* (١)الذُرِيّة؛ الأخلاف (٢)الأجيال القادمة كلّها.

postern [pōs'tərn] *(n.; adj.)* (١) بابٌ خلفيّ (٢) باب أو ممرّ خصوصيّ أو جانبيّ §(٣) خلفيّ؛ جانبيّ (a ~ door).

post exchange *(n.)* المخزن العسكريّ: مخزن في قاعدة عسكريّة لبيع السِّلَع لرجال الجيش وللمرخّص لهم من المدنيّين.

postexilic [pōst'ĭg zĭl'ĭk] *(adj.)* بَعْدِيْنَفْيِيّ: متعلّق بالفترة الممتدّة من انقضاء الأَسْر البابلي لليهود عام ٥٣٨ ق.م إلى السنة الأولى للميلاد.

post-free [pōst'frē'] *(adj.)* (١) مُعفًى من أجرة البريد. (٢) مدفوعةٌ أجرة البريد عنه مقدّماً (بر).

postglacial [-glā'shəl] *(adj.)* بَعْدِيْجَلِيديّ: حادث بعد العصر الجليديّ.

postgraduate [-grăj'ōō ĭt] *(adj.; n.)* (١) بَعْدِيتَخَرُّجِيّ: منسوب إلى الدراسات العليا بعد شهادة البكالوريوس §(٢)طالبٌ بَعْدِيتَخَرُّجِي (يتابع الدراسةالعليا بعد نيله شهادة البكالوريوس).

posthaste [-'hāst'] *(adv.; n.)* (١)بأقصى السرعة §(٢)سرعةٌ بالغة.

post hoc *(L.)* (١)بعد هذا، وإذن بسببٍ منه (٢)مغالطة منطقية.

post-horse [pōst'-] *(n.)* جواد من جياد البريد.

posthumous [pŏs'chōō məs] *(adj.)* (١) مولود بعد وفاة أبيه. (٢) منشور بعد وفاة مؤلّفه (٣) تالٍ لوفاة المرء أوحادثٌ بعدها.

posthypnotic [pōst hĭp nŏt'ĭk] *(adj.)* بَعْدِيتَنْوِيمِي: متعلّق بالفترة التي تلي السّبات التنويمي المغنطيسي أو مميّز لها.

postiche [pôs tēsh'] *(adj.; n.)* (١) زائفٌ؛ كاذب؛ اصطناعي. §(٢) «أ» بديل زائفٌ. «ب» شَعْرٌ مستعار.

postilion *or* **postillion** [pōs tĭl'yən] *(F.)* حوذيّ يمتطي أحد جياد المركبة.

Postimpressionism [pōst'ĭm prĕsh'ə nĭz-] *(n.)* الانطباعية المتأخرّة: مذهب في فن الرسم نشأ ما بين ١٨٧٥ و ١٨٩٠ كردّ فعل للصبغة العلمية والطبيعيّة التي اتّسمت بها المدرسة الانطباعيّة.

post-Kantian [pōst kăn'tĭ ən] *(adj.)* بَعْدِيكَنْتِيّ: خاص بالفلاسفة المثاليين (مثل فيخته وشيلنغ وهيغل) الذين جاءوا بعد كَنْت وطوّروا بعض فِكراتِه.

postlude [pōst'lōōd'] *(n.)* (١) مقطوعة ختامية (مو) (٢)موسيقى تُختَتم بها الخدمة الدينية (في الكنائس).

postman [pōst'mən] *(n.)* ساعي البريد.

postmark [pōst'märk] *(n.; vt.)* (١) خاتِم أو ختم البريد. §(٢) يختِم بخاتِم البريد.

postmaster [pōst'măs'tər] *(n.)* (١) مدير مكتب البريد. (٢) مدير محطة لتزويد المسافرين بجياد البريد.

postmaster general *(n.)* المدير العام للبريد.

postmeridian [pōst mə rĭd'ĭ ən] *(adj.)* أصيليّ: حادثٌ أو واقعٌ بعد الظُّهر.

post meridiem [pōst mə rĭd'ĭ ĕm'] *(L.)* بعد الظُّهر.

postmillennial [pōst'mə lĕn'ĭ əl] *(adj.)* بَعْدِيأَلْفِيّ: خاصّ بالفترةالتالية للعصر الألفي السعيدالذي سيملك فيه المسيح على الأرض.

postmistress [pōst'mĭs'trĭs] *(n.)* مديرة مكتب البريد.

postmortem [pōst môr'təm] *(adj.; n.)* (١) واقع أو حادثٌ بعد الوفاة (٢) تالٍ للحادثة (analysis ~) §(٣) فحص الجثّة بعد الوفاة (را. المادة التالية).

postmortem examination *(n.)* فحص الجثة بعد الوفاة (لتحديد سبب الموت أو طبيعة التغيّرات التي أحدثها المرض ومداها).

postnasal [-nā'zəl] *(adj.)* خَلْفِيأَنْفِيّ: قائم أو حادث خلف الأنف.

postnatal [pōst nā'təl] *(adj.)* بَعْدِيوِلاديّ: تالٍ للولادة.

postnuptial [pōst nŭp'shəl] *(adj.)* بَعْدِيزَواجِيّ: واقع أو مصنوع بعد الزَّواج.

post-obit [-ō'bĭt] *(adj.)* حادثٌ أو نافذ المفعول بعد الوفاة.

post office *(n.)* (١) إدارة البريد العامة (٢) مكتب البريد.

postoperative [-ŏp'-] *(adj.)* بَعْدِيجِراحِيّ: تالٍ لعملية جراحية.

postorbital [pōst ôr'bĭ təl] *(adj.)* خَلْفِيمَحْجِرِيّ: واقعٌ خلف مَحْجِر العين (ت).

postpaid [pōst'pād'] *(adj.)* خالص الأجرة: مدفوعةٌ أجرة البريد عنه مقدّماً.

postpartum [-pär'təm] *(adj.)* بَعْدِيوَضْعِيّ: تالٍ للولادة.

postponable [pōs(t) pō'-] *(adj.)* قابل للتأجيل أو الإرجاء.

postpone [pōs(t) pōn'] *(vt.)* (١) يؤجّل؛ يُرجِىء (٢) يؤخّر (٣) يجعله في المقام الثاني من حيث الأهمية (to ~ an adjective) (He ~ *d* private ambitions to the public welfare.)

postposition [pōst'pə zĭsh'ən] *(n.)* (١)تأخير (لفظةعن أخرى). (٢) لفظة مُؤخَّرة.

postpositive [pōst pŏz'ə tĭv] *(adj.)* مُؤخَّر : موضوع بعد كلمة أخرى أو في نهايتها .
postprandial [pōst prăn'dĭ əl] *(adj.)* بَعْدَ يَوْلِيميّ : بعد الوليمة أو الطعام (speeches ~) .
post road *(n.)* طريق البريد : «أ» طريق ينقل أو كان يُنقَل عليها البريد . «ب» طريق ذات محطات لتزويد المسافرين بالأفراس .
postrorse [pōs'trŏrs] *(adj.)* = retrorse.
postscript [pōst'skrĭpt'] *(n.)* (١) حاشية (لرسالة) (٢) ذيل ؛ مُلحق (لمقال أو كتاب) .
postulant [pŏs'chə-] *(n.)* المرشّح ؛ وبخاصة للدخول في رهبنة .
postulate [*v.* pŏs'chə lāt'; *n.* -lĭt'; -lāt'] *(vt.; n.)* (١)يطالب بـ ؛ يدّعي لنفسه (٢) يفترض ؛ يسلّم بـ §(٣) المُسلَّمة ؛ أمر مُسلَّم به (والجمع : المسلَّمات) (٤) مبدأ أساسيّ (٥) شرط ضروريّ . **—postulator** *(n.)*
postulation[-chə lā'-] *(n.)* (١)«أ»مطالبة ؛ ادّعاء. «ب»افتراض ؛ تسليم بـ (٢) «أ» دعوى . «ب» شيء مُفتَرَض أو مسلَّم به .
posture [pŏs'chər] *(n.; vt.; i.)* (١) «أ» وقفة ؛ جِلْسة . «ب» وِضْعة (را. pose 6) (٢) وضْع ؛ حالة (present ~ of public affairs)(٣)موقف عقليّ ؛ مزاج ؛ حالة نفسية §(٤)يستوضع : يجعله يتخذ «وِضعةً» خاصة ×(٥)يتوضّع : يتخذ «وِضعة» خاصة.
posturize [pŏs'chə rīz'] *(vt.; i.)* = posture.
postvocalic [pōst vō kăl'ĭk] *(adj.)* بَعْدِ يَعِلّيّ : واقع بعد حرف علة مباشرة .
postwar[-'wôr'] *(adj.)* بَعْدِ يَحْرَبِيّ : خاص بفترة ما بعد الحرب.
posy [pō'zĭ] *(n.)* (١)شعار أو بيت من الشعر الخ. (يُنقش على خاتم) (٢) زهرة (٣) باقة زهر .
pot [pŏt] *(n.; vt.; i.)* (١) «أ» قِدْر (معدنيّة أو فخارية) . «ب» مِلء قِدْر (٢)سلة (لصيد السمك والسراطين البحرية الخ.) (٣)«أ» مبلغ كبير من المال . «ب» مجموع المبالغ المُراهَن بها في وقت واحد. «ج» صندوق مشترك (٤)potshot(٥) كرش ؛ بطن ضخم (ع) (٦)شخص ذو شأن (٧)شراب مسكر (٨)خراب ؛ تدهور (Business had gone to ~.) (٩) الضربة الجيبية : ضربة بليارد تُسقَط فيها الكرة في جيب المائدة §(١٠) يضع في قِدْر (١١) يطبخ ويحفظ في قِدر ×(١٢) يطلق النار على .
to keep the ~ boiling (١) يكسب رزقه (٢) يبقي الأمور أو اللعبة جارية بنشاط وحيوية .
potable [pō'tə bəl] *(adj.; n.)* (١) يُشْرَب ؛ صالحٌ للشُّرب . §(٢) *pl.* عد : مشروبات .
potage [pō täzh'] *(F.)* حِساءٌ مُركَّز .
potash [pŏt'ăsh'] *(n.)* بوتاس ؛ أُشْنان .
potassic [pə tăs'ĭk] *(adj.)* بوتاسيوميّ أو محتوٍ على بوتاسيوم.
potassium [pə tăs'ĭ əm] *(n.)* البوتاسيوم : عنصر فلزّي ليّن (ك).
potassium carbonate *(n.)* كربونات البوتاسيوم (ك) .
potassium chlorate *(n.)* كلورات البوتاسيوم (ك) .
potassium nitrate *(n.)* نترات البوتاسيوم (ك) .
potassium permanganate *(n.)* برمنغنات البوتاسيوم (ك) .
potation [pō tā'shən] *(n.)* (١) شراب مُسكِر (٢) «أ» شُرْب . «ب» شَرْبة ؛ جَرْعة .
potato [pə tā'tō] *(n.)* البطاطا ؛ البطاطس (نب) .
potato beetle *or* **potato bug** *(n.)* خنفساء البطاطس : خنفساء مقلّمة بخطوط سوداء وصفراء تغتذي بأوراق البطاطس فتتلِف محصوله.
potato chip *(n.)* الرُّقاقة البطاطسية : رُقاقة بطاطس مقليّة .
potatory [pō'tə tōr'ĭ] *(adj.)* (١) شُرْبيّ (٢) مولعٌ بالشراب.
pot-au-feu [pô tō fœ'] *(F.)* البوتفو : حساء مركّز من لحم وخضر.
potbellied [pŏt'bĕl'ĭd] *(adj.)* بطين ؛ عظيم البطن .
potbelly[pŏt'-] *(n.)* (١) كرش ؛ بطن عظيم (٢)وجاق ناتىء «البطن» .
potboil[pŏt'-] *(vi.)* يتكسّب : ينتج فنياً أو أدبياً لمجرد كسب المال.
potboiler [pŏt'boi'lər] *(n.)* الأثر التكسّبيّ : أثر فنيّ أو أدبيّ يُنتَج لمجرد كسب المال.
potboy [pŏt'boi'] *(n.)* النادل ؛ الساقي (في حانة) .
poteen; potheen[pō tēn'] *(n.)* ويسكي معدّة بطريقة غير مشروعة.
potency *or* **potence** [pō'-] *(n.)* (١) «أ» فعّالية . «ب» قوة . (٢) سُلطة ؛ نفوذ (٣) شخص (أو شيء) ذو سلطة ونفوذ (٤) الفحولة ؛ القدرة على الجِماع (٥) إمكانية ؛ كمونيّة .
potent [pō'tənt] *(adj.)* (١)«أ» فعّال . «ب» قويّ (٢)مقنِع ؛ مُفحِم (reasons ~) (٣)واسع السلطة (٤)فحل ؛ ذو قوة تناسلية.
potentate [pō'tən tāt'] *(n.)* العاهل ؛ الملك ؛ الحاكم الخ.
potential [pə tĕn'shəl] *(adj.; n.)* (١)«أ» كامن ؛ موجود بالقوة. «ب» ممكن ؛ محتمَل (٢) إمكانيّ ؛ احتماليّ ؛ وبخاصة : دالّ على الامكان أو الاحتمال باستعمال *may* أو *might* أو *can* أو *could* (٣) جُهْديّ : متعلق بالقوة الدافعة الكهربائية §(٤)الإمكان : شيء كامن أو موجود بالقوة (٥) احتمال ؛ إمكانية (٦) صيغة الإمكان أو الاحتمال (ل) (٧) الجُهْد : القوة الدافعة الكهربائية مُعبَّراً عنها بالفولتات (كب) .
potential energy *(n.)* الطاقة الكامنة (مج) ؛ طاقة الوضع (فز) .
potentiality [pə tĕn'shĭ ăl'-] *(n.)* الامكانية ؛ الاحتمالية ؛ الكمونية.
potentiate [pə tĕn'shĭ āt] *(vt.)* يقوّي : يجعله ذا قوة أو فعّالية الخ.
potentilla [pō'tən tĭl'ə] *(n.)* البُوطَنْطِلّة ؛ عُشبة القُوى (نب).
potentiometer [pə tĕn'shĭ ŏm'ə tər] *(n.)* (١) مقياس الجهد (كب) (٢) المِفرَق (مج) : مقياس فَرْق الجهد (كب).
potful [pŏt'-] *(n.)* مِلء قِدر : مقدار ما تسَعهُ القِدْر .
pothecary [pŏth'ə kĕr'ĭ] *(n.)* = apothecary.
pother [pŏth'ər] *(n.; vt.; i.)* (١)«أ» ضجة ؛ جلبة. «ب» اهتياج ، وبخاصة حول مسألة تافهة (٢) غبار أو دخان خانق (٣) تشوّش أو قلق §(٤) يُربك ؛ يشوّش ×(٥) يقلق ؛ يهتاج .
potherb [pŏt'ûrb'; -hûrb] *(n.)* (١) عُشْب الطعام : كل عشب يُطبَخ (كالسبانخ الخ.) (٢) عشب التتبيل : كلّ عُشْب يضاف إلى الطعام لإعطائه نكهة خاصة (كالبقدونس الخ.) .
pothole [pŏt'hōl] *(n.)* (١) الفجوة الدُّردوريّة : ثقب دائريّ في حوض النهر الصخري ناشىء عن دوران الحجارة أو الحصى التي يعصف بها الدُّردور (٢) الأخدود : حفرة في الطريق .
pothook [pŏt'ho͝ok'] *(n.)* (١)«أ» كُلّاب القِدْر : كلّاب على شكل حرف S لتعليق القدور في نار مكشوفة . «ب» قضيب ذو كلّاب لرفع القدور الحامية (٢)علامة على شكل حرف S كالتي يرسمها الطفل عند تعلّمه الكتابة .
pothouse [pŏt'-] *(n.)* المِزارة : حانة لبيع الجِعَة أو المِزْر .
pothunter [pŏt'-] *(n.)* (١) الصائد المُتكسّب : من يتصيّد الحيوانات لمجرّد الكسب أو ليتخذ منها طعاماً (٢)اللاعب المحترف : من يشارك في المسابقات الرياضية طمعاً في الجائزة ليس غير .
potiche [pô tēsh'] *(n.)* البوطَش : زَهرية أو آنية خزفية .
potion [pō'shən] *(n.)* جرعة ، وبخاصة من دواء أو سُمّ .
potlatch [pŏt'lăch] *(n.; vt.; i.)* (١) «أ» *cap.* : مهرجان الشتاء

(عند بعض هنود أميركة الحمر) . «ب» توزيع الهدايا في ذلك المهرجان (٢)«أ» مهرجان توزَّع فيه الهدايا . «ب»هدية §(٣)يقيم مهرجاناً (٤) يُهْدي .

pot liquor *(n.)* المَرَق : مَرَق اللحم أو الخُضْرَة .

potluck [pŏt'-] *(n.)* حواضر البَيْت (تُقدَّم إلى ضيف غير مُنتظَر) .

potpie [-'pī] *(n.)* (١) فطيرة لحم (٢)يخنة من لحم الدجاج أو العجل .

potpourri [pōt pōōr'ī] *(F.)* (١) مزيج من أوراق الورد الخ . المجفّفة مع شيء من التوابل يُحفظ في وعاء رغبةً في ريحه الطيّب (٢) لحنٌ خليط (را. medley) (٣) مقتطفات أدبيّة .

pot roast *(n.)* المحمر القِدْريّ : لحمٌ بقريّ يُحمّر ثم يُطبخ على نار خفيفة (مع قليل من الماء) في قِدْرٍ مقفلَة .

potsherd [pŏt'-] *(n.)* الكِسْرَة : كِسْرَة من إناء خزفي (آثا) .

potshot [pŏt'-] *(n.)* (١) الطَّلْقة القِدْرية : طَلْقة تسدَّد إلى الطريدة وفي نيّة الصائد أن يتّخذ منها طعاماً (٢) طلقة تسدَّد ، عن كثب ، إلى حيوانٍ أو شخص (٣) ملاحظة انتقادية تُطلق كيفما اتفق .

pot still *(n.)* المِقْطَر المِرجلي .

potstone [pŏt'-] *(n.)* حجَر القدور : حجر كان إنسان ما قبل التاريخ يصنع منه القدور .

pottage [pŏt'ĭj] *(n.)* حِساء الخُضَر (أو الخُضَر واللحم) المركّز .

potter [-'ər] *(n.; vi.)* (١) الخزّاف §(٢) putter .

potter's clay ; potter's earth *(n.)* طين الخزاف .

potter's field *(n.)* حقل الفخّاري : مقبرة الفقراء والمجهولين والمجرمين .

potter's wheel *(n.)* دولاب الخزّاف .

pottery [pŏt'ə rĭ] *(n.)* (١) مصنع الفخّار أو الخزف (٢)صناعة الفخّار (٣) آنية فخارية .

pottle [pŏt'əl] *(n.)* (١) نصف غالون (ا.ق) (٢) «أ» وعاء يتّسع لنصف غالون . «ب» السائل الذي يحتويه هذا الوعاء (٣) شراب مُسْكِر (٤) سلّة فاكهة (بر) .

Pott's disease [pŏts] *(n.)* داء بوتّ : سلٌّ في العمود الفقري يؤدّي إلى تقوّسه (مض) .

potty [pŏt'ĭ] *(adj.; n.)* (١) تافه ؛ ضئيل القيمة (٢) مخبول قليلاً (عب) (٣)مترفّع (عمّن هم دونه) §(٤) نونيّة للأطفال .

pouch [pouch] *(n.; vt.; i.)* (١) «أ» كيس ؛ حقيبة ؛ محفظة . «ب» جيب (اسك) . «ج» رزمة (٢) تجعّد تحت العين (٣) جِراب (ت) §(٤) يضع في كيس أو جيب (٥) يزوده بالمال (ع) (٦) يبتلع (الطائرُ أو السمكة) ×(٧) «أ» يشكّل جراباً أو نحوه . «ب» ينتأ .

pouched [poucht] *(adj.)* جِرابيّ : ذو جِراب (كبعض الحيوانات) .

pouchy [pou'-] *(adj.)* جِرابيّ : «أ» شبيه بالجِراب . «ب» ذو جِراب .

pouf [pōōf] *(n.)* (١) خصلة شعر معقوصة (٢) الجزء المنتفخ من ثوب (٣) ottoman 2. .

poularde *also* **poulard** [pōō lärd'] *(F.)* (١) دجاجة معقّمة (لكي تَسْمن) (٢) دجاجة مسمّنة .

poult [pōlt] *(n.)* فرّوج ، وبخاصة : صغير الديك الروميّ .

poulterer [pōl'tər ər] *(n.)* بائع الدجاج والطيور الداجنة .

poultice [pōl'tĭs] *(n.; vt.)* (١) كِمادة §(٢) يكمِّد : يضع الكِمادة على الورم أو موضع الوجع .

poultry [pōl'trĭ] *(n.)* الدجاج ونحوه من الطيور الداجنة .

poultryman [pōl'trĭ mən] *(n.)* (١) مُربّي الدّجاج الخ . (٢) بائع الدجاج أو منتجاته .

pounce [pouns] *(n.; vi.; t.)* (١) برثن الطائر الجارح (٢) انقضاض ؛ هجوم (٣) ذرور التجفيف : ذرور كانوا يستخدمونه لمنع الحبر من التفشّي أو لإعداد الرقوق للكتابة (٤) ذرور ، منْ فحم عادة ، لنقل رسم أو صورة §(٥) ينقضّ على ×(٦) يذرّ : يستخدم الذرور لتجفيف الحبر أو لإعداد الرقوق للكتابة أو لنقل الرسوم .

pounce box *(n.)* المِرْمَلة : وعاء ذرور التجفيف .

pouncet box *(n.)* عُلْبة الكُرة العطرية (را. pomander) .

pound [pound] *(n.; vt.; i.)* (١) الباوند : رطل انكليزي (حوالى ٤٥٣ غراماً) (٢) «أ» جنيه انكليزي . «ب» جنيه مصري أو استرالي الخ . (٣)«أ» سَحْق ؛ سَحْن ؛ دقّ . «ب» ضربة أو لكمة قوية . «ج» صوت السّحْن أو الضربة (٤)«أ» زريبة للحيوانات . «ب» حوض أو شرك للأسماك . «ج» محبِس أو احتباس . «د» محل لبيع السراطين البحرية الحيّة §(٥) يسحق ؛ يسحن ؛ يدقّ (٦) يجتاز بتثاقل ×(٧) يقرع أو يضرب بعنف وتكرار (on the door ~) (٨) يخفق (القلب) بقوة (٩) يمشي محدثاً صوتاً (١٠) يكِدّ ؛ يعمل من غير كلل .

poundage [poun'dĭj] *(n.)* (١) «أ» ضريبة تُجْبَى بالجنيهات الانكليزية . «ب» عمولة (٢) «أ» رسم يفرض على أساس الرطل الانكليزي . «ب» الوزن بالأرطال الانكليزية (٣)حَبْس ؛ حجز .

poundal [poun'dəl] *(n.)* الباوندال : وَحْدة قوّة (فز) .

pound cake *(n.)* الكعكة الرّطلية : كعكة تصنع برطل من السكر ورطل من الزبدة مقابل كل رطل من الطحين (مع مقدار وافر من البيض) .

pounder [poun'dər] *(n.)* (١)«أ» فا pound . «ب» مدقّة ؛ يد الهاون (٢) شخص أو شيء يزن مقداراً معيناً من الأرطال (كقولك a four pounder أي سمكة ، أو شيء آخر ، زنتها أربعة أرطال) (٣) مدفع يطلق قذائف زنة كلّ منها كذا رطلاً (a twelve- ~) .

pound-foolish [pound'fōō'lĭsh] *(adj.)* غير حكيم في إنفاق المبالغ الكبيرة أو في معالجة القضايا الهامّة .

pound net *(n.)* الشبكة المركّبة : عدة شباك في شبكة (لصيد السمك) .

pound net

pound sterling *(n.)* جنيه انكليزي .

pour [pōr] *(vt.; i.; n.)* (١) يصبّ ؛ يسكب ؛ يسفح (٢) يغْدِق ؛ يزود أو ينتج بغزارة ×(٣)«أ» ينصبّ ؛ ينهمر . «ب» يتدفق (٤) يهطل (المطر) بغزارة (٥) يترأس أو يتصدّر مائدة الشاي §(٦)«أ» انهمار . «ب» تدفق (٧) مطر غزير .

pourboire [pōōr bwär'] *(F.)* الراشِن ؛ الحُلوان ؛ البخشيش .

pourparler [-pär lĕ'] *(F.)* محادثة تمهيدية (تسبق المفاوضات) .

pourpoint [pōōr'-] *(F.)* سِترة رِجالية (من القرن ١٤ إلى ١٧) .

pour point [pōr] *(n.)* نقطة الانصباب (ك) .

pousse-café [pōōs kȧ fĕ'] *(F.)* (١) كوكتيل مؤلّف من عدة أشربة كحولية مختلفة الألوان مرتّبة في طبقات (٢) قليل من البراندي أو غيره من المُسْكِرات يؤخذ مع القهوة بعد الطعام .

poussette [pōō sĕt'] *(vi.; n.)* (١)يرقص شابكاً يديه بيدَيْ زميله (في رقصة شعبية) §(٢) رقصة شعبية تُشابَك فيها الأيدي .

pout [pout] *(vi.; t.; n.)* (١)«أ» يبوّز : يُنْتِيء شفتيه استياءً . «ب» يقطّب ؛ يتجهّم (٢) ينتأ ×(٣) يُنْتِيء §(٤) التبويز : إنتاء الشفتين استياءً (٥) *pl.* : غضبٌ ؛ استياء (٦) البَوْت : سمكة ضخمة الرأس .

pouter [pou'tər] *(n.)* : (١) المبوِّز ؛ المقطِّب الخ. (٢) البَوْتَر : نوع من الحمام .
pouty [pou'tĭ] *(adj.)* متجهِّم ؛ مقطِّب ؛ عابس .
poverty [pŏv'ər tĭ] *(n.)* (١) فَقْر (٢) قلّة ؛ نُدْرة (٣) هُزال أو ضَعْف ناشىء عن سوء التغذية (٤) جَدْب (~ of the soil).
poverty-stricken[pŏv'ər tĭ strĭk'ən] *(adj.)* فقير جداً ؛ مُعْدِم .
pow [pō; pou] *(n.)* (١) رأس (٢) صوت ضربة أو انفجار .
powder [pou'dər] *(n.; vt.; i.)* (١) ذَرور ؛ مسحوق (٢)بارود. §(٣) يذرِّر ؛ يرشّ الذرور أو يكسو به شيئاً (٤) يسحن ؛ يسحق ×(٥)يتذرَّر : يصبح ذروراً (٦)تتبرّج (باستعمال المساحيق).
powder blue *(n.)* لون أزرق فاتح .
powder horn *(n.)* قَرْنٌ أو حُقّ البارود .
powder magazine *(n.)* مخزن البارود ؛ مستودع البارود .
powder metallurgy *(n.)* ميتالورجيا المساحيق .
powder monkey *(n.)* قِرد البارود : غلام كان يُستخدم على متون السفن الحربيّة لنقل البارود .
powder puff *(n.)* المُدَرَّرة: قطيفة صغيرة لتجميل الوجه بالذرور.
powder room *(n.)* حجرة تواليت (را. rest room) للسيدات.
powdery [pou'də rĭ] *(adj.)* (١)«أ» ذَروريّ. «ب» كالذَّرور. «ج» سهلُ التفتيت (٢) منضوحٌ أو مكسوّ بالذرور .
power [pou'ər] *(n.; vt.; adj.)* (١)«أ» سلطة ؛ سلطان؛ نفوذ. «ب» شخص أو شيء ذو سلطة ؛ وبخاصة : دولة ذات سيادة . «ج» إله أو إلاهة . «د» مقدار كبير (a ~ of good) (٢)«أ» قوة . «ب» حقّ أو اختصاصٌ أو صلاحية شرعية أو رسمية (٣) قوة بدنيّة أو عقلية (٤) مَلاك من المرتبة الرابعة الدنيا (٥) قوة (جب) (٦)«أ» مصدر طاقة أو وسيلة تزويد بالطاقة ، وبخاصة : كهرباء . «ب» طاقة ؛ قوة محرِّكة . «ج» قوة؛ شدّة (فز) . «د» قدرة (مك) . «ه» ماكينة بسيطة (٧) قوة المجهر أو التلسكوب الخ . على التكبير §(٨) يزوِّد بالقوة ، وبخاصة بالطاقة أو القوّة المحرِّكة §(٩) آليّ .
in ~ . حاكم : متولٍّ الحكم ، متربّع في كراسي الحكم .
the ~s above . الآلهة
the ~s that be . أصحاب الحكم أو السلطة
powerboat [pou'ər bōt'] *(n.)* الزورق الآليّ : زورقٌ ذو محرِّك.
power dive *(n.)* انقضاضٌ مُسَرَّع بقوّة المحرِّك (طي) .
power-driven [pou'ər drĭv'ən] *(adj.)* آليّ ؛ مُدار بمحرِّك .
powered [pou'ərd] *(adj.)* مُمَدّ أو مُدار بقُدْرة آليّة .
powerful [pou'ər fəl] *(adj.)* (١) «أ» قويّ . «ب» جَبّار (٢) فعّال (٣) ضخم ؛ كبير .
powerfully [pou'ər-] *(adv.)* بقوّة ؛ بجبروت الخ .
powerhouse [pou'ər-] *(n.)* (١)«أ» محطة توليد القوّة الكهربائيّة. «ب» مصدر تأثير أو إلهام (٢) شخص الخ. عظيم القوة أو النفوذ.
powerless [pou'ər-] *(adj.)* ضعيف ، واهن ؛ عاجز .
power pack *(n.)* مجموعة توليد القدرة (كب) .
power plant *(n.)* (١) محطة توليد القوة الكهربائية (٢) محرِّك .
power politics *(n.)* سياسة القوّة .
power series *(n.)* مُتَسَلْسِلات القُوَى (ر) .
power shovel *(n.)* المِجْرَفَة الآليّة .
power station *(n.)* محطة توليد القوّة الكهربائيّة .
powwow [pou'wou'] *(n.; vi.)* (١) البَوْو : «أ» كاهن أو طبيب هنديّ أحمر . «ب» مهرجان صاخب يقيمه الهنود الحمر ابتهاجاً بالشفاء من مرض أو بالانتصار في حرب (٢) «أ» حفلة . «ب» اجتماع ، مؤتمر §(٣) يقيم مهرجاناً ؛ يعقد مؤتمراً الخ .
pox[pŏks] *(n.)* (١) مرض نِفاطيّ (كالجدري) (٢) سِفْلس .
pozzolana[pŏt'sə lä'nə] *or* **pozzolan**[-län'] *(n.)* : البَزّولان : صخر سليكوني بركانيّ الأصل .
PPI *(n.)* = plan position indicator.
practicability [prăk'tə kə bĭl'-] *(n.)* العملية ؛ الاجرائية ؛ الاستخدامية ؛ كون الشيء ممكناً عملُه أو إجراؤه أو استخدامه .
practicable[prăk'tə kə bəl] *(adj.)* (١)ممكنٌ عملُه أو إجراؤه. (٢)«أ» ممكنٌ استخدامُه . «ب» سالك (a ~ road) .
practical [prăk'tə kəl] *(adj.)* عمليّ .
practical joke *(n.)* المَزْحَة العملية ؛ المداعبَة السمجة : مداعبة قوامها خداع شخص أو الاحتيال عليه ليضحك منه الآخرون .
practical nurse *(n.)* الممرضة العملية : ممرضة لم تتخرّج من معهد للتمريض ولكنها اكتسبت خبرتَها بالممارسة .
practice *or* **practise** [prăk'tĭs] *(vt.; i.; n.)* (١) يمارس ؛ يزاول ؛ يتعاطى (٢) يدرِّب «على» (٣) يطبّق عملياً (٤) يتعوّد ×(٥) يتدرّب «على» (to ~ at shooting) (٦)«أ» يستغلّ كذا (تتبعها upon) . «ب» يتآمر على (ا.ق) §(٧) ممارسة ؛ مزاولة (٨) تطبيق (to put a plan into ~) (٩) عادة ؛ عُرف (local ~) (١٠) مِران ؛ تمرّن (١١) خبرة ؛ تمرّس (١٢) مهنة ، وبخاصة : مهنة الطبيب أو المحامي (١٣) زبائن الطبيب أو المحامي (Dr. Habib has a large ~.) .
practiced *or* **practised** [prăk'tĭst] *(adj.)* (١) خبير ؛ بارع ؛ واسع التجربة (٢) مُكتَسَبٌ بالممارسة (a ~ skill) .
practitioner [prăk tĭsh'ən ər] *(n.)* : صاحب مهنة ، وبخاصة : الطبيب ؛ المحامي .
praedial [prē'dĭ əl] *(adj.)* عقاريّ .
praenomen [prē nō'mĕn] *(n.)* الاسم الأول: الاسم الأول من أسماء المواطن الروماني الثلاثة (مثل Caius في Caius Julius Caesar)
praetor [prē'tər] *(n.)* البريتور : القاضي (عند الرومان) .
praetorian [prē tōr'ĭ ən] *(adj.; n.)* (١) بريتوريّ : منسوب إلى البريتور (٢) *cap.* عد : امبراطوريّ : خاص بالحرس الامبراطوري الروماني §(٣) بريتور (٤)جندي في الحرس الامبراطوري الروماني.
pragmatic[prăg măt'ĭk] *(adj.; n.)* (١)«أ»ناشط ؛ نشيط (ا.ق). «ب» فضوليّ (ا.ق) . «ج» مغرور (ا.ق) (٢) واقعيّ ؛ عمليّ (٣) ذرائعيّ : ذو علاقة بفلسفة الذرائع أو منسجم معها §(٤) مرسوم ؛ أمرٌ عالٍ .
—pragmatical *(adj.)*
pragmatic sanction *(n.)* مرسومٌ ؛ أمر عالٍ .
pragmatism [prăg'mə tĭz'əm] *(n.)* (١) الاستشراف العملي للأمور والمشكلات (٢) المذهب العملي ؛ فلسفة الذرائع : فلسفة أميركية تتخذ من النتائج العملية مقياساً لتحديد قيمة الفكرات الفلسفية وصدقها .
pragmatist [prăg'mə tĭst] *(n.; adj.)* (١) الذرائعي : المؤمن بفلسفة الذرائع §(٢) ذرائعيّ .
prairie [prâr'ĭ] *(n.)* (١) مَرْج (٢) نجد أجْرد .
prairie breaker *(n.)* محراث المروج .
prairie chicken(*n.*) : الطَّيْهُوج الأميركي : طائر من رتبة الدجاج .
prairie dog *(n.)* كلب المروج : حيوان أميركي من القواضم .

prairie dog

ă at; ā date; â care; ä car; ĕ egg; ē me; ĭ in; ī bite; ŏ lot; ō bone; ô orphan; oi boil o͝o good; o͞o boot; ou out; ŭ under; ū unity; û urgent; th thing; t͟h this; zh vision; ə = *a* in alone, *e* in system, *i* in easily, *o* in gallop, *u* in circus.

prairie schooner *or* **wagon** *(n.)* عربة المروج : عربة كبيرة مقفلة كان المهاجرون إلى شمالي أميركة يستخدمونها في اجتياز سهول تلك الأصقاع .

prairie schooner

praise [prāz] *(vt.; i.; n.)* (١) يُطْري؛ يُثْني على (٢) يمجّد؛ يسبّح §(٣) إطْراء؛ ثَناء (٤) «أ» تمجيد ؛ تسبيح . «ب» مِدْحة ؛ تسبيحة .

praiseworthy [prāz'-] *(adj.)* جدير بالاطراء أو الثناء أو التمجيد.

Prakrit [prä'krĭt] *(Skt.)* البراقريطية : «أ» إحدى أو جميع اللغات أو اللهجات الهندية القديمة غير السنسكريتية . «ب» أيّ من اللغات الهندية الحديثة .

praline [prä'lēn] *(F.)* البرالين : حلوى اللوز أو الجوز .

pram [prăm] *(n.)* (١) زورق (٢) عربة أطفال أو عربة يد (بر) .

prance [prăns; präns] *(vi.; t.; n.)* (١) يَطْفُر : يثب (الفرس) على قائمتيه الخلفيتين مَرَحاً (٢) يركب جواداً طافراً (٣) «أ» يتخطّر ؛ يتبختَر في مشيته . «ب» يرقص ؛ يطفر مرحاً ×(٤) يُطْفِر الفرسَ : يجعله يَطْفُر §(٥) «أ» طَفْرٌ ؛ وَثْبٌ . «ب» طفرة ، وثبة §(٦) «أ» تَخَطُّرٌ ، تبختُرٌ . «ب» مَرَحٌ .

prank [prăngk] *(n.; vt.)* (١) مَزْحة §(٢) يزيّن ؛ يبهرج .

prankish [-'ĭsh] *(adj.)* (١) لَعُوب؛ مَزوح (٢) مَزْحِيّ؛ هَزْلِيّ .

prankster [prăngk'-] *(n.)* المزوح ؛ الكثير المزاح .

prase [prāz] *(F.)* البِرِيز : ضرب من العقيق .

praseodymium [prā'zĭ ō dĭm'ĭ əm] *(F.)* البريزيوديميوم : عنصر فلزي ثلاثي التكافؤ (ك) .

prate [prāt] *(vi.; t.; n.)* (١) يُثَرثر ؛ يَهْذِر §(٢) ثرثرة .

pratfall [prăt'-] *(n.)* (١) سقطة على الكَفَل (٢) غلطة مضحكة.

pratincole [prăt'ing kōl] *(n.)* أبو اليُسْر ، خولي الأرز : طُوَيْئِر من طيور الماء .

pratique [pră tēk'] *(F.)* براءة الحَجْر الصحيّ (تُمنَح لسفينة) .

prattle [prăt'əl] *(vi.; t.; n.)* (١) يثرثر ؛ يَهْذِر (٢) يطلق أصواتاً لا معنى لها شبيهة بثرثرة الأطفال ×(٣) يفشي بحماقة §(٤) ثرثرة ؛ هَذر (٥) صوت متكرر لا معنى له شبيه بثرثرة الأطفال .

prawn [prôn] *(n.; vi.)* (١) القُرَيْدِس ؛ الإربيان ؛ برغوث البحر §(٢) يَصِيدُ القُرَيْدِس.

praxis [prăk'sĭs] *(L.)* (١) تطبيق عملي (٢) عادة (٣) أمثلة للتمرين أو التطبيق.

prawn

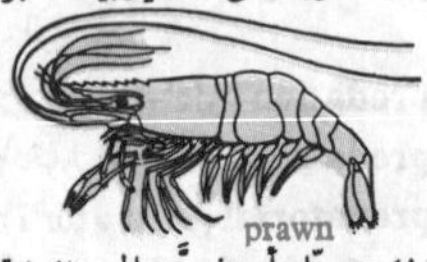

pray [prā] *(vt.; i.)* (١) يتوسّل أو يتضرّع الى (٢) يحقق (امراً) من طريق التوسل او التضوع ×(٣) يصلي.

Pray come with me. تعال معي ، أرجوك .

prayer [prâ(ə)r] *(n.)* (١) «أ» صلاة . «ب» توسّل ؛ تضرّع ؛ ابتهال (٢) أداء الصلاة (٣) المصلّي ؛ المتوسّل الخ.

prayer beads *(n. pl.)* سُبْحَة ؛ مَسْبَحة .

prayer book *(n.)* كتاب الصلاة ؛ كتاب الصلوات .

prayerful [prâ(ə)r'fəl] *(adj.)* وَرِع ؛ تقِيّ .

pre- بادئة معناها : «أ» قبل (*pre*historic) . «ب» ممهِّد لِـ (*pre*college) . «ج» مقدَّماً (*pre*arrange) . «د» أمامي (*pre*abdomen) . «هـ» تجاه (*pre*axial) .

preach [prēch] *(vi.; t.)* (١) «أ» يعظ. «ب» يلقي عظة. «ج» يلحّ أو يعظ بطريقة مضجرة ×(٢) يبشّر بـِ (to ~ the Gospel).

preacher [prē'chər] *(n.)* الواعظ ؛ المبشر ؛ الكاهن .

preachify [-'chə fī] *(vi.)* يعظ أو يبشّر على نحوٍ مُضْجِر (ع) .

preaching [prē'chĭng] *(n.)* (١) وَعْظٌ ؛ تبشير (٢) فنّ إلقاء المواعظ الدينية (٣) عظة دينية (٤) صلاة عامة (في كنيسة) .

preachment [prēch'mənt] *(n.)* (١) وَعْظٌ ؛ تبشير (٢) عِظة أو خُطبة مُمِلّة .

preachy [-'chĭ] *(adj.)* (١) ميّال للوعظ أو التبشير (٢) تبشيريّ الأسلوب .

preadolescent [prē'ăd ə lĕs'ənt] *(adj.)* قَبْمُراهِق : ذو علاقة بما قبل المراهقة (~ problems) .

preamble [prē'ăm'bəl] *(n.)* تمهيد ؛ وبخاصة : مقدّمة الدستور أو فاتحتُه ؛ مقدمة وثيقة قانونية .

prearrange [prē ə rānj'] *(vt.)* يرتّب سلفاً أو مقدّماً .

preatomic [prē ə tŏm'ĭk] *(adj.)* قَبْذَرّي : متعلق بما قبل عصر القنبلة الذرية (~ weapons) .

preaxial [prē ăk'-] *(adj.)* تجاهِيمِحوَرِيّ : واقعٌ تجاه المحور (ت) .

prebend [prĕb'-] *(n.)* (١) وقفٌ كنسي (٢) راتب كاهن (٣) كاهن.

prebendary [prĕb'-] *(n.)* (١) كاهن ذو راتب (٢) كاهن فخري.

Pre-cambrian [prē'kăm'brĭ ən] *(adj.)* قَبْكَمْبَرِيّ: متعلق بما قبل العصر الكَمْبَرِيّ (جي) .

precancel [-kăn'səl] *(vt.)* يلغي (طابعاً بريدياً) قبل استعماله .

precancerous [prĭ kăn'sər-] *(adj.)* محتمَل أن يصبح سَرَطانياً.

precarious [prĭ kâr'ĭ əs] *(adj.)* (١) مشكوك فيه ؛ غير قائم على أساسٍ وطيد (a ~ conclusion) (٢) متقلقل ؛ غير مستقرّ أو ثابت (a ~ livelihood) (٣) خطِر ؛ محفوف بالمخاطر والمجازفات (her ~ life) .

—precariously *(adv.)*

—precariousness *(n.)*

precatory *or* **precative** [prĕk'-] *(adj.)* توسّلي ؛ تضرعي .

precaution [prĭ kô'shən] *(n.)* (١) حَيْطَة ؛ احتراس ؛ حَذَر (٢) وقاية ؛ تدبير وقائي .

precautionary *or* **precautional** [-'shə-] *(adj.)* وقائي .

precautious [-'shəs] *(adj.)* (١) محترِس ؛ حذِر (٢) احتراسي .

precede [prē sēd'] *(vt.; i.)* (١) يعلوه من حيث المرتبة ؛ يفوقه أهميةً (٢) يسبقه أو يتقدم عليه من حيث الزمان (٣) يصدّر ؛ يستهلّ (~*d* his address with a welcome to the visitors).

precedence [prĭ sē'dəns] *(n.)* (١) الأسبقية : كون الشيء سابقاً غيره زمنياً (٢) التصدرية : حقّ التصدّر والتقدّم على الآخرين.

precedency [prĭ sē'dən sĭ] *(n.)* = precedence.

precedent [prĭ sē'dənt] *(adj.)* متقدّم أو سابق (من حيث الزمان أو الترتيب أو الأهمية) .

precedent [prĕs'ə-] *(n.)* (١) حادثة سابقة مماثلة (٢) السابقة (ق) .

preceding [prē sē'dĭng] *(adj.)* متقدم ؛ سابق ؛ سالف .

precensor [prē sĕn'sər] *(vt.)* يراقب (شريطاً سينمائياً الخ.) قبل عرضه على الجمهور .

precentor [prĭ sĕn'tər] *(n.)* قائد جوقة المرتّلين (في كنيسة) .

precept [prē'sĕpt] *(n.)* (١) مبدأ أو قاعدة سلوك (٢) وصية ؛ تعليم أخلاقي (Example is better than ~.) (٣) أمر (من سلطةٍ شرعية إلى موظف تابعٍ لها) .

preceptive [prĭ sĕp'tĭv] *(adj.)* تعليمي : مقصودٌ به التعليم .

preceptor [-'tər] *(n.)* (١) المدرِّس ؛ المعلّم (٢) مدير مدرسة .

preceptress [-'trĭs] *(n.)* (١) المدرِّسة ؛ المعلّمة (٢) مديرة مدرسة.

precession [prē sĕsh'ən] *(n.)* (١) سَبْق ؛ تَقَدُّم (٢) مبادرة (فل) .

precession of the equinoxes *(n.)* مبادرة الاعتدالين أو تقدّمهما (فل).

precinct [prē'sĭngkt] *(n.)* (١)«أ» دائرة انتخابيّة. «ب» منطقة (أو جزء) من مدينة (٢) *pl.* ا. ك: فِناء (٣) *pl.*: أرباض؛ ضواحي كذا (the ~*s* of a town) (٤) حدّ؛ تخم.

preciosity [prĕsh'ĭ ŏs'ə tĭ] *(n.)* حذلقة.

precious [prĕsh'əs] *(adj.; adv.)* (١) نفيس؛ كريم (~ metals) (٢) عزيز؛ أثير (~ recollections) (٣)متكلف؛ مفرط التأنّق؛ مراءٍ (٤) بكل ما في الكلمة من معنى (a ~ scoundrel)§(٥) جداً؛ إلى حدّ بعيد (~ little money).

precipice [prĕs'ə pĭs] *(n.)* (١) جُرُفٌ (٢) شفا الكارثة.

precipitable [prĭ sĭp'-] *(adj.)* ممكن ترسيبه؛ قابلٌ للترسيب.

precipitance *or* **precipitancy** [prĭ sĭp'ə-] *(n.)* تهور؛ اندفاع؛ عملٌ متهور.

precipitant [prĭ sĭp'ə tənt] *(adj.; n.)* (١) متهور؛ مندفع. §(٢) المرسِّب: مادة مرسِّبة.

precipitate[*v.*prĭ sĭp'ə tāt'; *n.*, *adj.*-'ə tĭt] *(vt.; i.; n.; adj.)* (١) يطوح؛ يقذف به في عنف أو فجأةً (٢) يعجّل (حدوث أمر)؛ يُحْدِثه بعجلةٍ أو فجأةً (to ~ a war) (٣)«أ» يرسِّب (ك). «ب» يكثّف البخار ليتحول إلى مطر أو ندى الخ. ×(٤)«أ» يسقط من حالق. «ب» يسقط أو ينتهي فجأةً إلى حالةٍ ما (٥) يندفع؛ يتهور (٦)«أ» يترسّب؛ يَرْسُب (ك). «ب» يتكثّف متحولاً إلى مطر أو ندى أو ثلج §(٧) «أ» المترسب؛ الراسب (ك). «ب» رطوبة متكثّفة على شكل مطر أو ندى (٨)نتيجة؛ نتاج؛ ثمرة عمل ما §(٩)عاجل؛ مفاجىء(a ~ drop in the temperature) (١٠) مندفع؛ متهور. —**precipitateness** *(n.)*

precipitately [prĭ sĭp'-] *(adv.)* باندفاع؛ بتهور؛ بعجلة.

precipitation [prĭ sĭp'ə tā'-] *(n.)* (١)«أ» تطويح؛ تطوح. «ب» قذفٌ بعنف. «ج» سقوط من حالق (٢) تعجيل؛ إحداث لأمر على نحو عاجل أو مفاجىء (the ~ of war) (٣) تهوّر؛ اندفاع؛ عجلة (٤)«أ» ترسيب. «ب» ترسّب. «ج»المترسب؛ الراسب(ك) (٥)«أ» تكثيف أو تكثّف البخار إلى مطر أو ندى الخ. «ب» مطر؛ ندى؛ ثلج الخ.

precipitin [prĭ sĭp'ə tĭn] *(n.)* الجسم المقاوم المرسِّب: جسم مقاوم للجراثيم ينشأ في الدم، عند التلقيح الوقائي، مُحدِثاً رواسب من موادّ شبه زلالية الخ.

precipitous[-'ə təs] *(adj.)* (١)متهور؛مندفع (٢)شديد التحدر.

précis [prā sē'] *(F.)* خلاصة للنقاط أو الوقائع الأساسية.

precise [prĭ sīs'] *(adj.)* (١) دقيق؛ محدَّد بإحكام (~ directions) (٢) صحيح؛ مضبوط؛ لا زيادة فيه ولا نقصان (the ~ sum) (٣) دقيق؛ حريص على الدقّة وعلى عدم الوقوع في الخطأ (was a very ~ man) (٤) شديد العناية بالتفاصيل.

precisely [prĭ sīs'lĭ] *(adv.)* (١)بدقة (٢)تماماً؛ على وجه الضبط.

precisian [prĭ sĭzh'ən] *(n.)* المتزمّت: الشديد التمسّك بالقواعد والأشكال وبخاصة في الشؤون الدينية.

precisianism [-'ə nĭz əm] *(n.)* التزمّت؛ التزمّتية.

precision [prĭ sĭzh'ən] *(n.; adj.)* (١) دقّة؛ ضبط؛ إحكام. §(٢) بالغ الدقّة: مُعَدّ لأخذ القياسات العلمية الدقيقة جداً (~ instruments) (٣) مُحكَم؛ مُتقَن.

preclinical [prē klĭn'ə kəl] *(adj.)* قبسريري: خاصّ بالفترة السابقة لظهور الأعراض السريرية (ط).

preclude [prĭ klōōd'] *(vt.)* يعوق؛ يمنع؛ يحول دون؛ يجعله مستحيلاً.

preclusion [-klōō'zhən] *(n.)* عَوْق؛ منع؛ حؤول؛ حيلولة.

preclusive [prĭ klōō'sĭv] *(adj.)* عائق؛ مانع؛ حائل.

precocial [prĭ kō'shəl] *(adj.)* مبكّر النشاط: متمتّع بقدْر كبير من النشاط المستقلّ منذ الولادة (~ birds).

precocious [prĭ kō'shəs] *(adj.)* (١) مبكّر النشوء؛ ناشىء قبل الأوان (٢) مبكّر النضج، عقلياً بخاصة (~ children).

precociously [-'shəs lĭ] *(adv.)* على نحوٍ مبكّر النشوء أو النضج.

precociousness [-'shəs-]; **precocity** [prĭ kŏs'ə tĭ] *(n.)* نشوء أو نضجٌ مبكّر.

precognition [prē kŏg nĭsh'ən] *(n.)* استبصار أو بُعْد نظر (يمكّن المرء من معرفة الأحداث أو الأحوال قبل وقوعها).

preconceive [prē'kən sēv'] *(vt.)* يتصور مقدّماً؛ يكوّن فكرة (عن شيء) سلفاً.

preconception [prē'kən sĕp'shən] *(n.)* (١) فكرة متصوَّرة أو مكوَّنة سلفاً (٢) تحامل؛ تحيّز؛ هوى.

preconcert [-sûrt'] *(vt.)* يترسّم أو يتفق (على شيء) سلفاً.

preconcerted *(adj.)* مرسوم أو مُتّفَق عليه سلفاً.

precondition [-dĭsh'ən] *(n.; vt.)* (١) شرط؛ شرط مسبَّق §(٢) يهايىء أو يكيّف (أو يضع شخصاً في مزاجٍ عقليّ) سلفاً.

precook [prē kōōk'] *(vt.)* يطبخ جزئياً أو كلياً قبل الطبخ النهائيّ أو إعادة التسخين.

precritical [prē krĭt'ə kəl] *(adj.)* قبأزمي؛ قبحرجي: سابق للأزمة أو الحرج (ط).

precursor [prĭ kûr'sər] *(n.)* (١) البشير؛ النذير (٢) السلف: مَن كان يحتلّ سابقاً منصباً أو مركزاً خلفَه فيه شخص آخر (٣) مادةٌ تُشكَّل منها مادةٌ أخرى (ك).

precursory [prĭ kûr'sə rĭ] *(adj.)* (١) بشيريّ؛ نذيريّ (٢) مُنذِرٌ بـ (٣) تمهيديّ.

predacious *or* **predaceous**[-dā'shəs] *(adj.)* = predatory.

predacity [prĭ dăs'ə tĭ] *(n.)* (١) الميل إلى السلب والنهب. (٢) ضراوة؛ افتراس.

predate [prē dāt'] *(vt.)* (١) يؤرخ (شيكاً الخ.) بتاريخ سابق. (٢) يسبق: يتقدّم (غيرَه) من حيث الزمان.

predation [-dā'-] *(n.)* (١) سلب؛ نهب (٢) ضراوة؛ افتراس.

predator[prĕd'-] *(n.)* (١)السلاّب؛النهاب(٢)المفترس؛الضاري.

predatorial [prĕd ə tōr'ĭ əl] *(adj.)* = predatory.

predatory [prĕd'ə tōr'ĭ] *(adj.)* (١) نهبيّ؛ سلبيّ؛ لصوصي (٢)نهّاب؛سلاّب(~bands)(٣)جارح؛مفترس؛ضارٍ.

predecease [prē'dĭ sēs'] *(vt.; i.)* (١) يموت قبل شخص آخر أو قبل حادثة معيّنة ×(٢) يموت أولاً.

predecessor [prĕd'ə sĕs'ər] *(n.)* (١) السَّلَف: مَن كان يحتلّ سابقاًمنصباً أو مركزاً خلفه فيه شخص آخر (٢) جدّ؛سَلَف(ا.ق).

predesignate [prē dĕz'ĭg-] *(vt.)* يختار (لمهمة أو غرض) سلفاً.

predestinarian[prĭ dĕs'tə nâr'ĭ ən] *(adj.; n.)* (١)جَبْريّ: «أ» خاصّ بالقضاء والقدر. «ب» مؤمن بالقضاء والقدر §(٢) الجبريّ: شخص مؤمن بالقضاء والقدر.

predestinarianism[-'ĭ ə nĭz-] *(n.)* الجبرية: القول بالقضاء والقدر.

predestinate [*v.* prĭ dĕs'tə nāt'; *adj.* -nĭt] *(vt.; adj.)* (١) يقضي؛ يقدّر: يحتّم بقضاء وقدَر §(٢) مقدَّر؛ مقدور.

predestination [prĭ dĕs'tə nā'-] *(n.)* (١) التقدير؛ التحتيم

ă at; ā date; â care; ä car; ĕ egg; ē me; ĭ in; ī bite; ŏ lot; ō bone; ô orphan; oi boil; ŏŏ good; ōō boot; ou out; ŭ under; ū unity; û urgent; th thing; *th* this; zh vision; ə = *a* in alone, *e* in system, *i* in easily, *o* in gallop, *u* in circus.

بقضاء وقدَر (٢) قَدَرُ المرء أو « قِسمَته » : ما هو مقدَّر عليه (٣) القضاء والقدَر .

predestine [prĭ dĕs'tĭn] *(vt.)* = predestinate 1.

predeterminate [prē'dĭ tûr'mə nĭt] *(adj.)* مقدَّر أو مقرَّر سلفاً .

predetermination [prē'dĭ tûr mə nā'-] *(n.)* (١) التقدير : التحتيم بقضاء وقدر (٢) قضاء وقدر .

predetermine [prē dĭ tûr'mĭn] *(vt.)* (١) يقدِّر ؛ يحتِّم بقضاء وقدر (٢) يفرض سلفاً اتجاهاً أو نزعةً ما .

predial [prē'dĭ əl] *(adj.)* = praedial.

predicable [prĕd'ə kə bəl] *(n.; adj.)* (١) المُسْنَد (ل) . (٢) المحمول (مق) §(٣) ممكنٌ توكيده .

predicament [prĭ dĭk'ə mənt] *(n.)* (١) فئة ؛ طبقة ؛ نوع . (٢) حالة (ا.ق) (٣) مأزِق ؛ ورطة .

predicate [*n.; adj.* prĕd'ə kĭt; *v.* prĕd'ə kāt'] *(n.; vt.; adj.)* (١) المحمول (مق) (٢) المُسْنَد (ل) §(٣) يعلن ؛ يؤكِّد (٤) يعزو إليه (صفةً ما) (٥) يبني (رأياً أو عملاً) على شيء ما (٦) يتضمَّن ؛ يدلّ ضمناً على (Snow ~*s* whiteness.) (٧) يتنبأ بـ (وهو استعمال خاطىء) §(٨) إسناديّ (ل) .

predication [prĕd ə kā'-] *(n.)* (١) توكيد (٢) إسناد (ل) (٣) حَمْل (مق) .

predicative [prĕd'ə kĭt ĭv]] *(adj.)* (١) مؤكِّد ؛ توكيدي (٢) إسنادي (ل) .

predicatory [prĕd'ə kə tōr'ĭ] *(adj.)* وعظيّ ؛ تبشيريّ .

predict [prĭ dĭkt'] *(vt.; i.)* يتنبأ .

predictable [prĭ dĭk'-] *(adj.)* قابلٌ لأن يُتَنَبَّأ به .

prediction [prĭ dĭk'shən] *(n.)* (١) تنبّؤ (٢) نبوءة .

predictive [prĭ dĭk'tĭv] *(adj.)* تنبُّؤيّ ؛ نُبُوئيّ .

predictor [prĭ dĭk'tər] *(n.)* (١) المُتَنَبِّىء (٢) العرَّافة: جهاز تنبؤ (كبعض الأجهزة الحربيّة التي تحدِّد متى يجب البدء بإطلاق النار المضادَّة للطائرات) .

predigest [prē'dĭ jĕst'; -dī-] *(vt.)* يهضِّم : يخضع الطعام لعمليات اصطناعيّة لجعل المعدة المريضة أقدر على هَضْمه .

predigestion [-jĕs'shən] *(n.)* التهضيم: إخضاع الطعام لعمليات اصطناعيّة تجعل المِعدة المريضة أقدر على هضمه .

predilection [prē'də lĕk'-] *(n.)* مَيْل ؛ وَلَع ؛ ولوع ؛ نزوع .

predispose [prē'dĭs pōz'] *(vt.)* (١) يُعِدّه قَبْليّاً ؛ يجعله ميّالاً إلى (They were ~*d* to like her.) (٢) يعرِّض ؛ يجعله عرضةً لِـ .

predisposition [prē'dĭs pə zĭsh'ən] *(n.)* (١) مَيْل ؛ نزوع ؛ نزعة (٢) تهيُّؤ ؛ استعداد ؛ قابليّة (a ~ to disease) .

predominance *also* **predominancy** [prĭ dŏm'ə-] *(n.)* غَلَبَة ؛ سيطرة ؛ هيمنة .

predominant [prĭ dŏm'ə nənt] *(adj.)* (١) غالب ؛ سائد . (٢) مسيطر ؛ مُهيمن .

predominate [prĭ dŏm'ə nĭt] *(adj.)* = predominant.

predominate [prĭ dŏm'ə nāt'] *(vi.; t.)* (١) يسود ؛ يغلب . (٢) يتفوَّق (من حيث العدد أو الكمية) ×(٢) يسيطر ؛ يهيمن .

preeminence [prĭ ĕm'ə nəns] *(n.)* تفوّق ؛ تبريز ؛ تَجلِّيَة .

preeminent [prĭ ĕm'ə nənt] *(adj.)* متفوق ؛ مبرز ؛ مُجلّ .

preempt [prĭ ĕmpt'] *(vt.)* (١) يحتل (أرضاً من الأراضي العامة) لكي يكتسب الأولوية (الشفعة) في شرائها (٢) يتملك (أرضاً) بحق الشفعة (٣) يستولي على ؛ يحتل قبل غيره.

—preemptor *(n.)*

preemption [prĭ ĕmp'-] *(n.)* (١) «أ» حقّ الشُّفْعَة ؛ حقّ الأولوية في الشراء . «ب» شراء شيء بموجب هذا الحق (٢) استيلاء على شيء أو احتلالُه قبل الآخرين .

preemptive [prĭ ĕmp'-] *(adj.)* (١) شُفْعيّ: خاصّ بحقّ الشُّفعة. (٢) وقائيّ ؛ مبادِر إليه ؛ متَّسم بأخذ المبادرة (a ~ attack).

preen [prēn] *(n.; vt.; i.)* (١) دبوس (عب) (٢) « بروش » ؛ دبّوس ؛ يبي §(٣) يسوّي (الطائر) ريشه بمنقاره (٤) يُهندِم نفسَه (٥) يعتزّ (بما حقّق أو صنع) ×(٦) يتأنّق في ملبسه .

preexilian *or* **preexilic** [prē'ĕg zĭl'-] *(adj.)* قَبْنَفْيِيّ : سابق لنفي اليهود إلى بابل حوالى عام ٦٠٠ ق.م.

preexist [prē'ĭg zĭst'] *(vi.; t.)* (١) يوجَد قَبْليّاً ؛ يحيا حياةً ما قبل هذه الحياة ×(٢) يسبق (شيئاً آخر) في الوجود .

preexistence [prē'ĭg zĭs'təns] *(n.)* الوجود القَبْليّ أو السَّبْقيّ : وجودٌ في حالة سابقة أو قبل شيء آخر . وبخاصة : وجود النفس أو الروح قبل اتحادها بالجسد .

prefab [prē'făb] *(n.)* مَبْنىً الخ. مشيّد من أجزاء مصنوعة مقدَّماً .

prefabricate [prē făb'rə kāt'] *(vt.)* يَصْنَع مقدَّماً : يصنع أجزاء شيء ما في المعمل بحيث لا يبقى على الراغب في إنشاء ذلك الشيء أو إقامته غير جمع أجزائه الجاهزة (~ houses) .

preface [prĕf'ĭs] *(n.; vi.; t.)* (١) مقدِّمة ؛ فاتحة ؛ تصدير (٢) إجراء أو امتحان تمهيدي ؛ مباراة تمهيدية الخ . §(٣) يبدي ملاحظات تمهيدية ×(٤) يستهلّ (٥) يصدِّر بمقدِّمة (٦) يقيمه تجاه كذا.

prefatorial [prĕf ə tōr'-] *(adj.)* = prefatory.

prefatory [prĕf'ə-] *(adj.)* (١) تمهيديّ ؛ استهلاليّ (٢) مواجه.

prefect; praefect [prē'fĕkt] *(n.)* (١) الوالي ؛ الحاكم (عند الرومان) (٢) مدير الشرطة الخ . (في فرنسة) (٣) التلميذ المفوَّض : تلميذ يُكلَّف بمساعدة الأستاذ في حفظ النظام الخ .

prefect apostolic *(n.)* المدبِّر الرَّسولي (كث) .

prefecture [prē'fĕk chər] *(n.)* (١) الولاية: «أ» منصب الوالي. «ب» مقاطعة يحكمها والٍ (٢) دار الوالي أو مقرّه .

prefer [prĭ fûr'] *(vt.)* (١) يرقّي ؛ يرفع (ا.ق) (٢) يُفضِّل ؛ يُؤْثِر (٣) يعطي الأولوية لدائن (ق) (٤) يقدِّم (شكوى الخ.)

preferability [prĕf ər ə bĭl'-] *(n.)* أفضلية ؛ أولوية .

preferable [prĕf'ər ə bəl] *(adj.)* أفضل ؛ أجدر بالتفضيل .

preferably *(adv.)* بتفضيل ؛ بإيثار : مع الاتجاه إلى تفضيل شيء .

preference [prĕf'-] *(n.)* (١) «أ» تفضيل «ب» أفضلية . (٢) خيار ؛ حقّ الاختيار (٣) المفضَّل ؛ الشيء المفضَّل (٤) التمييز : تفضيل بلد على بلد في التجارة الدولية (٥) الأولوية (في حق استيفاء الدين ونحوه) .

preferential [prĕf'ə rĕn'shəl] *(adj.)* (١) تمييزيّ ؛ تفضيليّ . (٢) مميز ؛ مفضل (٣) مميِّز ؛ مفضِّل .

preferment [prĭ fûr'-] *(n.)* (١) ترقية (٢) منصب رفيع أو مُرْبِح (٣) حقّ الأولوية (في استيفاء الديون الخ.) (٤) تقديم .

preferred debt *(n.)* الدَّين الممتاز (له حق الأولوية في التسديد).

preferred stock *(n.)* السَّنَد المالي الممتاز : سندٌ ماليّ له حق الأولوية في توزيع الأرباح .

prefiguration [prē'fĭg yə rā'-] *(n.)* (١) تمثيل أو تصوّر سَبْقيّ. (٢) الصورة السَّبقية : صورة تدلّ على وقوع الشيء قبل حدوثه .

prefigure [-'yər] *(vt.)* (١) يمثِّل سَبْقياً: يشير أو يدلّ على وقوع الشيء قبل حدوثه (من طريق صورة مماثلة له أو شبيهة به) (٢) يتصور أمراً قبل حدوثه : يتنبأ بـ .

prefix [*v.* prē fiks'; *n.* prē'fiks] *(vt.; n.)* (١) يحدّد أو يعيّن مُقدّماً (٢) يصدّر: يضعه في صدر الشيء أو مقدّمته §(٣) البادئة: أداة توضع في بدء كلمة أخرى لتغيير معناها أو لتكوين كلمة جديدة، مثل *un*load (٤) اللقب التصديري: لقبٌ يصدَّر به اسم الشخص.

preflight [prē'flīt'] *(adj.)* ممهّد للطيران (طي).

preform [prē'fôrm'] *(vt.)* يكوّن أو يشكّل مقدّماً أو سبقيّاً.

preformation [prē'fôr mā'-] *(n.)* (١) تكوّن سابق (٢) التخلّق السَّبْقي: نظرية تقول بأن جميع أعضاء الجنين موجودة وجوداً سبقيّاً في الجرثومة (قا epigenesis).

prefrontal [prē frŭn'tәl] *(adj.)* أماميّجبهي: واقع في مقدّم تكوين جبهي (bones ~).

pregnable [prĕg'nә bәl] *(adj.)* غير منيع؛ ممكنٌ اقتحامه.

pregnancy [prĕg'-] *(n.)* (١) حَمْل؛ حَبَل (٢) خِصب.

pregnant [prĕg'nәnt] *(adj.)* (١) حامل؛ حبلى (٢) مبدِع؛ خلّاق (٣) حافل بالمعاني (a ~ utterance) (٤) مُثقَل أو مُفعَم بـ (~ with ideas) (٥) خِصب.

preheat [prē hēt'] *(vt.)* يسخِّن مقدّماً؛ وبخاصة: يُحمّي فرناً الخ.

prehensile [prĭ hĕn'sĭl] *(adj.)* إمساكي: معَدٌّ للإمساك بشيء أو القبض عليه وبخاصة بالالتفاف حوله (the ~ tail of a monkey).

prehension [prĭ hĕn'shәn] *(n.)* (١) إمساكٌ بـ؛ قبضٌ على. (٢) «أ» فهم. «ب» إدراك حسّي.

prehistoric; -al [prē'hĭs tôr'-] *(adj.)* قبْتاريخي: متعلق بما قبل التاريخ أو موجودٌ فيه.

prehistory [prē hĭs'tә rĭ] *(n.)* (١) ما قبل التاريخ (٢) دراسة الأسباب البعيدة التي مهّدت لوقوع حادثة أو ظهور حالة.

preignition [prē'ĭg nĭsh'-] *(n.)* الإيراء أو الإشعال السَّبْقي (سي).

prejudge [prē jŭj'] *(vt.)* يحكم أو يقضي سَبْقيّاً: يحكم قبل الاستماع إلى الوقائع أو قبل دراسة القضية دراسةً كاملة.

prejudgement[-mәnt] *(n.)* الحكم السَّبْقي (را. المادة السابقة).

prejudice [prĕj'ә dĭs] *(n.; vt.)* (١) إجحاف؛ ضرر؛ أذى (٢) «أ» رأي أو حكم سَبْقيّ. «ب» تحاملٌ؛ تحيّز؛ تغرّض؛ هوىً §(٣) «أ» يُجحف؛ يضرّ؛ يؤذي (٤) يُغرِض: يجعله يتحامل على أو يتحيّز لـ.

to the ~ of somebody's rights على نحوٍ يعرّض حقوق فلان للأذى.

prejudicial; prejudicious[prĕj ә dĭsh'-] *(adj.)* ضارّ؛ مؤذٍ.

prelacy [prĕl'ә sĭ] *(n.)* (١) منصب الأسقف (٢) جماعة الأساقفة (٣) حكومة الأساقفة.

prelate [prĕl'ĭt] *(n.)* أسقف؛ مطران (كن).

prelature [-'ә chәr] *(n.)* (١) prelacy 1,2 (٢) سلطة الأسقف.

prelect [prĭ lĕkt'] *(vi.)* يخطب؛ يحاضر.

prelibation [prē'lī bā'shәn] *(n.)* = foretaste.

prelim [prē'lĭm] *(adj.; n.)* = preliminary.

preliminary [prĭ lĭm'ә-] *(adj.; n.)* (١) تمهيدي §(٢) امتحان أو إجراء تمهيدي الخ. (٣) مباراة أو خطوة تمهيدية الخ.

pre-loaded [prĭ lō'dĭd] *(adj.)* معبّأ سلفاً؛ فوريّ الاستعمال.

prelude [prĕl'ūd; prē'lōōd] *(n.; vt.; i.)* (١) مقدمة؛ استهلال (٢) بشيرٌ؛ مقدمة موسيقية §(٣) يستهلّ (بمقدّمة موسيقية) ×(٤) يشكّل مقدمةً لـ (٥) يعزف مقدمة موسيقية.

prelusion [prĭ lōō'shәn] *(n.)* تمهيد؛ استهلال؛ تصدير؛ فاتحة.

prelusive *or* **prelusory** [prĭ lōō'-] *(adj.)* تمهيدي؛ استهلالي.

premature [prē'mә tyŏŏr'; -chŏŏr'] *(adj.)* (١) مُبتَسَر؛ حادثٌ أو مُنجَزٌ قبل الأوان (٢) خديج (مج)؛ مَخْدوج: مولود بعد فترة حَمْل تقلّ عن ٣٧ أسبوعاً (a ~ baby).

prematureness; prematurity [-tyŏŏr'-; -chŏŏr'-] *(n.)* ابتسار؛ نضج قبل الأوان.

premedian *or* **premedial** [prē mē'-] *(adj.)* تجاهيوَسَطي: واقع تجاه وَسَط الجسم الخ.

premedical[prē mĕd'-] *(adj.)* قبْطِبّي: سابقٌ لدراسة الطب.

premeditate [prĭ mĕd'-] *(vt.; i.)* (١) يروّي في؛ يقلّب الأمر أو يديره في ذهنه مقدّماً (٢) يتعمّد. —**premeditative** *(adj.)*

premeditated *(adj.)* عَمْد؛ متعمَّد (~ murder).

premeditation [prē'mĕd ә tā'shәn] *(n.)* (١) تروية؛ تروٍّ. (٢) التعمّد، سَبْق التصميم (ق).

premenstrual [prē mĕn'strōō әl] *(adj.)* قبْطَمْثي: متعلق بما قبل الطمث مباشرة.

premier [*n.* prĭ mĭr', prē'mĭ әr; *adj.* prē'mĭ әr] *(n.; adj.)* (١) رئيس الوزراء §(٢) أوّل؛ رئيسي (٣) أسبق؛ أقدم.

premiere [prĭ mĭr'; prә myĕr'] *(n.; adj.)* (١) العَرْض الأول (لمسرحية الخ.) (٢) السيدة الأولى (في جماعة)؛ وبخاصة: البطلة؛ الممثلة الأولى (في مسرحية) §(٣) بارز؛ رئيسي.

premiere *or* **premier** [prĭ mĭr'; prә myĕr'] *(vt.; i.)* (١) يقدّم عَرْضاً أول (لمسرحية) ×(٢) يظهر للمرة الأولى كنجم مسرحي أو سينمائي الخ.

premiership [prĭ mĭr'shĭp] *(n.)* رئاسة الوزارة.

premillenarian [prē'mĭl ә nâr'-] *(n.)* القبْألفي: المؤمن بأن المجيء الثاني للمسيح سوف يسبق العصر الألفي السعيد.

premillennial [prē'mә lĕn'ĭ әl] *(adj.)* قبْألفي: متعلق بما قبل العصر الألفيّ السعيد (را. millennium).

premillennialism [-'ĭ ә lĭz'әm] *(n.)* القبْألفية: القول أو الإيمان بأن المجيء الثاني للمسيح سوف يسبق العصر الألفيّ السعيد.

premise[prĕm'-] *(n.; vt.; i.)* (١) المقدّمة المنطقية: إحدى المقدمتين الكبرى أو الصغرى (مق) (٢) *pl.*: مقدّمة العقد أو فذلكته (ق) (٣) *pl.*: المبنى والأراضي التابعة له §(٤) يصدّر بمقدّمة أو فذلكة ×(٥) يفترض مقدّمةً منطقية.

premium [prē'mĭ әm] *(n.; adj.)* (١) «أ» مكافأة؛ جائزة. «ب» علاوة (على الثمن أو الأجر العادي) تدفع للإغراء أو التشجيع. «ج» الهدية: شيء يقدم مجاناً أو بسعر مخفّض عند شراء سلعة ما (٢) قسط التأمين (٣) فرق قيمة (بين شكلين من أشكال العملة لهما نفس القيمة الاسمية) §(٤) استثنائي؛ فذّ.

at a ~, (١) بأعلى من القيمة العاديّة أو السعر العادي (٢) نفيس؛ رائج؛ مرغوب فيه جداً.

to put a ~ on يشجّع أو يساعد على.

premix [prē mĭks'] *(vt.)* يمزج قبل الاستعمال.

premolar [prē mō'lәr] *(adj.; n.)* (١) قبْطاحِن: واقع قبل الأسنان الطواحن §(٢) القبْطاحِن: سِنّ قبْطاحِن.

premonish [prĭ mŏn'ĭsh] *(vt.; i.)* يحذّر مقدّماً.

premonition [prē'mә nĭsh'әn] *(n.)* (١) تحذير قَبْلي أو سَبْقي. (٢) هاجس؛ حسّ داخلي أو سابق.

premonitory [prĭ mŏn'ә tôr'ĭ] *(adj.)* محذّر؛ أوّلي: مُعطٍ إنذاراً أوّلياً (~ symptoms).

premorse[-môrs'] *(adj.)* مُنتَهٍ فجأة وكأنه مقصوف («نب» و«أح»).

premune [prē mūn'] *(adj.)* . قَبْلِيّ المناعة ؛ ذو مناعة قَبْلِيّة

premunition [-mū nĭsh'ən] *(n.)* المناعةالقَبْلِيّة أو السَّبقية (ط).

prename [prē'-] *(n.)* . الاسم الأول (الذي يسبق اسم الأسرة)

prenatal [prē nā'-] *(adj.)* قَبْوِلادي : حادثٌ أو موجود قبل الولادة.

prenomen [prē nō'mĕn] *(n.)* = praenomen.

prenotion [prē nō'shən] *(n.)* (١) هاجس ؛ حسّ داخليّ أو سابق (٢) preconception .

prentice [prĕn'tĭs] *(n.; vt.)* = apprentice.

preoccupancy [prĭ ŏk'yə pən sĭ] *(n.)* (١) سَبْق الامتلاك : الامتلاك أو حقّ الامتلاك قبل الآخرين (٢)انهماك أو انشغال كامل.

preoccupation [prĭ ŏk'yə pā'shən] *(n.)* (١) سَبْق الامتلاك : الامتلاك قبل الآخرين (٢) «أ» استغراق ؛ انهماك ؛ انشغال كامل. «ب» مَدْعاةٌ لهذا الاستغراق .

preoccupied [prĭ ŏk'yə pīd] *(adj.)* (١) «أ» مشغول البال . «ب »مشغول من قبل (٢) غير شاغر : سبق إطلاقُه اسماً لبعض الأنواع ولا سبيل إلى إطلاقه على آخر (أح).

preoccupy [prĭ ŏk'yə pī'] *(vt.)* (١) يَشْغَل البال (٢) يتملّك أو يَشْغَل (يحتل) مقدّماً أو قبل غيره .

preoperative [prĭ ŏp'ə rā tĭv] *(adj.)* قَبْجِراحيّ : حادثٌ قبل العملية الجراحيّة .

preorbital [-ôr'bĭt əl] *(adj.)* قَبْمَداري : حادث قبل الدخول في المدار (فل) .

preordain [prē'ôr dān'] *(vt.)* . يقضي أو يقدِّر (بقضاءٍ وقَدَر)

preordainment [-'mənt] *(n.)* . التقدير : تحتيم بقضاءٍ وقدَر

preordination [prē'ôr də nā'shən] *(n.)* = preordainment.

prep [prĕp] *(n.)* (١) homework (٢) مدرسة إعدادية .

prep [prĕp] *(vi.; t.)* (١) يتلقّى العلم بمدرسة إعدادية ×(٢) يُعِدّ .

preparation [prĕp'ə rā'shən] *(n.)* (١) إعداد (٢) استعداد . (٣) عملٌ أو إجراءٌ إعداديّ (٤) مُسْتَحْضَرٌ طبيّ أو غذائيّ .

preparative [prĭ păr'ə tĭv] *(adj.)* إعداديّ ؛ استعداديّ .

preparatory [-'ə tōr'ĭ] *(adj.)* (١) إعداديّ(~ schools) . (٢) تمهيدي .

prepare [prĭ pâr'] *(vt.; i.)* (١) يُعِدّ ؛ يُحضِّر ؛ يهيّىء ؛ يُجهِّز (٢) يركّب (to ~ a prescription) (٣) يصوغ أو يُفرِغ في قالبٍ كتابي ×(٤) يستعدّ .

prepared [prĭ pârd'] *(adj.)* (١)مستعِدّ (٢) مُجهَّز ؛ مُحضَّر : مُخضَع لعملية أو معالجة خاصة (~ chalk) .

preparedness [prĭ pâr'ĭd-] *(n.)* (١) استعداد (٢) حُسن الاستعداد للحرب .

prepay [prē pā'] *(vt.)* يدفع (وبخاصة الرسمَ أو الفائدة) مقدّماً .

prepense [prĭ pĕns'] *(adj.)* . مبيَّت ؛ متعمَّد

preponderance; preponderancy [prĭ pŏn'dər-] *(n.)* (١) رُجحان أو تفوّق (٢) كَثْرة ؛ أكثرية .

preponderant [prĭ pŏn'-] *(adj.)* (١)راجح ؛ غالب (٢) متفوق.

preponderate [prĭ pŏn'də rāt'] *(vi.)* (١)يَرْجَحُه (نفوذاً أو قوةً أو أهميةً) ؛ يتفوق ؛ يَسُود (٢) يؤلف اكثرية كذا .

preposition [prĕp'ə zĭsh'ən] *(n.)* . حرف جرّ (ل)

prepositive [prē pŏz'ə-] *(adj.)* . مقدَّم ؛ موضوعٌ قبل غيره (ل)

prepossess [prē pə zĕs'] *(vt.)* (١)يستهوي ؛ يخلب (٢)يُغرِض مقدّماً : يجعله يتحيّز سلفاً لشخصٍ أو شيء أو ضد شخصٍ أو شيء .

prepossessing [prē'pə zĕs'-] *(adj.)* . خلاّب ؛ جذّاب ؛ مُعجِب

prepossession [prē pə zĕsh'ən] *(n.)* (١) تحيّز ؛ تغرّض . (٢) انهماك (بشيء) ؛ انشغال الذهن (بفكرة) .

preposterous [prĭ pŏs'-] *(adj.)* . مُحال : منافٍ للطبيعة أو العقل

prepotency [prĭ pō'-] *(n.)* (١)تفوق ؛ غلبة ؛ سيطرة (٢) الهَيْمنة : قدرة استثنائية عند أحد الأبوَين تمكّنه من نقل صفاته الوراثيّة إلى الذريّة (أج) .

prepotent [prĭ pō'tənt] *(adj.)* (١) متفوق ؛ متغلّب ؛ مسيطر . (٢) مُهيمِن : أقدر على نقل صفاته الوراثية إلى الذرية (أج) .

prepuberal [prĭ pū'-] *(adj.)* . قَبْبُلوغي : خاصّ بما قبل البلوغ

prepuberty [prĭ pū'bər tĭ] *(n.)* . (مرحلة) ما قبل البلوغ

prepuce [prē'pūs] *(n.)* . غُرْلة ؛ قُلْفة ؛ غُلْفة (ت)

prerecord [prē rĭ kôrd'] *(vt.)* يسجّل مقدّماً : يسجّل برنامجاً إذاعياً أو تلفزيونياً قبل تقديمه إلى الجمهور .

prerequisite [prē rĕk'wə zĭt] *(n.; adj.)* (١) شرط ؛ متطلَّب أساسي §(٢) لازم (بوصفه شرطاً أو متطلَّباً أساسياً) .

prerogative [prĭ rŏg'ə tĭv] *(n.)* (١)الامتياز : حقّ مقصور على منصب أو شخص أو جماعة أو دولة (٢) تفوّق مميّز .

presage [*n.* prĕs'ĭj; *v.* prĭ sāj'] *(n.; vt.; i.)* (١) نذير ؛ بشير . (٢) حِسّ داخليّ أو سابق §(٣) يكون نذيراً أو بشيراً بِ (٤) يتنبأ بِ (٥) يستشعر سبْقياً ، يحدثه قلبه بِ .

presby- *or* presbyo- بادئة معناها : شيخوخة .

presbyopia [prĕz'bĭ ō'-] *(L.)* . بَصَر الشيخوخة أو الشيوخ (مض)

presbyter [prĕz'bə tər; prĕs'-] *(L.)* كاهن ؛ قسّ ؛ شيخ كنيسة

presbyterate [prĕz bĭt'ər ĭt; -ə rāt] *(n.)* (١)منصب الكاهن أو شيخ الكنيسة (٢) جماعة من الكهان أو شيوخ الكنيسة .

presbyterial [prĕz'bə tĭr'ĭ əl; prĕs'bə tĭr'-] *(adj.; n.)* (١) مَشْيَخِيّ §(٢) *cap.* ا.ك : منظمة نساء مَشْيَخِيّات .

Presbyterian [prĕz'bə tĭr'ĭ ən; prĕs'bə tĭr'-] *(adj.; n.)* (١)مَشْيَخيّ : «أ» صفة لكنيسة بروتستانتية يدبّر شؤونها شيوخ منتخَبون يتمتعون كلّهم بمنزلة متساوية. «ب» منسوب إلى الكنيسة المَشْيَخِيّة §(٢) المَشْيَخِيّ : عضو في الكنيسة المَشْيَخِيّة .

Presbyterianism [-'ĭ ə nĭz'əm] *(n.)* المَشْيَخانيّة : «أ» نظام يدبّر شؤونَ الكنيسة فيه شيوخ منتخبون يتمتعون كلهم بمنزلة متساوية . «ب» معتقَدات الكنائس المَشْيَخيّة .

presbytery [prĕz'bə tĕr'ĭ; prĕs'-] *(n.)* (١) جزء من الكنيسة مخصَّص للكهنة القائمين بالقدّاس (٢) مجلس الكنيسة المشيخيّة أو سلطتُه (٣) بيت كاهن الرعية (كث) .

preschool [prē skōōl'] *(adj.; n.)* (١) قَبْمَدرَسيّ : متعلق بمرحلة ما قبل المدرسة §(٢) روضة أطفال .

prescience [prē'shĭ əns] *(n.)* البصيرة ؛ المعرفةالسَّبْقِيّة ؛ علم الغيب .

prescient [prē'shĭ ənt] *(adj.)* . ذو بصيرة ؛ عالِم بالغيب

prescientific [prē sī ən tĭf'ĭk] *(adj.)* قَبْعِلميّ : ذو علاقة بالمرحلة السابقة لنشوء العلم الحديث أو لتطبيق الطريقة العلميّة .

prescind [prĭ sĭnd'] *(vt.; i.)* (١) يَشْغَل ؛ يصرف الانتباه عن . (٢) يفصل ؛ يجرِّد ×(٣) يتجرّد عن .

prescore [prē skōr'] *(vt.)* يسجّل (الصوتَ) مقدّماً لاستخدامه عند تصوير المشاهد السينمائيّة المقابلة له .

prescribe [prĭ skrīb'] *(vi.; t.)* (١) يدّعي اكتساب حقٍّ ما بحكم تمتّعه به مدة من الزمان يحددها القانون (٢) يفرض ؛ يأمر ؛ يقضي (Do what the laws ~.) (٣)يصف (الطبيبُ) علاجاً (٤)يُسْقِط (الحقّ) بمرور الزمان ×(٥) يأمر أو ينصح باستعمال كذا

(~ *d* textbooks)(٦) يُسقط بمرور الزمان. **—prescriber** *(n.)*

prescript [prē'skrĭpt] *(n.; adj.)* (١) قاعدة ؛ أمر ؛ قانون . §(٢) مفروض (بوصفه قاعدةً أو أمراً أو قانوناً) .

prescription [prĭ skrĭp'-] *(n.)* (١) حقّ التقادم : اكتساب حقٍّ ما بحكم التمتع به مدة من الزمان يعيّنها القانون . «ب» حق مكتسب بمرور الزمان (٢) ادعاء حقٍّ ما بمرور الزمان (٣) فَرْض ؛ وَضْع قاعدة أو نظام (٤) «أ» وصفة طبيّة ؛ «رُشتة» . «ب» دواء موصوف (من قِبل الطبيب) (٥) «أ» عادة قديمة أو متقادمة . «ب» دعوى (ادعاء) مبنيّة على عادة قديمة أو عُرف متقادم (٦) أمر ؛ قاعدة ؛ قانون .

prescriptive [-'tĭv] *(adj.)* (١) أمْري ؛ فَرْضي ؛ ارشادي ؛ توجيهي (٢) تقادُمي : مكتسَب بحقّ التقادم (را. المادة السابقة) أو مبنيّ أو متوقف عليه (٣) معتاد ، مألوف (his ~ corner) .

presence [prĕz'əns] *(n.)* (١) حضور ؛ وجود (٢) حضرة ؛ وبخاصة : الحضرة الملكية الخ . (٣) طلعة ؛ سيماء (a man of fine ~) (٤) شبح ؛ طيف ؛ روح ؛ كائن إلهي .

in the ~ of في حضرته ؛ بحضوره .

presence chamber *(n.)* قاعة التشريفات .

presence of mind حضور الذهن ؛ سرعة الخاطر .

present [*v.* prĭ zĕnt'; *n., adj.* prĕz'-] *(vt.; i.; n.; adj.)* (١) «أ» يقدم . «ب» يقدم إلى . «ج» يعرض (مسرحية) على الجمهور (٢) يُهْدي (٣) يمنح (٤) يتهم ؛ يقدم شكوى ضدّ (٥) يُظهر ؛ يُبدي (٦) يسدّد ؛ يصوّب (سلاحاً الخ .) ×(٧) يتجلّى ؛ يبرز للعيان §(٨) هدية (٩) «أ» الزمن الحاضر (ل). «ب» فعل حاضر (مضارع) (١٠) اليوم ؛ الآن (At ~, people need courage.) §(١١) حاضر ؛ موجود ؛ غير غائب (١٢) حاليّ (١٣) حاضر ؛ مضارع (ل) .

by these ~*s* بهذه الكلمات ؛ بهذه الوثيقة .

for the ~, موقّتاً .

~ arms ! قدِّم سلاحك ! حيِّ بالسلاح !

to ~ with يعطي أو يقدم إلى .

presentable [prĭ zĕn'tə bəl] *(adj.)* (١) حَسَن الطلعة أو البِزّة (٢) صالحٌ للتقديم . **—presentability** *(n.)*

presentation[prĕz'ən tā'shən; prē'zĕn-] *(n.)* (١) «أ» تقديم . «ب» عرض لمسرحية . «ج» إهداء (٢) «أ» رمز أو صورة تمثل شيئاً . «ب» هدية (٣) الجِيئة (مج) ، المجيء : وَضْع الجنين في الرحم عند المخاض (٤) .cap عد : عيد التجلّي : عيد تجلّي مريم العذراء في الهيكل (٢١ نوفمبر) (٥) الطريقة التي تقدَّم بها المعلومات اللاسلكية أو الرادارية (إلى ملاح الطائرة الخ.) .

present-day [prĕz'ənt dā'] *(adj.)* = current 2.

presentee [prĕz'ən tē'] *(n.)* (١) المقدَّم : من تقدِّمه إلى غيره . (٢) المهدى إليه .

presentient [prĭ sĕn'chĭ ənt] *(adj.)* مستشعِر حِسّاً داخلياً .

presentiment[prĭ zĕn'tə-] *(n.)* الشعور السَّبْقي ؛ الحسّ الداخليّ أو السابق ؛ شعور القلب بقرب حدوث شيء .

presently [prĕz'-] *(adv.)* (١) توّاً (ا.ق) (٢) عمّا قريب (٣) الآن .

presentment[prĭ zĕnt'-] *(n.)* (١) عَرْض ؛ تقديم (٢) «أ» إظهار ؛ إبداء للعيان . «ب» شيء يُعْرَض الخ . «ج» المظهر الذي يُعرَض فيه الشيء . «د» صورة (٣) شكوى أو اتّهام (تقدمه هيئة محلّفين) .

present participle *(n.)* اسم الفاعل (مثل *growing*) .

present perfect *(n.; adj.)* (١) المضارع التام (ل) §(٢) خاصّ بهذه الصيغة .

present tense *(n.)* صيغة الزمن الحاضر أو المضارع (ل) .

preservable [prĭ zûr'-] *(adj.)* قابل للوقاية أو الحفظ الخ .

preservation [prĕz'ər vā'shən] *(n.)* وقاية ؛ حفظ الخ .

preservative[prĭ zûr'və tĭv] *(adj.; n.)* (١) واقٍ ؛ حافظ ؛ صائن §(٢) الواقي ؛ الحافظ ، الصائن : شيء يقي أو يحفظ أو يصون من ؛ وبخاصة : «أ» مادة كيميائية لحفظ الأطعمة من الفساد . «ب» دواء يحفظ الصحة أو يقي من المرض .

preserve[prĭ zûrv'] *(vt.; i.; n.)* (١) «أ» يقي ؛ يحفظ . «ب» يصون ؛ يحمي (٢) يخلّل أو يسكّر أو يعلّب (للاستعمال في المستقبل) (٣) يحافظ على (to ~ one's composure) (٤) يحتفظ بشيء للاستعمال الشخصي أو لاستعمالٍ خاص ×(٥) يصمد للحفظ أو التعليب §(٦) الحافظ ، الصائن : شيء يحفظ أو يصون أو معَدّ لكي يحفظ أو يصون (٧) .pl ا.ك : المحفوظات أو المعلّبات (من الفاكهة) (٨) الأرض الحرام : منطقة محظورةٌ رغبةً في صيانة حيواناتها أو أشجارها الخ . وبخاصة : أرض محتفَظٌ بها ، في المقام الأول ، للقنص أو لصيد الأسماك المنظّم (٩) الحَكْر : شيء يُعْتَبَر محفوظاً أو محجوزاً لأشخاص معيَّنين .

preset [prē sĕt'] *(vt.)* يضبط (الآلةَ) سَبْقياً .

preshrunk [-'shrŭngk'] *(adj.)* مُقلّص سَبْقياً : صفةٌ لنسيج أُخضع أثناء الصنع لعملية تقليص تخفيفاً لانكماشه عند الغَسْل .

preside [prĭ zīd'] *(vi.)* (١) يترأس ؛ يرئس (٢) يوجّه ؛ يُشرف على .

presidency [prĕz'ə dən sĭ] *(n.)* (١) الرئاسة : منصب الرئيس أو وظيفتُه أو مدته (٢) .cap ا.ك : رئاسة الجمهورية في الولايات المتحدة الأميركيّة (٣) توجيه ؛ إشراف .

president [prĕz'ə-] *(n.)* (١) رئيس (٢) .cap ا.ك : رئيس جمهورية .

presidential [prĕz'ə dĕn'shəl] *(adj.)* رِئاسي .

presidential system *(n.)* النظام الرئاسي : نظامُ حُكم يكون فيه رئيس الجمهورية غير مسؤول تجاه البرلمان .

presidentship [prĕz'ə dənt shĭp'] *(n.)* = presidency.

presidial [prĭ sĭd'-] *(adj.)* (١) حَرَسيّ : متعلّق بحرس أو حامية أو مؤلَّف لهما (٢) رئاسيّ (٣) اقليمي .

presidiary [prĭ sĭd'ĭ ər'ĭ] *(adj.)* = presidial 1.

presidio [prĭ sĭd'ĭ ō'] *(Sp.)* حِصْن أو موقع تذود عنه حامية .

presidium [prĭ sĭd'ĭ əm] *(Russ.)* pl. **-sidia** *or* **-sidiums** اللجنة التنفيذية الدائمة (في الاتحاد السوفياتي) .

presignify [prē sĭg'nə fī'] *(vt.)* ينذر بـ ؛ يكون نذيراً بـ .

pre-Socratic *(adj.)* قبسُقراطي : خاصّ بالفلاسفة اليونان قبل سقراط .

press [prĕs] *(n.; vt.; i.)* (١) «أ» حشْد ؛ جمهرة . «ب» احتشاد ؛ ازدحام (٢) «أ» مِعْصَرة . «ب» مِضْغَط ؛ مِكبس (٣) خزانة (٤) عصر ؛ ضَغط ؛ كَبْس ؛ دَفْع (٥) الكَيّة : مظهر الثوب الأملس بعد كَيِّه (٦) «أ» مِطبعة ؛ آلة طابعة . «ب» طباعة . «ج» مؤسسة طباعيّة أو نَشريّة (٧) «أ» الصحافة . «ب» الصحف والمجلات ونشرات الأخبار الإذاعية والتلفزيونية . «ج» رجال الصحافة ومذيعو نشرات الأخبار . «د» تعليق صحفي على الأحداث (٨) «أ» اضطرار ؛ عجلة . «ب» ضغط الأعمال أو الأشغال التجارية الخ . (٩) إكراه على أداء الخدمة العسكريّة (وبخاصة في الأسطول) §(١٠) يدفع بقوة مطّردة (١١) يهاجم ؛ يضايق ؛ يزعج (١٢) يعصر ؛ يضغط ؛ يكبس ؛ يكوي

Left column

(١٣) «أ» يضغط على ؛ يُكره . «ب» يناشد ؛ يتوسل إلى
(١٤) «أ» يؤكّد على . . «ب» يُلحّ ؛ يصرّ على . «ج» يبحث ؛ يستعجل (١٥) يتابع ؛ يواصل (مسلكاً أو خطة عمل) (١٦)يعانق (١٧) يستخرج اسطوانة مسجلة (عن أسطوانة فونوغرافية أمّ) (١٨) يُكره على أداء الخدمة العسكرية (١٩) يصادر (للمصلحة العامة) × (٢٠) يحتشد ؛ يزدحم (٢١) يشقّ طريقَه (٢٢) يلحّ ؛ يتطلّب سرعة في العمل (Time ~ es.) . —**presser** (n.)

press agency (n.) . وكالة دعاية أو إعلان

press agent (n.) . وكيل الدعاية أو الإعلان

pressboard [prĕs'bōrd'] (n.) (١) ورق مقوّى مكبوس (٢) لوحة كيّ (وبخاصة للأكمام) .

press box (n.) مقصورة الصحافة : مكان مخصّص لرجال الصحافة (في مباراة رياضية) .

press-clipping; press-cutting (n.) القُصاصة ؛ قصاصة جريدة .

press conference (n.) مؤتمر صحفيّ .

pressed [prĕst] (adj.) (١) مضغوط ؛ مكبوس (٢) محتاج إلى الوقت أو المال الخ .

press gallery (n.) مقصورة الصحفيين (وبخاصة في مجلس العموم).

press gang (n.) كتيبة التجنيد : كتيبة يقودها ضابط مكلّفة بإكراه الناس على الالتحاق بالجيش أو الأسطول .

pressing [prĕs'ĭng] (n.; adj.) (١) عصر (٢) press نسخة (من اسطوانة فونوغرافيّة) (٣) ملحّ (٤) a ~ need) حماسيّ ؛ حارّ .

press lord (n.) . صاحب جريدة متنفذ ؛ ملك من ملوك الصحافة

pressman [prĕs'-] (n.)(١)الطابع ؛ عامل المطبعة(٢)الصحفيّ (بر)

pressmark [prĕs'märk'] (n.) دالّة الكتاب : علامة تلصق على كتاب لتدلّ على موضعه في المكتبة .

pressor [prĕs'ər] (adj.) ضاغط ؛ رافع لضغط الدم (فس) .

press photographer (n.) المصوّر الصحفيّ .

press release (n.) المُسبَّقة الصحفية : مادة صحفية تُعطى إلى الجريدة أو المجلة مسبّقاً لكي تنشر في وقت تال مُحَدَّد .

pressroom [prĕs'rōōm] (n.) حجرة الطابعات : حجرة تشتمل على الماكينات الطابعة (في مطبعة) .

pressrun [prĕs'-] (n.) «أ» دوَران الآلة الطابعة على نحو متواصل حتى تنتج عدداً معيّناً من النسخ . «ب» المطبوع : عدد النسخ المطبوعة (a ~ of 5000) .

pressure [prĕsh'ər] (n.; vt.) (١) ضغط (٢) كَبْس (٣) جهْد (كب) (٤) ثِقْل ؛ وطأة (the ~ of taxation) (٥) الالحاح : الحاجة إلى العمل السريع والحاسم (the ~ of business) (٦) ضغط جويّ (٧)§ «أ» يضغط على «ب» يُكره (٨) يكيّف الضغط (٩) يطبخ في قِدْر ضغطية .

pressure cabin (n.) مقصورة مكيّفة الضغط (طي) .

pressure-cook (vt.; i.) يطبخ ضغطياً ؛ يطبخ بقِدر ضغطية .

pressure cooker (n.) القِدْر الضغطيّة : قِدْر تطبخ بالضغط .

pressure gauge (n.) مقياس الضغط : أداة لقياس ضغط السائل أو الغاز أو متفجّر من المتفجرات .

pressure group (n.) جماعة الضغط : جماعة منظّمة تسعى للتأثير على السياسة الحكومية حماية لمصالحها الخاصة .

pressurization [prĕsh ə rə zā'-] (n.) تكييف أو تكييف الضغط .

pressurize [prĕsh'ər ĭz'] (vt.; i.) يكيّف الضغط .

presswork [prĕs'wûrk'] (n.) (١) إعمال الآلة الطابعة أو ادارتها (٢) نِتاج الآلة الطابعة .

Right column

prestidigitation [-'tə dĭj'ə tā-] (n.) حَوَاية ؛ شعوذة ؛ خفّة يد .

prestidigitator [prĕs'tə dĭj'-] (n.) الحاوي ؛ المشعوذ .

prestige [prĕs tēzh'] (n.) اعتبار ؛ هيبة ؛ مقام ؛ احترام أو نفوذ ناشئان عن تحقيق أعمال عظيمة .

prestigious [prĕs tĭj'-] (adj.) . ذو اعتبار أو هيبة أو مقام

prestissimo [prĕs tēs'sē mô'] (adv.; adj.; n.) (١) بسرعة فائقة (مو) (٢)§ سريع جداً (مو) (٣)§مقطع موسيقي سريع جداً .

presto [prĕs'tō] (adv.; adj.; n.) (١) بسرعة (مو) (٢)§ سريع (مو) . (٣)§ مقطع موسيقي سريع .

prestressed [prē'strĕst] (adj.) مُجهَد سبقياً ؛ مقوّى بالأسلاك .

presumable [-zōō'-] (adj.) . ممكن افتراضُه أو التسليم به : محتمل

presume [-zōōm'] (vt.; i.) (May I ~ (١) يتجرّأ على (٢) to tell you that...?) يفترض (٣)يستغلّ ؛ يسلّم بـ (Don't ~ on his good nature by borrowing from him daily.)

presuming [prĭ zōō'-] (adj.) متجرّئ ؛ متواقح ؛ وقح .

presumption [prĭ zŭmp'shən] (n.) (١) جرأة ؛ وقاحة (٢) افتراض ؛ تسليم بـ (٣) تحدّس ؛ استدلال بالقرينة .

presumptive [prĭ zŭmp'tĭv] (adj.) (١) داعٍ أو مفسح المجال للافتراض (٢) افتراضيّ ؛ مبنيّ على الافتراض أو الاحتمال .

presumptuous [prĭ zŭmp'chōō əs] (adj.) = presuming.

presuppose [prē'sə pōz'] (vt.) (١) يفترض مقدّماً (٢) يستلزم ؛ يقتضي ضمناً .

pretence [prĭ tĕns'; prē'-] (n.) = pretense.

pretend [prĭ tĕnd'] (vt.; i.) (١) يتظاهر بـ (٢) يدّعي ؛ يزعم (٣)يتجرّأ §أعلى ×(٤)يطالب بشيء من غير أن يكون له حق صريح فيه .

pretended [prĭ tĕn'dĭd] (adj.) . زائف ؛ كاذب ؛ مزعوم

pretender [prĭ tĕn'dər] (n.) (١) المدّعي ، الزاعم ، وبخاصة : المطالب بعرش ليس له حق صريح فيه (٢) المتظاهر بـ .

pretense [prĭ tĕns'; prē'-] (n.) (١) دعوى ؛ زعم (٢) ادعاء (٣) مظهر (٤) حجة ؛ ذريعة (٥) ستار (٦) تظاهر بـ .

pretension [prĭ tĕn'shən] (n.)(١)حجة ؛ ذريعة(٢)«أ»دعوى زعم ؛ مطلب «ب» اِدّعاء ؛ مطالبة بـ(٣)طموح(٤)خيَلاء ؛ غرور .

pretentious [prĭ tĕn'shəs] (adj.) (١) عريض الدعوى ؛ مدّعٍ (٢)طنّان ؛ رنّان (~ language) (٣)طموح (a ~ program) .

preterit; -e [prĕt'ər ĭt] (adj.; n.) (١)ماضٍ (٢)§صيغة الماضي .

preterminal [prē tûr'-] (adj.) قبمَوتيّ : حادث قبل الموت .

pretermit [prē'tər mĭt'] (vt.) (١) يتجاوز عن ؛ يغفل ؛ يحذف (٢) يُهمِل (٣) يقطع ؛ يوقف مؤقّتاً ؛ يعلّق .

preternatural [prē'tər năch'ə rəl] (adj.) (١)شاذ ؛ غيرسوي (٢) خارق للطبيعة .

pretest [prē'tĕst] (n.; vt.) (١)اختبار أوّلي (٢)يجري اختباراً أوّلياً .

pretext [prē'tĕkst] (n.) حجة ؛ ذريعة ؛ ستار .

pretor [prē'-]; **pretorian** [-tōr'-] = praetor; praetorian.

pretreatment [prē trēt'-] (n.) . معالجة أو معاملة سبقيَّة

prettify [prĭt'ə fī'] (vt.) يجمّل ؛ يحسّن الخ .

prettily [prĭt'ĭ lĭ] (adv.) على نحو ظريف أو جميل أو حسن الخ .

prettiness [prĭt'ĭ-] (n.) . ظرف ؛ جمال ؛ ملاحة ؛ حسن

pretty [prĭt'ĭ] (adj.; adv.; vt.; n.) (١)«أ» بارع أو مطلب ببراعة . «ب» مناسب ؛ في محله (٢) «أ» ظريف ؛ لطيف . «ب» جميل ؛ وسيم ؛ مليح (٣) حسَن (٤) جيّد ؛ ممتاز (٤) ضخم بعض الشيء (٥)§ إلى حدّ ما (٦) على نحو ظريف أو جميل أو حسن الخ(ع) .

---

§(٧) يجمّل ؛ يحسّن (تتبعها **up** عادةً) §(٨) شخص أو شيء جميل (٩) **.pl** : ملابس أنيقة ، وبخاصة : ملابس النساء التحتية .

~penny مبلغ ضخم من المال (ع) .

pretty-pretty جميل على نحو متصنّع أو متكلف .

~ much تقريباً .

sitting ~, غنيّ ؛ ذو وضع أو مركز حسن .

pretty-spoken *(adj.)* حلو الحديث ، عذب الكلام .

pretuberculous *or* **pretubercular** [prē tū bûr'-] *(adj.)* (١) قبسُلّي : سابق لظهور السلّ (٢) معرّض للاصابة بالسل .

pretypify [prē tĭp'ə fī'] *(vt.)* = prefigure.

pretzel [prĕt'səl] *(G.)* العُقَيدة : بسكويتة قاسية مملّحة الظاهر لها شكل عقدة .

prevail [prĭ vāl'] *(vi.)* (١) يفوز ؛ ينتصر (They ~*ed* against their foes.) (٢) يسود ؛ ينتشر ؛ يعمّ (Dead silence ~*ed*.) (٣) يغلب على ؛ يكون هو العنصر الغالب أو السِّمة الأهمّ في (Blue tints ~ in the picture.) .

to ~ on, upon, *or* with يُقنِعهُ بكذا بعد إلحاح .

prevailing [prĭ vā'lĭng] *(adj.)* (١) مسيطر ، متغلّب (٢) سائد ؛ منتشر ، عامّ .

prevalence [prĕv'-] *(n.)* (١) سيطرة ؛ غَلَبَة (٢) تفشٍّ ؛ انتشار .

prevalent [prĕv'ə lənt] *(adj.)* (١) مُسَيْطِر ؛ غالب ؛ سائد . (٢) متفشٍّ ؛ منتشر .

prevaricate [prĭ văr'ə kāt'] *(vi.)* يراوغ ؛ يوارب .

prévenance [prāv'näns'] *(F.)* مبادرة إلى مجاملة المرء أو خدمته قبل إبداء رغبته في ذلك .

prevenience [prĭ vēn'yəns] *(n.)* = prévenance.

prevenient [prĭ vēn'yənt] *(adj.)* (١) سابق (٢) متوقّع . (٣) واقٍ ، وقائيّ .

prevent [prĭ vĕnt'] *(vt.; i.)* (١) يمنع ؛ يحول دون (٢) يعوق .

preventative [prĭ vĕn'tə tĭv] *(adj.; n.)* = preventive.

prevention [prĭ vĕn'shən] *(n.)* (١) مَنْع ، إعاقة (٢) وقاية .

preventive [prĭ vĕn'tĭv] *(adj.; n.)* (١) وقائيّ §(٢) عامل أو إجراء أو علاج وقائيّ .

preview [prē'vū] *(vt.; n.)* (١) يَرَى مقدَّماً ؛ وبخاصة : يُشاهد أو يُري شيئاً قبل عرضه على الجمهور (٢) يعطي نظرةً عامّة تمهيدية عن §(٣) مشاهدة أو عرض مسبَق (٤) أو **prevue** : عرضُ مشاهدَ مختلفة من شريط سينمائي مُعْلَنٍ عن ظهوره في مستقبل قريب (٥) نظرة عامة تمهيدية .

previous [prē'vĭ əs] *(adj.; adv.)* (١) سابق ؛ متقدِّم ؛ ماضٍ . (٢) متسرِّع (You are a little ~.) §(٣) قبل (a policy advised ~ to 1720)

previously [prē'vĭ əs lĭ] *(adv.)* سابقاً ؛ قبلاً ؛ من قَبْل .

previous question *(n.)* العودة إلى الأصل : اقتراح يدعو البرلمان إلى التصويت على المسألة الرئيسية المطروحة على بساط البحث ووقف كل مناقشة إضافيّة لها .

previse [prĭ vīz'] *(vt.)* (١) foresee (٢) يحذِّر مقدَّماً .

prevision [-vĭzh'ən] *(n.; vt.)* (١) بصيرة ؛ معرفة سَبْقِيّة . (٢) حِسّ باطني (Some ~ warned him of trouble.) §(٣) يدرك سَبْقيّاً أو قبل الحدوث .

—**previsional** *(adj.)*

prevocalic [prē vō kăl'ĭk] *(adj.)* قبْعِلِّيّ : سابق لحرف العلّة .

prevocational [prē'vō kā'shən əl] *(adj.)* قبْمِهَنيّ : مُعْطى أو مطلوب قبل الالتحاق بمدرسة مهنية .

prewar [prē'wôr'] *(adj.)* قبْحَرْبيّ : حادث أو قائم قبل الحرب .

prexy [prĕk'sĭ] *or* **prex** [prĕks] *(n.)* رئيس ؛ وبخاصة : رئيس كلية .

prey [prā] *(n.; vi.)* (١) غنيمة (ا.ق) (٢) «أ» فريسة . «ب» ضحية (٣) افتراس الخ . §(٤) يغزو §(٥) «أ» يفترس . «ب» يقترف عملاً من أعمال العنف أو السرقة أو الاحتيال (٦) يؤذي ؛ يدمّر ؛ يُتلف .

to ~ on *or* upon (١) يفترس (٢) يؤذي ؛ يثير ؛ ينهك (٣) يسرق ؛ ينهب .

Priapus [prī ā'pəs] *(n.)* بريابوس : إله القوة التناسلية عند الذكور (في المعتقد الاغريقي والروماني) .

price [prīs] *(n.; vt.)* (١) قيمة (ا.ق) (٢) سِعْر (٣) ثمن . §(٤) يسعّر ؛ يحدّد السعر (٥) يسأل عن السعر (ع) .

—**pricer** *(n.)*

at any ~, بأيّ ثمن ؛ مهما كلّف الأمر .

beyond *or* without price نفيس إلى درجة تجعل المرء عاجزاً عن شرائه .

Every man has his ~. لكل امرىء ثمنه ؛ كل امرىء يُمكِن أن يُرْشَى بمبلغ ما .

price-cutter [prīs'kŭt ər] *(n.)* كاسر السِّعر : من يخفِّض الأسعار وبخاصة إلى مستوى يُراد به القضاء على المنافسة .

priceless [prīs'-] *(adj.)* (١) «أ» بالغ النفاسة ؛ لا يقدَّر بثمن . «ب» غالٍ إلى أبعد الحدود (٢) «أ» سخيف (He is a ~ old fellow.) «ب» مضحك جداً (It was a ~ joke.) .

price list *(n.)* قائمة الأسعار (تج) .

price tag *(n.)* (١) بطاقة التسعير : بطاقة توضع على السلعة لتبيّن سعرها (٢) سِعْر ؛ ثَمَن .

prick [prĭk] *(n.; vt.; i.)* (١) ثُقْب (يُحدَث بإبرة أو شوكة الخ.) (٢) «أ» أداة مستدقة الطرف (كالمِثقب أو المِنخس) . «ب» عضوٌ أو جزء ناتىء مستدقّ الطرف (٣) «أ» وخزة . «ب» وَخْزٌ . «ج» ألم حادّ §(٤) يثقب (٥) يَخِز (٦) ينخس (٧) ينقل نبتةً من مكان ليغرسها في آخر ×(٨) يستشعر ضيقاً (وكأن شيئاً يَخِزُه) (٩) ينطلق بسرعة ممتطياً صهوة جواده (١٠) تنتصب (أذُنا الحيوان) .

to ~ up one's ears يُتلع أذُنيه ؛ يصغي بانتباه شديد .

pricker [-'ər] *(n.)* (١) فا prick ، وبخاصة : فارس (٢) شوكة ؛ مِثقب .

pricket [prĭk'ĭt] *(n.)* (١) «أ» مَغْرَز الشمعة : «شوكة» معدنية تُغْرَز فيها الشمعة . «ب» شمعدان ذو شَوكَة أو أشْواك (٢) وَعْلٌ في عامه الثاني .

prickle [prĭk'əl] *(n.; vt.; i.)* (١) شوكة (٢) وَخْزٌ §(٣) يَخِز ؛ يثقب ؛ يَنْخَس .

prickliness [prĭk'lĭ-] *(n.)* الشائكيّة ؛ الواخزية : كون الشيء شائكاً أو واخزاً .

prickly [prĭk'lĭ] *(adj.)* (١) شائك ؛ مليء بالشوك (٢) واخز ؛ لاسع (٣) «أ» مُغيظ ؛ مضايق . «ب» حسّاس أو سريع الغضب .

prickly ash *(n.)* الفاغرة الأميركية : نبات ذو زهر مصفرّ .

prickly heat *(n.)* الحَصَف : طفح جلدي مصحوب بوخز وحِكّة (مض) .

prickly pear *(n.)* الصبّار ؛ التين الشوكي .

prickly poppy *(n.)* الأرغامونية ؛ الخشخاش الشائك (نب) .

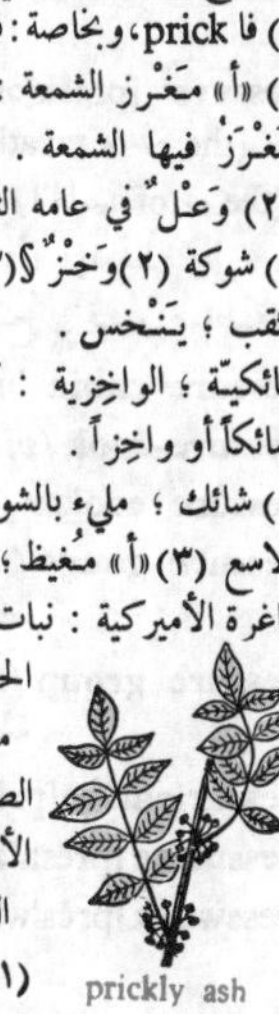

prickly ash

pride [prīd] *(n.; vt.)* (١) «أ» غرور ؛ عُجْب .

ă at; ā date; â care; ä car; ĕ egg; ē me; ĭ in; ī bite; ŏ lot; ō bone; ô orphan; oi boil; ŏŏ good; ōō boot; ou out; ŭ under; ū unity; û urgent; th thing; th this; zh vision; ə = *a* in alone, *e* in system, *i* in easily, *o* in gallop, *u* in circus.

«ب» كبرياء ؛ اعتداد بالنفس . «ج» تِيهٌ ؛ زهو (٢) ازدراء ؛ احتقار (٣) «أ» أبهة (ا.ق) . «ب» زهرة ؛ ريعان (in the ~ of manhood) (٤) مفخرة ؛ كلّ ما يعتزّ به المرء (٥) جماعة من الحيوان (كالأسود والطواويس بخاصة) §(٦) يعتزّ ؛ يفتخر ؛ يتباهى الخ .
to ~ oneself on يعتزّ أو يفتخر بـ .

pride of China *(n.)* الأزدَرَخْت ؛ الزنزلخت (نب) .
prideful [prīd'-] *(adj.)* (١) فخور (٢) متكبّر (٣) تيّاه .
prie-dieu [prē dyœ'] *(F.)* (١) المَرْكَع ؛ مَرْكَع ذو مِسند للذراعين وآخر للكتب (٢) كرسي خفيض منجّد عالي الظهر لا ذراعين له .
prier [prī'ər] *(n.)* فا pry ، وبخاصة : المتفحّص بتطفّل .
priest [prēst] *(n.)* كاهن ؛ قِسّيس ؛ قسّ .
priestcraft [prēst'krăft'] *(n.)* الكِهانة : براعة الكهنة أو معرفتهم بسياساتهم أو أساليبهم .
priestess [prēs'tĭs] *(n.)* كاهنة ؛ قِسّيسة .
priesthood [prēst'ho͝od] *(n.)* (١) الكِهانة ؛ الكَهَنوت : منصب الكاهن أو وضعه (٢) جماعة الكهنة .
priestly [-'lĭ] *(adj.)* (١) كهنوتيّ (٢) لائق بكاهن أو مميِّز له .
priest-ridden [-'rĭd'ən] *(adj.)* خاضع لحكم الكهنة أو سيطرتهم .
prig [prĭg] *(n.)* (١) لصّ (٢) المتزمت : المتمسّك حتى الإزعاج بالمبدأ أو الواجب أو السلوك الحسن (مع ازدهاء بالنفس وازدراء للآخرين) .
—**priggish** *(adj.)* —**priggishness; priggism** *(n.)*
prim [prĭm] *(adj.; vt.)* (١) متكلّف الجد أو الاحتشام (٢) متزمت (٣) أنيق §(٤) يجعله أنيقاً (٥) يزمّ شفتيه على نحوٍ متأنق أو متكلّف .
prima ballerina [prē'mə] *(It.)* الراقصة الأولى (في الباليه) .
primacy [prī'mə sĭ] *(n.)* (١) الأوّليّة (في الترتيب أو المنزلة أو الأهمية) (٢) منصب كبير الأساقفة أو مقامه (٣) سلطة البابا العليا .
prima donna [dŏn'ə] *(It.)* المغنية الأولى (في الأوبرا ونحوها) .
prima facie [prī'mə fā'shĭ ē; fā'shĭ] *(adv.; adj.)* (١) لأول وهلة §(٢) ظاهريّ (٣) بديهيّ (٤) كافٍ لإثبات واقعة أو دعوى ما لم يُنقَض بالدليل .
primage [prī'mĭj] *(n.)* الأجر الاضافي : علاوة كان الشاحن يدفعها إلى ربان المركب وملاحيه لقاء تحميل السلع والعناية بها .
primal [prī'məl] *(adj.)* (١) أوليّ ؛ بدائي (٢) أساسيّ ؛ رئيسي .
primarily [prī'mĕr'ə lĭ] *(adv.)* (١) في المقام الأول ؛ قبل كل شيء (٢) أولاً ؛ في الأصل .
primary [prī'mĕr'ĭ] *(adj.; n.)* (١) «أ» ابتدائيّ ؛ بدائي . «ب» أوّل (جي) (٢) «أ» رئيسي . «ب» أساسي . «ج» قادميّ : خاصّ بقوادم الجناح أو مؤلّف لها . «د» زراعيّ ؛ جراحيّ . «هـ» حاضر ؛ مضارع ؛ مستقبل (ل) (٣) «أ» مباشر . «ب» أصلي ؛ أساسي : غير مشتق من ألوان أخرى (~ color) . «ج» أوليّ (~ school) (٤) ابتدائيّ (كب) (٥) أوّليّ (فزن) §(٦) *pl.* عد : شيء أساسيّ أو أوليّ (٧) كوكب سيّار (٨) القادمة : إحدى قوادم الجناح أو ريشاته الكبار (٩) لون أصلي أو أساسي (١٠) الانتخابات الأوليّة (يجريها حزبٌ لاختيار مرشحيه لرئاسة الجمهورية أو نيابة الرئيس الخ .) .
primary cell *(n.)* الخلية الابتدائية (كب) .
primary coil *(n.)* الملفّ الابتدائي (كب) .
primary road *(n.)* الطريق الرئيسية .
primate [prī'māt] *(n.)* (١) *cap.* ا.ك : كبير الأساقفة (٢) زعيم (٣) الحيوان الرئيس : واحد الرئيسات **Primates** وهي رتبة من الثدييات تشمل الانسان والقرد الخ.
—**primatial** *(adj.)*
prime [prīm] *(n.; adj.; vt.)* (١) الساعة الأولى من النهار . (٢) «أ» فاتحة ؛ مطلَع ؛ صَدْر . «ب» ربيع . «ج» شباب (٣) «أ» صفوة ؛ نخبة . «ب» ريعان ؛ شَرْخ ؛ مَيْعَة (٤) عدد أوليّ (ر) (٥) الرمز (') §(٦) أصليّ (٧) أوليّ ؛ أصمّ : لا ينقسم بغير باقٍ إلا على نفسه أو على واحد (5 is a ~ number.) (٨) «أ» رئيسي . «ب» ممتاز (~ beef) §(٩) «أ» يملأ . «ب» يشحن ؛ يعمّر (البندقية) (١٠) يُعِدّ للاطلاق (بالتطعيم بالفتيلة) (١١) يضع اللون الأول أو الطبقة التحضيرية من الطلاء (١٢) يلقّن (to ~ a witness) (١٣) يصبّ الماء في مضخة لبدء العمل (١٤) يتخم شخصاً بالطعام أو الشراب (ع) .
prime cost *(n.)* الثمن الأصلي : ذلك الجزء من ثمن السلعة المؤلّف من مجموع ما دُفع ثمناً لموادّها الأولية وأجراً على صنعها (اد) .
prime meridian *(n.)* خط الزوال أو الطول الرئيسي .
prime minister *(n.)* رئيس الوزراء ؛ رئيس الوزارة .
prime mover *(n.)* (١) المحرّك الأول (فف) (٢) المحرّك الأساسي (مك) (٣) جرّار ؛ جرّارة .
prime rate *(n.)* معدّل الفائدة الفضلى (إد) .
primer [prĭ'mər] *(n.)* (١) الكتاب الأول (لتعليم مبادىء القراءة) (٢) الكتاب التمهيدي (في موضوع ما) (٣) فتيل ؛ شُعَيلة ؛ مُطعِم (جن) (٤) حرف مطبعي قياس ١٨ بنطاً (ويدعى great ~) أو ١٠ أبناط (ويدعى long ~) .
primero [prĭ mâr'ō] *(Sp.)* البريمار : لعبة من ألعاب الورق أو الشدّة
primeval [prī mē'vəl] *(adj.)* بدائيّ .
priming [prī'mĭng] *(n.)* (١) مص prime (٢) فتيل ؛ شُعَيلة ؛ مطعِم (جن) (٣) الطبقة الأولى أو التحضيرية من الدهان الخ .
primipara [prī mĭp'ə rə] *(L.)* pl. -s *or* -e [-rē] الخَرُوس : «أ» البكر في أول بطن تحمله . «ب» الأنثى التي ولدت مرة واحدة فقط .
primitive [prĭm'ə tĭv] *(adj.; n.)* (١) أصليّ ؛ أولي (٢) «أ» بدائيّ ؛ فطري . «ب» قديم . «ج» عتيق الطراز أو الزي . «د» في مراحل نموّه أو تطوّره الأولى (٣) «أ» طبيعي . «ب» ساذج ؛ بسيط (٤) «أ» دارسٌ الفنّ على نفسه . «ب» من صنع فنان درس الفن على نفسه §(٥) شيء بدائيّ (٦) جِذْر (ل) (٧) الفنان البدائيّ : «أ» فنان ينتسب إلى عهد قديم ، وبخاصة إلى عهد سابق لعصر النهضة الأوروبية . «ب» فنان درس الفن على نفسه . «ج» فنان تتسم آثاره بالسذاجة والبساطة (٨) الأثر البدائيّ : أثر فنيّ من أعمال فنانٍ بدائيّ (٩) البدائيّ : أحد أفراد شعب بدائي (١٠) الساذج : شخص بسيط .
primitivism [-ĭz'əm] *(n.)* (١) البدائية ؛ الفِطرانية : الايمان بأفضلية الحياة البسيطة المشدودة الجذور إلى الطبيعة (٢) الفنّية البدائية : أسلوب الفن الخاص بالشعوب البدائية أو بالفنانين البدائيين .
—**primitivist** *(n.; adj.)* —**primitivistic** *(adj.)*
primogenitor [prī'mə jĕn'ə tər] *(n.)* سلَفٌ ؛ جدّ .
primogeniture [prī'mə jĕn'ə chər] *(n.)* (١) البُكورة : كون المرء بكرَ أبويه (٢) حقّ البُكورة : حقّ البِكر في الإرث كله .
primordial [prī môr'-] *(adj.)* (١) بدائيّ (٢) أصليّ (٣) أساسي .
primp [prĭmp] *(vt.; i.)* (١) يكسو أو يزيّن أو يرتّب بعناية بالغة ×(٢) يتزين ؛ يتطوس ؛ يتبرج .
primrose [prĭm'rōz'] *(n.; adj.)* (١) زهرة الربيع ؛ كعب الثلج (نب) §(٢) حافل بزهر الربيع (a ~ bank) .
primrose path *(n.)* (١) سبيل المتعة واللهو ، وبخاصة : سبيل أو

طريق الشهوات (٢) سبيل المقاومة الأقلّ.

primrose yellow *(n.)* الأصفر الفاتح (لون).

primula [prĭm'yə lə] *(L.)* = primrose 1.

primus [prī'-; prē'-] *(n.)* البريموس : وابور كاز للطبخ ونحوه.

primus inter pares [prī'məs ĭn'tər pā'rās] *(L.)* الأول أو المقدَّم بين أكفاء.

prince [prĭns] *(n.)* (١) مليك (ا.ن) (٢) أمير.

Prince Albert *(n.)* الأمير ألبرت : سترة طويلة بصفّيْ أزرار.

prince charming *(n.)* أمير الأحلام : خطيب يحقق أحلام محبوبته.

prince consort *(n.)* زوج الملكة الحاكمة.

princekin; princelet; princeling [prĭns'-] *(n.)* أمير صغير.

princeliness [prĭns'lĭ-] *(n.)* (١) الأميرية : الصفة الأميرية أو المسلك الأميري (٢) ترف ؛ فخامة.

princely [prĭns'lĭ] *(adj.)* (١) أميريّ (٢) سخيّ ؛ فخم.

Prince of Darkness إبليس ؛ الشيطان.

Prince of Peace ملك السّلام : يسوع المسيح.

Prince of Wales أمير ويلز : وليّ عهد بريطانيا.

prince regent *(n.)* أمير وصيّ على العرش.

prince royal *(n.)* الأمير الملكيّ : وليّ العهد.

princess [prĭn'sĭs] *(n.)* الأميرة : «أ» بنت الملك. «ب» زوجة الأمير.

princess [prĭn'sĭs] *or* **princesse** [prĭn sĕs'] *(adj.)* ضيّق وحيدُ القطعة (gowns ~).

princess royal *(n.)* الأميرة الملكية : كبرى بنات الملك أو الملكة.

principal [prĭn'sə pəl] *(adj.; n.)* (١) رئيسيّ ؛ رئيس. §(٢) «أ» الرئيس ؛ المدير. «ب» مدير المدرسة. «ج» الفاعل الأصلي : المسؤول المباشر عن جريمة ما. «د» الغريم الأصلي : المسؤول الأول عن دفع دَيْن مُجَيَّر من قِبل شخص آخر. «ه» النّجم : فنان لامع (٣) «أ» شيء رئيسي. «ب» رأس المال.

principality [prĭn'sə păl'ə tĭ] *(n.)* (١) الإمارة ؛ المديرية : منصب الأمير أو المدير (٢) ولاية ؛ إمارة.

principally [prĭn'-] *(adv.)* قبل كل شيء ؛ في الدرجة الأولى.

principal parts *(n. pl.)* الصيغ الرئيسية : صيَغ الفعل الأساسية الثلاث (مثل drive; drove; driven) التي تُبْنَى منها سائر صِيَغه.

principalship [prĭn'sə pəl-] *(n.)* رئاسة ؛ مديرية.

principium [prĭn sĭp'ĭ əm] *(L.)* pl. **-cipia** مبدأ أساسيّ.

principle [prĭn'sə pəl] *(n.)* (١) مبدأ ؛ قاعدة (٢) معتقَد أساسي (٣) «أ» قاعدة عمل أو سلوك. «ب» استقامة ؛ شرف (٤) أصل ؛ مصدر ؛ منشأ (٥) العنصر المميِّز : عنصر من عناصر مادة ما ، يجعل لها صفة أو أثراً ما (the bitter ~ in quinine).
in ~, من حيث المبدأ.
on ~, (١) وفقاً لمبدإ ما (٢) لأسباب متعلّقة بالسلوك القويم.

principled [prĭn'sə pəld] *(adj.)* ذو مبادىء.

prink [prĭngk] *(vt.; i.)* (١) يزين ×(٢) يتزيّن ؛ يتبرّج ؛ يتطوّس.

print [prĭnt] *(vt.; i.; n.)* (١) يبصم ؛ يَسِم (٢) يطبع (٣) يستخرج صورة فوتوغرافيّة (عن صورة سلبية) ×(٤) يعمل في الطباعة §(٥) بصمة ؛ سِمة ؛ أثر (٦) طبعة (من كتاب الخ.) (٧) مِبصَم ؛ مِيسَم (٨) «أ» الحالة أو الصورة الطباعية. «ب» صناعة الطباعة (٩) نشرة مطبوعة ؛ صحيفة ؛ مجلّة (١٠) أحرف مطبوعة (This novel has clear ~.) (١١) «أ» نسخة مطبوعة. «ب» قماش مطبوع (١٢) «أ» صورة فوتوغرافية (مستخرجة عن صورة سلبية). «ب» صورة مطبوعة (عن كليشيه).
in ~, (١) في شكل طباعيّ (٢) مطبوع ومعروض للبيع (في المكتبات).
out of ~, نافِد ؛ نَفِدت نسخُهُ عند الناشر.

printable [prĭn'-] *(adj.)* (١) ممكنٌ طبعُهُ أو الطبع عنه. (٢) صالحٌ للطبْع أو النشْر.

printed circuit *(n.)* الدائرة أو الدارة المطبوعة (كب).

printed matter *(n.)* مطبوعات (ترسل بالبريد بتعرفة خاصة).

printer [prĭn'-] *(n.)* (١) عامل المطبعة أو مالكها (٢) آلة طابعة.

printer's devil [prĭn'tərz] *(n.)* صبيّ عامل في مطبعة.

printer's mark *(n.)* دمغة الناشر (را. imprint).

printery [prĭn'tə rĭ] *(n.)* (١) مطبعة (٢) مؤسسة لطبع القماش.

printing [prĭn'tĭng] *(n.)* (١) طَبْع (٢) صناعة الطباعة (٣) طبعة (من كتاب الخ.) (٤) *pl.* : ورق الطباعة.

printing office *(n.)* مطبعة ؛ مؤسسة طباعيّة.

printing plate *(n.)* رَوْسَم ؛ كليشيه (طع).

printing press *(n.)* آلة طابعة.

printing surface *(n.)* = printing plate.

prior [prī'ər] *(n.; adj.)* (١) رئيس دير للرهبان §(٢) سابق. ~ to قَبْل.

priorate [-ĭt] *(n.)* (١) منصب رئيس الدير أو مدته (٢) دير.

prioress [prī'ər ĭs] *(n.)* رئيسة دير للراهبات.

priority [prī ŏr'ə tĭ] *(n.)* (١) الأسبقية ؛ الأقدمية (٢) الأولّية ؛ الأولويّة (من حيث التّرتيب أو المنزلة) (٣) معاملة تفضيلية أو تمييزية.

priory [prī'ə rĭ] *(n.)* دير للرهبان أو للراهبات.

prise [prīz] *(n.; adj.; vt.)* = prize.

prism [prĭz'əm] *(L.)* مَوْشور ؛ مَنْشور («هن» و«بلو»).

prism

prismatic [prĭz măt'ĭk] *(adj.)* (١) مَوْشوريّ ؛ منشوريّ (٢) لمّاع ؛ برّاق.

prismoid [prĭz'moid] *(adj.)* : مَوْشورانيّ ؛ منشورانيّ : شبيهٌ بموشور أو منشور.

prison [prĭz'ən] *(n.; vt.)* (١) سَجْن ؛ حَبْس (٢) سِجْن ؛ مَحْبِس §(٣) يَسْجن ؛ يحبس.

prison camp *(n.)* (١) معسكر السجناء : معسكر خاصّ بالسجناء الذين تثق بهم السلطة والذين تستخدمهم في بعض مشروعاتها (٢) معسكر الأسرى : معسكر اسرى الحرب.

prisoner [prĭz'ə nər] *(n.)* (١) السجين (٢) الأسير.

prisoner of war الأسير ؛ أسير الحرب.

prison fever *(n.)* التِّيفوس ؛ حُمَّى التيفوس.

prissy [prĭs'ĭ] *(adj.)* = finical.

pristine [prĭs'tēn; -tĭn; -tīn] *(adj.)* (١) أصلي ؛ بِدائيّ ؛ قديم (٢) محتفظ بنقائه الأصلي ؛ غير مفْسَد.

privacy [prī'və sĭ] *(n.)* (١) عُزْلة (٢) سِرية.

privatdocent *or* **privatdozent** [prē vät'dō tsĕnt'] *(G.)* أستاذ جامعة (في ألمانيا) غير ذي راتب وإنما يتقاضى مكافأته من الطلاب مباشرة.

private [prī'vĭt] *(adj.; n.)* (١) خصوصي (a ~ road). (٢) خاصّ (~ property) (٣) غير متولٍّ منصباً أو عملاً عاماً (~ citizen) (٤) شخصيّ (my ~ opinion) (٥) منعزل (a ~ corner) (٦) سرّيّ (a ~ communication) (٧) عَوْرِيّ : لا يجوز استعماله أو إظهاره أو ذكره أمام الناس (كقولك one's ~ parts أي عَوْرة المرء) §(٨) جنديّ ؛ نَفَر ؛ عسكريّ.

in ~, سرّاً

privateer [prī'və tīr'] *(n.; vi.)* (١) «أ» مَرْكَب القرصنة: مركب مفوَّض من قِبل الحكومة بمهاجمة سفن العدوّ والاستيلاء عليها. «ب» قائد هذا المركب أو أحد بحارته §(٢) يتقرصَن: يهاجم سفن العدوّ بتفويض من الحكومة.

privateersman [prī'və tīrz'mən] *(n.)* = privateer 1b.

privately [prī'vĭt lĭ] *(adv.)* سرّاً؛ بصورة شخصيّة.

private school *(n.)* مدرسة خاصّة (غير حكوميّة).

privation [prī vā'shən] *(n.)* (١) حِرْمان (وبخاصة من رتبة أو منصب) (٢) فاقة؛ عوز؛ حِرمان (٣) فقدان؛ عدم وجود.

privative [prĭv'ə tĭv] *(adj.; n.)* (١) حارِم؛ مسبِّب للحرمان. (٢) حِرمانيّ؛ دالّ على الحرمان من شيء *(un-* is a ~ prefix.) §(٣) بادئة أو لاحقة حرمانيّة.

privet [prĭv'ĭt] *(n.)* جَنْبَة الرُّباط؛ اللِّيغُسْطْرُوم (نب).

privilege [prĭv'ə lĭj] *(n.; vt.)* (١) امتياز §(٢) يمنحه امتيازاً.

privileged [prĭv'ə lĭjd] *(adj.)* ذو امتياز؛ متمتّع بامتياز؛ مُوسِر؛ ثريّ (~ classes).

privily [prĭv'ə lĭ] *(adv.)* سرّاً؛ بصورة شخصيّة.

privity [prĭv'ə tĭ] *(n.)* اطّلاع مشترك (على سرّ أو مؤامرة) وبخاصة على نحو يفيد التعاون أو التواطؤ).

privy [prĭv'ĭ] *(adj.; n.)* (١) شخصيّ؛ خصوصيّ (٢) سرّيّ؛ محجوب. (٣) متّهم بالاطلاع على سرّ ما (was ~ to the conspiracy) §(٤) مِرحاض؛ كنيف.

privy council *(n.)* (١) *cap. P; C* : مجلس شورى الملك (في بريطانية) (٢) مجلس استشاري.

Privy Purse *(n.)* مخصّصات الملك (لتغطية نفقاته الخاصة).

Privy Seal *(n.)* ختْم أو خاتَم الملك (في بريطانية).

prix fixe [prē'fēks'] *(F.)* (١) وَجبة محدّدة السِّعر (في مطعم أو فندق) (٢) ثمن هذه الوجبة.

prize [prīz] *(n.; adj.; vt.)* (١) جائزة (٢) شيء جدير بأن يناضَل من أجله (~s of life) (٣) غنيمة؛ سَلَب (٤) الاستيلاء، زمن الحرب، على سفينة وحمولتها (في عُرض البحر) §(٥) «أ» ممنوح كجائزة (a ~ medal). «ب» جدير بجائزة. «ج» فائز بجائزة (a ~ essay). «د» مرشّح أو مقدَّم للفوز بجائزة (٦) بارز؛ ممتاز §(٧) يثمِّن؛ يخمِّن (٨) يقدِّر؛ يُجِلّ (٩) يرفع أو يحرّك بالقوة.

prize court *(n.)* محكمة الأسلاب والغنائم.

prize fight *(n.)* مباراة الملاكمة التكسّبيّة (تجري بين ملاكمين محترفين ويدفع المشاهدون رسماً لدخولها).

prize fighter *(n.)* الملاكم المتكسّب أو المحترف.

prize fighting *(n.)* الملاكمة التكسّبيّة؛ الملاكمة طمعاً في الأجر.

prize money *(n.)* مال الغُنْم: جزء من حصيلة بيع الغنائم كان يوزَّع على الضباط والبحّارة الذين يأسرون سفينة ما.

prize ring *(n.)* حلبة الملاكمة التكسّبيّة (را. prize fight).

pro [prō] *(n.; adv.; prep.; adj.)* (١) «أ» وجهة النظر المؤيِّدة لقضيّة ما. «ب» القائل بوجهة النظر هذه. «ج» صوت مؤيِّد أو حجّة مؤيِّدة (٢) المحترف؛ وبخاصة: اللاعب الرياضيّ المحترف §(٣) مع؛ في الجانب المؤيِّد لقضيّة ما §(٤) تأييداً لِ §(٥) مؤيِّد (٦) محترف (a ~ football player).

the ~s and cons. الحجج المؤيِّدة والحجج المعارِضة.

pro- بادئة معناها: «أ» قبْل؛ سابق لِ. «ب» تجاه. «ج» أماميّ *(pro*thorax). «د» ناتئ؛ بارز. «هـ» بدلاً عن؛ قائم مقام كذا *(pro*noun). «و» مناصر أو مؤيِّد لِ *(pro*slavery; *pro*-British).

proa [prō'ə] *(n.)* البِرْو: مركب شراعيّ سريع.

probability [prŏb'ə bĭl'ə tĭ] *(n.)* (١) الاحتمال (٢) الأرجحيّة. (٣) أمرٌ محتمَل أو مرجَّح الحدوث.

in all ~, على الأرجح.

probable [prŏb'ə bəl] *(adj.)* (١) مُحتمَل؛ مُحتمَلٌ حدوثُه (~ events) (٢) مرجَّح (٣) احتماليّ؛ باعثٌ على الاعتقاد بـ؛ متيحٌ أساساً للاعتقاد (~ evidence).

most ~, أكثر احتمالاً.

probably [prŏb'ə blĭ] *(adv.)* من المحتمل؛ ربما؛ على الأرجح.

probang [prō'băng] *(n.)* مِنظاف المَريء: قضيب رفيع لَدْنٌ في طرفه اسفنجة يُستخدَم بخاصة لإزالة كل ما قد يكون معترضاً في المريء (جر).

probate [prō'bāt] *(n.; vt.)* (١) إثبات صحة وصيّة المتوفّى (أمام القضاء) (٢) نسخة مصدَّقة رسمياً عن وصيّة مُثْبَتة صحّتُها §(٣) يُثبت صحّة الوصيّة.

probate court *(n.)* محكمة الإشهاد؛ محكمة تحقيق صحّة الوصايا.

probation [prō bā'shən] *(n.)* (١) امتحان أو تدقيق صارم. (٢) الاختبار: إخضاع الفرد لفترة من التجربة للتأكّد من أهليّته لصفّ مدرسيّ أو وظيفة ما (٣) تعليق العقوبة الصادرة (بخاصة بحقّ الأحداث الجانحين) وإطلاق سراحهم مع الاستمرار في مراقبتهم.

probationer [prō bā'shən ər] *(n.)* (١) المُخضَع للتجربة (للتأكّد من أهليّته لصفّ مدرسيّ أو لوظيفة ما) (٢) المعلَّق العقوبة: مذنب تعلَّق عقوبته ويُطلَق سراحه مع إبقائه تحت المراقبة.

probation officer *(n.)* ضابط يعيَّن لمراقبة سلوك المذنبين الذين عُلِّقت عقوبتهم وأُطلِق سراحهم على سبيل التجربة.

probative [prō'bə tĭv] *(adj.)* (١) امتحانيّ؛ تجريبيّ (٢) إثباتيّ.

probatory [prō'bə tōr'ĭ] *(adj.)* = probative.

probe [prōb] *(n.; vt.; i.)* (١) مِسبَر؛ مِسبار؛ مِجَسّ. (٢) سَبْر؛ جَسّ (٣) تحقيق أو امتحان دقيق §(٤) يَسبر؛ يجسّ (٥) يجري تحقيقاً أو امتحاناً دقيقاً. **—prober** *(n.)*

probit [brŏb'ət] *(n.)* [*prob*ability un*it*]: وحدة الاحتماليّة: وحدةٌ لقياس الاحتماليّة الاحصائيّة.

probity [prō'bə tĭ] *(n.)* استقامة؛ أمانة.

problem [prŏb'ləm] *(n.; adj.)* (١) مسألة (٢) مشكلة؛ معضلة. §(٣) معالِجٌ مشكلةً من مشاكل السلوك البشريّ أو العلاقات الاجتماعيّة (a ~ play) (٤) صعب المراس؛ مشكِلٌ معضلةً للمسؤولين عنه (a ~ child).

problematic; -al [prŏb'lə măt'-] *(adj.)* (١) مُشكِل؛ صعب حلُّه أو البتّ فيه (٢) مشكوك فيه؛ غير ثابت؛ يحتمل النقاش والجدل؛ فيه نظر.

pro bono publico [prō bō'nō pŭb'lĭ kō'] *(L.)* للمصلحة العامّة.

proboscidean *or* **proboscidian** [-'bə sĭd'-] *(n.)* الخرطوميّ: كلّ حيوان من الخرطوميّات **Proboscidea** وهي رتبة من الثدييات تشمل الفيلة الحيّة وضروب الفيلة البائدة. **—proboscidean** *(adj.)*

proboscis [prō bŏs'ĭs] *(n.)* pl. **-cises** *or* **-cides** (١) خرطوم الفيل (٢) خرطوم الحشرة (٣) الأنف البشريّ (وبخاصة إذا كان بارزاً).

procaine [prō kān'; prō'kăn] *(n.)* البروكايين (ك).

procathedral [prō'kə thē'drəl] *(n.)* الكاتدرائيّة الموقتة: كنيسة تُستخدَم موقتاً ككاتدرائيّة.

procedural [prə sēʹjər əl] *(adj.)* إجرائيّ : خاص بالاجراءات المتّبعة في المحاكم والهيئات التمثيلية الخ .

procedure [prə sēʹjər] *(n.)* (١) إجراء ؛ إجراءات (٢) «أ» نهج تقليديّ أو مقرَّر في إنجاز الأشياء . «ب» البروتوكول : نظام التشريفات الديبلوماسيّة أو العسكريّة .

proceed [prə sēdʹ] *(vi.)* (١) ينبثق ؛ ينبع ؛ ينشأ (عن) . (٢) «أ» يُكْمِل ؛ يتابع بعد توقف أو انقطاع . «ب» يواصل على نحو مطّرِد (٣) «أ» يباشر ؛ يبدأ ؛ يشرع . «ب» يقيم دعوى على فلان . «ج» يسير (العمل) ؛ يأخذ سبيله إلى الإنجاز (٤) يتقدّم .

proceeding [prə sēʹdĭng] *(n.)* (١) انبثاق ؛ نشوء ؛ إكمال الخ . (٢) procedure (٣) *pl.* : حوادث ؛ أحداث (٤) *pl.* : دعوى قضائيّة (٥) عمل ؛ صفقة ؛ مفاوضة (٦) *pl.* : مَحْضر جلسة الخ.

proceeds [prōʹsēdz] *(n. pl.)* ربح ؛ دَخْل ؛ عائدات .

procephalic [prō sə fălʹĭk] *(adj.)* جَبْهِيّ : ذو علاقة بجبهة الرأس أو مكوِّن لها .

process [prŏsʹĕs; prōʹ-] *(n.; vt.; i.; adj.)* (١) تقدّم (٢) عملية (~ of decay) (٣) «أ» دعوى قضائية . «ب» أمرٌ قضائيّ بالمثول أمام المحكمة (٤) النامية ؛ الناشزة ؛ الزائدة (a bone ~) § (٥) «أ» يقيم الدعوى (على فلان) . «ب» يدعوه للمثول أمام القضاء (٦) يُعامل : يعالج ، أثناء الصُّنع ، بسلسلة من العمليات المتعاقبة (to ~ leather) × (٧) يسير في موكب أو نحوه § (٨) مُعامَل : معالَج بسلسلة من العمليات الصناعية المتعاقبة (~ cheese) .

in ~, قيد الصنع ؛ جارٍ العمل فيه .

in the ~ **of time** مع الزمن ؛ بمرور الأيام .

procession [prə sĕshʹən] *(n.)* (١) سَيْر ؛ تقدّم (٢) انبثاق . (٣) «أ» موكب . «ب» زيّاح (نص) . «ج» سلسلة .

processional [prə sĕshʹ-] *(adj.; n.)* (١) «أ» مَوْكبيّ . «ب» زِيّاحيّ . «ج» مُنْشَد (كترنيمة) في زيّاح § (٢) كتاب الزيّاح (يحتوي الترانيم المنشَدة في زيّاح) (٣) ترنيمة زيّاحيّة (نص).

process printing *(n.)* الطباعة النَّسَقيّة (في طبع الألوان) .

process server *(n.)* مُحْضِر المحكمة : موظّف يسلّم الدعوات للمثول أمام القضاء .

procès-verbal [prō sā vĕr bälʹ] *(F.)* مَحْضَر رسميّ .

pro-choice *(adj.)* مؤيد لإباحة الإجهاض.

proclaim [prō klāmʹ] *(vt.)* (١) يصرِّح (بآرائه الخ.) (٢) يعلن (The people ~*ed* him king.) (٣) ينادي بـ (~ *ed* war) (٤) يُظهِر ؛ يدل على (His accent ~*s* him a Scot.) .

proclamation [prŏkʹlə māʹshən] *(n.)* (١) تصريح ؛ إعلان ؛ إظهار الخ. (٢) بلاغ ؛ بيان .

proclivity [prō klĭvʹ-] *(n.)* مَيْل ؛ نزعة (وبخاصة نحو شيء بغيض).

proconsul [prō kŏnʹsəl] *(n.)* (١) البروقنصل: قنصل روماني مُدّدت ولايته بعد انقضائها (٢) حاكم اداري واسع الصلاحية لمستعمرة أو أرض محتلة .

—proconsular *(adj.)*

proconsulate [prō kŏnʹsə lĭt] *(n.)* البروقنصلية : منصب البروقنصل الروماني أو مدّتُه .

procrastinate [prō krăsʹtə nāt] *(vi.; t.)* (١) يماطل ؛ يسوِّف . × (٢) يؤجّل ؛ يرجىء .

—procrastination *(n.)*

procreant [prōʹkrĭ ənt] *(adj.)* (١) مُنْسِل ؛ منتج (٢) تناسلي .

procreate [prōʹkrĭ ātʹ] *(vt.)* يُنْسِل ؛ يُنْجِب ؛ يُنتج .

procreative [prōʹkrĭ ā tĭv] *(adj.)* = procreant.

procreator [prōʹkrĭ ā tər] *(n.)* المُنسِل ؛ المُنجِب ؛ المُنتج ؛ الوالد .

Procrustean [prō krŭsʹtĭ-] *(adj.)* بروكرستيزيّ : «أ» منسوب إلى بروكرستيز **Procrustes** أو فراشه (وكان بروكرستيز هذا لصاً إغريقياً خرافياً يمُدّ أرجلَ ضحاياه أو يقطعها لكي يجعل طولهم منسجماً مع فراشه) . «ب» ميّال إلى إحداث التناسب أو التجانس بوسائل عنفية أو اعتباطية.

Procrustean bed *(n.)* فراش بروكرستيز : نهجٌ يُكْرَه عليه المرء (أو الشيء) اعتباطياً .

procto- *or* **proct-** بادئة معناها : المعي المستقيم .

proctology [prŏk tŏlʹ-] *(n.)* طِبّ الشَّرْج والمعي المستقيم .

proctor [prŏkʹtər] *(n.; vt.; i.)* (١) المراقِب ؛ المناظِر ؛ وبخاصة : مراقِب الطلبة أثناء امتحان § (٢) يراقب ؛ يناظر .

procumbent [prō kŭmʹbənt] *(adj.)* (١) افتراشيّ : مفترِش الأرضَ من غير أنْ يكون له فيها جذور (نب) (٢) مُنْبَطِح ؛ مستلقٍ على وجهه .

procurable [prō kyo͝orʹə bəl] *(adj.)* يَسير المَنال .

procurance [prō kyo͝orʹəns] *(n.)* = procurement.

procuration [prŏkʹyə rāʹshən] *(n.)* (١) «أ» توكيل ؛ تفويض . «ب» وكالة (٢) procurement .

procurator [prŏkʹyə rāʹtər] *(n.)* (١) الوكيل ؛ وكيل الأعمال . (٢) مدير المال (في مقاطعة رومانيّة) .

procure [prō kyo͝orʹ] *(vt.; i.)* (١) يدبِّر ؛ يحصل على شيء (لنفسه أو لغيره بمشقّة وجهد عادةً) (٢) يجلب النساء أو ييسِّر الحصول عليهن لأغراض الزنا (٣) يسبِّب ؛ يُحْدِث ؛ يُنجِز × (٤) يقود ؛ يعمل قوّاداً .

procurement [prō kyo͝orʹmənt] *(n.)* (١) تدبير ؛ حصولٌ على . (٢) تسبيبٌ الخ. (٣) عَمَلُ القوّاد .

procurement department *(n.)* دائرة المُشْتَرَيات (تج) .

procurer [prō kyo͝orʹər] *(n.)* (١) فا procure (٢) القوّاد .

Procyon [prōʹsĭ ŏnʹ] *(L.)* الغُمَيْصاء ؛ الشِّعْرَى الشامية (فل) .

prod [prŏd] *(vt.; n.)* (١) ينْخَس (٢) يحثّ § (٣) مِنخس (٤) حثّ .

prodder [prŏdʹər] *(n.)* (١) «أ» الناخِس . «ب» مِنخس (٢) الحاثّ .

prodigal [prŏdʹə gəl] *(adj.; n.)* (١) مبذِّر ؛ مُسْرِف (٢) سخيّ ؛ مُنْفِق بسخاء ؛ مُتَّسِم بالتبذير (٣) خِصْب ؛ وافر النماء § (٤) شخص مبذِّر .

prodigality [prŏdʹə gălʹə tĭ] *(n.)* (١) تبذير ؛ إسراف . (٢) خِصب ؛ وفرة نماء .

prodigious [prə dĭjʹəs] *(adj.)* (١) استثنائيّ ؛ غير عادي (ا.ق). (٢) مذهل ؛ مدهش (٣) ضخم ؛ هائل .

• **prodigy** [prŏdʹə jĭ] *(n.)* (١) أعجوبة ؛ معجزة (٢) طفل عبقريّ .

prodromal [prōʹdrō-] *or* **prodromic** [prō drŏmʹĭk] *(adj.)* أماريّ ؛ نذيريّ : مُتَّسِمٌ بأمارات المرض الأولى أو نُذُرِه .

prodrome [prōʹdrōm] *(F.)* pl. **-dromata** *or* **-dromes** الأمارة : العَرَض الأول من أعراض المرض .

produce [*v.* prə dūsʹ; *n.* prŏdʹūs] *(vt.; i.; n.)* (١) يُبْرِز ؛ يقدم (~ your proof.) (٢) يُحْدِث ؛ يسبِّب (٣) يمُدّ (to ~ a triangle's side) (٤) يُخْرِج : يقدِّم إلى الجمهور على المسرح أو الشاشة أو الراديو أو التلفزيون (٥) يُنتج ؛ يَصْنع × (٦) يُنتج ذريةً أو غلةً أو ربحاً أو فائدة § (٧) «أ» نِتاج «ب» محصول . «ج» غلّة (٨) نِتاج أنثى الحيوان .

produced [prə dūstʹ] *(adj.)* متطاول أو ممتد أكثر مما ينبغي .

producer [prə dū'sər] *(n.)* (١) المُبْرِز، المحدِث، المنتِج (ضدّ المستهلِك)، الخ. (٢) مولّد الغاز: جهاز مولد لغاز الوقود (٣) المخرِج أو المنتج لمسرحية الخ.
producer gas *(n.)* غاز المولِّدات.
producer goods *(n. pl.)* سِلَع الإنتاج: السِّلَع (كالأدوات والمواد الخام) التي تُستعمَل لإنتاج سلعٍ أخرى.
producible [prə dū'sə bəl] *(adj.)* ممكن تقديمُه أو إنتاجُه.
product [prŏd'əkt] *(n.)* (١)حاصل الضَّرْب (ر) (٢)«أ» نِتاج؛ مُنْتَج. «ب» غلّة؛ محصول.
production [prə dŭk'-] *(n.)* (١) «أ» نِتاج؛ مُنْتَج. «ب» أثر أدبي أو فنّي. «ج» رواية الخ. مقدّمة على المسرح أو الشاشة أو الراديو أو التلفزيون (٢)الإنتاج: «أ»عملية الانتاج. «ب» كامل ما ينتجه المصنع أو الصناعة من السلع.
production control *(n.)* ضَبْط الانتاج: تنظيم النشاطات المنتِجة وتنسيقها وتوجيهها لضمان إنتاج السلَع في الموعد المحدَّد وبنوعيّة مناسبة وسعر معقول.
productive [-'tĭv] *(adj.)* (١) «أ» خِصْب (~ farms). «ب» وافر الانتاج؛ منتج (~ writers) (٢) مُحْدِث؛ مسبِّب (words that are ~ of quarrels) (٣) مُنْتِج (~ labor) (٤) مُثْمِر؛ مُرْبِح (~ enterprises) (٥) إنتاجي (اد) (٦) مخرِج للمادة المخاطيّة (a ~ cough).
—**productiveness** *(n.)*
productivity [prō dŭk tĭv'ə tĭ] *(n.)* المُنْتِجيّة؛ الإنتاجيّة.
proem [prō'ĕm] *(n.)* مقدّمة؛ استهلال؛ فاتحة؛ تصدير.
prof [prŏf] *(n.)* = professor.
profanation [prŏf'ə nā'-] *(n.)* تجديف؛ تدنيس (للمقدّسات).
profanatory [prō făn'-] *(adj.)* تجديفي أو تدنيسيّ.
profane [prə fān'] *(vt.; adj.)* (١) «أ» يجدِّف. «ب» يدنِّس أو ينتهك حرمة المقدّسات (٢) يمتهن شيئاً نفيساً §(٣) دنيويّ؛ أرضيّ (~ history) (٤)دنِس؛ نَجِس (٥) وثني (٦)مجدِّف أو تجديفيّ؛ مُدنِّس أو تدنيسيّ (٧) غير بارع؛ تعوزه الخبرة.
—**profaneness** *(n.)*
profanity [prə făn'ə tĭ] *(n.)* (١) «أ» التجديفيّة؛ التدنيسية؛ اللاتوقيريّة. «ب» دَنَس؛ نجاسة. «ج» استعمال اللغة التجديفية (٢) لغة تجديفية.
profess [prə fĕs'] *(vt.; i.)* (١)«أ» يقبله رسمياً في جماعة أو رهبنة دينية. «ب» ينذر النذور الرهبانيّة (٢) «أ» يعلن؛ يصرح بِـ. «ب» يدّعي؛ يتظاهر بِـ (٣) يعلن إيمانه أو ولاءه (٤)«أ» يمارس؛ يزاول مهنة. «ب» يدعي التمكّن من مهنة ×(٥) يعترف؛ يقرّ بِـ.
professed [prə fĕst'] *(adj.)* (١) مقبول في رهبانيّة أو ناذرٌ نذور الرهبانيّة (٢) مُعلَن؛ معترف به (٣) مزعوم؛ متظاهَرٌ به (٤) خبير؛ متضلّع.
professedly [prə fĕs'ĭd lĭ] *(adv.)* (١) علانيةً؛ صراحةً (٢)على نحو مزعوم أو متظاهَر به.
profession [prə fĕsh'ən] *(n.)* (١) نَذْر المرء نذورَ الرهبانيّة. (٢)إعلان لإيمان؛ مجاهرة برأي (٣)إيمان مُجاهَرٌ به (٤)«أ»مهنة؛ حرفة. «ب» أهل المهنة أو الحرفة: مجموع المشتغلين بها.
professional [prə fĕsh'ən əl] *(adj.; n.)* (١) مِهَنيّ؛ حِرَفيّ. (٢) مشتغل بمهنة تقتضي ثقافةً أو علماً (a ~ man) (٣)محترِف (a ~ politician) (٤) احترافيّ: مُنْصَرِفٌ إليه بوصفه مورداً للرزق (~ football) §(٥) المحترِف: شخص محترف.
professionalism [prə fĕsh'ən ə lĭz'əm] *(n.)* (١)الحِرَفانيّة: الصفة أو الروح أو الطرائق الحِرَفية أو المهنية (٢) الاحترافية: التكسّب بكلّ ما لا يُعتبَر، في الأصل، حرفةً يتكسّب بها (كالرياضة البدنيّة والسياسة الخ).
professionalize [prə fĕsh'ən ə līz] *(vt.; i.)* (١) يضفي الصفة الاحترافيّة على ×(٢) يصبح محترفاً.
professor [prə fĕs'ər] *(n.)* (١) المعلن؛ المصرح؛ المعترف بِـ الخ. (٢) الأستاذ (وبخاصة في كلية أو جامعة).
professorate [prə fĕs'ər ĭt] *(n.)* الأستاذية: مركز الأستاذ أو منصبُه أو مدّة منصبه.
professorial [prō'fĕ sōr'-] *(adj.)* أستاذيّ: خاصّ بأستاذ.
professoriat *or* **professoriate** [prō'fĕ sōr'ĭ ĭt] *(n.)* (١) هيئة الأساتذة (٢) professorship.
professorship [prə fĕs'-] *(n.)* الأستاذية: منصب الأستاذ أو واجباته.
proffer [-'ər] *(vt.; n.)* (١) يَعرِض على؛ يقدّم §(٢) عَرْض.
proficiency [prə fĭsh'ən sĭ] *(n.)* (١) تقدّم (٢) براعة؛ حذق.
proficient [-'ənt] *(adj.; n.)* (١) بارع؛ حاذق؛ ماهر §(٢) خبير.
profile [prō'fīl] *(n.; vt.)* (١) «أ» الجانبية: الصورة الجانبية. «ب» المظهر الجانبيّ (٢)صفحة:لمحة عن حياة شخص §(٣) يرسم صورة جانبيّة لِـ (٤) يكتب لمحةً مختصرة عن حياة شخص.

profile 1.

profit [prŏf'ĭt] *(n.; vt.; i.)* (١) رِبْح؛ كَسْب؛ عائدة (٢) نفع؛ فائدة §(٣)ينفع؛ يفيد ×(٤) ينتفع؛ يستفيد.
profitability [prŏf ĭt ə bĭl'ə tĭ] *(n.)* (١) المُرْبِحيّة؛ المُكْسِبيّة (٢) المُفيديّة.
profitable [prŏf'ĭt ə-] *(adj.)* (١)مُرْبِح؛ مُكْسِب (٢)مفيد.
profit and loss *(n.)* حساب الربح والخسارة (تج).
profiteer [prŏf'ə tĭr'] *(n.; vi.)* (١) الاستغلاليّ: مَن يربح ربحاً فاحشاً أو يسعى وراء الربح الفاحش (مستغلاً حاجة الناس في الأزمات والحروب) §(٢) يستغل: يربح ربحاً فاحشاً أو يسعى وراء الربح الفاحش.
profit sharing *(n.)* نظام المشاركة في الأرباح: نظام ينال فيه المستخدَمون جزءاً من أرباح المؤسسة الصناعيّة أو التجارية.
profligacy [prŏf'lə-] *(n.)* (١)تهتّك؛ خلاعة (٢)تبذير؛ إسراف.
profligate [prŏf'lə gĭt; -gāt'] *(adj.; n.)* (١) متهتِّك؛ خليع (٢) مبذِّر؛ مُسْرِف §(٣) شخص متهتك أو مسرف.
profluent [prŏf'lōō ənt] *(adj.)* متدفّق؛ فيّاض.
pro forma [prō fôr'mə] *(L.)* (١) من أجل الشكل (٢) شكليّ؛ صوريّ (~ invoice).
profound [prə found'] *(adj.; n.)* (١) عميق التفكير (٢) عميق (٣)عويص؛ صعبٌ فهمه §(٤) شيء عميق جداً، وبخاصة: أعماق البحر.
—**profoundly** *(adv.)* —**profoundness** *(n.)*
profundity [prə fŭn'də tĭ] *(n.)* (١) عُمق التفكير (٢) شيء عميق أو عويص (٣) عمق شديد.
profuse [prə fūs'] *(adj.)* (١) مُسْرِف (٢) وافر؛ غزير.
profusion [-fū'zhən] *(n.)* (١) إسراف (٢) وفرة؛ غزارة.
prog [prŏg] *(vi.; n.)* (١) يطوف بحثاً عن الطعام أو ابتغاء النهب (ع) §(٢) طعام؛ مؤن (ع).
progenitor [prō jĕn'ə tər] *(n.)* (١) جدّ أعلى (٢) سلَف.
progeny [prŏj'ə nĭ] *(n.)* (١) «أ» أولاد؛ ذرية. «ب» نِتاج الحيوانات أو النباتات (٢) نتيجة؛ نِتاج.

progestational [prō jes tā'-] *(adj.)* قَبْحَمْلِيّ : سابقٌ للحَمْل أو الحَبَل .

progesterone [prō jĕs'tə rōn'] ; **progestin** [-'tĭn] *(n.)* الحَسْفَرون : هرمون يهيىء الرحم لقبول البُيَيْضة الملقّحة (كح).

proglottid [prō glŏt'ĭd] *(n.)* فلقة من دودة شريطية تشتمل على أعضاء تناسليّة مذكّرة وأخرى مؤنّثة .

proglottis [-glŏt'ĭs] *(L.)* pl. **-glottides** = proglottid.

prognathic [prŏg năth'ĭk] *(adj.)* = prognathous.

prognathism ; prognathy [prŏg'nə-] *(n.)* فَقَمٌ .

prognathous[-thəs] *(adj.)* (١) بارز ؛ ناتىء (a ~ jaw) . (٢) أفقم ؛ بارز الفكّين (a ~ skull *or* person) .

prognosis [prŏg nō'sĭs] *(L.)* pl. **-ses** التكهّن : «أ» تكهّن بالاتجاه المُحتَمَل أن يتّخِذه مرض ما . «ب» تقدير لما يُحتَمَل أن يحدث .

prognostic[-nŏs'tĭk] *(n.; adj.)* (١) نذير (٢) تكهّن §(٣) نذيريّ .

prognosticate [prŏg nŏs'tə-] *(vt.)* (١) يتكهّن بِ (٢) ينذِر ؛ يبشّر : يكون نذيراً أو بشيراً بِ .

prognostication [prŏg nŏs'tə kā'shən] *(n.)* (١) دِلالة مُنذِرة أو مبشّرة (٢) تكهّن .

program *or* **programme** [prō'grăm] *(n.; vt.)* (١) برنامج . (٢) منهاج (٣) «أ» نشرة (تصف شيئاً أو تعلن عنه) . «ب» بيان (بالنقاط الأساسيّة في خطاب أو كتاب الخ .) (٤) لَقِيْم الحاسبة : مجموعة من الحقائق والأرقام تُلقَم بها حاسبة الكترونيّة §(٥) «أ» يُبَرْمِج ؛ يضع برنامجاً . «ب» يخطط (٦) يُلْقِم الحاسبة : يزودها بلَقِيم من الحقائق والأرقام .

program director *(n.)* مدير البرامج (في إذاعة أو تلفزيون) .

programmatic[prō grə măt'ĭk] *(adj.)* (١) تصويري : ذو علاقة بالموسيقى التصويرية (٢) «أ» برنامجي . «ب» شبيه ببرنامج . «ج» مبرمَج : ذو برنامج .

programmed *or* **programed** [prō'-] *(adj.)* مبرمَج .

program music *(n.)* الموسيقى التصويرية : موسيقى مقصودٌ بها أن توحي سلسلة من الصور أو المشاهد أو الأحداث .

progress [*n.* prŏg'rĕs; *v.* prə grĕs'] *(n.; vi.)* (١) رحلة أو جولة ملكية أو رسمية (ا.ق) (٢) «أ» تقدّم . «ب» ارتقاء ؛ وبخاصة : ارتقاء الجنس البشري §(٣) «أ» يتقدّم . «ب» يرتقي . جارٍ ؛ حادثٌ ؛ دائر . in ~,

progression [prə grĕsh'ən] *(n.)* (١) المتوالية (ر) (٢) «أ» تقدّم . «ب» توالٍ ؛ تعاقب ؛ سلسلة من الوقائع او الأحداث أو الخطوات.
—**progressional** *(adj.)*

progressionist [-grĕsh'ən ĭst] *(n.)* التقدّمانيّ : المؤمن بتقدّم البشر أو المجتمع على نحو موصول.
—**progressionism** *(n.)*

progressist [prŏg'rĕs ĭst; prō'grĕs ĭst] *(n.)* (١) التقدُّمانيّ (را. المادة السابقة) (٢) التقدّمي (را. المادة التالية) .

progressive [prə grĕs'ĭv] *(adj.; n.)* (١) «أ» متقدّم ؛ آخذ في التقدّم . «ب» تقدّميّ (٢) متوالٍ (٣) «أ» متدرج . «ب» تصاعديّ (كبعض الضرائب) . «ج» مستفحل : متعاظم من حيث الخطورة أو اتساع المدى (a ~ disease) §(٤) التقدّميّ : المؤمن بالاصلاح الاجتماعي من طريق العمل الحكومي .

progressively [-lĭ] *(adv.)* تقدّمياً ؛ تدرّجياً ؛ تصاعدياً الخ .

progressivism [-ĭz'əm] *(n.)* التقدّمية : مبادىء التقدميين .

prohibit [prō hĭb'ĭt] *(vt.)* يحرم ؛ يحظّر ؛ يمنع .

prohibition [prō'ə bĭsh'ən] *(n.)* (١) تحريم ؛ حظر (٢) قانون أو أمر بمنع شيء أو وقفه (٣) تحريم بيع المسكِرات أو صُنعِها .

prohibitionist [-ĭst] *(n.)* التحريميّ : المؤيّد لتحريم المُسكِرات .

prohibitive; prohibitory [prō hĭb'-] *(adj.)* (١) محرِّم ؛ مانع (٢) تحريميّ .

project [*n.* prŏj'ĕkt; *v.* prə jĕkt'] *(n.; vt.; i.)* (١) خطة . (٢) مشروع §(٣) يخطِّط ؛ يضع الخطوط لِ (٤) يقذف (٥) يُظهِر خصائص شيء ؛ يعطي فكرة صحيحة عن شيء (٦) يُنتِيء (٧) يسلّط (النورَ أو الظلّ أو الصورة) على كذا (٨) يُسقِط (هن) (٩) يتصوّر ويعتبر (فكرة الخ .) حقيقةً موضوعيّةً (١٠) يتخيّل ×(١١) ينتأ ؛ يبرز .

projectile [prə jĕk'tĭl] *(n.; adj.)* (١) قذيفة §(٢) دافع ؛ قاذف (a ~ force *or* push) (٣) ممكنٌ قَذْفُهُ (~ missiles) .

projection [prə jĕk'shən] *(n.)* (١) «أ» إسقاط (هن) . «ب» مَسْقَط (هن) (٢) «أ» تغيير أساسي . «ب» محاولة الكيميائيين القدماء تحويل المعادن الخسيسة إلى ذهب (٣) قذْف (٤) الاختطاط : وضع الخطط (٥) «أ» نتوء ؛ بروز . «ب» إنتاء ؛ ابراز . «ج» جزء ناتىء (٦) «أ» تصوُّر (فكرة الخ .) وكأنها حقيقة موضوعيّة . «ب» الفكرة المتصوَّرة على هذا النحو (٧) عرْض الصور المتحركة على الشاشة (٨) تقدير للاحتمالات المستقبلة مبنيّ على أساس الاتجاه الحالي .
—**projectional** *(adj.)*

projectionist [-ĭst] *(n.)* (١) الخرائطيّ : واضع الخرائط . (٢) المِسلاطيّ : مُعْمِل أو مُشغِّل المِسلاط (أداة تسليط النور) السينمائي أو التلفزيوني .

projective [-'tĭv] *(adj.)* (١) إسقاطي (هن) (٢) ناتىء . (٣) إبرازيّ : خاصّ باختبار يستخدمه علماء التربية للكشف عن حقيقة دوافع الفرد وشخصيته .

projective geometry *(n.)* الهندسة الإسقاطيّة .

projector [-'tər] *(n.)* (١) المختطّ ؛ واضع الخطط (٢) المِسلاط : «أ» أداة لتسليط النور . «ب» أداة لتسليط الصور على الشاشة (٣) خطّ الإسقاط (هن) .

projet [prô zhĕ'] *(F.)* (١) خطة ؛ مشروع (٢) مُسوَّدة معاهدة الخ .

prolactin [prō lăk'tĭn] *(n.)* البرولكتين : هرمون في الفصّ الإمامي من الغدة النخاميّة ينظّم إفراز اللبن في الثدييات (كح).

prolamin [prō'lə mĭn] *or* **prolamine** [-mĭn; mēn] *(n.)* البرولين : بروتين بسيط يكون في البزور خاصةً (كح) .

prolan [prō'lăn] *(G.)* البرولان : هرمون جنسي يكون في بول الحوامل خاصةً (كح) .

prolapse [prō lăps'] *(n.; vi.)* (١) التدلّي ؛ الهبوط : تدلّي عضوٍ (كالرحم) عن موضعه السويّ §(٢) يتدلّى ؛ يهبط .

prolate[prō'lāt] *(adj.)* متطاولٌ ، وبخاصة في اتجاه خط يربط القطبين .

proleg [prō'lĕg'] *(n.)* الرِّجل البطنية : رِجْلٌ لَحيمَةٌ في الفلقة البطنية من بعض اليرَقات (ح) .

prolegomenon [prō'lə gŏm'ə nŏn'] *(Gk.)* مقدمة نقدية لكتاب .

prolepsis [prō lĕp'sĭs] *(Gk.)* pl. **-ses** [-'sēz] (١) التوقّع : توقّع الاعتراضات للإجابة عنها سلفاً (بل) (٢) الخطأ التسبيقي في التأريخ : نسبة حادثة إلى فترة سابقة لتاريخها الحقيقي .

proletarian [prō'lə târ'ĭ ən] *(n.; adj.)* (١) البروليتاري : أحد أفراد طبقة العمال §(٢) بروليتاري .

proletarianize [-'ĭ ə nīz] *(vt.)* يُنزِل إلى المستوى البروليتاري .

proletariat [-'ĭ ət] *(F.)* البروليتاريا : طبقة العمال أو الكادحين .

pro-life *(adj.)* معارضٌ لإباحة الإجهاض.

proliferate[*v.* prō lĭf'ə rāt; *adj.*-'ə rĭt] *(vi.; adj.)* (١) يتكاثر أو يتوالد (بالتبرعم أو انقسام الخلايا) §(٢) مُخْلِف: منشىء براعمَ ورقيةً حيث لا يكون ظهورها طبيعياً في النباتات (flowers ~).

proliferation [prō lĭf ə rā'-] *(n.)* تكاثرٌ ؛ توالد.

proliferous [prō lĭf'ər əs] *(adj.)* (١) متكاثر ؛ متوالد (٢) مُخلِف (را. proliferate 2).

prolific [prō lĭf'ĭk] *(adj.)* (١) مُثْمِر ؛ وافر الإثمار (٢) وَلود ؛ كثير النسل (٣) خصيب ؛ منتج ؛ كثير الإنتاج (a ~ writer).

prolificacy[-'ə kə sĭ]; **prolificness**[-'ĭk nĭs] *(n.)* خِصب ؛ وفرة النتاج أو الإنتاج أو الإثمار.

proline [prō'lēn] *(G.)* البرولين: حامض أميني في البروتينات (كح).

prolix [prō lĭks'] *(adj.)* (١) مُسْهِب ؛ مُطْنِب (٢) مُسهِب ؛ مولع بالإسهاب.

prolixity [prō lĭk'sə tĭ] *(n.)* إسهاب ؛ إطناب ؛ إطالة.

prolocutor [prō lŏk'yə tər] *(n.)* (١) الناطق بلسان هيئة أو حزب الخ. (٢) رئيس الاجتماع.

prologize *or* **prologuize** [prō'lôg īz'] *(vi.)* يُبَرْلِج: يكتب أو يلقي برولوجاً (را. المادة التالية).

prologue [prō'lôg] *(n.)* (١) البرولوج: «أ» خطبة أو قصيدة يلقيها أحد الممثلين قبيل عرض المسرحية. «ب» مقدمة لرواية أو قصيدة (٢) الممثل المُلْقي للبرولوج (٣) عملٌ (أو حادثٌ) تمهيديٌ أو سابق.

prolong [prə lông'] *(vt.)* يُطيل ؛ يَمُدّ.

prolongate [-'gāt] *(vt.)* = prolong.

prolusion [prō lōō'zhən] *(n.)* (١) تجربة أولية (٢) مقال تمهيدي.

prom [prŏm] *(n.)* حفلة راقصة (يحييها صفٌ من صفوف الكلية).

promenade[prŏm'ə nād'; -näd'] *(n.; vi.)* (١) نزهة (٢) مُتَنَزَّه (٣) «أ» افتتاح الحفلة الراقصة (بدخول الضيوف إلى قاعة الرقص). «ب» وضعٌ فنيّ في رقصة رباعية. «ج» prom §(٤) يتنزّه.

promenade deck *(n.)* سطح النزهة (في باخرة).

Promethean [prə mē'thĭ ən] *(n.)* (١) بروميثيوسي: منسوب إلى بروميثيوس (٢) مُبدِع ؛ مبتكر.

Prometheus [prə mē'thōōs; -thĭ əs] *(n.)* بروميثيوس: سارق النار من السماء ومعلّم البشر استعمالَها.

promethium[prə mē'thĭ əm] *(n.)* البروميثيوم: عنصر فلزي (ك).

prominence [prŏm'ə nəns] *(n.)* (١) «أ» بروز. «ب» شهرة. (٢) نتوء ؛ شيء ناتىء (٣) الشُّواظ الشمسيّ: كتلة من غاز تشبه السحابة تنبعث من جوّ الشمس الغازيّ (فل).

prominent[prŏm'ə-] *(adj.)* (١) ناتىء (٢) جليّ (٣) بارز ؛ شهير.

promiscuity [prŏm'ĭs kū'ə tĭ] *(n.)* (١) اختلاط ؛ تشوّش. (٢) اتّصال جنسيّ غير شرعي.

promiscuous [prə mĭs'kyōō əs] *(adj.)* (١) مختلِط ؛ مشوَّش. (٢) غير مميز ؛ معقود من غير تمييز (friendships ~) (٣) غير شرعي ؛ غير مقصور على امرأة واحدة (sexual union ~).

promise [prŏm'ĭs] *(n.; vt.; i.)* (١) «أ» وَعْدٌ. «ب» عهد أو تعهّد (٢) بشير النجاح: دلالة تبشّر بنبوغ مرتقبٍ في المستقبل (a poet that shows ~) §(٣) «أ» يَعِد. «ب» يتعهّد بِـ (٤) يخطب فتاةً (ع) ×(٥) يدلّ على ؛ يبشّر بِـ ؛ يقدم سبباً أو أساساً كافياً لتوقّع شيء.

—**promiser** *(n.)*

Promised Land *(n.)* أرض الميعاد (في زعم اليهود).

promisee [prŏm'ə sē'] *(n.)* الموعود بِـ ؛ المُتعهَّد له.

promising[prŏm'-] *(adj.)* واعد ؛ مَرْجُوّ ؛ يُنتظر له مستقبلٌ مرموق.

promisor [prŏm'-] *(n.)* الواعد ؛ المتعهّد (بالقيام بأمرٍ ما).

promissory [-'ə sōr'ĭ] *(adj.)* وعديّ ؛ تعهّديّ ؛ متضمّن وعداً أو تعهداً (speech ~).

promissory note *(n.)* سَنَدٌ إذنيّ ؛ كمبيالة.

promontory [prŏm'ən tōr'ĭ] *(n.)* (١) الرَّعْن: قُنّة الجبل الخارجة منه والداخلة في البحر (٢) نتوء جسدي (ت).

promote [prə mōt'] *(vt.)* (١) «أ» يرقّي: يعلي منزلته أو مركزه. «ب» يرفع طالباً (من صفٍ إلى صف) (٢) يعزز ؛ يشجّع (٣) ينشىء ؛ يؤسّس (شركة الخ.) (٤) يحوز بوسائل مريبة (ع).

promoter [prə mō'tər] *(n.)* (١) فا promote (٢) متعهّد حفلة رياضية (٣) المثير: مادة تزيد في فعالية الحفّاز (ك).

promotion [prə mō'shən] *(n.)* (١) ترقية ؛ ترفيع (٢) ترقٍ ؛ ترفّع (٣) تعزيز ؛ تشجيع (٤) إنشاء ؛ تأسيس (٥) ترويج.

promotive [-mō'-] *(adj.)* مُرَقٍّ ؛ مُعزِّز ؛ مشجّع ؛ مساعدٌ على.

prompt[prŏmpt] *(vt.; adj.; n.)* (١) يَحُثّ ؛ يَحُضّ (٢) يُلقّن (الممثلَ الخ.) §(٣) يقِظ ؛ حازم ؛ متأهب للعمل (٤) فوريّ ؛ عاجل (٥) تلقينيّ: ذو علاقة بتلقين الممثلين الخ. §(٦) التذكِرة: كل ما يُذكِّر بأمر (٧) الأجَل: يوم الدفع (أو العقدُ الذي يحدّده).

—**promptness** *(n.)*

promptbook [prŏmpt'-] *(n.)* نسخة الملقّن (في المسرح).

prompt box *(n.)* رُكْن المُلقّن (في المسرح).

prompter [prŏmp'-] *(n.)* (١) الحاثّ ؛ الحاضّ (٢) الملقّن.

promptitude [prŏmp'-] *(n.)* يقظة ؛ حزم ؛ تأهب للعمل.

promptly [prŏmp'tlĭ] *(adv.)* بحزم ؛ فوراً ؛ من غير إبطاء.

prompt side *(n.)* = prompt box.

promulgate [prō mŭl'gāt] *(vt.)* يعلن ؛ يذيع ؛ ينشر.

promulgation [prō'mŭl gā'-] *(n.)* إعلان ؛ إذاعة ؛ نَشْر.

pronate [prō'nāt] *(vt.)* يَكُبّ: يدير اليدَ بحيث تصبح راحتها متجهةً إلى أدنى عندما تَمُدّ الذراع إلى الأمام على نحو أفقيّ.

pronator [prō nā'tər] *(n.)* العضلة الكابّة (را. المادة السابقة).

prone [prōn] *(adj.)* (١) «أ» ميّال أو نزّاع إلى. «ب» عُرضة لِـ. (٢) «أ» منكبّ ؛ منقلب الوجه إلى أدنى. «ب» منبطح.

prong [prông] *(n.; vt.)* (١) «أ» شوكة طعام. «ب» إحدى شُعَب الشوكة (٢) كل ناتىء مستدقّ الطرف: «أ» جذر الضرس. «ب» قرن الوعل §(٣) يطعن ؛ يخرق بشيء مستدق الطرف.

pronghorn [prông'-] *(n.)* الشائك القرن: وَعْل أميركي مجترّ.

pronghorn

pronominal[prō nŏm'ə-] *(adj.)* ضميريّ: ذو علاقة بالضمير (ل).

pronoun [-'noun'] *(n.)* ضمير (ل).

pronounce [prə nouns'] *(vt.; i.)* (١) يعلن: يؤكّد أمراً بوصفه رأياً شخصياً (~*d* him a brave man) (٢) ينطق بالحكم (٣) يلفظ (٤) يلقي خُطبة ×(٥) يبدي رأياً (Only experts should ~ on this case.)

pronounced [prə nounst'] *(adj.)* واضح ؛ صريح ؛ قاطع ؛ حازم.

pronouncement [prə nouns'mənt] *(n.)* (١) نُطْق (٢) بيان رسميّ الخ. (٣) رأي ؛ قرار.

pronouncing *(adj.)* تلفُّظيّ: متعلق بالتلفّظ أو دالّ على طريقته.

pronto [prŏn'tō] *(Sp.)* بسرعة ؛ على الفور (ع).

pronuclear *(adj.)* مؤيِّد لتوليد الكهرباء بالذرّة

pronunciamento [prə nŭn'sĭ ə mĕn'tō] *(Sp.)* تصريح ؛ إعلان ؛ بيان رسمي .

pronunciation [-sĭ ā'shən] *(n.)* التلفّظ أو طريقة التلفّظ .

proof [prōōf] *(n.; adj.; vt.)* (١) برهان ؛ دليل (٢) إثبات (٣) اختبار ؛ امتحان (٤) بيّنة (ق) (٥) تجربة أو «بروفة» طباعية (٦) «أ» القوة المعيارية للكحول . «ب» قوة المُسْكِر بالقياس إلى هذه القوة المعيارية (brandy of 80% ~) §(٧)«أ» صامِد لِـ ؛ لا يؤثر فيه كذا (against temptation ~) . «ب» كتيم للماء ونحوه (water ~) (٨) برهانيّ ؛ دليليّ (٩) قياسيّ ؛ ذو قوة قياسيّة §(١٠) «أ» يستخرج تجربة طباعية عن . «ب» يصحّح التجارب الطباعيّة (١١) يعطي الشيء صفةَ مقاومةٍ .

proofread [prōōf'-] *(vt.)* يصحّح التجارب (البروفات) الطباعيّة .

proofreader [prōōf'-] *(n.)* مصحّح التجارب (البروفات) الطباعية

proofroom [proof'rōōm] *(n.)* غرفة التصحيح ؛ غرفة تصحيح التجارب (البروفات) الطباعيّة .

proof spirit *(n.)* المُسْكِر القياسي : مُسْكِر يحتوي على مقدار قياسيّ من الكحول .

prop [prŏp] *(n.; vt.)* (١) دعامة ؛ سِناد (٢) كل ما يستعان به في الإخراج المسرحي أو السينمائي كالأثاث والملابس الخ. (٣) propeller §(٤) يدعم ؛ يسند ؛ يقوّي .

propaedeutic [prō'pə dū'tĭk] *(adj.; n.)* (١) تمهيدي §(٢) دراسة تمهيدية (٣) *pl.* : مجموع المعارف والقواعد الأولية الضرورية لدراسة فن أو علم ما .

propaganda [prŏp'ə găn'də] *(L.)* (١) *cap.* : مجمع التبشير : لجنة من الكرادلة مكلفة بالاشراف على الارساليات التبشيرية (٢) «أ» الدعاية ؛ الدعاوة : نشر الفكرات أو المعلومات أو الاشاعات خدمةً أو إيذاءً لمؤسسة أو قضية أو شخص . «ب» الفكرات أو المعلومات أو الاشاعات المنشورة على سبيل الدعاية .

propagandism [prŏp'ə găn'dĭz əm] *(n.)* الدعاويّة : فنّ الترويج للمذاهب أو نشر الدعايات واستخدامها .

propagandist [prŏp'ə găn'dĭst] *(n.)* (١) الداعية ؛ المروّج لدعوة (٢) وكيل الدعاية .

propagandize [prŏp'ə găn'dīz] *(vt.; i.)* (١) ينشر فكرة أو مذهباً الخ. ×(٢) يقوم بالدعاية لِـ .

propagate [prŏp'ə gāt] *(vt.; i.)* (١) يوالد : يُبْقي أو يكثّر بالتناسل أو بالتكاثر اللاتزاوجيّ (٢) ينقل إلى الذريّة (٣) «أ» يَمُدّ . «ب» ينشر ؛ يبثّ ؛ يذيع (٤) ينقل ×(٥) يتوالد ؛ يتكاثر (٦) يزيد ؛ يمتدّ . **—propagator** *(n.)*

propagation [prŏp'ə gā'-] *(n.)* (١) «أ» موالدة ؛ توليد ؛ تفريخ . «ب» توالد ؛ تكاثر (٢) «أ» نَشْر ؛ بثّ . «ب» انتشار (٣) «أ» مدّ . «ب» امتداد ؛ اتّساع .

propane *(n.)* البروبين ؛ البروبان : هيدروكربون غازيّ (ك) .

pro patria [prō pā'-] *(L.)* من أجل الوطن ؛ في سبيل الوطن .

propel [prə pĕl'] *(vt.)* (١) يدفع ؛ يدسُر ؛ يسيّر (٢) يحثّ .

propellant *or* **propellent** [-'ənt] *(adj.; n.)* (١) دافع ؛ داسِر ؛ مسيّر §(٢) كل ما يدفع أو يسيّر : «أ» متفجّرة لدفع القذائف . «ب» وقود داسِر .

propeller *also* **propellor** [-'ər] *(n.)* الدافع ؛ الداسِر ؛ المسيّر ؛ وبخاصة : «أ» المِدْسَرة ؛ المِروحة (طي) . «ب» الرقّاص (مل) .

propeller

propensity [prə pĕn'-] *(n.)* ميْل ؛ نزوع ؛ نزعة طبيعيّة .

proper [prŏp'ər] *(adj.; adv.; n.)* (١) موافق ؛ مناسب ؛ لائق (٢) خاص ؛ خصوصي (٣) مميّز (٤) ممتاز (٥) تامّ ؛ مئة في المئة (a ~ scoundrel) (٦) وسيم ؛ حَسَن الطلعة (ع) (٧) أصلي ؛ حقيقي ؛ بالمعنى الضيّق للكلمة (Greece ~) (٨) صحيح ؛ مضبوط §(٩) تماماً ؛ بكل ما في الكلمة من معنى §(١٠) طقس ديني خاصّ بيوم أو زمن معيّن .

proper adjective *(n.)* النعت العلَمي : نعت مشتق من اسم علَم (ل)

proper fraction *(n.)* الكسر الحقيقي (ر) .

properly [prŏp'ər lĭ] *(adv.)* (١) على نحو موافق أو لائق ؛ كما ينبغي (٢) بدقة ؛ بضبط ؛ بالمعنى الضيّق للكلمة (٣) إلى حد بعيد (بر) .

proper noun *(n.)* اسم علَم (ل) .

propertied [prŏp'ər tĭd] *(adj.)* مملِّك : ذو أملاك أو ممتلكات .

property [prŏp'ər tĭ] *(n.)* (١) خاصيّة ؛ خاصّة ؛ صفة مميزة (٢) «أ» مِلْك . «ب» مِلْكيّة (٣) **prop 2.**

property damage insurance *(n.)* التأمين ضدّ الغير : تأمين تقوم شركة الضمان ، بموجبه ، بالتعويض عن الخسائر التي تنزلها سيارة المؤمَّن بممتلكات الغير (تأ) .

property man; property master *(n.)* خازن أدوات التمثيل : المسؤول عن كلّ ما يستعان به في الاخراج المسرحي والسينمائي من أدوات ، كالأثاث والملابس الخ.

prophase [prō'fāz'] *(n.)* الطور الأول (من أطوار انقسام الخليّة غير المباشر) .

prophecy [prŏf'ə sĭ] *(n.)* (١) نُبُوّة (٢) وحيٌ الهي (٣) نُبوءة .

prophesy [prŏf'ə sī] *(vt.; i.)* (١) ينطق بوحي إلهي (٢) يتنبأ بِـ ×(٣) ينطق وكأنه مُلْهَمٌ من لَدُن الله (٤) يعظ ؛ يبشّر .

prophet [prŏf'ĭt] *(n.)* (١) نبيّ ؛ رسول (٢) شاعر ملهَم (٣) معلّم أو قائد ملهم (٤) متنبىء بالمستقبل أو بالاحوال الجوية .

prophetic; -al [prə fĕt'-] *(adj.)* (١) نَبَويّ (٢) نُبوئي .

prophylactic [prō'fə lăk'tĭk] *(adj.; n.)* (١) واقٍ من المرض (٢) وقائيّ §(٣) شيء واقٍ ، مثل : «أ» أداة واقية من الأمراض التناسلية . «ب» عقّار مانع للحَمْل .

prophylaxis [prō'fə lăk'sĭs] *(n.)* pl. **-laxes** (١) الوقاية من المرض أو الاجراءات المفضية الى ذلك (٢) معالجة وقائيّة .

propinquity [prō pĭng'kwə tĭ] *(n.)* (١) قَرابة ؛ نَسَب . (٢) قربٌ مكانيّ أو زمانيّ .

propionic acid [prō'pĭ ŏn'ĭk] *(n.)* الحامض البروبيوني (ك) .

propitiable [prə pĭsh'ĭ ə-] *(adj.)* قابل للاسترضاء أو الاستعطاف .

propitiate [prə pĭsh'ĭ āt'] *(vt.)* يسترضي ؛ يستعطف .

propitiation [prə pĭsh'ĭ ā'-] *(n.)* (١) استرضاء ؛ استعطاف (٢) كفّارة ؛ تضحية بُغيةَ التكفير او الاسترضاء .

propitiatory [prə pĭsh'ĭ ə tōr'ĭ] *(adj.)* استرضائي ؛ استعطافي .

propitious [prə pĭsh'əs] *(adj.)* (١) سمْح النفس ؛ صَفوح (٢) مبشّر بخير (omens ~) (٣) ملائم ؛ مؤاتٍ ؛ مساعد .

propjet engine *(n.)* المحرّك المِروَحِيّ التُرْبينيّ (طي) .

propman [prŏp'-] *(n.)* = property man.

propolis [prŏp'ə lĭs] *(L.)* العِكْبِر ؛ وَسَخُ الكوابر : مادة راتينجية شمعية القَوام يجنيها النحل من براعم الأشجار فيثبّت بها النخاريب الخ.

proponent [prə pō'nənt] *(n.)* (١) المقترِح ؛ مقدّم الاقتراح (٢) النصير ؛ المؤيّد لقضيّة .

proportion [prə pōr'shən] *(n.; vt.)* (١) نسبة (٢) تناسب ؛ اتّساق ؛ انسجام (٣) التناسب (ر) (٤) «أ» حصّة ؛ جزء . «ب» نسبة مئوية (٥) حجم ؛ درجة §(٦) يناسب ؛ يجعله متناسباً مع (٧) يجعل الأجزاء متناسبة أو متّسِقة (٨) يحصّص ؛ يوزّع الحصص.

in ~ to بنسبة كذا ؛ على مقدار كذا .

out of ~ to غير متناسب مع .

proportional [prə pōr'shən əl] *(adj.; n.)* (١) متناسب . (٢) تناسبيّ §(٣) الكمية المتناسبة (ر) .

proportionality [prə pōr shən əl'-] *(n.)* تناسب .

proportionally [prə pōr'shən-] *(adv.)* تناسبياً .

proportional parts *(n. pl.)* الأجزاء المتناسبة (ر) .

proportional representation *(n.)* التمثيل النسبيّ : نظام انتخابيّ تُمنَح الجماعات والأحزاب السياسيّة، بمقتضاه، مقاعد في البرلمان تتناسب وقوّتَها الشعبية أو وقوّتها الاقتراعيّة الفعلية .

proportionate [*adj.*-pōr'shən it; *v.* -'shə nāt'] *(adj.; vt.)* (١) متناسب §(٢) يناسب ؛ يجعله متناسباً .

proportionment [prə pōr'shən mənt] *(n.)* (١) جعلُ الشيء متناسباً (٢) تناسب .

proposal [prə pō'zəl] *(n.)* (١) الاقتراح : تقديم الاقتراحات (٢) اقتراح ؛ مُقْتَرَح ؛ عَرْض ؛ وبخاصة : طلبُ اليد للزّواج .

propose [prə pōz'] *(vi.; t.)* (١) يعتزم ؛ ينوي (٢) يطلب اليد للزواج ×(٣) يقترح .

proposition [prŏp'ə zĭsh'ən] *(n.; vt.)* (١) مُقْتَرَحٌ ؛ عَرْض . (٢) افتراض ؛ قضية (ر) (٣) الخبر : قولٌ يحتمل الصدقَ والكذب لذاتِه («بل» و «مق») (٤) مسألة §(٥) يقترح ؛ وبخاصة : يراود المرأة عن نفسها .

propositional [prŏp'ə zĭsh'-] *(adj.)* (١) اقتراحيّ . (٢) افتراضي (٣) خبَريّ (بل) .

propound [prə pound'] *(vt.)* يقدم ؛ يقترح .

propraetor *or* **propretor** [prō prē'tər] *(L.)* بريتور (قاضٍ روماني) يُسنَد إليه حكم مقاطعة .

proprietary [prə prī'ə tĕr'ĭ] *(n.; adj.)* (١) «أ» المالك . «ب» صاحب الإقطاعة المُملَّكة (را. المادة التالية) (٢) جماعة من المالكين (٣) patent medicine §(٤) مالكيّ : ذو علاقة بمالكٍ أو مالِكين (٥) مُتملِّك : ذو ممتلكات أو عقارات (~ rights) (٦) مِلْكيّ : ذو علاقة بالمِلْكيّة (the ~ class) (٧) امتلاكيّ ؛ مُسَجَّل : مصنوع ومُسوَّق من قِبَل شخص (أو شركة) له وحده حق الصنع والبيع (a ~ medicine) (٨) مِلْكانيّ ؛ خاصّ ؛ مملوك ومُدار بوصفِه مِلْكاً شخصياً (~ hospitals) .

proprietary colony *(n.)* الإقطاعة المُملَّكة : إقطاعة كانت الحكومة البريطانية تمنحها (في أميركة) لأفراد معيّنين تُطْلَق يدهم في حكمها وإدارتها .

proprietor [prə prī'ə tər] *(n.)* المالِك : صاحب المِلْك أو المؤسسة .

proprietorship [prə prī'ə tər shĭp] *(n.)* المِلْكيّة .

proprietress [-'ə trĭs] *(n.)* المالكة : صاحبة المِلْك أو المؤسسة .

propriety [prə prī'ə tĭ] *(n.)* (١) مناسبة ؛ موافقة ؛ ملاءمة . (٢) «أ» لياقة ؛ ادب ؛ احتشام . «ب» *pl.* : آداب المجتمع .

proprioceptive [prō'prĭ ə sĕp'-] *(adj.)* تَقَبُّلِيذاتيّ ؛ تَقَبُّلِيّ ذاتيّ : دالٌّ على منبّهٍ أو مثيرٍ ناشىء ضمن عضلات الكائن أو أوتاره العضلية (فس) .

proprioceptor [-ə sĕp'tər] *(n.)* مُتَقَبِّل : المُتَقَبِّلُ الذاتيّ أو عضو حسيّ يُنَبَّهُ أو يُثار بمنبهات أو مثيرات تقبّليّة ذاتيّة (فس) .

prop root *(n.)* الجذر السّاند : جذرٌ يُشكّل سِناداً أو دعامة للنبتة .

proptosis [prŏp tō'sĭs] *(L.)* جُحوظ العين (ط) .

propulsion [prə pŭl'shən] *(n.)* (١) دَفْع ؛ دَسْر ؛ تسيير . (٢) الدافع ؛ الدّاسِر ؛ المسيِّر .

propulsive [prə pŭl'sĭv] *(adj.)* (١) دفعيّ ؛ دَسْريّ ؛ تسييريّ . (٢) دافع ؛ داسِر ؛ مُسيِّر .

propyl [prō'pĭl] *(n.)* البروبيل (ك) . —**propylic** *(adj.)*

propylaeum [prŏp'ə lē'əm] *(L.)* pl. **-laea** [-lē'ə] رواق أو مدخل فخم إلى مبنى .

propylene [prō'pə lēn] *(n.)* البروبيلين : غازٌ هيدروكربوني ملتهب .

pro rata [prō rā'tə; rä'tə] *(L.)* بالتناسب ؛ وفقاً لحصة كلٍّ .

prorate [prō rāt'] *(vt.; i.)* يحصّص ؛ يوزّع وفقاً للحصص .

prorogate [prō'rə gāt] ; **prorogue** [prō rōg'] *(vt.)* (١) يؤجّل ؛ يرجىء (٢) يعطّل (مجلساً نيابياً) إلى أجَل .

prorogation [-'rə gā'-] *(n.)* (١) تأجيل (٢) تعطيل البرلمان إلى أجَل .

prosaic [prō zā'ĭk] *(adj.)* (١) «أ» نثريّ ؛ غير شعريّ . «ب» واقعيّ . «ج» مُمِلّ ؛ غير مُمْتِع ؛ غير مثير (٢) عاديّ ؛ مبتذل .

prosaism [prō'zĭ ĭz'əm] *(n.)* (١) النثرية : الطابَع أو الأسلوب النثري (٢) تعبير نثري إلخ .

prosaist [prō'zā-] *(n.)* (١) الناثر ؛ الكاتب (٢) شخص غير موهوب .

prosateur [prō zə tər'] *(F.)* الناثر ؛ الكاتب .

proscenium [prō sē'nĭ əm] *(L.)* pl. **-nia** (١) خشبة المسرح القديم (٢) مقدَّم خشبة المسرح الحديث (٣) ستارة المسرح وإطارها.

proscribe [prō skrīb'] *(vt.)* (١) يَحْرِم (شخصاً) من حماية القانون ؛ ينشر اسم شخص معلناً أنّه محكوم عليه بالموت وأن ممتلكاته مصادرة من قبل الدولة (٢) يحرّم (٣) ينفي ؛ يُبْعِد من البلاد.

proscription [prō skrĭp'shən] *(n.)* (١) حرمان من حماية القانون. (٢) تحريم (٣) إبعاد .

proscriptive [prō skrĭp'tĭv] *(adj.)* (١) حَرْميّ أو حارم من حماية القانون (٢) تحريميّ أو محرِّم .

prose [prōz] *(n.; vi.; adj.)* (١) النثر (٢) كلامٌ عاديّ غير مُمتع (٣) «أ» واقعية . «ب» ابتذال §(٤) ينثر ؛ يكتب نثراً (٥) يكتب أو يتحدث بطريقة مضجرة أو غير ممتعة §(٦) نثريّ (٧) «أ» واقعيّ . «ب» مبتذل .

prosector [prō sĕk'tər] *(n.)* مُحضِّر التشريح : من يشرِّح الجثة قُبيل محاضرة أستاذ التشريح .

prosecute [prŏs'ə kūt'] *(vt.; i.)* (١) يواصل أو يتابع حتى النهاية (~ the inquiry) (٢) يقوم بِـ (٣) «أ» يحاكم . «ب» يقاضي .

prosecuting attorney *(n.)* النائب العام (في مقاطعةٍ ما) .

prosecution [prŏs'ə kū'shĕn] *(n.)* (١) مقاضاة ؛ إقامة الدعوى. (٢) جهة الادّعاء : المدعي ومحاموه (٣) مواصلة ؛ متابعة (ا.ق) .

prosecutor [prŏs'ə kū'-] *(n.)* (١) المدّعي (٢) النائب العام (ق) .

proselyte [prŏs'ə līt'] *(n.; vt.; i.)* (١) المهتدي حديثاً ؛ الداخل حديثاً في دِين الخ . §(٢) يَهْدي (إلى معتَقَدٍ جديد) ×(٣) يجمع الانصار او الأعضاء (مستعيناً بضروب الاغراء) .

proselytism [prŏs'ə līt'ĭz əm] *(n.)* (١) الاهتداء ؛ تحوّلٌ من دين (أو حزبٍ الخ.) إلى آخر (٢) الهداية : إدخال الناس في معتقَد جديد.

proselytize [prŏs'ə līt īz'] *(vt.; i.)* = proselyte.

prosencephalic [prŏs'ĕn sə făl'ĭk] *(adj.)* مُقدّمِيمُخّي : خاص بمقدّم المُخّ (ت) .

prosencephalon [prŏs ĕn sĕf'ə lŏn'] *(L.)* مقدَّم المخّ (ت) .

prosenchyma [prŏs ĕng'kĭ mə] *(L.)* pl. **-chymata** البَرْنشيم: نسيج النباتات الليفيّ (نب) .

prose poem *(n.)* القصيدة المنثورة؛ قصيدة من الشعر المنثور .

proser [prō'zər] *(n.)* (١) الناثر ؛ الكاتب (٢) مَنْ يتكلم أو يكتب بطريقة مُمِلّة .

prosily [prō'zĭ lĭ] *(adv.)* على نحوٍ نثري أو مبتذل أو مُمِلّ .

prosit [prō'sĭt] *(interj.)* في صحتك! (تقال عند شرب الأنخاب) .

proslavery [prō slā'və rĭ] *(n.)* تأييد الاسترقاق .

prosodic; -al [prō sŏd'-] *(adj.)* عَروضيّ: خاص بعلم العَروض .

prosodist [prŏs'ə dĭst] *(n.)* العَروضيّ: العالِم بالعَروض .

prosody [prŏs'ə dĭ] *(n.)* عِلم العَروض؛ عِلم نظم الشِّعر .

prosopopoeia [prō sō'pə pē'ə] *(L.)* التشخيص: إضفاء الصفات البشريّة على الجمادات الخ. (بل) .

prospect [prŏs'pĕkt] *(n.; vi.; t.)* (١) موقع المنزل (بالنسبة لأشعة الشمس والرياح) (٢) «أ» منظر؛ مشهد. «ب» مَطَلّ. «ج» نظرة عامّة (٣) «أ» توقُّع. «ب» صورة ذهنية لشيء سيحدث. «ج» إمكانيّة. «د» شيء متوقَّع أو مأمول. «هـ» *pl.* : إمكانيات او احتمالات او دلائل التقدم أو النجاح أو الربح (٤) «أ» مكان تشير الدلائل إلى أنّه يحتوي على ثروة معدنيّة. «ب» منجمٌ مطوَّرٌ جزئياً (٥) زبون أو مرشّحٌ مُحتمَل § (٦) «أ» ينقّب (بحثاً عن المعادن الخ.) . «ب» يَرود . in ~، متوقَّع؛ مرتقَب؛ مأمول .

prospective [prə spĕk'tĭv] *(adj.)* (١) مستقبَليّ: ذو علاقة بالمستقبل أو ساري المفعول في المستقبل (٢) «أ» متطلّع إلى المستقبل. «ب» بعيد النظر (٣) منظور (مج)؛ محتمل؛ متوقَّع؛ مأمول .

prospector [prŏs'-] *(n.)* الرائد أو المنقّب (بحثاً عن الذهب والنفط) .

prospectus [prə spĕk'təs] *(L.)* النشرة التمهيدية: نشرة تصف مشروعاً تجارياً وتوزع على من تُتوسَّم فيهم الرغبة في الشراء .

prosper [prŏs'pər] *(vi.; t.)* (١) ينجح؛ وبخاصة: يحقق نجاحاً اقتصادياً (٢) يزدهر؛ يزهو × (٣) يُنجِح: يجعله ينجح أو يزدهر .

prosperity [prŏs pĕr'-] *(n.)* (١) نجاح؛ ازدهار (٢) رخاء اقتصادي .

prosperous [prŏs'pər əs] *(adj.)* (١) ملائم؛ مُؤاتٍ (~ weather) (٢) ناجح أو ثريّ (a ~ businessman) (٣) مُزدَهِر (a ~ business) .

prostate [prŏs'tāt] *also* **prostatic** [prō stăt'ĭk] *(adj.)* مُوثيّ؛ بروستاتيّ: منسوب إلى المُوثة أو غُدّة البروستات (ط) .

prostatectomy [prŏs tə tĕk'-] *(n.)* استئصال المُوثة أو غدّة البروستات (جر) .

prostate gland [prŏs'tāt] *(n.)* المُوثة: غدة البروستات (ت) .

prostatism [prŏs'tə tĭz əm] *(n.)* التَّمَوُّث: اضطراب ناشىء عن تضخّم الموثة او غدة البروستات (ط) .

prostatitis *(n.)* التهاب الموثة؛ التهاب البروستات (ط) .

prosthesis [prŏs'thə sĭs] *(L.)* (١) إضافة بادئة أو صوت أو حرف علة إلى كلمة (ل) (٢) الجراحة الترقيعية: إضافة عضو صناعيّ إلى الجسم البشري، كالرِّجل أو العين . —**prosthetic** *(adj.)*

prosthetics [prŏs thĕt'-] *(n.)* الجراحة الترقيعية (را. المادة السابقة) .

prosthodontics [prŏs'thə dŏn'tĭks] *(L.)* طب الأسنان الترقيعي .

prosthodontist [-'tĭst] *(n.)* الأخصائيّ بطب الأسنان الترقيعي .

prostitute [prŏs'tə tūt'; -tōōt'] *(vt.; adj.; n.)* (١) يعهر: «أ» يدفعها الى البغاء؛ يجعلها عاهرة. «ب» يكرّس أو يخصص لأغراض فاسدة أو حقيرة § (٢) مُعَهَّر: مخصَّص لأغراض غير شريفة § (٣) بغيّ؛ فاجرة؛ مومس (٤) المتاجر بشرفه أو مواهبه . —**prostitutor** *(n.)*

prostitution [prŏs'tə tū'shən] *(n.)* (١) بغاء (٢) متاجرة بالشرف أو المواهب الخ .

prostrate [prŏs'trāt] *(adj.; vt.)* (١) «أ» ساجد. «ب» منبطح؛ منسطح؛ متمدِّد (٢) مغلوب؛ مُنْهَك؛ مُخْضَع (a ~ enemy) (٣) procumbent 1 § (٤) «أ» يَسْجُد. «ب» يُكِبّ؛ يطرحه أو يقلبه على الأرض (٥) يَغْلِب؛ يُنْهِك؛ يَقْهَر .

prostration [prŏs trā'shən] *(n.)* (١) «أ» سجود. «ب» ذُلّ. (٢) إجهاد أو انهيار (جسدي أو عقلي) .

prosy [prō'zĭ] *(adj.)* (١) نثريّ (٢) مبتذَل (٣) مُضْجِر .

prot- *or* **proto-** بادئة معناها: «أ» أول من حيث الزمان (*proto*martyr). «ب» أول من حيث المنزلة؛ رئيسيّ (*proto*notary). «ج» أصليّ؛ بدائيّ (*proto*-Aryan) .

protactinium [prō tăk tĭn'ĭ əm] *(L.)* البروتكتينيوم: عنصر فلزّي اشعاعي النشاط (ك) .

protagonist [prō tăg'ə nĭst] *(Gk.)* (١) بطل الرواية (٢) زعيم قضية أو نصيرها الفعّال .

protamine [prō'tə mēn] *(n.)* البروتامين: بروتين قاعديّ بسيط .

protasis [prŏt'ə-] *(L.)* pl. **-ases** (١) الاستهلال: الجزء التمهيدي من مسرحيّة أو من قصيدة قصصية (٢) فعل الشرط (ل) .

prote- *or* **proteo-** بادئة معناها: بروتين (*proteo*lysis) .

protea [prō tĭ ə] *(L.)* البُروطِيّة: شجيرة دائمة الخضرة تزرع للتزيين .

protean [prō'tĭ ən] *(adj.)* متقلّب؛ متلوّن: متخذٌ بسرعة أشكالاً أو أدواراً مختلفة .

protease [prō'tĭ ās'] *(n.)* البروتياز: خميرة مذوِّبة للبروتين (كح) .

protect [prə tĕkt'] *(vt.)* يحمي؛ يصون؛ يحفظ؛ يقي .

protection [prə tĕk'shən] *(n.)* (١) حِماية؛ وِقاية (٢) شيء أو شخص واقٍ من الأذى (٣) الحِماية الجمركية: نظامٌ ضرائبيّ يهدف إلى حماية المنتجات الوطنية بفرض رسوم جمركيّة عالية على السِّلَع المستوردة (٤) الحصانة الرَّشْوِيّة: حصانة من الملاحقة القانونيّة يشتريها المجرمون من طريق الرشوة (٥) جواز سفر .

protectionism [-'shə nĭz'əm] *(n.)* الحِمائية: مذهب حماية الانتاج الوطني (بفرض رسوم جمركيّة عالية على السِّلَع المستوردة) .

protectionist [-'shə nĭst] *(n.)* المؤيّد لمذهب حِماية الإنتاج الوطني .

protective [prə tĕk'tĭv] *(adj.)* (١) واقٍ (٢) وقائيّ (٣) حِمائيّ: مقصودٌ به الحِماية الاقتصادية (a ~ tariff) .

protective tariff *(n.)* تعرفة الحِماية: رسم جمركيّ عالٍ يفرض على السِّلَع المستوردة بغيةَ حِماية المنتجات الوطنية من المزاحمة .

protector [-'tər] *(n.)* (١) «أ» الحامي؛ المدافع. «ب» الواقية: أداة للوقاية من الأذى (٢) الوصيّ (على العرش) . —**protectress** *(n. fem.)*

protectorate [prə tĕk'tər ĭt] *(n.)* (١) «أ» حكومة الوصاية: حكومة يرئسها وصيّ على العرش. «ب» *cap.* : فترة من تاريخ انكلترة تولى فيها الحكم أوليفر كرومويل (١٦٥٣ – ١٦٥٨) وريتشارد كرومويل (١٦٥٨ – ١٦٥٩) . «ج» منصب الوَصيّ على العرش أو مدّة ولايته (٢) «أ» الحِماية: علاقة الدولة القوية بدولة صغيرة تحميها. «ب» المَحْمِيّة: دولة ضعيفة واقعة تحت حِماية دولة قوية .

protectorship [-'tər shĭp] *(n.)* حِماية؛ وِقاية الخ .

protectory [prə tĕk'tə rĭ] *(n.)* مأوى (للعناية بالأحداث المتشردين أو الجانحين) .

protégé [prō'tə zhā'] *(F.)* المَحْمِيّ : شخص تحت حماية أو رعاية متنفذٍ أو ذي سلطان .
—protégée *(n. fem.)*

proteid[prō'tēd] **proteide** [-'tĭ ĭd] *(n.)* بروتيد؛ بروتين (كح).

protein [prō'tēn; prō'tē ĭn] *(n.; adj.)* (١) البروتين : مادة بانية للأجسام أساسية للاحتفاظ بالعافية ، توجد في اللبن والبيض واللحم الخ . §(٢) بروتينيّ .

proteinaceous[prō tē nā'shəs] *(adj.)* بروتينيّ أو شبيه بالبروتين.

proteinase [-'tē ĭn ās'] *(n.)* البروتيناز : خميرة مُذَوِّبة للبروتين.

proteinuria [prō tĭ nyŏŏr'ĭ ə] *(n.)* وجود البول البروتينيّ ؛ وجود البروتين في البول .

pro tem[prō tĕm']; **pro tempore**[tĕm'pə rē'] *(L.)* موقّتاً.

proteolysis [prō'tĭ ŏl'ə sĭs] *(L.)* التحلّل البروتينيّ: انحلال البروتينات إلى مركّبات أبسط ، كما يحدث عند الهضم (كح) .
—proteolytic *(adj.)*

proteose [prō'tĭ ōs'] *(n.)* البروتيوز : أيّ من المركّبات القابلة للذوبان في الماء والناشئة عن انحلال البروتينات (كح).

proteranthous [prŏt ə răn'-] *(adj.)* مقدَّم الإزهار : ذو زهرات تظهر قبل ظهور الأوراق (نب) .

Proterozoic Era [prŏt ər ə zō'ĭk] *(n.)* الدهر الفَجْري (جي).

protest [*n.* prō'tĕst; *v.* prə tĕst'] *(n.; vt.; i.)* (١) الاحتجاج الرسمي : «أ» البروتستو : بيان خطيّ من قِبل الكاتب العدل بأن سنداً أو كمبيالة أو شيكاً قد قُدِّمت إلى شخص ما فرَفض دفعها أو قبولها (تج) . «ب» احتجاج على قانون الخ . وبخاصة من قِبَل عضو في مجلس اللوردات . «ج» احتجاج قُبَيل دفع الضريبة أو أثناءه يقول بأنها غير شرعية وبأن دفعها كان غير إراديّ (٢) احتجاج؛ اعتراض؛ شكوى (٣) توكيد (She was judged guilty in spite of her ~ of innocence.) §(٤) يحتج؛ يعترض (٥) يعلن؛ يؤكد (She ~ *ed* her innocence.)
—protester *(n.)*

protestant [prŏt'ĭs tənt] *(n.; adj.)* (١) *cap.* : البروتستانتيّ : عضو في إحدى الكنائس البروتستانتية كالانجيلية والمعمدانية والمَشْيَخِيّة الخ. (٢) المحتجّ؛ المعترض §(٣) بروتستانتيّ (٤) محتجّ.

Protestantism [prŏt'ĭs tən tĭz'əm] *(n.)* (١) البروتستانتية . (٢) البروتستانت أو الكنائس البروتستانتية جملةً .

protestation [prŏt'əs tā'shən] *(n.)* (١) احتجاج؛ اعتراض . (٢) إعلان ؛ توكيد (~*s* of friendship) .

prothalamion [prō'thə lā'-] *(L.)* pl. **-mia** أغنية العُرس .

prothalamium [-'mĭ əm] *(L.)* pl. **-mia** أغنية العرس .

prothesis [prŏth'ə sĭs] *(L.)* الإبداء : إضافة صوت أو مقطع إلى أوّل اللفظة .
—prothetic *(adj.)*

prothonotary [prō thŏn'-] *(n.)* الكاتب الأوّل (في محكمة) .

prothoracic [prō'thō răs'ĭk] *(adj.)* نَحْرِيّ : خاصّ بالفلقة الأمامية من صدر الحشرة .

prothorax[-thōr'ăks] *(L.)* النَّحْر : الفلقة الأمامية من صدر الحشرة.

prothrombin [prō thrŏm'bĭn] *(n.)* البروثرومبين : أحد العوامل المخثِّرة للدم (كح) .

protist [prō'tĭst] *(n.)* القَرْطيس : واحد القَرْطيسات **Protista** وهي رتبة من المتعضّيات الوحيدة الخلية أو اللاخلوية تشمل البكتيريا والفُطور وأحياناً الفيروسات (أح).
—protistan *(adj.; n.)*

protium [prō'-] *(L.)* البروتيوم : نظيرُ الهيدروجينِ العاديّ (ك) .

proto- = prot-.

protoactinium [prō'tō ăk tĭn'ĭ əm] *(L.)* = protactinium.

protocol [prō'tə kŏl'] *(F.)* (١) البروتوكول : «أ» المسوّدة الأصلية : مسوّدة تُصاغ على أساسها وثيقة أو معاهدة . «ب» محاضر مؤتمر سياسي . «ج» ملحق معاهدة. «د» اتفاقية دولية إضافية. «ه» اتفاقية دولية (٢) البروتوكول: نظام التشريفات الديبلوماسية والعسكرية .

protogine [prō'tə jĭn; -jēn'] *(F.)* البِكْر ؛ البروتوجين : ضربٌ من الغرانيت الألبيّ .

protohistory [prō tə hĭs'-] *(n.)* دراسة الانسان في العصور التي سبقت عهد التاريخ المدوّن مباشرة .

protohuman [-hū'mən] *(adj.)* متعلّق بالانسان البدائيّ أو شبيه به .

protolithic [prō'tə lĭth'ĭk] *(adj.)* بروتوليثيّ : خاصّ بفجر العصر الحجري (جي) .

protomartyr[prō'-] *(n.)* الشهيد الأول : أول شهداء قضية أو بلد.

proton [prō'tŏn] *(Gk.)* الأُوَيْل (مج) ؛ البروتون : جُسَيْم يحمل وحدة من الكهربائية الموجبة ويشكّل جزءاً من الذرّة .

protonotary [prō tŏn'ə tĕr'ĭ] *(n.)* = prothonotary.

protonymph [prō'tə-] *(n.)* قُرادة في مرحلة تطوّرها الأولى (ح) .

protopathic [prō'tə păth'ĭk] *(adj.)* (١) حِسِّيٌّ أوّليّ : دالّ على إحساس عامّ غير مميز (فس) (٢) بدائيّ ؛ أوّليّ .

protoplasm [prō'tə plăz'əm] *(n.)* الجِبِلّة الأولى (مج) ؛ البروتوبلازما : المادة الحية الأساسية في الخلايا النباتية والحيوانية (أح).

protoplasmic [prō'tə plăz'mĭk] *(adj.)* جِبْلِيّ (مج) ؛ بروتوبلازميّ (أح) .

protoplast [prō'tə plăst'] *(n.)* (١) البروتوبلاستا : «أ» محتوى الخلية البروتوبلازمي مُعْتَبَراً وحدةً حيوية (أح) . «ب» الخلية أو الوحدة الحية الأصلية (أح) (٢) prototype .

protoplastic [prō'tə plăs'tĭk] *(adj.)* بروتوبلاستيّ (أح) .

prototrophic [prō'tə trŏf'ĭk] *(adj.)* مستمِدّ غذاءه من مصادر غير عضوية (فس) .

prototypal [prō'tə tī'pəl] *(adj.)* طِرازيٌّ بَدْئيّ : متعلق بالطراز البَدْئيّ (را. المادة التالية) .

prototype [prō'tə tīp'] *(n.)* الطِّراز البَدْئيّ؛ النموذج الأصليّ : نموذج أوّليّ (لطائرة أو غوّاصة الخ.) تُصْنَع أو تُطوَّر على أساسه نماذجُ أخرى .

Protozoa [prō tə zō'ə] *(n. pl.)* الأوّليّات (مج) ؛ الأواليّ ؛ البَرْزَوِيّات : الحيوانات وحيدةُ الخلية .

protozoan [-'ən] *(n.; adj.)* (١) البَرْزَوِيّ : واحد البَرْزَوِيّات. §(٢) بَرْزَوِيّ .

protozoology [prō tə zō ŏl'ə jĭ] *(n.)* مَبْحَث البَرْزَوِيّات : فرع من عِلم الأحياء يُعْنَى بدراسة الحيوانات وحيدة الخلية .

protozoon [-zō'ăn] *(L.)* pl. **protozoa** [-zō'ə]= protozoan.

protract [prō trăkt'] *(vt.)* (١) يؤخّر ؛ يرجىء (ا.ق) (٢) يطيل ؛ يمدّ (٣) يخطّط : يرسم الخطوط والزوايا بالمِنقلة (هن) .

protracted meeting *(n.)* الاجتماع المتطاول : سلسلة من الاجتماعات الدينية (عند الانجيليين) تستغرق فترة طويلة من الزمان.

protractile [prō trăk'tĭl] *(adj.)* قابل للمدّ أو الإنتاء .

protraction [prō trăk'-] *(n.)* (١) «أ» إطالة ؛ مَدّ . «ب» استطالة ؛ امتداد (٢) تخطيط .

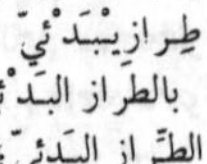

protractor

protractor [prō trăk'tər] *(n.)* (١) المُطيل ؛ المُرجىء الخ. (٢) العضلة الباسِطة أو المُطيلة (ت) (٣) المِنْقَلَة : أداة لقياس الزوايا (هن).

protrude [prō trōōd'] *(vi.; t.)* (١) يَنتأ ×(٢) يُنْتِىء .

protrusible [prō trōō'sə bəl]; **protrusile** [-'sĭl] *(adj.)* قابل للإبراز أو الإنتاء .

protrusion[-'zhən]*(n.)* (١)إنتاء أو نتوء (٢)شيء ناتىء أو بارز .

protrusive [-'sĭv] *(adj.)* (١) ناتىء ؛ بارز (٢) متطفّل .

protuberance [prō tū'-] *(n.)* (١) نتوء ؛ بروز (٢) حَدَبة .

protuberant [prō tū'bər ənt] *(adj.)* = protrusive.

protuberate [-āt] *(vi.)* ينتأ ؛ يبرز (ا.ق) .

proud [proud] *(adj.)* (١) «أ» مغرور ؛ متكبّر ؛ متغطرس . «ب» مبتهج . «ج» أبيّ ؛ محترم لنفسه (٢) باعث على الفخر (٣)فخم ؛ ضخم (٤)نشيط ؛ مفعم بالحيوية. **—proudly** *(adv.)*

~ of فخور بكذا .

proud flesh *(n.)* المحبَّب : نسيج مُبرغَل يتشكّل خلال التئام جرحٍ أو قرحٍ (مض) .

proudful [proud'-] *(adj.)* ممتلىء فخراً أو غروراً الخ. (ع) .

proudhearted[proud här'-]*(adj.)* متكبّر ؛ متغطرس؛ متشامخ.

provable [prōō'və bəl] *(adj.)* ممكنٌ إثباتُه بالدليل أو البرهان.

prove [prōōv] *(vt.; i.)* (١) يختبر ؛ يجرب (to ~ a rifle) . (٢) يبرهن ؛ يُثبت (٣) يستخرج تجربة (بروفة) مطبعيّة أو يصحّحها ×(٤) يُثبت (الشخصُ أو الشيءُ) أنّه كذا؛ يتكشّف عن صفة ما ، وبخاصة بعد الاختبار (She ~*d* to be selfish.) .

proved [prōōvd]; **proven** [prōōv'ən] *(adj.)* مُثْبَت الخ.

provenance [prŏv'ə nəns] *(n.)* أصل ؛ مصدر .

Provençal [prō'vən säl'] *(adj.; n.)* (١) بروفانسيّ : منسوب الى مقاطعة بروفانس في فرنسة أو إلى شعبها أولغتها §(٢) البروفانسيّ : أحد أبناء بروفانس (٣) البروفانسية : اللغة البروفانسيّة .

provender[prŏv'ən dər]*(n.)* (١)علَف؛ عَليق (٢)طعام (ع).

provenience [prō vē'nĭ əns] *(n.)* = provenance.

proventriculus [-vən trĭk'-]*(L.)*pl.**-uli** معدة الطائر الحقيقية.

prover[prōō'-]*(n.)* فاعل prove ، وبخاصة : مصحّح البروفات المطبعية.

proverb [prŏv'ərb] *(n.; vt.)* (١) مَثَل ؛ مَثَلٌ سائر . (٢) شخص أو شيء يُضرَب به المثل في كذا: مَثَلٌ يُضرَب §(٣) يجعله مثَلاً يُضرَب .

proverbial [prə vûr'bĭ əl]*(adj.)* (١) مَثَليّ ؛ مميز للمَثَل أو الأمثال (~ brevity) (٢) مُعبَّرٌ عنه بمثل أو أمثال (~ wisdom) (٣) شبيه بمَثَل (~ sayings) (٤) مشهورٌ ؛ مضروبٌ به المَثَل (the ~ restlessness of sailors) .

provide [prə vīd'] *(vi.; t.)* (١) يحتاط ؛ يتخذ الاجراءات الوقائية. (٢) يشترط (٣) يُمدّ ؛ يزوّد ؛ يُجهّز بِ ؛ يوفّر لِ .

to ~ against يستعدّ أو يتخذ الحَيْطة لِ .

to ~ for يَعيل ؛ ينهض بأعباء كذا .

to ~ with يزوّد ؛ يُجهّز .

provided [prə vī'dĭd] *(conj.)* بشرط ؛ على شرط ؛ شريطة أن.

providence [prŏv'ə dəns] *(n.)* (١) **cap.** : «أ» العناية الإلهيّة . «ب» الله (٢) تدبير ؛ اقتصاد ؛ حسن إدارة ؛ حيطة .

provident [-'ə dənt]*(adj.)* (١) حكيم ؛ بعيد النظر (٢) مقتصد.

providential [prŏv'ə dĕn'shəl]*(adj.)* (١) متعلق بالعناية الإلهيّة أو مُقرَّرٌ من لدُنها (٢)سعيد(a ~ occurrence) (٣)مُنْجَزٌ أو حادثٌ بفضل تدخل العناية الإلهيّة (~ escape) .

providing [prə vī'dĭng] *(conj.)* = provided.

province [prŏv'ĭns] *(n.)* (١) «أ» مقاطعة ؛ إقليم . «ب» : *pl.* المقاطعات ؛ الأقاليم ؛ جميع أجزاء البلاد باستثناء العاصمة (٢) أبرشيّة (٣) وظيفة ؛ عمل ؛ دائرة اختصاص (٤) عالَم ؛ دُنيا : فرع من المعرفة أو النشاط (the ~ of literature) .

provincial [prə vĭn'shəl] *(n.; adj.)* (١) أسقف الأبرشيّة . (٢) القرويّ ؛ الريفيّ (٣)«أ» شخص محليّ التفكير والاهتمامات. «ب» شخص جِلف تُعوزه الكياسة أو الدماثة المَدِينيّة §(٤)«أ» قرويّ ؛ ريفيّ . «ب» محليّ ؛ خاصّ بمقاطعة أو إقليم (~ customs) (٥)ضيّق أفق التفكير (a ~ point of view) (٦) بسيط ؛ ساذج (~ designs) .

provincialism [prə vĭn'shə lĭz'əm] *(n.)* (١) اصطلاح أو تعبير ريفيّ الخ . (٢) الريفيّة ؛ الصفة الريفيّة .

provincialist [-lĭst] *(n.)* الريفيّ : ساكن الأرياف أو الأقاليم .

provinciality [prə vĭn'shĭ ăl'ə tĭ] *(n.)* = provincialism.

provincialize[-vĭn'shə līz]*(vt.)* يجعله ريفياً أو محلياً أو بسيطاً الخ.

proving ground *(n.)* أرض الاختبار : مكان تُجرى فيه التجارب العلمية .

provision [-vĭzh'ən] *(n.; vt.)* (١)مص provide ؛ (٢)احتياط ؛ استعداد مسبّق (٣)«أ» توفير (الوسائل الخ.) لـ . «ب» تدبير احتياطي (٤) *pl.* عد : مُؤَن (٥) شرط ؛ فقرة شرطيّة في عَقْد أو اتفاقيّة ما §(٦) يزوّد بالمؤن .

a ~ merchant السَّمّان .

to make ~ for *or* against يحتاط لِ ؛ يتخذ ترتيبات مُسبقَة تحسباً لِ .

provisional [prə vĭsh'ən əl] *(adj.; n.)* (١) مؤقّت . (٢)شَرْطيّ (ا.ن) §(٣) طابع بريديّ مؤقّت .

provisionary [prə vĭzh'-] *(adj.)* = provisional 1,2.

provisioner [prə vĭzh'ə nər] *(n.)* المموّن ؛ المزوّد بالمؤن .

proviso [prə vī'zō] *(n.)* شرط ؛ فقرة شرطيّة في عَقْد .

provisory [prə vī'zə rĭ] *(adj.)* (١) شَرْطيّ (٢) مؤقّت .

provitamin [prō vī'tə mĭn] *(n.)* البروفيتامين : مادة في إمكان المتغذّي أن يحوّلها إلى فيتامين ، كالجَزَرين أو الكَروتين الذي يحوَّل في الكبد إلى فيتامين «أ» (كح) .

provocation[prŏv'ə kā'shən]*(n.)* (١)«أ» إغضاب. «ب» إثارة. «ج» تحريض أو استفزاز (٢) شيء مغضِب أو مثير أو محرِّض .

provocative [prə vŏk'ə tĭv] *(adj.; n.)* (١) «أ» مُغضِب . «ب» مُثير ؛«ج» مُحرِّض ، استفزازيّ §(٢)شيء مغضِب الخ.

provoke [prə vōk'] *(vt.)* (١) يُغضِب ؛ يغيظ (٢) يثير ؛ يُحدِث (to ~ laughter) (٣) يحثّ ؛ يحرض ؛ يستفز .

provoking [prə vō'-] *(adj.)* مزعج ؛ مثير لشيء من الغضب .

provost [prŏv'əst] *(n.)* (١) رئيس كنيسة أو كليّة الخ . (٢) العمدة ؛ رئيس البلدية (في اسكتلندة) (٣) السجّان ؛ قيّم السِّجن (٤) موظّف إداري كبير (في جامعة أميركيّة) .

provost court *(n.)* المحكمة العسكرية الابتدائية (تنظر عادة في الجُنح المرتكبة في منطقة محتلّة من أراضي العدوّ) .

provost guard *(n.)* الشرطة العسكرية .

provost marshal *(n.)* قائد الشرطة العسكرية .

prow [prou] *(n.)* (١)القَيْدُوم : مقدَّم المركب أو الطائرة (٢)سفينة.

prowess [prou'ĭs] *(n.)* (١) شجاعة ؛ بسالة (٢) براعة فائقة .

prowl [proul] *(vt.; i.)* يَجوس أو يطوف خلسةً (بحثاً عن فريسة أو ابتغاء السلْب والنهب الخ.) .

prowl car *(n.)* سيارة الشرطة الجوّالة : سيارة من سيارات

الشرطة مزوّدة بجهاز للاتصال اللاسلكي بالقيادة .

proximal [prŏk'sə məl] *(adj.)* (١) الأقرب ؛ الأدنى (٢) الأقرب إلى النقطة المركزية . وبخاصة : مِحوريّ جَسَديّ : واقع قرب محور الجسد.

proximate [prŏk'sə mĭt] *(adj.)* (١) «أ» متقارب ؛ دانٍ ؛ قريب جداً . «ب» تالٍ (٢) مباشر (٣) تقريبيّ (٤) وشيك ؛ قريب الحدوث.

proximately [prŏk'sə-] *(adv.)* تقريباً .

proximity [prŏk sĭm'ə tĭ] *(n.)* (١) قُربٌ (في المكان أو الزمان). (٢) قرابة (٣) تقاربيّة (ر د) .

proximo [prŏk'sə mō'] *(adv.; adj.)* في الشهر التالي أو متعلق به.

proxy [prŏk'sĭ] *(n.)* (١) وكالة (٢) «أ» تفويض . «ب» وثيقة التفويض : وثيقة تمكّن شخصاً من التصويت عن شخص آخر أو من العمل بآسمِه (٣) الوكيل .

proxy marriage *(n.)* الزواج التوكيليّ : زواج يُعقَد في غياب أحد العروسين على أن يمثله في حفلة الزفاف وكيلٌ مفوَّضٌ من قِبَلِه .

prude [prōōd] *(n.)* المتحشِّمة : سيدة تُظهِر أو تتكلف قدْراً من الاحتشام مغالىً فيه .

prudence [prōō'dəns] *(n.)* (١) تعقّل ؛ تدبّر ؛ نظرٌ في عواقب الأمور (٢) حصافة ؛ حكمة (٣) اقتصاد (٤) حَذَر ؛ احتراس .

prudent [prōō'dənt] *(adj.)* (١) متعقّل ؛ متدبّر ؛ متبصّر في عواقب الأمور (٢) حصيف ؛ حكيم (٣) مقتصد (٤) حذِر ؛ محترس.

prudential [prōō dĕn'shəl] *(adj.)* (١) تعقّليّ ؛ تدبّريّ الخ . (٢) متعقّل ؛ متدبّر الخ .

prudently [prōō'-] *(adv.)* بتعقّل ؛ بتدبّر ؛ بحصافة ؛ باقتصاد ؛ بحذر.

prudery [prōō'də rĭ] *(n.)* (١) احتشام متطرف (وبخاصة حين يكون متكلَّفاً) (٢) ملاحظة أو عمل مُتَّسِم باحتشام متطرف أو متكلَّف.

prudish [prōō'dĭsh] *(adj.)* مُفْرِط الاحتشام .

pruinose [prōō'ə nōs] *(adj.)* = pollinose.

prune [prōōn] *(n.; vt.; i.)* (١) برقوق أو خوخ (٢) برقوق أو خوخ مجفَّف (٣) شخص غير جذّاب § (٤) يقلّم ؛ يشذِّب (الأشجار) (٥) يهذِّب (مقالاً) بتجريده من كل حشو . **—pruner** *(n.)*

prunella [prōō nĕl'ə] *also* **prunelle** [-nĕl'] *(F.)* (١) نسيج صوفيّ مُضلَّع (٢) نسيج صوفي تُتَّخَذ منه أعالي الأحذية .

pruners [-'nərz] *(n. pl.)* المِشْذَب : مقصّ لتشذيب الأشجار .

pruning hook *(n.)* مِنجَل التشذيب : أداة معقوفة الشفرة لتشذيب الأشجار .

prurience; -cy [prōōr'ĭ-] *(n.)* (١) تلهّف ؛ تحرّق (٢) شَبَق.

prurient [prōōr'ĭ ənt] *(adj.)* (١) متلهف أو متحرّق على . (٢) شهوانيّ ؛ شبِق (٣) مثير للشبَق (٤) مفرط أو سريع النمو.

pruriginous [prōō rĭj'-] *(adj.)* أُكاليّ ؛ حُكاكيّ .

prurigo [prōō rī'gō] *(L.)* الأُكال ؛ الحُكاك ؛ الحَكّة (مض).

pruritic [prōō rĭt'ĭk] *(adj.)* أُكاليّ ؛ حُكاكيّ .

pruritus [prōō rī'təs] *(L.)* حُكاك ؛ حكّة .

Prussian [prŭsh'ən] *(adj.; n.)* (١) بروسيّ : ذو علاقة ببروسيا أو شعبها أو لغتها § (٢) البروسيّ : أحد أبناء بروسيا (٣) البروسية : اللهجة الألمانية المنطوق بها في بروسيا الحديثة .

Prussian blue *(n.)* الأزرق البروسيّ : صِبغٌ أزرق داكن .

Prussianism [prŭsh'ə nĭz'əm] *(n.)* البروسيانية : «أ» روح البروسيّين أو نظامهم أو سياستهم أو أساليبهم . «ب» النزعة العسكرية البروسية وما اتصفت به من نزعات استبدادية وبخاصة منذ فريدريك الكبير (الذي تولى الحكم من عام ١٧٤٠ إلى عام ١٧٨٦).

prussiate [prŭsh'ĭ āt'; -ĭt; prŭs'-] *(F.)* بروسيات (ك) .

prussic acid [prŭs'ĭk] *(n.)* حامض البروسيك (ك) .

pry [prī] *(vi.; t.; n.)* (١) «أ» يحدّق بإمعان أو فضول . «ب» يتفحّص أو يستطلع بتطفّل × (٢) يرفع أو يحرّك أو يخلع بمُخل (٣) ينتزع أو يفتح بصعوبة § (٤) تحديق أو تفحّص متطفّل (٥) المحدّق أو المتفحّص بتطفّل (٦) مُخْل (٧) leverage .

pryer [prī'ər] *(n.)* = prier.

prying [prī'ĭng] *(adj.)* فضوليّ ؛ متطفّل .

psalm [säm] *(n.; vt.)* (١) ترنيمة مقدّسة (٢) *cap.* : المزمور : أحد الأناشيد والترانيم والصلوات المئة والخمسين التي يتألف منها سِفر المزامير (نص) § (٣) يترنّم ؛ يتلو الترانيم أو المزامير .

psalmbook [säm'-] *(n.)* (١) سِفر المزامير (في التوراة) (٢) كتاب المزامير : مجموعة من الترجمات الشعرية لمزامير التوراة .

psalmist [sä'mĭst] *(n.)* ناظم الترانيم أو المزامير .

the Psalmist داود النبيّ .

psalmody [sä'mə dĭ] *(n.)* (١) ترتيل المزامير (٢) مجموعة مزامير .

Psalter [sôl'tər] *(n.)* = psalmbook.

psalterium [sôl tĭr'ĭ əm] *(L.)* pl. **-teria** = omasum.

psaltery *also* **psaltry** [sôl't(ə)rĭ] *(n.)* السَّنْطور ؛ السِّنْطير : آلة موسيقية قديمة تشبه القانون .

pseud- or pseudo- بادئة معناها : زائف ؛ كاذب .

pseudo [sōō'dō] *(adj.)* زائف ؛ كاذب .

pseudoclassic [sōō'dō klăs'ĭk] *(adj.; n.)* كلاسيكي كاذب .

pseudocyesis *(n.)* = pseudopregnancy.

pseudomorph [sōō'də môrf'] *(n.)* (١) المعدن الكاذب الشكل : معدنٌ شكلُهُ الخارجيّ مماثلٌ للشكل الخارجيّ المميز لنوعٍ آخر من المعادن (٢) شكلٌ خادعٌ أو شاذّ .

pseudomorphic; pseudomorphous [-də môr'-] *(adj.)* كاذب الشكل (مج) .

pseudomorphism [-'fĭz əm] *(n.)* التشكّليّة الكاذبة (جي) .

pseudonym [sōō'də nĭm] *(F.)* = pen name.

pseudonymous [sōō dŏn'ə-] *(adj.)* (١) حاملٌ اسماً مستعاراً . (٢) كاتبٌ أو مكتوبٌ باسم مستعار .

pseudopod [sōō'də pŏd'] *(L.)* الشُّواة الكاذبة (مج) : امتداد يشبه الشُّواة (القدم) في بعض الخلايا (ح) .

pseudopodium [sōō'də pō'-] *(L.)* pl. **-dia** = pseudopod.

pseudopregnancy [sōō'də prĕg'-] *(n.)* الحَمْل الكاذب .

pseudopregnant [-'nənt] *(adj.)* حاملٌ حَمْلاً كاذباً .

pseudosalt [sōō'də sôlt] *(n.)* الملح الكاذب .

pseudoscience [sōō'də sī'-] *(n.)* العلم الزائف : نظام من النظريات والافتراضات والطرائق التي تُعتَبَر ، خطأً أو وهماً ، عِلماً من العلوم .

pseudotuberculosis [-tū bûr'kyə lō'sĭs] *(n.)* السُّل الكاذب .

pshaw [shô] *(interj.; n.; vi.; t.)* (١) أُفٍ ؛ تَعْساً ؛ تبّاً : هتاف يُعبَّر به عن نفاد الصبر أو الازدراء أو الاستهجان أو عدم التصديق § (٢) تأفّف § (٣) يتأفّف .

psittaceous [sə tā'shəs] *(adj.)* بَبْغائيّ .

psittacine [sĭt'ə sīn] *(adj.)* ببغائيّ .

psittacosis [sĭt'ə kō'sĭs] *(L.)* = parrot disease.

psoriasis [sō rī'ə sĭs] *(L.)* الصُّداف ؛ داء الصَّدَف (مرض جلدي) .

psoriatic [sōr'ĭ ăt'ĭk] *(adj.; n.)* (١) صُدافيّ : متعلق بالصُّداف § (٢) المصدوف : المبتلى بالصُّداف (را . المادة السابقة) .

psych- *or* **psycho-** بادئة معناها : «أ» نفس ؛ روح ؛ عقل . «ب» نفسي ؛ عقلي .

psychasthenia [sī'kăs thē'nĭ ə] *(L.)* السيكاستينيا ؛ النَّهْك النفساني : عجز عن التخلّص من الشكوك وعن مقاومة الهواجس والمخاوف المرضية التي يعلم المرء أنها غير سويّة .

psyche [sī'kĭ] *(n.)* (١) *cap.* : بسيشه : أميرة فاتنة الجمال أحبّها كيوبيد (مث) (٢) «أ» نفس ؛ روح . «ب» عقل .

Psyche knot *(n.)* عقصة بسيشه : تسريحة نسائية يُردّ فيها الشعر إلى الوراء ثم يُعقَص على شكل مخروطيّ فوق مؤخر العنق .

psychedelic [sī kə dĕl'ĭk] *(adj.)* مخدّر (drugs ~) .

psychiater [sī kī'ə tər] *(n.)* = psychiatrist.

psychiatric [sī kĭ ăt'rĭk] *(adj.)* طِبّينفسي ؛ طِبّيعقلي : متعلق بطب النفس أو طبّ العقل .

psychiatrist [sī kī'ə-] *(n.)* الطبيب النفساني ؛ طبيب الأمراض العقلية .

psychiatry [sī kī'ə trĭ] *(n.)* طبّ النفس ؛ الطبّ العقلي .

psychic [sī'kĭk] *or* **psychical** [sī'kĭ kəl] *(adj.)* (١) نفسيّ ؛ عقليّ (٢) خارق للطبيعة ؛ خارج عن نطاق نواميس الفيزياء المعروفة (٣) حسّاس أو مستجيب للمؤثرات الروحية أو الخارقة للطبيعة .

psychic [sī'kĭk] *(n.)* الوسيط : «أ» شخص يفترض أنه شديد الحساسية للقوى الروحية أو الخارقة للطبيعة . «ب» شخص يزعم أنه صلة وصل بين العالم الأرضي وعالم الأرواح (في التنويم المغنطيسي) .

psycho [sī'kō] *(n.)* (١) التحليل النفسي (ع) (٢) المعتوه (ع) .

psychoanalysis[sī'kō ə năl'-]*(n.)* طريقة التحليل النفسي (نف) .

psychoanalytic; -al[sī'kō ăn'ə lĭt'-]*(adj.)* تحليلينفسي : خاصّ بالتحليل النفسي .

psychoanalyst [sī'kō ăn'ə lĭst] *(n.)* المحلّل النفسي .

psychoanalyze [sī'kō ăn'ə līz] *(vt.)* يحلّل نفسيّاً ؛ يعالج بطريقة التحليل النفسي .

psychobiologic; -al [sī'kō bī'ə lŏj'-] *(adj.)* أحيائينفسيّ ؛ نفسيأحيائي : خاصّ بعلم الأحياء النفسي أو بعلم النفس الأحيائي .

psychobiology [sī'kō bī ŏl'ə jĭ] *(n.)* علم الأحياء النفسي ؛ علم النفس الأحيائي : «أ» فرع من علم الأحياء يدرس العلاقات أو التفاعلات بين الجسد والعقل ، وبخاصة كما تتجلّى في الجهاز العصبي . «ب» علم النفس مدروساً بالطرائق البيولوجيّة أو بلغة البيولوجيا .

psychodynamic [sī kō dī năm'ĭk] *(adj.)* دِيناميْنفسيّ : ذو علاقة بالقوى أو العمليات العقلية أو العاطفية الناشئة بخاصة في فجر الطفولة وبأثرها في السلوك والأوضاع العقلية .

psychogenesis [sī'kō jĕn'ə sĭs] *(n.)* التنشّؤ النفسي : «أ» نشوء العقل وتطوّره أو نشوء وتطوّر وظيفة أو سجيّة عقلية . «ب» النشوء من أصول نفسية .

psychogenetic [sī'kō jə nĕt'ĭk] *(adj.)* نفسيّ المنشأ .

psychogenic [sī'kō jĕn'ĭk] *(adj.)* = psychogenetic

psychognosis [sī kŏg'nə sĭs] *(n.)* فحص كامل للعقل .

psychograph [sī'kə grăf'] *(n.)* الرسم البيانيّ النفسي : رسم بيانيّ يمثّل القوة النسبية لمختلف سجايا الشخصيّة وصفاتها (نف) .

psychologic; -al [sī'kə lŏj'-] *(adj.)* نفسيّ ؛ سيكولوجيّ .

psychological moment *(n.)* اللحظة السيكولوجيّة ؛ اللحظة الحاسمة : اكثر اللحظات ملاءمة للتأثير على العقل .

psychologism[sī kŏl'ə jĭz-]*(n.)* السّكْلَجِيّة : نظرية تستخدم المفاهيم السيكولوجيّة في تفسير الأحداث التاريخيّة الخ .

psychologist [sī kŏl'ə-] *(n.)* العالِم النفسي ؛ العالِم السيكولوجيّ .

psychologize [sī kŏl'ə-] *(vt.; i.)* (١) يُسَكْلِج : يفسّر الشيء أو يدرسه نفسيّاً × (٢) ينصرف إلى التفكير أو البحث السيكولوجي .

psychology [sī kŏl'ə jĭ] *(n.)* عِلم النفس ؛ السيكولوجيا .

psychometry [sī kŏm'ə trĭ] *(n.)* (١) التكهّن النفسي : القدرة المزعومة على اكتشاف شخصية امرىء ما أو صفاتِهِ من طريق لمس شيء كان ذلك المرء قد لمَسَه (٢) أو **psychometrics** : القياس السيكولوجي : قياس سرعة العمليات العقلية ودقتها .

—**psychometric** *(adj.)*

psychomotor [sī kō mō'tər] *(adj.)* حَرَكينفسيّ ؛ حركيّ نفسيّ : خاص بالعمل العضلي الناشىء مباشرةً عن عملية عقلية .

psychoneurosis[sī'kō nyŏŏ rō'sĭs]*(n.)* العُصاب النفسي (نف)

psychopath [sī'kə-] *(n.)* السّيكوباتي : شخص مضطرب العقل .

psychopathic [sī'kə păth'ĭk] *(adj.; n.)* (١) سَيكوباتيّ . §(٢) السّيكوباتيّ : المضطرب العقل .

psychopathologist [sī kō pə thŏl'ə jĭst] *(n.)* العالِم بعِلم النفس المرَضي .

psychopathology [-'ə jĭ] *(n.)* عِلم النفس المرَضيّ ؛ عِلم أمراض النفس .

psychopathy[sī kŏp'ə thĭ]*(n.)* السّيكوباتية ؛ الاضطراب العقليّ ؛ وبخاصة : اضطراب عقليّ شديد يتّسم عادةً بنشاطٍ معادٍ للمجتمع .

psychophysical[sī'kō fĭz'ə kəl]*(adj.)* نَفْسِيبَدَنيّ : «أ» متعلق بعلم النفس البدني . «ب» ذو صفات عقلية وبدنيّة معاً .

psychophysicist [sī'kō fĭz'ə sĭst] *(n.)* العالِم النَّفْسِيبَدَنيّ : المتخصّص بعلم النفس البدني .

psychophysics[sī'kō fĭz'ĭks]*(n.)* عِلم النفس البدَنيّ : فرع من عِلم النفس يدرس أثر العمليات البدنيّة في عمليات الفرد العقلية .

psychosis [sī kō'sĭs] *(L.)* الذُّهان ؛ الهُواس : اضطراب عقليّ أساسيّ موصول يتّسم باختلال الصلة بالواقع أو انقطاعها (مض) .

psychosomatic [sī'kō sō măt'ĭk] *(adj.; n.)* (١) سَيكوسوماتيّ ؛ جَسَدِينَفْسيّ : متعلق بـ (أو ناشيء عن) التفاعل بين الظواهر الجسدية والظواهر النفسية §(٢) السّيكوسوماتي : شخص يتكشّف عن أعراض جسديّة أو أعراض جسدية وعقلية ناشئة عن اعتلال عقليّ .

psychosomatics [-'ĭks] *(n.)* الطب السيكوسوماتي : فرع من الطب يبحث في الاضطرابات الجسدية الناشئة عن اضطرابات عقلية أو عاطفية .

psychotherapeutic [sī kō thĕr'ə pū'tĭk] *(adj.)* عِلاجينفسيّ : ذو علاقة بالعلاج النفسيّ .

psychotherapeutics [-'tĭks] *(n.)* = psychotherapy.

psychotherapist[sī kō thĕr'-]*(n.)* المعالِج (أو الطبيب) النفساني .

psychotherapy[sī kō thĕr'ə pĭ]*(n.)* العلاج (أو الطب) النفسي : معالجة الاضطرابات العقلية أو العاطفية بالوسائل السيكولوجية .

psychotic [sī kŏt'ĭk] *(adj.; n.)* (١) ذُهانيّ §(٢) المذهون : المصاب بالذُّهان (را. المادة السابقة) .

psychro- بادئة معناها : بَرْد (*psychr*ometer) .

psychrometer[sī krŏm'-]*(n.)* المِضْرَد (مج) ؛ مقياس رطوبة الجوّ .

psylla [sĭl'ə] *(L.)* بُرغوث النبات : حشرة ضارّة بالنباتات .

ptarmigan [tär'mə gən] *(n.)* : التَّرْمجان طائر من رتبة الدجاج في الأصقاع الشمالية .

ptarmigan

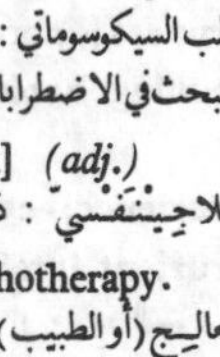

P T boat [*p*atrol *t*orpedo *boat*] *(n.)* زورق طوربيد .

pterid- *or* **pteriodo-** بادئة معناها : (١) جناح (٢) سَرْخَس (نب) .

ă at; ā date; â care; ä car; ĕ egg; ē me; ĭ in; ī bite; ŏ lot; ō bone; ô orphan; oi boil ŏŏ good; ōō boot; ou out; ŭ under; ū unity; û urgent; th thing; *th* this; zh vision; ə = *a* in alone, *e* in system, *i* in easily, *o* in gallop, *u* in circus.

pteridologist [tĕr'ə dŏl'ə jĭst] *(n.)* العالِم بالسَّرْخَسيّات ؛ المتخصص بالسَّرْخَسيّات .

pteridology [tĕr'ə dŏl'ə ji] مَبْحَثُ السَّرْخسيّات (نب) .

pteridophyte [tĕr'ə dō fīt] *(n.)* السَّرْخَسي : نبات من السَّرْخَسيّات **Pteridophyta** وهي طائفة من اللازهريات الوعائية .

pterodactyl

pterodactyl [tĕr'ə dăk'tĭl] *(L.)* الزاحف المُجنَّح : حيوان منقرض من الزواحف الطائرة .

pteropod [tĕr'ə pŏd'] *(n.; adj.)* (١) جناحيّ الأقدام : واحد من جناحيات الأقدام **Pteropoda** وهي رتبة من الرِّخويات تتميّز بانبساط الفُصوص الأماميّة من أقدامها على صورة أعضاء عريضة رقيقة شبه جناحية تستعين بها على السباحة §(٢) جناحيّ الأقدام .

pterosaur [tĕr'ə sôr] *(n.)* = pterodactyl.

-pterous لاحقة معناها : مجنَّح (di*pterous*) .

pterygoid[tĕr'ə-] *(adj.; n.)* (١)جناحيّ §(٢)العظم الجناحيّ (ت) .

pterygoid bone *(n.)* العظم الجناحيّ : عظم (أو مجموع عظام) أفقيّ الوضع في الفكّ الأعلى أو في سقف الفم عند معظم الفقاريات الدّنيا (ت) .

pteryla [tĕr'ə lə] *(L.)* pl. **-e** مَنْبِت الرِّيش (من الطائر) .

ptisan [tĭz'ən] *(n.)* نقيع الشعير ، وتوسعاً : شاي ؛ زهورات .

P.T.O. [*p*lease *t*urn *o*ver] اقلب الصفحةَ رجاءً .

Ptolemaic [tŏl'ə mā'ĭk] *(adj.)* بَطليموسيّ : «أ» منسوب إلى بطليموس عالم الفلك والجغرافية الذي سطع نجمه في الاسكندرية (١٢٧–١٥١ ب.م) . «ب» منسوب إلى البطالسة الذين حكموا مصر من ٣٢٣ ق.م. إلى ٣٠ ق.م.

Ptolemaic system *(n.)* النظام البطليموسيّ : نظام بطليموس في الفلك القائل بأن الأرض هي مركز الكون الثابت ، وأن الشمس والقمر والكواكب السيارة تدور كلها حولها (فل) .

Ptolemaist[tŏl'ə mā'-] *(n.)* البطليموسي : القائل بالنظام البطليموسيّ .

ptomaine *or* **ptomain** [tō'mān; tō mān'] *(It.)* التّومين : مادة سامة تنشأ خلال تعفّن البروتينات الحيوانية أو النباتية (كح) .

ptomaine poisoning *(n.)* التسمّم التّوميني (وبخاصة بتناول الأطعمة المعلّبة الفاسدة) .

ptosis [tō'sĭs] *(L.)* إنسدال (استرخاء) جفن العين الأعلى (مض) .

ptyalin [tī'ə lĭn] *(Gk.)* اللُّعابين : خميرة في لُعاب الانسان وبعض الحيوانات الأخرى مساعدة على الهضم .

ptyalism [tī'ə lĭz'əm] *(L.)* اللُّعابيّة : فَرْط سيَلان اللعاب .

pub [pŭb] *(n.)* حانة ، خمّارة (عب) .

pub crawler *(n.)* زحّافة الحانات : المتنقّل من حانة إلى حانة .

pubertal [pū'-] *(adj.)* بُلوغيّ ؛ حُلُميّ : خاص بسنّ البلوغ .

puberty [pū'bər tĭ] *(n.)* (١) البلوغ (٢) سنّ البلوغ او الحُلُم .

puberulent [pū bər'-] *(adj.)* زَغِب ؛ مكسوّ بالزَّغَب .

pubes [pū'bēz] *(L.)* (١) شَعر العانة (٢) العانة (ت) .

pubescence [pū bĕs'əns] *(n.)* (١) بلوغ ؛ حُلُم ؛ إدراك . (٢) زَغَب (٣) الزَّغبيّة : الاكتساء بالزغب .

pubescent[pū bĕs'ənt] *(adj.)* (١) بالغ ؛ مُحْتَلِم (٢) زَغِب .

pubic [pū'bĭk] *(adj.)* عانيّ : خاصّ بالعانة أو بعظم العانة .

pubis [pū'bĭs] *(L.)* pl. **-bes** [-bēz] العظم العانيّ (ت) .

public [pŭb'lĭk] *(adj.; n.)* (١)«أ» مدنيّ ؛ وطنيّ . «ب» حكوميّ . «ج» عام (٢) عموميّ ؛ شعبيّ (٣) اجتماعي (٤) مشاع (٥)«أ» علنيّ . «ب» شهير ؛ بارز §(٦) الجمهور ؛ الشعب (٧) جمهور المطرب أو الممثّل الخ .

in ~, علانيةً ؛ جهاراً ؛ على رؤوس الأشهاد .

public-address system *(n.)* مكبّر الصوت الخطابيّ : جهاز مشتمل على مكبرات للصوت يُستخدَم لإذاعة الخطب الخ . على جمهور كبير محتشد في قاعة عامة أو في الهواء الطلق .

publican [pŭb'lə kən] *(n.)* (١) جابي ضرائب (عند الرومان) (٢) صاحب حانة أو فندق .

publication [pŭb'lə kā'shən] *(n.)* (١) «أ» إعلام ؛ إذاعة . «ب» نَشْرُ الكتب أو الصحف أو المجلات الخ. (٢) المنشور : كل ما يُنْشَر سواء أكان كتاباً أو صحيفة أو مجلة أو نشرةً .

public domain *(n.)* (١) مِلْك من أملاك الدولة (٢) المِلْك العام : عالَم الحقوق العائدة إلى المجتمع برمتّه (ويدخل في ذلك كل كتاب أو أثر فنيّ نُشِر من غير ما احتفاظ بحقوق التأليف أو كلّ كتاب أو أثر فنيّ انقضى على نشره زمان كافٍ لإسقاط حقوق التأليف المحفوظة لصاحبه) .

public house *(n.)* (١) حانة ، خمّارة (٢) فندق .

publicist [pŭb'lə sĭst] *(n.)* (١) «أ» الخبير في القانون الدّولي . «ب» الخبير في الشؤون العامّة أو المعلّق عليها (٢) وكيل الدعاية والاعلان .

publicity [pŭb lĭs'ə tĭ] *(n.)* (١) شيوع ؛ ذيوع ؛ علَنية . (٢) شهرة ؛ شعبية (٣) دعاية ؛ إعلان .

publicize [-'lĭ sīz'] *(vt.)* يعلن عن ؛ يقوم بالدعاية (لسلعة ما الخ.) .

publicly [pŭb'lĭk lĭ] *(adv.)* (١) جهاراً ؛ علانيةً ؛ على رؤوس الأشهاد (٢) «أ» من قِبَل الجمهور . «ب» من قِبَل الحكومة .

public opinion *(n.)* الرأي العام .

public relations *(n. pl.)* العلاقات العامة : فن أو عِلم إقامة التفاهم المتبادَل بين شخص أو مصنع أو مؤسّسة وبين الجمهور .

public sale *(n.)* مزاد علنيّ .

public school *(n.)* المدرسة العامة : «أ» مدرسة ثانوية داخلية أهلية (في انكلترة) . «ب» مدرسة رسمية (في الولايات المتحدة) .

public servant *(n.)* موظف حكومي .

public speaking *(n.)* (١) الخطابة (٢) فن الخطابة .

public spirit *(n.)* روح الخدمة العامة ؛ حبّ العمل للمصلحة العامة .

public-spirited[pŭb'lĭk spĭr'ĭt ĭd] *(adj.)* مُفْعَم بحبّ العمل للمصلحة العامة (~ citizens) .

public utility *(n.)* المرفق العام : المؤسسة ذات المنفعة العامة : مؤسسة تؤدي خدمة عامة ما وتخضع لأنظمة حكوميّة خاصة .

public works *(n. pl.)* الأشغال العامة : كلّ ما تنشئه الدولة للاستخدام العام (كالمدارس والطرق والسّدود ومكاتب البريد الخ.) .

publish [pŭb'lĭsh] *(vt.)* (١) يذيع ؛ يعلن (٢) ينشر (كتاباً الخ.) .

publisher [pŭb'lĭsh ər] *(n.)* الناشر : «أ» ناشر الكتب والمؤلفات الخ. «ب» رئيس أو مالك المؤسسة الصحفيّة .

puccoon[pə kōōn'] *(n.)* (١) البَقُّون : نبات أميركيّ يُستخرج منه صِبغ أحمر أو أصفر (٢) صِبغ البَقُّون .

puce [pūs] *(adj.; n.)* (١)أحمر داكن §(٢)الأحمر الداكن (لون) .

puck [pŭk] *(n.)* (١) عفريت ؛ روح شريرة (٢) البَكّ : قرص مطاطي يستخدم في لعبة هوكي الجليد .

pucka [pŭk'ə] *(Hin.)* = pukka.

pucker [pŭk'ər] *(vi.; t.; n.)* (١)يتغضّن ؛ يتجعّد ×(٢)يغضّن ؛

بُجعِّد §(٣) غَضَن ؛ جعدة .

puckery [pŭk'ə rĭ] *(adj.)* (١) مغضِّن أو سهلُ التغضّن
(~ cloth) (٢) مغضن ؛ مسبّب للتغضّن .

puckish [pŭk'ĭsh] *(adj.)* موذٍ ؛ خبيث .

pudding [pŏŏd'ĭng] *(n.)* (١) سُجُق ؛ لقانق (٢) البودِنغ : حلوى تُعَدّ من دقيق (أو أرزّ أو تابيوكا الخ.) ولبن وبيض وفاكهة وسكّر .

puddle [pŭd'əl] *(n.; vi.; t.)* (١) البُرَيْكة : بركة صغيرة جداً موحلة الماء قَذِرَتُه (كالّتي تنشأ عن تجمع مياه الأمطار) (٢) مِلاط أصمّ §(٣) يخوض في بُرَيْكة ×(٤) «أ» يُوحِل ؛ يكدِّر . «ب» يشوِّش (٥) «أ» يخلط المِلاط . «ب» يسوط الحديد : يضيف إلى ذائب الحديد عاملاً مؤكسِداً ليجعله حديداً مطاوعاً (٦) «أ» يطيِّن . «ب» يسدّ ثقباً الخ.

—puddler *(n.)*

puddling [pŭd'lĭng] (١) مص puddle (٢) تسويط الحديد .

puddly [pŭd'lĭ] *(adj.)* (١) مليء بالبرك الصغيرة الآسنة (٢) مُوْحِل .

pudency [pū'dən sĭ] *(n.)* حياء ؛ خَفَر ؛ حِشْمة .

pudendal [pū dĕn'-] *(adj.)* فَرْجِيّ : ذو علاقة بالفَرْج (ت).

pudendum [-'dəm] *(L.)* pl. **-da** الفَرْج ؛ وبخاصة : فَرْج المرأة .

pudginess [pŭj'ĭ-] *(n.)* قِصَر مع سِمَن .

pudgy [pŭj'ĭ] *(adj.)* قصير وسمين .

pueblo [pwĕb'lō] *(Sp.)* (١) قرية (من قرى الهنود الحمر في أميركة) (٢) *cap.* : هندي أحمر (من هنود أريزونا ونيومكسيكو) .

puerile [pū'ər ĭl] *(adj.)* صِبْيانيّ (~ remarks) .

puerilism [pū'ər ə lĭz'əm] *(n.)* تصرّف صبيانيّ .

puerperal [pū ûr'pər əl] *(adj.)* نِفاسيّ : متعلّق بالنِّفاس .

puerperal fever *(n.)* حُمّى النِّفاس (مض) .

puerperium [pū'ər pĭr'ĭ əm] *(L.)* pl. **-peria** النِّفاس : حالة المرأة بعد الوضع مباشرة .

puff [pŭf] *(vi.; t.; n.)* (١) «أ» ينفث (الدخانَ) على نحو متقطّع . «ب» يتحرك (القطار) مطلقاً دخاناً متقطعاً . «ج» يلهث (٢) يتكلّم أو يتصرّف بطريقة تتّسم بالازدراء أو الغرور أو المغالاة (٣) ينتفخ (تتبعها *up*) ×(٤) «أ» ينفخ . «ب» يدخّن (to ~ a cigar) (٥) يعقص الشَّعرَ لفّاتٍ صغيرة غير مضغوطة (٦) «أ» يملأه عُجْباً أو غروراً . «ب» يطري بإسراف ، وبخاصة : يُعلن §(٧) «أ» نفخة ؛ هَبّة ؛ نَفَس (من دخان) . «ب» صوت انفجار طفيف يصاحب هبّات الدخان . «ج» سحابة دخان (٨) فطيرة منتفخة (٩) انتفاخ طفيف (١٠) «أ» الجزء المنتفخ من الثوب . «ب» قطيفة لوضع ذرور التجميل على البشرة . «ج» لفّة شَعر غير مضغوطة . «د» لحاف (١١) مِدحة ؛ مديح ؛ إطراء مغالىً فيه .

puff adder *(n.)* الأرْبَد ؛ الأفعى النافخة .

puffball [pŭf'-] *(n.)* الفُطْر النفّاث : ضرب من الفُطور يُطلق ، إذا ضُغِطَتْ عليه ، أبواغاً يانعة على شكل سحابة من دخان .

puffer [pŭf'-] *(n.)* (١) فا puff (٢) السمكة الكروية أو المنتفخة : سمكة قادرة على أن تنفخ جسمها بالماء أو الهواء حتى تصبح على شكل كُرة (٣) زورق شحن ساحليّ صغير .

puffer

puffery [pŭf'ə rĭ] *(n.)* مديح ؛ إطراء مغالىً فيه .

puffin [pŭf'ĭn] *(n.)* البَفَن : طائر بحري من طيور الأطلسي الشمالي ذو منقار مثلّم ملوّن .

puffin

puff paste *(n.)* العجينة الفطائرية : عجينة لصنع الفطائر الرقائقية .

puffy [pŭf'ĭ] *(adj.)* (١) منبعث أو منطلق على شكل هبّات (٢) لهّاث (٣) «أ» منتفخ . «ب» سمين ؛ بدين . «ج» مغرور (٤) طنّان ؛ رنّان .

pug [pŭg] *(n.; vt.)* (١) البَجّ : كلبٌ شبيه بالبُلْدُغ لكنه أصغر منه بكثير (٢) «أ» أنف أفطس . «ب» «كعكة» شَعْر (را. bun) (٣) خليط طُفال وماء (لصنع الفخار) (٤) الملاكم (٥) أثر القدَم ؛ وبخاصة : أثر قوائم حيوان مفترس §(٦) يطيّن ؛ يملّط . وبخاصة لعزْل الصوت (٧) يخلط الطُفال والماء (لصنع الفخّار) .

puggaree *or* **pugaree** *or* **puggree** [pŭg(ə)rĭ] *(Hin.)*: البُجْرَة : لفاع رقيق يُلَفّ حول قبعة أو خوذة لوقاية الرأس من الشمس .

pugilism [pū'jə lĭz'əm] *(L.)* الملاكمة .

pugilist [pū'jə lĭst] *(n.)* الملاكِم ؛ وبخاصة : الملاكِم المحترف .

pugilistic [pū jə lĭs'tĭk] *(adj.)* تلاكميّ : ذو علاقة بالملاكمة .

pugmark [pŭg'-] *(n.)* أثر القدم ؛ وبخاصة : أثر قوائم حيوان مفترس .

pugnacious [-nā'shəs] *(adj.)* مشاكس ؛ مولع بالقتال والخِصام .

pugnacity [pŭg năs'ə tĭ] *(n.)* المشاكسة ؛ حبّ القتال والخِصام .

pug nose *(n.)* أنف أفطس . **—pug-nosed** *(adj.)*

puisne [pū'nĭ] *(adj.; n.)* (١) «أ» أصغر ؛ أحدث سنّاً . «ب» مساعد ؛ صغير الرتبة §(٢) قاضٍ مساعد .

puissance [pū'ə səns] *(n.)* قوّة . **—puissant** *(adj.)*

puke [pūk] *(vi.; t.; n.)* (١) يتقيأ §(٢) تقيؤ ؛ غثيان (٣) شخص محتقر .

pukka [pŭk'ə] *(adj.)* (١) أصليّ ؛ حقيقي ؛ موثوق (٢) ممتاز ؛ من الدرجة الأولى .

pulchritude [pŭl'krə tūd'] *(n.)* جَمال .

pulchritudinous [pŭl'krə tū'də nəs] *(adj.)* جميل .

pule [pūl] *(vi.)* يَعْوِل ؛ ينشج ؛ يبكي بكاء طفلٍ مريض .

pulicide [pū lə sīd] *(n.)* مُبيد أو قاتل للبراغيث .

pull [pŏŏl] *(vt.; i.; n.)* (١) «أ» يقتلع ؛ ينتزع . «ب» ينتف (٢) «أ» يجرّ ؛ يجذب ؛ يشدّ ؛ يسحب . «ب» يكبح : يشدّ لجام الفرس ليوقفه أو ليحول بينه وبين الفوز في سباق (٣) يضرب كرة الغولف بحيث تنحرف نحو اليسار (٤) يمزّق (٥) يستخرج أو يُطْلِع تجربة (بروفة) مطبعية (٦) يَشْهر (مديةً أو مسدساً) (٧) «أ» يعتقل شخصاً (ع) . «ب» يشنّ غارةً من غارات الشرطة على (ع) (٨) «أ» يقوم بشيء من غير وجل (~*ed* a robbery) . «ب» يرتكب ×(٩) ينطلق بجهد أو قوة عادةً (train ~*ed* out of the station) (١٠) «أ» يأخذ جرعةً (من شراب) . «ب» يأخذ نَفَساً عميقاً (من سيكارة الخ.) (١١) يقتلِع ؛ يُنتزَع الخ. (١٢) يتحمّس (مصفقاً أو مطلقاً الهتافات لفريق رياضي) §(١٣) «أ» قلع ؛ انتزاع ؛ جرّ ؛ جَذْب ؛ سحب الخ. «ب» جرعة من شراب . «ج» نَفَس (من سيكارة) . «د» تسلّق شاق ؛ رحلة شاقة (a long ~ uphill) (١٤) «أ» أفضلية أو ميزة (على شخص آخر) . «ب» نفوذ خاص (١٥) تجربة أو بروفة مطبعية (١٦) مقبض أو حبل أو حلقة لشدّ شيء أو إعماله بالشدّ (a plastic ~ for a window shade) (١٧) جاذبيّة ؛ فتنة .

to ~ (a person) about يعامله بقسوة .

to ~ apart (١) يمزّق (٢) يتمزق .

to ~ away ينسحب ؛ يفرّ .

to ~ down (١) «أ» يدمّر ؛ يخرّب . «ب» يَغْلب ؛ يَقْهر . (٢) يخفض (الاسعار) (٣) يُضْعِف ؛ يوهن (الصحة أو العزيمة) (٤) يتقاضى (راتباً أو أجراً). (٥) ينال (علامة مدرسية) .

to ~ for يساعد ؛ يمدّ يد العون إلى (ع) .

to ~ in (١) يوقف ؛ يكبح (٢) يعتقل (٣) «أ» يصل إلى المكان الذي يقصده . «ب» يتوقّف .

to ~ off ينجز (بنجاح) رغم المصاعب .

to ~ oneself together (١) يستردّ رباطة جأشه . (٢) يستجمع قوّته الخ .

to ~ one's leg يخدع ؛ يلعب أو يضحك على .

to ~ one's punches يهاجم بعنفٍ أقلّ مما هو قادر عليه .

to ~ one's teeth يقتلع أسنانه : يجعله عاجزاً عن الأذى .

to ~ one's weight يقوم بقسطه الكامل من العمل .

to ~ out (١) يرحل (٢) ينسحب (٣) ينجو من مأزق .

to ~ over يقود سيارته إلى جانب الطريق .

to ~ round (١) يَشفي ؛ يُعيد إليه عافيته (٢) يستردّ عافيته .

to ~ (up) stakes يرحل ؛ يغادر المكان .

to ~ strings *or* wires يستخدم نفوذه أو سلطته (لتحقيق غرضٍ ما) بطريقة سريّة .

to ~ through (١) يساعده على اجتياز وضع أو مرحلة خطرة (٢) يجتاز (بسلام) مرحلة خطرةً أو صعبةً .

to ~ together يتعاونون ؛ يعملون بانسجام .

to ~ to pieces (١) يمزّق (٢) ينتقد بقسوة .

to ~ up (١) يقتلع ؛ يستأصل (٢) يوبّخ (٣) يكبح ؛ يوقف (٤) «أ» يكبح جِماح نفسه . «ب» يقف ؛ يتوقف .

to ~ up to *or* with يُدْرِك ؛ يلحق بـ .

pullback [po͝ol'-] *(n.)* الانسحاب المنظّم (يقوم به الجيش من موقع) .

pullet [po͝ol'ĭt] *(n.)* فَرْخة ؛ دجاجة صغيرة .

pulley [po͝ol'ĭ] *(n.)* بَكَرة .

pulley block *(n.)* البَكّارة ؛ ذات البَكَر : قطعة خشب تُثبَّت فيها بَكَرة .

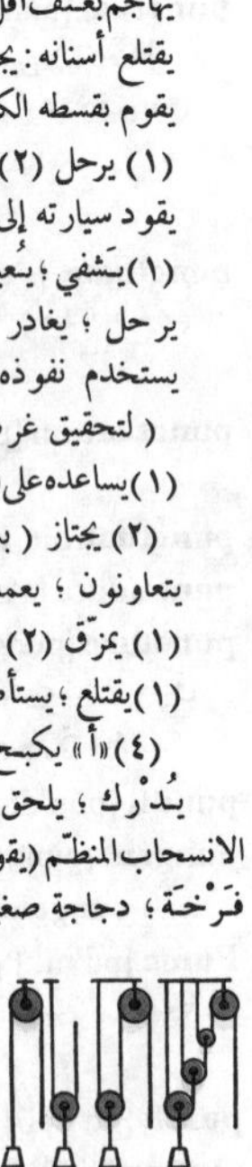
pulleys

Pullman [po͝ol'mən] *(n.)* البولمان : «أ» حافلة من حافلات القطار الحديدي ذات سُرُر أو حُجُرات صغيرة ينام فيها الركّاب . «ب» حافلة مزوّدة بمقاعد مفردة مريحة .

pullout [po͝ol'-] *(n.)* التقوّم ؛ الاعتدال من الانقضاض : انتقال الطائرة من حالة الانقضاض إلى حالة الطيران الأفقي (طي) .

pullover [po͝ol'-] *(n.)* البَلُوفر : كنزة صوفيّة تُلبس من طريق الرأس .

pullulate [pŭl'yə lāt'] *(vi.)* (١) «أ» يُفْرِخ ؛ يتبرعم . «ب» يُنْتِج أو يتناسل بكثرة أو سرعة (٢) يعجّ أو يزدحم بـ .

pulmonary [pŭl'mə nĕr'ĭ] *(adj.)* (١) رئوي (٢) ذو رئتين .

pulmonary artery *(n.)* الشّريان الرئوي (ت) .

pulmonary vein *(n.)* الوريد الرئوي (ت)

pulmonate [pŭl'mə nāt'; -nĭt] *(adj.; n.)* (١) ذو رئتين أو أعضاء شبيهةٍ بهما (٢) رئوي : خاص بالرئويات **Pulmonata** وهي رتبة من الرّخويات البطنية الأقدام التي تتنفّس عادةً بواسطة كيس رئويّ الشكل ، وتشمل معظم الحلازين البرية وكثيراً من الحلازين المائية §(٣) الرئوي : حيوان رئويّ من الرخويات .

pulmonic [pŭl mŏn'ĭk] *(adj.)* رئوي .

pulmotor [pŭl'mō'tər] *(n.)* المِنفاس : أداة ميكانيكية للتنفّس الاصطناعي يُدفع بواسطتها الأكسجينُ إلى رئتي المختنق أو الغريق .

pulp [pŭlp] *(n.; vt.; i.)* (١) اللّبّ ؛ اللُّباب : «أ» لبّ الثمرة أو الشجرة . «ب» ما يبقى من التفاحة الخ . بعد عصرها (٢) العجينة الورقيّة : مادة تُعَدّ ، بوسائل كيميائية أو ميكانيكية ، من الخشب في الدرجة الأولى ومن الخِرَق وغيرها أيضاً ، وتستخدم في صنع الورق (٣) معدن خام مسحوق وممزوج بالماء (٤) شيء لبّيّ أو لبابيّ (٥) كتاب أو مجلّة تطبع على ورق خشن وتعالج عادةً موضوعاتٍ مثيرة §(٦) يُلبِّب : يحوّل الشيء إلى لبّ (٧) ينتزع اللبَّ من (٨) يطبع (كتاباً أو مجلّة) على ورق خشن الخ . ×(٩) يتلبّب : يتحول إلى لبّ أو يُصبح لُبابياً .

pulpit [po͝ol'pĭt] *(n.)* (١) مِنبَر الوعظ (في كنيسة) (٢) «أ» وعظ ؛ تبشير . «ب» الوُعّاظ ؛ المبشرون .

pulpit

pulpwood [pŭlp'-] *(n.)* الخشب اللُّبابي : خشب يُصنَع منه الورق .

pulpy [pŭl'pĭ] *(adj.)* (١) لُبّيّ . (٢) كاللّبّ ؛ لَحِيم ؛ ليّن .

pulque [po͝ol'kĭ] *(Sp.)* البَلْكة : شراب مُسكِر يُصنَع في المكسيك من عصير الصبّار الأميركيّ .

pulsant [pŭl'sənt] *(adj.)* نابض ؛ خافق .

pulsate [pŭl'sāt] *(vi.)* (١) ينبض ؛ يخفق (٢) يتذبذب .

pulsatile [pŭl'sə tĭl] *(adj.)* (١) نابض ؛ خافق (٢) خفقيّ : يُعْزَف عليه بالخفْق أو الضرب (Drums are ~ instruments.).

pulsation [pŭl sā'-] *(n.)* (١) نَبْض ؛ خَفَق (٢) نَبْضة ؛ خفقة .

pulsator [-'tər] *(n.)* النابض : شيء (كالمضخّة) ينبض أثناء العمل .

pulsatory [pŭl'sə tōr'ĭ] *(adj.)* نابض ؛ خافق .

pulse [pŭls] *(n.; vi.; t.)* (١) «أ» الحبوب ؛ القَطاني . «ب» نبتة تعطي حبوباً (٢) «أ» نبض ؛ خفقان . «ب» نبضة ؛ خفقة (٣) «أ» شعور ؛ عاطفة ؛ نزعة . «ب» حيويّة (٤) ذبذبة (٥) «أ» النبض (كب) . «ب» الموجة النابضة (رد) §(٦) ينبض ؛ يخفق (٧) يتذبذب ×(٨) يُنبِض : يجعله ينبض (٩) يجعل (الجهاز) يُحدِث موجاتٍ نابضةً (رد) .

pulse-jet engine *(n.)* المحرّك النافوريّ النَّبْضي (طي) .

pulse modulation *(n.)* تضمين في النبض (رد) .

pulse-time modulation *(n.)* تضمين في زمن النبض (رد) .

pulsimeter [pŭl sĭm'ə tər] *(n.)* مقياس النَّبْض .

pulsion [pŭl'shən] *(n.)* = propulsion.

pulsometer [pŭl sŏm'ə tər] *(n.)* المِضخّة النَّبْضِية : مِضخّة ذات صِمامات لرفع الماء بالبخار والضغط الجوي من غير استعانة بكبّاس .

pulverable [pŭl'vər ə bəl] *(adj.)* قابل للسّحق أو السَّحْن الخ .

pulverizable [pŭl'və rī zə bəl] *(adj.)* = pulverable.

pulverization [pŭl və rə zā'shən] *(n.)* سَحْق ؛ سَحْن الخ .

pulverize [pŭl'və rīz'] *(vt.; i.)* (١) يسحق ؛ يسحن (٢) يدمّر أو يقضي على ×(٣) ينسحق الخ .

pulverizer [pŭl'-] *(n.)* (١) الساحق ؛ الساحن (٢) مِسحَقة ؛ مِسحنة .

pulverulent [pŭl vĕr'yə lənt] *(adj.)* (١) ذُروريّ (٢) سهل التفتّت (إلى ذرور أو مسحوق) (٣) مغبّر ؛ مكسوّ بالذرور .

pulvillus [pŭl vĭl'əs] *(L.)* pl. **-villi** [-vĭl'ī] الواثور : شبه وِثار أو وسادة صغيرة مكسوة بالوَبَر تكون في قدم الحشرة .

pulvinate [pŭl'və nāt] *or* **pulvinated** [-nāt ĭd] *(adj.)* (١)وِثاري؛ وِساديّ الشكل (٢)موثَّر : ذو وِثارة (را. المادة التالية).

pulvinus [pŭl vī'nəs] *(L.)* pl. **-ni** [-nī] الوِثارة : انتفاخ وِثاريّ أو وِساديّ الشكل في قاعدة ورَقة أو وُرَيْقة (نب).

puma [pū'mə] *(Sp.)* (١) كَوْجر (را. cougar) (٢)فرو الكَوْجر.

pumice [pŭm'ĭs] *(n.; vt.)* (١) النَّسْفة ، الخَفّاف : زجاج بركانيّ خفيف جداً مليء بالنخاريب يُستعمَل في الصقل . §(٢) يصقل بالنَّسْفة أو الخَفّاف .

pumiceous [pū mĭsh'-] *(adj.)* نَسْفيّ ؛ خَفّافيّ (را. المادة السابقة).

pumicite [pŭm'ə sīt] *(n.)* (١) pumice (٢) غبار بركاني .

pummel [pŭm'əl] *(n.; vt.)* = pommel.

pump [pŭmp] *(vt.; i.; n.)* (١) يضخ : يسحب السوائل أو الهواء بالمِضخّة (٢) ينفخ الهواء في (٣) يحرِّك بمقبض المِضخّة ؛ يحرِّك وكأنما يفعل ذلك بمقبض مِضخة (He ~*ed* her arm.) (٤) «أ» يوجه الأسئلة الى فلان على نحو موصول . «ب» ينتزع أو يحاول انتزاع المعلومات من شخص ×(٥) يرتفع وينخفض كمقبض المضخة (٦) يتدفق أو ينفر (الدم الخ.) على نحو متقطع §(٧) مِضخّة (٨) القلب (٩) الخُفّ : حذاء خفيض ليس له شريط يُحكم شدّه إلى الرِجل .

pump box *(n.)* علبة المِضخّة ، غلاف المِضخة .

pumpernickel [pŭm'pər nĭk'əl] *(G.)* خبز الأرزّ : خبز خشن حامض بعضَ الشيء يُعد من أرزّ غير منخول .

pumpkin [pŭmp'kĭn] *(n.)* (١) اليقطين (نب) (٢) يقطينة.

pumpkinseed [-sēd] *(n.)* (١) بزرة اليقطين (٢) سمك نهري .

pumpwell [pŭmp'-] *(n.)* البئر المِضخيّة : بئر ذات مضخّة .

pun [pŭn] *(n.; vi.)* (١)تورية ، تلاعب لفظيّ §(٢) يُوَرّي .

puna [pōō'nä] *(Sp.)* (١) نَجْد مرتفع (٢) ريح جبلية باردة .

punch [pŭnch] *(vt.; i.; n.)* (١) «أ» ينخُس . «ب» يسوق أو يرعى الماشية (٢) يلكم (٣) يثقب ؛ يخرِّم (٤) يضرب أو يضغط بشدّة على §(٥) نَخْس ، لكْم ، تخريم (٦) لكمة (٧) قوة أسْر ؛ أثر شديد (a cartoon without ~) (٨) «أ» مِخرَمة ؛ خَرّامة . «ب» مِثقَب (٩)خَرْم ؛ ثُقْب (١٠) أداة لدفع رؤوس المسامير إلى ما تحت السطح (١١) البَنْش : «أ» شراب مُسْكِر مؤلَّف من كحول وعصير ليمون وتوابل وشاي وماء . «ب» شراب غازيّ عادةً مؤلَّف من عصيريّ فاكهة أو أكثر مع سكر وماء .

pleased as Punch مسرور جداً .

to ~ in يسجل موعد حضوره إلى العمل بواسطة « ساعة الدوام » .

to ~ out يسجّل موعد انصرافه من العمل بواسطة « ساعة الدوام » .

Punch-and-Judy show *(n.)* مشهد «بانش» و«جودي» : مشهد قَرَقوزي (بالدمى المتحرِّكة) يتخاصم فيه « بانش » ، الأحدب المعقوف الأنف ، مع زوجته « جودي » على نحوٍ مثير للضحك .

punch-drunk [pŭnch'-] *(adj.)* (١)مصابٌ بأذى في المخّ ناشىء عن لكمات عنيفة (في الملاكمة) (٢) مترنّح (من أثر لكمة) .

puncheon [pŭn'chən] *(n.)* (١) مِثقَب حجارة (٢) «أ» قطعة خشبية عمودية قصيرة (في هيكل بناء) . «ب» لوح خشبيّ مصقول السطح تُفرَش بأمثالِه ارضيات الغرف الخ.) (٣)دمغة ؛ ختم الدمغة (عند صاغة الذهب بخاصة) (٤) «أ» برميل ضخم . «ب »البَنْشُيون : وحدة لقياس السوائل تساوي عادةً ١١١٫٦ غالون .

punchinello [pŭn'chə nĕl'ō] *(It.)* (١) مهرج أحدب قصير وبدين (في مشاهد الدمى المتحرِّكة) (٢) شخص قصير وبدين .

punching bag *(n.)* جِراب الملاكمة : جراب محشوّ أو منفوخ للتمرن على الملاكمة .

punching bag

punch press *(n.)* مِكبس التخريم (ملك) .

punchy [pŭn'chĭ] *(adj.)* = punch-drunk.

punctate *or* **punctated** [pŭngk'-] *(adj.)* (١) مُنقَّط ، مُرقَّط (٢) شبيه بالنقطة ، صغير ومستدير كالنقطة.

punctilio [pŭngk tĭl'ĭ ō'] *(It.)* (١) الشكليّة : إحدى الشكليات المتّبعة في السلوك أو الإجراء الخ. (٢) شدة الحرص على الشكليات .

to stand upon ~s يحرص أكثر مما ينبغي على «البروتوكول» .

punctilious [pŭngk tĭl'ĭ əs] *(adj.)* (١)دقيق (في اتّباع الأوامر) . (٢) حريصٌ على الشكليات .

punctual [pŭngk'chōō əl] *(adj.)* (١) نُقَطِيّ : شبيه بالنقطة أو ذو علاقة بنقطة (٢)«أ» دقيق ، واضح . «ب» مفصّل (٣)عاجل ؛ فوريّ (payment ~) (٤) حريص على الشكليات (٥) دقيق (في مراعاة المواعيد) . **—punctuality** *(n.)* **—punctually** *(adv.)*

punctuate [-'chōō āt'] *(vt.; i.)* (١) يرقّم : يزوِّد بعلامات الترقيم (كالنقطة والفاصلة الخ.) (٢) يقاطع (خطاباً الخ.) بين فترة وأخرى (بالهتافات الخ.) (٣) يؤكّد .

punctuation [pŭngk'chōō ā'shən] *(n.)* الترقيم : استعمال النقط والفواصل الخ. لتوضيح المعنى .

punctuation mark *(n.)* علامة ترقيم (كالنقطة أو الفاصلة الخ.).

punctulate [-'chōō lāt] *(adj.)* مرقّط ، منقّط (بنُقَط صغيرة).

puncture [pŭngk'chər] *(n.; vt.; i.)* (١) ثَقْب ، خَرْق . (٢) ثُقْب ، خُرْق (٣) انخفاض ضئيل §(٤) يثقب ، يخرق (٥) يُفسِد ، يُتلف ، يحطّم ×(٦) ينثقب ، ينخرق الخ.

pundit [pŭn'dĭt] *(Hin.)* (١) البنديت : العالِم ، المعلّم (٢) الناقد .

pungent [pŭn'jənt] *(adj.)* (١) مستدِقّ الرأس (٢) موجِع جداً (٣) لاذع (٤) حِرِيف ، حادّ . **—pungency** *(n.)*

Punic [pū'nĭk] *(adj.; n.)* (١) بُونيّ ، قَرْطاجيّ : ذو علاقة بقَرْطاجة أو بالقَرْطاجيّين (٢) غادر §(٣) البونيّة : اللهجة الفينيقية الخاصة بقرطاجة القديمة .

punily [pū'nĭ lĭ] *(adv.)* على نحوٍ ضعيف أو سقيم أو ضئيل أو تافه.

puniness [pū'nĭ-] *(n.)* ضَعْف ، ضآلة ، تفاهة .

punish [pŭn'-] *(vt.; i.)* (١)يعاقِب (٢)«أ»يقسو على. «ب»يؤذي.

punishable [-'ĭsh ə bəl] *(adj.)* عرضةٌ أو مستحقّ للعقاب .

punishment [-mənt] *(n.)* (١)معاقبة (٢)عقوبة (٣)معاملة قاسية.

punition [pū nĭsh'ən] *(n.)* = punishment.

punitive [pū'nə tĭv] *(adj.)* عُقوبيّ ، عِقابيّ ، قِصاصيّ ، تأديبي .

Punjabi [pŭn jä'bĭ] *(n.; adj.)* (١) البنجابي : أحد أبناء البنجاب بالهند (٢) البنجابيّة : لغة البنجاب بالهند §(٣) بنجابيّ .

punk [pŭngk] *(n.; adj.)* (١)بغيّ ، مومس ، قحبة (ا.ق) (٢)هُراء. (٣) «أ» غُلام ، صبيّ . «ب» قاطع طريق صغير السنّ (٤) خشب الصُّوفان : خشب متهرىء يُتّخذ منه الصُّوفان (٥) الصُّوفان : مادة تؤخذ من فُطر الصُّوفان تُقدَح بها النار §(٦) «أ» رديء جداً . «ب» أسوأ . «ج» سقيم ، عليل .

punkah *or* **punka** [pŭng'kə] *(Hin.)* البَنْكة : مروحة شبيهة بالستار تُدلّى من سقف الحجرة (في الهند) .

punkie *or* **punky** [pŭngk'ĭ] *(n.)* البُنْكيّ : بعوضة لاسعة .

punster [pŭn'stər] *(n.)* المُوَرّي : المولع بالتَّوْرِية والتلاعب بالألفاظ .

punt [pŭnt] *(n.; vt.)* (١) البَنْط : قارب طويل ضيّق مسطّح القعر مربّع الطرفين يسير عادةً بمرْدِيّ (مجذاف) يُضرَب به قاع النهر الخ. (٢) رَفْس كرة القدم قبل أن تمسّ الأرض (بعد تركها تقع من اليدين) §(٣) يسيِّر بَنْطاً (٤) يرفس كرة القدم قبل أن تمسّ الأرض الخ. (٥) يقامر (بر).

punt 1.

—**punter** *(n.)*

punty [pŭn'tĭ] *(F.)* البُنْت : قضيب معدنيّ يُستخدَم في صنع الزجاج.

puny [pū'nĭ] *(adj.)* (١) ضعيف ؛ سقيم (٢) ضئيل ؛ تافه.

pupa [pū'pə] *(L.)* pl. **-pae** [-pē] *or* **-pas** : الخادرة (مج) حشرة في الطور الانتقاليّ بين اليرقانة والحشرة الكاملة.

pupal [pū'pəl] *(adj.)* خادِريّ : خاصّ بالخادرة (را. المادة السابقة).

pupate [pū'pāt] *(vi.)* تُخْدِر (الحشرة) : تصبح خادرة.

pupil [pū'pəl] *(n.)* (١) تلميذ (في مدرسة) (٢) مُريد ؛ تلميذ. (٣) القاصر (ق) (٤) بؤبؤ العين أو إنسانها.

pupilage *or* **pupillage** [pū'pə lĭj] *(n.)* التلمذة أو فترة التلمذة.

pupillary [pū'pə lĕr'ĭ] *(adj.)* (١) تَلْمَذيّ (٢) بُؤبُؤيّ (ت).

puppet [pŭp'ĭt] *(n.)* (١) دمية متحركة (٢) لُعْبة (من لعب الأطفال) (٣) الألعوبة : شخص أشبه بالألعوبة في أيدي الآخرين.

puppeteer [pŭp ə tĭr'] *(n.)* محرِّك الدُّمى (المتحركة) أو مُلعِّبها.

puppetry [pŭp'ĭt rĭ] *(n.)* (١) فنّ تحريك الدُّمى (٢) حركة الدُّمى (٣) دُمىً.

puppy [pŭp'ĭ] *(n.)* (١) جَرْو (٢) المغرور ؛ الأحمق.

puppy love *(n.)* = calf love.

Purana [po͞o rän'ə] *(Skt.)* البورانا : قصة هندية اسطورية.

purblind [pûr'-] *(adj.)* (١) أعمىً جزئياً (٢) متبلّد الذهن.

purchasable [pûr'chəs ə bəl] *(adj.)* (١) ممكنٌ شراؤه. (٢) ممكنٌ التأثير عليه بالرشوة.

purchase [pûr'chəs] *(vt.; n.)* (١) يشتري (٢) يستميل بالرشوة. (٣) يرفع أو يجرّ، وبخاصة بمساعدة قوة ميكانيكية §(٤) شراء (٥) «أ» شيء مشترىً. «ب» صفقة (٦) «أ» وسيلة لزيادة القوة أو النفوذ. «ب» مَدخَل.

—**purchaser** *(n.)*

purdah [pûr'də] *(Hin.)* (١) البُرْدة : ستارة تحجب النساء، في الهند، عن أعين الرجال أو الغرباء (٢) نظام الحجاب الهندي.

pure [pyo͝or] *(adj.)* (١) «أ» خالص ؛ مَحْض ؛ صِرف. «ب» نقيّ ؛ طاهر (٢) «أ» تام ؛ مطبق (ignorance ~). «ب» مجرد (a ~ waste of time). «ج» نظريّ ؛ تجريديّ (science ~). «د» صافٍ ؛ غير مقصود به معالجة المشكلات العملية (literature ~) (٣) «أ» طاهر الذيل. «ب» عفيف ؛ متّسم بالعِفّة. «ج» قُحّ ؛ صافي الدم.

pureblood [-'blŭd] *or* **pure-blooded** [-'blŭd ĭd] *(adj.)* عتيق ؛ كريم ؛ صريح النسب.

purebred [pyo͝or'brĕd'] *(adj.; n.)* = pureblood.

puree [pyo͞o rā'] *(n.; vt.)* (١) البوريه : طعام يُغْلَى حتى ينهرس ثم يُصفّى (٢) حساء مُركَّز §(٣) يغلي الطعام ثم يصفّيه.

purely [pyo͝or'lĭ] *(adv.)* (١) على نحوٍ صِرف أو مَحْض. (٢) ببراءة ؛ بعفّة (٣) مجرّد (٤) بكل معنى الكلمة ؛ الى حد بعيد.

purfle [pûr'fəl] *(vt.; n.)* (١) يزركش حاشية الثوب الخ. §(٢) حاشية مزركشة.

purgation [pûr gā'-] *(n.)* (١) تطهير ؛ تنظيف الخ. (٢) طهارة ؛ نظافة.

purgative [pûr'gə-] *(adj.; n.)* (١) مطهِّر ؛ وبخاصة : مُسْهِل §(٢) المُسْهِل : دواء مُسْهِل ؛ «شربة».

purgatorial [pûr'gə tōr'ĭ əl] *(adj.)* (١) مطهِّر من الإثم. (٢) أعرافي ؛ مَطْهَريّ (را. المادة التالية).

purgatory [pûr'gə tōr'ĭ] *(n.)* (١) الأعراف : حاجز بين الجنة والنار (إس) (٢) المَطْهَر : موطنٌ تُطهَّر فيه نفوس الأبرار بعد الموت بعذاب محدود الأجل (نص) (٣) موضع (أو حالة) عذاب أو عقاب موقت.

purge [pûrj] *(vt.; i.; n.)* (١) «أ» يطهّر ؛ ينظّف. «ب» يُزيل (بالتنظيف) (٢) يطهّر حزباً الخ. (بالتخلص من الأعضاء غير المرغوب فيهم) (٣) يُسْهِل البطنَ (٤) يبرِّئ (شخصاً) من تهمة (٥) يكفِّر عن ×(٦) يطْهُر ؛ ينْظُف (٧) يستطلق (يمشي) بطنُه §(٨) «أ» تطهير ؛ تنظيف. «ب» تخلّص من الأعضاء غير المرغوب فيهم. «ج» إسهال. «د» تسهيل البطن (٩) المُسْهِل : دواء مُسْهِل ؛ «شربة».

purification [pyo͝or ə fĭ kā'shən] *(n.)* (١) تطهير ؛ تنقية. (٢) تطهُّر ؛ طهارة.

purificator [pyo͝or'ə fĭ kā tər] *(n.)* (١) المطهِّر (٢) قماشة لمسح كأس القداس بعد الفراغ منه.

purificatory [pyo͞o rĭf'ə kə tōr'ĭ] *(adj.)* تطهيري ؛ مطهِّر.

purify [pyo͝or'ə fī'] *(vt.; i.)* (١) يطهِّر ×(٢) يطْهُر ؛ ينْظُف.

Purim [pyo͝or'ĭm] *(n.)* البوريم : عيد من أعياد اليهود.

purine [pyoor'ēn] *(n.)* البيورين : مركّب أبيض متبلّر (ك).

purism [pyo͝or'ĭz əm] *(n.)* (١) «أ» الصفائية : الحرص على صفاء اللغة والأسلوب. «ب» مثَلٌ على هذا الحرص، وبخاصة : لفظة أو عبارة تجري بخاصة على أقلام الصفائيين وألسنتهم (٢) المذهب الصفائي : مذهب في الرسم نشأ حوالي عام ١٩١٨ كردّ فعل ضدّ المذهب التكعيبي واتّسمت أعمال أصحابه بالبساطة والوضوح.

—**purist** *(n.)* —**puristic** *(adj.)*

puritan [pyo͝or'ə-] *(n.; adj.)* (١) *.cap* : البيوريتاني ؛ التطهُّري : عضو في جماعة بروتستانتية في انكلترة ونيوانجلند (في القرنين ١٦ و١٧) طالبت بتبسيط طقوس العبادة وبالتمسك الشديد بأهداب الفضيلة (٢) المتزمّت : الداعي إلى التمسك الصارم بأهداب الدين والأخلاق الفاضلة §(٣) بيوريتانيّ ؛ متطهِّر (٤) مُتزمِّت.

puritanism [pyo͝or'ə tə nĭz'əm] *(n.)* (١) *.cap* : البيوريتانية : التطهّرية (٢) التزمّت.

purity [pyo͝or'ə tĭ] *(n.)* (١) نقاء ؛ نظافة ؛ خلوص (٢) طهارة ؛ براءة (٣) صحة ؛ صفاء (اللغة أو اللون).

purl [pûrl] *(n.; vt.; i.)* (١) خيط (أو سِلك) تطريز ذهبي أو فضي (٢) الحبك بغَرزات معكوسة (لإحداث مظهر مُضلَّع) (٣) جدولٌ ذو خرير (٤) خرير (٥) دُردور ؛ دوّامة §(٦) يطرِّز بخيوط ذهبية أو فضية (٧) يحبك بغَرزات معكوسة ×(٨) يخرّ (الجدولُ) (٩) يدوم ؛ يدور.

purlieu [pûr'lo͞o] *(n.)* (١) «أ» مثوى ؛ مأوى. «ب» *.pl* : حدود. (٢) أرض في محاذاة غابة (٣) «أ» ضاحية. «ب» *.pl* : جوار.

purlin; -e [pûr'lĭn] *(n.)* المَدّادة : رافدة خشبية لتدعيم السقف.

purloin [pər loin'] *(vt.; i.)* يسرق ؛ يختلس.

purple [pûr'pəl] *(n.; adj.; vt.; i.)* (١) «أ» الأرجوان : الصِّبْغ الأرجواني الصّوريّ. «ب» لون الأرجوان. «ج» ثوب ارجواني اللون، وبخاصة حين يُرتَدى رمزاً للسلطة أو المنزلة الرفيعة (٢) «أ» سلطةٌ امبراطورية أو ملكية. «ب» رتبة الكردينال. «ج» مقام رفيع ؛ ثروة ضخمة §(٣) امبراطوري ؛ ملَكيّ (٤) ارجواني (٥) منمّق : حافل بالمحسّنات البيانية أو البديعية (٦) لاذع ؛ مجدِّف

§(٧)يُوَرْجِن : يجعله أرجوانيَّ اللون ×(٨)يتأرجن : يصبح أرجوانياً .

Purple Heart *(n.)* القلب الأرجواني : وسام أميركي لجرحى الحرب .

purplish [pûr'-] *(adj.)* مُسترجِن : ضاربٌ إلى لون الأرجوان .

purply [pûr'plĭ] *(adj.)* = purplish.

purport [*n.* pûr'pōrt; *v.* pər pōrt'] *(n.; vt.)* (١) معنى ؛ فحوى ؛ مَفاد (٢)زبدة الكلام ؛ خلاصة القول §(٣)يُوهِم ؛ يُفهَم منه ظاهرياً (The statement ~*s* that the minister. . .) (٤) يدّعي ؛ يزعم .

purpose [pûr'pəs] *(n.; vt.)* (١) غاية ؛ غرض ؛ مَرْمى ؛ هدف . (٢)عزم ؛ تصميم (٣)نتيجة ؛ أثر §(٤)ينوي ؛ يعتزم ؛ يصمم على .

of set ~, عن سابق تصور وتصميم .

on ~, قصداً ؛ عمداً .

to good ~, على نحو مُثمر أو مُفْضٍ إلى نتائج حسنة .

to no ~, عبثاً ؛ على غير طائل ؛ من غير نتيجة .

to the ~, (١) مُحْكَم ؛ في محلّه (٢) طِبق المرام .

purposeful [pûr'-] *(adj.)* (١) هادف ؛ ذو معنى (٢) ذو عزم .

purposeless [pûr'pəs-] *(adj.)* بلا هدف ؛ بلا غاية ؛ بلا معنى .

purposely [pûr'pəs lĭ] *(adv.)* قصداً ؛ عمداً ؛ عن تصور وتصميم .

purposive [pûr'pəs ĭv] *(adj.)* (١)مفيد : مؤدٍّ غرَضاً نافعاً ولو من غير قصد (٢) هادف (٣) ذو عزم وتصميم (٤) قصْدي .

purpura [pûr'pyŏŏ rə] *(L.)* الفرفرية : داء يتّسم ببقع على الجلد ضاربة إلى اللون الأرجواني .
—**purpuric** *(adj.)*

purr [pûr] *(n.; vi.; t.)* (١) الخرخرة : صوت خفيض كصوت الهرة المسرورة §(٢) يخرخر ×(٣) يعبر عن كذا بصوت كالخرخرة .

purse [pûrs] *(n.; vt.)* (١) الجزدان : كيس الدراهم (٢)«أ» مال ؛ موارد ؛ ثروة . «ب» جائزة مالية §(٣) يضع في جزدان (٤) يغضّن ؛ يزمّ .

to hold the ~ strings يشرف أو يسيطر على الانفاق .

to tighten *or* loosen the ~ strings يقتصد في النفقة (أو يُسْرِف فيها) .

purse-proud [pûrs'proud'] *(adj.)* تيّاه بثرائه ؛ فخور بثروته .

purser [pûr'sər] *(n.)* ضابط المحاسبة : موظف في سفينة مسؤول عن الأوراق والحسابات ودفع الرواتب (وعن راحة المسافرين أحياناً).

purse race *(n.)* سباق ذو جائزة ماليّة محدّدة .

purse seine [sān] *(n.)* البَرْسينة : شبكة ضخمة لصيد الأسماك .

pursiness [pûr'sĭ-] *(n.)* (١) البُهْر : تقاصُرُ النَّفَس بسبب البدانة (٢) بدانة (٣) تيه ؛ غرور ؛ عُجْب .

purslane [pûrs'lān] *(n.)* الرِّجْلة : نبات عُشْبي .

pursuance [pər sŏŏ'-] *(n.)* مص pursue وبخاصة : متابعة ؛ مواصلة .

pursuant [-'ənt] *(adj.; adv.)* (١) موافق أو مطابق لِ . (٢) ملاحِق ؛ متعقِّب ؛ متابع §(٣) أو **pursuantly** : وفقاً أو طبقاً لِ ؛ بحَسَب .

pursue [pər sŏŏ'] *(vt.; i.)* (١) يطارد ؛ يلاحق ؛ يتعقّب . (٢) يسعى ؛ يناضل (من أجل تحقيق هدفٍ ما) (٣)يسلك ؛ يتّبع (They ~*d* a wise course.) (٤) يتابع ؛ يواصل (to ~ a hobby) (٥)يمارس ؛ ينهمك في (She ~*d* her studies.) (٦) يزعج على نحو موصول (Don't ~ her with questions.)
—**pursuer** *(n.)*

pursuit [pər sŏŏt'] *(n.)* (١) مطاردة ؛ ملاحقة ؛ مواصلة الخ . (٢) السعي وراء كذا (the ~ of happiness) (٣)حرفة ؛ مهنة .

pursuit plane *(n.)* المطارِدة ؛ الطائرة المطارِدة .

pursuivant [pûr'swĭ vənt] *(n.)* (١) مساعد الموظف المسؤول عن ابتكار ومنح شعارات الأسَر (٢) التابع ؛ المرافق .

pursy [pûr'sĭ] *(adj.)* (١) «أ» بهير ؛ مبهور : قصير النفَس بحكم البدانة . «ب» بدين ؛ سمين (٢)«أ» مُتْرَف . «ب» مُتَسِم بالتباهي بالثروة أو ناشيء عنه (~ insolence) (٣)تيّاه بثروته (٤)متغضن .

purtenance [pûr'-] *(n.)* (١)أحشاء ؛ أمعاء (٢)«معلاق» الذبيحة .

purulence [pyŏŏr'ə ləns] *(n.)* (١) تقيّح (٢) قَيْح ؛ صديد .

purulent [pyŏŏr'ə lənt] *(adj.)* (١)قيحي ؛ صديدي (٢)مُتقيِّح .

purvey [pər vā'] *(vt.)* يمون ؛ يزود بالمؤن (على سبيل الاحتراف عادة) .

purveyance [-'əns] *(n.)* (١) تموين ؛ تزويد بالمؤن (٢) مؤن .

purveyor [-'ər] *(n.)* (١) الممون ؛ متعهد المؤن (٢) متعهد تقديم الطعام (للحفلات والسهرات) .

purview [pûr'vū] *(n.)* (١) «أ» صُلْب القانون . «ب» حدود القانون أو غرضُه أو نطاقُه (٢) نطاق السلطة أو النشاط او المسؤولية الخ . (٣) مدى البصر او الرؤية أو الفهم أو الادراك .

pus [pŭs] *(L.)* قَيْح ؛ صديد .

push [pŏŏsh] *(vt.; i.; n.)* (١) يدفع ؛ يضغط (٢) يشقّ (~*ed* his way through the crowd) (٣) يحُثّ ؛ يستحث (٤)«أ» يلفت نظر الآخرين إلى نفسه أو مطالبه (to ~ one's claims) «ب» يروج لتبنّي شيء او استعماله أو بيعه (٥) يواصل أو يتابع أو يلاحق عملاً حتى النهاية (٦)يوسع ؛ يمدّ ×(٧)يكافح ؛ يناضل (٨) يشق طريقه ؛ يتقدم بإصرار أو شجاعة (٩) يبتعد عن الشاطىء §(١٠) جهد عنيف لبلوغ غاية ، مثل : «أ» هجوم عسكري . «ب» تقدم مصمم . «ج» حملة لترويج نوع من السلع (١١) ساعة الشدة أو الجِد او العمل (١٢) «أ» دفع ؛ ضغط . «ب» دفعة . «ج» الضاغط : جزء من الآلة يُدفَع لإعمالها ، مثل زر الجرس الكهربائي . «د» نفوذ . «هـ» قوة ؛ عزم ؛ إقدام (١٣)«أ»استخدام النفوذ لخدمة مصالح شخص آخر. «ب» حافز ؛ قوة دافعة .

at a ~, عند الاضطرار أو الحاجة .

to be ~*ed* for time, money, etc. يجد صعوبة في الحصول على الوقت والمال الكافيين .

to get the ~, يُصْرَف من الخدمة .

to give somebody the ~, يصرفه من الخدمة .

to ~ along, on, *or* forward يواصل (عمله أو سفره الخ .)

to ~ off ينطلق ؛ يرحل .

when it comes to the ~, عندما يجدّ الجد .

pushball [pŏŏsh'bôl'] *(n.)* الكرة المُدَحْرَجة : «أ» لعبة يحاول فيها كلٌّ من الفريقين أن يدفع إلى هدف خصمه كرة ضخمة ثقيلة يبلغ قطرها نحواً من ستة أقدام عادةً . «ب» الكرة نفسها .

push bicycle *(n.)* دراجة هوائية .

push button *(n.)* الضاغط (مج) : زر الجرس الكهربائي الخ .

push-button warfare *(n.)* حرب الأزرار : حرب تُطلق فيها القذائف ذات الرؤوس النووية الخ . بالضغط على أزرار خاصة .

pushcart [pŏŏsh'kärt'] *(n.)* عربة اليد : عربة تُدفَع باليد .

pusher [pŏŏsh'ər] *(n.)* (١) فا push ، وبخاصة : دافع ؛ دافعة . (٢)شخص نهّاز للفرص (٣)طائرة ذات مروحة دافعة أو خلفية .

pushing [pŏŏsh'ing] *(adj.)* (١) دافع (٢) مقدام ؛ طموح ؛ مغامر (٣) «أ» متجرىء ؛ متواقح . «ب» عدواني .

pushover [pŏŏsh'-] *(n.)* (١)خصم يسهل التغلب عليه (٢)شخص عاجز عن مقاومة إغراء ما (٣) مهمّة يسيرة .

pushpin[pŏŏsh'pĭn] *(n.)* الدبوس الدفعيّ ؛ «البونيز» : دبوس عريض الرأس يُدفَع في جدار أو لوحة لتثبيت شيء .

push-pull [pŏŏsh'pŏŏl'] *(adj.)* دفعيّ جذبيّ ؛ دافع جاذب (كب) .

push-pull circuit *(n.)* دائرة دفع وجذب (كب) .

Pushtu [pŭsh'tōō] *(n.)* = Pashto.

push-up [pŏŏsh'ŭp] *(n.)* تمرين رياضيّ لعضلات الذراعين والكتفين من طريق الانبطاح على الأرض ومحاولة الارتفاع عنها مرة بعد مرة بالاستناد إلى اليدين وأصابع القدَمين .

pusillanimity [pū'sə lə nĭm'ə tĭ] *(n.)* جبن ؛ جبانة .

pusillanimous [pū'sə lăn'ə məs] *(adj.)* جبَان .

puss [pŏŏs] *(n.)* (١) هِرة (٢) الارنب الوحشي : أرنب بري مشقوق الشفة العليا (بر) (٣) فتاة (٤) وجه (ع) (٥) فم (ع) .

pussley; pussly [pŭs'lĭ] = purslane.

pussy [pŏŏs'ĭ] *(n.)* (١) puss (٢) النَّوْرة الهريّة : عَسِيلْ الصفصاف ونحوه (را. catkin) .

pussy [pŭs'ĭ] *(adj.)* (١) قيْحيّ (٢) متقيّح .

pussy [pŭs'ĭ] *(adj.)* = pursy 1,2.

pussyfoot [pŏŏs'ĭ-] *(vi.; n.)* (١) يمشي خلسةً (٢) يتحفّظ في التعبير عن رأيه § (٣) الماشي خلسةً (٤) المتحفّظ في التعبير عن رأيه.

pussy willow *(n.)* الصفصاف الأميركي (نب) .

pustulant[pŭs'chə lənt] *(adj.; n.)* (١) مُبثِّر ؛ مُحدِث بثوراً . § (٢) دواءٌ أو عاملٌ مُبثِّر .

pustular [-lər] *(adj.)* (١) بَثْريّ أو كالبَثْر (٢) مكسوّ بالبثور .

pustulate [-lĭt; -lāt]; **-d** [-lāt ĭd] *(adj.)* مُبثَّر ؛ مكسوّ بالبثور .

pustulation [pŭs'chə lā'shən] *(n.)* (١) تَبَثّر ؛ تنفّط . (٢) بَثْرَة ؛ نافطة .

pustule [pŭs'chŏŏl] *(n.)* بثرة ؛ نافطة .

put [pŏŏt] *(vt.; i.; n.; adj.)* (١) «أ» يضع . «ب» يقحِم ؛ يغرز . «ج» يقذف (٢) يفرض (to ~ a tax on tobacco) (٣) «أ» يطرح (سؤالاً) . «ب» يطرح للتصويت (٤) «أ» يُفرّغ ؛ يصوغ (to ~ a thing in writing) . «ب» يترجم . «ج» يلحّن (lyrics ~ to music) . «د» يعبر (Our teacher ~s things plainly.) (٥) «أ» يقف أو يكرس نفسه لعمل أو غاية . «ب» يعين له مهمة أو عملاً (~ him to mixing the salad) . «ج» يحمله على ؛ يدفعه إلى (٦) «أ» يوظّف (He ~ his money in the company.) «ب» يعلّق (أملاً أو أهمية على) . «ج» يلقي (المسوولية) على (٧) يراهن بـ (She ~ five dollars on the favorite.) × (٨) «أ» يذهب ؛ يرحل على عجل . «ب» تُبحر السفينة (The boat ~ out to sea.) § (٩) رَمْيَة ؛ قَذْفَة (١٠) حق بيع مقدار معيّن من السّلع الخ. بسعر معيّن في زمن محدّد أو خلالَه § (١١) مستمر ؛ ملازم مكانَه لا يبرحه (He stayed ~.) .

to be hard ~ to it ... يُضْطَرّ ؛ يجد نفسه في وضع حرِج .

to ~ about (١) تغيّر (السفينةُ) اتجاهها (٢) يغيّر اتجاه السفينة (٣) يزعِج ؛ يقلِق (٤) ينشر الاشاعات.

to ~ across (١) يخدع (٢) ينجز أو يؤدي بنجاح .

to ~ a man's back up يثير غضبه .

to ~ aside (١) يطّرِح (٢) يكفّ عن (٣) يدّخر .

to ~ away (١) يضعه في مكانه المألوف (٢) يدّخر (٣) يطّرح ؛ يتخلّى عن (فكرة الخ.) (٤) يطلّق زوجته (٥) يحجز ، وبخاصة في مؤسسة للأمراض العقلية (٦) يأكل أو يشرب (٧) يدفن (٨) يقتل .

to ~ back (١) يعود ؛ يرجع إلى (٢) يُعيد ؛ يُرجع إلى (٣) يؤخر (الساعةَ) (٤) يعوق ؛ يعرقل .

to ~ by (١) يدّخر للمستقبل (٢) يُهْمِل .

to ~ down (١) يضع (٢) يُنْزِل (٣) يثبّت قدميه بغية المقاومة (٤) يقضي على (٥) يقمع ؛ يسحق (٦) يُسكِت (٧) يُذِلّ (٨) يسجّل ؛ يدوّن (٩) يسجّله عليه في الحساب (١٠) يُدْرِج في لائحة (١١) يعتبره كذا ؛ يصنّفه في زمرة ما أو مع فئة معيّنة (١٢) يعزو ؛ ينسب (١٣) يخفّض (نفقاته) (١٤) يدّخر أو يحفظ للمستقبل .

to ~ forth (١) يبذل (جهداً الخ.) (٢) ينشر ؛ يُصدِر (٣) يُنتِج ؛ يُطلع (النبات) أوراقاً جديدة .

to ~ forward (١) يقدّم (نظريةً) (٢) يرشّح ؛ يختار لمهمةٍ (٣) يقدّم (عقارب الساعة) .

to ~ her age at... يقدِّر أن سنها تبلغ كذا .

to ~ in (١) يعلن أو يقدّم رسمياً (٢) يعمل ؛ يشتغل (٣) ينفق (وقتاً) (٤) يزرع (٥) تَدخُل (السفينةُ) ميناءً (٦) يقدّم طلباً الخ .

to ~ in a good word for somebody يوصي به .

to ~ in mind يذكّر ؛ يذكّره بـ .

to ~ off (١) يرد ؛ يصد ؛ ينفر (٢) يرجئ ؛ يؤجّل (٣) يتجنّب ؛ يتملّص (٤) يتخلّص من (٥) يبيع بطريقة خادعة (٦) يغادر الميناء .

to ~ on (١) يرتدي (٢) يصطنع ؛ يتظاهر بـ (٣) يزيد (السرعة الخ.) (٤) يقدّم (الساعةَ) (٥) يؤدي ؛ يقوم بـ (٦) يراهن بـ (٧) يبالغ (٨) يضع قيد الاستعمال .

to ~ out (١) يمُدّ (يدَه) (٢) يخلع (المَفْصِل أو الذراع) (٣) يستخدم (كاملَ قوته الخ.) (٤) يطفئ (٥) ينشر ؛ يُصدر (٦) ينتج للبيع (٧) يُربك (٨) يزعج ؛ يثير (٩) يضايق (١٠) يُخرج ؛ يطرد (١٠) يُبحر من الشاطئ (١١) يُقرض المال بفائدة .

to ~ over (١) يرجئ ؛ يؤجّل (٢) ينتقل إلى الجانب الآخر من الشاطئ (٣) يؤدي أو ينجز بنجاح .

to ~ something in hand يشرع في أدائه أو صنعه .

to ~ the arm on يطلب أو يستجدي مالاً .

to ~ through. (١) يُنجز (عملاً أو إصلاحات الخ.) (٢) يصِلُه تلفونياً بالجهة التي يريد مخاطبتها .

to ~ somebody through it (١) يختبره عملياً . (٢) يعذّبه لكي يعترف بشيء .

to ~ to تلجأ (السفينةُ) إلى الشاطئ .

to ~ to bed. يقوم بالترتيبات النهائيّة لطبْع جريدة أو مجلة .

to ~ to flight يُكْرِهه على الفرار .

to ~ somebody to death يعدِمه ؛ يقتله .

to ~ somebody to ransom يحتفظ به أسيراً حتى تُدفَع فديتُه .

to ~ somebody to the blush يجعله يحمر خجلاً .

to ~ together (١) يؤلّف (٢) يركّب (٣) يجمع .

to ~ up (١) يضع (في كيس الخ.) (٢) يُغمد (سيفاً) (٣) يعِد ؛ يهيّئ (٤) يعبّئ ؛ يعلّب (الفاكهة أو

الأسماك الخ.) (٥) يخرجه موقتاً من نطاق الاستعمال (٦) يعقص الشعر الطويل فوق الرأس بدلاً من تركه يتدلى على المنكبين (٧) يرفع صلاةً (٨) يرشّح أو يترشّح للانتخابات (٩) يعرض للبيع (١٠) يرسم خطة أو مؤامرة (١١) يبني ؛ يشيّد (١٢) يُبْدي (مقاومةً) (١٣) يعلّق في مكانٍ بارز (١٤) يدفع (مالاً) (١٥) يُنزِل ؛ يقدّم الطعام والمبيت لـِ (١٦) يَنْزِل (في فندق الخ.) (١٧) يرفع (يديه الخ.) (١٨) يزيد (الأجرةَ).

to ~ somebody up to something (١) يحيطه علماً بِ ؛ يُفهمه المهامَّ المطلوبة منه (٢) يوحي إليه بالقيام بعمل بغيضٍ أو يحرِّضه على ذلك.

to ~ up with يتحمّل ؛ يصبر على.

to ~ upon يخدع ؛ يحتال على.

putative [pū'tə tĭv] *(adj.)* مظنون؛ مُفترَض ؛ مزعوم.

putlog [pŏŏt'lôg'] *(n.)* الجِسْر : إحدى الروافد الأفقية القصيرة الداعمة لأرضية « سقالة » البناء.

put-on [pŏŏt ŏn'] *(adj.)* مصطنَع ؛ متظاهَرٌ به.

putrefaction [pū'trə făk'shən] *(n.)* تعفّن ؛ فساد.

putrefactive[pū'trə făk'tĭv] *(adj.)* (١) مُعفّنٌ ؛ مسبّبٌ للتعفّن. (٢) «أ» عفِن. «ب» تعفّني.

putrefy [pū'trə-] *(vt.; i.)* (١) يُعفّن ؛ يُفسِد × (٢) يتعفّن ؛ يَفسُد.

putrescence [pū trĕs'əns] *(n.)* العفونة ؛ التعفّن.

putrescent[-'ənt] *(adj.)* (١) متعفنٌ : آخذٌ في التعفّن (٢) تَعَفّني.

putrid [pū'trĭd] *(adj.)* (١) «أ» عفِن ؛ فاسد. «ب» تعفّني (٢) «أ» فاسدٌ أخلاقياً. «ب» رديء جداً.

—**putridness** *(n.)*

putridity [pū trĭd'-] *(n.)* (١) تعفّن ؛ فساد (٢) عَفَنٌ.

putsch [pŏŏch] *(G.)* فتنة ؛ عصيان مسلّح ؛ محاولة انقلاب.

putt[pŭt] *(vi.; t.; n.)* (١) يضرب كرة الغولف برفق بحيث تتدحرج على الأرض نحو حفرة ما أو بحيث تسقط في هذه الحفرة (رب) §(٢) ضربة غولف رفيقةٌ.

puttee

puttee [pŭt'ĭ] *(n.)* المِسْماة ؛ لِفافة الساق.

putter [-'ər] *(n.)* (١) فا put أو putt (٢) الصولجان : مِضرب الغولف.

putter [pŭt'ər] *(vi.)* (١) يعبث ؛ يتسكّع : يعمل أو يمشي بتوانٍ أو لغير ما غاية (٢) يَشغل نفسه على نحوٍ غير مُجْدٍ (to ~ over a task).

puttier [pŭt'ĭ ər] *(n.)* المُمَعْجِين : مَن يكسو شيئاً بمعجون.

putting green [pŭt'-] *(n.)* مَخْضَرَة الغولف : مساحة خَضِيرة مُعشوشِبة في نهاية مجاز الغولف تشتمل على حفرة يتعيّن على اللاعب إسقاط الكرة فيها.

putting iron[pŭt'-] *(n.)* الصولجان : مِضرب الغولف (رب).

putting the shot = shot put.

putty [pŭt'ĭ] *(n.; vt.)* (١) المعجون (٢) شخص أو شيء يسهل تكييفه أو التأثير فيه الخ. (٣) لون رماديّ مُصْفَرّ §(٤) يمعجِن : يسُدّ أو يكسو بمعجون.

puttyroot[pŭt'ĭ-] *(n.)* البَطْرُوت : نبات أميركي من الفصيلة السَّحلبية.

put-up *(adj.)* مُبَيَّت ؛ مدبَّر ؛ مرسوم سَبْقياً بطريقة ماكرة.

put-upon [pŏŏt'ə pŏn] *(adj.)* مخدوع ؛ مُحتال عليه.

puzzle [pŭz'əl] *(vt.; i.; n.)* (١) يُرْبِك ؛ يُحيِّر × (٢) يرتبك ؛ يحتار §(٣) ارتباك ؛ حيرة (٤) «أ» شيء مُرْبِك أو محيِّر «ب» لغز ؛ أُحجيّة.

to ~ something out يَحُلّ أو يحاول أن يحلّ مُعَمَّياته بالتفكير فيه تفكيراً عميقاً.

to ~ over a problem يفكّر في مشكلةٍ تفكيراً عميقاً.

puzzleheaded [pŭz əl hĕd'ĭd] *(adj.)* مُشَوَّش التفكير.

puzzlement [pŭz'əl-] *(n.)* (١) ارتباك ؛ حيرة (٢) لُغز ؛ أُحجية.

py- or pyo- بادئة معناها : قَيْح (*pyo*rrhea).

pycnidium [pĭk nĭd'ĭ əm] *(L.)* pl. **-nidia** [- nĭd'ĭ ə] البَوْغ المُغلّف : شكل من أشكال الإثمار في بعض الفطور الطفيلية ، وهو كنايةٌ عن جيب يحمل بوغاً (نب).

—**pycnidial** *(adj.)*

pycnometer [pĭk nŏm'ə tər] *(n.)* المِثْقَلَة ؛ البكنومتر : مقياس الثِقْل النوعي.

pyelitis [pī'ə lī'tĭs] *(L.)* التهاب حُوَيْضة الكِلْيَة (مض).

pyelonephritis[pī'ə lō nĭ frī'tĭs] *(L.)* التهاب الحُوَيضَة والكِلْيَة.

pyemia [pī ē'mĭ ə] *(L.)* تقيّح الدم (ط).

pygidium [pī jĭd'-] *(L.)* pl. **-gidia** الذُّيَيْل : تكوين ذَيْليّ في اللافقاريات (ح).

pygmaean *or* **pygmean** [pĭg mē'ən] *(adj.)* = pygmy.

pygmy [pĭg'mĭ] *(n.; adj.)* (١) القَزَم §(٢) قَزَمٌ (٣) قَزَميّ.

pyjamas [pə jä'məz; -jăm'əz] *(n. pl.)* = pajamas.

pyknic [pĭk'nĭk] *(adj.; n.)* (١) بدينٌ وقصير §(٢) شخص بدين وقصير.

pylon [pī'lŏn] *(Gk.)* (١) بوابة ضخمة ، وبخاصةٍ في هيكل فرعونيّ. (٢) برج الأسلاك : برج عالٍ لحمل الأسلاك الكهربائية ذات الفولتيّة العالية (٣) برج الارشاد (طي).

pyloric [pī lôr'ĭk] *(adj.)* بَوّابيّ : ذو علاقة بالبوّاب (ت).

pylorus [pī lōr'əs] *(L.)* pl. **-lori** [- lōr'ī] البوّاب : فتحة بين المعدة والمعْي (ت)

pyo- = py-.

pyoderma [pī ə dər'mə] *(L.)* تقيّح الجلد (مض).

pyogenic [pī'ə jĕn'ĭk] *(adj.)* متقيّح.

pyorrhea [pī'ə rē'ə] *(L.)* البَيّورية : التهاب اللّثة (مض).

pyr- or pyro- بادئة معناها : «أ» حرارة (*pyro*meter). «ب» حراريّ : ناشىء عن الحرارة (*pyro*electricity). «ج» حُمّى (*pyro*gen).

pyracantha [pĭr ə kăn'-] *(L.)* شوك النار : نبات شائكٌ من الفصيلة الورديّة.

pyralidid [pĭ răl'ĭ-] *(n.; adj.)* (١) الناريّة : إحدى «الناريّات» **Pyralididae** وهي فصيلة من الفراشات §(٢) ناريّة.

pyramid[pĭr'ə mĭd] *(n.; vi.; t.)* (١) هَرَم (٢) شكل هرميّ (ر). (٣) رُكام هرميّ (٤) شجرة هرمية الشكل §(٥) يهرم : يضارب في البورصة مستخدماً ما يربحه من ذلك للقيام بمضاربات إضافية (٦) يتهرّم : يتزايد على نحو هرمي بسرعة وبصورة تدريجية × (٧) يهرم : «أ» يركم على شكل هرم. «ب» يزيد الأسعارَ أو الأجورَ الخ. تدريجياً وكأنّه يشيّد هرماً.

—**pyramidize** *(vt.)*

pyramidal [pĭ răm'-]; **pyramidical** [pĭr'ə mĭd'-] *(adj.)* هَرَميّ ؛ هرميّ الشكل.

pyran [pī'răn] *(n.)* البِيْران (ك).

—**pyranoid** *(adj.)*

pyrargyrite[pī rär'jə-] *(G.)* البيرارجيرات : معدن ضارب إلى السواد.

pyre [pīr] *(n.)* المَحرَقة : ركام من الحطب لإحراق جثة مَيْت كطقس جنائزي. وتوسّعاً : ركامٌ مُعَدّ لإضرام النار فيه.

pyrene [pī'rēn] *(L.)* نواة (وبخاصة في ثمرة متعددة النوى).

pyrethrum [pī rē'thrəm] *(L.)*: (١) البِيرِثْرُم ؛ حشيشة الحُمّى: نبات شبيه بالأقحوان والبابونج (٢) ذرورٌ مبيدٌ للحشرات.

pyretic [pī rĕt'ĭk] *(adj.; n.)*: (١) حُمّيّ: متعلق بالحُمّى. (٢) مُحِمّ: مولّد للحمّى (٣) نافعٌ للحمّى §(٤) دواء للحمّى.

pyretology [pĭr'ə tŏl'ə-] *(n.)*: عِلم الحُمّيات ؛ مَبْحَث الحُمّيات.

pyrex [pī'rĕks] *(n.)*: البيركس: زجاجٌ أو وعاء زجاجيّ مقاوم للحرارة.

pyrexia [pī rĕk'sĭ ə] *(L.)*: (١) حُمّى (٢) حالة حُمّيّة.

pyrexial; pyrexic [pī rĕk'-] *(adj.)*: حُمّيّ: متعلق بالحمّى.

pyrheliometer [pīr hē'lĭ ŏm'ə tər] *(n.)*: المِشماس: مقياس طاقة الشمس الاشعاعيّة (فل).

pyriform [pĭr'ə fôrm] *(adj.)*: كُمَّثْرِيّ الشكل ؛ إجّاصيّ الشكل.

pyrite [pī'rīt] *(L.)*: البيريت: معدن أصفر مؤلّف من كبريت وحديد.

pyrites [pī rī'tēz] *(L.)*: البُورِيطِس: كبريتور الحديد.

pyro- = pyr-.

pyrochemical [pī'rə kĕm'ə kəl] *(adj.)*: كِيمْيحراريّ: خاصّ بالنشاط الكيميائي في الاحترار العالي.

pyroclastic [pī'rə klăs'tĭk] *(adj.)*: فِلَذِيبُرْكانيّ: مؤلّف من فِلَذٍ بركانيّة الأصل (جي).

pyroconductivity [pī'rə kŏn'dŭk tĭv'-] *(n.)*: المُوصِلِيّة الحرارية (كب).

pyroelectric [pī'rō ĭ lĕk'-] *(adj.)*: كَهْرَبِيْحَراريّ: خاص بالكهربيّة الحرارية.

pyroelectricity [pī rō ĭ lĕk'trĭs'ə tĭ] *(n.)*: البيروكهربائيّة ؛ الكهربية الحرارية.

pyrogen [pī'rə jən] *(n.)*: المُحِمّة: مادة مولّدة للحمّى (ك).

pyrogenic [pī'rə jĕn'ĭk] *also* **pyrogenous** [pī rŏj'ə-] *(adj.)*: (١) مُحِمّ: مولِّد للحمّى (٢) حُمّيّ: ناشيء عن الحمّى (٣) ناريّ الأصل (كالصخور البركانيّة).

pyrography [pī rŏg'rə fĭ] *(n.)*: الدَّمْغ الوَشْميّ: فنّ طبع الرسوم على الخشب والجلد وغيرهما بأداةٍ مُحَمّاة.

pyrolatry [pī rŏl'ə trĭ] *(n.)*: عبادة النار.

pyrolysis [pī rŏl'ə sĭs] *(L.)*: الحَلّ الحراريّ: إخضاع المركبات العضوية لحرارة عالية حتى تنحلّ (ك).

pyrolyze [pī'rə līz] *(vt.)*: يَحُلّ بالحرارة العالية.

pyromancy [pī'rə măn'sĭ] *(n.)*: التكهّن بالنار ؛ التكهن بواسطة النار.

pyromania [pī'rə mā'nĭ ə] *(L.)*: هَوَس الإحراق: نزوع لا يُقاوَم إلى إحداث الحرائق.

pyrometer [pī rŏm'ə tər] *(n.)*: المِضْرَم (مج) ؛ البيرومتر: مقياس درجات الحرارة المرتفعة.

pyrometric [pī'rə mĕt'rĭk] *(adj.)*: مِضْرَميّ ؛ بيرومتريّ.

pyrometry [pī rŏm'ə trĭ] *(n.)*: القياس بالمِضْرَم (مج) ؛ المِضرميّة ؛ البيرومتريّة: قياس درجات الحرارة المرتفعة.

pyromorphous [pī rə môr'fəs] *(adj.)*: مُتَبَلْوِر بالصَّهْر (مع).

pyrone [pī'rōn; pī rōn'] *(n.)*: البِيرون (ك).

pyrope [pī'rōp] *(n.)*: البيروب: عقيق أحمرُ قانٍ.

pyrophyllite [pī'rə fĭl'īt] *(G.)*: البيروفلّيت: معدن أبيض أو مُخْضَرّ.

pyrosis [pī rō'sĭs] *(L.)* = heartburn.

pyrostat [pī'rə stăt] *(n.)*: البيروستات: «أ» جهاز للإنذار بحدوث الحرائق. «ب» جهازٌ منظّم للحرارة (فز).

pyrotechnic; -al [pī'rə tĕk'-] *(adj.)*: (١) ناريّ: خاصّ بالألعاب الناريّة (٢) شبيهٌ بالألعاب النارية: مشرق ؛ مثير (~ eloquence).

pyrotechnics [pī'rə tĕk'nĭks] *(n.)*: (١) الناريّات: فنّ صنع الألعاب النارية واستعمالها (٢) عرض ألعاب نارية (٣) عرضٌ أو إظهار (للعاطفة الخ.) مشرقٌ أو مثير.

pyrotechnist [pī'rə tĕk'nĭst] *(n.)*: الاختصاصيّ في الناريات.

pyrotechny [pī'rə tĕk'nĭ] *(n.)* = pyrotechnics 1, 2.

pyrotoxin [pī'rə tŏk'sĭn] *(n.)* = pyrogen.

pyroxene [pī'rŏk sēn'] *(n.)*: البيروكسين: مجموعة من سيليكات المغنسيوم أو المنغنيز الخ. ذات أشكال وأصول مختلفة.

pyroxenite [pī rŏk'sə nīt'] *(n.)*: البيروكسينيت: صخر بركانيّ مؤلّف في الدرجة الأولى من بيروكسين.

pyroxylin; -e [pī rŏk'sə lĭn] *(n.)*: البيروكسيلين: مادة تُحضّر بِنَتْرَتَةِ بعض أشكال السليلوز وتُستعمل بخاصة في إنتاج اللدائن وضروب الورنيش.

pyrrhic [pĭr'ĭk] *(n.; adj.)*: (١) تفعيل ذو مقطعين قصيرين أو غير مشدّدين (عر) §(٢) ذو مقطعين قصيرين أو غير مشدّدين (عر).

Pyrrhic victory [pĭr'ĭk] *(n.)*: الانتصار البيروسيّ: انتصار يُنتزَع بثمن باهظ جداً.

Pyrrhonism [pĭr'ə nĭz'əm] *(n.)*: (١) البيرّونِيّة: مذهب الشكّ عند الفيلسوف الاغريقي بيرّو Pyrrho (٣٦٥ — ٢٧٥ ق. م تقريباً) وأتباعِهِ (٢) الشكّيّة المطلقة ؛ اللاأدرية الفلسفية.

Pythagorean [pĭ thăg'ə rē'ən] *(adj.; n.)*: (١) فيثاغوريّ: «أ» خاص بفيثاغورس الفيلسوف والعالم الرياضي والمصلح الديني الأغريقي (٥٨٢ — ٥٠٠ ق.م. تقريباً) الذي يُنسب إليه مذهب التناسخ. «ب» خاصّ بتعاليم فيثاغورس أو مذهبه §(٢) الفيثاغوريّ: أحد أتباع فيثاغورس. **—Pythagoreanism** *(n.)*

Pythiad [pĭth'ĭ ăd'] *(Gk.)*: البِيثياد: فترة أربع سنوات تفصل بين اثنين من مهرجانات الألعاب البيثيادية عند الاغريق.

Pythian [pĭth'ĭ ən] *(adj.)*: بيثياديّ: ذو علاقة بالإله الاغريقيّ أبولّو أو بمَعْبَد دَلفي.

Pythian games: الألعاب البيثيادية: أحد المهرجانات الوطنية الكبرى عند الاغريق ، وكان يقام في دَلفي مرّة كل أربع سنوات تكريماً للإله أبولّو.

python [pī'thŏn] *(L.)*: الأَصَلَة: ثعبان كبير جداً. **—pythonine** *(adj.)*

python

pythoness [pī'thə nĭs] *(n.)*: (١) كاهنة معبد دَلْفي (٢) الكاهنة ؛ العرّافة.

pythonic [pī thŏn'ĭk] *(adj.)*: كِهانيّ ؛ عِرافيّ.

pyuria [pī yōōr'ĭ ə] *(L.)*: البِيلة القيحيّة ؛ البُوال الصَّديدي (مض).

pyx [pĭks] *(n.)*: (١) حُقّ القربان المقدّس (٢) حُقّ العملة: صندوق في دار لسكّ العملة تحفظ فيه نماذجها (من أجل وزن القِطَع النقدية والتأكد من صفائها وخلوّها من الغشّ).

pyxidium [pĭk sĭd'ĭ əm] *(L.)* pl. **pyxidia** [-'ĭ ə]: (١) الحُقَيْق: غلاف بزُور يتفتّح بالعرض وكأنّه غطاء حُقّ أو علبة (نب) (٢) الثمرة الحُقَيْقِيّة: ثمرة يتفتّح غطاء بذورها على هذا النحو.

pyxidium 1.

pyxie [pĭk'sĭ] *(n.)*: البيكسيّ: نبات أميركي متسلّق.

pyxis [pĭk'sĭs] *(L.)* pl. **pyxides** [pĭk'sə dēz']: (١) حُقّ (٢) علبة مجوهرات (٣) حُقَيْق (را. pyxidium).

ă at; ā date; â care; ä car; ĕ egg; ē me; ĭ in; ī bite; ŏ lot; ō bone; ô orphan; oi boil; o͝o good; o͞o boot; ou out; ŭ under; ū unity; û urgent; th thing; th this; zh vision; ə = *a* in alone, *e* in system, *i* in easily, *o* in gallop, *u* in circus.

Q

The Holy Qur'an

q [kū] *(n. often cap.)* (١) الحرف السابع عشر من الأبجدية الانكليزية (٢) شيء مُعْتَبَرٌ سادسَ عشرَ أو سابعَ عشرَ من حيث الترتيب أو الطبقة (٣) شيء على صورة حرف **Q** .

Q.E.D. [*quod erat demonstrandum*] وهو المطلوب إثباتُه (ر) .

Q.E.F. [*quod erat faciendum*] وهو المطلوب عملُه (ر) .

Q fever [kū'fē'vər] *(n.)* حُمّى كِيْري : حمّى شبيهة بالتيفوس تتّسم بحرارة مرتفعة وبقشعريرة وألم في العضلات (مض) .

qintar [kĭn tär'] *(n.)* القنطار : وحدة عملة في ألبانيا .

qua [kwā] *(adv.)* كَ ... ؛ بوصفه (spoke ~ king) .

quack [kwăk] *(vi.; n.; adj.)* (١) يُبَطْبِطُ (البطّ) ؛ يصيح . (٢) يدجّل ؛ يُشَعْوِذ §(٣) البَطْبَطَة : صوت البط (٤) طبيب دجال (٥) المُشَعْوِذ، الدجّال §(٦) دجّال ؛ مُشَعْوِذ ؛ وبخاصّة : مُدّعٍ معالجة الأمراض .

quackery [kwăk'ə rĭ] *(n.)* تدجيل ؛ شعوذة .

quacksalver [-'săl'-] *(n.)* (١) الدجّال ، المُشعوِذ (٢) طبيبٌ دجّال .

quad [kwŏd] *(n.)* مختصر *quadrangle* أو *quadruplet* .

quad [kwŏd] *(n.; vt.)* (١) الفِرْق ، الرقيقة الفاصلة : صفيحة رقيقة أقصر من الأحرف الطباعية المنضّدة يُستعان بها على التوسيع بين كلمة وأخرى §(٢) يوسّع (بالفروق أو بالرقائق الفاصلة) .

quadrangle [kwŏd'răng'gəl] *(n.)* (١) رباعيّ الزوايا ؛ رباعي الأضلاع (ر) (٢) «أ» ساحة رباعية الزوايا ؛ وبخاصة حين تكون محوطة بالأبنية . «ب» الأبنية المحيطة بساحة رباعية الزوايا .

quadrangular [kwŏd răng'gyə lər] *(adj.)* رباعيّ الزوايا .

quadrant [kwŏd'rənt] *(n.)* (١) الرُّبْعِيّة ، ذات الرُّبع : أداة تُستخدم في الفلك والملاحة لقياس الارتفاع وتتألف من قوس مُقسّم إلى ٩٠ درجة (٢) ربع دائرة (٩٠ درجة) .

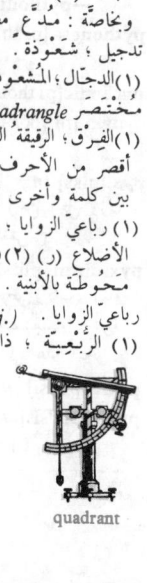

quadrant

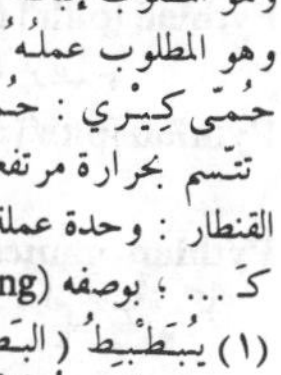

quadrantal [kwŏd răn'təl] *(adj.)* رُبْعِي : خاص برُبْعِيّة (را . المادة السابقة) أو بربع دائرة .

quadrat [kwŏd'rət] *(n.)* فِرْق (را. quad) .

quadrate [*adj.*; *n.* kwŏd'rĭt, -rāt; *v.*-'rāt] *(adj.; n.; vt.; i.)* (١) مُرَبَّع أو شبه مربّع §(٢) مربّع أو شيء مربّع او مستطيل (٣) العظم المربّع : أحد عظمين في جماجم كثير من الفقاريات الدنيا يَتَمَفْصَل بهما الفكّ الأدنى §(٤) يوفّق ، يطابق ×(٥) يتوافق ؛ يتطابق .

quadratic [kwŏd răt'ĭk] *(adj.; n.)* (١) تربيعيّ (جب) . §(٢) معادلة تربيعيّة (جب) .

quadratic equation *(n.)* معادلة تربيعيّة أو ثنائيّة ؛ معادلة من الدرجة الثانية (جب) .

quadratics [-'ĭks] *(n.)* باب المعادلات التربيعيّة أو الثنائية (جب) .

quadrature [kwŏd'rə chər] *(n.)* (١) تربيع ؛ تربيع الدائرة (ر) (٢) التربيع (فل) .

quadrennial [-rĕn'ĭ əl] *(adj.)* أَرْبَعِيّ : «أ» دائمٌ أو (مؤلّف من) أربع سنوات . «ب» حادثٌ أو مُنْجَزٌ كلّ أربع سنوات.

quadrennium [kwŏd rĕn'ĭ-] *(L.)* pl. **-s** *or* **-nia** أربع سنوات

quadri- *or* **quadr-** *or* **quadru-** بادئة معناها : رباعيّ .

quadric [kwŏd'rĭk] *(adj.)* ثُنائيّ ، من الدرجة الثانية (ر) .

quadriceps [kwŏd'rə sĕps'] *(L.)* العضلة الرباعيّة الرؤوس (في مقدّم الفخذ) .

quadrifid [-'rə fĭd] *(adj.)* رباعيّ التقسيم (a ~ petal) .

quadriga [kwŏd rī'gə] *(L.)* pl. **-gae** [-jē] الكُدْرِيجة : مركبة بدولابين تجرّها أربعة جياد شُدّت إليها جنباً إلى جنب .

quadrilateral [-rə lăt'ər əl] *(adj.; n.)* رباعي الاضلاع (هن) .

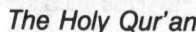

quadrilaterals

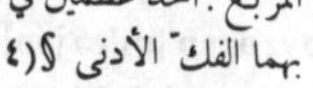

quadrilingual [kwŏd'rə lĭng'gwəl] *(adj.)* رباعيّ اللغة .

quadrille [kwə drĭl'; kə-] *(n.; adj.)* (١) الكَدْرِيل : «أ» لعبة بورق الشدّة لأربعة أشخاص . «ب» رقصة لأربعة أزواج من الراقصين أو موسيقاها §(٢) مُكَدْرَل : ذو مربّعات أو مستطيلات (paper ~) .

quadrillion [kwŏd rĭl'yən] *(F.)* الكَدْرِيليون : رقم مؤلّف من واحد إلى يمينه ١٥ صفراً (في الولايات المتحدة الأميركيّة وفرنسة) أو ٢٤ صفراً (في بريطانية وألمانية) .

quadrinomial [kwŏd'rə nō'mĭ əl] *(adj.; n.)* (١) رباعيّ الحدود (ر) §(٢) كمية رباعيّة الحدود (ر) .

quadripartite [kwŏd'rə pär'tīt] *(adj.)* : (١) رباعيّ التجزّؤ : مقسوم إلى أربعة أجزاء ؛ مؤلّف من أربعة أجزاء (٢) رباعيّ : مشترَك بين أربعة فرقاء (a ~ treaty) .

quadrivalent [kwŏd'rə vā'lənt] *(adj.)* : رُباعيّ التكافؤ (ك) .

quadrivial [-rĭv'ĭ əl] *(adj.)* : ذو طرقٍ أربعٍ تلتقي عند نقطة واحدة.

quadrivium [-rĭv'ĭ əm] *(L.)* : الرُّباعيّة : مجموعة من الدراسات مؤلّفة من الحساب والموسيقى والهندسة والفلك كان يشتمل عليها منهج التعليم للسنوات الثلاث بين درجتي البكالوريوس والماجستير في جامعات القرون الوسطى .

—quadrivial *(adj.)*

quadroon [kwŏd rōōn'] *(Sp.)* : رُبْع الزنجي : شخص رُبْع دَمِهِ زنجي .

quadrumanous [-rōō'mə nəs] *(adj.)* : رباعيّ الأيدي : منسوب إلى رباعيّات الأيدي **Quadrumana** وهي مجموعة من الثدييات تشمل جميع الرئيسات primates ما عدا الانسان (ح).

—quadrumane *(adj.; n.)*

quadruped [kwŏd'rōō pĕd'] *(adj.; n.)* : (١) ذو أربع ؛ رباعيّ الأرجل (٢) حيوان من ذوات الأربع .

—quadrupedal *(adj.)*

quadruple [kwŏd'rōō pəl] *(adj.; n.; vt.; i.)* : (١) رباعيّ (a ~ alliance) (٢) بالغٌ أربعة أضعاف أكثر (٣) عددٌ يبلغ أربعة أضعاف غيره (٤) يضاعف أو يتضاعف أربع مرات .

quadruplet [kwŏd'rōō plĭt] *(n.)* : (١) أحد توائم أربعة . (٢) أربعة من نوع واحد .

quadruplicate [*v.*-rōō'plə kāt; *adj., n.* -kĭt] *(vt.; adj.; n.)* : (١) «أ» يضاعف أربع مرات . «ب» يجعله في أربع نسخ . «ج» يرفعه إلى القوة الرابعة (ر) (٢) «أ» من أربع نُسخ أو صُوَر . «ب» مرفوع إلى القوة الرابعة (ر) (٣) رابعة (file the ~ copy) (٤) واحد من أربعة ؛ نسخة أو صورة رابعة (٥) أربع نسخ متماثلة .

quaestor [kwĕs'tər] *(L.)* : القَسْطُور : موظف رومانيّ قديم مَعْنِيّ بالادارة المالية .

quaff [kwăf; kwäf] *(vt.; i.; n.)* : (١) يَعُبّ : يشرب بجرعات كبيرة (٢) عَبّ .

quag [kwăg] *(n.)* : مُستنقَع .

quagga

quagga [kwăg'ə] *(n.)* : الكُواغة : حمار وحشيّ منقرض من حُمُر جنوب افريقية شبيه بحمار الزَّرَد.

quaggy [-'ĭ] *(adj.)* : (١) سَبِخ ؛ مستنقعيّ (٢) رِخْو ؛ ليّن .

quagmire [-'mīr] *(n.)* : (١) مستنقع ؛ أرض سَبِخة (٢) وَرْطة .

quahog *also* **quahaug** [kwô'hŏg] *(n.)* : الكواهوغ : بطلينوس (سمك صدفيّ) أميركيّ .

Quai d'Orsay [kĕ dôr sĕ'] *(F.)* : وزارة الخارجية الفرنسية .

quail

quail [kwāl] *(n.; vi.)* : (١) السَّلْوَى ؛ السُّمانَى (طا) (٢) يذبل ؛ يذوي (ع) (٣) يَجبن .

quaint [kwānt] *(adj.)* : (١) طريف . (٢) جذّاب (بحكم كونه غير مألوف أو عتيق الطراز) (٣) غريب .

quake [kwāk] *(vi.; n.)* : (١) يهتزّ ؛ يتزلزل (٢) يرتجف ؛ يرتعد . (٣) هزة ؛ زلزال (٤) رجفة ؛ رِعدة .

Quaker [kwā'-] *(n.)* : (١) *not cap.* : المهتزّ ؛ المرتعد (٢) الصاحبيّ : واحدٌ من الأصحاب أو المهتزّين (را. friend 3) .

Quaker gun *(n.)* : المدفع الصاحبيّ : مدفع صُوْريّ مصنوع من خشب في سفينة أو حِصْن (دُعي بذلك إلماعاً إلى كره جماعة الأصحاب أو الكويكرز للحرب) .

quaker-ladies [kwā'kər lā'dĭz] *(n. pl.)* = bluets.

Quaker meeting *(n.)* : (١) الاجتماع الصاحبيّ : اجتماع دينيّ يعقده الصاحبيّون (الكويكرز) ويتميّز عادة بفترات صمت طويلة (٢) الاجتماع الصامت : اجتماع يتّسم بفترات من الصمت كثيرة.

qualification [kwŏl'ə fə kā'shən] *(n.)* : (١) أهليّة ؛ كفاءة . (٢) المؤهِّل : أحد المؤهِّلات .

qualified [-'ə fīd] *(adj.)* : (١) مؤهَّل ؛ كفوء (a ~ doctor) (٢) مشروط ؛ مقيَّد (~ statements) .

qualifier [-'ə fī'ər] *(n.)* : (١) فا qualify (٢) المؤهَّل : شخص ذو أهلية لعمل أو منصب الخ. (٣) القيد ؛ المقيِّد : كلمة أو مجموعة كلمات تحدّد أو تعدّل معنى كلمة أو كلمات أخرى .

qualify [kwŏl'ə fī'] *(vt.; i.)* : (١) «أ» يُقيِّد ؛ يحدّد ؛ يعدّل . «ب» يلطّف ؛ يخفّف (٢) يصف (٣) «أ» يؤهِّل : يجعله مؤهَّلاً لمنصب أو عمل . «ب» يعلن أهليّته . «ج» يفوّض : يزوّده بالصلاحيات الشرعيّة ×(٤) يتكشّف عن أهلية (لمنصب أو عمل) (٥) يكتسب القوة أو الصلاحية الشرعيّة .

qualitative [kwŏl'ə tā'tĭv] *(adj.)* : نوعيّ ؛ كيفيّ : ذو علاقة بالنوع أو الكيفية .

quality [kwŏl'ə tĭ] *(n.)* : (١) «أ» خاصّة ؛ خاصيّة . «ب» سجيّة ؛ خلّة (٢) نوع ؛ نوعيّة (food of poor ~) (٣) طبيعة ؛ مزاج ؛ خُلُق (٤) وصف ؛ صفة (Asad was present, but in ~ of friend, not as lawyer.) (٥) كيفيّة ؛ جودة (used to look for ~ rather than quantity) (٦) «أ» منزلة رفيعة (a man of ~) . «ب» الأرستوقراطية : أفراد الطبقات الرفيعة (٧) الجَرْس ؛ نوع النغمة (مو) .

qualm [kwäm; kwôm] *(n.)* : (١) إحساس مفاجىء بمرض أو إغماء ؛ وبخاصة بغثيان (٢) ارتياب أو خوف مفاجىء (٣) وخز ضمير .

qualmish [kwä'mĭsh] *(adj.)* : (١) مَغْثِيّ ؛ مصاب بغثيان . (٢) مُوَسْوَس « في كل ما يتصل بالضمير أو الأخلاق » .

quamash [kwŏm'ăsh] *(n.)* = camas.

quandary [kwŏn'də rĭ] *(n.)* : مأزق ؛ ورطة .

quant [kwănt] *(n.)* : المُرْدِيّ : عمود يُضرَب به قاع النهر لتسيير المركب.

quanta [kwŏn'tə] *(n. pl. of quantum)* : الكمّات (فز) .

quantifiable [kwŏn'tə fī-] *(adj.)* : قابلٌ للقياس ؛ ممكنٌ قياسه .

quantify [kwŏn'tə fī'] *(vt.)* : يَقِيْس ؛ يحدّد مقدار شيء .

quantitate [kwŏn'tə tāt] *(vt.)* : يقيس أو يقدّر كميّة كذا أو مقداره .

quantitative [kwŏn'tə tā'tĭv] *(adj.)* : كمّيّ ؛ مقداريّ .

quantitative analysis *(n.)* : التحليل الكمّيّ : تحليل كيميائيّ يراد به تحديد مقادير أو نِسَب العناصر المؤلِّفة لمادّة أو مزيج (ك).

quantity [kwŏn'tə tĭ] *(n.)* : (١) كمية ؛ مقدار (٢) كمية كبيرة .

quantize [kwŏn'tīz] *(vt.)* : يُكَمِّي : يَحْسب أو يعبّر بلغة ميكانيكا الكمّ (فز) .

quantized [-tīzd] *(adj.)* : مُكَمَّى : محسوب أو مُعَبَّر عنه بلغة ميكانيكا الكمّ (فز) .

quantum [kwŏn'-] *(L.)* pl. **-ta** [-tə] : (١) كمية ؛ مقدار (٢) جزء أو حصة (٣) الكمّ : «أ» أصغر مقدار من الطاقة يمكن أن يوجد مستقلاً . «ب» هذا المقدار من الطاقة باعتباره وحدةً (فز) .

quantum mechanics *(n.)* : ميكانيكا الكمّ (فز) .

quantum sufficit [sŭf'ə sĭt] *(L.)* بالقَدْر الكافي .

quantum theory *(n.)* نظرية الكمّ : نظرية تقول بأن عملية ابتعاث (إصدار) أو امتصاص الطاقة من قِبَل الذرات أو الجزيئات لا تتمّ على نحو متواصل ولكنْ على مراحل . كلّ منها كنايةٌ عن ابتعاث أو امتصاص مقدارٍ من الطاقة يدعى « الكمّ » (فز) .

quarantinable [kwŏr'-] *(adj.)* مُوْجِبٌ للحَجْر الصحّي .

quarantine [kwôr'ən tēn'] *(n.; vt.; i.)* (١) مدة أربعين يوماً . (٢) «أ» حَجْرٌ صحّي . «ب» مَحْجَرٌ صحّي : « كرنتينا » (٣) عُزْلة إلزاميّة §(٤) يَحْجر عليه صحيّاً (٥) يَعْزِلُه اقتصاديّاً أو سياسيّاً ×(٦) يقيم أو يعلن الحجر الصحّي .

quarrel [kwôr'əl] *(n.; vi.)* (١) سَهم مربّع الرأس (يُستعمل في القوسِ والنشاب الخ.) (٢) لوح زجاجيّ صغير مربّع أو معيّن (را. diamond) الشكل (يُستعمَل في النوافذ) (٣) إزميل البنّاء (٤) سبب للنزاع أو الشكوى (Bullies like to pick ~s.) (٥) نزاع ؛ شجار §(٦) «أ» يعيب ؛ ينتقد . «ب» يختلف مع (٧) يتنازع ؛ يتشاجر .

quarrels 2.

quarrelsome [-'əl səm] *(adj.)* مشاكس ؛ مُحِبّ للنزاع والخصام .

quarrier [kwôr'ĭ ər] *(n.)* الحجّار : مستخرج الحجارة من مقْلَع .

quarry [kwôr'ĭ] *(n.; vt.)* (١) طريدة ؛ وبخاصة : طريدة تصاد بواسطة الكلاب أو الصقور (٢) «أ» فريسة . «ب» كلّ ما يُطارَد أو يُهاجَم (٣) المُحتَجَر : مَقْلع الحجارة (٤) حجرٌ أو آجرّة أو لوح زجاجيّ معيّن (را. diamond) الشكل §(٥) يَحتجِر : يقتلع الحجارة من مَقْلع (٦) يَتَّخِذ منه مقلعاً (to ~ land) .

quarrying [kwôr'-] *(n.)* الاحتجار : استخراج الحجارة من مقلع .

quart [kwôrt] *(n.)* الكوارْت : رُبْع غالون .

to put a ~ into a pint pot يحاول المستحيلَ .

quartan [kwôr'tən] *(adj.; n.)* (١) رِبْعِيّ : متكرر كلِّ رابع يوم §(٢) حُمّى الربْع : حمّى تعرِض للمريض يوماً وتدعه يومين ثم تعود إليه في اليوم الرابع (مض) .

quarter [kwôr'tər] *(n.; vt.; i.; adj.)* (١) الرُّبْع : نصف النصف . (٢) الكوارتَرْ : وحدة وزن تساوي ٢٨ باونداً (في بريطانية) أو ٢٥ باونداً (في الولايات المتحدة الأميركية) (٣) ربع ساعة (٤) فصل ؛ ربع سنة (٥) ربع دولار (٦) الرُّبْع : أحد أقسام أربعة تُقْسَم إليها الذبيحة (٧) «أ» اتجاه ؛ اتجاه الإبرة المغنطيسية . «ب» شخص ؛ جماعة . «ج» نقطة ؛ جهة ؛ مكان (٨) «أ» حيّ (من مدينة) . «ب» أبناء الحيّ (٩) «أ» محطة ؛ مركز . «ب» *pl.* : مسكن ؛ مأوى (١٠) رحمة ؛ هوادة ؛ وبخاصة : الابقاء على حياة عدوّ مهزوم (١١) جزء من جانب السفينة قريبٌ من مؤخّرها (١٢) «أ» أحد الأقسام الأربعة التي ينقسم إليها الترس . «ب» شعار يحتلّ ربعَ الترس الأيمنَ الأعلى (١٣) جانب من أعلى الحذاء §(١٤) يقسم إلى أربعة أجزاء متساوية (١٥) يُنزِل ؛ يؤوي ×(١٦) ينزِل ؛ يقيم (١٧) تهبّ (الريح) على جزء من جانب المركب قريب من مؤخّره (The wind ~s.) §(١٨) رُبْعِيّ : مساوٍ للربْع .

a bad ~ of an hour خِبرة (تجربة) قصيرة ولكنها بغيضة (كالتي يمرّ بها المرء حين يجلس بين يدي طبيب الأسنان) .

at close ~s على مقربة دانِيَة ؛ على نحوٍ متلاحم .

quarterage [kwôr'tər ĭj] *(n.)* الرُّبْعِيّة : ضريبة أو قِسْط أو أجرٌ يصار إلى دفعه مرة كل ثلاثة أشهر .

quarterback [kwôr'tər băk'] *(n.; vt.)* (١) الظَّهير الرُّبْعِيّ : لاعب يتخذ مكانه في الجزء الخلفي من الملعب (في كرة القدم) ويوجّه حملات فريقِهِ الهجوميّة §(٢) يوجه حملات الفريق الهجوميّة (في كرة القدم) (٣) يرئس ؛ يوجّه (إداريّاً) .

quarter day *(n.)* اليوم الفصليّ أو الرُّبْعِيّ : اليوم الأوّل من الفصل أو ربع السنة (تستحقّ فيه دفعةٌ رُبعيّة را. quarterage) .

quarterdeck [kwôr'tər dĕk'] *(n.)* (١) سطح مؤخّر المركب . (٢) جزء من سطح السفينة الحربيّة مخصّص للضباط .

quartered [-'tərd] *(adj.)* (١) مقسّم إلى أرباع (٢) مجهّز للسكنى .

quarterfinal [kwôr'tər fī'nəl] *(adj.; n.)* (١) رُبْعنهائيّ : سابقٌ للمباريات نصف النهائية (في دورة رياضية) §(٢) مباراة رُبْعنهائية (٣) *pl.* : دورة رياضية رُبْعنهائية .

quarter horse *(n.)* الفَرَس الرُّبْعِيّ : فرس سريع العدو (دعي بذلك لما يتميّز به من سرعة فائقة في المسافات التي تبلغ ربع ميل) .

quarter hour *(n.)* رُبْع ساعة .

quartering [kwôr'tər ĭng] *(n.; adj.)* (١) تقسيم إلى أرباع (أو إلى عدد آخر من الأجزاء) (٢) إيواء ؛ إنزال ؛ إحلال (٣) قسمة الترس إلى أربعة أجزاء (أو أكثر) §(٤) قاسمٌ إلى أرباع (٥) هابّ على (أو لاطِمٌ لِ) جانب السفينة القريب من مؤخّرها (~ winds; ~ waves) (٦) متعامد : واقع على زوايا قائمة .

quarterly [kwôr'tər lĭ] *(adj.; adv.; n.)* (١) فَصْليّ : حادثٌ أو مُنْجَزٌ أربع مرات في السنة §(٢) فَصْليّاً : مرةً كل ثلاثة أشهر §(٣) الفصلية : مجلة تصدر أربع مرات في العام .

quartermaster [kwôr'-] *(n.)* (١) الرئيس البحري : ضابط صغير مكلّف بإعطاء الإشارات والاشراف على أجهزة الملاحة (في البحرية) (٢) أمين الامدادات والتموين (في الجيش) .

quartern [kwôr'tərn] *(n.)* (١) رُبْع (٢) الأَرْبَعيّ : رغيف يزن أربعة باوندات تقريباً (بر) .

quarter note *(n.)* النغمة الرُّبعية ؛ نغمة الرُّبْع (مو) .

quarter-phase [kwôr'tər fāz'] *(adj.)* ثُنائيّ الطَّوْر (كب) .

quarter section *(n.)* أرضٌ مساحتها رُبْع ميل مربّع .

quarter sessions *(n. pl.)* المحكمة الفَصْليّة : «أ» محكمة انكليزيّة محليّة تُعقَد أربع مرات في السنة . «ب» محكمة محلية مماثلة (في بعض الولايات الأميركيّة) .

quarter staff *(n.)* النَّبّوت : سلاح انكليزيّ قديم.

quartet *also* **quartette** [kwôr tĕt'] *(It.)* (١) الرُّباعيّة : لحن مُعَدّ لأربع آلات أو لأربعة أصوات (مو) (٢) الرباعيّ : مجموعة من أربعة . وبخاصة : الموسيقيون العازفون مقطوعةً رباعية.

quartic [-'tĭk] *(adj.)* من الدرجة الرابعة (a ~ equation) .

quarto [-'tō] *(L.)* (١) قَطْع الرُّبع (٢) كتاب من قطع الرُّبْع .

quartz [kwôrts] *(G.)* المَرْو ؛ الكوارتْز (مع) .

quartz glass *(n.)* زجاج المَرْو ؛ زجاج الكوارتز .

quartziferous [kwôrt sĭf'ər əs] *(adj.)* مَرْوِيّ ؛ كوارتزي .

quartzite [kwôrts'īt] *(n.)* الكوارتزيت : صخر كوارتزيّ حُبَيْبِيّ .

quasar *(n.)* النجم الزائف ؛ شبه النجم.

quash [kwŏsh] *(vt.)* (١) يُبطِل ؛ يلغي (٢) يسحق ؛ يقمع .

quasi [kwā'sī; -zī] *(adv.; adj.)* (١) ظاهريّاً ؛ على نحوٍ شبه.. ؛ إلى درجة ما . بمعنى ما (~ officially) §(٢) شِبْه (~ war) .

quasi-stellar object = quasar.

quass [kväs] *(n.)* = kvass.

quassia [kwŏsh'ə] *(L.)* الكُواسية : «أ» نبات طبّيّ مُرّ . «ب» عقّار يُتّخَذ من الكواسية (لقتل الديدان المعوية الخ.) .

quaternary [kwə tûr'nə rĭ] *(adj.; n.)* (١) رُباعي: مؤلّف من أربعة (٢) رُباعَ رُباعَ: مرتَّبٌ أربعةً أربعةً (٣) رابعيّ: خاص بالدهر الرابع (جي) §(٤) مجموعة من أربعة (٥) العدد ٤ (٦) الرابع من حيث الترتيب أو المنزلة (٧) *cap.*: الدهر الرابع (جي).

quaternion [kwə tûr'nĭ ən] *(n.)* الرُباعية: مجموعة من أربعة أجزاء أو أشياء أو أشخاص.

quatrain [kwŏt'rān] *(F.)* الرُباعيّة: مقطوعة شعرية رباعيّة الأبيات.

quatrefoil [kăt'ər foil'; kăt'rə-] *(n.)* (١) «أ» الزهرة الرُباعية: زهرة ذات أربع ورقات. «ب» الورقة الرُباعيّة: ورقة ذات أربع وُرَيْقات (نب) (٢) الحِلية الرُباعيّة: حِلية ذات أربعة فصوص أو أربع ورقات (عم).

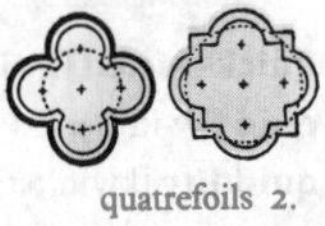

quatrefoils 2.

quattrocento [kwät'trô chĕn'tô] *(It.)* القرن الخامس عشر (وبخاصة بالإشارة إلى الفنّ والأدب الايطاليين).

quaver [kwā'vər] *(vi.; t.; n.)* (١) يرتعش؛ يتهدّج (٢) يتكلم أو يغنّي بتهدّج §(٣) تهدّجٌ (٤) ذات السن: نغمة موسيقية خاصة.

quaver rest *(n.)* اللُحَيْظة (مو).

quavery [kwā'vər ĭ] *(adj.)* مرتعش؛ متهدّج.

quay [kē; kā] *(n.)* رصيف الميناء (لتحميل السفن أو تفريغها).

quay

quayage [kē'ĭj] *(n.)* (١) رسم الرصيف: رسم يدفع لقاء استخدام رصيف الميناء (٢) «أ» موضع في رصيف ميناء. «ب» مساحة مخصَّصة لرصيف ميناء (٣) أرصفة الموانىء.

quayside [kē'sīd] *(n.)* جانب الرصيف: أرض محاذية لرصيف الميناء.

quean [kwēn] *(n.)* (١) بغيّ؛ مومس (٢) فتاة (اسك).

queasy *also* **queazy** [kwē'zĭ] *(adj.)* (١) مُغثٍ: مسبّبٌ للغثيان. (٢) «أ» مُغْثِي: مصاب بالغَثَيان. «ب» سريع الغثيان (٣) مُقْلِق (٤) قلِق؛ مضطرب (٥) حسّاس؛ موسوس؛ سريع الانزعاج.

quebracho [kā brä'chō] *(Sp.)* (١) الكَبْراش: شجرٌ صُلْب الخشب يُستعمل لحاؤه في الدباغة الخ. (٢) خشب الكَبْراش أو لحاؤه.

queen [kwēn] *(n.; vi.; t.)* (١) مَلِكة (٢) ملكة جمال (٣) الملكة (في الشطرنج) (٤) البنت (في ورق اللعب) (٥) مَلِكة النحل أو النمل الخ. (٦) اللُوطِيّ؛ مُشْتَهي المُماثِل (ع) §(٧) يتصرّف تصرّف المَلِكة (٨) يصبح (بيدق الشطرنج) ملِكةً ×(٩) يرفع (بيدقاً ضعيفاً) إلى مقام ملِكة.

Queen Anne [ăn] *(adj.)* من طراز الملكة حنّة الانكليزية (١٧٠٢—١٧١٤) في الأثاث والعمارة.

Queen Anne's lace *(n.)* الجَزَر البرّي (نب).

queen consort *(n.)* زوجة الملِك الحاكم.

queendom [kwēn'dəm] *(n.)* (١) مملكة الملِكة (٢) مقام المِلكة.

queen dowager *(n.)* المَلِكة الأرملة؛ أرملة المَلِك.

queenhood [kwēn'hood'] *(n.)* مَقام الملكة.

queenly [kwēn'lĭ] *(adj.; adv.)* (١) مَلَكِيّ: «أ» خاص بملكة (~ rank). «ب» لائق بملكة (~ dignity). «ج» فخم؛ جليل §(٢) على نحو جليل أو لائق بملكة.

queen mother *(n.)* الملكة الوالدة: أرملة الملِك السابق وأمُّ الملك الحاكم.

queen olive *(n.)* (١) الزيتون المَلَكيّ: زيتون لَحِيم الثمر ضَخْمُه (٢) الزيتون الملَكيّ الأشبيلي (من اشبيلية بأسبانية).

queen post *(n.)* قائم الجَمَلُون (عم).

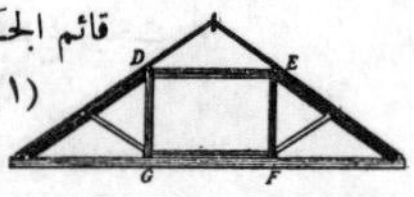

DG, EF queen posts

queen regent *(n.)* (١) الملكة الوصية على العرش (٢) صاحبة التاج؛ الملكة الحاكمة.

queen regnant *(n.)* صاحبة التاج؛ الملكة الحاكمة.

queer [kwĭr] *(adj.; adv.; vt.; n.)* (١) «أ» غريب؛ غير مألوف أو سَوِيّ. «ب» شاذّ الأطوار. «ج» به مَسّ. «د» مهووس بِـ. «هـ» منحرف جنسياً: لوطيّ؛ مشتهي المماثل (٢) رديء؛ تافه؛ زائف (٣) مُريب: موضع شك وارتياب (٤) متوعك المزاج (to feel ~) §(٥) على نحو غريب الخ. §(٦) يُفسد (~ *ed* our plans) (٧) يورط؛ يوقع (شخصاً) في ورطة الخ. §(٨) شخص غريب أو شاذّ الأطوار، وبخاصة: اللوطي؛ مشتهي المماثل (ع) (٩) عملة زائفة (ع).

in *Queer* street (١) مَدين؛ مديون (٢) في ورطة؛ في حَيْصَ بَيْصَ.

quell [kwĕl] *(vt.)* (١) يقمع؛ يُخضِع (٢) يلطّف؛ يهدىء (المشاعر).

quench [kwĕnch] *(vt.; i.)* (١) يطفىء (to ~ a fire) (٢) يتغلّب على (to ~ hate) (٣) يقمع؛ يُخمِد (to ~ a riot) (٤) يَنْقَع؛ يَرْوي (to ~ thirst) (٥) يُسقّي: يبرّد (الفولاذ المحمى) فجأة بغمسه في الماء أو الزيت لتقسيته (٦) يكبت؛ يكبح ×(٧) ينطفىء؛ يُخمد؛ يهدأ الخ. **—quencher** *(n.)*

quenched steel *(n.)* الفولاذ المُسقّى.

quenchless [-'lĭs] *(adj.)* لا يُطفأ؛ لا يُخمَد؛ لا يُنْقَع الخ.

quercitron [kwûr'sĭt'rən] *(n.)* (١) الكَرْسِترون: ضرب من السنديان أو البلوط (نب) (٢) لِحاؤه المستخدم في الدباغة والصباغة.

querist [kwĭr'ĭst] *(n.)* السائل؛ المتسائل.

quern [kwərn] *(n.)* مِجرشة؛ مِطحنة يدوية.

querulous [kwĕr'ə ləs] *(adj.)* (١) كثير التشكّي؛ دائم الشكوى. (٢) بَرِم؛ نكِد؛ مُتّسِمٌ بالشكوى (a ~ tone).

query [kwĭr'ĭ] *(n.; vt.)* (١) سؤال؛ تساؤل (٢) شكّ. (٣) علامة استفهام §(٤) يسأل؛ يستفهم (٥) يتساءل (٦) يشكّ في؛ يُبْدي شكّه في (٧) يضع علامة استفهام (طع).

~, where are we to find the money? تُرى، من أين لنا أن نأتي بالمال؟

quest [kwĕst] *(n.; vi.; t.)* (١) تحقيق (٢) بحث؛ تنقيب. (٣) مَطْلَب؛ ضالّة منشودة §(٤) «أ» يلتمس (الكلبُ) الطريدةَ. «ب» ينبح (٥) يبحث عن ×(٦) يطلب.

in ~ of بحثاً عن.

question [kwĕs'chən] *(n.; vt.; i.)* (١) «أ» سؤال. «ب» مسألة؛ قضية. «ج» جدل أو خلاف (a ~ arose about the ownership of ...). «د» اقتراح يُطرَح على التصويت. «هـ» طرح الاقتراح على التصويت (٢) «أ» استفهام؛ استطلاع. «ب» استجواب. «ج» تعذيب (كوسيلة لانتزاع الاعتراف). «د» شكّ؛ اعتراض. «هـ» مجال للشكّ أو الاعتراض. «و» سبيل؛ مجال؛ امكانية (no ~ of escape) §(٣) يسأل؛ يستفهم (٤) يشك أو يرتاب في (She ~*ed* the truth of his story.) (٥) يستجوب (They were ~*ed* by the police.)

in ~, المتكلَّم عنه؛ الذي نحن بصدده.

out of the ~, مستحيل؛ غير وارد.

Question! صيغة تستعمل في الاجتماعات العامة لتنبيه

المتكلم إلى أنّه قد خرج عن موضوع البحث أو
التعبير عن الشك في صحّة شيء قاله .

to call something in ~ , بشكّ في ؛ يعترض على

to come into ~ , يصبح موضوع بحث ؛ يصبح
ذا أهمية عملية .

to put the ~ , يطرح (اقتراحاً) على التصويت .

without ~ , من غير شكّ أو جدال .

questionable[kwĕs'chən ə bəl] (adj.) موضع شك ؛ مشكوك فيه

questionary [kwĕs'chə nĕr'ĭ] (n.) = questionnaire.

questionless [kwĕs'chən-] (adj.) (١) لا شكّ أو جدال فيه .
(٢) كامل ؛ منجَز من غير مناقشة أو اعتراض .

question mark (n.) علامة استفهام (؟) .

questionnaire [kwĕs'chə när'] (F.) الاستفتاء ؛ الاستبيان :
أسئلة توجّه إلى عدد من الناس استطلاعاً لآرائهم في قضايا معيّنة .

question time (n.) فترة الأسئلة : فترة في جلسة برلمانية يوجّه النوّاب
خلالها أسئلتهم إلى الوزراء حول شؤون تتصل بوزاراتهم .

questor [kwĕs'tər; kwēs'-] (n.) = quaestor.

quetzal [kĕt säl'] (Sp.) (أ) طائر من طيور
أميركة الوسطى . (ب) وحدة النقد في غواتيمالا .

queue [kū] (n.; vt.; i.) (١) ضفيرة (مرسَلة على
الظهر عادة) (٢) رتَل ؛ صفّ ؛ طابور (٣) يصطفّ في
رتل (٤) × يصطفّ أو ينتظر في رتل . —**queuer** (n.)

quibble [kwĭb'əl] (n.; vi.) (١) مراوغة ؛ مواربة (٢)
مماحكة (٣) اعتراض أو انتقاد طفيف (٣) يراوغ ؛
يوارب ؛ يماحك (٤) يعترض ؛ ينتقد .

quick [kwĭk] (adj.; adv.; n.) (١) سريع (٢) ذكيّ
(students ~) (٣) نزق (٤) رشيق (a ~ temper)
(steps ~) (٥) سريع الغضب (٦) جارٍ ؛ غير
راكد (م.ق) (٧) لاذع (م.م) (٨) حبلى (م.ق) (٩) حادّ (turns ~)
(in the road) (١٠) سهل التحويل إلى نقد (اد) (١١) بسرعة
(the ~ and the dead) (١٢)§ (١٣) العراق (the ~ of the matter) صميم : لبّ ؛ جوهر (١٤) ما
أحاط بالظفر .

to the ~ , في الصميم .

quick bread (n.) الخبز السريع : خبز يُعَدّ بالاستعانة بخميرة
خاصة تجعل خبزه أسرع .

quicken [kwĭk'ən] (vt.; i.) (١) (أ) يحيي . (ب) يثير
(to ~ the imagination) (٢) يُذكي النار (٣) يعجّل ؛
يسرّع (ed his pace ~) (٤) يجعل (المنحنى) أكثر حدّة
(seed that ~s and becomes) (٥)§ ينمو ؛ تدبّ فيه الحياة ×
(ripe grain) (٦) يرتكض (الجنين) في البطن (٧) يزداد
سطوعاً (٨) يَنْشَط ؛ يسرع (ed~ . My pulse) .

quick-firing [kwĭk'fīr'-] (adj.) سريع الطلقات .

quick-freeze [kwĭk'frēz'] (vt.) يثلّج (الطعام) تثليجاً
سريعاً (يؤدي إلى احتفاظه بنكهته الأصلية) .

quickie [kwĭk'ĭ] (n.) (أ) كل ما يُتعجّل في صنعه
سواء أكان كتاباً أو رواية أو فيلماً سينمائياً رخيصاً . (ب) شراب
كحولي يُعَبّ دفعة واحدة .

quicklime [-'līm] (n.) الجير الحيّ : جير أو كِلس غير مطفَأ .

quick-lunch [kwĭk'lŭnch'] (n.) المغذّى السريع : مطعم
مختصّ في تقديم وجبات الغذاء السريعة .

quickly [kwĭk'lĭ] (adv.) (١) بسرعة ؛ بعجلة الخ .(٢) قريباً ؛ عاجلاً

quickness [kwĭk'-] (n.) سرعة ؛ عجلة ؛ ذكاء ؛ رشاقة الخ .

quicksand [-'sănd] (n.) الوَعْث : الرمل اللين تغيب فيه الأقدام .

quickset [kwĭk'sĕt] (n.) (١) الزعرور البري ونحوه (٢) سياج
أو أجمة من الزعرور البري ونحوه .

quicksilver [kwĭk'-] (n.; adj.) (١) زئبق (٢)§ زئبقيّ .

quickstep [kwĭk'-] (n.) الخطوة السريعة (في الرقص وسير الجند) .

quick-tempered [kwĭk'-] (adj.) حادّ الطبع ؛ سريع الغضب .

quick time (n.) الخطو السريع : ضرب من سير الجند
(١٢٠ خطوة ؛ طول كل منها ٣٠ إنشاً ؛ في الدقيقة الواحدة) .

quick-witted [kwĭk'wĭt'ĭd] (adj.) حادّ الذكاء ؛ حادّ الذهن .

quid [kwĭd] (n.) (١) مُضْغة ؛ وبخاصة من التبغ (٢) جنيه (ع) .

quiddity [kwĭd'ə tĭ] (n.) (١) نقطة تافهة أو فارق دقيق (في
المجادلة) (٢) غريبة ؛ ظاهرة غريبة (٣) جوهر ؛ ماهية .

quidnunc [kwĭd'nŭngk'] (L.) (١)الفضولي (٢)محبّ القيل والقال .

quid pro quo [kwĭd' prō kwō'] (L.) تعويض ؛ بدَل ؛ مقابل .

quién sabe [kyĕn sä'bĕ] (Sp.) مَن يدري ؟

quiescence ; quiescency [kwī ĕs'-] (n.) همود (مج) ؛
سكون ؛ هدوء .

quiescent [kwī ĕs'ənt] (adj.) هامد؛ ساكن ؛ هادئ .

quiet [kwī'ət] (n.; adj.; adv.; vt.; i.) (١) هدوء ؛ سكون ...
(٢)§ (أ) هادئ ؛ ساكن . (ب) مطمئن البال . (ج) دَمِث .
(a ~ cup of coffee) (د) هادئ : مستمتَع به في طمأنينة واسترخاء
(٣) (أ) مُحافظ (her ~ clothes) . (ب) هادئ : غير صارخ
أو فاقع (a ~ color) (٤) منزل (٥)§ بهدوء (a quiet-running
motor)§ (٦) (أ) يهدئ ؛ يسكّن . (ب) يُسكِت
(ج) يُطمئِن (شخصاً) (٧) يجعله خالصاً من الشك أو الخلاف .
(to ~ title) (٨) × يهدأ ؛ يَسكُن الخ .

on the ~ , سرّاً ؛ بصورة سرّية .

quieten [-'ə tən] (vt.; i.) (١)يهدّئ ؛ يسكّن(٢)يهدأ ؛ يَسكُن .

quietism [-'ə tĭz'əm] (n.) (١) تصوّف (٢) طمأنينة .

quietude [kwī'ə tūd; -tōōd] (n.) (١)هدوء ؛ سكون (٢) طمأنينة .

quietus [kwī ē'təs] (n.) (١) تسديد الدَّين (٢) الراحة ؛ وبخاصة
الموت (٣) الضربة القاضية ؛ طعنة الإجهاز ؛ المسمار الأخير
(في نعش كذا) (٤) سكون ؛ خمود ؛ لا نشاط .

to give a person his ~ , يقتله أو يُجهِز عليه .

to give a ~ to a rumor يضع حدّاً للإشاعة .

quill [kwĭl] (n.; vt.) (١) (أ) الوشيعة ؛ المكّوك : كل ما يُلَفّ
عليه الغزْل . (ب) عمود دوران أجوف (ملك) . (ج) لفّة من
لحاء مجفّف (٢) (أ) عراق ريشة الطائر : أنبوبتها القرنية
الجوفاء . (ب) ريشة الطائر ؛ وبخاصة : القادمة (واحدة القوادم) .
(ج) شوكة من أشواك القنفذ الحادّة (٣) كل أداة تُصْنَع على
شكل عراق ريشة الطائر ، مثل : (أ) الريش القلَميّ (مج) :
البراعة . (ب) الخلال : عود تُخلَّل به الأسنان . (ج) الريشة
الموسيقية (تُنقَر بها الأوتار) (٤) طَوْف أو فلِّينة صنارة الصيّد
(٥)§ (أ) يلفّ (الخيط أو الغزْل) على وشيعة . (ب) يغضّن أو
يُحْدِث سلسلة من الثنيات الصغيرة المستديرة (في قماش) .

quilling [kwĭl'-] (n.) ثنية صغيرة مستديرة (في قماش) .

quill driver (n.) الكاتب ؛ حامل القلم .

quilt [kwĭlt] (n.; vt.; i.) (١)لِحاف ؛ مضرّبة (٢)شيء مضرّب
أو شبيه باللحاف (٣)§ (أ) يضرب اللحاف : يحشوه ويخيّطه .
(ب) يَبدُرز أو يخيط أو يكسو بخطوط وتقاطيع كخطوط

Footer (pronunciation key)

ă at; ā date; â care; ä car; ĕ egg; ē me; ĭ in; ī bite; ŏ lot; ō bone; ô orphan; oi boil ōō good; ōō boot; ou out;
ŭ under; ū unity; û urgent; th thing; ŧħ this; zh vision; ə = a in alone, e in system, i in easily, o in gallop, u in circus.

المضرَّبات. «ج» يضع أو يثبِّت في جيوب صغيرة (to ~ money in one's belt) ×(٤) بصنع اللُّحُف . **—quilter** *(n.)*

quilting [kwĭl'tĭng] *(n.)* (١) التضريب : حَشْوُ اللُّحُف وخياطتُها (٢) مواد التضريب .

quinacrine[kwĭn'ə krēn] *(n.)* الكينكرين : عقّار مضادّ للملاريا .

quinary [kwī'nə rĭ] *(adj.)* (١) خُماسيّ : مؤلَّف من خمسة . (٢) مُخمَّس : مرتَّبٌ خمسةً خمسةً .

quinate [kwī'nāt] *(adj.)* خُماسيّ . وبخاصة : ذو وُرَيقات خمس .

quince [kwĭns] *(n.)* السَّفَرجَل (شجرةً وثمره) .

quincuncial[kwĭn kŭn'shəl]; **quincunxial**[-'sĭ əl] *(adj.)* تخميسي : خاص بتخميسة (را. المادة التالية) أو مرتَّبٌ على شكل تخميسة .

quincunx[kwĭn'kŭngks] *(L.)* (١) التخميسة : المربّع (أو المستطيل) المخموس : مجموعة من خمسة أشياء أربعة منها في الزوايا والخامس وسطَ مربَّع أو مستطيل (٢) تخميسة بَتَلات أو ورقات (نب).

quindecagon [kwĭn dĕk'ə gŏn'] *(n.)* الخَمْسَعْشَريّ : شكل ذو ١٥ زاوية وضلعاً (هن) .

quindecennial [-dĭ sĕn'ĭ əl] *(adj.; n.)* (١) خَمْسَعْشَريّ : خاصّ بخمس عشرة سنة أو بذكرى انقضاء خمس عشرة سنة §(٢) الذكرى الخَمْسَعْشَريّة .

quinidine [kwĭn'ə dēn'] *(n.)* الكينيدين : مادة شبيهة بالكينين تُعالَج بها الملاريا الخ . (صي) .

quinine [kwī'nīn; kwĭ nēn'] *(Sp.)* الكينين : مادة شبه قلويّة شديدة المرارة تُعالَج بها الملاريا (ك) .

quinine water *(n.)* ماء الكينين : شرابٌ غازيّ مُنكَّهٌ بقليل من الكينين والليمون الحامض الخ .

quinoid[kwĭn'oid] *(n.)* المركّب الكينوناني : مركّب شبيه بالكينون .

quinoidine [kwĭ noi'dēn] *(n.)* الكينودين : مادة تنتج كحصيلة ثانية عند صُنع الكينين وتُتَّخذ بديلاً رخيصاً عنه (صي) .

quinone [kwĭ nōn'] *(n.)* الكينون : مركّب متجازىء متبلّر (ك) .

quinonoid [kwĭn'ə noid] *(adj.)* كينونانيّ : شبيهٌ بالكينون .

Quinquagesima [kwĭn'kwə jĕs'ə mə] *(L.)* أحد الخمسين : الأحد السابق للصوم الكبير (نص) .

quinque- *or* **quinqu-** بادئة معناها : خمسة ؛ خُماسيّ .

quinquefoliolate[kwĭn'kwə fō'lĭ ə lĭt;-lāt'] *(adj.)* خُماسيّ الوُرَيقات (نب) .

quinquennial [kwĭn kwĕn'ĭ əl] *(adj.; n.)* (١) دائم (أو مؤلف من) خمس سنوات (٢) حادثٌ أو مُجرىً كلَّ خمس سنوات §(٣) شيء يحدث كلَّ خمس سنوات (٤) الذكرى الخماسيّة : ذكرى انقضاء خمس سنوات على . . (٥) الولاية الخماسيّة : ولاية لمنصب مدّتها خمس سنوات .

quinquennium [kwĭn kwĕn'-] *(L.)* pl. **-s** *or* **-quennia** خمس سنوات .

quinquepartite [kwĭn'kwə pär'tīt] *(adj.)* خماسيّ الأجزاء .

quinquevalent[kwĭn'kwə vā'lənt] *(adj.)* خماسيّ التكافؤ (ك) .

quinsy[kwĭn'zĭ] *(n.)* الخُوَاق الصَّدِيديّ ؛ التهاب اللوزتين التقيّحي .

quint [kwĭnt] *(F.)* (١) الكِينْت ، المنظومة الخماسيّة : سلسلة مؤلفة من خمس أوراق ذات نقش واحد (في ورق اللعب) (٢) quintuplet .

quintain [kwĭn'tĭn] *(n.)* هَدَف ؛ رَمِيّة ، وبخاصة : عمود منصوب شُدَّت إليه رَمِيّة .

quintal [kwĭn'təl] *(n.)* الكِنْتال ؛ القنطار : «أ» مئة باوند (في الولايات المتحدة الأميركيّة) . «ب» ١١٢ باونداً (في بريطانية) . «ج» مئة كيلوغرام (في فرنسة) .

quintan [kwĭn'tən] *(adj.; n.)* (١) خِمْسيّ : متكرر كل خامس يوم (مع إدخال هذا اليوم الخامس في الحساب عند العدّ) §(٢) حُمّى الخِمْس : حمّى تعرض للمريض يوماً وتدعه ثلاثة أيام ثم تعاوده في اليوم الخامس .

quintessence[kwĭn tĕs'əns] *(n.)* (١) جوهر ؛ خلاصة (٢) مثال ؛ عنوان . (Salma's costume was the ~ of good taste.)

—quintessential *(adj.)*

quintet *also* **quintette**[kwĭn tĕt'] *(It.)* (١) الخُماسيّة : مقطوعة مُعَدّة لخمس آلات أو لخمسة أصوات (مو) (٢) الخماسيّ : مجموعة من خمسة ، وبخاصة : «أ» الموسيقيون العازفون مقطوعةً خماسيّة . «ب» فريق رجاليّ لكرة السلّة .

quintillion [kwĭn tĭl'-] *(n.; adj.)* (١) الكِنتيليون : عدد مؤلّف من واحد إلى يمينه ١٨ صفراً (في الولايات المتحدة الأميركيّة وفرنسة) أو ٣٠ صفراً (في بريطانية وألمانية) §(٢) كِنتيليونيّ .

quintuple [kwĭn'tyōō pəl] *(adj.; vt.; i.)* (١) خُماسيّ : مؤلّف من خمس وحدات أو خمسة أعضاء (٢) أكبر بخمسة أضعاف §(٣) يضاعف أو يتضاعف خمس مرّات .

quintuplet [kwĭn'tyōō plĭt] *(n.)* (١) الخماسيّة : خمسة من نوعٍ واحد (٢) «أ» أحد توائم خمسة. «ب» *pl.* : خمسة توائم .

quintuplicate [*adj.* kwĭn tyōō'plĭ kĭt; *v.* -kāt] *(adj.; vt.)* (١) من خمس نسخ (٢) خامسة (the ~ copy) §(٣) يضاعف خمس مرّات ؛ يجعله في خمس نسخ .

quip[kwĭp] *(n.; vt.; i.)* (١) «أ» كلمة أو ملاحظة بارعة أو ظريفة أو ساخرة . «ب» نكتة ؛ مزحة (٢) مراوغة ؛ موارَبة (٣) عمل أو شيء غريب أو عجيب §(٤) يَسْخَر ؛ يهزأ .

quipu [kē'pōō; kwĭp'ōō] *(Sp.)* ذات العُقَد : أداة مؤلّفة من حبل وعُقَد صغيرة مختلفة الألوان كان سكان بيرو القدماء يستخدمونها لتسجيل الأحداث والحسابات .

quire [kwīr] *(n.)* (١) الرُّزْمة : رزمة ورق مؤلّفة من ٢٤ أو ٢٥ ورقة من قياس واحد ونوع واحد (٢) ملزمة (طع) (٣) choir .

quirk [kwûrk] *(n.)* (١) التواء أو انعطافٌ حادّ (٢) خاصيّة ؛ خصوصيّة ، صفة مميِّزة في العمل أو السلوك (٣) مراوغة ؛ موارَبة (٤) نكتة . **—quirk** *(vt.; i.)*

quirt [kwûrt] *(n.; vt.)* (١) سَوْط الفارس §(٢) يسوط : يضرب أو يسوق بالسَّوط .

quisling[kwĭz'lĭng] *(n.)* الكويسلنغ ؛ بائعُ وطنِه : خائن يتعاون مع محتلّي بلاده وبخاصة من طريق الاشتراك في حكومةٍ دُمْيةٍ تقام فيها.

quit [kwĭt] *(adj.; vt.; i.; n.)* (١) مُحَلٌّ من التزام أو تهمة أو عقوبة ؛ وبخاصّة : متحرر من كذا §(٢) يحرر من (٣) يسدد دَيْناً (٤) يسلك ؛ يتصرّف (٥) «أ» ينزح عن . «ب» يفارق . «ج» يهجر ؛ يتخلّى عن (طريقةٍ في العيش أو العمل) . «د» يترك وظيفةً أو عملاً ×(٦) يتوقف ؛ يكفّ عن العمل (٧) يستسلم §(٨) تحرير ؛ تسديد ؛ نزوح ؛ هَجْر الخ .

quitclaim [kwĭt'klām] *(n.; vt.)* (١) تخلٍّ ؛ تنازل . §(٢) يتخلّى ؛ يتنازل عن .

quitclaim deed *(n.)* صكّ التخلّي أو التنازل .

quite [kwīt] *(adv.)* (١) تماماً (~ mistaken) (٢) فعلاً ؛ حقّاً (~ a sudden change) (٣) إلى حدٍّ بعيد (~ sure) .

ă at; ā date; â care; ä car; ĕ egg; ē me; ĭ in; ī bite; ŏ lot; ō bone; ô orphan; oi boil oo good; ōō boot; ou out; ŭ under; ū unity; û urgent; th thing; *th* this; zh vision; ə = *a* in alone, *e* in system, *i* in easily, *o* in gallop, *u* in circus.

quitrent [kwĭt'rĕnt] *(n.)* الرَّسْم البَدَلي: رَسْمٌ يُدفَع لقاء الاعفاء من القيام بخدمات معينة .

quits [kwĭts] *(adj.)* متخالصان ، متعادلان (بعد تسديدِ لدَيْنٍ أو أخذٍ بثار) .

to be ~ with يصفّي حسابه (معه) ، ينتقم منه .

quittance [kwĭt'əns] *(n.)* (١) «أ» إبراء من دين أو التزام. «ب» سند الإبراء أو المخالصة (٢) تعويض .

quitter [-'ər] *(n.)* السريع إلى الاستسلام ، وبخاصة: الانهزاميّ .

quittor [kwĭt'ər] *(n.)* التهاب قوائم الخيل الصّديديّ (مض) .

quiver [kwĭv'ər] *(n.; vi.)* (١) «أ» كِنانة ، جعبة . «ب» سهام الكنانة (٢) اهتزاز ، ارتعاش ، ارتجاف §(٣) يستقرّ (السّهم) (٤) يهتزّ ، يرتعش ، يرتجف .

qui vive [kē vēv'] *(F.)* مَن يمشي هناك ؟

on the ~, متنبّه ، محترس ، يَقِظ .

quixote[kĭ hō'tĭ; kwĭk'sət] *(n.)* الدونكيخوتي: شخص دونكيخوتيّ .

quixotic [kwĭk sŏt'ĭk] *(adj.)* (١) دونكيخوتي ، شبيه بدونكيخوته بطل الرواية الشهيرة بهذا الاسم لسرفانتس: فروسيّ أو رومانتيكيّ إلى حدٍ مسْرِف (٢) وهميّ ، غير عمليّ .

quiz [kwĭz] *(n.; vt.)* (١) شخص غريب الأطوار (ا.ن) (٢) المزحة العمليّة (را. practical joke) (٣) امتحان موجز §(٤) يسخر من (٥) ينظر بفضول (٦) يمتحن .

quizzical [kwĭz'ə kəl] *(adj.)* (١) غريب ، مضحك ، هزلي (٢) «أ» ساخر (a ~ smile) . «ب» مازِح ، مُغايظ (٣) فضوليّ (a ~ look) .

quod [kwŏd] *(n.)* سِجْن (عب) .

quoin [koin; kwoin] *(n.; vt.)* (١) زاوية خارجيّة (من مبنى) (٢) حجر زاوية (٣) أداة يثبّت بها الطبّاعون الأحرف المنضّدة ضمن طوقها الحديديّ §(٤) يثبّت الأحرف المنضّدة ضمن طوقها الحديدي (٥) يزوِّد جداراً بحجارة زاوية .

quoins 2.

quoit [kwoit] *(n.; vt.)* (١) حلقة الرمي : حلقة معدنيّة تُرْمَى لتطوّق وتِداً غُرس في الأرض (رب) (٢) *pl.* الكُتّ : لعبة قَذْف حلقات الرمي §(٣) يرمي على طريقة لاعب الكُتّ .

quondam [kwŏn'dăm] *(adj.)* سابق (my ~ partner) .

quorum [kwōr'əm] *(n.)* (١) النِّصاب : عدد الأعضاء الذين يتعيّن حضورُهُمُ الجلسةَ لتصبح قانونيّة (٢) نخبة ، مجموعة مختارة (a ~ of athletes) .

quota [kwō'tə] *(L.)* كوتا ، نصيب ، حصة نسبيّة .

quotable[kwōt'ə bəl] *(adj.)* جدير بأن يُقتَبس أو يُستشهَد به .

quotation [kwō tā'-; kō-] *(n.)* (١) الشاهد : جملة أو فقرة مقتبسة على سبيل الاستشهاد (٢) الاقتباس ، الاستشهاد بِ (٣) «أ» التسعير. «ب» سِعْر (today's market ~ on wheat) .

quotation marks *(n. pl.)* علامتا الاقتباس « » .

quote [kwōt; kōt] *(vt.; n.)* (١) يقتبس ، يستشهد بِ (٢) يورد على سبيل المثال (~*d* some cases) (٣) «أ» يعطي سعر كذا. «ب» يعطي معلومات دقيقة عن (٤) يحصر ضمن علامتيّ اقتباس §(٥) quotation (٦) علامة اقتباس .

quoth [kwōth] *(vt.; i.)* قال (A fine day, ~ he.) .

quotidian [kwō tĭd'ĭ ən] *(adj.)* (١) يومي (٢) مبتذل ، عادي .

quotient [kwō'shənt] *(n.)* (١) خارج القسمة (ر) (٢) الحاصل : حاصل قسمة سن الطالب العقليّة (أو الإنتاجيّة) على سنّه الزمنيّة مضروباً بمئة ، وهو ما يعرف بحاصل الذكاء (intelligence ~) أو حاصل الانتاج أو الانجاز (accomplishment ~) (٣) حصة ، نصيب ، كوتا .

quo warranto [kwō wô răn'tō] *(L.)* أمرٌ قضائيّ يتطلّب إلى المرء أن يُظهِر بأيّ حقّ أو سلطة مارس وظيفة معيّنة الخ .

Qur'an or Quran *(Ar.)* القرآن الكريم .

qursh [koorsh] *or* **qurush** [koor'əsh] *(Ar.)* القِرش: $\frac{1}{20}$ من الريال السعودي .

ă at; ā date; â care; ä car; ĕ egg; ē me; ĭ in; ī bite; ŏ lot; ō bone; ô orphan; oi boil oo good; ōō boot; ou out; ŭ under; ū unity; û urgent; th thing; th this; zh vision; ə = *a* in alone, *e* in system, *i* in easily, *o* in gallop, *u* in circus.

Rabat

r [är] *(n. often cap.)* (١) الحرف الثامن عشر من الأبجديّة الانكليزية (٢) شيء مُعتَبَرٌ سابع عشر أو ثامن عشر من حيث الترتيب أو الطبقة (٣) شيء على صورة حرف **R**.

Ra [rä] *(n.)* رَعْ: إله الشمس عند المصريّين القدماء وكبيرُ آلهتهم.

rabato [rə bät'ō] *(n.)* قَبَّة أو ياقة صُلبة.

rabbet [răb'ĭt] *(n.; vt.; i.)* (١) الفَرْزَة: تعشيقة في طرف قطعة خشبيّة §(٢) يفترز؛ يحدث في طرف القطعة الخشبيّة فَرْزَةً (٣) يوحّد بين أطراف الخشب بفَرَزات ×(٤) يلتحم بفَرْزَة.

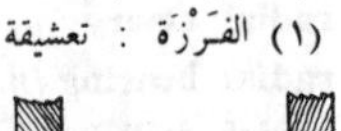

rabbets

rabbet joint *(n.)* وُصْلَة افتراز (نج).

rabbi [răb'ī] *(n.)* الرَّبّان، الحَبْر، الحاخام (عند اليهود).

rabbin [răb'ĭn] *(n.)* = rabbi.

rabbinic [rə bĭn'-] *(n.; adj.)* (١) *cap.* العِبْريّة المتأخّرة: العبرية كما استعملها الأحبار في كتاباتهم §(٢) ربّانيّ؛ حَبْريّ؛ حاخاميّ.

rabbinical [rə bĭn'ə kəl] *(adj.)* ربّانيّ؛ حَبْريّ: خاص بالربّانيين أو الأحبار أو كتاباتهم.

rabbinist [răb'-] *(n.)* المُتَتَلْمِذ: المتمسّك بالتلمود وتقاليد الربّانيين.

rabbit [răb'ĭt] *(n.; vi.)* (١) الأرنب (ح) (٢) فَرْو الأرنب §(٣) يصيد الأرانب.

rabbit punch *(n.)* لكمة الأرنب: لكمة على قفا العنق أو أدنى الجمجمة.

rabbitry [răb'ĭt rĭ] *(n.)* (١) مَرْبَى الأرانب: مكان تُربّى فيه الأرانب الأهليّة (٢) مشروع لتربية الأرانب.

rabble [răb'əl] *(n.; vt.)* (١) مجموعة أشياء مختلطة (٢) «أ» حَشْدٌ من النّاس. «ب» الغَوغاء، الرَّعاع (٣) المِقْلَب؛ المِسْواط: عمود حديديّ معقوف الطَّرَف يستخدم في تسويط (را. puddle 5 *b*) الحديد §(٤) mob (٥) يقلّب؛ يسوِّط.

rabblement [răb'-] *(n.)* (١) rabble (٢) اضطراب؛ هياج.

rabble-rouser [răb'əl rou zər] *(n.)* = demagogue.

rabic [rā'bĭk] *(adj.)* كَلَبيّ: خاص بداء الكَلَب.

rabid [răb'ĭd] *(adj.)* (١) عنيف؛ ضارٍ (hate ~) (٢) متطرّف إلى أبعد الحدود (a ~ isolationist) (٣) كَلِب؛ مسعور؛ مصابٌ بالكَلَب (a ~ dog).

—rabidity *(n.)*

—rabidness *(n.)*

rabies [rā'bēz] *(L.)* الكَلَب؛ داء الكَلَب (مض).

raccoon [răkōōn'] *(n.)* الرّاكون: حيوان شمالأميركيّ ثدييّ من اللواحم.

raccoon

race [rās] *(n.; vi.; t.)* (١) رَكْض؛ عَدْو (اسك) (٢) «أ» ماء متدفق في قناة ضيقة. «ب» بحرٌ هائج. «ج» مجرى ماء (يستخدم لأغراض الصناعة) (٣) «أ» سباق في العَدْو. «ب» *pl.* سباق خيل. «ج» مسابقة؛ مباراة (٤) مَدْرَجَة كُرَيّات (مك) (٥) الهواء المُزاح (طي) (٦) سُلالة؛ عِرْق؛ جنس (٧) نكهة أو قوّة مميّزة §(٨) يعدو في سباق (٩) ينطلق بأقصى السرعة ×(١٠) يُسابق (١١) يُدخِل في سباق (١٢) ينقل أو يقود بسرعة فائقة (١٣) يسرّع: يجعله يدور بسرعة وهو واقف في مكانه (to ~ a motor).

His ~ is nearly run. بلغ أرذلَ العُمُر؛ أشرفت حياتُه على الانتهاء.

race card *(n.)* برنامج سباق الخيل.

racecourse [rās'kōrs'] *(n.)* المِضمار: حلبة سباق الخيل أو الكلاب.

racehorse [rās'hôrs] *(n.)* فرس الرهان؛ جواد السباق.

raceme [rā sēm'; rə-] *(L.)* عُنقود؛ عِذق؛ شِمْراخ (نب).

race meeting *(n.)* حفلة سباق الخيل.

racemic [rā sē'mĭk] *(adj.)* مُرازِم (ك).

racemiform [rā sē'mə fôrm] *(adj.)* عنقوديّ الشكل.

racemization [răs'ə mə zā'shən] *(n.)* التَّرازُم (ك).

racemose [răs'ə mōs'] *(adj.)* عنقوديّ الشكل.

racemose gland *(n.)* الغدّة العنقوديّة (ت).

racer [rā'sər] *(n.)* (١) المسابِق؛ المسابِقة: كلّ مشترك في سباق سواء أكان شخصاً أو فرساً أو زورقاً أو سيّارة أو طائرة أو درّاجة الخ. (٢) كلّ ذي سرعة كبيرة (٣) الرّاسِرَة: أفعى أميركيّة.

race riot *(n.)* الفتنة العِرقيّة : فتنة ناشئة عن أحقاد عنصريّة .

race runner *(n.)* العَظاءة السبّاقة : عظاءة أميركيّة سريعة الحركة.

race suicide *(n.)* انتِحار العِرق : انقِراض عِرق ما بسبب تقاعس أفراده عن إقامة التوازن بين نسبة المواليد ونسبة الوفيّات .

racetrack [rās'trăk] *(n.)* حَلْبة السباق .

raceway [rās'wā'] *(n.)* (١) قناة لمجرى مائيّ (٢) قناة للأسلاك الكهربائيّة في مَبْنى (٣) مَدْرَجة كُرَيّات (مك) (٤) حَلْبة سباق .

rachis [rā'kĭs] *(L.)* pl. **rachises** [-ĭz]. (١) العمود الفقري (ت) (٢) العُنُق ، الزَّنْد : محور السنبلة أو العنقود أو الورقة المركّبة (نب) (٣) السَّهم (مج) : جزء من ريشة الطائر .

rachitic [rə kĭt'ĭk] *(adj.)* = rickety.

rachitis [rə kī'tĭs] *(L.)* = rickets.

racial [rā'shəl] *(adj.)* عِرقيّ ؛ عنصريّ .

racialism [rā'shə lĭz'əm] *(n.)* (١) التمييز أو الحقد العنصريّ. (٢) السُّلاليّة ؛ العِرقيّة (را. racism 1)

—**racialist** *(n.)* —**racialistic** *(adj.)*

racially [rā'shə lĭ] *(adv.)* عِرقيّاً ؛ سلاليّاً ؛ عنصريّاً .

racily [rā'sĭ lĭ] *(adv.)* على نحوٍ لاذع أو مفعمٍ بالحيويّة الخ.

raciness [rā'sĭ-] *(n.)* لَذْع ؛ حيويّة ؛ الخ. (را. racy) .

racism [rā'sĭz əm] *(n.)* (١) السُّلاليّة (مج) ؛ العِرقيّة : الاعتقاد بأنّ العِرق هو العامل الأفعل في تقرير السمات والمواهب البشريّة وأنّ الفروق العِرقيّة تولّد امتيازاً فطريّاً عند عِرق بعينِهِ . (٢) التمييز أو الحقد العنصريّ .

rack [răk] *(n.; vt.; i.)* (١) القَزَع : سحاب عالٍ متفرّق تسوقه الريح (٢) معلف للدواب (٣) المِخلَعة : أداة تعذيب قديمة يُمطّ عليها الجسم (٤) «أ» مصدر ألم . «ب» ألم مبرح . «ج» إجهاد (٥) رفّ ؛ مِنصَب ، حامل (٦) حاجز في جدول أو نهر لالتقاط السمك والأشياء الطافية (٧) جريدة مُسنّنة (مك) (٨) خَبَب (را. pace 4 b) (٩) عُنق الذبيحة (١٠) دمار ؛ خراب (~ and ruin) ∫ (١١) يعذّب بالمِخلعة (١٢) يوجع ؛ يؤلم (١٣) «أ» يُجهِد ؛ يرهق (She ~ed her brains.) . «ب» يرفع قيمة الإجارة على نحو مرهق . «ج» يُنْهِك المستأجِر أو يكلّفه ما لا يطيق (١٤) يروّق ؛ يصفّي (الخمر الخ.) ×(١٥) يتطاير (السحاب) مَسُوقاً بالريح (١٦) يخبّ (الفَرَس).

R. rack (def. 7)

on the ~, في عذابٍ أو ألمٍ شديد .

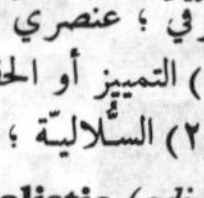

racket [răk'ĭt] *(n.; vi.)* (١) «أ» مضرب التنس . «ب» مضرب كرة الطاولة (٢) *pl.* : الراكيت : لعبة بالكرة والمضرب (لشخصين أو أربعة) تُجرَى في ملعب محاط بأربعة جدران (٣) «أ» جَلَبة ؛ لَغَط . «ب» قصف ، عَربَدة . «ج» صَخَب ؛ نشاط اجتماعي بالغ (the ~ of modern life) (٤) «أ» خدعة . «ب» خطة لابتزاز المال بالتهديد أو الإيذاء . «ج» عمل ؛ مهنة (ع) ∫ (٥) ينغمس في اللهو والملذّات (٦) يُحدِث جلبة ؛ يمشي مُحدِثاً جلبة .

to go (to be) on the ~, ينغمس في اللهو والملذات .

to stand the ~, (١) يتحمّل مسؤوليّة شيء (٢) يتحمّل النفقات (٣) يَثْبُت للتجربة ويخرج منها ناجحاً .

racketeer [răk'ə tĭr'] *(n.; vi.)* (١) المُبتزّ : مَن يبتزّ مال غيره بالتهديد والوعيد ∫ (٢) يبتزّ المالَ .

rackety [răk'-] *(adj.)* (١) ضاجّ ؛ صاخب (٢) محبّ للّهو والقصف.

rackle [răk'əl] *(adj.)* عنيد ؛ متهوّر (اسك) .

rack rail *(n.)* شريط حديديّ مسنّن (هن) .

rack railway *(n.)* خطّ السكة الحديدية المسنّن .

rack rent *(n.)* الإيجار الباهظ .

rack-rent [răk'rĕnt'] *(vt.)* يستوفي أو يطلب إيجاراً باهظاً .

rack-renter [răk'rĕnt'ər] *(n.)* دافع الإيجار الباهظ أو مُستوفِيه.

racon [rā'kŏn] *(n.)* [*radar beacon*] = radar beacon.

raconteur [răk ŏn tûr'] *(F.)* الراوية : البارع في سرد القصص والأخبار

racoon [ră ko͞on'] *(n.)* = raccoon.

racquet [răk'ĭt] *(n.)* = racket 1-2.

racy [rā'sĭ] *(adj.)* (١) طيّب النكهة ؛ زكيّ الرائحة (a ~ apple) (٢) «أ» نشيط ؛ مفعم بالحيوية (a ~ style). «ب» لاذع (٣) مكشوف ؛ غير محتشم (a ~ story) (٤) سِباقيّ : ذو بنية ملائمة للسِّباق ؛ نحيل فارع الطول .

radar [rā'där] *(n.)* [*radio detecting and ranging*] : الرادار جهاز لتحديد وجود الشيء وموقعه بواسطة اصداء الموجات اللاسلكية (يستعمله ربابنة السفن والطائرات عند انتشار الضباب والظلمة) .

radar beacon *(n.)* المنارة الرادارية .

radarman [rā'där-] *(n.)* الراداريّ : مستخدِم الرّادار .

radarscope [rā'där skōp] *(n.)* شاشة الرّادار .

raddle [răd'əl] *(n.; vt.)* (١) المَغْرَة الحمراء ∫ (٢) يَسِم أو يدهن بالمَغْرة الحمراء (٣) يَضفر .

raddled [răd'əld] *(adj.)* (١) مرتبك ؛ مشوّش الذهن (٢) مُرْهَق.

radial [rā'dĭ əl] *(adj.)* (١) شُعاعيّ (٢) نِصفُقُطريّ ؛ نِصف قُطريّ (ر) (٣) كُعْبُريّ : خاصّ بالعظم الكُعْبُريّ (ت) .

radial acceleration *(n.)* العَجَلة المُوَجِّهيّة (مج) : تسارع في اتجاه القطر (مك) .

radial arm *(n.)* ذراع نِصف قطريّ (مك) .

radial artery *(n.)* الشريان الكُعْبُريّ (ت) .

radial bearing *(n.)* مَحمِل أوكرسي تحميل نصف قطريّ (مك) .

radial drill *(n.)* ثقّابة نصف قطريّة (مك) .

radial engine *(n.)* محرّك نصف قطريّ (مك) .

radial nerve *(n.)* العصب الكُعْبُريّ (ت) .

radial vein *(n.)* الوريد الكُعْبُريّ (ت) .

radial velocity *(n.)* السرعة المُوَجِّهية (مج) : سرعة نصف قطرية .

radian [rā'dĭ ən] *(n.)* زاوية نصف قطريّة (مك).

radiance [rā'dĭ əns] ; **radiancy** [-ən sĭ] *(n.)* (١) «أ» إشعاعيّة . «ب» إشعاع (٢) تألّق ؛ بهاء (٣) لون قرنفليّ داكن .

radiant [rā'dĭ ənt] *(adj.; n.)* (١) «أ» مُشِعّ . «ب» متوهّج ؛ متوقّد. «ج» مشرق ؛ متألّق (٢) مُتَسِم بالحبّ أو الثقة أو السعادة أو معبّر عنها (٣) إشعاعيّ ∫ (٤) المُشِعّ ، مثل : «أ» نقطة تلاقي النيازك (فل) . «ب» مصدر انبعاث الإشعاع (فل) . «ج» الجزء المتّقِد من سخّانة كهربائية الخ .

radiant energy *(n.)* الطاقة الإشعاعيّة (فز) .

radiant flux *(n.)* التدفّق الإشعاعيّ (فز) .

radiant heat *(n.)* الحرارة الإشعاعيّة .

radiant heating *(n.)* = panel heating.

radiate [rā'dĭ āt'] *(vi.; t.; adj.)* (١) يُشِعّ ؛ (٢) يُشرِق ؛ يتألّق (٣) يتشعّع (٤) يتشعّب (Roads ~ from the city.) ×(٥) يطلق (اشعةً أو حرارةً) ∫ (٦) شعاعيّ الخ.

ă at; ā date; â care; ä car; ĕ egg; ē me; ĭ in; ī bite; ŏ lot; ō bone; ô orphan; oi boil o͝o good; o͞o boot; ou out; ŭ under; ū unity; û urgent; th thing; t͟h this; zh vision; ə = *a* in alone, *e* in system, *i* in easily, *o* in gallop, *u* in circus.

radiation [rā'dĭ ā'shən] *(n.)* (١) الإشعاع (٢) الطاقة الإشعاعية. (٣) الطاقة المُشعَّة : شعاع ؛ أشعة (٤) radiator .

radiator [rā'dĭ ā'tər] *(n.)* المُشِع : كلّ ما يُطلق إشعاعاً، مثل : «أ» المِشعاع : شبكة من الأنابيب تستخدم للتدفئة المركزيّة أو لتبريد محرّك السيّارة . «ب» الهوائيّ المرسِل (ر د) .

radiator *a.*

radical [răd'ə kəl] *(adj.; n.)* (١) «أ» جذريّ . «ب» أصليّ ؛ أساسيّ ؛ جوهري (changes ~) (٢) فِطريّ ؛ خِلقيّ (defects ~) (٣) «أ» متطرِّف . «ب» راديكاليّ : نزّاع إلى إحداث تغيّرات متطرّفة في الفكرات والعادات السائدة أو في الأحوال والمؤسّسات القائمة §(٤) «أ» جَذْر . «ب» أساس (٥) جِذْر الكلمة (ل) (٦) شخص متطرّف أو راديكاليّ (٧) شَقّ (ك) (٨) «أ» تعبير جذري (ر) . «ب» علامة الجذر √‾‾‾ (ر) .

radical expression *(n.)* التعبير الجذري (ر) .

radicalism [răd'ə kə lĭz'əm] *(n.)* التطرفيّة ؛ الراديكاليّة ؛ معتقدات الراديكاليين أو مبادؤهم .

radically [răd'ĭk lĭ] *(adv.)* (١) أساسياً ؛ جوهرياً (٢) راديكاليّاً .

radical quantity *(n.)* الكمية الجذريّة (ر) .

radical sign *(n.)* علامة الجذر √‾‾‾ (ر) .

radicand [răd ə kănd'] *(L.)* المجذور : المقدار الموجود تحت علامة الجِذْر (ر) .

radicate [*v.* răd'ə kāt; *adj.* -kĭt] *(vt.; adj.)* (١) يُجذِّر ؛ يَغْرِس على نحو راسخ ؛ يؤصِّل §(٢) متجذِّر ؛ ذو جَذْر (نب) (٣) مجذَّر : ذو أعضاء شبيهة بالجذور . كبعض الرَّخويات (ح) .

radices [răd'ə sēz; rā'də-] *pl. of* radix.

radicel [răd'ə sĕl] *(L.)* الجُذَيْر : جِذر صغير (نب) .

radicle [răd'ə kəl] *(L.)* (١) الجُذَيْر ؛ الجُذَيْر الجَنيني (نب) . (٢) جُذَيْر العَصَب (ت) (٣) radical .

radii [rā'dĭ ī'] *pl. of* radius.

radio [rā'dĭ ō'] *(n.; adj.; vt.; i.)* (١) الراديو : «أ» الإرسال والاستقبال اللاسلكي للنبضات أو الإشارات الكهربائيّة بواسطة موجات كهربائيّة . «ب» استخدام هذه الموجات لنقل النبضات الكهربائيّة التي يُحوَّل إليها الصوت نقلاً لاسلكياً (٢) رسالة لاسلكيّة (٣) الراديو : جهاز استقبال لاسلكي (٤) «أ» محطة إذاعة لاسلكية. «ب» مؤسّسة إذاعة لاسلكية . «ج» الصناعة الإذاعيّة . «د» المواصلة اللاسلكيّة ؛ الاتصال اللاسلكيّ §(٥) إشعاعيّ (٦) لاسلكيّ (٧) إذاعيّ (٨) «أ» مُرْسَل لاسلكياً . «ب» مُوجَّه (أو مُتحكَّم به) بالراديو §(٩) يُرْسِل أو يخابر لاسلكياً .

radio- بادئة معناها: (١) شُعاعي ؛ نصف قطري (٢) كُعْبُريّ (ت) . (٣) «أ» طاقة إشعاعيّة . «ب» ذو نشاط إشعاعيّ (٤) «أ» راديوم. «ب» أشعة اكس (٥) راديو .

radioactive [rā'dĭ ō ăk'tĭv] *(adj.)* إشعاعيّ النشاط أو الفاعلية.

radioactivity [-ăk tĭv'-] *(n.)* النشاط الإشعاعي ؛ الفاعلية الاشعاعية.

radio astronomy *(n.)* عِلم الفلك الإشعاعيّ .

radioautograph [rā dĭ ō ô'tə grăf'] *(n.)* صورة إشعاعية ذاتية.

radioautography [-ô tŏg'rə fĭ] *(n.)* التصوير الإشعاعيّ الذاتيّ .

radio beacon *(n.)* المنارة اللاسلكيّة (ر د) .

radiobiology [rā dĭ ō bī ŏl'ə jĭ] *(n.)* عِلم الأحياء الإشعاعيّ : فرع من عِلم الأحياء يبحث في التفاعل بين الأجهزة البيولوجيّة والطاقة الإشعاعيّة أو المواد ذات النشاط الإشعاعي .

radiobroadcast [rā dĭ ō brôd'-] *(vt.)* يذيع بالراديو .

radio car *(n.)* السيارة اللاسلكية : سيارة مزوَّدة بجهاز اتّصال لاسلكيّ .

radiocast [rā'dĭ ō kăst] *(vt.)* يُذيع بالراديو .

radiochemical [rā dĭ ō kĕm'ə kəl] *(adj.)* كِيميائيّ إشعاعيّ : خاصّ بالكيمياء الإشعاعيّة .

radiochemistry [rā dĭ ō kĕm'ĭs trĭ] *(n.)* الكِيمياء الإشعاعيّة.

radio compass *(n.)* البوصلة اللاسلكيّة («مل» و «طي») .

radioelement [rā dĭ ō ĕl'ə mənt] *(n.)* عنصر مُشِعّ ؛ عنصر إشعاعيّ النشاط .

radio frequency *(n.)* ترَدُّد اللاسلكيّ (ر د) .

radiogenic [rā dĭ ō jĕn'ĭk] *(adj.)* مُحْدَث بالنشاط الإشعاعي .

radiogram [rā'dĭ ō-] *(n.)* (١) radiograph (٢) برقية لاسلكية.

radiograph [rā'dĭ ō grăf] *(n.; vt.)* (١) الصورة المِشْعاعيّة ؛ صورة بالأشعّة ، وبخاصة : صورة بأشعّة اكس §(٢) يصوّر بالأشعّة (٣) يرسل برقيّة لاسلكيّة إلى.

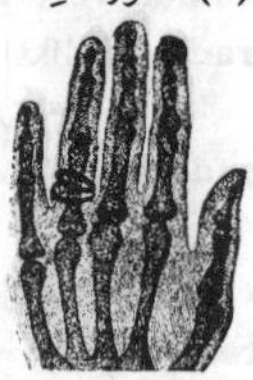

radiograph

radiographic [rā'dĭ ō grăf'ĭk] *(adj.)* مِشْعاعيّ (مج) ؛ بالأشعّة .

radiography [rā dĭ ŏg'rə fĭ] *(n.)* التصوير المِشْعاعِيّ (مج) ؛ التصوير بالأشعّة .

radioisotope [rā'dĭ ō ī'-] *(n.)* نظير إشعاعيّ النشاط («فز» و «ك»).

radiolarian [rā'dĭ ō lâr'ĭ ən] *(L.)* الشُّعَيْعِيّ : واحد من الشُّعَيْعيّات **Radiolaria** وهي رتبة حيوانات بحريّة بَرْزَويّة (وحيدة الخليّة) مُشِعّة الأطراف .

radiolocation [rā'dĭ ō lō kā'-] *(n.)* تحديد الموقع بالرادار .

radiological [rā'dĭ ō lŏj'ə kəl] *(adj.)* راديولوجي : «أ» خاصّ بالطبّ الإشعاعي . «ب» خاصّ بالاشعاع النَّوَوِي .

radiologist [rā'dĭ ŏl'ə jĭst] *(n.)* الراديولوجي : الاختصاصيّ باستخدام الطاقة الإشعاعيّة .

radiology [rā'dĭ ŏl'ə jĭ] *(n.)* الراديولوجيا ؛ الطبّ الإشعاعي : عِلم استخدام الطاقة الإشعاعيّة في الطب .

radiometeorograph [rā dĭ ō mē'tĭ ər ə grăf] *(n.)* المِرْصَدَة اللاسلكيّة .

radiometer [rā'dĭ ŏm'ə tər] *(n.)* الراديومتر : مقياس كثافة الطاقة الإشعاعيّة .

radiometric [rā'dĭ ō mĕt'rĭk] *(adj.)* راديومتريّ.

radionics [rā'dĭ ŏn'ĭks] *(n.)* = electronics.

radiophone [rā'dĭ ō fōn'] *(n.)* الرَّدْفون : التلفون أو الهاتف اللاسلكيّ .

radiophoto [rā dĭ ō fō'tō] *(n.)* (١) صورة مُرسَلة باللاسلكي وتدعى **radiophotograph** أيضاً (٢) إرسال الصورة باللاسلكي .

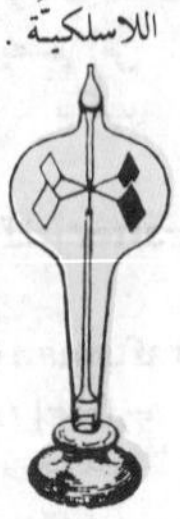

radiometer

radioscope [rā'dĭ ō skōp] *(n.)* الرَّدْسكوب ؛ المِكشاف الشعاعي .

radioscopy [rā'dĭ ŏs'kə pĭ] *(n.)* الرَّدْسكوبية ؛ الكشف الشُّعاعيّ : فحص الأجسام بأشعة اكس .

radiosensitive [rā dĭ ō sĕn'sə tĭv] *(adj.)* حسّاس للاشعاع .

radiosonde [rā'dĭ ō sŏnd'] *(n.)* المِسْبار اللاسلكي (أر) .

radio spectrum *(n.)* الطَّيف الإشعاعي .

radiotelegram [rā'dĭ ō tĕl'ə grăm'] *(n.)* برقيّة لاسلكيّة .

radiotelegraph [-'ə grăf'] *(n.)* الإبراق اللاسلكيّ .

radiotelegraphy [-tə lĕg'rə fĭ] *(n.)* = radiotelegraph.

radiotelephone [-tĕl'ə fōn'] *(n.)* التلفون أو الهاتف اللاسلكيّ .

ă at; ā date; â care; ä car; ĕ egg; ē me; ĭ in; ī bite; ŏ lot; ō bone; ô orphan; oi boil; o͝o good; o͞o boot; ou out; ŭ under; ū unity; û urgent; th thing; th this; zh vision; ə = *a* in alone, *e* in system, *i* in easily, *o* in gallop, *u* in circus.

radiotelephony [-tə lĕf'ə nĭ] *(n.)* التلفونية أو الهاتفية اللاسلكية.
radio telescope *(n.)* التلسكوب اللاسلكي .
radiotherapy [rā'dĭ ō thĕr'-] *(n.)* الاستشعاع ؛ المعالجة بالاشعاع .
radio wave *(n.)* الموجة الإشعاعيّة أو اللاسلكيّة .
radish [răd'ĭsh] *(n.)* (١) فِجْلَة (٢) فِجْل .
radium [rā'dĭ əm] *(L.)* الراديوم : عنصر فلزّي إشعاعيّ النشاط (ك).
radium therapy *(n.)* المعالجة بالراديوم .
radius [rā'dĭ əs] *(L.)* (١) الكُعْبُرة ؛ عظم الكُعْبُرة : أحد عَظْمَيِ الساعد الأشدّ قرباً إلى الإبهام (ت) (٢) الشُّعاع : نصف القُطر (ر) (٣) الذراع ؛ نصف المدى (مك) .

radius 2.

radius vector [vĕk'tər] *(n.)* البُعْد القطبي («ر» و«فل»).
radix [rā'dĭks] *(L.)* (١) الأساس (ر) (٢) الأصل ؛ المصدر الأولي . (٣) جذر (نب) (٤) جُذَير ؛ وبخاصة : جُذَير العصب (أح) .
radome [rā'dōm] *(n.)* [*radar dome*] الرادوم : قُبّة لدائنيّة يُحفظ فيها هوائيّ الرادار ، وبخاصة في طائرة .
radon [rā'dŏn] *(n.)* الرادون : عنصر غازيّ إشعاعيّ النشاط (ك).
raff [răf] *(n.)* = riffraff.
raffia [răf'ĭ ə] *(n.)* الرّافية : لِيف نخل الرافية المستعمل في حَزْم النباتات والأزهار وفي صنع السّلال والقبّعات .
raffia palm *(n.)* نَخْل الرافية : نخل مَدْغَشقريّ ريشيّ الأوراق.
raffinose [răf'ə nōs'] *(n.)* التّصفيوز : سكر ضئيل الحلاوة يُستخرج من الشمندر وبزرة القطن الخ (ك) .
raffish [răf'ĭsh] *(adj.)* سافل ؛ فاسق ؛ خليع .
raffle [răf'əl] *(n.; vt.; i.)* (١) البيْع اليانصيبيّ : بيع سلعةٍ ما بأخذ مبلغ صغير من عددٍ من النّاس ثم إجراء قرعة عليها (٢) سَقَطُ المتاع (وبخاصة من حبال المراكب) § (٣) يبيع باليانصيب (~*d* off a watch) × (٤) يشترك في بيع يانصيبي .
raft [răft; răft] *(n.; vt.; i.)* (١) الرّمْث ؛ الطّوْف : خشبٌ يُشدّ بعضه إلى بعض ويُركَب في البحر (٢) مجموعة كبيرة § (٣) يُرمِث : «أ» ينقُل برَمْثٍ . «ب» يصنع من الأخشاب رَمثاً × (٤) يَرْمُث : يركب البحر في رَمْث .

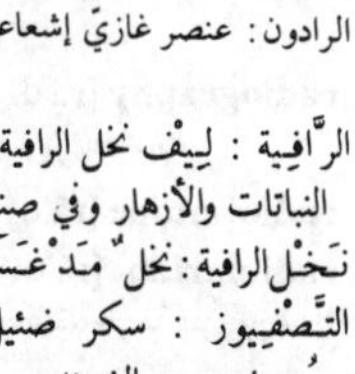

raft 1.

rafter [răf'tər] *(n.)* (١) الرافدة : عارضةٌ خشبيّةٌ في سقف مائل (٢) الرّمّاث : صانع الأرماث (را. raft 1.) .
raftsman [răfts'-] *(n.)* الرّمّاث : الناقل بالرمث.
rag [răg] *(n.; vt.)* (١) «أ» خِرقة . «ب» *pl.* : أسمال بالية (٢) قطعة ؛ مِزقة ؛ كِسرة (٣) راية ؛ شراع ؛ ستارة ؛ جريدة ؛ ورقة نقدية الخ . (٤) شخص تافه الخ . (٥) صخر صُلْب (٦) لوح أُرْدوازيّ يُسقّف به (٧) قَصْف ؛ مَرَحٌ صاخب (بر) (٨) مَزْحة (بر) (٩) قطعة موسيقيّة رجتيمية (را. ragtime) § (١٠) يوبّخ ؛ يلوم (١١) يكايد ؛ يَغيظ .
ragamuffin [răg'ə-] *(n.)* صعلوك ؛ وبخاصة : غلام رثّ الثياب .
rag-and-bone-man *(n.)* العتّقي : مُشتري الملابس والأدوات العتيقة من البيوت .
ragbag [răg'-] *(n.)* (١) كيس للفضلات الخ . (٢) مجموعة أشياء مختلطة.
rage [rāj] *(n.; vi.)* (١) غيظ ؛ غضب شديد (٢) ثورة (الرياح أو الأمواج الخ .) (٣) رغبة عارمة (٤) حماسة ، اتّقاد (٥) البِدعة السائرة : كل ما يحظى بإقبال الناس عليه إقبالاً حماسياً § (٦) يغتاظ ؛ يغضب (٧) تثور (الرياحُ الخ .) (٨) يحتدم ؛ يستمرّ بعنف شديد (٩) يتفشّى (الطاعونُ) .
ragged [răg'ĭd] *(adj.)* (١) أشعث (٢) مُثلّم ؛ مُسَنّن . (٣) «أ» مُمزّق . «ب» مُرْهَق (٤) رثّ الملابس (٥) مُهْمَل (٦) غير مُتْقَن (٧) خَشِن .
ragged robin *(n.)* اللُّخْنِيس : نبات ذو زهر قرنفليّ أو أبيض.
ragged school *(n.)* مدرسة مجّانيّة لأولاد الفقراء.
raggedy [răg'əd ĭ] *(adj.)* أشعث أو مُمزّق أو رثّ الملابس الخ. قليلاً.
raggee *or* **ragi** [răg'ĭ] *(Hin.)* الراجي : نبات هندي يُغْتَذَى بحبوبه.
raging [rāj'ĭng] *(adj.)* (١) مؤلم أو مُوجع جداً (٢) عنيف ؛ ثائر ؛ هائج (٣) عظيم ؛ استثنائيّ ؛ هائل (a ~ success).
raglan [răg'lən] *(F.)* الرّغلان : معطف يمتدّ كُمّاه حتى العنق .
ragman [răg'-] *(n.)* الخرّاق : جامع الخِرَق والنفايات أو المتاجر بها.
ragout [ră gōō'] *(F.)* يَخْنَة كثيرة التوابل .
ragpicker [răg'-] *(n.)* جامع الخِرَق والنفايات من الشوارع .
ragtag *(adj.)* (١) أشعث (٢) رثّ الملابس (٣) مُتداعٍ للسّقوط.
ragtag and bobtail *(n.)* الرعاع ؛ الغوغاء .
ragtime [răg'tīm'] *(n.)* الرّجْتيم : موسيقى أميركيّة زنجيّة الأصل.
ragweed [răg'-] *(n.)* الرّجيد : عشبة شمالأميركيّة مركّبة (نب).
ragwort [răg'wûrt'] *(n.)* الشيخة ؛ زهرة الشيخ (نب) .
raid [rād] *(n.; vt.; i.)* (١) غارة (٢) محاولة لخَفْض الأسعار (يقوم بها المضاربون) § (٣) يغير على × (٤) يشنّ غارة أو يشترك فيها.
raider [rād'ər] *(n.)* المُغير ؛ وبخاصة : «أ» مركب قرصنة . «ب» جنديّ مدرّب على القتال عن كثب .
rail [rāl] *(n.; vt.; i.)* (١) حاجز (٢) درابزون (٣) سياج . (٤) مِشجب (لتعليق الملابس أو القبعات) (٥) «أ» قضيب (من قضبان السكة الحديدية). «ب» السكة الحديدية (traveling by ~) (٦) التِّفْلِق : طائر من طيور الماء § (٧) يُسيّج الخ. × (٨) يلوم أو يشجب (أو يشكو مرّ الشكوى) بألفاظ جارحة (~*ed* at fate) .
rail fence *(n.)* السياج المقضّب : سياج ذو قضبان .
railhead [rāl'hĕd] *(n.)* (١) نقطة في خط للسكة الحديدية تفرّغ فيها المؤن العسكريّة بانتظار توزيعها بالشاحنات وغيرها على القوّات المقاتلة (٢) نهاية الخطّ : نهاية خط السكة الحديدية .
railing [rā'-] *(n.)* (١) *pl.* : درابزون (٢) لَوْم ؛ شكوى ؛ احتجاج.
raillery [rā'lə rĭ] *(n.)* (١) مِزاح (٢) مَزْحة .
railroad [rāl'rōd'] *(n.; vt.)* (١) السكّة الحديدية § (٢) ينقل بالسكّة الحديدية (٣) يمدّ خطوط السكة الحديدية في (٤) يعجّل بإرسال شيء من غير دَرْسٍ كافٍ (to ~ a bill through the legislature) (٥) يحكم عليه بالسّجن من غير بيّنة كافية (عا).
railroad flat *(n.)* الشقّة القِطاريّة : شقّة (في مبنى) ذات صفّ طويل من الحُجُرات الضيّقة .
railroading [rāl'rō'dĭng] *(n.)* إنشاء السكك الحديديّة أو تشغيلها.
rail-splitter [rāl'-] *(n.)* ناشر قضبان الأسيجة الخشبيّة .
railway [rāl'wā'] *(n.)* (١) سكّة حديديّة ؛ وبخاصة : سكة حديدية ثانويّة في منطقة صغيرة (٢) شبه سكّة حديدية لنقل السّلع وما إليها في مخزن تجاريّ .
raiment [rā'mənt] *(n.)* ملابس ؛ ثياب .
rain [rān] *(n.; vi.; t.)* (١) مَطَر (٢) «أ» عاصفة مَطَريّة أو مُمْطِرة . «ب» *pl.* : فصل الشتاء (٣) جوّ ماطر (٤) وابل ؛ مقدار كبير منهمر من أيّ شيء (a ~ of protests) § (٥) تمطر (السماءُ) (٦) ينهمر (Tears ~*ed* from their eyes.) × (٧) يصبّ (٨) يُغدق .

ă at; ā date; â care; ä car; ĕ egg; ē me; ĭ in; ī bite; ŏ lot; ō bone; ô orphan; oi boil ŏŏ good; ōō boot; ou out; ŭ under; ū unity; û urgent; th thing; t̸h this; zh vision; ə = *a* in alone, *e* in system, *i* in easily, *o* in gallop, *u* in circus.

to ~ out يحول المَطَرُ دون إجراء حفلة او مباراة رياضية.

rainbow [rān'bō'] *(n.)* (١) قوس قُزَح (٢) تشكيلة (أو مجموعة منوّعة) كبيرة (٣) وَهم ؛ سراب.

rainbow fish *(n.)* السمكة القُزَحيّة: سمكة ساطعة الألوان.

rain check *(n.)* «شيك» المطر: بطاقة صالحة للاستعمال في المستقبل تُعطَى لمشاهد مباراة رياضيّة حال المطر دون إجرائها.

rain cloud *(n.)* السحابة الممطرة (أر).

raincoat [rān'kōt'] *(n.)* المِمْطر: معطفٌ واقٍ من المطر.

raindrop [rān'drŏp'] *(n.)* قطرة مطر.

rainfall [rān'fôl'] *(n.)* (١) هطول المطر (٢) معدّل سقوط المطر: كميّة المطر الهاطل في زمن معيّن ومنطقة معيّنة.

rain forests غابات المطر (المحيطة بخطّ الاستواء).

rain gauge *(n.)* مقياس المطر: جهاز لقياس كميّة المطر الهاطل.

rainmaking[rān'-]*(n.)* الاستمطار: استنزال المطر بوسائل صناعية.

rainproof [rān'prōōf'] *(adj.)* صامدٌ للمطر: لا ينفذ المطر فيه.

rainstorm [rān'-] *(n.)* (١) عاصفة مطرية (٢) عاصفة ممطرة.

rainwater [rān'wô tər] *(n.)* مياه المطر ؛ ماء السماء.

rainwear [rān'-] *(n.)* ملابس صامدة للماء (لا ينفذ الماء فيها).

rainy [rā'nĭ] *(adj.)* (١) ماطر ؛ مُمطِر (٢) كثير المطر (٣) ممطور.

rainy day *(n.)* اليوم المطير ؛ اليوم العصيب ؛ اليوم الأسود.

raise [rāz] *(vt.; i.; n.)* (١) يرفع ؛ ينصِب (٢) «أ» يوقظ ؛ ينهض. «ب» يثير (~ *d* a rebellion). «ج» يجفِّل الطريدةَ مخرجاً إيّاها من مكمنها. «د» يبعث ؛ ينشر ؛ يعيد إلى الحياة. «هـ» يقيم اتصالاً لاسلكياً مع.. (٣) «أ» يشيِّد ؛ يقيم (~ *d* a monument). «ب» يرفع إلى أعلى. «ج» يرقّي ؛ يعلّي. «د» يقوّي ؛ ينعش ؛ يرفع المعنويات. «هـ» يُنهي ؛ يرفع ؛ يضع حداً لـ (~ *d* the siege) (٤) «أ» يجمع (to ~ funds) «ب» يحشد (to ~ an army) (٥) «أ» يُنشئ ؛ يربّي (to ~ five children). «ب» يزرع (to ~ cotton) (٦) «أ» يُحْدِث ؛ يولِّد (~ *d* a tempest). «ب» يُطلِق (~ *d* a shout) (٧) يطرح للمناقشة ؛ يثير قضيّةً (to ~ an issue) (٨) «أ» يزيد في قوة شيء أو كثافته أو درجته. «ب» يرفع ؛ يزيد (He ~ *d* the rent.) (٩) يُخمِّر: يجعل العجين «يرتفع» بإضافة الخميرة إليه (١٠) يلمح اليابسة (After a dangerous voyage, our ship ~ *d* land.) (١١) يُزأبر: يجعل للقماش زِئبراً أو زَغَباً (١٢) يزوِّر شيكاً (بأن يزيد قيمته الاسمية بطريقة غير مشروعة) ×(١٣) ينهض (ع) (١٤) يزيد المبلغَ المراهَنَ أو المزايَد به (١٥) يَسْعل مُخْرِجاً البلغم (ع) §(١٦) رَفْع ؛ تعلية (١٧) ارتفاع (١٨) زيادة (في الراتب أو المبلغ المراهَن أو المزايَد به).

to ~ hell *or* Cain *or* the devil يقيم الدنيا ويُقعِدها.

to ~ the wind (١) يثير اضطراباً أو فتنة (٢) يجد المال الضروريّ.

raised [rāzd] *(adj.)* (١) «أ» نافر ؛ بارز. «ب» مُزَأبَر ؛ ذو زئبر أو زَغَب (٢) مختمر (~ dough).

raiser [rāz'ər] *(n.)* فا raise وبخاصة: الزارع ؛ مربّي الماشية الخ.

raisin [rā'zən] *(n.)* (١) زبيب (٢) الأرجوانيّ المزرق.

raison d'être [rĕ zôn' dĕ'tr] *(F.)* سببُ الوجود أو مُبرِّره.

raj [räj] *(Hin.)* الحُكم (the British ~).

raja *or* **rajah** [rä'jə] *(Hin.)* الرّاجا: أمير هنديّ.

Rajab [rȧ jăb'] *(Ar.)* رَجَب: شهر رَجَب (اس).

Rajput *or* **Rajpoot** [räj'pōōt] *(Hin.)* الراجبوتيّ: أحد أفراد الطبقة الهندوسيّة العسكرية الحاكمة والمالكة للأرض.

rake [rāk] *(n.; vt.; i.)* (١) «أ» المِدَمّة: أداة ذات أسنان لجمع العشب أو لتقليب التربة أو تسويتها. «ب» ماكينة لجمع التبن (٢) «أ» مَيْل. «ب» انحدار (٣) زاوية الجَرْف (ملك) (٤) القِطاط ، قِطاط الجناح: الزاوية المقيسة بين حافة الجناح العليا ومستوى التماثل (طي) (٥) الخليع: شخص فاسق أو فاجر §(٦) يَدُمّ: يجمع العشب أو يقلب التربة أو يسوّيها (٧) يكسب بسرعة أو بوفرة (had ~ *d* in a fortune) (٨) «أ» يمسّ مسّاً رفيقاً. «ب» يخدش (٩) ينتقد بقسوة (١٠) ينقّب في ؛ يفتش تفتيشاً دقيقاً (to ~ through old newspapers for facts) (١١) يرمي رَمْيَ الجَرْف: يطلق نيران المدافع على طول السفينة أو صفّ الجند الخ. (١٢) يلقي نظرة خاطفة على ×(١٣) يميل ؛ ينحدر.

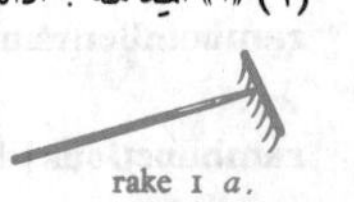

rake 1 *a.*

to ~ out a fire يُسعِر النارَ (بتحريك جمراتها الخ.).

to ~ up يبعث ؛ يعيد إلى الأذهان واقعةً منسيّة.

rakehell [rāk'hĕl'] *(n.)* الخليع: شخص فاسق أو فاجر.

rake-off [rāk'ôf'] *(n.)* (١) حصة (من الأرباح) (٢) عمولة أو نسبة مئوية تؤخذ بطريقة غير شرعيّة.

rakish [rā'kĭsh] *(adj.)* (١) خليع ؛ فاسق (٢) أنيق المظهر على نحوٍ موحٍ بالسرعة (~ ships) (٣) غير متقيّد بالعُرف والرسميّات.

rale [räl] *(F.)* الخَرْخَرة: صوت غير سويّ يصحب التنفّس (مض).

ralliform [răl'ə-] *(adj.)* تِفِلْقِيّ (را. rail 6)؛ تِفِلْقِيّ الشكل.

rally [răl'ĭ] *(vt.; i.; n.)* (١) يلمّ الشعْثَ (to ~ the fleeing troops) (٢) يحثّ على القيام بعمل مشترك (٣) يحشد أو يستجمع قواه (٤) يمازح ؛ يسخر من ×(٥) يتجمع لعمل مشترك (٦) يلتئم شَمْله من جديد (٧) يهرع لنجدة شخص أو حزب أو قضيّة (٨) يُبِلّ ، جزئياً ، من مرض (٩) ينشَط بعد ركود (The stock market *rallied* yesterday.) §(١٠) «أ» لمّ شَعْث قوى متفرقة (للقيام بمجهود جديد). «ب» استجماع القوة أو الشجاعة بعد ضعف أو تخاذل. «ج» ارتفاع السعر بعد انخفاض (١١) اجتماع حاشد يُقصد به إثارة الحماسة الجماعيّة (١٢) سباق سيارات (١٣) تبادلُ لكمات.

ram [răm] *(n.; vi.; t.)* (١) كَبْش ؛ خروف (٢) «أ» منجنيق. «ب» الرام: سفينة حربيّة في مقدمها شبه «منقار» قوي معَدّ لاختراق السفن المعادية (٣) «أ» مِكبس المضخة. «ب» مِدكّ (٤) *cap.*: برج الحَمَل (فل) §(٥) يصدم بقوة (٦) ينطلق بسرعة قصوى ×(٧) يدكّ ؛ يحشو (٨) «أ» يكبس. «ب» يحشُر (٩) يفرض بالقوة (to ~ home a point of view) (١٠) ينطح.

Ramadan [răm'ə dän'] *(Ar.)* رَمَضان ؛ شهر الصيام (اس).

Ramaism [räm'ə iz əm] *(n.)* الراماويّة: عبادة البطل الملحميّ الهندوسيّ «راما» بوصفه تجسّداً للإله «فيشنو».

ramate [rā'māt] *(adj.)* متفرع ؛ ذو أغصان.

ramble [răm'bəl] *(vi.; n.)* (١) «أ» يهيم على وجهه. «ب» يتجول ؛ يضرب في الأرض لغير ما غاية (٢) يتحدّث أو يكتب على نحو مفكك أو غير مترابط (٣) «أ» يتعرّش أو ينمو (النبات) بغير نظام. «ب» يتمعّج أو يتلوّى (الجدول أو الطريق) §(٤) «أ» تجوال. «ب» نزهة.

rambler [răm'blər] *(n.)* (١) فا ramble (٢) الوَرْد المتعرّش (نب).

rambling [răm'blĭng] *(adj.)* (١) متجوِّل أو هائم على وجهه.

(٢) مُتلوٍّ ؛ مُتمعّج ؛ متعرّش (٣) متنقّل، على نحو مشتّت، من موضوع إلى موضوع .

rambouillet[răm'bōō lā';răn bōō yā'] *(F.)* الغنَم الرَّمبُوِي : ضرب من الخراف الفرنسيّة الضخمة .

rambunctious [-bŭngk'shəs] *(adj.)* حرون ؛ صَعْب المراس.

ramekin *or* **ramequin** [răm'ə kĭn] *(F.)* الرَّمكين : «أ» طعام يُعَدّ من جبن وخبز وبيض الخ . مخبوزة في قالب. «ب» وعاء فخّاري لخَبْز وتقديم أيّ طعام مماثل ؛ وبالتالي : طعام يقدّم في مثل هذا الوعاء (chicken ~*s*) .

ramie [răm'ĭ] *(n.)* الرّامي ؛ قِنّب سِيام (نب) .

ramification [răm'ə fə kā'-] *(n.)* (١) تشعُّب (٢) «أ» غُصَيْن «ب» فرع ؛ شُعبة (٣) نتيجة ؛ عاقبة (events of far-reaching ~*s*)

ramiform [răm'-] *(adj.)* (١) غُصنيّ الشكل ؛ شبيه بغصن (٢) متفرِّع ؛ متشعّب .

ramify [răm'ə fī] *(vt.; i.)* (١) يفرع ؛ يُشعِّب (٢) يقسِّم ؛ يجزىء ×(٣) يتفرع ؛ يتشعّب .

ramjet engine *(n.)* المحرك النفّاث التضاغطيّ (طي) .

ramose [rā'mōs] *(adj.)* متشعب ؛ متفرع .

ramous [rā'məs] *(adj.)* (١) متشعّب (٢) شبيه بالأغصان .

ramp [rămp] *(vi.; n.)* (١) يَشِب: «أ» يقف على قائمتيه الخلفيتين باسطاً قائمتيه الأماميّتين . «ب» يقف أو يتقدم على نحو مهدِّد ، رافعاً قائمتيه الأماميّتين أو ذراعيه (٢) يثور ؛ يهتاج (٣) يتسلّق (النباتُ) §(٤) شُبوب (٥) اهتياج (٦) تسلّقٌ (٧) التواء ؛ انحدار ؛ انحناء (٨) مُنْحَدَر ؛ مِيْل : «أ» طريق منحدِر . «ب» سُلَّم الصعود إلى الطائرة والهبوط منها .

rampage [*v.* răm pāj'; *n.* răm'pāj] *(vi.; n.)* (١) يهتاج ؛ يثور §(٢) اهتياج ؛ ثورة .

rampageous [răm pā'jəs] *(adj.)* مهتاج ؛ ثائر ؛ متمرد .

rampant [răm'pənt] *(adj.)* (١) شابّ : واقف على قائمتيه الخلفيتين وقد بسَط قائمتيه الأماميّتين (٢) هائج ؛ ثائر (٣) متفشٍّ ؛ منتشر على نحو غير مكبوح (٤) عنيف أو مفرط (٥) منحرف : إحدى دعامتيه أو كَتِفيَّيْ قنطرته أعلى من الأخرى (عم) .

rampant arch in staircase

— **rampancy** *(n.)*

rampart [răm'pärt] *(F.)* (١) متراس ؛ استحكام (٢) سورٌ واقٍ .

rampion [răm'pĭ ən] *(n.)* اللّفت البرّي ؛ عصا يعقوب (نب) .

ramrod [răm'rŏd'] *(n.; adj.)* (١) مِدكّ البندقية الخ . (٢) قضيب التنظيف (للبندقيّة) §(٣) قاسٍ ؛ صارم ؛ خشِن .

ramshackle [răm'-] *(adj.)* متداعٍ للسقوط (a ~ roof) .

ramulose[răm'yə lōs'] *(adj.)* كثير الغُصَيْنات أو الفروع الصغيرة .

ramulous [răm'yə ləs] *(adj.)* = ramulose.

ramus [rā'məs] *(L.)* فرْع أو شعبة (من نبات أو عظم الخ .) .

ran [răn] *past of* run.

rance [răns] *(F.)* الرَّنْس : الرُّخام البلجيكيّ .

ranch [rănch] *(n.; vt.; i.)* (١) مَرْبَى الماشية : مزرعة كبيرة لتربية الخيل أو المواشي الخ . §(٢) يدير مَربى للماشية أو يعمل فيه .

rancher[răn'chər] *(n.)* صاحب مربى الماشية أو مديرُهُ أو العامل فيه .

ranchero [răn châr'ō] *(Sp.)* = rancher.

ranchman [rănch'mən] *(n.)* = rancher.

rancho [răn'chō] *(Sp.)* = ranch.

rancid [răn'sĭd] *(adj.)* (١) فاسد ؛ زَنِخ الرائحة أو كريه المذاق (~ butter) (٢) زَنِخ (wet ~ smells) .

rancor [răng'kər] *(n.)* حِقد ؛ ضغينة ؛ سخيمة .

rancorous [răng'kər əs] *(adj.)* حقود ؛ موسومٌ بالحقد .

rand [rănd] *(n.)* (١) الرَّندة : بطانة عقِب الحذاء (٢) الرَّنْد : وحدة العملة بجنوب افريقية .

random [răn'dəm] *(adj.)* عَشوائيّ ؛ جُزافيّ : مُلقىً أو مصنوعٌ أو مختار من غير تدبّر أو هدف معيّن(~ remarks; ~ samples) . at ~, عَشوائياً ؛ جزافياً ؛ كيفما اتفق .

randomly[răn'dəm lĭ] *(adv.)* جُزافاً ؛ كيفما اتفق ؛ خبط عشواء .

randy [răn'dĭ] *(adj.)* (١) صاخب (٢) شهواني ؛ شبِق .

ranee [rä'nĭ] *(Hin.)* = rani.

rang [răng] *past of* ring.

range [rānj] *(n.; vt.; i.)* (١) «أ» صفّ ؛ خطّ . «ب» سلسلة جبال . «ج» طبقة ؛ رتبة ؛ صنف . «د» خطّ الاتّجاه (in direct ~ with the house) (٢) موقد ؛ فرن طبخ مُسطّح ذو عيون» (٣) «أ» مجال . «ب» مَرْعى . «ج» المألَف : مساحةٌ يُؤْلَف نموّ نبات ما ، أو وجود حيوان ما ، فيها (the ~ of the nightingale in our country) (٤) تجوّل ؛ تطواف (٥) «أ» مجال الرمي ؛ مَرْمى البندقية أو المدفع . «ب» المسافة ؛ المدَى : مقدار بُعْد الهدف عن البندقية الخ . (to fire at long ~) . «ج» مدى العمل : المسافة القصوى التي تستطيع المركبة الآليّة اجتيازها من غير حاجة إلى تجديد الوقود . «د» ميدان الرمي : ميدان يُتَدَرَّب فيه على إطلاق النار (a rifle ~) (٦) مدى ؛ نطاق (٧) مساحة أو رقعة ممتدّة (a wide ~ of meadows) (٨) تراوح (في علم الاحصاء) §(٩) «أ» يصفّ ؛ ينسّق . «ب» يصنّف (١٠) «أ» يطوف ؛ يتجوّل . «ب» يُبْحِر أو يمرّ في محاذاة كذا (١١) يرعى الماشية (١٢) يُحكِم الرمي (جن) ×(١٣) يتّخذ أو يحتلّ مكاناً أو موقعاً (١٤) «أ» يصطفّ ؛ يتراصف . «ب» يمتدّ في اتجاه معيّن (a boundary *ranging* east and west) (١٥) يُراوِح ؛ يتراوح (١٦) ينمو أو يوجد على نحو متوطّن في منطقة ما (a plant which ~*s* from Turkey to Arabia) . within ~, في نطاق كذا ؛ على مرمىً من .

range finder *(n.)* مُعَيِّن المدى ؛ مقدِّرة المدى : جهاز تعيين أو تقدير المدى (في مدفع أو آلة تصوير) .

ranger [rān'jər] *(n.)* (١) حارس الغابة أو الحديقة العامّة (٢) فا range (٣) «أ» الجوّال : أحد أفراد فرقة مسلحة مكلّفة بالطواف في منطقة معينة لإقرار الأمن فيها . «ب» جنديّ مدرَّب على القتال من مسافة قصيرة .

ranging [rān'-] *(n.)* إحكام الرَّمْي أو المدَى ؛ تحديد المسافة .

ranging rod *(n.)* الشاخص ؛ شاخص المهندس .

rangy [rān'jĭ] *(adj.)* (١) طوّاف : قادرٌ على الطّواف أو التجوّل مسافاتٍ كبيرة (٢) ممشوق (a ~ horse) (٣) واسع المدى أو النطاق (~ considerations) . —**ranginess** *(n.)*

rani [rä'nĭ] *(Hin.)* الرانية : ملكة هندوسيّة ؛ زوجة الرّاجا .

rank [răngk] *(adj.; n.; vt.; i.)* (١) «أ» نامٍ بوفرة (~ grass) . «ب» كثير الأعشاب الضارّة (~ soil) (٢) «أ» زَنِخ ؛ نتِن . «ب» عَفِن ؛ فاسد (٣) «أ» تامّ ؛ مطلق (~ ingratitude) . «ب» مئة بالمئة ؛ بكلّ ما في الكلمة من معنى (a ~ outsider) §(٤) «أ» صفّ ؛ سلسلة . «ب» صفّ من الناس أو من الجند . «ج» *pl.* : قوّات مسلّحة (the ~*s* of the enemy) .

«د» صف من المربعات الممتدة أفقياً في رقعة الشطرنج . «هـ» موقف سيارات (بر) (٥) نظام؛ ترتيب (٦) طبقة اجتماعية (٧)«أ» درجة ؛ منزلة ؛ مرتبة . «ب» جاه ؛ مقام رفيع ؛ مكانة سامية . «ج» رتبة (the ~ of colonel) §(٨) يصف ؛ يرتب (٩) يعتبر ؛ يصنف (He ~ed him among the world's great poets.) (١٠) يفوقه مقاماً (A colonel ~s a captain.) ×(١١) يصطف أو يسير في صفوف (١٢) يحتل منزلة معينة (Delhi ~s first in wealth.)

the ~s;other ~s. الرتباء والأفراد (تمييزاً لهم عن الضباط).

to reduce to the ~s يجرد ضابطاً من ضباط الصف من رتبته وينزله إلى رتبة جندي على سبيل العقاب .

to rise from the ~s يصبح ضابطاً (بالتدرج) .

rank and file *(n.)* (١) الجنود العاديون ، ضباط الصف والجنود (٢) القاعدة : جمهور أفراد المؤسسة أو الجمعية أو الدولة تمييزاً لهم عن القادة والزعماء .

ranker [răngk'ər] *(n.)* ضابط متخرج من الصف .

ranking [răngk'-] *(adj.)* عالي المنزلة أو المقام، مثل: «أ» الأول؛ الأكبر (~ writer) . «ب» يلي الرئيس مباشرة من حيث المقام (~ committee member) .

rankle [răng'kəl] *(vi.)* يعتمل : يفور (في الصدر أو الذهن) مُلهباً إياه بالضغينة (The memory of the insult~d in her mind.).

ransack [răn'-] *(vt.)* (١) ينقب في ؛ يفتش بتدقيق (٢) ينهب .

ransom [răn'səm] *(n.; vt.)* (١) فِدية (٢) افتداء §(٣) يخلص من الخطيئة وذيولها (٤) يفتدي أسيراً : يدفع فديته (٥) يحرر أسيراً (بعد أخذ الفدية من أهله) .

rant [rănt] *(vi.; n.)* (١) يتحدث بصخب أو بطريقة مسرحية (٢) يتبجح (٣) يعنف أو يلوم بقسوة §(٤) حديث صاخب أو متبجح (٥) لغة منمقة ، عاطفة فارغة (٦) قصف ، مرح صاخب . **—ranter** *(n.)*

ranula [răn'-] *(L.)* الشرغ ، الشرغوف : ورم كيسي تحت اللسان.

ranunculus [rə nŭng'kyə ləs] *(L.)* الحوذان (نب) .

rap [răp] *(n.; vt.; i.)* (١) خفقة ، دقة ، طرقة (٢) توبيخ أو نقد قاس (٣)«أ» مسؤولية جرم. «ب» اتهام بجريمة. «ج» حكم بالسجن (٤) «أ» شيء تافه. «ب» مقدار ذرة §(٥) يخفق، يدق أو يطرق على (٦) يعبر بدقات أو طرقات، كالذي يحدث في جلسات التنويم المغنطيسي (to ~ out a message) (٧) ينطق بشيء فجأة وبقوة (to ~ out an oath) (٨) ينتقد بقسوة (٩) يعتقل شخصاً أو يحكم عليه متهماً إياه بجريمة (١٠) ينتزع (١١) يبهج إلى أقصى حد ×(١٢) يحدث صوتاً قصيراً حاداً .

I don't care a ~. أنا لا أبالي البتة أو مثقال ذرة .

to take the ~, يتحمل العقوبة .

rapacious [rə pā'shəs] *(adj.)* (١) سلاب ؛ نهاب (٢) جشع ؛ طماع (٣) مفترس ، ضار .

rapacity [rə păs'ə tĭ] *(n.)* (١) نزعة إلى السلب (٢) جشع ؛ طمع (٣) ضراوة .

rape [rāp] *(vt.; n.)* (١) يسلب (٢) يغتصب فتاة أو امرأة . §(٣) سلب شخص أو خطفه بالقوة (٤) اغتصاب فتاة أو امرأة (٥) اللفت (نب) (٦) ثفل العنب .

rape oil *(n.)* زيت اللفت .

rapeseed [rāp'sēd'] *(n.)* (١) بزر اللفت (٢) لِفت .

raphe [rā'fē] *(L.)* التلاحم : التحام النصفين الجانبيين من عضو (كاللسان).

raphia [rā'fĭ ə] *(n.)* = raffia.

rapid [răp'ĭd] *(adj.; n.)* (١) سريع §(٢) *pl.* : منحدر النهر (حيث تتدفق مياهه بسرعة) .

rapid-fire [răp'ĭd fīr'] *(adj.)* (١) سريع الطلقات (٢) سريع ؛ متلاحق (~ questions) .

rapidity [rə pĭd'ə tĭ]; **rapidness** [răp'ĭd-] *(n.)* سرعة .

rapid transit *(n.)* النقل النفقي السريع : نقل الركاب السريع في المدن المكتظة ، بالقطار الكهربائي النفقي الخ .

rapier [rā'pĭ ər] *(F.)* المغول : سيف مستقيم مستدق الرأس ذو حدين .

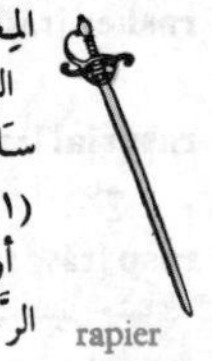

rapier

rapine [răp'ĭn] *(n.)* سلب ؛ نهب .

rapparee [răp'ə rē'] *(n.)* (١) جندي غير نظامي أو قاطع طريق ايرلندي (٢) لص ؛ قاطع طريق .

rappee [ră pē'] *(F.)* الربي : سعوط قوي .

rappel [ră pĕl'] *(F.)* هبوط المرء جُرفاً من الأجراف بواسطة حبل مزدوج .

rapper [răp'ər] *(n.)* فا rap وبخاصة : «أ» قارع الباب . «ب» مِقرعة الباب .

rapport [ră pôr'] *(F.)* صلة ؛ علاقة ؛ وبخاصة : وئام ؛ أُلفة .

rapporteur *(F.)* المقرر؛ مقرر اللجنة إلخ.

rapprochement [ră prôsh män'] *(F.)* التقارب (مع)؛ إقامة العلاقات الودية أو إعادة إقامتها .

rapscallion [răp skăl'yən] *(n.)* الوغد ، النذل .

rapt [răpt] *(adj.)* (١) سابح في عالم آخر (بعيداً عن الأرض والحياة والشؤون العادية) (٢) طرب ، جذل ، منتش (٣) مستغرق (~ in thought) .

raptor [răp'tər] *(n.)* الطير الجارح أو الكاسر .

raptorial [răp tōr'ĭ əl] *(adj.)* كاسر ؛ جارح ؛ مفترس .

rapture [răp'chər] *(n.; vt.)* (١) طرب ، جذل ، نشوة §(٢) يبهج إلى أقصى حد .

rapturous [răp'chər əs] *(adj.)* طرب ؛ جذل ، منتش .

rara avis [râr'ə ā'vĭs] *(L.)* pl. **rara avises** (١) طير نادر (٢) النادرة : شخص أو شيء عجيب أو استثنائي .

rare [râr] *(adj.)* (١) مخلخل ، قليل الكثافة (~ air) (٢) فذ (٣) نادر (٤) غير منضج (بالطهو) جيداً (a ~ steak) .

rarebit [râr'bĭt] *(n.)* جبن مذاب فوق خبز محمص .

rare-earth elements *(n. pl.)* العناصر الأرضية النادرة (ك) .

raree-show [râr'ē shō] *(n.)* (١) صندوق الفرجة ؛ صندوق الدنيا . (٢) استعراض مسرحي رخيص .

rarefaction [râr'ə făk'shən] *(n.)* مص rarefy وبخاصة : «أ» الخلخلة : جعل الشيء مسامياً أو قليل الكثافة . «ب» تخلخل .

—rarefactive *(adj.)* **—rarefactional** *(adj.)*

rarefied [râr'ə fīd] *(adj.)* (١) esoteric (٢) نقي ؛ عالٍ جداً .

rarefy *also* **rarify** [râr ə fī'] *(vt.; i.)* (١) يخلخل : يجعله مسامياً أو أقل كثافة ؛ ينقي الهواء (٢) يجعله أكثر روحانية أو تهذيباً أو عمقاً الخ . ×(٣) يتخلخل الخ .

rarely [râr'lĭ] *(adv.)* (١) نادراً ؛ قلما (٢) ببراعة نادرة (٣) إلى أقصى حد .

rareripe *(adj.; n.)* (١) ناضج مبكراً §(٢) ثمرة مبكرة النضج .

raring [râr'ĭng] *(adj.)* متحمس ؛ تواق ؛ متلهف .

rarity [râr'ə tĭ] *(n.)* (١) نُدْرَة (٢) نقاء ، تخلْخُل ؛ قلة كثافة (the ~ of the air in the mountains) (٣) شيء نادر .

rascal [răs'kəl] *(n.; adj.)* (١) الوغد ، النّذل §(٢) وضيع .

rascality [răs kăl'ə tĭ] *(n.)* (١) نذالة (٢) عمل نَذْل .

rascally [răs'kə lĭ] *(adj.; adv.)* (١) نذْل §(٢) بنذالة .

rase [rāz] *(vt.)* (١) يمحو (٢) يمحق ، يبيد .

rash [răsh] *(adj.; n.)* (١) متهور ، طائش §(٢) طَفْح جلدي . (٣) سلسلة متلاحقة (من الاحداث في فترة قصيرة) .

rasher [răsh'ər] *(n.)* المشروحة : شريحة رقيقة من لحم الخنزير مشويّة أو مقليّة .

rasorial [rə sōr'ĭ əl] *(adj.)* (١) نبّاش : متعوّد نَبْش الأرض بحثاً عن الطعام (~ birds) (٢) دجاجيّ : خاصّ برتبة الدجاج .

rasp [răsp; räsp] *(vt.; i.; n.)* (١) يَبْرُد ، يَبْشُر ، يقشط . (٢) يزعج ، يثير (٣) يقول بنبرات مهاجة × (٤) يُحدث صوتاً خشناً أو ذا صريف §(٥) مِبرد مُحبَّب (ذو نقط ناتئة بدلاً من الخطوط) (٦) مِبْشَرة ، مِقْشطة (٧) بَرْد ، بَشْر الخ. (٨) صوت خشن مثير للأعصاب .

raspberry [răz'bĕr'ĭ ; räz'-] *(n.)* (١) «أ» توت العُلّيق . «ب» توتة العُلّيق ؛ شجرة توت العُلّيق (٢) لون أرجوانيّ داكن (٣) صوت أو إيماءة دالّة على الكُرْه أو الاعتراض.

raspy [răs'pĭ] *(adj.)* (١) خشِن ، صارف (٢) مثير للأعصاب .

rat [răt] *(n.; vi.)* (١) جُرَذ (٢) شخص محتقر ، مثل : «أ» الخائن . «ب» رافض الانضمام إلى نقابة عماليّة أو إضراب عمالي . «ج» الواشي ، المبلِّغ ، وبخاصة : المبلِّغ المحترف (٣) وِثار أو وسادة رقيقة «يُصَفَّف» عليها شعر المرأة §(٤) يتخلّى عن رفاقه أو يشي بهم (٥) يصيد الفئران (٦) يسلك مسلك شخص وضيع أو جبان (٧) ينكر (را. recant).

Rats ! هراء ! كلام فارغ !

to smell a ~, يخامره الشكّ ؛ «يلعب الفأر في عبّه» .

ratable *or* **rateable** [rā'tə bəl] *(adj.)* (١) ممكن تقديره أو تخمينه (٢) خاضع للرسوم أو الضرائب .

ratafia[răt'ə fē'ə]*(F.)* الرّتافية : «أ» شراب مُسْكِر . «ب» بسكويت .

rataplan [răt'ə plăn'] *(n.)* قَرْع الطبول أو وقع الحوافر الخ .

rat-a-tat [răt'ə tăt] *or* **rat-a-tat-tat** [răt ə tăt tăt'] *(n.)* قرع متكرر (على باب) .

rat-bite fever *(n.)* حمّى الفأر : داء يصيب الانسان من عضة فأر .

ratch [răch]*(G.)* = ratchet.

ratchet [răch'ĭt] *(F.)* (١) السقّاطة ، اللسّين (مك) (٢) ماسكة السقّاطة أو ظُفرها (٣) مُسَنَّنة سقاطة ؛ تُرْس سُقّاطة .

ratchet *(vt.)* يزيد تدريجياً ؛ يرفع [الأسعار إلخ] .

ratchet wheel *(n.)* مُسَنَّنة السقّاطة ، تُرْس السقّاطة .

rate [rāt] *(n.; vt.; i.)* (١) سعر ، قيمة (٢) «أ» معدّل ، نسبة . «ب» معدّل السرعة (٣) فئة ، درجة (٤) رسم ، ضريبة (٥) حالة §(٦) يوبّخ بغضب أو عنف (٧) يعتبر ، يَعُدّ (٨) يسعّر ، يثمن ، يقدر (٩) يخضعه لرسم أو ضريبة (١٠) يُصنِّف (١١) يستحق (doesn't ~ so much remembrance) ×(١٢) يُعْتَبَر ، يُعَدّ (١٣) يحتلّ منزلةً معيّنة .

at any ~, على أية حال ، مهما تكن الظروف

at this (that) ~, في هذه الحال ، والحالة هذه .

rated load *(n.)* الحِمْل المقدّر (لماكينة ما) .

ratel [rā'təl; rä'-] *(n.)* الرّاتل ، آكل العسل : حيوان شبيه بالغُرَيْر .

ratepayer [rāt'pā'ər] *(n.)* دافع الضرائب (بر) .

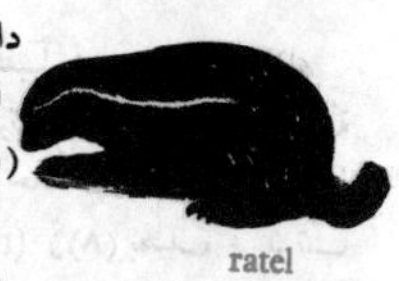

ratel

rater [rāt'ər] *(n.)* (١) المقدِّر ، المخمِّن الخ. (٢) ذو مرتبة أو درجة معيّنة (first-*rater*)

rather [răth'ər; räth'ər] *(adv.)* (١) على الأصح ، بالأحرى (It was late Sunday night or, ~, early Monday morning.) (٢) مُفضِّلاً ذلك على (Sami resigned ~ than take part in such a scheme.) (٣) أجل . في الواقع ! يقيناً ! من غير ريب (*Rather!*) (٤) إلى حدّ ما ، نوعاً ما (It's ~ cold.) (٥) على العكس (was no better but ~ grew worse).

rathskeller [räts'kĕl'ər] *(G.)* القَبْو : مطعم تحت مستوى الشارع عادةً تقدّم فيه المشروبات الكحوليّة .

raticide [răt'ə sīd] *(n.)* مُبيد الجرذان : مادة لقتل الجرذان .

ratification [răt'ə fə kā'shən] *(n.)* تصديق على ، إقرار .

ratify [răt'ə fī'] *(vt.)* يصدّق على ، يُقِرّ (اتفاقيّة الخ.) .

ratiné [răt'ə nā'] *(F.)* الراتين : نسيج من خيوط ذات عُقَد .

rating [rā'tĭng] *(n.)* (١) تصنيف (وبخاصة عسكرياً أو بحرياً) . (٢) جندي نَفَر من جنود الأسطول (بر) (٣) تثمين ، تخمين (٤) تقدير ، وبخاصة : القدرة بالأحصنة البخاريّة .

ratio [rā'shō; -shĭ ō'] *(L.)* نِسبة .

ratiocinate [răsh'ĭ ŏs'ə nāt'] *(vi.)* يستنتج أو يستدلّ منطقياً .

ratiocination [răsh'ĭ ŏs'ə nā'-] *(n.)* استنتاج أو استدلال منطقي .

ratiocinative [răsh'ĭ ŏs'-] *(adj.)* إستنتاجي ، استدلالي .

ration[răsh'ən; rā'shən] *(n.; vt.)* (١) جِراية الجندي (ليوم واحد) (٢) *pl.* : طعام ، مؤن ، أرزاق (٣) حصّة §(٤) يزود بجراية (٥) «أ» يوزّع الجِرايات . «ب» يوزّع بعدل . «ج» يقتصد في .

rational [răsh'ən əl] *(adj.; n.)* (١) معقول ، منطقيّ (٢) عاقل ، سليم التفكير (٣) مالكٌ قواه العقليّة (٤) مفكّر (Man is a ~ animal.) (٥) عقليّ : منسوب إلى العقل (the ~ faculty) (٦) عقلانيّ : نابع من العقل ، مبنيّ على العقل (~ explanations) (٧) مُنْطَق ، جَذْري (ر) §(٨) عَدَد مُنْطَق (ر) .

rationale[răsh'ə năl'; -nä'lĭ] *(L.)* (١) بَسْط أو عَرْض للأسباب أو المبادىء (٢) الأساس المنطقي (لشيء) .

rationalism [răsh'ən ə lĭz'əm] *(n.)* (١) المذهب العقليّ : «أ» القول بأنّ العقل ، غيرَ مُسْتَعِين بالوَحي الإلهي ، هو الهادي الأوحد إلى الحقيقة الدينيّة . «ب» نظرية تقول بأن العقل هو في ذاته مصدرٌ للمعرفة أسمى من الحواسّ ومستقلٌّ عنها . «ج» مبدأ (أو عادة) اعتبار العقل الحَكَمَ أو الفَيْصَلَ في قضايا الفكر أو المعتقد أو السلوك (٢) الإنطاق : حَذْف الجذور (ر).

—rationalist *(n.; adj.)* **—rationalistic** *(adj.)*

rationality [răsh'ə năl'ə tĭ] *(n.)* (١) العقلانيّة : كون الشيء عقلانياً (٢) المعقوليّة : كون الشيء معقولاً أو موافقاً للعقل (٣) *pl.* عد : رأي أو معتقد أو عمل عقلانيّ .

rationalization [răsh'ən əl ĭ zā'-] *(n.)* (١) الإنطاق : حذف الجذور (ر) (٢) العقلنة (را. المادّة التالية) (٣) التسويغ ، التبرير (را. المادة التالية) .

rationalize [răsh'ən ə līz] *(vt.; i.)* (١) يُنْطِق : يحذف الجذور (ر) (٢) يُعَقْلِن : «أ» يجعل الشيء مطابقاً للمبادىء العقليّة . «ب» يستعيض عن التفسير الغيبي لشيء ما بتفسير طبيعي . «ج» يعزو (المرءُ) تصرّفاته إلى عوامل عقلانيّة مشرّفة

من غير تحليل للدوافع الحقيقية ، وبخاصة للدوافع اللاواعية . ×(٣) يُسَوِّغ ؛ يبرر : يفسّر (المرء) سلوكه بأسباب معقولة أو مقبولة ولكنّها غير صحيحة (نف) .

rational number *(n.)* العدد المُنْطَق (ر) .

ratite [răt'īt] *(adj.; n.)* (١) مسطَّح القَصّ أو عظم الصَّدر . §(٢) طائر مُسطّح القَصّ .

ratlike [răt'līk] *(adj.)* جُرَذِيّ أو شبيه بجُرَذ .

ratline *or* **ratlin** [răt'lĭn] *(n.)* مَوطِىء القدم (في سلّم حبال بحريّة) .

ratlines

ratoon [ră to͞on'] *(n.; vi.)* (١) الجاذِر : أملود القطن أو قصب السكر ، وبخاصة : شَطْءٌ في عامه الثاني نام من الجذر §(٢) ينبت أو ينبثق من الجَذْر (كقصب السكّر) .

rat race *(n.)* سباق الجرذان : تنافسٌ عنيف أحمق .

ratsbane [răts'bān'] *(n.)* (١) الزِّرْنيخ ؛ سمّ الفأر . (٢) الرَّطبان : كل نبات يصيب الجرذان بالتسمّم .

rat snake *(n.)* أفعى الجرذان : أفعى هنديّة آكلة للجرذان .

rat's-tail [răts'tāl] *(n.)* ذيل الفأر : شيء شبيه بذيل الفأر ؛ وبخاصة : مِبرد ذيل الفأر .

rat-tail [răt'tāl] *(n.)* (١) الأزعر : ذيل الفرس القليل الشَّعْر أو الأجرد (٢) الزُّعار : مرض يصيب الخيل فيتساقط شَعْر أذيالها .

rattan [ră tăn'] *(n.)* (١) الرُّوطان ؛ أَسَل الهند : نبات يُصنع من بعضه عصيّ وسلال (٢) عصا من الرُّوطان .

ratter [răt'ər] *(n.)* صائد الجرذان ، وبخاصة : هرة صائدة للجرذان .

rattle [răt'əl] *(vi.; t.; n.)* (١) يُخشخِش ، يقعقع ، يَصِل ، (٢) «أ» يثرثر . «ب» يلفظ أو يؤدّي بسرعة أو بطريقة مفعمة بالحيوية أو من غير تفكير (to ~ off a speech) (٢) يتحرّك ، وبخاصة بسرعة ، مُحدِثاً خشخشة أو قعقعة × (٤) يخشخش (الشيء) أو يقعقعه (٥) يُنهِض ؛ يوقظ ؛ يُثير (٦) يُزعج ؛ يضايق §(٧) «أ» خشخشة ، قعقعة ، صليل ؛ ثرثرة . «ب» جَلَبة ، لَغط (٨) «أ» «خُشْخَيْشَة» الأطفال . «ب» الجلجل : العضو المُحْدِث للصلصلة في ذيل الحيّة ذات الجرس (٩) حَشْرَجة .

rattlebrain [răt'əl brān'] *(n.)* شخص أحمق أو طائش .

rattler [răt'lər] *(n.)* (١) المُخَشْخِش ، المُقعقِع ، الثرثار (٢) قطار شحن (٣) rattlesnake .

rattlesnake [răt'əl snāk] *(n.)* المُجَلْجِلَة : ذات الجُلجل أو الجَرَس : حيّة إذا سَعَت سُمِعَ لها صوت كصوت الجرس .

rattlesnake

rattletrap [răt'əl trăp'] *(n.)* شيء مُقَعْقِعٌ أو مُخلَّع ، وبخاصة : سيارة عتيقة .

rattling [răt'lĭng] *(adj.; adv.)* (١) سريع ؛ نشيط (a ~ wind) (٢) رائع ؛ من الطراز الأول (had a ~ time) §(٣) جداً (a ~ good lecture) .

rattly [răt'lĭ] *(adj.)* مُخَشْخِش ، مُقَعْقِع ، مُصَلْصِل .

ratton [răt'ən] *(n.)* فأر ؛ جُرَذ (ع) .

rattrap [răt'trăp'] *(n.)* (١) مِصيَدة فئران (٢) الجُحْر : موضعٌ قذر متهدّم (٣) مأزق حرِج .

ratty [răt'ĭ] *(adj.)* (١) «أ» كثير الفئران . «ب» فأريّ : ذو علاقة بفأر أو شبيهٌ به . «ج» زريّ المظهر ؛ أشْعَث (٢) «أ» خسيس ؛ غادر أو خوّون . «ب» نزق ؛ سريع الغضب .

raucity (rô'sə tĭ) *(n.)* الجُشّة : خشونة في الصوت .

raucous [rô'kəs] *(adj.)* أجشّ ؛ خشِن .

ravage [răv'ĭj] *(vt.; n.)* (١) ينتهب (٢) يخرِّب ؛ يُتْلِف . §(٣) نَهْب ؛ تخريب ؛ إتلاف (٤) خراب ؛ تلف .

rave [rāv] *(vi.; t.; n.; adj.)* (١) «أ» يهذي . «ب» يهاجم بعنف . «ج» يتكلّم بحماسة بالغة عن . (٢) يهتاج ؛ يعصف × (٣) ينطق بشيء في خَبَل أو سُعْر §(٤) هذَيان الخ . (٥) افتتان (ع) (٦) إطراء §(٧) إطرائيّ .

ravel [răv'əl] *(vt.; i.; n.)* (١) «أ» يَنسُل (النسيج) . «ب» يحلّ (٢) يُربِك ؛ يشوّش × (٣) يتنسّل ؛ يتسلّى §(٤) مص ravel وبخاصة : نَسْل النسيج أو انتساله (٥) خيطٌ مَنْسُول .

raveling; ravelling [răv'əl ĭng] *(n.)* خَيْطٌ منسول (من نسيج) .

ravelment [răv'əl mənt] *(n.)* ارتباك ؛ تشوّش .

raven [*n., adj.* rā'vən; *v.* răv'ən] *(n.; adj.; vt.; i.)* (١) الغُداف : غراب أسحَم أو أسود (٢) غدافيّ ؛ أسحم (٣) يلتهم بشَرَه × (٤) يفترس (٥) يبحث عن فريسة (٦) ينهب .

ravening [răv'ən ĭng] *(adj.)* مفترس ؛ ضار .

ravenous [răv'ən əs] *(adj.)* (١) ضارٍ (٢) نَهِم (٣) شديد الجوع أو التوق الى .

ravin [răv'ən] *(n.)* (١) rapacity (٢) «أ» افتراس . «ب» فريسة .

ravine [rə vēn'] *(n.)* الوَهْد ؛ المَسِيل : وادٍ صغير ضيّق شديد الانحدار .

ravish [răv'ĭsh] *(vt.)* (١) يَستَلِب (٢) يفتِن ؛ يَسلُب اللبّ (٣) يغتصب امرأة . **—ravisher** *(n.)*

ravishing [răv'ĭsh ĭng] *(adj.)* فاتن ؛ ساحر ؛ سالبٌ للّبّ .

ravishment [răv'ĭsh mənt] *(n.)* (١) سَلْب ؛ نَهْب . (٢) طرَب ؛ نَشْوة (٣) اغتصاب امرأة .

raw [rô] *(adj.; n.)* (١) نيء ؛ فِجّ (٢) «أ» خام (~ silk) . «ب» صِرف ؛ غير ممزوج بماء (~ spirits) . «ج» غير مدبوغ (~ hides) (٢) «أ» مسلوخٌ عنه الجلد (a ~ sore) . «ب» دامٍ ؛ غير ملتئم أو مندمل (a ~ wound) . «ج» عارٍ (liked to swim ~) (٣) «أ» غِرّ ؛ جاهل ؛ قليل التجربة . «ب» غير مصقول فنياً (Her literary style is still ~) (٤) قاسٍ ؛ ظالم ؛ مُنطوٍ على حَيْف (a ~ deal) (٥) رطب أو بارد حتى الإزعاج (~ winter days) §(٦) موضع مسلوخ عنه الجلد ، وبخاصة في جسم فرَس (٧) عُرْي . **—rawly** *(adv.)* **—rawness** *(n.)*

to touch one on the ~ , يجرح مشاعره (بالتعرّض لموضوع جدّ حسّاس بالنسبة إليه) .

rawboned [rô'bōnd'] *(adj.)* نحيل ؛ مهزول .

rawhide [rô'hīd'] *(n.; vt.)* (١) جِلد غير مدبوغ (٢) سَوْط من جلد غير مدبوغ §(٣) يجلد أو يسوق بسَوْط أو نحوه .

raw material *(n.)* مادّةٌ أوليّة ؛ مادّةٌ خام .

ray [rā] *(n.; vi.; t.)* (١) شُعاع ؛ شُعاعَة (٢) إشعاع ؛ نور . (٣) ذرّة ؛ بصيص (a ~ of hope) (٤) الراي ؛ السَّفَن ؛ الحصيرة ؛ الشَّفنين البحري (سمك) §(٥) يُشِعّ .

rayless [rā'lĭs] *(adj.)* (١) لاشعاعيّ (٢) مُظلِم .

rayon [rā'ŏn] *(n.; adj.)* (١) الرايون : حرير يُصنَع من السيلولوز . (٢) نسيجٌ رايونيّ §(٣) رايونيّ : مصنوع من الرايون (a ~ shirt) .

raze [rāz] *(vt.)* (١) يدمّر تدميراً تاماً (حتى يُسوّي بالأرض) . (٢) «أ» يقشط ؛ يقطع ؛ يحلق . «ب» يمحو (ا.ق) .

razee [rā zē'] *(n.; vt.)* (١) المُقزَّم : مركب (حربيّ بخاصة) يُقصَّر ارتفاعه بالاستغناء عن سطحه الأعلى §(٢) يقزّم المركَب .

razor [rā'zər] *(n.)* (١) موسى الحلاقة (٢) المِحلاق : ماكينة الحلاقة .

razorback [-băk'] *(n.)* خنزير بريّ (أو نصف بريّ) أميركي .

razor-backed [rā zər băkt'] *or* **razorback** [rā'-] *(adj.)* ضيِّق المَتْن حادُّه (a ~ horse) .

razorbill ; razor-billed auk *(n.)* مُوسوي المنقار (طا) .

razz [răz] *(vt. ; n.)* (١) يَسخر من §(٢) نقدٌ عنيف .

razzle-dazzle [răz əl dăz'əl] *(n.)* قَصْف ؛ مرحٌ صاخب .

re [rē;rā] *(prep.)* فيما يتعلق بِ (في لغة القانون) .

re - بادئة معناها : ثانيةً ؛ من جديد *(reopen)* .

reabsorb [rē'ăb sôrb'] *(vt.)* يمتص ثانيةً .

reach [rēch] *(vt. ; i. ; n.)* (١)يَبْسُط ؛ يمدّ (He ~*ed* out his hand.) (٢) يتناول (Salma ~*ed* a dish from the shelf.) (٣)«أ» يبلغ ؛ يصل إلى . «ب» ينال ؛ يفوز بِ . «ج» يستميل ؛ يؤثر في (Women are ~*ed* by flattery.) «د» يتّصل بِ (~*ed* him by phone) (٤) يُناوِل ×(٥)يحاول الوصول إلى (Her husband ~*ed* for his gun.) (٦)يمتد ؛ ينتشر §(٧) بَسْط ؛ مَدّ الخ. (٨) مرحلة من رحلة الخ. (٩) «أ» متناوَل اليد . «ب» وُسْع ؛ استطاعة ؛ فَهْم (١٠) لسانٌ مُنْبَسِط من جدول أو نهر أو أرض.

reaches *(n. pl.)* المراكز الهامة (في مؤسسة إلخ) .

reach-me-down [rēch'mē-] *(adj. ; n.)*=hand-me-down.

react [rĭ ăkt'] *(vi. ; t.)* (١) يؤثّر في (٢)«أ» يرتكس ؛ يستجيب لمؤثّر ما (Orators ~ to applause.) . «ب» يكون ردّ فعله (How did she ~ when she heard the news ?) (٣) يقاوم (to ~ against tyranny) (٤)يَرْجِع الى وضع أو مستوى سابق (٥) يتفاعل (Acids ~ on metals.)×(٦)يُفاعِل : يجعله يتفاعل.

reactance [rĭ ăk'təns] *(n.)* المُفاعَلة (كب) .

reactant [rĭ ăk'tənt] *(n.)* المُفاعِل (ك) .

reaction [rĭ ăk'shən] *(n.)* (١) الرَّجعة ؛ الرجعيّة (forces of ~) (٢) ارتكاس (مج) ؛ ردّ فعل (٣) تفاعل (ك) .

reactionary *or* **reactionist** *(adj. ; n.)* رَجْعِيّ .

reactivate [rē ăk'-] *(vt. ; i.)* (١) يُعيد تنشيطَ ×(٢)ينشَطُ ثانيةً.

reactive [rĭ ăk'tĭv] *(adj.)* (١)رَجعيّ (٢) ارتكاسي (٣)تفاعلي (٤) متفاعل (٥) مُفاعِل .

reactor [rĭ ăk'tər] *(n.)* (١) الراكس ؛ رادّ الفعل (٢) المتفاعل . (٣) المفاعِل («فز» و «كب») .

read [rēd] *(vt. ; i. ; n.)* (١) «أ» يقرأ ؛ يتلو . «ب» يطالع . (٢) يدرس (He is ~*ing* law.) (٣) يعلم (God ~*s* men's hearts.) (٤) يؤوِّل (to ~ a dream) (٥) يقرأ الطالع (to ~ a person's fortune) (٦) يدلّ على ؛ يشير إلى (thermometer ~*s* 37 degrees) (٧)يعزف لحناً (~*s* Bach) (٨) يوبّخ ؛ يلقي درساً قاسياً على (She ~ him a lesson.) (٩) ينقل إلى حالة معيّنة بواسطة القراءة كأن يحمل نفسه على النوم من طريق المطالعة (to ~ oneself to sleep) ×(١٠) يَصْلُح : يبدو (أو يحدث انطباعاً ما) عند القراءة (Her play ~*s* better than it acts.) (١١) يَرِدُ على نحو مختلف او بصورة اخرى (This passage ~*s* differently in older versions.) (١٢) يُقرأ أو يُفسَّر (a rule that ~*s* two different ways) (١٣) فترة للمطالعة § (She had a good ~ in the train.) .

to ~ between the lines يقرأ بين السطور : يمعن النظر في الكلام ليكتشف معانيَ غير معبّر عنها فعلياً .

to ~ the riot act (١) يأمر حشداً بالتفرق (٢)«أ» يأمر فلاناً بالكفّ عن شيء . «ب» يوبّخ أو يحتجّ بعنف .

to ~ out يطرد أو يفصِل من منظمة .

read [rĕd] *(adj.)* مطّلع ؛ واسع الاطلاع (من طريق المطالعة) .

read [rĕd] *past and past part. of* **read.**

readable [rē'də bəl] *(adj.)* (١) مقروء ؛ ممكنةٌ قراءتُه . (٢) سَهْل القراءة أو مُمْتِعها .

reader [rē'-] *(n.)* (١) «أ» القارىء . «ب» lector . «ج» مصحّح التجارب أو البروفات المطبعيّة . «د» مثمّن المخطوطات «هـ» مساعد أستاذ (يقرأ فروض الطلاب ويضع لها درجات أو علامات) (٢) المُعيد : مدرّس يتلو المحاضرات ويتوسّع في شرح موضوعات الدرس للطلاب (بر) (٣) المِقْرأة : أداة لإظهار صورة مقروءة عن كلام مرقوم على زجاجة أو فيلم الخ. (٤)«أ» كتاب لتعليم القراءة . «ب» مجموعة قطع أدبيّة مختارة .

readership [rē'dər shĭp] *(n.)* (١) القارئية : كون المرء قارئاً الخ. (٢)مجموع قرّاء (جريدةٍ أو مجلةٍ أو عمود معيّن في جريدة أو مجلّة).

readily [rĕd'ə lĭ] *(adv.)* (١) عن طِيب نفس ؛ بسرور . (٢) حالاً ؛ بسرعة (٣) بسهولة ؛ بيُسْر .

readiness [rĕd'ĭ nĭs] *(n.)* (١) استعداد (٢) مَيل ؛ رغبة . (٣) سرعة (٤) سهولة ؛ رشاقة الخ.

reading [rē'dĭng] *(n.)* (١) قراءة (٢) دراسة الكتب الخ. (٣) مادّة مقروءة أو معدّة للقراءة (٤) القراءة : «أ» إحدى القراءات المختلفة لنصّ من النصوص. «ب» الرقم الذي تشير إليه أداة ما (The ~ of the thermometer was 38 degrees.) (٥) تفسير خاصّ (What is your ~ of the situation ?) (٦) اطّلاع ؛ معرفة أدبيّة (a teacher of wide ~) (٧) اجتماع تتلى فيه على الجمهور بعض النصوص الأدبيّة ؛ النصّ المقروء هكذا (~*s* from Milton) .

readout [rē'dout] *(n.)* (١)طرد أو فصل (من منظمة) (٢)المُقْرِئة : اداة تُبْرِز بالارقام معلوماتٍ محسوبة أو مسجلة .

ready [rĕd'ĭ] *(adj. ; vt. ; n.)* (١)«أ» مستعدّ ؛ متأهّب . «ب» جاهز . «ج» في متناوَل اليد (had a gun ~) (٢) راغبٌ في ؛ ميّال إلى (٣) حاضر ؛ سريع ؛ رشيق (a ~ wit) §(٤) يُعِدّ ؛ يُهيّىء §(٥) استعداد ؛ وبخاصة : كون البندقيّة مستعدة للأطلاق العاجل (to bring a gun to the ~) .

ready-made [-mād'] *(adj.)* (١) جاهز (~ shoes) . (٢) مُبْتَذَل ؛ تُعْوِزُه الأصالة أو الشخصيّة (~ ideas) .

ready money *(n.)* نَقْد ؛ نقد سائل (اد) .

ready-to-wear [-tə wâr'] *(adj.)* جاهز (~ clothes) .

ready-witted [rĕd'ĭ wĭt'ĭd] *(adj.)* حاضر البديهة ؛ سريع الخاطر .

reagent [rē ā'jənt] *(n.)* الكاشف (ك) .

real [rē'əl; rēl] *(adj. ; n. ; adv.)* (١)حقيقيّ ؛ واقعيّ (٢) أصليّ ؛ غير زائف (a ~ pearl) (٣)صادق (~ sympathy) (٤)حقيقيّ : مَقيس بالقوّة الشرائيّة (~ income) §(٥)شيء حقيقيّ ، وبخاصة : كمية حقيقية (ر) §(٦) جِداً (He was ~ glad to see her.) .

real [rē'əl; rē äl'] *(Sp.)* الريال : وحدة النقد الأساسيّة في اسبانية (سابقاً) .

real estate *(n.)* العقار ؛ المِلْك الثابت .

realgar [rĭ ăl'gər] *(Ar.)* رَهَج الغار (مع) .

realism [rē'ə lĭz'əm] *(n.)* الواقعيّة : «أ» سلوك مبنيّ على مواجهة الحقائق وإغفال العواطف والأعراف . «ب» نظرية تقول بأنّ للمادّة وجوداً حقيقياً مستقلاً عن إدراكنا العقليّ لها (فف) . «ج» الاخلاص، في الفنّ والأدب، للطبيعة أو للحياة الواقعيّة وتصوير مظاهرهما بدقّة من غير إهمال لما هو قبيح أو مؤلم .

—**realist** *(adj. ; n.)* —**realistic** *(adj.)*

reality [rĭ ăl'ə tĭ] *(n.)* حقيقة ؛ واقع .
in ~, في الحقّ ؛ في الواقع .
realization [rē'əl ə zā'shən] *(n.)* (١)«أ» تحقيق. «ب» تحقّق. (٢) تحويل (عقاراتٍ أو أسهم الخ.) إلى نقد (٣) إدراك؛ فهم.
realize [rē'ə līz'] *(vt.)* (١) يحقّق (٢) يحوّل (عقاراتٍ أو أسهماً الخ.) إلى نقد (٣) يدرك ؛ يفهم بوضوح .
really [rē'ə lĭ] *(adv.)* (١)«أ» في الواقع. «ب» من غير ريب (٢) حقاً.
realm [rĕlm] *(n.)* (١) مملكة (the ~ of Belgium) (٢) عالَم؛ دنيا (the ~ of dreams) (٣) حقل (the ~ of chemistry) .
real number *(n.)* العدد الحقيقيّ (ر) .
realpolitik [rā äl'pō'lĭ tēk'] *(G.)* السياسة الواقعيّة : سياسة مبنية على عوامل عمليّة وماديّة لا على عوامل نظرية أو أخلاقيّة .
Real Presence *(n.)* الإيمان بأنّ المسيح حاضر فعلاً في القربان المقدّس.
realtor [rē'əl tər] *(n.)* الوسيط أو السّمسار العقاريّ .
realty [rē'əl tĭ] *(n.)* العقار ؛ المِلْك الثابت .
ream [rēm] *(n.; vt.)* (١) ماعون ورق (٢) *pl.* عد : مقدار كبير (wrote ~*s* and ~*s* of poetry) §(٣) يُبرْغِل ؛ يَسْحَل ؛ يوسّع الثقب (٤)«أ» يزيل بالبرغلة (تتبعها *out*) . «ب» يستخرج عُصارة الثمرة بعصّارة (٥) يخدع .
reamer [rē'mər] *(n.)* (١) البُرْغُل؛ المِسْحَل؛ موسّع الثقوب . (٢) عصّارة الفاكهة .
reap [rēp] *(vt.; i.)* (١) يَحْصِد (٢) يجني ؛ يكسب .
reaper [rē'-] *(n.)* (١) الحاصد (٢) الحصّادة: آلة للحصد .
reaping hook *also* **reap hook** *(n.)* مِنجل .
rear [rĭr] *(vt.; i.; n.; adj.)* (١) «أ» يبني ؛ يشيّد. «ب» يقيم ؛ ينصب عمودياً (to ~ a ladder) (٢) ينشّئ ؛ يربّي (٣) يُشيّب الفرسَ: يجعله ينتصب على قائمتيه الخلفيّتين ×(٤) يرتفع عالياً (٥) يَشِبّ الفرسُ §(٦) «أ» مؤخَّر ؛ مؤخَّرة . «ب» مؤخرة الجيش . «ج» عجيزة؛ كَفَل §(٧) خلفيّ .
rear admiral *(n.)* العميد البحريّ (في الأسطول) .
rear guard *(n.)* المؤخَّرة ؛ السّاقة (جن) .
rear guard action *(n.)* قتال المؤخَّرة : «أ» معركة دفاعيّة أو تعويقيّة تخوضها قوّات المؤخَّرة . «ب» جهدٌ وقائيّ أو تعويقيّ يُبْذَل دفاعاً عن النظام القائم .
rearm [rē ärm'] *(vt.; i.)* يُسلّح أو يتسلّح ثانيةً بأسلحة جديدة أو أفضل .
rearmament [rē är'-] *(n.)* إعادة تسليحٍ أو تسلّحٍ .
rearmost [rĭr'mōst] *(adj.)* الأخير، الآخِر .
rearmouse [rĭr'mous] *(n.)* الخُفّاش ؛ الوطواط (ع) .
rearward [rĭr'wərd] *(n.; adj.; adv.)* (١) مؤخَّرة ؛ وبخاصة : مؤخَّرة الجيش أو الأسطول §(٢) خلفيّ §(٣) أو **rearwards** : في المؤخرة ؛ نحو المؤخَّرة ؛ إلى الخلف .
reason [rē'zən] *(n.; vi.; t.)* (١)«أ» سبب ؛ داعٍ . «ب» مبرر ؛ تفسير (٢) عقل؛ صواب؛ رُشْد §(٣) يفكّر (٤) يجادل؛ يحاول إقناع (He ~*ed* with them for two hours.) ×(٥) يُقنع بالحجّة والمنطق (كقولك She tried to ~ him out of his fears أيْ حاولتْ اقناعه بأن مخاوفه لا مبرر لها.) (٦) يستنبط أو يكتشف أو يستنتج منطقياً (to ~ out a plan) .
by ~ of بسببِ كذا ؛ بسببٍ من كذا .
in ~, معقول (He is willing to do anything in ~.)
It stands to ~ that... من البَدَهيّ ؛ ممّا يقرّه كل ذي عقل.
to bring a person to ~, يُعيده إلى جادة الصواب ؛ يحمله على اطّراح الفكرات والأعمال الطائشة .
reasonability [rē'zən ə bĭl'-] *(n.)* المعقوليّة ؛ كون الشيء معقولاً .
reasonable [rē'zən ə bəl; rēz'nə-] *(adj.)* (١) «أ» معقول . «ب» معتدل . «ج» غير غالي السعر (٢) «أ» عاقل ؛ مفكّر . «ب» حصيف ؛ صائب التفكير .
—reasonableness *(n.)*
reasoning [rē'zən ĭng] *(n.)* (١) التفكير ؛ وبخاصة : الاستنتاج من الوقائع أو المقدّمات (٢) الحجج أو البراهين الناشئة عن ذلك.
reasonless [rē'zən lĭs] *(adj.)* (١) غير عاقل ؛ غير ذي عقل. (٢) أحمق ؛ دالّ على حماقة (٣) لا مبرّر أو داعيَ له .
reassurance [rē ə shŏŏr'əns] *(n.)* (١) إعادة طَمْأنةٍ أو توكيد. (٢) إعادة تأمين .
reassure [rē'ə shŏŏr'] *(vt.)* (١) يعيد طَمْأنته أو توكيده . (٢) يجدّد التأمين .
Reaumur thermometer [rā'ə myŏŏr'] *(n.)* ترمومتر رومير : ترمومتر يشير الصفر فيه إلى نقطة التجمّد والدرجة ٨٠ إلى نقطة غليان الماء .
rebate [rē'bāt; rĭ bāt'] *(vt.; n.)* (١) يحسم ؛ يُجري حسماً . §(٢) حَسْم ؛ تنزيل .
rebec *or* **rebeck** [rē'bĕk] *(Ar.)* رَبَاب ؛ ربابة (مو) .
rebel [*adj., n.* rĕb'əl; *v.* rĭ bĕl'] *(adj.; n.; vi.)* (١)«أ» ثائر . «ب» ثوريّ: ذو علاقة بالثوار (the ~ forces) (٢) متمرد؛ عاصٍ §(٣) الثائر ؛ المشترك في ثورة §(٤) يثور ؛ يتمرّد؛ يعلن العصيان.
rebellion [rĭ bĕl'yən] *(n.)* ثورة ؛ عصيان .
rebellious [rĭ bĕl'yəs] *(adj.)* (١) ثائر ؛ متمرّد ؛ عاصٍ . (٢) ثوريّ (٣) حَرون ؛ شَمُوس ؛ مستعصٍ .
rebirth [rē bûrth'; rē'-] *(n.)* (١) «أ» ولادة جديدة أو ثانية : تقمّص . «ب» تجدّد روحيّ (٢) نهضة ؛ انبعاث .
reborn [rē bôrn'] *(adj.)* مولودٌ ثانيةً ؛ متجدّد؛ منبعث .
rebound [*v.* rĭ bound'; *n.* rē'bound', rĭ bound'] *(vi.; t.; n.)* (١) «أ» يرتدّ (بعد ارتطامه بشيء) . «ب» ينهض (من تعثّر أو إخفاق) (٢) يثب (٣) يَرجِع (الصّدى) ×(٤) يردّ ؛ يجعله يرتدّ الخ. §(٥) «أ» ارتداد . «ب» نهوض (٦) صدى (٧) ردّ فعل مباشر تلقائيّ لتعثّر أو إخفاق أو أزمة .
rebroadcast [rē brôd'kăst'] *(vt.; n.)* (١) ينقل برنامجاً إذاعياً أو تلفزيونياً (مُرْسَلاً في تلك اللحظة نفسها من مصدر آخر) (٢) يعيد إذاعة البرنامج (في وقت لاحق) §(٣) برنامج منقول أو معاد .
rebuff [rĭ bŭf'] *(vt.; n.)* (١) يصُدّ ؛ يردّ ؛ يرفض §(٢) صدّ ؛ ردّ ؛ رفْض .
rebuild [rē bĭld'] *(vt.)* (١) «أ» يجدّد بناءَ شيء . «ب» يعيد الى وضع سابق (٢) يجري تغييرات واسعة في .
rebuke [rĭ būk'] *(vt.; n.)* (١) يوبّخ؛ يعنّف §(٢) توبيخ؛ تعنيف.
rebus [rē'bəs] *(L.)* (١) الكناية عن كلمة أو عبارة برسم يذكّر المرء بها أو بمقطع منها (كصورة القطة *cat* على خشبة ، أيْ *log* ،كنايةً عن كلمة *catalog*) (٢) لغزٌ قوامهُ أمثال هذه الرسوم أو الرموز .
rebut [rĭ bŭt'] *(vt.)* يدْفع أو يردّ (بالبيّنة أو الحجّة) .
rebuttal [rĭ bŭt'əl] *(n.)* (١) دَفْع ؛ ردّ (أمام القضاء) . (٢) بيّنة ؛ دافعة (ق) .
rebutter [rĭ bŭt'ər] *(n.)* دَفْع ؛ ردّ على مزاعم الادّعاء .

ă at; ā date; â care; ä car; ĕ egg; ē me; ĭ in; ī bite; ŏ lot; ō bone; ô orphan; oi boil ŏŏ good; ōō boot; ou out; ŭ under; ū unity; û urgent; th thing; th this; zh vision; ə = a in alone, e in system, i in easily, o in gallop, u in circus.

recalcitrant [rĭ kăl'sə-] *(adj.; n.)* متمرّد؛ حَرُون؛ شَموس.

recalculate [rē kăl'kyə lāt] *(vt.)* يَحْسُب ثانيةً (وبخاصة لاكتشاف مصدر الخطأ).

recalescence [rē'kə lĕs'əns] *(n.)* الاحترار؛ ذُكُوّ الإشعاع الحراري؛ عودة التوهج: ارتفاع مفاجىء في الحرارة يحدث أثناء تبريد المعدن في سلسلة من الحرارات (كالذي يقع للحديد في درجة ٦٩٠ مئوية).

recall [*v.* rĭ kôl'; *n.* rĭ kôl', rē'-] *(vt.; n.)* (١) يستدعي؛ يدعو إلى العودة (٢) يذكّر بـ؛ يعيد إلى الذهن (٣) يتذكّر (٤) يستردّ؛ يسحب؛ يلغي (٥) يحيي؛ يعيد إلى الحياة § (٦) استدعاء (٧) تذكير أو تذكّر (٨) استرداد؛ سحب؛ إلغاء (٩) إقالة موظف حكوميّ بتصويت شعبي.

recant [rĭ kănt'] *(vt.; i.)* (١) يُنكر؛ يَسْتَحِبُ علناً (رأياً أو مُعتَقَداً) (٢) يستردّ؛ يَسْحَب × (٣) يرتدّ؛ يتخلّى علناً عن معتقده؛ يعترف علناً بالخطأ.

—recantation *(n.)*

recap [*v.* rē kăp'; *n.* rē'kăp] *(vt.; n.)* (١) يجدّد الإطار الخارجيّ (الملامس للأرض من دولاب سيارة) § (٢) دولاب مجدَّد.

recap [rĭ kăp'] *(vt.; n.)* (١) يلخّص § (٢) خلاصة.

recapitalize [rē kăp'ə tə līz'] *(vt.)* يجدّد أو يغيّر رأس مال الشركة.

—recapitalization *(n.)*

recapitulate [rē'kə pĭch'ə lāt] *(vt.; i.)* يعيد باختصار: يلخّص.

recapitulation [rē'kə pĭch ə lā'shən] *(n.)* خلاصة؛ إعادة مختصرة للنقاط الأساسيّة.

recapture [rē kăp'chər] *(n.; vt.)* (١) استرداد (٢) استرداد الغنائم (٣) استيلاء الحكومة على المكاسب أو الأرباح الزائدة عن حدّ معيّن: مصادرة § (٤) يستردّ الخ.

recast [*v.* rē kăst'; *n.* rē'kăst] *(vt.; n.)* (١) يعيد صبّ (مدفعٍ أو جرَس) (٢) يعيد صياغة (جملةٍ أو أثرٍ أدبيّ أو وثيقة) (٣) يعيد توزيع أدوار الرواية § (٤) إعادة السبك أو الصياغة الخ. (٥) شكل جديد ناشىء عن ذلك.

recede [rĭ sēd'] *(vi.; vt.)* (١) يتراجع؛ يتقهقر؛ يرتد إلى الوراء. (٢) ينسحب (من اتفاقيّة الخ.) (٣) يتقلّص × (٤) يعيد (أو يتخلّى عن) لمالك سابق.

receipt [rĭ sēt'] *(n.; vt.)* (١) صيغة طَهْوِيّة (تصِف كيف يُعَدّ أحد ألوان الطعام) (٢) علاج (٣) استلام؛ تلَقٍّ (٤) *pl.*: المبلغ المستلَم؛ الكمية المُستلَمة (٥) «إيصال»؛ وصْل استلام § (٦) يعطي إيصالاً؛ يُشعِر باستلام كذا (٧) يكتب (على فاتورة الخ.) أن القيمة قد دُفِعت.

receivable [rĭ sē'və bəl] *(adj.)* (١) مقبول (Gold is ~ all over the world.) (٢) مرتقَب قبضُه (accounts ~). (٣) ممكن استقباله (إذاعياً أو تلفزيونياً).

receivables [rĭ sē'və bəlz] *(n. pl.)* سندات القبض: السندات المنتظر دفعُها إلى مؤسسة ما، من مَدينيها.

receive [rĭ sēv'] *(vt.; i.)* (١) «أ» يتسلّم؛ يستلم. «ب» يتلقّى. (٢) يُدخِل في؛ يقبله عضواً (to ~ a person into the church) (٣) يؤمن به؛ يعترف بصحته (a principle universally ~*d*) (٤) يتّسع لـ (a hole large enough to ~ two men) (٥) يَستقبل؛ يرحّب بـ (٦) يلقى؛ يلاقي (to ~ attention) × (٧) يمكث في بيته لاستقبال الزائرين (~*s* on Mondays) (٨) يستقبل: يحوّل الموجات الكهربائيّة إلى إشارات مدرَكة (ر د).

receiver [rĭ sē'vər] *(n.)* المُستلِم؛ مثل: «أ» أمين صندوق. «ب» حارس قضائيّ. «ج» متلقّي السِّلَع المسروقة. «د» المستقبِل: وعاء لاستقبال الغازات (ك). «هـ» المستقبِلة (مج): جهاز راديو أو تلفزيون مستقبِل. «و» السماعة: الجزء المستقبِل (الذي يوضع على الأذن) من «يد» التلفون.

receivership [-shĭp] *(n.)* الحراسة القضائية «أ»: مركز الحارس القضائيّ أو وظيفته. «ب» كونُ الممتلكات خاضعةً لإشراف حارس قضائيّ (put a corporation into ~).

receiving order *(n.)* حكمٌ من محكمة إفلاس بتعيين حارس قضائيّ.

receiving set *(n.)* المستقبِلة (مج): جهاز راديو أو تلفزيون مستقبِل.

recency; recentness [rē'-] *(n.)* حداثة؛ جِدّة.

recension [rĭ sĕn'shən] *(n.)* (١) تنقيح لأثر قديم (على أساس الدراسة النقدية للنصّ وللمصادر) (٢) أثرٌ مُنقَّح.

recent [rē'sənt] *(adj.)* (١) حديث (٢) جديد.

recently [rē'sənt lĭ] *(adv.)* حديثاً؛ مؤخَّراً؛ منذ عهد قريب.

receptacle [rĭ sĕp'tə kəl] *(n.)* (١) وعاء؛ إناء (٢) قرص الزهرة؛ كرسيّ الزهرة (نب) (٣) المَقبِس (كب).

reception [rĭ sĕp'shən] *(n.)* مص receive مثل: «أ» استلام. «ب» تلَقٍّ. «ج» قَبول. «د» استقبال. «هـ» الاستقبال: استقبال الجهاز اللاقط للإشارات الصوتيّة أو درجةُ فعالية ذلك (ر د).

receptionist [- ĭst] *(n.)* المرحِّب؛ المُرحِّبة: موظف، من الجنس اللطيف عادةً، مُهِمّتُه الترحيب بالوافدين (على مكتب أو مؤسسة).

reception room *(n.)* حُجرة الاستقبال.

receptive [rĭ sĕp'tĭv] *(adj.)* (١) متفتّح: سريع إلى تلقّي الفكرات الخ. (had a ~ mind) (٢) تقبُّلي: متّسِم بنزعة إلى تقَبُّل المقترحات أو العروض بعطف (a ~ frame of mind) (٣) حِسّي («فس» و«نف»).

receptor [rĭ sĕp'tər] *(n.)* (١) المُتقَبِّل: عضو الحِسّ (فس). (٢) السمّاعة: الجزء المستقبِل (الذي يوضع على الأذن) من «يد» التلفون (٣) جهاز الاستقبال (في التلغراف اللاسلكي).

recess [*n.* rĭ sĕs', rē'sĕs; *v.* rĭ sĕs'] *(n.; vt.; i.)* (١) تراجُع؛ ارتداد (٢) *pl.*: «أ» مُعتَزَل؛ مُختَلى؛ موضع منعزل أو داخليّ. «ب» أعماق (in the ~*es* of the heart) (٣) «أ» تثلُّم؛ تسنُّن (في شاطىء أو هضبة أو غابة). «ب» تجويف. «ج» فجوة في جدار غرفة (لوضع سرير أو مجموعة كتب) (٤) عطلة § (٥) يضع في فجوة جدار (٦) يُحدِث فجوةً (للكتب الخ.) في جدار × (٧) يأخذ عطلة.

recession [rĭ sĕsh'ən] *(n.)* (١) تراجع؛ انسحاب؛ ارتداد؛ انحسار. (٢) موكب العودة (كموكب عودة الكهنة وجوقة المرتّلين بعد القداس) (٣) جزء مرتدّ إلى الوراء (من جدار الخ.) (٤) فترة الركود: فتور موقَّت في النشاط الاقتصادي.

recession [rē sĕsh'ən] *(n.)* إعادة؛ إرجاع.

recessional [rĭ sĕsh'ən əl] *(adj.; n.)* (١) انسحابيّ؛ خِتاميّ: مُنْشَد أو معزوف أثناء انسحاب الكهنة وجوقة المرتلين من الكنيسة عند انتهاء القداس § (٢) ترنيمة الانسحاب؛ موسيقى الانسحاب (تُنشَد أو تُعزَف أثناء انسحاب الكهنة والمرتلين من الكنيسة).

recessive [rĭ sĕs'ĭv] *(adj.)* (١) مُرتَدّ؛ منحسر (٢) مُتَنَحٍّ (أح).

recessive character *(n.)* المُتَنَحِّية (مج)؛ الصفة المكبوتة أو المنفورة: صفة وراثيّة ناشئة عن «جِينة» أو مُورِّثة ذات فعالية كِيمْيحَيَوِيّة biochemical أضعف من مورِّثة أخرى تُعرَف بالمورِّثة الغالبة أو النافرة (أح).

réchauffé [rē shō fā'] *(F.)* الرَّجِيع: «أ» طبقُ طعام بَرَدَ فسُخِّنَ ثانيةً. «ب» كلّ ما يُقدَّم أو يُستعمل من جديد في شكل أو آخر من غير تعديل أو تحسين جوهريّ.

recheat [rĭ chēt'] *(n.)* استنفار بالبوق (لجمع كلاب القنص).

recherché [rə shâr'shā] *(F.)* (١) رائع؛ مختار بعناية (٢) نادر. (٣) نفيس (٤) «أ» مُفرط الأناقة. «ب» متكلَّف؛ متَمَحَّل.

recidivism [rĭ sĭd'ə vĭz'əm] *(n.)* الانتكاسية: نزعة للارتداد إلى وضع أو سلوك سابق (وبخاصة الى الإجرام).

recidivist [rĭ sĭd'ə vĭst] *(n.)* الانتكاسيّ: النزّاع للعودة إلى الإجرام؛ المجرم الذي لا سبيل إلى شفائه من النزعات الإجراميّة.

recipe [rĕs'ə pē] *(L.)* (١) وصفة طبيّة (٢) صيغة طَهْويّة (تصِف كيف يُعَدّ لون من ألوان الطعام) (٣) طريقة إجراء.

recipient [rĭ sĭp'ĭ ənt] *(n.; adj.)* متسلِّم؛ متلقٍّ؛ متقبِّل.

reciprocal [rĭ sĭp'rə kəl] *(adj.)* (١) متبادَل (~ love). (٢) تبادُليّ (ل): دالّ على علاقة متبادلة (مثل each other أو one another) (٣) عكسيّ؛ متبادَل؛ متداوَل (ر).

reciprocate [rĭ sĭp'rə kāt] *(vt.; i.)* (١) يتبادل (العواطف الخ.) (٢) يردّ (المجاملة بمثلها الخ.) (٣) يجعله يتردّد (إلى أمام وإلى وراء) ×(٤) يتردّد (إلى أمام وإلى وراء). **—reciprocator** *(n.)*

reciprocating engine *(n.)* المحرِّك الترددي: محرِّك يتردّد كبّاسُه إلى أمام وإلى وراء (مك).

reciprocation [rĭ sĭp'rə kā'-] *(n.)* (١) تبادل (٢) مُبادلة بالمِثل. (٣) تردّد الحركة؛ تعاكس (مك). **—reciprocative** *(adj.)*

reciprocity [rĕs'ə prŏs'ə tĭ] *(n.)* (١) التبادلية (٢) تبادل؛ تبادلٌ للامتيازات الخاصة في ما يتصل بالتجارة بين بلدين.

recision [rĭ sĭzh'ən] *(n.)* إلغاء؛ حذف.

recital [rĭ sī'təl] *(n.)* (١) تلاوة؛ إلقاء (٢) سَرْد؛ قَصّ؛ رواية. (٣) قصة؛ حكاية؛ وصف (٤) حفلة موسيقية يحييها عازفٌ فَرْد، عادةً، أو تتألف من مختارات تُعزَف من آثار مؤلِّفٍ فَرْد. **—recitalist** *(n.)*

recitation [rĕs'ə tā'shən] *(n.)* (١) تلاوة؛ إلقاء (٢) «أ» التسميع: إجابة الطالب الشفهيّة على أسئلة المدرِّس. «ب» حصة تدريس.

recitative [rĕs'ə tā'tĭv] *(adj.)* سَرْديّ؛ قَصَصيّ.

recitative [rĕs'ə tə tēv'] *(n.)* (١) الإلقاء المُلحَّن: موسيقى صوتية وَسَطٌ بين الكلام والغناء، تُصطَنَع في تأدية المقاطع القصصيّة أو الحواريّة من المُغنّاة (الأوبرا) (٢) المقطع الملحون.

recitativo [-tē'vō] *(It.)* pl. **-tivi** *or* **-tivos** = recitative.

recite [rĭ sīt'] *(vt.; i.)* (١) يتلو أو يُلقي (٢) يروي؛ يقصّ؛ يَسْرِد (٣) يسمِّع (الطالب) درساً. **—reciter** *(n.)*

reck [rĕk] *(vi.; t.)* (١) يهتمّ (٢) يَهُمّ؛ يقدِّم أو يؤخِّر ×(٣) يبالي بـ (It ~*s* not.)

reckless [rĕk'lĭs] *(adj.)* (١) طائش؛ متهوِّر (٢) مُهمِل.

reckon [rĕk'ən] *(vt.; i.)* (١) يعُدّ؛ يحْسِب؛ يقدِّر (٢) يعتبر (He is ~*ed* a great poet.) (٣) يظنّ؛ يعتقد (ع) ×(٤) يصفّي حساباً (٥) «أ» يرتأي. «ب» يفترض؛ يحسب (ع) (٦) يتّكل؛ يعتمد على. **—reckoner** *(n.)*
  a man to be ~*ed* with رجل يُحْسَب له حساب.
  to ~ (something) in يُدخِل (شيئاً) في الحساب.

reckoning [rĕk'ən ĭng] *(n.)* (١) مص reckon (٢) حساب؛ تقدير (٣) تقدير (أو حساب) موقع السفينة (٤) تصفية حساب (٥) فاتورة بالحساب (٦) الحساب؛ المحاسبة (day of ~).

reclaim [rĭ klām'] *(vt.)* (١) «أ» يُصْلِح (شخصاً)؛ يردّه إلى طريق الصواب. «ب» يروِّض (٢) يستصلح (ارضاً) (٣) يستخلص (المطاط الخ.) من ناتجٍ مُهمَلٍ أو حصيلة ثانية.

re-claim [rē klām'] *(vt.)* يطالب بـ؛ يطالب باسترداد كذا.

reclamation [rĕk'lə mā'shən] *(n.)* (١) «أ» إصلاح. «ب» ترويض (٢) استصلاح (أرضٍ) (٣) استخلاص مادةٍ من ناتج مهمَل الخ.

réclame [rĕ klâm'] *(F.)* (١) شهرة (٢) طلب الشهرة.

reclinate [rĕk'lə nāt] *(adj.)* متدلٍّ، بحيث يكون الرأس تحت القاعدة (~ leaves).

recline [rĭ klīn'] *(vt.; i.)* (١) يحني (إلى الوراء) ×(٢) ينحني إلى الوراء (٣) «أ» يتكئ. «ب» يستلقي؛ يضطجع.

recluse [rĭ klōōs'] *(adj.)* متوحِّد؛ منعزل عن العالم.

recluse [rĕk'lōōs; rĭ klōōs'] *(n.)* الناسك.

reclusion [rĭ klōō'zhən] *(n.)* (١) تنسُّك (٢) عزلة (٣) سَجْن؛ وبخاصة: سجن انفرادي.

recognition [rĕk'əg nĭsh'ən] *(n.)* (١) «أ» تمييز؛ تعرُّف. «ب» إدراك (٢) تقدير (لفضلٍ أو خدمة الخ.) (٣) إقرار؛ تسليم بـ (٤) اعتراف (بحكومة أو دولة الخ.) (٥) اهتمام خاص.
  in ~ of his services تقديراً لخدماته؛ اعترافاً بخدماته.

recognizable [rĕk'-] *(adj.)* ممكنٌ تمييزه أو إدراكه أو تقديره الخ.

recognizance [rĭ kŏg'nə zəns] *(n.)* (١) الإقرار الالتزامي: تعهّد رسمي يُلزِم صاحبَه بأداء عملٍ معيَّن (كالمثول أمام المحكمة في وقت معين) (٢) كفالة (تُقدَّم عند إعطاء هذا التعهّد).
  to enter into ~*s* يوقِّع على إقرار التزامي.

recognize [rĕk'əg nīz'] *(vt.; i.)* (١) «أ» يميِّز؛ يتعرَّف؛ يعرف ثانية (Salim had changed so much that one could scarcely ~ him.) «ب» يُدْرِك (٢) يقدِّر (خدماتِ فلان الخ.) (٣) يقرّ أو يسلِّم بـ (٤) يعترف (بحكومة أو دولة) ×(٥) يوقِّع على إقرار التزامي (را. recognizance ١).

recoil [rĭ koil'] *(vi.; n.)* (١) يرتدّ؛ ينكص (٢) يتراجع (السلاح الناريّ) عند إطلاقه (٣) ينقلب على؛ يرتدّ إلى (Revenge may ~ upon the avenger.) §(٤) ارتداد (٥) تراجع (السلاح الناري).

recoilless [rĭ koil'lĭs; rē'koil'-] *(adj.)* عديم التراجع: ذو حدٍّ أدنى من التراجع (~ guns).

recoin [rē koin'] *(vt.)* يسكّ (أو يضرب) ثانيةً.

re-collect [rē'kə lĕkt'] *(vt.)* (١) يلمّ الشعث (٢) يستجمع قواه الخ.

recollect [rĕk'ə lĕkt'] *(vt.; i.)* يتذكّر؛ يتذكَّر.

recollected [rē kə lĕk'tĭd] *(adj.)* هادئ؛ رابط الجأش.

recollection [rĕk'ə lĕk'shən] *(n.)* (١) تذكُّر (٢) ذاكرة (a weakened ~) (٣) ذِكرى (~*s* of my childhood).

recombine [rē kəm bīn'] *(vt.; i.)* يوحِّد أو يتّحد ثانيةً.

recommend [rĕk'ə mĕnd'] *(vt.)* (١) يزكّي؛ يقدِّم بتوصية (He ~*ed* her as a good typist.) (٢) يفوِّض (أمرَه الخ.) الى؛ يعهد به الى (٣) ينصح (٤) يشفع بـ؛ يجعله مقبولاً أو سائغاً أو جذاباً.

recommendation [rĕk'ə mĕn dā'shən] *(n.)* (١) تزكية؛ توصية (٢) رسالة (أو كلمة الخ.) تزكيةٍ (٣) نصيحة (٤) حسنة؛ فضيلة؛ مَحْمَدة؛ شيء يجعل المرء موضع الثقة وحسن الظن (A sweet disposition is a ~ in a secretary.)

recommit [rē'kə mĭt'] *(vt.)* (١) يقترف ثانيةً (إثماً أو جريمة). (٢) يُودِع ثانيةً؛ يُرجِع (مجرماً) إلى السِّجن (٣) يعيد (مشروع قانونٍ) إلى لجنة. **—recommitment** *(n.)* **—recommittal** *(n.)*

ă at; ā date; â care; ä car; ĕ egg; ē me; ĭ in; ī bite; ŏ lot; ō bone; ô orphan; oi boil ŏŏ good; ōō boot; ou out; ŭ under; ū unity; û urgent; th thing; t͟h this; zh vision; ə = *a* in alone, *e* in system, *i* in easily, *o* in gallop, *u* in circus.

recompense [rĕk'əm pĕns] *(vt.; n.)* (١) يُجازي ؛ يكافيء أو يعاقب (٢) يعوض على §(٣) جزاء ؛ مكافأة ؛ تعويض .

recompose [rē'kəm pōz'] *(vt.)* (١) يرتّب أو ينسّق الخ. ثانية. (٢) يُعيد إليه رباطة جأشه .

reconcile [rĕk'ən sīl] *(vt.)* (١) يُصْلح (بين متخاصمين) . (٢) يسوّي أو ينهي (خلافاً أو نزاعاً) (٣) يوفّق بين ~*d* his ideals with practical reality) (٤) يستميل ؛ يسترضي (٥) يُرَوِّض (نفسَهُ) على ؛ يحملها على الإذعان والقبول to ~ oneself to afflictions)

—**reconcilement** *(n.)*

—**reconciliation** *(n.)* —**reconciliatory** *(adj.)*

recondite [rĕk'ən dīt] *(adj.)* (١) عميق ؛ عويص (٢) مُبْهَم.

recondition [rē'kən dĭsh'-] *(vt.)* (١) يجدد ؛ يرمم (٢) يُصْلح.

reconnaissance [rĭ kŏn'ə-] *(F.)* استطلاع ؛ استكشاف ؛ ريادة.

reconnoiter [rē kə noi'tər] *(vt.)* يستطلع ؛ يستكشف ؛ يرود .

reconsider [rē'kən sĭd'ər] *(vt.; i.)* يعيد النظر في .

reconstruct [rē'kən strŭkt'] *(vt.)* يبني أو ينظّم من جديد .

reconversion [rē kən vûr'zhən] *(n.)* إعادة إلى وضع سابق .

reconvert [rē kən vûrt'] *(vt.; i.)* يعيد إلى وَضْع سابق ؛ وبخاصة : «أ» : يُعيد (صناعة أو مصنعاً بعد انتهاء العقود الحكومية لإنتاج المواد الحربيّة) إلى إنتاج السّلع المدنيّة . «ب» يعيد (ماكينةً كانت قد كُيِّفت لتعمل بوقود مختلف) إلى العمل بالوقود السابق .

reconvey [rē'kən vā'] *(vt.)* يعيد إلى مركز أو مالك سابق .

record[*v.*rĭ kôrd'; *n.*, *adj.* rĕk'ərd] *(vt.; n.; adj.)* (١)يدوّن؛ يسجّل (٢) يشير إلى ؛ يدلّ على (thermometer ~*ed* 37 degrees) (٣) يسجّل صوتاً (على أسطوانة) §(٤) تدوين ؛ تسجيل (٥) مُدَوَّنة ؛ شيء مُدَوَّن أو محفوظ (٦) بيان (٧) مَحْضَر (٨) سِجِلّ (٩) رقم قياسيّ (رب) (١٠)أسطوانة فونوغرافية §(١١) قياسيّ ؛ فائق أمثاله (~ heat).

to break a ~, يَضْرِب (يكسر) رقماً قياسياً .

off the ~, غير رسميّ ؛ «ليس للنشر» (كتصريح يدلي به مسؤول حكوميّ الخ. في مقابلة خاصة أو مؤتمر صحفيّ على أن لا ينشره الصحفيون في جرائدهم).

on ~, مدوّن ؛ مسجّل .

recordation [rĕ kôr dā'shən] *(n.)* تدوين ؛ تسجيل الخ.

record changer *(n.)* مُبَدِّلة الأسطوانات : أداة ملحقة بالفونوغراف تُنْزِل الأسطوانات ، أوتوماتيكياً ، واحدةً إثر واحدة ، إلى القرص الدائر ، بحيث يسمع المرء أنغامها على التعاقب من غير ما حاجة إلى إزعاج نفسه بتبديلها .

recorder [rĭ kôr'dər] *(n.)* (١) المسجِّل ؛ المدوِّن (٢) المُسجِّلة : جهاز تسجيل الصوت على شريط (٣)«أ» القاضي الأول في بعض المدن البريطانية . «ب» قاضٍ محلّي له صلاحية النظر في الدعاوى الجنائية الابتدائية (٤) ضربٌ من «الفلوت» ذو ثمانية ثقوب .

recording [rĭ kôr'dĭng] *(n.)* (١)تسجيل (٢)أسطوانة فونوغرافية.

recordist [rĭ kôr'dĭst] *(n.)* مُسجِّل الصوت : مَنْ يسجّل الصوت وبخاصة على شريط .

record player *(n.)* المُسْتَنْطِقة ؛ لاعبة الأسطوانات : أداة «لاستنطاق» الأسطوانات الفونوغرافيّة أي لاستخراج الصوت المعبّأ فيها (تكون عادةً متصلة بمكبّر خارجيّ للصوت) .

recount [rĭ kount'] *(vt.)* (١) يروي ؛ يَسْرد (٢) يُعَدِّد .

recount [rē kount'] *(vt.; n.)* (١) يَعُدّ من جديد §(٢) عَدٌّ ثانٍ أو جديد (a ~ of election votes) .

recoup [rĭ kōōp'] *(vt.; i.)* (١)«أ» يستبقي جزءاً (بحيث يُنقِص مبلغاً مستحقّ الأداء) . «ب» يُسْقِط (يحسم) جزءاً من الخسائر (٢)ينال تعويضاً (عن خسارة الخ.) (٣)يعوّضه مِنْ ؛ يعيد إليه مالاً دفعَهُ (٤) يستردّ ؛ يستعيد ×(٥) يعوّض (عن خسارة).

recourse [rē'kōrs; rĭ kōrs'] *(n.)* (١) التجاء ؛ استِعانة . (٢) ملجأ ؛ ملاذ ؛ سبيل (٣) حقّ حامل الكمبيالة في الرجوع على الساحب أو المحيلين (أي مطالبتهم بدفع قيمتها) .

to have ~ to يلجأ إلى ؛ يلتمس العون من .

without ~, بدون حق الرجوع على المحوِّل (أي مطالبته بالدفع) .

recover [rĭ kŭv'ər] *(vt.; i.)* (١) يستردّ ؛ يستعيد (٢) «أ» يعيد إلى الحياة أو العافية أو الرّشد أو إلى وضع سويّ. «ب» يُنقِذ (ا.ق) (٣) «أ» يعوِّض عن. «ب» يكسب بدعوى قضائية reclaim(٤) ×(٥) يشفى ؛ يُبِلّ (٦) يكسب الدعوى .

re-cover [rē kŭv'ər] *(vt.)* يجعل للشيء غطاءً جديداً .

recovery [rĭ kŭv'ə rĭ] *(n.)* (١) «أ» استرداد ؛ استعادة . «ب» الشيء المُسْتَرَدّ (٢) إبلال ؛ شفاء (٣) عودة إلى وضع سويّ (٤) استخلاص (را. reclaim 3) .

recovery room *(n.)* حجرة الطوارىء : حجرة في مستشفى مزوّدة بكلّ ما تتطلبه الطوارىء الناشئة بعد إجراء العمليات الجراحية .

recreance ; recreancy [rĕk'-] *(n.)* (١) جُبْن (٢) خيانة .

recreant [rĕk'rĭ ənt] *(adj.; n.)* (١) جبان (٢) خائن .

recreate [rĕk'rĭ āt'] *(vt.; i.)* (١) يُنْعِش ؛ يُجدِّد النشاط الجسدي والعقلي ×(٢) يستجمّ .

re-create [rē'krĭ āt'] *(vt.)* يبعث : يخلق من جديد .

recreation [rĕk'rĭ ā'-] *(n.)* (١) استجمام (٢) وسيلة استجمام.

re-creation [rē krĭ ā'-] *(n.)* بعث ؛ تجديد ؛ خَلْقٌ من جديد .

recreational [rĕk'rĭ ā'-] *(adj.)* استجماميّ أو مُعَدّ للاستجمام.

recreative [rĕk'-] *(adj.)* منعش ؛ مجدِّد للنشاط الجسدي أو العقلي.

re-creative [rē'krĭ āt'ĭv] *(adj.)* باعث ؛ مجدِّد ؛ خالق من جديد.

recriminate [rĭ krĭm'ə nāt'] *(vi.)* يردّ باتّهام مضادّ .

recrimination [rĭ krĭm'ə nā'shən] *(n.)* اتّهامٌ مضادّ .

recrudesce [rē'krōō dĕs'] *(vi.)* ينفجر أو يتفشّى أو يَنْشَط من جديد.

—**recrudescence** *(n.)* —**recrudescent** *(adj.)*

recruit [rĭ krōōt'] *(n.; vt.; i.)* (١) مَدَد (٢) عضوٌ جديد (في جماعة أو طبقة) (٣) مجنّد جديد §(٤) يُمِدّ أو يعزّز جيشاً (بمجندين جُدُد) (٥) يجنّد ؛ يطوّع (٦) يجدّد (٧) يُعافي ؛ يُقوّي الخ. ×(٨) يشفى ؛ يتعافى .

recruiting; recruitment [rĭ krōōt'-] *(n.)* تجنيد ؛ تطويع .

recrystallize [rē krĭs'-] *(vt.; i.)* يُبَلِّر (أو يتبلّر) ثانيةً أو تكراراً.

rect- *or* recto- بادئة معناها : المعي المستقيم *(rectal)* .

rectal [rĕk'təl] *(adj.)* مستقيميّ : منسوب إلى المعي المستقيم (ت).

rectangle[rĕk'tăng'gəl] *(n.)* المستطيل (هن).

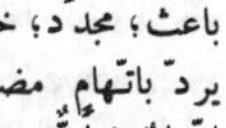

rectangle

rectangular [rĕk tăng'gyə lər] *(adj.)* (١)مستطيل الشكل (٢)«أ» قائم. «ب» متعامد.

rectangular coordinates إحداثيات متعامدة (ر) .

recti- بادئة معناها : مستقيم *(recti*linear) .

rectifiable [rĕk'tə fī'-] *(adj.)* ممكنٌ تصحيحه أو تعديله الخ.

rectification[rĕk tə fə kā'-] *(n.)* تصحيح ؛ تكرير ؛ تقويم الخ.

rectifier [rĕk'tə fī'ər] *(n.)* (١) فا rectify (٢) المقوِّم : أداة لتحويل التيار المتردِّد إلى تيار طَرْدي (كب) .

rectify [rĕk'tə fī'] *(vt.)* (١) يصحّح ؛ يعالج (٢) يكرّر التقطير (ك) (٣) يعدّل ؛ يُنقّح (٤) يقوِّم: يحوِّل تياراً متردداً إلى تيار طردي (كب) (٥) يعيّن طولَ قوس المُنحنَى (ر).

rectilinear *(adj.)* (١) مستقيم (٢) مستقيم الخطوط.

rectilinear angle *(n.)* زاوية مستقيمة الضلعين (ر).

rectilinear lens *(n.)* عدسة مستقيمة الصُّوَر.

rectitude [rĕk'-] *(n.)* (١) استقامة (٢) صحة (الرأي أو الحكم).

recto [rĕk'tō] *(L.)* (١) الصفحة اليمنى (٢) وجه (الكتاب أو العملة).

rector [rĕk'-] *(n.)* (١) الموجِّه؛ القائد (٢) «أ» قسّيس (في الكنيسة الانكليزية). «ب» كاهن (كث) (٣) رئيس جامعة أو مدرسة.

rectorate [-'tər ĭt] *(n.)* منصب القسّيس أو مقامه أو مدّة ولايته.

rectory [rĕk'tə rĭ] *(n.)* (١) منصب القسّيس (٢) بيت القسّيس.

rectrix [rĕk'trĭks] *(L.)* pl. **rectrices** [rĕk trī'sēz] إحدى الرِّيشات الكبار في ذيل الطائر.

rectum [rĕk'təm] *(L.)* pl. **-s** *or* **-ta** [-tə] المستقيم (ت).

rectus [rĕk'təs] *(L.)* pl. **-ti** [-tī] عضلة مستقيمة.

recumbency [rĭ kŭm'-] *(n.)* (١) استلقاء ؛ اضطجاع . (٢) هجوع ؛ سكون (٣) اتكاء («ح» و «نب»).

recumbent [rĭ kŭm'-] *(adj.)* (١) مستلقٍ ؛ مضطجع . (٢) هاجع ؛ ساكن (٣) متكئ («ح» و «نب»).

recuperate [rĭ kū'pə rāt'] *(vt.; i.)* (١) يسترد ؛ يستعيد . ×(٢) يتعافى (٣) يعوض (مالاً خسره).
—**recuperative** *(adj.)*

recur [rĭ kûr'] *(vi.)* (١) يلجأ إلى (ا.ن) (٢) يرجع ؛ يعود (~*red* to that subject) (٣) يعاودُ الذهنَ (~*ring* ideas) (٤) يتكرّر ؛ يحدُث ثانية (بعد فترة).

recurrence [rĭ kûr'əns] *(n.)* (١) التجاء (٢) عودة (٣) تكرار.

recurrent [rĭ kûr'ənt] *(adj.)* (١) راجعٌ: مرتدٌّ في اتجاه معاكس لاتجاه سابق (~ laryngeal nerve) (٢) متواتر ؛ متكرر دوريّاً.

recurring decimal *(n.)* الكَسْر العشري الدائر (ر).

recurvate [rĭ kûr'vĭt; -vāt] *(adj.)* منحنٍ إلى الوراء.

recurve [rĭ kûrv'] *(vt.; i.)* يَحْني (أو ينحني) إلى الوراء.

recusancy [rĕk'yə zən sĭ; rĭ kū'-] *(n.)* رَفْض ؛ عصيان ؛ تمرّد.

recusant [rĕk'yə zənt; rĭ kū'-] *(adj.)* رافض ؛ عاصٍ ؛ متمرد.

recycle *(vt.; n.)* (١) يعيد الدورة أو السبك، ولا سيّما لاستخراج موادّ صالحةٍ للاستعمال مجدّداً § (٢) إعادة الدورة الخ.

red [rĕd] *(adj.; n.)* (١) «أ» أحمر ؛ حمراء . «ب» محمرّ خجلاً . «ج» وَرْديّ ؛ متورّد . «د» محتقنة (~ eye) . «هـ» ضارب إلى الحمرة (٢) متوهج (٣) أحمر: «أ» داعٍ إلى إحداث تغييرات اجتماعيّة أو سياسية ، وبخاصة بالقوّة . «ب» شيوعي . «ج» ذو علاقة بالاتحاد السوفياتي وحلفائه § (٤) اللون الأحمر (٥) حيوان صوفُهُ ضارب إلى الحمرة (٦) صِبْغٌ أحمر (٧) الأحمر : «أ» المؤيِّد للإطاحة بالنظام الاجتماعي أو السياسي القائم . «ب» الشيوعي .

in the ~, (١) مَدين ؛ مديون (٢) مصابٌ بخسارة .

the ~, (١) حبر أحمر يستعمل في مسك الدفاتر لتسجيل الخسائر (٢) خسارة .

to paint the town ~, يسترسل في المرح الصاخب الخ.

to see ~, يلتهب غضباً .

-red لاحقة معناها : حالة (hatred).

redact [rĭ dăkt'] *(vt.)* (١) يصوغ (٢) ينقّح ؛ يُعِدّ للطبع .

redaction [rĭ dăk'-] *(n.)* (١) تنقيح ؛ إعداد للطبع (٢) نسخة منقحة.

red admiral *(n.)* الأميرة الحمراء (فراشة).

red alert *(n.)* الانذار الأحمر : المرحلة الأخيرة من إنذار بغارة جوية (وهي تدل على أن غارة العدوّ أمست وشيكة).

red alga *(n.)* الطحلب الأحمر (نب).

redan [rĭ dăn'] *(F.)* الرِّيدان : حصن ذو جدارين يشكّلان زاوية بارزة.

red bird *(n.)* الطائر الأحمر : «أ» دَغْناش (را. bullfinch). «ب» كردينال (را. cardinal 7).

red blood cell *or* **red blood corpuscle** *(n.)* الكُرَيّة : كريّة دم حمراء (فس).

red-blooded [rĕd'blŭd'ĭd] *(adj.)* مفعم بالحيوية ؛ شجاع .

redbone [rĕd'bōn'] *(n.)* الرِّدْبون : كلب صيد أميركي داكن الحمرة.

redbreast [rĕd'brĕst'] *(n.)* أبو الحِنّاء : طائر صغير أحمر الصدر.

redcap [rĕd'kăp'] *(n.)* (١) حمّال (في محطّة للسكة الحديدية). (٢) شرطي (من شرطة الجيش).

red-carpet [rĕd'kär'pĭt] *(adj.)* بالغ الكياسة ؛ متَّسِم بكياسة بالغة.

red clover *(n.)* النَّفَل البنفسجي ؛ النَّفَل الشائع (نب).

redcoat [rĕd'kōt] *(n.)* جندي بريطانيّ.

Red Cross *(n.)* الصليب الأحمر : منظمة دوليّة للعناية بجرحى الحرب ، ولإسعاف ضحايا الفيضان والحرائق الخ.

redd [rĕd] *(vt.; i.)* يرتّب ؛ ينظّم (ع).

red deer *(n.)* الأيّل الأحمر (ح).

redden [rĕd'ən] *(vt.; i.)* (١) يحمِّر . ×(٢) يحْمَرّ ، وبخاصة : يحمَرّ وجهه خجلاً .

reddish [rĕd'ĭsh] *(adj.)* مُحْمَرّ ؛ ضاربٌ إلى الحمرة .

red deer

reddle; reddleman=ruddle; ruddleman.

rede [rēd] *(vt.; n.)* (١) ينصح (ع) (٢) يشرح ؛ يفسّر (ع) (٣) يُخبر (ع) § (٤) نصيحة (ع) (٥) خطّة (ع) (٦) حكاية (ع) (٧) شَرْح (ع).

redecorate [rē dĕk'ə rāt'] *(vt.)* (١) يجدّد أو يغيّر الزخرفة .

redeem [rĭ dēm'] *(vt.)* (١) «أ» يعاود شراء (شيءٍ كان قد أُكرِه على بيعه وفاءً لدين الخ.) «ب» يستردّ ؛ يسترجع (شيئاً مرهوناً) (٢) «أ» يفتدي . «ب» يحرر ؛ يعتق . «ج» يُحلّ من دَيْن أو مسؤوليّة . «د» يخلّص : يخلّص من الخطيئة وعواقبها بتضحية يقوم بها لمصلحة الآثم (نص) (٣) يُصْلِح (٤) يجدّد ؛ يرمّم (٥) «أ» يفكّ الرهن . «ب» يستهلك (السندات الخ.) ؛ يردّ قيمتها . «ج» يحوّل الى نقد . «د» ينجز (وعداً) (٦) يعوّض ؛ يوازن (a ~*ing* feature) .

redeemable [rĭ dē'mə bəl] *(adj.)* (١) ممكن استرداده أو افتداؤه أو إعتاقه أو تخليصه الخ. (٢) قابل للاستهلاك (bonds ~ in 1982) .

redeemer [rĭ dē'mər] *(n.)* (١) المستردّ ؛ المفتدي الخ. (٢) *cap.* : المخلِّص : يسوع المسيح (نص) .

redemption [rĭ dĕmp'shən] *(n.)* (١) استرداد (٢) «أ» افتداء . «ب» تحرير ؛ إعتاق . «ج» تخليص (من الخطيئة) (٣) إصلاح (٤) تجديد ؛ ترميم (٥) «أ» فكّ الرهن . «ب» استهلاك السندات أو ردّ قيمتها . «ج» وفاء دَيْن (٦) إنجازُ وَعْدٍ الخ .

past *or* beyond ~, ميئوس منه ؛ غير قابل للاصلاح.

redemptive; redemptory [rĭ dĕmp'-] *(adj.)* افتدائيّ ؛ إعتاقيّ ؛ تخليصيّ ؛ فكّيّ ؛ تعويضيّ الخ.

redeploy [rē dĭ ploi'] *(vt.)* ينقل من منطقة إلى أخرى (جن).

redevelopment [rē dĭ vĕl'əp-] *(n.)* اعادة بناء (منطقةٍ خربةٍ) ؛ وبخاصة : تجديد منطقة مدمّرة .

red-eye [rĕd'ī] *(n.)* ويسكي رخيصة .

ă at; ā date; â care; ä car; ĕ egg; ē me; ĭ in; ī bite; ŏ lot; ō bone; ô orphan; oi boil ŏŏ good; ōō boot; ou out; ŭ under; ū unity; û urgent; th thing; *th* this; zh vision; ə = *a* in alone, *e* in system, *i* in easily, *o* in gallop, *u* in circus.

redfin [rĕd'-] *(n.)* الرَّدْفِين ، أحمر الزعانف : سمك أحمر الزعانف.

red fire *(n.)* النار الحمراء : ضرب من الألعاب الناريّة يطلِق عند اشتعاله ضوءاً أحمر قويّاً .

redfish [rĕd'fĭsh] *(n.)* السمك الأحمر : سمك محمرّ اللون .

red flag *(n.)* الراية الحمراء : «أ» علَم يرَمّز به إلى الخطر (في الطُّرُق وخطوط السكك الحديدية الخ.) . «ب» رمز الثورة .

red-handed [rĕd'hăn'-] *(adj.)* مضرَّج اليدين : متلبّس بجريمة.

redhead [rĕd'hĕd'] *(n.)* أحمر الرأس : «أ» شخص أحمر الشعر . «ب» بطّ أميركيّ غوّاص .

red-headed [rĕd'-] *(adj.)* (١) أحمر الشعر (٢) أحمر الرأس (a ~ bird) .

redhead *b.*

red heat *(n.)* الحرارة الحمراء : درجة الحرارة التي يتوهّج عندها المعدن .

red herring *(n.)* (١) سمكة رنكة مُدخَّنة (٢) شيء يراد به صَرْف الانتباه (عن المسألة الحقيقيّة) .

red-hot [rĕd'hŏt'] *(adj.)* (١) متوهّج بالحرارة (٢) ملتهب انفعالاً أو حماسةً (٣) جديد ؛ حديث (~ news) .

Red Indian *(n.)* الهندي الأحمر (من هنود أميركة الحمر) .

redingote [rĕd'ĭng gōt'] *(F.)* الرِّدِنْغُوت : سترة طويلة .

redintegrate [rĕd ĭn'tə-] *(vt.; i.)* (١) يُجدِّد ×(٢) يتجدد .

redirect [rē'də rĕkt'; -dī-] *(vt.)* يوجهه وجهة جديدة .

rediscount [rē dĭs'kount] *(vt.; n.)* (١) يحسم أو يخصم ثانيةً (تج). §(٢) حسم او خصم ثانٍ (٣) ورقة مالية محسومة ثانيةً (تج) .

redistributionist *(n.)* المؤيِّد لإقامة دولة الرفاهة .

redistrict [rē dĭs'trĭkt] *(vt.)* يقسِّم من جديد إلى مقاطعات .

redivivus [rĕd ə vī'vəs] *(adj.)* مبعوثٌ حيّاً ؛ مولودٌ من جديد.

red lead *(n.)* الرصاص الأحمر ، أكسيد الرصاص الأحمر .

red leaf *(n.)* الورق الأحمر : مرض يصيب النبات فتحمرّ أوراقه.

redleg [rĕd'lĕg; -lāg] *(n.)* أحمر القدمين : طائر أحمر القدمين .

red-letter [rĕd'lĕt'ər] *(adj.)* (١) مكتوب بالحبر الأحمر . (٢) مشهود ؛ لا يُنسَى ؛ سعيد جداً (a ~ day) .

red light *(n.)* الضوء الأحمر : «أ» مصباح أحمر يُستعمل كإشارة سير بمعنى : « قِف » . «ب» إشارة تحذير .

red-light district *(n.)* الحيّ الأحمر : منطقة تكثر فيها المواخير .

Red Man *(n.)* = Red Indian.

Red Mass *(n.)* القدّاس الأحمر (يلبس الكهنة أثناء أدائه أردية حمراء).

red mulberry *(n.)* التوت الأحمر (نب) .

redo [rē dōō'] *(vt.)* (١) يعيد عمل شيء (٢) يجدِّد أو يغيِّر الزخرفة .

red ocher *(n.)* المَغْرَة الحمراء (را. ocher) .

redolence [rĕd'-] *(n.)* (١) الأرَجيّة : كون الشيء أرجاً (٢) عبير .

redolent [rĕd'ə lənt] *(adj.)* (١) أرِجٌ ؛ عَطِرٌ (٢) عابق بِـ (a shop ~ of fresh paint) (٣) مُوحٍ أو مذكِّر بِـ .

redouble [rē dŭb'əl] *(vt.; i.)* (١) يضاعف (٢) يكرّر (ا.ق.) . ×(٣) يتضاعف (٤) يتضاعف ثانيةً .

redoubt *(F.)* (١) «أ» مِتراس . «ب» حاجز دفاعيّ (٢) حِصْن .

redoubtable [rĭ dou'tə bəl] *(adj.)* (١) مروِّع (٢) مَهيب .

redound [rĭ dound'] *(vi.)* (١) يعزِّز (٢) يُضاف إلى (٣) يرتدّ إلى.

red-pencil [rĕd'pĕn'səl] *(vt.)* (١) يراقب (المطبوعاتِ الخ.) . (٢) يصحِّح ؛ ينقِّح .

redpoll [rĕd'pōl'] *(n.)* الرَّدْبُول : عصفور أحمر الرأس .

red rag *(n.)* الدثّار الأحمر : كلّ ما يثير غضب المرء أو انفعاله .

redress [*v.* rĭ drĕs'; *n.* rē'drĕs, rĭ drĕs'] *(vt.; n.)* (١) يُصلِح ؛ يقوِّم (٢) يعوِّض (٣) ينصف (٤) يثأر لِـ §(٥) إصلاح ؛ تعويض ؛ إنصاف الخ. (٦) خلاص (٧) سبيل (الى العلاج) .

red ribbon *(n.)* العصابة الحمراء : عصابة أو شريطة حمراء تمنح للفائز بالمرتبة الثانية في مباراة .

redroot [rĕd'rōōt'; -rŏŏt'] *(n.)* الرَّدْرُوت : نبتة شمالأميركيّة سَيْفيّة الأوراق ، وَبَريّة الزهرات ، حمراء الجذر .

redshank [rĕd'shăngk] *(n.)* طِيطَوَى أحمر الساق (طا) .

redskin [rĕd'skĭn'] *(n.)* هندي أحمر (من هنود أميركة الشمالية).

red snow *(n.)* (١) الثلج الأحمر : ثلجٌ ملوّن بعناصر الغبار التي يحملها الهواء أو بنموّ الطحالب التي تشتمل على صِبغٍ أحمر وتنبت في الطبقة العليا من الثلج (٢) طحلبُ الثلج الأحمر .

redstart [rĕd'stärt'] *(n.)* الحُمَيْراء : طائر أوروبيّ مغرد .

red tape *(n.)* (١) الشريط الأحمر : شريط أحمر كثيراً ما يُستخدَم لحزم الوثائق الحكوميّة (٢) الروتين الحكومي .

redtop [rĕd'tŏp'] *(n.)* الرّادوب ؛ المرْجيّة البيضاء ، النَّجيل الأبيض : ضرب من حشائش أميركة الشماليّة .

reduce [rĭ dūs'; -dōōs'] *(vt.; i.)* (١) «أ» ينقِّص ؛ يصغِّر ؛ يخفِض ؛ يقلِّل . «ب» يختصر ؛ يوجز (٢) يحوِّل ؛ يصيِّر ؛ يحيل إلى (٣) «أ» يُخضِع ، يقهَر . «ب» يُكرِه ؛ يُجبِر ؛ يُوصِله إلى حالة ما (٤) يجبِّر كسراً أو يردّ عظماً مخلوعاً إلى موضعه السويّ (٥) يُنزِل الدرجة أو الرتبة أو المقام (٦) «أ» يُضعِف ؛ يخفِّف . «ب» يُنقِص السعر أو القيمة (٧) يختزل (ر) (٨) يسحق ؛ يسحن (٩) «أ» ينقل إلى الحالة المعدنيّة بإزالة العناصر غير المعدنيّة : يصْهر . «ب» ينزع الأكسجين . «ج» يُهدرِج . «د» يخفض التأكسد. «هـ» يضيف الكترونا أو أكثر (إلى ذرّة أو أيون أو جزيْء) (١٠) يختزل : يعالج الصورة السلبية لتصبح أقلّ كثافة (فو) ×(١١) «أ» ينقُص وبخاصة : ينقُص وزنُه من طريق الحِمْية. «ب» يتركز . «ج» ينقسم انقساماً منصِّفاً (أح) (١٢) يتضعّف ؛ يرِقّ (١٣) يتحوّل .

—**reducibility** *(n.)* —**reducible** *(adj.)*

يجرِّد ضابطاً من رتبته to ~ an officer to the ranks

reduced [rĭ dūst'] *(adj.)* مُصغَّر ؛ مُخفَّض ؛ مُضعَف الخ.

reducer [rĭ dū'sər] *(n.)* (١) المصغِّر ، المخفِّض ، المضعِف . (٢) المختزِل : محلول موكسِد يخفِّف كثافة الصورة السلبيّة (تص).

reducing agent *(n.)* عامل اختزال (ك) .

reductase [rĭ dŭk'tās; -tāz] *(n.)* الرِّدَكتاز : خميرة تحفز الانقسام المنصِّف (كح) .

reductio ad absurdum [rĭ dŭk'shĭ ō'] = indirect proof.

reduction [rĭ dŭk'shən] *(n.)* (١) إنقاص ؛ تخفيض ؛ تصغير ؛ اختصار ؛ تحويل ؛ اختزال الخ. (٢) نقْص ؛ انخفاض ؛ تحوّل الخ. (٣) شكلٌ مصغَّر ؛ نسخة مصغَّرة (٤) الانقسام المنصِّف (أح).

reductive [rĭ dŭk'-] *(adj.)* مصغِّر ، مخفِّض ، مخفِّف ، مختزِل الخ.

redundancy [rĭ dŭn'dən sĭ] *(n.)* (١) فَضْل ؛ زيادة عن الحاجة (٢) وفرة ، غزارة (٣) «أ» إسهاب ؛ إطناب. «ب» حشو .

redundant [rĭ dŭn'dənt] *(adj.)* (١) فاضل ؛ فائض ؛ زائد عن الحاجة (٢) وافر ؛ غزير (٣) مُسهِب ؛ مُطنِب ؛ مطوَّل .

reduplicate [*v.* rĭ dū'plə kāt'; *adj.* -kĭt, -kāt] *(vt.; adj.)* (١) يضاعف ؛ يكرِّر ؛ ينسخ (٢) يصوغ (كلمة) بتضعيف حرف أو مقطع §(٣) مضاعف ؛ مكرَّر .

reduplication [rĭ dū'plə kā'-] *(n.)* (١) «أ» مضاعفة؛ تكرير الخ. «ب» تضاعُف (٢) نسخة (٣) التضعيف: تكرير حرف أو مقطع (ل).

redwing [rĕd'wĭng'] *(n.)* الرَّدْوِن: السُّمْنَة المغرِّدة (طا).

redwood [rĕd'wo͝od'] *(n.)* (١) الخشب الأحمر: خشب يُستخرَج منه صِبغ أحمر (٢) الشجر الأحمر: شجرة ذات خشب أحمر (٣) «أ» الجبّارة؛ الجبّارة العرُوية؛ السَّكُويَة: شجر حرَجيّ من الفصيلة الصنوبريّة يكثر في كاليفورنيا ويبلغ طوله في كثير من الأحيان ثلاثمائة قدم. «ب» خشب الجبّارة.

reecho [rē ĕk'ō] *(vi.; t.; n.)* (١) يُرْجِع الصدى؛ يُدَوّي. §(٢) رَجْع الصَّدى.

reed [rēd] *(n.)* (١) «أ» قَصَبٌ. «ب» قصبة. «ج» شيء أضعف من أن يُعتمَد عليه (٢) دَغَلٌ أو حزمةٌ من قصب (٣) سهم (٤) مزمار؛ قصبة (٥) لسانُ المزمار (مو) (٦) آلة من آلات النفخ الموسيقيّة (٧) مِشْط (في صناعة الغَزْل) (٨) الرِّيد: حلية معماريّة صغيرة محدّبة.

reed 5.

reedbuck [rēd'bŭk'] *(n.)* ظَبْيُ القَصَب (ح).

reedify [rē ĕd'ə fī] *(vt.)* يبني من جديد.

reeding [rē'dĭng] *(n.)* (١) الرِّيد: حلية صغيرة محدّبة (عم) (٢) التريد: زخرفة بسلسلة متوازية من الأرياد.

reed organ *(n.)* الأُرْغُن المِزْماريّ (مو).

reed pipe *(n.)* مِزمار؛ زمّارة (مو).

reedy [rē'dĭ] *(adj.)* (١) كثير القصب؛ مكسوّ بالقصب. (٢) «أ» قَصَبيّ. «ب» نحيل؛ مهزول. «ج» قصِم؛ سهل المكسر (٣) مزماريّ.
—**reediness** *(n.)*

reef [rēf] *(n.; vt.; i.)* (١) ثَنْيَة الشراع (٢) نقْص مساحة الشراع بثنيه (٣) «أ» الحَيْد البحري: سلسلة صخور قرب سطح الماء. «ب» عقبة خطيرة (٤) عِرق معدنيّ §(٥) يثني الشراع (٦) يخفض (السارية) كليّاً أو جزئيّاً.

reefer [rē'fər] *(n.)* (١) فا reef (٢) سترة ضيّقة من قماش غليظ. (٣) سيكارة من القنّب الهنديّ (ع) (٤) «أ» براد؛ ثلاجة. «ب» السيارة الثلاجةُ؛ الباخرة الثلاجة: سيارة تبريد؛ باخرة تبريد.

reef knot *(n.)* العقدة الشراعيّة: عقدة مربّعة تستعمل في ثَنْي الأشرعة.

reek [rēk] *(n.; vi.; t.)* (١) دخان (ع) (٢) بخار؛ ضباب. (٣) رائحة قويّة أو كريهة §(٤) يطلق دخاناً أو بخاراً (٥) «أ» تفوح منه رائحة قويّة أو كريهة. «ب» يعبق بـ. «ج» يرشح أو يمور بـ (٦) «أ» يتفصّد (العرقُ منه). «ب» يتضرّج بالدم ×(٧) يُدخِّن؛ يُبخِّر: يعالج شيئاً بالدخان أو البخار.

reeky [rē'kĭ] *(adj.)* قويّ أو كريه الأبخرة.

reel [rēl] *(n.; vt.; i.)* (١) بكَرَة؛ مِكَبّ. (٢) مقدارٌ من شيء ملفوف على بكرة (٣) هيكل تُعلَّق عليه الملابس لتجفيفها (٤) الرِّيل: رقصة اسكتلندية أو موسيقاها §(٥) يلفّ على بكرة (٦) يسحب سمكةً (بصنارة ذات بكرة) ×(٧) يدور؛ يلفّ (٨) يصاب بدُوار (٩) يضطرب (١٠) ينكص؛ ينقلب على عقبيه الخ. (١١) يترنّح.

reel 1.

off the ~, بسرعة وسهولة.
to ~ off يقول أو يكتب أو يصنع بسرعة وسهولة.

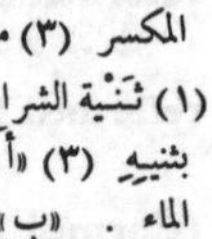

re-elect [rē ĭ lĕkt'] *(vt.)* يجدّد انتخاب (رئيس الخ.).

re-enact [rē ĕn ăkt'] *(vt.)* (١) يسنّ أو يشرّع ثانية (٢) يمثّل ثانية.

re-enforce [rē ĕn fōrs'] *(vt.; i.)* = reinforce.

re-entrant angle *(n.)* الزاوية الكارّة: زاوية متجهة إلى الداخل أو معكوسة (هن).

re-entry [rē ĕn'trĭ] *(n.)* (١) استرداد المِلْك (ق) (٢) دخول ثانٍ أو جديد (٣) المُعِيدة: ورقة تمكّن صاحبها من استعادة حقّ البدء باللعب (في ورق الشدّة) (٤) الرَّجعة: دخول جوّ الأرض من جديد بعد رحلة في الفضاء الخارجي.

reeve [rēv] *(n.; vt.; i.)* (١) الرايف: «أ» موظف إداري في مدينة أو مقاطعة. «ب» مأمور تنفيذ (بر). «ج» ممثّل من ممثلي التاج البريطاني (سابقاً). «د» رئيس مجلس بلديّ (في كندا) §(٢) يُسْلِك: يُدْخِل حبلاً في ثقب أو حلقة (٣) يوثّق بإدخال حبل في ثقب أو بلفّه حول شيء ×(٤) يَسْلُكُ: يدخُل (الحبلُ) بكرة لرفع الأثقال أو نحوها.

re-examination [rē'ĭg zăm ə nā'-] *(n.)* فحص أو استجواب ثانٍ.

re-examine [rē'ĭg zăm'ĭn] *(vt.)* يفحص أو يستجوب ثانية.

reface [rē fās'] *(vt.)* (١) يجدّد أو يرمم الوجه أو السطح (من مبنى أو حجر) (٢) يزوّد ثوباً بتخريج (را. facing).

refashion [rē făsh'ən] *(vt.)* يجدّد؛ يعدّل.

refection [rĭ fĕk'shən] *(n.)* (١) إشباع؛ إرواء (٢) شِبَع؛ رِيّ. (٣) طعام؛ وجبة طعام.

refectory [-'tə rĭ] *(n.)* حجرة الطعام (في دير أو كلية الخ.).

refectory table *(n.)* المتطاولة: مائدة طويلة ضيّقة ثقيلة القوائم.

refer [rĭ fûr'] *(vt.; i.)* (١) يعزو (~*red* his failure to bad luck) (٢) يحيل، للمعالجة أو المساعدة أو إعطاء المعلومات أو اتخاذ قرار (They ~*red* me to the boss; to ~ a dispute to the United Nations) ×(٣) يتّصل بـ؛ ينطبق على (That rule ~*s* only to special cases.) (٤) يشير إلى (٥) يرجع إلى (Students usually ~ to a dictionary.)

referee [rĕf'ə rē'] *(n.; vt.; i.)* (١) حَكَم (في قضية أو في مباراة رياضية) §(٢) يحكم بين؛ يقوم بمهمة الحَكَم.

reference [rĕf'ər əns] *(n.; vt.; adj.)* (١) مراجعة (٢) صلة؛ علاقة (٣) «أ» إشارة؛ إلماع؛ ذِكْر. «ب» الإسناد: احالة القارىء الى فقرة أخرى أو كتاب آخر (~ marks) (٤) «أ» السَّنَد: شخص يُرْجَع اليه طلباً للمعلومات عن أخلاق امرىء أو مقدرته. «ب» شهادة المؤهّلات: شهادة بمؤهلات طالب عمل أو وظيفة تعطى من قِبل شخص يعرفه (٥) المرجِع: كتاب يُحال إليه القارىء (٦) معنى §(٧) يزوّد بالمراجع §(٨) مَرجِعيّ: مُسْتَعْمَل كمرجع؛ صالحٌ كمرجع.
in *or* with ~ to بشأن؛ بخصوص كذا؛ في ما يتعلق بـ.
terms of ~, نِطاق سلطةٍ أو صلاحية.
to make ~ to يذكر؛ يشير إلى.
without ~ to من غير اهتمام بـ؛ بصرف النظر عن.

reference book *(n.)* مَرجِع (كموسوعة أو معجم أو أطلس).

reference library *(n.)* المكتبة المَرجِعيّة: مكتبة تشتمل على مراجع يستعين بها الباحث (من غير أن يكون له الحقّ في استعارتها).

reference mark *(n.)* علامة الإسناد (را. reference 3 *b*).

referendum [rĕf'ə rĕn'dəm] *(L.)* pl. **-da** *or* **-dums** (١) الرجوع إلى الشعب: استفتاء الشعب في إجراءات معيّنة اتخذتها الهيئة التشريعية فإما أن يقرّها وإمّا أن يرفضها (٢) المذكّرة الاستعلاميّة: رسالة يوجّهها ممثّل ديبلوماسيّ إلى حكومته طالباً تزويده بالتعليمات في أمرٍ معيّن.

referential [-'shəl] *(adj.)* مَرجِعيّ: مُشكّل مَرجعاً أو مشتمِلٌ عليه.

refill [*v.* rē fĭl'; *n.* rē'fĭl'] *(vt.; i.; n.)* (١) يملأ ثانية ×(٢)يمتلىء ثانية §(٣) العبوة الجديدة : منتج تجاري معد لإعادة ملء وعاء بيع في الأصل مع محتوياته .

refine [rĭ fīn'] *(vt.; i.)* (١)«أ» يكرر (to ~ sugar) . «ب» ينقي (to ~ metal) (٢) يهذب : يطهر من كل نقص أخلاقي (to ~ one's mind *or* thoughts) (٣) يشذب ؛ ينقح (to ~ one's style) (٤) يصقل (Education ~*d* his taste.) ×(٥)يتكرر ، يتنقى ؛ يتهذب ، يتشذب الخ. (٦) يدخل تحسينات على (to ~ upon another's invention) .

refined [rĭ fīnd'] *(adj.)* (١) مكرر ، منقى (~ sugar) . (٢)مهذب ؛ مصقول (~ manners) (٣)دقيق (~ analysis) .

refinement[rĭ fīn'mənt]*(n.)* (١) تكرير ، تنقية (٢)صفاء ؛ نقاء (٣)تهذيب ، دماثة ، رقة (a lady of ~) (٤)تحسين (يدخل على شيء آخر كاختراع أو نحوه) (٥) تفكير دقيق (٦) شكل محسن أو متطرف أو متفنن فيه من أشكال شيء .

refinery [rĭ fī'nə rĭ] *(n.)* مصفاة ؛ معمل تكرير .

refinish [rē fĭn'ĭsh] *(vt.)* يجعل (للأثاث الخ.) سطحاً جديداً .

refit [rē fĭt']*(vt.; i.; n.)* (١)«أ» يجهز ثانية. «ب»يصلح ؛ يجدد. ×(٢) يتجهز الخ. ثانية §(٣) تجهيز جديد ؛ إصلاح ؛ تجديد.

reflect [rĭ flĕkt'] *(vt.; i.)* (١) يعكس (الضوء أو الحرارة أو الصوت الخ.) (٢) يظهر ×(٣) ينعكس (الضوء الخ.) (٤) يفكر ملياً في (٥) يشين ، يلحق الأذى بسمعة شيء ؛ (Your bad behavior ~*s* only upon yourself.)(٦)يورث ؛ يكسب ، يضفي على (His brave acts ~ credit on him.) .

reflectance [rĭ flĕk'-] *(n.)* معامل الانعكاس (ض) .

reflecting telescope *(n.)* التلسكوب العاكس .

reflection *or* **reflexion** [rĭ flĕk'shən] *(n.)* (١)«أ» عكس. «ب»انعكاس (٢)«أ» شيء منعكس ، مثل : ضوء منعكس ؛ حرارة منعكسة. «ب»صورة منعكسة (في مرآة) (٣)«أ»تفكير. «ب» فكرة ؛ ملاحظة ناشئة عن تفكير طويل (٤) عار ؛ خزي (٥)«أ» التواء عضو على نفسه . «ب» عضو ملتو على نفسه («ت» و«ح») . to cast ~*s* on ينتقد ؛ يعيب ؛ يشكك في .

reflectional [rĭ flĕk'-]*(adj.)* انعكاسي أو ناشىء عن الانعكاس.

reflective [-'tĭv] *(adj.)* (١) عاكس (للضوء أو الصور أو الموجات الصوتية) (٢)انعكاسي (٣) «أ» تأملي (a ~ look). «ب» مولع بالتأمل والتفكير . **—reflectiveness** *(n.)*

reflectometer [rĭ flĕk tŏm'-] *(n.)* مقياس الانعكاس .

reflector [rĭ flĕk'tər] *(n.)* (١) العاكس ، العاكسة ؛ وبخاصة : جسم أو سطح أو أداة تعكس الضوء أو الحرارة أو الصوت الخ. (٢) التلسكوب العاكس .

reflex [*n., adj.* rē'flĕks; *v.* rĭ flĕks'] *(n.; adj.; vt.)* (١)«أ» ضوء أو حرارة أو لون منعكس . «ب» صورة منعكسة (في مرآة) . «ج» نسخة طبق الأصل (٢)«أ» الفعل المنعكس أو اللاإرادي (فس). «ب»الانعكاس اللاإرادي. «ج» *pl.* : القدرة على العمل أو الاستجابة بسرعة مناسبة . «د» طريقة معتادة في التفكير أو السلوك §(٣) «أ» منحن ، ملتو. «ب» منعكس (٤)استبطاني (را. introspection) (٥)ارتكاسي : ناشىء عن ارتكاس أو رد فعل (٦) منعكسة (صفة للزاوية المتراوحة بين ١٨٠ و٣٦٠ درجة) (٧)لاإرادي ؛ منعكس(فس) §(٨)يحني ؛ يلوي .

reflex action *(n.)* الفعل المنعكس ، الفعل اللاإرادي (فس) .

reflex angle *(n.)* الزاوية المنعكسة (را. reflex 6) .

reflex camera *(n.)* الكاميرا ذات الصورة المنعكسة .

reflexive [rĭ flĕk'-] *(adj.; n.)* (١) مرتد أو ملتو على نفسه . (٢) انعكاسي : صفة للفعل الذي يكون مفعوله نفس فاعله (مثل *shave* في قولك : He *shaved* himself) §(٣)فعل انعكاسي (ل).

reflexive pronoun *(n.)* الضمير الانعكاسي : ضمير يعود إلى فاعل الجملة ويكون متبعاً بلفظة self (مثل *himself* في قولك : (He deceived *himself*.) .

reflow [rē flō'] *(vi.; n.)* (١) ينجزر ؛ يغيض ؛ ينحسر (الماء). (٢)يفيض ثانية §(٣) جزر ؛ انحسار (٤) فيضان من جديد .

refluence [rĕf'lo͝o əns];**reflux** [rē'flŭks] *(n.)* جزر ؛ انحسار .

refluent [rĕf'lo͝o ənt] *(adj.)* منجزر ؛ غائض ؛ منحسر .

refocillate [rē fŏs'ə lāt] *(vt.)* ينعش ؛ يحيي .

reforest [rē fôr'ĭst] *(vt.)* يعيد التحريج ؛ يحرج ثانية .

reforge [rē fôrj'] *(vt.)* يشكل أو يصوغ أو يصنع ثانية .

reform [rĭ fôrm'] *(vt.; i.; n.)* (١) يصلح (٢) «أ» يخضع (الزيت أو الغاز) لعملية التكسير أو التقطير الهدام (ك) . «ب» ينتج (الغازولين أو الغاز) بالتكسير أو التقطير الهدام (ك) ×(٣)ينصلح ؛ يتحسن §(٤) إصلاح . **—reformable** *(adj.)*

re-form [rē fôrm'] *(vt.; i.)* (١) يعيد التشكيل ×(٢) يتشكل أو يتجمع (الجند) من جديد .

reformation [rĕf'ər mā'-] *(n.)* (١) إصلاح (٢) *cap.* : حركة الإصلاح الديني أو البروتستانتي في القرن السادس عشر .

reformative [rĭ fôr'-] *(adj.)* إصلاحي .

reformatory [rĭ fôr'mə tōr'ĭ] *(adj.; n.)* (١) إصلاحي (~ measures *or* schools) §(٢)الإصلاحية : إصلاحية الأحداث.

reformed [rĭ fôrmd'] *(adj.)* (١) مصلح ؛ مقوم . (٢) *cap.* : بروتستانتي ؛ وبخاصة : كالفيني .

reformed spelling *(n.)* التهجئة المصلحة : أي من الطرائق الرامية إلى تبسيط التهجئة الانكليزية وبخاصة من طريق إغفال بعض الحروف الصامتة (كما في *thoro* بدلاً من *thorough*) .

reformer [rĭ fôr'mər] *(n.)* المصلح .

reform school *(n.)* الاصلاحية : إصلاحية للصبيان أو للبنات .

reformulate[rĭ fôr'myə-]*(vt.)* يصيغ (يفرغ في صيغة) ثانية .

refract [rĭ frăkt'] *(vt.)* (١) يكسر (شعاع الضوء) (٢) يحدد قوة الانكسار (في العين أو العدسة) .

refracting telescope *(n.)* التلسكوب الانكساري (فل) .

refraction [rĭ frăk'-] *(n.)* (١) الانكسار ، انكسار الضوء (ض). (٢) الانحراف (فل) .

refractive [-'tĭv] *(adj.)* (١) كاسر (ض) (٢) انكساري (ض).

refractive index *(n.)* دليل (أو معامل) الانكسار (ض) .

refractometer [rĭ'frăk tŏm'ə tər] *(n.)* المكسار (مج) : مقياس انكسار الأشعة .

refractor [rĭ frăk'tər] *(n.)* = refracting telescope.

refractoriness [rĭ frăk'-]*(n.)* (١) عناد ؛ شموس (٢) مناعة (٣) مقاومة الصهر .

refractory [rĭ frăk'tə rĭ] *(adj.; n.)* (١) عنيد ؛ شموس . (٢)«أ» مقاوم للمعالجة أو العلاج. «ب» غير مستجيب للمنبه (٣)منيع ؛ ذو مناعة (من المرض) (٤) مقاوم للصهر §(٥) مادة مقاومة للصهر ، وبخاصة : آجر مقاوم للحرارة يستعمل في بناء الأفران .

refrain [rĭ frān'] *(vi.; n.)* (١) يمسك أو يحجم عن §(٢) اللازمة ؛ القرار : عبارة تتكرر على نحو موصول في قصيدة أو أغنية .

refrangibility [rĭ frăn jə bĭl'-] *(n.)* قابلية الانكسار أو مداه (ض).

refrangible [rĭ frăn'jə-] *(adj.)* قابل للانكسار (كأشعة الضوء الخ.)

refresh [rĭ frĕsh'] *(vt.; i.)* (١) «أ» يُنعِش. «ب» يجدد (القوى). (٢) يطري؛ ينبّه (She ~*ed* her memory by a glance at the notes.) (٣) يرطّب ×(٤) ينتعش (٥) يتناول شراباً منعشاً.

refreshen [rĭ frĕsh'ən] *(vt.)* = refresh.

refresher [rĭ frĕsh'-] *(n.; adj.)* (١) المُنعِش: «أ» شراب منعش. «ب» مذكِّر. «ج» برنامج (أو موضوع دراسة) لتطرية الذاكرة (٢) أجرٌ إضافي يُدفع إلى المحامي إذا ما تطاولت الدعوى أكثر مما هو مقدَّر لها §(٣) مُطرٍّ للذاكرة: مُعَدٌّ لتطرية الذهن في ما يتصل بموضوعات سبق للمرء أن درسها ثم نسيَها، جزئياً، أو لإبقاء المرء على اتصال مستمرّ بالتطورات الجديدة في حقل اختصاصه (a ~ course; ~ training).

refreshment [rĭ frĕsh'mənt] *(n.)* (١) إنعاش (٢) انتعاش. (٣) المنعِش (من الشراب أو الطعام) (٤) *pl.*: وجبة طعام خفيفة.

refrigerant [rĭ frĭj'ər ənt] *(adj.; n.)* (١) مبرد (٢) ملطِّف لحرارة الجسد أو الحمّى §(٣) عقار ملطِّف للحرارة (٤) مادة مستعملة في التبريد.

refrigerate [rĭ frĭj'ə rāt'] *(vt.)* (١) يبرّد (٢) يثلّج الطعام لحفظه.

refrigerator [rĭ frĭj'ə rā tər] *(n.)* الثلاّجة (مج)؛ البرّاد.

refrigerator

refringent [rĭ frĭn'jənt] *(adj.)* كاسر؛ انكساريّ (ض).

reft [rĕft] *past; past part. of* reave.

refuel [rē fū'əl] *(vt.; i.)* يزوِّد أو يتزوَّد بوقود إضافيّ.

refuge [rĕf'ūj] *(n.; vt.; i.)* (١) ملجأ؛ ملاذ؛ مأمن؛ مأوى. §(٢) يُلجِئُه أو يقدّم إليه ملجأ (ا.ق) ×(٣) يلجأ (ا.ق).

refugee [rĕf'yoo jē'] *(n.)* اللاجىء؛ اللائذ.

refulgence [rĭ fŭl'jəns] *(n.)* تألُّق؛ لمعان؛ بريق.

refulgent [rĭ fŭl'jənt] *(adj.)* متألّق؛ لامع؛ برّاق.

refund [*v.* rĭ fŭnd'; *n.* rē'fŭnd] *(vt.; n.)* (١) يعيد (مالاً) إلى شخص §(٢) إعادة مالٍ (أو المبلغ المعاد).

refund [rē fŭnd'] *(vt.)* يحوِّل (ديناً أو قرضاً) إلى شكل جديد.

refurbish [rē fûr'bĭsh] *(vt.)* يصقل؛ يجدِّد.

refusal [rĭ fū'zəl] *(n.)* (١) رفض (٢) حق الشُّفعة؛ حقّ قبول شيء أو رفضه قبل عرضه على الآخرين.

refuse [rĭ fūz'] *(vt.; i.)* (١) يرفض؛ يأبى (٢) يحرِم؛ يمنع من (Sami was ~*d* entrance.) (٣) يَحرُن (الفرس).

refuse [rĕf'ūs] *(n.; adj.)* (١) نُفاية؛ حثالة §(٢) مُهمَل؛ مُطَّرَح بوصفه تافهاً أو عديم النفع (~ matter).

refusenik *(n.)* عالم سوفياتي محظورٌ عليه أن يُهاجر.

refutable [rĕf'yə tə bəl; rĭ fū'-] *(adj.)* قابل للدحض.

refutation [rĕf'yoo tā'shən] *(n.)* دَحْض؛ تفنيد.

refute [rĭ fūt'] *(vt.)* يدْحَض؛ يُفنِّد.

regain [rĭ gān'] *(vt.)* (١) يستردّ؛ يستعيد (٢) يعود إلى؛ يوفَّق إلى بلوغ مكانٍ ما ثانيةً (~*ed* the shore).

regal [rē'gəl] *(adj.)* (١) مَلَكيّ (٢) فخم.

regale [rĭ gāl'] *(vt.; i.; n.)* (١) يُمتِع؛ يُبهِج ×(٢) يستمتع بطعامٍ شهيّ §(٣) طعام (أو شراب) فاخر.

regalia [rĭ gā'lĭ ə; -gāl'yə] *(n. pl.)* (١) حقوق المَلِك أو امتيازاته (٢) الشعارات والرموز الدالّة على المَلَكيّة (كالتاج الخ.) (٣) شعارات منصب أو عضوية (٤) لباس خاص؛ بذلة خاصّة.

regality [rē găl'ə tĭ] *(n.)* (١) المَلَكيّة (٢) حقّ أو امتياز ملكيّ (٣) مملكة.

regard [rĭ gärd'] *(vt.; i.; n.)* (١) «أ» يحترم. «ب» يُجِلّ. (٢) ينظر إلى؛ يلاحظ (٣) يأخذ بعين الاعتبار (٤) يتعلق بـِ؛ يتصل بـِ (They ~ him (٥) يعتبر (That does not ~ you.) the best engineer in town.) ×(٦) ينتبه (٧) يحدّق إلى §(٨) نقطة؛ ناحية (quite satisfactory in this ~) (٩) نظرة (١٠) احترام (due ~ to authority) (١١) *pl.*: تحيّات؛ تمنّيات مفعمة بالاحترام والمودّة (give her my ~*s*) (١٢) انتباه؛ اهتمام؛ عناية.

in ~ to; as ~*s* في ما يتعلق بـِ.

regardful [rĭ gärd'-] *(adj.)* (١) منتبه؛ مُصغٍ (٢) مراعٍ؛ محترِم.

regarding [rĭ gär'-] *(prep.)* في ما يتصل بـِ؛ في ما يتعلق بـِ.

regardless [rĭ gärd'lĭs] *(adj.; adv.)* (١) غافل؛ مُهمِل؛ لامبالٍ §(٢) مهما يكن؛ من غير اعتبار للعوائق.

~ of على الرغم من؛ بصرف النظر عن.

regatta [rĭ găt'ə] *(It.)* (١) سباق زوارق (٢) سلسلة سباقات زوارق.

regelation [rē jə lā'shən] *(n.)* عودة تجمّد الماء.

regency [rē'jən sĭ] *(n.)* (١) الوصاية على العرش (٢) مجلس الوصاية (على العرش) (٣) مدة الوصاية على العرش.

regenerate [*v.* rĭ jĕn'ə rāt'; *adj.* -'ər ĭt] *(vi.; t.; adj.)* (١) يتجدّد ×(٢) يجدِّد: «أ» يهذّبه أو يمنحه حياة روحيّة جديدة أفضل. «ب» ينفخ حياة وروحاً جديدتين في. «ج» يُصلِح. «د» يشكّل نسيجاً أو عضواً جديداً يحلّ محلّ نسيج أو عضو مفقود §(٣) مشكَّل أو مخلوق من جديد (٤) مجدَّد؛ منقول إلى وضع أفضل أو أرقى.

regeneration [rĭ jĕn'ə rā'shən] *(n.)* (١) تجديد (٢) تجدُّد. (٣) انبعاث روحي (٤) تجدّد الجسد أو العضو الجسدي بعد أذىً يصيبه أو كعملية طبيعية.

regenerative [rĭ jĕn'ə rā'tĭv] *(adj.)* (١) تجديديّ (٢) مجدِّد.

regenerative furnace *(n.)* الفرن الاسترجاعي.

regenerator [rĭ jĕn'ə rā'tər] *(n.)* (١) المجدِّد (٢) المُسترجِع: جهاز (في الفرن الاسترجاعي الخ.) يعمل على تسخين الهواء أو الغاز الوافد بواسطة الاحتكاك بكُتَل من الحديد أو الآجر الخ. سبق تسخينها من طريق الهواء أو الغاز المندفع إلى الخارج (مك).

regent [rē'jənt] *(n.; adj.)* (١) الحاكم (ا.ن) (٢) الوصي على العرش (٣) عضو في مجلس جامعة §(٤) قائم بالوصاية: متولٍّ الوصاية على العرش (a prince ~).

—**regentship** *(n.)*

regicide [rĕj'ə sīd'] *(n.)* (١) قاتل المَلِك أو المشترك في قتله. (٢) قتلُ المَلِك.

—**regicidal** *(adj.)*

regime *also* **régime** [rā zhēm; rĭ-] *(F.)* (١) حِمية؛ «رجيم» (٢) النظام: «أ» طريقة الحكم أو الإدارة. «ب» شكل الحكومة، وبخاصة: نظام حكوميّ أو اجتماعيّ.

regimen [rĕj'ə mĕn'] *(n.)* (١) حِمية؛ «رجيم» (٢) حكومة؛ حُكم (٣) نظامٌ سائد.

regiment [*n.* rĕj'ə mənt; *v.* rĕj'ə mĕnt] *(n.; vt.)* (١) فَوْج (جن) §(٢) «أ» يؤلّف أو يشكّل الفوج. «ب» يضمّ إلى الفوج (٣) «أ» ينظّم بصرامة. «ب» يُخضع للنظام أو لِنَسَقٍ موحّد.

—**regimental** *(adj.)*

regimentals [rĕj ə mĕn'təlz] *(n. pl.)* (١) بِزّة الفوج . (٢) ملابس عسكريّة .

region [rē'jən] *(n.)* (١) «أ» إقليم . «ب» منطقة . «ج» منطقة (من مناطق الجسم) (٢) حقل (من حقول النشاط) .

regional [rē'jən əl] *(adj.)* (١) إقليميّ ؛ منطقيّ (٢) محليّ .

regionalism [rē'-] *(n.)* (١) الإقليميّة ، النزعة الإقليميّة . (٢) الإقليميّة الفنية : التوكيد على اللون المحلي في الفن والأدب (٣) الخَصيصة الإقليمية : خَصيصة تميّز إقليماً جغرافياً .

regisseur [rā zhĭ sər'] *(F.)* المخرج المسرحي .

register [rĕj'ĭs tər] *(n.; vt.; i.)* (١) سِجِلّ ؛ جدول ؛ لائحة . (٢) « خانة » في سِجِلّ (٣) القدرة الصوتيّة (لإنسان أو آلة موسيقيّة) (٤) «أ» جهاز التحكّم في دخول الهواء (إلى الوقود). «ب» مِشواة (٥) تسجيل (٦) «أ» العدّاد : أداة أوتوماتيكيّة لتسجيل عدد أو كميّة . «ب» العدد أو الكمية المسجّلة (٧) المسجِّل ، أمين السجلّ (٨) انتظام ؛ اتّساق (السطور أو الأعمدة أو الألوان الطباعيّة الخ.) §(٩) يدوّن ؛ يسجّل (١٠) يشير إلى (thermometer ~ *ed* 75 degrees) (١١) يسجّل رسالةً الخ. (بالبريد المضمون) (١٢) يعبّر عن (Her face ~ *ed* anger.) ×(١٣) يتسجّل (١٤) ينتظم ؛ يتّسق .

registered [rĕj'-] *(adj.)* (١) مُسَجَّل (a ~ patent) . (٢) مضمون ؛ مسجّل (~ mail) .

registrant [rĕj'ə-] *(n.)* المسجِّل ، وبخاصة لعلامة تجاريّة الخ .

registrar [rĕj'ĭs trär'] *(n.)* المسجِّل ؛ أمين السجلّ .

registration [rĕj'ĭs trā'shən] *(n.)* (١) تسجيل (٢) عدد المسجَّلين (٣) وثيقة تسجيل .

registry [rĕj'ĭs trĭ] *(n.)* (١) تسجيل (٢) «جنسية» السفينة (كما يدل عليها العَلَم الذي تحمله) (٣) مكتب تسجيل (٤) سجلّ .

registry office *(n.)* (١) مكتب الزواج : مكتب توقع فيه عقود الزواج المدني (٢) مكتب الاستخدام .

regius professor [rē'jĭ əs] *(n.)* الاستاذ المَلَكِيّ : أستاذ في جامعة بريطانيّة يحتل كرسيّاً أنشيء بمنحة ملكيّة .

reglet [rĕg'lĭt] *(F.)* (١) حلية معماريّة مسطّحة ضيّقة (عم). (٢) الرُّقيقة الخشبية : قطعة خشبية رقيقة تفصل ما بين السطور (طع).

regnal [rĕg'nəl] *(adj.)* مَلَكِيّ : ذو علاقة بمليك أو عهد مليك .

regnant [rĕg'nənt] *(adj.)* (١) حاكم ؛ متولّ الحكم (a queen ~) (٢) مهيمن ؛ متغلّب (٣) سائد ؛ عامّ ؛ غالب .

regorge [rĭ gôrj'] *(vt.)* = disgorge.

regrant [rē grănt'] *(vt.; n.)* (١) يُرجِع الهِبة (٢) يجدّد الهِبة §(٣) إرجاع الهِبة (٤) تجديد الهِبة .

regress [*n.* rē'grĕs; *v.* rĭ grĕs'] *(n.; vi.; t.)* (١) نكوص ؛ ارتداد ، انكفاء ، رَجْعة §(٢) ينكص ؛ يرتد ؛ ينكفيء ؛ يرجع ×(٣) يُحدث «رَجْعة» سيكولوجيّة عند.. (را. regression 4) .

regression [rĭ grĕsh'ən] *(n.)* (١) نكوص ؛ ارتداد ؛ انكفاء . (٢) انحسار (الداء تدريجياً) (٣) التردي : ضَعف تدريجي يُلم بعضو من أعضاء الجسد أو بالذاكرة والمهارات المكتسَبة ، وبخاصة كتغيّر فسيولوجيّ يصاحب الشيخوخة (٤) الرَّجْعة : ارتداد إلى مستوى عقليّ أو سلوكيّ سابق ، كالنزعة إلى العودة إلى أنماط السلوك الطفليّ (نف) (٥) الحركة التراجعيّة : حركة الجسم السماوي في اتجاه مضادّ للاتجاه المألوف عند الاجرام المماثلة (فل).

regressive [rĭ grĕs'ĭv] *(adj.)* ارتداديّ ، انكفائيّ .

regressive taxation *(n.)* الضريبة التنازليّة : ضريبة على الدّخل تتناقص فيها نسبة الضريبة كلما تعاظَم الدّخل .

regret [rĭ grĕt'] *(vt.; n.)* (١) يَلتاع لفَقْد شيء أو وفاة شخص . (٢) يأسف (٣) يندم على §(٤) أسفٌ (٥) نَدَم (٦) *pl.* اعتذار مهذّب عن قبول دعوة (to send ~*s*) .

regretful [rĭ grĕt'fəl] *(adj.)* آسف ؛ نادمٌ ؛ مفعَم بالندم .

regretless [rĭ grĕt'-] *(adj.)* غير آسف أو نادم .

regrettable [rĭ grĕt'-] داعٍ للأسف ؛ يؤسف له .

regular [rĕg'yə lər] *(adj.; n.)* (١) مترهب ؛ رهباني (٢) نظاميّ ؛ دَوْريّ (~ meals) (٣) قانونيّ (٤) مطّرد ؛ منتظم (a ~ pulse) (٥) منظّم (a ~ life) (٦) دائم ؛ مواظب (a ~ customer) (٧) اعتياديّ ؛ سويّ ؛ مألوف (Put it in its ~ place.) (٨) متناسق مُتّسق (her ~ teeth) (٩) نظاميّ (the ~ army) (١٠) محترف ؛ مدرَّب (the ~ cook) (١١) قياسيّ (a ~ verb) (١٢) تامّ ؛ مئة بالمئة ؛ بكل معنى الكلمة (a ~ scoundrel) (١٣) منتظم : جميع زواياه وأضلاعه متساوية (a ~ polygon) §(١٤) راهب (١٥) جندي نظاميّ (١٦) عضوٌ شديد الإخلاص لحزبه (١٧) زبون (ع) (١٨) الحجم العادي : حجم من أحجام الملابس مُعَدّ ليلائم شخصاً متوسّط الطول .

regularity [rĕg yə lər'-] *(n.)* النظاميّة ؛ القياسيّة ؛ الانتظام ؛ الاطّراد ؛ التناسق .

regularize [rĕg'yə lə rīz'] *(vt.)* يجعله نظامياً (بملاءمته مع ما يقتضيه القانون أو العادة) .

regularly [rĕg'yə-] *(adv.)* على نحوٍ نظاميّ أو قياسيّ أو منتظم الخ .

regulate [rĕg'yə lāt'] *(vt.)* (١) ينظّم (٢) «أ» يضبط . «ب» يعدّل .

regulation [rĕg'yə lā'-] *(n.; adj.)* (١) «أ» تنظيم . «ب» انتظام . (٢) نظام ؛ قانون §(٣) نظامي : مطابق لما يفرضه النظام (wore a ~ uniform) (٤) عاديّ ؛ مألوف (of the ~ size) .

regulator [rĕg'yə lā'tər] *(n.)* (١) المنظِّم (٢) «أ» المنظِّمة : أداة في ساعة لجَعْلها تسرع أو تبطىء . «ب» ساعة بالغة الدقّة والضبط .

regulus [rĕg'yə ləs] *(n.)* (١) *cap.* : المُلَيْك ؛ الملك الصغير ؛ قلب الأسد (فل) (٢) الرَّغلوس : الكتلة المعدنيّة المتشكّلة تحت الخبث (را. slag) عند صهر المعادن .

regurgitate [rē gûr'jə tāt'] *(vi.; t.)* (١) يندفع أو يَصُبّ انكفاءً (الى الوراء) ×(٢) يقذف او يَصُب انكفاءً (٣) يتقيأ .

rehabilitate [rē'hə bĭl'ə tāt'] *(vt.)* (١) يُصلِح (وبخاصة مبنىً قديماً) (٢) يردّ إلى المرء اعتباره أو منزلتَه أو حقوقه الخ. (٣) يعيد التأهيل : يعيد امرءاً إلى النشاط النافع البنّاء أو يؤهّله لكسب رزقه من جديد (to ~ disabled soldiers) .

rehabilitation [rē'hə bĭl'ə tā'shən] *(n.)* (١) إصلاح (٢) ردّ اعتبار (٣) إعادة تأهيل .

rehash [*v.* rē hăsh'; *n.* rē'hăsh'] *(vt.; n.)* (١) يُفرِغ (مادة قديمة) في قالب جديد §(٢) إفراغ في قالب جديد (٣) الرَّجيع : شيء قديم مُفرَغ في قالب جديد .

rehearing [rē hĭr'ĭng] *(n.)* سَماع الدعوى ثانيةً أو من جديد (من قِبَل نفس المحكمة) .

rehearsal [rĭ hûr'səl] *(n.)* (١) إعادة ؛ تكرير (٢) شيء يُعاد أو يُسرَد من جديد (٣) تمرين ؛ تجربة ؛ بروفه (الحفلة عامة) .

rehearse [-hûrs'] *(vt.; i.)* (١) «أ» يكرر . «ب» يُعدّد (٢) يدرب شخصاً (على أداء دور في حفلة) ×(٣) يتدرّب على (تمثيل الرواية قبل عرضها رسمياً) . **—rehearser** *(n.)*

rehouse [rē houz'] *(vt.)* يُعيد الإسكان (في بيوت جديدة أو أفضل) .

ă at; ā date; â care; ä car; ĕ egg; ē me; ĭ in; ī bite; ŏ lot; ō bone; ô orphan; oi boil o͝o good; o͞o boot; ou out; ŭ under; ū unity; û urgent; th thing; th this; zh vision; ə = *a* in alone, *e* in system, *i* in easily, *o* in gallop, *u* in circus.

Reich [rīk; rīkh] *(G.)* (١) ألمانيا (٢) الامبراطورية الرومانيّة المقدسة حتى انحلالها عام ١٨٠٦ (الرايخ الأوّل) (٣) الامبراطورية الألمانيّة، ١٨٧١–١٩١٩ (الرايخ الثاني) (٤) الجمهورية الالمانية الفدرالية ١٩١٩ – ١٩٣٣ (٥) الدولة النازية، ١٩٣٣ – ١٩٤٥ (الرايخ الثالث).

reichsmark [rīks'märk] *(n.)* المارك الألماني من ١٩٢٥ إلى ١٩٤٨.

reify [rē'ə fī] *(vt.)* يُمَدّي: يعتبر الشيءَ المجرَّدَ شيئاً مادياً.

reign [rān] *(n.; vi.)* (١) «أ» حُكم المِلِك أو سلطانُه. «ب» سلطة؛ سلطان (the ~ of law) (٢) العهد: مدة حُكم الملك الخ. § (٣) يحكم (٤) يملِك؛ يتولى المُلك (٥) يسود (Silence ~ *ed* supreme.).

Reign of Terror *(n.)* عهد الارهاب: عهد من عهود الثورة الفرنسيّة (من حوالى مارس ١٧٩٣ إلى تموز ١٧٩٤) أُعدم خلاله على المقصلة عددٌ كبيرٌ من المواطنين ورجال السياسة.

reimburse [rē'im bûrs'] *(vt.)* يعيد إلى شخص ما كان قد دفعه من نفقات أو تحمّله من خسائر؛ يعوِّض.
—reimbursement *(n.)*

reimpression [rē'im prĕsh'ən] *(n.)* طبعة ثانية (من كتاب الخ.).

rein [rān] *(n.; vt.; i.)* (١) *pl.* عد: العِنان: سَيْرُ اللجام الذي تمسك به الدابّة (٢) كبحٌ § (٣) يكبح (فرساً الخ.) (٤) يوجّه.
to give ~ to بطلق العِنان لِـ.
to hold the ~*s* of government يتولى زمام الحكم.
to ~ in *or* back (a horse) يكبح جماح فرسٍ.

reincarnation [rē'in kär nā'shən] *(n.)* (١) تناسخ؛ تقمّص. (٢) تجسّدٌ جديد.

reindeer [rān'dĭr] *(n.)* الرَّنّة: نوع من الأيائل (ح).

reinforce [rē'in fōrs'] *(vt.; i.)* (١) يقوّي (٢) يدعّم (٣) يعزز (حاميةً) (٤) يزيد (in order to ~ the supply) × (٥) يتقوّى؛ يتعزّز.

reindeer

reinforced concrete *(n.)* الاسمنت المسلّح.

reinforcement [rē'in fōrs'-] *(n.)* (١) تقوية؛ تعزيز الخ. (٢) تقوٍّ؛ تعزُّز (٣) شيء مقوٍّ أو معزِّز (٤) *pl.* عد: أمداد عسكريّة.

reinless [rān'-] *(adj.)* غير ذي عِنان: غير مكبوح.

reins [rānz] *(n. pl.)* (١) الكُلْيتان (٢) الجزء الأدنى من الظهر (٣) مقرّ المشاعر أو العواطف.

reinsman [rānz'mən] *(n.)* = jockey.

reinstate [rē'in stāt'] *(vt.)* يُرْجِع؛ يعيد إلى وضع أو مركز سابق.

reinsure [rē'in shoor'] *(vt.)* (١) يؤمّن من جديد (٢) يؤمّن للتغطية: يؤمّن ثانيةً بتحويل جزء من المخاطرة أو كلّها إلى شركة تأمين جديدة (أو بتحمّل ذلك عن شركة تأمين اخرى).

reintegrate [rē'ĭn'tə-] *(vt.)* يعيد التكامل؛ يعيد توحيد الأجزاء.

reinterpret [rē'in tûr'prĭt] *(vt.)* يفسّر أو يؤوّل ثانية؛ وبخاصة: يقدّم تفسيراً جديداً أو مختلفاً لِـ.

reinvest [rē in vĕst'] *(vt.)* (١) يوظف (المالَ) ثانيةً أو من جديد (٢) «أ» يوظف (دخلاً ناشئاً عن أموال موظّفة) في سندات جديدة. «ب» يوظّف (الأرباحَ) في مشروع بدلاً من توزيعها على أصحابها.

reis [rās] *(Pg.)* الرَّيْس: وحدة نقد برتغالية أو برازيلية قديمة.

reissue [rē ĭsh'ōō] *(vi.; t.; n.)* (١) ينشأ أو يبرز ثانية × (٢) يُعيد إصدار (الطوابع)؛ يعيد طبع (الكتاب) § (٣) إصدار جديد؛ طبعة جديدة من كتاب (مع تغيير في الشكل أو السعر).

reiterate [rē ĭt'ə rāt'] *(vt.)* يكرر (قولَ شيءٍ أو صنعَهُ على نحوٍ مضجرٍ أحياناً).
—reiteration *(n.)* **—reiterative** *(adj.)*

reject [*v.* rĭ jĕkt'; *n.* rē'jĕkt] *(vt.; n.)* (١) يرفض؛ يأبى. (٢) يطّرِح؛ ينبذ (٣) يتقيأ § (٤) شيء أو شخص منبوذ.

rejectamenta [rĭ jĕk'tə mĕn'tə] *(L.)* مُهْمَلات؛ نُفايات.

rejection [rĭ jĕk'-] *(n.)* (١) رَفْض؛ نَبْذٌ (٢) شيء مرفوض أو منبوذ.

rejoice [rĭ jois'] *(vt.; i.)* (١) يُبْهِج × (٢) يبتهج ابتهاجاً عظيماً.
to ~ in يَمْلِك؛ يتمتّع بِـ.

rejoicing [rĭ joi'-] *(n.)* (١) ابتهاج؛ فرح (٢) *pl.*: مَرَحٌ صاخب.

rejoin [rē join' *for* 1-2; rĭ join' *for* 3-4] *(vt.; i.)* (١) ينضم ثانية إلى (٢) يضم أو يوحِّد ثانيةً (٣) يجيب × (٤) يردّ على أقوال المدعي (ق).

rejoinder [rĭ join'dər] *(n.)* (١) ردّ المدّعى عليه (على أقوال المدعي) (٢) جواب؛ ردّ.

rejuvenate [rĭ jōō'və nāt'] *(vt.; i.)* (١) «أ» يعيد الشباب إلى. «ب» يجدِّد × (٢) «أ» يستعيد شبابه. «ب» يتجدّد.
—rejuvenation *(n.)* **—rejuvenator** *(n.)*
—rejuvenescence *(n.)* **—rejuvenescent** *(adj.)*

rekindle [rē kĭn'dəl] *(vt.; i.)* يُضْرِم أو يضطرم من جديد.

relapse [rĭ lăps'] *(vi.; n.)* (١) يعود (إلى وضع سابق) (٢) ينتكس (بعد نقاهة) (٣) يغرق؛ ينحدر تدريجياً (to ~ into a stupor) (٤) يرتد (إلى الإثم أو الكفر الخ.) § (٥) ارتداد؛ انتكاس (٦) نكسة.

relapsing fever *(n.)* الحمّى الناكسة؛ الحمّى الراجعة.

relate [rĭ lāt'] *(vt.; i.)* (١) يروي؛ يقُصّ (٢) يربط ذهنياً بين؛ يقيم علاقة سببيّة أو منطقية بين × (٣) يتّصل بـ؛ يَخُصّ.

related [rĭ lā'tĭd] *(adj.)* (١) مَرْوِيّ؛ مسرود (٢) متّصِل بـ. (٣) نسيب؛ قريب؛ ذو قرابة.

relation [rĭ lā'shən] *(n.)* (١) رواية؛ قَصّ؛ سَرْد (٢) علاقة؛ صلة؛ رابطة (٣) «أ» القريب؛ النسيب. «ب» قرابة؛ نسب. (٤) *pl.*: «أ» اتصال. «ب» اتصال جنسي.
—relational *(adj.)*
in *or* with ~ to في ما يتعلّق بـ.

relationship [rĭ lā'shən-] *(n.)* (١) صلة؛ علاقة (٢) قرابة؛ نسب.

relative [rĕl'ə tĭv] *(n.; adj.)* (١) الاسم الموصول (ل) (٢) شيء ذو صلة بآخر (٣) القريب؛ النسيب § (٤) موصول (~ pronouns) (٥) متصل بـ؛ ذو صلة بـ (facts ~ to that case) (٦) نسبيّ؛ غير مطلَق (~ velocity) (٧) متناسب (Value is ~ to demand.).

relatively [-lĭ] *(adv.)* (١) نسبياً (٢) بالنسبة أو بالقياس إلى.

relative humidity *(n.)* الرطوبة النسبيّة: النسبة بين مقدار البخار المائيّ الموجود فعلاً في الهواء وبين أكبر مقدار منه يمكن وجوده فيه في درجة الحرارة نفسها.

relativism [rĕl'ə tĭ vĭz'əm] *(n.)* (١) المذهب النسبيّ: نظرية تقول بأن الحقيقة نسبية أو بأن الحقائق الاخلاقية تتفاوت تبعاً للفرد والزمان والظروف (٢) النسبيّة (را. المادة التالية).

relativity [rĕl'ə tĭv'ə tĭ] *(n.)* (١) النِّسْبيّة: كون الشيء نسبياً (٢) النِّسْبيّة: نظرية آينشتاين في الكون، وهي تقوم على المبدأ القائل بأن مقاييس المكان والزمان نسبية.

relator [rĭ lā'tər] *(n.)* الرّاوي؛ القاص.

relax [rĭ lăks'] *(vt.; i.)* (١) يُرْخي (٢) يخفِّف؛ يلطِّف. (٣) يُوهِن (٤) يحرر من التوتر العصبيّ × (٥) يتراخى؛ يرتخي (٦) يصبح أقل حدّةً أو صرامة (٧) يسترخي (العضل) (٨) يسترخي: يلتمس الراحةَ أو الاستجمام (٩) يحرر من الإمساك.

relaxant [rĭ lăk'sənt] *(adj.; n.)* (١) استرخائيّ أو مُفضٍ إلى الاسترخاء §(٢) عقّار مُخفّف للتوتر العضلي .

relaxation [rē'lăk sā'shən] *(n.)* (١) إرخاء (٢) تراخٍ (٣) استرخاء ؛ استجمام (٤) تسلية .

relaxed [rĭ lăkst'] *(adj.)* (١) رِخو (٢) مُستَرخٍ ؛ مستريح . (٣) غير رسميّ أو مترسّم ؛ مُرسَل على سجيّته .

relay [rē'lā; rĭ lā'] *(n.; vt.)* (١) الأبدال : «أ» أفراس مُعدّة سلفاً لإراحة أفراس أخرى . «ب» فريق من الرجال يحلّ محلّ آخرين في عملٍ ما لإراحتهم (٢) «أ» سباق البدَل أو التناوب (رب) . «ب» مرحلة من هذا السباق (٣) المُرَحِّل ؛ المُرَحِّلة ؛ المُتابِع (كب) : أداة تتلقى الرسائل البرقيّة أو البرامج الإذاعيّة وتنقلها بقوّة أعظم وبذلك تضاعِف المسافةَ التي تُنقل عبرها (٤) محرّك أو موطور موازِر (مك)(٥)«أ»نَقْلٌ على مراحل . «ب» مَرْحَلَة §(٦) يزوِّد بأبدال ؛ يُحِلّ فريقاً مناوِباً محلّ فريق (٧) ينقل على مراحل (٨) يُرحِّل ؛ يُرحِّل (برنامجاً إذاعياً مُلتقَطاً من محطة إلى أخرى (٩) يضع (الخ) ثانيةً .

relay station *(n.)* محطة التَّرْحِيل : محطّة تُذاع منها برامج الراديو بعد التقاطها من محطة أخرى .

release [rĭ lēs'] *(vt.; n.)* (١) يُطْلِق ، يُعتِق (٢) يحرِّر ؛ يُسيِّب (٣) يتخلّى عن (حقّ أو مِلْك) (٤) يأذن بالنشر أو التمثيل أو العرض أو البيع في موعد محدّد وليس قبلَه §(٥) إطلاق ؛ إعتاق (٦) تحرير ؛ تسييب (٧) إعفاء من التزام أو مسؤولية (٨) تخلٍّ عن حقّ أو مِلْك الخ . (٩) عَقْد أو صكّ تخلٍّ قانوني (١٠) «أ» إذن بالنشر الخ . «ب» المادّة المأذون بنشرها ؛ وبخاصة : بيان مُعَدّ للنشر في الصحف .

—releaser *(n.)*

re-lease [rē lēs'] *(vt.)* يؤجِّر أو يستأجر ثانيةً .

relegate [rĕl'ə gāt'] *(vt.)* (١) يَنفي ، يُبعِد (عن البلاد) . (٢) يُنَزِّل إلى مرتبة دنيا (John ~*d* his wife to the position of a housekeeper.) (٣) يُحيل (مسألةً أو مهمة الى شخص آخر لتنفيذها أو لاتخاذ قرار بشأنها) .

relent [rĭ lĕnt'] *(vi.)* يَرِقّ ؛ يلين .

relentless [-'lĭs] *(adj.)* قاسٍ ؛ عديم الشفقة ؛ لا يلين .

relevance *also* **relevancy** [rĕl'ə-] *(n.)* وثاقة الصلة بالموضوع .

relevant [rĕl'ə vənt] *(adj.)* مناسب ؛ وثيق الصلة بالموضوع .

reliability [rĭ lī'ə bĭl'ə tĭ] *(n.)* العِوَل : كونُ الشيء جديراً بأن يُعوَّل عليه .

reliability test *(n.)* اختبار العِوَل

reliable [rĭ lī'ə bəl] *(adj.)* ثِقة ؛ موثوق ؛ يعوَّل عليه .

reliance [rĭ lī'əns] *(n.)* (١) تعويل ؛ اعتماد ؛ ثقة ؛ اتكال . (٢) المُعوَّل : كلّ ما يُعوَّل عليه .

reliant [rĭ lī'ənt] *(adj.)* واثق ؛ مُعوِّل ؛ متّكِل .

relic [rĕl'ĭk] *(n.)* (١) الذخيرة : «أ» أثر مقدّس (لصلته بقديس أو شهيد) . «ب» تذكار (٢) *pl.* رفات ؛ جثة (٣) بقيّة ؛ شيء باقٍ (بعد الفناء أو الزوال)(٤) أثرٌ من عادة قديمة أو مُعتَقَدٍ بالٍ .

relict [rĕl'ĭkt] *(n.)* (١) أرملة (ا.ن) (٢) بقيّة معمِّرة من نبات أو حيوانٍ منقرض (٣) شيء باقٍ على حاله في عملية تغيُّر .

reliction [rĭ lĭk'shən] *(n.)* (١) انحسار الماء (عن أرض) . (٢) المُنحَسَر : أرض انحسر عنها الماء .

relief [rĭ lēf'] *(n.)* (١) فَرَج ؛ راحة ؛ ارتياح (٢) إسعاف ؛ إعانة (للفقراء أو المسنّين الخ .) (٣) نجدة حربية (لإنقاذ مدينة محاصَرة الخ .) (٤) المروِّح : تغيير يلطّف من رتابة شيء أو يخفِّف من توتر الأعصاب (٥) «أ» تحرير امرىء من منصب أو من أداء واجب (وبخاصة بالحلول محلّه فيه) . «ب» البدَل : من يحلّ محلّ غيره تخفيفاً عنه (٦) إنصافٌ (من ظُلامة) (٧) «أ» النحت النافر أو البارز . «ب» نقش نافر أو بارز . «ج» صورة أو حِلية معماريّة ناتئة (٨) بروز ؛ جلاء ؛ وضوح المعالم (٩) تضاريس الأرض .

in ~, (١) على نحو نافر أو بارز (٢) بجلاء ؛ ببروز .

relief map *(n.)* الخريطة المجسّمة أو البارزة .

relier [rĭ lī'ər] *(n.)* الواثق ؛ المعوِّل ؛ المعتمِد ؛ المُتّكل .

relieve [rĭ lēv'] *(vt.)* (١) «أ» يريح ؛ يفرِّج عن . «ب» يحرِّر ؛ يخلِّص . «ج» يلطِّف ؛ يخفِّف ؛ يسكّن (الألم) (٢) يُنجِد ؛ يُسعِف (٣) يحِلّ محلّه (في أداء واجب) (٤) يُنصِف من ظُلامة (٥) يخفِّف من رتابة شيء (٦) يُبْرِز ؛ يجسِّم .

relievo [rĭ lē'vō] *(It.)* = relief 7.

religion [rĭ lĭj'ən] *(n.)* (١) دِين (٢) ترَهّب (Her name in ~ is Sister Grace.)

religionism[rĭ lĭj'ə nĭz'-] *(n.)* حماسة دينية مُغالى فيها أو متكلَّفة .

religiosity [rĭ lĭj'ĭ ŏs'ə tĭ] *(n.)* (١) تقوى ؛ ورع (٢) تديّن متكلَّف أو مفرط .

religious [rĭ lĭj'əs] *(adj.; n.)* (١) دينيّ (٢) تقيّ ؛ ورِع . (٣) دقيق أو شديد حتى الأفراط (~ care) §(٤) راهب أو راهبة .

religious house *(n.)* دير .

relinquish [rĭ lĭng'kwĭsh] *(vt.)* (١) يتخلّى عن (مِلْك أو حقّ أو معتقَد أو خطة أو أمل الخ.) (٢) يهجر ؛ يُقلِع (عن عادة) (٣) يُرخي .

—relinquishment *(n.)*

reliquary [rĕl'ə kwĕr'ĭ] *(F.)* المَذخَر : وعاء تحفظ فيه الذخائر الدينية (نص) .

reliquiae [rĭ lĭk'wĭ ē'] *(L.)* رُفات ؛ بقايا الموتى ؛ بقايا عضويّة .

relish [rĕl'ĭsh] *(n.; vt.; i.)* (١) نكهة ؛ وبخاصة : نكهة لذيذة مُقَبِّلة (٢) مقدار ضئيل (٣) «أ» استمتاع ؛ تلذّذ . «ب» مَيْل (had no ~ for such jokes) (٤) «أ» تابل ؛ بهار . «ب» المُقبِّل : طعام « يفتح » الشهيّة §(٥) «أ» ينكِّه : يضيف نكهةً إلى . «ب» يجعله سائغاً حسنَ المذاق (٦) يستمتع بـ (٧) «أ» يستطيب ؛ يستسيغ . «ب» يتذوّق ×(٨) يتميّز بنكهة أو صفة خاصة .

relive[rē lĭv'] *(vt.; i.)* (١) يحيا (الشيءَ بخياله) ثانيةً ×(٢) يحيا ثانيةً .

relocation [rē lō kā'-] *(n.)* (١) نقل أو ترحيل إلى مكان جديد (٢) إخلاء المناطق العسكرية من سكانها ، أثناء الحرب ، وإعادة إسكانهم في منطقة جديدة .

relucent [rĭ lōō'sənt] *(adj.)* لامع ؛ برّاق (ا.ن) .

reluctance [rĭ lŭk'təns] *(n.)* (١) «أ» مقاومة ؛ معارضة . «ب» كُرْه ؛ نفور ؛ رغبةٌ عن (٢) الممانعة ؛ الممانعة المغنطيسية (مغ) .

reluctancy [rĭ lŭk'tən sĭ] *(n.)* = reluctance.

reluctant [rĭ lŭk'tənt] *(adj.)* (١) مقاوِم ؛ مُعارِض ؛ ممانع . (٢) كارِهٌ لـِ ؛ راغبٌ عن

reluctantly [rĭ lŭk'tənt lĭ] *(adv.)* على كره ؛ على مضض .

reluctate [-'tāt] *(vi.)* يقاوم ؛ يعارض ؛ يمانع ؛ يرغب عن .

reluctivity [rĕl'ək tĭv'-] *(n.)* المُمانِعيّة ؛ المُمانِعيّة المغنطيسية .

relume [rĭ lōōm'] *(vt.)* يُشْعِل أو يُضْرِم ثانيةً .

relumine [rĭ lōō'mĭn] *(vt.)* = relume.

rely [rĭ lī'] *(vi.)* (١) يثق بـِ (٢) يعوِّل أو يعتمد أو يتكل على .

remain [rĭ mān'] *(vi.; n.)* (١) يبقى (٢) يمكث (٣) يظل . §(٤) *pl.* عد : بقايا ، خرائب ، فضلات (٥) *pl.* : الآثار غير المنشورة : كتابات يخلفها المؤلف ، غيرَ منشورة ، عند وفاته (٦) *pl.* : جثة ، جثمان .

remainder [rĭ mān'dər] *(n.; adj.; vt.)* (١) بقية (٢) الباقي (ر) . (٣) الكتابُ الراكد أو المتخلف : كتابٌ يبيعه الناشر بسعر مخفَّض بعد أن يكون الإقبال عليه قد فتر §(٤) باقٍ §(٥) يبيع كتاباً راكداً أو متخلفاً بسعر مخفّض .

remake [*v.* rē māk'; *n.* rē'māk] *(vt.; n.)* (١) يصنع ثانيةً أو بشكلٍ مختلف §(٢) شيء مُعاد الصنع أو مجدَّد .

reman [rē măn'] *(vt.)* (١) يزوّد ثانيةً بالرجال (٢) يُعيد إليه شجاعته .

remand [rĭ mănd'] *(vt.; n.)* (١) يأمر بإرجاع ، مثل : «أ» يعيد الدعوى إلى محكمة دُنيا استؤنِف حكمها (مع تعليمات حول الاجراءات الواجب اتخاذها) . «ب» يأمر (القاضي) باستمرار السجن احتياطياً ريثما تجري المحاكمة أو بانتظار الحصول على بيِّنات جديدة §(٢) «أ» إعادة الدعوى إلى محكمة دنيا . «ب» إعادة سَجْن المتهم ، احتياطياً (٣) مُتَّهَم مُعادٌ إلى السجن الاحتياطيّ .

remand home *(n.)* مُحْتَجَزُ الأحداث : مؤسسة يُرْسَل إليها الجانحون من الأحداث والمراهقين بانتظار إجراء التحقيقات الضرورية أو ريثما تفصل المحكمة في أمرهم .

remanence [rĕm'ə nəns] *(n.)* الدَّفق المغنطيسيّ المتخلِّف أو المُستبقَى (بعد زوال القوة المُمَغْنِطة نهائياً) .

remanent [rĕm'ə nənt] *(adj.)* متخلِّف ، باقٍ .

remark [rĭ märk'] *(vt.; i.; n.)* (١) يلاحظ (٢) يقول ×(٣) يقدم ملاحظة أو تعليقاً §(٤) ملاحظة (٥) تعليق (Let it pass without ~.) .

remarkable [rĭ mär'kə bəl] *(adj.)* (١) جدير بالملاحظة ، لافتٌ للنظر (٢) رائع ، استثنائيّ ، غير عاديّ .

remarkably [-blĭ] *(adv.)* على نحوٍ رائع أو لافتٍ للنظر .

remarriage [rē măr'ĭj] *(n.)* (١) الزواج ثانيةً (٢) زواج ثانٍ .

rematch [rē măch'] *(n.)* مباراة ثانية (بين نفس الفريقين) .

remediable [rĭ mē'dĭ ə bəl] *(adj.)* قابل للمعالجة أو المداواة .

remedial [rĭ mē'dĭ əl] *(adj.)* (١) علاجيّ (٢) شافٍ .

remediless [rĕm'ə dĭ lĭs] *(adj.)* عُضال ، مُستَعصٍ على العلاج .

remedy [rĕm'ə dĭ] *(n.; vt.)* (١) علاج ، دواء (٢) معالجة . (٣) وسيلة شرعيّة لاسترداد حقّ أو لرفع ظُلامة §(٤) يعالج ، يداوي .

remember [rĭ mĕm'bər] *(vt.; i.)* (١) يتذكّر ، يتذكّر . (٢) يكافىء ، يعطيه حلواناً أو بقشيشاً (to ~ a waiter) ×(٣) يملِك ذاكرةً (Dogs ~.) .

~ me to him. إحمِل أو أهدِ إليه تحيّاتي .

remembrance [-'brəns] *(n.)* (١) تذكّر (٢) ذاكرة (٣) ذكرى . (٤) تذكار (٥) إحياء ذكرى (٦) *pl.* : تحيّات (Give my kind ~*s* to your brother.)

in ~ of إحياءً لذكرى . . .

Remembrance Day *(n.)* ذكرى الهدنة : يوم ١١ نوفمبر المُعتبَر عطلة رسميّة في الولايات المتحدة الأميركيّة إحياءً لذكرى انتهاء الحرب عام ١٩١٨ وعام ١٩٤٥ .

remembrancer [rĭ mĕm'brən sər] *(n.)* (١) المذكِّر : مَن يذكّر غيرَه بشيء (٢) تذكار .

remex [rē'mĕks] *(L.)* pl. **remiges** [rĕm'ə jēz'] ريشة (من ريش الطيران في جناح الطائر) .

remilitarize [rē mĭl'ə tə rīz] *(vt.)* يُعيد تسليحَ (دولة) .

remind [rĭ mīnd'] *(vt.)* يُذكِّر ، يُنبِّه .

reminder [-mīn'dər] *(n.)* المذكِّر ، وبخاصة : رسالة تذكير بشيء .

remindful [rĭ mīnd'-] *(adj.)* (١) متذكِّر ، مُتَنَبِّه (٢) مُذكِّر .

reminisce [rĕm'ə nĭs'] *(vi.)* يستغرق في الذكريات .

reminiscence [rĕm'ə nĭs'əns] *(n.)* (١) «أ» تذكُّر (الأحداث الماضية) . «ب» التفكير في الخبرات الماضية والتحدث عنها (٢) «أ» ذكرى ماضية . «ب» *pl.* عد : ذكريات (٣) كلّ ما يذكّر المرء بشيء أو يجعله يفكر فيه .

reminiscent [rĕm'ə nĭs'ənt] *(adj.)* (١) تذكُّريّ (٢) حافل بالذكريات (a ~ talk) (٣) مولع باستعادة الذكريات (~ old men) (٤) مذكِّر بـ (a scene ~ of Pickwick's London) .

remise [rĭ mīz'] *(vt.)* يتخلّى أو يتنازل عن (ق) .

remiss [rĭ mĭs'] *(adj.)* (١) مُهْمِل (٢) غير مُتْقَن ، دالّ على إهمال (٣) «أ» كسول . «ب» ليّن ، رخو .

remissible [-'ə bəl] *(adj.)* ممكنٌ غفرانُه (~ sins) .

remission [rĭ mĭsh'ən] *(n.)* مص remit بجميع معانيه .

remissly [rĭ mĭs'lĭ] *(adv.)* بإهمال ، بغير إتقان الخ .

remissness [rĭ mĭs'nĭs] *(n.)* إهمال ، كَسَل ، لِيْن الخ .

remit [rĭ mĭt'] *(vt.; i.; n.)* (١) يَغْفِر ، يصفح عن (٢) يلغي (عقوبةً الخ .) (٣) يخفِّف (~ *ted* their efforts) (٤) «أ» يحيل . «ب» يحيل دعوى إلى محكمة أخرى (٥) يعيد ، يرجع ، وبخاصة : إلى السجن (٦) يؤجّل ، يرجىء (٧) يحوّل او يرسل مالاً ×(٨) يَسْكن ، تخفّ حدّةُ المرض الخ . §(٩) إحالة الدعوى إلى محكمة أخرى .

—remitment *(n.)* **—remitter** *(n.)*

remittal [rĭ mĭt'əl] *(n.)* = remission.

remittance [-'əns] *(n.)* (١) تحويل النقد (بالبريد) (٢) حوالة .

remittance man *(n.)* التحاويلي : شخصٌ يعيش خارجَ البلاد على الأموال المحوّلة إليه من الوطن .

remittent [-'ənt] *(adj.)* متفتّر ، متقطّع (~ fever) .

remittent fever *(n.)* الحُمّى المتفتّرة : حمّى تَضْعُف أعراضُها على نحوٍ ملحوظ في فترات معيّنة من غير أن تزول بالكليّة .

remittor [rĭ mĭt'ər] *(n.)* مُرسل الحوالة ، مُحوّل النقود .

remnant [rĕm'nənt] *(n.; adj.)* (١) بقيّة ، أثارة §(٢) باقٍ .

remodel [rē mŏd'əl] *(vt.)* يجدِّد الصياغة ، يغيّر البِنْية أو التركيب ، يعيد البناء .

remonetize [rē mŭn'ə tīz'] *(vt.)* يجيز التعامل به ثانيةً كعملة قانونيّة (to ~ silver) .

remonstrance [rĭ mŏn'strəns] *(n.)* احتجاج ، اعتراض .

remonstrant [rĭ mŏn'strənt] *(adj.; n.)* محتجّ ، معترض .

remonstrate [rĭ mŏn'strāt] *(vt.; i.)* يحتجّ أو يعترض على .

remonstration [rē mŏn strā'shən] *(n.)* احتجاج ، اعتراض .

remonstrative [rĭ mŏn'strə tĭv] *(adj.)* احتجاجيّ ، اعتراضيّ .

remora [rĕm'ə rə] *(L.)* (١) اللشك : سمك في أعلى رأسه قرصٌ ماص يستطيع بواسطته أن يلتصق بالأقراش والسلاحف والسفن الخ . (٢) عقبة ، عائق .

remora

remorse [rĭ môrs'] *(n.)* ندمٌ ، ندامة .

remorseful [-'fəl] *(adj.)* (١) ناشئ عن الندم (٢) متّسِم بالندم .

remorseless [-'lĭs] *(adj.)* قاسٍ ، وحشيّ ، عديم الرحمة .

remote [rĭ mōt'] *(adj.)* (١) بعيد ، ناءٍ (٢) منعزل (٣) ضئيل ، قليل (hasn't the ~*st* idea) (٤) من بُعْد (~ control) .

—remotely *(adv.)* **—remoteness** *(n.)*

ă at; ā date; â care; ä car; ĕ egg; ē me; ĭ in; ī bite; ŏ lot; ō bone; ô orphan; oi boil; o͝o good; o͞o boot; ou out; ŭ under; ū unity; û urgent; th thing; t͟h this; zh vision; ə = *a* in alone, *e* in system, *i* in easily, *o* in gallop, *u* in circus.

remote control *(n.)* التحكّم من بُعْد : التحكُّم بجهاز (في طائرة أو صاروخ الخ .) من بُعْد بواسطة الموجات اللاسلكية .

remotion [rĭ mō'shən] *(n.)* = removal.

remount [rē mount'] *(vt.; i.; n.)* (١) يركب أو يمتطي الخ. ثانيةً . (٢) يزوِّد بأفراس بديلة §(٣) الفرس البديل : فَرَسٌ مُعَدٌّ للحلول محلّ آخر .

removability [rĭ mōō və bĭl'-] *(n.)* قابلية النقل أو النزع أو الإزالة .

removable [rĭ mōō'və bəl] *(adj.)* قابلٌ للنقل أو النزع أو الإزالة .

removal [rĭ mōō'vəl] *(n.)* (١) «أ» نَقْل . «ب» انتقال . (٢) نزع (٣) صرف من الخدمة (٤) ازالة الخ.

remove [rĭ mōōv'] *(vt.; i.; n.)* (١) «أ» يَنقُل. «ب» يحوِّل دعوى من محكمة إلى أخرى (٢) يَنْزِع (٣) يَصْرِف من الخدمة (٤) يُزيل (٥) يَقْتُل ×(٦) ينتقل ؛ يغيِّر مقرَّ عمله أو سكنه (٧) يرحل §(٨) نقل ؛ انتقال ؛ وبخاصة : تغيير مقرّ العمل أو السكن (٩) مسافة ؛ بُعْد (١٠) درجة (١١) ترفيع طالب إلى صفٍّ أعلى.

removed [rĭ mōōvd'] *(adj.)* (١) بعيد ؛ ناءٍ (٢) بعيد (من حيث درجة القُربى) .

remunerate [rĭ mū'nə rāt'] *(vt.)* يكافئ ؛ يعوِّض .

remuneration [rĭ mū'nə rā'shən] *(n.)* مكافأة ؛ تعويض .

remunerative [rĭ mū'nə rā'tĭv] *(adj.)* (١) مُكافِئ ؛ مُعوِّض (٢) مُربِح (~ work *or* business) .

renaissance [rĕn'ə säns'] *(F.)* (١) *cap.* : «أ» النهضة الأوروبية : حركة انتقالية في أوروبة بين القرون الوسطى والعصر الحديث، نشأت في القرن الرابع عشر في إيطاليا واستمرّت إلى القرن السابع عشر؛ وقد تميّزت بالتأثّر بالمفاهيم الكلاسيكية وبازدهار الأدب والفنّ وبانبلاج فجر العلم الحديث . «ب» عصر النهضة الأوروبية. «ج» الطراز المعماري « الكلاسيكي المُحْدَث » السائد في عصر النهضة (٢) *cap.*: حركةٌ أو حقبةٌ من النشاط الفني والعقلي الشديد (٣) انبعاث ؛ ولادة جديدة.

renal [rē'nəl] *(adj.)* كُلْوِيّ : ذو علاقة بالكُلْيَتَين .

renascence [rĭ năs'əns] *(n. often cap.)* = renaissance.

renascent [rĭ năs'ənt] *(adj.)* (١) منبعث ؛ مولود ثانيةً (٢) ناشطٌ من جديد .

rencontre [rĕn kŏn'tər] *or* **rencounter** [rĕn koun'-] *(F.)* (١) مناوشة ؛ معركة (٢) لقاءٌ عابر .

rencounter [rĕn koun'tər] *(vt.; i.)* يلتقي به مصادفة (ا.ق) .

rend [rĕnd] *(vt.; i.)* (١) ينتزع بقوّة أو عنف (٢) «أ» يمزِّق . «ب» يشقّ ؛ يفلع. «ج» يشقّ الجيب (حزناً أو غضباً) ×(٣) يتمزّق.

render [rĕn'dər] *(vt.; n.)* (١) «أ» يذيب ؛ يستخرج أو يستخلص بالاذابة . «ب» يعالج شيئاً بحيث يحوّله إلى دهون أو زيوت صناعية أو إلى أسمدة (٢) «أ» ينقل أو يسلّم (رسالةً) . «ب» يسلِّم ؛ يتخلّى عن (to ~ a city) . «ج» يقدّم (حساباً أو خدمة أو مساعدة الخ.) . «د» يُصدر حكماً (٣) «أ» يردّ ؛ يُرجع . «ب» يدفع (ضريبةً الخ.) (٤) «أ» يجعل ؛ يصيِّر . «ب» يصِف . «ج» يرسم ؛ يصور . «د» يمثّل (دوراً مسرحياً) . «هـ» يعزف ؛ يغني . «و» يترجم . «ز» يقيم العدلَ (٥) يطلي (بالطبقة الأولى من الدهان) §(٦) عِوَض (يقدمه المستأجِر ، بخاصة ، إلى صاحب الإقطاعة في شكل خدمات أو أموال الخ.) (٧) الطبقة الأولى من الطلاء.

rendering [rĕn'-] *(n.)* الأداء : طريقة العزف أو الغناء أو الترجمة.

rendezvous [rän'də vōō'] *(n.; vi.)* (١) «أ» المُلْتَقَى : مكانٌ يُتَواعَد على اللقاء فيه . «ب» المَلْقَى ؛ المُنتَجَع : موطن يقصده الناس للرياضة أو الاستجمام الخ. (٢) المَوْعِد : لقاء يتمّ بناءً على تواعُد سابق §(٣) يلتقيان (بناءً على موعد) .

rendition [rĕn dĭsh'ən] *(n.)* مص render مثل : «أ» تخلٍّ عن ؛ تسليم مدينةٍ إلى العدوّ . «ب» ترجمة . «ج» أداء ؛ تمثيل ؛ عزف.

renegade [rĕn'ə gād'] *(n.; vi.; adj.)* (١) المُرْتَدّ (عن دين) ؛ الخارج (على حزب) §(٢) يرتدّ ؛ يخرج على §(٣) «أ» مرتدّ ؛ خارج . «ب» خائن .

renegado [rĕn'ə gā'dō] *(Sp.)* = renegade.

renege [rĭ nĭg'; nēg'] *(vt.; i.)* (١) يُنكِر (ا.ق) ×(٢) يُخلِف وعداً ؛ ينكث بعهد . —**reneger** *(n.)*

renew [rĭ nū'; -nōō'] *(vt.; i.)* (١) يُجدِّد (٢) يكرِّر ؛ يُعيد . (٣) يستأنف ×(٤) يتجدّد . —**renewer** *(n.)*

renewable [rĭ nū'-] *(adj.)* ممكنٌ تجديدُه الخ.

renewal [rĭ nū'əl] *(n.)* (١) تجديد (٢) تجدّد (٣) شيء مُجدَّد.

reni- *or* **reno-** بادئة معناها : كُلْيَة (reniform) .

reniform [rĕn'ə-] *(adj.)* كُلْوِيّ الشكل ؛ شبيهٌ بالكُلْيَة .

reniform leaf

renin [rē'nĭn] *(n.)* الرِّنين: بروتين يوجد في الكُلْيَة يزيد ضغط الدم (كح) .

renitency [rĭ nī'-; rĕn'ə-] *(n.)* مقاومة ؛ معارَضة .

renitent [rĭ nī'tənt; rĕn'ə-] *(adj.)* (١) مقاوِم (٢) متمرِّد .

rennet [rĕn'ĭt] *(n.)* الإنْفَحة : «أ» الغشاء المبطِّن لمعدة العجل الرابعة. «ب» مادّةٌ تستخرج من معِدَ الحيوانات لتجبين اللبن .

rennin [rĕn'ĭn] *(n.)* الإنفحة : خميرة مُجبِّنةٌ للّبن تستخرج من الغشاء المخاطيّ لمعدة العجل.

renominate [rē nŏm'ə nāt'] *(vt.)* يرشّح ثانيةً أو من جديد .

renounce [rĭ nouns'] *(vt.; i.)* (١) «أ» يُنكِر . «ب» يعلن ارتداده عن دِين (٢) يعتزل (العالَمَ) ؛ يتنسّك (٣) يتخلّى (عن حقّه في العرش الخ.) (٤) يتبرّأ (من ولده) .

renovate [rĕn'ə vāt'] *(vt.)* (١) يحيي (٢) يجدِّد ؛ يُصلِح .

renown [rĭ noun'] *(n.; vt.)* (١) شُهْرة §(٢) يجعله شهيراً .

renowned [rĭ nound'] *(adj.)* شهير ؛ مشهور ؛ معروف .

rent [rĕnt] *(n.; vt.; i.)* (١) أجرة (يدفعها المستأجر إلى المؤجِّر) . (٢) رَيْع (اد) (٣) شِقّ ؛ صَدْع ؛ مِزْق (٤) انشقاق ؛ انقسام (في حزب الخ.) §(٥) يستأجر (٦) يؤجِّر ×(٧) يؤجَّر أو يكون مُعَدّاً للإيجار (This building ~*s* for **$** 2000 a year.) . for ~, للإيجار ؛ برسم الإيجار .

rent [rĕnt] *past and past part. of* rend.

rentable [rĕnt'ə bəl] *(adj.)* يؤجَّر ؛ قابل للتأجير .

rental [rĕn'təl] *(n.; adj.)* (١) أجرة (٢) بيان بالإيجارات والمستأجرين (٣) مِلْكٌ مؤجَّر (٤) تأجير §(٥) تأجيري (~ value) .

rental library *(n.)* مكتبة الإعارة والتأجير : مكتبة تجاريّة تعير الكتب لقاء أجر محدّد للكتاب الواحد في اليوم الواحد .

rente [ränt] *(F.)* (١) دَخْل ؛ إيراد (٢) *pl.* : سندات على الحكومة الفرنسيّة .

renter [rĕn'tər] *(n.)* (١) المؤجِّر (٢) المستأجر .

rentier [rän tyā'] *(F.)* صاحب الدَّخْل (من أرض أو سندات الخ.) .

renumber [rē nŭm'bər] *(vt.)* (١) يرقِّم ثانية (٢) يغيِّر الترقيم .

renunciation [rĭ nŭn'sĭ ā'shən] *(n.)* (١) تَخَلٍّ (عن حقٍّ أو لقب أو مِلْك) (٢) نكران زُهْديّ للذّات .

reopen [rē ō'pən] *(vt.; i.)* (١) يفتح ثانية (٢) يستأنف .

reorder [rē ôr'dər] (n.; vt.) : طلب ثانٍ أو الطلب المكرر (١)
مكرّر للسّلَع نفسها يقدّم إلى التاجر أو المنتِج (٢) يعيد التنظيم
(٣) يقدّم طلباً مكرّراً الخ .

reorganization [rē'ôr gən ə zā'shən] (n.) . إعادة تنظيم
rep [rĕp] (n.) : نسيج صوفيّ أو حريريّ أو قطنيّ مضلّع المضلّع

repackage [rē'păk'ij] (vt.) : يفرغ ؛ وبخاصة يجدد التغليف
(شيئاً ما) في شكل أكثر فعاليةً أو جاذبيةً .

repair [rĭ pâr'] (vt.; i.; n.) د. يجدد ؛ يرمّم . «ب» يُصلِح «أ»(١)
(٢) يعوّض عن ×(٣) «أ» يذهب . «ب» يجتمع لعمل مشترك
(٤)§ اصلاح ؛ ترميم الخ . (٥) ملاذ ؛ مَنوى
in ~, في حالة جيدة أو صالحة للاستعمال
in bad ~, في حالة سيئة (يحتاج معها إلى ترميم)
in good ~, في حالة جيدة أو صالحة للاستعمال
out of ~, في حالة رديئة إلى حدّ يتعذّر معه إصلاحه .

repairable [rĭ pâr'ə bəl] (adj.) قابل للإصلاح أو الترميم الخ .
repairman [-'mǎn] (n.) المرمّم : مَن حِرفتُه الاصلاح والترميم .
repand [rĭ pǎnd'] (adj.) متموّج الحاشية قليلاً (a ~ leaf).
reparable [rĕp'ə rə bəl] (adj.) = repairable.
reparation [rĕp'ə rā'-] (n.) إصلاح ؛ ترميم (٢) «أ» تعويض(١)
«ب» pl عد : تعويضات تدفعها دولة مهزومة إلى أخرى منتصرة .

reparative [rĭ păr'ə tiv] (adj.) إصلاحيّ ؛ ترميميّ(١) تعويضيّ(٢)
repartee [rĕp'ər tē'] (F.) جواب سريع أو بارع (٢) حضور(١)
البديهة ؛ براعة الإجابة .

repartition [rē'pär tish'ən] (n.) توزيع (٢) تقسيم ثانٍ(١)
repass [rē'pǎs'; -päs'] (vi.; t.) يرجع ×(٢) يجتاز ثانيةً(١)
(to ~ the needle through the cloth) يمرّر ثانيةً(٣)
(٤) يتبنّى من جديد (to ~ a bill after a veto)

repast [rĭ pǎst'; -päst'] (n.) طعام (٢) وَجبة ؛ وَقعة(١)
repatriate [v. rē pā'tri āt; n.-'tri it] (vt.; n.) يُعيد(١)
(أسيراً أو لاجئاً الخ) إلى وطنه (٢) شخص مُعاد إلى وطنه .
repatriation [rē pā tri ā'shən] (n.) إعادة الاسير أو
اللاجئ الى الوطن .

repay [rĭ pā'] (vt.; i.) يفي (ديناً)(١) «أ» يجازي ؛(٢)
يكافئ . «ب» يعوّض عن (٣) يردّ (زيارةً) .
repayment [rĭ pā'mənt] (n.) وفاء (دَيْن)(١) مجازاة(٢)
مكافأة ؛ تعويض(٣) ردّ (زيارةٍ) .

repeal [rĭ pēl'] (vt.; n.) يسحب (رسمياً)(١) يلغي ؛(٢)
يبطل§ سحب ؛ إلغاء ؛ إبطال .

repeat [rĭ pēt'] (vt.; i.; n.) «أ» يقول ثانيةً . «ب» يسمّع(١)
يردّد (عن ظهر قلب)(٢) يكرّر (٣) يعيد (٤) يفشي (السر)
×(٤)يصوّت أكثر من مرة في انتخاب واحد (تصويتاً غير
مشروع)(٥) يتكرّر (الرقم)(٦) تظل للبصل ونحوه
رائحة بعد أكله(٧) يزوّد (عميلاً) بمقادير جديدة من سلع
مطلوبة(٨) تكرير (٩) إعادة ؛ شيء مكرّر أو مُعاد ؛ مثل :
«أ» مقطع موسيقيّ يتعيّن تكريره أثناء الأداء . «ب» إشارة تدل
على وجوب تكرير المقطع الموسيقيّ (وتتألف من نُقَط بعضها فوق
بعض). «ج» برنامج مُعاد تقديمُه (في الراديو أو التلفزيون) .

repeated [rĭ pē'tid] (adj.) متكرّر (٢) مكرّر ؛ مُعاد(١)
repeatedly [rĭ pē'tid li] (adv.) تكراراً (٢) مرةً بعد مرةٍ .
repeater [rĭ pē'tər] (n.) المكرّر ؛ المُعيد ؛ مثل : «أ» الراوي ؛
القاصّ ؛ المسمّع عن ظهر قلب . «ب» الساعة الدقاقة .

«ج» السلاح الناريّ التكراريّ : مسدّس أو بندقيّة يمكن إطلاق
النار منهما عدة مرات من غير أن يُعاد حشوهما أو تعميره .
«د» المتعوّد انتهاك حرمة القانون . «هـ» الطالب المُعيد ؛ طالب
يعيد : صفّاً (أو مادةً) سبق له الرسوب فيه .

repeating decimal (n.) (ر). الكسر العشري المتكرّر أو الدائر
repeating firearm (n.) = repeater c.

repel [rĭ pĕl'] (vt.; i.) «أ» يردّ ؛ يصُدّ (هجوماً). «ب»يقاوم (١)
(٢) يرفض (اقتراحاً الخ). (٣) يثبّط (٤) يطرد (٥) ينفّر ؛
يوقع النفور أو الاشمئزاز في النفس . —**repeller** (n.) .

repellency also **repellence** [rĭ pĕl'-] (n.) . صدّ ؛ تنفير
repellent [rĭ pĕl'ənt] (adj.; n.) منفّر ؛ صادّ ؛ طارد(١)
(٢) منفّر ؛ بغيض ؛ كريه §(٣) الصادّ ؛ الطارد ؛ وبخاصة :
«أ» دواء مُزيل للأورام والطفح الجلدي الخ . «ب» مادة
طاردة للحشرات . «ج» قماش صامد للماء .

repent [rĭ pĕnt'] (vi.; t.) يتوب(٢)يندم(٣)يتأسف ؛يتحسّر (١)
repent [rē'pənt] (adj.) متسلّق ؛ مفترش (نب)(٢)زاحف (ح)(١)
repentance [rĭ pĕn'təns] (n.) توبة (٢) ندم (٣) أسف (١)
repentant [rĭ pĕn'tənt] (adj.) تائب ؛ نادم(٢)آسف ؛ دالّ(١)
على التوبة والنَّدم (her ~ tears) .

repeople [rē pē'pəl] (vt.) يؤرّ هِل ثانيةً (بالسكّان) .
repercussion [rē'pər kŭsh'ən] (n.) ارتداد (٢) ترجيع(١)
صدى(٣)المُضاعَف : أثرٌ تالٍ أو متلكِّء(أو نتيجة غير مباشرة)
لحادث أو عمل (The ~s of the second World War are
still felt.) —**repercussive** (adj.)

repertoire [rĕp'ər twär] (F.) الذخيرة : ذخيرة من المسرحيات
والأدوار والألحان التي تدرّبت عليها فرقة أو ممثل أو مغنٍّ أو موسيقيّ
والتي يكون (الموسيقيّ أو المغني أو الممثل أو الفرقة) على استعداد
لتقديمها أو أدائها (Salwa has a large ~ of songs.)

repertory [rĕp'ər tōr'i] (n.) ذخيرة ؛ (٢) repertoire(١)
مجموعة (٣) مستودَع (a ~ of useful information) .

repertory theater (n.) مسرح الذخائر : مسرح تقدّم فيه
فرقة دائمة عدة مسرحيات في موسم واحد (بدلاً من مسرحية
واحدة يعاد تقديمها طوال الموسم) .

repetend [rĕp'ə tĕnd] (n.) الكسر المكرور : جزء من الكسر(١)
العشري المتكرّر أو الدائريّ يتردّد باستمرار (٢) refrain
repetition [rĕp'ə tish'ən] (n.) تكرار ؛ إعادة (٢) تسميع(١)
إلقاء (٣) قطعة محفوظات ؛ قصيدة الخ . معدّة للاستظهار
والإلقاء (٤) نسخة عن (٥) تكرّر .

repetitious [rĕp'ə tish'əs] (adj.) حافل بالتكرار (إلى حدّ الإملال)
repetitive [rĭ pĕt'ə tiv] (adj.) تكراريّ ؛ متّسم بالتكرار .
repine [rĭ pīn'] (vi.) يشكو ؛ يتذمّر ؛ يتبرّم .
replace [rĭ plās'] (vt.) يعيد ؛ يرجع (٢) يحل محل(١)
(٣) يستبدل (يتبعها by أو with) —**replacer** (n.) .

replacement [-'mənt] (n.) مصّ replace(٢) شيء • يحل(١)
محل آخر ؛ وبخاصة : جنديّ التكميل : جندي يُلحق بوحدة
عسكريّة تكميلاً لها (بعد أن تفقد أحد أفرادها) .

replant [rē plǎnt'] (vt.) يغرس ثانيةً ؛ يزرع من جديد .
repleader [rē plē'dər] (n.) دفاع ثانٍ ؛ مرافعة ثانية (ق)(١)
(٢) حقّ الرافع ثانية (ق) .

replenish [rĭ plĕn'ish] (vt.; i.) يملأ ثانيةً(٢)يزوّد (ناراً)(١)
فرناً الخ . بوقود جديد (٣) يستكمل ؛ يسدّ النقص (in order

(to ~ a stock of goods) ×(٤)«أ» يمتلىء . «ب» يمتلىء ثانيةً.

replete [rĭ plēt'] *(adj.)* (١) مُفْعَم ؛ طافح (٢) مُتْخَم (٣) بَدين.

repletion [rĭ plē'shən] *(n.)* (١) تخمة (٢) امتلاء ؛ اكتظاظ . (٣) إشباع (رغبةٍ أو حاجة) .

replevin [rĭ plĕv'ĭn] *(n.; vt.)* (١) استرداد المحجوزات (لقاء تعهد المستردّ بإعادتها إذا ما خسر دعواه في المحاكم) §(٢) يستردّ المحجوزات .

replevy [rĭ plĕv'ĭ] *(n.; vt.)* = replevin.

replica [rĕp'lə kə] *(It.)* (١) الصورة المنقولة : نسخة عن أثرٍ فنيّ وبخاصة بريشة الرسّام صاحب الأثر (٢) نسخة مطابقة .

replicate [*v.* rĕp'lə kāt; *adj.* -kĭt] *(vt.; adj.)* (١) يكرر ؛ يضاعف (٢) يطوي أو يلوي إلى الوراء §(٣) مطويّ إلى الوراء ؛ ملتفّ على نفسه انكفائياً (٤) مكرَّر ؛ مضاعف .

replication [rĕp'lə kā'shən] *(n.)* (١)«أ» جواب. «ب» ردّ على جواب . «ج» ردّ المدّعي على أقوال المدّعَى عليه (٢) صدى ؛ ترجيع (٣) «أ» نسخة مطابقة. «ب» استخراج نسخةٍ مطابقة (٤) تكرير تجربة أو إجراءٍ في المكان والزمان نفسيهما .

reply [rĭ plī'] *(vi.; t.; n.)* (١) «أ» يُجيب . «ب» يُرجِع الصَّدى . «ج» يردّ على أقوال المدّعَى عليه (٢) يردّ على نار العدوّ أو هجومه §(٣)جواب (٤)ردّ المدعي على أقوال المدّعى عليه.

in ~ to جواباً على.

to ~ for يجيب نيابةً عن .

report [rĭ pōrt'] *(n.; vt.; i.)* (١) «أ» إشاعة . «ب» شهرة . (٢)«أ» بيان . «ب» تقرير . «ج» مَحْضَر (٣) انفجار ؛ دويّ §(٤)«أ» يروي ؛ يقصّ . «ب» يصف (٥) «أ» ينقل (قولاً أو خبراً أو رسالةً) . «ب» يختزل (خطاباً الخ.) للصحف . «ج» يراسل جريدة . «د» يُعِدّ خبراً للإذاعة (في الراديو الخ.) (٦) يقرّر ؛ يقدّم تقريراً ؛ يعلن رسمياً (٧) «أ» يُخْبِر . «ب» يشكو إلى السلطة ؛ يبلّغ عن ×(٨) يَحْضُر ؛ يُثبت وجوده : يذهب إلى مكان ما ويعلن أنه قد حضر أو أنه مستعدّ لأداء الواجب (to ~ for duty) (٩) يعمل مراسلاً صحفياً أو مذيعَ أخبار (في الراديو الخ.) .

reportage [rĭp ər täzh'] *(F.)* الريبورتاج : التحقيق الصحفي .

report card *(n.)* التقرير المدرسيّ : تقرير (عن سَيْر طالب) تقدّمه إدارة المدرسة ، دورياً ، إلى ذويه .

reporter [rĭ pōr'tər] *(n.)* (١) المُخْبِر ؛ المقرِّر الخ. (٢) المُخْتَزِل (لمناقشات البرلمان أو وقائع الجلسات الرسمية) (٣) «أ» المراسل الصحفيّ . «ب» مذيع الأخبار (في الراديو أو التلفزيون) .

—**reportorial** *(adj.)*

repose [rĭ pōz'] *(vt.; i.; n.)* (١) يضع (وبخاصةٍ ثقتَهُ في كذا). (٢) يُريح ؛ يُسنِد ×(٣)«أ» يضطجع . «ب» يرقد (في قبر) . «ج» يَسكن ؛ يستكنّ ؛ يهجع (٤) يستريح (٥) يعتمد؛ يتّكل (ا.ق) (٦)يتكىء؛ يستند §(٧) رقاد ؛ نوم (٨) استرخاء (٩) راحة أبدية (١٠)هدوء ؛ سكون (١١)تناسب؛ اتّساق (١٢) رباطة جأش .

reposeful [rĭ pōz'fəl] *(adj.)* هادىء ؛ ساكن .

reposit [rĭ pŏz'ĭt] *(vt.)* (١) يَخزن؛ يودع (٢) يعيد؛ يرجع .

reposition [rē'pə zĭsh'-] *(n.; vt.)* (١)خَزْن؛ إيداع (٢)إعادة؛ إرجاع §(٣) يغيّر موقع شيء .

repository [rĭ pŏz'ə tōr'ĭ] *(n.; adj.)* (١) مَخزن ؛ مستودَع (٢) مذبح جانبيّ (في كنيسة كاثوليكية) يُحفظ فيه خبز القربان (٣)منطقة غنية بالموارد الطبيعية (٤)المستأمَن : من يُودَع عنده شيء §(٥)قابلٌ للخزن مدةً طويلة من الزمن (a ~ drug) .

repossess [rē'pə zĕs'] *(vt.)* يسترجع ؛ يستردّ .

repoussé [rə pōō sā'] *(F.)* نافر ؛ بارز (a ~ design) .

repp [rĕp] *(n.)* = rep.

reprehend [rĕp'rĭ hĕnd'] *(vt.)* (١) يوبّخ (٢) يَشجُب .

reprehensible [-hĕn'sə bəl] *(adj.)* مستحقّ التوبيخ أو الشجب.

reprehension [-hĕn'shən] *(n.)* (١) توبيخ ؛ تعنيف ؛ لوم . (٢) شَجْب .

reprehensive [-hĕn'sĭv] *(adj.)* (١) توبيخيّ (٢) شَجْبيّ .

represent [rĕp'rĭ zĕnt'] *(vt.; i.)* (١) يصور ؛ يمثّل (٢) يعلن أو يزعم أنه (٣)«أ» يمثّل (دوراً مسرحياً) . «ب» يمثّل (حكومةً الخ.) . «ج» يمثّل (دائرة انتخابية في البرلمان) (٤) يوضح ؛ يَشرح (~ *ed* relativity to an audience of schoolboys) (٥) يتمثّل (ذهنياً) ؛ يتصوّر ×(٦) يحتجّ على .

representation [-zĕn tā'shən] *(n.)* (١) «أ» تصوير ؛ تمثيل . «ب» صورة ؛ تمثال (٢) *pl.* عد: مزاعم (٣)«أ» تمثيل. «ب» تمثيل مسرحي. «ج» تمثيل (برلماني أو دبلوماسي). «د» ممثلو دائرة انتخابية أو نوابُها (٤) بيان (٥) احتجاج ؛ شكوى .

—**representational** *(adj.)*

representative [rĕp'rĭ zĕn'tə tĭv] *(adj.; n.)* (١) تمثيليّ ؛ نيابيّ (٢) ممثّل لِـ (images ~ of animals) (٣) نموذجي (is a ~ selection of Elizabethan poetry) §(٤)نموذج (٥) الممثّل لغيره، مثل: «أ» النائب (في البرلمان). «ب» المندوب. «ج» ممثل الشركة أو الجريدة الخ. «د» الوكيل.

repress [rĭ prĕs'] *(vt.)* (١) يكبح (٢) يكبت ، يكظم . (٣) يقمع (٤) يُخضع .

—**represser; repressor** *(n.)*

repression [rĭ prĕsh'ən] *(n.)* (١) كبح (٢) كَبْت ؛ كظم. (٣) قمع (٤) إخضاع .

repressive [rĭ prĕs'ĭv] *(adj.)* كبحي ؛ كبتيّ ؛ قمعيّ .

reprieve [rĭ prēv'] *(vt.; n.)* (١) يرجىء (تنفيذَ حكم بالاعدام ، خاصةً) (٢) ينقذ موقتاً (من شرّ أو بلاء) §(٣) «أ» إرجاء تنفيذ حكم (وبخاصة بالإعدام) . «ب» أمرٌ بذلك (٤) إنقاذ موقّت (من شرّ أو بلاء) .

reprimand [rĕp'rə mănd] *(n.; vt.)* (١)تأنيب قاسٍ أو رسميّ. §(٢) يؤنّب (رسمياً) .

reprint [*v.* rē prĭnt'; *n.* rē'prĭnt'] *(vt.; n.)* (١) يعيد الطبع . §(٢) طبعة ثانية (من غير تعديل) .

reprisal [rĭ prī'zəl] *(n.)* (١) انتقام ؛ أخذ بالثأر (٢) استرداد ؛ إعادة استيلاء على .

reprise [rĭ prīz'] *(n.; vt.)* (١) تكرير (مو) §(٢) يكرّر .

repro [rē'prō] *(n.)* الناصعة : نسخة واضحة عن كلام منضّد طباعياً (تُستخرَج لكي تصوَّر عنها كليشيه) .

reproach [rĭ prōch'] *(vt.; n.)* (١) يلوم (٢) يوبّخ ؛ يؤنّب . (٣) يعيب ؛ يُخزي §(٤)«أ» لوم . «ب» توبيخ ؛ تأنيب (٥) خزي ؛ عار .

reproachful [rĭ prōch'-] *(adj.)* مؤنّب؛ تأنيبيّ .

reproachless [rĭ prōch'-] *(adj.)* بريء ؛ غير مستحقّ اللوم .

reprobate [rĕp'rə bāt] *(vt.; adj.; n.)* (١) يشجب ؛ يستنكر (٢) يقدّر (اللهُ) عليه الهلاك ؛ يخرجه من زمرة الأبرار (٣) يرفض §(٤) مقدَّر عليه الهلاك ؛ مُخرَج من زمرة الأبرار

(٥) فاسد ؛ شرير §(٦) شخص فاسد أو شرير (a penniless ~).

—**reprobative** *(adj.)* —**reprobatory** *(adj.)*

reprobation [rĕp'rə bā'shən] *(n.)* (١) شَجْب ، استنكار . (٢) رَفْض (٣) إخراج من زمرة الأبرار (بقضاء وقدر) .

reproduce [rē'prə dūs'] *(vt.; i.)* (١) يولِّد ؛ يستخرج ؛ يُوجِد ثانية (٢) ينسخ ؛ يستخرج نسخةً عن (٣) يستنطق الأسطوانة (أو الشريط) : يستخرج الصوت المعبأ فيها (بإمرار ابرة الفونوغراف عليها) ×(٤)يتناسل ؛ يتوالد ؛ يتكاثر ؛ يُنتج.

—**reproducer** *(n.)*

reproduction [-dŭk'-] *(n.)* (١)مص reproduce ، وبخاصة : تناسُل ؛ توالُد ؛ تكاثُر ؛ إنتاج (٢) نسخة طبق الأصل .

reproductive [-'tĭv] *(adj.)* (١) مولِّد ؛ منتِج (٢) تناسليّ ؛ توالُديّ.

—**reproductiveness ; reproductivity** *(n.)*

reproof [rĭ prōōf'] *(n.)* توبيخ ؛ تأنيب .

reprovable [rĭ prōōv'ə bəl] *(adj.)* مستحقّ التوبيخ أو التأنيب.

reproval [rĭ prōō'vəl] *(n.)* = **reproof.**

reprove [rĭ prōōv'] *(vt.)* (١) يوبّخ ؛ يؤنّب (٢) يستنكر .

reptant [rĕp'-] *(adj.)* (١)زاحف(ح)(٢)متسلّق ؛ ممترّش (نب).

reptile [rĕp'tĭl; -tīl] *(n.; adj.)* (١) الزاحف ؛ الزحّاف : كلّ حيوان من الزواحف أو الزحّافات **Reptilia** وهي طائفة من الحيوانات تشمل الثعابين والعظاء (٢) شخص متذلّل أو حقير §(٣)زاحف (٤)زاحفيّ ؛ زحّافي (٥)متذلّل ؛ خسيس ؛ حقير .

reptilian [rĕp tĭl'ĭ ən] *(adj.; n.)* (١) زاحف (٢) زاحفيّ . §(٣) الزاحف ؛ الزحّاف ((را. reptile I) .

republic [rĭ pŭb'lĭk] *(n.)* (١) جمهورية (٢) دولة جمهورية . the ~ of letters رجال الأدب ؛ دولة الأدب .

republican [rĭ pŭb'-] *(adj.; n.)* (١)جُمهوريّ §(٢)الجمهوريّ : «أ» المؤيّد للنظام الجمهوريّ . «ب» *cap.* : عضوٌ في الحزب الجمهوريّ بالولايات المتحدة الأميركيّة .

republicanism [rĭ pŭb'lə kə nĭz'-] *(n.)* (١)الجُمهوريّانية : «أ» التمسّك بالنظام الجمهوري . «ب» الحكمُ الجمهوري (٢) *cap.* : «أ» مبادىء وسياسة الحزب الجمهوري الأميركي . «ب» الحزب الجمهوري أو أعضاؤه .

republicanize [rĭ pŭb'lə kə nīz'] *(vt.)* يُجَمْهِر : يجعله جمهوريَّ الصفة أو الشكل أو المبدأ .

republication [rē'pŭb lə kā'shən] *(n.)* (١) إعادة النشر . (٢) كتاب الخ . منشورٌ ثانيةً .

republish [rē pŭb'lĭsh] *(vt.)* يعيد النشر ؛ ينشر (كتاباً)من جديد.

repudiate [rĭ pū'dĭ āt'] *(vt.)* (١) يطلّق زوجته (٢) يتبرأ من (ولدِهِ الخ.) (٣) يجحد ، يُنكر (مُعْتَقَداً) (٤) ينكر (تهمةً) (٥) يرفض الاعتراف (بالدَّين) ويمتنع عن دفعه .

repudiation [rĭ pū'dĭ ā'shən] *(n.)* مص repudiate وبخاصة : رفضُ السلطةِ الاعترافَ بدَيْنٍ وامتناعها عن دفعِه .

repugn [rĭ pūn'] *(vi.; t.)* يقاوم ؛ يعارض .

repugnance *also* **repugnancy** [rĭ pŭg'-] *(n.)* (١) تناقض ؛ تعارض (٢) مقت ، كره ، اشمئزاز .

repugnant [rĭ pŭg'nənt] *(adj.)* (١) بغيض ، كريه . (٢) مُبْغِض أو مُعارِض لِ.

repulse [rĭ pŭls'] *(vt.; n.)* (١) يردّ ، يصدّ (عدواً أو متودداً). (٢) يُخيِّب §(٣) ردّ ، صدّ (٤) رفضٌ ، تخييب (٥) خيبة .

repulsion [rĭ pŭl'shən] *(n.)* (١) مص repulse (٢)تنافر(فز). (٣) مقت ، اشمئزاز .

repulsive [rĭ pŭl'sĭv] *(adj.)* (١) كريه ؛ بغيض (٢)مُنفِّر (فز). (٣) مثير للاشمئزاز .

reputable [rĕp'yə tə bəl] *(adj.)* (١) حَسَن السمعة ، محترم . (٢) شريف : يقرّه ويستعمله كبار الكتّاب (~ words) .

reputation [rĕp'yə tā'shən] *(n.)* (١) سُمعة ؛ صيت (٢)سمعة حسنة (٣) شهرة ؛ مكانة مرموقة .

repute [rĭ pūt'] *(vt.; n.)* (١) يعتبر ؛ يعدّ (He is ~d to be a millionaire.) §(٢) سمعة (٣) سمعة حسنة .

reputed [rĭ pū'tĭd] *(adj.)* (١)حسن السمعة ؛ محترم (٢)مفروض ؛ مظنون ؛ محسوب (the ~ author of a novel) .

request [rĭ kwĕst'] *(n.; vt.)* (١) سؤال ، طلب (٢) مَطْلَب . §(٣) يسأل ، يطلب (٤) يرجو ، يلتمس . in great ~, مطلوبٌ أو مرغوبٌ فيه جداً .

requiem [rē'kwĭ əm; rĕk'-] *(L.)* (١) قدّاس لراحة نفس الميت أو الموتى (٢)ترتيلة لراحة نفوس الموتى (٣).*cap* : موسيقى قداس الموتى.

requiescat [rĕk'wĭ ĕs'kăt] *(L.)* صلاة لراحة نفس الميت .

requiescat in pace [ĭn pā'sĭ] *(L.)* فليرقُدْ (أو فلتَرقُدْ)بسلام.

require [rĭ kwīr'] *(vt.)* (١) يطلب ، يأمر (٢) يتطلّب ؛ يحتاج إلى (٣) يفرض ؛ يقضي .

requirement [rĭ kwīr'mənt] *(n.)* (١) حاجة ، مَطْلَب . (٢) مُتَطَلَّب ؛ شرط أساسيّ .

requisite [rĕk'wə zĭt] *(adj.; n.)* (١) أساسيّ ، ضروريّ . §(٢) المستلزَم : شيء ضروريّ .

requisition [rĕk'wə zĭsh'-] *(n.; vt.)* (١)«أ»طلب. «ب» طلب تسليم المجرمين (تقدمه دولة إلى أخرى) (٢) مصادرة (وبخاصة للمؤن أثناء الحرب) (٣) متطلَّب ؛ شرط أساسيّ (the ~s for a degree) §(٤) يطلب (٥) يصادر (to ~ supplies) .

requital [rĭ kwī'-] *(n.)* (١)جزاء ؛ مكافأة (٢) انتقام(٣)عِوَض.

requite [rĭ kwīt'] *(vt.)* (١)«أ» يقابل (to ~ evil with good). «ب»يثأر لـ (٢)يجازي ؛ يكافىء (٣)يعوض عن ؛ يُنسي (The charms of travel ~ its inconveniences.) .

reradiation [rē'rā dĭ ā'shən] *(n.)* إعادة إشعاع (فز) .

reredos [rĭr'dŏs] *(n.)* الحاجز الخلفي: حاجزٌ مزخرَفٌ عادةً خلف مذبح الكنيسة .

reremouse [rĭr'mous] *(n.)* خُفاش ، وطواط (ع) .

rerun [rē'rŭn'] *(n.)* عَرْضٌ ثان لفيلم سينمائيّ أو تلفزيوني .

res [rāz; rēz] *(n.)* شيء ؛ مسألة ؛ قضية (في لغة القانون) .

res adjudicata [rā sə jōōd ĭ kăt'ə] *(L.)* قضيةٌ مفصولٌ فيها .

resail [rē sāl'] *(vi.)* (١) يُبْحِر عائداً (٢) يبحر من جديد .

resalable [rē sā'lə bəl] *(adj.)* قابلٌ للبيع ثانيةً .

resale [rē'sāl'] *(n.)* (١) البيع ثانيةً (٢) بيعٌ ثان .

rescind [rĭ sĭnd'] *(vt.)* (١) يلغي ، يُبْطِل (٢) يَنسَخ ؛ ينقض.

rescission [rĭ sĭzh'ən] (١) إلغاء ؛ إبطال (٢) نَسْخ ؛ نَقْض .

rescissory [rĭ sĭs'-] *(adj.)* (١)مُلْغٍ ؛ ناسخ(٢)الغائيّ ؛ نَسْخيّ.

rescript [rē'skrĭpt'] *(n.)* (١) جوابٌ خطيّ (من امبراطور روماني أو بابا) على سؤال او عريضة (٢)قرار ؛ مرسوم ؛ بلاغ (٣)«أ» إعادة كتابة . «ب» شيء معادةٌ كتابتُهُ .

rescue [rĕs'kū] *(vt.; n.)* (١) يُنقذ (٢) يحرر (من السجن) بالقوّة (٣) يستردّ (غنيمةً) بالقوة §(٤) إنقاذ .

research [rĭ sûrch'] *(n.; vi.)* (١) بحث أو تفتيش دقيق . (٢) التقميش: البحث العلمي§(٣) يبحث ؛ يقمّش ؛ يقوم ببحث علمي .

ă at; ā date; â care; ä car; ĕ egg; ē me; ĭ in; ī bite; ŏ lot; ō bone; ô orphan; oi boil ŏŏ good; ōō boot; ou out; ŭ under; ū unity; û urgent; th thing; th this; zh vision; ə = *a* in alone, *e* in system, *i* in easily, *o* in gallop, *u* in circus.

researcher; researchist [rĭ sûr'-] *(n.)* الباحث ؛ المقمِّش .
research work *(n.)* التقميش ؛ البحث العلمي .
reseat [rē sēt'] *(vt.)* (١) يزوّد (كرسياً) بمقعد جديد . (٢) يعاود الجلوس .
reseau [rĕ zō'] *(F.)* pl. **-seaux** [-zō'] شبكة .
resect [rĭ sĕkt'] *(vt.)* يحذِم : يستأصل جزئياً بالجراحة .
resection [rĭ sĕk'-] *(n.)* الحذم : استئصال جزئي لعضوٍ (جر) .
reseda [rĭ sē'də] *(L.)* (١) البلَيْحاء : جنس زهر من الفصيلة البلَيْحاوية (٢) لون أخضر ضارب إلى الرمادي .
resemblance [rĭ zĕm'bləns] *(n.)* (١) شَبَه (٢) صورة .
resemble [rĭ zĕm'bəl] *(vt.)* يُشبِه ؛ يُشابِه .
resend [rē sĕnd'] *(vt.)* (١) يرسل ثانيةً (٢) يُرْجِع .
resent [rĭ zĕnt'] *(vt.)* يمتعض؛ يستاء؛ يغتاظ .
resentful [rĭ zĕnt'fəl] *(adj.)* (١) ممتعض (٢) سريع الامتعاض . (٣) امتعاضي .
resentment [rĭ zĕnt'mənt] *(n.)* امتعاض ؛ استياء ؛ غيظ .
reservation [rĕz'ər vā'shən] *(n.)* (١) إضمار ؛ نيّة مُضْمَرة . (٢) تحفّظ ؛ احتياط (without ~) (٣) «أ» حجْز (~ of a hotel room) . «ب» غرفة الخ . تُحجز (to telegraph a hotel for a ~) (٤) «أ» أرض تُفْرَد لاستعمال خاص . «ب» أرض محظور فيها الصيد .
reserve [rĭ zûrv'] *(vt.; n.)* (١) يدّخر (للمستقبل) (٢) يحجز (~*d* seats) (٣) يستبقي جزءاً من خبز القربان للمستقبل (٤) يرجىء ؛ يؤجّل (٥) يحفظ ؛ يُفرِد لغرض خاص §(٦) ادّخار ؛ حفظ الخ . (٧) ذخيرة ؛ مُدّخَر (٨) شيء يُحفَظ أو يُفرَد لغرض أو سبب معيّن ، مثل : «أ» *pl.* : احتياطي (جن) ؛ قوات احتياطية . «ب» جنديّ احتياطيّ . «ج» أرضٌ مُفْرَدة لغرض خاص (٩) «أ» تحفّظ ؛ احتياط . «ب» تكتّم (١٠) سرّ (١١) مالٌ احتياطيّ (١٢) بديل . سعر محدّد (لا يُقبَل ما هو أدنى منه) (a ~ price) .
reserve bank *(n.)* بنك الاحتياط : مصرف مركزي يُحفظ فيه احتياطيّ المصارف الأخرى .
reserved [rĭ zûrvd'] *(adj.)* (١) متحفّظ (٢) مُدّخَر للمستقبل (٣) مُفْرَد لغرض خاص (٤) محجوز (a ~ seat) .
reservist [rĭ zûr'-] *(n.)* رديف ؛ جنديّ احتياطيّ ؛ جندي احتياط .
reservoir [rĕz'ər vôr'; -vwär'] *(F.)* (١) «أ» خزّان ؛ صِهريج . «ب» خزّان قلمِ الحبر الخ . (٢) احتياطيّ (٣) مستودَع (٤) ذخيرة (من المعارف والمعلومات الخ .) .
reset [*v.* rē sĕt'; *n.* rē'sĕt] *(vt.; n.)* (١) يعيد التنضيد الخ . §(٢) إعادة تنضيد الخ . (٣) أحرف الخ . منضدة من جديد .
reshuffle [rē shŭf'əl] *(vt. ; n.)* (١) يعيد خلط ورق اللعب . (٢) يعدّل ؛ يعيد تنظيم شيء §(٣) التعديل الوزاري ؛ اعادة توزيع المناصب الوزارية .
reside [rĭ zīd'] *(vi.)* (١) يقيم ؛ يسكن (٢) يكمن في كذا (Salma's charm ~*s* in her smile.) (٣) يكون مِلْكاً أو حقاً مقلّداً لِ (The power ~*s* in the electorate.) .
residence [rĕz'ə dəns] *(n.)* (١) «أ» إقامة (مدةً من الزمن) . «ب» سُكنى (متواصلة) (٢) مقرّ (مؤسسةٍ أو شركة) (٣) بيت ؛ مسكن (٤) «أ» مُقام ؛ مدة الإقامة . «ب» فترة دراسةٍ أو قيام بأبحاثٍ أو تدريسٍ في كلية أو جامعة .
residency [rĕz'ə dən sĭ] *(n.)* (١) مقرّ (٢) دار المندوب السامي . (٣) فترة تخصّص في فرع من الطبّ .
resident [rĕz'ə dənt] *(adj.; n.)* (١) مقيم (٢) كامن . (٣) متوطّن ؛ غير مهاجر (~ birds) §(٤) المقيم ؛ النزيل (٥) المندوب السامي (في بلد واقع تحت الحماية) (٦) طبيب يُمضي فترة تخصّص في فرع من فروع الطبّ .
residential [rĕz'ə dĕn'shəl] *(adj.)* (١) «أ» مُتّخَذٌ مسكناً أو مقرّاً (a ~ hotel) . «ب» داخليّ (a ~ college) (٢) سكنيّ : «أ» ملائم للسكنى ولتشييد المنازل (a good ~ district) . «ب» خاص بمكان الإقامة (the ~ qualifications for voters) .
residual [rĭ zĭj'ŏŏ əl] *(adj.; n.)* (١) متبقٍّ ؛ متخلّف . (٢) مُخلّفٌ فُضالةً §(٣) الفُضالة ؛ المُتبقّي ؛ المتخلّف ؛ مثل : «أ» الفرق بين النتائج التي نحصل عليها بالملاحظة وبين النتائج المحسوبة على أساس صيغةٍ ما (ر) . «ب» أثرٌ من آثار نشاط أو خبرة يتخلّف في النفس ويترك آثاراً في مُقْبِل السلوك (نف) .
residual charge *(n.)* الشّحْنة المتخلّفة (كب) .
residual magnetism *(n.)* المغنطيسيّة المتخلّفة .
residual product *(n.)* = by-product.
residuary [rĭ zĭj'ŏŏ ĕr'ĭ] *(adj.)* فُضاليّ : شبيهٌ بالفُضالة أو الفَضْلة أو ذو علاقة بها .
residuary legatee *(n.)* وارث الفضلة : الوارث لباقي التركة .
residue [rĕz'ə dū'] *(n.)* المتخلّف؛ الفُضالة؛ الفضلة ؛ البقية .
residuum [rĭ zĭj'ŏŏ əm] *(L.)* pl. **-sidua** الراسب؛ الثُّفْل .
resign [rĭ zīn'] *(vt.; i.)* (١) يتخلّى عن (حقّ أو منصب) . (٢) «أ» يُسْلِم إلى ؛ يَعْهَد بِ . «ب» يستسلم لِ . «ج» يروض نفسه على ؛ يكيّف نفسه وفق حالة جديدة من غير تذمّر (You must ~ yourself to doing without domestic help.) ×(٣) يستقيل (٤) يذعن .
resignation [rĕz'ĭg nā'-] *(n.)* مص resign ، وبخاصة : استقالة .
resile [rĭ zīl'] *(vi.)* يرتدّ ؛ يرجع (الجسم المطاطيّ) إلى وضع سابق .
resilience; resiliency [rĭ zĭl'ĭ-] *(n.)* (١) الرُّجوعية : قدرة الجسم الممطوط على استعادة حجمه أو شكله (٢) المرونة : سهولة التكيف وفقاً لتغير طارىء أو استعادة الحيويّة إثر بلاءٍ مُلِمّ .
resilient [rĭ zĭl'ĭ ənt] *(adj.)* رَجوع أو مَرِن (را. المادة السابقة) .
resin [rĕz'ĭn] *(n.; vt.)* الرّاتينَج : «أ» مادة صمغية تسيل من معظم الأشجار عند قطعها أو جرحها . «ب» مادةٌ مماثلة تُعَدّ كيميائياً لأغراض صناعية §(٢) يُرَتْنِج ؛ يعالج بالراتينَج .
resinate [-'ə nāt'] *(vt.)* يُرَتْنِج : يُشْرِب أو يُنَكِّه بالراتينج .
resiniferous [rĕz'ə nĭf'ər əs] *(adj.)* مُنْتِج للراتينج .
resinify [rĕ zĭn'ə fī] *(vt.; i.)* (١) يُرَتْنِج : يحوّل إلى راتينج أو يعالج به ×(٢) يترَتْنَج : يتحول إلى راتينج (٣) يشكّل مادةً صمغية .
resinoid [rĕz'ə noid'] *(adj.; n.)* (١) راتينجانيّ : راتينجيّ بعضَ الشيء §(٢) مادةٌ راتينجانية .
resinous [rĕz'ə nəs] *(adj.)* راتينجيّ .
resist [rĭ zĭst'] *(vt.; i.; n.)* (١) يقاوم §(٢) المقاومة : مادةٌ يُبطَّن بها سطحٌ ما لتمكينه من مقاومة التأكّل ونحوه . **—resister** *(n.)*
resistance [rĭ zĭs'təns] *(n.)* (١) مقاومة (٢) ملفّ مقاومة (كب) . (٣) *cap.* ا.ك : المقاومة السرية : نشاط يقوم به فريق من أبناء البلد المحتلّ ضد غزاته (وقوامها التخريب وتوجيه الضربات الخاطفة والسرية إلى قوات الاحتلال والمتعاونين معها) .
resistant [rĭ zĭs'tənt] *(adj.; n.)* (١) مقاوِم §(٢) المقاوِم .

resistibility [rĭ zĭs tə bĭl'ə tĭ] *(n.)* (١) المقاوَمِيّة : كونُ الشيء ممكنةً مقاومتُهُ (٢) المقاوِميّة : القدرة على المقاومة .

resistible [rĭ zĭs'tə bəl] *(adj.)* يُقاوَم : ممكنٌ مقاومتُهُ .

resistive [rĭ zĭs'tĭv] *(adj.)* مقاوِم ؛ مُقاوِمِيّ .

resistivity [rē'zĭs tĭv'ə tĭ] *(n.)* المقاوِميّة : القدرة على المقاومة أو النزعة للمقاومة .

resistless [rĭ zĭst'lĭs] *(adj.)* (١) لا يقاوَم (٢) عديم المقاومة .

resistor [rĭ zĭs'tər] *(n.)* المقاوِم : أداة تستعمل في دارة كهربائيّة لما تتميّز به من قدرة على المقاومة (كب) .

res judicata [rēz jōō'də kā'tə] *(L.)* = res adjudicata.

resoluble [rĕz'ə lōō bəl] *(adj.)* = soluble.

resolute [rĕz'ə lōōt'] *(adj.; n.)* مصمِّم ؛ عازم ؛ موطَّد العزم .

resolution [rĕz'ə lōō'shən] *(n.)* (١) «أ» حلّ . «ب» انحلال . (٢) تصميم (على أمر) (٣) ثبات (٤) قرار (٥) الانصراف ؛ الانحلال : خمود الالتهاب وبخاصة في الرئة (ط) (٦) موطن انحلال العقدة : نقطة في الرواية تنحلّ فيها عقدتها الرئيسيّة .

resolve [rĭ zŏlv'] *(vt.; i.; n.)* (١) يحلّ ؛ يحلّل (٢) يُصرِّف : يسبّب خمود الالتهاب (ط) (٣) «أ» يبدِّد (~*d* his doubts) . «ب» يحلّ (to ~ a problem) (٤) «أ» يعتزم ؛ يقرّر ؛ يتخذ قراراً . «ب» يحوِّل (Parliament ~*d* itself into a committee.) (٥) يحلّ عقدة الرواية × (٦) ينحلّ (٧) يعزم ؛ يصمِّم ؛ يعقد النيّة على § (٨) قرار (٩) تصميم ؛ صدق في العزيمة .

resolved [rĭ zŏlvd'] *(adj.)* مصمِّم ؛ عازم ؛ موطَّد العزم .

resolvent [rĭ zŏl'vənt] *(adj.; n.)* (١) مذيب (ك) (٢) مصرِّف ؛ مزيل للالتهاب (ط) .

resolving power *(n.)* قدرة التبيين (بص) .

resonance [rĕz'ə nəns] *(n.)* رَنين .

resonant [rĕz'ə nənt] *(adj.; n.)* (١) رنّان ؛ يرنان (٢) مُرجِّع ؛ مردِّد للأصداء (~ walls) (٣) طنّان § (٤) صوت رنّان .

resonate [rĕz'ə nāt] *(vi.)* (١) يَرِنّ (٢) يرجِّع (الصدى) .

resonator [rĕz'ə nā'tər] *(n.)* (١) المِرنان : «أ» شيء ذو رنين . «ب» جهاز تضخيم الصوت (٢) كاشف الموجات الهرتزيّة (رد) .

resorb [rĭ sôrb'] *(vt.)* يبتلع أو يمتص ثانيةً .

—resorption *(n.)*

resorcin [rĕz ôr'sĭn]; **resorcinol** [-'sĭ nōl] *(n.)* الريزورسين ؛ الريزورسينول : مادة متبلّرة تُستعمل في الطبّ كمانع للعفونة (ك) .

resort [rĭ zôrt'] *(n.; vi.)* (١) مَلاذ ؛ مَفزَع ؛ مُلتَجأ . (٢) «أ» تردّد على ؛ اختلاف إلى . «ب» المُستراد ؛ المُنتجَع § (٣) يتردّد على ؛ يختلف إلى (٤) يلجأ ؛ يفزع إلى .

health ~, مُنتجَع صحيّ .

last ~, السهم الأخير ؛ المحاولة الأخيرة ؛ السبيل الوحيد الباقي .

summer ~, مَصيف .

resound [rĭ zound'] *(vi.; t.)* (١) يدوِّي (٢) يضجّ بـ (The rooms ~*ed* with their shouts.) (٣) يشتهر × (٤) يمجِّد (٥) يُرجِّع ؛ يردِّد الصدى (٦) يلقي بنبرات رنّانة .

resounding [-'ĭng] *(adj.)* (١) مدوٍّ (٢) باهر ؛ لا لَبْس فيه .

resource [rĭ sōrs'; rē'sōrs] *(n.)* (١) «أ» مورد . «ب» *pl.* : موارد . «ج» ثروة (٢) «أ» ملاذ ؛ مُلتَجأ . «ب» وسيلة ؛ ذريعة ؛ حيلة (٣) تسلية ؛ سلوى (٤) دهاء .

a man of ~, ذو براعة أو دهاء .

resourceful [rĭ sōrs'fəl] *(adj.)* داهية ؛ واسع الحيلة .

respect [rĭ spĕkt'] *(n.; vt.)* (١) صلة ؛ علاقة (٢) احترام (٣) محاباة . (٤) نقطة ؛ وجه ؛ ناحية (in many ~*s*) § (٥) يحترم (٦) يتعلق بـ ؛ يتّصل بـ (The treaty ~*s* our commerce.) .

in ~ of *or* to; with ~ to في ما يتعلّق بـ .

in ~ that بسببِ من ؛ نظراً لـ .

to pay one's ~*s* to يقدِّم إليه احتراماته ؛ يزوره دلالةً على احترامه له .

respectability [rĭ spĕk'tə bĭl'ə tĭ] *(n.)* (١) المُحترَميّة : كون الشيء محترَماً أو جديراً بالاحترام الخ . (٢) المحترمون من النّاس .

respectable [rĭ spĕk'tə bəl] *(adj.)* (١) محترَم ؛ جديرٌ بالاحترام . (٢) حسَن السمعة ؛ متمتع بالاحترام (poor but ~ people) (٣) مهذَّب ؛ مُحتشِم (~ language) (٤) متوسّط الجودة (a house with a ~ view) (٥) كبير (a ~ amount) .

respectful [rĭ spĕkt'-] *(adj.)* مُتَّسِمٌ بالاحترام ؛ دالٌّ على الاحترام .

respecting [rĭ spĕk'tĭng] *(prep.)* في ما يتعلّق بـ ؛ بخصوص كذا .

respective [rĭ spĕk'tĭv] *(adj.)* خاصّ بكلٍّ ؛ خصوصيّ ؛ شخصيّ (according to their ~ merits) .

respectively [-lĭ] *(adv.)* على الولاء (مج) ؛ على التعاقب ؛ على التوالي .

respirable [rĭ spīr'-] *(adj.)* (١) صالحٌ للتنفّس (٢) قادر على التنفس .

respiration [rĕs'pə rā'shən] *(n.)* تنفّس .

respirator [rĕs'pə rā tər] *(n.)* (١) الكِمامة : قناعٌ مانعٌ لاستنشاق الغازات الضارة أو السامة (٢) المَنفَسة : جهاز تنفسٍ اصطناعيّ .

respiratory system *(n.)* الجهاز التنفسي (ت) .

respire [rĭ spīr'] *(vi.; t.)* يتنفّس .

respite [rĕs'pĭt] *(n.; vt.)* (١) إرجاء ؛ تأجيل ؛ وبخاصة : إرجاء تنفيذ حكم بالاعدام (٢) فترة راحة § (٣) يرجيء ؛ يُمْهِل .

resplendence; resplendency [rĭ splĕn'-] *(n.)* تألّق ؛ لمعان .

resplendent [rĭ splĕn'dənt] *(adj.)* متألق ؛ لامع .

respond [rĭ spŏnd'] *(vi.; t.; n.)* (١) يجيب (٢) يستجيب . (٣) يكون مسؤولاً أو مُلزَماً بالدفع (~ in damages) § (٤) نصف عمود (في جدار) داعمٌ لقوس (عم) (٥) ترنيمة قصيرة .

respondent [rĭ spŏn'dənt] *(adj.; n.)* (١) مجيب ؛ مستجيب . § (٢) المجيب ؛ المستجيب (٣) المدّعى عليه (وبخاصة في دعوى طلاق) .

responder unit *(n.)* الوحدة المستجيبة (كب) .

response [rĭ spŏns'] *(n.)* (١) إجابة (٢) استجابة («أح» و «نف» و «كب») (٣) الجواب : عبارة أو كلمة يُنشدها أو ينطق بها جمهور المصلين (أو جوقة المرتلين) بعد الكاهن .

responsibility [rĭ spŏn'sə bĭl'ə tĭ] *(n.)* (١) مسؤوليّة ؛ تبِعة . (٢) «أ» عِوَل (را. reliability) . «ب» القدرة على الدفع .

responsible [rĭ spŏn'sə bəl] *(adj.)* (١) مسؤول (٢) موثوق به ؛ قادرٌ على الوفاء بالتزاماته أو دفع ديونه (٣) ذو مسؤوليّة (a ~ office) .

responsions [rĭ spŏn'shənz] *(n. pl.)* الامتحان الأول لشهادة البكالوريوس بجامعة أكسفورد .

responsive [rĭ spŏn'sĭv] *(adj.)* (١) مجيب ؛ مستجيب . (٢) حسّاس ؛ سريع الاستجابة .

responsiveness [-nĭs] *(n.)* المُستجيبيّة ؛ كونُ الشيء مستجيباً .

responsory [rĭ spŏn'sə rĭ] *(adj.; n.)* (١) استجابيّ § (٢) ترنيمة تُنشد بعد تلاوة فصل من الكتاب المقدّس أو خلاله (في قدّاس) .

res publica [rēz pŭb'lə kə] *(L.)* الدولة ؛ الجمهوريّة .

ă at; ā date; â care; ä car; ĕ egg; ē me; ĭ in; ī bite; ŏ lot; ō bone; ô orphan; oi boil oŏ good; ōō boot; ou out; ŭ under; ū unity; û urgent; th thing; th this; zh vision; ə = *a* in alone, *e* in system, *i* in easily, *o* in gallop, *u* in circus.

rest [rĕst] *(n.; vi.; t.)* (١) نوم ؛ رقاد (٢) «أ» استراحة . «ب» راحة . «ج» سكون . «د» راحة الموت (٣) المَراح : نُزُل يُستراح فيه أو يُبات (٤) طمأنينة (٥) «أ» السَّكْتة الموسيقية (مج) . «ب» علامة خاصة تشير إلى ذلك . «ج» استراحة قصيرة في القراءة (٦) مُتَّكأ ؛ مَسْنِد ؛ سِناد (٧) نشاطٌ مجدَّد (٨) بقية ؛ سائر §(٩) «أ» ينام ؛ يرقد . «ب» يَرْقد ميتاً (١٠) يستريح (١١) يطمئن (١٢) يقف ؛ يهدأ (١٣) يستند ؛ يتكىء الخ . (١٤) «أ» يكون معلّقاً على (Our hopes ~ on him.) . «ب» يقوم أو يرتكز على (The roof ~s upon six columns.) (١٥) يكون متروكاً لِـ (كقولك It ~s with you to decide. أي الأمر أو القرار متروك لك) (١٦) تستقرّ (العينُ) على (١٧) يبقى ؛ يظلّ (You may ~ assured that...) (١٨) تستريح : تَبْقَى من غير زراعة بغية إراحتها (to let land ~) ×(١٩) يُريح (٢٠) يوقف (عن الحركة) (٢١) يُسْنِد (~ed his back against a tree) (٢٢) يوجّه ؛ يثبّت (~ed her eyes on him) (٢٣) يعلّق (آماله على) .

and (all) the ~ (of it) وهلمّ جرّاً .

at ~, (١) نائم (٢) ساكن ، غير متحرّك (٣) مرتاح ، متحرر من الألم أو القلق الخ . (٤) ميْت .

for the ~, في ما يتعلّق بالمسائل الأخرى .

to lay to ~, يدفن .

to ~ on one's oars (١) يكفّ عن التجديف فترة (٢) يأخذ قسطاً من الراحة .

restart [rē stärt'] *(vt.; i.)* (١) يبدأ من جديد (٢) يستأنف ×(٣) يستأنف العمل .

restate [rē stāt'] *(vt.)* يصرّح (أو يقرّر أو ينصّ على شيء) ثانيةً .

restaurant [rĕs'tə rənt; -ränt] *(F.)* مَطْعَم .

restaurateur [-tə rə tûr']; **restauranteur** [-rän tûr'] *(F.)* المَطْعَمي : صاحب المطعم .

restful [rĕst'fəl] *(adj.)* (١) مُريح (٢) هادىء ؛ مطمئن ؛ مسترخٍ .

rest home *(n.)* مَصَحّة .

rest house *(n.)* الاستراحة : بيت يحلّ فيه الرحالون أو السيّاح وبخاصة في المناطق التي لا فنادق فيها .

resting [rĕs'-] *(adj.)* (١) هاجع (٢) هجوعيّ (أح) (a ~ spore) .

resting stage *(n.)* طور الهجوع أو السكون (أح) .

restitute [rĕs'tə-] *(vt.; i.)* يعيد أو يعود (وبخاصة إلى وضع سابق) .

restitution [rĕs'tə tū'shən] *(n.)* (١) إعادة أو عودة إلى وضع سابق (٢) إعادة مِلْكٍ إلى مالكه الشرعي (٣) تعويض (٤) الرّجوع ؛ الارتداد : عودة الجسم المرن أو المطاطيّ إلى وضعه السابق (فز) .

restive [rĕs'tĭv] *(adj.)* (١) حَرون ؛ شَموس (٢) ضجِر ؛ متململ .

restless [rĕst'-] *(adj.)* (١) ضجير ؛ متململ (٢) قلِق ؛ أرِق ؛ مفعَم بالقلق أو الأرق (a ~ night) (٣) متواصل ؛ لا ينقطع (~ change) (٤) لا يهدأ (the ~ sea) (٥) مستاء . —**restlessness** *(n.)*

rest mass *(n.)* كتلة السكون : كتلة الجسم بمعْزل عن الكتلة الإضافية التي يكتسبها أثناء الحركة وفقاً لنظرية النسبية (فز) .

restoration [rĕs'tə rā'shən] *(n.)* (١) «أ» إعادة (إلى وضع سابق) . «ب» استعادة (٢) إحياء (٣) «أ» تجديد ؛ ترميم . «ب» شيء مجدَّد أو مرمَّم (٤) تعويض (٥) شفاء (٦) *cap.* : «أ» إعادة الملكية في انكلترة عام ١٦٦٠ عندما رقي العرش الملك تشارلز الثاني . «ب» عهد الملك تشارلز الثاني (١٦٦٠—١٦٨٥) ، وأحياناً عهد الملك جايمس الثاني (١٦٨٥—١٦٨٨) أيضاً .

restorative [rĭ stōr'ə tĭv] *(adj.; n.)* (١) معيد ؛ مُحيي ؛ مجدِّد ؛ شافٍ الخ . §(٢) عاملٌ مساعد على إعادة الوعي أو الصحة .

restore [rĭ stōr'] *(vt.)* (١) يعيد ؛ يرجع (٢) يُحْيي (٣) يجدّد ؛ يرمّم (٤) يعوّض (٥) يشفي (٦) يعيد ملكاً إلى العرش .

restrain [rĭ strān'] *(vt.)* (١) يكبح ؛ يكبت (~*ed* her anger) (٢) يقيّد (in order to ~ trade) (٣) يعتقل .

restrainer [rĭ strā'nər] *(n.)* (١) الكابح ، المقيِّد (٢) المُثبِّط : مادة كيميائية تضاف إلى المحلول المُظهِّر لإعاقة تأثيره (فو) .

restraint [rĭ strānt'] *(n.)* (١) كَبْح ؛ كَبْت (٢) «أ» تقييد (للحرية) . «ب» قيد (٣) اعتقال (٤) تحفّظ .

restrict [rĭ strĭkt'] *(vt.)* (١) يقيّد ؛ يحدّ (٢) يحصر ؛ يقصُر على .

restriction [rĭ strĭk'-] *(n.)* (١) قيْد (٢) تقييد ؛ حَصْر ؛ قصْر .

restrictionism [rĭ strĭk'shə nĭz əm] *(n.)* التقييدية : سياسة أو فلسفة تدعو إلى تقييد حرية التجارة وغيرها .

restrictive [-'tĭv] *(adj.)* (١) مقيِّد ؛ حاصر (٢) تقييدي ؛ حَصْري .

rest room *(n.)* حجرة التواليت : حجرة أو سلسلة حجرات في محل عام أو مؤسسة تجارية مزوّدة بمراحيض وما إليها .

result [rĭ zŭlt'] *(vi.; n.)* (١) ينتج أو ينشأ عن (٢) يؤدّي أو يفضي إلى (تتبعها *in*) §(٣) «أ» نتيجة . «ب» ثمرة .

resultant [rĭ zŭl'tənt] *(adj.; n.)* (١) ناتج ؛ ناشىء ؛ ناجم (٢) مُحَصِّل : ناشىء عن اتحاد عاملَيْن أو أكثر (a ~ force) §(٣) نتيجة (٤) المحصِّلة : القوة (أو السرعة) المحصِّلة (فز) .

resume [rĭ zōōm'] *(vt.; i.)* (١) يستردّ ؛ يستعيد (٢) يستأنف (~*d* his journey) (٣) يوجز ؛ يلخّص ×(٤) يبدأ من جديد .

résumé *or* **resume** [rĕz'ōō mā'] *(F.)* مُجْمَل ؛ خلاصة .

resumption [rĭ zŭmp'-] *(n.)* (١) مص resume (٢) العودة إلى الدفع بالعملة المسكوكة .

resupinate [rĭ sōō'pə nāt'] *(adj.)* مقلوب ؛ بادٍ وكأنه مقلوب رأساً على عقب (نب) .

resupine [rē'sōō pīn'] *(adj.)* مُستلقٍ على ظهره .

resurgence [rĭ sûr'jəns] *(n.)* انبعاث ، ولادة جديدة .

resurgent [rĭ sûr'-] *(adj.)* مُنبَعِث ؛ مستعيدٌ نشاطه أو قوّته الخ .

resurrect [rĕz'ə rĕkt'] *(vt.)* (١) يبعث ؛ ينشر ؛ يحيي (٢) ينبش ؛ يُخرج جثة من قبر .

resurrection [rĕz'ə rĕk'-] *(n.)* (١) بَعْث ؛ نشور (٢) انبعاث .

resurrectionist [rĕz'ə rĕk'-] *(n.)* (١) سارق الجثث من القبور (٢) الباعث : معيد الحياة إلى الموتى (٣) المؤمن بالبعث والنشور .

resuscitate [rĭ sŭs'ə tāt'] *(vt.; i.)* (١) «أ» يحيي ، وبخاصة من موت ظاهري أو من إغماء . «ب» يُنعِش ×(٢) «أ» يعود إلى الحياة أو الوعي (بعد إغماء) . «ب» ينتعش .

resuscitator [rĭ sŭs'ə tā tər] *(n.)* المحيي ، وبخاصة : دافعة الاختناق : جهاز يُستخدم للانقاذ من الاختناق .

ret [rĕt] *(vt.; i.)* (١) يُعطِّن : ينقع (الكتانَ الخ.) في الماء ليَلين وترقّ أليافه ×(٢) يتعطّن .

retable [rĭ tā'bəl] *(n.)* رافدة المذبح : رفّ مرفوع فوق المذبح يُوضع عليه صليبُ المذبح وأضواؤه وأزهاره .

retail [rē'tāl *for* 1,3-6; rĭ tāl' *for* 2] *(vt.; i.; n.; adj.; adv.)* (١) يبيع بالتجزئة (أو بالقطاعي) (٢) يروي ؛ يسرد (to ~ scandal) §(٣) بيعٌ بالتجزئة §(٤) تجزئيّ (~ price) §(٥) بمقادير قليلة (٦) من بائع التجزئة .

at ~, من (١) بسعر التجزئة (٢) بمقادير قليلة (٣) بائع التجزئة .

retain [rĭ tān'] *(vt.)* (١) يحتفظ بـ ؛ يَسْتَبْقي (٢) يحتجز . (٣) يتذكّر (٤) يوكّل محامياً (بدفع مقدَّم الأتعاب) .

retainer [rĭ tā'nər] *(n.)* (١) فا retain (٢) التوكيل : توكيل المرء محامياً (ق) (٣) مقدَّم أتعاب المحامي (٤) خادم؛ تابع ؛ مستخدَم (٥) المحتجِزة : كلّ أداة تستخدَم لاحتجاز شيء .

retake [*v.* rē tāk'; *n.* rē'tāk] *(vt.; n.)* (١) يأخذ أو يتلقّى ثانيةً . (٢) يستردّ ؛ يعاود الاستيلاء على (٣) يصور ثانيةً (تصويراً فوتوغرافياً) § (٤) تصوير ثانٍ أو صورة ثانية (فو) .

retaliate [rĭ tăl'ĭ āt'] *(vt.; i.)* (١) يقابل (الأذى الخ.) بمثلِه . × (٢) يثأر ؛ ينتقم .

retaliation [rĭ tăl'ĭ ā'shən] *(n.)* (١) مقابلة (الأذى الخ.) بمثلِه . (٢) ثأر ، انتقام .

retaliative; retaliatory [rĭ tăl'-] *(adj.)* ثأريّ ؛ انتقاميّ .

retard [rĭ tärd'] *(vt.; i.; n.)* (١) يعَوِّق ؛ يؤخّر ؛ يثبِّط . × (٢) يتعوّق؛ يتأخر ؛ يتثبّط § (٣) إعاقة ؛ تعوّق .

retardant [rĭ tärd'ənt] *(adj.; n.)* معوِّق ؛ مثبِّط .

retardate [rĭ tär'dāt] *(n.)* المتخلِّف : شخص متخلّف عقلياً (تر) .

retardation [rē tär dā'shən] *(n.)* (١) إعاقة ؛ تأخير (٢) تعوّق ؛ تأخّر (٣) عائق ؛ عقبة (٤) التخلّف : بطء في النموّ أو التقدّم .

retch [rĕch] *(vi.; t.; n.)* (١) يحاول التقيّؤ × (٢) يتقيأ § (٣) محاولة تقيّؤ .

rete [rē'tē] *(L.)* pl. **retia** شبكة أعصاب أو أوعية دموية (ت) .

retell [rē tĕl'] *(vt.)* يروي ثانية أو بشكل آخر .

retem [rə tĕm] *(Ar.)* الرَّتَم : جنبة من الفصيلة القرنية (نب) .

retene [rē'tēn; rĕt'ēn] *(n.)* الرّاتين : هيدروكربون متبلّر (ك) .

retention [rĭ tĕn'shən] *(n.)* (١) احتفاظ ، استبقاء ، احتجاز . (٢) الاحتباس : احتباس غير سويّ لسائل أو إفراز (كاحتباس البول الخ.) (٣) «أ» القدرة على الاحتفاظ الخ. «ب» التذكّر ؛ الذاكرة .

retentive [-'tĭv] *(adj.)* (١) محتفِظ ؛ محتجِز ؛ محتبِس (٢) احتفاظيّ ؛ احتجازيّ ؛ احتباسيّ (٣) قادرٌ على التذكّر ؛ قوي الذاكرة .

retentivity [rē'tĕn tĭv'ə tĭ] *(n.)* المُحْتَفِظيّة ، الاستبقائية : القدرة على الاحتفاظ بالمغنطيسية بعد زوال القوة المغنِطة .

retentor [rĭ tĕnt'ər] *(n.)* العضلة الضابطة ، العضلة المُبْقِية للعضو في مكانه (ت) .

retest [rē'tĕst] *(n.)* اختبارٌ ثانٍ ، اختبارٌ مكرَّر .

retiarius [rē shĭ âr'ĭ əs] *(L.)* pl. **-arii** [-âr'ĭ ī'] ذو الشبكة : مجالد (gladiator) (را.) رومانيّ مزوّد بشبكة يلقي بها على خصمه .

retiary [rē'shĭ ĕr'ĭ] *(adj.)* (١) شَبَكِيّ (٢) شبّاك : منشىء شِباكاً لاصطياد الفرائس (a ~ spider) (٣) ذو شبكة أو شَرَك ، وبالتالي : ماكر ؛ بارعٌ في الإيقاع بالشباك .

reticence; reticency [rĕt'ə-] *(n.)* (١) «أ» قلّة كلام . «ب» تكتّم (٢) تحفّظ .

reticent [rĕt'ə sənt] *(adj.)* (١) «أ» صَموت ؛ قليل الكلام . «ب» كَتوم ، متكتّم (٢) متحفّظ .

reticle [rĕt'ə kəl] *(n.)* الشُبَيْكة : شبكة خطوط أو نُقَط الخ. في عينيّة الآلة البصريّة كالتلسكوب ونحوه .

reticular [rĭ tĭk'-] *(adj.)* (١) شَبَكانيّ ؛ شَبَكيّ الشكل (٢) مُعقَّد .

reticulate [*adj.* rĭ tĭk'yə lĭt; -lāt'; *v.* -lāt'] *(adj.; vt.; i.)* (١) مكسوّ بشبكة (٢) شَبَكانيّ ؛ شبكيّ الشكل ؛ وبخاصة : ذو عروق أو ألياف متشابكة (a ~ leaf) § (٣) يشابك ؛ يجعله شبكيّ الشكل (٤) يوزع (الكهرباء أو الماء) بواسطة شبكة × (٥) يتشابك ؛ يتشكّل شبكة .

reticulation [rĭ tĭk'yə lā'-] *(n.)* (١) تشابك (٢) شبكة .

reticule [rĕt'ə kūl'] *(n.)* (١) reticle (٢) حقيبة يد نسوية صغيرة .

reticulum [rĭ tĭk'yə ləm] *(L.)* pl. **-la** [-lə] (١) المعدة الثانية (في المجترّات) (٢) شبكة (٣) نسيج شبكي .

retiform [rē'tĭ fôrm'] *(adj.)* شَبَكانيّ : شبكيّ الشكل .

retin- or retino- بادئة معناها : شبكيّة العين .

retina [rĕt'ə nə] *(L.)* pl. **-s** *or* **-e** الشَّبَكِيَّة ؛ شبكيّة العين (ت) .

retinal [rĕt'ə nəl] *(adj.)* شَبَكِيّ : خاص بشبكيّة العين .

retinitis [rĕt'ə nī'tĭs] *(L.)* التهاب الشَّبَكيّة (مض) .

retinoscope [rĕt'ə nə skōp] *(n.)* مِكشاف أو منظار الشَّبَكيّة .

retinoscopy [rĕt'ə nŏs'-] *(n.)* فحص الشَّبَكيّة (ط) .

retinue [rĕt'ə nū'] *(n.)* الحاشية : بطانة الأمير أو الملِك .

retire [rĭ tīr'] *(vi.; t.)* (١) ينكفىء ؛ يتراجع ؛ يتقهقر ؛ ينسحب . (٢) يعتزل ؛ يخلو إلى نفسه (٣) يتقاعد (٤) يأوي إلى فراشه × (٥) يسحب (من المعركة أو من التداول أو من السوق) (٦) يُحيل إلى التقاعد . to ~ from the world يترهّب ؛ يدخل الدير .

retired [rĭ tīrd'] *(adj.)* (١) منعزل ، هادىء (in a ~ village) (٢) متقاعد (a ~ officer) (٣) تقاعديّ (~ pay) .

retirement [rĭ tīr'mənt] *(n.)* (١) مص retire وبخاصة : تقاعد (٢) المُعتزَل : موطن اعتزال أو خلوة .

retiring [rĭ tīr'ĭng] *(adj.)* (١) منكفىء ، متراجع : متقهقر الخ. (٢) خجول ، منكمش على نفسه .

retool [rē to͞ol'] *(vt.)* (١) يجهز ثانيةً بالأدوات (٢) يعيد تنظيم كذا .

retort [rĭ tôrt'] *(vt.; n.)* (١) يردّ على الشيء بمثلِه (to ~ blow for blow) (٢) يجيب (٣) يردّ بحجة معاكسة § (٤) ردّ سريع أو حاسم ؛ وبخاصةٍ : جواب يردّ كيد المتكلّم الأوّل إلى نحره (٥) المُعوَجَّة (ك) .

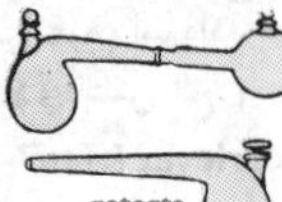

retorts

retort carbon *(n.)* فَحم المُعوَجّات .

retortion [rĭ tôr'shən] *(n.)* ردّ بالمثل (على ضربة أو إهانة الخ.)

retouch [rē tŭch'] *(vt.; i.; n.)* (١) «أ» يهذّب ؛ ينقّح . «ب» ينمّق (صورة فوتوغرافية) ؛ «يرَوْتِش» § (٢) «أ» تنقيح ؛ تهذيب . «ب» تنميق ؛ «رَوْتَشَة» (فو) .

retrace [rĭ trās'] *(vt.)* (١) يرجع من حيث أتى ؛ ينقلب على عقبيه . (٢) يستعيد (أحداثاً ماضية) في الذهن أو الذاكرة .

re-trace [rē trās'] *(vt.)* يعيد الرسم (بإظهار خطوطِه الباهتة) .

retract [rĭ trăkt'] *(vt.; i.)* (١) يَنكمِش ؛ يضمّ ؛ يسحب (A cat can ~ its claws.) (٢) «أ» يسحب وعداً أو عَرْضاً أو رأياً. «ب» يتراجع (المتهم) عن أقواله : ينكِر .

retractile [rĭ trăk'tĭl] *(adj.)* قابلٌ للانكماش (كرأس السلحفاة) .

retraction [-'shən] *(n.)* (١) كَمْشٌ أو انكماشٌ ، ضمّ أو انضمام (٢) «أ» سَحْبٌ (وعدٍ أو عرض) . «ب» انسحاب ، تراجع .

retractive [rĭ trăk'tĭv] *(adj.)* (١) «أ» كامشٌ ، ضامّ . «ب» انكماشيّ (٢) انسحابيّ ، تراجعيّ .

retractor [rĭ trăk'tər] *(n.)* الكامش ؛ الضامّ ؛ وبخاصة : «أ» العضلة الكامشة أو الضامّة (ت) . «ب» المُبَعِّدة : أداة لإبقاء جانبيّ الجرح مفتوحين أثناء العملية الجراحية .

retral [rē'trəl] *(adj.)* خلفيّ .

retread [*v.* rē trĕd'; *n.* rē'trĕd'] *(vt.; n.)* (١) يجدّد الجزء

الملامس للأرض من إطار دولاب السيّارة §(٢) مُلاميس جديد (لإطار الدولاب) (٣) إطار مُجدَّد المُلامِس (٤) شيء مُجدَّد.

retreat [rĭ trēt'] *(n.; vi.; t.)* (١) انسحاب ؛ تراجع ؛ تقهقر. (٢) «أ» دقّة الانسحاب أو العودة إلى الثكنة أو إنزال العَلَم. «ب» حفلة إنزال العَلَم (جن) (٣) المعتزَل ؛ المُلتجأ (٤) رياضة روحيّة (٥) مأوى (للمجاذيب أو لمدمني الخمر) §(٦) ينسحب ؛ يتراجع إلخ. (٧) يرتدّ إلى الوراء (a ~ *ing* chin) ×(٨) يَسْحَب (٩) يحرّك (بيدق الشطرنج) إلى الوراء.

to beat a ~, (١) ينسحب ؛ يولّي الأدبار. (٢) يتخلّى عن عملٍ أو مشروع.

retrench [rĭ trĕnch'] *(vt.; i.)* (١) يُنقِص ؛ يُخفِّض (النفقات الخ.) (٢) يزيل ؛ يحذف (٣) يُخندق : يحمي بالخنادق (جن) ×(٤) يقتصد.

retrenchment [rĭ trĕnch'mənt] *(n.)* (١) تخفيض (وبخاصة في النفقات) (٢) «أ» خَنْدَقة. «ب» خندق.

retrial [rē trī'əl] *(n.)* (١) محاكمة ثانية (٢) تجربة ثانية ؛ اختبار ثانٍ.

retribution [rĕt'rə bū'shən] *(n.)* (١) جزاء ؛ مكافأة. (٢) الثواب والعقاب (في الآخرة) (٣) عقوبة.

retributive; retributory [rĭ trĭb'yə-] *(adj.)* جزائي ؛ عقابي.

retrievable [rĭ trēv'-] *(adj.)* ممكن استردادُه أو تعويضُه الخ.

retrieval [rĭ trē'vəl] *(n.)* (١) استرداد ؛ استرجاع الخ. (٢) إمكانية الاسترداد (beyond ~).

retrieve [rĭ trēv'] *(vt.; i.; n.)* (١) يكتشف (الكلبُ) طريدةً مقتولة أو مجروحة (٢) يتذكّر من جديد (٣) يستردّ ؛ يسترجع (٤) «أ» يُنقِذ. «ب» يردّ (كرةً يصعب بلوغها) بنجاح (٥) يُصلِح (٦) يحيي ؛ يُجدِّد (٧) يعوِّض §(٨) استرداد ؛ استرجاع (٩) ردٌّ موفّق لكرةٍ يصعب ردّها (في التنس الخ.).

retriever [rĭ trē'-] *(n.)* (١) المستردّ ؛ المسترجع (٢) كلب الصيد.

retro- بادئة معناها : «أ» ارتجاعي ؛ تراجعي. «ب» خلفي.

retroaction [rĕt'rō ăk'shən] *(n.)* (١) المفعول الارتجاعيّ أو الرَّجْعيّ (لقانون) (٢) ارتكاس ؛ ردّ فعل.

retroactive [-'tĭv] *(adj.)* ارتجاعي ؛ رَجْعيّ : ذو مفعول رجعيّ.

retroactively [-'tĭv lĭ] *(adv.)* على نحوٍ ارتجاعي أو رجعيّ (ق).

retrocede [rĕt'rō sēd'] *(vi.; t.)* (١) يتراجع ؛ ينسحب ×(٢) يردّ (أرضاً الخ.) إلى مالكٍ سابق.

retroflex *or* **retroflexed** [rĕt'rə-] *(adj.)* منثنٍ إلى الخلف.

retroflexion *or* **retroflection** [rĕt rə flĕk'-] *(n.)* انثناء خلفيّ.

retrogradation [rĕt'rō grā dā'shən] *(n.)* (١) تراجُع ؛ تقهقُر (٢) تردٍّ ؛ انحطاط.

retrograde [rĕt'rə grād'] *(adj.; adv.; vi.)* (١) «أ» تراجعي : متحرّك في اتجاه مضادّ للاتجاه المألوف عند الاجرام المماثلة (فل). «ب» تقهقريّ (steps ~). «ج» عكسيّ ؛ وبخاصة : مكتوب من اليمين إلى اليسار (alphabets ~) (٢) انتكاسيّ ؛ منتكس (٣) متراجِع ؛ متقهقر §(٤) خلفياً ؛ عكسياً §(٥) يتراجع ؛ يتقهقر (٦) يتردّى : ينتقل من حالة أفضل إلى حالة أسوأ (أح) (٧) يجري بحركة ارتجاعيّة (فل).

retrogress [rĕt'-] *(vi.)* (١) يتراجع ؛ يتقهقر (٢) يتردّى ؛ ينحطّ.

retrogression [rĕt'rə grĕsh'ən] *(n.)* (١) تراجُع ؛ تقهقُر. (٢) الحركة التراجعية (را. regression 5) (٣) تردٍّ ؛ انحطاط (أح).

retrogressive [rĕt'rə grĕs'ĭv] *(adj.)* (١) متراجِع ؛ متقهقر. (٢) متردٍّ ؛ منحطّ.

retrolental [rĭ trō lĕnt'əl] *(adj.)* خَلْفِيعَدَسي : واقع خلف عدَسة العين.

retrolingual [rĭ trō lĭng'gwəl] *(adj.)* خَلْفِلِساني : واقع خلف (أو قرب) قاعدة اللسان (salivary glands ~).

retro-rocket [rĭ trō'rŏk ĭt] *(n.)* الصاروخ الكابح.

retrorse [rĭ trôrs'] *(adj.)* مَنكوس : محنيّ إلى الأمام أو الوراء (أح).

retrospect [rĕt'rə spĕkt'] *(n.; adj.; vi.; t.)* (١) استعادة الأحداث الماضية والتأمّل فيها §(٢) retrospective §(٣) يستعيد الأحداث الماضية ويتأمّل فيها.

retrospection [rĕt'rə spĕk'shən] *(n.)* استعادة الأحداث الماضية أو استعراضها.

retrospective [-'tĭv] *(adj.; n.)* (١) استعاديّ : مُتّسِم أو مولَع باستعادة الأحداث الماضية والتأمل فيها (٢) retroactive §(٣) المَعْرِض الاستعادي : مَعرض يُظهر ما أبدعه الفنان من آثار خلال حقبة من الزمن.

retroussé [rĕt rōō sā'] *(F.)* خانِس : مرتفع الأرنبة (صفة للأنف).

retroversion [rĕt'rə vûr'zhən] *(n.)* (١) انكفاء ؛ ارتداد. (٢) انكفاء الرَّحِم (مض).

re-try [rē trī'] *(vt.)* يجرّب أو يحاكم ثانيةً.

retting [rĕt'ĭng] *(n.)* التعطين (را. ret).

return [rĭ tûrn'] *(vi.; t.; n.; adj.)* (١) يعود ؛ يرجع (٢) يجيب. ×(٣) «أ» يرفع تقريراً إلى. «ب» ينتخب مرشحاً (للبرلمان). «ج» يردّ حكماً إلى محكمة الخ. (٤) يُعيد ؛ يُرجع (٥) يغلّ ؛ يعود على صاحبه بربح معيّن (٦) يقابل شيئاً بمثله (to ~ shot for shot) (٧) «أ» يعكس (الضوء). «ب» يرجّع (الصدى) §(٨) عودة ؛ رجعة (٩) «أ» تسليم أمر قضائي الخ. إلى الموظف المختص أو المحكمة ذات الصلاحية. «ب» تقرير رسميّ. «ج» *pl.* : تقرير عن نتائج الانتخابات (election ~s). «د» انتخاب. «هـ» بيان أو كشف رسمي (to make one's ~ of income) (١٠) «أ» انعطاف ؛ التواء. «ب» وسيلة إلى إعادة شيء (كالمياه) إلى مُنْطَلَقِه (١١) «أ» ربح. «ب» *pl.* : عائدات (١٢) «أ» إعادة ؛ إرجاع. «ب» شيء مُرتَجَع. «ج» *pl.* : المرتجعات : كتبٌ غير مبيعة تعاد إلى الناشر (١٣) «أ» مقابل. «ب» جواب §(١٤) متكرر (١٥) عائد (a ~ current) (١٦) رَدّي ؛ مُنجَزٌ كردٍّ على عمل مماثل (a ~ shot) (١٧) إيابيّ (a ~ journey).

by ~, بالبريد العائد أو التالي.

in ~, مقابل كذا.

on sale or ~, برسم الأمانة ؛ على أساسٍ ارتجاعيّ.

point of no ~, نقطة اللارجوع.

~*ed* empties الزجاجات الفارغة المعادة إلى المنتج.

~*ing* officer الموظف المكلّف بالاشراف على انتخاب نيابيّ وإعلان اسم المرشح الفائز.

returnable [rĭ tûr'nə bəl] *(adj.)* (١) واجبٌ إرجاعُه أو تسليمه أو مناقشته في زمان أو مكان محدَّد (a writ ~ at a certain date) (٢) قابل للإعادة أو الإرجاع (The merchandise is not ~.).

returnee [rĭ tûr nē'] *(n.)* العائد ؛ وبخاصة : العائد إلى الوطن من الخدمة العسكريّة في الخارج.

retuse leaf

return ticket *(n.)* التذكرة الإيابية : تذكرة ذهابٍ وإياب.

retuse [rĭ tūs'] *(adj.)* مُدَمْلَك : ذو قمة مدوّرة أو غير مستدقّة ، مع ثلمٍ ضئيل (a ~ leaf).

reunification [rē ū nə fə kā'shən] *(n.)* إعادة توحيد .

reunify [rē ū'nə fī] *(vt.)* يوحّد ثانيةً ؛ يعيد توحيد .

reunion [rē ūn'yən] *(n.)* (١) «أ» إعادة توحيد . «ب» اتحادٌ من جديد (٢) اجتماع الشمل (the ~ of parted friends) (٣) اجتماع أو لقاء عائلي .

reunionist [-ĭst] *(n.)* القائل أو المنادي بإعادة توحيد الطوائف الخ .

reunite [rē'ū nīt'] *(vt.; i.)* (١) يوحّد ثانيةً ؛ يجمعُ شملَ . . . ×(٢) يتّحد ثانيةً ؛ يجتمع بعد افتراق .

reusable [rē ū'zə bəl] *(adj.)* قابلٌ للاستعمال ثانيةً أو تكراراً .

rev [rĕv] *(n.; vt.; i.)* (١) دَوْرة المحرّك §(٢) يزيد عددَ دورات المحرّك في الدقيقة (~*ved* the motor up) ×(٣) يَعْمل (المحرك) بدَوْرات مَزيْدة .

revaluate [rē văl'yōō wāt] *(vt.)* = revalue.

revalue [rē văl'ū] *(vt.)* (١) يحدّد قيمة جديدة (للعملة) . (٢) يعيد التقييم أو التثمين .

revamp [rē vămp'] *(vt.)* (١) يجدّد فرعة الحذاء : يجعل له جزءاً أعلى جديداً (٢) يجدّد (٣) يُصلح ؛ ينقّح .

revanche [rə vänsh] *(F.)* انتقام ؛ وبخاصة : سياسة ترمي إلى استرداد مقاطعة مفقودة الخ .

reveal [rĭ vēl'] *(vt.;n.)* (١) يُوحي إلى ، يُلهِم (٢) يبوح بِـ ؛ يفشي (٣) يُظهر ؛ يَكشِف §(٤) «أ» جانب من النافذة بين إطارها وبين السطح الخارجيّ للجدار . «ب» إطار نافذة السيّارة أو حافتُها .

revealer [rĭ vēl'ər] *(n.)* الموحي ؛ الملهم ؛ المظهِر الخ .

reveille [rĕv'ə lĭ] *(F.)* تبويق الاستيقاظ (لإيقاظ الجند عند الفجر) .

revel [rĕv'əl] *(vi.; n.)* (١) يجد متعة بالغة بِـ (He ~s in gossip.) (٢) يقصف ، يُعَرْبِد ؛ يمرح مَرَحاً صاخباً §(٣) قَصْف ؛ عربدة ؛ مرحٌ صاخب . —**revelous** *(adj.)*

reveler *or* **reveller** [rĕv'əl ər] *(n.)* (١) المستمتع بشدّة . (٢) القاصف ؛ المُعَرْبِد .

revelation [rĕv'ə lā'-] *(n.)* (١) وَحْي ؛ إلهام (٢) بَوْح ؛ إفشاء ؛ إظهار (٣) شيء يُباح به أو يتكشّف للعيان ، وبخاصة إذا كان مثيراً للدهَش : مفاجأة (Her true nature was a ~ to him.) *cap.*(٤) : سِفر الرؤيا : آخر أسفار «العهد الجديد» (نص) .

revelator [rĕv'ə lā'tər] *(n.)* (١) الموحي (٢) المُفْشي (٣) المظهِر .

revelatory [rĭ vəl'ə tōr ĭ] *(adj.)* وَحْيي ؛ إلهامي الخ .

revelry [rĕv'əl rĭ] *(n.)* قَصْف ؛ عربدة ؛ مَرَحٌ صاخب .

revenant [rĕv'ə nənt] *(n.)* (١) العائد (بعد غياب طويل) . (٢) العائد بعد الموت : الشبَح .

revenge [rĭ vĕnj'] *(vt.; n.)* (١) يثأر ؛ ينتقم §(٢) ثأر ؛ انتقام .

revengeful [rĭ vĕnj'fəl] *(adj.)* حقود ؛ نزّاع إلى الانتقام .

revenue [rĕv'ə nū'] *(n.)* (١) رَيْع ؛ دَخْل (٢) مصدرُ دَخْل (٣) الدخل الحكومي (من الضرائب الخ .) (٤) الدخل الإجمالي .

revenue stamp *(n.)* طابَع الدَّخْل : طابع يُلْصَق كدليل على دفع ضريبة ما (على علبة سجاير الخ .) .

reverberant [rĭ vûr'bər ənt] *(adj.)* مُتَرَدِّد ؛ مُدَوٍّ .

reverberate [rĭ vûr'bə-] *(vt.; i.)* (١) «أ» يَردّ . «ب» يُصْدي ؛ يُرجِع (الصدَى) . «ج» يعكس (النورَ أو الحرارة) ×(٢) يرتدّ ؛ ينعكس (٣) يتردّد ؛ يدوّي .

reverberation [rĭ vûr'bə rā'shən] *(n.)* (١) إصداء ؛ ترجيع ؛ عَكْس (٢) ارتداد ؛ ارتجاع ؛ انعكاس (٣) صدى .

reverberative [rĭ vûr'bə rāt ĭv] *(adj.)* إصدائي ؛ ترجيعي الخ .

reverberator [rĭ vûr'-] *(n.)* المُصْدي ؛ المرجِّع ؛ العاكس .

reverberatory [rĭ vûr'bər ə tōr'ĭ] *(adj.; n.)* (١) ارتدادي ؛ ارتجاعي ؛ انعكاسي (٢) عاكس §(٣) فرنٌ عاكس (را . المادة التالية) .

reverberatory furnace

reverberatory furnace *(n.)* الفرن العاكس : فرن تتمّ فيه عمليّة الصهر بانعكاس الحرارة من سقفه على المعدن المعالَج .

revere [rĭ vĭr'] *(n.; vt.)* (١) revers §(٢) يوقّر ؛ يبجّل .

reverence [rĕv'ər əns] *(n.; vt.)* (١) توقير ؛ تبجيل (٢) انحناءة احترام الخ . (٣) مَهابة (٤) الموقَّر ؛ المبجّل (وتستعمل اللفظة لقباً لكاهن) §(٥) يوقّر ؛ يبجّل .

reverend [rĕv'ər ənd] *(adj.; n.)* (١) موقَّر ؛ مبجَّل . (٢) إكليريكيّ §(٣) كاهن .

reverent [rĕv'-] *(adj.)* (١) موقّر ؛ مبجّل (٢) توقيريّ ؛ تبجيلي .

reverential [rĕv'ə rĕn'shəl] *(adj.)* توقيري ؛ تبجيلي .

reverie [rĕv'ə rĭ] *(n.)* (١) حُلْم يقَظَة (٢) فكرة خياليّة أو غير عملية (٣) الاستغراق في التفكير الحالم (٤) لحنٌ موسيقيّ حالم .

revers [rə vĭr'] *(F.)* طيّة صدر السترة (التسوية بخاصة) .

reversal [rĭ vûr'səl] *(n.)* (١) نَقْض ؛ إبطال (ق) (٢) عَكْس ؛ قلبٌ (٣) انعكاس ؛ انقلاب (٤) القلب : تحويل الصورة الموجبة إلى سالبة والعكس بالعكس (فو) .

reverse [rĭ vûrs'] *(adj.; vt.; i.; n.)* (١) عكسيّ (٢) «أ» معكوس . «ب» مضادّ (٣) مقلوب : مُخْرَجٌ بحيث يكون الجزء الأسود أبيضَ والعكسُ بالعكس (فو) (٤) ارتدادي : مُعَدّ لجعل السيّارة تجري إلى الوراء (~ gear) §(٥) يعكس ؛ يقلب (٦) ينْقض ؛ يُبطل (ق) (٧) يجعلهُ يتحرّك في الاتجاه المعاكس (ملك) ×(٨) يتحرّك في الاتجاه المعاكس (ملك) §(٩) الضدّ ؛ العكس ؛ النقيض (١٠) عكس ؛ قَلْب (١١) هزيمة ؛ نكسة ؛ حظ عاثر (١٢) الظَّهر ؛ القفا ؛ الجزء الخلفيّ من شيء (١٣) «أ» العاكسة : أداة تعكس الاتجاه (ملك) . «ب» ناقل الحركة الارتداديّ (الذي يجعل السيارة تجري إلى الوراء) (١٤) حركة عكسيّة .

reverse discrimination *(n.)* التمييز ضدَّ البيض .

reversibility [rĭ vûr sə bĭl'-] *(n.)* المقلوبيّة (مج) ؛ المعكوسيّة .

reversible [rĭ vûr'sə bəl] *(adj.; n.)* (١) يُقْلَب ؛ يُعكَس : قابل لأن يُقْلَب أو يُعكَس (٢) ذو وجهين : صفة للنسيج ذي الوجهين المصقولين الصالحين للاستعمال ، أو صفةٌ للثوب يُلْبَس على أيٍّ من وَجْهَيْه §(٣) نسيجٌ أو ثوبٌ ذو وجهين .

reversible reaction *(n.)* التفاعل العَكوس (ك) .

reversion [rĭ vûr'zhən; -shən] *(n.)* (١) «أ» عودة المِلْك أو الحقّ (عند حلول أجل معيّن أو تحقّق شروط بعينها) إلى المالك أو الدولة الخ . «ب» مِلْكٌ أو حقّ عائدٌ على هذا النحو (٢) حقّ الخلافة أو الامتلاك في المستقبل (٣) عودة إلى الأصل ؛ وبخاصة : ارتداد المتعضّي إلى الضرب السَّلَفيّ الذي نشأ عنه (أح) (٤) «أ» ردّ (في اتجاه معاكس) ؛ عكس ؛ إرجاع . «ب» ارتداد (٥) ثمرة الارتداد ؛ وبخاصة : مُتَعَضٍّ مرتدّ إلى ضربه السَّلَفي .

reversioner [rĭ vûr'zhən ər] *(n.)* صاحب الحقّ بالخلافة أو بالامتلاك في المستقبل .

revert [rĭ vûrt'] *(vi.)* (١) يعود ؛ يرجع (٢) يعود (المِلكُ) إلى المالك الخ . (را . reversion 1) (٣) يرتدّ (المتعضّي) إلى الضرب السَّلَفيّ الذي نشأ عنه

revery [rĕv'ə rĭ] *(n.)* = reverie.

ă at; ā date; â care; ä car; ĕ egg; ē me; ĭ in; ī bite; ŏ lot; ō bone; ô orphan; oi boil; ŏŏ good; ōō boot; ou out; ŭ under; ū unity; û urgent; th thing; th this; zh vision; ə = *a* in alone, *e* in system, *i* in easily, *o* in gallop, *u* in circus.

revest [rē vĕst'] *(vt.)* يعيد تمليكه (أرضاً الخ.) أو تخويله صلاحيةً الخ.
revet [rĭ vĕt'] *(vt.)* يكسو بالحجارة أو بالأسمنت.
revetment [rĭ vĕt'mənt] *(n.)* (١) الرِّفْدُ: تَكْسِيَةٌ من حجارة أو إسمنت (٢) جدارٌ ساتِر أو حاجز (يُقام من أكياس رمل الخ.).
revictual [rē vĭt'əl] *(vt.; i.)* يزوِّد (أو يتزوَّد) بالمؤن ثانيةً.
review [rĭ vū'] *(n.; vt.; i.)* (١) تنقيح (٢) استعراض عسكريّ. (٣) نظرة عامة (٤) فحص؛ معاينة (٥) إعادة نظر (٦) إعادة نظر الدعوى (من قِبل محكمة أعلى) (٧) «أ» نقد؛ مراجعة (لكتاب أو مسرحيّة الخ.). «ب» مجلة نقدية (٨) استعراض للماضي أو تأمّلٌ في أحداثه (٩) مراجعة لدرسٍ الخ. (١٠) revue §(١١) يعيد النظر في؛ وبخاصة: يعيدُ نظر الدعوى (ق) (١٢) يستعرض الماضي (١٣) «أ» ينتقد. «ب» يكتب مقالاً نقدياً عن (١٤) يستعرض الجند الخ. ×(١٥) يراجع (دروسَهُ الخ.).
reviewer [rĭ vū'ər] *(n.)* فا review، وبخاصة: الناقد الأدبيّ الخ.
revile [rĭ vīl'] *(vt.; i.)* يَسُبّ؛ يشتم؛ يلعن.
revisable [rĭ vī'zə bəl] *(adj.)* قابلٌ للتعديل أو التنقيح.
revisal [rĭ vī'zəl] *(n.)* تعديل؛ تنقيح.
revise [rĭ vīz'] *(vt.; n.)* (١) يعدِّل؛ يغيِّر (٢) ينقِّح؛ يهذِّب. §(٣) تعديل (٤) تنقيح (٥) تجربة (بروفة) مطبعية ثانية.
—reviser *or* **revisor** *(n.)*
revision [rĭ vĭzh'ən] *(n.)* (١) تنقيح (٢) نسخة أو طبعة منقّحة.
revisional; revisionary [rĭ vĭzh'-] *(adj.)* تنقيحيّ.
revisionism [rĭ vĭzh'-] *(n.)* التعديلية: «أ» المناداة بتعديل مذهب أو معاهدة. «ب» حركة في الاشتراكيّة الماركسية الثوريّة تؤيّد الأخذ بروح التطوّر.
revisit [rē vĭz'ĭt] *(vt.; n.)* (١) يزور ثانيةً §(٢) زيارة ثانية أو تالية.
revisory [rĭ vī'zə rĭ] *(adj.)* تنقيحيّ: «أ» مزوَّد بصلاحية التنقيح (a ~ body). «ب» هادفٌ إلى التنقيح (a ~ function).
revitalize [rē vī'tə līz] *(vt.)* يمنحه حياة جديدة أو عزماً جديداً.
revival [rĭ vī'vəl] *(n.)* (١) إحياء (٢) انبعاث؛ نهضة (٣) اجتماع ديني (أو سلسلة اجتماعات) لإيقاظ الروح الدينيّة (held a ~).
revivalism [rĭ vī'və lĭz'əm] *(n.)* الإحيائيّة: «أ» النزعة إلى إحياء ما يمتّ إلى الماضي بنسب. «ب» الروح أو الطرائق المميزة للاجتماعات الدينيّة الرامية إلى إيقاظ الشعور الديني.
revivalist [rĭ vī'vəl ĭst] *(n.)* الإحيائي: «أ» قسّ ينظّم أو يعقد اجتماعاً دينياً (أو سلسلة اجتماعات) لإحياء الروح الدينيّة في النفوس. «ب» كلّ من يعمل على إحياء الطرائق والعادات السالفة.
—revivalistic *(adj.)*
revive [rĭ vīv'] *(vi.; t.)* (١) «أ» يعود إلى الوعي أو الحياة. «ب» ينتعِش؛ ينشط أو يزدهر من جديد ×(٢) «أ» يُحيي. «ب» ينعِش؛ ينشِّط (٣) يستعيد ذهنياً.
—reviver *(n.)*
revivify [rē vĭv'ə fī] *(vt.)* يُحيي؛ ينعِش؛ ينشِّط.
reviviscence [rĕv'ə vĭs'əns] *(n.)* (١) إحياء (٢) انبعاث؛ نهضة.
reviviscent [rĕv'ə vĭs'ənt] *(adj.)* مُحْيٍ؛ مُنْهِض؛ منعِش.
revocable [rĕv'ə kə-]; **revokable** [rĭ vō'kə-] *(adj.)* ممكنٌ إلغاؤه أو إبطاله.
revoke [rĭ vōk'] *(vt.; i.; n.)* (١) يسحب؛ يلغي؛ يُبْطِل. ×(٢) يمتنع عن اللعب بورقة من نفس النقش أو «المنظومة» التي استهلّ بها اللعبَ لاعبٌ آخر، على الرغم من قدرته على ذلك §(٣) امتناع عن اللعب بورقة من نفس النقش الخ.
revolt [rĭ vōlt'] *(vi.; t.; n.)* (١) يثور؛ يتمرَّد (٢) يشمئزّ. ×(٣) يُغثي؛ يقزِّز النفس (scenes that ~ everybody) §(٤) ثورة.
revolting [rĭ vōl'-] *(adj.)* (١) ثائر (٢) مُغْثٍ؛ مقزِّز للنفس.
revolute [rĕv'ə lōōt'] *(adj.)* ملتفٌّ إلى الوراء أو إلى أدنى (كحواشي أو رؤوس بعض أوراق النبات).
revolution [rĕv'ə lōō'shən] *(n.)* (١) «أ» الدوران: طواف جِرم سماوي في مدار (فل). «ب» دورة (فل) (٢) «أ» دورانٌ حول المحور (مك). «ب» دورة (مك) (٣) ثورة.
revolutionary [-'shə nĕr'ĭ] *(adj.; n.)* (١) «أ» ثوريّ. «ب» جذريّ؛ متطرف (٢) دوّار §(٣) الثائر؛ الثوريّ.
Revolutionary calendar *(n.)* التقويم الثوريّ: تقويم الجمهوريّة الفرنسيّة الأولى الذي اصطُنع عام ١٧٩٣ ويبدأ من ٢٢ سبتمبر ١٧٩٢ (وقد قسم السنة إلى ١٢ شهراً يتألف كلٌّ منها من ٣٠ يوماً، مُفْرِداً خمسة أيام إضافيّة للأعياد في كلّ سنة نظاميّة وستّةً كلَّ رابع سنة).
revolutionist [rĕv'ə lōō'shən ĭst] *(n.; adj.)* (١) الثائر. (٢) الثوريّ §(٣) ثائر (٤) ثوريّ: مؤيّد للمذاهب الثوريّة.
revolutionize [rĕv'ə lōō'shə nīz'] *(vt.)* (١) يُطيح بحكومة قائمة (٢) يُشْرِب بالمعتقدات الثورية (٣) يثُور: يُحْدِث ثورة (أي تغييراً أساسياً أو كاملاً) في.
revolve [rĭ vŏlv'] *(vt.; i.)* (١) يفكّر ملياً في؛ يقلّب الرأي في (to ~ a problem) (٢) يُدير (في مَدارٍ أو حول محور) ×(٣) يتعاقب (The centuries ~.) (٤) يدور (في مدار أو حول محور).
revolver [rĭ vŏl'vər] *(n.)* (١) فا revolve (٢) مُسدَّس.
revolving [rĭ vŏl'vĭng] *(adj.)* دائر؛ دوّار.
revue [rĭ vū'] *(n.)* الرِّفْيُ: عمل مسرحيّ يتألف من مزيج من الحوار والرقص والغناء ويهدف (عادةً) إلى السخرية من الأحداث الجارية والأزياء السائدة.
revulsion [rĭ vŭl'shən] *(n.)* (١) سَحْب؛ جَذْب (٢) تغيّر (أو ردّ فعل) مفاجيء أو قوي (٣) اشمئزاز (٤) التحويل؛ التصريف: تحويل الداء أو الدمّ من جزء من أجزاء الجسد إلى آخر (ط).
revulsive [rĭ vŭl'sĭv] *(adj.)* محوِّل؛ مصرِّف (ط).
reward [rĭ wôrd'] *(vt.; n.)* (١) يكافيء §(٢) مكافأة.
rewire [rē wīr'] *(vt.; i.)* (١) يجهِّز (بيتاً الخ.) بأسلاك جديدة. ×(٢) يبْرِق ثانيةً؛ يُبرق من جديد.
reword [rē wûrd'] *(vt.)* (١) يكرّر بنفس الكلمات (٢) يصوغ بألفاظ أخرى.
rework [rē wûrk'] *(vt.)* (١) يعمل ثانيةً (٢) «أ» ينقّح. «ب» يُجدِّد؛ يُصلح.
rewrite [*v.* rē rīt'; *n.* rē'rīt'] *(vt.; i.; n.)* (١) «أ» يكتب ثانيةً أو بشكل آخر. «ب» يُنقّح (٢) يصوغ في شكل صالح للنشر (موادّ بعث بها مراسل) §(٣) المقالة الناشئة عن هذه الصياغة (صح).
rex [rĕks] *(L.)* pl. **reges** [rē'jēz] مَلِك.
reynard [rĕn'ərd; rā'närd] *(F.)* ثعلب.
rhabdomancy [răb'də măn'sĭ] *(n.)* التكهّن بالقضيب (وبخاصة لاكتشاف المعادن والينابيع).
rhamnus [răm'-] *(L.)* النَّبْق: جنس جَنْبَات من الفصيلة السِّدرية.
rhapsodic; -al [răp sŏd'-] *(adj.)* عاطفيّ أو حماسيّ إلى حدّ الإفراط.
rhapsodist [răp'sə dĭst] *(n.)* (١) راوية محترف للقصائد الملحميّة (٢) مَنْ يتحدّث أو يكتب بحماسة مُفرِطة.
rhapsodize [răp'sə dīz'] *(vi.)* يتحدث أو يكتب بحماسة مفرطة.

ă at; ā date; â care; ä car; ĕ egg; ē me; ĭ in; ī bite; ŏ lot; ō bone; ô orphan; oi boil oo good; ōō boot; ou out; ŭ under; ū unity; û urgent; th thing; th this; zh vision; ə = *a* in alone, *e* in system, *i* in easily, *o* in gallop, *u* in circus.

rhapsody [răp'sə dĭ] *(n.)* (١) جزء من قصيدة ملحميّة صالحٌ للإلقاء على مسمع من الجمهور دفعةً واحدةً (٢)«أ» تعبير حماسيّ عن الابتهاج. «ب» طرب؛ جذل؛ نشوة. «ج» كلامٌ أو أثر أدبيٌّ زاخر بالانفعال العاطفيّ (٣) الرابسودي : لحن موسيقي مُرْتَجَلُ الطابع غيرُ نظاميّ الشكل.

rhatany [răt'ə nĭ] *(Sp.)* (١) الرَّطَن : نبات أميركي يُتَّخَذ من جذوره دواء عَقول ّ أو قابضٌ للانسجة (٢) جذور الرَّطَن المجففة المتّخذة دواءً عَقولاً.

rhea

rhea [rē'ə] *(L.)* الريَّة : طائر جنوبأميركي شبيه بالنعامة الافريقيّة ولكنه أصغر منها ويتميّز بأنّ له ثلاث أصابع بدلاً من إصبعين.

rhenium [rē'nĭ əm] *(L.)* الرِّنيوم : عنصرٌ فلزّي ثقيل نادر شبيهٌ بالمنغنيز (ك).

rheo- بادئة معناها : دَفْق؛ تيار.

rheometer [rē ŏm'ə tər] *(n.)* الريومتر : جهاز لقياس أو تنظيم التيارات (الكهربائية أو الدمويّة).

rheostat [rē'ə stăt'] *(n.)* المقاوِم المتغيِّر : أداة لتنظيم التيار الكهربائي بواسطة مقاوِمات متغيِّرة (كب).

rheostat

rhesus [rē'səs] *(L.)* الرِّيص : قرد هندي صغير قصير الذيل.

rhetor [rē'tər] *(n.)* (١) مدرِّس علم البيان أو البلاغة (٢) الخطيب.

rhetoric [rĕt'ə rĭk] *(n.)* (١) علم البيان أو البلاغة (٢) فنّ الخطابة (٣) فنّ النثر (٤) لغة منمّقة أو طنّانة (تتّسم عادة بالمغالاة وعدم الصدق).

rhetorical [rĭ tôr'ə kəl] *also* **rhetoric** [rĭ tôr'ĭk] *(adj.)* (١)بيانيّ؛ بلاغيّ (٢) منمّق؛ متكلّف؛ محتفِل بالأسلوب (على حساب الفكر في أغلب الأحيان).

rhetorical question *(n.)* السؤال البياني أو البلاغي : سؤال يُطرَح لمجرد التأثير في النفوس لا ابتغاءَ الحصول على جواب.

rhetorician [rĕt'ə rĭsh'ən] *(n.)* (١) «أ» مدرِّس البيان أو البلاغة. «ب» الحطيب (٢) كاتب بليغ؛ خطيب فصيح (٣) المولع باللغة المنمّقة.

rheum [rōōm] *(n.)* الرُّوم : ارتشاح من الأغشية المخاطية، وبخاصة من العينين أو الأنف. وبالتالي : زُكام. وفي لغة الشعر : دموع.

rheumatic [rōō măt'ĭk] *(adj.; n.)* (١) رَثْيِيّ؛ روماتزمي. (٢)مَرْثوّ : مصابٌ بالرَّثْية §(٣) المرثوّ : شخص مصابٌ بالرَّثْية.

rheumatic fever *(n.)* الحمّى الرَّثْيِيّة؛ حمّى الروماتزم (مض).

rheumatism [rōō'mə tĭz'əm] *(n.)* الرَّثْية؛ الروماتزم (مض).

rheumatiz [rōō'mə tĭz] *(n.)* الرَّثْية؛ الروماتزم (ع).

rheumatoid arthritis *(n.)* التهاب المفاصل الرَّثْياني (مض).

Rh factor *(n.)* العامل الرِّيصي (في الدم).

rhin- *or* **rhino-** بادئة معناها : أنف (*rhin*itis).

rhinal [rī'nəl] *(adj.)* أنفيّ : خاصٌ بالأنف.

rhinencephalon [rī'nĕn sĕf'ə-] *(n.)* الجزء الشَّمّيّ من الدماغ.

rhinestone [rīn'-] *(n.)* حجر الراين : ماسٌ زائف مصنوع من الزجاج.

Rhine wine *(n.)* خمر الراين.

rhinitis [rī nī'tĭs] *(n.)* التهاب الأنف (أو غشائِهِ المخاطيّ).

rhino [rī'nō] *(n.)* (١) rhinoceros (٢) مال؛ دراهم.

rhinoceros

rhinoceros [rī nŏs'ər əs] *(n.)* pl. **-es** الكَرْكَدَن؛ وحيد القرن (ح).

rhinoscopy [rī nŏs'kə pĭ] *(n.)* تَنْظير الأنف : فحص المجاري الأنفيّة (ط).

rhiz- *or* **rhizo-** بادئة معناها : جِذْر.

-rhiza *or* **-rrhiza** لاحقة معناها : جِذْر.

rhizobium [rī zō'bĭ əm] *(L.)* pl. **-bia** بكتيريا عَصَويّة الشكل.

rhizoctonia [rī zŏg tō'nĭ ə] *(L.)* فُطر الأُرومة : فُطر يُتْلِف أُروم بعض النباتات.

rhizogenic [rī'zō jĕn'-] *or* **rhizogenetic** [-jə nĕt'ĭk] *(adj.)* مُولِّد للجذور (نب).

rhizoid [rī'zoid] *(n.)* الشُّبَيْجِذْر؛ شِبْه الجذر (نب).

rhizoidal [rī zoid'əl] *(adj.)* جِذرانيّ؛ شبيهٌ بالجذر (نب).

rhizomatous [rī zŏm'ət əs] *(adj.)* ذو جُذْمُور أو شبيهٌ بجُذْمور (را. rhizome).

rhizome

rhizome [rī'zōm] *(L.)* الجُذْمُور؛ الجِذْمار : ساقٌ أرضية شَبيهةٌ بالجِذْر (نب).

rhizomorphous [rī'zō môr'fəs] *(adj.)* جِذْرانيّ؛ جِذْريّ الشكل (نب).

rhizopod [rī'zə pŏd] *(n.)* جِذريّ الأقدام : واحد من جِذْريات الأقدام **Rhizopoda** وهي شعبة حيوانات مجهريّة وحيدة الخليّة.

—rhizopodal; rhizopodous *(adj.)*

rhizopus [rī'zō pəs] *(L.)* الفُطْر الجِذْريّ : أيّ من الفطور العفنية التي تشمل عفن الخبز (نب).

Rh-negative *(adj.)* سلبيّ العامل الرِّيصي : فاقدٌ العاملَ الرِّيصيّ في الدم.

rhod- *or* **rhodo-** بادئة معناها : ورديّ؛ أحمر.

rhodamine [rō'də mēn'] *(n.)* الرودامين : صِبغ أحمر (ك).

Rhode Island Red *(n.)* دجاج رود آيلاند الأحمر.

Rhodesian man [rō dē zhĭ ən] *(n.)* إنسان روديسيا المنقرض.

Rhodes scholarship [rōdz] *(n.)* منحة رودز الدراسيّة : إحدى المنح الدراسيّة المخصّصة في جامعة اكسفورد لفريق مختار من طلاب الدومينيونات البريطانيّة والولايات المتحدة الاميركية (وهؤلاء الطلاب يُعرفون بـ **Rhodes scholars**).

rhodium [rō'dĭ əm] *(L.)* الروديوم : عنصر فلزي فضيّ البياض (ك).

rhodochrosite [rō'də krō'sīt] *(G.)* الرودوكروزيت : معدن ورديّ اللون يحتوي على بعض الحديد والكلسيوم.

rhododendron [rō'də dĕn'drən] *(L.)* الورديّة؛ الرَّودودَندرون : جنس جنبات من الفصيلة الخلنجيّة (نب).

rhodolite [rō'də līt'] *(n.)* الرودوليت : عقيق قرنفليّ أو أرجوانيّ.

rhodonite [rō'də nīt'] *(G.)* الرودونيت : معدن وَرْديّ اللون يُتّخذ للتزيين وبخاصة في الروسيا.

rhodora [rō dōr'ə] *(L.)* الرودورة : جنبة من الفصيلة الخلنجيّة (نب).

rhomb [rŏm; rŏmb] *(n.)* = rhombus.

rhombencephalon [rŏm'bĕn sĕf'ə-] *(L.)* الدماغ المؤخّر (ت).

rhombic; -al [rŏm'-] *(adj.)* مُعيَّنيّ الشكل (ر).

rhombohedral [rŏm'bə hē'drəl] *(adj.)* موشوري سُداسي؛ موشوريّ سُداسيّ (ر).

rhombohedron [-'drən] *(L.)* pl. **-drons** *or* **-dra** موشور سُداسيّ منتظم .

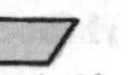

rhomboid

rhomboid [rŏm'boid] *(n.)* شبيه المعيَّن (ر) .

rhomboid; -al [rŏm'-] *(adj.)* شبيهٌ بالمعيَّن .

rhom-bus

rhombus [rŏm'bəs] *(L.)* pl. **-buses** *or* **-bi** المعيَّن (ر) .

rhonchus [rŏng'kəs] *(Gk.)* pl. **-chi** [-kī] = rale.

Rh-positive *(adj.)* إيجابيّ العامل الريصيّ : محتوٍ على العامل الريصيّ في كريّات الدم الحمر .

rhubarb [rōō'bärb] *(n.)* الراوَنْد : عشب من الفصيلة البطباطيّة ذو منافع طبيّة (نب) .

rhumb [rŭm; rŭmb] *(Sp.)* أحد اتجاهات البوصلة .

rhumba [rŭm'bə] *(Sp.)* = rumba.

rhumb line [rŭm; rŭmb] *(n.)* خطّ متساوي المَيْل ؛ خطّ متزاوٍ مع خطوط الطول (مل) .

rhyme [rīm] *(n.; vi.; t.)* (١) «أ» سَجْع ؛ تَقْفِيَة . «ب» سَجْعَة ؛ قافية (٢) «أ» قصيدة مقفّاة . «ب» شعر (٣) إيقاع (مو) §(٤) يسجّع ؛ يقفّي (٥) يتساجع ؛ يتقافى مع *(Compress ~ s with confess.)* (٦) يتناغم ؛ يتطابق ×(٧) ينظِم الشعر المقفّى (٨) يجمع بين لفظين متساجعين أو متقافيين (to ~ *clean* and *keen*) .

without ~ or reason بلا معنى ؛ من غير نظام أو منطق .

rhymer [rī'-]; **rhymester** [rīm'stər] *(n.)* النظّام ؛ الشُوَيْعِر .

rhynchocephalian [rĭng'kō sə fāl'yən] *(n.; adj.)* (١) الخَطْراسيّة : واحدة الخَطْراسيّات **Rhynchocephalia** وهي رتبة من الزحافات الشبيهة بالعِظاء (واللفظة منحوتة من «خَطْم» و «رأس») §(٢) خَطْراسيّ .

rhyolite [rī'ə līt'] *(G.)* الريوليت : الشكل الحُمَميّ من الغرانيت .

rhythm [rĭth'əm] *(n.)* (١) الإيقاع (مو) (٢) الوزن الشعريّ (٣) الاتزان ؛ التناغم : ائتلاف أجزاء الأثر بعضها مع بعض بحيث تؤلف كلاً فنياً (فج) (٤) التواتر : التكرّر النظاميّ للعمليات أو الأحداث .

rhythmic; -al [rĭth'-] *(adj.)* (١) إيقاعيّ (مو) (٢) موزون (شعرياً) (٣) متّزِن ؛ متناغم (فج) (٤) متواتر ، متكرر على نحو نظاميّ .

rhythmicity [rĭth mĭs'ə tĭ] *(n.)* الإيقاعيّة : كون الشيء إيقاعياً .

rhythmics [rĭth'mĭks] *(n.)* عِلم الإيقاع (مو) .

rhythmization [rĭth mə zā'shən] *(n.)* المناغمة : تنظيم سلسلة من الأحداث أو العمليات في كلٍّ متناغم .

rial [rĭ äl'] *(Ar.)* الريال : «أ» وحدة النقد في المملكة العربيّة السعوديّة وفي إيران . «ب» وحدة نقدية عراقية .

rialto [rĭ ăl'tō] *(n.)* (١) سوق ؛ مركز تجاري (٢) حيّ المسارح .

riant [rī'ənt] *(adj.)* ضاحك ؛ باسم ؛ مَرِح ؛ مبتهج .

riata [rĭ ä'tə] *(Sp.)* = lariat.

rib [rĭb] *(n.; vt.)* (١) «أ» ضِلْع . «ب» زوجة (٢) رافدة ؛ دعامة (٣) عِرق (في جناح الحشرة) (٤) العَيْر : أحد العروق الرئيسيّة في ورقة النبات (٥) نكتة §(٦) يضلّع (٧) يسخر من ؛ يضحك .

ribald [rĭb'əld] *(adj.; n.)* (١) بذيء ؛ سفيه §(٢) البذيء ؛ السفيه .

ribaldry [rĭb'əl drĭ] *(n.)* (١) بذاءة (٢) كلام بذيء .

riband [rĭb'ənd] *(n.)* عِصابة ؛ شريط ؛ وشاح (ا.ق) .

ribband [rĭb'bănd] *(n.)* الضِّمامة : لوح خشبيّ طُوليّ ، أو نحوه ، يُستخدم لتثبيت أضلاع السفينة أثناء بنائها .

ribbing [-'ĭng] *(n.)* التضليع : طريقة توزّع الأضلاع في ورقة النبات الخ .

ribbon [rĭb'ən] *(n.; vt.)* (١) شريط (٢) وشاح ؛ عِنان ؛ زِمام *pl.* (٣) عذ : مِزقة ؛ خِرقة *pl.* (٤) (sails torn to ~ *s*) (٥) ضِمامة (را. ribband) §(٦) يزيّن بأشرطة أو أوشحة (٧) يخطّط أو يُعلِّم بما يُشبه الأشرطة (٨) يمزّق .

ribbon development *(n.)* البناء الشريطيّ : سلسلة من المباني المتلاصقة على طول شارع أو طريق .

ribbonfish [rĭb'ən fĭsh'] *(n.)* السمك الشريطيّ : سمك بحريّ طويل مضغوط الجسم على شكل شريط .

ribby [rĭb'ĭ] *(adj.)* مُضَلَّع .

ribes [rī'bēz] *(L.)* الكِشْمِش : جَنْبَة مثمرة (نب) .

ribgrass [rĭb'-] *(n.)* لسان الحَمَل (نب) .

riboflavin [rī'bō flā'vĭn] *(n.)* الريبوفلافين : فيتامين يوجد في اللبن والبيض واللحوم والخضر الطازجة (كح) .

ribwort [rĭb'wûrt'] *(n.)* = ribgrass.

rice [rīs] *(n.; vt.)* (١) الأرُزّ ؛ الأُرْز ؛ الرُّزّ (نب) §(٢) يُرَزِّز : يحوِّل إلى شكل شبيه بالأرزّ (to ~ potatoes) .

ricebird [rīs'bûrd'] *(n.)* طائر الأرُزّ : عصفور يألف حقول الأرُزّ .

rice Christian *(n.)* المتنصِّر الأرزّي : معتنق النصرانيّة لمنافع ماديّة .

rice paper *(n.)* وَرَق الأرُزّ : ورق رقيق يُصنَع من قَشّ الأرُزّ .

ricer [rī'sər] *(n.)* المُرَزِّزة : مصفاة لهَرْس البطاطا (وبعض الخضر المطبوخة) بحيث تتخذ شكل حبّات الأرزّ .

rich [rĭch] *(adj.; n.)* (١) «أ» غنيّ ؛ مُوسِر ؛ ثريّ . «ب» نفيس (~ jewels) (٢) وافر (a ~ harvest) (٣) مُترَف ؛ أنيق ؛ فخم (a ~ banquet) (٤) قويّ ؛ صارخ ؛ عميق (a ~ color *or* voice) (٥) أرِج أو زكيّ جداً (~ perfume) (٦) غنيّ بالموارد الطبيعيّة (~ territories) (٧) خِصْب (~ soil) (٨) دَسِم (~ foods) (٩) مُسَلٍّ ؛ مضحك (a ~ incident) (١٠) صافٍ أو شبه صافٍ (~ lime) §(١١) الأغنياء (the ~) .

richen [rĭch'ən] *(vt.)* (١) يُغْني : يجعله غنياً (٢) يزيده غنى .

riches [rĭch'ĭz] *(n.pl.)* ثروة .

richly [-'lĭ] *(adv.)* (١) بغِنى ؛ بأناقة ؛ بترف (٢) بغزارة ؛ بوفرة الخ .

ricin [rī'sĭn] *(L.)* الرِّيسين : بروتين أبيض سامّ (ك) .

ricinoleic acid [rĭs'ĭ nō lē'ĭk] *(n.)* حامض الريسنوليك (ك) .

ricinus [rĭs ən əs] *(L.)* الخِرْوَع : نبات يستخرج منه زيت الخِروع .

rick [rĭk] *(n.; vt.)* (١) كُدْس ؛ كومة §(٢) يُكدِّس (٣) يلْوي .

rickets [rĭk'ĭts] *(n.)* كُساح الأطفال (مض) .

rickettsiae *(n. pl.)* الرّيكتسيات : متعضيات مجهرية شبيهة بالبكتيريا .

rickety [rĭk'ĭt ĭ] *(adj.)* (١) كسيح ، مصاب بالكُساح (٢) كُساحيّ (٣) «أ» واهِن ؛ ضعيف . «ب» مترنّح (٤) متقلقل ؛ متزعزع ؛ متداعٍ ؛ مُخلَّع الأوصال .

rickey [rĭk'ĭ] *(n.)* الرِّيكِيّ : شراب كحوليّ أو غازيّ .

ricksha *or* **rickshaw** [rĭk'shô] *(n.)* = jinrikisha.

ricochet [rĭk'ə shā'; -shĕt'] *(n.; vi.)* (١) «أ» النُّبُوّ : ارتداد القذيفة الخ . بعد إصابتها سطحاً مستوياً . «ب» القذيفة النابية §(٢) تنبو (القذيفةُ الخ .) .

rictus [rĭk'-] *(L.)* فتحة فم الطائر أو الانسان . **-tal** *(adj.)*

rid [rĭd] *(vt.)* يخلّص ؛ يحرر .

to get ~ of يتخلّص من .

ridable *or* **rideable** [rī'də bəl] *(adj.)* (١) صالح للركوب (a ~ horse) (٢) سالكٌ (a ~ road) .

riddance [rĭd'-] *(n.)* (١) تخليص ؛ تحرير (٢) تخلّص ؛ خلاص .

riddle [rĭd'əl] *(n.; vt.; i.)* (١) لُغز ؛ أُحجيّة (٢) غربال واسع الثقوب §(٣) يحلّ ؛ يفسّر (٤) يُلْغِز ؛ يعمّي ؛ يحيّر

---

(٥) يُغربِل (٦) «أ» يثقّب أو يخرِّم كالغربال . «ب» يُفسِد ؛ يشوه ×(٧) يتكلّم بالألغاز .

ride [rīd] *(vi.; t.; n.)* (١) «أ» يركب ؛ يمتطي . «ب» يجتاز وهو راكب (٢) «أ» ترسو (السفينة) . «ب» يبحر . «ج» يطفو . «د» ينطلق مثل شيء طافٍ (A full moon *rode* in the night sky.) (٣) يجري ؛ ينطلق (This car ~*s* well.) (٤) يأخذ مجراه من غير اعتراض (Let it ~.) (٥) يتوقف (My plans ~ on his nomination.) (٦) يرتفع إلى ما فوق موضعه الطبيعي (My skirt had *ridden* up above my knees.) (٧) يُراهَن به على (Her money is *riding* on the favorite.) ×(٨) يمتطي فرساً في (*rode* a race) (٩) ينكح (١٠) يستحوذ على؛ يستبدّ بـ (was *ridden* by fears) (١١)«أ»يضايق باستمرار. «ب»يسخر من (١٢) يُركِب (١٣) يتراكب (بعضه على بعض) (١٤)يُبقي قدمَه باستمرار على(*rode* the clutch) §(١٥)ركوب، وبخاصة على متن جواد (١٦) طريق أو مجاز (غير معبّد عادة)، وبخاصة في غابة، يُستخدم لركوب الخيل (١٧) إحدى الوسائل الميكانيكية التي تُمتطى (في مدينة للملاهي) (١٨) رِحلة (على متن فرس أو عربة أو سيّارة أو قطار أو سفينة) (١٩) «أ» رحلة يسوق فيها قطاع الطرق ضحيّتهم للفتك به . «ب» خداع ؛ خدعة (٢٠) مجموع المزايا التي تجعل السيارة مريحة :

to ~ down (١) يصرع (٢) يتغلّب على (٣) يدركه أو يلحق به (راكباً) (٤) يُرهق بالركوب .

to ~ for a fall ينطلق (راكباً) بتهوّر وطيش .

to ~ out of a storm (١) تثبُت (السفينة) للعاصفة وتخرج منها سالمةً (٢) يخرج سالماً (من بلاء الخ.) .

to ~ roughshod over يعامل بازدراء أو قسوة .

rider [rīʹdər] *(n.)* (١) الراكب ؛ المتطي وبخاصة فرساً أو درّاجة (٢) «أ» مُلحَق (بوثيقة) . «ب» فقرة إضافية (في قانون الخ.) (٣) أداة ملحقة بشيء آخر أو مركّبة فوقه .

ridge [rĭj] *(n.; vt.; i.)* (١) متن الحيوان أو ظهره (٢) «أ» سلسلة تلال أو جبال . «ب» ارتفاع متطاول في قاع المحيط (٣) قمة تلّة أو جبل أو موجة الخ . (٤) الضِّلْع : شقّة مرتفعة متطاولة (في أرض محروثة أو على قماش مضلّع) (٥) الحَرْف : خطّ التقاطع الأعلى بين سطحَيْن مُنحدِرَين (the ~ of a roof) §(٦) يجعل للشيء قمةً أو ضلعاً أو حرفاً الخ. ×(٧) يمتدّ وكأنه سلسلة تلال الخ.

ridgepole [rĭjʹ-] *(n.)* الرافدة (الأفقيّة في أعلى السقف الخ.) .

ridgy [rĭjʹĭ] *(adj.)* ذو قمّة أو ضلع أو حَرْف الخ.(أو أكثر) .

ridicule [rĭdʹə kūlʹ] *(n.; vt.)* (١) سُخْرية §(٢) يَسخر من .

ridiculous [rĭ dĭkʹyə ləs] *(adj.)* سخيف ؛ مضحك .

riding [rīʹdĭng] *(n.; adj.)* (١) دائرة انتخابيّة أو إداريّة . (٢) ركوب §(٣) مُعَدّ للركوب (a ~ horse) (٤) مستعمل في الركوب (a ~ whip) (٥) يقوده راكبٌ (a ~ cultivator).

riding habit *(n.)* رداء الفروسيّة أو ركوب الخيل .

riding master *(n.)* معلّم الفروسيّة أو ركوب الخيل .

ridotto [rĭ dŏtʹō] *(It.)* الرِّيدُوتُ : مهرجان تنكّريّ راقص .

Riesling [rēzʹlĭng] *(G.)* الريزلنغ : خمرٌ شبيهةٌ بخمر الراين .

rife [rīf] *(adj.; adv.)* (١) وافر (٢)منتشر ؛ ذائع ؛ سائد(٣)حافل بـ . (٤) سريع ؛ مستعد أو ميال لـ §(٥) بوفرة الخ .

riffle [rĭfʹəl] *(n.; vt.)* (١) منحدَر النهر (حيث تتدفق مياهه بسرعة) (٢) موجة صغيرة أو سلسلة أمواج صغيرة (٣) خَلْط وَرَق اللعب أو صوتُ ذلك §(٤) يقلّب الأوراق بإبهامه (٥) يخلط ورق اللعب (بأن يقسم «الشدّة» إلى مجموعتين ثم يلوي أوراق كل منهما بإبهامه بحيث يتداخل بعضها في بعض) .

riffraff [rĭfʹrăfʹ] *(n.)* (١)«أ» الدَّهماء؛ الرَّعاع.«ب» واحد من الدَّهماء أو الرَّعاع (٢) نُفاية .

rifle [rīʹfəl] *(vt.; n.)* (١) ينقّب في كذا ،وبخاصة بقصد السرقة . (٢) يسلب ؛ ينهب (٣) يُحزِّز أو يُخدِّد حلزونياً (to ~ a gun barrel) (٤) يقذف بقوة بالغة §(٥) بندقية (٦) *pl.* : كتيبة رماة أو حمَلَة بنادق .

rifleman [rīʹfəl mən] *(n.)* (١) الرامي : جندي في كتيبة رماة أو حملة بنادق (٢) البارع في استخدام البندقيّة .

riflery [rīʹfəl rĭ] *(n.)* الرَّمي بالبنادق (جن) .

rifling [rīʹflĭng] *(n.)* (١) التَّحزيز حَلَزونياً (٢) سلسلة من الحزوز الحلزونيّة في قناة البندقيّة .

rift [rĭft] *(n.; vt.; i.)* (١) صَدْع ؛ شِقّ (٢) موضع ضحلٌ أو صخريّ في نهر §(٣) يَصْدَع ؛ يشق ×(٤) ينصدع .

rig [rĭg] *(vt.; n.)* (١) يزوِّد (المركبَ) بالأشرعة الخ. (٢)يُلْبِس؛ يكسو (تتبعها *out* عادةً)(٣)يجهِّز بالعدّة الضروريّة(٤)يرتِّب؛ يُعِدّ؛ يُهيِّئ (٥)يقيم؛ينشئ (٦)يتلاعب بـ(to ~ prices) §(٧) شكل وعدد وترتيب الأشرعة والصّواري (في مركب) (٨)عَرَبَة وجوادُها أوجيادُها (٩)ملابس (١٠)أجهزة؛آلات الخ.

rigatoni [rĭg ə tōʹnĭ] *(It.)* الريغاتوني : معكرونة مَلْوِيّة القِطَع قصيرتُها .

Rigel [rīʹjəl] *(Ar.)* رِجْل الجبّار ؛ رِجْل الجوزاء اليسرى (فل) .

rigger [rĭgʹər] *(n.)* (١) فا rig (٢) ريشة أو فرشاة رَسم نحيلة طويلة (٣) حاجز خشبيّ واقٍ (يقام حول مبنى يُشاد ، لحماية عابري السبيل) (٤) سفينة ذات اشرعة وصوار من نوع معيّن (٥) ميكانيكيّ خبير بتجميع وإصلاح أجنحة الطّائرات الخ.

rigging [rĭgʹĭng] *(n.)* (١) حبال الأشرعة والصواري (مل) . (٢) عدة ؛ تجهيزات (٣) ثياب .

Riggs' disease [rĭgz] *(n.)* = pyorrhea.

right [rīt] *(adj.; n.; adv.; vt.; i.)* (١) قويم (~ conduct) (٢) صحيح (the ~ solution) (٣) ملائم ؛ مناسب (is the ~ man for the job) (٤) مستقيم (a ~ line) (٥) حقيقي ؛شَرْعي (was the ~ owner) (٦) عادل ؛ مُنْصِف (٧) أيمن ؛يُمْنَى (٨) قائمة (a ~ angle) (٩) قائم(a ~ cone) (١٠) أساسيّ ؛ مُعَدّ لكي يكون هو الوجه الذي تقع عليه العين عند نشره أو لُبْسه (the ~ side of a rug) (١١) مصيب ؛ على صواب (Time proved her ~.) (١٢) معافى ؛في صحة جيّدة (She is all ~ again.) (١٣) سليم (~ mind) (١٤) في وضع مُرْضٍ أو نظام حَسَن (to put things ~) (١٥) أفضل ؛ أنسب ؛ أمثل (١٦) يمينيّ : ذو ميول أقرب إلى الرجعيّة (في السياسة الخ.) §(١٧) حقّ (١٨) صواب(to be in the ~) (١٩) عدل؛ إنْصاف (٢٠) «أ» اليد اليمنى . «ب» يمين (٢١) ضربة باليد اليمنى (٢٢) *cap.* : «أ» اليمين : ذلك الجانب (من قاعة البرلمان) الواقع إلى يمين الرئيس وهو يخصَّص عادة للمحافظين . «ب» حزب اليمين ؛ حزب المحافظين §(٢٣) تماماً ؛ بكل ما في الكلمة من معنى (Kamal's hat was knocked ~ off.) (٢٤)بطريقة ملائمة أو صحيحة(held his pen ~) (٢٥)مباشرة؛ بخطّ مستقيم(~ to the bottom) (٢٦)على نحو صائب أو منطبق على الحقيقة (to guess ~) (٢٧) توّاً ؛ فوراً ؛ في الحال

right wing *(n.)* الجناح الأيمن : الجناح اليميني أو المحافظ (من حزب).

right-winger [-'wĭng'ər] *(n.)* عضو الجناح الأيمن (من حزب).

rigid [rĭj'ĭd] *(adj.)* (١) صُلب ؛ جاسىء (٢) صارم (٣) قاس.

rigidify [rĭ jĭd'ə fī] *(vt.; i.)* يجعله (أو يصبح) صُلباً أو قاسياً.

rigidity [rĭj ĭd'-]; **rigidness** [rĭj'-] *(n.)* (١) صلابة ؛ جسوء. (٢) صَرامة (٣) قسوة.

rigmarole [rĭg'mə rōl] *(n.)* (١) هُراء (٢) إجراء معقّد.

rigo(u)r [rĭg'-] *(n.)* (١) صَرامة ؛ قسوة (٢) قُشَعْرِيرة ؛ رِعدة ؛ عُرَواء (٣) شدة ؛ ضِيق (٤) شدة البرد (٥) دقة بالغة (theorems developed with logical ~) (٦) تيبُّس (أو تخشُّب) الأعضاء.

rigor mortis [rī'gôr môr'tĭs; rĭg'ər] *(L.)* التخشّب المَوْتيّ : تيبُّس الجسد عند الموت.

rigorous [rĭg'ər əs] *(adj.)* (١) صارم (~ laws) (٢) قاس ؛ شديد البرد (~ winter) (٣) دقيق جداً (a ~ criterion).

rile [rīl] *(vt.)* (١) يعكّر ؛ يكدّر (٢) يُغْضِب ؛ يثير.

riley [rī'lĭ] *(adj.)* (١) عكِر ؛ كَدِر (٢) غاضب.

rill [rĭl] *(n.; vi.)* (١) جدول ؛ غدير (٢) أو **rille** : الرِّيل : أحد الأودية الطويلة الضيّقة على سطح القمر (فل) § (٣) يتدفّق كالجدول.

rillet [rĭl'ĭt] *(n.)* ساقية ؛ جدول صغير.

rim [rĭm] *(n.; vt.)* (١) حافة ؛ حِتار (٢) إطار § (٣) يحفّ ؛ يُحتّر ؛ يُؤطّر (٤) تجري (كرةُ الغولف) حول حافّة الحفرة.

rime [rīm] *(n.; vt.)* (١) الصقيع : طبقة جليديّة يكسو الضباب بها الأشجار (٢) قشرة § (٣) يكسو بصقيع أو قشرة.

rime; rimer; rimester = rhyme; rhymer; rhymester.

rimose [rī'mōs] *(adj.)* مُفلَّع ؛ مُشقَّق ؛ مصدّع.

rimy [rī'mĭ] *(adj.)* مكسوّ بالصقيع.

rind [rīnd] *(n.; vt.)* (١) لِحاء (٢) قشرة § (٣) يقشر.

rinderpest [rĭn'dər pĕst'] *(G.)* طاعون الماشية.

ring [rĭng] *(n.; vt.; i.)* (١) حَلْقة (٢) خاتم (٣) «أ» دائرة. «ب» طوق (٤) «أ» ملاكمة. «ب» مراهنة على خيل السباق (٥) حقل تنافس سياسي الخ. (٦) عُصْبة (من التجار أو رجال السياسة الخ.) تجمع أفرادها أغراض أنانية أو شريرة (٧) مجموعة أجراس (٨) رنين (٩) مسْحة ؛ طابَع ؛ نبرة (a ~ of sincerity in his words) (١٠) قَرْع الجرس (١١) مخابرة هاتفيّة § (١٢) يطوّق (١٣) يضع حلقة (في أنف حيوان) (١٤) يقذف بحلقة أو نعل فرس حول علامة أو وتد (١٥) يقرع جرساً (١٦) يعلن بقرع الجرس أو نحوه (to ~ out the old year; to ~ in the new) (١٧) يدعو، وبخاصة بقرع الجرس (١٨) يتلفن لِ × (١٩) «أ» يجري في حَلْبة أو حلقة. «ب» يطير حلزونياً (٢٠) يتحلّق ؛ يشكل حلقة (٢١) يرنّ (الجرسُ) (٢٢) يدوّي (٢٣) يطنّ (Her ears rang.) (٢٤) ينال شهرة واسعة (٢٥) يبدو (Salim's words ~ true.)

to ~ off يُنْهي محادثة تلفونيّة.

to ~ somebody up يتلفن لفلان.

to ~ the bell ينجح في أمرٍ ما.

to ~ the changes (١) يقرع أجراس الكنيسة بمختلف الأساليب الممكنة (٢) يعمل أو يرتّب بمختلف الطرق الممكنة.

ringbolt [rĭng'bōlt] *(n.)* مسمار بحلقة.

(~ after dinner) (٢٨) إلى حدّ بعيد (~ pleasant day) (٢٩) جداً (the ~ reverend) (٣٠) يَمْنَةً ؛ ذات اليمين (The thief looked ~ and left.) § (٣١) يصحّح (٣٢) يعدل ؛ يقوّم ؛ يعيد إلى الوضع الصحيح (٣٣) يُنْصِف × (٣٤) يستقيم أو يستعيد وضعه الصحيح.

—**rightness** *(n.)*

by ~*s* بحقّ ؛ بعدل.

in one's own ~, بحكم حقّه الشخصيّ (كأن تكون المرأة ذات لقبٍ من ألقاب النبالة بحكم حملها هذا اللقب قبل الزواج لا بحكم زواجها من أمير الخ.).

It serves him ~. إنّه يستحق ذلك (العقاب الخ.).

~ away توّاً ؛ فوراً ؛ في الحال.

~ down بكلّ ما في الكلمة من معنى ؛ مئة بالمئة.

~ off توّاً ؛ فوراً ؛ في الحال.

~ you are ! انت على حقّ أو صواب.

She is still on the ~ side of sixty. إنّها لا تزال دون الستين (من العمر).

to get something ~, (١) يعافي ؛ يُصلح ؛ يصحح الأوضاع (٢) يفهم شيئاً بوضوح يمتنع معه كل التباس.

to put *or* set something ~, يُصْلح ؛ يقوّم ؛ يعافي.

to send somebody to the ~ about يصرفه ؛ يطرده.

to set a room to ~*s* يرتّب الغرفة.

right ascension *(n.)* مَطْلَعٌ مستقيم (فل).

righteous [rī'chəs] *(adj.)* (١) صالح ؛ مستقيم (was a ~ man) (٢) قويم (~ actions) (٣) مبرَّر أخلاقياً ؛ ناشىء عن دوافع أخلاقيّة (~ anger).

rightful [rīt'-] *(adj.)* (١) عادل (a ~ cause) (٢) شرعي (the ~ king) (٣) ملائم (in the ~ order).

right hand *(n.)* (١) «أ» اليد اليمنى. «ب» الساعد الأيمن : شخصٌ مُعْتَمَدٌ أو لا يُستَغْنَى عنه (٢) اليمين ؛ الجهة اليمنى.

right-hand [rīt'hănd] *(adj.)* (١) أيْمَن : «أ» واقع إلى اليمين. «ب» مستعمِلٌ يمناه (ضدّ أعْسَر) (٢) موضع ثقةٍ واعتماد.

right-handed [rīt'-] *(adj.)* (١) أيمن : مستعمِل يمناه عادةً. (٢) يميني : «أ» منجزٌ باليد اليمنى. «ب» دائر من اليسار إلى اليمين (a ~ screw).

right hander *(n.)* (١) الأيمن : من يستعمل يمناه عادةً (ضدّ الأعْسَر) (٢) ضربة باليد اليمنى.

rightism [rīt'ĭz əm] *(n.)* اليمينية : «أ» مبادىء اليمينيّين (المحافظين) وآراؤهم. «ب» تأييد المذاهب اليمينيّة أو التمسك بها.

rightist [rīt'-] *(n.)* اليمينيّ : المؤيّد للمذاهب اليمينيّة أو المتمسك بها.

rightly [rīt'lĭ] *(adv.)* (١) بعدلٍ ؛ بحقّ (٢) على نحوٍ ملائم (٣) على نحوٍ صحيح أو مطابق للحقيقة.

right-minded [rīt'mīn'dĭd] *(adj.)* قويم الرأي ؛ ذو آراء أو مبادىء قويمة.

right of asylum *(n.)* حقّ اللجوء (السياسي).

right of search *(n.)* حقّ التفتيش : حقّ اعتراض سفينة تجاريّة في عُرض البحر للتأكّد من أنها لا تحمل سلعاً تعرّضها للمصادرة.

right of way *(n.)* (١) حقّ المرور : «أ» حقّ المرور في ممتلكات الآخرين. «ب» حقّ المرور قبل الآخرين (٢) شقّة من الأرض تُستَمْلَك لمدّ خطوط السكّة الحديديّة الخ.

right on *(adj.)* (١) مضبوط تماماً (٢) متماشٍ مع روح العصر.

right triangle *(n.)* مثلّثٌ قائم الزاوية (ر).

ă at; ā date; â care; ä car; ĕ egg; ē me; ĭ in; ī bite; ŏ lot; ō bone; ô orphan; oi boil o͝o good; o͞o boot; ou out; ŭ under; ū unity; û urgent; th thing; t͟h this; zh vision; ə = *a* in alone, *e* in system, *i* in easily, *o* in gallop, *u* in circus.

ringbone [rĭng'bōn] *(n.)* العظم الحلَقيّ: نموّ عظميّ مَرَضيّ في رسغ الدابة (يؤدي عادةً إلى إصابتها بالعرج).

ringdove [rĭng'dŭv'] *(n.)* الحمامة المطوَّقة.

ringent [rĭn'jənt] *(adj.)* (١) فاغر الفم (٢) مُفْغَر (نب): ذو شفتين منفرجتين مثل فمٍ مفتوح (~ corolla).

ringer [rĭng'ər] *(n.)* (١) فا ring (٢) المشترك في مسابقة اشتراكاً غير شرعيّ (٣) شخص أو شيء يشبه غيره شبهاً عظيماً (٤) «أ» حلقة (أو نعل فرس) يُقذف بها لتطوّق وتداً. «ب» رمية من هذا النوع (٥) العظيم البراعة في حقلٍ ما.

ring finger *(n.)* إصبع الخاتم: الإصبع التي يُلبس فيها خاتم الزواج من اليد اليسرى.

ringleader [rĭng'lē'dər] *(n.)* زعيم فتنة أو ثورة.

ringlet [rĭng'lĭt] *(n.)* (١) حُلَيْقة؛ حلقة صغيرة (٢) عَقْصة (أو جعدة) شعر.

ringmaster [rĭng'măs'tər] *(n.)* مدير الحَلْبة (في سيرك).

ringneck [rĭng'nĕk'] *(n.)* الطائر المطوَّق: كلُّ طائرٍ في عنقه طوقٌ من لونٍ مميز.

ring-necked *or* **ring-neck** [rĭng'-] *(adj.)* مُطوَّق: مطوَّق العنق بلون مميَّز (~ ducks).

ringside [rĭng'sīd'] *(n.)* جانب الحَلْبة أو الحلقة: «أ» الموضع الواقع خارج حلبة السيرك أو الملاكمة مباشرة. «ب» مكان يستطيع المرء أن يرى منه الأحداث عن كثَب.

ringtoss [rĭng'tôs] *(n.)* قَذْف الحلَقات: لعبة قوامها قَذْف الحلقات واحدة بعد أخرى بحيث تطوّق وتداً.

ringworm [rĭng'-] *(n.)* القُوباء الحلَقيّة: مرض جلدي مُعْدٍ.

rink[rĭngk] *(n.)* المَزْلَجة: حلبة من جليد صناعيّ (غالباً) يتزلّج عليه.

rinse [rĭns] *(vt.; n.)* (١) يشْطف؛ يغسل برفق (بأن يصبّ الماء على الشيء أو بأن يَغمس الشيء في الماء) (٢) يسهّل انزلاق الطعام في الحلق بجرعة من سائل ما (~d it down with a glass of ale) (٣) يعالج الشَّعرَ بغَسول §(٤) شَطْف؛ غَسْلٌ رفيقٌ (٥) الغَسُول: سائل يلوّن الشعر إلى حين، تلويناً خفيفاً.

rinsing [rĭn'sĭng] *(n.)* (١) الشَّطف، الغسل الرفيق (٢) *pl.* عد: الغُسالة: ماء غُسِلَ به شيء ما (٣) *pl.* عد: ثُفْل؛ رواسب.

riot [rī'ət] *(n.; vi.; t.)* (١) شَغَب؛ إخلال بالأمن (٢) قَصْف؛ عربدة؛ استهتار؛ مرحٌ صاخب (٣) وفرة؛ غزارة (٤) شيء ناجح نجاحاً مثيراً للحماسة (Her latest novel was a ~.) §(٥) يشاغب؛ يخلّ بالأمن (٦) يقصف؛ يعربد؛ يحيا حياة مستهترة ×(٧) ينفق (الوقتَ أو المالَ) بطيش.

to run ~ (١) يحيا حياةً مستهترة؛ يطلق العنان لنزواته متجاوزاً كلَّ حدّ (٢) ينمو بوفرة بالغة.

riot act *(n.)* (١) *cap.* قانون الشَّغَب: قانون صدر في انكلترة عام ١٧١٥ واعتبر كلّ اجتماع يضمّ اثني عشر شخصاً أو أكثر بقصد الشغب جريمة يعاقب عليها القانون (٢) توبيخ أو تحذير.

riotous [rī'ət əs] *(adj.)* (١) وافر (٢) «أ» شَغَبيّ. «ب» مشاغب؛ مشترك في شَغَب (٣) مستهتر؛ خليع (٤) صاخب (~ laughter).

rip [rĭp] *(vt.; i.; n.)* (١) «أ» يشُقّ؛ يَمزِّق؛ يَشْرُط. «ب» ينشر الخشبَ في اتجاه تعرّق الألياف ×(٢) ينشقّ؛ ينمزق إلخ. (٣) «أ» يندفع بعنف. «ب» يطلق (الكلام إلخ.) عنيفاً (She ~ped out an angry oath.) §(٤) شِقّ؛ مِزْق (٥) فرس مُرْهَق عديم النفع (٦) شخص خليع أو متهتك.

riparian [rī pâr'ĭ ən; rĭ-] *(adj.)* ضِفّيّ: خاصّ بضِفّة نهرٍ الخ.

rip cord *(n.)* (١) حبل التنفيس: حَبْل إطلاق الغاز (من مُنطاد) (٢) حَبْل فتْح الباراشوت (أثناء الهبوط).

ripe[rīp] *(adj.)* (١) يانع (٢) ناضج (~ knowledge) (٣) متقدّم في السنّ (٤) ملائم؛ مؤاتٍ (The time seemed ~ to proceed.) (٥) مستعدّ (~ for mischief) (٦) مُعتَّق (~ beer) (٧) متورّد أو ريّان أو مكتنز مثل ثمرة يانعة.

ripen[rī'pən] *(vi.; t.)* (١) ينْضج ×(٢) يُنْضج (٣) «أ» يُتيِّم أو يجعله يبلغ حدّ الكمال. «ب» يعتّق (الخمرَ أو الجبن).

riposte [rĭ pōst'] *(n.; vi.)* (١) طعنة خاطفة تُوجَّه بعد تفادٍ لطعنة سابقة (في المثاقفة أو المبارزة بالسيف) (٢) جواب سريع لاذع (٣) إجراء أو تدبير انتقاميّ §(٤) يوجّه طعنة خاطفةً الخ.

ripping [rĭp'ĭng] *(adj.)* (١) فا rip (٢) ممتاز؛ رائع (ع).

ripple [rĭp'əl] *(vi.; t.; n.)* (١) يتموّج (٢) يترقرق (٣) يخرّ (الماء) ×(٤) يموّج (٥) يُرقرق §(٦) «أ» تموّج؛ ترقرُق الخ. «ب» مُوَيْجة؛ موجة صغيرة (٧) خرير الماء.

riprap [rĭp'răp'] *(n.; vt.)* (١) الدَّكّة: جدار أو أساس يُقام من حجارة متكسّرة (٢) حجارة الدَّكّة: الحجارة المستخدمة في إقامة الدكّة §(٣) يبني أو يدعم بحجارة متكسّرة.

rip-roaring [rĭp'rōr'-] *(adj.)* صاخب؛ مرِحٌ على نحوٍ صاخب.

ripsaw [rĭp'sô'] *(n.)* منشار الشقّ (لنشر الخشب في اتجاه تعرّق الألياف).

ripsaw

ripsnorter[rĭp'snôrt'-] *(n.)*=humdinger.

ripsnorting [rĭp'snôrt'-] *(adj.)* ممتاز جداً.

rise [rīz] *(vi.; n.)* (١) «أ» ينهض؛ يقوم. «ب» يستيقظ (٢) يُبعث حيّاً (٣) يثور؛ يعلن العصيان (٤) تنفضّ الجلسة أو الاجتماع (٥) يشْرِق؛ يبْزغ (٦) يصعد؛ يرتفع (٧) ينتفخ (كالعجين بفعل الخميرة) (٨) يقِفّ (الشَّعْرُ) (٩) «أ» يبلغ مرتبة أسمى. «ب» يزداد (١٠) «أ» يحْدث. «ب» ينشأ. «ج» ينْبت. «د» يبرز (للعيان) (١١) ينتج عن (١٢) يرتفع إلى مستوى المسؤولية، يثبت أنّه أهل لمواجهة ظرفٍ أو تحدٍّ ما (Our leaders *rose* ably to the occasion.) §(١٣) نهوض؛ قيام (١٤) شروق؛ بزوغ (١٥) صعود؛ ارتفاع (١٦) تقدّم؛ ارتقاء (١٧) ازدياد؛ وبخاصة: زيادة في الراتب (بر) (١٨) أصل؛ منشأ؛ مَنْبع (the ~ of a stream) (١٩) ردّ أو ردّ فعلٍ غاضب.

to give ~ to يُسبِّب؛ يُحْدِث.

riser[rī'zər] *(n.)* (١) المستيقظ من النوم (an early ~) (٢) القائمة: الجزء القائم من السلّم (المُوصِلُ بين درجتين من درجاتها).

risibility [rĭz'ə bĭl'ə tĭ] *(n.)* (١) *pl.*: الميل إلى الضحك؛ حِسّ الدعابة أو روحها (را. humor 3 *b*) (٢) ضحك؛ مرح.

risible[rĭz'ə bəl] *(adj.)* (١) ضَحُوك (٢) مُضحك (٣) ضَحِكيّ: ذو علاقة بالضحك (~ muscles *or* faculties).

rising [rī'zĭng] *(adj.; n.)* (١) ناهض الخ. (٢) طالع؛ صاعد (the ~ generation) (٣) مناهزٌ سنّاً معيّنة (She was ~ 50.) §(٤) نهوض الخ. (٥) ثورة (٦) بثْرة؛ خرّاج (ع).

risk [rĭsk] *(n.; vt.)* (١) مجازفة؛ مخاطرة (٢) خطَر (٢) الشخص أو الشيء المؤمَّن عليه بالقياس إلى إمكانيّة الخسارة الناجمة عن تأمينه (Fat men are not good ~s.) §(٣) يعرِّض للخطر (٤) يجازف؛ يخاطر.

at one's own ~, على مسؤوليته الشخصية.

at owner's ~, على مسؤولية صاحب البضاعة الخ.
to run *or* take a ~, يخاطر ؛ يعرض نفسه لخطر الأذى أو الخسارة .
risky [rĭs'kĭ] *(adj.)* (١) محفوف بالمخاطر (٢) risqué .
risotto [rē sôt'tô] *(It.)* الأرزية : أرز يطهى مع اللحم والجبن .
risqué [rĭs kā'] *(F.)* مكشوف ، غير محتشم (a ~ story) .
rite [rīt] *(n.)* (١) طقس ؛ شعيرة دينية (٢) مذهب (كن) .
ritual [rĭch'ōō əl] *(n.; adj.)* (١) طقس ؛ شعيرة (٢) مجموعة طقوس أو شعائر (٣) كتاب طقوس §(٤) طقسي ؛ شعائري .
ritualism [rĭch'ōō ə lĭz'əm] *(n.)* الطقسية : التعلق بالطقوس .
rival [rī'vəl] *(n.; adj.; vt.; i.)* (١) المنافس ؛ المزاحم (٢) الند ؛ الصنو §(٣) منافس أو متنافس §(٤) ينافس ؛ يزاحم (٥) يضارع ؛ يباري ؛ يجاري (soon ~*ed* the others in skill) ×(٦) يتنافس .
rivalry [rī'vəl rĭ] *(n.)* تنافس ؛ منافسة .
rive [rīv] *(vt.; i.)* (١) «أ» يمزق . «ب» يشق ×(٢) «أ» يتمزق . «ب» ينشق . —**river** *(n.)*
river [rĭv'ər] *(n.)* (١) نهر (٢) *pl.* : أنهار ؛ مقادير كبيرة .
riverbed [rĭv'ər bĕd] *(n.)* مجرى النهر .
riverhead [rĭv'ər hĕd'] *(n.)* منبع النهر .
river horse *(n.)* = hippopotamus.
riverine [rĭv'ə rīn'; -ər ĭn] *(adj.)* (١) نهري (٢) مقيم أو قائم على ضفة نهر .
riverside [rĭv'ər sīd'] *(n.)* ضفة النهر .
riverward *or* **riverwards** [rĭv'ər-] *(adv.; adj.)* (١) نحو النهر §(٢) قائم نحو النهر .
rivet [rĭv'ĭt] *(n.; vt.)* (١) برشام ؛ مسمار برشام §(٢) يبرشم ؛ يبجن ؛ يثبت ببرشام (٣) يثبت بإحكام (٤) يجذب أو يلفت الانتباه على نحو آسر .

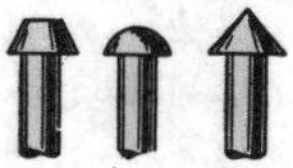

rivets

riveter [rĭv'ĭt ər] *(n.)* (١) البجان ؛ عامل البرشمة (٢) المبرشمة : ماكينة البرشمة .
rivière [rē vyĕr'] *(F.)* عقد من الماس أو غيره من الحجارة الكريمة .
rivulet [rĭv'yə lĭt] *(n.)* نهير ؛ جدول ؛ غدير .
riyal [rĭ yäl'] *(Ar.)* الريال : وحدة نقدية في المملكة العربية السعودية .
roach [rōch] *(n.)* (١) الروش : سمك نهري (٢) الصرصور ؛ بنت وردان (٣) الروشة : طرح مائي علوي خلف عوامة الطيارة المائية .
road [rōd] *(n.)* (١) المكلأ : موضع قرب الشاطئ تستطيع السفن الرسو فيه (٢) طريق .
to take the ~, يبدأ رحلة .
roadability [rōd'ə bĭl'ə tĭ] *(n.)* الطرقانية : المزايا التي يرغب في أن تجتمع للسيارة عند انطلاقها في الطرق (كالتوازن والرشاقة الخ.) .
road agent *(n.)* قاطع طريق .
roadbed [rōd'bĕd'] *(n.)* بدن الطريق : «أ» جزؤه الذي تمد فيه قضبان السكة الحديدية . «ب» جزؤه الذي تجري فيه السيارات الخ.
roadblock [rōd'-] *(n.)* (١) متراس الطريق (جن) (٢) عقبة في طريق .
road hog *(n.)* خنزير الطريق : سائق سيارة معرقل للسير .
roadhouse [rōd'hous'] *(n.)* نزل الطريق : نزل ريفي يقدم الشراب والطعام إلى رواده (وقد يرقص أو يقامر فيه أيضاً) .
road metal *(n.)* حصباء الطرق : حصباء لرصف الطرق .
road roller *(n.)* مدحلة ؛ مدحاة ؛ مرداس (لرص حجارة الطريق) .

road runner *(n.)* الجواب : طائر أميركي سريع .

road runner

roadside [rōd'-] *(n.; adj.)* (١) جانب الطريق §(٢) قائم على جانب الطريق .
roadstead [rōd'stĕd'] *(n.)* المكلأ (road I . (را .
roadster [rōd'stər] *(n.)* (١) جواد الطريق (٢) مركبة خفيفة (٣) سيارة مكشوفة ذات مقعد واحد لشخصين أو أكثر .
road test *(n.)* اختبار الطريق : اختبار عملي للسيارة يجرى في الطريق العام .
roadway [rōd'wā'] *(n.)* (١) طريق (٢) بدن الطريق : جزؤه الذي تجري فيه السيارات .
roam [rōm] *(vi.; t.; n.)* (١) يطوف ؛ يجول §(٢) طواف ؛ تجوال .
roan [rōn] *(adj.; n.)* (١) أغبر : أحمر أو كستنائي اللون مشوب ببياض §(٢) فرس أغبر (٣) الغبرة (في الخيل) .
roar [rōr] *(vi.; n.)* (١) يهدر ؛ يجأر ؛ يزأر (٢) يغني أو يصيح بأعلى الصوت (٣) يقهقه (٤) يصخب (٥) يتنفس (الفرس) تنفساً صائتاً §(٦) هدير ؛ جؤار ؛ زئير (٧) صرخة (ألم أو غضب) (٨) جلبة متواصلة (٩) قهقهة . —**roarer** *(n.)*
roaring [rōr'-] *(n.; adj.)* (١) هدير ؛ جؤار ؛ زئير (٢) تنفس الخيل الصائت §(٣) هادر ؛ عال (~ applause) (٤) مزدهر (~ trade) .
roast [rōst] *(vt.; i.; n.; adj.)* (١) يشوي (٢) يحمص (٣) «أ» يهزأ بـ . «ب» ينتقد بقسوة ×(٤) يشوى ؛ يتحمص §(٥) «أ» قطعة لحم صالحة للشي . «ب» شواء ؛ لحم مشوي (٦) اجتماع يشوى خلاله الطعام على نار مكشوفة (a steak ~ ; a corn ~) (٧) شي ؛ تحميص (٨) هزء أو انتقاد لاذع §(٩) مشوي (~ beef) .
roaster [rōs'tər] *(n.)* (١) الشواء الخ. (٢) «أ» مشواة . «ب» محمصة (٣) فروج أو خنوص صالح للشي .
rob [rŏb] *(vt.; i.)* يسلب ؛ يسرق .
robalo [rŏb'ə lō'] *(Sp.)* الروبل : سمك بحري يكثر في فلوريدا الخ.
roband [rŏb'ənd] *(n.)* الروبند : حبل يثبت به الشراع (مل) .
robbery [rŏb'ə rĭ] *(n.)* سرقة ؛ سلب ؛ لصوصية .
robe [rōb] *(n.; vt.; i.)* (١) ثوب ؛ رداء (٢) غطاء §(٣) يكسو ؛ يلبس ×(٤) يرتدي ثوباً .
robe de chambre [də shän'br] *(F.)* مبذل ؛ روب دو شامبر .
robin [rŏb'ĭn] *(n.)* أبو الحناء : طائر صغير صدره أحمر ضارب إلى الصفرة .
robin redbreast [rĕd'brĕst] *(n.)* = robin.
roble [rō'blā] *(Sp.)* سنديان كاليفورنيا الأبيض (نب) .
roborant [rŏb'ə rənt] *(adj.; n.)* (١) مقو §(٢) عقار مقو (ط) .

robin

robot [rō'bət] *(n.)* الربوط : إنسان أوتوماتيكي أو آلي .
robot bomb *(n.)* (١) القذيفة الموجهة (٢) القذيفة التلقائية .
robotization [rō bŏt ə zā'shən] *(n.)* (١) الروبطة : تحويل الانسان إلى ربوط أو إنسان أوتوماتيكي (٢) automation .
robotize [rō'bŏt īz] *(vt.)* يروبط : يجعله أوتوماتيكياً .
robust [rō bŭst'; rō'-] *(adj.)* (١) قوي ؛ نشيط (٢) غليظ ؛ غير مصقول (٣) عنيف ؛ شاق (~ exercises) .
robustious [rō bŭs'chəs] *(adj.)* (١) قوي (٢) غليظ ؛ خشن .
roc [rŏk] *(Ar.)* الرخ : طائر خرافي ضخم شديد القوة .

rocambole [rŏk'əm bōl'] *(F.)* ثُوم الصخور (نب) .

Rochelle salt [rō shĕl'] *(n.)* مِلح روشيل : مُسْهِل خفيف .

rochet [rŏch'ĭt] *(F.)* الكَتّونة : قميص الكاهن .

rock [rŏk] *(vt.; i.; n.)* (١) يُهَزْهِز ؛ يُهْزْهز ؛ يورجح . (٢) يَغْسل بهزّازة (to ~ gravel) (٣) «أ» يوقع الدوار في الرأس . «ب» يهز ؛ يقلق ×(٤) يتأرجح ؛ يترجح §(٥) اهتزاز ؛ تأرجُح (٦) صخر ؛ صخرة (٧) «أ» أساس ؛ دعامة . «ب» ملاذ ؛ مُلْتجأ (٨) *pl.* : هاوية ؛ خطر محدق (٩) *pl.* : مال ؛ نقود (١٠) كراميل (حلوى) صُلْب مُلوّن (١١) ماس ؛ ألماس (ع) .

on the ~*s* (١) على شفير الهاوية (٢) مفلس (٣) على مكعّبات جليديّة (bourbon ~) .

rock and roll [rŏk'ən rōl'] *(n.)* رقصة « الروك آند رول » .

rock and rye *(n.)* ويسكي الجاودار المنكّهة بالليمون والأناناس الخ .

rockaway [rŏk'ə wā] *(n.)* الرُكواية : مركبة جياد ذات أربع عجلات .

rockaway

rock bass *(n.)* الرُكباس : سمك نهري شماليّ أميركي .

rock bottom *(n.)* الحَضيض ، المستوى الأدنى .

rock-bottom *(adj.)* الأدنى ؛ الأقلّ (~ prices) .

rockbound [rŏk'bound'] *(adj.)* مُكْتَنَفٌ أو مطوّقٌ بالصخور .

rock brake *(n.)* خِنْشار الصخور : سَرْخَس ينمو بين الصخور .

rock crystal *(n.)* البِلّور الصخري : كوارتز شفاف عديم اللون .

rocker [rŏk'ər] *(n.)* (١) المِهزّة : إحدى الخشبتين نصف الدائريتين اللتين يهتزّ عليهما سرير الطفل الخ . (٢) كلّ ما يهتزّ على مِهزّتين (كبعض لُعَب الأطفال) (٣) الهزّازة : صندوق ذو ركائز هزّازة يستعمله المعدّنون لفصل الذهب عن التراب .

rocker arm *(n.)* الذراع المتأرجح أو المترجّح (مك) .

rocket [rŏk'ĭt] *(n.; vt.; i.)* (١) الجِرْجير ؛ الكثّاة : بقلة يؤكل ورقها على شكل « سلطة » (٢) سَهْم ناريّ (٣) صاروخ (٤) قنبلة أو قذيفة صاروخيّة §(٥) ينقل بصاروخ ×(٦) يرتفع أو ينطلق كالصاروخ .

rocket bomb *(n.)* القنبلة الصاروخيّة .

rocketeer [rŏk ə tĭr'] *(n.)* الصاروخيّ : «أ» مطلق أو قائد أو راكب الصاروخ . «ب» العالِم المتخصص في عِلم الصواريخ .

rocket launcher *(n.)* مُطلِقة الصواريخ ؛ قذّافة الصواريخ .

rocket plane *(n.)* الطائرة الصاروخيّة .

rocket propulsion *(n.)* الدَّفع الصاروخي .

rocketry [rŏk'ĭt rĭ] *(n.)* عِلم الصواريخ .

rocket ship *(n.)* المركبة الصاروخيّة : مركبة مُسيّرة بالصواريخ قادرة على الانطلاق خارج جوّ الأرض .

rockfish [rŏk'fĭsh] *(n.)* السمك الصخري : سمك يألف الاعماق الصخرية .

rock garden *(n.)* الحديقة الصخريّة : حديقة مُنشأة بين الصخور ، أو مزخرفة بالصخور ، مُعَدّة لنموّ بعض أنواع النبات .

rocking chair *(n.)* الكرسيّ الهزّاز .

rocking horse *(n.)* حصان خشبيّ هزّاز .

rock 'n' roll [rŏk'ən rōl'] *(n.)* رقصة « الروك آند رول » .

rock oil *(n.)* النِفْط ؛ البترول .

rocking chair

rock-ribbed [rŏk'rĭbd'] *(adj.)* (١) صخريّ ؛ كثير الصخور (٢) «أ» قويّ ؛ ثابت ؛ راسخ . «ب» عنيد .

rock salt *(n.)* ملح الصخور .

rockshaft [-'shăft] *(n.)* عمود إدارة مترجّح أو متأرجح (مك) .

rockweed [rŏk'wēd] *(n.)* عُشْب الصخور (نب) .

rock wool *(n.)* الصوف الصخريّ : مادة عازلة تتألف من ألياف شبه صوفيّة تُصنع من الصخر المصهور .

rocky [rŏk'ĭ] *(adj.)* (١) صخريّ : «أ» مؤلف من صخور . «ب» كثير الصخور (٢) متحجّر (your ~ heart) (٣) ثابت ؛ راسخ ؛ كالصخر (٤) متزعزع ؛ متقلقل ؛ متهزهز (a ~ table) (٥) ضعيف ؛ مترنّح (من السكْر الخ .) ؛ مصاب بدوار (٦) صعب ؛ كثير الصعاب (٧) فاحش ؛ داعر (a ~ story) .

rococo [rə kō'kō] *(n.; adj.)* (١) الرَكوكو : أسلوب في التزيين وفن العمارة يتميّز بالزخرفة البالغة ، وقد راج في النصف الأول من القرن الـ ١٨ §(٢) رَكوكيّ (٣) مفرط الزخرفة أو التعقيد .

rod [rŏd] *(n.)* (١) «أ» عود ؛ قضيب . «ب» عصا . «ج» عقوبة . (٢) صنّارة صيد (٣) قضيب معدنيّ أو خشبيّ (٤) «أ» صولجان . «ب» عصا المارشاليّة ونحوها . «ج» قوة ؛ سلطة ؛ استبداد (٥) القَصَبة : مقياس للطول يساوي ٥٫٥٠ ياردة أو ٥٫٠٢٩ متراً (٦) الفَخِذ : فرعٌ من قبيلة أو أسرة (٧) العَصَوية : جرثومة عَصَوية الشكل (٨) مُسدَّس (ع) .

to have a ~ in pickle for somebody يعدّ لفلان عقوبة قاسية ينزلها به عندما تسنح الفرصة .

to spare the ~, يمتنع عن إنزال العقوبة بمن يستحقّها .

rode [rōd] *past of* ride.

rodent [rō'dənt] *(adj.; n.)* (١) قارض ؛ قاضم (٢) قوارضيّ : ذو علاقة بالقوارض §(٣) القارض : كلّ حيوان ثديّ صغير من رتبة القوارض **Rodentia** التي تشمل الجرذان والسناجيب وما إليها .

rodenticide [rō dənt'ə sīd] *(n.)* مُبيد القوارض .

rodeo [rō'dĭ ō'] *(Sp.)* (١) سَوْق الماشية (٢) الرُّديو : «أ» مباراة (أو عرض للبراعة) تُجرى بين رعاة البقر . «ب» مباراة شبيهة بالرُّديو .

rodlike [rŏd'līk] *(adj.)* عُوداني : شبيه بعُود الخ .

rodman [rŏd'-] *(n.)* الشاخِصيّ : مساعِد للمسّاح يحمل الشاخِص .

rodomontade [rŏd'ə mŏn tād'] *(n.; adj.; vi.)* (١) تفاخر أو تباهٍ فارغ §(٢) متفاخِر ؛ متباهٍ §(٣) يتفاخر ؛ يتباهى .

roe [rō] *(n.)* (١) أنثى الظبي أو الأيّل أو الأرنب (٢) الرَّوّ ؛ اليحمور (را. roe deer) (٣) البطارخ : بيوض السمك وهي في الغشاء المبيضيّ .

roebuck [rō'-] *(n.)* الرَّوّ ؛ وبخاصة : ذكر الروّ (را. roe deer) .

roe deer

roe deer *(n.)* الرَّوّ ؛ اليحمور : ضربٌ من الأيائل .

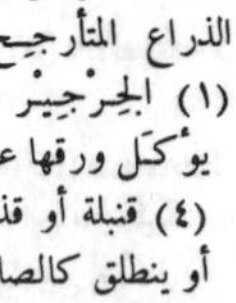

roentgen [rĕnt'gən] *(n.; adj.)* (١) الرونتجين : الوحدة الدوليّة لأشعة اكس §(٢) رونتجينيّ : خاص بأشعة رونتجن أو أشعة اكس (~ examinations) .

roentgenize [rĕnt'gə-] *(vt.)* يُرَنْتِج : يُعرِّض لأشعة رونتجن .

roentgenogram; roentgenograph [rĕnt'-] *(n.)* الصورة الرونتجينية : صورة بأشعة اكس .

roentgenography [rĕnt'gə nŏg'-] *(n.)* التصوير بأشعة اكس .

roentgenology [rĕnt'gə nŏl'ə jĭ] *(n.)* الرونتجنولوجيا : فرع من عِلم الأشعة يبحث في استخدام أشعة اكس لتشخيص الأمراض ومعالجتها .

roentgenotherapy [rĕnt'gən ō thĕr'ə pĭ] *(n.)* المعالجة الرونتجينية؛ المعالجة بأشعة اكس.

Roentgen rays [rĕnt'gən] *(n. pl.)* أشعّة اكس.

rogation [rō gā'-] *(n.)* ابتهال (في الأيام الثلاثة السابقة لعيد الصعود).

Rogation Days *(n. pl.)* أيام الابتهال (الثلاثة السابقة لعيد الصعود).

roger [rŏj'ər] *(interj.)* (١) حَسَنٍ (عأ) (٢) اسْتُلِم (عأ).

rogue [rōg] *(n.; vi.; t.)* (١) المتشرد (٢) «أ» الوغد ؛ المحتال ؛ التافه من النّاس. «ب» الشرّير ؛ المؤذي؛ الخبيث (٣) فرس حَرُون (٤) الشاذّ : فردٌ مختلف عن السويّ اختلافاً ملحوظاً ، وذو مستوى أدنى منه عادةً (أح) §(٥) يتشرّد ؛ يحيا حياة المتشرد×(٦) يخدع؛ يحتال على (٧) يستأصل أو يُتلف (النباتات) غير الصالحة (٨) يحرر من مثل هذه النباتات (~*d* the field).

rogue elephant *(n.)* الفيل المتشرد : فيل يَشْرُدُ عن قطيعه.

roguery [rō'gə rĭ] *(n.)* التشرّد ؛ الاحتيال ؛ الخبث ؛ اللؤم.

rogues' gallery *(n.)* سجلّ المجرمين : مجموعة من صُوَر المجرمين (في إدارة الشرطة).

roguish [rō'gĭsh] *(adj.)* متشرّد ؛ احتياليّ ؛ خبيث ؛ لئيم.

roil [roil] *(vt.)* (١) «أ» يُعكّر. «ب» يُقلق ؛ يزعج (٢) يُغضب.

roily [roi'lĭ] *(adj.)* (١) كدِر ؛ مُوْحِل (٢) مَغيظ ؛ مغضب.

roister [rois'tər] *(vi.)* (١) يَصْخَب (٢) يقصف؛ يعربد.

role *also* **rôle** [rōl] *(F.)* (١) دَوْر (٢) وظيفة.

roll [rōl] *(n.; vt.; i.)* (١) «أ» دَرْج؛ رقّ. «ب» وثيقة رسمية (keeper of the ~*s*). «ج» مخطوطة. «د» كشف ؛ بيان ؛ قائمة (٢) «أ» لفّة (نسيج أو ورق الخ.). «ب» تسريحة يُلَفّ فيها بعضُ الشَّعر أو كلّه أو يُجعّد (٣) «أ» قرص؛ رغيف. «ب» لفّة أسطوانيّة من أوراق التبغ. «ج» لفّة أوراق نقديّة (٤) «أ» دولاب لرسم الخطوط الزخرفيّة على أغلفة الكتب عند تجليدها. «ب» أسطوانة الآلة الكاتبة (٥) «أ» قرع الطبول. «ب» صوت عالٍ. «ج» قصف الرعد أو المدافع (٦) تدفّقٌ إيقاعيّ في الكلام (٧) تموّج (٨) دحرجة؛ تدحرج (٩) تمايلٌ ؛ ترنّح §(١٠) يُدَحرج (١١) «أ» يغلّف. «ب» يلفّ ؛ يطوي (١٢) «أ» يسوّي؛ يمهّد؛ يُملّس. «ب» ينشر شيئاً ملفوفاً (كسجّادة الخ.) (١٣) «أ» يسيّر على دواليب. «ب» يُعمل ؛ يجعله يبدأ العمل أو الحركة (~*ed* the cameras) (١٤) يقرع الطبل ×(١٥) «أ» يتدحرج. «ب» يتقلّب في نعمة أو ثراء (was ~*ing* in money) (١٦) «أ» تكرّ (الأيّام أو السنون الخ.). «ب» ينقضي ؛ ينصرم. «ج» تتقلّب العينُ (ناظرةً في اتجاه بعد آخر على نحو متواصل). «د» يدور. «هـ» يدور على محور (١٧) يطوف ؛ يجول (١٨) يتدفّق (The money was ~*ing* in.) (١٩) يتموّج (٢٠) ينبسط ؛ ينتشر ؛ يمتدّ (٢١) «أ» يسافر في عربة. «ب» يجري على عجلات (٢٢) يقصف (الرعدُ الخ.) (٢٣) يتمايل ؛ يترنّح (٢٤) يتكوّر ؛ يتخذ شكل كرة أو أسطوانة (٢٥) «أ» يبدأ في الحركة أو العمل. «ب» يندفع إلى الأمام.

- ~ of honor : سجلّ الشرف : قائمة بأسماء شهداء الوطن.
- to ~ back : (١) يخفّض سعر سلعة إلى مستواه السابق (من طريق السيطرة الحكوميّة) (٢) يَصُدّ ؛ يَرُدّ.
- to ~ out : ينهض من فراشه.
- to ~ up : (١) يجمع ؛ يركم (٢) يتضخّم ؛ يتراكم. (٣) يصل ؛ يلتحق بجماعة.
- to strike off the ~*s* : يَطرُد من جمعيّة الخ.

rollback [rōl'-] *(n.)* (١) تخفيض سعر سلعة إلى مستواه السابق (من طريق السيطرة الحكوميّة) (٢) صدّ ؛ ردّ.

roll call *(n.)* التفقّد : المناداة على الأسماء لمعرفة المتغيّبين.

roller [rō'lər] *(n.)* (١) فا roll (٢) بكَرَة ؛ أسطوانة ؛ أُسْطِينة ؛ دُحروجة (٣) مِدْحاة ؛ مِحْدلة ؛ مِرداس (٤) موجة طويلة (٥) الشقِرّاق : طائر أصغر من الحمامة.

roller bearing *(n.)* محمِل أُسَيْطِينات ؛ كرسيّ تحميل للأُسَيْطِينات (ملك).

roller coaster *(n.)* الأفعوانيّة : سكة حديد مرتفعة (في مدينة للملاهي) تتلوّى وتنخفض، وتجري فوق قضبانها عربات صغيرة.

roller skate *(n.)* المِزْلَجة المعجَّلة : مِزْلَجة ذات عجلات للتزحلق على سطح غير جليديّ.

roller skate

roller towel *(n.)* المِنشفة الدوّارة : مِنشفة طويلة موصولة الطرفين تدور على بكرة معلّقة.

roll film *(n.)* فيلمٌ ملفوف (لأخذ سلسلة من الصور الساكنة).

rollick [rŏl'ĭk] *(vi.; n.)* (١) يَمْرَح §(٢) مَرَحٌ.

rolling pin [rō'lĭng] *(n.)* شَوبك ؛ مِرقاق (العجين).

rolling stock *(n.)* المُعَدّات الدارجة : قاطرات السكّة الحديديّة وحافلاتها.

rolltop desk [rōl'tŏp] *(n.)* المكتب ذو الغطاء اللفّاف : منضدة كتابة ذات غطاء لفّاف مؤلّف من أضلاع خشبية متوازية.

rolypoly [rō'lĭ pō'lĭ] *(n.)* (١) الكعكة الملفوفة : ضرب من الحلوى المحشوّة بالمربّى أو الفاكهة (٢) شخص أو شيء قصيرٌ ممتلىء.

roli-poli *(adj.)* قصيرٌ ممتلىء الجسم (a ~ girl).

Romaic [rō mā'ĭk] *(n.; adj.)* (١) اللغة اليونانيّة الحديثة. §(٢) خاصّ باللغة اليونانيّة الحديثة.

romaine [rō mān'] *(n.)* الخسّ المِلْعقيّ : خسّ ذو أوراق طويلة ملْعقية الشكل.

Roman [rō'mən] *(n.; adj.)* (١) الرومانيّ : أحد أبناء رومة. (٢) الكاثوليكيّ : أحد أتباع الكنيسة الرومانيّة الكاثوليكيّة (٣) *not cap.* : الحرف الروماني : شكل مستقيم من أشكال الحرف اللاتينيّ §(٤) رومانيّ (٥) لاتينيّ (٦) كاثوليكيّ (٧) أعقف قليلاً (~ nose).

roman à clef [rô män'ä klĕ'] *(F.)* القصة المُقنّعة : قصة تصوّر أشخاصاً حقيقيّين وأحداثاً واقعيّة في أسلوب روائيّ مقنّع.

Roman candle *(n.)* الشمعة الرومانيّة : ضرب من الألعاب الناريّة يتألف من أنبوب يُطلِق وابلاً من الشرر وسلسلةً متلاحقةً من الكُرات الناريّة.

Roman Catholic *(adj.; n.)* (١) كاثوليكيّ §(٢) الكاثوليكيّ : أحد أتباع الكنيسة الرومانيّة الكاثوليكيّة.

Roman Catholicism *(n.)* الكَثْلَكَة.

romance [rō măns'] *(n.; vi.; t.; adj.)* (١) الرومانس : «أ» قصة شعريّة أو نثريّة من قصص القرون الوسطى قوامها الأسطورة أو الحب الشريف أو المغامرات الفروسيّة. «ب» قصة نثريّة ذات أبطال خياليين وأحداث قصيّة من حيث الزمان والمكان يغلب عليها الطابع البطوليّ أو المغامر. «ج» رواية غراميّة (٢) قصّة مختَلَقَة أو مُلَفّقة (٣) الروح أو العاطفة أو الصفة الرومانتيكية (٤) قصة غرام عنيف (٥) *cap.* : اللغات الرومانسيّة (أي الناشئة عن اللاتينيّة) §(٦) يلفق القصص والاخبار (٧) يفكّر أو يتحدّث بلغة رومانتيكية (٨) يبالغ ؛ يكذب

×(٩) «يمثّل» قصة حبّ عنيف مع ... §(١٠).cap: رومانسيّ: ذو علاقة باللغات الرومانسيّة (أي الناشئة عن اللاتينية) .

romancer [-'ər] *(n.)* (١) كاتبِ الرومانس (را. المادة السابقة) . (٢) ملفّق القصص والأخبار الكاذبة أو المغالى فيها .

Romanesque [rō'mə nĕsk'] *(n.; adj.)* (١) الرومانيسك: طراز في فنّ العمارة رَاجَ في أوروبة في أوائل القرون الوسطى بين عَهْدَيْ فنّ العمارة الروماني وفنّ العمارة القوطي §(٢) رومانيسكيّ .

roman-fleuve [rô män' flœv'] *(F.)* الروايةُ النّهر : رواية طويلة تستعرض حياة أسرة (بأجيالها) أو مجتمع أو طائفة اجتماعيّة .

Romanian [rōō mā'nĭ ən] *(n.; adj.)* (١) الروماني : أحد أبناء رومانيا (٢) الرومانيّة : لغة أبناء رومانيا §(٣) روماني .

Romanic[rō măn'ĭk] *(adj.; n.)* (١)رومانسيّ: مشتقّ من اللاتينيّة (كالفرنسيّة والإيطاليّة) (٢) روماني §(٣) لغة رومانسيّة .

Romanism [rō'mə nĭz'əm] *(n.)* الكثلكة (بمعنىً ازدرائي عادةً) .

Romanist [rō'mən ĭst] *(n.)* (١) كاثوليكيّ (بمعنى ازدرائيّ عادةً) (٢) الاختصاصيّ بلغة روما القديمة أو ثقافتها أو شرائعها.

—**Romanist** *or* **Romanistic** *(adj.)*

romanize [rō'mə nīz'] *(vt.)* (١) .cap عد : يُرَوْمِن؛ يُلَتِّن : يجعله رومانياً أو لاتينياً (٢) يكتب أو يطبع بالأحرف الرومانيّة.

Roman numerals الأرقام الرومانيّة (I, II, III, etc..) .

Romano[rō măn'ō] *(It.)* الرومانو : ضرب من الجبن الحادّ القاسيّ .

romantic [rō măn'tĭk] *(adj.; n.)* (١) «أ» خياليّ . «ب» وهميّ . «ج» غير عمليّ (ideas ~) (٢) رومانسيّ : ذو طابع فروسيّ أو بطوليّ الخ.(adventures ~) (٣) رومانتيكيّ : «أ» ذو فكرات أو مشاعر لا تمتّ إلى التجربة والحياة الواقعيّة بصلة ؛ مولَعٌ بقصص الحبّ والمغامرات (a ~ person) . «ب» منسوب إلى الرومانتيكية (را. romanticism). «ج» متّقِد؛ مشبوب العاطفة §(٤)شخص رومانتيكي (٥) .pl : فكرات رومانتيكية .

romanticism[rō măn'tə sĭz'-] *(n.)* الرومانتيكيّة: «أ» الاتجاهات أو الخصائص الرومانتيكيّة بصورة عامة . «ب» .cap عد : حركة أدبيّة وفنيّة وفلسفيّة نشأت في القرن الثامن عشر كردّ فعل ضدّ « الكلاسيكيّة المُحدَثة » . وقد تميّزت بالتأكيد على الخيال والعاطفة ، وبالنزعة إلى تصوير الخِبرات الذاتيّة وتمجيد الانسان العادي، وبحبٍّ للطبيعة الخارجيّة وميْلٍ إلى الكآبة.

romanticize [rō măn'tə sīz'] *(vt.; i.)* (١) يجعله رومانتيكياً. ×(٢) يحمل فكرات رومانتيكية (٣) يصور بطريقة رومانتيكيّة .

Romany [rŏm'ə nĭ] *(n.; adj.)* (١) الغجريّ: واحد الغَجَر . (٢) الغَجَرية : لغة الغجر §(٣) غَجَرِيّ .

Romish[rō'mĭsh] *(adj.)* (١)روميّ: منسوب إلى روما (٢) كاثوليكيّ .

romp [rŏmp] *(vi.; n.)* (١) «أ» يَقْصِف؛ يلهو على نحو صاخب. «ب» يَمْرَح (٢) يعدو بسرعة ومن غير جهد (بحيث يفوز في سباق) §(٣) فتاةٌ لعوب (٤) قَصْفٌ ؛ مَرَح صاخب (٥) عَدْوٌ رشيق ضامنٌ للفوز .

romper [rŏm'pər] *(n.)* (١) فا romp (٢) .pl عد : ثوب خارجيّ فضفاض (يرتديه الأطفال) .

rondeau [rŏn'dō]; **rondel** [rŏn'dəl] *(F.)* قصيدة ذات ١٣ بيتاً وقافيتين (عر) .

rondo [rŏn'dō] *(It.)* الرُنْدَة : مقطوعة موسيقيّة يتكرّر فيها النغم الرئيسيّ بين حين وآخر .

rondure [rŏn'jər] *(F.)* (١) دائرة (٢) استدارة .

rontgen [rĕnt'gən] *(n.; adj.)* = roentgen.

rood [rōōd] *(n.)* (١) صليب يمثّل المسيح مصلوباً (٢) الرُّود: «أ» مقياس للأراضي يساوي رُبْع أكْر . «ب» مقياس للطول يساوي ٧ أو ٨ ياردات.

roof [rōōf; rŏŏf] *(n.; vt.)* (١) «أ» سَقْف ؛ سَطح بيت أو سيّارة الخ. «ب» بيت (٢) قمة ؛ ذروة §(٣) يَسْقُف (٤) يظلّل (٥) يؤوي .

to raise the ~ , يُحْدِث ضجّة شديدة (داخل الجدران)

roof garden *(n.)* حديقة السطح : «أ» حديقة في سطح بيت أو مبنىً . «ب» مطعم أو مسرح في سطح مَبْنَى .

roofing [rōōf'ĭng] *(n.)* (١)تسقيف (٢)مواد التسقيف (٣)سقف.

roofless [rōōf'-] *(adj.)* (١) لا سقف له (٢) شريد ؛ بلا مأوى .

rooftop [rōōf'tŏp] *(n.)* سَقْف؛ وبخاصة : سقف بيت .

rooftree [rōōf'-] *(n.)* (١) ridgepole (٢) سقف (٣) بيت .

rook [rŏŏk] *(n.; vt.)* (١) الغُداف ؛ غُراب القَيْظ (طا) . (٢) المخادع ؛ المحتال (٣) الرخ (في الشطرنج) §(٤) يخدع ؛ يحتال على .

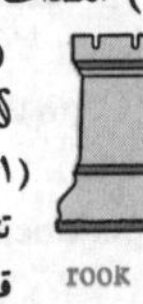

ROOK 3

rookery [rŏŏk'ə rĭ] *(n.)* (١) «أ» المَغْدَفَة : موضعٌ تتوالد فيه الغِدفان أو غيرِها من الطير . «ب» بيتٌ قذر مؤلف من شقق متعددة مزدحِمة بالسكان أو مجموعةٌ من هذه البيوت (٢) جماعةٌ من الغِدفان .

rookie [rŏŏk'ĭ] *(n.)* (١) المجنَّد الجديد (٢) المبتدىء في حقل ما.

rooky [rŏŏk'ĭ] *(adj.)* مُغْدَف : كثير الغِدفان أو غِربان القيظ .

room [rōōm] *(n.; vi.; t.)* (١) مُتَّسَع ؛ حَيِّز ؛ مكان . (٢) «أ» حجرة ؛ غرفة. «ب» مَنْ في الحجرة(The whole ~ wept.) (٣) مجال (for argument *or* doubt ~)§(٤) يَسْكن ؛ يقيم ×(٥) يؤوي ؛ يُسْكِن .

roomer [rōōm'ər] *(n.)* = lodger.

roomette [-ĕt'] *(n.)* حُجَيْرَة النَّوْم الخصوصية (في حافلة قطار) .

roomful [rōōm'fŏŏl] *(n.)* مِلء غرفة : المقدار أو العدد الكافي لمَلء غرفة (a ~ of furniture *or* men) .

roominess [rōōm'ĭ nĭs] *(n.)* اتّساع ؛ رحابة .

rooming house *(n.)* = lodging house.

roommate [rōōm'māt'] *(n.)* رفيق الحجرة : أحد شخصين أو أكثر يسكنون حجرةً واحدة .

roomy [rōōm'ĭ] *(adj.)* متّسِع ؛ رَحْب ؛ فسيح .

roorback [rŏŏr'băk] *(n.)* افتراء (بغية التشهير بخصمٍ سياسيّ) .

roost [rōōst] *(n.; vi.)* (١) «أ» مَجْثَم الطائر . «ب» جماعة من الطير جاثمةٌ معاً (٢) مسكن ؛ مأوى §(٣) يَجْثم (٤) يبيت؛ وبخاصةٍ ليلةً واحدة .

rooster [rōōs'tər] *(n.)* (١) ديك (٢) شخص مغرور أو مختال .

root [rōōt] *(n.; vt.; i.)* (١) جِذر («نب» و «ر» و «ل») . (٢)أصل ؛ مصدر (Selfishness is the ~ of all evil.) (٣)لُبّ ؛ جوهر (the ~ of the matter) (٤) اساس ؛ قاعدة ؛ قعر §(٥) «أ» يُجذِّر ؛ يؤصِّل . «ب» يرسّخ ؛ يثبّت في مكان ×(٦) يتجذّر ؛ يمدّ جذورَه في الأرض ؛ يتأصّل ؛ يترسّخ (٧) يقلب (الخنزير) التربة بفنطيسته (٨) ينقّب (٩) يشجّع (متبارياً) بالهتاف له (١٠) يناصر أو يتمنّى النجاح لِ .

~ and branch تماماً ؛ كُلّيّةً ؛ اصلاً وفرعاً .

to ~ out (١) يستأصل؛ يقتلع ؛ ينتزع (٢) يبرز للنور .

to take *or* strike ~, يتجذّر ؛ يتأصّل ؛ يترسّخ .

rootage [rōōt'ĭj] *(n.)* تجذُّر ؛ تأصُّل ؛ ترسُّخ .

root beer *(n.)* جعة الجذور : شرابٌ غازيّ او فوّار مُنكّهٌ بخلاصات الجذور والأعشاب .

root hair *(n.)* الجِذْرُ الشَّعْريّ (نب) .

rootless [rōōt'lĭs] *(adj.)* عديم الجذور ؛ بلا جذور .

rootlet [rōōt'lĭt] *(n.)* الجُذَيْر : جِذر صغير .

rootstalk [rōōt'stôk'] *(n.)* = rhizome.

rootstock [rōōt'stŏk] *(n.)* (١) rhizome (٢) جذر تطعيم (نب) .

rooty [-'ĭ] *(adj.)* (١) كثير الجذور (٢) جِذرانيّ : شبيه بالجذور .

rope [rōp] *(n.; vt.; i.)* (١) حَبْل (٢) «أ» حبل المشنقة . «ب» الموت شنقاً (٣) كتلة دَبِقَة متمغّطة §(٤) يقيّد او يطوّق أو يثبّت أو يقسم بحبل (٥) يُغْري ؛ يُغوي ×(٦) ينفتل ؛ يتخذ شكل حبل (٧) يشكّل كتلةً دبقة متمغّطة .

to give somebody plenty of ~ , يمنحه قَدْراً وافراً من حريّة العمل أو التصرّف .

to know (learn etc.) the ~s يعرف (أو يتعلم الخ.) الشروط والقواعد الخاصة بحقل من الحقول .

ropedancer ; ropewalker [rōp'-] *(n.)* البَهْلَوان : الراقص على الحبل .

ropewalk [rōp'wôk'] *(n.)* مصنع الحبال .

ropeway [rōp'wā] *(n.)* الطريق الحبليّ : طريق مؤلّفٌ من حبْل منصوب أو حبلين منصوبين .

ropy [rō'pĭ] *(adj.)* (١) لَزِج ؛ دبق ؛ غَرَويّ (٢) حَبْلانيّ ؛ كالحَبْل : «أ» نحيل . «ب» مفتول العضل .

—**ropiness** *(n.)*

roque [rōk] *(n.)* الرُّكْ : لعبة بالكرات الخشبية .

Roquefort cheese *(n.)* جبن الروكفورت : جبن حادّ النكهة .

roquelaure [rŏk'ə lōr] *(F.)* الروكلور : معطف رِجاليّ .

rorqual [rôr'kwəl] *(F.)* الهِركُول : حوت ضخم .

Rorschach [rōr'shäkh] *(n.)* اختبار للشخصيّة والذكاء (نف) .

Rosaceae *(n. pl.)* الوَرْديّات ؛ الفصيلة الوردية (نب) .

rosaceous [rō zā'shəs] *(adj.)* وَرْدِيّ : «أ» من الفصيلة الوردية . «ب» كالوردة . «ج» ورديّ اللون .

rosaniline [rō zăn'ə lĭn; -lēn] *(n.)* الرّوزانيلين : صِبغ أحمر (ك) .

rosarian [rō zăr'ĭ ən] *(n.)* زارع الورود .

rosary [rō'zə rĭ] *(n.)* (١) سُبْحَة ؛ مَسْبَحَة (٢) سلسلة صلوات (كن) (٣) حديقة ورد ؛ مَسْكَبة ورد .

roscoe [rŏs'kō] *(n.)* مُسدَّس (ع) .

rose [rōz] *past of* rise.

rose [rōz] *(n.; adj.)* (١) «أ» وَرْد . «ب» وردة (٢) شيء على شكل وردة: «أ» قرص البوصلة (را. compass card) . «ب» حلية وبخاصة على حذاء. «ج» ماسة أوجوهرة (٣) امرأة فائقة الحُسْن (٤) اللون الورديّ §(٥) ورديّ .

under the ~, يسراً ؛ في الخفاء .

roseate [rō'zĭ ĭt; -āt'] *(adj.)* (١) ورديّ (٢) متفائل .

rosebay [rōz'bā'] *(n.)* = oleander.

rose cold *(n.)* = rose fever.

rose-colored [rōz'kŭl'ərd] *(adj.)* (١) ورديّ اللون (٢) متفائل .

rose fever *(n.)* حُمّى الورد : ضَرْبٌ من حُمّى القشّ يتفشّى في الربيع أو مطلع الصيف (مض) .

rosemary [rōz'mâr'ĭ] *(n.)* إكليل الجبل ؛ حَصَى البان : نبات عَطِر من الفصيلة الشفويّة .

rose of Jericho [jĕr'ə kō] *(n.)* وَرْدُ أريحا (نب) .

rose of Sharon [shăr'ən] *(n.)* ورد شارون (نب) .

roseola [rō zē'ə lə] *(L.)* الطّفْح الورديّ ؛ وبخاصة : الحصبة الألمانية .

roseolar [-'ə lər] *(adj.)* طَفْحِيْوَرْديّ : متعلّق بالطّفْح الورديّ .

rosery [rōz'(ə) rĭ] *(n.)* حديقة ورد .

Rosetta stone [rō zĕt'ə] *(n.)* حجر رشيد : حجر اكتُشِف عام ١٧٩٩ في رشيد بمصر يحمل نقوشاً متوازية باليونانيّة والهيروغليفية المصرية ممّا ساعد على حلّ رموز هذه الأخيرة .

rosette

rosette [rō zĕt'] *(F.)* الوَرْدِيّة : شيء على شكل وردة ؛ وبخاصة : حِلية معماريّة ورديّة الشكل .

rose water *(n.)* ماء الورد .

rosewater [rōz'wô'tər] *(adj.)* (١) ماوَرْديّ : ذو رائحة كرائحة ماء الورد (٢) رقيق أو لطيف بتكلّف .

rose window

rose window *(n.)* النافذة الورديّة : نافذة مستديرة مخرّمة .

rosewood [rōz'wŏŏd] *(n.)* خشب الورد : «أ» خشب جميل ورديّ اللون يؤخذ من بعض الأشجار الاستوائية ويستخدم في صنع الأثاث . «ب» شجر يُؤْخَذ منه خشب الورد .

Rosicrucian [rō'zə krōō'shən] *(n.; adj.)* (١) الروزيكروشيّ : عضو جمعيّة سرّيّة اشتهرت في القرنين الـ ١٧ والـ ١٨ وزعمت أنها تملك معرفة سريّة للطبيعة والدين §(٢) روزيكروشيّ .

rosily [rō'zə lĭ] *(adv.)* (١) بلون ورديّ (٢) بابتهاج ؛ بتفاؤل .

rosin [rŏz'ĭn] *(n.; vt.)* (١) راتينج القَلَفُونيّة : مادّة صفراء صلبة تتخلّف عند تبخير التّربنتينا من راتينج الصنوبر ، وتُمسَح بها أقواس الكمنجات وأحذية البهلوانيين لمنعها من الانزلاق §(٢) يكسو أو يمسح براتينج القلفونيّة .

rosiness [rō'zĭ nĭs] *(n.)* تورّد الخ . (را. rosy) .

rosinous [rŏz'ĭn əs] *(adj.)* محتوٍ على (أو شبيهٌ بـ) راتينج القلفونيّة .

roster [rŏs'tər] *(n.)* (١) جدول الخدمة : قائمة بأسماء الضباط والجنود وأدوارهم في الخدمة (جن) (٢) قائمة ؛ جدول .

rostral [rŏs'trəl] *(adj.)* (١) مِنبَريّ (٢) مِنقاريّ .

rostrate [rŏs'trāt] *(adj.)* (١) ذو منبر (٢) ذو منقار .

rostrum [rŏs'trəm] *(L.)* pl. **-trums** *or* **-tra** (١) منبر خطابة (٢) «منقار» سفينة حربيّة قديمة (٣) منقار (أح) .

rosy [rō'zĭ] *(adj.)* (١) ورديّ (٢) متورّد (٣) مشرق ؛ باسم (٤) متفائل (has a ~ future ahead) (~ anticipations) .

rot [rŏt] *(vi.; t.; n.)* (١) يتعفّن ؛ يَفْسد (٢) يبلى ؛ يهترئ ؛ ينتخر (٣) يفسد أو يتفسّخ (أخلاقياً) ×(٤) يُفْسِد ؛ يبلي الخ . (٥) يعطّن الكتانَ (را. ret ١) §(٦) تعفُّن ؛ فساد الخ . (٧) داء متلِف لأنسجة الخراف والنباتات (٨) هُراء .

rota [rō'tə] *(L.)* (١) roster (٢) *cap.* : محكمة الاستئناف الاكليركية العليا (كث) .

Rotarian [rō târ'ĭ ən] *(n.)* الروتاريّ : عضو في أحد نوادي الروتاري .

rotary 4.

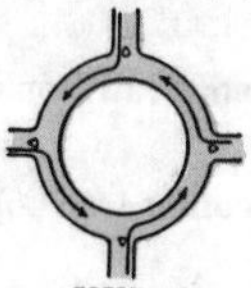

rotary [rō'tə rĭ] *(adj.; n.)* (١) دوّار ؛ دائر على محور (٢) دَورانيّ ؛ رَحَويّ (~ motion) §(٣) ماكينة دَورانيّة (٤) الملتقَى الدوّار : ملتقَى طُرُقٍ حول دائرة مركزيّة يتّخذ فيها السير وجهة واحدة فقط .

Rotary Club *(n.)* نادي الروتاري : منظمة دوليّة أنشئت في شيكاغو عام ١٩٠٥ شعارها : «الخدمة» .

rotary cultivator *(n.)* المِحراث الدّوّرانيّ .

rotary engine *(n.)* المحرّك الدوراني .

rotary press *(n.)* الطابعة الدوّارة أو الرَّحَويّة .

rotary-wing aircraft *(n.)* الحوّامة ؛ الهليكوبتر (طي) .

rotate [rō'tāt] *(adj.; vi.; t.)* (١) دولابيّ الشكل (~ flowers) §(٢) يدور (على محور أو مركز) (٣) يتناوب ؛ يتعاقب (في أداء عمل ما) ×(٤) يدير (على محور أو مركز) (٥) يزرع على نحو متناوب أو متعاقب (٦) يناوب ؛ يعاقب ؛ يراوح .

rotation [rō tā'shən] *(n.)* (١) «أ» دَوَران . «ب» دورة . (٢) «أ» تعاقب . «ب» مناوبة (٣) تدوير ؛ إدارة .

in ~, على التناوب أو التعاقب .

~ of crops المناوبة بين المحاصيل : تغيير المحاصيل في الحقل الواحد إبقاءً على خصوبة التربة .

rotational [rō tā'shən əl] *(adj.)* دَوَراني .

rotative [rō'tə tiv] *(adj.)* (١) دوّار ؛ دائر على محور . (٢) دَوَرانيّ (٣) متعاقب (٤) مدير ؛ مدوِّر ؛ مسبِّب للدوران .

rotator [rō'tā tər] *(n.)* (١) الدوّار (٢) المدير ؛ المدوِّر ؛ مسبِّب الدوران ، وبخاصة : العضلة المُدِيرة (ت) .

rotatory[rō'tə tōr'ī]*(adj.)* (١) دورانيّ (~ motion) (٢) دوّار (٣) متعاقب ؛ متناوب (٤) مدير ؛ مدوِّر ؛ مسبِّب للدوران .

rote [rōt] *(n.)* (١) الرُّوت : آلة موسيقيّة قديمة تشبه القيثارة . (٢) «أ» الصمّ : استظهارٌ من غير فهم (to learn by ~) . «ب» روتين (٣) الهدير : صوت تكسّر الأمواج على الشاطىء .

rotifer [rō'tĭ fər] *(n.)* الدوّار ؛ الدولابيّ : حيوان من الدوّارات أو الدولابيّات **Rotifera** وهي طائفة حيوانات مجهرية مائيّة .

—rotiferal *(adj.)*

—rotiferan *(n.; adj.)*

rotifer

rotisserie [rō'tĭs'ə rī] *(F.)* (١) المَشْوَى : مطعم الشواء أو اللحم المشوي (٢) مِشْواة .

rotl [rŏt'əl] *(Ar.)* pl. **artal** [är'täl] رِطْل .

roto [rō'tō] *(n.)* = rotogravure.

rotogravure [rō'tə grə vyōōr'] *(n.)* (١) «أ» التصوير الروتوغرافي . «ب» طبعةٌ بالروتوغراف (٢) الصفحات الروتوغرافية (من جريدة) .

rotor [rō'tər] *(n.)* الدوّار ؛ وبخاصة : الدوّار (في ماكينة كهربائية) .

rotorcraft ; rotor plane *(n.)* = rotary-wing aircraft.

rototill [rō'tə tĭl] *(vt.)* يحرث (الأرضَ) بمحراث دَوَرانيّ .

rototiller [rō'tə tĭl ər] *(n.)* المحراث الدَّوَرانيّ .

rotten [rŏt'ən] *(adj.)* (١) نَتِن ؛ فاسد (~ eggs) (٢) فاسد (أخلاقياً) ؛ وبخاصة : قابلٌ للرشوة (٣) رديء أو بغيض جداً (~ work) (٤) حقير (~ snobs) (٥) مرهَق ؛ متعَب (~ feeling) .

rottenstone [rŏt'ən stōn'] *(n.)* الحجر الحَرِض : حجر جيريّ منحلّ يستخدم في الصَّقل .

rotter [rŏt'ər] *(n.)* شخص رديء أو بغيض جداً (ع) .

rotund[rō tŭnd']*(adj.)* (١) مستدير (٢) طنان (٣) ممتلىء الجسم .

rotunda [rō tŭn'də] *(It.)* (١) مبنًى مستدير ، وبخاصة : مبنى تعلوه قبة . (٢) قاعة مستديرة .

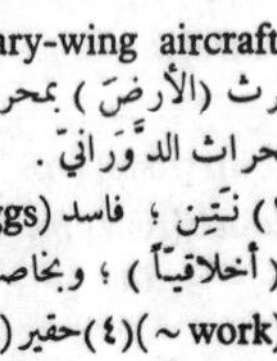

rotunda

roturier [rô ty ryĕ'] *(F.)* العاميّ : شخص غير نبيل النسب .

rouble [rōō'bəl] *(n.)* = ruble.

roué[rōō ā']*(F.)* الخليع ؛ الفاسق ؛ المتهتك .

rouge [rōōzh] *(n.; vt.; i.)* (١) الأحمر : مستحضَر تجميليّ للوجنتين والشفتين (٢) أحمر الصَّقل : مسحوق أحمر لصقل المعادن §(٣) يُحَمِّر ×(٤) يحمرّ (٥) يستعمل أحمر التجميل الخ.

rouge et noir [rōōzh'ĕ nwär'] *(F.)* الأحمر والأسود : لعبة قمار (بورق اللعب) .

rough [rŭf] *(adj.; n.; vt.; i.)* (١) «أ» خشِن : غير أملس أو مستوٍ (~ stone) . «ب» أهلب ؛ قاسي الشعر (a ~ hog) . «ج» وعر (~ roads) (٢) «أ» مضطرب ؛ هائج (~ sea) . «ب» عاصف (~ weather) . «ج» قاسٍ (~ life in a camp) . «د» شاقّ (~ work) (٣) «أ» أجشّ ؛ غير مُستساغ في الأذن (~ sounds) . «ب» فظّ ؛ غير مهذّب (~ manners) . «ج» خام ؛ غير مصقول (~ diamonds) (٤) «أ» تحضيري (a ~ draft) . «ب» تقريبيّ (~ estimate) . «ج» استقرابيّ ؛ غير مكمَّل ؛ مُنجَز كمحاولة أولى (a ~ drawing) §(٥) أرض وعرة أو مكسوّة بأعشاب لم تُشذَّب (٦) الجانب أو المظهر القاسي أو البغيض من أي شيء (٧) خطوط عريضة ؛ رسم أوليّ أو استقرابيّ (٨) شخص فظّ أو جِلف §(٩) يُخشِّن الخ. (١٠) يخاشن : يعامل بخشونة (أثناء اللعب الخ.) (١١) «أ» يُعِدّ بطريقة أوليّة أو استقرابيّة. «ب» يرسم الخطوط العريضة أو الرئيسية لِـ (~ *ed* out the structure of a building) ×(١٢) يَخشُن الخ. (١٣) يتخاشن : يسلك مسلكاً فظّاً (١٤) يتخشّوشن ؛ يحيا حياةً خالية من أسباب الراحة والرفه (They ~ *ed* it all month long.) .

in the ~, (١) تقريباً (٢) في حالته الأوليّة أو الخام .

roughage [rŭf'ĭj] *(n.)* الطعام الخشن : طعام خشن (كالنخالة) يثير بخشونته التمعّج اللاإراديّ في جدران الامعاء .

rough-and-ready [rŭf'ən rĕd'ĭ] *(adj.)* (١) استقرابيّ ؛ صالح لمجرّد «تمشية الحال» (~ methods) (٢) فظ ولكنه فعال (~ men) .

rough-and-tumble [rŭf'ən tŭm'bəl] *(adj.)* خشِن ؛ عنيف ؛ متّسِم بقسوة غير متقيّدة بنظام أو ضابط (a ~ fight) .

roughcast [rŭf'kăst'] *(n.; vt.)* (١) نموذج أوليّ أو استقرابيّ . (٢) تخشينة : طلاء (الجدار الخ.) §(٣) يكسو (الجدار) بتخشينة طلاء (٤) يُعِدّ أو يشكّل على نحو أولي أو استقرابيّ (to ~ a novel) .

roughdry [rŭf'drī'] *(vt.)* يجفف (الملابس بعد غسلها) من غير كيّ .

roughen [rŭf'ən] *(vt.; i.)* (١) يُخشِّن الخ. ×(٢) يَخشُن الخ.

roughhew [rŭf'hū'] *(vt.)* (١) يقطع (الأخشابَ الخ.) من غير صقل (٢) roughcast 4.

roughhouse [rŭf'hous'] *(n.)* شجار أو لعِب خشِن صاخب وبخاصة بين نزلاء غرفة (ع) .

—roughhouse *(vt.; i.; adj.)*

roughish [rŭf'ĭsh] *(adj.)* خشن أو هائج الخ . قليلاً .

roughly[rŭf'lĭ]*(adv.)* (١) بخشونة أو قسوة أو فظاظة الخ. (٢) تقريباً .

roughneck [rŭf'nĕk'] *(n.)* شخص جلف أو فظّ أو غليظ .

roughness [rŭf'-] *(n.)* خشونة الخ. .

roughrider [rŭf'rī'-] *(n.)* (١) «أ» مروِّض جياد. «ب» المتمرِّس بركوب الجياد غير المروَّضة (٢) خيّال غير نظامي .

roughshod [rŭf'shŏd'] *(adj.)* مُخشَّن النعل : مزوَّد بنعل ناتىء المسامير وقايةً له من الانزلاق (a ~ horse) .

to ride ~ over يُخاشن ؛ يقسو على ؛ يعامله بخشونة .

roulade [rōō läd'] *(F.)* (١) الرُّولاد : تعاقب نغماتٍ سريع في مقطع واحد (في الغناء) (٢) الشريحة الملفوفة : شريحة لحم ملفوفة على حشوة أو من غير حشوة .

rouleau [rōō lō'] *(F.)* pl. **-leaux** لفّة ، وبخاصة : قِطع نقديّة ملفوفة بغلاف ورقيّ .

ă at; ā date; â care; ä car; ĕ egg; ē me; ĭ in; ī bite; ŏ lot; ō bone; ô orphan; oi boil ŏŏ good; ōō boot; ou out; ŭ under; ū unity; û urgent; th thing; th this; zh vision; ə = *a* in alone, *e* in system, *i* in easily, *o* in gallop, *u* in circus.

roulette [rōō lĕt'] *(F.)* . (١) الروليت : لعبة قمار. (٢) الدَّحْرُوجَة : دولاب صغير مسنَّن لإحداث سلسلة من النقاط (على الصفائح المعدنيّة) أو من الثقوب (على الورق) (٣) سلسلة الثقوب الفاصلة بين طابع بريدي وآخر .

roulette 2.

Roumanian [rōō mā'nĭ ən] *(n.; adj.)* = Romanian.

round [round] *(adj.; adv.; prep.; n.; vt.; i.)* . (١) «أ» مستدير. «ب» كرويّ ؛ أسطواني ؛ مبروم (٢) ممتلئ الجسم (short and ~) (٣) تامّ (a ~ dozen) (٤) مدوَّر : معبَّر عنه بالعشرات أو المئات أو الألوف أو نحوها (in ~ numbers) (٥) صحيح تقريباً (a ~ guess) (٦) ضخم (a ~ sum) (٧) صريح (in good ~ terms) (٨) دائريّ (a ~ dance) (٩) «أ» كامل ؛ مكمَّل : متمَّم على نحو بالغ حدَّ الكمال. «ب» رشيق ؛ نشيط (a ~ trot) (١٠) جَهْوَري (a ~ voice) § (١١) «أ» حول. «ب» دائرياً. «ج» بطريق أطول . «د» من شخص الى آخر . «هـ» هنا وهناك §(١٢) طوالَ (~ the year) (١٣) الى مختلف اجزاء المدينة الخ. §(١٤) دائرة ؛ كرة ؛ حلقة (١٥) الرقصة الحلقية (را. round dance 1) (١٦) أغنية قصيرة (ينشدها عدة أشخاص أو جماعات بعضهم إثرَ بعض) (١٧) «أ» درجة المِرقاة أو السلّم النقّالة. «ب» رافدة الكرسي (المدعِّمة لاثنتين من قوائمها) (١٨) «أ» ممرّ أو مجاز دائريّ. «ب» حركة دائريّة (١٩) دورة الحارس (يقوم بها من نقطة معيَّنة ثم يرجع إلى تلك النقطة وهكذا) (٢٠) الجولة : «أ» سلسلة من الزيارات المهنيّة يقوم بها الطبيب (أو الممرضة) لمرضى المستشفيات . «ب» سلسلة مماثلة من الزيارات المعتادة . «ج» جرعة شراب تقدَّم الى كل من افراد الجماعة (٢١) سلسلة من الأحداث أو الأعمال الروتينيّة المتكررة (٢٢) دَوْرة (زمنية) (٢٣) «أ» طلقة . «ب» إطلاق جماعي للنار (من قبل عدة جنود في وقت واحد) (٢٤) مدى ؛ نطاق (the ~ of human knowledge) (٢٥) دورة ؛ جولة (رِب) (٢٦) تصفيق حادّ (٢٧) قطعة من لحم البقر §(٢٨) يدوِّر ؛ يجعله مستديراً (٢٩) يدور أو ينعطف حول (٣٠) يطوِّق (٣١) «أ» يُتِمّ . «ب» يَصقُل ×(٣٢) «أ» يستدير ؛ يصبح مدوَّراً . «ب» يصبح ممتلئ الجسم (٣٣) يكتمل ؛ يتمّ .

~ the - clock : متواصل ؛ مستمر ؛ دائم ٢٤ ساعة.
in the ~ , : ذو مسرح يحيط به النظّارة من جميع جهاته.
~ about ; somewhere ~ , : حوالى ؛ تقريباً.
to get ~ a person : يخدعه او يقنعه بكذا (من طريق التملّق).
to go the ~ of : ينتقل (الخبرُ الخ.) من شخص إلى آخر.
to go the ~*s*; to make one's ~*s* : يقوم بدوريّة .
to ~ off : يُتِمّ ؛ يختِم ؛ يتوِّج حياته (بعملٍ ما) .
to ~ on *or* upon : يهاجم .
to ~ up : (١) يجمع الماشية بالطِّراد (را. roundup) (٢) يجمع الشملَ أو الشَّتات .
to sleep the clock ~ , : ينام اثنتي عشرة ساعة أو أكثر.
to take it all ~ , : ينظر إلى المسألة من مختلف زواياها.

roundabout [-'ə bout'] *(n.; adj.)* (١) طريق ملتوية أو غير مباشرة. (٢) merry-go-round (٣) سُترة قصيرة ضيقة للرجال والصبيان (في القرن التاسع عشر) §(٤) ملتوٍ ؛ غير مباشر.

round angle *(n.)* الزاوية التامة (٣٦٠ درجة).

round clam *(n.)* = quahog.

round dance *(n.)* (١) الرقصة الحَلَقيّة : رقصة شعبيّة بشكل حلقة فيها الراقصون حلقةً ويتحرّكون في اتجاه مرسوم (٢) الرقصة الدورانيّة : رقصة يدور فيها الراقصون ، أزواجاً أزواجاً ، حول الحجرة.

rounded [roun'dĭd] *(adj.)* (١) مدوَّر ؛ مكوَّر (٢) «أ» مصقول. «ب» كامل (٣) تقريبيّ .

roundel [roun'dəl] *(n.)* (١) شيء مدوَّر أو دائريّ ؛ وبخاصة : حليّة أو نافذة الخ. مدوّرة (٢) rondeau .

roundelay [roun'də lā'] *(n.)* أغنية أو قصيدة ذات لازمة متكررة.

rounder [roun'dər] *(n.)* (١) «أ» المُسْرِف ، المبذِّر. «ب» مدمن الخمرة. «ج» المجرم المحترف (٢) *pl.* : لعبة إنكليزية شبيهة بالبايسبول (٣) «أ» فا round. «ب» المدوِّرة : أداة لتدوير حافة او سطح (٤) مباراة في الملاكمة (تستمرّ عدداً معيَّناً من الجولات).

roundheaded [round'hĕd'id] *(adj.)* مدوَّر الرأس .

roundhouse [round'hous'] *(n.)* (١) المبنى الدائريّ (لإيواء القاطرات وإصلاحها) (٢) القَمْرة الخلفيّة : قَمْرة (حجرة) في القسم الخلفي من سطح السفينة .

roundish [roun'-] *(adj.)* مستدير قليلاً ؛ مستدير بعضَ الشيء .

roundlet [round'-] *(n.)* دائرة صغيرة ؛ شيء دائريّ صغير .

roundly [round'lĭ] *(adv.)* (١) على نحو مستدير الخ. (٢) برشاقة ؛ بنشاط (٣) بصراحة ؛ بقسوة (٤) تماماً .

round robin *(n.)* (١) «أ» العريضة الحَلَقيّة : عريضة احتجاجية تُذَيَّل بتوقيعات متخِذةً شكلَ دائرة لكي لا يُعرف مَن الذي وقّعها أولاً . «ب» بيان موقَّع من عدة أشخاص (٢) المائدة المستديرة (را. round table) (٣) المباراة المستديرة : مباراة يُنازِل فيها كلٌّ من المتبارين كلَّ متبارٍ آخر (٤) سلسلة .

roundsman [roundz'mən] *(n.)* (١) الموزِّع : شخص يطوف بالبيوت لتوزيع الحليب أو الخبز الخ . (٢) المفتِّش ؛ المراقب .

round table *(n.)* المائدة المستديرة : «أ» مؤتمر يُعقَد حول مائدة مستديرة للمداولة في قضيّة ما . «ب» المشاركون في هذا المؤتمر .

round trip *(n.)* الرحلة الانكفائيّة : رحلة يُقام بها إلى مكانٍ ما ثم يُرجَع إلى نقطة الانطلاق عبر الطريق نفسها عادةً .

roundup [round'ŭp'] *(n.)* (١) «أ» الطِّراد : جَمْعُ الماشية بركوب الخيل من حولها وسَوْقها إلى جهة معيَّنة. «ب» الأشخاص (والخيل) المشاركون في ذلك . «ج» جَمْع شمل او شتات (٢) موجَز .

roundworm *(n.)* الدودة المدوَّرة : دودة طفيليّة من رتبة الديدان السِّلكيّة كثيراً ما توجد في أمعاء الانسان .

roup [rōōp] *(n.)* (١) خانوق الطيور (٢) بُحّة (في الصوت) .

rouse [rouz] *(vi.; t.; n.)* (١) يستيقظ (٢) تَنْهَض (الطريدةُ) مذعورةً من مجثمها أو مخبأها ×(٣) يثير ؛ يحرِّض (٤) يوقظ §(٥) استيقاظ (٦) دقّة الإيقاظ (جن) .

rousing [rou'zĭng] *(adj.)* (١) مثير (a ~ speech) (٢) ناشط (a ~ trade) (٣) مذهل ؛ مُدهِش (a ~ lie) .

roustabout [rous'tə bout'] *(n.)* (١) عامل غير بارع في (سفينة أو حقل بترول) (٢) عامل في سيرك (ينصب الخيامَ ويقوِّضها الخ.).

rouster [rous'tər] *(n.)* = roustabout.

rout [rout] *(n.; vi.; t.)* (١) حَشْد ؛ وبخاصة : الرَّعاع ، الدَّهماء. (٢) اضطراب ؛ شَغَب (٣) حفلة ؛ استقبال (٤) هزيمة منكرة §(٥) تخور (البقرةُ) (٦) يقلب (الخنزيرُ) التربة بفنطيسه (٧) ينقِّب أو يبحث كيفما اتفق ×(٨) يطرد (تتبعها *out*) (٩) يحفر ؛ يخدِّد (١٠) يوقظ (١١) يكتشف (١٢) يهزم هزيمةً منكَرة .

route [rōōt] *(n.; vt.)* (١) «أ» طريق . «ب» مَسْلَك ؛ قناة . §(٢) يوجِّه ؛ يُرسِل ؛ يُسيِّر (٣) يُعِدّ وينجز (معاملةً) .

en ~, في الطريق ؛ على الطريق .

route march *(n.)* السَّير الطليق (جن) .

router [rou'tər] *(n.)* (١) فا rout (٢) مِسحاج التخديد .

router [rōō'tər] *(n.)* (١) فا route (٢) طويل النَفَس : فرس مدرَّب على خوض السباقات الطويلة .

routine [rōō tēn'] *(n.; adj.)* (١) الروتين : طريقة محدَّدة تجري على وتيرة واحدة في عمل الأشياء (٢) كلامٌ معادٌ ؛ صيغةٌ مكرورة (٣) «نمرة» مسرحية تكرَّر باستمرار §(٤) مبتذَل (٥) روتينيّ ؛ وتيريّ ؛ رتيب (~ methods) .

routinism [rōō tē'niz əm] *(n.)* الروتينيّة ؛ الوتيريّة : «أ» التمسك بالروتين . «ب» النظاميّة الميكانيكيّة في العمل .

routinize [rōō tē'nīz] *(vt.)* يُرَوْتِن : يجعله روتينياً أو وتيرياً .

roux [rōō] *(F.)* الرُّو : مزيج مَطهوّ من دقيق ودُهن .

rove [rōv] *(vi.; t.; n.)* (١) يطوف ؛ يجول §(٢) طوّاف ؛ تجوال .

rove [rōv] *past and past part. of* reeve.

rover [rō'vər] *(n.)* (١) الطائف ؛ المتجوّل (٢) القُرصان (٣) سفينة قُرصان .

row [rō *for* 1,3-6,8-10; rou *for* 2,7,11] *(vi.; t.; n.)* (١) يجذِّف (٢) يتشاجر ×(٣) يكون ذا عددٍ معيّنٍ من المجاذيف (The ceremonial barge ~*ed* 14 oars.) (٤) يشترك في سباق تجذيف (٥) ينقل بمركب ذي مجاذيف (٦) يصفّ ؛ يصفّف (٧) يوبّخ §(٨) تجذيف (٩) صفّ (١٠) طريق ؛ شارع (١١) شجار .

a hard ~ to hoe مهمّةٌ عسيرة .

to get into a ~, يُوبَّخ ؛ يُعنَّف .

to make (kick up) a ~ يشاجر ؛ يقيم الدنيا ويقعدها .

rowan [rō'ən] *(n.)* (١) غُبَيراء الحابلين ؛ شجرة السُّمَّن : نبات أحمر الثمار (٢) ثمر غُبَيراء الحابلين (ويدعى أيضاً **rowanberry**) .

rowboat [rō'bōt'] *(n.)* مركب أو زورق تجذيف .

rowdily [rou'dĭ lĭ] *(adv.)* بفظاظة ؛ بشكاسة الخ .

rowdy [rou'dĭ] *(adj.; n.)* (١) فظّ ؛ مشاكس ؛ محبّ للخصام §(٢) شخص فظّ أو مشاكس أو محبّ للخصام .

—rowdyish *(adj.)*

rowel [rou'əl] *(n.; vt.)* (١) ناخسة المهماز : دولاب صغير حادّ الأسنان في طرف المهماز §(٢) يَنْخَس .

R

R. rowel

rowen [rou'ən] *(n.)* = aftermath 1.

rowlock [rō'lŏk] *(n.)* = oarlock.

royal [roi'əl] *(adj.; n.)* (١) مَلَكيّ (٢) فخم ؛ ضخم ؛ ممتاز (٣) هيّن §(٤) أيِّل (٥) شراع صغير (٦) المَلَكيّ : قياس من الورق (٢٠ × ٢٥ أو ١٩ × ٢٤ إنشاً) .

royal blue *(n.)* الأزرق المَلَكيّ : لون أزرق ضارب الى الأرجواني .

royalism [roi'əl ĭz əm] *(n.)* = monarchism.

royalist [roi'əl ĭst] *(n.; adj.)* (١) المَلَكيّ : المؤيّد للحكم الملكيّ (٢) مليك رجعيّ من ملوك المال والأعمال §(٣) مَلَكيّ .

royal jelly *(n.)* العسَل المَلَكيّ .

royally [roi'-] *(adv.)* على نحوٍ مَلَكيّ أو رائع .

royal palm *(n.)* النَّخل الملكيّ : نخل طويل ذو جذع ضاربٍ لونُه إلى البياض (يُزرع للتزيين عادةً) .

royal purple *(n.)* الأرجواني الملكي : لون أرجواني داكن مُحْمَرّ .

royalty [roi'əl tĭ] *(n.)* (١) الملكيّة (٢) نُبل (٣) ضريبة (٤) «أ» أسرة أو شخصية ملكيّة . «ب» طبقة (من الناس) ذات امتياز (٥) الجُعالة ؛ الجُعْل : مبلغ من المال يُدفع إلى المؤلف (أو المخترع) عن كلّ نسخة (أو سلعة) مبيعة من كتابه (أو اختراعه) .

-rrhagia لاحقة معناها : نزفٌ (metro*rrhagia*) .

-rrhea *also* **-rrhoea** لاحقة معناها : دفْق (diar*rhea*) .

-rrhine *or* **-rhine** لاحقة معناها : ذو أنف من نوع معيّن .

-rrhiza = -rhiza.

rub [rŭb] *(vi.; t.; n.)* (١) يحتكّ بكذا (أو يضغط على كذا) أثناء حركته (The door ~*s* on the floor.) (٢) يواصل سيره بصعوبة (We have no money, but we shall ~ along.) (٣) ينمحي ×(٤) «أ» يفرك . «ب» يَصْقُل . «ج» يحكّ . «د» يمحو ؛ يُزيل (٥) يُسْخِط ؛ يثير ؛ يُغضب §(٦) «أ» عدم استواء (في سطحٍ ما) . «ب» صعوبة ؛ مشكلة ؛ عقبة (There is the ~.) (٧) توبيخ ؛ سخرية ؛ نقد لاذع (٨) فَرْك ؛ صقل ؛ حكّ ؛ مَحْو .

to ~ down يدلك (الجسم) .

to ~ it in يواصل ذكر شيء غير مستحَبّ (ع) .

to ~ off يزيل أو يزول بالحكّ الخ.

to ~ the right way يُرضي ؛ يُهَدِّئ .

to ~ the wrong way يضايق ؛ يغضب .

rub-a-dub [rŭb'ə dŭb'] *(n.)* قَرْع الطبول .

rubasse [rōō băs'; -bäs'] *(F.)* الروباس : كوارتز داكنُ الحمرة .

rubber [rŭb'ər] *(n.; vi.)* (١) «أ» فا rub . «ب» مِمحاة . (٢) مطاط (ويدعى أيضاً **India rubber**) (٣) كَلُوش (را. galosh) (٤) مباراة مؤلّفة من ثلاث دورات عادةً يكسبها الفريق الذي يفوز بدورتين (٥) الجولة الحاسمة (في لعبة ما) §(٦) يتلع عنقه أو يدير رأسه (لينظر إلى شيء) .

rubber cement *(n.)* اللِّصاق أو اللَّصوق المطّاطيّ .

rubber check *(n.)* الشيك المردود أو المرتدّ : شيك يردّه البنك لفقدان الرصيد .

rubberize [rŭb'ə rīz] *(vt.)* يكسو ؛ يُمطِّط ؛ يعالِج بالمطاط أو يُشبع بالمطاط أو بمحلول مطاطيّ .

rubberlike [rŭb'ər-] *(adj.)* مطاطيّ ؛ كالمطّاط (في مرونته الخ.) .

rubberneck [rŭb'ər nĕk'] *(n.; vi.)* (١) الفضوليّ ؛ محبّ الاستطلاع (٢) السائح §(٣) ينظر بفضول (٤) يسيح (في البلاد) .

rubber plant *(n.)* شجرة المطّاط .

rubber stamp *(n.)* (١) ختم مطاطيّ ؛ ختم كاوتشوك . (٢) «أ» المقلّد أو المحاكي لغيره ؛ المردّد لأقوال الآخرين ترديداً ببغائياً . «ب» الموافق على برنامج أو سياسة من غير تفكير أو مناقشة (٣) «أ» كليشيه أو تعبير مبتذل (تعوزه الأصالة أو الشخصيّة) . «ب» موافقة روتينيّة .

rubber-stamp [rŭb'ər stămp'] *(vt.)* (١) يختم بختم كاوتشوك . (٢) يوافق روتينياً (من غير تفكير أو مناقشة) .

rubbery [rŭb'ə rĭ] *(adj.)* مطاطيّ ؛ كالمطّاط .

rubbish [rŭb'ĭsh] *(n.)* (١) نُفاية (٢) سَقَطُ المتاع (٣) هُراء .

rubble [rŭb'əl] *(n.)* (١) الإنْلَب ؛ الدَّبْش : قِطَع غير مصقولة من كُسارة الحجارة (٢) مَبْنًى من الإنْلَب (٣) كُسارة أيّ مادّة صلبة (كالجليد ونحوه) .

rubblework [-wûrk] *(n.)* البناء الإنْلَبيّ : مَبنًى من دَبْش .

rubdown [rŭb'-] *(n.)* التدليك : دَلْك شديد للجسم (بعد الحمام) .

rube [rōōb] *(n.)* ريفيّ أخرق .

rubefacient [rōō'bə fā'shənt] *(adj.; n.)* (١) مُحمِّر (للجلد الخ.) §(٢) المحمِّر : علاج يُحدث احمراراً في الجلد .

rubella [rōō bĕl'ə] *(L.)* الحصبة الألمانيّة (مض) .

ă at; ā date; â care; ä car; ĕ egg; ē me; ĭ in; ī bite; ŏ lot; ō bone; ô orphan; oi boil ŏŏ good; ōō boot; ou out;

rubellite [rōō bĕl'īt] *(L.)* . الروبِلَيت : تورمالين أحمر (مع) .

rubeola [rōō bē'ə lə] *(L.)* . (١) الحصبة (٢) الحصبة الألمانية (مض) .

Rubicon [rōō'bə kŏn'] *(n.)* (١) روبيكون : نُهَير في شمالي ايطاليا كان يشكّل جزءاً من الحدود بين الجمهوريّة الرومانيّة والولايات التابعة لها . وقد اجتازه يوليوس قيصر — عام ٤٩ ق. م. — مشعلاً بذلك نار الحرب الأهليّة التي جعلته سيّد روما (٢) حدّ ؛ تَخْم . to pass *or* cross the ~, يجتاز الروبيكون : يتّخذ قراراً خطيراً لا سبيل إلى الرجوع عنه .

rubicund [rōō'bə kŭnd'] *(adj.)* . أحمر أو ضارب إلى الحُمرة .

rubidium [rōō bĭd'ĭ əm] *(L.)* الروبيديوم : عنصر فلزي فضيّ اللون يشبه البوتاسيوم .

rubiginous [rōō bĭj'ə nəs] *(adj.)* . صدىء ؛ ذو لون أحمر صدىء .

rubious [rōō'bĭ əs] *(adj.)* أحمر ؛ أحمرُ داكن .

ruble [rōō'bəl] *(Russ.)* . الروبل : وحدة النقد في الاتحاد السوفياتي .

rubric [rōō'brĭk] *(L.)* (١) عنوان فصل مطبوعٌ بحبر أحمر أو بحروف خاصّة (٢) «أ» اسم ؛ عنوان ؛ وبخاصة : عنوان قانون . «ب» قاعدة من قواعد القيام بالخدمة الدينية (the ~s of the Mass) (٣) قاعدة ؛ سُنّة ؛ عادة .

rubrical [rōō'brə kəl] *(adj.)* (١) «أ» أحمر . «ب» مؤشَّر تحته بالأحمر . «ج» مطبوع أو مكتوب بحروف خاصة (٢) خاصّ بقواعد القيام بالخدمة الدينية في الكنائس .

rubricate [rōō'brə kāt] *(vt.)* (١) يلوّن أو يؤشّر (تحت الكلام) بالحبر الأحمر (٢) يزوّد بقواعد خاصة بالقيام بالخدمة الدينية .

ruby [rōō'bĭ] *(n.; adj.)* (١) «أ» ياقوت . «ب» ياقوتة . «ج» «حجر» من أحجار الساعة (٢) «أ» الياقوتيّ : اللون الأحمر الداكن «ب» شيء ياقوتيّ اللون §(٣) ياقوتيّ اللون .

ruche [rōōsh]; **ruching** [rōō'-] *(F.)* . كَشْكَش (للملابس النساء) .

ruck [rŭk] *(n.; vt.; i.)* (١) حَشْد (٢) مجموعة (٣) ثَنْيَة ؛ غَضَن §(٤) يثني ؛ يغضّن ×(٥) يتثنّى ؛ يتغضّن .

rucksack [rŭk'săk'] *(G.)* = knapsack.

ruction [rŭk'shən] *(n.)* . (١) شجار (٢) اضطراب ؛ هياج .

rudbeckia [rŭd bĕk'ĭ ə] *(L.)* . الرُدْبَكِيّة : عُشْبة من المُركّبات .

rudd [rŭd] *(n.)* . الرُّدّ : سمك نهري من فصيلة الشَّبابيط .

rudder [rŭd'ər] *(n.)* . (١) دَفّة ؛ سُكّان (المركب أو الطائرة) (٢) الموجِّه ؛ الهادي ؛ الضابط .

rudderpost; rudderstock [rŭd'-] *(n.)* . عاضد الدفّة أو السُّكان .

ruddle [rŭd'əl] *(n.; vt.)* (١) المَغْرة الحمراء §(٢) «أ» يصبغ بالمغرة الحمراء . «ب» يُحَمِّر .

ruddleman [rŭd'əl-] *(n.)* . بائع المَغْرة الحمراء .

ruddock [rŭd'ək] *(n.)* . أبو الحِنّاء (را. robin) .

ruddy [rŭd'ĭ] *(adj.)* (١) متورّد اللون (٢) أحمر ؛ ضارب إلى الحمرة . —**ruddily** *(adv.)* —**ruddiness** *(n.)*

rude [rōōd] *(adj.)* (١) «أ» خام ؛ طبيعي . «ب» بدائيّ . «ج» بسيط (٢) «أ» جاهل . «ب» غليظ ؛ غير أنيق . «ج» فظّ ؛ جِلف ؛ غير مهذّب . «د» متوحش . «هـ» بذيء (~ words) (٣) خشن ؛ غير موسيقي (٤) غِرّ ؛ تعوزه الدُّربة أو البراعة (٥) جيّد ؛ قويّ (~ health) (٦) عنيف (a ~ shock) . —**rudeness** *(n.)*

rudiment [rōō'də-] *(n.)* (١) *pl.* : مبادىء (~s of law) (٢) «أ» البداءة : شيء في مرحلة بدائية ؛ عضو غير تامّ النموّ . «ب» بقايا أو آثار عضو (أح) .

rudimental; rudimentary [rōō'də mĕn'-] *(adj.)* (١) ابتدائيّ ؛ أوّليّ (٢) «أ» بدائيّ ؛ غير متطوّر . «ب» أثريّ ؛ متخلّف .

rue [rōō] *(vt.; i.; n.)* . (١) يأسف ؛ يندم §(٢) أسفٌ ؛ ندمٌ (٣) السَّذاب ؛ الفَيْجن : نبتة طبية ذات اوراق مُرّة .

rueful [rōō'fəl] *(adj.)* . (١) مُحزِن ؛ يُرثى له (٢) حزين ؛ كئيب .

rufescent [rōō fĕs'ənt] *(adj.)* . ضارب إلى الحمرة .

ruff 1 *b.*

ruff [rŭf] *(n.; vt.; i.)* (١) الرّاف : «أ» سمك نهري . «ب» طوق رقبة مكشكش كان يرتديه الرجال والنساء في أواخر القرن ١٦ وأوائل القرن ١٧ . «ج» طوق ريش حول عنق الطائر . «د» طائر مائيّ تتميّز ذكوره في فترة معيّنة بأطواق ريشية حول أعناقها (٢) إلقاء الورقة الرابحة (في ورق اللعب) §(٣) يلعب الورقة الرابحة .

ruffed grouse *(n.)* . الطَّيْهوج المطوّق : طائر شمالأميركي .

ruffed grouse

ruffian [rŭf'ĭ ən] *(n.; adj.)* . (١) شخص وحشيّ §(٢) وحشيّ .

ruffle [rŭf'əl] *(vt.; i.; n.)* (١) يزعج ؛ يكدّر . (٢) ينفش (الطائر) ريشه عند الغضب الخ . (٣) «أ» يقلّب (صفحات الكتاب) بسرعة . «ب» يخلط (ورق اللعب) (٤) يغضّن ؛ يجعّد (٥) يُكَشْكِش : يجعل من القماش كَشكَشاً أو يزوّد الثوب بكشكش (٦) يقرع الطبلَ قرعاً خفيضاً ×(٧) يتغضّن (٨) يتكدّر §(٩) كدرٌ ؛ انزعاج (١٠) اضطراب ؛ تشوّش (١١) تغضّن ؛ تجعّد (١٢) «أ» كشكش . «ب» طوق ريش (حول عنق الطائر) (١٣) قرعُ طبل خفيض .

rufous [rōō'fəs] *(adj.)* . ضاربٌ إلى الحمرة .

rug [rŭg] *(n.)* . (١) سجادة ؛ بساط (٢) «أ» بطانية . «ب» دثار غليظ .

ruga [rōō'gə] *(L.)* pl. **-e** [-gī; -gē; -jē] . جَعْدَة ؛ غَضَن .

rugate [rōō'gāt; -gĭt] *(adj.)* . متجعّد ؛ متغضّن .

Rugby [rŭg'bĭ] *(n.)* الرُّكْبيّ : ضرب من كرة القدم

rugged [rŭg'ĭd] *(adj.)* (١) وَعْر (~ ground) (٢) عاصِف . (٣) «أ» متجعّد ؛ مخدّد (her ~ face) . «ب» صارم ؛ دالّ على القوة والعزم (٤) «أ» كالح ؛ متجهّم . «ب» قاسٍ (to lead a ~ life) . «ج» فظّ ؛ جِلف ؛ غير مهذّب (٥) قويّ البنية . —**ruggedly** *(adv.)*

ruggedize [rŭg'ə dīz] *(vt.)* . يُمتّن : يجعله أكثر متانة أو ديمومة .

rugose [rōō'gōs] *(adj.)* (١) مخدّد ؛ متجعّد (her ~ cheeks) (٢) غائر العروق : ذو عروق غائرة ، مع ارتفاع في الأجزاء التي بينها (a ~ leaf) .

Ruhmkorff coil [rōōm'kôrf] *(n.)* = induction coil.

ruin [rōō'ĭn] *(n.; vt.; i.)* (١) «أ» خراب ؛ دمار ؛ انهيار صحيّ أو أخلاقيّ أو اجتماعي . «ب» فقر ؛ إفلاس (٢) *pl.* عد : بقايا ؛ خرائب (٣) سبب الخراب أو الانهيار (Drink will be the ~ of my brother.) (٤) «أ» تخريب ؛ تدمير . «ب» ضرر ؛ أذى (٥) مبنى أو شيء (أو شخص) ألمّ به الخراب (أو الفقر) §(٦) يخرّب ؛ يدمر (٧) يُفقِر ؛ يُفلِس (٨) يُحبِط (٩) يسلب المرأة عفافها : يعتدي عليها ×(١٠) يتهدّم ؛ يفتقر الخ .

ruinate [rōō'ə nāt] *(vt.; adj.)* (١) يخرّب ؛ يهدّم الخ . §(٢) خرِب ؛ متهدّم .

ruined [rōō'ĭnd] *(adj.)* . خرِب ؛ متهدّم ؛ مُفلِس الخ .

ruinous [rōō'ə nəs] *(adj.)* . (١) خرِب ؛ متهدّم (٢) هدّام .

rule [rōōl] *(n.; vt.; i.)* (١) «أ» قانون ، دستور . «ب» أمر قضائي (٢) قاعدة (٣) «أ» حُكم ، سلطة . «ب» عهد (٤) «أ» محك . «ب» مِسطرة ؛ مقياس (٥) الشريط : رقيقة معدنية لطبع خط (طع) §(٦) يوجّه ؛ يهدي (٧) «أ» يحكم . «ب» يأمر أو يقرّر قضائياً (٨) يسطّر بمسطرة ×(٩) يسيطر ؛ يسود (١٠) يكون على مستوىً معيّن أو حالة معيّنة (Prices ~*d* high all the year.)

as a ~, عادةً .

to ~ something off يفصله عن غيره بتسطير خط .

to ~ something out يُعلن أنّه غير واردٍ أو لا مجال للبحث فيه .

to work to ~, يغالي (عن عمد) في التقيّد بالأنظمة والقوانين بحيث ينخفض الانتاج .

rule of three *(n.)* قاعدة الثلاثة (ر) .

rule of thumb *(n.)* (١) قياس أو حساب تقريبي (٢) حكم التجربة : حكمٌ مبنيٌ على التجربة العمليّة لا على المعرفة العلميّة .

ruler [rōō'lər] *(n.)* (١) الحاكم (٢) «أ» المسطر . «ب» ماكينة تسطير (٣) مِسْطَرة .

ruling [rōō'lĭng] *(n.; adj.)* (١) حكم ؛ سيطرة (٢) قرار محكمة (٣) تسطير بمسطرة (٤) خطوط مُسَطَّرة §(٥) حاكم (٦) سائد .

rum [rŭm] *(adj.; n.)* (١) غريب ؛ عجيب (٢) صعب ؛ خطِر §(٣) الرَّم : شرابٌ مُسكِر .

Rumanian [rōō mā'nĭ ən] *(n.; adj.)* = Romanian.

rumba [rŭm'bə] *(Sp.)* الرومبا : رقصة كوبيّة زنجيّة تتميّز بحركاتها العنيفة (أو رقصة أميركية محاكية لها) .

rumble [rŭm'bəl] *(vi.; t.; n.)* (١) يدمدم ؛ يقعقع (٢) يُلعلع (الرصاص) ؛ يهزم (الرعد) ؛ يقرقر (البطن) ×(٣) يصقل (قطعة معدنية) في برميل دوّار §(٤) دمدمة ؛ قعقعة ؛ لعلعة ؛ هزيم ؛ قرقرة (٥) مقعد خلفيّ اضافي مكشوف (في سيّارة أو عربة) (٦) برميل دوّار لصقل القطع المعدنية الخ. (٧) «أ» تذمّر عام. «ب» شجار في الشارع ، وبخاصة بين عصابات من المراهقين.

rumbly [rŭm'blĭ] *(adj.)* مدمدِم ؛ مقعقِع ؛ مُلعلِع ؛ مقرقر .

rumen [rōō'mĕn] *(L.)* pl. **-mina** *or* **-mens** المعدة الأولى (لحيوان مجترّ) .

—ruminal *(adj.)*

ruminant [rōō'mə nənt] *(n.; adj.)* (١) المُجترّ ؛ حيوان مجترّ §(٢) «أ» مجترّ . «ب» اجتراري (٣) متأمّل أو مولع بالتأمّل .

ruminate [rōō'mə nāt'] *(vt.; i.)* (١) يتأمّل ؛ يفكّر في . (٢) يجترّ .

—rumination *(n.)* **—ruminative** *(adj.)* **—ruminator** *(n.)*

rummage [rŭm'ĭj] *(n.; vt.; i.)* (١) بحث ؛ تنقيب ؛ تفتيش دقيق (٢) «أ» أشياء مختلفة مختلطة . «ب» نثريات معروضة للبيع §(٣) يبحث ؛ ينقّب ؛ يفتّش بدقة (٤) يكتشف بالبحث والتنقيب (٥) يفحص بدقّة .

rummage sale *(n.)* «سُوق» النثريات : بيعٌ للنثريات والملابس العتيقة ، أو الجديدة ، لجمع أموال تنفق على الأعمال الخيرية عادةً .

rummer [rŭm'ər] *(n.)* قدحٌ أو كوبٌ كبير .

rummy [rŭm'ĭ] *(adj.; n.)* (١) عجيب ؛ غريب §(٢) السكّير . (٣) الرومي : لعبة بورق الشدّة .

rumor *or* **rumour** [rōō'mər] *(n.; vt.)* (١) إشاعة §(٢) يُشيع : يطلق أو يروّج إشاعة .

rumormonger [rōō'mər mŭng gər] *(n.)* مروّج الاشاعات .

rump [rŭmp] *(n.)* (١) «أ» كفَل ؛ رِدف . «ب» زِمِكّى الطائر (٢) قطعة لحم من كَفَل البقرة (٣) بقيّة ؛ أثارة .

rumple [rŭm'pəl] *(n.; vt.; i.)* (١) جَعْدة ؛ غضَن §(٢) يجعّد ؛ يغضّن (٣) يُشعّث ×(٤) «أ» يتجعّد ؛ يتغضّن . «ب» يتشعّث .

rumpus [rŭm'pəs] *(n.)* (١) شجار (٢) جلَبة ؛ ضوضاء ؛ ضجيج .

rumpus room *(n.)* = playroom.

rumrunner [rŭm'-] *(n.)* مهرّب الخمور او سفينةٌ لتهريبها .

run [rŭn] *(vi.; t.; n.; adj.)* (١) «أ» يعدو ؛ يركض . «ب» يفرّ . (٢) «أ» ينطلق بحُريّة . «ب» يطوف ؛ يجول (٣) «أ» يسرع ؛ يعجّل . «ب» يلجأ ؛ يفزع إلى (٤) يخوض سباقاً أو معركةً انتخابيّة (٥) «أ» ينزلق ؛ يجري على عجلات . «ب» يكرّ أو ينسِلُ طولياً (stockings guaranteed not to ~) (٦) يغنّي أو يعزف بسرعة (٧) «أ» يذرع المكانَ جيئةً وذهوباً . «ب» يهاجر (السمكُ) جماعاتٍ (٨) «أ» يدور . «ب» يعمل ؛ يسير بـ (٩) يظلّ نافذ المفعول (١٠) يقع (في الدَّين) (١١) «أ» يسيل ؛ يذوب . «ب» ينحلّ (اللونُ) . «ج» يفرز قيحاً . «د» يسيل المخاط من الأنف (١٢) «أ» ينمو بسرعة في اتجاه معيّن . «ب» ينزع إلى الاتّصاف بصفة معيّنة (They ~ to big noses in that family.) (١٣) «أ» يمتدّ (The boundary line ~*s* west.) . «ب» يقعُ . «ج» يتّرجع . «د» يجري على نحوٍ أو نَسَقٍ معين (The poem ~*s* as follows.) (١٤) «أ» يتكرّر (Musical talent seems to ~ in Salma's family.) . «ب» يستمرّ في كذا (Prices are ~*ning* high.) . «ج» يستمرّ عرضه على المسرح (His play *ran* for ten months.) (١٥) «أ» يتنقّل بسرعة من نقطة إلى أخرى . «ب» ينتشر ×(١٦) «أ» يسوق بسرعة . «ب» يلقي بنفسه في التهلكة الخ. (She *ran* herself to death.) «ج» يطارد . «د» يتعقّب آثاره (Sami *ran* the rumor to its source.) . «هـ» يسجّل (فرساً) في سباق . «و» يرشّح لمنصب (١٧) «أ» يجتاز راكضاً أو بسرعة (to ~ the streets) . «ب» ينقُل (في مركب أو عربة الخ.) . «ج» ينقل الرسائل بسرعة . «د» يخترق حصاراً (١٨) «أ» يُدْخِل ؛ يُسْلِك ؛ يُقحِم . «ب» يدرّز . «ج» يرطم . «د» يهرّب (بضاعةً) (١٩) يتصفّح أو يُجيل طَرْفَهُ بسرعة (٢٠) «أ» يوجّه (السيّارةَ) في اتجاه معيّن . «ب» يُشغّل (ماكينةً) . «ج» يدير (عملاً أو مؤسّسةً) . «د» يقيم ؛ ينصب (*ran* a partition across the room) (٢١) يفيض بـ (Roads ~ blood.) (٢٢) يضع ؛ يصنّف الأوراق أو ينزلها في منازلها (٢٣) «أ» يسبك . «ب» يصبّ . «ج» يكرّر ؛ يصفّي (٢٤) يجازف ؛ يتحمّل المخاطرة (to ~ the risk) (٢٥) يرسم خطاً (٢٦) يطبع ؛ ينشر §(٢٧) «أ» عدْو ؛ ركْض ؛ جرْي . «ب» هجرة جماعيّة (للأسماك) . «ج» مجموعة أسماك مهاجرة (a ~ of salmon) (٢٨) «أ» سباق في العدْو (a mile ~) . «ب» القدرة على العدْو (The first two laps took most of the ~ out of him.) (٢٩) «أ» جدْوَل ؛ نُهَيْر . «ب» دَفْق (٣٠) «أ» مؤخّر الجزء المغمور في الماء من المركب . «ب» اتجاه شيء ما (the ~ of the grain of wood) . «ج» مجرى أو اتجاه عام (the ~ of events) (٣١) «أ» تواصل ؛ تعاقب ؛ استمرار (a ~ of good luck) . «ب» سلسلة متواصلة من خطوات الرقص القصيرة السريعة أو ضربات البليارد الموفّقة الخ . «ج» عرْضٌ متواصلٌ لمسرحية الخ . «د» تزاحم على مصرف (لاسترداد الودائع الخ.) . «هـ» تعاقب نغماتٍ سريعٌ (مو) (٣٢) نَوْع ؛ ضَرْب (the common ~ of

(people) (٣٣) «أ» المسافة المجتازة في فترة من السفر أو الإبحار المتواصل. «ب» رحلة خاطفة. «ج» حرية الدخول أو التنقّل أو الاستعمال (had the ~ of the house) (٣٤) «أ» فترة بقاء الماكينة (أو المصنع) دائرة. «ب» مقدار العمل المنتَج خلال هذه الفترة (٣٥) «أ» طريق. «ب» قناة؛ أنبوب. «ج» حظيرة (a sheep ~). «د» مَرْعى (٣٦) مُنْحَدَر (للتزلّج الخ.) (٣٧) نَسْلٌ (في جورب) § (٣٨) ذائب (butter ~) (٣٩) مصبوب؛ مسبوك (metal ~) (٤٠) مهرَّب (diamonds ~) (٤١) مهاجر (a fresh ~ salmon) (٤٢) مُرْهَق (من العَدْو).

a ~ for one's money (١) منافسة عنيفة (٢) مكافأة شخص (على ما بذل من جهد) أو إمتاعُهُ (مقابل ما دفع من مال).

at a ~, رَكْضاً؛ عَدْواً.

on the ~, (١) في حالة هروب أو فرار (٢) في نشاط مستمرّ.

to ~ about يطوف؛ يجول؛ يتنقّل من مكان الى مكان.

to ~ along يمضي؛ ينصرف؛ يرحل.

to ~ across يجد شيئاً (أو يلتقي بشخص) مصادفةً.

to ~ after يطارد؛ يلاحق.

to ~ (up) against (١) يجد شيئاً (أو يلتقي بشخص) مصادفةً (٢) يتعارض مع.

to ~ a temperature يصاب بالحمّى.

to ~ away يفرّ؛ يولّي الأدبار.

to ~ away with (١) يستهلك (٢) يهرب مع (٣) يسرق (٤) يتفوّق على (وبخاصة في التمثيل المسرحي) (٥) يُسرع إلى الاستنتاج (٦) تنطلق (السيارة الخ.) بسرعة خاطفة (٧) يثور (غضبُهُ).

to ~ back يستعرض (أحداث الماضي).

to ~ down (١) يتوقف؛ يكفّ عن العمل (٢) يصاب بإرهاق أو تعب (٣) تسوء صحته (٤) يَصْدِم او يصطدم بِ (٥) يذمّ؛ يطعن في (٦) يطارد أو يلحق بِ (٧) يخفف نشاط شيء؛ يخفض عدد المستخدَمين.

to ~ dry يجفّ؛ يَنْضَب.

to ~ for it يفرّ (ناجياً بنفسه من ..).

to ~ in (١) يعتقل ويلقي في السجن (٢) يقوم بزيارة خاطفة (٣) «أ» ينضّد السطور المطبعيّة على نحو متواصل (من غير أن يجزّئها إلى فقرات). «ب» يُقحم (مادةً إضافيّة بين السطور) (٤) يترفق بمحرّك السيارة الجديدة (فيتودها بسرعة معتدلة).

to ~ into (١) يصطدم بِ (٢) يلتقي (بصديق الخ.) مصادفةً) (٣) يقع (في دَيْن أو خطر) (٤) يبلغ؛ يصل إلى.

to ~ its course يجري مجراه (المألوف).

to ~ off (١) يفرّ (٢) يُفْرِغ (٣) يكتب أو يتلو بسرعة أو طلاقة (٤) يطبع (٥) يسرق.

to ~ on (١) يستمرّ (٢) يتكلّم باستمرار. (٣) ينقضي (الوقت) (٤) يأخذ (المرض) مجراه الطبيعي (٥) يدور على (موضوعٍ معين) (٦) ينضّد (السطورَ الطباعيّة) على نحوٍ متواصل من غير أن يجزّئها إلى فقرات.

to ~ out (١) ينقضي؛ ينتهي (٢) يأخذ في النقص (٣) يُمْنَى بنقصٍ (في المؤن الخ.) (٤) ينفد (الصَّبْرُ الخ.) (٥) يتنأ (٦) يرهق نفسه بالركض (٧) يتِمّ؛ ينهي (٨) يَطْرُد.

to ~ over (١) يفيض؛ يطفح (٢) يتجاوز الحد المقرر (٣) يراجع؛ يعيد باختصار (٤) يتصفّح (٥) يَدْهَس (٦) يقوم بزيارة خاطفة.

to ~ round يقوم بزيارة خاطفة.

to ~ short يتناقص؛ يأخذ في النقص.

to ~ short of يَنْفد (ما عنده من مال الخ.).

to ~ through (١) يطعن (بسيف الخ.) (٢) يُبدّد (الثروة) (٣) يلقي نظرة خاطفة على؛ يتصفّح أو يفحص بسرعة.

to ~ to (١) يبلغ؛ يصل إلى (٢) يجد من المال ما يمكّنه من القيام بعمل ما (٣) يكفي (المالُ) للقيام بعمل ما.

to ~ to fat يميل (جسمه) إلى السمنة.

to ~ to ruin يصاب بالخراب.

to ~ up (١) يرفَع (عَلَماً الخ.) (٢) يَصْنع أو يشيد بسرعة (٣) يجمع (أرقاماً) (٤) «أ» ينمو بسرعة. «ب» يرتفع (٥) يضخّم؛ يَرْفَع (قيمة الفاتورة الخ.) (٦) يدير (محرك الطائرة) بسرعة بالغة لتجربته أو إحمائه.

to ~ up against يصادف؛ يلاقي على غير توقّع.

to ~ upon (١) يدور على (موضوعٍ ما) (٢) يلتقي بشخص على غير توقّع (٣) ترتطم (السفينة).

to ~ wild (١) ينمو (النبات) من غير ضابط أو نظام (٢) يسلك على هواه.

runabout [rŭn'ə bout'] *(n.)* (١) المتطوف أو المتجول (بحثاً عن المتعة وعن كلّ جديد أو مثير) (٢) سيارة صغيرة؛ زورق بخاري.

runaround [rŭn'ə round'] *(n.)* (١) كلام منضّد (طباعياً) على عمود ضيّق لكي يحيط بكليشيه الخ. (٢) تملّص؛ مراوغة.

runaway [rŭn'ə wā'] *(n.; adj.)* (١) الهارب (٢) هروب. (٣) «أ» انطلاق بسرعة خاطفة. «ب» فرسٌ منطلق بسرعة خاطفة § (٤) هارب (٥) هروبيّ؛ مُنْجَزٌ بعد الهروب (a ~ marriage) (٦) «أ» مكسوب بسهولة (a ~ race). «ب» حاسم (a ~ victory) (٧) سريع التقلب (a ~ market).

runcinate [rŭn'sĭ nĭt; -nāt'] *(adj.)* ريشيّ التثلّم (مع انعطاف الأسنان إلى الوراء).

runcinate leaf

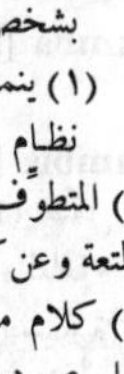

rundle [rŭn'dəl] *(n.)* (١) درجة المِرقاة أو السلّم النقّالة (٢) دولاب.

rundlet [rŭnd'-] *or* **runlet** [rŭn'-] *(n.)* البُرَيْمِيل: «أ» بُرميل صغير. «ب» مقياس سوائل قديم يساوي ١٨ غالوناً أميركياً.

run-down [rŭn'doun'] *(adj.)* (١) متقوض؛ متهدم (٢) مُرْهَق.

rundown [rŭn'doun'] *(n.)* خلاصة؛ ملخّص.

rune [ro͞on] *(n.)* (١) الحرف الرُّونيّ: حرف من حروف أبجدية تيوتونيّة قديمة (٢) الرونيّة: «أ» علامة شبيهة بالحرف الرُّوني تنطوي على معنى خفيّ أو سحريّ. «ب» قصيدة أو أغنية اسكندينافيّة قديمة.

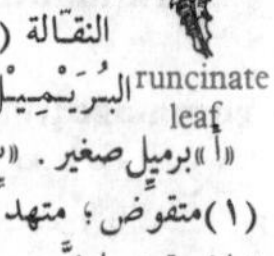

runes, 9th century

rung [rŭng] *past and past part. of* **ring**.

rung [rŭng] *(n.)* (١) شعاع دولاب (٢) «أ» درجة (في مِرقاة أو سلّم نقالة). «ب» رافدة الكرسيّ (المدعِّمة لاثنتين من قوائمها) (٣) درجة.

run-in [rŭn'ĭn'] *(n.)* (١) كلام يُقْحَم كمادةٍ إضافيّة في نسخة

أو في « بروفة » مطبعية (٢) شِجار ؛ مشاجرة .

runlet [rŭn'lĭt] ; **runnel** [rŭn'əl] *(n.)* (١) جدول أو غدير صغير (٢) قناة صغيرة (للماء ونحوه).

runner [rŭn'ər] *(n.)* (١) العَدّاء (٢) الساعي ؛ الرسول . (٣) مهرِّب المخدِّرات أو المسكرات أو الأسلحة (٤)«أ» إحدى القطعتين الطّوليّتين اللتين تنزلق عليهما مَزْلَجة الجليد . «ب» بكرة أو دُحْرُوج يجري عليه شيء (٥) مجرى ؛ مصبّ (في السَّبّاكة) (٦) «أ» السّاقُ الجارية : ساق رفيعة تتجذّر على طول الأرض التي تمتدّ فوقها مولِّدةً بذلك نبتات جديدة . «ب» نبات ذو سُوقٍ جارية (٧) «أ» سجادة طويلة ضيّقة لقاعة أو سلّم . «ب» غطاء (للمائدة الخ.) ضيّق مزخرف (٨) مُشغِّل الآلة أو مديرها .

1 strawberry plant; 2 runner

runner-up [rŭn'ər ŭp'] *(n.)* المُصَلّي : المتسابق الذي يتلو السابقَ أو الفائزَ الأوّل .

running[rŭn'-] *(n.; adj.; adv.)* (١) رَكْض ؛ عَدْو (٢) منافسة في سباق الخ. (٣) إدارة ؛ توجيه (the ~ of a business) §(٤) «أ» راكض أو مندفع بسرعة. «ب» مُعَدّ للعدو (a ~ horse) (٥) «أ» سائل ؛ مائع . «ب» جارٍ . «ج» حاليّ ؛ جارٍ (of the ~ month) (٦) «أ» دائر (a ~ machine). «ب» متواصل (fought a ~ battle) . «ج» متكرِّر باستمرار (a ~ pattern). «د» سائد (the ~ conditions) (٧) «أ» متدفِّق ؛ فيّاض ؛ رشيق (a ~ hand in writing). «ب» متّصِل الحروف (~ handwriting) (٨) متسلِّق ؛ معترِش (~ plants) (٩) مُفرِز قيحاً (~ sores) §(١٠) على نحو متواصل (won four times ~) .

to be in the ~, يكون له أملٌ في الفوز .

to be out of the ~, لا يكون له أملٌ في الفوز .

running board *(n.)* القَدَمِيّة : شبه عتبة على كلّ من جانبَي السيّارة القديمة (لمساعدة المرء على امتطائها والترجّل منها) .

running gear *(n.)* مسنّنات أو تروس الدوران (في سيارة) .

running head; running headline *(n.)* الرأسية السائرة: عنوان يتكرّر ، عادةً ، في رأس كلّ صفحة من صفحات الكتاب الخ.

running knot *(n.)* العقدة المنزلقة : عقدة تنزلق على طول الحبل وبذلك تجعل الأنشوطة قابلة للتوسيع أو التضييق .

running knot

running mate *(n.)* الرفيق المصاحب : «أ» فرس يُدْخَل في سباق لتعيين (أو تحديد) سرعة انطلاق فرس آخر لنفس المالك أو الاصطبل . «ب» مرشّح لمنصب مرتبطٍ بمنصب آخر ذي أهمية أكبر ؛ وبخاصة : مرشّح لنيابة الرئاسة . «ج» شخص يُرى ، عادةً ، في صحبة شخص آخر .

running title *(n.)* العنوان السائر : عنوان الكتاب مطبوعاً في رؤوس صفحاته اليسرى وأحياناً في رؤوس صفحاته جميعاً .

runny [rŭn'ĭ] *(adj.)* راشحٌ ؛ كثير الارتشاح (~ nose) .

runoff [rŭn'ôf'] *(n.)* (١) ماء المطر (أو الثلج الذائب) الجاري فوق سطح الأرض (٢) الدورة الحاسمة : سباق أو مسابقة أو انتخاب نهائي يُجرَى بعد سباق أو انتخاب رئيسي لم ينتهِ إلى نتيجة حاسمة.

run-of-the-mill; run-of-the-mine *(adj.)* عاديّ ؛ متوسّط .

run-over [rŭn'ō'-] *(adj.)* فائض ؛ متجاوز الحدّ المقرّر أو المخصّص.

runover [rŭn'ō'vər] *(n.)* المادة الفائضة : مادة للنشر تتخطّى المساحة المخصّصة .

runt [rŭnt] *(n.)* القَزَم (من الناس والحيوان والنبات) .

run-through [rŭn'thrōō'] *(n.)* قراءة أو مراجعة الخ. متعجِّلة.

runway [rŭn'wā'] *(n.)* (١) مجرى ؛ طريق ؛ قناة الخ. (٢) «أ» مسلك تشقّه الحيوانات لنفسها . «ب» حظيرة (٣) مَدْرَجة (لهبوط الطائرات وإقلاعها) (٤) مَعْبَر ضيّق (من خشبة المسرح إلى قاعته) .

rupee [rōō pē'] *(Hin.)* الرّوبية: وحدة النقد في الهند وباكستان وسيلان .

rupiah [rōō pē'ə] *(Hin.)* الرّوباية : وحدة النقد في اندونيسيا .

rupture [rŭp'chər] *(n.; vt.; i.)* (١) قطع العلاقات (أو الحرب) بين الدول (٢) فَتْق ؛ «فتاق» (مض) (٣) «أ» تمزيق؛ تفجير . «ب» تمزّق ؛ انفجار §(٤) يسبب قطعَ (العلاقات الخ.) (٥) يصيب بالفَتْق (مض) (٦) يمزّق أو يفجّر (وعاءً دموياً الخ.) ×(٧) يتمزّق ؛ ينفجر .

ruptured [-'chərd] *(adj.)* (١) ممزّق (٢) منفجر (a ~ appendix)

rural [rōōr'əl] *(adj.)* ريفيّ ؛ قرويّ .

ruralize [rōōr'ə līz'] *(vt.; i.)* (١) يريِّف : يجعله ريفياً . ×(٢) يتريّف : يصبح ريفياً .

rurban [rōōr'bən] *(adj.)* [rural + urban] رِيفِيمَديني : خاص بمنطقة سكنيّة في الدرجة الأولى ولكنها لا تخلو من بعض النشاطات الزراعيّة .

ruse [rōōz] *(F.)* خُدْعة ؛ حِيلة .

rush [rŭsh] *(vi.; t.; n.; adj.)* (١) يندفع ×(٢) يدفع بعجلة أو عنف (٣) يحمل الخ. بسرعة إلى (~ed an injured person to the hospital) (٤) يُرسِل بسرعة بالغة (~ed the bill through Congress) (٥) يهاجم ؛ يهجم على §(٦) «أ» اندفاع . «ب» هجوم (٧) فورة نشاط أو إنتاج ؛ ضغطٌ أو طلبٌ مفاجىء ملحّ (a ~ of business) (٨) «أ» عجلةٌ بالغةٌ (was in a ~) . «ب» صخب ؛ سرعة صاخبة (the ~ of modern life) (٩) الهَجْمة : تدفق الناس على موطنٍ جديد طلباً للثروة (gold ~) (١٠) المُتعَجِّلة ؛ النسخة المُتعَجِّلة : نسخة عن مشهد سينمائي تُظهَر بعد التصوير مباشرةً لكي يطّلع عليها المخرج أو المنتج (١١) الأَسَل ؛ السَّمار : نبات تستعمل أوراقه الأسطوانيّة الطويلة في صنع مقاعد الكراسيّ الخ. §(١٢) مستعجل (~ orders).

the ~ hours فترة الضغط أو الازدحام : فترة يشتدّ فيها ازدحام الناس والسيّارات في شوارع المدن الكبرى.

with a ~, فجأةً ؛ بسرعة .

rush candle; rush light *(n.)* شمعة الأسَل أو السَّمار : شمعة تُصْنَع بغَمْسِ لُبّ الأسَل أو السَّمار في الدهن .

rusk [rŭsk] *(Sp.)* (١) البِقْسماط (٢) الرَّصْك: ضرب من البسكويت.

Russ [rŭs] *(n.; adj.)* (١) الروسيّ : أحد أبناء الروسيا §(٢) روسيّ .

russet [rŭs'ĭt] *(n.; adj.)* (١) اللون الخمريّ ؛ اللون الأسمر المحمرّ أو المصفرّ (٢) قماش خشن خمريّ اللون (٣) تفاحة خمريّة اللون §(٤) خمريّ اللون .

Russia leather *or* **calf** [rŭsh'ə] *(n.)* الجلد الروسيّ : جلد ناعم داكن الحمرة .

Russian [rŭsh'ən] *(n.; adj.)* (١) الروسيّ : أحد أبناء الروسيا . (٢) الروسية : اللغة الروسية §(٣) روسيّ .

Russian dressing *(n.)* المَيونيز الروسي : ضربٌ من الصلصة .

Russianize [rŭsh'ə nīz] *(vt.)* يروّس : يجعله روسياً .

Russify [rŭs'ə fī] *(vt.)* = Russianize.

Russo- بادئة معناها : «أ» روسيا ؛ الروس . «ب» روسيّ و ...

rust [rŭst] *(n.; vi.; t.)* (١) صَدَأ (٢) صدأ الحبوب : مرض من أمراض النبات تسبّبه فطورٌ من الفصيلة الشَّقِرانية §(٣) يَصْدَأ

(٤) يصاب بصدأ الحبوب ×(٥) يُصْدِىء (٦) يجعله بلون الصدأ.

rustic [rŭs'tĭk] *(adj.; n.)* (١) ريفيّ (٢) مصنوع من أغصان لم يُنتزَع لحاؤها عنها (٣) أخرق (٤) بسيط ؛ ساذج §(٥) شخص ريفيّ أو أخرق أو ساذج. **—rustical** *(adj.)* **—rusticity** *(n.)*

rusticate [rŭs'tə kāt'] *(vi.; t.)* (١) يتريّف : يقيم في الريف ×(٢) يطرد من الكلية أو الجامعة موقتاً (٣) يريّف : «أ» يُكرهه على الاقامة في الريف. «ب» يجعله ريفياً.

rustle [rŭs'əl] *(n.; vi.; t.)* (١) حفيف ؛ خشخشة §(٢) يحِفّ ؛ يُحدِث حفيفاً (٣) يعمل أو يندفع بعزم (٤) يسرق الماشية ×(٥) يجعله ذا حفيف.

rustproof [rŭst'proof'] *(adj.)* صامدٌ للصدأ ؛ غير قابل للصدأ.

rusty [rŭs'tĭ] *(adj.)* (١) صَدِىءٌ (٢) واهنٌ أو بطيء (بحكم الشيخوخة أو عدم الاستعمال) (٣) «أ» بلون الصدأ. «ب» ناصلٌ (٤) عتيق الطراز (٥) أجشّ ؛ أبحّ (٦) عنيد ؛ متمرِّد (٧) نكِد ؛ فظّ.

rut [rŭt] *(n.; vt.; i.)* (١) أثر الدولاب في الأرض الليّنة (٢) طريق؛ مجرى ؛ قناة ؛ أخدود (٣) روتين (را. routine I) (٤) الدورة النَّزْوية (عند الحيوان) §(٥) يحفر ؛ يخدّد الخ. ×(٦) ينزو (الحيوانُ).

rutabaga [rōō'tə bā'gə] *(n.)* الرُّتَباج : اللفت السويدي ؛ اللفت الأصفر (نب).

Rutaceae *(n. pl.)* السَّذابيات ؛ الفصيلة السَّذابية (نب).

ruth [rōōth] *(n.)* (١) رحمة ؛ شفقة (ا.ق) (٢) ندم.

ruthenic [rōō thĕn'-] ; **ruthenious** [rōō thē'nĭ əs] *(adj.)* روثينيوميّ : خاص بالروثينيوم أو مشتقّ منه.

ruthenium [rōō thē'nĭ-] *(L.)* الروثينيوم : عنصر فلزّي نادر (ك).

Rutherford atom [rŭth'ər fərd] *(n.)* : ذرة رذرفورد : ذرة مؤلّفة من نواة صغيرة موجبة تحيط بها الكترونات ذات حركة شبيهة بحركة الكوكب السيّار.

rutherfordium *(n.)* الرَّذَرْفورديوم : عنصر كيميائي إشعاعي النشاط.

ruthful *(adj.)* (١) شفوق ؛ رحيم (٢) مثير للأسى أو الشفقة.

ruthless [rōōth'lĭs] *(adj.)* قاسٍ ؛ متحجّر القلب ؛ لا يرحم.

rutilant [rōō'tə lənt] *(adj.)* متوهّج ؛ متألّق.

ruttish [rŭt'ĭsh] *(adj.)* شهوانيّ.

rutty [rŭt'ĭ] *(adj.)* مخدَّد ؛ كثير الأخاديد (roads ~).

rya *(n.)* الرِّيّة : سجادة أسكندينافية يدوية الصُّنع.

rye [rī] *(n.)* (١) الجاوْدار (نب) (٢) سيّدٌ غجَريّ.

ryegrass [rī'grăs] *(n.)* الزُّوان ؛ وبخاصة : زوان معمّر أو انكليزي ؛ بُهْميّ (نب).

rye whiskey *(n.)* ويسكي الجاوْدار.

ryot [rī'ət] *(Hin.)* فلاّح ؛ مزارع.

ă at; ā date; â care; ä car; ĕ egg; ē me; ĭ in; ī bite; ŏ lot; ō bone; ô orphan; oi boil; ŏŏ good; ōō boot; ou out;
ŭ under; ū unity; û urgent; th thing; th this; zh vision; ə = a in alone, e in system, i in easily, o in gallop, u in circus.

S

Sharsharah waterfalls (Libya)

s [ĕs] *(n. often cap.)* (١) الحرف التاسع عشر من الأبجدية الانكليزية (٢) شيء معتبر ثامنَ عشر أو تاسعَ عشر من حيث الطبقةِ أو الترتيب (٣) شيء على صورة حرف **S** .

sabadilla [săb'ə dĭl'ə] *(Sp.)* السَّبَدَيلاّ : نبات مكسيكيّ طويل الأوراق مُرّ البزور (نب) .

Sabbatarian [săb'ə târ'ĭ ən] *(n.; adj.)* (١) المُسْبِت : «أ» مَن لا يعمل يوم السبت (ككثير من اليهود) . «ب» مسيحيّ مطالِبٌ بالتشديد في الامتناع عن العمل (وبإقفال أماكن اللهو على اختلافها) يوم الأحد ‖ (٢) سَبْتيّ : خاصّ بيوم السبت (بوصفه يوم راحة) أو بالامتناع عن العمل فيه .

Sabbatarianism [săb'ə târ'-] *(n.)* الإسباتيّة : الامتناع عن العمل يوم السبت أو التشدّد بضرورة الامتناع عنه يوم الأحد .

Sabbath [săb'əth] *(n.)* (١) يوم السبت (بوصفه يوم راحة وعبادة عند اليهود وبعض النصارى) (٢) يوم الأحد (بوصفه يوم راحة وعبادة عند النصارى) (٣) فترة راحة .

sabbatical *or* **sabbatic** [sə băt'-] *(adj.)* (١) سَبْتيّ : خاصّ بيوم السبت (عند اليهود) أو بيوم الأحد (عند النصارى) بوصفه يوم راحة وعبادة (٢) إجازيّ : «أ» خاصّ بالراحة أو الانقطاع عن العمل . «ب» مخصّص للراحة .

sabbatical year *(n.)* السّنة السَّبْتِيّة : «أ» *cap. S* عد : سنة راحة للأرض (عند قدماء اليهود) كلّ سابع سنة . «ب» إجازة تُمنَح عادةً (لاستاذ في جامعة الخ.) كلّ سابع سنة ، للراحة أو الرحلة أو البحث (وتدعى أيضاً **sabbatical leave**) .

saber

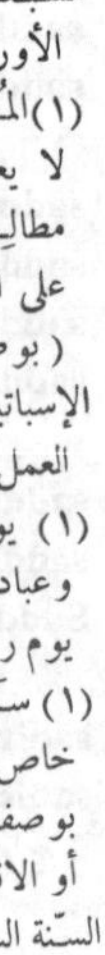

saber *or* **sabre** [sā'bər] *(n.; vt.)* (١) السيف الضالع : سيف وحيد الحدّ أعقف قليلاً (يستعمله الفرسان) (٢) سيف المبارزة ‖ (٣) يطعن أو يقتل بسيف ضالع .

saber-toothed [sā'bər -] *(adj.)* مسيّف الأسنان : ذو أسنان طويلة حادّة عقفاء قليلاً كأنها سيفٌ ضالع .

saber-toothed tiger *(n.)* النمِر المسيّف الأسنان (وهو حيوان بائد) .

sabin [sā'bĭn] *(n.)* السّابين : وحدة امتصاص الصوت .

sable [sā'bəl] *(n.; adj.)* (١) «أ» السَّمُّور (ح) . «ب» فرو السَّمُّور (٢) «أ» اللون الأسود . «ب» *pl.* عد : ملابس الحِداد ‖ (٣) سَمّوري : مصنوع من فرو السَّمُّور أو وبَره (٤) أسْود ؛ قاتم جداً .

sable

sabot [săb'ō] *(F.)* (١) السبّاط : حذاء خشبي ينتعله الفلاحون في فرنسا وبلجيكا الخ. (٢) قبْقاب .

sabot 1.

sabotage [săb'ə täzh'] *(F.)* التخريب : «أ» تدمير لماكينات المصانع أو أيّ تعطيل للانتاج يقوم به العمال انتقاماً من أصحاب العمل . «ب» عمل تخريبيّ يقوم به أحد المَدَنيّين أو عميلٌ من عملاء العدوّ لإعاقة مجهود الأمّة الدفاعي .

sabotage [săb'ə täzh'] *(vt.)* يخرّب (را. المادة السابقة) .

saboteur [săb'ə tûr'] *(F.)* المخرب (را. المادة السابقة) .

sabra *(n.)* الصّبّاري : يهودي مولود في فلسطين .

sabre [sā'bər] *(n.; vt.)* = saber.

sabulous [săb'yə ləs] *(adj.)* = sandy.

sac [săk] *(n.)* كِيس ؛ جَيْب («ح» و «نب») .

sacaton [săk'ə tōn'] *(n.)* السَّقَطُون : عشب أميركي يُصْنَع منه التّبن .

saccate [săk'ĭt; -āt] *(adj.)* كِيساني : على شكل كيس أو جَيْب .

sacchar- *or* **sacchari-** *or* **saccharo-** بادئة معناها : سُكّر .

saccharate [săk'ə rāt'] *(n.)* السُّكّرات : ملحُ الحامض السكّري .

saccharic acid [sə kăr'ĭk] *(n.)* الحامض السكّريّ (ك) .

saccharify [sə kăr'ə fī'] *(vt.)* يُسكّر : يحوّل إلى سُكّر .

saccharimeter [săk'ə rĭm'ə tər] *(n.)* مقياس السكّر : أداة لقياس مقدار السكّر في محلول .

saccharin [săk'ə rĭn] *(L.)* السُّكّرين : مركّب متبلّر أحلى من سكّر قصب السكّر مئات المرّات .

saccharine [săk'ə rĭn; -rīn] *(adj.)* (١) سُكّريّ (٢) عذب .

saccharometer [săk'ə rŏm'ə tər] *(n.)* = saccharimeter.

saccharose [săk ə rōs] *(n.)* السكّروز : سكّر القِصب أو الشمندر .

saccular [săk'yə lər] *(adj.)* كِيساني : شبيهٌ بكيس (ت) .

sacculate ; -d [săk'yə-] *(adj.)* مُكَيَّس : ذو أكياس أو مؤلَّف من أكياس .

saccule [săk'ūl] *(L.)* كُيَيْس ؛ جُرَيْب (ت) .

sacerdotal [săs'ər dō'təl] *(adj.)* كهنوتي : خاص بالكهنة .

sacerdotalism [săs'ər dō'tə lĭz'əm] *(n.)* الكهنوتيّة : الإيمان بسلطة الكهّان كوسطاء أساسيّين بين الله والإنسان .

sachem [sā'chəm] *(n.)* السّاشِم : زعيم هندي أحمر .

sachet [să shā'] *(F.)* فأرة الطِّيب : كُيَيْس ذرور مُعَطِّر .

sack [săk] *(n.; vt.)* (١) كيس (٢) مِلء كِيس (٣) الكيس : «أ» فستان فضفاض . «ب» سترة قصيرة فضفاضة للنساء والأطفال (٤) صَرْفٌ من الخدمة (٥) نَهْب (٦) السّاك : ضرب من الخمر §(٧) يضع في كيس (٨) يصرف من الخدمة (٩) ينهب (مدينةً بعد الاستيلاء عليها) (١٠) يسلب .

to get the ~, يُصْرَف من الخدمة .

to give the ~, يَصْرِف من الخدمة .

sackbut [săk'bŭt'] *(F.)* الصَّكْبُت : آلة موسيقية قديمة تشبه البوق .

sackcloth [săk'-] *(n.)* (١) «أ» خَيش . «ب» قماش من وبر الإبل . (٢) المِسْح : كساءٌ من وبر الإبل يُلْبَس حداداً أو ندَماً .

sack coat *(n.)* السترة الكِيسيّة : سترة رجاليّة قصيرة واسعة .

sackful [săk'fŏŏl] *(n.)* مِلء كيس .

sacking [săk'ĭng] *(n.)* الخَيْش : نسيج غليظ تصنع منه الأكياس .

sack race *(n.)* السباق الكِيسي : سباق بين أشخاص وَضَعَ كلٌّ منهم رجليه في كيس .

sacque [săk] *(n.)* (١) sack 3 (٢) سترة طفل .

sacr- بادئة معناها : (١) مقدّس (٢) عَجُز .

sacral [sā'krəl] *(adj.)* (١) مقدّس (٢) عَجُزِي .

sacrament [săk'rə mənt] *(n.)* (١) سرّ مقدّس (كن) . (٢) *cap.* : القربان المقدّس (كن) .

sacramental [săk'rə mĕn'təl] *(adj.; n.)* (١) سِرِّيّ : خاص بسرّ من الأسرار المقدّسة (٢) مقدّس (an almost ~ atmosphere) (٣) مُلزِم (~ obligations) §(٤) طَقس أو شيء يُصطنع لإحداث أثرٍ روحي ، كعلامة الصليب أو استعمال الماء المقدّس .

sacramentalism [săk'rə mĕn'təl ĭz əm] *(n.)* السرّانيّة : الإيمانُ بالطقوس أو الأعمال أو الأشياء الخاصة بالأسرار المقدّسة أو اصطناعها ؛ وبخاصة : الإيمان بأن الأسرار المقدّسة ضرورية للخلاص (كن) .

sacred [sā'krĭd] *(adj.)* (١) «أ» مكرّس أو مخصّص لعبادة الآلهة . «ب» مكرّس لشخص أو شيء أو غرض (a fund ~ to charity) (٢) مقدّس (٣) دينيّ (~ music) .

sacred baboon *(n.)* الرُّبّاح المقدّس : قرد كان يقدّسه قدماء المصريّين .

Sacred College *(n.)* المجمع المقدّس : مَجْمَع الكرادلة (كث) .

sacred cow *(n.)* البقرة المقدّسة : شخص (أو شيء) فوقَ النقد .

sacrifice [săk'rə fīs'] *(n.; vt.; i.)* (١) التقريب : تقديم الأضاحي والقرابين والذبائح للآلهة (٢) أُضحيّة ؛ قربان ؛ ذبيحة (٣) «أ» تضحية بشيء (من أجل شيء آخر) . «ب» تضحية (~ s made by parents) (٤) خسارة (goods sold at a ~) §(٥) يقرِّب ؛ يقدّم الأضاحي الخ . (٦) يضحّي بشيء (من أجل شيء آخر) (٧) يبيع بخسارة (to ~ one's house) .

sacrificial [săk'rə fĭsh'əl] *(adj.)* قُرباني ؛ تقريبيّ .

sacrilege [săk'rə lĭj] *(n.)* (١) تدنيس المقدّسات أو المعابد أو انتهاك حرماتها أو سرقتها (٢) لاتوقيرٌ وقِحٌ لشخص أو شيء مقدّس .

sacrilegious [săk'rə lĭj'əs] *(adj.)* (١) مدنِّس (للمقدّسات) . (٢) تدنيسيّ ؛ منطوٍ على تدنيس للمقدسات (~ practices) .

sacristan [săk'-] *(n.)* الحافظ : حافظ غرفة المقدّسات (في كنيسة) .

sacristy [săk'rĭs tĭ] *(n.)* المَوْهِف : غرفة المقدّسات وملابس الكهنة (في كنيسة) .

sacro- = sacr-.

sacroiliac [sā'krō ĭl'ĭ ăk] *(adj.)* عَجُزِيٌّحَرْقَفِيّ : خاصّ بنقطة التقاء العَجُز والحَرْقَفَة (ت) .

sacrosanct [săk'rō săngkt'] *(adj.)* مقدّس إلى أبعد حدّ .

sacrum [sā'krəm] *(L.)* pl. **-cra** [-krə] العَجُز (ت) .

sad [săd] *(adj.)* (١) حزين ؛ كئيب (~ songs) (٢) محزِن (~ news) (٣) رديء جداً (a ~ mess) (٤) داكن (~ color) (٥) فطير (~ bread) .

sadden [săd'ən] *(vt.; i.)* (١) يُحزِن × (٢) يَحزَن .

saddle [săd'əl] *(n.; vt.; i.)* (١) «أ» سَرْج . «ب» صَهْوة الفرس . «ج» سَرج الدرّاجة : مقعدها الشبيه بالسّرج (٢) السّناد ؛ الحامل المرتفع أو الراكب (٣) مُرتفَع يصِلُ بين قمتين (٤) «أ» قطعة لحم من ظهر الحيوان (مع جزء من العمود الفقري والأضلاع) . «ب» مؤخَّر ظهر الديك الخ . (٥) الجزء الأوسط من ظهر الكتاب المجلّد (٦) سَرْج الحذاء : قطعة جلد تكون عبرَ الجزء المماسّ لمشط القدم منه §(٧) يُسْرِج (الفرسَ) (٨) يُرْهِق ؛ يحمّله عبئاً أو مسؤوليّة (He is ~ *d* with seven children.) ×(٩) يمتطي صهوة جواد مُسْرَج .

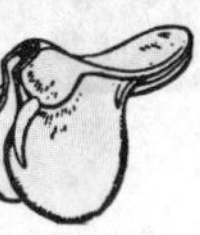

saddle 1 *a.*

in the ~, في مقام أو مركز السيطرة والسلطة .

saddlebag [-băg'] *(n.)* عِدْلُ الخُرْج : أحد عِدْلَيّ خُرْج الدابّة .

saddlebow [săd'əl bō'] *(n.)* القَرَبُوس : حِنْوُ السَّرْج أي جزؤه الأماميّ المقوّس .

saddlecloth [-klôth'] *(n.)* الحِلْس : قماش تحت السرج أو فوقه .

saddle horse *(n.)* جواد الركوب .

saddler [săd'-] *(n.)* السّرّاج : صانع السّروج أو بائعها أو مُصلحها .

saddlery [săd'lə rĭ] *(n.)* (١) السراجة : حرفة السّرّاج . (٢) دكان السّرّاج (٣) السّروج وما إليها .

saddle soap *(n.)* صابون السّروج (لتنظيف السّروج والجلد) .

saddletree [săd'əl trē'] *(n.)* هَيْكَل السّرج .

Sadducee [săj'ə sē'] *(n.)* الصَّدُوقيّ : أحد أفراد طائفة يهوديّة ، في زمن المسيح ، أنكرت الحشر ووجود الملائكة الخ .

sadiron [săd'ī'ərn] *(n.)* مِكْواة ثقيلة .

sadism [sā'dĭz əm; săd'-] *(n.)* (١) الساديّة : انحراف جنسيّ يتلذذ فيه المرء بإنزال صنوف العذاب بمحبوبه (٢) «أ» الابتهاج بالقَسْوة . «ب» قَسْوة مفرطة .

sadist [sād'ĭst] *(n.)* الساديّ : المبتلَى بالساديّة (را . المادة السابقة) .

sadistic [-dĭs'-] *(adj.)* ساديّ : خاص بالساديّة (را . المادة قبل السابقة) .

sadness [săd'nĭs] *(n.)* حُزْن ؛ كآبة .

sadomasochism [sād'ō măs'ə kĭz'-] *(n.)* الماسوشيّةُ الساديّة : انحرافٌ جنسيّ يتلذّذ فيه المرء بإنزال العذاب بالآخرين أو بنفسه .

sad sack *(n.)* شخص ، وبخاصة جندي ، قليل البراعة (ع) .

safari [sə fär'ĭ] *(Ar.)* (١) رحلة ؛ وبخاصة : رحلة قَنْص (٢) أفراد هذه الرحلة (من أشخاص وحيوانات) .

safe [sāf] *(adj.; n.)* (١) سالم ؛ غير مصاب بأذى We) (arrived ~ and sound.) (٢) آمن : «أ» متحرر من الأذى أو الخوف (to feel ~). «ب» مُنْتِج من الأذى ؛ باعث على الشعور بالأمن (a ~ haven) (٣) مأمون ؛ غير منطوٍ على مخاطرة (a ~ policy) (٤) غير مؤذٍ (Is your dog ~ ?) (٥) حذِر (was a ~ player) (٦) موثوق ؛ جدير بالثقة والاعتماد (a ~ guide) (٧) «أ» واثق (Kamil is ~ to win the seat.) . «ب» مضمون (Is this a ~ seat for the Democrats ?) § (٨) خزانة أو خزينة (من الفولاذ). **—safeness** *(n.)*

—safely *(adv.)*

safebreaker [sāf'brā'kər] *(n.)* = safecracker.

safe-conduct [sāf'kŏn'dŭkt] *(n.)* (١) امتياز المرور (بأمانٍ في منطقةٍ ما ، وبخاصة زمن الحرب) (٢) جواز المرور .

safecracker [sāf'-] *(n.)* محطّم الخزائن الحديدية (بقصد السرقة).

safeguard [sāf'gärd'] *(n.; vt.)* (١) «أ» حرس . «ب» جواز مرور (٢) «أ» وقاية ؛ إجراء وقائيّ . «ب» الواقية : أداة ميكانيكيّة لضمان السلامة § (٣) يقي ؛ يحمي ؛ يصون .

safekeeping [sāf'kē'pĭng] *(n.)* حماية ؛ وقاية ؛ صيانة .

safelight [sāf'līt'] *(n.)* الضوء المأمون (فو) .

safety [sāf'tĭ] *(n.; adj.)* (١) أمان ؛ أمن ؛ سلامة (٢) صِمام الأمان § (٣) أمانيّ : مُعَدّ بحيث يكفل الأمان لمستعمله (~ glass) (٤) وقائي (~ measures) .

safety belt *(n.)* حِزام الأمان

safety island *(n.)* جزيرة الأمان : بقعة في شارع مزدحم يحظر فيها مرور السيّارات (حرصاً على سلامة المارّة) .

safety lamp *(n.)* مصباح الأمان (في المناجم) .

safety match *(n.)* ثِقاب الأمان : ثِقاب لا يشتعل إلاّ بحكّه على سَطْحٍ مُعَدّ خصيصاً لذلك .

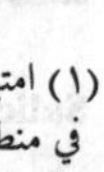

safety pin *(n.)* دبوس الأمان ؛ دبوس افرنجي .

safety razor *(n.)* الموسَى المأمونة ؛ ماكينة حلاقة .

safety valve *(n.)* (١) صِمام الأمان (في مِرجَل الخ.) . (٢) مُتَنَفَّس أو مَنْفَذ (للطاقة أو العاطفة) .

safety pin

safety zone *(n.)* منطقة الأمان : مساحة من الشارع مخصصة للمارّة (تحدّها عادةً خطوطٌ أو مسامير) .

safflower [săf'lou'ər] *(n.)* القِرطِم ؛ العُصْفُر (نب) .

saffron [săf'rən] *(Ar.)* (١) الزَعْفَران ؛ الجاديّ (نب) . (٢) لون الزعفران : الأصفر البرتقالي .

safranine *or* **safranin** [săf'rə nēn'; -nĭn] *(n.)* السَّفْرَنين : صِبغ عضويّ أحمر (ك) .

safrole [săf'rōl] *(n.)* السَّفْرول : سائل عديم اللون يستخدم في صناعة العطور (ك) .

sag [săg] *(vi.; t.; n.)* (١) يرتخي ؛ يتدلّى (٢) «أ» يَهِن ؛ يضْعُف . «ب» ينخفض تدريجياً (كالأسعار) (٣) ينحرف عن الخطّ المرسوم (مل) × (٤) يُدَلّي ؛ يُضْعِف الخ . § (٥) ارتخاء ؛ تدلٍّ (٦) موضعٌ غائر (في طريق) (٧) انخفاض تدريجي في الأسعار (٨) انحراف عن الخطّ المرسوم (مل) .

saga [sä'gə] *(n.)* الساغة : «أ» قصة ايسلنديّة قديمة زاخرة بالأعمال البطوليّة . «ب» كلّ قصة زاخرة بالأعمال البطولية .

sagacious [sə gā'shəs] *(adj.)* (١) حصيف ؛ عاقل (٢) ذكيّ .

sagacity [sə găs'ə tĭ] *(n.)* حصافة ؛ ذكاء .

sagamore [săg'ə mōr'] *(n.)* زعيم أو رجل عظيم (عند الهنود الحمر) .

saga novel *(n.)* = roman-fleuve.

sage [sāj] *(adj.; n.)* (١) حكيم ؛ عاقل § (٢) الحكيم ؛ ذو الحكمة والعقل الراجح (٣) الناعمة ؛ المَرْيَميّة ؛ القَصْعين (نب) .

sagittal [săj'ə təl] *(adj.)* (١) سَهْمِيّ (٢) سهميّ الشكل .

Sagittarius [săj'ə târ'ĭ əs] *(L.)* كوكبة القوس والرامي (فل) .

sagittate [săj'ə tāt'] *(adj.)* سَهْمِيّ الشكل : شبيه برأس السهم (~ leaves) .

sagittate leaf

sago [sā'gō] *(n.)* السّاغو : دقيق نشويّ يُعَدّ من لُبّ نَخْل السّاغو .

sago palm *(n.)* نَخْل السّاغو : نخلٌ هندي وماليزيّ .

sahib [sä'(h)ĭb] *(Ar.)* الصاحب : لقب بمعنى «سيّد» يخاطب به الهنود شخصاً أوروبياً ذا مكانة اجتماعيّة أو منصب رسميّ .

said [sĕd] *past and past part. of* say.

said [sĕd] *(adj.)* مذكور آنفاً (~ sum) .

sail [sāl] *(n.; vi.; t.)* (١) «أ» شراع . «ب» أشرعة المركب . «ج» مركب شراعي . «د» المراكب الشراعية مجتمعةً (The fleet numbered 40 ~.) (٢) رحلة ، وبخاصة في مركب شراعي § (٣) «أ» يسافر بمركب شراعي . «ب» يسافر بسفينة بخاريّة أو بطائرة (٤) «أ» يَبْحِر (المركبُ الشراعي) . «ب» تطير (الطائرة) (٥) يبدأ رحلةً مائيّةً (٦) يبدأ العمل بهمّة ونشاط (٧) يمشي بوقار (~ed into the room) × (٨) يدير أو يوجّه حركة السفينة الخ .

in ~, في مركب شراعي .

to make ~, (١) ينشر الأشرعة (٢) يبدأ رحلة .

to ~ in يبدأ (عملاً الخ.) بهمّة وثقة .

to ~ into (١) يهاجم (٢) ينتقد ؛ يوبّخ .

to set ~, يبدأ رحلة .

to take in ~, (١) يخفّض مساحة الأشرعة المنشورة (٢) يصبح أقلّ طموحاً أو نشاطاً .

under ~, منشور الأشرعة .

sailboat [sāl'bōt'] *(n.)* الشراعية : مركب شراعيّ .

sailcloth [sāl'-] *(n.)* قماش الأشرعة : قماش تصنع منه الأشرعة والخيام .

sailer [sā'lər] *(n.)* الشراعيّة : مركب شراعي (a fast ~) .

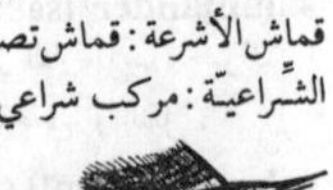

sailfish [sāl'fĭsh] *(n.)* السَّلْفيش : سمك ضخم ذو زعنفة ظَهْرِيّة كبيرة جداً .

sailfish

sailing [sā'lĭng] *(n.)* إبحار .

sailing boat *(n.)* = sailboat.

sailor [sā'lər] *(n.)* (١) بحّار ؛ ملاّح ؛ نوتيّ (٢) قبّعة قَشّ .

a bad ~, شخص معرّض لدُوار البحر .

a good ~, شخص لا يُصاب بدُوار البحر .

sailor's-choice [sā'lərz chois'] *(n.)* مختار البحّار (سمك) .

sailplane [sāl'plān'] *(n.)* طائرة شراعيّة (بلا محرّك) .

sain [sān] *(vt.)* (١) يصلّب على صدره (٢) يبارك (ع) .

sainfoin [sān'foin] *(F.)* السَّنْفون : نبات قرنفليّ الأزهار .

saint [sānt] *(n.; vt.)* (١) «أ» قِدّيس ؛ قِدّيسة . «ب» وَليّ . (٢) مَلاك § (٣) يجعله أو يعتبره قديساً .

Saint Agnes's Eve [ăg'nĭs ĭz] *(n.)* ليلة القديس أغنس : ليلة ٢٠ يناير وهي التي يُزعم أن الفتاة ترى فيها ، في الحُلم ، صورة من ستصبح له زوجاً في المستقبل (نص) .

Saint Andrew's cross *(n.)* صليب القديس اندراوس (على شكل X) .

Saint Anthony's cross *(n.)* صليب القديس انطونيوس (على شكل T).
Saint Anthony's fire *(n.)* نار القديس انطونيوس: التهاب جلدي.
Saint Bernard [bər närd'] *(n.)* السَّنْبِرنار: كلب ضخم ذكيّ.
saintdom [sānt'dəm] *(n.)* القَداسة: كونُ المرء قديساً.
sainted [sān'tĭd] *(adj.)* (١) معدودٌ قديساً (٢) قُدُّوس، ورع.
Saint Elmo's fire *or* **light** *(n.)* وَهَج القديس ألمو: وهج يتراءى للملاحين، عند هبوب العاصفة، على صواري السفن الخ.
sainthood *(n.)* (١) القداسة: كون المرء قديساً (٢) القديسون.
saintliness [sānt'lĭ nĭs] *(n.)* طهارة؛ وَرَع.
saintly [sānt'lĭ] *(adj.)* طاهر؛ ورع؛ كالقِدِّيس.
saintship [sānt'shĭp] *(n.)* = sainthood 1.
Saint Vitus's dance [vī'təs (əz)] *(n.)* = chorea.
sake [sāk] *(n.)* (١) قَصْد؛ غرض (٢) سبيل؛ مصلحة.
for old sake's ~, إكراماً للمودة القديمة.
for your ~, من أجلك؛ إكراماً لك.
sake *or* **saki** [sä'kĭ] *(Jap.)* السّاكي: شراب كحوليّ يابانيّ يُصنع من الأرز المخمَّر ويقدَّم عادةً وهو حار.
saker [sā'kər] *(Ar.)* صَقْر.
sal [săl] *(L.)* مِلْح.
salaam [sə läm'] *(Ar.)* سلام؛ تحية.
salaam [sə läm'] *(vi.; t.)* يسلّم؛ يحيّي.
salability [sā'-] *(n.)* البَيْعيّة، الرَّواجيّة: قابلية البيع أو الرواج.
salable *or* **saleable** [sā'lə bəl] *(adj.)* قابلٌ للبيع؛ رائج.
salacious [sə lā'shəs] *(adj.)* (١) داعر: مثير للشهوة (~ poems) (٢) شهوانيّ؛ شبِق (with ~ eagerness).
salad [săl'əd] *(n.)* (١) سَلَطة (٢) خضرة، وبخاصة: خَسّ.
salad bar مَشْرَب السَّلطات: جانب من المطعم تعرض فيه مجموعة من السلطات.
salad days *(n. pl.)* عهدُ الغَرارة والطيش.
salad dressing *(n.)* صلصةٌ للسَّلَطة.
salamander [săl'ə măn'dər] *(n.)* السَّمَنْدَر، السَّمَنْدل: «أ» عظاية خرافية زُعم أنها قادرة على العيش في النار. «ب» حيوان من الضفدعيات. «ج» فرنٌ مطبخيّ قابل للحمل أو النقل.
salami [sə lä'mĭ] *(It.)* السَّلامي: ضرب من السُّجُق.
sal ammoniac *(n.)* ملح النُّشادر؛ كلوريد النُّشادر (ك).
salaried [săl'ə rĭd] *(adj.)* ذو راتب (a ~ position).
salary [săl'ə rĭ] *(n.)* راتب؛ مُرَتَّب.
sale [sāl] *(n.)* (١) بَيْع (٢) المَبيع: المقدار المَبيع (٣) طَلَب؛ سوق؛ رواج (slow ~) (٤) مزاد علني (٥) أوكازيون؛ بيع بأسعار مخفّضة.
for ~; on ~, للبيع؛ برسم البيع.
~ of work سوقٌ خيريّة.
salep [săl'ĕp] *(Ar.)* السَّحْلَب.
saleratus [săl'ə rā'təs] *(L.)* صُودة الخَبز.
salesclerk [sālz'klûrk'] *(n.)* البائع أو البائعة (في متجر).
sales department *(n.)* دائرة المَبيعات (في شركة).
salesgirl [sālz'gûrl'] *(n.)* البائعة (في متجر).
salesman [sālz'-] *(n.)* البائع (في منطقة معيّنة أو متجر).
salesmanship [sālz'mən shĭp] *(n.)* فنّ البيع (تج).
sales register *(n.)* مسجِّلة النقد: ماكينة تسجيل المبيعات (النقدية).
sales resistance *(n.)* (١) مقاومة البيع: إحجام الجمهور عن شراء السلع المعروضة للبيع (٢) الانغلاق الفكري: نزوعٌ إلى رفض الفكرات أو المقترحات الجديدة.
sales tax *(n.)* ضريبة المبيعات.
saleswoman [sālz'-] *(n.)* البائعة (في منطقة معيّنة أو متجر).
sali- بادئة معناها: ملح (*sali*meter).
Salian [sā'lĭ ən]; **Salic** [săl'ĭk; sā'-] *(adj.)* صاليّ: منسوب إلى الصاليين **Salii** وهم قبيلة من الفرنجة سكنت في مناطق الراين الواقعة قرب بحر الشمال.
salicin [săl'ə sĭn] *(F.)* السَّلِيسِين: مركّب مرير أبيض متبلّر يستعمل طبياً لتلطيف الحُمّى (ك).
Salic law *(n.)* الشريعة الصاليّة: «أ» مجموعة قوانين الفرنجة الصاليين. «ب» قانون يحظر على الإناث وراثة العرش.
salicylate [săl'ə sĭl'āt] *(n.)* ساليسيلات (ك).
salicylic acid [săl'ə sĭl'ĭk] *(n.)* الحامض الساليسيليك (ك).
salience *or* **saliency** [sā'lĭ-] *(n.)* (١) «أ» قَفْز. «ب» نَفْث. «ج» نتوء. «د» بروز (٢) «أ» شيء أو جزء ناتيء. «ب» نقطة أو سِمة بارزة.
salient [sā'lĭ ənt] *(adj.; n.)* (١) قافز (a ~ fish) (٢) نفّاث؛ فوّار (a ~ spring) (٣) «أ» بارز؛ ناتيء (a ~ angle). «ب» ملحوظ؛ بارز (~ traits) §(٤) زاوية بارزة (٥) نتوء أو جزء ناتيء من خط دفاعي.
salientian [sā'lĭ ĕn'shĭ ən] *(n.; adj.)* (١) القَفّاز: حيوان من القفّازات أو القوافز **Salientia** وهي رتبة من البرمائيات تشمل الضفادع والضفادع البرية §(٢) قفّاز.
salify [săl'ə fī'] *(vt.)* (١) يملّح؛ يمزج أو يُشبع بالملح (٢) يحوّل إلى ملح.
salimeter [sə lĭm'ə tər] *(n.)* المِملاح: مقياس الملوحة (في محلول).
salina [sə lī'nə] *(Sp.)* (١) المَلاّحة: موضع يُصنع فيه الملح (٢) بحيرة أو بركة الخ. مالحة.
saline [sā'līn] *(adj.; n.)* (١) مالح (~ solutions) (٢) مِلْحيّ (~ compounds) §(٣) بحيرة او بركة الخ. مالحة (٤) ملحٌ معدنيّ (٥) محلولٌ مالح.
salinometer [săl ə nŏm'ə tər] *(n.)* = salimeter.
saliva [sə lī'və] *(L.)* لُعاب؛ رُضاب؛ رِيق.
salivary [săl'ə vĕr'ĭ] *(adj.)* لُعابيّ؛ رُضابيّ.
salivate [săl'ə vāt'] *(vt.; i.)* (١) يُحدث مقداراً مفرطاً من اللعاب في × (٢) «أ» يُفرز لعاباً. «ب» يسيل لعابه.
Salk vaccine [sôlk] *(n.)* لِقاح سولك (ضدّ شلل الأطفال).
sallet [săl'ĭt] *(n.)* الصَّلّيتة: خوذة خفيفة (في القرن الخامس عشر).
sallow [săl'ō] *(n.; adj.)* (١) الصَّفصاف (نب) §(٢) شاحب.
sally [săl'ĭ] *(n.; vi.)* (١) هجمة (تقوم بها قوّات محاصَرة) (٢) انطلاقة أو نشاط مفاجيء (٣) انفجار (~ of anger) (٤) نكتة (٥) رحلة §(٦) يهجم على (٧) يقوم برحلة أو نزهة.
Sally Lunn [lŭn] *(n.)* الساليلون: ضرب من كعك الشاي المُحلّى.
salmagundi [săl'mə gŭn'dĭ] *(F.)* (١) سَلَطة (٢) مَزيج؛ خليط.
salmi [săl'mĭ] *(F.)* السَّلْمِي: لحم نصف مُحمَّر مطهوّ بالصلصة.
salmon [săm'ən] *(n.)* السَّلْمون؛ سمك سليمان.
salmonberry [săm'ən bĕr'ĭ] *(n.)* الصَّلْمَنْبَر: ضرب من الفريز.
salmonoid [săm'ə noid'] *(adj.; n.)* (١) سَلْمونيّ: شبيه بسمك السَّلمون أو خاص به §(٢) سمكة سَلْمونيّة.

salmon pink *(n.)* القرنفلي "السَّلْموني": لون قرنفلي ضاربٌ للصفرة.

salon [sə lŏn'; sȧ lôn'] *(F.)* (١) بَهْو (٢) الصالون الأدبي: اجتماع أدباء أو فنّانين أو سياسيين بارزين يُعقَد دورياً في قصر رجل (أو امرأة) من ذوي الشأن (٣) معرض فنّي (للّوحات الزيتيّة والتماثيل الخ).

saloon [sə lōōn'] *(F.)* (١) بَهْو (٢) صالون أدبيّ (را. المادة السابقة). (٣) حانة (٤) الصّالون: سيّارة مقفلة تتّسع لـ ٤ – ٧ ركاب.

saloop [sə lōōp'] *(Ar.)* سَحْلَب أو شراب حارّ يُعَدّ منه.

salpiglossis [săl pĭ glŏs'ĭs] *(L.)* لسان المزمار: نبات ذو زهرات كبيرة قِمعيّة الشكل مختلفة الألوان (نب).

salpingitis [săl pĭn jīt'ĭs] *(n.)* (١) التهاب القناة السمعيّة (مض). (٢) التهاب قناة فالوب (مض).

salpinx [săl'pĭngks] *(L.)* pl. **-pinges** (١) القناة السمعيّة (ت) (٢) قناة فالوب (ت).
—salpingian *(adj.)*

salsa *(n.)* السَّلْسة: موسيقى شعبية جنوبأميركية الأصل.

salsify [săl'sə fĭ] *(F.)* الفُومي؛ لحية التيس: بقلٌ تؤكل جذوره.

sal soda *(n.)* كربونات الصوديوم (ك).

salt [sôlt] *(n.; vt.; adj.)* (١) مِلح (٢) نكهة؛ حِدّة (٣) تحفّظ؛ شكّ (٤) ملاّح؛ نوتيّ § (٥) يملّح § (٦) مالح (٧) مُملَّح (٨) حادّ؛ لاذع (a ~ wit) (٩) قاسٍ؛ مرير (a ~ reproach).
- not worth one's ~, تافه؛ غير جدير بأن يُحتفَظ به.
- ~ of the earth ملح الأرض؛ خيار النّاس.
- to eat a person's ~, يكون ضيفاً على فلان.
- to ~ away money يدّخر المال للمستقبل.
- with a grain of ~, بشيء من التحفّظ أو الشكّ.

saltant [săl'tənt] *(adj.)* (١) واثبٌ (٢) راقص.

saltarello [săl'tə rĕl'ō] *(It.)* السالتاريلّو: رقصة إيطاليّة.

saltation [săl tā'shən] *(n.)* (١) «أ» وَثْب. «ب» رَقْص. (٢) تغيّر مفاجىء (٣) التغيّر الأحيائي (را. mutation 2.).

saltatorial [săl'tə tōr'ĭ əl] *(adj.)* (١) وثْبيّ (٢) واثب؛ وثّاب.

saltatory [săl'tə tōr'ĭ] *(adj.)* (١) رَقْصيّ: خاص بالرقص. (٢) واثب؛ وثّاب.

saltcellar [sôlt'sĕl'ər] *(n.)* المَملحة: مملحة المائدة.

salted [sôl'tĭd] *(adj.)* (١) مملّح (٢) متمرّس؛ محنّك (٣) ذو مناعة ضد مرض سارٍ بسبب من سابق إصابته به (صفة لحيوان).

salter [sôl'tər] *(n.)* (١) الملاّح: صانع الملح أو المتاجر به. (٢) مملّح اللحم أو السمك أو الجلود.

saltern [sôl'tərn] *(n.)* ملاّحة أو مصنع ملح.

saltigrade [săl'tə grād'] *(adj.)* واثب: ذو قوائم معدّة للوثوب.

saltiness [sôl'tĭ nĭs] *(n.)* مُلوحة.

saltish [sôl'tĭsh] *(adj.)* مالح قليلاً؛ مالح بعضَ الشيء.

salt lick *(n.)* المَلْحة (را. lick 7).

salt marsh *(n.)* المُستنقَع المِلحيّ.

saltpeter *or* **saltpetre** [sôlt'pē'tər] *(n.)* المِلح الصخري: نترات البوتاسيوم أو الصوديوم.

saltshaker [sôlt'shā kər] *(n.)* مِذَرّة (أو مِرَشّة) الملح.

saltwater [sôlt'wô'tər] *(adj.)* مامِلحيّ: خاصّ بالماء المالح أو عائش فيه أو مؤلَّف منه.

saltworks [sôlt'wûrks'] *(n. sing. or pl.)* مصنع الملح.

saltwort [sôlt'wûrt'] *(n.)* الحُرْض: جنس نباتات تستخرج منها كربونات الصودا التجاريّة.

salty [sôl'tĭ] *(adj.)* (١) «أ» مالح. «ب» مملّح. «ج» مِلحيّ. (٢) «أ» لاذع؛ حادّ. «ب» مكشوف؛ غير محتشم.

salubrious [sə lōō'brĭ əs] *(adj.)* صِحّيّ؛ نافع للصحة.
—salubriousness; salubrity *(n.)*

saluki [sə lōō'kĭ] *(Ar.)* السَّلوقيّ: كلبٌ من كلاب القنص.

salutary [săl'yə tĕr'ĭ] *(adj.)* (١) صِحّيّ (~ exercise) (٢) مفيد.

salutation [săl'yə tā'shən] *(n.)* (١) تسليم (٢) سلام؛ تحية. (٣) استهلال الرسالة الرسميّ (كقولك في مطلعها Dear Sir).

salutatorian [sə lōō'tə tōr'ĭ ən] *(n.)* الطالب المرحِّب: الطالب الذي يلقي خطاب الترحيب عند تخرّج صفٍّ من الصفوف.

salutatory [sə lōō'tə tōr'ĭ] *(adj.; n.)* (١) ترحيبيّ § (٢) خطاب الترحيب (بالضيوف في حفلة تخريج صفّ).

salute [sə lōōt'] *(vt.; i.; n.)* (١) يحيّي؛ يسلّم؛ يرحّب بـ (٢) يؤدّي التحية العسكريّة (٣) يُطري § (٤) «أ» تسليم؛ ترحيب. «ب» سلام؛ تحيّة. «ج» تحيّة عسكريّة (٥) مفرقعة ناريّة.

salvable [săl'və bəl] *(adj.)* ممكنٌ تخليصه أو إنقاذه.

salvage [săl'vĭj] *(n.; vt.)* (١) تعويض الإنقاذ: مكافأة تدفع على إنقاذ سفينة من الغرق أو إنقاذ ركابها وحمولتها عند الغرق (٢) إنقاذ (سفينة أو حمولتها) من الغرق أو إنقاذ (ممتلكات) من الحريق الخ. (٣) المُستَرَدّ: الممتلكات المنقَذة (عند الغرق أو الحريق) § (٤) ينقذ (من غرق أو حريق).
—salvager *(n.)*

salvation [săl vā'shən] *(n.)* (١) تخليص (من الخطيئة) (٢) إنقاذ. (٣) نجاة؛ خلاص (٤) وسيلة الخلاص أو سببه.

salvational [săl vā'shən əl] *(adj.)* تخليصيّ؛ إنقاذيّ.

Salvation Army *(n.)* جيش الخلاص: شبه منظمة عسكريّة لنشر الدين ومساعدة الفقراء أنشأها في انكلترة وليم بوث عام ١٨٦٥.

salve [săv; säv] *(n.; vt.)* (١) مَرْهَم (٢) كلّ ما يلطّف أو يسكّن § (٣) يهدّىء؛ يسكّن (٤) ينقذ (من غرق أو حريق الخ.).

salver [săl'vər] *(Sp.)* طَبَق؛ صينيّة (لتقديم الطعام أو المشروبات).

salvia [săl'vĭ ə] *(L.)* الناعمة؛ المَرْيَميّة؛ القَصْعين (نب).

salvo [săl'vō] *(It.)* (١) الإصلاء: «أ» إطلاق النار من مدفعين أو أكثر دفعةً واحدة. «ب» إلقاء جميع القنابل أو الصواريخ (من طائرة ما) دفعةً واحدة (٢) الصَّلْية: القنابل أو القذائف الملقاة دفعة واحدة (٣) تحيّة (٤) انفجار مفاجىء؛ عاصفة (a ~ of cheers) (٥) تحفّظ؛ اشتراط (ا.ن) (٦) وسيلة ينقذ بها المرء اسمه أو شرفه أو يلطّف بها وخز ضميره (ا.ن).

sal volatile [săl vō lăt'ə lē'] *(L.)* كربونات النشادر (ك).

samara [săm'ə rə] *(L.)* الجناحيّة؛ الثمرة الجناحيّة: ثمرة يابسة غير منفتحة عند النضج وحيدة البزرة عادةً يمتدّ غلافها على شكل جناح كثمرة الدردار الخ.

samaras

Samaritan [sə măr'ə tən] *(n.; adj.)* (١) السامريّ: أحد أبناء السامرة بفلسطين § (٢) سامريّ.

samarium [sə mâr'ĭ əm] *(L.)* السَّمَريوم: عنصر فلزي نادر (ك).

samarskite [sə mär'skīt] *(F.)* السَّمَرسكيت: معدن يحتوي على حديد وكلسيوم وأورانيوم ورصاص وثوريوم الخ.

samba [săm'bə] *(Pg.)* السّامبا: رقصة برازيلية افريقية الأصل.

sambar *or* **sambur** [săm'bər] *(Hin.)* الصَّمْبَر: أيّل اسيويّ ضخم.

sambo [săm'bō] *(Sp.)* السّامبو: مولَّد أحدُ أبويه زنجي والآخر خُلاسيّ أو هنديّ أحمر.

sambo *(n.)* السامبو: مصارعة شبيهة بالجودو.

Sam Browne belt *(n.)* حزام سام براون : حزام عسكريّ للضباط ذو حِمالة تحيط بالكتف اليمنى .

same [sām] *(adj.; pron.; adv.)* (١)نفسُهُ ؛عينُهُ (the ~ book) §(٢) الشيء أو الشخص نفسه (did the ~ again) (٣) الآنف الذكر §(٤) بالطريقة نفسها (*Peace* and *piece* are pronounced the ~.)

all the ~, مع ذلك ، ومع ذلك .
It is all the ~ to me. سِيّان عِندي .
just the ~, (١) بالطريقة نفسها (٢) ومع ذلك .
one and the ~, الشيء نفسه تماماً .
the very ~, الشيء نفسه تماماً .

sameness [sām'nĭs] *(n.)* (١) تماثل ، شَبَه تامّ (٢) رتابة .

samiel [săm'yĕl] *(Turk.)* السَّموم ، ريح السَّموم .

samisen [săm'ĭ-] *(Jap.)* : السَّمِيسَن : آلة موسيقيّة يابانيّة ثلاثيّة الأوتار .

samisen

samite [săm'īt; sā'-] *(n.)* : السّامِيت : نسيجٌ حريريّ تخالطه خيوط ذهبية وفضيّة .

Samoan [sə mō'ən] *(n.; adj.)* (١) الساموائي: أحد أبناء «ساموا» وهي مجموعة جزر في المحيط الهادىء (٢) الساموائية : لغة الساموائيين §(٣) ساموائي .

samovar [săm'ə vär] *(Russ.)* السَّماوَر : إناء لإعداد الشاي .

samovar

Samoyed *also* **Samoyede**[săm'ə yĕd'] *(n.; adj.)* (١)الساموديّ: «أ» أحد السامودیین وهم شعب سيبيريّ منغوليّ يعيش على القنص وصيد الأسماك. «ب» كلب أبيض سيبيريّ الأصل (٢) السامودية : لغة السامودیین §(٣) أو **Samoyedic** : ساموديّ .

samp [sămp] *(n.)* جَرِيش الذُّرة أو عصيدة مصنوعة منه .

sampan [săm'păn] *(Chin.)* السَّمبان : زورق صينيّ يسيّر بمجذاف .

sampan

samphire [săm'fīr] *(n.)* (١) الشُّمرة البحريّة (نب) (٢) الأُشنان (نب) .

sample [săm'pəl] *(n.; vt.)* (١) عَيِّنة ، مسطرة §(٢)«أ» يأخذ عيِّنة من . «ب» يختبر .

sampler [săm'plər] *(n.)* (١) قطعة من شغل الابرة (مزدانة بأحرف أو أبيات شعر) (٢)«أ» جامع العيّنات أو مُختبِرها. «ب» أداة لاستخراج العيّنات (من كيس قمح مثلاً) (٣)المختار: شيء يتضمّن عيّناتٍ أو مختاراتٍ نموذجيّة .

sample room [săm'pəl] *(n.)* معرض العيّنات : وبخاصة حجرة في فندق يعرض فيها التجار نماذج من سلعِهم ترغيباً للنزلاء في شرائها.

sampling [-'plĭng] *(n.)* (١)عيّنة (٢)أخذُ العيّنات أو اختيارها.

samshu [-'shōō] *(Chin.)* السَّمشو : مُسكِر صينيّ يقطّر من الأرز.

Samson [săm'sən] *(n.)* (١) شمشون الجبار (٢) شمشون : كل رجل ذي قوة استثنائيّة .

Samsonian [săm sō'-] *(adj.)* شمشونيّ ؛ جبّار ، عظيم القوّة.

samurai [săm'ōō rī'] *(Jap.)* الساموراي : «أ» تابعٌ عسكريّ لنبيل يابانيّ إقطاعي . «ب» طبقة المحاربين الأرستوقراطية اليابانية.

sanative [săn'ə tĭv] *(adj.)* شافٍ .

sanatorium [săn'ə tōr'ĭ əm] *(L.)* pl. **-toriums** *or* **-toria** مَصَحّة (وبخاصة للناقهين وللمصابين بالأمراض المزمنة) .

sanbenito [săn'bə nē'tō] *(Sp.)* الصَّنْبَنِيط : «أ» ثوبٌ من خيش أو من وبر الإبل كان يرتديه الزنادقة التائبون . «ب» ثوب أسود مزدان بصور الأبالسة وألسنة النار كان يرتديه الزنديق المحكوم عليه بالموت من قِبل محكمة التفتيش في اسبانية .

sanctified [săngk'tə fīd] *(adj.)* (١) مكرّس (٢) طاهر ، مبرّأ من الخطيئة (٣) منافق ، متظاهر بالتقوى .

sanctify [săngk'tə fī'] *(vt.)* (١) «أ» يقدّس : يجعله مقدّساً . «ب» يكرّس : يخصّصه لغرض أو استعمال دينيّ (٢) يطهر (من الخطيئة) (٣) يقرّه دينياً ، يجعله شرعياً أو مُلزِماً (٤) يبرر. **—sanctification** *(n.)*

sanctimonious [săngk'tə mō'-] *(adj.)* منافق ، متظاهر بالتقوى.

sanctimony [săngk'tə mō'nĭ] *(n.)* نفاق ، تظاهرٌ بالتقوى .

sanction [săngk'shən] *(n.; vt.)* (١) «أ» مرسوم ، قانون . «ب» إقرار ، تصديق ، موافقة على (٢) جزاء (مج) (٣)الوازع ، الرادع (The best moral ~ is that of conscience.) (٤)عقوبة اقتصادية أو عسكرية تُنزلها مجموعة من الدول بدولة انتهكت حرمة القانون الدولي §(٥) يقرّ ، يصدّق على (٦) يجيز .

sanctity [săngk'tə tĭ] *(n.)* (١) قداسة ؛ طهارة ؛ وَرَع (٢)حُرْمة ؛ قُدسيّة (the ~ of the temple) (٣) شيء مقدّس .

sanctuary [săngk'chōō ĕr'ĭ] *(n.)* (١) حَرَم ، مَقْدِس . (٢) ملتجأ ، مَفزَع ، ملاذ .

sanctum [-'təm] *(L.)* pl. **-tums** *or* **-ta** (١) حَرَم ، مَقْدِس (٢) معتزَل ، مُختَلى ، مكتب خصوصي ، حجرة خصوصية .

sanctum sanctorum [săngk tōr'əm] *(L.)* قُدْس الأقداس.

Sanctus bell [-'təs] *(n.)* ناقوس القدّاس (يُقرَع أثناء إقامته).

sand [sănd] *(n.; vt.)* (١) «أ» رَمل . «ب» تربة رمليّة . «ج» شاطىء رمليّ (٢)«أ» رمل الساعة الرمليّة . «ب» لحظات العمر (٣) شجاعة (٤) اللون الرمليّ §(٥) يذر الرمل على (٦) يغطي أو يملأ بالرمل (٧) ينظّف أو يصقل بالرمل أو بالورق المرمّل .

The ~*s* are running out. يوشك الوقت أن ينقضي .

sandal [săn'dəl] *(n.)* (١) صَنْدل ، خُفّ. (٢) خشب الصّندل .

sandalwood [săn'dəl-] *(n.)* (١) خَشَب الصّندل (٢) شجرة الصّندل .

sandarac [săn'də răk'] *(L.)* (١) رَهَج الغار (مع) (٢) صمغُ السَّنْدَرُوس .

sandals 1.

sandarac tree *(n.)* : شجرة السَّندروس : شجرة شمالأفريقية كبيرة من الفصيلة الصنوبريّة .

sandbag [sănd'băg] *(n.; vt.)* (١) كيس رمل §(٢) يزوّد أو يحصن أو يُثقِل الخ. بأكياس رمل .

sandbank [sănd'băngk] *(n.)* القُرارة الرملية : ركام من الرمل ضخمٌ في رابية أو جانب تلٍّ أو مياه ضحلة .

sandbar [sănd'bär] *(n.)* المرتفَع المُرْمِل : امتدادٌ رمليّ مرتفع يتشكّل بفعل المدّ والجزر أو التيّارات المائية .

sandblast [sănd'blăst'] *(n.; vt.; i.)* (١) السَّفْع الرملي : تيارٌ هوائيّ مشتمل على رمل ، يستخدم لتنظيف سطوح الزجاج والحجارة والمعادن أو صقلها الخ . (٢) المِسفَع الرمليّ : جهاز لاستخدام السَّفْع الرّملي §(٣) يَسفَع بالرمال .

sand-blind [sănd'blīnd'] *(adj.)* نصف أعمى ، أعمى جزئياً .

sandbox [sănd'bŏks'] *(n.)* صندوق رمل ، وبخاصة : «أ» مِرْمَلة

الكتابة. «ب» مخزن في قاطرة السكة الحديدية أو نحوها يُسقَط منه الرمل على قضبان السكة منعاً للانزلاق.

sandboy [săndʹboi] *(n.)* غلام الرمل : حشرة من حشرات كثيرة القفز (كبرغوث الرمل) تكثر في الشواطىء الرمليّة.

sand-cast [săndʹ-] *(vt.)* يصب رملياً (بإفراغ المعدن في قالب رملي).

sand casting *(n.)* الصبّ في الرمل.

sand crack *(n.)* صَدْع الرمل: شِقّ في حافر الفرس يسبّب العَرَج.

sand dollar *(n.)* دولار الرمل : قنفذ بحري مدوّر مفلطح الشكل يألف الأعماق الرملية.

sand dollar

sander [sănʹdər] *(n.)* (١) المِرملة : أداة في قاطرة السكّة الحديديّة لذرّ الرمل على قضبان السكّة منعاً للانزلاق (٢) ماكينة سَنْفَرَة (للتنعيم والصقل) (٣) المنظِّف أو الصاقل بالرمل أو بالورق المرمَّل.

sanderling [sănʹdər-] *(n.)* المَدْرَوان: نوع من الطيطوَى (طا).

sand flea *(n.)* برغوث الرمل.

sand fly *(n.)* ذبابة الرمل.

sandglass [săndʹglăs] *(n.)* = hourglass.

sand grouse *(n.)* القَطاة : واحدة القَطا (طا).

sandiness [sănʹ-] *(n.)* الرَّمْلانيّة : كونُ الشيء رملياً.

sanding machine *(n.)* ماكينة السَّنْفَرَة (للتنعيم والصقل).

sand launce *or* **eel** *(n.)* الأنقليس الرملي.

sandlot [săndʹ-] *(n.)* ملعب الرمل: أرض رمليّة يلعب فيها الصبيان.

sandman [săndʹmănʹ] *(n.)* الرَّمّال : رجل تزعم الأسطورة أنّه يوقع النعاس في عيون الأطفال بذرّ الرمل فيها.

sandpaper [săndʹpāʹpər] *(n.; vt.)* (١) ورق السَّنْفَرَة؛ الورق المرمّل؛ ورق الزجاج §(٢) يُسَنْفِر: يحكّ بورق الزجاج.

sandpiper [săndʹpīʹpər] *(n.)* زمّار الرمل؛ الطيطوَى (طا).

sandpiper

sandstone [săndʹstōnʹ] *(n.)* الحجر الرملي.

sandstorm [-ʹstôrmʹ] *(n.)* عاصفة رملية.

sand table *(n.)* خُوان الرمل (يُتّخذ ليلعب الأطفال أو يُستخدم لتعليم الجند التكتيك الحربيّ الخ.).

sand verbena [vər bēʹnə] *(n.)* الرّشيقة؛ الأبرونية: نبات أميركي.

sandwich [săndʹwĭch] *(n.; vt.)* (١) سندويتش؛ شَطِيرة §(٢) يشطر: يصنع منه شطيرة (٣) يُقْحِم بين شيئين أو شخصين (Jalal was ~*ed* between two fat women.).

sandwich man *(n.)* الرَّجُل المُشَطَّر: رجل يحمل لوحتين إعلانيّتين إحداهما على صدره والأخرى على ظهره (فكأنه شطيرة).

sandwort [săndʹwûrtʹ] *(n.)* الرَّمْليّة: زهرة الرمال (نب).

sandy [sănʹdĭ] *(adj.)* (١) رمْليّ : مُحتوٍ على رمل أو مؤلّف منه أو مكسوّ به (٢) رمليّ اللون (٣) رجراج (كالرمل).

sane [sān] *(adj.)* (١) سليم العقل (٢) معقول.

sang [săng] *past of* sing.

sangaree [săngʹgə rēʹ] *(Sp.)* السَّنْجَري : شرابٌ مُسْكِر.

sangfroid [sän frwäʹ] *(F.)* هدوء؛ رباطة جأش.

sanguinaria [săngʹgwĭ nârʹĭ ə] *(L.)* (١) الدَّمَويّة: نباتٌ من الفصيلة الخَشْخاشيّة (٢) جذور «الدموية» المستعملة كمساعد على التقيّؤ والتخلّص من البلغم.

sanguinary [săngʹgwĭ nĕrʹĭ] *(adj.)* (١) سفّاح؛ متعطّش للدم. (٢) دامٍ (a ~ struggle) (٣) دمويّ؛ مؤلّف من دم (a ~ stream).

sanguine [săngʹgwĭn] *(adj.; n.)* (١) أحمر قانٍ (٢) «أ» دمويّ: ذو علاقة بالدم أو مؤلف منه. «ب» متعطش للدم. «ج» متورّد (الوجنتين الخ.) (٣) دموي المزاج (٤) متفائل (had a ~ disposition) (٥) واثق (was ~ of success) §(٥) القلم الدمويّ: قلم أحمر يُستخدم في الرسم. **—sanguinity** *(n.)*

sanguineous [săngʹgwĭnʹĭ əs] *(adj.)* (١) أحمر قانٍ (٢) متعطش للدم (٣) دمويّ: «أ» ذو علاقة بالدم. «ب» مؤلّف من دم. «ج» كثير الدم (٤) متفائل؛ واثق.

sanguinolent [săng gwĭnʹə lənt] *(adj.)* دموي: محتوٍ على دمٍ أو مصطبغ به.

Sanhedrin [sănʹhĭ drĭn] *or* **Sanhedrim** [-drĭm] *(n.)* السَّنْهَدْريم: المجلس الأعلى (عند اليهود القدماء).

sanies [sāʹnĭ ēzʹ] *(L.)* المُهْل: سائل رقيق مصطبغ بالدم تفرزه القرحة.

sanitarian [sănʹə târʹĭ ən] *(adj.; n.)* (١) صحّي §(٢) الاختصاصي في عِلم الصحة.

sanitarium [sănʹə târʹĭ əm] *(L.)* = sanatorium.

sanitary [sănʹə tĕrʹĭ] *(adj.; n.)* (١) صِحّي (٢) نظيف §(٣) الكنيف الصحي : مرحاض مزوّد بأسباب النظافة.

sanitary napkin *(n.)* المنديل الصّحّي: منديل ورقيّ لامتصاص دم الحيض أو الطمث.

sanitate [sănʹə tāt] *(vt.)* يزوّد بالوسائل الصحية.

sanitation [sănʹə tāʹshən] *(n.)* التَّصحاح: «أ» جعل الشيء صحيّاً. «ب» تعزيز الصحة العامة ومنع تفشي الأمراض الخ.

sanitize [-ʹə tīz] *(vt.)* يُصحّح: يجعله صحياً (بالتنظيف أو التعقيم).

sanity [sănʹə tĭ] *(n.)* سلامة العقل أو صحّته.

sank [săngk] *past of* sink.

Sankhya [sängʹkyə] *(Skt.)* السَّنْخيّة: فلسفة هندوسيّة تعلّم الخلاص من طريق القدرة على التمييز بين المادة والروح.

sannup [sănʹŭp] *(n.)* الصَّنَب: هنديّ أحمر متزوّج.

sans [sănz; sän] *(prep.)* بلا؛ بدون (~ eyes).

Sanscrit [sănʹskrĭt] *(n.)* = Sanskrit.

sansculotte [sănzʹkyo͞o lŏtʹ; sän ky lôtʹ] *(F.)* اللامُتَسَرْوِل: «أ» جمهوري فرنسيّ متطرّف، أيامَ الثورة الفرنسيّة. «ب» أحد أبناء الطبقة الدنيا، وبخاصة: شخص متطرّف حتى العنف في الشؤون السياسيّة.

sansei [sänʹsāʹ] *(Jap.)* السَّنْسي: أحد أبناء المهاجرين اليابانيّين إلى الولايات الاميركية المتحدة.

sansevieria [sănʹsĭ vĭ ĭrʹĭ ə] *(L.)* السَّنْسَفيرية: عشبة ذات أوراق سيفيّة الشكل وألياف متينة.

Sanskrit [sănʹskrĭt] *(n.; adj.)* (١) السَّنسكريتيّة: لغة الهند الأدبيّة القديمة §(٢) سَنْسكريتي.

Santa Claus [sănʹtə klôzʹ] *(n.)* سنتاكلوز؛ «بابا نُوِيل»: قدِّيس الأطفال وموزّع الهدايا عليهم عشيّة عيد الميلاد.

santonin [sănʹtə nĭn] *(n.)* السَّنْتونين: مركّب سامّ متبلّر (ك).

Santos [sănʹto͞os] *(n.)* السانتوس: بُنّ برازيليّ من إنتاج سان باولو.

sap [săp] *(n.; vt.)* (١) «أ» النُّسْغ: سائل يجري في أوعية النبات حاملاً الماء والغذاء. «ب» دم. «ج» حيويّة (٢) شخص أحمق ساذج (٣) خندق عميق ضيّق (يُحفَر للاقتراب من مواقع العدوّ) §(٤) «أ» يستنزف نُسْغَه أو حيويته. «ب» يُضْعِف؛ يُوهِن (٥) يلغم؛ يقوّض (٦) «أ» يَحفِر خندقاً. «ب» يقترب من مواقع العدوّ بحفر خندق.

saphead [săpʹhĕdʹ] *(n.)* المغفّل؛ الأحمق؛ الضعيف العقل.

sapheaded [săp'hĕd'ĭd] *(adj.)* مغفَّل ، أحمق ، ضعيف العقل.
saphena[sə fē'nə] *(Ar.)* pl. **-e** الصَّافِن : وريد ضخم في الساق.
saphenous [sə fē'-] *(adj.)* صافِنِيّ : متعلق بالصافن او خاص به.
sapid [săp'ĭd] *(adj.)* (١) ذو نكهة أو طَعْم (٢) لذيذ الطعم (٣) مُمْتِع. **—sapidity** *(n.)*
sapience; sapiency [sā'pĭ-] *(n.)* حكمة ، تعقُّل.
sapient [sā'pĭ ənt] *(adj.)* حكيم ، متعقّل.
sapless [săp'-] *(adj.)* (١) جافّ ، لا نُسْغَ فيه (٢) واهِن ، ضعيف ، فاقد الحيويّة.
sapling [săp'lĭng] *(n.)* (١) شُجَيرة (٢) شابّ.
sapodilla [săp'ə dĭl'ə] *(Sp.)* السَّبُّوتة : زُعْرُور أميركة (نب)
saponaceous [săp'ə nā'shəs] *(adj.)* (١) صابونيّ (٢) slippery.
saponated [săp'ə-] *(adj.)* مُصَبَّن : معالَج أو ممزوج بالصابون.

sapodilla

saponifiable[sə pŏn'ə fī ə bəl] *(adj.)* صَبُون ، قابل للتصبّن (oils ~).
saponification [sə pŏn ə fə kā'shən] *(n.)* (١) تصبين ، تحويل إلى صابون (٢) تصبّن.
saponifier [sə pŏn'ə fī ər] *(n.)* (١) المُصبِّن (٢) جهاز التصبين.
saponify[-'ə fī'] *(vt.; i.)* (١) يُصبِّن × (٢) يتصبّن.
saponin [săp'ə nĭn] *(n.)* الصابونِين (ك).
saponite [săp'ə nīt] *(n.)* الصابونيت (مع).
sapor [sā'pôr] *(n.)* نَكْهة ، مذاق ، طَعْم.
sapota [sə pō'tə] *(Sp.)*= sapodilla.
sapper [săp'ər] *(n.)* (١) مهندس عسكري (٢) اللغّام : خبير بوضع الألغام وتعطيلها.
sapphire [săf'īr] *(n.; adj.)* (١) الصَّفِّير : ياقوت أزرق. (٢) الصَّفِّيريّ : لون أزرق ضارب إلى الخضرة §(٣) صَفِّيريّ.
sapphirine [săf'ər ĭn] *(adj.; n.)* (١) صَفِّيريّ (٢) صَفِّيريّ اللون §(٣) الصَّفِّيرين (مع).
sapphism [săf'ĭz əm] *(n.)* السِّحاق : مضاجعة الإناث للإناث.
sappiness [săp'ĭ nĭs] *(n.)* (١) «أ» النُّسْغِيّة : كون النبتة وافرة النُّسْغ (را. sap I *a*.) «ب» غضارة. «ج» حيويّة (٢) حماقة ، سُخْف.
sappy [săp'ĭ] *(adj.)* (١) «أ» كثير النُّسْغ. «ب» غَضِير ، غَضّ ، ريّان. «ج» مفعم بالحيوية والنشاط (٢) أحمق ، سخيف.
sapr- *or* **sapro-** بادئة معناها : «أ» فاسد ، عَفِن ، نتِن. «ب» مادة عضوية ميتة أو فاسدة.
sapremia [sə prē'mĭ ə] *(L.)* الصَّبْرَميّة ، الحُمّى النَّتِنة : ضرب من تسمّم الدم.
saprogenic [săp'rō jĕn'ĭk] *(adj.)* (١) تَعَفُّنِيّ (٢) مسبب للتعفن أو ناشىء عنه.
saprolite [săp'rō līt'] *(n.)* السَّبْروليت : صخر ليّن بالٍ أو متفسِّخ.
saprophagous [sə prŏf'ə gəs] *(adj.)* آكِل للعَفَن.
saprophyte [săp'rō fīt'] *(n.)* الإعفيين : كلّ مُتَعَضٍّ نباتيّ يعيش على المادة العضوية الميتة أو العفنة ، كبعض الفطور والبكتيريا.
saprophytic [săp'rō fĭt'ĭk] *(adj.)* إعفيني : مستمدّ غذاءه بامتصاص المادة العضوية المنحلّة.
saprozoic [săp'rō zō'ĭk] *(adj.)* = saprophytic.
sapsago [săp'sə gō] *(G.)* السَّبْساغ : جبن سويسري قاسٍ مخضرّ.

sapsucker [săp'sŭk'ər] *(n.)* مَصّاص النُّسْغ : «نقّار خشب» يغتذي بنسغ النبات (طا).
sapwood [săp'wŏŏd'] *(n.)* خشب النُّسْغ : الخشب الغضّ الحيّ الذي بين لحاء الشجرة وخشبها الباطني الصلب.
saraband *or* **sarabande** [săr'ə bănd] *(Sp.)* (١) السَّرَبَنْدة : رقصة قديمة من رقصات القرنين ١٧ و١٨ (٢) موسيقى السَّرَبَنْدة.

sapsucker

Saracen [săr'ə sən] *(n.; adj.)* (١) عربيّ (٢) مسلم.
sarc- *or* **sarco-** بادئة معناها : لَحْم (sarcous).
sarcasm [sär'kăz əm] *(n.)* سُخْرية ، تهكّم.
sarcastic [sär kăs'tĭk] *(adj.)* سُخْريّ ، تهكّميّ.
sarcenet [särs'nĭt] *(n.)* السَّرْسِنيت : نسيج حريري رقيق.
sarcocarp [sär'kō kärp'] *(n.)* (١) لُبّ الثمرة (٢) ثمرة لَحِيمة.
sarcoma [sär kō'mə] *(n.)* pl. **-mata** *or* **-mas** السَّرْقُوم : ورم خبيث ينشأ في النسيج الضام (مض).
sarcophagic [sär kō făj'ĭk] *(adj.)* = carnivorous.
sarcophagous [sär kŏf'ə gəs] *(adj.)* = carnivorous.
sarcophagus [sär kŏf'ə gəs] *(n.)* pl. **-gi** [-jī'] *or* **-guses** الناووس : تابوت حجري.
sarcous [sär'kəs] *(adj.)* (١) لحميّ (٢) عضليّ.
sard [särd] *(F.)* الصَّرْد : عقيق أحمر برتقاليّ.
sardine[sär dēn'] *(n.)* السَّرْدِين : سمك صغير يعلَّب مكبوساً بالزيت.
Sardinian [sär dĭn'ĭ ən] *(n.; adj.)* (١) السَّرْداني : أحد أبناء سَرْدانيا أو سَرْدينية (٢) السَّردانية : لغة سَرْدانيا §(٣) سَرْدانيّ.
sardius [sär'dĭ əs] *(n.)* = sard.
sardonic [sär dŏn'ĭk] *(adj.)* تهكّميّ ، ساخر.
sardonyx [sär'də nĭks] *(n.)* الجَزْع العقيقيّ.
sargasso [sär găs'ō] *(Pg.)* السَّرْجَس : طُحلب بحريّ.
sarge [särj] *(n.)* = sergeant.
sari *or* **saree** [sä'rē] *(Hin.)* الساري : ثوبٌ ترتديه النسوة الهندوسيات مؤلف من بضع ياردات من النسيج الرقيق يُلَفّ بها الجسم بحيث يُشكّل أحدُ طرفيها تنورةً ويشكّل الآخر غطاءً للرأس أو الكتف.
sark [särk] *(n.)* = shirt.
sarmentose [sär mĕn'tōs] *(adj.)* سَرَعِيّ : ذو أغصان رفيعة كسُرُوع الكروم (نب).
sarong [sə rông'] *(n.)* السارُنْغ : «أ» اللباس الرئيسي لكلا الجنسين في أرخبيل الملايو الخ. ويتألف من قطعة قماش تكتنف الجزء الأدنى من الجسم على شكل تنورة. «ب» قماش يُتخذ منه السارُنغ.
sarracenia [săr'ə sē'nĭ ə] *(L.)* البُوقية ، عشبة الأبواق أو الأباريق : نبات مائيّ يمتص الحشرات ويغتذي بها (نب).
sarsaparilla [sär'sə pə rĭl'ə] *(Sp.)* (١) الفُشاغ ، الفُشّاغ : نبات أميركيّ معترِش (٢) جذر الفُشاغ (٣) شراب غازيّ منكَّه بالفُشاغ.
sartorial [sär tōr'ĭ əl] *(adj.)* خيّاطيّ : «أ» خاص بالخياط أو بالثياب المخيطة. «ب» خاص بالعضلة الخيّاطية (ت).
sartorius [sär tōr'ĭ əs] *(L.)* العَضَلة الخيّاطية (ت).
sash [săsh] *(F.)* (١) حزام ، نطاق ، وشاح (٢) إطار (لزجاج النافذة أو الباب).
sashay [să shā'] *(vi.; n.)* (١) ينزلق ، يمشي ، يذهب (٢) يخطو خطوات متكلّفة الأناقة §(٣) رحلة.

sass [săs] *(n.; vt.)* (١) جواب وقح §(٢) يخاطب بوقاحة أو ازدراء.

sassafras [săs'ə frăs'] *(Sp.)* (١) الساسفراس : شجر أميركيّ من الفصيلة الغاريّة (٢) لِحاء الساسفراس العطِرُ المجفَّف.

sassenach [săs'ə năk'] *(n.)* شخص أو شيء انكليزيّ نموذجيّ.

sasswood [săs'wŏŏd] *(n.)* السّاسّ : شجر افريقيّ ذو لحاء سام.

sassy [săs'ĭ] *(adj.)* = saucy.

sassy bark *(n.)* لِحاء الساسّ (را. sasswood).

sat [săt] *past and past part. of* sit.

Satan [sā'tən] *(n.)* إبليس ؛ الشيطان.

Satanic; -al [sā tăn'-] *(adj.)* إبليسيّ ؛ شيطانيّ.

Satanism [sā'tə nĭz'əm] *(n.)* (١) الشيطانيّة : النزوع الفطري إلى الشرّ (٢) عبادة الشيطان.

satchel [săch'əl] *(n.)* حقيبة (للكتب المدرسية بخاصة).

satchel

sate [sāt] *(vt.)* (١) يُشْبِع (رغبةً أو شهوةً) إشباعاً كاملاً (٢) يُتْخِم.

sateen [să tēn'] *(n.)* السّاتين : قماش قطنيّ صقيل يشبه الأطلس.

satellite [săt'ə līt'] *(n.)* (١) قمر ؛ تابع (فل) (٢) «أ» التابع ؛ المرافق ؛ الذيل. «ب» الدولة التابعة (الدائرة في فلك دولة أكبر منها). «ج» مطار ثانوي (٣) قمر صناعي.

—satellite *(adj.)*

satiable [sā'shĭ ə bəl] *(adj.)* ممكنٌ إشباعُه.

satiate [*v.* sā'shĭ āt'; *adj.* sā'shĭ ĭt, -āt'] *(vt.; adj.)* (١) يُشبِع (رغبةً الخ.) إشباعاً كاملاً (٢) يتخِم §(٣) مُشبَع ؛ متخَم.

satiety [sə tī'ə tĭ] *(n.)* (١) شِبَعٌ تامّ (٢) تُخْمَة.

satin [săt'ən] *(n.; adj.)* (١) الأطلس ؛ الساتان : نسيجٌ حريريّ صقيل §(٢) «أ» أطلسانيّ ؛ ساتانيّ. «ب» صقيل.

satinet [săt'ə nĕt'] *(F.)* الساتينيه : ساتان غير فاخر يشتمل على قطن.

satinwood [săt'ən wŏŏd'] *(n.)* (١) الخشب الأطلسانيّ : خشب جميل أملس يُستخدَم في صنع الأثاث (٢) الأطلسانيّة : شجرة من فصيلة الماهوغاني يُتّخذ منها الخشب الأطلساني.

satiny [săt'ən ĭ] *(adj.)* أملس ؛ صقيل ؛ أطلسانيّ.

satire [săt'īr] *(n.)* (١) الأُهجوّة : المقطوعة الهجائيّة (٢) هجاء.

satiric; -al [sə tĭr'-] *(adj.)* (١) هجائيّ (verse ~) (٢) هجّاء.

satirist [săt'ə rĭst] *(n.)* الهجّاء، وبخاصة : الشاعر أو الكاتب الهجّاء.

satirize [săt'ə rīz'] *(vi.; t.)* يَهْجُو.

satisfaction [săt'ĭs făk'shən] *(n.)* (١) تكفير (عن خطيئة). (٢) «أ» إشباع (رغبةٍ أو حاجةٍ) ؛ إرضاء. «ب» ارتياح ؛ رضاً (٣) «أ» تعويض (عن خسارة أو ضرر). «ب» وفاء (لدَيْن) ؛ أداء (لالتزام) (٤) اقتناع.

to give ~ (١) يُشبِع ؛ يرضي (٢) يبارز (لإهانةٍ أُلحِقَت به).

satisfactorily [săt'ĭs făk'tə rĭ lĭ] *(adv.)* على نحوٍ مُرْضٍ.

satisfactory [săt'ĭs făk'tə rĭ] *(adj.)* مُرضٍ.

satisfy [săt'ĭs fī'] *(vt.; i.)* (١) «أ» ينفّذ شروط عقد. «ب» يسدّد ديناً (٢) يعوِّض، يدفع تعويضاً عن (٣) «أ» يُشبع (رغبةً أو حاجةً). «ب» يرضي ؛ يَسُرّ (٤) «أ» يُقنِع. «ب» يبدّد (الشكّ الخ.) (٥) يفي بمطالب أو بشروط كذا (able to ~ the demands of a moral Victorian society)

satrap [sā'trăp; săt'răp] *(Per.)* (١) المَرْزُبان : حاكم ولاية فارسيّة قديمة (٢) حاكم ثانوي مستبدّ.

satrapy [sā'trə pĭ; săt'rə pĭ] *(n.)* المَرْزُبانيّة : ولاية فارسيّة قديمة خاضعة لحكم مَرْزُبان.

saturant [săch'ə rənt] *(n.)* المُشبِع ؛ المُشرِب الخ.

saturate [*v.* săch'ə rāt'; *adj.* -'ə rĭt, -rāt'] *(vt.; adj.)* (١) يُتخِم (٢) يُشبِّع بـ (~d with salt) (٣) «أ» ينقَع. «ب» يُشرِب. «ج» يَشحَن (بالمغنطيسية الخ.) حتى الإشباع §(٤) مُشبَع.

saturated [săch'ə rā'tĭd] *(adj.)* (١) منقوع (٢) مُشبَع.

saturated compounds المركّبات المُشبَعة (ك).

saturated solution *(n.)* المحلول المُشبَع (ك).

saturation [săch'ə rā'shən] *(n.)* (١) «أ» إتخام ؛ تشبيع ؛ نقع ؛ إشراب. «ب» تُخمة ؛ تشبّع ؛ تشرّب الخ. (٢) التشبّع المغنطيسيّ (٣) صفاء اللون.

saturation point *(n.)* نقطة التشبّع.

Saturday [săt'ər dĭ] *(n.)* السبت ؛ يوم السبت.

Saturn [săt'ərn] *(n.)* (١) ساتورن : إلٰه الزراعة عند الرومان (٢) زُحَل (فل).

Saturn 2.

saturnalia [săt'ər nā'lĭ ə] *(L.)* (١) *cap.* : عيد الإلٰه «ساتورن» في رومة القديمة، وكان يتميّز بالاسترسال في القصف والعربدة (٢) «أ» قصف ؛ لهوٌ مُعربِد. «ب» إفراط.

Saturnian [sə tûr'nĭ ən] *(adj.)* (١) زُحَليّ (٢) ساتورنيّ : ذو علاقة بالإلٰه ساتورن الذي عُرِف عصره بـ «العصر الذهبي» (٣) زاهر ؛ سعيد ؛ متّسِم بالسلم (the ~ era).

saturnine [săt'ər nīn'] *(adj.)* (١) «أ» مرير ؛ ساخر. «ب» كئيب ؛ كئيب المزاج (٢) رصاصيّ (~ poisoning).

saturnism [săt'ər nĭz'əm] *(n.)* التسمّم الرصاصي : تسمّم يصيب العمّال المشتغلين بالرصاص أو بمركّباته.

satyagraha [sŭt'yə grŭ'hə] *(Hin.)* الساتياغراها : اللجوء إلى المقاومة السلبيّة أو اللاعنفيّة كوسيلة لتحقيق الإصلاح الاجتماعي والسياسي (على طريقة المهاتما غاندي).

satyr [săt'ər; sā'tər] *(Gk.)* (١) *cap.* عد : السّاطير : إلٰه من آلهة الغابات، عند الاغريق، له ذيل (وأذُنا) فرس، وكان يتميّز بولوعه الشديد بالقصف المُعربِد وبانغماسه في الملذّات (٢) «أ» الشَّبِق ؛ الشهوانيّ. «ب» المُبتلى بالنُّعاظ (٣) فَراشة.

satyriasis [săt'ə rī'ə sĭs] *(Gk.)* النُّعاظ : شَبَقٌ مُفرِط أو غير سَوِيّ عند الرجل.

sauce [sôs] *(n.; vt.)* (١) الصَّلْصة : مَرَق التوابل (٢) شيء يزيد في المتعة (٣) خضرة تؤكَل مع اللحم (٤) فاكهة مطبوخة أو معلّبة (٥) وقاحة §(٦) يتبّل ؛ يُنكِّه (٧) يزيد الشيءَ متعةً أو نكهةً (٨) يخاطب بوقاحة أو فظاظة.

saucebox [sôs'bŏks'] *(n.)* شخص وقح.

saucepan [sôs'păn'] *(n.)* : الكفت (مج) قِدْرٌ صغيرة ذات مقبض.

saucepan

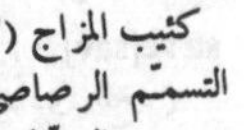

saucer [sô'sər] *(n.)* : الصُّحَيْفة (مج) صَحْن الفنجان.

saucy [sô'sĭ] *(adj.)* (١) وقِح (٢) أنيق.

sauerkraut [sour'krout'] *(G.)* = kraut.

sauger [sô'gər] *(n.)* السّوجَر : سمك نهري شمالأميركي.

sauna [sou'nä] *(n.)* السّونة : حمّام بخاريّ (في فنلندة).

saunter [sôn'tər; sän'-] *(vi.; n.)* (١) يمشي الهُوَيْنى §(٢) الهُوَيْنى : سيرٌ متّئِد.

ă at; ā date; â care; ä car; ĕ egg; ē me; ĭ in; ī bite; ŏ lot; ō bone; ô orphan; oi boil ŏŏ good; ōō boot; ou out; ŭ under; ū unity; û urgent; th thing; t͟h this; zh vision; ə = *a* in alone, *e* in system, *i* in easily, *o* in gallop, *u* in circus.

saurel [sôr'əl] *(F.)* الصَّوْرَل : سمك من رتبة الشِّيميَّات .

saurian [sôr'ĭ ən] *(n.; adj.)* (١) العَظائيّ : واحد العَظائيات **Sauria** وهي طائفة من الزواحف تشمل العَظاء ، وفي التصنيفات القديمة ، التماسيح والدَّناصير §(٢) عَظائيّ .

sauropod [sôr'ə pŏd'] *(n.; adj.)* (١) الصُّربود : واحد الصُّربوديات **Sauropoda** وهي مرتبة من الدناصير §(٢) صُربوديّ .

saury [sôr'ĭ] *(n.)* الصَّوْريّ : سمك طويل المنقار .

sausage [sô'sĭj] *(n.)* (١) سُجُق ؛ نقانق (٢) منطادٌ مقيَّد (للمراقبة) .

sauté [sō tā'] *(vt.; adj.; n.)* (١) يُسَوْتِه : يقلي بسرعة في قليل من الدهن §(٢) مُسَوْتَه §(٣) طعامٌ مُسَوْتَه .

sauterne [sō tûrn'] *(F.) (n.)* السَّوتَرنيّة : خمرةٌ ذهبية اللون .

savage [săv'ĭj] *(adj.; n.; vt.)* (١) ضارٍ (٢) متوحِّش (٣) فظّ (bad manners ~) (٤)«أ» همجيّ ؛ غير متمدن . «ب» بدائيّ §(٥) البِدائيّ : شخص ينتسب إلى مجتمع بدائي (٦) شخص جِلْفٌ أو فظّ §(٧) يهاجم (أو يعامل) بعنف أو قسوة أو ضراوة . **—savageness** *(n.)*

savagery [săv'ĭj rĭ] *(n.)* وحشيّة ؛ همجيّة .

savagism [săv'ĭj ĭz əm] *(n.)* = savagery.

savanna *or* **savannah** [sə văn'ə] *(Sp.)* السَّفْناء : «أ» بطحاء أو سهلٌ لا شجر فيه . «ب» أرض مُعشَوشبة (في منطقة استوائية أو نصف استوائية) تشتمل على أشجار متناثرة .

savant [să vänt'] *(F.)* العالِم .

save [sāv] *(vt.; i.; n.; prep.; conj.)* (١)«أ» يُنجّي (من الخطيئة) . «ب» ينقذ (من الخطر) . «ج» يصون (من الأذى الخ .) (٢) يدَّخر (٣)«أ» يجنّب ؛ يوفّر على (~*d* them the trouble of looking for a parking place) . «ب» ينقذ «المباراة» (بحرمان الخصم من الفوز فيها) . «ج» يحول بين الخصم وبين تسجيل هدف (في كرة القدم الخ .) (٤) يحافظ على ؛ يُنقذ (to ~ appearances) ×(٥) يقتصد §(٦) ضربة المعلّم : عملٌ يحول بين الخصم وبين تسجيل هدف في كرة القدم الخ . (effected a clever ~) §(٧) ما عدا ؛ باستثناء ؛ إلا §(٨) لولا (تتبعها *that*) (٩) ما لَمْ .

save-all [sāv'ôl'] *(n.)* الحافظة ؛ الصائنة : كل ما يصون من الضَّياع أو الأذى ، مثل : «أ» الرِّداء السِّروالي (را. overalls) . «ب» شبكة تمدّ بين السفينة وبين رصيف الماء لالتقاط ما قد يتساقط من جانبها . «ج» وعاء لالتقاط السائل المرتشح الخ .

saveloy [săv'ə loi'] *(F.)* سُجُق (نقانق) مجفَّف كثير التوابل .

savin *or* **savine** [săv'ĭn] *(n.)* (١) الأبْهَل : عَرْعَرٌ كبير (نب) . (٢) عَرْعَر فرجينيا (نب) .

saving [sā'vĭng] *(adj.; n.; prep.; conj.)* (١) منجٍّ ؛ حافظ ؛ مُنقِذ (٢) مقتصد (is a ~ housekeeper) (٣) مقيِّد ؛ منطوٍ على قَيْد أو تحفظ (The agreement has one ~ clause.) §(٤) اقتصاد (٥) توفير (٦) *pl.* : المدَّخَر ؛ المال الموفَّر (٧) تحفّظ ؛ استثناء (ق) §(٨) ماعدا ؛ باستثناء (٩) مع كامل الاحترام لِـ (who, ~ your reverence, is the devil himself) .

savings bank *(n.)* بنك التوفير .

savior *or* **saviour** [sāv'yər] *(n.)* (١) المنقِذ ؛ المخلِّص (٢) *cap.* : المسيح ؛ عيسى بن مريم (نص) .

savoir faire [săv'wär fâr'] *(F.)* لباقة اجتماعية .

savor *or* **savour** [sā'vər] *(n.; vi.; t.)* (١) مذاق ؛ طَعْم . (٢) نكهة أو رائحة خاصة (٣) صفة مميِّزة §(٤)«أ» يكون له مذاق كذا أو رائحته . «ب» تكون له صفة كذا أو طبيعتُه ×(٥) يُنكِّه ؛ (٦)«أ» يذوق . «ب» يتذوّق ؛ يستمتع بـ .

savorless [sā'vər lĭs] *(adj.)* تَفِه ؛ لا طعمَ له .

savory *or* **savoury** [sā'və rĭ] *(adj.; n.)* (١) لذيذ المذاق أو الرائحة (٢) سارّ ؛ سائغ (٣) مقبِّل ؛ فاتحٌ للشهية §(٤) المقبِّل : طعام مقبِّل .

savory [sā'və rĭ] *(n.)* النَّدْغ ؛ صَعتَر البرّ : بقلٌ عِطِر .

Savoy cabbage [sə voi'] *(n.)* السّافوا : كُرُنب بلاد السّافوا (نب) .

savvy [săv'ĭ] *(vt.; i.; n.)* (١) يعرف ؛ يفهم (ع) §(٢) ذكاء (ع) .

saw [sô] *past of* see.

saw [sô] *(n.; vt.; i.)* (١) مِنشار (٢) المِنشار الدائر : قرص دوّار ماضٍ لا أسنان له (٣) المِنْشرة : ماكينة للنَّشْر (٤) مَثَلٌ ؛ قولٌ مأثور §(٥) يَنْشُر (الخشبَ الخ .) ×(٦) يُنْشَر (Softwood ~*s* smoothly.) .

saw 2.

sawbuck [sô'bŭk'] *(n.)* (١) sawhorse (٢) ورقة العشرة دولارات .

sawdust [sô'dŭst'] *(n.)* النُّشارة : ما يسقط عند الشَّقّ من الخشب .

sawfish [sô'fĭsh] *(n.)* المِنْشار ؛ أبو منشار (سمك) .

sawfly [sô'flī] *(n.)* المِنشاريّة ؛ الذبابة المِنشاريّة .

saw grass *(n.)* العشب المنشاريّ : عشب مسنَّن الأوراق كالمنشار .

sawhorse [sô'hôrs'] *(n.)* حصان النشر : حصان خشبيّ يوضع عليه الخشب عند نشره يدوياً .

sawhorse

sawlog [sô'lôg] *(n.)* زَنْدُ النَّشْر : زَنْدٌ حطب صالحٌ للنشر ألواحاً .

sawmill [sô'mĭl'] *(n.)* (١) المَنْشَرة : مؤسّسة لنشر الخشب . (٢) المِنشَرة : ماكينة نَشْر .

sawney [sô'nĭ] *(n.; adj.)* (١) الأبْلَه ؛ الساذَج §(٢) أبله ؛ ساذج .

saw palmetto *(n.)* البَلْميط المنشاري : نخل قصير مسنَّن السَّعَف .

sawtooth [sô'tōōth] ; **saw-toothed** [sô'tōōtht] *(adj.)* (١) مِنشاريّ الأسنان (٢) serrate .

sawyer [sô'yər] *(n.)* (١) النَّشّار : ناشر الخشب (٢) النَّشّارة : «أ» خنفساء تُحدِث يرَقاناتُها ثقوباً كبيرة في الخشب . «ب» شجرة أصلها ثابت في قاع النهر وأغصانها مخترِقةٌ سطحَه .

sax [săks] *(n.)* = saxophone.

saxatile [săk'sə tĭl] *(adj.)* = saxicolous.

saxhorn [săks'hôrn'] *(n.)* السَّكْهُورْن : آلة موسيقيّة .

saxhorn

saxicolous [săk sĭk'ə ləs] *or* **saxicoline** [-'ə lĭn] *(adj.)* مُستَصخِر : مقيمٌ أو نامٍ بين الصخور .

saxifrage [săk'sə frĭj] *(L.)* كاسر الحَجَر : جنس زَهر من كاسرات الحَجَر (نب) .

Saxon [săk'sən] *(n.; adj.)* (١)«أ» السَّكسوني : أحد أفراد شعب جرمانيّ فتح انكلترة مع «الآنجلز» و«الجوت» في القرن الخامس ب. م. وامتزج بهم ليؤلف الشعبَ الانجلوسكسوني . «ب» أحد أبناء سكسونيا في ألمانيا الحديثة (٢) شخص انكلوسكسوني (٣) لغة السَّكسون §(٤) سَكسونيّ : «أ» خاصّ بالسكسون أو بلغتهم . «ب» خاص بسكسونيا (٥) انجلوسكسوني (٦) انكليزي .

saxony [săk'sə nĭ] *(n.)* السَّكسونيّ : غَزْل صوفي (أو النسيج الذي يُصنَع منه) .

saxophone [săk'sə fōn'] *(n.)* . السَّكْسِيَّة (مو)

saxophone

saxtuba [săks'tū'bə] *(n.)* السَّكْتوبة : سَكْهورن كبير (را. saxhorn) .

say [sā] *(vt.; i.; n. adv.)* . (١) «أ» يقول. «ب» يزعم. (٢) «أ» يلفظ . «ب» يتلو (٣) يشير إلى (The clock ~ s ten minutes after twelve.) (٤) يتكلّم ‖ (٥) «أ» قول. «ب» رأي؛ صَوْت (٦) فرصة للتعبير عن الرأي (to have a ~ in an affair) (٧) الكلمة الأخيرة؛ سلطة البتّ في (to have one's ~) (Who has the ~ in this matter ?) ‖ (٨) حوالى، تقريباً (The property is worth, ~, two million dollars.) (٩) مثلاً (if you compress any gas, ~ oxygen) .

that is to ~, يعني ؛ بكلمة أخرى .

to ~ nothing of هذا ؛ فضلاً عن . . .

saying [sā'ĭng] *(n.)* قول ؛ وبخاصة : مثلٌ ؛ قول مأثور .

It goes without ~, من البديهيّ ؛ بديهيّ أنّه . .

say-so [sā'sō'] *(n.)* (١) قول ؛ رأي ، وبخاصة : توكيد غير مُسنَد أو مؤيَّد بدليل (٢) السلطة الأخيرة؛ حقّ البتّ في الأمر.

sayyid [sī'ĭd] *(Ar.)* السيِّد : المتحدِّر من العترة النبوية (اس) .

scab [skăb] *(n.; vi.)* (١) جرَب الماشية الخ. (٢) قِرفة (قِشرة) الجُرح (٣) الأجرب : «أ» شخص محتقَر. «ب» الرافض الانضمام إلى نقابة عمالية. «ج» نقابيّ يرفض الاشتراك في الاضراب أو يعاود العمل قبل انتهاء الاضراب. «د» عامل يحلّ محلّ نقابيّ مضرب . «هـ» المشتغل بأجر أدنى من الأجور النقابيّة (٤) جرَب النبات ‖ (٥) يَجْرَب ؛ يُبْتَلى بالجرب (٦) يتصرّف تصرّف الأجرب (بالمعنى العماليّ للكلمة) .

scabbard [skăb'ərd] *(n.; vt.)* (١) غِمد الخنجر ؛ قِراب السيف الخ. ‖ (٢) يُغْمِد ؛ يضع في الغمد.

scabble [skăb'əl] *(vt.)* ينحت (صخراً) نحتاً خَشِناً .

scabby [skăb'ĭ] *(adj.)* (١) أجرَب (٢) وضيع ؛ حقير .

scabies [skā'bĭ ēz'; -bēz] *(L.)* الجَرَب (مض) .

scabietic [skā'bĭ ĕt'ĭk] *(adj.)* جَرَبيّ

scabiosa [skā bĭ ō'sə; -zə] *(L.)* الإسكَبْيوزة : زهرة الجَرَب.

scabious [skā'bĭ əs] *(n.; adj.)* (١) scabiosa (٢) الأَرِيغارون؛ شَيْخ الربيع (نب) ‖ (٣) أجرَب (٤) جَرَبيّ.

scabrous [skā'brəs] *(adj.)* (١) صعب ؛ معقّد (~ problems) (٢) خشن الملمس (~ leaves) (٣) مكشوف (أو غير محتشم) بعض الشيء (a ~ book) .

scad [skăd] *(n.)* (١) الصورل (را. saurel) (٢) *pl.* : مقدار كبير.

scaffold [skăf'əld] *(n.; vt.)* (١) سِقالة ؛ محالة (٢) مشنقة (٣) منصّة؛ مسرح ‖ (٤) يزوِّد بسِقالة أو سِقالات .

scaffolding 1.

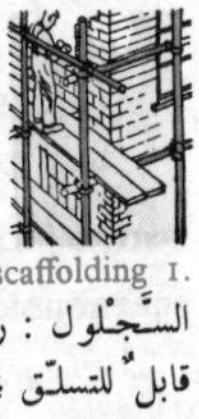

scaffolding [skăf'əld ĭng] *(n.)* (١) سِقالات ؛ أساقيل (٢) مواد نَصْب السِّقالات .

scagliola [skăl yō'lə] *(It.)* السَّجْلول : رُخام زُخْرفيّ كاذب .

scalable [skā'lə bəl] *(adj.)* قابل للتسلّق ؛ ممكن تسلّقه .

scalage [skā'lĭj] *(n.)* (١) المعايرة : أخذ قياس الشيء أو وزنه . (٢) تخفيض النقصان : تخفيض بنسبة مئوية معيّنة يجرى على أسعار السِّلَع القابلة للتقلّص أو الارتشاح الخ .

scalar [skā'lər] *(adj.)* (١) مُدرَّج : ذو درجات (٢) عدديّ ؛ لا مُوجَّه ، لا توجيهي (ر) .

scalare [skə lâr'ĭ] *(L.)* السكَلاري : سمك جنوبأميركي .

scalariform [skə lâr'ə fôrm'] *(adj.)* سُلَّميّ ؛ شبيه بالسُّلَّم .

scalar product *(n.)* المضروب العدديّ (ر) .

scalar quantity *(n.)* الكميّة اللاّمُوجَّهة (ر) .

scalawag [skăl'ə wăg'] *(n.)* (١) الغثّ : كلّ حيوان ضئيل القيمة لهزاله أو كِبَر سنّه (٢) الوغد ؛ النذْل .

scald [skôld] *(vt.; i.; n.)* (١) يُحرِق (بسائل حارّ أو بُخار) . (٢) «أ» يَسْمُط : يخضع لفعل الماء الحار أو البخار ؛ ينظف الصحون بهذه الطريقة . «ب» يسخّن إلى قريب من نقطة الغليان (٣) يَسْفَع × (٤) «أ» يَنْحرِق (بسائل حارّ أو بُخار) . «ب» يَنْسَمِط . «ج» يَسْخُن إلى قريب من نقطة الغليان . «د» يَنْسَفِع ‖ (٥) حَرْق في الجسم (بسبب من ماء حارّ) (٦) مص scald (٧) السَّفْع : «أ» مرض من أمراض النبات يتميّز بتغيّر في لون النبتة شبيهٍ بِسَفْع الشمس . «ب» احتراق واسمرار في أنسجة النبات بسببٍ من ارتفاع الحرارة أو شدة الضوء .

scalding [skôld'ĭng] *(adj.)* (١) مُحْرِق (بمثل الماء الغالي أو البُخار) (٢) غالٍ (~ water) (٣) سافع (an oasis from the ~ sun) (٤) لاذع (~ articles) .

scale [skāl] *(n.; vt.; i.)* (١) «أ» كِفّة الميزان . «ب» *pl.* عد : قوس الميزان (الذي تتدلّى من جانبيه الكِفّتان) . «ج» ميزان (٢) سَفَطة ؛ حَرْشَفة (من حراشف السمك) (٣) الرُّقيقة : صفيحة صغيرة رقيقة كالحرشفة (~ s of mica) (٤) «أ» قشرة . «ب» قشرة جافّة (كالتي يطرحها الجلد المصاب بمرض ما) (٥) «أ» الصفيحة : إحدى صفائح الدرع . «ب» . دِرْع مصفّح (٦) «أ» القِرْمِزيّة (را. scale insect) . «ب» التقرْمُز : مرض تسبّبه الحشرة القِرمزيّة (٧) السُّلَّم الموسيقي (٨) «أ» مقياس مدرّج . «ب» مقياس الرسم (في خريطة) . «ج» مِسْطَرة مدرّجة . «د» نظام دَرَجي (٩) النسبة المِقياسيّة (بين أبعاد الرسم وأبعاد أصله) (١٠) الروائز المدرَّجة : سلسلة من اختبارات الذكاء الخ . المدرّجة ‖ (١١) يزِنُ (شيئاً) بميزان (١٢) يسفِّط : «أ» ينزع حراشـف السـمك . «ب» يقشِّر على صورة رقائق (١٣) يكسو بقشور (١٤) يتسلّق (١٥) يدرج : ينظّم في سلسلة مدرّجة (~ d a test) (١٦) يقيس × (١٧) يزِنُ (الشيءُ) كذا رطلاً الخ. (١٨) يتقشّر : «أ» ينفصل إلى رقائق . «ب» يَطْرح (الجلدُ) قشوراً (١٩) يكتسي بالقشور (٢٠) يرتفع في سلسلة مدرّجة .

to hold the ~ s even يحكم بالعدل والقسطاس .

to remove the ~ s from her eyes يزيل الغشاوة عن عينيها (بوصفها امرأة مخدوعة) بحيث ترى الأشياء على حقيقتها .

to ~ down يخفِّض (الأسعار الخ.) بنسبة معيّنة .

to ~ up يرفع (الأسعارَ الخ.) بنسبة معيّنة .

to turn the ~ (s) يحسم الأمرَ أو الموقف ؛ يرجّح الكفّة ترجيحاً حاسماً .

to turn the ~ (s) at يزِنُ (الشيء) كذا رطلاً ؛ يبلغ وزنُه كذا . . . (ع) .

scale armor *(n.)* الدِّرع المصفّح : درع ذو صفائح معدنية الخ.

scale-down [skāl'doun] *(n.)* تخفيض (بنسبة معيّنة) .

scale insect *(n.)* القِرمِزيّة ؛ قملة النبات ، الحشرة القِشرية .

scalene [skā'lēn] *(adj.)* مختلِف (أو غير متوازي) الأضلاع (هن) .

scalepan [skāl'păn] *(n.)* كِفّة الميزان .

scaler [skāʹlər] *(n.)* (١) فا scale (٢) مِقْشَرة (٣) المِعْداد (فز).

scaletail [skālʹtāl] *(n.)* مُحَرْشَف الذَّيل : حيوان من القوارض تحت ذيله حراشف شائكة .

scale-up [skāʹlŭp] *(n.)* زيادة (للأجور الخ.) بنسبة معيّنة .

scaling ladder *(n.)* المِرْقاة : سلّم لتسلّق أسوار المدن المحصّنة.

scall [skŏl] *(n.)* الهِبْرِيَة : قشرة الرأس .

scallion *(n.)* (١) القُفْلُوط ، الكُرّاث الأندلسي (٢) الكُرّاث .

scallop [skŏlʹəp] *(n.; vt.; i.)* (١) الأسقلوب : محار مِروحي الشكل (٢) حلقة من سلسلة نتوءات مدورة تشكّل حافة المخرّمات أو المطرّزات الخ. (٣) شَريحة لحم رقيقة ‖(٤) يخبز (البطاطا أو السمك) بالصلصة (٥) يجعل للمخرّمات الخ. حافةً من نتوءات مدوّرة ×(٦) يجمع الأسقلوب .

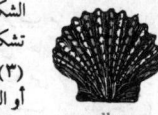

scallop 1.

scallopini [skŏl ə pēʹnĭ] *(It.)* الأسقلوبيي : شرائح لحم تُكسى بالدقيق وتُشوى .

scallywag [skălʹĭ wăgʹ] *(n.)* = scalawag.

scalp [skălp] *(n.; vt.; i.)* (١) فَرْوَة الرأس : جلدة الرأس مع شعرها (٢) «أ» جزء من فروة رأس العدو ينتزعه الهنود الحمر كعلامة على النصر . «ب» علامة النصر ‖(٣) يسلخ فروة الرأس (٤) يشتري ويبيع رغبةً في كَسْب أرباح صغيرة سريعة (٥) يتّجر ببطاقات المسارح والمباريات الرياضيّة الخ. (يشتريها بسعر رخيص ثم يبيعها بأسعار تزيد على التعرفة الرسميّة) . **—scalper** *(n.)*

out for ~*s* مصمّم على قهر أعدائه .

scalpel [skălʹpəl] *(L.)* مِشْرَط ، مِبْضَع .

scalp lock *(n.)* خُصْلَة التحدّي : خُصلةٌ طويلة يتركها المُحارب الهندي الأحمر من شعر رأسه الحَليق تحدّياً لأعدائه .

scaly [skāʹlĭ] *(adj.)* (١) مُحَرْشَف : كثير الحراشف (٢) حَرْشَفِيّ (٣) flaky (٤) وضيع ، حقير (a ~ fellow) (٥) مُقَرْمَز : مصاب بالتقرمز أو الداء الذي تسبّبه الحشرة القِرمِزية (fruit ~) .

scaly anteater *(n.)* = pangolin.

scaly-finned [skā lĭ fĭndʹ] *(adj.)* مُحَرْشَف الزعانف .

scam [skăm] *(n.)* عملٌ خداع ، ضربُ احتيال .

scammony [skămʹə nĭ] *(n.)* (١) المَحْمُودة ، السَّقَمونيا : لبلاب يستخرج من جذره صمغ راتينجيّ مُسْهِل (٢) «أ» جذر المحمودة . «ب» راتينج المحمودة .

scamp [skămp] *(n.; vt.)* (١) الوغد ، النَّذْل (٢) فتى (أو فتاة) لعوب أو « شيطانيّ » أو مؤذٍ ‖(٣) يعمل بتعجّل أو إهمال الخ.

scamper [skămʹpər] *(vi.; n.)* (١) «أ» يعدو . «ب» يفر ‖(٢) «أ» عَدْوٌ . «ب» فرار .

scan [skăn] *(vt.; i.; n.)* (١) يقطّع (أو يقرأ) بيتاً من الشعر وفقاً للموازين العَروضية (٢) «أ» يفحص بدقّة . «ب» ينعم النظر في . «ج» يلقي نظرةً عجلى على (٣) «أ» يَمْسَح (تلفز). «ب» يبحث عن هدف (مستعيناً بالرادار) ×(٤) ينطبق على موازين العَروض ‖(٥) تقطيعٌ شِعريّ (٦) فحص دقيق ، إنعام نظر الخ.

scandal [skănʹdəl] *(n.)* (١) فضيحة ، عَمَلٌ مُخزٍ (٢) عار ، خزي (٣) غِيبَة ، قيل وقال ، افتراء .

scandalize [-ʹdə līzʹ] *(vt.)* يَصْدِم أو يروّع بعمل لا أخلاقيّ .

scandalmonger [-ʹdəl mŭngʹgər] *(n.)* الأفّاك : ناشر المخازي وأحاديث الإفك .

scandalous [-ʹdəl əs] *(adj.)* (١) مُخزٍ (٢) افترائيّ ، مُفْتَرٍ .

scandal sheet *(n.)* جريدة الفضائح : جريدة تُعنى بنشر الفضائح والافتراءات .

scandent [skănʹ-] *(adj.)* مُعْتَرِش ، متسلّق (plants ~) .

Scandian [skănʹdĭ ən] *(adj.; n.)* اسكنديناقيّ .

Scandinavian [skănʹdə nāʹvĭ ən] *(n.; adj.)* (١) الاسكنديناقيّ : أحد أبناء اسكنديناقيا (٢) اللغات الاسكنديناقية : اللغات الجرمانيّة الشماليّة ‖(٣) اسكنديناقيّ .

scandium [skănʹdĭ əm] *(L.)* الإسكنديوم : عنصر فلزي أبيض (ك).

scanner [skănʹər] *(n.)* فا scan ، وبخاصة : أداة أوتوماتيكية فاحصة .

scansion [-ʹshən] *(n.)* التقطيع : تقطيع الشعر أو وزنُه بالموازين العَروضيّة (عر) .

scansorial [skăn sōrʹĭ əl] *(adj.)* (١) تسلّقيّ (٢) متسلّق (ح).

scant [skănt] *(adj.; adv.; vt.)* (١) مقتصد أو بخيل (ع) (٢) ناقص ، شحيح ، قاصر عن المقياس (weight ~) (٣) ضئيل ، هزيل (amounts ~) (٤) قليل الحظ من كذا ، غير مزوّد بالقدْر الكافي من كذا ‖(٥) بصعوبة ، بشِقّ النفس ، « بالكاد » ‖(٦) يقلّل ، ينقّص ، يخفّض (٧) يقتّر على (٨) يستخفّ بـ .

scantling [skăntʹ-] *(n.)* (١) أبعاد (الخشب أو الحجارة المستعملة في البناء) (٢) مقدار ضئيل ، جزء صغير (٣) قطعة خشب .

scanty [skănʹtĭ] *(adj.)* ضئيل ، هزيل ، غير كافٍ .

scape [skāp] *(n.)* (١) السُّوَيْقَة الجِذريّة : سُوَيقة عديمة الأوراق منبثقة من الجِذر (نب) (٢) أسطوانة العمود : جزؤه الرئيسي الواقع بين التاج والقاعدة (عم) (٣) عِراق الريشة (ح) .

-scape لاحقة معناها : مشهدٌ أو صورة لمشهد .

scapegoat [skāpʹgōt] *(n.)* كَبْش الفِداء أو المَحْرَقَة .

scapegoating *(n.)* إلقاء المسؤولية على الآخرين .

scapegrace [-ʹgrās] *(n.)* الوغد ، النذل الذي لا سبيل إلى إصلاحه .

scaphoid [skăfʹoid] *(adj.; n.)* (١) زورقيّ ، قاربيّ ‖(٢) العظْم الزورقي أو القاربيّ (ت) .

scapolite [skăpʹə līt] *(F.)* الإسكابوليت (مع) .

scapose [skāʹpōs] *(adj.)* مُسَوَّق جِذريّ : ذو سُوَيْقَة جِذرِيّة أو مؤلّفٌ منها أو شبيهٌ بها (را. scape 1.) .

scapula [skăpʹyə lə] *(L.)* pl. **-e** *or* **-s** العظم الكتِفيّ (ت) .

scapular [skăpʹyə lər] *(n.; adj.)* (١) الكتِفِيّة ، الوشاح الكتِفيّ : ثوب فضفاض بلا كُمَّين يتدلّى من الكتفين (كث) (٢) شارة كتفيّة (٣) «أ» العظم الكتِفيّ (ت) . «ب» الرِيشة الكتِفيّة (في الطيور) ‖(٤) كتِفيّ .

scapulary [skăpʹyə lĕrʹĭ] *(n.; adj.)* = scapular.

scar [skär] *(n.; vt.; i.)* (١) cliff (٢) صخرة خفيضة أو مغمورة بمياه البحر (٣) «أ» النَّدْب : أثر الجرح أو القرحة أو الحرق . «ب» أثرٌ باقٍ في ساق النبات بعد سقوط الورقة . «ج» أثر باقٍ يخلّفه أذى عاطفيّ الخ. في النفس ‖(٤) «أ» ينْدُب : يترك ندوباً في . «ب» يُنزِل به أذىً باقياً ×(٥) يتندّب ، يلتئم مشكّلاً ندوباً .

scarab [skărʹəb] *(n.)* الجُعَل : خنفسة سوداء .

scarabaeid [skărʹə bēʹĭd] *(n.; adj.)* (١) الجُعَليّ : واحد الجُعَليّات أو فصيلة الجِعْلان **Scarabaeidae** التي تشمل الخنافس ونحوها ‖(٢) جُعَليّ .

scarabaeoid [skărʹə bēʹoid] *(adj.)* جُعْلانيّ : شبيهٌ بالجُعَل .

scarabaeus [-ə bēʹəs] *(L.)* pl. **-baeuses** *or* **-baei** = scarab.

scaramouch *or* **scaramouche** [skărʹə moučhʹ] *(F.)* (١) المتفاخر ، المتباهي (٢) المهرِّج الجبان (٣) النذل ، الوغد .

scarce [skârs] *(adj.; adv.)* (١) نادر ؛ قليل §(٢) بصعوبة ؛ بشِق النفس .

to make oneself ~, ينصرف أو يبتعد من الطريق(ع).

scarcely [-'lĭ] *(adv.)* (١) نادراً (٢) بصعوبة ؛ بجهد ؛ بشق النفس .

scarcement [-'mənt] *(n.)* ارتداد أو تراجع في ثخانة جدار الخ.

scarcity [skâr'sə tĭ] *(n.)* نُدرة ؛ قِلّة ؛ وبخاصة : نقص في المؤن .

scare [skâr] *(vt.; i.; n.)* (١) يُفزِع ؛ يروع ×(٢) يَفزَع ؛ يرتاع §(٣) فَزَع ؛ وبخاصة : ذعرٌ عام .

—scarer *(n.)*

scarecrow [skâr'krō'] *(n.)* (١) الفَزّاعَة : «أ» ما يُنْصَب في المزرعة تخويفاً للطير . «ب» كل ما يروع من غير أن يكون خطِراً فعلاً (٢) شخص مهزول الجسم أو رثّ الثياب .

scarecrow

scarehead [skâr'hĕd'] *(n.)* الرأسيّة المثيرة : عنوان ضخمٌ مثيرٌ أو مروع في جريدة .

scaremonger [skâr'mŭng'gər] *(n.)* مُثير الذعر أو مروجه .

scarey [skâr'ĭ] *(adj.)* = scary.

scarf [skärf] *(n.; vt.)* (١) «أ» لِفاع . «ب» وشاح . (٢) غطاء (للمائدة الخ.) ضيّق مزخرف (٣) الطُرّة : حرف الخشب أو المعدِن أو شفيرهُ المشطوب لتشكيل الوصلة الامتدادية القِرانيّة (٤) أو **scarf joint** : وُصلة امتدادية (نج) §(٥)«أ» يلفَع . «ب» يوشّح (٦) يُطِرّ : يَشْطب طُرةً في . . . (٧) يَصِل أو يوحد بوصلة امتداديّة .

scarfpin [skärf'pĭn] *(n.)* دبوس الأُرْبة : دبوسٌ زِينيّ لتثبيت طرَفَيْ عقدة الرقبة في موضعهما .

scarfskin [skärf'skĭn] *(n.)* البَشَرة (ت) .

scarify [skăr'ə fī'] *(vt.)* (١) يخدِش ؛ يَشْطَب الجلد (يَشُقّه طولاً) (٢) ينتقد بقسوة (٣) يَعْزِق ؛ يَشق (٤) يشقّ جدارَ البزرة (لاستعجال الإفراخ) .

—scarification *(n.)*

scarious [skâr'ĭ əs] *(adj.)* غشائيّ جافّ (a ~ bract) .

scarlatina [skär'lə tē'nə] *(L.)* = scarlet fever.

scarless [skär'-] *(adj.)* غير ذي ندوب ؛ غير مخلّف ندوباً .

scarlet [skär'lĭt] *(n.; adj.)* (١) اللون القِرْمِزِيّ (٢) قماش (أو ملابس) قِرمِزيّ اللون §(٣) قِرمِزيّ (٤) داعر ؛ فاسق .

scarlet fever *(n.)* الحمّى القِرْمِزيّة (مض) .

scarlet letter *(n.)* الحرف القِرمِزِيّ : حرف A قرمزيّ اللون كانوا يَسِمُون به المتّهم أو المتهمة بالزنا .

scarlet runner *(n.)* اللوبياء القِرمِزية (نب) .

scarp [skärp] *(n.; vt.)* (١) بطانة الخندق : منحدر الخندق أو جدارُه الداخليّ (٢) منحدرٌ شديد §(٣) يُحدِّر ؛ يقطع عمودياً.

scarry [skär'ĭ] *(adj.)* (١)جرفِيّ ؛ صخري (٢)مندّب ؛ ذو ندوب.

scary [skâr'ĭ] *(adj.)* (١) مروع (٢) جبان (٣) مروَّع .

scat [skăt] *(vi.; t.; n.)* (١) ينصرف أو ينطلق بسرعة (٢) يعجِم : يرتجل أو يغني مقاطع لفظية لا معنى لها لمصاحبة آلة موسيقية ×(٣) يطرُدُ (هِرّةً) §(٤) الغناء الأعجم : غناء مؤلف من مقاطع لفظية لا معنى لها .

scat- or scato- بادئة معناها : غائط ؛ قَذَر .

scathe [skāth] *(n.; vt.)* (١)أذى؛ ضرر §(٢)يؤذي (٣)ينتقد بقسوة.

scathing [skā'thĭng] *(adj.)* مرير ؛ قاسٍ جداً .

scatology [skə tŏl'ə jĭ] *(n.)* (١) دراسة الغائط أو البراز . (٢) الاهتمام بالموضوعات الداعرة أو معالجتها وبخاصة في الأدب.

scatter [skăt'ər] *(vt.; i.; n.)* (١) «أ» يبَعْثِر ؛ ينثر . «ب» يفرق ؛ يبدد ×(٢) «أ» يتبعثر ؛ ينتثر . «ب» يتفرق ؛ يتبدد §(٣)«أ» بعَثْرَة الخ . «ب» تبعثُر الخ . (٤) عدد قليلٌ مُبعثَر أو متناثر .

scatterbrain [skăt'ər brān] *(n.)* الغافل ؛ المشتّت الفكر .

scatterbrained [skăt'ər brānd] *(adj.)* غافل ؛ مشتّت الفكر .

scattergood [skăt'ər gŏŏd'] *(n.)* المُسْرف ؛ المبذّر ؛ المِتلاف .

scattering [skăt'ər ĭng] *(n.; adj.)* (١)«أ»بعَثْرَة. «ب»تَبَعثُر . (٢)عددٌ قليل متناثر هنا وهناك(a ~ of visitors) (٣)الاستطارة(فز) §(٤) مُبَعْثَر ؛ متناثِر .

scattering of light استطارة الضوء (فز) .

scatter rug *(n.)* سجادة صغيرة (لتغطية جزء شاغر من أرض الغرفة).

scaup [skôp] *(n.)* البط النّيْرُوقيّ : ضرب من البطّ الغوّاص .

scavenge [skăv'ĭnj] *(vt.; i.)* (١)يَكْنِسُ ؛ ينظّف (٢)يَكْسَح : يزيل الغازات المحترقة من أسطوانة محركٍ داخليّ الاحتراق (٣) ينقّي (المعادنَ المصهورة) ×(٤) ينكسح : يتحرّر من الغازات المحرقة (٥) يبحث عن الطعام .

scavenger [skăv'ĭn jər] *(n.)* (١)الكنّاس؛ الزبّال (٢)الكاسحة : أداةالكَسْح (را.scavenge 2) (٣)القمّام : حيوان يقتات بالقُمامَة.

scenario [sĭ nâr'ĭ ō; - när'-] *(It.)* السيناريو : «أ» مخطّط المسرحية أو الفيلم السينمائي. «ب» النصّ السينمائيّ: نصّ القصةِ المُعَدّة للاخراج السينمائي ويشتمل على وصف للشخوص وتفاصيل خاصة بالمشاهد وعلى الحوار وارشادات مختلفة .

scenarist [sĭ nâr'ĭst; -när'-] *(n.)* كاتب السيناريو .

scend [sĕnd] *(vi.; n.)* (١) يعلو أو يرتفعُ (المركبُ) بفعل الأمواج §(٢) ارتفاع المركب على هذا النحو .

scene [sēn] *(n.)* (١) المَشْهد : «أ» جزء من فصل مسرحي . «ب» مشهد سينمائي أو تلفزيوني (٢) منظر ؛ مشهد ؛ صورة (٣) المسرح: مَسْرَح الحادثة أو الأحداث ، أي مكان وقوعها (٤) ثورة غضب ؛ انفجار عاطفيّ .

behind the ~s, (١) خلفَ الكواليس ؛ وراء ستار المسرح (٢) سرّاً .

scenery [sē'nə rĭ] *(n.)* (١) المشهد؛ جِهاز المسرح: كل ما تزوّد به خشبة المسرح من ستائر وجدران مدهونة الخ . لتمثيل مكانٍ معيّن أو إعطاء خلفيّة زخرفيّة (٢) مشهد أو منظر جميل .

sceneshifter [sēn'shĭf tər] *(n.)* مبدّل المشاهد (في المسرح).

scenic; scenical [sē'-] *(adj.)* (١) مَسْرحيّ ؛ تمثيلي . (٢)«أ» مشهديّ؛ منظريّ: ذو علاقة بالمشاهد الطبيعية . «ب» ذو مشاهد طبيعيّة خلابة (٣) تصويريّ : ممثّل مشهداً أو حادثةً أو نحو ذلك (~ painting *or* sculpture) .

scent [sĕnt] *(vt.; i.; n.)* (١) يشمّ ؛ يستروح (٢) يستشعر ؛ يحدّثه قلبه بكذا (٣)«أ» يعطّر . «ب» يملأ الجوّ برائحة ما ×(٤) تفوح منه رائحة كذا (The atmosphere ~*s* of treachery.) (٥) يقتفي أثرَ الطريدة (مستعيناً بحاسة الشمّ) §(٦)«أ» رائحة ؛ شميم . «ب» الأثر : أثرٌ من رائحة الحيوان يتخلّف في الطريق التي سلكها . «ج» خطّ الأثر ؛ خطّ تعقّب الطريدة . «د» أريج ؛ شذا (٧) «أ» الشم ؛ حاسّة الشمّ . «ب» مقدرة على الاكتشاف أو تسقّط الأخبار (٨) حسّ باطني (بأنّ شيئاً سيحدث) (٩) عطْر ؛ طِيب .

to throw off the ~, يُضِلّه الأثَرَ ؛ يجعله يُخطِئ السبيلَ عند تعقّبه الأثَرَ .

scented [sĕnt'ĭd] *(adj.)* (١) مزوَّد بحاسّة شمّ (٢) عَطِر . (٣) ذو رائحة ما .

scentless [sĕnt'-] *(adj.)* (١)غير ذي حاسّة شمّ (٢)عديم الرائحة.

scepter *or* **sceptre** [sĕp'tər] *(n.; vt.)* (١) صولجان (٢)سُلطة ملكية أو امبراطورية §(٣)يقلّده الصولجان (كدليل على السلطة الملكية).

sceptic; sceptical [skĕp'-] = skeptic etc.

schedule [skĕj'ōōl; shĕd'ūl] *(n.; vt.)* (١) مُلْحَق (بوثيقة تشريعية الخ.) (٢)«أ» بيان ؛ جدول ؛ قائمة . «ب» برنامج محدّد المواعيد (٣) برنامج (٤) جدول أعمال §(٥) يُدْرِج في جدول (٦)يضيف ملحقاً (إلى وثيقة) (٧) يعيّن (للشيء) موعداً.

scheelite [shē'līt] *(G.)* الشِّيلِيت (مع) .

schema [skē'mə] *(Gk.)* pl. **-ta** . خطّة ؛ مخطّط ؛ رسم بياني

schematic [skē măt'ĭk] *(adj.)* تخطيطيّ

schematize [skē'mə tīz'] *(vt.)* يخطّط

scheme [skēm] *(n.; vt.; i.)* (١) مخطّط ؛ رسم بياني (ا.ق) . (٢) برنامج ؛ مشروع ؛ خِطّة (٣) مشروع وهمي أو غير عملي (٤) مكيدة (٥) نظام (a ~ of philosophy) §(٦) يخطّط ؛ يرسم خِطّة لِـ ×(٧) يدبّر مكيدةً .

scheming [skē'mĭng] *(adj.)* ماكر ؛ مُولَع بتدبير المكائد .

Schick test [shĭk] *(n.)* اختبار شِيك : اختبار لمعرفة تعرّض الجسم للخُناق (الديفتريا) أو مناعته ضدّها .

schilling [shĭl'ĭng] *(G.)* الشِّلِنغ : وحدة النقد في النمسا .

schipperke [skĭp'ər kĭ] *(n.)* الشِّبِّرق : كلب صغير أسود لا ذَنَب له.

schism [sĭz'əm] *(n.)* (١)«أ» انقسام ؛ انفصال . «ب» شقاق ؛ اختلاف (٢)«أ» انشقاق (عن كنيسة). «ب» فرقة أو طائفة منشقّة. «ج» جريمة إحداث مثل هذا الانشقاق أو العمل في سبيل إحداثه.

schismatic [sĭz măt'ĭk] *(n.; adj.)* (١) المُنْشَقّ : مُحدِث الانشقاق أو المشترك فيه §(٢) أو **schismatical** : «أ» انشقاقيّ. «ب» متّهَم بالانشقاق .

schismatist [sĭz'mət ĭst] *(n.)* = schismatic 1.

schismatize [sĭz'mə tīz] *(vi.; t.)* (١) يُحدِث انشقاقاً (في كنيسة) ×(٢) يحرِّض على الانشقاق .

schist [shĭst] *(F.)* الشِّسْت : صخر متبلّر ينفلق بسهولة إلى طبقات.

schistose [shĭs'tōs] *or* **schistous** [-'təs] *(adj.)* شِسْتِيّ .

schiz- *or* **schizo-** بادئة معناها : «أ» شِقّ ؛ فَلْق ؛ صَدْع . «ب» انشقاقيّ . «ج» الفُصام ؛ الشيزوفرينيا (مض) .

schizo [skĭz'ō] *(n.)* المفصوم : المُصاب بالفُصام أو الشيزوفرينيا.

schizocarp [skĭz'ə kärp'] *(n.)* الثمرة المتفلّقة (نب) .

schizogenesis [skĭz'ə jĕn'ə sĭs] *(L.)* التوالد بالانفلاق (أح) .

schizogony [skĭ zŏg'ə nĭ] *(n.)* = schizogenesis .

schizoid [skĭz'oid] *(adj.; n.)* (١) فُصاميّ §(٢) المفصوم : المُصاب بالفُصام أو الشيزوفرينيا .

schizophrene [skĭz'ə frēn'] *(n.)* المفصوم : المُصاب بالفُصام.

schizophrenia [skĭz'ə frē'nĭ ə] *(L.)* الفُصام ؛ انشطار الشخصية ؛ الشيزوفرينيا .

schizophrenic [skĭz'ə frĕn'ĭk] *(adj.; n.)* (١) فُصامي . §(٢) المفصوم : المصاب بالفُصام

schizopod [skĭz'ə pŏd] *(n.; adj.)* (١) المشقوق الأرجل : واحد من مشقوقات الأرجل **Schizopoda** وهي رتبة من القِشْريات §(٢) مشقوق الأرجل . —**schizopodous** *(adj.)*

schizothymia [skĭz'ə thī'mĭ ə] *(L.)* الفُصام المعتدل .

schnapps [shnăps] *(G.)* الشِّنَبْس : مُسكِر هولندي ثقيل .

schnauzer [shnou'zər] *(G.)* الشْنَوْزَر : كلب قنص طويل الرأس.

schnook [shnōōk] *(n.)* شخص أبله أو تافه (ع) .

schnorkel [shnôr'kəl] *(n.; vi.)* (١) الشْنَرْكَل : «أ» أداة تتألف من أنبوب هواء طويل يمكّن الغوّاصة ، وهي تحت الماء ، من التزوّد بالهواء النقي . «ب» أداة للتنفّس أثناء السباحة تحت الماء §(٢) يجري أو يَسْبَح تحت الماء بالاستعانة بشْنَرْكَل .

schnorkel 1 b.

schnorrer [shnôr'ər] *(n.)* شحاذ يهودي (ع) .

scholar [skŏl'ər] *(n.)* (١)تلميذ ؛ طالب (٢) تلميذ موهوب يتابع دراسته بمنحةٍ تعليميّة (٣) عالِم .

scholarly [-lĭ] *(adj.)* (١) عالِميّ : جديرٌ بعالِم (٢) مُثقّف .

scholarship [skŏl'ər shĭp'] *(n.)* (١) منحة تعليمية أو دراسيّة (٢)ثقافة ؛ عِلم (٣)مؤسّسة تقدّم المنح التعليمية للطلاّب .

scholastic [skō lăs'tĭk] *(adj.; n.)* (١) *cap.* أ.ك : سكولاسيّ : خاصّ بالفلسفة السكولاستيّة أو اللاهوت السكولاستيّ (را . المادة التالية) (٢) مدرسيّ ؛ وبخاصة : متعلق بالمدارس الثانويّة (~ competitions) §(٣) *cap.* : الفيلسوف السكولاستيّ ؛ اللاهوتي السكولاستيّ (٤) الشديد التمسّك بالتعاليم والأساليب التقليدية الخاصّة بمذهب أو فرقة .

scholasticism [skō lăs'tə sĭz'-] *(n.)* (١) *cap.* : «أ» السكولاستية : الفلسفة النصرانية السائدة في القرون الوسطى وأوائل عصر النهضة ، وقد بُنيت على منطق أرسطو ومفهومه لما وراء الطبيعة ولكنها اتّسمت في أوروبة الغربية خاصة ، بإخضاع الفلسفة للاّهوت ومن أبرز رجالها توما الاكويني الذي حاول أن يقيم صلةً عقلانيّة بين العقل والدين . « ب » السكولاستيّة المُحدَثة (٢) التمسك الشديد بالتعاليم والأساليب التقليدية الخاصة بمذهب أو فرقة .

scholiast [skō'lĭ ăst] *(n.)* الشارح ؛ المعلّق ؛ واضع الحواشي .

scholium [skō'lĭ-] *(L.)* pl. **-lia** *or* **-ums** . حاشية ؛ تعليق ؛ شرح

school [skōōl] *(n.; vt.; i.; adj.)* (١) «أ» مدرسة . «ب» كلية (من كليات الجامعة) (٢) مدرسة فكرية ؛ مذهب عقلي (٣) القطيع المائيّ : مجموعة أسماك أو حيوانات مائية من جنس واحد تقتات أو تهاجر معاً §(٤) يعلّم أو يدرّب (في مدرسة) (٥)«أ» يعوّد أو يروّض نفسه على (*School* yourself to control your temper.) «ب» يروّض (to ~ a horse) ×(٦) يقتات أو يهاجر قطعاناً §(٧) مدرسيّ .

school age *(n.)* سِنّ التلمذة ؛ سِنّ الطلَب .

schoolbag [skōōl'băg] *(n.)* محفظة كتبٍ (مدرسيّة) .

school board *(n.)* مجلس التعليم : لجنة مسؤولة عن التعليم في المدارس المحليّة .

schoolboy [skōōl'boi'] *(n.)* تلميذ ؛ طالب .

school bus *(n.)* أوتوبوس المدرسة (ينقل الطلاب منها وإليها) .

school edition *(n.)* الطبعة المدرسيّة : طبعة من كتاب تُصْدَر خصيصاً لطلاب المدارس وتكون عادةً مبسّطة أو مختصرةً أو منقّحة ، ومزوّدةً بطائفة من الشروح الضرورية .

schoolfellow [skōōl'fĕl'ō] *(n.)* زميل الدراسة ؛ رفيق المدرسة .

schoolgirl [skōōl'gûrl'] *(n.)* تلميذة ؛ طالبة .

schoolhouse [-'hous] *(n.)* مبنى المدرسة (الابتدائية بخاصة) .

schooling [skōō'lĭng] *(n.)* (١) «أ» تعليم . «ب» ثقافة مدرسية. «ج» نفقة التعليم (٢) توبيخ (ا.ق) (٣) «أ» ترويض (الخيل) . «ب» تدريب (الفرسان) .

schoolman [skōōl'mən] *(n.)* (١) «أ» أستاذ في جامعة من جامعات القرون الوسطى. «ب» لاهوتي من لاهوتيّي القرون الوسطى (٢) «أ» المدرس. «ب» ناظر المدرسة.

schoolmaster [skōōl'măs'tər] *(n.)* (١) المدرس أو الناظر (في مدرسة) (٢) النهّاش الأسود: سمك بحري يؤكل.

schoolmate [skōōl'māt'] *(n.)* زميل الدراسة؛ رفيق المدرسة.

schoolmistress [skōōl'mĭs'trĭs] *(n.)* المدرسة؛ المعلمة.

schoolroom [skōōl'rōōm'] *(n.)* حجرة الدرس؛ حجرة التعليم.

schoolteacher [skōōl'tē'chər] *(n.)* المدرس؛ المعلم.

schooner 1.

schooner [skōō'nər] *(n.)* (١) السكّونة: مركب شراعي ذو صاريين أو أكثر (٢) كأس جعة كبيرة (٣) prairie schooner.

schorl [shôrl] *(G.)* الشوْرل: تورمالين أسود (مع).

schottische [shŏt'ĭsh] *(G.)* (١) الشتّش: ضرب من الرقص (٢) موسيقى الشتّش.

schuss [shōōs] *(n.; vt.; i.)* (١) تزلّج مستقيم شديد السرعة. (٢) منحدر تزلّجيّ مستقيم ‖ (٣) يتزلّج على نحو مستقيم هابطاً منحدراً.

schwa [shwä; shvä] *(G.)* الشيْوَة: حرف علّة رمزه ə.

sciaenid [sī ē'nĭd] *(n.; adj.)* (١) اللّوتيّة: سمكة من اللّوتيات **Sciaenidae** وهي فصيلة من السمك البحري ‖ (٢) لوتيّ.

sciaenoid [sī ē'noid] *(n.; adj.)* = sciaenid.

sciatic [sī ăt'ĭk] *(adj.)* (١) وَرِكيّ: خاص بالوَرِك. (٢) نَسَويّ: ذو علاقة بألم النَّسا أو العصب الوركيّ.

sciatica [sī ăt'ə kə] *(n.)* ألمُ النَّسا أو العَصَب الوركيّ (مض).

science [sī'əns] *(n.)* (١) علم (٢) معرفة (٣) براعة.

sciential [sī ĕn'shəl] *(adj.)* (١) عِلميّ؛ مَعْرِفيّ (٢) ذو معرفة.

scientific [sī'ən tĭf'ĭk] *(adj.)* عِلميّ.

scientific method *(n.)* الطريقة العلميّة: طريقة في البحث عن المعرفة قوامها جَمْعُ المعلومات من طريق الملاحظة والتجريب وصَوْغُ الفَرَضيّات واختبارُها.

scientism [sī'ən tĭz əm] *(n.)* العِلميّة: «أ» طريقُ العلماء ومذاهبهم المميزة. «ب» القولُ بأنّ طرائقَ العلوم الطبيعية يجب أن تُصْطَنَع في جميع حقول المعرفة.

scientist [sī'ən tĭst] *(n.)* العالِم.

Scientology *(n.)* العِلْمولوجيا؛ السّيانتولوجيا: حركة دينية علمية تؤكد على دور الروح أو طاقة الحياة في الكون المادي.

scilicet [sĭl'ə sĕt'] *(adv.)* يعني؛ أعني.

scilla [sĭl'ə] *(L.)* العُنْصُل؛ العُنْصُلان: نبات من الفصيلة الزنبقية.

scimitar [sĭm'ə tər] *(It.)* الأحدب: سيف معقوف وحيد الحدّ.

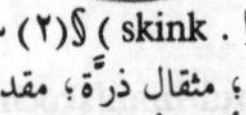

scimitar

scincoid [sĭng'-] *(n.; adj.)* (١) سقَنقور (را. skink) ‖ (٢) سقَنقوريّ.

scintilla [sĭn tĭl'ə] *(L.)* ذرّة؛ مثقال ذرّة؛ مقدار ضئيل.

scintillant *(adj.)* (١) مُطلِق شرراً (٢) مُومِض؛ متألّق؛ متلألئ.

scintillate *(vi.; t.)* (١) يُطلِق شرراً (٢) «أ» يومِض. «ب» يتألّق؛ يتلألأ × (٣) يُطلِق (شيئاً) بطريقة شبيهة بإطلاق الشرر.

scintillation [sĭn'tə lā'shən] *(n.)* (١) إطلاق الشرر. (٢) «أ» ومْضة. «ب» إيماض؛ تألّق؛ تلألؤ (٣) scintilla.

scintillation counter *(n.)* عدّاد الإيماض (فز).

scintillometer [sĭn tə lŏm'ə-] *(n.)* = scintillation counter.

sciolism [sī'ə lĭz'əm] *(L.)* التعالُم: ادّعاء العلم.

sciolist [sī'ə lĭst] *(n.)* المتعالِم؛ مدّعي العلم.

sciomancy [sī'ə măn'sĭ] *(n.)* التنبّؤ الشبَحيّ: تنبّؤ بواسطة أشباح الموتى.

scion [sī'ən] *(n.)* (١) طُعْم؛ مطعوم (نب) (٢) سليل (أسرةٍ ما).

scirrhoid [skĭr'oid; sĭr'-] *(adj.)* وَرَمانيّ: شبيه بورم سرطاني صُلْب.

scirrhous [skĭr'əs; sĭr'-] *(adj.)* = scirrhoid.

scirrhus [skĭr'əs; sĭr'-] *(L.)* ورم سرطانيّ صُلْب.

scissile [sĭs'ĭl] *(adj.)* قابل للشقّ أو الشطر أو الفَلْق.

scission [sĭzh'ən] *(n.)* (١) انشقاق (في جماعة أو مؤسّسة). (٢) «أ» شقّ؛ شَطْر؛ فَلْق. «ب» انشقاق؛ انشطار؛ انفلاق.

scissor [sĭz'ər] *(vt.)* يقُصّ (بمقص).

scissors [sĭz'ərz] *(n. pl.)* (١) مِقَصّ (٢) حركة المِقَصّ: حركة في الرياضة الجمبازيّة تتخذ فيها الرِّجلان وضعاً أشبه بالمقصّ (٣) إطباقة المِقص: مَسْكة يطوّق بها المصارعُ رأسَ خصمِهِ وجسمَهُ برجليه.

scissors kick *(n.)* رفسة المقص: رَفسةٌ سِباحيّة تُحرَّك فيها الرِّجلان بطريقة تشبه انفتاح المقص وانغلاقه.

scissortail [sĭz'ər tāl'] *(n.)* أبو مِقَص: «صائد ذباب» ذو ذَنَب منشعِب جداً فهو يفتحه ويغلقه كالمِقص (طا).

sciuroid [sī'yōōr'-] *(adj.)* (١) سِنجابي (٢) شبيه بذيل السنجاب.

scler- or sclero- بادئة معناها: (١) «أ» صُلْب. «ب» صلابة (٢) الصُّلْبة (را. المادة التالية).

sclera [sklĭr'ə] *(L.)* الصُّلْبة: غشاء العين الخارجي الصُّلْب الأبيض.

sclerenchyma [sklĭ rĕng'kə mə] *(L.)* النسيج الخشبيّ: نسيج يكوّن دعامة النبات وهيكله.

scleroderma [sklĭr'ō dûr'mə] *(L.)* الخَزَب المتصلّب: تيبّس جميع طبقات الجلد (مض).

sclerodermatous [-'mə təs] *(adj.)* متخزِّب: ذو غلاف خارجيّ صُلْب (ح).

scleroid [sklĭr'oid] *(adj.)* صُلْب (أح).

sclerometer [sklĭ rŏm'ə tər] *(n.)* المِصْلاب: أداة لتحديد الصلابة النسبية للأشياء.

sclerose [sklĭ rōs'; -rōz'] *(vt.; i.)* (١) يصلّب: يجعله صُلْباً. × (٢) يتصلّب.

sclerosis [sklĭ rō'sĭs] *(n.)* التصلّب؛ تصلّب الأنسجة (مض).

sclerotic [sklĭ rŏt'ĭk] *(adj.; n.)* (١) صُلْبيّ: ذو علاقة بالصُّلْبة أي بغشاء العين الخارجي الصلب الأبيض (ت) (٢) تصلّبي: خاص بتصلّب الأنسجة ‖ (٣) الصُّلْبة (را. sclera).

sclerous [sklĭr'əs] *(adj.)* صُلْب؛ متصلّب.

scoff [skôf] *(n.; vi.; t.)* (١) هُزْء؛ سخرية (٢) الأضحوكة: شيء يُهزَأ به أو يُسخَر منه ‖ (٣) يهزأ؛ يسخر.

scold [skōld] *(vt.; i.; n.)* (١) يوبّخ؛ يعنّف ‖ (٢) امرأة سَليطة.

scolding [skōld'ĭng] *(n.)* توبيخ؛ تعنيف.

scolecite [skŏl'ə sīt'] *(n.)* السكوليسيت (مع).

scolex [skō'lĕks] *(L.)* رأس الشريطيّة: رأس الدودة الشريطية.

scoliosis [skō'lĭ ō'sĭs] *(L.)* الزَّوَر؛ الجَنَف: مَيَلان جانبي في العمود الفقري (مض).

scollop [skŏl'əp] *(n.; vt.; i.)* = scallop.

scolopendra [skŏl'ə pĕn'-] *(L.)* الحَرِيش؛ أمّ أربعٍ وأربعين.

scombroid [skŏm'broid] *(n.; adj.)* (١) الإسقُمريّ: سمكة

من الإسقُمريّات **Scombroidea** وهي فصيلة سمك بحريّ من العَظْميّات الشائكات الزعانف ، منها الإسقمريّ والتُن والبينيث §(٢) إسقُمريّ .

sconce I.

sconce [skŏns] *(n.; vt.)* (١) حاملة المصباح الجدارية. (٢) معقِل ، مِتراس ؛ خندق (٣)غرامة (٤)رأس ؛ جمجمة (ع) (٥) عقل (ع) §(٦) يحصن ؛ يمترس ؛ يخندق (٧) يغرم .

scone [skōn] *(n.)* كعكة مسطّحة مدوّرة .

scoop I c.

scoop [skōōp] *(n.; vt.)* (١)«أ» مِغرفة. «ب» مجرفة. «ج» ملعقة السمّان : مجرفة صغيرة قصيرة المقبض لإخراج الدقيق أو السكر من كيس أو برميل. «د» الملعقة الجراحيّة : أداة لاستخراج المواد أو الأجسام الغريبة من الجسد (٢) «أ» غَرْف ؛ جَرْف . «ب» غَرْفة ؛ جَرْفة . «ج» دفعة (Shukri lost $ 70 at one ~.) (٣) فجوة؛ تجويف (٤)«أ»نبأ؛ وبخاصة: نبأ مثير . «ب» سَبْق صحفيّ §(٥) يغرف ؛ يجرف (٦) يُفرغ بالغَرْف الخ . (٧) يجوّف (٨) يسبق (غيره) الى اذاعة النبأ .

scooter I.

scoot [skōōt] *(vi.; n.)* (١) ينطلق أو يذهب بسرعة. §(٢) انطلاق .

scooter [skōō'-] *(n.)* (١) دراجة الرِّجل : دراجة يُسيِّرها الطفل برجل واحدة (٢) درّاجة بخارية منخفضة.

scop [skŏp] *(n.)* شاعرٌ انكليزيّ قديم .

scope [skōp] *(n.)* (١) مجال ، فرصة (٢) هدف ؛ غرض . (٣) مدى ؛ مدى الفهم أو النظر الخ . (٤)«أ» مِجهر . «ب» تلسكوب . «ج» شاشة الرادار (٥) horoscope .

-scope لاحقة معناها : مِكشاف (tele*scope*) .

scopolamine [skō pŏl'ə mēn; -mĭn] *(n.)* الاسكوبولامين : مادة شبه قلوية سامة (ك) .

-scopy لاحقة معناها : رؤية ؛ ملاحظة (micro*scopy*) .

scorbutic [skôr bū'tĭk] *(adj.)* (١) حَفَريّ : متعلق بداء الحفَر أو الاسقربوط (٢) مُصاب بالحَفَر .

scorch [skôrch] *(vt.; i.; n.)* (١) يَسْفَع ، يُشيط (٢) يلذع (بالنقد أو السخرية) (٣) يحرق الأرض أو يتلف الممتلكات (وبخاصة قبل التخلّي عنها للعدوّ) ×(٤) يَنْسفع (٥) يقود (سيّارة) بسرعة بالغة §(٦)سَفْعة؛ حُرْق سطحيّ (٧)الانسفاع : اسمِرار أنسجة النبات من مرض أو حرارة .

scorcher [skôr'chər] *(n.)* فا scorch ، وبخاصة: يوم حارّ جداً.

scorching [skôr'chĭng] *(adj.)* (١) محرق (~ heat) (٢) لاذع.

score [skōr] *(n.; vt.; i.)* (١)«أ» عشرون . «ب» *pl.* : مقدار لا حصر له (٢)«أ» جُرح ، حزّ ؛ خَدْش . «ب» علامة المُنطلَق أو علامة المُنتهَى. «ج» علامةٌ للعدّ أو الاحصاء (٣) «أ» حساب . «ب» دَيْن (٤) حزازة ؛ سخيمة ؛ حقد (٥) «أ» سبب ؛ دافع (complained on the ~ of low pay). «ب» موضوع (٦) قطعة موسيقية ؛ وبخاصة: موسيقى فيلم أو مسرحيّة (٧)«أ» مجموع النقاط أو الإصابات المُحرَزة (في مباراة). «ب» إحراز نقطة أو نقاط (في مباراة) (٨) حقائق الموقف القاسية التي لا مفرّ منها §(٩)«أ» يحسب أو يسجّل (بالتحزيز أو التثليم أو برسم علامات خاصة). «ب» يسجّل (١٠) يحزز ؛ يثلّم ؛ يخدش (١١) يقرّع ؛ يعنّف ؛ ينتقد بقسوة (١٢)«أ» يسجّل (اللاعبُ)إصابة. «ب» يُحرز (نجاحاً الخ.) (١٣)«أ» يرتّب(مو). «ب» orchestrate . «ج» يضع موسيقى الفيلم ×(١٤) يسجّل عدد الإصابات المحرزة (في مباراة) (١٥) يفوز ؛ ينجح .

on more ~*s* than one لأكثر من سبب .

on that ~, من هذه الناحية ؛ بهذا الصّدَد .

to pay (settle, wipe off) old ~*s* ينتقم ؛ يثأر .

scoreboard [skōr'-] *(n.)* لوحة الإصابات (المحرَزة في مباراة) .

scorekeeper [skōr'-] *(n.)* مسجّل الإصابات (المحرَزة في مباراة).

scorer [skōr'ər] *(n.)* (١) مسجّل الإصابات (المحرَزة في مباراة). (٢) لاعبٌ يُسجّل إصابةً أو هدفاً.

scoria [skōr'ĭ ə] *(n.)* الجُفاء : «أ» ما يتخلّف عند صهر المعدن الخام. «ب» خَبَثُ البراكين .

scoriaceous [skōr'ĭ ā'shəs] *(adj.)* جُفائيّ: منسوب الى الجُفاء.

scorification [skōr ə fə kā'shən] *(n.)* (١) الجَفْأ : إزالة الجُفاء من المعادن (٢) الاجتفاء : نتيجةُ الجَفْأ .

scorify [skōr'ə fī'] *(vt.)* يَجْفأ: يزيل الجُفاء من المعادن بصهرها.

scorn [skôrn] *(n.; vt.)* (١) ازدراء ، احتقار (٢) سخرية ؛ هزء. (٣) موضع احتقار (Charlotte was the ~ of the town.) §(٤) يزدري ، يحتقر (٥)يستنكف عن (~*s* to take a bribe).

to laugh (somebody) to ~, يسخر من فلان أو يهزأ به.

to take *or* think ~, يزدري ؛ يحتقر .

scornful [skôrn'fəl] *(adj.)* محتقِر ، مزْدرٍ ، هازىء .

scorpaenid [skôr pē'nĭd] *(n.; adj.)* (١) العقرَبيّ : واحدُ العقربيات **Scorpaenidae** وهي رتبة من العنكبوتيات يمثلها العقرب §(٢) عقربيّ .

Scorpio [skôr'pĭ ō'] *(L.)* العقرب : برج العقرب (فل) .

scorpioid [skôr'pĭ oid'] *(adj.)* (١) عقربانيّ : شبيه بالعقرب. (٢) عقربيّ : ذو علاقة بالعقربيات (را . scorpaenid) (٣) أعقفُ الطرف كذيل العقرب .

scorpion [skôr'pĭ ən] *(n.)* (١) العقرب (ح) (٢) *cap.* : برج العقرب (فل) (٣) سَوْط (٤) كلّ ما يَدفع إلى العمل وكأنّه لسعة الحشرة .

scorpion I.

scorpion fish *(n.)* عقرب البحر .

scot [skŏt] *(n.)* (١)«أ» ضريبة. «ب» نصيب المرء من عبء ماليّ. (٢) *cap.* : الاسكتلندي : أحد أبناء اسكتلندة .

scot and lot *(n.)* (١)الضريبة النسبيّة : ضريبة بلديّة تُجبَى من كلٍّ بحسب قدرته على الدفع (٢)اعباء أو التزامات مالية .

scotch [skŏch] *(vt.; n.)* (١) يخدش ، يجرح (٢)«أ» يسحق ؛ يقمع. «ب»يدحض (٣)يمنع (عربةً الخ .) من الانزلاق بوضع وتِدٍ الخ. تحت دولابها (٤) يعوق §(٥) خَدْش ، جُرح طفيف (٦)وتِد يوضع تحت دولاب (أو برميل) منعاً للانزلاق .

Scotch [skŏch] *(adj.; n.)* (١)اسكتلندي (٢)مقتصد §(٣)الشعب الاسكتلندي (٤) الاسكتلنديّة: اللغة الاسكتلندية (٥)السكُتْش : الويسكي الاسكتلندية (ع) .

Scotchman [skŏch'mən] *(n.)* الاسكتلنديّ: رجلٌ من اسكتلندة.

Scotch tape *(n.)* الشريط الاسكتلندي : شريطٌ دَبِقٌ شفّاف مصنوع من السلّولوز (لإلصاق الصفحات الممزّقة الخ.) .

Scotch terrier

Scotch terrier *(n.)* التِّرْيَر الاسكتلندي: كلب قنصٍ قصيرُ القوائم .

Scotch verdict *(n.)* قرارٌ غير حاسم .

Scotch whiskey *(n.)* الويسكي الاسكتلندية

Scotchwoman [skŏch'-] *(n.)* الاسكتلندية : امرأة من اسكتلندة.

Scotch woodcock *(n.)* دجاجة الأرضِ الاسكتلندية: بيضٌ مقليٌّ بالزبدة يقدَّم مع مسحة من الأنشوفة anchovy على قطعة من الخبز المحمَّص.

scoter [skō'tər] *(n.)* الأسقَطور: ضربٌ من البط البحريّ.

scot-free [skŏt'frē'] *(adj.)* (١) سالم؛ غير مصاب بأذى. (٢) غير معاقَب (٣) مُعفًى من الضريبة.

scotia [skō'shə] *(L.)* المُظَلِّمة: حِلْيةٌ مُقعَّرة، وبخاصة في قواعد الأعمدة الكلاسيكية (عم).

Scotland Yard *(n.)* اسكتلنديارد: شرطة لندن وبخاصة دائرة التحرّي فيها.

scoto- بادئة معناها: ظُلمة.

scotoma [skō tō'mə] *(L.)* pl. **-mas** *or* **-mata** العُتْمة: بقعة مُظلمة في المجال البصري (مض).

Scots [skŏts] *(adj.; n.)* (١) اسكتلندي §(٢) لغة الاسكتلنديين.

Scotsman [skŏts'mən] *(n.)* الاسكتلندي: أحد أبناء اسكتلندة.

Scotticism [skŏt'ə sĭz'əm] *(n.)* مُصطلَح أو تعبير اسكتلندي.

scottie [skŏt'ĭ] *(n.)* (١) *cap.*: الاسكتلندي: أحد أبناء اسكتلندة. (٢) التِّرْيَر الاسكتلندي (را. Scotch terrier).

Scottish [skŏt'ĭsh] *(adj.; n.)* (١) اسكتلندي §(٢) الاسكتلنديون.

Scottish rite *(n.)* (١) الطَّقْس الاسكتلندي (في الماسونية). (٢) المحفل الاسكتلندي: محفل ماسوني مُتبنٍّ للطقس الاسكتلندي.

Scottish terrier *(n.)* = Scotch terrier.

scoundrel [skoun'drəl] *(n.; adj.)* وَغْد؛ نَذْل.

scour [skour] *(vt.; i.; n.)* (١) «أ» يطوف بالمكان مسرعاً، بحثاً عن شيء. «ب» يقلّب بسرعة (to ~ a book for quotations) (٢) يفرك؛ يجلو؛ يصقل؛ ينظّف (٣) يطهّر (٤) يَطرد (to ~ the invaders from the land) × (٥) يُغِذّ الخُطى (٦) يصاب بالاسهال أو بالزّحار (٧) يَنْظُف؛ يصبح مجلوّاً بالفرك أو الصقل §(٨) مَوْضعٌ منظَّفٌ، وبخاصة بالماء الجاري (٩) فَرْك؛ صَقْل؛ تنظيف (١٠) أداة أو مادة تستعمل في التنظيف (١١) *pl.*: إسهال؛ زُحار.

scourge [skûrj] *(n.; vt.)* (١) سَوْط (٢) «أ» أداة معاقَبةٍ أو نقد. «ب» بلاء؛ كارثة §(٣) يجلِد (٤) يعاقب أو يعذّب أو ينتقد بقسوة.

scouring [skour'-] *(n.)* (١) نُفاية (٢) *pl.* عد: حثالة المجتمع.

scouring rush *(n.)* = horsetail.

scouse [skous] *(n.)* = lobscouse.

scout [skout] *(vi.; t.; n.)* (١) يرود؛ يستكشف؛ يستطلع (أنباء العدوّ) (٢) «أ» يبحث. «ب» يقوم بنشاط كشفيّ ×(٣) يلاحظ؛ يراقب (٤) يكتشف (٥) يسخَر من؛ يهزأ بـ (٦) يرفض بازدراء (~ed the theory) §(٧) ريادة؛ استكشاف؛ استطلاع (٨) «أ» الرائد؛ المستكشف؛ المستطلع. «ب» الحارس. «ج» الباحث عن الوجوه الجديدة (للسينما والمسرح الخ). «د» الكشّاف: فتًى ملتحقٌ بفرقة كشفية. «هـ» المرشدة: فتاة ملتحقة بفرقة من فرق المرشدات (٩) فتى؛ شخص (a good old ~).

scout 8 *d.*

scout car *(n.)* سيارةُ دورية؛ سيارة استكشاف.

scouter [skou'tər] *(n.)* (١) المستكشف؛ المستطلع (٢) الكشّاف: فتىً من الكشافة.

scouting [-'tĭng] *(n.)* (١) استكشاف؛ استطلاع (٢) النشاط الكشفي.

scoutmaster [skout'-] *(n.)* رئيس الكشافة؛ رئيس فرقة كشفية.

scow [skou] *(n.)* صَنْدَل؛ ماعون؛ قارب مسطّح لنقل الرمل أو الحصى.

scowl [skoul] *(vi.; n.)* (١) يعبس؛ يقطّب §(٢) عُبوس؛ تقطيب.

scrabble [skrăb'əl] *(vt.; i.; n.)* (١) يخربش: يكتب أو يرسم بخُرْق أو سرعة أو إهمال (٢) يَتخدّش؛ يَتخمّش §(٣) خَرْبَشة (٤) خَدْش أو خَمْش متواصل.

scrag [skrăg] *(n.; vt.)* (١) النِّضْو: شخص أو حيوان مهزول الجسم (٢) «أ» لحم رقبة الخروف الخ. «ب» رقبة الانسان (ع) §(٣) يُعْدِم شنقاً (٤) يخنق.

scraggy [skrăg'ĭ] *(adj.)* (١) وَعر؛ خشن (٢) ضامر؛ مهزول الجسم.

scram [skrăm] *(vi.)* ينصرف حالاً؛ ينصرف فوراً.

scramble [skrăm'bəl] *(vi.; t.; n.)* (١) «أ» يزحف أو يتسلّق بعَجَلة. «ب» يندفع وَجِلاً أو مذعوراً (٢) «أ» يتدافع؛ يتزاحم بالمناكب. «ب» يكسب (رزقاً) أو يجمع (شيئاً) بصعوبة أو بطرق غير نظاميّة (٣) يتسلّق؛ يعترش ×(٤) يمزج؛ يخلط (٥) يقلي البيض مازجاً صفاره ببياضه §(٦) زحفٌ أو تسلّقٌ الخ. (٧) تدافعٌ؛ تزاحم بالمناكب الخ. **—scrambler** *(n.)*

scrannel [skrăn'əl] *(adj.)* أجَشّ؛ غير موسيقي؛ يخدش السمع.

scrap [skrăp] *(n.; vt.; i.)* (١) *pl.*: فُتات الطعام (٢) «أ» قُصاصة؛ قطعة صغيرة (a ~ of paper). «ب» نبذة (~s of poetry). «ج» ذرّة (not a ~ of evidence for it) (٣) فَضْلة؛ نُفاية؛ خُردة (٤) قتال؛ شِجار §(٥) يَكْسِر؛ يحوّل إلى كُسارة أو فُتات (٦) يهجر أو يتخلص من ×(٧) يتشاجر.

scrapbook [skrăp'bo͝ok'] *(n.)* سجلّ القُصاصات: دفتر تُلصَق على صفحاته الصُّوَر وقصاصات الصحف الخ.

scrape [skrāp] *(vt.; i.; n.)* (١) يَكشُط (٢) «أ» يحكّ؛ يحتّ؛ يَبْشُر. «ب» يفرك بجلبة فوق سطح خشن (~d his feet on the floor) (٣) يحفر (٤) يجمع بجهد ×(٥) يصِرّ؛ يَصْرِف (٦) يعمد إلى التوفير الشديد (٧) يُرجع القدم إلى الوراء (ماسحاً بها الأرض) وهو ينحني بالتحية (٨) يشقّ طريقه بصعوبة §(٦) «أ» كَشْطٌ؛ حَكّ؛ حَتّ الخ. «ب» موضع مكشوط. «ج» صرير؛ صريف (١٠) انحناءة احترام تُرَدّ فيها القدم إلى الوراء (١١) «أ» ورطة؛ مأزق. «ب» شِجار.

scraper [skrā'-] *(n.)* (١) فا scrape (٢) مِكشطة. (٣) كاشِطة الأحذية (لإزالة الأتربة والوحل عن نعالها عند الدخول).

scraper 3.

scrap heap *(n.)* (١) ركام من القطع المعدنية المهمَلة (٢) موضع يحوَّل إليه أو يُلقَى فيه سَقَط المتاع الخ.

scrap iron *(n.)* حديدٌ هالك؛ حديد خُردة.

scrapper [skrăp'ər] *(n.)* (١) فا scrap (٢) المشاجِر.

scrapple [skrăp'əl] *(n.)* لحم خنزير مفروم يضاف إليه شيء من دقيق الذرة الخ. ثمّ يُقلى شرائحَ.

scrappy [skrăp'ĭ] *(adj.)* (١) كِسَريّ: مؤلَّف من كِسَر؛ غير مترابط (٢) «أ» مشاكس؛ محبّ للخصام. «ب» عدواني.

scratch [skrăch] *(vt.; i.; n.; adj.)* (١) يحفر أو ينبش بأظافره. (٢) يَتخدّش؛ يخمِش (٣) يحكّ أو يهرش جلدَه (٤) يكتب أو يرسم على سطح ما (٥) «أ» يشْطُب. «ب» يسحب من سباق (٦) يخربش: يكتب أو يرسم بخُرْق أو عجلة أو إهمال (٧) يحكّ فوق سطح خشن (~ed a match) ×(٨) يجمع المال أو يكسب الرزق بالعمل الشاق والتوفير الشديد (٩) يَصِرّ صريراً خفيفاً (Your pen ~es.)

§(١٠) «أ» خَدَش ؛ خَمَش . «ب» جُرْح طفيف (١١)خربشة (١٢)صرير خفيف (the ~ of a pen) (١٣) «أ» نقطة المنطلَق : نقطة الانطلاق (في سباق). «ب» لا شيء (from ~) (١٤)امتحان للشجاعة أو دليل عليها (١٥) متبارٍ شُطِب اسمه من مباراة (٦) «أ» ضربة خاطئة (في البليارد الخ .) . «ب» رمية من غير رام §(١٧)مُعَدّ للتسويد (paper ~) (١٨) غير مقصود (a ~ hit) (١٩) مُعَدّ كيفما اتّفق أو من غير حسن اختيار (dinner ~) . up to ~ , وفْق المرام أو المستوى المطلوب ؛ في حالة جيّدة .

scratch line *(n.)* المنطلَق : نقطة الانطلاق في سباق .

scratch paper *(n.)* ورق التسويد ؛ ورق المسوّدات .

scratch sheet *(n.)* صحيفة الجياد المسحوبة : نشرة تحمل أسماء الجياد التي سُحِبت من سباق .

scratch test *(n.)* اختبار الاستهداف : اختبار لمعرفة مدى حساسية المرء لبعض العقاقير (بخدش بشرته وفركها بمادة مثيرة للحساسية) .

scratchy [skrăch'ĭ] *(adj.)* (١) شائك ؛ كثير الشوك (٢) صارّ ؛ مُحدِث صريراً (a ~ pen) (٣) مخربَش : مُنجَز بعجلة أو إهمال (~ drawings) (٤) واخِز أو داعٍ إلى الحكّ (~ wool sweater) .

scrawl [skrôl] *(vt.; i.)* يخربش : يكتب أو يرسم بخُرْقٍ أو عجلة .

scrawny [skrô'nĭ] *(adj.)* مهزول ؛ أعجف .

screak [skrēk] *(vi.; n.)* (١) يَصْرخ ؛ يصيح (٢) يَصِرّ ؛ يَصْرِف . §(٣)صرخة ؛ صيحة (٤)صرير ؛ صريف . —**screaky** *(adj.)*

scream [skrēm] *(vi.; t.; n.)* (١) يصرخ ؛ يصيح ؛ يزعق . (٢)يتكلم أو يكتب بتعابير هستيرية (٣)يقهقه ؛ يُغرِب في الضحك (٤) يُحدِث أثراً مُذْهِلاً أو صارخاً × (٥) يعبّر عن شيء بالصياح (to ~ an alarm) §(٦)صرخة ؛ صيحة (٧)شيء مضحك .

screamer [skrē'mər] *(n.)* (١) فا scream (٢) الصيّاح : طائر جنوبأميركي (٣) شيء مثير للدهشة أو الضحك (ع) (٤) علامة تعجّب (ع) (٥) الرأسيّة المثيرة : عنوان صحفي ضخم مثير (ع) .

screaming [skrē'-] *(adj.)* (١)صارخ (in ~ colors) (٢) باعث على القهقهة أو الضحك الصارخ (~ comedy) .

screamingly [skrē'mĭng lĭ] *(adv.)* على نحوٍ صارخ ؛ إلى حدّ بعيد .

scree [skrē] *(n.)* (١) حصاة ؛ حجر (٢) رُكام حجارة الخ .

screech [skrēch] *(vi.; t.; n.)* (١) يصرخ (ذعراً أو ألماً) . ×(٢) يُطلِق (صرخة ذعر أو ألم) §(٣) صرخة ذعر أو ألم .

screech owl *(n.)* البوم الصيّاح .

screed [skrēd] *(n.)* (١) «أ» خُطبة طويلة . «ب» كلمة أو مقالة غير رسمية (٢) الدليل : قطعة من خشب أو طبقة دهانٍ تمثّل الثخانة المطلوبة توضع على جدار ليُستَرشَد بها في طِلائه .

screen [skrēn] *(n.; vt.; i.)* (١) «أ» حاجز ؛ وقاء ؛ سِتر . «ب» حجاب ؛ «بارافان» . «ج» حجاب المصباح (٢) «أ» الدريئة : كتائب أو سفن أو طائرات تتقدّم قوة أكبر منها لحمايتها . «ب» ستار (petty larceny... only a ~ for something bigger) (٣) «أ» غربال ؛ مُنْخُل . «ب» الشريط المنخلي : حجاب سلكيّ مُثقّب يوضع على النوافذ لمنع البعوض من ولوج الحجرة (٤) «أ» شاشة السينما أو التلفزيون أو الرادار . «ب» صناعة السينما . «ج» الأفلام السينمائية §(٥) «أ» يحجب ؛ يستر . «ب» يفصل بحجاب أو نحوه . «ج» يصون ؛ يقي ؛ يحمي (٦) يُغَرْبِل ؛ ينخل (٧) يحجّب : يزوّد النوافذ بحجاب منخليّ (٨) «أ» يصوّر سينمائياً . «ب» يعرض على الشاشة . «ج» يُعِدّ للسينما : يعيد كتابة قصة أو مسرحية لتصبح ملائمة للعرض السينمائي ×(٩) «أ» يُعرَض على الشاشة . «ب» يصلح للعرض على الشاشة . —**screener** *(n.)*

screening [skrē'nĭng] *(n.)* (١) مص screen (٢) *pl.* : كل ما يُفصَل بالغربلة .

screenland [skrēn'lănd] *(n.)* صناعة السينما أو المشتغلون فيها .

screenplay [skrēn'plā] *(n.)* = scenario *b.*

screen test *(n.)* اختبار الشاشة : اختبار عمليّ يُجْرى للوجه الجديد للتثبّت من صلاحه للتمثيل السينمائي . —**screen-test** *(vt.)*

screenwriter [skrēn'rī'tər] *(n.)* كاتب السيناريو .

screws 1.

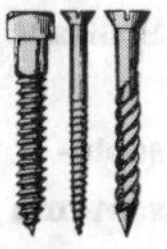

screw [skrōō] *(n.; vt.; i.)* (١) لولب ؛ قلاووظ ؛ بُرْغي (٢) نابض ؛ رفّاص (٣) فَتْلَة ؛ بَرْمة (٤) أداة مُلَوْلَبة (كالمِبرام أو فتّاحة السدّادات الفلّينية) (٥) جواد عديم النفع (٦) رزمة صغيرة من تبغ أو فلفل (٧) البخيل (٨) السجّان (٩)مقدار الراتب أو الأجر (ع) §(١٠)يُلَوْلِب : «أ» يربط أو يثبّت أو يسدّ بلولب. «ب» يدير لولبياً حول محور . «ج» يجعل للمسمار الخ . أخاديد لولبية (١١) يلوي ×(١٢) يتلولب ؛ يتلوّى .

to be ~*ed* سكران ؛ ثَمِل (ع).

to give somebody another turn of the ~ ; to put the ~ on somebody يعمد إلى القوة أو إلى التهديد بالقوة لإكراه فلان على عمل شيء .

to have one's head ~*ed* on the right way يتمتّع بالحصافة وجودة الرأي .

to ~ out ينتزع بالقوّة ؛ يبتزّ .

to ~ up one's courage يستجمع شجاعته .

to ~ up one's eyes يغمض عينيه نصف إغماض .

to ~ up one's face يقطّب ؛ يعبس .

screwball [skrōō'bôl'] *(n.; adj.)* أحمق ؛ غريب الأطوار .

screwdriver [skrōō'drī'vər] *(n.)* (١) مِفكّ ؛ مِفكّ البراغي . (٢) شراب الفودكا مع عصير الليمون المثلوج .

screw eye *(n.)* الرزّة : مِسمار رزّة بُرغيّ (نج) .

screw jack *(n.)* = jackscrew.

screw pine *(n.)* الكاذي : شجر استوائيّ نخيل الساق نخليّها .

screw propeller *(n.)* الداسرة اللولبيّة : مروحة الدفع في الباخرة أو الطائرة .

screw thread *(n.)* سِنّ اللولب .

screwy [skrōō'ĭ] *(adj.)* (١)سخيف ؛ أحمق (٢)معتوه ؛ مجنون .

scribble [skrĭb'əl] *(vt.; i.; n.)* (١) يخربش : يكتب أو يرسم بعجلة ومن غير عناية §(٢) الخربشة : «أ» كتابة متعجّلة فيها . «ب» رسم مُنجَز بغير عناية .

scribbler [skrĭb'lər] *(n.)* (١) المخربِش (٢) مؤلّف تافه .

scribe [skrīb] *(n.; vi.; t.)* (١) الكاتب ؛ الناسخ (٢) المؤلّف ؛ وبخاصة : الصحافي (٣) المِخطاط (را . scriber) §(٤) يكتب ×(٥) يخدش أو يَسِم بآلة حادّة .

scriber [skrī'bər] *(n.)* المِخْطاط : شوكة يُخدَش بها الخشب أو المعدن المُعَدّ للقطع .

scrim [skrĭm] *(n.)* السكْريم : قماش قطني للملابس وسُتُر النوافذ .

scrimmage [skrĭm'ĭj] *(n.; vi.)* (١) «أ» مناوشة ؛ معركة صغيرة . «ب» شجار يختلط فيه الحابل بالنابل §(٢) يناوش ؛ يشاجر .

scrimp [skrĭmp] *(vt.; i.)* (١)يقتّر على (٢) يقلّل ؛ يطفّف . ×(٣) يقتصد ؛ يَبْخَل .

scrimpy [skrĭm'pĭ] *(adj.)* زهيد ؛ طفيف ؛ هزيل ؛ قليل جداً .

ă at; ā date; â care; ä car; ĕ egg; ē me; ĭ in; ī bite; ŏ lot; ō bone; ô orphan; oi boil ŏŏ good; ōō boot; ou out; ŭ under; ū unity; û urgent; th thing; th this; zh vision; ə = a in alone, e in system, i in easily, o in gallop, u in circus.

scrimshaw [skrĭm'shô'] *(n.; vi.; t.)* (١) المنحوتة العاجية أو العظمية : كلّ اداة منحوتة من عاج الحوت أوعظمه (يصنعها صيادو الحيتان الأميركيون) §(٢)ينجز ، بإتقان، عملاً ميكانيكياً صغيراً ×(٣) يصنع المنحوتات العاجية او العظميّة الخ.

scrip [skrĭp] *(n.)* (١) حقيبة صغيرة (ا.ق) (٢) شهادة ؛ جدول ؛ قائمة (٣) قطعة قصيرة (٤) صكّ ؛ سَنَد (٥) عملة ورقية .

script [skrĭpt] *(n.)* (١)«أ» نص مكتوب. «ب» مستند أو صكّ أصلي. «ج»مخطوطة المسرحيّة أو الفيلم أو الدور (٢) «أ» حرف مطبعي شبيه بخط اليد. «ب» كتابة ؛ خط. «ج» ألفباء

scriptorium [skrĭp tōr'ĭ əm] *(L.)* pl. **-ria** [-'ĭ ə] حجرة النُسّاخ (في دير من أديرة القرون الوسطى) .

scriptural [skrĭp'chər əl] *(adj.)* كتابيّ: متعلق بكتاب مقدس، وبخاصة : توراتيّ.

scripture [skrĭp'chər] *(n.)* (١)«أ» *cap.* : الكتاب المقدس (وترد بصيغة الجمع عادةً). «ب» *cap.* عد: مقطع من الكتاب المقدس. «ج» كتاب مقدّس (٢) شيء مكتوب .

script-writer *(n.)* كاتب السيناريو أو البرامج الإذاعية أو التلفزيونيّة.

scrivener [skrĭv'-] *(n.)* (١) كاتب عمومي (٢)notary .

scrod [skrŏd] *(n.)* سمكة قُدّ صغيرة تُشَق ويزال حسكها عند الطهو.

scrofula [skrŏf'yə lə] *(L.)* = **king's evil.**

scrofulous [-'yə-] *(adj.)* (١)غُدّيّ؛خنازيريّ(٢)ملوّث أخلاقياً.

scroll [skrōl] *(n.)* (١) الدَّرْج : لفيفة من الرَّق أو ورق البَرْدِيّ تدوّن عليها وثيقة (٢) الحِلْية الدَّرجيّة : حِلية شبيهة بدَرْج نصف منشور أو ذات شكل لولبيّ (٣) كتابة ؛ جدول ؛ قائمة (٤) رأس الكمنجة المعقوف .

scroll 1.

scroll saw *(n.)* منشار الزخرفة : منشار ضيّق جداً لنشر الخشب الرقيق نَشْراً زخرفياً لولبيّ الخطوط .

scrollwork [skrōl'wûrk'] *(n.)* الزخرفة المُلَولبة(را. المادة السابقة).

scrooge [skrōōj] *(n.)* البخيل ؛ الشحيح .

scrotal [skrō'təl] *(adj.)* صَفَنِيّ ؛ خاص بالصَّفَن (ت) .

scrotum [-'təm] *(L.)* pl. **-ta** *or* **-s** الصَّفَن : وعاء الخصيتين (ت).

scrounge [skrounj] *(vt.; i.)* (١)يسرق ؛ يختلس (٢) يستجدي؛ ينال أو يكسب بالتملّق (٣)يبحث عن .

scrub [skrŭb] *(n.; vt.; i.)* (١)«أ» شجرة (أو أشجار) خفيضة . «ب» أرض ذات أشجار خفيضة (٢) حيوان هجين (٣) شخص حقير أو ضئيل الجسم (٤) فريق رياضي غير مدرَّب أو عضوٌ فيه (٥) حكّ؛ فرك؛ تنظيف الخ. §(٦)«أ» يحك؛ يفرك؛ ينظف. «ب» يغسل (الغاز) (٧) يلغي .

scrubber [-'ər] *(n.)* (١) فا **scrub** (٢) جهاز غسل الغاز .

scrub brush *(n.)* الفرشاة القاسية : فرشاة معدّة للتنظيف الشديد.

scrubby [skrŭb'ĭ] *(adj.)* (١) ضئيل الجسم أو رديء النوع . (٢)قصير(trees ~)(٣)مكسوّ بقصار الشجر(forests ~)(٤)حقير.

scrubwoman [skrŭb'-] *(n.)* = **charwoman.**

scruff [skrŭf] *(n.)* قفا العنق ؛ موخّر العنق .

scruffy [skrŭf'ĭ] *(adj.)* حقير ؛ وضيع ؛ خسيس .

scrumptious [skrŭmp'shəs] *(adj.)* رائع ؛ ممتاز (ع) .

scrunch [skrŭnch] *(vt.; i.; n.)* (١)«أ» يقضم . «ب» يسحق . «ج» يعصر §(٢) قَضْم ؛ سحق ؛ عَصْر .

scruple [skrōō'pəl] *(n.; vi.)* (١) السكروبل : وزن يساوي عشرين قمحة أو ١,٢٩٥ غراماً (٢) مقدار ضئيل (٣) شكّ ؛ حَيْرة ؛ تردّد ؛ وسواس §(٤) يرتاب ؛ يحتار ؛ يتردّد .

scrupulosity [skrōō pyə lŏs'ə-] *(n.)* شكّ ؛ حيرة؛ تردّد؛ وسواس.

scrupulous [skrōō'pyə ləs] *(adj.)* (١) كثير الشكوك والوساوس (٢) مدقّق .

scrutable [skrōō'tə bəl] *(adj.)* ممكنٌ حلّه أو فهمه .

scrutator [skrōō tā'tər] *(n.)* المتفحّص ؛ المدقق .

scrutineer [skrōō'tə nĭr'] *(n.)* (١) المتفحّص الخ. (٢) المدقّق في صحّة الأصوات الانتخابيّة .

scrutinize [-'tə nīz'] *(vt.; i.)* يتفحّص ؛ يدقّق ؛ يُنعم النظر .

scrutiny [skrōō'tə nĭ] *(n.)* تفحّص ؛ تدقيق ؛ إنعام نظر .

scuba [skyōō'bə] *(n.)* = aqualung.

scud [skŭd] *(vi.; n.)* (١) بعدو ؛ ينطلق (وكأنّ شيئاً يسوقه) . (٢)يندفع أمام الريح (مل) §(٣)انطلاق ؛ اندفاع (٤)«أ»الزِّبْرِج: سحاب رقيق تسوقه الرياح . «ب» مطر خفيف مفاجىء . «ج» هبة ريح . «د» ضباب أو مطر أو ثلج تسفوه الريح .

scudo *(n.)* السكُود : عملة إيطاليّة فضيّة أو ذهبيّة قديمة .

scuff [skŭf] *(vi.; t.; n.)* (١) يجرّ قدميه ؛ يمشي من غير أن يرفعهما عن الأرض (٢)يُبْلَي×(٣)يُبْلِي (~*ed* his shoes)§(٤)وقعُ جرّ القدمين (٥) بِلًى أو إبلاء (٦) خُفّ ؛ مشّاية منزليّة .

scuffle [skŭf'əl] *(vi.; n.)* (١) يتشاجر ؛ يتعارك (٢) «أ» ينطلق مسرعاً أو مهتاجاً . «ب» يمشي جارّاً قدميه §(٣) شجار الخ.

scull [skŭl] *(n.; vt.; i.)* (١) مجذاف خلفي (في مؤخّر المركب) . (٢) أحد مجذافين يجذّف بهما شخص واحد (٣) زورق سباق يسيّره مجذّف واحد أو مجذّفان §(٤) يسيّر مركباً بمجذاف خلفيّ أو بمجذافين اثنين ×(٥)يجذّف . **—sculler** *(n.)*

scullery [-'ə rĭ] *(n.)* حجرة غَسْل الأطباق والآنية وحفظها .

scullion [-'yən] *(n.)* مساعد الطاهي (مهمته الرئيسية غسل الأطباق).

sculpin [skŭl'pĭn] *(n.)* الإسقَلْبين : سمك نهري وبحريّ .

sculptor [skŭlp'tər] *(n.)* النحات ؛ المثال .

sculptural [skŭlp'chə rəl] *(adj.)* (١) نحتي : خاص بفن النحت (٢) جليل ؛ مهيب ؛ شبيه بتمثال .

sculpture [skŭlp'chər] *(n.; vt.; i.)* (١) فنّ النحت أو صنع التماثيل (٢) تمثال §(٣) ينحت ؛ يصنع تمثالاً (٤) يغيّر (شكلَ سطح الأرض) بالتعرية والتأكّل ×(٥) يشتغل مثّالاً .

sculpturesque [skŭlp'chə rĕsk'] *(adj.)* جَلِيل ؛ مَهِيب ؛ شبيه بتمثال .

scum [skŭm] *(n.; vi.)* (١) زَبَد ؛ غُثاء ؛ طُفاوة (٢) جُفاء (را. **scoria** *a*) (٣)«أ» نفاية. «ب» حثالة المجتمع §(٤)يُزبِد؛ يكتسي بالزَّبَد الخ.

scumble [skŭm'bəl] *(vt.; n.)* (١) يكمِّد : يجعل (الألوانَ أو الصورة الزيتية) أقلّ إشراقاً بطَلْيها بطبقة رقيقة من لونٍ أكمَد أو نصف أكمد (٢) يرقّق : يرقّق الخطوطَ والألوان (في رسم قلمي) بفركها بالاصبع وغيره فركاً لطيفاً §(٣)«أ» تكميد . «ب» ترقيق . «ج» نتيجة التكميد أو الترقيق (٤) المادة المستخدمة في التكميد الخ .

scunner [skŭn'ər] *(n.)* كرهٌ أو بُغْض شديد.

scup [skŭp] *(n.)* الأسقوب : سمك بحريّ مضغوط الجسم .

scupper [skŭp'ər] *(n.)* بالوعة السفينة .

scuppernong [skŭp'ər nông'] *(n.)* السكبرنَنْج : عنبٌ أميركيّ أو خمرة مصنوعة منه .

scurf [skûrf] *(n.)* الهِبْرِيَة : «أ» قشرة الرأس . «ب» كلّ مادّة قشرية تكسو سطحاً.

scurfy [skûr'fĭ] *(adj.)* (١) هِبْرِيّ ؛ قِشري (٢) مكسوّ بالهِبرية.

scurrility [skə rĭl'-] *(n.)* (١) سفاهة ؛ بذاءة (٢) ملاحظة بذيئة.

scurrilous [skûr'ə ləs] *(adj.)* (١) سفيه (٢) بذيء.

scurry [skûr'ĭ] *(vi.; n.)* (١) يعدو ؛ ينطلق مسرعاً §(٢) عَدْو.

scurvy [skûr'vĭ] *(n.; adj.)* (١) الحَفَر، الاسقربوط : داء من اعراضه تورّم اللثة ونزْف الدم منها §(٢) وضيع ؛ حقير.

scurvy grass *(n.)* المِلْعقيّة ؛ حشيشة الملاعق أو الحَفَر (نب).

scut [skŭt] *(n.)* (١) ذُنَيب ؛ ذنب قصير (٢) شخص حقير.

scutage [skū'tĭj] *(n.)* البَدَلِيّة : ضريبة تؤخذ بدلاً من الخدمة العسكرية (في النظام الاقطاعي).

scutate [skū'tāt] *(adj.)* (١) تُرسيّ (نب) (٢) حَرْشفيّ (ح).

scutch [skŭch] *(vt.; n.)* (١) يَحْلِج §(٢) مِحلَج (٣) مِطرقة

scutcheon [skŭch'ən] *(n.)* = escutcheon.

scutcher [-'ər] *(n.)* المِحلج : آلة حَلْج القطن أو الكتّان.

scute [skūt] *(n.)* (١) الدرع : صفيحة عظمية أو قرنية في السُّلَحفاة الخ. (٢) حرشفة كبيرة.

scutellate [skū tĕl'ĭt] *(adj.)* (١) صفيحي ؛ حَرشفي (٢) أو **scutellated** : مصفّح أو مُحَرْشَف : ذو صفائح أو حراشف.

scutellum [skū tĕl'əm] *(L.)* pl. **-tella** صفيحة أو حرشفة صغيرة.

scutiform [skū'tə fôrm'] *(adj.)* تُرسيّ ؛ تُرسيّ الشكل.

scutter [skŭt'ər] *(vi.; n.)* = scurry.

scuttle [skŭt'əl] *(n.; vt.; i.)* (١) قُفّة . «ب» دلوٌ للفحم . (٢)«أ» فتحة أو كوّة ذات غطاء (في سطح السفينة أو جانبها أو قعرها) . «ب» غطاء الكوّة (٣) عَدْوٌ أو خطوٌ سريع §(٤) يَخرِق السفينة ، وبخاصة : يغرق السفينة أو يحاول إغراقها بخرقها ×(٥) يعدو.

scuttlebutt *(n.)* (١) برميل ماء شرب (في سفينة) (٢) إشاعة.

scutum [skū'təm] *(L.)* pl. **scuta** [-'tə] *(n.)* صفيحة عظمية أو قرنية (في السلحفاة الخ.).

scut work *(n.)* عمل روتيني (حقير عادةً).

Scylla [sĭl'ə] *(n.)* سِيلّة : صخرة خطِرة في الجانب الإيطالي من مضيق مسّينا.

between ~ and Charybdis بين نارين؛ بين بديلَيْن كلاهما خطِر.

scyphus [sī'fəs] *(L.)* (١) كأس ؛ قدَح (٢) جزء كأسيّ الشكل، كإكليل الزهرة في بعض النباتات.

scythe [sīth] *(n.; vt.)* (١) مِحَشّ ؛ مِنجل §(٢) يحشّ : يقطع بمنجل.

sea [sē] *(n.)* (١) «أ» بحر . «ب» أوقيانوس . «ج» بُحيرة . (٢)«أ» موجة كبيرة . «ب» اضطراب البحر (٣) مقدار هائل (٤) حياة البحر : الاشتغال في البحركنوتيّ أو ملاّح (٥) البحر : إحدى البقاع الداكنة المترامية الأطراف على سطح القمر أو المريخ.

at ~, (١) في عرض البحر (٢) في رحلة بحرية . (٣) ذاهل ؛ مشدوه.

to follow the ~, يشتغل نوتياً.

to go to ~, (١) يصبح بحاراً أو نوتياً (٢) يبدأ رحلة.

to put to ~, يبدأ رحلةً.

sea anchor *(n.)* مرساة عائمة.

sea anemone *(n.)* شقيق البحر : حيوان بحريّ شبيه بالزهرة يلتصق بالصخور.

sea anemone

sea bass *(n.)* الشَّبَص : سمك بحري من أسماك ساحل الأطلسي.

seabed [sē'bĕd] *(n.)* قاع البحر أو الأوقيانوس.

sea biscuit *(n.)* = hardtack.

seaboard [sē'bōrd'] *(n.; adj.)* (١) ساحل ؛ شاطىء §(٢) ساحليّ.

seaborne [sē'bōrn'] *(adj.)* بحريّ (~ trade).

sea bread *(n.)* = hardtack.

sea bream *(n.)* الأُسْبُور: نوع من السمك يشمل الفرّيدي والجربيدي.

sea breeze *(n.)* نسيم البحر.

sea captain *(n.)* الرُّبّان ، رُبّان السفينة.

seacoast [sē'kōst'] *(n.)* الساحل ؛ شاطىء البحر.

sea cow *(n.)* بقرة البحر أو الماء : اسم يطلق على حيوانات بحرية كثيرة كالأطوم وخروف البحر.

sea cucumber *(n.)* خِيار البحر : حيوان بحريّ من قنفذيات الجلد.

sea devil *(n.)* = devilfish.

sea dog *(n.)* (١) كلب البحر (٢) فُقمة الموانىء (٣) ملاّح ماهر.

seadrome [sē'drōm] *(n.)* المطار البحري : مطار عائم تَحُطّ فيه الطائرات عند الطوارىء.

sea eagle *(n.)* (١) عُقاب البحر (٢) osprey 1.

sea-ear [sē'ĭr] *(n.)* = abalone.

sea fan *(n.)* مروحة البحر (حيوان بحري).

seafarer [sē'fâr'ər] *(n.)* (١) الملاّح (٢) المسافر بحراً.

seafaring [sē'fâr'ĭng] *(n.; adj.)* (١) صناعة البحر : الاشتغال في البحر كنوتيّ أو ملاح (٢) السفر بالبحر §(٣) بحري ؛ مشتغل بصناعة البحر (٤) مسافرٌ بحراً.

sea fight *(n.)* معركة بحرية ؛ قتال بحري.

seafolk [sē'fōk] *(n.)* أهل البحر : البحّارة أو النوتيّة.

seafood [sē'fōōd] *(n.)* كلّ سمكة (أو مَحارة) بحرية تؤكل.

seafowl [sē'foul'] *(n.)* طائر بحريّ ؛ طير بحريّ.

seafront [sē'-] *(n.)* الجبهة البحريّة : جزء من المدينة مواجهٌ للبحر.

sea gate *(n.)* منفذ بحري ؛ منفذ إلى البحر

seagirt [sē'gûrt'] *(adj.)* مُحاط أو مُكتنَف بالبحر.

seagoer [sē'gō'ər] *(n.)* (١) المسافر بحراً (٢) الملاّح ؛ النوتيّ.

seagoing [sē'-] *(adj.)* (١) oceangoing (٢) مسافر بحراً.

sea green *(n.)* الأخضر البحري : لون اخضر مزرقّ.

sea gull *(n.)* النّورس ؛ زُمّج الماء (طا).

sea hare *(n.)* أرنب البحر : حيوان من الرخويات ذو مِجسّات شبيهة بالآذان

sea horse *(n.)* (١) فرس البحر : «أ» سمكة صغيرة ذات رأس كرأس الفرس . «ب» مخلوق خرافيّ نصفه فرس ونصفه سمكة (٢) موجة كبيرة.

sea island cotton *(n.)* قطن سي آيلاند : قطن طويل التيلة حريريّها.

sea kale *(n.)* الكرَنْب أو الملفوف البحري (نب).

sea king *(n.)* ملِك البحر: زعيم قرصان إسكندينافي.

sea horse

seal [sēl] *(n.; vt.; i.)* (١)«أ» ضمان . «ب» عَهْد (٢) خَتْم (٣) الخِتام : شمعٌ يُختَم به (٤) «أ» سِدادٌ مُحْكَم . «ب» مانع التسرّب : أداة لمنع تسرّب الغاز أو الهواء (٥) علامة

seal 6 *a.*

(٦) «أ» الفُقْمة ، عجل البحر : حيوان من لواحم البحر شبيه بالسمك ظاهراً ولكنه في الواقع لبونٌ ومن ذوات الرئتين. «ب» جِلد الفُقْمة §(٧)«أ» يختم . «ب» يقِرّ ، يصدِّق على (٨)«أ» يسدّ . «ب» يُحكم الإغلاق . «ج» يمنع التسرّب (٩) يقرر نهائياً ×(The judge's words ~ *ed* her fate.) (١٠) بصيد الفُقْمة .

sea-lane [sē'lān] *(n.)* طريق بحري .

sea lavender *(n.)* خزامى البحر (نب) .

sea lawyer *(n.)* محامي البحر : نوتيّ محبّ للمجادلة وإثارة الاعتراضات .

sea legs *(n. pl.)* (١) الساق البحرية : المقدرة على السير ، من غير تمايل ، على متن سفينة تمخر البحر (٢) التحرر من دُوار البحر .

sealer [sē'lər] *(n.)* (١) مُوثِّق المعايير : موظف يفحص الموازين والمعايير ويختم السليم منها بختم رسمي (٢) شخص أو مركب صائد للفقمة .

sealery [sē'lə rĭ] *(n.)* (١) صيْدُ الفُقْمة (٢) موضع صيد الفُقْمة .

sea lily *(n.)* زنبق البحر: حيوان بحري لا فقاري .

sealing wax *(n.)* الختام : شمع أحمر يُختَم به .

sea lion *(n.)* أسد البحر (ح) .

seal ring *(n.)* الخاتم المنقوش : خاتم مزدان بنقش بحيث يمكن استعماله كخَتْم .

sealskin [sēl'skĭn'] *(n.)* (١) جلد الفُقْمة (٢) سِترة الخ. مَخيطة من جلد الفقمة .

sea lion

seam [sēm] *(n.; vt.; i.)* (١)«أ» دَرْز ، لِفْق . «ب» دَرْزة ، لِفْقة . (٢) الصير ، الشق : الفسحة بين لوحين من ألواح المركب (٣) خط الاتصال أو الالتحام (٤) راقٌ (مع) ، عِرق ، طبقة معدنيّة الخ. (٥) «أ» النَّدْبة : أثر الجرح الملتئم . «ب» جَعْدة ، غَضْنٌ §(٦) يدرز ، يَلْفِق (٧) يجعّد ، يغضّن ، يندب ×(٨) يتشقّق ، ينشق .

sea-maid [sē'mād] *or* **sea-maiden** [sē'mā'dən] *(n.)* (١) حورية الماء (را. mermaid) (٢) إلاهة البحر .

seaman [sē'mən] *(n.)* (١) نوتيّ ، ملاح (٢) جندي بحريّ .

seamanlike ; seamanly *(adj.)* مميز لملاّح بارع أو لائق به .

seamanship [-shĭp'] *(n.)* المِلاحية : فن الملاحة أو البراعة فيه .

seamark [sē'märk'] *(n.)* (١) العلامة البحرية: خطّ على الشاطئ يُظهر حدود المدّ (٢) منارة .

sea mew *(n.)* النَّوْرس ، زُمّج الماء (طا) .

sea mile *(n.)* = nautical mile.

seamster [sēm'stər] *(n.)* خيّاط .

seamstress [sēm'strĭs] *(n.)* خيّاطة .

seamy [sē'mĭ] *(adj.)* الأسوأ (the ~ side of life) .

séance [sā'äns] *(F.)* (١) جلسة (٢) جلسة استحضار الأرواح .

sea otter *(n.)* القُنْدُس البحري (ح) .

seapiece [sē'pēs] *(n.)* اللوحة البحرية : صورة زيتية تمثّل مشهداً بحرياً .

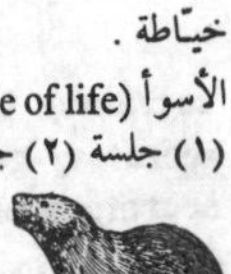

sea otter

seaplane [sē'plān'] *(n.)* الطائرة المائية (طي) .

seaport [sē'pōrt'] *(n.)* مرفأ ، ميناء .

sea power *(n.)* (١) الدولة البحرية : دولة ذات أسطول بحري ضخم (٢) قوة بحريّة .

seaquake [sē'-] *(n.)* الزلزال البحري : زلزال يحدث تحت سطح البحر .

sear [sĭr] *(vt.; i.; adj.; n.)* (١) يُذْبِل ، يُذوي (٢) يَسفع ، يلفح (٣) يقسّي ، يحجّر ×(٤) يَذْبل §(٥) ذابل §(٦) أثر السَّفع أو اللَّفح (٧) اللُّسَين : قطعة الأمان (في بندقية) .

sea raven *(n.)* غُداف البحر : سمك بحري أميركي كبير .

search [sûrch] *(vt.; i.; n.)* (١) يستكشف ، يفحص (٢) يَسبُر . (٣) يَنفُذ ، يخرق (٤) يفتّش (شخصاً) (٥) يستقصي (~ *ed* out all the facts) (٦) يكتشف ×(٧) يبحث ، يجري بحثاً §(٨) بحث ، تفتيش ، تقصٍّ الخ.

in ~ of بحثاً عن .

searching [sûr'-] *(adj.)* (١) دقيق (a ~ examination) . (٢) ثاقب ، حادّ (~ eyes) (٣) قارس ، لاذع (~ cold) .

searchlight [sûrch'līt'] *(n.)* (١) المِنْوار : «أ» أداة لإسقاط النور الكشّاف . «ب» نورٌ كشّاف (٢) المِشْعل الكهربائي : بطارية صغيرة ترسل نوراً كشّافاً .

search warrant *(n.)* أمر التفتيش : أمر رسمي بتفتيش منزل الخ .

sea robin *(n.)* أبو الحناء البحري : نوع من السمك .

sea room *(n.)* المتّسع المائي : متّسع مائيّ مأمون (في البحر) .

sea rover *(n.)* (١) قرصان (٢) سفينة قراصنة .

seascape [sē'skāp'] *(n.)* (١) مَشْهد البَحْر (٢) اللوحة البحرية : صورة زيتية الخ . تمثّل مشهداً بحرياً .

sea scorpion *(n.)* عقرب البحر : نوع من السمك .

sea scout *(n.)* الكشاف البحري : فتىً من أفراد فرقة كشفية بحريّة .

seashore [sē'shōr'] *(n.)* شاطئ البحر .

seasick [sē'sĭk'] *(adj.)* مصابٌ بدُوار البحر .

seasickness [sē'sĭk'nĭs] *(n.)* الهُدام : دُوار البحر .

seaside [sē'sīd'] *(n.)* الساحل ، شاطئ البحر .

seasider [-ər] *(n.)* السواحليّ : المقيم في السواحل أو المتردّد عليها .

sea snake *(n.)* أفعى البحر : حية مائية سامّة .

season [sē'zən] *(n.; vt.; i.)* (١) أوان (٢) موسم (٣) فصل (من فصول السنة) (٤) فترة عطلةٍ رئيسية (٥) فترة (a ~ of rest) §(٦) يتبّل الطعامَ (بإضافة الملح والتوابل إليه) (٧) «أ» يملّح ، يجفف . «ب» يُنضج أو يُعدّ للاستعمال (بمعالجة ما) . «ج» يوشّح حديثَه (بالمُلَح الخ.) (٨) يمرّس ، يعوّد ، يُؤقلم (٩) يلطّف (~ *ed* justice with mercy) ×(١٠) يجفّ ، يَنْضج الخ .

for a ~, فترةً قصيرة .

in ~, في أوانه ، في موضعه .

in ~ and out of ~, في جميع الأوقات .

out of ~, في غير أوانه أو موضعه .

seasonable [- ə bəl] *(adj.)* (١) ملائم (a ~ time for discussion) (٢) في أوانه ، ملائم للموسم أو الظرف (~ weather) .

seasonal [sē'zən əl] *(adj.)* موسميّ (~ storms) .

seasoner [-ər] *(n.)* (١) مستعمل التوابل (٢) التابل (كالفلفل الخ) .

seasoning [sē'zən ĭng] *(n.)* التابل (كالفلفل ونحوه) .

season ticket *(n.)* الجواز : بطاقة تخوّل صاحبها حضور المباريات أو الحفلات أو ركوب القطار أو الاوتوبوس ، يومياً ، طوال فترة معيّنة .

seastrand [sē'strănd] *(n.)* شاطئ البحر .

seat [sēt] *(n.; vt.)* (١)«أ» مقعد ، كرسيّ . «ب» المَقْعَدة : الجزء الذي يُقعَد عليه من كرسيّ أو بنطلون . «ج» كَفَل ، عجيزة (٢) المَقْعَد : «أ» مقعد مخصّص لأحد النظارة في مسرح الخ . «ب» عضوية في مجلس تشريعي أو هيئة دولية (٣) الكرسيّ : عرش الأسقف الخ. أو سلطتُه (٤) الجِلْسة : نوع الجلوس (٥)«أ» مستقَرّ القاعدة : الجزء الذي تستقرّ عليه قاعدة شيء ما . «ب» القاعدة نفسها (٦) مركز (a ~ of learning) (٧) حاضرة ، عاصمة (٨) مقرّ §(٩) يُجْلِس (١٠) يتّسع لِـ

(a hall that ~s 800 persons) (١١) يُصْلِح مقعدة الكرسي الخ.
(١٢) يزوِّد بمقعد أو مقاعد (١٣) يركِّز (١٤) ينصب.
seat belt *(n.)* حزام التثبيت (لتثبيت المرء في مقعده عند إقلاع الطائرة).
seating [sē'tĭng] *(n.)* (١) «أ» تزويد بمقاعد. «ب» ترتيب المقاعد في مبنى الخ. (٢) كِساء المقاعد (٣) مقعد (a valve ~).
sea train *(n.)* القطار البحري: باخرة لنقل حافلات السكة الحديدية.
sea urchin *(n.)* قُنفذ البحر.

sea urchin

sea wall *(n.)* السور البحري: حاجز يقام لصد الأمواج عن الشاطىء أو لحماية التربة من التآكل والتعرية.
seaward [sē'-] *(n.; adj.; adv.)* (١) الجهة البعيدة عن اليابسة §(٢) متقدم نحو البحر او مواجه له §(٣) نحو البحر.
seaway [sē'wā'] *(n.)* (١) بحر هائج (٢) طريق بحري (٣) تقدم السفينة وسط الأمواج.
seaweed [sē'wēd'] *(n.)* العشب البحري؛ الطحلب البحري.
seaworthy [sē'-] *(adj.)* صالح للإبحار؛ قادر على مواجهة العواصف.
sea wrack *(n.)* = seaweed.
sebaceous [sĭ bā'shəs] *(adj.)* (١) دُهنيّ (٢) مُفرز دُهناً.
sebaceous glands *(n.pl.)* الغُدد الدهنية: غُدد جلدية تفرز مادة دُهنية لتطرية الشعر والجلد.
seborrhea [sĕb'ə rē'ə] *(L.)* السَّيلان الدُّهني أو الزَّهمي: زيادة غير سويّة في إفراز غدد الجلد الدهنيّة.
sebum [sē'bəm] *(L.)* الزَّهم: مادة دُهنية تُفرزها الغُدد الدهنية.
sec [sĕk] *(adj.)* غير حلو (wine ~).
secant [sē'kənt] *(n.)* القاطع: خطّ يقطع قوساً (ر).
secateur [sĕk'ə tər] *(F.)* المِقراض: مِقص البستاني؛ مِقص التقليم.
secco [sĕk'ō] *(It.)* الرَّجْصَفَة: فنّ الرسم على الجصّ الجاف.
secede [sĭ sēd'] *(vi.)* ينسحب (من كنيسة أو حِزْب).
secern [sĭ sûrn'] *(vt.; i.)* (١) «أ» يَفْصِل. «ب» يُميِّز (٢) يُفرِز.
secernent [sĭ sûr'nənt] *(adj.)* مُفرِز (فس).
secession [sĭ sĕsh'ən] *(n.)* انفصال؛ انسحاب؛ انعزال.
secessionism [-'ə nĭz əm] *(n.)* الانفصالية: مبادىء الانفصاليين.
secessionist [sĭ sĕsh'ən ĭst] *(n.)* الانفصاليّ: المشارك في حركة انفصالية او القائل بأن الانفصال حقّ شرعي.
seclude [sĭ klōōd'] *(vt.)* (١) يَعزِل؛ يُفرِد؛ يَفْصِل (٢) يحجب.
secluded [sĭ klōō'-] *(adj.)* (١) مُنْعَزِل (villages ~) (٢) متوحِّد؛ مُعْتَزِل الناسَ (hermits ~).
seclusion [-'zhən] *(n.)* (١) «أ» عَزْل. «ب» عُزْلة (٢) مكان منعزل.
second [sĕk'ənd] *(adj.; adv.; n.; vt.)* (١) ثانٍ (٢) «أ» إضافيّ. «ب» جديد (a ~ Edison). «ج» مكتسَب؛ ثانٍ (nature ~) §(٣) في المرتبة الثانية §(٤) الثاني (٥) «أ» المناصر؛ المؤيِّد. «ب» شاهد المبارز. «ج» ظهير الملاكم (٦) سلعة من الدرجة الثانية (٧) التثنية على اقتراح (في البرلمان الخ.) (٨) المرتبة الثانية (في امتحان أو مباراة) (٩) ناقل الحركة الثاني (سي) (١٠) *pl.* : اللون الثاني: لون من الطعام يقدَّم بعد اللون الأول (١١) «أ» الثانية: $\frac{1}{60}$ من الدقيقة. «ب» لحظة §(١٢) يناصر؛ يؤيِّد (١٣) يثنّي (على اقتراح).
every ~ year كلَّ سنتين.
~ to none فوق الجميع؛ لا يُعلى عليه.
Second Advent *(n.)* المجيء الثاني (للمسيح).
secondary [sĕk'ən dĕr'ĭ] *(adj.; n.)* (١) ثانويّ §(٢) شيء ثانوي (٣) «أ» ظهير دفاع (في كرة القدم). «ب» وكيل؛ مندوب؛ مساعد (٤) الخافية: إحدى الريشات الصغار التي تختفي اذا ضمّ الطائر جناحه (٥) ملف ثانوي؛ دارة ثانوية (كب).
secondary cell *(n.)* الخليّة الثانويّة (كب).
secondary color *(n.)* اللون الثانوي: لون يشكَّل بمزج ألوان رئيسية بمقادير متساوية الخ.
secondary emission *(n.)* الانبعاث الثانوي (للإلكترونات).
secondary school *(n.)* الثانوية: مدرسة ثانويّة.
second-best *(adj.)* تالٍ الأفضل مباشرة (his ~ suit).
second childhood *(n.)* الخَرَف: ضعف العقل في الشيخوخة.
second class *(n.)* (١) المرتبة الثانية (٢) الدرجة الثانية (في باخرة).
second-class *(adj.)* (١) خاصّ بالدرجة الثانية (٢) من الدرجة الثانية.
Second Coming *(n.)* = Second Advent.
second cousin *(n.)* ابن أو بنت عمّ الخ. من الدرجة الثانية.
Second Empire *(adj.)* من طراز عصر نابوليون الثالث.
second fiddle *(n.)* دورٌ ثانوي أو القائم به (to play ~).
second hand *(n.)* (١) وسيط (٢) عقرب الثواني (في ساعة).
at ~, بطريقة غير مباشرة؛ بالواسطة.
secondhand [sĕk'ənd hănd'] *(adj.; adv.)* (١) ثانويّ؛ غير أوّليّ (٢) مُستعمَل (a ~ car) (٣) مُتَّجِر بالسلع المستعملة (bookstores ~) §(٤) بطريقة غير مباشرة.
second lieutenant *(n.)* الملازم (رتبة عسكريّة).
secondly [sĕk'ənd lĭ] *(adv.)* ثانياً.
second person *(n.)* صيغة المخاطَب (ل).
second-rate [sĕk'ənd rāt'] *(adj.)* (١) من الدرجة الثانية (٢) رديء.
second sight *(n.)* = precognition.
second-story man *(n.)* رجُل الطابق الثاني: لصّ يدخل بيتاً من خلال نافذة في دورٍ علويّ.
second thought *(n.)* المراجعة: إعادة نظر (في قرار سابق).
second world *(n.)* العالَم الثاني: الدول الشيوعية مجتمعةً.
secrecy [sē'krə sĭ] *(n.)* (١) تكتُّم (٢) سِرّيّة.
secret [sē'krĭt] *(adj.; n.)* (١) سِرّيّ (٢) متكتّم (as ~ the grave) (٣) منعزل (٤) مبهم؛ غامض (٥) حاجب: مساعدٌ على الاحتجاب عن الانظار (panels ~) §(٦) سرّ (٧) صلاة الإسرار: صلاة تُتْلَى سرّاً قبل فاتحة القدّاس.
in ~, سرّاً؛ في السرّ.
secretarial [sĕk'rə târ'ĭ əl] *(adj.)* سكرتيريّ: متعلّق بأمانة السرّ.
secretariat [sĕk'rə târ'ĭ ət] *(n.)* السكرتيرية؛ أمانة السرّ.
secretary [sĕk'rə tĕr'ĭ] *(n.)* (١) سكرتير؛ أمين سرّ (٢) وزير (٣) escritoire.
secretary bird *(n.)* الكاتب: طائر كبير يقتات بالزواحف.

secretary bird

secretary-general *(n.)* الأمين العام.
secretary of state *(n.)* وزير الخارجية.
secrete [sĭ krēt'] *(vt.)* (١) يُفرز (٢) يُخفي؛ يكتم.
secretin [sĭ krē'tĭn] *(n.)* المُفرزين: هرمون معويّ يحثّ البنكرياس والكبد على الافراز (كح).
secretion [sĭ krē'shən] *(n.)* (١) إفراز (٢) إخفاء.
secretive [sĭ krē'tĭv] *(adj.)* (١) كتوم؛ متكتّم (٢) «أ» مُفرِز. «ب» إفرازي. «ج» حاثّ على الافراز.
secretly [sē'krĭt lĭ] *(adv.)* سرّاً؛ خِفيةً؛ في الخفاء.
secretory [sĭ krē'tə rĭ] *(adj.; n.)* (١) «أ» مُفرِز. «ب» إفرازيّ. «ج» حاثّ على الافراز §(٢) غدة مُفرِزة؛ عضوٌ مُفرِز.

ă at; ā date; â care; ä car; ĕ egg; ē me; ĭ in; ī bite; ŏ lot; ō bone; ô orphan; oi boil ōō good; ōō boot; ou out; ŭ under; ū unity; û urgent; th thing; th this; zh vision; ə = *a* in alone, *e* in system, *i* in easily, *o* in gallop, *u* in circus.

sect [sĕkt] *(n.)* طائفة ؛ شيعة ؛ نِحلة ؛ فِرقة .

sectarian [sĕk târ'ĭ ən] *(adj.; n.)* (١) طائفيّ (٢) متعصّب لطائفة §(٣)عضو في طائفة (٤)شخص متعصّب أو ضيّق التفكير .

sectarianism [sĕk târ'ĭ ə nĭz'əm] *(n.)* (١) الطائفية : الروح الطائفية (٢) التشيّع لطائفة .

sectarianize [sĕk târ'ĭ ə nīz'] *(vt.; vi.)* (١) يشيِّع : يشبع بالمبادىء أو المشاعر الطائفية ×(٢) يتفرق شيعاً .

sectary [sĕk'tə rĭ] *(n.)* المتشيع (لطائفةٍ ما) .

sectile [sĕk'tĭl] *(adj.)* ممكنٌ قطعُهُ (بإمرار السكين عليه برفق) .

section [sĕk'shən] *(n.; vt.; i.)* (١) قَطْع ؛ تقسيم (٢) قِسْم ؛ جزء (٣) جزء من فصل (٤) مَقْطَع ؛ قِطاع (٥) إقليم ؛ دائرة (٦) «أ» شريحة . «ب» شريحة مجهرية (٧) شُعْبة (جن) §(٨) يقطع ؛ يقسِم ×(٩) ينقسم .

sectional[sĕk'shən əl]*(adj.)* (١)مَقْطَعِيّ ؛ قِطاعيّ (٢)محليّ ؛ إقليميّ (interests ~) (٣) قابلٌ للتفكيك (a ~ bookcase) .

sectionalism [-ə lĭz'əm] *(n.)* الاقليميّة ؛ التعصّب الاقليمي .

sector [sĕk'tər] *(n.; vt.)* (١) القِطاع : «أ» قِطاع الدائرة ؛ القِطاع الدائري (هن) . «ب» جزء من جبهةعسكريّة. «ج» قِطاع (من صناعة بلد الخ.) (٢)أداة لقياس الزوايا أو رسمها (هن) §(٣)يقسِّم إلى قِطاعات .

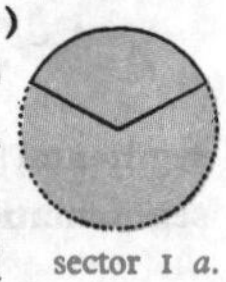

sector 1 *a.*

sectorial [sĕk tōr'ĭ əl]*(adj.)* قِطاعيّ: منسوب الى قِطاع الدائرة(ر).

secular [sĕk'-] *(adj.; n.)* (١)«أ»دنيوي(interests ~) . «ب» غير دينيّ(drama ~) . «ج» مَدَنيّ ؛ غير اكليركي (jurisdiction ~) (٢)عالميّ؛غير قانوني؛غير منتسب إلى رهبانيّة (priests ~) (٣)«أ» قَرْنِيّ: حادثٌ مرةً كل قرن.«ب» منتقل من جيل الى جيل §(٤) كاهن عالمي (٥) العاميّ: واحد العامّة .

secularism [sĕk'yə lə rĭz'əm] *(n.)* الدنيوية : عدم المبالاة بالدين أو بالاعتبارات الدينية .

secularity [sĕk'yə lăr'ə tĭ] *(n.)* (١) شيء دنيويّ الخ. (٢) الصفة الدنيوية أو المدنيّة الخ.

secularize [sĕk'yə lə rīz'] *(vt.)* (١) يُدَنْوِي : يجعله دنيوياً . (٢) يُعلمِن : ينزع عنه الصفة أو السيطرة الإكليركية (٣) يُشبع بالنزعة الدنيوية . — **secularization** *(n.)*

secund [sē'kŭnd] *(adj.)* مرتّب على جانب واحد فقط(«نب» و «ح»).

secundines[sĕk'ən dīnz] *(n. pl.)* المَشِيمة ؛ الحَبْل السُرّيّ.

secure [sĭ kyŏŏr'] *(adj.; vt.)* (١)«أ» واثق (was ~ of victory) . «ب» مطمئنّ (٢) آمن : «أ» متحرر من الخطر . «ب» مُوْقِع في النفس شعوراً بالأمن (a ~ retreat) (٣)مأمون (a ~ investment) (٤) مُحْكَم ؛ متين (٥) أكيد ؛ مضمون (Victory was ~.) (٦) مَصُون §(٧) يصون؛ يحرر من الخطر (٨)يضمن ؛ يكفل(٩)يثبّت؛يُحْكِم(١٠)يحصل على(١١)يعتقل.

security [sĭ kyŏŏr'ə tĭ] *(n.)* (١)«أ» أمن ؛ سلام. «ب» طمأنينة. (٢)«أ» كفالة؛ ضمان . «ب» الكفيل؛ الضامن (٣)«أ» سند. «ب» *pl.* : سندات مالية (٤) «أ» حماية . «ب» تدابير تتخذ للوقاية من التجسّس والتخريب بخاصة .

Security Council *(n.)* مجلس الأمن (في هيئة الأمم المتحدة) .

sedan [sĭ dăn'] *(n.)* (١) مِحفّة (٢) سيّارة . (٣) motorboat .

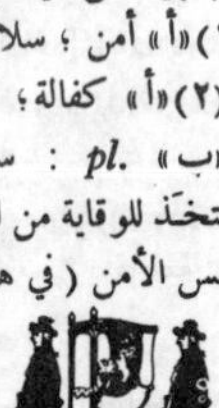

sedan 1.

sedan chair *(n.)* = sedan 1.

sedate [sĭ dāt'] *(adj.; vt.)* (١) رزين ؛ رصين §(٢) يسكّن (الآلام) .

sedation [sĭ dā'shən] *(n.)* (١) تسكين (الألم الخ.) (٢) سكون.

sedative [sĕd'ə tĭv] *(adj.; n.)* (١) مسكّن §(٢)عقّار مسكّن.

sedentary [sĕd'ən tĕr'ĭ] *(adj.)* (١)مقيم؛ غير مهاجر أو مترحّل (birds *or* tribes ~)(٢) كثير الجلوس؛ منفِق معظمَ وقته جالساً (٣) جلوسي : متطلّب كثيراً من الجلوس (occupations ~) .

sederunt [sə dĭr'ənt] *(L.)* جَلْسة طويلة.

sedge [sĕj] *(n.)* البَرْدِيّ ؛ السُّعادَى (نب) .

sedile [sĭ dī'lē] *(L.)* pl. **sedilia** مقعد (من ثلاثة مقاعد عادة) في الجهة الجنوبيّة من مذبح الكنيسة .

sediment [sĕd'ə mənt] *(n.; vt.; i.)* (١) ثُفْل ؛ ثُفالة . (٢) الرُسابة ؛ الرَّسوب : مادة ترسّبها المياه أو الريح أو الأنهار الجليدية §(٣) يرسِّب ×(٤) يترسّب .

sedimentary [sĕd'ə mĕn'tə rĭ] *(adj.)* رُسابيّ ؛ رَسوبيّ .

sedimentation [sĕd'ə mĕn tā'shən] *(n.)* (١) ترسيب . (٢) ترسّب ؛ رُسوب (٣) التثفّل (ط) .

sedition [sĭ dĭsh'ən]*(n.)* تحريض على الفتنة أو العصيان.

seditionary [-'ə nĕr'ĭ] *(adj.; n.)* (١) seditious §(٢) المحرض على الفتنة .

seditious [sĭ dĭsh'əs] *(adj.)* (١) ميالٌ إلى إثارة الفتن أو متّهم بإثارتها (٢) «أ» تحريضي . «ب» محرض على الفتنة .

seduce [sĭ dūs'] *(vt.)* (١) يُضِل ؛ يغري (٢) يُغْوِي (فتاةً).

seduction [sĭ dŭk'shən]*(n.)* (١) إغواء (فتاة الخ.) (٢) إغراء.

seductive [sĭ dŭk'tĭv] *(adj.)* مُغْوٍ ؛ مُغْرٍ.

seductress [sĭ dŭk'-] *(n.)* المُغْوِية : امرأة تغوي رجلاً .

sedulity [sĭ dū'lə tĭ] *(n.)* كَدّ ؛ مواظَبة ؛ مثابرة .

sedulous [sĕj'ə ləs] *(adj.)* كادّ ؛ مواظب ؛ مُجِدّ ؛ مثابر .

sedum [sē'dəm] *(n.)* السّيدوم : عشبة ذات زهر أصفر أو أبيض الخ.

see [sē] *(vt.; i.; n.)* (١) يرى ؛ يبصر ؛ يشاهد (٢) «أ» يتصور . «ب» يدرك ؛ يفهم (٣)«أ» يفحص؛ يراقب . «ب» يقرأ في الصحف (I ~ that the President is sick.) . «ج» يشهد؛ يحضر (مسرحية الخ.) (٤) يستوثق ؛ يتيقّن (٥) «أ» يعتبر ؛ يعتقد. «ب» يجد الشيء مقبولاً أو جذاباً أو عملياً (I still can't ~ the design.) (٦)«أ» يزور . «ب» يستقبل (The minister will ~ you.) (٧) يرافق ؛ يشيّع (wait to ~ the young ladies home) ×(٨) يبحث ؛ يحقّق « لكي يقتنع » (Go and ~ for yourself.) (٩) يتدبّر الأمر أو يوليه عنايته (*See* to it that these letters are sent to the post.) (١٠) يُصْلِح ؛ يُعنى بِـ (This typewriter is out of order; will you ~ to it, please.) §(١١) «أ» أبرشية . «ب» الكرسي الاسقفي ؛ مقر الأسقف .

to ~ into (١) يفحص ؛ يدرس (قضية أو شكوى) . (٢) يدرك حقيقة الأمر أو الغرض الخفيّ منه .

to ~ out ينهي ؛ يتمّم ؛ يُنجز .

to ~ over يستعرض أو يلقي نظرة على (غرف بيت يريد أن يستأجره أو يشتريه) .

to ~ somebody off يودّعه (في المحطة أو المطار) .

to ~ somebody out (off the premises) يودّعه حتى الباب الخارجي .

to ~ somebody through يساعده في محنته (حتى النهاية) .

to ~ something through يواصل (أمراً) حتى النهاية .

to ~ the back of somebody يتخلص منه .

to ~ through يدرك حقيقة امرىء (أو أمرٍ) أو مراميه الخفيّة .

seeable [sē'ə bəl] *(adj.)* منظورٌ ؛ ممكنةٌ رؤيتُه .

seed [sēd] *(n.; adj.; vi.; t.)* (١) «أ» بِزْرة ؛ بذرة . «ب» بزور . «ج» حبّة قمح (٢) «أ» مَنيّ . «ب» بُيَيْضة الحشرة الخ . (٣) نَسْل ؛ ذريّة (٤) أصل ، منشأ §(٥) بِزريّ ؛ محتوٍ بزوراً §(٦) يزرع (٧) يحمل بزوراً ×(٨) يَبْزُر ؛ ينثر البزور (٩) يستخرج البزور (من الزبيب الخ.) (١٠) يوزّع أو ينظّم بحيث يحول دون التقاء اللاعبين المتفوقين (أو الأفرقة المتفوقة) في الجولات الأولى .

to go *or* run to ~ , (١) يدخل عهدَ حمل البزور متوقفاً عن الإزهار (٢) يشيخ ؛ يَضْعُف ؛ يبلى .

seedcake [sēd'kāk'] *(n.)* الكعكة البزرية : كعكة محلاّة تحوي بزوراً عطِرة .

seedcase [sēd'kās'] *(n.)* غلاف البِزرة (نب) .

seeder [sē'dər] *(n.)* (١) البزّارة : أداة لنثر البزور في الحقل . (٢) مِنزعة البزور (من الزبيب الخ.) .

seedful [sēd'-] *(adj.)* (١) كثير البزور (٢) منتج ؛ مولّد .

seed leaf *(n.)* الفِلْقة : ورقة جنينية ترافق بزور الزهريات (نب) .

seedling [sēd'lĭng] *(n.)* (١) نبتة (٢) نبتة صغيرة (٣) شجيرة صغيرة .

seed oyster *(n.)* المحار البزري : محار صغير جداً .

seed pearl *(n.)* لؤلؤة (أو مجموعة لآلىء) صغيرة جداً .

seed plant *(n.)* النبتة البزرية : نبتة تحمل بزوراً .

seedsman [sēdz'-] *(n.)* (١) البازر ؛ ناثر البزور (٢) بائع البزور .

seedtime [sēd'tīm'] *(n.)* موسم البَزْر ؛ موسم البذار .

seed vessel *(n.)* غلاف البِزرة (نب) .

seedy [sē'dĭ] *(adj.)* (١) متبزر : ذو بزور أو كثير البزور . (٢) «أ» رثّ ؛ بالٍ . «ب» مرتدٍ أسمالاً بالية (٣) قذر ؛ رديء السمعة (~ districts) (٤) متوعك الصحة .

seeing [sē'ĭng] *(conj.)* نظراً لِـ ؛ بالنظر إلى .

Seeing Eye *(n.)* العين المبصرة : كلب مدرَّب على قيادة العميان .

seek [sēk] *(vt.; i.)* (١) يقصد ، يذهب إلى (٢) يبحث عن . (٣) يطلب ، يلتمس (٤) يَنْشُد ، يجد في طلب كذا (٥) يحاول ؛ يسعى (sought to convince him) .

much *sought* after مطلوبٌ أو رائجٌ جداً .

unsought-for fame شهرةٌ تمّ لصاحبها من غير أن يجدّ في طلبها .

seem [sēm] *(vi.)* (١) يبدو ، يظهر (٢) يتراءى لِـ .

I can't ~ to يبدو أني غير قادر على . . .

seeming [sē'mĭng] *(adj.; n.)* (١) ظاهريّ §(٢) مظهرٌ خارجيّ .

seemingly [sē'mĭng lĭ] *(adv.)* في ما يبدو ؛ على ما يظهر .

seemly [sēm'lĭ] *(adj.; adv.)* (١) «أ» حسَن المظهر . «ب» جذاب . (٢) محتشم (٣) ملائم ، لائق §(٤) على نحو محتشم أو لائق الخ .

seen [sēn] *past part. of* see.

seep [sēp] *(vi.; n.)* (١) يَنِزّ ؛ يتسيّل ؛ يتسرّب §(٢) المَنَزّة : بقعة ينزّ منها الماء أو الزيت من تحت الأرض مشكّلاً بركةً عادةً (٣) ينبوع صغير (٤) النزّ : مقدار من السائل النازّ أو المتسيِّل .

—**seepy** *(adj.)*

seepage [sē'pĭj] *(n.)* (١) تسيُّل ؛ نزّ (٢) النزّ : مقدار من السائل النازّ .

seer [sē'ər *for* 1 ; sĭr *for* 2-3] *(n.)* (١) الرائي ؛ الناظر (٢) المتنبّىء (٣) العرّاف ، الراجم بالغيب .

seer [sĭr] *(Hin.)* السِّير : «أ» وزن هندي . «ب» وزن أفغاني .

seeress [sĭr'əs] *(Hin.)* (١) المتنبّئة (٢) العرّافة .

seersucker [sĭr'sŭk'ər] *(n.)* الحليب والسكّر : نسيج قطنيّ مخطّط .

seesaw [sē'sô'] *(n.; adj.; vi.; t.)* (١) نَوَسان ؛ تأرجح . (٢) السِّجال : صراع تكون فيه الغلبة لهذا الفريق حيناً ولذاك حيناً (٣) النوّاسة : لعبة من لعب الأطفال §(٤) متأرجح §(٥) يتأرجح ×(٦) يؤرجِح .

seesaw 3.

seethe [sēth] *(vt.; i.; n.)* (١) يغلي ؛ يسلق (٢) ينقع . ×(٣) «أ» يهتاج ، يضطرب . «ب» يُرغي ؛ يزبد §(٤) غَلْي الخ . (٥) غليان الخ .

seething [-'ĭng] *(adj.)* (١) غالٍ ؛ حارّ جداً (٢) مهتاج ؛ مضطرب .

Sefardim *(n. pl.)* = Sephardim.

segment [sĕg'mənt] *(n.; vt.; i.)* (١) قطعة ؛ جزء ؛ قسم (٢) القطعة الدائرية (مج) (٣) فِلْقة ؛ فَصّ (أح) §(٤) يفصل أو ينفصل إلى قِطع ؛ يتفلّق ؛ يتفصّص .

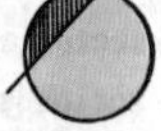

segment 2.

segmental [sĕg mĕn'təl] *(adj.)* قِطْعِيّ ؛ فِلْقِيّ ؛ فَصّيّ .

segmentation [sĕg'mən tā'shən] *(n.)* (١) تقطيع (٢) تجزُّؤ (٣) تفلّق ؛ تفصّص (اح) .

sego ; sego lily [sē'gō] *(n.)* زنبقة السِّيغو : نبات أميركيّ .

segregate [*v.* sĕg'rə gāt; *adj., n.* -gĭt] *(vt.; i.; adj., n.)* (١) «أ» يَعْزِل ؛ يفصل . «ب» يعزل عن بقيّة المجتمع ×(٢) ينعزل (عن المجموع متمركزاً في مكان واحد) §(٣) معزول (عن بقية المجتمع) §(٤) شخص معزول ؛ جماعة معزولة .

segregated [sĕg'-] *(adj.)* (١) معزول ، مفصول عن غيره (٢) معزول عنصرياً : مقصور على أفراد عِرق أو جماعة (a ~ area) عُزِلت عن المجتمع بحكم سياسة التمييز العنصري (in ~ schools) (٣) عَزْليّ : مطبّق سياسةَ التمييز العنصريّ (from ~ states) .

segregation [sĕg'rĭ gā'shən] *(n.)* (١) «أ» عَزْل ؛ فَصْل . «ب» عَزْل عن بقيّة المجتمع (٢) انعزال (عن المجموع) (٣) العزل العِرقيّ ؛ التمييز العنصري .

segregationist [sĕg'rə gā'shən ĭst] *(n.)* العَزْليّ : المؤمن بالعَزْل العِرقيّ أو الممارس له .

segregative [sĕg'-] *(adj.)* (١) عَزْليّ ، عازل (٢) محبّ للعزلة .

seicento [sĕ chĕn'tô] *(It.)* القرن السابع عشر ، وبخاصة بالنسبة إلى الأدب والفنّ الإيطاليين .

Seidlitz powders [sĕd'lĭts] *(n. pl.)* مسحوق سِيدْلِيز : مُسْهِل خفيف فوّار .

seigneur [sĕ nyœr'] *(F.)* سيّد ؛ وبخاصة : سيّد إقطاعيّ .

seigneury [sē'nyœ rĭ] *(n.)* الإقطاعة : مقاطعة يحكمها سيّد إقطاعي .

seignior [sān'yər] *(n.)* سيّد ؛ وبخاصة : سيّد إقطاعيّ .

seigniorage *or* **seignorage** [sān'yər ĭj] *(n.)* رَسْم على سكّ الذهب أو الفضة .

seigniory *or* **seignory** [sān'yə rĭ] *(n.)* (١) سلطة ، سيادة ؛ وبخاصة : سلطة السيّد الإقطاعي (٢) الإقطاعة : مقاطعة يحكمها سيّد إقطاعي .

seine [sān] *(n.; vt.; i.)* (١) السِّينة : شبكة صيدٍ ضخمة تُدلّى عمودياً في الماء §(٢) يَسِين : يصيد بالسِّينة .

seisin [sē'zĭn] *(n.)* = seizin.

seism [sī'zəm; -səm] *(n.)* زلزال .

seismal [sīz'məl; sīs'-] *(adj.)* = seismic.

seismic; -al [sīz'-; sīs'-] *(adj.)* زلزالي : خاصٌّ بزلزال طبيعي أو صناعي أو عرضةٌ له أو ناشئ عنه .

seismicity [sīz mĭs'-; sīs-] *(n.)* الزلزالية : كونُ الشيء زلزاليّاً .

seismism [sīz'mĭz əm; sīs'-] *(n.)* الزّلازلية ؛ الظواهر الزلزالية .

seismo- بادئة معناها : زلزال (*seismo*logy) .

seismogram [sīz'-; sīs'-] *(n.)* تسجيل لزلزلة (بمِرْسمة الزلازل) .

seismograph [sīz'mə grăf; sīs'-] *(n.)* المِرجَفة (مج) : مِرْسمة الزلازل .

seismographic; -al [sīz mə grăf'-; sīs-] *(adj.)* مِرجفي .

seismological [sīz'mə lŏj'ə kəl; sīs-] *(adj.)* زلازلي : خاصٌّ بعِلم الزلازل .

seismologist [sīz mŏl'ə jĭst; sīs-] *(n.)* الزلازليّ : العالِم الاختصاصي بعلم الزلازل .

seismology [sīz mŏl'ə jĭ; sīs-] *(n.)* عِلم الزلازل .

seismometer [sīz mŏm'ə tər; sīs-] *(n.)* مقياس الزلازل : أداة لقياس قوّة الزلزال ومدّته واتجاهه .

seismometry [sīz mŏm'ə trĭ; sīs-] *(n.)* دراسة الزلازل عِلمياً .

seismoscope [sīz'mə skōp; sīs'-] *(n.)* المِهزاز : أداة لتسجيل حدوث الزلزال ومدته فقط .

seismometer

seize [sēz] *(vt.; i.)* (١) «أ» يستولي على . «ب» يضع يده على . «ج» يصادر (٢) يعتقل (٣) يقبض على ؛ يمسك بِـ (٤) يفهم فهماً تاماً (~*d* the idea) (٥) يُوثِق حبلاً بآخر (مل) (٦) ينتهز (فرصةً) × (٧) يَلْكَصَب : يلتصق بجسم متحرك نسبياً بالضغط (أو الحرارة أو الاحتكاك) الشديد . **—seizer** *(n.)*

seizin [sē'zĭn] *(n.)* (١) تملّكٌ للأرض أو للمنقولات (ق) . (٢) تملّك للأرض تملّكاً مطلقاً .

seizing [sē'zĭng] *(n.)* (١) مص seize (٢) إيثاق حبل بآخر . (٣) الوثاق : سلك أو حبل صغير يُشدّ به حبلٌ إلى آخر .

seizings

seizor [sē'zər] *(n.)* المستولي ، المُصادر ، المُعتقِل ؛ المُمسِك بِـ .. الخ .

seizure [-'zhər] *(n.)* (١) مص seize (٢) نوبة مَرَضية .

sejant [sē'jənt] *(adj.)* مُقْعٍ (a lion ~) .

selachian [sĭ lā'kĭ ən] *(n.; adj.)* (١) الأشلاقيّ : واحد الأشلاقيات **Selachii** وهي رتبة سمك كثيرة الفصائل . § (٢) أشلاقيّ .

seldom [sĕl'dəm] *(adv.)* نادراً ؛ نادراً ما .

select [sĭ lĕkt'] *(vt.; i.; adj.)* (١) يختار ؛ ينتقي § (٢) مُختار ؛ منتقًى ؛ ممتاز (٣) مدقِّق في الاختيار ، مقصورٌ على فئة مختارة (a ~ party) . **—selectness** *(n.)*

selected [sĭ lĕk'tĭd] *(adj.)* مختار ، منتقًى ، وبخاصة : ممتاز .

selectee [sĭ lĕk'tē'] *(n.)* المختار ، وبخاصة : المدعوّ إلى الخدمة العسكرية الإلزامية .

selection [sĭ lĕk'-] *(n.)* (١) اختيار ؛ انتقاء (٢) «أ» شيء مُختار أو مُنتقًى . «ب» مجموعة مختارة ؛ نُخبة (٣) الاصطفاء الطبيعي (أح) .

selective [sĭ lĕk'tĭv] *(adj.)* (١) انتقائي (٢) حسَن الانتقائية (رد) .

selective service *(n.)* الخدمة العسكرية الإلزامية .

selectivity [sĭ lĕk'tĭv'ə tĭ] *(n.)* (١) انتقائية (٢) الانتقائيّة : خاصيّة في الأداة أو في الدارة الكهربائية تجعلها تستجيب لذبذبات كهربائية ذات تردّد معيّن (كب) .

selector [sĭ lĕk'tər] *(n.)* المختار ، المنتقي ؛ المنتخِب ؛ المُصْطفي .

selen- = seleno-.

Selene [sĭ lē'nē] *(n.)* سالينة : إلاهة القمر عند الاغريق .

selenic [sĭ lē'nĭk] *(adj.)* سِلِنيومي : منسوب إلى السِّلِنيوم (ك) .

selenic acid *(n.)* الحامض السِّلِنيومي (ك) .

selenious [sĭ lē'nĭ əs] *(adj.)* = selenic

selenium [sĭ lē'nĭ əm] *(L.)* السِّلِنيوم : عنصر لافلزّي (ك) .

selenium cell *(n.)* الخليّة السِّلِنيومية (كب) .

seleno- بادئة معناها : قمر (*seleno*graphy) .

selenographer [sĕl'ə nŏg'rə fər] *(n.)* السِّلينوغرافي : العالِم بجغرافية القمر الطبيعية .

selenographic [sĭ lē'nə grăf'ĭk] *(adj.)* سِلينوغرافي : خاص بجغرافية القمر الطبيعية .

selenography [sĕl'ə nŏg'rə fĭ] *(n.)* السِّلينوغرافيا : جغرافية القمر الطبيعية .

selenologist [sĕl'ə nŏl'ə jĭst] *(n.)* السِّلينولوجي : فلكيّ متخصّص بعِلم القمر .

selenology [sĕl'ə nŏl'ə jĭ] *(n.)* السِّلينولوجيا : عِلم القمر .

selenosis [sĕl ə nō'sĭs] *(L.)* التسمّم السِّلِنيومي : تسمّم الماشية بالسِّلِنيوم .

self [sĕlf] *(pron.; adj.; n.)* (١) نفسي ، نفسه ، نفسها . § (٢) وحيد اللون (a ~ flower) (٣) من نفس مادة (أو لون) الشيء الذي يتصل به (a ~ trimming *or* belt) § (٤) النفس ؛ الذات (٥) «أ» طبيعة المرء (Her true ~ was revealed.) . «ب» حالة المرء الطبيعية أو الفضلى (She looked like her old ~.) (٦) المصلحة الشخصية (A selfish man puts ~ first.) .

self- بادئة معناها : «أ» ذاته (*self*-supporting) . «ب» ذاتياً ؛ أوتوماتيكياً (*self*-driven) . «ج» ذاتيّ (*self*-government) . «د» بذاته ، بطبيعته (*self*-evident) .

self-abandoned [sĕlf'ə băn'-] *(adj.)* منغمس في الملذّات .

self-abandonment [sĕlf'ə băn'dən mənt] *(n.)* (١) نكران الذات (٢) انغماس في الملذّات .

self-abasement [sĕlf'ə bās'-] *(n.)* إذلال الذات .

self-abnegation [sĕlf'ăb'nĭ gā'shən] *(n.)* نكران الذات .

self-absorbed [sĕlf'ăb sôrbd'] *(adj.)* (١) مستغرق في التفكير (٢) منهمك في شؤونه الذاتية .

self-abuse [sĕlf'ə būs'] *(n.)* (١) انتقاص المرء من قدر نفسه (٢) الاستمناء ، جَلْد عُمَيْرة .

self-accusation [sĕlf'ăk yoo zā'shən] *(n.)* اتهام الذات .

self-acquired [sĕlf'ə kwīrd'] *(adj.)* (١) مكتسَبٌ ذاتياً (بجهد المرء نفسه) (٢) مكتسَب لفائدة المرء أو مصلحته .

self-acting [sĕlf'ăk'tĭng] *(adj.)* ذاتيّ الفعل ؛ آليّ ؛ أوتوماتيكي .

self-action [sĕlf'ăk'shən] *(n.)* الفعل الذاتيّ .

self-active [sĕlf'ăk'tĭv] *(adj.)* ذاتيّ النشاط .

self-activity [sĕlf'ăk tĭv'ə tĭ] *(n.)* النشاط الذاتي .

self-addressed [sĕlf'ə drĕst'] *(adj.)* مُعَنْوَن بعنوان المرسِل ، تسهيلاً للاجابة على رسالته (~ envelopes) .

self-adjusting [sĕlf'ə jŭs'tĭng] *(adj.)* ذاتيّ الانضباط .

self-admiration [sĕlf'ăd mə rā'-] *(n.)* العُجْب ، الغرور .

self-affected [sĕlf'ə fĕk'tĭd] *(adj.)* مغرور ؛ معجب بذاته .

self-analysis [sĕlf'ə năl'ə sĭs] *(n.)* تحليل الذات : محاولة نظاميّة

يقوم بها الفرد لفهم شخصيّته من غير استعانة بشخص آخر .

self-annihilation [sĕlf'ə nī ə lā'shən] *(n.)* انمحاق الذات (كالذي يَحْدث عند استغراق المتصوف في التفكير في الله) .

self-approbation[sĕlf'ăp rə bā'shən] *(n.)* الاستحسان الذاتي .

self-assertion [sĕlf'ə sûr'shən] *(n.)* توكيد الذات : «أ» إصرار المرء على أهميته وعلى دعاواه ورغباته وآرائه . «ب» توكيد المرء تفوّقَه على الآخرين أو حرصُهُ على لفْت أنظار الناس إليه .

self-assumption [sĕlf ə sŭmp'shən] *(n.)* العُجْب ؛ الغرور .

self-assurance [sĕlf'ə shŏŏr'əns] *(n.)* الثقة بالنفس .

self-assured [sĕlf'ə shŏŏrd'] *(adj.)* واثقٌ بنفسه .

self-binder [sĕlf'bīn'dər] *(n.)* الحصّادةُ الحزّامة : آلة تحصد القمح وتجمعه حِزَماً .

self-born [sĕlf'bôrn'] *(adj.)* ذاتيّ النشأة : «أ» ناشىء في باطن الذات . «ب» منبثق أو منبعث من نفس سابقة .

self-centered [sĕlf'sĕn'tərd] *(adj.)* (١) مستقلّ أو متمتّع بالاكتفاء الذاتي (٢) أنانيّ .

self-closing *(adj.)* ذاتيّ الانغلاق : منغلق آلياً بعد فتحِه .

self-collected [sĕlf'kə lĕk'tĭd] *(adj.)* رابط الجأش .

self-colored [sĕlf'kŭl'ərd] *(adj.)* أحاديّ اللون ؛ وحيد اللون .

self-command[sĕlf'kə mănd'] *(n.)* ضَبْطُ النفس ؛ تمالك النفس .

self-complacency [sĕlf'kəm plā'-] *(n.)* الرِّضا الذاتيّ .

self-composed [sĕlf'kəm pōzd'] *(adj.)* هادىء ؛ رابط الجأش .

self-conceit[sĕlf'kən sēt'] *(n.)* العُجْب ؛ الغرور .

self-conceited [-'ĭd] *(adj.)* مغرورٌ ؛ معجَبٌ أو مَزهوّ بنفسه .

self-condemnation[sĕlf'kŏn dĕm nā'shən] *(n.)* إدانة الذات .

self-confession [sĕlf'kən fĕsh'ən] *(n.)* = avowal.

self-confidence [sĕlf kŏn'fə dəns] *(n.)* الثقة بالنفس .

self-confrontation *(n.)* = self-analysis .

self-conscious [-'kŏn'shəs] *(adj.)* (١) واعٍ ذاتَه (٢) خجول .

self-consequence[sĕlf'kŏn'sə kwĕns'] *(n.)* العُجْب ؛ الغرور .

self-consistent[sĕlf'kən sĭs'tənt] *(adj.)* (١) منسجم مع نفسه . (٢) متساوق الأجزاء .

self-contained [sĕlf'kən tānd'] *(adj.)* (١) «أ» متميّز بضبط النفس . «ب» متحفّظ (٢) مستقلّ ؛ متمتّع باكتفاء ذاتيّ (٣) تامّ في ذاتِهِ : جميع أجزائه الرئيسية العاملة منطوية في هيكل أو صندوق واحد (A watch is ~.) .

self-contempt [sĕlf'kən tĕmpt'] *(n.)* ازدراء الذات .

self-content[-tĕnt'];**self-contentment**[-'mənt] *(n.)* الرضا الذاتي (را . self-satisfaction) .

self-contradiction [sĕlf'kŏn'trə dĭk'-] *(n.)* التناقض الذاتيّ .

self-contradictory [sĕlf'kŏn'trə dĭk'-] *(adj.)* مناقضٌ ذاتَه .

self-control [sĕlf'kən trōl'] *(n.)* ضَبْطُ النفس ؛ تمالُكُ النفس .

self-criticism [sĕlf'krĭt'ə sĭz'əm] *(n.)* النّقْدُ الذاتيّ .

self-culture [sĕlf'kŭl'chər] *(n.)* التثقّف الذاتي : تثقيف المرء نفسَهُ بنفسه .

self-deceit[sĕlf'dĭ sēt'] *(n.)* خداع النفس ؛ خداع الذات .

self-deceiver [sĕlf'dĭ sē'vər] *(n.)* الخادعُ نفسَه أو ذاتَه .

self-deceiving [sĕlf'dĭ sē'vĭng] *(adj.)* (١) ميّال إلى خداع الذات (٢) خادعٌ للذّات (~ excuses) .

self-deception [sĕlf'dĭ sĕp'-] *(n.)* خداع الذات ؛ خداع النفس .

self-defense [sĕlf'dĭ fĕns'] *(n.)* الدفاع عن النفس .
in ~, دفاعاً عن النفس .
the art of ~, الملاكمة .

self-delusion [sĕlf'dĭ lo͞o'zhən] *(n.)* خداع الذات .

self-denial [sĕlf'dĭ nī'əl] *(n.)* نكران الذات .

self-dependence [sĕlf'dĭ pĕn'dəns] *(n.)* الاعتماد على الذات .

self-depreciation[sĕlf'dĭ prē'shĭ ā'-] *(n.)* الاستخفاف بالذات .

self-destruction [sĕlf'dĭ strŭk'shən] *(n.)* انتحار .

self-determination [sĕlf'dĭ tûr'mə nā'-] *(n.)* (١) حريّة الارادة (٢) تقرير المصير .

self-devotion [sĕlf'dĭ vō'shən] *(n.)* التضحية بالذات ؛ بذل النفس .

self-discipline [sĕlf'dĭs'ə-] *(n.)* الانضباط الذاتيّ ؛ ضَبْط الذات .

self-discovery [sĕlf'dĭs kŭv'ə rĭ] *(n.)* اكتشاف الذات ؛ اكتشاف المرء مَقدراتِه ومشاعرَه ودوافعه .

self-distrust [sĕlf'dĭs trŭst'] *(n.)* عدم الثقة بالنفس :

self-division [sĕlf'dĭ vĭzh'ən] *(n.)* الانقسام الذاتي .

self-doubt [sĕlf'dout'] *(n.)* عدم الثقة بالذات .

self-driven [sĕlf'drĭv'ən] *(adj.)* آليّ ؛ أوتوماتيكيّ ؛ ذاتيّ الحركة .

self-educated [sĕlf'ĕj'ə kā'tĭd] *(adj.)* ذاتيّ التثقّف : مثقّفٌ نفسَهُ بنفسه .

self-effacement [sĕlf'ĭ fās'mənt] *(n.)* مَحْوُ الذات : إبقاء المرء نفسَهُ بعيداً عن الأضواء (تواضعاً الخ .) .

self-employed [sĕlf'ĕm ploid'] *(adj.)* ذو مهنة حرّة .

self-esteem [sĕlf'ĕs tēm'] *(n.)* (١) احترام الذات (٢) غرور .

self-evident [sĕlf'ĕv'ə dənt] *(adj.)* بديهيّ ؛ بيّنٌ بذاته .

self-examination[sĕlf'ĭg zăm'ə nā'-] *(n.)*=introspection.

self-excited[sĕlf'ĭk sī'tĭd] *(adj.)* ذاتيّ الاستثارة : مستثارٌ بتيّار يُحدثه المولّد نفسُهُ (~ generators) .

self-executing [sĕlf'ĕk'sē-] *(adj.)* ذاتيّ النّفاذ : نافذٌ أو ساري المفعول توّاً من غير حاجة إلى تصديق من البرلمان (~ treaties) .

self-exiled [sĕlf'ĕg'zīld] *(adj.)* منفيّ باختياره .

self-existent [sĕlf'ĭg zĭs'tənt] *(adj.)* (١) موجودٌ بذاتِهِ ؛ موجودٌ من غير موجِد ، كالله (٢) ذو وجود مستقلّ .

self-explaining[-'ĭk splā'nĭng] *(adj.)* = self-explanatory.

self-explanatory [-splăn'ə tōr'ĭ] *(adj.)* مفسّر نفسَه بنفسه .

self-expression [sĕlf'ĭk sprĕsh'ən] *(n.)* التعبير عن الذات : تعبير المرء عن شخصيته من طريق الشعر أو الموسيقى الخ .

self-fertilization [sĕlf'fûr tə lə zā'shən] *(n.)* الإلقاح أو الإخصاب الذاتيّ .

self-forgetful[-fər gĕt'fəl]; **self-forgetting**[-'ĭng] *(adj.)* منكِرٌ ذاتَه ؛ غير أنانيّ .

self-formed [sĕlf'fôrmd'] *(adj.)* ذاتيّ التكوين : مكوّن بجهود المرء الشخصيّة .

self-giving [sĕlf'gĭv'-] *(adj.)* باذلٌ نفسَه ؛ مضحٍ بنفسه ؛ غير أنانيّ .

self-glorification [sĕlf'glōr ə fə kā'shən] *(n.)* تمجيد الذات .

self-glorifying [sĕlf'glōr'ə fī ĭng] *(adj.)* متبجح .

self-governed[-'gŭv'ərnd] *(adj.)* (١) مستقلّ (٢) ضابطٌ نفسَه .

self-governing [sĕlf'gŭv'ər nĭng] *(adj.)* مستقلّ .

self-government [sĕlf'gŭv'ərn mənt] *(n.)* (١) ضَبْط النفس . (٢) الحكم الذاتي .

self-gratification[sĕlf'grăt'ə fə kā'shən] *(n.)* الإمتاع الذاتي : إمتاعُ المرء ذاتَه أو إشباعُهُ لرغباته .

ă at; ā date; â care; ä car; ĕ egg; ē me; ĭ in; ī bite; ŏ lot; ō bone; ô orphan; oi boil o͝o good; o͞o boot; ou out; ŭ under; ū unity; û urgent; th thing; th this; zh vision; ə = a in alone, e in system, i in easily, o in gallop, u in circus.

self-hardening [sĕlf'här'dən ĭng] *(adj.)* ذاتيّ الإصلاد .

self-hate [sĕlf'hāt']; **self-hatred**[-hā'trĭd] *(n.)* كُره الذات

selfheal [sĕlf'hēl'] *(n.)* الشافية : كلّ نبتة يُعتقَد أنها تتميّز بخصائص شفائية ؛ وبخاصة القُلاع : نبات ذو زهر أزرق .

self-help [sĕlf'hĕlp'] *(n.)* التعويل (أو الاعتماد) على النفس .

selfhood [sĕlf'-] *(n.)* (١) «أ» الفردية. «ب» الشخصيّة (٢) الأنانية.

self-ignition [sĕlf'ĭg nĭsh'ən] *(n.)* الاشتعال الذاتي

self-immolation [sĕlf'ĭm'ə lā'shən] *(n.)* التضحية بالذات .

self-importance [sĕlf'ĭm pôr'təns] *(n.)* الاعتداد بالنفس .

self-important [sĕlf'ĭm pôr'tənt] *(adj.)* مُعتدٌّ بنفسه .

self-imposed [sĕlf'ĭm pōzd'] *(adj.)* مفروض ذاتياً : مفروض على المرء من قِبَل المرء نفسِه (a ~ task) .

self-improvement [sĕlf'ĭm prōōv'mənt] *(n.)* تقويم النفس : تحسين المرء نفسَهُ بجهوده الخاصة .

self-inclusive [sĕlf'ĭn klōō'sĭv] *(adj.)* تامّ في ذاته .

self-incrimination [sĕlf'ĭn krĭm ə nā'-] *(n.)* اتهام الذات ، وبخاصة : إجابة من شأنها أن تفضي إلى اتهام المرء بجريمة ما .

self-induced [sĕlf'ĭn dūst'] *(adj.)* مُستَحَثّ ذاتياً (كب) .

self-inductance[sĕlf'ĭn dŭk'təns] *(n.)* المُحاثّة الذاتية (كب) .

self-induction [sĕlf'ĭn dŭk'shən] *(n.)* الحثّ الذاتي (كب) .

self-indulgence [sĕlf'ĭn dŭl'jəns] *(n.)* الانغماس الذاتي : إطلاق المرء العنانَ لأهوائه ورغباته وشهواته .

self-indulgent [-'jənt] *(adj.)* منغمس ذاتياً : مُطلِقٌ العنانَ لأهوائه .

self-inflicted [sĕlf'ĭn flĭk'tĭd] *(adj.)* مُنْزَل بالنفس ذاتياً .

self-instructed [sĕlf'ĭn strŭk'tĭd] *(adj.)* = self-taught.

self-insurance[sĕlf'ĭn shōōr'əns] *(n.)* التأمين الذاتي : تأمين المرء على ممتلكاته ذاتياً ، أي من طريق إفراد مبلغ معيّن ، في فترات نظاميّة ، بحيث يجتمع لديه آخرَ الأمر مالٌ كافٍ لتغطية الخسارة التي قد تنشأ عن حريق ونحوه (تأ) .

self-interest [sĕlf'ĭn-'] *(n.)* (١) المصلحة الشخصية (٢) الحرص على المصلحة الشخصيّة ، وبخاصة من غير اعتبار لمصالح الآخرين.

self-involved [sĕlf'ĭn vŏlvd'] *(adj.)* = self-absorbed.

selfish [sĕl'fĭsh] *(adj.)* أنانيّ .

self-justification [sĕlf'jŭs tə fə kā'shən] *(n.)* تبرير الذات.

self-knowledge [sĕlf'nŏl'ĭj] *(n.)* معرفة الذات : فَهْم المرء لمقدراته ومشاعره ودوافعه .

selfless [sĕlf'lĭs] *(adj.)* غَيْريّ ؛ غير أنانيّ .

self-loader [sĕlf'lō'dər] *(n.)* سلاح ناريّ نصف أوتوماتيكيّ .

self-loading [sĕlf'lō'dĭng] *(adj.)* نصف أوتوماتيكيّ .

self-locking [sĕlf'lŏk'ĭng] *(adj.)* ذاتيّ القَفْل ؛ تلقائيّ القَفْل .

self-love [sĕlf'lŭv'] *(n.)* (١) حبّ الذات ؛ الأنانيّة (٢) الغرور .

self-lubricating[sĕlf'lōō'-] *(adj.)* ذاتيّ التزييت ؛ تلقائيّ التزييت.

self-luminous [sĕlf'lōō'mə nəs] *(adj.)* ذاتيّ التألّق .

self-made [sĕlf'mād'] *(adj.)* (١) ذاتيّ الصُنع: مصنوع من قِبَل المرء أو الشيء نفسِه (٢) عصاميّ (a ~ man) .

self-mailer [sĕlf'mā'lər] *(n.)* المتجرّدة : نشرة مطوية يمكن إرسالها بالبريد من غير ظَرْف .

self-mailing [sĕlf'mā'lĭng] *(adj.)* متجرّد : ممكن إرساله بالبريد من غير ظرف أو غلاف

self-mastery [sĕlf'măs'tərĭ] *(n.)* ضبط النفس ؛ تمالك النفس.

self-murder [sĕlf'mûr'dər] *(n.)* الانتحار .

self-naughting [sĕlf'nôt'ĭng] *(n.)* = self-effacement.

selfness [sĕlf'-] *(n.)* (١) الأنانيّة (٢) الشخصيّة .

self-operating *or* **self-operative**[sĕlf'ŏp'-] *(adj.)* آليّ .

self-opinion [sĕlf'ə pĭn'yən] *(n.)* (١) الغرور ؛ (٢) العناد .

self-opinionated [-'yə nā'tĭd] *(adj.)* (١)مغرور (٢) عنيد.

self-opinioned[sĕlf'ə pĭn'yənd] *(adj.)* = self opinionated.

self-organization[sĕlf'ôr'gən ə zā'shən] *(n.)* التنظيم الذاتي ؛ وبخاصة : إنشاء نقابة عماليّة أو الانضمام إليها .

self-originating [sĕlf'ə rĭj'ə nā tĭng] *(adj.)* متولّد ذاتياً .

self-partiality [sĕlf'pär shăl'ə tĭ] *(n.)* التعصب للذات .

self-pity [sĕlf'pĭt'ĭ] *(n.)* الاشفاق على الذات ؛ الرثاء للذات .

self-pollination[sĕlf'pŏl ə nā'shən] *(n.)* التلقيح الذاتي (نب) .

self-pollution [-'pə lōō'shən] *(n.)* الاستمناء ؛ جَلْد عُمَيْرة .

self-portrait [sĕlf'pōr'-] *(n.)* الصورة الذاتية : صورة المرء بريشته.

self-possessed [sĕlf'pə zĕst'] *(adj.)* هادىء ؛ رابط الجأش .

self-preservation [sĕlf'prĕz'ər vā'shən] *(n.)* حِفظ الذات .

self-propelled [sĕlf'prə pĕld'] *(adj.)* مدفوع ذاتياً ؛ مسيّر آلياً .

self-propelling [sĕlf'prə pĕl'ĭng] *(adj.)* = self-propelled.

self-propulsion [sĕlf'prə pŭl'shən] *(n.)* الدفع الذاتي .

self-protection [sĕlf'prə tĕk'shən] *(n.)* (١) وقاية الذات (٢) الدفاع عن النفس

self-published *(adj.)* [sĕlf ' pŭ' blĭsht] منشور ذاتياً

self-punishment [sĕlf'pŭn'ĭsh mənt] *(n.)* معاقبة الذات

self-purification [sĕlf'pyōōr'ə fə kā'-] *(n.)* تطهير الذات .

self-realization [sĕlf'rē'əl ə zā'shən] *(n.)* تحقيق الذات : تحقيق المرءِ كفاءاتِهِ الكامنة أو إمكانات شخصيته .

self-recording [-rĭ kôr'-] *(adj.)* ذاتيّ (أو أوتوماتيكيّ) التسجيل .

self-reflection [sĕlf' rĭ flĕk'shən] *(n.)* = introspection.

self-reformation [sĕlf'rĕf'ər mā'shən] *(n.)* الإصلاح الذاتي : إصلاح المرءِ ذاتَه .

self-regard [sĕlf'rĭ gärd'] *(n.)* (١)الاهتمام بالمصلحة الشخصيّة . (٢) احترام الذات .

self-registering[-'rĕj'-] *(adj.)* ذاتيّ التسجيل (صفة لبارومتر الخ.) .

self-regulating [sĕlf'rĕg'yə lā'tĭng] *(adj.)* آليّ ، أوتوماتيكيّ .

self-reliance[sĕlf'rĭ lī'əns] *(n.)* الاعتماد (أو التعويل) على النفس.

self-renunciation [sĕlf'rĭ nŭn'sĭ ā'shən] *(n.)* نكران الذات.

self-reproach [sĕlf'rĭ prōch'] *(n.)* تقريع الذات ؛ وخز الضمير .

self-respect [sĕlf'rĭ spĕkt'] *(n.)* احترام الذات ؛ احترام النفس.

self-restraint [sĕlf'rĭ strānt'] *(n.)* ضَبْط النفس ؛ تمالك النفس.

self-revelation [sĕlf'rĕv'ə lā'shən] *(n.)* البَوْح الذاتي : بَوْح المرء بأفكاره ومشاعره وبخاصة من غير تعمّد أو قصد .

self-rewarding [sĕlf'rĭ wôrd'-] *(adj.)* ذاتيّ المكافأة : مكافأتُه مُتضَمَّنَةٌ فيه ؛ مُولِّد مكافأتَه بنفسه (a ~ virtue).

self-righteous [sĕlf'rī'chəs] *(adj.)* بَرّ في عين نفسِه ؛ معتقد بأنّه أقوم أخلاقاً من الآخرين .

self-rising [sĕlf'rī'zĭng] *(adj.)* ذاتيّ الاختمار : قابلٌ للاختمار بنفسه من غير إضافة خميرة (flour ~) .

self-rule [sĕlf rōōl'] *(n.)* = self-government.

self-sacrifice [sĕlf'săk'rə fīs'] *(n.)* التضحية بالذات (في سبيل الآخرين أو من أجل قضية أو مثل أعلى) .

selfsame [sĕlf'sām'] *(adj.)* نفس ؛ عين ؛ ذات .

ŭ under; ū unity; û urgent; th thing; *th* this; zh vision; ə = *a* in alone, *e* in system, *i* in easily, *o* in gallop, *u* in circus.

self-satisfaction [sĕlf'săt'ĭs făk'-] *(n.)* (١) الرضا الذاتي : رضا المرء عن نفسه ومُنْجَزاتِه أو شعورُهُ بقوته وجماله الخ. (٢) غُرور .

self-satisfied [-'săt'ĭs fīd'] *(adj.)* (١)راضٍ عن نفسه (٢)مغرور .

self-scrutiny [sĕlf'skrōō'tə nĭ] *(n.)* = introspection.

self-sealing [sĕlf'sē'lĭng] *(adj.)* ذاتيّ الإحكام : مُحكِمٌ نفسَهُ بنفسِهِ ، بعد الانخراق مثلاً (tires ~) .

self-seeker [sĕlf'sē'kər] *(n.)* الأنانيّ : مَن لا يفكّر إلا بمصالحه الخاصة .

self-seeking [sĕlf'sē'kĭng] *(adj. ; n.)* (١) أنانيّ §(٢) أنانية .

self-selection [sĕlf'sĭ lĕk'shən] *(n.)* الاختيار الذاتي : اختيار الزبائن بأنفسهم للسلع التي يرغبون فيها ، وذلك من على رفوف (أو موائد) العرض ، في مخزن تجاري .

self-service[sĕlf'sûr'vĭs] *(n.)* الخدمة الذاتية : خدمة المرء نفسَه بنفسِهِ في مطعمٍ الخ. بأن يقوم هو باختيار ألوان الطعام من الموائد المُعَدَّة خِصِيصاً لذلك ويضعها في طبقِه .

self-slaughter [sĕlf'slô'tər] *(n.)* انتحار .

self-sown [sĕlf'sōn'] *(adj.)* مزروعٌ ذاتياً : ناشىء عن بزرة سقطت من النبتة (وليس مزروعاً بيد زارعٍ أو بستانيّ) .

self-starter [sĕlf'stär'tər] *(n.)* مُبدىء الحركة الذاتيّ (سي) .

self-starting [sĕlf'stär'tĭng] *(adj.)* ذاتيّ البدء .

self-study [sĕlf'stŭd'ĭ] *(n.)* دراسة الذات : دراسةُ المرءِ ذاتَه .

self-styled [sĕlf'stīld'] *(adj.)* مُزَيَّفٌ : منتحل لقباً .

self-sufficiency [sĕlf'sə fĭsh'ən sĭ] *(n.)* (١) الاكتفاء الذاتي . (٢) غرور ، غلوٌّ في الثقة بالنفس .

self-sufficient [sĕlf'sə fĭsh'ənt] *(adj.)* (١) مكتفٍ ذاتياً ؛ متمتع باكتفاء ذاتيّ (٢) مغرور .

self-sufficing [sĕlf'sə fī'sĭng] *(adj.)* = self-sufficient.

self-suggestion [sĕlf'səg jĕs'chən] *(n.)* الإيحاء الذاتيّ (نف) .

self-supporting [sĕlf'sə pōrt'ĭng] *(adj.)* (١) مُعيلٌ نفسَهُ بنفسِهِ (٢) كافٍ نفسَهُ بنفسِهِ ، مُغَطٍّ نفقاتِهِ من غير حاجة إلى عَوْنٍ خارجيّ (a ~ business) .

self-surrender [sĕlf'sə rĕn'dər] *(n.)* الاستسلام المطلَق (لشخصٍ أو نفوذٍ ما) .

self-sustaining [sĕlf'sə stā'nĭng] *(adj.)* = self-supporting.

self-taught [sĕlf'tôt'] *(adj.)* (١) مثقِّف نفسَه بنفسه (٢) متعلَّم ذاتياً أو من غير معلّم (knowledge ~) .

self-torment [sĕlf'tôr'-] *(n.)* التعذيب الذاتي ، تعذيبُ الذات .

self-treatment [sĕlf'trēt'mənt] *(n.)* معالجة الذات : تطبيبُ المرءِ نفسَهُ أو معالجتُه لمرضِهِ من غير استعانةٍ بطبيبٍ .

self-trust [sĕlf'trŭst'] *(n.)* الثقة بالنفس .

self-understanding [sĕlf'ŭn'dər stăn'dĭng] *(n.)* معرفة الذات : فهم المرء لمعتقداته ومشاعره ودوافعه .

self-unloading [sĕlf'ŭn lōd'ĭng] *(adj.)* ذاتيّ التفريغ ، مفرِّغٌ نفسَهُ بنفسه (كبعض الشاحنات) .

self-will [sĕlf'wĭl'] *(n.)* العِناد ، التشبّث بالرأي .

self-willed [sĕlf'wĭld'] *(adj.)* عنيد ، متشبّث برأيه .

self-winding [sĕlf'wīn'-] *(adj.)* ذاتيّ المَلْءِ (كبعض الساعات) .

self-worship [sĕlf'wûr'-] *(n.)* عبادةُ الذات : عبادة المرء ذاتَهُ .

Seljuk [sĕl jōōk'] *or* **Seljukian** [-jōō'kĭ ən] *(adj.; n.)* (١) سَلْجوقيّ : منسوب إلى سلجوق مؤسّس الأسرة السلجوقيّة التركيّة (في التاريخ الاسلامي) §(٢) السلجوقيّ : واحد السلاجقة .

sell [sĕl] *(vt.; i.; n.)* (١) يخُونُ : يُسْلِم (شخصاً) إلى أعدائه . (٢) يبيع . «أ» يتّجر بِ (٣)«أ» يُقنِع «ب» يحبّبه بكذا أو يغريه بالاقبال عليه (had a tough time ~*ing* his son on the idea) (was ~*ing* her children on reading) (٤) يخْدع (I've been *sold*.) (٥) يروِّج لبضاعة ×(٦) يروج ، يَحْظَى بالقبول (an idea that will ~) (٧) يباع بسعر معين (These articles ~ at a dollar apiece.) §(٨) خداع ؛ حيلة (was the victim of a ~) (٩) بَيْع .

to ~ off (١) يُجري تصفية على ؛ يبيع فائض سِلَع المَتْجر بسعر رخيص (٢) يُمْنَى بهبوط في الأسعار .

to ~ one's life dearly يموت ميتةً غالية : يقتُل أو يجرح عدداً كبيراً من مهاجميه قبل أن يُصْرَع .

to ~ out (١) يبيع كلّ مخزونه من سلعة ما (٢) يبيع ممتلكات المدين وفاءً للدَّيْن (٣) يبيع كامل (أو بعض) حصته في شركة (٤) يخون رفاقه أو بلاده (٥) ينْفَدُ الكتاب .

to ~ somebody a pup يخدعه ، يغشه .

to ~ the pass يخون وطنه .

to ~ up يعرض ممتلكات المفليس للبيع .

seller [sĕl'ər] *(n.)* (١) البائع (٢) سلعة رائجة ، كتاب رائج .

selling-plater [sĕl'ĭng plā'-] *(n.)* جواد العَرْض : جواد يشترك في سباق عَرْضٍ **selling race** ثم يُباع عند انتهاء السباق .

sell-off [sĕl'ôf] *(n.)* هبوط في الأسعار (تج) .

sell-out [sĕl'out'] *(n.)* (١) بيع كامل المخزون من سلعة ما . (٢) بيع ممتلكات المدين وفاءً للدَّين (٣)بيع المرء كامل حصته (أو بعضها) في شركة (٤) خيانة (٥) حفلة الخ. نفدت بطاقاتها كلها .

selsyn motor [sĕl'sĭn] *(n.)* [*self-syn*chronizing] موطور ذاتيّ التزامن (ملك) .

Seltzer [sĕlt'sər] *(G.)* السَّلْتْزَر : ماء معدنيّ فوّار .

selvage *or* **selvedge** [sĕl'vĭj] *(n.)* (١) حاشية القماش . (٢) حرْف ، حاشية ، حافة .

selves [sĕlvz] *pl. of* self.

semantics [sĭ măn'tĭks] *(n.)* عِلم دلالات الألفاظ وتطورها .

semaphore [sĕm'ə fōr'] *(n.; vt.; i.)* (١) المِسْلوحة (مج) ، الأُنْصُوبَة : «أ» جهاز لتنظيم مرور القاطرات . «ب»إشارة ضوئيّة ميكانيكية لهذا الغرض (٢)الإعلام الإشاري : نظام لإعطاء الإشارات بواسطة علَمَيْن §(٣) يعطي إشارة (بإحدى هذه الوسائل) .

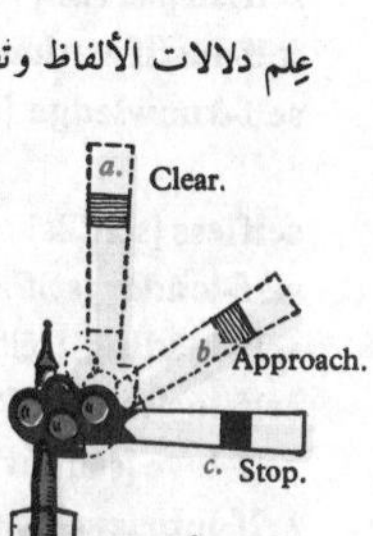

a. Clear.
b. Approach.
c. Stop.

semaphore 1.

semasiology [sĭ mā'sĭ ŏl'ə jĭ] *(n.)* علم تطور دلالات الألفاظ .

sematic [sĭ măt'ĭk] *(adj.)* تحذيريّ ، إنذاريّ .

semblance [sĕm'bləns] *(n.)* (١)شكل ، مظهر خارجيّ (٢)الشبيه ؛ شيء شبيه بآخر (٣) أضأل الأثر أو المظهر .

semé [sə mā'] *(adj.)* منقَّط ، مكسوّ بنجوم أو أزهار الخ. صغيرة .

semen [sē'mən] *(n.)* المَنِيّ : ماءُ الرَّجُل .

semester [sĭ mĕs'tər] *(n.)* (١) نصف سنة (٢) الفصل : نصف السنة الدراسية .

semestral [sĭ mĕs'trəl] *(adj.)* نصف سنوي .

ă at; ā date; â care; ä car; ĕ egg; ē me; ĭ in; ī bite; ŏ lot; ō bone; ô orphan; oi boil; ŏŏ good; ōō boot; ou out; ŭ under; ū unity; û urgent; th thing; *th* this; zh vision; ə = *a* in alone, *e* in system, *i* in easily, *o* in gallop, *u* in circus.

semestrial [sĭ mĕs'trĭ əl] *(adj.)* = semestral.

semi- بادئة معناها : «أ» نِصْف (*semi*annual) . «ب» شِبه ؛ جزئياً (*semi*transparent) . «ج» جزئيّ (*semi*darkness) .

semi-abstract [sĕm'ĭ ăb'străkt'] *(adj.)* نصف تجريديّ (فح).

semi-annual [sĕm'ĭ ăn'yo͝o əl] *(adj.)* نصف سنويّ .

semiautomatic [sĕm'ĭ ô'tə măt'ĭk] *(adj.)* نصف أوتوماتيكي.

semibreve [sĕm'ĭ brēv'] *(n.)* المستديرة : أطول النغمات (مو).

semicentenary[-sĕn tə'nĕr'ĭ] *(adj.; n.)*=semicentennial.

semicentennial [sĕm'ĭ sĕn tĕn'ĭ əl] *(adj.; n.)* (١) نصف قرنيّ §(٢) الذكرى السنوية الخمسون (أو نصف القرنية) .

semicircle [sĕm'ĭ sûr'kəl] *(n.)* (١)نصف دائرة (٢)شيء نصف دائري ؛ مجموعة أشياء منتظمة على شكل نصف دائرة .

semicircular [sĕm'ĭ sûr'-] *(adj.)* نصف دائري ؛ شبه دائري.

semicircular canal *(n.)* القناة شبه الدائرية (في الأُذُن الباطنة).

semicivilized [sĕm'ĭ sĭv'ə-] *(adj.)* شبه متمدن ؛ متمدن جزئياً.

semiclassic [-klăs'ĭk] *(n.)* أثر (موسيقيّ الخ .) نصف كلاسيكي.

semiclassical [sĕm'ĭ klăs'ə kəl] *(adj.)* نصف كلاسيكيّ .

semicolon [sĕm'ĭ kō'lən] *(n.)* الشَّوْلة المنقوطة : إحدى علامات الوقف (؛) في الكتابة والطباعة .

semicolonial [sĕm'ĭ kə lō'nĭ əl] *(adj.)* نصف مستعمَر : مستقِلّ اسمياً ولكنه في الواقع خاضع للسيطرة الأجنبية .

semiconductor[sĕm'ĭ kən dŭk'tər] *(n.)* شِبْهُ مُوَصِّل (كب).

semiconscious [sĕm'ĭ kŏn'shəs] *(adj.)* نصف واعٍ .

semidarkness [sĕm'ĭ där'k'nĭs] *(n.)* ظلمة جزئيّة .

semidetached [sĕm'ĭ dĭ tăcht'] *(adj.)* شبه منفصِل (صفة للبيت المتصل ببيت آخر، من ناحية واحدة فقط ، بجدار مشترك) .

semidiameter [sĕm'ĭ dī ăm'ə tər] *(n.)* نصف القُطْر (هن).

semidiurnal[sĕm'ĭ dī ûr'nəl] *(adj.)* نصف يومي : «أ» متعلق بنصف يوم. «ب» مُنجَز في نصف يوم. «ج» حادثٌ كل ١٢ ساعة.

semidome [sĕm'ĭ dōm'] *(n.)* نصف القُبّة : سقف (أو سطح) الحجرة شبه الدائرية .

semidrying[sĕm'ĭ drī'-] *(adj.)* نصف جَفُوف (كبعض الزيوت).

semielliptical [sĕm'ĭ ĭ lĭp'tə kəl] *(adj.)* نصف إهليلجيّ .

semierect[sĕm'ĭ ĭ rĕkt'] *(adj.)* شبه مُنْتَصِب (كبعض القردة).

semifinal [sĕm'ĭ fī'nəl] *(adj.; n.)* (١) شبه نهائي §(٢) مباراة أو دورة شبه نهائيّة .

semifinalist [sĕm'ĭ fī'nəl ĭst] *(n.)* شبه النهائي : لاعبٌ (أو فريق) مشترك في مباراة شبه نهائيّة .

semifinished [sĕm'ĭ fĭn'ĭsht] *(adj.)* (١) نصف مُنجز ؛ غير تام (٢) نصف مشغول ؛ نصف مصنّع (steel ~) .

semifluid [-flo͞o'ĭd] *(adj.; n.)* (١) شبه مائع §(٢)مادة شبه مائعة.

semiformal [sĕm'ĭ fôr'məl] *(adj.)* شبه رسمي .

semiglobular [- glŏb'yə lər] *(adj.)* نصف أو شبه كُرَوِيّ.

semilegendary [sĕm'ĭ lĕj'ən dĕr'ĭ] *(adj.)* شبه أسطوريّ .

semiliquid [sĕm'ĭ lĭk'wĭd] *(adj.)* شبه سائل .

semiliterate [sĕm'ĭ lĭt'ər ĭt] *(adj.)* نصف أُمّيّ .

semilunar [sĕm'ĭ lo͞o'nər] *(adj.)* هِلاليّ ؛ هِلاليّ الشكل .

semilunar bone *(n.)* العظم الهِلاليّ (ت) .

semilunar valve *(n.)* الصمام الهِلاليّ (ت) .

semimat *or* **semimatt**[sĕm'ĭ măt'] *(adj.)* نصف مُطْفَأ اللمعة.

semimetal [sĕm'ĭ mĕt'əl] *(n.)* نصف المعدن (كالزرنيخ الخ .) .

semimoist [sĕm'ĭ moist'] *(adj.)* نصف رَطْب ، رَطْبٌ قليلاً .

semimonastic [sĕm'ĭ mə năs'tĭk] *(adj.)* نصف رُهبانيّ .

semimonthly [sĕm'ĭ mŭnth'lĭ] *(adj.; n.; adv.)* (١) نصف شهري §(٢) مجلة نصف شهرية §(٣) مرتين في الشهر .

seminal [sĕm'ə nəl] *(adj.)* (١) مَنَويّ (٢) بِزْريّ . (٣)رُشَيْميّ : مشتمل على بذور التطور في المستقبل(principles ~).

seminar [sĕm'ə när'] *(G.)* (١) السِّمينار : «أ» الحلقة الدراسية : مجموعة صغيرة من طلاب الجامعة منصرفة إلى موضوع من موضوعات الدراسة العليا والبحث العلمي بإشراف أحد الأساتذة . «ب» موضوع تبحثه حلقة دراسية . «ج» منتدى الحلقة الدراسية أو المكان الذي تجتمع فيه (٢) مؤتمر .

seminarian [sĕm'ə nĕr'ĭ ən] *(n.)* طالب (في معهد لاهوتي) .

seminary[sĕm'ə nĕr'ĭ] *(n.)* (١) بُؤرة (a ~ of crime) . (٢) معهد للتعليم الثانوي أو العالي ، وبخاصة : «أ» ثانوية للإناث . «ب» معهد لاهوتي (لإعداد رجال الدين) .

seminiferous [sĕm'ə nĭf'ər əs] *(adj.)* (١) بزريّ : حامل أو منتج بزوراً (٢) مَنَويّ .

seminivorous [sĕm'ə nĭv'ər əs] *(adj.)* مقتات بالبزور .

seminomadic[sĕm'ĭ nō măd'ĭk] *(adj.)* نصف بدوي أو مترحّل.

semiofficial [sĕm'ĭ ə fĭsh'əl] *(adj.)* شبه رسمي .

semiotic [sē'mĭ ŏt'ĭk] *(adj.)* (١) علاماتيّ : متعلق بالعلامات . (٢) أعراضيّ : متعلق بالاعراض (ط) .

semipalmate; -d [sĕm'ĭ păl'-] *(adj.)* شِبْراحيّ ، شبه راحيّ (را. palmate) .

semiparasitic[-păr'ə sĭt'ĭk] *(adj.)* شِبْطُفَيْليّ ؛ شبه طُفَيليّ («أ» و «ب») .

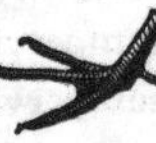

semipalmate foot

semipermanent [sĕm'ĭ pûr'mə nənt] *(adj.)* شبه دائم .

semipermeable [sĕm'ĭ pûr'mĭ ə-] *(adj.)* شبه مُنفِذ أو نَفيذ.

semipolitical [sĕm'ĭ pə lĭt'ə kəl] *(adj.)* شبه سياسيّ .

semiporcelain [sĕm'ĭ pōr'sə lĭn] *(n.)* شبه الصيني : خزف صيني غير جيد .

semipostal [sĕm'ĭ pōs'təl] *(n.)* شبه الطابع : طابع بريدي يباع بسعر أعلى من قيمته البريدية (لأغراض خيرية الخ .) .

semiprecious [sĕm'ĭ prĕsh'əs] *(adj.)* شبه كريم .

semipro [sĕm'ĭ prō] *(adj.)* = semiprofessional.

semiprofessional [sĕm'ĭ prə fĕsh'ən əl] *(adj.)* (١) شبه محترف (players ~) (٢) شِبه احترافيّ (football ~) .

semiquaver [sĕm'ĭ kwā'vər] *(n.)* ثُنائية الأسنان (مو) .

semireligious [sĕm'ĭ rĭ lĭj'əs] *(adj.)* شبه ديني .

semisacred [sĕm'ĭ sā'krĭd] *(adj.)* = semireligious.

semisedentary [sĕm'ĭ sĕd'ən tĕr'ĭ] *(adj.)* شبه حَضَريّ : مستقِرّ أو مقيم خلال فترة من السنة ومترحّل في سائرها (tribes ~).

semiskilled [sĕm'ĭ skĭld'] *(adj.)* (١) متوسط المهارة . (٢) مُقتَضٍ مهارة متوسطة .

semisoft [sĕm'ĭ sôft'] *(adj.)* نصف ليِّن ؛ وبخاصة : جامدٌ ولكنه سهل القطع (a ~ cheese) .

semisolid [sĕm'ĭ sŏl'ĭd] *(adj.; n.)* (١) شِبْصُلْب : شبه صلب §(٢) الشِّبْصُلْب : مادة شبه صُلْبة .

Semite [sĕm'īt] *(n.)* السّامي : واحد الساميّين .

ă at; ā date; â care; ä car; ĕ egg; ē me; ĭ in; ī bite; ŏ lot; ō bone; ô orphan; oi boil o͝o good; o͞o boot; ou out; ŭ under; ū unity; û urgent; th thing; *th* this; zh vision; ə = *a* in alone, *e* in system, *i* in easily, *o* in gallop, *u* in circus.

Semitic [sə mĭt'ĭk] *(adj.; n.)* (١) ساميّ §(٢) إحدى اللغات السامية أو كلّها .

Semitics [sə mĭt'ĭks] *(n.)* الساميّات : دراسة لغات وآداب وتاريخ الشعوب الساميّة ؛ وبخاصة : فقه اللغة السامي .

Semitism [sĕm'ə tĭz'əm] *(n.)* (١) «أ» الساميّة : الصفة أو الخصائص الساميّة . «ب» لفظة (أو عبارة اصطلاحيّة) ساميّة (٢) سياسة مناصرة لليهود .

Semitist [sĕm'ə tĭst] *(n.)* (١) العالِم بالساميّات : العالِم بلغات الساميّين أو ثقافاتهم أو تاريخهم (٢) *not cap.* ا.ك : المناصِر لليهود.

semitone [sĕm'ĭ tōn'] *(n.)* نصف نغمة (مو) .

semitranslucent [sĕm'ĭ trăns lōō'sənt] *(adj.)* شبه شَفّافيّ .

semitransparent [sĕm'ĭ trăns pâr'ənt] *(adj.)* شبه شفّاف .

semitropic; -al [sĕm'ĭ trŏp'-] *(adj.)* شبه استوائي ؛ نصف استوائيّ .

semivowel [sĕm'ĭ vou'əl] *(n.)* شبه صوتٍ ليّن (ل) .

semiweekly [sĕm'ĭ wēk'lĭ] *(adj.; n.; adv.)* (١) نصف أسبوعي §(٢) مجلة نصف أسبوعيّة §(٣) مرتين في الأسبوع .

semiworks [sĕm'ĭ wûrks] *(n. pl.)* مصنع التجارب : مصنع يعمل على أساس تجاري ضيّق لإجراء الاختبارات النهائية لأحد المنتجات الصناعيّة .

semiyearly [sĕm'ĭ yĭr'lĭ] *(adj.; n.; adv.)* (١) نصف سنوي §(٢) شيء يحدث أو يصدر مرتين في العام §(٣) مرتين في العام.

semolina [sĕm'ə lē'nə] *(It.)* السَّميذ : لُباب الدقيق .

semper fidelis [sĕm'pər fĭ dē'lĭs] *(L.)* ثابت الولاء .

semper idem [sĕm'pər ī'dĕm] *(L.)* غير متبدّل أو متحوّل .

semper paratus [pə rā'təs] *(L.)* دائم الاستعداد ، مستعدّ دائماً .

sempervirent [sĕm'pər vī'rənt] *(L.)* دائم الخضرة .

sempervivum [vī'vəm] *(L.)* المُخلَّدة ، حيّ العالَم : عشبة تزرع للتزيين .

sempiternal [sĕm'pĭ tûr'nəl] *(adj.)* سرمديّ ، أبديّ ، دائم .

sempstress [sĕmp'strĭs] *(n.)* خيّاطة .

sen [sĕn] *(Jap.)* السّن : عملة يابانيّة أو اندونيسية أو كامبودية صغيرة .

senary [sĕn'ə rĭ] *(adj.)* سُداسيّ .

senate [sĕn'ĭt] *(n.)* (١) مجلس الشيوخ (٢) قاعة مجلس الشيوخ (٣) المجلس الأعلى (في جامعة) .

senator [sĕn'ə tər] *(n.)* شيخ ، سناتور ، عضو في مجلس الشيوخ .

senatorial [sĕn'ə tōr'ĭ əl] *(adj.)* سناتوريّ : «أ» ذو علاقة بعضو في مجلس الشيوخ . «ب» مميّز لعضو في مجلس الشيوخ أو لائق به . «ج» مؤلّف من شيوخ . «د» له الحقّ في انتخاب عضو في مجلس الشيوخ (a ~ district) .

senatorship [sĕn'-] *(n.)* السناتورية : منصب السناتور أو الشيخ .

senatus consultum [sə nā'təs kən sŭl'təm] *(L.)* pl.-ta المرسوم السّناتي : قرار صادر عن مجلس الشيوخ (عند الرومان).

send [sĕnd] *(vt.; i.; n.)* (١) «أ» يقذف . «ب» يسدّد (لكمة) (٢) «أ» يوفد . «ب» يرسِل ، يبعث (٣) يصرِف ، يطرد (٤) يجعل (*sent* her mad) (٥) «أ» يُطلق (صيحة) . «ب» يرسل (مطراً) . «ج» ينشر (رائحة) (٦) يرُسل (كب) ×(٧) يعلو أو يرتفع (المركب) بفعل الأمواج §(٨) قوة دفع الأمواج أو رفعها للسفينة (٩) الدافع ، الحافز .

to ~ away (١) يرسل (بالبريد الخ.) (٢) يستبعد ، ينفي .

to ~ back يُعيد ، يرجع ، يردّ .

to ~ down يطرد (طالباً) من جامعة .

to ~ for يستدعي ، يرسل في طلب فلان .

to ~ forth (١) يحدث ، يخرج (٢) يُطلع (النبات) أوراقاً (٣) يطلق (حرارة) ، يرسل أشعة .

to ~ in (١) يبعث (رسالة) (٢) يعطي اسمه أو بطاقته إلى الخادم (عند الزيارة) (٣) يدخل (لاعباً) في مباراة رياضية (٤) يقدّم (كتاباً أو لوحة الخ.) للاشتراك في مباراة .

to ~ out (١) يصدر ، يوزع (بطاقات الدعوة الخ.) (٢) يرسل (ضوءاً) (٣) يطلق (حرارة) (٤) يطلع (النبات) أوراقاً جديدة .

to ~ round (١) يعمّم (بياناً على الموظفين الخ.) (٢) يبعث برسول أو رسالة .

to ~ (somebody) off يودّعه (على المحطة أو المطار) .

to ~ (somebody) packing يصرفه أو يطرده .

to ~ (something) off يرسل (بالبريد الخ.) .

to ~ up يحكم بالسجن ، يسوق إلى السجن .

sendal [sĕn'dəl] *(n.)* السَّندَل : نسيج حريري رقيق .

send-off [sĕnd'ôf'] *(n.)* (١) توديع (على المحطة أو المطار) (٢) تمنّي النجاح (لشخص يباشر عملاً جديداً) .

senectitude [sə nĕk'-]; **senescence** [sə nĕs'-] *(n.)* الشيخوخة .

senescent [sə nĕs'ənt] *(adj.)* هَرِم ، مُسِنّ .

seneschal [sĕn'ə shəl] *(n.)* القَهرمان : وكيل الأمير الاقطاعي .

senhor [sĭ nyōr'] *(Pg.)* السنيور : سيّد برتغاليّ أو برازيليّ .

senhora [sĭ nyōr'ə] *(Pg.)* السنيورة : سيّدة برتغاليّة أو برازيليّة .

senhorita [sē nyə rēt'ə] *(Pg.)* السنيوريتة : آنسة برتغالية أو برازيلية .

senile [sē'nīl] *(adj.)* (١) شيخوخيّ (٢) خرِف .

senility [sə nĭl'ə tĭ] *(n.)* (١) شيخوخة (٢) خرَف .

senior [sēn'yər] *(n.; adj.)* (١) الأرشد ، الأكبر سناً . (٢) «أ» الأعلى مقاماً (وبخاصة بفضل الأقدمية في الخدمة) . «ب» طالب في صف التخرّج §(٣) «أ» أرشد ، أكبر سناً . «ب» بالغ سنّ التقاعد (the ~ (our ~ citizens) (٤) أعلى مقاماً أو منزلة (scholars of the university) (٥) تخرّجيّ ، منتهٍ (the ~ class) .

senior high school *(n.)* مدرسة ثانوية عليا .

seniority [sēn yôr'ə tĭ] *(n.)* (١) الأرشدية (٢) «أ» الأسبقية ، الأقدميّة . «ب» الأوليّة (من حيث المنزلة) .

senna [sĕn'ə] *(Ar.)* (١) السَّنا (نب) (٢) السنامكي .

sennight *also* **se'nnight** [sĕn'īt; -ĭt] *(n.)* أسبوع (ا.ق) .

sennit [sĕn'ĭt] *(n.)* جديلة حبال أو قشّ أو أعشاب .

senor *or* **señor** [sĕ nyôr'] *(Sp.)* السنيور : سيد اسبانيّ .

senora *or* **señora** [sĕ nyô'rä] *(Sp.)* السنيورة : سيدة اسبانيّة .

senorita *or* **señorita** [sĕ'nyô rē'tä] *(Sp.)* السنيوريتة : آنسة اسبانيّة .

sensate [sĕn'sāt] *(adj.)* مُدرَك بالحواسّ .

sensation [sĕn sā'shən] *(n.)* (١) إحساس ، حسّ (٢) شعور (The news created a (٢) اهتياج ، ضجة ، شعور قوي (٤) نبأ مثير ، حدَث great ~ throughout the country.) مثير (The conquest of France was a great ~.) .

sensational [sĕn sā'shən əl] *(adj.)* (١) حسّيّ (٢) «أ» مثير . «ب» ميّال إلى معالجة الموضوعات المثيرة (a ~ play) (٣) ممتاز أو عظيم (إلى حدّ بالغ) (a ~ writer *or* magazine) .

sensationalism [-'shən ə lĭz'əm] *(n.)* (١) الإثاريّة : اللجوء

إلى معالجة الموضوعات المثيرة (في الأدب والفن) أو أثرُ ذلك في النفس (٢) المذهب الحسيّ : مذهب فلسفي يقول بأن جميع الفكرات مستمدّة من الاحساس وحده .

sensationalist [sĕn sā'shən əl ĭst] *(n.)* (١) الكاتب أو الخطيب المثير (٢) القائل بالمذهب الحسيّ (را . المادة السابقة) .

sense [sĕns] *(n.; vt.)* (١) معنى (٢) «أ» حاسّة . «ب» إحساس ؛ شعور (٣) *pl.* عد: وعي ؛ صواب (٤) إدراك (٥) شعور غامضٌ بـِ (a ~ of insecurity) (٦) حسّ أو وعيٌ أخلاقيّ لـِ (lacking any ~ of responsibility) (٧) الحسّ : حُسن الفهم أو التقدير لـِ (a ~ of humor) (٨) «أ» عقل ؛ فهم عمليّ سليم (Your son has no ~.) . «ب» شيء معقول (must talk ~) (٩) اتجاه الرأي (The ~ of the assembly was evident before the vote.) (١٠) اتجاه (ر) §(١١) يُحسّ ؛ يشعر بـِ (١٢) يدرك ؛ يفهم .

in a ~, من بعض النواحي ؛ بمعنىً من المعاني ؛ إلى حدّ ما .
in one's (right) ~*s* عاقل ؛ مالكٌ قواه العقلية .
out of one's ~*s* مجنون .
to frighten somebody out of his ~*s* يُرعبه إلى حدّ يُفقده صوابه .
to make ~, يكون مفهوماً أو معقولاً .
to make ~ of يفهم ؛ يدرك المراد من .

senseful [sĕns'fəl] *(adj.)* عاقل ؛ حصيف ؛ مميِّز .

senseless [sĕns'lĭs] *(adj.)* (١) فاقد الوعي ؛ مُغمىً عليه (٢) أحمق (٣) فارغ ؛ لا معنى له .

sense organ *(n.)* عضو الحِس (فس) .

sensibility [sĕn'sə bĭl'ə tĭ] *(n.)* (١) إحساس (٢) إدراك ؛ وعي (٣) حسّاسيّة (٤) رقّة شعور .

sensible [sĕn'sə bəl] *(adj.)* (١) «أ» مَحسوس ؛ مُدرَك (بالعقل أو بالحسّ) . «ب» كبير ؛ ضخم (was a ~ error) (٢) «أ» ذو حسّ أو شعور . «ب» حسّاس (٣) «أ» مدرِك ؛ واعٍ . «ب» مقتنع بـِ (٤) معقول (~ plans) .

sensitive [sĕn'sə tĭv] *(adj.)* (١) حِسّي : ذو علاقة بالاحساس أو بالحواسّ (٢) ذو حسّ (٣) «أ» حسّاس . «ب» رقيق الشعور . «ج» ذو حسّاسيّة (~ to eggs) . «د» سريع التقلّب (a ~ market) . «هـ» بالغ الدقّة (a ~ thermometer) .

sensitive plant *(n.)* الحسّاسة ؛ المُستحِيَة ؛ الخجول (نب) .

sensitivity [sĕn'sə tĭv'ə tĭ] *(n.)* حسّاسِيّة .

sensitize [sĕn'sə tīz'] *(vt.; i.)* يجعله (أو يصبح) ذا حسّاسيّة .

sensitometer [sĕn'sə tŏm'ə tər] *(n.)* المِحْساس ؛ مقياس الحسّاسيّة (فو) .

sensor [sĕn'sər] *(n.)* جِهاز الإحساس (فز) .

sensorial [sĕn sōr'ĭ əl] *(adj.)* = sensory.

sensorimotor [sĕn sə rĭ mō'tər] *(adj.)* حِسّيْحَرَكيّ : متعلّق بالنشاط الحِسّي والحركيّ معاً .

sensorium [sĕn sōr'ĭ əm] *(L.)* pl. -s *or* -ria مركز الاحتساسات (في الدماغ) .

sensory [sĕn'sə rĭ] *(adj.)* (١) حِسّيّ : ذو علاقة بالاحساس أو بالحواسّ (٢) مُورِد : ناقلٌ نحو مركز عصبيّ (فس) .

sensual [sĕn'shōō əl] *(adj.)* (١) حِسّيّ (٢) جسديّ (٣) شهوانيّ (٤) فاسق ؛ داعر .

sensualism [sĕn'shōō ə lĭz'əm] *(n.)* (١) الانغماس في الشهوات الحسيّة (٢) المذهب الحسيّ : «أ» القول بأن جميع الفكرات مستمدّة من الاحساس وحده . «ب» القول بأن إشباع الحواسّ هو الخير الأسمى .

sensualist [sĕn'shōō əl ĭst] *(n.)* (١) المنغمس في الشهوات . (٢) القائل بالمذهب الحسيّ (را . المادة السابقة) .

sensuality [sĕn'shōō ăl'-]; **sensualness** [sĕn'shōō ăl-] *(n.)* (١) الحِسيّة (٢) الانغماس في الشهوات الحسيّة (٣) فسوق ؛ فجور .

sensualize [sĕn'shōō ə līz] *(vt.)* يجعله حسيّاً أو شهوانياً أو فاسقاً .

sensuous [sĕn'shōō əs] *(adj.)* حِسّي .

sent [sĕnt] *past and past part. of* send.

sentence [sĕn'təns] *(n.; vt.)* (١) «أ» حكمٌ (قضائيّ) بعقوبة . «ب» العقوبة نفسها (٢) جملة (ل) §(٣) يحكم على .

— **sentential** *(adj.)*

sententious [sĕn tĕn'shəs] *(adj.)* (١) جامعٌ مانعٌ ؛ مختصر مفيد . (٢) «أ» حافل بالحِكم والأقوال الجامعة المانعة . «ب» مُمِلّ ؛ وعظيّ (was a ~ speech) . «ج» مُكْثِر من المواعظ المُضجِرة (is a ~ speaker) .

sentience [sĕn'shəns] *(n.)* (١) الاحساسية : القدرة على الحسّ (٢) وعيٌ أوليّ (Some people believe in the ~ of plants.) .

sentient [sĕn'shənt] *(adj.)* (١) مُحِس ؛ ذو حسّ (٢) واعٍ . (٣) حسّاس ؛ رقيق الحسّ (~ responsible beings) .

sentiment [sĕn'tə mənt] *(n.)* (١) رأي (٢) وجدان ؛ عاطفة . (٣) رقة شعور (Salwa is full of ~.) (٤) فكرة عاطفية .

sentimental [sĕn'tə mĕn'təl] *(adj.)* (١) وجدانيّ (~ poetry) (٢) عاطفيّ (both for ~ and realistic reasons) (٣) حسّاس ؛ رقيق العاطفة (a ~ girl) .

sentimentalism [-'tə lĭz'əm] *(n.)* (١) العاطفية : النزعة إلى التأثّر بالعاطفة دون العقل (٢) مفهوم أو كلام عاطفيّ إلى حدّ مفرط .

sentimentalist [-'təl ĭst] *(n.)* العاطفيّ : ذو النزعة العاطفية .

sentimentality [-mĕn tăl'ə tĭ] *(n.)* = sentimentalism.

sentimentalize [sĕn'tə mĕn'tə līz'] *(vi.; t.)* (١) يستسلم للعاطفة ؛ يتصرف عاطفياً ×(٢) «أ» ينظر إلى الشيء نظرة عاطفيّة . «ب» يجعله عاطفياً .

sentinel [sĕn'tə nəl] *(n.; vt.)* (١) خفير ؛ حارس §(٢) يخفر ؛ يحرس (٣) يزوِّد بخفير (٤) يُقيمه خفيراً .

to stand ~, يخفر ؛ يحرس .

sentry [sĕn'trĭ] *(n.)* (١) خفير ؛ حارس (٢) خِفارة ؛ حراسة .

sentry box *(n.)* كُشْكُ الخفير أو الحارس .

sepal [sē'pəl] *(n.)* السَّبَلَة ؛ الكأسية : إحدى ورقات كأس الزهرة .

sepaloid [sē'pəl oid] *(adj.)* سَبَلانيّ : شبيه بالسَّبَلَة (نب) .

-sepalous لاحقة معناها : ذو نوع معيّن أو عددٍ معين من السَّبَلات .

separability [sĕp'ə rə bĭl'ə tĭ] *(n.)* قابلية الانفصال .

separable [sĕp'ə rə bəl] *(adj.)* ممكنٌ فصلُه ؛ قابلٌ للانفصال .

separate [*v.* sĕp'ə rāt'; *adj.*, *n.* sĕp'ə rĭt] *(vt.; i.; adj.; n)* (١) «أ» يفصِل . «ب» يميّز بين . «ج» يفرز (رسائل البريد الخ .) . «د» ينثر ؛ يباعد ما بين (٢) «أ» يفرق بين الزوجين (بحكم قضائي) . «ب» يصرف (من الجيش الخ .) (٣) يعزل عن بقية المجتمع (٤) يستخلص (~*d* cream from milk) ×(٥) ينفصل (٦) ينسحب (٧) «أ» يفترق . «ب» يفترق الزوجان (بالطلاق) §(٨) منعزِل (~ confinement) (٩) «أ» منفصل . «ب» مستقلّ . «ج» مختلِف §(١٠) المُستخرَج (را. offprint)

(١١) .pl عد: المنفصلة : قطعة ثياب تُرتدَى مع ملابس أخرى، على نحو تَعاوُضي ، بحيث تؤلف تشكيلاتٍ من الثياب مختلفة .

separation [sĕp'ə rā'shən] *(n.)* (١) «أ» فَصْل. «ب» انفصال. (٢) فجوة (٣) «أ» طلاق. «ب» صرفٌ (من الخدمة او الجيش) .

separatism [sĕp'ə rə tĭz'-] *(n.)* (١) الانفصالية (٢) الانشقاقية.

separatist [sĕp'ə rā'tĭst] *(n.; adj.)* (١) الانفصاليّ : المؤيِّد للانفصال السياسي (عن دولة ما) (٢) الانشقاقيّ : المؤيِّد للانشقاق الدينيّ (عن كنيسة ما) §(٣) انفصالي (٤) انشقاقي .

separative [sĕp'ə rā'tĭv] *(adj.)* (١) مُفرِّق ؛ مسبب للانفصال. (٢) انفصاليّ .

separator [sĕp'ə rā'tər] *(n.)* الفاصل ؛ الفارز ؛ وبخاصة : الفرّازة : أداة لفصل القشدة عن الحليب الخ.

separator

Sephardim *(n. pl.)* السِّفارديم : اليهود الشرقيون

sepia [sē'pĭ ə] *(n.; adj.)* (١) السِّبيدج ؛ الصَّبيدج ؛ الحَبّار : حيوان بحري هُلاميّ يؤكَل (٢) «أ» حِبر السِّبيدج : إفراز السِّبيدج الحبريّ . «ب» صِبغ يستخرج منه ، ويُستعمل في الرسم. «ج» رسمٌ مُنجَزٌ بهذا الصِّبغ . «د» طبعة (أو صورة فوتوغرافيّة) ذات لون بنّي داكن شبيه بلون حبر السِّبيدج (٣) لون بنّي داكن §(٤) بنّي داكن كحبر السبيدج .

sepiolite [sē'pĭ ə līt'] *(G.)* = meerschaum 1.

sepoy [sē'poi] *(n.)* السِّباهي : هندي مجنَّد في الجيش الانكليزي

seppuku [sə pōō'kōō] *(Jap.)* = hara-kiri.

sepsis [sĕp'sĭs] *(L.)* تَعفّنُ الدم ؛ خَمَجُ الدم (مض) .

sept [sĕpt] *(L.)* فَخِذ ؛ بَطْن ؛ عشيرة .

sept- بادئة معناها : سبعة (*sept*et) .

septal [sĕp'-] *(adj.)* حِجابيّ ؛ حاجِزيّ (را. septum) .

septate [sĕp'tāt] *(adj.)* مفصول بحجاب أو غشاء فاصل .

September [sĕp tĕm'bər] *(n.)* سبتمبر ؛ أيلول : الشهر التاسع في التقويم الغريغوري .

septenary [sĕp'tə nĕr'ĭ] *(adj.)* سبعيّ : متعلق بالرقم سبعة .

septennial [sĕp tĕn'ĭ əl] *(adj.)* سبعيّ : «أ» دائم (أو مؤلَّف من) سبع سنوات . «ب» حادث (أو مصنوع) كلَّ سبع سنوات .

septentrional [sĕp tĕn'trĭ ə nəl] *(adj.)* شِماليّ .

septet *also* **septette** [sĕp tĕt'] *(G.)* (١) اللحن السُّباعيّ : لحنٌ مُعَدٌّ لسبع آلات أو سبعة مغنّين (٢) السُّباعي : مجموعةٌ مؤلفة من سبعة ؛ وبخاصة : الموسيقيون الذين يؤدّون لحناً سُباعياً .

septic [sĕp'tĭk] *(adj.)* (١) عَفِين ؛ خَميج (٢) مسبب عفناً .

septicemia [sĕp'tə sē'mĭ ə] *(L.)* = sepsis.

septicidal [sĕp'tə sī'dəl] *(adj.)* منفصل الحاجز : منفلق طولياً أو على طول الغشاء الحاجز (a ~ fruit) .

septillion [sĕp tĭl'yən] *(F.)* السبتيليون : عددٌ يساوي (في الولايات المتحدة وفرنسة) واحداً إلى يمينه ٢٤ صفراً ويساوي (في بريطانيا وألمانيا) واحداً إلى يمينه ٤٢ صفراً .

septuagenarian [sĕp'chōō ə jə nâr'ĭ ən] *(n.; adj.)* (١) السبعونيّ : رجلٌ في السبعين من العمر §(٢) سبعونيّ .

Septuagesima [sĕp'chōō ə jĕs'ə mə] *(L.)* أحدُ السبعين : الأحد الثالث قبل الصوم الكبير (نص) .

Septuagint [sĕp'tōō ə jĭnt; sĕp'chōō-] *(n.)* ترجمة التوراة السبعونيّة : ترجمة يونانيّة « للعهد القديم » قام بها ٧٢ عالِماً يهودياً في ٧٢ يوماً .

septum [sĕp'təm] *(L.)* pl. **septa** [-'tə] الحجاب ؛ الحاجز : جدار أو غشاء فاصل («أح» و «فز») .

sepulcher *or* **sepulchre** [sĕp'əl kər] *(n.; vt.)* (١) قبْر ؛ ضريح (٢) موضع الذخائر أو الآثار المقدّسة ، وبخاصة في مذبح (كن) §(٣) يدفن .

sepulchral [sə pŭl'krəl] *(adj.)* (١) قبريّ (٢) دفنيّ (٣) كئيب.

sepulture [sĕp'əl chər] *(n.)* (١) قبْر (ا.ق) (٢) دفْن .

sequacious [sĭ kwā'shəs] *(adj.)* (١) تَبيع : ميّالٌ إلى اتّباع زعيم أو قائد (٢) مطواع بخنوع (٣) متناغم ؛ متساوق.

sequel [sē'kwəl] *(n.)* (١) نتيجة ؛ عاقبة (٢) تتمة ؛ تكملة ؛ ذيل.

sequela [sĭ kwē'lə] *(L.)* pl. **-lae** [-lē] (١) العُقبُول : داء ثانويّ تالٍ (٢) نتيجة ثانويّة .

sequence [sē'kwəns] *(n.; vt.)* (١) ترنيمة (في قدّاس) (٢) المتتالية : سلسلة متعاقبة ، مثل : «أ» سلسلة متعاقبة من القصائد تنتظمها فكرةٌ رئيسية مفردةٌ (~ sonnet). «ب» ثلاثٌ أو أكثر من أوراق اللعب (الشدّة) متسلسلة وفقاً لقيمتها. «ج» سلسلة من اللقطات أو المشاهد المتعاقبة تمثل جانباً من القصة السينمائية (٣) سِياق ؛ تعاقب ؛ تتابع ؛ تسلسل (٤) نتيجة §(٥) يُسلسِل ؛ يرتّب بالتعاقب.

sequency [sē'kwən sĭ] *(n.)* = sequence.

sequent [sē'kwənt] *(adj.; n.)* (١) تالٍ (٢) تالٍ بصورة منطقية أو طبيعيّة (٣) متعاقب ؛ متتابع §(٤) نتيجة .

sequential [sĭ kwĕn'shəl] *(adj.)* = sequent

sequester [sĭ kwĕs'tər] *(vt.)* (١) «أ» يَفصِل . «ب» يَعْزِل (٢) يحجز ؛ يصادر . (a ~*ed* place)

sequestrate [sĭ kwĕs'trāt] *(vt.)* = sequester.

sequestration [sē'kwĕs trā'-] *(n.)* (١) «أ» فَصْل. «ب» عَزْل. (٢) «أ» انفصال. «ب» انعزال (٣) «أ» حَجْز ؛ مصادرة. «ب» أمر قضائيّ بذلك (٤) التّشَظّي : تشكُّل الشَّظيّة (را. المادة التالية) .

sequestrum [sĭ kwĕs'trəm] *(L.)* pl. **-s** *also* **-tra** الشظيّة : جزء من عظم ميّت ينفصل عن عظمٍ سليم مجاور .

sequin [sē'kwĭn] *(Ar.)* (١) السَّكوين : نقدٌ ذهبيّ إيطاليّ وتركيّ قديم (٢) التّرتِيرة ؛ اللّمْعة : واحدة من النِّثار المعدني اللمّاع الملوّن الذي تزيّن به بعض الملابس النسوية .

sequined *or* **sequinned** [sē'kwĭnd] *(adj.)* مُتَرتَر : مزيّن بالتّرتير (را. sequin 2) .

sequoia [sĭ kwoi'ə] *(L.)* السَّكويَة ؛ الجبّارة : شجر كاليفورنيّ فارع الطول من الفصيلة الصنوبرية يزيد ارتفاعه أحياناً على ثلاثمائة قدم.

sera [sĭr'ə] *pl. of* serum.

serac [sĕ răk'] *(F.)* السَّرك : كتلة من جليد ضخمةٌ أو شبيهة بالبرج فوق نهر جليديّ .

seraglio [sĭ răl'yō] *(It.)* (١) حريم (را. harem 1) . (٢) سراي السلطان .

serai [sə rī'] *(Turk.)* (١) caravansary (٢) سراي السلطان.

serail [sä rä'yə; -rī'] *(n.)* = seraglio.

seraph [sĕr'əf] *also* **seraphim** [-'ə fĭm] *(L.)* السّاروف ؛ الساروفيم : أحد ملائكة الطبقة الأولى الحارسين عرش الله (في المُعتقَد اليهودي القديم) .—**seraph; seraphic** *(adj.)*

Serapis [sĭ rā'-] *(n.)* سيرابيس : إله مصري عبده الإغريق والرومان.

Serb [sûrb] *(n.; adj.)* (١) الصِّربيّ : أحد أبناء صربيا والولايات اليوغوسلافية المتاخمة لها (٢) الصِّربيّة : لغة الصِّرب §(٣) صِربيّ .

Serbian [sûr'bĭ ən] *(n.; adj.)* = Serb.

ă at; ā date; â care; ä car; ĕ egg; ē me; ĭ in; ī bite; ŏ lot; ō bone; ô orphan; oi boil; ŏŏ good; ōō boot; ou out; ŭ under; ū unity; û urgent; th thing; th this; zh vision; ə = *a* in alone, *e* in system, *i* in easily, *o* in gallop, *u* in circus.

sere [sĭr] *(adj.)* ذابلٌ ؛ ذاوٍ .

serenade [sĕr'ə nād'] *(n.; vt.; i.)* (١)السَّرِيناد : لحنٌ يعزف أو يُغنّى ليلاً في الهواء الطلق ، وبخاصة من قِبل عاشق تحت نافذة محبوبته §(٢) يعزف أو يغنّي سيرينادا .

serendipitous [sĕr ən dĭp'-] *(adj.)* اتّفاقيّ ؛ مُكتشَفٌ مصادفةً .

serendipity[sĕr'ən dĭp'-] *(n.)* السَّرنديبية : موهبة اكتشاف الأشياء النفيسة أو السارّة مصادفةً (من أسطورة امراء سرنديب الثلاثة) .

serene [sə rēn'] *(adj.; n.)* (١) صافٍ ؛ رائق (skies ~) . (٢) هادىء ، ساكن (٣) جليل (His *Serene* Highness) §(٤) سماء صافية ؛ بحر رائق الخ (٥) صفاء ؛ سكون الخ .

serenity [sə rĕn'ə tĭ] *(n.)* (١) صفاء (٢) هدوء ، سكون .

serf [sûrf] *(F.)* القِنّ ، عَبْدُ الأرض : رقيقٌ يعمل على أرض سيّد إقطاعيّ وتنتقل ملكيّته من هذا السيّد إلى أيّما سيّد آخر قد تؤول ملكية تلك الأرض إليه .

—serfage; serfhood *(n.)*

serfdom [-'dəm] *(n.)* القِنانة ؛ عبودية الأرض (را. المادة السابقة) .

serge [sûrj] *(n.)* الصَّرج : نسيج صوفيّ متين .

sergeant [sär'jənt] *(n.)* (١) ضابط النظام (را. المادة التالية) . (٢) رقيب (رتبة عسكريّة) .

sergeant at arms *(n.)* ضابط النظام : ضابط (في محكمة أو هيئة تشريعية) مهمّتُه حفظ النظام وتنفيذ الأوامر الخ .

sergeant major *(n.)* رقيب أول (جن) .

serial [sĭr'ĭ əl] *(adj.; n.)* (١) مُسَلْسَل ، مُتسلسل . §(٢) المُسَلْسَلَة ، المُسَلْسَل : رواية (أو فيلم) تُنشَر في مجلّة (أو يُعرَض على شاشة السينما أو التلفزيون) على نحو متسلسل (٣) حلقة من مُسَلْسَلةٍ أو مُسَلْسَل .

serial killer *(n.)* قاتلٌ بالتسلسل : شخص يرتكب جرائم متسلسلة ومتشابهة .

serialize [sĭr'ĭ ə līz'] *(vt.)* يَنْشُر على نحو متسلسل .

seriate [*adj.* sĭr'ĭ ĭt, -āt; *v.*-āt] *(adj.; vt.; i.)* (١)مُسَلْسَل ، متسلسل §(٢) يسلسِل .

seriatim [sĭr'ĭ ā'tĭm] *(L.)* بالتسلسل ، واحداً بعد آخر .

sericeous [sĭ rĭsh'əs] *(adj.)* (١) حَريريّ (٢)زَغِب .

sericin [sĕr'ə sĭn] *(n.)* السِّرِسِين : مركب هلامي يستخرج من الحرير .

sericultural [sĕr'ə kŭlch'ə-] *(adj.)* قزازيّ : منسوب إلى القَزازة .

sericulture [sĕr'ə kŭl'chər] *(n.)* القَزازة : إنتاج الحرير الخام بتربية دود القزّ .

series [sĭr'ĭz] *(n.)* (١)سلسلة (٢) المتسلسلة ، المتتالية (ر) .

series winding *(n.)* لَفٌّ على التوالي (كب) .

series-wound field *(n.)* مجالٌ لفٍّ على التوالي (كب) .

serif [sĕr'ĭf] *(n.)* الذُّنابة : خطٌّ رقيق ينتهي به أعلى الحرف أو أدناه .

serin [sĕr'ĭn] *(n.)* النُّغَر ، النعّار : عصفور أوروبي صغير .

serine [sĕr'ēn] *(n.)* السيرين : حامضٌ أمينيّ متبلّر (ك) .

seriocomic;-al[sĭr'ĭ ō kŏm'-] *(adj.)* هزجِديّ : هزليّ جدّيّ : جامع بين الجدّ والهزل .

serious [sĭr'ĭ əs] *(adj.)* (١) وقور ، رزين (٢) جادّ (a ~ worker) (٣)تقيّ (ا.ق) (٤)جديّ (a ~ matter)(٥) خطير .

seriously [-lĭ] *(adv.)* (١) بجدٍّ ؛ جديّاً (٢) على نحو خطير الخ .

seriousness [sĭr'ĭ əs-] *(n.)* جِدّ ؛ جِدّيّة ؛ خطورة الخ .

in all ~, بكثير من الجدّ .

serjeant [sär'jənt] *(n.)* = sergeant.

serjeant-at-law [sär jənt ăt lô'] *(n.)* محامٍ من الطراز الأول .

sermon [sûr'mən] *(n.)* (١)عِظة (في كنيسة) (٢) «أ» موعظة في السلوك أو الواجب . «ب» خُطبة مُمِلّة .

sermonic; sermonical [sər mŏn'-] *(adj.)* وَعْظِيّ .

sermonize [sûr'mə nīz'] *(vi.; t.)* (١) يعِظ (في كنيسة) . ×(٢) يوبّخ (مسترسلاً في إعطاء المواعظ) .

Sermon on the Mount *(n.)* الموعظة على الجبل (نص) .

sero- بادئة معناها : مَصْل (*serology*) .

serologist [sĭ rŏl'ə-] *(n.)* العالم بالمصول ؛ المتخصص بعلم المُصول .

serology [sĭ rŏl'ə jĭ] *(n.)* علم المُصُول ؛ مبحث المُصول .

—serologic ; serological *(adj.)*

seropurulent [sĭr ə pyŏŏr'ə lənt] *(adj.)* مَصْلِيّصَدِيديّ : مؤلف من مَصْل وصَديد .

serosity [sĭ rŏs'-] *(n.)* (١) المَصْلِيّة : كون الشيء مَصْلِيّاً أو مائيّ القَوام (٢) المُصالة : سائل مائيّ حيواني رقيق (كالسائل المزلِّق ونحوه (را. synovia) .

serotinal [sə rŏt'nəl] *(adj.)* متعلق بالجزء المتأخر من الصيف .

serotinous [sə rŏt'ə nəs] *(adj.)* متأخر أو متخلّف (في التطوّر أو الإزهار) .

serous [sĭr'əs] *(adj.)* مَصْلِيّ ، وبخاصة : مَصْلِيّ القَوام .

serous membrane *(n.)* الغشاء المَصْلِيّ («ت» و«ح») .

serpent [sûr'pənt] *(n.)* (١) حيّة ، أفعى (٢) الشيطان (٣) الخدّاع ، المكّار ، الخبيث (٤) آلة موسيقية خشبية قديمة (٥)الأفعوانيّة : ضربٌ من الألعاب النارية أفعوانيّ الحركة أو اللّهَب .

serpentine [sûr'pən tēn'] *(adj.; n.)* (١) مُحَوّيّ ؛ أفعوانيّ (٢) شيطانيّ ؛ مُغْوٍ (٣) متعمّج ، ملتفّ §(٤) شيء متعمّج أو ملتفّ (٥) السَّربنتين ، حجَر الحيّة : صخر أخضر اللون عادةً مرقّطٌ احياناً كجلد الأفعى .

serpiginous[sər pĭj'ə nəs] *(adj.)* ساعٍ ، منتشر ، زحّاف ، ثعبانيّ .

serranid [sə rā' nĭd] *(n.; adj.)* (١) القُشْرِيّة : سمكة من القُشْريات **Serranidae** وهي فصيلة كبيرة من السمك البحري §(٢) قُشْرِيّ .

serranoid [sə rā' noid'] *(n.; adj.)* = serranid.

serrate leaf

serrate [sĕr'āt] *(adj.; vt.)* (١) مُوَشَّر ، مسنّن ، مُشَرْشَر ، منشاري (leaves ~) §(٢) يُوَشِّر ، يسنّن ، يشرشِر .

serration [sĕ rā'shən] *(n.)* (١) التأشّر ، التسنّن ، التشرشُر (٢)الشُّرْشُرَة : أحد الأسنان في حاشية مُسنّنة أو مُشرشرة.

serried [sĕr'ĭd] *(adj.)* (١) مُكتَظّ ، مُلْتَزّ (٢) مُوَشّر ، مُسَنّن ، منشاري.

serrulate [sĕr'yə lĭt; -lāt] *also* **serrulated** [-lāt ĭd] *(adj.)* أُشَيْرِيّ : ذو شراشر دقيقة .

serrulation [sĕr'yə lā'shən] *(n.)* (١) الأُشَيْرِيّة : كون الشيء أُشَيْرِيّاً (٢) حاشية أُشَيْرِيّة .

serry [sĕr'ĭ] *(vt.)* يحتشد ، يكتظّ .

serum [sĭr'əm] *(L.)* pl. **serums** *or* **sera** المَصْل : «أ» مَصْل الدم . «ب» مُصالة النبات . «ج» مُصالة اللبن .

serval

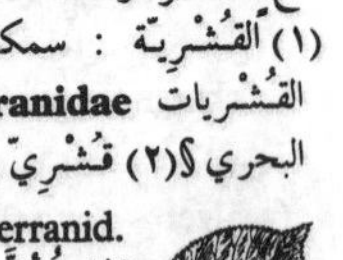

serval [sûr'vəl] *(n.)* البَجّ ، القِطّ النَّمِر : سِنّور وحشيّ مُرقّط .

servant [sûr'vənt] *(n.)* (١) خادم . (٢) موظف حكوميّ .

serve [sûrv] *(vi.; t.; n.)* (١) «أ» يشتغل خادماً . «ب» يؤدّي

ă at; ā date; â care; ä car; ĕ egg; ē me; ĭ in; ī bite; ŏ lot; ō bone; ô orphan; oi boil ŏŏ good; ōō boot; ou out; ŭ under; ū unity; û urgent; th thing; *th* this; zh vision; ə = *a* in alone, *e* in system, *i* in easily, *o* in gallop, *u* in circus.

الخدمة العسكريّة (٢) يساعد الكاهنَ المُحتفل بالقدّاسِ (٣) «أ» ينفع ؛ يفيد ؛ يلائم . «ب» يَصلح لِ ؛ يسدّ مسدّ (That box will ~ for a seat.) . «ج» يؤيِّد ؛ يناصر . «د» يقوم بمهام منصب (~*ed* on a jury) (٤) يخدم على المائدة (٥) يخدم الزبائن (٦) يستهلّ ضربَ الكرة (في التنس الخ.) ×(٧)«أ» يخدم . «ب» يطيع ؛ يوقّر (اللهَ أو الملكَ الخ.) . «ج» يُشبع (رغبةً الخ.) (٨)«أ» يُتمّ مدةَ خدمة معيّنة (~*d* his time as a congressman) . «ب» يقضي (The thief ~*d* a term in prison.) (٩) يقدّم الطعامَ أو الشراب إلى (~*d* the coffee in the next room) (١٠) يزوّد (We were well ~*d* with electricity in that city.) (١١)«أ»يفي بالغرضِ (This will ~ my purpose.) . «ب» يكفي . «ج» يعزز (He ~*d* me shamefully.) (١٢)يعامل أو يتصرّف بطريقة مُعيّنة (١٣)ينفّذ أو يسلّم أمراً قضائياً (١٤)ينزو ؛ يجامِع (الحيوانُ) (١٥) يطلق النار (من بندقية الخ.) (١٦) يمتن حبلاً (بأن يلفّ عليه سلكاً أو قطعة من حبل) §(١٧)استهلال ضرب الكرة (في التنس أو لعبة كرة الطاولة) .

as occasion ~*s* عندما تُتاح الفرصة .
to ~ one a trick يحتال (أو يلعب ملعوباً) عليه .
to ~ (somebody) out يثأر (أو ينتقم) منه .
to ~ two masters يخدم ربّيْن ؛ يكون موزّع الولاء (بين مبدأين متناقضين) .

server [sûr'vər] *(n.)* (١) النادل : مَن يخدم على المائدة (٢) المستهلّ : من يستهلّ ضربَ الكرة (في التنس الخ.) (٣) مساعد الكاهن المحتفل بقدّاس (٤) صينيّة الشاي (مع السكّرية والابريق) .

service [sûr'vĭs] *(n.; adj.; vt.)* (١) خدمة (٢) «أ» مساعدة . «ب» فائدة (٣) الخدمة في الفنادق والمطاعم (The food is good, but the ~ is poor.) (٤)«أ» طَقس دينيّ . «ب» صلاة عامّة (divine ~) (٥) «أ» معروف ؛ فَضْل ؛ جميل . «ب» *pl.* عد : خَدَمات (charge for professional ~*s*) . «ج» استهلال ضرب الكرة (في التنس الخ.) (٦)طَقم أو مجموعة لاستعمال خاص كطقم أدوات المائدة الخ. (a silver ~ for 24) (٧) «أ» سلك (the consular ~) . «ب» مصلحة ؛ مرفق عام (the telephone ~) . «ج» خدمة «يؤدّيها وكيل الشركة إلى زبائنه ابتغاء صيانة ما اشتروْه أو إصلاحه الخ.» (radio and television ~) (٨) «أ» القوّات المسلّحة (in the ~) «ب» فترة أو مدّة الخدمة العسكرية (٩) الغُبَيْراء؛ الغُبيراء الأهلية : شجرٌ بعضه حرَجيٌ وبعضه يغرس للتزيين أو لثماره §(١٠) متعلّق بالقوات المسلحة (١١) نافع (١٢) مُعَدّ للاستعمال اليوميّ : متين (١٣) صِيانيّ ؛ إصلاحيّ ؛ مقدِم خدماتٍ طارئة §(١٤)يقوم بإصلاحه أو صيانته (to ~ an automobile) .

serviceable [sûr'vĭs ə-] *(adj.)* (١)نافع ؛ مفيد (٢)متين ؛ خَدوم .
serviceberry [sûr'-] *(n.)* ثمر الغُبَيْراء (را. service 9) .
service book *(n.)* كتاب الصلوات .
service ceiling *(n.)* الارتفاع الأقصى العمليّ (طي) .
service charge *(n.)* رسم الخدمة (في الفنادق والمطاعم) .
service club *(n.)* (١) نادٍ لأهل المهنة الواحدة (٢) نادي الجندي .
service dress *(n.)* بزّة الميدان (جن) .
service flat *(n.)* شِقّة (مفروشة أو موثّثة عادةً) تشمل أجرتها رسماً إضافياً مقابلَ الخدمة .
serviceman [sûr'vĭs-] *(n.)* (١) جنديّ ؛ عسكريّ (٢) عامل الخدمة : عامل مهمته صيانة الأجهزة أو إصلاحها (a telephone ~) .

service medal *(n.)* مدالية الخدمة : مدالية تُمنَح لمن أدّى الخدمة العسكريّة في حرب أو حملة معيّنة .
service rifle *(n.)* بندقيّة عسكريّة .
service station *(n.)* (١) محطّة بنزين (٢)ورشة الخدمة (لإصلاح السيارات أو الأجهزة الكهربائيّة الخ.) .
service tree *(n.)* الغُبَيْراء (را. service 9) .
serviette [sûr'vĭ ĕt'] *(F.)* منديل المائدة .
servile [sûr'vĭl] *(adj.)* (١) عَبْديّ ؛ رِقّيّ : خاصّ بالعبيد أو الأرقّاء (~ revolts) (٢)متذلّل ؛ ذليل ؛ لائق بالعبيد (~ flattery) (٣) مستسلم بعبودية (~ to public opinion) .
servility [sûr'vĭl'-] *(n.)* ذلّ ؛ خنوع ؛ استسلام ذليل .
serving [sûr'vĭng] *(n.)* حصة من الطعام أو الشراب (على المائدة) .
servitor [sûr'və tər] *(n.)* خادم .
servitude [sûr'və tūd'] *(n.)* (١) عبوديّة (٢) الأشغال الشاقة (penal ~) (٣) حقّ الارتفاق (ق) .
servo [sûr'vō] *(n.)* (١) servomotor (٢) الآلية الموازِرة (مك) .
servo control *(n.)* أداة التحكّم الموازِر (طي) .
servomechanism [sûr'vō mĕk'ə nĭz'əm] *(n.)* الآليّة الموازِرة .
servomotor [sûr'vō-] *(F.)* المحرّك أو الموطور الموازِر (مك) .
sesame [sĕs'ə mĭ] *(L.)* (١) السِّمْسِم (نب) (٢) افتحي يا سِمسِم (را. open sesame) .
sesamoid [sĕs'ə moid'] *(adj.; n.)* (١) سِمسِميّ الشكل (ت) . §(٢) عظم أو غُضروفٌ سِمسِميّ .
sesqui- بادئة معناها : مرّة ونصف (*sesqui*centennial) :
sesquicentennial [sĕs'kwĭ sĕn tĕn'ĭ əl] *(n.; adj.)* (١) الذكرى الخمسون بعد المئة §(٢) خمسونيّ بعد المئة .
sesquipedalian [sĕs'kwĭ pə dā'lĭ ən] *(adj.)* (١) كثير المقاطع اللفظيّة : طويل (٢)مولع باستعمال الكلمات الطويلة أو متميّزٌ بكثرتها .
sessile [sĕs'ĭl] *(adj.)* لاطِئ ؛ مُقْعَد ؛ لا ذُنَيْبيّ ؛ لا عُنُقيّ ؛ متّصل بالقاعدة مباشرةً (a ~ leaf) .

sessile leaves

session [sĕsh'ən] *(n.)* (١) انعقادُ محكمة أو مجلس أو برلمان (٢)جلسة (٣)«أ» سلسلة جلسات يعقدها المجلس . «ب» دورة المجلس ؛ دور انعقاد المجلس (٤) دورة تعليم (the winter ~) .
in ~ , مُنعقِدٌ ؛ في انعقاد .
sessional [sĕsh'ən əl] *(adj.)* (١) انعقاديّ ؛ دوريّ : خاصّ بانعقاد المجلس أو دور انعقاده (٢) مكرّر أو مجدَّد كلّ دورة .
sesterce [sĕs'tûrs] *(L.)* السِّسْتِرس : عملة رومانية قديمة .
sestertium [sĕs tûr'shĭ əm] *(L.)* pl. **-tia** [-ə] السِّسْترتيوم : عملة رومانيّة قديمة تساوي ألف سِسْترس .
sestet *or* **sestette** [sĕs tĕt'] *(It.)* (١) لحن موسيقي لستة مغنين أو ست آلات (٢) ستّة مغنّين أو عازفين (٣) مجموعة سداسيّة (٤) الأبيات الستة الأخيرة من «سونيت» ايطالية .
sestina [sĕs tē'nə] *(It.)* الموشّح السُّداسي : قصيدة تتألف من ست مقطوعات كلٌ منها مؤلّفة من ستة أبيات .
set [sĕt] *(vt.; i.; adj.; n.)* (١) «أ» يُقعِد ؛ يُجلِس . «ب» يُنصِّب (مَلِكاً) (٢) يهيّئ (نفسَهُ) للعَدْو عند إعطاء إشارة الانطلاق (٣)«أ» يركّز . «ب» ينقل «الشتلة» من تربة إلى أخرى . «ج» يَنْصب فخّاً (٤) يدوّن (٥) يُطلق ؛ يُعتق (the slave free ~)(٦) يعيّن (٧) «أ» يضع . «ب» يَسِم .

«ج» يُلْصِق (٨) «أ» يحدِّد (موعداً) . «ب» يقرِّر ؛ يضع قاعدة (٩) «أ» يسجّل (رقماً قياسيّاً) . «ب» يضرب مثلاً يُحتذَى (بإخلاصه او شجاعته الخ.) (to ~ an example)
(١٠) «أ» يَجْبُر (العظم) . «ب» ينشر (الأشرعة)
(١١) «أ» يرتِّب (to ~ a table) . «ب» يلحِّن (قصيدة) للغناء. «ج» يُعِدّ المسرح للتمثيل . «د» ينضد او «يصفّ» طباعياً (١٢) «أ» يَشْحذ ، يسنّ . «ب» يَضْبط وضع مقياس . «ج» يُغَيِّب رأس المسمار تحت السطح
(١٣) «أ» يرصع . «ب» يثبّت (فصّ الخاتم) في إطار معدنيّ
(١٤) «أ» يعتبر ؛ يضع (Kamal ~ s duty before pleasure.) . «ب» يقيّم ، يقدّر (١٥) يوازن بين أو يضع موضع المقارنة (wanted to ~ theory against practice) (١٦) «أ» يحرض ؛ يثير . «ب» يدير ؛ يعمل . «ج» يوجّه (وجهَهُ نحو)
(١٧) يضبط (~ his clock) (١٨) يثبت ؛ يُحكم (١٩) يخثر ؛ يجمّد × (٢٠) يجلس (ع) (٢١) يتلاءم (Salwa's behavior does not ~ well with her years.) (٢٢) تحضن البيضَ (٢٣) يغرُبُ
(٢٤) يشرع في (~ to work) (٢٥) يتجه (The current ~ s to the north.) (٢٦) يشير (الكلب) إلى مكان الطريدة
(٢٧) يرقص وجهاً لوجه مع (٢٨) يجمَد ؛ يتخثر (٢٩) يثبُت (اللون) (٣٠) ينجبر (العظمُ) § (٣١) مصمّم على (~ on becoming a doctor) (٣٢) ضارٍ ، عنيف ؛ متلاحم (a ~ battle)
(٣٣) محدَّد (٢٠) معيَّن (٣٤) متعمَّد (She did it of ~ purpose.)
(٣٥) عنيد (was very ~ in her ways) (٣٦) جامد (٣٧) متواصل (~ rains) (٣٨) مدروس ، مروّى فيه (in ~ terms) (٣٩) متّخِذٌ وضعاً مستعداً معه للعدْو أو الغوْص عند إعطاء الإشارة (ready, go !) § (٤٠) ميْل ، نزوع (٤١) اتجاه الريح أو التيار
(٤٢) «أ» طقم (a ~ of dishes) . «ب» مجموعة طوابع تؤلف سلسلة تامّة. «ج» مجموعة كتب أو مجلات تشكّل وحدة
(٤٣) هيئة (the ~ of her shoulders) (٤٤) «أ» وَضْع . «ب» مدى انطباق البذلة على الجسم (٤٥) مقدار الانحراف عن خط مستقيم (٤٦) تغيّر ثابت (في شكل المعدن) نتيجةً لشدة الاجهاد (٤٧) شتلة نبات (٤٨) عرض الحرف المطبعي (٤٩) إعداد المسرح للتمثيل (٥٠) زمرة أو جماعة تربط ما بينها مصالح مشتركة (٥١) جهاز (~ television) .

His character is ~, لقد تكوَّنت شخصيته .

~ upon مصمّم على .

to make a dead ~ at (١) يهاجم بعنف (٢) تحاول (الفتاةُ) جاهدةً أن تحظى بإعجاب الرجل .

to ~ about (١) يبدأ (٢) يهاجم (٣) ينشر (إشاعةً) .

to ~ apart (١) يدخر ؛ يوفر (٢) يُهمِل (٣) يرفض .

to ~ aside (١) يُهمِل (٢) يدّخر ؛ يوفر (٣) يضع جانباً (٤) يُلغي ؛ يُبطل .

to ~ at يهاجِم .

to ~ at defiance يتحدّى .

to ~ at ease يُطَمْئِن .

to ~ back (١) يَعوق ؛ يوقف (٢) يؤخّر (وبخاصة عقارب الساعة) (٣) يكلّف ، تبلغ نفقاته كذا .

to ~ down (١) يُجْلِس ، يُقْعِد (٢) يضع . (٣) يمنع (فارساً) من الاشتراك في سباق للخيل (٤) يهبِط بالطائرة على سطح الأرض أو الماء (٥) يدوِّن ؛ يسجّل (٦) يَعتبر (٧) يَنسب ؛ يعزو (٨) يهزم (خصماً) في مباراة .

to ~ eyes on يُبْصِر ، يرى ، تقع عيناه على .

to ~ fire to يُضرِم النار في .

to ~ forth (١) يَنْشُر (٢) يبيّن ؛ يوضّح ؛ يعلن (٣) يبدأ رحلة .

to ~ forward (١) يعزز (٢) يبدأ رحلة (٣) يقدِّم الساعة .

to ~ in (١) يُدْخِل ؛ يُقحِم (٢) يوجّه (سفينةً) نحو الشاطىء (٣) يبدأ (٤) يهبّ أو يجري نحو الشاطىء .

to ~ off (١) يُظهِر أو يُبرز بالمغايرة (٢) يزيّن ؛ يجمّل (٣) يُظهِر أو يُبرز للعيان (٤) يعوِّض ، يوازن ؛ يعادل (٥) «أ» يُحْدِث . «ب» يحمله على القيام بعمل ما (٦) يفجّر (٧) يبدأ رحلة .

to ~ on (١) يهاجم (٢) يحرِّض (كلباً) على المطاردة (٣) يحثّ (٤) يحمله على القيام بعمل ما (٥) يتقدّم .

to ~ oneself to يصمّم على .

to ~ one's face against يقاوم (شيئاً) بعناد .

to ~ one's hand *or* seal to a document يوقّع (أو يختم) الوثيقة .

to ~ one's heart (hopes, mind) on يتوق توقاً شديداً إلى ؛ يصمّم على الحصول على ؛ يعلّق آماله على .

to ~ one's teeth (١) يُطبق فكّيه بإحكام (٢) يعقد العزمَ على .

to ~ out (١) يُعلِن ، يُبدي (٢) يُظهِر (٣) يصِف ؛ يصوّر (٤) يعرض او يبسط على نحو منظّم (٥) يشرع في (٦) يبدأ رحلة .

to ~ pen to paper يشرع في الكتابة .

to ~ a price on somebody's head يقدِّم جائزة معيّنة لمن يقتل فلاناً .

to ~ right يعيد إليه نشاطه .

to ~ sail يُقلِع ، يُبحِر .

to ~ somebody on his feet يدعمه أو يُقيل عثرته .

to ~ the ax to (١) يقطع (شجرةً) (٢) يبدأ في تخريب شيء .

to ~ the fashion يُطلِق الزي : يبتدع زيّاً سرعانَ ما يقلّده فيه الآخرون .

to ~ the pace (١) يحدِّد سرعة الانطلاق (في سباق) بالتقدّم على غيره (٢) يستهلّ عُرْفاً أو تقليداً (يحتذيه غيره في ما بعد) .

to ~ to (١) يبدأ العمل بنشاط (٢) يبدأ القتالَ .

to ~ up (١) يرفع (٢) يَنْصِب ؛ يقيم (٣) يقدّم . (٤) يُحْدِث (٥) يُطلِق صيحة (٦) يشدّ بإحكام (٧) يَنصب ؛ يعيّن (٨) يرفع معنويّاته (٩) يُوقِع الغرورَ في نفسه (١٠) يدّعي (١١) يشيّد (١٢) يركّب (ماكينةً) (١٣) يُعِدّ (ماكينةً) للعمل (١٤) ينضد طباعياً (١٥) ينشىء ، يؤسّس (١٦) يزوّده برأسمال أو بأسباب كسب الرزق (١٧) يعيد إليه الصحة والعافية (١٨) يرسم خطةً (للسرقة الخ.) (١٩) يبني الجسم بالتدريب الرياضي (٢٠) يبدأ عملاً تجارياً .

to ~ upon يهاجم بعنف .

seta [sē'tə] *(L.)* pl. -e . هُلْب ؛ شعرة قاسية أو نحوها («ح» و «نب») .

setaceous [sĭ tā'shəs] *(adj.)* أهلب ، شائك .

setback [sĕt'băk'] *(n.)* (١) عقبة ؛ عائق (٢) «أ» توقف (عن التقدم). «ب» هزيمة ؛ نكسة (٣) الارتداد الجداري : ارتداد الجدار الخارجي من مبنى شاهق لتوفير الهواء والنور للشارع .

set chisel *(n.)* إزميل عريض الرأس مُسطَّحه .

set hammer *(n.)* مِطرقة تسطيح .

setline [sĕt'līn] *(n.)* الصنارة المُسَلْسَلَة : صنارة صيد طويلة ثقيلة ذات كلاليب متسلسلة .

setoff [sĕt'ôf'] *(n.)* (١) حِلْيَة ؛ زينة (٢) عِوَض (٣) رحيل ؛ سفر (٤) «أ» ردّ دعوى المديونيّة بتقديم ادّعاء مضادّ «ب» الادعاء المضادّ هذا (ق) .

setose [sē'tōs] *(adj.)* أهلب ؛ شائك .

setout [sĕt'out] *(n.)* (١) «أ» عَرْض . «ب» ترتيب (٢) حفلة سَمَر (٣) عُدّة ؛ آلة (٤) ابتداء .

setscrew [sĕt'skrōō'] *(n.)* برغيّ ضبط ؛ برغي حاكم .

set square *(n.)* الكُوس : مثلث رسم الزوايا القائمة .

set square

settee [sĕ tē'] *(n.)* أريكة ؛ مقعد طويل .

setter [sĕt'ər] *(n.)* (١) فا set (٢) السّاطِر : كلب صيد .

setting [sĕt'ĭng] *(n.)* (١) مص set (٢) وَضْع . (٣) إطار الفصّ (في خاتم) (٤) محيط ؛ خَلْفِيّة (٥) مكان وزمان المشهد (المسرحيّ أو السينمائيّ) (٦) الموسيقى الموضوعة لقصيدة الخ . (٧) «حَضْنَة» بَيْض .

settle [sĕt'əl] *(vt.; i.; n.)* (١) يوطّد ؛ يرسّخ (٢) «أ» يُنزِل ؛ يوطّن . «ب» يُؤهِل (بالسكان) (٣) «أ» يرصّ . «ب» يرسّب . «ج» يروّق ؛ يصفّي (٤) يهدىء (الأعصاب الخ .) (٥) يُسكته أو يعيده الى جادة الصواب (٦) «أ» يقضي على . «ب» يحسم مسألة . «ج» يسوّي (الامورَ او الخلافات) (٧) يسدّد ديناً (٨) يعيّن ؛ يحدّد ؛ يقرّر ؛ يتفق على (٩) «أ» ينظّم ؛ يرتّب . «ب» يصفّي أو يغلق نهائياً ×(١٠) يستقرّ (١١) «أ» يترسّب تدريجياً . «ب» يروق ؛ يصفو . «ج» يتراصّ بالترسّب (١٢) يتوطّد ؛ يترسّخ (١٣) «أ» يستوطن . «ب» ينشىء مستعمرة (١٤) «أ» يهدأ . «ب» يحيا حياة استقرار (من طريق الزواج) (١٥) يتخذ شكلاً نهائياً (١٦) يسدّد أو يصفّي حساباً §(١٧) مقعد خشبيّ طويل (ذو ذراعين وظهر عالٍ) .

to ~ up *or* on يختار ؛ يقع اختياره على .

to ~ upon *or* on يَهَب (مِلْكاً الخ .) بطريقة شرعية .

settled [sĕt'-] *(adj.)* (١) مقرَّر ؛ مبتوت فيه (٢) ثابت ؛ راسخ ؛ وطيد (convictions ~) (٣) مسدَّد ؛ مدفوع .

settlement [sĕt'əl mənt] *(n.)* (١) مص settle (٢) استقرار . (٣) «أ» ترسيخ ؛ توطيد . «ب» رسوخ ؛ توطّد (٤) تقرير ؛ تحديد ؛ تعيين (٥) تنظيم ؛ ترتيب (٦) دفع ؛ تسديد (٧) تسوية (٨) «أ» استيطان . «ب» مستعمرة ؛ مُستَوْطَن . «ج» قرية صغيرة (٩) هِبة شرعيّة (١٠) مؤسسة إنعاش .

settler [sĕt'lər] *(n.)* (١) فا settle (٢) المستوطِن ؛ المستعمِر .

settling [sĕt'lĭng] *(n.)* (١) مص settle (٢) *pl.* عد : ثُفْل ؛ راسب .

set-to [sĕt'tōō'] *(n.)* شجار ؛ نزاع ؛ ملاكمة ؛ مشادّة .

setup [sĕt'ŭp'] *(n.)* (١) «أ» قامة ؛ مِشية ؛ قيافة ؛ وبخاصة انتصاب القامة . «ب» بِنية (٢) تركيب أو ترتيب الماكينات أو إعدادها للعمل (٣) «أ» مهمة أو مسابقة يُسِّرت أو سُهِّلت عمداً . «ب» مهمة يسيرة . «ج» شيء سهل المنال . «د» ملاكم يخوض مباراة ليس له أيّ حظ من الفوز فيها (٤) الوَضْعَة ؛ هيئة الوَضْع (٥) مشروع (٦) عُرْف .

seven [sĕv'ən] *(n.)* (١) سبعة (٢) السُّباعي : شيء مؤلف من سبع وحدات أو سبعة أعضاء .

sevenfold [sĕv'ən-] *(adj.; adv.)* (١) سُباعيّ (٢) اكبر بسبعة اضعاف §(٣) سبعة أضعاف (increased ~) .

seventeen [sĕv'ən tēn'] *(n.)* سبعة عَشَر ؛ سَبع عشرة .

seventeenth [sĕv'ən tēnth'] *(adj.; n.)* (١) سابع عشر §(٢) جزء من سبعة عشر ($\frac{1}{17}$) (٣) السابع عشر (في مجموعة أو سلسلة) .

seventeen-year locust *(n.)* الجرادة السَّبْعَشْريّة : زيز حصاد أميركي يظلّ سبع عشرة سنة تحت الأرض ، وهو في الطور اليرَقاني ، ثم يخرج من هذا الطور ليعيش بضعة أسابيع ليس غير .

seventh [sĕv'ənth] *(adj.; n.)* (١) سابع §(٢) السُّبْع : جزء من سبعة ($\frac{1}{7}$) (٣) السابع (في مجموعة أو سلسلة) .

seventh-day [sĕv'ənth dā'] *(adj.)* مُسْبِت : منقطع عن العمل يوم السبت بوصفه يوم عطلة (Adventists ~) .

seventh heaven *(n.)* (١) السماء السابعة (٢) سعادة قصوى .

seventhly [sĕv'ənth lĭ] *(adv.)* سابعاً .

seventieth [sĕv'ən-] *(adj.; n.)* (١) السبعون §(٢) جزء من سبعين .

seventy [sĕv'ən tĭ] *(n.)* (١) سبعون (٢) *pl.* : العقد الثامن (من العمر أو القرن) .

seventy-eight [sĕv ən tĭ āt'] *(n.)* (١) ثمانية وسبعون (٢) أسطوانة فونوغرافية تدور ٧٨ دورة في الدقيقة .

seventy-five [sĕv ən tĭ fīv'] *(n.)* (١) خمسة وسبعون (٢) بندقية عيار ٧٥ مليمتراً .

seven-up [sĕv ən ŭp'] *(n.)* السَّفْناب : ضرب من لعب الورق أو الشدّة .

Seven Wonders of the World : عجائب الدنيا السبع وهي «أ» الأهرام . «ب» منارة الاسكندرية . «ج» الجنائن المعلّقة (في بابل) . «د» هيكل آرتاميس (ديانا) في أفسس . «هـ» تمثال زيوس (جوبيتير) للنحّات فيدياس في أوليمبيا . «و» الموسوليوم في هاليكارناسوس بآسية الصغرى . «ز» الكولوسوس في رودس .

sever [sĕv'ər] *(vt.; i.)* (١) يفصِل ؛ يقطع ؛ يمزّق ×(٢) ينفصل .

severable [-ə bəl] *(adj.)* (١) قابل للفصل أو القطع (٢) منفصل ؛ مستقل : قابل لأن يُعتَبَر منفصلاً عن حقّ أو التزام شرعيّ كامل (a ~ contract obligation) (٣) يُجزّأ : قابل للتجزيء الى حقوق او التزامات مستقلة (a ~ contract) .

several [sĕv'ər əl] *(adj.; pron.)* (١) «أ» مختلف (union of the ~ states) . «ب» مقصور على فرد أو جماعة (~ fisheries) . «ج» منفصل ؛ مستقلّ ؛ متعلّق بكلّ من الأفراد المعنيين على حدة (a ~ judgment) . «د» خاصّ (They went their ~ ways.) (٢) «أ» عدة (read it ~ times) . «ب» بضعة (moved ~ centimeters) . «ج» كُثُر ؛ كثيرون (~ young men) §(٣) بعض (~ of us decided to stay.) .

severalfold [sĕv ər əl'fōld] *(adj.; adv.)* (١) متعدد الأجزاء أو المظاهر (٢) أكبر أو أكثر بعدة اضعاف (a ~ increase) §(٣) عدة أضعاف (increased ~) .

severally [sĕv'-] *(adv.)* (١) إفرادياً ؛ كلاً بمفرده (٢) على التوالي .

severalty [sĕv'ər əl tĭ] *(n.)* (١) تميّز ؛ استقلال (٢) تملّك بالحقّ الفَرْديّ (٣) المِلك المَحْض : أرض لا شريك لمالكها فيها .

severance [sĕv'ər əns] *(n.)* (١) قَطْع ؛ فَصْل (٢) انقطاع الخ .

severe [sĭ vĭr'] *(adj.)* (١) «أ» صارم (laws ~) . «ب» متجهم ؛

كالح (٢) متزمّت (~ conformity to standards) (٣)بسيط ؛ غير مزخرف (~ style) (٤) قاس (~ winter) (٥) عسير (~ difficulties) (٦) خطير (a ~ test of her capacity).

severely [sĭ vîr'lĭ] *(adv.)* بصرامة؛ بقسوة؛ على نحو خطير الخ.

severity [sĭ vĕr'ə tĭ] *(n.)* صرامة ؛ تجهّم ؛ قسوة؛ خطورة الخ.

sèvres [sĕ'vr] *(n.)* السيڤر: خزف فاخر من صنع مدينة سيفر بفرنسة.

sew [sō] *(vt.; i.)* (١) يخيط ×(٢) يمارس الخياطة.

to ~ up (١) ينال تأييد فرد او جماعة (٢) يستأثر بحبه او بأعجابه (٣) يحتكر (٤) يُنهك ؛ يُرهق (٥) يحسم (أمراً) او يقرّر (نتيجةً).

sewage [sōō'ĭj] *(n.)* مياه البواليع أو أقذارها.

sewer [sōō'ər] *(n.)* (١)بالوعة؛ مجرور (٢) كبير خدَم المائدة.

sewer [sō'ər] *(n.)* الخائط، الخياط.

sewerage [sōō'ər ĭj] *(n.)* (١) مياه البواليع أو أقذارها (٢)تصريف المياه والاقذار بواسطة البواليع (٣) شبكة المجارير.

sewing [sō'ĭng] *(n.)* (١)خِياطة (٢)شيء مَخيط او معدّ للخياطة.

sewing machine *(n.)* ماكينة الخياطة.

sewn [sōn] *past part. of* sew.

sex [sĕks] *(n.; adj.; vt.)* (١) الجنس (مج) : «أ» الذكورة أو الأنوثة. «ب» مجموع الذكور أو مجموع الإناث، كقولك the sterner ~ أي الجنس الخشن (الرجال) أو the gentle ~ أي الجنس الناعم (النساء). «ج» الغريزة التي تجذب أحد الجنسين إلى الآخر أو مظاهرُها في الحياة والسلوك. «د» الاتّصال الجنسي §(٢) جنسيّ §(٣) يعيّن جنس كذا (It is difficult to ~ the animals at a distance.) (٤) «أ» يقوّي الجاذبية الجنسية عند. «ب» يثير الغريزة الجنسية عند.

sex- *or* **sexi-** بادئة معناها: «أ» ستة. «ب سُداسي».

sexagenarian [sĕk'sə jə nâr'ĭ ən] *(adj.; n.)* (١) ستّوني: في الستين (أو في العقد السابع) من العمر §(٢)الستّوني: شخص في الستّين (أو في العقد السابع) من العمر.

sexagenary [sĕks ăj'ə nĕr'ĭ] *(adj.)* ستّوني: «أ» متعلق بالرقم ستّين. «ب» في الستّين (أو في العقد السابع) من العمر.

Sexagesima [sĕk'sə jĕs'ə mə] *(L.)* أحد الستّين: الأحد الثاني قبل الصوم الكبير (نص).

sexagesimal [-'ə məl] *(adj.; n.)* (١)سِتّوني: متعلق بالرقم ستّين أو مبنيّ عليه §(٢) الكَسْر السّتّوني (ر).

sex appeal *(n.)* الجاذبية الجنسية، النداء الجنسي.

sexcentenary [sĕks sĕn'tə nĕr'ĭ] *(adj.; n.)* (١) ستمِئَوي: متعلّق بستمئة سنة §(٢) الذكرى السّتمئوية.

sex chromosome *(n.)* صِبغيّة الجنس: صِبغيّة حاملة لعواملَ مقرِّرة للجنس (أح).

sexed [sĕkst] *(adj.)* (١) ذو جنس أو غريزة جنسية (٢) ذو جاذبية جنسية.

sex hormone *(n.)* هرمون الجنس: هرمون ذو أثر في نموّ الأعضاء التناسليّة أو أدائها لوظيفتها الخ.

sex hygiene *(n.)* الصحة الجنسية: شعبة من علم الصحة تُعنَى بالجنس والسلوك الجنسي بوصفهما ذَوَيْ أثر في صحة الفرد والمجتمع.

sexism *(n.)* الجِنْسانيّة: التمييز على أساس الذكورة والأنوثة.

sexless [sĕks'lĭs] *(adj.)* مُخَنَّث: ليس بالمذكّر ولا بالمؤنّث.

sexology [sĕk sŏl'ə jĭ] *(n.)* السكسولوجيا: علم الجنس.

sexpartite [sĕks pär'tīt] *(adj.)* سُداسي.

Sextans [sĕks'tənz] *(L.)* كوكبة السُّدْس (فل).

sextant [sĕks'-] *(n.)* السُّدس (مج)؛ السُّدْسيّة: آلة لقياس ارتفاع الأجرام السماوية من سفينة أو طائرة متحركة.

sextant

sextet *also* **sextette** [sĕks tĕt'] *(n.)* (١) اللحن السُّداسي: لحنٌ معَدّ لستّ آلات أو ستة مغنّين (٢)السّداسيّ، مجموعة من ستّة، مثل: «أ» عازفو اللحن السداسيّ. «ب» فريق لعبة الهوكي.

sextillion [sĕks tĭl'yən] *(F.)* السِّكْسْتِلْيُون: عدد يساوي (في الولايات المتحدة الأميركيّة وفرنسة) واحداً إلى يمينه ٢١ صفراً، ويساوي (في بريطانيا وألمانيا) واحداً إلى يمينه ٣٦ صفراً.

sexton [sĕks'tən] *(n.)* قَنْدَلَفْت (كن).

sextuple [sĕks'tyōō pəl] *(adj.; vt.; i.)* (١) سُداسيّ (٢) أكثر أو أكبر بستّة أضعاف §(٣)يضاعف أو يتضاعف ستّ مرات.

sextuplet [-plĭt] *(n.)* (١)مجموعة سُداسية (٢)أحد توائم ستّة.

sextuplicate [*adj., n.* sĕks tyōō'plĭ kĭt; *v.* -kāt] *(adj.; n.; vt.)* (١)مؤلف من ست نسخ متماثلة (٢) سادِس (file the ~ copy) §(٣) النسخة السادسة (٤) ستّ نسخ متماثلة §(٥) يضاعف ستّ مرات (٦) يجعله في ستّ نُسَخ.

sexual [sĕk'shōō əl] *(adj.)* جنسيّ؛ تناسليّ.

sexual generation *(n.)* التوالد التزاوجي.

sexual intercourse *(n.)* مضاجعة؛ جِماع؛ اتصال جنسيّ.

sexuality [sĕk'shōō ăl'ə tĭ] *(n.)* الجِنْسانيّة: «أ» كون الفرد ذا جنس معيّن (ذكراً أو أنثى). «ب» النشاط الجنسيّ، وبخاصة حين يكون مُفْرِطاً. «ج» التأكيد على الشؤون الجنسية.

sexually [sĕk'shōō əl ĭ] *(adv.)* جنسياً؛ تناسلياً.

sexual relations *(n. pl.)* مضاجعة؛ جِماع.

sexual selection *(n.)* الانتخاب التزاوجي (مج).

sexy [sĕk'sĭ] *(adj.)* جنسيّ: مثير للغريزة الجنسية (~ novels).

sferics [sfĭr'ĭks] *(n.)* كاشفة العواصف أو الزوابع.

sforzando [sfôr tsän'dô] *(adj.; adv.)* (١)قويّ §(٢)بقوّة (مو).

sh [sh] *(interj.)* صَه؛ أُسْكُت!

shabby [shăb'ĭ] *(adj.)* (١) رثّ؛ بالٍ (٢) رثّ الملبس؛ مُرتَدٍ أسمالاً بالية (٣)«أ» دنيء؛ خسيس. «ب» جائر؛ غير منصف (٤)رديء النوع. **—shabbily** *(adv.)* **—shabbiness** *(n.)*

Shabuoth [shä vōō'ōth] *(n.)* عيد الحصاد (عند اليهود).

shack [shăk] *(n.; vi.)* (١) كوخ §(٢) يحيا؛ يقيم.

shackle [shăk'əl] *(n.; vt.)* (١) «أ» غُلّ؛ صِفاد؛ قَيْد. «ب» شِكال (٢) *pl.* عوائق: قيود (the ~s of convention) §(٣)«أ» يَغُلّ؛ يُصفِّد. «ب» يَشْكُلُ (الدابة)؛ يقيّدها بالشِّكال (٤)يعوّق.

shackle 1 *a.*

shad [shăd] *(n.)* الشابِل؛ الصابوغة: نوع من السمك.

shadberry [shăd'-] *(n.)* الزُّعرورية (را. Juneberry) أو ثمرها.

shadblow [shăd'-]; **shadbush** [-'bōōsh'] *(n.)* = **Juneberry.**

shaddock [shăd'ək] *(n.)* الشادّوك؛ ليمون الجنّة؛ نوع من الغريْب فروت أو الليمون الهندي.

shade [shăd] *(n.; vt.; i.)* (١) «أ» ظِلّ؛ فَيْء. «ب» عزلة نسبية. «ج» مغموريّة (عدم شهرة) نسبية (٢)«أ» ظُلّة؛ مكان ظليل. «ب» مُنعزَل: (٣) *pl.* «أ» عتمة؛ ظلام. «ب» الجحيم (٤) طيف؛ خيال؛ روح (٥)«أ» كُمّة

المصباح (مج) : ظُلّتُه المخفِّفة لوهج نوره . «ب» ستار النافذة المرن (٦) الظلّ : الجزء القاتم من الرسم (٧) درجة اللون (in several ~ s of green) (٨) «أ» فارق دقيق (لا يكاد يُدرَك) . «ب» درجة أو كمية ضئيلة (٩) سحابة حزن أو شكّ § (١٠) يظلِّل ؛ يحجب عن الشمس (١١) يستر : يحجب عن النظر (١٢) يقتِّم : يجعله قاتماً أو مظلماً (١٣) يظلِّل الرسمَ (١٤) يخفض (السعرَ) تخفيضاً ضئيلاً × (١٥) يتدرّج على نحو غير ملحوظ من لون (أو شيء) إلى آخر .

shading [shā'-] *(n.)* (١) تظليل (رم) (٢) فارق دقيق (في اللون الخ.) .

shadow [shăd'ō] *(n.; vt.; adj.)* (١) ظِل ؛ خيال (٢) صورة منعكسة (عن مرآة) (٣) وقاء ؛ سِتْر (٤) «أ» صورة باهتة . «ب» صورة زائفة عن (the ~ of power) (~ s of things to come) (٥) شبح ؛ طيف (٦) *pl.* عتمة ؛ ظلمة جزئية (٧) الظلّ ؛ الجزء القاتم من الصورة (٨) «أ» رفيقٌ ملازِم : ظِل . «ب» جاسوس أو بوليس سرّيّ (٩) أثر ؛ ذرّة (without a ~ of doubt) (١٠) «أ» حزن ؛ كآبة . «ب» سحابة (تكدِّر الصداقة او الشهرة الخ.) (١١) سيطرة (١٢) ظلّ قاتم ناشىء عن قلة النوم أو اعتلال الصحة (had ~ s under the eye) § (١٣) يظلّل (١٤) يرمز أو يشير إلى (بطريقة نبوئية الخ.) (١٥) يكدِّر ؛ يُحْزِن (١٦) يتعقّب (خلسةً) § (١٧) شكليّ (~ government) .

shadowboxing [shăd'ō bŏk'sĭng] *(n.)* : الملاكمة الوهميّة : ملاكمة مع خصم وهميّ بقصد التدرّب .

shadow cabinet *(n.)* الوزارة الظلّ : مجموعة من زعماء المعارضة البرلمانية المحتمَل اشتراكهم في الوزارة الجديدة التي يُنتظَر أن تؤلَّف عندما يتولى حزبهم مقاليد الحكم .

shadow factory *(n.)* المصنع الظلّ : مصنعٌ مصمَّم بطريقة تجعل من الممكن تحويلَه من إنتاج سلع الاستهلاك المَدَنيّة إلى إنتاج المعدّات الحربيّة .

shadowgraph [shăd'ō-] *(n.)* (١) shadow play (٢) صورة شعاعيّة ؛ صورة بالأشعّة ؛ وبخاصة : صورة بأشعة اكس .

shadow play *(n.)* خيال الظلّ : مسرحية تمثَّل بإلقاء ظلال الدمى (أو الممثلين) على شاشة .

shadowy [-'ō ĭ] *(adj.)* (١) وهميّ (٢) مُبْهَم (٣) مظلَّل (٤) ظليل .

shady [shā'dĭ] *(adj.)* (١) ظليل (٢) مظلَّل (٣) غامض (٤) مشبوه . on the ~ side of fifty متجاوزٌ سنّ الخمسين .

shaft [shăft] *(n.; vt.)* (١) «أ» قصبة الرمح . «ب» رمح . «ج» عريش العربة . «د» سهم (٢) شعاع ؛ بصيص (٣) «أ» جِذْع . «ب» أسطوانة العمود : جزؤه الرئيسيّ الواقع بين القاعدة والتاج (عم) . «ج» مقبض . «د» عمود ؛ عمود الادارة (مك) . «هـ» عِراق الريشة . «و» سارية العَلَم . «ز» مسلّة ؛ برج ؛ عمود . «ح» مَهْوَى المنجَم أو مدخله . «ط» ممرّ رأسيّ (كبيت المصعد في مبنى) (٤) «أ» قذيفة . «ب» ملاحظة ساخرة الخ. § (٥) يزوّد بعريش أو عمود إدارة أو ممرّ رأسي الخ.

shaft bearings *(n. pl.)* مَحامِل عمود الادارة (مك) .

shaft furnace *(n.)* الفرن القائم : فرن عموديّ لصهر المعادن يُشْحَن من أعلى ويُفْرَغ من أسفل .

shafting [shăf'tĭng] *(n.)* أعمدة إدارة أو موادّ لها (مك) .

shag [shăg] *(n.; vt.; i.)* (١) شعر أو وبر أشعث (٢) قماش صوفي خشِن (٣) تبغ مفروم (٤) رقصة الشاغ : رقصة تؤدَّى بالقفز على إحدى القدمين ثم على الأخرى § (٥) يُشعِّث أو يخشِّن × (٦) يتشعّث (٧) يرقص رقصة الشاغ .

shaggy [shăg'ĭ] *(adj.)* (١) «أ» أهلَب . «ب» خشن الوبر أو النسيج أو السطح (٢) «أ» أشعث . «ب» فظّ . «ج» مشوَّش .

shagreen [shə grēn'] *(Turk.)* الشَّغرين : «أ» جلد غير مدبوغ ذو سطح مُبرْغَل أو محبَّب . «ب» جلد خشن يتّخذ من بعض كلاب البحر ويُستخدَم في الكَشْط .

shah [shä] *(Per.)* الشاه : امبراطور إيران .

shaitan [shī tän'] *(Ar.)* شيطان .

shake [shāk] *(vi.; t.; n.)* (١) يهتزّ (٢) يرتجّ (٣) يرتعد ؛ يرتعش (٤) ينهال ؛ يتساقط (Sand ~ s off readily.) (٥) يتمايل ؛ يترنّح × (٦) يَهُزّ (٧) يرجّ (٨) يُرْعِش (٩) يتخلّص من (to ~ off a cold) (١٠) يزعزع (١١) ينفُض (١٢) يصافح (١٣) يثير المشاعر (shook me up) § (١٤) اهتزاز أو هزّ الخ ، مثل : «أ» مصافحة . «ب» ارتعاش. «ج» صدمة. «د» زلزال (١٥) *pl.* : «أ» قُشَعْرِيرة . «ب» ملاريا (١٦) صَدْع ؛ فَلْق (في الأرض أو الخشب الخ.) (١٧) المخفوق اللّبنيّ (را. milk shake) (١٨) تمايُل ؛ ترنّح (١٩) لحظة (in two ~ s) (٢٠) *pl.* : شخص ذو شأن أو براعة (no great ~ s as a philosopher) (٢١) معاملة (a fair ~) (٢٢) طرد ؛ صَرْف (gave him the cold ~) .

to ~ down (١) «أ» يقطن مؤقتاً في . «ب» ينام على سرير مرتجَل (٢) «أ» يألف محيطه أو واجباته . «ب» يستقرّ (٣) يبتزّ منه مالاً بطريقة غير مشروعة (٤) يبحث عن شيء بحثاً دقيقاً (٥) يخفّض (٦) يجعله يستقر (٧) يجرب سفينةً أو طائرةً .

to ~ out a sail ينشر شراعاً .

to ~ up (١) يرجّ بعنف (٢) يقلق ؛ يثير المشاعر . (٣) يعيد تنظيم شيء على نحوٍ جذري .

shakedown [shāk'doun'] *(n.; adj.)* (١) سريرٌ مرتجَل (٢) رقصٌ صاخب (٣) ابتزاز (٤) تفتيش دقيق § (٥) تجريبيّ ؛ مقصود به اختبار السفينة أو الطائرة الجديدة وتعويد الملاحين عليها (~ flight) .

shaker [shā'kər] *(n.)* (١) فا shake (٢) الرجّاجة : أداة للرّج أو المزج (cocktail ~) (٣) *cap.* الهزّاز : أحد أفراد طائفة دينية أميركيّة اشتراكيّة تعرف بطائفة الهزازين لأن حركات الجسد تشكل جزءاً من العبادة عندها .

Shakespearean *or* **Shakespearian** *also* **Shaksperean** *or* **Shaksperian** [shāk spĭr'ĭ ən] *(adj.; n.)* (١) شكسبيريّ : خاص بشكسبير أو مؤلفاته § (٢) الشكسبيريّ «أ» : الباحث المتخصص في أدب شكسبير . «ب» الشديد الاعجاب بشكسبير .

shake-up [shāk'ŭp'] *(n.)* (١) رَجّ بعنف (٢) اثارةٌ للمشاعر . (٣) إعادة تنظيم (دائرةٍ أو مؤسسةٍ ما) على نحو جذري .

shaking palsy *(n.)* = paralysis agitans.

shako [shăk'ō] *(F.)* الشاكة : قبعة عسكريّة عالية مزدانة بريشة أو نحوها .

shako

shaky [shā'kĭ] *(adj.)* (١) ذو صدوع (~ timber) (٢) متقلقل ؛ متزعزع (~ loyalty) (٣) غير جدير بالثقة والاعتماد (~ methods) (٤) «أ» متوعّك الصحة . «ب» مرتعش (a ~ voice) (٥) متداعٍ للسقوط (a ~ porch) .

shale [shāl] *(n.)* الطَّفَل الصَّفْحي : صخر مشكَّل من صلصال أو طين ويتميّز بسهولة انفلاقه إلى طبقات .

shale oil *(n.)* الزيت الحجري .

ă at; ā date; â care; ä car; ĕ egg; ē me; ĭ in; ī bite; ŏ lot; ō bone; ô orphan; oi boil o͝o good; o͞o boot; ou out;
ŭ under; ū unity; û urgent; th thing; t͟h this; zh vision; ə = a in alone, e in system, i in easily, o in gallop, u in circus.

shall [shăl] *(aux. v.)* (١) سَـ . . . سَوْفَ (I ~ write today.) (٢) هل (~ we be back in time ?) .

shalloon [shă lōōn'] *(F.)* الشَّلُّون : نسيج صوفيّ رقيق .

shallop [shăl'əp] *(F.)* الشَّلُّوب : قارب صغير خفيف .

shallot [shə lŏt'] *(F.)* القُفُلُّوط ؛ الكُرّاث الأندلسي (نب) .

shallow [shăl'ō] *(adj.; n.; vt.; i.)* (١) ضَحْل ؛ ضَحْضاح ؛ قليل العمق (~ water) (٢) مسطَّح قليلاً (a ~ dish) (٣) سطحيّ (a ~ mind) § (٤) *pl.* عد: مياه ضَحْلة § (٥) يُضحِل أو يَضْحُل.

shalt [shălt] صيغة المخاطَب المفرد من shall (ا.ق) .

sham [shăm] *(n.; adj.; vt.; i.)* (١) خدعة ؛ مزحة خادعة (٢) رياء. (٣) شيء زائف (٤) دجّال (George is a ~.) § (٥) صُوَريّ (fought ~ battles) (٦) كاذب ؛ زائف (~ pearls) § (٧) يخدع ؛ يحتال على (ا.ق) (٨) يزيِّف × (٩) يتظاهر بِ .

shaman [shä'mən; shā'-] *(Russ.)* الشَّامان : كاهن يستخدم السحر لمعالجة المَرضى ولكشف المخبأ وللسيطرة على الأحداث .

shamanism [shä'mə nĭz'əm] *(n.)* الشَّامانيّة : «أ» دين بِدائي من أديان شمالي آسية وأوروبة يتميّز بالاعتقاد بوجود عالَم محجوب ، هو عالم الآلهة والشياطين وأرواح السَّلَف ، وبأن هذا العالم لا يستجيب إلّا للشّامان (را. المادة السابقة) . «ب» دين مماثل وبخاصة عند بعض هنود أميركة الحمر .

—shamanist *(n.)* **—shamanistic** *(adj.)*

shamble [shăm'bəl] *(vi.; n.)* (١) يمشي متثاقلاً § (٢) مشيٌ متثاقل .

shambles [shăm'bəlz] *(n. pl.)* (١) مَجزَر ؛ مَسْلَخ (٢) خرائب أو أرض مخضّبة بدماء القتلى (War turned the town into ~.) .

shambling [shăm'b(ə) lĭng] *(adj.)* بطيء الحركة متثاقلها .

shame [shām] *(n.; vt.)* (١) خجَل ؛ حياء (٢) خزي ؛ عار . (٣) مصدر خزي أو عار (Olga was a ~ to her family.) § (٤) يُخجِل (٥) يُخزي (٦) يُكرهه ، من طريق إشعاره بأنه مذنب أو آثم ، على أن يأتي عملاً ما (~*d* him into confessing) .

to cry ~ on somebody يقول لفلان ان عليه أن يخجل من نفسه .

to put to ~, (١) يُخزي ؛ يُخجِل (٢) يتفوّق على .

shamefaced [shām'făst] *(adj.)* خجول أو مخجول .

shameful [shām'fəl] *(adj.)* مُخزٍ ؛ مُخجِل ؛ فاضح .

shameless [shām'lĭs] *(adj.)* (١) وقح ؛ صفيق الوجه (٢) مُخزٍ .

shammer [shăm'ər] *(n.)* (١) فا sham (٢) دجّال .

shammy [shăm'ĭ] *(n.)* = chamois.

shampoo [shăm pōō'] *(vt.; n.)* (١) يدلك (ا.ق) (٢) يغسل (الشعرَ) بالصابون والماء أو بمستحضَر خاص § (٣) «أ» غَسْل الشعر بالصابون والماء الخ . «ب» الشامبو : مستحضَر يُستخدم في ذلك .

shamrock [shăm'rŏk] *(n.)* النَّفَل ؛ الشِّنْدَر ؛ الطَّرِيفُلُن (نب) .

shamus [shäm'əs; shā'-] *(n.)* (١) شرطي (ع) (٢) شرطيّ سرّيّ خصوصيّ (ع) .

Shan [shän; shăn] *(n.)* (١) «أ» الشانيّون : مجموعة شعوب مغولانيّة (را. Mongoloid) في جنوب شرقي آسية «ب» الشّانيّ : واحد الشانيين (٢) الشانيّة : لغة الشانيين .

shandrydan [shăn'drĭ dăn] *(n.)* (١) الشَّنْدَرِيان : مركبة ذات دولابين يجرّها جواد واحد (٢) عربة مُخلّعة الأوصال .

shandygaff [shăn'dĭ găf'] *(n.)* الشَّنْديجاف : مُسْكِر قِوامه الجعة ممزوجةً بشراب الزنجبيل .

shanghai [shăng hī'] *(vt.)* (١) يُشَنْغِي : يُسْكِر شخصاً أو يسقيه مخدراً ثم يحمله إلى سفينة يُجبَر على الخدمة فيها كبحّار (٢) يأخذ بالخديعة والإكراه .

—shanghaier *(n.)*

Shangri-la [shăng'grə lä'] *(n.)* (١) اليوتوبيا ؛ المدينة الفاضلة . (٢) مَخبأ أو مُلتَجأ ناءٍ .

shank [shăngk] *(n.)* (١) «أ» ساق . «ب» رِجل . «ج» قطعة من لحم الجزء الأعلى من قائمة الذبيحة الأماميّة (٢) القصبة ؛ الساق : الجزء المستقيم الضيق (وعادةً الأساسيّ) من شيء ما ، مثل : «أ» الجزء المستقيم من مسمار أو دبوس . «ب» ساق النّبتة . «ج» الجزء الواقع بين مقبض المفتاح وسِنّه . «د» ساق البيبة أو الغليون . «هـ» الجزء الضيّق من الحذاء المُوَصِّلُ بين الجزء العريض من النعل وبين كعبه (٣) العِلاقة : جزء من الشيء يُعلَّق أو يُثبَّت بواسطته (٤) الآخر ؛ الجزء الأخير (the ~ of the evening) .

shankpiece [shăngk'pēs] *(n.)* بطانة الساق : سِناد لقوس القدم يُقحَم في ساق الحذاء .

shan't [shănt; shänt] = shall not.

shantey *or* **shanty** [shăn'tĭ] *(n.)* = chantey.

shantung [shăn'tŭng'] *(Chin.)* الشَّنْتُونْغ : ضرب من القماش .

shanty [shăn'tĭ] *(n.)* كوخ .

shantyman [shăn'tĭ mən] *(n.)* ساكن الكوخ .

shantytown [shăn'tĭ toun] *(n.)* مدينة الأكواخ : مدينة (أو جزء منها) مؤلفة في الأعم الأغلب من أكواخ .

shape [shāp] *(n.; vt.; i.)* (١) شكل (٢) هيئة ؛ مظهر (٣) شَبَح . (٤) تجسّد (Her intention took ~ in action.) (٥) نظام ؛ شكل محدَّد (Get your thoughts into ~.) (٦) ضَرْب ؛ نوع (٧) قالب (٨) حالة (affairs in bad ~.) (٩) «أ» شيء ذو شكل معيّن . «ب» قالب من الهلام او الحلوى . الخ . § (١٠) يشكّل ؛ يصور : يعطي الشيءَ شكلاً أو صورةً معيّنة (١١) يصوغ (to ~ a statement) (١٢) يكيّف (This hat is ~*d* to fit your head.) (١٣) يحدّد أو يوجّه (مجرى الحياة الخ.) × (١٤) يتشكّل ؛ يتخذ شكلاً معيناً (١٥) يتقدّم ؛ يتطوّر على نحو يبشّر بالنجاح (Your son is *shaping* satisfactorily.) .

to ~ up (١) يتطوّر أو يتخذ شكلاً معيناً (٢) يظهر نزعةً معيّنة .

to take ~, يتشكّل ؛ يتخذ شكلاً معيناً .

shapeless [shāp'lĭs] *(adj.)* (١) عديم الشكل (٢) مشوّه (٣) بشع .

shapely [shāp'lĭ] *(adj.)* جميل ؛ حسن الشكل .

shapen [shā'pən] *(adj.)* ذو شكل معيّن .

shard [shärd] *(n.)* (١) كِسْرة ؛ قطعة (٢) «أ» قشرة ؛ حَرْشفة . «ب» جُنَيْح غِمْدِيّ (حش) (٣) كِسَر أثرية من آنية فخّاريّة .

share [shâr] *(n.; vt.; i.)* (١) حصة ؛ نصيب (٢) سَهْم ماليّ . (٣) شفرة المحراث (التي يشق الأرضَ بها) § (٤) يحصص ؛ يوزع الحصص (٥) يقاسم ؛ يشاطر (٦) يتقاسم × (٧) يُسْهِم أو يشارك أو يشترك في .

—sharer *(n.)*

on ~*s* على أساس المشاركة في الربح والخسارة .

to go ~*s* يشارك أو يُسْهِم في .

sharecropper [shâr'krŏp'ər] *(n.)* المُحاصِص : مزارعٌ يستغلّ الأرض لمصلحة المالك مقابل جزء من المحصول .

shareholder [shâr'hōl'dər] *(n.)* المساهِم : حامل السَّهم الماليّ .

sharif [shə rēf'] *(Ar.)* الشريف : سليل العِترة النبوية (إس) .

shark [shärk] *(n.; vi.)* (١) القِرش : سمك مفترس بعضه كبير يُخشى شرّه (٢) المحتال ؛ النصّاب (٣) المتفوق تفوقاً عظيماً .

وبخاصة في حقل معيّن §(٤)يحتال على (٥)يعيش بالاحتيال والمكائد.

sharkskin[shärk'skĭn] *(n.)*: (١)جلد القِرش (٢)الشَّرْكِسكين : ضرب من القماش .

sharp[shärp] *(adj.; vt.; adv.; n.)*. (١)«أ» ماضٍ ، قاطع ، صارم . «ب» قارس (٢)«أ» ذكيّ ، حادّ الذهن . «ب» يقظ ، حذِر . «ج» أثير : حريص على مصالحه الخاصة إلى حدّ لاأخلاقيّ (was a ~ trader) (٣) نشيط ، رشيق (٤)«أ» قاسٍ . «ب» لاذع ، جارح (his ~ words) (٥) مُبرِّح (~ pain) (٦) ضارٍ ، عنيف (was a ~ struggle) (٧) شديد ، جامح (~ desires) (٨)«أ» حِرّيف (~ cheese). «ب» حادّ (a ~ turn). «ج» حادّ الطَّرف أو الصوت : ثاقب (٩)واضح، صارخ (~ contrast with modern methods) (١٠)أنيق (a ~ suit) §(١١)يرفع درجة النغم ×(١٢) يغنّي أو يعزف متجاوزاً درجة النغم الصحيحة §(١٣) بحدّة ، بمضاء الخ. (١٤) تماماً (~ 7 o'clock) (١٥)فجأةً (to turn ~ to the right) §(١٦) طَرَف حاد ، حافة حادّة (١٧) إبرة خياطة طويلة حادّة الرأس (١٨) علامة الرفع (مو) (١٩) خبيرٌ حقيقيّ أو مزيّف (٢٠) المحتال ، النصّاب ، وبخاصة : مقامرٌ مخادعٌ .
—**sharpness** *(n.)*

sharp-cut [-'kŭt'] *(adj.)* حادّ ، واضح المعالم (~ lines) .

sharpen [shär'pən] *(vt.; i.)* (١) يجعله حادّاً الخ . مثل : «أ» يشحذ (الموسى) . «ب» يبري (القلم) . «ج» يزيد في شدة الشهية للطعام ×(٢) يصبح حادّاً أو اكثر حدّةً الخ.

sharpener [shärp'ə nər] *(n.)* (١)«أ» الشّاحِذ. «ب» المِسَنّ ، المِشْحذ (٢) مبراة القلم .

sharper[shär'-] *(n.)*. المحتال ، النصّاب ، وبخاصة : المُقامِر المُخادِع .

sharp-eyed [shärp'īd'] *(adj.)* (١)حادّ أو حديد البصر (٢)فَطِن .

sharp-fanged[-'făngd'] *(adj.)* (١) حادّ الأسنان (٢) ساخر .

sharp-freeze [shärp'frēz'] *(vt.)* = quick-freeze.

sharpie *or* **sharpy** [shär'pĭ] *(n.)* (١) الشاربي : مركب شراعي طويل ضيّق (٢) «أ» المحتال الخ. (را . sharper) . «ب» شخصٌ نبيهٌ أو يَقِظ إلى حدّ استثنائي .

sharpie

sharply [shärp'lĭ] *(adv.)* بحدّة ، بمضاء ، برشاقة ، بعنف ، بوضوح الخ.

sharp-nosed [shärp'nōzd'] *(adj.)* (١)ذو أنف مُستدق الطرف (٢)شمّام : شديدُ حاسةِ الشم .

sharp practice *(n.)* احتيال ، تصرّف مشبوه .

sharp-set [shärp'sĕt'] *(adj.)*. (١)مُعَدّ للقطع (كمنشار أو نحوه). (٢)«أ» شديد الجوع . «ب»نحيل الجسم (٣)شديد التّوق أو الرغبة.

sharpshooter [shärp'shōō'tər] *(n.)*. الرامي ، الماهر في الرماية.

sharp-sighted [shärp'sī'tĭd] *(adj.)* = sharp-eyed.

sharp-witted [shärp'wĭt'ĭd] *(adj.)* ذكيّ ، متوقّد الذهن .

shatter [shăt'ər] *(vt.; i.; n.)* (١) يبعثر (ا.ق) (٢)«أ» يكسر ، يحطّم . «ب» يتلف الصحة ، يرهق الأعصاب الخ.×(٣)يتحطّم ، يتكسّر §(٤) كِسْرة (٥)«أ» تحطيم . «ب» تحطّم .

shatterproof [shăt ər prōōf'] *(adj.)* صامدٌ للكَسْر أو التناثر .

shave [shāv] *(vt.; i.; n.)* (١) يَكشُط ، يقشّر ، يَسْحَج . (٢)يَحْلِق (بالموسى) (٣)«أ» يحسم (كمبيالةً) بسعر أعلى من السعر الشرعيّ أو المألوف. «ب» يخفّض ، يقلّل (٤)يدنو من الشيء أو يمسّه مسّاً رفيقاً عابراً ×(٥) يتقدّم أو يشقّ طريقه بصعوبة §(٦) مِكْشَط ، مِسْحَج ، وبخاصة : ماكينة حلاقة كهربائية (٧)قُشارة ، نُجارة (٨) كَشْط ، قشْر ، سَحْج ، حلاقة الخ . (٩) مَسّ رفيق عابر .
a close ~, نجاةٌ بأعجوبة .

shaveling [shāv'lĭng] *(n.)* (١) كاهن (٢) فتىً ، حدَث .

shaver [shā'vər] *(n.)* (١)«أ» فا shave . «ب» الحلاّق ، المزيِّن . (٢) المحتال (ا.ق) (٣) مِكشط ، مِسْحَج ، وبخاصة : مِحلاق كهربائي ، ماكينة حلاقة كهربائيّة (٤) غلام ، حَدَثٌ .

shaves [shăvz] *pl. of* shaft.

shavetail [shāv'tāl'] *(n.)* (١) بغل (٢) ملازم (جن) .

Shavian [shā'vĭ ən] *(n.; adj.)* (١) الشّوانيّ : المُعْجَب ببرناردشو أو بآثاره أو بنظرياته الاجتماعيّة والسياسيّة §(٢) شُوانيّ .

shaving [shā'vĭng] *(n.)* (١) كَشْط ، سَحْج ، حلاقة الخ . (٢) نُجارة ، قُشارة ، رُقاقة (wood ~s) .

shaving brush *(n.)* فرشاة الحلاقة .

shawl [shôl] *(n.; vt.)* (١) شال §(٢) يغطّي بشال .

shawm [shôm] *(n.)* الشَّوْم : آلة موسيقيّة خشبية قديمة .

shay [shā] *(n.)* = chaise.

she[shē] *(pron; n.)* (١) هي §(٢) الأنثى من الحيوان أو من الانسان (*she*-goat; *she*-cousin) .

sheaf [shēf] *(n.)* pl. **sheaves** *(n.; vt.)* (١)حزْمة §(٢)يحزِم.

shear [shĭr] *(vt.; n.)* (١) يقصّ ، يجزّ (٢) يجرِّد من . §(٣) *pl.* عد : مِجزّة ، جَلَم ، مقصّ كبير (٤)إحدى شفرتَي المِجزّ (٥) *pl.* عد: المِرفاع المِقصّيّ (ويدعى أيضاً **shear legs**) (٦) «أ» قصّ ، جزّ . «ب» جِزّة وتستعمل للتعبير عن أعمار الخراف (a sheep of one *shear*= one year old).
—**shearer** *(n.)*
shorn of مجرّدٌ من

shears 5.

shearing force *(n.)* قوة القَصّ ، القوّة القاصّة (مك) .

shearing machine *(n.)* ماكينة القَصّ .

shearing stress *(n.)* إجهاد القَصّ (مك) .

shear steel *(n.)* فولاذ القَصّ .

shearwater [shĭr'wô'tər] *(n.)* جلَم الماء : طائر بحري طويل الجناحين يسفّ في طيرانه حتى ليبدو وكأنه يقصّ الماء .

sheatfish [shēt'-] *(n.)* السِّلَّوْر ، الجِريّ : سمك يشبه الانقليس.

sheath [shēth] *(n.; vt.)* (١)غِمد ، قِراب (٢)غلاف (٣)ثوبٌ نسويّ ضيّق §(٤) يُغمد .

sheathbill [shēth'bĭl] *(n.)* مُغْمَدُ المنقار : طائر بحريّ أبيض.

sheathe [shēth] *(vt.)* (١) يُغمِد (٢) يُغلّف ، يكسو .

sheathing [shē'thĭng] *(n.)* (١) إغماد ، تغليف (٢) غلاف .

sheath knife *(n.)* المُدْية الغمدية : مُدْية ذات غمد .

sheave [shēv] *(n.; vt.)* (١) البكَرة المحزوزة. §(٢) يَحزِم : يجعله حزْمة (٣) يجذف عكسيّاً ، يعمل المجاذيف بطريقة معاكسة .

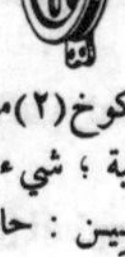

sheave

sheaves [shēvz] *pl. of* sheaf *and* sheave.

shebang[shə băng'] *(n.)* (١) كوخ (٢)مؤسّسة (ع) (٣) مسألة ، قضية ، شيء (tired of the whole ~) .

shebeen [shĭ bēn'] *(n.)* الشّبيين : حانة غير مرخّص بها .

shed [shĕd] *(vt.; i.; n.)* (١) يَنفَصِل ؛ يعتزل ؛ يَفْرُز (ع) . (٢) «أ» يُريق أو يسفك (الدمَ) . «ب» يذرف (الدمعَ) . «ج» يصبّ ؛ يسفح ؛ يُسيل (٣) «أ» يغيّر ريشَه دَوريّاً ؛ يَطْرَح إهابه القديم. «ب» يُسْقِط (بذوراً أو أوراقاً) (٤) يضع أو يؤوي في سَقيفة ×(٥) يتناثر ؛ يتساقط §(٦) الطَّرِيح : كلّ ما يُطرَح دَوريّاً من ريش ونحوه (٧) سَقيفة .

she'd [shēd] = she had; she would.

shedder [shĕd'ər] *(n.)* (١) فا shed (٢) الطارح : السرطان البحري قُبَيل اطّراحه إهابه القديم أو بُعَيدَه (ح) .

sheen [shēn] *(n.; adj.; vi.)* (١) لمعان ؛ بريق (٢) «أ» سطحُ القماشِ اللامع . «ب» ثوبٌ أو قماش لامع §(٣) لامع (ا. ق) (٤) جميل §(٥) يلمع ؛ يبرق .

sheeny [shē'nĭ] *(adj.)* لامع ؛ برّاق .

sheep [shēp] *(n.)* pl. **sheep** (١) خروف ؛ نعجة (٢) الضعيف ؛ الجبان ؛ الخجول ؛ الأبله (٣) جلد الخروف .

sheepberry [shēp'-] *(n.)* توت الضأن : نبات أميركي أو ثمره .

sheepcote [shēp'kōt'] *(n.)* = sheepfold.

sheep-dip [shēp'dĭp] *(n.)* غَسُول الضأن : سائل كيميائي تغطّس فيه الخراف لتطهيرها من الحشرات الطفيليّة .

sheep dog *(n.)* كلب الراعي .

sheepfold [shēp'fōld'] *(n.)* زريبة الغنم ؛ حظيرة الغنم .

sheepherder [shēp'hûr'dər] *(n.)* الراعي ؛ راعي الغنم .

sheepish [shē'pĭsh] *(adj.)* (١) خجول ؛ جبان ؛ أبله (٢) مرتبك .

sheep's eye *(n.)* نظرةٌ خَجَلى تمور بالشوق أو بالغرام .

sheepshank [shēp'shăngk'] *(n.)* (١) عقدة التقصير : عقدة لتقصير حَبْل (٢) شيء تافه أو نحيل أو ضعيف (اسك) .

sheepshead [shēps'hĕd] *(n.)* (١) الأحمق ؛ الأبله (ا.ق) . (٢) الشَّبَّسْهَد : سمك أميركي .

sheepshearer [shēp'shĭr'ər] *(n.)* جزّاز الضأن ؛ جزّاز الخِراف .

sheepshearing [shēp'shĭr'ĭng] *(n.)* جَزّ الغنم أو موسمه أو مهرجان يُقام خلاله .

sheepskin [shēp'skĭn] *(n.)* (١) جلد الغنم أو ثوب مصنوع منه . (٢) شهادة ؛ دبلوم (ع) .

sheep sorrel *(n.)* الحُمّاض (نب) .

sheepwalk [shēp'wôk'] *(n.)* مرعى غنم (بر) .

sheer [shĭr] *(adj.; adv.; vi.; t.; n.)* (١) شفّاف (٢) «أ» ذ ؛ مطلَق ؛ مُطبِق (~ folly) . «ب» صِرْف ؛ مَحْض . «ج» مجرّد (by ~ chance) (٣) عموديّ ؛ شديد التحدّر §(٤) تماماً ؛ كليّة (٥) عمودياً (He fell 350 feet ~.) §(٦) تنحرف (السفينةُ) عن اتجاهها ×(٧) يحرف (السفينةَ) ؛ يجعلها تنحرف §(٨) انحراف الاتجاه (مل) (٩) الانحراف العلويّ الطوْلاني (من وسط السفينة إلى كلّ من طرفيها) .

sheerlegs [shĭr'lĕgz] *(n.)* = shear 5.

sheet [shēt] *(n.; vt.)* (١) «أ» المُلاءة : ما يُفرَش على السرير . «ب» شراع . «ج» حَبْل الشراع (٢) «أ» الفَرْخ : صحيفة من الورق تُطوى لِيَفْقَيْن في حجم محدود . «ب» جريدة ؛ مجلة ؛ نشرة (٣) الصَّفحة : امتداد أو سطح عريض (a ~ of ice or water) (٤) لوحٌ (من زجاج أو معدن) §(٥) يزوِّد بملاءة الخ . (٦) يغطّي ؛ يغشّي (was ~*ed* with ice) .

in ~*s* غير مجلّد (صفة للكتاب المؤلف من ملازم متفرقة معدّة للتجليد) .

Rain came down in ~*s*. هطل المطر بغزارة .

sheet anchor *(n.)* (١) المرساة الكبرى (٢) الملاذ الأخير .

sheet glass *(n.)* الزجاج الصَّفْحِي أو الصُّفيحيّ .

sheeting [shē'tĭng] *(n.)* (١) مص sheet (٢) قماش لأغطية السُّرُر . (٣) الكُسْوَة : غطاء خشبيّ أو معدنيّ (لوقاية سطحٍ ما) .

sheet iron *(n.)* صاج ؛ حديد ألواح ؛ حديد صَفْحِيّ .

sheet lightning *(n.)* بَرْق صَفْحِيّ أو صفيحيّ ؛ برقٌ خُلَّب .

sheet metal *(n.)* لوح معدني .

sheet music *(n.)* الموسيقى الصحائفية : موسيقى مطبوعة على صحائف عريضة غير مجلّدة .

sheikh *or* **sheik** [shēk; shāk] *(Ar.)* (١) الشيخ : شيخ قبيلة (أو حاكم) عربي (٢) ساحر النساء : رجلٌ فاتنٌ للنساء على نحو لا يُقاوَم .

sheikhdom *or* **sheikdom** [shēk'-; shāk'-] *(n.)* المَشْيَخة : منطقة يحكمها شيخ .

shekel [shĕk'əl] *(n.)* (١) الشاقِل : «أ» وزن قديم بابليّ الأصل . «ب» عملة فضية عبرانيّة قديمة (٢) *pl.* : نقود ؛ مال (ع) .

sheldrake [shĕl'drāk'] *(n.)* الشَّهْرَمان : نوع من البطّ .

sheldrake

shelf [shĕlf] *(n.)* (١) «أ» رَفّ . «ب» محتويات رفّ (٢) الرفّ الصخريّ : «أ» طبقة صخرية مسطحة ناتئة . «ب» سلسلة صخور مسطحة قرب سطح الماء .

on the ~, مُهْمَل ؛ موضوع على الرّفّ .

shell [shĕl] *(n.; vt.; i.)* (١) قوقعة ؛ صَدَفة ؛ محارة (٢) قشرة (البيضةِ أو الثَّمرةِ أو البذرة) (٣) الذَّبْل ؛ ترس السلحفاة : ظهر السلحفاة العظمي (٤) غلاف أو غطاء شبيه بالصدفة (٥) هيكل ؛ وبخاصة : هيكل مبنيّ غير مُنْجَز (٦) كأس جعة صغيرة (٧) طبقة صخرية رقيقة (٨) حيوان من الرخويات (٩) قارب سباق خفيف ضيّق (١٠) «أ» قذيفة أو قنبلة مدفع . «ب» ظرف بارود ورقيّ أو معدنيّ §(١١) «أ» يقشّر أو يستخرج من القشرة ونحوها . «ب» ينزع حبّات الذّرة (عن الجزء الخشبيّ من الكوز) (١٢) يضرب بالقنابل ×(١٣) يتساقط قِطَعاً رقيقة (١٤) يجمع الأصداف (على الشاطىء) .

to come out of one's ~, يخرج من قوقعته : يطّرح الحياء أو التحفّظ ؛ يشارك في الحديث الخ.

to retire into one's ~, ينكمش في قوقعته : يغلب عليه الحياء والتحفّظ ؛ يرفض المشاركة في الحديث الخ.

to ~ out يدفع (مالاً) .

she'll [shēl] = she will; she shall.

shellac [shə lăk'] *(n.; vt.)* (١) اللّكّ المُصفّى (٢) الشيلاك : محلول اللّكّ (را. lac) في الكحول §(٣) يكسو أو يعالج باللّكّ (٤) يهزمه هزيمة حاسمةً أو مُذِلّة .

shellback [shĕl'băk'] *(n.)* ملاّح عريق أو محنّك .

shell bean *(n.)* الشَّلْبين : ضربٌ من اللوبياء (نب) .

shellfire [shĕl'fīr] *(n.)* الرمي بالقذائف أو القنابل .

shellfish [shĕl'fĭsh] *(n.)* المَحار : حيوان صَدَفيّ مائيّ .

shell jacket *(n.)* سِترة قصيرة ضيقة .

shellproof [shĕl'-] *(adj.)* صامدٌ للقنابل : لا تقوى القنابل على اختراقه .

shell shock *(n.)* صدمة القذائف : اضطراب عصبيّ أو عقليّ يتميّز بفقدان الذاكرة أو الكلام أو البصر ويظهر عند بعض الجنود الخائضين غمار الحرب الحديثة .

shelly [shĕl'ĭ] *(adj.)* (١) صَدَفيّ (٢) كثير الأصداف .

shelter [shĕl'tər] *(n.; vt.; i.)* (١) وِقاء؛ سِتْر؛ مَفْزَع؛ مُلتجأ؛ حِمىً (٢) وقاية؛ حماية §(٣) يقي؛ يستر (٤) يزود بوقاء أو ستر (٥) يحمي؛ (شخصاً) ×(٦) يستظل او يحتمي بـ ؛ يلجأ الى .

shelterbelt [shĕl'tər bĕlt] *(n.)* الحِزام الأخضر : حاجز من أشجار وشجيرات يحمي التربة أو الزرع من الرياح والتعرية .

shelterless [shĕl'tər-] *(adj.)* بلا حمى ؛ بلا سِتر ؛ بلا وقاية .

shelter tent *(n.)* الخيمةُ الملجأ : خيمة صغيرة تتألف من قطعتي قماشٍ صامِدتين للماء تُزرَّر إحداهما إلى الأخرى عند نَصْبها.

shelve [shĕlv] *(vt.; i.)* (١) يرفّف : يزود برفوف (٢) يضع على رفّ (٣) «أ» يصرف من الخدمة. «ب» يُهْمِل ؛ «يضع على الرفّ» (~*d* the question) ×(٤) ينحدر .

shelves [shĕlvz] *pl. of* shelf.

shelving [shĕl'vĭng] *(n.)* (١) الترفيف : التزويد برفوف . (٢) «أ» وضعُ شيء على رفّ . «ب» إهمالٌ أو «وضعٌ على الرفّ» (the ~ of a claim) (٣) موادّ تصنع منها الرفوف (٤) رفوف (٥) تحدّر ؛ درجة التحدّر (٦) منحدر .

shelvy [shĕl'vĭ] *(adj.)* منحدِر ؛ متحدر ؛ مائل .

Shemite [shĕm'īt] *(n.)* الساميّ : واحد الساميّين .

Shemitic [shə mĭt'-]; **Shemitish** [shĕm'īt-] *(adj.)* ساميّ .

shenanigan [shə năn'ə gən] *(n.)* (١) خدعة (٢) خداع .

shend [shĕnd] *(vt.)* (١) يؤذي ؛ يُفسِد (ع) (٢) يخرّب (ع) .

Sheol [shē'ōl] *(n.)* (١) عالَم الموتى (٢) الجحيم .

shepherd [shĕp'ərd] *(n.; vt.)* (١) الراعي (٢) الكاهن ؛ راعي الكنيسة §(٣) يرعى القطيع أو الرعيّة الخ .

shepherd dog *(n.)* كلب الراعي .

shepherdess [shĕp'ər dĭs] *(n.)* (١) راعية الغنم (٢) فتاة ريفية .

shepherd's purse *(n.)* كيس الراعي : عشبٌ أبيض الزهر (نب) .

sherbet [shûr'bət] *(Ar.)* الشَّرْبات : عصير فاكهة مُثلّج .

sherd [shûrd] = shard.

sherif [shĕ rēf'] *(Ar.)* = sharif.

sheriff [shĕr'ĭf] *(n.)* الشريف : عُمدة البلدة .

sherlock [shûr'lŏk] *(n. often cap.)* شرطيّ سري ؛ بوليس سري .

sherry [shĕr'ĭ] *(n.)* الشَّري : خمر أسبانية الأصل .

she's [shēz] = she is; she has.

Shetland pony [shĕt'lənd] *(n.)* فَرَس شِتْلاند القَزَم .

shewbread [shō'brĕd'] *(n.)* خبز التقدِمة (عند اليهود) .

Shia [shē'ə] *(n.; adj.)* (١) *pl.* : الشيعة (اس) §(٢) شيعي .

shiatsu *(n.)* الشّيياتسو: طريقة يابانية لمعالجة الأمراض بالتدليك.

shied [shīd] *past and past part. of* shy.

shield [shēld] *(n.; vt.)* (١) تُرْس ؛ مِجَنّ (٢) وقاء ؛ ميدْرأ ؛ حائل (٣) حجابٌ واقٍ ؛ وبخاصة : حاجب الريح : الحاجب الزجاجيّ القائم أمام مقعد سائق السيارة §(٤) يقي بترس (٥) يستر ؛ يحجب عن الأنظار .

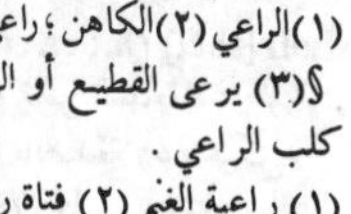

shields 1.

shield law *(n.)* قانون يحمي الصحافيين من أية محاولة لإكراههم على الكشف عن مصادر أخبارهم السرّية .

shieling [shē'lĭn; -'lĭng] *(n.)* الشيلين : «أ» كوخ جبليّ للرعاة. «ب» مرعى صيفيّ في الجبال (بر) .

shift [shĭft] *(vt.; i.; n.)* (١) يغيّر ؛ يبدّل (to ~ the scenery) (٢) يحوّل أو ينقل من مكان (أو شخص) إلى آخر (to ~ the blame) ×(٣) «أ» ينتقل . «ب» يغيّر اتجاهه . «ج» يغيّر وضعَ ناقل الحركة (أثناء قيادة السيّارة) (٤) «أ» يتدبّر أمره بنفسه ؛ يسعى جاهداً لكسب الرزق أو لعمل شيء من غير مساعدة (When her parents died, Jane had to ~ for herself.) «ب» يتحايل ؛ يلجأ إلى الحيلة أو المراوغة أو الطرق الملتوية (٥) «أ» يتغيّر . «ب» يغيّر ملابسه §(٦) «أ» وسيلة. «ب» حيلة، مكيدة (٧) «أ» تغييرُ ملابس. «ب» قميص (ع) . «ج» قميص نسوي تحتانيّ (ع) (٨) تغيّر في الاتجاه (٩) «أ» فريق مناوبة. «ب» مناوبة (١٠) تغيّر (في موضع شيء) . **—shifter** *(n.)*

to make ~ (١) يتدبّر أمره ؛ يكسب رزقه جاهداً من غير مساعدة (٢) يبذل قصارى جهده .

to ~ off (١) يتخلص من (٢) يرجىء ؛ يؤجل .

to ~ one's ground يتّخذ موقعاً جديداً ؛ يتأتّى للموضوع بطريقة جديدة (أثناء المناقشة) ؛ يجرب خطّةً جديدة .

shiftiness [shĭf'-] *(n.)* (١) دهاء ؛ سعة حيلة (٢) خداع ؛ مراوغة.

shiftless [shĭft'-] *(adj.)* (١) عديم الحيلة أو التدبير (٢) كسول.

shifty [shĭf'tĭ] *(adj.)* (١) داهية ؛ واسع الحيلة (٢) مخادع ؛ مراوغ .

Shiism [shē'iz əm] *(n.)* مذهب الشيعة (اس) .

Shiite [shē'īt] *(Ar.)* الشيعي : واحدُ الشيعة (اس) .

shikar [shĭ kär'] *(n.; vt.; i.)* (١) صَيْد ؛ قَنَص §(٢) يصيد .

shikari [shĭ kä'rē] *(Hin.)* صيّاد أو دليل محترف .

shill [shĭl] *(n.)* الشريك الطُّعْم ؛ الشريك الشَّرَك : شريك للمقامر أو للبائع المتجوّل ، وبخاصة : من يستهل الشراء الخ. تشجيعاً للآخرين.

shillelagh *also* **shillalah** [shə lā'lə; -lĭ] *(n.)* هراوة .

shilling [shĭl'ĭng] *(n.)* الشلِن : $\frac{1}{20}$ من الجنيه الاسترليني .

shilly-shally [shĭl'ĭ shăl'ĭ] *(vi.; n.; adj.; adv.)* (١) يتردّد . (٢) يُضيع الوقت سدى §(٣) تردّد §(٤) متردّد §(٥) بتردّد .

shim [shĭm] *(n.; vt.)* (١) الرِفادة : قطعة رقيقة من معدن أو خشب تُتَّخَذ للحَشْو أو التسوية §(٢) يرفد ؛ يحشو ؛ يسوّي .

shimmer [shĭm'ər] *(vi.; t.; n.)* (١) يومض ؛ يضيء بوهن . ×(٢) يجعله يومض §(٣) وميض . **—shimmery** *(adj.)*

shimmy [shĭm'ĭ] *(n.; vi.)* (١) قميص (ع) (٢) الشيميّة : رقصة أميركيّة من رقصات الجاز تتميّز بهزّ الأوراك أو الأكتاف (٣) تذبذبٌ غير سويّ وبخاصة في دولابَي السيارة الأماميّين §(٤) يرقص الشيميّة (٥) يهتزّ أو يرتعد وكأنّه يرقص الشيميّة (٦) يتذبذب على نحو غير سَوِيّ .

shin [shĭn] *(n.; vi.; t.)* (١) القَصَبة ؛ مقدَّم الساق (٢) الظُّنْبوب : عَظْم الساق الأكبر وبخاصة حافته الحادّة أو جزؤه الأمامي (ت) §(٣) يعترش : يتسلّق شجرة (أو صارياً الخ.) بأن يطوقها بذراعيه وساقيه ×(٤) يرفس على مقدَّم الساق.

shinbone [shĭn'bōn'] *(n.)* الظُّنْبوب : عظم الساق الأكبر (ت).

shindig [shĭn'dĭg] *(n.)* (١) حفلة راقصة الخ. (٢) شِجار ؛ هياج.

shindy [shĭn'dĭ] *(n.)* = shindig.

shine [shīn] *(vi.; t.; n.)* (١) يضيء (٢) يتألّق (٣) يلمع ؛ يبرز (في المجتمع الخ.) (٤) يتّضح ×(٥) يجعله مضيئاً (٦) يلمّع ؛ يصقل (الأحذية الخ.) §(٧) ضياء ؛ تألّق ؛ لمعان (٨) صحو ؛ طقس جميل (٩) *pl.* عد : حيلة ؛ مزحة

(١٠) ولَع ؛ ميْل (١١) اجتماع صاحب يعوزه النظام . (١٢)«أ»لمعة الحذاء(بعد صقله). «ب» تلميع الحذاء (١٣) زنجي.

rain or ~, سواءٌ أكان الجو ماطراً أم صحواً .

to ~ up to يتقرَّب إليه (محاولاً كَسْب ودِّه أو صداقتِه) .

to take a ~ to يحبّ أو يُولَع بـِ (ع) .

shiner [shī'nər] *(n.)* (١)شيء براق (كنجم أو ماسة او قطعة نقدية) . (٢)سمكة فضيّة (٣) كَدْمَة حول العين (من أثر لكمة).

shingle [shĭng'gəl] *(n.; vt.)* (١) لوح خشبيّ الخ. صغير تُكْسَى به السقوف على نحوٍ متراكب أو متداخل (٢) لوحة أو لافتة صغيرة (٣) قَصَّة شَعْر نسوية قصيرة (٤) حصى ؛ حصباء (٥) موضعٌ كثير الحصى §(٦) يكسو (سقفاً) بألواح خشبية الخ. (٧) يقصّ الشعر قصّاً قصيراً (٨) يُراكِب ؛ يُداخل : يضع أو يصفّ على نحو متراكب أو متداخل (٩) يطرّق الحديدَ أو يضغطه (لإزالة الشوائب منه) .

—shingler *(n.)*

shingles [-'gəlz] *(n.)* داءُ المَنْطِقَة ؛ القُوباء المَنْطِقِيّة (مض) .

shingly [shĭng'glĭ] *(adj.)* حَصِب : كثير الحَصْباء أو الحصى .

shining [shī'nĭng] *(adj.)* (١) مضيء ؛ مشرق (٢) متألّق (٣) لامع ؛ شهير (٤) صَحْو ، لا غيمَ فيه .

shinleaf [shĭn'lēf'] *(n.)* pl. **-leaves** البيرولة : عشب أميركيّ .

shinny *also* **shinney** [shĭn'ĭ] *(n.)* (١) الشِّنِّي: ضرب من لعبة الهوكي (٢) مِضرب الشِّنِّي أو عصاه .

shinny [shĭn'ĭ] *(vi.)* يعترش : يتسلق شجرة بأن يطوقها بذراعيه وساقيه .

shinplaster [shĭn'plăs'tər] *(n.)* (١) عملة ورقيّة متدهورة القيمة (لعدم استنادها إلى غطاء كافٍ) (٢) عملة صغيرة (٣) لَصُوق (لزقة) للرِّجل أو مقدَّم الساق .

Shinto [shĭn'tō] *(n.; adj.)* (١) الشِّنْتُو : ديانة اليابان الأهلية القائمة في المحلّ الأول على تقديس أرواح الأبطال والأباطرة والقوى الطبيعيّة §(٢) شِنْتُوِيّ .

shiny [shī'nĭ] *(adj.)* (١) «أ» صَحْوٌ ؛ صافٍ . «ب» مشرق ؛ مُفْعَمٌ بالضياء (٢) لامع ؛ صقيل (٣) لمّاع نتيجةً للبِلى وذهاب زِئْبِر القماش (a ~ coat) (٤) لا أثر فيه لمساحيق التجميل .

ship [shĭp] *(n.; vt.; i.)* (١) «أ» سفينة كبيرة . «ب» مركب شراعي (٢) زورق بخاري أو شراعي (٣) نوتية المركب (٤)حظ سعيد (٥)طائرة §(٦)يشحن (في سفينة) (٧) يُغْمَر باطِنُ المركب بالمياه المتكسّرة على جوانبه (~ *ped* a good amount of water) (٨)يتعاقد معه للعمل في مركب (~ *ped* a new crew) (٩) «أ» يُبْعِد أو يتخلّص من . «ب» يُرْسِل (~ *ped* off young men to the colonies) ×(١٠) يمتطي متنَ المركب (١١) يسافر على متن مركب (١٢) يعمل أو يخدم في مركب (Salim ~ *ped* as cook.)

to ~ oars يخرج المجاذيف من الماء ويدخلها إلى المركب.

when one's ~ comes home *or* in عندما يصبح غنياً .

-ship لاحقة معناها : «أ» حالة (kin*ship*) . «ب» عمل ؛ منصب (chancellor*ship*) . «ج» مرتبة ؛ مقام (lord*ship*) . «د» فن ؛ براعة (penman*ship*) .

ship biscuit; ship bread *(n.)* = hardtack.

shipboard [shĭp'bōrd'] *(n.)* السفينة أو متنها أو داخلها .

ship canal *(n.)* القناة الملاحيّة : قناة صالحة لعبور السفن الكبيرة .

ship chandler *(n.)* المتّجر بلوازم السفن .

ship fever *(n.)* حمّى التيفوس .

shipman [shĭp'-] *(n.)* (١) بحّار ؛ ملاّح (٢)رُبّان السفينة .

shipmaster [shĭp'măs'tər] *(n.)* رُبّان السفينة ؛ قبطان السفينة .

shipmate [shĭp'māt'] *(n.)* زميل النوتيّ أو الملاّح .

shipment [shĭp'mənt] *(n.)* (١)الشَّحْن بالسّفُن (٢)الشَّحْنَة : السِّلَع المشحونة بالسفن .

ship money *(n.)* ضريبة السفن : ضريبة تُفرض في أيام الحرب على المرافىء وغيرها لتعزيز الاسطول الوطني .

ship of the line سفينة قتال كبيرة .

shippable [shĭp'ə bəl] *(adj.)* قابلٌ للشحن (بالسفن) .

shipper [shĭp'ər] *(n.)* الشاحن (بأية طريقة من طرائق الشحن) .

shipping [shĭp'ĭng] *(n.)* (١) السفُن جملةً أو مجموع حمولتها. (٢)«أ» شحنٌ بالسفن . «ب» صناعة الشحن بالسفن .

shipping articles *(n. pl.)* عقدُ الخدمة (بين رُبّان السفينة و بحارتها) .

shipping clerk *(n.)* موظف الشحن : موظف في محلّ تجاري مكلّف بشحنِ السِّلَع الخ.

shipping room *(n.)* حجرة الشحن : حجرةٌ بمصنع تُشحَن منها السلع .

shipshape [shĭp'shāp'] *(adj.; adv.)* (١)مرتّب ؛ حَسَنُ النظام. §(٢) بترتيب ؛ بنظام حسَن .

ship's papers *(n. pl.)* أوراق السفينة ، وثائق السفينة .

shipway [shĭp'wā'] *(n.)* (١) مسْنَد بناء السفن أو إنزالها . (٢) ship canal .

shipworm [shĭp'wûrm'] *(n.)* دودة السفن : حيوان رِخْوِيّ يتّخذ مسكنه في الخشب المغمور بالماء ويصيب بأذاه السفن الخشبية الخ.

shipwreck [shĭp'rĕk'] *(n.; vt.)* (١)«أ» سفينة غارقة . «ب» حطام السفينة (٢) غرَق السفينة (٣) تحطّم ، ضياع ؛ خَيبة §(٤) يُغْرِق سفينة (٥) يحطّم الخ .

shipwright [shĭp'rīt] *(n.)* نجّار السفن (يبنيها أو يرمّمها) .

shipyard [shĭp'-] *(n.)* المَسْفَن : موضع تُبْنَى فيه السفن أو تُرَمَّم .

shire [shīr] *(n.)* (١) مقاطعة ؛ قضاء ؛ ناحية (في التقسيم الاداري) (٢) حصان انكليزي (من خيول الجرّ) .

shire town *(n.)* حاضرة المقاطعة أو القضاء أو الناحية .

shirk [shûrk] *(vi.; t.; n.)* (١) يتهرّب (من عمل أو واجب) . (٢) يتجنّب (خطراً الخ.) §(٣)المتهرب الخ.

—shirker *(n.)*

shirr [shûr] *(n.; vt.)* (١) تَدْرِيز §(٢) يُدرِّز (القماش) . (٣) يقلي البيض .

shirt [shûrt] *(n.)* (١) قميص (٢) قميص تحتاني .

to keep one's ~ on يحتفظ بهدوء أعصابه .

to lose one's ~, يفقد كلّ ما يملك .

to put one's ~ on يراهن بكل ما معه (على فرس الخ.)

shirting [shûr'tĭng] *(n.)* قماش القمصان : قماشٌ صالحٌ للقمصان .

shirtmaker [shûrt'mā'kər] *(n.)* (١) خياط قمصان (٢) بلوزة أو ثوبٌ نِسويّ (يتميزان بمحاكاة قميص الرّجل) .

shirtwaist [shûrt'wāst] *(n.)* بلوزة نِسْوِية (شبيهة بقميص الرجل) .

shish kebab [shĭsh'kə bäb'] *(Turk.)* كَبَاب ؛ لحم مشويّ .

shittah [shĭt'ə] *(n.)* السَّنْط ؛ الأقاقيا (شجر) .

shittimwood *also* **shittim** [shĭt'-] *(n.)* خشب السَّنْط .

Shiva [shē'və] *(n.)* شيفا: إلٰه هندوسي يُعرَف بـِ « المُدمّر » .

shivaree [shĭv'ə rē'] *(n.; vt.)* (١) السِّرِيناد الزائف : سِرِيناد (را. serenade) زائفٌ صاخب يُعزَف بآنية المطبخ لعروسين §(٢) يعزف سريناداً زائفاً .

shiver [shĭv'ər] *(n.; vi.; t.)* (١) شَظِيّة (٢) رَجْفَة ؛ رَعْشَة §(٣) يتشظّى ؛ يتحطّم (٤) يرتجف ؛ يرتعش

×(٥) يشظّي ؛ يحطّم (٦) يجعل (الشراعَ) يرتجف .

shivery [shĭv'ə rĭ] *(adj.)* (١) قَصِف ؛ هَشّ ؛ قَصِم
(٢) مرتجف ؛ مرتعش (٣) شديد التأثّر، إلى حدّ الارتجاف، بالبرد (٤) مرجف ؛ مسبّب للارتجاف .

shoal [shōl] *(adj.; n.; vi.; t.)* (١) ضَحْل ؛ ضَحْضاح . §(٢) مياه ضَحْلة (٣) فوج ؛ قطيع (من السمك الخ.) (٤) *pl.* : مَخاطر محجوبة §(٥) يتضحّل : يصبح ضَحْلاً (٦) يحتشد ×(٧) يبلغ المياه الضَّحْلة أو الجزء الضَّحْل من (٨) يضحِّل : يجعله ضَحْلاً .

shoat [shōt] *(n.)* خِنّوص في سنته الأولى .

shock [shŏk] *(n.; adj.; vt.; i.)* (١) كَومة ؛ كُدْس (من حِزَم الحنطة الخ.) (٢) اصطدام (في قتال) (٣) رجّة ؛ هزّة (٤) صدمة (٥) «أ» صدمة عصبيّة . «ب» صدمة كهربائية (٦) السَّكْتة ؛ السكتة الدماغية (مض) (٧) الانسداد التاجي (مض) (٨) كتلة كثّة (من الشَّعر الخ.) §(٩) كثّ ؛ أشعث §(١٠) يكوّم أو يكدّس (حِزَم القمح) (١١) يَصدم ؛ يُوقع في نفسه الذعر أو الاشمئزاز (١٢) يصيبه بصدمة جسديّة أو عصبيّة أو كهربائيّة ×(١٣) يتصادم .

shock absorber *(n.)* ممتصّ الصدمات (في سيارة الخ.) .

shocker [shŏk'ər] *(n.)* شيء مروِّع ؛ وبخاصة : رواية أو مسرحية مثيرة .

shocking [shŏk'ĭng] *(adj.)* (١) فظيع ؛ مروِّع ؛ مثير للاشمئزاز (٢) رديء جداً (her ~ manners) .

shock tactics *(n.)* تكتيك المصادمة (جن) .

shock therapy *(n.)* المعالجة بالصدمات (الكهربائية وغيرها) .

shock troops *(n. pl.)* جُنْدُ الصِّدام أو المصادمة .

shod [shŏd] *past and past part. of* shoe.

shod [shŏd] *(adj.)* (١) منتعل ؛ ذو نعل (٢) ذو عجلات أو دواليب (٣) مُنْعَل ؛ مُزَوَّد بنعل أو حَدْوة الخ.

shoddy [shŏd'ĭ] *(n.; adj.)* (١) صوف أو نسيج صوفيّ رديء (يُتَّخَذ من خيوط الأقمشة والبُسط القديمة) (٢) نفايات أو أشياء زائفة أو رديئة النوع (٣) «أ» مدّعي التفوّق الخ. «ب» ادّعاء ؛ تفاخر §(٤) مصنوع من مواد رديئة (cloth ~) (٥) رديء النوع ؛ مصنوع على عجل (٦) زائف (aristocracy ~) .

shoe [shōō] *(n.; vt.)* (١) «أ» حذاء . «ب» حدوة الفَرَس . (٢) «أ» الغلاف الخارجيّ لدولاب السيّارة ؛ وتوسّعاً : دولاب سيارة (٣) «أ» العائق أو الضابط لحركة شيء . «ب» نعل أو كعب العصا المعدني . «ج» حِذاء المكبح : جزء من المِكْبَح ضاغِطٌ على الدولاب §(٤) «أ» يُنْعِل . «ب» «يُبَيْطِر» فَرَساً (٥) يكسو على سبيل الوقاية أو التقوية أو التزيين .

another pair of ~s مسألة مختلفة تماماً .

dead man's ~s إرث ؛ مركز شاغر بالموت .

to be in another man's ~s يحلّ محلّه أو يكون في مثل حالته أو وَرْطته .

to die in one's ~s يموت مقتولاً ؛ وبخاصة : يُشْنَق .

to know where the ~ pinches يعرف أين تكمن العلّة أو المشكلة الحقيقية .

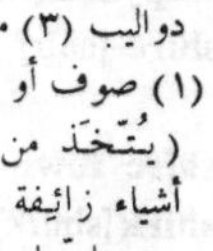

shoebill

shoebill [shōō'bĭl] *(n.)* أبو مركوب : طائر من طيور الماء .

shoeblack [shōō'blăk'] *(n.)* ماسِح أحذية .

shoehorn [shōō'hôrn'] *(n.; vt.)* (١) قَرْنٌ (لتسهيل لُبْس الأحذية) §(٢) يُقْحِم في حيِّز ضيِّق أو غير متسع : يَحْشُر .

shoelace [shōō'lās'] *(n.)* رباط الحذاء ؛ شريط الحذاء .

shoemaker [shōō'-] *(n.)* الحذّاء : صانع الأحذية أو مُصْلِحها .

shoepac *or* **shoepack** [shōō'păk] *(n.)* الشُّوبَك : حذاء صامدٌ للماء ينتعل في فصل الشتاء .

shoer [shōō'ər] *(n.)* = horseshoer.

shoestring [shōō'-] *(n.)* (١) شريط الحذاء (٢) مبلغ صغير أو رأس مال غير كاف (Kamal started business on a ~.) .

shoetree [shōō'trē'] *(n.)* قالب الأحذية : قالب يُقحم في الحذاء بعد خلعه لكي يحتفظ بأناقة شكله .

shone [shōn] *past and past part. of* shine.

shoo [shōō] *(interj.; vt.)* (١) هُتاف لترويع الطائر §(٢) يروِّع ؛ يطرد .

shoo-in [shōō'ĭn] *(n.)* مرشّح (أو متبارٍ) مضمون الفوز .

shook [shŏŏk] *past of* shake.

shook [shŏŏk] *(n.)* (١) مجموعة أضلاع خشبية كافية لتركيب برميل الخ. (٢) أجزاء صندوق (أو قطعة اثاث) جاهزة للتركيب (٣) كومة أو كُدْس (من حِزم الحنطة) .

shoon [shōōn] *pl. of* shoe.

shoot [shōōt] *(vt.; i.; n.)* (١) «أ» يُطلِق (سهماً أو ناراً من بندقية الخ.) . «ب» يصوّب (نظرة) . «ج» يقذف الكرة نحو الهدف . «د» يصيب (الهدف) . «هـ» يلعب (shot a round of golf) (٢) «أ» يجرح أو يقتل (بالرصاص الخ.) . «ب» يُعدِم رمياً بالرصاص . «ج» يصطاد (٣) يدير لسانَ القُفل (بحيث يُدْخله في النقر المُعَدّ لتثبيته أو يخرجه منه) (٤) «أ» يطرح بقوّة أو فجأةً . «ب» يفرغ . «ج» يُنفِق بإسراف ؛ يستنفِد . «د» يلقي النَّرد (٥) «أ» يُخْرِج ؛ يُبْرِز ؛ يُطلع (The snake *shot* its tongue out.) . «ب» يُطْلِع (النباتُ) براعم أو أغصاناً جديدة (٦) «أ» يُمطِره (بالأسئلة الخ.) . «ب» يرسل (نوراً أو لهباً) بسرعة أو فجأةً (٧) «أ» يُجْري (المركبَ الخ.) فجأةً أو بسرعة . «ب» يرسل أو ينقل بعجلة أو سرعة (٨) يصور (فوتوغرافياً) (٩) يحقن أو يلقّح (بحُقْنَة) ×(١٠) ينطلق بسرعة (١١) ينبثق ؛ ينبجس ؛ ينبعث (١٢) يرتفع فجأةً (Prices have *shot* up.) (١٣) يَبْلُغ مدى رَمْيِه كذا (a gun that ~s many miles) (١٤) يَنتأ ؛ يمتدّ (a cape ~*ing* out into the sea) (١٥) «أ» ينمو ؛ يتطوّر ؛ ينضج . «ب» يصبح طويل القامة (Jalal is ~*ing* up fast.) (١٦) يقذف (الكرةَ) نحو الهدف (١٧) ينزلق (لسانُ القفل) في النقر المثبّت له (١٨) يَخِزُ (الألمُ) (١٩) يصور مشهداً (وبخاصة للسينما) §(٢٠) «أ» إطلاعُ النبات براعمَ أو فروعاً جديدة . «ب» برعم أو فرع جديد (٢١) «أ» إطلاق السهم أو النار (من بندقية الخ.) . «ب» طلقة . «ج» رحلة صيد . «د» حقّ الصيد في بقعة معيّنة . «هـ» البقعة نفسها . «و» مباراة في الرماية . «ز» تصوير (بالكاميرا) . «ح» إطلاق لصاروخ أو لقذيفة موجّهة وبخاصة على سبيل التجريب (٢٢) «أ» اندفاع أو تقدّم سريع أو مفاجىء . «ب» وَخْزَةُ ألم . «ج» شعاع (٢٣) «أ» منحدرٌ مائي . «ب» قناة أو أنبوب أو منحدر (لإنزال الماء أو الفحم أو البراميل أو الأخشاب إلى مكان منخفض) .

to ~ at *or* for يهدف إلى ؛ يكافح من أجل .

to ~ away (١) يواصل إطلاق النّار (٢) يتخلّص من ذخيرته كلها بإطلاقها من بندقية الخ.

to ~ a line يتبجّح ؛ يتفاخر .

to ~ one's bolt يبذل قصارى جهده .

ă at; ā date; â care; ä car; ĕ egg; ē me; ĭ in; ī bite; ŏ lot; ō bone; ô orphan; oi boil; ŏŏ good; ōō boot; ou out; ŭ under; ū unity; û urgent; th thing; th this; zh vision; ə = *a* in alone, *e* in system, *i* in easily, *o* in gallop, *u* in circus.

to ~ up يروِّع مدينةً الخ. (بأن يعيث فيها فساداً أو يتنقّل في أرجائها مطلقاً النارَ على البيوت من غير تمييز).

shooter [shōō'tər] *(n.)* (١) فا shoot (٢) بندقيّة ؛ مسدّس الخ.

shooting gallery *(n.)* رواق الرمي (للتمرّن على إصابة الهدف).

shooting iron *(n.)* بندقية ؛ مسدّس ؛ سلاح ناري (عا).

shooting star *(n.)* (١) شِهاب ؛ نَيْزَك (فل) (٢) الشّهاب : عشب أميركيّ ذو أوراقٍ مستطيلة وزهرات وردية أو بيضاء.

shooting war *(n.)* الحرب الحامية : حرب يتبادَل فيها إطلاق النار (بخلاف الحرب الباردة أو حرب الأعصاب).

shop [shŏp] *(n.; vi.)* (١) متْجَر ؛ حانوت ؛ دكّان. (٢) أو **shoppe** : شعبة من محل تجاريّ كبير (يباع فيها نوع من السِّلَع معيّن) (٣) مصنع ؛ ورشة (٤) «أ» مختبر مدرسي مجهَّز بأسباب تعليم الفنون الحِرَفِيّة. «ب» فن استخدام الادوات او الآلات (٥) مؤسّسة تجاريّة ؛ وبخاصة : مكتب §(٦) يتسوّق ؛ يتبضّع.
all over the ~, مُبَعْثَر ؛ منتشر بغير نظام (٢) في كل اتجاه.
to shut up ~, يكفّ عن القيام بعمل (تجاريّ أو غيره).
to talk ~, يتحدّث عن تجارته أو مهنته أو عمله.

shopgirl [shŏp'-] *(n.)* فتاة المَتْجَر : فتاة تعمل في مَتْجَر.

shopkeeper [shŏp'kē'pər] *(n.)* صاحب المَتْجَر أو الحانوت.

shoplifter [shŏp'lĭf'tər] *(n.)* سارق المعروضات : من يسرق السِّلَع المعروضة في متجَر (متظاهراً بالرغبة في الشراء).

shopper *(n.)* المتسوِّق ؛ المتبضِّع : «أ» مَن يتردَّد على المتاجر للشراء.

shopping-bag lady *(n.)* المُتَسَكِّعة ؛ المُتَشَرِّدة.

shop steward *(n.)* ممثّل نقابة عماليّة في مصنع أو مؤسسة.

shopwalker [shŏp'wô'kər] *(n.)* = floorwalker.

shopwindow [shŏp'wĭn'dō] *(n.)* واجهة العَرْض (في مَتْجَر).

shopworn [shŏp'wōrn'] *(adj.)* ناصل اللون أو متّسخ (لطول بقائه في متجر أو لكثرة تقليب أيدي الزبائن له).

shore [shōr] *(n.; vt.)* (١) شاطىء (٢) دِعْمَة ؛ دِعام : وبخاصة : سِناد يدعم . على نحو مائلٍ أو موروب . جانبَ جدار أو سفينة في حوض للسفن §(٣) يُدَعِّم (بدِعْمَة) (٤) يدْعم.

shores 2.

shorebird [shōr'bûrd] *(n.)* طائر الشواطىء (طا).

shore dinner *(n.)* الغداء أو العشاء البحري : غداء أو عشاء مؤلّف في الدرجة الاولى من أسماك بحريّة.

shore patrol *(n.)* البوليس الحربي التابع لأسطول.

shoring [shōr'-] *(n.)* (١) تدعيم بِدِعَم (را shore) (٢) دِعَم.

shorn [shōrn] *past part. of* shear.

short [shôrt] *(adj.; adv.; n.; vt.)* (١) «أ» قصير. «ب» منخفض. (٢) «أ» هزيل ؛ غير كافٍ (~ supply). «ب» مقصِّر عن الهدف (a ~ missile). «ج» ناقص (~ weights and measures) (٣) «أ» غير متمتّع بالقَدْر الكافي من ؛ يعوزه كذا (~ of food). «ب» ضعيف بالفطرة (~ on brains) (٤) جافٍ ؛ فظّ ؛ جارح (She was so ~ with him that he felt hurt.) (٥) قصير الأجَل : مستحقّ الدفع في وقت مبكّر (a ~ bill) (٦) قصِم ؛ قصِف ؛ هشّ (٧) موجَز ؛ مختَصَر (٨) «أ» غير مالك للسلعة عند عقد الصفقة (على أمل تسليمها في ما بعد عندما تهبط الأسعار). «ب» متعلق بهذا النوع من البيع (~ sale) (٩) أقلّ ؛ دون (little ~ of the best) (١٠) صغير (a ~ drink) §(١١) بجفاء ؛ باقتضاب جافٍ (١٢) باختصار (١٣) على نحوٍ يحول بينه وبين القيام بعمل ما (took him up ~ before he could continue) (١٤) فجأةً (to stop ~) (١٥) دونَ الهدف أو على نقطة ما منه (to stop ~ of actual crime) (١٦) من غير أن يكون مالكاً إياها عند عقد الصفقة (to sell stocks ~) §(١٧) «أ» شيء قصير أو ناقص. «ب» طلقة مقصِّرة عن بلوغ الهدف (١٨) *pl.* : «أ» الشورت : بنطلون قصير. «ب» سروال تحتيّ قصير (١٩) *pl.* : «أ» سندات قصيرة الاجل. «ب» نقائص (٢٠) نُفاية (٢١) البائع سلعاً لا يملكها عند عقد الصفقة §(٢٢) يغشّ.
for ~, رغبةً في الاختصار.
in ~, وبالاختصار.

shortage [shôr'tĭj] *(n.)* عَجز ؛ نَقْص.

shortbread ; shortcake [shôrt'-] *(n.)* الغُرَيْبة : كعك بسمن وسكر.

shortchange [shôrt'chānj'] *(vt.)* (١) يردّ إليه أقلّ مما بقي له عنده من قيمة قطعة نقديّة كبيرة (عند البيع والشراء) (٢) يخدع.

short circuit *(n.)* دارة (أو دائرة) قِصَر (كب).

short-circuit [shôrt'sûr'kĭt] *(vt.)* (١) يُقصّر الدارة أو الدائرة (كب) (٢) يَعُوق.

shortcoming [shôrt'-] *(n.)* نَقْص ؛ عيب ؛ موطن ضعف.

shortcut [shôrt'kŭt] *(n.)* قادوميّة ؛ طريق مختصرة.

short division *(n.)* القسمة المختصرة (ر).

shorten [shôr'tən] *(vt.; i.)* (١) يقصّر (الشيء) (٢) يخفّض ؛ يقلّل (٣) يجعله قَصِماً أو هشّاً ×(٤) يَقْصُر ؛ يتقاصر.

shortening [shôr'tən ĭng] *(n.)* (١) التقصير : جعل الشيء قصيراً. (٢) تَقاصُر (٣) سَمْن ؛ دُهْن ؛ زبدة.

shorthand [shôrt'hănd] *(n.; adj.)* (١) اختزال §(٢) مُختَزِل (a ~ reporter) (٣) مُخْتَزَل (٤) مختصَر ؛ موجَز.

shorthanded [shôrt'hăn'dĭd] *(adj.)* غير مزوَّد بالعدد الضروريّ من العمال أو المساعدين الخ.

shorthorn [shôrt'-] *(n.)* قصيرة القرنين : بقرة قصيرة القرنين.

short line *(n.)* الخط القصير : سكة حديد الخ. قصيرة المسافة.

shortish [shôr'tĭsh] *(adj.)* قصيرٌ قليلاً ؛ قصير بعضَ الشيء.

short-lived [shôrt'līvd'; -lĭvd'] *(adj.)* قصير الأجل ؛ قصير العمر.

shortly [shôrt'lĭ] *(adv.)* (١) باختصار (٢) بفظاظة (٣) قريباً.

short order *(n.)* الطعام السريع : طلبُ طعامٍ يمكن طهوُه بسرعة.

short sale *(n.)* بَيْع النَّسيئة : بَيْع سلعٍ لا يملكها المرء عند عقد الصفقة أملاً في تسليمها في ما بعد عند هبوط الأسعار.

short shrift *(n.)* (١) مُهْلَة تُعطَى للاعتراف قبل الاعدام. (٢) قليل من الرحمة أو الإمهال.

short sight *(n.)* = myopia.

shortsighted [shôrt'sī'tĭd] *(adj.)* (١) حَسير : قصير البصر. (٢) متّسِمٌ بقلة التبصّر أو التمييز.

short snorter *(n.)* (١) عضوٌ في نادٍ غير رسميّ مقصورةٌ عضويتُه على الطيارين عبر الأوقيانوس وعلى مَن سافر جوّاً عبر الأوقيانوس (٢) شهادة (هي كناية عن دولار يوقّع عليه أعضاء هذا النادي) تمنح للعضو الجديد كدليل على عضويته.

short-spoken [shôrt'spō'kən] *(adj.)* فَظّ ؛ جافٍ ؛ مقتضَب.

short-stop *(n.)* = stop bath.

short story *(n.)* الأُقْصوصة : قصة قصيرة.

short-tempered [shôrt'tĕm'pərd] *(adj.)* سريع الغضب.

short-term [shôrt'tûrm'] *(adj.)* قصير الأجل (إد).

short ton *(n.)* الطنّ الأميركيّ (ويساوي ٢٠٠٠ باوند).

ă at; ā date; â care; ä car; ĕ egg; ē me; ĭ in; ī bite; ŏ lot; ō bone; ô orphan; oi boil ŏŏ good; ōō boot; ou out; ŭ under; ū unity; û urgent; th thing; th this; zh vision; ə = *a* in alone, *e* in system, *i* in easily, *o* in gallop, *u* in circus.

shortwave [shôrt'wāv'] *(n.)* (١) موجة قصيرة (رد) (٢) جهاز راديو لاقط يستخدم الموجات القصيرة .

short-winded [shôrt'wĭn'dĭd] *(adj.)* (١) بَهير ؛ ضيق النفس . (٢) مُختصَر ؛ مفكّك أو غير مترابط .

shot [shŏt] *(n.; adj.)* (١) «أ» الرَّمي : إطلاق نار من بندقيّة الخ . «ب» طلقة (من سلاح ناري) . «ج» رَمْية أو قذفة للكرة (نحو الهدف) . «د» حقْنة أو جرعة من مخدِّر (كالكوكايين) (٢) «أ» رشّ ؛ خُرْدُق . «ب» كرة الرمي : كرة حديدية ثقيلة يُقذف بها إلى مسافة ما (رب) (٣) مدى الرمي (٤) مبلغٌ متوجّبٌ دفعُه (وبخاصة في حانة) (٥) الرامي ؛ الصيّاد (My brother is a good ~.) (٦) «أ» محاولة . «ب» حَزْر ؛ تخمين (٧) ملاحظة ذات مغزى (٨) لقطة؛ صورة (وبخاصة في التصوير السينمائي والتلفزيوني) (٩) لُغم (١٠) جرعة من مُسْكِر § (١١) متموّج الألوان (~ silk) (١٢) «أ» مُوَخّط . «ب» مُوشّح أو متخلّل بِـ (Her hair was ~ with gray.) (١٣) «أ» سكران (~ with gleams of tenderness) . «ب» بالٍ ؛ تالف ؛ مستهلَك (ع).

shot [shŏt] *past and past part. of* shoot.

shote [shōt] *(n.)* خِنّوص؛ خنزير صغير .

shotgun [shŏt'gŭn'] *(n.; adj.)* (١) بندقيّة رشّ أو خُرْدُق . § (٢) قَسْري ؛ إكراهي .

shotgun marriage; shotgun wedding *(n.)* الزواج القَسْري : زواج يُفرض فرضاً بسبب الحَمْل .

shot hole *(n.)* (١) ثقبُ الحشوة (الديناميتية) المتفجّرة (٢) ثقب تحدثه حشرة ناخرة .

shot put *(n.)* رمي الكرة الحديدية (رب) .

shotten [shŏt'ən] *(adj.)* (١) واضعٌ بيضَهُ منذ قريب ، وبالتالي : قليل القيمة الغذائية (~ herring) (٢) تافه .

should [shŏŏd] صيغة الماضي من shall ، وتستعمل : «أ» للوجوب (You ~ go.) . «ب» لجعل الحكم أقل قسوةً أو فظاظةً (I ~ hardly say that.) . «ج» لتوكيد الشك في الجُمَل الشرطيّة (if it ~ be true) . «د» للتعبير عن شرط أو سبب (He was pardoned on the condition that he ~ leave the city.).

shoulder [shōl'dər] *(n.; vt.; i.)* (١) كَتِف ؛ مَنْكِب . (٢) *pl.* : القدرة على تحمل المسؤوليات § (٣) يدفع بالمنكِب ؛ يشقّ طريقه وسط الحشْد (٤) «أ» يتنكّب : يحمل على منكبه . «ب» يتحمّل عبء كذا او تبِعته .
straight from the ~, بصراحة .
to put one's ~ to the wheel يبذل جهداً عظيماً .
to stand head and ~s above others يفوق الآخرين طولاً أو ذكاءً أو حُسْنَ خُلُق .
to turn *or* give a cold ~ to يُعْرِض عن ؛ ينفر من .

shoulder blade *(n.)* العَظْم الكتِفي (ت) .

shoulder board *(n.)* الكتيفيّة : إحدى قطعتي قماش عريضتين صُلْبتَيْن تكونان على كتِفي الجندي دلالةً على رتبته .

shoulder girdle *(n.)* = pectoral girdle.

shoulder knot *(n.)* عقدة الكتف : عقدة زينيّة للكتف .

shoulder mark *(n.)* شارة الكتِف (جن) .

shoulder strap *(n.)* (١) حِمالة الكتِف : أحد سَيْرَيْن قماشيين يُثبَّت بهما الثوب عبر الكتف (٢) الكتيفيّة : شريطة كتِفيّة (جن).

shouldn't [shŏŏd'ənt] = should not.

shout [shout] *(vt.; i.; n.)* (١) يصيح § (٢) صيحة (٣) انفجار .

shout song *(n.)* أنشودة دينيّة (عند زنوج الولايات الاميركية الجنوبية) .

shove [shŭv] *(vt.; i.; n.)* (١) يدفع ؛ يدَسْر (٢) يُقحِم . (٣) يُكرِه × (٤) ينطلق شاقّاً طريقه (تتبعها off) (٥) يرحل (Let's ~ off.) § (٦) «أ» دَفْع ؛ دَسْر . «ب» دفعة عنيفة .

shovel [shŭv'əl] *(n.; vt.; i.)* (١) مِجْرَفة ؛ رَفْش ؛ جاروف . (٢) مِلء مِجرفة § (٣) يجرف ؛ يرفش .

shovelbill [shŭv'əl bĭl] *(n.)* = shoveler 2.

shoveler *or* **shoveller** [shŭv'əl ər] *(n.)* (١) الجارف : من يستعمل المِجرفة أو الجاروف (٢) الشَّوْلَر : بطّ نهري .

shovelful [shŭv'əl-] *(n.)* مِلء مِجرفة أو رفش .

shovel hat *(n.)* القبّعة الجاروفيّة : قبّعة يرتديها رجال الدين الانكليز .

shovelhead [shŭv'əl hĕd'] *(n.)* الإصفرنيّ ؛ السمك الجاروفيّ .

shovelman [shŭv'-] *(n.)* الجرّاف : المشتغل بمِجرفة يدوية أو آليّة .

shovelnose [shŭv'-] *(n.)* الجاروفيّ الخَطْم (من الحيوان والسمك).

shovelnosed [shŭv əl nōzd'] *(adj.)* جاروفيّ الخطم : ذو رأس (أو خطْم أو منقار) مسطَّح عريض .

show [shō] *(vt.; i.; n.)* (١) يَعرِض ؛ يُري (٢) يُظهِر . (٣) يشير إلى (٤) يقود ؛ يُدخل (شخصاً) (٥) يعلن ؛ يؤكد (٦) يبرهن ؛ يُثبت (٧) يبيّن ؛ يشرح ؛ يعلِّم × (٨) يظهر ؛ يَبين (٩) يَبْدو (١٠) يمثّل أو يؤدّي (على المسرح) (١١) يحلّ في المقام الثالث (وبخاصة في سباق للخيل) § (١٢) «أ» إظهار (voted by a ~ of hands) . «ب» عَرْض (a ~ of force) . «ج» أُبَّهة . «د» مظهر ؛ مظهر خادع . «هـ» دلالة أو علامة ؛ وبخاصة على وجود معدن في منجم أو نفط في بئر (a ~ of gold) . «و» تفاخر ؛ تباهٍ (١٣) حظ ؛ فرصة (She hasn't a ~ of winning.) (١٤) مشهد أو شيء غريب ؛ أضحوكة ؛ موضع سخرية (Don't make a ~ of yourself.) (١٥) مَعْرِض (١٦) «أ» استعراض مسرحي ؛ حفلة مسرحيّة . «ب» برنامج إذاعي أو تلفزيوني (١٧) مشروع ؛ عمل (١٨) المرتبة الثالثة (في سباق للخيل) . **—shower** *(n.)*
to ~ off (١) يَعْرِض متباهياً (٢) يسعى للَفْت الأنظار
to ~ one's hand *or* cards يكشف عن نيّاته أو خططه .
to ~ somebody the door يطرده .
to ~ up (١) يَفضح (٢) يبدو بوضوح (٣) يَصِل ؛ يحضر .

show bill *(n.)* إعلان كبير (يعلّق في مكان عام) .

showboat [shō'bōt'] *(n.)* المَسْرَح العائم ؛ سفينة التمثيل : سفينة بخارية نهريّة تقام على متنها الحفلات المسرحيّة .

showbread [shō'brĕd'] *(n.)* خبزُ التقدمة (عند اليهود) .

showcase [shō'kās'] *(n.)* خزانة العَرْض (في متجر أو متحف).

showdown [shō'-] *(n.)* (١) المكاشفة ؛ الكشف عن الاوراق (في البوكر او السياسة) (٢) حسمٌ (للنزاع او لقضية مثيرة للجدل).

shower [shou'ər] *(n.; vi.; t.)* (١) وابلٌ من المطر أو البَرَد (لا يدوم طويلاً) (٢) وابلٌ من الأسئلة (٣) حفلة تقام لفتاةٍ على وشك الزواج وتُغْدَق فيها الهدايا عليها (٤) «دُش» § (٥) تُرسِل السماءُ وابلاً (٦) يغتسل بالدّش ؛ يأخذ «دشّاً» × (٧) يبلّل ؛ ينضح ؛ يرش (٨) يُغْدق على ؛ يُمطر .
—showery *(adj.)*

shower bath *(n.)* (١) دُشّ ؛ اغتسال بالمِسْحاح (٢) مِشن (مج) ؛ مِسحاح ؛ مِرشّة الاغتسال .

show girl *(n.)* فتاة الاستعراض : فتاة تغني أو ترقص (أو تَظْهر لمجرّد التزيين) في مسرحيّة موسيقيّة الخ .

showily [shō'ə lĭ] *(adv.)* على نحوٍ رائع أو مُبَهْرَج أو مزوّق .

showing [shō'ĭng] *(n.)* (١) عَرْض ؛ إظهار (٢) عمل أو نتيجة (في مباراة) (٣) «أ» زَعْم . «ب» مَظْهَر ؛ دليل .

showman [shō'-] *(n.)* مخرج المسرحيّة أو الاستعراض المسرحي .

show-me [shō'-] *(adj.)* شكوكيّ ؛ لا يصدّق إلا بالبرهان الحسي .

show-off [-'ôf'] *(n.)* (١) تفاخُر ؛ تباهٍ (٢) المتفاخر ؛ المتباهي .

showpiece [shō'pēs] *(n.)* التحفة : أنموذج رائع يُعْرَض على الأنظار .

showplace [shō'-] *(n.)* موضع (كقلعة أو قصر قديم الخ.) يقصده السيّاح بوصفه نموذجاً من نماذج الجمال أو الفنّ .

showroom [shō'rōōm] *(n.)* صالة العَرْض (تج) .

show window *(n.)* واجهة العَرْض (في مَتْجَر) .

showy [shō'ĭ] *(adj.)* (١) رائع (٢) مُبَهْرَج ، مزوّق من غير ذوق

shrank *past of* shrink.

shrapnel [shrăp'nəl] *(n.)* (١) الشَّرِبْنَل ، القذيفة المِنْثار ؛ قذيفة الشظايا (٢) شظايا قنبلة او لغم .

shred [shrĕd] *(n.; vt.; i.)* (١) شقّة أو مِزْقة من شيء (طويلة عادةً) (٢) قطعة صغيرة §(٣) يمزّق أو يتمزّق طولياً .

shrew [shrōō] *(n.)* (١) الزَّبَابَة : حيوان من آكلات الحشرات يشبه الفأر (٢) المرأة السليطة .

shrew

shrewd[shrōōd] *(adj.)* (١) عنيف (was ~ shocks) (٢) قارس ؛ لاذع (a ~ wind) (٣) داهية (politicians ~) .

shrewish [shrōō'ish] *(adj.)* (١) سليط (٢) رديء الطبع .

shrewmouse [shrōō'mous'] *(n.)* = shrew I.

shri [shrē] *(Skt.)* الشّري : لقب احترام يخاطَب به هنديّ ذو شأن

shriek [shrēk] *(vi.; t.; n.)* (١) يَصْرُخ ، يزعق §(٢) صرخة .

shrieval [shrē'vəl] *(adj.)* شريفيّ ؛ عُمَديّ : متعلّق بالشريف أو بعمدة البلد .

shrift [shrĭft] *(n.)* (١) اعتراف للكاهن (ا.ق) (٢) غفران أو حِلّ من الإثم (يُمنَح بعد اعتراف أو كفّارة) .

shrike [shrīk] *(n.)* الصُّرَد ، النُّهَس ، الدُّغْناش (طا) .

shrill [shrĭl] *(vi.; t.; n.; adj.)* (١) يصرخ أو يصيح بقوّة §(٢) صيحة حادّة §(٣) حادّ ، ثاقب ، عالي النغمة (a ~ cry) (٤) صاخب (~ gaiety) (٥) وهّاج (in ~ blue light) (٦) شديد ؛ مفرط (~ anger) .

shrimp [shrĭmp] *(n.; vi.)* (١) الإربيان ، الرُّوبيان ، القُرَيْدس (سمك) (٢) شخص أو شيء قميء أو ضئيل الجسم جداً §(٣) يصيد الإربيان .

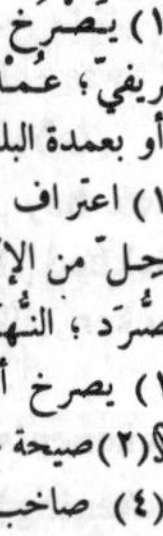

shrimp

shrine [shrīn] *(n.; vt.)* (١) reliquary (٢) مقام ؛ مَزار ، ضريح قديس (٣) موضع أو شيء مقدّس بسبب من تاريخه أو من الذكريات التي تتصل به §(٤) enshrine .

shrink [shrĭngk] *(vi.; t.; n.)* (١) ينكمش (من ألمٍ أو ذعر) (٢) يتقلّص ، يتقبّض (٣) يتضاءل (وزنُه الخ.) (٤) يرتدّ ؛ يُجفل أو ينفر من ×(٥) يكمّش ، يقلّص ، يقبّض الخ . §(٦) «أ» انكماش ؛ تقلّص الخ . «ب» مقدار التقلّص أو التضاؤل .

shrinkage [shrĭngk'ĭj] *(n.)* انكماش ؛ تقلّص ؛ تضاؤل .

shrinking violet *(n.)* البنفسجة المنكمشة : شخص خجول أو منطوٍ .

shrive [shrīv] *(vt.; i.)* (١) يُحِلّه من خطاياه ×(٢) يعترف للكاهن .

shrivel [shrĭv'əl] *(vi.; t.)* (١) يذبُل ، يذْوي ، يتغضّن . (٢) يهين ، يضْعُف (faculties that ~) ×(٣) يُذْبل الخ .

shroff [shrŏf] *(n.; vt.)* (١) مَصْرِفيّ أو صرّاف (في الشرق الأقصى) §(٢) يفصل رديء العملة عن جيدها .

Shropshire [shrŏp'shĭr] *(n.)* الشُّرُبْشِير : ضرب من الخراف الانكليزية عديم القرون أسود الوجوه والقوائم .

shroud [shroud] *(n.; vt.)* (١) كَفَن (٢) غطاء ، حجاب ، وقاء . (٣) حَبْل الصاري أو الباراشوت §(٤) يغطي أو يحجب عن النظر (٥) يكفّن .

shroud-laid [shroud'lād'] *(adj.)* رُباعي الطاقات أو الجدائل .

shrove [shrōv] *past of* shrive.

Shrove Sunday [shrōv] *(n.)* أحد المَرافع : الأحد السابق لأربعاء الرماد (نص) .

Shrovetide [shrōv'tīd'] *(n.)* أيام المَرافع : الأيام الثلاثة السابقة لأربعاء الرماد (نص) .

Shrove Tuesday *(n.)* ثلاثاء المَرافع (السابق لأربعاء الرماد) .

shrub [shrŭb] *(n.)* جَنْبة ؛ شُجَيْرة .

shrub [shrŭb] *(Ar.)* الشّروب : «أ» شراب يتألف من كحول وعصير فاكهة وسكر . «ب» شرابٌ من عصير الفاكهة المثلوج .

shrubbery [shrŭb'ə rĭ] *(n.)* المَجْنَبة : «أ» جَنَبات ، شجيرات . «ب» أرض تكسوها الجنَبات والشُّجيرات .

shrubby[shrŭb'ĭ] *(adj.)* (١) مُجنِب : كثير الجنَبات أو الشجيرات (٢) جَنْبِيّ ؛ شُجَيْرِيّ .

shrug [shrŭg] *(vi.; t.; n.)* (١) يهزّ كتفيه استهجاناً أو لامبالاةً . §(٢) هزّ الكتفين (استهجاناً أو لا مبالاةً) (٣) سترة نسوية قصيرة.

to ~ off (١) لا يبالي بـ (٢) يخلع ثيابه متلوّياً .

shrunk *past and past part. of* shrink.

shuck [shŭk] *(n.; vt.)* (١) قشرة §(٢) يقشّر ، يقشّر .

shudder [shŭd'ər] *(vi.; n.)* (١) يرتعد ، يرتجف §(٢) رِعدة .

to give somebody the ~*s* يروّع فلاناً .

shuffle [shŭf'əl] *(vt.; i.; n.)* (١) يخلط بغير نظام ، يُلَخْبط . (٢) يخلط (ورقَ اللعب) (٣) يعدّل ، يحوّل ، ينقُل من مكان إلى مكان (٤) يجرّ قدميه ×(٥) «أ» يراوغ . «ب» يتملّص (to ~ out of responsibilities) (٦) «أ» يدلف ؛ يمشي متثاقلاً أو جارّاً قدميه . «ب» يرقص ماسحاً الأرض بقدميه . «ج» يُنْجِز (أو يلبس أو يخلع ثيابه) بطريقة خرقاء §(٧) حيلة ، مراوغة ، تملّص (٨) «أ» خلط ورق اللعب . «ب» حقّ اللاعب أو دوره في الخلط . «ج» مجموعة أشياء مختلطة بغير نظام (٩) تعديل (في المناصب الوزارية) (١٠) «أ» جرّ القدمين . «ب» رقص متميّز بجرّ القدمين على الأرض .

to ~ off ينبذ ، يتخلّص من .

shuffleboard [shŭf'əl bōrd'] *(n.)* (١) لعبة تُلعَب بدفع بعض الأقراص الخشبية أو القطع النقدية ، فوق مائدة ملساء ، نحو نقاطٍ معيّنة (٢) المائدة الخاصة بهذه اللعبة .

shun [shŭn] *(vt.)* يجتنب ، ينأى بنفسه عن .

shunt [shŭnt] *(vt.; i.; n.)* (١) يحوّل ، وبخاصة : يحوّل قطاراً من خطّ إلى آخر (٢) «أ» يحوّل (جزءاً من التيّار) بواسطة دارة (أو دائرة) توازٍ . «ب» يزوّد بدارة (أو دائرة) توازٍ (كب) (٣) يتخلّص من ×(٤) ينتقل إلى جانب ، يبتعد من الطريق (٥) ينتقلُ (القطارُ) من خطٍّ إلى آخر أو من نقطة إلى أخرى §(٦) تحويلة (السكة الحديدية) (٧) مُجزِّئ التيار الكهربائي (مج).

shunter [-'ər] *(n.)* المحوِّل ؛ عامل التحويل (في السكّة الحديدية).

shunt winding *(n.)* لفّة توازٍ ؛ لفيفة متصلة على التوازي (كب).

shunt-wound[shŭnt'wound'] *(adj.)* موَصَّلٌ على التوازي (كب).

shush [shŭsh] *(n.; vt.)* (١) صَهْ ! أُسْكُتْ §(٢) يُسْكِتُ .

shut [shŭt] *(vt.; i.; n.; adj.)* (١) «أ» يُغْلِقُ ؛ يُوصِدُ . «ب» يمنع (من الدخول الى) (٢) يحجز ؛ يحبس (٣) يقفل (٤) يغمض (عينيه) (٥) يلحِم (المعادنَ) ×(٦) ينغلق §(٧) إغلاق ؛ إيصاد الخ. (٨) خطّ الالتحام (بين قطعتين معدنيّتين) §(٩) مُغْلَق ؛ مُوْصَد (a ~ door) (١٠) متحرر (من شيء بغيض).

to ~ down (١) يُغلِق (مصنعاً) (٢) يوصد (المصنعُ) أبْوابَه (٣) يُنْزِل زجاج النافذة الخ.

to ~ off (١) يوقف (٢) يفصِل (٣) يقطع (التيارَ الكهربائيّ أو الماءالخ.) عن (٤) يتوقف (عن العمل).

to ~ out (١) يمنعه من الدخول ؛ يوصد الباب في وجهه. (٢) يحول بين الخصم وبين تسجيل هدفٍ (رب).

to ~ to (١) يُغلِق (باباً) (٢) ينغلق (البابُ).

to ~ up (١) يُسكِت (٢) يَسكت ؛ يكفّ عن الكتابة أو الكلام (٣) يغلق جميع أبواب الدار ونوافذها (٤) يُغلِق المتجر (٥) يحفظ في مكانٍ حريز.

shutdown [shŭt'-] *(n.)* وَقْف أو تعليق العمل (في مصنع الخ.).

shut-eye [shŭt'ī'] *(n.)* نوم ؛ رقاد (ع).

shut-in [shŭt'ĭn'] *(adj.; n.)* (١) قعيد ؛ ملازم (بيتاً أو مصحّةً) لمرض أو عجز (٢) كَتوم ؛ متكتّم (٣) محبّ للعزلة (~ personality) §(٤) القعيد ؛ الملازِم بيته الخ. (٥) النفط الحبيس : نفط لم يستخرج من بئر تحتويه.

shutoff [shŭt'ôf'] *(n.)* (١) المُوقِف ؛ القاطع (٢) وقف ؛ قَطْع.

shutout [shŭt'out'] *(n.)* مباراة يعجز فيها أحد الفريقين عن تسجيل هدف.

shutter [shŭt'ər] *(n.; vt.)* (١) فا shut (٢) مِصراع النافذة أو الباب (٣) مصراع الكاميرا : أداة تنفتح وتنغلق أمام عدسة الكاميرا لإدخال النور أو صدِّه (٤) غطاء متحرك لفتحة ما §(٥) يغلق بمصراع أو مصاريع (٦) يزوِّد بمصاريع.

shutter 2.

shutterbug [shŭt'ər-] *(n.)* عاشق الكاميرا.

shuttle [shŭt'əl] *(n.; vi.; t.)* (١) وَشِيعة (في مِغْزل) (٢) مَكّوك (في آلة خياطة) (٣) «أ» التوشّع : ذهاب وإياب مستمرّان ، في عربةٍ ما ، على طريق معيّنة (وقصيرة عادةً). «ب» طريق التوشّع . «ج» عربةٌ متوشّعة §(٤) «أ» يتوشّع : يُكثِر من التنقّل أو السفر ذهاباً وإياباً . «ب» يتردّد : يتحرك جيئة وذهوباً.

shuttlecock [shŭt'əl-] *(n.; vt.)* (١) الشَّطْكُوك : فَلّينة مُراشة تُقذَف بمِضرب في لعبة تحمل هذا الاسم (٢) يقذف جيئة وذهوباً.

shuttle diplomacy *(n.)* ديبلوماسية المكوك : ديبلوماسيّة تعتمد على الانتقال جيئةً وذهوباً من عاصمة إلى أخرى.

shy [shī] *(adj.; vi.; t.; n.)* (١) جبان (a ~ animal) (٢) حَذِر (٣) متحفّظ (٤) خجول ؛ حَيِيّ (٥) منعزل ؛ محجوب (٦) بخيل ؛ قليل العطاء (That tree is a ~ bearer.) (٧) غير متمتّع بالقدر الكافي من ؛ يعوزه كذا (~ of funds) (٨) سيّء السمعة (a ~ tavern) §(٩) ينفِر من (١٠) يُجفِل ×(١١) يقذف ؛ يرمي §(١٢) إجفال (١٣) قَذْف ؛ رَمْي (١٤) طعن ؛ سخرية (١٥) تجربة ؛ محاولة.

to fight ~ of يتجنّب ؛ ينأى بنفسه عن.

Shylock [shī'lŏk] *(n.)* شايلوك : مُرابٍ لا يرحم.

shyly [shī'lĭ] *(adv.)* بجُبْن ؛ بحذر ؛ بتحفظ ؛ بحياء الخ.

shyness [shī'-] *(n.)* جُبْن ؛ حَذَر ؛ تحفّظ ؛ حياء الخ.

shyster[shī'-] *(n.)* محام يلجأ إلى الأساليب الملتوية أو المشبوهة (ع).

sialagogic[sī'ə lə gŏj'ĭk] *(adj.)* مُرْضِب : مُسيل للرُّضاب.

sialagogue *(n.)* المُرْضِب : دواء أو عاملٌ مسيل للرُّضاب.

siamang[sē'ə măng'] *(n.)* جِبّون (را. gibbon) سومطرة الأسود.

Siamese [sī'ə mēz'] *(adj.; n.)* (١) سِيامِيّ : منسوب إلى سِيام. (٢) ملتصق ؛ متماثل §(٣) السِّياميّ : أحد أبناء سِيام (٤) اللغة السِّياميّة.

Siamese cat *(n.)* الهر السِّياميّ : هرّ أليفٌ نحيل أزرق العينين.

Siamese twin *(n.)* التوأم السِّياميّ : أحد توأمين ملتصقين خِلقةً.

sib [sĭb] *(adj.; n.)* (١) نسيب ؛ قريب §(٢) أنسباء ؛ أقرباء (٣) نَسَب ؛ قَرابة.

sibilant [sĭb'ə lənt] *(adj.; n.)* (١) صافر (٢) صفيريّ §(٣) حرف صفير (ل).

sibilate [sĭb'ə lāt'] *(vi.; t.)* (١) يَصفِر (٢) يفحّ.

sibling [sĭb'lĭng] *(n.)* (١) أخ أو أخت (٢) نسيب ؛ قريب.

sibyl [sĭb'ĭl] *(n.)* العرّافة ، الكاهنة ؛ المتنبّئة.

sic [sĭk] *(vt.; adv.)* (١) يطارد (الكلبُ) ؛ يهاجم (٢) يحرِّض على المطاردة أو الهجوم §(٣) كذا : تعبير يشير إلى أن الكلمة أو الجملة التي تسبقه منقولةٌ كما وردت من غير تعديل.

siccative [sĭk'ə tĭv] *(adj.; n.)* (١) مجفِّف §(٢) المجفِّف : مادة تستخدم لتجفيف الحبر الخ.

Sicilian [sĭ sĭl'ĭ ən] *(adj.; n.)* (١) صِقِلّيّ §(٢) أحد أبناء صِقِلية.

sick [sĭk] *(adj.)* (١) «أ» مريض ؛ عليل . «ب» مَرَضيّ (~ leave) . «ج» مُغْثٍ ؛ مصاب بالغثيان . «د» حائض (٢) «أ» مُتْخَم حتى السَّأم (~ of candy) . «ب» مشمئزّ (Flattery makes me ~.) (٣) مشتاق إلى (was ~ for home) (٤) شاحب (~ color) (٥) راكد أو آخذ في الهبوط (اد).

sick bay *(n.)* (١) مَشْفى السفينة (٢) مستشفى.

sickbed [sĭk'bĕd'] *(n.)* فراش المرض.

sicken [sĭk'ən] *(vt.; i.)* (١) يُمْرِض (٢) يُغْثِي ؛ يقزّز النفس ×(٣) يَمْرَض (٤) يسأم ؛ يشمئزّ.

sickener [sĭk'(ə)nər] *(n.)* المُمْرِض أو المُغْثِي أو المقزّز للنفس الخ.

sickening [sĭk'ən ĭng] *(adj.)* مُمرِض أو مُغْثٍ أو مُقزِّز للنفس.

sick headache *(n.)* = migraine.

sickie *(n.)* السَّقيم : شخص مريض عقلياً أو أخلاقياً.

sickish [sĭk'ĭsh] *(adj.)* (١) منحرف الصحة (ا.ق) (٢) متقزّز النفس (٣) مقزِّز للنفس.

sickle [sĭk'əl] *(n.)* (١) مِنْجَل (٢) *cap.* : المِنجل : ستّة نجوم في برج الأسد تشبه المِنجل.

sick leave *(n.)* إجازة مَرَضيّة.

sicklebill [sĭk'əl bĭl'] *(n.)* مِنْجَلِيّ المنقار : كلّ طائر أعقف المنقار على نحوٍ شبيه بالمنجل.

sickle feather *(n.)* الريشة المِنجلية : إحدى الريشات الطويلة العقفاء في ذيل الديك.

sickliness [sĭk'lĭ-] *(n.)* تَوَعُّك ؛ سَقَم ؛ شحوب ؛ ضعف الخ.

sickly [sĭk'lĭ] *(adj.; adv.; vt.)* (١) «أ» متوعّك ؛ منحرف الصحة. «ب» رقيق الصحة ؛ كثير المرض (٢) سقيم : ناشىء عن المرض أو مصحوب به (her ~ complexion) (٣) غير صحّيّ

(a ~ climate) (٤)«أ» شاحب . «ب» ضعيف ؛ واهن (~ sentimentality) . «ج» باهت (~ colors) (٥) بائس ؛ شقيّ ؛ قلق (a ~ smile) (٦) مُغْثٍ ؛ باعثٌ على الغثَيان (its ~ odor) (٧)§ على نحو مريض أو سقيم أو شاحب الخ. (٨)§ يُشحب ؛ يجعله شاحبَ اللون .

sickness [sĭk'nĭs] *(n.)* (١) اعتلال ؛ مرض (٢) غثيان ؛ دُوَار .

sickroom [sĭk'rōōm'] *(n.)* حجرة التمريض .

sic passim [sĭk păs'-] *(L.)* وهكذا في كلّ مكان (من الكتاب الخ.) .

siddur [sĭd'ōōr] *(n.)* السِّيدُور : كتاب الصلوات عند اليهود .

side [sīd] *(n.; adj.; vt.; i.)* (١) «أ» جَنْب . «ب» جانب . (٢)«أ» وجْه . «ب» جِهَة . «ج» ناحية (٣)«أ» طرَف (ر). «ب» ضِلْع (ر) (٤)§ جَنْبِيّ (a ~ sore) (٥) ثانويّ ؛ جانبيّ (a ~ issue) (٦)§ يؤيّد ؛ يناصر (٧) يضعه جانباً ؛ يرفع عن المائدة (to ~ dishes) (٨) يرتّب (to ~ a room up) (٩)× ينحاز إلى (~*d* with our party) .

on the right ~ of forty . دونَ الأربعين من العمر

on the ~, . علاوةً على كذا او بالاضافة اليه

on the wrong ~ of forty . فوق الأربعين من العمر

to put on ~, . يشمخ بأنفه بكبرياء مصطنعة (عب)

to split (shake *or* burst) one's ~*s* . يغرب في الضحك

to take ~*s* with . يؤيّد (شخصاً أو حزباً) في نزاع

side arm *(n.)* السلاح الجَنْبي : كلّ سلاح يُحمَل على الجَنْب كالسيّف والمسدّس والحربة .

sideboard [sīd'bōrd'] *(n.)* خوان ؛ «بوفيه» ؛ نضَد المائدة .

sideburns [sīd'bûrnz'] *(n. pl.)* السَّبَلَة الخدِّيّة : شاربان خدّيّان قصيران .

sidecar [sīd'kär'] *(n.)* (١) العربة الجانبيّة : عربة لراكب واحد الى جانب الدراجة النارية (٢) كوكتيل من كحول وعصير ليمون.

side dish *(n.)* الطبق الجانبيّ : لون ثانويّ من ألوان الطعام.

side effect *or* **reaction** المفعول الجانبيّ (للدواء الخ.).

side-glance [sīd'glăns] *(n.)* (١) نظرة جانبيّة (بطرف العين) . (٢) إلماع عابر ؛ إشارة غير مباشرة .

sidehill [sīd'hĭl] *(n.)* = hillside.

sidekick [sīd'kĭk] *(n.)* صديق حميم .

sidelight [sīd'līt] *(n.)* (١) ضوء جانبيّ (٢) معلومات عَرَضيّة (عن موضوع) (٣) أحد ضوئين تحملهما باخرة مُبْحِرة ليلاً .

sideline [sīd'līn'] *(n.)* الخطّ الجانبيّ : (١) خطّ على جانب شيء ما (٢)«أ» خطّ يعيّن نطاق اللّعِب يُرْسَم على جانب ملعب كرة القدم الخ . «ب» الناحية الواقعة خارج هذا الخط مباشرةً (watched the game from the ~*s*) (٣) عمل أو نشاط يقوم به المرء إلى جانب وظيفته النظاميّة .

sideliner [sīd'lī-] *(n.)* المتفرّج : الواقف موقف المتفرّج من نشاط ما.

sideling *or* **sidling** [sīd'lĭng] *(adv.; adj.)* (١) جانبيّاً ؛ بانحراف. (٢)§ جانبيّ ؛ منحرف (٣) منحدر (٤) غير مباشر .

sidelong [sīd'lông] *(adv.; adj.)* (١) بانحراف (٢) على الجنب . (٣)§ مائل (٤)«أ» جانبيّ . «ب» غير مباشر .

sideman [sīd'-] *(n.)* عضو في فرقة موسيقيّة أو أوركسترا .

sidepiece [sīd'pēs'] *(n.)* القطعة الجانبيّة : قطعة تشكّل جانب شيء ما أو جزءاً من جانبه أو تكون مثبتّة إلى ذلك الجانب .

sider- *or* **sidero-** بادئة معناها : حديد .

sidereal [sī dĭr'ĭ əl] *(adj.)* نجميّ ؛ فلكيّ .

sidereal day *(n.)* اليوم النجميّ أو الفلكيّ (٢٣ ساعة ، و٥٦ دقيقة ، و٤,٠٩ ثانية) .

sidereal hour *(n.)* الساعة النجميّة : ١/٢٤ من اليوم النجميّ .

sidereal minute *(n.)* الدقيقة النجمية : ١/٦٠ من الساعة النجمية .

sidereal month *(n.)* الشهر النجميّ (٢٧ يوماً ، و٧ ساعات ، و٤٣ دقيقة و١١,٥ ثانية) .

sidereal second *(n.)* الثانية النجميّة : ١/٦٠ من الدقيقة النجمية .

sidereal time *(n.)* الزمن النجمي : الزمان المبني على أساس اليوم النجميّ (را. sidereal day) .

sidereal year *(n.)* السنة النجميّة : الزمان الذي يستغرقه دوران الأرض مرةً واحدةً حول الشمس مقيساً بالنسبة إلى النجوم الثابتة (٣٦٥ يوماً ، و٦ ساعات ، و٩ دقائق ، و٩,٥٤ ثانية) .

siderosis [sĭd'ə rō'sĭs] *(n.)* حَدَدُ الرئة : مرض يصيب الرئة من تنشّق دقائق الحديد وما إليها (مض) .

sidesaddle [sīd'săd'əl] *(n.)* السرج الجانبيّ : سرج تستقر عليه المرأة جاعلةً رجليْها كلتيْهما على جانب واحد من الفرس .

sideshow [sīd'shō] *(n.)* (١) الاستعراض أو المشهد الجانبيّ : استعراض ثانويّ يقدَّم بالاضافة إلى الاستعراض الرئيسيّ (في سيرك الخ.) (٢) حادثة أو مسألة ثانوية .

sideslip [sīd'slĭp'] *(vi.; n.)* (١) تنزلق (السيارةُ أو الطائرة) جانبياً (٢)§ انزلاق جانبيّ .

sidespin [sīd'spĭn'] *(n.)* التدويم الجانبيّ : حركة دَوَرانيّة تجعل الكرة تدور أُفقياً .

sidesplitting [sīd'splĭt'ĭng] *(adj.)* شاقّ للخواصر ؛ مضحك جداً.

side step *(n.)* الخطوة الجانبيّة (في الملاكمة - اجتناباً للضربة - والتزلج).

sidestep [sīd'-] *(vi.; t.)* (١) يخطو خطوة جانبيّة (٢) يتجنّب .

sideswipe [-'swīp'] *(vt.; n.)* (١) يصيبُه بضربةٍ عَرَضيّة جانبيّة (to ~ a parked car) (٢)§ ضربة عَرَضيّة جانبيّة .

sidetrack [sīd'trăk'] *(n.; vt.)* (١) الخطّ الجانبيّ : خطّ قصير متّصل بالخط الرئيسيّ بتحويلة (في السكة الحديدية) (٢) مرتبة ثانوية (يُنزَل إليها المرء أو الشيء) (٣)§ يحوّل (قطاراً) إلى خطّ جانبيّ (٤)«أ» يَصْرِف شيئاً عن وجهته أو غايته . «ب» يُنزل إلى مرتبة ثانوية .

sidewalk [sīd'wôk'] *(n.)* الطّوار : رصيف المشاة (في شارع) .

sideward *or* **sidewards** [sīd'-] *(adv.; adj.)* (١) جانبياً . (٢)§ جانبيّ .

sideway [sīd'wā'] *(n.; adv.; adj.)* (١) طريق جانبيّ . (٢)§ sideways .

sideways [sīd'wāz'] *(adv.; adj.)* (١) من الجَنْب أو الجانِب . (٢) على الجنب (٣) بانحراف (٤) شَزْراً (٥)§ جانبيّ .

side-wheel [sīd'hwēl'] *(adj.)* مُغَدَّف : مزوَّد بعَجَلَة تغْذِيف ، كبعض الزوارق البخاريّة (را. paddle wheel).

side-wheeler [sīd'hwēl'ər] *(n.)* زورق بخاريّ مُغدَّف .

side-whiskers [sīd'-] *(n. pl.)* السَّبَلَة الجَنْبيّة : شاربان خدّيّان.

sidewinder [sīd'wīn'dər] *(n.)* (١) لكمة جَنْبيّة عنيفة . (٢) الصَّوَنْدَر : حية صغيرة من ذوات الجُلْجُل .

sidewise [sīd'wīz'] *(adv.; adj.)* = sideways.

siding [sī'dĭng] *(n.)* (١) sidetrack I. (٢) ألواح الجدران الخارجيّة لمبنى خشبيّ .

sidle [sī'dəl] *(vi.; n.)* (١) يمشي جانبياً أو بانحراف (كمشية الحيبي الخ.) §(٢) مِشية جانبيّة .

siege [sēj] *(n.; vt.)* (١) حصار (٢) تواصُل ؛ استمرار (٣) إقامة متواصلة أو متطاولة (٤) مقدار كبير §(٥) يحاصر (مدينةً) .

Siegfried line [sēg'frēd] *(n.)* خطّ سيغفريد : خطّ دفاعي ألماني مواجهٌ لخط ماجينو الفرنسي .

sienna [sĭ ĕn'ə] *(It.)* (١) التِّرّسينا : مادّة ترابيّة مشتملة على حديد تُستخدَم كصِبْغ طحينيّ اللون (التِّرّسينا النيئة **raw sienna**) أو كصِبغ بُنّيّ (الترسينا المحروقة **burnt sienna**) (٢) «أ» اللون الطحيني . «ب» اللون البني .

sierra [sĭ ĕr'ə] *(Sp.)* (١) مُثَلَّمة القمم : سلسلة جبال مثلّمة القمم كأسنان المنشار (٢) الإسْقُمْريّ الأسباني (سمك) .

sierran [sĭ ĕr'ən] *(adj.)* مثلَّم القمم (~ foothills) .

siesta [sĭ ĕs'tə] *(Sp.)* القَيْلُولة : ضَجْعَة الظهيرة .

sieve [sĭv] *(n.; vt.; i.)* (١) مُنْخُل (٢) اللاكَتوم للسرّ §(٣) يَنْخُل .

sieve tube *(n.)* الأنبوب المُنخليّ : جزء من اللّحاء أنبوبيّ الشكل مؤلف من خلايا منخليّة أو مثقّبة الجدران (نب) .

sift [sĭft] *(vt.; i.)* (١) يَنْخُل (٢) «أ» يتنخّل ؛ يتخيّر . «ب» يمحّص .

sifter [sĭft'ər] *(n.)* (١) الناخِل ؛ المتنخّل (٢) مُنْخُل .

sifting [sĭft'ĭng] *(n.)* (١) نَخْل ؛ تنخّل (٢) تمحيص . (٣) *pl.* : مادة منخولة .

sigh [sī] *(vi.; t.; n.)* (١) يتنهّد (٢) يتلهّف ؛ يشتاق (٣) يندب ؛ يتحسّر على §(٤) تنهُّد ؛ تلهّف ؛ نَدْب ؛ تحسُّر .

sight [sīt] *(n.; vt.; i.)* (١) «أ» مَشْهَد . «ب» مَعْلَم ؛ شيء جدير بالمشاهدة (the ~s of the city) (٢) شيء غريب أو مثير للسخرية الخ. (My clothes were a ~.) (٣) مقدار كبير (a ~ of money) (٤) «أ» البَصَر ؛ حاسّة البصر . «ب» إدراك . «ج» بصيرة (٥) «أ» نَظَر ؛ رؤية . «ب» اطّلاع . «ج» نظرة ؛ لمحة . «د» رأي (٦) المِهداف ؛ المصوِّبة : جهاز التسديد في بندقية الخ . §(٧) «أ» يرى ؛ يشاهد . «ب» يرقب أو يلاحظ ، وبخاصة بواسطة جهازٍ ما (٨) يسدِّد ؛ يصوِّب (٩) «أ» يزوِّد بمهداف . «ب» يعدِّل المهداف ×(١٠) يُنعم النظر في اتجاه معيّن .
at *or* on ~, عند الاطلاع ؛ بمجرّد الاطّلاع .
in ~ of على مرأى من (بحيث يرى أو يُرى) .
out of ~, بمنأى عن الأنظار .

sight bill; sight draft *(n.)* حوالة تدفع عند الاطّلاع .

sighted [sīt'əd] *(adj.)* ذو نَظَر (من نوع معيّن) .

sightless [sīt'lĭs] *(adj.)* (١) أعمى (٢) غير منظور .

sightliness [sīt'lĭ nĭs] *(n.)* (١) جَمال (٢) حُسْن الإطلالة : كون المكان مُطِلاً على منظر جميل .

sightly [sīt'lĭ] *(adj.)* (١) جميل (٢) مُطِلّ على منظر جميل .

sight-seeing [sīt'sē'ĭng] *(n.; adj.)* (١) ارتياد المواطن التي تستحق المشاهدة §(٢) مخصّص لارتياد هذه المواطن (a ~ tour) .

sightseer [-ər] *(n.)* المتفرّج : المرتاد للمواطن التي تستحقّ المشاهدة .

sigil [sĭj'ĭl] *(L.)* (١) خَتْم ؛ خاتَم (٢) لفظة أو أداة يفترض أن لها قوة سحرية .

sigmate [sĭg'mĭt] *(adj.)* سيغماوي ؛ أسّيّ : شبيه بحرف سيغما Σ اليوناني أو أسّ S اللاتيني .

sigmoid [sĭg'moid] *(adj.)* (١) سِيّيّ : شبيه بحرف C . (٢) أسّيّ : شبيه بحرف S .

sigmoid flexure *(n.)* التعريجة الأسّيّة : تعريجة القولون الأخيرة قبل انتهائه في المستقيم (ت) .

sign [sīn] *(n.; vt.; i.)* (١) إشارة ؛ إيماءة (٢) «أ» علامة . «ب» سِمَة (٣) لافتة (٤) رمز §(٥) «أ» يعلّم ؛ يَسِم . «ب» يرسم إشارة الصليب على (٦) يومئ ؛ يشير (٧) يوقّع ؛ يُمضي (٨) يتعاقد مع (The manager has ~ed a new player.) ×(٩) يوقّع (عقْدَ عملٍ أو خدمةٍ) .
to ~ off يعلن انتهاء البرنامج ؛ يوقف البثّ (رد) .

signal [sĭg'nəl] *(n.; adj.; vt.; i.)* (١) إشارة (٢) «أ» إشارة خطر . «ب» لافتة (للتحذير) §(٣) بارز ؛ رائع (~ achievements) (٤) إشاريّ (a ~ flag) §(٥) «أ» يومئ . «ب» يُبلغ بالاشارة .

signalize [sĭg'nə līz'] *(vt.)* (١) يميّز : يجعله ذا ميزة بارزة (Great inventions ~ the last fifty years.) (٢) يبرز بعناية أو بوضوح (٣) يُبلغ بالاشارات ؛ يعلن عن كذا او يشير اليه (٤) ينصب إشارات المرور (في ملتقى طريق) .

signally [sĭg'-] *(adv.)* على نحوٍ بارز أو متميّز (~ wise) .

signalman [sĭg'nəl mən] *(n.)* الملوّح (مج) : عامل الاشارة (في سكّة الحديد او في الجيش) .

signalment [sĭg'nəl mənt] *(F.)* الوصف التمييزي : وصف دقيق لشخص ما ، مع إبراز لعلاماته الفارقة (بغية تمييز الهُوِيّة) .

signatory [sĭg'nə tōr'ĭ] *(adj.; n.)* (١) موقِّع (على معاهدة الخ.) §(٢) الموقِّع ، أو أحد الموقعين ، على وثيقة ؛ وبخاصة : حكومةٌ مشتركة مع غيرها في التوقيع على معاهدة .

signature [sĭg'nə chər] *(n.)* (١) توقيع ؛ إمضاء (٢) «أ» شارة الملزمة : رقم الخ. يطبع في كعب الصفحة الأولى من الملزمة لإرشاد مجلِّد الكتاب عند جمع ملازمه . «ب» ملزمة (طع) (٣) دليل المقام (مو) (٤) الارشادات : ذلك الجزء من الوصفة الطبيّة المشتمل على إرشادات للمريض (٥) شارة البرنامج : اللحن المميز (أو الصورة المميزة) لبرنامج إذاعيّ (أو تلفزيوني) .

signboard [sīn'bōrd'] *(n.)* لوحة ؛ لافتة .

signer [sī'nər] *(n.)* الموقِّع : مَنْ يوقّع أو يُمضي .

signet [sĭg'nĭt] *(n.; vt.)* (١) خَتْم (٢) الخُتَيْم : ختم صغير يُنقش على بعض الخواتم §(٣) يختم (بخَتْم أو خُتَيْم) .

signet ring *(n.)* = seal ring.

significance [sĭg nĭf'-] *(n.)* (١) معنى ؛ مَغْزًى ؛ دلالة (٢) أهميّة .

significancy [sĭg nĭf'ə kən sĭ] *(n.)* = significance.

significant [sĭg nĭf'ə kənt] *(adj.)* (١) ذو معنى أو مغزى . (٢) هامّ ؛ ذو شأن أو خطر .

significant figures *(n. pl.)* الأرقام المعنوية : أرقام العدد ذاتُ القيمة أو الأرقامُ التي تقرر قيمته (ر) .

signification [sĭg'nə fə kā'shən] *(n.)* (١) تعبير عن المراد (بواسطة الكلمات أو الإشارات) (٢) معنى ؛ مغزى (٣) أهمية (ع) .

significative [sĭg nĭf'ə kā'tĭv] *(adj.)* = significant.

signify [sĭg'nə fī'] *(vt.; i.)* (١) يُفيد ؛ يَعني ؛ يدلّ على . (٢) يعبّر عن المراد (بواسطة لفظة أو إشارة أو إيماءة) (٣) يَهُمّ (What an idiot says does not ~.) .

signior [sēn'yôr] *(It.)* = signor.

sign language *(n.)* لغة الاشارة : لغة الصمّ أو العاجزين عن التفاهم بلغة واحدة .

sign manual *(n.)* توقيع ؛ وبخاصة : توقيع الملك في أعلى الوثيقة .

signor [sēn'yôr] *(It.)* pl. **-s** or **-i** السِّنيور : سيّد إيطاليّ .

signora [sē nyô'rä] *(It.)* pl. **-s** *or* **-re** السِّنيورة : سيدةٌ إيطاليّة.
signore [sē nyô'rĕ] *(It.)* pl. **signori** = signor.
signorina [-'rē'nä] *(It.)* pl. **-s** *or* **-ne** السِّنيورينة : آنسةٌ إيطاليّة.
signorino [sē'nyô rē'nô] *(It.)* pl. **-ni** [-nē] : السِّنيورينو : شابٌّ إيطاليّ ؛ وبخاصة : شابٌّ إيطاليّ رفيع المنزلة.
signory *or* **signiory** [sēn'yə rĭ] *(n.)* = seigniory.
signpost [sīn'pōst'] *(n.)* مَعْلَم ؛ صُوَّة (في طريق).
sike [sīk] *(n.)* (١) غدير ؛ جدول صغير (٢) خندق.
Sikh [sēk] *(n.; adj.)* (١) السِّيخِي : أحد معتنقي ديانة هندية موحِّدة أنشأها حوالي عام ١٥٠٠ ب. م. هندوسيٌّ متأثر بالاسلام. ويتميّز السِّيخ برفضهم للوثنيّة والعَزْل الطبقي §(٢) سِيخِي.
silage [sī'lĭj] *(n.)* عَلَفٌ محفوظ في سَلوة (را. silo).
silence [sī'ləns] *(n.; vt.)* (١) صَمْت ؛ سكوت (٢) سكون. (٣) «أ» نسيان أو انطماس ذِكْر. «ب» سِرِّية §(٤) يُسْكِت.
silencer [sī'lən sər] *(n.)* (١) المُسْكِت (٢) خافض الصوت (مك). (٣) مُخْمِد الصوت (جن).
silent [sī'lənt] *(adj.)* (١) «أ» صامت ؛ ساكت. «ب» أخرس. «ج» سَكوت ؛ قليل الكلام (٢) «أ» ساكن. «ب» خامد (a ~ volcano) (٣) «أ» مُغْفِل ذكرَ شيء ؛ صامت (History is ~ as to this.) «ب» غير مذكور أو مشار اليه (his ~ role in the conspiracy) (٤) صامت : «أ» غير ملفوظ (~ *b* in *doubt*). «ب» خلوٌ من الحوار الملفوظ (~ drama).
silent partner *(n.)* : الشريك المُوصِي ؛ الشريك الصامت : شريكٌ ليس له صوتٌ أو رأيٌ في توجيه العمل.
silents [sī'lənts] *(n. pl.)* أفلام سينمائية صامتة.
silesia [sĭ lē'shə; sī-] *(n.)* السِّيليزي : قماش كتاني أو قطنيّ رقيق.
silex [sī'lĕks] *(L.)* السِّيلكس : «أ» السِّليكا : ثاني أكسيد السِّليكون. «ب» زجاجٌ مُقاوِمٌ للحرارة.
silhouette [sĭl'ōō ĕt'] *(n.; vt.)* : (١) المُسَلْوتة ؛ المظلَّلة : صورة ظليّة §(٢) يُسَلْوِت : يرسم صورة ظليّة.
silic- *or* **silico-** بادئة معناها : سِليكون.
silica [sĭl'ə kə] *(L.)* السِّليكا : ثاني أكسيد السِّليكون.

silhouette

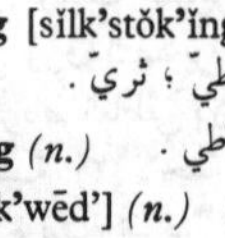

silica gel *(n.)* جَل السِّليكا : نوع هُلاميّ من السِّليكا شديد الامتصاص (ك).
silicate [sĭl'ə kĭt; -kāt'] *(n.)* السِّليكات : كلُّ ملح مشتقّ من الحوامض السِّليكيّة أو من السِّليكا (ك).
siliceous *or* **silicious** [sĭ lĭsh'əs] *(adj.)* سِلِيكونيّ : ذو علاقة بالسِّليكا أو بأحد السِّليكات (أو محتوٍ على سِليكا أو سِليكات).
silici- بادئة معناها : سِليكا (*silici*ferous).
silicic [sĭ lĭs'ĭk] *(adj.)* سِلِيكيّ ؛ سِليكونيّ.
silicic acid *(n.)* الحامض السِّليكيّ (ك).
silicicolous [sĭl'ə sĭk'ə ləs] *(adj.)* سِليكانيّ : نامٍ في تربة سِليكونية (~ plants).
silicide [sĭl'ə sīd; -sĭd] *(n.)* السِّلِيسيد (ك).
siliciferous [sĭl ə sĭf'ə-] *(adj.)* سِليكاوي : مُنتِج للسِّليكا أو محتوٍ عليها أو متّحِد معها.
silicification [sĭ lĭs ə fə kā'-] *(n.)* (١) سَلْيَكَة (٢) تَسَلْيُك.
silicified wood [sĭ lĭs'ə fīd'] *(n.)* : الخَشَبُ المُسَلْيَك : خَشَبٌ مُحوَّلٌ إلى كوارتز.

silicify [sĭ lĭs'ə fī'] *(vt.; i.)* (١) يُسَلْيِك : يحوِّل إلى سِلِيكا أو يُشبِع بها ×(٢) يتَسَلْيَك : يتحوّل إلى سِلِيكا أو يُشبَع بها.
silicle [sĭl'ə kəl] *(L.)* الخُرَيْدِليّة : ثمرة خَرْدَليّة صغيرة يكاد عرضُها يساوي طولها (را. silique).
silico- = silic-.
silicon [sĭl'ə kən] *(L.)* السِّلِيكُون : عنصر لافلزيّ (ك).
silicone [-'ə kōn] *(n.)* السِّلِيكُون : مركّب سِلِيكونيّ عضويّ.
silicosis [sĭl'ə kō'sĭs] *(L.)* التَّسَمُّم السِّلِيكِي : داء رئويّ متميّز بِقِصَر النَّفَس ناشئ عن تنشّق متطاول لغبار السليكا.
siliculose [sĭ lĭk'yə lōs'] *(adj.)* : «أ» حامل خُرَيْدلانيّ خُرَيْدليّات. «ب» شبيهٌ بالخُرَيْدِليّات (را. silicle).
silique [sĭ lēk'; sĭl'ĭk] *(F.)* الخَرْدَليّة : ثمرة يابسة مستطيلة ذات خباءَين يجمع بينهما شبه حاجز يقسم الثمرة، عند نضجها، إلى قسمين (نب).
—**siliquose** *or* **siliquous** *(adj.)*
silk [sĭlk] *(n.; adj.; vi.)* (١) حرير (٢) ثوب حريري. (٣) *pl.* : قبعة الفارس وقميصه الملوَّنان باللون الخاص بالاسطبل الذي ينتسب إليه (في سباق الخيل) (٤) خيوط تُشبه الحرير (كخيوط العنكبوت) (٥) شُعَيْرات كوز الذُّرة (٦) براشوت §(٧) حريريّ §(٨) تُطلع (الذرةُ) شُعَيْراتها.
silkaline *or* **silkoline** [sĭl'kə lēn'] *(n.)* السِّلْكَلين : قماش قطنيّ رقيق تُتّخذ منه الستائر الخ.
silk cotton *(n.)* = kapok.
silk-cotton tree *(n.)* = ceiba.
silken [sĭl'kən] *(adj.)* (١) حريري (٢) حريرانيّ : شبيه بالحرير. (٣) ناعم (a ~ touch) (٤) «أ» مكتسٍ بالحرير. «ب» مُتْرَف.
silk floss *(n.)* = kapok.
silk hat *(n.)* القبعة الحريريّة : قبعة مخمليّة عالية أسطوانيّة الشكل يعتمر بها الرجال في المواقف الرسمية.
silk oak *(n.)* الغِرِيفِلِيّة ؛ السنديان الحريري : شجر استرالي.
silk-stocking [sĭlk'stŏk'ĭng] *(adj.)* (١) أنيق ؛ مُتْرَف (a ~ audience) (٢) أرستوقراطيّ ؛ ثريّ.
silk stocking *(n.)* شخص أنيق أو مُتْرَف أو أرستوقراطي.
silkweed [sĭlk'wēd'] *(n.)* الصُّقلاب ؛ حشيشة الحرير (نب).
silkworm [sĭlk'wûrm'] *(n.)* دودة الحرير ؛ دودة القزّ.
silky [sĭl'kĭ] *(adj.)* (١) حريري (٢) حريرانيّ : شبيه بالحرير. (٣) ناعم (٤) زَغِب ؛ أزْغَب (~ leaves).
sill [sĭl] *(n.)* (١) الأُسْكُفّة : عَتَبة الباب أو النافذة. (٢) الجُدّة الموازية : جسم منبسط من صخر بركانيّ قائم بين طبقتين من مقذوفات البراكين (جي).
sillabub [sĭl'ə bŭb'] *(n.)* (١) السِّلَبُوب : «أ» طعام يُعَدّ بمزج الخمر بالحليب. «ب» قشدة محلاة تُنَكَّه بالخمر وتخفق حتى يعلوها الزَّبد (٢) كلّ ما يُشبِه الزَّبَد أو الفقاقيع ؛ وبخاصة : لغة منمّقة.
siller [sĭl'ər] *(n.)* فضة ؛ نقود (ع).
sillily [sĭl'ĭ lĭ] *(adv.)* بسذاجة ؛ ببلاهة ؛ بسُخف.
sillimanite [sĭl'ə mə nīt'] *(n.)* السِّلِّيمانيت (مع).
silliness [sĭl'ĭ-] *(n.)* (١) سذاجة (٢) بلاهة (٣) سُخف.
silly [sĭl'ĭ] *(adj.; n.)* (١) ساذج ؛ بسيط (٢) أبله (٣) سخيف ؛ مضحك ؛ مخالف للعقل §(٤) شخص أحمق أو سخيف (ع).
silly season *(n.)* موسم السخف : فترة (كأواخر الصيف) تضطر

فيها الصحف للتجوء إلى معالجة الموضوعات الثانوية بسبب من ندرة الأخبار الرئيسية الهامّة .

silo [sī'lō] *(Sp.)* السِّلْوَة : مبنى أسطوانيّ خشبيّ أو اسمنتي عالٍ مُحْكَم الإغلاق يُحفظ فيه علف الدواب .

silo

silt [sĭlt] *(n.; vt.; i.)* (١) غِرْيَن ؛ طَمْي . §(٢) يغرّين : يملأ بالغرين ×(٣) يتغرّين : يمتلئ بالغرين .

Silurian Period [sĭ lo͝or'ĭ ən; sī-] *(n.)* العصر السيلوري (جي) .

silurid [sĭ lo͝or'ĭd] ; **siluroid** [-'oid] *(n.)* السِّلُّور ، الصَّلُّور : سمك نهري .

silva [sĭl'və] *(L.)* (١)الأشجار الحِراجية (في بلد او منطقة ما) (٢)رسالة في الأشجار الحراجية (في بلدٍ أو منطقة ما) . **— silvan** *(adj.)*

silvan [sĭl'vən] *(adj.; n.)* = sylvan.

silver [sĭl'vər] *(n.; adj.; vt.)* (١) فِضّة (٢) قطعة نقد فضيّة . (٣) طبق فضيّ للمائدة (٤) اللون الفضيّ §(٥) فضي (٦) فِضّانيّ : شبيه بالفضّة (٧) فصيح على نحو مُقنِع (his ~ tongue) (٨) فضيّ : متعلق بالذكرى الخامسة والعشرين لحادثة ما (٩)خاص بالفضة (~ legislation)(١٠)مؤيّد لاستعمال الفضة كقاعدة للنقد (إد) §(١١) يفضّض : «أ» يطلي بالفضة . «ب» يجعله أبيض فضيّاً .

silver age *(n.)* العصر الفضي : فترة من التاريخ تتميز بمنجزات هامة ولكنها ثانوية بالنسبة إلى منجزات عصرٍ ذهبي .

silver bell *(n.)* الهالِيزِيَة : شجيرة ذات زهر أبيض جرسيّ الشكل .

silverberry [sĭl'vər bĕr'ĭ] *(n.)* التوت الفضيّ : شجيرة أميركيّة فضيّة الورق والثمر .

silver bromide *(n.)* بروميد الفضة : مركّب شديد الحساسية للضوء يستخدم في التصوير الفوتوغرافي .

silver chloride *(n.)* كلوريد الفضّة : مركّب حسّاس للضوء يُستخدم لجعل ورق التصوير الفوتوغرافي ذا حساسية .

silver cord *(n.)* الحبل الفضيّ : الرباط العاطفيّ بين الأم وولدها .

silverfish [sĭl'vər fĭsh'] *(n.)* (١) السمكة الفضيّة (٢) لاحسة السكّر : حشرة بيتيّة تقرض الورق وتؤذي الملابس المُنشّاة .

silver lining *(n.)* الحاشية الفضيّة : «أ» حافّة السحابة البيضاء . «ب» أمَل مُعزّ ؛ الجانب المشرق من محنةٍ ما .

silver nitrate *(n.)* نترات الفضة (ك) .

silver paper *(n.)* الورق الفضي : ورق معدنيّ فضيّ اللون .

silver-plated [sĭl'vər plā'-] *(adj.)* مُفَضَّض ؛ مَطْليّ بالفضّة .

silver screen *(n.)* الشاشة الفضيّة : شاشة السينما .

silversides [-sīdz] *(n.)* الحسّاس ، الهِف : سمك فضيّ الجنبَين .

silversmith [sĭl'vər smĭth'] *(n.)* صائغ الفضة .

silver-tongued [sĭl'vər tŭngd'] *(adj.)* فَصيح ؛ ذَرِب اللسان .

silverware [sĭl'vər wâr'] *(n.)* آنية المائدة الفضيّة .

silver wedding *(n.)* ذكرى الزواج الخامسة والعشرون .

silvery [sĭl'və rĭ] *(adj.)* (١) فضيّ الرنين (notes of ~ church bells) (٢) فضّانيّ : شبيه بالفضة في اللمعان (٣) فضيّ .

silviculture [sĭl'və kŭl'chər] *(n.)* التأجيم : فرع من علم الحِراجة يُعْنى بزراعة الغابات والعناية بها .

simar [sĭ mär'] *(F.)* السِّيمار : ثوبٌ نسويّ فضفاض .

simian [sĭm'ĭ ən] *(adj.; n.)* (١) قِرْدِي §(٢) قِرْد .

similar [sĭm'ə lər] *(adj.)* (١) مشابه ؛ مماثِل (٢) متشابه (ر) .

similarity [sĭm'ə lăr'ə tĭ] *(n.)* (١) شَبَه (٢) تَشابُه .

simile [sĭm'ə lē'] *(L.)* التشبيه (في علم البلاغة) .

similitude [sĭ mĭl'ə tūd'; -to͞od'] *(n.)* (١)«أ» الشَّبَه ؛ الشبيه . «ب» صورة ؛ طِبق الأصل (٢)«أ» تشبيه . «ب» مجاز (٣)«أ» شَبَه . «ب» وجه شبه .

simmer [sĭm'ər] *(vi.; t.)* (١) يجيش ؛ يغلي برفق (تحت نقطة الغليان أو عندها تماماً) (٢) يهتاج ؛ يضطرب ×(٣) يطهو ببطء (في سائل كاد يبلغ نقطة الغليان) .

simoleon [sə mō'lĭ ən] *(n.)* دولار (عا) .

simoniac [sĭ mō'nĭ ăk'] *(n.)* السيموني : مشتري المنصب الكهنوتي أو بائعه . **—simoniacal** *(adj.)*

simonize [sī'mə nīz] *(vt.)* يصقل بالشمع ونحوه .

simon-pure [sī'mən pyo͝or'] *(adj.)* حقيقيّ ؛ أصلي ؛ صافٍ .

simony [sĭm'ə nĭ] *(n.)* السيمونية : شراء المنصب الكهنوتي أو بيعه .

simoom [sĭ mo͞om'] *or* **simoon** [sĭ mo͞on'] *(Ar.)* السَّموم ؛ ريحُ السَّموم : ريح حارة جافة مثقلة بالغبار .

simper [sĭm'-] *(vi.; n.)* (١)يتكلف الابتسام §(٢)ابتسامة متكلّفة .

simple [sĭm'pəl] *(adj.; n.)* (١) بسيط : «أ» غير مركّب أو معقّد أو صَعْب الخ . «ب» غير مُتْرَف (~ diet) . «ج» تافه . «د» عاديّ (a ~ soldier) (٢) وضيع المولد أو المنزلة (٣)«أ»جاهل ؛ غير مثقّف . «ب»متخلّف عقلياً . «ج»ساذج . «د»مُغفّل (٤)صِرف ؛ محض ؛ خالص ؛ مجرّد (the ~ truth) (٥) مُطلَق ؛ غير مشروط (~ obligations) §(٦)«أ» شخص وضيع المولد أو المنزلة . «ب» شخص جاهل أو متخلّف عقلياً (٧)«أ»نبتة طبيّة . «ب»عقّار نباتي بسيط .

simple equation *(n.)* المعادلة البسيطة (ر) .

simple fraction *(n.)* الكَسْر البسيط (ر) .

simple interest *(n.)* الفائدة البسيطة أو غير المركّبة (إد) .

simple machines *(n. pl.)* الماكينات البسيطة (كالمخل والبكرة) .

simpleminded [sĭm'pəl mīn'-] *(adj.)* (١) ساذج (٢) أبله .

simpleton [sĭm'pəl tən] *(n.)* السّاذَج ؛ المغفّل .

simple vow *(n.)* النّذر البسيط : نَذْر ترهّب يجاز فيه للمترهّب أن يتزوج وأن يحتفظ بممتلكاته (كث) .

simplex [sĭm'-] *(adj.)* (١) بسيط ؛ مفرد (٢)مفرد الإرسال (لا) .

simplicity [sĭm plĭs'ə tĭ] *(n.)* (١) بساطة (٢) سذاجة .

simplification [sĭm plə fĭ kā'-] *(n.)* تبسيط ؛ تيسير ؛ إيضاح .

simplify [sĭm'plə fī'] *(vt.)* يبسّط ؛ ييسّر ؛ يوضح .

simplism [sĭm'plĭz əm] *(n.)* إفراط في التبسيط (إلى حدّ يؤدّي إلى التشويه أو الخطأ أو سوء الفهم) .

simply [sĭm'plĭ] *(adv.)* (١) «أ» ببساطة . «ب» بوضوح (٢)«أ» مجرد ؛ ليس غير . «ب» حقاً ؛ تماماً .

simulacrum [sĭm'yə lā'krəm] *(L.)* pl. **-cra** [-krə] (١) صورة (٢) صورة زائفة عن (a ~ of democracy) .

simulate [*v.* sĭm'yə lāt'; *adj.* -lĭt, -lāt'] *(vt.; adj.)* (١) يتظاهر بـ (٢) يحاكي أو يقلّد (في اللون الخ .) على سبيل التنكّر البيئي (Some insects ~ leaves.) §(٣) زائف ؛ كاذب .

simulated [sĭm'yə lā tĭd] *(adj.)* زائف ؛ كاذب .

simulation [sĭm'yə lā'-] *(n.)* (١) تظاهر بـ (٢) شيء زائف .

simulcast [sĭ'məl-] *(vt.; i.; n.)* [*simul*taneous broad*cast*] (١) يذيع بالراديو والتلفزيون في وقت واحد §(٢) «أ» إذاعة برنامج بالراديو والتلفزيون في وقت واحد. «ب» برنامج مذاعٌ على هذا النحو.

simultaneity [sĭ'məl tə nē'ə tĭ] *(n.)* التواقُت ؛ التَّزامن .

simultaneous [sĭ'məl tā'nĭ əs] *(adj.)* متواقت ؛ متزامن ؛ حادثٌ في وقت واحد .

simultaneous equations *(n. pl.)* المعادلات الآنيّة (جب) .

simultaneously [sĭ'məl tā'nĭ əs lĭ] *(adv.)* معاً ، في وقت واحد.

sin [sĭn] *(n.; vi.)* (١) إثم ؛ خطيئة §(٢) يأثَم .

Sinanthropus [sī năn'thrə pəs] *(n.)* = Peking man.

sinapism [sĭn'ə pĭz'əm] *(L.)* لَصْقة الخَرْدل .

since [sĭns] *(adv.; prep.; conj.)* (١) منذ ذلك الحين (have stayed there ever ~) (٢) قديماً ، في ما مضى (I heard that story long ~.) (٣) بعد ذلك ، في ما بعد (settled in South Carolina) what has ~ become §(٤)منذ (~ 1954) §(٥) بما أن ؛ نظراً لِ (~ you insist, we will pay.) .

sincere [sĭn sĭr'] *(adj.)* (١) مخلص ؛ صادق (٢) صِرف ؛ صافٍ (٣) أصيل ؛ حقيقي ؛ غير زائف . **—sincereness** *(n.)*

sincerely [sĭn sĭr'lĭ] *(adv.)* بإخلاص ؛ بصدق .

sincerity [sĭn sĕr'ə tĭ] *(n.)* إخلاص ؛ صدق .

sinciput [sĭn'sə pŭt'] *(L.)* (١)جبين (٢)نصف الجمجمة الأعلى.

sine [sīn] *(L.)* الجَيْب ؛ جيب الزاوية (ر) .

sinecure [sī'nĭ kyŏŏr'; sĭn'ĭ-] *(L.)* الوظيفة العاطلة : منصب لا يقوم صاحبه بأي عمل (أو يقوم بعمل لا يتكافأ مع راتبه الكبير).

sine curve [sīn] *(n.)* مُنْحَنَى الجيب (ر) .

sine die [sī'nĭ dī'ē] *(L.)* إلى أجل غير مُسمّى .

sine qua non [-kwā nŏn'] *(L.)* شيء لابدَّ منه ؛ شرط ضروري.

sinew [sĭn'ū] *(n.; vt.)* (١) وَتَر ؛ طُنُب (ت) (٢) «أ» قوة «ب» عصب ؛ مصدر قوة §(٣) يقوي .

sine wave [sīn] *(n.)* الموجة الجَيْبِيّة (فز) .

sinewy [sĭn'ū ĭ] *(adj.)* (١) وَتَري (٢) عصبيّ ؛ قويّ .

sinfonia [sĭn'fō nē'ə] *(It.)* pl. **-nie** [-nē'ē]=symphony.

sinfonietta [sĭn fōn yĕt'ə] *(It.)* السِّينفونيتّة : «أ» سيمفونيّة قصيرة (أو لعدد قليل من الآلات) . «ب» أوركسترا سيمفونيّة صغيرة ؛ وبخاصة : أوركسترا وترية فقط .

sinful [sĭn'fəl] *(adj.)* أثيم ؛ شِرير .

sing [sĭng] *(vi.; t.; n.)* (١) يُغني ؛ يُنْشِد (٢)«أ»يغرِّد (الطير). «ب» يخرِّر (الجدول) (٣) «أ» يقُصّ ، أو يتحدَّث عن ، بقالب شعري (Homer *sang* of Troy.) . «ب» ينظِم الشعر (٤) يُغَنّى ؛ يكون (الشعرُ) قابلاً للغناء (٥) «أ» يئِزّ (الرصاص الخ.) . «ب» تطنّ (الأذنان) ×(٦) يغنّي (أغنية) (٧)يُنشِد (قداساً) (٨)يتغنّى بِ (to ~ the deeds of national heroes) (٩) ينوم (أو يُحْدِث حالةً أخرى معيّنة) بالغناء (to ~ a child to sleep) §(١٠)غِناء؛ وبخاصة: غِناء جَماعيّ.

singe [sĭnj] *(vt.; n.)* (١) يَسْفَع ؛ يُشيِط ؛ يُحْرِق سطحياً وبخاصة : يزيل الشعر أو الزَّغَب عن سطح شيء بإمراره فوق اللهب إمراراً سريعاً §(٢)سَفْعَة؛حُرْق سطحي. **—singer** *(n.)*

singer [sĭng'ər] *(n.)* (١) مُغَنٍّ (٢) شاعر (٣) طائرٌ غِرِّيدٌ .

singing bird *(n.)* (١) طائرٌ غِرِّيد (٢) الجَثْوم: طائر من الجواثم (كالحسّون والسنونو والغراب والقبَّرة) .

single [sĭng'gəl] *(adj.; n.; vt.)* (١) «أ» عَزَبٌ ، أعزب . «ب» عُزوبيّ : خاصّ بالعزوبة (a ~ life) (٢) منفرد ؛ وحيد (٣) مُفْرَد؛ فَرْد؛ أُحادي (٤) فَرْدِيّ : مقصورٌ على فرد ضد فرد (~ combat) (٥)مخلص ؛ صادق (~ devotion) (٦) فريد ؛ فذّ (٧) مستقلّ : مُعَدّ لشخص واحد أو لأسرة واحدة فقط (a ~ house) §(٨) شخص؛ فرد(٩)المباراة الفَرْديّة : مباراة (في التنس أو الغولف الخ.) تجري بين لاعبين اثنين §(١٠)يُفْرِد أو يُميّز أو يختار (شخصاً أو شيئاً) من مجموعة .

single-breasted [sĭng'gəl brĕs'tĭd] *(adj.)* ذات صف واحد من الأزرار (a ~ jacket) .

single combat *(n.)* قتال فرديّ (بين شخصين فقط) .

single entry *(n.)* قَيْد مُفْرَد (في مسك الدفاتر) .

single file *(n.)* = Indian file.

single-handed [sĭng'gəl hăn'dĭd] *(adj.; adv.)* (١) فَرْديّ (٢) عامِلٌ وحدَهُ أو من غير مُعِين (٣) ذو يدٍ واحدة أو مستعمِل يداً واحدة §(٤) فرديّاً ، على نحوٍ فرديّ ؛ من غير مساعدة . **—single-handedly** *(adv.)*

single-hearted [sĭng'gəl här'tĭd] *(adj.)* (١) مخلص ؛ صادق. (٢) موحَّد الهدف .

single-minded [sĭng'gəl mīn'dĭd] *(adj.)* (١) مخلص . (٢) موطَّد العزم ؛ ذو هدف مفرد يستقطب قواه كلها.

single-name paper *(n.)* أحادية التوقيع: كمبيالة تحمل توقيع المدين فقط.

singleness [sĭng'gəl-] *(n.)* عزوبة ؛ وحدانيّة ؛ فردية ؛ إخلاص الخ.

single-phase [sĭng'gəl fāz'] *(adj.)* أُحاديّ الطَّور (كب) .

singles [sĭng'gəlz] *(n.; adj.)* (١) المباراة الفردية : مباراة في التنس الخ. تجري بين لاعبين §(٢) فَرْديّ (a ~ match) .

single-space [sĭng'gəl spās'] *(vt.)* يطبع غيرَ تاركٍ سطراً فارغاً بين كلّ سطرين .

singlestick [sĭng'gəl stĭk'] *(n.)* (١) هراوة (٢) مبارزة بهراوة يبلغ طولها طول السيف تقريباً .

singlesticker [-ər] *(n.)* وحيد الصاري : مركب ذو صارٍ واحد.

singlet [sĭng'glĭt] *(n.)* قميص تحتانيّ (للرجال) .

single tax *(n.)* الضريبة المفردة : ضريبة تُفْرَض على شيء واحد، وبخاصة الأرض ، وتشكّل مورد الدولة الوحيد .

single ticket *(n.)* التذكرة المفردة (الصالحة للذهاب أو للإياب فقط) .

singleton [sĭng'gəl tən] *(F.)* (١)الورقة المُفْرَدة : ورقة في يد اللاعب لا يحمل غيرها من نفس « المنظومة » أي من مجموعة ورق «الشدة» ذات النقش الواحد (٢) الوليد المفرد ، وليد غير توأم .

single-track [sĭng'gəl-] *(adj.)* = one-track.

singletree [sĭng'gəl trē] *(n.)* = swingletree.

singly [sĭng'glĭ] *(adv.)* (١) على انفراد (considered each point ~) (٢) واحداً بعد آخر (Misfortunes never come ~.) (٣) من غير مساعدة .

singsong [sĭng'-] *(n.; adj.)* (١) شعرٌ أو نغمٌ رتيب §(٢) رتيب.

singular [sĭng'gyə lər] *(adj.; n.)* (١) «أ» شخصيّ ؛ فَرْدِيّ «ب»مُفْرَد (ل) (٢)رائع ؛ استثنائي (a ~ triumph) (٣)فريد ؛ فذّ (٤) شاذّ ؛ غريب §(٥) المُفْرَد أو صيغة المفرد (ل) .

singularity [sĭng'gyə lăr'ə tĭ] *(n.)* (١) وحدة أو شيء مُفرَد. (٢) خصوصيّة ؛ صفة مميِّزة أو غريبة (٣) تفرُّد ؛ غرابة .

singularize [sĭng'gyə lə rīz'] *(vt.)* يجعله مفرداً أو غريباً الخ.

singularly [sĭng'gyə-] *(adv.)* على نحو استثنائي أو فريد أو غريب.

singular point *(n.)* النقطة المفردة (ر).

Sinicism [sī'nə sĭz'əm] *(n.)* الصِّينيّة: عادة الخ. خاصّة بالصينيين.

sinicize [sī'nə sīz]; **sinify** [-fī] *(vt.)* يُصَيِّن: يجعله صينياً.

sinister [sĭn'ĭs tər] *(adj.)* (١) شرّير؛ فاسد (٢) أيسر؛ واقع إلى اليسار (٣) مشؤوم؛ منحوس.

sinistral [sĭn'ĭs trəl] *(adj.)* (١) أيسر؛ يساريّ (٢) أعسر: عاملٌ بيُسراه.

sinistro- سابقة معناها: أيْسَر؛ يساري.

sinistrorse[-'ĭs trôrs']*or* **sinistrorsal**[sĭn'ĭs trôr'-] *(adj.)* مُيَاسِر: مرتفع لولبياً من اليمين إلى اليسار (stems ~).

sinistrous [sĭn'ĭs trəs] *(adj.)* = sinister.

Sinitic [sī nĭt'ĭk] *(adj.)* صيني: خاصّ بالصينيين أو لغتهم.

sink [sĭngk] *(vi.; t.; n.)* (١) «أ» يغطس؛ يغوص. «ب» يخوض (في الوحل). «ج» يَغْرَق (٢) «أ» يغور. «ب» يَهْبِط. «ج» يهمد أو يأخذ في الخمود. «د» ينخفض. «ﻫ» يترسّب. «و» يغيب عن البصر. «ز» ينحدر تدريجياً (٣) «أ» يخترق؛ ينفذ إلى (Rain *sank* into the ground.). «ب» يُفهَم فهماً جيّداً (The lesson of inflation had not *sunk* in.) (٤) يستغرق في (had *sunk* into thought) (٥) «أ» يَفْسُد؛ ينحطّ. «ب» ينقص (من حيث المقدار أو القيمة) (٦) «أ» ينهار؛ يَخِرّ. «ب» يرزح؛ يكتئب. «ج» تَضْعُف (صحّتُه) × (٧) «أ» يغطّس. «ب» يركز (عموداً في الأرض). «ج» يُنْفِذ (٨) «أ» يُغْرِق. «ب» يَغْمر (٩) «أ» يحفر (بئراً). «ب» ينقش (في الحجر) (١٠) يُذِلّ؛ يحقّر (١١) يُضْعِف (١٢) يحطّم؛ يهزم (١٣) يَخْفِض؛ يُنْزِل (١٤) يطرح؛ يتجاهل (They agreed to ~ their differences.) (١٥) يسدّد دَيْناً (١٦) يوظّف (أو يخسر) مالاً وبخاصة في مشروع غير رابح §(١٧) «أ» بالوعة. «ب» مغسلة (١٨) بؤرة فساد أو رذيلة (١٩) غَوْر أو منخفض من الأرض تتجمّع فيه المياه.

sinkage [sĭngk'ĭj] *(n.)* (١) مص sink (٢) مُنْخَفَض؛ غَوْر. (٣) التغوير: بياض يُتْرَك في أعلى الصفحة المطبوعة.

sinker [sĭngk'ər] *(n.)* (١) فا sink (٢) الثقّالة؛ ثِقْل رصاصيّ لإبقاء الصنّارة أو الشبكة تحت الماء (٣) كعكة مقليّة بالدهن.

sink hole *(n.)* (١) بالوعة (٢) ثقب (في الصخر) تنفذ منه المياه السطحية (٣) حفرة تتجمّع فيها المياه (٤) بؤرة رذيلة وفساد.

sinking fund *(n.)* مالُ التسديد أو الاستهلاك: مالٌ يُفْرَد جانباً في فترات معيّنة ويُودَع أو يوظّف لتسديد دَيْن أو استهلاكه.

sinner [sĭn'ər] *(n.)* (١) الآثم (٢) الوَغْد؛ الشرّير.

Sino- بادئة معناها «أ» صينيّ. «ب» صيني و...

sinological [sī nə lŏj'ə kəl; sĭn'ə-] *(adj.)* صينولوجي: خاصّ بالثقافة أو اللغة أو الآداب الصينية.

sinologist [sī nŏl'ə jĭst ; sĭ-] *(n.)* الاختصاصي بالصينولوجيا.

sinologue [sī'nə lôg'; sĭn'-] *(n.)* = sinologist.

sinology [sī nŏl'ə jĭ; sĭ-] *(n.)* الصينولوجيا: دراسة اللغة والأدب والتاريخ والثقافة الصينية.

sinsemilla [sĭn'səmĭl'ə] *(n.)* السِّنْسَميلا: ضرب من المَرْهُوانة.

sinter [sĭn'tər] *(n.; vt.)* (١) اللّبيدة؛ القرارة المتلبّدة (بتبخّر مياه الينابيع والبحيرات) §(٢) يُلَبِّد.

sinuate [*adj.* sĭn'yōō ĭt, -āt; *v.* -āt] *(adj.; vi.)* (١) مُتَعَرِّج؛ متعمّج؛ متموّج الحاشية (leaves ~) §(٢) يتعرّج؛ يتعمّج.

sinuosity [sĭn'yōō ŏs'ə tĭ] *(n.)* (١) تَعَرُّج؛ تَعَمُّج؛ تَلَوٍّ. (٢) شيء متعرج أو متعمّج.

sinuous [sĭn'yōō əs] *(adj.)* (١) متعرج؛ متعمّج؛ متلوٍّ على نحو أفعوانيّ (٢) «أ» معقّد. «ب» غير مباشر (٣) متموج الحاشية (نب).

sinus [sī nəs] *(L.)* (١) فجوة (٢) جيب؛ تجويف («ت» و«ح»).

sinusitis [sī nə sī'tĭs] *(n.)* التهاب الجيب (مض).

sinusoid [sī'nə soid] *(L.)* المُنْحَنى الجَيْبِيّ (ر).

sinusoidal [sī nə soid'əl] *(adj.)* على شكل مُنحنى جيبي.

sip [sĭp] *(vi.; t.; n.)* (١) يَرْشُف §(٢) رَشْف (٣) رَشْفة.

siphon [sī'fən] *(n.; vt.; i.)* (١) مَثْعَب؛ سحّارة؛ سيفون §(٢) يثعّب؛ يُسَيفِن × (٣) ينثعب؛ يتسيفن.

siphon

siphon bottle *(n.)* قارورة مثعبيّة أو سيفونيّة.

siphonophore [-'fə nə fôr'] *(n.)* السّحّاري: حيوان من السحّاريّات **Siphonophora** وهي طُوَيْئفة من الأبابيّات الأوقيانوسية (ح).

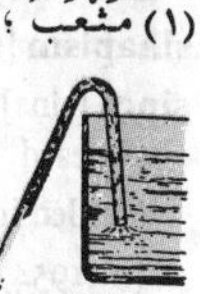

sippet [sĭp'ĭt] *(n.)* كِسْرة (من خبز محمّص أو مقلي).

sir [sûr] *(n.)* (١) *cap.* السِّير: لقب انكليزي (٢) سيّدي.

sirdar [sər där'] *(Hin.)* السردار: «أ» زعيم. «ب» ضابط كبير. «ج» قائد الجيش العام.

sire [sīr] *(n.; vt.)* (١) «أ» أب. «ب» مُوجِد؛ منشئ. (٢) مولاي (في مخاطبة الملوك) (٣) والد الحيوان (وبخاصة الفرس) §(٤) يُنْجِب (٥) «أ» يُوجِد؛ ينشئ. «ب» يضع؛ يولِّف.

siren [sī'rən] *(n.; adj.)* (١) «أ» *cap.* السِّيرانة: واحدة من مجموعة كائنات أسطورية (عند الاغريق) لها رؤوس نسوة وأجساد طيور. كانت تسحر الملاّحين بغنائها فتوردهم موارد الهلاك. «ب» امرأة مُغْوِية أو خطِرة. «ج» جهاز لإحداث النغمات الموسيقية (وبخاصة لأغراض دراسة الصوت) (٢) صفّارة الإنذار (~ air-raid) (٣) سَمَنْدَر (حيوان من الضفدعيات) انقليسيّ الشكل لا قوائمَ خلفيّة له §(٤) فاتن؛ ساحر؛ مُغْوٍ.

sirenian [sī rē'nĭ ən] *(n.)* الحَيْلاني: حيوان ثدييّ من الحَيْلانيات **Sirenia** وهي رتبة من الحيوانات المائيّة آكلة للعشب.

Sirius [sĭr'ĭ əs] *(Gk.)* الشِّعْرى اليمانيّة (فل).

sirloin [sûr'loin] *(n.)* قطعة لحم (من خاصرة البقرة).

sirocco [sə rŏk'ō] *(Ar.)* الشَّرقيّة: «أ» ريح جافّة مثقلة بالغبار تهبّ من شماليّ افريقية عبر المتوسط وأوروبة الجنوبيّة. «ب» كلّ ريح حارّة مزعجة.

sirup; sirupy [sĭr'-] = syrup; syrupy.

-sis لاحقة معناها: عمليّة؛ عمل (analy*sis*).

sisal [sī'səl; sĭs'-] *(Sp.)* السِّيزال: «أ» ليف أبيض متين تُتّخذ منه الحبال. «ب» نبات تُتّخذ من أليافه الحبال المعروفة باسمه.

siskin [sĭs'kĭn] *(G.)* السِّسْكِن: عصفور كالحسّون حادّ المنقار.

sissified [sĭs'ĭ fīd'] *(adj.)* = sissy 3.

sissy [sĭs'ĭ] *(n.; adj.)* (١) أخت (٢) «أ» رجل أو فتى مخنّث. «ب» شخص جبان §(٣) مخنّث؛ جبان.

sister [sĭs'tər] *(n.; adj.)* (١) «أ» الشّقيقة. «ب» أختٌ غير شقيقة. «ج» أخت الزوج أو الزوجة. «د» امرأة الأخ. «ﻫ» امرأة أخي الزوج (٢) *cap.* اك: «أ» راهبة؛ أخت. «ب» امرأة من أعضاء كنيسة نصرانية ما (٣) ممرّضة (٤) «أ» فتاة؛ امرأة. «ب» شخص (for the benefit of the weaker ~*s*) §(٥) شقيقة (~ ships).

sisterhood [sĭs'tər-] *(n.)* (١) الأُخْتِيّة: كون الفتاة أو المرأة أختاً. (٢) جماعة من الأخوات ؛ وبخاصة: جمعية راهبات ؛ رهبنة نِسويّة.

sister-in-law [sĭs'tər ĭn lô'] *(n.)* (١) أخت الزوج أو الزوجة. (٢) «أ» امرأة الأخ. «ب» امرأة أخي الزوج.

sisterly [sĭs'tər lĭ] *(adj.; adv.)* (١) أُخْتِيّ: خاصّ بالأخت. أو متّسِم بخصائص الأخت ؛ بالغ الرفقِ والحنان (a ~ kiss) §(٢) أُختياً ؛ على نحوٍ بالغ الرفق والحنان.

sistrum [sĭs'trəm] *(Gk.)* pl. **-trums** *or* **-tra** : الصَّلاصل (مج): آلة موسيقيّة مُخَشْخِشة (عند قدماء المصريين).

sistrum

sit [sĭt] *(vi.; t.; n.)* (١) «أ» يَجْلِس ؛ يَقْعُد. «ب» يجثِم. (٢) يحتل مقعداً في هيئة رسميّة بوصفه عضواً فيها (*sat* in Congress) (٣) ينعقد (المجلسُ الخ.) (٤) تحضن (الدجاجةُ) البيضَ ليفقِس (٥) «أ» يتّخذ وضعاً أمام الرسام أو المصور الفوتوغرافي. «ب» يشتغل موديلاً (را. model) (٦) «أ» «يَلْبَس» الثوبُ الجسمَ (That coat ~ *s* well.). «ب» يلائم (٧) يستقرّ (٨) «أ» يقع (Our house ~ *s* well back from the street.) «ب» تهبّ الريح من ناحية معينة (٩) يقدّم امتحاناً (١٠) تُعنى بالاطفال (أثناء غياب ذويهم فترةً قصيرة عادةً) ×(١١) يُجلِس ؛ يُقْعِد (١٢) يتّسِع لِـ (The car will ~ six persons comfortably.) (١٣) يمتطي صهوة الجواد (to ~ a horse) §(١٤) الجلوس أو مدّته (١٥) اللِّبْسة: الطريقة التي «يَلْبَس» بها الثوبُ الجسمَ (كأن يكون مُحْكَم التفصيل على قَدْرِه أو ضيّقاً أو واسعاً بالنسبة إليه).

- to ~ back يستريح ؛ لا يقوم بعمل.
- to ~ on (١) يبحث ؛ يدرس ؛ ينظر في (٢) يوبّخ.
- to ~ on a committee يشترك في عضوية لجنة.
- to ~ out (١) يبقى إلى آخر الحفلة الخ. (٢) لا يشترك (وبخاصة في رقصة ما) (٣) يجلس في الهواء الطلق.
- to ~ tight (١) يستقرّ ثابتاً في مكانه (وبخاصة على صهوة الجواد) (٢) يتمسك بآرائه أو أهدافه (٣) يلزم السكون وهو مختبىء أو وكأنه مختبىء.
- to ~ under يحضر الصلاة أو الدروس أو المحاضرات عند كاهن ما أو أستاذ ما.
- to ~ up (١) يجلس منتصباً (في فراشه) (٢) يُطيل السهر.
- to make somebody ~ up (١) يروع فلاناً (٢) يثيره إلى العمل.
- to ~ upon (١) يجلس للقضاء أو الحكم (٢) يشترك في عضوية لجنة الخ. (٣) يوبّخ.

sitar *(n.)* السِّيتار: آلة موسيقية هندية شبيهة بالعود.

sit-down [sĭt'doun'] *(n.)* الاضراب الملازم: إضراب عن العمل يلزم فيه المضربون مراكز عملهم إلى أن تحقق مطالبهم.

site [sīt] *(n.; vt.)* (١) موقع ؛ مكان §(٢) يختار أو يعيّن الموقع (لمبنى يُراد انشاؤه الخ.).

sit-in [sĭt'ĭn'] *(n.)* (١) sit-down (٢) الاعتصام: احتلال المقاعد في مؤسّسة تطبق التمييز العنصري (احتجاجاً على هذا التمييز).

sito- بادئة معناها: غذاء ؛ طعام (*sito*logy).

sitology [sī tŏl'ə jĭ] *(n.)* علم التغذية أو الأغذية.

sitomania [sī'tō mā'nĭ ə] *(n.)* النَّهَم المَرَضيّ.

sitophobia [sī'tō fō'bĭ ə] *(n.)* النفور المرضيّ من الطعام.

sitter [sĭt'ər] *(n.)* (١) فا sit (٢) الحاضنة: «أ» أنثى الطائر التي تحضن بيضها ليفقس. «ب» من تُعْنى بالأطفال أثناء غياب ذويهم فترةً قصيرة عادة.

sitter-in *(n.)* الحاضنة (للأطفال أثناء غياب ذويهم فترة قصيرة).

sitting [sĭt'ĭng] *(n.; adj.)* (١) مص sit (٢) «أ» جلسة (read the book at one ~). «ب» وضعة أو جِلسة أمام المصوِّر أو الرسّام (٣) «أ» حَضْنُ أنثى الطائر بيضَها ليفقس. «ب» حضنة بيض (٤) جلسة محكمة أو مجلس تشريعي (٥) مقعد في كنيسة §(٦) حاضنة (~ hen) (٧) حاكم ؛ متولٍّ الحكم ؛ متربع في كرسيّ الحكم او القضاء (٨) يسير ؛ من السَّهل إصابته (~ targets) (٩) مُنْجَزٌ والمرءُ قاعد (~ shots).

sitting duck *(n.)* هدفٌ هيّن أو معرَّض للهجوم أو النقد الخ.

sitting room *(n.)* = living room 1.

situate [sĭch'ōō āt'] *(vt.)* (١) يعيّن موقعاً لِـ (٢) يضعه في مركز ما أو ظروف معيّنة.

situated [-ā'tĭd] *(adj.)* (١) قائم ؛ كائن ؛ واقعٌ على (٢) في وضعٍ (حَسَنٍ أو رديء) ؛ في حالٍ معيّنة (well ~ financially).

situation [sĭch'ōō ā'shən] *(n.)* (١) «أ» موقع. «ب» مكان ؛ محلّة (ا.ق) (٢) «أ» منصب ؛ وظيفة. «ب» مركز اجتماعي (٣) «أ» حالة ؛ وضع. «ب» تعقّد في الموقف (وبخاصة في مسرحيّة).

situs [sī'təs] *(L.)* موضع ؛ موقع ؛ مكان ؛ مَهْد.

sitz bath [sĭts] *(G.)* (١) حوض استحمام نصفيّ (يستحمّ فيه المرء قاعداً) (٢) حمّام يؤخذ في حوض كهذا.

sitzmark [sĭt'smärk; zĭt'] *(G.)* انخفاض يُخلّفه في الثلج متزلّجٌ ساقطٌ على ظهره.

Siva [sē'və; shē'və] *(n.)* = Shiva.

six [sĭks] *(n.)* (١) ستّة ؛ ست (٢) السادس (٣) السُّداسي: شيء مؤلّف من ستّ وحدات أو ستة أعضاء. مثل: «أ» فريق «هوكي» على الجليد. «ب» سيارة (أو محرّك) ذات ستّ أسطوانات.

- at ~ *es* and sevens بلا نظام أو ترتيب.

sixfold [sĭks'fōld'] *(adj.; adv.)* ستّ مرّات أكثر أو أكبر.

six-footer [sĭks'fŏŏt'ər] *(n.)* شخص (أو شيء) طوله ستة أقدام.

six-pack [sĭks'păk] *(n.)* الصّندوق السُّداسيّ: صندوق كرتونيّ (ذو يدٍ أو مقبض عادةً) يحتوي ستّ زجاجات شراب الخ.

sixpence [sĭks'pəns] *(n.)* ستّة بنسات ؛ نصف شلن.

sixpenny [sĭks'pĕn'ĭ] *(adj.)* (١) يساوي أو يكلّف ستة بنسات. (٢) تافه ؛ رخيص.

sixpenny bit *(n.)* = sixpence.

six-shooter [sĭks'shōō'tər] *(n.)* المسدّس السُّداسيّ الطلقات: مسدّس يطلق ستّ طلقات من غير أن يُلقَم أو يُعمَّر من جديد.

sixteen [sĭks'tēn'] *(n.; adj.)* (١) ستّة عشر (٢) فتاة في السادسة عشرة (this sweet ~) §(٣) ذو (أو ذات) الرقم ١٦ (room ~).

sixteenth [sĭks'tēnth'] *(adj.; n.)* (١) سادس عشر §(٢) جزء من ستة عشر (١/١٦) (٣) العضو السادس عشر (في مجموعة).

sixth [sĭksth] *(adj.; n.)* (١) سادس §(٢) السُّدس: جزء من ستة (١/٦) (٣) السادس (في مجموعة أو سلسلة).

sixthly [sĭksth'lĭ] *(adv.)* سادساً.

sixth sense *(n.)* الحاسّة السادسة ؛ الحَدْس.

sixtieth [sĭks'tĭ ĭth] *(adj.; n.)* (١) الستّون §(٢) جزء من ستين (١/٦٠) (٣) العضو الستون (في مجموعة الخ.).

sixty [-'tĭ] *(n.)* (١) ستّون (٢) *pl.*: العقد السابع (من العمر أو القرن).

sizable *or* **sizeable** [sī'zə bəl] *(adj.)* كبير ؛ ضخم

sizar *also* **sizer** [sī'zər] *(n.)* الطالبُ المساعَدُ : طالب يتلقى مساعدةً ماليّة من الجامعة تمكّنه من مواصلة التحصيل .

size [sīz] *(n.; vt.)* (١)«أ» حَجْم (the ~ of a town) . «ب» مدى ؛ مقدار (٢) كِبَر ؛ ضخامة (used to seek ~ rather than quality) (٣) قياس ؛ قَدّ (His shoes are ~ 12.) (٤) واقع الحال ؛ الوضع الحقيقي (That's about the ~ of it.) (٥) مادّة غَرَوِيّة §(٦) يجعله في حجم معيّن أو مناسب (٧) يرتّب أو يصنّف تبعاً للحجم (٨) يُغَرّي : يكسو أو يعالج بمادة غَرَوِيّة .

of a ~, من قياسٍ واحد ؛ بنفسِ الحجم او القياس.

to ~ up (١)يكون رأياً عن ؛ يقدرحجم شيء (٢) يبدو .

sized [sīzd] *(adj.)* (١) ذو حجم معيّن (٢) مرتّب تبعاً للحجم .

sizing [sī'zĭng] *(n.)* (١) تَغْرِيَة (٢) مادة غَرَوِيّة .

sizzle [sĭz'əl] *(vi.; t.; n.)* (١) يَئِزّ (الدهن) أو يَطِش (عند قَلْيه الخ.) ×(٢) يئِزّ ؛ يُطِش (٣) يسلق بألسنة حداد §(٤) أزيز ؛ طَشيش.

sizzling [sĭz'lĭng] *(adj.)* (١) فا sizzle (٢) حارّ جداً .

sizzler [sĭz'lər] *(n.)* فا sizzle ، وبخاصة : يوم حارّ جداً .

skald [skôld; skäld] *(n.)* شاعر أو مؤرخ اسكندينافيّ قديم .

skat [skät] *(G.)* السّكات : ضرب من لعِب الورق أو الشدّة .

skate [skāt] *(n.; vi.)* (١) الوَرْنَك ؛ السَّفَن : سمك مُفلطَح طويل الذيل (٢)«أ» مِزلج يُشدّ إلى نعل الحذاء . «ب» roller skate (٣) فترة تزلّج (٤) فرس هرِم أو ضعيف (٥) شخص §(٦) يتزلّج .

skate 1.

to ~ over a delicate problem يشير إليه بإشاراتٍ عابرة أو حذِرة .

to ~ over thin ice يتحدث عن موضوع يحتاج إلى كثير من اللباقة.

skater [skā'tər] *(n.)* (١) المتزلّج (٢) الزُّخرُف ؛ القَمَص ؛ الخَيْتَعُور : بقّ طويل القوائم يجري فوق الماء الراكد .

skean *or* **skene** [shkēn; skēn] *(n.)* خِنجر .

skedaddle [skĭ dăd'əl] *(vi.; n.)* (١) يفرّ ؛ وبخاصة : يَنفِر مذعوراً (ع) §(٢) فرار ؛ وبخاصة : فِرار مذعور (ع) .

skee [skē] *(n.; vi.)* = ski.

skeeter [skēt'ər] *(n.)* (١) بعوضة (٢) مركَبُ جَمَدٍ (را. iceboat) صغير وحيدُ الشراع .

skeg [skĕg] *(n.)* مؤخّر رافدة القص (را. keel) في مركب .

skein [skān] *(n.; vt.)* (١) خُصْلَة أو شلّة (خيوطٍ) §(٢) يلفّ على شكل خُصلة أو شلّة .

skeletal [skĕl'ə təl] *(adj.)* خاصّ بالهيكل العظميّ أو شبيهٌ به .

skeleton [skĕl'ə tən] *(n.; adj.)* (١) هيكل عظميّ (٢) شخص (أو حيوان) نحيل جداً (٣) هيكل مبنىً أو سفينة الخ . (٤) مخطط بَحْثٍ أو مؤلَّف (٥) فضيحة تُبقَى طيّ الكتمان (في أسرة) §(٦) هيكليّ (٧) كالهيكل العظميّ (٨) مخفّض إلى أقلّ عدد ممكن (a ~ staff *or* crew) .

skeletonize [skĕl'ə tə nīz'] *(vt.)* (١) يحيله الى هيكل او شبه هيكل عظمي (٢) يوجز ؛ يختصر(٣) يخفّض الى أقل عدد ممكن .

skeleton key *(n.)* المفتاح الهيكليّ : مفتاح يفتح أقفالاً مختلفة .

skelp [skĕlp] *(vt.; i.; n.)* (١) يَصْفَع ×(٢) يخطو بنشاط §(٣) صَفْعَة .

skep [skĕp] *(n.)* (١) سلّة مدوَّرة (٢) قفير ؛ خلية نحل .

skeptic [skĕp'tĭk] *(n.)* (١)الشكوكيّ : القائل بمذهب «الشكوكيّة» . (٢) النزّاع إلى الشكّ (وبخاصة في مبادىء الدين) .

skeptical [skĕp'tə kəl] *(adj.)* شُكُوكِيّ ؛ شكّيّ : خاصّ بالشكوكيّة أو الشكّيّة (را . المادة التالية) .

skepticism [skĕp'tə sĭz'əm] *(n.)* (١)الشكوكيّة : مذهب يقول بأن المعرفة الحقيقيّة أو المعرفة في حقل معيّن غير محقّقة أو مؤكّدة (٢) الشكّيّة : «أ» نزوع إلى الشكّ . «ب» الشكّ في مبادىء الدين الأساسية (كالخلود والوحي الخ.) .

sketch [skĕch] *(n.; vt.; i.)* (١)مُخطّط ؛ رسم مُجمَل أو تخطيطيّ . (٢) مُسوّدة كتابٍ مؤقتة (٣)«أ» صورة وصفيّة أدبيّة «ب» مقطوعة موسيقية (للبيان عادةً) . «ج» اسكتش أو مشهد مسرحيّ هزليّ §(٤) يضع مخطّطاً أو مسوّدة (٥) يرسم رسماً تخطيطياً الخ .

sketchbook [skĕch'bo͝ok'] *(n.)* (١) كرّاسة الرسم المُجمَل : كرّاسة مُعدّة لكي تُرسَم على صفحاتها رسومٌ تخطيطيّة (٢) كتاب مشتمل على صور أدبيّة وصفية أو على «اسكتشات» هزليّة .

sketchy [skĕch'ĭ] *(adj.)* (١) تخطيطيّ ؛ تمهيديّ (٢) ناقص ؛ سطحيّ ؛ غامض ؛ هزيل ؛ ضئيل .

skew [skū] *(vi.; t.; adj.; n.)* (١) ينحرف ؛ يميل (٢) ينظر شَزْراً ×(٣) يَحْرِف (٤) يشوه ؛ يحرف §(٥) منحرف ؛ مائل (٦) مُتخالف ؛ غير متماثل §(٧) انحراف ؛ مَيَل .

skew arch *(n.)* العقد المائل (عم) .

skewback [skū'băk'] *(n.)* المرتكز المائل : سطح منحدر يرتكز عليه طرَف العَقد (عم) .

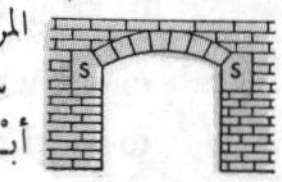

S. skewback

skewbald [skū'bôld] *(adj.)* أبْقَع : موسوم ببقَع بيضاء وغير بيضاء .

skewer [skū'ər] *(n.)* سِيخ ؛ سَفّود .

skew lines المستقيمات المتخالفة : مستقيمات ليست في مستوى واحد.

skewness [skū'nĭs] *(n.)* (١)انحراف ؛ مَيَل (٢) تَخالُف .

ski [skē] *(n.; vi.)* (١) الزُّحلوفة : إحدى أداتين يُتزَحلَق بهما على الثلج §(٢) يتزَحلَف : يتزحلق على الثلج بزُحلوفتين.

skia- بادئة معناها : ظِلّ (*skia*gram) .

skiagram; skiagraph [skī'ə-] *(n.)* = radiograph.

skiascope [skī'ə-] *(n.)* المِزْياغ : أداة لتعيين انكسار الضوء في العين.

skiascopy [skī ăs'-] *(n.)* المِزْياغيّة : تعيين انكسار الضوء بالمزياغ .

skid [skĭd] *(n.; vt.; i.)* (١) *pl.* : قُفّاز السفينة : هيكل خشبيّ تُكسَى به جوانب السفينة وقايةً لها من الأذى عند التحميل والتفريغ (٢) الكابحة : أداة تضغط على دولاب العربة لمنعه من الدوران عند الهبوط من مرتفع (٣) الدُّحروجة : لوح خشبيّ الخ. يُنصَب على نحو مائل ليُدَحرَج عليه شيء ثقيل (٤) مِيزلقة الطائرة : أداة في أسفل الطائرة تسهّل انزلاقها على أرض المطار عند الهبوط (٥) *pl.* : طريق إلى الهزيمة أو السقوط (٦) المِنصّة المُدَوْلَبة : منصّة خفيضة ذات دواليب توضع عليها مختلِف المواد لنقلها أو تحريكها (٧) انزلاق (دواليب العربة) §(٨) يكبح أو يكمح (دولابَ العربة) بالكابحة (٩) يدحرج شيئاً ثقيلاً (على دُحْروجة) ×(١٠) ينزلق (الدولاب أو العجلة على أرضٍ زَلِقَة ؛ وبخاصة : تنزلق (السيّارة أو الطائرة) جانبيّاً (١١) يَسقط بسرعة أو قوة .

skiddoo *or* **skidoo** [skĭ do͞o'] *(vi.)* ينصرف ؛ يرحل .

skid fin *(n.)* زِعنفة الموازنة الجانبيّة (طي) .

skid row *(n.)* شارع السقوط : منطقة حافلة بالحانات والفنادق الرخيصة ووكالات الاستخدام يألفها العمال المهاجرون والسكّيرون والمتشردون .

skier [skē'ər] *(n.)* المُتزَحلِف (را. ski) .

skiff [skĭf] *(n.)* الإسكِيف : «أ» مركب شراعيّ صغير . «ب» مركب صغير ذو مجاذيف . «ج» زورق بخاريّ صغير سريع .

skiing [skē'ĭng] *(n.)* التزحلف (را. ski) .

skijoring [skē jōr'ĭng] *(n.)* التزَحلُف السَّحْبيّ : رياضة شتوية يُسْحَبُ فيها المُتزحلِف (را. ski) بواسطة جواد أو عربة .

ski jump *(n.; vi.)* (١) «أ» وثبة الترحلف : وثبة يقوم بها المتزحلِف (را. ski) . «ب» مجاز الوثب التزحلفيّ : مجاز مُعَدّ خِصيصاً لهذا النوع من الوثب §(٢) يثب متزحلفاً .

ski lift *(n.)* مِصعَد التزَحلُف : مِصعد كهربائيّ مُعَدّ خِصيصاً لنقل المتزحلفين أو المتفرجين إلى أعالي المنحدرات .

skilful [skĭl'fəl] *(adj.)* = skillful.

skill [skĭl] *(n.)* مهارة ؛ حذق ؛ براعة .

skilled [skĭld] *(adj.)* (١) ماهر ؛ حاذق (٢) متطلّب مهارة أو عمالاً ماهرين (~ labor) .

skillet [skĭl'ĭt] *(n.)* (١) saucepan (٢) مقلاة .

skillful [skĭl'fəl] *(adj.)* (١) بارع ؛ حاذق (٢) مُنجَزٌ بِحِذق .

skilling [skĭl'-] *(n.)* الإسكِيلِنغ : عملة اسكندينافيّة قديمة صغيرة .

skill-less *or* **skilless** [skĭl'-] *(adj.)* عديم المهارة .

skim [skĭm] *(vt.; i.; n.; adj.)* (١) يقشِّد : يزيل القِشدة أو الرغوة عن (٢) يستخلص زبدة الشيء (٣) يتصفّح (كتاباً الخ.) (٤) يقذف في مجاز زَلِق (٥) يكسو بطبقة خارجيّة رقيقة جداً ×(٦) «أ» يمرّ بخفّة أو سرعة . «ب» ينزلق أو يسِفّ (فوق السطح أو قربه) بسرعة (٧) يكتسي بطبقة خارجيّة رقيقة جداً §(٨) طبقة خارجيّة رقيقة جداً (٩) قشْد ؛ تصفّح الخ . (١٠) المَقْشود ، وبخاصة : حليب نزِعت القِشدة عنه §(١١) مَقْشود (١٢) مصنوع من حليب مقشود (~ cheese) .

skimble-skamble [skĭm'bəl skăm'bəl] *(adj.)* مشوّش ؛ غير مترابط ؛ فارغ ؛ لا معنى له .

skimmer [skĭm'ər] *(n.)* (١) فا skim وبخاصة : مِقشدة ؛ ميرغاة (٢) «أ» العُجهوم ؛ أبو مِقَص : طائر مائيّ . «ب» الزُّخرُف ؛ القَمَص ؛ الخَيْتَعُور : بقّ طويل القوائم يجري فوق الماء الراكد (٣) قبّعة قش مسطّحة الذّروة .

skimmer 2. *a.*

skim milk *also* **skimmed milk** *(n.)* الحليب المقشود .

skimming [skĭm'ĭng] *(n.)* القُشادة : ما يُنْزَع من سطح السائل بالقَشْد .

skimp [skĭmp] *(vt.; i.; adj.)* (١) يعمل بتعجّل أو إهمال أو بغير سخاء في الإنفاق ×(٢) يُقتِّر §(٣) ضئيل ؛ هزيل .

skimpy [skĭm'pĭ] *(adj.)* (١) هزيل ؛ ضئيل (٢) شديد البخل .

skin [skĭn] *(n.; vt.; i.)* (١) «أ» جِلد . «ب» بَشَرَة . «ج» زِق ؛ قِربة (٢) «أ» جلدة ؛ قشرة . «ب» سطح خارجيّ (لسفينة أو طائرة) (٣) المحتال ؛ النصّاب (ع) (٤) شخص خسيس بخيل (ع) §(٥) يكسو بالجلد أو نحوه (٦) يقشّر ؛ يسلخ (٧) يستحثّ (بغلاً الخ.) على الإسراع ×(٨) يندمل (The wound ~*ned* over.)

in *or* with a whole ~, سالماً لم يُمَسّ أو لم يُصَبْ بأذى .

to escape by the ~ of one's teeth ينجو بمعجزة .

to keep one's eyes ~*ned* يحترس ؛ يتحذّر .

to save one's ~, يجتنب الأذى ؛ ينجو بنفسه .

to ~ one alive (١) يعذّبه من غير رحمة (٢) يوبّخه بقسوة (٣) يهزمه هزيمة تامة .

skin-deep [-'dēp'] *(adj.)* (١) طفيف ؛ بعمق الجلد (The cut is ~.) (٢) سطحيّ (Love is more than ~.) .

skin dive *(vi.)* يسبح تحت الماء (بلا جهاز تنفس) .

skin effect *(n.)* الظاهرة السطحية (كب) .

skinflint [skĭn'flĭnt'] *(n.)* البخيل ؛ الشّحيح ؛ الخسيس .

skinful [skĭn'-] *(n.)* (١) مِلء زق أو قِربَة (٢) مقدار كبير (٣) مقدارٌ مُسكِر من الخمر .

skin game *(n.)* حيلة أو لعبة قِوامُها « النّصْب » والاحتيال .

skin graft *(n.)* الرّقْعة الجلديّة : قطعة من الجلد البشري تُنقَل من جسم المرء (أو من جسم شخص آخر) ليُرقَع بها جزء منه أصابه أذى (من حريق أو غيره) .

skin grafting *(n.)* ترقيع الجلد (جر) .

skink [skĭngk] *(vt.; n.)* (١) يَصُبّ (الشراب) §(٢) السَّقَنْقُور : ضرب من العِظاء صغير الجسم عادةً .

skink

skinless [skĭn'-] *(adj.)* (١) عديم الجِلْد أو الجِلدة (٢) حسّاس .

skinned [skĭnd] *(adj.)* (١) ذو جلد أو بشرة (من نوع معيّن) . (٢) أجرد : غير مكسوّ بالعشب (~ racetrack) .

skinner [skĭn'ər] *(n.)* (١) «أ» تاجر الجلود أو الفِراء الخ. «ب» الدبّاغ (٢) المحتال ؛ النصّاب ؛ وبخاصة : المقامر المُخادع (٣) سائق حيوانات الجرّ .

skinny [skĭn'ĭ] *(adj.)* (١) «أ» جلديّ . «ب» رِجلدانيّ : شبيه بالجلد (٢) نحيف ؛ مهزول الجسم (٣) بخيل ؛ شحيح .

skintight [skĭn'tīt'] *(adj.; n.)* (١) ضيّق جداً §(٢) ثوب ضيّق جداً .

skip [skĭp] *(vi.; t.; n.)* (١) يَطْفُر ؛ يثب مَرَحاً (٢) يتخطّى ؛ يقفز من نقطة إلى أخرى أو من موضوع إلى آخر أو من صفّ مدرسيّ إلى آخر مُفوِّتاً ما بينهما (٣) ينصرف خِلسة أو على عَجَل ×(٤) يَحْذِف ؛ يتخطّى (٥) يُرفّع (تلميذاً) من صفّ إلى آخر متخطياً ما بينهما (٦) يجعله يثب أو ينزلق بسرعة فوق سطح ما (٧) يثب فوق شيء بخفّة ورشاقة (٨) يغادر (مكاناً) خلسةً وبخفّة (٩) يتغيّب عن كذا بغير إذن (to ~ school) (١٠) يقود (فريقاً رياضياً الخ.) §(١١) قفزة ؛ وثبة (١٢) «أ» حذف . «ب» شيء محذوف (١٣) قائد فريق رياضيّ (١٤) skipper .

ski pants *(n. pl.)* سروال التزلّج (على الثلج) .

skipjack [-'jăk'] *(n.)* (١) الوثّاب : سمك يثب فوق سطح الماء أو يلْعب عنده (٢) الخنفساء المُطَقْطِقَة .

skipper [skĭp'ər] *(n.)* (١) «أ» دودة الجبن . «ب» الخنفساء المُطَقْطِقَة (٢) «أ» فا skip . «ب» فتيّ غِرّ (٣) الصّوري : سمك طويل المنقار (٤) فراشة صغيرة سريعة الانطلاق (٥) رُبان سفينة أو مركب (٦) رُبان الطائرة .

skirl [skûrl] *(vi.; t.; n.)* (١) يَصْدَح (مِزمار القِربة) . ×(٢) يعزف على مزمار القِربة §(٣) صوت مِزمار القِرْبة .

skirmish [skûr'mĭsh] *(n.; vi.)* (١) مناوشة ؛ مصادمة (٢) مُشادّة (كلاميّة) §(٣) «أ» يناوش . «ب» ينهمك في مُشادّة (٤) ينطلق (باحثاً عن شيء) .

skirmisher [skûr'mĭsh ər] *(n.)* (١) المُناوِش : المشترك في مناوشة . (٢) المُشادّ : المشترك في مُشادّة .

ă at; ā date; â care; ä car; ĕ egg; ē me; ĭ in; ī bite; ŏ lot; ō bone; ô orphan; oi boil; ŏŏ good; ōō boot; ou out; ŭ under; ū unity; û urgent; th thing; *th* this; zh vision; ə = *a* in alone, *e* in system, *i* in easily, *o* in gallop, *u* in circus.

skirr [skûr] *(vi.; t.; n.)* (١) يطير ؛ يعدو ؛ ينطلق بسرعة . ×(٢) يجوب (البلادَ) بحثاً عن شيء (٣) يمسّ (خلال انطلاقه) مَسّاً رفيقاً §(٤) هدير .

skirt [skûrt] *(n.; vt.; i.)* (١) «أ» الجزء السُّفليّ (المتدلّي من الخصر إلى ما دونه) من ثوب ما . «ب» تنّورة (٢) شيء يتدلّى مثل تنّورة ؛ وبخاصة حاشية تتدلى من جانب السَّرْج (٣) *pl.* : ضواحي (المدينةِ) (٤) حافة ؛ حاشية (٥) فتاة ؛ امرأة (ع) §(٦) يطوِّق (٧) يجعل للثوب تنّورة (٨) يجعل له حافّةً أو حاشية (٩) «أ» يطوف حول حافة شيء ما . «ب» يلتفّ حول (شيء) أو يبتعد عنه خوفاً من خطر أو فضيحة . «ج» يتجنّب (موضوعاً أو سؤالاً شائكاً) . «د» ينجو بأعجوبة من ×(١٠) يقوم عند حافّة شيء أو حاشيته أو يطوف حولها . **—skirter** *(n.)*

skirting [skûr'tĭng] *(n.)* (١) «أ» حافة ؛ حاشية . «ب» ازار الحائط (را. baseboard) (٢) نسيجٌ لصُنْع التنانير .

ski run *(n.)* منحدر التزلّج : منحدر صالحٌ للتزلّج .

ski suit *(n.)* سِترة التزلّج .

skit [skĭt] *(n.)* (١) ملاحظة ساخرة (٢) قصة هجائيّة او فكاهية (٣) مسرحية هزلية قصيرة .

ski tow *(n.)* مِصْعَد التزلّج ؛ مِصعد المتزلجين .

skitter [skĭt'ər] *(vi.; t.)* (١) ينزلق أو يعدو برشاقة (٢) يسحب شِصّ صنّارة صيد خلال سطح الماء بحركة مرتجفة ×(٣) يجعلُه ينزلق بسرعة الخ .

skittish [skĭt'ĭsh] *(adj.)* (١) لَعُوب (٢) متقلّب ؛ غير مستقرّ . (٣) جَفُول (~ horses) (٤) «أ» خَجُول . «ب» فزِع .

skittle [skĭt'əl] *(n.)* (١) *pl.* : لعبة القناني الخشبيّة (را. ninepins) (٢) إحدى قناني هذه اللعبة .

skittles

skive [skīv] *(vt.)* (١) يشرح : يقطّع الجلد أو المطّاط إلى شرائح أو قطع رقيقة (٢) يكشط (جلدَ الحيوان).

skiver [skī'-] *(n.)* (١) فا skive (٢) جِلد رقيق (لتجليد الكتب).

skivvy [skĭv'ĭ] *(n.)* (١) خادمة (٢) *pl.* عد : السكّيف : لباس تحتاني مؤلف من سروال وقميص قصير الكمّين .

skoal [skōl] *(interj.)* نَخْبُك ! على صحتك !

skua [skū'ə] *(L.)* الكَرْكَر : طائر مائيّ شبيه بالنَّورس .

skulduggery [skŭl dŭg'-] *(n.)* (١) حيلة خادعة (٢) احتيال ؛ خداع

skulk [skŭlk] *(vi.; t.; n.)* (١) يتسلّل أو يمشي خِلْسَةً أو بحذر (٢) يتوارى (خوفاً الخ.) ×(٣) يتهرب من §(٤) المتسلّل ؛ المتواري ؛ المتهرّب (٥) مجموعة ثعالب .

skull [skŭl] *(n.)* (١) جُمْجُمَة (٢) عَقْل .

skull and crossbones *(n.)* الجمجمة والعظمان المتصالبان : صورة جمجمة بشريّة فوق عظمين متصالبين (تُتّخَذ تحذيراً من الخطر على الحياة ، وكانت في ما مضى شعاراً للقراصنة) .

skullcap [skŭl'kăp'] *(n.)* (١) قلنسوة ضيّقة (٢) الدرَقَة ؛ الإسقُوتلاريّة : نبتة من الفصيلة الشّفوية (نب) .

skunk [skŭngk] *(n.; vt.)* (١) «أ» الظَّربان الأميركي : حيوان ثدييّ صغير منتن الرائحة . «ب» فرو الظربان الأميركي (٢) شخص بغيض حقير §(٣) يهزم (٤) لا يدفع (فاتورةً الخ.) (٥) يخدعه ؛ أو يحرمه شيئاً من طريق الخداع .

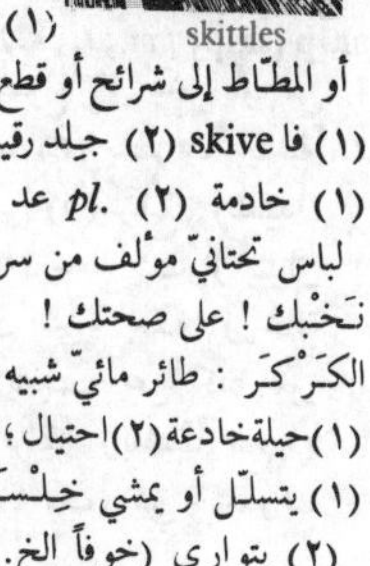

skunk

skunk cabbage *(n.)* الكُرُنْب المنتن (نب) .

sky [skī] *(n.; vt.)* (١) السّماء (٢) *pl.* عد : مناخ (the sunny *skies* of Honolulu) §(٣) يقذف (الكرة) عالياً (٤) يعلّق (لوحةً زيتيّة) فوق خطّ البصر .
out of a clear ~ فجأةً ؛ على نحو غير متوقَّع .

sky blue *(n.)* الأزرق السماويّ : اللون الأزرق السماويّ .

skyborne [skī'-] *(adj.)* منقول بالطائرات (~ troops) .

skycap [skī'-] *(n.)* حمّال المطار (يحمل حقائب المسافرين بيديه) .

skycoach [skī'kōch] *(n.)* الطائرة التجارية : طائرة يعوزها الكثير من اسباب الرفاهية والخدمات المألوفة في الطائرات الفخمة .

Skye terrier [skī] *(n.)* التِّرْيَر الإسكايويّ : كلبُ صيد صغير .

skyey [skī'ĭ] *(adj.)* (١) سماويّ (٢) شاهق (٣) أزرق سماويّ .

sky-high [skī'hī'] *(adv.; adj.)* (١) «أ» عالياً جداً (في الجوّ) . «ب» إلى حدّ عالٍ أو درجة عالية (٢) بطريقة حماسيّة (٣) إرْباً إرْباً ؛ مِزَقاً §(٤) مرتفع جداً (٥) غالٍ جداً .

skyjack *(vt.)* = hijack I.

skylark [skī'lärk] *(n.; vi.)* (١) القُبَّرة (طا) §(٢) يمزح ؛ يعبث .

skylight [skī'līt'] *(n.)* المَنْوَر : كُوّة في سقف بيت أو سطح سفينة .

skyline [skī'-] *(n.)* (١) الأفق (٢) الصورة الظلّيّة ؛ الصورة الظلّيّة للمباني والجبال الخ . كما تبدو على خلفية السماء .

skyman [skī'mən] *(n.)* الطيّار ؛ الملاح الجويّ (ع) .

sky pilot *(n.)* (١) كاهن ؛ قسّيس (٢) طيّار .

skyrocket [skī'-] *(n.; vi.; t.)* (١) صاروخ ؛ سهمٌ ناريّ . §(٢) يرتفع فجأة (كالأسعار الخ.) ×(٣) يرفع أو يزيد فجأة وبسرعة (٤) يرتفع به فجأة إلى (His last novel ~*ed* him to fame.)

skyscraper [skī'skrā'pər] *(n.)* ناطحة سحاب .

skyward [skī'wərd] *or* **skywards** [skī'wərdz] *(adv.)* (١) نحو السماء (٢) عالياً .

sky wave *(n.)* الموجة السّماويّة (ر د) .

skyway [skī'wā'] *(n.)* (١) خطّ جويّ (٢) الطريق العُلوية : طريق مرفوعة فوق سطح الأرض .

skywrite [-'rīt] *(vt.; i.)* يرسم بالكتابة السماوية (را. المادة التالية) .

skywriting [skī'-] *(n.)* الكتابة السماوية : كتابةٌ تُرْسَم في السماء بمادّةٍ مرئيّة (كالدخان) تنفثها طائرةٌ .

slab [slăb] *(n.; vt.; adj.)* (١) «أ» لوح . «ب» بلاطة . «ج» شريحة لحم أو جبن الخ . §(٢) يقسم إلى ألواح أو شرائح (٣) يكسو (سقفاً) بالألواح أو (طريقاً) بالبلاط (٤) يدهن بكثافة (She ~*bed* butter on the bread.) §(٥) كثيف ؛ دَبِق .

slabber [slăb'ər] *(vi.; t.; n.)* = slobber.

slab-sided [slăb'sī'dĭd] *(adj.)* (١) مُسطّح الجوانب (كاللوح أو البلاطة) (٢) طويل وهزيل .

slack [slăk] *(adj.; adv.; vt.; i.; n.)* (١) مُهْمِل ؛ متوانٍ (a ~ housekeeper) (٢) «أ» قليل النشاط (I feel ~ this morning.) . «ب» بطيء (at a ~ pace) . «ج» رُخاء (~ tide; ~ wind) «د» معتدل ؛ وبخاصة : معتدل الحرارة (a ~ oven) (٣) «أ» رِخْو ؛ غير مُحْكَم الشدّ (a ~ rope) . «ب» ضعيف (~ control) (٤) راكد (Trade was ~ last month.) (٥) على نحو مُهْمِل أو رِخْو الخ. §(٦) يُهمِل ؛ يتوانَى في (٧) يخفّف (السرعة الخ.) (٨) يُرخي (حبلاً الخ.) (٩) يطفىء الكِلس ×(١٠) يبطىء ؛ يَضْعُف ؛ يتراخى (١١) يَخْمُد (١٢) يتهرب من عملٍ أو واجب §(١٣) ركود (١٤) الجزء المتدلّي (the ~ of a rope) (١٥) *pl.* : بنطلون

فضفاض (١٦) فترة ركود تجاري الخ . (١٧) منخفَض بين هضبتَين أو في سطح الارض (١٨) دُقاق الفحم .

to ~ away يُرخي (حبلاً الخ .) .

to ~ off (١) يتوانى ؛ يتكاسل (٢) يُرخي .

to ~ up يخفف السرعة .

slack-baked [slăk'bākt'] *(adj.)* فطير .

slacken [slăk'ən] *(vt.; i.)* (١) يخفف (السرعة الخ.) (٢) يُرخي . ×(٣) يتوانى (٤) «أ» يَضْعُف . «ب» تخف سرعتُه (٥) يرتخي ؛ يتراخى .

slacker [slăk'ər] *(n.)* المتهرب من عمل أو واجب ؛ وبخاصة : المتهرب من الخدمة العسكرية زمنَ الحرب .

slack suit *(n.)* ثوب فضفاض (للرجال أو النساء) .

slack water *(n.)* (١) فترة الركود بين المد والجزر (٢) مياه راكدة .

slag [slăg] *(n.)* (١) الجُفاء ؛ الخَبَث : ما يتخلف عند صهر المعدن الخام (٢) خَبَث البراكين .

—slaggy *(adj.)*

slain [slān] *past part. of* slay.

slake [slāk] *(vi.; t.)* (١) يخمُد ؛ يضعُف (ا.ق) (٢) ينطفىء (الكلس) ×(٣) يُخفف ؛ يُضعِف (٤) يُروي ؛ يَنقع ؛ يُشبع (٥) يطفىء الكِلْس .

slalom [slä'lōm] *(n.)* (١) التزلّج المتعرّج : تزلّج في مجاز متعرج أو متموج بين أعلام مركوزة أو نحوها (٢) سباق في التزلج المتعرج .

slam [slăm] *(n.; vt.; i.)* (١) فوز ساحق (في ورق اللعب) (٢) ضربة عنيفة (٣) «أ» إغلاق (لِلْباب) بعنف . «ب» ضجة داوية ؛ وبخاصة بسبب من إغلاق الباب بعنف (٤) نقد لاذع §(٥) يضرب بعنف (٦) يغلق بقوة (٧) يدفع أو يحرك أو يضع شيئاً في مكانه بقوة أو سرعة أو ضجة (٨) ينتقد بقسوة ×(٩) يُحدِث ضجةً داوية (١٠) يندفع أو يعمل بصخب .

slam-bang [slăm'băng'] *(adv.)* (١) بعنف وصخب (٢) بتهور .

slambang *(adj.)* (١) مدوٍّ أو عنيف (a ~ clatter) (٢) جَهيد (a ~ effort) (٣) ممتاز (a ~ speech) .

slander [slăn'dər] *(n.; vt.)* (١) قَذْف ؛ تشويه للسمعة (٢) افتراء . §(٣) يقذف ؛ يشوه السمعة ؛ يفتري على .

slang [slăng] *(n.; adj.; vt.)* (١) العامية : لغة عامية أو دارجة . §(٢) عامي §(٣) يخدع (٤) يهاجم بألفاظ قاسية أو نابية .

slant [slănt] *(vi.; t.; n.; adj.)* (١) يَميل ؛ ينحدر ×(٢) يُميل ؛ يُحدِر (٣) يحرِف ؛ يشوه (to ~ the news) §(٤) «أ» مَيْل ؛ انحدار . «ب» مُنحدَر (٥) ملاحظة ساخرة (ع) (٦) موقف أو رأي شخصي (٧) نظرة ؛ لمحة (ع) §(٨) مائل . **—slanting** *(adj.)*

slant height *(n.)* الارتفاع المائل «للمخروط» (ر) .

slantways [slănt'wāz'] *(adv.)* بِمَيْل ؛ على نحو مائل .

slantwise [slănt'wīz'] *(adv.; adj.)* (١) بِمَيْل §(٢) مائل .

slap [slăp] *(n.; vt.; adv.)* (١) صفعة ؛ لطمة (٢) طقطقة (٣) إهانة (٤) ممر بين هضبتين (عب) (٥) ثغرة ؛ فجوة §(٦) يَصفع (٧) يضع أو يقذف بقوة (٨) يُهين §(٩) مباشرةً (١٠) فجأة (Our car ran ~ into the wall.) .

to ~ down (١) يقيّد ؛ يمنع ؛ يحظر (٢) يقمع .

slap-bang [slăp'băng'] *(adv.)* بعنف ؛ بقوة أو عجلة مفرطة .

slapdash [slăp'dăsh'] *(adv.; adj.; n.)* (١) كيفما اتفق (٢) بتسرع ؛ بتهور §(٣) متسرع ؛ متهور §(٤) تسرع ؛ تهور .

slapjack [slăp'jăk'] *(n.)* (١) كعكة من مخيض اللبن والبيض . (٢) لعبة من ألعاب الورق أو الشدة .

slapstick [slăp'stĭk'] *(n.; adj.)* (١) مِقرعة التمثيل أو التهريج : مِقرعة مؤلفة من قطعتي خشب مسطحتين مثبتتين من طرف واحد بحيث تحدثان صوتاً مدوياً عندما يضرب بهما الممثل أو المهرج شخصاً آخر (٢) كوميديا رخيصة متسمة بالخشونة المفرطة §(٣) حافل بالخشونة أو العنف (~ comedy) .

slap-up [slăp'ŭp'] *(adj.)* ممتاز ؛ رائع ؛ من الطراز الأول .

slash [slăsh] *(vt.; i.; n.)* (١) يَشْرُط بضربة سيف أو سكين . (٢) يَسُوط ؛ يَجلد (٣) يشق (ثوباً) بحيث يبدي ما تحته من نسيج أو لونٍ (٤) ينتقد بقسوة ولذع (٥) يخفض (الرواتب الخ.) تخفيضاً كبيراً ×(٦) يجرح ، بوحشية ، بسيف أو مدية أو موسى §(٧) شَرْط ؛ جَرْح (٨) جُرح (٩) شِق طويل في ثوب (١٠) «أ» أرض فضاء في غابة «مكسوة» بالأغصان الميتة . «ب» نِثار من الأغصان الميّتة (١١) أرض سَبِخة منخفضة .

slashing [slăsh'ĭng] *(n.; adj.)* (١) مص slash (٢) لون مغاير يتبدى من خلال شق طويل في ثوب (٣) slash ١٥ §(٤) لاذع ؛ قاسٍ (٥) مُفعَم بالحيوية (٦) هائل ؛ ضخم (٧) غزير أو غير منقطع (~ rain) (٨) زاهٍ ؛ ساطع .

slat [slăt] *(n.; vt.; n.; adj.)* (١) «أ» شريحة (خشبية أو معدنية) طويلة ضيقة ؛ قِدة . «ب» ضِلْع أو وُصْلة (في ظهر الكرسي) (٢) «أ» عجيزة ؛ كَفَل (ع) . «ب» أضلاع (٣) صفعة ؛ لطمة §(٤) يصنع من شرائح أو قدد أو أضلاع أو يزود بها (٥) يقذف أو يضرب بعنف (ع) §(٦) مُقدد (مؤلف من قِدد) ؛ مضلع (a ~ seat) .

slate [slāt] *(n.; vt.)* (١) الأردواز : صخر يسهل قطعه إلى ألواح تُكسى بها السقوف أو تُصطنع للكتابة (٢) لوح أردوازي للكتابة (٣) سجل أعمال أو أحداث (a clean ~) (٤) قائمة مرشحين للانتخابات الخ. (٥) الأردوازي : لون رمادي داكن ضارب إلى الأرجواني §(٦) يؤردز : يكسو (سقفاً) بألواح أردوازية (٧) يسجل الأسماء (٨) يعين موعداً لـ (٩) يختار لمهمة ما (~*d* for a prominent role) (١٠) يضرب أو يلكم بعنف (١١) ينتقد أو يوبخ بقسوة (بر) .

slater [slāt'ər] *(n.)* (١) فا slate (٢) حمار قبّان : دويبة صغيرة كثيرة القوائم إذا لمسها المرء اجتمعت مثل حبة أو شيء مطوي .

slather [slăth'ər] *(vt.; n.)* (١) يكسو بطبقة كثيفة من الدهان أو الزبدة الخ . (٢) ينفق بإسراف §(٣) مقدار كبير ؛ عدد وافر .

slatted [slăt'əd] *(adj.)* مقدد ؛ مضلع : ذو قِدد أو أضلاع .

slattern [slăt'ərn] *(n.; adj.; vt.)* (١) «أ» امرأة قذرة . «ب» مومس . §(٢) قذر §(٣) يُضيع ؛ يبدد .

slaty [slā'tĭ] *(adj.)* أردوازي أو رمادي كالأردواز .

slaughter [slô'tər] *(n.; vt.)* (١) قتل ؛ وبخاصة : ذَبح الماشية . (٢) مَذبحة ؛ مجزرة §(٣) يذبح .

slaughterhouse [slô'tər hous'] *(n.)* مَجزَر ؛ مَسلخ .

slaughterous [slô'tər əs] *(adj.)* = murderous.

Slav [släv; slăv] *(n.; adj.)* (١) السلافي : من كانت إحدى اللغات السلافية لغتَه القومية §(٢) سلافي .

slave [slāv] *(n.; adj.; vt.; i.)* (١) «أ» الرقيق ؛ العبد . «ب» الأمة ؛ الجارية (٢) الموالية : أداة ميكانيكية تستجيب مباشرةً لأداة أخرى (٣) الكادح : العامل مثل عبدٍ مُسترَق §(٤) مُسترَق ؛ مستعبَد (~ peoples) (٥) رقيقي : خاص بالأرقاء (٦) مُوالية (a ~ device) §(٧) يسترق ؛ يستعبد (ا.ق) ×(٨) يكدح : يعمل كالعبد المسترق (٩) يتّجر بالرقيق .

slave ant *(n.)* النملة المُستَرِقَة : نملة تسترقها نمالٌ من نوع آخر .

slave driver *(n.)* (١) مراقب الأرقاء (أثناء كدحهم) . (٢) مراقب عمّال الخ . لا يرحم .

slaveholder [slāv'hōl'dər] *(n.)* صاحب الرقيق ؛ مالك الرقيق .

slaveholding [slāv'hōl'dĭng] *(n.; adj.)* (١) امتلاك الرقيق . §(٢) مُبيح للاسترقاق .

slave-making ant [slāv'mā-] *(n.)* النملة المُستَرِقَة : نملة تغزو أوكار نِمالٍ من نوع آخر فتحمل منها يرقاناتها لتنشّئها في وكرها وتتخذ منها رقيقاً (قا slave ant) .

slaver [slā'vər] *(n.)* (١) «أ» النخّاس . «ب» سفينة النخاسة . (٢) المتجر بالرقيق الأبيض .

slaver [slăv'ər] *(vi.; n.)* (١) يسيل لعابه §(٢) الريال : لُعابٌ سائل .

slavery [slā'və rĭ] *(n.)* (١) كَدْح (٢) استعباد (٣) «أ» عبودية ؛ رِق . «ب» الاسترقاق : امتلاك الرقيق .

slave state *(n.)* (١) الولاية الاسترقاقية : ولايةٌ أميركية كانت تبيح الاسترقاق (٢) الدولة المُستَرَقَة : دولة خاضعة لنظام ديكتاتوري .

slave trade *(n.)* النخاسة : تجارة الرقيق .

slavey [slā'vĭ] *(n.)* خادمة (عب) .

Slavic [slăv'ĭk; slăv'-] *(adj.; n.)* (١) سلافي : منسوب إلى السلافيين أو لغاتهم §(٢) السلافية : لغة السلافيين أو مجموعة لغاتهم .

Slavicist *or* **Slavist** [slăv'-; slăv'-] *(n.)* العالِم باللغات السلافية .

slavish [slā'-] *(adj.)* (١) رقيقي : ذو علاقة بالأرقاء (٢) خانع ؛ صاغر (٣) حقير ؛ وضيع (٤) متّسم بالتقليد والمحاكاة .

slavocracy *(n.)* دعاة الاسترقاق (في الولايات المتحدة الأميركية) .

Slavonian [slə vō'nĭ ən] *(n.; adj.)* (١) السلافوني : أحد أبناء سلافونيا وهي مقاطعة في شمالي يوغوسلافيا §(٢) سلافوني .

Slavonic [slə vŏn'ĭk] *(adj.)* (١) سلافوني (٢) سلافي .

slaw [slô] *(n.)* سَلَطة الكرنب (المخرّط) .

slay [slā] *(vt.; i.)* يقتُل ؛ يذبح . —**slayer** *(n.)*

sleave [slēv] *(vi.; n.)* (١) ينفصل إلى خيوط أرفع §(٢) خُيَيْط .

sleazo [slē'zō] *(adj.)* = sleazy.

sleazy [slā'zĭ; slē'zĭ] *(adj.)* (١) «أ» مُهلهَل ؛ مُهلهَل النسج . «ب» رديء الصنع والمادة (٢) رخيص ؛ غير أخلاقي .

sled [slĕd] *(n.; vt.; i.)* (١) مِزلجة §(٢) يُمزلِج : ينقل بمزلجة ×(٣) يتمزلج : يركب مزلجة .

sledding [-'ĭng] *(n.)* (١) «أ» التمزلج : رُكوب المزلجة . «ب» المَزْلَجَة : النقل بمزلجة (٢) الأحوال الملائمة للتمزلج .

hard ~, أحوال غير ملائمة أو موائية .

sled dog ; sledge dog كلب المزلجة : كلب مدرّب على جرّ المزلجة .

sledge [slĕj] *(n.; vt.; i.)* = sled.

sledge [slĕj]; **sledgehammer** [slĕj'hăm'ər] *(n.; vt.; i.)* (١) الإرزَبّة ؛ المِرزَبّة : مطرقة ثقيلة §(٢) يطرُق بإرزبّة أو نحوها .

sledgehammer [slĕj'hăm'ər] *(adj.)* قوي ؛ عنيف ؛ ساحق .

sleek [slēk] *(vt.; adj.)* (١) «أ» يُملِّس ؛ يجعله أملس . «ب» يَصقُل §(٢) أملس ؛ صقيل (her ~ hair) (٣) أملس الشعر أو الصوف (the ~ cat) (٤) بادية عليه أماراتُ الصحة (٥) دَمِث أو معسول اللسان (~ salesmen) (٦) أنيق (a ~ car) .

sleeken [slē'kən] *(vt.)* يجعله أملس أو صقيلاً أو دمثاً أو أنيقاً الخ .

sleeker [slē'kər] *(n.)* = slicker.

sleep [slēp] *(n.; vi.; t.)* (١) نوم ؛ رقاد (٢) «أ» هجوع . «ب» موت . «ج» سُبات (را . coma) (٣) لَيلة (Ten ~*s* have passed.) (٤) مَسِيرة يوم (٥) نعاس (Her eyes were heavy with ~.) §(٦) ينام ؛ يرقد (٧) «أ» يهجع . «ب» يرقد ميتاً (٨) يضاجع ×(٩) يتخلص من كذا بالنوم (to ~ away business cares) (١٠) يتسع لعددٍ معيّن من النزلاء .

to ~ on يواصل النوم .

to ~ on *or* over a problem يؤجّل مسألةً إلى اليوم التالي .

to ~ the clock round ينام اثني عشرة ساعةً متواصلة .

sleeper [slē'pər] *(n.)* (١) «أ» النائم ؛ الراقد . «ب» النَّؤوم : محبّ النوم (٢) الراقدة : عارضة خشبية (أو معدنية) ثقيلة تُتَّخذ أساساً لخط السكة الحديدية أو دعامةً له (٣) عربة النوم « في قطار » (٤) «أ» جوادٌ يحرز سبقاً بعد إخفاق متوالٍ . «ب» كتابٌ يتواصل رواجُه عاماً بعد عام من غير إعلان عنه . «ج» شريط سينمائي تبلغ عائداته أضعاف ما توقّعه منتجوه . «د» لحنٌ موسيقي تطير له ، على نحوٍ غير متوقّع ، شهرةٌ عريضة .

sleepiness [slē'pĭ nĭs] *(n.)* نُعاس ؛ وسَن .

sleeping [slē'-] *(n.; adj.)* (١) نوم §(٢) نائم (٣) مُستعمَلٌ للنوم .

sleeping car *(n.)* عربة النوم ؛ حافلة النوم (في قطار) .

sleeping partner *(n.)* الشريك الموصي : شريكٌ ليس للجمهور معرفةٌ بعلاقته بالمؤسسة (إد) .

sleeping pill *(n.)* الحبة المنومة : حبة تحتوي على عقّار منوّم .

sleeping sickness *(n.)* النُّوام : مرضٌ منتشر في أصقاع كثيرة من افريقية الاستوائية يتميّز بالحُمّى والنعاس والارتعاد والهزال .

sleepless [slēp'-] *(adj.)* (١) أرِق ؛ قلِق (٢) يقِظ ؛ دائم النشاط .

sleepwalk [slēp'wôk] *(vi.)* يُسرنِم : يسير أو يمشي وهو نائم .

sleepwalker [slēp'wô'kər] *(n.)* المُسرنِم : السائر وهو نائم .

sleepwalking [slēp'-] *(n.)* السَّرنَمة : السير أو المشي في النوم .

sleepy [slē'pĭ] *(adj.)* (١) «أ» نعسان . «ب» ناعس (٢) «أ» بليد (a ~ sense) . «ب» هادىء (a ~ village) (٣) منوم (~ drinks) .

sleet [slēt] *(n.; vi.)* (١) القِطقِط ؛ جَمَدُ المطر : مطرٌ متجمّد أو نصف متجمد (٢) القِطقِطيّة : طبقة جليدية رقيقة (كالتي تتكون على الأشجار والأسلاك عند هطول القِطقِط أو جَمَدِ المطر) §(٣) تُقطقِط : ترسل السماءُ القِطقِط .

sleeve [slēv] *(n.; vt.)* (١) «أ» كُمّ ؛ رُدْن . «ب» الإياد : غطاء للذراع (را . sleevelet) (٢) الجُلْبَة : جزء أنبوبيّ معدنيّ يكتنف قضيباً (مك) §(٣) يردّن : يجعل للثوب رُدْنين (٤) يُجلّب (مك) .

to have something up one's ~, يحتفظ بفكرة أو خطة أو ورقة لعِب للاستخدام عند الحاجة .

to wear one's heart on one's ~, يجاهر بحبّه الخ .

sleeved [slēvd] *(adj.)* مُردّن أو مُجلّب (را . المادة السابقة) .

sleeveless [slēv'lĭs] *(adj.)* غير مُردّن ؛ بلا رُدْنين أو كُمّين .

sleevelet [slēv'-] *(n.)* الإياد : غطاء للذراع يقي الكمّ من البلى والوسخ .

sleigh [slā] *(n.; vi.)* (١) مركبة الجليد ؛ عربة الجليد : مركبة أو عربة لنقل الأشخاص أو السلع على الجليد أو الثلج §(٢) ينتقل بمركبة جليد ؛ يركب مركبة جليد .

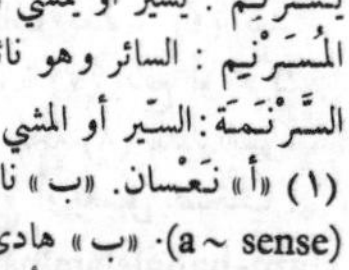

sleigh

sleight [slīt] *(n.)* (١) مَكْر (٢) حيلة ؛ خدعة (٣) براعة .

sleight of hand *(n.)* (١) خفّة يد ؛ براعة في ألعاب الشعوذة ؛ براعة في الخداع (٢) حيلة من حيل الشعوذة تتطلب خفّة يد .

slender [slĕn'dər] *(adj.)* (١) «أ» نحيل ؛ وبخاصة : أهيف . «ب» رفيع (٢) هزيل ؛ ضئيل .

slenderize [slĕn'də rīz'] *(vt.)* يَنْحِل ؛ يجعله نحيلاً .

slept [slĕpt] *past and past part. of* sleep.

sleuth[slōōth] *(n.; vi.)* (١)بوليس سري §(٢)يعمل كبوليس سري.

sleuthhound[slōōth'-] *(n.)* (١) bloodhound (٢)بوليس سري.

slew [slōō] *past of* slay.

slew [slōō] = slough.

slew [slōō] = slue.

slew [slōō] *(n.)* عددٌ أو مقدارٌ وافر .

slice [slīs] *(n.; vt.)* (١) شريحة (٢) جزء ؛ حِصة (٣) مِلْوَق (لمدّ الدهان أو حبر الطباعة) (٤) سكين عريضة النّصل رقيقتُه (fish ~) (٥)ضربة للكرة تجعلها تنحرف إلى اليمين §(٦)يشرّح ؛ يقطّع الشيءَ شرائحَ (٧) يُمَلْوِق : يَمدّ الدّهان أو حبر الطباعة بمِلْوَق (٨)يضرب (كرة الغولف) بحيث تنحرف إلى اليمين .

slicer [slīs'ər] *(n.)* (١) فا slice (٢) المِشْرَحة : أداة للتقطيع إلى شرائح (a meat ~) .

slick [slĭk] *(adj.; adv.; n.; vt.)* (١) «أ» أملس ، صقيل . «ب» زَلِق (.The grass was ~) . «ج»مُبْتَذَل (٢) «أ»بارع ؛ وبخاصة : ماكر . «ب» ماهر (٣) ممتاز §(٤) ببراعة الخ. §(٥) موضع أو بقعة زَلِقة (٦) المِصقَل : أداة للتمليس أو الصَّقْل (٧)مجلّة شعبيّة صقيلة الورق §(٨)يملّس ؛ يصقل الخ.

slickenside[slĭk'ən-] *(n.)* المَصقَل : سطحٌ صخريّ أملس(جي).

slicker [slĭk'ər] *(n.)* (١) المشمّع : قماش مزيّت كتيمٌ للماء . وبخاصة : المِمْطر أو المِعطف الواقي من المطر (٢)المُخادِع ؛ المحتال (٣)المَدينيّ : ساكن المدن ، وبخاصة إذا كان أنيق المظهر.

slide [slīd] *(vi.; t.; n.)* (١) «أ» ينزلق . «ب» يتزلّج . (٢) «أ» تَزِلّ قدمُهُ . «ب» يزلّ عن موضعِه (٣) يزول ؛ يتلاشى ؛ يتبدّد (٤) «أ» يدبّ ؛ يزحف. «ب» يجري ؛ يتدفّق (٥) «أ» ينقضي (الوقتُ) من غير أن يُشعَر به . «ب» يتحوّل أو ينصرف . «ج» يتّخذ مجراه الطبيعيّ (to let things ~) (٦) ينسلّ أو يمشي خِلسةً (٧) يتحوّل تدريجياً إلى ×(٨) يُزلِق ؛ يُزلّج (٩) يَدُسّ (The thief *slid* a gun into his pocket.) §(١٠) مص slide ، مثل : انزلاق ؛ تزلّج الخ. (١١)تدهور اقتصادي أو أخلاقي الخ. (١٢)المنزلِق ؛ المنزلَقة : جزء منزلِق أو أداة منزلقة (ملك) (١٣) «أ»الكتلة المنزلِقة : كتلة تراب أو صخر أو ثلج تنزلق على سفح جبل الخ. «ب» انزلاق هذه الكتلة (١٤)المنزلَق : موضع الانزلاق (١٥)الشريحة المنزلقة : شريحة زجاجيّة تستخدم في الاختبار المجهري وفي الفوانيس السحريّة .

slide fastener *(n.)* = zip fastener.

slide rule *(n.)* المِسطرة الحاسبة ، المِسْطرة المنزلقة .

slide valve *(n.)* الصمام المنزلِق (ملك) .

slide valve

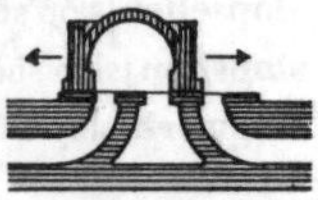

slideway [slīd'wā] *(n.)* المُنزَلَق : مجاز ينزلق عليه شيء .

sliding [slīd'ĭng] *(adj.)* (١) منزلِق (٢) انزلاقيّ (a ~ knot)

sliding scale *(n.)* المِقياس الانزلاقي (للأجور) .

slight [slīt] *(adj.; vt.; n.)* (١) «أ» نحيل . «ب» واهٍ ؛ مُهلهل . «ج»تافه ؛ سطحيّ (٢)وضيع (٣) هزيل ؛ طفيف §(٤)يستخفّ بِـ (٥)يتجاهله أو يعامله بازدراء أو لامبالاة (٦) يُهمِل أو يعمل بغير إتقان §(٧) استخفاف ؛ تجاهل ؛ ازدراء ؛ إهمال .

slighting [slī'tĭng] *(adj.)* استخفافيّ : مُتَّسِم بالاستخفاف .

slily [slī'lĭ] *(adv.)* = slyly.

slim [slĭm] *(adj.; vt.; i.)* (١) نحيل (٢) «أ» حقير ؛ تافه . «ب» ماكر (٣) «أ» مُهلهَل ؛ ضعيف . «ب» ضئيل ؛ هزيل §(٤) يُنحِل ؛ يهزِل الخ . (٥) يُضيع وقتَه سدًى (٦) يقلّل ؛ يخفّف من ×(٧) ينحُل ؛ يهزُل الخ .

slime [slīm] *(n.; vt.)* (١) طين ؛ وحْل (٢) مادةٌ لزجة أو غرَوِيّة (تفرزها الأسماك والحلازين والأفاعي) (٣) قذارة §(٤) يلوّث أو يكسو بالطين (٥) يزيل المادة اللّزجة أو الغَرَوِيّة (من الأسماك عند تعليبها) .

slime mold *(n.)* الفُطْر الغرَوِيّ (أح) .

slim-jim [slĭm'jĭm'] *(n.)* شخصٌ شديد النحول .

slimming [slĭm'-] *(adj.)* مُنحِف : جاعلٌ الجسمَ يبدو نَحيلاً .

slimsy *or* **slimpsy**[slĭm'zĭ; slĭm(p)'sĭ] *(adj.)* واهٍ ؛ مُهلهَل .

slimy [slī'mĭ] *(adj.)* (١)موحِل ؛ لزِج ؛ غرَوِيّ (٢)قذِر .

sling [slĭng] *(vt.; n.)* (١) يقذِف أو يرمي بقوّة (٢) يَخذِف : يقذِف (الحجارة) بمِخذَفة أو مقلاع (٣)«أ» يضع شيئاً في شبكة حبال (بغْيةَ رفعِه أو خفضِه) . «ب» يرفع أو يخفض بحبل رفع أو بشبكة حبال (٤) يعلّق ؛ يدلّي (*slung* a rifle over his shoulder) §(٥) قذْف ؛ خذْف (٦) «أ» المِخذَفة ؛ المِقلاع : أداة من جلد لقذف الحجارة باليد. «ب»النقّافة : عود على شكل حرف Y تُشدّ اليه قطعة مطّاط لقذف الحصَى (٧) المِعلاق : عصابة مُدلاةٌ من العنق لحمْل الذراع (٨) حبل الرفع ؛ شبكة الحِبال (لرفع شيء أو خفضه) (٩) السّلِنك : شرابٌ مُسكِر .

—**slinger** *(n.)*

slingshot [slĭng'shŏt'] *(n.)* = sling 6 *b*.

slink [slĭngk] *(vi.; t.; n.; adj.)* (١) يتَسلّل خِلسةً . ×(٢)تُسقِط : تضع البهيمة حَمْلها سِقْطاً §(٣) «أ»السِّقْط : جنين الحيوان يُلقَى قبل إبّانِه . «ب» لحم (أو جلد) عجل جهيض (٤) الضعيف الجسم أو الشخصيّة أو العقل (ع) §(٥) جهيض (a ~ calf) (٦) نحيل ؛ مهزول ؛ أعجف (ع) .

slinky [slĭng'kĭ] *(adj.)* انسلاليّ (movements ~) .

slip [slĭp] *(vi.; t.; n.; adj.)* (١) «أ» ينزلق . «ب» ينساب . «ج» يتَسلّل . «د» ينقضي ؛ يمرّ (٢) «أ» يغيب (عن الذاكرة الخ.) . «ب» يَند «على غير وعي» (Her name ~*ped* from his lips.) «ج» يفوت ؛ يضيع (Don't let this opportunity ~.) (٣) يزلّ ؛ يخطىء (٤) «أ» يزلّ عن موضعه (The books ~*ped* to the floor.) . «ب» تزلّ قدمُهُ . «ج» يتدفّق ؛ يجري بسلاسة (٥) يلبس (أو يخلع) ثيابه بسرعة (٦) «أ» تعتلّ صحتُهُ . «ب» يأفل نجمُهُ الخ . «ج» يهبط ؛ ينخفض (.Sales will ~) (٧) تنزلق (السيارة أو الطائرة)جانبياً ×(٨) «أ» يُزلِق (She ~*ped* back the bolt.) . «ب» يُفلِت من (٩) يخلع ؛ يطرح (The snake ~*ped* its skin.) (١٠) يلبس أو يخلع (ثوباً) بعجلة (١١) «أ» يُطلِق ؛ يحرّر . «ب» يفتح (to ~ a lock) . «ج» يحلّ (to ~ a knot) «د» يُرخي (١٢) «أ» يضع أو يدُسّ أو يُمرّر خِلسةً (~*ped* the note into her hand) . «ب» يُعطي أو يدفع خِلسةً أو سرّاً (١٣) يتجنّب (ضربةً) بإبعاد جسمه أو رأسه بسرعة إلى جانب §(١٤)مَزلَق السّفن : سطحٌ مائل نحو الماء لترميم السفُن الخ. (١٥) انسلال ؛ فرار (١٦) هفوة ؛ زلّة (١٧) «أ» انزلاق. «ب» حادث غير سعيد (١٨) هبوط ؛ انخفاض (a ~ in prices) (١٩) «أ» قميص تَحتيّ . «ب» كيس مخدّة (٢٠) «أ» قُصاصة ؛ شِقّة . «ب» بيان (٢١) انزلاق جانبي («سي» و «طي»)

(٢٢)«أ» طُعْم ؛ مطعوم (نب) . «ب» ابن ؛ ولد (٢٣) شخص نحيل صغير السنّ (a ~ of fourteen, just fresh from school) (٢٤) مقعد طويل §(٢٥) انزلاقي ؛ منزلق (a ~ bar) .

There's many a ~ between the cup and the lip. إنّ بين الكأس والشفة مزالق كثيرة ؛ إن عقبات قد تنشأ فتحول دون تنفيذ خطةٍ ما .

to give the ~ to يُفْلِت منه .

to let ~ the dogs of war يبدأ الحرب .

to ~ up يخطىء ؛ يغلط .

slipcover [slĭp'-] *(n.)* الغطاء الانزلاقي : «أ» كيس من قماش لأريكة أو كرسي . «ب» القميص : غلافٌ ورقيّ لكتابٍ مجلّد .

slipe [slīp] *(vt.)* (١) يقشّر (٢) يشرّح ؛ يقطّع إلى شرائح (عب) .

slipknot [slĭp'nŏt'] *(n.)* العُقْدة المنزلقة .

slip noose *(n.)* الأُنْشوطة المنزلقة : أنشوطة ذات عقدة منزلقة .

slip-on [slĭp'ŏn] *(n.)* المُنْزلِق ؛ المُنْزلَقة : كل ما يُلْبس أو يُخلَع بيُسْر ؛ مثل «أ» قفاز أو حذاء بلا أربطة . «ب» pullover .

slipover [slĭp'ō'vər] *(n.)* = pullover.

slippage [slĭp'ĭj] *(n.)* (١) مص slip (٢) التفويت أو نسبة التفويت (في الموطورات الكهربائية) .

slipper [slĭp'ər] *(adj.; n.)* (١) slippery (٢) خفٌّ ؛ شِبشِب .

slippery [slĭp'ə rĭ] *(adj.)* (١) زلِق (a ~ road) (٢) فرّار : نزّاع إلى الافلات من اليد (a ~ fish) (٣) «أ» متقلقل ؛ متزعزع (a ~ position) . «ب» غامض (a ~ style) (٤) «أ» مراوغ ؛ مخادع . «ب» خليع ؛ فاسق (~ looks of love) .

slippy [slĭp'ĭ] *(adj.)* = slippery.

slip ring *(n.)* حلقة الانزلاق (في موطور) (كب) .

slip sheet *(n.)* الورقـــة العازلة : ورقة توضع بين ورقتين حديثتي الطبع لمنع تلوّثهما بالحبر الطريء (طع) .

slip-sheet [slĭp'] *(vt.)* يفصل بأوراق عازلة (را. المادة السابقة) .

slipshod [slĭp'shŏd'] *(adj.)* (١) «أ» منتعِل خُفّاً . «ب» بالٍ ؛ رثّ (~ shoes) (٢) «أ» مُهْمِل . «ب» غير دقيق . «ج» مُتّسِم بالاهمال واللامبالاة (~ work) .

slipslop [slĭp'slŏp'] *(n.)* لَغْوٌ ؛ هذر ؛ هراء .

slipsole [slĭp'sōl'] *(n.)* نعلٌ باطنٌ رقيق .

slipstick [slĭp'stĭk'] *(n.)* = slide rule.

slipstream [slĭp'strēm] *(n.)* الطَّرْح المزاح ؛ الهواء المُزاح (طي) .

slipup [slĭp'ŭp'] *(n.)* خطأ (~s in spelling) .

slit [slĭt] *(vt.; n.; adj.)* (١) يَقُدّ : يَشُقّ طولياً أو بالطول (٢) يقطع (٣) يُلوِّز ؛ يضيّق : يجعله على صورة شِقّ طوليّ (~ *ted* his eyes against the glare) §(٤) «أ» شِقّ طوليّ (a ~ in a letter box) . «ب» كوّة مستطيلة §(٥) لوزيّ : مستطيل وضيّق (~ eyes) (٦) مقدود ؛ مشقوق بالطول (a ~ skirt) .

slither [slĭth'ər] *(vi.; t.; n.)* (١) ينزلق (٢) يَسْعَى كالحية . ×(٣) يزلّق §(٤) انزلاق .

slithery [slĭth'ə rĭ] *(adj.)* زلِق (~ mud) .

sliver [slĭv'ər] *(n.; vt.; i.)* (١) شَظِيّة (٢) خُصْلة أو شلة صوف أو قطن §(٣) يُشظّي : يَشُقّ إلى شظايا ×(٤) يتشظّى .

slivovitz [slĭv'ə vĭts] *(n.)* السليفوفتز : مُسْكِرٌ مَجَريّ أو بلقانيّ .

slob [slŏb] *(n.)* (١) وحْل (٢) جليد بحريّ (٣) «أ» الساذج ؛ الأخرق . «ب» الجِلْف . «ج» القذِر أو الزريّ الملبس .

slobber [slŏb'ər] *(vi.; t.; n.)* (١) يَريل : يسيل لُعابه . (٢) يتكلم بطريقة عاطفيّة جيّاشة أو غير مكبوحة ×(٣) يلوّث باللعاب (أو بالطعام والشراب) السائل من الفم §(٤) الرِّيال : اللعاب السائل (٥) كلام أو عمل عاطفيّ (على نحوٍ متهافتٍ أو صبيانيّ) .

to ~ over somebody يُبدي حُبّاً (أو إعجاباً) مفرطاً أو صبيانياً نحو شخص ما .

sloe [slō] *(n.)* برُقوق السِّياج (را. blackthorn) أو ثمره .

sloe-eyed [slō'īd'] *(adj.)* داكن العينين .

sloe gin *(n.)* جِنّ (شراب مُسكِر) مُنَكَّه ببرقوق السِّياج .

slog [slŏg] *(vt.; i.; n.)* (١) يضرب بقوة (٢) يشقّ طريقه بصعوبة . ×(٣) يخوض (في الوحل الخ.) (٤) يكدح §(٥) تخويض (في الوحل الخ.) تقدّمٌ بصعوبة (٦) كدْح (٧) ضربة قويّة .

slogan [slō'gən] *(n.)* (١) نداء الحرب ؛ صرخة الحرب (٢) شِعار .

sloganeer [slō'gə nēr'] *(n.; vi.)* (١) الشِّعاري : واضع الشعارات أو مُستخدمها § (٢) يُشعّر : يصوغ أو يضع شِعاراً .

sloganize [slō'gə nīz] *(vt.)* يُشعّر : يصوغ على صورة شعار ؛ يعبّر عنه على نحو موجز أو جامع أو مُحكَم .

sloop [slōōp] *(n.)* السَّلُوب : مركب شراعي وحيد الصاري .

slop [slŏp] *(n.; vt.; i.)* (١) «أ» ثوبٌ فضفاض . «ب» *pl.* : بنطلون فضفاض (في القرن ١٦) . «ج» *pl.* : ملابس رخيصة جاهزة . «د» ملابس وأدوات أخرى تباع للملاّحين (٢) وحْل مائع (٣) *pl.* : شراب أو حساءٌ مَرِقٌ (٤) غُسالة ؛ ماء قذر (٥) «أ» فضلات الطعام . «ب» *pl.* : غائط §(٦) «أ» يُريق ؛ يدلق (من غير قصدٍ عادةً) . «ب» يلوّث برشاش وحل . «ج» يَدْلُق السوائل على (Beer drinkers kept ~ *ping* the bar.) (٧) يسكب الطعام بخُرق أو ارتباك (٨) يأكل أو يشرب بنَهَمٍ أو بصوت عالٍ ×(٩) يَخُوض في الوحل (١٠) يندلق من إناء .

to ~ over (١) يندلق من اناء (٢) يتخطّى الحدّ (٣) يُسرف في الانفعال أو الحماسة .

slop chute *(n.)* أنبوب الفضلات : أنبوب في مؤخّر السفينة لإلقاء النفايات .

slope [slōp] *(vi.; t.; n.; adj.)* (١) يتحدّر : يجري في منحدَر . (٢) يَميل ؛ ينحدر (٣) ينصرف ؛ يرحل ×(٤) يُميل ؛ يَحْدُر §(٥) مُنْحَدَر (٦) انحدار ؛ تحدُّر §(٧) مائل ؛ منحدِر .

sloping [slōp'ĭng] *(adj.)* مائل ؛ منحدِر .

sloppy [slŏp'ĭ] *(adj.)* (١) «أ» مُوحِل . «ب» متّسِخ بالسوائل (المُراقة عليه) . «ج» قذِر . «د» مَرِق ؛ رقيق ؛ «سايط» (٢) غير متقَن (٣) مُفْرِط على نحو صبيانيّ (a ~ sentiment) .

slopseller [slŏp'sĕl'ər] *(n.)* بائع الملابس الجاهزة الرخيصة .

slopshop [slŏp'shŏp'] *(n.)* دكان لبيع الملابس الجاهزة الرخيصة .

slopwork [slŏp'wûrk'] *(n.)* (١) صناعة الملابس الجاهزة الرخيصة . (٢) عملٌ غير متْقَن .

slosh [slŏsh] *(n.; vt.)* (١) slush (٢) شرابٌ رقيق أو مرِق . (٣) صوت الماء المتدفق §(٤) يخوض في الماء أو الوحل (٥) يتجوّل لغير هدف ×(٦) يحرّك (بعنف) في سائل .

slot [slŏt] *(n.; vt.)* (١) الشَّقْب : شِقّ صغير ضيّق (٢) مجازٌ أو حيّز ضيّق (٣) مكان أو مركز في منظّمة أو قائمة أو برنامج (the chairman's ~) (٤) أثر الحيوان ؛ وبخاصة آثار قوائم الغزال (٥) الماكينة الشَّقْبية (را. slot machine) §(٦) يشقّب : يُحْدِث فيه شقّاً صغيراً ضيّقاً .

sloth [slōth; slôth] *(n.)* (١) كَسَل . (٢) الكَسْلان : حيوان أدرد يقيم في أشجار الغابات الاستوائيّة بأميركة الجنوبيّة والوسطى .

sloth

sloth bear *(n.)* الدبّ الكسلان : دبّ طويل الشعر من دببة الهند .

slothful[slōth'-] *(adj.)* كسلان ؛ كَسِل .

slot machine *(n.)* الماكينة الشَّقْبِيّة : ماكينة تعمل بإسقاط قطعة نقديّة في شَقْب أو شِقّ صغير ضيّق .

slouch [slouch] *(n.; vi.; t.)* (١) شخص أخرق أو كسلان أو غير كفء (٢) مِشية أو جِلْسة أو وِقفة مترهّلة §(٣) يمشي أو يجلس أو يقف مترهّلاً (٤) يترهّل ؛ يتدلّى ×(٥) يُرَهِّل ؛ يُدَلّي ؛ يَخفِض .

slouch hat *(n.)* القبعة المترهّلة : قبعة عريضة الحافة مسترخِيتُها .

slouchy [slouch'ĭ] *(adj.)* مترهّل (المِشية أو الجِلسة أو الوِقفة الخ .)

slough[slou *for* 1,3; slōō *for* 2] *(n.)* (١) حَمأة ؛ أرض مُوحِلة ؛ أخدودٌ موحِل (٢) مستنقع (٣) حمأة الرذيلة الخ .

slough *or* **sluff** [slŭf] *(n.; vi.; t.)* (١) «أ» السِّلْخ : جلد الأفعى المنسلخ عنها انسلاخاً طبيعياً . «ب» كتلة من أنسجة ميتة منفصلةٌ من قَرْحة §(٢)«أ» ينسلخ . «ب» تطرح (الأفعى) جلدها . «ج» ينفصل (النسيجُ الميت) عن نسيج حيّ §(٣)ينهار ×(٤) يَطرح (to ~ dead tissue) (٥) ينبذ؛ يتخلص من . to ~ over يستخف بـ .

slough of despond *(n.)* حمأة القنوط : أقصى اليأس .

sloughy [slou'ĭ *for* 1; slŭf'ĭ *for* 2.] *(adj.)* (١) مُوحِل . (٢) سِلْخِيّ : مكسوّ بسِلْخٍ أو نسيجٍ ميْتٍ أو ذو علاقة به .

Slovak [slō'văk] *(n.; adj.)* (١) السلوفاكي : أحد أفراد شعب سلافي مقيم في تشيكوسلوفاكيا الشرقيّة (٢) السلوفاكيّة : لغة الشعب السلوفاكي §(٣) سلوفاكي .

Slovakian [slō văk'ĭ ən] *(n.; adj.)* = Slovak.

sloven[slŭv'-] *(n.; adj.)* (١) القَذِر : من لا يبالي بنظافةِ جسمِهِ وملابسِهِ §(٢) قَذِر الجسم أو الملبس (٣)متخلف ؛ غير متطور .

Slovene [slō vēn'] *(n.; adj.)* (١) السلوفيني : أحد أفراد شعب سلافي في يوغوسلافيا (٢)السلوفينية : لغة السلوفينيين§(٣)سلوفيني .

slovenly [slŭv'ən lĭ] *(adj.; adv.)* (١)«أ» قذِرالجسم أو الملبس . «ب» مُهْمِل (٢) قذِر(dress ~) §(٣) على نحوٍ قذِرٍ الخ .

slow [slō] *(adj.; adv.; vt.; i.)* (١) «أ» غبيّ ؛ متبلّد العقل . «ب» بليد (٢) متوانٍ (٣) بطيء (٤) تدريجيّ (٥) مبطّيء ؛ معوّق (~ ground) (٦) متأخر (a ~ clock) (٧) مُضجِر ؛ مملّ (a ~ party) §(٨) ببطء (I would go pretty ~ on that.) §(٩) يُبَطّيء ؛ يعوّق ×(١٠) يُبْطىء ؛ يتمهّل .

slow coach *(n.)* شخص بطيء الحركة أو متبلد الفكر أو ذو أفكار بالية .

slowdown [slō'doun'] *(n.)* (١) إبطاء ؛ بطء (٢) التباطؤ : تباطؤ العمال في أداء عملهم كوسيلة لتحقيق مطالبهم .

slow-footed [slō'fŏŏt'ĭd] *(adj.)* بطيء جداً (a ~ ship) .

slowish [slō'ĭsh] *(adj.)* بطيء قليلاً ؛ بطيء بعض الشيء .

slowly [slō'lĭ] *(adv.)* ببطء ؛ بتمهّل ؛ بأناة الخ .

slow match *(n.)* الفتيل البطيء : فتيل للتفجير يشتعل ببطء شديد.

slow-motion [slō'mō'shən] *(adj.)* بطيء ؛ بطيء الحركة .

slowpoke [slō'pōk] *(n.)* السُّلَحْفائيّ : شخص بطيء جداً .

slow-witted [slō'wĭt'ĭd] *(adj.)* غبيّ ؛ متبلّد العقل .

slowworm [slō'wûrm'] *(n.)* = blindworm.

sloyd [sloid] *(n.)* السَّلْوَدة : طريقة سُوَيْديّة في التدريب اليدوي بواسطة أشغال الخشب .

slubber [slŭb'ər] *(vt.)* (١)يلطّخ (٢)يعمل بإهمال ولا مبالاة .

sludge [slŭj] *(n.)* (١) وَحْل (٢) راسِبٌ طينيّ (٣) الجَلْطَف : قطع صغيرة من جليد بحريّ طافٍ . **—sludgy** *(adj.)*

slue = slough.

slue [slōō] *(vt.; i.; n.)* (١) يُدير ؛ يُمِيل ×(٢) يستدير §(٣) الوضع أو المَيْل الناشىء عن الادارة أو الاستدارة .

slue = slew.

slug [slŭg] *(n.; vt.)* (١) الكَسْلان ؛ النزّاع إلى الكسل . (٢) البزّاقة العريانة (٣) يرقانة تدبّ مثل حيوانٍ رخويّ (٤) «أ» شخص أو حيوان بطيء . «ب» عربة بطيئة (٥)«أ» كتلة معدنيّة . «ب»رصاصة . «ج» قرص معدنيّ يُدَسّ في ماكينة شَقْبِيّة (را. slot machine) ؛ وبخاصة قرصٌ يستخدم بطريقة غير شرعيّة بدلاً من قطعة نقد (٦)«أ» الرَّقِيقَة : قطعة معدنية مستطيلة رقيقة تَفْصِل ما بين السطور المنضّدة (طع) . «ب» سطر مسكوب قطعةً واحدة بماكينة لينوتيب (طع) (٧) جرعةٌ من مُسْكِر (٨) السَّلَج : الوحدة الفنيّة البريطانيّة للكتلة ،وتساوي نحواً من ٣٢٫٢ باونداً (ملك) (٩)ضربة قويّة ؛ وبخاصة: لكمة §(١٠)يفصل ما بين السطور المنضّدة برقائق (طع) (١١) يضرب بعنف ؛ يلكم .

slugabed [slŭg'ə bĕd'] *(n.)* النَّؤوم : من يلازم فراشه إلى ما بعد وقت الاستيقاظ المألوف أو المفروض .

slugfest [slŭg'fĕst] *(n.)* مباراة عنيفة (في الملاكمة او البايسبول) .

sluggard [slŭg'ərd] *(n.; adj.)* (١) الكَسْلان §(٢) كَسِل .

sluggardly [slŭg'ərd lĭ] *(adj.)* كَسِلٌ ؛ كَسُول .

slugger [slŭg'ər] *(n.)* ملاكم أو لاعب بايسبول شديد الضربات .

sluggish [-'ĭsh] *(adj.)* (١) كَسِل أو بليد (٢) بطيء أو راكد .

sluice [slōōs] *(n.; vt.; i.)* (١) سدّ ذو بوّابة (للتحكّم بمياه قناة أو نهر) (٢)«أ» بوّابة (للتحكّم بتدفق المياه) . «ب» المياه المتحكَّم بها (٣)«أ» الصمام : كل ما يضبط تدفق شيء ما . «ب» فتحة التصريف (ملك) (٤) مَسِيلٌ (لغسل الأتربة والرمال الحاملة للذهب) (٥) قناة لجرّ المياه §(٦) يحرّر مياه السدّ بفتح بوّابته (٧) يغسل بمياه متدفقة ؛ يسكب الماء على (٨) يغسل الأتربة والرمال الحاملة للذهب في مَسِيل (٩) ينقل (الأخشاب) في قناة ×(١٠)«أ» يتدفق . «ب» ينهمر (المطر) .

sluiceway [slōōs'wā'] *(n.)* قناة صُنعيّة (للتحكّم بالمياه) .

sluicy [slōō'sĭ] *(adj.)* منهمرٌ بغزارة .

slum [slŭm] *(n.; vi.)* (١) حيّ الفقراء : حيّ قذِرٌ مزدحم بالسكان موسومٌ بطابع الفقر والرذيلة §(٢) يزور أحياء الفقراء .

slumber [slŭm'bər] *(vi.; t.; n.)* (١) «أ» ينام نوماً خفيفاً . «ب»ينام(٢)يهجع (الشعب أو الضمير الخ.) ×(٣)يقضي (الوقتَ) بالنوم §(٤)«أ» نوم . «ب» نوم خفيف (٥) هجوع ؛ سُبات .

slumberous *or* **slumbrous** [slŭm'-] *(adj.)* (١) نَعْسان . (٢) هادىء ؛ ساكن (٣) باعث على النوم (٤) كسِل .

slumbery [slŭm'bər ĭ] *(adj.)* = slumberous.

slump [slŭmp] *(vi.; n.)* (١) يسقط فجأةً (٢) يمشي مسترخياً أو مترهلاً (٣)يهبط ؛ ينخفض§(٤)سقوط أو هبوط (في الأسعار الخ.) .

slumpflation *(n.)* فترة ركود اقتصاديّ وتضخم ماليّ .

slung [slŭng] *past and past part. of* sling.

ă at; ā date; â care; ä car; ĕ egg; ē me; ĭ in; ī bite; ŏ lot; ō bone; ô orphan; oi boil ŏŏ good; ōō boot; ou out; ŭ under; ū unity; û urgent; th thing; th this; zh vision; ə = *a* in alone, *e* in system, *i* in easily, *o* in gallop, *u* in circus.

slungshot [slŭng'shŏt'] *(n.)* كتلة معدنيّة أو حجريّة مشدودة إلى سَيْر أو سلسلة تُتّخذ سلاحاً .

slunk [slŭngk] *past and past part. of* slink.

slur [slûr] *(vt.; i.; n.)* (١) يُغْفِل ؛ يتغاضى عن ؛ يمرّ به مرّاً خاطفاً أو سطحياً (٢) ينجز بتعجّل أو إهمال (٣) يغنّي أو يعزف (نغمتين مختلفتي الطبقة) من غير توقف (٤) يلفظ أو يكتب الأصوات والحروف الخ. بغير وضوح وبحيث يتداخل بعضها ببعض (٥) يَسِم أو يعلّم بعلامة الربط الموسيقية (٦)«أ» يلوّث ؛ يوسّخ . «ب» يقدح أو يطعن في ×(٧)ينزلق (٨)يمشي متثاقلاً أو جارّاً رجليه؛ يخوض في الماء الخ. (٩) تزلّ (الورقة المعدّة للطبع) بحيث تتلطّخ §(١٠) علامة الربط الموسيقيّة (‿ أو ⁀) (١١) تداخل النغمات (١٢) تلفّظ غير واضح (١٣)«أ» قَذْف ؛ طَعْن ؛ افتراء . «ب» لطخة؛ وصمة عار (١٤) لطخة مطبعيّة .

slurp [slûrp] *(vt.; i.)* يأكل أو يشرب مُحْدِثاً صوتاً .

slurry [slûr'ĭ] *(n.)* الرَّدْغَة ؛ الرَّداغ : طين أو مِلاطٌ رقيق القوام .

slush [slŭsh] *(n.; vt.; i.)* (١) ثلج نصفُ ذائب (٢) «أ» الرَّداغ ؛ الرَّدْغة : وحل أو طين رقيق القوام. «ب» ملاط رقيق القوام (٣) الوَدَك: نفاية الشحوم يُطهَى بها في السفن (٤)«أ» شحم (للماكينات). «ب» طلاء (لوقاية بعض أجزاء الآلة من الصدأ) (٥) لباب الورق العالِق في الماء (٦) هُراء ؛ نفاية §(٧) يلطّخ بالوحل (٨)«أ» يشحّم . «ب» يطلي وقايةً من الصدأ (٩) يملّط : يحشو أو يكسو بالملاط ×(١٠) يخوض أو يشقّ طريقه في الوحل .

slush fund *(n.)* (١) حَصِيلَة النفايات : مالٌ يُجتَنى من بيع النفايات وينفق في الترفيه عن ملاّحي السفينة (٢) مال الرُّشى: مالٌ يُفْرَد لرشوة الموظفين الحكوميين الخ..

slushy [slŭsh'ĭ] *(adj.)* (١) موحِل (~ roads) (٢) تافِه .

slut [slŭt] *(n.)* (١) امرأة قذرة (٢) امرأة فاسقة ؛ وبخاصة : بغيّ ؛ مومس (٣) فتاة وقحة (٤) الكلبة : انثى الكلب .

sly [slī] *(adj.)* (١)«أ» حكيم ؛ بعيد النظر . «ب» بارع : دالّ على براعة (~ skill) (٢)«أ» ماكر (a ~ fox) . «ب» كتوم؛ متكتّم. «ج» مستَرَق ؛ مختَلَس (a ~ glance)(٣) خبيث (~ jests) . on the ~, خِلْسَةً ؛ سِرّاً .

slyboots [slī'bōōts] *(n.)* الماكر : شخص ذو مكْر .

slyly [slī'lĭ] *(adv.)* (١) بمَكْر (٢) خِلسةً ؛ سرّاً (٣) بخبث .

slype [slīp] *(n.)* مجاز ضيّق ، وبخاصة بين جناح الكاتدرائيّة ومقرّ الكاهن المسؤول عنها .

smack [smăk] *(n.; vt.; i.; adv.)* (١) طَعْم ؛ نكْهة (٢)أثر أو مقدار ضئيل (٣) تَلَمُّظ ؛ تَمَطُّق (٤) قبلة قويّة (٥) ضربة أو صفعة عنيفة (٦) السَّمّاك : مركب شراعي وحيد الصاري §(٧) يتلمّظ ؛ يتمطّق (٨) يقبّل بقوة ؛ يطبع قبلةً شديدةً على (٩)«أ» يضرب أو يصفع (محدِثاً دويّاً) . «ب» يُعْمِل السَّوْطَ (بحيث يُحْدِث دويّاً) ×(١٠)«أ» يكون فيه نكهة كذا . «ب» يكون فيه أثر كذا §(١١) مباشرةً ؛ تماماً .

smack-dab [smăk'dăb'] *(adv.)* تماماً .

smacker [smăk'ər] *(n.)* (١) فا smack (٢) دولار (ع) .

smacking [-'ĭng] *(adj.)* (١) ناشط ؛ قوي (٢) ضخم أو ممتاز .

small [smôl] *(adj.; adv.; n.)* (١)«أ» صغير. «ب» صغير الجسم (The child is ~ for his age.) (٢) فقير ؛ ضئيل النفوذ ؛ غير رفيع المنزلة (the ~ people) (٣) ضعيف ؛ قليل الكحول أو خِلْوٌ من الكحول (٤) خفيض (a ~ voice) (٥) قليل ؛ زهيد ؛ طفيف (٦) تافه (a ~ role) (٧) متواضع (lived in a ~ way) (٨) محدود (٩) وضيع ؛ حقير §(١٠) بِقِطَع أو إلى قِطع صغيرة (١١) بنبرة خَفِيضَة (١٢) على نحوٍ زهيد أو متواضع أو وضيع الخ. (١٣) بازدراء §(١٤) المستدَقّ : الجزء الأصغر والأرفع (the ~ of the back) (١٥) سِلَع أو منتجات صغيرة الحجم : *pl.* (to keep a good stock of ~*s*) (١٦) *pl.* : بنطلون قصير . —**smallness** *(n.)*.

smallage [smô'lĭj] *(n.)* الكَرَفْس البرّي (نب) .

small arms *(n. pl.)* الأسلحة الصغيرة (من مسدّسات وبنادق الخ.)

small beer *(n.)* (١) جِعَة رديئة أو قليلة الكحول (٢)شيء تافه.

small capital *(n.)* الحرف الاستهلاليّ الصغير : حرف على صورة الحرف الاستهلاليّ capital letter ولكنه أصغر منه .

small change *(n.)* (١) نقود صغيرة (٢) شيء أو شخص تافه .

smallclothes *(n. pl.)* (١)بنطلون قصير ضيّق (٢) ملابس تحتيّة .

small-fry [smôl'frī] *(adj.)* (١) ثانوي؛ غير ذي شأن (٢)أطفاليّ : ذو علاقة بالأطفال أو مُعَدٌّ لهم (~ sports) .

small game *(n.)* صغار الطرائد .

small hours *(n. pl.)* بواكير الصباح : ساعات الصباح الأولى .

small intestine *(n.)* المِعَى الدقيق (ت) .

smallish [smô'lĭsh] *(adj.)* صغيرٌ بعضَ الشيء .

small-minded [smôl'mīn'-] *(adj.)* ضيّق التفكير ؛ أناني؛ حقير .

small potatoes *(n.)* شخص أو شيء تافه .

smallpox [smôl'pŏks'] *(n.)* الجُدَرِيّ (مض) .

small screen *(n.)* الشاشة الصغيرة ؛ التلفزيون .

small stores *(n. pl.)* السِّلَع الصغيرة : سِلَعٌ صغيرة كالتبغ والصابون وبعض الثياب يبيعها موظف تموينٍ لرجال الأسطول.

smallsword [smôl'sōrd'] *(n.)* الشِّيش ؛ سيف المبارزة .

small talk *(n.)* اللَّغو : محادثة حول شؤون تافهة .

small-time [smôl'tīm'] *(adj.)* تافِه ؛ غير ذي شأن .

small-timer [smôl'tī'mər] *(n.)* شخصٌ تافه .

smalt [smôlt] *(n.)* الإسْمَلْت : صِبْغ أزرق .

smaltite [smôl'tīt] *(F.)* الإسْمَلْتِيت : معدن ذو بريق .

smalto [smäl'tō] *(It.)* السَّمَلْت : زجاج ملوّن (أو قطعة منه) .

smaragd [smə răgd'] *(L.)* زُمُرُّد .

smart [smärt] *(vi.; adj.; adv.; n.)* (١) يؤلم إيلاماً شديداً (٢) يتألم ألماً شديداً (٣) يستشعر وخز الندم أو لَذْع الظلم (٤)يدفع الثمن ؛ يلقى العقابَ على §(٥) واخز ؛ لاذع (ا.ق) (٦) عنيف؛ قاسٍ (a ~ blow; ~ punishment)(٧)سريع ؛ ناشط (a ~ pace) (٨) «أ» ذكيّ. «ب» ماكر . «ج» بارع (٩)وقح (a ~ answer)(١٠)أنيق(١١)ضخم ؛ غالٍ (a ~ price) §(١٢)على نحوٍ عنيف او قاس أو سريع أو أنيق الخ. §(١٣)ألم شديد (١٤) حسرة ؛ لوعة (١٥) شخص متكلّف الأناقة (١٦)مقدار ضخم(ع) . —**smartly** *(adv.)*.

smart aleck *(n.)* شخص مغرور (إلى حدّ بغيض) .

smarten [smär'tən] *(vt.; i.)* (١) يُؤَنِّق ؛ يُهَنْدِم (٢) يجعله أسرع أو أنشط ×(٣) يتأنّق (٤)يَعْنُف ؛ يَقْوَى ؛ يَنْشَط.

smart money *(n.)* تعويض أو جُعالة الجَرْحَى (من الجنود والعمال).

smartweed [smärt'wēd'] *(n.)* عصا الراعي (نب) .

smarty *or* **smartie** [smär'tĭ] *(n.)* = smart aleck.

smarty-pants [smär'tĭ pănts] *(n.)* = smarty.

smash [smăsh] *(vt.; i.; n.; adv.; adj.)* (١) يحطّم ؛ يهشم .

(٢) يقذف بعنف (to ~ a stone) (٣) يضرب بعنف (~*ed* him in the face) (٤) يكبس ؛ يضغط على ×(٥) يندفع بعنفٍ «وعلى نحوٍ تدميري» (Our car ~*ed* into the shop window.) (٦) يُفلِس (٧) يتحطّم §(٨) ضربة عنيفة (٩) هجوم ساحق (١٠) تحطّم؛ انهيار (١١) اصطدام عنيف (١٢) إخفاق ؛ خيبة؛ وبخاصة : إفلاس (١٣) السَّماش : شراب مُسْكِر (١٤) نجاح رائع (a musical ~) §(١٥) على نحو محطِّم أو مُدوٍّ (The stone went ~ through the window.) §(١٦) باهر ؛ رائع ؛ استثنائيّ (a ~ success).

smashing [-'ĭng] *(adj.)* (١) ماحق (~ defeat) (٢) باهر ؛ رائع.

smashup [-'ŭp'] *(n.)* (١) انهيار تامّ (٢) تصادم سيارتين.

smatter [smăt'ər] *(vt.; i.; n.)* (١) يتكلم (لغةً) من غير إتقان. (٢) يدرس نتفاً من؛ يشتغل (في شأن من الشؤون) على سبيل الهواية ×(٣) يلغو؛ يثرثر §(٤) معرفة سطحيّة (a ~ of Spanish).

smattering [-ĭng] *(n.)* (١) معرفة سطحيّة (٢) عددٌ قليل متناثر.

smear [smĭr] *(n.; vt.)* (١) مادّة دبقة (٢) لطخة (٣) المسْحة : مادة تُمسَح أو تُفرَش على سطحٍ ما (كسطح شريحة مجهرية) (٤) تهمة غير مؤيَّدة بدليل §(٥) «أ» يكسو بمادة لَزِجة (lived on bread ~*ed* with lard) «ب» يفرش (مادةً) على سطحٍ ما (٦) يلطّخ ؛ يلوِّث (٧) يشوه السمعة (بضروب الاتهامات والافتراءات) (٨) يحبط أو يهزم (٩) يمحو أو يخفي معالم شيء.

smeary [smĭr'ĭ] *(adj.)* (١) مُلطَّخ (٢) مُلوَّث ؛ لزِج.

smell [smĕl] *(vt.; i.; n.)* (١) يشَمّ (٢) يكتشف؛ يستشِمّ. ×(٣) تفوح منه رائحة كذا (The plan ~*s* of trickery.) (٤) يكون أو يصبح كريه الرائحة (His breath ~*s*.) §(٥) «أ» شمّ. «ب» حاسّة الشمّ (٦) رائحة.

smelling bottle *(n.)* زجاجة أملاح الشمّ.

smelling salts *(n. pl.)* أملاح الشمّ : شكلٌ من النُّشادر يعالَج به الاغماء والصداع الخ.

smelly [smĕl'ĭ] *(adj.)* ذو رائحة ؛ وبخاصة : كريه الرائحة.

smelt [smĕlt] *past and past part. of* smell.

smelt [smĕlt] *(n.; vt.)* (١) الهِف ؛ الحَسَاس : سمك بحريّ صغير فضّي الحراشف §(٢) يَصْهر (٣) ينقّي (المعادن) بالصَّهر.

smelter [smĕl'tər] *(n.)* (١) صاهر المعادن (٢) مَصْهر.

smeltery [smĕl'tə rĭ] *(n.)* المَصْهَر : مكان صَهْر المعادن.

smew [smū] *(n.)* البَلَقْشة البيضاء : ضربٌ من البطّ.

smilax [smī'lăks] *(L.)* الفُشاغ : نبات مُعْتَرِش.

smile [smīl] *(vi.; n.)* (١) يبتسم (٢) يسخر من (٣) يعبّر (عن شيء) بالابتسام (to ~ approval) (٤) يزيل الخ. بالابتسام (to ~ somebody's fears away) §(٥) «أ» ابتسام. «ب» ابتسامة.

smirch [smûrch] *(vt.; n.)* (١) يلطّخ ؛ يلوث (٢) يلطّخ السمعة الخ. §(٣) لطخة (٤) وصمة عار.

smirk [smûrk] *(vi.; n.)* (١) يتكلّف الابتسام §(٢) بسمة متكلَّفة.

smite [smīt] *(vt.; i.)* (١) يضرب بقوة (٢) يقتل أو يؤذي أذىً شديداً (٣) يصيب بآفة ، أو بذعر شديد مفاجىء (٤) يسحر ؛ يفتن ×(٥) يسدِّد ضربةً الى.

smith [smĭth] *(n.)* (١) «أ» المشتغل بالمعادن (كالصائغ وغيره). «ب» الحدّاد (٢) الصانع (the ~ of his own fate).

smithereens [smĭth'ə rēnz'] *(n. pl.)* فُتات ؛ كِسَر.

smithery [smĭth'ə rĭ] *(n.)* (١) الحِدادة (٢) دكان الحدّاد.

smithsonite [smĭth'sə nīt] *(n.)* السميثسونيت (مع).

smithy [smĭth'ĭ] *(n.)* (١) دكان الحدّاد (٢) الحدّاد.

smitten [smĭt'ən] *(adj.)* (١) مصاب أو مبتلى بـ (٢) متيَّم (ع).

smock [smŏk] *(n.; vt.)* (١) السَّمَق : ثوب خارجي فضفاض يرتدى لوقاية الملابس من الاتساخ (an artist's ~) §(٢) يزود أو يكسو بسَمَق (٣) يطرز أو يدرز على شكل قرص الشهد.

smock frock *(n.)* سَمَق العمال : سَمَق (را. smock) يرتديه العمال.

smocking [smŏk'ĭng] *(n.)* تطريز أو تدريز على صورة قرص الشهد.

smog [smŏg] *(n.)* [*smoke* + fog] الضَّبْخَن : مزيج من ضباب ودخان (والكلمة العربية منحوتة منهما أيضاً).

smoggy [-'ĭ] *(adj.)* ضَبْخَنيّ : حافل بالضَّبْخَن (را. المادة السابقة).

smokable *or* **smokeable** [smō'kə bəl] *(adj.)* صالح للتدخين.

smoke [smōk] *(n.; vi.; t.)* (١) دُخان (٢) شيء كالدخان ؛ مثل : «أ» بخار . «ب» ضباب رقيق (٣) «أ» *pl.* : تبغ . «ب» سيكارة . «ج» تدخين (٤) لون الدخان §(٥) يدخِّن : ينبعث منه دخان (٦) ينتشر أو يرتفع كالدخان ×(٧) يدخِّن : «أ» يطهِّر بالتعريض للدخان. «ب» يدوِّخ (النحلَ الخ.) بالدخان. «ج» يسوِّد بالدخان. «د» يعالج (السمكَ أو اللحمَ) بالتعريض للدخان. «هـ» يحرق التبغ متعاطياً إيّاه.
to end up in ~, ينتهي إلى لا شيء ؛ يُسفِر عن لا شيء.

smokechaser [smōk'chā sər] *(n.)* مطارد النيران ؛ اطفائيّ الغابات.

smoke-filled room [smōk fĭl'drōōm'] *(n.)* الحجرة الداخنة : حجرة في فندق الخ . يتفاوض فيها نَفَرٌ من رجال السياسة.

smokehouse [smōk'hous] *(n.)* معمل التدخين : مبنى لتدخين اللحوم أو الأسماك.

smoke jumper *(n.)* مظليّ الحريق : اطفائيّ غابات يهبط بالمظلة إلى مواطن يَعْسر بلوغها بوسائل أخرى.

smokeless [smōk'-] *(adj.)* لادُخانيّ ؛ عديم الدخان ؛ بلا دخان.

smokeless powder *(n.)* البارود اللادُخانيّ : بارود بلا دخان.

smokeproof [smōk'prōōf'] *(adj.)* صامدٌ للدخان ؛ وبخاصة : مُعَدٌّ لمنع انتشار الدخان في مبنى (~ doors).

smoker [smō'kər] *(n.)* (١) المدخِّن (٢) حافلة التدخين ؛ حافلة قطار (أو مقصورة في حافلة) يُسمَح فيها بالتدخين (٣) حَلْقة التدخين : اجتماع غير رسمي للرجال يدخّنون فيه ويَلْهون.

smoke screen *(n.)* السِّتار الدُّخانيّ : ستارٌ من دخان لحَجْب قواتٍ أو منطقة أو نشاطات عسكريّة عن أنظار العدوّ.

smokestack [smōk'stăk'] *(n.)* مِدْخنة.

smoking jacket *(n.)* سُترة التدخين (يرتديها الرجال في المنزل).

smoking lamp *(n.)* مصباح التدخين : مصباح (في سفينة) يظلّ مضاءً طوال الساعات التي يجاز فيها التدخين.

smoking room *(n.)* حجرة التدخين (في فندق أو نادٍ).

smoking-room *(adj.)* بذيء ؛ غير محتشم (a ~ story).

smoky [smō'-] *(adj.)* (١) داخن ؛ منبعث منه دخان كثير (٢) دُخانيّ : شبيه بالدخان (٣) أدْخَن : بلون الدخان (٤) مفعم بالدخان (a ~ atmosphere) (٥) مُسْوَدّ من الدخان.

smolder [smōl'dər] *(vi.; n.)* (١) يحترق ويدخِّن من غير لهب. (٢) «أ» يخمد. «ب» يكمن ؛ يستكنّ (٣) ينمّ عن غضب أو بغض أو حسدٍ مكبوت §(٤) دخان (٥) نارٌ داخنة من غير لهب.

smolt [smōlt] *(n.)* فرخ السَّلْمون (الفضيّ اللون).

smooch [smooch] *(vt.; i.; n.)* (١) يلطّخ ×(٢) يقبّل ؛ يعانق. §(٣) لطخة (٤) قُبلة.

smooth [smōōth] *(adj.; vt.; i.; n.)* (١) «أ» أملَس ؛ ناعم ؛ صقيل. «ب» لا شعر له (٢)ممهَّد (highways ~) (٣)«أ»متدفّق (a ~ stream) . «ب» رفيق : غير مصحوب بارتجاج أو نخع أو جلبة (.Our car came to a ~ stop) (٤) متملّق (talk ~) (٥) «أ» هادىء (temper ~) . «ب» لطيف ؛ مصقول الحاشية (a ~ talker) (٦)سَلِس : خِلوٌ من الازعاج أو العُسْر (sailing ~) §(٧) «أ»يملّس. «ب»يصقل. «ج»يهدىء (٨) يلطّف (٩)يمهّد ×(١٠) يتملّس : يصبح أملس §(١١) الملّس : امتداد أملس ؛ وبخاصة : مَزْج (١٢) الأملس : شيء أو جزء أملس (١٣)«أ» تمليس . «ب» ملاسة (١٤) أداة تمليس أو تمهيد .

smoothbore [-'bōr'] *(adj.)* أملس الماسورة (صفة لسلاح ناري).

smoothen [smōō'thən] *(vt.; i.)* (١) يملّس ×(٢) يتملّس .

smooth-tongued [smōōth'tŭngd'] *(adj.)* معسول اللسان .

smoothy *or* **smoothie** [smōō'thĭ] *(n.)* (١) شخص كيّس أو مصقول الحاشية (٢) الكفء الواثق من نفسه (٣) المعسول اللسان.

smorgasbord [smœr'gŏs bōrd'] *(n.)* المائدةالشطائريّة : ضرب سُوَيدي من الغداء أو العشاء على الطريقة المقصفيّة تقدّم فيه ضروب شتّى من الأطعمة والألوان ، كالمشهّيات واللحوم الحارة والباردة والسمك المدخّن والنقانق والجبن والسلطة .

smote [smōt] *past of* smite.

smother [smŭth'ər] *(n.; vt.; i.)* (١)«أ» دخان كثيف خانق . «ب» خمود ؛ همود . «ج» نار داخنة من غير لهب (٢)سحابة غبار أو ضباب أو ثلج (٣) خليطٌ §(٤) يخنق بالدخان (٥)«أ» يخمد (ناراً) . «ب» يكتم (سرّاً) . «ج» يكبح (غضبه). «د» يغطي أو يكسو بكثافة . «هـ» يهزم (٦) يطهو (بقِدْر مقفلة على نار خفيفة) ×(٧) يختنق

smoulder [smōl'dər] *(vi.; n.)* = smolder.

smudge [smŭj] *(n.; vt.; i.)* (١) «أ» لطخة . «ب» تلطّخ . (٢) شيء ضبابي أو غير واضح (٣) دخان خانق (٤) نار داخنة ؛ وبخاصة لطرد البعوض §(٥) يلطّخ (٦) يمحو على نحو ملطّخ (٧) يجعله ضبابياً أو غير واضح (٨) يملأه بالدخان (لطرد البعوض الخ.) (٩) يجعل النار داخنةً ×(١٠) يتلطّخ .

smug [smŭg] *(adj.)* (١) أنيق (٢) نظيف (٣) مُعْتَدّ بنفسه.

smuggle [smŭg'əl] *(vt.; i.)* يهرّب (البضائع) .

smut [smŭt] *(n.; vt.; i.)* (١) سِناج ؛سُخام (٢) السُّناج : داء من أمراض النبات يصيب الحنطة فيُحيلها إلى كتلة ذرورية سوداء (٣) كلام بذيء ، قصص بذيئة §(٤) يلوّث بالسِّناج أوالسُّخام (٥)يصيب بالسُّناج×(٦)يتلوّث بالسِّناج (٧)يُصاب بالسُّناج .

smutch [smŭch] *(vt.; n.)* (١) يلطّخ §(٢) لطخة .

smutty [-'ĭ] *(adj.)* (١)«أ» قذِر ؛ ملوّث بالسُّخام . «ب»مسنَّج : مصاب بالسُّناج (را. smut 2) (٢) بذيء (٣) بلون السُّخام.

snack [snăk] *(n.; vi.)* (١) وجبةخفيفة §(٢) يتناول وجبة خفيفة .

snack bar *(n.)* المطعم الخفيف : مطعم يقدّم الوَجبات الخفيفة .

snack table *(n.)* طاولة صغيرة نقّالة يوضع عليها الطعام أو الشراب لشخص واحد .

snaffle [snăf'əl] *(n.; vt.)* (١) شكيمة §(٢)يَشْكم الجوادَ الخ.

snag [snăg] *(n.; vt.)* (١) الجِذْل : بقية الغصن المقطوع . (٢) جذع شجرة (أوغصن) في قاع نهر يشكّل خطراً على الملاحة (٣)«أ» نتوء . «ب» سنّ ناتىء (٤) عقبة خفيّة أو غير متوقّعة §(٥) ينزع (الأغصان) مخلّفاً أجذالاً (٦) يصطدم بجذع شجرةٍ أو بغصنٍ تحت الماء (٧) يجعله يعْلَق بِـ (٨) يعوق (٩) يحرر (نهراً الخ.) من جذوع الاشجار الخ. (١٠) ينتزع .

snaggletooth [snăg'əl tōōth'] *(n.)* سنّ ناتىء أو مكسور .

snaggy [snăg'ĭ] *(adj.)* (١) كثير النتوءات أو حادّها (٢) زاخر بالعقبات التي تعوق الملاحة (a ~ river) (٣) ناتىء .

snail [snāl] *(n.)* (١)حَلَزُون ؛ بزّاقة ؛ قَوْقَع (٢)البطيء ؛الكَسُول .

snail-paced [snāl'pāst'] *(adj.)* بطيء جداً .

snake [snāk] *(n.; vt.; i.)* (١) حيّة ؛ ثعبان ؛ أفعى (٢) شخص تافه أو غادر §(٣) يشقّ طريقه متلوياً على نحو ثعبانيّ (٤)يُدحرج ×(٥)«أ» يمعي كالحيّة . «ب» يتقدّم خِلسةً أو على نحو متلوٍ .

snakebird [snāk'-] *(n.)* الطائر الأفعوانيّ : طائر مائيّ طويل الرقبة هزيلها ، حادّ المنقار مُستدِقّهُ .

snakebird

snakebite *(n.)* لَدْغة الحيّة ، وبخاصة : لدغة الحيّة السامّة .

snake charmer *(n.)* الحاوي: مُلاعب الحيّات السامّة .

snake in the grass (١)خطرٌ غير متوقّع . (٢) عدوٌ مُستتِر .

snakemouth [snāk'mouth'] *(n.)* فم الحيّة : نبتة ذات زهر قرنفليّ شبيه بفم الحيّة المفتوح .

snake pit *(n.)* مستشفى الأمراض العقلية .

snakeskin [snāk'skĭn'] *(n.)* جلد الحيّة أو الثعبان .

snaky [snā'kĭ] *(adj.)* (١) أفعوانيّ ؛ ثعبانيّ (٢) متلوٍّ ؛ متمعّج . (٣) سامّ ؛ غادر الخ. (٤) حافلٌ بالأفاعي .

snap [snăp] *(vi.; t.; n.; adv.; adj.)* (١) يعَضّ ؛ يطبق فكّيه فجأةً على (٢) يتلقّف (٣) ينطق بكلمات لاذعة ؛ يردّ بحدّة أو نزق (٤) ينقطع أو ينقصف فجأة «محدثاً صوتاً حادّاً» (٥) ينهار (٦) يفرقع ؛ يُطقطِق (.Wood ~s as it burns) (٧) ينغلق بحركة مفاجئة (.The lid ~ped down) (٨) يقْدح (The captain's eyes ~ped with anger.) ×(٩) ينهش ؛ ينتزع ؛ يختطف(١٠)يخاطب أو يقاطع شخصاً بسرعة وحدّة (١١) يقول بسرعة وحدّة (١٢)يقْصِم ؛ يكسر الخ. (١٣)يُفرْقِع : يجعله يُطقطِق (his fingers ped~) (١٤) «أ»يُدير بحركة مفاجئة أو بصوت حادّ (.He ~ped the lock shut) . «ب» ينزع بمثل هذه الحركة أو الصوت(.She ~ped the top from the bottle) (١٥)ينقف أو يقذف بأطراف الأصابع (١٦)«أ»يؤدي(دوراًالخ.) من غير استعداد كافٍ. «ب»يطلق النارعلى عجل من غير تسديد مرويٍّ فيه (١٧)يأخذ لقطةً (فوتوغرافية) §(١٨) عضّ ، إطباق ؛ وبخاصة : نَهْش (١٩) «أ» فرصة لكسب المال بيُسْر أو سُرعة . وبخاصة : منصب يعود على صاحبه بدخل حسَن من غير جهد كبير . «ب»شيء سهل (٢٠)مقدار ذرة (٢١)«أ»نَزْع ؛انتزاع . «ب»حركةسريعة خاطفة . «ج» انقصاف الخ. مفاجىء حادّ (٢٢)«أ»فرقعة ؛ طقطقة «ب» كلام أو جواب موجز حادّ (٢٣) فترة مفاجئة وقصيرة من الطقس الرديء (a cold ~) (٢٤) إبزيم (٢٥) بسكويتة رقيقة هشّة (٢٦)لقطةفوتوغرافية (٢٧)نشاط ؛ خفّة (.She moved with ~) §(٢٨)«أ» بحركة خاطفة أو صوت حادّ «ب» بعنف أو على نحو مفاجىء . «ج» بنشاط أو خفّة §(٣٠) مفاجىء أو غير مرويٍّ فيه (a ~ judgment) (٣١) مأخوذ من غير إشعار سابق (votes ~) (٣٢) هيّن جداً (a ~ course).

to ~ a person's head(nose)off يخاطبه بجلافة أونزق.

to ~ a person up يقاطعهُ بغلظة .

to ~ one's fingers at يعامله بازدراء أو لا مبالاة .

to ~ out of it يغيّر موقفه أو عادته الخ . فجأةً .

snap-brim [snăp'brĭm'] *(n.)* قبعة مرفوعةُ الحافّةِ الخلفيّة محفوضةُ الحافةِ الأماميّة .

snapdragon [snăp'drăg'ən] *(n.)* أنف العِجل ؛ السمكة : نبات ذو زهر أبيض أو قرمزيّ أو أصفر .

snapper [snăp'ər] *(n.)* (١) «أ» السُّلحفاة النهّاشة . «ب» الخنفساء المطقطِقة (٢) النهّاش : سمك بحريّ ضخم .

snapper-back [-băk] *(n.)* (را . center 5) في كرة القدم . الأوسط

snapping beetle *(n.)* الخُنفُساء المطقطِقة .

snapping turtle *(n.)* السُّلَحفاة النهّاشة : سلحفاة أميركيّة ضخمة متوحّشة تطبق بفكّيها القويّين على الفريسة .

snappish [snăp'ĭsh] *(adj.)* (١) نزِق ؛ سريع الغضب (٢) فظّ (a ~ answer) (٣) نهّاش ؛ عضّاض (a ~ dog) .

snappy [-'ĭ] *(adj.)* (١) snappish (٢) سريع ؛ مفاجىء . (٣) مفعم بالحيويّة (a ~ conversation) (٤) بارد على نحوٍ منعش (a ~ weather) (٥) أنيق (٦) مُطقطِق ؛ مفرقِع .

snapshoot [snăp'shōōt'] *(vt.)* يأخذ لقطة (فوتوغرافية) .

snap shot *(n.)* طَلْقة سريعة (من غير تسديد بِرَوِيّة) .

snapshot [snăp'shŏt] *(n.)* لقطة (فوتوغرافيّة) .

snare [snâr] *(n.; vt.)* (١) فخّ ؛ أحبولة ؛ شَرَك (٢) أداة جراحيّة لاستئصال اللوزتين (٣) وتر § (٤) يحتبل ؛ يصيد بشرك ؛ يوقع في شرك .

snare drum *(n.)* الطبلة المطوّقة : طبل صغير مطوّق بأوتار .

snare drum

snarl [snärl] *(vt.; i.; n.)* (١) يُشابك ؛ يجعل (الخيوط الخ .) تتشابك أو تتعقّد (٢) يعقّد تعقيداً شديداً (٣) يقول شيئاً أو يعبّر عنه بزمجرة × (٤) يتشابك ؛ يتعقّد (٥) «أ» يزمجر . «ب» يتكلم بغضب شديد § (٦) «أ» تشابكُ الخيوط أو الشَّعر أو الخطوط الخ . «ب» عُقدة (٧) تعقّد ؛ شيء معقّد (٨) زمجرة (٩) حشد مختلِط (a ~ of people) .

snarly [snär'lĭ] *(adj.)* (١) متشابك (a ~ yarn) (٢) غاضب ؛ نَزِق .

snatch [snăch] *(vi.; t.; n.)* (١) يحاول الإمساك بشيء فجأة (to ~ at a rope) × (٢) «أ» ينتزع ؛ يختطف . «ب» ينزع يخلع (~ *ed* off his hat) . «ج» ينتهز (فرصةً) . «د» يستلِب (قبلةً) § (٣) «أ» مصّ snatch . «ب» خَطْفُ وَلَد الخ . (٤) فترة قصيرة (had a ~ of sleep) (٥) نُتْفَة (والجمع نُتَف) .

snatch block *(n.)* البَكَرة المقطوعة : بكرة حبالٍ ذاتُ فتحةٍ جانبيّة .

snatchy [-'ĭ] *(adj.)* متقطّع (a ~ conversation) .

snath [snăth] *or* **snathe** [snā*th*] *(n.)* مَقْبِض المِنجل .

sneak [snēk] *(vi.; t.; n.; adj.)* (١) «أ» يَنْسَلّ . «ب» يتسلّل . (٢) يَجْبُن ؛ يتصرّف على نحوٍ باعث على الازدراء (٣) يَنُمّ (الطالب) على زملائه : يُبلغ المدرّسَ أخطاءهم ومخالفاتهم × (٤) يختلس (نظرةً) (٥) يسرق (ع) § (٦) «أ» المتسلّل ؛ وبخاصة : اللّص المتسلّل (را . sneak thief) . «ب» الجبان (٧) «أ» انسلال ؛ تسلّل . «ب» فرار (٨) *pl.* : حذاء خفيف (من قماش غليظ ونعل مطاطي) § (٩) سِريّ (١٠) مفاجىء ؛ غادر (a ~ attack) .

sneaker [snē'kər] *(n.)* (١) فا sneak (٢) عد *pl.* : حذاء خفيف (من قماش غليظ ونعل مطاطيّ) .

sneaking [snē'kĭng] *(adj.)* (١) خفيّ ؛ سِرّي (٢) حقير ؛ جدير بالازدراء (٣) مكتوم : غير مُفصَح عنه وكأنّه شيء يُخجَل منه (a ~ sympathy for the thief) (٤) ظنّيّ : لا يعدو أن يكون مجرّد ظنّ (a ~ opinion) .

sneak preview *(n.)* العرض المُسبَق : عرض مُسبَق لشريط سينمائي جديد بغية استطلاع رأي النظّارة فيه .

sneak thief *(n.)* اللّصّ المتسلّل : لص يدخل البيوت الخ . من أبوابها المُشرعة ابتغاء سرقتها .

sneaky [snē'kĭ] *(adj.)* جبان ؛ حقير ؛ جدير بالازدراء .

sneck [snĕk] *(n.)* مِزلاج ؛ سُقّاطة الباب (ع) .

sneer [snĭr] *(vi.; t.; n.)* (١) يسخر من ؛ يهزأ بـ (٢) يَنْخِر : يصوّت بخياشيمه (عب) (٣) يُحدث صوتاً كالنخير × (٤) يلفظ بسخرية وازدراء (~ *ed* a reply) § (٥) سُخرية ؛ هزء (٦) قول ساخر ؛ ملاحظة ساخرة .

sneesh [snēsh] *(n.)* = snuff.

sneeze [snēz] *(vi.; t.; n.)* (١) يَعْطُس × (٢) يعتقل (ع) . § (٣) «أ» عُطاس ؛ عَطْس . «ب» عَطْسة (٤) اعتقال (ع) .

not to be ~*d* at لا يُستهان به (ع) .

to ~ at يزدري ؛ يستهين بـ (ع) .

sneezeweed [snēz'wēd] *(n.)* (١) حشيشة العُطاس : عشبة شماأميركية يُزعَم أن رائحتها تسبّب العُطاس (٢) sneezewort .

sneezewort [snēz'wûrt'] *(n.)* السَّعُوط ؛ عود العُطاس (نب) .

sneezy [snē'zĭ] *(adj.)* (١) كثير العُطاس (٢) مسبب للعطاس .

snell [snĕl] *(adj.; n.)* (١) سريع (٢) حادّ الذكاء (٣) قارس . (٤) قاسٍ § (٥) وتر قصير يشدّ به الشص إلى خيط أطول .

snick [snĭk] *(vt.; i.; n.)* (١) يَحُزّ : يجرح جرحاً طفيفاً . (٢) يضرب (كرة الكريكت) ضربة خفيفة (٣) يضع أو يحرك شيئاً بحيث يُحْدث قرقعة أو طقطقة × (٤) يقرقع ؛ يطقطق § (٥) حزّ ؛ جُرح طفيف (٦) قرقعة ؛ طقطقة .

snicker [snĭk'ər] *(vi.; n.)* (١) يضحك (ضحكاً نصف مكبوت) § (٢) ضحكة نصف مكبوتة .

snickersnee [snĭk'ər snē'] *(n.)* مدية كبيرة ؛ سيف كبير .

snide [snīd] *(adj.)* (١) «أ» زائف ؛ مغشوش (~ oils) . «ب» مخادع ؛ غير أمين (~ merchants) (٢) وضيع ؛ حقير (a ~ job) (٣) دَسِّيّ : مقصود به إثارة الشك وعدم الثقة تدريجياً (~ remarks) .

sniff [snĭf] *(vi.; t.; n.)* (١) يتنشق ؛ يَنْشَق (٢) يزدري ؛ يحتقر × (٣) يَشَمّ (٤) يستشِمّ : يكتشف بالشمّ أو بمثل الشمّ (to ~ danger) § (٥) تَنَشُّق (٦) نَشْقة ؛ نَفَس .

sniffily [snĭf'ə lĭ] *(adv.)* بتشامخ ؛ بازدراء ؛ باحتقار .

sniffish [snĭf'ĭsh] *(adj.)* متشامخ ؛ متكبّر ؛ مُزْدَرٍ .

sniffle [snĭf'əl] *(vi.; n.)* (١) يَشْهَق ؛ يَنْشُق تكراراً (منعاً للمخاط من السَّيَلان أو كبتاً لانفعالات باكية) § (٢) شَهْق ؛ نَشْق (٣) *pl.* : زكام مصحوب بسائل مخاطي .

sniffy [snĭf'ĭ] *(adj.)* متشامخ ؛ متكبّر ؛ مُزْدَرٍ .

snifter [snĭf'tər] *(n.)* (١) جرعة «من شراب مُسْكِر» (٢) كأس .

snigger [snĭg'ər] *(vi.; n.)* = snicker.

sniggle [snĭg'əl] *(vi.; t.)* يصيد الأنقليس .

snip [snĭp] *(vt.; i.; n.)* (١) يَقُصّ (بضربة أو ضربات سريعة من مقصّ) § (٢) قصّ ؛ قَصّة (٣) «أ» قُصاصة . «ب» قطعة صغيرة (٤) شخص تافه أو وقح (٥) خياط (ع) (٦) *pl.* : مِقْراض صغير .

snipe [snīp] *(n.; vi.)* (١) الشُّنْقُب ؛ الجُهْلُول ، الشُّكُب ، البكاسين : طائر طويل المنقار (٢) شخص حقير § (٣) يصطاد الشُّنقُب (٤) يتقنّص : يتصيّد جنود العدوّ (واحداً إثر واحد) .

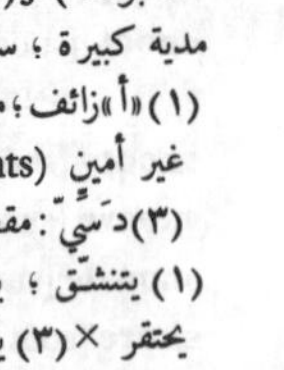

snipe

sniper [snīp'ər] *(n.)* القنّاص : متصيّد الأعداء .

snippet [snĭp'ĭt] *(n.)* (١) قُصاصة (٢) *pl.* : نُتَف .
snippety [snĭp'ĭt ĭ] *(adj.)* (١) طفيف ؛ ضئيل (٢) مؤلَّف من نُتَف (a ~ anthology) (٣) snippy .
snippy [snĭp'ĭ] *(adj.)* (١) نَزِق ؛ سريع الغضب (٢) جافٍ ؛ مقتضب على نحو فظّ (٣) متشامخ ؛ متكبّر .
snitch [snĭch] *(vi.; t.; n.)* (١) يشي بِـ ؛ يبلّغ عن (٢) يأخذ خِلْسةً ؛ يسرق بمقادير صغيرة §(٣) المبلّغ المحترف (٤) أنف (ع) .
snivel [snĭv'əl] *(vi.; n.)* (١) يسيل أنفه (٢) يَشْرق المخاط بصوتٍ (٣) يتباكى (٤) يعْوِل §(٥) *pl.* : زكام (ع) (٦) مص snivel :
snob [snŏb] *(n.)* النفّاج : «أ» المقلّد لمن يعتبرهم أرقى منه ، أو المعجَب بهم بتملّق ، أو الساعي إلى صُحبتهم . «ب» المتكبر على من يعتبرهم أدنى منه . «ج» المقتنع ، وبخاصة من غير مسوّغ ، بتفوّق معرفته أو ذوقه في حقل من الحقول .
snob appeal *(n.)* نداء التنفّج : صفاتٌ في السلعة (كالغلاء أو الندرة أو المنشأ الأجنبيّ) تروق للنفّاجين وتغريهم بالشراء .
snobbery [snŏb'ə rĭ] *(n.)* التنفّجيّة : سلوك النفّاجين .
snobbish [snŏb'ĭsh] *(adj.)* متنفّج : مميِّز للنفّاج أو لائق به .
snobbishness; snobbism [snŏb'-] *(n.)* = snobbery.
snobby [snŏb'ĭ] *(adj.)* = snobbish.
Sno-Cat [snō'kăt] *(n.)* المَزْلجيّة : مركبة يُتزلّج بها على الثلج .
snollygoster [snŏl'ĭ-] *(n.)* الدجّال : شخص بلا مبادىء ولكنه ذكيّ .
snood [snōōd] *(n.; vt.)* (١) شَبَكة الشعر : شبكة لشعر المرأة (٢) وتر قصير يُشدّ به الشّصّ إلى خيطٍ أطول §(٣) يَحصُر بشبكة (٤) يشُدّ بوتر .

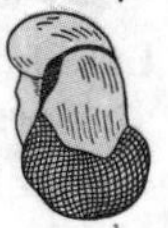

snood I.

snoop [snōōp] *(vi.)* يستطلع بتطفّل .
snoop [snōōp] *or* **snooper** [snōō'pər] *(n.)* المتطفل .
snoopy [snōō'pĭ] *(adj.)* متطفّل ، محبّ لاستطلاع أخبار الآخرين .
snoot [snōōt] *(n.)* (١) «أ» خَطْم . «ب» أنف (٢) كَشْرة معبِّرة عن ازدراء (٣) شخص متكبّر أو متشامخ بازدراء .
snooty [snōō'tĭ] *(adj.)* متكبّر ، متشامخ بازدراء .
snooze [snōōz] *(vi.; n.)* (١) يأخذ غَفْوةً §(٢) غفوة ؛ نومة خفيفة .
snoozle [snōō'zəl] *(vi.; t.)* = nuzzle.
snore [snōr] *(vi.; t.; n.)* (١) يغطّ (في نومه) ×(٢) يُنفِق بالغطيط أو النوم (She ~*d* away the time.) §(٣) غطيط .
snorkel [snôr'kəl] *(n.; vi.)* = schnorkel.
snort [snôrt] *(vi.; n.)* (١) «أ» يَشْخِر . «ب» يَصْهَل . «ج» يعبّر عن الازدراء أو الغضب أو السخط أو الدَّهَش بشَخْرة (٢) يُطلِق أصواتاً كالشخير (The engine ~*ed.*) §(٣) شخير أو صهيل (٤) شراب مسكر يُتجرّع دفعةً واحدة .
snorter [snôrt'ər] *(n.)* (١) فا snort (٢) شخصٌ أو شيء ممتاز إلى حدٍّ رائع (٣) مُسكِر يُتجرّع دفعةً واحدة .
snout [snout] *(n.)* (١) «أ» خرطوم (ا.م). «ب» فِنطيسة (الخنزير). «ج» خَطْم . «د» الأنف البشري ؛ وبخاصة إذا كان ضخماً أو بشعاً (٢) «أ» القَيْدوم : مقدَّم المركب أو الطائرة. «ب» البَزْباز : فم خرطوم المياه .
snout beetle *(n.)* الخاطوم : خنفساء ذات خَطْم .
snow [snō] *(n.; vi.; t.)* (١) «أ» ثلج . «ب» تساقط الثلج (٢) شيء كالثلج ، مثل : «أ» الحلوى الثلجية : حلوى تُعَدّ من بياض البيض والسكّر ولبّ الفاكهة. «ب» بقع صغيرة على شاشة التلفزيون أو الرادار (٣) كوكايين (ع) §(٤) تُثلج (السماء) (٥) يَسّاقط كالثلج ×(٦) يُسقِطه كتساقط الثلج (٧) يغطّي بالثلج أو نحوه (٨) يحصر أو يحجز بالثلج (٩) يجعله أبيض كالثلج .
to ~ under (١) يغمُر (٢) يَهزِم هزيمةً كاسحةً .
snowball [snō'bôl'] *(n.; vt.; i.)* (١) كرة ثلج (٢) الوِيبَرْنوم : عشب ذو عناقيد من زهر أبيض §(٣) يرشقه بكُرات الثلج (٤) يضاعف بسرعة ×(٥) يتراشق بكُرات الثلج (٦) يتضاعف بسرعة.
snowberry [snō'-] *(n.)* السِّنفُورِينة : جَنْبة بيضاء الثمار .
snowbird [snō'bûrd'] *(n.)* (١) الطائر الثلجيّ : طائر صغير رمادي الظهر أبيض الصدر (٢) مُدْمِن الكوكايين .
snow-blind [snō'-] *or* **snow-blinded** [-'blīn'dĭd] *(adj.)* قَمِر : مُصاب بالقَمَر أو العمى الثلجيّ .
snow blindness *(n.)* القَمَر ؛ العَمى الثلجيّ : عمى موقّت أو جزئيّ يسبّبه انعكاس أشعّة الشمس عن الثلج .
snowblink [snō'blĭngk'] *(n.)* الوميض الثلجيّ : وهج أبيض في السماء فوق حقل ثلج .
snowbound [snō'-] *(adj.)* محجوز (في منزله الخ.) بسبب الثلج .
snow-broth [snō'brôth] *(n.)* (١) ماء مثلوج (٢) ثلج جديد الذَّوَبان .
snowbush [snō'bo͝osh] *(n.)* السِّيانُوطُس : جَنْبة بيضاء الزهر .
snowcap [snō'kăp] *(n.)* الاكليل الثلجيّ : ثلج يكلّل قمّة الجبل .
snowcapped [snō'kăpt'] *(adj.)* مُكلَّل بالثلوج .
snow devil *(n.)* الشيطان الثلجيّ : عمود من ثلج ناعم ترفعه الريح عن سطح ما .
snowdrift [snō'drĭft] *(n.)* ثلج تكدّسه الريح أو تسوقه .
snowdrop [snō'drŏp'] *(n.)* زهرة اللبن الثلجيّة (نب) .
snowfall [snō'fôl'] *(n.)* تساقُط الثلج أو معدّله .
snowfield [snō'fēld'] *(n.)* حقل الثلج ؛ الحقل الثلجيّ .
snowflake [snō'flāk'] *(n.)* (١) الكِسْفة الثلجيّة : كتلة رقيقة من ثلج متساقط (٢) نبتة تشبه زهرة اللبن الثلجية .
snow leopard *(n.)* النَّمِر الثلجيّ ؛ النَّمِر الأبيض (ح) .
snow line *or* **limit** *(n.)* خطّ الثلج ؛ حدّ الثلج : خطّ في الجبل يكون ما فوقه مكسوّاً بالثلج على نحو متواصل .
snowman [snō'-] *(n.)* الانسان الثلجيّ : ثلج يُشكّل على هيئة إنسان .
snow plant *(n.)* نبتة الثلج : عشب أميركيّ ينبت قبل ذوبان الثلج عادةً .
snowplow [snō'-] *(n.)* محراث الثلج : ماكينة لإزالة الثلج من الطرق الخ .
snow pudding *(n.)* الحلوى الثلجيّة : حلوى تُعَدّ من هُلام وبياض بيض مخفوق الخ .
snowshed [snō'shĕd'] *(n.)* سَقيفة الثلج : سَقيفة تبنى فوق جزء من خطّ السكّة الحديدية للوقاية من الثلج .
snowshoe [snō'shōō'] *(n.; vi.)* (١) القَبْقاب الثلجيّ : شبه قَبْقاب بيضويّ الشكل يُنتعل لتمكين المرء من السير على الثلج الليّن من غير أن يغوص فيه §(٢) يسير منتعلاً قَبْقاباً ثلجياً .

snowshoe

snowslide [-'slīd'] *(n.)* التَّيْهُور (را. avalanche) الثلجيّ .
snowstorm [snō'stôrm'] *(n.)* العاصفة الثلجيّة .
snow tire *(n.)* الدولاب الثلجيّ : دولاب سيارة أُعِدّ الجزء الملامس منه للأرض إعداداً خاصاً يُقلّل من إمكانيّة انزلاقه على الثلج أو الجليد.
snow train *(n.)* قطار الثلج (المخصّص للنقل إلى مواطن الرياضة الشتويّة)
snow-white [snō'hwīt'] *(adj.)* ثلجيّ البياض ؛ أبيض كالثلج .
snowy [snō'ĭ] *(adj.)* (١) ثلجيّ أو مكسوّ بالثلج (٢) ثلجيّ البياض .
snub [snŭb] *(vt.; n.; adj.)* (١) «أ» يَصُدّ ، يزجُر ؛ ينتهر . «ب» يوبّخ (ا.ق) (٢) «أ» يربطه أو يشدّه (إلى شيء) بحبل.

«ب» يُوقِف فجأةً (٣) «أ» يعامل بازدراء. «ب» يُهمِل أو يرفض بازدراء. «ج» يُكرِه امرأً على شيء بالازدراء (~ bed him into silence) (٤) يُطفِيء بسحق العقِب (~ bed out the cigarette) §(٥) مص snub §(٦) مُستخدَم للربط أو الشدّ (a ~ rope) (٧) أو **snubbed** : أفطس (a ~ nose).

snubber [-'ər] *(n.)* (١) فا snub (٢) ممتص الصدمات (في سيارة).

snubby [snŭb'ĭ] *(adj.)* (١) أفطس (٢) أفطس الأنف.

snub-nosed [snŭb'nōzd'] *(adj.)* أفطس الأنف.

snuff [snŭf] *(n.; vt.; i.)* (١) الزِّهلِق : الجزء المحترق من فتيل الشمعة (٢) تَنَشُّق (٣) «أ» سَعوط. «ب» قبضةُ سَعوط §(٤) يتنشّق (٥) يشمّ (٦) يتشمّم (الحيوانُ) (٧) يزيل الزِّهلِق أو الجزء المحترق من فتيل الشمعة.
- to ~ it يموت ؛ يقضي نحبه (ع).
- to ~ out (١) يطفيء (٢) يضع حداً لِـ (٣) يموت (ع).
- up to ~, ليس من السهل خداعُه.

snuffbox [snŭf'bŏks'] *(n.)* علبة السعوط.

snuffer [snŭf'ər] *(n.)* (١) فا snuff (٢) *pl.* عد : الزِّهلِقيّة : أداة كالمقصّ لقطع الجزء المحترق من فتيل الشمعة أو للإمساك به (٣) مطفئة الشموع : أداة لإطفاء الشموع (٤) متعاطي السعوط.

snuffle [snŭf'əl] *(vi.; t.; n.)* (١) يتنشّق بصوت مسموع. (٢) يتنفّس بصوت مسموع (وكأنّ شيئاً يعترض سبيل النفَس في الأنف) (٣) يخِنّ ؛ يتكلّم من أنفه ×(٤) يتشمّم §(٥) تنشّق أو تنفّس بصوت مسموع (٦) خُنّة (٧) *pl.* : زكام.

snuffy [snŭf'ĭ] *(adj.)* (١) سَعوطيّ : شبيه بالسعوط. (٢) «أ» مُدمن السعوط. «ب» بغيض ؛ ذو عادات قبيحة (a ~ old man) (٣) ملوّث بالسعوط (~ clothes).

snug [snŭg] *(adj.; adv.; vi.; t.; n.)* (١) «أ» حَسَنة البناء ؛ صالحة للإبحار ، قادرة على مواجهة العواصف (a ~ ship). «ب» أنيق. «ج» مُحكَم التفصيل ؛ مفصَّل على نحو مريح وعلى قدّ الجسم (a ~ coat) (٢) «أ» مُريح ؛ دافيء. «ب» مستكنّ ، ناعم بالدفء ؛ «مُكتَكِن». «ج» حَميميّ : متّسِمٌ بالحميمية ورفع الكلفة وبروح المودّة وغلبة طابع الانعزال (~ little dinners with old friends) (٣) كافٍ (a ~ little income) (٤) محجوبٌ عن الأنظار (to lie ~) §(٥) بأناقة ؛ بإحكام الخ. §(٦) يتضامّ التماساً للدفء ×(٧) يجعل الثوب محكَمَ التفصيل (٨) يجعله دافئاً أو مريحاً الخ. (٩) يخبّيء (١٠) يجعل السفينة في وضع يمكّنها من مقاومة الرياح الخ. §(١١) حُجَيرة خصوصية أو خلفية في حانة الخ. (بر).

snuggery [snŭg'ə rĭ] *(n.)* حجرة صغيرة ؛ موضع دافيء أو مريح.

snuggle [snŭg'əl] *(vi.; t.)* (١) يتضامّ التماساً للدفء (٢) يدنو من شخص أو شيء التماساً للدفء أو الحماية إلخ. ×(٣) يُدني (نفسَه أو رأسَه الخ.) تودّداً أو التماساً للدفء أو الحماية.

so [sō] *(adv.; conj.; adj.; pron.)* (١) كذلك ؛ هكذا ؛ على النحو المشار إليه (Salim said he'd attend and did ~.) (٢) وكذلك ؛ أيضاً (worked hard and ~ did Kamal) (٣) إلى هذا الحدّ (My head aches ~ !) (٤) جداً ؛ إلى حدّ بعيد (Do not walk ~ fast.) (٥) وبالتالي (The reporter is biased and ~ unreliable.) §(٦) وهكذا (٧) لكي (Be quiet ~ she can sleep.) §(٨) صحيح ؛ مطابق للوقائع (They said things that were not ~.) §(٩) نحو ذلك ؛ حوالى ذلك (back in 1935 or ~.)
- and ~ forth; and ~ on وهلمّ جرّاً ، وهكذا دواليك.
- ~ far (١) حتى الآن (٢) إلى هذا الحدّ.
- ~ far from بدلاً من ؛ على النقيض تماماً.
- ~ long as طالما ؛ شَرْطَ أن.
- ~ much nonsense etc. مجرّد هراء الخ.
- ~ much ~ that إلى حدّ أنّه.

soak [sōk] *(vi.; t.; n.)* (١) ينتقع ؛ يُنقَع في الماء الخ. (٢) «أ» يتخلّل ؛ ينفذ إلى. «ب» يتسرّب إلى العقل أو المشاعر أو يؤثّر فيهما (٣) يُسرِف في الشراب (~*ing* all night at the bar) ×(٤) يُشبِع ؛ يُشرِب (٥) يَنقَع (في الماء الخ.) (٦) ينظّف أو يزيل بالغسل والنقع (to ~ the dirt out of the clothes) (٧) يرهِق ؛ يثقل (كاهلَ فلان) (٨) يمتصّ ؛ يتشرّب (٩) يضرب أو يعاقب بقسوة §(١٠) نقع أو انتقاع الخ. (١١) الماء أو السائل المنقوع فيه (١٢) سكّير (a real ~) (١٣) ارتهان ؛ كون الشيء مرهوناً (in ~).

soakage [sō'kĭj] *(n.)* (١) السائل المكتسَب بالامتصاص أو الضائع بالنزّ (٢) «أ» نَقْع. «ب» انتقاع.

so-and-so [sō'ən sō'] *(n.)* pl. **-sos** (١) فلان ؛ علّان ؛ الشيء الفلانيّ : شخص أو شيء غير مسمّى على وجه التحديد (Mr. *So-and-so*) (٢) كذا وكذا.

soap [sōp] *(n.; vt.)* (١) صابون (٢) مال ؛ وبخاصة : مال يُرشى به. §(٣) يُصَوبِن : يغسل أو يكسو أو يفرك بالصابون (٤) يتملّق.
- but no ~, ولكن عبثاً ؛ ولكن على غير طائل.

soapbark [sōp'bärk'] *(n.)* الكِيلاّجة الصابونيّة : شجرة من أشجار شيلي من الفصيلة الوردية.

soapberry [sōp'bĕr'ĭ] *(n.)* (١) شجر الصابون : شجر استوائيّ يُتّخَذ ثمرُه أحياناً بديلاً من الصابون (٢) ثمر شجر الصابون.

soapbox [sōp'bŏks'] *(n.; adj.; vi.)* (١) صندوق الصابون : «أ» صندوق خشبي لتعبئة الصابون. «ب» صندوق فارغ يُتّخَذ منبراً موقّتاً يعتليه المهيّجون وغيرهم من الخطباء في الهواء الطلق §(٢) صُندوصابونيّ : متعلق بهذا النوع من الخطابة ، مُلقًى من على صندوق صابون (~ oratory) §(٣) يخطب في الهواء الطلق.

soap bubble *(n.)* فقّاعة الصابون.

soapily [sō'pĭ lĭ] *(adv.)* على نحو صابونيّ أو أملس أو زلِق أو متملق.

soapiness [sō'pĭ-] *(n.)* الصابونيّة : كون الشيء صابونياً الخ.

soap opera *(n.)* الأوبرا الصابونيّة : مسرحيّة إذاعيّة أو تلفزيونيّة مُسلسَلة تعالج مشكلات الحياة المنزليّة.

soap plant *(n.)* نبتة الصابون : كلّ نبات تُستعمَل ثماره أو جذورُه بدلاً من الصابون.

soapstone [sōp'-] *(n.)* الحجر الصابونيّ : طَلْق صابونيّ المَلْمَس (را. talc).

soapsuds [sōp'sŭdz'] *(n. pl.)* رغوة الصابون.

soapwort [sōp'wûrt'] *(n.)* الصابونيّة المَخزَنيّة ؛ عِرق الحلاوة : نبات تحتوي أوراقه وجذوره على عصارة تستخدم بدلاً من الصابون.

soapy [sō'pĭ] *(adj.)* (١) مكسوّ بالصابون (٢) صابونيّ : محتوٍ على صابون (٣) أملس ؛ زلِق (٤) متملّق (in ~ terms).

soar [sōr] *(vi.; n.)* (١) يحلّق أو يحوم «في الجوّ» (٢) يرتفع. (٣) يسمو §(٤) تحليق (٥) الارتفاع الذي يبلغه المحلّق في تحليقه.

soaring flight *(n.)* الطيران الشراعي : الطيران بطائرة شراعية.

sob [sŏb] *(vi.; t.; n.; adj.)* (١) ينشج : «أ» يبكي أو يتنهّد بأنفاس سريعة. «ب» يُحدِث صوتاً كالنشيج ×(٢) ينقل

(to ~ oneself to sleep) نفسَهُ إلى وضعٍ معيّن، بالنشيج (٣)يقول أوبروي وهو ينشج §(٤) نَشيج ؛ تَنَهّد §(٥)عاطفيّ: مقصودٌ به إثارة الشفقة أو الحزن الخ. (~ stories).

sober [sō'bər] *(adj.; vt.; i.)* (١) «أ» مقتصد أو غير مُسْرِف في تناول الطعام والشراب. «ب» غير مدمنٍ الخمر. «ج» صاحٍ ؛ غير ثَمِل (٢) رزين ؛ وقور (٣) مُتّسِم بالاعتدال والجِدّ وضبط النفس (٤)هادىء؛ غير زاهٍ (~ colors)(٥)«أ» واقعيّ ؛ مُرَوّىً فيه (the ~ dictates of reason) . «ب» متّزن ؛ خِلْوٌ من التطرّف . «ج» عاقل ؛ مالكٌ قواه العقليّة §(٦) يرصّن ؛ يُصَحّي (من سُكْر الخ.) ×(٧) يترصّن أو يَصْحُو الخ.

soberize [sō'bə rīz] *(vt.)* = sober 6.

sober-minded [sō'bər mīn'dĭd] *(adj.)* رزين ؛ رصين ؛ عاقل.

sobersided [sō bər sīd'ĭd] *(adj.)* رزين ؛ رصين .

sobersides [sō'bər sīdz] *(n.)* شخصٌ رزين أو رصين .

sobriety [sō brī'ə tĭ] *(n.)* (١) اعتدال في تناول الطعام أو الشراب (٢) رزانة ؛ رصانة الخ. (را. sober) .

sobriquet [sō'brĭ kā'] *(F.)* (١) اسم مستعار (٢) لقب .

sob sister *(n.)* (١) الصحافيّ العاطفيّ : صحافيّ متخصص في كتابة القصص العاطفية الخ. (٢)شخص عاطفيّ (على نحو متهافت أو صبيانيّ).

sob story *(n.)* القصة العاطفية : قصة مقصودٌ بها إثارة الشفقة أو الحزن.

socage [sŏk'ĭj] *(n.)* السُّكاج : طريقة انكليزيّة سابقة في استثمار الأرض قوامُها أن يقدّم المستثمر تعويضاً معيناً إلى سيّده، من غير أن يكون مُلْزَماً تجاه هذا السيّد بأية التزاماتٍ عسكرية .

so-called [sō'kôld'] *(adj.)* (١)المسمّى ؛ المعروف بِـ (٢) المزعوم .

soccer [sŏk'ər] *(n.)* لعبة كرة القدم (ع) .

sociability [sō'shə bĭl'ə tĭ] *(n.)* المُخالِطيّة ؛ الاجتماعيّة : حبّ الاختلاط بالآخرين .

sociable [sō'shə bəl] *(adj.; n.)* (١) مُخالِط ؛ اجتماعيّ النزعة ؛ محبّ للاختلاط بالآخرين (٢) أنيس ؛ حَسَنُ المخالَطة ؛ حُلْوُ العِشرة (٣) مُؤْنِس : مُتّسِم بالمودّة أو بحُسْن العلاقات الاجتماعيّة أو مُفْضٍ إليهما §(٤) المُؤانَسة : حفلة أُنْسٍ لتوثيق أواصر المودّة وبخاصة بين أعضاء جماعة ما .

social [sō'shəl] *(adj.; n.)* (١) اجتماعيّ : «أ» ذو صلة بالناس وعلاقاتِ بعضهم ببعض (~ life) . «ب» اجتماعيّ النزعة (Man is a ~ being.) . «ج» ذو علاقة بالطبقات الاجتماعيّة العليا أو مميِّزٌ لها (wrote a column of ~ gossip) (٢) تناسليّ (a ~ disease) §(٣) المؤانَسة ؛ حفلة أُنْس (را. sociable 4).

social class *(n.)* الطبقة الاجتماعيّة .

social contract *(n.)* العقد الاجتماعي : عقد نظريّ بين أفراد مجتمع ما وبين الحاكم يحدّد حقوق كلٍّ من الفريقين وواجباته .

social democracy *(n.)* الديموقراطيّة الاجتماعيّة : حركة سياسيّة تنادي بالانتقال التدريجي والسّلميّ من الرأسماليّة إلى الاشتراكية.

social disease *(n.)* المرض الاجتماعي : «أ» مرضٌ تناسليّ . «ب» مرض (كالسلّ الخ.) لنشوئه صلةٌ مباشرة بالعوامل الاجتماعيّة والاقتصادية.

social gospel *(n.)* الإنجيليّة الاجتماعيّة : «أ» تطبيق التعاليم الانجيليّة على المشكلات الاجتماعيّة . «ب» *cap.* : حركة في البروتستانتيّة الأميركيّة وبخاصة في النصف الأول من القرن العشرين ترمي إلى جعل النظام الاجتماعي منسجماً مع تعاليم المسيح .

social insurance *(n.)* الضمان الاجتماعي : ضمانٌ تشارك فيه الدولة أو تكفل مشاركة أرباب العمل والعمال فيه ، ابتغاء التأمين الاجتماعي ضد البطالة والشيخوخة أو العجز أو الوفاة .

socialism [sō'shə lĭz'əm] *(n.)* الاشتراكيّة : (١) أيٌّ من النظريات الاقتصادية والسياسيّة المختلفة الداعية إلى الملكية والادارة الجماعية أو الحكوميّة لوسائل الانتاج وتوزيع السلع (٢) «أ» نظام اجتماعيّ خالٍ من المِلكيّة الشخصيّة . «ب» نظام أو وضعٌ اجتماعيّ تملك فيه الدولة وسائل الانتاج وتهيمن عليها (٣)مرحلة انتقاليّة (في النظرية الماركسيّة) بين الرأسمالية والشيوعيّة تتميّز بالتوزيع غير المتكافىء للسلع والرواتب وَفقاً لعمل الفرد .

socialist [-'shəl ĭst] *(n.; adj.)* (١)الاشتراكيّ : المنادي بالاشتراكية أو مُمارِسُها §(٢) اشتراكيّ .

socialistic [sō shə lĭs'tĭk] *(adj.)* اشتراكيّ .

socialite [sō'shə līt'] *(n.)* عضوٌ بارز في المجتمع .

sociality [sō'shĭ ăl'ə tĭ] *(n.)* (١) sociability (٢) «أ» نشاط اجتماعي ؛ مخالطة اجتماعيّة . «ب» حفلة أنس وسمر .

socialize [sō'shə līz'] *(vt.; i.)* (١) يُجَتْمِع : «أ» يجعله اجتماعياً ؛ وبخاصة : يؤهّلُه أو يهيّئه للمجتمع أو لبيئة اجتماعيّة. «ب» يستخدمه للأغراض الاجتماعية ؛ يكيّفه وفقاً للحاجات الاجتماعيّة (to ~ science) (٢) يُشْتَرِك : «أ» يُقِيمُهُ على أساس اشتراكيّ (to ~ the country) . «ب» يخضعه للمِلكية والسيطرة الجماعيتين أو الحكوميتين (to ~ industry) ×(٣) يُشارك في نشاط جماعة ؛ يقيم علاقات شخصيّة مع الآخرين .

socialized medicine *(n.)* التّطبيب المُشْتَرَك : تولّي الدولة أو الجماعة المنظّمة ، القيامَ بالخدمات الطبيّة أو إدارتَها لتتلاءم مع حاجات جميع أفراد طبقة ما أو مع حاجات أفراد الشعب كافة .

socially [sō'shəl'ĭ] *(adv.)* اجتماعياً .

social-minded [sō shəl mīn'dĭd] *(adj.)* اجتماعيّ النزوع : ذو اهتمام فعّال بالصالح الاجتماعي أو برفاهية المجتمع ككلّ .

social science *(n.)* العِلم الاجتماعي : «أ» عِلمٌ يُعْنَى بدراسة المجتمع البشري أو عناصره ، كالأسرة أو العِرْق أو الدولة ، وبالعلاقات الشخصيّة المتبادلة بين الأفراد بوصفهم أعضاء في المجتمع . «ب» أحد العلوم المَعْنِيّة بمظهر من مظاهر المجتمع البشري (كعِلم الاقتصاد وعِلم الاجتماع وعِلم الأخلاق).

social scientist *(n.)* العالِم الاجتماعي (را. المادة السابقة) .

social secretary *(n.)* السكرتير الاجتماعي : سكرتير شخصيّ يتولّى شؤون المراسلات والمواعيد الاجتماعيّة .

social security *(n.)* الكِفالة الاجتماعيّة : توفير الدولة الوسائل الضرورية لتمكين المواطن من أن يحيا حياة كريمة. وفي جملة هذه الوسائل الإسكان الملائم والتعليم والوقاية الصحية وضمان الدخل الكافي .

social service *(n.)* الخدمة الاجتماعيّة : نشاطٌ يُراد به تحسين الأوضاع الاجتماعيّة في بيئة ما . وبخاصة : عَوْنٌ خيريّ منظّم يُسْدَى إلى الفقراء والمرضى المعوزين الخ.

social studies *(n. pl.)* الدراسات الاجتماعية : جزء من المنهاج في مدرسة أو كلّية يُعْنَى بدراسة المجتمع والعلاقات الاجتماعية ويتألف عادةً من دروس في التاريخ ، والاقتصاد ، وعلم الاجتماع الخ.

social welfare *(n.)* الإنعاش الاجتماعي : نشاط اجتماعي يُقْصَد به مدّ يد المساعدة إلى الطبقات أو الجماعات المحرومة.

social work *(n.)* العمل الاجتماعي : نشاطٌ منظّم يُراد به دراسة أحوال المعوزين (وضحايا التمييز الاجتماعي) وإسداء العون الماديّ إليهم.

social worker *(n.)* العامل الاجتمــاعي (را. المادة السابقة).

societal [sə sī'ə təl] *(adj.)* مُجْتَمَعِيّ ؛ اجتماعيّ .

society [sə sī'ə tĭ] *(n.; adj.)* (١) رِفْقة ؛ عِشْرة (٢) جمعيّة . (٣) مجتمع §(٤) خاصّ بالمجتمع الراقي (~ page) .

society verse *(n.)* شعر المجالس : شعر خفيف متّسم بالسُخرية صالحٌ للرواية في المجالس الراقية .

socio- بادئة معناها : «أ» مجتمع . «ب» اجتماعي . «ج» اجتماعي و ...

socioeconomic [sō'sĭ ō'ē'kə nŏm'-] *(adj.)* اجتماعيّ اقتصاديّ .

sociologic;-al [sō'sĭ ə lŏj'-] *(adj.)* (١) صوصيولوجي : ذو علاقة بالصوصيولوجيا أو عِلم الاجتماع (٢) اجتماعي : موجَّه نحو الحاجات والمشكلات الاجتماعية (novels ~) .

sociologist [sō'sĭ ŏl'ə jĭst] *(n.)* الصوصيولوجي : المتخصص بالصوصيولوجيا .

sociology [sō'sĭ ŏl'ə jĭ] *(n.)* الصوصيولوجيا ؛ عِلم الاجتماع .

sociometry [sō'sĭ ŏm'ə trĭ] *(n.)* قياس العلاقات الاجتماعيّة : دراسةُ العلاقات الشخصيّة بين أفراد المجتمع وقياسُها .

sociopolitical [sō'sĭ ō pə lĭt'ə kəl] *(adj.)* اجتماعيّ سياسيّ .

sock [sŏk] *(n.; vt.; i.; adj.)* (١) السُّوك : «أ» جورب قصير «ب» حذاءٌ خفيف كان ينتعله ممثلو الكوميديا الاغريقية والرومانيّة القديمة (٢) الكوميديا (٣) الحصَّالة : صندوق يُحفَظ فيه ما يُدَّخَر من نقود § (٤) لكمة أو ضربة عنيفة § (٥) يَضْرب § (٦) ناجحٌ نجاحاً عظيماً (wrote a ~ play) .
to ~ away (١) يدّخر مالاً (٢) يوظّف مالاً .
to ~ it يعمل أو يتكلّم أو يعبّر عن نفسه بقوة أو عنف (ع) .

sockdolager [sŏk dŏl'ə jər] *(n.)* (١) شيء حاسم ؛ مثل : «أ» ضربة حاسمة . «ب» جواب مُفْحِم (٢) شيء بارز أو استثنائيّ .

socket [sŏk'-] *(n.; vt.)* (١) وَقْب ؛ تجويف (candle ~) . (٢) «أ» مَحْجِر (of the eye ~) . «ب» مَغْرِز (tooth ~) . «ج» حُقّ (of the hip ~) (٣) مِقْبِس (screwed the light bulb into the ~) § (٤) يزوّد بوَقْب (٥) يُدْخِل في مقبِس .

sockeye [sŏk'ī] *(n.)* السَّلمون الأحمر (سمك) .

socle [sŏk'əl] *(n.)* الحِذاء : جزء ناتىء عند قَدَم الجدار أو تحت قاعدة العمود الخ. (عم) .

Socratic [sō krăt'ĭk] *(adj.; n.)* (١) سُقْراطيّ : ذو علاقة بسُقراط أو فلسفته أو أتباعه § (٢) السقراطيّ : أحد أتباع سُقراط .

sod [sŏd] *(n.)* (١) مَرْج (٢) الطبقة العليا من التربة (المشتملة على العشب وجذوره) (٣) مَسقط رأس المرء (٤) اللوطيّ .

soda [sō'də] *(n.)* (١) الصودا : «أ» كربونات الصوديوم . «ب» صودا الخَبْز . «ج» صوديوم (٢) «أ» المياه الغازيّة ؛ «الكازوز» . «ب» شراب مؤلف من مياه غازيّة منكّهة بعصير الفاكهة ومشتملة على شيء من «البوظة» ..

soda ash *(n.)* كربونات الصوديوم التجارية (ك) .

soda biscuit *(n.)* (١) بسكويتة الصودا : بسكويتة يُستخدَم في إعدادها اللبنُ وصودا الخَبْز (٢) soda cracker .

soda cracker *(n.)* بسكويتة الصودا الهشّة : بسكويتة رقيقة هشّة ناشفة تُستخدَم في إعدادها صودا الخَبْز وزبدة الطَّرطير .

soda fountain *(n.)* ينبوع الصودا : «أ» جهاز ذو أنبوب وصنبور لسَحْب المياه الغازيّة . «ب» محل أو مشربٌ لبيع الأشربة الغازيّة .

soda jerk *or* **soda jerker** *(n.)* مَشْربيّ الصودا : ساقٍ في ينبوع للصودا يقدّم إلى الزبائن الأشربة الغازيّة والمرطبات .

soda lime *(n.)* كلس الصودا : مزيج من الصودا الكاوية والكلس المطفأ يُستخدَم بخاصة لامتصاص الرطوبة والغازات .

sodalite [sō'də līt'] *(n.)* الصوداليت : معدن شفاف ذو بريق .

sodality [sō dăl'ə tĭ] *(n.)* جمعية ؛ وبخاصة : جمعية خيرية (كث) .

soda pop *(n.)* كازوز أو مياه غازيّة .

soda water *(n.)* (١) ماء الصودا (٢) كازوز أو مياه غازيّة .

sodden [sŏd'ən] *(adj.; vt.; i.)* (١) «أ» أبله ؛ وبخاصة : من فَرْط معاقرة الخمر (features ~) . «ب» غبيّ ؛ متبلّد (minds ~) (٢) مُخْضَلّ ؛ مشبع بالماء (٣) فطير ؛ غير تام الخَبْز (biscuits ~) § (٤) يبلّله ؛ يخضّل الخ. × (٥) يَخْضَلّ .

sodium [sō'dĭ əm] *(n.)* الصوديوم (ك) .

sodium bicarbonate *(n.)* بيكربونات الصوديوم (ك) .

sodium carbonate *(n.)* كربونات الصوديوم (ك) .

sodium chlorate *(n.)* كلورات الصوديوم (ك) .

sodium chloride *(n.)* الملح ؛ ملح الطعام .

sodium dichromate *(n.)* ديكرومات الصوديوم (ك) .

sodium hydroxide *(n.)* هيدروكسيد الصوديوم (ك) .

sodium hyposulfite *(n.)* هيبوسلفيت الصوديوم (ك) .

sodium nitrate *(n.)* نترات الصوديوم (ك) .

sodium-vapor lamp *(n.)* مصباح بخار الصوديوم (ك) .

Sodom [sŏd'əm] *(n.)* (١) سَدوم : مدينة بفلسطين القديمة دمّرها الله لانغماسها في الرذيلة والفساد (٢) موطن رذيلة وفساد .

sodomite [sŏd'ə mīt'] *(n.)* اللوطيّ : مُضاجع الذكور .

sodomy [sŏd'ə mĭ] *(n.)* اللّواط : مضاجعة الذكور .

soever [sō ĕv'ər] *(adv.)* (١) مهما يكن (٢) على الإطلاق (٣) البتة .

sofa [sō'fə] *(n.)* الأريكة : مقعد طويل مُنجَّد ذو ذراعين .

sofa bed *(n.)* الأريكة السريريّة : أريكة يمكن تحويلها إلى سرير .

soffit [sŏf'ĭt] *(n.)* سطح القنطرة الأدنى (عم) .

soft [sôft] *(adj.; n.; adv.)* (١) «أ» مُريح (slumber ~) . «ب» غير مُسكِر (drinks ~) . «ج» مريح للنظر (light ~ or color) . «د» ضعيف التباين (a ~ photographic print) . «هـ» خفيض (murmurs ~) . «و» ناعم ؛ أملس (a ~ cashmere) . «ز» معتدل (weather ~) . «ح» عليل (a ~ breeze) . «ط» خفيف (rain ~) . «ي» رائق ؛ غير مائج (sea ~) (٢) هيّن ؛ سهل (a ~ job) (٣) ليّن (C is ~ in city and hard in corn.) (٤) مرتفع تدريجياً (a ~ slope) (٥) غير حادّ الزوايا (outlines ~) (٦) «أ» رقيق ؛ شفوق (her ~ heart) . «ب» حسّاس ؛ سريع التأثر . «ج» سهل القِياد ؛ ليّن العريكة . «د» رفيق ؛ غير قاسٍ ؛ متساهل (terms ~) . «هـ» لطيف (a ~ answer) . «و» عاطفيّ (language ~) . «ز» معسول (a ~ tongue) (٧) «أ» سقيم ؛ عليل ؛ رقيق الصحة . «ب» ضعيف ؛ واهن (muscles ~) . «ج» أحمق ؛ ضعيف العقل (٨) «أ» طريّ ؛ ليّن ؛ رطب (mud ~) . «ب» رِخْو : قليل الصلابة نسبياً (iron ~) (٩) يَسِير : خلوٌ من الأملاح المعدنيّة وبذلك يساعد الصابونَ على إعطاء رغوة وافرة (water ~) (١٠) ضعيف النّفاذية (X rays ~) § (١١) شيء أو جزء ليّن (the ~ of the thumb) (١٢) الأحمق ؛ المغفّل § (١٣) برفق ؛ بليْن الخ.
—**softness** *(n.)*

softball [sôft'-] *(n.)* الكرة الليّنة أو الناعمة : ضرب من ألعاب الكرة .

soft-boiled [sôft'boild'] *(adj.)* (١) نيمبرشت : مُنْضَجٌ نصف إنضاج (eggs ~) (٢) عاطفيّ .

soft coal *(n.)* = bituminous coal.

soft currency *(n.)* العملة السقيمة : عملة غير قابلة للتحويل إلى ذهب أو إلى ايّ من العملات القوية .

soften [sôf'ən] *(vt.; i.)* (١) يُلَيِّن الخ. (٢) يُضْعِف ؛ يُخَنِّث (٣) «أ» يخفض الصوت . «ب» يخفف وهج النور

(٤) يطرّي (البَشَرة) (٥) يخفّض (الأسعار الخ.) ×(٦) يَلين الخ.

softhead [sôft'hĕd'] *(n.)* المُغفَّل؛ الأبله؛ الأحمق.

softheaded [sôft'hĕd'ĭd] *(adj.)* مغفّل؛ أبله؛ أحمق.

softhearted [sŏft'här'tĭd] *(adj.)* شفوق؛ رحيم؛ رقيق القلب.

soft goods *(n. pl.)* أقمشة؛ منسوجات.

softly [-'lĭ] *(adv.)* (١) بِلِين؛ برِفق الخ. (٢) بهدوء؛ بتُؤدة.

soft nothings *(n. pl.)* أحاديث الغرام؛ مطارحات الغرام.

soft palate *(n.)* الحَنَك الرِّخو: الجزء الخلفيّ اللحيم من سقف الفم.

soft pedal *(n.)* (١) الدوّاسة أو القدَمية الخافِضة: دوّاسة في بِيان (بيانو) تستخدم لخَفض الصوت (٢) المُضائِلة: كل أداة تستخدم للإخفات أو التوهين أو التلطيف.

soft-pedal [sôft'pĕd'əl] *(vt.)* (١) يستخدم (في عزفه) الدوّاسة الخافضة (٢) يُخفّت: يُوهّن؛ يلطّف.

soft sell *(n.)* البيع المُلطَّف؛ التلطّف البَيعي: استخدام الإيحاء والاقناع عند البيع بدلاً من الالحاح أو الضغط بإزعاج.

soft-shelled turtle [sôft'shĕld'] *(n.)* السُّلحفاة الليّنة التُّرس:

soft soap *(n.)* (١) الصابون الليّن: صابون نصف سائل (٢) تملّق.

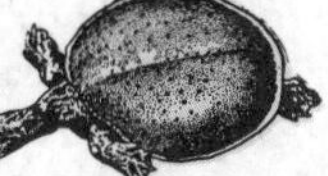

soft-shelled turtle

soft-soap [sôft'sōp'] *(vt.)* يتملّق.

soft-spoken [sôft'spō'kən] *(adj.)* (١) رقيق الصوت (٢) «أ» معسول اللسان. «ب» لطيف؛ رقيق.

software *(n.)* (١) برامج للعقل الالكتروني (٢) موادّ مُعَدّة للاستخدام مع الأجهزة السمعية البصرية.

softwood [sôft'wood'] *(n.; adj.)* (١) الخشب الليّن: كل خشب ليّن نسبياً، أو يَسهُل قطعه (٢) شجرة مُعطية للخشب الليّن §(٣) ليّن الخشب أو مصنوع من خشب ليّن.

softy *or* **softie** [sôf'tĭ] *(n.)* (١) شخص عاطفيّ إلى حد مفرط. (٢) شخص ضعيف أو مخنّث أو مُغفّل.

soggy [sŏg'ĭ] *(adj.)* (١) «أ» نَديّ أو مُشبع بالماء. «ب» فطير (~ bread) (٢) تعوزه الحيويّة (~ prose).

soi-disant [swȧ'dē zän'] *(F.)* مزعوم أو مُسمٍّ نفسَهُ كذا.

soigné *or* **soignée** [swȧ nyĕ'] *(F.)* أنيق.

soil [soil] *(vt.; i.; n.)* (١) يلوّث (معنوياً) (٢) يوسّخ. (٣) يشوّه السمعة؛ يطعن في الشرف (٤) يربّع الماشية الخ: يطعمها العشب الأخضر لتَسمن أو لتستطلق (تمشي) بطونُها ×(٥) يتلوّث أو يتّسخ §(٦) لطخة (٧) «أ» نفاية. «ب» مياه البواليع. «ج» قذَر؛ غائط (٨) «أ» أرض. «ب» تُربة (٩) بلد؛ وطن (١٠) الأرض: الحياة الزراعيّة (a son of the ~).

soilage [soi'lĭj] *(n.)* (١) «أ» تلويث. «ب» توسيخ (٢) تلوّث؛ اتّساخ (٣) عشب أخضر (لعَلف الماشية).

soil pipe *(n.)* أنبوب القاذورات؛ ماسورة الأقذار.

soilure [soil'yər] *(n.)* (١) تلويث أو تلوّث الخ. (٢) لطخة.

soiree *or* **soirée** [swä rā'] *(F.)* سهرة؛ حفلة ساهرة.

sojourn [sō'jûrn] *(n.; vi.)* (١) المُقام: إقامة موقّتة §(٢) ينزل أو يُقيم موقّتاً.

soke [sōk] *(n.)* (١) حقّ القضاء: حقّ إقامة العدل والقضاء بين الناس (تا انكليزي قديم) (٢) مقاطعة يشملها هذا الحقّ.

sol [sōl] *(n.)* الصُّول: «أ» عملة فرنسيّة قديمة. «ب» وحدة النقد في بيرو.

sol [sŏl; sōl] *(n.)* الصُّول: محلول غَروانيّ في سائل (ك).

Sol [sŏl] *(n.)* (١) الشمس (٢) *not cap.* الذهب (عند أصحاب الكيمياء القديمة) (٣) إلٰه الشمس (عند الرومان).

solace [sŏl'ĭs] *(n.; vt.)* (١) عزاء؛ سُلوان §(٢) يُعزّي؛ يُسلّي. (٣) «أ» يجعل (المكان الخ.) بهيجاً. «ب» يتسلّى (٤) يلطّف؛ يسكّن.

Solanaceae *(n.pl.)* الباذنجانيات؛ الفصيلة الباذنجانية (نب).

solanaceous [sŏl'ə nā'shəs] *(adj.)* باذنجانيّ (نب).

solan goose [sō'lən] *(n.)* الأطيَش الأبيض: طائر من طيور الماء.

solanine [sō'lə nēn] *(F.)* الصولانين: مادة شبه قلوية سامة.

solanum [sō lā'nəm] *(L.)* المَغد: نبات من الفصيلة الباذنجانيّة.

solar [sō'lər] *(adj.)* شمسيّ.

solar battery *(n.)* الحاشدة الشمسيّة: أداة لتحويل الطاقة الشمسية الى طاقة كهربائية.

solar constant *(n.)* الثابت الشمسي: مقدار الحرارة الشمسية الواقع عادة على الطبقة الخارجيّة من جوّ الأرض والبالغ ١,٩٤ سُعراً غرامياً في السنتيمتر المربّع في الدقيقة.

solar house *(n.)* البيت الشمسيّ: بيت مزوّد بمساحات زجاجيّة تمكّنه من استخدام أشعّة الشمس على نطاق واسع لأغراض التدفئة.

solarium [sō lâr'ĭ əm] *(L.)* pl. **-laria** *or* **-ums** المَشمَس: حجرة الخ. معرّضة لأشعة الشمس (في فندق بحري أو مستشفى).

solarization [sō lə rĭ zā'shən] *(n.)* (١) التشميس: التعريض لأشعة الشمس (٢) التشمّس: التعرّض الزائد للضوء (فو).

solarize *(vt.)* يُشمّس: يعرّض بإسراف لأشعّة الشمس أو للضوء.

solar oil *(n.)* زيت السولار: زيت نفطيّ يُتّخذ وقوداً.

solar plexus *(n.)* (١) الضّفيرة الشمسيّة: شبكة من الأعصاب في فم المعدة (ت) (٢) فم المعدة (ع).

solar system *(n.)* النظام الشمسي؛ المنظومة الشمسية (فل).

solatium [sō lā'shĭ əm] *(L.)* pl. **-tia** ترضية.

sold [sōld] *past and past part. of* sell.

solder [sŏd'ər] *(n.; vt.; i.)* (١) سبيكة لِحام (٢) رابط؛ رابطة §(٣) يلحُم (بسبيكة لِحام أو نحوها) ×(٤) يلتحم.

soldier [sōl'jər] *(n.; vi.)* (١) جنديّ (٢) النملة الجنديّ: نملة قوية الفكين الخ. تحمي الوكر §(٣) «أ» يَخدُم في الجنديّة. «ب» يتصرّف كالجنديّ (٤) يتظاهر بالعمل أو بالمرض.

soldierly [-lĭ] *(adj.; adv.)* (١) باسل؛ بطوليّ §(٢) ببسالة.

soldier of fortune *(n.)* الجنديّ المرتزق أو المغامر.

soldier's medal *(n.)* مدالية الجنديّ: مدالية تمنح للجندي تقديراً لبطولة تميّز بها في ميدان غير ميدان المعركة.

soldiery [sōl'jər ĭ] *(n.)* (١) جُند؛ جماعة من الجند (٢) الجنديّة.

soldo [sŏl'dō] *(It.)* الصُّلديّ: عملة إيطاليّة صغيرة تعادل $\frac{1}{20}$ من الليرة.

sole [sōl] *(n.; vt.; adj.)* (١) نَعل (٢) أخمص القدم؛ باطن القَدَم (٣) أسفل الشيء أو قاعدته (٤) سمك موسى §(٥) يُنعِل؛ يجعل له نعلاً §(٦) غير متزوج؛ وبخاصة: غير متزوجة (٧) منفرد؛ وحده (sitting ~ by the hearth) (٨) وحيد (the ~ survivors) (٩) فَرد (the ~ judge) (١٠) فريدٌ فذّ (١١) مقصور على فرد او جماعة.
—soleness *(n.)*

solecism [sŏl'ə sĭz'əm] *(n.)* (١) اللّحن؛ الخطأ النحوي الخ. (٢) «أ» انحراف. «ب» خروج عن العرف (في المسلك الاجتماعي).

solely [sōl'lĭ] *(adv.)* (١) وحدهُ (went ~) (٢) لمجرّد؛ فحسب (done ~ for money) (٣) كُلّيّةً (to rely ~ on oneself).

solemn [sŏl'əm] *(adj.)* (١) مقدّس؛ دينيّ الصفة (٢) مستوفٍ الشروط القانونيّة (a ~ writ) (٣) «أ» جليل؛ مَهيب. «ب» وقور؛ رزين. «ج» كئيب.
—solemnly *(adv.)*

solemnity [sə lĕm'nə tĭ] *(n.)* (١) إجلال ؛ احتفال مَهيب . (٢) حادثة أو مناسبة تتّسم بالجلال (٣) وقار ؛ رزانة .

solemnize [sŏl'əm nīz'] *(vt.)* (١) يحتفل بـِ (٢) يتمّ بأبّهة أو وَفقاً للمراسيم الشرعيّة؛ وبخاصة : يحتفل (بالزواج) وفقاً للشعائر الدينيّة (٣) يمجّد .

solenoid [sō'lə noid'] *(n.)* الملفّ اللولبيّ (كب) .

solenoidal [sō'lə noid'əl] *(adj.)* لولبي .

soleprint [sōl'prĭnt'] *(n.)* بَصْمة الأخمص : بصمة باطن القدم .

sol-fa [sōl'fä'] *(n.; adj.; vi.; t.)* (١) الصولفا ؛ المقاطع الصولفاوية : مجموعة المقاطع الموسيقية (do, re, mi, fa, sol, la, si *or* ti) المستخدمة في الغناء (٢) الصَّلْفَجة : استخدام المقاطع الصولفاويّة للدلالة على النغمات الموسيقية (٣) التنغيم : غناء باستخدام المقاطع الصلفاوية §(٤) صولفاويّ (~ syllables) §(٥) ينغّم : يغنّي المقاطع الصولفاوية ×(٦) يُصَلْفِج : يغنّي لحناً ما وفقاً للمقاطع الصولفاويّة .

solfatara [sôl'fä tä'rä] *(It.)* (١) المَنْفَذ الكبريتيّ : منفذ بركاني لا ينفث غير أبخرة وغازات كبريتيّة (٢) المنطقة البركانيّة الكبريتيّة : منطقة بركانيّة هامدة ولكن فيها منافذ من هذا النوع .

solfège [sŏl fĕzh'; -fāzh'] *(F.)* (١) الصَّلْفَجة : تطبيق المقاطع الصولفاوية (را. sol-fa) على سُلّم موسيقي أو لحن (٢) التنغيم: تدريب غنائي تُستخدَم فيه المقاطع الصولفاوية بخاصة.

solfeggio [sŏl fĕj'ō; -fĕj'ĭ ō'] *(It.)* = solfège.

soli [sō'lē] *pl. of* solo.

solicit [sə lĭs'ĭt] *(vt.; i.)* (١) يتوسل إلى ؛ يلتمس من (٢) يَحثُّ (٣) يُلِحّ على (٤) يُغوي ؛ يُغْرِي (٥) يستجدي (٦) يتطلّب ؛ يقتضي (٧) يجتذب ×(٨) يستعطي (٩) تتحرّش (البغيّ برَجُل) .

solicitant [-'ĭt ənt] *(n.)* المتوسِّل ؛ الملحّ ؛ المغوي ؛ المستجدي الخ .

solicitation [sə lĭs'ə tā'shən] *(n.)* (١) توسّل (٢) إغواء .

solicitor [sə lĭs'ə tər] *(n.)* (١) فا solicit ، وبخاصة : مستجدي الصدقات (٢) محام (٣) محامي مدينة أو ولاية .

solicitor general *(n.)* النائب العام المساعد ؛ مساعد النائب العام (ق) .

solicitous [sə lĭs'ə təs] *(adj.)* (١) قليق ؛ جَزِع (٢) توّاق . (٣) مُوَسْوِس : شديد التدقيق في التوافه والتفاصيل

solicitude [sə lĭs'ə -] *(n.)* (١) قَلَق (٢) عناية مُفرطة (٣) همّ .

solid [sŏl'ĭd] *(adj.; adv.; n.)* (١) مُصْمَت : «أ» أصمّ ؛ غير أجوف (a ~ tire) . «ب» أسطره متلازّة غير مفصول بينها برقائق معدنيّة (~ black paragraphs) . «ج» مكتوب من غير واصلة (را. hyphen) تربط بين أجزائه (*Earthworm* is a ~ word.) (٢) متواصل ؛ غير منقطع (wait for a ~ hour) (٣) مُجسَّم : ذو طول وعرض وثخانة (a ~ figure) (٤) صُلْب ؛ جامد (٥) «أ» حقيقي (~ comfort) . «ب» وجيه ؛ سليم (~ reasons) . «ج» متين ؛ وطيد ؛ راسخ (~ walls) . «د» ممتاز موسيقياً (٦) «أ» إجماعيّ (the ~ vote of a delegation) . «ب» مُجْمِع ؛ موحَّد الكلمة (The country is ~ for peace.) (٧) «أ» حصيف ؛ حكيم ؛ صائب الرأي (a ~ thinker) . «ب» موثوق ؛ يُعتمد عليه (a ~ citizen) . «ج» سليم أو قوي مالياً . «د» جدّيّ (~ reading) (٨) «أ» خالص (~ gold) . «ب» كلّه من لون الخ . واحد (The cloth is ~ green.) §(٩) على نحوٍ مُصْمَت الخ . §(١٠) المجسَّم (هن) (١١) مادّة صلبة أو جامدة ؛ جسم صلب أو جامد .

solidago [sŏl'ə dā'gō] *(L.)* الصوليداجة ؛ عصا الذهب (عشب) .

solid angle *(n.)* الزاوية المجسَّمة (هن) .

solidarity [sŏl'ə dăr'ə tĭ] *(n.)* التكافل ؛ التماسك ؛ التضامن .

solid geometry *(n.)* الهندسة الفراغيّة .

solidification [sə lĭd ə fĭ kā'-] *(n.)* (١) تصليب ؛ تجميد ؛ توحيد ؛ ترسيخ الخ . (٢) صلابة ؛ تجمّد ؛ وحدة ؛ رسوخ الخ .

solidify [sə lĭd'ə fī'] *(vt.; i.)* (١) يُصلّب ؛ يجمّد ؛ يوحّد ؛ يرسّخ ؛ يمتّن ×(٢) يَصْلُب ؛ يَتجَمّد ؛ يتوحّد ؛ يترسّخ ؛ يمتن .

solidity [sə lĭd'ə tĭ] *(n.)* (١) صُموت ؛ صلابة الخ . (٢) سلامة أو قوة (في الأخلاق أو العقل أو المركز المالي) (٣) شيء صلب .

solidly [sŏl'ĭd lĭ] *(adv.)* (١) بقوّة ؛ بمتانة ؛ برسوخ (٢) على نحوٍ سليم منطقياً (٣) بالإجماع .

solids [sŏl'ĭds] *(n. pl.)* الأجسام الصُّلبة ؛ الجوامد ؛ المجسّمات .

solid-state *(adj.)* صَلابي : غير ذي صمامات ألكترونية .

solidus [sŏl'ə dəs] *(L.)* pl. **-di** [-dī] (١) الصُّلْدُوس : عملة ذهبية رومانيّة قديمة (٢) الفاصلة المائلة (ر. diagonal 4) .

soliloquist [sə lĭl'ə kwĭst] *(n.)* المُناجي نفسَه .

soliloquize [sə lĭl'ə kwīz'] *(vi.; t.)* يناجي نفسه ؛ يقول لنفسه .

soliloquy [-'ə kwĭ] *(n.)* مناجاة النفس : مناجاة المرء نفسَهُ .

solipsism *(n.)* الأنانة : نظرية تقول بأن لا وجود لشيء غير الأنا .

solitaire [sŏl'ə târ'] *(F.)* (١) الناسك (٢) «أ» ماسةٌ مفردةَ (في خاتم الخ.) «ب» خاتم الخ . ذو ماسة واحدة (٣) السُّلْتير : ضرب من ألعاب الورق (الشدّة) يلعبه شخص بمفرده .

solitary [sŏl'ə tĕr'ĭ] *(adj.; n.)* (١) «أ» معتزل ؛ منزوٍ (عن الناس) . «ب» مرتحل وحده . «ج» متوحّد . «د» متنسّك (٢) منعزل ؛ مهجور (٣) مُفْرَد ؛ وحيد (~ example) (٤) منفرد (~ flowers) §(٥) «أ» المعتزل ؛ المنزوي . «ب» الناسك (٦) الحبْس الانفرادي .

solitary confinement *(n.)* الحبْس الانفرادي .

solitude [sŏl'ə tūd'] *(n.)* (١) عُزْلة ؛ انعزال (٢) قَفْر .

solleret [sŏl'ə rĕt'] *(F.)* حذاءٌ فولاذيّ (يؤلف جزءاً من الدرع) .

solmization [sŏl'mə zā'-] *(n.)* الصَّلْفَجة (را. sol-fa) .

solo [sō'lō] *(n.; adv.; adj.; vi.)* (١) الغُصْن : لحنٌ مُعَدّ لكي يؤدّيه مُغَنٍّ واحد أو آلة واحدة (٢) عمل منفرد ، مثل : «أ» طيران منفرد . «ب» رقص منفرد (٣) الفُرادِيّة : كلّ لعبة من ألعاب الورق (الشدّة) يلعب فيها كلّ لاعب ضد الآخرين منفرداً من غير شريك §(٤) «أ» منفرداً (to fly ~) . «ب» وحيداً (He was left ~.) §(٥) منفرد (a ~ dance) §(٦) يقوم بعملٍ ما منفرداً ؛ وبخاصة : يطير منفرداً في طائرة .

soloist [sō'lō ĭst] *(n.)* المنفرد في أداء عمل ما ، وبخاصة : «أ» المغنّي أو العازف المنفرد . «ب» الطيّار المنفرد .

solon [sō'lən] *(n.)* (١) متشرع حكيم (٢) عضو هيئة تشريعية .

solstice [sŏl'stĭs] *(n.)* الانقلاب : انقلاب الشمس الصيفي أو الشتائي .

solstitial [sŏl stĭsh'əl] *(adj.)* انقلابيّ (را. المادة السابقة) .

solubility [sŏl'yə bĭl'-] *(n.)* (١) الذَّوَبانيّة ؛ الذائبيّة ؛ الانحلاليّة : قابلية الذوبان أو الانحلال (٢) الحَلِّيّة : قابلية الحل والتفسير .

soluble [sŏl'yə bəl] *(adj.)* (١) ذَوّاب : قابل للذوبان في سائل . (٢) قابل للحلّ (~ puzzles) .

soluble glass *(n.)* الذَّوْب الزجاجي ؛ الزجاج المائي .

solunar [sə lōō'nər] *(adj.)* شمسقمري : ناشىء عن فعل الشمس والقمر معاً ؛ وبخاصة : متعلق بأثر هذا الفعل في الأحياء .

solute [sŏl'ūt] *(n.)* المُذاب : مادّة مُذابة .

solution [sə lōō'shən] *(n.)* (١) الحَلّ : «أ» إيجاد الجواب عن مسألة ما . «ب» جوابٌ عن مسألة ما (٢)«أ» حلّ ؛ إذابة . «ب» انحلال، ذوبان . «ج» محلول ؛ ذَوْب (٣) إنهاء أو انتهاء (عقدٍ الخ .) (٤) تبدُّد (the gradual ~ of the clouds) .

solvability [sŏl'və bĭl'-] *(n.)* الحَلّيّة : قابلية الحلّ والتفسير .

solvable [sŏl'və bəl] *(adj.)* قابلٌ للحلّ أو التفسير .

Solvay process [sŏl'vā] *(n.)* عملية صولفاي : عملية لصنع الصودا من الملح العاديّ .

solve [sŏlv] *(vt.)* (١) يَحُلّ (مسألةً الخ .) (٢) يسدّد ديناً .

solvency [sŏl'vən sĭ] *(n.)* (١) الإيفائيّة : القدرة على إيفاء جميع الديون (٢) المُذِيبيّة : القدرة على الإذابة .

solvent [sŏl'vənt] *(adj.; n.)* (١) مِيفاء : قادر على إيفاء جميع الديون (٢) مُذيب §(٣) المُذِيب : مادة مذيبة (٤) حلّ (لمعضلة الخ.) .

soma [sō'mə] *(L.)* pl. **-mata** الجسد ؛ جسد المتعضّي (أح) .

Somali [sō mä'lĭ] *(n.)* (١)«أ» الشعب الصومالي . «ب» الصوماليّ : أحد أفراد الشعب الصومالي (٢) الصوماليّة : لغة الصوماليّين .

somalo[-mäl'ō] *(It.)* pl. **-mali** الصومالو : وحدة النقد الصومالي .

somat- *or* **somato-** بادئة معناها : جَسَد (*somato*logy) .

somatic *(adj.)* (١) جسديّ (٢) جداريّ : متعلق بجدار الجسد

somatic cell *(n.)* الخليّة الجسديّة (أح) .

somatology [sō'mə tŏl'ə jĭ] *(n.)* علم الجَسَد : الدراسة المقارنة لبِنْيَة الجسد البشري ووظائفِهِ وتطوّره .

somatomedin *(n.)* السوماتوميدين : بِبْتيد يُنْتَج في الكبد (كح) .

somatoplasm[sō'mə tə plăz'əm] *(n.)* (١) بروتوبلازما الخلايا الجسديّة (٢) الخلايا الجسديّة .

somatopleure [sō'mə tə plŏŏr'] *(L.)* الطبقة الجداريّة (أج) .

somatotype [sō'mə tə tīp] *(n.)* = physique.

somber *or* **sombre** [sŏm'bər] *(adj.)* (١) مُعْتِم (٢) كئيب . (٣) داكن اللون .

—somberness *or* **sombreness** *(n.)*

sombrero [sŏm brâr'ō] *(Sp.)* الصُّمْبْرِيرَة : قبعة عريضة الحافة مألوفة في المكسيك والأجزاء الجنوبية الغربية من الولايات المتحدة الأميركيّة .

sombrero

sombrous [sŏm'brəs] *(adj.)* = somber.

some [sŭm] *(adj.; pron.; adv.)* (١) ما (I'll do it ~ day.) (٢)«أ» بعض (for ~ time) «ب» بضعة ؛ بضع (~ miles) (٣) هامّ ؛ رائع (That was ~ party.) §(٤) بعض (~ think he is dead.) §(٥) حوالى ، نحو (~ forty books) (٦) بعضَ الشيء ؛ إلى حدّ ما (She felt ~ better.) .

-some [səm] لاحقة معناها : «أ» نزّاع إلى (meddle*some*) «ب» مسبِّب لـ (trouble*some*) . «ج» مجموعة أشياء (وبخاصة أشخاص) معيّنة العدد (four*some*) .

-some [sōm] لاحقة معناها : جسم (chromo*some*) .

somebody[sŭm'-] *(pron.; n.)* (١) شخص ما §(٢) شخص ذو شأن

someday [sŭm'dā'] *(adv.)* يوماً ؛ يوماً ما (في المستقبل) .

somehow [sŭm'hou'] *(adv.)* بطريقة ما ، بطريقة أو بأخرى .

someone [sŭm'wŭn'] *(pron.)* شخصٌ ما .

someplace [sŭm'plās'] *(adv.)* = somewhere.

somersault [sŭm'ər sôlt'] *(n.; vi.)* (١) الشَّقْلَبَة : حركة بهلوانية يقلب فيها المرء عَقِبَيْه فوق رأسه (٢) انقلاب تامّ (في الرأي الخ .) §(٣) يتشَقْلَب .

somerset [sŭm'ər-] *(n.; vi.; t.)* (١) شَقْلَبَة §(٢) يتشقلب . ×(٣) يُشَقْلِب .

something [sŭm'thĭng] *(pron.; n.; adv.)* (١) شيء ؛ شيءٌ ما §(٢) شخص أو شيء ذو شأن §(٣) إلى حدّ ما (٤) إلى حدّ بعيد . حوالى عشرة آلاف ~ like ten thousand .

sometime [sŭm'tīm'] *(adv.; adj.)* (١) سابقاً (ا.ق) . (٢) أحياناً (ا.ق) (٣) يوماً ما ؛ في وقتٍ ما في المستقبل (I'll do it ~.) (٤) في يوم غير محدّد (~ in 1856 or 1857 he was killed.) §(٥) سابق (~ newspaper editor) .

sometimes [sŭm'tīmz'] *(adv.)* أحياناً ؛ بين الفينة والفينة .

someway *also* **someways** [sŭm'-] *(adv.)* = somehow.

somewhat [sŭm'-] *(n.; adv.)* (١) بعض ؛ جزء (She told them ~ of her adventures.) (٢) شخص أو شيء ذو شأن §(٣) إلى حدّ ما .

somewhen [sŭm'hwĕn] *(adv.)* = sometime.

somewhere [sŭm'-] *(adv.; n.)* (١) في مكان ما (٢) إلى مكان ما . (٣) تقريبا (~ about 8 o'clock) §(٤) مكان ما (to ~ in Italy) .

somewheres [sŭm'hwârz] *(adv.)* = somewhere.

somewhither [sŭm'hwĭth'ər] *(adv.)* إلى مكان ما .

somite [sō'mīt] *(n.)* الفَلْقَة : إحدى الأجزاء الطوليّة التي ينقسم إليها جسم بعض الحيوانات (أح) .

somnambulant [sŏm năm'byə lənt] *(adj.)* مُسَرْنِم : سائر (أو مُدْمِن السَّير) وهو نائم .

somnambular [-lər] *(adj.)* سَرْنَميّ : ذو علاقة بالسَّرْنَمة .

somnambulate [-lāt'] *(vi.)* يسَرْنِم : يمشي وهو نائم .

somnambulism [-lĭz'əm] *(n.)* السَّرْنَمة : السير خلال النوم .

somnambulist [-lĭst] *(n.)* المُسَرْنِم : السائر وهو نائم .

somnifacient [sŏm nĭ fā'shĕnt] *(adj.; n.)* منوِّم .

somniferous; somnific [sŏm nĭf'-] *(adj.)* منوِّم .

somniloquy [sŏm nĭl'ə kwĭ] *(n.)* التكلّم في النوم .

somnolence *also* **somnolency** [sŏm'nə-] *(n.)* نُعاس .

somnolent [sŏm'nə lənt] *(adj.)* (١) منوِّم ؛ مخدِّر (٢) نعسان .

son [sŭn] *(n.)* (١) ابن ؛ ولد (٢)*cap.* : الابن : ثاني الأقانيم الثلاثة (نص) .

sonance [sō'nəns] *(n.)* صوت .

sonant [sō'nənt] *(adj.; n.)* (١) صوتيّ §(٢) حرف صوتيّ .

sonar [sō'när] *(n.)* [*s*ound *n*avigation *a*nd *r*anging] السُّونار : جهاز لاكتشاف وجود (أو موقع) الأشياء تحت الماء بواسطة موجات صوتيّة تنعكس إليه منها .

sonarman [sō'när mən] *(n.)* السُّوناريّ : رجل من رجال الأسطول مسؤول عن تشغيل السّونار (را. sonar) .

sonata [sə nä'tə] *(It.)* السّوناتة : لحن موسيقيّ لآلة مفردة (كالبيان) أو لآلتين (كالبيان والكمان) .

sonatina[sŏn'ə tē'nə] *also* **sonatine** [-tēn'] *(It.)* السّوناتينة : سوناتة قصيرة مبسّطة (مو) .

sonde [sŏnd] *(F.)* مِسبار الارتفاعات : منطاد صغير الخ. يستخدم لدراسة حرارة الهواء العُلويّ وحركته .

song [sông] *(n.)* (١) «أ» غناء . «ب» فن الغناء (٢) شِعر . (٣)«أ» أغنية . «ب» مجموعة أغانٍ (٤)«أ» لحن لقصيدة غنائية. «ب» قصيدة صالحة للتلحين (٥) ردّ فعل عنيف أو صاخب (٦) مبلغ ضئيل ؛ ثمن بخس (sold for a ~) . تافه ؛ قليل الأهميّة nothing to make a ~ about .

ă at; ā date; â care; ä car; ĕ egg; ē me; ĭ in; ī bite; ŏ lot; ō bone; ô orphan; oi boil; ŏŏ good; ōō boot; ou out; ŭ under; ū unity; û urgent; th thing; th this; zh vision; ə = *a* in alone, *e* in system, *i* in easily, *o* in gallop, *u* in circus.

(١) مبلغ ضئيل (٢) نغمة عتيقة ؛ حكاية قديمة . old ~ ,

songbird [sông'bûrd'] *(n.)* (١) طائر غريد (٢) مغنية .

songful [sông'fəl] *(adj.)* (١) صدّاح ؛ غرِد (٢) غنائي .

songless [sông'-] *(adj.)* غير صدّاح أو غرِد (a ~ bird) .

songsmith [sông'smĭth] *(n.)* ناظم الأغاني .

songster [sông'stər] *(n.)* (١) المغنّي (٢) «أ» ناظم الأغاني . «ب» شاعر (٣) كتاب أغانٍ شعبية (٤) طائر غريد

songwriter [sông'rī'tər] *(n.)* ناظم أو ملحّن الأغاني الشعبية .

sonic [sŏn'ĭk] *(adj.)* صوتي .

sonic barrier *(n.)* الحاجز الصوتي .

sonic depth finder *(n.)* مقياس العمق الصوتي : أداة لتحديد عمق البحر أو المحيط أو عمق شيء تحت الماء بواسطة الموجات الصوتية .

son-in-law [sŭn'ĭn lô'] *(n.)* الصهر : زوج الابنة .

sonly [sŭn'lĭ] *(adj.)* بنَوِي .

sonnet [sŏn'ĭt] *(n.)* السونيتة : قصيدة تتألف من ١٤ بيتاً .

sonneteer [sŏn'ə tîr'] *(n.; vi; t.)* (١) ناظم السونيتات (٢) شاعر ثانوي أو تافه §(٣) يسوِّنت : ينظم سونيتة .

sonnetize [sŏn'ĭt īz'] *(vi.; t.)* يسوِّنت : ينظم سونيتة .

sonnet sequence *(n.)* المتتالية السونيتية : سلسلة من السونيتات ينتظمها موضوع موحَّد .

sonny [sŭn'ĭ] *(n.)* ولدٌ صغير (وتستخدم غالباً في صيغة الخطاب) .

sonobuoy [sō'nə boi] *(n.)* الطافية الصوتية : طافية مزوّدة بما يمكّنها من اكتشاف الأصوات تحت الماء وإرسالها بالراديو .

sonometer [sō nŏm'ə tər] *(n.)* = audiometer.

sonorant [sō nōr'ənt] *(n.)* = resonant.

sonority [sə nôr'ə tĭ] *(n.)* (١) المصوِّتية (٢) الجهْوَرية .

sonorous [sə nōr'əs] *(adj.)* (١) مصوت (٢) جهْوَري (٣) طنّان ؛ رنّان (a ~ style) .

sonship [sŭn'shĭp] *(n.)* بنُوّة .

soon [sōōn] *(adv.)* (١) قريباً (He'll be here very ~.) . (٢) عاجلاً ؛ سريعاً (Smoke ~ disappears.) (٣) باكراً ؛ مبكّراً (Summer came ~ this year.) .

sooner [sōō'nər] *(n.)* (١) المستبِق : مَن يسارع إلى الإقامة في أرض حكومية قبل أن تُفتح أبوابها رسمياً للمعمّرين لكي يفوز بحق الأولوية الذي يمنحه القانون للمقيم الأول (٢) .cap : أحد أبناء أوكلاهوما (بالولايات المتحدة الاميركية) أو المقيمين فيها .

sooner or later *(adv.)* عاجلاً أو آجلاً .

soot [sŏŏt] *(n.; vt.)* (١) سُخام ؛ سِناج §(٢) يلوِّث بالسُّخام .

soothe [sōōth] *(vt.; i.)* (١) «أ» يهدِّئ . «ب» يسترضي . (٢) يسكّن ؛ يلطِّف ؛ يخفِّف (الألمَ الخ.) .

soothing [sōō'thĭng] *(adj.)* (١) مهدِّئ (٢) مسكِّن ، ملطِّف .

soothsay [sōōth'sā] *(vi.)* يتكهّن ؛ يتنبأ ؛ يكشف البَخت .

soothsayer [sōōth'-] *(n.)* المتكهّن ؛ المتنبِّئ ؛ العرّاف .

soothsaying [sōōth'-] *(n.)* (١) الكِهانة ؛ التنبّؤ ؛ العرافة (٢) نبوءة .

sooty [sŏŏt'ĭ] *(adj.)* (١) سُخامي : «أ» متعلق بالسُّخام . «ب» منتج سُخاماً (٢) أسخم : ملوَّث بالسُّخام (٣) قاتم ؛ بلون السّخام .

sop [sŏp] *(n.; vt.)* (١) الغَميسة : قطعة من خبز الخ. تغمس في سائل ما قبل أكلها (٢) كلُّ ما يقدَّم على سبيل التهدئة أو الاسترضاء ؛ وبخاصة : رشوة §(٣) «أ» يغمِس . «ب» ينقَع (٤) يمسَح ، يزيل بالامتصاص (~ up that water with a cloth.) (٥) يرشو أو يسترضي الخ.

sophism [sŏf'ĭz əm] *(n.)* (١) مغالطة ؛ قياسٌ فاسد (٢) سفسطة .

Sophist [sŏf'ĭst] *(n.)* (١) السوفسطائي : أحد المعلمين أو الفلاسفة السوفسطائيين الاغريق (٢) المفكّر ؛ الفيلسوف (٣) المغالِط .

sophistic ; -al [sə fĭs'-] *(adj.)* (١) سوفسطائي : منسوب إلى السوفسطائيين (٢) سفسطي ؛ مغالِط .

sophisticate [*v.* sə fĭs'tə kāt'; *n.* -'tə kāt, -kĭt] *(vt.; n.)* (١) «أ» يمذُق ؛ يغش . «ب» يحرف (نصّاً أو فقرةً الخ.) (٢) يُفقده بساطته أو سذاجته ؛ يجعله متكلّفاً ؛ يحنّكه أو يجعله ذا دراية بشؤون هذا العالم (٣) «أ» يعقّد . «ب» يصقل §(٤) «أ» شخص متكلّف أو محنّك . «ب» شخص رفيع الثقافة أو مطّلِع على أحدث الآراء . **—sophistication** *(n.)*

sophisticated [sə fĭs'tə kā'tĭd] *(adj.)* (١) «أ» ممذوق ؛ مغشوش (~ oils) . «ب» محرَّف (a ~ text) (٢) معقّد (a ~ instrument) (٣) متكلّف أو محنّك (٤) «أ» مصقول . «ب» رفيع الثقافة (a ~ columnist) (٥) مُمتِع عقلياً ، يروق لذوي الثقافة الرفيعة (~ novels) (٦) متطوّر (~ weapons) .

sophistry [sŏf'ĭs trĭ] *(n.)* (١) سفسطة (٢) مغالطة .

Sophoclean [sŏf'ə klē'ən] *(adj.)* سوفوكلي : ذو علاقة بسوفوكل ، المسرحي الاغريقي (٤٩٥ ؟ — ٤٠٦ ؟ ق.م) ، أو بمآسيه .

sophomore [sŏf'ə mōr'] *(n.)* الطالب في السنة الثانية من كلية .

sophomoric [sŏf'ə môr'ĭk] *(adj.)* (١) متعلق بطالب في السنة الثانية من كلية أو مميِّز له (٢) مغرور مع ضحالة في الثقافة .

-sophy لاحقة معناها : «أ» حكمة ؛ فلسفة . «ب» عِلم .

sopor [sō'pər] *(n.)* = lethargy ɪ.

soporiferous [sō'pə rĭf'ər əs] *(adj.)* = soporific.

soporific [sō'pə rĭf'ĭk] *(adj.; n.)* (١) «أ» منوِّم . «ب» مخدِّر . (٢) «أ» نعسان . «ب» نُعاسي §(٣) عقّار الخ. منوِّم أو مخدِّر .

sopping [sŏp'ĭng] *(adj.; adv.)* (١) منقوع أو مشبَع بالماء §(٢) جداً ؛ إلى حدٍّ بعيد (~ wet) .

soppy [sŏp'ĭ] *(adj.)* (١) مُشبَع بالماء (~ ground) (٢) ماطر (~ weather) (٣) عاطفي إلى حدٍّ مفرِط أو صبياني .

soprano [sə prăn'ō] *(n.; adj.)* (١) النّدي : الصوت الأعلى عند النساء والأولاد (مو) (٢) صاحب هذا الصوت أو دورٌ يؤدّى به §(٣) نَدَرِيّ : ذو علاقة بالنديّ .

sorb [sôrb] *(n.; vt.)* (١) الغُبَيراء الأهلية : شجر يشبه التفاح والاجاص . (٢) ثمر الغُبَيراء §(٣) «أ» يمتصّ . «ب» يمتزّ (را. adsorb) .

sorbent [sôr'-] *(n.)* مادّة ماصّة أو ممتزّة (را. adsorb) .

sorbitol *(n.)* السّوربيتول : مادة سُكّرية تُحلّى بها الأشربة .

Sorbonist [sôr'bən ĭst] *(F.)* السّوربوني : طالب في جامعة السوربون الفرنسية أو حاملٌ لشهادة الدكتوراه منها .

sorcerer [sôr'sər ər] *(n.)* الساحر ؛ المُشعوِذ .

sorceress [sôr'sər ĭs] *(n.)* الساحرة ؛ المشعوِذة .

sorcerous [-'sər əs] *(adj.)* سِحْري : خاصّ بالسحر والشعوذة .

sorcery [sôr'sə rĭ] *(n.)* سِحر ؛ شَعْوَذة .

sordid [sôr'dĭd] *(adj.)* (١) قذِر ؛ وَسِخ (٢) خسيس ؛ دنيء (~ motives) (٣) بخيل ؛ شحيح .

sordino [sôr dē'nō] *(It.)* pl. **-ni** [-nē] المِخفات : أداة عظمية أو معدنية لتخفيف صوت الآلة الموسيقية .

sore [sōr] *(adj.; n.; adv.)* (١) «أ» مؤلم ؛ مُحزِن (~ news) . «ب» حسّاس على نحوٍ موجِع (~ muscles) . «ج» متقرّح (~ eyes) (٢) شديد ؛ ماسّ (~ need) (٣) متألم ؛ موجَع (~ at

(heart (٤) مُغْضَب ؛ مَغِيظ (over a remark ~) §(٥) قَرْح ؛ قَرْحة (٦) بلاء ؛ بلوى ؛ مصدر ألم أو إزعاج §(٧) sorely .

sorehead [sōr'hĕd'] *(n.)* شخص نزق أو سريع الغضب .

sorehead *or* **soreheaded** [sōr'-] *(adj.)* نَزِق ؛ سريع الغضب .

sorely [sōr'lĭ] *(adv.)* (١) على نحوٍ موجِع (vexed ~) (٢) بعنف (exerted ~) (٣) جداً ؛ إلى حدٍّ بعيد (was ~ tired) .

sore throat *(n.)* التهاب الحَلْق (ط) .

sorghum [sôr'gəm] *(L.)* (١) السَّــــرغوم : نبات كالذُّرة يُستخرج من بعض أنواعه (الذُّرةِ السُكَّرية) عصيرٌ سكّريٌّ وتتخذ من بعضها الأخرى (ذرةِ المكانس) مكانسُ وفراشٍ (٢) عصير الذُّرة السكَّرية (٣) شيء مفرط الحلاوة أو متهافت العاطفة .

sorgo [sôr'gō] *(It.)* الذُّرة السُكَّرية (را. sorghum I) .

soricine [-'ə sīn'] *(adj.)* شبيه بالزَّبابة (را. shrew I.1) .

sorites [sō rī'tēz] *(L.)* القياس المتسلسل (مق) .

sororal [sə rōr'əl] *(adj.)* = sisterly.

sororate [sə rōr'ət] *(n.)* الزواج من أختين أو أكثر .

sororicide [sə rôr'ə sīd'] *(L.)* (١) قتل الأخت (٢) قاتل أخته .

sorority [sə rôr'ə tĭ] *(n.)* نادٍ للفتيات أو النساء (وبخاصة في كلية) .

sorption [sôrp'-] *(n.)* (١) امتزاز (را. adsorb) (٢) امتصاص .

sorrel [sôr'əl] *(n.)* (١) فَرَس الخ. أسمر مُحْمَرّ (٢) لون أسمر مُحْمَرّ (٣) الحُمّاض (نب) .

sorrow [sŏr'ō] *(n.; vi.)* (١) حزن ؛ أسىً (٢) مِحنة ؛ بليّة (٣) أسَفٌ (٤) الضَرّاء (in ~ and in joy) §(٥) يحْزَن ؛ يأسَى .

sorrowful [sŏr'ə fəl] *(adj.)* (١) حَزين (٢) مُحْزِن .

sorry [sŏr'ĭ] *(adj.)* (١) «أ» حزين . «ب» آسف ؛ متأسِّف . (٢) مُوْسِف ؛ فاجع (came to a ~ end) (٣) تافه ؛ يُرثى له ؛ مثير لمزيج من الشفقة والسُخرية (a ~ underpaid official) .

sort [sôrt] *(n.; vt.; i.)* (١) نوع ؛ ضَرْب (٢) مجموعة ؛ طاقم (٣) «أ» طريقة ؛ أسلوب . «ب» طبيعة ؛ مزاج (people (He is not a bad ~ at all.) (٤) شخص ؛ شيء (of an evil ~) (٥) حرف أو قطعة من طاقم معيّن (طع) §(٦) يفْرز ؛ يصنف ×(٧) يعاشر (٨) ينسجم .

after a ~; in a ~, إلى حدٍّ ما .

of ~s; of a ~, رديء النوع ؛ من نوع رديء .

out of ~s مَغِيظ أو منحرف المزاج .

sorter *(n.)* (١) فا sort (٢) فارز الرسائل (في إدارة البريد) .

sortie [sôr'tē] *(F.)* (١) غارة المحاصَرين : هجمة مفاجئة يشنّها الجند المحاصَر على قوات العدوّ المحاصِرة (٢) هجمة (طي) .

sortilege [sôr'tə lĭj] *(n.)* (١) التكهّن بالقِداح ونحوها (٢) سِحْر .

sorus [sōr'əs] *(L.)* pl. **sori** الضامّة : إحدى مجموعات الأبواغ الشبيهة بالنُقط في السَراخس (نب) .

S O S [ĕs'ō'ĕs'] *(Save Our Souls)* أنقذونا : نداء استغاثة .

so-so [sō'-] *(adv.; adj.)* بين بين : ليس بالجيّد جداً ولا بالرديء جداً .

sot [sŏt] *(n.)* السِّكّير : مُدْمِن الخمر .

soteriology [sə tĭr'ĭ ŏl'ə jĭ] *(n.)* اللاهوت الخلاصي : لاهوت يبحث في الخلاص وبخاصةٍ من طريق المسيح (نص) .

Sothic [sō'thĭk] *(adj.)* شِعْراني : «أ» متعلق بالشِعرى اليمانية (فل) . «ب» متعلق بالسنة المصرية القديمة المؤلفة من ٣٦٥¼ يوماً .

Sothis [sō'thĭs] *(Gk.)* الشِعْرى اليمانية (فل) .

sottish [sŏt'ĭsh] *(adj.)* (١) أبلَه (٢) ثَمِل ؛ سكران .

sotto voce [sŏt'ō vō'chĭ] *(It.)* (١) «أ» هَمْساً . «ب» على انفراد . (٢) برِقّةٍ بالغة (play the finale ~) .

sou [sōō] *(F.)* (١) السُّو : «أ» عملة فرنسيّة قديمة . «ب» قطعة نقدية فرنسيّة قيمتها خمسة سنتيمات (٢) شيء ضئيل القيمة .

soubise [sōō bēz'] *(F.)* السوبيز : صلصة البَصَل .

soubrette [sōō brĕt'] *(F.)* (١) فتاة مغناج أو مستهترة ، وبخاصة في المسرحيات الهزلية (٢) ممثلة تؤدي هذا الدَور .

soubriquet [sōō'brə kā'] *(F.)* = sobriquet.

souchong [sōō'shŏng'] *(Chin.)* السُوشُنْغ : شاي أسود .

soufflé [sōō flā'] *(F.)* النَفيخة : كل طعام يُخبز على نحوٍ منفوخ أو مزبِد ويدخل في صُنعه البيض المخفوق (chocolate ~) .

soufflé *or* **souffléed** [-flād'] *(adj.)* نَفيخ : منفوخ بالخَبْز أو الطَّهْو (omelette ~) .

sough [sŭf; sou] *(vi.; n.)* (١) يئِن : يُحدِث صوتاً كالأنين أو التنهّد (wind ~*ing* in the branches) (٢) يغطّ أو يشخر (في نومه) §(٣) «أ» أنين (الريح الخ.) . «ب» تنهّدة عميقة أو عالية .

sought [sôt] *past and past part. of* seek.

soul [sōl] *(n.)* (١) النَفْس ؛ الروح (٢) جوهر (٣) مُلهِم ؛ قائد ؛ روح محرِّكة (of the rebellion ~) (٤) حيويّة ؛ شجاعة ؛ نشاط (٥) شخص ؛ نَفس (٦) نموذج الشيء مجسَّداً (She is the ~ of honor.)

souled [sōld] *(adj.)* ذو نَفْس (brave-*souled*) .

soulful [sōl'-] *(adj.)* عاطفيّ أو مُفعَم بالعاطفة (pose ~) .

soulless [sōl'-] *(adj.)* عديم النفس أو الحيوية أو النشاط .

soul mate *(n.)* شقيقُ النفس ؛ شقيقة النفس : خليل ؛ خليلة .

soul-searching [sōl'-] *(n.)* تحليل الذات : امتحان المرء ضميرَه وبخاصة في ما يتصل بالدوافع والقِيَم .

sou markee [sōō mär kā'] *(F.)* (١) السُّو المُعَلَّم : قطعة نقدية صغيرة من معدِن خسيس ضُربت أولَ الأمر للتداول في فرنسة ثم أُعيد ضربها للتداول في المستعمرات (٢) قُلامة ظُفر : شيء ضئيل القيمة (not worth a ~) .

sound [sound] *(adj.; adv.)* (١) «أ» سليم ؛ صحيح . «ب» لا عيب فيه (٢) «أ» راسخ ؛ ثابت . «ب» مستقر . «ج» متين (a ~ economy) . «د» مضمون مالياً (a ~ investment) (٣) «أ» دقيق ؛ مضبوط (a ~ estimate) . «ب» شرعيّ ؛ قانونيّ (a ~ title to land) . «ج» قويم أو متّفق مع الآراء المقبولة (a ~ doctrine) (٤) «أ» تام ؛ كامل (a ~ recovery) . «ب» عميق (sleep ~) . «ج» قاسٍ (a ~ whipping) (٥) موثوق ؛ معتمَد (a ~ friend) (٦) حَصيف §(٧) عميقاً ؛ على نحو عميق (slept ~) .

—soundness *(n.)*

sound [sound] *(n.)* (١) صوت (٢) ضجة ؛ ضجيج (٣) معنىً ؛ مغزىً ؛ انطباعة عقلية يخلّفها مسموعٌ أو مقروءٌ (The news has a sinister ~.) (٤) مَرْمَى السَمع أو مجاله (٥) مادة صوتية مسجّلة (على أسطوانات فونوغرافية أو أشرطة سينمائية) (٦) مضيق (٧) لسان بحريّ داخلٌ في البرّ (٨) المثانة الهوائيّة (في الأسماك) (٩) مِسْبار طبّي .

sound [sound] *(vi.; t.)* (١) يصوّت (٢) يتردّد ؛ يرجّع (الصدى) (٣) يبدو (That ~*s* incredible.) (٤) يدرس أو يبحث إمكانية كذا (sent commissioners to ~ for peace) (٥) يغوص (الحوت أو السمكة) فجأة ×(٦) يقرع ؛ يعزف الخ. (٧) يلفظ (each ~ syllable) (٨) يعلن ؛ يذيع (٩) يأمر أو يعطي إشارة

ما بالصوت (to ~ retreat) (١٠) يفحص (عضواً) بجعله يُطلق صوتاً (to ~ the lungs) (١١) يَسْبُر (١٢) يستطلع الآراء.
to ~ off (١) يتكلّم بصوت عالٍ (٢) يعبّر عن آرائه بحريّة وقوّة.

sound barrier *(n.)* الحاجز الصوتيّ ؛ جدار الصوت.

sound board *(n.)* = sounding board.

sound bow *(n.)* قوس الصوت : الجزء الغليظ من الناقوس الذي يقرعه اللسان أو القارعة.

sound box *(n.)* الصندوق المصوِّت : «أ» جزء من ذراع الفونوغراف تُثبَّت فيه الإبرة التي تتحرك فوق الأسطوانة. «ب» حُجَيْرة جوفاء في أداة موسيقية لتقوية جَهْوَريّتها.

sound camera *(n.)* الكاميرا الصوتيّة : آلة تصوير سينمائيّة مُعَدّة لتسجيل الصوت في وقت واحد مع الصورة على نفس الشريط.

sounder [soun'dər] *(n.)* فا sound وبخاصة : مِسْبار.

sounding [soun'dĭng] *(n.; adj.)* (١) «أ» سَبْر الأعماق. «ب» العمق المسبور. «ج» *pl.*: موضع في نهر أو بحر يبلغ خيطُ السَّبْر قعرَه (٢) رَصْد الأحوال الجويّة على ارتفاعات مختلفة (٣) استطلاع للآراء أو للرأي العام §(٤) مصوِّت (٥) مِرنان (٦) رنّان ؛ طنّان.

sounding board *(n.)* (١) موجِّهة الصوت: أداة لتوجيه صوت الخطيب أو الأوركسترا نحو جمهور النظارة (٢) اللوحة المصوِّتة: لوحة خشبية رقيقة تزوَّد بها الآلة الموسيقية الوترية لتزيد الصوتَ المنبعث منها وضوحاً وجَهارةً.

sounding line *(n.)* خَيْط السَّبْر : خيط أو حبل أو سلك يُشَدّ إلى طرَفه ثِقلٌ ويستخدَم لأغراض السَّبر.

sounding rocket *(n.)* صاروخ السَّبْر : صاروخ يستخدم للحصول على المعلومات الخاصة بالأحوال الجويّة على ارتفاعات مختلفة.

soundless [sound'-] *(adj.)* (١) لا يُسبَر غوره (٢) صامت.

soundly [sound'lĭ] *(adv.)* (١) على نحو سليم أو صحيح الخ. (٢) عميقاً (slept ~) (٣) تماماً (Her wound healed ~.) (٤) بحصافة أو وفقاً للمبادىء القويمة (٥) بعنف (shook him ~).

sound motion picture *(n.)* فيلم (سينمائي) ناطق.

soundproof [sound'proof'] *(adj.; vt.)* (١) عازلٌ للصوت §(٢) يجعل (السقفَ الخ.) عازلاً للصوت.

sound ranging *(n.)* تقدير المدى بالصوت.

sound track *(n.)* المَدْرَج الصوتي : ذلك الجزء من الفيلم السينمائيّ الحامل للتسجيل الصوتي.

sound truck *(n.)* السيّارة المُجلجلة: سيارة مزوّدة بمكبّر صوتٍ.

sound wave *(n.)* الموجة الصوتيّة.

soup [sōop] *(n.; vt.)* (١) حَساء (٢) سحاب أو ضباب كثيف (٣) مأزِق (in the ~) §(٤) يزيد قوة شيء أو فعاليته (to ~ up an engine).

soupçon [sōop sôn'] *(F.)* أثر ؛ مقدار ضئيل.

souped-up [sōopt'ŭp] *(adj.)* مقَوّى : زِيدَت قوته أو فعاليته.

soup kitchen *(n.)* مطعم الفقراء: مؤسسة تقدّم الحساء والخبز للفقراء.

soupy [sōo'pĭ] *(adj.)* (١) «أ» حسائيّ القوام. «ب» مُتَّسِم بالعاطفة المُفرِطة (٢) كثيف الضباب أو السحاب (~ weather).

sour [sour] *(adj.; n.; vi.; t.)* (١) حامض (٢) «أ» رائب (~ milk). «ب» نتن ؛ فاسد (a ~ smell) (٣) «أ» بغيض؛ كريه (a ~ job). «ب» فظّ ؛ شكِس ؛ نكِد ؛ متجهّم (٤) رطب (~ weather) (٥) رديء §(٦) «أ» شيء حامض. «ب» شيء بغيض أو كريه (٧) شراب مُسْكِر حامض §(٨) يتحمّض ؛ يتخمّر ؛ يَفْسد (٩) يصبح شكساً أو نكِد المزاج ×(١٠) يحمِّض ، يخمِّر ؛ يُفسِد (١١) يُغضِب ؛ يثير.
—**sourness** *(n.)*

source [sōrs] *(n.)* (١) «أ» منبع (النهر). «ب» ينبوع (ا.ق). (٢) سبَب (٣) أصل ؛ منشأ (٤) مَصْدَر.

source book *(n.)* مصدر أو مرجع أوّلي.

sour cherry *(n.)* البرقوق الكَرَزي؛ القَراصيا (نب).

sourdine [sōor dēn'] *(F.)* السوردين : آلة موسيقية مُماتة.

sourdough [sour'dō'] *(n.)* (١) خميرة متخمّرة (٢) منقّب عن الذهب (في كندا أو آلاسكا).

sour grapes *(n. pl.)* حِصْرِم حلَب : شيء يتظاهر المرء بعدم الرغبة فيه لأنه عاجز عن الحصول عليه.

sour salt *(n.)* = citric acid.

sourwood [sour'-] *(n.)* الشجرة الحامضة: شجرة حامضة الورق.

sousaphone [sōo'sə fōn'] *(n.)* السُّوسافون: آلة موسيقيّة.

sousaphone

souse [sous] *(vt.; i.; n.)* (١) يُخلّل : ينقع في الخل. (٢) «أ» يَغمر؛ ينقَع. «ب» يُشبِع ؛ يبلِّل تبليلاً تاماً (٣) يمطِره بوابلٍ من (٤) يُسْكِر ×(٥) ينْقَع ؛ يبَلَّل الخ. (٦) يَسْكر §(٧) «أ» المخلَّل ، وبخاصة : سمك أو لحم خنزير مخلَّل. «ب» محلول تخليل (٨) تخليل ؛ نقْع ؛ تبليل (٩) «أ» سكّير. «ب» إسراف في الشَّراب.

soutache [sōo tăsh'] *(F.)* شريط زينيّ مجدول.

soutane [sōo tän'] *(F.)* السُّوتان : ثوب الكاهن (كث).

south [south] *(adv.; adj.; n.)* (١) جنوباً ؛ نحو الجنوب §(٢) جنوبيّ §(٣) الجنوب (٤) منطقة جنوبيّة.

southbound [south'-] *(adj.)* مسافر أو متوجّه جنوباً.

Southdown [-'doun'] *(n.)* السَّوْسْدَن: خروف انكليزي صغير.

southeast [south'ēst'] *(adv.; adj.; n.)* (١) في أو نحو الجنوب الشرقيّ §(٢) جنوبيّ شرقيّ (a ~ wind) §(٣) الجنوب الشرقيّ (٤) *cap.*: مقاطعات أو بلاد واقعة إلى الجنوب الشرقي من نقطة ما.

southeaster [-ēs'tər] *(n.)* الريح أو العاصفة الجنوبيّة الشرقيّة.

southeasterly [-lĭ] *(adv.; adj.)* من أو نحو الجنوب الشرقي.

southeastern [south'ēs'tərn] *(adj.)* جنوبيّ شرقيّ.

Southeasterner [-'tər nər] *(n.)* الجنوبيّ الشرقيّ: أحد أبناء المناطق الجنوبيّة الشرقيّة (وبخاصة في الولايات المتحدة الأميركيّة).

southeastward [south'ēst'wərd] *(adv.; adj.; n.)* (١) نحو الجنوب الشرقي §(٢) قائم نحو الجنوب الشرقي §(٣) الجنوب الشرقيّ.

southeastwards [south'ēst'wərdz] *(adv.)* نحو الجنوب الشرقي.

souther [sou'thər] *(n.)* الريح أو العاصفة الجنوبيّة.

southerly [sŭth'ər lĭ] *(adj.; adv.)* (١) جنوبيّ §(٢) من الجنوب (The wind blew ~) (٣) نحو الجنوب (turned ~.).

southern [sŭth'ərn] *(adj.; n.)* (١) جنوبيّ : «أ» واقع نحو الجنوب. «ب» مقبل من الجنوب §(٢) الجنوبيّ : أحد أبناء الجنوب.

Southern Cross *(n.)* صليب الجنوب (فل).

Southern Crown *(n.)* كوكبة الإكليل الجنوبي (فل).

Southerner [sŭth'ər nər] *(n.)* الجنوبيّ : أحد أبناء الجنوب.

southernism [-nĭz əm] *(n.)* الجنوبيّة: لفظة أو عبارة أو سِمَةٌ خاصة بأهل الجنوب.

southern lights *(n.)* الشفق القطبيّ الجنوبيّ (أر).

southernly [sŭth'ərn lĭ] *(adj.)* جنوبيّ .
southernmost [sŭth'ərn mōst'] *(adj.)* واقع في أقصى الجنوب .
southernwood [sŭth'-] *(n.)* الشجرة الجنوبيّة : ضربٌ من القَيْصوم .
southing [sou'thing] *(n.)* التجنيب : حركة نحو الجنوب .
southland [south'-] *(n.)* أرض جنوبيّة ؛ الجزء الجنوبي من بلد .
southpaw [south'pô] *(n.; adj.)* (١) الأعسر : العامل بيُسْراه ؛ وبخاصة : لاعب بايسبول أعسر §(٢) أعسر ؛ « عسراوي » .
south pole *(n.)* القطب الجنوبي (جغ) .
Southron [sŭth'rən] *(adj.; n.)* (١) جنوبيّ ؛ وبخاصة : انكليزي (اسك) §(٢) الجنوبيّ : أحد أبناء الجنوب ؛ مثل : «أ» شخص انكليزي (اسك). «ب» اميركي من ابناء الجنوب .
southward [south'wərd] *(adv.; adj.; n.)* (١) جنوباً ؛ نحو الجنوب §(٢) جنوبيّ §(٣) الجنوب (sail to the ~) .
southwards [south'wərdz] *(adv.)* جنوباً ؛ نحو الجنوب .
southwest [south'wĕst'] *(adv.; adj.; n.)* (١) إلى أو نحو أو في الجنوب الغربي §(٢) جنوبيّ غربيّ (a ~ wind) §(٣) الجنوب الغربي (٤) الريح الجنوبيّة الغربيّة .
southwester [-wĕs'tər] *(n.)* الريح أو العاصفة الجنوبيّة الغربيّة .
southwesterly [- lĭ] *(adv.; adj.)* نحو أو من الجنوب الغربي .
southwestern [-'tərn] *(adj.)* جنوبيّ غربيّ (~ towns) .
Southwesterner [-'tər nər] *(n.)* الجنوبي الغربيّ : أحد أبناء الجنوب الغربيّ ، وبخاصة في الولايات المتحدة الأميركيّة .
southwestward [south'wĕst'wərd] *(adv.; adj.; n.)* (١) نحو الجنوب الغربيّ §(٢) الجنوب الغربي (to the ~) .
southwestwards [-'wərdz] *(adv.)* نحو الجنوب الغربي .
souvenir [sōō'və nĭr'] *(F.)* تَذْكار .
souvenir sheet *(n.)* (١) الطوابع التذكاريّة (٢) الطابع التذكاري .
sou'wester [sou'wĕs'tər] *(n.)* (١) الريح أو العاصفة الجنوبيّة الغربيّة (٢) السّوَسْتَر : «أ» سترة طويلة مشمّعة تُرتدى في البحر بخاصة عند هبوب العواصف. «ب» قبعة عريضة الحافة صامدة للماء .
sovereign [sŏv'rĭn] *(n.; adj.)* (١) «أ» عاهل ؛ مليك ؛ مليكة . «ب» سيّد (٢) السَّفَرْن : جنيه انكليزي ذهبيّ §(٣) «أ» مسيطر مهيمن. «ب» مطلق (the ~ power of the pope). «ج» مستقلّ ؛ ذو (أو ذات) سيادة (a ~ state) (٤) «أ» رئيسيّ (Character is of ~ importance.) . «ب» ممتاز (his ~ sense of humor) «ج» فعّال ؛ ناجع (a ~ cure for colds) . «د» غالب ؛ سائد (a ~ conception) (٥) مليكيّ ؛ غير مقيد (a ~ right) .
sovereignty [sŏv'rĭn tĭ] *(n.)* (١) «أ» سلطة عليا. «ب» سيادة ؛ استقلال (٢) دولة ذات سيادة .
soviet [sō'vĭ ĕt'] *(n.; adj.)* (١) السوفيات : «أ» مجلس حكومي منتخَب في بلد شيوعي . «ب» *pl. cap.* : البلاشفة . «ج» *pl. cap.* : شعب الاتحاد السوفياتي ؛ وبخاصة : قادتُه السياسيّون والعسكريون §(٢) *cap.* ا.ك : سوفياتي .
sovietism [sō'vĭ ə tĭz əm] *(n.)* السوفياتية : «أ» الحكم بواسطة المجالس السوفياتية. «ب» الشيوعية .
sovietization [sō'vĭ ĕt'ə zā'shən] *(n. often cap.)* السَّوْفَتَة .
sovietize [sō'vĭ ə tīz'] *(vt. often cap.)* يُسَوْفِت : «أ» يُخضع للسيطرة السوفياتية . «ب» يجعله مطابقاً للأنماط الثقافيّة السوفياتيّة . «ج» يحوّله إلى حكم سوفياتي .
sovkhoz [sŏf'kŏz'] *(Russ.)* pl. **-khozy** *or* **-khozes** : السوفخوز مزرعة حكومية في الاتحاد السوفياتي تدفع أجوراً للعاملين فيها (قا kolkhoz) .

sovran [sŏv'rən] *(n.; adj.)* = sovereign.
sow [sou] *(n.)* (١) الخِنزيرة : أنثى الخِنزير (٢) «أ» قناة السبك : القناة الناقلة للمعدن المذاب إلى قالب السبك . «ب» ingot .
sow [sō] *(vi.; t.)* (١) يَبْذُر (الحَبَّ) ×(٢) يَزْرَع (٣) ينثر ؛ يوزّع (٤) يثير (~ *ing a* suspicion here and a doubt there) .
sowbelly [sou'bĕl'ĭ] *(n.)* لحم خنزير مملّح .
sow bug [sou] *(n.)* = pill bug.
sower [sō'ər] *(n.)* الباذر ؛ الزارع ؛ الناثر الخ .
sowing [sō'ing] *(n.)* بَذْر ؛ زَرْع ؛ نَشْر الخ .
sown [sōn] *past part. of* sow.
sow thistle *(n.)* التِّفاف : عشب ذو عصارة لبنيّة .
sox [sŏks] *pl. of* sock.
soy [soi] *(n.)* (١) صلصة فول الصويا (٢) فول الصويا .
soya [soi'ə] ; **soyabean** [soi'ə-] **soybean** [soi'-] *(n.)* فول الصويا .
spa [spä] *(n.)* (١) «أ» ينبوع مياه معدنيّة . «ب» المُنْتَجَع المعدني : مُنْتَجَعٌ يرتاده النّاس رغبةً في مياهه المعدنيّة (٢) فندق أو مُنْتَجَعٌ مُتْرَف .
space [spās] *(n.; vt.)* (١) فترة ؛ مُدّة (There was peace for a ~.) (٢) «أ» مسافة ؛ مساحة . «ب» مدى ؛ سعة (٣) حيِّز ؛ مكان ؛ فُسحة (the seating ~ of an auditorium) (٤) الفضاء : المنطقة الواقعة خارج جو الأرض أو خارج النظام الشمسي (٥) «أ» فراغ أو بياض (بين الكلمات أو السطور) . «ب» رقيقة معدنيّة لإحداث مثل هذا الفراغ (طع) (٦) عدد الأسطر (التي تتألف منها مادّةٌ مطبوعة أو مكتوبة) (٧) الفترة المخصَّصة للمعلنين (في الاذاعة أو التلفزيون) (٨) محلّ « في طائرة الخ. » (reserved his ~ two weeks ago) §(٩) يباعد بين (الكلمات الخ.) .
space charge *(n.)* الشِّحنة الحَيِّزية (كب) .
spacecraft [spās'-] *(n.)* السفينة الفضائيّة ؛ سفينة الفضاء .
space flight *(n.)* الطيران الفضائي : الطيران خارج جوّ الأرض .
space lattice *(n.)* الشبكة الحيّزية : ترتيب الذرات الهندسي في بلّورة .
spaceless [spās'-] *(adj.)* (١) لا محدود ؛ غير محدود (٢) لا حيّزي ؛ غير محتلٍّ حيِّزاً .
spaceman [spās'-] *(n.)* الفضائي ؛ رائد الفضاء : من يقوم برحلة خارج جو الأرض .
space mark *(n.)* علامة الفصل أو التوسيع (في تصحيح التجارب الطباعية وهي هكذا #) .
space medicine *(n.)* الطبّ الفضائي : فرع من الطب يبحث في الآثار الفسيولوجيّة والبيولوجيّة التي يخلّفها الطيران خارج جو الأرض في الجسم البشري .
space platform *(n.)* = space station.
spaceport [spās'-] *(n.)* الميناء الفضائي : قاعدة لإطلاق الصواريخ أو القذائف أو الأقمار الصُنعيّة .
spacer [spā'sər] *(n.)* المباعِدة : أداة للمباعدة بين الكلمات الخ. في آلة تنضيد طباعيّة .
spaceship [spās'shĭp'] *(n.)* السفينة الفضائيّة ؛ سفينة الفضاء .
space station *(n.)* المحطــــة الفضائيّة : قـــمرٌ صُنعيّ يُطلَق إلى مدارٍ ثابت حول الأرض ويستخدَم كقاعدة للرصد العلمي .
space suit *(n.)* البذلة الفضائيّة : بذلة خاصة يرتديها روّاد الفضاء .

space-time [spās'tīm'] *(n.; adj.)* (١) الزَّمكان: الزمان–المكان: المتّصل الرباعيّ الأبعاد الناشىء (وفقاً لنظريق النسبية) عن اندماج الزمان بالأبعاد الثلاثة §(٢) زَمكانيّ: زمانيّ مكانيّ.
spaceward [spās'wərd] *(adv.)* نحو الفضاء.
space writer *(n.)* الكاتب الحيّزي: كاتب يُدفَع إليه أجره على أساس الحيّز الطباعي الذي تحتلّه كتاباته.
spacey *(adj.)* (١) سكران (٢) مخدَّر (٣) غريب جدًّا.
spacial [spā'shəl] *(adj.)* (١) حيّزيّ؛ مكانيّ (٢) فضائيّ.
spacing [spā'sĭng] *(n.)* (١) مباعدة (بين الكلمات عند التنضيد الطباعي) (٢) «أ» فسحة. «ب» المسافة بين شيئين في سلسلة نظاميّة.
spacious [spā'shəs] *(adj.)* (١) «أ» رَحْب؛ فسيح. «ب» واسع؛ شامل (٢) مُترَف؛ غنيّ (the ~ life of the wealthy).
spackle *(vt.; n.)* (١) يمعجن §(٢) معجون (لملء الشقوق).
spade [spād] *(n.; vt.)* (١) مِسحاة؛ رَفش؛ مجراف (٢) البستوني (في ورق اللعب) أو الشدّة §(٣) يسحو؛ يرفش؛ يجرف.
spadework [spād'wûrk'] *(n.)* (١) السِّحاية: عملٌ يُنجز بالمِسحاة (٢) كَدْح؛ عملٌ كادح.
spadix [spā'dĭks] *(L.)* pl. **spadices** [-'dī'sēz] الطَّلْع؛ الطَّلعة: ازهرار مؤلف من محور يحمل أزهاراً لاطئة وحيدة الشق (نب).
spaghetti [spə gĕt'ĭ] *(It.)* (١) السباغيتي: معكرونة طويلة رفيعة. (٢) الأنبوب العازل: أنبوب تُدخل فيه الأسلاك لعزلها (كب).
spagyric [spə jĭr'ĭk] *(adj.)* = alchemic.
spahi [spä'hē] *(Per.)* السَّباهي: فارس بجيش السلطان العثماني الخاص.
spall [spôl] *(n.; vt.; i.)* (١) شظيّة، وبخاصة من حجارة §(٢) يشظّي ×(٣) يتشظّى. —**spallation** *(n.)*
span [spăn] *(n.; vt.)* (١) «أ» شِبْر. «ب» الشبر الانكليزي: وحدة انكليزية للطول تساوي تسعة إنشات (٢) امتداد؛ اتساع؛ وبخاصة: مدة حياة المرء على الأرض. «ب» الباع: المسافة بين دعامتي أو كتفيّ قنطرة. «ج» جزء بين دعامتين (في جسر) (٣) القرينان: بغلان أو فرسان قُرِنَ أحدهما إلى الآخر §(٤) «أ» يشبُر. «ب» يقيس بالشبر. «ب» يقيس (٥) يجتاز (٦) يمتد «زمنياً»؛ يستغرق (٧) يمتد فوق كذا؛ يشكّل شبه جسر على (A rainbow ~ *ned* the lake.) (٨) يجسّر؛ يقيم جسراً على.
spandrel [spăn'drəl] *(n.)* السبَنْدَل: الفُسحة المثلثية (المزخرفة عادةً) بين المنحنى الخارجيّ الأيمن أو الأيسر من قوس أو قنطرة وبين الزاوية القائمة المطوِّقة (عم).

S. spandrel

spang [spăng] *(adv.)* (١) كُلّيّةً؛ بكلّ ما في الكلمة من معنى (~ full) (٢) تماماً (~ in the middle).
spangle [spăng'gəl] *(n.; vt.; i.)* (١) الترتيرة، اللُّمعة: واحدة الترتير أو اللُّمَع أو «البرَق» وهو ما توشّى به الملابس الخ. من صفائح معدنيّة أو لدائنيّة صغيرة لامعة (٢) شيء صغير لامع §(٣) يوشّي بالترتر (٤) يرصّع بلُمَع صغيرة ×(٥) يتلألأ.
Spaniard [spăn'yərd] *(n.)* الأسبانيّ: أحد أبناء اسبانية.
spaniel [spăn'yəl] *(n.)* (١) السبَنيَلي: كلب صغير قصير القوائم، طويل الشعر متموّجه، كبير الأذنين مسترخيهما (٢) الذليل؛ الخنوع.
Spanish [spăn'ĭsh] *(n.; adj.)* (١) الاسبانية: اللغة الاسبانيّة. (٢) الشعب الاسبانيّ §(٣) اسبانيّ.
Spanish American *(n.)* الأميركي الاسباني: «أ» أحد أبناء بلد أميركيّ اسبانيّ وبخاصة إذا كان اسبانيّ الأصل. «ب» مقيم بالولايات المتحدة الأميركيّة لغتُه الأمّ اسبانيّة وثقافتُه ذات أصل اسبانيّ.
Spanish bayonet *(n.)* الحَربة الاسبانيّة: نبات من الفصيلة الزنبقية ذو أوراق ضيّقة شائكة الرؤوس.
Spanish fly *(n.)* الأُخَيضِر؛ الذُّرّاح المُنفَّط؛ الذباب الهندي.
Spanish influenza *(n.)* = influenza.
Spanish mackerel *(n.)* الإسقُمريّ الاسبانيّ: سمك بحريّ ضخم.
Spanish omelet *(n.)* الأومليت الاسبانيّة: عُجّة بيض تضاف إليها صلصة مشتملة على فلفل أخضر وبصل وطماطم.
Spanish paprika *(n.)* الفُلَيفِلة الدَّغَليّة أو الاسبانيّة (نب).
Spanish rice *(n.)* الأرزّ الأسبانيّ: أرزّ مطهوّ مع البصل والفلفل الأخضر والطماطم.
spank [spăngk] *(vt.; i.; n.)* (١) يصفَع، وبخاصة على الكَفَل. (٢) يوبّخ بقسوة ×(٣) ينطلق بسرعة أو برشاقة (٤) يسقط مُحْدِثاً دويّاً §(٥) صفعة أو ضربة مدوّية أو دويُّهما.
spanker [spăngk'ər] *(n.)* (١) شراع المؤخّرة (مل) (٢) فرس سريع (٣) شيء رائع أو ضخم أو استثنائي.
spanking [-'ĭng] *(adj.)* (١) رائع؛ ضخم (٢) رشيق؛ نشيط.
spanner [spăn'ər] *(n.)* مفتاح ربْط أو صمولة.

spanner

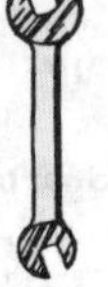

span-new [spăn'nū'] *(adj.)* = brand-new.
span roof *(n.)* السطح المُسنَّم: سطح ذو جانبين منحدرين.
spar [spär] *(n.; vi.)* (١) السارية؛ الصاري؛ القائم. (٢) العَضُد: أحد الأجزاء الجانبيّة الرئيسية من جناح الطائرة (٣) حركة هجوميّة أو دفاعيّة في الملاكمة (٤) مباراة ملاكمة (٥) نزاع (٦) السبّار: معدن لمّاع يتقشّر بسهولة إلى رقائق §(٧) «أ» يتصارع كالديكة. «ب» يتجادل؛ يتشاحن (٨) يتظاهر بالملاكمة (٩) يتناوش؛ يتقاتل مناوشةً.
sparable [spăr'ə-] *(n.)* منقار الدُّوري: مسمار للنعال صغير لا رأس له.
spare [spâr] *(vt.; i.; adj.; n.)* (١) «أ» يصفح عن. «ب» يستبقي؛ يبقي على (٢) يستثني «من حملة أو هجومٍ الخ.» (٣) يوفّر على (٤) يوفّر (٥) يجتنب؛ يُحْجِم عن (٦) يستغني عن (couldn't ~ the car) ×(٧) يبخَل؛ يحيا حياة البخلاء (٨) يرقّ؛ يلين؛ يرحم §(٩) احتياطيّ؛ إضافيّ (a ~ tyre) (١٠) فائض (~ time) (١١) شحيح؛ مقتصِد (١٢) نحيل قليلاً (١٣) هزيل؛ ضئيل؛ طفيف (~ diet) §(١٤) «أ» دولاب (سيّارة) إضافيّ. «ب» قطعة احتياطيّة (كبطاريّة أو نظّارتين). «ج» قطعة غيار (بر). «د» عضوٌ إضافيّ (في فريق رياضي). —**sparely** *(adv.)* —**spareness** *(n.)*
spare parts *(n. pl.)* قِطع الغيار أو التبديل.
spareribs [spâr'rĭbz] *(n. pl.)* الإرْب الضِّلعيّ: قطعة من لحم الخنزير بخاصة تتألف من أطراف الأضلاع القليلة اللحم.
sparge [spärj] *(vt.; i.)* يرشّ؛ ينضح؛ يبلّل.
sparing [spâr'ĭng] *(adj.)* (١) مقتصِد؛ بخيل (٢) هزيل؛ ضئيل.
spark [spärk] *(n.; vi.; t.)* (١) شرارة (٢) ومضة (٣) جوهرة صغيرة؛ وبخاصة: ماسة (٤) «أ» جرثومة. «ب» ذرة؛ مقدار صغير (a ~ of interest) (٥) «أ» فتى شديد التأنّق. «ب» زير نساء §(٦) يرسل أو يُحدث شرراً (٧) يستجيب بحماسة (~ *ed* to the idea) (٨) يتغازلان ×(٩) ينشّط (١٠) يحثّ (١١) يغازل.
spark arrester *(n.)* كابحة الشرَر؛ مانعة الشرَر.
spark coil *(n.)* الملفّ الشراريّ: ملفّ موصِل لإحداث الشرَر.
spark gap *(n.)* فُرجة الشرارة (كب).
sparking plug *(n.)* = spark plug.
sparkle [spär'kəl] *(vi.; n.)* (١) يُطلِق شرراً (٢) يتلألأ (٣) يتألق: يعمل ببراعة؛ يبلي بلاءً حسناً (٤) يفور (٥) يتّقد؛ يشتعل (غضباً

أو ذكاء) §(٦)شرارة (٧) تلألؤ ، تألق (٨) أثرٌ ضئيل (a ~ of his former high spirits) (٩) حيوية (١٠) فوران .

sparkler [spär'klər] *(n.)* (١) ماسة (٢) المُشَرِّرة : ضرب من الألعاب النارية يُطلق شرارات لامعة .

sparkling [spär'klĭng] *(adj.)* (١) متلألىء ، متألق (٢) رائع ؛ مُذْهِل (a ~ performance) (٣) مفعَم بالحيوية (٤) فوّار .

spark plug *(n.)* الشمعة : شمعة الإشعال (سي) .

spark transmitter *(n.)* جهاز الارسال الشَّراري (رد) .

sparling [spär'lĭng] *(n.)* الهِفّ أو الحَسّاس الأوروبي (سمك) .

spark plug

sparrow [spăr'ō] *(n.)* العصفور ؛ الدُّوري .

sparrowgrass [spăr'ō grăs] *(n.)* = asparagus.

sparrow hawk *(n.)* الباشق : طائر من الجوارح .

sparse [spärs] *(adj.)* (١)متفرق ؛ متناثر ؛ غير كثيف (a ~ population) (٢) خفيف ؛ غير كث (his ~ hair) (٣) ضئيل (a ~ shade) . **—sparsely** *(adv.)*

Spartacist [spär'tə sĭst] *(n.)* السبارتاكوسي : عضو في حزب سبارتاكوس الاشتراكي المتطرف الذي ظهر في ألمانيا عام ١٩١٨ .

Spartan [spär'tən] *(n.; adj.)* (١) الاسبارطي : أحد أبناء اسبارطة القديمة (٢) شخص عظيم الشجاعة والجَلَد §(٣) اسبارطيّ : «أ» منسوب إلى اسبارطة . «ب» مُتّسِم بالبساطة وبالاقتصاد في الانفاق والكلام وبالبعد عن الترف وبضبط النفس وبالصرامة والجَلَد .

sparteine [-'tĭ ēn'] *(L.)* الإسْبَرْتِين : سائل شبه قلوي مرير سام (ك) .

spar varnish *(n.)* طِلاء الصواري : طلاء خارجيّ صامد للماء .

spasm [spăz'əm] *(n.)* (١) التشنّج : تقلّص عضليّ لاإراديّ وغير سويّ (٢)«أ» نوبة (a ~ of coughing) . «ب» فورة نشاط .

spasmodic ; -al [spăz mŏd'-] *(adj.)* (١) تَشَنّجيّ . (٢) متقطّع (~ efforts) (٣) اهتياجي أو سريع الاهتياج .

spastic [spăs'tĭk] *(adj.; n.)* (١) تَشَنّجيّ (٢) مصاب بالشلل التشنّجي (~ child) §(٣) المصاب بالشلل التشنّجي .

spastic paralysis *(n.)* الشّلل التشنّجيّ (مض) .

spat [spăt] *past and past part. of* spit.

spat [spăt] *(n.; vt.; i.)* (١)«أ» بيض المحار وغيره من الحيوانات المائيّة الصدفيّة . «ب» محارة صغيرة . «ج» صغار المَحار (٢) *pl.* عد : طِماق الكاحل : وقاء للجزء الأعلى من الحذاء محيط بالكاحل (٣)مشاحنة ، مشاجرة قصيرة أو بسيطة (٤) صفعة (ع) (٥) قَرْع أو صوت شبيه بصوت المطر المتساقط بحبّات كبيرة (~ of bullets) §(٦) يَصْفَع (ع) ×(٧)يتشاحن ، يتشاجر شجاراً قصيراً أو بسيطاً (٨)يقرع ، أو يسقط ويضرب ، بصوت شبيه بصوت المطر المتساقط بحبات كبيرة (Bullets were ~ *ting* down.) (٩) يضع (المحارُ) بيضَه .

spats 2.

spate [spāt] *(n.)* (١) فيضان (٢) فَيْض ، مقدار وافر . (٣) انفجار مفاجىء (a ~ of anger) .

spathe [spāth] *(n.)* الكافور ، الكُفُرَّى : شبه قمع يحيط ببعض أشكال الازهار ككافور الطَّلعة في النخل .

spathulate [spăth'-] *(adj.)* = spatulate.

spatial [spā'shəl] *(adj.)* (١) حَيِّزِيّ ، مكانيّ (٢) فضائيّ .

spatiotemporal [spā shĭ ō tĕm'-] *(adj.)* زَمْكانيّ : زمانيّ مكانيّ .

spatter [spăt'ər] *(vt.; i.; n.)* (١) يُرَشْرِش ، يلوّث برشاش سائلٍ ما ؛ « يُطرطِش » (٢) ينثر بالترشيش (to ~ mud) (٣) يُبقّع : يكسو بالبُقَع (٤) يُصيب في عدة أماكن (Bullets ~ *ed* the wall.) (٥) يشوّه السمعة ×(٦) يترشّش : يتساقط على شكل قطرات أو ذرّات (٧) يَطِش : يُطلق قطراتٍ أو ذراتٍ (كمادّةٍ تَغْلي على النار) §(٨) ترشيش ، ترشّش (٩) تَرْشاش ؛ طَشاش (١٠) بقعة أو لطخة .

spatterdock [-dŏk'] *(n.)* النوفار : زنبق مائيّ شماليّ أميركيّ أصفر .

spatula [spăch'ə lə] *(L.)* المِلوَق ، المِبسط : ملعقة (أو سكين) الصيدلانيّ يَبْسُط بها المواد أو يمزجها .

spatulate [spăch'ə lĭt ;-lāt'] *(adj.)* مِلوَقيّ الشكل (را. المادة السابقة) .

spavin [spăv'ĭn] *(n.)* الورم العرقوبي : ورم يصيب الخيل في عراقيبها .

spawn [spôn] *(vt.; i.; n.)* (١) تضع السمكةُ الخ. بيضها . (٢) يُحدِث ، يُنتِج ، يُفرِخ ×(٣) تبيض §(٤) السِّرْء : بيض السمك الخ. (٥) نِتاج (the ~ of instinct)(٦) بذرة ، جرثومة .

spay [spā] *(vt.)* يَخْصي أنثى الحيوان (باستئصال مبيضها) .

speak [spēk] *(vi.; t.)* (١)«أ» يتكلّم . «ب» يوبّخ . «ج» يخطب ؛ يلقي خطاباً (٢) ينطق بلسان (Writers ~ for their age.) (٣) يطلب ، يقدم طلباً (٤) يَشْهَد أو يدلّ على ×(٥)«أ» يقول ؛ يلفظ . «ب» يلقي قصيدةً الخ. «ج» يصرح (بما يجول بفكره) . «د» يخاطب . «هـ» يَذْكر (~ me to her.) (٦) يُمثّل (ceased to ~ the will of the citizens) (٧)يُبْدي ؛ يُظهر ؛ ينطق بـ (Her smile ~*s* devotion.) (٨) يعلن بإطلاق صوت معيّن مميز (Trumpets ~ his presence.)(٩)يسأل (١٠)يصِف.

so to ~, إذا جاز التعبير .

to ~ for oneself (١) يعبر عن آرائه أو مشاعره الخ. بطريقته الخاصة (٢) يتكلم عما يتعلّق به فقط .

to ~ out *or* up (١)يتكلّم جهاراً أو بوضوح (٢)يعبّر عن رأيه بحرية ومن غير تردّد أو خوف .

speakeasy [spēk'ē'zĭ] *(n.)* حانة ؛ وبخاصة : حانة غير مُرخّص بها .

speaker [spē'kər] *(n.)* (١) «أ» المتكلّم . «ب» الخطيب . «ج» الناطق بلسان هيئة الخ. (٢) الرئيس (لهيئة تشريعية) (٣) المِجهار : مكبِّر للصوت .

speaking [spē'-] *(adj.)* (١)ناطق (٢)«أ» فصيح ، بليغ . «ب» معبِّر إلى حدّ بعيد (a ~ face) (٣) أمين ، شبيه بالأصل شبهاً شديداً .

speaking tube *(n.)* أنبوب التخاطب : أنبوبٌ للتخاطب بين أجزاء مختلفة من المبنى الواحد .

spear [spĭr] *(n.; adj.; vt.; i.)* (١) «أ» رمح . «ب» حَرْبة . (٢) الرَّمّاح ، حامل الرمح (٣) ورقة (عشبٍ) جديدة ؛ برعم أو فرع جديد §(٤) أبويّ ، ذَكَريّ (the ~ side of the family) §(٥) يطعن برمح أو حربة ×(٦) يُطلِع أوراقاً أو براعم أو فروعاً جديدة .

spearfish [spĭr'-] *(n.; vi.)* (١) الراموح : سمك بحري ضخم قويّ ذو خطم طويل سيفيّ الشكل §(٢) يصيد (السمك) بالحربة .

spearhead [spĭr'-] *(n.; vt.)* (١)السِّنان: نَصْل الرمح (٢) رأس الحربة : القوة المتقدمة أو الرائدة في هجوم أو عمل §(٣) يتقدم كرأس حربة (The dive bombers ~*ed* panzer forces.) .

spearman [spĭr'-] *(n.)* الرَّماح ، الرامح ، حامل الرمح .

spearmint [spĭr'mĭnt'] *(n.)* النَّعْنَع ، النَّعناع السُّنبلي (نب) .

spearwort [spĭr'wûrt'] *(n.)* الحَوْذان : نباتٌ عشبيّ .

special [spĕsh'əl] *(adj.; n.)* (١) استثنائيّ : غير اعتياديّ (~ importance)(٢)حميم ، عزيز (a ~ friend) (٣)«أ» خاص. «ب» خصوصي (٤) مفصّل (a ~ confession) §(٥) الخاص

(from the general to the ~) (٦) قطار خاصّ (٧) عدد خاصّ (من جريدة أو مجلّة).

special act *(n.)* القانون الخاص: تشريع يُطبَّق على أشخاص معيّنين أو في منطقة معيّنة فقط.

special delivery *(n.)* البريد المستعجل.

special drawing rights حقوق السّحب الخاصة (إد).

specialism [spĕsh'ə lĭz'əm] *(n.)* (١) تخصّص (في مهنة أو حقل من حقول المعرفة) (٢) حقل اختصاص.

specialist[spĕsh'əl ĭst] *(n.)* الاختصاصي (في عمل أو عِلم ما).

speciality[spĕsh'ĭ ăl'ə tĭ] *(n.)* (١)«أ» الخاصّيّة: صفة أو ميزة خاصّة؛ علامة مميِّزة. «ب» *pl.*: تفاصيل (٢) سلعة (أو صنف من السّلَع) من نوع فريد او ممتاز يجعلها موضع اهتمام المستهلكين أو إعجابهم ويخرجها من نطاق المنافسة التجارية (٣) حقل اختصاص (٤) عقد؛ صكّ.

specialization[spĕsh ə lə zā'-] *(n.)* (١) تخصيص (٢) تخصّص.

specialize [spĕsh'ə līz'] *(vt.; i.)* (١) يُخصِّص×(٢) يتخصّص.

special jury *(n.)* هيئة المحلّفين الخصوصيّة: هيئة محلّفين تختارها المحكمة من عناصر تتميّز بالثقافة والحصافة، عند النظر في دعوى خطيرة.

specially [spĕsh'əl ĭ] *(adv.)* (١) خِصِّيصاً؛ (٢) خصوصاً؛ بخاصة (٣) إلى حدّ بعيد.

specialty [spĕsh'əl tĭ] *(n.)* (١) الخاصّيّة: صفة أو علامة مميِّزة. (٢)«أ» عقد؛ صكّ. «ب» speciality 2 (٣) الخصوصيّة: كون الشيء خصوصياً او مميِّزاً (٤) حقل اختصاص.

specie [spē'shĭ] *(n.)* نقد أو عملة مسكوكة.
(١) نقداً (٢) عيناً؛ من نفس النوع (٣) بدون تعديل in ~,
to return insult in ~, يردّ الاهانة بمثلها.

species [spē'shĭz] *(n.; adj.)* (١) «أ» صِنف؛ ضَرْب. «ب» الجنس البَشَريّ (progress of the ~ in science). «ج» النّوع (أح) (٢) خبز القربان المقدّس وخمرُهُ (٣)«أ» صورة ذهنيّة. «ب» شكل؛ مظهر §(٤) نوعيّ: منسوب إلى نوع أحيائي معيّن (a ~ rose).

specific [spĭ sĭf'ĭk] *(adj.; n.)* (١) معيّن؛ محدَّد (٢) دقيق؛ واضح (a ~ analysis) (٣) خاصّ؛ مميِّز (a ~ feature) (٤) نوعيّ: «أ» فعّال في معالجة مرض معيّن. «ب» ناشىء عن سبب معيّن (a ~ disease). «ج» خاصّ بنوع أحيائيّ معيّن (~ characters) §(٥) العلاج النوعيّ: علاج فعّال بالنسبة إلى مرض معيّن (Quinine is a ~ for malaria.) (٦)«أ» صفة مميّزة. «ب» تفاصيل. «ج» *pl.*: مواصفات.

specifically *(adv.)* (١) على وجه التخصيص (٢) بصورة دقيقة.

specification [spĕs'ə fə kā'shən] *(n.)* (١) تخصيص؛ تعيين؛ تفصيل (٢)«أ» مواصفة؛ مواصفات. «ب» بند خاص. «ج» وصفٌ كتابي لاختراع (يقدَّم عند طلب البراءة الخاصة به).

specific duty *(n.)* الرسم الجمركي النّوعيّ.

specific gravity *(n.)* الثِّقل النّوعيّ (فز).

specific heat *(n.)* الحرارة النوعيّة: عدد السُّعْرات الضرورية لرفع حرارة غرام واحدٍ من مادة ما درجةً مئويّة واحدة.

specify [spĕs'ə fī'] *(vt.)* (١) يخصِّص؛ يعيِّن؛ يفصِّل. (٢) يُواصِف: يُدخل (بنداً) في مواصفات مشروعٍ ما الخ.

specimen [spĕs'ə mən] *(L.)* (١) عيِّنة؛ نموذج (٢) شخص.

speciosity [spē'shĭ ŏs'ə tĭ] *(n.)* (١) حُسْن ظاهريّ (٢) مَظهر خادع؛ شيء حسَن الظاهر.

specious [spē'shəs] *(adj.)* (١) خادع؛ غرّار؛ حسَن المظهر. (٢) معقول أو مقبول ظاهراً (a ~ claim).

speck [spĕk] *(n.; vt.)* (١) بُقْعَة؛ نُكْتَة؛ لطخة (٢) ذرّة؛ مقدار ضئيل جداً (٣) شيءٌ مُبقَّع الخ. وبخاصة: ثمرة رديئة ولكنها صالحة للطهو §(٤) يبقّع.

speckle [spĕk'əl] *(n.; vt.)* (١) بقيْعَة؛ لُطَيْخَة؛ نقطة. §(٢) ينقِّط؛ يُعلِّم ببُقَيْعات.

speckled [spĕk'əld] *(adj.)* مُبقَّع؛ منقَّط؛ أرقط؛ أرقش.

specs[spĕks] *(n. pl.)* (١) نظارة؛ «عوينات» (٢) مواصفات.

spectacle[spĕk'tə kəl] *(n.)* (١)«أ» مشهد؛ وبخاصة: مشهد غير اعتياديّ أو لافتٌ للنظر أو مسلٍّ. «ب» عرض مسرحي الخ. على نطاق ضخم. «ج» موضوع فضول أو سخرية (made a ~ of herself at the party) (٢) *pl.*: نظّارة؛ «عوينات» (٣) كل ما يشبه نظارة أو عوينات، مثل: حلقتان حول عينَيْ بعض الطيور الخ.

spectacled [spĕk'tə kəld] *(adj.)* (١) لابس نظارة (٢) مُنظَّر: ذو علامات لونيّة على الجلد تشبه النظارة (~ alligator).

spectacular [spĕk tăk'yə lər] *(adj.; n.)* (١)«أ» مَشْهَديّ: ذو علاقة بالمشاهد. «ب» مقصود به إثارة العَجَب والاعجاب بعرض غير مألوف للمشاهد المتّسمة بالأبهة والفخامة (a ~ play) (٢) دراماتيكيّ؛ مثير؛ مُذْهِل (a ~ rise in prices) §(٣) شيء مَشْهَديّ أو مثير (كبرنامج تلفزيونيّ ضخم الخ.).

spectate [spĕk'tāt'] *(vi.)* يَشْهَد (مباراةً رياضيّة الخ.).

spectator [spĕk'tā tər] *(n.)* المُشاهِد؛ المُتفرِّج؛ وبخاصة: أحد النظارة في حفلة رياضيّة الخ.
—**spectatress** *(n. fem.)*

specter *or* **spectre** [spĕk'tər] *(F.)* شَبَح.

spectral [spĕk'trəl] *(adj.)* (١) شَبَحيّ (٢) طَيفيّ (ض).

spectral line *(n.)* الخطّ الطيفيّ (ض).

spectro- بادئة معناها: طيف (*spectro*graph).

spectrogram [spĕk'trə grăm'] *(n.)* الصّورة الطّيفيّة.

spectrograph [spĕk'trə grăf'] *(n.)* مِرسمة الطّيف (ض).

spectroheliograph [spĕk'trō hē'lĭ ə grăf] *(n.)* مِرسمة الطّيف الشمسي (فل).

spectrohelioscope[-'lĭ ə skōp'] *(n.)* مِرقَبة الطيف الشمسيّ.

spectrometer [spĕk trŏm'ə tər] *(n.)* مقياس الطيف (ض).

spectrophotometer[spĕk'trō fō tŏm'-] *(n.)* السبكتروفوتومتر: أداة لقياس شدة الضوء النسبية بين مختلف أجزاء الطيف (ض).

spectroscope[spĕk'-] *(n.)* المِطْياف: مِنظار التحليل الطيفيّ (ض).

spectroscopy [spĕk trŏs'kə pĭ] *(n.)* المِطيافيّة: التحليل الطيفي باستخدام المِطياف.

spectrum [spĕk'trəm] pl. **-tra** *or* **-trums** (١) الطيف: صورة تحدُث عند مرور الضوء الأبيض في موشور فينحلّ إلى سبعة أنوار ملوّنة هي الأحمر فالبرتقاليّ فالأصفر فالأخضر فالأزرق فالنيليّ فالبنفسجيّ (٢) سلسلة؛ نطاق (a wide ~ of interests).

spectrum analysis *(n.)* التحليل الطيفيّ.

specular[spĕk'yə lər] *(adj.)* (١) مِرآويّ: برّاق؛ ذو سطح أملس عاكس (a ~ metal) (٢) مِنظاريّ: ذو علاقة بالمِنظار الطبي أو مجْريّ بالاستعانة به (a ~ examination).

speculate[spĕk'yə lāt'] *(vi.)* (١) يتفكّر؛ يتأمّل (٢) يتحزّر. (٣) يضارب: يشتغل في المضاربات التجاريّة.
—**speculator** *(n.)*

speculation [spĕk'yə lā'shən] *(n.)* (١) تفكُّر؛ تأمُّل. (٢) تحزُّر؛ تخمين (٣) مضاربة (في البورصة).

speculative [spĕk'yə lā'tĭv] *(adj.)* (١) تفكّري ؛ تأمّلي . (٢) تحزّري (٣) «أ» مضاربٌ (a ~ trader) . «ب» مضاربيّ : محفوف بالمخاطر أو متّسمٌ بطابع المضاربة (a ~ enterprise) . «ج» مجتذِبٌ للمضاربين بخاصةٍ (a ~ stock) .

speculum [spĕk'yə ləm]*(L.)* pl. **-ula** *or* **-ulums** (١)المنظار الطبّي (٢) «أ» مرآة قديمة (برونزية أو فضية) . «ب» عاكسة (في أداة بصَريّة) (٣)جدول أو رسم يظهر المواقع النسبية لجميع الكواكب السيّارة (٤) بقعة ملوّنة (في جناح بطة او طائر) .

sped [spĕd] *past and past part. of* speed.

speech [spēch] *(n.)* (١)«أ» كلام . «ب» حديث (٢) خُطبة ؛ خطاب (٣) لغة ؛ لهجة (٤) مَلَكة الكلام أو القدرة عليه .

speechify [spē'chə fī'] *(vi.)* يَخْطب : يلقي خُطبةً أو خُطباً .

speechless [spēch'lĭs] *(adj.)* (١)أبكم ؛ أخرس (٢) صامت . (٣) مُخرَس (~ fright) (٤) لا يوصف : يعجز اللسان عن وصفه (~ beauty) .

speed [spēd] *(n.; vi.; t.; adj.)* (١) نجاح ؛ حظّ سعيد (ا.ق) . (٢) سرعة (٣) درجة حساسية الفيلم للضوء (فو) §(٤)يوفّق ؛ ينجح (٥) «أ» يُسْرِع . «ب» ينطلق بسرعة مفرطة أو غير مسموح بها ×(٦) يساعد (ا.ق) (٧) يسرّع ؛ يعجّل (~*ed* up the engine) (٨) يُطلق (to ~ an arrow) §(٩) سُرعيّ : ذو علاقة بالسرعة .

speedboat [spēd'bōt'] *(n.)* الزورق البخاري السريع .

speedily [spē'dĭ lĭ] *(adv.)* (١) بسرعة ؛ بعجلة (٢) قريباً جداً .

speed limit *(n.)* السرعة القصوى .

speedometer [spē dŏm'ə-] *(n.)* عدّاد السرعة (في سيارة الخ.) .

speed trap *(n.)* شَرَك السرعة : جزء من الطريق يكمن فيه الشرطة لضبط السيارات المسرعة .

speedup [spēd'ŭp'] *(n.)* إسراع ؛ وبخاصة : إسراع في الإنتاج يطلبه ربّ العمل من عماله بدون زيادة في الأجر .

speedway [spēd'wā'] *(n.)* طريق السرعة : «أ» طريقٌ يُسمَح فيها بالاسراع في قيادة السيارة . «ب» طريق لسباق السيارات الخ.

speedwell [spēd'wĕl] *(n.)* الويرونيكة : زهرة الحواشي (نب) .

speedy [spē'dĭ] *(adj.)* سريع ؛ عاجل .

speleology [spē'lē ŏl'-] *(n.)* دراسة المغاور والكهوف أو اكتشافها .

spell [spĕl] *(n.; vt.; i.)* (١)«أ» رُقْية . «ب» سِحْر ؛ انسحار . (٢)نفوذ أو سلطان طاغٍ (٣)«أ» دور ؛ نوبة (The sailor's ~ at the wheel was three hours.) . «ب» فترة تُقْضَى في عمل ما (a ~ of service in the tropics) (٤) فترة (a long ~) (٥) نوبة (a ~ of coughing) §(٦) يَسْحر ؛ يفتِن (٧) يقرأ ببطء وصعوبة (٨)«أ» يكتشف (تتبعها *out*). «ب» يفهم (تتبعها *out*) (٩) «أ» يتهجّى (لفظةً) . «ب» يرسم الكلمة (إملائيّاً) . «ج» يؤلف ؛ يشكّل (What word do these letters ~ ?) «د» يعْني ؛ يفيد (١٠) يتناوب العملَ (~*ed* each other) (١١) يُريح ×(١٢) يتناوب (to ~ at the oars) (١٣) يستريح فترةً (من عملٍ الخ.) .

to ~ down يُهزَم في مباراة بالتهجئة .

to ~ out يوضح (بتعابير لا لَبْس فيها) .

spellbind [spĕl'bīnd] *(vt.)* يَسْحَر ؛ يفتِن .

spellbinder [spĕl'bīn'dər] *(n.)* المتحدث أو الخطيب الساحر .

spellbound [spĕl'-] *(adj.)* مسحور (a ~ audience) .

speller [spĕl'ər] *(n.)* (١) المتهجّي (٢) كتابٌ لتعليم التهجّي .

spelling [spĕl'ĭng] *(n.)* تهجئة ؛ هجاء .

spelt [spĕlt] *(n.)* العَلَس ؛ الحنطة المكتسية الأصلية .

spelt [spĕlt] *past and past part. of* spell.

spelter [spĕl'tər] *(n.)* الزِّنك ؛ وبخاصة : الزِّنك التجاري (مع) .

spelunker [spē'lŭngk'ər] *(n.)* هاوي اكتشاف الكهوف ودراستِها.

spelunking [-'ĭng] *(n.)* هواية اكتشاف الكهوف والمغاور ودراستِها.

spence ; spense [spĕns] *(n.)* = pantry.

spencer [spĕn'sər] *(n.)* (١)السبَنْسَر : سِترة قصيرة (٢)شراع .

Spencerian [spĕn sĭr'ĭ ən] *(adj.)* سبَنْسَريّ : «أ» منسوب إلى هربرت سبنسر أو فلسفته. «ب» متعلق بشكل من الخطّ اليدوي المائل.

Spencerianism [-'ĭ ə nĭz'əm] *(n.)* السبَنْسَرية : فلسفة هربرت سبنسر القائلة بتطور الكون من البساطة النسبية إلى التعقيد النسبيّ .

spend [spĕnd] *(vt.; i.)* (١) يُنفِق (٢) يُضني ؛ يُنهِك . (٣) يستعمل ؛ يَستخدم (٤) يبدّد (٥) يَبْذل (دَمَه الخ.) ؛ يضحّي بـ (٦)يقضي (الشتاء الخ.) ×(٧) ينفق أو يبدّد الثروة أو القوة (٨)يُنْفِق (to make money ~ well) .

spendable [spĕn də bəl] *(adj.)* قابلٌ أو متيسّرٌ للإنفاق.

spending money *(n.)* = pocket money.

spendthrift [spĕnd'thrĭft'] *(n.; adj.)* (١)المبذّر §(٢) مبذّر .

Spenglerian [s(h)pĕng lĭr'ĭ ən] *(adj.; n.)* (١)اشبَنْغلَريّ : خاص بنظرية في تاريخ العالم وضعها أوزوولد اشبنغلر تقول بأنّ جميع الثقافات الرئيسية تخضع لتطورات دوريّة مماثلة من النشوء إلى النضج إلى الفناء §(٢) الاشبَنْغلَريّ : أحد أتباع اشبنغلر.

Spenserian [spĕn sĭr'ĭ ən] *(adj.)* سبَنْسَريّ : ذو علاقة بالشاعر ادموند سبنسر أو آثاره .

spent [spĕnt] *(adj.)* (١) مُستهلَك (~ powder) (٢) ميتّة : أُطلقت فهي بعدُ عديمة النفع (a ~ bullet) (٣) منهوك القوى.

spent [spĕnt] *past and past part. of* spend.

sperm [spûrm] *(n.)* (١) المَنِيّ : السائل المنوي (٢) العنبر : حوت عظيم ذو أسنان (٣) زيت العنبر : زيت يستخرج من هذا الحوت (٤) spermaceti .

sperm- *or* **spermo-** بادئة معناها : بذرة ؛ جرثومة ؛ مَنِيّ .

spermaceti [spûr'mə sĕt'ĭ] *(n.)* العنبرية : مادة شمعية ضاربة إلى البياض تستخرج من زيت رأس الحوت المعروف بالعنبر .

spermaduct [spûr'mə dŭkt] *(n.)* القناة المنويّة (ت) .

spermary [spûr'mə rĭ] *(n.)* المَحْيا المَنوي (مج) ؛ الخصية .

spermat- بادئة معناها : بذْرة ؛ جرثومة ؛ مني .

spermatic [spûr măt'ĭk] *(adj.)* مَنَويّ .

spermatic cord *(n.)* الحبْل المَنويّ (ت) .

spermatic fluid *(n.)* المَنِيّ ؛ السائل المنوِيّ .

spermatism [spûr'mə tĭz əm] *(n.)* قَذْف المَنِيّ .

spermatium [spûr mā'shĭ -] *(L.)* pl. **-tia** [-shĭ ə] المَنوَى : المشيج الذكر في الطحلب الأحمر .

spermato- بادئة معناها : بَذْرة ؛ جرثومة ؛ مَنِيّ .

spermatocidal [spûr mə tə sīd'əl] *(adj.)* مبيد أو قاتلٌ للمَنِيّ .

spermatocyte [spûr'mə tə sīt'] *(n.)* الخلية المنوية : خلية مولِّدة للخلايا المنوية (أح) .

spermatogenesis [spûr'mə tə jĕn'ə sĭs] *(L.)* تكوّن المَنِيّ .

spermatogonium [spûr'mə tə gō'nĭ əm] *(L.)* pl. **-nia** الخليّة الجرثوميّة الذكَريّة (أح) .

ă at; ā date; â care; ä car; ĕ egg; ē me; ĭ in; ī bite; ŏ lot; ō bone; ô orphan; oi boil; ŏŏ good; ōō boot; ou out; ŭ under; ū unity; û urgent; th thing; t͟h this; zh vision; ə = *a* in alone, *e* in system, *i* in easily, *o* in gallop, *u* in circus.

spermatophore[spûr'mə tə fōr'] *(n.)* حامل المنيّ : كُيَيْس حاملٌ للحُيَيّات المنوية (ح) .

spermatophyte [spûr'mə tə fīt'] *(n.)* النبات البِزْريّ .

spermatozoid [spûr'mə tə zō'id] *(n.)* الحُيَيّ الذَّكَريّ (نب)

spermatozoon [-tə zō'ŏn] *(L.)* pl. **-zoa** الحُيَيّ المَنَويّ (ح) .

spermine [spûr'mēn] *(n.)* الاسبرمين : مادة قاعديّة دهنيّة متبلّرة توجد بخاصة في المني وفي الخميرة (ك) .

sperm oil *(n.)* زيت العنبر : زيت يستخرج من الحوت المعروف بالعنبر .

spermophile[spûr'mə fīl'] *(n.)* اليَحْبُوب : حيوان من القوارض .

sperm whale *(n.)* العَنْبَر : حوت عظيم ذو أسنان .

sperrylite [spĕr'ə līt'] *(n.)* الإسبَرّليت (مع) .

spew [spū] *(vi.; t.; n.)* (١) يتقيأ (٢) يفيض (٣) ينزّ §(٤) قيء .

sphagnum [sfăg'nəm] *(L.)* الإسفَغْنُوم : نوع من الطحالب .

sphalerite [sfăl'ə rīt'] *(G.)* كبريتيد الزنك (مع) .

sphene [sfēn] *(F.)* الإسفين : سليكات الكلسيوم والتيتانيوم (مع) .

spheno- *or* **sphen-** بادئة معناها : إسفين ؛ إسفينيّ الشكل .

sphenoid [sfē'-] ; **sphenoidal**[-noi'-] *(adj.)* إسفينيّ ؛ وتِديّ .

sphenoid [sfē'noid] *(n.)* العظم الإسفينيّ (ت) .

spheral[sfĭr'əl] *(adj.)* (١) كُرَويّ (٢) «أ» مُتّسِق . «ب» متناغم .

sphere [sfĭr] *(n.; vt.)* (١) «أ» الكُرة السماويّة . «ب» كُرَة جغرافية (٢) «أ» كُرَة ؛ جسمٌ كُرَويّ . «ب» نجم ؛ كوكب سيّار (٣) منزلة اجتماعيّة (٤) «أ» منطقة (of influence ~) . «ب» دنيا ؛ عالم ؛ مجال النشاط أو ميدانه (woman's ~) §(٥) يحيط بـ (٦) يجعله كُرَوياً .

spherical [sfĕr'ə kəl] *(adj.)* كُرَويّ ؛ كُرِّيّ .

spherical aberration *(n.)* الزَّيْغ الكُرَوي (ض) .

spherical angle *(n.)* الزاوية الكُرَويّة (هن) .

spherical coordinate *(n.)* الإحداثي الكُرَوي (ر) .

spherical excess *(n.)* الزيادة الكُرَويّة (ر) .

spherical geometry *(n.)* الهندسة الكُرَويّة .

spherical triangle *(n.)* المُثلث الكُرَوي (هن) .

spherical trigonometry *(n.)* حساب المثلثات الكُرَويّة (ر) .

spherics [sfĕr'iks] *(n.)* (١) الهندسة الكرويّة (٢) حساب المثلّثات الكرويّة .

spheroid [sfĭr'oid] *(n.)* الكُرَواني : جسمٌ شبيه بالكرة (هن) .

spheroidal [sfĭ roi'-]; **spheroid** *(adj.)* كُرَواني : شبيهٌ بالكرة .

spherometer [sfĭ rŏm'ə tər] *(n.)* مقياس التكوّر .

spherule [sfĕr'ōōl] *(n.)* الكُرَيّة : كرَة صغيرة .

sphery[sfĭr'ĭ] *(adj.)* (١) كُرَويّ ؛ نجميّ (٢) متعلق بالأجرام السماويّة .

sphincter [sfĭngk'tər] *(n.)* العاصرة : العضلة العاصرة (ت) .

sphinx [sfĭngks] *(Gk.)* (١) السفينكس : كائن خرافيّ في الميثولوجيا الاغريقية، له جسم أسد ، وأجنحة، ورأس امرأة وصدرُها (٢) أبو الهَول .

sphinx 1.

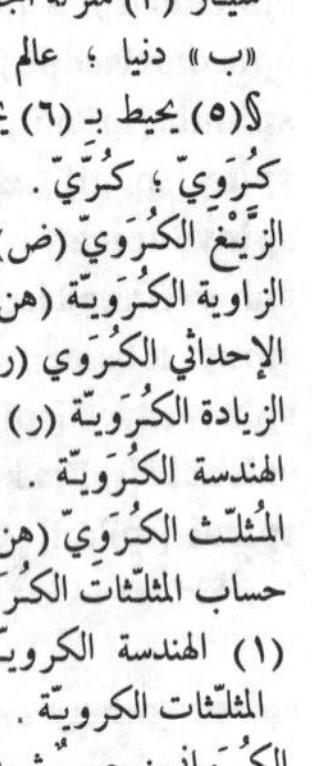

sphragistic [sfrə jĭs'tĭk] *(adj.)* خاتَميّ : متعلّق بخَتْم أو خاتَم منقوش .

sphragistics [-'tĭks] *(n. pl.)* الخاتميات : عِلم الأختام والخواتم المنقوشة .

sphygmograph[sfĭg'mə grăf'] *(n.)* المِنْباض ؛ مِرْسمة النَّبْض .

sphygmomanometer[sfĭg'mō mə nŏm'ə-] *(n.)* المِضْغاط : أداة لقياس ضغط الدم الشرياني بخاصة .

sphygmometer[sfĭg mŏm'ə tər] *(n.)*=sphygmograph.

spica [spī'kə] *(L.)* pl. **-cae** [-sē] *(n.)* (١) العِصابة أو الضّمادة السُّنبليّة (٢) *cap.* : السُّنبلة (فل) .

spicate [spī'kāt] *(adj.)* (١) مُسْتَنْبِل : ذو سنابل (٢) مُسنبَل : سنبليّ الترتيب (flowers ~) (٣) سنبليّ : سنبليّ الشكل (inflorescence ~) .

spice [spīs] *(n.; vt.)* (١) التابل : أحد التوابل (٢) طِيب §(٣) يتبّل .

spiceberry [spīs'-] *(n.)* الغُلْطِيريّة المُسطّحة ؛ شاي كندا .

spicery [spī'sə rĭ] *(n.)* (١) توابل (٢) نكهةٌ أو رائحة تابليّة .

spick-and-span *or* **spic-and-span**[spĭk'ən spăn'] *(adj.)* (١) جديد تماماً (٢) أنيق .

spicula [spĭk'yə lə] *(L.)* pl. **-e** [-lē] = spicule.

spiculate [spĭk'yə lāt'] *(adj.)* شائك ؛ مكسوّ بالأشواك .

spicule [spĭk'ūl] *(L.)* شوكة (أح) .

spiculum [spĭk'yə ləm] *(L.)* pl. **-la** [-lə] = spicule.

spicy [spī'sĭ] *(adj.)* (١) تابليّ : «أ» له صفةُ التابل أو نكهتُه أو عبيره . «ب» منتجٌ توابل . «ج» كثير التوابل (٢) مفعم بالحيويّة (٣) لاذع (criticism ~) (٤) «أ» بذيء (language ~) . «ب» غير محتشِم (magazines ~) .

spider [spī'dər] *(n.)* (١) عَنْكبوت (ح) (٢) مِقلاة .

spider crab *(n.)* السّرطان العنكبوتيّ : سرطان طويل القوائم رفيعها (ح) .

spider monkey *(n.)* السّعدان العنكبوتيّ : سعدان أميركيّ نحيل ، مهزول القوائم طويلها ، ذو ذيل طويل مُعَدّ للامساك بالأغصان والالتفاف حولها .

spider monkey

spider phaeton *(n.)* المركبة العنكبوتيّة : مركبة أو عربة عالية البدن ذات عجلات كبيرة رفيعة .

spider web *also* **spider's web** *(n.)* الشَّعّ : بيت العنكبوت .

spiderwort [spī'dər wûrt] *(n.)* العَنْكبوتية : نبات أزرق الزهر أو بنفسجيه .

spidery [spī'də rĭ] *(adj.)* (١) عنكبوتيّ (٢) كثير العناكب .

spiegeleisen [spē'gəl ī'zən] *also* **spiegel** [spē'gəl] *(G.)* تماسيح الحديد المنغنيزي .

spiel[spēl] *(n.; vi.)* (١) حديث ؛ كلام §(٢) يتحدّث ؛ يتكلم (ع) .

spier [spī'ər] *(n.)* = spy.

spiffy [spĭf'ĭ] *(adj.)* (١) أنيق ؛ حسن المظهر (٢) رائع ؛ ممتاز ؛ بارع .

spigot [spĭg'ət] *(n.)* (١) سِدادة ؛ سِطام (٢) حنفيّة .

spike [spīk] *(n.; vt.)* (١) الرَّزّة : مسمار ضخم : «أ» أحد المسامير الشائكة في أعلى الجدار (لمنع المرور) . «ب» أحد النتوءات المعدنيّة في النعل لمنع الانزلاق (٢) الحذاء المرزّز : حذاء مزوّد بمثل هذه النتوءات (٣) شيء كالمسمار الكبير ، مثل : «أ» سمكة إسقمريّ صغيرة . «ب» قرنُ الوعلِ الصغير غيرُ المتشعّب (٤) سنبلة (٥) عنقود زهريّ طويل مستدقّ الطرَف §(٥) يُرزّز : يثبّت أو يزوّد بمسامير ضخمة (٧) «أ» يثقب أو يؤذي بمسمار كبير . «ب» يسمّر المدفع : يعطّل عمل المدفع القديم تعطيلاً موقتاً بإقحام مسمار ضخم في فوّهته . «ج» يُفسد ؛ يُحَبْط ؛ يعطّل المفعول (٨) يضيف الكحول (أو المُسْكِر) إلى شراب .

spiked [spīkt] *(adj.)* (١) «أ» مُسْنبِل : ذو سنابل . «ب» مُسنبَل : سنبليّ الازهار (flowers ~) (٢) شائك .

spike heel *(n.)* الكعب المسماريّ : كعبٌ عالٍ جداً مستدقّ الطرَف يزوَّد به الحذاء النسوي .

spikelet [spīk'lit] *(n.)* (١) سُنَيْبلة (٢) عُنَيْقيد زهريّ .

spikenard [spīk'nərd] *(n.)* (١) مرهم الناردين : مرهم عطري عند القدماء (٢) النارِدين ؛ سُنبُل الطِّيب (نب).
spiky [spī'kĭ] *(adj.)* شائك : ذو رأس ناتيء حادّ.
spile [spīl] *(n.; vt.)* (١) ركيزة ؛ دعامة (٢) سِدادة ؛ سِطام (للبرميل). (٣) أنبوب صغير يقحم في شجرة لاستخراج نُسغها §(٤) «أ» يسُدّ . «ب» يستخرج (النسغ) بأنبوب صغير (٥) يدعم.
spiling [spī'lĭng] *(n.)* مجموعة ركائز أو دعائم.
spill [spĭl] *(vt.; i.; n.)* (١) يسفك ؛ يسفح (٢) «أ» يريق . «ب» يجعله يتناثر (dropped the bag and ~ *ed* sugar all over the floor) . «ج» يُسقط (من عل) (٣) يحرّر الشراع من ضغط الريح (٤) يُسقِط (Her horse *spilt* her.) (٥) يُفشي (السرّ) × (٦) «أ» يُراق ؛ يندلق ؛ يتناثر . «ب» يتدفق (٧) يَسقط (من عربة أو عن ظهر جواد) §(٨) سقوط (من عربة أو عن ظهر جواد) (٩) شيء مُراق أو مسفوح الخ . (١٠) قناة (لتصريف فائض المياه من سدّ أو نهر) (١١) شظية خشبية (١٢) قضيب معدني (١٣) لفافة ورقية أو رُقاقة خشبية لإضرام النار (١٤) سِدادة ؛ سِطام .
spillage[-'ĭj] *(n.)* (١) مص spill (٢) مقدار الشيء المُراق أو المسفوح.
spillikin [spĭl'ə kĭn] *(n.)* = jackstraw.
spillway [-'wā'] *(n.)* قناة (لتصريف فائض المياه من سدّ أو نهر).
spilt [spĭlt] *past and past part. of* spill.
spilth [spĭlth] *(n.)* (١) مص spill (٢) «أ» شيء مُراق . «ب» نُفاية .
spin [spĭn] *(vi.; t.; n.)* (١) يغزل (٢) ينسج (٣) يدوم ؛ يدور بسرعة (٤) «أ» تَسقط (الطائرة) مدوِّمة . «ب» يهبط لولبياً بسرعة ×(٥) يجعل (الذهب أو الزجاج الخ.) خيوطاً (٦) يُطيل ؛ يمدّ (٧) يلفّق (قصةً) (٨) يُدير ؛ يجعله يدور (٩) يَنبذ بالقوة الطاردة عن المركز أو بمثلها §(١٠) «أ» غَزْل ؛ نَسْج ؛ تدويم . «ب» دوران سريع (١١) هبوط لولبيّ (طي) (١٢) دُوار عقلي ؛ تشوّش ذهني .
to ~ a yarn يلفّق قصةً .
spinach [spĭn'ĭch; -ĭj] *or* **spinage** [-ĭj] *(Per.)* (١) الإسفاناخ ؛ السبانخ (نب) (٢) «أ» شيء بغيض أو غير مرغوب فيه . «ب» مَرْجة أو لِحية الخ . غير مشذّبة .
spinal [spī'nəl] *(adj.; n.)* (١) فقريّ ؛ شوكيّ §(٢) الخُدار الشوكيّ : خُدار يُحدَث بتخدير الحبل الشوكيّ .
spinal canal *(n.)* القناة الشوكية (ت).
spinal column *(n.)* العمود الفقري (ت).
spinal cord *(n.)* الحبل الشوكي (ت).
spindle [spĭn'dəl] *(n.; vi.; adj.)* (١) مِغزل ؛ وَشيعة (٢) عمود دوران ؛ محور دوران (مك) §(٣) يستطيل مستدقاً : يصبح طويلاً ونحيلاً §(٤) مِغزليّ الشكل .
spindle-legged[spĭn'dəl lĕg'ĭd] *(adj.)* طويل الرجلين مهزولهما .
spindlelegs [spĭn'dəl lĕgz'] *(n. pl.)* (١) رجلان طويلتان مهزولتان (٢) رجل طويل الرجلين مهزولهما .
spindle-shanked [-shăngkt'] *(adj.)* = spindle-legged.
spindling [spĭnd'lĭng] *(adj.)* (١) طويل ؛ نحيل (٢) ضعيف .
spindly [spĭnd'lĭ] *(adj.)* = spindling.
spindrift [spĭn'drĭft] *(n.)* زَبَد الموج ؛ رَذاذ الموج .
spine [spīn] *(n.)* (١) «أ» العمود الفقري . «ب» عِماد ؛ قوة رئيسية ؛ محور مركزيّ . «ج» ظهر الكتاب (الحامل عنوانه واسم مؤلفه واسم ناشره) (٢) شوكة («نب» و«ح») (٣) نتوء مستدقّ في عظم .

spinel *or* **spinelle** [spĭ nĕl'] *(It.)* الإسبنيل (مع)
spineless [spīn'-] *(adj.)* (١) لا فقاريّ (٢) ضعيف ؛ ضعيف الشخصية .
spinescent [spī nĕs'ənt] *(adj.)* شائك ؛ شوكيّ .
spinet [spĭn'ĭt] *(It.)* السّبنيت : «أ» آلة موسيقية قديمة تشبه البيان . «ب» بيان صغير . «ج» أرغن ألكتروني صغير .
spinnaker [spĭn'ə kər] *(n.)* شراع مثلث ضخم (مل) .
spinner [spĭn'ər] *(n.)* (١) فا spin ؛ وبخاصة : الغزّال . (٢) طُعم مدوِّم أو دوّار (لصيد السمك) .
spinneret[-'ə rĕt'] *(n.)* المِغزال : العضو الناسج للخيوط (في العناكب)
spinney [spĭn'ĭ] *(F.)* أيكة أو غيضة صغيرة الأشجار .
spinning[spĭn'-] *(n.)* (١) غَزْل (٢) إطالة (٣) تدويم ؛ دوران سريع .
spinning jenny *(n.)* المِغزلة : مِغزل آليّ قديم .
spinning wheel *(n.)* المِغزل ؛ دولاب الغزل .
spinose [spī'nōs] *(adj.)* شائك ؛ شوكيّ .
spinosity [spī nŏs'ə tĭ] *(n.)* (١) الشائكية ؛ الشوكية : كون الشيء شائكاً أو شوكياً (٢) شيء عسير أو مثير للغضب (كمشكلة أو معضلة) .

spinning wheel

spinous [spī'nəs] *(adj.)* (١) شائك ؛ شوكيّ (٢) حادّ .
spinous process *(n.)* النامية أو الناشزة الشوكية («ت» و«ح») .
Spinozism [spĭ nō'zĭz əm] *(n.)* السّبينوزية : فلسفة سبينوزا .
spinster[spĭn'-] *(n.)* (١) الغزّالة : امرأة حِرفتها الغزل (٢) العانس .
spinthariscope [spĭn thăr'ə skōp'] *(n.)* منظار أشعة ألفا .
spinule [spī'nūl; spĭn'ūl] *(n.)* الشُّوَيكة : شوكة صغيرة .
spiny [spī'nĭ] *(adj.)* (١) شائك (٢) شوكيّ .
spiny anteater *(n.)* = echidna.
spiny-finned [spī'nĭ fĭnd'] *(adj.)* شائك الزعانف
spiny lobster *(n.)* الكَرْكَنْد (أو جراد البحر) الشائك .
spiny-rayed [spī nĭ rād'] *(adj.)* = spiny-finned.
spiracle [spī'rə kəl] *(L.)* الفُوَهة التنفسية (في الحشرات والحيتان) .
spiral [spī'rəl] *(adj.; n.; vi.; t.)* (١) لولبيّ ؛ حَلَزونيّ . §(٢) لولب ؛ حَلَزون (٣) طيران لولبيّ §(٤) يتخذ سبيلاً لولبياً ×(٥) يلولب : يلفّ لولبياً .
spiral galaxy *or* **nebula** *(n.)* المجرّة اللولبية ؛ السّديم اللولبيّ (فل) .
spiral spring *(n.)* النابض أو الزّنبرك اللولبيّ .
spirant [spī'rənt] *(adj.; n.)* = fricative.
spire [spīr] *(n.; vi.)* (١) «أ» ورقة عشب . «ب» عُسلوج (نب) (٢) قمة ؛ ذروة (٣) «أ» بُرج . «ب» قمة مستدقة §(٤) يَنبُت (٥) يرتفع عالياً أو مستدقاً (مثلَ برج) (٦) يرتفع أو يهبط الخ . لولبياً .

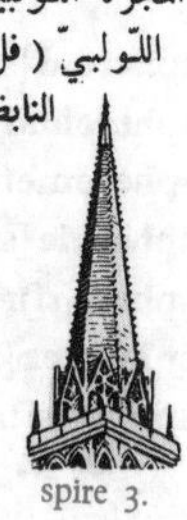

spire 3.

spirea *or* **spiraea** [spī rē'ə] *(n.)* الإكليل ؛ الإكليلية الإسبيرية : جَنْبة من الفصيلة الوردية .
spired[spīrd] *(adj.)* (١) مُبرَّج : ذو برج (a ~ church) (٢) مستدقّ الطَّرف (٣) لولبيّ .
spiriferous [spī rĭf'ər əs] *(adj.)* (١) مُلَوْلَب : ذو عضو أو جزء لولبيّ (ح) (٢) spired .
spirillum [spī rĭl'əm] *(L.)* pl. **-rilla** الحُلَيْزين ؛ الحَلَزونية : بكتير حلزونيّ الشكل (بك) .
spirit [spĭr'ĭt] *(n.; vt.)* (١) الروح (٢) «أ» شبح . «ب» روح

شريرة (٣) .cap : الروحُ القُدُس (نص) (٤) «أ» .pl : مزاج عقليّ أو نفسيّ . «ب» حيوية ؛ نشاط . «ج» شجاعة ؛ عزم (٥) شخص ؛ شخصيّة (.Amjad was a noble ~) (٦)روح (of the age ~)(٧) «أ» كحول. «ب»محلول كحوليّ . «ج» مُسْكِرٌ قويّ (.Salma drinks beer but no ~ s) §(٨)ينشّط ؛ يشجّع ؛ ينفخ فيه روحاً (٩)يخطف ؛ يخطف بطريقة خفيّة (.The man was ~ *ed* away) .

in high ~ *s* مبتهج ؛ جذلان .

in poor *or* low ~ *s* / out of ~ *s* حزين ؛ كئيب ؛ منقبض النفس.

spirited [spĭr'ĭt ĭd] *(adj.)* نشيط ؛ جريء ؛ شجاع ؛ مفعَم بالحيوية.

spiritism [spĭr'ĭ tĭz'əm] *(n.)* (١) الأرواحيّة : الاعتقاد بأن أرواح الموتى تتصل بالاحياء عبْر وسيطٍ عادةً (٢) تحضير الأرواح .

spiritist [spĭr'ĭ tĭst] *(n.)* (١) الأرواحيّ : المعتقِد بالأرواحيّة . (٢) محضِر الأرواح .

spirit lamp *or* **stove** *(n.)* ساعُور الكحول : وابور سبيرتو .

spiritless [spĭr'ĭt lĭs] *(adj.)* (١) ميْت (٢) «أ» كئيب . «ب» تعوزه الحيوية والنشاط (٣) جبان .

spirit level *(n.)* ميزان التسوية ، الشاقول الأفقيّ ؛ ميزان البنّائين.

spirit *or* **spirits of hartshorn** ماء النّشادر .

spirit rapping *(n.)* مناجاة الأرواح (بالقَرْع أو الطَّرْق) .

spirits *or* **spirit of turpentine** زيت التربنتينا .

spirits *or* **spirit of wine** الكحول ؛ روح الخمر .

spiritual [spĭr'ĭ chōō əl] *(adj.; n.)* (١) روحي (٢) دِيني . (٣) كَنَسيّ (٤)«أ» شبحيّ ؛ أشباحيّ . «ب» أرواحيّ . «ج» روحانيّ §(٥) .pl : الرُّوحانيّات (٦) أنشودة دينيّة زنجيّة .

spiritualism [spĭr'ĭ chōō ə lĭz'-] *(n.)* (١)الرُّوحانيّة : التمسّك بالرُّوحانيّات ؛ الاعتقاد بأن الحقيقة كلها روحية (٢) «أ» الأرواحيّة : الاعتقاد بأن أرواح الموتى تتصل بالأحياء عبْر وسيط عادةً . «ب» تحضير الأرواح .

spiritualistic [spĭr'ĭ chōō əl ĭs'tĭk] *(adj.)* روحانيّ أو أرواحيّ (را. المادة السابقة) .

spirituality [spĭr'ĭ chōō ăl'ə tĭ] *(n.)* (١) الكَنَسيّ ؛ الاكليركيّ : شيء متعلّق ، وفقاً للقانون الكنسيّ ، بالكنيسة ذاتها أو برجال الدِّين بوصفهم رجالَ دين (٢) الاكليروس، رجال الدين (٣) الروحيّة : «أ» التعلّق بالقيم الروحيّة أو الحساسيةُ البالغة نحوها . «ب» كون الشيء روحياً أو دينياً .

spiritualize [spĭr'ĭ chōō ə līz] *(vt.)* يُرَوْحِن : «أ» يجعله روحياً أو روحانياً ، وبخاصة : يطهّره من العوامل الدنيوية المفسدة . «ب» يعطيه معنى روحياً أو يفهمه بمعنى روحيّ .

spiritualty [spĭr'ĭ chōō əl tĭ] *(n.)* = spirituality 1-2.

spirituel *or* **spirituelle** [spĭr'ĭ chōō ĕl'] *(F.)* رقيق ؛ رشيق ؛ مصقول ؛ مرهف العقل .

spirituosity [spĭr ĭ chōō ŏs'-] *(n.)* الكحوليّة : كون الشيء كحولياً .

spirituous [spĭr'ĭ chōō -] *(adj.)* كحوليّ (liquors ~) .

spirit writing *(n.)* الكتابة الأرواحيّة : كتابة أوتوماتيكية يُعتقَد أنها تمّ تحت تأثيرٍ من الأرواح المحضَرة .

spiro- بادئة معناها : تنَفّس (*spiro*meter) .

spirochetal [spī'rə kēt'əl] *(adj.)* مُلَتْوَييّ : ناشيء عن المُلتَويات (را. المادة التالية) .

spirochete *or* **spirochaete** [spī'rə kēt] *(L.)* المُلْتَوِية : ضرب من البكتيريا يشمل تلك التي تسبب السّفلس والحمّى الراجعة .

spirochetosis [spī'rə kē tō'sĭs] *(n.)* داء المُلْتَويات : داءٌ ناشيء عن المُلْتَويات (را. المادة السابقة) .

spirograph [spī'rə grăf] *(n.)* مِرْسمة التنفّس .

spirogyra [spī'rə jī'rə] *(n.)* اللّوْلبيّة : طحلب نهري أخضر .

spirometer [spī rŏm'ə tər] *(n.)* مقياس التنفّس .

spirometry [spī rŏm'ə trĭ] *(n.)* قياس التنفّس .

spirt [spûrt] *(n.; vi.; t.)* = spurt.

spiry [spīr'ĭ] *(adj.)* (١) مُستدِق الطّرَف ؛ برجيّ الشكل . (٢) لولبيّ ؛ ملتفّ .

spit [spĭt] *(vt.; i.; n.)* (١) يبْصق (٢) يلفظ (المدفعُ نارَه) . (٣) يُضرم النار في (٤) يَشُكّ في سَفّود أو نحوه ×(٥) تمطر (السماء) رَذاذاً أو تُرْسل ثلجاً خفيفاً (٦) يبقبق (Eggs ~ in the pan.) §(٧) سَفّود (٨) لسانُ أرض (٩)«أ» لُعاب . «ب» بُصاق . «ج» إفرازٌ بصاقيّ (حش) (١٠) مسافة قصيرة (١١) صورة طبق الأصل (the ~ and image of his father) (١٢)«أ» رَذاذ . «ب» ثلج خفيف .

to ~ cotton (١) يُرغي ؛ يُزبد (٢) يَغْضب .

to ~ it out يعبّر عما يجول في ذهنه من غير تردّد إضافيّ.

spit and polish *(n.)* (١) جَلْي ؛ جَلْو ؛ صَقْل (٢) التعلق المفرط بالنظافة والأناقة وما إليهما .

spitball [spĭt'-] *(n.)* (١) الكرة الممضوغة : كرة ورق ممضوغ يُقذَف بها (٢) الرمية المُرَضَّبة : رميةٌ لكرة البايسبول بعد تبليلها بالرضاب .

spitchcock [spĭch'-] *(n.; vt.)* (١)أنقليس مشويّ أو مقليّ (بعد تقطيعه) §(٢) يشقّ (الانقليس) ويقطّعه ثمّ يشويه أو يقليه.

spit curl *(n.)* العَقْصة المُلْصَقة : حُلَيْقَة شعر لولبيّة تُثَبّت (بالرضاب في الأصل) على الجبين أو الصّدغ أو الخدّ .

spite [spīt] *(n.; vt.)* (١)نكاية (٢)حِقْد ؛ ضغينة§(٣)ينكي ؛ يَغيظ .

in ~ of على الرغم من .

spiteful [spīt'-] *(adj.)* حاقد ؛ ضاغن ؛ توّاق إلى الإغاظة .

spitfire [spĭt'-] *(n.)* (١) نافث اللهب (كبركانٍ أو مدفع) . (٢) شخص سريع الغضب (٣) نافثة اللهب : طائرة حربيّة .

spittle [spĭt'əl] *(n.)* (١)لُعاب ؛ رُضاب ؛ ريق (٢)إفراز بُصاقيّ .

spittlebug [spĭt'əl-] *(n.)* الباصوق : حشرة وثّابة تُفْرِز يرقاناتُها زَبَداً كالبصاق .

spittle insect *(n.)* = spittlebug.

spittoon [spĭ tōōn'] *(n.)* المِبْصَقة : وعاء يُبْصَق فيه .

spitz [spĭts] *(G.)* الإسْبِتز : كلب صغير طويل الشعر مستدق الخطم .

spiv [spĭv] *(n.)* المتبطّل : شخص متبطّل يكسب رزقه بطرائق مريبة .

splanchnic [splăngk'nĭk] *(adj.)* حَشَويّ ؛ أحشائيّ .

splash [splăsh] *(vi.; t.; n.)* (١)يُرَشْرِش : يجعله يطلق رَشاشاً . (٢) يتساقط أو يتناثر على شكل قطرات الخ. ×(٣) ينضح وجهه) بالماء الخ. (٤) يلوِّث برشاشٍ ما (٥) يُبقِّع ؛ يكسو بالبُقَع (٦) ينثر بالتّرشيش (٧) يَشقّ طريقه (في الماء) مُطلِقاً رشاشاً (٨) يَبرز ؛ يضع في مكان بارز §(٩) رشاش ؛ ترشاش (١٠) بقعة ؛ لطخة (١١) غَوْصة قصيرة (في الماء) (١٢) «أ» انطباعة قوية وبخاصة : انطباعة ناشئة عن عمل أو مظهر مقصود به لفت الأنظار . «ب» تباهٍ (١٣) إبراز صارخ لنبأ أو مقال في صحيفة (.The story got a robust front-page ~)

ă at; ā date; â care; ä car; ĕ egg; ē me; ĭ in; ī bite; ŏ lot; ō bone; ô orphan; oi boil; ŏŏ good; ōō boot; ou out; ŭ under; ū unity; û urgent; th thing; th this; zh vision; ə = *a* in alone, *e* in system, *i* in easily, *o* in gallop, *u* in circus.

(١٤) مقدار من ماء الصودا أو المياه الغازية(~a whiskey and).
to make a ~ يلفت الأنظار(وبخاصة بعَرْض متباهٍ لثروته)، و~
to ~ one's money about يبدد أمواله أو ينفقها بسخاء

splashboard [splăsh'bōrd'] *(n.)* الحاجبة : وقاء من الماء أو الوحل.

splashdown [splăsh'-] *(n.)* هبوط (مَرْكبة فضائيّة على سطح الماء).

splasher [-'ər] *(n.)* (١)فا splash (٢)الحاجبة : واقية من الرشاش.

splash guard *(n.)* الحاجبة الدولابية : حاشية تُدَلّى وراء عجلة السيارة الخلفية لمنع رشاش الوحل من أن يصيب واجهات السيارات المُقبِلة خلفها.

splashy [splăsh'ĭ] *(adj.)* (١)موحِل (٢) مُحدِث (في اندفاعه) رَشاشاً أو صوتاً كصوت الرشاش (٣)مبقّع ؛ منقّط (٤)مثير (a ~ ad).

splat [splăt] *(n.)* السِّناد الطُّوليّ : قطعة خشبيّة عريضة مسطّحة تشكّل الجزء الطُّوليّ من ظهر الكرسي.

splatter [splăt'ər] *(vt.; i.; n.)* = spatter.

splay [splā] *(vt.; i.; n.; adj.)* (١) يَبْسُط ، يَمُدّ (٢) يحدّر ؛ يُميل ؛ يُفلطح ×(٣) ينبسط ؛ يمتد (٤) ينحدر ؛ يميل ؛ يتفلطح §(٥) انحدار ، مَيَل ؛ تَفَلْطُح ، وبخاصة في جوانب الأبواب والنوافذ (٦) انبساط ، امتداد §(٧) منحدِر ؛ مائل ؛ مُفَلْطَح (٨) أخرق ؛ غير مُتقَن .

splayfoot [splā'-] *(n.)* قَدَم مَسْحاء أو رَحّاء .

splayfoot *or* **splayfooted** [splā'-] *(adj.)* ذو قدَمٍ مَسْحاء .

spleen [splēn] *(n.)* (١) الطِّحال (ت) (٢) كآبة (ا.ق) . (٣) غضب ؛ حقد ؛ نكَد .

—spleenish *(adj.)*

spleenful [splēn'-] *(adj.)* غاضِب ؛ حاقِد ؛ نَكِد ؛ شكِس .

spleenwort [splēn'-] *(n.)* حشيشة الطِّحال ؛ سَرْخس البلّوط (نب).

spleeny [splē'nĭ] *(adj.)* = spleenful.

splen- بادئة معناها : الطِّحال (*splen*ectomy) .

splendent [splĕn'-] *(adj.)* (١)«أ» نيِّر. «ب» لمّاع (٢) شهير .

splendid [splĕn'dĭd] *(adj.)* (١)«أ»مُشرِق ، ساطع ؛ باهر ؛ سَنيّ . «ب» فخم (٢) شهير ؛ عظيم (٣) رائع ؛ ممتاز .

splendiferous [splĕn dĭf'ər əs] *(adj.)* = splendid.

splendor *or* **splendour** [splĕn'dər] *(n.)* (١)«أ» إشراق ؛ سناء. «ب» فخامة ؛ أُبّهة (٢)روعة ؛ امتياز ؛ عظمة (٣)شيء رائع الخ.

splenectomy [splĭ nĕk'tə mĭ] *(n.)* استئصال الطِّحال (جر) .

splenetic [splĭ nĕt'ĭk] *(adj.)* (١)طِحاليّ (٢) نَكِد ؛ شكِس.

splenic [splĕn'ĭk; splē'-] *(adj.)* طحاليّ : ذو علاقة بالطِّحال.

splenius [splē'nĭ əs] *(L.)* pl. **-nii** [-nĭ ī'] العِلْباء : العَصَبة الممتدة في العنق (ت).

spleno- بادئة معناها : الطِّحال (*spleno*megaly) .

splenomegaly [splē nō mĕg'ə lĭ] *(n.)* تضخّم الطِّحال (مض).

splice [splīs] *(vt.; n.)* (١) يَصِل بالجَدْل : يَصِل حبلَين بأن يجدل طرَفَيهما معاً (٢)يقْرِن بالتراكب : يَصِل بين لوحين خشبيين أو قضيبين معدنيين بأن يجعل طرفيهما يتراكبان أو بواسطة وُصلة تراكبية (٣) يزوّج : يربط برباط الزوجيّة §(٤) «أ» وَصْلٌ بالجَدْل أو بالتراكب . «ب» وُصْلة مجدولة الخ. (٥) زواج .

spline [splīn] *(n.; vt.)* (١) شريحة (خشبية أو معدنية) طويلة ضيّقة (٢)«أ» لُسَيْن (مك) . «ب» خُدّة (أو فِرْضة اللُّسَيْن (مك) §(٣) يثبِّت بِلُسَيْن (٤) يخدّد ؛ يفرض : يزوّد بخدّة أو فُرْضة لِلُّسَيْن .

splint [splĭnt] *(n.; vt.)* (١) شريحة أو صفيحة معدنيّة . (٢)«أ» شريحة خشبيّة رقيقة . «ب» شظيّة . «ج» جبيرة (السّاق أو الذراع) (٣) التزيّد : تضخّم عظميّ في الجزء الأعلى من قصبة قائمة الفرَس §(٤) يَجْبُر أو يُثبِّت بجَبيرة .

splint bone *(n.)* عظم الشظيّة : أحد عظمَين شبيهَين بشظيّتَين في كلٍّ من جانبيّ قصبة قائمة الفرس .

splinter [splĭn'tər] *(n.; vt.; i.)* (١)شَظيّة ؛ كِسرة (٢)جماعة (صغيرة) منشقّة §(٣)يشظّي (٤)يمزّق ؛ يجزّئ ×(٥)يتشظّى (٦) يتمزّق أو ينشقّ إلى فِرَق (٧) ينسحب (من حزب الخ.) .

split [splĭt] *(vt.; i.; n.; adj.)* (١) يَشُقّ ؛ يَفْلِق (٢)«أ» يمزّق. «ب» يشطر أو يفلق الذرّة (٣) «أ» يقسم ؛ يجزّئ. «ب» يحَصِّص ؛ يوزّع حصصاً . «ج» يشقّ إلى أحزاب أو طوائف . «د» يقترع لمرشّحِين من أحزاب مختلفة . «هـ» يفْصِل (مركّباً كيميائياً إلى عناصره المقوّمة) (٤) يفشي «بقصد أو بغير قصد» (ع) (٥) يَمْذُق أو يخفف (الشراب المُسْكِر) بالماء×(٦) ينشق ؛ ينفلق (٧)يتمزّق (٨)ينفلق من الضحك (~ thought he would) (٩)«أ» ينقسم ؛ ينشعب . «ب» يتفرق شِيَعاً . «ج» ينفصل (عن حزب الخ.) . «د» ينفصلان (بالطلاق) (١٠) ينطلق بسرعة خاطفة (في سباق عَدْو) (١١) يخون ؛ يشي بـ؛ يبلّغ عن رفاقه (promised not to ~) §(١٢) شَقّ ؛ فَلْع ؛ صدع (١٣) فِلْقَة (١٤) «أ» انشقاق أو انقسام (في حزب الخ.) . «ب» جماعة منشقّة (عن حزب الخ.) . «ج» انفصام (a ~ in his personality) (١٥)مص split، مثل «أ» انفلاق . «ب» انفساخ أو حركة يباعد فيها البهلوان ما بين ساقيه حتى تصبحا على زاوية قائمة مع الجذع (١٦)«أ» زجاجة (شرابٍ مُسْكِر) نِصفيّة . «ب» نصف كأس (من شراب مُسْكِر) (١٧) حَلْوَى الفاكِهة المشرّحة §(١٨)مشقوق ؛ مشقّق (١٩) مجزّأ (١٠) منقسم .

to ~ hairs يجادل في أمور تافهة .
to ~ one's sides يُغرِب أو يُبالغ في الضحك .
to ~ straws يتشاحن حول خلافات تافهة .
to ~ the difference يتوصل (من طريق تسوية ما) إلى اتّفاق ؛ «يقسم الفَرْق بالنصف» .

split personality *(n.)* الشخصيّة المُنْفَصِمة (نف) .

split second *(n.)* لحظة : جزء من ثانية (in a ~) .

split ticket *(n.)* ورقة الاقتراع المجزّأة : ورقة اقتراع يحملها الناخبُ أسماء مرشحين ينتسبون إلى أحزاب مختلفة .

splotch [splŏch] *(n.; vt.)* (١) بقعة ؛ لطخة §(٢) يبقّع ؛ يلطّخ.

splurge [splûrj] *(n.; vi.; t.)* (١)تفاخُر ؛ تباهٍ (لفتاً للأنظار) . §(٢)يحاول أن يلفت الأنظار (بمسلكه) ×(٣)ينفق بتبذير أو بتباهٍ .

splutter [splŭt'ər] *(vi.; t.; n.)* (١) يبقبق ؛ يُدَمْدِم (كشيء على النار) (٢) يُغمغِم ؛ يُجمجِم ؛ يتكلم بسرعة وعلى نحو غير مبين §(٣) يقول (شيئاً) بسرعة وعلى نحو غير مُبين §(٤) غمغمة ؛ جمجمة (٥) بقبقة ؛ دمدمة الخ .

Spode [spōd] *(n.)* الخزَف السبوديّ : خزف انكليزيّ فاخر .

spodumene *(n.)* السبوديومين : معدن من البروكسينات.

spoil [spoil] *(vt.; i.; n.)* (١) «أ» يسلب . «ب» ينهب . (٢)«أ» يُتلِف ؛ يَعْطِب . «ب» يُفسِد (٣)«أ» يُفسِد (الشخصيّة) بالافراط في التدليل أو الاطراء . «ب» يدلّل ×(٤) يقوم بأعمال السلب والنهب واللصوصية (٥) يتْلَف ؛ يَفْسُد (٦) يتوق توقاً شديداً (My brother was ~*ing* for a fight.) §(٧) غنيمة (٨) سَلْب ؛ نهب (٩) تَلَف ؛ هلاك (١٠) سلعة معطوبة أو مثلومة أثناء الصنع .

—spoiler *(n.)*

spoilage [spoi'lĭj] *(n.)* (١)مص spoil (٢) التَّلَف : «أ» شيء يَفْسُد أثناء العَمَل «ب» مقدار الخسارة الناشئة عن التلف .

spoilsman [spoilz'-] *(n.)* (١) الحزبيّ النفعيّ : من يؤيّد حزباً ما طمعاً في وظيفة أو منصب (٢) القائل بالحزبيّة النفعيّة أو مؤيّدها.
spoilsport [spoil'spōrt'] *(n.)* مُفسِد المُتعة : مَن يُفسِد على الآخرين متعتهم أو لهوهم .
spoils system *(n.)* نظام الغنائم : اعتبار المناصب الحكوميّة نهباً يجب تقسيمه بين أعضاء الحزب المنتصر .
spoke [spōk] *past and past part. of* speak.
spoke [spōk] *(n.; vt.)* (١) البَرْمَق : شُعاع الدولاب (٢) دَرَجة (في مِرقاة أو سُلّم نقّالة) (٣) مِكبح العربة §(٤) يُبَرْمِق الخ.
to put a ~ in somebody's wheel يعوقه أو يحول بينه وبين تنفيذ خططه ؛ يضع العِصيّ في دولابه .
spoken [spō'kən] *(adj.)* (١) شفهيّ (٢) ملفوظ ؛ منطوق به .
spokeshave [spōk'shāv'] *(n.)* مِسْحَج التسنيم أو التدوير (نج).
spokesman [spōks'mən] *(n.)* الناطق (بلسان جماعة أو هيئة).
spokesperson [spōks'-] *(n.)* = spokesman; spokeswoman.
spokeswoman [spōks'-] *(n.)* الناطقة (بلسان جماعةٍ أو هيئة).
spoliate [spō'lĭ āt] *(vt.)* يَسْلُب ؛ يَنْهَب .
spoliation [spō'lĭ ā'shən] *(n.)* (١) سَلْب ؛ نَهْب (٢) إتلاف.
spondaic [spŏn dā'ĭk] *(adj.)* سبونديّ (را. المادة التالية) .
spondee [spŏn'dē] *(n.)* السبوندية : تفعيلة ذات مقطعين طويلين (عر).
spondylitis [spŏn'də lī'tĭs] *(L.)* التهاب الفِقرات (مض) .
sponge [spŭnj] *(n.; vt.; i.)* (١) «أ» إسْفَنج . «ب» إسفنجة . (٢) شيء كالاسفنج : «أ» ضمادة من شاش (تستخدم في الجراحة والطب) . «ب» ممسحة لتنظيف فوّهة المدفع . «ج» عجين . «د» ضربٌ من الحَلْوَى أو من الكعك المحلّى (٣) الطفيليّ ؛ العالة §(٤) «أ» ينظّف أو يمسح أو يرطّب بإسفنجة أو بنحوها . «ب» يمحو (٥) يصيب أو ينال (مالاً أو طعاماً) بالتطفل على الآخرين (٦) يمتصّ أو يتشرّب كالاسفنج ×(٧) يتطفل ؛ يعيش عالةً على (٨) يصيد الاسفنج أو يغوص التماساً له .
to ~ out يمحو ؛ يزيل كلّ أثرٍ لِـ .
to throw up the ~, يستسلم ؛ يقرّ بالهزيمة .
sponge cake *(n.)* الكعكة الاسفنجية : كعكة محلاّة رقيقة ذات مسام .
sponge cloth *(n.)* القماش الاسفنجيّ : نسيج من خيوط ذات عُقَد.
sponger [spŭn'jər] *(n.)* (١) فا sponge «أ» صائد الاسفنج «ب» مركب (لصيد الاسفنج) (٢) الطفيليّ ، العالة على غيره .
sponge rubber *(n.)* المطّاط الاسفنجيّ : مطّاط ذو مسامّ .
sponging house *(n.)* مُعْتَقَل المَدِينين : معتقل كان المَدينون يُحْبَسُون فيه ريثما يُزَجّ بهم في السجن .
sponginess [spŭn'jĭ-] *(n.)* الإسْفَنْجيّة : كون الشيء إسْفَنجياً .
spongy [spŭn'jĭ] *(adj.)* إسفنجيّ : «أ» ليّن كثير المسامّ . «ب» مساميّ مُمْتَصّ . «ج» لين. «د» مشبَع بالماء (~ clouds).
sponson [spŏn'sən] *(n.)* (١) المِنصّة الجانبيّة : جزء ناتىء من جانب السفينة او الدبابة يُتّخَذ مِنصّةً للمدفع (٢) الزِعنفة ، كَنَف الموازنة (لجعل الطائرة المائيّة أحسن توازناً على سطح الماء).
sponsor [spŏn'sər] *(n.; vt.)* (١) العرّاب ؛ العرّابة (نص) . (٢) الكفيل ؛ الضامن (٣) صاحب الاقتراح أو مقدِّمه (٤) راعي البرنامج : مؤسسة تجاريّة الخ. ترعى برنامجاً إذاعياً أو تلفزيونياً وذلك بان تدفع مبلغاً من المال لقاء تخصيص فترات منه للاعلان عن مُنتَجاتها §(٥) يكفُل ؛ يضمن (٦) يرعى (برنامجاً إذاعياً الخ.)
spontaneity [spŏn'tə nē'ə tĭ] *(n.)* (١) العَفَوِيّة أو التلقائيّة . (٢) عمل عفويّ ؛ حركة عفويّة الخ .

spontaneous [spŏn tā'nĭ əs] *(adj.)* (١) عَفَويّ (a ~ remark) (٢) تلقائيّ ؛ ذاتيّ (The eruption of a volcano is ~.) (٣) طبيعيّ (~ growth) .
spontaneous combustion *(n.)* الاحتراق العفوي .
spontaneous generation *(n.)* التولّد التلقائيّ أو الذاتيّ (أح).
spontaneously [spŏn tā'nĭ əs lĭ] *(adv.)* عفوياً ؛ تلقائياً الخ.
spontoon [spŏn to͞on'] *(F.)* الرُمَيْح : رمح قصير .
spoof [spo͞of] *(vt.; n.)* (١) يَخْدَع (٢) يَسْخَر من §(٣) «أ» خداع ؛ خدعة. «ب» هُراء (٤) مُحاكاة تهكّميّة ساخرة .
spook [spo͝ok] *(n.; vt.; i.)* (١) شَبَحٌ §(٢) ينتاب (الشبحُ) محلاً (٣) يروع ؛ وبخاصة : يجفّل ×(٤) يُجْفِل .
spooky [spo͞o'-] *(adj.)* (١) شَبَحِيّ ؛ أشباحيّ (٢) جَفُول ؛ عصبيّ .
spool [spo͞ol] *(n.; vt.; i.)* (١) مِكَبّ ؛ مِسْلَكة ؛ ملفّ للخيوط (٢) خيوط المِكبّ أو مقدارها §(٣) يلفّ أو يلتفّ على مِكبّ.
spoon [spo͞on] *(n.; vt.; i.)* (١) مِلعَقة (٢) شيء كالملعقة ؛ مثل : الطُعْم الملعقيّ : طُعم معدنيّ لماع مِلعقيّ الشكل يستخدَم في الصيد بصنّارة (٣) مِضْرب غولف خشبيّ الرأس §(٤) يغرف أو يسكب بملعقة (٥) يجوِّف على شكل ملعقة (٦) يدفع الكرةَ بحركةٍ رافعة (٧) يغازل ×(٨) يتغازل ؛ يتطارح الغرامَ (young couples ~*ing* on park seats)
spoonbill [spo͞on'-] *(n.)* الملاعقيّ ؛ أبو ملعقة : طائر مائيّ ذو منقار ملعقيّ الشكل.

spoonbill

spoon-billed [spo͞on'bĭld'] *(adj.)* مِلعقيّ المنقار .
spoon bread *(n.)* الخبز المِلعقيّ : خبز طريّ يُصنَع من دقيق الذُرة والبيض والحليب والزبدة ويكون ذا قوامٍ يحتّم تقديمه إلى الطاعمين بملعقة .
spoondrift [spo͞on'drĭft'] *(n.)* زبد الموج ؛ رذاذ الموج .
spoonerism [spo͞o'nə rĭz'əm] *(n.)* السْبونَرية : تبديل مواقع الحروف الأولى في كلمتين أو أكثر (كقولك tons of soil بدلاً من sons of toil) .
spooney [spo͞o'nĭ] *(adj.; n.)* = spoony.
spoon-fed [spo͞on'fĕd'] *(adj.)* (١) «أ» مُلقَّم بملعقة. «ب» مدلّل. (٢) محروم من أية فرصة للمبادرة أو التفكير الشخصيّ .
spoon-feed [spo͞on'fēd'] *(vt.)* (١) يلقّم بملعقة (٢) يلقّم «عقلياً» : «أ» يلقّن بطريقة لا تبقي مجالاً لأية مبادرة أو تفكير شخصي . «ب» يقدم المعلومات أو ضروب الدعاية بطريقة محرّفة وعلى نحو يجعل من المستحيل على المتلقّي مناقشتها أو إعادة النظر فيها .
spoonful [spo͞on'fo͝ol'] *(n.)* (١) مِلء مِلعقة (٢) مقدار صغير .
spoon meat *(n.)* الطعام المِلعقيّ : طعامٌ سائل يُتَناوَل بالملعقة .
spoony [spo͞o'nĭ] *(adj.; n.)* (١) سخيف ؛ أحمق ؛ وبخاصة : عاطفيّ حتى الإفراط (٢) متيّم بِـ (~ over Miss Smith) §(٣) المتيّم ؛ المغرَم (٤) المغفّل ؛ الساذج .
spoor [spo͝or] *(n.; vt., i.)* (١) أثر الحيوان : ما يتركه الحيوان خلفه من أثر §(٢) يتقفّى الأثر .
spor- بادئة معناها : بذرة ؛ بَوْغ (*sporangium*) .
sporadic [spō răd'ĭk] *(adj.)* متقطّع ؛ متفرق ؛ متشتّت .
sporangium [spō răn'jĭ əm] *(L.)* pl. **-gia** [-jĭ ə] الكيس البَوْغيّ ؛ حافظة الأبواغ (نب) .
spore [spōr] *(n.; vi.)* (١) بَوْغ ؛ بَوْغة (نب) (٢) بذرة ؛ جرثومة §(٣) يبوغ ؛ يَحْمِل أبواغاً (نب) .

spore case *(n.)* = sporangium.

spori- بادئة معناها : بذرة ؛ بَوْغ *(sporicidal)* .

sporicidal [spōr'ə sīd'əl] *(adj.)* مُبيدٌ للأبواغ .

sporicide [spōr'ə sīd] *(n.)* مبيد الأبواغ : مادة مبيدة للأبواغ .

sporic period *(n.)* الطَّوْر البَوْغيّ (نب) .

sporiferous [spō rĭf'ər əs] *(adj.)* مُبَوِّغ : حامل بُوغاً ؛ مولِّد بَوْغاً .

sporo- بادئة معناها : بذرة ؛ بَوْغ *(sporoblast)* .

sporoblast [spōr'ə blăst] *(n.)* الجرثومة البَوْغيّة (نب) .

sporocyst [spōr'ə sĭst'] *(n.)* الكيس البَوْغي (ح) .

sporogenesis [spōr'ə jĕn'ə sĭs] *(L.)* التوالُد البَوْغيّ (أح) .

sporogony [spō rŏg'ə nĭ] *(n.)* التوالد أو التكاثر البَوْغيّ .

sporophore [spōr'ə fōr'] *(n.)* حامل البَوْغ (نب) .

sporophyll [spōr'ə fĭl] *(n.)* الورقة البَوْغيّة (نب) .

sporophyte [-'ə fīt'] *(n.)* (١)النابت البوغي (٢)الجيل البوغيّ (نب) .

sporozoan [spōr'ə zō'ən] *(n.; adj.)* (١) البَوْغيّ : واحد البوغيات **Sporozoa** وهي شعبة من الحيوانات الطفيلية تتكاثر بالتوالد البوغي § (٢) بَوْغيّ .

sporozoite [spōr'ə zō'īt] *(n.)* الحُيَيّ البوغي (ح) .

sporran [spŏr'ən] *(n.)* الجزدان الاسكتلندي : جزدان (كيس للدراهم) ضخم يُصنع من الفراء ويدلّى من مقدّم الحِزام .

sport [spōrt] *(n.; vt.; i.)* (١) لهو ؛ لعِب ؛ تسلية (٢)«أ» رياضة بدنية. «ب» لعبة رياضيّة (٣)«أ» مزاح ؛ هَزْل . «ب» هزء ؛ سخرية (٤) «أ» أُلعوبة . «ب» أُضحوكة (٥)«أ» الرياضيّ : اللاعب الرياضيّ . «ب» المقامِر . «ج» المُترَف : الآخذ بأسباب الحياة البهيجة المترَفة. «د» ذو الروح الرياضيّة. «هـ» شخص حلو العِشرة قريب إلى النفس . «و» رفيق ؛ فتىً (٦) الشذوذ : حيوان أو نبات (أو جزء من نبات) يتكشّف عن انحراف غير اعتياديّ عن صِفات نوعِهِ السويّة § (٧) «أ» يُبدي بتباهٍ (delighted to ~ his learning in company) . «ب» يلبس « بشعور من الارتياح » (~ *ed* a trim hat at church) . «ج» يملك ؛ يقتني (٨) يُطْلِع (النباتُ) جزءاً شاذّاً × (٩) «أ» يلهو ؛ يعبث . «ب» يشارك أوينهمك في لعبة رياضية (١٠) «أ» يهزأ بِ ؛ يسخر من . «ب» يَمْرَح ؛ يَهْزِل (١١) يشذّ : ينحرف عن صفات نوعه السويّة.

for ~; in ~, على سبيل الهَزْل أو المزاح .

to make ~ of يهزأ بِ ؛ يضحك من .

sport *or* **sports** *(adj.)* رياضيّ أو صالح للرياضة .

sport fish *(n.)* سمكة المتعة : سمكة تُطلَب للمتعة التي توفرها للصائدين بالصنّارة .

sportful [spōrt'-] *(adj.)* (١) «أ» مُسَلٍّ . «ب» لعُوب ؛ مَرِح . «ج» مَزُوح (٢) مزحيّ ؛ غير جدّيّ .

sporting [spōr'-] *(adj.)* (١)رياضيّ (٢) قِماريّ ؛ بغائيّ .

sportive [spōr'tĭv] *(adj.)* (١)«أ» لَعوب ؛ مَرِح . «ب» مَزْحيّ ؛ غير جدّيّ (٢) شهواني ؛ شديد الشهوة (٣) رياضيّ .

sports car *or* **sport car** *(n.)* السيارة الرياضيّة : سيّارة مكشوفة منخفضة سريعة ذات مقعدين عادةً .

sportscast [spōrts'kăst] *(n.)* البرنامج الرياضيّ : برنامج إذاعيّ أو تلفزيونيّ قِوامُه نقل حيّ لمباراة رياضيّة أو عرض للأنباء الرياضيّة.

sport shirt *(n.)* القميص الرياضيّ : قميص خفيف مفتوح العنق .

sportsman [spōrts'-] *(n.)* (١)الرياضيّ (٢)ذو الروح الرياضية.

sportsmanship [spōrts'mən shĭp'] *(n.)* الروح الرياضيّة : روحٌ قوامها الإنصاف والكياسة وحُسْن القبول للنتائج مهما تكن .

sportswear [spōrts'wâr] *(n.)* الملابس الرياضيّة ؛ ملابس الرياضة .

sportswriter [spōrts'-] *(n.)* المحرر الرياضيّ (في صحيفة يومية) .

sporty [spōr'tĭ] *(adj.)* (١) رياضي (٢) عابث ؛ منغمس في اللهو (٣)«أ» مُبَهْرَج (~ clothes) . «ب» أنيق المظهر أو الملبس.

sporulate [spôr'-] *(vi.)* يتبَوَّغ : يتكاثر بالانقسام البوغيّ (أح) .

sporulation [spôr'yə lā'shən] *(n.)* التبوّغ : تشكُّل الأبواغ ، وبخاصة : الانقسام إلى عدة أبواغ صغيرة (أح) .

spot [spŏt] *(n.; vt.; i.; adj.)* (١) وصمة (٢)«أ» بُقعة ؛ لَطخة . «ب» كُلفة (من الكلَف الشمسيّة) . «ج» نقطة ؛ رُقطة (٣)مقدار قليل (doing a ~ of wrestling) (٤)«أ» مكان ؛ موضع . «ب» نادٍ ليليّ (٥) النعّاب الأرقط : سمكة نعّابة (را. croaker) تتميّز برُقطة سوداء (٦) «أ» مركز (the top ~ *s* in industry and finance) . «ب» مكان في برنامج لهو (deserves a better ~ on the program) (٧) مأزق ؛ ورطة (was indeed in a ~) (٨)«أ» فترة بين برنامجين إذاعيّين أو تلفزيونيّين يذاع فيها بيان أو إعلان . «ب» بيان أو إعلان بين برنامجين الخ. § (٩) يلطِّخ السمعة (١٠) يلطّخ ؛ يلوّث (١١) ينقّط ؛ يسِم أو يعلّم بنقطة مميزة (١٢) يكتشف (to ~ a mistake) (١٣) «أ» يستطلع ؛ يستكشف ؛ يحدّد بالضبط (~ *ted* enemy positions) . «ب» يُحكِم الرميَ (~ the battery's fire) (١٤)«أ» يرصّع (... figures ~ *ted* the twilight) . «ب» يضع في نقاط مختلفة (~ *ted* throughout the country) . «ج» يُمَوْضِع : يضع في نقطة معيّنة (to ~ a billiard ball) . «د» يحدّد له موضعاً أو وقتاً معيّناً (to ~ a program) (١٥) يزيل اللطخة من × (١٦) يتلطّخ ؛ يتبقّع (cloth that tends to ~ in the rain) § (١٧)«أ» فوريّ (~ coverage of the news) . «ب» حاضر ؛ جاهز للتسليم الفوريّ (~ com-modities) . «ج» نقدي (~ sale) . «د» مُذاع بين برنامجَيْن (~ announcements) (١٨) «أ» اعتباطيّ : مختار كيفما اتّفق (~ questions) . «ب» عيّنيّ : مقصور على مواطن أو عيّنات نموذجيّة قليلة (a ~ test) .

on the ~; upon the ~ (١) فوراً ؛ في الحال (٢) في المكان نفسه (الذي يتحتّم أداء العمل فيه) (٣) في مركز مسؤول (٤) في مأزِق أو خطر .

spot-check [spŏt'chĕk'] *(vt.; i.)* يختبر أو يجري تحقيقاً بسرعة أو كيفما اتّفق .

spotless [spŏt'lĭs] *(adj)* نظيف ؛ طاهر ؛ لا عيب فيه .

spotlight [spŏt'līt'] *(n.; vt.)* (١)«أ» ضوء المسرح : ضوء يسلّط على شخص أو شيء أو جماعة فوق خشبة المسرح . «ب» مركز مُسلّطة عليه الأضواء (wants to get out of the ~) (٢) «أ» ضوء موضعيّ . «ب» ضوء كشّاف § (٣)«أ» يُسلّط الأضواء على. «ب» يُنير ؛ يلقي ضوءاً (على موضوع الخ.) .

spotted [-'ĭd] *(adj.)* (١) مُنقَّط ؛ مُرقّط (a ~ pony) (٢)ملطّخ ؛ ملوّث (a ~ name) (٣)مشبوه أو مراقب (٤) متقطّع .

spotted adder *(n.)* = milk snake.

spotted fever *(n.)* الحمّى البقعاء : كلّ حمّى تُحدِث بقعاً في الجلد ، وبخاصة : حمّى التيفوس .

spotter [spŏt'ər] *(n.)* (١) فا spot (٢)«أ» المراقب ؛ مراقب العمال. «ب» مستطلِع مواقع الأهداف العدوّة . «ب» مدَنيّ يراقب طائرات العدوّ المقتربة . «ج» طائرة الاستكشاف : طائرة تستخدم لاكتشاف مواقع العدوّ أو أهدافه (٣) مُزيل البُقَع أو اللطَخ

(٤) المُمَوْضِع ؛ المُمَوْضِعة : واضع الشيء في مكانه المحدَّد .

spot test *(n.)* الاختبار العيِّني : اختبار مقصور على عيِّنات قليلة مختارة أو على نسبة مئويّة صغيرة اختيرت كيفما اتفق .

spotty [spŏt'ĭ] *(adj.)* (١) منقَّط ؛ مرقَّط (٢) متقطِّع (attendance ~)(٣)متفاوت ، وبخاصة من حيث الجودة(a ~ novel).

spousal [spou'zəl] *(n.; adj.)* (١) *pl.* عد : زَواج ؛ زفاف . §(٢) زواجيّ ؛ زِفافيّ (rites ~) .

spouse [spouz] *(n.)* (١) الزوج ؛ القرين (٢) الزوجة ؛ القرينة .

spout [spout] *(vt.; i.; n.)* (١) يَبْثُق ؛ يَبْجُس ؛ يُطلق . (٢) يتكلّم (لغةً) بطلاقة وتدفّق وإسهاب ×(٣) ينبثق ؛ ينبجس ؛ ينطلق (٤) يتدفق (٥) يتحدث بإسهاب أو بلهجة خطابيّة الخ.(ed about science ~)§(٦) «أ» أنبوب. «ب» ميزاب ؛ «مزراب». «ج» صُنْبور ؛ بَزْباز (٧) «أ» انبثاق ؛ انبجاس . «ب» دَفْق . «ج» مطر غزير . «د» ينبوع . **up the ~**, (١) مرهُون أو مُرْتَهَن عند شخص آخر . (٢) في عُسْر ماليّ ؛ مُعانٍ متاعبَ مالية .

sprag [sprăg] *(n.)* لِجام العَجَلة : قطعة من خشب (أو قضيب فولاذي) تحول دون ارتداد عجلة العربة إلى الوراء .

sprain [sprān] *(n.; vt.)* (١) الوثء : ليّ المَفْصِل أو التواؤه فجأةً وبعنف §(٢) يَثَأ أو يُوثِئ (المفصِل) .

sprang [sprăng] *past of* spring.

sprat [sprăt] *(n.)* (١)الإسْبَرْط:«أ» نوع صغيرمن الرَّنكة (سمك). «ب» سمكة رنكة صغيرة (٢) شخص صغير أو تافه .

sprawl [sprôl] *(vi.; t.; n.)* (١) يَدِبّ أو يتسلّق بجهد وصعوبة . (٢)يتمدّد «باسطاً ذراعيه وقدميه » (٣) ينتشر أو يمتدّ في غير نظام أو اتّساق ×(٤) يمدّ ؛ يَبْسُط §(٥) تمدّد ؛ انبطاح (٦) انتشار الشَّعْر الخ. في غير نظام أو اتّساق .

spray [sprā] *(n.)* (١) «أ» عُسْلُوج أو غصن (مُزْهِر عادةً) . «ب» زهرات منسّقة للتزيين (على ثوب أو مائدة أو نعش) (٢)شيء شبيه بالغصن المزهر (كحلية أو دبّوس أو رسم زِينيّ).

spray [sprā] *(n.; vt.; i.)* (١) رَشاش ؛ رَذاذ (٢) مِيرَشّة ؛ مِيرذّة §(٣) يرُشّ ؛ يرُذّ ×(٤) يرذّ ذ .

sprayer [sprā'ər] *(n.)* (١) الراشّ : «أ» من يَرُشّ الأشجار بمبيد للحشرات . «ب» مَن يرشّ السطوح الخشبية وغيرها بدهان مَرْذوذ (٢) مِيرشّة ؛ مِيرذّة .

spray gun *(n.)* مسدّس الرَّذّ : أداة على شكل مسدّس يُرَذّ بها دهان أو مبيد للحشرات .

spread [sprĕd] *(vt.; i.; n.; adj.)* (١) «أ» يَنشر . «ب» يبسط . «ج» يَمُدّ . «د» ينثر . «هـ» يوزع (العملَ) على عدة أيام أو عدة عمال . «و» يكسو ؛ يفرش (the floor with carpet ~). «ز» يُعِدّ (المائدةَ) . «ح» يقدّم (الطعامَ او الشرابَ) على المائدة . «ط» يُذيع (خبراً) (٢) يُفَصِّل ؛ يباعد ما بين ×(٣) «أ» ينتشر. «ب» يمتدّ الخ. (٤) ينفصل ؛ ينفرج §(٥) «أ» انتشار ؛ امتداد . «ب» عَرْض ؛ مدى (the ~ of a bird's wings) . «ج» الانتشاريّة : قابليّة الانتشار أو الامتداد (the ~ of an elastic material) (٦) «أ» إعلان يستغرق عدة أعمدة أو صفحة كاملة من صحيفة أو مجلّة . «ب» صفحتان متقابلتان (من جريدة) تتوالى فيهما السطور عَبْرَ الطيّة «ج» مادة هاتين الصفحتين (٧) «أ» شيء يُمَدّ أو يُفَرَش « على الخبز » (.Butter and jam are ~s) . «ب» مأدبة . «ج» غطاء المائدة أو الفراش (٨) شِقّة ؛ فجوة (the wide ~ between theory and fact)§(٩) منتشر ؛ منبسط ؛ ممتدّ (١٠) منشور على عمودين أو أكثر (صح) .

spread eagle *(n.)* (١) النّسر الناشر : صورة تمثّل نسراً ناشراً جَناحَيْه (رمزاً للولايات المتحدة الأميركيّة) (٢) شيء شبيه بالنسر الناشر ؛ وبخاصة : حركة بهلوانيّة في التزلّج (٣)المتبجّح .

spread-eagle *(vi.; t.; adj.)* (١)يتَنَسْشَر : يقوم بحركة بهلوانيّة في التزلّج تجعله أشبه بالنَّسْر الناشر (٢) يقف أو يمشي أو يتمدّد باسطاً ذراعيه ورجليه ×(٣) ينَسْشِر : يمدّده على شكل نسر ناشر (٤)ينتشر في.(The company's plants ~d the country.) §(٥) طنّان ؛ رنّان ؛ وبخاصة : مغالٍ في الوطنيّة .

spreader [sprĕd'ər] *(n.)* (١) فا spread (٢) الناشرة: «أ» أداة لنشر شيء أو بَسْطه أو بعثرته (trucks with sand ~s) . «ب» سكين لنشر الزبدة الخ. على الخبز (٣) الفارجة ؛ المباعِدة : أداة (كقضيب حديدي الخ.) لإبقاء خطَّي السكّة الحديديّين الخ. متباعِدَيْن .

spree [sprē] *(n.)* (١) فورة ؛ انغماس أو انهماك في نشاط ما (a buying ~)(٢) «أ» مَرَح صاخب. «ب» إسراف في الشراب .

sprig [sprĭg] *(n.; vt.)* (١) عُسْلُوج ؛ غُصَيْن (٢) «أ» سليل (a young ~ of nobility) . «ب» فتيّ ؛ شابّ (٣) حلية شبيهة بعسلوج أو ورقة نبات (٤) مسمار صغير عديم الرأس §(٥) يثبّت بمسامير صغيرة عديمة الرأس (٦) يزيّن بما يشبه العساليج .

sprightful [sprīt'-] *(adj.)* = sprightly.

sprightly [sprīt'lĭ] *(adj.)* مَرِح ؛ مُفْعَم بالحيوية والنشاط .

sprigtail [sprĭg'tāl'] *(n.)* = pintail.

spring [sprĭng] *(vi.; t.; n.; adj.)* (١) «أ» ينطلق (الشَّررُ الخ.). «ب» يرتدّ على نحو زُنبركي (A trap ~s.) (٢) ينبثق ؛ ينبجس ؛ يتفجّر (٣) «أ» يطلُع ؛ يَنْبُت ؛ ينمو . «ب» يتحدّر بالولادة (*sprang* from wealthy landowners) . «ج» ينشأ ؛ يبرز للوجود (Industries ~ up.) . «د» تهبّ (الريح) (٤) يطفر ؛ يثب (٥) يرتفع (٦) ينفجر (مثل لغم الخ.) ×(٧) يُطلِع ؛ يُنْبِت (٨) يشق : يَفْلَع (٩) يفجّر (لغماً الخ.) (١٠) يقتلع (١١) «أ» يُعْمِل فجأة (to ~ a trap) . «ب» يَلْوي بقوة . «ج» يُقْحِم باللّيّ أو الفتل (١٢) يثب فوق (The horse *sprang* the fence.) (١٣) يطلق أو يُحدِث أو يصنع فجأة (to ~ a joke) (١٤) يُرْهِق (١٥) يطلق سراحه أو يساعد على إطلاق سراحه (١٦)يزوده بنوابض أو زُنْبُرُكات §(١٧) نبعٌ ؛ ينبوع (١٨) الربيع (١٩) نابض ؛ زُنْبُرُك (٢٠) وَثْب ؛ وثبة (٢١) «أ» النابضيّة ؛ الرُّجوعيّة : قدرة الجسم المضغوط عليه على استعادة حجمه أو شكله (the ~ of a bow) . «ب» نشاط ؛ حيويّة (a new ~ in their steps) §(٢٢) ربيعيّ (٢٣) نابضيّ : مزوّد بنوابض .

springald [-əld] *or* **springal** [-'əl] *(n.)* فتيّ ؛ شابّ .

springback [sprĭng'băk'] *(n.)* الارتداد الخَلْفيّ .

spring beauty *(n.)* حسناء الربيع (نب) .

springboard [sprĭng'-] *(n.)* (١)مِنَصّة الوثب (٢)نقطة الانطلاق .

springbok [-'bŏk] *(n.)* القَوْفَز : ظَبْيٌ جنوبأفريقيّ رشيق القفز مرَحاً أو ذعراً .

spring-cleaning [sprĭng'klē'-] *(n.)* تنظيف تامّ (لمكانٍ ما) .

springbok

springe [sprĭnj] *(n.; vt.; i.)* (١) حِبالة ؛ شَرَك §(٢) يحتبل ×(٣) ينصب شركاً .

springer [sprĭng'ər] *(n.)* (١) فا spring (٢) الوثّاب : ضرب من كلاب الصيد (٣) خَصْر العقد (عم) (٤) بقرة على وشك الولادة.

springer spaniel *(n.)* الوثّاب : ضرب من كلاب الصيد.

spring fever *(n.)* حمّى الربيع : شعور بالكسل أو القلق يستبدّ بالمرء في مطلع الربيع .

Springfield [sprĭng'fēld'] *(n.)* بندقية سبر نغفيلد (جن) .

springhalt [-'hôlt'] *(n.)* عَرَج في قائمتَي الفرَس الخلفيتين .

springhead [sprĭng'hĕd'] *(n.)* = fountainhead.

springhouse [sprĭng'hous] *(n.)* مبنى صغير فوق نبع أو جدول.

springlet [sprĭng'lĭt] *(n.)* ينبوع صغير .

springlock [-'lŏk] *(n.)* القُفْل النابضيّ : قُفْل ذو زُنبرك .

springtide [sprĭng'tīd'] *(n.)* = springtime.

spring tide *(n.)* (١) المدّ الأعلى (في أول الشهر القمري أو منتصفه) (٢) فَيْض (a ~ of prosperity) .

springtime [sprĭng'tīm'] *(n.)* (١) الربيع (٢) ربيع ؛ شباب .

spring wagon *(n.)* العربة النابضيّة : عربة خفيفة مزوّدة بنوابض أو زُنبركات

springy [sprĭng'ĭ] *(adj.)* (١)«أ» كثير الينابيع . «ب» ليّن رَطْب. (٢)«أ»مَرِن ؛ رَجُوع ؛ نابضيّ . «ب» خفيف الحركة نشيطها .

sprinkle [sprĭng'kəl] *(vt.; i.; n.)* (١)يَنْثُر ؛ يَذُرّ (٢)ينقِّط ؛ يرقّش (٣) يرشّ ؛ ينضح ×(٤) تُمطِر رَذاذاً (It began to ~.) §(٥) «أ» نَثْر ؛ ذَرّ . «ب» رشّ ؛ نَضْح (٦) رذاذ أو مطر خفيف (٧) .4 - sprinkling 2 .

sprinkler [-'klər] *(n.)* (١) فا sprinkle (٢) مِرَشّة ؛ مِنْضَحة.

sprinkler system *(n.)* النّظامالنَّضْحِيّ: سلسلة أنابيبَ (في سقف مبنى) ذات صمامات تنفتح أوتوماتيكياً ، عند حرارة معيّنة ، لإطفاء الحرائق .

sprinkling [-'klĭng] *(n.)* (١) مص sprinkle (٢) ذرّة أو قدْر ضئيل (He hasn't even a ~ of common sense.) (٣) رَشّة (a ~ of pepper) (٤) نِثار متفرّق (a ~ of people) .

sprint [sprĭnt] *(vi.; n.)* (١) يعدو بأقصى السرعة ، وبخاصة مسافةً قصيرةً §(٢) عَدْو بأقصى السرعة (٣)«أ» سِباق قصير سريع . «ب» إسراع مفاجىء (a ~ at the finish) :

sprinter [-'ər] *(n.)* العدّاء؛ وبخاصة : المشترك في سباق قصير .

sprit [sprĭt] *(n.)* عُوْد الشراع : عُوْد لنشر الشراع .

sprite [sprīt] *(n.)* (١)شَبَح (٢)جِنّيّ صغير (٣)الموْذي؛ الخبيث.

spritsail [sprĭt'-] *(n.)* الشراع المنشور (على عود القِلع) .

sprocket [sprŏk'ĭt] *(n.)* الضِّرْس: سِنّ العجلة المُسنَّنة (مك) .

sprocket wheel *(n.)* العَجَلة المسنّنة (مك) .

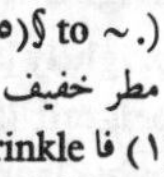

sprocket wheel

sprout [sprout] *(vi.; t.; n.)* (١) «أ» يَشْطَأ (الزَّرع) : يَخرج شَطْؤه أو أوّلُ ورقه أو فروعِه . «ب» يتبرعم (٢) ينمو بسرعة ×(٣) يُطلع (ورقاً جديداً الخ.) (٤) يُنْبِت (٥) يُزيل شَطْأه (~ed potatoes) §(٦)الشَّطْء: أول ما ينبت من الورق أو الفروع (٧)بُرعم (~s of liberal thought) (٨) ولد؛ صبيّ .

spruce [sproos] *(n.; adj.; vt.; i.)* (١) البِيسيّة؛ الراتينجيّة : شجرة من الفصيلة الصنوبريّة §(٢) أنيق §(٣) يهنْدِم ؛ يجعله أنيقاً ×(٤) يتهندم ؛ يتأنّق .

spruce beer *(n.)* جَعة البِيسيّة : جَعة تُصْنَع من أغصان البِيسيّة وورقها (را. المادة السابقة) .

sprucy [sproo'sĭ] *(adj.)* أنيق ؛ ذو أناقة .

sprue [sproo] *(n.)* (١) إسهال البلاد الحارّة (٢) المَصَبّ : فتحة الصبّ في قالب .

sprung [sprŭng] *past and past part. of* spring.

spry [sprī] *(adj.)* نشيط ؛ رشيق ؛ خفيف الحركة .

spud [spŭd] *(n.; vt.; i.)* (١) المَرّ : مِسحاة صغيرة للحفر وقطع جذور الأعشاب (٢) بطاطس §(٣) يحفر أو يزيل الخ. بالمرّ .

spume [spūm] *(n.; vi.)* (١) زَبَد؛ رَغْوة §(٢) يُزْبِد؛ يُرْغي .

spumoni *or* **spumone** [spə mō'nĭ; -'nē] *(It.)* الإسبومونيّة : ضرب من البوظة أو المثلوجات ذو طبقات مختلفة الألوان والطعوم .

spun [spŭn] *past and past part. of* spin.

spun glass *(n.)* الزجاج المغزول : زجاج ليفيّ الشكل .

spunk [spŭngk] *(n.; vi.)* (١) الصُّوفان (را. punk) (٢) جرأة ؛ نشاط ؛ حيويّة §(٣) يلتهب نشاطاً أو غضباً .

spunky [-'ĭ] *(adj.)* (١)جريء؛شجاع (٢)مفعم بالنشاط والحيويّة.

spun rayon *(n.)* الرايون (را. rayon 1) المغزول .

spun sugar *(n.)* غَزْل السكّر؛غَزْل البنات : حلوى تُعَدّ من سكّر غُلِيَ على صورة خيوط .

spun yarn *(n.)* حبلٌ صغير (غير مُبْرَم الفتل) .

spur [spûr] *(n.; vt.; i.)* (١)مِهْماز ، مِنْخَس (٢).pl: جائزة؛ مكافأة (٣) منبّه ،مثير، حافزٌ للعمل (٤)شيء كالمهماز ، مثل : «أ»جِذر أو غصن ناتىء . «ب» شوكة في رِجلِ الديك (وغيره من الطيور) . «ج» climbing iron (٥) الرِّعْن : أنف الجبل (٦)دعامةعمودأوحِصن §(٧)يهمِز ؛ يَنْخَس (٨)يحثّ ؛ يستحثّ.

on the ~ of the moment ارتجالاً ؛ عَفْوَ اللحظة أو الخاطر ؛ على البديهة .

to win one's ~*s* يُحرِز أول انتصاراته أو نجاحاته ؛ يبني لنفسه مجداً أو شهرة .

spurge [spûrj] *(n.)* الفَرْبيُون : نبات ذو عصارة لبَنيّة مريرة .

spur gear *or* **wheel** *(n.)* الترس الأسطوانيّ العَدْل : تُرْس أسنانُه موازيةٌ للمحور (مك) .

spur gear

spurge laurel *(n.)* دَفْنة؛ عُوْد الغار : شجيرة مزهرة ذات أوراق دائمة الخضرة .

spurious [spyoor'ĭ əs] *(adj.)* (١) غير شرعيّ (her ~ firstborn) (٢) زائف ؛ مزوّر ، كاذب (a ~ document) (٣) موضوع ؛منحول (~ lines and passages) (٤) غير منطقي (~ inferences) .

spurn [spûrn] *(vi.; t.; n.)* (١) يقاوم بازدراء ×(٢) يرفس ؛ يدوس أو يطأ بثِقَل (٣)يزدري؛ يرفض بازدراء (~*ed* the bribe) §(٤) رَفْسة (٥)«أ» رفضٌ بازدراء . «ب» ازدراء .

spur-of-the-moment *(adj.)* مُرْتَجَل (~ ideas) .

spurred [spûrd] *(adj.)* (١) مُمَهْمَز : ذو مهماز (٢) شائك.

spurrier [spûr'ĭ ər] *(n.)* المَهاميزيّ : صانع المهاميز .

spurry *or* **spurrey** [spûr'ĭ] *(n.)* الاسْبَرْغُولةالحَقْلِيّة: عشب أوروبي أبيض الزهر .

spurt [spûrt] *(n.; vi.; t.)* (١) لَحْظة (for a ~) (٢) «أ» جهدٌ أو نشاط أو نموّ مفاجىء . «ب» تعاظم مفاجىء في النشاط الاقتصادي (٣) تدفّق أو تفجّر أو اندلاع مفاجىء §(٤)يتدفّق؛ يتفجّر؛ ينبجس (٥) يبذل جهداً كبيراً فترةً قصيرة (~*ed* near the end of the race) ×(٦) يَثُجّ ؛ يَلفُظُ الماءَ .

spur track *(n.)* الخط الفرعي : خطّ متفرع من خطّ حديديّ رئيسي .

spur wheel *(n.)* = spur gear.

sputnik [spŏŏt'nĭk] *(Russ.)* السبوتنيك : قمر صناعيّ .

sputter [spŭt'ər] *(vt.; i.; n.)* (١) يلفظ (رشاشاً من اللعاب أو الطعام من فمه) (٢) يلفظ (الكلمات أو التهديدات الخ .) بسرعة أو اختلاط أو اهتياج ×(٣) يفرقع ؛ يبقبق الخ . (٤) يتوقف « مُحدِثاً فرقعةً أو نحوها » (The engine ~*ed*.) §(٥) كلام مختلط أو مُهتاج (٦) فرقعة ؛ بقبقة الخ.

sputum [spū'təm] *(L.)* pl. **-ta** بُصاق ؛ نُخامة .

spy [spī] *(vt.; i.; n.)* (١) يستطلع أو يستكشف سرّاً ؛ يراقب (لأغراض معادية) (٢) يفحص بدقّة (٣) يَلْمَح؛ يرى (٤) يبحث بتدقيق « عن » ×(٥) يَنْظُر أو يبحث عن . (٦) يتجسس §(٧)«أ» العين ؛ الرقيب . «ب» الجاسوس (٨)«أ» مراقبة . «ب» تجسّس .

spyglass [spī'glăs'] *(n.)* المِنْظار ؛ النظّارة المقرِّبة .

squab [skwŏb] *(n.; adj.)* (١)الزُغْلول: فَرخ الحمام (٢)شخص قصير بدين (٣)«أ»أريكة.«ب»وسادة كرسي أو أريكة§(٤)خارج حديثاً من بَيْضة(٥)قصير بدين(٦)عريض؛ غليظ (a ~ nose) .

squabble [skwŏb'əl] *(n.; vi.; t.)* (١)«أ» شِجار (لأمور تافهة عادة).«ب» نزاع §(٢) يتشاجر ؛ يتنازع (٣) تختلط (الأحرف المنضّدة) أو يَفسُد ترتيبها ×(٤) يُفسِد ترتيب الأحرف المنضّدة.

squabby [skwŏb'ĭ] *(adj.)* قصير بدين .

squad [skwŏd] *(n.; vt.)* (١)«أ» زمرة ؛ جماعة . «ب» شرذمة؛ فرقة §(٢) ينظّم في زُمَر أو فِرق .

squad car *(n.)* = prowl car.

squadron [skwŏd'rən] *(n.)* (١)«أ» سَرية خيّالة. «ب» عمارة؛ أسطول . «ج» سرب طائرات (٢) جَمْهَرة (a ~ of poets) .

squalid [skwŏl'ĭd] *(adj.)* (١) قَذِر (٢)حقير؛جدير بالازدراء .

squall [skwôl] *(vi.; t.; n.)* (١) يَصْرخ ؛ يزْعَق (٢) تهبّ « العاصفة » ×(٣) يُطلق بنبرة صارخة §(٤) صَرْخَة (٥) ريح شديدة « مصحوبة عادةً بمطر أو ثلج » (٦) شِجار ؛ نزاع .

squally [-'ĭ] *(adj.)* (١) كثير الرياح (a ~ day) (٢) عاصف . (٣) مشحون بالخلافات الخ. (a ~ life) .

squaloid [skwā'loid] *(adj.)* قِرْشانيّ : شبيه بسمك القِرش .

squalor [skwŏl'ər] *(n.)* (١) قذارة (٢) فساد سياسيّ الخ .

squam- *or* **squamo-** بادئة معناها : سَفَطَة؛ حَرْشَفة؛ قِشرة.

squama [skwā'mə] *(L.)* pl. **-e** سَفَطَة؛ حَرْشَفة ، قِشْرة .

squamate [skwā'māt] *(adj.)* مُحَرْشَف ؛ كثير الحراشف .

squamation [skwā mā'shən] *(n.)* (١) الحَرْشَفيّة : كون الشيء مُحَرْشَفاً أو كثير الحراشف (٢)التّحرشف : ترتيب الحراشف.

squamosal [skwə mō'səl;-zel] *(adj.)* = squamous.

squamose [skwā'mōs] *(adj.)* = squamous.

squamous [skwā'məs] *(adj.)* محرَشف ، كثير الحراشف .

squamulose [skwăm'yə lōs] *(adj.)* صغير الحراشف

squander [skwŏn'dər] *(vt.; i.; n.)* (١) يُشتِّت (جيشاً الخ.) . (٢) يبدِّد (مالاً) ×(٣) يُبذِّر ؛ يُسْرف في الانفاق (٤) يتشتّت §(٥) تبذير .

—squanderer *(n.)*

square [skwâr] *(n.; adj.; adv.; vt.; i.)* (١) الكُوس : زاوية النجّار (٢) المُربَّع (هن) (٣) الخانة : مربّع من مربعات رقعة الشطرنج الخ . (٤) التربيع : مربّع العدد (٥)«أ» ساحة؛ ميدان (في مدينة) . «ب» جانب من جوانب الساحة أو الميدان (٦)قالب أو قطعة شبه مكعّبة (a ~ of cheese)§(٧)«أ»مربّع . «ب» قائم الزاوية (a ~ corner) (٨) تربيعيّ (ر) (٩) مربّع تقريباً (a ~ cabinet) (١٠) عريض جداً ؛ قويّ (a ~ jaw) (١١) «أ» مُحكَم ؛ متقَن . «ب» منصِف ؛ عادل ؛ أمين ؛ شريف (a ~ dealing) . «ج» متعادل ؛ متوازن. «د»مرضٍ ؛مُشْبِع (a ~ meal). «هـ» صُلْب وقويّ. «و» باتّ ؛ قاطع (a ~ refusal) . «ز » مُحافِظ (a ~ music) §(١٢) بأمانة ؛ باستقامة (treated him ~) (١٣) وجهاً لوجه (house stood ~ to the road) (١٤) على زاوية قائمة (The road turned ~ to the left.) (١٥) مباشرةً (ran ~ into me) (١٦) بثبات ؛ بقوّة (planted his bulk ~ before the enemy) (١٧) بشكل مربّع (cut the diamond ~)§(١٨) «أ» يُربِّع . «ب» يقيس ليرى مدى الانحراف عن زاوية قائمة أو خطّ مستقيم (١٩) يجعله على زاوية قائمة (She ~*d* her shoulders.) (٢٠)يختبر ؛ يمتحن (٢١) يسدِّد ؛ يسوّي (to ~ an account) (٢٢) يجعل (المباراة) متعادلةَ النتيجة (٢٣) يجعله منسجماً مع (٢٤)يرشو ×(٢٥)يتّفق؛ ينسجم (٢٦) يتّخذ وضعَ المقاتل (~*d* up to him) .

all ~, متعادل (من حيث النتائج في مباراة) .

on the ~ , (١) على زاوية قائمة (٢) باستقامة ؛ بأمانة .

out of ~, (١) بانحراف ؛ على غير زاوية قائمة . (٢) «أ» غير مرتب ؛ «ب» غير نظاميّ (٣) «أ» خاطىء . «ب» خطأً .

to ~ away (١) يرتّب أو يهيّىء كلّ شيء (٢) يتّخذ موقف المقاتِل .

to ~ off يتّخذ موقفَ المقاتِل .

to ~ the circle. (١)يربّع الدائرة (٢)يحاول عمل المستحيل.

square dance *(n.)* الرقصة التربيعيّة : رقصة يؤدّيها الراقصون وهم على صورة مربّع .

squared circle *(n.)* الحَلْبَة المربّعة : حَلْقَة الملاكمة .

square deal *(n.)* (١) إنصاف ؛ عدل (٢) أمانة ؛ استقامة .

square knot *(n.)* العقدة التربيعيّة .

square measure *(n.)* قياسٌ المساحات أو نظام مقاييس مساحيّة.

squarer [-'ər] *(n.)* المربِّع : عامل يقطع الحجارة أو الخشب مربّعات.

square root *(n.)* الجذر التربيعيّ (ر) .

square sail *(n.)* شراع رباعيّ الأضلاع .

square shooter *(n.)* الأمين ؛ المستقيم ، وبخاصة في اللعب .

square-toed [skwâr'tōd'] *(adj.)* محافظٌ أو متمسّكٌ بالقديم .

square-toes [skwâr'tōz'] *(n.)* المحافظ أو المتمسك بالقديم .

squarish [skwâr'ĭsh] *(adj.)* مُربّعانيّ : مربّع بعضَ الشيء .

squash [skwŏsh] *(vt.; i.; n.; adv.)* (١) يسحق ؛ يهرس . (٢) يُخمِد (ثورة الخ.) ×(٣) ينسحق ؛ ينهرس (٤)يخوض (في الوحل) (٥)ينحشر ؛ يحشر نفسه §(٦)سقوط مفاجىء لشيء ثقيل ليّن او صوتُ ذلك (٧) صوت التّخويض في الوحْل ونحوه (٨) الهريس : شيء مهروس (٩) شيء ليّن سهل سحقُه أو هرسُه (١٠) عصير (a lemon ~) (١١) الإسكواش : لعبة شبيهة بكرة اليد والتنس (١٢) القَرْع (نب) §(١٣)محدِثاً صوتاً كالطرطشة (fell ~ into a bog)

squash bug *(n.)* بَقّة القَرْع :حشرة شمالأميركيّة داكنة اللون كريهة الرائحة ضارّة بالقَرْع وغيره من النباتات .

squashy [skwŏsh'ĭ] *(adj.)* (١) سَهلٌ سحقُه أو هرْسُه . (٢)سَبِيخ ؛ مستنقعيّ (٣) ليّن من شدّة النضج (a ~ melon) .

squat [skwŏt] *(vt.; i.; n.; adj.)* (١) «أ» يحتلّ (أرضاً) بغير حقّ أو من غير أجرٍ يدفعه . «ب» يحتلّ (أرضاً) وفي نيّتِهِ امتلاكها بوضع اليد ×(٢) يجثم ؛ يربض (٣) يُقْعِي ؛ يجلس القُرْفُصاء §(٤) «أ» جُثُوم . «ب» إقعاء . «ج» قُرفُصاء (٥) مَجْثَم ؛ مَرْبَض (٦) ضربة أو سقطة شديدة (ع) §(٧) «أ» جاثم . «ب» مُقرفِص : جالسٌ القُرفُصاء (٨) «أ» خفيض . «ب» قصيرٌ وثخين .

squatter [skwŏt'ər] *(vi.; n.)* (١) يندفع أو يخوض في الماء أو نحوه §(٢) فا squat ، وبخاصة : «أ» مَن يحتلّ أرضاً بغير حقّ أو من غير أجر يدفعه . «ب» مَن يحتلّ أرضاً وفي نيّته امتلاكها بوضع اليد .

squatty [skwŏt'ĭ] *(adj.)* (١) خفيض وعريض (٢) قصيرٌ وثخين .

squaw [skwô] *(n.)* (١) أميركيّة من الهنود الحمر (٢) امرأة ؛ زوجة .

squawk [skwôk] *(vi.; n.)* (١) يطلق صوتاً عالياً حادّاً (٢) يشكو أو يحتجّ بصوت عالٍ أو بعنفٍ §(٣) صوت عالٍ حادّ (٤) شكوى صارخة . **—squawker** *(n.)*

squaw man *(n.)* رجل أبيض متزوج من هندية أميركية حمراء .

squeak [skwēk] *(vi.; n.)* (١) يَصِرّ ؛ يَصْرِف (كالباب على مِفصلاته) (٢) يصيء ؛ يطلق صوتاً قصيراً حادّاً (A mouse ~*s*.) (٣) يخون أو يفشي السرّ «خشيةَ العقاب الخ .» (٤) ينجح أو يفوز أو ينجو بمعجزة او بشِقّ النفس §(٥) «أ» صرير ؛ صريف . «ب» صوت قصير حادّ (٦) فرصة (gave her one more ~) (٧) نجاة (كقولك a close ~ أي نجاة بأعجوبة) .

squeal [skwēl] *(vi.; n.)* (١) يُطلِق صرخةً طويلة حادّة (٢) يخون أو يفشي (خشيةَ العقاب) (٣) يشكو ؛ يحتجّ §(٤) صرخة طويلة حادة .

squeamish [skwē'mĭsh] *(adj.)* (١) «أ» سريع الغثيان . «ب» مَغْثِيّ : مصابٌ بالغثيان (٢) «أ» مفرط الاحتشام . «ب» شديد الحساسيّة لأقلّ شيء منافٍ للأخلاق . «ج» مُوَسْوَس .

squeegee [skwē'jē] *(n.; vt.)* (١) المِمْسَحَة المطاطيّة : ممسحة مطاطيّة أو جلديّة ذات مقبض «لإزالة الماء عن النوافذ بعد غَسْلها الخ .» (٢) المِدْحاة المطاطيّة : مِدْحاة مطاطيّة صغيرة ذات مِقبض يستخدمها المصور الفوتوغرافي أو عامل الطباعة الحجريّة §(٣) «أ» يمسح بممسحة مطاطيّة . «ب» يعالج بمدحاة مطاطيّة .

squeeze [skwēz] *(vt.; i.; n.)* (١) يضغط ، يكبس على (٢) يَعْصِر أو يستخرج بالعَصْر (٣) يُدْخِل ؛ يُقحِم (٤) يبتزّ (المالَ) (٥) يُرهق (٦) يخفّض (~*d* profits) (٧) يحشر في حيّزٍ ضيّق (٨) يكسب أو يفوز بشِقّ النفس ×(٩) ينضغط ؛ ينكبس (١٠) يشقّ طريقه بالضغط (١١) يفوز (مشروعُ القرار) أو يقترن بالموافقة بشِقّ النفس §(١٢) «أ» ضَغْط ؛ كَبْس ؛ عَصْر . «ب» مصافحة . «ج» عِناق (١٣) «أ» عُصارة (a ~ of lemon) . «ب» حَشْد (a ~ of people) (١٤) «أ» عمولة . «ب» ابتزاز المال (١٥) أزمة ؛ شِدّة ؛ مأزق (in a tight ~) (١٦) بَصْمَة ، طَبْعَة . **—squeezer** *(n.)*

squeeze bottle *(n.)* الزجاجة المنضغطة : زجاجة لدائنيّة تُستخرَج محتوياتها بالضغط .

squeeze play *(n.)* ضغط من أجل الابتزاز أو بغية تحقيق هدف .

squelch [skwĕlch] *(vt.; i.; n.)* (١) «أ» يَسحق . «ب» يُخمِد . «ج» يُسكِت ×(٢) يخوض في الماء أو الوحل (٣) يُطلِق صوتاً كالذي يُحدِثه المخوض في الماء أو الوحل §(٤) صوت التخويض في الماء أو الوحل (٥) «أ» إخماد ؛ إسكات (٦) جوابٌ مُفحِم .

squib [skwĭb] *(n.; vi.; t.)* (١) مفرقعة ، متفجرة (٢) «أ» نقد ساخر . «ب» سخرية لاذعة . «ج» كلمة مكتوبة من غير روية أو إتقان §(٣) ينطلق بسرعة وعلى نحو متقطّع (٤) يفرقع (٥) ينتقد نقداً ساخراً الخ . ×(٦) يقول بطريقة مرتجلة (٧) يهجو (٨) يفجّر ؛ يطلق .

squid [skwĭd] *(n.; vi.)* (١) الحبّار ؛ السَّبِيدَج : حيوان رِخويّ من رأسيّات الأرجل (٢) «أ» طُعم من الحبّار . «ب» طُعم معدنيّ شبيهٌ بالحبّار §(٣) يصيد الحبّار أو بطُعم الحبّار .

squid 1.

squiffed [skwĭft] *or* **squiffy** [skwĭf'ĭ] *(adj.)* سكران ؛ ثَمِل ؛ مخمور .

squiggle [skwĭg'əl] *(vi.; t.; n.)* يُخربِش : يكتب أو يرسم بعجلة ومن غير إتقان §(٢) خربشة .

squilgee [skwĭl'jē] *(n.; vt.)* = squeegee.

squill [skwĭl] *(n.)* العُنْصُل ؛ العُنْصُلان : نبات من الفصيلة الزنبقيّة .

squilla [skwĭl'ə] *(L.)* pl. **-s** *or* **-e** السِّقِلّة : حيوان قِشريّ من فَمّيّات الأرجل يحفر جُحره في الوحل أو تحت الحجارة في المياه الضحلة عند شاطىء البحر .

squinch [skwĭnch] *(n.)* الإِسْقِنْش : قوس يُبنَى عبرَ زاوية الغرفة لتدعيم ما فوقه (عم) .

squinch

squint [skwĭnt] *(vi.; t.; adj.; n.)* (١) ينحرف . (٢) «أ» ينظر شَزْراً . «ب» يَحْوَل : يكون مصاباً بالحَوَل . «ج» ينظر أو يحدّق بعينين نصف مغمضتين ×(٣) يغمض عينيه نصف إغماضة (عند التحديق) §(٤) شَزْراء (a ~ look) (٥) «أ» حولاوان (~ eyes) . «ب» أحول §(٦) الحَوَل (٧) «أ» نظرة شزراء ؛ نظرٌ شَزْر . «ب» نظرة (Let me have a ~ at it.) (٨) اتجاه ؛ نزعة (His speech had a leftist ~.) .

squint-eyed [skwĭnt'īd'] *(adj.)* (١) أحوَل (٢) مُغْرِض ؛ حقود ؛ ناظرٌ شَزْراً .

squinty [-'ĭ] *(adj.)* حولاوان : فيهما حَوَل (~ eyes) .

squire [skwīr] *(n.; vt.)* (١) حامل الدروع : تابع الفارس الذي يحمل دروعه (٢) «أ» المُرافق (لشخصيّة كبيرة) . «ب» مرافق السيدة . «ج» زير نساء (٣) مالك الأرض الرئيسي (في مقاطعة انكليزية) (٤) قاضي الصلح ؛ القاضي المحلّي (في الولايات المتحدة الأميركيّة) §(٥) يرافق سيدةً (على سبيل الحماية أو التكريم) .

squirm [skwûrm] *(vi.; n.)* (١) يتلوّى (٢) يرتبك أو يخجل أو يتضايق بشدّة §(٣) تَلَوٍّ الخ .

squirrel [skwûr'əl] *(n.)* (١) السِّنجاب (ح) . (٢) فرو السِّنجاب .

squirrel corn *(n.)* الدِّيقَنْطَرة ؛ المهمازية : عشبٌ شماليّ أميركيّ .

squirrel rifle *or* **gun** *(n.)* البندقيّة السنجابيّة : بندقيّة صغيرة الماسورة .

squirrel

squirt [skwûrt] *(vi.; t.; n.)* (١) ينبجس (كالماء من نافورة) ×(٢) يَثُجّ ؛ يَبُخّ (سائلاً) §(٣) «أ» ثَجّاجة ؛ بَخّاخة ؛ حقنة . «ب» سائل منبثق (من نافورة أو فتحة ضيقة) . «ج» انبجاس (٤) فتىً وقِح .

squirting cucumber *(n.)* قِثّاء الحِمار (نب) .

squish [skwĭsh] *(vt.; i.; n.)* = squash.

sri [srē; shrē] *(Skt.)* = shri.

stab [stăb] *(vt.; i.; n.)* (١) يَطعن (٢) يُقحِم §(٣) طعنة (٤) محاولة .

stabile [stā'bĭl] *(adj.)* (١) مستقرّ ؛ ثابت (٢) مستقرّ : مقاومٌ للتغيّر الكيميائي .

stability [stə bĭl'ə tĭ] *(n.)* (١) ثبات ؛ رسوخ ؛ استقرار . (٢) نَذر الاستقرار : نَذْرٌ يُلزِم الراهبَ بالاقامة طوال العمر في دير واحد (كث) .

ă at; ā date; â care; ä car; ĕ egg; ē me; ĭ in; ī bite; ŏ lot; ō bone; ô orphan; oi boil oo good; ōō boot; ou out; ŭ under; ū unity; û urgent; th thing; *th* this; zh vision; ə = *a* in alone, *e* in system, *i* in easily, *o* in gallop, *u* in circus.

stabilization [stā bə lĭ zā'shən] *(n.)* (١) إقرار ؛ ترسيخ . (٢) استقرار ؛ رسوخ (٣) موازنة .

stabilize [stā'bə līz'] *(vt.; i.)* (١) يُقِرّ ؛ يرسّخ ؛ يثبّت . (٢)«أ» يوازن ؛ يحفظ توازنَ (الطائرة). «ب» يحدّ من تقلّبات الأسعار ×(٣) يستقرّ ؛ يرسخ ؛ يتوازن .

stabilizer [stā'bə lī'zər] *(n.)* المُقِرّ ؛ الموازِن ؛ مثل : «أ» مادة تضاف إلى مادّة أخرى لحفظ خصائصها الطبيعية والكيميائية من التغيّر . «ب» جهاز لحفظ توازن الباخرة أو الطائرة .

stable [stā'bəl] *(n.; vt.; i.; adj.)* (١) «أ» إسْطبل ؛ إصْطبل . «ب» زريبة (٢) «أ» مجموعة من خيل السباق يملكها شخص واحد . «ب» مجموعة من الملاكمين الخ . تحت إدارة واحدة §(٣) يضع الخ . في إسطبل أو زريبة ×(٤) يقيم في اسطبل أو نحوه §(٥)«أ» ثابت ، وطيد ؛ راسخ . «ب» مستقرّ . «ج» دائم (a ~ peace) (٦) متوازِن .

stableboy [-boi] *(n.)* صبيّ الاسطبل : صبيّ يعمل فى إسطبل .

stableman [-măn'] *(n.)* السائس : سائس الخيل .

stabler [stā'blər] *(n.)* صاحب الإسطبل أو الإصطبل .

stabling [stā'-] *(n.)* (١)مُتَّسَعٌ لإيواء الخيل الخ. (٢) اسطبلات.

stably [stā'-] *(adv.)* بثبات ؛ بتوطّد ؛ برسوخ ؛ باستقرار ؛ بتوازن.

staccato [stə kä'tô] *(adj.; n.)* (١)متقطّع §(٢)«أ»التقطّع (مو). «ب» مَقطع موسيقيّ متقطّع (٣) شيء متقطّع ؛ طريقة في التعبير متّسمة بالتقطّع وعدم الترابط .

staccato mark *(n.)* علامة التقطّع (مو) .

stack [stăk] *(n.; vt.; i.)* (١) «أ» كَوْمَة ؛ كُدْس ؛ رُكام . «ب» مقدار كبير (٢) الكُدْس : وحدة قياس انكليزيّة ؛ وبخاصة للحطب (٣)«أ» مجموعة مداخن (فوق سطح مَبْنيّ). «ب» مِدخَنَة. «ج»العادم (في محرك داخليّ الاحتراق) (٤)الحُزْمة المُشَبَّكة: هَرَمٌ مُشكَّل من ثلاث بنادق متشابكة (٥) *pl.* عد : رفوف متراصّة (في مكتبة عامة) (٦) ركام من الفيشات (يباع للاعب بوكر أو يكسبه لاعبُ بوكر) §(٧) يكوّم ؛ يكدّس ؛ يَرْكم (٨) يَصْبِن : يرتّب ورق اللعب سرّاً بغيةَ الغشّ (٩) يعيّن بالراديو (لطائرة مقتربة من المطار) ارتفاعاً أو موضعاً معيناً بين مجموعة من الطائرات تحوّم في الجوّ بانتظار الهبوط ×(١٠) يتكدّس الخ .

stacte [stăk'tē] *(L.)* مَيْعَةُ البَخُور .

staddle [stăd'əl] *(n.)* (١)قاعدة (لكومة القشّ) (٢)ركيزة ؛ دعامة.

stadia [stā'dĭ ə] *(It.)* المقياس البُعْدِيّ : قضيب مُدرَّج يستخدم (مع أداة مساحيّة) لقياس الأبعاد .

stadiometer [stā'dĭ ŏm'ə tər] *(n.)* الإستاديومتر : أداة لقياس أطوال المنحنيات .

stadium [stā'dĭ əm] *(Gk.)* **pl.-dia** *or* **-diums**: (١)الاستديوم: «أ» وحدة اغريقية قديمة من وحدات الطول (تتراوح بين ٦٠٧ و٧٣٨ قدماً انكليزياً) . «ب» وحدة رومانيّة قديمة للطول تساوي ٦٠٦,٩٥ قدماً انكليزياً . «ج» مدرَّج إغريقيّ للألعاب الرياضيّة. «د»ملعبٌ مدرَّجٌ (٢)طور أو مرحلة (من مراحل النمو).

stadtholder [stăt'hōl'dər] *(n.)* نائب الملك أو رأس السلطة التنفيذية (في هولندة بخاصة) .

staff [stăf; stäf] *(n.; vt.)* (١) «أ» عصا ؛ عُكاز . «ب» عارضة (في كرسيّ) . «ج» درجة (في مِرقاة) . «د» سارية . «هـ» سارية العَلَم . «و» نَبّوت ؛ هراوة . «ز» قناة الرمح (٢) صولجان الأسقف (٣) المَدْرَّج الموسيقيّ: الخطوط الأفقية التي تدوَّن عليها الموسيقى (٤) مقياس مدرَّج (٥) قِوام (Bread is the ~ of life.) (٦) «أ» هيئة ؛ هيئة أساتذة . «ب» أركان حرب . «ج» مجموع المساعدين (للمدير) (٧) يجهّز §(٨) يزوّد بالأساتذة أو المساعدين أو العمال الخ .

staffer[-'ər] *(n.)* عضو في هيئة ما، وبخاصة: مخبر أو محرر في جريدة.

staff officer *(n.)* ضابط أركان (جن) .

staff of life *(n.)* الخبز (را. staff 5) .

Staffordshire terrier [stăf'ərd shĭr'] *(n.)* = **bullterrier.**

staff sergeant *(n.)* رقيب أول ؛ رقيب أركان (جن) .

stag [stăg] *(n.; vt.; i.; adj.)* (١) «أ» أيِّل . «ب» ذكَرٌ (من الحيوان) (٢) مُهْر (اسك) ؛ وبخاصة : مهرٌ غير مروَّض أو مذلَّل (٣) حيوان مَخْصِيّ (٤)«أ» حفلة سامرة أو ساهرة للرجال فقط . «ب» مَن يحضر حفلة ساهرةً أو راقصةً غير مصحوبٍ بامرأة §(٥) يتجسّس على ×(٦) يخون أصحابه أو يفشي سِرَّهم (خشيةَ العقاب الخ.) (٧) يشهد حفلةً ساهرةً أو راقصةً غير مصحوب بامرأة §(٨) «أ» مقصورٌ على الرجال فقط (a ~ dinner) . «ب»مُعَدّ أو ملائم للرجال فقط (~ movies) (٩) غير مصحوب بأحد من الجنس الآخر (four ~ women) .

stag beetle *(n.)* الخُنْظُب : ضربٌ من الخنافس لذكوره فكّانِ طويلان شبيهان بقرن الأيِّل .

stage [stāj] *(n.; vt.; i.)* (١) دَرَجَة (٢)«أ» مِنصّة. «ب» خشبة المسرح . «ج» مسرح (٣)«أ» سِقالة للعمال . «ب» مسرح الميكروسكوب : منصّة الميكروسكوب الصغيرة التي يوضع عليها الشيء المُراد اختِبارُه (٤) «أ» محطّة . «ب» المسافة بين محطّتين . «ج» stagecoach (٥) طَوْر ؛ مرحلة (٦)المرحلة : عنصر أو جزء من صاروخ أو من أداة ألكترونيّة معقّدة (a 3-*stage* rocket) §(٧)يُخْرِج على المسرح (٨)يقدّم للجمهور (to ~ a special art exhibition) ×(٩) يسافر بمركبة عموميّة (١٠) يَصْلح للمسرح (This scene will not ~ well.) .

stagecoach [stāj'kōch'] *(n.)* مركبة السَفَر : مركبة جياد عموميّة لنقل المسافرين (والبريد عادةً) على خطّ نظاميّ .

stagecraft [stāj'krăft'] *(n.)* الصناعة المسرحيّة : البراعة أو الخبرة في تأليف المسرحيات أو إخراجها .

stage directions *(n. pl.)* الإرشادات المسرحيّة: أوصاف الممثلين والإرشادات الخاصة بأوضاعهم وحركاتهم على المسرح مطبوعةً في ثنايا المسرحيّة ليستعين بها المخرج الخ .

stage director *(n.)* (١) المخرِج المسرحي (٢) مدير المسرح .

stage door *(n.)* باب المسرح الخلفيّ : باب في مؤخّرة المسرح يستخدمه الممثّلون والعمّال .

stage fright *(n.)* رهبة المسرح : ارتباك يصيب بعض النّاس عند وقوفهم على المسرح أمام جمهور من النظارة أو المستمعين .

stagehand [stāj'hănd'] *(n.)* عامل المسرح : عامل يُستخدم في نقل أثاث المسرح وستائره أو ترتيبها الخ .

stage-manage [stāj'măn'ĭj] *(vt.)* (١) يُخْرِج : يرتّب أو ينظّم أو يعرض وفي نيته أن يبهر الأنظار أو النفوس (to ~ a wedding ceremony) (٢) يدبّر أو يوجّه في الخفاء (Arrest and trial had been ~*d* for a sinister purpose.) (٣) يَعْمَل مُديراً للمسرح في ... (را. المادة التالية) .

stage manager *(n.)* مدير المسرح : مَن يتولّى الإشراف على الجانب المادي من الاخراج المسرحي ، ويساعد المخرج أثناء التجارب ويكون مسؤولاً عن المسرح أثناء التمثيل .

stager [stā'jər] *(n.)* المحنَّك ؛ المتمرِّس (an old ~) .

stage set *(n.)* إعداد المسرح : ترتيب الأثاث والستائر المسرحيّة لمشهد معيّن من مشاهد التمثيلية .

stagestruck [stāj'strŭk'] *(adj.)* مَهْوُوسٌ بالمسرح ، وبخاصة : تتملّكُهُ رغبة لا تقاوَم في أن يصبح ممثلاً .

stage whisper *(n.)* (١) الهمسة المسرحيّة : همسةٌ عالية تصدر عن الممثل فيسمعها النظارة ولكن من المفروض أن لا يسمعها الممثلون الآخرون (٢) همسة مسموعة .

stagflation *(n.)* تضخم مصحوب بركود اقتصاديّ .

stagger [stăg'ər] *(vi.; t.; n.; adj.)* (١) يترنّح ؛ يتهادى . (٢) يتمايل بشدّة (٣) يتردّد ×(٤) يُذْهِل ؛ يَصْعَق (٥) يُرنِّح ؛ يجعله يترنّح (٦) «أ» يرتّب شطرنجياً . «ب» ينظِّم في سلسلة من المواعيد المتداخلة أو المتعاقبة § (٧) *pl.* : دُوار الخيل والماشية الخ . (٨) تَرَنُّح ؛ تَهادٍ ؛ تمايُل (٩) نظام أو ترتيب شطرنجيّ § (١٠) تداخليّ الترتيب ؛ تعاقبيّ الترتيب .

staggering [stăg'ə rĭng] *(adj.)* مُذْهِل ؛ مُرْبِك ؛ صاعق .

staggery [stăg'ə rĭ] *(adj.)* مترنّح ؛ متمايل ؛ متقلقل .

staghound *(n.)* كلب الأيائل : كلبٌ يُستخدَم في صيد الأيائل .

stagily [stā'jĭ lĭ] *(adv.)* بطريقة مسرحيّة ؛ على نحو مسرحيّ .

staging [stā'jĭng] *(n.)* (١) سِقالات ؛ مجموعة سقالات (في مبنًى يُشيَّد) (٢) «أ» تسيير مركبات السَّفَر (را. stagecoach) . «ب» الارتحال في مركبة سفَر (٣) الاخراج المسرحي .

staging area *(n.)* منطقة المراحل : منطقة تجمّع فيها القوات العسكريّة وتُعَدّ للقتال قبل تكليفها بمهمة جديدة .

stagnancy [stăg'nən sĭ] *(n.)* ركود ؛ جمود .

stagnant [stăg'nənt] *(adj.)* راكد (a ~ pool) .

stagnate [-'nāt] *(vi.; t.)* (١) يَرْكُد ×(٢) يُرَكِّد : يجعله راكداً .

stagy [stā'jĭ] *(adj.)* (١) مسرحيّ (٢) متكلّف ؛ مُصطنَع .

staid [stād] *(adj.)* رزين ؛ رصين . **—staidness** *(n.)*

staid [stād] *past and past part. of* **stay.**

stain [stān] *(vt.; i.; n.)* (١) يُلطِّخ ؛ يُبقِّع ؛ يلوِّث (٢) يَشين ؛ يصِم ؛ يعيب (٣) «أ» يُشرِب بلون ما . «ب» يَصْبغ ×(٤) يتلطّخ ؛ يتلوّث § (٥) لطخة ؛ بقعة (٦) وصمة (٧) صِباغ ؛ صِبْغ .
—stainless *(adj.)*

stained [stānd] *(adj.)* (١) ملطّخ ؛ مبقّع (٢) مُصبَّغ ؛ ملوّن .

stainer [stā'nər] *(n.)* فا stain وبخاصة : «أ» الصابغ . «ب» صِبْغ .

stainless steel *(n.)* الفولاذ الصامد : فولاذٌ لا يصدأ .

stair [stâr] *(n.)* (١) سُلَّم (٢) درَجة (في سُلَّم) .

staircase [stâr'kās'] *(n.)* (١) بَيْتُ السلّم (٢) سُلّم ؛ دَرَج .

stairway [stâr'wā'] *(n.)* سُلَّم ؛ دَرَج .

stairwell [stâr'wĕl'] *(n.)* بئر السُّلَّم ؛ بيت السُّلَّم .

stake [stāk] *(n.; vt.)* (١) «أ» وَتِد . «ب» سِناد (لنبتةٍ الخ.) . (٢) «أ» خازوق (يُشدّ إليه المحكوم عليه بالموت حرقاً) . «ب» الإعدام حرقاً «بالشدّ إلى خازوق» (٣) «أ» رهان ؛ مالٌ يُراهَن به . «ب» جائزة سباقٍ أو مباراةٍ . «ج» حصة في مغامرة تجاريّة (٤) الوَتِد المُحْتَجِز : واحد من سلسلة أوتاد مغروسة في جانب السيّارة أو مؤخرها لاحتجاز الحِمْل § (٥) يعلّم حدودَ شيء بأوتاد (٦) يشدّ (حيواناً) إلى وتد (٧) يميت حرقاً (بالشدّ إلى خازوق) (٨) يراهن ؛ يخاطر (٩) يُسنِد النبتةَ إلى عُود أو سِناد (١٠) يدعم مالياً .

stake body *(n.)* البَدَنُ المُوتَّد : بدنُ سيارةٍ مفتوح يتألف من منصّةٍ غُرِسَت على جوانبها أوتاد تحتجز الحِمْل .

stakeholder [stāk'hōl'dər] *(n.)* متسلّم الرهان : مَن يُودَع عنده الرهان ريثما تُعْرَف النتيجة .

stake truck *(n.)* الشاحنة الموتَّدة : شاحنة أو سيارة شحن ذات بدنٍ مُوتَّد (را. stake body) .

Stakhanovite [stä kän'ə vīt] *(Russ.)* السّتاخونوفيّ : عامل من عمال الصناعة في الاتحاد السوفياتي منحته الدولةُ علاواتٍ وامتيازات خاصة مكافأةً له على تخطّيه النسبة السوية في الإنتاج .

a b
A. stalactite
B. stalagmite

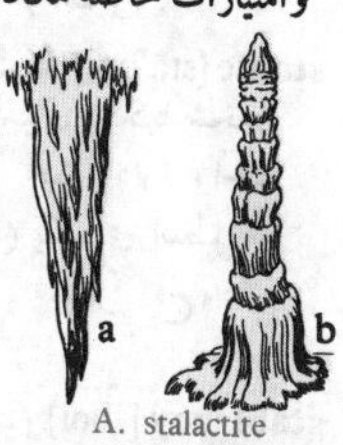

stalactite [stə lăk'tīt] *(L.)* الهوابط ؛ الحُلَيْمات العليا : رواسب كلسية مدلاةٌ من سقوف المغاور (جي) .

stalag [stä'läg'] *(G.)* السّتالاج : معسكر اعتقال ألمانيّ للجنود وضباط الصف .

stalagmite [stə lăg'-] *(L.)* الصواعِد ؛ الحُلَيْمات السفلى : رواسب كلسيّة في أراضي المغاور (جي) .

stale [stāl] *(adj.; vt.; i.; n.)* (١) تَفِهُ (المذاق) لِقِدَمِهِ (٢) مبتذَل ؛ بالٍ ؛ «بايخ» (a ~ joke) (٣) مُمات : فاقدٌ قوّته الشرعيّة بحكم مرور الزمن (a ~ debt)(٤) مُوهَن ؛ مُجهَد § (٥) يجعله تفِهاً أو مبتذلاً الخ . ×(٦) يصبح تفِهاً الخ . (٧) يبول البعير أو الفرسُ § (٨) بول البهيمة .

stalemate [stāl'māt'] *(n.; vt.)* (١) إحراج الشاه : موقفٌ في الشطرنج يتعذّر فيه الإتيان بحركة ما من غير إماتة الشاه (٢) ورطة ؛ مأزق § (٣) يُحْرِج الشاه (٤) يوقع في ورطة أو مأزق .

Stalinism [stäl'ə nĭz əm] *(n.)* الستالينيّة : نظريّة في الشيوعيّة طوّرها ستالين عن الماركسيّة اللينينيّة وهي تتّسم بالدّكتاتوريّة الصارمة ، والارهاب الشامل ، وبالتوكيد على القوميّة الروسيّة .

stalk [stôk] *(n.; vi.; t.)* (١) «أ» ساق (نب) . «ب» سُوَيقة . زُنَيْد (نب) . «ج» حَبْل البُذَيْرة (نب) (٢) رُجَيْلة ؛ ذُنَيْب (ح) (٣) مشيةٌ متشامخة الخ . § (٤) يطارد خِلْسةً (٥) يمشي ببطء أو بتصلّب أو بتشامخ (٦) يتفشّى (الداء) بصَمْتٍ واطّراد ×(٧) يطوف ببقعة ما بحثاً عن الطرائد .

stalking-horse [stô'kĭng hôrs'] *(n.)* (١) الدَّريئة ؛ الجوادُ الدَّريئةُ : جواد أو شيء على صورة جواد يستتر به الصائد ليختِل الطرائد (٢) قِناع ؛ ذريعة (٣) المرشّحُ الدَّريئةُ : مرشّحٌ يُراد بترشيحه حَجْبُ المرشّح الأقوى أو حرمانُ المرشّح المنافس من عدد من الأصوات الانتخابيّة .

stall [stôl] *(n.; vt.; i.)* (١) «أ» المَرْبِط : مربط الجواد أو البقرة الخ . في إسطبل أو حظيرة . «ب» الموقف المعلّم : فسحة معلّمة تتّسع لسيارة واحدة (في ساحة لإيقاف السيارات) (٢) «أ» مقعد في مذبح الكنيسة . «ب» مقعد خشبيّ طويل من مقاعد مثبّتة صفوفاً في كنيسة . «ج» مقعد أماميّ (في مسرح) (٣) كشك الخ . (لعرض السّلع للبيع) (٤) غمد الإصبع : غطاء واقٍ للإصبع (٥) حُجَيْرة (a shower ~) (٦) الانهيار (طي) (٧) مساعد النشّال (٨) ذريعة ؛ حِيلة خدعة § (٩) يضع في مربط أو موقف معلّم (١٠) يوقف (١١) يؤخّر أو يؤجّل بالموارَبة أو الحيلة ×(١٢) يتوقف (المحرّك الخ.) فجأة (١٣) تنهار (الطائرةُ) .

stall-feed [stôl'fēd'] *(vt.)* يَعْلِف في مَرْبط (بغية التسمين) .

stalling angle *(n.)* زاوية الانهيار (طي) .

stalling speed *(n.)* سرعة الانهيار (طي) .

ă at; ā date; â care; ä car; ĕ egg; ē me; ĭ in; ī bite; ŏ lot; ō bone; ô orphan; oi boil; ŏŏ good; ōō boot; ou out; ŭ under; ū unity; û urgent; th thing; *th* this; zh vision; ə = *a* in alone, *e* in system, *i* in easily, *o* in gallop, *u* in circus.

stallion [stăl'yən] *(n.)* الفحل: حصان غير مَخْصِيّ (للاستيلاد).

stalwart [stôl'wərt] *(adj.; n.)* (١) قويّ البِنية؛ طويل موفور العَضَل (٢) «أ» شجاع. «ب» راسخ الإيمان (a ~ supporter) §(٣) شخص قويّ البِنية الخ. (٤) نصيرٌ راسخ الإيمان.

stamen [stā'mən] *(L.)* pl. **-mens** *or* **-mina** السَّداة: العضو الذَّكَرِيّ في الزهرة (نب).

stamin- *or* **stamini-** بادئة معناها: سَداة (نب).

stamina [stăm'ə nə] *(L.)* قوة؛ قدرة على الاحتمال.

staminal [-'ə nəl] *(adj.)* سَدائيّ: خاص بالسَّداة أو مؤلَّف منها.

staminate [stăm'ə nĭt; -nāt'] *(adj.)* مُسَدًّى: «أ» ذو سَداة أو أسْدِية. «ب» ذو أسْدِية ولكنْ ليس له مِيدَقّات (نب).

stammer [stăm'ər] *(vi.; t.; n.)* (١) يتمتم؛ يفأفىء؛ يتلعثم. ×(٢) يقول متمتماً (*~ed* that he was...) §(٣) تمتمة؛ فأفأة الخ.

stamp [stămp] *(vt.; i.; n.)* (١) يَرُضّ أو يَسْحَق «بمِدَقّة أو أداة ثقيلة» (٢) «أ» يضرب (شيئاً) بأخمص قدمِهِ. «ب» يدوس بقوة. «ج» يطفىء؛ يُخمِد؛ يقمع (تتبعها *out*) (٣) «أ» يَسِمُ؛ يختم؛ يدمغ. «ب» يلصق طابعاً بريدياً على (٤) «أ» يشكّل بالختم أو الكَبْس. «ب» يسكّ العملة أو المداليات (٥) «أ» يطبَع؛ يَسِم؛ يميّز. «ب» يدلّ على أنه ذو صفة خاصة (His speech *~s* him as a man of letters.) §(٦) مِرَضّة؛ مِسحقة (٧) خَتْم (٨) علامة؛ طبعة؛ سِمة؛ دَمْغة (٩) طابَع أو صفة مميزة (١٠) ضَرْب؛ طِراز (men of that ~) (١١) «أ» طابع أميريّ. «ب» طابع بريديّ.

stampede [stăm pēd'] *(n.; vt.; i.)* (١) تشتّتٌ (أو فرار) مفاجىء لقطيع (مواشٍ أو خيل) مذعور (٢) فرارٌ جماعي §(٣) يحمله على الفرار مذعوراً ×(٤) يفرّ مذعوراً.

stamp duty *(n.)* = stamp tax.

stamper [stăm'pər] *(n.)* (١) فا stamp (٢) الخَتّام: موظف يختم الطوابع الملصقة على الرسائل (في دائرة البريد) (٣) مِرَضّة؛ مِسحَنة.

stamping ground *(n.)* مُنْتَجَعٌ مُفضَّل أو مألوف.

stamping mill *(n.)* (١) معمل رضّ أو سَحْق الخامات. (٢) آلة لرضّ أو سحق الخامات.

stamp tax *(n.)* رسم الطابع (وبخاصة على الصكوك والكمبيالات).

stance [stăns] *(n.)* (١) «أ» وِقْفة؛ وضْعة. «ب» موقف عقليّ أو عاطفيّ (٢) وَضْع قدمَيْ اللاعب عند ضربه الكرة.

stanch [stănch] *(vt.; i.)* (١) يُرْقِىء: يجعل الدمَ يرقأ؛ يوقف نزف الدم (٢) يوقف؛ يضع حدّاً لـ (٣) يَسُدّ؛ يجعله صامداً للماء ×(٤) يَرْقأ الدمُ (ا.ق).

stanch [stônch] *(adj.)* = staunch.

stanchion [stăn'shən] *(n.; vt.)* (١) سِنادٌ قائم؛ دعامة عموديّة (٢) نِير لتقييد حركة البقرة (في زريبة) §(٣) يُدَعِّم؛ يدَعِّم (٤) يقيّد حركة البقرة (بِنِيرٍ في زريبة).

stand [stănd] *(vi.; t.; n.)* (١) «أ» يقف. «ب» يبلغ طوله كذا عند الوقوف (She *~s* six feet.) «ج» ينتصب (٢) يَصْمد (٣) يكون في موقف أو وضع معيّن (*~s* accused of betraying his friend) (٤) يُبْحِر في اتجاه معيّن (٥) «أ» يحتلّ مقاماً أو درجة (She *~s* first in her class.) «ب» يبلغ (The temperature *~s* at 40°.) (٦) «أ» يتخذ موقفاً الخ. (to ~ sponsor for a person) «ب» يقوم؛ يحتلّ موقعاً (A tall tree *~s* before the house.) (٧) يترشّح: يخوض معركة الانتخابات (٨) «أ» يركد (*~ing* water) «ب» يترقرق (tears *~ing* in her eyes) (٩) يبدو في شكله المكتوب أو المطبوع (Copy the passage as it *~s*.) (١٠) يظلّ قائماً أو نافذاً أو ساريَ المفعول (The order still *~s*.) (١١) يبقى؛ يستمرّ (*stood* for a hundred years) ×(١٢) يتحمّل (cannot ~ criticism) (١٣) يقاوم؛ يصمد لـ (to ~ an assault) (١٤) يخضع لِـ (to ~ trial) (١٥) يقوم بمهمة (الخفير أو الحارس الخ.) (١٦) يقوم بنفقات كذا (to ~ treat) (١٧) يُوْقِف (*stood* the child on his feet) (١٨) يتّسع لوقوف عدد معيّن (The bus *~s* 50 people.) §(١٩) «أ» توقّف (في مكان ما). «ب» مقاومة (a gallant ~ at the bridge) «ج» توقُّف (فرقةٍ مسرحيّة أو موسيقيّة) في بلد لتقديم حفلة (a one-night ~). «د» بلدٌ تتوقف فيه الفرقة لتقديم حفلة (٢٠) «أ» موقِف. «ب» موقف الشاهد: مكان وقوف الشاهد في محكمة. «ج» جزء من مدرج ملعب أو مسرح. «د» *pl.* عد: محتلّو ذلك الجزء. «ه» مِنصّة (٢١) «أ» كُشك (لبيع الصحف الخ.). «ب» موقع مناسب لعمل تجاريّ (a good ~ for a drugstore) (٢٢) موقف السيّارات «بانتظار الركاب» (taxi ~) (٢٣) قفير؛ خلية نحل (٢٤) «أ» مِنضَدة. «ب» حامل؛ مِشْجَب الخ. (umbrella ~). «ج» مِنصَب؛ قاعدة (typewriter ~) (٢٥) مجموعة أشجار أو نباتات نامية (٢٦) وقوف؛ انتصاب.

to ~ aside (١) يقف جانباً؛ يقف موقف المتفرج. (٢) يفسح طريقاً لِـ.... (٣) ينسحب من معركة انتخابيّة.

to ~ back (١) يرجع إلى الوراء (٢) يقع (المنزل الخ.) على مبعدة من....

to ~ by (١) يحضُر؛ يقف على مقربة (٢) يناصر؛ يؤيد؛ يقف في جانب كذا (٣) يفي بعهده أو وعده (٤) يقف موقفَ المتفرج (٥) يستعدّ أو يكون مستعدّاً للعمل.

to ~ a good chance يكون له أمل في النجاح الخ.

to ~ clear يبتعد عن؛ يقف بعيداً عن

to ~ down (١) ينسحب من موقف الشاهد (أي المكان الذي يقف فيه الشاهد) في محكمة (٢) ينسحب من المعركة الانتخابيّة (لمصلحة شخص آخر).

to ~ fire يثْبت في وجه نيران العدوّ.

to ~ for (١) «أ» يمثّل. «ب» يرمز إلى (٢) يؤيّد؛ يناضل من أجل (٣) يتحمّل (٤) يترشّح (للنيابة الخ.).

to ~ in (١) يشترك (في تحمّل النفقة الخ.) (٢) يحلّ محلّ ممثّلٍ رئيسيّ ريثما يبدأ تصوير الفيلم.

to ~ in with يكون ذا حظوة عند فلان؛ يكون بينه وبين شخص آخر شبه تحالف سرّيّ مُربِح.

to ~ off (١) يبقى على مبعدة من (٢) يتحفّظ (في علاقاته الاجتماعيّة) (٣) يُبحِر بعيداً عن الشاطىء (٤) يصدّ؛ يردّ (٥) يؤجّل (بالمواربة أو الحيلة) (٦) يستغني عن خدمات العمال موقتاً.

to ~ on يواصل سيره أو تقدّمه.

to ~ on *or* upon (١) يتوقّف على (٢) يُصِرّ على.

to ~ on end يقِف الشعرُ (رُعباً الخ.)

to ~ one's ground (١) يحتفظ بموقعه (في معركة). (٢) يصرّ على رأيه (في مناقشة).

to ~ out (١)«أ» يبرز ؛ ينتأ. «ب» يكون ظاهرَ التفوّق.
(٢) يُبْحِر بعيداً عن الشاطىء (٣) يَصْمد .
to ~ over (١) يؤجّل ؛ يُرْجِئ (٢) يراقِب بانتباه .
to ~ to (١) يفي بعهده أو وعده (٢) يُخلِص (لمبادئه الخ.) ؛ لا يتخلّى عن .
to ~ to one's guns يَثْبت في الميدان ؛ لا يفرّ .
to ~ to win يكون في وضع يؤهّله لأن يكسب شيئاً .
to ~ up (١) يقف (٢) يَثْبت في وجه ضغط أو هجوم .
(٣) يقاوم البِلَى (٤) يتزوّج .
to ~ up for يؤيّد ؛ يناصر .
to ~ up to (١) يواجه بجرأة ؛ يدافع عن نفسه أو حقوقه .
(٢) يفي بعهده الخ. (٣) يقاوم البلى الخ.

stand - alone *(adj.)* مستقلّ [عن الكومبيوتر الرئيسي]

standard [stăn'dərd] *(n.; adj.)* (١) علَم ؛ راية ؛ لواء . (٢) «أ» إمام ؛ معيار ؛ قياس ؛ مقياس. «ب» قاعدة (the gold ~) (٣) مستوى (a high ~ of living) (٤) صفّ (في مدرسة ابتدائية) (٥) «أ» حامل أو سِناد عمودي (لمصباح الخ.) . «ب» عمود . «ج» قاعدة (the ~ for a vase) (٦) شجرة أو شجيرة ذات ساق طويلة مستقيمة (٧) البَنْد : البَتَلة الكبيرة العليا (في بعض الزهرات) §(٨) إمامي ؛ معياري : مؤلّف معياراً للقياس أو المقابلة أو الحكم (weight ~) (٩) قياسي : «أ» ذو صفاتٍ أو خصائص يفرضها القانون أو العرف (insurance policy ~). «ب» سليم وصالح للاستعمال ولكنّه من نوع رديء (beef ~). «ج» متيسّر الحصولُ عليه دائماً ؛ غير استثنائي أو خصوصي (model of automobile ~) . «د» ذو قيمة باقية معترَف بها (reference work ~). «هـ» فصحى (German ~).

standard-bearer [stăn'dərd bâr'ər] *(n.)* (١) حامل العلَم أو اللواء (٢) قائد حركة أو منظمة .

standard candle *(n.)* الشمعة القياسية .

standard deviation *(n.)* الانحراف القياسي (ر) .

standard gauge *(n.)* المعيار الإمامي .

standardization [stăn dərd ə zā'shən] *(n.)* (١) المعايرة . (٢) التقييس ؛ التوحيد القياسي .

standardize [stăn'dər dīz'] *(vt.)* (١) يعاير : يختبر بمعيار . (٢) يقيّس ؛ يوحّد القياس ؛ يجعله مطابقاً لحجمٍ أو وزن قياسي ، أو لقوة أو نوعية قياسية .

standard time *(n.)* الوقت القياسي أو الإمامي : الوقت المعتمد رسمياً لمنطقة أو بلد .

standby [stănd'bī'] *(n.)* (١)«أ» النصير الوفيّ . «ب» موضع الاعتماد (في الملمّات) (٢) البديل : كلّ ما يُحتفظ به جاهزاً للاستخدام عند الاقتضاء .

standee [stăn dē'] *(n.)* الواقف : أحد محتلّي حيّز الوقوف في مسرح أو وسيلة نقل (را. standing room) .

stand-in [-'ĭn] *(n.)* (١) البديل السينمائي : بديل يحلّ محلّ نجم سينمائي أثناء إعداد الاضاءة وآلات التصوير أو في المشاهد الخطِرة (٢) البديل .

standing [stăn'dĭng] *(adj.; n.)* (١) واقف ؛ منتصب ؛ قائم . (٢) «أ» عاطل : غير مستخدَم أو مُشغَّل (a ~ engine) . «ب» راكد (~ water) (٣)«أ» سارٍ : ساري المفعول (a ~ rule). «ب» دائم ؛ مستديم ؛ مستقِرّ (a ~ order for newspapers) (٤) مقرَّر بحكم القانون أو العرف (~ prohibition) (٥) ثابت ؛ غير متحرك (a ~ washtub) (٦) وقوفيّ : مُنْجَز من نقطة وقوف ؛ منجز من غير عدْوٍ وتمهيدي (a ~ jump) §(٧) «أ» وقوف. «ب» موقف (٨) «أ» مكانة ؛ منزلة ؛ مرتبة (lawyer of high ~). «ب» صِيتٌ حَسَن ؛ سمعة حسنة .
of long ~, قديم العهد .

standing army *(n.)* الجيش العامل ؛ الجيش الدائم .

standing committee *(n.)* اللجنة الدائمة (وبخاصة في برلمان) .

standing dish *(n.)* (١) الطبق الدائم : لون من ألوان الطعام يقدَّم يوماً بعد يوم (٢) موضوع مألوف ؛ شكوى مألوفة .

standing room *(n.)* حيّز الوقوف : متّسَع متيسّر للنظارة (في مسرح) أو للركاب (في وسيلةِ نقل) بعد امتلاء المقاعد كلها.

standing wave *(n.)* الموجة المستقرة (فز) .

standoff [stănd'ôf'] *(adj.; n.)* (١) متحفّظ ؛ فاتر (٢) مُباعِد : مُبعِد عن السطح (insulators ~) §(٣) تحفّظ (في العلاقات الاجتماعية) (٤) استراحة من العمل (بر) (٥) عنصر أو عامل معادِل أو موازِن (٦) التعادل (في الألعاب) .

standoffish [stănd'ôf ĭsh] *(adj.)* مُتحفّظ ؛ فاتر .

stand oil *(n.)* الزيت الغليظ : زيت غليظ القَوام يستخدم في الدهان والورنيش ويُعَدّ بغَلْي زيت بزر الكتان إلى درجة ٦٠٠ ف فما فوق.

standout [stănd'out'] *(n.; adj.)* (١) شيء أو شخص بارز « بسبب من امتيازه أو تفوّقه » §(٢) بارز ؛ ممتاز ؛ رائع .

standpat [-'păt] *(adj.; n.)* (١) محافظ §(٢) المحافظ المقاوم للتجديد.

standpatter [-ər] *(n.)* المحافظ : المقاوم لكلّ تجديد أو تغيير .

standpipe [stănd'pīp'] *(n.)* الماسورة القائمة أو الرأسية .

standpoint [stănd'point'] *(n.)* (١) نقطة الاستشراف (أو النظر إلى الأشياء) (٢) وجهة نظر (from the historical ~) .

standstill [stănd'stĭl'] *(n.; adj.)* (١) توقف تام §(٢) تجميديّ : مقصود به تجميد الأشياء على وضعها الراهن (a ~ agreement)

stand-up [stănd'ŭp'] *(adj.)* (١) واقف ؛ قائم (٢) منتصِب : مُقسّى بحيث يبقى منتصباً من غير انثناء (collar ~) (٣) وقوفيّ : مُنْجَز أو متناوَل والمرءُ واقفٌ (a ~ meal) .

stand-upper *(n.)* تحقيق مصوَّر في موقع الأحداث (تلفز) .

stanhope [stăn'əp] *(n.)* المركبة الستنهوبية : مركبة خفيفة مكشوفة وحيدة المقعد ذات عجلتين أو أربع .

stanhope

stank [stăngk] *past of* stink.

stank [stăngk] *(n.)* (١) بركة أو أخدود ذو ماء (٢) سدّ صغير .

stannary *(n.)* (١) منجم قصدير (أو منطقة حافلة بأمثاله) .

stannic [stăn'ĭk] ; **stannous** [-'əs] *(adj.)* قَصْديري .

stannite [stăn'īt] *(L.)* الإستانيت (مع) .

stanza [stăn'zə] *(It.)* مقطع شعري .

stapedial [stə pē'dĭ-] *(adj.)* رِكابيّ : متعلق بالعُظَيم الرِّكابي (ت) .

stapelia [stə pē'lĭ ə] *(L.)* الإِسْتَبيلة : نبات افريقيّ ذو زهر كريه الرائحة .

stapes [stā'pēz] *(L.)* العُظَيم الرِّكابيّ : إحدى عُظَيمات ثلاث في الأذن الوسطى (ت).

staphylococcus [stăf'ə lə kŏk'əs] *(L.)* pl. **-cocci** [-'sī] المكوَّر العنقودي (بك) .

staple [stā'pəl] *(n.; vt.)* (١) الرَّزّة :

stapelia

ă at; ā date; â care; ä car; ĕ egg; ē me; ĭ in; ī bite; ŏ lot; ō bone; ô orphan; oi boil; o͝o good; o͞o boot; ou out; ŭ under; ū unity; û urgent; th thing; t͟h this; zh vision; ə = a in alone, e in system, i in easily, o in gallop, u in circus.

مسمار مزدوج السنّ على شكل U يُغرز في جدار أو باب الخ. (٢) الرزّة السلكيّة : سلك صغير على شكل U يُغرز طرفاه في مجموعة رقيقة من الأوراق ثم يُلْوَيان §(٢) يزوّد برزّة أو رزّة سِلكيّة أو يثبّت بهما.

staple [stā'pəl] *(n.; vt.; adj.)* (١) مدينة تُعتبر مركزاً لبيع السّلع أو تصديرها بالجملة (٢) مصدر (the chief ~ of news) (٣) السلعة الرئيسية أو الانتاج الرئيسي «في بلد» (٤)«أ» سلعة تُطلب باستمرار. «ب» شيء (كأغنية أو كتاب) يتمتّع بانتشار واسع أو يثير إعجاباً متواصلاً. «ج» قِوام؛ عنصر رئيسي (٥) خامة؛ مادّة خام (٦)«أ» تِيلَة القطن أو الصوف الخ. «ب» طول هذه التيلة أو درجة جودتها §(٧) يَفرز أو يصنّف على أساس طول التيلة أو جودتها (to ~ wool) §(٨) قياسيّ : مطلوب أو مستخدَم باستمرار على نطاق واسع (such ~ items as sugar and rice)(٩) مُنْتَج باستمرار أو بوفرة (~ crops) (١٠) رئيسيّ (~ subject of conversation).

stapler [stā'-] *(n.)* (١) فارز (أو مصنّف) تيلة القطن أو الصوف الخ. (٢) المِشكّ السلكيّ : أداة صغيرة لضمّ مجموعة رقيقة من الأوراق، بعضها إلى بعض، برزّة سلكية (را. staple 2).

star [stär] *(n.; vt.; i.; adj.)* (١) «أ» نجم (فل). «ب» نجم المرء أو طالعه (٢) نجمة أو شكل يمثّل نجماً (٣) نجم سينمائيّ الخ. §(٤) يرصّع أو يزيّن بالنجوم (٥) يعلّم (شيئاً) بنجمة «دلالةً على امتيازه أو أهميته الخ.» (٦) يقدّم (ممثلاً) بوصفه نجمَ الفيلم أو بطله الخ. ×(٧) يمثّل دور البطولة (في فيلم الخ.) (٨) يتألّق «في صناعة أو دور» (Hemingway ~red as novelist.) §(٩)«أ» نجميّ. «ب» مؤلّف من نجوم (١٠) لامع؛ ممتاز (a ~ diplomat).

starboard [stär'-] *(n.; vt.; adj.)* (١) المَيْمَنَة : الجانب الأيمن من السفينة أو الطائرة §(٢) يدير إلى اليمين §(٣) أيمن؛ يُمنَى.

starch [stärch] *(n.; vt.)* (١) نَشا؛ نَشاء (٢) الترسّم : التمسّك بالرسميات (٣) قوة؛ عزم §(٤) يُنشّي : يقسّي بالنشا أو نحوه.

star chamber *(n.)* (١) *cap. S; C* : قاعة النجوم : محكمة انكليزية (أُلغيت عام ١٦٤١) اشتهرت بمحاكماتها السريّة الاعتباطيّة الظالمة (٢) محكمة سريّة أو ظالمة.

star-chamber [stär'chām'-] *(adj.)* سرّيّ؛ اعتباطيّ؛ ظالم الخ.

starchy [stär'chĭ] *(adj.)* (١) نَشَويّ (٢) مُنشّى : مقسّى بالنّشا. (٣) جامد؛ رسميّ؛ مترسّم.

star-crossed [stär'-] *(adj.)* منحوس : سيّء الطالع.

stardom [stär'dəm] *(n.)* (١) النجميّة : كون الممثل نجماً لامعاً. (٢) جماعة النجوم السينمائيين الخ.

star dust *(n.)* (١) الغبار النجميّ : «أ» كتل من النجوم تبدو بالغة الصِّغَر وكأنها ذرات الغبار. «ب» دقائق من المادة تتساقط من الفضاء إلى الأرض (٢) فتنة؛ سحر.

stare [stâr] *(vi.; t.; n.)* (١) يُحدّق (٢) يبرز على نحوٍ صارخ (٣) يقفّ (الشَّعر) : ينتصب بخشونة ×(٤) يُربك الخ. بالتحديق (intending to ~ her out of countenance) (٥) يتفرّس في §(٦)«أ» تحديق. «ب» نظرة محدّقة.

to ~ one in the face (١) يحدّق إلى وجه فلان (٢) يبدَهُ المرءَ (بوضوحه على نحو صارخ لا سبيل إلى إنكاره).

to ~ down يحمله على التردّد أو الاذعان (بالتحديق إلى وجهه أو نحو ذلك).

starets [stär'əts] *(Russ.)* pl. **startsy** [stärt'sĭ] المُرشِد الروحي (في الكنيسة الأرثوذكسية الشرقية).

starfish [stär'fĭsh'] *(n.)* نجم البحر؛ قنديل البحر.

starfish

starflower [stär'flou'ər] *(n.)* الزهرة النجمية : نبتة ذات زهرات خماسية نجمية الشكل.

stargaze [stär'gāz'] *(vi.)* (١) يحدّق إلى النجوم. (٢) يستغرق في أحلام اليقظة.

stargazer [-'gā'zər] *(n.)* (١) المحدّق إلى النجوم، مثل : «أ» المنجّم. «ب» الفلكيّ (٢) السمك المنجّم : ضربٌ من السمك البحري عيناه في أعلى رأسه.

stargazing [stär'gā zĭng] *(n.)* (١) تحديق إلى النجوم (٢) استغراق في أحلام اليقظة.

star grass *(n.)* العشب النجميّ : عشب ذو زهرات نجميّة الشكل.

stark [stärk] *(adj.; adv.)* (١) قويّ؛ شديد (٢) متصلّب أو متخشّب كالأموات (٣) صارم (~ discipline) (٤) تامّ؛ مطلق (~ folly) (٥) مُقفِر (٦)«أ» عارٍ (~ branches). «ب» قليل الأثاث الخ. (٧) قاسٍ (٨) صارخ؛ شديد الوضوح أو البروز §(٩) بقوّة الخ. (١٠) تماماً؛ بكل ما في الكلمة من معنى (~ naked).

starlet [stär'lĭt] *(n.)* (١) نُجَيْم؛ نُجَيْمة (٢) النُّجَيْمة السينمائيّة : ممثلة سينمائية ناشئة تُهيّأ للقيام بأدوار البطولة.

starlight [stär'līt'] *(n.; adj.)* (١) ضوء النجوم §(٢) مضاء بالنجوم.

starlike [-'līk'] *(adj.)* (١) نجميّ الشكل (٢) ساطع كالنجوم.

starling [stär'lĭng] *(n.)* (١) الزُّرزُور (طا). (٢) سلسلة ركائز حول دعامة جسر.

starling

starlit [stär'lĭt] *(adj.)* مُضاءٌ بالنجوم.

star of Bethlehem *(n.)* نجم بيت لحم : النجم الذي قاد المجوس إلى بيت لحم (نص).

star-of-Bethlehem [stär'əv bĕth'lĭ əm; -hĕm'] *(n.)* الصّاصَل، وبخاصة : الصّاصَل الخَيْمِيّ : نبات بَصَليّ من الفصيلة الزنبقية.

starred [stärd] *(adj.)* (١) مرصّع بالنجوم (٢)«أ» نجميّ الشكل. «ب» معلّم بنجمة. «ج» مزدانٌ بنجمة (دالةٍ على رتبة في سِلك ما) (٣) مقدّم إلى الجمهور بوصفه بطلَ الفيلم أو نجمَه.

starry [stär'ĭ] *(adj.)* (١) مزدانٌ أو مرصّع بالنجوم. (٢)«أ» نجميّ : ذو علاقة بالنجوم. «ب» نجميّ الشكل (٣) لامع كالنجوم (~ eyes) (٤) عالٍ كالنجوم.

starry-eyed [stär ĭ īd'] *(adj.)* حالم أو مُفرط في التفاؤل.

Stars and Bars *(n.)* راية النجوم والخطوط : راية الولايات الجنوبية التي انشقت عن الولايات المتحدة عام ١٨٦٠ - ١٨٦١.

Stars and Stripes *(n.)* راية النجوم والأشرطة : علَم الولايات المتحدة الأميركيّة الحاليّ.

star sapphire *(n.)* الصَّفّير (را. sapphire) النَّجميّ.

star shell *(n.)* القذيفة النجميّة أو المضيئة : قذيفة تنفجر في الجو فتحدث ضياءً ساطعاً (تُستخدَم لإنارة مواقع العدوّ).

star-spangled [stär'spăng'gəld] *(adj.)* مرصّع بالنجوم.

Star-Spangled Banner *(n.)* = Stars and Stripes.

start [stärt] *(vi.; t.; n.)* (١) «أ» يثب؛ يقفز. «ب» يجفل. «ج» يستيقظ فجأةً (٢)«أ» ينبجس؛ يتدفق بقوة مفاجئة. «ب» ينشأ؛ يبرز إلى الوجود. «ج» يبدأ (٣) يَجْحَظ؛ يتتأ (~ing eyes) (٤) ينخلع من مكانه (Nails have ~ed.) (٥) ينطلق؛ يبدأ الرحلة (٦) يستهلّ عملاً (٧) يشترك

في مباراة الخ. ×(٨) يجفّله «مُخرِجاً إيّاه من مخبإه» (to ~ a rabbit) (٩) يقدّم (موضوعاً) للمناقشة الخ. (١٠) «أ» يستهل ؛ ينشىء (حركة الخ.) . «ب» يؤسّس (~ed a college) (١١) «أ» يفكّ ؛ يحلّ . «ب» يُرْخي (~ed the rope) (١٢) يبدأ في استخدام كذا (١٣) يُدير ؛ يشغّل ؛ يسيّر (المحرّكَ أو السيارة) (١٤) «أ» يُدخِلُه ميدانَ العمل. «ب» يُدخله في مباراة (١٥) يتعهّده «في مراحلِ النموّ الأولى» (to ~ chicks) (١٦) يبدأ أو يباشر عملاً §(١٧) «أ» إجفال . «ب» طفرة ؛ وثبة . «ج» نَوبة (~s of fancy) (١٨) بداية (١٩) انطلاق ؛ انطلاقة (She gave her car a ~ by pushing it.) (٢٠) نقطة الانطلاق (٢١) مشاركة في مباراة الخ . (٢٢) الأفضليّة : الأفضليّة التي يتمتّع بها مَن يبدأ قبل غيره .

starter [stär'tər] *(n.)* (١) المستهلّ ؛ البادىء (٢) مُعطي إشارة البدء (في سباق) (٣) المشترك في مباراة (٤) مُبْدِىء الحركة الذاتي (سي) (٥) بداية ؛ خطوة أولى .

star thistle *(n.)* المُرار : نبات من المركّبات الأنبوبية الزهر .

starting post *(n.)* المُنْطَلَق : نقطة الانطلاق في سباق .

startle [stär'təl] *(vi.; t.; n.)* (١) يُجفِل ×(٢) يروع فجأة . (٣) يُجفِّل §(٤) إجفال .

startling [stär'tlĭng] *(adj.)* مُجفِّل ؛ مروِّع .

star turn *(n.)* الفنّان الأوّل (أو الفقرة الرئيسيّة) في حفلة .

starvation [stär vā'-] *(n.)* (١) جوع ؛ مجاعة (٢) الموت جوعاً.

starvation wages *(n.)* أجر الكفاف : أجر غير كافٍ لتأمين ضرورات العيش العادية .

starve [stärv] *(vi.; t.)* (١) «أ» يموت جوعاً . «ب» يجوع جوعاً شديداً (٢) يعاني الحرمان أو يموت منه ×(٣) «أ» يُميت جوعاً . «ب» يجوّع .

starveling [stärv'lĭng] *(adj.; n.)* (١) «أ» جائع . «ب» مُعْوِز ؛ مُعْدِم §(٢) المهزول أو النحيل (من الجوع أو سوء التغذية) .

star war *(n.)* حرب النجوم ؛ حرب الفضاء.

stash [stăsh] *(vt.; n.)* (١) يُوقِف ؛ يترك (~ed the business) (٢) يخبّىء §(٣) مَخبأ (٤) شيء مخبوء .

stasis [stā'sĭs] *(n.)* pl. **stases** [-'sēz] ركود ؛ وبخاصة «أ» الركود الدموي (مض) . «ب» الركود المعويّ (مض) .

-stasis لاحقة معناها : «أ» وَقْف ؛ توقيف (hemo*stasis*) . «ب» اتزان (homeo*stasis*) .

stat [stat] *(n.)* = statistic.

-stat لاحقة معناها : المُقِرّ ؛ الجهاز المثبِّت (gyro*stat*) .

state [stāt] *(n.; adj.; vt.)* (١) «أ» حالة. «ب» حالة توتّر أو اهتياج غير سويّ «بسبب غضبٍ أو خوفٍ» (She got into a ~.) . «ج» حالة سيئة (His affairs are in a ~.) (٢) «أ» مقام؛ منزلة (the ~ of a baron) . «ب» منزلة رفيعة. «ج» أبهة (a hall used on occasions of ~.) (٣) طبقة اجتماعيّة أو سياسيّة (كطبقة النبلاء أو رجال الدين) (٤) دولة (٥) ولاية §(٦) حكوميّ (٧) رسميّ أو مستخدَم في المناسبات الرسمية (أو مُحتَفَظ به لهذه المناسبات) §(٨) يعيّن ؛ يقرّر (٩) «أ» يَبْسُط ؛ يَعرِض . «ب» ينصّ على (١٠) «أ» يصوغ (في كلمات) . «ب» يعلن ؛ يصرّح بـ . to lie in ~, يُسَجّى في نعش مكشوف لكي يراه الناس.

State attorney *(n.)* النائب العام (ق).

State capitalism *(n.)* رأسمالية الدولة : نظام اقتصادي يُستعاض فيه عن الرأسماليّة الخاصة ، بدرجة متفاوتة من المِلكيّة الحكوميّة والاشراف الحكومي .

state church *(n. often cap. S; C)* كنيسة الدولة ؛ الكنيسة الرسمية .

state college *(n.)* كلية الولاية : كلية تموّلها حكومة ولاية من الولايات المتحدة الأميركيّة وتؤلف جزءاً من جامعة الولاية .

statecraft [-'krăft'] *(n.)* فنّ الحكم : فن إدارة شؤون الدولة .

stated [stā'-] *(adj.)* (١) محدَّد ؛ معيَّن ؛ نظاميّ (٢) مُعْلَن ؛ مبيَّن .

statedly [stā'tĭd lĭ] *(adv.)* نظامياً ؛ على نحو نظاميّ .

state guard *(n.)* حرَس الولاية (في الولايات المتحدة الأميركيّة) .

statehouse [stāt'hous'] *(n.)* مَبْنَى المجلس التشريعي (في ولاية) .

stateliness [stāt'lĭ-] *(n.)* (١) جلال (٢) فخامة ؛ ضخامة .

stately [-'lĭ] *(adj.; adv.)* (١) جليل (٢) فَخْم §(٣) بجلال أو فخامة .

state medicine *(n.)* طبّ الدولة : هَيْمنة الحكومة على الخدمات الطبيّة كلها ووضعها بتصرّف الشعب كلّه بالمجّان .

statement [stāt'mənt] *(n.)* (١) بَسْط ؛ عَرْض (لقضيّة الخ.) (٢) تعبير (clearness of ~) (٣) رواية ؛ إفادة (٤) بيان ؛ تصريح (٥) كشف الحساب (تج) .

state of war *(n.)* حالة الحرب .

stater [stā'tər] *(n.)* الدينار المَدينيّ : نقدٌ ذهبيّ أو فضيّ قديم (في دولةٍ مَدينيّة اغريقيّة) .

stateroom [stāt'-] *(n.)* حجرة خاصة في سفينة أو قطار الخ.

State's attorney *(n.)* = State attorney.

state's evidence *(n.)* = King's evidence. to turn ~, يشهد ضد شركائه في الجريمة .

States General *(n. pl.)* مجلس الطبقات : «أ» مجلس طبقات الأمة الثلاث (طبقة النبلاء وطبقة الاكليروس وطبقة الشعب) في فرنسة قبل الثورة . «ب» برلمان هولندة من القرن ١٥ إلى عام ١٧٩٦).

stateside [stāt'sīd'] *(adj.; adv.)* (١) أميركي : منسوب إلى الولايات المتحدة الأميركيّة (a ~ newspaper) §(٢) في الولايات المتحدة الأميركيّة أو إليها (~ went) .

statesman [stāts'mən] *(n.)* رَجُل دولة .

statesmanship [stāts'mən shĭp'] *(n.)* = statecraft.

state socialism *(n.)* اشتراكيّة الدولة : نظام اقتصاديّ حُقّق فيه جانب محدود من الاهداف الاشتراكية من طريق العمل السياسي التدريجيّ .

states' righter *(n.)* المنادي بحقوق الولايات : من يدعو إلى الأخذ بتفسير متشدِّد للضمانة الدستوريّة الأميركيّة لحقوق الولايات ويقاوم كلّ سيطرة اتحادية في شؤون التربية والعلاقات العِرقيّة الخ.

states' rights *(n. pl.)* حقوق الولايات : جميع الحقوق التي لم يُنِطها الدستور الأميركي بالحكومة الفدراليّة ولم يَحرِم الولايات منها .

state university *(n.)* جامعة الولاية : جامعة تموّلها وتديرها حكومة إحدى الولايات في الولايات المتحدة الأميركيّة .

static [stăt'ĭk] *(adj.; n.)* (١) سكونيّ ؛ استاتيّ (كب) . (٢) «أ» ساكن ؛ مستقرّ ؛ راكد . «ب» متحجّر ؛ غير متغيّر (~ feudal society) . «ج» جامد؛ تعوزه الحركة أو الحياة (~ characters) (٣) مثبَّت «في موضعه» (a ~ antiaircraft gun) (٤) الكهروستاتيّ (كب) §(٥) «أ» الشوّاش : تشوّش تُحدِثه العوامل الجوية أو الكهربائيّة في جهاز الراديو أو التلفزيون . «ب» المشوِّشات : العوامل الجويّة أو الكهربائية التي تُحدِث الشوّاش.

—**statical** *(adj.)*

static electricity *(n.)* الكهرباء السكونيّة ؛ الكهرباء الاستاتيّة .

static line *(n.)* الحَبْل الاستاتيّ : حَبْلٌ شُدَّ أحد طرفيه إلى مظلّة الهبوط والآخر إلى الطائرة لفتح المظلّة بعد مغادرة الهابطِ الطائرةَ .

statics [stăt'ĭks] *(n.)*: علم السكون (مج) ؛ السكونيات ؛ الاستاتيات : فرع من الميكانيكا يعنى بدراسة الأجسام الساكنة أو القوى المتوازنة.

station [stā'shən] *(n.; vt.)* (١) موقف ؛ موقع (٢) وقوف ؛ وِقفة (maintained a firm ~) (٣) محطة (٤) «أ» مركز (جن). «ب» مخفر أمامي (جن) (٥) منزلة اجتماعية (married above his ~) (٦) مركز للبحث العلمي (٧) «أ» مخفر إطفاء. «ب» مخفر شرطة. «ب» مركز بريد فرعي (٨) محطة إرسال أو استقبال («رد» و «تلفز») § (٩) يقيم ؛ يضع ؛ يركز.

stationary [-'shə nĕr'ĭ] *(adj.)* (١) «أ» ثابت ، ساكن ، غير متحرك. «ب» غير قابل للنقل (٢) مستقرّ : غير متغيّر.

stationary engine *(n.)* المحرك الثابت : محرك لا يبرح الموضع الذي ثُبّت فيه.

stationary engineer *(n.)* مهندس المحركات الثابتة : مَن يُشغّل المحركات الثابتة.

stationary front *(n.)* الجبهة الساكنة : تخم بين كتلتين هوائيتين لا تحل إحداهما محل الأخرى (أر).

stationary wave *or* **vibration** *(n.)* = standing wave.

station break *(n.)* (١) التوقف التعريفي : توقف عن البثّ الإذاعي أو التلفزيوني للاعلان عن هوية الشبكة أو المحطة (٢) بيان يذاع خلال هذه الفترة.

stationer [-'shən ər] *(n.)* القرطاسي : بائع الأقلام وورق الكتابة.

stationery [-ĭ] *(n.)* القرطاسية : أدوات الكتابة من ورق وأقلام الخ.

station house *(n.)* مبنى المحطة ، وبخاصة : مخفر شرطة.

stationmaster [stā'-] *(n.)* ناظر المحطة : ناظر محطة للسكة الحديدية.

stations of the cross مراحل الصلب : سلسلة من ١٤ صورة الخ عادةً ، وبخاصة في كنيسة ، تمثل مراحل صلب المسيح.

station wagon *(n.)* الستايشن : سيارة ذات بدن خشبي مقفل وصفوف من المقاعد القابلة للطي (أو للإزالة) خلف السائق.

statism [stā'tĭz əm] *(n.)* الدولانية : تركيز السلطة الاقتصادية والتخطيط الاقتصادي في يد الدولة.

statist [stā'-] *(n.; adj.)* (١) الدولاني : المنادي بالدولانية § (٢) دولاني.

statistic [stə tĭs'tĭk] *(adj.; n.)* (١) إحصائي § (٢) بَنْد إحصائي مُفْرَد (٣) statistics.

statistical [stə tĭs'tə kəl] *(adj.)* إحصائي.

statistician [stăt'əs tĭsh'ən] *(n.)* الإحصائي : الخبير في الاحصاء.

statistics [stə tĭs'tĭks] *(n.)* (١) عِلم الإحصاء (٢) احصائيات.

statocyst [stăt'ə sĭst'] *(n.)* كيس الموازنة (في اللافقاريات).

statolith [stăt'əl ĭth] *(n.)* الحصاة الموازنة : جسم حصوي في كيس الموازنة (ت).

stator [stā'tər] *(n.)* الساكن : جزء ساكن من محرك أو آلة يدور فيه (أو حوله) جزء آخر (مك).

statoscope [stăt'ə skōp'] *(n.)* الستاتوسكوب : «أ» بارومتر لاسائلي لتسجيل التغيرات الطفيفة في الضغط الجوي. «ب» جهاز لتبيان التغيرات الطفيفة في ارتفاع الطائرة.

statuary [stăch'ōō-] *(n.; adj.)* (١) «أ» المثالية : نحت التماثيل. «ب» مجموعة تماثيل (٢) المثّال ؛ النحات § (٣) تمثالي : «أ» ذو علاقة بالتماثيل. «ب» صالح للتماثيل (~ marble).

statue [stăch'ōō] *(n.)* تِمثال ؛ نُصُب.

statuesque [stăch'ōō ĕsk'] *(adj.)* تِمثالاني : شبيه بالتمثال وبخاصة من حيث الجلال أو الجمال الكلاسيكي.

statuette [stăch'ōō ĕt'] *(n.)* التُمَيْثِيل : تمثال صغير.

stature [stăch'ər] *(n.)* (١) قوام ؛ قامة (٢) «أ» منزلة رفيعة (a poet of ~). «ب» اعتبار ، مكانة (Every piece of work you do adds something to your ~.).

status [stā'təs] *(L.)* (١) الوضع الشرعي : وَضْع المرء أو الشيء في نظر القانون (٢) «أ» منزلة ، مرتبة. «ب» منزلة رفيعة (٣) حالة ؛ وَضْع.

status offender *(n.)* الجانح المتعوِّد : مُذنِب حَدَث موضوع تحت سلطة القضاء لتعوّده انتهاك حرمة القانون (ق).

status quo [stā'təs kwō] *(L.)* الوضع الراهن.

statutable [stăch'ōō tə bəl] *(adj.)* (١) معاقَب عليه قانوناً. (٢) قانوني : «أ» مسموح به قانوناً. «ب» مطابق للقوانين.

statute [stăch'ōōt] *(n.)* (١) قانون ؛ تشريع (٢) نظام أساسي.

statute book *(n.)* مجموعة القوانين ؛ سجل القوانين.

statute law *(n.)* القانون التشريعي : قانون صادر عن هيئة تشريعية.

statute mile *(n.)* الميل التشريعي (٥٢٨٠ قدماً أو ١٧٦٠ ياردة).

statutory [stăch'ōō tōr'ĭ] *(adj.)* (١) قانوني ؛ تشريعي : ذو علاقة بقانون أو تشريع (٢) قانوني : «أ» مسموح به قانوناً. «ب» مطابق للقانون (٣) معاقب عليه قانوناً.

staunch [stônch] *(vt.; i.)* = stanch.

staunch [stônch] *(adj.)* (١) صامد للماء ، لا ينفذ إليه الماء. (٢) متين ؛ قوي (٣) مخلص ؛ وفيّ (a ~ ally).

stave [stāv] *(n.; vt.; i.)* (١) عصا ؛ هراوة (٢) ضلع البرميل. (٣) درجة (في مرقاة أو سلّم نقالة) (٤) مقطع شعري (٥) المدرّج الموسيقي (را. staff) § (٦) يزوّد بأضلاع الخ. (٧) يثقب برميلاً أو مركباً (٨) يحطّم ؛ يهشم (٩) يضرب بهراوة أو عصا (١٠) يدفع ؛ يدرأ × (١١) ينثقب ؛ يتحطم (١٢) يُسْرِع.

staves [stāvz] *pl. of* staff.

stay [stā] *(n.; vt.)* (١) «أ» حبل قوي ، معدني عادةً ، لتثبيت الصاري. «ب» حبل ؛ سلسلة § (٢) يثبّت بحبل أو سلسلة.

stay [stā] *(vi.; t.; n.)* (١) يَقِف ؛ يتوقف (٢) يكفّ عن. (٣) «أ» يبقى. «ب» يظل (٤) يَثْبُت ؛ يَصْمد (٥) يقيم ؛ يَنزِل ؛ يمكث (٦) يجاري ؛ يضاهي × (٧) ينتظر (٨) يواصل (التسابق الخ.) حتى النهاية (٩) يصد ؛ يمنع ؛ يؤخّر ؛ يؤجل (١٠) «أ» يوقف. «ب» يعطّل (١١) يهدّئ ؛ يلطّف (١٢) يسكّن الجوعَ موقتاً § (١٣) «أ» وَقْف ؛ إيقاف. «ب» توقف (١٤) إرجاء ، وقف تنفيذ (١٥) إقامة ؛ مُقام ؛ لبث (١٦) احتمال أو قدرة على الاحتمال (ع).

stay [stā] *(n.; vt.)* (١) دعامة ؛ سِناد (٢) *pl.* مِشدّ : «كورسيه» § (٣) يدعم ؛ يسند (٤) يقيمه او يبنيه على أساس كذا.

stay-at-home [stā'-] *(adj.; n.)* ملازم بيته أو بلده الخ.

stayer [stā'ər] *(n.)* (١) فا stay (٢) دعامة ؛ سِناد (٣) قَيْد ؛ شِكال (٤) ذو قدرة على الاحتمال (This horse is a good ~.).

staying power *(n.)* القدرة على الاحتمال.

stay-in strike [stā'ĭn'] *(n.)* = sit-down.

staysail [stā'sāl'] *(n.)* الشراع المثبّت.

stead [stĕd] *(n.; vt.)* (١) فائدة (٢) بَدَل (sent her brother in her ~) § (٣) ينفع ؛ يفيد.

to stand in good ~. ينفع ؛ يفيد (وبخاصة وقتَ الحاجة).

steadfast [stĕd'făst] *(adj.)* (١) ثابت ؛ راسخ (٢) مخلص ؛ وفيّ.

steading [stĕd'ĭng] *(n.)* مزرعة صغيرة.

steady [stĕd'ĭ] *(adj.; vt.; i.; adv.; n.)* (١) ثابت ؛ راسخ ؛ وطيد (٢) مطّرد ؛ مستمر (٣) مستقرّ (٤) هادىء (~ nerves) (٥) «أ» موثوق ؛ موضع الاعتماد . «ب» مثابر . «ج» موطّد العزم (٦) معتدل : غير مسرف في الشراب أو الملذات §(٧) يثبّت ؛ يرسّخ ؛ يقرّر الخ. ×(٨) يثبُت ؛ يطّرد ؛ يستقرّ §(٩) بثبات ؛ باطّراد الخ. §(١٠) القرين ؛ الرفيق الدائم ؛ الحبيب .

steak [stāk] *(n.)* (١) شريحة (من لحم البقر أو السمك) (٢) لحم مفروم .

steal [stēl] *(vi.; t.; n.)* (١) يَسْرِق (٢) ينسلّ (٣) يتحدّر بلطف (Tears *stole* down her cheek.) (٤) يباغت ×(٥) «أ» يسرق . «ب» يسلب . «ج» ينتحل . «د» يختلس (نظرة أو قبلة الخ.) . «هـ» يقوم بعمل ما في الخفاء (to ~ a visit) §(٦) سرقة (ع) (٧) الشيء المسروق (ع) (٨) صفقة رابحة.

stealing [stē'lĭng] *(n.; adj.)* (١) سرقة (٢) الشيء المسروق . §(٣) سارق ؛ سرّاق .

stealth [stĕlth] *(n.)* (١) سرقة (ا.ق) (٢) تسلّل ؛ انسلال .
by ~, (١) سِرّاً (٢) خِلْسَةً .

stealthily [stĕl'-] *(adv.)* خِلْسةً (looked out ~) .

stealthy [stĕl'thĭ] *(adj.)* مختلَس ؛ مُسْتَرَق ، مُنْجَزٌ خلسةً أو على نحو سِرّي (a ~ glance) .

steam [stēm] *(n.; vi.; t.)* (١) «أ» بخار . «ب» قوة ؛ قوة دافعة . «ج» توتّر عاطفيّ الخ. (٢) «أ» باخرة سفر أو رحلة بالباخرة §(٣) يتبخّر (٤) يُصْدِر بُخاراً (٥) يسير أو يسافر بقوة البخار أو نحوها (٦) يغتاظ ؛ يتميّز من الغضب (still ~*ing* over the insult she had received) ×(٧) يُبخّر : يعرّض للبخار.
to let off ~, (١) يتخلص من فائض الطاقة (٢) ينفّس عن مشاعره الخ .
to ~ up يثير ؛ يُغضب .

steamboat [stēm'bōt'] *(n.)* الباخرة : سفينة بُخاريّة .

steam boiler *(n.)* الغلاّية البخاريّة ؛ المِرْجَل البخاريّ .

steam box *(n.)* = steam chest.

steam chest *(n.)* صندوق البخار : حُجَيْرة في المحرّك البخاريّ يَدْخل منها البخارُ إلى الأسطوانة (مك) .

steam engine *(n.)* المحرّك البخاريّ (مك) .

steamer [stē'mər] *(n.)* (١) المِبْخَرة : أداة أو وعاء لتعريض شيء ما للبخار (٢) الباخرة : سفينة بُخاريّة .

steam fitter *(n.)* مركّب أو مصلح الأنابيب البخاريّة .

steam gauge *(n.)* مقياس الضغط البخاري (في الغلاّيات) .

steam hammer *(n.)* المِطرقة البخارية .

steam heating *(n.)* التدفئة البخاريّة ؛ التدفئة بالبخار .

steam iron *(n.)* المكواة البخاريّة .

steamroller [stēm'rō'lər] *(n.)* (١) المِحْدَلة البخاريّة (٢) قوةٌ ماحقة أو ساحقة (تُستخدَم في غير رحمة للقضاء على المعارضة).

steamroller [stēm'rō'lər] *or* **steamroll** [-'rōl'] *(vt.; i.)* (١) يَحدل بمحدلة بخاريّة (٢) «أ» يسحق أو يُكرِه الخ. بقوة ماحقة (to ~ the opposition) (٣) يُوفّق إلى إحداث شيء ما من طريق القوّة الساحقة أو الضغط الشديد (~*ed* the bill to defeat) ×(٤) يندفع أو يتقدّم بقوة لا تقاوَم .

steamship [stēm'shĭp'] *(n.)* الباخرة : سفينة بخاريّة .

steam table *(n.)* الطاولة البخاريّة : طاولة ذات ثقوب لحمل أوعية الطعام المطهوّ فوق بُخار أو ماء حارّ يدور من تحتها .

steam turbine *(n.)* التُّرْبِينة (أو العَنَفة) البخاريّة .

steamy [stē'mĭ] *(adj.)* (١) بخاريّ (٢) «أ» مُشْبَع بالبخار . «ب» مطلِق بُخاراً .

steapsin [stĭ ăp'sĭn] *(Gk.)* الإستيبْسين : الخميرة الحالّة للدهن في العصارة البنكرياسية (كح) .

stearate [stē'ə rāt'] *(n.)* الإستيارات : ملح الحامض الإستياري (ك) .

stearic [stĭ ăr'ĭk] *(adj.)* إستياري ؛ دُهْنيّ ؛ شحمي .

stearic acid *(n.)* الحامض الإستياري : مادة بيضاء صُلبة تُستخرَج من بعض الأدهان أو الشحوم وتُستخدَم في صنع الشموع .

stearin *or* **stearine** [stē'ə rĭn] *(F.)* الاستيارين : «أ» مادةٌ عديمة اللون والرائحة تشكّل قوام كثير من الأدهان الحيوانيّة والنباتيّة . «ب» مزيج من الحوامض الدهنيّة يُستخدَم في صنع الشموع الخ .

steat- *or* **steato-** بادئة معناها : دُهْن (*steato*pygia) .

steatite [stē'ə tīt] *(L.)* الأستيتيت ؛ الحجر الصابوني : نوعٌ من الطَّلْق (را. talc) صابونيّ الملمس .

steatopygia [stē'ə tō pī'jĭ ə] *(L.)* التألّي ؛ العجيزة الدهنية : تراكم الدهن بإفراط على الإلية أو نحوها ، وبخاصة عند الزنجيات .

steatorrhea [stē'ə tō rē'ə] *(L.)* التغوّط الدهنيّ أو الشحمي : وفرة المواد الدهنية أو الشحميّة في الغائط .

stedfast [stĕd'făst'] *(adj.)* = steadfast.

steed [stēd] *(n.)* جواد ، وبخاصّة : جواد مطهّم .

steel [stēl] *(n.; vt.; adj.)* (١) الفولاذ ؛ الصُّلب (٢) شيء مصنوع من فولاذ ، مثل «أ» سيف . «ب» أداة لشحذ السكاكين . «ج» قطعة فولاذ لاستخراج الشرر من الصوّان . «د» قِدّة فولاذيّة لتقسية المِشَدّ النسويّ (٣) صفة مميزة من صفات الفولاذ (٤) «أ» صناعة الفولاذ . «ب» أسهم في شركات الفولاذ §(٥) يكسو أو يشحذ بالفولاذ (٦) «أ» يُفَوْلِذ ؛ يجعله شبيهاً بالفولاذ . «ب» يملأه بالعزم والتصميم. §(٧) فولاذيّ.

steel blue *(n.)* الأزرق الفولاذي: لون أزرق ضاربٌ إلى الرمادي .

steel engraving *(n.)* (١) النقش على الفولاذ (٢) طبعة عن صفيحة فولاذيّة منقوشة .

steelhead [stēl'hĕd'] *(n.)* ذو الرأس الفولاذيّ: ضرب من سمك التَّروتة ضخمٌ فضيّ اللون.

steel wool *(n.)* صوف الفولاذ : نُجارة الفولاذ المستخدمة للتنظيف والصَّقل .

steelwork [stēl'wûrk'] *(n.)* (١) أدوات أو أجزاء فولاذيّة . (٢) *pl.* : مصنع الفولاذ .

steelworker [stēl'wûr'kər] *(n.)* عامل في مصنع للفولاذ .

steely [stē'lĭ] *(adj.)* (١) فولاذيّ (٢) صلبٌ أو قويّ كالفولاذ .

steelyard [stēl'yärd'] *(n.)* الميزان القبّانيّ .

steelyard

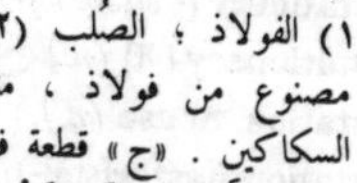

steenbok [stēn'bŏk'] *(n.)* الظَّبْي الصخري : ظبي افريقيّ صغير يألف المواطن الصخريّة .

steep [stēp] *(adj.; n.)* (١) عالٍ ؛ شاهق (٢) مُنصَبّ ؛ حادّ ؛ شديد الانحدار (٣) «أ» باهظ ؛ مرتفع جداً (a ~ price) . «ب» ثقيل ؛ مرهق (a ~ tax) . «ج» غير قابل للتصديق (a ~ story) §(٤) الحَدَر ؛ الصَّبَب : موضع شديد الانحدار .

steep [stēp] *(vt.; i.; n.)* (١) يَنقع ؛ يَغْمِس (٢) يُشْرِب ؛ يُشْبِع ؛ يبلِّل تبليلاً كاملاً ×(٣) ينتقع §(٤) انتقاع (٥) سائل يُنْقَع فيه شيء ما (٦) النُّقاع : إناء يُنقَع فيه شيء ما .

steepen [stē'pən] *(vt.; i.)* يجعله (أو يصبح) أشدّ انحداراً .

steeple [stē'pəl] *(n.)* برج الكنيسة .

steeplechase [stē'pəl chās'] *(n.)* (١) سباق للخيل عبر الحقول . (٢) سباق الحواجز (للخيل والعدّائين) . **—steeplechaser** *(n.)*

steeplejack [stē'pəl jăk'] *(n.)* مُصْلِح المداخن أو مرمّم أبراج الكنائس بتسلّقها .

steer [stĭr] *(n.)* (١) عِجل مَخصيّ (٢) العِجل : ولد الثّور .

steer [stĭr] *(vt.; i.; n.)* (١) يوجّه ، وبخاصة : يدير دفة السفينة (٢) يتّخذ سبيلاً أو مسلكاً ما ×(٣) يقود سفينة أو سيّارة أو طائرة (٤) يتجه ؛ يتوجه (for home ~) (٥) ينقاد ؛ يُقاد (Your car ~*s* easily.) §(٦) معلومات او تعليمات سرية الخ. يُدْلي بها شخص ذو اتصالٍ بالدوائر المختصة (للاستفادة منها في المراهنات أو المضاربات الخ.).

to ~ clear of يتجنّب ؛ يبتعد عن .

steerage [stĭr'ĭj] *(n.)* (١) توجيه ؛ إدارة ؛ قيادة (٢) المكان المخصص للمسافرين بالتعرفة الأرخص (في سفينة للركاب) .

steering arm *(n.)* ذراع التوجيه (سي) .

steering column *or* **post** *(n.)* عمود القيادة (سي) .

steering gear *(n.)* جهاز التوجيه أو القيادة («مل» و «سي») .

steering wheel *(n.)* عجلة القيادة («مل» و «سي») .

steersman [stĭrz'mən] *(n.)* مدير الدفّة أو موجهها (في سفينة) .

steeve [stēv] *(vt.; n.)* (١) يكدّس أو يستِّف (في مخزن السفينة) §(٢) مِرفاع (أو رافعة) التكديس أو التستيف .

steeve [stēv] *(vi.; t.; n.)* (١) ينحرف الدقَل المائل الخ . (را. bowsprit) إلى أعلى بدلاً من امتداده أفقياً ×(٢) يجعل الدَّقَل المائل الخ. في وضع منحرف §(٣) زاوية انحراف الدَّقل المائل الخ.

stegosaurus [stĕg'ə sôr'əs] *(L.)* pl. **-sauri** [-sôr'ī] الأسْطَغُور: دينوصور ضخم بائد ذو درع عظمية ثقيلة (ح) .

stegosaurus

stein [stīn] *(G.)* ابريق خزفيّ للجعة بخاصة .

steinbok [stīn'bŏk'] *(n.)* = steenbok.

stela [stē'lə] *or* **stele** [-'lĭ] *(L.)* pl. **-lae** بلاطة (أو عمود حجري) تحمل نقشاً تذكاريّاً .

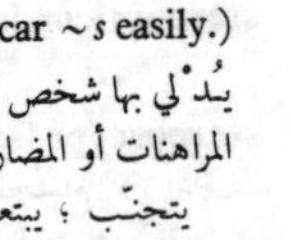

stellar [stĕl'ər] *(adj.)* (١) نجميّ أو مؤلّف من نجوم (٢) ذو علاقة بنجم سينمائي الخ. (names ~) (٣) «أ» رئيسيّ (a ~ role) . «ب» ممتاز ؛ من الطراز الأول (a ~ production) .

stellate [stĕl'ĭt; -āt] *(adj.)* نجميّ الشكل .

stelliform [stĕl'ə fôrm'] *(adj.)* نجميّ الشكل .

stellular [stĕl'yə lər] *(adj.)* (١) نُجَيْميّ الشكل : شبيه بنجم صغير (٢) مُعلَّم بنقَط لونيّة نجمية الشكل .

stem [stĕm] *(n.; vt.; i.)* (١) «أ» ساقُ (النبات) . «ب» سُوَيْقة ؛ زُنَيْد ؛ عنق ؛ فَرْع (نب) . «ج» عِذْق (أو قرط) موز . «د» الجُؤجُؤ : مقدَّم السفينة (٢) أرومة ؛ سلالة ؛ نسَب (٣) جِذْر (الكلمة) (٤) شيء كالساق، مثل : «أ» ساقُ البيبة أو الغليون. «ب» ساق القدَح أو الكأس (٥) سدٌ ؛ حاجزٌ الخ . §(٦) «أ» يتقدَّم (المركبُ) رغم العقبات . «ب» يتقدّم (في وجه شيء مضاد) ؛ يصدّ (to ~ the tide of public opinion) (٧) يزيل الساقَ أو العُنق من (to ~ cherries) (٨) يجعل (للأزهار الصنعية الخ.) سُوقاً أو أعناقاً (٩) يوقف ؛ يكبح ؛ يصدّ ، وبخاصة : يرقأ ؛ يوقف النزيف ×(١٠) ينشأ ؛ يَنْجم عن (١١) يَرْقأ أو ينقطع (النزيف) .

from ~ to stern من أقصى السفينة إلى أقصاها .

stemless [stĕm'-] *(adj.)* لاساقيّ ؛ عديم الساق (نب) .

stemmed [stĕmd] *(adj.)* (١) ذو ساق (٢) منزوع الساق أو العنق .

stemmer [stĕm'ər] *(n.)* مجرِّد الأوراق أو الثمار من سوقها أو أعناقها .

stemmy [-'ĭ] *(adj.)* كثير السُّوق أو الأعناق (hay ~) .

stemware [-'wâr] *(n.)* القدَحُ المُسوَّق : كأسٌ ذات ساقٍ .

stem-winder [stĕm'wīn'dər] *(n.)* (١) الساعة المِيدْوَرِيّة : ساعةٌ يُدار لولبُها بمِيدْوَرٍ قائم عند طرَف عمود الادارة الخارجيّ (٢) شيء من الطراز الأول .

stem-winding [-'wīn'dĭng] *(adj.)* مِيدْوَرِيّ : مُدارٌ بآليّة داخليّة تُعْمَل بواسطة مِيدْوَرٍ قائم عند طرف عمود الادارة الخارجي.

Sten [stĕn] *(n.)* رُشَيْشة ستَن (جن) .

sten- *or* **steno-** بادئة معناها : ضيّق ؛ قليل .

stench [stĕnch] *(n.)* (١) رائحة منتِنة (٢) نَتانة .

stenchful [stĕnch'-] **stenchy** [stĕn'-] *(adj.)* نَتِن الرائحة .

stencil [stĕn'səl] *(n.; vt.)* (١) الرَّوْسَم ؛ الإسْتِنْسِل : «أ» صفيحة رقيقة (من معدن أو ورق مُقَوّى أو مُشمَّع) مخرَّقةٌ على صورة حروف أو رسوم . «ب» كتابة أو رسوم تُطبَع بتحبير الورق وغيره من خلال خروق هذه الصفيحة (٢) الرَّوْسَمة : الطبْعُ بالرَّوْسم أو الإسْتِنْسِل §(٣) يُرَوْسِم : يخطّط أو يطبع بالاستنسِل .

stencilize [stĕn'sə līz] *(vt.)* يروسِم : «أ» يخطّط أو يطبع بالرَّوسَم أو الاستنسِل . «ب» يخرِّق على شكل رَوْسَم أو استنسِل.

stencil paper *(n.)* الورق الرَّوْسَميّ ؛ ورق الاستنسِل .

steno- بادئة معناها : ضيّق ؛ قليل الخ. (*steno*petalous) .

steno [stĕn'ō] *(n.)* = stenographer.

stenograph [stĕn'ə grăf'] *(n.; vt.)* (١) الاختزال (٢) المختزِلة : شبه آلة كاتبة تستخدم في الاختزال §(٣) يختزِل (الكتابةَ) .

stenographer; stenographist [stə nŏg'-] *(n.)* المختزِل ؛ كاتب الاختزال .

stenographic [stĕn'ə grăf'ĭk] *(adj.)* اختزاليّ .

stenography [stə nŏg'-] *(n.)* الاختزال ؛ الكتابة بالاختزال .

stenopetalous [stĕn'ō pĕt'ə ləs] *(adj.)* ضيّق البتَلات (نب) .

stenophagous [stə nŏf'-] *(adj.)* آكلٌ أنواعاً قليلة من الطعام .

stenosed [stĭ nōzt'; -nōzd'] *(adj.)* متضيِّق : مصاب بالتضيّق .

stenosis [stĭ nō'sĭs] *(L.)* التضيّق : ضيق في مجرىً أو وعاء (مض) .

stenotopic [stĕn ə tŏp'ĭk] *(adj.)* محدود التكيّف البيئيّ : محدود التكيّف مع تغيّر الأحوال البيئيّة .

stenotype [stĕn'ə -] *(n.)* الكاتبة الفونوغراميّة : آلة صغيرة شبيهة بالآلة الكاتبة لتسجيل الكلام بواسطة الفونوغرامات (را. phonogram) .

stentor [stĕn'tôr] *(L.)* شخص جَهير الصوت .

stentorian [stĕn tōr'-] *(adj.)* جَهير (a ~ voice) .

step [stĕp] *(n.; vi.; t.)* (١) دَرَجة (في سلّم أو مِرقاة الخ.) . (٢) «أ» خطوة . «ب» مِشْية . «ج» أثَر القَدَم . «د» وقْعُ الأقدام (٣) مسافة قصيرة (٤) «أ» درجة ؛ رتبة ؛ ترقية . «ب» مرحلة ؛ طَوْر (٥) سِنادٌ (للجزء الأدنى من الصاري) (٦) إجراء ؛ تدبير ؛ خطوة (٧) درجة «من درجات السلّم الموسيقي» §(٨) «أ» يخطو . «ب» يرقص (٩) «أ» يمشي . «ب» يرحل ؛ ينصرف . «ج» يسرع في السَّير (١٠) يدوس ×(١١) يجتاز سيراً على القدمين (١٢) يقوم بِـ (to ~ a minuet) (١٣) يثبّت (الصاري الخ.) بسناد (١٤) يقيس بالخُطَى (~ *ped* off the distance from the door to the window) (١٥) يُدرِّج .

~s (1) stepladder (2) خطوات أو إجراءات .
to ~ down يخَفِض فُلطِيَّة التيار (بواسطة محوِّل) .
to ~ in (1) يقوم بزيارة قصيرة (2) يتدخّل في شأن أو نزاع (من غير دعوة أو إذن) .
to ~ out (1) يخرج ؛ يبتعد عن مكان ما مسافة قصيرة ولمدة وجيزة عادةً (2) يمشي مسرعاً (3) يموت (4) ينهمك في النشاطات الاجتماعيّة (5) يخون .
to ~ up (1) يزيد فُلْطِيّة التيار «بواسطة محوِّل» (كب). (2) يزيد ؛ يضاعف (3) يندفع ؛ يتقدم (4) يزداد ؛ يتضاعف (5) يُرَقَّى ؛ ينال ترقية .

step- بادئة معناها : دالّ على قرابة ناشئة من طريق زواج سابق أو لاحق .
step brother *(n.)* أخٌ من زوجة الأب أو من زوج الأم .
step-by-step [stĕp bī stĕp'] *(adj.)* تدريجيّ .
stepchild [stĕp'-] *(n.)* ولد الزوج أو الزوجة من زواج سابق .
stepdaughter [stĕp'-] *(n.)* الرَّبيبة : بنت الزوج أو الزوجة .
step-down [stĕp'-] *(n.; adj.)* (1) نَقْصٌ (a ~ in production) § (2) مخفِّض تدريجيّاً (a ~ transformer *or* gear).
stepfather [stĕp'fä'thər] *(n.)* الرّابّ : زوج الأم .
step-in [stĕp'ĭn'] *(n.)* سروال نسويّ تحتيّ قصير .
stepladder *(n.)* السَّيبة : سُلّم نقّال يُطْوَى .

stepladder

stepmother [stĕp'-] *(n.)* الرّابّة : زوجة الأب .
stepparent [stĕp'pâr'ənt] *(n.)* (1) الرّابّ : زوج الأم (2) الرابّة : زوجة الأب .
steppe [stĕp] *(Russ.)* السَّهْب : سهل واسع خالٍ من الشجر .
stepped [stĕpt] *(adj.)* مُدَرَّج (~ pyramids) .
stepped-up [stĕpt'ŭp'] *(adj.)* مَزِيد ؛ مُسْرَع ؛ مُقَوّى .
stepper [stĕp'ər] *(n.)* (1) فرس سريع (2) الراقص .
step rocket *(n.)* صاروخ متعدد المراحل .
stepsister [stĕp'sĭs'tər] *(n.)* أخت من زوجة الأب أو زوج الأم .
stepson [stĕp'sŭn'] *(n.)* الرَّبيب : ابن الزوج أو الزوجة .
step-up [stĕp'ŭp'] *(n.)* زيادة (a ~ in production) .
stepwise [-'wīz'] *(adj.)* تدريجيّ (a ~ reaction) .
-ster لاحقة معناها : «أ» الفاعل، الصانع الخ. (rhyme*ster*) «ب» المشترك في (gang*ster*) . «ج» المتصف بصفة ما (old*ster*) .
stercoraceous [stûr'kə rā'shəs] *(adj.)* رَوْثيّ .
stercoricolous [stûr'kə rĭk'ə ləs] *(adj.)* عائش في الروث .
stere [stĭr] *(n.)* السِّتير : مترٌ مكعَّب .
stere- *or* stereo- بادئة معناها : صُلْب أو مجسَّم .
stereo [stĕr'ĭ ō] *(n.; adj.)* (1) stereotype (2) «أ» طريقة الخ. مِجْسَاميّة أو استريوسكوبيّة . «ب» صورة فوتوغرافيّة مجسَّمة (3) نظام صوتيّ مجسَّم § (4) «أ» استريوسكوبيّ ؛ مِجْسَاميّ . «ب» stereotyped (5) استريوفونيّ ؛ مجسَّم .
stereobate [stĕr'ĭ ə bāt] *(F.)* قاعدة المبنى أو أساسه .
stereochemistry [stĕr'ĭ ō kĕm'ĭs trĭ] *(n.)* : الكيمياء المجسَّمة : فرع من الكيمياء يبحث في ترتيب الذرّات المؤلّفة للجُزَيء .
stereogram [stĕr'ĭ ə grăm] *(n.)* (1) الرسم المِجْسَاميّ . (2) الصورة المِجْسَاميّة أو المُجَسَّمة .
stereograph [stĕr'ĭ ə grăf'] *(n.)* الصورة المِجساميّة أو المجسَّمة .
stereographic; -al [stĕr'ĭ ə grăf'-] *(adj.)* استريوغرافيّ .
stereography [stĕr'ĭ ŏg'rə fĭ] *(n.)* (1) الاستريوغرافيا ؛ التصوير المِجْسَاميّ : فنّ تصوير الأجسام الصّلبة على سطحٍ مستوٍ . (2) التصوير الفوتوغرافي المِجساميّ أو المجسَّم .
stereometry [stĕr'ĭ ŏm'ə trĭ] *(n.)* قياس الأحجام : قياس أحجام الأجسام الصلبة .
stereomicroscope [stĕr'ĭ ə mī'-] *(n.)* المِجهر المِجساميّ ؛ المِجهر المجسِّم .
stereophonic [stĕr'ĭ ə fŏn'ĭk] *(adj.)* استريوفونيّ ؛ مجسِّم : بادٍ وكأنّه منبعث من جهتين أو أكثر (~ sound reproduction) .
stereophotography [stĕr'ĭ ə fə tŏg'rə fĭ] *(n.)* التصوير الفوتوغرافيّ المِجساميّ أو المجسَّم .
stereopticon [stĕr'ĭ ŏp'tĭ kən] *(L.)* الاستريوبتيكون : ضرب من الفانوس السحريّ .
stereoscope [stĕr'ĭ ə skōp'] *(n.)* الاستريوسكوب ؛ المِجْسام : أداة بصريّة تُبدي الصور للعين مجسَّمةً .

stereoscope
stereoscopic; -al [stĕr'ĭ ə skŏp'-] *(adj.)* استريوسكوبيّ ؛ مِجساميّ .
stereoscopy [stĕr'ĭ ŏs'kə pĭ] *(n.)* الاستريوسكوبية ؛ المِجسامية : «أ» دراسة الاستريوسكوب وتقنيّته . «ب» رؤية ثلاثيّة الأبعاد .
stereotomy [stĕr ĭ ŏt'ə mĭ] *(n.)* الاستريوتومية : فنّ قَطْع الأحجار الخ. إلى أشكال وأحجام .
stereotype [stĕr'ĭ ə tīp'] *(n.; vt.)* (1) المُصَفْحَة : صفيحة طباعية تُصنع بصبّ المعدن في قالب من الجص أو الورق المعجّن مأخوذٍ عن حروف منضّدة (2) التصفيحيّة : إعداد هذه الصفائح الطباعيّة أو الطباعةُ بواسطتها (3) المُقَوْلَب ؛ المُقَوْلَبة : شيء مكرّر على نحوٍ لا يتغيّر ؛ شيء متفق مع نمط ثابت أو عام وتعوزُهُ السمات الفرديّة المميِّزة ؛ صورة عقلية يشترك في حملها أفراد جماعة ما وتمثل رأياً مبسّطاً إلى حد الإفراط المشوَّه أو موقفاً عاطفياً (من شخص أو عِرق أو قضيّة أو حادثة) § (4) يستصفح : يستخرج المصفّحات الطباعيّة عن (5) «أ» يكرِّر من غير تغيير . «ب» يكوِّن الآراء المقولبة (عن شخصٍ أو قضيّة) .
stereotyped [stĕr'ĭ ə tīpt'] *(adj.)* (1) مُسْتَصْفَح : مطبوع عن مصفَّحة (2) مُقَوْلَب : تعوزه الأصالة أو الشخصية (~ thinking).
stereotypy [stĕr'ĭ-] *(n.)* (1) التصفيحيّة : (را. المادة قبل السابقة) . (2) القَوْلَبيّة : «أ» تكرير متواصل شبه ميكانيكي للوِضعة نفسِها أو للحركة نفسها (كما يحدث في الفُصام أو الشيزوفرانيا) . «ب» تكوين (أو النزعة إلى تكوين) الآراء المقولبة عن شخص أو قضيّة .
sterile [stĕr'ĭl] *(adj.)* (1) «أ» عقيم . «ب» غير مثمر (2) مجدِب . (3) معقَّم (A doctor's instruments must be kept ~.) .
sterility [stə rĭl'ə tĭ] *(n.)* عُقْم ؛ جَدْب .
sterilization [stĕr'ə lə zā'-] *(n.)* تجديب ؛ تعقيم ؛ تطهير الخ.
sterilize [stĕr'ə līz'] *(vt.)* (1) يجدِّب : يجعل الأرض مجدبة . (2) يعقِّم : «أ» يجعله عقيماً . «ب» يطهِّره من الجراثيم .
sterlet [stûr'lĭt] *(n.)* الحُفَيش : ضرب صغير من سمك الحَفْش يكثر في بحر قزوين ويُصنع الكافيار من بطارخه .
sterling [stûr'lĭng] *(n.; adj.)* (1) الاسترلينيّ : العملة البريطانيّة . (2) الفضة الخالصة أو أدوات مصنوعة منها (a set of ~) § (3) «أ» استرلينيّ . «ب» مدفوع بالاسترليني (4) «أ» خالص ؛ صِرْف ؛ مشتمل على ٩٢,٥٪ من الفضة الخالصة . «ب» مصنوع من فضة خالصة (5) أصيل ؛ من الطراز الأول (a ~ character) .
sterling area; sterling bloc *(n.)* منطقة (أو كتلة) الاسترليني .
stern [stûrn] *(adj.; n.)* (1) «أ» صارم . «ب» قاسٍ .

(٢) متجهم ؛ كالح ؛ عابس (٣) قويّ ؛ شديد §(٤) الكَوْثَل ؛ مؤخَّر السفينة (٥) مؤخَّرة .

sternal [stûr'nəl] *(adj.)* قَصِّيّ : ذو علاقة بالقَصّ (ت) .

stern chase *(n.)* الطِّراد الكَوْثَليّ : طِراد تطارد فيه السفينةُ سفينةً أخرى متبِعةً مؤخَّرَها .

stern chaser *(n.)* المِدفع الكَوْثَليّ: مدفع مركَّز في مؤخَّر السفينة مُعَدّ لإطلاق النار على سفينة مطاردة.

sternforemost [stûrn'fōr'mōst] *(adv.)* تراجعياً ، تقهقرياً .

sternmost [stûrn'mōst'] *(adj.)* (١) الأقرب إلى مؤخر السفينة. (٢) الأقرب إلى المؤخرة .

sternocostal [stûr nō kŏs'təl] *(adj.)* قَصِّيْضِلْعيّ : متعلّق بالقَصّ والأضلاع أو واقعٌ بينهما .

sternpost [stûrn'-] *(n.)* القائم الكَوْثَليّ أو الخلفيّ (في سفينة) .

sternum [stûr'nəm] *(L.)* pl. **-s** *or* **-na** القَصّ ؛ عظم الصدر .

sternutation [stûr'nyə tā'shən] *(n.)* عَطْس ؛ عُطاس .

—sternutatory *or* **sternutative** *(adj.)*

sternutator [stûr'nyə tā'tər] *(n.)* المعطس: كلّ مايثير العُطاس .

sternward *or* **sternwards** [stûrn'-] *(adv.)* = astern.

sternway [stûrn'wā'] *(n.)* تراجُع (أو تقهقر) السفينة .

stern-wheeler [stûrn'hwē lər] *(n.)* الباخرة المغدَّفة: باخرة ذات عجلة تغديف (را. paddle wheel) في مؤخَّرها .

sterol *(n.)* الاستيرول : مادة كحوليّة صُلبة كالكولستيرول الخ.

stertor [stûr'tər] *(L.)* شَخير ؛ غَطيط .

stertorous [stûr'tə rəs] *(adj.)* شخيريّ ؛ غطيطيّ .

stet [stĕt] *(vi.; t.)* (١) أَبْقِ ؛ أَبقِها (في إصلاح التجارب المطبعيّة ، وذلك عندما يراد تنبيه العامل إلى ضرورة الابقاء على كلمة أو جملة الخ. سبَقَ حذفُها) ×(٢) يطلب إبقاء لفظة الخ . سبق حذفها ؛ يعلّم بإشارة الإبقاء المطبعيّة .

stethoscope [stĕth'ə skōp'] *(n.; vt.)* (١) المِسماع : سمّاعة الطبيب §(٢) يفحص (مريضاً) بالمِسماع .

stethoscopic *or* **stethoscopical** [-skŏp'-] *(adj.)* مِسماعِيّ .

stethoscopy [stĕ thŏs'kə pĭ] *(n.)* الفحص المِسماعِيّ .

stevedore [stē'və dōr'] *(n.; vt.; i.)* (١)«أ» محمِّل السفن أو مفرّغها. «ب» مؤسسة مختصّة بتحميل السفن أو تفريغها §(٢) يحمّل السفينةَ أو يفرغها .

stethoscope

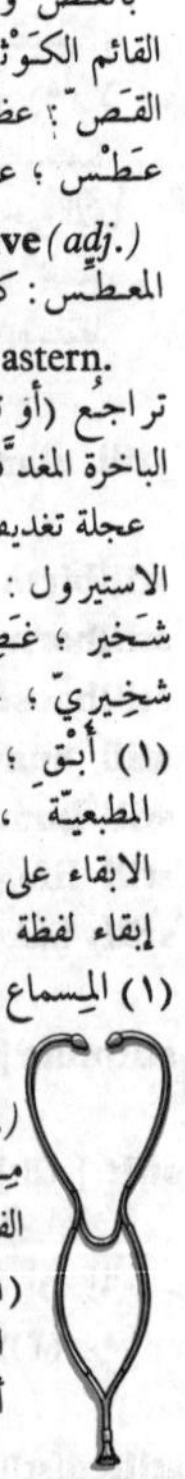

stevedore knot *or* **stevedore's knot** *(n.)* عُقْدةُ الوَسّاق .

stew [stū] *(n.; vt.; i.)* (١) حمّام ساخن (٢) «أ» ماخور . «ب» *pl.* عد: مَبْغًى ؛ حيّ المواخير أو بيوت الدعارة (٣)«أ» يخنة ؛ طعام مطهوّ بالغلي البطيء . «ب» خليط ؛ مزيج (٤) حالةحَرّ أوازدحام شديد(٥)حالةاهتياج أوقلق الخ.§(٦) يطهو بالغلي البطيء ×(٧) يُطْهى بالغلي البطيء (٨) يتصبّب عرقاً من الانحباس في جوّ حارّ أو مكتظّ (٩) يهتاج أو يقلق .

to ~ in one's own juice يتحمّل نتائج أعماله .

stew *(n.)* المُضِيفة: مضيفة في طائرة.

steward [stū'ərd; stōō'-] *(n.; vt.; i.)* (١) القَهْرَمان: الوكيل المسؤول عن تدبير القصر أو الاقطاعة الخ. بما في ذلك الاشراف على الخدم وجباية الايجارات وتدوين الحسابات (٢) ممثّل نقابة عماليّة في مصنع الخ. (٣) موظف ماليّ (٤)«أ» خادم في سفينة . «ب» المضيف (في سفينة أو قطار أو طائرة) (٥) المدير ؛ المشرف (the ~ of a jockey club) §(٦) يدير ×(٧) يقوم بمهامّ القَهْرَمان الخ .

—stewardess *(n. fem.)*

stewpan [stū'păn'] *(n.)* كَفْتٌ أو قِدر صغيرة للطهو بالغلي البطيء.

sthenic [sthĕn'ĭk] *(adj.)* (١) شديد ؛ عنيف (٢) قصير وبدين.

stibine [stĭb'ēn] *(L.)* الإستبين : غاز سامّ عديم اللون (ك) .

stibium [stĭb'ĭ əm] *(L.)* = antimony.

stick [stĭk] *(n.; vt.; i.)* (١)«أ» عصا . «ب» قضيب . «ج» عود. «د» مِضرَب (٢) إصبع (a ~ of candy *or* dynamite) (٣) جزء (من مبنى الخ.) (٤)«أ» مِصفّ الأحرف المطبعية. «ب» مِلء هذا المصفّ (من الأحرف) (٥) «أ» فتى ؛ شخص . «ب» شخص بليد أو أحمق الخ. (this poor, dim ~) (٦) عصا القيادة الخ. («سي» و«طي») (٧) *pl.* : غابات؛ مناطق ريفية (back in the ~*s*) (٨) صار ؛ جزء من صار (مل) (٩) مقدار من مُسْكِر يضاف إلى شراب (a cup of tea with a ~ in it) (١٠) قطعة «من أثاث» (١١) نَسَق قنابل (تُطلَق على التتابع من طائرة) (١٢) طعنة ؛ وخزة (١٣) «أ» توقّف (seemed to be at a ~) . «ب» عقبة ؛ عائق (made no ~ at all) (١٤) «أ» الإلصاقية أو الالتصاقية : القدرة على الالتصاق. «ب» مادة دَبِقَة §(١٥) يَرْصِف (ألواح الخشب) أكداساً (١٦) يسند (نبتةً) بعود (١٧) ينضّد (الأحرف المطبعية) (١٨) «أ» يطعن ؛ يَنْخز . «ب» يقتل (خنزيراً) بطعنه في الحنجرة (١٩) يَغْرُز ؛ يشكّ (٢٠) «أ» يُقْحِم. «ب» يضع في مكان معيّن (٢١) يزوّد أو يرصّع بأشياء مشبّتة بالغَرْز أو نحوه (a coat *stuck* with badges) (٢٢) يُلْصِق (٢٣) «أ» يُكرِه على الدفع وبخاصة بالاحتيال (~*ing* his friends for drinks) . «ب» يَقْتضيه أو يطلب منه ثمناً باهظاً (*stuck* the rich) (٢٤) «أ» يوقف ؛ يعطّل عن الحركة . «ب» يحيّر ؛ يُرْبِك (٢٥) يخدع (٢٦) يُرْهِق بعبء أو شيء بغيض (٢٧) يتحمّل (How can you ~ that fellow?) ×(٢٨) «أ» ينغرز في . «ب» يلتصق ؛ يعلَق بِـ (٢٩) يمكث ؛ يبقى في مكان أو وضع (٣٠) «أ» يتردّد . «ب» يتوقّف ؛ يعجز عن الحركة أو التقدّم (٣١) ينتأ ؛ يبرز (a book ~*ing* from her pocket) .

to ~ around يبقى أو ينتظر (في مكان أو قربَه) .

to ~ at (١) يتردّد (٢) يتوقّف (عند الصغائر أو التوافه) (٣) يلازم (عمله الخ.) .

to ~ down (١) يضع (٢) يدوّن (٢) يُلصِق .

to ~ on (١) يبقى (على صهوة جواد الخ.) (٢) يُلصِق .

to ~ it on يتقاضى أسعاراً باهظة

to ~ out (١) ينتأ (٢) يبرز (٣) يُلِحّ ؛ يُصِرّ (٤) يُضرِب (عن العمل) (٥) يبْرز ؛ يخرج .

to ~ it out يتحمّل (المشقات الخ.) حتى النهاية .

to ~ out for يرفض أن يتراجع حتى ينال مطالبه .

to ~ to (١) يُخلِص (لأصدقائه أو مبادئه) . (٢) يثابر ؛ يواصل (أداء عمل ما) .

to ~ together يظلّ بعضهم مخلصاً لبعض .

to ~ up (١) ينتأ أو ينتصب إلى أعلى (٢) يروّع نزلاء مكان ما بغية السرقة .

to ~ up for يؤيّد ؛ يدافع عن .

to ~ up to يقاوم (عندما يُهاجَم الخ.) .

sticker [stĭk'ər] *(n.)* (١) «أ» الطاعِن . «ب» مدية الخ. (٢) «أ» الملازم (عملَه) . «ب» المثابر ؛ الشديد الاحتمال .

ă at; ā date; â care; ä car; ĕ egg; ē me; ĭ in; ī bite; ŏ lot; ō bone; ô orphan; oi boil ŏŏ good; ōō boot; ou out; ŭ under; ū unity; û urgent; th thing; *th* this; zh vision; ə = *a* in alone, *e* in system, *i* in easily, *o* in gallop, *u* in circus.

«ج» سلعة غير رائجة . «د» مادّة دبِقة . «هـ» ورقة مصمّغة (تلتصق ، حين تبلّل ، بسطحٍ ما) .

stickful [stĭk'-] *(n.)* مِلء مِصَفّ (من أحرف الطباعة) .

stickiness [stĭk'ĭ-] *(n.)* لزوجة ؛ تدبُّق .

sticking plaster *(n.)* اللاصوق : لَزقة للجراح السطحية .

stick insect *(n.)* الحشرة العَصَويّة : حشرة ذات جسم طويل مستدير شبيه بالعصا .

stick-in-the-mud [stĭk'-] *(n.)* شخص محافظ أو رجعي .

stickle [-'əl] *(vi.)* (١) يماحك : يجادل في التوافه (٢) يثير الاعتراضات .

stickleback [stĭk'əl băk'] *(n.)* أبو شوكة : سمك شائك الظهر .

stickler[-'lər] *(n.)* الشديد التمسّك (بالدقّة أو النظام أو الرسميات) .

stickpin [stĭk'pĭn'] *(n.)* دبّوس الأربة : دبوس زيني لربطة العنق .

stickseed [stĭk'sēd'] *(n.)* اللابول : عشب شائك يعلق بالملابس .

sticktight [stĭk'tīt'] *(n.)* (١) الملتصقة : عشبة مركبة ذات ثمار شائكة تلتصق بالملابس (٢) stickseed .

stickup [stĭk'ŭp'] *(n.)* سرقة مع تهديد بالقتل .

stickweed [stĭk'wēd'] *(n.)* الرجيد (را. ragweed) .

sticky [stĭk'ĭ] *(adj.)* (١) لزج ، دبِق (٢) شديد الرطوبة (a ~ day) (٣) بغيض ؛ مؤلم (a rather ~ past she wants to hide) (٤) نيّق ؛ صعب الارضاء (٥) صعب (a ~ question) .

stiff [stĭf] *(adj.; adv.; n.)* (١) «أ» جاسىء ، صُلب . «ب» متيبّس ، متقبّض (Her muscles were ~.) . «ج» معوّق الحركة (من الاحتكاك الخ.) . «د» ثمل ، سكران (He was pretty ~.) (٢) «أ» ثابت ، وطيد (a ~ position) . «ب» عنيد . «ج» فخور . «د» رسمي (a ~ courtesy) (٣) عنيف (a ~ fight) (٤) قويّ (~ wind) (٥) كثيف ، دبِق (a ~ grease) (٦) قاسٍ (a ~ penalty) (٧) شاقّ (~ work) (٨) باهظ (a ~ rent) § (٩) بتصلّب ، بتيبّس (a uniform that is starched ~) (١٠) بإفراط ، إلى حدّ بعيد (was frightened ~) § (١١) جثة (١٢) «أ» المتكبّر ، المُضجر . «ب» السكران . «ج» شخص سيء السمعة (١٣) العامل ، الشغّيل .

stiffen [-'ən] *(vt.; i.)* (١) يصلّب ، يُيبّس × (٢) يتصلب ؛ يتيبّس .

stiffish [-'ĭsh] *(adj.)* صلب أو متيبّس الخ. (را. stiff) قليلاً .

stiff-necked[stĭf'nĕkt'] *(adj.)* (١) متيبّس العنق (٢) متكبّر ؛ عنيد .

stifle [stī'fəl] *(n.; vt.; i.)* (١) عرقوب الدابّة § (٢) يخنق (٣) «أ» يخمد (الصوت أو النفَس) . «ب» يكظم ، يكبت (غضبه) . «ج» يقيّد (to ~ free speech) (٤) يعوق × (٥) يختنق الخ.

stifling [stī'flĭng] *(adj.)* خانق الخ. (~ heat) .

stigma[stĭg'mə] *(L.)* pl. **-mata** *or* **-mas** (١) وصمة عار . (٢) علامة أو خاصيّة مميزة ، وبخاصة : سِمة تشخيصية (ط) (٣) «أ» ندبة ، أثر الجرح . «ب» *pl.*: علامات كالتي أحدثتها المسامير في جسد المسيح عند صلبه (يقال إنّها ظهرت على جسد القديس فرنسيس الأسيسي) (٤) الميسَم ؛ السِمة : الجزء الأعلى من مِدقّة الزهرة (نب) .

stigmatic [stĭg măt'ĭk] *(adj.; n.)* (١) مشوّه (ا.ق) . (٢) «أ» موصوم (بوصمة اجتماعية) . «ب» بغيض ؛ كريه (٣) ذو علاقة بالعلامات الخارقة للطبيعة (را. stigma 3 *b*) (٤) لا استغمي (را. anastigmatic) § (٥) شخص يحمل علامات شبيهة بجراح المسيح .

stigmatist [stĭg măt'ĭst] *(n.)* = stigmatic 5.

stigmatize [stĭg'mə tīz'] *(vt.)* (١) يَسِم (بميسم) (٢) يصِم .

stilbene[stĭl'bēn] *(n.)* الاستلبين : مادة تستخدم في صنع الأصباغ الخ.

stilbite [stĭl'bīt] *(F.)* الإستلبيت : معدن مؤلف من سليكات الألمنيوم والكلسيوم المائية .

stile [stīl] *(n.)* (١) مَرقى (لعبور سياج أو جدار) (٢) الباب الدوّار (را. turnstile) (٣) العضادة ، القائم (نج) .

stiletto [stĭ lĕt'ō] *(It.)* (١) خنجر صغير (٢) الثقّابة : أداة مستدقة الطرف لإحداث الثقوب (في التطريز) .

still [stĭl] *(adj.; n.; adv.; vt.; i.)* (١) «أ» ساكن ، غير متحرّك . «ب» غير فوّار ، غير مُكربَن (٢) «أ» صامت . «ب» خفيض (a ~ small voice) (٣) هادىء § (٤) سكون ؛ صمت (٥) صورة ساكنة ؛ وبخاصة : صورة فوتوغرافية لمشهد أو ممثل سينمائي تستخدم للدعاية الخ. (٦) معمل التقطير (٧) مِقطر ، إنبيق § (٨) بسكون ؛ بهدوء (٩) لا يزال (١٠) ومع ذلك (١١) في المستقبل كما في الماضي (Objections will ~ be made.) (١٢) حتى الآن § (١٣) «أ» يسكّن ؛ يهدّىء . «ب» يُخمد ؛ يقمع . «ج» يتغلّب على (points ~ unsettled) (١٤) يسكّت (١٥) يقطّر ، يستقطر × (١٦) يسكن ، يهدأ ، يسكت .

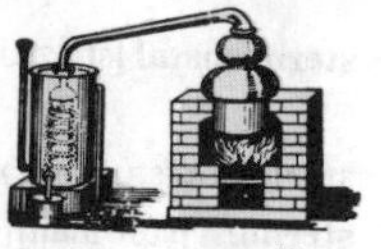

still 7.

still alarm *(n.)* الانذار الصامت : انذار بنشوب الحريق يبلَّغ تلفونياً (من غير إعمال لجهاز الانذار الخاص) .

stillbirth [stĭl'bûrth'] *(n.)* ولادة جنين ميّت .

stillborn [stĭl'bôrn'] *(adj.; n.)* (١) مولود ميتاً § (٢) جهيض .

stillhouse [stĭl'hous'] *(n.)* معمل (أو مصنع) التقطير .

still hunt *(n.)* المطاردة الصامتة أو المستخفية (للطرائد) .

still-hunt [stĭl'-] *(vt.; i.)* يطارد (الفريسة) خلسة أو استخفاءً .

still life *(n.)* الساكنة : صورة زيتية تمثّل أزهاراً أو أثماراً الخ.

stilly [*adv.* stĭl'lĭ; *adj.* stĭl'ĭ] *(adv.; adj.)* (١) بسكون ؛ بهدوء § (٢) ساكن ؛ هادىء .

stillman [stĭl'-] *(n.)* (١) صاحب معمل للتقطير (٢) المشرف على أجهزة التقطير (في مصفاة لتكرير النفط) .

stilt [stĭlt] *(n.; vt.)* (١) «أ» الطوّالة : إحدى رجلين خشبيتين يُعتمد المشي بهما ضرباً من البراعة . «ب» ركيزة مبنى فوق سطح الأرض أو الماء (٢) الطوّل : طائر مائي طويل الساقين § (٣) يرفع على ركائز أو نحوها .

stilts

stilted[stĭl'-] *(adj.)* (١) قائم على ركائز (a ~ arch) . (٢) متكلّف ، رسمي أكثر مما ينبغي (~ behavior) . «ب» طنّان ، رنّان (~ style) .

Stilton [stĭl'tən] *(n.)* الستِلتون : جبن شبيه بجبن الروكفورت .

stimulant [stĭm'yə lənt] *(n.; adj.)* (١) المنبّه : كلّ ما يزيد في نشاط الجسم الوظيفيّ أو في نشاط أيٍّ من أعضائه ، كالقهوة والشاي والأشربة الكحولية (٢) المثير ؛ المنبه (فس) (٣) شراب كحولي § (٤) منبّه (٥) حافز ؛ حاثّ .

stimulate[-'yə lāt'] *(vt.; i.)* (١) يحفّز ؛ يحثّ (٢) يثير ؛ ينبّه .

—**stimulation** *(n.)* —**stimulative** *(adj.)*

—**stimulator** *(n.)* —**stimulatory** *(adj.)*

stimulus [stĭm'yə ləs] *(L.)* pl. **-li** [-lī'] (١) المنبه (را. stimulant I) (٢) المثير ، المُنبّه (فس) (٣) الحافز ، الحاثّ .

sting [stĭng] *(vt.; i.; n.)* (١) يلسع ، يلدغ ، يخِز ، يقرص . (٢) يغشّ ، يتقاضى (امرءاً) ثمناً باهظاً × (٣) يصاب بألم حادّ

لاسع §(٤) «أ» لَسع، لَدْغ، وخز. «ب» لَسْعَة، لَدْغة، وخزة (٥) حُمَة؛ إبرة؛ زُبانَى.

stingaree [stĭng'ə rē] *(n.)* = stingray.

stinger [stĭng'ər] *(n.)* (١) شيء لاسع، وبخاصة: ضربة عنيفة؛ ملاحظة لاذعة (٢) حُمَة؛ إبرة؛ زُبانَى (٣) شراب مُسْكِر.

stinginess [stĭn'jĭ-] *(n.)* بُخْل، شُحّ الخ.

stingray [-'rā'] *(n.)* الراي اللسّاع (سمك).

stingray

stingy [stĭn'jĭ] *(adj.)* (١) بخيل؛ شحيح. (٢) هزيل؛ ضئيل (a ~ crop).

stingy [stĭng'ĭ] *(adj.)* لاسِع؛ لاذع؛ قارِص.

stink [stĭngk] *(vi.; n.)* (١) يُنتِن (٢) ينافي الأخلاق أو الذوق السليم (٣) تسوء سمعته (٤) يمتلك شيئاً إلى حدّ بغيض (~ing with money) (٥) يخفق إخفاقاً ذريعاً §(٦) نَتَن؛ رائحة كريهة (٧) احتجاج عامّ عنيف.

to ~ out يُخرِج طريدةً من مخبأها بدخانٍ نتِن.

stinkard [stĭngk'ərd] *(n.)* شخص حقير أو جدير بالازدراء.

stinkbug [stĭngk'bŭg'] *(n.)* البقّة المُنتِنة.

stinker [stĭngk'ər] *(n.)* (١) شيء نَتِن، مثل: «أ» شخص حقير أو جدير بالازدراء. «ب» شيء رديء النوع إلى الحدّ بعيد (٢) طائر النوء النتِن (را. petrel) (٣) شيء صعب إلى أبعد الحدود.

stinkhorn [stĭngk'hôrn'] *(n.)* الفُطر المُنتِن (نب).

stinking [stĭngk'-] *(adj.)* (١) نَتِن (٢) سكران إلى حدّ كريه.

stinking smut *(n.)* مرض يصيب الحنطة.

stinkpot [stĭngk'-] *(n.)* القِدْر النتنة: جرة تشتمل على متفجّرات الخ. تحدث أبخرة كريهة خانقة (كانت تستخدم قديماً في الحروب).

stinkstone [stĭngk'stōn'] *(n.)* الحجر المنتِن: حجر إذا كسرتَه أو حككتَه انبعثت منه رائحة كريهة ناشئة عن انحلال مادة عضوية فيه.

stinkweed [stĭngk'wēd'] *(n.)* الحشيشة المنتنة: نبتة كريهة الرائحة.

stinkwood [stĭngk'wŏŏd'] *(n.)* (١) الشجر المنتِن: أيّ من أشجار عديدة كريهة الرائحة (٢) خشب الشجر المنتن.

stinky [stĭngk'ĭ] *(adj.)* نَتِن؛ منتِن؛ كريه الرائحة.

stint [stĭnt] *(vt.; i.; n.)* (١) «أ» يقيّد أو يحصر ضمن حدود معيّنة. «ب» يقتّر (٢) يعيّن مهمّة محدّدة (لشخص) ×(٣) يَبْخَل §(٤) حدّ؛ قيد (gave without ~) (٥) مهمّة؛ عملٌ محدّد (٦) الطِّيطُوَى الصغير (طا).

stintless [stĭnt'-] *(adj.)* لا حدّ له؛ لا حصر؛ لا نهاية له.

stipe [stīp] *(n.)* سُوَيْقَة؛ زُنَيد (نب).

stipel [stī'pəl] *(n.)* الأُذَيْنَة؛ أُذَيْنة (را. stipule) الوُرَيقة.

stipend [stī'pĕnd] *(n.)* راتب؛ مرتّب؛ معاش.

stipendiary [stī pĕn'dĭ ĕr'ĭ] *(adj.; n.)* (١) ذو راتب (a ~ curate) (٢) راتبيّ؛ مُرتّبيّ §(٣) ذو الراتب أو المعاش.

stipes [stī'pēz] *(L.)* pl. **stipites** [stĭp'ə tēz] (١) الإسْطابة: الفلقة الثانية في الفكّ الأعلى في الحشرات والقِشريات (ح) (٢) سُوَيْقَة؛ زُنَيْد (نب).

—stipitate *(adj.)*

stipple [stĭp'əl] *(vt.; n.)* (١) يرسم أو ينقش بالنقط أو باللمسات الصغيرة (٢) ينقّط؛ يُرقّط §(٣) رسمٌ أو نقش بالنقط واللمسات الصغيرة (٤) صورة منقّطة؛ نقشٌ منقّط.

stipulate [stĭp'yə lāt'] *(vi.; t.)* (١) يتعاقد على (٢) يشرط؛ يضع شرطاً ×(٣) يتعهّد بـ.

stipulate [stĭp'yə lĭt; -lāt'] *(adj.)* مُوذَّن؛ مُزنَّم: ذو أذنات أو زنمات (نب).

stipulation [stĭp'yə lā'-] *(n.)* (١) تعاقد؛ اشتراط الخ. (٢) شَرْط.

stipule [stĭp'ūl] *(n.)* الأذَنَة، الزَّنَمة: زائدة ورقيّة مزدوجة في قاعدة معلاق الورقة (نب).

—stipular; stipuled *(adj.)*

stir [stûr] *(vt.; i.; n.)* (١) «أ» يحرّك تحريكاً ضئيلاً. «ب» يثير (الشيء) أو يعكّر صفوه (٢) يمزج بالتحريك بملعقة أو عصا الخ. (٣) يثير موضوعاً أو سؤالاً (٤) يحرّض؛ يحثّ (٥) يُسرِّع (to ~ the pulse) (٦) يثير الشفقة الخ. ×(٧) يتحرّك حركة ضئيلة (٨) ينشط (٩) يمتزج بالتحريك (This mixture ~s easily.) §(١٠) «أ» اهتياج؛ نشاط. «ب» قلق. «ج» اضطراب؛ فتنة؛ ثورة (ا.ق) (١١) ضجّة (created a considerable ~ in the press) (١٢) حركة ضئيلة (١٣) تحريك؛ إثارة (١٤) سِجْن (ع).

stirabout [stûr'ə bout'] *(n.)* عَصيدة.

stirk [stûrk] *(n.)* عِجلٌ صغير؛ عِجلة صغيرة.

stirps [stûrps] *(L.)* (١) أسرة أو فرع من أسرة (٢) الجد الأعلى لأسرة ما.

stirrer [stûr'ər] *(n.)* (١) المحرّك؛ المثير (٢) المِحراك: أداة لتحريك شيء أو مزْجه.

stirring [stûr'ĭng] *(adj.)* (١) ناشط؛ مفعم بالحياة أو الحيوية او النشاط (~ times) (٢) مثير (~ events).

stirrup [stûr'əp] *(n.)* (١) رِكاب (٢) شيء كالركاب.

stirrup bone *(n.)* = stapes.

stirrup cup *(n.)* (١) كأس الرِّكاب: كأس من خمر يتجرعه راكب على وشك الرحيل (٢) كأس الوداع.

stirrup 1.

stirrup leather *or* **strap** *(n.)* مِعلاق الرِّكاب.

stirrup pump *(n.)* المِضخّة الرِّكابيّة: مِضخّة يدويّة صغيرة مزوّدة بشبه رِكاب لتثبيتها على الأرض بإحدى القدمين (وتستخدم لإطفاء الحرائق الصغيرة).

stitch [stĭch] *(n.; vt.; i.)* (١) ألم موضعيّ حادّ مفاجىء (وبخاصة في الجَنْب) (٢) دَرْزَة؛ غُرْزَة؛ قُطْبة (٣) مقدار صغير (wouldn't do a ~ of work) §(٤) «أ» يدرز. «ب» يخيط. «ج» يطرّز. «د» يرتق.

in ~*es* في حالة ضحكٍ لا سبيل إلى مقاومتِه.

stithy [stĭth'ĭ] *(n.)* (١) سِندان الحداد (٢) دكان الحداد.

stiver [stī'vər] *(n.)* (١) الإستايفر: عملة هولندية صغيرة (٢) مقدار صغير أو شيء تافه.

stoa [stō'ə] *(Gk.)* رواق اغريقيّ مُعَمَّد (عم).

stoat [stōt] *(n.)* القاقُم الأوروبي: حيوان من فصيلة بنات عِرْس.

stock [stŏk] *(n.; vt.; i.; adv.; adj.)* (١) «أ» الجِذْل: أصل الشجرة الباقي بعد قطع جذعها. «ب» زند خشب؛ كتلة خشبية (ع). «ج» شيء عديم الحياة، وبخاصة: صنم. «د» شخص بليد أو أحمق (٢) «أ» عمود؛ سِناد؛ دعامة. «ب» *pl.*: هيكل خشبي يُستعان به في بناء السفن. «ج» *pl.*: أداة تعذيب خشبيّة ذات ثقوب كانت تقيّد فيها رِجلا (أو رجلا ويدا) المذنب. «د» مَقبِض البندقية. «هـ» عقِب السوط أو صنارة الصيد. «و» الملفاف: مقبض يُدار به المِثقاب. «ز» قوس المحراث (٣) «أ» جذع الشجرة. «ب» ساق النبتة الذي يُقحم فيه الطُّعْم. «ج» شجرة أو نبتة تُتّخذ منها الشتلات (٤) عارضة المرساة (٥) «أ» أصل؛ نِجار؛ مصدر. «ب» سلالة؛ عِرق

stocks 2 *c.*

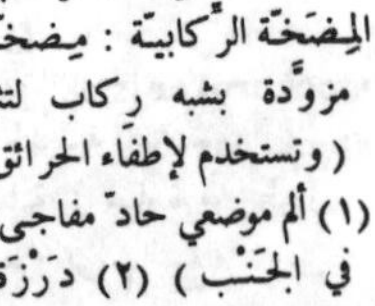

(٦) أسرة لغات (٧) «أ» أجهزة ؛ موادّ «ب» مواشٍ «ج» المخزون: الموجود في المخزن من البضائع (٨) «أ» رأسمال . «ب» أسهم في شركة (٩) المَنْثُور: نبات عشبيّ شبيه بالمنثور (١٠) لِفاع (يطوّق به بعض رجال الدين أعناقهم) (١١) «أ» مَرَق . «ب» خامة ؛ مادة خام . «ج» الفَتّ: ذلك الجزء من ورق اللعب غير الموزّع عند ابتداء اللعبة (١٢) ثقة (put little ~ in his testimony) (١٣) تمثيليات مختلفة تقدمها فرقة في مسرح واحد §(١٤) يجعل للبندقية مقبضاً وللمرساة عارضة الخ. (١٥) يزوّد (المزرعة) بالماشية (١٦) يموّن ؛ يجهّز بـ (١٧) يختزن: يحتفظ بمخزون من السلع (Toy shops ~ toys.) (١٨) يرعى الماشية ×(١٩) تُطلع (النبتة) أفراعاً جديدة (٢٠) يتموّن §(٢١) تماماً ؛ بكلّ ما في الكلمة من معنى (struck *stock*-dumb) §(٢٢) قياسيّ (٢٣) مُختَزَن (أو موجود في المخزن أو في المتناوَل) باستمرار (~ articles) (٢٤) مألوف ؛ عاديّ ؛ مبتذل (a ~ subject of conversation) (٢٥) «أ» استيلاديّ : معدّ للاستيلاد (a ~ mare) . «ب» مخصّص لتربية الماشية الخ. (a ~ farm) . «ج» مخصّص أو مستخدَم للماشية (a ~ train)

in ~, في المتناوَل ؛ جاهز للاستعمال أو البيع .

on the ~*s* قيدَ البناء أو الإنشاء أو الإعداد .

out of ~, نافد .

to take ~. (١) يجرد البضائع الموجودة (٢) يقدّر ؛ يقيّم الخ.

to take ~ in (١) يشتري أسهماً في شركة (٢) يُعنى بـ ؛ يعلّق أهمية على ؛ يضع ثقة في . . الخ.

stockade [stŏ kād'] *(n.; vt.)* (١) حاجز أو خطّ دفاعيّ (مؤلف من قضبان مغروزة على نحو متلاصق) (٢) «أ» حظيرة منشأة من قضبان مغروزة . «ب» معتقل مطوّق بالأسلاك الشائكة الخ. §(٣) يحصّن أو يطوّق بحاجز من قضبان الخ.

stockbroker [stŏk'-] *(n.)* سمسار البورصة ؛ سمسار الأسهم المالية .

stock car *(n.)* (١) عربة الماشية : عربة من عربات السكة الحديدية مخصّصة لنقل الماشية (٢) السيارة القياسية : سيارة من طراز مُنتَج على نطاق تجاريّ ومُختَزَن باستمرار برسم البيع .

stock certificate *(n.)* شهادة الأسهم : وثيقة تثبت ملكية المرء لعدد معيّن من أسهم شركة ما .

stock company *(n.)* (١) الشركة المساهمة (٢) فرقة تقدّم عدداً من التمثيليات المختلفة في مسرح واحد (بدلاً من مسرحية واحدة يعاد تقديمها طوال الموسم) ؛ وبخاصة : فرقة ليس فيها نجوم ذوو شهرة ذائعة .

stock dove *(n.)* اليمامة ؛ الحمامة البرّية .

stock dove

stock exchange *(n.)* المَصفَق ؛ البورصة ؛ سوق الأوراق المالية .

stockfish [stŏk'fĭsh] *(n.)* السمك القديد: سمك مقدّد من غير مِلح .

stockholder [stŏk'-] *(n.)* حامل الأسهم: مالكُ أسهم (في شركة).

stockinette *or* **stockinet** [stŏk'ə nĕt'] *(n.)* قماش قطني .

stocking [stŏk'ĭng] *(n.)* (١) جورب (٢) شيء كالجورب .

stocking cap *(n.)* قلنسوة طويلة مخروطية الشكل .

stock-in-trade [stŏk'ĭn trād'] *(n.)* (١) المخزون : الموجود في المخزن من البضائع (٢) «أ» عدة الصانع . «ب» عُدّة ؛ تجهيزات .

stockish [stŏk'ĭsh] *(adj.)* أحمق ؛ أبله .

stockjobber [-'jŏb'ər] *(n.)* سمسار بورصة (غير موثوق عادةً).

stockman [stŏk'mən] *(n.)* مربّي الماشية .

stock market *(n.)* (١) المَصفَق ؛ البورصة (٢) المصافقة : البيع والشراء في المَصفَق أو البورصة (٣) بورصة ؛ أسعار الأسهم المالية .

stockpile [stŏk'pīl] *(n.; vt.)* (١) المخزون الاحتياطيّ : احتياطي (من طعام أو مادة أولية) يُختَزَن في بلد لاستخدامه في الأزمات . §(٢) يختزن احتياطياً .

stockpot [stŏk'pŏt'] *(n.)* (١) الكفت : قِدر يعدّ فيه مرَق اللحم الخ. (٢) الكشكول : وعاء مشتمل على مزيج من الأشياء.

stock room *(n.)* (١) المخزن : موضع المخزون (را. stock 7 c) في محلّ تجاريّ (٢) حجرة (في فندق الخ.) يعرض فيها التجار سِلعهم.

stocktaking *(n.)* (١) جرد محتويات المخزن (٢) تقدير ؛ تقييم .

stocky [stŏk'ĭ] *(adj.)* قصير قويّ ممتلىء الجسم .

stockyard [stŏk'yärd'] *(n.)* فِناء الماشية ؛ وبخاصة : فناء موقّت للماشية أو الخيل المعدّة للذبح أو البيع أو التصدير .

stodge [stŏj] *(vt.; i.)* يُتخِم .

stodgy [stŏj'ĭ] *(adj.)* (١) ثقيل ؛ غليظ (~ food) (٢) متثاقل ؛ بطيء الحركة وبخاصة لضخامة جسمه (a ~ cook) (٣) مملّ (a ~ novel) (٤) محافظ أو رجعيّ إلى حدّ بعيد (٥) غير أنيق (~ clothes) (٦) محشوّ ؛ مملوء ؛ مُثقَل (~ bags) .

stogie *or* **stogy** [stō'gĭ] *(n.)* (١) المداس : حذاء غليظ . (٢) الستوجي : سيجار طويل رفيع رخيص .

stoic [stō'ĭk] *(n.; adj.)* (١) الرواقيّ : «أ» *cap.* : أحد أتباع المذهب الفلسفيّ الذي أنشأه زينون حوالى عام ٣٠٠ ق.م. والذي قال بأن الرجل الحكيم يجب أن يتحرر من الانفعال ولا يتأثر بالفرح أو الترح وأن يخضع من غير تذمّر لحكم الضرورة القاهرة. «ب» شخص رواقيّ المسلك §(٢) *cap.* : رواقيّ : منسوب إلى الرواقيين (~ logic) (٣) رزين .

—stoical *(adj.)*

stoichiometry [stoi'kĭ ŏm'-] *(n.)* عِلم قياس الاتحاد العنصري (ك).

Stoicism [stō'ə sĭz'əm] *(n.)* الرواقية (را. stoic) .

stoke [stōk] *(vt.; i.)* (١) يذكي النارَ (٢) يُتخِم ×(٣) يعمل وقّاداً (في باخرة أو قاطرة) .

stoked *(n.)* شديد الحماسة أو الابتهاج

stokehold [stōk'-] *(n.)* موضع المواقد والغلايات (في باخرة) .

stokehole [stōk'hōl'] *(n.)* (١) باب الأتّون ؛ فتحة الفرن . (٢) stokehold .

stoker [stō'kər] *(n.)* (١) الوقّاد (في باخرة أو قاطرة) . (٢) الوقّادة : آلة للوقد .

stole [stōl] *past of* steal.

stole [stōl] *(n.)* (١) الروب : ثوب طويل فضفاض . (٢) البطرشيل : نسيجة طويلة يجعلها الكاهن في عنقه وعلى صدره عند الخدمة (كن) (٣) دِثار تلقيه النسوة على أكتافهن .

stoled [stōld] *(adj.)* مرتدٍ روباً أو بطرشيلاً أو دثاراً نسوياً .

stolen [stō'lən] *past part. of* steal.

stolid [stŏl'ĭd] *(adj.)* متبلّد الحسّ (من بلاهة أو غباء) .

stolidity [stə lĭd'ə tĭ] *(n.)* تبلّد الحسّ (من بلاهة أو غباء) .

stolon [stō'lŏn] *(L.)* الركوب ؛ الرئد : «أ» غصن هوائيّ يزحف على الأرض فتبرز له جذور وتنشأ عنه نبتة جديدة (نب). «ب» نامية شبيهة بالجذر (ح).

S
S
S

S. stolon *a*

stoma [-'mə] *(L.) pl.* **stomata** *or* **stomas** الثُغَير : فتحة صغيرة (في أحد الحيوانات الدنيا أو في أدَمة النبات) شبيهة بالفم شكلاً أو وظيفةً («نب» و«ح»).

stomach [stŭm'ək] *(n.; vt.; i.)* (١) «أ» مَعِدة . «ب» بطن .

ă at; ā date; â care; ä car; ĕ egg; ē me; ĭ in; ī bite; ŏ lot; ō bone; ô orphan; oi boil o͝o good; o͞o boot; ou out; ŭ under; ū unity; û urgent; th thing; th this; zh vision; ə = *a* in alone, *e* in system, *i* in easily, *o* in gallop, *u* in circus.

(٢)«أ» الشهوة إلى الطعام . «ب» مَيْل ؛ رغبة (has no ~ for
(She could يتحمّل (٣)§ meeting such a rascal)
×(٤) not ~ such an insult.) يغضب ؛ يغتاظ .

stomach ache *(n.)* مغص ؛ ألم في المعدة أو البطن .

stomacher [stŭm'ək ər] *(n.)* المَعِديّة : قطعة من ثياب المرأة تغطّي المعدة والصدر .

stomachic[stō măk'ĭk] *(adj.; n.)* (١)مَعِدِي (٢)نافع للمعدة ؛ مساعد على الهضم ؛ مقوٍّ للشهيّة §(٣) علاج للمعدة الخ.

stomachy [stŭm'ək ĭ] *(adj.)* (١)سريع الغضب (٢) كبير المعدة.

stomat- بادئة معناها : فم ؛ ثُغَيْر (*stomat*itis) .

stomata [stō'mə tə] *pl. of* stoma.

stomatal[stŏm'ə təl];**stomatic**[stō măt'-] *(adj.)* ثُغَيري : متعلّق بثُغَير أو فتحة صغيرة .

stomatitis [stō'mə tī'tĭs] *(L.)* التهاب الفم (مض) .

stomato- بادئة معناها : فم ؛ ثُغَيْر (*stomato*logy) .

stomatology [stō'mə tŏl'ə jĭ] *(n.)* عِلم الفم وأمراضه .

stomatopod [stŏm'ə tə pŏd'] *(n.; adj.)* (١) الفَمِّيّ الأرجل : واحد من فَمِّيّات الأرجل **Stomatopoda** وهي رتبة من القِشريات البحرية §(٢) فميّ الأرجل .

stomatous [stŏm'ə təs] *(adj.)* ثُغَيري : ذو ثُغَير أو ثُغَيرات.

stomodaeum[stō'mə dē'-] *(L.)* pl. **-daea** = stomodeum.

stomodeum [stō'mə dē'əm] *(L.)* pl. **-dea** السبيل الفميّ : الجزء الأمامي من فتحة الفم («أج» و «ح») .

stomp [stŏmp] *(vt.; i.)* = stamp.

stomp [stŏmp] *(n.)* الإسْطَمْب : ضرب من رقص الجاز .

-stomy لاحقة معناها : إحداث فتحة جراحيّة دائمة عادةً إلى عضوٍ ما.

stone [stōn] *(n.; vt.; adj.)* (١) «أ» حَجَر . «ب» جوهرة ؛ ماسة ؛ حجر كريم . «ج» شاهِد ، بلاطة ضريح . «د» حجر الرحا . «ه» حجر السَّن؛ مِشحذ . «و» طاولة مستوية السطح ملساؤه (حجرية الأصل) ترتب عليها الصفحات المنضّدة المعدّة للطبع . «ز» حصاة (في الكِلية الخ.) (٢) نواة التمرة أو الخوخة الخ. (٣) الحجر : وحدة وزن بريطانيّة تعادل ١٤ باونداً §(٤) يرجم بالحجارة (٥) يبلّط أو يحصّن الخ. بالحجارة (٦) ينزع النوى (٧)«أ» يفرك أو يصقل الخ. بالحجارة «ب» يشحذ §(٨) حجريّ .

to cast the first ~, يقذف الحجر الأول ؛ يكون أول المنتقدين .

to leave no ~ unturned يحاول بكل وسيلة ممكنة .

Stone Age *(n.)* العصر الحجريّ .

stone-blind [stōn'blīnd'] *(adj.)* أعمىً تماماً أو كليّةً .

stone-broke [stōn'brōk'] *(adj.)* مُفْلِس تماماً أو كليّةً .

stonechat [stōn'chăt'] *(n.)* القُلَيْعي المطوَّق : طائر مغرِّد .

stonecrop [stōn'krŏp'] *(n.)* = sedum.

stone curlew *(n.)* الكَرَوان : طائر حسَن الصوت .

stonecutter [stōn'kŭt'ər] *(n.)* (١) الحجّار : قاطع الأحجار أو ناحِتها أو مهذّبها (٢) الحجّارة : آلة لقطع الأحجار أو تهذيبها.

—stonecutting *(n.)*

stone-deaf [stōn'dĕf'] *(adj.)* أصمّ تماماً أو كليّةً .

stone dresser *(n.)* = stonecutter.

stone fruit *(n.)* الفاكهة المنوّاة : فاكهة ذات نواة (كالخوخ والكرز).

stoneless [stōn'-] *(adj.)* غير مُنَوًّى : غير ذي نواة .

stonemason [stōn'mā'sən] *(n.)* البنّاء ؛ المِعمار (بالحجارة) .

stone pit *(n.)* المَحْجَر : مقلع الحجارة .

stone plover *(n.)* = stone curlew.

stone-still [stōn'-] *(adj.)* بلا حراك ؛ ساكن سكونَ الحجر .

stone wall *(n.)* (١) السور الحجريّ : سور من حجارة غير مهذّبة مبني من غير مِلاط لتطويق حقل (٢)عقبة ؛ عائق (في السياسة الخ.).

stonewall [stōn'wôl'] *(vi.)* يحاول إعاقة التصديق على مشروع قانون (بأن يعمد إلى إلقاء الخطب الطويلة الخ.) .

stoneware [stōn'wăr'] *(n.)* الآنية الحجرية : آنية خزفية غير ذات مسامّ تصنع من صلصالٍ وصوّان.

stonework [stōn'-] *(n.)* (١)«أ» مبنى حجريّ. «ب» جزء حجريّ من مبنىً (٢) نحْتُ الحجارة أو تهذيبها. **—stoneworker** *(n.)*

stonewort [stōn'wûrt'] *(n.)* الحشيشة الحجريّة : طحلب نهريّ أخضر مكسوّ عادةً بالكلس .

stony *also* **stoney** [stō'nĭ] *(adj.)* (١) حجريّ ؛ صخريّ . (٢) «أ»متحجّر الفؤاد. «ب» متحجر ؛ خِلْوٌ من التعبير (a ~ face) (٣) مُتَحَجِّر ؛ صاعق ؛ مُروِّع . **—stoniness** *(n.)*

stonyhearted [stō'nĭ här'-] *(adj.)* متحجّر الفؤاد ؛ غليظ القلب.

stood [stŏŏd] *past and past part. of* stand.

stooge [stōōj] *(n.; vi.)* (١) الأضحوكة : ممثّل ثانويّ يتخذ منه الممثّل الرئيسيّ موضوعاً لسخريته (٢) الأداة : مَن يعمل لمصلحة شخص آخر ، وبخاصة بطريقة متذلّلة أو سِريّة (٣) جاسوس §(٤) يقوم بدور الأضحوكة أو الأداة أو الجاسوس .

stool [stōōl] *(n.; vi.)* (١) «أ» كرسيّ بلا ظهر أو ذراعين . «ب» كرسيّ القدَمين ؛ مسند القدمين (٢) كرسيّ الأسقف أو مقرّه (٣) «أ» كرسيّ المِرحاض أو الكنيف . «ب» غائط ؛ بِراز . «ج» تغوّط ؛ تبرّز (٤)«أ» جذع أو جذر النبتة . «ب» فرع نامٍ من جذر الخ. «ج» مجموعة فروع نامية من جذر الخ. (٥) الأُسْكُفّة : عتبة النافذة (٦) الطُعْم ؛ وبخاصة : الطائر الطُعْم (را. decoy 2) §(٧) تُطْلع (النبتة) فروعاً .

to fall between two ~s يُضيع فرصةً سانحةً بتردّده في اختيار واحد من مَسْلَكين .

stoolie [stōō'lĭ] *(n.)* = stool pigeon.

stool pigeon *(n.)* (١) الحمامة المُغْوية : حمامة تُستخدم لجرّ غيرها إلى شَرَك (٢) العَيْن : جاسوس يعمل في خدمة البوليس .

stoop [stōōp] *(vi.; t.; n.)* (١) ينحني (٢) يتحدّودب . (٣) يَخْضَع (٤) يتنازل أو ينزل إلى مستوى أدنى من مرتبته. «ب» ينحطّ إلى (٥) ينقضّ (على فريسة) ×(٦) يطأطىء رأسه ؛ يحني كتفيه الخ. §(٧) انحناء (٨) احديداب (٩)انقضاض الطائر (على فريسة) (١٠)«أ» تنازُل . «ب» انحطاط (إلى مستوى الكذب أو السرقة) (١١) رواق أو شرفة صغيرة عند مدخل المبنى .

stop[stŏp] *(vt.; i.; n.; adj.)* (١) يَسُدّ (٢) يصدّ ؛ يردّ ؛ يمنع . (٣)«أ» يُوقِف ؛ يضع حداً لِـ . «ب» يَقْطَع (٤) يقتطع مبلغاً مستحقاً (وفاءً لدَين الخ.) (٥) يُعلم المصرِفَ بضرورة التوقف عن الدفع (to ~ a check) (٦) يُسقِط ؛ يقتل (to ~ a bird) (٧)يَهْزِم(~*ped* his opponents) (٨)يُرْبِك ؛ يحيّر (questions that have ~*ped* the industrial experts) (٩) يعدّل النغم (بالضغط بالاصبع على وتر الكمان أو بوضع الاصبع على أحد ثقوب آلة من آلات النفخ الموسيقية) ×(١٠)يكفّ (عن العمل الخ.). «ب» ينتهي فجأة (١١)يقف ؛ يتوقف (١٢)يتردّد (١٣) ينزل أو يقيم موقّتاً (to ~ at a hotel) (١٤) يَبْقَى

(~ ped in bed all morning) (١٥) يقوم بزيارة (١٦) يَنْسَدّ §(١٧) حدّ ؛ نهاية (١٨) «أ» مجموعة أنابيب مدرّجة من نوع واحد (في أُرغن) أو المقبضُ الضابط لها . «ب» أداة لتعديل درجة النغم في آلة موسيقية (١٩) «أ» عقبة ؛ عائق . «ب» أداة لتعديل حجم الفتحة التي ينفذ الضوء من خلالها إلى عدسة الكاميرا . «ج» سِدادة (٢٠) المُوْقِف؛ المِيقَف؛ المِصدّ : أداة لوقف الحركة أو تحديدها (٢١) توقيف؛ سدّ الخ. (٢٢) توقُّف؛ انسداد الخ. (٢٣) «أ» توقّف في رحلة الخ. «ب» موقف (ترام أو أوتوبوس الخ.) (٢٤) علامة وقف (في الكتابة والطباعة) (٢٥) أمر (موجه إلى المصرف) بضرورة التوقّف عن صَرْف شيك (٢٦) stop order §(٢٧) مُوْقِف ؛ مانع ؛ حاجز؛ مُعَدّ للإيقاف أو المنع (valve ~) .
to ~ down يصغّر فتحة عدسة الكاميرا .

stop bath *(n.)* حمّام الإيقاف: محلول لإيقاف عملية الإظهار (فو).

stopcock [stŏp'kŏk] *(n.)* المَحْبِس: حنفية لإيقاف تدفق الماء الخ. أو تعديله في أنبوب .

stopcocks

stope [stōp] *(n.; vi.; t.)* (١) الحَفِيرة: حفرة في منجم لاستخراج المعدن الخام §(٢) يعدن بحفيرة ×(٣) يستخرج المعدن الخام من حَفِيرة .

stopgap [stŏp'găp'] *(n.)* = makeshift.

stoplight [stŏp'līt'] *(n.)* (١) ضوء الوقوف: ضوء في مؤخّر السيارة يضاء عندما يُعمِل السائق دوّاسة المِكبح (٢) إشارة السير الضوئية.

stop order *or* **stop-loss order** *(n.)* أمر إلى سمسار بورصة بأن يشتري أو يبيع عندما يرتفع سعر السهم أو ينخفض إلى مستوى معيّن.

stopover [stŏp'ō'vər] *(n.)* توقُّف (أو موقف) في رحلة .

stoppage [stŏp'ĭj] *(n.)* (١) مص stop ، مثل : «أ» توقيف . «ب» توقُّف . «ج» انسداد . «د» توقيف الدفع (٢) المقتطع من الراتب (٣) إضراب (٤) الاستعصاء : تعذّر شحن السلاح الناري أو انطلاق النار منه.

stop payment *(n.)* إيقاف الدفع : أمرٌ يصدره المودع إلى مصرف بضرورة الامتناع عن دفع قيمة شيك مذيّل بإمضائه .

stopper[stŏp'ər] *(n.; vt.)* (١) فا stop (٢) سِدادة (٣) المِيقَف : أداة لإيقاف الماكينة (٤) شيء يستحوذ على الانتباه §(٥) يسدّ بسِدادة.

stopple [stŏp'əl] *(n.; vt.)* (١) سِدادة §(٢) يَسُدّ بسِدادة .

stop press الخبر الأخير : إطار في جريدة مخصَّص لآخر نبأ يرِدها قبل الفراغ من الطبع .

stop valve *(n.)* صِمام المنع ؛ الصمام الحابس.

stopwatch [stŏp'wŏch] *(n.)* ساعة التوقيت : ساعةٌ ذات عقرب يُستطاع إعمالُه أو إيقافه في كلّ لحظة ، وتُستخدَم لتوقيت سباقات العَدْو الخ. بأجزاء الثانية الواحدة .

storable [stōr'ə bəl] *(adj.; n.)* (١) قابل للخَزْن (commodities ~) §(٢) مادة قابلة للخزن (~s such as wheat and wool)

storage [stōr'ĭj] *(n.)* (١) «أ» المَخْزَن : مكانٌ لخزن السلع . «ب» المخزون (٢) «أ» خَزْن ، وبخاصة : خزن السلع في مستودع . «ب» الأرضيّة؛ رسم الخزن : رسم مفروض لِقاء إبقاء السلع في الجمرك (٣) اختزان (كب) .

storage cell *or* **battery** *(n.)* المركم؛ الحاشِدة المختزنة (كب).

storax[stōr'ăks] *(n.)* (١) المَيْعة؛ المَيْعَة الجامدة أو الناشفة: مادة صمغية يابسة تستخرج من الأَصْطُرك أو اللُّبْنَى (٢) الأَصْطُرك؛ اللُّبْنَى ؛ العَبْهَر : شجرة أو جنبة ذات صمغٍ يُعرف بالمَيْعة .

store [stōr] *(vt.; n.; adj.)* (١) يزوِّد بـ (٢) يدّخر (٣) يخزن . (٤) يستوعب ؛ يتّسع لِـ §(٥) ذخيرة ؛ مخزون (٦) مقدارٌ وافر (٧) مَخزن؛ مستودع (٨) دكان؛ متجر؛ محل تجاريّ §(٩) «أ» جاهزة (clothes ~) . «ب» سُوقيّ : غير مصنوع في البيت (bread ~).

storehouse [stōr'hous'] *(n.)* مخزن ؛ مستودع ؛ عَنْبَر .

storekeeper [stōr'-] *(n.)* (١) أمين المستودَع (٢) صاحب الدكان.

storeroom [stōr'rōōm'] *(n.)* = storehouse.

storewide [stōr'wīd] *(adj.)* عامّ : شامل جميعَ سلَع الدكان.

storey [stōr'ĭ] *(n.)* (١) قصة؛ حكاية (٢) دور ؛ طابق (من مبنى).

storied [stōr'ĭd] *(adj.)* (١) مزيَّن برسوم تمثّل موضوعات تاريخيّة أو أسطوريّة (a ~ tapestry) (٢) ذو تاريخ ممتع ؛ وارد ذكره في الرواية أو التاريخ (castles ~)

storied *or* **storeyed** [stōr'ĭd] *(adj.)* ذو طوابق أو أدوار .

storiette [stōr'ĭ ĕt'] *(n.)* الأقصوصة : قصة قصيرة جداً .

stork [stôrk] *(n.)* اللَّقْلَق ؛ اللَّقْلاق : طائر طويل الساقين والعنق والمنقار .

stork

stork's-bill [stôrks'bĭl'] *(n.)* الغُرْنُوقِيّ : نبات مزهر.

storm [stôrm] *(n.; vi.; t.)* (١) «أ» عاصفة . «ب» مطر أو ثلج أو برَد غزير (٢) ثورة (~s of emotion) (٣) «أ» نوبة . «ب» تعاظمٌ مفاجىء في أعراض الداء (thyroid ~) . «ج» تدفّق مفاجىء (٤) وابلٌ من القذائف أو اللكمات (٥) انقضاض؛ اقتحام ؛ هجوم عنيف على موقع محميّ §(٦) «أ» تعْصِف (الريحُ) . «ب» ترسل (السماءُ) مطراً أو ثلجاً أو برَداً ، وبخاصة بغزارة وعنف (٧) ينقضّ على (٨) يثور ؛ يغضب (٩) يندفع بعنف أو غضب (Rioters ~ed through the streets.) ×(١٠) يقتحم (~ed the fort) .
to take by ~ , يقتحم ؛ يحتل (قلعةً) بهجوم عاصف .

storm boat *(n.)* = assault boat.

stormbound [stôrm'bound'] *(adj.)* (١) معزول عن كل اتّصال خارجيّ بسبب العواصف (ports ~) (٢) عاجز عن مواصلة الرحلة (أو عن مغادرة المنزل الخ.) بسبب العواصف (travelers ~) .

storm cellar *(n.)* قبو العواصف : قبوٌ يُلْجأ إليه عند هبوب العواصف.

storm center *(n.)* (١) مركز العاصفة (٢) مركز الاضطراب .

storm door *(n.)* باب العواصف : باب إضافيّ يقام خارج الباب الخارجيّ العاديّ وقايةً من العواصف الخ .

storm petrel *(n.)* طائر نوء (را. petrel) صغير .

storm trooper *(n.)* جنديّ العاصفة : أحد أفراد قوات الانقضاض النازية التي عُرِفَت بالقسوة البالغة .

storm troops *(n. pl.)* جُندُ العاصفة : قوات الانقضاض النازية.

storm window *(n.)* نافذة العواصف : نافذة إضافيّة تقام خارج النافذة العاديّة وقايةً من الثلج والعواصف .

stormy [stôr'mĭ] *(adj.)* عاصِف (a ~ day) .

stormy petrel *(n.)* (١) storm petrel (٢) «أ» شخصٌ مسبِّب للمتاعب أو القلاقل. «ب» شخص يُعتقَد أن وجوده يسبب القلاقل.

story [stōr'ĭ] *(n.; vt.)* (١) تاريخ (ا.ق) (٢) «أ» حكاية ، وبخاصة للأطفال . «ب» رواية «للوقائع المتصلة بحادثة ما» (His ~ of the robbery was not convincing.) «ج» نادرة (٣) «أ» قصة ، وبخاصة : قصة قصيرة . «ب» حوادث الرواية أو المسرحيّة أو القصيدة (٤) إشاعة واسعة الانتشار (The ~ goes that she rejected the offer.) (٥) كِذبَة (٦) أسطورة

(٧) القصة الإخبارية: وصف اخباري لحادثة (في جريدة أو اذاعة). §(٨) يقصّ، يروي (ا.ق) (٩) يزيّن بقصة أو بمشهد من التاريخ.

story *or* **storey** [stōr'ĭ] *(n.)* (١) دور أو طابق (من مبنى). (٢) طبقة (the four *stories* of the cave).

storybook [stōr'ĭ bo͝ok] *(n.)* كتاب حكايات (وبخاصة للأطفال).

storyteller [stōr'ĭ tĕl'-] *(n.)* (١) القاص؛ القصّاص (٢) الكذّاب.

storywriter [stōr'ĭ rī'tər] *(n.)* القاصّ؛ الكاتب القصصيّ.

stotinka [stô tĭng'kä] *(n.)* pl. **-ki** [-kĭ] الستوتنكة: عملة بلغارية صغيرة.

stoup [sto͞op] *(n.)* (١) كأس (٢) جرن الماء المقدّس (كن).

stout [stout] *(adj.; n.)* (١) جريء؛ شجاع (a ~ heart) (٢) عنيد؛ ثابت (~ resistance) (٣) قويّ (~ fellows) (٤) متين (~ boots) (٥) عنيف (a ~ attack) (٦) بدين؛ سمين §(٧) الستاوت: جعة قويّة داكنة (٨) شخص بدين (٩) قياس للملابس خاص بذوي السمنة (available in longs and ~s).

stouten [-'ən] *(vt.; i.)* (١) يقوّي؛ يثبّت ×(٢) يُصبح بديناً.

stouthearted [stout'här'tĭd] *(adj.)* (١) جريء؛ شجاع (٢) عنيد.

stove [stōv] *(n.; vt.)* (١) الموقد: جهاز للطبخ أو تدفئة الغرف الخ. (٢) دفيئة (را. greenhouse) §(٣) يحمّي؛ يسخّن؛ يجفف على موقد.

stove [stōv] *past and past part. of* stave.

stovepipe [stōv'pīp'] *(n.)* (١) أنبوب الموقد: أنبوب معدنيّ يُستخدم كدخنة للموقد أو لوصل الموقد بأنبوب المدخنة (٢) قبعة حريرية عالية.

stover [stō'vər] *(n.)* علَف (للماشية).

stow [stō] *(vt.)* (١) يُسكِن؛ يؤوي؛ يُنزل (٢) يخزن. (٣) «أ» يرتّب؛ يصنّف؛ يستف. «ب» يملأ؛ يعبّىء؛ يحمّل (٤) يُوقف أو يكفّ عن.

to ~ away يستخفي على متن السفينة أو الطائرة (إلى ما بعد إقلاعها) تجنباً لدفع الأجرة.

stowage [stō'ĭj] *(n.)* (١) مص stow. «ب» بضائع مخزونة أو مُعَدّة للخزن (٢) «أ» سعة الاختزان. «ب» مخزن (٣) «أ» اختزان. «ب» أجرة الاختزان الخ.

stowaway [stō'ə wā'] *(n.)* المستخفي على متن الباخرة أو الطائرة (تهرّباً من دفع الأجرة أو بغية الفرار).

strabismal [strə bĭz'məl] *(adj.)* حَوَليّ: متعلّق بالحَوَل.

strabismic [strə bĭz'mĭk] *(adj.)* (١) حَوَليّ (٢) أحول.

strabismus [strə bĭz'məs] *(L.)* حَوَل؛ خَزَر.

strabotomy [strə bŏt'ə mĭ] *(n.)* إصلاح الحَوَل (جر).

straddle [străd'əl] *(vi.; t.; n.)* (١) يفرشخ: يباعد ما بين رجليه (وبخاصة في الجلوس) (٢) ينتشر أو يمتد في غير نظام أو اتساق (كالأغصان الخ.) (٣) يؤيّد (أو يبدو وكأنه يؤيد) جانبيْ قضيةٍ أو مسألة (٤) يشتري في سوق ويبيع نسيئةً (را. short sale) في آخر ×(٥) يستقرّ أو يقف أو يجلس عبر شيء مباعداً ما بين رجليه حقيقةً أو مجازاً (A pair of glasses ~d her nose.) (٦) يتخذ موقفاً مُلتبساً من قضية ما (to ~ an issue) §(٧) فرشخة (٨) موقف ملتبس من قضية الخ. (٩) العملية الخيارية المركّبة: امتياز يخوّل صاحبه حقّ الاختيار بين تسليم مقدار معيّن من السلع الخ. بسعر محدّد وبين شراء مقدار معين منها بسعر آخر محدّد، خلال فترة معيّنة (تج).

strafe [strāf] *(vt.; n.)* (١) «أ» يقصف (بالقنابل). «ب» يهاجم بعنف (٢) يعاقب (ع) §(٣) قصف أو هجوم عنيف (٤) عقاب.

straggle [străg'əl] *(vi.; n.)* (١) يتشرّد؛ يتيه (٢) ينتشر أو يمتد في غير نظام أو اتساق §(٣) مجموعة منتشرة في غير نظام.

—straggler *(n.)*

straggly [străg'lĭ] *(adj.)* منتشر في غير نظام أو اتساق.

straight [strāt] *(adj.; adv.; n.)* (١) مستقيم (٢) «أ» متّصل؛ غير متقطّع. «ب» سَبْط؛ غير جعد (~ hair) (٣) «أ» صحيح؛ قويم (~ thinking). «ب» حصيف (a ~ thinker). «ج» صريح (a ~ answer). «د» موثوق (~ reports). «هـ» متسلسل؛ مؤلّف من خمس ورقات لعب متسلسلة (a ~ flush). «و» مستقيم الأسطوانات: ذو أسطوانات مرتبة في خط واحد مستقيم (a ~ eight-cylinder engine) (٤) عموديّ؛ قائم؛ «جالس» (The picture is not quite ~.) (٥) «أ» أمين؛ شريف؛ قويم (~ conduct). «ب» منصِف؛ عادل (~ dealing). «ج» مرتّب؛ حسن الترتيب (to set a room ~). «د» صِرف؛ خالص (~ whiskey; ~ humor) (٦) «أ» صادق الولاء؛ غير متحفظ في ولائه الخ. (a ~ Republican). «ب» منطوٍ على تأييد لجميع مرشّحي الحزب (a ~ ballot) (٧) محدّد السعر للقطعة الواحدة بصرف النظر عن العدد المبيع (~ cigars 15 cents) §(٨) «أ» باستقامة؛ بخطّ مستقيم (to walk ~). «ب» مباشرةً (The arrow flew ~ to the mark.). «ج» بأمانة؛ بشرف (swore to go ~ if she got out of the mess) §(٩) خط مستقيم (١٠) جزء مستقيم (من الطريق أو من حلبة السباق) (١١) استقامة؛ سلوك أو صراط مستقيم (had been on the ~ for several years) (١٢) فوز؛ وبخاصة: فوز بالمقام الأول في سباق (١٣) خمسة أوراق متسلسلة (في البوكر).

—straightly *(adv.)*

~ away *or* **off** حالاً؛ توّاً.

~ out بلا تردّد أو رويّة.

to keep a ~ face يُحجم عن الابتسام أو الضحك.

straight angle *(n.)* الزاوية المستقيمة: زاوية ذات ١٨٠ درجة (ر).

straight-arm [strāt'ärm'] *(vt.; n.)* (١) يردّ الخصم (في كرة القدم) بمدّ الذراع على نحو مستقيم §(٢) ردّ بالذراع على هذا النحو.

straightaway [strāt'ə wā'] *(adj.; n.; adv.)* (١) مستقيم. (٢) فوريّ؛ عاجل (a ~ reply) §(٣) الجزء المستقيم من الطريق أو حلبة السباق الخ. §(٤) من غير تردّد؛ توّاً؛ فوراً.

straightedge [strāt'ĕj] *(n.)* المِسطَرة العَدَلة: قطعة من معدن او خشب ذات جانب واحد على الأقل مستقيم إلى حدّ دقيق، تستخدم لاختبار استقامة الخطوط والسطوح أو لرسم الخطوط المستقيمة.

straighten [strā'tən] *(vt.; i.)* (١) يقوّم؛ يعدّل؛ يُسوّي. ×(٢) يستقيم؛ يعتدل؛ يستوي.

straight fight *(n.)* المعركة الثنائية: معركة انتخابية بين مرشّحين فقط.

straightforward [strāt'fôr'-] *(adj.; adv.)* (١) «أ» مستقيم. «ب» مباشر (٢) صريح؛ أمين (٣) دقيق؛ واضح المعالم §(٤) أو **straightforwards**: على نحو مستقيم الخ.

straight-grained [strāt'grānd'] *(adj.)* مستقيم الألياف.

straightness [strāt'-] *(n.)* استقامة الخ. (را. straight).

straight-out [strāt'out'] *(adj.)* (١) صريح؛ غير مقنّع (٢) مئة بالمئة؛ بكلّ معنى الكلمة (a ~ Democrat).

straight ticket *(n.)* تصويت لجميع مرشّحي حزب معيّن.

straightway [-'wā'] *(adv.)* (١) مباشرةً (٢) توّاً؛ فوراً؛ حالاً.

strain [strān] *(n.)* (١) «أ» عِترة؛ سلالة. «ب» أرومة؛ أصل.

(٢)نوع ؛ ضرب (٣) صفة أو نزعة موروثة أو طبيعيّة (a ~ of insanity in the family) (٤) أثر ؛ عِرق ؛ عنصر (a ~ of fanaticism) (٥) «أ» لحن. «ب» أغنية . «ج» جزء من قطعة موسيقيّة (٦) «أ» جرْس ؛ نبرة ؛ أسلوب (She spoke in a noble ~.) «ب» مزاج (in a philosophizing ~) .

strain [strān] *(vt.; i.; n.)* (١) «أ» يشُدّ ؛ يُحكم الشدّ . «ب» يمطّ إلى أقصى مدى (٢) يُجهِد (نفسَهُ أو قلبَهُ الخ.) (٣) يوتّر (٤) يعْصر ؛ يهْصر (٥) يصفّي ؛ يرشّح ×(٦) «أ» يجْهَد. «ب» يتوتّر (٧) «أ» يتصفّى (This liquid ~*s* readily.) . «ب» يترشّح (٨) يقاوم ؛ يحْرن (الفرسُ) §(٩) مص strain (١٠) «أ» توتر . «ب» مصدر توتّر (His responsibilities were a constant ~.) (١١) إجهاد (mental ~) (١٢) «أ» التواء الخ. «ب» انفعال (ملك) (١٣) أوْج .

to ~ a point يذهب إلى أبعد من الحدّ المألوف أو المقبول.

strained [strānd] *(adj.)* (١) متكلّف (~ greeting) . (٢) متوتّر (~ relations) .

strainer [strā'nər] *(n.)* (١) مِصفاة (٢) أداة شدّ أو مطّ .

strainometer [strā nŏm'ə tər] *(n.)* = extensometer.

strait [strāt] *(adj.; n.)* (١)صارم (ا.ق) (٢)عسِير (٣)ضيّق . §(٤) *pl.* عد: مضِيق ؛ بوغاز (٥) *pl.* عد: عسْر ؛ ضيق ؛ شِدّة .

—**straitly** *(adv.)* —**straitness** *(n.)*

straiten [strā'tən] *(vt.)* (١) يضيّق (٢) يحْصر (٣) يقيّد ؛ يضيّق على .

in ~*ed* circumstances في أزمة ماليّة شديدة .

straitjacket *or* **straightjacket**[strāt'-] *(n.; vt.)* (١) سِترَة المجانين أو المساجين : سترة من خيش الخ. يُقصد بها تقييد جسم المجنون أو السجين الخطِر وذراعيه لكي لا يؤذي نفسه أو غيرَه (٢) قيْد شبيه بهذه السّترة §(٣) يقيّد بهذه السّترة أو نحوها .

straitlaced *or* **straightlaced** [strāt'-] *(adj.)* (١) مرتدٍ صِداراً أو مِشدّاً مُحكماً (٢) «أ» متزمّت ؛ شديد الاحتشام . «ب» مدقّق (على نحوٍ مُسْرف) .

strake [strāk] *(n.)* (١) صفيفة الألواح : صفيفة ألواح طوليّة (في سفينة) (٢) «أ» خطّ ؛ شريط ؛ علامة خيطية . «ب» قطعة ضيّقة (من الأرض الخ.) .

stramineous [strə mĭn'ĭ əs] *(adj.)* (١) قشّيّ ؛ شبيه بالقش ؛ وبخاصة : لا قيمة له (٢) قشّيّ اللون ؛ ضارب إلى الصفرة .

stramonium [strə mō'nĭ əm] *(L.)* (١) الداتورة : نبات عشبيّ سامّ (٢) أوراق الداتورة المجففة المستخدمة طبيّاً .

strand [strănd] *(n.; vt.; i.)* (١) شاطىء (٢) نهر ؛ بحر ؛ بحيرة . (٣)طاق الحبْل : أيٌّ من الخيوط أو الأسلاك المجدولة لتشكّل حبلاً (٤) «أ» جديلة. «ب» سلك مجدول §(٥) «أ» يدفع أو يسوق إلى الشاطىء . «ب» يجعل السفينة تجنْنح (٦) يتركه في بلد غريب وبخاصة من غير مال أو وسيلة تمكّنه من الرحيل (٧) يقطع إحدى طاقات الحبل عن غير قصد (٨)يجدل حبلاً ×(٩) «أ» يُدفع أو يُساق إلى الشاطىء . «ب» تجنْنح (السفينة) .

strander [străn'dər] *(n.)* الجدّالة : ماكينة لجدل الحبال .

strand line *(n.)* شاطىء ؛ وبخاصة : شاطىء انحسر عنه البحر الخ.

strange [strānj] *(adj.)* (١) أجنبيّ (٢) غريب (٣) فاتر ؛ بارد ؛ متحفّظ (٤) جاهل أو غير مطّلع على . —**strangely** *(adv.)* —**strangeness** *(n.)*

stranger [strān'jər] *(n.; adj.)* (١) الأجنبيّ (٢) الغريب . (٣) الطارىء ؛ الدخيل (٤) الضيف ؛ الزائر (٥) الجاهل بالشيء أو غير المطّلع عليه ؛ الغريب عن شيء §(٦) أجنبيّ ؛ غريب .

strange woman *(n.)* بغيّ ؛ مومس ؛ عاهرة .

strangle [străng'gəl] *(vt.; i.)* (١) «أ» يشْنُق . «ب» يخنق . ×(٢) يختنق .

stranglehold [străng'gəl hōld'] *(n.)* (١) المسْكة الخانقة : مسْكة محظورة يُراد بها خنق الخصم (في الملاكمة) (٢) قوة خانقة أو كابتة (لحرية العمل أو التعبير) .

strangles [străng'gəlz] *(n.)* حُمّى الخيل .

strangulate [străng'gyə lāt'] *(vt; i.)* (١) يعْصر ؛ يهصر ؛ يخنق . ×(٢) يختنق الفتْق الخ .

strangulation [străng gyə lā' shən] *(n.)* (١) خنْق . (٢) اختناق ؛ انحباس (ط) .

strangury [străng'gyə rĭ] *(n.)* تقطّر البول : إفراز البول ببطء وألم قطرةً قطرةً (مض) .

strap [străp] *(n.; vt.)* (١) «أ» طوق ؛ رِباط ؛ شريط ؛ نِطاق ؛ حِزام . «ب» سيْر الحذاء . «ج» الكتِفيّة : شريطة كتِفيّة (The colonel wears shoulder ~*s.*) (٢) «أ» سوْط . «ب» المِشحذة : مِشحذ جلدي للأمواس (٣)حذاءٌ مُسيَّرٌ (مشدود بسيور) §(٤) يحزم ؛ يربط ؛ يشدّ بطوق الخ . (٥) يسُوط ؛ يجلد بسوْطٍ (٦) يشحذ (الموسى) بمِشحذة .

straphanger[străp'hăng'ər] *(n.)* الراكب المتشبّث : راكب ترامٍ أو أتوبوس الخ. لا يجد مقعداً فيقف متشبّثاً بأحد الأحزمة المعلّقة في السّقف الخ .

strapless[străp'lĭs] *(adj.)* غير ذي طوْق الخ. وبخاصة مخِيطٌ أو مرتدىً من غير حِمالتَيْ كتِفٍ (~ evening gown) .

strappado[strə pā'dō] *(It.)* الاسترباد : «أ» شكل قديم من أشكال التعذيب أو العقاب يُرفَع فيه الشخص، بحبل مشدود إلى مِعصميه، إلى عارضة خشبية ثمّ يُترَك فجأةً ليسقط على الأرض تقريباً . «ب» الأداة المستخدمة في هذا التعذيب .

strapper [străp'ər] *(n.)* (١) فا strap (٢) شخص طويل قويّ .

strapping [străp'-] *(adj.)* (١) طويل قويّ البنية .(٢) ضخم .

strass [străs] *(F.)* السّتراس : زجاج برّاق لصنع المجوهرات الزائفة.

strata *pl. of* stratum.

stratagem [străt'ə jəm] *(It.)* (١) «أ» خدعة حربيّة. «ب» حيلة ؛ خدعة (٢) براعة في الخداع .

strategic ; strategical [strə tē'-] *(adj.)* استراتيجيّ .

strategist [străt'ə jĭst] *(n.)* الاستراتيجيّ : البارع في الاستراتيجية.

strategy [străt'ə jĭ] *(n.)* (١) الاستراتيجيّة : علم أو فنّ الحرب ؛ وضع الخطط وإدارة العمليات الحربيّة (٢) خطة استراتيجية (٣) براعة في التخطيط أو التدبير .

strath [străth] *(n.)* (١) وادٍ عريض (٢) بطن الوادي .

strathspey [-spā'] *(n.)* السّتراسباي : رقصة اسكتلندية أو موسيقاها.

strati- بادئة معناها : طبقة (*strati*graphy) .

straticulate [strə tĭk'yə lĭt] *(adj.)* رقيق الطبقات متوازيها .

stratification [străt'ə fə kā'shən] *(n.)* (١) «أ» مطابقة . «ب» تطبّق (٢) شيء مؤلّف من طبقات .

stratified rocks *(n. pl.)* الصخور الطّباقيّة (جي) .

stratiform [străt'ə fôrm'] *(adj.)* متطبّق ؛ مُتراصِف ؛ ذو طبقاتٍ بعضها فوق بعض .

stratify [-'ə fī'] *(vt.; i.)* (١)يطابق : يكوّن أو يرسّب أو يرصّف

في طبقات (٢) يقسم إلى طبقات اجتماعية ×(٣) يتطبّق ؛ يتراصف.

stratigrapher [strə tĭg'-] *(n.)* الطبقاتيّ : الأخصائيّ بعلم الطبقات.

stratigraphic [străt'ə grăf'ĭk] *(adj.)* طَبَقاتيّ : خاص بعلم الطبقات (را. المادة التالية).

stratigraphy [strə tĭg'rə fĭ] *(n.)* (١) التراصف : تراصف الطبقات (٢) عِلم الطبقات : دراسة الطبقات الجيولوجيّة علمياً .

strato- بادئة معناها : «أ» رهجّو.. (*strato*cumulus). «ب» ستراتوسفير.

stratocracy [strə tŏk'rə sĭ] *(n.)* الحكومة العسكريّة .

stratocumulus [strā'tō kū'myə ləs] *(L.)* pl. **-li** [-lī'] القَرِد : سحاب مُوَلّف من كُرات ضخمة داكنة فوق قاعدة أفقية مسطّحة ، وكثيراً ما يحجب السماء كلها وبخاصة في الشتاء .

stratosphere [străt'ə sfĭr] *(n.)* الستراتوسفير : الجزء الأعلى من الغلاف الجوي (أر) .

stratum [strā'təm] *(L.)* pl. **strata** [-tə] (١) طبقة (٢) طور (من أطوار التاريخ أو النموّ) .

stratus [strā'təs] *(L.)* pl. **-ti** [-tī] الرَّهَج : طبقة أفقية خفيضة من سحاب رمادي ينبسط فوق رقعة واسعة (أر) .

straw [strô] *(n.; adj.)* (١) «أ» قش ؛ تِبْن. «ب» قَشّة (٢) ذرّة ؛ مِثقال ذرّة ؛ شيء ضئيل القيمة (٣) إلماعة أو واقعة طفيفة تُشعر بوَشْكِ وقوع حدَثٍ ما (٤) شيء مصنوع من قش (٥) الشاروقة : أنبوبة ورقيّة يُمتَصّ بها الشراب §(٦) قشّي (٧) قشّي اللون ؛ أصفر (٨) تافه ؛ ضئيل القيمة (٩) زائف ؛ وهمي .

a ~ in the wind = straw 3.

the last ~, القشة المُطْفِحَة للكأس : إضافة ضئيلة إلى عبء الخ. تجعله غير مُحتمَل .

to make bricks without ~, يصنع اللَّبِن من غير قش : يصنع شيئاً من غير أن يستخدم جميع المواد الضروريّة لصنعه .

strawberry [strô'bĕr'ĭ] *(n.)* الفريز ؛ الفراولة (نب) .

strawberry shrub *(n.)* القاليقَنْثُوس : جَنْبة من فصيلة كأسيات النَّوْر (نب) .

strawberry tomato *(n.)* الفِيزالِيس : نبات عشبيّ أميركيّ ذو ثمر عِنَبيّ أصفر حُلْو المذاق (نب) .

strawberry tree *(n.)* القَطْلَب : شجرة أوروبيّة دائمة الخضرة من فصيلة الخَلَنْجيّات ذات زهر أبيض وثمر شبيه بالفريز (نب) .

strawboard [strô'bōrd'] *(n.)* الكرتون التبنيّ : وَرَق مقوّى يُصنع من التِّبن .

straw boss *(n.)* رئيس العمال المساعد .

straw hat *(n.)* القبّعة القَشّيّة : قبّعة من قش مجدول .

strawhat ; strawhat theater [strô'-] *(n.)* المسرح الصيفيّ .

straw man *(n.)* (١) الدّمية القَشّيّة : حجة وهمية تافهة تقدَّم لتُدحض بسهولة ، أو خصم وهميّ يقدم مثل هذه الحجة (٢) شاهد الزور .

straw vote *(n.)* الاستفتاء الاستطلاعي : استفتاء غير رسميّ حول قضيّة ما (تجريه صحيفة مثلاً) .

straw wine *(n.)* خمرة القش : خمرة تُتّخذ من عنب مُجفّف في الشمس على مِهادٍ من قش .

strawworm [strô'wûrm] *(n.)* دودة التبن أو القش .

straw yellow *(n.)* الأصفر التبنيّ : لون أصفر شاحب .

stray [strā] *(vi.; n.; adj.)* (١) يضِلّ ؛ يتيه ؛ يشرُد (٢) يخطىء ؛ يأثم §(٣) الضالّ ؛ التائه ؛ الشارد (٤) الشّرود : تشوّش في جهاز الاستقبال غير ناشىء عن محطة الإرسال (رد) §(٥) ضالّ ؛ تائه ؛ شارد (٦) متفرِّق ؛ متناثر (**a few ~ remarks**) .

streak [strēk] *(n.; vt.; i.)* (١) خطّ ؛ شريط ؛ قلَم (بلون مغاير للون القماش الخ.) (٢) شُعاعة ؛ شريط ضوئي ضيق (٣) أثر ؛ مَسْحة (**a ~ of vanity in his character**) (٤) برهة ؛ فترة قصيرة (**a ~ of bad luck**) (٥) سلسلة متصلة ؛ سلسلة متتابعة بغير انقطاع (**a long winning ~**) (٦) طبقة (**~s of fat in meat**) §(٧) يخطّط ؛ يقلّم ؛ يعرّق ×(٨) يتخطّط ؛ يصبح مخطّطاً أو مقلّماً (**hair beginning to ~ with gray**) (٩) يندفع بسرعة البرق .

like a ~, كالبرق ؛ بسرعة البرق .

streaked [strēkt] *(adj.)* (١) مخطّط ؛ مقلّم (٢) قَلِق ؛ مضطرب الفكر ؛ منحرف الصحة .

streaky [strē'kĭ] *(adj.)* (١) مخطّط ؛ مقلّم (٢) قَلِق ؛ جزِع (٣) متفاوت ؛ غير جدير بالثقة والاعتماد .

stream [strēm] *(n.; vi.; t.)* (١) «أ» نهر . «ب» نُهَيْر . «ج» جدول (٢) سَيْل (٣) تيار (٤) «أ» دَفْق . «ب» مورد متجدد باستمرار . «ج» موكب متصل (٥) شُعاع (٦) مجرى أو اتجاه سائد (**the ~ of opinion**) §(٧) «أ» يجري ؛ يتدفق . «ب» يرسل شعاعاً ؛ يخلّف وراءه ذيلاً لامعاً (٨) «أ» يفيض دمعاً أو دماً . «ب» يتصبّب عرقاً . «ج» يتبلّل حتى ليسيل منه الماء (**~*ing* umbrellas**) (٩) يتموّج (١٠) يتقاطر ؛ يتدفّق بأعداد كبيرة ×(١١) يُرْسِل ؛ يُخرِج (**Her eyes ~*ed* tears.**) (١٢) يموّج (١٣) يغسل (الأتربة) لاستخلاص الرِّكاز أو المعدن الخام.

on ~, في وضع يمكنه من الانتاج .

streamer [strē'mər] *(n.)* (١) «أ» علَم خفّاق ، وبخاصة علم مثلّث الشكل . «ب» كلّ قصاصة طويلة ضيّقة متموّجة كعلم خفّاق . «ج» رأسيّة (عنوان أو ترويسة) بأحرف ضخمة ممتدّة على عرض الصفحة (صح) (٢) *pl.* : الشَّفَقِ القطبيّ الشمالي (أر) (٣) غاسل التراب أو الحصى بحثاً عن الركاز أو المعدن الخام .

streaming [strē'mĭng] *(adj.; n.)* (١) جارٍ ؛ سيّال ؛ متدفّق . §(٢) جَرَيان ؛ تدفّق.

streamlet [strēm'lĭt] *(n.)* نُهَيْر ؛ جدول صغير .

streamline [strēm'līn'] *(n.; adj.; vt.)* (١) خطّ انسيابيّ (٢) ممرّ انسيابي §(٣) انسيابيّ (**a ~ automobile**) §(٤) يجعله انسيابياً (٥) يجعله عصرياً (٦) ينظّم (٧) يبسّط ؛ يجعله أبسط أو أكثر فعالية .

streamlined [strēm'līnd] *(adj.)* (١) انسيابيّ (٢) مُبَسَّط ؛ (٣) منظّم (٤) مجدّد ؛ مُعَصْرَن ؛ مجعول "عَصْريّاً" .

streamline flow *(n.)* الجَرَيان الانسيابيّ .

streamliner [strēm'līn'ər] *(n.)* (١) قطار أو أوتوبوس انسيابيّ (٢) طائرة انسيابيّة .

street [strēt] *(n.; adj.)* (١) شارع (٢) *pl.* : رذيلة ؛ بغاء ؛ شوارع (**a woman of the ~s**) (٣) حرّية (بعد سجْن) §(٤) شارعيّ : «أ» خاص بالشارع (**~ music**). «ب» ملائم للارتداء في الشارع (**~ clothes**) . «ج» غير ماسّ الأرض (صفةٌ لثوب المرأة).

streetcar [strēt'kär'] *(n.)* ترام ؛ تراموای .

street lamp *(n.)* مصباح الشارع .

street railway *(n.)* خطّ ترام أو اوتوبوس .

street virus *(n.)* الفيروس الخبيث أو الطبيعي (تمييزاً له عن الفيروس المُوهَن في مختبر) .

streetwalker [strēt'wô'kər] *(n.)* (١) البغيّ المتحرشة : مومس تتحرش بالرجال في الشوارع (٢) مومس ؛ بغيّ .

streetwalking [strēt'wô'kĭng] *(n.)* بِغاء .

strength [strĕngkth] *(n.)* (١)«أ» قوّة . «ب» مقدرة (٢)سَنَد (٣) شِدّة (our refuge and ~) (٤) مقاومة (مك) (٥) نزعة إلى ارتفاع الأسعار .

on the ~ of بناءً على ؛ على أساس كذا .

strengthen [strĕngk'thən] *(vt.; i.)* (١)يُقَوِّي ×(٢)يقوى .

strenuous [strĕn'yōō əs] *(adj.)* (١) «أ» نشيط . «ب» متّقد ؛ متحمّس (٢)«أ» شاقّ . «ب» عنيف . «ج» عسير .

strep [strĕp] *(adj.)* = streptococcal.

strepto- بادئة معناها : ملتوٍ ؛ سلسلة ملتوية (*strepto*coccus) .

streptobacillus [strĕp tə bə sil'əs] *(n.)* العُصَيّة العِقدِيّة : عُصَيّة متصلة بعُصَيّات أخرى في سلسلة (بك) .

streptococcal [-tə kŏk'əl] *or* **streptococcic** [-'sĭk] *(adj.)* مُكوّرِيّ عِقدِيّ : مكوّريّ عِقدِيّ (~ organisms) .

streptococcus [-tə kŏk'əs] *(L.)* pl. **-cocci** [-kŏk'sī] المكوّر العِقدِيّ : بكتير مكوّر يتكاثر بالانقسام في اتجاه واحد فقط مُحدِثاً سلاسلَ أو عقوداً (بك) .

streptomycin [strĕp'tō mī'sĭn] *(n.)* السّتربتومايسين : عقّار مضادّ للجراثيم شبيه بالبنيسيلين .

streptothricin [strĕp'tō thrī'sĭn] *(n.)* السّتربتوثرايسين : عقّار مضادّ للجراثيم شبيه بالستربتومايسين من حيث أصلُه وتأثيره .

stress [strĕs] *(n.; vt.)* (١) ضَغْط ؛ وطأة (٢) إجهاد (مك) . (٣) توكيد ؛ أهمية (to lay ~ on exact sciences) (٤) نبرة (In *solid* the ~ is on the first syllable.) (٥)§يضع النبرة على (٦)«أ» يضغط على. «ب» يُجْهِد (٧)يؤكّد ؛ يضع التوكيد على.

stretch [strĕch] *(vt.; i.; n.; adj.)* (١)يمدّد (٢)يمدّ (٣)يبسط أو ينشر (جناحه الخ.) (٤) يُسقِط بضربة أو نحوها (٥) «أ» يَمُطّ . «ب» يَشُدّ (٦) يتوسّع في تفسير شيء إلى أبعد من الحدّ الطبيعيّ أو الصحيح (~*ed* the law to suit his purpose) ×(٧) يمتدّ (٨) يتمدّد (٩) يتمطّط (Rubber ~*es* easily.) (١٠) يتمطّى (awoke, yawned and ~*ed*) (١١) يبالغ (١٢) يبذل جهداً قوياً §(١٣) مدى (١٤) مص stretch (١٥)امتداد (a ~ of meadow) (١٦) مدّة ؛ فترة (a ~ of five years) (١٧) نزهة على القدمين ترويحاً عن النفس (took a ~ over the countryside) (١٨) مدّة المحكومية (في سجن) (١٩) أحد الجانبين المستقيمين من حلبة السباق (٢٠) المرحلة النهائية (من حملة انتخابية الخ.) (٢١) المَطوطيّة ؛ المرونة §(٢٢) مَطوطيّ ؛ مرن (~ nylon) .

at a ~, باستمرار ؛ على نحوٍ موصول .

to ~ a point يذهب إلى أبعد مما هو متوقّع .

stretcher [strĕch'ər] *(n.)* (١) فا stretch ، وبخاصة : الموسِّعة : أداة لتوسيع الحذاء أو القُفّاز الخ. (٢) الطوبة المجانبة ؛ الحجر المجانب (عم) (٣)المديدة ؛ العارضة الممتدة (عم) (٤) نقّالة « الجرحى أو الموتى ».

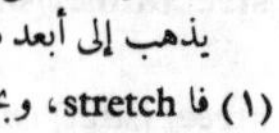

stretcher 4.

stretcher-bearer [strĕch'ər bâr'ər] *(n.)* حامل النقّالة : أحد حامِلَيِ النقّالة .

stretch limo *(n.)* الليموزين الطويل : سيارة طويلة فخمة .

stretch-out [strĕch'out'] *(n.)* نظام التمديد : نظام يُطلب بموجبه إلى العمال القيام بعمل إضافيّ لقاء أجر ضئيل أو من غير أيما زيادة في الأجر .

stretchy [strĕch'ĭ] *(adj.)* مَطوطيّ ؛ مَرِن (~ nylon) .

strew [strōō] *(vt.)* (١) ينثر ؛ يبذر (الحَبّ) (٢) يكسو أو يغطّي بشيء منثور (٣) ينتثر فوق كذا (rocks that ~*ed* the mountainside) (٤) يُشيع ؛ ينشر .

strewn [strōōn] *past part. of* strew.

stria [strī'ə] *(L.)* pl. **striae** [strī'ē] (١) حزّ ؛ ثَلم صغير . (٢) خطّ ؛ قلَم (من لون مغاير ؛ في قطعة من قماش) .

striate [*v.* strī'āt; *adj.* -'ĭt, -āt] *(vt.; adj.)* (١)«أ» يحزّز ؛ يثلّم . «ب» يخطّط ؛ يقلّم §(٢)«أ» محزّز ؛ مثلّم . «ب» مخطّط ؛ مقلّم .

striated [-'āt ĭd] *(adj.)* (١) محزّز ؛ مثلّم (٢) مخطّط ؛ مقلّم .

striation [strī ā'shən] *(n.)* (١) مص striate (٢) «أ» حزّ ؛ ثلم . «ب» خطّ ؛ قلَم .

stricken [strĭk'ən] *(adj.)* (١) مُتْرَع ؛ مليء (٢) مضروب أو مجروح بسلاح أو قذيفة أو نحوهما (٣)مُبتلَى : مصاب بداء أو بلاء الخ.

~ in years طاعن في السنّ .

strickle [strĭk'əl] *(n.; vt.)* (١) المِسْواة : «أ» أداة لإزالة الفائض من القمح الخ. حتى يستوي مع سطح المكيال . «ب» أداة لتسوية سطح القالب أو تمليسه (في السِّباكة) §(٢) يسوّي بالمِسْواة .

strict [strĭkt] *(adj.)* (١) صارم (~ orders) (٢) تامّ ؛ كامل (a ~ Catholic) (٣) متزمّت (told in ~ confidence) (٤) ضيّق (ا.ق) (٥) دقيق (a ~ statement of facts) .

strictly [strĭk'(t) lĭ] *(adv.)* على نحوٍ صارم أو تامّ أو كامل الخ.

stricture [-'chər] *(n.)* (١) تضيُّق (ط) (٢)قَيْد (٣)نقد قاسٍ .

stride [strīd] *(vi.; t.; n.)* (١) يقف منفرجَ الساقين (٢) يمشي بخطى واسعة (٣) يفشخ ؛ يخطو خطوةً واسعة (She *strode* over the pail.)×(٤)يركب مباعداً ما بين رجليه (٥)يَذْرَع المكانَ : يقطعه بسرعة وكأنّه يقيسه §(٦) خطوة واسعة (٧)مص stride (٨)ذروة الحركة أو النشاط (٩) المِشية : طريقة المشي (His ~ was one of majesty.)

to hit one's ~, يبلغ سرعته المألوفة أو نشاطه السويّ .

to make great *or* rapid ~*s* يتقدّم بسرعة .

to take in one's ~, يعمل من غير صعوبة أو تردّد .

strident [strī'dənt] *(adj.)* صارّ ؛ حادّ ؛ عالي النغمة .

stridor [strī'dər] *(n.)* (١) صَرير (٢) الصَّرْصَرة : صوت حادّ يُسمَع أحياناً عند الزفير (مض) .

stridulate [strĭj'ə lāt'] *(vi.)* يَصِرّ : يُطلق صوتاً حادّاً .

—**stridulation** *(n.)* —**stridulatory** *(adj.)*

stridulous [strĭj'ə-] *(adj.)* (١)صارّ (٢)صَرصَريّ ؛ مُصَرصِر .

strife [strīf] *(n.)* (١) نزاع (political ~) (٢) كِفاح ؛ نضال .

strigil [strĭj'əl] *(L.)* مِكشَطة الجلد : أداة كان الاغريق والرومان يكشطون بها جلدهم في الحمّام .

strigose [strī'gōs] *(adj.)* (١) مُهلَّب : ذو هُلْب أو شعر قاسٍ (٢) مُحزَّز (~ leaves) .

strike [strīk] *(vi.; t.; n.)* (١)يذهب ؛ ينطلق (You must ~ west from here.) (٢) يَضرِب (٣) يرتطم بِـ (٤) ينكّس الراية (دلالةً على الاستسلام الخ.) (٥)يُعلِن بضربات الساعة الخ. (just after seven o'clock *struck*) (٦) يخترق ؛ ينفذ إلى (A chill *struck* through her flesh.) (٧)«أ» يقاتل (to ~ for freedom) . «ب» يقوم بهجوم عسكري (٨) يشتعل (The match wouldn't ~.) (٩) «أ» يجذب الصنارة لإقحام الشِّصّ في فم السمكة . «ب» تعضّ (السمكة) على الطُّعم (١٠) يندفع بسرعة (١١)«أ» تتأصّل (الشتلة) أو تتجذّر في

الأرض . «ب» ينبت (الحَبّ) (١٢) يُضرِب عن العمل (١٣) يبدأ أو يستهل فجأةً (*struck* into another waltz) (١٤) يُقحم نفسَه (١٥) يكافح ؛ يناضل (*striking* for what seems unattainable) ×(١٦) يَضْرِب ؛ يطعن الخ. (١٧) يزيل بضربة أو نحوها (*struck* off his head) (١٨) يَلْدَغ (١٩) يُنْزِل (شراعاً أو علَماً أو حمولةً) (٢٠) «أ» ينزع ؛ يزيل (to ~ a stage set) . «ب» يقوِّض الخيمة (٢١) يُنزِل به بلاءً مفاجئاً (٢٢) يحذف ؛ يشطب (*struck* her name off the list) (٢٣) يمدّ ؛ ينشر (to ~ deep roots) (٢٤) يسوّي بالمِسواة (را. strickle) (٢٥) يُعلن من طريق الضربات (The clock ~*s* the hours.) (٢٦) يَصْدِم (٢٧) يتصافح تثبيتاً لاتّفاق (٢٨) يُقحِم فجأة (٢٩) يُصيب بذعر أو خوف الخ. (٣٠) «أ» يطبع . «ب» يختم (٣١) «أ» يقدح النارَ . «ب» يُشعل (to ~ a match) (٣٢) يعقد (They have *struck* an agreement.) (٣٣) يعزف (٣٤) يُقحم الشصّ في فم السمكة بأن يجذب الصنارة فجأة (٣٥) يخطر بالبال (A happy thought *struck* her.) (٣٦) «أ» يلفت ؛ يستوقف (the first object that ~*s* one's sight) . «ب» يؤثّر في النفس (How does it ~ you ?) (٣٧) يفتن ؛ يَسْحَر (٣٨) «أ» يحقّق (تسوية) بالموازنة بين مختلف العناصر والاعتبارات . «ب» يتوصل إلى شيء بعملية حسابيّة الخ. (to ~ an average) (٣٩) «أ» يبلغ ؛ يُحرز. «ب» يكتشف (to ~ oil) (٤٠) يشلّ (عملَ الشركة) بالاضراب (٤١) يتخذ «وِضْعَةً» أو وقفةً الخ. (*struck* a pose) (٤٢) يغرس (شتلة) (٤٣) يشقّ (طريقـه) §(٤٤) مِسواة (را. strickle) (٤٥) ضَرْب ؛ ضَرْبَة (٤٦) إضراب (٤٧) «أ» جذب الخيط الصنارة بغية إقحام الشص في فم السمكة . «ب» جذب السمكة لهذا الخيط عند عضّها على الطُعم (٤٨) ضربة حظّ سعيد؛ وبخاصة : اكتشاف مفاجىء للنفط الخ. (٤٩) عائق (Her racial background was a second ~ against her.) (٥٠) إسقاط جميع قوارير البولنغ الخشبية بالكُرَة الأولى (٥١) تجذُّر (النبات) ؛ تأصُّل (٥٢) «أ» هجوم عسكريّ ؛ وبخاصة : هجوم جوّي على هدف مُفْرَد . «ب» سرب من الطائرات يشارك في مثل هذا الهجوم .

to ~ in يقاطع امرءاً في الحديث الخ .

to ~ off (١) يقطع رأس فلان بالفأس الخ . (٢) يطبع (عدداً معيناً من نسخ الكتاب) (٣) ينظم أو يلحّن بطريقة تخلو من الجهد (٤) يصف بوضوح ودقة .

to ~ out (١) يُحْدِث أو يشكّل بسهولة ظاهرة . (٢) «أ» يستهلّ عملاً . «ب» يندفع بقوة ونشاط .

to ~ up (١) يفتتح ؛ يستهلّ (٢) يَبدأ الغناء أو العزفَ أو يَبدأ بغنائه أو عزفه (٣) يجعل الفرقة الخ. تبدأ في الغناء أو العزف .

strikebound [strīk'-] *(adj.)* مُخْضَع للاضراب (صفة لمصنع الخ.) .

strikebreaker [strīk'brā'kər] *(n.)* مفسِد الاضراب : مَن يُستأجَر للحلول محلّ عامل مُضرِب .

strike force; striking force *(n.)* القوّة الضاربة .

strikeless [strīk'lis] *(adj.)* لا إضرابات فيه ؛ لا يعرف الإضراب .

strikeover [strī'kō vər] *(n.)* (١) الضَرْب الفَوْقيّ : ضرب حرف الخ. بالآلة الكاتبة فوق حرف مضروب سابقاً (٢) الضربة الفوقية .

striker [strī'kər] *(n.)* (١) فا strike ، مثل : «أ» اللاعب الضارب للكرة . «ب» مطرقة الآليّة الضاربة في ساعة دقّاقة . «ج» الحدّاد . «د» المضرب عن العمل (٢) جنديّ يتطوّع (مأجوراً) لخدمة ضابط (٣) الحَرْبون : رمح لصيد الحيتان .

striking [strī'king] *(adj.)* (١) ضارب (٢) أخّاذ ؛ لافت للنظر . (٣) مُدهِش (٤) مُضْرِب (عن العمل) .

string [string] *(n.; vt.; i.)* (١) خيط ؛ سِلك (٢) «أ» حبل المشنقة . «ب» مِقود ؛ رَسَن (٣) «أ» وتر . «ب» *pl.* : الآلات الوترية (في أوركسترا) . «ج» *pl.* : العازفون على هذه الآلات (٤) «أ» السَّلِيكَة ؛ المِشكاك : مجموعة أشياء ينتظمها سلكٌ (a ~ of fish) . «ب» خيط السُّبحة أو العقد . «ج» صفّ ؛ خط (a ~ of cars) . «د» قافلة حيوانات أو عربات أو أشخاص . «هـ» مجموعة أفراس يملكها شخص واحد (٥) وسيلة (٦) مجموعة لاعبين مرتبين تبعاً للمهارة (the first ~ of the football team) (٧) سلسلة (a ~ of questions) (٨) ركيزة السلّم (را. bridgeboard) (٩) خطّ مستقيم عبر مائدة البليارد (را. balkline 2) (١٠) الطوق الحجري (را. stringcourse) (١١) «أ» شرط (a proposal with no ~*s* attached) . «ب» *pl.* : سيطرة ؛ سلطان §(١٢) «أ» يُوتّر : يزوّد الآلة الموسيقية بأوتار . «ب» يدوزن الأوتار . «ج» يزوّد مضرب التنس بأوتار (١٣) يثير ؛ يوتّر الأعصاب الخ. (١٤) «أ» يُسْلِك (الخرزَ الخ.) في خيط . «ب» يربط أو يعلّق أو يثبّت بخيط الخ. (١٥) يَشْنُق (١٦) يزيل الخيوط من (to ~ beans) (١٧) يَمُدّ (١٨) يَنْظُم في سلسلة (١٩) يَخْدَع ×(٢٠) «أ» يشكّل سلسلة . «ب» يتحرّك على صورة خطّ أو قافلة (٢١) تتخيّط : تتمدد المادة الدبقة على شكل خيوط .

to ~ along (١) يتّفق مع ؛ يعبّر عن موافقتِه على . (٢) يُبْقِيه منتظِراً (٣) يَخْدَع .

string bass *(n.)* = double bass.

string bean *(n.)* (١) لوبيا ؛ بزِلاّ ؛ فول الخ. (٢) شخص طويل نحيل .

stringboard [string'bōrd'] *(n.)* غطاء ركيزة السلّم : لوحة أو بلاطة تغطّي أطراف درجات السلّم .

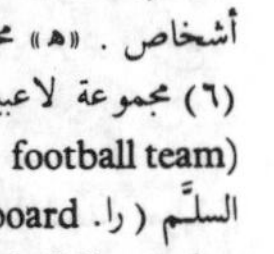

stringcourse [-'kōrs'] *(n.)* الطوق الحجري : طوق من حجارة الخ. منقوشة حول مبنى (عم) .

stringed [stringd] *(adj.)* وتَرِيّ (صفة للموسيقى أو للآلة الموسيقيّة) .

S stringcourse

stringed instrument *(n.)* الآلة الوترية (كالكمان والبيان) .

stringency [strin'jən si] *(n.)* (١) صرامة ؛ قسوة (٢) ندرة المال أو صعوبة الحصول على القروض الخ. (٣) قوة الحجة ؛ القدرة على الاقناع .

stringent [-'jənt] *(adj.)* (١) «أ» ضيّق . «ب» شديد ؛ متشدّد . «ج» صارم (~ laws) . «د» مُلِحّ ؛ ماسّ (~ necessity) (٢) مأزوم : متّسم بندرة المال وصعوبة الحصول على القروض الخ. (a ~ market for loans) (٣) مُقْنِع (a ~ argument) .

stringer [string'ər] *(n.)* (١) فا string (٢) ضِلَع مساعد (في مبنى أو جسر أو سكة حديديّة أو جناح طائرة الخ.) (٣) ركيزة السلّم (را. bridgeboard) (٤) شخص مُعْتَبَر ذا درجة معيّنة من الامتياز أو الفعالية (a second-*stringer*) .

stringhalt [-'hôlt'] *(n.)* عرجٌ في قائمتي الفرس الخلفيّتين .

stringiness [string'-] *(n.)* الخيطيّة الخ. (را. stringy) .

stringing [string'ing] *(n.)* أوتار مضرب التنس .

string line *(n.)* = balkline 2.

stringpiece [-'pēs] *(n.)* رافدة طولانيّة لربط أجزاء شيء أو تدعيمه .

string quartet *(n.)* (١) الرباعي الوتريّ : أربعة من العازفين على

الآلات الوتريّة (٢) اللحن الرباعيّ الوتريّ : لحنٌ مُعَدّ لكي يعزفه رباعيٌّ وتريّ .

string tie *(n.)* الأربة الخيطيّة : رباط عُنُق ضيّق جداً .

stringy [strĭng'ĭ] *(adj.)* (١) خَيْطيّ ؛ ليفيّ (٢) قاسي الألياف (~ meat) (٣) نحيلٌ مفتول العضل (~ old cowboys) (٤) لزج ؛ دبق ؛ مشكّل خيوطاً (~ syrup) .

strip [strĭp] *(vt.; i.; n.)* (١) يُجرِّد ؛ يُعرّي (٢) يجرد من الألقاب (٣) يقشّر (٤) يسلب (٥) ينزع ؛ يزيل (٦) يحلب (البقرةَ) حتى آخر قطرة في ضرعها (٧) يزيل الأضلاع الوسطى من أوراق التبغ (٨) يُتلف السنّ أو الترس (مك) (٩) يُنْصِل : يَفصِل العناصر الأساسيّة عن مزيج أو محلول ×(١٠) يتجرّد ؛ يخلع (١١) «أ» يتقشّر . «ب» تتجرّد ؛ تخلع ملابسها ، على المسرح ، أمام النظارة ، قطعةً بعد قطعة §(١٢) الشقّة : مساحة أو قطعة طويلة ضيّقة (من الأرض أو القماش) (١٣) المسلسلة الهزلية (را . comic strip) (١٤) ثلاثة طوابع أو أكثر متصل بعضها ببعض في صف أفقيّ أو عمودي (١٥) مهبط طائرات .

stripe [strīp] *(n.; vt.)* (١) «أ» ضربة (بالعصا) . «ب» جَلدة (بالسّوط) (٢)«أ» خطّ ؛ قلم ؛ سَيْر (بلون مغاير للون الخلفيّة) . «ب» تخطيط أو تقليم (يكون على القماش) . «ج» قماشة مخطّطة أو مقلّمة (٣)«أ» شريط (على الكمّ دالّ على الرتبة العسكريّة) . «ب» شارة الرتبة العسكريّة (٤) ضربٌ ؛ نوع ؛ طراز (artists of every ~) §(٥) يخطط ؛ يقلّم .

striped [strīpt; strī'pĭd] *(adj.)* مخطّط ؛ مقلّم .

striped bass *(n.)* القاروس أو ذئب البحر المقلّم (سمك) .

striper [strī'pər] *(n.)* ذو الشّارة : من يحمل على كمّه شارة دالّة على رتبته العسكريّة .

stripfilm [strĭp'fĭlm] *(n.)* = filmstrip.

striping [strī'-] *(n.)* (١) تخطيط ؛ تقليم (٢) خطوط ؛ أقلام .

stripling [strĭp'lĭng] *(n.)* غلامٌ مُراهق .

stripper [strĭp'ər] *(n.)* (١) فا strip (٢) المتجرِّدة ؛ المتعرِّية .

striptease [strĭp'tēz] *(n.; vi.)* (١) التجرّد ، التعرّي : خَلْعُ المرأة ملابسَها ، على المسرح ، أمام النظارة ، قطعةً قطعة §(٢) تتجرّد ؛ تتعرّى .

stripteaser [-'tē zər] *(n.)* المتجردة ؛ المتعرية (را . المادة السابقة) .

stripy [strī'pĭ] *(adj.)* مخطّط ؛ مقلّم .

strive [strīv] *(vi.)* يكافح ؛ يناضل ؛ يجاهد .

strobila [strō bī'lə] *(L.)* pl. **-e** [-lē] جسم الدودة الشريطيّة .

strobile [strŏb'ĭl] *(L.)* المخروط : الثمرة الصوبرية أو المخروطية .

stroboscope [strō'bə skōp'] *(n.)* الستروبوسكوب : أداة لقياس سرعة الدوران أو التردّد .

strobotron [strō'bə trŏn] *(n.)* = flashtube.

strode [strōd] *past of* stride.

stroganoff [strŏ'gə nŏf; -nŏv] *(Russ.)* مقطّع إلى شرائح رقيقة ومطهوّ بالصلصة .

stroke [strōk] *(n.; vt.)* (١) ضَرْب ؛ وبخاصة : ضربة بسلاح أو أداة (٢) حركة من سلسلة حركات نظاميّة متكررة (swimming with a slow ~ ; a fast ~ in rowing) (٣) ضرب للكرة (في التنس الخ .) (٤) الضربة : عمل مفاجىء (أو عملية مفاجئة ذو (أو ذات) أثر قويّ (~ of lightning ; ~ of luck) (٥) السكتة ؛ السكتة الدماغيّة (٦) «أ» جذفة ؛ قرعة ؛ دقّة ؛ خبطة . «ب» كبير المجذّفين (في قارب) (٧) جهدٌ قويّ (a bold ~ for liberty) (٨) مقدار ؛ قَدْر (not to do a ~ of work) (٩) عملٌ فذّ (a ~ of genius)(١٠) طابَع أو مسحة مميزة أو بارعة في أثر أدبيّ (١١) نَبْض ؛ خفقان القلب (١٢) شوط (مك) (١٣) صوت الجرس عند قرعه (١٤) تمسيد ؛ ملاطفة (١٥) خطّة (مج) ؛ جرة قلم ؛ أحد الخطوط التي يتألف منها الحرف الأبجدي §(١٦) «أ» يمسّد : يُمرّ يده (على الشّعر) برفق وباتجاه واحد . «ب» يلاطف (١٧) يعلّم بخطّ قصير (to ~ the t's) (١٨) يَشْطب (stroked out her name) (١٩) يضرب . a ~ of business صفقة .

stroke oar *(n.)* (١) المجذاف الأقرب إلى مؤخّر المركب . (٢) كبير المجذّفين (في مركب) .

stroll [strōl] *(vi.; t.; n.)* (١) يتمشّى (متنزّهاً) (٢) يتجوّل (طلباً للعمل أو الربح) ×(٣) يجوب متمهّلاً (~ *ed* the streets of the town) §(٤) تمشٍّ ؛ تجوّل .

stroller [strō'lər] *(n.)* (١) فا stroll (٢) المتشرّد (٣) الممثّل المسرحيّ المتجوّل (٤) عربة أطفال .

stroma [strō'mə] *(L.)* pl. **-ta** اللُّحْمَة ؛ النَّيْر : النسيج الضامّ الذي يؤلّف مادةَ (أو أساسَ) عضوٍ أو خليّة (ت) .

stromal ; stromatal ; stromatic *(adj.)* لُحْميّ ؛ نَيْريّ .

stromeyerite [strō'mī ər īt] *(G.)* الستروماييريت (مع) .

strong [strông] *(adj.; adv.)* (١)«أ» قويّ . «ب» شديد (٢) مؤلف من عدد معيّن (an army five thousand ~) (٣) ضخم ؛ هامّ (a ~ vein of coal) (٤) «أ» مركّز (~ coffee) . «ب» كثير الكحول نسبيّاً (~ beer) (٥) «أ» متطرّف (~ views) . «ب» متحمّس (a ~ believer in ...) (٦) عسير الهضم نسبيّاً (~ foods) (٧) «أ» منيع (a ~ fortress) . «ب» راسخ (a ~ custom) (٨) كريه الرائحة أو المذاق أو حادّهما (~ cheese) (٩) خِصب (~ soil) (١٠) مرتفع باطّراد (~ prices) §(١١) بقوة (blowing ~ from the North) .

strong-arm [-'ärm'] *(n.; adj.; vt.)* (١) قوة (٢) عُنْف §(٣) عنيف (~ methods) §(٤) يستعمل القوة (مع فلان الخ .) (٥) يسلب بالقوة .

strongbox [-'bŏks] *(n.)* الخزانة الحديدية الصغيرة (لحفظ النفائس) .

strong drink *(n.)* الشراب المُسْكِر .

stronghold [strông'hōld'] *(n.)* حِصْن ؛ مَعْقِل ؛ قلعة .

strongish [-'ĭsh] *(adj.)* قويّ بعضَ الشيء (~ wind) .

strongly-worded *(adj.)* شديد اللهجة (a ~ protest) .

strongman *(n.)* (١) الرجل القوي (في دولة) (٢) الزعيم ؛ القائد .

strong-minded *(adj.)* (١) قويّ العقل (٢) مستقلّ الرأي .

strong room *(n.)* الحجرة المنيعة : حجرة صامدة للنار ممتنعةٌ على اللصوص تُحفَظ فيها الأموال والنفائس .

strong-willed [-'wĭld'] *(adj.)* (١) قويّ الإرادة (٢) عنيد .

strongyle [strŏn'jīl ; - jĭl] *(Gk.)* الإسْتْرُنجيل : ضرب من الديدان المدوّرة (را . roundworm)

strongylosis [strŏn jə lō'sĭs] *(L.)* الاسْتْرُنجيليّة : الاصابة بديدان الاسترُنجيل أو بداءٍ ناشىء عنها .

strontia [strŏn'shĭ ə] *(L.)* أُكسيد الأسترنتيوم (ك) .

strontianite [strŏn'shĭ ə nīt'] *(n.)* الاسترونتيانيت (مع) .

strontic [strŏn'tĭk] *(adj.)* استرنتيوميّ : منسوب إلى الاسترنتيوم .

strontium [strŏn'shĭ əm] *(L.)* الاسترنتيوم : عنصر فلزّي (ك) .

strop [strŏp] *(n.; vt.)* (١) المِشْحَذَة : مِشْحَذٌ جلدي للأمواس §(٢) يشحذ (الموسى) بالمِشْحَذَة .

strophanthin [strō făn'thĭn] *(n.)* الإستروفانتين : مادة سامة مريرة تستخرج من بذور الاستروفانتوس وتستخدم طبياً كمنبّه للقلب.
strophanthus *(n.)* الاستروفانتوس : شجيرة افريقية أو بذرتها.
strophe [strō'fĭ] *(Gk.)* (١) الإستروفيّة : ذلك الجزء من القصيدة الاغريقية القديمة الذي تنشده المجموعة وهي تنتقل من اليمين إلى اليسار (٢) مقطوعة شعرية.
—strophic *(adj.)*
stroppy *(adj.)* عُدوانيّ؛ مُشاكِس؛ محبّ للخصام.
strove [strōv] *past of* strive.
struck [strŭk] *past and past part. of* strike.
struck [strŭk] *(adj.)* (١) مُغْرَم؛ متيَّم (٢) «أ» مغلق بسبب الاضراب أو متأثّر به (a ~ factory; a ~ employer). «ب» منجَز في مصنع مغلق بسبب الاضراب (~ work).
structural [strŭk'chər əl] *(adj.)* (١) بنائيّ؛ إنشائيّ: ذو علاقة بالبناء أو مُستخدَم فيه (~ clay) (٢) بِنيويّ: متعلّق بالبِنيَة الاقتصاديّة أو السياسيّة أو ناشئ عنها (~ unemployment) (٣) تركيبيّ: ذو علاقة بالتّركيب المادّيّ لجسم الحيوان أو النبات.
structural iron *or* **steel** *(n.)* حديد أو فولاذ الانشاءات.
structure [-'chər] *(n.; vt.)* (١) «أ» بناء؛ تشييد. «ب» مَبْنًى. (٢) بِنيَة؛ تركيب §(٣) ينشئ؛ ينظّم (٤) يبني؛ يشيّد.
structureless [strŭk'chər lĭs] *(adj.)* عديم البِنيَة؛ وبخاصة: عديم الخلايا؛ غير ذي خلايا (a ~ membrane).
strudel [strōō'dəl] *(G.)* السْتَرُودَل : ضرب من المعجنات مشتمل عادةً على فاكهة أو جُبْن الخ.
struggle [strŭg'əl] *(vi.; t.; n.)* (١) يكافح؛ يناضل؛ يقاوم (٢) يتقدّم بصعوبة أو جهد كبير ×(٣) يشقّ طريقه بجَهْد §(٤) كفاح؛ نضال (٥) نزاع؛ صراع.
struggle for existence تنازُع البقاء.
strum [strŭm] *(vt.; i.; n.)* (١) يداعب أوتار الآلة الموسيقية بطريقة مرتجلة أو غير بارعة §(٢) مداعبة الأوتار على هذا النحو.
struma [strōō'mə] *(L.)* pl. **-e** [-mē] *or* **-s** (١) تضخّم الغدّة الدرقية (٢) تضخم في قاعدة الجِرْو أو العُلَيْبَة (را. capsule) في بعض الطحالب (نب).
—strumose; strumous *(adj.)*
strumpet [strŭm'pĭt] *(n.)* بَغيّ؛ مومس.
strung [strŭng] *past and past part. of* string.
strut [strŭt] *(vi.; t.; n.)* (١) ينتفخ (٢) يتبختر؛ يختال «في مِشيته» ×(٣) يعرض (ملابسه أو مجوهراته أو منجزاته) باختيال وتباهٍ §(٤) تَبَخْتُر؛ اختيال.
strut [strŭt] *(n.; vt.)* (١) دعامة؛ قائم انضغاط؛ شِكال انضغاطيّ §(٢) يدعّم بقوائم انضغاطيّة.
struthious [strōō'thĭ əs] *(adj.)* نَعاميّ: متعلّق بالنّعامة.
strychnic [strĭk'nĭk] *(adj.)* استركنينيّ: منسوب إلى الاستركنين.
strychnine [strĭk'nĭn] *(F.)* الإستركنين : مادّة سامة (ك).
Stuart [stū'ərt] *(n.; adj.)* (١) الستيُوَرْتيّ: أحد أفراد أو مؤيّدي أسرة ستيُوارت التي حكمت اسكتلندة من ١٣٧١ إلى ١٦٠٣ وبريطانية واسكتلندة من ١٦٠٣ إلى ١٧١٤ §(٢) ستيُوَرْتيّ.
stub [stŭb] *(n.; vt.)* (١) «أ» الجِذْل : أصل الشجرة الباقي بعد قطع جذعها. «ب» أرومة السنّ المكسور (٢) ريشة كتابة معدنيّة ذات سنّ قصير عريض (٣) عَقِب قلم الرصاص أو الشمعة أو السيجار الخ. (٤) شيء بالغ القِصَر مثل مِسمار قصير غليظ الخ. (٥) أرومة الشيك أو الوصل الخ. §(٦) «أ» يستأصل (الأعشاب) من جذورها. «ب» يحرر (أرضاً) من الأعشاب باستئصالها من جذورها. «ج» يقطع (شجرةً) غير مُبْقٍ من جذعها شيئاً (٧) يطفئ (سيكارة) بأن يسحق عَقِبَها (٨) يَصْدِم؛ يرطم.
stub axle *(n.)* المحور الأبتر (في عربة).
stubble [stŭb'əl] *(n.)* (١) الجُذامة: ما يبقى من الزرع بعد الحصْد. (٢) شيء نام على نحو قصير خشن؛ وبخاصة: لحية لم تحلق منذ أيام.
stubbly [stŭb'-] *(adj.)* مكسوّ بالجُذامة أو شبيه بها (را. المادة السابقة).
stubborn [stŭb'ərn] *(adj.)* (١) «أ» عنيد. «ب» حَرُون؛ شَمُوس. (٢) «أ» مستعْصٍ؛ مزمن (~ illness). «ب» عسير (~ problems) (٣) تصعب حراثته (٤) صُلْب.
—stubbornness *(n.)*
stubby [stŭb'ĭ] *(adj.)* (١) جِذلانيّ؛ شبيه بالجِذْل: «أ» قصير وغليظ (~ fingers). «ب» قصير وبدين (a ~ fellow). «ج» قصير أو عريض أو كَليل «من طول الاستعمال أو البِلَى» (a ~ pencil; a ~ blade) (٢) كثّ؛ خشِن (~ hair).
stucco [stŭk'ō] *(n.; vt.)* (١) جِصّ (٢) زخرف أو نقش مجصّص. §(٣) يجصّص: يكسو أو يزخرف بالجص.
stuccowork [stŭk'ō wûrk'] *(n.)* زخرف أو نقش الخ. مجصّص.
stuck [stŭk] *past and past part. of* stick.
stuck-up [stŭk'ŭp'] *(adj.)* مغرور؛ متكبّر؛ متشامخ.
stud [stŭd] *(n.; vt.)* (١) «أ» مجموعة من الأفراس الخ. تُتّخذ للاستيلاد أو السّباق. «ب» مزرعة لخيل الاستيلاد (٢) جواد الاستيلاد. وتوسعاً: كلّ ذكر من الحيوان يُتّخَذ للاستيلاد (٣) «أ» الخشبة القائمة: خشبة تسمّر عليها الالواح المستخدمة في تشييد جدران المنازل. «ب» ارتفاع الغرفة (٤) «أ» زرّ زينيّ الخ. في درع أو حزام. «ب» زرّ ذو رأسين يُدْخَل في عروتين لتثبيت قبّة القميص الخ. (٥) الجَوِيط: مسمار كبير الرأس §(٦) يزوّد (مبنىً أو جداراً) بخشباتٍ قائمة (٧) يرصّع (٨) ينثر هنا وهناك.
studbook [stŭd'bŏŏk'] *(n.)* كتاب أنساب الخيل.
studding [-'ĭng] *(n.)* أخشاب قائمة (را. stud 3 *a*).
studding sail *(n.)* شراع خفيف (يُنشر خلف شراع رئيسيّ).
student [stū'dənt] *(n.)* (١) الطالب؛ التلميذ (٢) الدارس؛ الباحث؛ الملاحظ (a ~ of theology; a ~ of life).
student government *(n.)* حكومة الطلاب: تنظيم حياة الطلاب ونشاطاتهم والاشراف عليها وعلى كلّ ما يتعلق بالانضباط والخضوع للنظام المدرسي من قِبل ممثلين عن الطلاب ينتخبهم الطلابُ أنفسهم.
student lamp *(n.)* مصباح القراءة أو المطالعة.
studentship [stū'dənt shĭp'] *(n.)* (١) التلمذة (٢) منحة جامعيّة.
student teacher *(n.)* الطالب المعلّم؛ المعلّم المتدرّب.
studhorse [stŭd'hôrs'] *(n.)* جواد الاستيلاد.
studied [-'ĭd] *(adj.)* (١) مطّلع؛ حسن الاطّلاع (٢) مدروس؛ مرويّ فيه (~ acceptance) (٣) متعمَّد (a ~ insult).
studio [stū'dĭ ō; stōō'-] *(It.)* الاستديو: «أ» المَفْنَ: محتَرَف الرسام أو النحّات أو المصور الفوتوغرافي. «ب» موضع لدراسة فنّ من الفنون (كالرقص أو الغناء أو التمثيل). «ج» دار صناعة الأفلام السينمائيّة. «د» موضع مُعَدّ لبثّ البرامج الإذاعيّة أو التلفزيونيّة.
studious [stū'dĭ əs; stōō'-] *(adj.)* (١) مُجِدّ؛ مولَع بالدراسة (a ~ mind) (٢) «أ» دراسيّ (~ habits). «ب» ملائم للدراسة (~ walls) (٣) «أ» توّاق؛ حريص على. «ب» جهيد؛ جاهِد (a ~ effort). «ج» مدروس؛ متعمّد (with ~ calm).
studwork [stŭd'wûrk'] *(n.)* أشغال مدعّمة بأخشاب قائمة أو بأزرار زينيّة مرصّعة (را. stud).

study [stŭd'ĭ] *(n.; vi.; t.)* (١) تأمُّل ؛ ذهول (٢) درسٌ ؛ دراسة (٣) بحث؛ رسالة أو دراسة في موضوع ما (٤) مكتب (يخلو فيه المرء للدراسة) (٥) هدف ؛ غرض (٦)«أ» موضوع ؛ فرع من فروع الدراسة . «ب» شيء جدير بالدراسة (Her face was a ~.) «ج» شيء لافت للنظر (٧) رسم إعداديّ ؛ أثرٌ (من آثار الفنّ أو النحت أو الموسيقى) يقوم به الفنّان لمجرّد التمرّن على تقنية معيّنة أو لاختبار طريقة من طرائق المعالجة §(٨) يدرس (٩)يتأمل؛ يفكر(ع) (١٠)يحاول؛يجرب.

study hall *(n.)* (١) حجرة الدرس : حجرة في مدرسة مخصصة للدراسة أو المطالعة (٢) فترة من يوم الطالب مخصصةٌ للدرس وإعداد الفروض المنزلية .

stuff [stŭf] *(n.; vt.; i.)* (١) «أ» قذائف . «ب» أمتعة ؛ ممتلكات شخصيّة (٢) مادّة خام (كالخشب ومواد البناء الخ.) (٣)نسيج صوفيّ (٤)«أ» سقط المتاع . «ب» هراء (٥)«أ»شيء؛ أشياء . «ب» كلّ ما يُزْدَرَد : طعام ؛ شراب ؛ دواء (٦) «أ» مادة الشيء: قِوامُه أو جوهرُه (~ of manhood) . «ب» مادة الكتاب (٧) «أ» أعمال أو كلام في مناسبات خاصة (Rough ~ isn't tolerated.) . «ب» معرفة أو مقدرة خاصة §(٨)«أ» يحشو . «ب» يُتْخِم . «ج» يسدّ . «د» يحنّط (حيواناً أو طيراً) (٩) يُقحِم (١٠) ينقع الجلود (لتطريتها أو حفظها) (١١) يملأ (صندوقَ الاقتراع) بأصوات زائفة ×(١٢) يأكل بنهَم ؛ يأكل حتى التخمة .

stuffed shirt *(n.)* شخص مغرورٌ محافظٌ إلى أبعد الحدود .

stuffing [stŭf'ĭng] *(n.)* (١) مص stuff (٢) حَشْوَة، وبخاصة : ما تُحْشَى به الدجاجة أو الديك الرومي قبل الطّهْو .

stuffing box *(n.)* المَسِيكَة : صندوق الحَشْو (مك) .

stuffy [stŭf'ĭ] *(adj.)* (١)غاضب؛ متجهّم الوجه (٢) فاسد الهواء (a ~ room) (٣) «أ» مسدود «من شدة الزكام» (a ~ nose). «ب» مزكوم؛ مستشعرٌ انسدادَ المجاري التنفسيّة (٤) مملّ ؛ غير ممتع (a ~ discourse) (٥) ضيّق الاستشراف أو أفق التفكير ؛ معتقد بأنّه أقوم أخلاقاً من الآخرين .

stull [stŭl] *(n.)* دعامة خشبية (وبخاصة في منجم) .

stultify [stŭl'tə fī'] *(vt.)* (١) «أ» يُسفِّه : يدّعي أو يثبت سفَهَه أو جنونَه . «ب» يستخفّ ؛ يجعله يبدو مضحكاً أو أو أحمق أو غير منطقيّ (٢) يُفسِد ؛ يُحبِط ؛ يُبطِل .

stum [stŭm] *(n.)* عصير العنبِ اللامتخمّر أو نصفُ المتخمّر .

stumble [stŭm'bəl] *(vi.; t.; n.)* (١)«أ» يزلّ ؛يأثم.«ب» يخطيء. (٢) يتعثّر ؛ تزلّ به قدمُه (٣) يمشي باضطراب (٤)«أ»يتلعثم. «ب»يتردد ×(٥)يُزِلّ (٦)يُرْبِك §(٧)زلّة ؛ غلطة ؛ عثْرة الخ.

to ~ on *or* upon يعثر (على شيء مصادفةً) .

stumblebum [-bŭm] *(n.)* ملاكم (أو شخص) غير بارع .

stumbling block *(n.)* عقبة؛ عائق؛ حجر عثْرة.

stumer [stū'mər] *(n.)* (١) «أ» قطعة أو ورقة نقدية زائفة . «ب» شيك غير صالح (عب) (٢) شخص تافه (عب) .

stump [stŭmp] *(n.; vt.; i.)* (١) الجَدَعَة : ما بقي من العضو بعد القطع (٢) الجِذْل : أصل الشجرة الباقي بعد قطع جذعها (٣) عقِب (أو بقيّة) قلم الرصاص أو الشمعة أو السيجار (٤) شخص قصيرٌ بدينٌ (٥) منبر أو موضع أو مناسبة للخطابة السياسيّة (٦)«أ» رجل خشبية . «ب» رِجل (ع) . «ج» مشية ثقيلة ، كمِشْية الأعرج أو ذي الرجل الخشبية (٧) تَحَدٍّ (٨) المِدعكة : لفافة من الورق أو الجلد يُدعك بها الرسم القلميّ توحيداً للونه أو تدريجه §(٩)«أ» يبتر ؛ يجدع . «ب» يشذِّب ؛ يقضِب (١٠) يتحدّى (١١) يرْبِك (١٢)«أ» يستأصل (الأشجار) من جذورها . «ب» يزيل الأجذال (من أرض) (١٣) يتجوّل (ملقياً خطباً سياسيّة أو مؤيّداً قضيّة ما) (١٤) يَصْدِمُ أو يرطم بجذل أو حجر (١٥) يدعك (الرسمَ القلميّ) بِمِدعكة ×(١٦) يمشي بتثاقل أو جلبة .

on the ~, متجوّل بغية إلقاء الخطب السياسيّة .

to ~ up يدفع مالاً أو ديناً .

up a ~, مرتبك ؛ غير قادر على العمل أو الإجابة .

stump speaker *(n.)* الخطيب السياسي (وبخاصة في حملة انتخابية).

stump speaking *(n.)* الخطابة السياسيّة (وبخاصة في حملة انتخابية).

stump-tailed [stŭmp'tāld'] *(adj.)* أبتر : مقطوع الذنب أو قصيرُه.

stumpy [-'ĭ] *(adj.)* (١)حافلٌ بالأجذال (را. stump 2) . (٢) قصيرٌ بدين .

stun [stŭn] *(vt.; n.)* (١) يدوخ (بضربة أو نحوها) . (٢) «أ» يَصْعَق . «ب» يُذْهِل §(٣) فقدان الصواب (من ضربة الخ.) ؛ انصعاق ؛ ذهول (٤) صدمة .

stung [stŭng] *past and past part. of* sting.

stunk [stŭngk] *past and past part. of* stink.

stunner [stŭn'ər] *(n.)* (١) فا stun (٢) ذو الجمال الفائق .

stunning [-'ĭng] *(adj.)* (١) مدوِّخ ؛ مذهِل (٢) فاتِن ؛ ساحر .

stunsail *or* **stuns'l** [stŭn'səl] *(n.)* = studding sail.

stunt [stŭnt] *(vt.; n.)* (١) يقزِّم ؛ يعوق النموّ الطبيعيّ . §(٢) توقُّفٌ عن النموّ أو التطوّر (٣) نبات أو حيوان معوّق النموّ (٤) مرض من أمراض النبات يعوقه عن النموّ .

stunt [stŭnt] *(n.; vi.)* (١) عملٌ مثيرٌ ؛ عمل دالّ على الجسارة أو البراعة (كالألعاب البهلوانيّة الخ.) §(٢) يقوم بمثل هذه الأعمال.

stupa [stōō'pə] *(Skt.)* الإِسْطُبّة: برج بوذيّ على شكل هرم أو قبّة.

stupe [stūp; stōōp] *(n.)* (١) كِمادة (٢) ضِمادة .

stupefacient [stū'pə fā'shənt] *(adj.; n.)* مخدِّر .

stupefaction [stū'pə fāk'shən] *(n.)* (١) «أ» تخدير ؛ تخبيل . «ب» شَدْه؛ إذهال (٢)«أ» خَدَر ؛خَبَل. «ب» انشداه ؛ذهول.

stupefy [stū'pə fī'] *(vt.)* (١) يخدِّر ؛ يخبِّل (٢) يَشْدَه ؛ يُذْهِل ؛ يَصْعَق .

stupendous [stū pĕn'dəs] *(adj.)* (١) مُذْهِل ؛ شادِهٌ ؛ عجيب (a ~ sight) (٢) ضخم ؛ هائل (~ war production) .

stupid [stū'pĭd] *(adj.; n.)* (١)أحمق ؛ أبله ؛ غبيّ (٢)«أ» مخدَّر ؛ مخبَّل. «ب» عديم الحسّ (٣)مملّ (a ~ book) §(٤)الأحمق الخ.

stupidity [stū pĭd'ə tĭ] *(n.)* (١) حماقة ؛ بلاهة (٢) فكرة بلهاء .

stupor [stū'-] *(n.)* (١)خَدَر ؛ سُبات ؛ غيبوبة (٢) انشداه ؛ ذهول.

sturdy [stûr'dĭ] *(adj.; n.)* (١) قويّ (٢) ثابت ؛ لا يعرف الاستسلام (~ patriotism) §(٣) الجِدّ : داء يصيب الخراف.

sturgeon [-'jən] *(n.)* الحَفْش : سمك ضخم يستخرج منه الكافيار .

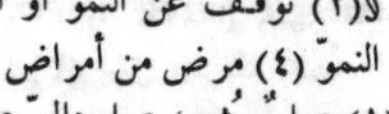

sturgeon

Sturm und Drang [shtōōrm'ōōnt drāng'] *(G.)* حركة أدبيّة ألمانية في أواخر القرن الثامن عشر تميّزت بالثورة على حركة التنوير الفرنسيّة والمحاكاة الألمانيّة لها .

stutter [stŭt'ər] *(vi.; t.; n.)* (١) يتمتم ؛ يفأفيء ؛ يتأتيء الخ. ×(٢) يقول أو ينطق بتمتمة الخ. §(٣) تمتمة ؛ فأفأة الخ.

sty [stī] *(n.; vt.; i.)* (١) زريبة الخنازير (٢) مكان قذر أو وضيع أو داعر §(٣)يؤوي في زريبة أو مكان قذر ×(٤)يقطن مكاناً قذراً الخ.

sty *or* **stye** [stī] *(n.)* الشحّاذ : شحاذ العين (مض).

stygian [stĭj'ĭ ən] *(adj.)* (١) أسطُقسيّ : منسوب إلى أسطُقس (را. Styx) (٢) جهنميّ ؛ جحيميّ (٣) مظلم ؛ كئيب (٤) لا تُنتهَك حرمته (a ~ oath).

styl- بادئة معناها : «أ» عمود. «ب» حامل السِّمة (نب).

stylar [stī'lər] *(adj.)* قلميّ ؛ إبريّ ؛ شبيه بالإبرة.

-stylar لاحقة معناها : ذو عدد (أو نوع) معيّن من الأعمدة.

style [stīl] *(n.; vt.)* (١) «أ» مِرقَم الشمع : أداة كان القدماء يستعملونها للكتابة على ألواح الشمع. «ب» «عقرب» المزولة أو الساعة الشمسية. «ج» قلم. «د» مِسبار (ط). «هـ» مِنقاش. «و» ابرة فونوغراف. «ز» قلم السِّمة ؛ حامل السِّمة : ذلك الجزء من المِدقّة الواقع بين المبيض والسِّمة ، والحاملُ للسِّمة. «ح» القلم : عضو صغير نحيل مستدق الطرف (ح) (٢) «أ» أسلوب. «ب» إبداع أدبيّ أو فنيّ (٣) لقب (Salute her with the ~ of queen.) (٤) ترف ؛ أناقة (to live in ~) (٥) زيّ (٦) شكل ؛ نوع §(٧) يلقّب ؛ يسمّي (He ~s himself scientist.) (٨) يصمّم أو يصنع وفقاً لزيّ معيّن أو جديد أو سائد (to ~ an evening dress).

stylebook [stīl'bo͝ok'] *(n.)* كتاب الأزياء.

stylet [stī'lĭt] *(n.)* (١) مِسبار (ط) (٢) «أ» قلم السِّمة ؛ حامل السِّمة (را. style 1). «ب» القُلَيْم : قلم صغير في جسم الحيوان (را. style 1).

styliform [stī'lə fôrm'] *(adj.)* = stylar.

stylish [stī'lĭsh] *(adj.)* أنيق ؛ على الزيّ الحديث.

stylist [stī'lĭst] *(n.)* (١) صاحب الأسلوب : كاتبٌ أو خطيب متميّز ببراعة الأسلوب (٢) مصمّم الأزياء أو الزخارف الداخلية الخ.

stylistic [stī lĭs'tĭk] *(adj.)* أسلوبيّ : ذو علاقة بالأسلوب.

stylite [stī'līt] *(Gk.)* المستعمِد : ناسك مسيحيّ يعيش على رأس عمود.

stylize [stī'līz] *(vt.)* يُؤَسْلِب : يجعله منطبقاً على أسلوب معيّن.

stylo- = styl-.

stylobate [stī'lə bāt'] *(L.)* أساس أو قاعدة أعمدة الهيكل (عم).

stylograph [stī'lə grăf'] *(n.)* المدّاد : قلم الحبر.

stylographic [stī'lə grăf'ĭk] *(adj.)* (١) ميرقميّ : ذو علاقة بالمِرقمية (را. المادة التالية) (٢) مدّاديّ : متعلق بالمدّاد أو قلم الحبر.

stylography [stī lŏg'rə fĭ] *(n.)* المِرقَمية : الكتابة أو الرسم بالمِرقم على ألواح الشَّمع الخ.

styloid [stī'loid] *(adj.)* قلميّ ؛ إبريّ ؛ نحيل مستدقّ (ت).

stylolite [stī'lə līt'] *(n.)* المحزَّز : عمود صغير محزَّز (جي).

stylopodium [stī'lə pō'-] *(L.)* pl. **-dia** انتفاخ مخروطيّ في قاعدة قلم السِّمة (را. style 1) في نباتات الفصيلة الجزريّة (نب).

stylus [stī'ləs] *(n.)* (١) «أ» قلم السِّمة (را. style 1). «ب» القلم : عضو صغير نحيل مستدقّ الطّرف (ح) (٢) المِرقم : أداة مستدقة الرأس للكتابة على ألواح الشمع الخ. (٣) «أ» ابرة التسجيل على الأسطوانات. «ب» ابرة الفونوغراف.

stymie [stī'mĭ] *(n.; vt.)* (١) وضع تكون فيه كرة اللاعب بين كرة خصمه وبين الحفرة (في الغولف) (٢) وضع حرج §(٣) يضع خصمَه أو نفسَه في موضع حرج (٤) يحبط (~ a plan).

styptic [stĭp'tĭk] *(adj.; n.)* (١) عقَوُل ؛ قابض ؛ زامّ للانسجة الحيّة (٢) موقِف أو قاطع للنزف §(٣) العقَوُل (را. astringent 3).

styrax [stī'răks] *(L.)* = storax.

styrene [stī'rēn] *(n.)* الاستيرين : مادة هيدروكربونيّة سائلة عطِرة غير مُشبَعة تستخدم في صنع المطاط واللدائن (ك).

Styx [stĭks] *(n.)* أسطُقس : نهر الجحيم الرئيسي (عند الاغريق).

suable [so͞o'ə bəl] *(adj.)* ممكنٌ مقاضاتُه ؛ قابل للمحاكمة (ق).

suasion [swā'zhən] *(n.)* (١) إقناع (٢) محاولة اقناع.

suave [swäv; swāv] *(adj.)* (١) رقيق ؛ لطيف ؛ عليل (٢) مهذَّب ؛ مصقول ؛ دَمِث.

suavity [swăv'ə tĭ; swä'və tĭ] *(n.)* (١) رقّة ؛ لطف (٢) دماثة.

sub [sŭb] *(adj.; n.; vi.)* (١) ثانويّ (a ~ post office) §(٢) بديل ؛ عِوض (٣) غواصة (٤) ملازم ثانٍ (جن) §(٥) يعمل كبديل.

sub- بادئة معناها : (١) تحت (*sub*marine) (٢) «أ» دون ؛ أدنى (*sub*lieutenant). «ب» فرعيّ (*sub*committee) (٣) ثانويّ (*sub*divide) (٤) «أ» قليلاً ؛ جزئياً (*sub*acid). «ب» تقريباً (*sub*erect) (٥) مجاورٌ لِـ (*sub*tropical).

subacid [sŭb ăs'ĭd] *(adj.)* حامضٌ قليلا (a ~ fruit).

subacute [sŭb'ə kūt'] *(adj.)* شبه حادّ (a ~ angle).

subadult [sŭb ə dŭlt'] *(n.)* شبه البالغ : فرد تجاوز مرحلة الحداثة ولكنه لم يكتسب بعدُ خصائص البالغين النموذجيّة.

subaerial [sŭb âr'ĭ əl] *(adj.)* تحهَوائي : واقع أو حادث على سطح الأرض أو في جواره مباشرة (~ erosion).

subagent [sŭb ā'jənt] *(n.)* الوكيل الثاني ؛ الوكيل الفرعي.

subahdar *or* **subadar** [so͞o'bä där'] *(Per.)* الصّوبَهْدار : «أ» حاكم الاقليم. «ب» الضابط الوطني الأول لسَريّةٍ وطنيّة في الجيش الهندي البريطاني السابق.

subalpine [sŭb ăl'pīn; -pĭn] *(adj.)* (١) تحألبيّ : خاصّ بالمناطق الواقعة عند سفح جبال الألب (٢) نامٍ على سفوح المرتفعات.

subaltern [sŭb ôl'tərn] *(adj.; n.)* (١) ثانويّ ؛ تابع (٢) متعلق بالقضية الكليّة (مق) §(٣) المرؤوس ؛ التابع (٤) ملازم أوّل (جن) (٥) subalternate.

subalternate [sŭb ŏl'tər nĭt; -ăl'-] *(adj.; n.)* (١) ثانويّ (٢) شبه متعاقب (نب) §(٣) قضية لازمةٌ عن القضية الكلية (مق).

subaquatic [sŭb ə kwăt'ĭk] *(adj.)* شِبْمائيّ : شبه مائيّ.

subaqueous [sŭb ā'kwĭ əs] *(adj.)* تحمائيّ : «أ» واقع تحت الماء. «ب» حادثٌ أو مُنجَزٌ تحت الماء. «ج» مستخدَم تحت الماء.

subarctic [sŭb ärk'tĭk] *(adj.)* (١) مجاور للمنطقة القطبية الشمالية (٢) متعلق بالأصقاع الواقعة جنوبي المنطقة القطبية الشماليّة أو حادثٌ فيها.

subassembler [sŭb ə sĕm'blər] *(n.)* عامل التجميع الفرعي : عاملٌ في مجمَّعة فرعيّة (ص).

subassembly [sŭb ə sĕm'blĭ] *(n.)* (١) المجمَّعة الفرعيّة ؛ الوحدة المجمَّعة (ص) (٢) التجميع الفرعي (ص).

subatmospheric [sŭb'ăt məs fĕr'ĭk] *(adj.)* تحجّويّ : أقلّ أو أدنى من حرارة الخ. الغلاف الجوي (~ temperatures).

subatom [sŭb ăt'əm] *(n.)* الجزء الذرّيّ (كالبروتون والألكترون).

subatomic [sŭb'ə tŏm'ĭk] *(adj.)* دُوذَرّيّ ؛ دون الذرّي : متعلق بباطن الذرّة أو بالجُسَيْمات الأصغر من الذرة.

subaudition [sŭb'ô dĭsh'ən] *(n.)* (١) «أ» الإضمار. «ب» فهم المُضْمَر (٢) الفكرات المُضمَرة.

subaverage [sŭb'ăv'ər ĭj] *(adj.)* تحمُعدَّليّ ؛ دُومتُوسّطي : تحت المعدّل ؛ دون المتوسّط.

subbase [sŭb'bās'] *(n.)* (١) أدنى القاعدة (عم) (٢) قاعدة جوية إضافيّة (طي).

subbasement[sŭb'bās'mənt](n.) الدور التحتاني الأدنى (عم).
subcaliber [sŭb kăl'ə bər](adj.) مُصَغَّر العيار (صفة لقذيفة).
subcartilaginous[sŭb'kär tə lăj'-](adj.) (١)جزغضروفي : غضروفي جزئياً (٢) تحغضروفي : واقع تحت غضروف.
subcelestial [sŭb'sĭ lĕs'chəl](adj.) تحسماوي : واقع تحت السماء ؛ وبخاصة : دنيوي ؛ أرضي.
subcellar [sŭb'sĕl'ər] (n.) القبو الأدنى : قبو واقع تحت قبو.
subcentral [sŭb'sĕn'trəl] (adj.) (١) تحمركزي : واقع تحت المركز (٢) جزمركزي : مركزي جزئياً.
subchaser [sŭb'chā'sər] (n.) = submarine chaser.
subchloride [sŭb'klōr'īd] (n.) تحت الكلوريد: كلوريد يحتوي على مقدار صغير نسبياً من الكلورين.
subclass [sŭb'-] (n.) (١)فرع رئيسي (من طبقة)(٢)شُعَيْب (أح).
subclavian [sŭb'klā'vĭ ən] (adj.; n.) (١) تحترقوي: واقع تحت الترقوة (ت) §(٢) شريان أو وريد تحترقوي (ت).
subclinical [sŭb'klĭn'ə kəl](adj.) دوسريري؛ دون السريري: لا سوي إلى حد ما ومتعذر اكتشافه بالفحوص السريرية المألوفة (ط).
subcollegiate [sŭb'kə lē'-] *or* **subcollege** [-kŏl'ĭj] (adj) دوكلي؛ دون الكلي: مكيف وفقاً لحاجات الطلاب غير المعتزمين الانتساب إلى الكليات أو غير المؤهلين لذلك.
subcommittee [sŭb'kə mĭt'ĭ] (n.) لجنة فرعية.
subconscious [sŭb kŏn'shəs] (adj.; n.) (١) دووعيي؛ دون الوعي: «أ» قائم أو عامل تحت أو وراء نطاق الوعي (the ~ self). «ب» مشعور به جزئياً (a ~ state) §(٢) الدووعي؛ ما دون الوعي : النشاطات العقلية تحت عتبة الوعي مباشرة (نف).
—**subconsciously** (adv.) —**subconsciousness** (n.)
subcontinent [sŭb'kŏn'-] (n.) شبه القارة (كالهند وغرينلند).
subcontract[n. sŭb kŏn'trăkt; v. -kən trăkt'](n.; vt.; i.) (١) عقد فرعي؛ عقد من الباطن : عقد بين أحد فريقين موقعين على عقد أصلي وبين فريق ثالث وبخاصة بغية تأمين كامل العمل أو المواد (أو جزء من العمل والمواد) المنصوص عليه أو عليها في العقد الأصلي §(٢) يعاقد أو يتعاقد من الباطن.
subcontractor [sŭb'kən trăk'tər](n.) الملتزم أو المقاول الفرعي.
subcostal [sŭb'kŏs'təl](adj.; n.) (١) تحضلعي: واقع تحت ضلع (a ~ muscle) §(٢) عضلة الخ. تحضلعية.
subcutaneous [sŭb'kū tā'nĭ əs](adj.) تحجلدي: تحت الجلد.
subdeacon [sŭb dē'kən] (n.) الشماس المساعد (كن).
subdeb [sŭb'dĕb'] (n.) = subdebutante.
subdebutante[sŭb'dĕb yōō tänt'](n.) المراهقة : فتاة مراهقة.
subdentate [sŭb'dĕn'tāt] (adj.) جزمسنن: مسنن جزئياً.
subdepot [sŭb'dē'pō] (n.) مستودع إضافي (جن).
subdivide [sŭb'dĭ vīd'] (vt.; i.) (١) يقسم ثانية؛ يقسم إلى أجزاء أصغر ×(٢) ينقسم إلى أجزاء أصغر.
subdivision [sŭb'dĭ vĭzh'ən] (n.) (١) تقسيم إلى أجزاء أصغر (٢)قُسَيْم (٣) قطعة أرض ممسوحة ومقسمة إلى أجزاء معروضة للبيع.
subdominant[sŭb dŏm'-](n.) الدوغالبة؛ النغمة دون الغالبة (مو).
subdue [səb dū'] (vt.) (١) يُخضع؛ يقهر (٢) يلطف؛ يخفف؛ يكبت.
subeditor [sŭb ĕd'ĭ-](n.) (١) copyreader (٢) محرر مساعد.
suberect [sŭb'ĭ rĕkt'](adj.) جزمنتصب: منتصب جزئياً.
subereous [sōō bĭr'ĭ əs] (adj.) فليني.
suberic acid [sōō bĕr'ĭk] (n.) الحامض الفليني (ك).
suberin [sōō'bər ĭn] (F.) السبرين: مادة دهنية مركبة تشكل قوام الفلين.
suberization [sōō'bər ə zā'shən] (n.) السبرنة: إشباع جدران الخلايا بالسبرين وتحويلها إلى فلين (نب).
suberize[sōō'bə rīz'](vt.) يسبرن: يحول إلى نسيج فليني (نب).
suberose [sōō'bə rōs']; **suberous** [-'bər əs] (adj.) فليني.
subessential [sŭb ə sĕn'-](adj.) جزأساسي: أساسي جزئياً.
subfamily [sŭb'făm (ə) lĭ] (n.) الفصيلة (من الحيوان أو النبات).
subfreezing [sŭb'frē'zĭng] (adj.) تحتجميدي: أدنى مما هو مطلوب لإحداث التجميد.
subgenus[sŭb jē'nəs](n.) الجنيس (في تصنيف الحيوان أو النبات).
subglacial [sŭb glā'shəl] (adj.) تحمجلدي: واقع تحت مجلدة أو نهر جليد.
subgroup[sŭb'grōōp'](n.) (١)العشيرة (في تصنيف الأحياء). (٢) الطويئفة : جزء من طائفة أو جماعة أو مجموعة.
subhead[sŭb'-](n.) (١)عنوان فرعي (٢)الرئيس المساعد (في كلية الخ.)
subheading [sŭb'hĕd'ĭng] (n.) عنوان فرعي.
subhuman [sŭb hū'mən] (adj.) دوبشري: «أ» دون البشر أو أدنى منهم (treated the natives as ~). «ب» غير ملائم أو صالح للبشر (~ conditions of life).
subinfeudation [sŭb'ĭn fyōō dā'-] (n.) الاقطاع من الباطن: منح صاحب الإقطاعة جزءاً من إقطاعته إلى مقطع ثانوي.
subirrigate [sŭb ĭr'ə gāt'] (vt.) يروي تحتياً: يروي تحت سطح الأرض (بسلسلة من الأنابيب ذات المسام).
subito [sōō'bē tô'] (It.) حالاً؛ فجأة (مو).
subjacent [sŭb jā'sənt] (adj.) سفلي؛ تحتي.
subject [n., adj. sŭb'jĭkt; v. səb jĕkt'] (n.; adj.; vt.) (١) المرؤوس؛ التابع، مثل: «أ» المقطع: الممنوح إقطاعة ما. «ب» الرعية: أحد رعايا دولة ما (٢)«أ» موضوع. «ب» سبب (a ~ of dispute). «ج» شخص تدرس ارتكاساته أو استجاباته. «د» جثة للتشريح. «هـ» المسند إليه (مق). «و» الفاعل (ل) §(٣) «أ» تابع؛ خاضع (a ~ race). «ب» مطيع؛ مذعن (must be ~ to the laws) (٤) «أ» معرض لـ (~ to colds). «ب» عرضة لـ (All men are ~ to death.). «ج» رهن بـ؛ متوقف على (Her consent is ~ to your approval.) §(٥) يُخضع (٦) يعرض (~oneself to ridicule).
subjection [səb jĕk'shən] (n.) (١) إخضاع (٢) خضوع.
subjective [səb jĕk'tĭv] (adj.) (١) فاعلي: متعلق بالفاعل؛ وبخاصة: دال على حالة الرفع (ل) (٢) ذاتي؛ غير موضوعي (٣) شخصي (~ judgments) (٤) وهمي.
subjectivism [səb jĕk'tĭ vĭz'əm] (n.) الذاتانية: مذهب فلسفي يقيم المعرفة كلها على أساس من الخبرة الذاتية.
subjectivist [səb jĕk'tĭ vĭst](n.) الذاتاني: القائل بالذاتانية.
subjectivity[sŭb'jĕk tĭv'ə tĭ](n.) (١)الذاتية (٢)المذهب الذاتي: مذهب لاهوتي يقيم المعتقدات الدينية على أساس من الخبرة الذاتية.
subject matter (n.) موضوع البحث أو الكتاب الخ.
subjoin [səb join'] (vt.) يلحق؛ يضيف؛ يذيل.
sub judice [sŭb jōō'də sē'] (L.) أمام القاضي أو القضاء؛ لم يفصل فيه بعد.
subjugate [sŭb'jə gāt'] (vt.) (١) يُخضع (٢) يستعبد.

subjunction [səb'jŭngk'shən] *(n.)* (١) إلحاق ؛ إضافة ؛ تذييل (٢) مُلْحَق ؛ ذيل .

subjunctive[səb jŭngk'-]*(adj.; n.)* (١) شَرْطِيّ ؛ احتمالي ؛ منطو على شكّ أو تمنٍّ (ل) §(٢) الصيغة الشرطيّة الخ. (ل) .

subkingdom [sŭb kĭng'-] *(n.)* العُوَيْلِم (في تصنيف الأحياء).

sublate[sŭb lāt']*(vt.)* (١)يُنكر (٢)يحذف .

sublease [*n.* sŭb'lēs'; *v.*, -'lēs']*(n.; vt.)* (١) تأجير من الباطن. §(٢)يؤجر من الباطن. **—sublessee** *(n.)* **—sublessor** *(n.)*

sublet [sŭb'lĕt'] *(vt.; n.)* (١) يؤجّر من الباطن (٢) يعاقد من الباطن (را. subcontract) §(٣) بيت الخ. مؤجّر أو مُعَدّ للتأجير من الباطن (a pleasant ~ near the college) .

sublieutenant [sŭb'lōō tĕn'ənt] *(n.)* ملازم ثانٍ (جن) .

sublimate [*v.* -'lə māt'; *n.,adj.*-'lə mĭt]*(vt.; i.; n.; adj.)* (١) يصعّد : يكرر مادّة صلبة بتسخينها ثم بتكثيف البخار المنبعث منها (٢) يُسامي : يحوّل طاقة حافز ما الخ. عن هدفها البدائي إلى هدف أسمى أخلاقياً أو ثقافياً ×(٣) يتصعّد ؛ يتسامى §(٤) المتصعَّد : نتاج كيميائي يُستحصَل عليه بالتصعيد §(٥) «أ» مصعَّد . «ب» مهذَّب ؛ مصقول .

sublime [sə blīm'] *(vt.; i.; adj.; n.)* (١)يصعّد : يكرر مادّة صلبة بتسخينها ثم بتكثيف البخار المنبعث منها (٢)«أ» يشرِّف . «ب» يهذّب ؛ يصقل (٣)يسامي : يحوّل إلى ما هو أسمى وأرفع ×(٤) يتصعّد (٥)يتسامى §(٦)سامٍ ؛ رفيع (٧)مَهيب ؛ جليل (٨) ضخم §(٩) الرفيع ؛ السامي (١٠) أوج ؛ ذروة .

Sublime Porte *(n.)* الباب العالي : حكومة الدولة العثمانية .

subliminal [sŭb lĭm'ə nəl; -lī'mə-]*(adj.)* (١) دُوَوَعْيِيّ ؛ دون الوعي (را. subconscious I) (٢) أصغر أو أضعف من أن يُدرَك أو يُحسّ به (a ~ stimulus) .

sublimity [sə blĭm'ə tĭ] *(n.)* (١) شخص أو شيء سامٍ . (٢) سُمُوّ ؛ رفعة .

sublingual [sŭb lĭng'gwəl] *(adj.)* تَحْلِساني : واقع أو حادث تحت اللسان .

sublunar [sŭb lōō'nər] *(adj.)* = sublunary.

sublunary [sŭb'lōō nĕr'ĭ ; sŭb lōō'nə rĭ] *(adj.)* (١) تَحْقَمَرِيّ : واقع تحت القمر (٢) أرضي ؛ دنيويّ .

submachine gun [sŭb'mə shēn'] *(n.)* رُشَيْشة (جن) .

submarginal [sŭb mär'jə nəl] *(adj.)* (١) مجاور للهامش . (٢) تحت الحدّ الأدنى «الضروريّ لتحقيق غرض ما» (a ~ diet) (٣) غير منتج ؛ غير جدير بالحراثة .

submarine [sŭb'mə rēn'] *(adj.; n.; vt.)* (١) تَحْبَحْرِيّ : واقع أو عامل أو نامٍ تحت سطح البحر (~ plants) §(٢) نبات أو حيوان تَحْبَحْرِيّ (٣) لغم تَحْبَحْرِيّ (٤) غوّاصة §(٥) يهاجم أو يُغرق بغوّاصة .

submarine chaser *(n.)* قانصة الغوّاصات .

submariner [sŭb'-] *(n.)* الغَوّاصيّ : أحد رجال الغوّاصة .

submaxilla [sŭb'măk sĭl'ə]*(L.)* pl. **-e** [-'ē] *also* **-s** الفكّ الأسفل أو عظم الفكّ السفليّ .

submaxillary [sŭb măk'sə lĕr'ĭ] *(n.; adj.)* (١) عظم الفكّ الأسفل (٢) الغدّة اللعابيّة تحت الفكّ الأسفل §(٣) ذو علاقة بالفكّ الأسفل أو بعظم الفكّ الأسفل (٤) ذو علاقة بالغدة اللعابيّة تحت الفكّ الأسفل (ت) .

submaxillary gland(*n.*) الغدة اللعابية تحت الفك الأسفل(ت).

submedian [sŭb mē'dĭ ən] *(adj.)* واقعٌ قرب الوسط .

submental [sŭb mĕn'-]*(adj.)* تَحْذَقْنِيّ : واقعٌ تحت الذَّقَن .

submerge [səb mûrj'] *(vt.; i.)* (١) يغطّس (في الماء) . (٢)«أ» يغمر . «ب» يحجب ×(٣) يغوص (في الماء) .

submerged [səb mûrjd']*(adj.)* (١) مغمور بالماء (٢) غارق في الفقر والشقاء (٣) محجوب ؛ خفيّ .

the ~ tenth طبقة الصعاليك أو الفقراء .

submergible [səb mûr'jə bəl] *(adj.)* (١) قابل للغمر (a ~ body) (٢) قابل للعمل تحت الماء (a ~ pump) .

submerse [səb mûrs'] *(vt.)* = submerge.

submersed[səb mûrst']*(adj.)* (١)مغمور بالماء (٢)نامٍ تحت الماء .

submersible [səb mûr'sə bəl] *(adj.)* = submergible.

submersible [səb mûr'sə bəl] *(n.)* غوّاصة .

submicroscopic[sŭb'mī krə skŏp'ĭk]*(adj.)* دُوَمِجْهَرِيّ ؛ دُوَمِيكروسكوبيّ : دون المجهريّ ؛ دون الميكروسكوبيّ : أصغر من أن يُرى بالمجهر أو الميكروسكوب العادي .

subminiature [səb mĭn'ĭ ə chər] *(adj.)* شديد الصغر .

submission [səb mĭsh'ən]*(n.)* (١)مص submit (٢)خضوع ؛ إذعان (٣) طاعة .

submissive [səb mĭs'ĭv] *(adj.)* خاضع ؛ مذعن ؛ مطيع .

submit [səb mĭt']*(vt.; i.)* (١)«أ»يُسلِم إلى. «ب» يُخضِع لِـ . (٢)«أ» يُحيل (مسألةً إلى هيئة ما). «ب» يقدّم (to ~ a report) (٣) يؤكّد ×(٤) يَخْضَع ؛ يستسلم لِـ .

submontane[sŭb mŏn'tān]*(adj.)* سفحيّ : واقع عند سفح الجبل.

submultiple [sŭb mŭl'tə pəl] *(n.)* القاسم الصحيح (ر) .

subnormal [sŭb nôr'-]*(adj.; n.)* (١) دُوَسَوِيّ ؛ دون السويّ : أقلّ من السويّ (٢) تحت العموديّ ؛ تحت النّاظم (ر) §(٣)شيء دُوَسَوِيّ ، وبخاصة : شخص ذكاؤه دون مستوى الذكاء العادي.

suboceanic [sŭb'ō shĭ ăn'ĭk] *(adj.)* تَحْمُحِيطِيّ : واقع أو حادثٌ أو متشكّلٌ تحت المحيط (~ oil resources) .

subocular [sŭb ŏk'yə lər] *(adj.)* تَحْعَيْنِيّ : واقع تحت العين.

suborder [sŭb'ôr'dər] *(n.)* القُبَيْلَة (في تصنيف الأحياء) .

subordinate[*adj., n.* sə bôr'də nĭt; *v.*- nāt']*(adj.; n.; vt.)* (١) ثانويّ (٢) تابع ؛ خاضع §(٣) التابع ؛ المرؤوس §(٤) يضعه في مرتبة أدنى ؛ يجعله أو يعتبره أقلّ أهمية أو شأناً (٥) يُخضِع .

subordination [sə bôr də nā'shən] *(n.)* (١) «أ» اخضاع . «ب» وضعٌ في مرتبة أدنى (٢) الثانوية ، التابعية ، المرؤوسيّة (٣) خضوع ؛ طاعة .

suborn [sə bôrn'] *(vt.)* (١) يحرض (شخصاً على ارتكاب جريمة الخ.) (٢)«أ» يغريه بأداء شهادة كاذبة . «ب» يحصل ، من طريق الرشوة ، على شهادة كاذبة الخ .

subornation [sŭb'ôr nā'shən] *(n.)* مص suborn ، وبخاصة : جريمة حَمْل المرء على أداء شهادة كاذبة .

suboxide [sŭb ŏk'sīd] *(n.)* تحت الأكسيد : أكسيد يحتوي على مقدار صغير من الأكسجين نسبياً (ك) .

subphylum [sŭb fī'ləm]*(L.)* الأُمَيْمَة (في تصنيف الأحياء) .

subplot [sŭb'plŏt'] *(n.)* الحبكة الثانويّة (في رواية أو مسرحية) .

subpoena [sə pē'nə; səb-]*(n.; vt.)* (١) مذكرة إحضار (ق) §(٢) يستدعي (للمثول أمام المحكمة).

subpoena ad testificandum [ăd'tĕs'tə fə kăn'-]*(L.)* مذكرة إحضار لأداء الشهادة (ق)

subprincipal [sŭb prĭn'sə pəl] *(n.)* (١) مدير أو رئيس مساعد. (٢) رافدة أو دعامة ثانويّة.

subregion [sŭb'rē'jən] *(n.)* إقليم فرعيّ ؛ منطقة فرعيّة.

subreption [səb rĕp'shən] *(n.)* (١) تشويه للحقائق (٢) نَيْلُ فائدة ما من طريق إخفاء الحقيقة أو تشويهها.

subrogate [sŭb'rō gāt'] *(vt.)* يُحِلّه محلّ غيره.

subrogation [sŭb'rō gā'-] *(n.)* إحلال دائن الخ. محلّ آخر.

sub rosa [sŭb rō'zə] *(L.)* سرّاً.

subsaline [sŭb sā'līn] *(adj.)* مُوَيْلِح : مالح قليلاً.

subsaturated [sŭb săch'ə rā'tĭd] *(adj.)* شبه مشبَع.

subscapular[sŭb skăp'yə lər] *(adj.; n.)* (١) تَحْكتيفي : واقع تحت العظم الكتيفي (ت) §(٢) عضلة تحكتيفية ؛ شريان تحكتيفي الخ.

subscribe [səb skrīb'] *(vt.; i.)* (١) يوقّع ؛ يمضي (٢) يتعهّد أو يَعِد بـ (٣) «أ» يكتتب. «ب» يتبرّع (٤) يؤيّد ؛ يُقِرّ ×(٥) يشترك (to ~ to a newspaper). **—subscriber** *(n.)*

subscript [sŭb'skrĭpt] *(adj.; n.)* (١) مكتوب تحت حرف الخ. §(٢) الرمز السفلي أو الدليلي : رقم أو حرف مكتوب في الأسفل إلى جانب رمز ما (مثل ٢ في H_2O).

subscription [səb skrĭp'shən] *(n.)* (١) توقيع ؛ إمضاء. (٢) «أ» اكتتاب. «ب» تبرّع (٣) اشتراك (في صحيفة الخ.).

subsection [sŭb sĕk'shən] *(n.)* الجُزْقِسْم : جزء من قسم.

subsequence[sŭb'sə-] *(n.)* (١) لَحاق ؛ تَلُوّ (٢) حادثة الخ. لاحقة.

subsequent [sŭb'sə kwənt] *(adj.)* (١) لاحِق (٢) تالٍ.

subsequently [sŭb'-] *(adv.)* (١) في ما بعد (٢) من ثَمّ ؛ بالتالي.

subserve [səb sûrv'] *(vt.)* يفيد ؛ يساعد ؛ يسهّل.

subservience *also* **subserviency**[səb sûr'-] *(n.)* (١) تبعيّة. (٢) منفعة ؛ مصلحة (٣) خنوع ؛ خضوعٌ ذليل.

subservient [səb sûr'vĭ ənt] *(adj.)* (١) تابع ؛ ثانويّ. (٢) نافع ؛ مساعد (على تحقيق غرض) (٣) خانع ؛ مذعن بذِلّة.

subside [səb sīd'] *(vi.)* (١) يرسب الثُّفل الخ. (٢) يسيخ ؛ يغور ؛ ينخسف ؛ يهبط (٣) يستريح ؛ يستقرّ (٤) يخمد ؛ يهمد. **—subsidence** *(n.)*

subsidiary[səb sĭd'ĭ ĕr'ĭ] *(adj.; n.)* (١) مساعِد ؛ إضافيّ ؛ فرعيّ ؛ ثانويّ (٢) تابع أو خاضع لغيره (a ~ company) (٣) «أ» إعانيّ : متعلق بإعانة أو مشكّل إعانةً (a ~ payment). «ب» مساعَد بإعانة §(٤) شيء أو شخص مساعِد أو إضافيّ (٥) الشركة التابعة : شركة تملك أكثر من نصف أسهمها أو تسيطر عليها شركةٌ أخرى.

subsidize [sŭb'sə dīz'] *(vt.)* (١) يقدّم العون الماليّ (إلى شركة أو مؤسّسة خصوصية) (٢) «أ» يشتري مساعدتَه بمنحةٍ. «ب» يرشو. **—subsidization** *(n.)*

subsidy [sŭb'sə dĭ] *(n.)* إعانة مالية (حكوميّة عادةً).

subsist [səb sĭst'] *(vi.; t.)* (١) «أ» يُوجَد. «ب» يستمرّ ؛ يبقى (٢) يعيش (to ~ on fish) ×(٣) يُطعم ؛ يعيل.

subsistence [səb sĭs'təns] *(n.)* (١) وجود (٢) بقاء ؛ عَيْش. (٣) inherency (٤) قِوام (٥) مورد رزق.

subsistent [səb sĭs'tənt] *(adj.)* (١) كائن ؛ موجود. (٢) ملازم ؛ متأصِّل ؛ متضمَّن في صلب الشيء (را. inherent).

subsoil[sŭb'soil'] *(n.; vt.)* (١) التَّحْتُرْبة : طبقة الأرض الواقعة تحت التربة مباشرة §(٢) يُحَتْرِب : يحرث بحيث يقلب جزءاً من التحتربة.

subsolar [sŭb sō'lər] *(adj.)* (١) تَحْشَمْسِيّ : واقع تحت الشمس مباشرةً (٢) استوائيّ.

subsonic [sŭb sŏn'ĭk] *(adj.)* دُوسُرْصَوْتيّ : دون (أو أقلّ من) سرعة الصوت.

subspecies [sŭb spē'shĭz] *(n.)* النُّوَيْع (في تصنيف الأحياء).

substance [sŭb'stəns] *(n.)* (١) جوهر (the ~ of his speech) (٢) مادة (٣) ثروة ؛ ممتلكات. in ~, (١) جوهرياً (٢) حقّاً ؛ فعلاً.

substandard [sŭb stăn'dərd] *(adj.)* دُومِعْياريّ ؛ دُوقياسيّ : دون المعياري ؛ دون القياسيّ.

substantial [səb stăn'shəl] *(adj.; n.)* (١) «أ» ماديّ. «ب» حقيقيّ ؛ واقعيّ. «ج» أساسيّ ؛ جوهريّ ؛ هامّ (٢) سخيّ ؛ غنيّ ؛ عامر ؛ مُشبع (a ~ table ; a ~ dinner) (٣) كبير ؛ ضخم (a ~ sum) (٤) متين ؛ مكين ؛ قويّ (a ~ house) (٥) موسِر ؛ ثريّ (one of the ~ men of the town) (٦) وجيه (~ reasons) §(٧) شيء حقيقيّ أو جوهريّ أو هامّ.

substantially[-ĭ] *(adv.)* (١) فعلياً (٢) جوهرياً (٣) بقوّة ؛ بمتانة.

substantiate [səb stăn'shĭ āt'] *(vt.)* (١) يجعله ذا وجود ماديّ (٢) «أ» يجسّد ؛ يُفرِغ في شكلٍ ماديّ. «ب» يقوّي ؛ يثبّت (٣) يُثْبِت ؛ يقيم الدليل على (to ~ a theory).

substantiation [-'shĭ ā'shən] *(n.)* (١) تجسيد ؛ تثبيت ؛ إثبات الخ. (٢) برهان ؛ دليل.

substantival [sŭb'stən tī'vəl] *(adj.)* اسميّ : عامل عملَ الاسم.

substantive [sŭb'stən tĭv] *(n.; adj.)* (١) اسم ؛ وتوسّعاً : كلمة أو مجموعة كلمات مستعملة كاسم (ل) §(٢) مستقلّ (٣) «أ» حقيقيّ ؛ واقعيّ. «ب» دائم ؛ باقٍ. «ج» جوهريّ ؛ أساسيّ (٤) «أ» كينونيّ ؛ وجوديّ : دالّ على الكينونة أو الوجود (*to be* is a ~ verb.) «ب» اسميّ : مستعملٌ في الجملة كاسم (a ~ adjective) (٥) ضخم ؛ كبير. **—substantively** *(adv.)*

substantive right *(n.)* الحق الأساسي (كحقّ الحياة أو الحرية).

substation[sŭb'stā'shən] *(n.)* (١) محطة فرعيّة (٢) مركز بريد فرعي.

substituent [sŭb stĭch'o͞o ənt] *(n.; adj.)* (١) البديل، وبخاصة : ذرة أو مجموعة ذرات تحلّ محلّ ذرة أو مجموعة ذرات أخرى في جُزَيْء المركّب الأصلي (ك) §(٢) بديل.

substitute[sŭb'stə tūt'] *(n.; adj.; vt.; i.)* (١) البديل. شخص أو شيء يحلّ محلّ آخر §(٢) بديلٌ (a ~ food) §(٣) يستبدِل ؛ يستعيض (٤) يُحِلّ محلّ شيء آخر ×(٥) يقوم مقام. **—substitution** *(n.)* **—substitutional** *(adj.)*

substitutive [sŭb'stə tū'tĭv] *(adj.)* استبداليّ ؛ استعاضيّ.

substrate [sŭb'strāt'] *(n.)* (١) substratum (٢) المادة الخاضعة لفعل خميرة ما (كح).

substratosphere[sŭb străt'ə-] *(n.)* الطبقة التَّحْسْتراتوسفيرية : ذلك الجزء من الغلاف الجوّي الواقع تحت الستراتوسفير مباشرةً.

substratum [sŭb strā'təm] *(L.)* pl. **-strata** (١) أساس. (٢) قِوام (٣) «أ» طبقة سفليّة. «ب» subsoil (٤) المادّة الخاضعة لفعل خميرة ما (كح) (٥) المادة التي يعيش عليها متعضٍّ ما.

substruction; substructure [sŭb strŭk'-] *(n.)* أساس.

subsume [səb so͞om'] *(vt.)* يُصنِّف (ضمن فئة أكبر أو تحت مبدأ عام).

subsumption[-sŭmp'-] *(n.)* (١) مقدمة صُغْرى (مق) (٢) شيء مصنَّف ضمن فئة أكبر أو تحت مبدأ عام (٣) مص subsume.

subsurface [sŭb'sûr'fĭs] *(n.; adj.)* (١) الطبقة التَّحْسَطْحِيّة :

التُربةُ الواقعة فوق التَّحْتُرْبة (را. subsoil) مباشرةً (٢) المياه التَحْسَطْحيّة : ذلك الجزء من مياه البحر أو النهر الواقع تحت السطح مباشرةً §(٣) تَحْسَطْحِيّ : واقع الخ. تحت سطح الأرض أو غيرها (riches ~)

subtangent [sŭb tăn'jənt] *(n.)* تحت المُماسّ (ر) .

subteen [sŭb'tēn'] *(n.)* اليافع : مَنْ لم يبلغ سنّ المراهقة بعد ؛ وبخاصة : فتاة دون الثالثة عشرة من العمر .

subtemperate [sŭb tĕm'pər ĭt] *(adj.)* (١) دُونْمُعتدِل : دون المعتدل (a ~ climate) (٢) دونْمُعتدِلِيّ : متعلق بأجزاء المنطقة المعتدلة الأكثر برودةً .

subtenant [sŭb tĕn'-] *(n.)* المستأجر من الباطن : المستأجر من مستأجر .

subtend [səb tĕnd'] *(vt.)* (١) يقابل : يقع قبالة كذا . (٢) يمتدّ تحت شيء أو عَبْرَه .

subtended angle *(n.)* الزاوية المقابِلة (ر) .

subtense [səb tĕns'] *(n.)* المستقيم المقابل (ر) .

subter- بادئة معناها : تحت أو أقلّ من .

subterfuge [sŭb'tər fūj'] *(n.)* حيلة ؛ ذريعة .

subterranean *or* **subterraneous** [sŭb'tə rā'-] *(adj.)* (١) تَحْأرضِيّ : واقع أو عامل تحت سطح الأرض (٢) سِرّيّ ؛ خفيّ .

subtile [sŭt'əl; sŭb'tĭl] *(adj.)* = subtle.

subtilize [sŭt'ə līz'; sŭb'tə-] *(vt.)* (١) يَرْفَع ؛ يسامي . (٢) يرهف الذهنَ أو الحواسّ (٣) يرقّق ؛ يصفّي ؛ يكرّر .

subtitle [sŭb'tī'təl] *(n.; vt.)* (١) عنوان فرعي (لكتابٍ) (٢) الحاشية السينمائية : كلام مطبوع أو جزء من الحوار يبدو على الشاشة بين مشاهد الفيلم الصامت أو يبدو كترجمة في أدنى الشاشة أثناء العرض §(٣) يزوّد بعنوان فرعي الخ .

subtle [sŭt'əl] *(adj.)* (١) «أ» رقيق ؛ دقيق ؛ لطيف. «ب» مهذَّب ؛ مصقول (٢) حادّ الذهن (٣) حاذق ؛ ماهر ؛ بارع (٤) ماكر ؛ خبيث.

subtlety [sŭt'əl tĭ] *(n.)* (١) رقّة ؛ لطف الخ. (٢) حدّة ذهن . (٣) شيء رقيق أو دقيق الخ.

subtract [səb trăkt'] *(vt.; i.)* يَطْرَح ؛ يُسقِط مِن .

subtraction [səb trăk'shən] *(n.)* (١) طَرْح (ر) (٢) حَبْس الحقّ عن صاحبِهِ (ق) .

subtractive [-'tĭv] *(adj.)* (١) طارح ؛ مُسقِط (٢) مطروح (ر) .

subtrahend [sŭb'trə hĕnd'] *(L.)* المطروح (ر)

subtribe [sŭb'trīb] *(n.)* العُشَيْرة (في تصنيف الأحياء) .

subtropical [sŭb trŏp'-] *(adj.)* شبه استوائيّ ؛ مجاور لخط الاستواء .

subtropics [sŭb trŏp'ĭks] *(n. pl.)* المناطق شبه الاستوائية .

subulate [sōō'byə lĭt; -lāt'] *(adj.)* مِخْرَزِيّ الشَّكْل .

suburb [sŭb'ûrb] *(n.)* الضاحية ؛ ضاحية المدينة .

suburban [sə bûr'bən] *(adj.; n.)* (١) ضاحِيِيّ : «أ» متعلق بالضاحية أو ساكن أو واقع فيها . «ب» مميِّز لضاحيةٍ أو للضواحي §(٢) ساكن الضاحية .

suburbanite [sə bûr'bə nīt'] *(n.)* ساكن الضاحية .

suburbia [sə bûr'bĭ ə] *(L.)* (١) ضواحي المدينة (٢) سكان الضواحي .

subvariety [sŭb'və rī ə tĭ] *(n.)* الضُّرَيْب (في تصنيف الأحياء) .

subvention [səb vĕn'shən] *(n.)* (١) تقديم العَوْن الماليّ . (٢) إعانة مالية .

subversion [səb vûr'shən; -zhən] *(n.)* (١) تدمير ؛ تهديم الخ. (٢) دمار ؛ تهدّم الخ.

subversive [səb vûr'sĭv] *(adj.)* مدمّر ؛ مهدّم ؛ مخرّب .

subvert [səb vûrt'] *(vt.)* (١) يدمّر ؛ يهدّم ؛ يخرّب (٢) يفسد (أخلاق المرء أو ولاءه) .

subway [sŭb'wā'] *(n.)* (١) «أ» نَفَق . «ب» نَفَق للمشاة الخ. (٢) القطار الكهربائيّ النفقيّ .

succedaneum [sŭk'sə dā'nĭ əm] *(L.)* pl. **-nea**=substitute.

succedent [sək sēd'ənt] *(adj.)* لاحق ؛ تالٍ .

succeed [sək sēd'] *(vi.; t.)* (١) يَخْلُف ، وبخاصة : يرث العرش (٢) يلي ؛ يتبع (٣) ينجح ؛ يُفلح .

success [sək sĕs'] *(n.)* (١) نجاح (٢) إحراز الثروة أو المنزلة الرفيعة. (٣) شخص ناجح (٤) «أ» عملٌ ناجح. «ب» مسرحية الخ. ناجحة.

successful [sək sĕs'-] *(adj.)* (١) ناجح (a ~ writer) . (٢) فائز (~ candidates) .

succession [sək sĕsh'ən] *(n.)* (١) خلافة ؛ وراثة (Who is next in ~ to the throne ?) (٢) تعاقُب ؛ توالٍ ؛ تتابع (كقولك in ~ أي : على التعاقب ؛ على التوالي) (٣) سلسلة متوالية (a ~ of victories) (٤) تَرِكة ؛ إرث .

succession duty *(n.)* ضريبة الإرث (بر) .

successive [sək sĕs'ĭv] *(adj.)* (١) متعاقب ؛ متوالٍ ؛ متتابع . (٢) تعاقبيّ .

successive differentiation *(n.)* التفاضل التعاقبيّ (ر) .

successively [sək sĕs'ĭv-] *(adv.)* على التعاقب ؛ على التوالي ؛ بالتتابع

successor [sək sĕs'ər] *(n.)* خليفة ؛ خلَف ؛ وريث .

succinct [sək sĭngkt'] *(adj.)* (١) ضيّق (~ suits) (٢) مُحكَم ؛ بليغ ؛ بارع الإيجاز .

—succinctness *(n.)*

succinic acid [sək sĭn'ĭk] *(n.)* حمض السكسنيك (ك) .

succor *or* **succour** [sŭk'ər] *(n.; vt.)* (١) «أ» إسعاف . «ب» عَوْن ؛ مساعدة (٢) ملجأ (ع) §(٣) يُسعِف (٤) يخفّف ؛ يلطّف (٥) يؤوي (ع) .

succory [sŭk'ə rĭ] *(n.)* = chicory.

succotash [sŭk'ə-] *(n.)* السَّكُتاش : طعام من ذرة خضراء ولوبيا.

succuba [sŭk'yə bə] *(L.)* pl. **-bae** [-bē] = succubus.

succubus [sŭk'yə bəs] *(L.)* pl. **-bi** [-bī] السَّقُوبَة : شيطانة زُعِم أنها تجامع الرجال أثناء نومهم .

succulent [sŭk'yə lənt] *(adj.; n.)* (١) عُصاريّ ؛ كثير العُصارة. (٢) ريّان : ذو أنسجة لحِيمية ريّا (٣) «أ» غضّ ؛ نَضِر ؛ مفعم بالحيوية . «ب» ممتع §(٤) نباتٌ ريّان .

—succulence *(n.)*

succumb [sə kŭm'] *(vi.)* (١) يخضع ؛ يستسلم (٢) يموت .

succussion [sə kŭsh'ən] *(n.)* (١) هزّ (٢) اهتزاز .

such [sŭch] *(adj.; pron.)* (١) مثل ؛ أمثال (poets ~ as Byron and Hugo) (٢) «أ» كبير ؛ هائل (He is ~ a liar.) «ب» شديد الخ. إلى حدّ أنّه... (Her excitement was ~ that she shouted.) §(٣) هذا ؛ هذه ؛ ذلك ؛ تلك الخ. (~ are the results; ~ is my reward.) (٤) هكذا (She is a brilliant poet and is everywhere recognized as ~.)

and ~, وهلمّ جرّاً ؛ وما أشبه .

as ~, بما هو ؛ في حدّ ذاته .

~ and ~, كيت وكيت ؛ كذا وكذا.

~ as كَـ ؛ مِثل .

~ as it is كما هو ؛ على علاّتِهِ .

~ being the case والحالة هذه ؛ والحال كما وصفنا .

~ like وما إلى ذلك ؛ وما أشبه .

ă at; ā date; â care; ä car; ĕ egg; ē me; ĭ in; ī bite; ŏ lot; ō bone; ô orphan; oi boil; ŏŏ good; ōō boot; ou out; ŭ under; ū unity; û urgent; th thing; th this; zh vision; ə = *a* in alone, *e* in system, *i* in easily, *o* in gallop, *u* in circus.

suck [sŭk] (vt.; i.; n.) (١) أ- يَمَصّ (٢) يَمْتَصّ ب- (٣)§ مَصّ ؛ امتصاص (٤) رضاعة .

to give ~ to تُرضِع
to ~ up to بتملقه (بالاطراء أو بالخدمة الخ.) .

sucker [sŭk'ər] (n.; vt.; i.) (١) الماص ؛ المُمتص (٢) رضيع (٣) أ- كِبّاس المِضَخّة الماصّة . ب- صِمام هذا الكِباس (٤) أ- المَصّاصة : أنبوبة للمصّ . ب- المِجَصّ : عضو المَصّ في بعض الحيوانات (٥) الجُذَيْر : فرع منبثق من جذور النبتة أو من أدنى ساقها (٦) السّاقور : سمك نهري من فصيلة الشبّوط (٧) قطعة كراميل في طرف عود (٨) أ- المُغفّل : شخص يسهل خداعه . ب- شخص عاجز عن مقاومة إغراء شيء ما (٩) يُجرّد (الأشجار أو الشُجيرات) من جُذيْراتها (١٠)× تَطْلِيع (النبتة) جُذَيْرات .

suckfish [sŭk'fĭsh'] (n.) = remora ١.

sucking [sŭk'-] (adj.) (١) رضيع (٢) ناعم الأظافر : صغير جداً .

suckle [sŭk'əl] (vt.) (١) يُرضِع (٢) يَرْضَع .

suckling [sŭk'lĭng] (n.; adj.) رضيع .

sucre [sōō'krĕ] (Sp.) السُوكِر : وحدة النقد في الاكوادور .

sucrose [sōō'krōs] (n.) السُكّروز : سكر القصب والشمندر .

suction [sŭk'shən] (n.; adj.) (١) مَصّ suck ؛ وبخاصة مَصّ (٢) أنبوبة (أو ماسورة) المَصّ (ملك)§(٣)ماصّ (a ~ pump)· المِضخّة الماصّة .

suction pump (n.)

suction stroke (n.) شَوْط المَصّ أو السَحْب (ملك) .

suctorial [sŭk tōr'ĭ əl] (adj.) (١) مَصّي ؛ مُعَدّ للمصّ (٢)مَصّاص : مُزوّد بأعضاء ماصّة (~ mouths) · ب- مُقتات بامتصاص دم الحيوانات أو عصارات النباتات .

Sudanese [sōō'də nēz'] (adj.; n.) سوداني .

sudatorium [sōō'də tōr'ĭ əm] (L.) pl. -toria : المَعْرَق : حجرة التعرق (في حمّام) .

sudatory [sōō'də tōr'ĭ] (n.; adj.) (١)المَعْرَق (را.المادة السابقة) (٢)§أ- مُعرِق (را »تعَرَّق«) (٣) ذو علاقة بحجرة التعرق في حمّام .

sudd [sŭd] (Ar.) السَدّ : نباتات طافية تعوق الملاحة في النيل الأبيض .

sudden [sŭd'ən] (adj.) (١) مفاجىء ؛ فُجائي (٢)سريع ؛عاجل .

all of a ~, } فجأة ؛ على نحو مفاجىء .
on a ~, }

sudden death (n.) موت الفُجاءة .

suddenly [sŭd'ən lĭ] (adv.) فجأة ؛ على حين غِرّة .

sudoriferous [sōō'də rĭf'ər əs] (adj.) عَرَقي : مُفرِز أو ناقل للعرق (~ glands; ~ ducts)·

sudorific [-rĭf'ĭk] (adj.; n.) (١) مُعرِق §(٢) دواء مُعرّق .

suds [sŭdz] (n.; vt.; i.) (١) أ- غُسالة الصابون . ب- رغوة الصابون (٢) جَعّة (ع) بيرة (٣) يغسِل بغُسالة الصابون (٤)× يُرغي ؛ يشكّل رغوة (a soap that ~es easily) .

sudsy [sŭd'zĭ] (adj.) مُزْبِد ؛ كثير الرغوة .

sue [sōō] (vt.; i.) (١) يُقاضي ؛ يقيم دعوى على (٢) يُغازِل (٣)× يلتمس ؛ يتوسّل .

suede or **suède** [swād] (F.) السُوَيْدِي :جلد أو قماش مُزأبَر .

suet [sōō'ĭt] (n.) الشَحم : شحم الماشية .

suffer [sŭf'ər] (vt.; i.) (١) يَلْقى ؛ يتحمّل بوصفه ضحيةً (~ed martyrdom; ~ed a year's يُكره على تحمّل عقوبة ما

imprisonment) (٢) يعاني ؛ يقاسي ؛ يكابد (to ~ thirst) (٣) يَخضع «لعمليّةِ ما» (to ~ change) (٤) يتحمّل (cannot ~ a cold winter) (٥) يدع ؛ يترك ؛ يَسْمَح لِ (Suffer the little children to come unto me.)×(٦) يتألّم (٧) يتعذب ؛ يدفع الثمن ؛ يُعاقَب .

—sufferer (n.)

sufferance [sŭf'ər əns] (n.) (١)صبر (٢) ألم ؛ شقاء (٣)سماح إكراهي ؛ سماح ناشىء عن عدم القدرة على الاعتراض أو المنع (By ~ only were they allowed to enter the country.) (٤) احتمال ؛ قدرة على الاحتمال (It is beyond ~.) .

suffering [sŭf'ər ĭng] (n.; adj.) (١) مُصّ suffer (٢) ألم §(٣) متألّم ؛ معذّب (٤) مريض (Is he very ~?) .

suffice [sə fĭs'] (vi.; t.) يكفي ؛ يفي بالغرض .

sufficiency [sə fĭsh'ən sĭ] (n.) (١) كفاية ؛ مقدارٌ كافٍ (٢) قُدْرةٌ ؛ كفاءة (٣) غرور ؛ ثقة بالنفس .

sufficient [sə fĭsh'ənt] (adj.) كافٍ ؛ وافٍ .

suffix [n. sŭf'ĭks; v. sə fĭks', sŭf'ĭks] (n.; vt.) (١) اللاحقة : مقطع يُضاف إلى آخر اللفظة بغية تغيير معناها أو تشكيل لفظة جديدة (مثل ment- أو less-) §(٢) يُلحِق : يضيف مقطعاً إلى آخر اللفظة .

suffocate [sŭf'ə kāt] (vt.; i.) (١) يَخْنِق ×(٢) يختنق .

suffocation [sŭf'ə kā'shən] (n.) (١) خَنْق (٢) اختناق .

suffragan [sŭf'rə gən] (n.; adj.) (١) أسقفٌ مُساعِد ×(٢)مساعد .

suffrage [-'rĭj] (n.) (١) تضرّع أو صلاة قصيرة (٢)موافقة ؛ مصادقة (٣) أ- صَوْت (في انتخاب) . ب- تصويت (٤) حقّ الاقتراع .

suffragette [sŭf'rə jĕt'] (n.) المُنادية بمنح المرأة حقّ الاقتراع .

suffragist [sŭf'rə jĭst] (n.) المُنادي بمنح المرأة حقّ الاقتراع .

suffuse [sə fūz'] (vt.) (١) يَغْمُر ؛ يلوّن (٢) يخمص (٣) ينْشُر .

suffusion [sə fū'zhən] (n.) (١) مَصّ suffuse (٢) انتشار .

Sufi [sōō'fĭ] (n.; adj.) (١) الصُوفي : أحد رجال التصوف الإسلامي §(٢) صوفي .

Sufism [sōō'fĭz əm] (Ar.) الصوفيّة : التصوّف الإسلامي .

sugar [shŏŏg'ər] (n.; vt.; i.) (١) سُكّر (٢) قطعة سكّر ؛ ملعقة سكّر (٣)السُكّريّة(٤)وعاء السكّر (٥)يُحلّي بالسُكّر : يكسو أو يمزج بالسُكّر ×(٦)يتسكّر (٧) يتبلّر : يشكّل سكراً . القشدة ؛ السفرجل الهنديّ (نب) .

sugar apple (n.) القشدة ؛ السفرجل الهنديّ (نب) .

sugar basin (n.) = sugar bowl.

sugar beet (n.) شَمَندر (أو بنجر) السكّر .

sugar bowl (n.) السُكّريّة : وعاء السكّر .

sugar bush (n.) الأجمة السُكّريّة : أجمة حافلة بقَيْقَب السكّر .

sugarcane [shŏŏg'ər kān] (n.) قصب السكّر (نب) .

sugarcoat [shŏŏg'ər kōt'] (vt.) (١) يلبّس بالسكّر (٢) يجعله جذاباً أو سائغاً على نحو سطحيّ أو ظاهريّ .

sugarcoating [shŏŏg'ər-] (n.) (١)مَصّ sugarcoat (٢)الغلاف السُكّريّ : كلّ ما يجعل الشيء جذاباً أو سائغاً على نحو سطحيّ أو ظاهريّ (used fiction as a ~ for his lectures) .

sugar corn (n.) الذُرة السُكّريّة (نب) .

sugared [shŏŏg'ərd] (adj.) (١) مسكّر ؛ ملبّس أو ممزوج بالسكّر (٢) معسول (~ words)·

sugarhouse [shŏŏg'ər hous] (n.) مصنع السكّر ؛ معمل السكّر .

sugarloaf [shŏŏg'ər lōf] (n.) (١)قُمع السكّر : كتلة من سكّر مخروطيّة الشكل (٢) كثيب أو جبل شاهق مخروطي الشكل

—sugar-loaf *(adj.)* (٣) قبعة عالية مخروطية الشكل .

sugar maple *(n.)* قَيْقَب السكّر (نب) .

sugar of lead = lead acetate.

sugar orchard *(n.)* = sugar bush.

sugarplum [shŏŏg'ər plŭm'] *(n.)* = bonbon.

sugary [shŏŏg'ə rĭ] *(adj.)* (١) سُكَّرِيّ (٢) حلو ؛ شديد الحلاوة (٣) معسول (~ words) (٤) عاطفيّ (~ fiction) (٥) متبلّر ؛ مُبَرْغَل (~ marble) .

suggest [sə(g) jĕst'] *(vt.)* (١) يقترح (٢) يوحي .

suggestible [-jĕs'tə-] *(adj.)* سهل التأثر بالإيحاء أو بأفكار الآخرين .

suggestion [sə(g) jĕs'chən] *(n.)* (١) اقتراح (٢) إيحاء (نف) . (٣) مَسْحَة ؛ أثرٌ ضئيل **(spoke French with just a ~ of his native accent)**

suggestive [sə(g) jĕs'tĭv] *(adj.)* (١) مُوحٍ ؛ مذكِّرٌ بِ ؛ مثير للذكريات أو العواطف الخ. (٢) مكشوفٌ ؛ غير محتشم .

suicidal [sōō'ə sī'dəl] *(adj.)* انتحاريّ .

suicide [sōō'ə sīd'] *(n.; vi.; t.)* (١) انتحار (٢) المنتحِر ؛ محاول الانتحار §(٣) ينتحر ×(٤) يقتل (~*d* himself) .

sui generis [sōō'ī jĕn'ər ĭs] *(L.)* فريد ؛ فذّ .

sui juris [sōō'ī jōōr'ĭs] *(L.)* تامّ الأهليّة القانونيّة .

suint [sōō'ĭnt; swĭnt] *(F.)* عَرَق الغنم الجافّ .

suit [sōōt] *(n.; vi.; t.)* (١) حاشية ؛ بطانة حاكم (ا.ق) . (٢) «أ» التماس ؛ شكوى تُرفَع إلى حاكم . «ب» دعوى تُقام ضدّ شخص الخ. (٣) طلب اليد للزواج (٤) مجموعة ؛ طاقم (~*s* of sails) (٥) بذلة ؛ طقم (٦) المنظومة : «أ» جميع أوراق اللعب ذات النقش الواحد . «ب» جميع حجارة الدومينو ذات الرقم الواحد §(٧) يتلاءم أو يتناسب مع ×(٨) يكسو ؛ يزوِّد بالملابس (٩) يكيِّف ؛ يجعله متلائماً مع (١٠) يلائم ؛ يناسب (١١) يرضي (It is hard to ~ everybody.) . **to ~ oneself** يعمل على هواه .

suitable [sōō'tə bəl] *(adj.)* ملائم ؛ مناسب ؛ صالح .

suitcase [sōōt'kās'] *(n.)* حقيبة سفر (مستطيلة مسطّحة) .

suite [swēt] *(F.)* (١) حاشية ؛ بطانة حاكم الخ. (٢) مجموعة ؛ مثل : «أ» شِقّة ؛ جناح ؛ مجموعة غرف . «ب» طقم أثاث أو مفروشات. «ج» لحنٌ أوركستريّ مؤلَّف من ثلاثة أجزاء أو أكثر.

suiting [sōō'tĭng] *(n.)* جُوخ (نخاط منه البِذَل) .

suitor [sōō'tər] *(n.)* (١) الملتمِس ؛ مقدِّم الالتماس أو الشكوى إلى حاكم (٢) المدَّعي (ق) (٣) طالب يد المرأة .

sukiyaki [sōō'kē yä'kē] *(Jap.)* السوكيياكي : طعام من لحم وخُضَر وبصل يقدَّم في المطاعم الأميركية اليابانيّة .

sulcate [sŭl'kāt] *also* **sulcated** [-ĭd] *(adj.)* محزَّز .

sulcus [sŭl'kəs] *(L.)* pl. **-ci** [-sī] أخدود ؛ ثَلْم ؛ وبخاصة بين تَلَفيفَين من تلافيف الدماغ .

sulf- بادئة معناها : «أ» كبريت. «ب» كبريتيّ : محتوٍ على كبريت .

sulfa [sŭl'fə] *(adj.)* (١) سلفانيلاميديّ (ك) (٢) سَلفاويّ : متعلّق بعقاقير السَّلفا أو محتوٍ عليها .

sulfa drugs; sulfas [sŭl'fəz] *(n. pl.)* عقاقير السَّلفا : مجموعة من المركّبات الكيميائيّة تُستخدَم كمضادّات للجراثيم في معالجة كثير من الأمراض .

sulfanilamide [sŭl'fə nĭl'ə mīd'] *(n.)* السَّلفانيلاميد (ك) .

sulfate [sŭl'fāt] *(n.; vt.; i.)* (١) كبريتات (ك) §(٢) يُكبرِت ×(٣) يتكبرت .

sulfide [sŭl'fīd] *(n.)* كبريتيد (ك) .

sulfo- = **sulf-**.

sulfonamide [sŭl fŏn'ə mīd] *(n.)* (١) السَّلفوناميد (ك) . (٢) **sulfa drug** .

sulfone [sŭl'fōn] *(n.)* السَّلْفُون (ك) .

sulfonic acid [sŭl fŏn'ĭk] *(n.)* الحامض السَّلفوني (ك) .

sulfonium [sŭl fō'nĭ əm] *(L.)* السَّلفونيوم (ك) .

sulfonyl [sŭl'fə nĭl] *(n.)* السَّلفونيل (ك) .

sulfur [sŭl'fər] *(n.; vt.)* (١) الكبريت (ك) §(٢) يُكَبْرِت .

sulfurate [sŭl'fyə rāt'] *(vt.)* يُكَبْرِت : يمزج أو يشبع بالكبريت .

sulfur dioxide *(n.)* ثاني أكسيد الكبريت (ك) .

sulfureous [sŭl fyōōr'ĭ əs] *(adj.)* = sulfurous.

sulfuret [*n.* sŭl'fyə rĭt; *v.* -rĕt] *(n.; vt.)* (١) كبريتيد (ك) . §(٢) يُكبرِت .

sulfuric [sŭl fyōōr'ĭk] *(adj.)* كبريتيّ .

sulfuric acid *(n.)* حَمْض الكبريتيك (ك) .

sulfurize [sŭl'fyə rīz'; -fə-] *(vt.)* يُكَبْرِت .

sulfurous [sŭl'fər əs; sŭl fyōōr'əs] *(adj.)* (١) كبريتيّ . (٢) «أ» جحيميّ ؛ جهنّميّ . «ب» مرير ؛ قاسٍ جداً (~ denunciation) . «ج» تجديفيّ (~ language) .

sulfurous acid *(n.)* حَمْض الكبريتوز (ك) .

sulfuryl [sŭl'fər ĭl; -fə rēl'; -fyə rĭl] *(n.)* السَّلفوريل (ك) .

sulk [sŭlk] *(vi.; n.)* (١) يعبس ؛ يقطّب جبينه (رافضاً الكلام) §(٢) *pl.* عبوس ؛ تقطيب .

sulky [sŭl'kĭ] *(adj.; n.)* (١) عابس ؛ مُقطّب الجبين ؛ متجهّم الوجه (٢) ذو عجلات ومقعد للسائق (a ~ plow) §(٣) الصَّلْكيّة : عربة خفيفة ذات عجلتين ومقعد لشخص واحد يجرّها جواد واحد.

sullage [sŭl'ĭj] *(n.)* (١) نُفاية ؛ مياه البواليع وأقذارها (٢) غرين ؛ طَمْي (٣) طُفاوة على المعدن المصهور .

sullen [sŭl'ən] *(adj.)* (١) مقطّب الجبين ؛ متجهّم الوجه . (٢) غاضب ؛ نكِد (٣) عنيد ؛ حرون (٤) كئيب ؛ حزين (٥) متحرّك ببطء .

sully [sŭl'ĭ] *(vt.; i.; n.)* (١) يلطّخ ×(٢) يتلطّخ §(٣) لطخة

sulph- *or* **sulpho-** = sulf-

sulpha [sŭl'fə] *(adj.)* = sulfa.

sulphate [sŭl'fāt'] *(n.; vt.; i.)* = sulfate.

sulphide [sŭl'fīd] *(n.)* = sulfide.

sulphonium [sŭl fō'nĭ əm] *(n.)* = sulfonium.

sulphur [sŭl'fər] *(n.; vt.)* = sulfur.

sulphur dioxide *(n.)* = sulfur dioxide.

sulphureous [sŭl fyōōr'ĭ əs] *(adj.)* = sulfureous.

sulphuret [*n.* sŭl'fyə rĭt; *v.* -rĕt] *(n.; vt.)* = sulfuret.

sulphuric [sŭl fyōōr'ĭk] *(adj.)* = sulfuric.

sulphurize [sŭl'fyə rīz; -fə-] *(vt.)* = sulfurize.

sulphurous [sŭl'fər əs; -fyōōr'əs] *(adj.)* = sulfurous.

sulphurous acid *(n.)* = sulfurous acid.

sulphur yellow *(n.)* الأصفر الكبريتيّ : أصفر ضارب إلى الخضرة.

sultan [sŭl'tən] *(Ar.)* (١) سلطان (٢) *cap.* : الديك السلطاني (طا).

sultana [sŭl tăn'ə; -tä'nə] *(Ar.)* (١) السلطانة : زوجة السلطان

أو محظيّتهُ (٢) «أ» الكِشْمِش : عنب لا عَجَمَ له . «ب» زبيب الكشمش .

sultanate[sŭl'tə nāt']; **sultanship**[sŭl'tən-] *(n.)* سَلْطَنَة .

sultry[sŭl'trĭ] *(adj.)* (١)شديد الحرارة والرطوبة (a ~ day)· (٢) متقِد (a ~ sun) (٣) «أ»متّقد انفعالاً أو غضباً. «ب» مثير « للشهوة الجنسيّة » (a ~ actress) .
—**sultrily** *(adv.)*
—**sultriness** *(n.)*

sum [sŭm] *(n.; vt.; i.)* (١) مبلغ « من المال » (٢) جُمّاع ؛ مجموع (the ~ of human knowledge) (٣)ذروة (the ~ of human folly) (٤) «أ» خلاصة . «ب» زبدة (the ~ of the book) (٥) حاصل الجمع (٦) مسألة حسابيّة (to do a difficult ~ in mental arithmetic) §(٧)يجمع (٨) يلخّص (The article ~*s* up the work of the year.) (٩) يكوّن رأياً أو حكماً عن (~*med* up the situation at a glance) ×(١٠) يبلغ مجموعُهُ (تتبعها *to* أو *into*) .

sumac *or* **sumach** [shōō'măk; sōō'-] *(Ar.)* السُّمّاق : «أ» شجرة أو جنبة من الفصيلة البُطمية . «ب» مادة تُستعمل في الدباغة والصباغة وتتألف من مسحوق أوراق السمّاق وأزهاره المجففة.

Sumerian [sōō mĭr'ĭ ən] *(n.; adj.)* (١) السُّومري : أحد ابناء سومر (٢) السُّومرية : اللغة السومرية §(٣) سُومريّ .

summa [sŭm'ə] *(L.)* pl. **summae** [-'ī] بحث شاملٌ ؛ وبخاصة بحث شاملٌ من تأليف فيلسوف سكولاستيّ .

summa cum laude [sŭm'ə kŭm lô'dĭ] *(L.)* بامتياز فائق : لفظتان تذيّل بهما شهادة الطالب المتفوّق .

summarily[sŭm'-] *(adv.)* (١) باختصار (٢)بسرعة ؛ في غير إبطاء .

summarization [sŭm ə rə zā'shən] *(n.)* (١) تلخيص ؛ إجمال (٢) خلاصة ؛ مُجْمَل .

summarize [sŭm'ə rīz'] *(vt.; i.)* يُلخّص ؛ يُجْمِل .

summary [sŭm'ə rĭ] *(n.; adj.)* (١) خُلاصة ؛ مُجْمَل . §(٢)موجَز (~ account)(٣)عاجل ؛ معجّل(~ punishment)·

summation [sŭm ā'shən] *(n.)* (١) جَمْع (٢) مجموع . (٣) المحصّل : الجزء الأخير من دفاع الخ. تلخّص فيه النّقاط التي سبق تفصيلها ويُخْلَص إلى النتائج .

summer [sŭm'ər] *(n.; vi.; t.; adj.)* (١) الصيف (٢) «أ»رافدة أفقية . «ب» أُسْكُفّة (را. lintel) (٣) حجر في أعلى العمود (عم) §(٤) يصطاف ×(٥) يؤمّن المرعى للماشية خلال الصيف §(٦) صيفيّ (~ school) .

summer cypress *(n.)* الكُوشِيَة المِكْنَسِيّة (نب) .

summerhouse [sŭm'ər hous'] *(n.)* الظُلّة الصيفية : سقيفة في حديقة يُستظَلّ بها صيفاً .

summer house *(n.)* المنزل الصيفي .

summer kitchen *(n.)* المطبخ الصيفيّ : سقيفة مجاورة للمنزل تُتخَذ مطبخاً في الصيف .

summer resort *(n.)* مَصِيْف .

summersault [sŭm'ər sôlt'] *(n.; vi.)* = somersault.

summer sausage *(n.)* السُّجق الصَّيْفيّ : نقانق تدخّن أو تُجفّف في الهواء .

summer school *(n.)* المدرسة الصيفيّة .

summer solstice *(n.)* الانقلاب الصيفيّ (فل) .

summertime [sŭm'ər tīm'] *(n.)* الصيف ؛ فصل الصيف .

summer time *(n.)* = daylight saving time.

summery [sŭm'ə rĭ] *(adj.)* صيفيّ (a ~ dress) .

summit [sŭm'ĭt] *(n.)* (١) ذِرْوَة ؛ قِمّة (٢) مؤتمر قمة .

summitry *(n.)* عَقْد مؤتمرات القمة .

summon [sŭm'ən] *(vt.)* (١)«أ» يدعو (مجلساً) إلى الاجتماع . «ب» يدعو (٢) «أ» يستدعي للمثول أمام القضاء . «ب» يستدعي (طبيباً الخ.) (٣) يستجمع (شجاعتَهُ الخ.) .

summons [sŭm'ənz] *(n.)* pl. **-es** (١) «أ» استدعاء . «ب» أمر رسميّ بالمثول أمام القضاء (٢) دعوة (a ~ to surrender)·

summons [sŭm'ənz] *(vt.)* يستدعي (للمثول أمام القضاء) .

summum bonum [sŭm'əm bō'nəm] *(L.)* الخير الأسمى .

sumo [sōō'mō] *(Jap.)* السومو : ضرب من المصارعة اليابانيّة يخسر فيه المصارعُ المباراةَ إذا ما طُرِح خارج الحلقة أو إذا ما مسّ الأرضَ أيّ جزء من جسمه باستثناء قدميه .

sump [sŭmp] *(n.)* (١) «أ» بالوعة ؛ مجرور . «ب» حوض الزيت (في سيارة) (٢) علبة المَرافق (ملك) (٣) الحوض المجمّع : بركة في قعر منجم تتجمّع فيها المياه وتُضَخّ منها (٤) مستنقع (عب) .

sumpter [sŭmp'tər] *(n.)* دابة ؛ بغل ؛ حصان تحميل .

sumptuary[sŭmp'chōō ĕr'ĭ] *(adj.)* إنفاقيّ : ذو علاقة بإنفاق المال أو منظّم له ، وبخاصة في ما يتصل بالطعام والكساء (~ laws) ·

sumptuous [sŭmp'chōō əs] *(adj.)* (١) سَخِيّ : مُنْفَقٌ عليه بسخاء (a ~ banquet) (٢) فخم (a ~ residence) (٣) مُتْرَف .

sum total *(n.)* (١)مجموع (٢) «أ»نتيجة كليّة. «ب» جوهر ؛ زبدة.

sun [sŭn] *(n.; vt.; i.)* (١) «أ» الشمس . «ب» شمس (٢)حرارة الشمس أو أشعتها (٣) شروق الشمس أو غروبها (from ~ to ~) §(٤) يشمّس : يعرّض لأشعّة الشمس ×(٥) يتشمّس .
a touch of the ~, مسحة الشمس : اسمرار البشرة أو احمرارها قليلاً من جراء التعرض لأشعة الشمس.

sunbath [sŭn'băth] *(n.)* حمّام شمس .

sunbathe [sŭn'bāth] *(vi.)* يأخذ حمّام شمس .

sunbeam [sŭn'bēm'] *(n.)* شعاع (من أشعة) الشمس .

sunbird [sŭn'bûrd'] *(n.)* التُّمَيْر ؛ التُّمَّرة : طائر مُغرِّد جميل .

sunblind [sŭn'blīnd] *(n.)* = awning.

sunbonnet [-'bŏn'ĭt] *(n.)* قلنسوة نسوية للوقاية من الشمس .

sunbow [sŭn'bō'] *(n.)* قوس الشمس : قوس شبيه بقوس قُزَح يُرى عندما تُشرق الشمس وسط الضباب الخ .

sunburn [sŭn'bûrn'] *(vt.; i.; n.)* (١) تَسْفَعُهُ الشمس . ×(٢)يُسْفَع §(٣) سَفْعَة .

sunburnt [sŭn'-] *(adj.)* مسفوع ؛ أسفع ؛ لوّحته الشمس .

sunburst [sŭn'-] *(n.)* (١) الاشراقة المفاجئة : إشراق الشمس فجأة من خلال فجوة بين الغيوم (٢) بروش أو دبوس زينيّ يمثّل شمساً تكتنفها الأشعّة .

sundae [sŭn'dĭ] *(n.)* الأحَديّة : ضرب من البوظة أو المثلّجات .

sun dance *(n.)* رقصة الشمس : رقصة دينيّة يقوم بها الهنود الحمر عند حلول الانقلاب الصيفيّ .

Sunday[sŭn'dĭ] *(n.; adj.; vi.)* (١)يوم الأحد (٢)الأحدية : جريدة تصدر يوم الأحد §(٣) أحَدِيّ : متعلق بيوم الأحد (٤) الأفضل ؛ الفضلى (~ suit) (٥) هاوٍ ؛ غير محترف (a ~ painter) §(٦) يقضي يوم الأحد (was *sundaying* in Bhamdoon) ·

Sunday best *(n.)* ثياب المرء الفضلى (يرتديها يوم الأحد الخ.) .

Sunday-go-to-meeting[sŭn'dĭ gō'tə mē'-] *(adj.)* الفضلى ؛ الملائمة للارتداء عند الذهاب إلى الكنيسة يوم الأحد .

Sunday punch *(n.)* (١)ضربة في الملاكمة يقصَد بها طرح الخصم أرضاً على نحو لا يستطيع النهوض معه (٢)مناورة شبيهة بهذه الضربة .

Sunday school *(n.)* (١) مدرسة الأحد : مدرسة للتعليم الدينيّ تفتح أبوابها يوم الأحد (٢) أساتذة مدرسة الأحد وطلابها .

sunder [sŭn'-] *(vt.; i.)* (١) يفصل ؛ يقطع ؛ يشطر ×(٢)ينفصل . in ~, (١) إرَباً إرَباً (٢) متباعدٌ أحدُهما عن الآخر .

sundew [sŭn'dū'] *(n.)* نبات عشبيّ : النَّديّة ؛ الدَّروسيرة تُفرِز أوراقه عصارة لزجة تعلق بها الحشرات فيمتصّها ويهضمها .

sundial [sŭn'dī'əl] *(n.)* : المِزْوَلة : الساعة الشمسيّة .

sundial

sun disk *(n.)* قرص الشمس : قرص مجنّح يرمز إلى رَعْ إلَه الشمس بمصر القديمة .

sundog[-'dôg'] *(n.)* (١) الشُّمَيْسة : الشمس الكاذبة (فل) (٢) قوس قزح صغير أو غير كامل .

sundown [sŭn'doun'] *(n.)* الغروب ؛ وقتُ الغروب .

sun-dried [sŭn'drīd'] *(adj.)* مجفّف شمسياً (~ bricks) .

sundries [sŭn'drĭz] *(n. pl.)* أشتات ؛ نثريات ؛ متنوعات .

sundry [sŭn'drĭ] *(adj.; n.)* (١) عدّة ؛ متعدّد ؛ مختلف §(٢) عدد غير معيّن (Eva danced with ~ who asked her.) all and ~, قاطبةً ؛ بلا استثناء .

sunfast [sŭn'-] *(adj.)* صامد للشمس : لا يَبْهَت بأشعة الشمس (~ dyes) .

sunfish [sŭn'fĭsh'] *(n.)* سمكة الشمس : «أ» سمكة بحرية ضخمة . «ب» سمكة نهريّة صغيرة .

sunfish

sunflower [sŭn'-] *(n.)* عبّاد الشمس ؛ دوّار الشمس (نب) .

sung [sŭng] *past and past part. of* sing.

sunglasses [sŭn'glăs əz] *(n. pl.)* نظارات الشمس : نظارتان لوقاية العينين من الشمس .

sunflower

sun-god [sŭn'gŏd] *(n.)* إلـه الشمس .

sunk [sŭngk] *past and past part. of* sink.

sunken [sŭngk'ən] *(adj.)* (١) مغمور ؛ وبخاصة : غارق أو واقع في قاع البحر أو النهر (٢) غائر (~ cheeks) .

sunk fence *(n.)* السِّياج الغائر : جدار أو حاجز يقام في خندق بغية تقسيم الاراضي من غير تشويه لمنظرها .

sunlamp [sŭn'lămp] *(n.)* المصباح الشمسيّ : مصباح كهربائي يُرسل الأشعة فوق البنفسجية ويستخدم بخاصة في معالجة الأمراض.

sunlight [sŭn'līt'] *(n.)* ضوء الشمس ؛ ضياء الشمس .

sunlit [sŭn'lĭt] *(adj.)* مُشْمِس : منار بضوء الشمس .

Sunna [sŏŏn'ə] *(Ar.)* السُّنّة ؛ السُّنّة النبوية (إس) .

Sunni[-'ē] *(n.; adj.)* (١)أهل السُّنّة (إس) (٢)السُّنّيّ §(٣)سُنّيّ .

Sunnism [sŏŏn'ĭz əm] *(n.)* مذهب أهل السنّة (اس) .

Sunnite [sŏŏn'īt] *(n.)* السُّنّيّ : واحدٌ من أهل السُّنّة .

sunny [sŭn'ĭ] *(adj.)* (١) مُشْمِس (a ~ day) (٢) مرح ؛ متفائل (a ~ mood) (٣) مغمور بأشعة الشمس (~ rooms) .

sun parlor *or* **sun porch** *or* **sun-room** *(n.)* الحجرة الشمسية : حجرة يكتنفها الزجاج معرَّضة لأشعة الشمس .

sunrise [sŭn'rīz'] *(n.)* (١)الشروق : شروق الشمس (٢)مَطْلَع .

sunset [sŭn'sĕt'] *(n.)* (١) الغروب ؛ المغيب (٢) أفول ؛ شيخوخة.

sunshade [sŭn'shăd'] *(n.)* وِقاء من الشمس ؛ مثل : «أ» البارَسول (را. parasol *a*) . «ب» الظُّلّة (را. awning) .

sunshine [sŭn'shīn'] *(n.)* (١) اشعة الشمس (٢) اشراق ؛ ابتهاج ؛ سعادة .

sunshine roof *(n.)* السّقف المنزلق (في سيارة صغيرة للركاب).

sunshiny [-'shī nĭ] *(adj.)* (١) مشمِس (٢) مبتهج ؛ سعيد .

sunspot [sŭn'spŏt'] *(n.)* كُلْفة الشمس : إحدى كُلَف الشمس وهي بقع داكنة تبدو بين فترة واخرى على سطح الشمس (فل).

sunstroke [sŭn'strōk'] *(n.)* الرعْن : ضربة الشمس .

sunstruck [sŭn'strŭk'] *(adj.)* (١) مَرعون : مصاب بضربة الشمس (٢) مسفوع .

sunsuit [sŭn'sōōt'] *(n.)* البذلة الشمسية : لباس مختصر يرتدى للتشمّس واللّعب .

suntan[-'tăn'] *(n.)* السَّفْع : اسمرار البشرة من التعرض لأشعة الشمس.

sunup [sŭn'ŭp'] *(n.)* = sunrise.

sunward *or* **sunwards** [sŭn'-] *(adv.)* نحو الشمس .

sunward [sŭn'wərd] *(adj.)* مواجِه للشمس .

sunwise [sŭn'wīz'] *(adv.)* = clockwise.

sup [sŭp] *(vt.; i.; n.)* (١) يرتشف ؛ يتجرع ×(٢) يتعشّى ؛ يتناول طعام العشاء §(٣) رَشْفة ؛ جرعة .

super [sōō'pər] *(n.; vt.; adj.; adv.)* (١) شكل مختصر لكلمة supernumerary أو superintendent أو supervisor (٢)جزء علوي قابلٌ للنزْع من قفير النحل (٣) نوع ممتاز جداً ؛ حجم كبير جداً (٤) السوْبر : قماش قطني مشمّع شبكيّ النسج يستخدم في تجليد الكتب §(٥)يسوْبر : يقوّي ظهرَ الكتاب بالسوْبر §(٦) ممتاز جداً (٧) ضخم أو قويّ جداً (~ atomic bomb) (٨)متطرف (~ realists) (٩) مُفْرِط ؛ مغالىً فيه (~ secrecy) §(١٠)جداً ؛ إلى حد بعيد (a ~ special stove) (١١)بافراطٍ ؛ باسراف (to be ~ critical) .

super- بادئة معناها : (١) «أ» فوق ؛ أعلى ؛ أكبر ؛ أعظم (*super*normal) . «ب» إضافيّ (*super*tax) . «ج» بإفراط ؛ إلى حدّ بعيد (*super*sensitive) . «د» متفوق على الأقران (*super*man) (٢) فوقيّ (*super*structure) (٣) عنصرهُ المقوِّم موجودٌ فيه بنسبة كبيرة أو بنسبة كبيرة إلى حدّ غير عادي (*super*phosphate) .

superable [sōō'pər ə bəl] *(adj.)* ممكنٌ التغلّبُ عليه .

superabound[sōō'pər ə bound'] *(vi.)* يغزُر أو يكثر بإفراط .

superabundance [sōō'pər ə bŭn'-] *(n.)* (١) غزارة أو وفْرة مفرطة (~ of rain) (٢) فائض (to get rid of a ~ of coffee) .

superabundant[sōō'pər ə bŭn'dənt] *(adj.)* غزير ؛ مُفْرِط .

superadd [sōō'pər ăd'] *(vt.)* يُضيف (إلى أشياء متراكمة) .

superannuate [sōō'pər ăn'yōō āt'] *(vt.; i.)* (١)يجعله أو يُعلن (أو يُثبت) أنه لاغٍ أو مماتٌ أو عتيق الطراز (٢)يحيله إلى التقاعد لمرض أو شيخوخة ×(٣) يتقاعد أو يصبح لاغياً أو عتيق الطراز .

superannuated [sōō'pər ăn'yōō ā'tĭd] *(adj.)* (١) متقاعد (٢)عاجز عن العمل (لمرض أو شيخوخة) (٣)عتيق الزي أو الطراز.

superannuation [-ăn'yōō ā'shən] *(n.)* التقاعد أو راتبه .

superb [sōō pûrb'] *(adj.)* (١)جليل ؛ فخم (٢)رائع ؛ فاتن ؛ ممتاز

supercargo [sōō'-] *(Sp.)* المسؤول عن حمولة السفينة أو شحنتها

supercharger [sōō'pər-] *(n.)* الشحّان: أداة تُستخدم في محرك داخليّ الاحتراق لدفع مقدار إضافي من الأكسجين إلى الأسطوانات .

superciliary [sōō'pər sĭl'ĭ ĕr'ĭ] *(adj.)* حاجبي : متعلّق بالحاجب أو مجاور له ؛ واقع فوق العين (ت).

supercilious [sōō'pər sĭl'ĭ əs] *(adj.)* متشامخ ؛ متكبّر.

superconductive [-kŏn dək'tĭv] *(adj.)* مُفْرِط المُوَصِّلِيَّة.

superconductivity [-dək tĭv'ə tĭ] *(n.)* فَرْط المُوَصِّلِيَّة (فز).

supercool [sōō'pər kōōl'] *(vt.)* يفرط في التبريد.

superdreadnought [sōō'pər drĕd'nôt'] *(n.)* مدرّعة ضخمة.

superego [sōō'pər ē'gō] *(n.)* الأنا العليا (نف).

supereminent [sōō'pər ĕm'ə nənt] *(adj.)* متفوّق أو بارز جداً.

supererogation [sōō'pər ĕr'ə gā'shən] *(n.)* التنفيل : أداء عمل زائد على ما هو مفروض أو مطلوب.

supererogatory [sōō'pər ə rŏg'ə tôr'ĭ] *(adj.)* (١) نافل : زائد عن المفروض أو المطلوب (٢) زائد ؛ غير ضروري أو أساسي.

superfamily [-'pər făm'(ə) lĭ] *(n.)* الفصيلة العليا («ح» و «نب»).

superficial [-fĭsh'əl] *(adj.)* (١) سطحيّ (a ~ cut) (٢) خارجيّ (~ changes) (٣) ظاهريّ (~ piety).

superficiality [-fĭsh'ĭ ăl'ə tĭ] *(n.)* (١) سطحية (٢) شيء سطحي.

superficies [-fĭsh'ĭ ēz'] *(L.)* (١) سَطْح (٢) مظهر خارجيّ.

superfine [-fīn'] *(adj.)* رقيق أو رائع الخ. إلى حد استثنائي.

superfluity [sōō'pər flōō'ə tĭ] *(n.)* (١) فيض ؛ وفرة (٢) شيء زائد أو غير ضروري.

superfluous [-pûr'flōō əs] *(adj.)* زائد أو غير ضروريّ.

supergalaxy [sōō'-] *(n.)* المجرّة العظمى : منظومة ضخمة من المجرات.

superheat [*v.* sōō'pər hēt'; *n.* sōō'pər hēt'] *(vt.; n.)* (١) يُحمّي ؛ يحمّص §(٢) فرط الاحترار.

superheated steam *(n.)* البخار المحمَّص.

superheater [sōō'pər hēt'ər] *(n.)* المِحْماة ؛ المُحَمِّصَة : أداة لتحميص البخار.

superheterodyne [sōō'pər hĕt'ər ə dīn'] *(adj.; n.)* (١) مستقبِلٌ بالفعل المتغاير الفوقي (رد) §(٢) جهاز استقبال بالفعل المتغاير الفوقيّ (رد).

superhigh frequency [sōō'pər hī'] *(n.)* التردد فوق العالي (رد).

superhighway [-'wā'] *(n.)* الجادّة العظمى : الأوتوستراد.

superhuman [-hū'mən] *(adj.)* (١) فَوْبَشَرِيّ ؛ فَوْقبشريّ : «أ» فوق البشر. «ب» إلهيّ (٢) جبّار (~ efforts).

superimpose [-ĭm pōz'] *(vt.)* يركّب : يضع فوق شيء آخر.

superincumbent [-ĭn kŭm'bənt] *(adj.)* (١) فوقيّ : قائم فوق شيء آخر (٢) ثقيل الوطأة ؛ ضاغط بقوة (٣) فَوْقِيّ : آتٍ من فوق (a ~ pressure).

superinduce [-ĭn dūs'] *(vt.)* (١) يُضِيف (٢) يُحْدِث ؛ يسبّب.

superintend [-ĭn tĕnd'] *(vt.)* يراقب ؛ يناظر ؛ يدير ؛ يشرف على.

superintendent [-ĭn tĕn'dənt] *(n.)* المراقب ؛ المناظر ؛ المدير.

superior [sə pĭr'ĭ ər] *(adj.; n.)* (١) أعلى (٢) «أ» أرفع مقاماً أو منزلةً. «ب» أجدر أو أحقّ بالتقديم. «ج» رفيع ؛ عالي المنزلة (~ classes of society). «د» عُلْوِيّ ؛ روحي (٣) فوق ؛ أسمى من التأثر بـ... (~ to temptation.) (٤) «أ» أهمّ ؛ أعظم قيمةً أو نفعاً الخ. «ب» أقوى ؛ أعظم نفوذاً. «ج» أكبر ؛ أكثر عدداً (٥) أفضل ؛ متفوّق ؛ ممتاز إلى حدّ بعيد (٦) مكتوب فوق (را. superscript) (٧) أشمل ؛ أعمّ (A genus is ~ to a species.) (٨) متشامخ ؛ مترفّع (~ airs) §(٩) الأرفع مقاماً أو منزلةً ؛ وبخاصة : رئيس رهبنة أو دير (١٠) الأفضل ؛ المتفوق على غيره.

superior general *(n.)* الرئيس العام (لرهبنة الخ.).

superiority [sə pĭr'ĭ ôr'ə tĭ] *(n.)* (١) الأعلوية (٢) التفوّق (٣) التشامخ ؛ الترفّع.

superiority complex *(n.)* مُرَكَّب الأعلَوِيّة أو الاستعلاء : مغالاة المرء في الايمان بتفوّقه (نف).

superiorly [sə pĭr'ĭ ər lĭ] *(adv.)* (١) نحو الأعلى (٢) على نحو أفضل أو متفوّق (~ equipped troops) (٣) بتشامخ ؛ بترفّع.

superjacent [sōō'pər jā'-] *(adj.)* فوقيّ : قائم فوق شيء آخر.

superlative [sə pûr'lə tĭv] *(adj.; n.)* (١) دالّ على صيغة التفضيل العليا (مثل *best* أو *worst* أو *smoothest*) (٢) متفوق «على كلّ ما سواه» (~ wisdom) (٣) مُفْرِط ؛ مغالى فيه (~ praise) §(٤) صيغة التفضيل العليا (ل) (٥) ذروة ؛ أوج (٦) شيء أو شخص ممتاز أو متفوّق. **—superlativeness** *(n.)*
to talk in ~*s* يبالغ.

superliner [sōō'pər-] *(n.)* باخرة خطيّة (را. liner) سريعة ضخمة.

superlunary [sōō'pər lōō'nə rĭ] *(adj.)* (١) فَوْقَمَرِيّ : واقع فوق القمر أو وراءه (٢) سماويّ.

superman [sōō'-] *(n.)* السوبرمان : «أ» الانسان الأمثل كما تصوّره نيتشه. «ب» شخص ذو قوة أو منجزات استثنائية أو فَوْقبَشَرِيّة.

supermarket [sōō'-] *(n.)* السوق المركزية : متجر كبير للبيع بطريقة الخدمة الذاتية.

supermundane [sōō'pər mŭn'dān] *(adj.)* فَوْعالميّ ؛ فوق العالم : علويّ ؛ غير أرضيّ.

supernal [sōō pûr'nəl] *(adj.)* عُلْوِيّ ؛ سماويّ.

supernatant [sōō'pər nā'tənt] *(adj.; n.)* (١) طافٍ ؛ عائم §(٢) مادة طافية.

supernatural [sōō'pər năch'-] *(adj.; n.)* (١) فَوْطَبيعيّ ؛ فوقطبيعيّ ؛ خارق للطبيعة §(٢) قوة أو نفوذ أو ظاهرة فوطبيعية.

supernaturalism [-năch'ə rə lĭz'əm] *(n.)* الفَوْطَبيعيّة : «أ» كون الشيء فوق الطبيعة أو خارقاً لها. «ب» الإيمان بقوة خارقة للطبيعة.

supernormal [sōō'pər nôr'məl] *(adj.)* (١) فَوْسَوِيّ : فوق السَّوِيّ أو المتوسّط (٢) خارقٌ للطبيعة ؛ متعذّرٌ تعليله علمياً.

supernumerary [sōō'pər nū'mə rĕr'ĭ] *(adj.; n.)* (١) زائد عن العدد المقرّر أو المطلوب (٢) أكثرُ عدداً §(٣) شخص أو شيء زائد عن العدد المقرّر أو المطلوب (٤) الكُمْبَرْس : ممثّل قصير الدور (يظهر بخاصة في المشاهد التي تقتضي حَشْدَ جمهرة من الأشخاص).

superorganic [sōō'pər ôr găn'ĭk] *(adj.)* (١) فَوْعُضْوِيّ : فوق العضويّ أو أسمى منه (٢) نفسيّ.

superphosphate [sōō'pər fŏs'fāt] *(n.)* السوبرفوسفات (ك).

superphysical [sōō'pər fĭz'ə kəl] *(adj.)* فَوْفيزيائيّ : فوق أو وراء الفيزياء ؛ غير قابل للتعليل بالمبادىء الفيزيائيّة.

superpose [sōō'pər pōz'] *(vt.)* (١) يركّب : يضع فوق شيء آخر (٢) يطابق : يضع شكلاً هندسياً على شكل آخر بحيث تتطابق أجزاؤهما المتماثلة كلّها. **—superposition** *(n.)*

superpower [sōō'pər pou'-] *(n.)* (١) القوّة العظمى : قوة استثنائية أو متفوّقة على القوى القائمة (٢) الدولة العظمى : دولة قوية إلى حد بعيد (٣) السلطة الدوليّة العظمى : هيئة دوليّة قادرة على

فرض إرادتها على أقوى الدول (٤) الطاقة الفائقة (كب).

supersaturate [sōō'pər săch'ə rāt'] *(vt.)* يُشبِّع بإفراط.

supersaturation[-săch ə rā'shən] *(n.)* فَرْط التشبيع أو التشبُّع.

superscribe[sōō'pər skrīb'] *(vt.)* (١) يكتب أو ينقش على ظاهر شيء أو أعلاه (٢) يُعَنْوِن (رسالةً أو رزمةً).

superscript [sōō'pər skrĭpt'] *(adj.; n.)* (١) مكتوبٌ فوق (كحرف صغير مطبوع أو مكتوب فوق حرف آخر) § (٢) حَرْف فَوْقيّ.

superscription[sōō'pər skrĭp'-] *(n.)* (١) مص super- scribe (٢) «أ» شيء مكتوب أو منقوش فوق شيء آخر أو على ظاهره أو سطحه. «ب» عنوان (رسالةٍ أو رزمةٍ).

supersede [sōō'pər sēd'] *(vt.)* (١) يُبْطِل، يَنْسَخ (٢) «أ» يحلّ محلّ. «ب» يَخْلُف.

—supersedure; supersession *(n.)*

supersensible [sōō'pər sĕn'sə bəl] *(adj.)* (١) فَوْحِسِّيّ: فوق الحسّ أو وراء متناوَل الحواسّ (٢) روحيّ، نفسيّ.

supersensitive [sōō'pər sĕn'sə tĭv] *(adj.)* مُفْرِط الحساسية.

supersensory [sōō'pər sĕn'sə rĭ] *(adj.)* = supersensible.

supersonic [sōō'pər sŏn'ĭk] *(adj.; n.)* (١) فَوْسَمْعِيّ، فوق السمعيّ: متعلق بموجات صوتيّة عالية التردّد إلى حدّ يجعل سماعها متعذّراً (٢) فَوْصَوْتيّ، فوق الصوتيّ: أسرع من الصوت §(٣) موجة فَوْسَمْعِيّة، تردّد فَوْسَمْعِيّ.

supersonics [sōō'pər sŏn'ĭks] *(n. pl.)* الفَوْسَمْعِيّات، الفَوْصَوْتيّات: علم الظواهر فوق السمعيّة أو الصوتيّة.

superstition [sōō'pər stĭsh'ən] *(n.)* (١) خُرافة، مُعتَقَدٌ خرافيّ (٢) خوفٌ لاعقلانيّ من المجهول أو الخفيّ.

superstitious [-'əs] *(adj.)* (١) خُرافيّ، وهميّ (٢) مؤمِن بالخرافات.

superstratum[-strā'təm] *(n.)* pl. **-ta** [-tə] الطّبقة الفَوْقيّة.

superstring [sōō'pər strĭng'] *(n.)* السِّلْك المتفوّق (فز).

superstructure [sōō'pər strŭk'chər] *(n.)* (١) البنية الفوقية، النهيضة (٢) جميع أجزاء المبنى التي فوق الدور التحتاني (را. basement) (٣) أجزاء السفينة التي فوق سطحها الرئيسي.

supertax [sōō'pər tăks'] *(n.)* الضريبة الإضافية.

supervene[sōō'pər vēn'] *(vi.)* (١) يَعْرِض: يَحْدُث كشيءٍ إضافيّ أو على نحو غير متوقَّع (٢) يلي، يتلو، يَتْبَع.

supervenient[sōō'pər vēn'yənt] *(adj.)* عارضٌ، حادثٌ كشيءٍ إضافيّ أو على نحو غير متوقَّع.

supervise [sōō'pər vīz'] *(vt.)* يراقب، يناظر، يُشرف على.

supervision [sōō'pər vĭzh'ən] *(n.)* مراقبة، إشراف.

supervisor [sōō'pər vī'zər] *(n.)* المراقب، المناظر، المشرف.

supervisory [sōō'pər vī'zə rĭ] *(adj.)* رقابيّ، إشرافيّ.

supination [sōō'pə nā'shən] *(n.)* الاستلقاء، البَطْح (فس).

supinator [sōō'pə nā'tər] *(n.)* العضلة الباطحة (ت).

supine [*adj.* sōō pīn'; *n.* sōō'pīn] *(adj.; n.)* (١) مستلقٍ (على ظهره)، منبطح (٢) كسول، فاتر الهمّة §(٣) اسمُ فعلٍ (ل).

supper [sŭp'ər] *(n.)* العَشاء، طعام العَشاء.

supplant [sə plănt'] *(vt.)* (١) يَحِلّ محلّه، وبخاصة بالقوّة أو الغدر (He plotted to ~ the king.) (٢) يستأصل «شيئاً» من جذوره ليُحِلّ محلّه شيئاً آخر (an effort to ~ the vernacular) (٣) يَتَخَلَّف: يحلّ محلّ شيء وبخاصة لأفضليته عليه (Buses are ~*ing* trams.)

supple [sŭp'əl] *(adj.; vt.; i.)* (١) مِطْواع (٢) ليِّن، طريّ، لَدْن §(٣) يهدّئ، يسكّن (٤) يليّن، يطرّي ×(٥) يلين، يَطْرَى.

—supplely *or* **supply** *(adv.)*

supplement [*n.* sŭp'lə mənt; *v.* sŭp'lə mĕnt'] *(n.; vt.)* (١) مُلْحَق، تكملة، إضافة §(٢) يُلحِق، يكمّل، يضيف إلى.

supplemental; supplementary [sŭp'lə mĕn'-] *(adj.)* (١) إضافيّ (٢) تكميليّ.

supplementary angles *(n. pl.)* الزاويتان المتكاملتان: زاويتان مجموعهما ١٨٠ درجة (ر).

suppletory [sŭp'lə tōr'ĭ] *(adj.)* = supplementary.

suppliance [sŭp'lĭ əns] *(n.)* توسُّل، تضرُّع.

suppliant [sŭp'lĭ ənt] *(n.; adj.)* متوسِّل، متضرِّع.

supplicant [sŭp'lə kənt] *(n.; adj.)* متضرع، مبتهل، متوسِّل.

supplicate [sŭp'lə kāt'] *(vi.; t.)* (١) يتضرّع، وبخاصة: يبتهل إلى الله ×(٢) يتوسّل إلى (٣) يلتمس بضراعة (to ~ a blessing).

supplication [sŭp'lə kā'shən] *(n.)* تضرُّع، ابتهال، توسّل الخ.

supplicatory[sŭp'lə kə tōr'ĭ] *(adj.)* تضرُّعيّ، ابتهاليّ، توسّليّ.

supply[sə plī'] *(vt.; i.; n.)* (١) «أ» يزوّد، يجهّز. «ب» يمدّ بـ (٢) يسُدّ حاجةً، يُشبِع رغبةً (٣) يعوِّض ×(٤) يحلّ محلّ (راعي الكنيسة موقتاً) §(٥) كاهن يحلّ محلّ كاهن آخر موقتاً (٦) «أ» مؤونة، ذخيرة، مخزون. «ب» زاد (٧) «أ» تزويد، تجهيز. «ب» سدّ حاجة، إشباع رغبة (٨) اعتماد ماليّ.

supply and demand العَرْض والطلب (اد).

supply-side *(n.)* نظرية اقتصادية تقول بأن خَفْض الضرائب يشجّع على توظيف الأموال ويؤدي بالتالي إلى زيادة دخل الخزينة.

support [sə pōrt'] *(vt.; n.)* (١) يحتمل، يتحمّل (٢) يؤيّد (٣) يعين، يُساعِد (٤) «أ» يقوم بنفقة كذا. «ب» يُعيل (٥) يدعم، يَسند (٦) يقوّي، يشجّع (٧) يُبقي الشيءَ دائراً أو عاملاً §(٨) تأييد، مساعدة، إعالة، دَعْم الخ. (٩) دِعامة، سِناد، مَحمِل، حامل.

—supportable *(adj.)*

supporter [sə pōr'tər] *(n.)* (١) فا support، وبخاصة: المؤيّد، النصير، المعيل (٢) رباط للجورب الخ.

supposal [sə pō'zəl] *(n.)* (١) فَرْض، افتراض (٢) فَرَضية.

suppose [sə pōz'] *(vt.; i.)* (١) «أ» يفترض. «ب» يعتقد. «ج» يظنّ، يرى (٢) يتصوّر (٣) يستلزم ضمناً (Creation ~s a creator.).

supposed [sə pōzd'] *(adj.)* (١) مُفْتَرَض (a ~ case) (٢) مُتَصَوَّر (~ evils) (٣) مزعوم (a ~ beggar who was really a policeman in disguise) (٤) «أ» مكلَّف بِـ. «ب» مفروضٌ فيه كذا.

supposing [sə pō'zĭng] *(conj.)* هَبْ، إفرِضْ، على افتراض.

supposition [sŭp'ə zĭsh'ən] *(n.)* = supposal.

suppositious [sŭp'ə zĭsh'əs] *(adj.)* = supposititious.

supposititious[sə pŏz'ə tĭsh'əs] *(adj.)* (١) «أ» زائف، كاذب. «ب» غير شرعيّ (a ~ child) (٢) خياليّ، خرافيّ (٣) افتراضيّ.

suppositive[sə pŏz'ə tĭv] *(adj.)* (١) افتراضيّ (٢) زائف، كاذب.

suppository [sə pŏz'ə tōr'ĭ] *(n.)* شِيف، تحميلة، فتيلة (ط).

suppress [sə prĕs'] *(vt.)* (١) «أ» يقمع، يُخمِد (ثورةً الخ). «ب» يَحْظُر، يحلّ، يشتّت (to ~ all opposition parties) (٢) «أ» يكتم، يُبقي طيَّ الكتمان. «ب» يطمس، يمنع انتشار نبأ الخ. (٣) يَكْبِت (~*ed* his personal impulses) (٤) يوقف، يضع حدّاً لِـ (to ~ a cough) (٥) يعوق النموّ الطبيعي.

suppression [sə prĕsh'ən] *(n.)* قمع، إخماد، كبت الخ.

suppressio veri [sə prĕs'ə ō vē'rī] *(L.)* طمس الحقيقة.

suppressive[sə prĕs'ĭv] *(adj.)* (١)قامع ؛ كابت (٢)قمعي الخ.

suppurate [sŭp'yə rāt'] *(vi.)* يتقيّح أو يفرز قيحاً .

suppurative[sŭp'yə rā'tĭv] *(adj.)* تقيّحي ؛ مصحوب بتقيّح .

supra [sōō'prə] *(L.)* فوق ؛ أعلاه .

supra- بادئة معناها «أ» : فوق (*supra*orbital) . «ب» وراء ؛ متخطٍّ (*supra*national) .

supraliminal [sōō'prə lĭm'ə nəl] *(adj.)* فوعتبيّ ؛ فوق عتبة الوعي ؛ واعٍ (نف) .

supramolecular [sōō'prə mə lĕk'-] *(adj.)* فوجزيئي ؛ فوق الجزيئي : «أ» أشدّ تعقيداً من جزيء . «ب» مؤلف من عدة جزيئات .

supramundane[sōō'prə mŭn'-] *(adj.)* = supermundane.

supranational [sōō'prə năsh'ən əl] *(adj.)* فوقوميّ . متخطٍّ الحدود أو السلطة القوميّة .

supraorbital [sōō'prə ôr'bĭt əl] *(adj.)* فومحجريّ : واقع فوق محجر العين .

supraprotest [sōō'prə prō'tĕst] *(n.)* دفع الكمبيالة (من قِبَل شخص ثالث) بعد رفض دفعها (من قبل موقّعها) .

suprarenal [sōō'prə rē'nəl] *(adj.; n.)* (١)فوكُلْيي : واقع فوق الكُلْية أو عليها §(٢) الكُظْر : الغدّة فوق الكُلْية (ت) .

suprarenal gland *(n.)* الكُظْر: الغدّة فوق الكُلْية (ت) .

supremacy [sə prĕm'ə sĭ] *(n.)* (١) سيادة (٢) تفوّق .

supreme [sə prēm'] *(adj.)* (١) الأسمى « منزلةً أو سلطةً » . (٢) الأعلى « درجةً أو نوعاً » (٣) الابرز ؛ الأكثر امتيازاً (~ among poets) (٤) الأهمّ ؛ الأشدّ خطورة (the ~ hour in modern history)
to make the ~ sacrifice يموت في سبيل الوطن الخ.

Supreme Being *(n.)* الكائن الأسمى : الله .

supreme commander *(n.)* القائد الأعلى (جن) .

supreme court *(n.)* المحكمة العليا (ق) .

sur- بادئة معناها : فوق ؛ إضافيّ (*sur*charge) .

sura [sōōr'ə] *(Ar.)* السُّورة : إحدى سُوَر القرآن الكريم .

surah [sōōr'ə] *(n.)* السُّورات : نسيج حريري هنديّ .

surbase[sûr'-] *(n.)* الفوقاعديّة : حلية معماريّة فوق قاعدة جدار (عم) .

surcease [sûr sēs'] *(vi.; t.; n.)* (١)«أ» يتوقّف ؛ يكفّ عن . «ب» ينتهي ×(٢) يُنهي ؛ يضع حداً لِـ §(٣) توقّف (موقّت) .

surcharge [*n.* sûr'chärj'; *v.* sûr chärj'] *(n.; vt.)* (١) «أ» ضريبة إضافيّة . «ب» ثمن إضافي . «ج» أجرة إضافيّة (٢) حِمل أو عبء ثقيل (٣) overcharge (٤) «أ» طبعة فوقيّة على طابع بريدي أو ورقة نقدية. «ب» طابع نقديّ مدموغ بطبعة فوقيّة §(٥) overcharge (٦) يُثقِل على ؛ يحمّل بإفراط ؛ يحمّله ما لا طاقة له بحمله (٧) يدمغ طابعاً أو ورقة نقدية بطبعة فوقيّة.

surcingle [sûr'sĭng'gəl] *(n.)* (١) سَيْر السَّرج أو حزامه . (٢) منطقة الغفّارة ؛ حزام رداء الكاهن .

surcoat [sûr'kōt'] *(n.)* مِعطف ؛ وبخاصة : معطف يرتديه الفرسان فوق دروعهم .

surculose [sûr'kyə lōs'] *(adj.)* مُطْلِع جُذَيْرات (نب) .

surd [sûrd] *(adj.; n.)* (١) أصمّ (ر) (٢) مهموس (ل) §(٣) جذر أصمّ (ر) (٤) حرف مهموس (ل) .

sure[shŏŏr] *(adj.; adv.)* (١)ثابت ؛ راسخ ؛ قويّ (a ~ foundation) (٢) «أ» موثوق ؛ معتَمَد (a ~ messenger) . «ب» ناجع ؛ لا يخطئ ؛ غير مخيّب للأمل (a ~ remedy) (٣) واثق (~ of Salim's guilt) (٤) لا ريب فيه (a ~ proof) (٥)«أ» محتوم (Death is ~.) . «ب» مقدَّر له أن (She is ~ to win.) §(٦) من غير ريب .
—**sureness** *(n.)*
for ~, to be ~, } من غير ريب.

sure enough *(adv.)* حقاً ؛ من غير ريب .

sure-enough [shŏŏr'-] *(adj.)* أصلي ؛ حقيقي .

surefire[shŏŏr'fīr'] *(adj.)* موثوق ؛ مُعتمَد (a ~ device).

surefooted [shŏŏr'fŏŏt'ĭd] *(adj.)* ثابت (أو راسخ) القدَم .

surely [shŏŏr'lĭ] *(adv.)* (١) بثبات ؛ بثقة (٢) من غير ريب .

surety [shŏŏr'tĭ] *(n.)* (١) ثقة ؛ يقين (٢) كفالة ؛ ضمانة (٣)«أ» العرّاب (نص) . «ب» الكفيل ؛ الضامن .

surf [sûrf] *(n.)* الأمواج المتكسّرة (على الشاطئ) .

surface [sûr'fĭs] *(n.; adj.; vt.; i.)* (١) سطح (٢) المظهر الخارجيّ أو السطحيّ (to look below the ~ of a matter) (٣) السطح الانسيابي الحامل (را. airfoil) §(٤) سطحيّ (~ impressions) §(٥) «أ» يجعل له سطحاً . «ب» يسطّح ؛ يملّس (٦) يُطلِع إلى السطح ×(٧) يعمل (المعدِّن) قرب السطح (٨) تصعد (الغوّاصة) إلى السطح .

surface mail *(n.)* البريد السطحي : البريد العادي غير الجوي .

surface of revolution سطح الدوران (ر) .

surface plate *(n.)* صفيحة التسطّح : صفيحة مسطّحة لاختبار تسطّح السطوح (مك) .

surface tension *(n.)* التوتّر السطحيّ (فز) .

surface-to-air *(adj.)* من الأرض إلى الجوّ (~ missiles) .

surfacing [sûr'fĭs ĭng] *(n.)* (١) مص surface (٢) السُّطاحة : مادة تشكّل سطحاً أو تُستخدم لتشكيل سطح .

surfboard [sûrf'bōrd'] *(n.)* لوح الركمجة : لوح طويل ضيّق لركوب متن الأمواج المتكسّرة .

surfboat[sûrf'bōt'] *(n.)* قارب الركمجة : قارب مُعدّ لركوب متن الأمواج المتكسّرة .

surf duck *(n.)* = scoter.

surfeit [sûr'fĭt] *(n.; vt.)* (١) فَرْط ؛ مقدار كبير (٢) إفراط (في تناول الطعام أو الشراب) (٣) تُخمة §(٤) يُتْخِم .

surf fish *(n.)* سمك التَّرْف : سمكة صغيرة في مياه شاطئ المحيط الهادي الضحلة بأميركة الشماليّة.

surficial [sûr fĭsh'əl] *(adj.)* سطحيّ .

surf-riding [sûrf'rī dĭng] *(n.)* الركمجة : رياضة ركوب متن الأمواج المتكسّرة على الشاطئ (را. surfboard و surfboat).

surge [sûrj] *(vi.; t.; n.)* (١) «أ» يتموّج ؛ يطمو ؛ يعرم . «ب» يجيش ؛ يصطخب . «ج» يندفع ؛ يندفق (٢) يتمور : يشتدّ (التيّار) فجأة إلى حدّ مفرط (كب) ×(٣) يُرخي (الحبل) §(٤) طَمْو ؛ عرامة ؛ جَيَشان ؛ اندفاع الخ . (٥) موجة (a ~ of anger) (٦) التموّر (كب) .

surgeon [sûr'jən] *(n.)* الجرّاح : الطبيب الجرّاح .

surgeoncy [sûr'jən sĭ] *(n.)* منصب الطبيب الجرّاح .

surgeonfish [sûr'jən fĭsh'] *(n.)* السَّرْجَوْن : سمك استوائي .

surgeon general *(n.)* كبير الأطبّاء (في الجيش أو مديرية الصحة) .

surgeon's knot *(n.)* عقدة الجرّاح : عُقدة يستخدمها الجراحون في ربط الأوعية الدموية (جر).

surgery [sûr'jə rĭ] *(n.)* (١) الجِراحة (٢) حجرة العمليات الجراحيّة (٣) عملية جراحيّة.

surgical [sûr'-] *(adj.)* (١)جراحيّ (٢)ناشىء عن الجِراحة أو تالٍ لها.

suricate [so͝or'ə kāt'] *(F.)* السُّرقاط : حيوان ثدييّ جنوبأفريقيّ.

suricate

surly [sûr'lĭ] *(adj.)* (١)فظّ (a ~ answer) (٢)مكفهِرّ. **—surlily** *(adv.)* **—surliness** *(n.)*

surmise [*v.* sər mīz'; *n.*-mīz', sûr'mīz] *(vt.; n.)* (١) يظنّ ؛ يحدْس §(٢) ظنّ ؛ حدْس.

surmount [sər mount'] *(vt.)* (١) يتغلّب على (المصاعب الخ.). (٢) يتسلّق (to ~ a hill) (٣) يعلو ؛ يتوج (A cross ~s the steeple.)

surmullet [sər mŭl'ĭt] *(F.)* أبو ذقن : نوع من السّمك.

surname [*n.* sûr'nām'; *v.* -'nām', sûr nām'] *(n.; vt.)* (١) كُنْيَة ؛ لقب (٢) اسم الأسرة §(٣) يكنّي ؛ يلقّب.

surpass [sər păs'] *(vt.)* (١) يبزّ ؛ يتفوّق على (٢) يتجاوز ؛ يتخطّى (٣) يفوق (misery that ~es description).

surpassing [-'ĭng] *(adj.)* فائق (of ~ magnificence).

surplice [sûr'plĭs] *(n.)* المِدْرعة : رداء كهنوتيّ أبيض.

surplus [sûr'plŭs] *(n.; adj.)* (١) الفائض ؛ الفَضْل ؛ الفَضْلة §(٢) فائض.

surplusage [-ĭj] *(n.)* (١)الفائض ؛ الزيادة (٢)حَشْو لفظيّ.

surplus value *(n.)* فَضْل القيمة : الفرق (في النظرية الماركسيّة) بين قيمة العمل المنجز أو السّلع المنتَجة وبين الأجور التي يدفعها رب العمل إلى العمال.

surprint [sûr'prĭnt'] *(vt.; n.)* = overprint.

surprisal [sər prī'zəl] *(n.)* مباغتة الخ. (را. المادة التالية).

surprise [sər prīz'] *(n.; vt.)* (١) مباغتة ؛ هجوم مفاجىء. (٢)مفاجأة (I have some ~s in store for you.) (٣) دَهَش (a cry of delighted ~) §(٤)«أ» يباغت. «ب» يستولي (على شيء) بهجوم مباغت. «ج» يفاجىء ؛ يأخذ على حين غِرّة (٥)«أ» يكشف النقاب «عن شيء بعملٍ مفاجىء غير متوقَّع» (to ~ a secret). «ب» يقود امرءاً أو يُكْرِهه أو يحمله على كذا بطريقة مفاجئة غير متوقّعة (His debate ~d him into attacking the authority of the Pope.) (٦)يُدهِش ؛ يُذهِل.

to take by ~, (١) يباغت ؛ يفاجىء (٢)يستولي (على قلعة الخ.) بهجوم مفاجىء (٣)يُدْهِش ؛ يذهِل.

surprising [sər prī'zĭng] *(adj.)* مدهِش ؛ مُذهِل.

surrealism [sə rē'ə lĭz'əm] *(n.)* السُّرياليّة ؛ الفَوْواقعيّة ؛ ما فوق الواقع : مذهب فرنسي حديث في الفن والأدب يهدف إلى التعبير عن نشاطات العقل الباطن بصُوَرٍ يعْوزُها النظام أو الترابط. **—surrealist** *(n.)* **—surrealistic** *(adj.)*

surrebutter [sûr'rĭ bŭt'ər] *(n.)* ردّ المدّعي على المدعَى عليه (ق).

surrejoinder [sûr'rĭ join'dər] *(n.)* = surrebutter.

surrender [sə rĕn'dər] *(vt.; i.; n.)* (١) يُسلّم (شيئاً) نزولاً عند طلب أو خضوعاً لقوة قاهرة (to ~ a town) (٢) يتنازل عن (~ed his chair to the lady) ×(٣) يستسلم §(٤) تَسْليم (٥) تنازلٌ عن (٦) استسلام.

surreptitious [sûr'əp tĭsh'əs] *(adj.)* (١) «أ» سِرّيّ ؛ مكتوم. «ب» مختلَس (a ~ glance) (٢) زائف (a ~ copy) (٣) مُسْتتِر : عاملٌ خِفية أو خِلسة (with a ~ eye).

surrey [sûr'ĭ] *(n.)* السَّرْية : مركبة ذات أربع عجلات ومقعدين.

surrogate [*v.* sûr'ə gāt; *n.* sûr'ə gāt', -gĭt] *(vt.; n.)* (١)ينيب ؛ يوكّل ؛ يعيّن خليفةً له (٢) يُحلّه محلّ غيره §(٣)نائب ؛ وكيل الخ. (٤)موظف قضائي مكلف بإثبات صحة الوصايا وإدارة أملاك المتوفّى الخ. (٥)بديل.

surrey

surround [sə round'] *(vt.; n.)* (١) يطوّق §(٢)طوق ؛ حاشية الخ. محيط ؛ بيئة.

surroundings [sə roun'dĭngz] *(n. pl.)*

surtax [*n.* sûr'tăks; *v.* -'tăks, -'taks'] *(n.; vt.)* (١)«أ» ضريبة إضافيّة. «ب» رسم إضافيّ §(٢) يفرض ضريبة إضافية أو رسماً إضافياً.

surtout [sər to͞ot'; -to͞o'] *(F.)* مِعطف ضيّق (للرِّجال).

surveillance [sər vā'ləns] *(F.)* (١) مراقبة (٢) إشراف.

surveillant [sər vā'lənt] *(F.)* (١) المراقب (٢) المُشرِف.

survey [*v.* sər vā'; *n.* sûr'vā, sər vā'] *(vt.; i.; n.)* (١)يقدِّر ؛ يقيِّم (٢) يَمسح (الأراضي) (٣) يُعاين ؛ يلقي نظرة عامة أو شاملة على (٤) يفحص §(٥)«أ»نظرة عامة ؛ فحص. «ب»تقرير (ينصّ على نتائج ذلك) (٦)«أ» مَسْح الأراضي. «ب» مخطط أو خريطة المَسْح.

surveying [sər vā'ĭng] *(n.)* المساحة : مَسْح الأراضي.

surveyor [-'ər] *(n.)* (١) فا survey (٢)المَسّاح : ماسح الأراضي.

surveyor's chain *(n.)* جِنزير المَسّاح ؛ سلسلة المَسّاح.

surveyor's level *(n.)* ميزان المسّاح.

surveyor's measure *(n.)* مقياس المسّاح : نظام وحداتٍ للطول يستخدَم في مسح الأراضي.

survival [sər vī'vəl] *(n.)* (١) البقاء : بقاء المرء أو الشيء بعد زوال غيره (٢) كل ما يبقى بعد زوال غيره (~s of classical sculpture).

survival of the fittest بقاء الأصلح (أح).

survive [sər vīv'] *(vi.; t.)* (١)يبقى على قيد الحياة ×(٢)يبقى حياً بعد وفاة شخص أو زوال شيء أو انقضاء حادثة ؛ ينجو من (Only his brother ~d him; Only six of the crew ~d the shipwreck.) **—survivor** *or* **surviver** *(n.)*

susceptibility [sə sĕp'tə bĭl'-] *(n.)* (١) قابليّة (~ of metals to corrosion) (٢) حساسية (٣) *pl.* : مشاعر ؛ أحاسيس (٤) المتأثّريّة (كب).

susceptible [sə sĕp'-] *(adj.)* (١)قابلٌ لـِ (a theory ~ of proof) (٢) عرضةٌ لـِ (~ to influenza) (٣) «أ» حسّاس (a ~ child). «ب» سريع التأثر بـِ (~ to flattery).

susceptive [-'tĭv] *(adj.)* (١) receptive (٢) قابلٌ لـِ ؛ عرضة لـِ ؛ الخ. (را. المادة السابقة).

suslik [sŭs'lĭk] *(Russ.)* (١) السَّصْلَق : حيوان من القوارض شبيه بالسنجاب (٢) فَرْو السَّصْلَق.

suspect [*v.* sə spĕkt'; *n.*, *adj.* sŭs'pĕkt] *(vt.; i.; adj.; n.)* (١) يرتاب أو يشكّ في (٢) يشتبه بـِ (٣) «أ» يظنّ ؛ يتوهم. «ب» يخامره شعور بوجود شيء الخ. §(٤) مشبوه (٥) مشتبَهٌ به §(٦) المشبوه (٧) المشتبَه به.

suspend [sə spĕnd'] *(vt.; i.)* (١) يَحْرِم موَقّتاً من امتياز أو وظيفة ؛ يفصِل موَقّتاً (Salim is ~*ed* from school.) (٢) «أ» يعطّل أو يوقف موقّتاً (~ publication of a news-paper) . «ب» يعلّق: يوقف مفعول كذا (٣) يرجىء (تنفيذَ حكم أو إصداره) (٤) يُدَلّي ؛ يعلّق ×(٥) يتوقف موقتاً عن العمل (٦) يتوقف عن الدفع (٧)يتدلّى. **—suspended** *(adj.)*

suspender [sə spĕn'-] *(n.)* (١) فا suspend . (٢) «أ» *pl.*: حمالة البنطلون . «ب» رباط الجورب .

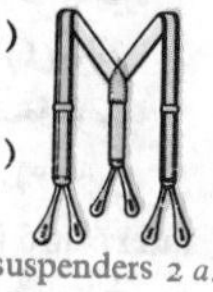

suspenders 2 *a.*

suspense [sə spĕns'] *(n.)* (١) تعليق ؛ إرجاء . (٢) «أ» قلق ؛ ترقّبٌ قَلِق . «ب» حيرة . «ج» تشويق (a novel of ~) .

in ~, (١) معلّق ؛ غير مفصول فيه (٢) في ترقّبٍ قَلِق.

suspense account *(n.)* الحساب المعلّق: حساب يفتح إذا وُجِد فرقٌ في أحد الحسابات ولم توفّق المؤسسة للاهتداء إلى سببه .

suspension [sə spĕn'shən] *(n.)* (١) «أ» حرمان موقّت من امتياز أو وظيفة الخ . «ب» تعطيل موقت . «ج» تعليق . «د» إرجاء . «هـ» تَدْلية أو تَدَلٍّ . «و» توقّف عن الدفع (٢) «أ» التعلّق: حالة من حالات المادة تكون فيها جُزَيئاتها ممزوجة في سائل أو غاز ولكنها غير منحلّة فيه . «ب» المزيج المعلّق : مزيج تكون فيه بعض جزيئات المادّة الصلبة عالقة في سائل أو غاز من غير انحلال فيه (٣) المعلّق ؛ شيء معلّق (a ~ of steel cables) (٤) «أ» أداة لتعليق شيء . «ب» مجموعة من النوابض الخ . تحمل الجزء الأعلى من العربة على محاور العجلات .

suspension bridge *(n.)* الجسر المعلّق .

suspension points *(n. pl.)* علامة الحذف : ثلاث نقط متتالية تُرْسَم علامةً على حذف كلمة أو مجموعة كلمات من نص مكتوب.

suspensive [sə spĕn'sĭv] *(adj.)* (١) معطّل موقّتاً (٢) «أ» متردد ؛ ميّال إلى إرجاء الحكم . «ب» حابس للأنفاس (a ~ novel) .

suspensor [sə spĕn'sər] *(n.)* = suspensory.

suspensory [sə spĕn'sə rĭ] *(adj.; n.)* (١) معلّق (٢) مِعلاقيّ (a ~ ligament) (٣) «أ» معطّل موقّتاً . «ب» معلّق : تاركٌ الشيءَ معلّقاً غير مفصول فيه §(٤) المِعلاق : أداة التعليق ؛ وبخاصة : معلاق للصَّفَن أو وعاءِ الخصيتين .

suspensory ligament *(n.)* الرباط المِعلاقيّ (في العين أو الكبد).

suspicion [sə spĭsh'ən] *(n.; vt.)* (١) شكّ ؛ اشتباه (٢) شُبهة ؛ رِيبة (٣) مسحة ؛ أثر ضئيل (a ~ of sadness in his voice) §(٤) يرتاب ؛ يشكّ في ؛ يشتبه بـ (ع) .

above ~, فوق الشُّبُهات .

under ~, مشبوه ؛ مُشْتَبَهٌ فيه .

suspicious [sə spĭsh'əs] *(adj.)* (١) مشبوه ؛ مُريب (٢) نزّاع إلى الشكّ والارتياب (٣) مُفْعَمٌ بالشك أو دالّ عليه (a ~ glance).

suspiration [sŭs'pə rā'shən] *(n.)* تنهّد .

suspire [sə spīr'] *(vi.; t.)* (١) يتنهّد (٢) يتوق إلى شيء . ×(٣) يقول متنهّداً .

sustain [sə stān'] *(vt.)* (١) يساند ؛ يوازر (٢) يغذّي ؛ يُميدّ بأسباب الحياة (٣) يُبقي ؛ يطيل البقاء (٤) «أ» يسند ؛ يدعم . «ب» يحمل (٥) يقوّي ؛ يثبّت ؛ يعزز (the morale ~ of the civilian population) (٦) «أ» يتحمّل . «ب» يتكبّد (٧) يؤيّد (The court ~*ed* her claim.) (٨) يُثْبِت ؛ يؤكّد (٩) يؤدّي أو يمثّل ببراعة (to ~ the part of Cleopatra)

sustaining program *(n.)* برنامج إذاعي أو تلفزيوني لا ترعاه أية هيئة أو مؤسسة تجاريّة .

sustenance [sŭs'tə nəns] *(n.)* (١) «أ» رزق ؛ معيشة . «ب» طعام ؛ قوت . «ج» تغذية (in desperate need of physical ~) (٢) «أ» مساندة ؛ موازرة الخ. «ب» إعالة ؛ عَوْل (٣) سَنَد ؛ عَوْن (God is the ~ of the devout.) .

sustentation [sŭs'tĕn tā'-] *(n.)* (١) مص sustain (٢) حفظ ؛ صَوْن (the ~ of peace) (٣) سِناد ؛ دعامة .

sustention [sə stĕn'shən] *(n.)* = sustentation.

susurrant [sōō sûr'ənt] *(adj.)* هامِس .

susurration [sōō'sə rā'shən] *(n.)* هَمْس .

susurrus [sōō sûr'əs] *(L.)* (١) همس (٢) حفيف .

sutler [sŭt'lər] *(n.)* دُكّانيّ المعسكر : صاحب دكان المعسكر .

sutra [sōō'trə] *(Skt.)* (١) حكمة (تلخّص جانباً من التعاليم الدينية الهندوسيّة) (٢) محاورات بوذا (٣) مجموعة حكم .

suttee [sŭ tē'] *(Skt.)* السُّوتية: «أ» إحراق الأرملة الهندوسيّة نفسَها في محرقة زوجها المتوفى علامةً على إخلاصها له . «ب» الأرملة المحرقةُ نفسَها على هذا النحو .

suture [sōō'chər] *(n.; vt.)* (١) «أ» خيط (يستخدم في خياطة الجِراح). «ب» دَرْزة(جر). «ج» خِياطة(للجراح) (٢) الدَّرْز : «أ» خطّ الاتصال بين عظام الجمجمة . «ب» خطّ الاتصال بين الأجزاء المتجاورة من نبات أو حيوان §(٣) يَخيط (الجرحَ) .

suzerain [sōō'zə rĭn; -rān'] *(F.)* (١) سيّد (إقطاعيّ) أعلى . (٢) المتسلّطة: دولة تفرض سلطانها ، في حقل الشؤون الخارجيّة ، على دولةٍ تابعة، تاركةً لها حرية التصرف في الشؤون الداخليّة .

suzerainty [sōō'zə rĭn tĭ; -rān'-] *(F.)* سيادة ؛ سلطان .

svelte [svĕlt] *(adj.)* (١) نحيل ؛ رشيق (٢) مهذّب ؛ مصقول .

swab [swŏb] *(n.; vt.)* (١) مِمسحة (لتنظيف سطح المركب الخ.) (٢) القَطِيلة : «أ» كتلة من مادّة ماصة حول طرف عُود تستخدم لمسح موضع من الجسم بدواء ما ، أو لإزالة مادّة ما من موضع . «ب» القُطالة : المادة المزالة بالقَطِيلة (٣) الماسحة : أداة لتنظيف ماسورة السلاح الناري (٤) «أ» شخص تافهٌ أو جديرٌ بالاحتقار . «ب» ملاّح §(٥) يمسح أو ينظّف بمِمْسحة (٦) يقطّل : يمسح أو يزيل بالقَطِيلة .

swabber [-'ər] *(n.)* (١) فا swab (٢) شخص تافهٌ أو حقير .

swabbie *also* **swabby** [swŏb'ĭ] *(n.)* ملاّح ؛ نوتيّ .

swaddle [swŏd'əl] *(vt.; n.)* (١) «أ» يُقمّط (طفلاً). «ب» يلفّ . (٢) يقيّد §(٣) قِماط .

swaddling clothes *(n. pl.)* (١) قِماط (٢) قيود تُفرض على الغِرّ أو قليل التجربة .

swag [swăg] *(vi.; t.; n.)* (١) «أ» يتأرجح . «ب» يتدلّى ×(٢) «أ» يؤرجح . «ب» يُدلّي §(٣) «أ» تأرجُح . «ب» تدلٍّ (٤) «أ» festoon . «ب» عِذْق مُتدلٍّ (٥) «أ» غنيمة أو بضائع مسروقة . «ب» غنائم ؛ أرباح (٦) مقدار كبير (٧) غَوْر ؛ منخفض من الأرض (مليء بالماء عادةً) (٨) صُرّة أمتعة .

swage [swāj] *(n.; vt.)* (١) قالب الطَّرْق : أداة تستخدم في تطريق المعادن §(٢) يشكّل بالتطريق .

swage block *(n.)* زهرة الطَّرْق (في الحدادة) .

swagger [swăg'ər] *(vi.; t.; n.; adj.)* (١) يختال ؛ يمشي تيّاهاً . (٢) يتبجّح ×(٣) يُكره أو يحقّق أو ينتزع بالتهديد والوعيد §(٤) اختيال ؛ تِيه (٥) تبجّح (٦) زَهْو ؛ عُجْب §(٧) أنيق .

swagger stick *(n.)* المِخصَرة: عصا قصيرة مكسوّة بالجلد يحملها الضبّاط عادةً.

Swahili [swä hē'lē] *(Ar.)* (١) الشعب السواحليّ: شعب يقطن زنجبار والسواحل المجاورة لها (٢) السواحليّ: أحد أبناء هذا الشعب (٣) السواحليّة: لغة تجاريّة ورسمية في كثير من أصقاع افريقيا الشرقية وفي الكونغو.

swain [swān] *(n.)* (١) الريفيّ؛ الفلاح؛ وبخاصة: الراعي (٢) المحبّ؛ العاشق.

swale [swāl] *(n.)* المنخفَض: أرض منخفضة (مستنقعية عادةً).

swallow [swŏl'ō] *(n.)* الخُطّاف؛ السنونو: طائر طويل الجناحين مشقوق الذيل.

swallow

swallow [swŏl'ō] *(vt.; i.; n.)* (١) «أ» يبتلع؛ يزدرد. «ب» يلتهم (٢) يستوعب؛ يفهم (٣) يقبل من غير سؤال أو اعتراض؛ وبخاصة: يصدّق بسذاجة (٤) يتراجع عن رأي أو عرض الخ. (٥) يكتم؛ يكبت (Ali ~*ed* his displeasure and smiled.) (٦) يلفظ (الكلمات) بغير وضوح §(٧) المريء (ت) (٨) القدرة على الابتلاع؛ «الشهيّة» (٩) «أ» ابتلاع؛ ازدراد. «ب» ملء الفم.

swallowtail [swŏl'ō tāl'] *(n.)* (١) الذيل الخُطّافي: ذيل مشقوق كذيل الخُطّاف أو السنونو (٢) السترة الخُطّافية؛ الفراك: سترة طويلة للرجال ذات ذيل مشقوق كذيل الخطّاف (٣) الفَراشة الخُطّافية.

swallow-tailed [swŏl'ō tāld'] *(adj.)* خُطّافيّ الذيل: ذو ذيل مشقوق كذيل الخُطّاف أو السنونو.

swallow-tailed coat = swallowtail 2.

swallowwort [swŏl'ō wûrt'] *(n.)* بقلة الخطاطيف (نب).

swam [swăm] *past of* swim.

swami [swä'mĭ] *(Hin.)* السُّوامي: معلّم دينيّ هندوسيّ.

swamp [swŏmp] *(n.; vt.; i.)* (١) مستنقع؛ أرضٌ سبخة. §(٢) يغمر؛ يُغرق (٣) يشقّ طريقاً بإزالة الأشجار ×(٤) يغرَق.

swamper [-'ər] *(n.)* (١) ساكن المستنقعات (٢) مساعد؛ معاون.

swampiness [swŏmp'ĭ nĭs] *(n.)* المستنقعيّة؛ السَّبَخيّة.

swampland [swŏmp'lănd'] *(n.)* = swamp.

swampy [swŏmp'ĭ] *(adj.)* (١) مستنقعي (٢) سَبِخ.

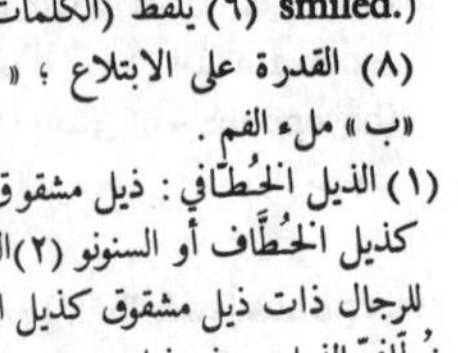

swan 1.

swan [swŏn] *(n.)* (١) التَّمّ: الإوزّ العراقيّ (٢) شخص أو شيء فائق الجمال الخ. (٣) شاعر أو مغنٍّ رقيق (٤) كوكبة الدجاجة (فل).

swan dive *(n.)* غطسة التَّمّ (في السباحة).

swang [swăng] *past of* swing.

swanherd [swŏn'hûrd'] *(n.)* مُرَبّي التَّمّ أو الإوزّ العراقيّ.

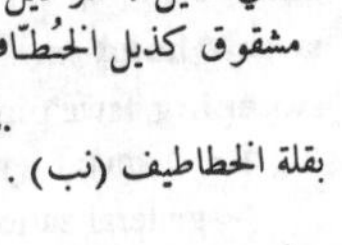

swan dive

swank [swăngk] *(adj.; n.; vi.)* (١) مُفعَم بالحيويّة والنشاط (اسك) §(٢) اختيال؛ تيه (٣) أناقة §(٤) يختال.

swank [swăngk] *or* **swanky** [-'ĭ] *(adj.)* (١) مختال (٢) أنيق.

swannery [swŏn'ə rĭ] *(n.)* مَربَى التَّمّ أو الإوزّ العراقيّ.

swansdown [swŏnz'doun'] *(n.)* (١) زَغَب التَّمّ أو الإوزّ العراقيّ (٢) قماش قطني سميك ذو زِئبر.

swanskin [swŏn'skĭn] *(n.)* (١) جلد التَّمّ أو الأوزّ العراقيّ (بزغبه أو ريشه) (٢) القماش التَّمّيّ: ضرب من الفلانلة.

swan song *(n.)* (١) أغنية التَّمّ: أغنية زعموا أنّ التّمّ أو الإوز العراقيّ ينشدها عند موته (٢) آخر عمل أو قول يؤديه الشاعر أو الملحن أو أي شخص آخر قبل وفاته أو اعتزاله.

swap [swŏp] *(vt.; i.; n.)* (١) يقايض §(٢) مقايضة.

swaraj [swə räj'] *(Skt.)* الحكم الذاتي (في الهند).

sward [swôrd] *(n.)* (١) سطح الأرض المعشوشب (٢) مَرْج.

swarm [swôrm] *(n.; vt.; i.)* (١) الخَشْرَم: جماعة النحل (٢) سِرْب جراد أو نحوه (٣) حَشْدٌ مندفع §(٤) يطير (النحلُ) على نحو جماعيّ من قفير ما لينشئ مستعمرة أخرى (٥) يحتشد (٦) يندفع بأعداد كبيرة (٧) يعجّ بـِ ×(٨) يملأ بحشود كبيرة (٩) يتسلّق.

swart [swôrt] *(adj.)* = swarthy.

swarth [swôrth] *(n.; adj.)* (١) sward §(٢) داكن اللون أو البشرة.

swarthy [swôr'thĭ] *(adj.)* داكن اللون أو البشرة.

swash [swŏsh] *(n.; vi.; t.)* (١) «أ» اندفاع الماء نحو الشاطئ (من موجة متكسّرة). «ب» صوت ذلك. «ج» حاجز تتكسّر عليه الأمواج (٢) قناة ماء وسط قرارة رملية أو بين الشاطئ وقرارة رملية (٣) اختيال؛ تيه؛ زهو §(٤) يختال تيهاً الخ. (را. swagger) (٥) يتحرك بعنف وجلبة (٦) يندفع (الماء) أو يتطاير محدثاً صوتاً رَشاشياً ×(٧) يرشّش الماءَ: يجعله يُطلق رشاشاً (٨) يرشّ أو ينضح بالماء.

swashbuckler [swŏsh'bŭk'lər] *(n.)* (١) «أ» المتفاخر الطائش. «ب» جنديّ أو مغامر متبجّح. «ج» قاتلٌ مستأجَر (٢) رواية أو مسرحيّة عن واحد من هؤلاء.

swashbuckling [swŏsh'bŭk'lĭng] *(adj.)* متفاخر متهور.

swasher [swôsh'ər] *(n.)* = swashbuckler.

A R P N
swash letters

swash letters *(n. pl.)* الحروف المذيّلة: حروف مائلة ذات ذيل زخرفيّ في أعلاها أو أدناها.

swastika

swastika [swŏs'tĭ kə] *(Skt.)* الصليب المعقوف: «أ» صليب يرمز إلى الشمس أو إلى الحظّ السعيد. «ب» شارة الحزب النازي الألماني والرايخ الثالث.

swat [swŏt] *(vt.; i.; n.)* (١) يضرب ضربةً عنيفة §(٢) ضربةٌ عنيفة.

swatch [swŏch] *(n.)* (١) «أ» عيّنة (أو مجموعة عيّنات) من قماش أو غيره. «ب» عيّنة نموذجيّة (٢) قطعة أو رقعة صغيرة (٣) مجموعة صغيرة.

swath [swŏth] *(n.)* (١) الرقعة التي تشملها ضربةٌ مُفرَدة من منجل أو جزّازة عشب (٢) صفّ من أعشاب أو من سنابل القمح مقطوع بمنجل أو جزّازة (٣) شِقّة عريضة؛ صفٌّ عريض (٤) ضربة منجل.

swathe [swāth] *(vt.; n.)* (١) يلفّ؛ يعصِب §(٢) رباط؛ عصابة (٣) swath.

sway [swā] *(vi.; t.; n.)* (١) يتمايل؛ يترنّح (٢) يتأرجح (٣) «أ» يَميل. «ب» ينحني (٤) يحكم؛ يتسلّط ×(٥) يهزّ (٦) يُميل (٧) يحمله على تغيير رأيه الخ. (٨) يُسيطر على (His speech ~*ed* the voters.) (٩) يرفع (تتبعها *up* عادةً) §(١٠) تمايُل؛ تأرجُح الخ. (١١) حكم؛ سيطرة؛ نفوذ (under the ~ of Rome).

swayback [swā'băk'] *(n.)* السَّرَج : انحناء إلى أدنى في العمود الفقري ، وبخاصة في الخيل ، ناشىء عن الارهاق أو نحوه .

swaybacked [swā'băkt'] *(adj.)* أسْرَج : مصابٌ بالسَّرَج .

swear [swâr] *(vt.; i.)* (١) يُقْسِم ؛ يَحْلِف (٢) يؤكّد أو يعِد جازماً (٣) يُحلِّف (the witness ~) (٤) «أ» ينال شيئاً من طريق القَسَم (to ~ out a warrant for a person's arrest) . «ب» يُحْدِث حالةً معيّنة من طريق الأيمان المتكررة أو من طريق الاسترسال في السِّباب (She *swore* herself hoarse.) ×(٥) يشتُم ؛ يَسُبّ .

- to ~ at يسبّ ؛ يشتم .
- to ~ by (١) يُقسِم بِـ (٢) يثق ثقةً كبيرة بفلان .
- to ~ for يكفل ؛ يضمن .
- to ~ in يقلّده منصباً (محلّفاً إياه اليمين) .
- to ~ off يُقلِع عن ؛ يُقسِم على الإقلاع عن . . .

swearword [swâr'wûrd'] *(n.)* شتيمة .

sweat [swĕt] *(vi.; t.; n.)* (١) «أ» يَعْرَق . «ب» يكدح (٢) يَرْشَح (٣) «أ» يتخمّر . «ب» يتعفّن (٤) يقلَق ؛ يأسى (٥) ينزّ ×(٦) يُفْرِز (٧) يحقق عملاً من طريق الكدح (~*ed* out one novel after another) (٨) يفقد شيئاً من وزن جسمه بالتعرّق أو نحوه (٩) يبلّل بالعرق (١٠) يعرِّق (١١) يُرْهِق (١٢) يشغّل (العمال) بأجور منخفضة أو في أحوال غير صحية الخ. (١٣) يُخضِع (المتّهَم) لألوان التعذيب لكي ينتزع منه اعترافاً (١٤) يرشّح ؛ يخمّر (١٥) يسلبه مالَه الخ. (١٦) يزيل جزءاً من المعدن (من قطعة نقدية ذهبيّة على الأخص) بالكشط الخ. (١٧) يُلحِم (معدناً) (١٨) يستخرج (الزيتَ من مادة) بالتسخين §(١٩) عَرَق (٢٠) كَدْح (٢١) رَشْح (٢٢) تعرّق (٢٣) قلق ؛ نفاد صبر الخ .

- to ~ blood يكدح أو يقلق قلقاً شديداً .

sweatband [swĕt'bănd'] *(n.)* عصابة العرق : «أ» طوق جلديّ عادةً تبطّن به حافة القبعة الداخلية لامتصاص العرق. «ب» عصابة يُلفّ بها الرأس لامتصاص العرق .

sweatbox [swĕt'bŏks] *(n.)* المِعْرَقة : أداة أو موضع للتعريق ؛ وبخاصة : صندوق ضيّق يُحبَس فيه السجين.

sweated goods [swĕt'ĭd] *(n. pl.)* السِّلَع المعرّقة : سِلَع منتجة من طريق تشغيل العمال بأجر منخفض وفي ظروف غير صحية .

sweated labor *(n.)* العمل المعرَّق : العمل المنتج من طريق استغلال العمال على نحو غير إنساني .

sweater [swĕt'ər] *(n.)* (١) «أ» المعرِّق : علاج أو عمل معرِّق . «ب» المتعرّق : كادحٌ يقوم بعمل معرِّق (٢) ربّ العمل المعرِّق (الذي يستخدم العمال بأجور منخفضة وفي ظروف غير صحيّة) (٣) السُّترة أو الكنزة المعرِّقة : سترة أو كنزة صوفيّة غليظة.

sweater girl *(n.)* الناهد : فتاة ناهدة الثديين .

sweat gland *(n.)* الغدّة العَرَقيّة (ت) .

sweat shirt *(n.)* كنزة فضفاضة يرتديها الرياضيّون .

sweatshop [swĕt'shŏp'] *(n.)* المعمل المعرِّق : مؤسسة صناعيّة صغيرة تستخدم العمال بأجور منخفضة وأحوال غير صحية الخ.

sweaty [swĕt'ĭ] *(adj.)* (١) متسخ أو مُبلَّل بالعرق (٢) معرِّق ؛ مُرْهِق ؛ شاقّ (~ work) .

swede [swēd] *(n.)* (١) *cap.* : السُّوَيْديّ : أحد أبناء السويد . (٢) الرُّتباج (را. rutabaga) .

Swedish [swē'dĭsh] *(n.; adj.)* (١) السُّوَيدية : لغة السُّوَيْد وجزءٍ من فنلندة (٢) السويديّون §(٣) سُوَيْديّ .

Swedish massage *(n.)* التدليك السُّوَيدي : تدليك بالحركات السويدية .

Swedish movements *(n. pl.)* الحركات السُّوَيدية : نظام من الحركات الرياضيّة لتمرين العضلات .

Swedish turnip *(n.)* = rutabaga.

sweeny [swē'nĭ] *(n.)* الضمور العضليّ (في كتف الفرس بخاصة) .

sweep [swēp] *(vt.; i.; n.)* (١) «أ» يحصد . «ب» يمحو . «ج» يجرف . «د» يدفع بقوّة (*swept* him away into a far corner) (٢) يكنس (٣) يكسب بفوز ساحق (*swept* the elections) (٤) يَمَسّ مَسّاً رفيقاً (Her skirt *swept* the floor.) (٥) يجري (فوق شيء) برشاقة أو قوة (٦) يلقي نظرة شاملة على (Her green eyes *swept* the room.) ×(٧) يكتسح (٨) يندفع بخفّة أو قوة (The children *swept* in.) (٩) يجرّ أذياله ؛ يمشي بوقار الخ. §(١٠) «أ» شادوف . «ب» مجذاف طويل (١١) كَنْس ؛ إزالة (١٢) «أ» نصر ساحق . «ب» كسب جميع الجوائز في مباراة (١٣) اندفاع قويّ متصل (the ~ of waves *or* wind) (١٤) حركة أو ضربة مائلة أو منحرفة (١٥) امتداد (upon a wide ~ of farming country) (١٦) مدى (beyond the ~ of your eyes) (١٧) «أ» كنّاس الشوارع . «ب» منظف المداخن (١٨) sweepstakes .

sweepback [swēp'băk'] *(n.)* الامتداد التّراجعيّ للجناح (طي) .

sweeper [swēp'ər] *(n.)* (١) كنّاس (٢) مِكنسة .

sweep hand *(n.)* = sweep-second.

sweeping [swē'pĭng] *(n.; adj.)* (١) كَنْس ؛ كِناسة . (٢) *pl.* : كُناسة ؛ نُفاية §(٣) شامل (a ~ glance) (٤) كاسح (a ~ victory) (٥) جارف (~ generalizations) .

sweep-second [swēp'sĕk'ənd] *(n.)* عقربُ الثواني المتراكب : عقربٌ للثواني متراكب فوق عقربي الساعة الآخرين .

sweepstakes [-'stāks'] *also* **sweepstake** [-'stāk'] *(n.)* (١) «أ» السويبستيك : ضرب من المراهنة على الخيل يكسب فيه الرابح مجموعَ الأموال المراهن بها أو معظمها. «ب» مسابقة (٢) يانصيب.

sweet [swēt] *(adj.; adv.; n.)* (١) حُلْو (٢) عَذْب (٣) جميل (٤) رخيم (٥) لطيف (٦) عزيز ؛ أثير (then pardon him, ~ father, for my sake.) (٧) بارع (a ~ pilot) §(٨) بطريقة حلوة الخ. §(٩) حلوى (١٠) حلاوة ؛ شيء حلو (the ~*s* of life) (١١) الحبيب ؛ المحبوب .

- at one's own ~ will على هواه .
- to be ~ on *or* upon مولَعٌ أو شغوفٌ أو متيّمٌ بِـ .

sweet alyssum *(n.)* الآلوسن البحري ؛ سلة الفضة (نب) .

sweet basil *(n.)* الحَبَق (نب) .

sweet bay *(n.)* (١) الغار (نب) (٢) المَغْنُولية الأميركية (نب) .

sweetbread [swēt'brĕd'] *(n.)* بنكرياس العجل أو الحَمَل .

sweetbrier [swēt'brī'ər] *(n.)* نِسْرين الكلاب (نب) .

sweet clover *(n.)* = melilot.

sweet corn *(n.)* الذُّرة السُّكرية (نب) .

sweeten [swē'tən] *(vt.; i.)* (١) يحلّي ؛ يسكّر (٢) يجعله أحلى نغمةً أو أزكى عبيراً (٣) يهذّب ؛ يلطّف (٤) يهدّىء ؛ يسكّن ×(٥) يحلو .

sweetening [swē'tən ĭng] *(n.)* (١) تحلية (٢) شيء مُحلٍّ .

sweet flag *(n.)* عود الوَجّ ؛ قَصَب الذَّريرة (نب) .

sweetheart [swēt'härt'] *(n.)* (١) الحبيب ؛ المحبوب (٢) الحبيبة .
sweetie [swē'tĭ] *(n.)* (١) *pl.* : حلويات (٢) الحبيب ، الحبيبة .
sweetie pie *(n.)* = sweetheart.
sweeting [swē'tĭng] *(n.)* (١) الحبيب ؛ الحبيبة (٢) تفاح سكريّ .
sweetish [swē'tĭsh] *(adj.)* (١) حلوٌ قليلاً (٢) حلوٌ إلى حدٍّ جارح أو مُغْثٍ .
sweet marjoram *(n.)* = marjoram.
sweetmeat [swēt'mēt'] *(n.)* (١) مُرَبّى (٢) حلوى .
sweet oil *(n.)* الزيت الحلو (كزيت الزيتون) .
sweet pea *(n.)* الجُلْبان العطِر ؛ البِسِلّى العَطِرة (نب) .
sweet potato *(n.)* (١) البطاطا الحلوة (٢) ocarina .
sweetshop [swēt'shŏp'] *(n.)* محلّ لبيع الحلويات (بر) .
sweetsop [swēt'sŏp'] *(n.)* القِشدة ؛ السفرجل الهندي (نب) .
sweet sorghum *(n.)* = sorgo.
sweet-talk [swēt'tôk'] *(vt.; i.)* يتملّق .
sweet tooth *(n.)* حبّ الحلويات أو الولوع بها .
sweet william *(n.)* القَرَنْفُل الملتحي (نب) .
swell [swĕl] *(vi.; t.; n.; adj.)* (١) «أ» ينتفخ . «ب» يعلو ؛ يرتفع . «ج» يزداد ؛ يتكاثر ؛ يتضخم . «د» يتورم (٢) «أ» ينتفخ كِبْراً أو غروراً . «ب» يتفاخر ؛ يتبجح (٣) يُفْعَم بعاطفة قويّة ×(٤) يَنْفُخ الخ . (٥) «أ» يزيد ؛ يضخّم . «ب» يملأه (غروراً الخ.) §(٦) انتفاخ ؛ ازدياد ؛ تضخّم الخ. (٧) موجة أو أمواج طويلة (٨) مرتفَع من الأرض ؛ هضبة مدوَّرة (٩) أداة في الأرغن لضبط حجم الصوت (١٠) «أ» شخص بالغ الأناقة . «ب» شخص رفيع المنزلة §(١١) أنيق (١٢) بارزٌ اجتماعياً (١٣) ممتاز ؛ رائع (a really ~ girl) .
swelled head *(n.)* غرور . **—swelled-headed** *(adj.)*
swellfish [swĕl'fĭsh] *(n.)* = globefish.
swellhead [swĕl'hĕd] *(n.)* المغرور ؛ المغترّ بنفسه .
swelling [swĕl'ĭng] *(n.; adj.)* (١) انتفاخ ؛ تضخّم ؛ ورم . §(٢) منتفخ ؛ متضخّم ؛ متورم (٣) مُفعَم بالغرور (٤) «أ» طنان ؛ رنّان (a ~ speech) . «ب» مُتّسِم بالأُبهة (a ~ scene) .
swelter [swĕl'tər] *(vi.; t.; n.)* (١) يتصبب عرقاً ، أو يكاد يغمى عليه ، من شدّة الحرّ ×(٢) يضايق بشدّة الحرّ ؛ يصيب بالاغماء من شدّة الحرّ ؛ يعرق بغزارة §(٣) «أ» حرّ شديد (مع رطوبة). «ب» عَرَق غزير (٤) قلق ؛ نفاد صبر ؛ اهتياج ؛ عصبية .
sweltering [-ĭng] *(adj.)* (١) قائظ ؛ شديد الحرّ (٢) متضايق من القيظ .
swept [swĕpt] *past and past part. of* sweep.
swept [swĕpt] *(adj.)* مرتدّ أو مردود إلى الوراء (كجناح طائرة).
swerve [swûrv] *(vi.; t.; n.)* (١) ينحرف ×(٢) يَحْرِف ؛ يجعله ينحرف §(٣) انحراف .
swift [swĭft] *(adj.; adv.; n.)* (١) سريع (٢) مفاجىء . (٣) رشيق ؛ خفيف الحركة §(٤) بسرعة الخ. §(٥) عظاءة خفيفة الحركة (ح) (٦) بَكَرة ؛ مكبّ (٧) السَّمامة : طائر يشبه السنونو . **—swiftly** *(adv.)* **—swiftness** *(n.)*

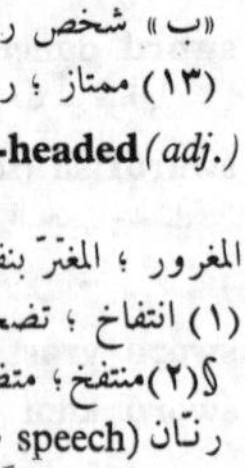

swift

swig [swĭg] *(n.; vt.; i.)* (١) جَرعة كبيرة (من شراب مسكر الخ.) §(٢) يتجرع أو يشرب بشراهة .
swill [swĭl] *(n.; vt.; i.)* (١) «أ» طعام الخنازير . «ب» قُمامة (٢) نُفاية (٣) جرعة من شراب §(٤) يغسل ؛ يشطف (٥) يتجرّع جرعاتٍ كبيرة من (٦) يُطعِم خنزيراً الخ. ×(٧) يُسْرِف في الشراب (٨) يندفع بقوّة أو عنف .
swim [swĭm] *(vi.; t.; n.)* (١) يَسْبَح (٢) ينزلق (٣) «أ» يطفو . «ب» يتغلّب على المصاعب (٤) يُصاب بدُوار ؛ يَدُوخ ؛ يدور (His head ~*s*.) ×(٥) يجتاز سباحةً (٦) يُكرِهُهُ على السباحة (to ~ a horse across a river) §(٧) سباحة (٨) انزلاق (٩) دُوار (١٠) جزء من النهر الخ. زاخر بالسمك (١١) مجرى النشاط (الاجتماعي الخ.) الرئيسي (to be in *or* out of the ~) .
swim bladder *(n.)* المثانة الهوائية (في الأسماك) .
swimmer [swĭm'ər] *(n.)* السابح ؛ السبّاح .
swimmeret [swĭm'ə rĕt'] *(n.)* العوّامة الرِجلية (في القشريات) .
swimming [swĭm'ĭng] *(adj.; n.)* (١) سابح (٢) مُعَدّ للسباحة أو مستخدَم فيها (٣) مغرورق بالدموع (~ eyes) (٤) مصاب بدُوار : دائخ (a ~ brain) §(٥) سباحة (٦) دُوار .
swimmingly [swĭm'ĭng lĭ] *(adv.)* بنجاح ؛ على نحوٍ رائع .
swimmy [swĭm'ĭ] *(adj.)* (١) «أ» دائخ . «ب» مدوخ (٢) غائم .
swimsuit [swĭm'sōōt'] *(n.)* المايوه : ثوب السباحة .
swindle [swĭn'dəl] *(vt.; n.)* (١) يخدع ؛ يغشّ (٢) يسلبه ماله بالخِداع (٣) ينتزع بالخداع (to ~ money out of somebody) §(٤) خِداع ؛ احتيال (٥) سلعة مغشوشة أو تساوي أقلّ بكثير مما دُفِع فيها (This watch is a ~.) . **—swindler** *(n.)*
swine [swīn] *(n.)* (١) خنزير (٢) شخص جدير بالازدراء .
swineherd [swīn'hûrd'] *(n.)* مربّي الخنازير .
swing [swĭng] *(vt.; i.; n.; adj.)* (١) «أ» يهزّ ؛ يلوّح بـ . «ب» يؤرجح . «ج» يُدير على محور . «د» يدير ؛ يوجّه ؛ يصوّب (٢) يدلّي ؛ يعلّق (٣) ينقل بالتَدْلِية أو الأرجحة (cranes that ~ cargo up over the ship's side) (٤) يسيطر على (٥) ينقله من حال إلى حال (٦) يوفّق إلى إنجاز شيء أو شرائه ×(٧) يتأرجح ؛ يتمايل (٨) يموت شنقاً (He was caught spying and made to ~ for it.) (٩) يتدلّى (١٠) «أ» يدور على محور أو مِفصلة . «ب» يدور (حول زاوية الخ.) (١١) «أ» يكون منتظم الإيقاع . «ب» يعزف موسيقى السوينغ (١٢) ينتقل أو يتقلّب من حالة إلى أخرى (*swung* constantly from optimism to pessimism) (١٣) يضرب ؛ يسدد ضربة إلى (١٤) يمشي مؤرجحاً يديه §(١٥) تأرجُح ؛ تمايُل ؛ خَطَران (١٦) لكمة (١٧) إيقاع مطّرد (في الشعر أو الموسيقى) (١٨) حركة ناشطة مطّردة (١٩) انتقال دوريّ من حال أو شكل أو وضع إلى آخر (constant ~*s* of style from one extreme to the other) (٢٠) حرية العمل أو التصرّف (given full ~ in the conduct of the business) (٢١) سرعة (The train was approaching at full ~.) (٢٢) نشاط ؛ تقدّم (The work was in full ~.) (٢٣) زَخْم (٢٤) نطاق التأرجح (a pendulum with a 15-inch ~) (٢٥) «أ» رقّاص الساعة . «ب» أرجوحة (٢٦) موسيقى السوينغ §(٢٧) دوّار (~ handles) (٢٨) متدلٍّ (~ lamps) (٢٩) سوينغي : خاص بموسيقى السوينغ (~ tunes) (٣٠) متردِّد ؛ متقلّب (in order to attract the ~ vote) . **—swinger** *(n.)*
swing bridge *(n.)* الجسر الدوّار أو المتحرّك .
swinge [swĭnj] *(vt.)* يضرِب ؛ يَسُوط ؛ يعاقب .
swingeing [swĭn'jĭng] *(adj.)* (١) ضخم (~ damages) (٢) عنيف جداً (a ~ blow) (٣) ممتاز .

swingle [swĭng'gəl] *(n.; vt.)* (١) مِضرب القنّب أو الكتّان . §(٢) ينظّف (القنب أو الكتان) بضربه بمضرب .

swingletree [-trē] *(n.)* عمود العربة الأفقيّ : عمود العربة الأفقيّ الارتكازي المتحرّك الذي يُشَدّ إليه سَيْرا عُدّةِ الفرس والذي بواسطته تُجَرّ العربة أو الآلة .

swing music *(n.)* موسيقى السوينغ : ضرب من موسيقى الجاز .

swinish [swī'nĭsh] *(adj.)* خنزيريّ ؛ بهيميّ ؛ قذِر ؛ شرِه .

swink [swĭngk] *(n.; vi.)* (١) كَدْحٌ §(٢) يكدح .

swipe [swīp] *(n.; vt.; i.)* (١) ضربة عنيفة (٢) سائس الخيل . §(٣) يضرب بعنف (٤) يسرق (ع) .

swipes [swīps] *(n. pl.)* (١) جِعَة رديئة (٢) جِعَة .

swirl [swûrl] *(vi.; t.; n.)* (١) يدوم : يجري ملتفاً كالدوّامة ×(٢) يجعله يدوم §(٣) دُوّامة .

swirly [swûr'lĭ] *(adj.)* مدوِّم .

swish [swĭsh] *(vi.; t.; n.; adj.)* (١) يَحِفّ ؛ يَهِيف ؛ يُهسهس ×(٢) يجعله ذا حفيف الخ . §(٣) حفيف ؛ هفيف ؛ هَسْهَسَة §(٤) أنيق (a ~ automobile) . **—swishy** *(adj.)*

Swiss [swĭs] *(n.; adj.)* (١) السويسريّ : أحد أبناء سويسرا . (٢) القُماش السويسري : قماش قطني رقيق مزدان بنقط نافرة (٣) الجبن السويسري : جبنٌ ضاربٌ لونُه إلى الصفرة يتميّز بثقوب كبيرة §(٤) سويسريّ .

switch [swĭch] *(n.; vt.)* (١) قضيب ؛ سَوْط (٢) ضربة بالسَّوْط أو نحوه (٣) تحوّل ؛ انتقال (٤) كتلة شعر طويل في طرف ذيل البقرة الخ . (٥) المحوِّلة (مج) : مفتاح التحويل في السكة الحديدية (٦) المفتاح الكهربائي (٧) الضفيرة العارية : كتلة من شعرٍ كاذب تضيفها المرأة إلى شعرها لكي يبدو أطول أو أغزر §(٨) «أ» يَسُوط ؛ يضرب بالسَّوط أو نحوه . «ب» يحرك شيئاً وكأنّه سوط (The cow ~ed her tail.) (٩) يحوِّل (من خطٍ من خطوط السكة الحديدية إلى آخر) (١٠) يغيّر ؛ يبدِّل ؛ يحوِّل (١١) يقطع التيار أو يُشعِل النور بمفتاح كهربائي (to ~ off a current; to ~ on a light) (١٢) ينتزع فجأةً ؛ يختطف . **—switcher** *(n.)*

switchback [swĭch'-] *(n.)* (١) الطريق المتعرج : طريق متعرج في منطقة جبليّة ؛ وبخاصة : خطٌ متعرج من خطوط السكة الحديدية مُعَدّ لارتقاء هضبة شديدة الانحدار (٢) roller coaster .

switchblade knife *(n.)* المدية النابضيّة : مدية جيب تُفتَح بواسطة نابض أو زنبرك .

switchboard [swĭch'bōrd'] *(n.)* لوحة المفاتيح (كب) .

switch knife *(n.)* = switchblade knife.

switchman [swĭch'-] *(n.)* المحوِّل : عامل التحويل في السكة الحديدية .

switchyard [swĭch'-] *(n.)* فِناء التحويل (في محطة للسكة الحديدية) .

swith [swĭth] *(adv.)* حالاً ؛ سريعاً (ع) .

swither [swĭth'ər] *(vi.; n.)* (١) يشكّ ؛ يتردّد §(٢) شكٌّ ؛ تردّد (٣) ذُعر (عب) .

Switzer [swĭt'sər] *(n.)* = Swiss.

swivel [swĭv'əl] *(n.; vi.; t.)* (١) المِروَد ؛ الوُصْلة المتراوحة : «أ» أداة تمكّن الشيء المثبّت من الدوران فوقها بحريّة . «ب» حاملٌ تدور الكرسي فوقه . «ج» حلقة تربط بين جزءين من السلسلة بحيث يدور أحدهما من غير أن تؤدي حركته إلى دوران الآخر §(٢) يدور أو يدير على محور أو نحوه .

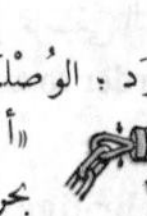

swivels

swivel chair

swivel chair *(n.)* الكرسيّ الدوّار أو اللفّاف .

swivet [swĭv'ət] *(n.)* اهتياج عقلي أو عاطفيّ شديد .

swizzle [swĭz'əl] *(n.; vi.; t.)* (١) السوزل : كوكتيل من شراب مُسكِر وعصير الليمون وسكّر الخ . §(٢) يسرف في الشراب ×(٣) يمزج أو يحرك بعود السوزل أو نحوه (را. المادة التالية) .

swizzle stick *(n.)* عُود السَّوزَل : عود يُستخدَم في تحريك الأشربة الكحولية الممزوجة .

swob [swŏb] *(n.; vt.)* = swab.

swollen [swō'lən] *past part. of* swell.

swoon [swōōn] *(vi.; n.)* (١) «أ» يُغْمَى عليه . «ب» ينتشي بالحبور الخ . (٢) يتلاشى أو يضعُف تدريجياً (The noise ~ed away.) §(٣) إغماء (٤) «أ» نشوة . «ب» خُدار .

swoop [swōōp] *(vi.; t.; n.)* (١) ينقضّ على ×(٢) يقتلع شيئاً من مكانه (٣) ينتزع (٤) يبتلع ؛ يزدرد §(٥) انقضاض الخ .

swop [swŏp] *(vt.; i.; n.)* = swap.

sword [sōrd] *(n.)* (١) سَيْف (٢) حرب ؛ قوّة عسكريّة . at ~'s points على أشدّ الخصام ؛ على استعداد للهجوم المتبادل . to put to the ~, يقتل بالسيف ؛ يُعمِل السيف (في الرقاب) .

sword bayonet *(n.)* الحربة السيفيّة : حربة على شكل سيف .

swordbill [sōrd'bĭl'] *(n.)* سَيْفِيّ المنقار : طائر جنوب أميركي منقارُه النحيل أطول من جسمه .

swordcraft [sōrd'krăft'] *(n.)* (١) البراعة في الضرب بالسيف (٢) القوة أو البراعة العسكريّة .

sword dance *(n.)* رقصة السيوف : «أ» رقصة تحلُّقية يؤديها رجال يحملون سيوفاً . «ب» رقصة تؤدّى حول السيوف أو فوقها .

swordfish [sōrd'fĭsh] *(n.)* أبو سيف ؛ سيّاف البحر : سمك أوقيانوسي ضخم طويل المنقار .

swordfish

sword grass *(n.)* العشب السيفي : عشب أو نبات سيفيّ الأوراق .

sword knot *(n.)* عقدة السيف : عقدة زينيّة عند مقبض السيف .

swordplay [sōrd'plā'] *(n.)* السِّيافة : فنّ استعمال السيف أو البراعة فيه وبخاصة في المثاقفة أو المبارزة بالسيف .

swordsman [sōrdz'-] *(n.)* (١) جنديّ يحمل سيفاً (ا.ق) (٢) المثاقِف : المبارز بالسيف .

swordsmanship [sōrdz'mən shĭp'] *(n.)* = swordplay.

swordtail [sōrd'tāl'] *(n.)* السَّيْفيل : سمك نهري أميركي صغير .

swore [swōr] *past of* swear.

sworn [swōrn] *past part. of* swear.

swot [swŏt] *(vt.; i.; n.)* (١) يضرب بعنف ×(٢) يدرس أو يعمل بإجهاد §(٣) تلميذ مجدّ (٤) درس أو عملٌ بإجهاد .

swum [swŭm] *past part. of* swim.

swung [swŭng] *past and past part. of* swing.

swung dash *(n.)* القاطعة المُمالة : علامة (~) تستخدم في الطباعة بدلاً عن كلمة أو جزء من كلمة سبقت تهجئتها وذلك بغية الاقتصاد في المساحة .

sybarite [sĭb'ə rīt'] *(n.)* (١) *cap.* السيباريسي : أحد أبناء سيباريس وهي مدينة اغريقية قديمة في جنوب ايطالية اشتهرت بالثراء والترف (٢) المُترَف ؛ المنغمس في الملذات .

sycamine [sĭk'ə mĭn; -mīn] *(L.)* شجر التوت أو ثمره .

ă at; ā date; â care; ä car; ĕ egg; ē me; ĭ in; ī bite; ŏ lot; ō bone; ô orphan; oi boil ŏŏ good; ōō boot; ou out; ŭ under; ū unity; û urgent; th thing; *th* this; zh vision; ə = *a* in alone, *e* in system, *i* in easily, *o* in gallop, *u* in circus.

sycamore [sĭk'ə mōr'] *(n.)* (١) شجر الجُمَّيز (٢) القَيقَب الدُّلبي الكاذب (شجر) (٣) الدُّلب الغربي (شجر).

syce [sīs] *(Ar.)* التابع ، الخادم ، السائس (وبخاصة في الهند).

sycee [sī sē'] *(Chin.)* السيسية : عملة فضية صينية قديمة.

syconium [sī kō'nĭ əm] *(L.)* pl. **-nia** التينيّة ، الثمرة التينيّة : ثمرة لَحْمِيّة كثمرة التين (نب).

sycophancy [sĭk'ə fən sĭ] *(n.)* التملّق الذليل.

sycophant [-fənt] *(adj.; n.)* (١) متملّق ذليل §(٢) المتملّق الذليل.

sycophantism [sĭk'ə fənt ĭz əm] *(n.)* = sycophancy.

sycosis [sī kō'sĭs] *(L.)* الداء التيني ؛ قُوباء الذقن (من أمراض الشعر).

syenite [sī'ə nīt] *(L.)* الصخر الأسواني : صخر ناري منسوب إلى مدينة أسوان المصرية القديمة.

syllabary [sĭl'ə bĕr'ĭ] *(L.)* الأبجدية المَقْطَعية : لائحة بحروف (في اللغة اليابانية مثلاً) تمثّل مقاطع لفظية وتُستخدَم كضربٍ من الأبجدية.

syllabic [sĭ lăb'ĭk] *(adj.; n.)* (١) مَقْطَعِيّ : متعلق بمقطع لفظيّ §(٢) صوتٌ مقطَعِيّ (ل).

syllabicate [sĭ lăb'ə kāt'] *(vt.)* يشكّل مقاطع أو يجزّىء إلى مقاطع لفظيّة (ل).

syllabify [sĭ lăb'ə fī'] *(vt.)* = syllabicate.

syllabize [sĭl'ə bīz'] *(vt.)* = syllabicate.

syllable [sĭl'ə bəl] *(n.; vt.; i.)* (١) مقطع لفظيّ (٢) أصغر وحدات شيء §(٣) يلفظ مجزّأً إلى مقاطع ؛ يلفظ بوضوح (٤) يصور أو يمثّل بمقاطع ×(٥) يتكلم.

syllabub [sĭl'ə bŭb'] *(n.)* = sillabub.

syllabus [sĭl'ə bəs] *(L.)* مخطط أو خلاصة لبحث أو منهج دراسي الخ.

syllogism [sĭl'ə jĭz'əm] *(n.)* القياس ، القياس المنطقي (مق).

syllogistic ; syllogistical [sĭl'ə jĭs'-] *(adj.)* قياسيّ (مق).

syllogize [sĭl'ə jīz'] *(vi.; t.)* يقيس : يصطنع القياس المنطقيّ.

sylph [sĭlf] *(L.)* (١) السِّلْف : كائن خرافيّ يعيش في السماء (٢) فتاة هيفاء رشيقة.

sylphid [sĭl'fĭd] *(n.)* السُّلَيف : سِلْفٌ (را. sylph) صغير.

sylva [sĭl'və] *(n.)* = silva.

sylvan [sĭl'vən] *(adj.; n.)* (١) أجَميّ ، حَرَجيّ §(٢) ربّة الآجام أو الغابات (٣) ساكن الآجام أو الغابات.

sylvanite [sĭl'və nīt'] *(F.)* السلفانيت (مع).

sylviculture [sĭl'və kŭl'chər] *(n.)* = silviculture.

sylvite [sĭl'vīt] *(F.)* السِّلفيت (مع).

sym- = syn-.

symbiont [sĭm'bĭ-] *(n.)* المتكافل : مُتَعَضٍّ يعيش بالتكافل (أح).

symbiosis [sĭm'bĭ ō'sĭs; -bī-] *(L.)* التكافل : تعايش متعضيين غير متشابهين (أح).

symbiotic; symbiotical [sĭm'bĭ ŏt'-] *(adj.)* تكافليّ (أح).

symbol [sĭm'bəl] *(n.; vi.; t.)* (١) رَمْز §(٢) يرمز.

symbolic *or* **symbolical** [sĭm bŏl'-] *(adj.)* رَمزي.

symbolic logic *(n.)* المنطق الرمزي : تطوير حديث للمنطق الصُّوري قائم على تمثيل المبادىء المنطقيّة بالرموز.

symbolism [sĭm'bə lĭz'əm] *(n.)* (١) الرمزية ، وبخاصة في الشعر (را. المادة التالية) (٢) نظامٌ أو مجموعة من الرموز.

symbolist [sĭm'bəl ĭst] *(n.; adj.)* (١) الرمزيّ : مستخدِم الرموز أو الرمزيّة (٢) البارع في تفسير الرموز (٣) الشاعر الرمزي : واحد من الشعراء الفرنسيين (بعد عام ١٨٨٠) الذين هدفوا إلى التعبير عن الفكرات والعواطف أو إلى الإيحاء بها من طريق الرموز مصطنعين كلماتٍ (وأحياناً مجرَّدَ حروفِ علّةٍ) يراد بها أداء معنى متّشحٍ بغلالة من الصوفيّة والغموض §(٤) رمزيّ. **—symbolistic** *(adj.)*

symbolize [sĭm'bə līz'] *(vi.; t.)* يرمز إلى.

symbology [sĭm bŏl'ə jĭ] *(n.)* (١) التعبير بالرموز (٢) دراسة الرموز أو تفسيرُها.

symmetallism [sĭm mĕt'ə lĭz'əm] *(n.)* المزجيّة المعدنيّة : نظام من أنظمة العملة تتألف وحدة النقد فيه من وزن معين من مزيج معدنين أو أكثر (كالذهب والفضة).

symmetrical *or* **symmetric** [sĭ mĕt'-] *(adj.)* متساوق ، متناسق ، متماثل.

symmetrical lenses *(n. pl.)* العدسات المتماثلة (ض).

symmetrize [sĭm'ə-] *(vt.)* يُساوِق ، يجعله متناسقاً أو متماثلاً.

symmetry [sĭm'ə trĭ] *(n.)* تساوُق ، تناسُق ، تماثُل.

sympathetic [sĭm'pə thĕt'ĭk] *(adj.)* (١) متجانس ، غير متنافر (٢) ملائم لمزاج المرء (Samira found a ~ medium in wood engraving.) (٣) عاطف ، مؤيِّد ، ناظر بعين العطف (Adib was ~ to the project.) (٤) وُدّيّ ، سِمبتاويّ : متعلق بالأعصاب الودّيّة أو السِّمبتاوية (ت).

sympathetic ink *(n.)* الحبر السري : حبر تُكتَب به كتابةٌ غير منظورة لا تتجلى إلا إذا عولجت بالحرارة أو المواد الكيميائية.

sympathetic nervous system *(n.)* المجموع العصبيّ السِّمبتاوي ، الجملة العصبيّة الوُدّيّة (ت).

sympathetic strike *(n.)* = sympathy strike.

sympathetic vibration *(n.)* الاهتزاز بالتأثير (فز).

sympathize [sĭm'pə thīz'] *(vi.)* (١) يتجانس ، يتماثل (٢) يتعاطف ، يبدي مشاركة وجدانيّة (to ~ with a friend in trouble) (٣) يعطف على (to ~ with a proposal *or* party).

sympathy [sĭm'pə thĭ] *(n.)* (١) تعاطف ، مشاركة وجدانيّة (٢) تجانس ، انسجام (in complete ~ with the scheme as a whole) (٣) عطف (to seek ~ from an old friend).

sympathy strike *(n.)* إضراب التعاطف : إضراب يقوم به عمال مصنع أو صناعة ما تأييداً لإضراب أعلنه عمال مصنع آخر أو صناعة أخرى.

sympetalous [sĭm pĕt'əl əs] *(adj.)* = gamopetalous.

symphonic [sĭm fŏn'ĭk] *(adj.)* (١) متناغم : متآلف الأصوات (٢) سِمفونيّ.

symphonic poem *(n.)* القصيدة السِّمفونيّة : لحن موسيقي طويل للأوركسترا السمفونيّة ولكنه يختلف عن السمفونيّة في أنّه أكثر تحرراً من حيث الشكل وفي أنّه مبنيّ على موضوع شعريّ محدَّد.

symphonious [sĭm fō'nĭ əs] *(adj.)* متناغم.

symphonist [sĭm'fə nĭst] *(n.)* السِّمفونيّ : مؤلف السِّمفونيّات.

symphony [sĭm'fə nĭ] *(n.)* (١) «أ» تآلفُ الأصوات. «ب» تآلفُ الألوان (٢) السِّمفونيّة : لحنٌ موسيقيّ طويل مُعَدّ لكي تعزفهُ أوركسترا سِمفونيّة (را. المادة التالية) (٣) الحفلة السِّمفونية : حفلة موسيقية تقدمها أوركسترا سِمفونيّة.

symphony orchestra *(n.)* الأوركسترا السِّمفونيّة : فرقة موسيقية كبيرة لعزف السِّمفونيّات.

symphyseal *also* **symphysial** [sĭm fĭz'ĭ əl] *(adj.)* ارتفاقيّ.

symphysis [sĭm'fə sĭs] *(L.)* pl. **-ses** [-sēz'] الارتفاق ؛ الالتصاق ؛ التصاق العظام (ت) .

sympodial [sĭm pōd'ĭ əl] *(adj.)* كاذبُ المحور (نب) .

symposiarch [sĭm pō'zĭ ärk'] *(Gk.)* رئيس وليمة أو اجتماع .

symposium [sĭm pō'zĭ əm] *(L.)* pl. **-sia** *or* **-siums** (١) «أ» حفلة شراب . وبخاصة بعد وليمة . «ب» وليمة أو حفلة تُتبادل خلالها الآراء بحريّة (٢) «أ» الندوة : اجتماع يتحدث فيه عدة متكلمين أحاديث قصيرة عن موضوع معيّن أو موضوعات شقيقة . «ب» مجموعة آراء حول موضوع ؛ وبخاصة : مجموعة آراء كهذه منشورة في مجلة دورية . «ج» مناقشة .

symptom [sĭmp'təm] *(L.)* (١) عَرَضٌ (ط) (٢) أمارة ؛ علامة .

symptomatic [sĭmp'tə măt'ĭk] *(adj.)* (١) عَرَضي : ذو علاقة بعَرَض أو أعراض (٢) أعراضي : وفقاً للأعراض a ~ classification of disease) (٣) دال على (Her behavior is ~ of her character.)

symptomatology [sĭmp'təm ə tŏl'ə jĭ] *(n.)* مَبْحَثُ الأعراض (ط) .

symptomless [sĭmp'təm-] *(adj.)* لاعَرَضي : غير متكشّفٍ عن أعراض (مض) .

syn- بادئة معناها : «أ» مع ؛ معاً . «ب» متزامن ؛ متواقت .

synaesthesia [sĭn əs thē'-] *(n.)* = synesthesia.

synaesthesis [-thē'-] *(n.)* الانسجام المتزامن (فج) .

synagogue *or* **synagog** [sĭn'ə gôg'] *(n.)* (١) جماعة محليّة من اليهود (٢) اجتماع اليهود للعبادة (٣) الكَنِيْس : معبد اليهود .

synapse [sĭ năps'] *(n.; vi.)* (١) نقطة الاشتباك (العصبيّ) . §(٢) يتشابك (فس) .

synapsis [sĭ năp'sĭs] *(n.)* (١) الاقتران الصِّبغيّ : اقتران الكروموسومات (أح) (٢) synapse .

synarthrodia [sĭn'är thrō'-] *(L.)* pl. **-e** [-ē'] = synarthrosis.

synarthrosis [-'är thrō'sĭs] *(L.)* pl. **-ses** [-sēz] المَفْصِل الثابت .

syncarpous [sĭn kär'pəs] *(adj.)* مُتَّحِد الكرابل أو الأخبية (نب) .

synchro- بادئة معناها : متزامن ؛ متواقت (*synchro*mesh) .

synchro-cyclotron [sĭng'krə sī'-] *(n.)* السّيكلوترون المتزامن .

synchroflash [sĭng'krə flăsh] *(adj.)* متزامن الوميض (فو) .

synchromesh [sĭng'krə mĕsh'] *(adj.; n.)* (١) متزامن التعشيق . §(٢) التعشيق التزامني (مك) .

synchronal [sĭng'krə nəl] *(adj.)* = synchronous.

synchronic; -al [sĭn krŏn'-] *(adj.)* = synchronous.

synchronism [sĭng'krə nĭz'əm] *(n.)* (١) التزامن ؛ التواقت : الحدوث في زمن أو وقت واحد (٢) الترتيب التزامني للأحداث والشخصيات التاريخيّة (٣) الجدول التاريخيّ التزامني .

synchronization [sĭng krə nə zā'-] *(n.)* (١) تزامُن (٢) مُزامَنة .

synchronize [sĭng'krə nīz'] *(vi.; t.)* (١) يتزامَن : يحدث في زمن واحد ×(٢) يزامِن .

—**synchrony** *(n.)*

synchronized [sĭng'krə-] *(adj.)* متزامِن ؛ متواقت .

synchronizer [sĭng'krə-] *(n.)* المزامِن : آليّة التزامن .

synchronous [sĭng'krə nəs] *(adj.)* (١) متزامِن ؛ متواقت . (٢) تزامني ؛ تواقتي .

synchronous motor *(n.)* الموطور المتزامِن (كب) .

synchroscope [sĭng'krə skōp] *(n.)* السِّنكروسكوب : مِكشاف التزامن (كب) .

synchrotron [sĭng'krə trŏn'] *(n.)* السِّنكروترون : سيكلوترون مُعَدّ لتسريع الالكترونات (فزن) .

synclastic curvature [sĭn klăs'tĭk] *(n.)* الانحناء التساوقي (ر) .

synclinal [sĭn klī'nəl] *(adj.; n.)* (١) مُقَعَّر (جي) §(٢) القعيرة : طيّة مقعّرة (جي) .

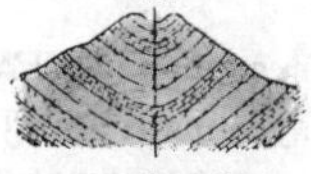

synclinal folds

syncline [sĭng'klīn; sĭn'-] *(n.)* القَعيرة : طيّة مقعّرة (جي) .

syncopate [sĭng'kə pāt'] *(vt.)* (١) «أ» يرخِّم (كلمةً) بحذف حرف أو أكثر من وسطها . «ب» يختصر (٢) يؤخّر النَّبْر (مو) .

syncopated [sĭng'-] *(adj.)* (١) مؤخَّر النَّبْر (مو) (٢) مختصَر ؛ موجز .

syncopation [sĭng'kə pā'shən] *(n.)* (١) تأخير النَّبْر (مو) . (٢) مَقْطع الخ . مؤخَّر النبر (مو) .

syncope [sĭng'kə pĭ] *(L.)* (١) إغماء (٢) الترخيم الوسَطيّ : ترخيم اللفظة بحذف حرف أو أكثر من وسطها (ل) .

syncretism [sĭng'krə tĭz'əm] *(n.)* (١) التوفيق بين المعتقدات (الدينيّة) المتعارضة (٢) الحركة التوفيقية ؛ الجهد التوفيقيّ : حركة أو جهد للتوفيق بين المعتقدات الدينية المتعارضة .

—**syncretist** *(n.; adj.)* —**syncretistic** *(adj.)*

syncretize [-tīz'] *(vt.; i.)* يوفّق بين المعتقدات والمبادىء المتعارضة .

syndactyl *or* **syndactyle** [sĭn dăk'tĭl] *(adj.; n.)* (١) متّحِد الأصابع : ذو اصبعين (أو أكثر) متحدَين اتحاداً كليّاً أو جزئيّاً §(٢) طائر أو حيوان ثدييّ متّحد الأصابع .

syndesis [sĭn'də-] *(L.)* الاقتران الصِّبغيّ : اقتران الكروموسومات (أح) .

syndesmosis [sĭn'dĕs mō'sĭs] *(L.)* ارتباط العظام (ت) .

syndetic [-dĕt'ĭk] *(adj.)* (١) رابط ؛ واصل (ل) (٢) رَبْطي ؛ وصلي (ل) .

syndic [sĭn'dĭk] *(F.)* (١) موظف حكومي (كعمدة المدينة الخ.) . (٢) المندوب التجاري لجامعة أو شركة .

—**syndical** *(adj.)*

syndicalism [sĭn'də kə lĭz'əm] *(F.)* النقابيّة : «أ» مذهب ثوري يسيطر العمال بموجبه على الاقتصاد والحكم من طريق الاضراب العام الخ . «ب» نظام اقتصادي يملك فيه العمال مختلف الصناعات ويديرون شؤونها . «ج» نظرية في الحكم مبنية على قاعدة التمثيل النقابيّ لا على قاعدة التمثيل الإقليميّ .

—**syndical** *(adj.)* —**syndicalist** *(adj.; n.)*

syndicate [*n.* sĭn'də kĭt; *v.* -kāt'] *(n.; vt.; i.)* (١) نقابة . (٢) مؤسسة تبيع موادّ للنشر في عدّة صحف ومجلات في وقت واحد (٣) مجموعة صحف خاضعة لإدارة واحدة §(٤) يوحّد في نقابة (٥) يبيع (نتاجَهُ القلميّ أو الفنّيّ) لمؤسسة تعمد إلى نشره في عدة صحف ومجلات في وقت واحد ؛ يبيع للنشر في عدة صحف ومجلات في وقت واحد ×(٦) يتّحد في نقابة

—**syndication** *(n.)* —**syndicator** *(n.)*

syndrome [sĭn'drōm] *(n.)* (١) التزامن ؛ التناذر : مجموعة أعراض تظهر في وقت واحد (ط) (٢) مجموعةٌ متزامنة (a ~ of meanings) .

synecdoche [sĭ nĕk'də kĭ] *(L.)* المَجاز المُرسَل : صورة بلاغية قِوامُها ذكر الجزء وإرادة الكلّ أو ذكر الكلّ وإرادة الجزء الخ .

syneresis [sĭ nĕr'ə sĭs] *(L.)* إدغام حرفين صوتيّين (ل) .

synergetic [sĭn'ər jĕt'ĭk] *(adj.)* متدائب ؛ متعاون ؛ عامل معاً .

synergic [sĭ nûr'jĭk] *(adj.)* = synergetic.

ă at; ā date; â care; ä car; ĕ egg; ē me; ĭ in; ī bite; ŏ lot; ō bone; ô orphan; oi boil oo good; ōō boot; ou out; ŭ under; ū unity; û urgent; th thing; th this; zh vision; ə = *a* in alone, *e* in system, *i* in easily, *o* in gallop, *u* in circus.

synergism [sĭn'ər jĭz'əm] *(n.)* تداوُب ؛ تعاون .

synergistic [sĭn'ər jĭs'tĭk] *(adj.)* (١) متداتب ؛ متعاون . (٢) تداوُبيّ ؛ تعاونيّ .

synergy [sĭn'ər jĭ] *(n.)* = synergism.

synesthesia [sĭn əs thē'-] *(n.)* الحسّ المتزامن .

syngamic [sĭn găm'ĭk] *(adj.)* اقترانيّ ؛ تناسليّ .

syngamy [sĭng'gə mĭ] *(n.)* الاقتران: التولد باتحاد الأمشاج (أح).

syngas *(n.)* السِّنغاز: مزيج من هيدروجين وأول أكسيد الكربون .

syngenesis [sĭn jĕn'ə sĭs] *(L.)* (١) تناسُل (٢) «أ» وحدة الأصل . «ب» قرابة .

synizesis [sĭn'ə zē'sĭs] *(L.)* إدغام حرفين صوتيّين (ل) .

synkaryon [sĭn kâr'ĭ ən] *(L.)* النواة المؤتلفة : نواة مؤلّفة من نواتين سابقتين (أح) .

synod [sĭn'əd] *(L.)* (١) مجلس (٢) السنودُس : مجمع كنسي .

synodal [-əl] *(adj.)* سِنودُسيّ : متعلق بسِنودُس أو مجمع كنسيّ .

synodical *or* **synodic** [sĭ nŏd'-] *(adj.)* (١) سِنودُسيّ : متعلق بسِنودُس أو مجمع كنسيّ (٢) اقترانيّ (فل) .

synonym [sĭn'ə nĭm] *(n.)* المرادف ؛ المترادف (ل) .

—**synonymic** *or* **synonymical** *(adj.)*

synonymize [sĭ nŏn'ə mīz'] *(vt.)* (١) يُورِد أو يحلّل مرادفات لفظة ما (٢) يزوّد (معجماً) بالمترادفات .

synonymous [sĭ nŏn'ə məs] *(adj.)* مرادف ؛ مترادف .

synonymy [sĭ nŏn'ə mĭ] *(n.)* (١) دراسة المترادفات (٢) لائحة بالمترادفات (٣) استخدام المترادفات للتوكيد أو الإطناب (٤) الترادف .

synopsis [sĭ nŏp'sĭs] *(L.)* pl. **-ses** [-sēz] المختصَر ؛ الموجز .

synopsize [-'sīz] *(vt.)* يختصر ؛ يوجز (to ~ a play) .

synoptic *or* **synoptical** [sĭ nŏp'-] *(adj.)* (١) إجماليّ . (٢) شامل ؛ واسع الأفق (~ genius of Shakespeare) (٣) **cap.** ا.ك : متشابه النظرة أو المحتوى أو الترتيب ؛ وبخاصة : متعلق بالأناجيل الثلاثة الأولى من العهد الجديد (نص) .

synostosis [sĭ nŏs tō'sĭs] *(L.)* التصاق العظام («ت» و«ط») .

synovia *(L.)* السائل المزلِّق : سائل مزلِّق تفرزه أغشية المفاصل .

synovitis [sĭn'ə vī'tĭs] *(n.)* التهاب الغشاء المَصْليّ (مض) .

synsepalous [sĭn sĕp'əl əs] *(adj.)* = gamosepalous.

syntax [sĭn'tăks] *(F.)* (١) تركيب أو استعمال كلمة أو عبارة في جملة (٢) «أ» بناء الجملة : ترتيب كلمات الجملة في أشكالها وعلاقاتها الصحيحة . «ب» الإعراب .

—**syntactic; -al** *(adj.)*

synthesis [sĭn'thə sĭs] *(Gk.)* pl. **-ses** [-sēz'] (١) تركيب ؛ تأليف (ضدّ **analysis**) (٢) الاصطناع : تكوين مركّب ما من طريق التوحيد الكيميائي لعناصره أو من طريق الجمع بين مركّبات أكثر بساطة الخ. (٣) الجَميعة : نتيجة الجمع بين الطريحة **thesis** والنقيضة **antithesis** في الديالكتيك الهيغلي .

synthesize [sĭn'thə sīz'] *(vt.)* (١) يركّب ؛ يؤلّف (٢) يصطنع : يُنتج بالطرائق الصُنعيّة (to ~ **rubber**) .

synthetic [sĭn thĕt'ĭk] *(adj.; n.)* (١) تركيبيّ ؛ تأليفيّ (٢) كثيرة الكلمات المركّبة (ضدّ **analytic**) (German is more ~ than English.) (٣) اصطناعيّ ؛ صُنعيّ ؛ منتَج اصطناعياً أو صُنعياً (~ rubber) (٤) مصطنَع ؛ كاذب ؛ زائف §(٥) المادة الاصطناعية أو الصنعية : مادة مُنتَجة بطرائق الاصطناع أو الصنع الكيميائي .

—**synthetical** *(adj.)*

synthetize [sĭn'thə tīz'] *(vt.)* = synthesize.

syphil- *or* **syphilo-** بادئة معناها : سِفْلِس .

syphilis [sĭf'ə lĭs] *(L.)* السِّفْلِس ؛ الزُّهريّ (مض) .

syphilitic [sĭf'ə lĭt'ĭk] *(adj.; n.)* (١) سِفْلِسيّ §(٢) المُسفلَس ؛ المزهور : المصاب بالسِفلِس أو الزهريّ .

syphilologist [sĭf'ə lŏl'ə jĭst] *(n.)* الزهرانيّ : الطبيب الاختصاصي بالسِفلِس أو الزُهريّ .

syphiloid [sĭf'ə loid'] *(n.)* سِفلسانيّ : شبيه بالسِفْلِس .

syphilology [sĭf'ə lŏl'ə jĭ] *(n.)* مَبْحث السِّفْلِس أو الزُهريّ (ط) .

syphiloma [-lō'mə] *(L.)* (١) ورم زُهريّ (٢) gumma .

syphon [sī'fən] *(n.; vt.; i.)* = siphon.

syren [sī'rən] *(n.; adj.)* = siren.

syrette [sĭ rĕt'] *(n.)* المِزرقة : مِحقنة لزَرْق الإبر (ط) .

Syriac [sĭr'ĭ ăk] *(adj.; n.)* (١) سُريانيّ §(٢) اللغة السريانية .

Syrian [sĭr'ĭ ən] *(adj.; n.)* (١) سوريّ §(٢) السوريّ : أحد أبناء سوريا .

syringa [sə rĭng'gə] *(n.)* الدِّيلَج : جنبة عطرة الزهر (نب) .

syringe [sĭr'ĭnj] *(n.; vt.)* (١) مِحقَنة §(٢) يحقن بمحقنة .

syringe

syringomyelia [sə rĭng'-gō mī ē'lĭ ə] *(L.)* تكهّف النخاع : داء من أدواء الحبل الشوكي يحلّ فيه محلّ النسيج العصبيّ تجويفٌ مليء بسائل معيّن (ط) .

syrinx [sĭr'ĭngks] *(L.)* pl. **syringes** *or* **syrinxes** (١) المِصْفار (را. panpipe) (٢) قناة أو نفق في صخر (٣) القناة السمعيّة (ت) (٤) عضو الصوت في الطيور .

—**syringeal** *(adj.)*

syrup [sĭr'əp] *(Ar.)* شَراب ؛ عصير فاكهة أو نبات مركّز .

syrupy [sĭr'əp ĭ] *(adj.)* (١) شَرابيّ : شَرابيّ القوام أو الحلاوة . (٢) شديد الحلاوة .

systaltic [sĭs tăl'tĭk] *(adj.)* نَبَضيّ ؛ نابض .

system [sĭs'təm] *(L.)* (١) «أ» نظام ؛ (the solar ~ . «ب» الكون (the capitalist ~ ; a ~ of philosophy) (٢) «أ» جهاز (the digestive ~) . «ب» الجسم : جسم الانسان أو الحيوان (٣) منظومة ؛ شبكة (to expel poison from the ~) (telephone ~) (٤) طريقة (touch ~ of typing) (٥) ترتيب ؛ نظام (to have ~ in one's work) .

systematic *or* **systematical** [sĭs'tə măt'-] *(adj.)* (١) نِظاميّ (٢) منظوم : مَصُوغ في صورة نظام أو مجموعة متماسكة من الفكرات والمبادىء (~ efforts; a ~ person) (~ theology) (٣) تصنيفيّ ؛ ترتيبيّ : مَعْنيّ بالتصنيف أو الترتيب (~ botany) .

—**systematically** *(adv.)*

systematics [sĭs'tə măt'ĭks] *(n.)* (١) علم التصنيف . (٢) «أ» تصنيف. «ب» تصنيف المتعضيات تبعاً لعلائقها الطبيعية .

systematize [sĭs'təm ə tīz'] *(vt.)* ينظّم ؛ يصنّف ؛ يرتّب منهجياً .

systemic [sĭs tĕm'ĭk] *(adj.)* جِهازيّ : منسوب إلى جهاز ؛ وبخاصة : عامّ ؛ غير موضعيّ ؛ شامل الجسمَ كلّه .

systemize [sĭs'tə mīz'] *(vt.)* = systematize.

systemless [sĭs'təm-] *(adj.)* بلا نظام ؛ خِلوٌ من النظام .

systole[sĭs'tə lē';-lĭ]*(Gk.)* (١) الانقباض : انقباض القلب (فس)
(٢) ترخيم مقطع لفظيّ طويل (ل) .

systolic [sĭs tŏl'ĭk] *(adj.)* (١) انقباضيّ (٢) ترخيميّ .

syzygetic [sĭz'ə jĕt'ĭk] *(adj.)* = syzygial.

syzygial [sĭ zĭj'ĭ əl] *(adj.)* اقتراني ؛ تقابليّ (فل) .

syzygy [sĭz'ə jĭ] *(n.)* نقطة اقتران (أو مقابلة) القمر (فل) .

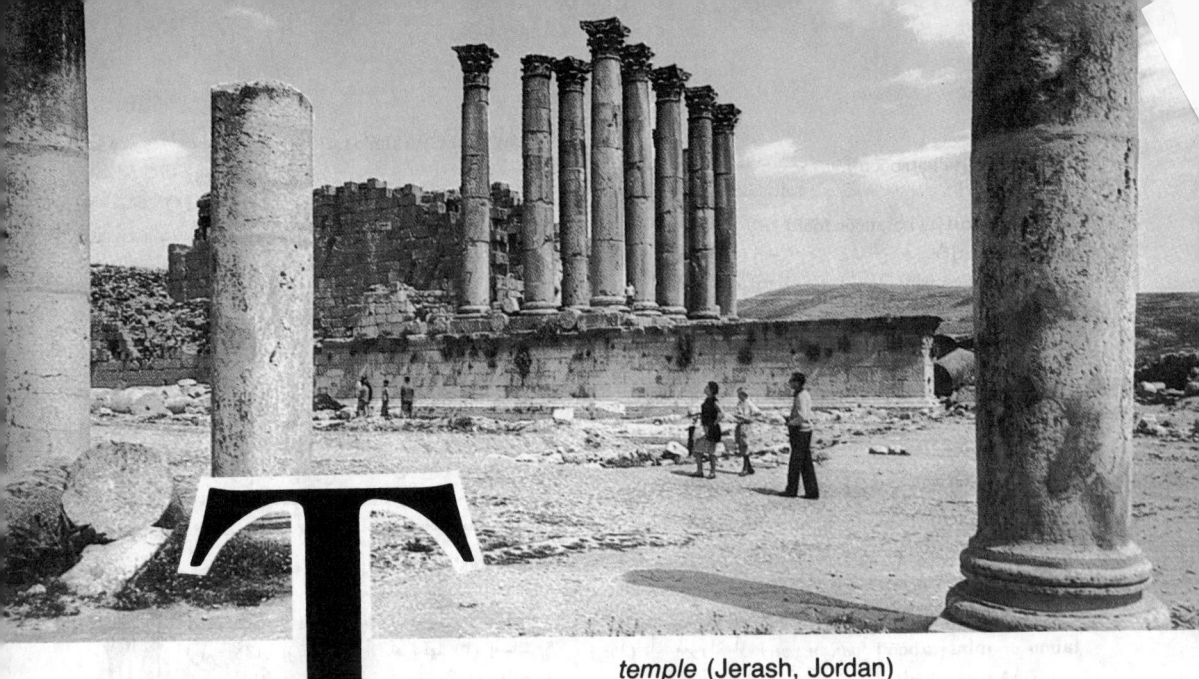

temple (Jerash, Jordan)

T

t [tē] *(n. often cap.)* (١) الحرف العشرون من الأبجدية الانكليزية. (٢) شيء مُعْتَبَرٌ في المقام التاسع عشر أو العشرين من حيث الطبقة أو الترتيب (٣) شيء على صورة حرف **T**.

to a *T* تماماً ؛ إلى حدّ الكمال (suits me ~).

't شكل مختصَر لـ *it* (كما في قولك see't).

Taal [täl] *(n.)* الطاليّة : اللغة الهولندية الجنوبأفريقية.

tab [tăb] *(n.; vt.)* (١) عروة ؛ لسان ؛ أذُن ؛ مقبض صغير. (٢) سطَيْح توازنٍ إضافيّ (طي) (٣) مراقبة شديدة (kept ~s on her) (٤) سِعر ؛ ثمن (٥) tablet §(٦) يزوّد أو يزيّن بعروة الخ. (٧) يُسَمّي ؛ يلقّب (They ~*bed* me the critic's critic.) (٨) يُجَدْوِل : يرتّب على صورة جدول.

tabanid [tăb'ə nĭd] *(n.; adj.)* (١) النُّعَرة : واحدة من النُّعَر **Tabanidae** وهي فصيلة من الذباب الضخم اللاسع §(٢) نُعَري.

tabard [tăb'ərd] *(n.)* الطَّبَرْد : «أ» سترة قصيرة غليظة كان الفقراء يرتدونها في القرون الوسطى. «ب» رداء فضفاض كان الفرسان الخ. يرتدونه فوق دروعهم.

tabasco [tə băs'kō] *(n.)* الطَّبَسْك : صَلْصة حرِّيفة.

tabby [tăb'ĭ] *(Ar.)* (١) العَتّابيّ : نسيج حريري مموّج أو مخطّط (٢)«أ» القط العَتّابيّ : هرّ رماديّ الوبَر مخطّط ومنقّط بالسواد. «ب» هرة أهليّة (٣)«أ» المرأة المغتابة المحبّة للقيل والقال. «ب» العانس.

tabby [tăb'ĭ] *(adj.)* عَتّابيّ : «أ» مَخيط من الحرير العتّابيّ أو منسوبٌ إليه. «ب» مخطّط ومنقّط بالسّواد (a ~ cat).

tabernacle [tăb'ər năk'əl] *(n.; vi.)* (١) خيمة اتخذ منها اليهود هيكلاً نقّالاً (٢)«أ» مسكن ؛ مثْوًى. «ب» الجسد بوصفه مثوىً موقّتاً للروح (ا.ق). «ج» مسكن موقّت : خيمة (ا.ق) (٣) وعاء خبز القربان (نص) (٤) مَعْبَد §(٥) يقيم موقّتاً ؛ وبخاصة : يتجسّد ؛ يتلبّس جسداً.

tabes [tā'bēz] *(n.)* السهام : هُزالٌ مُصاحبٌ لمرض مزمن.

tabes dorsalis [dôr sā'lĭs] *(L.)* السّهام الظهريّ (مض).

tabetic [tə bĕt'ĭk] *(adj.; n.)* (١) «أ» سُهاميّ. «ب» مسهوم : مصاب بالسُّهام §(٢) المسهوم : شخص مصاب بالسّهام.

tablature [tăb'lə chər] *(n.)* (١) علامات موسيقية تشير إلى الوتر أو الاصبع الواجب استخدامه (٢) «أ» لوحة (كشاهد القبر) تحمل نقشاً. «ب» صورة زيتية في سقف أو جدار. «ج» وصف (٣) التصفح : الانقسام إلى صفائح (~ of the cranial bones).

table [tā'bəl] *(n.; vt.)* (١) لوح ؛ لوحة (٢) «أ» النَّرد : لعبة الطاولة. «ب» أحد شِقّي طاولة النرد أو أحد نصفيّ هذا الشقّ (٣) «أ» طاولة ؛ مِنضدة ؛ مائدة. «ب» جماعة الجالسين حول طاولة أو مائدة (٤) stringcourse (٥) جَدْوَل ؛ قائمة (٦) السطح المستوي الأعلى لحجر كريم (٧) نجد ؛ سهل واسع مرتفع (٨) صفيحة (ت) §(٩) يُجَدْوِل : يرتب على صورة جدول (١٠)«أ» يضع على جدول الأعمال (بر). «ب» يوقف المناقشة نهائياً في اقتراح برلماني. «ج» يضع على الطاولة.

to turn the ~*s* يقلب (أو يعكس) الأحوال أو الظروف قلْباً كاملاً.

tableau [tăb'lō] *(F.)* (١) صورة (٢) لوحة ؛ مشهد. (٣) التابلوه ؛ اللوحة الحيّة : تمثيلٌ ساكن (لمشهدٍ الخ.) يؤديه على المسرح جماعة يرتدون ملابس نموذجية.

tableau curtain *(n.)* ستارة مسرحيّة تنفتح في الوسط ولها جناحان يمكن رفعهما إلى أعلى أو سحبهما إلى اليمين أو اليسار.

tableau vivant [tȧ blō' vē vän'] *(F.)* = tableau 3.

tablecloth [tā'bəl klôth'] *(n.)* السِّماط : غطاء يمدّ على المائدة ليوضع عليه الطعام.

table d'hôte [tăb'əl dōt'; tȧ blə dōt'] *(F.)* مائدة المُضِيف : «أ» وجبة طعام تقدَّم في وقت محدَّد وبسعر محدَّد إلى نزلاء فندق أو مطعم. «ب» وجبة كاملة مؤلّفة من عدة ألوان تقدَّم بسعر محدَّد (قا **a la carte**).

table-hop [tā'bəl hŏp] *(vi.)* ينتقل من مائدة إلى مائدة (في مطعم الخ.) متحدّثاً إلى الأصدقاء.

tableland [tā'bəl lănd'] *(n.)* النَّجد : سهل واسع مرتفع.

table linen *(n.)* بياضات المائدة : أغطية المائدة ومناديلها الكتانية.

table salt *(n.)* مِلح المائدة أو الطعام .

tablespoon [tā'bəl spōōn'] *(n.)* (١)ملعقة المائدة : ملعقة لسكْب الطعام (٢) مِلء ملعقة مائدة .

tablespoonful [tā'bəl spōōn fōōl'] *(n.)* مِلء ملعقة مائدة .

tablet [tăb'lĭt] *(n.)* (١) لوح ؛ لوحة (٢) مجموعة من ورق الكتابة مغرّاة عند أحد أطرافها (٣) قُرْص ؛ قُرَيْصَة (two ~ *s* of aspirin).

table talk *(n.)* حديث المائدة .

table tennis *(n.)* كرة الطاولة : البِنغْبُنْغ .

tableware [tā'bəl wâr'] *(n.)* أدوات المائدة (من أطباق وملاعق وسكاكين الخ .) .

table wine *(n.)* خمر الطعام : خمر تشتمل على أقل من ١٤ ٪ من الكحول تقدَّم مع الطعام .

tabloid [tăb'loid] *(adj.; n.)* (١) مركّز ؛ مكثّف ؛ شديد الايجاز ؛ بالغ الصِّغَر (in ~ form; ~ plays) §(٢) قُرْص ؛ قُرَيْصَة (دواءٍ أو عقّار) (٣) الصحيفة المصغَّرة : جريدة ذات قطع نِصفيّ تشتمل على أنباء موجزة ومقدار كبير من الصور والرسوم (٤) خلاصة ؛ ملخَّص .

taboo *or* **tabu** [tə bōō'] *(adj.; n.; vt.)* (١) «أ» معزول أو مُفْرَد جانباً بوصفه مقدّساً أو نجساً أو ملعوناً . «ب» محظور ؛ محرَّم §(٢) عَزْل أو إفراد لشيء (بوصفه مقدّساً أو نجساً أو ملعوناً) . «ب» تحظير ؛ تحريم (٣) الحرام ؛ المَحْرَم ؛ الرِّجس . §(٤) «أ» يعزل ؛ يُفْرِد . «ب» يحظر ؛ يحرِّم .

tabor *or* **tabour** [tā'bər] *(n.; vi.)* (١) دُفّ (مو) §(٢) ينقر على الدُّفّ (ع) .

taborer *also* **tabourer** [-ər] *(n.)* الناقر على الدُّفّ .

taboret *or* **tabouret** [tăb'ə rĭt'; -rā'] *(F.)* (١) كرسي خفيض لا ظهر له ولا ذراعين (٢) منضدة خفيضة (٣) دُفّ صغير (مو) .

taborin [tăb'ə rĭn]; **taborine** [tăb'ə rēn'] *(n.)* = tabret.

tabret [tăb'rĭt; tā'brĭt] *(n.)* دُفّ صغير (مو) .

tabular [tăb'yə lər] *(adj.)* (١) «أ» مسطَّح ؛ مستوي السطح . «ب» مصفَّح : مؤلف من بلّورات صفحيّة الشكل (a ~ mineral) (٢) «أ» مُجَدْوَل : مرتَّب على شكل جدول . «ب» جَدْوَليّ . «ج» محسوب بواسطة جدول .

tabula rasa [tăb'yōō lə rā'sə] *(L.)* اللوح الأملس : العقل قبل تلقّيه أية انطباعات خارجية .

tabulate [*v.* tăb'yə lāt'; *adj.* -lĭt, -lāt'] *(vt.; adj.)* (١) يسطِّح : يجعله مستوي السطح (٢) يُجَدْوِل : يرتّبه على صورة جدول ؛ يوجز ؛ يُجمِل (to ~ the results of a poll) §(٣) مُسَطَّح ؛ مستوي السطح .

tabulator [tăb'yə lā'tər] *(n.)* (١) منظِّم الجداول (٢) المُجَدْوِلة : «أ» ماكينة منظِّمة للجداول . «ب» أداة في الآلة الكاتبة الخ . لتنظيم الجداول .

tacamahac [tăk'ə mə hăk'] *(Sp.)* (١) مادة راتينجية تُستخدم في البخور والمراهم (٢) الحَوْر البلسَميّ (نب) .

tachometer [tə kŏm'ə-] *(n.)* التاكومتر : مقياس سرعة الدوران .

tachy- بادئة معناها : سريع ؛ مسرِع (*tachy*cardia) .

tachycardia [tă kĭ kär'-] *(n.)* الخَفْقَة : إسراع القلب (مض) .

tachygraphy [tă kĭg'-] *(n.)* الاختزال ، وبخاصة عند الاغريق والرومان .

tachylyte *also* **tachylite** [tăk'ə līt'] *(G.)* التاكيليت : بازَلت زجاجيّ أسود .

tachymeter [tă kĭm'ə tər] *(n.)* التاكيمتر : أداة يستخدمها المسّاحون لتحديد المسافات الخ . بسرعة .

tacit [tăs'ĭt] *(adj.)* (١) صامت (٢) ضِمنيّ ؛ مفهوم ضِمناً .

taciturn [tăs'ə tûrn'] *(adj.)* سِكِّيت ؛ صَمُوت ؛ قليل الكلام .

tack [tăk] *(n.; vt.; i.)* (١) المُسَيْمير : مسمار صغير قصير مستدق الطرف عريض الرأس (٢) «أ» حبل لتثبيت زاوية الشراع . «ب» زاوية الشراع المشدود إليها هذا الحبل (٣) وجهة السفينة (٤) حركة متعرجة (٥) سبيل ؛ مسلك ؛ طريقة عمل (٦) التشريجة ؛ « التسريجة » : دَرْزة أو قطبة مؤقتة (٧) لزوجة (٨) شيء ؛ أشياء ؛ وبخاصة : طعام §(٩) يثبّت بمسمار صغير قصير (١٠) «أ» يضمّ أو يربط أو يصل ما بين شيئين بطريقة مستعجلة . «ب» يشرّج أو « يسرّج » القماش (١١) يُضيف ؛ يُلحق (١٢) يغيّر اتجاه السفينة × (١٣) تغير (السفينة) وجهتها (١٤) يتخذ سبيلاً متعرجاً (١٥) يغيّر سياسته أو موقفه فجأة .

tackle [tăk'əl] *(n.; vt.; i.)* (١) عُدّة (fishing ~) . (٢) «أ» حبال الأشرعة والصواري (مل) . «ب» البكّارة : مجموعة من الحبال والبكرات لرفع الأثقال أو خفضها أو تحريكها (٣) إمساك بالخصم الحامل كرة القدم وتوقيفه §(٤) يعالج (to ~ a problem) (٥) يحدّثه بصراحة (Why don't you ~ her over the matter ?) (٦) يمسك بِ ؛ يقبض (على لص الخ .) (٧) يمسك بخصمه الحامل كرة القدم ويوقفه .

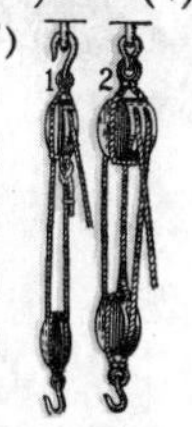

tackles 2 *b*.

tacky [tăk'ĭ] *(adj.)* (١) لزج ؛ دَبِق (٢) «أ» مبتذل ؛ حقير ؛ ملائم أو مميِّز لشخص وضيع المنزلة الاجتماعية . «ب» رثّ ؛ بالٍ ؛ مُهْمَل (٣) «أ» تعوزه الأناقة أو الذوق الرفيع . «ب» مُبَهْرَج .

taco [tăk'ō] *(Sp.)* التاكو : ضربٌ من الساندويش .

taconite [tăk'ə nīt] التاكونيت : صخر صوانيّ .

tact [tăkt] *(n.)* (١) براعة (ا.ق) (٢) ذوق ؛ حساسية (٣) لباقة .

tactful [tăkt'-] *(adj.)* لَبِق (a ~ reply) .

tactic [tăk'tĭk] *(adj.; n.)* (١) ترتيبيّ ؛ نظاميّ : ذو علاقة بالترتيب أو النظام §(٢) تكتيك حربي (٣) وسيلة .

tactical [tăk'tə kəl] *(adj.)* (١) تكتيكيّ (جن) (٢) «أ» وسيليّ : مقصود به تحقيق غرض معيّن (regarded such negotiations as ~ maneuvers) . «ب» انتهازيّ : مُعَدّ لاكتساب فائدة موقّتة (~ decisions) (٣) لَبِق (~ statesmen) .

tactician [tăk tĭsh'ən] *(n.)* التكتيكيّ : البارع في التكتيك الحربيّ .

tactics [tăk'tĭks] *(n.)* (١) التكتيك : فنّ تنظيم القوى الحربيّة أو تحريكها للقتال أو في أثنائه (٢) طريقة ؛ نهج .

tactile [tăk'tĭl] *(adj.)* (١) ملموس (~ qualities) (٢) لمسيّ .

taction [tăk'shən] *(n.)* لمسٌ ؛ مسّ .

tactless [tăkt'lĭs] *(adj.)* غير لبق ؛ تعوزه اللباقة .

tactual [tăk'chōō əl] *(adj.)* = tactile.

tad [tăd] *(n.)* صبيّ ؛ غلام .

tadpole [tăd'pōl'] *(n.)* الشرغوف : فَرْخ الضفدع .

tae kwon do *(n.)* طريقة في الدفاع عن النفس .

tael [tāl] *(Pg.)* التايل : «أ» وحدة وزن صينية تعادل $1\frac{1}{3}$ آونس . «ب» وحدة نقد صينية تبلغ مثل هذا الوزن من الفضة الخالصة .

taenia [tē'nĭ ə] *(L.)* pl. **-e** *or* **-s** (١) العِصابة : «أ» عصابة للرأس . «ب» عصابة فوق العتَب architrave في الطراز الدوريّ (عم) .

«ج» شبه عصابة من نسيج عصبيّ (ت) (٢) الشريطيّة : الدودة الشريطيّة .

taeniacide *also* **teniacide** [tē'nĭ ə sīd'] *(n.)* مبيد الشريطيّات .

taeniasis [tĭ nī'ə sĭs] *(L.)* داء الشريطيّات (مض) .

taffeta [tăf'ə tə] *(Per.)* التفتة : نسيج حريريّ رقيق صقيل .

taffrail [tăf'rāl] *(n.)* (١) أعلى مؤخّر المركب (٢) درابزون مؤخّر المركب .

taffy [tăf'ĭ] *(n.)* (١) toffee (٢) تملّق .

tafia [tăf'ĭ ə] *(F.)* التافيّ : شراب مُسْكِر .

tag [tăg] *(n.; vt.; i.)* (١) خِرقة ؛ مزقة (٢) طرف معدنيّ أو لدائنيّ لشريط الحذاء (٣) عروة الخ. في الثوب تمكّن المرء من تعليقه (٤)«أ» اقتباس مختصر للتوكيد أو للزخرف البياني . «ب» قولٌ مبتذل . «ج» تعبير مميِّز أو مُعاد على نحو موصول (٥)«أ» رُقعة ؛ بطاقة (تثبّت على شيء بياناً للسعر أو العنوان) . «ب» لقب (٦) السطر الأخير أو السطور الأخيرة من الأغنية أو المسرحيّة أو من كلام الممثل الخ. (٧) أثر ؛ بقيّة (٨) لعبة يطارد فيها طفلٌ طفلاً ويحاول أن يمسّه §(٩) «أ» يزوِّد برقعة مبيِّنة للسعر أو العنوان . «ب» يلقّب ؛ يدعو . «ج» يضع (الشرطيّ على السيارة) ورقة تشير إلى مخالفتها قانون السّير (١٠) يُلحِق ؛ يُضيف (١١) يطارد (١٢)«أ» يعتبره مسؤولاً عن . «ب» يتّهمه بخرق القانون (١٣) يحدّد سعر كذا (١٤) يمسّ (في لعبة المطاردة أو نحوها) (١٥) يضرب (١٦) يختار ×(١٧) يرابط ؛ يظلّ على مقربة .

Tagalog [tä gä'lŏg] *(n.)* (١) التاغالوغيّ : أحد أبناء شعب ملاييّ من شعوب الفيليبين (٢) التاغالوغية : لغة الفيليبين الرسمية الوطنيّة .

tagboard [tăg'-] *(n.)* ورق الرُّقَع : ورق مقوًّى تُتّخذ منه الرُّقَع (الحاملة للأسعار أو العناوين) .

tag end *(n.)* (١) آخر ؛ نهاية (٢) جزء .

tag line *(n.)* (١) السطر الأخير من مسرحيّة أو نكتة (٢) شعار .

tag,rag,and bobtail *or* **tagrag and bobtail** *(n.)* الرَّعاع .

Tahitian [tä hē'tĭ ən] *(n.; adj.)* (١)التاهيتيّ : أحد أبناء تاهيتي . (٢) التاهيتيّة : لغة التاهيتيين §(٣) تاهيتيّ .

tahsildar [tə sēl'där'] *(Hin.)* جابي الضرائب (في الهند) .

taiga [tī'gə] *(Russ.)* التَّيْغَة : غابة صنوبر سَبِخة .

tail [tāl] *(n.; vt.; i.; adj.)* (١) «أ» ذيل ؛ ذنب . «ب» رتَل أو صفّ طويل (٢) حاشية أو بطانة (أمير الخ.) (٣) pl. : السُّترة الخُطّافيّة (را. tailcoat) (٤) قفا الشيء أو مؤخّره أو أدناه (٥) شرطيّ سريّ (يتعقّب شخصاً) (٦) بياض في أدنى الصفحة (٧) آثار قدَمَي هارب أو مُطارَد §(٨)«أ» يعلّق بطرف شيء آخر . «ب» يجمع ؛ يضمّ ؛ يُسلك (٩) يبتر الذّيل (١٠) يذيِّل : يجعل له ذيلاً (١١) يتتبّعه مثل ذيل (١٢) يتعقّب ×(١٣) يشكّل رتلاً أو صفاً طويلاً (١٤) يتضاءل ؛ يَضْعف ؛ يخمد (١٥) تُثَبَّت العارضةُ الخشبية من طرفها (١٦) يقف (المركبُ الراسي) ومؤخّره في اتجاه معيّن §(١٧) خلفيّ (a ~ wind) .

to be unable to make head or ~ of يعجز عن فهم كذا .

to ~ after يتعقّبه أو يلاحقه بشدّة .

to ~ away *or* off يتضاءل (تدريجياً) .

to turn ~, يفرّ ؛ يولّي الأدبار .

to twist the ~ of يقهر ؛ يعذّب الخ .

with the ~ between the legs خائفاً ؛ ذليلاً .

tailboard [tāl'bōrd'] *(n.)* الباب الخلفيّ ، وبخاصة في عربة نقل .

tailcoat [tāl'kōt'] *(n.)* السُّترة الخُطّافية ؛ الفراك : سترة رسمية طويلة مشقوقة الذيل كذيل الخُطّاف أو السنونو .

tail covert *(n.)* كاسية الذيل : إحدى كواسي (را. coverts) الذيل .

tail end *(n.)* (١) عُجيزة ؛ كَفَل (٢) مؤخّر ؛ نهاية .

tailer [tā'lər] *(n.)* فا tail ؛ وبخاصة : جاسوس ، بوليس سريّ .

tail gate *(n.)* الباب الخلفيّ (في عربة نقل) .

tailgate [tāl'gāt'] *(vi.; t.)* (١) يقود سيارته على مقربة دانية من ذيل سيّارة أخرى ×(٢) يتبع (سيارةً أخرى) على هذا النحو .

tailing [tā'lĭng] *(n.)* (١) pl. : نُفاية ؛ بقايا (٢) الجزء المُقْحَم في الجدار من حجر ناتىء .

tail lamp *(n.)* = taillight.

taille [tä'yə; tāl] *(F.)* الطّاية : ضريبة على الرؤوس أو الأراضي (في فرنسة الملكية) .

tailless [tāl'lĭs] *(adj.)* أبتر ؛ لا ذيل له .

taillight [tāl'līt] *(n.)* الضوء الخلفيّ (في سيارة الخ.) .

tailor [tā'lər] *(n.; vi.; t.)* (١) الخيّاط §(٢) يتعاطى مهنة الخياطة ×(٣) يَخيط (٤) يصنع أو يكيّف وفق حاجة أو غاية معيّنة (٥) يخيط الملابسَ لـ (The best tailors ~ed him.) .

tailorbird [tā'lər-] *(n.)* الطائر الخيّاط : طائر صغير يبني عشّه بخياطة أوراق الشجر بواسطة الألياف .

tailored [tā'lərd] *(adj.)* (١) مَخِيط عند خياط (٢) موصى عليه (را. custom-built) (٣) أنيق .

tailoring [tā'lər ĭng] *(n.)* (١) الخِياطة (٢)صنع شيء أو تكييفه بحيث يلائم غرضاً معيّناً .

tailor-made [tā'lər mād'] *(adj.)* (١) مَخِيط عند خيّاط . (٢) أنيق (٣) مصنوع أو مكيّف وفقاً لغرض معيّن (a ~ fuel) (٤) مصنوعة في معمل لا ملفوفة باليد (~ cigarettes) .

tailor's chalk *(n.)* حَجَر الخيّاط : قطعة من الحجر الصابونيّ يستخدمها الخيّاطون في تفصيل القماش .

tailpiece [tāl'pēs'] *(n.)* (١) ذيل ؛ ملحق ؛ زائدة (٢) الذيل العاجي : قطعة عاجية مثلّثة تُشدّ إليها أطراف أوتار الكمان الدّنيا (٣) عارضة خشبيّة قصيرة مقحَمة في جدار (٤) نقش صغير (في نهاية فصل من كتاب) .

tail pipe *(n.)* (١) ماسورة السحب (في المضخّات) (٢) الماسورة الطاردة للغازات المستنفدة (سي) .

tail plane *(n.)* سطح الذيل الأفقيّ (طي) .

tailrace [tāl'rās'] *(n.)* القناة السفلى (في طاحون) .

tail skid *(n.)* زحّافة الذيل : دُحروج معدنيّ تحت ذيل الطائرة يصونه من الأذى عند الهبوط أو الاقلاع .

tailspin [tāl'spĭn] *(n.)* (١) انهيار بالذّيل : هبوط لولبيّ شديد التحدّر (طي) (٢) اضطراب ؛ تشوّش ؛ فوضى الخ .

tailstock [tāl'stŏk'] *(n.)* غُراب الذَّيل (في مخرطة) .

tail wind *(n.)* الريح الخلفيّة : ريح تهبّ من وراء مركب أو طائرة .

tain [tān] *(n.)* (١) رُقاقة قصدير (٢) طبقة قصدير يُطْلَى بها ظهر المرآة .

taint [tānt] *(vt.; i.; n.)* (١) يلطّخ ؛ يلوّث (٢) يعفّن ؛ يجعله ساماً (٣) يُفْسِد ×(٤) يَفْسُد (ا.ق) §(٥) لطخة ؛ وصمة (٦) جرثومة (أو مصدر) فساد ؛ عامل (أو نفوذ) مُفسِد .

taintless [tānt'-] *(adj.)* طاهر ؛ نقيّ ؛ لا عيب فيه .

take[tāk] *(vt.; i.; n.)* (١) «أ» يأخذ . «ب» يستولي على .
«ج» يلقي القبض على . «د» يصيد . «ه» يصادر (٢) يمسك بِ
(٣) «أ» يستحوذ على . «ب» يباغت ؛ يفاجىء ؛ يأخذ على
حين غِرة . «ج» يضرب . «د» يأسر ؛ يفتن ؛ يسحر . «ه» يلفت
(النظر أو الانتباه) (٤) يتناول (٥) «أ» يتخذ . «ب» يؤوي .
«ج» يتبنّى (٦) يشتري (I'll ~ this hat.) (٧) يتولى ؛
يضطلع بِ ؛ يأخذ على نفسه عهداً الخ . (٨) «أ» ينال ؛ يفوز
(بجائزة الخ.) . «ب» يهزم (٩) يختار (١٠) يتطلّب ؛ يقتضي
(١١) «أ» يستمدّ . «ب» يستعير ؛ يقتبس (١٢) «أ» يجري (اختباراً أو
احصاء الخ.) «ب» يدوّن (to ~ minutes of a meeting)
(١٣) «أ» يتقبّل . «ب» يتحمّل . «ج» يصمد لِ ؛ يقاوم
بنجاح . «د» يصدّق (had to ~ her word for it)· «ه» يعمل
وفق اقتراحٍ أو نصيحة الخ. (١٤) يتّسع لـ (١٥) يُصاب بِ
(to ~ cold) (١٦) يفهم ؛ يدرك (المعنى) (١٧) يعتبر
(I ~ this to be your final offer.) (١٨) «أ» يخترم ؛ يُميت .
«ب» يطرح ؛ يُسْقِط ؛ يَحسم (١٩) يتلقّى (*took* music
lessons) (٢٠) يَنْخدع ×(٢١) تعضّ (السمكةُ) على الطُّعم
(٢٢) «أ» يتجذّر ؛ تتأصل جذوره ؛ يبدأ في النموّ .
«ب» يلتحم (العُسْلوج أو النسيج الحيّ المستخدَم في التطعيم)
(٢٣) يمضي ؛ ينطلق ؛ يجري (to ~ after a purse snatcher)
(٢٤) «أ» ينجح (schemes without a chance of *taking*) ·
«ب» يشتعل (fuel that ~*s* readily) (٢٥) يلقى نجاحاً عند
الجمهور (The play *took* greatly.) (٢٦) ينتقص من ؛ يسلب
جزءاً من (٢٧) «أ» يُصْبح (*took* sick) · «ب» يتفكّك .
«ج» يُمتَصّ . يتشرّب . «د» يكون قابلاً للتصوير الفوتوغرافيّ
(colors that ~ well) §(٢٨) أخْذ ؛ استيلاء على ؛ صَيْد الخ.
(٢٩) «أ» تصوير غير منقطع لمشهد . «ب» تسجيل للصوت
(٣٠) «أ» دخل ؛ محصول ؛ ربح (the 1964 ~ from
tourism) . «ب» حصة ؛ نصيب . «ج» مقدار المَصِيْد
من السمك الخ. دفعةً واحدة . «د» مشهد يصوَّر للسينما أو
للتلفزيون دفعة واحدة . «ه» تسجيل صوتيّ خلال فترة تسجيل
مفردة (٣١) الأخذ : «أ» ارتكاس دالّ على نجاح التلقيح ضدّ
الجدري . «ب» التحام ناجح (لطُعْم نباتيّ أو جراحيّ) .

to ~ account of يُدخله في حسابه أو اعتباره .

to ~ after (١) يحذو حذوَ (٢) يُشبه .

to ~ aim يسدّد ؛ يصوب .

to ~ apart (١) يفكّك (٢) يحلّل ؛ يشرّح ؛ وبخاصة لإظهار نواحي الضعف في شيء . .

to ~ away (١) ينقل ؛ يزيل ؛ يقصي (٢) يسلب ؛ يحرم . (٣) يطرح (عدداً من آخر) .

to ~ back (١) يستردّ (٢) يسحب (كلامه) (٣) يعيد .

to ~ care يحاذر .

to ~ care of يُعْنَى به أو يتولّى رعايته .

to ~ down (١) «أ» يهدم . «ب» يقطع (شجرة) . «ج» يفكّك . «د» يفرّق (الأحرف المطبعيّة المنضّدة) (٢) «أ» يبتلع . «ب» يُذِلّ . «ج» يُضْعِف ؛ يوهن (٣) «أ» يدوّن . «ب» يسجّل (لحناً موسيقياً) (٤) يصاب بـ .

to ~ five
to ~ ten
يأخذ استراحةً قصيرةً (مدةَ خمس دقائق أو عشر) .

to ~ for يحسبه أو يظنّه كذا .

to ~ for a ride يخطف (ع) .

to ~ hold (١) «أ» يُمسك بِ . «ب» يستولي أو يستحوذ على (٢) يتولى الادارة أو الاشراف (٣) يَتَثبت ؛ يَترسّخ .

to ~ in (١) «أ» يواكب (سيدة) إلى حجرة الطعام . «ب» يقود إلى مخفر الشرطة (٢) يضيّق ؛ يقصّر (٣) «أ» يستقبل (نزيلاً) . «ب» يؤوي (٤) يتلقّى (صحيفة أو مجلة) باطّراد (٥) يسوّر ؛ يطوّق ؛ يضمّ (٦) يشتمل على (٧) يشهد ؛ يحضر (فيلماً سينمائياً الخ.) (٨) يفهم ؛ يستوعب (٩) يخدع ؛ يحتال على (١٠) يبدأ ؛ تفتح (المدرسةُ) أبوابَها .

to ~ in vain يجدّف (على الله) .

to ~ oath يُقْسِم ؛ يَحْلِف .

to ~ off (١) «أ» ينزع ؛ يخلع . «ب» يقتلع . «ج» يَحسُل . «د» يقطع ؛ يوقف . «ه» يحسم . «و» يقتطع (٢) يزيل (٣) يضع حدّاً لـ (٤) يُهلِك ؛ يقضي على (٥) يزدرد ؛ يبتلع (٦) «أ» ينسخ (عن أصلٍ ما) . «ب» يقلّد ؛ يحاكي (٧) يحسب (بآلةٍ حاسبة) (٨) يقود (٩) يُنْقِص (١٠) يَضْعُف ؛ يَخْمُد . (١١) يرحل ؛ ينصرف (١٢) ينهض ؛ يُقلِع ؛ يشرع في الطيران (١٣) يتناول مخدراً .

to ~ on (١) «أ» يضطلع بِ . «ب» يقبل التحدّي . (٢) «أ» يستخدم (عمالاً الخ.) . «ب» يقبل (زبائن جدداً الخ.) (٣) يتّخذ (شكلاً أو مظهراً أو صفة أو معنى الخ.) (٤) يتبنّى (عادةً أو لغةً الخ.) (٥) يبدي حزنه أو غضبه الخ. بطريقة صارخة ؛ يتصرف أو يتحدّث باهتياج (٦) يتشامخ ؛ يتكبّر (٧) ينجح ؛ يلقى نجاحاً شعبياً .

to ~ one's time يتأنّى ؛ يتروّى .

to ~ out (١) «أ» يزيل ؛ يُخرج . «ب» يقتطع (عمولة الخ.) . «ج» يستثني ؛ يحذف . «د» ينفّس عن . «ه» يتخلص من ؛ يضع حدّاً لِ (٢) «أ» يُخْرج إلى الهواء الطلْق . «ب» يرافق ؛ يواكب (٣) يأخذ سلعاً الخ. مقابل دَين أو نحوه (٤) يستصدر (اجازة أو جنسية الخ.) (٥) ينطلق .

to ~ it out on ينفّس عن غضبه بتوبيخ شخص آخر أو إيذائه .

to ~ over (١) يضطلع بِـ (٢) يستعير ؛ يتبنّى ؛ يقتبس . (٣) يتولى الأمر أو السلطة (٤) يسود ؛ تتمّ له الغلبة .

to ~ to (١) يتولى العناية بِـ (٢) يذهب أو يلجأ إلى . (٣) يتعود شيئاً أو يكرّس نفسه له (٤) يكيّف نفسه وَفقاً لِـ (٥) يُوْلَع بِـ .

to ~ to task يعنّف ؛ يوبّخ .

to ~ up (١) «أ» يرفع . «ب» يشهر السلاح . (٢) يشرع في احتلال أرض (٣) «أ» يشتري . «ب» يقترض بفائدة . «ج» يسدّد ديناً أو قرضاً .

«د» يصادر (إجازة سَوْق الخ.) (٤)«أ» يتبنّى معتقداً . «ب» يتعوّد عادةً . «ج» يتخذ موقفاً (٥)«أ» يحترف حرفةً . «ب» يختار موضوعاً من موضوعات الدراسة . «ج» يشرع في معالجة كذا . «د» يؤيّد قضيةً الخ. (٦) يوبّخ ؛ يعنّف (٧) يتنزل ؛ يُقيم (٨) يستغرق ؛ يَشْغَل ؛ يملأ (٩) يعتقل ؛ يلقي القبض على (١٠) يقبل (عرضاً أو اقتراحاً) (١١) يتابع ؛ يستأنف (١٢) يفهم ؛ يدرك (١٣) يتوقف ؛ يكفّ عن (١٤) يصحو (الجوّ) (١٥) يتقلّص ؛ ينكمش .

to ~ up for — يؤيّد ؛ ينحاز إلى .

to ~ up with — (١) يولَع ؛ ينهمك في (٢) يعاشر ؛ يرافق (٣) يتبنّى رأياً .

to ~ it upon oneself — يأخذ على نفسه أو عاتقه أمراً الخ.

takedown [tāk'-] *(adj.; n.)* (١) قابل للتفكيك (a ~ rifle). §(٢) هَدْم ؛ قَطْع ؛ تفكيك ؛ تفريق ؛ إذلال ؛ إضعاف ؛ تدوين ؛ تسجيل الخ. (را. take down) (٣) سلاح ناريّ قابل للتفكيك .

take-home pay [tāk'hōm'] *(n.)* صافي الأجر : بقية الراتب (بعد اقتطاع ضريبة الدخل الخ.) .

take-in [tāk'ĭn'] *(n.)* خُدْعة ؛ حيلة .

taken [tāk'ən] *past part. of* take.

takeoff [tāk'ôf'] *(n.)* (١) محاكاة هزليّة ، وبخاصة من طريق الكاريكاتور (٢) نهوض ؛ إقلاع ؛ انطلاق ؛ شروع في الطيران (٣) «أ» المَنْهَض : مكان نهوض الطائرة أو إقلاعها . «ب» المنطلَق: نقطة الانطلاق. «ج» المَوْثِب : مكان الوثوب (٤) إزالة (٥) تقدير لمقدار المادة المطلوبة .

takeout [tāk'-] *(n.)* مص take out، مثل: إزالة ؛ اقتطاع ؛ حذف.

take-over [tāk'-] *(n.)* مص take over، مثل: اضطلاع ؛ اقتباس الخ.

taker [tāk'ər] *(n.)* الآخذ الخ. وبخاصة : قابل الرهان .

take-up [tāk'-] *(n.)* مص take up، مثل: رفع ؛ شراء ؛ مصادرة الخ.

taking [tā'kĭng] *(n.; adj.)* (١) مص take (٢) *pl.* : دَخْل ؛ إيراد (٣) الصَّيْد: مقدار المَصِيد من سمك أو طرائد §(٤) آسر ؛ ساحر ؛ جذاب (٥) مُعْدٍ .

talaria [tə lâr'ĭ ə] *(L.)* حذاء مجنّح مشدود إلى الكاحلَين (مث).

talbot [tôl'bət] *(n.)* التَّلْبُوت : كلب صيد ضخم طويل الأذنين .

talc [tălk] *(Ar.)* الطَّلْق : معدن طريّ يُستخدَم في صنع ذُرور الوجه الخ.

talcky [tăl'kĭ]; **talcose** [tăl'kōs] *(adj.)* طَلْقِيّ : منسوب إلى الطَّلْق أو محتوٍ عليه (را. المادة السابقة) .

talcum powder [tăl'kəm] *(n.)* (١) مسحوق الطَّلْق (٢) مسحوق للتجميل مؤلف من طَلْق مُعطَّر .

tale [tāl] *(n.)* (١) إشاعة (عن حياة النّاس الخاصة) (٢) كذبة (٣) حكاية (٤)«أ» عدّ ؛ تَعداد . «ب» مجموع (The ~ of dead and wounded was 130.)

to tell ~*s* — ينشر الفضائح والاشاعات .

talebearer [tāl'bâr'ər] *(n.)* ناشر الفضائح والاشاعات وأحاديث الإفك .

talebearing [tāl'-] *(n.)* نَشْرُ الفضائح والإشاعات وأحاديث الإفك.

talent [tăl'ənt] *(n.)* (١) الطالِن : وحدة وزن أو نقد قديمة . (٢)«أ» موهبة . «ب» مقدرة (٣) شخص موهوب (أو مجموعة أشخاص موهوبين) في حقل ما .

talented [tăl'ən tĭd] *(adj.)* موهوب ؛ ذو موهبة .

talent scout *(n.)* كشّاف المواهب : شخص يسعى إلى اكتشاف المواهب للإفادة من أصحابها في حقل من حقول النشاط .

talent show *(n.)* استعراض المواهب : استعراضٌ مؤلف من سلسلة من الأغاني أو المعزوفات المنفردة يقدّمها عدد من الهواة في محاولة لاكتشاف المواهب الناشئة أو الوجوه الجديدة .

taler [tä'lər] *(G.)* الطّالِر : نقد جرماني فضيّ توالى إصداره من القرن الـ ١٥ إلى القرن ١٩ .

talesman [tālz'mən] *(n.)* المحلّف البديل : شخص يُختار من جمهور الحاضرين ويضاف إلى هيئة المحلفين تكملةً للعدد .

tale-teller [tāl'-] *(n.)* (١) القَصّاص (٢) ناشر الإشاعات والفضائح.

tali [tā'lī] *pl. of* talus.

taligrade [tăl'ə grād'] *(adj.)* عَظْمِيكاحلي : ماشٍ على عظم الكاحل (ح) .

taliped [tăl'ə pĕd] *(adj.; n.)* (١) حَنْفاء : مشوّهة خِلقةً . (٢) أحنف : مشوّه القدم خِلقةً (٣) الأحنف : شخص أو حيوان مشوّه القدم خِلقةً .

talipes [tăl'ə pēz'] *(L.)* = clubfoot.

talipot [tăl'ə pŏt'] *(Hin.)* (١) طالِيبُ الهند: شجر من الفصيلة النخليّة (٢) نشا يستخرج من طاليب الهند.

talisman [tăl'ĭs mən; -ĭz-] *(Ar.)* الطِّلَّسْم: تعويذة تحمل خطوطاً وأعداداً سحرية يزعَم أنها تدفع الشرّ أو تجلب الحظّ السعيد .

talk [tôk] *(vt.; i.; n.)* (١) يقول (to ~ sense) (٢) يناقش ؛ يدرس (to ~ politics) (٣)«أ» يجعله في حالة معيّنة من طريق الكلام (to ~ oneself hoarse) . «ب» يُقْنِع (could ~ the university into giving me money enough) (٤) يتكلّم لغةً ما (~*ed* French fluently) ×(٥) يتحدّث (٦)«أ» يتكلّم . «ب» يثرثر ؛ يهذر (٧)«أ» ينشر الإشاعات ؛ ينهمك في القيل والقال . «ب» يفشي سرّاً (٨) يحاضر §(٩) كلام (١٠) لغة (١١) كلام فارغ (١٢) محادثة ؛ مفاوضة ؛ تبادل آراء (١٣) قيلٌ وقال (١٤) حديث (١٥) خطاب ؛ خطبة ؛ محاضرة .

to ~ at — يخاطبه بإلحاح وبإطالة مضجرة .

to ~ back — يجيب بفظاظة وقلّة احترام .

to ~ big — يتبجح ؛ يتكلّم بتفاخر .

to ~ down — (١) يُفحِم أو يُسكِت بالحجة أو بالكلام بصوتٍ عالٍ (٢) يستخفّ بشيء من طريق الكلام (٣) يتكلّم بطريقة مفرطة في التبسيط متوهّماً أن المخاطَب يجهل الموضوع .

to ~ one's head off — يُبرمه أو يُضجره بحديثه .

to ~ out — يوضِح أو يسوّي (الخلافات) من طريق المحادثة المباشرة .

to ~ over — (١) يدرس ؛ يناقش (٢) يقنعه بوجهة نظره .

to ~ sense — يقول كلاماً منطقياً معقولاً .

to ~ through one's hat — يتكلّم كلاماً غير منطقيّ أو معقول .

to ~ turkey — يتكلّم بصراحة أو فظاظة .

to ~ up — يؤيد ؛ يدافع عن .

talkative [tô'kə tĭv] *(adj.)* ثرثار ؛ مِهْذار .

talker [tô'kər] *(n.)* (١) المتكلم (٢) الثرثار .

talkie [tô'kĭ] *(n.)* الفيلم السينمائي الناطق .

talking book [tô'kĭng] *(n.)* الكتاب الناطق : أسطوانة فونوغرافيّة

تشتمل على قراءة من كتاب أو مجلة (تُعَدّ من أجل العميان في الدرجة الأولى) .

talking machine *(n.)* الحاكي ؛ الفونوغراف .

talking picture *(n.)* الفيلم السينمائي الناطق .

talking point *(n.)* سِناد أو مُقَوٍّ لحجة أو اقتراح .

talking-to [tô'kĭng tōō'] *(n.)* تقريع ؛ توبيخ ؛ تعنيف .

talky [tô'kĭ] *(adj.)* (١) ثرثار (٢) مشتمل على كلام كثير .

tall [tôl] *(adj.)* (١) «أ» طويل (القامة) . «ب» ذو طول معيّن . (٢) شاهق (٣) باهظ ؛ ضخم (a ~ price) (٤) طنّان ؛ مدّعٍ (~ talk) (٥) غير قابل للتصديق (a ~ story) .

tallage [tăl'ĭj] *(n.)* ضريبة (تدفع إلى سيّد إقطاعي) .

tallboy [tôl'boi] *(n.)* (١) highboy (٢) خزانة ملابس .

tallish [tôl'ĭsh] *(adj.)* طويل القامة قليلاً ؛ أقرب إلى الطول .

tallith [tăl'ĭth] *(n.)* الطّلّيس : وشاح يرتديه اليهود في الصلاة .

tall oil *(n.)* زيت الصنوبر : حصيلة راتينجية ثانية تنشأ عن صنع لبّ الخشب كيميائياً وتستخدم في صناعة الصابون .

tallow [tăl'ō] *(n.; vt.)* (١) الوَدَك ؛ الشحم الحيواني . §(٢) يشحّم بالوَدَك .

tally [tăl'ĭ] *(n.; vt.; i.)* (١) عصا الحساب : عصا ذات أسنان أو أثلام تمثّل أعداداً تبيّن مقدار الدَّين أو المبالغ المدفوعة (وكثيراً ما كانت تُفسَخ ، عبرَ هذه الأثلام ، إلى شقّين يحتفظ كلٌّ من الدائن والمدين بواحدٍ منهما (٢) كلّ ما يُدوَّن عليه حساب ما (٣) ثَلْم أو علامة في عصا للحساب (٤) رُقْعَة (را. label) (٥) سِجِلّ (a daily ~ of accidents) (٦) عدد (أو مجموعة) يُستخدَم في العدّ والحساب (Dishes were counted in *tallies* of 20.) (٧) نقطة مُحرَزة في مباراة أو مجموعة النقاط المحرزة فيها (٨) القسيم : جزء متمّم (One twin is the ~ of the other.) (٩) اتّفاق ؛ انطباق §(١٠) «أ» يدوّن (عدداً الخ .) على عصا للحساب أو نحوها . «ب» يسجّل ؛ يُجَدْوِل ؛ يرتّب على صورة جدول (~ the election returns as they are reported) . «ج» يدوّن النقاط المحرزة في مباراة (١١) يجعله مطابقاً لِـ × (١٢) ينطبق على (Does your list ~ with mine ?) .

tallyho [tăl'ĭ hō'] *(n.)* (١) نداء القنّاص عند رؤيته الثعلب (تحريضاً للكلاب) (٢) التّاليهَة : مركبة تجرها أربعة جياد .

tallyman [tăl'ĭ-] *(n.)* (١) البائع بالتقسيط (٢) المسجّل ؛ المدوّن .

tally sheet *(n.)* السِّجِلّ : صحيفة لتدوين النقاط المحرَزة في لعبة أو لتسجيل أصوات المقترعين .

Talmud [tăl'mŭd] *(n.)* التّلمود : مجموعة الشرائع والتعاليم اليهودية .

Talmudic *also* **Talmudical** [tăl mŭd'-] *(adj.)* تَلْمُودي .

Talmudist [tăl'mŭd ĭst] *(n.)* التّلموديّ : «أ» أحد كتّاب أو جامعي التلمود . «ب» المؤمن بتعاليم التلمود . «ج» العالِم بالتلمود .

talon [tăl'ən] *(n.)* (١) «أ» مِخلَب ؛ بُرثُن . «ب» إصبع الإنسان أو يدُه (٢) ريشة القُفْل أو نابضُه (٣) الفتّ : بقية ورق اللعب بعد التوزيع (٤) حلية معمارية جانبيّتُها profile على شكل حرف S (عم) .

talus [tā'ləs] *(L.)* (١) «أ» مُنحَدَر . «ب» منحدَر متشكّل من تراكم الفِلَذ الصخريّة . «ج» كتلة فِلَذٍ صخريّة في أسفل جُرُفٍ (٢) الجانب المنحدر من جدار حصن (٣) «أ» عظم الكاحل (ت) . «ب» الكاحل (ت) .

tam [tăm] *(n.)* = tam-o'-shanter.

tamable [tā'mə bəl] *(adj.)* قابلٌ للتدجين أو الترويض الخ .

tamale [tə mä'lĭ] *(Sp.)* الطّامال : طعام مكسيكيّ مُعَدّ من دقيق الذُّرَة ومن لحم مفروم مع الفلفل الأحمر .

tamandua [tä'män dwä'] *(Pg.)* الطّمَنْدُوَة : ضرب من آكلات النمل .

tamarack [tăm'ə răk'] *(n.)* (١) الطّمَراق : شجرة أميركيّة من الفصيلة الصنوبريّة (٢) خشب الطّمَراق .

tamarau [tä'mə rou'] *(n.)* الطّمارو : جاموس فيليبينيّ .

tamarin [tăm'ə rĭn] *(F.)* الطّمارين : قردٌ جنوبأميركي صغير طويل الذيل .

tamarin

tamarind [tăm'ə rĭnd] *(Ar.)* التمر الهندي : «أ» شجر مثمر ذو ثمار مليّنة . «ب» ثمار التمر الهندي المتّخذَةُ مُسْهِلاً .

tamarisk [tăm'ə rĭsk] *(n.)* الطّرْفاء : شجرة أو جنبة نحيلة الأغصان .

tambour [tăm'bōōr] *(n.; vt.; i.)* (١) «أ» طارة التطريز . «ب» تطريز مُنجَز على طارة (٢) دُفّ ؛ طارة (مو) §(٣) يطرّز على طارة . **—tambourer** *(n.)*

tambourine

tambourine [tăm'bə rēn'] *(Ar.)* الرَّقّ : دُفّ صغير (مو) .

tame [tām] *(adj.; vt.; i.)* (١) داجن ؛ أليف (٢) مذلَّل ؛ مروَّض . (٣) وديع (٤) تفِه : تعوزه الحرارة أو المتعة (a ~ book) §(٥) يدجّن (٦) يذلّل ؛ يروّض (٧) يلطّف من حدّة شيء أو لهجته × (٨) يتدجّن الخ . **—tamer** *(n.)*

tameless [tām'lĭs] *(adj.)* (١) غير داجن أو مروّض (٢) غير قابل للتدجين أو الترويض .

Tamil [tăm'əl] *(n.; adj.)* (١) التاميلية : لغة ولاية مدراس بالهند والأجزاء الشماليّة والشرقيّة من سيلان (٢) التاميليّ : الناطق بالتاميليّة §(٣) تاميليّ .

Tammany [tăm'ə nĭ] *(n.; adj.)* (١) المنظمة التامانيّة : منظمة ديموقراطيّة سياسيّة قويّة في نيويورك أنشئت عام ١٧٨٩ كجمعية خيرية فدرالية §(٢) تامانيّ : «أ» ذو علاقة بهذه المنظّمة أو بسياستها وأساليبها . «ب» نزّاع إلى التمتّع بالسلطة السياسيّة بطرائق كثيراً ما تكون فاسدة أو مشبوهة .

tam-o'-shanter [tăm'ə shăn'tər] *(n.)* التاميّة : قلنسوة صوفيّة .

tamp [tămp] *(vt.; n.)* (١) يدكّ ؛ يَرْص (٢) يَسُدّ ؛ يحشو . §(٣) مِدكّ ؛ مِرَصّ الخ .

tamper [tăm'pər] *(n.)* فا tamp ، وبخاصة : أداة لرصّ الاسمنت .

tamper [tăm'pər] *(vi.; t.)* (١) يحاول التأثير (على شاهد الخ .) بالرشوة أو الترهيب (٢) يعبث (بقفل محاولاً فتحَه) بطريقة غير مشروعة الخ .) (٣) يتلاعب (بوثيقة الخ .) .

tampion [tăm'pĭ ən] *(F.)* الكِظام : سِدادة خشبيّة لفوّهة المدفع الخ .

tampon [tăm'pŏn] *(n.; vt.)* (١) الصمام : سِدادة قطنيّة يُحشَى بها الجرح لوقف النزف §(٢) يسدّ ؛ يحشو (بصِمام) .

tam-tam [tŭm'tŭm'] *(Hin.)* (١) ناقوس (٢) tom-tom أو جرس قرصيّ الشكل .

tan [tăn] *(vt.; i.; n.; adj.)* (١) يدبغ (الجلود) (٢) يَسْفَع (بالتعريض لأشعة الشمس) (٣) يَسُوط ؛ يَجلد × (٤) يندبغ ؛ ينسفع §(٥) لحاء الدباغين (٦) دِباغ (٧) سُفْعَة أو سمرة (تكتسبها البشرة من التعرض للشمس) (٨) لون اسمر ضاربٌ إلى الصفرة §(٩) دِباغيّ (١٠) أسمر ضاربٌ إلى الصفرة .

tanager [tăn'ə jər] *(n.)* التَّناجر : طائر أميركي صغير .

tanager

tanbark [tăn'-] *(n.)* لحاء الدباغين : لحاء يُستخدم في الدباغة .

tandem [tăn'dəm] *(n.; adv.; adj.)* (١) «أ» التَّنْدِم : مركبة يجرّها جوادان أحدهما أمام الآخر . «ب» جوادان مُرْدَفان على هذا النحو (٢) الدراجة الترادفية : دراجة ذات مقعدين أحدهما خلف الآخر §(٣) ترادفياً : واحداً خلفَ الآخر §(٤) ترادفيّ ؛ مُرْدَف .

tandem 2.

tandem airplane *(n.)* الطيّارة الترادفيّة : طيّارة ذات مجموعتين أو أكثر من الأجنحة المترادفة .

tandem bicycle *(n.)* = tandem 2.

tandem engine *(n.)* المحرّك الترادفي : محرّكٌ مترادف الأسطوانات .

tang [tăng] *(n.; vt.)* (١) السِّيلان : ما يدخل من السيف أو السكين في المقبض (٢) «أ» نكهة حادّة مميزة . «ب» رائحة نافذة (٣) «أ» أثرٌ ؛ مقدارٌ ضئيل (a ~ of enjoyment) . «ب» صفة مميزة §(٤) يجعل له سِيلاناً (٥) يجعل له نكهة مميزة أو رائحة نافذة .

tang [tăng] *(n.)* الفوقس : ضرب من الطحلب البحري .

tang [tăng] *(vi.; t.; n.)* (١) يرنّ §(٢) رنين .

tangelo [tăn'jə lō'] *(n.)* الطَّنجال : شجرٌ أو ثمرٌ مهجّنٌ من المندرين أو اليوسفي ومن الليمون الهندي أو الكريب فروت (نب) .

tangency [tăn'jən sĭ] *(n.)* مماسة ؛ تماس .

tangent [tăn'jənt] *(adj.; n.)* (١) مُماسّ (ر) (٢) خارج عن الموضوع (~ remarks) §(٣) ظلّ الزاوية (ر) (٤) المُماسّ (ر) (٥) انحراف مفاجىء (عن الموضوع الخ.) (٦) جزء مستقيم من طريق أو سكة حديدية .

to fly off *or* go off at a ~, ينحرف فجأة عن خطّ عمل أو تفكير .

tangential [tăn jĕn'shəl] *(adj.)* (١) «أ» مماسّ . «ب» تماسّي (ر) (٢) منحرف ، عرَضيّ ؛ ماسّ مسّاً رفيقاً .

tangent plane *(n.)* المستوى المُماسّ (ر) .

tangerine [tăn'jə rēn'] *(F.)* (١) «أ» المندرين ، اليوسفيّ : شجر من الفصيلة البرتقاليّة . «ب» ثمر المندرين (٢) لون برتقاليّ محمرّ .

tangibility [tăn jə bĭl'-] *(n.)* الملموسيّة : كون الشيء ملموساً .

tangible [tăn'jə bəl] *(adj.; n.)* (١) «أ» ملموس . «ب» ماديّ . (٢) حقيقيّ ، واقعيّ §(٣) شيء ملموس أو حقيقيّ .

tangible assets *(n. pl.)* الموجودات أو الأصول الحقيقية (تج) .

tangle [tăng'gəl] *(vt.; i.; n.)* (١) يورّط (٢) يوقِع في شرك (٣) يُشابِك ، يُحابِك ؛ «يُشَرْبِك» ×(٤) يشتبك (في مجادلة أو قتال) (٥) يتشابك ، يتحابك §(٦) كتلة متشابكة الخيوط أو الخطوط (٧) تعقّد ؛ تشوّش (٨) حيرة ؛ ارتباك ؛ ورطة (٩) جدال ؛ نزاع (١٠) التَّنْجَل : طحلب بحريّ .

tangled [tăn'gəld] *(adj.)* (١) متشابك ، متحابك ؛ «مُشَرْبَك» . (٢) شديد التعقيد .

tangly [tăng'glĭ] *(adj.)* متشابك ، مُعقّد .

tango [tăn'gō] *(n.; vi.)* (١) «أ» التانغو : رقصة أميركيّة ذات أصل اسباني . «ب» موسيقى هذه الرقصة §(٢) يرقص التانغو .

tangy [tăng'ĭ] *(adj.)* ذو نكهة مميزة أو رائحة نافذة .

tank [tăngk] *(n.; vt.)* (١) بِركة (٢) صِهريج ؛ حوض . (٣) دبابة (٤) حُجيرة (في سجن) (٥) ضربة (عب) §(٦) يضع أو يخزن في صِهريج الخ .

tankage [tăngk'ĭj] *(n.)* (١) سعة الصهريج أو محتوياته (٢) نفايات المسلخ (من عظام ونحوها) تجفّف وتُتّخذ سماداً الخ . (٣) «أ» وضعٌ أو خزنٌ في صِهريج الخ . «ب» رسم على الخزن في صِهريج .

tankard [-'ərd] *(n.)* ابريق : إبريق ؛ وبخاصة فضيّ أو معدني .

tankard

tank car *(n.)* عربة الصهريج : شاحنة من شاحنات السكّة الحديدية لنقل السوائل أو النفط .

tank destroyer *(n.)* مدمرة الدبابات : عربة مدرّعة ذات مدفع مضادّ للدبّابات .

tanker [tăngk'ər] *(n.)* الصهْريجيّة ، ناقلة البترول الخ . : سفينة أو شاحنة أو طائرة معدّة لنقل البترول الخ .

tanker

tank town *(n.)* (١) بلدة تتوقف فيها القطر الحديدية طلباً للماء . (٢) بلدة ؛ مدينة صغيرة .

tannage [tăn'ĭj] *(n.)* دبْغ ؛ دِباغة .

tannate [tăn'āt] *(F.)* العفْصات : ملح حمض التنّيك (ك) .

tanner [-'ər] *(n.)* (١) الدبّاغ : دابغ الجلود (٢) ستة بنسات (بر) .

tannery [tăn'ə rĭ] *(n.)* المدبغة : مدبغة الجلود .

tannic [tăn'ĭk] *(adj.)* تنّيك ، عفْصي ؛ دبْغي .

tannic acid *(n.)* حمْض التنّيك (ك) .

tannin [tăn'in] *(F.)* = tannic acid.

tanning [tăn'ĭng] *(n.)* (١) دِباغة (٢) اسمرار البشرة بالتعرّض للشمس (٣) جلْد ، ضربٌ بالسّياط .

tansy [tăn'zĭ] *(n.)* حشيشة الشفاء ، حشيشة الدّود : نبات مسنّن الأوراق أصفر الزهر يُتّخذ تابلاً وطارداً للديدان .

tantalate [tăn'tə lāt'] *(n.)* الطنطالات : ملح حمْض الطنطاليك .

tantalic acid [tăn tăl'ĭk] *(n.)* حمْض الطنطاليك (ك) .

tantalite [tăn'tə līt'] *(n.)* الطنطاليت (مع) .

tantalize [tăn'tə līz'] *(vt.)* يعذّب (بإدناء شيء مرغوب فيه ثم إبعاده على نحو موصول) .

tantalum [tăn'tə ləm] *(n.)* التنتالوم : عنصر فلزّي (ك) .

tantalus [tăn'tə ləs] *(n.)* (١) تنتالوس : ملك تزعم الأسطورة الاغريقية أنّه عوقب بأن غُمِر إلى ذقنه في الماء وقد تدلّت الأغصان المثقلة بالفاكهة قرب شفتيه ولكنّ كلاً من الماء والفاكهة كان يرتدّ بعيداً عنه كلما حاول بلوغه (٢) صندوق مقفلٌ مشتملٌ على محتويات مَرْئيّة ولكن لا سبيل إلى الفوز بها إلا بالحصول على مفتاح الصندوق .

tantamount [tăn'tə mount'] *(adj.)* معادلٌ ؛ مساوٍ .

tantara [tăn'tə rə] *(L.)* البُواق ؛ صوت البوق .

tantivy [tăn tĭv'ĭ] *(adv.; adj.; n.; interj.)* (١) بأقصى السرعة (to ride ~) §(٢) سريع §(٣) انطلاق ؛ اندفاع §(٤) صيحة قنْص معناها : أسرِع ! انطلِق بأقصى السرعة !

tantrum [tăn'trəm] *(n.)* نوْبة غضب الخ . (ع) .

Tao [tou; dou] *(Chin.)* الطّاو : «أ» المبدأ الأول الذي ينبثق منه كلّ وجود وتغيّر في هذا الكون ، في الطاويّة . «ب» سبيل الفضيلة ، في الكونفوشيوسيّة .

ă at; ā date; â care; ä car; ĕ egg; ē me; ĭ in; ī bite; ŏ lot; ō bone; ô orphan; oi boil; ŏŏ good; ōō boot; ou out; ŭ under; ū unity; û urgent; th thing; th this; zh vision; ə = *a* in alone, *e* in system, *i* in easily, *o* in gallop, *u* in circus.

Taoism [tou'ĭz əm; dou'-] *(Chin.)* الطاويّة : فلسفة دينية مبنيّة على تعاليم لاوتسي وتُعتَبَر ، بالاضافة إلى الكونفوشيوسيّة والبوذية ، أحد أديان الصين الثلاثة . **—Taoistic** *(adj.)*

Taoist [tou'ĭst; dou'-] *(n.; adj.)* طاويّ : مؤمن بالطاويّة .

tap [tăp] *(n.; vt.; i.)* (١) «أ» سِدادة ؛ سِطام . «ب» حنفية . (٢)«أ» شراب مُسكِر يُستَقَى من حنفيّة . «ب» مَشْرَب ؛ بار ؛ حانة . «ج» البَزْل : إزالة سائل ما (من تجويف جسديّ الخ.) (٣) ذَكَرُ لولبة داخليّة (٤) نقطة التفرّع : نقطة من الشريط الكهربائي يُشْتَق منها فرع (٥)«أ» ضربة خفيفة أو صوتها . «ب» نقرةٌ على طبل (٦)نصف نعل (٧) صفيحة معدنيّة صغيرة لنعل الحذاء أو كعبه §(٨) يزوّد بسدادة أو حنفية (٩) يبزل (١٠) ينزع السِّدادة (١١) يُجري سائلاً ما (بنزع السدادة) (١٢) يشتقّ فرعاً « من شريط كهربائي » (١٣) يلَوْلِب من الداخل (١٤) يأخذ مالاً (من قرض الخ.) (١٥) يَصِل بفرع (١٦) «أ» يضرب ضرباً خفيفاً . «ب» ينقر . «ج» يقرع (١٧) يُحدِث بالضرب أو النقر(A woodpecker ~ *ped* a hole in the tree.) (١٨)يختار؛ يعين ؛ وبخاصة : ينتخب ×(١٩) يمشي بخطى خفيفة(٢٠) يرقص رقصاً نقرياً (را. tap-dance) .
on ~ .(١)جاهز لسحبه من برميل (كبعض المسكِرات) (٢) في المتناوَل ؛ جاهز للاستعمال .

tapa [tä'pä] *(n.)* التابة : «أ» لِحاء شجرة توت الورق (را. paper mulberry). «ب» قماش غليظ مزين بالاشكال الهندسية يصنع في جزائر المحيط الهادي من مسحوق لِحاء توت الورق .

tap dance *(n.)* الرّقص النَّقري : رقص يتميز بنقرات قوية بالاقدام أو برؤوسها أو كعوبها .

tap-dance [tăp'dăns] *(vi.)* يرقص رقصاً نقرياً .

tape [tāp] *(n.; vt.; i.)* (١) شريط ؛ شريطة (٢) شريط المُنتهَى : شريط يُمَدّ على ارتفاع الصدر عند منتهَى سباق (٣) الشريط المغنطيسي (را. magnetic tape)§(٤) يثبِّت أو يشدّ أو يكسو بشريط (٥) يقيس بشريط قياس (٦) يسجّل على شريط مغنطيسي ×(٧) يقيس . **—taper** *(n.)*

tapeline [tāp'līn'] **; tape measure** *(n.)* شريط القياس .

tape machine *(n.)* = teletypewriter.

taper [tā'pər] *(n.; adj.; vi.; t.)* (١)«أ»فتيل طويل مكسوّ بالشمع . «ب» شمعة ؛ وبخاصة : شمعة نحيلة جداً . «ج» نورٌ ضعيف (٢)«أ» شكل أو شيء مستدقّ الطرَف . «ب» استدقاق الطرَف . «ج» تناقص تدريجيّ §(٣) مستدقّ ؛ مستدقّ الطرَف (٤) مدرَّج §(٥) يستدق : يصبح مستدقّ الطرَف (٦)يتناقص تدريجياً ×(٧) يجعله مستدقّ الطرف (٨) يُنقصه تدريجياً .
to ~ off (١) «أ» يستدقّ . «ب» يتناقص تدريجياً . (٢)يتوقف تدريجياً (٣)يجعله مستدقاً ؛ يُنقِصهُ تدريجياً .

tape-record [tāp'rĭ kôrd'] *(vt.)* يسجّل (على شريط مغنطيسيّ) .

tape recorder *(n.)* المسجّلة الشريطيّة : آلة التسجيل الشريطيّة .

taperer [tā'pər ər] *(n.)* حامل الشمعة في موكب دينيّ .

tapestried [tăp'ĭs trĭd] *(adj.)* مكسوّ بنسيج مزدان بالرسوم والصور .

tapestry [tăp'ĭs trĭ] *(n.; vt.)* (١) نسيج مزدان بالرسوم والصور تُتّخذ منه السُّجُف وتنجّد به الكراسيّ (٢) تطريز على «الكنَفا» شبيه بهذا النسيج §(٣) يزوّد أو يكسو أو يزيّن بهذا النسيج .

tapestry carpet *(n.)* سجادة تُطبَع الرسوم بالألوان على خيوطها قبل أن يُصار إلى نسجها .

tapeworm [tāp'wûrm'] *(n.)* الشَّريطيّة : دودة من الشَّريطيات .

taphole [tăp'hōl'] *(n.)* (١) فتحة السِّدادة (٢) ثقب اللولبة .

tapioca [tăp'ĭ ō'-] *(Sp.)* التَّبيوكة : مستحضر نَشَويّ لصنع الحلوى .

tapir [tā'pər] *(n.)* التابير : حيوان أميركي استوائي شبيه بالخنزير .

tapir

tapis [tăp'ĭ; tăp'ĭs; tă pē'] *(F.)* بساط ؛ سجادة (ا.م) .
on the ~, على بساط البحث ؛ تحت الدرس .

tap pants *(n.pl.)* التَّبَنْت : سروال نِسْويّ تحتانيّ .

tappet [tăp'ĭt] *(n.)* الإصبع الغمّاز (مك) .

tapping [tăp'ĭng] *(n.)* (١) مص tap ؛ وبخاصة : «أ» قَرْع ؛ نَقْر . «ب» بَزْل (٢) السائل المستخرج بالبَزْل .

taproom [tăp'rōōm'] *(n.)* = barroom.

taproot [tăp'rōōt'] *(n.)* (١) الجذر الرئيسيّ الوتِديّ (نب) . (٢) أصل ؛ جوهر .

taps [tăps] *(n. pl.)* قرع الطبل (في الجنائز العسكريّة أو إيذاناً بضرورة إطفاء الأنوار ليلاً) .

tapster [tăp'stər] *(n.)* الساقي (في حانة) .

tar [tär] *(n.; vt.)* (١)قار ؛ قطران (٢)ملاّح ؛ نوتيّ §(٣) يقيِّر ؛ يُقَطْرِن : يلوّث بالقار أو بالقطران أو يكسو بهما (٤) يُحَسِّن .

tarantella [tăr'ən tĕl'ə] *(It.)* التَّرنتيلّة : رقصة شعبية إيطالية .

tarantism [tăr'ən tĭz'əm] *(n.)* هَوَس الرقص (بأوروبة في أواخر العصر الوسيط) .

tarantula [tə răn'chə lə] *(n.)* pl. **-s** *also* **-e** [-lē'] العنكبوتة الذئبيّة : ضربٌ من العناكب الكبيرة .

taraxacum [tə răk'sə kəm] *(Ar.)* الطَّرَخْشقُون : نبات تُتَّخذ جذوره ملييناً .

tarboosh *also* **tarbush** [tär bōōsh'] *(Ar.)* طربوش .

tardigrade [tär'də grād'] *(n.; adj.)* (١) البطيء الخطو : واحد من بطيئات الخطو **Tardigrada** وهي قسمٌ من المفصليات المجهرية المائيّة لكلٍّ من أفراده أربعة أزواجٍ من الأرجل(ح) §(٢) بطيء الخطو أو الحركة .

tardily [tär'dĭ lĭ] *(adv.)* (١) ببطء (moved ~) (٢) متأخراً .

tardy [tär'dĭ] *(adj.)* (١) بطيء (٢) متأخّر .

tare [târ] *(n.; vt.)* (١) «أ» البِيقة ؛ البِيقيّة : نباتٌ علَفيّ من الفصيلة القَرْنية . «ب» .*pl* : عنصر غير مرغوب فيه (٢) الطَّرْح : «أ» وزن الغلاف أو الوعاء المشتمل على السلعة . «ب» إسقاط من وزن السلعة غير الصافي معادلٌ لوزن غلافها أو وعائها . «ج» وزن العربة وهي فارغة . «د» الوزن المعادل : ثقل إضافيّ يوضع في إحدى كفتيّ الميزان ليقابل وزن الوعاء §(٣) يزن مُسْقِطاً وزنَ غلاف السلعة أو وعائها .

target [tär'gĭt] *(n.; vt.)* (١) تُرْس (٢) «أ» الدريئة : حلقة أو دائرة يُتَعلّم عليها الرمي . «ب» الرَّميّة : كلّ ما يرمَى بنار البندقيّة الخ. (٣) «أ» موضع سخرية أو نقد الخ . «ب» هدف ؛ غرَض (٤) إشارة قرصيّة عند مركز التحويل (في السكّة الحديدية) §(٥) يتخذه أو يَنْصِبهُ دريئة أو هدفاً الخ.

target date *(n.)* الميقات المضروب : الموعد المحدَّد لحَدَثٍ أو لإنجاز مشروع .

Targum [tär'gŭm] *(n.)* التَّرْجُومة : ترجمة آراميّة لجزء من التوراة .

Tarheel [tär'hēl'] *(n.)* أحد أبناء كارولينا الشماليّة .

tariff [tăr'ĭf] *(Ar.)* تعرفة ؛ تعريفة .

tariff [tăr'ĭf] *(vt.)* يُخضع لتعرِفة .

tarlatan [tär'lə tən] *(F.)* الطَّرْلطان : موسلين شفّاف .

tarmac [tär'măk] *(n.)* (١) مادّة (كالاسفلت) لتعبيد الطرق . (٢) طريق مُسفلَتة .

tarmacadam [tär mə kăd'əm] *(n.)* = tarmac .

tarn [tärn] *(n.)* بُحيرة أو بركة جبلية صغيرة .

tarnish [tär'nĭsh] *(vt.; i.; n.)* (١) يُفقِدُه بريقَه أو لمعانَه . (٢) يُفسِد (٣) يلطِّخ ؛ يلوِّث ×(٤) يفقِد بريقَه (٥) يتبدّد (الأمل الخ.) (٦) يتلطّخ ؛ يتلوَّث (٧) يتضاءل ؛ ينتقص §(٨) فقدانُ البريق أو اللمعان (٩) لطخة .

taro [tä'rō] *(n.)* القُلْقاس : بقلة زراعيّة (نب) .

tar paper *(n.)* الورق المُقيَّر : ورق مكسوّ أو مُشبَع بالقار .

tarpaulin [tär pô'lĭn] *(n.)* (١) التربولين : قماش مشمَّع أو مقيَّر (٢) ملاّح ؛ نوتيّ .

tarpon [tär'pŏn] *(n.)* الطَّربون : سمك بحريّ كبير فضيّ الحراشف .

tarragon [tăr'ə gŏn'] *(Ar.)* الطَّرْخُون (نب) .

tarry [tăr'ĭ] *(vi.; n.)* (١) يتوانى ؛ يتلكّأ (٢) يمكث ؛ يبقى . §(٣) مَكْث ؛ بقاء .

tarry [tär'ĭ] *(adj.)* (١) قاري ؛ قطرانيّ (٢) مُقيَّر ؛ مُقَطْرَن .

tarsal [tär'səl] *(adj.; n.)* (١) كاحليّ ؛ رُسْغِيّ (٢) ظُفريّ جَفنيّ ؛ غُضْرُوجَفْنِيّ : ذو علاقة بظفر الجفن أو غضروفه §(٣) عظم كاحليّ أو رُسْغِيّ .

tarsier

tarsier [tär'sĭ ər] *(F.)* التَّرْسِير : قرد صغير من سكان الأشجار .

tarsus [tär'səs] *(L.)* (١) «أ» الكاحل ؛ رُسْغ القدم . «ب» عُظَيْمات الكاحل (٢) ساق رِجل الطائر (٣) الفَصّ الأخير من رجل الحشرة (٤) ظُفْر الجفن ؛ غضروف الجفن .

tart [tärt] *(adj.; n.)* (١) «أ» حِرِّيف . «ب» حامض (٢) لاذع (a ~ remark) §(٣) التُّرْتة : كعكة محشوّة بالمربّى أو الفاكهة المطبوخة (٤) فتاة أو امرأة ؛ وبخاصة : بغيّ ؛ مومس .

tartan [tär'tən] *(F.)* الطَّرْطان : «أ» قماش صوفيّ مقلَّم بخطوط مختلفة الألوان متقاطعة على زوايا قائمة . «ب» «نقشة» هذا القماش . «ج» ثوب مقلّم بمثل خطوط الطَّرطان . «د» مركب وحيد الصاري .

tartar [tär'tər] *(n.; adj.)* (١) الطَّرْطِير ؛ الدُّرْدِيّ : حَمْض يترسّب على الجدران الداخلية لبراميل الخمر (٢) القُلاح : صفرة أو خضرة تعلو الأسنان (٣) *cap.* التتاريّ : واحد التتار (را. Tatar) (٤) شخص سريع الغضب (٥) شخص متوحش §(٦) تتاريّ . **—Tartarian** *(adj.)*

Tartarean [tär târ'ĭ ən] *(adj.)* جحيميّ : منسوب إلى الجحيم .

tartar emetic *(n.)* الطَّرطير المُقيِّئ : ملح سامّ يستخدم في الطبّ والصباغة .

tartaric [tär tăr'ĭk] *(adj.)* طَرْطيريّ ؛ دُرْدِيّ (ك) .

tartaric acid *(n.)* حَمْض الطَّرطريك (ك) .

Tartarus [tär'tə rəs] *(L.)* الجحيم (في الميثولوجيا الكلاسيكية القديمة) .

tartish [tärt'ĭsh] *(adj.)* حِرِّيف أو حامض قليلاً .

tartlet [tärt'lĭt] *(n.)* تُرْتة (را. tart 3) صغيرة .

tartrate [tär'trāt] *(n.)* الطَّرْطَرات : ملح حمض الطَّرطريك (ك) .

tartrated [tär'trā tĭd] *(adj.)* (١) طَرْطيريّ (ك) (٢) ممزوج بحمض الطَّرطريك (ك) .

tartuffe [tär to͞of'] *(F.)* المرائي ؛ المنافق ؛ مدّعي الورع .

Tarzan [tär'zən] *(n.)* الطَّرزان : شخص فارع الطول قويّ رشيق الحركة .

task [tăsk] *(n.; vt.)* (١) «أ» مهمّة . «ب» فرض ؛ واجب . (٢) عمل شاقّ §(٣) يعهد إليه بمهمّة (٤) يُرْهِق . يوبّخ ؛ يعنِّف . to bring, call, *or* take to ~ ,

task force *(n.)* الحملة : قوة عسكريّة تُختار موقّتاً من عناصر من قوات البر والبحر والجو وتوضع تحت إمرة قائد واحد ويُعهَد إليها بأداء مهمّة معيّنة .

taskmaster [tăsk'măs'tər; täsk'mäs'-] *(n.)* (١) «أ» فارض المهامّ ؛ محدِّد المهام . «ب» المرهِق غيرَه بالمهام الثقيلة (٢) المُناظِر ؛ المراقِب . **—taskmistress** *(n. fem.)*

taskwork [tăsk'-] *(n.)* (١) piecework (٢) عمل شاقّ .

Tasmanian [tăz mā'nĭ ən] *(adj.)* تَسْمانيّ : منسوب إلى تسمانيا ، وهي ولاية في الكومنولث الاسترالي ، أو الى شعبها .

Tasmanian devil *(n.)* العِفريت التَّسْمانيّ : حيوان من ذوات الجراب .

Tasmanian wolf *(n.)* الذئب التَّسْمانيّ : حيوان لاحم من ذوات الجراب .

Tasmanian devil

tassel [tăs'əl] *(n.; vt.; i.)* (١) شُرّابة (٢) «شرّابة» الذُّرة §(٣) يزيّن بشُرّابة ×(٤) يُطلِع (النباتُ) شُرّابات .

taste [tāst] *(vt.; i.; n.)* (١) يذوق (٢) يتذوّق ×(٣) يكون ذا طَعْم معيّن (The milk ~s sour.) §(٤) «أ» مقدار قليل يُذاق . «ب» مقدار طفيف (٥) حاسة الذَّوق (٦) طَعْم (٧) نكهة ؛ مذاق (٨) مَيْل ؛ وُلوع (a ~ for music) (٩) ذَوْق .

taste bud *(n.)* حُلَيْمة الذَّوق : إحدى الحليمات الذوقيّة في ظِهارة اللسان (ت) .

tasteful [tāst'-] *(adj.)* (١) حَسَن الذوق (٢) دالّ على حُسْن ذوق .

tasteless [tāst'lĭs] *(adj.)* (١) «أ» تَفِه : لا طَعْم له . «ب» فاتر ؛ غير مُمتِع (٢) عديم الذوق .

taster [tās'tər] *(n.)* (١) الذائق ؛ وبخاصة : من يختبر الشاي الخ. بالذوق (٢) «أ» كوب معدني لاختبار طعم الخمر . «ب» أداة يُتناول بها مقدار قليل من الجبن أو الزبدة لاختبار طعمهما (٣) مقدار قليل . وبخاصة من الطعام أو الشراب ، يؤخذ لاختبار الطَّعْم .

tasty [tās'tĭ] *(adj.)* (١) لذيذ المَذاق (٢) جذاب أو ممتع جداً (~ reading) (٣) دالّ على حُسْن ذوق .

tat [tăt] *(vi.; t.; n.)* (١) يخرِّم (تخريماً ذا عُقَد) §(٢) ضَرْبة .

Tatar [tä'tər] *(n.)* (١) التَّتاريّ ؛ التتريّ : أحد أفراد شعوب تركيّة كثيرة مقيمة في الجمهورية التتارية بالاتحاد السوفياتي وفي شمالي القوقاز وبعض أجزاء سيبيريا (٢) اللغة التتارية .

tater [tāt'ər] *(n.)* بطاطا ؛ بطاطس (ع) .

tatter [tăt'ər] *(n.; vt.; i.)* (١) مِزقة ؛ خِرْقة (٢) *pl.* أسمال بالية §(٣) يُبْلي ×(٤) يبلى .

tatterdemalion [tăt'ər dĭ māl'yən] *(n.)* شخص رثّ الملابس .

tattered [tăt'ərd] *(adj.)* (١) رثّ الملابس (٢) ممزّق (٣) خَرِب .

tatting [-'ĭng] *(n.)* (١) تخريم ذو عُقَد (٢) صُنع المخرّمات المعقّدة .

tattle [tăt'əl] *(vi.; t.; n.)* (١) يثرثر ، يهذر (٢) يشي ، ينمّ . ×(٣) يفشي بالثرثرة الخ. §(٤) ثرثرة ؛ قيل وقال .

tattler [tăt'lər] *(n.)* (١) tattletale (٢) الثرثار : طائر مائي .

tattletale [tăt'əl tāl'] *(n.)* الواشي ، النمّام .

tattoo [tă too'] *(n.; vt.; i.)* (١) «أ» دقّة العودة « إلى الثكنة »(جن). «ب» مهرجان أو موكب عسكري (٢) قرع إيقاعيّ §(٣) يقرع على نحو إيقاعيّ .

tattoo [tă too'] *(n.; vt.)* (١) وشْمٌ §(٢) يشِم .

tau [tô] *(n.)* الحرف الـ ١٩ من الأبجدية اليونانية (وهو يقابل حرف T في الانكليزية) .

tau cross *(n.)* الصليب التائيّ : صليب على شكل حرف T .

taught [tôt] *past and past part. of* teach.

taunt [tônt; tänt] *(vt.; n.; adj.)* (١) يوبّخ بطريقة ساخرة أو مهينة (٢) يدفعه ، بالتوبيخ الساخر ، إلى أمر ما (~*ed* him into losing his temper) §(٣) توبيخ ساخر ؛ سخرية مهينة §(٤) عالٍ أو مرتفع جداً (مل) .

tau particle *(n.)* الجُسيم التاوي ؛ الجُسيم التائيّ (فز) .

taupe [tōp] *(F.)* الرماديّ الداكن : لون رمادي داكن .

taurine [tôr'īn] *(adj.)* ثوريّ : متعلق بالثور .

taurine [tôr'ēn] *(n.)* التورين : مركّب متبلّر عديم اللون (ك) .

Taurus [tôr'əs] *(L.)* برج الثور (فل) .

taut [tôt] *(adj.)* (١)«أ» مشدود. «ب» متوتّر (٢) نظيف ؛ مرتّب (٣) «أ» محكم . «ب» أنيق .

taut- *or* **tauto-** بادئة معناها : نفس ، عين .

tauten [tô'tən] *(vt.; i.)* (١) يشدّ ، يوتّر ×(٢) يتوتّر .

tautog [tô tŏg'] *(n.)* التوتوج : سمك يكثر في الشاطىء الأطلسي من الولايات المتحدة الأميركية .

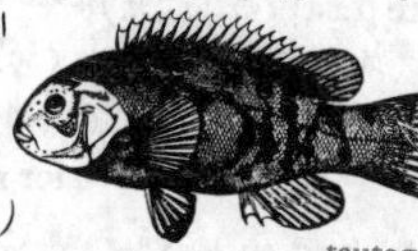

tautog

tautologize[tô tŏl'ə jīz'] *(vt.)* يكرر المعنى (لغير ضرورة أو فائدة) .

tautology [tô tŏl'ə jĭ] *(n.)* الحشو : تكرار للمعنى لا يزيده قوة أو وضوحاً .

tavern [tăv'ərn] *(n.)* (١) حانة (٢) خان ؛ فندق .

taverner [-'ər nər] *(n.)* صاحب الحانة أو الخان .

taw [tô] *(vt.; i.; n.)* (١) يدبغ (الجلود) ×(٢) يقذف البِليْة أو كُرَيّة الرّخام §(٣) البِليْة : كُرَيّة من رخام يُقذف بها (٤) لُعبة البِليْة (٥) «أ» الخطّ الذي تُقذف منه البِلى . «ب» خط الانطلاق في أيّة لعبة أو سباق .

tawdriness [tô'drĭ nĭs] *(n.)* بهرجة (را . المادة التالية) .

tawdry [tô'drĭ] *(adj.; n.)* (١) مُبَهْرَج : مزوّق بطريقة تنمّ عن تباهٍ أو ذوق سقيم §(٢) حِلية مُبَهْرَجة .

tawny [tô'nĭ] *(adj.; n.)* (١) أسمر مصفرّ §(٢) سمرة مصفرة .

tax [tăks] *(n.; vt.)* (١) ضريبة ، رسْم (٢) عبء ثقيل §(٣) يقدر أو يحدد المقدار أو القيمة (to ~ the costs of a court action) (٤) يفرض ضريبة على (٥) يُرهق (٦) يتّهم .

taxable [tăk'sə bəl] *(adj.)* خاضع أو مُخضَع للضريبة .

taxation [tăk sā'shən] *(n.)* (١) فرض الضرائب (٢) ضريبة (٣) حصيلة الضرائب .

tax evasion *(n.)* التهرّب من (دفع) الضرائب .

tax-exempt *(adj.)* مُعفى من الضريبة ، غير خاضع للضريبة .

taxi [tăk'sĭ] *(n.; vi.; t.)* (١) التاكسي : سيّارة أجرة للركاب . (٢) سفينة أو طائرة عاملة بالأجرة §(٣) يركب التاكسي (٤) «أ» تَدَرُّج (الطائرة) فوق سطح الأرض أو الماء . «ب» يَدْرُج بالطائرة ×(٥) ينقل بالتاكسي (٦) يُدْرِج الطائرة : يجعلها تدرُج .

taxicab [tăk'sĭ kăb'] *(n.)* التاكسي : سيارة أجرة للركاب .

taxi dancer *(n.)* الراقصة المأجورة : راقصة محترفة تُستخدم في الحانات ونحوها لترقص مع الزبائن لقاء مبلغ من المال يدفعونه عن كلّ رقصة .

taxidermal ; taxidermic [tăk'sə dûr'-] *(adj.)* تصبيري : خاصّ بتحنيط الحيوانات .

taxidermist [tăk'sə dûr'mĭst] *(n.)* المُصبِّر : مُصبِّر أو مُحنِّط الحيوانات .

taxidermy [tăk'sə dûr'mĭ] *(n.)* التصبير : تحنيط الحيوانات .

taximan [tăk'sĭ mən] *(n.)* سائق التاكسي .

taximeter [tăk'sĭ mē'tər] *(n.)* عدّاد التاكسي .

taxing [tăk'sĭng] *(adj.)* شاقّ ؛ مرهِق .

taxis [tăk'sĭs] *(Gk.)* (١) ترتيب ؛ نظام (٢) انجذاب ، انتحاء ، انحياز (أح) (٣) ردّ الفتق اليدوي (غير الجراحيّ) .

-taxis لاحقة معناها : «أ» ترتيب ؛ نظام (homo*taxis*) . «ب» انجذاب ، انتحاء (chemo*taxis*) .

taxi stand *(n.)* موقف التاكسي : موقف سيّارات التاكسي .

taxite [tăk'sīt] *(G.)* التكسيت : صخر بركانيّ يبدو وكأنه مؤلف من فِلَذٍ (لاختلاف ألوان أجزائه وأنسجتها) .

taxiway [tăk'sĭ wā'] *(n.)* المَدْرَجة : شقة ممهّدة ، في مطار ، تدرُج عليها الطائرة .

taxonomic [tăk'sə nŏm'ĭk] *(adj.)* تصنيفي .

taxonomist [tăk sŏn'ə mĭst] *(n.)* المصنِّف : الخبير بعلم التصنيف .

taxonomy [tăk sŏn'ə mĭ] *(F.)* (١) عِلم التصنيف : دراسة المبادىء العامة للتصنيف العِلمي (٢) تصنيف ؛ وبخاصة : تصنيف النباتات والحيوانات إلى طوائف ورُتَب وفصائل وأجناس وأنواع .

taxpayer [tăks'pā'ər] *(n.)* المكلَّف : دافع الضرائب .

tax stamp *(n.)* طابع الضريبة ، الطابع الأميري .

tazza [tät'tsä] *(Ar.)* طاسة ؛ كوب ؛ زهرية .

TB [tē bē'] *(n.)* = tuberculosis.

tea [tē] *(Chin.)* (١) شاي (٢) شاي الأصيل : شاي يقدّم مع الخبز والزبدة وضروب الشطائر في ساعة متأخرة من الأصيل (٣) حفلة شاي .

tea ball *(n.)* كُرَة الشاي : كرة معدنية مُثقّبة ، (أو كيس من قماش أو ورق رقيق) توضع فيها أوراق الشاي لتُنقَع في الماء عند إعداد الشاي .

teaberry [tē'bĕr'ĭ] *(n.)* = checkerberry.

tea biscuit *(n.)* بسكويت الشاي ، كعك الشاي .

teaboard [tē'bōrd'] *(n.)* صينيّة الشاي : صينية لتقديم الشاي .

teabowl [tē'bōl] *(n.)* الإستِكان : كوب شاي لا مقبض له .

tea caddy *(n.)* عُلَيْبة الشاي : علبة صغيرة لأوراق الشاي (بر) .

tea cake *(n.)* (١) كعكة الشاي (٢) cookie .

tea cart *(n.)* = tea wagon.

teach [tēch] *(vt.; i.)* يعلّم ؛ يدرّس ؛ يلقّن .

teachability [tē'chə bĭl'ə tĭ] *(n.)* (١) التدريسيّة : صلاحية الاستعمال في التدريس (the ~ of a textbook) (٢) التعلّميّة : قابليّة التعلّم .

teachable [tē'chə bəl] *(adj.)* (١) قابلٌ للتعليم (٢) نزّاعٌ إلى التعلّم راغبٌ فيه (٣) ملائم للتعليم ؛ مساعدٌ على التعليم .

teacher [tē'chər] *(n.)* المعلّم ؛ المدرِّس .

teachers college *(n.)* دار المعلمين : كلية لإعداد المعلمين .

teachership [tē'chər shĭp] *(n.)* منصب أو مركز تعليميّ .

teach-in *(n.)* ندوة ؛ حلقة دراسية (وبخاصة في جامعة) .

teaching [tē'chĭng] *(n.)* (١) تعليم ؛ تدريس (٢) مذهب ؛ تعاليم .

teacup [tē'kŭp'] *(n.)* كوب الشاي ؛ فنجان الشاي .

teacupful [tē'kŭp-] *(n.)* مِلء كوب (أو فنجان) شاي .

tea dance *(n.)* حفلة راقصة تُقام في ساعة متأخرة من الأصيل .

teahouse [tē'-] *(n.)* صالة الشاي : محلّ عام لتناول الشاي .

teak [tēk] *(n.)* (١) السّاج : شجر ضخم (٢) خشب السّاج .

teakettle [tē'-] *(n.)* غلاّية الشاي : إبريق لإعداد الشاي .

teakwood [tēk'-] *(n.)* = teak 2.

teal [tēl] *(n.)* الحذف : بطٌّ نهريّ صغير .

teal blue *(n.)* : الأزرق المخضر : لون أزرق مخضرّ .

teal

team [tēm] *(n.; vt.; i.; adj.)* (١) مجموعة من صغار الحيوان . (٢) «أ» زوج (أو أكثر) من الخيل أو الثيران الخ. يُقرَنان معاً إلى عربَة أو محراث. «ب» جواد أو ثور واحد مع عدّته وما يجرّه. «ج» عربة مجرورة (٣) الفريق : «أ» فرقة رياضيّة الخ. «ب» فريق في مناظرة . «ج» crew . «د» مجموعة من العلماء يعملون كوحدة متعاونة § (٤) يقرِن إلى عربة أو محراث (٥) ينقل بعربة تجرّها جياد قُرِن بعضها إلى بعض × (٦) «أ» يسوق عربة كهذه . «ب» يسوق شاحنةً (٧) ينتظم في فريق ؛ يوحّد الجهود أو القوى § (٨) مقرون مع غيره إلى عربة (horse ~) (٩) جماعيّ : مُنجَزٌ من قِبَل مجموعة أو فريق (effort ~) .

teammate [tēm'māt'] *(n.)* زميلٌ في فريق أو فرقة .

teamster [tēm'stər] *(n.)* (١) سائق زوج الخيل أو الثيران . (٢) سائق الشاحنة .

teamwork [tēm'wûrk'] *(n.)* العمل الجماعيّ .

tea party *(n.)* (١) حفلة شاي (٢) مشادّة ؛ مناوشة .

teapot [tē'pŏt'] *(n.)* ابريق الشاي .

teapoy [tē'poi] *(n.)* (١) منضدة ثلاثيّة القوائم (٢) منضدة الشاي .

tear [tĭr] *(n.; vi.)* (١) «أ» دمعة. «ب» : *pl.* بكاء (٢) دَمْع : *pl.* (to break into ~s) (٣) قطرة § (٤) يسفح الدمع .

tear [târ] *(vt.; i.; n.)* (١) «أ» يمزّق . «ب» يجرح (٢) ينتزع ؛ يقتلع ؛ يشدّ أو يسحب بعنف (٣) «أ» يثقب ثقباً . «ب» يحفر ؛ يشقّ طريقاً × (٤) يتمزّق (٥) يعدو أو يندفع أو يعمل بسرعة وقوة كبيرتين § (٦) «أ» تمزيق. «ب» تمزُّق ؛ بِلىً (wear and ~) (٧) ثُقْب ؛ خَرْق (٨) «أ» انفعال ؛ اهتياج . «ب» اندفاع ؛ عَجَلة فائقة (٩) مَرَحٌ صاخب .

to ~ around (١) يتنقّل باهتياج أو غضب (٢) يحيا حياة طائشة يعوزها الاستقرار .

to ~ away ينتزع (نفسَهُ) ؛ يحمل نفسَهُ على الكفّ عن مواصلة النظر (إلى مشهد) أو المطالعة (في كتاب) .

to ~ down (١) يُتْلِف ؛ يهدم (٢) يشوّه (السمعة) . (٣) يفكّك (ماكينةً) .

to ~ it يبدّد آمالَه أو يقضي عليها .

to ~ off يكتب أو ينجز بسرعة أو على عجل .

to ~ out يقتلع ؛ ينتزع .

to ~ up (١) يشقّ ؛ يحفر (٢) يمزّق (٣) يقتلع .

tear bomb *(n.)* القنبلة المُسيلة للدمع .

teardown [târ'doun'] *(n.)* تفكيك (لماكينة الخ.) .

teardrop [tĭr'drŏp'] *(n.)* (١) دمعة (٢) شيء كالدمعة المنسكبة ؛ وبخاصة : جوهرة متدلية من قُرْط أو عقد .

tearful [tĭr'-] *(adj.)* (١) دامع ؛ باكٍ (٢) مُسيل للدموع .

tear gas *(n.)* الغاز المسيل للدموع .

tearjerker [tĭr'-] *(n.)* المستدرّ (ة) للدموع : قصة أو مسرحيّة (أو شريط سينمائي أو برنامج تلفزيوني) محزنة أو مُشْجِيَة حتى الافراط .

tearless [tĭr'-] *(adj.)* خِلوٌ من الدمع ؛ غير سافحٍ دمعاً .

tearoom [tē'rōōm'] *(n.)* = teahouse.

tea rose *(n.)* الورد الشايّ : وردٌ ذو عبير شبيه برائحة الشاي .

tear sheet [târ] *(n.)* المُقْتَطَعَة الاعلانيّة : صفحة تُنْزَع من جريدة أو مجلة كدليل يُثبت للمعلين أن إعلانه قد أُدرِج فيها .

tearstain [tĭr'stān] *(n.)* بقعة الدمع : بقعة (أو خط) يخلّفها الدمع على الوجه .

tear strip *(n.)* عصابة المَزْق : شريط ضيّق يكون عادةً تحت العصابة الدائريّة المطوِّقة لعلبة الجبن أو نحوها لتمكين المرء من فتحها بسهولة .

teary *(adj.)* = tearful.

tease [tēz] *(vt.; n.)* (١) يمشّط (الصوف) (٢) يزَئبر القماش : يجعل له زئبراً (٣) يمزّق ؛ وبخاصة : يقتطع نسيجاً حيّاً لاختباره مجهريّاً (٤) يُضايق أو يُبَرِم (بالسخرية أو الأسئلة أو الملاحظات أو المطالب) (٥) يعذّب بإثارة رغبةٍ (من غير اعتزامٍ لإشباعها) § (٦) مضايقة الخ. (٧) المضايق ؛ المعذّب (٨) مال ؛ نقود (ع) .

teasel [tē'zəl] *(n.; vt.)* (١) الدِّبساسيّة : أيّ من الدِّبساسيات Dipsacaceae وهي فصيلة نباتيّة تشمل زهرة الجَرَب وشوك الدرّاج أو مُشط الراعي (٢) المُزْأبِرَة : «أ» رأس زهرةِ دِبْساسِيّةٍ شائكٌ يجفّف لإحداث الزئبر على سطح القماش . «ب» أداة ميكانيكيّة تستخدم للغرض نفسه § (٣) يُزأبِر .

teaser [tē'zər] *(n.)* (١) شخص أو شيء مضايق (٢) مشكلة أو مهمّة عسيرة .

tea service *(n.)* طقم الشاي : مجموعة كاملة من آنية الشاي الخزفيّة أو المعدنية تتألف من إبريق وسكّريّة وأكواب الخ .

tea set *(n.)* = tea service.

tea shop *(n.)* (١) teahouse (٢) مطعم (بر) .

teaspoon [tē'spōōn'] *(n.)* ملعقة شاي .

teaspoonful [tē'spōōn fōōl'] *(n.)* مِلء ملعقة شاي .

teat [tēt] *(n.)* (١) حلمة الثدي (٢) الحلمة : شيء كالحلمة .

teated [tēt'ĭd] *(adj.)* مُحلَّم : ذو حلَمات .

teatime [tē'-] *(n.)* ساعة الشاي (في أواخر الأصيل أو عند الغروب) .

tea towel *(n.)* = dish towel.

tea wagon *(n.)* عربة الشاي : طاولة صغيرة ذات عجلات تستخدم لتقديم الشاي الخ .

teazel *or* **teazle** [tē'zəl] *(n.; vt.)* = teasel.

technetium [tĕk nē'shĭ əm] *(L.)* التكنيتيوم : عنصر فلزيّ (ك) .

technic [tĕk'nĭk] *(adj.; n.)* (١) تِقْنِيّ § (٢) تِقْنِيّة . (٣) *pl.* : العلم التطبيقي .

technical [tĕk'nə kəl] *(adj.)* تِقْنِيّ ؛ فنّيّ : «أ» خاصّ بفنّ أو عِلم أو صنعة أو مميز لها (~ details) . «ب» مستخدِم تعابيرَ فنيّة أو معالجٌ موضوعاً ما بطريقة تقنية. «ج» خبيرٌ عملياً بفنّ أو صنعة. «د» ذو علاقة بالفنون الميكانيكيّة أو الصناعيّة أو بالعلوم التطبيقية (a ~ school) .
—**technically** *(adv.)*

technicality [tĕk'nə kăl'-] *(n.)* (١) الصفة التِقنيّة (٢) شيء تِقنيّ .

technician [tĕk nĭsh'ən] *(n.)* التِّقْنيّ ؛ الفنّيّ : الاختصاصيّ بالدقائق التقنيّة لموضوع أو حرفة ما .

technicolor [tĕk'nə kŭl'ər] *(n.)* التصوير بالألوان : طريقة في التصوير الملوّن تستخدَم في الأفلام السينمائيّة .

technique [tĕk nēk'] *(n.)* التِّقْنِيّة : «أ» أسلوب (أو طريقة) معالجة التفاصيل الفنية من قِبَل الكاتب أو الفنان . «ب» البراعة الفنيّة . «ج» الطرائق التِّقنية وبخاصة في البحث العلمي . «د» طريقة لإنجاز غرَض منشود .

techno- بادئة معناها : «أ» فنّ ؛ صنعة . «ب» تِقْنِيّ .

technocracy [tĕk nŏk'rə sĭ] *(n.)* حكومة الفنيّين ؛ وبخاصة : إدارة المجتمع من قِبَل الاختصاصيين التِّقنيّين .

technological [tĕk'nə lŏj'ə kəl] *(adj.)* تكنولوجيّ .

technologist [tĕk nŏl'ə jĭst] *(n.)* التكنولوجيّ : الخبير بالتكنولوجيا .

technology [tĕk nŏl'ə jĭ] *(n.)* التكنولوجيا : «أ» اللغة التِّقنيّة . «ب» العلم التطبيقيّ . «ج» طريقة فنيّة لتحقيق غرض عمليّ . «د» جُمّاع الوسائل المستخدمة لتوفير كلّ ما هو ضروري لمعيشة الناس ورفاهيتهم .

techy [tĕch'ĭ] *(adj.)* = tetchy.

tectonic [tĕk tŏn'ĭk] *(adj.)* (١) بنائيّ ؛ معماريّ (٢) تكتونيّ : متعلّق بتشوّه أديم الأرض ، والقوى المؤدية إليه ، والاشكال الناشئة عن ذلك .

tectonics [-'ĭks] *(n. pl.)* (١) فنّ البناء (٢) التكتونية : عملية التشويه التي تغيّر شكل قشرة الأرض محدثةً القارات والجبال الخ. (جي) .

ted [tĕd] *(vt.)* ينشر (التبن) لتجفيفه .

tedder [tĕd'ər] *(n.)* ناشرةُ التبن : أداة لنشر التبن بغيةَ تجفيفه .

Te Deum [tē dē'əm] *(L.)* تسبيحة الشكر .

tedious [tē'dĭ əs] *(adj.)* مُضْجِر ؛ مُمِلّ .

tedium [tē'dĭ əm] *(L.)* (١) ضجر ؛ مَلَل (٢) فترة مملّة .

tee [tē] *(n.)* (١) الحرف T ؛ t (٢) شيء على صورة حرف T . (٣) هدف ينصب لإطلاق النار في ألعاب مختلفة .
to a ~, تماماً (suits me ~) .

tee [tē] *(n.; vt.)* (١) «أ» ركام من الرمل الخ. توضع عليه كرة الغولف . «ب» قطعة خشب أو مطّاط يستعاض بها عن هذا الركام § (٢) يضع كرة الغولف على ركام من الرمل الخ.
to ~ off (١) يبدأ (٢) يضرب بقوّة (٣) يوبّخ .

teem [tēm] *(vt.; i.)* (١) تنتج ؛ تلِد (ا.ق) (٢) يُفرِغ ؛ يصبّ (ا.ق). × (٣) تحمل ؛ تحبل (٤) يعجّ بـ (~s with mosquitoes) (٥) يحتشد ؛ يتزاحم (Plans were ~ing in his mind.) .

teen [tēn] *(adj.)* = teen-age.

teen-age *or* **teen-aged** [tēn'-] *(adj.)* مراهق أو خاص بالمراهقين .

teen-ager [tēn'-] *(n.)* المراهق : شخص في طور المراهقة .

teener [tē'nər] *(n.)* = teen-ager.

teens [tēnz] *(n. pl.)* (١) الأعداد ١٣ إلى ١٩ ضمناً ؛ وبخاصة : السنوات من ١٣ إلى ١٩ من العمر أو القرن (٢) المراهقون .

teeny [tē'nĭ] *(adj.)* = tiny.

teepee [tē'pē] *(n.)* = tepee.

tee shirt *(n.)* = T-shirt.

teeter [tē'tər] *(vi.; t.; n.)* (١) يتمايل ؛ يترنّح (٢) يتأرجح . × (٣) يورجح § (٤) تمايُل ؛ تأرجُح الخ .

teeth [tēth] *pl. of* tooth.

teethe [tē*th*] *(vi.)* تَنْبت أسنانه .

teething [tē'*th*ĭng] *(n.)* الإسنان : ظهور الأسنان .

teething ring *(n.)* حلقة الإسنان : حلقة من مطّاط أو لدائن يعضّ عليها الطفل في طور الإسنان .

teetotal [tē tō'təl] *(adj.)* (١) «أ» ذو علاقة بالامتناع التامّ عن المسكِرات . «ب» ممتنع امتناعاً تامّاً عن المُسْكِرات (٢) تامّ ؛ كامل (in ~ peace) .

teetotaler *or* **teetotaller** [tē tō'təl ər] *(n.)* الممتنع عن المسكِرات امتناعاً تامّاً .

teetotalism [tē tō'tə lĭz'əm] *(n.)* الامتناع التامّ عن المُسكِرات .

teetotum [tē tō'təm] *(n.)* (١) خُذروف صغير يدار بالأصابع . (٢) خُذروف ذو أربعة جوانب كلّ منها موسوم بحرف مختلف ، يُدار بالأصابع في لعبة من لُعَب الحظّ القديمة .

tegmen [tĕg'mĕn] *(L.)* pl. **-mina** [-mə nə] السِّيراء : الغلاف الباطني («نب» و «ح») .

tegmentum [tĕg mĕnt'-] *or* **tegumentum** [tĕg yə-] *(L.)* pl. **teg(u)menta** [-mĕnt'ə] غِشاء ؛ غلاف ؛ إهاب .

tegular [tĕg'yə lər] *(adj.)* (١) قرميدي (٢) قرميديّ الترتيب .

tegument [tĕg'yə mənt] *(n.)* غشاء ؛ غلاف ؛ إهاب .

teil *or* **teil tree** [tēl] *(n.)* الزَّيْزفون (نب) .

tektite [tĕk'tīt] *(n.)* التِّكتيت : جسم زجاجيّ (لعلّه من أصل نَيْزَكِيّ) يكثر وجوده في تشيكوسلوفاكيا واندونيسيا وأوستراليا (جي) .

tel- = tele-.

telamon [tĕl'ə mən'] *(L.)* التِّلَمُون : تمثال رجل يقوم مقام عمود في مبنى (قا caryatid) .

telangiectasia [tĕl ăn jĭ ĕk tā'zhĭ ə] *or* **telangiectasis** [tĕl ăn jĭ ĕk'tə sĭs] *(L.)* توسّع العروق الشَّعرية (مض) .

telautograph [tĕl ô'tə grăf'] *(n.)* المبرقة الخاطّة (مج) : تلغراف ناقل للخطّ والرسوم .

tele [tĕl'ə] *(n.)* = television.

tele- بادئة معناها «أ» بعيد ؛ عن بُعد (*tele*vision) . «ب» تلغراف (*tele*typewriter) . «ج» تلفزيون (*tele*camera) .

telecamera [tĕl'ə-] *(n.)* كاميرا التلفزيون ؛ الكاميرا التلفزيونيّة .

telecast [tĕl'ə kăst'] *(vi.; t.; n.)* (١) يُتَلْفِز : يبثّ أو يذيع بالتلفزيون § (٢) إذاعة تلفزيونيّة .

telecommunication [tĕl ə kə mū nə kā'-] *(n.)* (١) المواصلة البعيدة : الاتصال عن بُعد (بالتلغراف أو التلفون الخ.) (٢) علم المواصلة البعيدة «وترد بصيغة الجمع عادة» (studied ~s) .

telecourse [tĕl'ə kōrs] *(n.)* سلسلة دروس مذاعة بالتلفزيون .

telefilm [tĕl'ə fĭlm] *(n.)* الفيلم التلفزيوني : شريط سينمائي مُنْتَج للتلفزيون .

telegenic [tĕl'ə jĕn'ĭk] *(adj.)* صالح للعرض على شاشة التلفزيون .

telegram [tĕl'ə grăm] *(n.; vt.; i.)* (١) برقيّة § (٢) يُبرِق .

telegraph [tĕl'ə grăf] *(n.; vt.)* (١) التلغراف : وسيلة أو نظام لنقل الرسائل برقياً (٢) بَرْقيّة § (٣) يُبْرِق ؛ يرسل برقيّة .

telegrapher; telegraphist [tə lĕg'-] *(n.)* عامل التلغراف .

telegraphic [tĕl ə grăf'ĭk] *(adj.)* تلغرافي : «أ» برقي . «ب» شديد الإيجاز .

telegraph plant *(n.)* النبتة التلغرافية (نب) .

telegraphy [tə lĕg'rə fĭ] *(n.)* الإبراق ؛ الإرسال البرقي .

telemeter [tə lĕm'ə tər] *(n.)* (١) مقياس البعد (٢) مقياس عن بُعْد (كب) .

telencephalon [tĕl'ĕn sĕf'ə lŏn'] *(L.)* الدماغ الانتهائي (ت).

teleological [tĕl'ĭ ə lŏj'ə kəl] *(adj.)* غائي .

teleologist [tĕl'ĭ ŏl'ə jĭst] *(n.)* الغائيّ : المؤمن أو القائل بالغائية .

teleology [tĕl'ĭ ŏl'ə jĭ] *(n.)* الغائية : «أ» كونُ الشيء (وبخاصة الطبيعة أو عملياتها) موجهاً نحو غاية . «ب» الاعتقاد بأن كل شيء في الطبيعة مقصودٌ به تحقيق غاية معيّنة .

teleost [tĕl'ĭ ŏst] *(n.; adj.)* (١) العظمية ؛ كاملة العظام : سمكة من العظميّات أو كاملات العظام **Teleostei** وهي طائفة من الأسماك تشمل معظم الأسماك المعروفة §(٢) عظميّة ؛ كاملة العظام.

teleostome [tĕl'ĭ ə stōm] *(n.)* = teleost.

telepathic [tĕl'ə păth'ĭk] *(adj.)* تخاطُريّ .

telepathist [tə lĕp'ə thĭst] *(n.)* التخاطريّ : المؤمن بالتخاطر أو دارسُه أو المتمتع بالقدرة عليه .

telepathy [tə lĕp'ə thĭ] *(n.)* التخاطُر : اتصال عقل بآخر بطريقة ما خارجة عن نطاق العاديّ أو السويّ .

telephone [tĕl'ə fōn'] *(n.; vi.; t.)* (١) التلفون ؛ الهاتف . §(٢) يتلفن ×(٣) يبعث (برسالة) بالتلفون (٤) يخاطب تلفونياً.

telephone book *(n.)* دليل التلفون .

telephone booth *(n.)* حُجَيْرَة التلفون : حجرة صغيرة مقفلة يستطيع المرء أن يقف أو يجلس ضمنها ويتحدث بالتلفون .

telephone box *(n.)* حجيرة التلفون العمومية .

telephone exchange *(n.)* مركز (أو سنترال) التلفون .

telephone operator *(n.)* عامل التلفون .

telephone receiver *(n.)* سماعة التلفون .

telephone set *(n.)* جهاز التلفون .

telephonic [tĕl'ə fŏn'ĭk] *(adj.)* تلفونيّ ؛ هاتفيّ .

telephonist [tĕl'ə fō nĭst] *(n.)* عامل التلفون (بر) .

telephony [tə lĕf'ə nĭ] *(n.)* التلفونيّة : الارسال التلفوني .

telephoto [tĕl'ə fō'tō] *(adj.; n.)* (١) تليفوتوغرافي (٢) مقرِّبة : صفة لعدسة تصوير مُعَدَّة لإعطاء صورة كبيرة عن شيء بعيد §(٣) عدسة التصوير المقرِّبة (٤) التليفوتو : «أ» جهاز لنقل الصور الفوتوغرافية تلغرافياً . «ب» صورة منقولة بالتلغراف .

telephotograph [tĕl'ə fō'tə grăf'] *(n.; vt.)* (١) الصورة التليفوتوغرافية : «أ» صورة مأخوذة بكاميرا ذات عدسة مقرِّبة . «ب» صورة منقولة بالتلغراف §(٢) يصوِّر بكاميرا ذات عدسة مقرِّبة (٣) ينقل صورةً بالتلغراف .

telephotographic [tĕl'ə fō'tə grăf'ĭk] *(adj.)* تيليفوتوغرافيّ .

telephotography [tĕl'ə fə tŏg'rə fĭ] *(n.)* التليفوتوغرافيا : «أ» تصوير للأشياء البعيدة بكاميرا ذات عدسة مقرِّبة. «ب» نقل الصور بالتلغراف .

telephoto lens *(n.)* العدسة المقرِّبة : عدسة تصوير مقرِّبة .

teleplay [tĕl'ə-] *(n.)* المسرحيّة التلفزيونيّة : مسرحية مكتوبة للتلفزيون.

teleprinter [tĕl'ə prĭn tər] *(n.)* = teletypewriter.

teleran [tĕl'ə răn] *(n.)* [*tel*evision-*ra*dar *n*avigation] التليران : ملاحة جوية تستخدم التلفزيون والرادار في توجيه الطائرات .

telescope [tĕl'ə skōp'] *(n.; vi.; t.)* (١) التلسكوب ؛ المِقراب . §(٢) يتداخل «بعضُه ببعض وبخاصة نتيجةً لاصطدام» ×(٣) يجعله يتداخل (٤) يضغط ؛ يوجز .

telescope box *(n.)* الصندوق المتداخل أو المتراكب : صندوق ذو قطعتين تتداخل جوانبهما أو تتراكب .

telescopic [tĕl'ə skŏp'ĭk] *(adj.)* (١) تِلِسكوبيّ : «أ» منسوب الى التلسكوب . «ب» لا يُرَى إلا بالتلسكوب (~ stars) (٢) بعيد النَّظَر (٣) متداخل ؛ متراكب : ذو جزئين متداخلين أو متراكبين .

telescopy [tə lĕs'-] *(n.)* التلسكوبية : إنشاء التلسكوبات أو استخدامها .

telespectroscope [-spĕk'-] *(n.)* المِطياف المِقرابيّ .

telescope

telestereoscope [tĕl'ə stĕr'ĭ ə skōp'] *(n.)* المِجسام المِقْرابيّ : اداة بصرية تُري الأشياء البعيدة مجسَّمةً .

telethermoscope [tĕl'ə thûr'mə skōp'] *(n.)* الترمومتر المِقرابيّ : ترمومتر يسجِّل عن بُعْد .

telethon [tĕl'ə thŏn] *(n.)* البرنامج الطويل : برنامج تلفزيوني طويل (وبخاصة لإغراء الناس بالتبرع لمشروع خيري الخ.) .

teletranscription [tĕl'ə trăn skrĭp'-] *(n.)* = kinescope 2.

Teletype [tĕl'ə tīp'] *(n.)* (١) المُبرِقة الكاتبة (٢) رسالة موجّهة بآلة مُبرقة كاتبة .

Teletypesetter [tĕl ə tīp'-] *(n.)* منضِّدة الحروف عن بعد : جهاز تلغرافيّ لتشغيل ماكينة منضدة للحروف تشغيلاً أوتوماتيكياً .

teletypewriter [tĕl'ə tīp'rī'tər] *(n.)* المُبْرقة الكاتبة .

teletypist [tĕl'ə tī pĭst] *(n.)* عامل المبرقة الكاتبة .

teleview [tĕl'ə vū'] *(vi.)* يشاهد على شاشة التلفزيون .

televiewer [tĕl'ə vū ər] *(n.)* مشاهد البرامج التلفزيونيّة .

televise [tĕl'ə vīz'] *(vt.)* (١) يتَلْفز : يُرسل (الصوَر) بالتلفزيون. (٢) يستقبل (الصور) تلفزيونياً .

television [tĕl'ə vĭzh'ən] *(n.)* (١) التلفزيون ؛ التلفزة (٢) جهاز تلفزيون مستقبِل . —**televisional; televisionary** *(adj.)*

television tube *(n.)* = kinescope 1.

televisor [tĕl'ə vī zər] *(n.)* (١) جهاز تلفزيون مُرْسِل أو مستقبِل (٢) مذيع في التلفزيون (٣) مشاهد البرامج التلفزيونية .

televisual [tĕl ə vĭzh'-] *(adj.)* تلفزيوني .

telex *(n.)* التلكس : المُبْرِقة المباشرة (أو الرسالة المرسلة بواسطتها) .

telic [tĕl'ĭk] *(adj.)* هادف ؛ ذو هدف .

tell [tĕl] *(vt.; i.)* (١) يَعُدّ ؛ يُحصي (٢) «أ» يروي ؛ يقصّ . «ب» يقول (٣) «أ» يذيع ؛ يعلن ؛ يكشف عن . «ب» يعبِّر (٤) «أ» يُخبر ؛ يُعْلِم . «ب» يؤكِّد (٥) يأمر (٦) يقرر ؛ يدرك ؛ يكتشف ×(٧) يتحدث عن (٨) يَحكم ؛ يقرر (Who can ~ ?) (٩) يشي ؛ ينم (never *told* on each other) (١٠) يهم ؛ يؤثِّر (a contest in which every stroke ~s) (١١) يُحدث أثراً ظاهراً أو قاسياً (The strain was ~*ing* on)

ă at; ā date; â care; ä car; ĕ egg; ē me; ĭ in; ī bite; ŏ lot; ō bone; ô orphan; oi boil o͝o good; o͞o boot; ou out; ŭ under; ū unity; û urgent; th thing; t͟h this; zh vision; ə = *a* in alone, *e* in system, *i* in easily, *o* in gallop, *u* in circus.

(his health.) (١٢) يتحدّث ؛ يلغو (عب) (١٣) يدلّ على ؛ ينمّ عن.
to ~ off (١) يعيّن أو يخصّص لمهمّة ما (٢) يوبّخ .

teller [-'ər] *(n.)* (١) القاصّ ؛ الراوي ؛ المخبر الخ. (٢) العادّ ؛ مثل : «أ» محصي أصوات المقترعين . «ب» امين الصندوق (في مصرف) .

telling [tĕl'ĭng] *(adj.)* (١) قويّ ؛ شديد الأثر (a ~ blow) . (٢) معبّر ، كشّاف .

telltale [tĕl'tāl'] *(n.; adj.)* (١) النمّام ؛ الواشي ؛ المبلّغ . (٢) أمارة ، دلالة (٣) أداة (مثل ساعة الدوام الأوتوماتيكية) لضبط دوام الموظفين الخ. (٤) إشارة خطر (في السكة الحديدية) §(٥) نامّ ، يشي بشيء لا يراد إعلانه (a ~ blush) (٦) محذِّر ؛ منبِّه (a ~ indicator) .

tellur- *or* **telluro-** بادئة معناها : «أ» الأرض. «ب» تلّوريوم .

tellurian [tĕ lo͝or'-] *(adj.; n.)* (١) أرضيّ §(٢) أحد سكان الأرض.

tellurian *or* **tellurion** [-'ĭ ən] *(n.)* أداة تُظهِر كيفيّة تعاقُب الليل والنهار وتغيُّر الفصول .

telluric [-'ĭk] *(adj.)* (١) أرضيّ (٢) تلّوريوميّ ، محتوٍ على تلّوريوم .

telluride [tĕl'yə rīd'] *(n.)* التلّوريد : مركّب مؤلّف من تلّوريوم وأحد المعادن (ك) .

tellurite [-rīt] *(n.)* التلّوريت : «أ» ملح الحامض التلّوريوميّ . «ب» ثاني اكسيد التلّوريوم (ك) .

tellurium [tĕ lo͝or'ĭ əm] *(L.)* التلّوريوم : عنصر أبيض مزرقّ يشبه الكبريت في خصائصه الكيميائيّة (ك) .

tellurous [tĕl'yə rəs] *(adj.)* تلّوريوميّ : منسوب الى التلّوريوم.

telly [tĕl'ĭ] *(n. chiefly Brit.)* = television.

telo- بادئة معناها : نهاية ؛ آخر (*telo*phase) .

telophase [-'ə fāz'] *(n.)* الطور الأخير من الانقسام الفتيلي (آح) .

telpher [tĕl'fər] *(n.)* العربة المعلّقة : عربة خفيفة معلّقة بأسلاك هوائية تجري عليها ؛ وبخاصة : عربة كهذه مسيّرة بالكهرباء .

telpherage [tĕl'fər ĭj] *(n.)* القطار المعلّق : نظام للنقل بالكهرباء بواسطة عربات معلّقة .

telson [tĕl'-] *(L.)* التلْسون : الفصّ الأخير من جسم الحيوان القِشريّ.

telstar [tĕl'stär] *(n.)* التليستار : القمر التلفزيوني .

temblor [tĕm blôr'] *(Sp.)* زلزال .

temerarious [tĕm'ə râr'ĭ əs] *(adj.)* متهوّر .

temerity [tə mĕr'ə tĭ] *(n.)* تهوّر ؛ طيش .

temper [tĕm'pər] *(vt.; n.)* (١) يلطّف (to ~ justice with mercy) (٢) يُصْلِح ؛ يعالج ؛ مثل : «أ» يُعِدّ الرسام ألوانه بمزجها بالزيت . «ب» يسقي الفولاذ (٣) يقوّي ؛ يصلّب ؛ يضرّس (troops ~ *ed* in battle) (٤) يعدّل أو يضبط درجة النغمة §(٥) وسَط ؛ حالة وُسطى (٦) نزعة ؛ اتجاه ؛ شجاعة (٧) «أ» درجة الصلابة أو المرونة التي تُعْطَى للفولاذ بالسَّقي. «ب» لون الفولاذ بعد السقي . «ج» ملمس الجلد وصلابته النسبية (٨) المِزاج : مادّة تضاف إلى أخرى أو تُمزَج بها لتعديل خصائص الثانية (٩) مِزاج ؛ طَبْع (١٠) حدّة ؛ انفعال .

tempera [tĕm'pər ə] *(It.)* = distemper 6 a.

temperament [tĕm'pər ə mənt] *(n.)* (١) مزاج (٢) «أ» حساسية بالغة . «ب» مزاج خاصّ « نزّاع إلى التمرّد على القواعد أو القيود العاديّة» (.An artist often has ~) (٣) «أ» مص temper مثل : تلطيف ؛ إصلاح الخ. «ب» السبيل الوسط ؛ الحالة الوسطى .

temperamental [tĕm'pər ə mĕn'təl] *(adj.)* (١) مِزاجيّ ؛ طَبْعِيّ (٢) ذو مِزاج خاصّ أو غريب (٣) حسّاس ؛ سريع الاهتياج .

temperance [tĕm'pər əns] *(n.)* (١) الاعتدال ؛ ضبط النفس. (٢) الاعتدال في معاقرة الخمر أو الامتناع التام عنها .

temperate [tĕm'pər ĭt] *(adj.)* (١) معتدل : «أ» غير متطرّف . «ب» مقتصِد في كلّ ما يتّصل بشهوات النفْس . «ج» معتدل في معاقرة الخمر (٢) مُعتدل المناخ .

temperate zone *(n.)* المنطقة المعتدلة (بين المنطقة الاستوائية والدائرتين القطبيّتين) .

temperature [tĕm'pər ə chər] *(n.)* (١) درجة الحرارة . (٢) «أ» درجة حرارة الجسم الحيّ الطبيعيّة . «ب» حمّى (٣) حرارة ؛ شدّة الخ .

temperature gradient *(n.)* المَمال الحراري: نسبة التغيّر في الحرارة وبخاصة تبعاً لازدياد الارتفاع عن سطح البحر .

tempered [tĕm'pərd] *(adj.)* (١) معتدل (~ air) . (٢) ملطَّف ؛ مخفَّف (٣) مَسْقيّ ؛ معالَج الخ. (~ steel) (٤) ذو مِزاج معيَّن (short-*tempered*) .

tempest [tĕm'pĭst] *(n.; vt.)* (١) عاصفة §(٢) يثير عاصفة .

tempestuous [tĕm pĕs'cho͞o əs] *(adj.)* عاصف .

Templar [tĕm'plər] *(n.)* (١) الداويّ : واحد الداويّة أو فرسان الهيكل (را. Knight Templar) (٢) *not cap.* : محامٍ أو طالب حقوق في لندن .

template [tĕm'plĭt] *(n.)* = templet.

temple [tĕm'pəl] *(n.)* (١) هيكل (٢) كنيسة (٣) محفل ماسونيّ محلّيّ أو مبناه (٤) صُدْغ (٥) أداة لإبقاء القماش مَبْسوطاً إلى العَرْض المطلوب (عند حياكته بالنَّول) .

temple

templet [tĕm'plĭt] *(n.)* (١) عارضة أو رافدة أفقيّة قصيرة (عم) (٢) مُعيرة ؛ قالب ؛ طَبْعة (مك) .

tempo [-'pō] *(It.)* pl. **-pi** *or* **pos** (١) درجة السرعة (الواجب اعتمادها في غناء مقطع أو عزفه) (٢) درجة الحركة أو النشاط (في حبكة المسرحيّة الخ.) .

temporal [tĕm'pə rəl] *(adj.)* (١) موقّت ؛ زائل (٢) زمنيّ ؛ دنيويّ (٣) زمانيّ : متعلّق بالزمان أو دالّ عليه (ل) (٤) صُدغيّ.

temporal artery *(n.)* الشريان الصُّدغيّ (ت) .

temporal bone *(n.)* العظم الصُّدغيّ (ت) .

temporality [tĕm'pə răl'ə tĭ] *(n.)* (١) السلطة الزمنيّة : السلطة المدنيّة أو السياسيّة بوصفها شيئاً متميّزاً عن السلطة الروحيّة أو الاكليركية (٢) *pl.* أ.ك : ممتلكات أو عائدات اكليركية (٣) «أ» الصفة الموقّتة أو الزائلة . «ب» الصفة الزمنية أو الدنيوية.

temporarily [tĕm'pə rĕr'ĭ lĭ] *(adv.)* موقّتاً ؛ إلى حين .

temporary [tĕm'pə rĕr'ĭ] *(adj.)* موقّت ؛ وقتيّ .

temporize [tĕm'pə rīz'] *(vi.)* (١) يساير تيّار الرأي أو الظروف. (٢) يُطيل المناقشة أو المفاوضة كسباً للوقت .

tempt [tĕmpt] *(vt.)* (١) يُغري ؛ يغْوي (٢) يُجرِّب (ا.م) . (٣) يحثّ على (٤) يركَب المخاطر .

temptation [tĕmp tā'shən] *(n.)* (١) إغراء ؛ إغواء (٢) شيء مُغْرٍ أو مُغْوٍ (.Advertisements are ~ *s* to spend money) .

tempter [tĕmp'tər] *(n.)* (١) المُغري ؛ المغوي (٢) الشيطان .

tempting [tĕmp'tĭng] *(adj.)* مُغْرٍ ؛ مُغْوٍ الخ .

ă at; ā date; â care; ä car; ĕ egg; ē me; ĭ in; ī bite; ŏ lot; ō bone; ô orphan; oi boil o͝o good; o͞o boot; ou out; ŭ under; ū unity; û urgent; th thing; t͟h this; zh vision; ə = *a* in alone, *e* in system, *i* in easily, *o* in gallop, *u* in circus.

ten [tĕn] *(n.)* (١) عَشَرَة ؛ عَشْر (٢) العاشر (في سلسلة أو مجموعة) (٣) العُشاريّ : شيء ذو عشر وحدات أو عشرة أعضاء (٤) العُشارية : ورقة العشرة دولارات .

tenable [tĕn'ə bəl] *(adj.)* ممكنٌ الدفاع عنه أو الاحتفاظ به .

tenace [tĕn'ās] *(n.)* اجتماع ورقتين هامتين (من ورق اللعب) في يد اللاعب .

tenacious [tĭ nā'shəs] *(adj.)* (١) متماسك (٢) دَبِق ؛ لزج . (٣) «أ» متمسّك أو متشبّث (بحقوقه الخ.) . «ب» عنيد (٤) ذَكُور ؛ قادر على التذكّر (a ~ memory) .

tenacity [tĭ năs'ə tĭ] *(n.)* (١) تماسُك (٢) لزوجة (٣) تمسُّك ؛ تشبّث ؛ عناد (٤) قدرة على التذكّر .

tenaculum [tĭ năk'yə ləm] *(L.)* pl. **-la** *or* **-lums** الصنّارة الجراحيّة : شبه صنّارة تُستخدَم للامساك بالشرايين الخ. (جر) .

tenancy [tĕn'ən sĭ] *(n.)* (١) استئجار (٢) مدة الاستئجار (٣) مِلْكٌ مستأجَر ؛ أرض مستأجرة .

tenant [tĕn'ənt] *(n.; vt.; i.)* (١) المستأجر (أرضاً أو بيتاً) (٢) النزيل ؛ الساكن §(٣) يحتل بوصفه مستأجراً ×(٤) يسكن ؛ يقيم في .

tenantable [-'ən tə bəl] *(adj.)* قابل للاستئجار ؛ صالح للاستئجار .

tenant farmer *(n.)* المزارع المستأجِر : مزارع يعمل على أرض غيره لقاء أجر نقدي أو مقابل حصة من المحصول .

tenantless [tĕn'ənt-] *(adj.)* غير مستأجَر ؛ غير آهل .

tenantry [tĕn'ən trĭ] *(n.)* tenancy(١) (٢) جماعة المستأجِرين .

ten-cent store [tĕn sĕnt'] *(n.)* = five-and-ten.

tench [tĕnch] *(n.)* التِّنْش : سمك نهري أوروبي .

Ten Commandments *(n. pl.)* الوصايا العشر : وصايا الله العشر لموسى على جبل سيناء (نص) .

tend [tĕnd] *(vi.; t.)* (١) ينصرف إلى (~ to your own business) (٢) يخدِم ×(٣) يشهد ؛ يحضر (ع) (٤) «أ» يُعنى بِـ ؛ يتولى بعنايته (أمراً) . «ب» يرعى . «ج» ينهض بأعباء عمل ما .

tend [tĕnd] *(vi.)* (١) يتّجه إلى (٢) ينزع أو يميل إلى (٣) يفضي إلى .

tendance [tĕn'dəns] *(n.)* عناية ؛ رعاية .

tendency [tĕn'dən sĭ] *(n.)* (١) نزعة ؛ ميل (٢) هدف ؛ غرض .

tendentious *also* **tendencious** [tĕn dĕn'shəs] *(adj.)* (١) متحيّز ؛ منحاز (٢) ذو نزعة معيّنة أو هدف معيّن .

tender [tĕn'dər] *(adj.; vt.; i.)* (١) «أ» سهل المكسر ؛ سريع العطب . «ب» سهل المضغ (٢) «أ» واهن ؛ ضعيف . «ب» غضّ ؛ طري ؛ رَخْص ؛ غير ناضج (children of ~ years) . «ج» عاجز عن مقاومة البرد (٣) محبّ ؛ حنون (٤) حسّاس (٥) حذِر (٦) لطيف ؛ رقيق (a ~ wind) (٧) مُوجِعٌ عند المسّ (٨) دقيق : متطلّب عناية بالغة (The situation was extremely ~ and critical.) §(٩) يوهن ؛ يُضعِف ؛ يُرَقِّق الخ. ×(١٠) يهِن ؛ يضعُف الخ. **—tenderness** *(n.)*

tender [tĕn'dər] *(n.)* (١) فا tend (٢) «أ» السفينة المموِّنة (للسفن الأخرى) . «ب» مركب للانتقال بين الشاطىء وسفينة أكبر . «ج» مقطورة الوقود والماء (في سكة الحديد) .

tender [tĕn'dər] *(n.; vt.; i.)* (١) عرض لمال أو سلع أو خدماتٍ وفاءً لدين أو التزام (٢) عَرْض رسميّ (Mary refused his ~ of marriage.) (٣) عطاء ؛ تقديم سعر (للفوز بمناقصة مطروحة) (٤) مالٌ §(٥) يعرض مالاً أو سلعاً أو خدماتٍ وفاءً لدَيْن الخ. (٦) يقدِّم رسمياً (to ~ one's resignation) (٧) يعرض للبيع (to ~ stock) ×(٨) يقدِّم عطاءً (للفوز بمناقصة) . **—tenderer** *(n.)*

tenderfoot [tĕn'dər-] *(n.)* (١) الوافد أو القادم الجديد (على منطقة حديثة العهد بالعمران) (٢) شخص لم يألف الحياة الحافلة بالمشاقّ (٣) المبتدىء ؛ الغِرّ .

tenderhearted [tĕn'dər här'tĭd] *(adj.)* شَفوق ؛ حنون ؛ رقيق الفؤاد .

tenderloin [tĕn'dər loin'] *(n.)* (١) قطعة طريّة من لحم الخاصرة . (٢) الحيّ المستهتِر : حيّ في مدينة تشيع فيه الرذيلة والجريمة .

tendinous [-'də nəs] *(adj.)* (١) وَتَريّ (٢) sinewy .

tendon [tĕn'dən] *(n.)* وتَر (ت) .

tendril [tĕn'drĭl] *(n.)* الحالِق ؛ المِحلاق : جزء لولبيّ رفيع من النبتة المعترِشة يساعدها على التعلق بسِنادها .

tenebrific [tĕn'ə brĭf'ĭk] *(adj.)* (١) مُظْلِم (٢) مُعتِّم : مُحْدِثٌ ظُلْمةً .

tenebrious [tə nĕb'rĭ əs] ; **tenebrous** [tĕn'ə brəs] *(adj.)* مظلم ؛ قاتم .

1080 *also* **ten-eighty** *(n.)* ١٠٨٠ : مادّة سامّة تستخدم لإبادة الجرذان وما إليها .

tenement [tĕn'ə mənt] *(n.)* (١) شِقّة (في مبنى) (٢) مبنى مشتمِلٌ على عدّة شِقق معدّة للايجار (٣) مَسْكن ؛ منزل . **—tenementary** *(adj.)*

tenement house *(n.)* مبنى مشتمل على عدّة شِقَق (وبخاصةٍ في حيّ فقير من أحياء مدينة كبيرة) .

tenesmus [tə nĕz'məs] *(L.)* الزَّحير المَثاني (أو المستقيميّ) : إحساس ملحّ بضرورة التبوّل (أو التغوّط) ولكنْ من غير قدرة على ذلك.

tenet [tĕn'ĭt] *(L.)* مُعْتَقَدٌ ؛ عقيدة .

tenfold [*adj.* tĕn'fōld'; *adv.* tĕn'fōld'] *(adj.; adv.)* (١) ذو عشر وحدات أو عشرة أعضاء : عُشاريّ (٢) أكبر بعشرة أضعاف §(٣) عشرةَ أضعاف (~ increased) .

tenia [tē'nĭ ə] *(L.)* pl. **-e** [-ē] = taenia.

teniasis [tĭ nī'ə sĭs] *(L.)* = taeniasis.

tennis [tĕn'ĭs] *(n.)* التِّنِس : كرة المِضرَب (رب) .

tenon [tĕn'ən] *(n.; vt.)* (١) لسان (نج) §(٢) يُلسِّن .

tenon
mortise

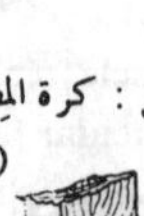

tenor [tĕn'ər] *(n.; adj.)* (١) مَغزًى ؛ فحوى . (٢) نسخة طبق الأصل (٣) «أ» الصادح : أعلى أصوات الرجال (مو) . «ب» مقطع يُغنّى بهذا الصوت (مو) . «ج» المُغنّي بهذا الصوت (مو) . «د» العِيران : أداة موسيقيّة ملائمة لهذا الصوت ؛ وبخاصة : الكمان الأوسط (٤) اتجاه ؛ نزعة عامة §(٥) صادِحيّ (مو).

tenpenny [tĕn'pĕn'ĭ] *(adj.)* بالغٌ أو مكلِّفٌ عشرةَ بنسات ؛ مقدَّرةٌ قيمتُه بعشرة بنسات .

tenpenny nail *(n.)* مسمار طوله ٣ إنشات .

tenpin [tĕn'pĭn] *(n.)* (١) القارورة العَشْرِيّة : قارورة خشبيّة من قوارير لعبة البولنغ يبلغ طولها ١٥ إنشاً (٢) *pl.* : لعبة البولنغ العَشْريّة : لعبة بولنغ تُستخدَم فيها عشر قوارير خشبيّة وكرةٌ كبيرة يبلغ محيطها ٢٧ إنشاً .

tenrec [těn'rěk] *(F.)* التَّنْرِيْق : حيوان تدييّ آكل للحشرات .

tenrec

tense [těns] *(n.; adj.; vt.; i.)* (١) صيغة الفعل « الدالّة على زمانه » (ل) §(٢) متوتّر (٣) مشدود §(٤) يوتّر ×(٥) يتوتّر .
—**tenseness** *(n.)*

tensible [těn'sə bəl] *(adj.)* شَدُود ، مَطُوط : قابلٌ للشدّ أو المطّ .

tensile [těn'sĭl] *(adj.)* (١) tensible (٢) شَدّي ؛ توتّري .

tensile strength *(n.)* مقاومة الشدّ (فز) .

tensile stress *(n.)* إجهاد الشدّ (فز) .

tensility [těn'sĭl'-] *(n.)* الشَّدوديّة ، المَطُوطيّة : قابليّة الشدّ أو المطّ .

tensimeter *(n.)* المِضغاط : أداة لقياس ضغط الغاز أو البخار .

tensiometer [těn'sĭ ŏm'ə tər] *(n.)* (١) المِشْداد ، المِيتار : أداة لقياس الشدّ أو التوتّر (٢) المِرطاب : أداة لتقدير رطوبة التربة .

tension [těn'shən] *(n.; vt.)* (١) شدّ (٢) الشَّدّادة : أداة لضبط الشدّ أو تعديله (كشدّادة الخيط في ماكينة الخياطة الخ) (٣) توتّر (٤) جُهْد (كب) §(٥) يشدّ ؛ يوتّر .

tension member *(n.)* الشدّادة ، عضو الشد (را. المادة السابقة) .

tensity [těn'sə tĭ] *(n.)* توتّر .

tensive [těn'sĭv] *(adj.)* (١) توتّري (٢) موتّر .

tensor [-'sər] *(L.)* (١) العضلة الشادّة (ت) (٢) الكمية الممتدّة (ر) .

ten-speed *(n.)* ضرب من الدرّاجات الهوائية .

ten-strike [těn'strīk'] *(n.)* (١) الضَّرْبَة العَشْرِيَّة : ضربة في لعبة البولنغ العَشرية (را. tenpin 2) (٢) ضربة موفّقة جداً . عمل ناجح مئة بالمئة ؛ نصر مؤزّر .

tent [těnt] *(n.; vi.; t.)* (١) خَيْمَة ، فُسْطاط (٢) مَسْكَن . (٣) « أ » الخيمة الجراحيّة : مِظَلّة أكسجين الخ. توضع على رأس المريض وكتفيه . « ب » السِّدادة المنتفخة : سِدادة من شاش ماص تنتفخ عندما ترطّب وتستخدم لإبقاء الجرح مفتوحاً (جر) §(٤) يخيّم ؛ يُعسكِر ؛ يُقيم في خيمة أو معسكر ×(٥) يُغطّي بخيمة أو نحوها (٦) يُنْزِل (قوماً) في الخيام (٧) يُبقي الجرحَ مفتوحاً (بسِدادة منتفخة) .

tents 1.

tentacle [těn'tə kəl] *(L.)* مِجَسّ (« ح » و « نب ») .

tentacular [těn tăk'yə lər] *(adj.)* مِجَسّي .

tentaculate [těn tăk'yə lĭt]; **tentaculated** [-lā tĭd] *(adj.)* ذو مَجاسّ ؛ مزوّد بمجاسّ .

tentage [těn'tĭj] *(n.)* (١) الخيام جملةً (٢) معدّات التخييم .

tentative [těn'tə tĭv] *(adj.)* (١) تجريبي ؛ موقّت ؛ غير نهائي (a ~ program) (٢) متردّد (a ~ smile) .

tented [těn'tĭd] *(adj.)* (١) مُخيِّم : مغطّى بخيمة أو خيام (٢) خيميّ الشكل .

tenter [těn'tər] *(n.; vt.)* (١) المُخيِّم ، المُعسكِر (٢) المسؤول عن الآلات (في مصنع) (٣) المِشدّة : أداة يُشدّ عليها النسيج حتى يجفّ على نحو مستوٍ §(٤) يشدّ (النسيج) على مِشدّة .

tenterhook [těn'tər hŏŏk'] *(n.)* كُلّاب المِشدّة : أحد الكلاليب التي تشدّ النسيجَ على مِشدّة .
on ~*s* في قلق أو توتّر .

tenth [těnth] *(adj.; n.)* (١) عاشِر (٢) عُشْرِيّ : مؤلّف من عشرة أجزاء متساوية (a ~ share of the money) جزءاً §(٣) العاشر (٤) العُشْر : جزء من عشرة .

tenth-rate [-'rāt'] *(adj.)* من الدرجة العاشرة ، من الدرجة الدنيا .

tentiform [těnt'ə fôrm] *(adj.)* خَيْمانيّ : خيميّ الشكل .

tentless [těnt'-] *(adj.)* لا خيمةَ تُظِلّه ؛ لا مأوى له ؛ شريد .

tentmaker [těnt'mā kər] *(n.)* الخَيّام : صانع الخيام .

tentorium [těn tōr'ĭ əm] *(L.)* pl. **-ria** خيمة المُخَيْخ (ت) .

tent-peg [těnt'pěg] *(n.)* وتد الخيمة .

tent-pegging [těnt'pěg'-] *(n.)* سباق الأوتاد : رياضة يرفع فيها الفرسان ، برؤوس رماحهم ، وهم منطلقون بأقصى السرعة ، وتداً من أوتاد الخيام مشبَّتاً في الأرض .

tent stitch *(n.)* الغُرْزَة الخيميّة : غُرْزة تطريزيّة مائلة إلى اليمين .

tenuity [těn ū'ə tĭ] *(n.)* رقّة ؛ نحول ؛ ضَعف الخ.

tenuous [těn'yŏŏ əs] *(adj.)* (١) رقيق ؛ غير كثيف (٢) نحيل ؛ غير غليظ (a ~ rope) (٣) « أ » ضعيف . « ب » طفيف (٤) غامض ؛ غير واضح أو محدّد المعالم (~ influences) .

tenure [těn'yər] *(n.)* (١) تَوَلٍّ (لمنصب الخ.) (٢) امتلاك للأرض من قِبَل سيّد إقطاعيّ الخ. أو شروط ذلك (٣) الولاية أو مُدّتها (The ~ of office of the President is six years.) (٤) تثبيت (لأستاذ أو مدرّس بعد فترة من الاختبار) (٥) سيطرة .

teocalli [tē'ə kăl'ĭ] *(n.)* (١) التَّوْكَل : هيكل قديم من هياكل المكسيك وأميركة الوسطى مشيّد عادةً على قمة رابية هرمية (٢) رابية التَّوْكَل .

tepee [tē'pē] *(n.)* التِّيبيَّة : خيمة مخروطيّة من جلد (من خيام الهنود الحمر) .

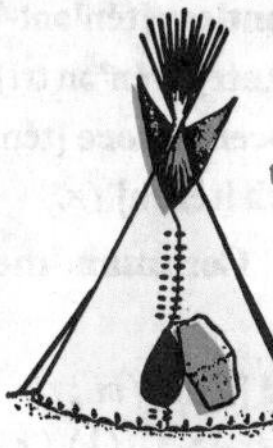

tepee

tepefy [těp'ə fī] *(vt.; i.)* (١) يفتِّر : يجعله فاتراً ×(٢) يَفْتُر : يصبح فاتراً .

tepid [těp'ĭd] *(adj.)* فاتر (حقيقةً أو مجازاً) .

tepidity; tepidness [těp'ĭd-] *(n.)* فُتور .

ter- بادئة معناها : ثلاثة ؛ ثلاثة أضعاف *(tercentennial)* .

terai [tə rī'] *(n.)* التَّراية : قبعة لبّادية عريضة الحافة .

teraphim [těr'ə fĭm] *(n. pl.)* sing. **teraph** [těr'əf] التَّرافيم : أصنام اتّخذها الساميّون القدماء آلهة منزليّة .

teratological [těr'ə tə lŏj'ə kəl] *(adj.)* (١) عجيب الخِلْقة (٢) خاصّ بعجائب المخلوقات .

teratology [těr'ə tŏl'ə jĭ] *(n.)* مَبْحث عجائب المخلوقات .

teratoma [těr'ə tō'mə] *(L.)* الورم العجيب : ورم مؤلَّف من مزيج من الأنسجة .

terbium [tûr'bĭ əm] *(L.)* التِّربيوم : عنصر فلزيّ (ك) .

tercel [tûr'səl] *(n.)* صقْر ؛ باز .

tercentenary [tûr sěn'tə něr'ĭ] *(n.; adj.)* (١) الذكرى المئوية الثالثة أو الاحتفال بها §(٢) متعلّق بالذكرى المئوية الثالثة أو بإحيائها .

tercentennial [tûr sěn těn'-] *(adj.; n.)* = tercentenary.

tercet [tûr'sĭt] *(It.)* التَّربيت : مجموعة من ثلاثة أبيات (عر) .

terebinth [těr'ə bĭnth] *(L.)* البُطْم ؛ الضِّراوة (نب) .

terebinthine [těr'ə bĭn'thĭn] *(adj.)* تَربَنْتِينِيّ : مؤلّف من تَربنتين أو شبيه به .

teredo [tə rē'dō] *(L.)* pl. **-s** *or* **-dines** [-də nēz] = shipworm.

terete [tə rēt'] *(adj.)* أسطوانيّ مستدقّ الطرفين .

tergal [tûr'gəl] *(adj.)* ظَهْرِيّ : متعلّق بالظَّهر .

tergiversate [tûr'jĭ vər sāt'] *(vi.)* (١) يرتدّ (عن معتقَد أو حزب) (٢) يوارب ؛ يراوغ .

tergiversation[tûr'jĭ vər sā'-]*(n.)* (١) ارتداد (عن معتقَد أو حزب) (٢) موارَبة .

tergum [tûr'gəm]*(L.)* pl. **-ga** [-gə] ظَهْر (ح) .

term [tûrm] *(n.; vt.)* (١) نهاية (٢) «أ» مدّة ؛ أجَل . «ب» الأوان الطبيعي أو السّوِيّ للمخاض (٣) مُدّة محدّدة (٤)«أ» دَوْر الانعقاد(ق) . «ب» الفصل : أحد فصول السنة الدراسيّة (٥) طَرَف ؛ حدّ «ر» و «مق») (٦) مصطلَح ؛ عبارة ؛ تعبير (٧) *pl.* شروط (٨) *pl.* : «أ» علاقات متبادَلة . «ب» اتّفاق ؛ تفاهم §(٩) يدعو ؛ يسمّي .

in ~s of بِلُغَةِ كذا .

on good(bad) ~s with على علاقات طيّبة(أو سيّئة)مع .

to be on ~s with يكون على علاقات طيّبة مع .

to bring a person to ~s يحمله على قَبول شروطه .

to come to ~s (make ~s)with يتوصّل إلى تفاهم مع .

to meet somebody on equal ~s يقابله مقابلة النِّدّ للنِّدّ .

termagant [tûr'mə gənt] *(n.; adj.)* (١)امرأة سليطة صخّابة . §(٢) سليط ؛ صخّاب ؛ مشاكِس .

—termagancy *(n.)*

term day *(n.)* تاريخ الاستحقاق (تج) .

termer [tûr'mər] *(n.)* مَن يقضي فترة محدّدة، وبخاصة في سجن.

terminable [tûr'mə nə bəl] *(adj.)* (١) قابل للإنهاء (٢) ذو أجَل : ينتهي في ميقات معيّن (a loan ~ in 25 years) .

terminal [tûr'mə nəl] *(adj.; n.)* (١)«أ» أخير . «ب» طرَفيّ ؛ انتهائيّ (~ buds) . «ج» قائم الخ. في أحد طرَفي خطّ للمواصلات (٢) فصليّ (~ examinations) (٣) حادثٌ في نهاية العمر أو قاضٍ على الحياة (~ cancer) (٤) ختاميّ (٥) محدود ولكنّه تامّ أو كامل (a ~ curriculum) §(٦)طرف ؛ نهاية ؛ آخر (٧) محطّة الخ. في آخر خطّ السكّة الحديدية أو أوله .

terminal velocity *(n.)* السرعة الانتهائيّة أو النهائيّة .

terminate [-nāt'] *(vt., i.)* (١) يُنهي ×(٢) ينتهي أو ينقضي .

termination [tûr'mə nā'shən] *(n.)* (١) نهاية (٢) لاحقة (ر. suffix) (٣) إنهاء (٤) نتيجة .

terminative[tûr'-]*(adj.)* (١)مُنْهٍ ؛ مساعدٌ على الإنهاء(٢)منتهٍ .

terminator[tûr'mə-]*(n.)* (١) فا terminate (٢)الخيط الفاصل (بين الجزء المنير والجزء المظلم من قرص القمر أو الكوكب السيّار).

terminology [tûr'mə nŏl'ə jĭ] *(n.)* (١)المصطلَحات الفنية (في علم ما)(٢)علم المصطلَحات الفنية .

—terminological *(adj.)*

term insurance *(n.)* التأمين الموقوت : تأمين الى عدد محدّد من السنين تدفع الشركة بموجبه قيمة التأمين الى الورثة اذا توفي المؤمَّن قبل انقضاء المدة المعينة . أما اذا بقي على قيد الحياة الى ما بعد انقضاء المدة فلا تدفع الشركة إليه شيئاً (تأ) .

terminus [tûr'mə nəs] *(L.)* pl. **-ni** [-nī] *or* **-es** (١) نهاية (٢)«أ» حدّ ؛ تخم . «ب» عمود أو مَعْلَم دالّ على حدود شيء (٣)«أ» أول أو آخر خط السكّة الحديديّة (أو النفَق أو القناة أو خطّ الأنابيب) . «ب» المحطّة أو المدينة الواقعة في أول هذا الخط أو آخره .

termite [tûr'mīt] *(L.)* النمل الأبيض .

termless [tûrm'-] *(adj.)* (١)لاحدّ (أو نهاية) له (٢)غير مشروط .

term paper *(n.)* الرسالة الفصليّة : بحث يُطلب إلى الطالب الجامعي إعداده خلال فصل من فصول السنة الدراسيّة .

tern [tûrn] *(n.)* الخَرْشَنَة : طائر مائيّ شبيه بالنَّوْرس .

tern

ternary [tûr'nə rĭ] *(adj.)* (١) ثلاثيّ : «أ» مؤلّف من ثلاثة عناصر أو أجزاء أو أقسام الخ. «ب» مرتّبٌ ثلاثةً ثلاثةً (~ petals) (٢) ثالث (من حيث الترتيب أو المنزلة) .

ternate [tûr'nĭt; -nāt] *(adj.)* ثلاثيّ أو مرتّبٌ ثلاثةً ثلاثةً .

terpsichorean [tûrp'sə kə rē'-] *(adj.)* رقصيّ : متعلق بالرقص .

terrace [tĕr'əs] *(n.; vt.)* (١) دكّة ؛ مَصْطَبَة (٢) شِقّة من الأرض شبه مستوية في محاذاة بحر أو بحيرة أو نهر (٣) سَطِيحة ؛ سطحُ بيتٍ (٤)«أ» صفّ منازل (على أرض مرفوعة أو موقع منحدر) . «ب» حديقة مستطيلة وسط شارع . «ج» شارع §(٥) «أ» يصَطِّب . «ب» يزوّد بمصاطب الخ .

terra-cotta [tĕr'ə kŏt'ə] *(It.)* التّراكوتا ، الطين النَّضيج .

terra firma [tĕr'ə fûr'mə] *(It.)* اليابسة ؛ اليَبَس ؛ البرّ .

terrain [tĕ rān'] *(F.)* (١) «أ» منطقة . «ب» أرض ؛ قطعة أرض . «ج» تضاريس أرضٍ ما (٢) حَقْل «من حقول المعرفة» .

terra incognita [tĕr'ə in kŏg'nə tə] *(L.)* (١) أرض مجهولة ؛ مجاهل (٢) حقل (من حقول المعرفة) لم يُستكشَف بعد .

terramycin[-'ə mīs'ən] *(n.)* التّرامايسين : عقّار مضادّ للجراثيم .

terrane [tĕ rān'] *(n.)* (١) تشكّل جيولوجيّ (٢) منطقة ؛ أرض .

terrapin [tĕr'ə pĭn] *(n.)* الرَّقّ ؛ الحَمْسَة : سلحفاة المياه العذبة .

terrapin

terraqueous[tĕr ā'kwĭ əs] *(adj.)* يابِسِيمائيّ : مؤلّف من يابسة وماء .

terrarium [tĕ râr'ĭ əm] *(L.)* pl. **-raria** *or* **-rariums** المَرْبَى اليابس : مَرْبًى للحيوانات أو النباتات لا ماء فيه . وبخاصة : مَرْبًى لحيوانات البرّ .

terrazzo [tĕr rät'tsô] *(It.)* التّرِّيسة : أرضيّةٌ حجرة مؤلّفةٌ من قطع رخام وإسمنت صغيرة .

terrene [tĕ rēn'] *(adj.; n.)* (١) أرضيّ ؛ دنيويّ §(٢) الأرض (٣) أرض أو منطقة .

terreplein [tĕr'plān'] *(F.)* أعلى المِتْراس (جن) .

terrestrial [tə rĕs'trĭ əl] *(adj.; n.)* (١) أرضيّ (٢) برّيّ . (٣) دنيويّ §(٤) ساكن الأرض : أحد سكان الأرض .

terret [tĕr'ĭt] *(n.)* حَلْقَة العِنان : حَلْقَة من عدة حلقات يُمَرّ فيها عِنان خيل المركبات .

terrible [tĕr'ə bəl] *(adj.)* (١) رهيب ؛ فظيع (٢) عسير ؛ شاق (a ~ task) (٣) شديد (~ anxiety) (٤) بغيض أو كريه جداً (٥) رديء النّوع (~ whiskey) .

terricolous [tĕ rĭk'ə ləs] *(adj.)* برّيّ («نب» و «ح») .

terrier [tĕr'ĭ ər] *(n.)* (١) التّرْيَر : كلبٌ صغير نشيط ذكيّ من كلاب الصيد (٢) سجلّ الأطيان .

terrific [tə rĭf'ĭk] *(adj.)* (١)«أ» رهيب ؛ مروع . «ب» رديء جداً (٢) هائل ؛ استثنائيّ (~ rate) (٣) رائع (a ~ view) .

terrify [tĕr'ə fī'] *(vt.)* يُرْهِب ؛ يروع .

territorial[tĕr'ə tōr'ĭ əl] *(adj.; n.)* (١)«أ» محلّيّ . «ب»إقليميّ (٢)ذو علاقة بالمِلكية الخاصة §(٣)جنديّ في وحدة عسكريّة اقليميّة .

ă at; ā date; â care; ä car; ĕ egg; ē me; ĭ in; ī bite; ŏ lot; ō bone; ô orphan; oi boil oo good; ōō boot; ou out; ŭ under; ū unity; û urgent; th thing; th this; zh vision; ə = *a* in alone, *e* in system, *i* in easily, *o* in gallop, *u* in circus.

territoriality [tĕr'ə tōr'ĭ ăl'ə tĭ] *(n.)* الاقليمية ؛ الصفة الاقليمية .

territorial waters *(n. pl.)* المياه الاقليميّة (لبلدٍ ما) .

territory [tĕr'ə tōr'ĭ] *(n.)* (١) «أ» اقليم . «ب» منطقة ؛ مقاطعة . (٢) أرض تابعة لدولة أو عاهل ما .

terror [tĕr'ər] *(n.)* (١) «أ» رُعْب ؛ ذُعْر . «ب» فظاعة ؛ هَوْل (٢) «أ» كلّ ما يوقع الرعب في النفوس . «ب» مظهر رهيب . «ج» مصدر قلق . «د» شخص أو شيء مروع ؛ وبخاصة : طفل مزعج (٣) إرهاب ؛ عهد إرهاب .

terrorism [-'ə rĭz'əm] *(n.)* (١) إرهاب (٢) ذعر ناشيء عن الإرهاب .

terrorist [tĕr'ər ĭst] *(n.)* الإرهابي .

terroristic [tĕr'ər ĭs'tĭk] *(adj.)* إرهابي .

terrorize [tĕr'ə rīz'] *(vt.)* (١) يرهب ؛ يروّع (٢) يُكرهه (على أمرٍ) بالإرهاب .

terror-stricken [tĕr'ər strĭk'ən] *(adj.)* مُرَوَّع ؛ مذعور .

terry [tĕr'ĭ] *(n.; adj.)* (١) الوَبَرَة : حَلْقَة غير مقصوصة في زئبر النسيج (٢) نسيج ذو وبَر أو حلقاتٍ زئبرية غير مقصوصة (كبعض أصناف المناشف) § (٣) وَبَرِيّ .

terse [tûrs] *(adj.)* (١) مصقول ؛ مهذّب (٢) جامع ؛ موجز ؛ محكَم .
—**tersely** *(adv.)* —**terseness** *(n.)*

tertial [tûr'shəl] *(adj.; n.)* (١) طَيَراني § (٢) ريشة طيرانية .

tertian [tûr'shən] *(adj.; n.)* (١) ثِلْثِيّ : متكرر كل ٤٨ ساعة (a ~ fever) § (٢) الملاريا الثِّلْثية .

tertiary [tûr'shĭ ĕr'ĭ] *(adj.; n.)* (١) «أ» ثالث . «ب» من الرتبة أو الدرجة الثالثة (٢) *cap.* : ثِلْثِيّ : ذو علاقة بالعصر الثِّلْثِيّ (جي) (٣) حادث في المرحلة الثالثة (من السفلس الخ .) § (٤) عضو من الدرجة الثالثة في رهبنة (يشارك في حياتها الدينية ولكنه غير ملتزم بما يُلزِم به أفرادُها أنفسَهم) (٥) الريشة الطيرانيّة : إحدى ريشات الطيران في جناح الطائر (٦) العصر الثِّلْثِيّ : العصر الذي تكوّنت فيه سلاسل الجبال الكبرى كالألب وهيمالايا الخ . (جي) .

tertiary color *(n.)* اللون الثِّلْثِيّ : لون يُنْتَج بمزج لونين ثانويين .

tertium quid [tûr'shĭ əm kwĭd'] *(L.)* (١) العنصر الثالث : شيء ينشأ عن امتزاج شيئين ولكنه مختلف في ذاتِه عن كليهما (٢) المادة الثالثة : مادة تنشأ عن امتزاج حَمْضٍ وقِلْيٍ (ك) .

tervalent [tûr vā'lənt] *(adj.)* ثلاثيّ التكافؤ (ك) .

terza rima [tĕr'tsä rē'mä] *(It.)* مُوشّح (عر)

tessellate [*v.* tĕs'ə lāt'; *adj.*; -lĭt, -lāt] *(vt.; adj.)* (١) يرصِّع بالفُسيفساء § (٢) مرصَّع بالفسيفساء .

tessellated [-lāt ĭd] *(adj.)* (١) فسيفسائيّ (٢) ذو مربّعات أو ترابيع .

tessellation [tĕs'ə lā'shən] *(n.)* (١) ترصيع بالفُسيفساء . (٢) فُسيفساء أو نحوها .

tessera [tĕs'ər ə] *(L.)* pl. **-e** [-ə rē; -ə rĭ] قطعة صغيرة (من عظم أو خشب أو زجاج أو رخام) .

test [tĕst] *(n.; vt.; i.)* (١) «أ» بوتقة . «ب» اختبار . «ج» مقياس ؛ معيار ؛ مِحكّ (٢) الرائز : سلسلة من الأسئلة لقياس مقدرة الفرد (أو الجماعة) أو معرفته أو ذكائه (تر) . (٣) قشرة ؛ غلاف قاسٍ (ح) § (٤) يختبر × (٥) يخضع لاختبار .

testa [tĕs'tə] *(L.)* pl. **testae** [-tē] الغِدْفَة : الغلاف الخارجي الصُّلب للبزرة (نب) .

testaceous [tĕs tā'shəs] *(adj.)* (١) صَدَفِيّ (٢) قرميديّ اللون («نب» و «ح») .

testacy [tĕs'tə sĭ] *(n.)* تركُ (الميْت) وصيّةً .

testament [tĕs'tə mənt] *(n.)* (١) عهد : ميثاق (٢) *cap.* : «العهد الجديد» (نص) (٣) وصيّة .

testamentary [tĕs'tə mĕn'tə rĭ] *(adj.)* وصائِيّ : «أ» متعلق بوصيّة . «ب» معيّن بوصيّة .

testate [tĕs'tāt] *(adj.)* (١) تاركٌ وصيّةً (٢) مُغَدَّفٌ : ذو غِدْفَة أو غلاف خارجيّ .

testator [tĕs'tā tər] *(n.)* المُوصي : تاركُ الوصيّة .

testatrix [tĕs tā'-] *(n.)* pl. **-trices** المُوصِيَة : تاركة الوصيّة .

tester [tĕs'tər] *(n.)* (١) المختبِر (٢) ظُلّة (فوق سرير الخ .) . (٣) التَّسْتَر : عملة إنكليزية قديمة .

testes [tĕs'tēz] *pl. of* testis.

testicle [tĕs'tə kəl] *(n.)* خُصْيَة (ت) .

testicular [tĕs tĭk'yə lər] *(adj.)* = testiculate.

testiculate [-'yə lĭt] *(adj.)* خُصَيْوِيّ : بَيْضَوِيّ وصُلب كالخُصية .

testify [tĕs'tə fī'] *(vi.; t.)* (١) يَتَشهّد (٢) يثبّت (٣) يظهِر .

testily [tĕs'tĭ lĭ] *(adv.)* بنزَق ؛ بنكَد ؛ بشكاسة .

testimonial [tĕs'tə mō'nĭ əl] *(n.; adj.)* (١) دليل ؛ بيّنة . (٢) شهادة (٣) شيء يقدَّم تقديراً أو اعترافاً بالجميل § (٤) متعلق بشهادة أو مشكِّل شهادةً (٥) تقديريّ (dinner ~) .

testimony [tĕs'tə mō'nĭ] *(n.)* (١) شهادة (ق) (٢) دليل ؛ بيّنة .

testis [tĕs'tĭs] *(L.)* pl. **-tes** [-tēz] خُصْيَة (ت) .

teston [tĕs'tən] *or* **testoon** [tĕs to͞on'] *(F.)* التَّسْتُون : عملة فرنسيّة أو انكليزيّة قديمة .

testosterone [tĕs tŏs'tə rōn'] *(n.)* التَّسْتوستِرون : هرمون تُفرِزه الخصية (كح) .

test paper *(n.)* ورق الاختبار («تر» و «ك») .

test pilot *(n.)* رُبّان الاختبار : رُبّان متخصِّص في اختبار الطائرات .

test tube *(n.)* أنبوب الاختبار (ك) .

test-tube *(adj.)* مستولَد بالإخصاب الاصطناعي (babies ~) .

testudinate [-tū'də nĭt] *(adj.; n.)* (١) سُلَحفائيّ § (٢) سُلحفاة .

testudo [tĕs tū'dō] *(L.)* (١) السِّتْر المتحرك : سِتر متحرّك صامدٌ للنار كان الجنود الرومان يستظلون به أثناء عمليات الحصار (٢) السِّتر التُّرسي : سِتر يتألف من تروس الجند المستطيلة وقد تداخلت فوق رؤوسهم (٣) سِتر ؛ وقاء .

testy [tĕs'tĭ] *(adj.)* نَزِق ؛ نَكِد ؛ سريع الغضب .

tetanal [tĕt'ən əl] *(adj.)* = tetanic.

tetanic [tĭ tăn'ĭk] *(adj.)* كُزازيّ : متعلق بداء الكُزاز .

tetanize [tĕt'ə nīz'] *(vt.)* يكزِّز : يصيب بالكُزاز .

tetanus [tĕt'ə nəs] *(L.)* الكُزاز : مرض تتشنج معه عضلات العنق والفك بخاصة .

tetany [tĕt'ə nĭ] *(n.)* التكزّز : حالة مرَضية شبيهة بالكُزاز .

tetchy [tĕch'ĭ] *(adj.)* سريع الغضب ؛ شديد الحساسية .

tête-à-tête [tāt'ə tāt'] *(adv.; n.; adj.)* (١) مواجَهةً ؛ وجهاً لوجه . § (٢) المُسارّة : حديث خصوصيّ بين شخصين (٣) الأريكة التقابليّة : أريكة على شكل S معدّة لإجلاس شخصين متقابلين § (٤) خصوصيّ (a ~ home dinner) .

tether [tĕtℎ'ər] *(n.; vt.)* (١) الطِّوَل : حبل يُشدّ إلى وتِدٍ ويطوِّل للدابّة فترعى مقيّدةً به (٢) مجال ؛ نطاق § (٣) يقيّد بطِوَل .

tetra [tĕt'rə] *(n.)* التَّتْرة : سمك استوائي .

tetra- or tetr- بادئة معناها : «أ» أربعة . «ب» رُباعيّ .

tetrabasic [tĕt'rə bā'sĭk] *(adj.)* رباعيّ القواعد (ك) .

tetrachloride [tĕt'rə klōr'īd] *(n.)* الكلوريد الرُّباعي : كلوريد ذو أربع ذرّات كلورين (ك) .

tetrad [tĕt'răd] *(Gk.)* (١) الرابوع : مجموعة من أربعة (٢) عنصر رباعيّ التكافؤ ؛ ذرة رباعيّة التكافؤ (ك) .

tetradymite [tĕ trăd'ə mīt] *(G.)* التِّترادِيميت (مع) .

tetraethyl lead [tĕt'rə ĕth'əl] *(n.)* رابع إيثيل الرَّصاص (ك) .

tetrafluoride [tĕt'rə flōō'ə rīd] *(n.)* الفلوريد الرباعي : فلوريد ذو أربع ذرات فلورين (ك) .

tetragon [tĕt'rə gŏn'] *(Gk.)* مربّع الزوايا ، مربّع الأضلاع (هن) .

tetragonal [tĕ trăg'ə nəl] *(adj.)* رُباعيّ الزوايا أو الأضلاع (هن) .

tetragonal system *(n.)* النظام الرباعي (في البلّورات) .

tetragynous [tĕt'rə jī'nəs] *(adj.)* رُباعِيّ المِدقّات أو الأخبية .

tetrahedral [tĕt'rə hē'drəl] *(adj.)* رباعيّ السطوح (هن) .

tetrahedrite [tĕt'rə hē'drīt] *(G.)* التِّراهيدريت (مع) .

tetrahedron [tĕt'rə hē'drən] *(L.)* الرباعيّ السطوح (هن) .

tetrahydrate [tĕt'rə hī'drīt] *(n.)* الهيدرات الرباعي : محلول كيميائي مشتمل على أربعة جزيئات ماء .

tetralogy [tĕ trăl'ə jĭ] *(Gk.)* الرُّباعيّة : سلسلة من أربع مسرحيات أو أوبِرات الخ .

tetramerous [tĕ trăm'ər əs] *(adj.)* رُباعي : مؤلّف من (أو مقسوم إلى) أربعة أقسام .

tetrameter [-'ə tər] *(n.)* الرباعيّ التفاعيل (عر) .

tetrandrous [tĕ trăn'drəs] *(adj.)* رباعيّ الأسْديَة (نب) .

tetrapetalous [tĕt'rə pĕt'əl əs] *(adj.)* رباعيّ البتَلات (نب) .

tetrapod [tĕt'rə'pŏd] *(n.; adj.)* رباعيّ الأقدام أو الأرجل .

tetrapterous [tĕ trăp'tər əs] *(adj.)* رباعيّ الأجنحة .

tetrarch [tē'trärk] *(L.)* (١) حاكم الجزء الرابع من ولاية (في الامبراطورية الرومانية) (٢) أمير ثانويّ .

tetrarchy [tē'trär kĭ] *(n.)* حكومة الأربعة .

tetratomic [tĕt'rə tŏm'ĭk] *(adj.)* رباعيّ الذرّات (ك) .

tetravalent [tĕt'rə vā'lənt] *(adj.)* رباعيّ التكافؤ (ك) .

tetrode [tĕt'rōd] *(n.)* الصِّمام الرباعيّ (ألك) .

tetroxide [tĕ trŏk'sīd; -sĭd] *(n.)* الأكسيد الرباعي : أكسيد ذو أربع ذرّات أكسجين (ك) .

tetryl [tĕt'rĭl] *(n.)* التِّتْريل : مادة متفجّرة .

tetter [tĕt'ər] *(n.)* المرض الجلدي : أحد الأمراض الجلديّة كالأكزيما الخ .

Teuton [tū'tən] *(n.; adj.)* (١) التيوتونيّ : واحد التيوتون وهم شعب جرمانيّ أو سلتيّ قديم (٢) الألمانيّ §(٣) تيوتونيّ .

Teutonic [tū tŏn'ĭk] *(adj.; n.)* (١) تيوتونيّ §(٢) اللغات التيوتونيّة .

Teutonism [tū'tə nĭz'əm] *(n.)* = Germanism.

Teutonist [tū'tə nĭst] *(n.)* = Germanist.

texas [tĕk'səs] *(n.)* التّكْساس : الجزء الأعلى من زورق بخاريّ .

Texas fever *(n.)* حمّى تكساس : مرضٍ مُعْدٍ يصيب الماشية .

Texas tower *(n.)* برج تكساس : منصة مزودة بالرادار قائمة على دعائم مثبّتة في قاع المحيط .

text [tĕkst] *(n.)* (١) النص : كلمات المؤلّف الأصليّة . (٢) المتن ، متن الكتاب : جزؤه الأساسيّ مجرداً من الهوامش والمقدمة والملاحق (٣) آية من الكتاب المقدّس تُتّخَذُ موضوعاً لِعِظَةٍ (٤) مَصْدر معلومات (٥) كتاب مدرسيّ (٦) النّصيّ : حرف صالحٌ لطبع النصوص (٧) موضوع (٨) كلماتُ القصيدة الملحّنة .

textbook [tĕkst'bŏŏk'] *(n.)* الكتاب المدرسيّ .

text edition *(n.)* الطبعة المدرسية : طبعة معدّة للاستعمال في المدارس .

text hand *(n.)* خطّ النّسخ : خطّ كبير الأحرف .

textile [tĕks'tĭl; -tīl] *(n.; adj.)* (١) نسيج (٢) خيط أو غَزْل مستخدم في النّسج §(٣) منسوج (٤) نسجيّ .

textual [-'chōō əl] *(adj.)* نصّي ، متعلق بالنص .

textualism [tĕks'chōō ə lĭz'əm] *(n.)* النّصيّة : التمسّك بالنصّ (وبخاصة في الكتاب المقدّس) .

textualist [tĕks'chōō əl ĭst] *(n.)* المتمسّك بنصّ الكتاب المقدّس أو المتضلّع منه .

textuary [tĕks'chōō ĕr'ĭ] *(n.; adj.)* (١) textualist §(٢) نصّيّ .

texture [tĕks'chər] *(n.)* (١) قماش (٢) «أ» مادّة الشيء أو جوهره . «ب» صفة مميِّزة (٣) نسيج ، بِنْيَة ، تركيب .

-th لاحقة معناها : «أ» جزء من (tenth) . «ب» حالة (warmth) .

Thai [tä'ē; tī] *(n.)* (١) التايّي : أحد أبناء تايلاند (٢) التايية : لغة تايلاند الرسميّة .

thalamencephalon [thăl'ə mĕn sĕf'ə lŏn'] *(L.)* مِهاد المخ : الجزء الخلفيّ من المخّ الأماميّ (ت) .

thalamic [thə lăm'ĭk] *(adj.)* مِهاديّ ؛ وبخاصة : متعلّق بالمهاد البصري (في الدماغ) .

thalamus [thăl'ə məs] *(L.)* (١) المِهاد ؛ المِهاد البصَريّ (في الدماغ) (٢) كرسيّ الزهرة (نب) .

thalassic [thə lăs'ĭk] *(adj.)* بَحْريّ ، محيطي ، أوقيانوسيّ .

thalassocracy [thăl ə sŏk'rə sĭ] *(Gk.)* السيادة البحرية : السيادة على البحار .

thaler [tä'lər] *(n.)* = taler.

Thalia [thə lī'ə] *(n.)* (١) ثاليا : إلاهة الكوميديا والشعر الرَّعَويّ أو الريفي عند الاغريق (٢) إحدى إلاهات الحُسْن الثلاث (را. grace 7) .

thallic [thăl'ĭk] *(adj.)* ثاليوميّ : متعلق بالثاليوم أو مشتمل عليه (ك) .

thallium [-'ĭ əm] *(L.)* الثاليوم : عنصر فلزي يشبه الرصاص (ك) .

thalloid [thăl'oid] *(adj.)* مَشْريّ ، ثالوسيّ (نب) .

thallophyte [thăl'ə fīt'] *(n.)* المَشْريّة : واحدة من المَشْريات **Thallophyta** وهي نباتات مركّبة من خلايا مجتمعة ليس فيها ساق وجذور وورق (كالطحالب والفطور) .

thallous [thăl'əs] *(adj.)* ثاليوميّ : محتوٍ على ثاليوم أُحادي التكافؤ بخاصة (ك) .

thallus [thăl'əs] *(L.)* المَشْرة ، الثالوس : جسم نباتيّ بسيط عديم الورق والجذور (نب) .

than [*th*ăn] *(conj.)* (١) من (Jawad is taller ~ Galib.) (٢) غير ، إلاّ (He's no other ~ a thief.) (٣) على أن (He preferred to be called a coward ~ fight.) (٤) حتى (Hardly had the birds dropped ~ she jumped into the water and retrieved them.) بالقياس إلى ، بالمقارنة مع . ~ whom

thane [thān] *(n.)* الثاين : «أ» سيّد انجلوسكسوني . «ب» سيّد إقطاعي اسكتلنديّ .

thank [thăngk] *(vt.; n.)* (١) يشكر (٢) يعتبره مسوولاً عن . §(٣) شُكْر .
~*s* to بفضل ؛ بسببِ ؛ نتيجةً لِ .
thankful [-'fəl] *(adj.)* (١) شاكر (٢)معبر عن شكر (٣) سعيد .
thankless[thăngk'-] *(adj.)* (١)ناكر للجميل (٢)عاقّ (صفة لعمل) .
thanksgiving[thăngks'gĭv'ĭng] *(n.)* (١)شكر (٢)صلاةشكر . (٣) *cap.* : عيد الشكر (نص) .
Thanksgiving Day *(n.)* عيد الشكر (يوم الخميس الأخير من نوفمبر) .
thankworthy [thăngk'wûr'thĭ] *(adj.)* جدير بالشكر والثناء .
thank-you-ma'am[-'ū măm'] *(n.)* نتوء أو منخفض في طريق .
that [thăt] *(pron.; adj.; conj.; adv.)* (١) ذاك ؛ ذلك ؛ تلك (Is she smart ? كذلك (٢) (Shall I take this hat or ~ ?) (the man ~ I saw yesterday) الذي ؛ التي (٣) She is ~.) (٤) بقدْر ما (have never met her ~ I can recall) §(٥) أنّ (The boy ran (٦) لكي (am certain ~ this is true) (ran so fast ~ إلى حدّ أنّه (٧) fast ~ he might not be late.) (Oh, ~ she were ليت (٨) she was ten minutes early) إلى (١٠) (a nail about ~ long) إلى هذا الحدّ (٩)§ here!) حدّ بعيد (She'll be ~ pleased when I tell her the news.)
all ~, وما شاكل ؛ وما أشبه .
and ~, وهلم جراً .
at ~, (١) برغم ذلك (٢) علاوة على ذلك (٣) على الحال أو الشكل المشار إليه .
~ is *or* ~ is to say يعني .
thatch [thăch] *(n.; vt.)* (١) الغِماء : «أ» قشّ الخ . يُسقَّف به بيت . «ب» سقف البيت يُتخَذ من قش ونحوه §(٢) يغمو : يسقف البيت بقشّ أو نحوه .
thaumaturge [thô'mə tûrj'] *(n.)* صانع المعجزات أو مجترحها .
thaumaturgist [thô'mə-] *(n.)* صانع المعجزات ، وبخاصة : ساحر .
thaumaturgy [thô'mə-] *(n.)* صُنع المعجزات ؛ وبخاصة : سِحر .
thaw [thô] *(vt.; i.; n.)* (١) يذيب (الثلجَ) (٢) يحرر من الخدَر أو من آثار البرد بالتدفئة ×(٣) يذوب (٤) يتخلّص بالدِّفء من آثار البرد (٥) يصبح (الجوّ) دافئاً إلى حدّ يذوب معه الجليد (It is ~*ing* today.) (٦) يتخلّى عن التحفّظ ونحوه (٧) ينْشَط أو يصبح عرضةً للتغيّر §(٨) ذوبان (٩) دفء (في الجوّ) (١٠) تخلٍّ عن التحفّظ ونحوه .
the[thē; thə; thĭ] *(def. art.)* لام التعريف ، «الـ» التعريف .
the- *or* **theo-** بادئة معناها : إلّه ؛ الله (*theo*phany) .
theater *or* **theatre** [thē'ə tər] *(n.)* (١) «أ» مسرح . «ب» دار للسينما (٢) مدرّج (للمحاضرات أو للعمليات الجراحيّة) (٣) مسرح الأحداث : مكان وقوعها (٤) المسرح : الآثار المسرحية مجتمعةً (في أدب ما أو عند أمة أو مؤلّف ما) .
theater *(adj.)* تكتيكيّ .
theatergoer [thē'ə tər gō ər] *(n.)* إلْفُ المسارح : الكثير التردّد على المسارح .
theater-in-the-round [thē'ə tər ĭn thə round'] *(n.)* المسرح المدوَّر (را. arena theater) .
theatrical[thĭ ăt'rə kəl] *(adj.; n.)* (١)مسرحيّ (٢)«أ»متكلَّف . «ب»زائف §(٣) *pl.* : التمثيل المسرحيّ (to forbid ~*s*) (٤) محترِف
theatricalize [thĭ ăt'-] *(vt.)* = dramatize 1.
theatrics [-'rĭks] *(n. pl.)* التمثيل المسرحي .
theca [thē'kə] *(L.)* pl. **-cae**[-sē; -kē] (١) كيس ؛ عُلَيبة (نب) . (٢) الكيس البوغيّ (نب) (٣) غِمد (ح) .
thé dansant [tĕ dän sän'] *(F.)* حفلة شاي راقصة .
thee [thē] *(pron.)* ضمير المخاطب في حالتي النصب والجر .
theft [thĕft] *(n.)* سرقة .
thegn [thān] *(n.)* = thane.
theine [thē'ēn] *(L.)* الثايين : كافايين الشاي .
their [thâr] *(pron.)* ـهم ؛ ـهنّ (~ books) .
theirs [thârz] *(pron.)* خاصّتهم ؛ مِلكُهُم (These dogs are ~.)
theism [thē'ĭz əm] *(n.)* الإيمان بوجود إلّه أو آلهة ، وبخاصة : التوحيد .
theist[thē'ĭst] *(n.; adj.)* مؤمن بوجود إلّه أو آلهة ، وبخاصة : موحد .
them [thĕm] *(pron.)* ـهم ؛ ـهنّ ؛ ـها .
theme[thēm] *(n.)* (١) موضوع (الكلامِ أو الكتابة) (٢) جِذْر (الكلمة) (٣) الإنشاء : مقالة قصيرة يُطلب إلى الطلاب كتابتها . (٤) الفكرة الرئيسية (مو) .
—thematic; -al *(adj.)*
theme song *(n.)* اللحن الرّئيسيّ : لحن يكرَّر في أوبريت أو مُغنّاة إلى حدّ تنطبع معه بطابعه .
themselves [thəm sĕlvz'] *(pron. pl.)* أنفسُهم ؛ أنفسُهنّ .
then [thĕn] *(adv.; adj.; n.)* (١) آنئذٍ ؛ آنذاك (٢) بعدئذ (٣) ثمّ (٤) فوق ذلك ؛ علاوة على ذلك (and ~ there is the interest to be paid) (٥) إذن ؛ إذاً §(٦) قائم أو موجود آنذاك (the ~ current of opinion) §(٧) ذلك الحين (till ~) .
~ and there في ذلك الزمان والمكان ، فوراً وفي المكان نفسه .
thenar [thē'när] *(n.; adj.)* (١) راحة اليد (ت) (٢) العضل الناتىء عند قاعدة الإبهام (ت) §(٣) راحيّ الخ .
thence [thĕns] *(adv.)* (١) من ذلك المكان (٢) من ثَمّ .
thenceforth [thĕns'fōrth'] *(adv.)* من ذلك الحين فصاعداً .
thenceforward [-fôr'wərd] *also* **thenceforwards** [-wərdz] *(adv.)* من ذلك الحين (فصاعداً) ؛ من ذلك المكان .
theo- = the-.
theobromine [thē'ə brō'mēn; -mĭn] *(L.)* : الثيوبرومين مركّب متبلّر مرير يوجد في بزور الكاكاو (ك) .
theocracy [thē ŏk'rə sĭ] *(Gk.)* ؛ الثيوقراطيّة : «أ» حكومة دينية حكومة الكهنة . «ب» دولة خاضعة لحكم رجال الدين .
theocrat [thē'ə krăt'] *(n.)* (١) رئيس حكومة ثيوقراطيّة أو عضوٌ فيها (٢) الثيوقراطيّ : المؤيِّد للثيوقراطيّة .
theocratic *also* **theocratical** [thē'ə krăt'-] *(adj.)* ثيوقراطيّ .
theodolite [thē ŏd'ə līt'] *(L.)* المِزْواة : أداة لقياس الزوايا يستخدمها المسّاحون .
theogony [thē ŏg'-] *(n.)* : الثيوغونيا مَبْحث أصل الآلهة وتحدّرهم .
theologian[thē'ə lō'jən; -jĭ ən] *(n.)* اللاهوتيّ : العالِم باللاهوت .
theological [thē'ə lŏj'ə kəl] *(adj.)* لاهوتيّ : ذو علاقة باللاهوت .
theologize [thē ŏl'ə jīz'] *(vi.; t.)* (١) يتلَهْوَت : يتأمّل في الموضوعات اللاهوتيّة ×(٢) يلَهْوِت : يجعله لاهوتيّاً .

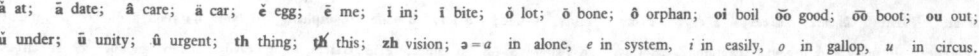

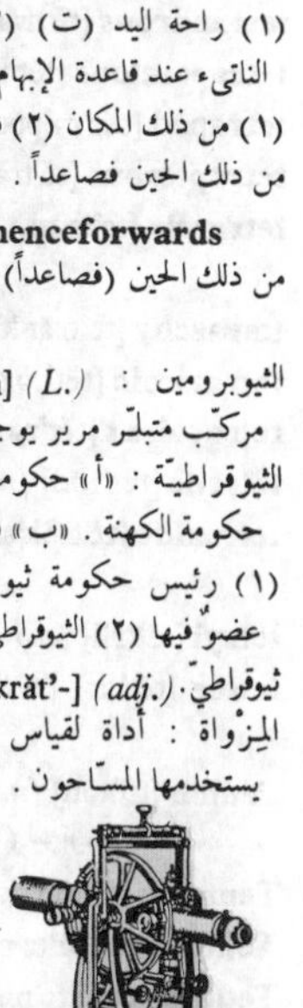

theodolite

theologue *or* **theolog** [thē'ə lŏg] *(L.)* (١) اللاهوتيّ . (٢) طالب اللاهوت .

theology [thē ŏl'ə jĭ] *(n.)* (١) اللاهوت (٢) نظرية لاهوتيّة ؛ نظام لاهوتيّ .

theomachy [thē ŏm'ə kĭ] *(n.)* حرب الآلهة .

theophany [thē ŏf'ə nĭ] *(n.)* التجلّي : تجلّي الإله أو الله للإنسان .

theophylline [thē'ə fĭl'ēn; -ĭn] *(n.)* الثيوفيلين : مادّة شبه قلوية بيضاء متبلّرة تستخرج من الشاي (ك) .

theorbo [thē ôr'bō] *(It.)* الوَنّ : آلة موسيقيّة شبيهة بالعود .

theorbo

theorem [thē'ə rəm] *(n.)* (١) نظرية (ر) . (٢) قضية (مق) .

—theorematic *(adj.)* .

theoretical *also* **theoretic** [thē'ə rĕt'-] *(adj.)* نظريّ ؛ غير عمليّ .

theoretician [thē'ə rə tĭsh'ən] *(n.)* الباحث (أو الضليع) في الجانب النظري من موضوع ما .

theorist [thē'ə rĭst] *(n.)* (١) واضع النظريّة أو النظريات (٢) الباحث في الجانب النظري من موضوع .

theorize [thē'ə rīz'] *(vi.)* يضع نظريّة أو نظريات .

theory [thē'ə rĭ] *(n.)* (١) نظرية (٢) الجانب النظري من علم أو فنّ (٣) فكرة ؛ رأي .

theosophic; theosophical [thē'ə sŏf'-] *(adj.)* ثيوصوفيّ .

theosophist [thē ŏs'ə fĭst] *(n.)* الثيوصوفي : المؤمن بالثيوصوفية .

theosophy [thē ŏs'ə fĭ] *(L.)* الثيوصوفيّة : «أ» معرفة الله من طريق «الكشف» الصوفي أو التأمّل الفلسفيّ أو كليهما . «ب» *cap.* ا.ك : معتقدات حركة حديثة نشأت في الولايات المتحدة الأميركية ١٨٧٥ وبُنيت في المقام الأول على أساس من التعاليم البوذية والبراهميّة .

therapeutic; therapeutical [thĕr'ə pū'-] *(adj.)* علاجيّ .

therapeutics [thĕr'ə pū'tĭks] *(n.)* علم المداواة ؛ فنّ الشفاء .

therapeutist [-'tĭst] *(n.)* الخبير بالمداواة ؛ العليم بفنّ الشّفاء .

therapist [thĕr'ə pĭst] *(n.)* الاختصاصيّ بالمعالجة (وبخاصة بغير العقاقير والجراحة) .

therapy [thĕr'ə pĭ] *(n.)* (١) مداواة (٢) العلاج أو الطبّ النفسيّ (را. psychotherapy) .

there [thâr] *(adv.; n.; interj.)* (١) هناك (٢) إلى هناك (٣) في تلك المسألة أو النقطة (~ you are mistaken.) (٤) ثمّة ؛ يوجد ؛ هناك (~ are four hospitals in our city.) (٥) هوذا (*There's* a good boy!) § (٦) ذلك المكان (She comes from ~ too.) § (٧) أداة تستخدم للتعبير عن الرضا أو التشجيع أو التعزية (*There*! it's done!; *There, there*! don't cry.) all ~, (١) منتبه ؛ يقِظ (٢) عاقل ؛ غير مجنون .

thereabouts *also* **thereabout** [thâr'ə bout(s)] *(adv.)* (١) في الجوار ؛ قريباً من ذلك المكان (٢) نحو ذلك ؛ حوالى ذلك ؛ ما يقرب من ذلك .

thereafter [thâr ăf'tər] *(adv.)* (١) بعد ذلك (٢) من ذلك الحين فصاعداً .

thereat [-ăt'] *(adv.)* (١) في ذلك المكان أو الزمان (٢) بسبب ذلك .

thereby [-bī'] *(adv.)* (١) بذلك ؛ بتلك الوسيلة (٢) في ما يتصل بذلك .

therefor [-fôr'] *(adv.)* لذلك الغرض ؛ من أجل ذلك الغرض .

therefore [thâr'fōr] *(adv.)* لذلك ؛ بسبب ذلك ؛ بناءً عليه ؛ إذن .

therefrom [thâr frŏm'] *(adv.)* من ذلك .

therein [-ĭn'] *(adv.)* (١) في ذلك المكان أو الشيء (٢) في تلك المسألة .

thereinafter [-ĭn ăf'tər] *(adv.)* في الجزء التالي (من وثيقة الخ.) .

thereinto [thâr ĭn'tōō] *(adv.)* (١) إلى ذلك المكان (٢) إلى تلك المسألة .

theremin *(n.)* الثِّرمين : آلة موسيقية ألكترونية .

thereof [-ŏv'] *(adv.)* (١) من ذلك (٢) من ذلك المصدر .

thereon [-ŏn'] *(adv.)* (١) على ذلك ؛ عليه (٢) بعد ذلك مباشرة .

thereto [-tōō'] *(adv.)* (١) له ؛ إليه (٢) أيضاً ؛ علاوةً على ذلك .

theretofore [-tə fōr'] *(adv.)* حتى ذلك الحين ؛ قبل ذلك .

thereunder [thâr ŭn'dər] *(adv.)* تحت ذلك .

thereunto [thâr'ŭn tōō'] *(adv.)* = thereto.

thereupon [thâr'ə pŏn'] *(adv.)* (١) على ذلك ؛ عليه . (٢) therefore (٣) تواً .

therewith [-wĭth'] *(adv.)* (١) بذلك (٢) بعد ذلك مباشرةً .

therewithal [thâr'wĭth ôl'] *(adv.)* (١) علاوةً على ذلك (ا.ق) . (٢) مع ذلك ؛ في الوقت نفسه .

theriac [thĭr'ĭ ək] *(n.)* (١) ترياق (٢) cure-all .

theriaca [thĭr ī'ə kə] *(L.)* ترياق .

theriomorphic [thĭr'ĭ ə mōr'fĭk] *(adj.)* حيوانيّ الشكل .

-therium لاحقة معناها : بهيمة ؛ حيوان .

therm [thûrm] *(n.)* الثّرم : وحدة لمقدار الحرارة (فز) .

therm- بادئة معناها : «أ» حرارة . «ب» كهربائيّ حراريّ .

-therm لاحقة معناها : حيوان ذو حرارة جسمانيّة معيّنة .

thermae [thûr'mē] *(Gk.)* حمّام عموميّ (عند الإغريق والرومان) .

thermal [thûr'məl] *(adj.)* (١) حراريّ (٢) حارّ .

thermal capacity *(n.)* السّعة الحرارية (مح) .

thermal expansion *(n.)* التمدّد الحراري (فز) .

thermal spring *(n.)* الينبوع الحارّ .

thermic [thûr'mĭk] *(adj.)* حراريّ (~ energy) .

thermion [thûrm'ī'ən] *(n.)* الثّرميون : دقيقة مشحونة بالكهرباء تُطلقها مادة متوهجة (فز) .

—thermionic *(adj.)* .

thermionic current [thûrm'ī ŏn'ĭk] *(n.)* التيار الثرميوني (فز) .

thermionics [thûrm'ī ŏn'ĭks] *(n.)* الثرميونيات : علم الظواهر الثرميونية .

thermionic valve *(n.)* الصّمام الثرميوني (فز) .

thermistor [thər mĭs'-] *(n.)* الثّرميستور : المقاوِم الحراريّ (كب) .

thermit [thûr'mĭt] *(G.)* الثّرميت : مزيج من مسحوق الألمنيوم وأكسيد الحديد .

thermo- = therm-.

thermocouple [thûr'mō kŭp'əl] *(n.)* المزدوِجة الحرارية .

thermodynamic [thûr'mō dī năm'ĭk] *(adj.)* دينامِيحراريّ : دينامي حراري ؛ ديناميكيّ حراريّ (فز) .

thermodynamics [-'mō dī năm'-] *(n.)* الديناميكا الحراريّة : فرع من الفيزياء يبحث في العلاقة بين الحرارة والطاقة الميكانيكيّة .

thermoelectric [thûr'mō ĭ lĕk'-] *(adj.)* كهرَبيحراريّ : كهربائيّ حراريّ .

thermoelectric couple *(n.)* المزدوجة الكهربائيّة الحرارية (كب) .

thermoelectricity [thûr'mō ĭ lĕk'trĭs'ə tĭ] *(n.)* الكهربائية الحراريّة (كب) .

thermograph *(n.)* الميرسام الحراريّ : ترمومتر ذاتيّ التسجيل .

thermolabile [thûr'mō lā'bĭl] *(adj.)* عَطوب بالحرارة ؛ غير ثابت بالحرارة (كح) .

thermolysis [thər mŏl'ə sĭs] *(n.)* التحلّل الحراري .

thermometer [thər mŏm'ə tər] *(n.)* المِحَرّ (مج) ؛ الترمومتر ؛ ميزان الحرارة .

thermometer

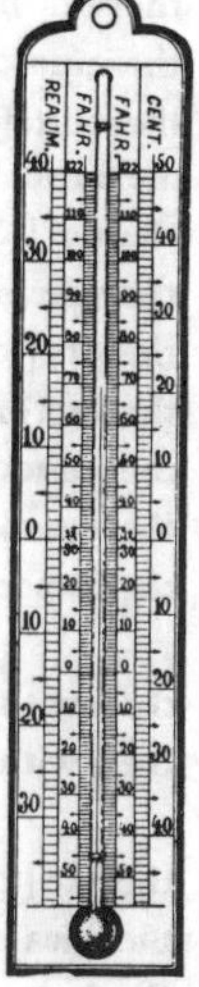

thermometry [-'ə trĭ] *(n.)* : الترمومترية : قياس الحرارة .

thermonuclear [thûr'mō nū'-] *(adj.)* نَوَوِيحَراري : نوويّ حراري (a ~ weapon) .

thermopile[thûr'mə-]*(n.)* عمود الحرارة (مج) ؛ الترموبيل : جهاز لقياس التغيّرات الطفيفة في الحرارة .

thermoplastic [thûr'mə plăs'tĭk] *(adj.)* لَدْن بالحرارة .

thermoregulation[thûr'mə rĕg'yə lā'-]*(n.)* التنظيم الحراري .

thermoregulator [-rĕg'yə lā'tər] *(n.)* المنظّم الحراري : أداة لتنظيم الحرارة .

thermos *or* **thermos bottle**[thər'məs]*(n.)* الكَظيمة (مج) ؛ الترْمُس : زجاجة حافظة لدرجة حرارة محتوياتها الباردة أو الساخنة .

thermoscope [thûr'mə skōp'] *(n.)* المِكشاف الحراري .

thermosetting [thûr'mō sĕt'ĭng] *(adj.)* صَلْد بالحرارة .

thermostable *(adj.)* ثابت بالحرارة ؛ ثابت على الحرارة .

thermostat [thûr'mə stăt'] *(n.)* : الترْمُوستات : أداة أوتوماتيكية لتنظيم الحرارة .

thermostat

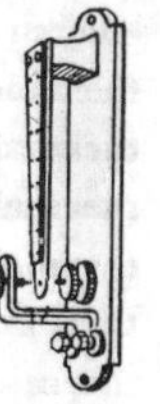

thermostatic [thûr'mə stăt'ĭk] *(adj.)* ترْموستاتي : منسوب إلى الترموستات .

thermotaxis [thûr'mə tăk'sĭs] *(L.)* (١) الانتحاء الحراري : اتجاه الكائن الحي نحو مصدر الحرارة أو بعيداً عنه (أح) (٢)تنظيم الحرارة الجسدية (فس) .

-thermy لاحقة معناها : «أ» حرارة . «ب» توليد الحرارة .

thesaurus[thĭ sôr'əs]*(L.)*pl.**-sauri** (١) قاموس (٢) موسوعة . (٣) مستودع .

these [thēz] *pl. of* this.

thesis [thē'sĭs] *(L.)* pl. **-ses** [-sēz] (١) الفرْضيّة : رأيٌ علمي لمّا يثبُت بعد (٢) الطّريحة : المرحلة الأولى من مراحل الديالكتيك الهيغلي (را. antithesis و synthesis) (٣) الأطروحة : رسالة تقدّم لنيل شهادة جامعيّة .

thespian[thĕs'pĭ ən]*(adj.; n.)* (١)مسرحيّ §(٢)ممثل مسرحيّ .

theurgic; -al [thē ûr'-] *(adj.)* سِحري : متعلّق بالسحر .

theurgist [thē'ûr jĭst] *(n.)* الساحر : المشتغل بالسّحر .

theurgy [thē'ûr jĭ] *(n.)* السِّحر ؛ الشعوذة .

thew [thū]*(n.)* *pl.*(١) عد : عضلات (٢)«أ» قوة عضلية . «ب» قوة .

they [thā] *pl. of* he, she, *or* it.

they'd [thād] = they had; they would.

they'll [thāl] = they will; they shall.

they've [thāv] = they have.

thi- *or* **thio-** بادئة معناها : كبريت .

thiamin [thī'ə mĭn]; **-e** [-mēn] *(n.)* الثِّيامين : فيتامين ضروري لأداء الجهاز العصبيّ وظيفته .

thiazine [thī'ə zēn] *(n.)* الثِّيازين : مركّب كيميائيّ .

thick [thĭk] *(adj.; n.; adv.)* (١)«أ» ثخين ؛ سميك . «ب» مكتنز . (٢)«أ» كثيف (a ~ forest) . «ب» وافر . «ج» غليظ ؛ غليظ القِوام (oil ~) . «د» مثقل بالأدخنة أو الغبار الخ . «هـ» كثير الضباب الخ .(a ~ day) . «و» دامس(darkness ~) . «ز» مطلق ؛ تامّ (silence ~) (٣) «أ» غير مُبين أو واضح (speech ~) . «ب» أجشّ (voice ~) (٤) غبيّ §(٥) الجزء الأكثف (in the ~ of) (٦)مَعْمَعان (into the ~ of a mob) (٧)§ بوفرة (Misfortunes came ~ and fast.) the fight

a bit ~, لا يُطاق ؛ لا يُحتمَل .

as ~ as thieves على صداقة حميمة .

~ with مُثقَل بِـ ؛ مُفعَم بِـ .

through ~ and thin في أيّاً كانت الظروف ؛ في السّرّاء والضرّاء .

to lay it on ~, يُسرف في الإطراء أو في اللوم .

thicken [thĭk'ən] *(vt.; i.)* (١) يُثخِن ؛ يسمّك ؛ يكثّف ؛ يغلّظ الخ . (٢) يجعله غير واضح (Alcohol ~*ed* her speech.) ×(٣)«أ» يتكاثف . «ب» يحتشد (٤)«أ» يصبح غير واضح . «ب» يصبح كثير الضباب الخ . (٥) يثْخُن ؛ يغلُظ (٦) يتعقّد (The plot ~*ed*.) .

thickening [-ĭng] *(n.)* (١) «أ» تثخين ؛ تكثيف ؛ تغليظ . «ب» تَثَخّن ؛ تكثّف ؛ تغلّظ (٢) مادّة تستخدم للتثخين أو التكثيف (٣) جزء أو موضع مثخّن الخ .

thicket [thĭk'ĭt] *(n.)* أجَمة ؛ دَغَل ؛ أيكة .

thicketed [-ĭd] *(adj.)* موجّم ؛ مُدغّل ؛ مكسوّ بالآجام والأدغال .

thickheaded [thĭk'hĕd'ĭd]*(adj.)* غبيّ ؛ مغفّل ؛ ضعيف العقل .

thickly [-'lĭ] *(adv.)* على نحو ثخين أو كثيف أو وافر أو غليظ الخ .

thickness [thĭk'-] *(n.)* (١) ثَخانة ؛ سماكة (٢) «أ» كثافة . «ب» وفرة . «ج» غِلَظ . «د» ضبابيّة (٣) غَباء (٤) طبقة .

thickset [thĭk'sĕt'] *(adj.)* (١) كثيف (a ~ wood) (٢)مرصّع أو مُثقَل بكذا على نحوٍ مُكتنز (a sky ~ with stars) (٣)غليظ البِنْية ؛ قصير وبدين .

thick-skinned [thĭk'skĭnd'] *(adj.)* (١) صفيق الجِلْد . (٢) قليل الإحساس .

thick-witted [thĭk'wĭt'ĭd] *(adj.)* غبيّ ؛ متبلّد الذهن .

thief [thēf] *(n.)* pl. **thieves** لِص .

thieve [thēv] *(vi.; t.)* (١) يمارس السرقة ×(٢) يسرق .

thievery [thē'və rĭ] *(n.)* (١) شيء مسروق (٢) سرقة ؛ لصوصيّة .

thievish [thē'vĭsh] *(adj.)* (١) نزّاع إلى السرقة أو مفطور عليها . (٢) لصوصي .

thigh [thī] *(n.)* (١) فَخِذ (٢) شيء يُشبه الفخذ أو يكسوها .

thighbone [thī'bōn'] *(n.)* عَظْم الفَخِذ (ت) .

thill [thĭl] *(n.)* عريش العربة أو المركبة .

thimble [thĭm'bəl] *(n.)* (١) كُشْتُبان (٢) أنبوب معدنيّ قصير (٣) حلقة معدنيّة (حول حَبْل) .

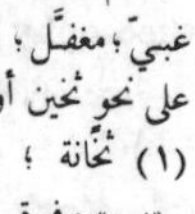

thimble I

thimbleberry [thĭm'bəl bĕr'ĭ] *(n.)* العُلَّيق الكُشْتُباني : عُلّيق كشتبانيّ الثمر (نب) .

thimbleful[-fo͝ol]*(n.)* (١)مِلء كُشْتُبان (٢)مقدار صغير جداً .

thimblerig [thĭm'bəl rĭg'] *(n.; vt.)* (١)الكُشاتبينية : لعبة توضع فيها كرة صغيرة تحت واحد من ثلاثة أكواب كُشتبانيّة الشكل ثم تُحرَّك هذه الأكواب ويُطلب إلى المشاهدين أن يحزروا تحت أيٍّ منها توجد الكُرَيّة §(٢) يخدع . —**thimblerigger** *(n.)*

ă at; ā date; â care; ä car; ĕ egg; ē me; ĭ in; ī bite; ŏ lot; ō bone; ô orphan; oi boil o͝o good; o͞o boot; ou out; ŭ under; ū unity; û urgent; th thing; th this; zh vision; ə = *a* in alone, *e* in system, *i* in easily, *o* in gallop, *u* in circus.

thimbleweed [thĭm'bəl wēd'] *(n.)* (١) الرُّدْبكيّة (نب) . (٢) الشُّقَّار ؛ شقائق النعمان (نب) .

thin [thĭn] *(adj.; adv.; vt.; i.)* (١) «أ» رقيق . «ب» رفيع . (٢) متباعد ؛ متفرّق (hair ~) (٣) نحيل ؛ نحيف (٤) ضئيل ؛ قليل (٥) مائيّ (أو رقيق) القَوام (milk ~) (٦) واهٍ (a ~ excuse) (٧) ضعيف ؛ واهن ؛ خافت الخ . §(٨) على نحو رقيق أو رفيع الخ . §(٩) يرقّق ؛ يرفّع (١٠) يجعله مائيّ القَوام أو رقيقه (١١) يُضْعِف ؛ يوهن (١٢) يُنحِل ؛ يُهْزِل (١٣) يُنْقِص ؛ يخفّف ×(١٤) يَرِقّ (١٥) يَضعُف .

thine [thīn] *(pron.)* لك ؛ مِلْكُكَ ؛ خاصّتك .

thing [thĭng] *(n.)* (١) مسألة (٢) *pl.* : حالة (أو أحوال) عامة (~s are improving.) (٣) حادثة (٤) عمل (to do great ~s) (٥) «ا» شيء . «ب» أمر (٦) «أ» نقطة . «ب» فكرة (٧) فَرْد ؛ شخص (poor little ~) (٨) رُهاب (أو خوف مرضيّ) خفيف (She has a ~ about driving.) .

thingamajig *or* **thingumajig** [thĭng'əm ə jĭg'] *(n.)* (١) شيء يصعب تصنيفه (٢) شيء مجهول (أو منسيّ) الاسم .

thing-in-itself [thĭng'in ĭt sĕlf'] *(n.)* = noumenon.

thingumbob [thĭng'əm bŏb'] *(n.)* = thingamajig.

think [thĭngk] *(vt.; i.; n.; adj.)* (١) ينوي ؛ يرجو (٢) «أ» يعتقد . «ب» يحسب ؛ يظنّ . «ج» يعدّ ؛ يعتبر (٣) يتفكّر أو يُنعِم النظر في (٤) يتوقّع (*thought* to find him at home) ×(٥) يفكّر (٦) يتأمّل §(٧) تفكير (in a deep hard ~) (٨) فكرة ؛ رأي (Let's exchange ~s.) §(٩) فكريّ ؛ مثير للتفكير (a short ~ film) .

thinkable [thĭngk'ə bəl] *(adj.)* (١) ممكنٌ تصوره أو التفكير فيه (٢) قابل للتحقيق .

thinker [-'ər] *(n.)* (١) مفكّر (a superficial ~) (٢) عقل .

thinking [thĭngk'ĭng] *(n.; adj.)* (١) تفكير (٢) فِكرة (٣) فِكر §(٤) مفكّر (~ people) .

thinking cap *(n.)* مزاج التأمّل أو التفكير .

thinner [thĭn'ər] *(n.)* فا thin وبخاصة : مرقّق القَوام : سائل طيّار مرقّق للدهان .

thin-skinned [thĭn'skĭnd'] *(adj.)* (١) رقيق الجلد أو القشرة . (٢) رقيق الإحساس .

thio- = thi-.

Thiokol [thī'ə kŏl] *(n.)* الثايوكول : ضربٌ من المطّاط الاصطناعيّ .

thion- بادئة معناها : كبريت .

thionic [thī ŏn'ĭk] *(adj.)* كبريتيّ (ك) .

thionic acid *(n.)* حَمْض الكبريت (ك) .

third [thûrd] *(adj.; n.)* (١) ثالث (٢) ثُلثيّ §(٣) الثالث (٤) ثُلْث .

third class *(n.)* (١) المرتبة الثالثة (٢) الدرجة الثالثة (في باخرة) .

third-class [thûrd'klăs'] *(adj.)* (١) خاص بالدرجة الثالثة . (٢) من الدرجة الثالثة .

third degree *(n.)* التعذيب (بغية انتزاع الاعتراف من سجين) .

third dimension *(n.)* البُعْد الثالث : «أ» ثخانة ؛ سماكة . «ب» صفة تُضفي على الشيء واقعيّة أو تنفخ فيه الحياة (night sounds that give a ~ to the memory)

third estate *(n.)* الطبقة الثالثة : طبقة العوامّ .

third force *(n.)* القوة الثالثة : تكتّل دوليّ أو حزبيّ يتخذ موقفاً وَسَطاً بين قوّتين سياسيتين متخاصمتين .

thirdly [thûrd'lĭ] *(adv.)* ثالثاً .

third party *(n.)* (١) الفريق الثالث (في دعوى) (٢) «أ» الحزب الثالث (في بلد يتنازع السلطة فيه حزبان كبيران) . «ب» حزب الأقليّة .

third person *(n.)* صيغة الغائب (ل) .

third rail *(n.)* القضيب الثالث : قضيب معدنيّ يُنقل به التيّار الكهربائيّ إلى محركات قاطرة كهربائيّة .

third-rate [-'rāt'] *(adj.)* (١) من الدرجة الثالثة (٢) رديء جداً .

third-rater [-'rāt'ər] *(n.)* شخص أو شيء من الدرجة الثالثة .

third reading *(n.)* القراءة الثالثة : المرحلة النهائيّة من النظر في مشروع قرار برلمانيّ (قبل عرضه على التصويت) .

third world *(n.)* العالم الثالث : الدّول النامية مجتمعةً .

thirl [thûrl] *(n.; vt.)* (١) ثُقْب §(٢) يثقب (٣) يَهُزّ ؛ يثير (عب) .

thirst [thûrst] *(n.; vi.)* (١) ظمأ (٢) توق شديد §(٣) يظمأ (٤) يتوق .

thirstily [thûrs'-] *(adv.)* بظمأ أو بسبب الظمأ (drank ~) .

thirstiness [thûrs'tĭ-] *(n.)* (١) ظمأ ؛ عطش (٢) توق ؛ تعطّش .

thirsty [thûrs'tĭ] *(adj.)* (١) ظامىء (٢) شديد الامتصاص (~ towels) (٣) توّاق ؛ متعطّش .

thirteen [thûr'tēn'] *(n.)* ثلاثةَ عشرَ ؛ ثلاثَ عشْرةَ .

thirteenth [thûr'tēnth'] *(n.; adj.)* (١) جزء من ١٣ ؛ $\frac{1}{13}$. (٢) الثالث عشر (من مجموعة ما) §(٣) ثالث عشر (٤) مشكّل جزءاً من ١٣ (a ~ share of the money) .

thirtieth [thûr'tĭ ĭth] *(adj.; n.)* (١) الثلاثون (the ~ day) . (٢) مشكِّل جزءاً من ثلاثين (a ~ share of the money) §(٣) الثلاثون (the ~ of the month) (٤) جزء من ثلاثين .

thirty [thûr'tĭ] *(n.)* (١) ثلاثون (٢) *pl.* : العقد الرابع (من العمر أو القرن) (٣) «أ» علامة أو أمارة الإنجاز أو الإتمام . «ب» نهاية (٤) رشاش من عيار ٣٠ مم .

thirty-eight [thûr tĭ āt'] *(n.)* (١) ثمانية وثلاثون (٢) بندقيّة من عيار ٣٨ مم .

thirty-three [thûr tĭ thrē'] *(n.)* (١) ثلاثة وثلاثون (٢) أسطوانة فونوغرافيّة ذات $\frac{1}{3}$ ٣٣ دورة في الدقيقة .

thirty-two *(n.)* (١) اثنان وثلاثون (٢) بندقيّة من عيار ٣٢ مم .

this [this] *(pron.; adj.)* pl. **these** (١) هذا ؛ هذه (٢) هذا الزمان أو المكان (expected her to return before ~) .

this [this] *(adv.)* إلى هذا الحدّ (to wait ~ long) .

thistle

thistle [thĭs'əl] *(n.)* الشَّوْك : أيّ من عدّة نباتات شائكة (كالشوك السِّنانيّ الخ .)

thistledown [thĭs'əl doun] *(n.)* زَغَب النبتة الشائكة .

thither [thĭth'ər] *(adv.; adj.)* (١) إلى هناك . §(٢) بعيد ؛ أبعد .

thitherto [-tōō] *(adv.)* حتى ذلك الحين .

thitherward; thitherwards [-wərd(z)] *(adv.)* إلى هناك .

tho *or* **tho'** [thō] *(conj.; adv.)* = though.

thole [thōl] *(vt.; i.; n.)* (١) يتحمّل (ع) §(٢) حَكَمَة المِجذاف أو مِسنده .

tholepin [thōl'pĭn'] *(n.)* حَكَمَة المِجذاف أو مِسنده .

Thomism [tō'mĭz əm] *(n.)* التومانية : فلسفة توما الاكويني اللاهوتية .

thong [thông] *(n.)* (١) سَيْر ؛ سَيْر جِلديّ (٢) سير السوط .

thoracic [thō răs'ĭk] *(adj.)* صَدْريّ ؛ زَوْريّ .

ă at; ā date; â care; ä car; ĕ egg; ē me; ĭ in; ī bite; ŏ lot; ō bone; ô orphan; oi boil oo good; ōō boot; ou out; ŭ under; ū unity; û urgent; th thing; th this; zh vision; ə = *a* in alone, *e* in system, *i* in easily, *o* in gallop, *u* in circus.

thoracic duct *(n.)* القناة الصدرية أو الزَّوريّة (ت).

thoracoplasty [thōr'ə kō plăs'tĭ] *(n.)* تصنيع الصَّدر (جر).

thoracotomy [thōr'ə kō tŏm'ĭ] *(n.)* شقّ الصدر (جر).

thorax [thōr'ăks] *(n.)* الصَّدر؛ الزَّور (ت).

thoria [thōr'ĭ ə] *(L.)* الثّوريا: أكسيد الثوريوم (ك).

thorianite [thōr'ĭ ə nīt'] *(n.)* الثوريانيت: معدن إشعاعيّ النشاط.

thoric [thôr'ĭk] *(adj.)* ثوريوميّ: متعلق بالثوريوم أو محتوٍ عليه.

thorite [thō'rīt] *(n.)* الثوريت: معدن نادر.

thorium [thōr'ĭ əm] *(L.)* الثّوريوم: عنصر فلزي إشعاعيّ النشاط.

thorn [thôrn] *(n.)* (١) الزُّعرور: شجر شائك من الفصيلة الوردية (٢) شوكة.

thorn apple *(n.)* الداتورة: نبات شائك سامّ.

thornback [thôrn'băk'] *(n.)* شائك الظَّهر: «أ» رايٌ أو سَفَنٌ شائك الظهر (سمك). «ب» سرطان عنكبوتيّ أوروبيّ ضخم.

thornbush [thôrn'bo͝osh] *(n.)* (١) شجيرة شائكة (٢) أجَمَة شجيرات شائكة (وبخاصة في المناطق الاستوائية).

thorny [thôr'nĭ] *(adj.)* شائك.

thoron *(L.)* الثورون: نظير لعنصر الرادون اشعاعيّ النشاط (ك).

thorough[thûr'ō] *(adj.)* (١)شامل (a ~ search) (٢)«أ» كامل (a ~ description). «ب» بكلّ ما في الكلمة من معنى (a ~ fool). «ج» مجتهد: باذلٌ غايةَ الجهد والعناية (a ~ worker). «د» تامّ (~ pleasure). «هـ» ضليع؛ متمكّن (a ~ actor). **—thoroughly** *(adv.)*

thoroughbred [thûr'ō brĕd'] *(adj.)* (١)تامّ البراعة أو التدريب (a ~ soldier) (٢) أصيل (a ~ horse) (٣) «أ» أنيق. «ب» أرستوقراطيّ. «ج» ممتاز؛ من الطراز الأول (a ~ car).

thoroughfare[thûr'ō fâr'] *(n.)* (١)شارع؛ طريق عام (٢)مرور.

thoroughgoing [thûr'ō gō'ĭng] *(adj.)* (١) متطرِّف؛ مئة بالمئة (a ~ democrat) (٢) تامّ؛ كامل (~ cooperation).

thorough-paced [thûr'ō pāst'] *(adj.)* (١) تام التدريب (٢) كامل؛ مئة بالمئة.

thoroughpin [thûr'ō pĭn] *(n.)* ورم فوق عُرقوب الفرس مباشرةً.

thorp [thôrp] *(n.)* قرية؛ دَسْكَرَة (ا.ق).

those [t͟hōz] *pl. of* that.

thou[t͟hou] *(pron.; vt.)* (١)أنتَ؛ أنتِ §(٢)يخاطِبُهُ بهذه الصيغة.

though [t͟hō] *(adv.; conj.)* (١)مع ذلك §(٢)برغم ذلك (٣)ولو انّ. as ~, وكأنّ.

thought [thôt] *past and past part. of* think.

thought [thôt] *(n.)* (١) «أ» تفكير. «ب» اهتمام؛ عناية (taking no ~ for her appearance) (٢)«أ» فكر. «ب» فكرة (٣) نيّة؛ قصد (٤) مقدار قليل (be a ~ more courteous).

thoughtful [thôt'fəl] *(adj.)* (١) مستغرق في التفكير (٢) عميق التفكير (٣) حسَن الانتباه؛ كثير الاهتمام (٤) مراعٍ لحقوق الآخرين ومشاعرهم.

thoughtless [thôt'lĭs] *(adj.)* (١) طائش؛ عديم التفكير (٢) غير مراعٍ لحقوق الآخرين ومشاعرهم.

thought-out [thôt'out] *(adj.)* مدروس؛ مُرَوّىً فيه.

thoughtway [-'wā] *(n.)* طريقة في التفكير (scientific ~s).

thousand [thou'zənd] *(n.; adj.)* ألْف.

thousandfold[*adj.* thou'zənd fōld; *adv.*-fōld'] *(adj.; adv)* (١) أكبر ألفَ مرةٍ §(٢) ألفَ ضِعف.

thousand-legger [thou'zənd lĕg'ər] *(n.)* = millipede.

thousandth [thou'zəndth] *(adj.; n.)* (١) الألف (من حيث الترتيب) (٢) مؤلِّفٌ جزءاً من ألف §(٣) العضو الألف (في مجموعة) (٤) جزء من ألف.

thrall [thrôl] *(n.; adj.)* (١)عبد؛ رقيق (٢) عبوديّة §(٣)مُستعبَد.

thralldom *or* **thraldom** [thrôl'dəm] *(n.)* عبودية.

thrash [thrăsh] *(vt.; i.; n.)* (١) يدرُس (الحنطة) (٢) يَجلِد؛ يَسْوُط (٣) يهزم (٤) «أ» يقلّب الرأي في مسألة الخ. (~*ed* the matter over once more) «ب» يرسم (خطةً)؛ يصوغ ×(٥) يضرب (٦) يتقلب (المحمومُ) في فِراشه (٧) يشقّ (المركبُ) طريقَه ضدّ الريح §(٨)دَرْس الحنطة (٩)«أ»جَلْد؛ ضَرْب. «ب» جَلْدَة؛ ضربة.

thrasher [thrăsh'ər] *(n.)* (١) فا thrash (٢) الدَّرّاس: طائر مُغرِّد شبيهٌ بالسُّمْنة.

thrasonical [thrā sŏn'ə kəl] *(adj.)* متبجِّح؛ متفاخر.

thread [thrĕd] *(n.; vt.; i.)* (١)خيط (٢)«أ» مجرىً مائيّ هزيل. «ب» شعاع. «ج» خطّ لونيّ رفيع. «د» عِرق (~s of gold in the ore) (٣) السِّلك الناظم (لأجزاء قصة أو خطبة) (٤) طابَع؛ صِبغة عامة (٥) سِنّ اللولب §(٦)يُسْلِك (الخيطَ) في سمّ الإبرة (٧) يشقّ طريقه بحذر (٨)«أ»يَنظِم (اللؤلؤ أو الخرز). «ب» يضع الفيلم (في المِسْلاط السينمائيّ) استعداداً لعرضه على الشاشة (٩)يوخِّط؛ يخالط (black hair ~*ed* with silver) (١٠)يُلولِب؛ يسنّن اللولب ×(١١)يتخيّط: يشكّل خيطا عند سكبه من ملعقة (Cook that syrup until it ~*s*.)

threadbare [thrĕd'bâr'] *(adj.)* (١) رثّ (٢) رثّ الملابس (٣) بالٍ؛ مبتذل؛ مكرَّر حتى الابتذال.

threadfin [-'fĭn'] *(n.)* الخايوط: سمكٌ خَيْطِيّ الزعنفة الصدريّة.

threadlike [-'līk'] *(adj.)* خَيْطانيّ: رفيع طويل مثل الخيط.

threadworm[thrĕd'wûrm'] *(n.)* الدودة الخيطيّة؛ الدودة السلكيّة.

thready [-'ĭ] *(adj.)* (١)خَيْطيّ (٢)ضعيف (a ~ pulse).

threat [thrĕt] *(n.)* تهديد.

threaten [thrĕt'ən] *(vt.; i.)* (١) يهدِّد؛ يتوعَّد (٢) ينذر بِ.

three [thrē] *(n.; adj.)* ثلاثة؛ ثلاث.

three-decker [thrē'dĕk'ər] *(n.)* (١) ثلاثيّة السطوح: سفينة ذات ثلاثة سطوح (٢) ثلاثيّ الطبقات؛ وبخاصة: سندويتش أو شطيرة ذات ثلاث شرائح من الخبز وحشوتين.

three-dimensional [thrē'dĭ mĕn'shən əl] *(adj.)* (١) ثلاثيّ الأبعاد (٢) مُجسَّم.

threefold[thrē'-] *(adj.; adv.)* (١)ثلاثيّ (a ~ purpose) (٢) أكبر بثلاث مرات (a ~ increase) §(٣) ثلاثةَ أضعاف (~ increased).

three-handed [thrē'hăn'dĭd] *(adj.)* ثلاثيّ: يلعبه ثلاثة لاعبين (~ bridge).

three-mile limit [thrē'mīl'] *(n.)* حدّ الأميال الثلاثة: حدّ الحِزام البحريّ المُعتبَر ضمن المياه الاقليمية لدولة (قد).

threepence [thrĭp'əns; thrĕp'əns] *(n.)* (١) ثلاثة بنسات (٢) قطعة الثلاثة بنسات.

threepenny [thrĭp'ə nĭ; thrĕp'-; thrē'pĕn'ĭ] *(adj.)* (١) مساوٍ (أو مكلِّف) ثلاثة بنسات (٢) تافه؛ رخيص.

three-phase [thrē'fāz'] *(adj.)* ثلاثيّ الأطوار (كب).

ă at; ā date; â care; ä car; ĕ egg; ē me; ĭ in; ī bite; ŏ lot; ō bone; ô orphan; oi boil; o͝o good; o͞o boot; ou out; ŭ under; ū unity; û urgent; th thing; t͟h this; zh vision; ə = *a* in alone, *e* in system, *i* in easily, *o* in gallop, *u* in circus.

three-piece [thrē'pēs'] *(adj.; n.)* (١) ثلاثي الأجزاء (٢) ثلاثيّ القطَع (a woman's ~ suit) §(٣)شيء ثلاثي الأجزاء أو القِطع.

three-ply [thrē'plī'] *(adj.)* ثلاثيّ الطبقات أو الطيّات الخ.

three-point landing *(n.)* هبوط (أو حطّ) ثلاثيّ النُّقط (طي).

three R's *(n. pl.)* القراءة والكتابة والحساب.

threescore [thrē'skōr'] *(adj.; n.)* ستون (٣×٢٠).

threesome [-'səm] *(n.)* (١) الثلاثيّ : مجموعة من ثلاثة أشخاص أو أشياء (٢) الثلاثيّة : لعبةٌ (وبخاصةٍ الغولف) يشترك فيها ثلاثة أشخاص.

three-square file [thrē'skwâr'] *(n.)* مِبردٌ مثلّث المقطع.

thremmatology [thrĕm'ə tŏl'ə jĭ] *(n.)* عِلم الاستيلاد : علم استيلاد الحيوانات والنباتات (أح).

threnode [thrē'nōd] *(n.)* = threnody.

threnody [thrĕn'ə dĭ] *(n.)* = dirge; elegy.

thresh [thrĕsh] *(vt.; i.)* (١) يَدْرس (الحنطة) (٢) «أ» يقلّب الرأي في مسألة أو مشكلة. «ب» يرسم (خطةً)؛ يصوغ (٣) يضرب؛ يجلد.

thresher [-'ər] *(n.)* (١)فا thresh (٢)القِرش الدَّرّاس (سمك).

thresher

threshing machine *(n.)* الدَّرّاسة : ماكينة لدَرْس الحنطة.

threshold [thrĕsh'ōld] *(n.)* (١) عَتَبَة (٢) بداية؛ مُستَهَلّ (the ~ of an era) (٣)حدّ؛ تخم؛ عتبة (~ of consciousness).

threw [thrōō] *past of* throw.

thrice [thrīs] *(adv.)* (١) ثلاثاً (٢) تكراراً؛ كثيراً؛ إلى حدّ بعيد.

thrift [thrĭft] *(n.)* (١) نموّ مُعافىً قويّ (٢) اقتصاد (٣) القابضة البحرية : نبات ذو زهر قرنفلي أو أبيض.

thriftless [thrĭft'-] *(adj.)* (١)تافه؛ عديم القيمة (٢)مسرف؛ مبذِّر.

thrifty [thrĭf'tĭ] *(adj.)* (١) مزدهر (٢) نامٍ بقوّة (٣) مقتصد.

thrill [thrĭl] *(vt.; i.; n.)* (١) يثير (٢) يهزّ ×(٣)يسري؛ يتمشّى (في الجسد) (٤) يهتزّ (طرباً الخ.) (٥) يرتعش؛ يرتعد §(٦) رعشة (٧) اهتزاز (٨) الإثارية: صفة الإثارة في رواية أو شريط سينمائيّ.

thriller [-'ər] *(n.)* شيء مثير؛ وبخاصة: رواية أو تمثيلية مثيرة.

thrips [thrĭps] *(L.)* التريْبسة : حشرة تمتصّ عصارات النباتات فتتلفها.

thrive [thrīv] *(vi.)* (١) ينمو بقوّة (٢)يزدهر (٣) ينْجَح.

thrips

thriven [thrĭv'ən] *past part. of* thrive.

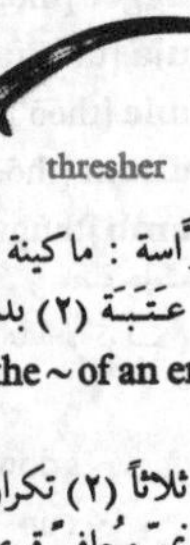

thriving [thrīv'ĭng] *(adj.)* مزدهر.

thro *or* **thro'** [thrōō] = through.

throat [thrōt] *(n.; vt.)* (١)«أ» حنجرة. «ب» صوت (٢) حلْق؛ حلقوم (٣) مجاز ضيّق §(٤) يغمغم (٥) يغنّي او يرنّم حلْقيّاً.

throaty [thrō'tĭ] *(adj.)* حلْقيّ : ملفوظ من الحلْق لا من الفم.

throb [thrŏb] *(vi.; n.)* (١) يخفق؛ ينبض §(٢) خَفَقان؛ نَبْض (٣) ارتجاف (المحرِّك).

throe [thrō] *(n.)* (١) ألم مفاجيء أو مبرح (٢) نوبة انفعال (٣) *pl.* : مخاض؛ طَلْق (٤) *pl.* : آلام الاحتضار (٥) *pl.* : نضال عنيف.

thromb- *or* **thrombo-** بادئة معناها : «أ» جلطة دمويّة. «ب» تخثُّر الدم.

thrombase [thrŏm'bās] *(n.)* = thrombin.

thrombin [-'bĭn] *(n.)* المخثِّرة : المادّة المخثِّرة للدم (كح).

thrombogen [-'bə jĭn] *(n.)* البروثرومبين : أحد العوامل المخثِّرة للدم (كح).

thrombokinase [thrŏm'bō kĭn'ās] *(n.)*=thromboplastin.

thrombophlebitis [-flĭ bīt'ĭs] *(L.)* التهاب الوريد الخثْريّ.

thromboplastic[-plăs'tĭk] *(adj.)* (١)تخثّريّ (٢)مُخثّر (للدم).

thromboplastin [-plăs'tĭn] *(n.)* خميرة التخثّر (كح).

thrombosis [thrŏm bō'sĭs] *(L.)* الخثَر : تكوّن الجلْطة أو وجودها في الوعاء الدموي (مض).

thromboxane *(n.)* الثرومبوكسين: منظِّم لعمل الخلايا أو وظائفها

thrombus *(L.)* pl. **-bi** [-bī] خثْرة؛ دَمَة؛ جلطة دَمَويّة.

throne [thrōn] *(n.; vt.; i.)* (١) عرش §(٢) يَجْلِس أو يُجلِس على العرش.

throne room *(n.)* قاعة العرش.

throng [thrông] *(n.; vt.; i.)* (١) حشْد (من النّاس وغيرهم) (٢)ازدحام (٣)زحمة (العمل) §(٤)يزْدحم (٥)يملأ ×(٦) يحتشد. يعجّ بالنّاس *~ed with people*.

throstle [thrŏs'əl] *(n.)* (١) الدّجّ؛ السُّمنة : طائر مُغرِّد. (٢) آلة غزلٍ (قديمة).

throttle [thrŏt'əl] *(vt.; i.; n.)* (١) يخنق (٢) يخنق الآلة : يخفّف سرعتها بإعاقة تدفّق البخار الخ. إليها ×(٣) يختنق §(٤) حنجرة؛ حلْق (٥)«أ» المِخنق: صِمامٌ خانق (مك). «ب» دوّاسة المِخنق أو ذراعُه (مك).

throttlehold [thrŏt'əl hōld] *(n.)* القبضة الخانقة؛ السيطرة الخانقة.

throttle lever *(n.)* ذراع المِخنق؛ ذراع الصِّمام الخانق (مك).

throttle valve *(n.)* المِخنق: صِمام خانق (مك).

through *also* **thru** [thrōō] *(prep.; adv.; adj.)* (١)«أ» خلال. «ب» من خلال؛ من طريق (٢)«أ» بواسطة. «ب» بسبب (٣)«أ» بين؛ في ما بين (to walk ~ the trees). «ب» على طول كذا. «ج» عَبْر أو ضمن حدود (traveled ~ the country). «د» طوالَ (enjoyed health ~ life). «هـ» إلى كذا متضمّناً (Monday ~ Saturday) (٤) «أ» أداة بمعنى الانتهاء من (to be ~ one's work). «ب» أداة بمعنى الاجتياز بنجاح (to get ~ an examination) §(٥) من جانب إلى آخر (٦) من البداية إلى النهاية (Do you read books ~?) (٧) حتى النهاية أو التّمام (think it ~) (٨) تماماً (wet ~) (٩) على مرأى من النّاس (Emotion broke ~.) §(١٠) ممتدّ من سطح إلى آخر (a ~ mortise) (١١)«أ» مباشر (a ~ route). «ب» منطلق من غير توقّف (a ~ train). «ج» خاص بمثل هذا القطار (a ~ ticket) (١٢) منتهٍ؛ مشرفٌ على الغاية (I am almost ~.). ~ and ~, تماماً؛ بكلّ ما في الكلمة من معنى.

throughout [thrōō out'] *(prep.; adv.)* (١) في كلّ مكانٍ من كذا (~ the house) (٢) طوالَ (~ life).

throughway [thrōō'wā'] *(n.)* = expressway.

throve [thrōv] *past of* thrive.

throw [thrō] *(vt.; i.; n.)* (١) «أ» يرمي؛ يقذف؛ يلقي. «ب» يطرح (٢) يحوِّل (٣) يبني أو ينشيء (سدّاً الخ.) (٤) يشكِّل (الخزَف) بدولاب الخزّاف (٥) يسدِّد ضربةً (٦) يَغزِل (٧) يقيم (حفلةً) (٨) ينفث (دخاناً) (٩) يُنتِج؛ يحمل (~s a good crop) (١٠) يخسر (المباراة) متعمِّداً؛

يدع الخصم يكسب المباراة (١١) يُعَشِّق أو يفكّ التعشيق (سي) §(١٢) رمي ؛ قذف (١٣) رمية (١٤) مغامرة (١٥) «أ» غطاء. «ب» طرحة ؛ وشاح ؛ لِفاع .

to ~ about (١) يلقي أو يطرح هنا وهناك (٢) يبدِّد ؛ ينفق بغير حساب

to ~ away (١) يطرح ؛ ينبذ (٢) يبدِّد (المالَ الخ.) (٣) يضيع (فرصةً الخ.) (٤) يلفظ (الممثل أو المذيع) الكلام من غير توكيد.

to ~ back (١) يعوق ؛ يصد ؛ يرد (٢) يجعله يتكل على (٣) يعكس (الضوء) (٤) يتأسّل: يرتد إلى صفات الأسلاف.

to ~ down (١) يطرحه أرضاً ؛ يُطيح به (٢) يرمي . (٣) ينبذ ؛ يتخلى عن.

to ~ in (١) يضيف أو يضم مجاناً (أو على سبيل البقشيش) (٢) يبدي (ملاحظةً الخ.) بصورة عابرة (٣) يُقلع عن محاولة ما ؛ يعترف بعجزه عن عمل شيء ما (٤) يفرِّق الحروف المنضَّدة (٥) ينضم إلى (٦) يعشِّق التروس (سي).

to ~ off (١) «أ» يتخلّص من. «ب» يطرح (٢) ينفث (٣) يصنع بسرعة أو بسهولة (٤) يحوِّله عن اتجاهه (٥) يضلّل (٦) يشرع في الصيد (٧) يذمّ ؛ يقدح ؛ يطعن.

to ~ oneself at يبذل غايةَ جهده للفوز بحبّ شخص أو صداقته أو الحظوة عنده.

to ~ oneself into يشرع في عمل شيء بهمة ونشاط.

to ~ (something) open يفتح.

to ~ out (١) «أ» يُقصي ؛ يُبعِد ؛ يطرد . «ب» ينبذ ؛ يطرح (٢) يعبّر عن (٣) يرفض (٤) يُري ؛ يُبدي للعيان (٥) يسبقه أو يخلّفه وراءه (٦) يُطلِق ؛ ينفث (٧) يمدّ ؛ ينشر (٨) يشوّش ؛ يفسد نظام شيء (٩) يُبرِز ؛ يوضح (١٠) يفكّ التعشيق (سي).

to ~ over (١) يتخلى عن (٢) يرفض.

to ~ together (١) يجمع أو يؤلّف بسرعة (٢) يجمع.

to ~ up (١) يَرفع بسرعة (٢) «أ» يتخلّى عن . «ب» يستقيل من (٣) يبني بعجلة (٤) يتقيأ (٥) يُنتِج ؛ يُطلع (٦) يُبرِز ؛ يجعله أكثر وضوحاً (٧) يذكر تكراراً على سبيل التوبيخ.

throwaway [-'ə wā'] *(n.)* إعلان يُوزَّع باليد ؛ نشرة مجانية.

throwback[-'băk'] *(n.)* التأسّل (را. atavism) أو إحدى نتائجه.

thrown [thrōn] *past part. of* throw.

throw rug *(n.)* سجادة صغيرة (لتغطية جزء من أرض الغرفة).

throwster [thrō'stər] *(n.)* الغزّال : غازل الحرير ونحوه.

thru [thrōō] *(prep.; adv.; adj.)* = through.

thrum [thrŭm] *(n.; vt.; i.)* (١) نُسالة الخيوط أو الغزْل . (٢) *pl.* : «أ» حاشية من هذه النسالة. «ب» قِطع صغيرة من خيوط الحبال (مل) (٣) قطعة صغيرة (٤) صوت مداعبة الأوتار أو النقر على الطاولة الخ. §(٥) «أ» يزوّد أو يغطي بنُسالة الخيوط. «ب» يصنع من نُسالة الخيوط (٦) يداعب أوتار آلةٍ موسيقية (٧) ينقر (على الطاولة الخ.) بأصابعه (٨) يلقي على نحو مضجر أو رتيب ×(٩) يطلق صوتاً كصوت الوتر المداعب (Blood ~*med* in his ears.).

thrush [thrŭsh] *(n.)* : (١) الدُّجّ ؛ السُّمْنَة : طائر مغرد (٢) القُلاع : مرض من أمراض الأطفال ، بخاصة ، يُصيب الفم والحلْق.

thrush

thrust [thrŭst] *(vt.; i.; n.)* (١) «أ» يدفع . «ب» يُقحِم (٢) يَغرز (٣) يمدّ ؛ ينشر (٤) يطعن (٥) يفرض عليه أمراً ؛ يُكرهه على قبول شيء ×(٦) يشق طريقه الخ. §(٧) طعنة (٨) «أ» تهجّم. «ب» هجوم (عسكري) (٩) الدفع : قوة دافعة (ملك) (١٠) ضغط قوي متواصل (١١) حركة (جماعةٍ من الناس) في اتجاه معين.

to ~ aside يردّ ؛ يدفع ؛ يُبْعِد جانباً.

thud [thŭd] *(n.; vi.)* (١) ضربة (٢) صوت مكتوم (لضربة أو سقطة) §(٣) يتحرك أو يرتطم محدثاً صوتاً مكتوماً.

thug [thŭg] *(Hin.)* السفّاح ؛ السفّاك ؛ قاطع الطريق.

thuggee [thŭg'ē] *(Hin.)* قتل ؛ لصوصية ؛ سفك دماء.

thuja [thōō'jə] *(L.)* = arborvitae.

Thule [thōō'lē] *(Gk.)* أقصى الشمال (عند الاغريق والرومان).

thulium [thōō'lĭ əm] *(L.)* الثُّليوم : عنصر فِلِزّي (ك).

thumb [thŭm] *(n.; vt.)* (١) إبهام اليد (٢) ovolo §(٣) «أ» يقلّب الصفحات بإبهامه. «ب» يوسّخ أو يبلي بتقليب متكرر للصفحات (٤) يطلب الركوب بسيارة منطلقة (أو يُوفَّق إلى هذا الركوب) بأن يشير بإبهامه إلى الجهة التي يريد الشخوص إليها.

~*s* down علامة الاستهجان والرفض.

~*s* up علامة الموافقة أو القبول.

to ~ one's nose يضع إبهامه على أنفه ويبسط سائر أصابعه ازدراءً أو تحدياً.

under the ~ of تحت سلطة فلان أو نفوذه.

thumbhole [thŭm'-] *(n.)* ثقب الإبهام (وبخاصة في آلة موسيقية).

thumb index *(n.)* الدليل الإبهامي : ثقوب نصفية في حافة المعجم ونحوه يستعين بها المرء على الاهتداء إلى الصفحة الأولى من الحرف الذي يريد مراجعته.

thumbnail [thŭm'-] *(n.; adj.)* (١) ظُفْر الإبهام (٢) شيء صغير أو موجز §(٣) مُختصَر ؛ موجز (a ~ sketch).

thumb nut *(n.)* الصمولة (العزقة) الابهامية : صمولة تُدار بالابهام.

thumbprint [thŭm'prĭnt] *(n.)* بَصْمة الابهام.

thumbscrew [thŭm'skrōō'] *(n.)* (١) اللولب أو القلاووظ الإبهامي (٢) أداة تعذيب يُضغَط بها على الإبهام أو الإبهامين.

thumbscrew

thumbtack [thŭm'-] *(n.)* المُسَيْمِير الإبهامي : مسمار صغير عريض الرأس يُدفَع بالإبهام.

thump [thŭmp] *(vt.; i.; n.)* (١) يضرب مُحدِثاً صوتاً مكتوماً (٢) يجلد ؛ يَسُوط (٣) يهزم هزيمة منكرة ×(٤) يقع الخ. مُحدثاً صوتاً مكتوماً §(٥) «أ» ضربة بشيء كليلٍ أو ثقيل. «ب» صوت هذه الضربة.

thumping [-'ĭng] *(adj.)* ضخم أو ممتاز (a ~ majority).

thunder [thŭn'dər] *(n.; vi.; t.)* (١) رَعْد (٢) وعيد صاخب (٣) دويّ ؛ هدير الخ. §(٤) ترْعُد (السماءُ) (٥) يتوعّد ؛ يَهْدِر الخ. ×(٦) يلفظ متوعّداً الخ. (٧) يضرب محدثاً صوتاً كقصف الرعد.

thunderbird [thŭn'dər bûrd'] *(n.)* طائر الرعد : طائر خرافي.

ă at; ā date; â care; ä car; ĕ egg; ē me; ĭ in; ī bite; ŏ lot; ō bone; ô orphan; oi boil; ŏŏ good; ōō boot; ou out; ŭ under; ū unity; û urgent; th thing; th this; zh vision; ə = a in alone, e in system, i in easily, o in gallop, u in circus.

يعتقد الهنود الحمر أنّه يُحدِث البرق والرعد .

thunderbolt [thŭn'dər bōlt'] *(n.)* (١) صاعقة (٢) وعيد صاحب الخ .

thunderclap [thŭn'dər klăp'] *(n.)* قَصْف الرعد أو شيء يُشبهُه .

thundercloud [thŭn'dər kloud'] *(n.)* السَّحابة الرعّادة .

thunder-gust [-gŭst] *(n.)* عاصفة رعدية تَصْحَبها ريح .

thunderhead [thŭn'dər hĕd'] *(n.)* سحابة قَزَعيّة (را. **cumulus**) تُرى قبل العاصفة الرعدية .

thundering [-ing] *(adj.)* (١) راعد (٢) هائل ؛ استثنائيّ ؛ ضخم جداً .

thunderous [-əs] *(adj.)* راعد ؛ مدوٍّ (~ applause) .

thunderpeal [thŭn'dər pēl'] *(n.)* قصف الرعد ؛ هزيم الرعد .

thundershower [thŭn'dər shou'ər] *(n.)* الوابل الرَّعدي : مطر مصحوب ببرق ورعد .

thunderstick [thŭn'dər stĭk] *(n.)* = **bullroarer.**

thunderstorm [thŭn'dər stôrm'] *(n.)* العاصفة الرعديّة : عاصفة مصحوبة ببرق ورعد .

thunderstrike [thŭn'dər strīk'] *(vt.)* يَصْعَق ؛ يَشْدَه .

thunderstruck [thŭn'dər strŭk'] *(adj.)* مصعوق ؛ مَشْدوه .

thurible [thŏŏr'ə bəl] *(n.)* مِبْخَرَة .

thurifer [thŏŏr'ə-] *(n.)* حامل المبْخَرة (في الاحتفالات الدينية) .

Thursday [thûrz'dĭ] *(n.)* الخميس ؛ يوم الخميس .

thus [t̸hŭs] *(adv.)* (١) هكذا (٢) إلى هذا الحدّ (~ wise) . (٣) وهكذا ؛ وبالتالي ؛ وإذن (٤) مثلاً .

~ **far** إلى هنا ؛ حتى هذه النقطة .

thwack [thwăk] *(vt.; n.)* (١) يضرب (بشيء مسطّح ثقيل) . § (٢) ضربة (بشيء كهذا) .

thwart [thwôrt] *(adv.; adj.; vt.; n.)* (١) بانحراف ؛ بالعرض . § (٢) مورب ؛ معترض (٣) عنيد ؛ شَموس § (٤) يعارض ؛ يقاوم (٥) يَخذل ؛ يُحبط (٦) يعوق ؛ يحول دون نموّ شيء أو تحقيقه § (٧) مقعد المجذِّف .

thwartwise [thwôrt'wīz] *(adv.)* بالعرض ؛ على نحو مستعرض .

thy [t̸hī] *(pron.; adj.)* ... لك ؛ خاصّتك ؛ مِلكُكَ .

thyme [tīm; thīm] *(n.)* الصَّعْتَر ؛ الزعتر : نبات من الفصيلة الشفوية .

-thymia لاحقة معناها : حالة عقليّة (schizo*thymia*) .

thymic [tī'mĭk; thī'-] *(adj.)* صَعْتَري .

thymic [thī'-] *(adj.)* تُوتيّ : متعلّق بالغُدّة الصَّعْتَرِيّة .

thymine *(n.)* الثيمين ؛ الصعترين (ك) .

thymol [thī'mōl; -mŏl] *(n.)* الثيمول : مادة تستخرج من الصَّعْتر وتُستخدَم كمطهِّر .

thymus [thī'məs] *(n.)* التُّوتة ؛ الغُدّة الصَّعْتَريّة : غدة صغيرة صمّاء قرب قاعدة العنق (ت) .

thymy *or* **thymey** [tī'mĭ; thī'mĭ] *(adj.)* صعتريّ ؛ زعتري .

thyr- *or* **thyro-** بادئة معناها : دَرَقيّ (*thy*roxine) .

thyratron [thī'rə trŏn] *(n.)* الثايراترون : صِمام ألكترونيّ ثلاثيّ مليء بالغاز .

thyroid [thī'roid] *(adj.; n.)* (١) دَرَقيّ (٢) الغدّة الدَّرقية (ت) . (٣) الغضروف الدرقي (ت) (٤) الخلاصة الدرقية : مستحضَر مستخرج من الغدد الدرقيّة في بعض الحيوانات .

thyroid body *(n.)* الغدّة الدَّرقيّة (ت) .

thyroid cartilage *(n.)* الغضروف الدَّرَقيّ : تفاحة آدم (ت) .

thyroidectomy *(n.)* استئصال الغدّة الدَّرقيّة (جر) .

thyroid gland *(n.)* الغُدّة الدَّرقيّة : غدة صمّاء في العنق (ت) .

thyroiditis [thī'roi dī'tĭs] *(L.)* الدُّراق : التهاب الغدّة الدرقيّة .

thyroxine *or* **thyroxin** [thī rŏk'sēn; sĭn] *(n.)* الدَّرَقين : هرمون الغدّة الدرقيّة .

thyrse [thûrs] *(L.)* الشِّمْراخ : شكل من أشكال الازهار (نب) .

thyrsus [thûr'səs] *(L.)* pl. **-si** [-sī] (١) الثِّرْسوس : صولجان أو رمح يتوَّج بحِلْيةٍ على شكل كوز صنوبرٍ ويُلَفّ أحياناً بأعواد الكرمة (كان يحمله باخوس وأتباعه) (٢) الشمراخ (را. thyrse) .

thysanopteran [thī'sə nŏp'-] *(n.; adj.)* (١) هُدبيّة الأجنحة : واحدة من هدبيّات الأجنحة **Thysanoptera** وهي رتبة حشرات صغيرة تمص أوراق بعض النباتات § (٢) هدبيّ الأجنحة .

thysanuran [thī'sə nyŏŏr'ən] *(n.; adj.)* (١) هُدْبيّة الذَّنَب : واحدة من هُدْبيات الأذناب **Thysanura** وهي رتبة من الحشرات عديمة الأجنحة § (٢) هُدْبيّ الذَّنَب .

thyself [t̸hī sĕlf'] *(pron.)* = **yourself.**

tiara [tī âr'ə] *(L.)* (١) «أ» عمامة (عند قُدامى الفرس) . «ب» تاج البابا المثلّث (٢) عصابة لرأس المرأة مرصَّعة بالجواهر أو مزدانة بالزهور .

tiara 1 *b.*

tiara 2.

Tibetan [tĭ bĕt'ən] *(n.; adj.)* (١) التيبتيّ : أحد أبناء التيبت (٢) التيبتيّة : لغة أبناء التيبت § (٣) تيبتي .

tibia [tĭb'ĭ ə] *(L.)* pl. **-e** [-ē] *also* **-s** (١) الظُّنْبوب : عظم الساق الأكبر (ت) (٢) التيبية : مزمار أو «فلوت» قديم .

tic [tĭk] *(F.)* العَرّة : تقلّص لاإرادي في عضلات الوجه خاصة .

tical [tĭ käl'; -kôl'; tē'kəl] *(n.)* = **baht.**

tic douloureux [dōō'lōō rōō'; -rœ'] *(F.)* عرّة الوجه المؤلمة (مض) .

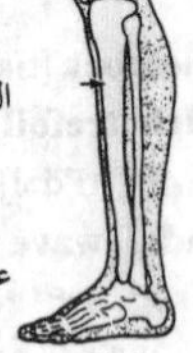

tibia 1.

tick [tĭk] *(n.; vi.; t.)* (١) القُرادة : حشرة تمتص دم الحيوانات (٢) «أ» التَّكّة : إحدى تكات الساعة . «ب» لحظة (٣) نقطة أو علامة صغيرة (يُلفت بها الانتباه إلى شيء أو يعلَّم بها بندٌ في لائحة الخ.) (٤) غلاف أو كيس الوسادة الخ. (٥) قماش أغلفة الوسائد الخ. (٦) دَيْن ؛ نسيئة § (٧) يتكتك ؛ يُتكتك (٨) ينقضي ؛ ينصرم × (٩) يؤشّر أو يَسِم بنقطة أو علامة صغيرة (١٠) يسجّل أو يعلن بتكتكات أو نحوها (a meter ~*ing* off his cab fare) .

on ~, نَسيئةً ؛ بالدَّيْن ؛ على الحساب .

to ~ somebody off يوبّخه ؛ يقرّعه .

ticker [tĭk'ər] *(n.)* (١) فا **tick** (٢) ساعة (٣) التلغراف الكاتب (٤) القلب (ع) .

ticker tape *(n.)* شريط التلغراف الكاتب : شريط ورقي يطبع عليه التلغراف الكاتب ما يتلقّاه من أنباء .

ticket [tĭk'ĭt] *(n.; vt.)* (١) بطاقة (تبيّن سعر شيء الخ.) . (٢) تذكرة (سفرٍ أو دخولٍ) (٣) لائحة بمرشّحي حزب (٤) الصواب ؛ عين الصواب (That's the ~.) § (٥) يضع بطاقة على (٦) يزود بتذكرة .

to vote the straight ~, يصوّت لجميع مرشحي حزب ما .

ticket agency *(n.)* وكالة التذاكر : وكالة لبيع تذاكر السفر أو المسرح أو الملاهي .

ticket agent *(n.)* (١) وكيل التذاكر : وكيل شركة للنقل يبيع تذاكر السفر بالطائرة أو القطار الخ. (٢) بائع تذاكر المسرح الخ.

ticket office *(n.)* مكتب التذاكر (في شركة للنقل أو مسرح الخ.) .

ticket-of-leave [tĭk ĭt ŏv lēf'] *(n.; adj.)* (١) بطاقة إطلاق السراح : بطاقة تمنح السجين حريته قبل انقضاء مدة محكوميته شرط خضوعه لشروط معينة §(٢) حاملٌ بطاقةَ إطلاق السراح (a ~ man) .

tick fever *(n.)* (١) الحُمّى القُراديّة : حمّى ناشئة عن لسْع القُراد (٢) حمّى تكساس : مرض مُعْدٍ من أمراض الماشية .

ticking [tĭk'ĭng] *(n.)* قماش أغلفة الوسائد الخ .

tickle [tĭk'əl] *(vi.; t.; n.)* (١) يستشعر وخزاً خفيفاً ×(٢) يُرضي ؛ يُبْهِج (٣) يدغدغ (٤) يداعب (٥) يسبب الشعور بوخز خفيف §(٦) إحساس بوخز خفيف (٧) إبهاج ؛ دغدغة ؛ مداعبة .

tickler [tĭk'lər] *(n.)* (١) فا tickle ، وبخاصة : أداةٌ من ريشٍ لوخز وجوه الآخرين في كرنفال أو نحوه (٢) مُذكِّرة ؛ مفكِّرة الخ. (٣) سؤال أو وضعٌ محيِّر .

ticklish [tĭk'lĭsh] *(adj.)* (١) سريع التأثّر بالدغدغة . (٢) «أ» حسّاس. «ب» سريع الغضب (٣) قلِق ؛ مُتقلقِل (٤) دقيق (a ~ situation) .

ticktack *or* **tictac** [tĭk'tăk] *(n.)* (١) تكتكة (٢) أداة يستخدمها الأطفال للنقر على النوافذ من بعيد .

ticktacktoe *also* **tic-tac-toe** [tĭk'tăk tō'] *(n.)* : التكْتكْتُو : لعبة يتناوب فيها كلٌّ من اللاعبين رسم علامةٍ خاصةٍ به ضمن مربّع من مربّعات رقعةٍ ما ، ويفوز فيها من يوفَّق قبل غيره إلى مَلء ثلاثة مربّعات متوالية بعلامته الخاصة .

ticktock [tĭk'tŏk'] *(n.)* تكتكة ساعة كبيرة .

tick trefoil *(n.)* الدِّسْموديون : نبات ثلاثيّ الوريقات .

tidal [tī'dəl] *(adj.)* مدّيّ جَزْريّ : متعلق بالمدّ والجزْر .

tidal wave *(n.)* (١) الموجة المدّيّة : موجة بحريّة شديدة الارتفاع تعقب الزلزال أحياناً (٢) ارتفاع مياه الشاطىء على نحو استثنائي بسبب من الرياح العاصفة (٣) موجة عارمة ؛ انتصار كاسح (في الانتخابات) الخ .

tidbit [tĭd'bĭt'] *(n.)* طعام شهيّ ؛ نبأ سارّ الخ .

tiddledywinks [tĭd'əl dĭ wĭngks'] *or* **tiddlywinks** [tĭd'lĭ wĭngks'] *(n.)* لعبة الأقراص والكأس : لعبة قِوامُها قذْف أقراص صغيرة ملوّنة بحيث تستقرّ في كأس .

tide [tīd] *(n.; vt.)* (١) فرصة مناسبة (٢) موسم (Christ-mas*tide*) (٣) «أ» المدّ والجزر . «ب» المدّ (ضدّ الجزْر) (٤) شيء متقلب كالمد والجزْر (٥) «أ» مياه جارية . «ب» تيار . «ج» مياه المحيط . «د» فيضان §(٦) ينقل شيئاً (أو يجعله يطفو) بالمدّ والجزر (٧) يتغلّب على صعوبة (٨) يساعد (امرءاً) على التغلب على صعوبة .

tideland [tīd'-] *(n.)* أرض المدّ : أرض يغمرها المدّ عند ارتفاعه .

tidemark [tīd'-] *(n.)* (١) العلامة المدّيّة أو الجزْريّة : «أ» علامة تخلّفها مياه البحر عند ارتفاعها أو عند انخفاضها . «ب» علامة توضع إشارةً إلى هذه النقطة (٢) النقطة المدّيّة أو الجزرية : النقطة التي بلغها شيء ما أو التي انخفض إلى ما دونها .

tidewaiter [tīd'-] *(n.)* مفتش جمركيّ يعمل على متون السفن .

tidewater [tīd'wô'tər] *(n.)* (١) مياه المدّ (٢) مياه يتجاذبها المدّ والجزر (٣) شاطىء البحر .

tideway [tīd'wā'] *(n.)* سبيل المدّ ؛ مسلك المدّ .

tidings [tī'dĭngz] *(n. pl.)* أنباء (sad ~) .

tidy [tī'dĭ] *(adj.; vt.; n.)* (١) ريّان ؛ ممتلىء الجسم (٢) ملائم ؛ مُرْضٍ (٣) حسَن (٤) مرتّب ؛ أنيق (٥) منهجيّ ؛ دقيق (thinking ~) (٦) ضخم (a ~ sum) §(٧) يرتّب §(٨) غطاء زيني لظهر الكرسي الخ. (٩) وعاء لأدوات الخياطة الخ .
—**tidily** *(adv.)* —**tidiness** *(n.)*

tidytips [tī'dĭ tĭps'] *(n.)* نبات من اللّيّا العريضة اللّسَيْنات : الفصيلة المركّبة .

tie [tī] *(n.; vt.; i.)* (١) «أ» رباط . «ب» شريط الحذاء . (٢) «أ» الشدّادة : عارضة أو زاوية الخ. تشدّ جزءين من المبنى بعضهما إلى بعض . «ب» قضيب الربط : قضيب مستعرض تُشدّ إلى أمثاله قضبان السكّة الحديدية لتثبيتها في موضعها (٣) صلة ؛ رابطة (٤) الرِّباط : خطّ منحنٍ يربط بين نغمتين على سطر واحد (٥) «أ» تعادلٌ (في الأصوات أو النقاط المحرزة في لعبة) . «ب» مباراة تُختتَم بمثل هذا التعادل (٦) طريقة الرَّبط (٧) «أ» الأُرْبة : رباط العنق . «ب» حذاء اكسفورد (را. oxford) §(٨) يربط ؛ يعقد (٩) «أ» يربط برباط الزوجية . «ب» يربط برباط موسيقي (١٠) يقيّد (١١) يعادل (في مباراة) ×(١٢) يُربَط ؛ يُعقَد (١٣) يتعادل (The two teams ~ *d.*) .

to ~ into يهاجم أو يوبّخ أو يلتهم أو يباشر عملاً بقوة ونشاط .

to ~ up (١) يربط بإحكام (٢) يعطّل (العملَ أو النشاط) (٣) يعوق أو يعرقل (السير الخ.) (٤) يوظف (المالَ) بحيث يتعذّر استثماره في أغراض أخرى (٥) يَشْغَل امرءاً أو يستغرق وقتَه كلّه (٦) يرتبط أو يتصل بِـ (٧) يشترك أو يتشارك مع .

tieback [tī'băk] *(n.)* (١) المِردّة : حبل زينيّ يُشَدّ به خصْر الستارة إلى جانب النافذة (٢) *pl.* عد : ستارة ذات ميردّة .

tie beam *(n.)* الشدّادة : رافدة خشبية رابطة (عم) .

tie-in [tī'ĭn'] *(n.)* (١) صلة ؛ رابط (٢) صلة خفيّة أو سريّة .

tiepin [tī'pĭn] *(n.)* = scarfpin.

tier [tĭr] *(n.; vt.)* (١) صفّ ؛ وبخاصة : أحد صفوف المدرّج . (٢) طبقة §(٣) يضع أو يرتّب في صفوف مدرّجة أو طبقات ×(٤) يرتفع على هذا النحو .

tier [tī'ər] *(n.)* (١) فا tie (٢) مئزر للأطفال (ع) .

tierce [tĭrs] *(n.)* (١) الثُّلثيّ : وحدة وزن قديمة تعادل ٤٢ غالوناً . (٢) الثلاثية : ثلاث ورقات متعاقبة من منظومة واحدة (في ورق اللعب) .

tiers état [tyĕr zĕ tä'] *(F.)* الطبقة الثالثة : طبقة العوامّ .

tie-up [tī'ŭp'] *(n.)* (١) «أ» مَرْسًى . «ب» زريبة بقَر أو مربط بقرة فيها (٢) توقف أو تعطّل (السّير أو العمل) (٣) صلة ؛ ارتباط .

tiff [tĭf] *(n.; vi.)* (١) مشاحنة ؛ شجارٌ بسيط §(٢) يتشاحن ؛ يتشاجر .

tiffin [-'ĭn] *(n.; vi.)* (١) غَداء §(٢) يتغدّى : يتناول طعامَ الغداء .

tiger [tī'gər] *(n.)* (١) «أ» نَمِر ؛ بَبْر . «ب» هرة مخطّطة . «ج» سمكة كبيرة عدوانية (٢) «أ» السفاح المتعطّش إلى الدماء . «ب» التعطّش إلى الدماء (٣) الشجاع .

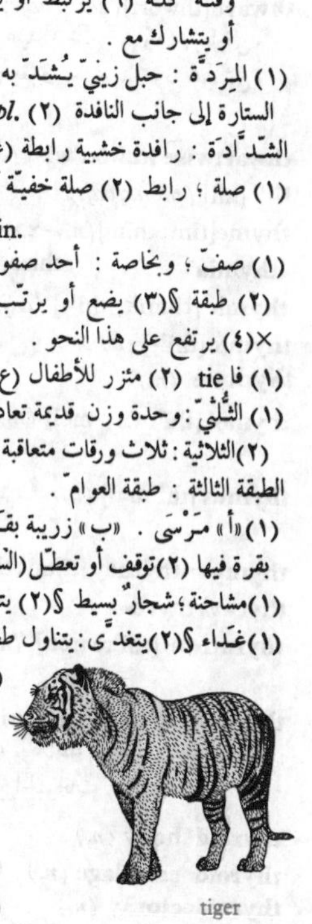

tiger

tiger beetle *(n.)* الخنفساء

النَّمِريّة : خنفساء مُفْتَرِسَة للحشرات .

tiger cat

tiger cat *(n.)* : الهِرَّة النَّمِريَّة : «أ» هرَّة مفترسة . «ب» هرَّة أهلية مخطّطة .

tigereye [tī'gər ī'] *also* **tiger's-eye** [tī'gərz ī'] *(n.)* عين النَّمِر : حجر أسمر مُصفَرّ تصنع منه بعض الحلي .

tigerish [tī'gər ĭsh] *(adj.)* نَمِريّ ، مفترِس ، وحشيّ .

tiger lily *(n.)* الزَّنْبق النَّمِيري ، الزَّنْبق المخطَّط (نب) .

tight [tīt] *(adj.; adv.)* (١) سَدُود ، كتيم (٢) «أ» محكم الاغلاق . «ب» مشدود ، وثيق (a ~ knot) (٣) ضيّق (٤) مُلْتَزّ ، متراص (٥) بارع ؛ يقِظ (٦) أنيق (٧) حرِج (in a ~ situation) (٨) شديد ؛ محكَم (٩) بخيل (١٠) متعادل النتائج تقريباً (a ~ match) (١١) محشوّ أو مضغوط إلى أبعد حد ؛ مملوء تماماً (~ bales) (١٢) ثَمِل ؛ سكران (١٣) مكثَّف جداً (his ~ literary style) (١٤) ملزوز الكلمات (a ~ line) (١٥) نادر ؛ يصعب الحصول عليه (a ~ commodity) §(١٦) بإحكام الخ . (door is shut ~) (١٧) عميقاً (sleep ~).

tighten [tī'tən] *(vt.; i.)* (١) يشدّ ؛ يضيّق الخ . ×(٢) يَضيق . (٣) يقِل ؛ يندر (٤) يتحسّن (٥) يتوتّر .

tightfisted [tīt'fĭs'-] *(adj.)* بخيل ؛ منقبض الكفّ ؛ مغلول اليد .

tightrope

tightrope [tīt'rōp'] *(n.)* : حبل البهلوان : حبل مشدود يقوم البهلوان بألاعيبه عليه .

tights [tīts] *(n. pl.)* الرداء المحكَم : ثوب ضيّق يرتديه الراقص أو البهلوان .

tightwad [-'wŏd'] *(n.)* البخيل ؛ الشحيح .

tightwire [tīt'wīr] *(n.)* سِلك البهلوان : سلك مشدود يقوم البهلوان بألاعيبه عليه .

tigress [tī'grĭs] *(n.)* (١) النَّمِرة : أنثى النَّمِر (٢) امرأة شرسة .

tike [tīk] *(n.)* (١) كلب (٢) شخص غريب الأطوار (٣) طفل .

til [tĭl; tēl] *(Hin.)* سِمْسِم (نب) .

tilbury

tilbury [-'bĕr'ĭ] *(n.)* التِلْبِرية : مركبة خفيفة ذات عجلتين .

tilde [tĭl'də] *(Sp.)* التِلْدة : علامة (~) توضع فوق حرف *n* في الاسبانيّة إشارةً إلى أنه يُلفَظ *ny* (كما في cañon مثلاً) .

tile [tīl] *(n.; vt.)* (١) «أ» آجرّة ، قرميدة . «ب» آجرّ ؛ قرميد . (٢) أنبوب فخاريّ (٣) رُقاقة من فلين أو مطاط الخ. تُكسَى بها أرضيّة الحجرة أو جدرانها (٤) قبعة ، وبخاصة قبعة حريريّة عالية §(٥) يكسو بالآجرّ الخ .

tilefish [tīl'fĭsh'] *(n.)* التَّلْفِيش : سمكة بنفسجيّة ضخمة على رأسها زائدة لحميّة .

tiling [tī'lĭng] *(n.)* (١) القرمدة : تغطية بالقرميد (٢) قرميد . (٣) سطح مُقَرْمَد .

till [tĭl] *(prep.; conj.)* (١) إلى ؛ حتى (٢) إلى أن .

till [tĭl] *(vt.; n.)* (١) يحرث ؛ يفلح §(٢) صندوق أو دُرج في خزانة (توضع فيه النفائس) (٣) دُرج النقود (في متجر أو بنك) (٤) طين قاسٍ مشتمل على حجارة وحصى وغير ذلك من مخلّفات نهر جليديّ (جي) .

tillage [tĭl'ĭj] *(n.)* (١) حراثة ؛ فلاحة (٢) أرض محروثة .

tillandsia [tĭ lănd'zĭ ə] *(L.)* التيلاندزيا : نبات أميركيّ .

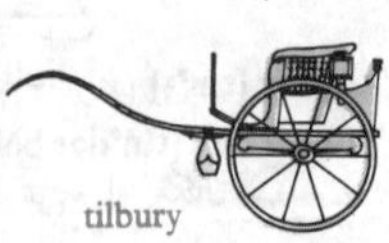

tiller 2

tiller [tĭl'ər] *(n.; vi.)* (١) الحارث ، الفلاّح . (٢) ذراع الدفّة (مل) (٣) الخَلْف : غُصَيْن ينْجم من الجذر (نب) §(٤) يُخْلِف : يُطلع النبات خُلُوفاً .

tillerman [tĭl'ər mən] *(n.)* مدير ذراع الدفة (مل) .

tilt [tĭlt] *(vt.; i.; n.)* (١) يُمِيل ؛ يميل (٢) يسدّد (رمحاً) . ×(٣) يَميل ، ينحدر (٤) يتطاعن ؛ يتثاقف (بالرماح) (٥) يشنّ هجوماً §(٦) مطاعنة ، مثاقفة (٧) مُشادّة كلامية (٨) سرعة (at full ~) (٩) «أ» إمالة ، تمييل . «ب» انحدار . «ج» منحدَر (١٠) المطاعنة أو المثاقفة المائية (رب).

tilt [tĭlt] *(n.; vt.)* (١) غطاء (عربةٍ أو زورقٍ) §(٢) يغطّي أو يزوّد بغطاء .

tilth [tĭlth] *(n.)* (١) حراثة ؛ فلاحة (٢) أرض محروثة .

tilt hammer *(n.)* المِطرقة السقّاطة .

tiltmeter [tĭlt'mē-] *(n.)* المِحدار : أداة لقياس انحدار سطح الأرض .

tiltyard [tĭlt'yärd] *(n.)* ساحة المطاعنة أو المثاقفة .

timbal [tĭm'bəl] *(Ar.)* نقّارية ؛ طبلة (مو) .

timbale [tĭm'bəl] *(F.)* الطِّمْبَل : «أ» لحم مفروم الخ . يُطهَى في قالب . «ب» قالب صغير من المعجنات يُحشَى بطعام مَطْهُوّ .

timber [tĭm'bər] *(n.; vt.)* (١) «أ» أشجار . «ب» غابات . (٢) خشب (للبناء أو النجارة) (٣) قطعة خشب كبيرة (٤) ضلع (من أضلاع المركب) (٥) مادّة §(٦) يكسو أو يدعّم بالأخشاب .

timbered [-'bərd] *(adj.)* (١) «أ» مصنوع من خشب . «ب» مكسوّ أو مزوّد بالأخشاب (٢) شاجِر ؛ كثير الأشجار (~ acres) .

timbering [-'bər ĭng] *(n.)* (١) أخشاب (٢) شيء مصنوع من أخشاب .

timberland [tĭm'bər lănd'] *(n.)* غابة ؛ مَشْجَرة .

timberline [tĭm'bər līn] *(n.)* النِّطاق الشجريّ : الحدّ الذي لا ينمو الشجر بعده في الجبال والمناطق القطبيّة بسبب البرد .

timber wolf *(n.)* ذئب الغابات : ذئب شماليّ أميركي ضخم .

timberwork [tĭm'bər wûrk'] *(n.)* شيء مصنوع من أخشاب .

timbre [tĭm'bər] *(F.)* جَرْس (صو) .

timbrel [tĭm'brəl] *(n.)* = tambourine.

time [tīm] *(n.; vt.; adj.)* (١) «أ» وقت . «ب» وقت كافٍ . «ج» وقت فراغ (٢) الوقت المناسب ؛ الفرصة المناسِبة (٣) موعد ؛ ميعاد ؛ أوان (٤) «أ» زمن . «ب» عصر (ancient ~s) . «ج» *pl.* : الأحوال السائدة في الوقت الحاضر أو في فترة معيّنة من الماضي (the trend of the ~s) . «د» العصر الحاضر (important issues of the ~) (٥) مدة حياة المرء أو خدمته العسكريّة أو الأيّام التي يقضيها في السجن (٦) فَصْل ؛ موسم (It's very hot for this ~ of year.) (٧) نسبة السرعة (في السير أو الرقص أو الكلام) (٨) الساعة (what ~ is it?) (٩) توقيت (summer ~) (١٠) «أ» مرّة . «ب» *pl.* : أضعاف (١١) «أ» الساعات التي قضاها (أو التي يجب أن يقضيها) المرء في العمل . «ب» الأجر محدّداً بالساعة الخ . «ج» الأجور المدفوعة عند الصرف أو الاستقالة (Pick up your ~ and get out.) §(١٢) يُوَقِّت (١٣) يناغم ؛ يجعله منسجماً مع §(١٤) زمنيّ ؛ موقوت (a ~ bomb) (١٥) «أ» تقسيطيّ ؛ بالتقسيط (a ~ purchase) . «ب» مقسَّط (a ~ payment) .

ahead of (born before) one's ~(s) تقدّمي إلى حدّ بعيد.
at a ~, في كل مرّة ؛ على حدة.
at one ~, في فترة ما (من الزمن الماضي).
at ~s أحياناً ؛ من حين إلى آخر.
behind the ~s ← behind.
in no ~, بمثل لمح البصر.
in ~, (١) في الوقت المحدّد أو المناسب (٢) عاجلاً أو آجلاً.
near her ~, على وشك الوضع أو الولادة.
the ~ of day الساعة أو الزمن كما تعلنهما الساعة.
the ~ of one's life فترة سعادة أو متعة استثنائية.
~ and again تكراراً ؛ مرّةً بعد أخرى.
~s without number تكراراً ؛ مرّات من غير حصر.
to keep good (bad) ~, تعلن (الساعة) الوقتَ على نحو صحيح (أو خاطىء).

time and a half *(n.)* الأجر ونصفُه: أجر العامل (لقاءَ العمل الإضافي) بمعدّل واحد ونصف من أجره العادي.

time capsule *(n.)* كبسولة الزمان: وعاء مشتمل على سجلّ تاريخي أو على أشياء ممثّلة لثقافة العصر يوضع تحت حجر الأساس من مبنى بحيث يظلّ مصوناً حتى تكتشفه الأجيال القادمة.

time card *(n.)* بطاقة الدوام: بطاقة تُستخدَم مع ساعة ضبط الدوام ويُسجَّل عليها زمان بدءِ العامل عملَه وتركِهِ إيّاه كلَّ يوم.

time clock *(n.)* ساعة الدوام: ساعة تسجّل زمان بدء العامل عملَه وتركِهِ إيّاه على بطاقة دوامه الخاصة.

time-consuming [tīm'kən sōō'mĭng] *(adj.)* (١) مستغرق وقتاً طويلاً (٢) مضيّع للوقت.

timed [tīmd] *(adj.)* (١) موقوت (a ~ explosion) (٢) ذو توقيت من نوع معيّن (a poorly ~ speech).

time exposure *(n.)* (١) التعريض الزمني: تعريض الفيلم الفوتوغرافي للطاقة الإشعاعية فترة معيّنة تزيد عادةً على نصف ثانية (٢) صورة مأخوذة بالتعريض الزمني.

time fuse *(n.)* الصِّمامة الزمنيّة: صِمامة كهربائية تحترق بعد فترة معيّنة.

time-honored *(adj.)* متمتّع بقداسة القِدَم (~ customs).

time immemorial *(n.)* زَمَن مُوغِل في القِدَم.

timekeeper [tīm'kē'pər] *(n.)* (١) ساعة (٢) مسجِّل ساعات العمل (في مصنع) (٣) ضابط الوقت أو مُعلِنُه (في مباراة رياضيّة).

time killer *(n.)* (١) قاتلُ الوقت أو مُضيعُهُ سُدىً (٢) مَضيَعَةٌ للوقت.

timeless [tīm'-] *(adj.)* (١) سرمديّ (٢) خالد؛ لا يُبليه كرّ الأيام.

time loan *(n.)* القرض الموقوت: قرض واجب الوفاء في وقت معيّن.

timely [tīm'lĭ] *(adv.; adj.)* (١) في حينه؛ في الوقت المناسب §(٢) حادثٌ في الوقت المناسب.

time money *(n.)* = time loan.

time-out *(n.)* (١) تعطيل ؛ تعليق (٢) تعطيل موقّت للّعب (رب).

timepiece [tīm'pēs'] *(n.)* ساعة.

timer [tī'mər] *(n.)* (١) ساعة؛ وبخاصة: ساعة السباق (٢) timekeeper (٣) الموقِّتة: أداة في محرك داخلي الاحتراق تجعل الشرارة تنبعث في الوقت المناسب (سي).

times [tīmz] *(prep.)* في؛ مضروباً في (3 ~ 3 is nine.).

time-saver [tīm'-] *(n.)* مُوفِّر الوقت: شيء موفّر للوقت.

timesaving [tīm'-] *(adj.)* مُوفِّر للوقت (~ methods).

timeserver [tīm'sûr'vər] *(n.)* الانتهازيّ: المساير للرأي العام أو لذوي السلطة (تحقيقاً لمصالحه).

timeserving [tīm'-] *(adj.; n.)* (١) انتهازيّ §(٢) الانتهازية.

time sheet *(n.)* صحيفة الدوام أو ساعاتِ العمل.

timetable [tīm'-] *(n.)* جدول مواعيد (القُطُر أو الطائرات الخ.).

timework [tīm'wûrk] *(n.)* العمل المأجور بالساعة أو اليوم.

timeworn [tīm'wōrn'] *(adj.)* (١) بالٍ؛ أكل الدهر عليه وشرب (٢) «أ» عتيق. «ب» مبتذل «بايخ» (~ jokes).

timid [tĭm'ĭd] *(adj.)* جبان؛ رعديد؛ مخلوع الفؤاد.

timidity [tĭm ĭd'-]; **timidness** [tĭm'ĭd-] *(n.)* جُبْن؛ جبانة.

timing [tī'mĭng] *(n.)* (١) توقيت (٢) تسجيل للوقت (بساعة توقيت).

timocracy [tī mŏk'rə sĭ] *(n.)* التيموقراطيّة: حكومة مبنيّة على أساس الثروة أو حبّ المجد.

timorous [tĭm'ər əs] *(adj.)* جبان؛ هيّاب.

timothy [tĭm'ə thĭ] *(n.)* التيموثية؛ عصويّة المروج: عشب أوروبي.

timpani [tĭm'pə nē'] *(It.)* الدُّفّيّة: دُفّان (أو أكثر) ينقر عليهما عازف واحد (مو).

tin [tĭn] *(n.; vt.; adj.)* (١) قَصدير؛ صفيح (٢) تنكة؛ علبة من قصدير (٣) علبة طعام محفوظ §(٤) يُقَصْدِر: يطلي بالقصدير (٥) يُعلّب §(٦) قصديريّ (٧) زائف؛ كاذب.

tinamou [tĭn'ə mōō'] *(F.)* التِّنام: طائر جنوبأميركي.

tinamou

tincal [tĭng'käl] *(n.)* التِّنكال: بورَقٌ خام.

tinct [tĭngkt] *(adj.; n.)* (١) مصبغ؛ ملوّن §(٢) صبغة؛ لون.

tinctorial [tĭngk tōr'ĭ əl] *(adj.)* تلوينيّ؛ صِباغيّ.

tincture [tĭngk'chər] *(n.; vt.)* (١) «أ» صِبْغ. «ب» لون (٢) صِبغة؛ طابع مميّز (٣) مسحة؛ أثر ضئيل (٤) صَبغة (صي) §(٥) يَصبِغ (٦) يُشْبِع.

tinder [tĭn'-] *(n.)* كلّ مادّة سريعة الالتهاب؛ وبخاصة: صُوفان.

tinderbox [tĭn'dər bŏks'] *(n.)* (١) علبة القَدْح: علبة معدنيّة تشتمل على صُوفان وحجر قدْح (٢) شيء أو مكان سريع الالتهاب (٣) شخص سريع الغضب.

tine [tīn] *(n.)* الشوكة: كل شيء ناتىء مستدقّ الطرَف.

tinea [tĭn'ĭ ə] *(n.)* القُوباء الحَلَقيّة: مرض جلديّ مُعْدٍ.

tinfoil [tĭn'foil] *(n.)* = silver paper.

ting [tĭng] *(n.; vt.; i.)* (١) رنين (٢) يُرِنّ ×(٣) يَرِنّ.

tinge [tĭnj] *(vt.; n.)* (١) يُلَوِّن (تلويناً خفيفاً) (٢) يُشْبِع برائحة خفيفة أو طعم خفيف (٣) يَشوب §(٤) لون خفيف (٥) مسحة؛ أثر.

tingle [tĭng'gəl] *(vi.; n.)* (١) يستشعر وخزاً خفيفاً (من أثر ضربة أو برد أو اهتياج) (٢) يُحدِث مثل هذا الشعور (٣) يرِنّ §(٤) إحساس بوخز خفيف الخ.

tin hat *(n.)* خوذة معدنيّة؛ خوذة فولاذيّة (ع).

tinhorn [tĭn'hôrn] *(n.)* شخص أو مقامر متبجّح (رغم قلّة مقدرته أو ماله).

tinker [tĭngk'ər] *(n.; vi.; t.)* (١) الصفّاح؛ السمكريّ (٢) عامل غير بارع (٣) سمكة صغيرة؛ وبخاصة: سمكة إسقمري صغيرة §(٤) يقوم بعمل الصفّاح أو السمكري (٥) يعمل بغير

ă at; ā date; â care; ä car; ĕ egg; ē me; ĭ in; ī bite; ŏ lot; ō bone; ô orphan; oi boil; ŏŏ good; ōō boot; ou out; ŭ under; ū unity; û urgent; th thing; t̶h this; zh vision; ə = *a* in alone, *e* in system, *i* in easily, *o* in gallop, *u* in circus.

براعة (٦) يَشغَل نفسه بشيء ما على غير طائل ×(٧) يُصلح الخ. بغير براعة .

tinker's damn *or* **tinker's dam** *(n.)* شيء عديم القيمة .

tinkle [tĭng'kəl] *(vi.; t.; n.)* (١) يرنّ ×(٢) يعلن (الوقت) بالرنين (٣)«أ» يجعله يرنّ . «ب» يوقع نغمةً بهذه الطريقة §(٤) رنين .

tinman [tĭn'mən]; **tinner** [tĭn'ər] *(n.)* الصفّاح ؛ السَّمكري .

tinnitus [tĭ nī'təs] *(L.)* طنين الأذنين (مض) .

tinny [tĭn'ĭ] *(adj.)* (١) صفيحيّ (٢) شبيه بالصفيح : «أ» خفيف ؛ رخيص. «ب» فارغ (novels ~) (٣) صفيحيّ الطّعم أو الرائحة.

Tin Pan Alley *(n.)* (١) حيّ المشتغلين بتأليف الموسيقى الشعبية وناشريها (٢) جماعة من أمثال هؤلاء الموسيقيين والناشرين .

tinplate [tĭn'plāt'] *(n.)* صفيحة معدنية أو فولاذية مُقَصْدَرَة .

tin-plate [tĭn'plāt'] *(vt.)* يُقَصْدِر : يطلي صفيحةً بالقصدير .

tinsel [tĭn'səl] *(n.; adj.; vt.)* (١) البَهْرَجان: خيوط أو أشرطة معدنية أو ورقية أو لدائنية لمّاعة تزيّن بها المنسوجات وشجرات الميلاد الخ. (٢) شيء مُبَهْرَج ولكنّه تافه §(٣) مُبَهْرَج §(٤) يبهرِج .

tinsmith [tĭn'smĭth'] *(n.)* الصفّاح ؛ السَّمكري .

tinstone [tĭn'stōn'] *(n.)* = cassiterite.

tint [tĭnt] *(n.; vt.)* (١) لون خفيف (٢) درجة من درجات لون (painted in several ~s of green) (٣) مسحة ؛ أثر (٤) تظليل (في الحفر الزنكوغرافي) ناشيء عن سلسلة من الخطوط الدقيقة المتوازية (٥) الخلفيّة : خلفيّة خفيفة اللون تطبع عليها صورة (طع) (٦) صَبغة شَعْر §(٧) يلوّن على نحو خفيف.

tintinnabulary [tĭn'tĭ năb'yə lər ĭ] *(adj.)* جرَسيّ ؛ رنيني : متعلق بالأجراس أو أصواتها .

tintinnabulation [tĭn'tĭ năb'yə lā'-] *(n.)* رنين الأجراس .

tintometer [tĭn tŏm'ə tər] *(n.)* مقياس الألوان .

tinware [tĭn'wâr'] *(n.)* الأواني الصفيحيّة : أوانٍ من صفيح .

tinwork [-'wûrk'] *(n.)* (١) شيء مصنوع من صفيح (٢) *pl.*: معمل الصفيح أو الأواني الصفيحية .

tiny [tī'nĭ] *(adj.)* صغير جداً ؛ بالغ الصِّغَر .

tip [tĭp] *(n.; vt.)* (١) «أ» الأسَلة : طرفُ الشيء المستدقّ . «ب» رأس ، قمة §(٢) «أ» يوسِّل : يجعل له طرفاً مستدقاً . «ب» يكسو أو يزيّن طَرَف الشيء الخ. (٣) يقلّم ؛ يشذّب .

tip [tĭp] *(vt.; i.; n.)* (١) يقلِب (٢) يُميل ؛ يُميِّل ×(٣) ينقلب (٤) يَميل ، ينحرف §(٥) قَلْب ؛ إمالة ؛ مَيَلان (٦) المقلَب : موضع تُقلَب أو تُلقَى فيه القمامة .

tip [tĭp] *(vt.; i.; n.)* (١) يمسّ ، يضرب برفق ×(٢) يقف أو يمشي على رؤوس أصابعه §(٣) ضربة خفيفة .

tip [tĭp] *(vt.; i.; n.)* (١) يمنح ؛ يعطي (٢) ينفَح : يمنحه بقشيشاً §(٣) النَّفحة : بقشيش ؛ راشن .

tip [tĭp] *(n.; vt.)* (١)فكرة مفيدة؛ إلماع مفيد (٢) معلومات سرية يُدلي بها شخص حسَن الاطّلاع ويُستفاد منها في المراهنة أو المضاربة) §(٣) يزوّد بمعلومات سرية كهذه (تتبعها *off* عادةً).

tipcart [tĭp'kärt] *(n.)* العربة القلّابة : عربة ذات بدنٍ يُقلَب لتفريغ حمولتها .

tipi [tē'pē] *(n.)* = tepee.

tip-off [tĭp'ôf'] *(n.)* (١) تزويد (أو تزوّد) بمعلومات سرية يُستعان بها في المراهنة أو المضاربة (٢)«أ»إشارة؛ إلماع. «ب» تحذير.

tipper [tĭp'ər] *(n.)* (١) فا tip (٢) الشاحنة القلّابة (يُقلب بدنها لتفريغ حمولتها).

tippet [-'ĭt] *(n.)* (١) ذيل الكمّ أو اللِّفاع الخ. (٢) لِفاع مذيَّل.

tipple [-'əl] *(vt.; t.; n.)* (١) يرتشف (الخمرَ) ×(٢)يدمن الخمر §(٣) خمر (٤) «أ» الميقلَب : أداة تقلب بدَن بعض الشاحنات لتفريغها. «ب» المَقلَب : موضع تُقلَب عنده الشاحنة لتفريغها.

tippler [tĭp'lər] *(n.)* (١) مرتشِف الخمر (٢) مدمن الخمر .

tipstaff [tĭp'stăf'] *(n.)* (١) عصا يكسو طرَفَها غطاء معدني (٢) شرطيّ ؛ حاجب في محكمة الخ .

tipster [tĭp'stər] *(n.)* بائع المعلومات السريّة (للافادة منها في المراهنات) .

tipsy [tĭp'sĭ] *(adj.)* (١)مترنح سُكْراً (٢)قلِق؛ عرضة للانقلاب.

tiptoe [tĭp'tō'] *(n.; adv.; adj.; vi.)* (١)«أ» رأس إصبع القدم. «ب» رؤوس أصابع القدم §(٢) على رؤوس الأصابع §(٣) «أ» واقف أو ماشٍ على رؤوس أصابعه . «ب» يقِظ . «ج» حذِر §(٤) يقف أو يمشي على رؤوس أصابعه .

on ~, (١) على رؤوس الأصابع (٢) متوقّع بلهفة . (٣) حذِر .

tip-top [tĭp'tŏp'] *(n.; adj.)* (١)قمة §(٢)ممتاز ؛ من الطراز الأول.

tirade [tī'rād] *(n.)* (١) خطبة مسهبة عنيفة (٢) تقريع مطوّل .

tire [tīr] *(vi.; t.)* (١) يتْعَب ، يكِلّ ×(٢) يتعِب ؛ يُنهِك . (٣) يُضجِر ، يُبرِم .

tire [tīr] *(n.; vt.)* (١)عصابة لرأس المرأة أو حلية لشعرها §(٢)يزيّن.

tire [tīr] *(n.)* الإطار : إطار العجلة المعدني أو المطاطي .

tired [tīrd] *(adj.)* (١) متْعَب (٢) بالٍ (٣) سَئِم (٤) مبتذَل ؛ «بايخ» (jokes ~) .

tireless [tīr'lĭs] *(adj.)* (١) لا يتعب ؛ لا يعرف التعَب أو الكلل (workers ~) (٢) متواصل (efforts ~) .

tiresome [tīr'səm] *(adj.)* متعِب ؛ مُضجِر ؛ مُبرِم ؛ مُمِل .

tirewoman [tīr'wŏŏm'ən] *(n.)* الماشطة ؛ الوصيفة .

tiring-room [tīr'-] *(n.)* حجرة اللُّبس أو التزيّن (وبخاصةٍ في مسرح).

tiro [tī'rō] *(n.)* المبتدئ؛ القليل الاختبار .

tissue [tĭsh'ōō] *(n.)* (١)نسيج رقيق (٢)منديل ورقيّ (٣)نسيج (أح).

a ~ of lies نسيج (أو سلسلة) من الأكاذيب .

tissue paper *(n.)* ورق رقيق شبه شفّاف .

tit [tĭt] *(n.)* (١) حلَمة (٢) فرس صغير أو رديء (٣) عصفور.

titan [tī'tən] *(n.; adj.)* (١) *cap.*: التيتان : واحد من أسرة الجبابرة التي حكمت العالم قبل آلهة الأولمب (مث) (٢) الجبّار : العظيم القوة أو الحجم §(٣) *cap.*: جبار ؛ هائل ؛ ضخم .

titanate [tī'tə nāt'] *(n.)* تيتانات (ك) .

titanic [tī tăn'ĭk] *(adj.)* (١) *cap.*: تيتانيّ : منسوب إلى التيتانيين (را. titan I) (٢) جبّار ، هائل ، عظيم القوة أو الحجم (٣) تيتانيومي : منسوب إلى التيتانيوم (ك) .

titanic acid *(n.)* الحمض التيتانيومي (ك) .

titaniferous [tī'tə nĭf'ər əs] *(n.)* تيتانيومي : محتوٍ أو منتِج تيتانيوماً (ك) .

Titanism [tī'tə nĭz'əm] *(n.)* التيتانية : الروح المميِّزة للتيتان (را. titan I) ؛ وبخاصة: الثورة على الأعراف الاجتماعية أو الفنيّة.

titanium [tī tā'nĭ əm] *(n.)* التيتانيوم : عنصر فلزي (ك) .

titanosaur [tī tăn'ə sôr] *(n.)* التيتنصور : دينوصور (را. dinosaur) جنوبأميركي (ح) .

ă at; ā date; â care; ä car; ĕ egg; ē me; ĭ in; ī bite; ŏ lot; ō bone; ô orphan; oi boil ŏŏ good; ōō boot; ou out; ŭ under; ū unity; û urgent; th thing; th this; zh vision; ə = *a* in alone, *e* in system, *i* in easily, *o* in gallop, *u* in circus.

titanous [tī tăn'əs] *(adj.)* تيتانيومي: منسوب إلى التيتانيوم (ك).

titbit [tĭt'bĭt'] *(n.)* = tidbit.

titer *or* **titre** [tī'tər; tē'-] *(F.)* العيار الحجمي (ك) .

tit for tat [tĭt fôr tăt'] ضربة بضربة ؛ واحدة بواحدة: ثأر .

tithe [tīth] *(vt.; i.; n.)* (١) يدفع أو يقدم عُشر كذا (وبخاصة إلى الكنيسة) (٢) يفرض دفع العُشر على × (٣) يدفع العُشر (وبخاصة إلى الكنيسة) §(٤) العُشر : عُشر الغلة أو المال يُدفع إلى الكنيسة بخاصّة (٥) «أ» عُشر . «ب» جزء صغير (٦) ضريبة صغيرة .

tithing [tī'thĭng] *(n.)* العُشارية : دائرة إدارية صغيرة (في انكلترة) .

titi [tē tē'] *(Sp.)* الطِيطي : سعدان جنوبأميركي صغير .

titi [tī'tī] *(n.)* الطِيطيّة : شجرة جنوبأميركيّة .

titillate [tĭt'ə lāt'] *(vt.; i.)* يدغدغ .

titivate *or* **tittivate** [tĭt'ə vāt'] *(vt.; i.)* (١) يُؤنّق × (٢) يتأنّق .

titlark [tĭt'lärk'] *(n.)* = pipit.

title [tī'təl] *(n.; vt.)* (١) اسم (كتاب أو قصيدة الخ.) (٢) عنوان (فصل الخ.) (٣) لقب (٤) البطولة ؛ لقب البطولة (He won the ~.) (٥) «أ» حقّ شرعي . «ب» سَنَد الملكية (٦) حقّ §(٧) يُسمّي ؛ يُعَنْوِن (٨) يلقّب .

titled [tī'təld] *(n.)* ذو لقب (وبخاصة من ألقاب النبالة) .

title deed *(n.)* صكّ التمليك ؛ سَنَد الملكيّة .

titleholder [tī'təl hōl'dər] *(n.)* حامل اللقب ؛ وبخاصة : البطل ؛ حامل لقب البطولة .

title page *(n.)* صفحة العنوان (الحاملة اسم الكتاب ومؤلّفه وناشره) .

title role *(n.)* الدَّور العنواني : الدَّور الذي تستمدّ منه المسرحيّة عنوانها أو اسمها (كدَور ماكبث أو هملت في مسرحيّتي شكسبير) .

titlist [tī'təl ĭst] *(n.)* = titleholder.

titmouse

titmouse [tĭt'-] *(n.)* القُرقُف : طائر صغير قصير المنقار .

Titoism [tē'tō ĭz'əm] *(n.)* التيتويّة ؛ المذهب التيتوي : مذهب في السياسة منسوب إلى المارشال تيتو ، اليوغوسلافي ، قِوامُه تعلّق الدولة الشيوعيّة بأهداب سياسة قوميّة خاصة بها بمعزل عن الاتحاد السوفياتي وأحياناً على نحوٍ مناوىء له .

titrate [tī'trāt] *(vt.; i.)* يعاير (ك) .

titration [tī'trā-] *(n.)* المعايَرة ؛ المعايرة بالتحليل الحجمي (ك) .

titre [tī'tər; tē'tər] *(n.)* = titer.

tit-tat-toe [tĭt'tăt tō'] *(n.)* = ticktacktoe.

titter [tĭt'ər] *(vi.; n.)* (١) يضحك على نحو نصف مكبوت §(٢) ضحكة كهذه .

tittle [tĭt'əl] *(n.)* (١) علامة أو نقطة فوق حرف (٢) ذرّة ؛ مثقال ذرّة ؛ مقدار ضئيل جداً .

tittle-tattle [tĭt'əl tăt'əl] *(n.)* لَغو ؛ قيلٌ وقال .

tittup [tĭt'əp] *(vi.; n.)* (١) يتخطّر ؛ يتبختر §(٢) تخطُّر ؛ تبختر .

titular [tĭch'ə lər; tĭt'yə lər] *(adj.; n.)* (١) «أ» اسمي . «ب» شَرَفيّ (٢) حاملٌ لقباً (٣) متعلّق أو مرتبط بلقب أو ناشىء عنه §(٤) شخص ذو لقب .

tizzy [tĭz'ĭ] *(n.)* اهتياج شديد (حول مسألة تافهة) .

tmesis [tə mē'sĭs] *(Gk.)* فَسْخ كلمة مركّبة بإقحام لفظة فيها .

TNT [tē ən tē'] *(n.)* [*tri*nitro*t*oluene] = trinitrotoluene.

to [tōō] *(prep.; adv.)* (١) «أ» إلى . «ب» نحو (٢) على ؛ على شرف (drank ~ her health) (٣) قبل (ten minutes ~ six) (٤) «أ» بمصاحبة (sang ~ her guitar) . «ب» استجابةً لِـ (was beaten ~ death) (٥) حتى (came ~ her call) (٦) بالقياس إلى ؛ بالمقارنة مع (inferior ~ his earlier novels) (٧) «أ» وَفقاً لِـ (add sugar ~ taste) . «ب» بحسب (~ the best of my knowledge) (٨) في رأي فلان (~ her it seems unnecessary.) (٩) تحت ؛ بسبب (fell ~ his opponent's blows) (١٠) مقابل ؛ ضدّ (The score was 8 ~ 5.) (١١) أن (wants ~ study) §(١٢) إلى حالة الوعي (brought her ~ with smelling salts) . ~ and fro (١) جيئةً وذُهوباً (٢) غادٍ رائحٌ ؛ غادية رائحة (~ motion) .

toad [tōd] *(n.)* (١) العُلجُوم ؛ ضفدع الطين (٢) شخص أو شيء تافه .

toadeater [tōd'ē'tər] *(n.)* = toady.

toadfish [tōd'fĭsh] *(n.)* السمك العُلجُومي : سمك بحري ضخم الرأس عريض الفم .

toadstone [tōd'-] *(n.)* الحجر العُلجومي : حجرٌ يُعتقَد أنه تكوّن في رأس العلجوم أو جسده وكانوا قديماً يتخذون منه تميمةً واقية .

toadstool [tōd'stōōl'] *(n.)* الغاريقون : ضرب من الفُطور ؛ وبخاصة : الغاريقون السامّ (نب) .

toady [tōd'ĭ] *(n.; vt.; i.)* (١) المتملّق ؛ المتزلّف §(٢) يتملق ؛ يتزلف .

toast [tōst] *(vt.; i.; n.)* (١) يحمّص (الخبز) (٢) يدفّىء ؛ يسخّن (٣) يشرب نَخْبَهُ × (٤) يتحمّص (٥) يدفأ ؛ يَسْخُن §(٦) «أ» خبز محمَّص . «ب» طعام معَدّ بخبز محمَّص (٧) «أ» الشخص أو الشيء الذي يُشرَب نخبُه . «ب» معبود الجماهير الخ. (He was the ~ of Paris.) (٨) شُرب النخب .

toaster [tōs'tər] *(n.)* (١) فا toast (٢) مِحمَصة خبز كهربائية .

toastmaster [tōst'-] *(n.)* (١) مَن يتصدّر الوليمة ويقدّم الخطباء (٢) النخّاب : مَن يدعو إلى شرب الأنخاب في وليمة .

—**toastmistress** *(n. fem.)*

tobacco [tə băk'ō] *(Sp.)* (١) تبغ (٢) سكاير الخ. (٣) تدخين .

tobacco heart *(n.)* القُلاب التبغي : مرض قلب ناشىء عن الإفراط في التدخين .

tobacconist [tə băk'ə nĭst] *(n.)* الدُّخاني : بائع السكاير الخ.

to-be [tōō bē'] *(adj.)* مقبِل ؛ في المستقبل (a bride-*to-be*) .

toboggan [tə bŏg'ən] *(n.; vi.)* (١) مِزلقة (٢) «أ» انحدار . «ب» هبوط شديد (في القيمة أو السعر) §(٣) يتزلّق (٤) يهبط (السعر) فجأة وبشدة .

toby

toby [tō'bĭ] *(n.)* الطُوبيّ : «أ» إبريق للجعة على شكل رجل بدين يعتمر قبّعة ثلاثيّة الزوايا . «ب» سيجار طويل رخيص .

toccata [tə kä'tə] *(It.)* التوكاتيّة : مقطوعة موسيقية معَدّة لإظهار البراعة في العزف على البيان أو الأرغن .

tocology [tō kŏl'ə jĭ] *(n.)* عِلم القِبالة ؛ صناعة التوليد .

tocsin [tŏk'sĭn] *(n.)* ناقوس الخطر .

tod [tŏd] *(n.)* التَّود : وحدة وزن للصوف (٢٨ باونداً) .

today [tə dā'] *(adv.; n.)* (١) اليومَ (٢) في هذه الأيام §(٣) اليومُ أو الوقت أو العصر الحاضر .

toddle [tŏd'əl] *(vi.; n.)* (١) يَدرُج : يمشي بخطىً قصيرة قلقة (كخطى الأطفال) §(٢) الدَّرج : مشيٌ بخطى قصيرة قلقة .

toddy [tŏd'ĭ] *(Hin.)* (١) التوديّة : عُصارة النخيل الطازجة أو المختمرة (٢) التودي : شراب حارّ مُسكِرٌ مُحَلّى .

ă at; ā date; â care; ä car; ĕ egg; ē me; ĭ in; ī bite; ŏ lot; ō bone; ô orphan; oi boil; ŏŏ good; ōō boot; ou out; ŭ under; ū unity; û urgent; th thing; th this; zh vision; ə = *a* in alone, *e* in system, *i* in easily, *o* in gallop, *u* in circus.

to-do [tə dōō'] *(n.)* لَغَطٌ ؛ ضجّة ؛ اهتياج .

tody [tō'dĭ] *(F.)* التَوْدَس : عصفور أخضر الريش أحمره .

toe [tō] *(n.; vt.; i.)* (١) إصبع القدَم (٢) مقدّم القدم أو الحافر . (٣) مقدّم الجورب أو الحذاء (٤) مُرتكَز محْمَلِيّ (مك) §(٥) يجعل (للجورب الخ.) مقدّماً (٦) يمسّ أو يبلغ أو يدفع بمقدّم القدم (٧) يدق المسمار على نحو مائل (٨) يثبّت بمسمار كهذا ×(٩) يقف أو يمشي على رؤوس أصابعه ×(١٠) يقارب أو يباعد بين مقدّمي قدميه (في الوقوف أو المشي) .

on one's ~s (١) مفعَم بالنشاط أو الحياة (٢) مستعدّ للعمل أو لانتهاز الفرصة .

to ~ the line يلتزم قاعدةً أو سياسةً التزاماً شديداً .

toe cap *(n.)* قطعة جلد تغطّي مقدّم الحذاء وتُقوّيه أو تزيّنه .

toed [tōd] *(adj.)* (١) ذو عدد أو نوع معيّن من أصابع القدم (five-*toed*) (٢) مدقوق على نحو مائل (~ nails) (٣) مثبّت بمسامير كهذه .

toe dance *(n.)* رقصة على رؤوس الأصابع .

toehold [tō'hōld] *(n.)* (١) موطىء لرؤوس الأصابع (في التسلّق). (٢) موطىء ؛ إصبع ؛ موطىء قدم بسيط (At that time the Turks had only a ~ in Europe.) (٣) مسكة القدم : مسكة في المصارعة يلوي فيها المصارع قدم خصمه .

toe-in [tō'ĭn] *(n.)* تقارب العجلتين الأماميتين (سي) .

toenail [tō'nāl] *(n.; vt.)* (١) ظُفر إصبع القدم (٢) مسمار مدقوق على نحو مائل §(٣) يثبّت بمسمار كهذا (نج) .

toff [tŏf] *(n.)* الأنيق ؛ المتأنّق ؛ شخص أنيق الملبس أو المظهر .

toffee *or* **toffy** [tôf'ĭ] *(n.)* الطوفي : حلوى قاسية دبقة .

toft [tôft] *(n.)* (١) منزل (٢) الأرض التي يقوم عليها منزل .

tog [tŏg] *(n.; vt.)* (١) سِترة (٢) *pl.* : ملابس §(٣) يلبس .

toga [tō'gə] *(L.)* التوجة : «أ» ثوب روماني فضفاض. «ب» رداء مهني أو رسمي أو جامعي فضفاض .

together [tōō gĕth'ər] *(adv.)* (١) معاً (٢) على نحو متّصل ؛ من غير انقطاع (sat talking for hours ~) .

~ with بالاضافة إلى ؛ علاوةً على .

toggery [tŏg'ə rĭ] *(n.)* ملابس ؛ ثياب (ع) .

toggle [tŏg'əl] *(n.; vt.)* (١) مسمار العُقدة : مسمار يُقحَم في عُقدة بغية تثبيتها الخ . (٢) الوُصْلة المَفصِلية أو أداة مزوّدة بها §(٣) يثبّت أو يزوّد بمسمار عقدة .

toggle joint *(n.)* الرُكبة ؛ الوُصلة المَفصِليّة (مك) .

toggle switch *(n.)* المفتاح المَفصِليّ الكهربائي .

toggle switch

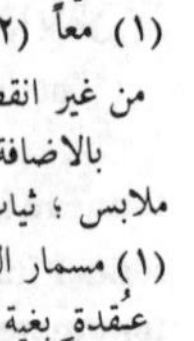

toil [toil] *(n.; vi.)* (١) كَدْح (٢) شبكة ؛ شَرَك . §(٣) يكدح .

toile [twäl] *(F.)* التوال : قماش شفاف .

toilet [toi'lĭt] *(n.)* (١) تزيُّن ؛ تبرُّج (٢) «أ» حمّام . «ب» مِرحاض (٢) «أ» تنظيف لجرح . «ب» تنظيف استعداداً لعمليّة جراحيّة .

toilet paper *(n.)* ورق المرحاض ؛ ورق التغوّط .

toiletry [toi'lĭt rĭ] *(n.)* صابون أو عطر أو مسحوق من مساحيق الزينة (ترد بصيغة الجمع عادةً) .

toilet soap *(n.)* صابون الزينة : صابون معطّر ملوّن .

toilette [twȧ lĕt'] *(F.)* (١) تزيُّن ؛ تبرُّج (٢) ثوب .

toilet water *(n.)* ماء الزينة : سائل كحوليّ معطّر ؛ «كولونيا» .

toilful ; toilsome [toil'-] *(adj.)* شاقّ ؛ متعِب ؛ مُنهِك .

toilworn [toil'wōrn'] *(adj.)* مُتْعَب ؛ منهوك القوى .

Tokay [tō kā'] *(n.)* التوكاي . عنبٌ شديد الحلاوة أو خمرٌ تُعصر منه .

token [tō'kən] *(n.; adj.)* (١) علامة ؛ أمارة (٢) رمز (٣) صفة مميزة (٤) تذْكار (٥) نموذج (٦) العملة الرمزيّة : «أ» مسكوكة معدنيّة (تستخدم كعملةٍ في نطاق محدود كالأوتوبيس الخ.) . «ب» عملة ورقيّة ؛ عملة معدنيّة صغيرة .

by the same ~, (١) للسبب نفسه (٢) وفوق ذلك .

token money *(n.)* العملة الرمزيّة (را. token 6) .

token payment *(n.)* الدفعة الرمزيّة : دفعة صغيرة يدفعها المدين كرمز لاعترافه بالدين .

tola [tō'lä] *(Hin.)* التولا : وحدة وزن هندية (١١,٦٦٤ غراماً) .

told [tōld] *past and past part. of* **tell.**

Toledo [tə lē'dō] *(n.)* الحُسام أو السيف الطُلَيْطُلي .

tolerable [tŏl'ər ə bəl] *(adj.)* (١) محتَمَل ؛ ممكنٌ احتماله . (٢) مقبول ؛ جيدٌ نوعاً .

tolerance [tŏl'ər əns] *(n.)* (١) الاحتمال : القدرة على احتمال (أو مقاومة) عقّار أو سمّ (٢) تسامح (٣) التفاوت المسموح (مك) .

tolerant [tŏl'ər ənt] *(adj.)* (١) قادر على الاحتمال (٢) متسامح .

tolerate [tŏl'ə rāt'] *(vt.)* (١) يحتمل (٢) يجيز ؛ يتسامح بـِ .

toleration [tŏl'ə rā'shən] *(n.)* (١) مص tolerate (٢) سياسة التسامح الديني .

toll [tōl] *(n.; vt.; i.)* (١) مَكْسٌ أو رَسمٌ (على عبور طريق أو جسر أو مخابرة تلفونيّة خارجيّة الخ.) (٢) ضريبة ؛ جزية (٣) قَرْع الناقوس أو دقّةٌ من دقّاته أو صوت هذه الدقّات §(٤) يفرض أو يأخذ مكساً أو رسماً أو ضريبةً على (٥) يَقْرَع ناقوساً (٦) يُقْرَع (الناقوس) .

toll *or* **tole** [tōl] *(vt.)* يُغْوي ؛ يُغْري (وبخاصة الطرائدَ أو الأسماك) .

toll bar *(n.)* حاجز المكوس : حاجز عبر طريق أو جسر لجباية المكوس .

toll call *(n.)* المخابرة الخارجيّة : مخابرة تلفونيّة بعيدة المسافة يُدفع عليها رسمٌ خاص .

tollgate [tōl'gāt'] *(n.)* بوابة المكوس : نقطة تقف عندها العربات لدفع المكوس .

toll house *(n.)* مكتب المكوس : مكتب لتحصيل المكوس .

tollkeeper ; tollman [tōl'-] *(n.)* المكّاس : محصِّل المكوس على طريق أو جسر .

tolu [tô lōō'] *(Sp.)* = balsam of Tolu.

toluene [tŏl'yōō ēn'] *(n.)* التّولويين : سائل عديم اللون شبيه بالبنزين يستخرج من قطران الفحم وغيره ويُستخدم كمذيبٍ وفي صنع المتفجّرات والأصباغ (ك) .

toluic acid [tə lōō'ĭk] *(n.)* حَمْض التولويين (ك) .

toluidine [tə lōō'ə dēn; -dĭn] *(n.)* التولودين : مركّبٌ أمينيّ مشتقّ من التوليويين ويستخدم في صنع الأصباغ والأدوية (ك) .

toluol [tŏl'yōō ōl; -ōl'] *(n.)* = toluene.

tom [tŏm] *(n.)* (١) الذكر من بعض الحيوانات (٢) هِرّ .

tomahawk [tŏm'ə hôk'] *(n.; vt.)* (١) التَمْهُوك : فأس يصطنعها الهنود الحُمْر سلاحاً وأداةً §(٢) يقطع أو يضرب أو يقتل بتَمْهُوك .

Tom and Jerry *(n.)* شراب حارّ مؤلّف من رَم (را. rum) وماء وبيض .

tomahawks

tomato [tə mā'tō] *(Sp.)* pl. **-es** طَماطِم ؛ بنَدورة (نب) .
tomb [tōōm] *(n.; vt.)* (١) قبر ؛ ضريح ؛ جَدَث §(٢) يدفن .
tombac [tŏm'băk] *(F.)* التُمْبَك : سبيكة نحاس وزنك لصنع الحلى الرخيصة .
tomboy [tŏm'boi'] *(n.)* الغُلاميّة : فتاة صخّابة تحبّ أن تلعب ألعاب الصبيان .
tombstone [tōōm'stōn'] *(n.)* شاهِد ، بلاطة ضريح .
tomcat [tŏm'kăt'] *(n.)* هِرّ ؛ قِطّ .
tomcod [tŏm'kŏd'] *(n.)* التُمكود: ضَرْب صغير من سمك القُدّ .
Tom Collins [kŏl'ĭnz] *(n.)* التومكولينز : مُسكِر من جِنّ وعصير ليمون وماء الصودا .
Tom, Dick, and Harry *(n.)* كلّ إنسان؛ كلّ من هبّ ودبّ .
tome [tōm] *(F.)* (١) جزء أو مجلّد (من كتاب) (٢) كتاب كبير .
-tome لاحقة معناها : جزء .
tomentose [tə mĕn'tōs] *(adj.)* كثّ الزَّغَب أو الشَّعْر .
tomfool [tŏm'fōōl'] *(n.; adj.)* أحْمق ؛ مجنون .
tomfoolery [tŏm'fōō'lə rĭ] *(n.)* حماقة ؛ جنون ؛ سخافة .
Tommy [tŏm'ĭ] *also* **Tommy Atkins** [ăt'kĭnz] *(n.)* جندي بريطانيّ .
tommy gun [tŏm'ĭ] *(n.)* رُشَيْشة ؛ مدفع تومي (جن) .
tommyrot [tŏm'ĭ rŏt'] *(n.)* حماقة أو سخافة بالغة .
tomography [tə mŏg'rə fĭ] *(n.)* الرَّسم السطحيّ أو الطبَقيّ (بأشعّة اكس) .
tomorrow [tə môr'ō] *(adv.; n.)* (١) غداً §(٢) الغد .
tompion [tŏm'pĭ ən] *(n.)* = tampion.
Tom Thumb *(n.)* (١) قزَم من أبطال الحكايات الشعبية (٢) قزم .
tomtit [tŏm'tĭt] *(n.)* طائر صغير ، وبخاصة : القُرْقُف .
tom-tom [tŏm'tŏm'] *(Hin.)* (١) طبلة صغيرة (٢) صوت رتيب ؛ نقرات طبل رتيبة .
-tomy لاحقة معناها : بَتْر ؛ استئصال (appendec*tomy*) .
ton [tŭn] *(n.)* الطّنّ : «أ» وحدة وزن تساوي ٢٢٤٠ باونداً في انكلترة و ٢٠٠٠ باوند في الولايات المتحدة الأميركيّة وكندا. «ب» الطن المتري : ألف كيلوغرام . «ج» وحدة للسعة الداخلية (مئة متر مكعب) أو للسعة الحَمْلية (٤٠ متراً مكعباً) في سفينة . «د» مقدار أو عدد كبير .
ton [tôn] *(F.)* (١) الزيّ السائد (٢) أناقة .
tonal [tō'nəl] *(adj.)* نَغَميّ : منسوب إلى النغمة أو النّغْميّة .
tonality [tō năl'ə tĭ] *(n.)* (١) النّغْميّة : صفة اللحن المتوقفة على سُلّمه الموسيقيّ (٢) الصِّبغيّة : التّسَق اللوني في صورة .
tone [tōn] *(n.; vt.; i.)* (١) نَبْرة (الصوت) (٢) نغمة (مو) . (٣) لهجة (٤) أسلوب (٥) «أ» درجة اللون أو الضوء («رم» و «فو») . «ب» الوقع الصِّبغيّ : الأثر الذي يخلّفه الضوء والظلّ ، في النفس ، علاوةً على ألوان الصورة (٦) صحة ، نشاط (recovered mental ~) (٧) «أ» روح . «ب» طابع . «ج» اتجاه عام في السلوك الأخلاقي أو الاجتماعي (٨) مزاج (philosophical ~) §(٩) يعطيه نبرة صوت أو درجة لون معينة ×(١٠) يتناغم ؛ ينسجم .
to ~ down (١) يلطّف (اللونَ أو العبارةَ الخ.) (٢) يَلْطُف : يصبح أقلّ شدّة .
to ~ up. (١) يقوّي (الصوتَ أو اللونَ الخ.) (٢) يتقوّى .
tone arm *(n.)* ذراع الحاكي ، ذراع الفونوغراف .
tone color *(n.)* اللون النّغْميّ ؛ لون النغمة (مو) .
tone poem *(n.)* = symphonic poem.
tone value *(n.)* القيمة الصِّبْغيّة («رم» و «فو») .
tong [tông] *(vt.; i.; n.)* (١) يلتقط (بملقط) §(٢) جمعية سرية صينية .
tonga [tŏng'gə] *(Hin.)* الطُنْجة : عربة بعجلتين يجرها جواد .
tongs [tôngz] *(n. pl.)* مِلقَط ؛ مِلقَطة .
tongue [tŭng] *(n.; vt.; i.)* (١) لسان (٢) كلام (٣) لغة (٤) نُباح (٥) شيء كاللسان ، مثل : «أ» قطعة أرض طويلة ضيقة داخلة في البحر . «ب» لسان الابزيم . «ج» لسان الناقوس . «د» عريش العربة (الفاصلُ بين جواديها) . «هـ» لسان الحذاء (الواقع تحت شريطه) §(٦) يوبّخ (ا.ق) (٧) يمسّ أو يلعق باللسان (٨) يلسّن أو يعشّق الخشبَ ×(٩) يمتدّ على شكل لسان (١٠) ينبح (١١) «أ» يتكلم . «ب» يثرثر (١٢) ينفخ في مزمار الخ.
to give ~, ينبح .
to hold one's ~, يلتزم الصمت .
tongue and groove *(n.)* وُصْلة لسان وثَلْم (نج) .
tongue-lash [tŭng'lăsh] *(vt.; i.)* يوبّخ ؛ يعنّف ؛ يقرّع .
tongueless [tŭng'-] *(adj.)* (١) بلا لسان ، غير ذي لسان (٢) أبكم ؛ أخرس .
tongue-tied [tŭng'tīd'] *(adj.)* معقود اللسان (حياءً أو ارتباكاً) .
tonic [tŏn'ĭk] *(adj.; n.)* (١) توتّريّ (٢) مقوّ ؛ منشّط . (٣) قَراريّ : متعلق بالقرار (مو) (٤) «أ» نَبْريّ : متعلق بالنبرة (ل) . «ب» منبور (ل) §(٥) دواء مقوّ أو منشّط (٦) مستحضر سائل لفروة الرأس (٧) القرار ؛ الأساس ؛ الأراضي (مو) .
tonicity [tō nĭs'ə tĭ] *(n.)* قوة ؛ صحة .
tonight [tə nīt'] *(adv.; n.)* (١) في هذه الليلة §(٢) هذه الليلة .
tonnage [tŭn'ĭj] *(n.)* (١) الرسم الطّنّي : رسم يُفْرض على أساس الطن (٢) الطنّيّة : «أ» السفن من حيث مجموع حمولتها بالطنّ (The ~ built in American shipyards is relatively small.) . «ب» الحمولة بالطنّ . «ج» الوزن بالطنّ .
tonneau [tŭ nō'] *(F.)* المقعد الخلفيّ (في سيارة) .
tonner [tŭn'ər] *(n.)* سفينة الخ. ذات حمولة طُنّيّة معيّنة .
tonometer [tō nŏm'ə tər] *(n.)* التّونومتر : «أ» أداة لقياس درجة النغمة. «ب» أداة لقياس توتر المقلة أو ضغط الدم أو الغاز أو البخار .
tonsil [tŏn'səl] *(n.)* اللوزة : إحدى لوزتَي الحَلْق (ت) .
tonsillectomy [tŏn'sə lĕk'tə mĭ] *(n.)* استئصال اللوزتين (جر) .
tonsillitis [tŏn'sə lī'tĭs] *(L.)* التهاب اللوزتين (مض) .
tonsillotomy [tŏn'sə lŏt'ə-] *(n.)* (١) قَطْع اللوزة (٢) استئصال كلّيّ أو جزئي للّوزتين .
tonsorial [tŏn sōr'ĭ əl] *(adj.)* حِلاقيّ : متعلق بالحِلاقة أو الحلاقين .
tonsure [tŏn'shər] *(n.; vt.)* (١) جَزّ شعر المترهّب أو حَلْق رأسه (٢) الجزء الحليق من رأس الراهب (٣) بقعة جرداء §(٤) يحلق رأس فلان .
tontine [tŏn'tēn] *(F.)* التأمين التكافلي : ضرب من التأمين يتشارك بموجبه عدد من الأشخاص بحيث توزَّع حقوق أحدهم ، عند وفاته ، على سائر رفاقه ، حتى إذا توفوا جميعاً ، إلا واحداً ، انتقلت حقوقهم كلها إليه (تأ) .
tonus [tō'nəs] *(n.)* توتّر العضلة السّويّ (فس) .
too [tōō] *(adv.)* (١) أيضاً ؛ كذلك (٢) أكثر مما ينبغي .

took [tŏŏk] *past of* take.

tool [tōōl] *(n.; vt.; i.)* (١) أداة (٢) وسيلة §(٣)«أ» يسوق ؛ يقود (سيارة) . «ب» ينقل بسيارة (٤) يصنع أو يزيّن بأداة (٥) يزوّد (مصنعاً) بالأدوات والآلات .

toolbox [tōōl'bŏks] *(n.)* صندوق الأدوات ؛ صندوق العُدّة .

tool engineering *(n.)* الهندسة الأداتية : فرع من الهندسة الصناعية يُعْنَى بتطوير الأدوات والآلات وباستنباط الوسائل المفضية إلى إنتاج السِّلَع بأقلّ نفقة ممكنة وأقصر وقت ممكن .

toolholder [tōōl'hōl'dər] *(n.)* مِمْسك العُدّة (مك) .

toolhouse ; toolshed [tōōl'-] *(n.)* مخزن الأدوات أو العُدَد ؛ سُقَيْفة الأدوات أو العُدَد (في حديقة الخ.) .

toolmaker [tōōl'-] *(n.)* صانع الأدوات ، صانع العُدَد .

toolroom [tōōl'-] *(n.)* حجرة الأدوات أو العُدَد .

toon [tōōn] *(Skt.)* التون : شجر استرالي أو خشبه .

toot [tōōt] *(vi.; t.; n.)* (١) يبوّق (horn ~*ed*) ×(٢) ينفخ (في بوق) ؛ يصفّر (صفارة) §(٣)«أ» بُواق . «ب» صفير spree (٤) .

tooth [tōōth] *(n.; vt.)* pl. **teeth** [tēth] (١) سِنّ ؛ ضِرس (ت) . (٢) وُلوع ؛ تعلّق (a ~ for candy) (٣) سنّ المنشار أو الدولاب أو المشط الخ . §(٤) يُسنِّن (to ~ a saw) .

armed to the *teeth* مدجّجٌ بالسلاح .

to fight ~ and nail يقاتل بضراوة .

toothache [tōōth'āk'] *(n.)* وجع السن أو الأسنان .

tooth-billed [tōōth'bĭld] *(adj.)* مسنَّن (أو مثلَّم) المنقار .

toothbrush [tōōth'brŭsh'] *(n.)* فرشاة الأسنان .

toothed [tōōtht] *(adj.)* (١) ذو أسنان (٢) مسنَّن ؛ مثلَّم .

toothless [tōōth'-] *(adj.)* أدرَد : غير ذي أسنان .

toothpaste [tōōth'pāst] *(n.)* معجون الأسنان .

toothpick [tōōth'-] *(n.)* الخِلال : عود الأسنان الذي يُتَخَلَّل به .

tooth powder *(n.)* درور الأسنان : مسحوق لتنظيف الأسنان .

toothsome [tōōth'səm] *(adj.)* (١) لذيذ (٢) جذّاب (جنسياً) .

toothy [tōō'thĭ] *(adj.)* (١) بارز الأسنان أو متكشّف عن أسنان بارزة (smiles ~) (٢) فعّال (a ~ pact) (٣) لذيذ .

tootle [-'təl] *(vi.; t.)* يصفّر أو يبوّق برفق أو تكرار أو استمرار .

top [tŏp] *(n.; adj.; vt.; i.)* (١) «أ» قمة ؛ رأس . «ب» قمة الرأس . «ج» أعلى (٢) غطاء (٣) أوج ؛ ذروة (٤)«أ» المرتبة العليا . «ب» صاحب المرتبة العليا (Congress ~*s*) (٥) صفوة ؛ خِيرة (the ~ of all creation) (٦) خُذْرُوف ؛ بُلبل §(٧) أعلى ؛ عُليا (the ~ shelf) §(٨) «أ» يزيل أو يقطع رأس شيء . «ب» يشذّب ؛ يقلم . «ج» يزيل المواد الأكثر تطايراً (من النفط الخام) (٩) يتوج (arches that ~ the windows) (١٠)«أ» يبلغ القمّة . «ب» ينوف على . «ج» يبزّ ؛ يتفوّق على (١١) «أ» يعتلي . «ب» يتخطّى ؛ يحتلّ ذروة شيء ×(١٢) يختتم (to ~ off a meal with coffee) . —**topless** *(adj.)*

top- or topo- بادئة معناها : مكان ؛ موقع .

topaz [tō'păz] *(L.)* التوباز : حجر كريم مختلف الأشكال والألوان .

top banana *(n.)* الشخص الرئيسي (في جماعة أو مشروع) .

top billing *(n.)* (١) المركز الأوّل «في قائمة أسماء ممثلي فيلم الخ.» (٢) توجيه ؛ تظهير (Samira got ~. Few of these events have received ~ in the French press.)

top boot *(n.)* حذاء طويل الساق ؛ «جزمة» .

topcoat [tŏp'kōt] *(n.)* مِعطف خفيف .

top dog *(n.)* المتمتّع بالسلطة العليا (إثر انتصار باهظ الثمن) .

top drawer *(n.)* أعلى طبقات المجتمع أو السلطة أو الامتياز .

top-dress [tŏp'drĕs'] *(vt.)* يُسمِّد ظاهرَ الأرض .

tope [tōp] *(vi.; n.)* (١) يُسْرِف في معاقرة الخمر §(٢) التُوب : ضرب صغير من سمك القِرش (٣) الإسْطَبَّة (را. stupa) .

topee or topi [tō pē'] *(Hin.)* التُوبية : قبعة هندية من فلّين .

toper [tō'pər] *(n.)* السكّير : المدمن شربَ الخمر .

top flight *(n.)* = top drawer.

topful or topfull [tŏp'fəl'] *(adj.)* مُترَع ؛ طافح .

topgallant [tŏp'găl'ənt] *(n.; adj.)* (١)«أ» الدقَل الأعلى : الجزء الثالث من الدقل أو الصاري . «ب» الشراع الأعلى (مل) (٢) قمة ؛ ذروة §(٣) أعلى (٤) بارز ؛ مرتفع .

top gun *(n.)* الأبرع : شخص في منتهى البراعة .

top hat *(n.)* القبعة الرسميّة : قبعة عالية سوداء يعتمر بها الرجال في الحفلات الرسميّة .

top-heavy [tŏp'hĕv'ĭ] *(adj.)* (١) ثقيل الرأس : رأسه ثقيل جداً بالنسبة إلى جزئه الأدنى ؛ غير مستقرّ (٢) overcapitalized .

top-hole [tŏp'hōl'] *(adj.)* ممتاز ؛ من الطراز الأول أو الأعلى .

tophus [tō'fəs] *(L.)* pl. **-phi** [-fī] الراسب الرملي (في النِّقرِس) .

topiary [tō'pĭ ĕr'ĭ] *(adj.; n.)* (١) مشذّب (على نحوٍ فنيّ جميل) . (٢) تَشْذِيبِيفَنّي : خاص بالتشذيب الفنيّ §(٣) التشذيب الفنيّ (٤) حديقة مشذّبة فنياً .

topic [tŏp'ĭk] *(n.)* (١) موضوع (مقالةٍ أو حديث الخ.) . (٢) نقطة أو جانب من موضوع عام (٣) علاج موضعي خارجي (ط) .

topical [tŏp'ə kəl] *(adj.)* (١) موضوعيّ : متعلق بموضوع مقالةٍ أو حديث (٢) موضعيّ (a ~ remedy) (٣) محليّ (٤) ذو علاقة بالأحداث الجارية ؛ محليّ (أو آنيّ) الأهمية (a ~ news film) .

topknot [tŏp'nŏt'] *(n.)* القُنْزُعة : «أ» حلية للرأس (قِوامُها أشرطة معقودة أو كتلة من ريش أو زهر) . «ب» ريش أو شعر يكسو قمة الرأس ؛ مثل : الريش المجتمع في رأس الديك .

top lift *(n.)* الطبقة الدنيا من كعب الحذاء .

toplofty *also* **toploftical** [tŏp'-] *(adj.)* متكبّر ؛ متغطرس .

topmast [tŏp'măst'] *(n.)* الدقَل المتوسّط : الجزء الثاني من الصاري (مل) .

topmost [tŏp'mōst] *(adj.)* الأعلى ؛ الأسمى .

topnotch [tŏp'nŏch'] *(n.)* أوج ؛ قمة ؛ ذروة .

top-notch *(adj.)* من الطراز الأول (a ~ job) .

top-notcher [-'nŏch'ər] *(n.)* شيء أو شخص من الطراز الأول .

topo- = top-.

topographer [tə pŏg'rə-] *(n.)* الطوبوغرافيّ : العليم بالطوبوغرافيا .

topographic; -al [tŏp'ə grăf'-] *(adj.)* طوبوغرافيّ .

topography [tə pŏg'rə fĭ] *(n.)* الطوبوغرافيا : «أ» الوصف أو الرسم الدقيق للأماكن أو لِسِيماتها السطحية . «ب» السِّمات السطحية لموضع أو إقليم (وتشمل الهِضاب والأودية والبحيرات والأنهار والطرق والجسور الخ.) .

topology [tə pŏl'ə jĭ] *(n.)* الطوبولوجيا : «أ» الدراسة الطوبوغرافية لمكان معيّن ؛ وبخاصة : تاريخ إقليمٍ ما كما تدلّ عليه طوبوغرافيته . «ب» التركيب البِنْيَويّ لناحيةٍ معيّنة من

الجسد . «ج» الهندسة اللاكمّيّة أو اللامقداريّة : فرع من الرياضيّات يعنى بدراسة موقع الشيء بالنسبة إلى الأشياء الأخرى (لا بالمسافة أو الحجم) .

toponym [tŏp'ə nĭm] *(n.)* اسم لموقع جغرافيّ .

toponymy [tə pŏn'ə mĭ] *(n.)* الطوبونيما : دراسة أسماء المواقع الجغرافيّة وأصليها أو أسماء أعضاء الجسد وأوصاله .

topper [tŏp'ər] *(n.)* (١) فا top (٢) «أ» شخص أو شيء ممتاز . «ب» غطاء أو جزء أعلى أو طبقة عليا (٣) «أ» silk hat . «ب» opera hat (٤) شيء (كالنكتة مثلاً) يبزّ كلّ ما سبقه (٥) معطف نسويّ خفيف قصير فضفاض .

topping [tŏp'ĭng] *(n.; adj.)* (١) مص top (٢) شيء (ككتلة من شعر أو ريش) يشكّل قمة أو ذروة (٣) «أ» طبقة علوية تُجعل على قرص من الحلوى أو المعجّنات أو المرطّبات. «ب» طبقة مِلاط أخيرة يُكسى بها الاسمنت (٤) شيء (كالأغصان) يُزال بالتشذيب §(٥) رفيع ؛ سامٍ ؛ عالٍ (٦) ممتاز .

topple [tŏp'əl] *(vi.; t.)* (١) ينقلب ؛ يقع ؛ يسقط (٢) يتداعى للسقوط ×(٣) يقلب ؛ يُسقط ؛ يُطيح بـ .

tops [tŏps] *(adj.)* متفوق على الأقران (من حيث الجودة أو المقدرة الخ.) .

topsail [tŏp'sāl] *(n.)* الشراع الثاني (على دَقَل أو صارٍ) .

top secret *(adj.)* بالغ السريّة ؛ سري للغاية .

top sergeant *(n.)* رقيب أول (جن) .

topside [tŏp'sīd'] *(n.)* (١) الجانب الأعلى (٢) عد *pl.* : الجزء الأعلى من جانب السفينة (٣) السلطة العليا أو أصحابها .

topside [-'sīd'] *(adv.)* (١) أو **topsides** : على ظهر المركب . (٢) إلى أو على السطح أو الجزء الأعلى (٣) في مركز السلطة .

topsoil [tŏp'soil'] *(n.)* التربة الفوقيّة : سطح التربة أو جزؤها الأعلى .

topsy-turvy [tŏp'sĭ tûr'vĭ] *(adv.; adj.; n.)* (١) رأساً على عقب §(٢) معكوس ؛ مقلوب رأساً على عقب §(٣) اضطراب ؛ فوضى .

toque [tōk] *(F.)* التُوكة : قبعة نسوية .

tor [tôr] *(n.)* هضبة ؛ نتوء صخري (بر) .

Torah *(n.)* التوراة : الأسفار الخمسة الأولى من «العهد القديم» .

torch [tôrch] *(n.)* (١) مِشعَل (٢) مِشعَل دهان أو لِحام الخ. (٣) مِشعَل كهربائي ؛ بطاريّة صغيرة ترسل نوراً كشّافاً .

torch 3.

torchon *(n.)* التَرشون : ضرب من المخرّمات الكتّانية أو القطنية .

torchwood [tôrch'wŏŏd'] *(n.)* (١) خشب المشاعل (٢) كلّ شجرة تُتّخذ المشاعل من خشبها .

tore [tōr] *past of* tear.

toreador [tôr ĭ ə dôr] *(Sp.)* مصارع الثيران (الفارس) .

torero [tô rĕ'rô] *(Sp.)* مصارع الثيران (الراجل) .

toreutic [tô rōōt'ĭk] *(adj.)* متعلق بالنقش النافر على المعادن .

toreutics [-'ĭks] *(n.)* فن النقش النافر على المعادن .

tori [tōr'ī] *pl. of* torus.

torment [*n.* tôr'mĕnt; *v.* tôr mĕnt'] *(n.; vt.)* (١) تعذيب . (٢) عذاب (٣) مصدر عذاب §(٤) يعذّب (٥) يَهيج (البحرَ الخ.) (٦) يُقلِق (٧) يحرِّف (النصوص الخ.) .

tormentil [tôr'mĕn tĭl] *(n.)* عِرق إنجبار : عشب أصفر الزهر .

tormentor *or* **tormenter** [tôr mĕn'tər] *(n)* (١) المعذِّب ؛ المقلق الخ. (٢) سِتارة .

torn [tōrn] *past part. of* tear.

tornadic [tôr năd'ĭk] *(adj.)* إعصاريّ .

tornado [tôr nā'dō] *(Sp.)* الترناد ؛ النكباء ؛ الإعصار القُمعيّ .

toroidal coil [tô roid'-] *(n.)* ملفّ حلقيّ أو مُقفَل المجال (كب) .

torose [tôr'ōs] *(adj.)* (١) منتفخ (٢) ذو عُقَد (نب) .

torpedo [tôr pē'dō] *(n.; vt.)* (١) الرعّاد الكهربائيّ (سمك) . (٢) الطُربيد : «أ» قذيفة ذاتية الانطلاق لنسف سفن العدوّ الخ. «ب» لغم للغوّاصات (٣) مفرقعة صغيرة (تنفجر حين تصطدم بشيء صلب) (٤) القاتل أو السفّاح المحترف §(٥) يضرب أو يدمّر أو يغرق بطُربيد (٦) يُفسِد ؛ يُحبِط ؛ ينسف (خطّةً) .

torpedo boat *(n.)* زورق طُربيد .

torpedo-boat destroyer *(n.)* مدمِّرة زوارق الطُربيد .

torpedo body *(n.)* البَدَن الطُربيدي : بَدَن سيّارة سباقٍ على شكل قذيفة شبيهة بالسيجار .

torpid [tôr'-] *(adj.)* (١) خَدِر (٢) بليد (٣) مُسبِت ؛ خادر (ح) .

torpor [tôr'-] *(n.)* (١) خَدَر (٢) بلادة (٣) سُبات ؛ خُدار (ح) .

torporific [tôr'pə rif'ĭk] *(adj.)* مُخدِر .

torquate [tôr'kwĭt ; -kwāt] *(adj.)* مطوَّق ؛ ذو طوق لونيّ حول العنق (ح) .

torque [tôrk] *(n.)* (١) طوق معدنيّ للعُنُق (عند قدامى الفرنسيّين والجرمان الخ.) (٢) عَزْم اللَّيّ ؛ عَزْم التدوير (مك) .

torque 1.

torrent [tôr'-] *(n.; adj.)* (١) سَيْل . (٢) وابل §(٣) جارف .

torrential [tô rĕn'shəl] *(adj.)* (١) غزير ؛ مِدرار ؛ هتُون (~ rain) (٢) سَيْليّ (~ gravel) (٣) جارف .

torrid [tôr'ĭd] *(adj.)* (١) حارّ (~ zone) (٢) مُتّقِد .

torsade [tôr săd'] *(F.)* حبل ملويّ (أو عصابة ملويّة) تزيّن به قبعة .

torsion [tôr'shən] *(n.)* (١) ليّ ؛ فَتْل (٢) التواء ؛ انفتال .

torsion balance *(n.)* الميزان الالتوائي .

torso [tôr'sō] *(It.)* (١) جذع التمثال أو الانسان (٢) أثر غير منجَز .

tort [tôrt] *(n.)* الضرر : أذى مقصود أو غير مقصود يلحق بشخص المرء أو بممتلكاته أو سمعته (ق) .

torte [tôrt'ə] *(G.)* pl. **-n** *or* **-s** . التورتة : قالب من «الكاتو» .

torticollis [tôr'tə kŏl'ĭs] *(L.)* الصَعَر : داء في الرقبة يتعذّر معه الالتفات .

tortilla [tôr tē'yä] *(Sp.)* التُرتيّة : كعكة مسطّحة مدوّرة من دقيق الذُرة .

tortious [tôr'shəs] *(adj.)* ضَرَريّ ؛ منطوٍ على ضرر (ق) .

tortoise [tôr'təs] *(n.)* (١) سُلَحفاة (٢) شخص أو شيء بطيء جداً .

tortoise beetle *(n.)* الخُنفساء السُلحفائيّة : خنفساء سُلحفائيّة الشكل .

tortoise

tortoise shell *(n.)* (١) الذَبْل : عظم ظهر السُلَحفاة (٢) فراشة .

tortoise-shell [tôr'təs shĕl] *(adj.)* ذَبْليّ : مصنوع من الذَبْل أو ملوَّن بمثل ألوانه .

tortoni [tôr tō'nĭ] *(It.)* التُرتونيّة : ضربٌ من البوظة أو المثلّجات .

tortuosity [tôr'chōō ŏs'ə tĭ] *(n.)* (١) تمعّج ؛ تعرّج (٢) التواء .

tortuous [tôr'chōō əs] *(adj.)* (١) متمعّج ؛ متعرّج (٢) مُلتَوٍ .

torture [tôr'chər] *(n.; vt.)* (١) تعذيب (٢) عذاب (٣) تحريف؛ تشويه §(٤) يعذِّب (٥) «أ» يلوي. «ب» يحرِّف؛ يشوه.

torturous [-əs] *(adj.)* مُعذِّب. **-ously** *(adv.)*

torus [tōr'əs] *(L.)* pl. **tori** [-'ī] (١) نتوء مستدير (ت) (٢) حلية محدّبة (عم) (٣) كرسيّ الزهرة (نب) (٤) الطارة (هن).

Tory [tōr'ĭ] *(n.; adj.)* (١) «أ» التوري: عضو في حزب سياسي بريطانيّ مؤيّد للسلطة الملكية ومقاوم للتغيير والاصلاح (وهو الحزب الذي يدعى اليوم «حزب المحافظين»). «ب» أميركي مؤيّد لإنكلترة (في أيام الثورة الأميركيّة). «ج» المحافظ: شخص مقاوم للإصلاح والتغيير §(٢) تُوريّ: منسوب إلى التوريّين (٣) محافظ.

Toryism [tōr'ĭ iz əm] *(n.)* التُورية؛ المحافَظَة: مبادىء المحافظين وسلوكهم.

tosh [tŏsh] *(n.)* هُراء (عب).

toss [tôs] *(vt.; i.; n.)* (١) «أ» يتقاذف (الموجُ السفينةَ). «ب» يناقش. «ج» يخلط (السَّلَطة) (٢) «أ» يقلِق. «ب» يهزّ (٣) «أ» يقذِف. «ب» ينقر القطعة النقدية بظفره مطيّراً إياها في الهواء ثم يرى على أيّ وجهٍ استقرّت (٤) «أ» يرفع (رأسه) بحركة مفاجئة. «ب» يعُبّ (الشرابَ) بجرعة واحدة. «ج» يطرح؛ يتخلص من. «د» يرتدي على عَجَل. «هـ» يصنع أو ينظم أو يستنبط بسرعة ×(٥) «أ» يتمايل (كالسفينة في بحر هائج). «ب» تخفق (الراية) مع النسيم. «ج» يجري باندفاع متشنج. «د» يتقلّب في فراشه (٦) يقترع بنقر قطعة نقدية بظفره §(٧) مص toss وبخاصة: «أ» قذف القطعة النقدية بالظفر الخ. «ب» رفع الرأس (أو ردّه إلى الوراء) بحركة مفاجئة.

tosspot [tôs'pŏt'] *(n.)* السكّير؛ المدمن شربَ الخمر.

tossup [tôs'ŭp'] *(n.)* (١) قذف القطعة النقدية في الهواء لتقرير أمر ما بسقوطها (٢) مسألة حَظّ.

tot [tŏt] *(n.; vt.; i.)* (١) طفل (٢) جَرْعة (من شراب). (٣) مجموع؛ حاصل §(٤) يُحصي ×(٥) يبلغ مجموعه.

total [tō'təl] *(adj.; n.; vt.)* (١) إجماليّ (~ amount). (٢) تامّ؛ كامل (~ abolition) (٣) ديكتاتوريّ (a ~ state) (٤) شامل؛ كليّ (~ war) §(٥) «أ» مجموع؛ حاصل. «ب» مبلغ كليّ (٦) كلّ؛ وحدة كليّة §(٧) يجمع؛ يحسب (٨) يبلغ في مجموعه.

totalitarian [tō tăl'ə târ'ĭ ən] *(adj.; n.)* (١) ديكتاتوريّ؛ استبداديّ (٢) كُلْيانيّ: ذو علاقة بنظام سياسيّ مبنيّ على إخضاع الفرد للدولة، وعلى السيطرة الصارمة على جميع مظاهر حياة الأمّة وطاقاتها المنتجة (٣) مؤيّد للديكتاتوريّة أو الكُلْيانية §(٤) مَن يؤيّد الديكتاتوريّة أو يمارسها. **—totalitarianism** *(n.)*

totality [tō tăl'ə tĭ] *(n.)* (١) مجموع كليّ (٢) المجموعيّة: وحدة كاملة.

totalizator *or* **totalisator** [tō'-] *(n.)* = pari-mutuel 2.

totalize [tō'-] *(vt.)* (١) يحسب المجموع الكليّ لِـ (٢) يُجمل؛ يلخّص.

totalizer [tō'-] *(n.)* (١) pari-mutuel 2. (٢) الآلة الحاسبة.

totally [tō'-] *(adv.)* تماماً؛ بالكليّة (~ blind).

totaquine [tō'tə kwīn] *or* **totaquina** [tō tə kwī'nə] *(L.)* التوتاكين: عقّار مضادّ للملاريا.

tote [tōt] *(vt.; n.)* (١) يحمِل (٢) ينقُل §(٣) حِمْل. (٤) حَمْل؛ نقْل (٥) pari-mutuel 2.

totem [tō'təm] *(n.)* (١) الطَوْطَم: «أ» شيء (كحيوان أو نبات) يُتّخذ رمزاً للأسرة أو العشيرة. «ب» وثن يمثّل هذا الشيء. «ج» أسرة أو عشيرة يجمع ما بين أفرادها طوطمٌ مشترك (٢) رمز مقدّس.

totemic [tō tĕm'ĭk]; **totemistic** [tō'təm is'tĭk] *(adj.)* طوطميّ: منسوب إلى الطوطم (را. المادة السابقة).

totemism [tō'tə mĭz'əm] *(n.)* الطوطميّة: «أ» الإيمان بوجود صلة خفية بين جماعة أو شخص وبين طوطم ما. «ب» نظام اجتماعي مبنيّ على أساس الانتماء الطوطميّ.

totem pole *(n.)* العمود الطوطميّ: عمود منحوت مزدان برسوم طوطميّة يقيمه بعض الهنود الحمر أمام منازلهم.

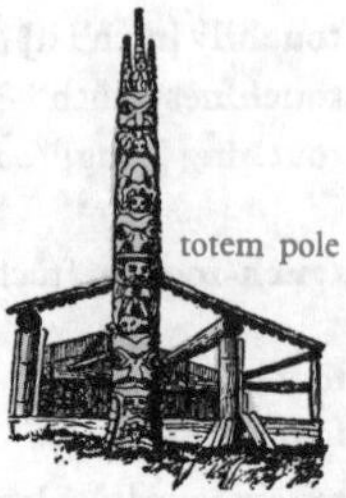

totem pole

tother *or* **t'other** [tŭth'ər] *(pron.; adj.)* = the other.

totipalmate [tō tĭ păl'māt] *(adj.)* كليّ التكفّف: أصابعُ قدمه الأربع متّصلٌ بعضها ببعض (كبعض الطيور).

totter [tŏt'ər] *(vi.; n.)* (١) يترنّح؛ يتمايل (٢) يتداعى §(٣) ترنّح الخ.

tottering [-ĭng] *(adj.)* (١) متداعٍ (٢) مترنّح (٣) متقلقل؛ غير مستقرّ.

toucan [too'kăn; too kän'] *(F.)* الطوقان؛ طائر أميركي ضخم المنقار.

toucan

touch [tŭch] *(vt.; i.; n.)* (١) «أ» يلمِس؛ يمَسّ. «ب» يجسّ (٢) «أ» يضرب أو يعتدي على. «ب» يسرق (ع) (٣) يقنعه بضرورة الدفع أو الإعارة (~*ed* him for thirty dollars) (٤) «أ» يحاذي. «ب» يبلغ؛ يصل إلى. «ج» يضاهي (٥) يتصل أو يتعلق بِـ (٦) يؤذي أو يفسد قليلاً (٧) يرسم بخطوط خفيفة (٨) يجرح مشاعر فلان (٩) يحرّك مشاعره: يتأثر (~*ed* by the loyalty of his men) ×(١٠) يتلامس؛ يتماسّ (١١) يُقارب؛ يجاور (Their actions ~ on treason.) (١٢) يتوقف (في موانىء مختلفة) أثناء رحلة بحرية (١٣) يمسّ (الموضوعَ) مسّاً رفيقاً: يعالجه باختصار أو على نحو عَرَضيّ §(١٤) «أ» لمسة. «ب» لمْس. «ج» حاسّة اللمس. «د» ملْمس (velvety ~) (١٥) «أ» حكّ الذهب أو الفضة لاختبار مقدار خلوصهما. «ب» تجربة؛ اختبار (١٦) مَسْحَة (a ~ of sarcasm) (١٧) مَسّ (من جنون)؛ ضَعْف؛ علّة (١٨) «أ» أثر؛ طرَف (a ~ of fever). «ب» مقدار طفيف (a ~ of garlic in the salad) (١٩) «أ» ضربة خفيفة. «ب» لمسة فنية (added a few finishing ~*es* to the portrait) (٢٠) طابع؛ صفة مميِّزة (the ~ of the master) (٢١) «أ» طلب مال أو الحصول عليه (ع). «ب» المال نفسُهُ (ع) (٢٢) صلة؛ اتصال (in ~ with public opinion).

to ~ down تحُطّ (الطائرة)؛ تهبط.

to ~ off (١) يصف أو يصور بدقّة أو براعة (٢) يُفجّر. (٣) يُطلق؛ يثير (عاصفة احتجاج الخ.).

to ~ on *or* upon (١) يلمِع إلى (٢) يقارب.

to ~ up (١) ينقّح؛ يهذّب (٢) يثير؛ يحرّك؛ يدفع إلى العمل.

touch and go *(n.)* (١) انتقال سريع (من نقطة إلى أخرى). (٢) وضعٌ دقيق أو خطِر.

touch-and-go *(adj.)* (١) متعجَّل فيه (٢) دقيق ؛ خطر .
touchdown [tŭch'-] *(n.)* (١) حطّ الطائرة أو هبوطها (٢) لحظة الحطّ .
touched [tŭcht] *(adj.)* (١) متأثّر (عاطفياً) (٢) ممسوس .
touch football *(n.)* كرة القدم اللمسية : ضرب أميركي من لعبة كرة القدم .
touchhole [tŭch'hōl'] *(n.)* فُرْجَة الاشعال : فتحة في البندقية يُشعَل منها البارود .
touchily [tŭch'ĭ lĭ] *(adv.)* بِوَعَق ؛ بسوء خُلق الخ .
touchiness [tŭch'ĭ-] *(n.)* (١) وَعَق ؛ سوء خُلُق (٢) حساسية .
touching [-'ĭng] *(adj.; prep.)* (١) مؤثّر (a ~ story) . §(٢) في ما يتعلق بـ .
touch-me-not [tŭch'mĭ nŏt'] *(n.)* المِجزاعة : نبتة تتفتّح أوعية بزورها إذا لُمِسَت (نب) .
touch pad *(n.)* لوحة المفاتيح اللمسيّة (كم) .
touch screen *(n.)* شاشة اللمس (على لوحة الكومبيوتر) .
touchstone [tŭch'stōn'] *(n.)* (١) مِحكّ الذهب (٢) مِحكّ ؛ وسيلة اختبار .
touch system *(n.)* طريقة اللمس (في الضرب على الآلة الكاتبة) .
touch-type [-'tīp'] *(vt.; t.)* يضرب لمسياً : يضرب على الآلة الكاتبة بطريقة اللمس .
touchwood [-'wŏŏd'] *(n.)* الصُّوفان (را . amadou) .
touchy [tŭch'ĭ] *(adj.)* (١) وَعِق ؛ سيّء الخلق ؛ سريع الغضب . (٢) «أ» شديد الحساسية . «ب» شديد التفجر أو الالتهاب (ك) (٣) دقيق (a ~ subject) .
tough [tŭf] *(adj.; n.)* (١) متين (٢) عسير المضغ (٣) لزِج . (٤) صارِم ؛ حازم (a ~ policy) (٥) خشِن ؛ قويّ ؛ صلب العود (~ soldiers) (٦) عنيد (٧) قاسٍ (a ~ winter) (٨) عسير جداً (a ~ job) (٩) عنيف (a ~ struggle) (١٠) جِلف ؛ شكِس (١١) واقعيّ إلى حدّ القسوة (a ~ book) §(١٢) شخص جِلف أو شكِس الخ .
toughen [-'ən] *(vt.; i.)* (١) يمتّن ؛ يلزِج ؛ يخشّن ؛ يقسّي . ×(٢) يَمْتُن ؛ يَخْشُن الخ .
toughie *or* **toughy** [tŭf'ĭ] *(n.)* (١) شخص جِلف . (٢) مسألة عسيرة .
tough-minded [tŭf'mīn'dĭd] *(adj.)* واقعيّ المزاج أو التفكير .
toupee [tōō pā'; -pē'] *(F.)* (١) خِصلَة من شَعْر مُستعار تعلو قمة الرأس (٢) لِمّة أو كتلة من شعر مستعار تغطي جزءاً أصلع من الرأس .
tour [tŏŏr] *(n.; vi.; t.)* (١) نَوْبة أو دَوْر في العمل (٢) رحلة . (٣) زيارة (لمتحف أو موقع أثري الخ .) (٤) جولة §(٥) يقوم برحلة الخ . ×(٦) يجول أو يطوف في (٧) يقدّم (مسرحيةً الخ .) في جولة .
touraco [tŏŏr'ə kō'] *(n.)* الطُّورَق : طائر افريقي كبير .
tourbillion [tŏŏr bĭl'yən] *(F.)* (١) زوبعة (٢) دُرْدُور . (٣) ضرب من الألعاب النارية لولبيّ الطيران .
tour de force [tŏŏr də fôrs'] *(F.)* عمل دالّ على القوّة أو البراعة أو الألمعية .
touring car *(n.)* السيارة السياحية : سيارة لأربعة ركاب أو خمسة .
tourism [tŏŏr'ĭz əm] *(n.)* السياحة .
tourist [tŏŏr'ĭst] *(n.; adj.)* (١) السائح §(٢) سياحيّ .
tourist card *(n.)* البطاقة السياحية (تُعطى بدلاً من جواز السفر) .
tourist class *(n.)* الدرجة السياحيّة (في سفينة أو طائرة أو قطار) .
tourist court *(n.)* = motel.
tourmaline [tŏŏr'mə lĭn; -lēn] *(n.)* التُّرمالين : حجر نصف كريم .
tournament [tûr'nə mənt; tŏŏr'-] *(n.)* (١) مباراة في المسايفة الخ . (بين الفرسان في القرون الوسطى) (٢) الدورة : سلسلة من المباريات بين عدد من اللاعبين (a tennis ~) .
tourney [tûr'nĭ] *(n.; vi.)* (١) tournament §(٢) يشترك في مباراة أو دورة .
tourniquet [tŏŏr'nə kĕt; -kā] *(F.)* المِرقأة : مِلْوىً أو ضاغِط لوقف النزف من وعاء دموي .

tourniquet

tousle [tou'zəl] *(vt.; n.)* (١) يُشعِث (الشَّعرَ) . §(٢) شعرٌ أشعث .
tout [tout] *(vi.; t.; n.)* (١) يطوف في مدينة (التماساً لأصوات الناخبين أو لعرض السلع أو الخدمات الخ .) (٢) يستطلع أخبار الاصطبلات أو يتجسّس على تمارين سباق الخيل لأغراض متصلة بالمراهنة (٣) يزوّد بمعلومات سرية يُستَفاد منها في المراهنة ×(٤) يراقب بانتباه (٥) يُطري بإسراف وإلحاح (٦) يَتصِف ؛ يُعْلِن (a politician ~ed as a friend of the people) §(٧) من يلتمس التأييد أو يبحث عن الزبائن الخ . (٨) «أ» مستطلع أنباء سباق الخيل لأغراض تتصل بالمراهنة . «ب» من يتخذ من إعطاء المعلومات السريّة الخاصة بسباق الخيل مهنةً له .
tout à fait [tōō tȧ fĕ'] *(F.)* تماماً ؛ بكل معنى الكلمة .
touter [tou'tər] *(n.)* = tout.
tovarich *or* **tovarish** [tŏ vä'rĭsh] *(Russ.)* الرفيق .
tow [tō] *(vt.; n.)* (١) يقطُر ؛ يجرّ ؛ يسحب §(٢) حبل أو سلسلة للقَطْر أو الجرّ (٣) قَطْر ؛ جرّ (٤) باخرة أو سيارة مقطورة أو مجرورة (٥) «أ» نُسالة الكتان . «ب» قماش من نُسالة الكتان . (١) مقطور ؛ مجرور (٢) في عهدته أو رعايته . , in ~
towage [tō'ĭj] *(n.)* (١) مص tow (٢) رَسْم القَطْر أو السَّحب .
toward [tō(ə)rd] *(adj.)* (١) أو **towards** : وشيك ؛ قريب الحدوث (٢) مؤاتٍ (a ~ breeze) .
toward *or* **towards** [tō(ə)rd (z)] *(prep.)* (١) نَحْو (٢) مِن (his attitude ~ the plan) (٣) عند ؛ حوالى ؛ قربَ (٤) من أجل (would do what he could ~ getting supper ready) .
towardly [tō(ə)rd'lĭ] *(adj.; adv.)* (١) واعِد ؛ مرجو (را . promising) (٢) دمث §(٣) على نحو واعد (٤) بدماثة .
towboat [tō'bōt'] *(n.)* زورق القَطْر أو السَّحْب .
tow car *(n.)* سيّارة القَطْر أو السَّحْب .
towel [tou'əl] *(n.; vi.; t.)* (١) مِنشفة §(٢) ينشِّف .
toweling *or* **towelling** [tou'əl ĭng] *(n.)* قُماش المناشف .
tower [tou'ər] *(n.; vi.)* (١) برج (٢) قلعة §(٣) يرتفع ؛ يحلّق . (٤) «أ» يتفوّق . «ب» يعلو أو يسمو على .
towering [tou'ər ĭng] *(adj.)* (١) شاهق (٢) ضخم (٣) عنيف ؛ شديد (٤) مفرِط ؛ مسرِف .
towery [tou'ə rĭ] *(adj.)* (١) مُبرَّج : ذو أبراج (٢) شاهق .
towhead [tō'hĕd'] *(n.)* الكتّانيّ الشعر : رأس أو شخص ذو شعر ناعم مُبْيَضّ .
towheaded [tō'-] *(adj.)* كتّانيّ الشَّعر : ذو شعر ناعم مبيضّ .

towhee [tou'hē] *(n.)* التَّوْهي: حَسّون شمالأميركي (طا).

towhee

to wit [tə wĭt'] *(adv.)* يعني؛ وبكلمة أخرى.

towline [tō'līn'] *(n.)* حَبْل القَطْر أو السَّحْب.

town [toun] *(n.)* (١) قرية (عب) (٢) «أ» بلدة. «ب» مدينة.

town clerk *(n.)* أمين السجلّ البلدي: أمين سجلّات البلدة.

town council *(n.)* المجلس البلدي.

town councillor *(n.)* عضو المجلس البلدي.

town crier *(n.)* منادي البلدة: موظف يطوف الشوارع مذيعاً البيانات على الناس.

townee [tou nē'] *(n.)* = townsman.

town hall *(n.)* دار البلدية.

town house *(n.)* بيت في المدينة (يملكه شخص ذو بيت في الريف).

townsfolk [tounz'fōk'] *(n. pl.)* = townspeople.

township [toun'shĭp] *(n.)* ناحية؛ منطقة؛ دائرة انتخابية.

townsman [tounz'mən] *(n.)* (١) المدينيّ: أحد أبناء المدن. (٢) المواطن البلديّ: أحد أبناء بلدة المرء أو مدينتِهِ.

townspeople [tounz'pē'pəl] *(n. pl.)* (١) سكان المدينة (٢) المدينيون: أهل المدن.

townswoman [tounz'-] *(n.)* (١) المدينيّة: امرأة من أهل المدن. (٢) المواطِنة البلدية: المرأة المولودة أو المقيمة في نفس بلدة أو مدينة امرأة أخرى.

towrope [tō'rōp'] *(n.)* حَبْل القَطْر أو السَّحْب.

tow truck *(n.)* شاحنة القَطْر أو السَّحْب.

tox- or toxo- بادئة معناها: سامّ؛ سُمّ.

toxalbumin [tŏk'săl bū'mĭn] *(n.)* التُّكْسَلْبُومين: مادة بروتينية سامّة (كح).

toxemia [tŏks ē'mĭ ə] *(L.)* انسمام (أو تسمّم) الدم (مض).

toxemic [tŏks ē'mĭk] *(adj.)* (١) انسماميِّدَمَويّ: متعلق بانسمام الدم (٢) مصاب بانسمام الدم.

toxic [tŏk'sĭk] *(adj.)* (١) سُمِّيّ (٢) سامّ.

toxic- or toxico- بادئة معناها: سُمّ.

toxicant [tŏk'sə kənt] *(adj.; n.)* (١) سامّ §(٢) سمّ.

toxicity [tŏks ĭs'ə tĭ] *(n.)* السُّمِّيَّة.

toxicogenic [tŏk'sə kə jĕn'ĭk] *(adj.)* مولِّد سموماً.

toxicologic *(adj.)* عِلْمِيسُمُوميّ: متعلق بعِلم السموم.

toxicologist *(n.)* السُّموميّ: الاختصاصيّ بعِلم السُّموم.

toxicology [tŏk'sə kŏl'ə jĭ] *(n.)* عِلم السُّموم.

toxicosis [tŏk'sə kō'sĭs] *(L.)* الانسمام؛ التسمّم.

toxic shock syndrome *(n.)* مرض حادّ من أعراضه الحُمّى والتهاب الحلق إلخ.

toxin [tŏk'sĭn] *(n.)* السُّمين؛ الذِّيفان؛ التُّكْسين.

toxoid [tŏk'soid] *(n.)* السُّمين الموهَن: تُكْسين مُوهَن يُستخدم في التلقيح.

toxophilite [tŏks ŏf'ə līt'] *(n.)* المولَع (أو البارع) في الرماية.

toy [toi] *(n.; adj.; vi.)* (١) لُعْبة؛ دُمْية (٢) شيء (وبخاصة حيوان) شديد الصِّغَر (٣) ألعوبة §(٤) دُمْيَوِيّ: «أ» مصنوع للّعب (a ~ stove). «ب» كالدّمية، وبخاصة من حيث الصِّغَر (a ~ house) §(٥) يلهو؛ يَعْبَث.

toyon [tō'yən] *(Sp.)* اللامعة: شجيرة أميركية ذات ثمر أحمر لمّاع.

trabeated [trā'bĭ ā'tĭd] *(adj.)* مُوَفَّق: مبنيّ بعوارض أفقية.

trabecula [trə bĕk'yə lə] *(L.)* pl. **-e** [-lē] *or* **-s** الحُوَيْجِز: حاجز صغير («ت» و «نب»).

trace [trās] *(n.; vt.; i.)* (١) «أ» أثر. «ب» آثار (أو أثر) أقدام. «ج» الأثارَة: مقدار ضئيل (٢) «أ» خطّ؛ شكل؛ رَسم. «ب» الرَّسِيْم: ما ترسمه المِرسَمة الأوتوماتيكيّة (كمِرسمة الزلازل الخ.) من خطوط (٣) أحد السَّيْرَين أو الحبْلَين اللذين يجرّ بهما الحيوانُ مركبةً أو عربة (٤) ذراع التوصيل (ملك) §(٥) «أ» يرسم. «ب» يستشفّ: ينسخ رسماً بورقة شفافة. «ج» يسجّل (بخطوط متموّجة أو متكسّرة) (٦) «أ» يتقصّص (أو يقتفي) الأثر. «ب» يتتبّع «سيرَ شيء أو تطوّره أو تاريخه» (to ~ a political movement). «ج» يَرجع؛ يردّ؛ يعزو (~ *ed* the failure of the project to indifference). «د» يكتشف (٧) يشجِّر: يزخرف بخطوط مشجَّرة (عم) ×(٨) يَرجِع (a family that ~ *s* to the Norman conquest).

tracer [trā'sər] *(n.)* (١) فا trace (٢) «أ» موظّف مهمته التحقيق في ضياع الطرود أو الرسائل الخ. «ب» استعلام يُرْسَل عند القيام بمثل هذا التحقيق (٣) رسّام (٤) مِرسَمة؛ مخطّطة (٥) الذخيرة أو الرصاصة الخطّاطة: ذخيرة أو رصاصة تحتوي على مركَّب كيميائي لتبيين خط انطلاق القذيفة بواسطة ذيل من دخان (٦) العنصر الاستشفافي: عنصر يمكن تتبّعه خلال العمليات البيولوجية أو الكيميائية بفضل ما يمتاز به من نشاط إشعاعي.

tracery [trā'sə rĭ] *(n.)* الزخرفة التشجيرية: زخرفة قوامها خطوط مشجَّرة، وبخاصة في أعلى نافذة قوطيّة (عم).

tracery

trache- or tracheo- بادئة معناها: «أ» رُغامَى. «ب» رُغامَوِيّ و . . .

trachea [trā'kĭ ə] *(L.)* pl. **-e** [-kĭ ē] *or* **-s** الرُّغامَى: القصبة الهوائيّة (ت).

tracheal [trā'kĭ əl] *(adj.)* رُغامَوِيّ: متعلّق بالرُّغامَى أو شبيهٌ بها.

tracheary [-'kĭ ər ĭ] *(adj.)* (١) رُغامَويّ التنفّس (٢) رُغامَوِيّ.

tracheate [-'kĭ āt] *(adj.)* قَصَبِيّ: ذو رُغامَى أو قصبة هوائية.

tracheitis [trā'kĭ ī'tĭs] *(L.)* التهاب الرُّغامَى أو القصبة الهوائية.

tracheo- = trache-.

trachoma [trə kō'mə] *(n.)* التراخوما؛ الحُثار (مض).

trachyte [trā'kīt] *(n.)* التراكِيْت: صخر بركاني.

tracing [trā'sĭng] *(n.)* (١) مص trace (٢) الرسم الاستشفافيّ: رسم منسوخ بواسطة ورقة شفافة (٣) الرَّسِيْم: ما ترسمه المِرسمة الأوتوماتيكية (كرسمة الزّلازل ونحوها) من خطوط.

tracing cloth *(n.)* قُماش الاستشفاف (رم).

tracing paper *(n.)* ورق الاستشفاف (رم).

track [trăk] *(n.; vt.; i.)* (١) «أ» أثر (أقدام أو دولاب أو مركب). «ب» مَجاز؛ طريق؛ دَرْب. «ج» حَلْبة (للسباق). «د» خطّ (للسكة الحديدية) (٢) مَسْلَك؛ سبيل؛ مَسار (٣) تسلسل الأحداث أو الأفكار، وعي لحقيقة أو تسلسل (to keep *or* lose ~) (٤) عرض العربة من الدولاب إلى الدولاب (٥) سباقات المضمار والميدان (رب) §(٦) «أ» يقتفي الأثر. «ب» يتعقّب (٧) يراقب خطّ انطلاق القذيفة بتلسكوب أو نور كشّاف (٨) يجتاز (to ~ a desert) ×(٩) يمشي؛ يذهب؛ يرحل (١٠) يترك أثر أقدام الخ. على. —**tracker** *(n.)*

trackage [trăk'ĭj] *(n.)* (١)خطوط السكة الحديدية (٢) حقّ شركة من شركات السكة الحديدية في استعمال خطوط شركة أخرى (٣) الرسم المدفوع مقابل هذا الحقّ .

track-and-field [trăk ən fēld'] *(adj.)* ذو علاقة بسباق من سباقات المضمار والميدان (رب) .

tracklayer [trăk'lā ər] *(n.)* الجرّارة ؛ التراكتور .

trackless [trăk'-] *(adj.)* (١) غير مطروق (forests ~) (٢)غير مخلّف أثراً (footsteps ~) (٣)غير جارٍ على قضبان (a ~ train).

trackless trolley *(n.)* = trolleybus.

trackwalker [trăk'wô'kər] *(n.)* مَشّاء الخطّ : عامل مسؤول عن صيانة جزء من خطّ السكة الحديدية .

tract [trăkt] *(n.)* (١) كُراسة (دعايةٍ سياسيةٍ أو دينية) (٢)«أ»بقعة ؛ صُقْع . «ب» قطعة أرض (٣) جهاز (the respiratory ~) .

tractable [trăk'tə bəl] *(adj.)* (١) docile (٢) طَرِيق : قابل للطَّرْق أو المَطْل .

tractate [trăk'tāt] *(n.)* رسالة ؛ مقالَة ؛ بحْث .

tractile [trăk'tĭl] *(adj.)* مَطِيل : قابل للسَّحْب والمط .

traction [trăk'shən] *(n.)* (١)«أ» جرّ ؛ سَحْب . «ب»انجرار ؛ انسحاب . «ج» القوة المبذولة في الجر والسحب (٢) الاحتكاك الالتصاقيّ (لجسمٍ ما فوق سطح يجري عليه ، كدولابٍ جارٍ على خطّ حديديّ) .

traction engine *(n.)* (١) قاطرة الجرّ : قاطرة لجر العربات في الطرق أو الحقول (٢) قاطرة السكة الحديدية .

tractive [trăk'tĭv] *(adj.)* جارّ أو مستخدَم أو مبذول في الجرّ .

tractor [trăk'tər] *(n.)* (١) traction engine 1 (٢) الجرّارة ؛ التراكتور (٣) طائرةٌ مِدْسرتها (مِرْوحتها) أمام أجنحتها .

tractor 2.

trade [trād] *(n.; vt.; i.; adj.)* (١)«أ» مهنة ؛ حرفة. «ب» أهل مهنة أو حرفة أو صناعة ما (a lecture of interest only to the ~) (٢) «أ» تجارة . «ب» زبائن محلّ تجاري . «ج» المؤسسات المشتغلة بتجارة أو صناعة ما (٣) صناعة §(٤) يقايض (٥) يتّجر بـ ×(٦) يتاجر (٧) يتسوّق ؛ يشتري حاجته من السلَع §(٨) تجاريّ (٩) مقدِّمٌ خدماتِه للآخرين من أهل المهنة نفسها لا لكلّ زبون (a ~ printing house) .

to ~ in يستبدل بالسلعة القديمة (كسيارة الخ.) سلعةً جديدة مقابل دفع فرق القيمة .

to ~ off (١) يتخلص من شيء ببيعِهِ (٢) يتناوب . (٣) يستعمل بالتناوب أو على التعاقب .

to ~ on *or* upon يستغلّ .

trade book *(n.)* (١) الكتاب التجاري: كتاب مُعَدّ لعامّة القراء. (٢) الطبعة التجارية (من كتاب) .

trade-in [trād'ĭn] *(n.)* سلعة (كسيارة قديمة الخ.) تؤخَذ كجزء من ثمن سلعة أخرى جديدة .

trademark [trād'märk'] *(n.; vt.)* (١) العلامة التجارية . §(٢) يدمغ بعلامة تجارية (٣) يسجّل العلامة التجارية (في دائرة حماية الملكية) .

trade name *(n.)* الاسم التجاريّ (لسلعةٍ أو مؤسّسةٍ تجارية) .

trader [trā'dər] *(n.)* (١) التاجر (٢) الباخرة التجارية .

trade route *(n.)* الطريق التجارية: طريق للقوافل أو للسفن التجارية.

tradescantia [trăd'əs kăn'shĭ ə] *(L.)* العنكبوتية : عشب أميركي .

trade school *(n.)* المدرسة المِهْنيّة .

tradesman [trādz'mən] *(n.)* (١) التاجر ؛ صاحب المتجر . (٢) الحِرَفي : صاحب الحرفة اليدوية .

tradespeople [trādz'pē'pəl] *(n. pl.)* التجار: أصحاب المتاجر .

trade union *also* **trades union** *(n.)* نقابةُ عمال .

trade unionism *(n.)* (١) النقابية العمالية (٢) نقابات العمال .

trade unionist *(n.)* (١) النقابيّ : عضو نقابة عماليّة (٢) المؤيِّد للحركة النقابية .

trade wind *(n.)* الريح التجاريّة : ريح تهبّ باطّراد نحو خطّ الاستواء.

trading post *(n.)* المحطة التجارية (في موطن قليل السكان) .

tradition [trə dĭsh'ən] *(n.)* (١) التّحدار : انتقال العادات أو المعتقدات من جيل إلى جيل (٢) تقليد ؛ عُرْف (٣)«أ» نواميس ؛ تعاليم. «ب» ناموس ؛ تعليم (٤) *cap.* : الحديث الشريف (اس).

traditional ; traditionary [trə dĭsh'-] *(adj.)* تقليديّ .

traditionally [trə dĭsh'ən əl ĭ] *(adv.)* (١) على نحو تقليديّ . (٢) تقليديّاً ؛ عادةً (٣) تَحداريّاً : وفقاً للاعتقاد المنتقل من جيل إلى جيل .

traditionalism [trə dĭsh'ən ə lĭz'əm] *(n.)* التقليدية : شدّة الاحترام للتقاليد ، وبخاصة في المسائل الدينية .

traditionalist [-'ən ə lĭst] *(n.)* المتمسّك بالتقاليد .

traditor [trăd'ə tər] *(n.)* الخائن (من المسيحيين الأولين أيام الاضطهاد الروماني) .

traduce [trə dūs'] *(vt.)* (١) يَطْعَن أو يقدح في (٢) ينتهك .

traffic [trăf'ĭk] *(n.; vi.; t.)* (١) تجارة ؛ مقايضة (٢)«أ» السّيْر ؛ حركة المرور. «ب» المشاة (والعربات المتحركة) في طريق (٣)«أ»عدد الركاب المنقولين (أو مقدار الحمولة المنقولة) في خطّ من خطوط المواصلات . «ب» النقل : صناعة نقل الركاب أو المشحونات §(٤) يتاجر أو يقايض (٥) يشتغل بتجارة غير مشروعة ؛ ينهمك في نشاط مشبوه (٦) يروح ويجيء ×(٧) يسلك (طريقاً) .

traffic court *(n.)* محكمة السَّير : محكمة تنظر في مخالفات السير .

traffic engineering *(n.)* هندسة الشوارع (وتنظيم السير) .

trafficker [trăf'ĭk ər] *(n.)* التاجر .

traffic signal *or* **light** *(n.)* إشارة السير (الضوئيّة) .

tragacanth [trăg'ə kănth] *(L.)* (١) صمغ الكَثِيراء أو الأسْطَراغالُس (٢) الكثيراء ؛ الأسْطَراغالُس (نب) .

tragedian [trə jē'dĭ ən] *(n.)* (١)الكاتب التّراجيدي أو المأساويّ. (٢) الممثّل التّراجيدي أو المأساوي .

tragedienne [trə jē'dĭ ĕn'] *(F.)* الممثلة التّراجيدية أو المأساوية .

tragedy [trăj'ə dĭ] *(n.)* التّراجيديا ؛ المأساة .

tragic; -al [trăj'-] *(adj.)* (١) تراجيديّ ؛ مأساويّ (٢) فاجع .

tragicomedy [trăj'ĭ kŏm'ə dĭ] *(n.)* الدراما التّراجيدية الكوميدية.

tragicomic; -al [trăj'ĭ kŏm'-] *(adj.)* تراجيدي كوميدي: ذو عناصر تراجيدية وكوميدية .

tragopan [trăg'ə-] *(n.)* التّدْرُج الآسيوي .

tragopan

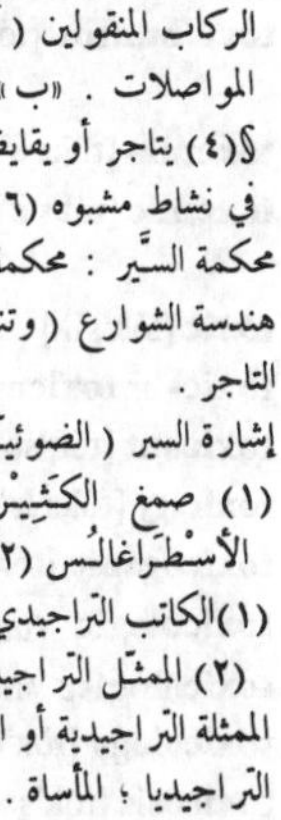

tragus [trā'gəs] *(L.)* pl. **-gi** [-jī] الوَتَدَة : الهُنَيَّة الناشزة في مقدَّم الأذن (ت) .

trail [trāl] *(vi.; t.; n.)* (١) «أ» يتجرجر (على الأرض) . «ب» يتدلى (بحيث يمس الأرض) . «ج» يتنشّر : يَنْتشر (فوق سطح) في غير اتّساق أو نظام . «د» ينمو إلى

ارتفاع يجعله يتدلى على الأرض (٢) «أ» يدب ؛ يزحف. «ب» يتتبّع (من غير تفكير وكأنّه مقود). «ج» يمشي بتثاقل. «د» يقصّر عن الآخرين (في سير أو مباراة)؛ يخسر (٣) يجري أو ينطلق أو ينتشر ببطء ورقّة (٤) «أ» يمتدّ في خطّ غير مستقيم. «ب» يتضاءل (٥) يتعقّب؛ يقتفي الأثر ×(٦) «أ» يُجرجَر. «ب» يُسحب. §(٧) «أ» ذَيْل. «ب» قافلة (٨) المتنشرة (را. trailer 2) (٩) «أ» أثر. «ب» رائحة (١٠) ممرّ (في طريق وعرة أو بقعة غير آهلة) (١١) أخمص الحاضن: الطرف الأدنى من عربة المدفع.

trailblazer [trāl'blā'zər] *(n.)* = pathfinder; pioneer.

trailer [trā'lər] *(n.)* (١) فا trail (٢) المُتنشِّرة: نبتة تنتشر فوق سطح الأرض متسلّقةً ما يعترض سبيلها (٣) عربة مقطورة (٤) القَطِيرة: عربة مقطورة على شكل بيت متحرك قائم على عجلتين أو أربع (٥) فيلم قصير (يمثل مشاهد بارزة من فيلم سيعرض قريباً).

trailer camp *or* **court** *or* **park** *(n.)* معسكر القطائر: بقعة تتجمع فيها القطائر (را. trailer 4).

trailerite [trā'lə rīt'] *(n.)* القطائريّ: ساكن القَطِيرة أو العربة المقطورة على شكل بيتٍ متحرك (را. trailer 4).

trailing arbutus *(n.)* القَطْلَب (را. arbutus) المُتنشِّر (نب).

trailing edge *(n.)* الحافة الخلفيّة «من الجناح أو ريشة المروحة» (طي).

train [trān] *(n.; vt.; i.)* (١) ذَيل (٢) بطانة، حاشية أمير أو ملك الخ. (٣) «أ» قافلة. «ب» قافلة تموين (جن). «ج» موكب (٤) نظام (Matters were in good ~.) (٥) «أ» سلسلة (أحداث الخ.). «ب» تسلسل الأفكار (٦) سلسلة مسنّنات أو تروس (٧) خط البارود (لإيصال النار إلى الشحنة أو الحشوة) (٨) قِطار §(٩) يَسحب؛ يجرّ (١٠) يوجّه نموّ النبتة باللّيّ أو الربط أو التشذيب (١١) «أ» يدرّب. «ب» يثقف (١٢) يسدّد؛ يوجّه (a canon upon a fort ~) ×(١٣) يتدرّب (١٤) يسافر بالقطار.

trainband [trān'bănd] *(n.)* العصبة المدرَّبة: جماعة من المواطنين المدرّبين على حمل السلاح نُظِّمت في أميركة وانكلترة في القرنين ١٧ و١٨.

trainbearer [trān'bâr ər] *(n.)* حامل الذيل: مرافق يحمل ذيل ثوب العروس الخ.

trainee [trā nē'] *(n.)* المُخْضَع للتدريب (المهني أو العسكري).

trainer [trā'nər] *(n.)* (١) المدرِّب (٢) المروِّض (٣) جندي غير نظامي (٣) طائرة تدريب.

training [trā'nĭng] *(n.)* مص train وبخاصة: «أ» تدريب أو تدرب. «ب» تسديد، توجيه.

training college *(n.)* دار المعلمين (بر).

training school *(n.)* (١) المدرسة المِهْنيّة (٢) إصلاحية الأحداث.

trainload [trān'lōd'] *(n.)* حمولة القِطار.

trainman [trān'mən] *(n.)* pl. **-men** عامل في قِطار.

train oil *(n.)* زيت الحوت (وغيره من الحيوانات البحرية).

trainsick [trān'sĭk'] *(adj.)* مصابٌ بدُوار القطار.

traipse [trāps] *(vi.; t.; n.)* (١) «أ» يمشي. «ب» يتسكّع §(٢) سَيْرٌ مُتْعِب.

trait [trāt] *(n.)* (١) «أ» ضربةٌ خفيفة. «ب» مَسْحة؛ أثر؛ نبرة (a ~ of sarcasm) (٢) ميزة؛ سِمَة.

traitor [trā'tər] *(n.)* (١) خائن العهد أو الأمانة (٢) الخائن (وطنَه).

traitorous [trā'tər əs] *(adj.)* خائن؛ غادر؛ خاتل.

traitress [trā'trĭs] *(n.)* الخائنة (للعهد أو الأمانة أو الوطن).

traject [trə jĕkt'] *(vt.)* = transmit.

trajectory [trə jĕk'tə rĭ] *(n.)* المَسار: المسار المنحني لقذيفة أو مذنَّب أو كوكب.

tram [trăm] *(n.)* خيط حريري (مزدوج الفتْل).

tram [trăm] *(n.; vi.; t.)* (١) تُرام (٢) عربة ترام (٣) شاحنة (في منجم) §(٤) يركب الترام ×(٥) ينقل (الفحم الخ.) بشاحنة (في منجم).

tramcar [trăm'kär'] *(n.)* (١) عربة ترام (٢) شاحنة (في منجم).

tramline [trăm'līn'] *(n.)* خط الترام.

trammel [trăm'əl] *(n.; vt.)* (١) شبكة (لصيد الطيور أو الأسماك). (٢) شِكال (٣) *pl.* عد: قَيْد، عائق (٤) كُلّاب (في موقد) لتعليق القدور الخ. فوق النار (٥) الفرجار ذو العاتق؛ ميرسام القطع الناقص §(٦) «أ» يصطاد بشبكة. «ب» يوقع في شَرَك (٧) يقيّد؛ يعوق.

tramontane [trə mŏn'tān] *(adj.; n.)* (١) قائم في الجانب الآخر من الجبال، وبخاصة جبال الألب، أو قادمٌ من هناك §(٢) المقيم في الجانب الآخر من الجبال. وتوسّعاً: الغريب؛ الأجنبي.

tramp [trămp] *(vi.; t.; n.)* (١) يدوس أو يطأ أو يمشي وبخاصة بثِقَل (٢) يسافر (سيراً على القدمين) (٣) «أ» يتسكّع؛ يتشرد. «ب» يطوف متسوّلاً ×(٤) يجتاز سيراً على القدمين (to ~ the streets) §(٥) «أ» المسافر سيراً على القدمين. «ب» المتجوّل ابتغاء التسوّل أو السرقة. «ج» المومس (٦) رحلة (سيراً على القدمين) (٧) وقع الأقدام (٨) صفيحة معدنيّة لوقاية نعل الحذاء (٩) سفينة شحن غير نظامية (تعمل حين تجد العمل وتبحر إلى أيّ مرفأ). **—tramper** *(n.)*

trample [trăm'pəl] *(vi.; t.; n.)* (١) يطأ؛ يدوس؛ يسحق بقدميه. (٢) يتصرّف بقسوة أو استعلاء §(٣) «أ» وطء؛ دَوْس. «ب» صوت الوطء أو الدوس.

trampoline *(n.)* البهلوانية؛ منصّة البهلوان؛ الترامبولين.

tramroad [trăm'rōd'] *(n.)* خط حديديّ في منجم.

tramway [trăm'wā'] *(n.)* (١) tramroad (٢) خط الترام.

trance [trăns; träns] *(n.; vt.)* (١) غَشْيَة (٢) نَشْوَة §(٣) يغشّي؛ ينشي.

tranquil [trăng'kwĭl] *(adj.)* (١) هادئ (٢) ساكن.

tranquilize *or* **tranquillize** [trăng'kwə līz'] *(vt.; i.)* (١) يهدّئ (وبخاصة الأعصاب) ×(٢) يهدأ.

tranquilizer *(n.)* المهدّئ؛ المسكّن؛ عقّار مُهدّئ للأعصاب.

tranquillity *or* **tranquility** [trăng kwĭl'-] *(n.)* هدوء؛ سكون.

trans- بادئة معناها: «أ» عَبْر؛ وراء؛ ماوراء (*trans*atlantic). «ب» إلى مكانٍ آخر أو حالة أخرى (*trans*port; *trans*form).

transact [trăns ăkt'] *(vi.; t.)* (١) يتعامل ×(٢) يُجري؛ يقوم بِـ.

transaction [trăns ăk'shən] *(n.)* (١) تعامل (٢) إجراء؛ قيام بِـ (٣) صفقة؛ معاملة تجارية (٤) *pl.* مَحضَر جلسة.

transalpine [trăns ăl'pĭn; -pīn] *(adj.; n.)* (١) واقعٌ وراء جبال الألب §(٢) المقيم في بلد واقع وراء الألب.

transatlantic [trăns'ət lăn'tĭk] *(adj.)* (١) «أ» عابرٌ الأطلسي (a ~ liner). «ب» ممتدّ عبر الأطلسي (a ~ cable) (٢) واقع وراء الأطلسي (a ~ country).

transceiver [trăns ē'vər] *(n.)* [*trans*mitter + re*ceiver*] *(n.)* المُرسِل المُستقبِل (رد).

transcend [trăn sĕnd'] *(vt.; i.)* (١) يتجاوز (٢) يسمو فوق (الوجود الماديّ الخ.) (٣) يفوق؛ يبزّ ×(٤) يتفوّق على.

transcendence; transcendency [trăn sĕn'-] *(n.)* تجاوز؛ سموّ؛ تفوّق.

transcendent [trăn sĕn'dənt] *(adj.)* (١) فائق؛ متجاوز الحدّ. (٢) متعالٍ: «أ» واقع وراء نطاق الخبرة أو المعرفة. «ب» كائن فوق الوجود المادي (٣) مُبْهَم؛ غامض.

transcendental [trăn'sĕn dĕn'təl] *(adj.)* (١) واقع وراء نطاق الخبرة (ولكنْ ليس وراء نطاق المعرفة) البشرية (٢) فائق؛ متجاوز الحدّ (٣) supernatural (٤) مُبْهَم.

transcendental function *(n.)* الدالّة المتسامية (ر).

transcendentalism [trăn'sĕn dĕn'tə lĭz'əm] *(n.)* (١) الفلسفة المتعالية: كلّ فلسفة تقول بأن اكتشاف الحقيقة يتمّ بدراسة عمليات الفكر لا من طريق الخبرة أو التجربة (٢) إبهام؛ غموض. **—transcendentalist** *(adj.; n.)*

transcontinental [trăns'kŏn tə nĕn'təl] *(adj.)* (١) ممتدّ عَبْرَ قارّة (٢) في الجانب الآخر من القارّة.

transcribe [trăn skrīb'] *(vt.)* (١) «أ» ينسخ. «ب» ينقل من شكل من أشكال التدوين إلى آخر (كأن ينقل مادة مختزَلة أو مسجلّة إلى الكتابة العادية). «ج» يدوّن؛ يسجّل (٢) «أ» يمثّل برموز صوتية. «ب» يترجم (٣) يكيِّف لحناً بحيث يلائم آلة لم يُجعَل لها في الأصل (٤) يذيع برنامجاً إذاعياً أو تلفزيونياً مسجّلاً. **—transcriber** *(n.)*

transcript [trăn'skrĭpt] *(n.)* (١) نسخة (عن رسالة أو وثيقة)؛ نسخة طبق الأصل (٢) السجلّ المدرسي: دفتر علامات الطالب.

transcription [trăn skrĭp'-] *(n.)* (١) مص transcribe (٢) نسخة (٣) لحن مكيَّف بحيث يلائم آلة لم تجعل له في الأصل (٤) اسطوانة فونوغرافية (معدّة للاذاعة من الراديو).

transcutaneous [trăns kū tā'nĭ əs] *(adj.)* عَبْرَ الجلد.

transducer [trăns dū'sər] *(n.)* محوِّل الطاقة (فز).

transect [trăn sĕkt'] *(vt.)* يقطع بالعرض؛ يقطع استعراضاً.

transept [trăn'sĕpt] *(n.)* جناح الكنيسة (عم).

transfer [*v.* trăns fûr'; *n.* trăns'fər] *(vt.; i.; n.)* (١) «أ» ينقل. «ب» يحوِّل؛ يغيِّر (٢) يتنازل (عن حقوق أو مِلكيّة) (٣) ينقل رسْماً من سطح إلى سطح بالاحتكاك (كأن ينقل رسماً من سطح خشبيّ إلى قطعة قماش) ×(٤) ينتقل (من قطار إلى قطار أو من معهد ثقافي إلى آخر الخ.) §(٥) «أ» نَقْل؛ انتقال. «ب» تحويل؛ تحوّل (٦) نَقْل المِلكية إلى شخص آخر (٧) رسم منقول من سطح إلى آخر بالاحتكاك (٨) نقطة (أو مركز) تحويل (٩) تذكرة تخوّل حاملَها حقّ مواصلة الرحلة في ترام أو قطار أو أوتوبيس آخر. (١٠) حوالة. **—transferrer** *(n.)*

transferable [trăns fûr'ə bəl] *(adj.)* قابلٌ للنقل أو التحويل.

transferee [trăns'fə rē'] *(n.)* (١) المنقول إليه، المتنازَل له (ق). (٢) المنقول (من مكان إلى آخر).

transference [trăns fûr'əns] *(n.)* (١) «أ» نَقْل. «ب» انتقال (٢) «أ» تحويل. «ب» تحوّل.

transferor [trăns fûr'ər] *(n.)* الناقل: المتنازل عن حقّ أو مِلكية (ق).

transfiguration [trăns'fĭg yə rā'shən] *(n.)* (١) تغيير المظهر أو الشكل الخارجي أو تغيّره (٢) *cap.*: «أ» التجلّي: تغيّر هيئة المسيح على الجبل. «ب» عيد التجلي (نص).

transfigure [trăns fĭg'yər; -fĭg'ər] *(vt.)* (١) يغيِّر المظهر أو الشكل الخارجيّ (٢) يغيِّر الهيئة على نحوٍ ماجدٍ أو محاطٍ بهالة من الجلال: يمجِّد.

transfix [trăns fĭks'] *(vt.)* (١) يَطْعَن (٢) يثبِّت بالطعْن (plunged their spears into his belly and ~*ed* him to the earth) (٣) يُحجِّر؛ يُشِلّ؛ يحوِّل (An idea occurred to her and ~ *ed* her into a statue.)

transform [trăns fôrm'] *(vt.; i.)* (١) يحوِّل ×(٢) يتحوّل.

transformation [trăns'fər mā'-] *(n.)* (١) تحويل (٢) تحوّل؛ استحالة (٣) شَعر مستعار؛ وبخاصة: شعر نسائي مستعار.

transformer [-fôr'mər] *(n.)* (١) المحوِّل (٢) محوِّل التيار (كب).

transfuse [trăns fūz'] *(vt.)* (١) «أ» يَنْقُل. «ب» يتخلّل؛ يخترق (٢) «أ» ينقل (الدمّ) إلى وريد شخص أو حيوان. «ب» يُخضع (مريضاً) لعملية نقل الدم. **—transfusible; transfusable** *(adj.)* **—transfusion** *(n.)*

transgress [trăns grĕs'] *(vt.; i.)* (١) ينتهك؛ يخالف. (٢) يتخطّى؛ يتجاوز ×(٣) يأثم. **—transgressor** *(n.)*

transgression [-grĕsh'ən] *(n.)* (١) انتهاك الخ. (٢) إثم؛ خطيئة.

tranship [trăn shĭp'] *(vt.; i.)* = transship.

transience [trăn'shəns] *(n.)* سرعة الزوال.

transiency [trăn'shən sĭ] *(n.)* = transience.

transient [trăn'shənt] *(adj.; n.)* (١) زائل؛ عابر §(٢) ضيف الخ. قصير الإقامة (٣) شخص مترحّل (وبخاصةٍ بحثاً عن عمل).

transilluminate [trăns'ĭ lōō'mə nāt'] *(vt.)* يعاين شُفوفياً: يفحص عضواً بتعريضه لنورٍ يخترقه (ط).

transistor [trăn zĭs'tər] *(n.)* الترانزستور: أداة الكترونيّة أصغر من صمام الراديو بكثير تستخدم في أجهزة الراديو المستقبلة.

transistor radio *(n.)* راديو ترانزستور.

transistorize [-'tə rīz'] *(vt.)* يزوِّد (جهازاً) بترانزستور.

transit [trăn'sĭt; -zĭt] *(n,; vi.; t.)* (١) عبور؛ مرور (٢) انتقال (٣) «أ» نقل؛ وبخاصة: نقل الأشخاص أو الأشياء من مكان إلى آخر. «ب» جهاز هذا النقل أو مَرْكَباتُه (٤) العبور (فل) §(٥) يَعْبُر (٦) يمكِّنه من العبور.

transit instrument *(n.)* تلسكوب العبور (فل).

transition [trăn zĭsh'ən] *(n.)* (١) انتقال؛ تحوّل (٢) المَقْطع الانتقالي (مو).

transitional; transitionary [trăn zĭsh'-] *(adj.)* انتقاليّ.

transitive [trăn'sə-] *(adj.; n.)* (١) متعدٍّ (a ~ verb) (٢) انتقاليّ §(٣) فعل متعدٍّ.

transitorily [trăn sə tōr'ə lĭ] *(adv.)* (١) موقّتاً (٢) على نحو عابر أو زائل.

transitory [trăn'sə tōr'ĭ] *(adj.)* (١) موقّت (٢) عابر؛ زائل؛ سريع الزوال.

translatable [trăns lāt'ə bəl] *(adj.)* ممكنٌ نقلُه أو ترجمتُه الخ.

translate [trăns lāt'] *(vt.; i.)* (١) «أ» ينقل (من مكان إلى آخر). «ب» يحوِّل. «ج» يرفعه إلى السماء (من غير أن يتوفّاه). «د» ينقل (أسقفاً) من أبرشية إلى أخرى (٢) «أ» يترجم. «ب» يشرح؛ يفسّر (٣) يُبْهِج إلى أقصى حدّ ×(٤) يُتَرْجَم؛ يَقْبَل الترجمة (poems that ~ into every language).

translation [-lā'shən] *(n.)* مص translate وبخاصة: ترجمة.

translator [-lā'tər] *(n.)* فا translate وبخاصة: المترجم.

transliterate [trăns lĭt'ə rāt'] *(vt.)* يُنَقْحِر : ينقل حروف لغة إلى حروف لغة أخرى ؛ يكتب لغة بحروف لغة أخرى .

translocate [trăns lō'kāt] *(vt.)* ينقل (من مكان إلى آخر) .

translucence *or* **translucency** [trăns lo͞o'-] *(n.)* الشَّفَّانية .

translucent [trăns lo͞o'sənt] *(adj.)* شَفَّانيّ : نصف شفّاف .

translucid [trăns lo͞o'sĭd] *(adj.)* = translucent.

transmarine [trăns mə rēn'] *(adj.)* (١) مقيمٌ وراء البحر . (٢) آتٍ من وراء البحر أو عَبْرَه (٣) ممتدٌّ عبرَ البحر .

transmigrate [trăns mī'grāt] *(vi.)* (١) يتقمّص (٢) يهاجر .

—transmigrator *(n.)* **—transmigratory** *(adj.)*

transmissibility [trăns mĭs ə bĭl'-] *(n.)* المنقولية : قابلية النقل .

transmissible [trăns mĭs'ə bəl] *(adj.)* قابلٌ للنقل الخ .

transmission [trăns mĭsh'ən] *(n.)* (١) «أ» نَقْل . «ب» انتقال . (٢) «أ» إنفاذ . «ب» نفاذ (٣) إرسال (رد) (٤) جهاز نقل الحركة (سي) (٥) رسالة .

transmissive [trăns mĭs'ĭv] *(adj.)* (١) ناقل ؛ نَقْلِيّ . (٢) ممكنٌ نقلُه ؛ قابلٌ للنقل .

transmit [trăns mĭt'] *(vt.)* (١) ينقل (٢) يُنْفِذ (الضوءَ) . (٣) يُرْسِل (رد) .

transmittal [trăns mĭt'-] *(n.)* = transmission.

transmittance [trăns mĭt'-] *(n.)* = transmission.

transmitter [-'ər] *(n.)* (١) فا transmit (٢) المرسِلة : جهاز الإرسال («لا» و «رد») .

transmitting set [-'ĭng] *(n.)* المُرْسِلَة : جهاز الإرسال (رد) .

transmitting station [-'ĭng] *(n.)* محطة الارسال (رد) .

transmogrify [trăns mŏg'rə fī'] *(vt.)* يُحوِّل (بمثل فعل السحر) .

transmontane [trăns mŏn'tān] *(adj.)* = tramontane.

transmutation [trăns'mū tā'shən] *(n.)* (١) تحويل (٢) تحوّل . (٣) تحويل المعادن الخسيسة إلى ذهب وفضة (٤) تحوّل عنصر أو نظير إلى آخر (طبيعياً أو صُنْعياً) .

transmute [trăns mūt'] *(vt.; i.)* (١) يُحوِّل ×(٢) يتحوّل .

transnational [trăns'năsh'ən əl] *(adj.)* متخطٍّ الحدودَ القوميّة .

transnatural [trăns'năch'ə rəl] *(adj.)* = supernatural.

transoceanic [trăns'ō shĭ ăn'ĭk] *(adj.)* (١) واقع أو مقيم وراء المحيط (٢) عابرٌ أو ممتدٌّ عبر المحيط .

transom [trăn'səm] *(n.)* (١) الرافدة المستعرضة : رافدة أفقية عبر نافذة ؛ رافدة تفصل باباً عن نافذة فوقه (٢) اللِّجاف : نافذة فوق باب أو فوق نافذة أخرى (عم) .

transonic *also* **trans-sonic** [trăns sŏn'ĭk] *(adj.)* مقاربٌ سرعةَ الصوت (طي) .

transpacific [trăns'pə sĭf'ĭk] *(adj.)* (١) عابرٌ (أو ممتدٌّ عبر) المحيط الهادىء (٢) واقع وراء المحيط الهادىء .

transparence [trăns pâr'əns] *(n.)* = transparency 1.

transparency [trăns pâr'ən sĭ] *(n.)* (١) الشفّافية : كون الشيء شفّافاً (٢) شيء شفّاف (٣) «أ» صورة أو رسم الخ. على زجاج أو ورق أو فيلم أو قماش رقيق تتجلّى للعيان بنور مُشِعّ من خلفها. «ب» إطار مكسوّ بقماش أو ورق يُضاء من الداخل ويحمل اعلاناً الخ .

transparent [-'ənt] *(adj.)* (١) شفّاف (٢) صريح (٣) جليّ ؛ واضح .

transpicuous [trăns pĭk'yo͞o əs] *(adj.)* = transparent.

transpierce [trăns pĭrs'] *(vt.)* يخترق ؛ ينفُذ إلى .

transpiration [trăn'spə rā'shən] *(n.)* (١) «أ» تعرّق . «ب» عَرَق (٢) النتح : عَرَقُ النبات .

transpire [trăn spīr'] *(vi.; t.)* (١) يَعْرَق (٢) يرتشح . (٣) يَرْشَح : يصبح معروفاً أو ظاهراً (It ~ *d* that the fire was caused by a careless smoker.) (٤) يحدُث (She gave an honest account of what ~ *d.*)

transplant [*v.* trăns plănt'; *n.* trăns'plănt'] *(vt.; i.; n.)* (١) يَزْدَرِع : ينقل غرسةً إلى تربة أخرى (٢) ينقُل (٣) يزدرع تعويضياً : ينقل عضواً أو نسيجاً حياً من جزء أو فرد إلى آخر ×(٤) يحتمل أو يقبل الازدراع (Some plants do not ~ as well as others.) § (٥) ازدراع الخ. (٦) شيء مُزْدَرَع .

transpolar [trăns pō'lər] *(adj.)* عَبْرِقُطبي : ممتدٌّ عبر القطب الشمالي أو الجنوبي .

transponder [-pŏn'-] *(n.)* [*trans*mitter+res*ponder*] المتلقّي المستجيب : جهاز راديو أو رادار لا يكاد يتلقّى إشارة معيّنة حتى يرسل بدوره إشارة لاسلكية .

transpontine [trăns pŏn'tĭn; -tīn] *(adj.)* (١) واقع على الجانب الآخر من الجسر (٢) مميِّزٌ للندن جنوبيَّ نهر التايمس .

transport [*v.* trăns pōrt'; *n.* trăns'pōrt] *(vt.; n.)* (١) ينقل . (٢) يستخفه (الطربُ أو الابتهاجُ الخ.) (٣) ينفي ؛ يُبْعِد (مجرماً الخ.) § (٤) نَقْل (٥) نشوة ؛ خفة (طربٍ الخ.) (٦) «أ» سفينة لنقل الجند أو المعدات العسكرية. «ب» شاحنة أو طائرة لنقل الأشخاص أو السلَع . «ج» نظام نقل أو مواصلات (٧) مجرم منفي .

transportation [trăns'pər tā'shən] *(n.)* (١) نَقْل (٢) انتقال . (٣) نَفْي ؛ إبعاد (٤) «أ» وسيلة نَقْل أو مواصلات . «ب» أجرة النقل . «ج» تذكرة النقل ؛ جواز النقل .

transpose [trăns pōz'] *(vt.)* (١) يحوِّل (٢) يترجم (٣) ينقل (من مكان إلى آخر) (٤) يغيّر موضع شيء أو وضعَهُ (٥) يغيّر السُّلَّم (مو) (٦) ينقل (من أحد جانبي المعادلة الجبرية إلى الآخر) .

—transposition *(n.)*

transshape [trăns shāp'] *(vt.)* يحوِّل ؛ يغيّر شكل كذا .

transship [trăns shĭp'] *(vt.; i.)* (١) ينقل من سفينة أو سيارة الخ. إلى أخرى ×(٢) ينتقل من سفينة الخ. إلى أخرى .

transubstantiate [trăn'səb stăn'shĭ-] *(vt.; i.)* (١) يُحيل : يحوِّل من مادة إلى أخرى (٢) يحوِّل خبز القربان وخمره إلى جسد المسيح ودمه (نص) ×(٣) يستحيل : يتحوَّل من مادة إلى أخرى .

transubstantiation [-stăn'shĭ ā'shən] *(n.)* (١) «أ» إحالة ؛ تحويل . «ب» استحالة ؛ تحوّل (٢) استحالة خبز القربان وخمره إلى جسد المسيح ودمه (نص) .

transudate [-'so͞o dāt']; **transudation** [-'so͞o dā'shən] *(n.)* (١) تحلّب ؛ تَفَصّد (٢) مادة متحلّبة أو متفصّدة .

transude [trăn so͞od'] *(vi.; t.)* (١) يتحلّب ؛ يتفصّد ×(٢) يُفرز .

transuranic [trăns'yo͞o răn'ĭk] *(adj.)* وراء اليورانيوم : ذو عدد ذرّيّ أكبر من عدد اليورانيوم الذري .

transuranium [-rā'nĭ əm] *(adj.)* = transuranic.

transvaluate; transvalue [trăns văl'-] *(vt.)* يُعيد التقييم : يقيِّم على أساس مختلف .

transversal [trăns vûr'səl] *(adj.; n.)* (١) مستعرِض § (٢) خطٌّ مستعرض أو معترِض .

transverse [-vûrs'] *(adj.; n.)* (١) مستعرِض § (٢) شيء مستعرض .

transverse axis *(n.)* المحور المستعرض (هن) .

transverse colon *(n.)* القولون المستعرِض (ت) .

trap [trăp] *(n.; vt.; i.)* (١) «أ» شَرَك ، فخّ . «ب» مكيدة . (٢) أداة لإطلاق الأشياء في الهواء لكي تصوَّب إليها النار (٣) مركبة ذات عجلتين وجواد واحد (٤) مِحبس الروائح : أداة (في أنبوب) لمنع تسرّب الغاز أو الهواء الفاسد (٥) *pl.* عد: آلة النقر : إحدى الآلات الموسيقية التي يعزَف عليها بالنقر (٦) شرطي (ع) §(٧) يوقع في شَرَك (٨) يزود (مكاناً) بالأشراك الخ. (٩) يعوق، يصدّ (١٠) يجمّل بحليّ أو بملابس زينيّة ×(١١) ينصب الأشراك للحيوانات .

trap *also* **traprock** [trăp'-] *(n.)* الطِّراب : صخر بركاني (جي) .

trap door *(n.)* الباب المسحور : بابٌ أفقي في أرضية أو سقف .

trapeze

trapeze [tră pēz'] *(F.)* أرجوحة البهلوان أو الرياضي .

trapezium [trə pē'zĭ əm] *(L.)* pl. **-s** *or* **-zia** (١)المعيَّن المنحرف : شكل ذو أربعة أضلاع ليس بينها اثنان متوازيان (ر) (٢) عظم في الرسغ عند قاعدة الإبهام (ت) .

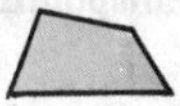

trapezium 1.

trapezius [-əs] *(L.)* العضلة شبه المنحرفة (في كلّ من جانبي الظهر) .

trapezohedron [trə pē zō hē'-] *(L.)* pl. **-s** *or* **-dra** مسطّح المعين المنحرف (بلو) .

trapezoid [trăp'ə zoid'] *(n.)* (١)شِبه المنحرف : شكل ذو ضلعين متوازيين وضلعين غير متوازيين (٢) عظم في الرسغ عند قاعدة السبابة (ت) .

trapezoid 1.

trappings [trăp'ĭngz] *(n. pl.)* (١)الجُلّ : غطاء مزركش لسرج الفرس (٢) حلي ، زخارف .

Trappist [trăp'ĭst] *(n.)* اللاترابيّ : أحد رهبان دير «لا ترابّ» الممتنعين عن الكلام .

traps [trăps] *(n. pl.)* أمتعة ، أمتعة شخصية .

trapshooting[trăp'-] *(n.)* صيد الحمائم الطينية (را. clay pigeon) المُطلقة في الهواء .
—**trapshooter** *(n.)*

trash [trăsh] *(n.)* (١) «أ» نُفاية ، قُمامة . «ب» هُراء ، كلام فارغ . «ج» عمل فني تافه (٢) قُلامة ، قُطاعة الخ. (٣)«أ»شخص تافه . «ب» الدَّهماء ، الرَّعاع .

trashy [trăsh'ĭ] *(adj.)* تافه (~ novels) .

trass [trăs] *(n.)* الطِّراس : صخر بركانيّ في حوض الراين الأدنى .

trauma[trô'mə] *(Gk.)*pl.**-ta** *or*-**s** رَضّ ، جُرح ، أذى ، صدمة .

traumatic [trô măt'ĭk] *(adj.)* رَضّي ، جُرحي .

traumatism [trô'mə tĭz'əm] *(n.)* (١) الآفة الرَّضيّة : حالة مرضيّة ناشئة عن رضّ (٢) رضّ ، جرح .

traumatize [trô'mə tīz'] *(vt.)* يرضّ ، يجرح ، يؤذي .

travail [trăv'āl] *(n.; vi.)* (١) «أ» عملٌ ، وبخاصة : كدح . «ب» مهمّة . «ج» عذاب ، ألم (٢) مَخاض §(٣) يكدح (٤) يجيئها المخاضُ .

trave [trāv] *(n.)* (١)الرافدة المستعرضة أو المعترضة (٢) جزء (في سقف) مُشَكَّل بروافد كهذه .

travel [trăv'əl] *(vi.; t.; n.)* (١) يسافر ، يرتحل (٢) يطوف ، يجول (٣) يمشي ، يسير (ع) (٤) يتحرك ، يتنقّل (٥) يتجوّل (بوصفه مندوب مؤسسة تجارية) ×(٦) يجتاز ، يقطع (٧)يسلك (٨) يزور (مكاناً أو منطقة) بوصفه مندوب مؤسسة تجارية الخ. §(٩) سَفَر ، ترحّل (١٠) رِحلة (١١) *pl.* : «أ» رحلات . «ب» كتاب يضعه المرء عن رحلاته (١٢) حركة (١٣) حركة المرور (١٤) مدى الحركة (ملك) .

travel agency *or* **bureau** *(n.)* وكالة (أو مكتب) السفر .

travel agent *(n.)* وكيل السفر : شخص يبيع تذاكر السفر أو ينظّم الرحلات .

traveled *or* **travelled** [trăv'əld] *(adj.)* (١)متمرس بالأسفار : سبق له القيام برحلات عديدة (٢)مألوف عند المسافرين(a ~ road).

traveler *or* **traveller** [trăv'əl ər] *(n.)* (١) «أ» المسافر . «ب» الرحّالة (٢)المندوب المتجوّل (لمؤسسة تجارية) (٣)«أ»المترحّلة : حلقة معدنية تنزلق على حبل أو قضيب في سفينة . «ب» حبل (أو قضيب) الترحل : الحبل (أو القضيب) الذي تنزلق عليه هذه الحلقة المعدنية (٤) المِرفاع أو الونش الرحّال .

traveler's check *(n.)* شيك السائح ، الشيك السياحي .

traveling crane *(n.)* المِرفاع (أو الونش) الرحال .

traveling salesman *(n.)* = commercial traveler.

travelogue *also* **travelog** [trăv'ə lôg] *(n.)* محاضرة مصوَّرة عن رحلة .

traverse[trăv'ərs] *(n.; vt.; i.; adj.)* (١)«أ» حاجز. «ب» رافدة معترضة أو مستعرضة (٢)عقبة ، عائق (٣)إنكار (ق) (٤)«أ»مقصورة أو حُجيرة مُشكَّلة بستارة أو فاصل . «ب» شرفة (ممتدة من جانب إلى جانب) في مبنى كبير (٥) طريق ، وبخاصة طريق متعرج تسلكه السفينة بسبب من رياح أو تيارات غير مؤاتية (٦) اجتياز ، عبور (٧) الحاجز الوقائي : جدار يحمي خندقاً أو موضعاً مكشوفاً في حصن (٨) الحركة الجانبية (لسفينة أو جزء من ماكينة الخ.) أو أداة لإحداث هذه الحركة (٩) خطّ معترض (خطوطاً أخرى) §(١٠) «أ» يقاوم ، يعارض . «ب» يُنكر (ق) (١١) يتخلّل ، ينفذ إلى (١٢) يجتاز ، يقطع (١٣) يدرس (١٤) يعترض أو يمتدّ عبر كذا (١٥) يجوز خلال المكان (جيئةً وذهوباً) (١٦) يدير (المدفعَ) يمنةً أو يَسْرة ×(١٧) يتحرك جيئةً وذهوباً (١٨) يدور على محور أو نحوه (١٩) يتسلق أو يتزلّج في خط متعرّج §(٢٠) معترض ، مستعرض ، جانبي .

traverse jury *(n.)* = petit jury.

travertine *also* **travertin** [trăv'ər tēn'; -tĭn] *(F.)* الترافرتين : حجر جِيري .

travesty [trăv'ĭs tĭ] *(n.; vt.)* (١)تقليد ساخر ، محاكاة مضحكة . (٢) صورة زائفة (عن العدالة أو الديموقراطية الخ.) §(٣) يقلّد على نحو ساخر أو مضحك .

travois [tră voi'] *(n.)* عربة بدائية (عند الهنود الحمر) .

trawl [trôl] *(n.; vi.; t.)* (١) التَّرْوَل : شبكة صيد (كبيرة مخروطية تُسحَب عبر قاع البحر) (٢) صنارة مُسَلْسَلَة (را. setline) §(٣) يُتَرْوِل : يصيد بتروَل أو بصنّارة مسلسلة .

trawler [trô'-] *(n.)* (١)المُتَرْوِل (٢)سفينة الترولة (را. المادة السابقة).

tray [trā] *(n.)* الصينية : طبق تُقدَّم عليه أواني الطعام أو الشراب .

treacherous [trĕch'ər əs] *(adj.)* (١)خائن (٢)غادر (٣)غرّار .

treachery [trĕch'ə rĭ] *(n.)* خيانة ، غدْر .

treacle [trē'kəl] *(n.)* دِبْس السكّر .

tread [trĕd] *(vt.; i.; n.)* (١) «أ» يطأ ، يدوس. «ب» يمشي على. (٢) يُخضِع ، يسحق (٣)يَسْفِد : يجامع الطائر أنثاه (٤)يوطّىء : ينشىء بالوطء أو الدَّوس (to ~ a path) (٥) يؤدي بالخطو أو الرقص ×(٦) يمشي ، يخطو §(٧) «أ» وطأ ، دوس . «ب» أثر الوطأ أو

صوته . «ج» خطوة (٨)المُلامِيس: الجزء الملامس للأرض من القدَم أو الحذاء أو عجلة السيّارة الخ. (٩)«أ» الجزء الأفقيّ الأعلى من درجة السلّم . «ب» عرض هذا الجزء .

to ~ in somebody's steps يحذو حذوَه .

to ~ on air يستشعر السعادة والبهجة .

to ~ on somebody's toes يكدّره أو يجرح مشاعره .

to ~ water يجتنب الغرق بتحريك القدمين إلى أعلى وإلى أدنى .

treadle

treadle [trĕd'əl] *(n.; vi.)* (١)المِدْوَس : ذراع يُحرَّك بالقدم (كدوّاسة ماكينة الخياطة الخ.) §(٢) يُعمِل المِدْوَس .

treadmill[trĕd'mĭl'] *(n.)* : (١)طاحون الدَوْس : جهاز لإحداث الحركة الدائرية بالدوس على مواطىء للأقدام في دولاب أو نحوه (لتعذيب المجرمين) (٢) رُوتين مضجِر .

treason [trē'zən] *(n.)* (١)خيانة (٢) الخيانة العظمى (ق) .

treasonable [trē'zən ə bəl] *(adj.)* (١) خيانيّ : منطوٍ على خيانة . (٢) خائن ، غادر .

treasonous [trē'zən əs] *(adj.)* = treasonable.

treasurable [trĕzh'(ə) rə bəl] *(adj.)* نفيس ، ثمين .

treasure [trĕzh'ər] *(n.; vt.)* (١) «أ» كنز . «ب» ثروة . §(٢) يدّخر (٣) يُعِزّ .

treasurer [trĕzh'ər ər] *(n.)* الخازن ، أمين الصندوق .

treasure trove *(n.)* (١) كنز دفين (يعثر عليه المرء) . (٢) اكتشاف ، لُقية .

treasury [trĕzh'ə rĭ] *(n.)* (١) خزينة ، خزانة (٢) مال ، أموال . (٣) *cap.* : المالية ، وزارة المال .

treasury notes *(n. pl.)* أوراق نقد الخزانة .

treat [trēt] *(vi.; t.; n.)* (١) يفاوض (٢) يبحث في ، يعالج أو يتكلم عن (تتبعها *of* عادةً) (٣) يدفع نفقات وليمة ×(٤) يعامل (٥)يعتبر (٦)يستضيف : يقدّم الطعام أو الشراب الخ. على نفقته إلى فلان (٧) يعالج §(٨) دعوة (إلى طعام أو شراب) (٩) متعة .

treatise [trē'tĭs] *(n.)* بحث ، رسالة .

treatment [trēt'mənt] *(n.)* (١) معاملة (٢) معالجة .

treaty [trē'tĭ] *(n.)* (١) مفاوضة (ا.ن) (٢) معاهدة .

treble[trĕb'əl] *(n.; adj.; vt.; i.)* soprano 1-2.(١) §(٢)ثلاثي . (٣)بالغٌ ثلاثة أضعاف (٤)«أ» متعلق بالنّديّ أو «السوبرانو» (مو) . «ب» عالي الطبقة §(٥) يزيده ثلاثة أضعاف ×(٦) يتكلم أو يغني بصوت عالي الطبقة (٧) يزداد ثلاثة أضعاف .

trebuchet [trĕb'yōō shĕt'] *or* **trebucket** [trē'bŭk ĭt] *(n.)* المَنْجَنيق : أداة لقذف الحجارة على الأسوار (في القرون الوسطى) .

trecento [trĕ chĕn'tô] *(It.)* القرن الرابع عشر وبخاصة في الأدب والفن الإيطاليّين .

tree [trē] *(n.; vt.)* (١) شجرة (٢) «أ» عمود ، رافدة ، عارضة ، قضيب ، مَقبِض الخ. «ب» الصليب (ا.ق) . «ج» مشنقة (ا.ق) (٣) قالب الأحذية (٤) هيكل السَّرج (٥) محور العربة : قضيب يربط بين عجلتي عربة (٦) شجرة النَّسَب §(٧)«أ» يُلجىء (طريدةً أو شخصاً مطارداً) إلى شجرة أو إلى أعلى الشجرة . «ب» يضع في مركز حرِج (٨) يزوِّد بعمود أو رافدة أو عارضة أو مقبض (٩) يوسِّع الخ. الحذاء (بوضعه في قالب) .

up a ~, (١)مُلْتَجِئاً إلى شجرة (٢)في مركز حرِج .

tree fern

tree fern *(n.)* السَّرْخَس (أو الخنشار) الشجري : سَرْخَس ينمو إلى ارتفاع الأشجار .

tree frog *(n.)* : ضِفْدع الشجر : ضِفدع صغير يسكن الأشجار .

tree heath *(n.)* الخَلَنْج الشجري .

tree line *(n.)* = timberline.

treenail [trē'nāl'] *(n.)* : الدِسار : وتد ينتفخ في ثقبه إذا أصابه البلل .

tree of heaven *(n.)* شجرة السماء : شجرة آسيوية وارفة الظلال .

tree shrew *(n.)* زَبابة الأشجار : حيوان ثديي ساكن للأشجار يشبه السنجاب .

tree surgeon *(n.)* جرّاح الأشجار : الاختصاصي في جراحة الأشجار .

tree surgery *(n.)* جراحة الأشجار : معالجة الأشجار بإزالة الأجزاء المَؤوفة وملء الفجوات ووضع حدّ للنَّخر الخ .

tree toad *(n.)* عُلجوم الشجر : عُلجوم صغير يسكن الأشجار .

treetop [trē'tŏp'] *(n.)* أعلى الشجرة .

trefoil [trē'foil] *(n.)* (١) النَّفَل ، البِرسيم . وتوسّعاً : أيّ من أعشاب كثيرة ثلاثية الوُرَيقات (٢) ثلاثية الوُرَيقات : «أ» ورقة نبات ثلاثية الوريقات . «ب» حلية أو رمز على شكل ورقة ثلاثية الوريقات .

trehalose [trē'hə lōs'] *(n.)* التريهالوز : سكّر متبلّر يكون في الخميرة وبعض الفطور (ك) .

treillage [trā'lĭj] *(F.)* تعريشة ، تعريشة للكَرْم .

trek [trĕk] *(n.; vi.)* (١) رحلةٌ بعربة ثيران ، وبخاصة : هجرة جماعيّة (٢) رحلة أو حركة (وبخاصة إذا انطوت على مصاعب أو تنظيم معقّد) §(٣) يرحل أو يهاجر بعربة ثيران (٤) يشقّ طريقه ببطء ومشقّة .

trellis [trĕl'ĭs] *(n.; vt.)* (١) تعريشة ، شَعْرِيـة §(٢) يعرِّش .

trelliswork [trĕl'ĭs wûrk'] *(n.)* تَعْرِيشة : شَعرية .

trematode [trĕm'ə tōd'; tre'mə-] *(n.)* المُثَقَّبة : واحدة المثقبات **Trematoda** وهي طائفة من الديدان العريضة .

tremble [trĕm'bəl] *(vi.; n.)* (١)«أ» يرتجف ، يرتعش ، يرتعد . «ب» يهتزّ §(٢)«أ» ارتجاف ، ارتعاش ، ارتعاد . «ب» رجفة ، رعشة ، رِعدة (أو سلسلة متتابعة من ذلك) (٣) *pl.* : رُعاش الماشية : تسمّم يصيب الماشية إذا أكلت بعض الأعشاب ويتميّز بارتعاشات عضلية .

trembly [trĕm'blĭ] *(adj.)* مرتجف ، مرتعش .

tremendous [trĭ mĕn'dəs] *(adj.)* (١)مروِّع (٢)ضخم ، هائل .

tremolite [trĕm'ə līt'] *(F.)* التريموليت : معدن مؤلَّف من سِليكات الكلسيوم والمغنسيوم .

tremolo [trĕm'ə lō'] *(It.)* (١) اهتزاز (مو) (٢) الهزّازة : أداة في الأرغن لإحداث الاهتزاز (مو) .

tremor [trĕm'ər] *(n.)* (١) ارتجاف ، ارتعاش (٢)رَجفة ، رعشة .

tremulant *or* **tremulent** [trĕm'yə lənt] *(adj.)* مرتجف ، مرتعش ، مرتعد .

tremulous [trĕm'yə ləs] *(adj.)* (١) مرتجف ، مرتعش ، مرتعد . (٢) جبان ، هيّاب .

trenail [trē'nāl] *(n.)* = treenail.

trench [trĕnch] *(n.; vt.; i.)* (١) خَنْدَقٌ §(٢) يحفر ، ينقش . (٣) يحمي بخندق أو نحوه (٤) يحفر خندقاً في ×(٥) يقترب من (تتبعها *on* أو *upon*) (٦) يُخندق : يحفر خندقاً .

trenchant [trĕn'chənt] *(adj.)* (١)حادّ ؛ ماضٍ (ا.ق)(٢)لاذع .
(٣) فعّال ؛ نشيط (٤) واضح ؛ محدّد المعالم .

trench coat *(n.)* المِمْطَر : مِعطف واقٍ من المطر .

trencher [trĕn'chər] *(n.)* (١) حافر الخنادق (٢) صَحْفَة أو صينية خشبية .

trencherman [-mən] *(n.)* (١) الأكول (٢) الطُّفَيْلِيّ (ا.ق).

trench fever *(n.)* حُمّى الخنادق : حمى تصيب الجند في الخنادق.

trench foot *(n.)* القدم الخَندقية : مرض يصيب أقدام الجند المخندِقين.

trench mouth *(n.)* = Vincent's angina.

trend [trĕnd] *(vi.; n.)* (١)يتّجه (٢)ينزع أو يميل إلى §(٣) اتجاه.
(٤) نزعة (٥) زِيّ شائع .

trente-et-quarante [trän tĕ kȧ ränt'] *(F.)* الثلاثون والأربعون : لعبة قمار (بورق اللعب أو الشدّة) .

trepan [trĭ păn'] *(n.; vt.)* (١)منشار الجمجمة (٢)مِثقب ضخم (لمداخل المناجم) (٣) المحتال ؛ المخادع (ا.ق) (٤) شَرَك (ا.ق) §(٥) ينشر (الجمجمة) (٦) يثقب (مدخل المنجم) (٧) يخدع ؛ يغوي ؛ يوقع في شَرَك (ا.ق) .

trepang [trĭ păng'] *(n.)* خيار البحر : حيوان بحريّ .

trephine[-fīn'] *(n.; vt.)* (١)منشار الجمجمة§(٢)ينشر (الجمجمة)

trepidation[trĕp'ə dā'-] *(n.)* (١)ارتعاش(ا.ق) (٢)خوف ؛ ذعر

trespass[trĕs'pəs] *(n.;vi.)* (١)«أ»إثم ؛ خطيئة. «ب»انتهاكٌ لحرمة.
(٢)«أ» تَعَدٍّ (على أملاك امرىء أو حقوقه أو شخصه) ؛ تجاوُز. «ب» دعوى تُقام بسبب من هذا التّعَدّي §(٣) «أ» يأثم . «ب» ينتهك حرمة كذا ؛ يتجاوز حدود اللياقة أو الكياسة (٤) يتعدّى على ؛ وبخاصة : يدخل أراضي شخص آخر دخولاً غير مشروع .
—**trespasser** *(n.)*

tress [trĕs] *(n.)* (١) ضَفِيرَة (ا.ق) (٢) غديرة ؛ خصلة شعر .

trestle *or* **tressel** [trĕs'əl] *(n.)* مِنْصَبَة ؛ مِسند ؛ حامل ؛ «جَحْش» .

trestle

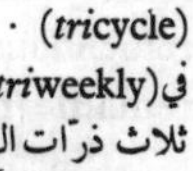

trestle bridge *(n.)* الجِسر المِنصبي : جسر قائم على مناصب .

trestle table *(n.)* الطاولة المِنصبية : طاولة تُصنَع بوضع لوحٍ خشبيّ على مِنصبةٍ أو أكثر.

trews [trōōz] *(n. pl.)* التَّرْوَز : بنطلون اسكتلندي ضيّق مَخِيط من الطَّرطان (را. tartan) .

trey [trā] *(n.)* ثلاثة (في النّرد أو الدومينو أو ورق اللعب) .

tri- بادئة معناها : «أ» ثلاثة ؛ ثلاثيّ ؛ مثلّث ؛ ذو ثلاثة أجزاء (*tri*cycle) . «ب» إلى ثلاثة (*tri*sect) . «ج» ثلاثَ مرات في(*tri*weekly). «د» مرةً كلّ ثلاثة...(*tri*monthly) . «هـ» ذو ثلاث ذرّات الخ. من مادة معينة (*tri*chloride) .

triable [trī'ə bəl] *(adj.)* (١) قابل للتجربة أو الاختبار (٢) قابل للمحاكمة (ق) .

triad [trī'ăd] *(L.)* الثالوث ؛ الثلاثيّ : مجموعة من ٣ أشخاص أو أشياء.

trial [trī'əl] *(n.; adj.)* (١) تجرِبة ؛ اختبار (٢) محاكمة (٣) مِحنة.
(٤) محاولة ؛ جهد §(٥) تجريبيّ (كقولك a ~ trip أي رحلة تجريبيّة لسفينة جديدة) .
on ~, (١)على سبيل التجربة (٢)عند الاختبار أو التجربة.

trial and error *(n.)* التجربة والخطأ ؛ المحاولة والخطأ .

trial balance *(n.)* ميزان المراجعة أو الاختبار (في الحساب التجاري).

trial balloon *(n.)* منطاد الاختبار : «أ» منطادٌ يُطلق لاختبار تيارات الهواء وسرعة الريح . «ب» تصريحٌ للرأي العام يقصد به استطلاع موقفه من عملٍ يُهيّأ أو خطوةٍ الخ. سوف تُتخذ .

trial jury *(n.)* = petit jury.

trial run *(n.)* تجربة ؛ اختبار .

triangle [trī'ăng'gəl] *(n.)* (١) مُثلّث (هن) (٢) المثلّث : آلة من آلات النقر الموسيقية قوامها قضيب من فولاذ مَلْوِيّ على شكلِ مثلّث (٣) المثلّث الغرامي : حبّ اثنين لشخص واحد من الجنسِ الآخر وما ينشأ عن ذلك من مضاعفات (the eternal ~).

triangular [trī ăng'gyə lər] *(adj.)* (١) مثلّثيّ ؛ مثلّث الشكل.
(٢) ثلاثيّ (a ~ trade between France, Italy and India) .

triangulate [*adj.* trī ăng'gyə lĭt; *v.* -lāt'] *(adj.; vt.)* (١)مُثَلّثاتيّ : مؤلّفٌ من مثلّثات أو موسومٌ بها §(٢)يثلّث : يقسمه إلى مثلّثات ؛ أو يجعله مثلّث الشكل (٣)يمسح الأراضي بتقسيمها إلى مثلثات وبقياس زواياها (٤) يقيس (ارتفاع جبل) بحساب المثلثات.

triangulation [trī'ăng gyə lā'shən] *(n.)* التثليث : «أ» التقسيم إلى مثلثات. «ب» المسح أو القياس بالاستعانة بعلم حساب المثلثات.

triarchy[trī'är kĭ] *(Gk.)* (١)حكومة الثلاثة (٢)بلد خاضعٌ لحكام ثلاثة

Triassic [trī ăs'ĭk] *(n.; adj.)* (١)العصر التِّرياسي أو الثلاثيّ : أقدم عصور الدهر الوسيط وفيه سادت الزحافات الأرضَ وبدأت الثدييات في الظهور (جي) §(٢) تِرياسيّ (جي) .

triatomic [trī'ə tŏm'ĭk] *(adj.)* (١) ثلاثيّ الذرّات (ك) .
(٢) ثلاثيّ التكافؤ (ك) .

triaxial [trī ăk'sĭ əl] *(adj.)* ثلاثيّ المحور ؛ ثلاثيّ المحاور .

tribal [trī'bəl] *(adj.)* قبَليّ : منسوب إلى القبيلة .

tribalism [trī'bə lĭz əm] *(n.)* القَبَلِيّة : «أ» الوعي القَبَلِيّ . «ب» العصبيّة القَبَلِيّة .

tribasic [trī bā'sĭk] *(adj.)* ثلاثيّ القاعدة (ك) .

tribe [trīb] *(n.)* (١) قبيلة (٢) عِمارة (أ ح) .

tribesman [trībz'-] *(n.)* رجل القبيلة : أحد رجال القبيلة .

tribo- بادئة معناها : احتكاك .

triboelectricity [trī bō ĭ lĕk trĭs'ə tĭ] *(n.)* كهرباء الاحتكاك (كالتي تنشأ عن فرك الزجاج بالحرير) .

tribophysics [trī'bō fĭz'ĭks] *(n.)* فيزياء الاحتكاك .

tribrach [trī'brăk] *(n.)* ثلاثيّ المقاطع : تفعيل ذو ثلاثة مقاطع قصيرة.

tribulate [trĭb'yə lāt] *(vt.)* يَبْتَلِيه ببليّة ؛ يمتحنُه بمحنة .

tribulation [trĭb'yə lā'shən] *(n.)* (١) بليّة (٢) مِحْنَة .

tribunal [trĭ bū'nəl] *(n.)* (١)محكمة (٢) كرسيّ القضاء أو منبره.

tribunate [trĭb'yə nĭt; -nāt'] *(n.)* = tribuneship.

tribune [trĭb'ūn] *(n.)* (١) التّرِيبيون : المدافع عن حقوق العامّة ومصالحها (عند الرومان) (٢) المدافع عن الشعب (٣) مِنبر .

tribuneship [-shĭp] *(n.)* التّرِيبيونيّة : وظيفة التريبيون أو مدة ولايته.

tributary [trĭb'yə tĕr'ĭ] *(adj.; n.)* (١) تابع ؛ خاضع ؛ دافعٌ جزية (٢) مدفوع كجزية (٣) رافد : صابّ في نهر أكبر منه (٤) مساعد ؛ إضافيّ §(٥) دافع الجزية : حاكم أو بلدٌ يدفع جزيةً إلى الفاتح (٦) الرافد : نهر يصبّ في نهر أكبر منه .

tribute [trĭb'ūt] *(n.)* (١) «أ» جزية ؛ إتاوة . «ب» ضريبة ثقيلة .
(٢) «أ» تقدِمة ؛ وبخاصة : شيء يُعمَل أو يُقال أو يُقدَّم تعبيراً عن الاحترام أو الاعجاب . «ب» إجلال ؛ تقدير ؛ ثناء .

tricarpellary[trī kär'-] *(adj.)* ثلاثيّ الكَرْبلات أو الأخبية (نب).

trice [trīs] *(vi.; n.)* (١) يرفع (شراعاً) ويثبّته بحبل §(٢) لحظة (وبخاصة في قولك in a ~ أي بمثل لمح البصر) .

triceps[trī'sĕps] *(L.)* ثلاثية الرؤوس : عضلة في مؤخر العَضُد (ت).

trich- *or* **tricho-** بادئة معناها : شَعْر .

trichiasis [trĭ kī'ə sĭs] *(L.)* انحراف الأهداب (مض) .

trichina [trĭ kī'nə] *(L.)* pl. **-e** [-nē] *also* **-s** الشَّعْرية ؛ التَّرخِينة : دودة صغيرة رفيعة تعيش في أمعاء الانسان وبعض الحيوان .

trichinize [trĭk'ə nīz'] *(vt.)* يُتَرْخِن : يصيب بالترخينات .

trichinosis [trĭk ə nō'sĭs] *(L.)* داء الشَّعرية أو التَّرخينة : داءٌ ينشأ عن وجود التَّرخينات في الأمعاء والأنسجة العضلية .

trichinous [trĭk'ə-] *(adj.)* (١) مُتَرْخَن (~ meat) . (٢) تِرْخِينيّ : ذو علاقة بالترخينات .

trichite [trĭk'īt] *(G.)* التَّرخِيت : جسم معدنيّ شَعريّ الشكل يكون في بعض الصخور النارية .

trichloride [trī klōr'īd] *(n.)* ثالث كلوريد : كلوريد مؤلف من ثلاث ذرات من الكلورين (ك) .

tricho- = trich-.

trichocyst [trĭk'ə sĭst] *(n.)* الكُيَيْس الحَمْلِيّ : عضوٌ دقيق لاسعٌ في أجسام البَرْزَويات (را. protozoan) .

trichoid [trĭk'oid] *(adj.)* شَعرانيّ : شبيهٌ بالشَّعر .

trichology [trĭ kŏl'ə jĭ] *(n.)* عِلم الشَّعر وأمراضه .

trichome [trī'kōm] *(n.)* التَّرخوم : نامية شَعْرية في أدمة النبات .

trichosis [trĭ kō'sĭs] *(n.)* عاهة الشَّعر : كلّ مرض من أمراض الشعر .

trichotomy [trī kŏt'ə mĭ] *(n.)* انقسام إلى ثلاثة أجزاء أو عناصر .

-trichous لاحقة معناها : ذو شَعر (من نوع معيّن) .

trichromatic [trī'krō măt'ĭk] *(adj.)* ثِلْصِبغيّ : ثلاثيّ الألوان .

trichromatism [trī krō'mə tĭz'əm] *(n.)* : الثِّلْصِبغيّة «أ» كون الشيء ثِلْصِبغياً أو ثلاثيَّ الألوان . «ب» استخدام ألوان ثلاثة (في التصوير الفوتوغرافي الخ .) .

trick [trĭk] *(n.; adj.; vt.)* (١) حيلة (٢) «أ» خدعة . «ب» عمل حقير (a dirty ~) (٣) عمل بارع (~*s* in horsemanship) (٤) «أ» عادةٌ خاصةٌ (She has a ~ of rubbing her chin when she is thinking.) . «ب» خاصية ؛ سِمَةٌ مميِّزة (a ~ of speech) . «ج» خداعٌ بصريّ (٥) مجموع أوراق اللعب في دورة واحدة (٦) «أ» نوبة ؛ دور المرء في أداء واجب أو عمل . «ب» رحلة يقوم بها المرء كجزء من عمله (٧) طفل وسيم ؛ فتاة جميلة §(٨) حِيَليّ (٩) أنيق (١٠) «أ» حَرون : يخطىء فلا يَعْمل أحياناً (~ locks) . «ب» غادر : عرضة لأن يكبو على نحو غير متوقَّع (~ knees) §(١١) يخدع ؛ يحتال على (١٢) يجمِّل ؛ يزيِّن ؛ يزخرف (تتبعها *out*) .

tricker [trĭk'ər] *(n.)* المحتال ؛ المخادع .

trickery [trĭk'ə rĭ] *(n.)* خِداع ؛ مخادعة ؛ تحايل .

trickish [trĭk'ĭsh] *(adj.)* خدّاع ؛ مخادع ؛ خادع .

trickle [trĭk'əl] *(vi.; t.; n.)* (١) يَقْطُر (٢) يسيل أو يجري هزيلاً رقيقاً (٣) يفيد أو يجيء الخ. شيئاً فشيئاً ×(٤) يجعله يقطر أو يسيل هزيلاً رقيقاً §(٥) الوَشَل : مجرىً هزيل أو رقيق (The stream had shrunk to a mere ~.) .

tricklet [trĭk'-] *(n.)* الوَشَل : مجرى رقيق أو هزيل لا يكاد قَطْرُه يتصل .

trickster [trĭk'stər] *(n.)* المحتال ؛ المخادع .

tricksy [trĭk'sĭ] *(adj.)* (١) أنيق (ا.ق) (٢) عابث ؛ لعوب . (٣) مُخادع أو خادع (٤) عسير (~ jobs) .

tricktrack [trĭk'trăk'] *(F.)* النَّرد : لعبة الطاولة .

tricky [trĭk'ĭ] *(adj.)* (١) مُخادِع (٢) دقيق : متطلِّب براعةً أو حَذَراً (٣) trick 10 .

triclinic [trī klĭn'ĭk] *(adj.)* ثُلاثيّ المَيْل (بلو) .

tricolor [trī'kŭl'ər] *(n.; adj.)* (١) علَم مثلَّث الألوان (the French ~) §(٢) أو **tricolored** : مثلَّث الألوان (٣) فرنسي (~ politics) .

tricorn [trī'kôrn] *(adj.; n.)* (١) ثلاثيّ الأطراف أو الزوايا . §(٢) قبعة ثلاثية الزوايا .

tricornered [trī'kôr'nərd] *(adj.)* ثلاثيّ الزوايا : ذو ثلاث زوايا .

tricostate [trī kŏs'tāt] *(adj.)* ثلاثيّ الأضلاع («نب» و«ح») .

tricot [trē'kō] *(F.)* التريكو : نسيج مسرود أو محبوك .

tricotine [trĭk'ə tēn'] *(F.)* التريكوتين : نسيج صوفيّ مضلَّع .

trictrac [trĭk'trăk'] *(F.)* = tricktrack.

tricuspid [trī kŭs'pĭd] *(adj.; n.)* (١) «أ» ثلاثيّ الأطراف أو النتوءات (a ~ tooth) . «ب» ثلاثيّ الشُّرُفات (a ~ valve) §(٢) ضرسٌ ثلاثيّ الأطراف (٣) صِمام ثلاثيّ الشُّرُفات .

tricuspidate [trī kŭs'pə dāt'] *(adj.)* = tricuspid.

tricycle [trī'sĭk əl] *(F.)* الدرّاجة الثلاثيّة .

tricycle

tridactyl *or* **tridactylous** [trī dăk'-] *(adj.)* ثلاثيّ الأصابع .

trident [trī'dənt] *(n.; adj.)* (١) رمح ثلاثيّ الشُّعَب §(٢) ثلاثيّ الشُّعَب .

tridentate ثلاثيّ الشُّعَب أو الأسنان .

tridimensional [trī'dĭ mĕn'shən əl] *(adj.)* ثلاثيّ الأبعاد .

tried [trīd] *(adj.)* (١) مجرَّب ؛ موثوق (٢) مُبتَلى ؛ ممتحَنٌ (بالرزايا) .

triennial [trī ĕn'ĭ əl] *(adj.; n.)* (١) «أ» ثلاثيّ السنوات . «ب» دائمٌ ثلاثَ سنوات (٢) واقع أو حادث أو مصنوع كلَّ ثلاث سنوات §(٣) ثلاثُ سنوات (٤) ذكرى سنوية ثالثة .

trident

triennium [trī ĕn'ĭ əm] *(L.)* pl. **-s** *or* **-ennia** ثلاث سنوات .

trier [trī'ər] *(n.)* (١) فا try وبخاصة : «أ» القاضي . «ب» الفاحص . «ج» المجرب . «د» المحاوِل (٢) امتحان (لخُلُق المرء أو جوهره) .

trifacial [trī fā'shəl] *(adj.; n.)* = trigeminal.

trifecta *(n.)* ضرب من الرِّهان [في سباق الخيل] .

trifid [trī'fĭd] *(n.)* ثلاثيّ الشقوق ؛ ثلاثيّ الشعَب أو الأسنان .

trifle [trī'fəl] *(n.; vi.; t.)* (١) شيء تافه ؛ وبخاصة : مقدار ضئيل (من المال الخ.) (٢) التَّرفيل : كعكة منقوعة بالخمر تشتمل على مُربّى وفاكهة وكريما مخفوقة (٣) بيوتر (را. pewter) متوسِّط الصلابة §(٤) يمزح ؛ يَسْخر (٥) يعبث (٦) يُضيع الوقتَ سدى ×(٧) يبدِّد (الوقت أو الجهد أو المال) على التوافه (to ~ away money) . **—trifler** *(n.)*

trifling [trī'-] *(adj.)* (١) تافه (٢) عابث (٣) كسول (ع) .

trifocal [trī fō'kəl] *(adj.; n.)* (١) ثلاثيّ الأطوال البُؤرية . §(٢) عدسةٌ ثلاثية الأطوال البؤرية (٣) *pl.* : نظاراتٌ ثلاثيّة الأطوال البؤريّة .

trifoliate [trī fō'lĭ ĭt] *(adj.)* (١) ثلاثيّ الأوراق (a ~ plant) (٢) ثلاثية الوُرَيقات (a ~ leaf) .

trifoliated [trī fō'lĭ āt ĭd] *(adj.)* = trifoliate 1.

trifoliolate [trī fō'lĭ ə lāt'] *(adj.)* ثلاثية الوُرَيقات (صفة لورقة نبات مركّبة) .

trifolium [trī fō'lĭ əm] *(L.)* النَّفَل ؛ الشَّبْدَر : عشبٌ ورقتُه مؤلَّفة من ثلاث وُرَيقات .

triforium [trī fōr'ĭ əm] *(L.)* pl. **-foria** شرفةٌ فوق ممشىً جانبيّ (في كنيسة).

triform [trī'fôrm'] *(adj.)* ثلاثيّ الأشكال أو الطبائع.

trifurcate [trī fûr'kĭt; -kāt] *(adj.)* ثلاثيّ الشُّعَب أو الفروع.

trig [trĭg] *(adj.; vt.; n.)* (١) أنيق (٢) سليم؛ قوي §(٣) يهندم؛ يرتّب (٤) يوقف (دولاباً أو برميلاً) عن الحركة بوضع وتدٍ أو حجر تحته §(٥) وتد أو حجر (يستخدم لوقف دولاب أو برميل عن الحركة) (٦) trigonometry.

trigeminal [trī jĕm'ə nəl] *(adj.; n.)* (١) مثلّث التوائم أو الوجوه (ت) §(٢) عصب مثلّث التوائم أو الوجوه (ت).

trigger [trĭg'ər] *(n.; vt.)* (١) مِقْداح؛ زَنْد البندقية الخ. (٢) المنبّه، المثير («فس» و «نف») §(٣) «أ» يقدح (زَنْد البندقية). «ب» يفجّر (قذيفة) (٤) يُطلق؛ يُحدث.

triggerfish [trĭg'ər fĭsh'] *(n.)* القادوح: سمك مُفَلْطَح من أسماك البحار الاستوائية.

triglyceride *(n.)* الترايغليسيريد: مركّب عضويّ دهني.

triglyph [trī'glĭf'] *(L.)* الطَّرْغليف: بروز مستطيل في إفريز مشيّد وفقَ الطراز الدّوريّ (عم).

trigon [trī'gŏn] *(n.)* (١) مثلّث (٢) الثلاثية: مجموعة ثلاث علامات في دائرة البروج (فل) (٣) المُثَلَّثيّة: قيثارة قديمة مثلثة الشكل.

trigonometric; -al *(adj.)* مثلّثاتيّ: متعلق بعلم المثلثات.

trigonometric function *(n.)* الدالّة المُثَلَّثيّة (ر).

trigonometry [trĭg'ə nŏm'-] *(n.)* المثلّثات، عِلم المثلثات (ر).

trigonous [trĭg'ə nəs] *(adj.)* مثلث الزوايا.

trigraph [trī'grăf] *(n.)* الثَّلْحَرْف: ثلاثة أحرف يُرْسَم بها صوت واحد (مثل *eau* في لفظة *beau*).

trihedral [trī hē'drəl] *(adj.; n.)* ثلاثيّ السطوح (ر).

trihedron [trī hē'drən] *(n.)* pl. **-s** *or* **-dra** ثلاثيّ السطوح: شكلٌ ثلاثيّ السطوح (ر).

trijugate [trī'jōō gāt] *(adj.)* ثِلزَوْجية: ذات ثلاثة أزواج من الوريقات (**a ~ leaf**).

trilateral [trī lăt'ər əl] *(adj.)* ثلاثيّ الأضلاع.

trilinear [trī lĭn'ĭ ər] *(adj.)* ثلاثيّ الخطوط.

trilingual [trī lĭng'gwəl] *(adj.)* ثلاثيّ اللغات.

triliteral [trī lĭt'ər əl] *(adj.; n.)* (١) ثلاثيّ الحروف §(٢) جذر أو لفظ ثلاثيّ الحروف.

trill [trĭl] *(vi.; t.)* (١) يدور (٢) يَقْطُر أو يَسيل هزيلاً رقيقاً. ×(٣) يجعله يَقطر أو يسيل هزيلاً رقيقاً.

trill [trĭl] *(n.; vt.; i.)* (١) ارتعاش أو رعشة (في الغناء أو العزف أو الصوت) (٢) تردّدٌ سريع في اللسان (على طريقة الاسبان في لفظ حرف r) (٣) الحرف المردّد (كحرف r في الاسبانيّة) §(٤) يلفظ بترديد اللسان على نحو سريع ×(٥) يغني أو يعزف أو يتكلم بصوت مرتعش.

trillion [trĭl'yən] *(F.)* التريليون: رقم مؤلف من واحد إلى يمينه ١٢ صفراً (في الولايات المتحدة الأميركية وفرنسة) أو ١٨ صفراً (في بريطانية وألمانية).

trillium [trĭl'ĭ əm] *(L.)* الإطْرِلِيُوْن: الزهرة الثلاثية (نب).

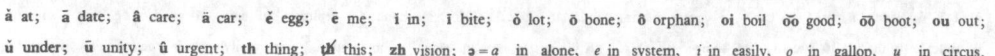

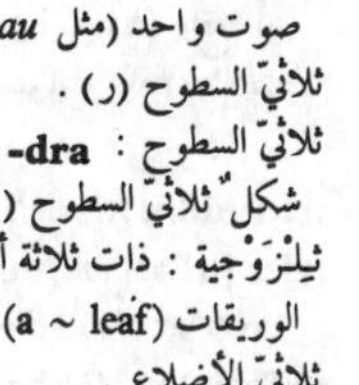

trillium

trilobate [trī lō'bāt] *or* **trilobated** [-'bāt ĭd] *or* **trilobed** [trī'lōbd'] *(adj.)* ثلاثيّ الفصوص (را. المادة التالية).

trilobite [trī'lə bīt'] *(n.)* الثلاثيّ الفصوص: واحد من ثلاثيات الفصوص **Trilobita** وهي طائفة من المَفْصِليات المنقرضة (ح).

trilocular [trī lŏk'yə lər] *or* **triloculate** [-lĭt] *(adj.)* ثلاثيّ الخلايا أو التجاويف.

trilogy [trĭl'ə jĭ] *(Gk.)* الثُّلاثيّة: سلسلة من ثلاث مسرحيات أو ثلاثة مؤلفات أدبية أو موسيقية كلّ منها تامّ في ذات نفسه ولكنه شديد الصلة بشقيقيه يشكّل وإياهما موضوعاً واحداً.

trim [trĭm] *(vt.; i.; adj.; adv.; n.)* (١) «أ» يزيّن؛ يزركش. «ب» يرتّب المعروضات (في واجهة محلّ تجاريّ) (٢) «أ» يضرِب؛ يَجْلِد. «ب» يهزم هزيمةً منكرة. «ج» يَخْدَع (٣) يقلّم؛ يشذّب؛ يهذّب (٤) «أ» يوازن السفينةَ أو الطائرةَ بحُسن توزيع الحمولة. «ب» يجعل الشراع في الوضع الملائم. «ج» يوزع الحمولة توزيعاً حسناً (في مركب الخ.) (٥) يوبّخ؛ يعنّف (ع) ×(٦) يتخذ موقف الحياد من فريقين متصارعين أو يؤيدهما تأييداً متساوياً (٧) يغيّر آراءه تبعاً للظروف (٨) يتوازن (المركب الخ.) §(٩) مُهَيّأ أو مزوَّد على نحو ملائم (ا.ق) (١٠) «أ» أنيق. «ب» حسَنُ الترتيب §(١١) بأناقة؛ على نحو حسَن الترتيب §(١٢) وضعٌ أو نظامٌ حسَن (١٣) حالة؛ وضع (**in poor ~ for a voyage**) (١٤) «أ» ملابس المرء أو مظهره. «ب» زينة؛ زركشة. «ج» الأشغال الخشبية المنظورة داخل مبنى. «د» زخرفة خشبية خارجَ مبنى. «هـ» الزخارف الداخلية أو الخارجية في سيارة. «و» عرض السلَع فنياً (في واجهة محل تجاري) (١٥) توازن (السفينة أو الطائرة) (١٦) «أ» قُلامة؛ شُذابة؛ قُصاصة. «ب» ما يُحذف أو يُقتطع من شريط سينمائي الخ.

—trimly *(adv.)* **—trimness** *(n.)*

trimerous [trĭm'ər əs] *(adj.)* ثلاثيّ؛ وبخاصة: ثلاثيّ الانتظام: ذو ثلاثة أجزاء في كلّ حلقة من حلقات الزهر المنتظمة حول المحور (نب).

trimester [trī mĕs'tər] *(F.)* (١) الفَصْل: فترة ثلاثة أشهر. (٢) الفصل المدرسي: أحد فصول السنة الدراسية الثلاثة.

trimestral; trimestrial [trī mĕs'-] *(adj.)* فَصْليّ.

trimmer [trĭm'ər] *(n.)* (١) فا trim (٢) أداة (أو آلة) تشذيب أو تهذيب (٣) جهاز لِتَسْتِيف الحمولة أو ترتيبها (في سفينة) (٤) رافدة مستعرضة (نج) (٥) الحُوَّل؛ القُلَّب: من يغيّر سياسته أو موقفه أو آراءه تبعاً للظروف.

trimming [-'ĭng] *(n.)* (١) مص trim (٢) زَرْكَشَة (٣) هزيمة. (٤) قُلامة؛ شُذابة؛ قُصاصة.

trimolecular [trī mə lĕk'-] *(adj.)* ثُلاثيّ الجُزيئات (ك).

trimonthly [trī mŭnth'lĭ] *(adj.)* حادثٌ أو صادرٌ كلّ ثلاثة أشهر.

trimorph [trī'môrf] *(n.)* (١) الثُّلْشُكْلِيّة: مادة توجد في ثلاثة أشكال متميّزة (بلو) (٢) أحد هذه الأشكال الثلاثة.

trimorphic [trī môr'-] *(adj.)* ثِلْشُكْليّ: ذو ثلاثة أشكال متميّزة.

trimorphous [trī môr'-] *(adj.)* = trimorphic.

trimotor [trī'mō tər] *(n.)* ثُلاثية المحرّك: طائرة ذات ثلاثة محركات.

trim size *(n.)* الحجم الفعلي (لصفحة الكتاب الخ. بعد قصّ أطرافه).

Trimurti [trĭ mōōr'tĭ] *(Skt.)* الثالوث الهندوسي (ويتألف من «براهما» الخالق، و «فيشنو» الحافظ، و «سيفا» المخرِّب).

trinal [trī'nəl] *(adj.)* ثلاثيّ: مؤلف من ثلاثة أجزاء.

trinary [trī'nə rĭ] *(adj.)* = ternary.

trindle [trĭn'dəl] *(n.; vi.)* (١) شيء مستدير؛ وبخاصة: دولاب. §(٢) يدور.

trine [trīn] *(adj.; n.)* (١) ثُلاثيّ §(٢) ثالوث .

trinitarian [trĭn'ə târ'ĭ ən] *(adj.; n.)* (١) *cap.* : ثالوثيّ : ذو علاقة بعقيدة الثالوث الأقدس أو بمعتنقيها (٢) ثلاثيّ : ذو ثلاثة أجزاء أو مظاهر §(٣) *cap.* : الثالوثيّ : المؤمن بالثالوث الأقدس (نص).

trinitrocresol [trī nī'trō krē'sōl] *(n.)* : الترينيتروكريسول : متفجر شديد (ك) .

trinitroglycerin [-glĭs'ər ĭn] *(n.)* = nitroglycerin.

trinitrotoluene *(n.)* ثالث نترات التولوين : متفجّر شديد .

Trinity [trĭn'ə tĭ] *(n.)* (١) الثالوث الأقدس : الآب والابن والروح القُدُس (نص) (٢) *not cap.* : ثالوث (٣) عيد الثالوث الأقدس : الأحد الثامن بعد الفِصْح (نص) .

trinket [trĭng'kĭt] *(n.; vi.)* (١) «أ» شيء صغير طريف. «ب» حلية صغيرة (٢) شيء تافه أو ضئيل القيمة §(٣) يتآمر .

trinketry [trĭng'-] *(n.)* حلى صغيرة (كالخواتم والأقراط الخ.) .

trinomial [trī nō'mĭ əl] *(adj.; n.)* (١) ثلاثيّ الحدود (ر) . (٢) ثلاثيّ الكلِم : مؤلف من ثلاث كلمات §(٣) تعبير ثلاثيّ الحدود (ر) (٤) اسم ثلاثيّ الكلِم (من أسماء الحيوان أو النبات).

trio [trē'ō] *(It.)* (١) الثلاثية : مقطوعة موسيقية لثلاثة أصوات أو ثلاث آلات (٢) الثلاثيّ : ثلاثة مغنّين أو عازفين يؤدّون مقطوعة ثلاثيّة (٣) مجموعة من ثلاثة .

triode [trī'ōd] *(n.)* الصِمام الثلاثيّ (إلك) .

triolet [trī'ə lĭt] *(F.)* التريوليت : قصيدة ثمانية الأبيات ذات قافيتين اثنتين ليس غير .

trioxide [trī ŏk'sīd] *(n.)* ثالث أكسيد (ك) .

trip [trĭp] *(vi.; t.; n.)* (١) يرقص أو يطفر أو يمشي بخطى رشيقة سريعة (٢) يتعثّر ، تزلّ به القدَم (٣) يخطىء ، يزلّ (٤) يتلعثم (٥) يقوم برحلة (٦) تعمل الآلة (نتيجة لإعمال أداة معينة) ×(٧) «أ» يزلّ ، يوقع . «ب» يوقف ، يعترض (٨) يمسكه في زلة أو غلطة (٩) يرفع المرساة (١٠) يعمِل الآلة (بتحريرها من حابسة أو سقّاطة) §(١١) ضربة أو مسكة (تطرح المصارع أرضاً) (١٢) رحلة (١٣) غلطة ، زلة (١٤) خطوة رشيقة سريعة (١٥) عثرة ، كبوة (١٦) «أ» الحابسة ، السقّاطة . «ب» جسم معدني ثقيل (كرأس المطرقة أو ثِقل رقاص الساعة) .

tripartite [trī pär'tīt] *(adj.)* ثلاثيّ .

tripartition [trī'pär tĭsh'-] *(n.)* تقسيم (أو انقسام) إلى ثلاثة أجزاء.

tripe [trīp] *(n.)* (١) الكِرش : المعدة الأولى والثانية لحيوان مجترّ تتّخذ طعاماً (٢) شيء تافه أو كريه .

tripetalous [trī pĕt'əl əs] *(adj.)* ثلاثيّ البتَلات (نب) .

trip-hammer [trĭp'-] *(n.)* المِطرقة السقّاطة (مك) .

triphane *(n.)* الترايفين : معدن من البيروكسينات .

triphase [trī'fāz] *(adj.)* = three-phase.

triphibian [trī fĭb'ĭ ən] *(adj.; n.)* (١) برماجيّ : «أ» قادر على القتال في البرّ والبحر والجوّ معاً . «ب» معَدّ أو مجهّز للعمل من البرّ أو الماء أو الثلج بالاضافة إلى العمل في الجوّ (a ~ airplane) . «ج» مستخدَم أو منطوٍ على استخدام قوات البر والبحر والجوّ معاً (a ~ operation) §(٢) القائد العسكريّ البرماجيّ (٣) الطائرة البرماجيّة .

triphibious [trī fĭb'ĭ əs] *(adj.)* = triphibian.

triphthong [trĭf'thông] *(n.)* = trigraph.

triphyline [trĭf'ə lēn; lĭn] *(G.)* = triphylite.

triphylite [trĭf'ə līt'] *(n.)* التريفيليت أو التريفيلين : معدنٌ قوامه فوسفات الليثيوم والحديد والمنغنيز .

triplane [trī'plān] *(n.)* ثلاثية الأجنحة : طائرة ذات ثلاثة أجنحة أحدها فوق الآخر .

triple [trĭp'əl] *(vt.; i.; n.; adj.)* (١) يضاعف أو يتضاعف ثلاثَ مرات §(٢) مقدار أو عددٌ مضاعف ثلاث مرات (٣) الثلاثيّ ، الثالوث §(٤) ثلاثيّ (٥) أكبر بثلاث مراتٍ (٦) مكرَّر ثلاث مرات .

triple-space [trĭp əl spās'] *(vt.; i.)* يطبع (على الآلة الكاتبة) تاركاً سطرين بعد كلّ سطر .

triplet [trĭp'lĭt] *(n.)* (١) الثلاثية : وحدة من ثلاثة أبيات من الشعر (٢) الثلاثيّ : مجموعة من ثلاثة (٣) أحد توائم ثلاثة (٤) ثلاث نغمات تؤدّى بوقت نغمتين (مو) .

tripletail [trĭp'əl tāl'] *(n.)* ثلاثيّ الذيل : سمك ضخم من أسماك المياه الدافئة في المحيط الأطلسي .

tripletail

triplex [trĭp'lĕks; trī'plĕks] *(adj.; n.)* (١) ثلاثيّ §(٢) شيء ثلاثيّ .

triplicate [*v.* trĭp'lə kāt; *adj.*, *n.* -'lə kĭt] *(vt.; adj.; n.)* (١) يضاعف ثلاث مرات (٢) يطبع ثلاثياً : يطبع على الآلة الكاتبة بحيث يحصل على ثلاث نسخ §(٣) بثلاث نسخ (٤) ثالثة (file the ~ copy) §(٥) النسخة الثالثة .

triplication [trĭp lə kā'-] *(n.)* (١) مص triplicate (٢) شيء ثلاثيّ النسخ الخ.

triplicity [trĭ plĭs'ə tĭ] *(n.)* (١) الثلاثيّة : «أ» مجموعة ثلاث علامات في دائرة البروج (فل) . «ب» كون الشيء ثلاثياً (٢) ثلاثيّ ، ثالوث .

triplite [trĭp'līt] *(G.)* التربليت : معدن أسمر داكن .

tripod [trī'pŏd] *(n.; adj.)* (١) مِرجل الخ. ثلاثيّ القوائم (٢) مِنصب أو حامل ثلاثيّ القوائم §(٣) ثلاثيّ القوائم (a ~ vase) .

tripods 2.

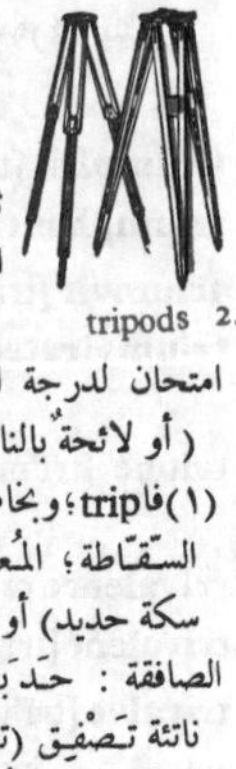

tripodal [trĭp'ə dəl] *(adj.)* ثلاثيّ القوائم .

tripoli [trĭp'ə lĭ] *(F.)* الطرابُلسيّة : مادة معدنية تُصقَل بها المعادن والحجارة .

tripos [trī'pŏs] *(L.)* امتحان لدرجة الشرف في جامعة كايمبردج (أو لائحة بالناجحين فيه) .

tripper [trĭp'ər] *(n.)* (١) فاعل trip ، وبخاصة : السائح (٢) «أ» الحابسة ، السقّاطة ، المعتِقة (مك) . «ب» أداة لتشغيل إشارة خطر (في سكة حديد) أو أية آلية أخرى .

trippet [trĭp'ĭt] *(n.)* الصافقة : حدَبة أو كامة أو أية قطعة ناتئة تَصفِق (تضرب) قطعة أخرى في فترات معيّنة (مك) .

triptane [trĭp'tān] *(n.)* التربتين : وقود سائل يُستخدَم لتقوية بنزين الطائرات .

triptych [trĭp'tĭk] *(Gk.)* اللوح الثلاثيّ : «أ» لوح للكتابة ثلاثيّ الأجزاء . «ب» نقش أو رسم على ثلاثة ألواح ممفصَلة .

triquetrous [trī kwē'trəs] *(adj.)* ثلاثيّ الزوايا الحادّة .

triradiate [trī rā'dĭ āt'] *(adj.)* ثلاثيّ الشعاعات أو الفروع المتشعّعة .

trireme [trī'rēm] *(n.)* ثلاثية المجاذيف : سفينة قديمة في كلّ من جانبيها ثلاثة صفوف من المجاذيف .

trisect [trī sĕkt'] *(vt.)* يثلّث : يقسم (الزاوية) إلى ثلاثة أقسام متساوية .
—**trisection** *(n.)*

triseptate [-sĕp'-] *(adj.)* ثلاثيّ الحُجُب أو الحواجز («نب» و«ح»).

triskelion [trĭs kĕl'ĭ ŏn'] *or* **triskele** [trĭs'kēl] *(n.)* ثلاثيّ الأرجل: شكل يتألّف من ثلاثة فروع مَلْوِيّة متشعّبة من مركز.

triskelions

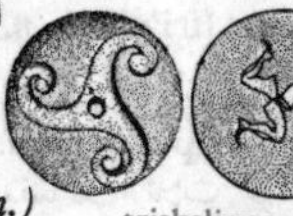

trismus [trĭz'məs] *(L.)*=lockjaw.

trisoctahedron [trĭs ŏk'tə hē'-] *(n.)* ذو الأربعة والعشرين وجهاً («ر» و «بلو»).

triste [trēst] *(F.)* حزين ؛ كئيب.

tristful [trĭst'-] *(adj.)* حزين ؛ كئيب.

trisyllabic [trĭs'ĭ lăb'ĭk; trī sĭ-] *(adj.)* ثلاثيّ المقاطع (ل).

trisyllable [trĭ sĭl'ə bəl; trī-] *(n.)* كلمة ثلاثية المقاطع (ل).

trite [trīt] *(adj.)* مبتذل، بالٍ، «بايخ».

tritheism [trī'thē ĭz'əm] *(n.)* التثليث: الإيمان بثلاثة آلهة ؛ وبخاصة: الاعتقاد بأن الآب والابن والروح القدس ثلاثة آلهة متميّزة.

tritiated [trĭt'ĭ āt ĭd] *(adj.)* تريتيوميّ: محتوٍ على تريتيوم.

tritium [-'ĭ əm] *(n.)* التريتيوم: نظير للهيدروجين وزنه الذرّيّ ٣.

triton [trī'tən] *(n.)* (١) *cap.* تريتون: نصف إلٰه من أنصاف آلهة البحر عند الاغريق له جسم رَجُل وذيل سمكة (٢) التريتون: «أ» حيوان بحريّ رِخْويّ من بطنيّات الأقدام أو صَدَفَتُهُ. «ب» سَمَنْدَل الماء (ح) (٣) نواة التريتيوم (ك).

Triton

triturate [trĭch'ə rāt'] *(vt.; n.)* (١) يسحق ؛ يَسْحَن §(٢) مسحوق.

trituration [trĭch'ə rā'-] *(n.)* (١) سَحْق ؛ سَحْن (٢) مسحوق.

triumph [trī'əmf] *(n.; vi.)* (١) احتفال رومانيّ قديم تكريماً لقائد أحرز نصراً حاسماً على عدوّ أجنبيّ (٢) فرحة النصر أو النجاح (٣) «أ» انتصار عسكريّ. «ب» نَصْر §(٤) ينتصر (٥) يسود (٦) ينجح (٧) يبتهج بالنصر.

triumphal [trī ŭm'fəl] *(adj.)* انتصاريّ ؛ نَصْريّ.

triumphant [-'fənt] *(adj.)* (١) منتصِر (٢) مبتهج بالنصر.

triumvir [trī ŭm'vər] *(L.)* عضو حكومة ثلاثيّة.

triumvirate [trī ŭm'və rĭt; -rāt'] *(L.)* (١) حكومة الثلاثة أو أعضاؤها (٢) ثلاثيّ ؛ ثالوث.

triune [trī'ūn] *(adj.; n.)* (١) ثالوثيّ §(٢) *cap.* الثالوث الأقدس (نص).

trivalence *or* **trivalency** [trī vā'-] *(n.)* ثلاثية التكافؤ (ك).

trivalent [trī vā'lənt; trĭv'ə-] *(adj.)* ثلاثيّ التكافؤ (ك).

trivalve [trī'vălv'] *(adj.)* ثلاثيّ الصّمامات.

trivet [trĭv'ĭt] *(n.)* منْصَب أو حامل ثلاثيّ القوائم.

trivia [trĭv'ĭ ə] *(n. pl.)* توافه ؛ أمور تافهة.

trivial [trĭv'ĭ əl] *(adj.)* (١) مبتذل ؛ عاديّ (ا.ق) (٢) تافه.

triviality [trĭv'ĭ ăl'ə tĭ] *(n.)* (١) تفاهة (٢) شيء تافه.

trivialize [trĭv'ĭ ə līz] *(vt.)* يُتَفِّه: يجعله تافهاً.

trivium [trĭv'ĭ əm] *(L.)* pl. **trivia** الثلاثية: الفنون الحرة الثلاثة (النحو والبلاغة والمنطق) التي كانت تؤلف الجزء التمهيدي من الفنون الحرة السبعة في مدارس العصر الوسيط.

triweekly [trī wēk'lĭ] *(adj.; n.)* (١) حادثٌ أو صادرٌ ثلاث مرات في الأسبوع (٢) حادث أو صادر مرةً كلّ ثلاثة أسابيع §(٣) نشرة تصدر ثلاث مرات في الأسبوع أو مرةً كلّ ثلاثة أسابيع.

-trix لاحقة معناها: امرأة ذات صلة بشيء ما (aviatrix).

trocar *also* **trochar** [trō'kär] *(F.)* مِبْزَلَة (جر).

trochaic [trō kā'ĭk] *(adj.)* تَرَوْبِشيّ: ذو علاقة بالتروبشة أو مؤلف من تروبشات (را. trochee).

trochal [trō'kəl] *(adj.)* دولابيّ: شبيه بدولاب (ح).

trochanter [trō kăn'tər] *(n.)* الرَّضْفَة: نتوء في الجزء الأعلى من عظم الفخذ («ت» و «ح»).

troche [trō'kĭ] *(L.)* القُرْصة: قرص طبيّ ملطِّف للسّعال الخ.

trochee [trō'kē] *(F.)* التَّرَوْبِشَة: تفعيلة مؤلّفة من مقطع طويل يتبعه مقطع قصير (عر).

trochilus [trŏk'ə ləs] *(L.)* pl. **-li** [-lī] (١) السَّقساق ؛ الزَّقزاق ؛ طير التمساح (٢) الدُّخَّلة ؛ الهازجة (طا) (٣) hummingbird.

trochlea [trŏk'lĭ ə] *(L.)* البَكَرَة ؛ المَفْصِل البَكَرِيّ (ت).

trochlear [trŏk'lĭ ər] *(adj.)* (١) بكَرِيّ: منسوب إلى البَكَرة أو المَفْصِل البَكَرِيّ (ت) (٢) بكَرانيّ: مستدير وضيّق عند الوَسَط مثل البكرة (نب).

trochoid [trō'koid] *(n.; adj.)* (١) العَجَليّ: المنحنى الذي ترسمه نقطة في شعاع دائرةٍ تدور على خطّ مستقيم ثابت (هن) §(٢) مِدْوَريّ ؛ دولابيّ الدوران.

trod [trŏd] *past and past part. of* tread.

trodden [trŏd'ən] *past part. of* tread.

troglodyte [trŏg'lə dīt'] *(L.)* (١) ساكن الكهوف (٢) شخص لا اجتماعي مؤثر للعزلة (٣) قرد شبيه بالانسان.

trogon [trō'gŏn] *(L.)* الطَّرغُون: طائر استوائي لمّاع الريش.

troika [troi'kə] *(Russ.)* (١) التَّرْيوكة: عربة روسيّة يجرّها ثلاثة جياد متراصّة (٢) جياد التَّريوكة (٣) الثّلاثيّ ؛ مجموعة ثلاثية.

troilus butterfly [troi'ləs] *(n.)* فراشة ترُويلوس: فراشة أميركية ضخمة سوداء مُنَقَّطة الأجنحة باللونين الأصفر والأزرق.

Trojan [trō'jən] *(n.; adj.)* (١) الطَّرْواديّ: أحد أبناء طَرْوادة. (٢) ذو العزم أو الجَلَد أو الإقدام §(٣) طَرْواديّ.

Trojan horse *(n.)* حصان طَروادة: «أ» حصان خشبيّ ضخم أجوف مليء بجندٍ من الاغريق وأُدخل بخدعة إلى ما وراء حصون طروادة خلال الحرب الطروادية. «ب» شيء مُعَدّ للتدمير من الداخل.

troll [trōl] *(vt.; i.; n.)* (١) يُنشِد على التعاقب أو بصوتٍ عالٍ. (٢) «أ» يصيد بالصنارة في... «ب» يجذب (الخيط أو الطعم) أثناء الصيد بالصنارة. «ج» يغري ×(٣) يدور (٤) يغني بمرح (٥) يتكلّم بسرعة §(٦) «أ» طُعم. «ب» خيط الصنارة المشتمل على الطعم والكلاّب (٧) أغنية تُنْشَد بالتعاقب (٨) قزم أو جبّار خرافيّ يسكن الكهوف أو يقيم تحت الأرض (في الميثولوجيا السكندينافية).

trolley *or* **trolly** [trŏl'ĭ] *(n.; vt.; i.)* (١) عربة (٢) التروليّ: «أ» بكرة ذراع الترام المحتكّة بشريطه العلويّ. «ب» أوتوبوس كهربائي (٣) الحامل المتحرّك: بكرة تجري على شريط منصوب (لنقل الرزم في محل تجاري الخ.) §(٤) ينقل بحاملٍ متحرّك ×(٥) يركب الأوتوبوس الكهربائي.

trolley 1.

ă at; ā date; â care; ä car; ĕ egg; ē me; ĭ in; ī bite; ŏ lot; ō bone; ô orphan; oi boil ŏŏ good; ōō boot; ou out; ŭ under; ū unity; û urgent; th thing; t͟h this; zh vision; ə = *a* in alone, *e* in system, *i* in easily, *o* in gallop, *u* in circus.

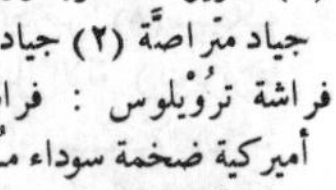

trolleybus [trŏl'ĭ-] *(n.)* الترولي : أوتوبوس كهربائي .

trolleybus

trolley car *(n.)* عربة الترولي .

trollop [trŏl'əp] *(G.)* (١) امرأة قَذِرَة . (٢) بغيّ ؛ مومس .

trombidiasis[trŏm'bə dī'-]*(L.)* التَّبَرْغُث : الابتلاء بالبراغيث .

trombone [trŏm'bōn] *(It.)* المِتْرَدَّة : آلة موسيقية .

trombone

trommel [trŏm'əl] *(G.)* غربال (للحجارة أو الفحم الحجري أو المعدن الخام) .

troop[trōōp] *(n.; vi.)* (١).pl عد : جُند . (٢)«أ» جماعة . «ب» عدد كبير (٣) فرقة كشّافة §(٤) يحتشد ؛ يتجمهر (٥) يمضي ؛ يمشي ؛ يذهب (٦) يندفع بأعداد كبيرة .

troop carrier *(n.)* ناقلة الجند : طائرة لنقل الجند .

trooper [trōō'pər] *(n.)* (١)«أ» فارس . «ب» جواد الفارس . «ج» المظليّ (٢) شرطيّ راكب (وبخاصة من شرطة الولاية) .

troopship [trōōp'shĭp] *(n.)* سفينة الجند : سفينة لنقل الجند .

tropaeolum[trō pē'ə ləm]*(L.)* السَّلْبِيَّة ؛ الكَبُوسين (عشب) .

trope [trōp] *(n.)* (١) المجاز (بل) (٢) كلمة أو عبارة مجازية .

troph- *or* **tropho-** بادئة معناها : تغذية ؛ غذائي .

trophic [trŏf'ĭk] *(adj.)* غذائيّ : ذو علاقة بالتغذية .

trophoblast [trŏf'ə blăst'] *(n.)* الجرثومة الغذائيّة (أح) .

trophoplasm [trŏf'ə plăz'əm] *(n.)* الجِبْلة الغذائية (أح) .

trophy [trō'fĭ] *(n.)* (١) النُّصب التذكاري : نُصب يقام تذكاراً لنصر (٢)«أ» تذكار الصيد (كجلد الأسد أو رأسه). «ب» غنيمة. «ج» تذكار الانتصار أو الدليل عليه. «د» تذكار (٣) إكليل؛ مدالية الخ.

-trophy لاحقة معناها : تغذية ؛ نمو .

tropic[trŏp'-] *(n.; adj.)* (١)المَدار (فل) (٢) المدار الاستوائي (جغ). (٣) .pl وفي كثير من الأحيان .cap : المنطقة الاستوائية §(٤)استوائي (٥) انتحائيّ : ذو علاقة بالانتحاء (را. tropism) (٦) مؤثّر في نشاط غدّة ما (a ~ hormone) .

tropical [trŏp'ə kəl] *(adj.)* (١) «أ» مَداريّ (فل) . «ب» استوائي (جغ) (٢) مجازيّ (بل) .

tropical aquarium *(n.)* المَرْبَى المائي الاستوائي : مربى مائيّ للأسماك الاستوائيّة .

tropical fish *(n.)* السمكة الاستوائيّة : سمكة استوائية صغيرة تحفظ في مَرْبىً مائيّ استوائيّ .

tropic bird *(n.)* الطائر الاستوائي : طائر بحريّ استوائيّ كفّيّ القائمتين (را. webfoot) .

tropic of Cancer *(n.)* مدار السرطان («فل» و«جغ») .

tropic of Capricorn *(n.)* مَدار الجَدْي («فل» و«جغ») .

tropism [trō'pĭz əm] *(n.)* الانتحاء : نزعة الحيوان أو النبات إلى الحركة أو الدوران استجابةً لمنبّهٍ ما .

tropological [trŏp'ə lŏj'-] *(adj.)* (١) مجازيّ (٢) أخلاقيّ .

tropology [trō pŏl'ə jĭ] *(n.)* (١) المجاز (بل) (٢) التفسير المجازي (للكتاب المقدّس مع تأكيد على المغزى الأخلاقي) .

tropopause [trŏp'ə pôz'] *(n.)* التَّرَبوبوز : أعلى التروبوسفير (أر) .

tropophilous [trō pŏf'ə ləs] *(adj.)* مُواسِم : مُهَيَّأ فسيولوجياً للعيش في محيط متميّز بتغيّرات موسميّة في الحرارة أو الرطوبة أو الضوء.

troposphere [trŏp'ə sfĭr'] *(n.)* التروبوسفير : الطبقة السفلى من الغلاف الجويّ (أر) .

-tropous لاحقة معناها : «أ» دائر أو منحنٍ بطريقة معيّنة . «ب» ذو انتحاء معيّن .

-tropy لاحقة معناها : «أ» دوران أو انحناء بطريقة معيّنة . «ب» انتحاء .

trot [trŏt] *(n.; vi.; t.)* (١)«أ» الخَبَب : ضرب من عدو الفرس ينقل فيه أيامنه وأياسره معاً تقريباً . «ب» الهرولة : جري بين المشي والعدو . «ج» رحلة أو نزهة على صهوة الجواد (٢)«أ» طفل . «ب» امرأة عجوز (٣) ترجمة حرفية تُستعمل في دراسة نص أجنبيّ أو لغة أجنبية (٤) trotline §(٥) يَخِبّ (الفرس) (٦) يُهَرْوِل ؛ يُسْرِع ×(٧) يُخِبّ : يجعل الفرس يَخِبّ (٨) يجتاز خَبَباً . to ~ out (١) يَعرِض على أنظار الآخرين (٢) يقدّم اقتراحاً .

troth [trôth; trōth] *(n.; vt.)* (١) أمانة ؛ إخلاص (٢)«أ» عهد ؛ مَوْثِق . «ب» خِطبة §(٣)«أ» يعاهد . «ب» يخطب (فتاة) .

trotline [trŏt'lĭn'] *(n.)* = setline.

Trotskyism [trŏt'skĭ ĭz əm] *(n.)* التروتسكية : مذهب تروتسكي في السياسة والاقتصاد والاجتماع . وبخاصة : نظرية تروتسكي في الشيوعية ودعوتُه إلى الثورة العالمية الشاملة .

trotter [trŏt'ər] *(n.)* (١) فا trot ؛ وبخاصة : جواد مدرَّب على الخَبَب (٢) قَدَم الخروف أو الخنزير (تُتّخذ طعاماً) .

trotyl [trō'tĭl; -tēl] *(n.)* = trinitrotoluene.

troubadour [trōō'bə dōr; dōōr] *(F.)* التروبادوريّ : واحدٌ من طبقة من الشعراء الغنائيّين و «الشعراء الموسيقيين» الذين اشتهروا في جنوبي فرنسا وشمالي إيطالية من القرن الحادي عشر إلى نهاية القرن الثالث عشر ب.م.

trouble [trŭb'əl] *(vt.; i.; n.)* (١) يُقْلِق (٢) يُوجِع (٣) يزعج (٤) يثير ؛ يعكّر ×(٥) يَقْلَق (٦) يتجشّم عناء كذا §(٧) ضِيق ؛ حَرَج (٨) قلق ؛ بلاء ؛ مشكلة (٩) اضطراب (labor ~) (١٠) عناء (took the ~ to call) (١١) علّة ؛ مرض (mental ~) (١٢) خَلَل (engine ~) (١٣) مصدر إزعاج (I don't want to be a ~ to you.) .

troublemaker [trŭb'əl mā'kər] *(n.)* مثير المتاعب ؛ مسبّب المشاكل للآخرين .

troubleshooter [trŭb'əl shōō'tər] *(n.)* (١) قنّاص الخَلَل : عامل خبير في تحديد موطن الخلل في الآلات وفي إصلاحها (٢) حلاّل العُقَد : الخبير في حلّ النزاعات الدبلوماسية والسياسية الخ.

troublesome[trŭb'əl səm]*(adj.)* (١) مزعج (٢) عسير ؛ شاقّ .

troublous [trŭb'ləs] *(adj.)* (١) «أ» قَلِق ؛ مضطرب . «ب» عاصف (٢) مزعج .

trou-de-loup [trōō'də lōō'] *(F.)* جُحْر الذئب : واحدة من مجموعة حُفَر مَسْتُورة مغروس في وسط كل منها عمود مستدق الرأس (تقام لإعاقة تقدّم العدو) .

trough [trôf] *(n.)* (١) حَوْض ؛ جُرْن (٢) مِذْوَد ؛ مَعْلَف . (٣) وعاء (٤) قناة ؛ مجرى (٥) غَوْر أو منخفض طويل ضيق (بين الأمواج أو الهضاب) (٦)«أ» نطاق مستطيل من الضغط البارومتري المنخفض . «ب» النقطة الدنيا في دورة من دورات النشاط الاقتصادي .

trounce [trouns] *(vt.)* (١) يجلد ؛ يَسُوط (٢) يعاقب (٣) يهزم .

troupe [trōōp] *(F.)* جماعة ؛ فرقة (من المغنين أو الممثلين الخ.) .

trouper [trōō'pər] *(n.)* (١) عضو في فرقة مسرحية (٢) ممثّل عريق .

troupial [trōō'pĭ əl] *(n.)* الأَقْطَرُوس : طائر أميركي .

trouser [trou'zər] *(adj.)* بنطالي : منسوب إلى البنطال أو البنطلون .

trousers [trou'zərz] *(n. pl.)* (١) بنطال ؛ بنطلون (٢) سروال .

trousseau [trōō sō'] *(F.)* pl. **-x** *or* **-s** جهاز العروس .

trout [trout] *(n.)* التَّروتة : السَّلمون المُرَقَّط (سمك) .

trouvère [trōō vĕr'] *(F.)* التروفيري : واحد من جماعة من الشعراء اشتهرت في شمالي فرنسة من القرن ١١ إلى القرن ١٤ ب.م.

trove [trōv] *(n.)* (١) اكتشاف (٢) مجموعة نفيسة .

trover [trō'vər] *(n.)* دعوى (تقام استرداداً لقيمة ممتلكات شخصيّة استخدمها شخص آخر بغير وجه حقّ) .

trow [trō] *(vi.)* يعتقد ؛ يظنّ ؛ يَحْسَب

trowel [trou'əl] *(n.; vt.)* (١) المالَج : «أ» أداة يُطَيَّن بها . «ب» أداة تُرفَع بها النباتات الصغيرة §(٢) يملِّج : يسوّي أو يمزج الخ. بالمالج.

trowels

trowsers [trou'zərz] *(n. pl.)* = trousers 1.

troy [troi] *(adj.)* بالوزن التُّرُوْيسي (را. المادة التالية) .

troy weight *(n.)* الوزن التروْيسي : سلسلة من الوحدات لوزن الجواهر والمعادن النفيسة .

truant [trōō'ənt] *(n.; adj.; vi.)* (١) المتهرب من أداء واجبه ؛ وبخاصة : الطالب المتغيّب عن المدرسة بغير إذن §(٢) مُهْمِل واجبه (٣) متغيّب عن المدرسة بغير إذن (٤) كسلان §(٥) «أ» يتهرّب من أداء واجبه . «ب» يتغيّب بغير إذن .

to play ~, ~ يتهرب من اداء واجب مفروض ؛ يتغيب عن المدرسة بغير اذن

truant officer *(n.)* ضابط التغيّب: موظف تعهد إليه إدارة المدرسة بالتحقيق في تغيّب الطلاّب المتكرر .

truce [trōōs] *(n.; vi.; t.)* (١) هدنة §(٢) يعقد هدنة ×(٣) ينهي بهدنة .

truck [trŭk] *(vt.; i.; n.)* (١)يقايض ×(٢)يتعامل مع §(٣)مقايضة (٤) سلع للمقايضة (٥) تعامُل (٦) دفع الأجور سِلعاً لا عِملةً (٧) خضَر تزرع للبيع في السوق (٨) «أ» أدوات صغيرة ضئيلة القيمة . «ب» نُفاية .

truck [trŭk] *(n.; vt.; i.)* (١) دولاب صغير ، وبخاصةٍ لعربة مدفع (٢) قرص خشبيّ (في أعلى الصاري أو سارية العَلَم) ذو ثقوبٍ للحبال (٣)«أ» عربة نقل . «ب» عربة خفيضة مسطّحة . «ج» الشاحنة : سيارة شحن كبيرة §(٤) ينقل بشاحنة ×(٥) يقود شاحنةً .

truckage [trŭk'ĭj] *(n.)* (١) أجرة النقل بشاحنة (٢)النقل بشاحنة.

trucker [trŭk'ər] *(n.)* (١) المقايض (٢) زارع الخُضَر (٣) سائق الشاحنة (٤) المشتغل بنقل البضائع بالشاحنات .

truck farm *(n.)* مزرعة الخضار: مزرعة لإنتاج الخُضَر للسّوق .

trucking [trŭk'ing] *(n.)* (١)مقايضة (٢)زراعة الخُضَر (وبخاصة لبيعها في السوق) (٣) الشّحن أو النقل بالشاحنات .

truckle [trŭk'əl] *(n.; vi.)* (١) بكرة ؛ دولاب صغير §(٢) يخضع ؛ يذعن (لإرادة شخص آخر) .

truckle bed *(n.)* السرير الخفيض المُدَوْلَب : سرير منخفض يجري على دواليب صغيرة ويمكن دفعُهُ تحت سرير عاديّ .

truckler [trŭk'lər] *(n.)* الخاضع ؛ المذعن ؛ الخانع .

truckman [trŭk'mən] *(n.)* (١) سائق الشاحنة (٢) الشاحن : المشتغل بشحن البضائع .

truck system *(n.)* نظام دفع الأجور سِلَعاً لا عُمْلَةً .

truculence *also* **truculency** [trŭk'-] *(n.)* وحشية ؛ ضراوة الخ .

truculent [trŭk'yə lənt] *(adj.)* (١) وحشي ؛ ضار (٢) مهلك (٣) قاسٍ ؛ لاذع (٤) مشاكس ؛ مُولَع بالخِصام أو القتال .

trudge [trŭj] *(vi.; t.; n.)* (١) يمشي مُجْهَداً ×(٢) يجتاز بمشي مُجْهَد §(٣) مشيٌ طويل مُجهِد .

true [trōō] *(adj.; n.; vt.; adv.)* (١)«أ» صادق. «ب» صادق الولاء. «ج» مخلص (٢)«أ» صحيح . «ب» مثاليّ ؛ أساسيّ (~ values) (٣) طبق الأصل (a ~ copy) (٤) واقعيّ (This is a ~ story.) (٥) حقيقيّ ؛ أصلي (~ gold) (٦) دقيق (is a ~ balance) (٧) شرعي (the ~ owner) (٨) موثوق (a ~ indication) (٩) ضيّق (in the *truest* sense) §(١٠) الحقيقة (١١) الوضع الصحيح (A slanting door is out of ~.) §(١٢) يعدل ؛ يسوّي ؛ يقوم §(١٣) بصِدق (١٤) بدقّة (١٥) من غير تغيّر .

to come ~ ,. يتحقّق (الحلم أو الأمل) ؛ يصبح حقيقةً .

true bill *(n.)* الاتهام المقبول: اتهام تجد هيئةُ المحلفين الابتدائية أن البيّنات التي تعزّزه تبرر سماعه أو النظر فيه تحت قوس المحكمة .

true blue *(n.)* (١) إخلاص شديد؛ صِدق في الولاء (٢) شخص شديد الاخلاص أو صادق الولاء .

true-blue [trōō'blōō'] *(adj.)* شديد الاخلاص ؛ صادق الولاء .

trueborn [trōō'-] *(adj.)* أصيل؛ صميم (a ~ German) .

true-false test [trōō'fôls'] *(n.)* اختبار الصواب والخطأ: اختبار مؤلف من جمل يتعين على المرء أن يميّز صحيحَها من كاذبها.

truehearted [trōō'här'tĭd] *(adj.)* مخلص ؛ وفيّ ؛ صادق .

truelove [trōō'lŭv'] *(n.)* (١) المُحِبّ (٢)المحبوب .

truelove knot *(n.)* عقدة الحبّ الصادق : عقدة زينية يصعب حلّها تمثّل الحبّ الصادق الباقي .

true lover's knot *(n.)* = truelove knot.

trueness [trōō'nĭs] *(n.)* صدق ؛ إخلاص ؛ صحّة الخ .

truepenny [trōō'-] *(n.)* المخلص؛ الوفيّ؛ المقيم على العهد .

truffle [trŭf'əl; trōō'fəl] *(n.)* الكَمْء؛ الكمأة (نب) .

truism [trōō'iz əm] *(n.)* الحقيقة البَدَهية .

trull [trŭl] *(G.)* بَغِيّ؛ مومس ؛ بنت هوى .

truly [trōō'lĭ] *(adv.)* (١) بإخلاص (٢) بصدق (٣) بدقّة (٤) حقاً ، في الواقع .

trump [trŭmp] *(n.; vt.; i.)* (١)البُوق (مو) (٢) البُواق: صوت البوق أو نحوه (٣) ورقة رابحة (في ورق اللعب) (٤) شخص معتمَد أو موثوق أو ممتاز §(٥) يأخذ بورقة رابحة (٦) يبزّ ؛ يفوق ×(٧) يلعب الورقة الرابحة .

to ~ up يختلق ؛ يلفق ؛ «يفبرك» .

trumped-up *(adj.)* مُلَفَّق ؛ كاذب (~ charges) .

trumpery [trŭm'pə rĭ] *(n.; adj.)* (١)«أ» أشياء تافهة. «ب» حِلًى كاذبة (٢) هُراء §(٣)«أ» تافه ؛ عديم النفع أو القيمة . «ب» مُبَهْرَج .

trumpet [trŭm'pĭt] *(n.; vi.; t.)* (١) البُوق (مو) (٢) البوّاق : العازف على البوق (٣) صَوْت كالبُواق أو صوتِ البوق (٤) صرخة مدويّة §(٥) يبوّق ؛ ينفخ في البوق ×(٦) يعلن بصوتٍ عالٍ .

trumpet

trumpet creeper *(n.)* المتسلّقة البُوقية : نبات أميركي متسلّق ذو زهر كبير أحمر بوقيّ الشكل .

trumpeter [trŭm'pĭt ər] *(n.)* (١)«أ» البوّاق : العازف على البوق. «ب» المُطري أو المؤيّد (٢) المعلِن بصوت عالٍ (٣)المبوق: «أ» طائر جنوبأميركي طويل العنق والرجلين . «ب» تَمّ أو إوزّ شمالأميركي أبيض جهوريّ الصوت . «ج» ضرب من الحمام

الآسيوي كثيف ريش القدَمين . «د» سمك بحري استرالي ونيوزيلندي شائك الزعانف .

trumpet flower *(n.)* الزهرة البوقية: «أ» كل نبتة ذات زهر بوقي الشكل . «ب» زهرة هذه النبتة .

trumpetlike [trŭm'pĭt līk] *(adj.)* بوقاني : شبيه بالبوق شكلاً أو صوتاً .

trumpet vine *(n.)* = trumpet creeper.

truncate [trŭng'kāt] *(vt.; adj.)* (١) «أ» يبتر . «ب» يقلّم ؛ يشذّب §(٢) أبتر (٣) أقطع : مربّع الطرَف أو عريضه (نب).

truncated [trŭng'kā tĭd] *(adj.)* (١) أقطع ؛ مقطوع (٢) مقتضب ؛ مختصر .

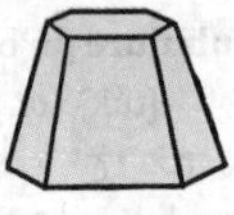

truncated pyramid

truncheon [trŭn'chən] *(n.; vt.)* (١) عصاً ؛ هراوة (٢) صولجان السلطة (كعصا الماريشالية ونحوها) §(٣) يضرب بعَصاً أو هراوة (ا:ق).

trundle [trŭn'dəl] *(n.; vt.; vi.)* (١) بكرة ؛ دُحروجة ؛ دولاب صغير (٢) «أ» عربة خفيضة صغيرة الدواليب . «ب» سرير مزوّد القوائم بدواليب صغيرة §(٣) يدحرج (٤) يدوّر ×(٥) يتدحرج (٦) يجري على دولاب أو دواليب .

trundle bed *(n.)* = truckle bed.

trunk [trŭngk] *(n.; adj.)* (١) جذْع ؛ ساق (٢) البدَن : «أ» جسم الانسان باستثناء الرأس والذراعين والرجلين . «ب» الجزء المركزي من الشيء (the ~ of a column) (٣) «أ» صندوق الثياب . «ب» صندوق السيارة (٤) خرطوم (ح) (٥) *pl.* : بنطلون رياضي قصير للرجال (٦) «أ» قناة . «ب» الترانك : دائرة اتصالٍ بين مركزين من مراكز التبادل التلفوني §(٧) رئيسي ؛ أساسي (the ~ line of a railway) .

trunk call *(n.)* مخابرة تلفونية طويلة المسافة .

trunkfish [trŭngk'fĭsh] *(n.)* السمك المُصَنْدَق : سمك ذو جسم يحيط به شِبْهُ صندوق من الصفائح العظميّة .

trunkfish

trunk hose *(n. pl.)* بنطلون قصير (أواخر القرن ١٦ وأوائل القرن ١٧) .

trunk line *(n.)* (١) الخط الرئيسي (في السكة الحديدية الخ.) (٢) «أ» قناة رئيسية . «ب» حلقة اتصال مباشرة (كدائرة تلفونية بين لوحَي مفاتيح) .

trunnel [trŭn'əl] *(n.)* = treenail.

trunnion [trŭn'yən] *(n.)* المِبرَم ؛ مُرتكَز الدوران (ملك) .

truss [trŭs] *(vt.; n.)* (١) «أ» يحزِم . «ب» يوثّق ؛ يقيّد . «ج» يكتّف الدجاجة الخ. قُبيل طَهْوها (٢) يدعّم (سقفاً أو جسراً) بجِمالون §(٣) طوق حديدي (حول صارٍ منخفض) (٤) كُتَيفة (را. bracket 1) (٥) الجِمالون : مجموعة روافد على صورة مثلّث أو عددٍ من المثلثات لتدعيم سقف أو جسر (٦) حزام الفتْق (ط) (٧) «أ» حزمة . «ب» حزمة قشّ (٨) عنقود زهري أو ثَمَري مُلتزّ الوحدات .

truss bridge *(n.)* الجِسر الجِمالوني : جسر مدعّم بجِمالون .

trussing [trŭs'ĭng] *(n.)* (١) مص truss (٢) أجزاء الجِمالون (٣) جِمالونات (را. truss 5) .

trust [trŭst] *(n.; vi.; t.)* (١) «أ» ثِقة . «ب» ائتمان . «ج» موضع ثقة أو ائتمان (٢) «أ» أمل ؛ رجاء . «ب» دَيْن ؛ نسيئة (to sell on ~) (٣) وديعة ؛ أمانة (٤) التروست : اتحاد احتكاري بين عدد من الشركات للحدّ من المنافسة (٥) مسؤولية (يُحمّلها شخص بحكم الثقة التي يتمتّع بها) (٦) منصب مسؤول (٧) رعاية ؛ عناية §(٨) يثق (٩) يأمل ؛ يرجو ×(١٠) يستودعه شيئاً أو يأتمنه عليه (١١) يتكل على (١٢) يبيع (المرءَ) بالدَين .

in ~, في رعاية قيّم أو أمين .

on ~, (١) نسيئةً ؛ بالدَين (٢) من غير تحقيق أو برهان .

to ~ to يعتمد على ؛ يتكل على .

trustable [trŭs'-] *(adj.)* مؤتمَن ؛ موثوق ؛ موضع ثقة .

trust company *(n.)* المصرف التجاري ؛ البنك التجاري .

trustee [trŭs tē'] *(n.; vt.; i.)* (١) الوصيّ ؛ الأمين ؛ القيّم (٢) بلد يتولّى الوصاية على مقاطعة غير مستقلّة §(٣) يعهد بشيء إلى وصيّ أو قيّم ×(٤) يقوم بمهام الوصيّ أو القيّم .

trusteeship [trŭs tē'shĭp] *(n.)* (١) وصاية ؛ أمانة (٢) وصاية دولة أو دول (على مقاطعة الخ.) (٣) بلد تحت الوصاية .

trustful [trŭst'fəl] *(adj.)* (١) واثق ؛ مفعم بالثقة (٢) نزّاع إلى الثقة بالآخرين .

trustiness [trŭs'tĭ-] *(n.)* الموثوقية : كون الشيء أو الشخص موثوقاً أو موضع ثقة .

trustless [trŭst'-] *(adj.)* (١) غادر ؛ خوّان ؛ غير مؤتمَن (٢) نزّاع إلى الارتياب وعدم الثقة .

trust territory *(n.)* منطقة واقعة تحت الوصاية الدولية .

trustworthiness [trŭst'wûr'thĭ nĭs] *(n.)* المُعتمَدية : كون الشيء جديراً بالثقة والاعتماد .

trustworthy [trŭst'wûr'thĭ] *(adj.)* معتمَد ؛ جدير بالثقة أو الاعتماد .

trusty [trŭs'tĭ] *(adj.; n.)* (١) موثوق ؛ موضع ثقة §(٢) شخص موثوق ؛ وبخاصة : سجين موثوق تمنحه إدارة السجن امتيازات خاصة .

truth [trōōth] *(n.)* (١) صِدق (٢) صحّة (٣) حقيقة (٤) الحقيقة .

in ~, في الحقّ ؛ في الواقع .

truthful [trōōth'-] *(adj.)* صادق (صفة للمرء أو للشيء) .

truthfulness [trōōth'-] *(n.)* الصادقية : كون المرء أو الشيء صادقاً .

try [trī] *(vt.; i.; n.)* (١) «أ» ينظر في (قضائياً) . «ب» يحاكم . «ج» يُسهِم (بوصفه محامياً) في نظر الدعوى (٢) «أ» يجرّب ؛ يختبر . «ب» يبتلي . «ج» يبلو ؛ يمتحن : يُخضعه لتجربة قاسية إلى حدّ يَفْقُدُ معه الاحتمال (enough to ~ the patience of a saint) . «د» يُرْهِق (Small print *tries* the eyes.) (٣) يذيب (الدهنَ الخ.) (٤) يستخلص أو يكرّر بالحرارة (٥) يحاول ×(٦) يقوم بمحاولة §(٧) محاولة ؛ تجربة .

to ~ on (١) يقيس ثوباً : يرتديه ليرى مقدار ملاءمته لجسمه (٢) يختبر .

trying [-'ĭng] *(adj.)* مُرْهِق ؛ شاقّ ؛ مُفْقِد القدرةَ على الاحتمال .

trying plane *(n.)* مِسْحَج مَسْح ؛ مِسحاج مَسْح (نج) .

tryout [trī'out'] *(n.)* (١) اختبار (لممثّل أو لاعب رياضي الخ.) (٢) تجربة (لمسرحية قبل عرضها رسمياً) .

trypanosome [trĭp'ə nə sōm'] *(n.)* واحدة المِثقَبيّة : المِثقَبيّات Trypanosoma وهي حيوانات دنيا طفيلية .

trypanosomiasis [trĭp ə nə sō mī'ə sĭs] *(n.)* داء المِثقَبيات : داء ناشيء عن الاصابة بالمِثقَبيات .

trypsin [trĭp'sĭn] *(n.)* التربسين : خميرة في العصارة البنكرياسية (كح) .

tryptophan [trĭp'tə făn'] *or* **tryptophane** [-făn'] *(n.)* التريبتوفان : حَمْض أميني متبلّر (كح) .

trysail [trī'sāl'] *(n.)* شراع العواصف : شراع يُنْشَر عند هبوب العواصف .

try square *(n.)* زاوية الضبط القائمة .

try square

tryst [trĭst; trīst] *(n.)* (١) موعد (لقاءٍ) . (٢) مكان اللقاء .

trysting place *(n.)* مكان اللقاء (بناءً على موعد متفق عليه) .

tsar [tsär] *(n.)* = czar.

tsetse [tsĕt'sĭ] *(n.)* الشَّذاة : ذبابة مرض النوم الخ.

T-shirt [tē'shûrt] *(n.)* (١) القميص التائي: قميص قصير الكمين لا قبّة له (٢) الكنزة التائيّة : كنزة شبيهة بالقميص التائيّ .

T square *(n.)* المِسطرة التائية : مِسطرة على شكل T .

tsutsugamushi disease [tsōō sə gə mōō'shĭ] *(Jap.)* الحمّى النهرية اليابانيّة (مض).

Tuareg [twä'rĕg] *(Ar.)* الطّوارقيّ : واحد الطوارق وهم بدوٌ مسلمون حاميو الأصل واللسان منتشرون في الأرجاء الوسطى والغربيّة من الصحراء الكبرى .

tub [tŭb] *(n.; vt.; i.)* (١) حوض (خشبي أو معدنيّ للسوائل أو النباتات أو لغسل الملابس) (٢) حوض استحمام (٣) حمّام (She took a cold ~ before breakfast.) (٤) مركب قديم أو بطيء §(٥) يغسِل أو يضع في حوض ×(٦) يغتسل أو يغسِل.

tuba [tū'bə] *(n.)* التُّوبة : ضربٌ من الأبواق (مو) .

tuba

tubal [tū'bəl] *(adj.)* (١) أنبوبي (٢) بوقيّ (ت).

tubate [tū'bāt] *(adj.)* أنبوبيّ .

tubby [tŭb'ĭ] *(adj.)* (١) بدين (٢) قصير وبدين .

tube [tūb] *(n.)* (١) أنبوب (٢) قناة (٣) «أ» نَفَق (للسكة الحديدية) . «ب» السكة الحديدية (٤) الإطار الداخليّ (في عجلة السيارة) (٥) «أ» صِمام إلكتروني . «ب» صِمام مفرَّغ

tube foot *(n.)* القَدَم القِنابيّة (في قُنفذيات الجِلد) .

tubeless tire *(n.)* الإطار اللاأنبوبي: إطار للسيارات غير مشتمل على إطار داخلي مختزن للهواء.

tuber [tū'bər] *(n.)* (١) دَرَنة (في جِذر) (٢) حدَبَة (ت) .

tubercle [tū'bər kəl] *(n.)* (١) عُجَيْرة (٢) دُرَيْنة ، حُدَيبة.

tubercle bacillus *(n.)* عُصَيّة السلّ ، باسيل السلّ .

tubercled [tū'bər kəld] *(adj.)* = tuberculate.

tubercul- بادئة معناها : «أ» باسيل السلّ . «ب» سلّ .

tubercular [tū bûr'kyə lər] *(adj.; n.)* (١) دَرَنيّ (٢) سُلّيّ . (٣) مسلول §(٤) المسلول .

tuberculate [tū bûr'kyə lĭt]; **tuberculated** [-lāt ĭd] *(adj.)* (١) دَرَنيّ ، متدرِّن (٢) «أ» سُلّيّ . «ب» مسلول .

tuberculin [tū bûr'kyə lĭn] *(n.)* السُّلّين : لقاح السلّ .

tuberculo- = tubercul-.

tuberculoid [tū bûr'kyə loid] *(adj.)* سُلانيّ : شبيه بالسلّ .

tuberculosis [tū bûr'kyə lō'sĭs] *(n.)* السُّل (مض) .

tuberculous *(adj.)* (١) دَرَنيّ (٢) سُلّيّ (٣) مسلول

tuberose [tūb'rōz'] *(n.)* مِسْك الروم : نبات من النرجسيات .

tuberosity [tū'bə rŏs'ə tĭ] *(n.)* حَدَبَة (ت) .

tuberous [tū'bər əs] *(adj.)* دَرَنيّ .

tuberous root *(n.)* الجِذر الدَّرَنيّ (نب) .

tubi- بادئة معناها : أنبوب ، أنبوبيّ (*tubi*form) .

tubing [tū'bĭng] *(n.)* (١) أنبوب (٢) أنابيب ، شبكة أنابيب .

tubular [tū'byə lər] *(adj.)* أنبوبيّ .

tubular floret *(n.)* = disk flower.

tubule [tū'būl] *(n.)* (١) الأُنَيْبيب : أنبوب صغير (٢) قُنَيّة (ت).

tubuli- بادئة معناها : «أ» أنبوب صغير . «ب» أنبوبيّ .

tubuliferous [tū'byə lĭf'ər əs] *(adj.)* أُنَيْبيبيّ : ذو أُنَيْبيبات ، مؤلَّف من أنابيب صغيرة .

tubulifloral [tū'byə lĭ flōr'əl] *(adj.)* أُنبوبيّ الزَّهر (نب) .

tubulous [tū'byə ləs] *(adj.)* أُنبوبانيّ : «أ» على شكل أنبوب . «ب» مؤلَّف من أنابيب .

tubulure [tū'byə lər] *(n.)* المَسال الأنبوبي : فتحة أنبوبيّة قصيرة.

tuck [tŭk] *(vt.; i.; n.)* (١) «أ» يرفع (طرف الثوب) مشمِّراً عن . «ب» يُثْني : يحدث في الثوب تثنيات مخيطة . «ج» يزم (٢) يدُسّ (الكتاب تحت إبطه الخ.) (٣) يُدْخِل (طرف القميص أو الغطاء في موضعه) (٤) يغطي (طفلاً بإقحام أطراف غطاء السرير في مواضعها) ×(٥) يَنْثَنِي (في موضعه) تحت رباط أو نحوه (tailored skirt which ~s in) §(٦) ثنية ، طيّة (٧) مص **tuck** (٨) قرع الطبول (٩) قوة ، نشاط . to ~ away *or* in يأكل أو يشرب بِنَهَم .

tucker [tŭk'ər] *(n.; vt.)* (١) فا **tuck** (٢) تخريم حول عُنق الفستان §(٣) يُرهِق .

tuck-shop [tŭk'shŏp'] *(n.)* دكان الحلواني : دكان بيع الحلويات.

-tude لاحقة معناها : حالة ، وضْع ، صفة ، درجة .

Tudor [tū'dər] *(n.; adj.)* (١) أسرة تيودُر : أسرة حكمت انكلترة من ١٤٨٥ إلى ١٦٠٣ (٢) التيودَريّ : أحد أفراد أسرة تيودر §(٣) تيودَريّ : ذو علاقة بأسرة تيودَر أو مميِّز لعهدها .

Tuesday [tūz'dĭ] *(n.)* الثّلاثاء ، يوم الثّلاثاء .

tufa [tū'fə] *(It.)* (١) **tuff** (٢) التّوفة : حجرٌ مساميّ (ذو مَسام) .

tuff [tŭf] *(n.)* التّوف : حجرٌ مسامي يتشكّل من رماد البراكين .

tuft [tŭft] *(n.; vt.; i.)* (١) «أ» خصلة شعر . «ب» عنقود . «ج» باقة أعشاب أو أوراق أو زهرات نامية . «د» القُنْزُعة : الريش المجتمع في رأس الديك (٢) حزمة خيوط زغِبة تُتّخَذ حِلْية (٣) أجمة صغيرة (٤) رابية §(٥) يُخصّل ، يُعنقِد : يزوّد بخُصَل أو عناقيد الخ. ×(٦) يتخصّل ، يتعنقد الخ.

tug [tŭg] *(vi.; t.; n.)* (١) يشدّ بقوّة (٢) يناضل (٣) يكدح ×(٤) يجرّ ، يسحب (٥) يحمل بمشقة أو جهد (٦) يَقْطُر (بزورق قَطْر) §(٧) «أ» أحد السَّيرين أو الحبلين اللذين يجرّ بهما الحيوان مركبةً أو عربةً . «ب» حبلٌ أو سلسلة (للسّحب أو القَطر) (٨) «أ» شدّ . «ب» شدّة عنيفة (٩) «أ» جهدٌ جهيد. «ب» صراع بين شعبين أو قوّتين متعارضتين (١٠) زورق قَطْر أو سَحْب .

tugboat [tŭg'bōt'] *(n.)* زورق القَطْر أو السَّحْب .

tugboat

tug of war *(n.)* (١) صراع عنيف. (٢) شدّ الحبل (رب)

tuition [tū ĭsh'ən] *(n.)* (١) تعليم. (٢) رسم التعليم أو أجرته .

tularemia [tōō'lə rē'mĭ ə] *(L.)* داء التُّلَرِيّات : داء يصيب القوارض والانسان وبعض الحيوانات الداجنة ، ويتخذ في الانسان شكل حمى متقطّعة تستمرّ عدة أسابيع (مض) .

tule [tōō'lĕ] *(Sp.)* الدِّيْس : عشب مائيّ أميركي (نب) .

tulip [tū'lĭp] *(n.)* التُّوليب ، الخُزامى : نبات من الفصيلة الزنبقية .

tulip

tulip tree *(n.)* شجرة التوليب : شجرة شماليّة أميركية ذات زهر كزهر التوليب .

tulipwood [tū'lĭp wood'] *(n.)* خشب التوليب : خشب شجرة التوليب .

tulle [tōōl] *(F.)* التُّول : حرير رقيق تُتّخذ منه حجبُ النساء .

tullibee [tŭl'ə bē'] *(n.)* التُّولبي : ضرب من السمك .

tumble [tŭm'bəl] *(vi.; t.; n.)* (١) يتشقلب (٢) «أ» يعثر ؛ يقع على الأرض . «ب» يتدهور ؛ ينخفض (السعر) فجأة . «ج» ينهار ؛ يهوي (٣) يتقلّب (~*d* in her sleep) (٤) يسقط أو يتدفّق بسرعة واختلاط (٥) يُهرول باضطراب (٦) يصادف ، يقع أو يعثر على شيء مصادفةً (٧) يعي فجأةً (حقيقةً أو أمراً) ؛ يفتح عينيه على واقع ما (suspicious for some time and all of a sudden I ~*d* to it) (٨) × «أ» يقلب ؛ يُسقِط . «ب» يصرع ؛ يطرح أرضاً (٩) يلقي أو يطرح أو يضع بسرعة وبغير نظام (١٠) يفسد نظام شيء (١١) يدير (القطع المعدنية أو الملابس) في وعاء خاص بغية صقلها أو طَلْيِها أو تجفيفها § (١٢) «أ» كومة ؛ رُكام . «ب» فوضى (١٣) مص tumble .

tumbledown [tŭm'bəl doun'] *(adj.)* متداعٍ ، متداعٍ للسقوط .

tumbler [tŭm'blər] *(n.)* (١) «أ» البهلوان . «ب» الحَمَام البهلواني (٢) قَدَح ؛ كأس (٣) ريشة القفل ونحوها (٤) الدمية المتمايلة : دمية تتمايل إذا مُسَّت ثم لا تلبث أن تستعيد توازنها (٥) البرميل الدوّار : برميل دوّار (لصقل المعادن أو تجفيف الملابس) (٦) عامل يُشغّل برميلاً دوّاراً .

tumbling [tŭm'blĭng] *(n.)* البهلوانيّة : البراعة في الألعاب البهلوانيّة أو ممارستُها .

tumbling barrel *(n.)* = tumbler 5.

tumbrel *or* **tumbril** [tŭm'brəl] *(n.)* (١) عَرَبَة (من عربات المزارع) (٢) عربة لنقل السجناء المحكومين إلى المقصلة (أيام الثورة الفرنسيّة) .

tumbrel 1

tumefaction [tū'mə făk'shən] *(n.)* (١) تورّم (٢) ورَم .

tumefactive [tū'mə făk'tĭv] *(adj.)* مورِّم : مُحْدِثٌ ورَماً .

tumescence [tū mĕs'əns] *(n.)* تورّم ؛ انتفاخ .

tumescent [tū mĕs'ənt] *(adj.)* متورم ؛ ورِم ؛ منتفِخ .

tumid [tū'mĭd] *(adj.)* (١) ورِم ، منتفِخ (٢) طنّان ؛ رنّان .

tumidity [tū mĭd'-] *(n.)* (١) تورّم ؛ انتفاخ (٢) الطَّنّانيّة : صفةُ الأسلوب الطنّان .

tumor *or* **tumour** [tū'mər] *(L.)* (١) ورَم (٢) ورم خبيث .

tumorous [-əs] *(adj.)* ورَمِيّ ؛ ورَمانيّ : متعلق بالورم أو شبيه به .

tump [tŭmp] *(n.)* (١) رابية (٢) مُجتمَعُ أشجار أو شجيرات أو أعشاب (وبخاصة حين يُحدِث بقعة جافة في مستنقع) .

tumular [tū'myə lər] *(adj.)* هضَبيّ : «أ» منسوب إلى هضبة . «ب» على شكل هضبة .

tumult [tū'mŭlt] *(n.)* (١) «أ» شغَب . «ب» فتنة ؛ اضطراب . (٢) جلَبة (٣) «أ» اضطراب نفسي . «ب» نوبة (بكاء أو ابتهاج الخ .) .

tumultuary [tū mŭl'chōō-] *(adj.)* (١) tumultuous (٢) مختلِط ؛ مضطرِب .

tumultuous [tū mŭl'chōō əs] *(adj.)* (١) عنيف ؛ صاخب (٢) مشاغِب ؛ نزّاع إلى إحداث الفتن (٣) هائج ؛ مضطرب .

tumulus [tū'myə ləs] *(L.)* pl. **-li** [-lī] ركام من تراب (فوق قبر) .

tun [tŭn] *(n.)* (١) برميل للخمر (٢) التُّن : وحدة سعة تساوي ٢٥٢ غالوناً .

tuna [tōō'nə] *(n.)* (١) prickly pear (٢) التُّن : سمك التُّن .

tunable *also* **tuneable** [tū'nə bəl] *(adj.)* (١) متناغم (ا . ق) . (٢) قابل للدوزنة أو الموالفة .

tundra [tŭn'drə] *(Russ.)* التُّنْدرة : سهل أجرد في المنطقة القطبية الشمالية .

tune [tūn] *(n.; vt.; i.)* (١) موقف ، مزاج ذهني (٢) «أ» مقطوعة موسيقية . «ب» لَحْن (٣) درجة النغم الصحيحة (٤) تناغم ؛ انسجام (out of ~ with his surroundings) (٥) حالة جيدة (to keep the body in ~) (٦) مقدار (turns out electricity from coal to the ~ of 200,000 kilowatts) § (٧) يَبضّ ، يُدَوْزِن أوتار الآلة الموسيقية (٨) يناغم (٩) يضبط أو يعدّل المحرّك الخ . (١٠) يوالف ؛ يوفق (رد) × (١١) يتناغم (١٢) يتآلف ؛ يتوافق (رد) . to ~ in يوفّق ؛ يوالف ؛ يعدّل الجهاز المستقبِل بحيث يسمع ما يريد سماعه (رد) . to ~ out يَخفِض الموالفة : يعدّل الجهاز المستقبل بحيث يتخلص من غير المرغوب فيه (رد) .

tuneful [tūn'fəl] *(adj.)* موسيقي ؛ رخيم ؛ متآلف النغمات .

tuner [tū'nər] *(n.)* فا tune ، مثل : «أ» المدوزِن . «ب» الموفِّق : جهاز التوفيق أو الموالفة (رد) .

tune-up [tūn'ŭp'] *(n.)* (١) «دوزنة» ؛ ضبط ، تعديل (٢) تجربة تمهيدية (استعداداً لمسابقة) .

tung oil [tŭng] *(n.)* زيت التانغ : زيت جفوف يستخرج من بزور شجر التانغ .

tungst- *or* **tungsto-** بادئة معناها : تُنْجِسْتين .

tungsten [tŭng'stən] *(n.)* التُّنْجِسْتين : عنصر فلزي يستخدم لتقسية الفولاذ وفي صنع السُّلَيكات التي بداخل المصابيح الكهربائية .

tungstenic [tŭng stĕn'-] *(adj.)* تُنْجِسْتيني : متعلّق بالتنجستين .

tungstic [tŭng'stĭk] *(adj.)* = tungstenic.

tungstite [tŭng'stīt] *(n.)* التُّنجِستيت (مع) .

tung tree *(n.)* شجرة التانغ : شجرة صينية يستخرج منها زيت التانغ الجفوف .

tunic [tū'nĭk] *(n.)* (١) التُّنْك : «أ» رداء اغريقي أو روماني طويل يُشدّ بحزام حول الخصر . «ب» surcoat . «ج» سترة قصيرة ضيقة يرتديها الجنود والشرطة الخ . «د» رداء كهنوتي . «ﻫ» تنّورة فوقيّة قصيرة . «و» بلوزة أو سترة طويلة (٢) غشاء ؛ غلاف ؛ إهاب («نب» و «ح») .

tunica [tū'nə kə] *(L.)* pl. **-e** غشاء ؛ غلاف ؛ إهاب («نب» و «ح») .

tunicate [tū'nə kĭt; -kāt] *(adj.; n.)* (١) مُغشّى ؛ مُغلّف ؛ موهَّب (٢) متراكز الطبقات : ذو طبقات متحدة المركز (An onion is a ~ bulb.) § (٣) الزِّقّيّ : واحد الزِّقِّيات Tunicata وهي طائفة من الحيوانات البحرية ذات أجسام شبيهة بالزِّقاق .

tunicle [tū'nə kəl] *(n.)* التُّنَيكِل : رداء كهنوتي قصير .

tuning fork

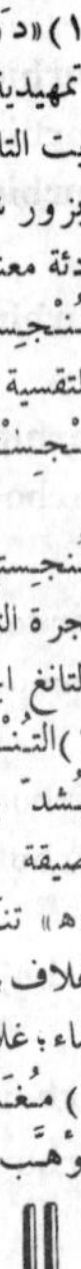

tuning fork *(n.)* الشوكة الرنّانة .

tunnel [tŭn'əl] *(n.; vt.; i.)* (١) «أ» قِمع (ع) . «ب» أنبوب (٢) «أ» نفَق . «ب» جُحْر § (٣) يشق نفَقاً أو نحوه عبرَ شيء أو تحته × (٤) يشق (أو يستخدم) نفَقاً .

tunny [tŭn'ĭ] *(n.)* pl. **-nies ; -ny** التُّنّ : سمك التُّنّ .

tup [tŭp] *(n.; vt.)* (١) كَبْش ، خروف (٢) جسم معدني ثقيل (كرأس المطرقة أو ثِقل رقاص الساعة) §(٣) يسافد ، يجامع (نعجةً).

tupelo [tōō'pə lō'] *(n.)* (١) الطُّوبال : شجر شمالأميركيّ ضخم . (٢) خشب الطُّوبال .

tuppence [tŭp'əns] *(n.)* = twopence.

tuque [tūk] *(F.)* التُّوكة : قلنسوة كندية محبوكة .

Turanian [tyōō rā'nĭ ən] *(adj.; n.)* (١) طورانيّ : متعلّق بمجموعة من الشعوب أو اللغات الآسيوية ليست بآريّة ولا ساميّة §(٢) الطورانيّ : أحد أفراد شعب ناطقٍ بلسانٍ طورانيّ (٣) اللغات الطورانيّة : مجموعة من اللغات تشمل الفنلندية والمجرية والتركيّة والصينية .

turban [tûr'bən] *(Per.)* (١) عِمامة (٢) التُّربان : قبعة نسوية ضيقة لا حَرْفَ لها .

turban 2.

turbaned *or* **turbanned** [-'bənd] *(adj.)* (١) مُعمَّم (٢) مُتَرْبَن (را. المادة السابقة) .

turbellarian [tûr'bə lâr'ĭ ən] *(n.; adj.)* (١) المثيرة : دودة من المثيرات **Turbellaria** وهي طائفة من الديدان المسطّحة ذات أهداب تثير في الماء تيارات دقيقة §(٢) مُثيريّ .

turbid [tûr'bĭd] *(adj.)* (١) عَكِر ، كدِر (a ~ river) (٢) كثيف (~ clouds) (٣) مشوَّش ، مضطرب (~ thought) .

turbidity [tûr bĭd'ə tĭ] *(n.)* (١) عَكَر ، كَدَر ، كُدورة . (٢) كثافة (٣) تشوّش .

turbidimeter [tûr'bĭ dĭm'ə-] *(n.)* المِكدار : مقياس الكُدُورة .

turbinal [tûr'bə-] *(adj.; n.)* (١) turbinate §(٢) العظم المفتول .

turbinate [-'bə nĭt; -nāt] *or* **turbinated** [-nāt'ĭd] *(adj.)* (١) مفتول ، لولبيّ (٢) على صورة مخروط مقلوب .

turbine [tûr'bĭn] *(F.)* التُّربينة ، العَنَفَة : محرّك ذو دولاب يُدار بقوة الماء أو البخار أو الهواء .

turbit [tûr'bĭt] *(n.)* التُّربيت : حمام قصير الرأس والمنقار .

turbo [tûr'bō] *(n.)* (١) turbosupercharger (٢) تُربينة ، عَنَفَة (را. turbine) .

turbo- بادئة معناها : تُرْبينيّ (*turbo*car) .

turbocar [tûr'bō kär] *(n.)* السيّارة التّربينيّة : سيارة تعمل بتربينة غاز .

turbocharger [tûr'bō chär'jər] *(n.)* الشاحن التربيني (ملك) .

turbofan [tûr'bō făn'] *(n.)* (١) المروحة التّربينية (ملك) (٢) المحرِّك التربيني المروحي : محرِّك تربيني ذو مروحة .

turbojet [tûr'bō jĕt'] *(n.)* النفاثة التّربينيّة : طائرة مزوَّدة بمحركات تربينية نفّاثة .

turbojet engine *(n.)* المحرِّك النفّاث التّربينيّ (طي) .

turboprop [tûr'bō prŏp'] *(n.)* المحرِّك المروحي التّربينيّ أو طائرة مزوَّدة به .

turbo-propeller engine [tûr bō prə pĕl'ər] *(n.)* المحرِّك المِروحي التّربينيّ (طي) .

turboprop-jet engine [tûr bō prŏp'jĕt] *(n.)* = turbo-propeller engine.

turbosupercharged [tûr bō sōō'pər chärjd] *(adj.)* مزوَّد بشحّان تربينيّ (طي) .

turbosupercharger [-chär'jər] *(n.)* الشحّان التّربينيّ (طي) .

turbot [tûr'bət] *(n.)* التُّربوت ، سمك التُّرس : ضرب من سمك موسى .

turbot

turbulence *also* **turbulency** [tûr'byə-] *(n.)* (١) تمرُّد ، شغَب ، فتنة (٢) اضطراب .

turbulent [tûr'byə-] *(adj.)* (١) متمرِّد ، مشاغب (٢) مضطرب . (٣) عنيف ، هائج .

turbulent flow *(n.)* الدفق المضطرب ، الدفق الدوّاميّ .

Turco- بادئة معناها : «أ» تركي . «ب» تركيّ و ...

turd [tûrd] *(n.)* روث ، غائط (sheep ~) .

tureen [tōō rēn'; tyōō-] *(n.)* السُّلطانية : وعاء يُسكَب منه الحساء أو الخُضَر الخ .

tureen

turf [tûrf] *(n.; vt.)* (١) «أ» الطبقة العليا من التربة (المشتملة على العشب وجذوره) . «ب» مَرْج (٢) الخُثّ أو قطعة منه (را. peat) (٣) «أ» حلبة سباق الخيل . «ب» سباق الخيل §(٤) يكسو بالأعشاب (٥) يطرد (ع) .

turfman [tûrf'mən] *(n.)* المولَع بسباق الخيل ، وبخاصة : مالك جياد السباق .

turfy [tûr'fĭ] *(adj.)* (١) مُعَشوشب (٢) خُثّيّ : منسوب إلى الخثّ (را. peat) (٣) خاص بسباق الخيل .

turgescence [tûr jĕs'əns] *(n.)* (١) ورم ، انتفاخ (٢) الطنّانية : صفة الأسلوب الطنّان .

turgescent [tûr jĕs'ənt] *(adj.)* (١) وَرِم ، منتفخ (٢) طنّان .

turgid [tûr'jĭd] *(adj.)* (١) ورِم ، منتفخ (٢) طنّان (صفة للأسلوب أو اللغة) .

turgor [tûr'gər] *(n.)* وَرَم ، انتفاخ .

Turk [tûrk] *(n.)* (١) التركيّ : أحد أبناء تركيا (٢) المُسْلِم ، وبخاصة : أحد رعايا السلطان العثماني المسلمين (٣) جواد تركيّ .

turkey [tûr'kĭ] *(n.)* (١) ديك رومي (٢) إخفاق ، عمل مُخفق .

turkey buzzard *(n.)* نَسْر أميركي .

turkey-cock [tûr'kĭ kŏk] *(n.)* (١) الديك الرومي (ح) (٢) شخص مغرور أو تيّاه .

turkey-cock

turkey hen *(n.)* الدجاجة الرومية : أنثى الديك الرومي .

Turkey red *(n.)* (١) اللون الأحمر الزاهي . (٢) قماش أحمر زاهٍ .

turkey shoot *(n.)* رَمْيُ الديكة الرومية : مباراة في الرماية على الديوك الرومية الحية .

turkey trot *(n.)* رقصة الديكة الرومية : رقصة زنجيّة الأصل .

Turkic [tûr'kĭk] *(adj.; n.)* (١) تُورْكي : متعلق بأسرة من اللغات تشمل التركيّة والاذربيجانيّة والتركمانيّة والقيرغيزية الخ . (٢) تركيّ §(٣) أسرة اللغات التوركيّة .

Turkish [tûr'kĭsh] *(adj.; n.)* (١) تركيّ §(٢) التركية : اللغة التركية .

Turkish bath *(n.)* الحمّام التركي : حمّام يوضع فيه المستحم في حجرة محمّاة حتى يأخذ في التعرق ثم يُدلَك جسمهُ ويُغسل .

Turkish delight *(n.)* راحة الحلقوم : ضرب من الحلوى .

Turkish towel *(n.)* المِنشفة التركية : منشفة قطنية طويلة الوبر .

Turkism [tûrk'ĭz əm] *(n.)* الأتراكيات : عادات الأتراك ومعتقداتهم وموسّساتهم ومبادئهم .

Turko- = Turco-.

Turkoman *or* **Turcoman** [tûr'kə mən] *(n.)* (١) التُركماني : أحد أفراد مجموعة من القبائل المقيمة حول بحر آرال وفي

أجزاء من ايران وافغانستان (٢) التركمانية : لغة التركمان .

Turk's head *(n.)* رأس التركي : عقدة بحرية على شكل عمامة .

turmeric [tûr'mər ĭk] *(n.)* (١) الكُركُم : نبات من الفصيلة الزنجبيلية (٢) مسحوق جذور الكُركُم (يُتَّخذ تابلاً أو صبغاً أصفر أو منبهاً) .

turmoil [tûr'moil] *(n.)* اضطراب أو اهتياج عظيم .

turn [tûrn] *(vt.; i.; n.)* (١)«أ» يدير . «ب» يلوي (٢)«أ» يقلّب . «ب» يحرِّك . «ج» يقلّب رأياً أو مسألة (٣)«أ» يقلّب . «ب» يحرِث . «ج» يدوخ . «د» يغثّي : يصيب بالغثيان (٤) «أ» يحول . «ب» يصد أو يفرّق (الحشود) . «ج» يدور حول (منعطفٍ) . «د» يتجاوز (ساعةً أو سناً معيّنة) (٥)«أ» يصرف (الانتباه) إلى أو عن . «ب» يحمله على تغيير طريقة حياته أو مذهبه . «ج» يردّ (كيده إلى نحره الخ.) . «د» يثير : يبغّض : يحرّضه على (to ~ a child against its father) . «هـ» يوجّه . «و» يسوق (الماشية) (٦)«أ» يخثّر . «ب» يغيّر (اللونَ) . «ج» يُحيل : يحوّل إلى (to ~ water into ice) . «د» يترجم : ينقل (٧)«أ» يدور : يعطيه شكلاً مستديراً . «ب» يشكّل أو يصوغ ببراعة وفنّ (to ~ a sentence) (٨)«أ» يشكّل بالطيّ أو الثَّني . «ب» يجعله كليلَ الحدّ (٩)«أ» يتخلص من بضاعة مخزونة ليفسح المجال لغيرها . «ب» يجني ربحاً (وبخاصة بالتجارة) ×(١٠)«أ» يدور . «ب» يصاب بدُوار (١١)«أ» يتخذ سبيلَهُ . «ب» يتخذ وجهةً مختلفة . «ج» يرتدّ : ينقلب على عقبيه . «د» ينعطف (١٢)«أ» يلتفت . «ب» ينقلب على . «ج» ينقضّ : يثب فجأة (١٣)«أ» ينتقل . «ب» يغيّر طريقة حياته أو تفكيره . «ج» يغيّر مذهبه الديني أو السياسي (He's a Catholic and I'm going to ~.) . «د» يرجع أو يلجأ إلى . «هـ» ينكبّ (على دراسة شيء الخ.) (١٤)«أ» يتغيّر لونُهُ (The leaves have ~ed.) . «ب» يتخثّر (The milk had ~ed.) . «ج» يضطرب عقلياً . «د» يتحوّل : ينقلب إلى . «هـ» يصبح (to ~ pale) . «و» يصاب بالغثيان (١٥) يخرط (الخشب) بمخرطة §(١٦)«أ» دَوَران . «ب» دَوْرة (١٧)«أ» انعطاف . «ب» انحراف . «ج» منعطف : زاوية (١٨) جولة : نزهة قصيرة (a ~ through the garden) (١٩)«أ» نوبة عمل . «ب» مباراة . «ج» دور (It's my ~ to play.) . «د» فصل قصير في برنامج متنوعات . «هـ» الفنان المؤدّي لهذا الفصل (٢٠)«أ» مِخرطة . «ب» دولاب غَزْل . «ج» سَقّاطة (٢١) مطلب : حاجة : غرض (This will serve your ~.) (٢٢)«أ» تغيُّر ، تحوُّل ، انقلاب (hoped for a ~ in her luck) . «ب» المنقلَب : نقطة التغيّر أو أوانه (at the ~ of the century) (٢٣) «أ» صفة مميّزة (~s of the Greek genius) . «ب» صياغة لغوية . «ج» طريقة في التعبير خاصة . «د» شكل ؛ قالب (٢٤)«أ» التفاف . «ب» لَفّة (٢٥) «أ» ميل (a ~ for philosophy) . «ب» اتجاه (The conversation took an interesting ~.) . «ج» نزعة (٢٦)«أ» نوبة مرض أو إغماء أو دُوار . «ب» صدمة (عصبية) (٢٧) صفقة أو ربح ناشيء عنها .

a good ~, خدمة : معروف : عملٌ وديّ .

an ill ~, عملٌ جافٍ ؛ معاملة سيئة .

at every ~, دائماً ؛ في كلّ مناسبة .

by ~s بالتناوب : «بالدَّور» .

in ~, تباعاً ؛ على التعاقب .

out of ~, (١) بغير الترتيب الصحيح (٢) على نحو غير حكيم ؛ في غير الزمان أو المكان الصحيح .

to a ~, على الوجه الأكمل أو الأفضل .

to ~ away (١) يصرف ؛ يطرد (٢) يردّ ؛ يصدّ (٣) يرفض قبوله أو إدخاله (٤) ينصرف ؛ يرحل

to ~ back (١) يعود ؛ يرجع ؛ ينكص (٢) يردّ ؛ يصدّ (٣) يقلب إلى الوراء .

to ~ color (١) يتغيّر لونه (٢) يحمرّ وجهه (٣) يشحُب.

to ~ down (١) ينطوي (٢) يطوي (٣) يقلب رأساً على عقب (٤) يخفّف (نورَ المصباح) (٥) يخفض (صوتَ المذياع) (٦) يرفض .

to ~ in (١) يقدّم ؛ يسلّم (٢) يُخبر أو يبلّغ (الشرطةَ) عن (٣) ينعطف ويدخل (٤) يأوي إلى الفراش .

to ~ informer يخون أصحابه أو يفشي سرّهم .

to ~ King's *or* Queen's evidence يشهد ضدّ شركائه في الجريمة (مقابل الوعد بإطلاق سراحه) .

to ~ loose (١) يعتِق ؛ يحرر (٢) يطلق النار من (٣) يفتح النار على (٤) يُسهب في الكلام

to ~ off (١) يصرف ؛ يطرد (٢) يبيع ؛ يتخلص من (٣) يتجنب ؛ يتفادى (٤) ينجز ؛ يصنع (٥) يوقف تدفق الماء الخ. (٦) يطفىء (النورَ) (٧) يشنق (٨) ينحرف (عن الطريق الرئيسي) (٩) يَفْسُد (١٠) يصبح .

to ~ on (١) يفتح (حنفيةً) (٢) يشعل (النور) . (٣) يدير (جهاز الراديو) (٤) يهاجم ؛ يقاوم .

to ~ one's coat يتخلّى عن حزبه (طمعاً في ربح أو التماساً للسلامة) .

to ~ one's hand
to ~ a hand
(١) ينهمك في عمل يدويّ . (٢) ينكبّ على .

to ~ out (١) يطرد (٢) يقلب ظهراً لبطن . (٣)«أ» يُفرِغ بغية التنظيف . «ب» ينظّف (٤) يصنع ؛ يُنتج (٥) يُجهِّز ؛ يكسو (٦) يطفىء (النورَ) (٧) يغادر المنزل (تلبية لدعوة أو نداء) (٨) يغادر الفراشَ (٩) يُثبت في النهاية أنه . . (١٠) ينتهي (١١) يصبح .

to ~ over (١) يقْلب (٢) يقلّب (٣) يفكّر في (٤) يتصفح (٥) يسلّم إلى (٦) يتلقى (بضاعة) ثم يبيعها (٧) يبيع من السلع ما مقداره كذا (٨) ينقلب (٩) يدور (١٠) «تنقلب» معدتُهُ من الغثيان (١١) يثب قلبهُ هلَعاً .

to ~ the scale (١) يزن ؛ يبلغ وزنه (٢) يحسم أمراً .

to ~ the trick يُحدث الأثرَ المطلوب .

to ~ to ينكبّ على العمل ؛ يعمل بهمّة ونشاط .

to ~ turtle ينقلب رأساً على عقب .

to ~ up (١) يكتشف (٢) «أ» يرفع (فتيل المصباح) . «ب» يقوّي (النورَ أو صوتَ المذياع) . «ج» يَثْني أو يردّ أو يقلب إلى أعلى (٣)«أ» يبحث (عن كلمة أو حقيقة) في كتاب . «ب» يرجع إلى كتاب (٤) يقتل (٥) ينتج الطاقة بنسبة كذا (٦) يَبْرز ؛ يَظهر (٧) يجيء ؛ يحضر (٨) يَثْبُتُ أنه . . . (٩) يَحْدث على غير توقّع (١٠) يتخلى عن (١١) يُطلق ؛ يحرّر .

to ~ up one's nose يُبدي الازدراء .

turnabout [tûrn'ə bout'] *(n.)* (١) تحوّل أو انقلاب (في الاتجاه أو الرأي أو السياسة أو الولاء) (٢) المرتدّ ؛ الخارج على حزبه (٣) merry-go-round .

turnbuckle [tûrn'bŭk'-] *(n.)* الشدّادة.

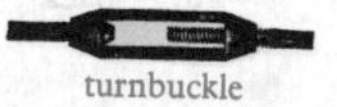

turnbuckle

turncoat [-'kōt] *(n.)* المرتدّ ؛ الخارج : المتخلّي عن عقيدته أو حزبه .

turndown [tûrn'doun] *(adj.; n.)* (١) قابلٌ للطيّ أو القلب ؛ وبخاصة : يُلبَس مطوياً أو مقلوباً (a ~ collar) §(٢) رفضٌ (٣) شيء مطويّ أو مقلوب (٤) downturn .

turner [tûr'nər] *(n.)* (١) فا turn (٢) الخرّاط : المشتغل في الخِراطة (٣) عضو نادٍ رياضيّ .

turnery [tûr'nə rĭ] *(n.)* (١) الخِراطة : صناعة الخرّاط . (٢) مُنتجات الخرّاط أو معمله .

turning [tûr'nĭng] *(n.)* (١)مص turn (٢)منعطَف (٣)خِراطة .

turning chisel *(n.)* إزميل الخراطة (نج) .

turning point *(n.)* نقطة التحوّل ؛ نقطة الانعطاف .

turnip [tûr'nəp] *(n.)* لِفْت ؛ سَلْجَم (نب) .

turnix [tûr'nĭks] *(n.)* الطَّرْنيق : طائر صغير .

turnkey [tûrn'kē] *(n.)* السجّان .

turnoff [tûrn'-] *(n.)* (١) مص turn off (٢) طريق جانبية .

turnout [tûrn'-] *(n.)* (١) مص turn out (٢) «أ» إضراب . «ب» عامل مُضرِب (٣) اجتماع (٤) جانب موسَّع من الطريق (يمكّن السيّارات من التجاوز أو الوقوف) (٥) sidetrack 1 (٦)«أ» المركبة (بخيلها وتجهيزاتها) . «ب» جهاز ؛ تجهيزات . «ج» ملبَس (٧) صافي الإنتاج .

turnover [tûrn'-] *(n.; adj.)* (١)مص turn over (٢)انقلاب ؛ تحوّل (٣) إعادة تنظيم (دائرةٍ أو مؤسسةٍ) (٤) شيء يُطوى أو يُقلَب (٥) فطيرة ؛ كعكة محلاّة (٦) اجماليّ الحركة ؛ رقم المبيعات (تج) (٧) دورة رأس المال (تج) (٨) عدد الأشخاص المستأجرين (خلال مدة معينة) للاستعاضة عن العمال المتخلفين الخ. §(٩) قلاّب ؛ ذو جزء يُقلَب (a ~ collar) .

turnpike [tûrn'pīk'] *(n.)* (١) tollgate (٢) طريق رئيسية .

turnsole [tûrn'sōl'] *(n.)* عبّاد الشمس ؛ دوّار الشمس (نب) .

turnspit [tûrn'spĭt'] *(n.)* (١) مُدير السَّفّود (على النار) . (٢) كلب صغير (٣) سفّود .

turnstile [tûrn'stīl'] *(n.)* الباب الدوّار : باب دوّار لدخول شخص واحد أو خروجه.

turnstiles

turnstone [tûrn'-] *(n.)* قُنبرة الماء : طائر مائيّ صغير .

turntable [tûrn'tā'bəl] *(n.)* (١) المائدة الدوّارة : سطح دوّار توضَع عليه قاطرة السكّة الحديديّة بغية تغيير اتجاهها (٢) الصينية الدوّارة (را. lazy Susan) (٣) القرص الدوّار : قرصُ الحاكي المستديرُ الحامل للأسطوانة (٤) آلة « لاستنطاق » الأسطوانة وإذاعة مادّتها الكلاميّة أو الموسيقيّة على أمواج الأثير (ر د) .

turnup [tûrn'ŭp'] *(n.; adj.)* (١) شيء مثْنيّ أو مردود إلى أعلى ؛ وبخاصة : ثنية ساق البنطلون (٢) شجار §(٣) مثْنيّ (أو قابلٌ للثني) إلى أعلى (~ collars) .

turnverein [tōōrn'fĕr īn'] *(G.)* نادٍ رياضيّ .

turpentine [tûr'pən tīn'] *(n.; vt.)* (١)التربنتينة ؛ زيت التربنتينة . §(٢)يعالج بالتربنتينة (٣)يستخرج التربنتينة (من أشجار الصنوبر).

turpitude [tûr'pə tūd'] *(n.)* (١)فساد (خُلُقيّ) (٢)عملٌ شائن.

turquoise [tûr'koiz] *(F.)* (١)فيروز (٢)الفيروزيّ : لونٌ أزرق مخضرّ .

turret [tûr'ĭt] *(n.)* (١) البُرَيج : بُرْجٌ تزيينيّ صغير عند زاوية مبنىً (٢) برج الهجوم : شبه برج جارٍ على عجلات كانوا قديماً يستخدمونه في الهجوم على الحصون أو المدن المسوَّرة (٣) بُرْج (في بارجة أو دبابة أو طائرة الخ.) (٤) أداة تصوير فوتوغرافيّة أو تلفزيونية متعدّدة العدسات .

turret 1.

turreted [tûr'ĭt ĭd] *(adj.)* مُبرَّج : ذو أبراج أو نحوها .

turret lathe *(n.)* المخرطة البرجية (ملك) .

turtle [tûr'təl] *(n.; vi.)* (١) قُمريّة (طا) (٢) سُلَحفاة . §(٣) يصيد السلاحف .

turtleback [tûr'təl băk'] *(n.; adj.)* (١) سَطحٌ حَدِب . §(٢) ذو سطحٍ حدِب .

turtle-backed [tûr'təl băkt'] *(adj.)*= turtleback 2.

turtledove [tûr'təl dŭv'] *(n.)* قُمريّة (طا) .

turtledove

turtleneck [tûr'təl nĕk] *(n.)* (١) قبّة أو ياقة واقفة ضيّقة . (٢) كنزة ذات قبّة كهذه .

turves [tûrvz] *pl.of* turf.

Tuscan [tŭs'kən] *(n.; adj.)* (١)التوسكاني : أحد أبناء توسكانيا (في أواسط إيطاليا) (٢) «أ» التوسكانيّة : الإيطاليّة المنطوق بها في توسكانيا . «ب» الإيطالية الفصحى §(٣) توسكانيّ .

tush [tŭsh] *(n.; interj.)* (١) نابٌ ؛ وبخاصة : ناب الفرَس . §(٢) صيغة ازدراء أو نفاد صبر .

tusk [tŭsk] *(n.; vt.)* (١) نابٌ §(٢) يمزّق الخ. بالأنياب .

tusker [tŭs'kər] *(n.)* ذو النّاب ؛ وبخاصة : فيل .

tusk tenon *(n.)* اللسان المتدرّج (نج) .

tussah [tŭs'ə] *or* **tussore** [tŭs'ōr] *(Hin.)* (١) التّوسة : دودة قزّ ؛ دودة حرير (٢) حرير التوسة أو نسيج منه .

tussive [tŭs'ĭv] *(adj.)* سُعاليّ : ذو علاقة بالسُّعال .

tussle [tŭs'əl] *(vi.; n.)* (١) يتصارع §(٢) صراع (٣) مُشادّة .

tussock [tŭs'ək] *(n.)* كتلة من عشب نامٍ أو نحوه .

tut [tŭt] *or* **tut-tut** *(interj.)* صيغة استهجان أو شكّ .

tutelage [tū'tə lĭj] *(n.)* (١) وصاية (٢) إرشاد (٣) تأثير ؛ نفوذ.

tutelar [tū'tə lər] *(adj.)* = tutelary.

tutelary [tū'tə lĕr'ĭ] *(adj.; n.)* (١) حارس ؛ حافظ (٢)وصائيّ . §(٣) إلٰه أو قدّيس حارس .

tutor [tū'tər] *(n.; vt.; i.)* (١) معلّم خصوصيّ (٢) مرشد الطلبة (في جامعة) (٣) مدرِّس (في جامعة انكليزيّة) §(٤) يتولّى الوصاية على (٥)«أ»يدرِّس تدريساً خصوصياً . «ب» يدرِّب ؛ يعوِّد . «ج» يضبط (عواطفه الخ.) ×(٦) يقوم بمهام المدرس الخصوصي (٧) يتلقّى دروساً خصوصيّة .

tutorage [tū'tər ĭj] *(n.)* (١) وظيفة المعلّم الخصوصيّ أو المرشد الخ. (٢) تعليم ؛ إرشاد الخ. (٣)رسم التعليم الخصوصي .

tutoress [tū'tər əs] *(n.)* (١) معلّمة خصوصيّة (٢) مرشدة .

tutorial [tū tōr'ĭ əl] *(adj.; n.)* (١) متعلّق بمدرّس خصوصي . §(٢) درْس خصوصي .

tutorship [tū'tər-] *(n.)* (١) tutorage 1 (٢) إرشاد ؛ رعاية .

tutoyer [tү twȧ'yā'] *(F.)* يخاطبه بصيغة المفرَد أو بغير كلفة .
tutti [tōō'tĭ] *(It.)* جميعاً ؛ جميع الأصوات والآلات معاً (مو) .
tutti-frutti [tōō'tĭ frōō'tĭ] *(It.)* حلوى أو مثلّجات مشتملة على ضروب الفاكهة .
tutu [tү tү'] *(F.)* تنّورة منتفخة شديدة القِصَر (لراقصة الباليه) .
tu-whit tu-whoo [tōō hwĭt' tōō hwōō'] *(n.)* نعيب البرم .
tux [tŭks] ; **tuxedo** [tŭk sē'dō] *(n.)* التّكْسِ : «أ» سترة للرجال سوداء عادة . «ب» ملابس سهرة (نصف رسمية) للرجال .
tuyere [twē yâr'] *(F.)* القَصَبَة : أنبوب للنفخ (في فرن) .
TV *(n.)* = television.
twaddle [twŏd'əl] *(n.; vi.)* (١) ثرثرة ؛ هَذْر (٢) الثرثار . §(٣) يثرثر ؛ يهذر .
twain [twān] *(n.)* اثنان ؛ زوج .
twang [twăng] *(n.; vi.; t.)* (١) رنين (القوس) (٢) «أ» خنّة أو صوتٌ أنفيّ . «ب» اللهجة المميِّزة لإقليم أو جماعة (٣) ألم حادّ مفاجىء (٤) طَعْم ؛ نكهة (٥) مَسْحة ؛ أثر ضئيل §(٦) تَرِنّ (القوسُ) (٧) يتكلّم بخُنّة (٨) ينبض من ألمٍ أو توتّر ×(٩) يُرِنّ : يجعله يطلق صوتاً مُرِناً (١٠) يقول بخُنّة (١١) ينقر الوتر (مو) .
tweak [twēk] *(vt.; i.; n.)* (١) يَمْرُز ؛ يقرص ؛ «يشمِط» . (٢) يَمْرُز أنفَ فلان §(٣) مَرْز ؛ قَرْص ؛ شَمْط (٤) «أ» اهتياج ؛ اضطراب . «ب» distress .
tweed [twēd] *(n.)* (١) التّوِيد : نسيج صوفي خشِن (٢) بذلة تَوِيديّة .
Tweedledum and Tweedledee [twē'dəl dŭm'ən twē'dəl dē'] *(n.)* التوأمان : شخصان أو شيئان متماثلان إلى حدٍّ يتعذّر معه التمييز بينهما .
tween [twēn] *(prep.)* = between.
tweet [twēt] *(n.; vi.)* (١) السَّقسقة : صوت الطائر الصغير §(٢) يُسقسق .
tweeze [twēz] *(vt.)* ينتف أو يزيل بملقط صغير .
tweezer [twē'zər]; **tweezers** [-'zərz] *(n.)* مِلقاط صغير .
twelfth [twĕlfth] *(adj.; n.)* (١) ثاني عَشَر (٢) مؤلّف جزءاً من اثني عشر (a ~ share of the money) §(٣) الثاني عشر (the ~ of April) (٤) جزء من اثني عشر (one ~ of the total) .
Twelfth Day *(n.)* عيد الغِطاس أو الظهور (نص) .
Twelfth Night *(n.)* ليلة عيد الغِطاس أو الليلة السابقة له .
twelve [twĕlv] *(n.)* اثنا عَشَر ؛ اثنتا عَشْرَة .
twelvemonth [twĕlv'mŭnth'] *(n.)* عام ؛ سنة ؛ حَوْل .
twentieth [twĕn'tĭ-] *(adj.; n.)* (١) العشرون (the ~ day) . (٢) مؤلّف جزءاً من عشرين (a ~ share of the money) §(٣) العشرون من (the ~ of June) (٤) جزء من عشرين .
twenty [twĕn'tĭ] *(n.)* (١) عشرون (٢) *pl.* : العَقْد الثالث من العمر أو القرن (٣) العِشرونيّة : ورقة العشرين دولاراً .
twenty-one [twĕn'tĭ wŭn'] *(n.)* (١) واحد وعشرون (٢) ضرب من لعِب الورق أو الشدّة .
twenty-two [twĕn'tĭ tōō'] *(n.)* (١) اثنان وعشرون . (٢) مسدّس أو بندقيّة عيار ٢٢ ملم .
twice [twīs] *(adv.)* (١) مرتين (once or ~) (٢) ضِعف (He's ~ the man he was.) .
twice-born [twīs'bôrn'] *(adj.)* مولود ثانيةً ؛ مولود من جديد .
twice-laid [twīs'lād'] *(adj.)* مصنوعٌ من طاقات حبلٍ مُستعمَل .
twice-told [-'tōld'] *(adj.)* (١) مَرْوِيّ مرّتين (٢) مُبتذَل ؛ بالٍ .
twiddle [twĭd'əl] *(vi.; t.)* (١) «أ» ينشغل بالتوافه . «ب» يعبث بِ (٢) يدور ×(٣) يفتل أو يدير (على نحوٍ عابثٍ) . to ~ one's thumbs يضيع الوقتَ سدى .
twig [twĭg] *(n.; vt.; i.)* (١) أُمْلُود ؛ غُصَين (٢) زِيّ ؛ موضة . (٣) divining rod §(٤) يلاحظ ؛ يلمح (٥) يفهم ؛ يدرك .
twiggy [twĭg'ĭ] *(adj.)* (١) كثير الأماليد أو الغُصَينات (٢) أُملوديّ .
twilight [twī'līt'] *(n.)* (١) الشَّفَق : حمرة الأفق عند غروب الشمس (٢) الفجر الكاذب : ضوء ضئيل يكون قُبَيْل الشروق (٣) الفجر : فترة موغلة في القِدم لا يُعرف عنها إلاّ شيء قليل (in the ~ of history) (٤) فترة انحطاط .
twilight sleep *(n.)* الخُدار : خَدَر ناشىء عن حقن بالمورفين .
twill [twĭl] *(n.; vt.)* (١) التّوِيل : نسيج قطنيّ متين مضلّع . §(٢) يُتوِّل : ينسج على نحوٍ مضلّع . —**twilled** *(adj.)*
twin [twĭn] *(n.; adj.; vt.; i.)* (١) التّوأم §(٢) «أ» تَوأميّ (~ sisters) . «ب» مزدوج (a ~ vase) §(٣) يزاوج ×(٤) تَضَع توأمين أو أكثر .
twin crystal *(n.)* البلّورة التوأميّة أو المزدوجة .
twine [twīn] *(n.; vt.; i.)* (١) خَيْط قنّبيّ ؛ خيط مَصِيص . (٢) جَدْل ؛ فَتْل (٣) «أ» جَدْلَة . «ب» شيء مجدول §(٤) يَجدِل (٥) يلفّ ×(٦) يلتفّ (٧) يتمعّج (النهرُ الخ.) .
twinflower [twĭn'-] *(n.)* اللِّينّة : نبات معترش دائم الخضرة .
twinge [twĭnj] *(vt.; i.; n.)* (١) يَخِز ×(٢) يستشعر وخزاً أو ألماً موضعيّاً حادّاً مفاجئاً §(٣) وَخْز (a ~ of remorse) .
twinkle [twĭng'-] *(vi.; t.; n.)* (١) يتلألأ ؛ يُومض (٢) «أ» تَطرِف (العينُ) . «ب» تلمع (العينان) فرحاً (٣) يتحرّك برشاقة (The dancer's feet ~*d.*) ×(٤) يُلألىء الخ. §(٥) «أ» طَرْفَة عين . «ب» لحظة (٦) تلألؤ ؛ وميض ؛ بريق (٧) حركة سريعة .
twinkling [twĭng'klĭng] *(n.)* (١) «أ» طَرْفة عين . «ب» لحظة . (٢) تلألؤ ؛ وميض .
twin-screw [twĭn'skrōō'] *(adj.)* مزدوج الداسرة اللولبيّة (را. screw propeller) .
twirl [twûrl] *(vt.; i.; n.)* (١) يدور ؛ يَبْرِم ×(٢) يُدير ؛ يدوِّر . (٣) يقذف § (٤) «أ» دوران . «ب» تدوير (٥) دورة ؛ لفّة .
twist [twĭst] *(vt.; i.; n.)* (١) يَجدِل (٢) يَفتِل (٣) «أ» يلوي بعنف . «ب» يحرِّف (~*ed* the facts) . «ج» يكسر بالفَتْل الشديد . «د» يحرِّك حركةً دائرية. «هـ» يلولِب : يجعله لولبيّ الشكل . «و» يشوِّه . «ز» يشقّ (طريقَه) بصورة ملتوية ×(٤) «أ» يتلوّى . «ب» يلتوي (٥) يتلولب : يتخذ شكلاً لولبيّاً (٦) تدور (الكرةُ) متقدمة في اتجاه منحرف (٧) يَدُوْر ؛ ينعطف §(٨) «أ» خيط ؛ حَبْل . «ب» كعكة هلاليّة . «ج» لفّة أسطوانيّة من أوراق التبغ (٩) «أ» جَدْل ؛ فَتْل ؛ ليّ الخ. «ب» انجدال ؛ انفتال ؛ التواء الخ. (١٠) رقصة التويست (١١) انحراف (١٢) «فَتْلَة» عقلية ؛ غرابة أطوار (١٣) تحريف (للمعنى) (١٤) انعطاف أو تطوّر غير متوقَّع (١٥) وسيلة ؛ حيلة (١٦) فتاة ؛ امرأة ؛ وبخاصة : بغيّ ؛ مومس (ع) .
twist drill *(n.)* المِثْقَب الالتوائيّ (ملك) .
twister [twĭs'tər] *(n.)* (١) فا twist (٢) كرة مندفعة بحركة دائرية (٣) إعصار (٤) «أ» مشكلة (ع) . «ب» مهمّة عسيرة (ع) (٥) شخص مخادع أو غير أمين (ع) .
twit [twĭt] *(vt.; n.)* (١) «أ» يلوم. «ب» يسخر من §(٢) «أ» لوم. «ب» سخرية .
twitch [twĭch] *(vt.; i.; n.)* (١) «أ» ينتزع ، «ب» ينتشِل ؛ «ينتش» .

(٢)× يشدّ بقوّة (٣)أ» ينتفض . «ب» يرتعش §(٤) انتزاع ؛ نَثْل (٥) شدّ (٦) انتفاض ؛ ارتعاش (٧) ألم حاد مفاجىء .

twitch ; twitch grass [twĭch] (n.) = couch grass.

twitter [twĭt'ər] (vi.; t.; n.) (١)يُسَقْسِق ؛ يغرّد (٢) يلغو ؛ يهذر (٣) يرثر ، يضحك على نحو نصف مكبوت ؛ يرتجف×(٥) يهزّ §(٦) ارتعاش ؛ ارتجاف (٧) سقسقة ؛ تغريد (٨) لغو ؛ هذر (٩) ضحكة نصف مكبوتة .

twixt [twĭkst] (prep.) = between.

two [tōō] (n.) (١) اثنان (٢) الثنائية (٣) ورقة نقدية من فئة الدولارين . (٣) الثاني من مجموعة أو سلسلة (the ~ of hearts)

to put ~ and ~ together   يستنتج من الوقائع .

two-bit [tōō'bĭt'] (adj.) (١) بالغة قيمته ربع دولار (٢) تافه .

two bits (n.) (١) رُبْع دولار (٢) شيء تافه أو ضئيل القيمة .

two-by-four [tōō'bī fōr'] (adj.; n.) (١) اثنان بأربعة : نُخانته إنشان الخ . وعرضه أربعة إنشات الخ . (٢) صغير ؛ ضيّق ؛ محدود §(٣) قطعة خشب نُخانتها إنشان وعرضها أربعة إنشات .

two-dimensional (adj.) (١)ثنائيّ البُعد ؛ ذو بُعدَين (٢)يعوزه العمق في تصوير الشخصيات (~ fiction)

two-edged [tōō'ĕjd'] (adj.)   ذو حدّيْن .

two-faced [tōō'fāst'] (adj.) (١)ثنائيّ الوجه (٢)ذو وجهين : مراء .

two-fisted [tōō'fĭs'tĭd] (adj.)   قويّ .

twofold [tōō'fōld'] (adj.; adv.) (١) ثنائيّ (٢) مضاعف . §(٣) على نحو مضاعف ؛ بصورة مضاعفة .

two-handed [tōō'hăn'dĭd] (adj.) (١) مستخدَم بكلتا اليدين (٢) متطلّب شخصين (a ~ saw) (٣) قويّ (٤) ذو يدين أو مستخدِم إياهما بفعالية متساوية .

twopence [tŭp'əns] (n.)   بنسان .

twopenny [tŭp'ən ĭ] (adj.) (١)قيمتُهُ بنسان (٢) تافه .

two-phase [tōō'fāz'] (adj.)   ثنائي الطور (كب) .

two-ply [tōō'plī'] (adj.)   ذو طبقتين أو طاقتين .

two-seater [tōō'-] (n.) (١»سيارة لراكبين : ذات المقعدين «ب» سيارة بمقعدين أماميّ وخلفيّ .

two-sided [tōō'sīd'ĭd] (adj.) (١) ذو جانبيْن (٢) مراء ؛ منافق .

twosome [tōō'səm] (n.) (١) اثنان ؛ زوج (٢) مباراة فردية (في الغولف) .

two-step [tōō'stĕp'] (n.)   ذات الخطوتين : ضربٌ من الرقص .

two-time [tōō'tīm'] (vt.) (١) يخون زوجته أو حبيبته ؛ تخون زوجها الخ . (٢) يخون .

two-way [tōō'wā'] (adj.) (١) ذو سِكَّتين (صفة للصمام الخ .) (٢) ثنائيّ الاتجاه (a~street) (٣) مُرسِل مستقبِل (a~radio) (٤)متبادَل (a ~ guarantee) (٥)ثنائيّ : جار بين شخصين اثنين (a ~ race for the governorship) (٦) قابل للاستعمال بطريقتين (is a ~ collar)

-ty   لاحقة معناها : صفة ؛ وضع ؛ حالة ؛ درجة .

tycoon [tī kōōn'] (Jap.) (١) ملك من ملوك المال (٢) زعيم قويّ .

tyke [tīk] (n.) = tike.

tymbal [tĭm'bəl] (Ar.)   نَقَّارَبة ؛ طَبْلَة .

tympan [tĭm'pən] (n.) (١) طبلة (٢) رِفادة (طع) .

tympani [tĭm'pə nē'] (n.) = timpani.

tympanic [tĭm păn'ĭk] (adj.) (١)متعلق بطبلة الأذن (٢)طَبْلانيّ شبيه بالطبّل .

tympanic membrane (n.)   طبلة الأذن (ت) .

tympanist [tĭm'pə nĭst] (n.)   العازف على النقّارتَين أوالطبلة (مو).

tympanites [tĭm'pə nī'tēz] (L.)   تطبّل البطن (مض) .

tympanitis [tĭm'pə nī'tĭs] (L.)   التهاب طبلة الأذن (مض) .

tympanum [tĭm'pə nəm] (L.) pl. -na or -nums (١)طبلة الأذن (ت) (٢) الأذن الوسطى (ت) (٣) طبلة (٤) طبلة التلفون : غشاء سماعة التلفون المتذبذب (٥) قلب القَوْصرة (را . pediment) الغائر (عم) .

tympany [tĭm'pə nī] (n.) (١)تطبّل البطن (مض) (٢)أ» انتفاخ «ب» غرور . «ج» الطنّانية : كون الأسلوب طناناً الخ .

tyne [tīn] (n.)   الشوكة : كل شيء ناتىء مستدقّ الطرف .

typal [tī'pəl] (adj.)   منسوب إلى type (٢) نموذجي .

type [tīp] (n.; vt.; i.) (١)أ» رمز . «ب» مثال . نموذج (٢) سِمَة ؛ علامة مميّزة (٣)أ» حرف مطبعيّ . «ب» مجموعة حروف مطبعية . «ج» حروف مطبوعة (٤) صورة أو كلام أو نقش على أيّ من جانبي المدالية أو القطعة النقدية (٥) طراز ؛ نمط (٦) ضرْب ؛ نوع (٧)§ يمثّل سبْقياً (را . prefigure ١)؛ يرمز إلى (٨) يمثّل (٩) يطبع (على الآلة الكاتبة) (١٠) يصنّف (١١)×يحدد زمرة الدم ؛ يستعمل الآلة الكاتبة .

typefounder [tīp'foun'dər] (n.)   سابك الحروف المطبعية .

typefoundry [tīp'foun'drĭ] (n.)   مَسْبك الحروف (المطبعية) .

type-high [tīp'hī'] (adj.; adv.) (١) ذو ارتفاع مساوٍ لارتفاع الحرف المطبعي §(٢) على ارتفاع مساوٍ لارتفاع الحرف المطبعي .

type metal (n.)   معدن الحروف المطبعية : «الرّصاص» .

typescript [tīp'skrĭpt'] (n.)   نسخة مطبوعة على الآلة الكاتبة .

typeset [tīp'sĕt'] (vt.)   ينضد أو يَصُفّ (بأحرف مطبعية) .

typesetter [tīp'sĕt'ər] (n.)   منضد (أو جمّاع أو صفّاف) الحروف المطبعية .

typesetting [tīp'sĕt'ĭng] (n.; adj.) (١)تنضيد الحروف المطبعية §(٢) خاص بتنضيد الحروف (طع) .

type species (n.)   النوع الطِّرازي (أح) .

type specimen (n.)   النموذج الطِّرازي ؛ الفرد الطِّرازي (أح) .

typewrite [tīp'rīt'] (vt.; i.)   يطبع على الآلة الكاتبة .

typewriter [tīp'rī'tər] (n.) (١) الآلة الكاتبة (٢) الطابع على الآلة الكاتبة .

typewriting [tīp'rī'tĭng] (n.) (١) الطبع على الآلة الكاتبة (٢) عمل مُنجَز على الآلة الكاتبة .

Typhoeus [tī fē'əs] (n.)   تيفيوس : مخلوق خرافيّ له مئة رأس وصوت مروع (في الميثولوجيا الاغريقية) .

typhoid [tī'foid] (adj.)   تيفيّ : متعلق بالتيفوس أو بالتيفوئيد .

typhoid [tī'foid] (n.)   التيفوئيد ؛ الحمّى التيفيّة (مض) .

typhoon [tī fōōn'] (Chin.)   التَّيفُون : إعصار إستوائيّ (في منطقة الفيليبين أو بحر الصين) .

typhous [tī'fəs] (adj.)   تيفوسي : متعلق بحمّى التيفوس .

typhus [tī'fəs] (n.)   التيفوس ؛ الحمى النَّتِشيّة (مض) .

typical [tĭp'ə kəl] or **typic** [tĭp'ĭk] (adj.)   نموذجي .

typically [-ĭ] (adv.)   نموذجياً ؛ على نحو نموذجي ؛ إلى حدّ نموذجي .

typify [tĭp'ə fī'] (vt.) (١)أ» يمثّل ؛ يصوّر . «ب» يمثّل سبْقياً (٢) يرمز إلى : يمثّل : يجسّد الخصائص الأساسية لِـ .

typist [tī'pĭst] (n.)   الطابع (أو الضارب) على الآلة الكاتبة .

typo [tī'pō] (n.) (١)أ» الطابع . «ب» منضد الحروف (٢) غلطة مطبعية .

typographer [tī pŏg'ə-] (n.) (٢) الطابِع . (١) منضّد الحروف

typographic or **typographical** [tī'pə grăf'-] (adj.) مطبعيّ

typography [tī pŏg'rə fĭ] (n.) (٢) أسلوب (ترتيب (١) الطباعة
أو مظهر) المادّة الطباعيّة .

typology [tī pŏl'ə jĭ] (n.) (٢) دراسة رموز (١) دراسة الرموز
الكتاب المقدس (٣) علم النماذج الشخصية (نف) .

Tyr [tyr] (n.) تِير : إلٰـه الحرب في الميثولوجيا السكندينافية .

tyrannical or **tyrannic** [tĭ răn'-] (adj.) (١) استبداديّ
(٢) مستبد .

tyrannicide [tĭ răn'ə sīd'] (n.) قَتْلُ المستبِدّ أو قاتلُهُ .

tyrannize [tĭr'ə nīz'] (vi.; t.) (١) يستبدّ (٢)×يظلم ؛ يضطهد .

tyrannosaur [tĭ răn'ō sôr] (n.) التيرانوصور : دَيْنُوصور
ضخم لاحِم (ح) .

tyrannosaurus [tĭ răn'ō sôr'əs] (n.) = tyrannosaur.

tyrannous [tĭr'ə nəs] (adj.) استبداديّ ؛ ظالم .

tyranny [tĭr'ə nĭ] (n.) (١) الحكم الاستبداديّ : حكم الطغيان
(٢) حكومة استبداديّة (٣)استبداد ؛ طغيان (٤)عمل استبداديّ .

tyrant [tī'rənt] (n.) المستبدّ ؛ الطاغية .

tyrant flycatcher or **tyrant bird** (n.) صائد الذباب الجبار :
صائد ذباب أميركي كبير (طا) .

tyre [tīr] (n.) = tire.

Tyrian purple [tĭr'ĭ ən] (n.) الأُرجُوان الصُّوري .

tyro [tī'rō] (n.) = tiro.

tyrocidine or **tyrocidin** [tī rə sīd'ən] (n.) : التيروسيدين
مادة مضادة للجراثيم .

tyrosinase [tī'rō sĭ nās'] (n.) التيروسيناز : انزيمة أو خميرة
موُكسيدة تكون في أنسجة النبات والحيوان (كح) .

tyrosine [tī'rə sēn'] (n.) التيروسين : حمضٌ أمينيٌّ ينشأ عن
تحلّل البروتين مائياً (كح) .

tzar [tsär] (n.) = czar.

tzarevich [tsär'ə vĭch] (n.) = czarevitch.

tzarevna [zä rĕv'nə] (n.) = czarevna.

tzarina [tsä rē'nä] (n.) = czarina.

tzarism [tsär'iz əm] (n.) = czarism.

tzigane [tsē'găn'] (n.; adj.) غَجَريّ (٢)} الغَجَريّ (١)

U

University of Ryad (Sa'udi Arabia)

u [ū] *(n. often cap.)* (١) الحرف الحادي والعشرون من الأبجدية الانكليزية (٢)شيء معتبَرٌ في المقام العشرين أو الحادي والعشرين من حيث الطبقة أو الترتيب (٣) شيء على صورة حرف **U** .

ubiquitous [ū bĭk'wə təs] *(adj.)* = omnipresent.

ubiquity [ū bĭk'wə tĭ] *(n.)* = omnipresence.

ubi supra [ū'bī sōō'prə] *(L.)* في الصفحة أو الفقرة المشار إليها سابقاً .

U-boat [ū'bōt'] *(G.)* اليوبوتة : غواصة ألمانيّة .

udder [ŭd'ər] *(n.)* ضَرْع ؛ ثدي البقرة بخاصة .

udometer [ū dŏm'ə tər] *(F.)* مقياس المطر .

ugh [ōōkh] *(interj.)* هتاف يفيد معنى الاشمئزاز أو الذعر الخ .

uglify [ŭg'lə fī'] *(vt.)* يبشّع ؛ يقبّح : يجعله بشعاً أو قبيحاً .

ugliness [ŭg'lĭ nĭs] *(n.)* بشاعة ؛ قُبْح .

ugly [ŭg'lĭ] *(adj.)* (١) مروِّع ؛ فظيع (٢) بشع ؛ قبيح (٣) كريه (an ~ smell) (٤) شنيع (~ crimes) (٥) مزعج ؛ مضايق (~ weather) (٦) نكِد؛ مشاكس (an ~ disposition) .

uhlan [ōō'län; ū'lən] *(G.)* الأوْلَن : فارس بروسيّ (جن) .

uintaite [ū ĭn'tə īt] *(n.)* الوِنتات : نوع من الاسفلت .

uitlander [īt'lăn dər] *(n.)* الأجنبيّ ، الغريب (وبخاصة في جنوب افريقية) .

ukase [ū'kās; ū kāz'] *(Russ.)* (١) أمر امبراطوري (في روسيا القيصرية) (٢) مرسوم .

Ukrainian [ū krā'nĭ ən] *(n.; adj.)* (١) الأوكرانيّ : أحد أبناء أوكرانيا (٢) الأوكرانية : اللغة الأوكرانيّة §(٣) أوكرانيّ .

ukulele [ū'kə lā'lĭ] *(n.)* الأُكُلال : قيثارة برتغالية الأصل .

-ular لاحقة معناها : متعلّق بِـ ؛ شبيه بِـ (valv*ular*) .

ulcer [ŭl'sər] *(n.; vt.; i.)* (١) قَرْحَة §(٢) يقرِّح ×(٣) يتقرّح .

ulcerate [ŭl'sə rāt'] *(vt.; i.)* (١) يقرِّح ×(٢)يتقرّح .

ulceration [ŭl'sə rā'shən] *(n.)* (١)تَقَرُّح (٢) قَرْحَة .

ulcerative [ŭl'sə rā'tĭv] *(adj.)* (١) مُقرِّح (٢) قَرْحِيّ .

ulcerous [ŭl'sər əs] *(adj.)* (١) «أ» قَرْحِيّ . «ب» تقرّحي . (٢) مقروح : مصاب بقرحة .

-ule لاحقة معناها : صغير (glob*ule*) .

-ulent لاحقة معناها : كثيرُ الـ . . . (fraud*ulent*) .

ullage [ŭl'ĭj] *(n.)* النَّقْص (في زجاجة شبه ممتلئة) .

ulna [ŭl'nə] *(L.)* pl. **-e** *or* **-s** عظم الزَّند (المقابلُ للإبهام) .

ulnar [ŭl'nər] *(adj.)* عَظْميزَنديّ : متعلّق بعظْم الزَّند (ت) .

ulotrichous [ū lŏt'rə kəs] *(adj.)* جَعْد الشَّعر .

-ulous لاحقة معناها : ميّال إلى (cred*ulous*) .

ulster [ŭl'stər] *(n.)* اليُولستر : معطف ارلندي فضفاض .

ulterior [ŭl tĭr'ĭ ər] *(adj.)* (١) تالٍ (~ actions) (٢)«أ» أبعد؛ أقصى . «ب» واقع في الجانب الأقصى (٣) خفيّ (~ motives) .

ultima [ŭl'tə mə] *(L.)* المقطع الأخير (من كلمة ما) .

ultima ratio *(L.)* (١) الحجّة الأخيرة (٢) السَّهْم الأخير (كاللجوء إلى القوة) .

ultimate [ŭl'tə mĭt] *(adj.; n.)* (١) أبعد (٢) نهائيّ ؛ أخير . (٣) أقصى (to the ~ sacrifice) (٤) مُطْلَق (~ truth) (٥) أساسيّ ؛ جوهري ؛ أوّليّ (the ~ nature of things) §(٦) شيء نهائي أو مطلق أو أساسيّ الخ . (٧) قمة ؛ ذروة .

ultimately [ŭl'tə mĭt lĭ] *(adv.)* (١) أخيراً ؛ في النهاية . (٢) أساسياً ؛ جوهرياً .

Ultima Thule [ŭl'tə mə thōō'lĭ] *(L.)* (١) أقصى الشمال . (٢) أقصى حدّ ممكن (٣) أقصى درجة ممكنة .

ultimatum [ŭl'tə mā'təm] *(L.)* pl. **-s** *or* **-ta** إنذار .

ultimo [ŭl'tə mō'] *(L.)* في الشهر المنصرم؛ من الشهر المنصرم .

ultimogeniture [ŭl'tə mō jĕn'ə chər] *(L.)* وراثة الأصغر : نظام يرث فيه أصغر الأبناء كلَّ شيء .

ultra [ŭl'trə] *(adj.; n.)* (١) متطرّف §(٢) شخص متطرف .

ultra- بادئة معناها : «أ» فوق (*ultra*violet) . «ب» مُسرِف أو مُغالٍ في (*ultra*modern) .

ultracentrifuge [ŭl'trə sĕn'trə fūj'] *(n.)* نابذة أو مِسْخَضَة فائقة السرعة .

ultraconservative [ŭl'trə kən sûr'və tĭv] *(adj.)* مُسْرِف أو مُغالٍ في المحافظة.

ultrafashionable [ŭl'trə făsh'ən ə bəl] *(adj.)* مُسرِفٌ أو مغالٍ في الأناقة.

ultrahigh frequency *(n.)* التردّد فوق العالي (كب).

ultraism [ŭl'trə ĭz'-] *(n.)* (١)التطرّف (٢)عملٌ أو رأي متطرّف.

ultramarine [ŭl'trə mə rēn'] *(n.; adj.)* (١) اللازورد؛ صِبْغ لازورديّ § (٢) «أ»واقع وراء البحر. «ب» آتٍ من وراء البحر.

ultramicrochemistry [ŭl'trə mī'krō kĕm'ĭs trĭ] *(n.)* كيمياء المقادير الفائقة الصِغَر.

ultramicroscope [ŭl'trə mī'krə skōp'] *(n.)* المِجهر الفوقيّ: مجهر يرى ما لا يُرى بالمجهر العادي.

ultramicroscopic [-'trə mī'krə skŏp'-] *(adj.)* مِجهَريفَوْقيّ: «أ» شديد الصِغَر. «ب» متعلق بالمجهر الفوقي.

ultramodern [ŭl'trə mŏd'ərn] *(adj.)* فوق العصريّ: مُسرِف أو مغالٍ في العَصْرِيّة.

ultramontane [ŭl'trə mŏn'tān] *(adj.; n.)* (١)«أ» واقع وراء الجبال. «ب» واقع جنوبيّ الألب. «ج» إيطالي (٢) مؤيّد لسيادة البابا المطلقة (في مسائل الإيمان والأخلاق الخ.) §(٣) المقيم جنوبيّ الألب (٤) المؤيّد لسيادة البابا المطلقة.

ultramundane [ŭl'trə mŭn'dān] *(adj.)* واقع وراء العالم أو وراء تخوم النظام الشمسيّ.

ultranationalism [ŭl'trə năsh'ən ə-] *(n.)* المغالاة في القوميّة.

ultrashort [ŭl'trə shôrt'] *(adj.)* شديد القِصَر؛ وبخاصة: ذو طولٍ موجيّ أقل من عشرة أمتار (فز).

ultrasonic [ŭl'trə sŏn'ĭk] *(adj.; n.)* = supersonic.

ultrasonics [ŭl'trə sŏn'ĭks] *(n. pl.)* = supersonics.

ultraviolet [ŭl'trə vī'ə lĭt] *(adj.; n.)* (١) فَوْبَنَفْسَجيّ فوق البنفسجي (فز) §(٢) الاشعاع الفَوْبَنَفْسَجيّ (فز).

ultraviolet light *or* **radiation** *(n.)* الاشعاع الفَوْبَنَفْسَجيّ.

ultravirus [ŭl'trə vī'rəs] *(n.)* الفيروس الفوقيّ: فيروس شديد الصِغَر (بك).

ululant [ūl'yə lənt] *(adj.)* (١) نابح (٢) مُعْوِل.

ululate [ūl'yə lāt'] *(vi.)* (١) ينبَح (٢) يُعْوِل.

umbel [ŭm'bəl] *(n.)* الخَيْمة: ازهرار خَيْميّ (نب).

umbellar; umbellate; -d [ŭm'-] *(adj.)* خَيْميّ (نب).

umbelliferous [ŭm'bə lĭf'ər əs] *(adj.)* خَيْميّ الازهرار (كالجزر ونحوه).

umbellule [ŭm'bə lūl'] *(n.)* الخُيَيْمَة: خيمة صغيرة تؤلف مع غيرها خيمةً مركبةً (نب).

umber [ŭm'bər] *(n.; adj.)* (١) اللِّبَيْس الأوروبي: ضرب من السمك (٢) صِبْغ بنّيّ مصفرّ § (٣) بنّيّ مصفر.

umbilical [ŭm bĭl'ə kəl] *(adj.)* سُرّيّ: متعلق بالسُرّة أو بالحبل السُرّيّ (ت).

umbilical cord *(n.)* الحَبْل السُرّيّ (ت).

umbilicate [-'ə kĭt] *or* **umbilicated** [-'ə kā tĭd] *(adj.)* (١)سُرّيّ الشكل (٢) ذو سُرّة.

umbilicus [-'ə kəs] *(n.)* (١)سُرّة (٢) قلب؛ وَسَط.

umbles [ŭm'bəlz] *(n. pl.)* أحشاء الحيوان (وبخاصةٍ الغزال).

umbo [ŭm'bō] *(L.)* pl. **-nes** [ŭm bō'nēz] *or* **-s** (١)عقدة أو زِرّ زِينيّ (في درع) (٢) ارتفاع مستدير (في طبلة الأذن الخ.).

umbra [ŭm'brə] *(L.)* pl. **-s** *or* **-e** [-brē] (١)ظِلّ (٢)«أ» موضع ظليل. «ب» ظلمة (٣) الظل (فل).

umbrage [ŭm'brĭj] *(n.)* (١) ظِلّ (٢) أغصان ظليلة (٣) رِيبة (٤) استياء؛ امتعاض.

umbrageous [ŭm brā'jəs] *(adj.)* (١)ظليل (٢)سريع الاستياء.

umbrella [ŭm brĕl'ə] *(n.; adj.; vt.)* (١) مِظَلّة (٢)«أ» المظلة الجوية: تشكيلة من الطائرات لحماية العمليات العسكرية البرية. «ب» سدّ من النيران (را. barrage 2) §(٣) مِظَليّ (٤) شامل (an ~ organization) §(٥) يظلّل: يقي بمِظلّة.

umbrella bird

umbrella bird *(n.)* الطائر المِظَليّ: طائر ذو عرفٍ مِظَليّ الشكل.

umbrella tree *(n.)* المِظلّية؛ المَغْنولية المِظَلّيّة (نب).

Umbrian [ŭm'brĭ ən] *(n.; adj.)* (١) الأمبري: أحد أبناء مقاطعة «أمبريا» الإيطالية (٢) الأمبرية: لغةُ امبريا القديمة §(٣) أمبريّ.

umiak

umiak [ōō'mĭ ăk'] *(n.)* الأُمَيْك: زورق من زوارق الاسكيمو مكسوّ بالجلد.

umlaut [ŏŏm'lout] *(G.)* تغيّر في صوت حرف العلّة (في اللغات الجرمانية) تشير إليه نقطتان فوق ذلك الحرف (كما في كلمة männer جمعاً لكلمة mann).

umpirage [ŭm'pīr ĭj] *(n.)* (١)وظيفة الحكَم (٢)فَصْلٌ في نزاع (٣) قرار الحكَم.

umpire [ŭm'pīr] *(n.; vt.)* (١)حكَمٌ §(٢)يحكُم؛ يفْصِل في نزاع.

un- بادئة معناها: «أ» غير (unseen). «ب» ينقض؛ يعكس (unfold). «ج» يزيل (unsex).

unabated [ŭn ə bā'tĭd] *(adj.)* غير مُضْعَف أو مُخْمَد؛ في كامل قوّته.

unable [ŭn ā'bəl] *(adj.)* عاجز؛ غير قادر.

unabridged [ŭn'ə brĭjd'] *(adj.)* كامل؛ غير مختصر.

unaccommodated [ŭn'ə kŏm'ə dā'tĭd] *(adj.)* (١)غير ملاءَم أو مكيّف (٢)غير مجهّز؛ غير مزوّد بأسباب الراحة الخ.

unaccompanied [ŭn'ə kŭm'pə nĭd] *(adj.)* غير مصاحَب أو مصحوب (بعزف على الآلات).

unaccountable [ŭn'ə koun'tə bəl] *(adj.)* (١)غير قابل للتعليل (٢) غير مسؤول.

unaccounted [ŭn'ə koun'tĭd] *(adj.)* غير معلّل أو مُفسَّر (تتبعها for عادةً).

unaccustomed [ŭn'ə kŭs'təmd] *(adj.)* (١) غريب؛ غير مألوف (٢) غير متعود.

unadulterated [ŭn ə dŭl'-] *(adj.)* صِرْف؛ مَحْض؛ خالص.

unadvised [ŭn'əd vīzd'] *(adj.)* (١) طائش؛ غير مُروّىً فيه (٢) غير حكيم.

unaffected [ŭn'ə fĕk'tĭd] *(adj.)* (١) غير متأثّر (٢) صادق؛ غير متكلّف (٣) بسيط؛ طبيعي.

unaligned [ŭn'ə līnd'] *(adj.)* محايد؛ غير مُنحاز؛ غير متحيّز.

unalloyed [ŭn'ə loid'] *(adj.)* صِرْف؛ خالص؛ مَحْض؛ غير مَشُوب.

unalterable [ŭn'ôl'tər ə bəl] *(adj.)* راسخ؛ غير قابل للتغيير.

un-American [ŭn'ə mĕr'ə kən] *(adj.)* غير أميركي ؛ غير متفق مع التقاليد أو المبادىء الأميركيّة .

unanimity [ū'nə nĭm'ə tĭ] *(n.)* إجماع .

unanimous [ū năn'ə məs] *(adj.)* (١) مُجْمِع (٢) إجماعيّ : مأخوذ أو متفَق عليه بالإجماع .

unanswerable [ŭn'ăn'sər ə bəl] *(adj.)* (١) لا جواب له . (٢) قاطع ؛ مفحِم ؛ لا يُدْحَض (an ~ argument) .

unapt [ŭn ăpt'] *(adj.)* (١) غير مناسب (٢) غير متعوِّد أو ميّال . (٣) متبلّد الذهن .

unarm [ŭn ärm'] *(vt.; i.)* = disarm.

unarmed [ŭn ärmd'] *(adj.)* أعزل .

unasked [ŭn'ăskt'] *(adj.)* (١) بلا طلب ؛ من تلقاء نفسه . (٢) غير مطلوب (~ advice) .

unassuming [ŭn'ə sōō'mĭng] *(adj.)* متواضع ؛ غير مدّعٍ .

unattached [ŭn'ə tăcht'] *(adj.)* (١) مستقلّ (٢) أعزب . (٣) منفصل ؛ غير متّصل .

unavailable energy *(n.)* الطاقة غير المستفادة .

unavailing [ŭn'ə vā'lĭng] *(adj.)* غير مُجْدٍ ؛ لا غَناء فيه ؛ لا طائل تحته .

unavoidable [ŭn'ə voi'də bəl] *(adj.)* محتوم ؛ لا مفرّ منه ؛ لا سبيل إلى اجتنابه .

unaware [ŭn'ə wâr'] *(adv.)* = unawares.

unaware [ŭn'ə wâr'] *(adj.)* جاهل ؛ غير مدرِك ؛ غافل عن .

unawares [ŭn'ə wârz'] *(adv.)* (١) لاشعوريّاً ؛ من غير قصد . (٢) على حين غِرّة .

unbacked [ŭn băkt'] *(adj.)* (١) غير مروَّض (٢) غير مساعَد . (٣) غير ذي ظَهْر (~ stools) .

unbaked [ŭn bākt'] *(adj.)* (١) غير مخبوز (٢) غير ناضج .

unbalance [ŭn băl'əns] *(vt.)* (١) يخلّ بتوازن كذا (٢) يخبّل ؛ يُفْقِد العقل .

unbalanced [-'ənst] *(adj.)* (١) غير متوازن (٢) مضطرب العقل .

unbar [ŭn bär'] *(vt.)* (١) يفتح ؛ يرفع الرتاج أو المزلاج عن . (٢) يزيل الحاجز .

unbated [ŭn bā'tĭd] *(adj.)* = unabated.

unbearable [ŭn bâr'ə bəl] *(adj.)* لا يُطاق ؛ لا يُحتمَل .

unbeatable [ŭn'bēt'ə bəl] *(adj.)* لا يُقْهَر ؛ لا يُهْزَم .

unbeaten [ŭn bē'tən] *(adj.)* (١) غير مسحوق (٢) غير مطروق (~ paths) (٣) غير مهزوم .

unbecoming [ŭn bĭ kŭm'ĭng] *(adj.)* غير لائق .

unbeknown [ŭn'bĭ nōn'] *(adj.)* مجهول ؛ غير معروف .

unbelief [ŭn'bĭ lēf'] *(n.)* شك ؛ كُفر (وبخاصة بصحة الكتب المقدسة الخ.) .

unbelievable [ŭn'bĭ lē'və bəl] *(adj.)* لا يُصَدَّق .

unbeliever [ŭn'bĭ lē'vər] *(n.)* (١) الشاكّ ؛ المتشكّك (٢) الكافر .

unbelieving [ŭn'bĭ lē'vĭng] *(adj.)* شاكّ ؛ غير مصدِّق أو مؤمن بـ .

unbend [ŭn bĕnd'] *(vt.; i.)* (١) يُقوِّم : يجعله مستقيماً (٢) يُرْخي . (٣) يحلّ ؛ يفكّ ×(٤) يسترخي : يتصرّف بطريقة خالية من التوتّر أو « الرسميّات » (٥) يستقيم .

unbending [ŭn bĕn'dĭng] *(adj.; n.)* (١) inflexible . (٢) متحفّظ (٣) ميال إلى الاسترخاء §(٤) استرخاء .

unbeseeming [ŭn'bĭ sē'mĭng] *(adj.)* غير لائق .

unbiased [ŭn bī'əst] *(adj.)* عادل ؛ غير متحيّز .

unbidden [ŭn bĭd'ən] *or* **unbid** [-bĭd'] *(adj.)* = unasked.

unbitted [ŭn bĭt'ĭd] *(adj.)* غير مَشْكُوم أو مُلْجَم .

unblessed *also* **unblest** [ŭn blĕst'] *(adj.)* (١) غير مُبارَك . (٢) ملعون (٣) محروم نعمةً ما (a hut ~ with electricity) .

unblushing [ŭn blŭsh'ĭng] *(adj.)* = shameless.

unbodied [ŭn bŏd'ĭd] *(adj.)* (١) غير ذي جسد . «ب» لا جسديّ . (٢) محرَّر من الجسد (٣) لاشكليّ ؛ لاصُوريّ ؛ عديم الشكل أو الصورة .

unbolted [ŭn bōl'tĭd] *(adj.)* (١) مفتوح ؛ مرفوع الرتاج أو المزلاج . (٢) «أ» غير منخول . «ب» خشِن .

unboned [ŭn bōnd'] *(adj.)* (١) غير ذي عظم ؛ عديم العظم . (٢) غير منزوع العظم أو الحسك (~ fish) .

unbonnet [ŭn bŏn'ĭt] *(vi.; t.)* (١) يرفع قبّعته (احتراماً) . §(٢) يرفع الغطاء عن .

unbonneted [ŭn bŏn'ĭt ĭd] *(adj.)* حاسرُ الرأس .

unborn [ŭn bôrn'] *(adj.)* (١) لم يولد بعد (٢) مُقْبِل .

unbosom [ŭn bōōz'əm] *(vt.; i.)* (١) يكشف عن ؛ يُبدي للعيان . (٢) يبوح بسريرة نفسه .

unbound [ŭn bound'] *(adj.)* (١) غير مقيَّد أو محصور (٢) غير مجلَّد .

unbounded [ŭn boun'dĭd] *(adj.)* (١) غير محدود (٢) مطلق ؛ غير مقيّد .

unbowed [ŭn boud'] *(adj.)* (١) غير متقوِّس أو منحنٍ . (٢) غير مُخْضَع .

unbrace [ŭn brās'] *(vt.)* (١) يحرر من رباط (٢) يُرْخي ؛ يريح . (٣) يُضْعِف .

unbraid [ŭn brād'] *(vt.)* يَحُلّ (جَديلةً) .

unbred [ŭn brĕd'] *(adj.)* غير معلَّم ؛ غير مدرَّب .

unbridle [ŭn brī'dəl] *(vt.)* (١) ينزع اللجام (٢) يُطلِق العِنان لـ .

unbroken [ŭn brō'kən] *(adj.)* (١) صحيح ؛ غير مكسور . (٢) تامّ ؛ كامل (٣) غير مروَّض (٤) متواصل ؛ غير منقطع (٥) غير محروث (٦) منظَّم .

unbuckle [ŭn bŭk'əl] *(vt.; i.)* (١) يفكّ ابزيمَ (الحذاء الخ.) . ×(٢) يسترخي .

unbuild [ŭn bĭld'] *(vt.)* يَدُكّ ؛ يُدمِّر .

unburden [ŭn bûr'dən] *(vt.)* (١) يحرر من عبءٍ (٢) يفضي بهمومه أو سريرة نفسه .

unbutton [ŭn bŭt'ən] *(vt.; i.)* يفكّ (الزِّرّ أو الأزرار) .

unbuttoned [ŭn bŭt'ənd] *(adj.)* (١) غير مزرَّر (٢) غير ذي أزرار (٣) غير مقيَّد .

uncage [ŭn kāj'] *(vt.)* (١) يُطلق من قفص (٢) يطلق سراحَ .

uncalled-for [ŭn kôld'-] *(adj.)* (١) غير ضروريّ (٢) لامبرر له .

uncanny [ŭn kăn'ĭ] *(adj.)* (١) غريب (٢) ممتاز ؛ خارق للطبيعة .

uncap [ŭn kăp'] *(vt.; i.)* (١) ينزع الغطاء ×(٢) يرفع قبعته (احتراماً) .

uncaused [ŭn kôzd'] *(adj.)* غير معلول ؛ غير مخلوق ؛ موجود بذاته (كالله) .

unceasing [ŭn sē'sĭng] *(adj.)* متواصل ؛ غير منقطع .

unceremonious [ŭn'sĕr ə mō'nĭ əs] *(adj.)* (١) غير رسمي . (٢) جافٍ ؛ فظّ ؛ تعوزه الكياسة .

uncertain [ŭn sûr'tən] *(adj.)* (١) غير محدَّد المقدار (٢) غير أكيد ؛ غير مؤكَّد الحدوث (٣) غير جدير بالثقة أو الاعتماد (٤) «أ» عرضة للشك ؛ مشكوك فيه . «ب» شاكّ ؛ غير واثق

ă at; ā date; â care; ä car; ĕ egg; ē me; ĭ in; ī bite; ŏ lot; ō bone; ô orphan; oi boil ŏŏ good; ōō boot; ou out; ŭ under; ū unity; û urgent; th thing; t͟h this; zh vision; ə = *a* in alone, *e* in system, *i* in easily, *o* in gallop, *u* in circus.

(٥) غامض ؛ ملتبس (٦) متقلّب .

uncertainty [-tĭ] *(n.)* (١) شكّ (٢) شيء مجهول أو مشكوك فيه .

uncertainty principle *(n.)* مبدأ الرِّيبة (فز) .

unchain [ŭn chān'] *(vt.)* يحرر ؛ يطلق (من عِقال أو قيد) .

unchangeable [ŭn chān'jə bəl] *(adj.)* ثابت ؛ غير قابل للتغيير .

uncharitable [ŭn chăr'ə tə bəl] *(adj.)* قاسٍ ؛ غير متساهل أو متسامح أو غافر .

uncharted [ŭn chärt'ĭd] *(adj.)* مجهول ؛ غير مدوَّن على خريطة الخ .

unchaste [ŭn chāst'] *(adj.)* غير عفيف ؛ تعوزه العفّة .

unchristian [ŭn krĭs'chən] *(adj.)* (١) غير مسيحي (٢) «أ» مضادّ للروح المسيحية . «ب» غير لائق .

unchurch [ŭn chûrch'] *(vt.)* يحرم : يطرد من الكنيسة أو شركة المؤمنين .

unchurched [ŭn chûrcht'] *(adj.)* غير منتسب إلى الكنيسة أو غير ذي صلة بها .

uncial [ŭn'shĭ əl] *(n.; adj.)* (١) الحرف الإنشي أو البوصي : ضرب من الحرف اللاتيني نقع عليه في بعض المخطوطات القديمة §(٢) إنشي : منسوب إلى الحرف الإنشي .

ROMAN UNCIAL

uncial

unciform [ŭn'sə fôrm'] *(adj.)* شِصّيّ الشكل .

uncinaria [ŭn'sə năr'ĭ ə] *(L.)* = hookworm.

uncinariasis [ŭn'sə nə rī'ə sĭs] *(L.)* = ancylostomiasis.

uncinate [ŭn'sə nĭt; -nāt] *(adj.)* أعقف ؛ معقوف .

uncircumcised [ŭn sûr'kəm sīzd'] *(adj.)* (١) غير مختون . (٢) وثني .

uncivil [ŭn sĭv'əl] *(adj.)* (١) همجي ؛ غير متمدّن (٢) غير مهذّب أو لطيف .

uncivilized [ŭn sĭv'ə līzd'] *(adj.)* (١) همجي ؛ غير متمدّن . (٢) بعيدٌ عن المدنية .

unclasp [ŭn klăsp'] *(vt.; i.)* (١) يحُلّ ؛ يفكّ (٢) يفتح (يداً مقبوضةً) ×(٣) يرخي قبضته .

uncle [ŭng'kəl] *(n.)* (١) العمّ ؛ الخال (٢) زوج العمّة ؛ زوج الخالة (٢) المسانِد ؛ الناصح ؛ المشجّع (٣) pawnbroker .

unclean [ŭn klēn'] *(adj.)* (١) غير طاهر (أخلاقياً أو روحياً) . (٢) نجِس (٣) قذر .

uncleanly [ŭn klĕn'lĭ] *(adj.)* قذر (أخلاقياً أو جسمياً) .

uncleanly [ŭn klēn'lĭ] *(adv.)* بقذارة .

unclench [ŭn klĕnch'] *(vt.; i.)* (١) يُرخي قَبضتَهُ (٢) يفُلته . ×(٣) ترتخي (القبضة) .

Uncle Sam [săm] *(n.)* العم سام : «أ» الحكومة الأميركية . «ب» الشعب الأميركي .

uncloak [ŭn klōk'] *(vt.; i.)* (١) «أ» ينزع الغطاء أو القناع عن . «ب» يكشف ×(٢) يخلع معطفه .

unclose [ŭn klōz'] *(vt.; i.)* (١) يفتح (٢) يفشي ؛ يبوح بـ . ×(٣) ينفتح .

unclothe [ŭn klōth'] *(vt.)* (١) يُعَرّي ؛ يجرِّده من ملابسه . (٢) «أ» يجرِّد . «ب» يكشف عن .

unco [ŭng'kō] *(adj.; adv.)* (١) غريب ؛ مجهول (٢) استثنائي . §(٣) إلى حدّ مفرط .

uncoil [ŭn koil'] *(vt.; i.)* (١) يحُلّ ؛ يفكّ ×(٢) ينحلّ ؛ ينفكّ .

uncoined [ŭn koind'] *(adj.)* (١) غير مضروب أو مسكوك (٢) طبيعيّ ؛ غير متكلّف ؛ غير زائف .

uncomfortable [ŭn kŭm'fər tə bəl] *(adj.)* (١) مضايق ؛ غير مريح (٢) متضايق .

uncommitted [ŭn'kə mĭt'ĭd] *(adj.)* غير ملتزم أو مرتبط (بعقيدة أو ولاء أو برنامج) .

uncommon [ŭn kŏm'ən] *(adj.)* (١) غير مألوف (٢) رائع ؛ بارز ؛ استثنائي .

uncommunicative [ŭn'kə mū'nə kā'tĭv] *(adj.)* (١) صَموت (٢) متحفّظ .

uncomplimentary [-kŏm plə mĕn'-] *(adj.)* = derogatory.

uncompromising [ŭn kŏm'prə mī'zĭng] *(adj.)* عنيد ؛ متصلّب .

unconcern [ŭn'kən sûrn'] *(n.)* (١) لامبالاة (٢) اطمئنان ؛ راحة بال .

unconditional [ŭn'kən dĭsh'ən əl] *(adj.)* (١) تامّ ؛ من غير قيد أو شرط (٢) غير متحفّظ .

unconditioned [-'ənd] *(adj.)* (١) مطلق ؛ غير مشروط (٢) طبيعي .

unconquerable [ŭn kŏng'kər ə-] *(adj.)* لا يُقهَر ؛ لا يُغلَب .

unconscionable [ŭn kŏn'shən ə bəl] *(adj.)* (١) عديم الضمير (٢) مفرط ؛ غير معقول (٣) outrageous .

unconscious [ŭn kŏn'-] *(adj.; n.)* (١) غير دارٍ (٢) لاواعٍ (نف) . (٣) مغميٌّ عليه (٤) غير مقصود §(٥) العقل اللاواعي (نف) .

unconsidered [ŭn kən sĭd'ərd] *(adj.)* (١) غير معتبَر أو غير جدير بالاعتبار (trifles ~) (٢) غير مدروس ؛ غير مروّى فيه (opinions ~) .

unconstitutional [ŭn'kŏn stə tū'-] *(adj.)* غير دُستوري .

uncontrollable [ŭn'kən trō'lə bəl] *(adj.)* متعذَّر ضبطُه أو مراقبتُه أو التحكّم فيه .

uncork [ŭn kôrk'] *(vt.)* (١) ينزع السِّدادة (٢) «أ» يحرر . «ب» يطلق .

uncounted [ŭn koun'tĭd] *(adj.)* (١) غير معدود أو محسوب . (٢) لا يُعَدّ ؛ لا يُحصَى .

uncouple [ŭn kŭp'əl] *(vt.)* (١) يفكّ التقارن (٢) يفصِل (عرباتِ السكةِ الحديدية) .

uncouth [ŭn kōōth'] *(adj.)* (١) فظّ ؛ أخرق (٢) غريب ؛ غير مألوف .

uncover [ŭn kŭv'ər] *(vt.; i.)* (١) يكشف الغطاء أو النقاب عن (٢) يعري (٣) يحرمه الحماية : يجعله عرضةً لنيران العدوّ أو هجماته ×(٤) يرفع قبعته (احتراماً) .

uncreated [ŭn krē āt'ĭd] *(adj.)* (١) أزلي ؛ غير مخلوق (٢) لم يُخلَق بعد .

uncritical [ŭn krĭt'ə kəl] *(adj.)* (١) ضعيف التمييز (٢) غير متفق مع قواعد النقد النزيه .

uncrown [ŭn kroun'] *(vt.)* يخلع عن العرش .

unction [ŭngk'shən] *(n.)* (١) مَسْح بالزيت أو المرهم (لأغراض دينيّة أو طِبيّة) (٢) زيت ؛ مرهم (٣) طلاوة أو حماسة زائفة عادةً (في الحديث) (٤) استمتاع شديد .

unctuous [ŭngk'chōō əs] *(adj.)* (١) «أ» زيتي ؛ دُهني . «ب» أملس ؛ زَلِق (٢) غنيّ بالمادة العضوية ؛ مِطواع (soil ~) (٣) متملّق ؛ مداهن (an ~ waiter) .

uncurl [ŭn kûrl'] *(vi.; t.)* (١) ينسدل (بعد انعقاص أو التفاف) . ×(٢) يَسْدُل .

ă at; ā date; â care; ä car; ĕ egg; ē me; ĭ in; ī bite; ŏ lot; ō bone; ô orphan; oi boil; ŏŏ good; ōō boot; ou out; ŭ under; ū unity; û urgent; th thing; th this; zh vision; ə = *a* in alone, *e* in system, *i* in easily, *o* in gallop, *u* in circus.

uncut [ŭn kŭt'] *(adj.)* (١) غير مقطوع أو مقصوص أو مُهَنْدَم. (٢) غير مُختَصَر.

undaunted[ŭn dôn'tĭd] *(adj.)* شجاع؛ باسل؛ مقدام؛ غير هيّاب.

undeceive [ŭn'dĭ sēv'] *(vt.)* ينور؛ يحرر من الأوهام الخ.

undecided[ŭn'dĭ sī'dĭd] *(adj.)* (١)غير مفصول فيه (٢)متردد؛ غير عاقد العزم.

undefined [ŭn'dĭ fīnd'] *(adj.)* (١) غير محدد أو مُفسَّر. (٢) غير محدود.

undemonstrative [ŭn'dĭ mŏn'strə tĭv] *(adj.)* متحفّظ (في التعبير عن العواطف أو المشاعر).

undeniable [ŭn'dĭ nī'ə bəl] *(adj.)* (١) لا يُنكَر؛ لا يُجحَد. (٢) ممتاز.

under [ŭn'dər] *(adv.; prep.; adj.)* (١)تحت (٢)«أ» تحت سطح الماء. «ب» وراء الأفق (٣) أقل (fifty dollars or ~) (٤) مكبوحاً (kept her disappointment ~) (٥) فما دون (children of seven and ~) §(٦) «أ» دون. «ب» أدنى §(٧) سفلي (his ~ lip) (٨) ثانٍ؛ ثانوي (*under*secretary) (٩) أقل من المألوف أو المطلوب (~ dose of medicine).

under- بادئة معناها: «أ» تحت. «ب» أدنى؛ أقل.

underact [ŭn'dər ăkt'] *(vt.; i.)* يمثل (دوراً مسرحياً) ببراعة أو حيوية أو توكيد أدنى من المطلوب.

underage [-āj'] *(adj.)* قاصر: تحت سن البلوغ أو السن القانونية.

underarm [ŭn'dər-] *(adj.)* تحتذراعي: واقع تحت الذراع.

underbid [ŭn'dər bĭd'] *(vt.)* يعرض ثمناً (أقل من منافسه).

underbred [-brĕd'] *(adj.)* (١) ill-bred (٢) هجين؛ مهجّن.

underbrush [ŭn'dər brŭsh'] *(n.)* الشُّجيرات النامية تحت الأشجار الكبيرة (في غابة الخ.).

undercarriage [ŭn'dər kăr'ĭj] *(n.)* (١) مَحْمِل السيارة: الجزء الذي يرتكز عليه بدنُها (٢) عجلات الهبوط (طي).

undercharge [*v.* ŭn'dər chärj'; *n.* ŭn'dər chärj'] *(vt.; n.)* (١)يحمّل بأقل من الكفاية (٢) يتقاضى منه سعراً أقل من المعتاد §(٣) حمولة أقل من المعتاد أو المناسب (٤) رسم أو سعر أقل من المعتاد.

underclassman [ŭn'dər klăs'mən] *(n.)* طالب في السنة الأولى أو الثانية (في جامعة).

underclothes[ŭn'dər-] *(n. pl.)* الملابس الداخلية؛ الملابس التحتية.

underclothing [ŭn'dər-] *(n.)* = underclothes.

undercoat [ŭn'dər kōt] *(n.)* (١) سترة تحتية (كانوا يرتدونها تحت سترة أخرى) (٢)الفروة التحتية: شعر قصير يكاد يختفي تحت شعر أطول (a dog's ~) (٣) طلية تحتية أو سفلية (من الدهان) (٤) تنورة، وبخاصة: تنورة تحتية.

undercover [ŭn'dər kŭv'ər] *(adj.)* سري؛ وبخاصة: مستخدَم أو منهمك في التجسس (~ agents).

undercroft [ŭn'dər krôft'] *(n.)* حجرة تحت الأرض؛ وبخاصة سرداب (را. crypt).

undercurrent[ŭn'dər kûr'ənt] *(n.)* التيار التحتي: «أ» تيار مائي تحت السطح أو تحت التيارات العليا. «ب» اتجاه خفي من اتجاهات الرأي أو الشعور مناقض عادةً للاتجاه الظاهر.

undercut [*v.* ŭn'dər kŭt'; *n.* ŭn'dər kŭt'] *(vt.; n.)* (١) «أ» يقطع الجزء الأدنى من. «ب» يقتطع جزءاً من قاعدة شيء (٢) يعرض سلعته أو خدماته بسعر أدنى (من سعر المنافسين) (٣) يضرب (كرة الغولف) بحيث ترتفع عالياً ثم تستقر من غير أن تجري إلى بعيد §(٤)قطع الجزء الأدنى الخ. (٥) قطعة من لحم خاصرة البقرة (٦) ثلم يُحدَث في قاعدة الشجرة قبل قطعها لتحديد اتجاه سقوطها.

underdeveloped [ŭn'dər dĭ vĕl'əpt] *(adj.)* (١) ناقص النمو (~ muscles) (٢)متخلف (technical assistance for ~ areas).

underdo [ŭn'dər dōō'] *(vi.; t.)* (١) يعمل أقل مما يستطيع أو مما هو مطلوب ×(٢) يطهو من غير إنضاج.

underdog [ŭn'dər dôg'] *(n.)* (١) الخاسر (أو المتوقع أن يخسر) في مباراة (٢) ضحية ظلم واضطهاد.

underdone[ŭn'dər dŭn'] *(adj.)* نصف نضيج؛ غير مُنضَج جيداً.

underdrawers [ŭn'dər drô ərz] *(n. pl.)* سروال تحتي أو تحتاني.

underestimate [*v.* ŭn'dər ĕs'tə māt'; *n.* -mĭt] *(vt.; n.)* (١) يبخس التقدير (٢) يستخف بِ §(٣) تقدير بخس.

underexpose [ŭn'dər ĭk spōz'] *(vt.)* يعرض (فيلماً فوتوغرافياً للنور) تعريضاً ناقصاً.

underexposure [-ĭk spō'zhər] *(n.)* التعريض الناقص (فو).

underfeed [ŭn'dər fēd'] *(vt.)* (١) ينقص التغذية (٢) يغذي (بالوقود) من أسفل.

underfoot[ŭn'dər fŏŏt'] *(adv.; adj.)* (١)«أ» تحت قدم المرء أو قدميه. «ب» على الأرض. «ج» تحت (٢) بين الأقدام؛ في الطريق §(٣) مدوس (٤) مُحتقَر.

underfur [ŭn'dər fûr'] *(n.)* = undercoat 2.

undergarment [ŭn'dər gär'mənt] *(n.)* ثوب تحتي.

undergo [ŭn'dər gō'] *(vt.)* (١) يتحمل؛ يقاسي (٢)«أ» يخضع (لتغيير الخ.). «ب» يجتاز (اختباراً).

undergraduate[ŭn'dər grăj'ōō ĭt] *(n.; adj.)* (١)اللامتخرج: طالب لم يتخرج بعد §(٢) لامتخرجي: متعلق باللامتخرجين.

underground [*adv.; adj.* ŭn'dər ground'; *n.* ŭn'dər-ground'] *(adv.; adj.; n.)* (١) تحت سطح الأرض (٢) سراً §(٣)تحأرضي: واقع أو نامٍ أو عامل تحت سطح الأرض (٤)سري (~ revolutionary activity) §(٥)سكة حديد تحأرضية (٦)حركة أو جماعة سرية.

undergrowth [ŭn'dər-] *(n.)* (١) underbrush (٢) الفروة التحتية: شعر دقيق تحت الشعر الخارجي.

underhand[ŭn'dər hănd'] *(adv.; adj.)* (١)«أ» سراً. «ب» بمكر (٢) واليد تحت مستوى الكتف (to pitch ~) §(٣)«أ» سري. «ب» ماكر؛ مخادع (٤) منجز واليد تحت مستوى الكتف (an ~ shot for the basket).

underhanded [ŭn'dər hăn'-] *(adj.; adv.)* = underhand.

underhanded *(adj.)* غير مزود بالعدد الكافي من العمال.

underhung [ŭn'dər hŭng'] *(adj.)* (١) «أ» بارز؛ ناتئ (صفة للفك الأسفل). «ب» بارز الفك الأسفل (٢) معلق من أسفل.

underlaid [ŭn'dər lād'] *(adj.)* (١) موضوع تحت (٢) مزود بطبقة تحتية.

underlay [*v.* ŭn'dər lā'; *n.* ŭn'dər lā'] *(vt.; n.)* (١) يبطن (٢)«أ» يضع شيئاً تحت شيء آخر. «ب» يزوّد بطبقة تحتية (٣)يرفع أو يسند بشيء موضوع تحت §(٤) طبقة تحتية، وبخاصة: قطعة أو قطع من الورق توضع تحت الأحرف المطبعية الخ. لرفعها إلى المستوى المطلوب.

underlet [ŭn'dər lĕt'] *(vt.)* (١) يؤجّر بأقلّ من القيمة الحقيقية (٢) sublet .

underlie [ŭn'dər lī'] *(vt.)* (١) يكون أو يقع تحت شيء آخر . (٢) يشكّل الأساسَ (لنظرية أو مذهب الخ.) (٣) تكون له الأولوية على (A first mortgage ~s a second.) .

underline[ŭn'dər līn] *(vt.; n.)* (١) يرسم خطاً تحتَ (كلمة) . (٢) يؤكّد ؛ يضع التوكيد على §(٣) خط أفقيّ تحت كلمة (لتوكيدها).

underling [ŭn'dər lĭng] *(n.)* (١) التابع ؛ المرؤوس (٢) شخص ضئيل الشأن .

underlying [ŭn'dər lī'ĭng] *(adj.)* (١) تحتيّ (٢) أساسيّ . (٣) ضمنيّ ؛ مفهومٌ ضمناً (٤) له حقّ الأولوية .

undermine [ŭn'dər mīn'] *(vt.)* (١) يشقّ مجازاً أو يحفر حفرة (تحت جدار) (٢) يقوّض ؛ يبلي أساسَ كذا (cliffs ~d by the waves) (٣) يُضعف (مكانتَه) أو يشوّه (سمعتَه) بوسائل سريّة أو ظالمة (٤) يُتلف (الصحةَ الخ.) تدريجياً .

undermost [ŭn'dər mōst'] *(adj.; adv.)* (١) أسفل ؛ سُفلَى (~ layer) §(٢) في الأسفل .

underneath [ŭn'dər nēth'] *(prep.; adv.)* (١) «أ» تحت (شيء ما) مباشرةً . «ب» تحت §(٢) في الأسفل .

undernourished [ŭn'dər nûr'ĭsht] *(adj.)* منقوص التغذية : مغذًّى تغذية ناقصة .

undernourishment [-nûr'ĭsh mənt] *(n.)* نقْص التغذية .

underpants [ŭn'dər pănts] *(n. pl.)* سروال تحتيّ أو تحتانيّ .

underpart [ŭn'dər pärt] *(n.)* (١) جزءٌ أسفل (٢) دَوْرٌ ثانوي (في مسرحيّة الخ.) .

underpass [ŭn'dər pās'] *(n.)* المجاز السفليّ : طريق تحت سكّة حديد أو تحت طريق أخرى .

underpin [ŭn'dər pĭn'] *(vt.)* (١) يدعّم أساسَ مبنى (٢) يشكّل جزءاً من أساس كذا (principles which should ~ a free society) (٣) يعزز ؛ يؤيّد (نظريةً الخ.) بالشواهد أو بالحواشي .

underpinning [ŭn'dər pĭn'ĭng] *(n.)* (١) أساس المبنى . (٢) «أ» أساس جديد تحت جدار . «ب» دعامة (٣) *pl.* عد : رجلا الإنسان (٤) *pl.* عد : ملابس تحتيّة .

underplot [ŭn'dər plŏt'] *(n.)* الحبكة الثانوية : حبكة روائية أو مسرحية ثانوية .

underpopulated [ŭn'dər pŏp'-] *(adj.)* قليل السكان .

underprivileged [ŭn'dər prĭv'-] *(adj.)* فقير ؛ معدِم .

underproduction [ŭn'dər prə dŭk'-] *(n.)* نقْص الانتاج ؛ قلّة الانتاج .

underproof [ŭn'dər prōōf'] *(adj.)* قليل الكحول : نسبة الكحول فيه أدنى مما هي في المُسْكِر القياسي .

underquote[ŭn'dər kwōt'] *(vt.)* يعطي أو يقدم سعراً أقلّ من غيره .

underrate [ŭn'dər rāt'] *(vt.)* = underestimate.

underrun [ŭn'dər rŭn'] *(vt.; n.)* (١) يمرّ أو يجري تحت شيء . §(٢) ما يمرّ أو يجري تحت شيء (كالتيار ونحوه) .

underscore[*v.*-skōr';*n.*ŭn'dər skōr'] *(vt.; n.)*=underline.

undersea[ŭn'dər sē'] *(adj.; adv.)* (١) تحتبحريّ : «أ» كائنٌ أو جارٍ تحت سطح البحر (~ fighting) . «ب» مُعَدٌّ للاستخدام تحت سطح البحر (~ fleet) §(٢) أو **underseas** : تحت سطح البحر .

undersecretary [ŭn'dər sĕk'rə tĕr'ĭ] *(n.)* (١) السكرتير الثاني أو المساعد (٢) وكيل الوزارة .

undersell [ŭn'dər sĕl'] *(vt.)* يبيع بسعرٍ أقلّ من . . .

undersexed [ŭn'dər sĕkst'] *(adj.)* باردٌ جنسياً .

undershirt [ŭn'dər shûrt'] *(n.)* قميص تحتيّ أو داخليّ .

undershoot [ŭn'dər shōōt'] *(vt.)* (١) يُطلِق مُقصِّراً عن الرمية أو تحتها (٢) يتبو عن المطار (عند الهبوط) .

undershot[ŭn'dər shŏt'] *(adj.)* (١) بارز الاسنان الدّنيا أو الفكّ الأسفل (٢) جارٍ بالدفع السّفلي (~ wheel) .

undershot water wheel

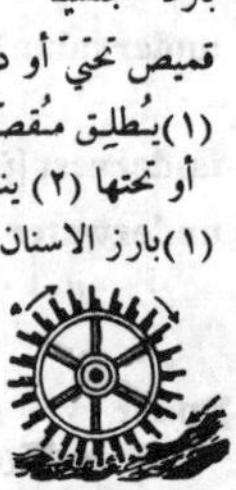

undershrub[ŭn'dər shrŭb'] *(n.)* شجيرة (أو جنبة) خفيضة .

underside [ŭn'dər sīd'] *(n.)* الجانب السّفلي .

undersigned [ŭn'dər sīnd'] *(n.)* الموقّع أدناه .

undersized [ŭn'dər sīzd'] *also* **undersize** [-sīz'] *(adj.)* أصغر من الحجم العادي .

underskirt [ŭn'dər skûrt'] *(n.)* تنّورة تحتيّة أو سفلى .

underslung [ŭn'dər slŭng'] *(adj.)* مُعلّق من أسفل .

undersong [ŭn'dər sông'] *(n.)* الأغنية المصاحِبة : أغنية تُنشَد برقّة مع أغنية أخرى .

underspin [ŭn'dər spĭn'] *(n.)* = backspin.

understand [ŭn'dər stănd'] *(vt.; i.)* (١) يَفْهم (٢) يدرك . (٣) يستنتج (٤) يعطف على .

understanding [ŭn'dər stăn'dĭng] *(n.; adj.)* (١) فهم . (٢) ذكاء (٣) تفاهم §(٤) عاطف ؛ مُبدٍ عطفاً أو تسامحاً .

understate[ŭn'dər stāt'] *(vt.)* يصرح أو يصور على نحوٍ أضعف أو أقلّ مما تقتضيه الحقيقة .

understatement [-'mənt] *(n.)* التصريح (أو الحكم) المكبوح : تصريح مقصودٌ به أن يصور الفكرةَ على نحو أضعف أو أقلّ مما تقتضيه الحقيقة .

understood *past and past part. of* **understand.**

understood[ŭn'dər stōōd'] *(adj.)* (١) مفهوم جيداً (٢) مُتّفَقٌ عليه (٣) مفهومٌ ضمناً .

understrapper [ŭn'dər străp'ər] *(n.)* = underling.

understudy [ŭn'dər stŭd'ĭ] *(vt.; n.)* (١) يدرس دور ممثّل مسرحيّ لكي يحلّ محلّه عند الضرورة §(٢) البديل الجاهز : ممثل (أو شخص) جاهزٌ لأداء دور ممثّل آخر (أو للقيام بمهامّه) .

undersurface [ŭn'dər sûr'fĭs] *(n.; adj.)* (١) الجانب السفلي . §(٢) تحتسطحي : واقع أو جارٍ تحت السطح .

undertake [ŭn'dər tāk'] *(vt.)* (١) يباشر ؛ يشرع في (٢) يتعهّد . (٣) يتولّى : يأخذ على عاتقه (أمرَ العناية بشيء أو شخص) .

undertaker[ŭn'dər tā'kər *for* 1; ŭn'dər tā'kər *for* 2.] *(n.)* (١) المتعهِّد ؛ المقاول (٢) الحانوتي : مجهِّز الموتى للدفن .

undertaking[ŭn'dər tā'-] *(n.)* (١) مص undertake . (٢) مقاولة (٣) مشروع (٤) تعهّد ؛ ضمان (٥) دفن الموتى .

undertenant [ŭn'-] *(n.)* المستأجِر من باطن : المستأجِر من مستأجِر .

under-the-counter [ŭn'dər thə koun'-] *(adj.)* غير شرعي أو مشروع (~ sale of drugs) .

undertone [ŭn'dər tōn'] *(n.)* (١) صوتٌ خفيض (٢) لونٌ خافت (٣) مسْحة باطنة (an ~ of sadness in his gaiety) .

undertook [ŭn dər tōōk'] *past of* **undertake.**

undertow [ŭn'dər tō'] *(n.)* التيار التحتسطحي : «أ» تيار قويّ ؛ تحت سطح الماء ، مندفعٌ في اتجاه مضادٍّ لاتجاه التيّار

ă at; ā date; â care; ä car; ĕ egg; ē me; ĭ in; ī bite; ŏ lot; ō bone; ô orphan; oi boil; ōō good; ōō boot; ou out; ŭ under; ū unity; û urgent; th thing; th this; zh vision; ə = *a* in alone, *e* in system, *i* in easily, *o* in gallop, *u* in circus.

السطحيّ. «ب» دَفْقٌ ارتجاعيّ، تحت سطح الماء، من الأمواج المتكسّرة على الشاطىء.

undervalue [ŭn'dər văl'ū] *(vt.)* (١) يَبْخس التقييم: يقدّر بأقلّ من القيمة الحقيقية (٢) يستخفّ بـ.

undervest [ŭn'dər vĕst] *(n.)* = undershirt.

underwater [ŭn'dər wô'tər] *(adj.)* تَحْمائيّ: «أ» واقع أو حادث تحت الماء. «ب» معدّ للاستخدام تحت الماء. «ج» واقع تحت خطّ الماء (من سفينة).

under way *(adv.)* (١) جارياً: غير واقف أو مُرْسٍ (٢) منطلقاً بعد توقف (٣) جارياً مجراه (Investigations were ~.).

underway *(adj.)* جارٍ أثناء الرحلة أو الحركة (~ refueling).

underwear [ŭn'dər wâr'] *(n.)* ثوبٌ تحتيّ أو داخلي.

underweight [*n.* ŭn'dər wāt'; *adj.* ŭn'dər wāt'] *(n.; adj.)* (١) وزن ناقص (عن السويّ أو المطلوب) §(٢) أخفّ من السويّ أو المطلوب.

underwent [ŭn'dər wĕnt'] *past of* **undergo.**

underwing [ŭn'dər wĭng'] *(n.; adj.)* (١) جناح الحشرة الخلفيّ. §(٢) تَحْجَناحيّ: واقع أو نام تحت الجناح (~ coverts).

underwood [ŭn'dər wo͝od'] *(n.)* = underbrush.

underworld [ŭn'dər-] *(n.)* (١) الأرض (ا.ق) (٢) الجحيم (٣) الجانب المقابل من الأرض (٤) عالم الرذيلة والإجرام.

underwrite [ŭn'dər rīt'] *(vt.)* (١) «أ» يُذيِّل: يكتب تحت كلام مكتوب. «ب» يوقّع وثيقةً الخ. (٢) يوقع سند تأمين (بوصفه مؤمَّناً لديه) (٣) يؤمِّن على (٤) يوافق على (٥) «أ» يضمن السندات: يوافق على شراء سندات إصدار ما في موعد محدّد وسعر معيّن. «ب» يتعهد بتقديم العون المالي لِـ.

underwriter [ŭn'dər rī'tər] *(n.)* (١) الضّامن (٢) المؤمَّن لديه. (٣) ضامن السّندات.

undesigned [ŭn'dĭ zīnd'] *(adj.)* غير مقصود؛ غير متعمَّد.

undesigning [-zī'nĭng] *(adj.)* صادق؛ مستقيم؛ سليم النيّة؛ غير ماكر.

undesirable [ŭn'dĭ zīr'ə bəl] *(adj.; n.)* (١) غير مرغوب فيه. §(٢) شخص أو شيء غير مرغوب فيه.

undid [ŭn dĭd'] *past of* **undo.**

undies [ŭn'dĭz] *(n. pl.)* ملابس تحتية أو داخلية (وبخاصة للنساء).

undirected [ŭn'dĭ rĕk'tĭd; -dī-] *(adj.)* (١) غير موجَّه (~ efforts) (٢) غير مُعَنْوَن (an ~ letter).

undo [ŭn do͞o'] *(vt.)* (١) «أ» يحلّ؛ «ب» يفكّ؛ يفتح (٢) يُبْطِل؛ يعطّل؛ يُفْسِد (٣) يصيبه بكارثة؛ يحطّم آمال شخص أو سمعته أو معنوياته (٤) يُقلق (٥) يغري؛ يغوي.

undoing [ŭn do͞o'ĭng] *(n.)* (١) حلّ؛ فكّ (٢) «أ» خراب. «ب» سبب الخراب (٣) إبطال؛ تعطيل.

undone [ŭn dŭn'] *(adj.)* (١) غير مصنوع أو مُنجَز (٢) مُهْمَل. (٣) خرِب (٤) مفكوك؛ غير مربوط.

undouble [ŭn dŭb'əl] *(vt.)* ينشر أو يفتح (شيئاً مطوياً).

undoubted [ŭn dou'tĭd] *(adj.)* لا شكّ فيه؛ لا جدال فيه.

undoubtedly [-'tĭd lĭ] *(adv.)* يقيناً، من غير شكّ أو ريب.

undraw [ŭn drô'] *(vt.)* يردّ (الستارة) جانباً: يفتح.

undress [ŭn drĕs'] *(vt.; i.; n.)* (١) يعري (٢) يجرّده من الزينة ونحوها (٣) ينزع الضمادة (عن جرح) ×(٤) يتعرّى؛ يخلع ملابسه §(٥) «أ» ثوب غير رسميّ فضفاض. «ب» ملابس عادية (٦) عُري.

undue [ŭn dū'] *(adj.)* (١) لم يستحقّ بعد (٢) غير ضروري؛ وبخاصة: مُفْرِط (~ haste) (٣) غير ملائم أو مناسب.

undulant [ŭn'dyə lənt] *(adj.)* متموج.

undulant fever *(n.)* الحمّى المتموجة (مض).

undulate [*v.* ŭn'dyə lāt; *adj.* -lĭt', -lāt'] *(vi.; t.; adj.)* (١) يتموج ×(٢) يموج §(٣) متموج.

undulation [ŭn'dyə lā'-] *(n.)* (١) تموج (٢) تمويج (٣) موجة.

undulatory [ŭn'dyə lə tōr'ĭ] *(adj.)* (١) تموجيّ (٢) متموج.

undulatory theory *(n.)* النظرية التموجيّة (ض).

unduly [ŭn dū'lĭ] *(adv.)* على نحو غير ملائم؛ وبخاصة: بإفراط.

undying [ŭn dī'ĭng] *(adj.)* خالد؛ سرمدي؛ لا يموت.

unearned [ŭn ûrnd'] *(adj.)* لامكسوب: غير مكسوب بالجهد أو البراعة (~ income).

unearned increment *(n.)* الزيادة اللامكسوبة: زيادة في قيمة الأرض الخ. ناشئة، لا عن جهدٍ أو إنفاقٍ مبذول من قِبل المالك، ولكن لأسباب طبيعيّة (كتكاثر السكان) تؤدي إلى زيادة الطلب عليها.

unearth [ŭn ûrth'] *(vt.)* (١) يُخرج (كنزاً دفيناً الخ.) من الأرض (٢) يكتشف (to ~ a plot).

unearthly [ŭn ûrth'lĭ] *(adj.)* (١) غير أرضيّ (٢) غريب؛ خارق للطبيعة (٣) روحي؛ مثالي؛ سماوي.

uneasy [ŭn ē'zĭ] *(adj.)* (١) صَعْب (ا.ق) (٢) مرتبك؛ مضطرب. (٣) خائف؛ مرتقبٌ شرّاً (٤) قَلِق (٥) متقلقل؛ غير مستقرّ (an ~ peace).

uneducated [ŭn ĕj'o͞o kā'tĭd] *(adj.)* غير مثقّف.

unemployable [ŭn'ĕm ploi'ə bəl] *(adj.)* غير صالح للاستخدام.

unemployed [ŭn'ĕm ploid'] *(adj.)* (١) غير مُستخدَم أو مستعمَل (~ tools) (٢) عاطل عن العمل (~ workers) (٣) غير موظَّف (~ capital).

unemployment [ŭn'ĕm ploi'mənt] *(n.)* البِطالة.

unequal [ŭn ē'kwəl] *(adj.; n.)* (١) غير متساوٍ (٢) «أ» غير منتظم أو مستوٍ (~ pulsations). «ب» متفاوت: أجزاؤه متفاوتة الجودة (an ~ poem) (٣) غير متكافىء (~ marriages *or* treaties) (٤) ظالم؛ غير مُنصِف (ا.ق) (٥) «أ» غير كفوء (I feel ~ to the task). «ب» غير كافٍ أو وافٍ (strength ~ to the task) §(٦) اللامتساوي الخ. (a society of ~*s*).

unequaled [-'kwəld] *(adj.)* (١) فذّ؛ منقطع النظير (٢) لا يُجارَى.

unequivocal [ŭn'ĭ kwĭv'ə kəl] *(adj.)* (١) بيّن؛ جلي؛ لا لَبس فيه (~ evidence) (٢) مُطلق؛ تامّ (an ~ refusal).

unerring [ŭn ûr'ĭng] *(adj.)* (١) معصوم (٢) سديد أو أكيد على نحو لا يخطىء أو يخفق (~ power).

uneven [ŭn ē'vən] *(adj.)* (١) وِتْريّ؛ غير شَفْعيّ (مثل: ٣ أو ٥ أو ٧) (٢) «أ» غير مستوٍ. «ب» غير مستقيم أو متوازٍ. «ج» متقطّع؛ غير منتظم (~ earnings). «د» متفاوت: أجزاؤه متفاوتة الجودة (an ~ performance).

uneventful [ŭn'ĭ vĕnt'fəl] *(adj.)* هادىء: خِلْوٌ من الأحداث الهامّة (an ~ day).

unexampled [ŭn ĭg zăm'pəld] *(adj.)* فذّ؛ منقطع النظير؛ لم يُسبَق إلى مثله.

unexceptionable [ŭn'ĭk sĕp'shən ə bəl] *(adj.)* (١) فوق النقد أو الاعتراض (٢) رائع جداً .

unexpected [ŭn'ĭk spĕk'tĭd] *(adj.)* فجائيّ ؛ غير متوقَّع .

unexpectedly[-lĭ] *(adv.)* على نحو فجائيّ ؛ على نحو غير متوقَّع .

unfadable [ŭn'fād'ə bəl] *(adj.)* (١) ثابت اللون ، لا يَبْهَتُ لونُه (٢) لا يُنْسَى .

unfailing [ŭn fā'lĭng] *(adj.)* (١) ثابت ؛ لا يكِلّ أو يفتر . (٢) لا ينضب (pleasure ~) (٣) صَدوق، لا يَخْذُل (an ~ friend) (٤) لا يخطىء ، لا يخفق (an ~ test) .

unfair[ŭn fâr'] *(adj.)* (١) جائر ، ظالم، غير منصف (٢) مخادع ؛ غير مستقيم أو أمين .

unfaithful [ŭn fāth'fəl] *(adj.)* (١)خائن، غير مخلص (٢) غير دقيق ، غير جدير بالاعتماد (an ~ copy of a document) .

unfamiliar [ŭn'fə mĭl'yər] *(adj.)* (١) غريب، غير مألوف . (٢) غريب عن ، غير حَسَن الاطلاع على .

unfasten [ŭn făs'ən] *(vt.)* يفكّ ، يحلّ .

unfathered [ŭn fä'thərd] *(adj.)* (١) نَغِيل ، غير شرعيّ . (٢) مجهول الأصل .

unfathomable [ŭn făth'əm ə bəl] *(adj.)* (١)لا يُسبَر غورُه . (٢) مُتعذّرٌ فهمُه .

unfavorable [ŭn fā'vər ə bəl] *(adj.)* (١)مُعارض (to ~ the proposal) (٢) سلبيّ (an ~ response) (٣)«أ» مُعادٍ . «ب» غير مؤاتٍ (an ~ wind) (٤) غير سارّ، غير مرغوب فيه (an ~ feature of the plan) (٥) سلبيّ : قيمة الواردات فيه تفوق قيمة الصادرات .

unfeeling [ŭn fē'lĭng] *(adj.)* (١) عديم الشعور (٢) وحشيّ ؛ قاسي الفؤاد .

unfeigned [ŭn fānd'] *(adj.)* صادق : غير متكلَّف أو زائف .

unfetter [ŭn fĕt'ər] *(vt.)* يحرِّر (من الأغلال) .

unfilial[ŭn fĭl'ĭ əl] *(adj.)* (١)غير مطيع (٢)غير لائق بابن أو ابنةٍ .

unfinished [ŭn fĭn'ĭsht] *(adj.)* (١) ناقص ، غير مُنجَز . (٢) غير مصقول أو مصبوغ الخ .

unfit [ŭn fĭt'] *(adj.)* (١)غير صالح أو ملائم (٢)غير كفْء أو مؤهَّل .

unfix [ŭn fĭks'] *(vt.)* (١) يفكّ ، يحلّ (٢)«أ» يُقلق. «ب» يزعزع .

unfledged [ŭn flĕjd'] *(adj.)* (١) لا ريش له ، لم ينبت ريشُه . (٢) غِرّ ، غير ناضج .

unfold [ŭn fōld'] *(vt.; i.)* (١) ينشر (شيئاً مطوياً) (٢)يفتح ؛ يفضّ (٣) يكشف ، يُظهر للعيان؛ وبخاصة : يَبْسُط ، يوضح تدريجياً (ed her story through dialogue ~) ×(٤) «أ» ينتشر (الشيءُ المطوي) . «ب» يتفتح (الزَّهر) . «ج» ينمو ؛ يترعرع (٥) يتجلّى للعيان أو للذهن (تدريجياً) .

unforeseen *(adj.)* غير متوقَّع (developments ~) .

unforgettable [ŭn'fər gĕt'ə bəl] *(adj.)* لا يُنْسَى .

unformed[ŭn fôrmd'] *(adj.)* (١)غير مُشكَّل (كحكومة الخ.) (٢) غير متطور أو ناضج (an ~ character) (٣) غير مصقول (٤) amorphous .

unfortunate [ŭn fôr'chə nĭt] *(adj.; n.)* (١) تعيس ، قليل الحظّ (٢)مشؤوم ، غير سارّ أو سعيد (٣)غير ملائم أو مناسب (٤) يُؤْسَف له §(٥) التعيس (٦) المنبوذ (كسجين أو مومس) .

unfounded [ŭn foun'dĭd] *(adj.)* لا أساس له (من الصحة الخ.) .

unfrequented [ŭn'frĭ kwĕn'tĭd] *(adj.)* (١) غير مطروق . (٢) شبه مهجور .

unfriended [ŭn frĕn'dĭd] *(adj.)* غير ذي أصدقاء، لا أصدقاء له .

unfriendliness [ŭn frĕnd'lĭ nĭs] *(n.)* عداء ، جفوة .

unfriendly [ŭn frĕnd'lĭ] *(adj.)* (١) غير وديّ (٢) معادٍ (an ~ nation) (٣) فاتر ، بارد (received an ~ reception) (٤) غير ملائم (a place ~ to meditation) .

unfrock [ŭn frŏk'] *(vt.)* يجرد كاهناً (من ثوبه أو سلطته) .

unfruitful [ŭn frōōt'fəl] *(adj.)* (١) غير مثمر (٢) عقيم ؛ باطل (efforts ~) (٣) مجدب (soil ~) .

unfurl [ŭn fûrl'] *(vt.; i.)* (١) ينشر (شراعاً أو رايةً) (٢) يُبدي للعيان ×(٣) يتنشّر، ينتشر (٤) يتجلّى للعيان .

ungainly [ŭn gān'lĭ] *(adj.)* (١)أخرق، تعوزه البراعة (٢)صعب المراس (لِثِقَلِه أو ضخامته) (٣) بشِع ، غليظ .

ungenerous [ŭn jĕn'ər əs] *(adj.)* (١) حقير (٢) بخيل .

ungird [ŭn gûrd'] *(vt.)* يحلّ الحزام أو الوثاق .

ungirt [ŭn gûrt'] *(adj.)* (١) محلول (أو منزوع) الحزام (٢) رِخْو .

unglue [ŭn glōō'] *(vt.)* يفصل أو ينزع (بإزالة التغرية) .

ungodly [ŭn gŏd'lĭ] *(adj.)* (١) «أ» غير تقيّ . «ب» شرّير ، آثم (٢) atrocious .

ungovernable [ŭn gŭv'ər nə bəl] *(adj.)* صعب المراس ، لا سبيل إلى ضبطه أو السيطرة عليه .

ungraceful [ŭn grās'-] *(adj.)* أخرق، غليظ ، بشع ، غير أنيق .

ungracious [ŭn grā'shəs] *(adj.)* (١) فظّ ، غليظ (٢) كريه .

ungrateful [ŭn grāt'fəl] *(adj.)* (١) عاقّ ، عقوق (an ~ child) (٢) كريه ، بغيض .

ungual [ŭng'gwəl] *(adj.)* ظُفريّ، مِخلَبيّ ، بُرثُنيّ ، حافريّ .

unguard [ŭn gärd'] *(vt.)* يعرِّضه لهجمات العدوّ ، يتركه من غير حماية .

unguarded [ŭn gär'dĭd] *(adj.)* (١) غير محميّ أو مصون . (٢) غير حَذِر (٣) مكشوف .

unguent [ŭng'gwənt] *(n.)* مَرهم .

unguiculate [ŭng gwĭk'yə lĭt] *(adj.; n.)* (١) ذو ظُفر أو مِخلب §(٢) حيوان ذو ظفر أو مِخلب .

unguis [ŭng'gwĭs] *(L.)* pl. **-gues**[-gwēz] (١)ظُفر ، مِخلب ، حافر (٢) القاعدة الظُّفرية : قاعدةُ البتلة الضيقةُ المستدقة (نب) .

ungular [ŭng'gyə lər] *(adj.)* = ungual.

ungulate [ŭng'gyə lĭt; -lāt] *(adj.; n.)* (١)ذو حوافر (٢)متعلق بذوات الحافر §(٣)ذو الحافر : واحدُ ذوات الحافر **Ungulata** وهي فصيلة من الحيوان تشمل الخيل وما اليها .

unhair [ŭn hâr'] *(vt.; i.)* (١) يزيل الشعر ×(٢) يَفقِدُ الشعرَ .

unhallowed [ŭn hăl'ōd] *(adj.)* (١) غير مقدَّس أو مبارَك . (٢) profane (٣) غير شرعي (٤) لا أخلاقيّ ، مستخدَم لأغراض لاأخلاقيّة .

unhand [ŭn hănd'] *(vt.)* يترك، يُخلّي ، يرفع يده عن .

unhandsome [ŭn hăn'səm] *(adj.)* (١) بشِع (٢) غير لائق. (٣) فظ ، قليل الكياسة .

unhandy [ŭn hăn'dĭ] *(adj.)* (١) غير ملائم (للاستعمال الخ.) . (٢) أخرق ، تعوزه البراعة .

unhappiness [ŭn hăp'ĭ-] *(n.)* تعاسة ، شقاء ، بؤس الخ.

unhappy [ŭn hăp'ĭ] *(adj.)* (١) تعيس ، شقي (٢) حزين ؛

ă at; ā date; â care; ä car; ĕ egg; ē me; ĭ in; ī bite; ŏ lot; ō bone; ô orphan; oi boil ŏŏ good; ōō boot; ou out; ŭ under; ū unity; û urgent; th thing; *th* this; zh vision; ə = *a* in alone, *e* in system, *i* in easily, *o* in gallop, *u* in circus.

كئيب (٣) محزن ؛ مثبِّط ؛ غير مشجِّع (٤) أخرق : تعوزه البراعة (٥) كريه ؛ بغيض .
—unhappily *(adv.)*

unharness [ŭn här'-] *(vt.)* ينزع الطّقم أو العُدّة (عن فرس) .

unhealthy[ŭn hĕl'thĭ]*(adj.)* (١)غير صحيّ (~ climate) (٢)معتلّ الصحّة (٣) خطِر ؛ محفوف بالمخاطر (٤) رديء ؛ ضارّ (٥) فاسد (أخلاقياً) (an ~ habit) .

unheard [ŭn hûrd'] *(adj.)* (١) غير مسموع (٢) غير معطىً فرصة للادلاء بوجهة نظره .

unheard-of [-'ŏv'] *(adj.)* جديد ؛ مجهول سابقاً ؛ لم يُسمع به .

unhinge [ŭn hĭnj'] *(vt.)* (١)يرفع (باباً) عن مِفصَلاته (٢)ينزع المِفْصَلات عن (٣) يفصل (عن شيء) (٤) يُقلق ؛ يشوّش .

unhitch [ŭn hĭch'] *(vt.)* يفُكّ ؛ يحُلّ .

unholy [ŭn hō'lĭ] *(adj.)* (١) غير مقدّس (٢) شرّير ؛ آثم . (٣) فظيع ؛ مروِّع .

unhook [ŭn ho͝ok'] *(vt.)* (١) ينزع من الكُلاّب أو الخُطّاف . (٢) يفُكّ ؛ يحُلّ .

unhorse [ŭn hôrs'] *(vt.)* (١) يطرح (عن صهوة الجواد) . (٢) يعزِل (من منصب) ؛ يُطيح بِ .

uni- بادئة معناها : أحاديّ ؛ مُفرَد (*uniaxial*) .

uniaxial [ū'nĭ ăk'sĭ əl] *(adj.)* أُحاديّ المحور .

unicameral [ū'nə kăm'ər əl] *(adj.)* أُحاديّ المجلس : ذو مجلس تشريعيّ واحد .

unicellular [ū'nə sĕl'yə lər] *(adj.)* أُحاديّ الخليّة (أح) .

unicorn [ū'nə kôrn'] *(n.)* أُحاديّ القرن : حيوان خرافي له جسم فرس وذيل أسد وقرن وحيد في وسَط الجبهة .

unicorn

unicycle[ū'nə sī'kəl]*(n.)* الدرّاجة الأُحاديّة : درّاجة وحيدة العجلة .

unidirectional [ū'nə dĭ rĕk'-; -dī rĕk'-]*(adj.)* أُحاديّ الاتّجاه.

unidirectional current *(n.)* التيّار الأُحاديّ الاتجاه (كب) .

unification [ū'nə fə kā'shən] *(n.)* (١) توحيد (٢) اتحاد .

unifilar [ū'nə fī'lər] *(adj.)* أُحاديّ السِّلك أو الخيط .

unifoliate [ū'nə fō'lĭ ĭt; -āt'] *(adj.)* (١) أُحاديّ الورقة . (٢) أُحاديّ الوريقة (را . المادة التالية) .

unifoliolate [ū'nə fō'lĭ ə lāt']*(adj.)* أُحاديّ الوريْقة: مركّب ولكنّه ذو وريقة واحدة (كورقة البرتقال) .

uniform [ū'nə fôrm'] *(adj.; n.; vt.)* (١) منتظم ؛ مُتّسق . (٢) متماثل ؛ متشاكل (٣) مطّرد §(٤) بزّة أو بذلة نظامية §(٥) يجعله منتظماً أو متّسقاً الخ .

uniformed [ū'nə fôrmd'] *(adj.)* مبزّز : مرتدٍ بزّة نظاميّة .

uniformity [ū'nə fôr'mə tĭ] *(n.)* (١) انتظام ؛ اتّساق . (٢) تماثل ؛ تشاكل .

unify [ū'nə fī] *(vt.)* يُوحِّد .

unilateral [ū'nə lăt'ər əl] *(adj.)* (١) معنيّ بجانب واحد من المسألة فحسب (٢)من جانب واحد(~ repudiation of a treaty) (٣)مُلزِم طرفاً واحداً فحسب(a ~ simple contract) (٤)مرتّب على طرف واحد (~ flowers) (٥) أُحاديّ الجانب .

unimpeachable [ŭn'ĭm pē'chə bəl] *(adj.)* موثوق : لا يرقى إليه الشكّ أو الاتّهام .

unimproved [ŭn'ĭm pro͞ovd'] *(adj.)* غير مُحسَّن : «أ» غير مزروع أو محروث أو مبنيّ عليه. «ب» غير مستخدَم أو مستفاد منه.

unintelligible [ŭn'ĭn tĕl'ə jə bəl]*(adj.)* غامض؛ لا يمكن فهمه.

unintentional [ŭn'ĭn tĕn'-]*(adj.)* غير مقصود؛ غير متعمَّد .

uninucleate *also* **uninuclear**[ū'nə nū'-]*(adj.)* أحاديّ النواة.

union [ūn'yən] *(n.; adj.)* (١) توحيد (٢) اتحاد (٣) رمز الاتحاد (كما يتمثّل في راية) (٤)«أ» زواج (a happy ~). «ب» اتصال جنسي (٥) وئام (live in perfect ~) (٦) نقابة (عمال) (٧) وَصِيلة (مك) §(٨)اتحاديّ؛ نقابيّ (~ affairs) .

pipe union

the *Union* الولايات المتحدة الأميركية .

union card *(n.)* البطاقة النقابية : بطاقة الانتساب إلى نقابة عمالية.

unionism [ūn'yə nĭz'əm] *(n.)* (١) *cap.* : الاتحادية : التمسّك بسياسة الاتحاد الوثيق بين الولايات الأميركيّة وبخاصة خلال الحرب الأهلية (٢)النقابيّة: نظام (أو مبادىء أو طرائق) نقابات العمال.

unionist [ūn'yən ĭst] *(n.)* (١) الاتحاديّ : المؤيّد للاتحاد . (٢) النقابيّ : عضو نقابة عماليّة .

unionize [ūn'yən īz'] *(vt.)* (١) يجعله عضواً في نقابة عمالية (أو يخضعه لقواعدها) (٢) يوحّد في نقابة . **—unionization** *(n.)*

union jack *(n.)* (١) راية الاتحاد (٢) الراية البريطانيّة .

union shop *(n.)* المؤسّسة النقابيّة : «أ» مؤسّسة تحدَّد فيها شروط الاستخدام بالتفاهم بين صاحب العمل ونقابة عمالية «ب» مؤسسة تجعل من الانتساب إلى إحدى نقابات العمال شرطاً للاستخدام ولكنّ في استطاعة صاحبها أن يشغّل عمالاً غير نقابيين شرط أن ينتسبوا إلى النقابة بعد مدة معينة (٣٠ يوماً عادةً) .

unipod [ū'nə pŏd] *(n.)* مِنصب أُحاديّ القائمة (لآلة التصوير) .

unipolar [ū'nə pō'lər] *(adj.)* أُحاديّ القطب («فز» و «ت») .

unique[ū nēk']*(adj.)* (١)وحيد؛ مُفرَد(٢)فَذّ؛ فريد(٣)استثنائيّ .

unisex *(adj.)* لكلا الجنسَيْن (للذكور وللإناث).

unisexual [ū'nə sĕk'sho͞o əl] *(adj.)* أحاديّ الجنس

unison [ū'nə sən] *(n.)* (١) تساوق النغمات (مو) (٢) انسجام .

unit [ū'nĭt] *(n.)* (١) واحد (٢) مجموعة متكاملة (٣) وحدة .

unitarian [ū'nə târ'ĭ ən]*(n.; adj.)* (١) *cap.* عدّ: الموحِّد : «أ» القائل بإله واحد . «ب» أحد أفراد طائفة مسيحية ترفض التثليث وتقول بالتوحيد (٢)الوحْدَويّ: القائل بالوحدة أو بالمركزية الحكومية §(٣) *cap.* عد : مُوحِّديّ : ذو علاقة بالموحِّدين .

unitary [ū'nə tĕr'ĭ] *(adj.)* (١) وَحْدِيّ: «أ» مستخدَم كوحدة. «ب» ذو علاقة بوحدة أو وَحدات (٢) وَحْدَويّ؛ مركزيّ (a ~ policy) (٣) متكامل؛ تكامليّ (a ~ process).

unite [ū nīt'] *(vt.; i.)* (١) يوحّد (٢)يُلصِق؛ يلحم (٣)يربط. (٤) يجمع (في ذات نفسه) صفتين أو أكثر (The bride ~*d* beauty and intelligence.) ×(٥) يتحد (٦) يلتحم ؛ يلتئم (العظم) (٧) يتعاون ؛ يتضافر .

unite[ū'nĭt]*(n.)* الجنيه الاتحادي: جنيه ذهبي قديم سُكّ عام ١٦٠٤ بُعَيْد اتحاد انكلترة واسكتلندة .

united [ū nī'-]*(adj.)* (١)مُتّحِد (٢)مشترَك (a ~ effort). (٣) منسجم ؛ متآلِف (a ~ family) .

unitive [ū'nə tĭv] *(adj.)* (١) متّحِد (٢) مُوحِّد .

unit magnetic pole *(n.)* القطب المغنطيسي المقياسي (مغ) .

unity [ū'nə tĭ] *(n.)* (١) وحدة (٢) انسجام ؛ اتّفاق .

univalent [ū'nə vā'lənt] *(adj.)* أحاديّ التكافؤ (ك) .

univalve [ū'nə vălv'] *(adj.; n.)* (١)أحاديّ المصراع أو الصِّمام. §(٢) الأحاديّ المصراع : حيوان من الرخويات أحاديّ المصراع .

universal [ū'nə vûr'səl] *(adj.; n.)* (١)«أ» عامّ. «ب» شامل. (٢)عالميّ ؛ كونيّ (٣) كليّ (٤)جامع §(٥)القضية الكلية (مق) .

Universalism [ū'nə vûr'sə liz'əm] *(n.)* الخلاصية : عقيدة الخلاصيين (را. المادة التالية) .

Universalist [ū'nə vûr'səl ĭst] *(n.)* الخلاصيّ : أحد أفراد كنيسة بروتستانتيّة تقول بأن جميع الناس سينْعمون آخر الأمر بالخلاص.

universality [ū'nə vûr săl'ə tĭ] *(n.)* العموميّة ؛ الشموليّة ؛ العالميّة ؛ الكليّة الخ .

universalize [ū'nə vûr'sə līz'] *(vt.)* يجعله عاماً أو عالمياً الخ.

universal joint *or* **coupling** *(n.)* الوُصْلَة الجامعة (ملك) .

universal joint

universally [ū nə vûr'sə lĭ] *(adv.)* عموماً ؛ في جميع الأحوال والأمكنة ؛ بغير استثناء .

universe[ū'nə vûrs'] *(n.)* (١)الكون (٢)البشر؛ الجنس البشري.

university [ū'nə vûr'sə tĭ] *(n.)* جامعة (تر) .

univocal [ū nə'-] *(adj.)* أُحاديّ المعنى : ذو معنىً واحدٍ فحسب.

unjoint [ŭn joint'] *(vt.)* = disjoint.

unjust [ŭn jŭst'] *(adj.)* جائر ؛ ظالم ؛ غير عادل .

unkempt [ŭn kĕmpt'] *(adj.)* (١) أشعث (٢) «أ» مهمَل . «ب» غير مصقول أو مهذّب .

unkenned [ŭn kĕnd'] *(adj.)* مجهول ؛ غريب (ع) .

unkennel [ŭn kĕn'əl] *(vt.)* (١)«أ» يحمل (الثعلبَ) على الخروج من مخبأه . «ب» يُخرج (الكلبَ) من وجاره (٢) يكتشف .

unkind [ŭn kīnd'] *(adj.)* قاس ؛ فظّ ؛ غير كريم .

unkindly [ŭn kīnd'lĭ] *(adj.; adv.)* (١) قاس ؛ فظّ . §(٢) بقسوة ؛ بفظاظة .

unknit [ŭn nĭt'] *(vt.)* (١) يفكّك ؛ يحلّ (٢) يسوّي أو يملّس (شيئاً متجعّداً) .

unknowable [ŭn nō'ə bəl] *(adj.; n.)* (١)لا سبيل إلى معرفته ؛ فوق معرفة البشر §(٢) شيء لا سبيل إلى معرفته .

unknown [ŭn nōn'] *(adj.; n.)* (١) مجهول §(٢) شيء أو شخص مجهول .

unknown quantity *(n.)* الكمية المجهولة (ر) .

Unknown Soldier *(n.)* الجنديّ المجهول .

unlade [ŭn lād'] *(vt.; i.)* (١)يُنزِل الحِملَ عن (٢)يُفرغ الحمولة.

unlash [ŭn lăsh'] *(vt.)* يفكّ ؛ يَحُلّ.

unlatch [ŭn lăch'] *(vt.; i.)* (١) يفتح (برفع المِزلاج أو السقاطة). ×(٢) ينفتح .

unlawful [ŭn lô'fəl] *(adj.)* (١) محظور ؛ محرَّم (٢) نَغِل ؛ غير شَرعِيّ .

unlay [ŭn lā'] *(vt.; i.)* (١) ينتقض الحبلَ : يحُلّ طاقات الحبل ×(٢) ينحل .

unleaded [ŭn lĕd'ĭd] *(adj.)* غير مفصول السطور بصفائح فاصلة.

unlearn [ŭn lûrn'] *(vt.)* يطّرح فكرةً أو عادةً أو نزعةً ؛ يتناسى.

unlearned [ŭn lûr'nĭd *for* 1, 2; -lûrnd' *for* 3] *(adj.)* (١) جاهل (٢) دالّ على جهل (٣) طبيعي ؛ غير مكتسَب.

unleash [ŭn lēsh'] *(vt.)* يحرّر ؛ يطلق العِنان لِ.

unless [ŭn lĕs'] *(conj.; prep.)* (١) إلاّ إذا ؛ ما لم (٢) إلاّ أن . §(٣) باستثناء .

unlettered [ŭn lĕt'ərd] *(adj.)* (١)«أ» غير مثقّف . «ب» أمّيّ . (٢) غير موسوم بأحرف .

unlicked [ŭn lĭkt'] *(adj.)* غير مُهندَم أو مهذّب أو مصقول .

unlike [ŭn līk'] *(prep.; adj.)* (١) «أ» مختلف عن . «ب» غير متّفق مع خصائصه أو ميزاته (It was ~ him to be late.) (٢) بخلاف كذا ؛ على خلاف كذا §(٣) متخالف ؛ غير متشابه (Men are profoundly ~.) (٤) غير متساوٍ (~ amounts) .

unlikely[-'lĭ] *(adj.)* (١)بعيد الاحتمال (٢)بغيض؛غير مرغوب فيه (~ companions) (٣)مرتقَبٌ عدمُ وفائه بالغرَض(~ places).

unlimber[ŭn lĭm'-] *(vt.)* (١)يفكّ قادمةَ المدفع (٢)يُعِدّ للعمل.

unlimited [-'ĭt ĭd] *(adj.)* (١) مُطلَق (٢) غير محدود (٣) تامّ .

unlink [ŭn lĭngk'] *(vt.)* يفكّ (حلقاتِ سلسلةٍ أو نحوها) ؛ يفصِل.

unlisted [ŭn lĭs'tĭd] *(adj.)* غير مُدْرَج على جدول أو قائمة .

unload [ŭn lōd'] *(vt.; i.)* (١) يُفرِّغ الحمولة (٢) يحرر من عبء (٣) يفرغ المسدس الخ. من شحنته (٤) يبيع بمقادير كبيرة : يُغرق ×(٥) يُفرِّغ (المركبُ) حمولتَه .

unlock [ŭn lŏk'] *(vt.; i.)* (١) يفتح القُفْل (٢) يفتح (٣) يحرر ؛ يُطلق (٤) يحلّ (رموزَ الشيفرة الخ.) ×(٥) ينفتح الخ .

unlooked-for [ŭn lo͝okt'fôr'] *(adj.)* غير متوقَّع أو مُرْتَقَب .

unloose [ŭn lo͞os'] *(vt.)* (١) يُرْخي (٢)يُطلِق (٣) يفكّ ؛ يحل .

unloosen [ŭn lo͞o'sən] *(vt.)* = unloose.

unlovely [ŭn lŭv'lĭ] *(adj.)* بغيض؛ كريه؛ بشِع .

unluckily [ŭn lŭk'ə lĭ] *(adv.)* لسوء الحظّ .

unlucky [ŭn lŭk'ĭ] *(adj.)* (١) مشؤوم (٢) منحوس (٣) قليل الحظ (٤) يؤسَف له .

unmake [ŭn māk'] *(vt.)* (١)يحطّم (٢)يَعزِل ؛ يخلع (٣)يغيّر .

unman [ŭn măn'] *(vt.)* (١) يُضعفه أو يُفقِدُه الشجاعة . (٢) يَخْصي (٣) يجرّده من الرجال أو الملاحين (to ~ a ship) .

unmanly [-'lĭ] *(adj.)* (١) جبان؛ عديم الرجولة (٢) مخنّث .

unmanned [ŭn mănd'] *(adj.)* غير مزوَّد بالرجال أو الملاحين .

unmannered [ŭn măn'ərd] *(adj.)* (١) فظّ ؛ قليل الكياسة . (٢) غير متكلِّف .

unmannerly [ŭn măn'ər lĭ] *(adj.; adv.)* (١) فظّ ؛ غليظ ؛ قليل الكياسة §(٢) بفظاظة ؛ بغِلظة .

unmask [ŭn măsk'] *(vt.; i.)* (١) يكشف القناع عن (٢)يفضح. ×(٣) يخلع القناع .

unmeaning [ŭn mē'nĭng] *(adj.)* (١) لا معنى له (٢) خلوٌ من المعنى أو التعبير (كنظرة الخ.) .

unmeant [ŭn mĕnt'] *(adj.)* غير مقصود ؛ غير متعمَّد .

unmeet [ŭn mēt'] *(adj.)* غير لائق ؛ غير ملائم .

unmentionable [ŭn mĕn'shən ə bəl] *(adj.; n.)* (١)لا يصحّ ذكره §(٢) ما لا يصحّ ذكره (٣) *pl.* : «أ» بنطلون . «ب» ملابس داخلية .

unmerciful [ŭn mûr'sĭ fəl] *(adj.)* (١) عديم الرحمة . (٢)«أ» مُفرط . «ب» مَديد (for an ~ period) .

unmindful [ŭn mīnd'fəl] *(adj.)* غافل عن؛ غير منتبه إلى .

unmistakable [ŭn'mĭs tā'kə bəl] *(adj.)* جلي ؛ بيِّن ؛ واضح .

unmitigated [ŭn mĭt'ə gā'tĭd] *(adj.)* (١) غير ملطَّف (~ harshness) (٢) تام ؛ كامل (~ triumph) .

unmixed [ŭn mĭkst'] *(adj.)* خالص ؛ صِرْف ؛ مَحْض .

ă at; ā date; â care; ä car; ĕ egg; ē me; ĭ in; ī bite; ŏ lot; ō bone; ô orphan; oi boil o͝o good; o͞o boot; ou out; ŭ under; ū unity; û urgent; th thing; t͟h this; zh vision; ə = *a* in alone, *e* in system, *i* in easily, *o* in gallop, *u* in circus.

unmoor [ŭn mo͝or'] *(vt.; i.)* (١) يفكّ مراسيَ المركب . ×(٢) يتحرر المركب من مراسيه .

unmoral [ŭn môr'əl] *(adj.)* = amoral.

unmoved [ŭn mo͞ovd'] *(adj.)* (١) هادىء ؛ لامبالٍ (٢) ثابت ؛ باقٍ في مكانه .

unmuffle [ŭn mŭf'əl] *(vt.)* يكشفُ اللِّفاع أو القناع عن .

unmuzzle [ŭn mŭz'əl] *(vt.)* ينزع الكمامة (عن فم الكلب) .

unnail [ŭn nāl'] *(vt.)* ينزع المسامير من .

unnatural [ŭn năch'ə rəl] *(adj.)* (١) غير طبيعيّ (٢) غير سويّ (٣) «أ» متكلِّف . «ب» متكلَّف (٤) غريب (٥) غير شرعي (children ~) .

unnecessarily [ŭn nĕs ə sĕr'-] *(adv.)* على نحوٍ غير ضروري .

unnecessary [ŭn nĕs'ə sĕr'ĭ] *(adj.)* غير ضروري .

unnerve [ŭn nûrv'] *(vt.)* (١) يُفقده شجاعته أو رباطة جأشه الخ . (٢) يثير أعصابه .

unnumbered [ŭn nŭm'bərd] *(adj.)* (١) لا يُعدّ ولا يُحصَى . (٢) غير مرقَّم .

unoccupied [ŭn ŏk'yə pīd'] *(adj.)* (١) غير مشغول (بعمل ما) (٢) شاغر ؛ خالٍ .

unorganized [ŭn ôr'gə nīzd'] *(adj.)* (١) غير منظَّم (٢) غير منتسب إلى نقابة عماليّة (٣) لا معضيّ (أح) .

unorthodox [ŭn ôr'thə dŏks] *(adj.)* (١) غير قويم الرأي أو المعتقد (٢) غير تقليديّ .

unpack [ŭn păk'] *(vt.; i.)* (١) «أ» يُفرِغ (محتويات حقيبة الخ .) . «ب» يُفضي بمكنون صدره (٢) يفكّ (شيئاً محزوماً) .

unpaid [ŭn pād'] *(adj.)* (١) غير مأجور ؛ عاملٌ من غير أجر . (٢) غير مدفوع أو مسدَّد (an ~ bill) (٣) مجانيّ (٤) غير ذي راتب ؛ غير ذات راتب (an ~ position) .

unpalatable [ŭn păl'ət ə bəl] *(adj.)* (١) غير لذيذ المذاق . (٢) بغيض ؛ كريه .

unparalleled [ŭn păr'ə lĕld'] *(adj.)* فذّ ؛ فريد ؛ لا نظير له .

unparliamentary [ŭn'pär lə mĕn'tə rĭ] *(adj.)* غير برلمانيّ ؛ منافٍ للتقاليد البرلمانيّة .

unpeg [ŭn pĕg'] *(vt.)* (١) يزيل الوتد من (٢) يفكّ بإزالة الوتد .

unpeople [ŭn pē'pəl] *(vt.)* = depopulate.

unpile [ŭn pīl'] *(vt.; i.)* (١) يفصل عن كومة ×(٢) «أ» ينفصل عن كومة . «ب» يتفرّق .

unpin [ŭn pĭn'] *(vt.)* (١) ينزع الدبوس من (٢) يفكّ ؛ يحلّ .

unpleasant [ŭn plĕz'ənt] *(adj.)* كريه ؛ بغيض .

unplumbed [ŭn plŭmd'] *(adj.)* غير مُمْتَحَن (أو مَسْبُور) بفادن (٢) لم يُسبَر غوره .

unpolitical [ŭn pə lĭt'ə kəl] *(adj.)* غير مَعْنِيّ بالسياسة .

unpopular [ŭn pŏp'yə lər] *(adj.)* غير شعبيّ .

unprecedented [ŭn prĕs'ə-] *(adj.)* جديد ؛ لم يُسبَق إلى مثله .

unpredictable [ŭn prĭ dĭk'tə bəl] *(adj.)* لا يمكن التنبّؤ به .

unprejudiced [ŭn prĕj'-] *(adj.)* غير متحامل أو متحيّز أو متغرض .

unprepared [ŭn prĭ pârd'] *(adj.)* (١) غير مستعِد (٢) غير مُهيّأ أو مُعَدّ (٣) غير متوقَّع .

unpretending [ŭn prĭ tĕn'dĭng] *(adj.)* غير مدّعٍ ؛ متواضع .

unpretentious [-'shəs] *(adj.)* بسيط ؛ متواضع .

unprincipled [ŭn prĭn'sə-] *(adj.)* مجرّد من المبادىء (الخُلُقيّة) .

unprintable [ŭn prĭn'tə bəl] *(adj.)* غير صالح للطبع (وبخاصة لمنافاته للأخلاق) .

unprofessed [ŭn prə fĕst'] *(adj.)* غير معلَن أو مُعتَرَف به .

unprofessional [ŭn'prə fĕsh'ən əl] *(adj.)* (١) هاوٍ ؛ غير محترِف (٢) منافٍ لأخلاق المهنة .

unprofitable [ŭn prŏf'ĭt ə bəl] *(adj.)* (١) غير مربِح أو مُكسِب (٢) عديم الجدوى .

unpromising [ŭn prŏm'ə sĭng] *(adj.)* غير واعد : غير مرجوّ النجاح أو الفائدة .

unprompted [ŭn prŏmp'tĭd] *(adj.)* عفوي ؛ تلقائيّ .

unqualified [ŭn kwŏl'ə fīd'] *(adj.)* (١) غير مؤهَّل (٢) باتّ ؛ قاطع (refusal ~) (٣) تام (failure ~) (٤) مُفرط (praise ~) .

unquestionable [ŭn kwĕs'chən ə bəl] *(adj.)* (١) لا يرقى إليه الشكّ (٢) لا نزاع فيه .

unquestionably [-blĭ] *(adv.)* من غير ريب ؛ على نحو لا يرقى إليه الشكّ أو لا نزاعَ فيه .

unquestioned [ŭn kwĕs'chənd] *(adj.)* غير مُفنَّد ؛ من غير تفنيد .

unquestioning [ŭn kwĕs'-] *(adj.)* كامل ؛ تام ؛ مُنجَز من غير تردّد أو مناقشة أو اعتراض (his ~ obedience) .

unquiet [ŭn kwī'ət] *(adj.)* (١) مضطرب (٢) قلِق .

unquote [ŭn kwōt'] *(vi.)* يختم كلاماً مقتبساً (بإغلاق علامة الاقتباس أو نحوها) .

unravel [ŭn răv'əl] *(vt.; i.)* (١) يحُلّ (الخيوط أو الألغاز) . ×(٢) ينحلّ .

unread [ŭn rĕd'] *(adj.)* (١) غير مقروء (٢) غير مطّلع (على علمٍ ما) .

unreal [ŭn rē'əl] *(adj.)* (١) غير حقيقي (٢) مصطنَع . (٣) كاذب ؛ زائف (٤) وهمي .

unrealistic [ŭn rē ə lĭs'tĭk] *(adj.)* غير واقعيّ .

unreason [ŭn rē'zən] *(n.)* جنون .

unreasonable [ŭn rē'zən ə bəl] *(adj.)* (١) غير عاقل (the ~ beasts) (٢) غير عقلانيّ (٣) مفرط أو غير معقول .

unreasoning [ŭn rē'zən ĭng] *(adj.)* (١) مَسُوق بالعاطفة الجامحة (٢) مُفرِط ؛ شديد ؛ بالغ (terror ~) .

unreconstructed [ŭn rē kən strŭk'tĭd] *(adj.)* متمسّك بعنادٍ بالمبادىء والمعتقدات البالية (politicians ~) .

unreel [ŭn rēl'] *(vt.; i.)* (١) يكِرّ (شيئاً ملفوفاً على بكرة) . ×(٢) ينكرّ .

unreeve [ŭn rēv'] *(vt.)* يسحب (الحبلَ) من ثقب أو حلقة .

unreflective [ŭn'rĭ flĕk'tĭv] *(adj.)* طائش .

unregenerate [ŭn'rĭ jĕn'ər ĭt] *(adj.)* (١) ضالّ : غير مهتدٍ إلى نور الإيمان (٢) «أ» عنيد . «ب» متمسّك بعناد بالمعتقدات البالية .

unrelenting [ŭn'rĭ lĕn'tĭng] *(adj.)* (١) قاسٍ ؛ صارم (٢) لا يلين أو يضعُف .

unreliable [ŭn'rĭ lī' ə bəl] *(adj.)* غير جدير بالثقة أو الاعتماد .

unreligious [ŭn rĭ lĭj'əs] *(adj.)* (١) irreligious (٢) لادينيّ .

unremitting [ŭn rĭ mĭt'ĭng] *(adj.)* متواصل ؛ مطّرد ؛ غير منقطع .

unreserve [ŭn'rĭ zûrv'] *(n.)* (١) لاتحفّظ (٢) صراحة .

unreserved [ŭn'rĭ zûrvd'] *(adj.)* (١) تام ؛ كامل ؛ غير متحفّظ (enthusiasm ~) (٢) صريح .

unreservedly [ŭn'rĭ zûr'-] *(adv.)* (١) بغير تحفّظ (٢) بصراحة .

unrest [ŭn rĕst'] *(n.)* (١) قلق (٢) اضطراب (social ~) .

unrestrained [ŭn'rĭ strānd'] *(adj.)* (١)مفرط ؛مسرف ؛ غير مقيَّد (٢) عفويّ ؛ غير مرتبك .
unrestricted [ŭn'rĭ strĭk'tĭd] *(adj.)* غير مقيَّد أو محدود الخ .
unrevenged [ŭn'rĭ vĕnjd'] *(adj.)* غير مثأر أو منتقَم له .
unrewarded [ŭn'rĭ wôr'dĭd] *(adj.)* غير مكافأ ؛ غير مُجازًى .
unriddle [ŭn rĭd'əl] *(vt.)* يحل لغزاً أو أحجيةً الخ .
unrig [ŭn rĭg'] *(vt.)* (١)ينزع أشرعة المركب (٢)ينزع الملابس .
unrighteous [ŭn rī'chəs] *(adj.)* (١) آثم ؛ شرير (٢) جائر ؛ ظالم ؛ مخالف للعدالة .
unrip [ŭn rĭp'] *(vt.)* (١)يفتق ؛ يمزِّق ؛ يشرط (٢)يكشف عن .
unripe [ŭn rīp'] *(adj.)* (١) فِجّ ؛ غير ناضج (٢) غير مستعدّ أو مهيّأً لِـ (٣)غير موات؛غير مناسب (The time seemed ~.) .
unrivaled *or* **unrivalled** [ŭn rī'vəld] *(adj.)* فذّ ؛ منقطع النظير ؛ لا يُضارَع .
unrobe [ŭn rōb'] *(vt.; i.)* يخلع الثياب أو الملابس .
unroll [ŭn rōl'] *(vt.; i.)* (١) ينشر ؛ يبسط (٢) يكشف عن ×(٣) ينتشر ؛ ينبسط
unroof [ŭn ro͞of'] *(vt.)* ينزع سقفه أو غطاءه .
unroot [ŭn ro͞ot'] *(vt.; i.)* (١) يجتثّ ؛ يستأصل (من الجذور) . ×(٢) يُستأصَل .
unruffled [ŭn rŭf'əld] *(adj.)* (١) هادئ (٢) أملس .
unruly [ŭn ro͞o'lĭ] *(adj.)* (١) عنيد ؛ صعب المراس (٢) جامح ؛ عاصف الخ .
unsaddle [ŭn săd'əl] *(vt.; i.)* (١) ينزع السَّرج عن (٢) يطرح عن صهوة الجواد .
unsafe [ŭn sāf'] *(adj.)* خطِر ؛ غير مأمون ؛ لا يوثَق به .
unsaturate [ŭn săch'ə rĭt] *(n.)* مركَّب (كيميائي) غير مُشبَع .
unsaturated [ŭn săch'ə rā'tĭd] *(adj.)* غير مُشبَع (ك) .
unsaved [ŭn sāvd'] *(adj.)* غير مُنقَذ ؛ وبخاصة : غير منقَذ من القصاص الأبدي .
unsavory [ŭn sā'və rĭ] *(adj.)* (١)تَفِه ؛ لا طعمَ له (٢) كريه . (٣) بغيض أخلاقياً .
unsay [ŭn sā'] *(vt.)* يسحب كلامه ؛ يرجع عن كلامه .
unscathed [ŭn skāthd'] *(adj.)* سالم : لم يُصَب بأذى .
unschooled [ŭn sko͞old'] *(adj.)* (١) غير معلَّم أو مدرَّب . (٢) طبيعيّ ؛ فطريّ (~ talents) .
unscientific [ŭn'sī ən tĭf'ĭk] *(adj.)* غير علمي : «أ» غير متّفق مع العلم أو الأساليب العلمية (~ management) . «ب» غير عامل وفقاً للطرائق العلمية (an ~ farmer) .
unscramble [ŭn skrăm'bəl] *(vt.)* (١) يردّ شيئاً مختلطاً إلى عناصره الأصلية : يحلّ ؛ يوضح (٢) يردّ (رسالةً لاسلكية) إلى شكلها المفهوم .
unscrew [-skro͞o'] *(vt.; i.)* (١)يفكّ اللولب أو اللوالب ×(٢)ينفكّ .
unscrupulous [ŭn skro͞o'pyə ləs] *(adj.)* عديم الضمير ؛ مجرَّد من المبادئ الخلقية .
unseal [ŭn sēl'] *(vt.)* (١) يفضّ الختم عن (٢) يفتح .
unseam [ŭn sēm'] *(vt.)* يفتِّق ؛ يمزِّق ؛ يفتح الدرزة .
unsearchable [ŭn sûr'chə bəl] *(adj.)* غامض ؛ خفيّ ؛ لا يُسبَر غوره (~ ways of Providence) .
unseasonable [ŭn sē'zən ə bəl] *(adj.)* (١) في غير أوانه . (٢)غير مألوف أو مرغوب فيه (في فصل معيَّن من السنة) (٣)متّسِم بأحوال جوية كهذه (suffered from the ~ summer) .
unseat [ŭn sēt'] *(vt.)* (١)ينزله عن مقعده (وبخاصة عن السرج) . (٢) يعزل ؛ يخلع
unseemly [ŭn sēm'lĭ] *(adj.; adv.)* (١) غير ملائم أو لائق . §(٢) على نحوٍ غير ملائم الخ .
unseen [ŭn sēn'] *(adj.)* غير مرئيّ ؛ غير منظور .
unsegregated [ŭn sĕg'-] *(adj.)* خالٍ أو مجرَّد من التمييز العنصري .
unselfish [ŭn sĕl'fĭsh] *(adj.)* إيثاريّ ؛ غير أنانيّ .
unset [ŭn sĕt'] *(adj.)* (١) غير مركَّب في إطار الفَصّ (صفة لجوهرة الخ .) (٢) غير مصلَّد (~ concrete) .
unsettle [ŭn sĕt'əl] *(vt.; i.)* (١) يزيح (٢) يشوش (٣) يزعزع (المعتقدات الخ.) (٤) يقلِق ؛ يثير ×(٥)يتشوّش ؛ يتزعزع الخ .
unsettled [-'əld] *(adj.)* (١) مضطرب (~ political conditions) (٢)متقلِّب (The weather was ~.) (٣)متردِّد ؛ مرتاب (٤) متنازَع فيه ؛ غير مفصول فيه (~ questions) (٥) غير مستقرّ (an ~ life) (٦) غير مأهول (an ~ territory) (٧)مضطرب (عقلياً) (٨)غير مسدَّد أو مسوّى (an ~ debt) .
unsew [ŭn sō'] *(vt.)* يفتِّق أو يمزِّق (المَخيط) .
unsex [ŭn sĕks'] *(vt.)* (١) يُفقده الجنس أو القوة الجنسية . (٢) يُفقده الأنوثة .
unshackle [ŭn shăk'əl] *(vt.)* يحرر من الأغلال أو الأصفاد .
unshaped [ŭn shāpt'] *(adj.)* (١)عديم الشكل (٢)شائه ؛ مشوَّه .
unshapen [ŭn shā'pən] *(adj.)* = unshaped.
unsheathe [ŭn shēth'] *(vt.)* يستل (من غمدٍ) .
unship [ŭn shĭp'] *(vt.)* (١) ينزل (الركاب أو السلع) من سفينة . (٢)ينزع (المجذاف الخ.) من مكانه (٣)يزيل أو يتخلص من (ع) .
unshod [ŭn shŏd'] *(adj.)* حافٍ ؛ غير منتعِل .
unsight [ŭn sīt'] *(adj.)* غير معايَن أو ممتحَن أو مفحوص .
unsightly [ŭn sīt'lĭ] *(adj.)* بشِع ؛ قبيح .
unskilled [ŭn skĭld'] *(adj.)* (١)غير بارع (٢)غير متطلب براعة .
unskillful [ŭn skĭl'fəl] *(adj.)* غير بارع .
unslaked lime [ŭn slākt'] جير غير مطفأ .
unsling [ŭn slĭng'] *(vt.)* ينزع ؛ يخلع ؛ يقلع .
unsnap [ŭn snăp'] *(vt.)* (١) يفك الإبزيم (٢) يفتح .
unsnarl [ŭn snärl'] *(vt.)* يحل (خيوطاً متشابكة أو أموراً معقَّدة) .
unsociable [ŭn sō'-] *(adj.)* (١) منطوٍ على نفسه (٢) انطوائيّ .
unsocial [ŭn sō'shəl] *(adj.)* = antisocial.
unsophisticated [ŭn'sə fĭs'tə kā'tĭd] *(adj.)* (١)غير ممذوق أو مغشوش (٢)غير مَشوب (٣)ساذج (٤)بسيط ؛ غير مزخرف أو معقَّد .
unsought [ŭn sôt'] *(adj.)* (١) غير ملتمَس أو منشود (٢) غير مكتسَب بالجهد أو البحث .
unsound [ŭn sound'] *(adj.)* (١)معتل الصحة أو العقل (٢)فاسد : غير صالح للأكل (٣) فاسد أخلاقياً (٤) غير ثابت أو راسخ (٥) «أ» غير صحيح . «ب» غير سليم (٦)خفيف (~ slumber) .
unsparing [ŭn spâr'ĭng] *(adj.)* (١) قاسٍ ؛ عديم الرحمة . (٢) «أ» وافر . «ب» سخيّ .
unspeakable [ŭn spē'kə bəl] *(adj.)* (١) لا يوصَف (٢) لا يصحّ ذكره ؛ رديء جداً .
unspotted [ŭn spŏt'ĭd] *(adj.)* (١) غير ملطَّخ أو ملوَّث . (٢) خِلوٌ من العيوب الأخلاقية .

ă at; ā date; â care; ä car; ĕ egg; ē me; ĭ in; ī bite; ŏ lot; ō bone; ô orphan; oi boil o͝o good; o͞o boot; ou out; ŭ under; ū unity; û urgent; th thing; t͟h this; zh vision; ə = *a* in alone, *e* in system, *i* in easily, *o* in gallop, *u* in circus.

unsprung [ŭn sprŭng'] *(adj.)* لانابضيّ : غير مزوَّد بنوابض أو زنبركات .

unstable [ŭn stā'bəl] *(adj.)* (١) غير مستقرّ (٢) مُزَعزَع (٣) ضعيف (٤) متقلّب (٥) لا مستقرّ (ك) (٦) عاجز عن ضبط عواطفه .

unsteady [ŭn stĕd'ĭ] *(adj.)* (١)مقلقَل ؛ غير مستقرّ (٢)متقلّب . (٣) غير مطَّرِد .

unstick [ŭn stĭk'] *(vt.)* يفَصِل (شيئاً ملتصقاً الخ.) .

unstop [ŭn stŏp'] *(vt.)* (١) ينزع السِّدادة (٢) يفتح .

unstrap [ŭn străp'] *(vt.)* يُرخي أو ينزع الحزام الخ .

unstring [ŭn strĭng'] *(vt.)* (١) يرخي أو ينزع أوتار الآلة الموسيقية الخ. (٢) يُخرِج (حبات السُّبحة) من السلك (٣) يوتّر (الأعصاب) .

unstrung [ŭn strŭng'] *(adj.)* (١) مرْخيّ أو منزوع الأوتار (٢) متوتّر الأعصاب .

unstuck [-stŭk'] *(adj.)* (١)غير ملصَق أو مثبَّت (٢)مُخفِق ؛ فاشل .

unstudied [ŭn stŭd'ĭd] *(adj.)* (١) غير متضلّع (من علمٍ ما) . (٢) طبيعيّ ؛ غير متكلَّف (٣) مرتجَل .

unsubstantial [ŭn'səb stăn'shəl] *(adj.)* (١) «أ» لا أساس له . «ب» وهميّ (٢) ضعيف .

unsuccess [ŭn'sək sĕs'] *(n.)* إخفاق ؛ لا نجاح .

unsuccessful [ŭn'sək sĕs'fəl] *(adj.)* مخفق ؛ غير ناجح .

unsuitable [ŭn sōō'tə bəl] *(adj.)* غير ملائم أو لائق .

unsung [ŭn sŭng'] *(adj.)* (١) غير مغنّى (٢) غير مُتغنّى به في الأغاني والقصائد .

unswathe [ŭn swāṯẖ'] *(vt.)* يحرر من عِصابة أو رباط .

unswear [ŭn swâr'] *(vi.; t.)* (١)يرجع عن قسَمِه ×(٢)ينقض قسَمَهُ (بقسَمٍ ثانٍ) .

unsymmetrical [ŭn sĭ mĕt'rə kəl] *(adj.)* = asymmetric.

untangle [ŭn tăng'gəl] *(vt.)* يحلّ ؛ يفكّ .

untaught [ŭn tôt'] *(adj.)* (١) جاهل (٢) طبيعيّ ؛ عفويّ .

unteach [ŭn tēch'] *(vt.)* (١)يجعله يطّرح فكرة الخ. (٢)يثْبِت خطأ فكرةٍ شائعة ؛ يحطّم اسطورة أو كذبة .

untenable [ŭn tĕn'ə bəl] *(adj.)* (١) متعذّرٌ الدفاع عنه . (٢) متعذّرٌ احتلالُه .

untether [ŭn tĕṯẖ'ər] *(vt.)* يحرّر من طِوَل أو عِقال .

unthankful [ŭn thăngk'fəl] *(adj.)* (١)جاحد للجميل ؛ عاقّ . (٢) كريه ؛ بغيض .

unthinkable [ŭn thĭngk'ə bəl] *(adj.)* (١) لا يُتصوَّر . (٢) لا يُصدَّق (٣) غير وارد ؛ لا مجال للتفكير فيه .

unthinking [ŭn thĭngk'ĭng] *(adj.)* (١)غافل ؛ غير مفكّر (٢)غير دالّ على تفكير (a round ~ face) (٣)غير عاقل (~ animals) .

unthread [ŭn thrĕd'] *(vt.)* (١) يسحب خيطاً من (٢) يحلّ الخيوط أو الألغاز (٣) يشقّ طريقه عبر كذا .

unthrone [ŭn thrōn'] *(vt.)* يخلع عن العرش أو نحوه .

untidy [ŭn tī'dĭ] *(adj.)* (١) مُهمَل ؛ غير مرتّب (٢) مُهمِل (٣) قذِر (٤) غير ملائم

untie [ŭn tī'] *(vt.; i.)* (١)«أ» يفكّ . «ب» يحلّ ×(٢)«أ» ينفكّ . «ب» ينحلّ .

until [ŭn tĭl'] *(prep.; conj.)* (١) إلى ؛ حتى (~ June) . (٢) قبلَ (not available ~ tomorrow) §(٣) إلى أن ؛ إلى ما بعد كذا (waited ~ the sun had set) .

untimely [ŭn tīm'lĭ] *(adv.; adj.)* (١)في غير أوانه (٢)قبل الأوان (died ~) §(٣) مبكّر (~ death) (٤) غير ملائم ؛ في غير محله (an ~ joke) .

unto [ŭn'tōō] *(prep.)* حتى ؛ إلى .

untold [ŭn tōld'] *(adj.)* (١) «أ» لا يُعدّ ولا يحصى . «ب» غير محدود (٢) «أ» غير مرْوِيّ . «ب» محتفَظ به طيّ الكتمان .

untouchable [ŭn tŭch'ə bəl] *(adj.; n.)* (١)«أ» مُحظَّر مسّه . «ب» لا يُمَسّ ؛ فوق النقد (٢) واقع وراء المتناوَل (٣) نَجِيس §(٤)المنبوذ : أحد أفراد الطبقة الاجتماعيّة الدنيا في الهند .

—**untouchability** *(n.)*

untoward [ŭn tōrd'] *(adj.)* (١) «أ» شَكِس . «ب» صعب المراس . «ج» قاحِل (٢)مشؤوم (٣)معاكس ؛ غير مواتٍ (~ conditions) .

untraveled [ŭn trăv'əld] *(adj.)* (١)غير ممرّس بالاسفار ؛ لم يسافر إلى مواطن بعيدة (٢) غير مطروق (~ deserts) .

untraversed [ŭn trăv'ərst] *(adj.)* غير مطروق ؛ لم تطأه الأقدام .

untread [ŭn trĕd'] *(vt.)* يرجع من حيث أتى .

untried [ŭn trīd'] *(adj.)* (١) غير مجرَّب (٢) غير مُحاكَم (an ~ prisoner) .

untrue [ŭn trōō'] *(adj.)* (١) خائن ؛ غير وفيّ (٢) غير دقيق ؛ غير منطبق على القاعدة (٣) كاذب ؛ غير صحيح .

untruthful [ŭn trōōth'fəl] *(adj.)* كاذب ؛ غير صحيح .

untune [ŭn tūn'] *(vt.)* (١)يفسِد الدوزنة (~ that string) (٢) يشوّش (الذهن) .

untutored [ŭn tū'tərd] *(adj.)* (١) غير مثقَّف (٢) ساذج . (٣) فطريّ : غير مكتسَب بالثقافة .

untwine [ŭn twīn'] *(vt.; i.)* (١) يحلّ ؛ يفكّ ×(٢) ينحلّ .

untwist [ŭn twĭst'] *(vt.; i.)* = untwine.

unused [ŭn ūzd'] *(adj.)* (١)غير متعوِّد (٢) جديد ؛ غير مستعمَل (٣) شاغر (~ apartments) (٤) متراكم .

unusual [ŭn ū'zhōō əl] *(adj.)* (١) نادر ؛ استثنائيّ (٢)فريد ؛ فذّ .

unutterable [ŭn ŭt'ər ə-] *(adj.)* لا يوصف ؛ يجلّ عن الوصف .

unvalued [ŭn văl'ūd] *(adj.)* (١) تافه ؛ ضئيل القيمة (٢) غير مثمَّن أو مُخمَّن .

unvarnished [ŭn vär'nĭsht] *(adj.)* (١) بسيط ؛ غير مزخرف . (٢) صريح ؛ عارٍ (the ~ truth) (٣) غير مصقول .

unveil [ŭn vāl'] *(vt.; i.)* (١) يكشف النقاب عن ×(٢) يميط اللثام (عن وجهه) .

unvoiced [ŭn voist'] *(adj.)* (١) غير معبَّر عنه بالألفاظ . (٢) صامت (ل) .

unwarrantable [ŭn wôr'-] *(adj.)* لا مبرِّر له ؛ غير لائق أو مشروع .

unwarranted [ŭn wôr'ən tĭd] *(adj.)* (١)غير مُجاز أو مرخَّص به (٢) لا مبرر له

unwary [ŭn wâr'ĭ] *(adj.)* (١) غافل ؛ غير حذِر (٢) متهوّر .

unwashed [ŭn wôsht'] *(adj.; n.)* (١)غير مغسول (٢)عاميّ ؛ جاهل §(٣)الرَّعاع

unwearied [ŭn wĭr'ĭd] *(adj.)* (١) غير متْعَب (٢) لا يعرف التعب أو الكلل .

unweave [ŭn wēv'] *(vt.)* (١) ينْقُض النسج (٢) يحُلّ ؛ يفكّ .

unwell [ŭn wĕl'] *(adj.)* (١) مريض ؛ معتل الصحة (٢) حائض .

unwholesome [ŭn hōl'səm] *(adj.)* (١) ضارّ ، مؤذٍ . (٢) فاسد (٣) كريه .

unwieldy [ŭn wēl'dĭ] *(adj.)* (١) صعب المأخذ (لثقلِهِ أو ضخامته) (٢) غير عمليّ .

unwilled [ŭn wĭld'] *(adj.)* لاإراديّ ؛ غير مقصود .

unwilling [ŭn wĭl'ĭng] *(adj.)* (١) معارِض (٢) غير مقصود . (٣) كارِه لِ (٤) عنيد ، شَموس .

unwind [ŭn wīnd'] *(vt.; i.)* (١) يحلّ ؛ يفكّ ، يَبْسط ، ينشر . ×(٢) ينحلّ (٣) يسترخي (enabled him to ~) .

unwisdom [ŭn wĭz'dəm] *(n.)* حماقة ، طَيْش .

unwise [ŭn wīz'] *(adj.)* أحمق ؛ طائش ، غير حكيم .

unwitting [ŭn wĭt'ĭng] *(adj.)* (١) غير متعمَّد أو مقصود . (٢) غير عالِم أو دارٍ .

unwonted [ŭn wŭn'tĭd] *(adj.)* (١) نادر ، غير مألوف (٢) غير متعوِّد (ا.م) .

unworldly[ŭn wûrld'lĭ] *(adj.)* (١)روحيّ ؛ غير أرضيّ (٢)ساذج .

unworn [ŭn wōrn'] *(adj.)* (١) غير بالٍ (٢) جديد .

unworthy [ŭn wûr'thĭ] *(adj.)* (١) تافه (٢) حقير (٣) جائر (~ treatment) (٤) غير جدير بِ (٥) غير مستحِق .

unwrap [ŭn răp'] *(vt.)* (١) يفتح ؛ يفضّ (٢) يَتَبَسَّط ، يَنْتَشر .

unwritten [ŭn rĭt'ən] *(adj.)* (١) غير مكتوب : شفهيّ ؛ تقليدي (٢) خالٍ من الكتابة .

unyielding [ŭn yēl'dĭng] *(adj.)* (١) قاسٍ ، صُلْب (٢)عنيد .

unyoke [ŭn yōk'] *(vt.)* (١) يحرِّر من النِّير (٢) يفكّ .

up [ŭp] *(adv.; adj.; vi.; t.; prep.; n.)* (١) فوق (٢) إلى فوق . (٣) مستيقظاً (stayed ~ all night long) (٤) عالياً (~ in the mountains) (٥)على قدميه (٦)فما فوق (rent from $ 400 ~) (٧) بغير إبطاء (~ spoke right) (٨) بحروف استهلاليّة (Put all of these words ~.) (٩) لكلّ فريق (The score is 17 ~.) §(١٠) مشرق (The sun is ~.) (١١) واقف على قدميه (١٢) مستيقظ (١٣) عالٍ نسبياً (The river is ~.) (١٤) مرفوع (The windows are ~.) (١٥) مُشيَّد ؛ مبنيّ (Bridges are ~.) (١٦) مُمْتَطٍ «جواداً» (with a new jockey ~) (١٧) فائر ؛ ثائر الخ. (His fighting blood was ~.) (١٨) مستعدّ (was ~ to any party of pleasure) (١٩)جارٍ ، حادث (to find out what is ~) (٢٠)مُنقضٍ ، منتهٍ (Our time is ~.) (٢١) حسَن الاطلاع (~ on the news) (٢٢)متقدم على خصمِهِ (٢٣)متّهَم أمام القضاء (~ for robbery) (٢٤) مراهَن به (Thousands of dollars were ~ on the match.) §(٢٥) يُقدِم فجأةً على (He ~ and married a call girl.) (٢٦) «أ» ينهض . «ب» يرتفع ×(٢٧) يرفع (٢٨) يزيد (الأجور الخ.) (٢٩) يرفع ؛ يرقّي §(٣٠) نحو أو إلى أو في داخل كذا (is traveling ~ the country) (٣١) ضدّ (~ the wind) §(٣٢) حركةٌ صاعدة ؛ حُدورٌ صاعد (٣٣) فترة (أو حالة) نجاح أو ازدهار (٣٤) ارتفاع في القيمة أو السعر .

Parliament is ~. انفضّ البرلمان .

There's something ~, هناك شيء غير اعتياديّ يجري أو يُدبَّر الخ.

~ and down (١) جيئةً وذهوباً (٢) صعوداً ونزولاً .

~s and downs صَرْف الزمان ، سُعود الحياة ونحوسها .

~ to (١) مشغول أو منهمك بِ (٢) كفوٌ أو أهل لِ (٣)حتى أو إلى كذا (٤)مطلوب منه ، من واجبه كذا. (٥) بمستوى كذا ؛ على مستوى كذا .

~ to date (را. date) .

up-and-coming*(adj.)* مرجوّ : متوقَّع له النجاح أو الازدهار .

up-and-down*(adj.)* (١)متعاقِب الارتفاع والانخفاض (٢)عموديّ .

upas [ū'pəs] *(n.)* (١) الأوباس : شجر يُتّخذ من نُسْغه سمّ للسهام (٢) نُسغ الأوباس السامّ .

upbear [ŭp bâr'] *(vt.)* يرفع ؛ يسند ؛ يدعم .

upbeat [ŭp'bēt] *(adj.)* متفائل ؛ مبتهج ؛ سعيد .

upbraid [ŭp brād'] *(vt.)* يلوم أو ينتقد أو يوبّخ بقسوة .

upbringing [ŭp'brĭng'ĭng] *(n.)* تنشئة ؛ تربية .

upbuild [ŭp bĭld'] *(vt.)* يبني ؛ ينشىء ؛ يؤسّس .

upcast [ŭp'kăst] *(n.; adj.)* (١) المَهْوَى الصاعد : مَجاز ينطلق عبره الهواء (من منجم) §(٢) موجَّه إلى أعلى .

upchuck [ŭp'chŭk'] *(vt.; i.)* يتقيأ ؛ يقيء (ع) .

up-country [ŭp'kŭn'trĭ] *(adj.; adv.; n.)* (١)ذو علاقة بالجزء الداخلي من البلاد أو مميز له §(٢) إلى أو في الجزء الداخلي من البلاد §(٣) الجزء الداخلي من البلاد .

update *(vt.)* يحدِّث ؛ يعصِّر : يجعله حديثًا أو عصريًّا .

updraft [ŭp'drăft] *(n.)* تيار (هوائي) صاعد .

upgrowth [ŭp'grōth'] *(n.)* (١) نموّ ؛ نشوء (٢) شيء نام .

upheaval [ŭp hē'vəl] *(n.)* (١) ارتفاع (يصيب جزءاً من قشرة الأرض) (٢) جيَشان ، ثوَران .

upheave [ŭp hēv'] *(vt.; i.)* (١) يرفع (٢) يوقع الاضطراب في . ×(٣) يرتفع ؛ يَجيش .

uphill [*n., adj.* ŭp'hĭl; *adv.* ŭp'hĭl'] *(n.; adv.; adj.)* (١)مرتقًى ؛ حدور صاعد §(٢)صُعُداً (في هضبة الخ.) §(٣) قائم على مرتفع (٤) صاعد (٥) شاق ؛ عسير .

uphold [ŭp hōld'] *(vt.)* (١)يدعم (٢)يؤيّد (٣)يرفع (يده الخ.) .

upholster [ŭp hōl'stər] *(vt.)* (١)ينجِّد (كرسياً الخ.) (٢)يزوِّد (غرفة) بالستائر والسجّاد الخ .

upholsterer [ŭp hōl'stər ər] *(n.)* المنجِّد ؛ منجِّد الأثاث .

upholstery [ŭp hōl'stə rĭ] *(n.)* (١) موادّ التنجيد (٢) التنجيد .

upkeep [ŭp'kēp'] *(n.)* (١) صيانة (٢) أجر الصيانة .

upland[ŭp'-] *(n.; adj.)* (١)نَجْد ؛ مرتفع من الأرض §(٢)نَجْديّ .

uplift [*v.* ŭp lĭft'; *n.* ŭp'lĭft] *(vt.; i.; n.)* (١)يرفع (٢) يرقّي ؛ ينهض بِ ×(٣) يرتفع §(٤)«أ» رفع . «ب» ارتفاع (٥) ترقية ؛ نهوض بِ (٦) حركة إنْهاض (أخلاقيّ أو ثقافيّ) .

upload [ŭp'lōd'] *(vt.)* ينقل (المعلومات) إلى كمبيوتر رئيسيّ .

upmost [ŭp'mōst] *(adj.)* = uppermost.

upon [ə pŏn'] *(prep.)* (١) على (٢) فوق (٣) على وشك (ا.ق) . (٤)حوالى (ا.ق) (٥) بُعَيْد (٦)نزولاً (عند طلب) (٧)عند ؛ حين .

upper [ŭp'ər] *(adj.; n.)* (١) عُلْويّ (٢) أعلى (٣) فوقيّ (~ clothes) (٤)مؤلِّف الفرع المقصور على الأعيان من هيئة تشريعية ثنائية (كمجلس اللوردات **Upper House** في انكلترة) (٥)الأبعد عن الباب (the ~ end of the room) (٦) متعلق بحقبة أحدث (جي) (٧)شماليّ §(٨)الفَرْعَة : الجزء العلوي من الحذاء.

on one's ~s (١) بالي النَّعل (٢) مُعْدِم ؛ فقير .

upper case *(n.)* الصندوق الأعلى : صندوق الأحرف الاستهلالية (طع) .

uppercase [ŭp'ər kās'] *(adj.; n.; vt.)* (١) استهلاليّ ، كبير

(~ letters) §(٢) حروف استهلاليّة §(٣) يطبع أو يصفّ بحروف استهلاليّة.

upper-class [ŭp'ər klăs'] *(adj.)* ارستوقراطي : خاصّ بالطبقة الاجتماعيّة العليا أو مميِّز لها.

upperclassman [ŭp'ər klăs'mən] *(n.)* طالب في السنة الثالثة أو الرابعة من كلية أو مدرسة عالية.

upper crust *(n.)* الطبقة الاجتماعيّة العليا.

uppercut [ŭp'ər kŭt'] *(n.; vt.; i.)* (١) لكمة موجّهة من تحت إلى فوق (نحو ذقن الخصم) §(٢) يلكم على هذا النحو.

upper hand *(n.)* هيمنة ؛ سيطرة ؛ سلطة.

uppermost [ŭp'ər mōst'] *(adj.; adv.)* (١) الأعلى ؛ الأرفع ؛ الأسمى §(٢) إلى أو نحو الأعلى (٣) أولاً.

uppish [ŭp'ĭsh] *(adj.)* مغرورٌ ؛ مُعتدّ بنفسه.

upraise [ŭp rāz'] *(vt.)* يرفع.

uprear [ŭp rĭr'] *(vt.; i.)* (١) يرفع (٢) يشيّد ×(٣) يرتفع.

upright [ŭp'rīt'] *(adj.; n.)* (١) «أ» عموديّ. «ب» منتصب. (٢) مستقيم (أخلاقياً) §(٣) وضع عموديّ (٤) شيء عموديّ الخ.

upright piano *(n.)* البيان العموديّ: بيان عموديّ الأوتار.

uprise [*v.* ŭp rīz'; *n.* ŭp'rīz'] *(vi.; n.)* (١) «أ» يرتفع. «ب» يقف (على قدميه). «ج» ينهض (من الفراش). «د» يبرز من وراء الأفق. «هـ» يبرز ؛ يظهر §(٢) ارتفاع ؛ بروز ؛ ظهور الخ.

uprising [ŭp'rī'zĭng] *(n.)* (١) مص uprise (٢) ثورة.

uproar [ŭp'rōr'] *(n.)* (١) اضطراب ؛ اهتياج (٢) صَخَب ؛ ضَجيج.

uproarious [ŭp rōr'ĭ əs] *(adj.)* صاخب ؛ ضاجّ.

uproot [ŭp ro͞ot'] *(vt.)* يَجْتَثّ ؛ يستأصل (من الجذور).

uprose [ŭp rōz'] *past of* uprise.

uprouse [ŭp rouz'] *(vt.)* يوقظ ؛ يُنهض.

upset [*v., adj.* ŭp sĕt'; *n.* ŭp'sĕt'] *(vt.; i.; adj.; n.)* (١) يُغلّظ أو يُفلْطِح (الحديدَ) بالطَّرْق (٢) يَقْلِب (٣) يُقْلِق ؛ يزعج (٤) يُفسِد (نظامَ شيء) (٥) يُبطِل (وصيةً الخ.) (٦) يهزم على نحو غير متوقَّع (٧) يوعِك الصحة ×(٨) ينقلب §(٩) مقلوب (١٠) مضطرب أو مُفسَد النظام (١١) قَلِق §(١٢) قلبٌ (رأساً على عقب) (١٣) «أ» إفساد لنظام شيء. «ب» اضطراب ؛ اختلاط. «ج» شجار. «د» هزيمة غير متوقعة (١٤) «أ» اعتلال بسيط. «ب» قَلَق.

upset price *(n.)* السعر الأساسي: السعر الأدنى المحدَّد لسلعة تباع في مزاد علنيّ.

upshot [ŭp'shŏt'] *(n.)* (١) نتيجة (٢) زبدة ؛ جوهر.

upside [ŭp'sīd'] *(n.)* الجانب أو الجزء الأعلى.

upside down *(adv.)* رأساً على عَقِب.

upside-down *(adj.)* مقلوب رأساً على عقب.

upspring [ŭp sprĭng'] *(vi.)* (١) ينْبُت (٢) يبرز ؛ يظهر للوجود.

upstage [ŭp'stāj'] *(adv.; adj.)* (١) نحو أو في مؤخّر المسرح §(٢) متعلّق بمؤخّر المسرح (٣) متكبّر.

upstage [ŭp'stāj'] *(vt.)* (١) يُكرِه (الممثلَ) على البقاء في مؤخّر المسرح (٢) يَسْلُبُه فرصة الظهور على المسرح الخ. (٣) يعامله بتكبّر أو تعجرف.

upstairs [ŭp'stârz'] *(adv.; adj.; n.)* (١) فوق (٢) في أو إلى دَوْر أعلى (من مبنى) (٣) في أو إلى ارتفاع أو مركز أعلى §(٤) «أ» عُلوي (an ~ room). «ب» خاصّ بالأدوار العلوية (~ servant) (٥) أعلى ؛ عُليا (~ politics) §(٦) دَوْر أعلى ؛ أدوار عليا (من مبنى).

upstanding [ŭp stăn'dĭng] *(adj.)* (١) منتصب (٢) معافى ؛ صحيح الجسم (~ children) (٣) مستقيم ؛ شريف.

upstart [*v.* ŭp stärt'; *n., adj.* ŭp'stärt'] *(vi.; n.; adj.)* (١) يثب فجأة §(٢) «أ» مُحدَث النعمة. «ب» مُدَّعٍ ؛ مغرور.

upstate [ŭp'stāt'] *(adj.; n.)* (١) خاص بشماليّ ولاية ما §(٢) الجزء الشمالي من ولاية.

upstream [ŭp'strēm'] *(adv.)* في أو نحو أعلى النهر ؛ ضدّ التيار.

upsurge [ŭp'sûrj] *(n.)* زيادة سريعة ؛ ارتفاع مفاجىء.

upsweep [*v.* ŭp swēp'; *n.* ŭp'swēp'] *(vt.; n.)* (١) يُصعِّد : يرد إلى أعلى §(٢) التسريحة المصعَّدة : تسريحة يُسرَّح فيها الشعر إلى قمة الرأس.

upswept [ŭp'swĕpt'] *(adj.)* مصعَّد : مردودٌ إلى قمة الرأس.

upswing [ŭp'swĭng'] *(n.)* (١) حركة صاعدة (٢) تحسّن واضح ؛ ازدياد ملحوظ (في النشاط الخ.).

uptake [ŭp'tāk'] *(n.)* (١) فَهْم (٢) أنبوب أو مأخذ صاعد. (٣) امتصاص ؛ تمثّل.

upthrow [ŭp'thrō'] *(n.)* = upheaval.

upthrust [ŭp'thrŭst] *(n.)* دَفع عُلويّ ؛ وبخاصة : ارتفاع جزء من قشرة الأرض.

upturn [ŭp'tûrn'] *(vt.; i.; n.)* (١) «أ» يقلب. «ب» يقلب رأساً على عقب (٢) يوقع الاضطراب في (٣) يرفع إلى أعلى ×(٤) يرتفع إلى أعلى §(٥) اضطراب ؛ جيَشان (٦) ارتفاع ؛ تحسّن ؛ تقدّم.

upward [ŭp'wərd] *or* **upwards** [-'wərdz] *(adv.)* (١) «أ» إلى فوق ؛ نحو الأعلى. «ب» نحو المنبع أو الداخل (٢) فصاعداً ؛ فما فوق.

upward *(adj.)* (١) صاعد ؛ متّجه إلى أعلى (٢) أعلى ؛ عُليا.

upwards of *or* **upward of** *(adv.)* (١) أكثر من (٢) حوالى ؛ تقريباً.

ur- *or* **uro-** بادئة معناها : (١) «أ» بول. «ب» بوليّ (٢) ذَيْل.

uraemia [yo͝o rē'mĭ ə] *(n.)* = uremia.

Uralian [yo͝o rā'lĭ ən] *(adj.)* أوراليّ : منسوب إلى جبال الأورال.

Uralic [yo͝o răl'ĭk] *(adj.)* = Uralian.

uran- *or* **urano-** بادئة معناها : «أ» سماء. «ب» يورانيوم.

Urania [yo͝o rā'nĭ ə] *(n.)* يورانيا : مُوْزِيَة الفَلَك عند الاغريق (رَ. muse).

uranic [yo͝o răn'ĭk] *(adj.)* يورانيوميّ : منسوب إلى اليورانيوم (ك).

uraniferous [yo͝or ə nĭf'-] *(adj.)* يورانيومي : محتوٍ على يورانيوم (ك).

uranium [yo͝o rā'nĭ-] *(n.)* اليورانيوم : عنصر فلزي إشعاعي النشاط.

urano- = uran-.

uranography [yo͝or ə nŏg'rə fĭ] *(n.)* الأورانوغرافيا : «أ» عِلم وصف السماء والأجرام السماوية. «ب» وضع الخرائط السماوية.

uranological [yo͝or ə nō lŏj'ə kəl] *(adj.)* فَلَكِيّ.

uranology [yo͝or ə nŏl'ə jĭ] *(n.)* (١) عِلم الفلك (٢) دراسة عن السماء والأجرام السماوية.

uranometry [yo͝or ə nŏm'ə trĭ] *(n.)* (١) مصوَّر فلكي. (٢) قياس السماء.

uranous [yo͝or'ə nəs] *(adj.)* يورانيوميّ : منسوب إلى اليورانيوم (ك).

Uranus [yo͝or'ə nəs] *(n.)* أورانوس : «أ» إلٰه إغريقيّ. «ب» سابع الكواكب السيّارة (فل).

urate [yo͝or'āt] *(n.)* البَوْلات ، اليُورات : ملح الحامض البولي (ك).

urban [ûr'bən] *(adj.)* مَدَنِيّ : منسوب إلى المدينة.

urbane [ûr bān'] *(adj.)* مهذّب ؛ لطيف ؛ مصقول.

urbanism [ûr'bə nĭz əm] *(n.)* (١) المَدينيّة : طريقة الحياة المميِّزة لأهل المدن (٢) تمدُّن ؛ تحضُّر.

urbanite [ûr'bə nīt] *(n.)* المَدِينيّ : أحد سكان المدن .

urbanity [ŭr băn'ə tĭ] *(n.)* تهذيب ؛ لطف ؛ كياسة .

urbanization [ŭr bə nə zā'shən] *(n.)* تمدُّن ؛ تحضُّر (مج) .

urbanize [ŭr'bə nīz'] *(vt.)* يُمَدِّن : يخلع الصفة المَدينيّة (على منطقة زراعية) .

urceolate [ŭr'sĭ ə lĭt; lāt] *(adj.)* جَرّيّ : على صورة جَرّة .

urchin [ûr'chĭn] *(n.)* (١) قُنفُذ (ح) (٢) ولد صغير أو فقير أو شرير (٣) قنفذ البحر .

Urdu [ōōr'dōō] *(n.)* الأوردية : لغة الباكستان الأدبية .

-ure لاحقة معناها : «أ» عمل ؛ عملية (expos*ure*) . «ب» نتيجة عمل ما (pict*ure*) . «ج» حالة (pleas*ure*) . «د» منصب ؛ وظيفة (prefect*ure*) . «ﻫ» هيئة تقوم بعمل معيّن (legislat*ure*).

urea [yŏŏ rē'ə] *(n.)* البَوْلة : مادة متبلرة تكون في البول (كح) .

urease [yŏŏr'ĭ ās; -āz] *(n.)* البَوْلاز : خميرة محلّلة للبولة (كح) .

uremia [yŏŏ rē'mĭ ə] *(L.)* تبوُّلُن الدم (مض) .

ureter [yŏŏ rē'tər] *(n.)* الحالب : قناة ناقلة للبول من الكُلْية إلى المثانة (ت) .

urethr- *or* **urethro-** بادئة معناها : الإحليل ؛ مجرى البول .

urethra [yŏŏ rē'thrə] *(L.)* pl. **-s** *or* **-e** الإحليل ؛ مجرى البول .

urethritis [yŏŏr'ə thrī'tĭs] *(L.)* التهاب الإحليل (مض) .

urethroscope [yŏŏ rē'thrə skōp'] *(n.)* منظار الإحليل (ط) .

urge [ûrj] *(vt.; i.; n.)* (١) «أ» يلحّ على . «ب» يطالب (أو يبسط وجهة نظره) بإلحاح (٢) يتابع (القيام بأمر) بقوة وعزم (٣) «أ» يستحثّ . «ب» يستعجل أمراً (٤) يدفع بقوة (٥) يثير ؛ ينبه ×(٦) يُحاجّ ؛ يجادل (٧) يندفع (٨) يَحْفِز §(٩) إلحاح ؛ استعجال الخ . (١٠) دافع ؛ حافز .

urgency [ûr'jən sĭ] *(n.)* (١) إلحاح (٢) الإلحاحية : كون الشيء مُلِحّاً أو متطلّباً عملاً عاجلاً (a matter of great ~) (٣) *pl.* : حاجات أو مطالب مُلِحّة .

urgent [ûr'jənt] *(adj)* مُلِحّ : «أ» متطلّب عملاً عاجلاً (problems of an ~ nature) . «ب» لجوج ؛ كثير الإلحاح .

-urgy لاحقة معناها : تِقنيّة ؛ تكنيك (metall*urgy*) .

-uria لاحقة معناها : «أ» وجود مادة معيّنة في البول (albumin*uria*) . «ب» حالة مَرَضية متميزة بوجود مادة معيّنة (py*uria*) .

uric [yŏŏr'ĭk] *(adj.)* بَوْليّ : ذو علاقة بالبول .

uric acid *(n.)* الحامض البوليّ (ك) .

urinal [yŏŏr'ə nəl] *(n.)* المَبْوَلة : «أ» إناء يُبال فيه . «ب» مكان يُبال فيه .

urinalysis [yŏŏr'ə năl'ə sĭs] *(n.)* تحليل البول (كيميائياً) .

urinary [yŏŏr'ə nĕr'ĭ] *(adj.)* بَوْليّ .

urinary bladder *(n.)* المثانة البَوْليّة (ت) .

urinate [yŏŏr'ə nāt'] *(vi.)* يَبُول ؛ يبوِّل .

urination [yŏŏr ə nā'shən] *(n.)* تبوُّل (مج) .

urine [yŏŏr'ĭn] *(n.)* بَوْل .

uriniferous [yŏŏr'ə nĭf'ər əs] *(adj.)* ناقل للبول .

urinogenital [yŏŏr'ə nō jĕn'ə təl] *(adj.)* = urogenital.

urinometer [yŏŏr'ə nŏm'ə tər] *(n.)* المقياس البولي : أداة لتقدير الثقل النوعي للبول .

urinous [yŏŏr'ə nəs] *or* **urinose** [yŏŏr'ə nōs'] *(adj.)* بَوْليّ .

urn [ûrn] *(n.)* (١) جرّة (لحفظ رماد الموتى) (٢) وعاء معدنيّ ضخم للشاي أو القهوة (وبخاصة في مقهى) .

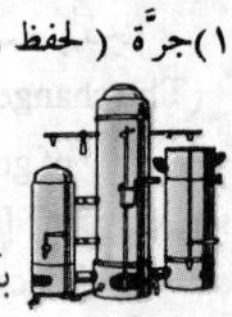

urns 2.

uro- = ur-.

urogenital [yŏŏr'ō jĕn'ə təl] *(adj.)* بَوْليّتناسليّ : متعلق بالبول والتناسل .

urolith [yŏŏr'ə lĭth] *(n.)* الحصاة البَوْلية (مض) .

urologist [yŏŏ rŏl'-] *(n.)* الاختصاصي بالبول والمجرى البَوليّ .

urology [yŏŏ rŏl'ə jĭ] *(n.)* مَبْحث البَوْل .

-uronic لاحقة معناها : بوليّ ؛ ذو علاقة بالبَوْل .

uropygial [yŏŏr ə pĭj'ĭ əl] *(adj.)* زِمِكّيّ .

uropygium [-'ĭ əm] *(L.)* الزِّمِكّ : منبت ذيل الطائر .

-urous لاحقة معناها : ذو ذيل أو ذنب .

Ursa Major [ûr'sə mā'jər] *(L.)* الدبّ الأكبر (فل) .

Ursa Minor [ûr'sə mī'nər] *(L.)* الدبّ الأصغر (فل) .

ursiform [ûr'sə fôrm'] *(adj.)* دُبّانيّ : شبيه بالدب .

ursine [ûr'sīn] *(adj.)* دُبّيّ : متعلّق أو شبيه بالدبّ أو بالدببة .

urticaria [ûr'tə kâr'ĭ ə] *(L.)* الشَّرى : طَفْح جلديّ ذو بثور حكّاكة (مض) .

urus [yŏŏr'əs] *(L.)* = aurochs.

us [ŭs] *(pron.)* نا : ضمير جماعة المتكلمين في حالتي النصب والجر (ل) .

usability [ū zə bəl'-] *(n.)* قابلية الاستعمال ؛ الصُّلوح للاستعمال .

usable [ū'zə bəl] *(adj.)* قابل أو صالح للاستعمال .

usage [ū'sĭj; ū'zĭj] *(n.)* (١) عُرْف (٢) الاستعمال : طريقة استعمال الألفاظ (٣) «أ» استعمال . «ب» معاملة .

usance [ū'zəns] *(n.)* (١) عُرْف (٢) استعمال (٣) «أ» مراباة (ا.م) . «ب» فائدة (٤) المدة العرفيّة (لدفع الكمبيالات في التجارة الخارجية) .

use [*v.* ūz; *n.* ūs] *(vt.; i.; n.)* (١) يعود (٢) يستعمل ؛ يستخدم (٣) يدمن (الخمر أو المخدرات الخ .) (٤) يعامل (~*d* the prisoners with brutality) (٥) يستفيد من استعمال كذا ×(٦) يتعوّد §(٧) «أ» استعمال . «ب» طريقة الاستعمال (٨) «أ» عُرْف . «ب» عادة (٩) «أ» حق استعمال شيء . «ب» القدرة على استعمال (عضوٍ أو مَلَكة الخ .) (١٠) غرض ؛ هدف (١١) فائدة ؛ نفع (١٢) حاجة ؛ ضرورة (١٣) مَيْل ؛ ولوع ؛ تقدير (has very little ~ for modern music) .
- in ~, رَهْن الاستعمال ؛ قيد الاستعمال .
- out of ~, غير مستعمَل ؛ لم يعد مستعملاً .
- to come into ~, يبدأ استعمالُه .
- to make (good) ~ of يفيد من .
- to ~ up يستهلك ؛ يستنفد .

useable [ū'zə bəl] *(adj.)* = usable.

used [ūzd; ūzt] *(adj.)* (١) مُستخدَم (٢) عتيق ؛ مستعمل (~ cars) (٣) متعوِّد (~ to hard work) .
Life isn't so easy here as it ~ to be. الحياة ليست يسيرة أو هيِّنة هنا كما كانت من قبل (أو كعهدها من قبل) .

useful [ūs'fəl] *(adj.)* نافع ؛ مفيد .

useless [ūs'lĭs] *(adj.)* عقيم ؛ عديم الجدوى ؛ غير ذي غَناء .

user [ū'zər] *(n.)* (١) المستعمِل (٢) «أ» التمتع بحقّ الاستعمال . «ب» الحقّ المكتسَب (الناشىء عن طول الاستعمال) .

usher [ŭsh'ər] *(n.; vt.)* (١) الحاجب : «أ» بوّاب في محكمة الخ . «ب» موظف يسعى أمام شخص ذي شأن (٢) الدليل : مرشد النظارة إلى مقاعدهم (في مسرح الخ .) (٣) مدرّس مساعد (ا.ق)

§(٤)«أ» يقود أو يرشد امرءاً إلى مقعده . «ب» يُدخِل . «ج» يواكب (٥) يعلن ؛ يبشّر باقتراب شيء (The change of government ~ *ed* in a period of prosperity.)

usquebaugh [ŭs'kwĭ bô'] *(n.)* ويسكي (إسك) .

ustulate [ŭs'chə lĭt; -lāt] *(adj.)* مسفوع ؛ شبه محروق .

ustulation[ŭs'chə lā'shən] *(n.)* (١) سَفْع ؛ إحراق (٢) تجفيف ؛ تحميص (صي) .

usual [ū'zhōō əl] *(adj.)* معتاد ؛ مألوف ؛ اعتيادي .

usufruct [ū'zyōō frŭkt'] *(L.)* حقّ الانتفاع (وبخاصة بممتلكات شخص آخر من غير أن يتلفها أو ينزل بها أيّ أذى) .

usufructuary [ū'zyōō frŭk'chōō-] *(n.; adj.)* (١) المنتفِع ؛ صاحب حق الانتفاع §(٢) انتفاعيّ .

usurer [ū'zhə rər] *(n.)* المُرابي .

usurious[ū'zhōōr'ĭ əs] *(adj.)* (١) مُرابٍ (٢) رِباويّ : خاصّ بالربا .

usurp [ū zûrp'] *(vt.; i.)* يغتصب (العرش الخ.) .

usury [ū'zhə rĭ] *(n.)* (١) «أ» فائدة (ا.ق) . «ب» مراباة . (٢) ربا فاحش .

utensil [ū tĕn'səl] *(n.)* (١) إناء ، وعاء (٢) أداة ؛ أداة نافعة .

uterine [ū'tər ĭn] *(adj.)* (١) من ناحية الأم (٢) رَحِمِيّ .

uterus [ū'tər əs] *(L.)* الرَّحِم (ت) .

utile [ū'tĭl] *(adj.)* عمليّ ؛ نافع ؛ مفيد .

utilitarian[ū tĭl'ə târ'ĭ ən] *(adj.; n.)* (١) مَنْفَعِيّ (٢) هادفٌ إلى المنفعة (لا إلى الجمال أو الأسلوب الخ.) §(٣) المنفعيّ : القائل بمذهب المنفعة .

utilitarianism [ū tĭl'ə târ'ĭ ə nĭz'əm] *(n.)* مذهب المنفعة : «أ» مذهب يقول بأن تحقيق أعظم الخير لأكبر عدد من الناس يجب أن يكون هدف السلوك البشري . «ب» مذهب يقول بأن الأعمال تكون صالحة إذا كانت نافعة .

utility [ū tĭl'ə tĭ] *(n.; adj.)* (١) منفعة ؛ نفع ؛ فائدة . (٢) شيء نافع أو معدّ للاستعمال (٣) مؤسّسة ذات منفعة عامة §(٤) ممكن استخدامه كبديل (a ~ actor) (٥) «أ» منفعيّ : مَعْنيّ به للمنفعة (كإنتاج اللحم أو اللبن أو البيض) لا لمجرّد الاستمتاع الخ. (~ livestock) . «ب» صالح للاستعمال ولكنه من نوع غير جيّد (~ beef) . «ج» مُعَدّ للنفع في المقام الأول وعلى حساب الجمال أو الذوق في كثير من الأحيان (~ furniture) . «د» مُعَدّ لأغراض عمليّة متعددة (~ knives *or* boats) .

utilize [ū'tə līz'] *(vt.)* (١) يفيد من ؛ ينتفع بِـ (٢) يستخدم ؛ يحوّل لغرض نافع . —**utilization** *(n.)*

utmost [ŭt'mōst'] *(adj.; n.)* (١) أعظم ؛ أكبر (of the ~ importance) (٢) أقصى ؛ أبعد (the ~ point of the earth) (٣) آخِر (the ~ penny) §(٤) الحدّ الأقصى (enjoyed herself to the ~) أُبْذُلْ أقصى جهدك . Do your ~.

utopia [ū tō'pĭ ə] *(Gk.)* (١) الطُّوبَى : مكان خيالي قصي جداً . (٢) *cap.* عد : اليوطوبيا ؛ المدينة الفاضلة : دنيا مثاليّة وبخاصة من حيث قوانينها وحكومتها وأحوالها الاجتماعيّة (٣) خطة غير عملية للإصلاح الاجتماعي .

utopian [ū tō'pĭ ən] *(adj. often cap.)* (١) «أ» يوطوبي : منسوب إلى اليوطوبيا أو مميِّز لها . «ب» منادٍ بإصلاحات اجتماعية وسياسية مثالية إلى حد يتعذر معه تطبيقها (٢) خياليّ ؛ وهميّ .

utopian [ū tō'pĭ ən] *(n.)* اليوطوبيّ : مصلح سياسيّ أو اجتماعيّ متحمّس ولكنه غير عمليّ .

utopianism [ū tō'pĭ ə nĭz'əm] *(n.)* اليوطوبية : «أ» معتقدات اليوطوبيين وأهدافهم . «ب» خطط مثالية غير عملية للاصلاح السياسي والاجتماعي .

utopian socialism *(n.)* الاشتراكية اليوطوبيّة .

utopism [ū'tə pĭz əm] *(n.)* = utopianism *a.*

utricle [ū'trə-] *(L.)* (١) قُرَيْبة ؛ عُيَيْبة ؛ حُوَيْصلة («نب» و«ح») . (٢) قُرَيبة الأذن الباطنة (ت) .

utricular [ū trĭk'yə lər] *(adj.)* قُرَيبي ؛ عُيَيْبِي ؛ حُوَيْصليّ .

utriculus [ū trĭk'yə-] *(L.)* قُرَيْبة ؛ وبخاصة : قُرَيْبة الأذن الباطنة .

utter [ŭt'ər] *(adj.; vt.)* (١) تامّ ؛ كليّ ؛ مُطْلَق (an ~ impossibility) §(٢) «أ» يطلق (صوتاً) . «ب» يلفظ ؛ يفوه أو ينبس بِـ . «ج» يعبّر عن (٣) يضع (الأوراق النقدية) في التداول ؛ وبخاصة : يروّج العملة الزائفة (٤) يُطلق ؛ ينفث .

utterable [ŭt'ə rə bəl] *(adj.)* ممكنٌ التفوّه به أو التعبير عنه الخ.

utterance [ŭt'ər əns] *(n.)* (١) تفوُّه ؛ تعبير (٢) نُطق ؛ كلام ؛ قول (٣) مَلَكة الكلام أو القدرة عليه أو طريقته (٤) وضعٌ في التداول .

utterly [ŭt'ər lĭ] *(adv.)* تماماً ؛ بكلّ ما في الكلمة من معنى .

uttermost [ŭt'ər-] *(adj.; n.)* (١) أقصى (to the ~ parts of the earth) (٢) «أ» أعظم ؛ أكبر (the ~ confidence) «ب» أعلى ؛ أسمى (the ~ peak of...) §(٣) «أ» منتهىً ؛ غاية . «ب» قُصارى الجهد .

uvea [ū'vĭ ə] *(L.)* العِنَبيّة ؛ طبقة العين الوعائية (ت) .

uveal [ū'vĭ əl] ; **uveous** [ū'vĭ əs] *(adj.)* عِنَبيّ (ت) .

uveitis[ū'vĭ ī'tĭs] *(n.)* التهاب العنبيّة ؛ التهاب عِنبيّة العين (مض) .

uvula [ū'vyə lə] *(L.)* pl. -s *or* -e [-lē] اللَّهاة ؛ لهاة الحلق (ت) .

uvular [ū'vyə lər] *(adj.)* لَهَويّ : منسوب إلى اللهاة .

uxorial [ŭk sōr'ĭ əl] *(adj.)* خاصّ بزوجة أو مميِّز لها أو لائق بها .

uxoricide[ŭk sōr'ə sīd'] *(n.)* (١) قَتْلُ الزوجة (٢) قاتل زوجته .

uxorious [ŭk sōr'ĭ əs] *(adj.)* مفتونٌ بزوجته أو خانعٌ لها .

Uzbek [ŭz'bĕk'] *or* **Uzbeg** [ŭz'bĕg'] *(n.)* (١) الأوزبكي : أحد أبناء شعب تركي مقيم في تركستان وبخاصة في جمهورية أوزبكستان بالاتّحاد السوفياتي (٢) الأوزبكية : لغة الأوزبكيّين .

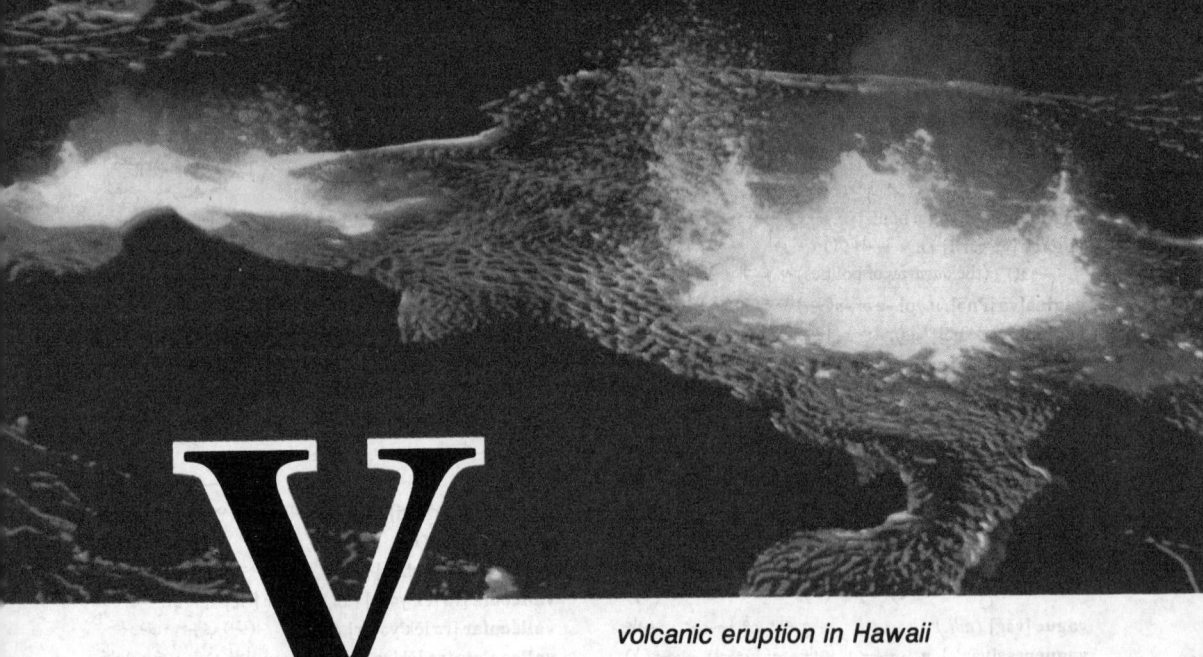

V

volcanic eruption in Hawaii

v [vē] *(n. often cap.)* (١) الحرف الثاني والعشرون من الأبجدية الانكليزية (٢) خمسة (٣) شيء مُعْتَبَرٌ في المقام الحادي والعشرين أو الثاني والعشرين من حيث الترتيب أو الطبقة (٤) شيء على صورة حرف **V**.

vacancy [vā'kən sĭ] *(n.)* (١) بِطالَة (٢) خُلُوّ ؛ شُغُور . (٣) «أ» فراغ . «ب» غرفة أو شقّة خالية . «ج» وظيفة شاغرة .

vacant [vā'kənt] *(adj.)* (١) شاغر (a ~ office) (٢) فارغ : لا عمل فيه (~ hours) (٣) أحمق ؛ أبله (her ~ mind) (٤) خِلوٌ من التعبير (his ~ face) (٥) مهجور (in a ~ estate).

vacate [vā'kāt] *(vt.; i.)* (١) يُبطِل ؛ يُلغي (٢) يُشْغِر ؛ يُخلي : يجعله شاغراً أو خالياً (٣) يتخلّى عن (منصب الخ.) × (٤) يكرس نفسَه لِ (٥) «أ» يذهب ؛ ينصرف . «ب» يأخذ عطلة .

vacation [vā kā'shən] *(n.; vi.)* (١) مص vacate (٢) عطلة . (٣) يأخذ عطلة . «ب» يقضي عطلةً . §

vacationer ; vacationist [vā kā'shən-] *(n.)* الآخذ عطلة ؛ المستمتع بعطلة .

vacationland [vā kā'shən lănd] *(n.)* أرض العُطْلات : منطقة تزوّد أصحاب العطلات بمختلف وسائل المتعة والاستجمام .

vaccinal [văk'sə nəl] *(adj.)* (١) لِقاحيّ (٢) تلقيحيّ .

vaccinate [văk'sə nāt] *(vt.; n.)* (١) يُلقّح (ضدّ الجدريّ أو غيره) §(٢) شخص ملقَّح (ضد مرض ما) .

vaccination [văk'sə nā'shən] *(n.)* (١) تلقيح (٢) نُدبة التلقيح (الظاهرة على الجلد) .

vaccinator [văk'sə nā'tər] *(n.)* (١) الملقّح (ضد مرض) . (٢) أداة التلقيح .

vaccine [văk'sēn] *(adj.; n.)* (١) بقَرِيّ أو مستمدّ من البقر . (٢) «أ» تلقيحيّ . «ب» جُدَرِيبَقَري : متعلّق بجدريّ البقر §(٣) لِقاح (ضدّ الجُدَري وغيره) .

vaccinia [văk sĭn'ĭ ə] *(L.)* جُدَرِيّ البقر (مض) .

vaccinial [-'ĭ əl] *(adj.)* جُدَرِيبَقَريّ : متعلّق بجُدَريّ البقر .

vacillate [văs'ə lāt'] *(vi.)* (١) يتذبذب ؛ يتخطّر ؛ يترجّح . (٢) يتردّد .

vacillating [văs'ə lā'tĭng] *(adj.)* (١) متذبذب ؛ متخطّر ؛ مترجّح (٢) متردّد .

vacillation [văs'ə lā'shən] *(n.)* (١) تذبذُب ؛ تخطُّر ؛ ترجُّح . (٢) تردُّد .

vacillatory [văs'ə lə tōr'ĭ] *(adj.)* = vacillating.

vacuity [vă kū'ə tĭ] *(n.)* (١) فراغ (٢) فقدان (٣) بلاهة .

vacuolar [văk yo͞o ə lər] *(adj.)* حُوَيصليّ : ذو علاقة بحُوَيصلة .

vacuolate [văk'yo͞o ə lĭt] *or* **vacuolated** [-lā tĭd] *(adj.)* مُحَوْصَل : ذو حُوَيصلة أو حُوَيصلات .

vacuolation [văk'yo͞o ə lā'-] *(n.)* التَّحَوْصُل : نشوء الحُوَيصلات .

vacuole [văk'yo͞o ōl'] *(n.)* الحويصلة : تجويف في خلية حيّة (أح) .

vacuous [văk'yo͞o əs] *(adj.)* (١) فارغ (٢) أبله (٣) متبطّل .

vacuum [văk'yo͞o əm] *(L.)* pl. **-s** *or* **vacua** (١) فراغ . (٢) خَواء (٣) أداة خَوائية ، وبخاصة : المكنسة الكهربائيّة .

vacuum [văk'yo͞o əm] *(adj.; vt.)* (١) خَوائيّ : «أ» مفرَّغ أو مفرَّغ جزئيّاً . «ب» متعلق بأداة خوائية §(٢) ينظّف بمكنسة كهربائيّة الخ.

vacuum bottle *(n.)* الزجاجة الخَوائية : زجاجة محاطة بوعاء بينها وبينه خَواء .

vacuum brake *(n.)* المِكبح الخَوائي (ملك) .

vacuum cleaner *(n.)* المنظّفة الخَوائية ؛ المكنسة الكهربائية .

vacuum gauge *(n.)* مقياس التفريغ .

vacuumize [văk'yo͞o ə mīz] *(vt.)* (١) يُخَوِّي : يُحْدِث خَواءً في (٢) ينظّف أو يجفّف الخ. بآلة خَوائيّة .

vacuum pump *(n.)* (١) pulsometer (٢) المِضخّة الخَوائية : مضخّة لإحداث خَواءٍ جزئيّ .

vacuum tube *or* **valve** *(n.)* الصمام المفرَّغ .

vade mecum [vā'dĭ mē'kəm] *(L.)* الرفيق الملازِم : كتيّب (أو شيء آخر) يحمله المرء في جيبه الخ. لمراجعته أو للاستعانة به عند الحاجة .

vae victis [vē vĭk'tĭs] *(L.)* ويلٌ للمغلوب .

vagabond [văg'ə bŏnd'] *(adj.; n.; vi.)* (١) متشرّد .

(٢) «أ» تشرّدي . «ب» تافه ؛ حقير ؛ عائشٌ حياةً مشبوهةً يعوزها الاستقرار §(٣) «أ» المتشرد . «ب» شخص حقير سيء السمعة §(٤) «أ» يتشرّد . «ب» يتنقّل من مكان إلى مكان .

vagabondage [văg'ə bŏn'-] *(n.)* (١) التشرّد (٢) جماعة المتشرّدين .

vagary [və gâr'ĭ] *(n.)* (١) هوى (والجمع : أهواء) (٢) تقلّب يصعب تعليله أو التنبؤ به (the *vagaries* of politics) (٣) وَهْم .

vagina [və jī'nə] *(n.)* pl. **-e** *or* **-s** (١) مَهْبِل (ت) (٢) غِمد (نب) .

vaginal [văj'ə nəl] *(adj.)* (١) غِمْدِيّ (نب) (٢) مَهْبِلِيّ (ت) .

vaginate [văj'ə nāt] *or* **vaginated** [-əd] *(adj.)* مغمَّد ؛ مزوَّد بغِمد .

vaginitis [văj'ə nī'tĭs] *(n.)* التهاب المَهبِل (مض) .

vagotomy [vā gŏt'ə-] *(n.)* قطع المُبْهَم ؛ قَطْع العصب المُبهم (جر) .

vagotonia [vā gə tō'nĭ ə] *(L.)* توتر المُبْهَم ؛ توتر العصب المُبهَم .

vagrancy [vā'grən sĭ] *(n.)* تشرّد .

vagrant [vā'grənt] *(n.; adj.)* (١) «أ» المُتشرِّد . «ب» سكّير متشرّد ؛ بغيّ متشرّدة ؛ بائع متجوّل من غير رخصة الخ . (٢) الطوّاف ؛ الجوّال §(٣) متشرّد (٤) تائه ؛ زائغ .

vague [vāg] *(adj.)* غامض ، مُبهَم ؛ غير واضح .

vagueness [vāg'-] *(n.)* (١) غموض ؛ إبهام (٢) شيء غامض أو مبهم .

vagus [vā'gəs] *(L.)* pl. **-gi** [-jī] الجَوّال : عصب رئوي مَعِديّ .

vail [vāl] *(vt.)* (١) يَخفِض (احتراماً أو خضوعاً) (٢) يرفع (قبعته) احتراماً .

vain [vān] *(adj.)* (١) عقيم ؛ غير مُجْدٍ (~ attempts) (٢) فارغ ؛ تافه (~ pomp) (٣) مَزْهُوّ ؛ مختال (~ as a peacock) . **in ~,** (١) عبثاً (٢) هُزُواً ؛ بغير احترام .

vainglorious [vān glōr'-] *(adj.)* مزهوّ ، مُختال ؛ مُفعَم بالغرور .

vainglory [vān glōr'ĭ] *(n.)* زَهْوٌ ، خُيَلاء ، عُجْب .

vainly [vān'lĭ] *(adv.)* (١) عَبَثاً (٢) بزهو ، بخُيَلاء ، بعُجْب .

vair [vâr] *(n.)* الفَيْر : فراء ضَرْب من السناجيب .

valance [văl'əns] *(n.)* ستارة قصيرة (في أعلى النافذة أو أدنى السرير) .

vale [vāl] *(n.)* وادٍ (بلغة الشعر خاصةً) .

vale [vā'lĭ] *(L.)* وداعاً .

valediction [văl'ə dĭk'shən] *(n.)* وداع ؛ توديع .

valedictorian [văl'ə dĭk tōr'ĭ ən] *(n.)* مُلقي خطبة الوداع : طالب يلقي خطبة الوداع في حفلة التخرّج .

valedictory [văl'ə dĭk'tə rĭ] *(adj.; n.)* (١) وداعي ؛ توديعي . §(٢) خطبة الوداع .

valence *or* **valency** [vā'-] *(L.)* التكافؤ (ك) .

Valenciennes [və lĕn'sĭ ĕnz'; vȧ län syĕn'] *(F.)* الفلنسيّ : ضربٌ من المخرّمات .

valentine [văl'ən tīn'] *(n.)* (١) محبوبة تُختار أو تُحيّى في عيد القديس فالنتين (٢) بطاقة أو هدية صغيرة ترسل في هذا العيد .

Valentine Day *or* **Valentine's Day** *(n.)* عيد القديس فالنتين (١٤ فبراير) .

valerian [və lĭr'ĭ ən] *(n.)* الناردين : «أ» نبات ذو زهر صغير أبيض أو قرنفليّ . «ب» عقّار قوي الرائحة مهدِّئ للأعصاب يستخرج من جذور الناردين .

valet [văl'ĭt; văl'ā] *(n.; vt.; i.)* (١) خادم خصوصيّ (يُعنى بملابس سيّده أو يساعده على ارتدائها الخ .) (٢) مستخدَم في فندق (ينظف الملابس أو يكويها الخ .) §(٣) يخدم بهذه الصفة .

valet de chambre [vȧ lĕ'də shän'br] *(F.)* = valet I.

valetudinarian [văl'ə tū də nâr'ĭ-] *(n.; adj.)* (١) المريض ؛ السقيم (٢) المتوهّم أنه مريض §(٣) مريض ؛ سقيم (٤) كثير التفكير بأمر الصحة .

valetudinary [-'də nĕr'ĭ] *(n.; adj.)* = valetudinarian.

Valhalla [văl hăl'ə] *(G.)* مَثْوَى الشّهداء : حجرة الخلود التي تُستقبَل فيها أرواح الشهداء (في الميثولوجيا السكندينافية) .

valiance; valiancy [văl'-] *(n.)* شجاعة ؛ بسالة .

valiant [văl'yənt] *(adj.; n.)* (١) شجاع ؛ باسل §(٢) الشّجاع .

valid [văl'ĭd] *(adj.)* (١) شرعيّ ؛ قانونيّ (٢) صحيح (٣) «أ» مُلزِم ؛ ساري المفعول . «ب» فعّال .

validate [văl'ə dāt'] *(vt.)* (١) «أ» يجعله شرعياً . «ب» يصادق رسمياً على كذا . «ج» يعلن شرعية شيء . «د» يعلن انتخاب مرشّح (٢) يؤيّد ؛ يثبِّت .

validity [və lĭd'ə tĭ] *(n.)* (١) شرعية (٢) صحة (٣) سريان مفعول .

valise [və lēs'] *(F.)* حقيبة ؛ حقيبة سفر .

vallation [və lā'shən] *(L.)* خندق ؛ متراس ؛ استحكام .

vallecula [və lĕk'yə lə] *(L.)* pl. **-lae** [-lē] أُخدود ؛ حَزّ (ت) .

vallecular [və lĕk'yə lər] *(adj.)* أُخدوديّ ؛ حَزّي (ت) .

valleculate [və lĕk'yə lāt'] *(adj.)* مخدَّد ؛ محزَّز : ذو أخاديد أو حزوز (ت) .

valley [văl'ĭ] *(n.)* (١) وادٍ (٢) الوادي : منخفَض مشكَّل بتقابل جانبين مائلين (من سقف) .

valonia [və lō'nĭ ə] *(It.)* الفَلُّون : أقماع ثمر البلوط المجفّفة المستخدَمة في الدباغة .

valonia oak *(n.)* المَلُّول : بلوط تستخدم أقماع ثماره في الدباغة .

valor *or* **valour** [văl'ər] *(n.)* شجاعة ؛ بسالة .

valorization [văl ə rə zā'shən] *(n.)* تثبيت أسعار السلع (بتدخل أو عون حكوميّ) .

valorize [văl'ə rīz'] *(vt.)* تثبِّت (الحكومةُ) أسعار السلع .

valorous [văl'ər əs] *(adj.)* شجاع ؛ باسل .

valse [vȧls] *(F.)* الفالس : رقصة الفالس أو موسيقاها .

valuable [văl'yo͞o ə bəl] *(adj.; n.)* (١) ذو قيمة مالية (٢) نفيس ؛ ثمين (٣) «أ» نافع . «ب» قيّم §(٤) .*pl* عد : شيء ذو قيمة .

valuate [văl'yo͞o āt] *(vt.)* يقيِّم ؛ يثمِّن ؛ يخمِّن .

—valuator *(n.)*

valuation [văl'yo͞o ā'shən] *(n.)* (١) تقييم ؛ تخمين (٢) القيمة المقدَّرة (٣) تقدير .

value [văl'ū] *(n.; vt.)* (١) قيمة (٢) قَدْر ؛ أهمية (٣) المدلول الدقيق (لكلمة) (٤) الجلاء : المقدار النسبيّ لإشراق اللون (رم) (٥) فئة (من فئات العملة أو الطوابع الخ .) §(٦) يقيِّم ؛ يثمِّن (٧) يقدِّر ؛ يعظِّم ؛ يجِل .

—valuer *(n.)*

valued [văl'ūd] *(adj.)* موضع التقدير أو الاحترام .

valueless [văl'yo͞o lĭs] *(adj.)* تافه ؛ عديم القيمة .

valvate [văl'vāt] *(adj.)* صِماميّ ؛ مِصراعيّ ؛ ذو صِمامات أو مصاريع .

valve [vălv] *(n.)* (١) صِمام (٢) مِصراع (٣) صِمام ألكتروني (بر) .

valve chest *also* **valve box** *(n.)* صندوق الصِّمامات (مك) .

valved [vălvd] *(adj.)* مُصرَّع : ذو مصاريع أو صِمامات .

valveless [vălv'lĭs] *(adj.)* لاصِماميّ ؛ لامِصراعيّ ؛ غير مزوَّد بصِمامات أو مصاريع .

valvelet [vălv'lĭt] *(n.)* = valvula.

valviferous [văl vĭf'ər əs] *(adj.)* = valvate.

valvula [văl'vyə lə] *(L.)* pl. **-e** [-lē; -lī] : الصُمَيْم ؛ المُصَيْرِيع صِمام أو مِصراع صغير .

valvular [văl'vyə lər] *(adj.)* صِمامي ؛ مِصْراعِي .

valvule [văl'vūl] *(L.)* = valvula.

valvulitis [văl'vyə lī'tĭs] *(n.)* التهاب صِمام القلب (مض) .

vamoose [vă mōōs'] *or* **vamose** [vă mōs'] *(vi.)* يرحل ؛ يرتحِل (ع) .

vamp [vămp] *(n.; vt.)* (١) مقدَّم فَرْعة الحذاء . (٢) رقْعة (٣) شيء مرقَّع (٤) مُغْوِية الرجال : امرأة تستغل فتنتها لإغواء الرجال §(٥) «أ» يزوِّد فرعة الحذاء بمقدَّم جديد . «ب» يرَقِّع ؛ يرقِّع (٦) يخترع ؛ يلفِّق (ed up an excuse ~) (٧) تغْوي (الرجلَ) بمفاتنها .

vamp I.

vampire [văm'pīr] *(n.)* (١) الهامة : جثة يُعتقَد أنها تفارق القبر ليلاً لتمتص دماء النائمين (٢) «أ» مصَّاص الدماء ؛ مبتزّ أموال الناس . «ب» مغْوِية الرجال (٣) النزَّافة ؛ المصَّاصة : خفّاش يمتص الدماء .

vampirism [văm'pĭr ĭz'əm] *(n.)* (١) الهاموية : الإيمان بالهامة (را. المادة السابقة) (٢) ابتزاز ؛ إغواء .

van [văn] *(n.)* (١) مِروحة (٢) جَناح (٣) طليعة الجيش (٤) عربة أو شاحنة مقفلة لنقل السلع والحيوانات .

vanadic [və năd'ĭk] *(adj.)* فانادِيومي : ذو علاقة بالفاناديوم أو محتوٍ عليه (ك) .

vanadic acid *(n.)* الحمض الفاناديومي (ك) .

vanadinite [və năd'ə nīt'] *(n.)* الفانادينيت (مع) .

vanadium [və nā'dĭ əm] *(L.)* الفاناديوم : عنصر فلزي نادر (ك) .

vanadous [văn'ə dəs] *(adj.)* = vanadic.

vandal [văn'dəl] *(n.; adj.)* (١) *cap.* : الوَنْدالي : أحد أفراد قبيلة جرمانية اجتاحت فرنسة وإسبانية وشمالي افريقية في القرن الخامس الميلادي ، وفي عام ٤٥٥ ب.م. احتلت رومة ونهبتها (٢) مخرِّب ممتلكات الآخرين أو الممتلكات العامة §(٣) *cap.* عد: وَنْدالي .
—**Vandalic** *(adj.)*

vandalism [văn'də lĭz'əm] *(n.)* الوَنْدَلَة : تخريب متعمَّد للممتلكات العامة أو الخاصة .

vandalize [văn'dəl īz] *(vt.)* يُوَنْدِل : يخرِّب الممتلكات العامة أو الخاصة عمداً .

Van de Graaff generator *(n.)* مولِّد فان دو غراف (فز) .

Vandyke [văn dīk'] *(n.)* الوَنْدَكية : «أ» قبّة أو ياقة عريضة مسنَّنة الحاشية . «ب» لحية قصيرة مستدقة الطَرَف .

vane [vān] *(n.)* (١) الدوَّارة : «أ» دليل اتجاه الريح . «ب» المتغيِّر ؛ المتقلِّب (٢) ريشة المروحة أو التربينة أو الطاحونة الهوائية (٣) البَنْد : الجزء العريض الليِّن من ريشة الطائر .
—**vaned** *(adj.)*

vane I. *a.*

vanguard [văn'gärd'] *(n.)* (١) طليعة الجيش (٢) طليعة حركة ما .

vanilla [və nĭl'ə] *(L.)* الوَنِيلية : «أ» نبات أميركي استوائي . «ب» ثمر الونيلية أو عطره الذي تعطَّر به بعض المآكل .

vanillic [-'ĭk] *(adj.)* وَنيلي : منسوب إلى الونيلية أو الونيلين .

vanillin [văn'ə lĭn] *(n.)* الوَنيلين : مركب أبيض متبلِّر يُتَّخذ بديلاً عن الونيلية .

vanish [văn'ĭsh] *(vi.)* (١) يغيب (عن النظر) (٢) يتلاشى ؛ يزول نهائياً .

vanishing cream *(n.)* الكريم الزائل : مستحضر لتجميل الوجه .

vanishing fractions *(n. pl.)* الكسور الفانية أو غير المعيَّنة (ر) .

vanishing point *(n.)* نقطة التلاشي .

vanity [văn'ə tĭ] *(n.)* (١) الباطل : شيء فارغ أو تافه أو عديم القيمة (٢) فراغ ؛ تفاهة (٣) خُيَلاء ؛ زهو ؛ غرور (٤) حلية تافهة ؛ شيء أنيق تافه (٥) علبة أو حقيبة صغيرة لمستحضرات التجميل (٦) dressing table .

vanity fair *(n.)* دار الغرور : موضع مُتَع فارغة وتَباهٍ بالأباطيل الخ .

vanquish [văng'kwĭsh] *(vt.)* (١) يهزم ؛ يقهر (٢) يتغلّب على .

vantage [văn'tĭj] *(n.)* (١) أفضلية (٢) حالة تمنح المرء أفضلية (٣) فرصة مؤاتية .

vantage ground *(n.)* موقع أو وضع ممتاز (يمنح صاحبه أفضلية ما) .

vanward [văn'wərd] *(adj.; adv.)* (١) طليعي ؛ في المقدمة §(٢) نحو الطليعة أو المقدمة .

vapid [văp'ĭd] *(adj.)* تفِه ؛ مبتذل ؛ مُضجِر ؛ «بايخ» .

vapidity [və pĭd'-] *(n.)* (١) تفاهة ؛ ابتذال (٢) شيء تَفِه أو مبتذل .

vapor [vā'pər] *(n.; vi.)* (١) «أ» بخار . «ب» ضباب (٢) وهم . (٣) *pl.* : كآبة أو حالة هستيرية §(٤) يتبخر (٥) يتبجح ؛ يتفاخر .

vaporific [vā'pə rĭf'ĭk] *(adj.)* (١) مولِّد بخاراً (٢) بخاري .

vaporimeter [vā'pə rĭm'ə tər] *(n.)* المِبْخار : ميزان لقياس ضغط البخار أو حجمه .

vaporing [vā'pər ĭng] *(n.)* تبجح ؛ تفاخر .

vaporish [vā'pər ĭsh] *(adj.)* (١) «أ» بخاري . «ب» رقيق ؛ ناعم (٢) كثير البخار (٣) كئيب .

vaporization [vā'pər ə zā'shən] *(n.)* (١) تبخير (٢) تبخر .

vaporize *(vt.; i.)* (١) يبخِّر ×(٢) يتبخر (٣) يتبجح ؛ يتفاخر .

vaporizer [vā'pə rī'zər] *(n.)* (١) فا vaporize (٢) المِرذاذ . (٣) المِبخار : أداة لتحويل سائل إلى بخار يُستَنشَق (ط) .

vaporous [vā'pər əs] *(adj.)* (١) «أ» بخاري . «ب» متطاير ؛ طيّار . (٢) «أ» ضبابي . «ب» غامض (٣) «أ» وهمي . «ب» سريع الزوال . (٤) رقيق (silk ~) (٥) متبجح .

vapory [vā'pə rĭ] *(adj.)* (١) بخاري ؛ ضبابي (٢) غامض .

vapour [vā'pər] *(n.; vi.)* = vapor.

vaquero [vä kĕ'rô] *(Sp.)* (١) الراعي (٢) راعي البقر .

vara [vä'rä] *(Sp.)* الوارة : مقياس للطول (٣١ — ٣٤ إنشاً) .

vari- *or* **vario-** بادئة معناها : مختلف ؛ متعدد .

variability [vâr ĭ ə bĭl'-] *(n.)* (١) المتقلِّبية (٢) المتغيِّرية .

variable [vâr'ĭ ə bəl] *(adj.; n.)* (١) متقلِّب (٢) متغيِّر أو قابل للتغيير (٣) زائغ (أح) §(٤) شيء متقلب أو متغيِّر (٥) المتغيِّر (ر) .

variable star *(n.)* النجم المتغيِّر : نجم يتغيّر بريقه دورياً (فل) .

variance [vâr'ĭ əns] *(n.)* (١) اختلاف ؛ تفاوت ؛ فَرْق . (٢) خلاف ؛ نزاع (٣) إجازة ؛ رخصة (تمكّن حاملها من مخالفة قاعدة أو قانون) .
at ~, على خلاف أو نزاع أو تعارض مع

variant [vâr'ĭ ənt] *(adj.; n.)* (١) متنوع (٢) مختلف (a ~ spelling of a word) §(٣) المتخالف ؛ الشكل المختلف (٤) تهجية مختلفة لكلمة .

variation [vâr'ĭ ā'-] *(n.)* (١) تغيير (٢) تغيُّر ؛ اختلاف (٣) شكل مختلف لشيء ما (٤) الحدور المغنطيسي (را. declination 6) (٥) الانحراف : «أ» انحراف الجرم السماوي عن مداره المألوف . «ب» انحراف الحيوان أو النبات عن نوعه الطِرازي . «ج» فرد

ă at; ā date; â care; ä car; ĕ egg; ē me; ĭ in; ī bite; ŏ lot; ō bone; ô orphan; oi boil ŏŏ good; ōō boot; ou out; ŭ under; ū unity; û urgent; th thing; *th* this; zh vision; ə = *a* in alone, *e* in system, *i* in easily, *o* in gallop, *u* in circus.

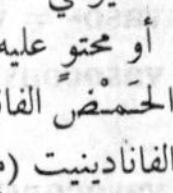

منحرف (أو جماعة منحرفة) عن النوع الطّرازيّ (٦) لحن يكرر مع بعض التغيير (مو) . **—variational** *(adj.)*

varicella [văr'ə sĕl'ə] *(L.)* = chicken pox.

varices [vâr'ə sēz'] *pl. of.*varix.

varicocele [vâr'ə kō sēl] *(L.)* دواليّ الحبْل المنويّ (مض) .

varicolored [vâr'ĭ-] *(adj.)* ملوّن ، كثير الألوان .

varicose [vâr'ə kōs] *(adj.)* (١) دَواليّ : «أ» متوسّع «ب» مسبّب توسّعَ الأوردة . «ج» متعلّق بتوسّع الأوردة (~ veins) (٢) مصاب بتوسّع الأوردة .

varicosity[văr'ə kŏs'ə-]*(n.)* (١) توسّع الأوردة (٢) وريد متوسّع .

varied [vâr'-] *(adj.)* (١) مغيَّر ، معدَّل (٢) متنوّع (٣) متعدّد الألوان .

variegate [vâr'ĭ ə gāt'] *(vt.)* (١) يرقّش ، يلوّن (٢) ينوّع .

variegated [vâr'ĭ ə gā'tĭd] *(adj.)* (١) مرقّش ، ملوّن (٢) منوّع .

variegation [vâr'ĭ ə gā'shən] *(n.)* (١) ترقيش (٢) ترقّش ؛ تعدّد الألوان .

varietal [və rī'ə təl] *(adj.)* (١) تنوّعي (٢) مُباين (أح) .

variety [və rī'ə tĭ] *(n.)* (١) تنوّع (٢) تشكيلة ، مجموعة منوّعة (٣) ضرب ، نوع (٤) الضرب (في تقسيم الأحياء) (٥) حفلة منوّعات (تشتمل على غناء ورقص وتمثيل وألعاب بهلوانية الخ.) .

variety show *(n.)* حفلة المنوّعات (را . المادة السابقة رقم ٥) .

variety store *(n.)* مخزن المنوّعات : محل لبيع ضروب السّلع بالتجزئة .

variform [vâr'ə fôrm'] *(adj.)* متعدّد الأشكال .

variocoupler [vâr'ĭ ə kŭp lər] *(n.)* المقارِن المتغيّر (كب) .

variola [və rī'ə lə] *(L.)* = smallpox.

variolar [və rī'ə lər] *(adj.)* = variolous.

variolite [vâr'ĭ ə līt'] *(n.)* الفريوليت : صخرٌ بركاني .

varioloid [vâr'ĭ ə loid'] *(n.; adj.)* (١) نظير الجُدَري : جُدَري خفيف يصيب الملقّحين بلقاح الجدري §(٢) شبيه بالجُدَري .

variolous [və rī'ə ləs] *(adj.)* (١) متعلّق بالجدريّ (٢) مجدور : مصاب بالجدري (٣) مجدَّر : ذو ندوب كتلك التي يخلّفها الجدري .

variometer [vâr'ĭ ŏm'ə tər] *(n.)* = variocoupler.

variorum [vâr'ĭ ōr'əm] *(n.; adj.)* (١) الطبعة المحقّقة : «أ» طبعة من كتاب (كلاسيكي بخاصة) تشتمل على تعليقات بأقلام عددٍ من النقّاد . «ب» طبعة تشتمل على قراءات مختلفة للنصّ §(٢) محقّقة (a ~ edition) (٣) مستقىً من مصادر مختلفة .

various [vâr'ĭ əs] *(adj.)* (١) ملوّن ، كثير الألوان (٢) «أ» متنوّع ؛ متعدد الأشكال . «ب» متباين (٣) متعدّد المظاهر أو الخصائص (~ genius) (٤) كثير ، مختلِف ، شتّى .

—variously *(adv.)* **—variousness** *(n.)*

varix [vâr'ĭks] *(n.)* pl. **varices** [vâr'ə sēz'] (١) «أ» الدّواليّ : توسّع الأوردة (مض) «ب» وريد متوسّع (٢) ضلع (من أضلاع صَدَفة) .

varlet [vär'lĭt] *(n.)* (١) غلام الفارس (را. page 1) (٢) الوغد ، اللئيم .

varmint [vär'mənt] *(n.)* (١) vermin (٢) شخص (حقير عادةً) .

varnish [vär'nĭsh] *(n.; vt.)* (١) البرْنيق ، الورنيش : سائل يُصقَل به الخشب أو المعدن (٢) «أ» طِلاء . «ب» لمعة . «ج» مظهر كاذب أو خادع (٣) طِلاء الأظافر (بر) §(٤) يبرْنق ؛ يصقل بورنش (٥) يُخفي تحت مظهر كاذب أو خادع (٦) يزيّن ، يجمّل .

varnish tree *(n.)* شجرة البرنيق ، شجرة الورنيش (نب) .

varsity [vär'sə tĭ] *(n.)* (١) جامعة (٢) المنتخَب : منتخب رياضي ممثّل لجامعة أو نادٍ .

Varuna

Varuna [văr'ōō nə] *(Skt.)* فارونا : إلــه السماء عند الهندوس .

varus [vâr'əs] *(adj.)* متقوِّس . وتوسعاً : متقوّس الساقين .

vary [vâr'ĭ] *(vt.; i.)* (١) يغيّر (٢) ينوّع . ×(٣) يتغيّر (٤) يختلف ، يتفاوت (of ~ *ing* degrees of accuracy) (٥) «أ» ينحرف . «ب» ينحرف عن نوعه الطّرازي (أح) .

vas [văs] *(L.)* pl. **vasa** [vā'sə] وعاء أو قناة (ت) .

vas- بادئة معناها : (١) وعاء دموي (٢) القناة الدافقة (ت) (٣) وعائي و . . .

vascular [văs'kyə lər] *(adj.)* (١) وعائي : متعلّق بالأوعية الدموية . (٢) مفعم بالحيوية .

vascular tissue *(n.)* النسيج الوعائي (نب) .

vasculum [văs'kyə ləm] *(L.)* pl. **-la** [-lə] صندوق معدنيّ يُستخدم في جمع النباتات .

vas deferens [văs dĕf'ə rĕnz'] *(L.)* pl. **vasa deferentia** [vā'sə dĕf'ə rĕn'shĭ ə] القناة الدافقة (ت) .

vase [vās; vāz] *(n.)* الزّهرية : إناء للزينة أو للزهور .

vasectomy [vă sĕk'tə mĭ] *(n.)* قَطْع القناة الدافقة (جر) .

vaseline [văs'ə lēn'] *(n.)* الفازلين : مرهم يُصنع من النفط .

vasiform [văs' ə fôrm; vāz'-] *(adj.)* (١) وعائي ، أنبوبي . (٢) على شكل زهرية .

vaso- = vas-.

vasoconstriction[văs'ō kən strĭk'shən] *(n.)* انقباض الأوعية ؛ تقلّص الأوعية الدموية (فس) .

vasoconstrictor [văs'ō kən strĭk'tər] *(n.)* مقبِّض الأوعية ؛ مقلّص الأوعية الدموية (فس) .

vasodilatation [văs'ō dĭl ə tā'-] *(n.)* توسّع الأوعية (الدموية) .

vasodilator [văs'ō dī lā'tər] *(n.)* موسّع الأوعية (الدموية) .

vasomotor [văs'ō mō'tər] *(adj.)* محرّك للأوعية (الدموية) .

vasospasm [văs'ō spăz əm] *(n.)* التشنّج الوعائيّ : تشنّج وعاء دموي (مض) .

vassal [văs'əl] *(n.; adj.)* (١) المُقْطَع : شخص يُقطعه السيد الاقطاعي أرضاً لقاء تعهده بتقديم المساعدة العسكرية إليه (٢) التابع ؛ الخادم §(٣) مُقطَعيّ : منسوب إلى مُقطَع (٤) خانع ، ذليل الخ.

vassalage [văs'əl ĭj] *(n.)* (١) المُقْطَعية : حالة المُقْطَع أو وضعُه أو الخدمات المفروضة عليه (٢) إقطاعة (٣) جماعة المُقْطَعين (٤) خضوع ، عبودية .

vast [văst; väst] *(adj.; n.)* (١) وسيع ، فسيح (٢) ضخم . §(٣) اتساع (٤) مقدار ضخم .

vastness [văs(t)'nĭs] *(n.)* اتساع ، انفساح ، ضخامة .

vastitude ; vastity [văs'-] *(n.)* = vastness.

vasty [văs'tĭ; väs'tĭ] *(adj.)* واسع ، فسيح ، ضخم .

vat [văt] *(n.; vt.)* (١) الراقود : وعاء ضخم للسوائل يُستخدم للتكرير أو التخمير أو الصباغة أو الدباغة §(٢) يضع في راقود ، يعالج براقود .

vatic [văt'ĭk] *(adj.)* نبويّ ، كِهانيّ .

Vatican [văt'ə kən] *(n.)* الفاتيكان : «أ» المقرّ البابويّ في رومة . «ب» الحكومة البابوية .

vaticinal [və tĭs'ə nəl] *(adj.)* نُبوئي .

vaticinate [və tĭs'ə nāt'] *(vt.; i.)* يتنبّأ ، يتكهّن بـ .

vaticination [văt'ə sə nā'shən] *(n.)* (١) نبوءة (٢) تنبّؤ .

vaudeville [vōd'vĭl] *(F.)* (١) الفودفيل ، الملهاة : مسرحية هزلية

ă at; ā date; â care; ä car; ĕ egg; ē me; ĭ in; ī bite; ŏ lot; ō bone; ô orphan; oi boil ŏŏ good; ōō boot; ou out; ŭ under; ū unity; û urgent; th thing; t͟h this; zh vision; ə = *a* in alone, *e* in system, *i* in easily, *o* in gallop, *u* in circus.

خفيفة تشتمل عادةً على رقص وغناء (٢) حفلة المنوَّعات .

vaudevillian[vōd vĭl'-] *(n.; adj.)* (١) كاتب الفودفيل (٢) ممثل أو مغنٍّ أو راقص في فودفيل §(٣) فودفيليّ .

vault [vôlt] *(n.; vt.; i.)* (١) عَقد؛ قنطرة (٢) السماء؛ القبة الزرقاء. (٣) «أ» سرداب. «ب» قبو. «ج» خشخاشة؛ مدفن (تحت الأرض) (٤) وَثْب؛ وثبة §(٥) يَعْقِد؛ يُقنطر (٦) يدفن (ع) ×(٧) يقفز؛ يثب .

vaults 1.

vaulted [vôl'tĭd] *(adj.)* (١) معقود؛ مُقنطَر. (٢) مُسَرْدَب؛ ذو سراديب .

vaulter [vôl'tər] *(n.)* : فا vault وبخاصة لاعب في مباراة القفز العالي بالعصا .

vaulting [vôl'tĭng] *(n.; adj.)* (١) إنشاء العقود والقناطر الخ. (٢) «أ» عقد؛ قنطرة . «ب» سقف معقود §(٣) واثب؛ قافز (٤) وثبيّ؛ قفزيّ: مستخدَم في الوثب أو القفز (a ~ pole) (٥) مغالىً أو مبالَغ فيه (~ conceit) .

vaulting horse

vaulting horse *(n.)* حصان الوثب: حصان خشبيّ للتمرّن على الوثب.

vaunt [vônt; vänt] *(vi.; t.; n.)* (١) يتبجّح ×(٢) يتبجّح بـِ . §(٣) تبجّح .

vavasor *or* **vavasour** [văv'ə sōr] *(n.)* صاحب إقطاعة .

V-day [vē'dā'] *(n.)* [victory day] يوم النّصر .

veal [vēl] *(n.; vt.)* (١) عِجل (٢) لحم العجل §(٣) يذبح عجلاً .

vealer [vē'lər] *(n.)* عِجل معَدّ أو صالحٌ للذبح .

vealy [vē'lĭ] *(adj.)* (١) عِجلانيّ: شبيه بعجل (٢) غير ناضج .

vector [vĕk'tər] *(L.)* (١) المُتَّجِه؛ الكميّة الموجّهة (ر) . (٢) الناقل: حشرة الخ. ناقلة لجراثيم المرض (أح) (٣) القوة الموجّهة .

vectorial angle [vĕk tōr'ĭ əl] *(n.)* زاوية التوجيه (ر) .

vector product *(n.)* مضروب كمّيتين موجّهتين (ر) .

vector sum *(n.)* مجموع الكميات الموجّهة (ر) .

Veda[vā'də] *(Skt.)* الفيدا: كتب الهندوس الدينية الأربعة أو واحد منها.

Vedanta [vĭ dän'tə] *(Skt.)* الفيدانتا: نظام فلسفيّ هندوسيّ مبنيّ على الفيدا (را. المادة السابقة) .

Vedantic [vĭ dän'tĭk] *(adj.)* (١) فيدانتاويّ: خاصّ بالفيدانتا . (٢) فيداويّ: خاصّ بالفيدا .

Vedda *or* **Veddah** [vĕd'ə] *(n.)* الفَدّي: واحد من أهل سيلان الأصليين .

vedette [və dĕt'] *(F.)* (١) الدَّيْدَب: رقيب من الخيّالة يحرس مخافر الجيش الأماميّة (٢) زورق استكشاف .

Vedic [vā'dĭk] *(adj.)* فِيْداويّ: منسوب إلى الفيدا .

veep [vēp] *(n.)* = vice-president.

veer [vĭr] *(vi.; t.; n.)* (١) ينحرف؛ يميل؛ يتغيّر اتجاهُه ×(٢) يغيّر اتجاهَ كذا (٣) يمدّ أو يرخي (حبلاً أو سلسلةً) §(٤) تغيّر الاتجاه .

veery[vĭr'ĭ] *(n.)* الفِيْري: الدُّجّ الأميركي؛ السُّمنة الأميركية (طا).

veg [vĕj] *(vi.)* يتبطّل: يُمضي الوقت في كَسَل وتبطُّل.

Vega [vē'gə] *(Ar.)* النَّسْر الواقع (فل) .

vegetable [vĕj'tə bəl] *(n.; adj.)* (١) نبات (٢) نباتٌ من الخُضَر. (٣) شخص بليد أو خامل §(٤) نباتيّ (٥) رتيب؛ بليد؛ أبله (lived an essentially ~ existence) .

vegetable butter *(n.)* الزبدة النباتية .

vegetable ivory *(n.)* العاج النباتي .

vegetable marrow *(n.)* الكوسا (نب) .

vegetable oil *(n.)* الزيت النباتي .

vegetable plate *(n.)* الطبق النباتي: طعام من خُضَر منوّعة مطهوّة بغير لحم .

vegetable silk *(n.)* الحرير النباتي: مادة ليفيّة شبيهة بالقطن تستخرج من أغلفة بزور أحد النباتات البرازيلية .

vegetable tallow *(n.)* الشحم النباتي: مادة شحمية نباتيّة الأصل تستخدم في صنع الشموع والصابون وفي التزييت أو التشحيم .

vegetable wax *(n.)* الشمع النباتي: مادة شمعية تستخرَج من بعض النباتات .

vegetal [vĕj'-] *(adj.)* (١) نباتيّ (٢) vegetative .

vegetarian [vĕj'ə târ'ĭ ən] *(n.; adj.)* (١) النباتيّ: المقتصِر في طعامه على الخضر والحبوب والفاكهة (٢) العاشب: حيوانٌ مُقتات بالأعشاب §(٣) نباتيّ: «أ» خاص بالنباتيين. «ب» مؤلَّف كله من خُضَر (~ diets) .

vegetarianism [vĕj'ə târ'ĭ ə nĭz'əm] *(n.)* النباتية: نظرية العيش على الخضر والحبوب والفاكهة أو تطبيقها .

vegetate [vĕj'ə tāt'] *(vi.; t.)* (١) ينْبُت (٢) يحيا حياة بلادة وخمول ×(٣) يزرع .

vegetation [vĕj'ə tā'shən] *(n.)* (١) نموّ النبات (٢) حياة بلادة وخمول (٣) الحياة النباتية (في اقليم ما) (٤) النابتة: نامية غير سوية في عضو ما (ط) .
—**vegetational** *(adj.)*

vegetative[vĕj'ə tā'tĭv] *(adj.)* (١) نام (٢) «أ» نمائيّ. «ب» مساعد على نموّ النبات. «ج» لاتزاوجيّ (٣) نباتيّ (٤) بليد؛ خامل (a ~ life).

vegetive [vĕj'ə tĭv] *(adj.)* = vegetable; vegetative.

vehemence [vē'ə məns] *(n.)* شدّة؛ عنف؛ اتّقاد الخ.

vehement [vē'ə mənt] *(adj.)* (١) شديد؛ عنيف (٢) متّقد؛ ملتهب (٣) متحمّس (~ extremists) .

vehicle [vē'ə kəl] *(n.)* (١) مركبة؛ عربة (٢) أداة نقل (للفكر أو الصوت الخ.) (٣) الحمّال: سائل تذوب فيه الأدوية (صي) .

vehicular[vē hĭk'yə lər] *(adj.)* (١) مرْكبيّ (٢) منقول بمَركبة. (٣) ناقل للفكر الخ.

veil [vāl] *(n.; vt.; i.)* (١) حجاب؛ خِمار؛ بُرقع (٢) سِتار . §(٣) يحجب (٤) يستر ×(٥) يتحجّب . to take the ~, تترهّب؛ تصبح راهبةً .

veiled [vāld] *(adj.)* (١) متحجّب (٢) مبطّن (~ threats) .

veiling [vā'lĭng] *(n.)* (١) حِجاب؛ بُرقع (٢) نسيج شفّاف .

vein[vān] *(n.; vt.)* (١) وَريد (ت) (٢) العِرق: «أ» ضلع الورقة أو جناح الحشرة . «ب» عِرق معدني. «ج» عِرق في الخشب أو الرخام (٣) مَسْحة (There is a ~ of melancholy in her character.) (٤) مزاج (Salma writes humorous songs when she is in the right ~.) §(٥) يعرّق؛ يجزّع .

veined [vānd] *(adj.)* معرّق؛ مجزّع (~ marble) .

veining [vā'nĭng] *(n.)* (١) تعريق؛ تجزيع (٢) تعرّق؛ تجزّع .

veinlet [vān'-] *(n.)* العُرَيْق؛ الضُّلَيْع: عِرق أو ضلع صغير .

veinstone [vān'stōn'] *(n.)* = gangue.

veiny [vā'nĭ] *(adj.)* معرّق؛ مجزّع .

velamen [və lā'mĭn] *(L.)* pl. **-mina** غشاء («ت» و «نب») .

velar [vē'lər] *(adj.)* (١) غِشائيّ (٢) حلْقيّ (ل) .

velarium [və lâr'ĭ əm] *(L.)* pl. **-laria** ظُلّة فوق مسرح أو مدرّج روماني (وقاية له من الشمس أو المطر) .

velate[vē'lĭt] *(adj.)* (١) محجَب ؛ مبرقَع (٢) مُغَشّى («نب» و «ح»).
veld *or* **veldt** [vĕlt; fĕlt] *(n.)* مَرْج ذو أشجار أو شجيرات متناثرة.
velitation [vĕl ə tā'shən] *(L.)* (١) مناوشة (٢) مُشادة ؛ نزاع.
velleity [və lē'ə tĭ] *(L.)* ميل أو رغبة ضعيفة.
vellum [vĕl'-] *(n.; adj.)* (١) الرَّق: جِلد للكتابة أو للتجليد (٢) الورق الرَّقي: ورق متين شبيه بالرَّق §(٣) رَقّيّ (٤) مجلّد بالرَّق.
veloce [vĕ lô'chĕ] *(It.)* بسرعة (إيعاز موسيقي).
velocipede [və lŏs'ə pēd'] *(F.)* (١) دراجة ثلاثية (٢) عربة يد ثلاثيّة العجلات تُدفَع على سكّة.

velocipede 1.

velocity[və lŏs'-] *(n.)* سُرعة (الضوء الخ.).
velocity ratio *(n.)* النّسبة السُّرعيّة (ملك).
velometer [vĭ lŏm'ə tər] *(n.)* مقياس السرعة: مقياس سرعة الهواء.
velour *or* **velours** [və lo͝or'] *(F.)* الفَيْلور: ضرب من المخمل.
velum [vē'ləm] *(L.)* pl. **-la**[-lə] (١) غشاء (أح) (٢) لهاة (ت).
velutinous [və lo͞o'tə nəs] *(adj.)* مُخْمَلِيّ.
velvet [vĕl'vĭt] *(n.; adj.)* (١) مُخمَل (٢) نعومة (٣) «أ» ربح من طريق المقامرة أو المضاربة. «ب» ربح يتعدّى حدود المتوقع §(٤) مُخْمَليّ (٥) ناعم.
velveteen [vĕl'və tēn'] *(n.; adj.)* (١) المُخْمَلين: مُخمَل قطنيّ (٢) *pl.* : ملابس مُخملينية §(٣) مُخمليني.
velvety [vĕl'vĭ tĭ] *(adj.)* (١) مُخْمَليّ ؛ ناعم (٢) غير حاد المذاق.
ven- *or* **veni-** *or* **veno-** بادئة معناها: «أ» عِرق. «ب» «وريد».
vena [vē'nə] *(L.)* pl. **venae** [-nē] = vein.
vena cava [vē'nə kā'və] *(L.)* pl. **venae cavae** [vē'nē kā'vē] الوريد الأجوف (ت).
venal [vē'-] *(adj.)* (١) قابل للرشوة (a ~ judge) (٢) مشترىً بالمال (~ votes) (٣) فاسد ؛ قائم على الرشوة (a ~ agreement).
venality [vē năl'ə tĭ] *(n.)* الفساد ؛ القابلية للرشوة.
venatic [vē năt'ĭk] *(adj.)* (١) طَرَديّ: خاصّ بالصَّيد (٢) مولع بالصيد ؛ عائش على الصَّيد (~ tribes).
venation [vē nā'shən] *(n.)* التعرّق: نظام انتشار العروق في ورقة نبات أو جناح حشرة.

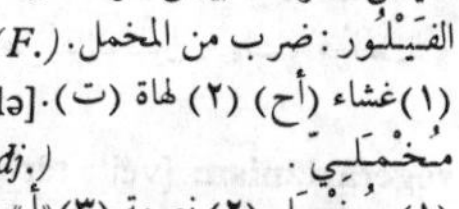

venation

vend [vĕnd] *(vt.)* (١) يبيع (٢) يذيع ؛ يعلن (رأياً الخ.).
vendee [vĕn dē'] *(n.)* المشتري ؛ المبيع له.
vender [vĕn'dər] *(n.)* = vendor.
vendetta [vĕn dĕt'ə] *(It.)* الثأر (للقتيل بقتل قاتله أو أنسبائه).
vendibility [vĕn də bĭl'-] *(n.)* المُباعيّة: قابليّة السلعة للبيع.
vendible *or* **vendable** [vĕn'də bəl] *(adj.)* قابل للبيع ؛ ممكن بيعه.
vendible[vĕn'-] *(n.)* سلعة قابلة للبيع (ترد بصيغة الجمع عادةً).
vending machine *(n.)* آلة البيع (بإسقاط قطعة نقدية في ثقب).
vendition [vĕn dĭsh'ən] *(n.)* بَيْع.
vendor [-'dər] *(n.)* (١) البائع (٢) vending machine.
vendue [vĕn dū'; -do͞o'] *(F.)* مَزاد علنيّ.
veneer [və nĭr'] *(n.; vt.)* (١) قشرة خشبية (٢) طبقة خارجية للوقاية أو الزينة (من حجر أو آجرّ) (٣) مظهر خادع §(٤) يكسو الخشب الخ. بقشرة زينيّة (٥) يخفي (عيباً من عيوب الشخصيّة) تحت مظهر خادع.

veneering [və nĭr'ĭng] *(n.)* (١) مص veneer (٢) قشرة زينيّة (٣) مظهر خادع (٤) سطح ذو قشرة زينيّة.
venerable[vĕn'ər ə-] *(adj.)* (١) مبجّل ؛ موقّر (٢) جليل ؛ مَهيب.
venerate [vĕn'ə rāt] *(vt.)* يُبجّل ؛ يوقّر.
veneration[vĕn'ə rā'shən] *(n.)* (١) تبجيل ؛ توقير (٢) مهابة ؛ وقار.
venereal[və nĭr'ĭ əl] *(adj.)* (١) تناسلي (~ diseases) (٢) مصاب بمرض تناسلي (٣) مُعَدّ لمعالجة الأمراض التناسلية (a ~ remedy).
venereologist [və nĭr ĭ ŏl'ə jĭst] *(n.)* الطبيب الاختصاصي بالأمراض التناسلية.
venereology *or* **venerology** [vĕn ə rŏl'ə jĭ] *(n.)* مَبْحَث الأمراض التناسليّة.
venery[vĕn'ə rĭ] *(n.)* (١) صَيْد ؛ اصطياد (٢) الحيوانات المَصيدة (٣) الانغماس في الملذات الجنسية (٤) جِماع.
venesection *or* **venisection**[vĕn'ə sĕk'shən] *(n.)* الفَصْد: شقّ الوريد.
venetian blind [və nē'shən] *(n.)* الحاجبة الفينيسية: ستارة ذات أضلاع يمكن تعديلها لإدخال القدر المطلوب من النور.
Venetian glass *(n.)* الزجاج الفينيسي: زجاج زينيّ مصنوع في البندقية.
venge [vĕnj] *(vt.; i.)* = avenge.
vengeance [vĕn'jəns] *(n.)* انتقام ؛ اثّئار ؛ أخذ الثأر. with a ~, (١) بعنف (٢) بإفراط ؛ إلى حد بعيد.
vengeful [vĕnj'-] *(adj.)* (١) حاقد ؛ توّاق إلى الانتقام (٢) انتقامي.
veni- *or* **veno-** = ven-.
venial [vē'nĭ əl] *(adj.)* (١) ممكن اغتفارُه أو الصفح عنه (٢) عَرَضيّ (~ sins).
venial sin *(n.)* الخطيئة العَرَضيّة ؛ الخطيئة غير المميتة (كث).
venin [vĕn'ĭn] *(n.)* الزِّبيب: مادة سامّة في سمّ الأفعى.
venipuncture [vĕn'ə pŭngk'chər] *(n.)* ثَقْب الوريد (جر).
venire facias [vĭ nī'rē fā'shĭ ăs] *or* **venire** *(L.)* أمر قضائي باستدعاء شخص أو أكثر للعمل كمحلّف أو محلّفين (ق).
venireman [vĭ nī'rē-] *(n.)* محلّف يُستدعى بأمر قضائيّ.
venison [vĕn'ə zən] *(n.)* (١) لحم الطرائد (٢) لحم الغزال.
venom [vĕn'əm] *(n.; vt.)* (١) سُمّ (٢) حقد ؛ غلّ §(٣) يسمّم.
venomous [vĕn'əm əs] *(adj.)* (١) سامّ (٢) حقود ؛ ضغِن.
venose [vē'nōs] *(adj.)* = venous.
venostasis [vĭ nə stā'sĭs] *(L.)* بُطء (أو توقّف) تدفق الدم في الوريد.
venous[vē'-] *(adj.)* (١) «أ» عِرقيّ. «ب» كثير العروق (٢) وريديّ.
vent [vĕnt] *(n.; vt.)* (١) ثُقْب ؛ فُتْحة (٢) مَنْفَذ ؛ مَصْرَف ؛ مَنْفَس ؛ مَخْرَج (٣) شرج ؛ إست (٤) فجوة أنبوبية (في بركان) (٥) شِقّ طوليّ (وبخاصة في مؤخَّر السترة) §(٦) يزود بفتحة أو مَصْرَف الخ. (٧) «أ» يصرِّف ؛ يكوِّن مَصْرَفاً لِـ. «ب» يطرد (٨) يصبّ (جام غضبه) (٩) ينفِّس عن.
ventage[vĕn'tĭj] *(n.)* ثقب صغير (كثقب الاصبع في مزمار الخ.).
ventail [vĕn'tāl] *(n.)* = aventail.
venter [vĕn'tər] *(n.)* (١) بطن (٢) زوجة أو أمّ مُنجِبة.
ventiduct [vĕn'tə dŭkt'] *(n.)* مَسْلَك (أو ممرّ) تهوية.
ventilate [vĕn'tə lāt'] *(vt.)* (١) يبحث ؛ يناقش (to ~ family quarrels before strangers) (٢) يعلن أو يعبِّر عن (شكوى الخ.) (٣) يُهوّي (حجرة الخ.).

ventilation [vĕn'tə lā'shən] *(n.)* (١) مص ventilate وبخاصة : تهوية (٢) وسيلة تهوية .
ventilator[vĕn'-] *(n.)* (١) فاعل ventilate (٢) مِهْواة ؛ مروحة تهوية .
vent peg *or* **plug** *(n.)* سِدادة فتحة التنفيس .
ventral [vĕn'trəl] *(adj.; n.)* (١) بطني §(٢) زِعْنِفة بطنية .
ventricle [vĕn'trə kəl] *(n.)* (١) تجويف (٢) بُطَيْن القلب أو الدماغ (ت) .
ventricose [vĕn'trə kōs] *or* **ventricous** [-kəs] *(adj.)* (١)منتفخ ؛ وبخاصة من جهة واحدة (٢) كبير البطن .
ventricular [vĕn trĭk'yə lər] *(adj.)* بُطَيْنِي (ت) .
ventriculus [vĕn trĭk'yə ləs] *(L.)* pl. **-li** [-lī; -lē] مَعِدة .
ventriloquial [vĕn'trə lō'kwĭ əl] *(adj.)* : تكلُّمي‌بَطْني متعلّق بالتكلم البطني .
ventriloquism [vĕn trĭl'ə kwĭz'əm] *(n.)* التكلّم البطني .
ventriloquist [vĕn trĭl'ə kwĭst] *(n.)* المتكلّم من بطنِهِ .
ventriloquize [vĕn trĭl'ə kwīz'] *(vi.)* يتكلم من بطنِهِ .
ventriloquy [vĕn trĭl'ə kwĭ] *(n.)* = ventriloquism.
ventro- بادئة معناها : «أ» بَطْن . «ب» بَطْني و . . .
venture [vĕn'chər] *(n.; vt.; i.)* (١) مغامرة ؛ مجازفة (٢) مضاربة (تج) (٣) مال الخ. مغامَرٌ به في مضاربة أو مشروع تجاري §(٤)يغامر بـ (٥) يتجرأ على ×(٦) يغامر ؛ يقوم بمغامرة .
venturer [vĕnch'(ə) rər] *(n.)* المغامر ، وبخاصة في ميدان التجارة .
venturesome [vĕn'chər səm] *(adj.)* (١) مغامِر (٢) منطوٍ على مغامرة (a ~ trip) .
venturi [vĕn to͞o'rĭ] *(n.)* أنبوب « فنتوري » (لقياس كمية السائل المتدفق) .
venturous [vĕn'chər əs] *(adj.)* (١)مغامِر (٢)منطوٍ على مغامرة .
venue [vĕn'ū] *(n.)* (١) موقع حدوث الجريمة أو السبب الموجِب للدعوى (٢) مكان إقامة الدعوى (٣) مسرح الحوادث .
venule [vĕn'ūl] *(L.)* الوُرَيْد ، العُرَيْق : وريد أو عِرق صغير .
Venus [vē'nəs] *(n.)* (١) فينوس : إلاهة الحب والجمال عند الرومان (٢) الزُّهَرة (فل) .
Venushair [vē'nəs hâr'] *(n.)* : شَعْر الغُول ضربٌ من السَّرْخس (نب) .
Venus's-flytrap [vē'nəs ĭz flī'trăp'] *(n.)* خنّاق الذباب (نب) .
veracious [və rā'shəs] *(adj.)* (١) صادق (٢) صحيح ، دقيق .
veracity[və răs'ə tĭ] *(n.)* (١)صدق(٢)صحة ؛ دقّة (٣) حقيقة .
veranda *or* **verandah** [və răn'də] *(Hin.)* شُرْفة ، « فارندة » .

Venus 1.

verb [vûrb] *(n.)* فِعل (ل) .
verbal [vûr'bəl] *(adj.; n.)* (١) «أ» لفظي . «ب» كلامي (٢) فِعلي (ل) (٣) شفهي (٤) حَرْفي (~ translation) §(٥) الاسم أو النعت الفعلي : اسم أو نعت مشتق من فعل (ل) .

Venus's-flytrap

verbal auxiliary *(n.)* الفعل المساعِد (ل) .
verbalism [vûr'bə lĭz'əm] *(n.)* (١) لَفْظة ؛ عبارة (٢) جملة خِلوٌ من المعنى أو تكاد (٣) اللفظية : غلبة اللفظ على المعنى .
verbalist [vûr'bəl ĭst] *(n.)* (١) اللفظيّ : مَن يُسْرِف في العناية بالألفاظ (على حساب المعنى) (٢) الصائغ اللفظيّ : شخص بارع في استخدام الألفاظ أو اختيارها .
verbalize[vûr'bə līz'] *(vi.; t.)* (١)يتكلّم أو يكتب بطريقة لفظية أو فارغة ×(٢) يعبّر أو يصف بالألفاظ (٣) يحوِّل إلى فِعل (ل).
verbally [vûr'-] *(adv.)* (١) لفظياً (٢) شفهياً (٣) حرفياً .
verbal noun *(n.)* الاسم الفعلي : اسم مشتق من الفعل مباشرة .
verbatim [vər bā'tĭm] *(adj.; adv.)* (١) حَرْفي §(٢) حرفياً .
verbena[vər bē'nə] *(L.)* رِعْي الحمام : نبات زهره مُختلف الألوان.
verbiage [vûr'bĭ ĭj] *(F.)* (١) الحشو (في الكلام) (٢) لغة .
verbify [vûr'bĭ fī] *(vt.)* يحوِّل إلى فعل (ل) .
verbose [vər bōs'] *(adj.)* (١)مُطْنِب ؛ مُضجِر (٢) مطنِب .
verbosity [vər bŏs'ə tĭ] *(n.)* إطناب ؛ إسهاب .
verboten [vər bō'tən] *(G.)* ممنوع ؛ محظَر ؛ محرّم .
verbum sap[vûr'bəm săp] *(L.)*=verbum sapienti sat est.
verbum sapienti sat est [-'bəm săp'ĭ ĕn'tī săt'ĕst'] *(L.)* اللبيب تكفيه الاشارة ؛ إنّ اللبيبَ من الإشارة يَفْهَمُ .
verdancy[vûr'-] *(n.)* (١)خُضْرة ؛ اخضرار (٢)غَرارة ؛ قلة اختبار .
verdant [vûr'dənt] *(adj.)* (١) أخضر (٢) مُخضَوْضِر (~ fields) (٣) غِرّ ؛ قليل الاختبار .
verd antique *or* **verde antique** [vûrd'ăn tēk'] *(It.)* الأخضر العتيق : رخام أخضر مرقّش أو معرّق .
verderer *or* **verderor** [vûr'dər-] *(n.)* القيّم على الغابات الملكية .
verdict [vûr'dĭkt] *(n.)* (١) حُكم المحلّفين (٢) رأي ؛ حكم .
verdigris [vûr'də grēs] *(n.)* الزِنجار : صدأ النحاس والبرونز .
verdin [vûr'dĭn] *(F.)* الوَرْدَن : قُرقف صغير أصفر الرأس (طا) .
verdure [vûr'jər] *(n.)* (١)«أ»خُضرة ؛ وبخاصة : خضرة النبات . «ب» النبت الأخضر (٢)نَضْرة ؛ عافية .
—verdurous *(adj.)*
verdured [vûr'jərd] *(adj.)* مخضوضر : مكسوّ بالنبت الأخضر .
verge [vûrj] *(n.; vi.)* (١)«أ» صولجان. «ب» محور دوران (في ميزان الساعة) (٢)حافة ؛ حدّ (٣)شفا ؛ شفير (٤)أفق §(٥)«أ» يجاور ؛ يتاخم. «ب» يشرف على (٦)تميل الشمس إلى الغروب (٧)ينحدر.
verger [vûr'jər] *(n.)* (١) حامل الصولجان (أمام أسقف الخ.) (٢) قَنْدلفت .
veridical[və rĭd'ə kəl] *(adj.)* (١)صادق (٢)حقيقي ؛ غير وَهْمي .
verifiable [vĕr'ə fī-] *(adj.)* ممكن اثباته أو التحقق منه .
verify [vĕr'ə fī'] *(vt.)* (١) يؤكّد صحة شيء (مُقسِماً أمام القضاء) (٢) يُثْبِت (٣) يتحقق من .
—verification *(n.)*
verily [vĕr'ə lĭ] *(adv.)* (١) من غير ريب (٢) حقاً ؛ يقيناً .
verisimilar [vĕr'ə sĭm'ə lər] *(adj.)* مُحْتَمَل : يَبْدو عليه مظهر الصدق .
verisimilitude [vĕr'ə sĭ mĭl'ə tūd'] *(n.)* (١) احتمال (٢) شيء مُحتَمَل أن يكون صادقاً أو صحيحاً .
verism [vĭr'ĭz əm] *(It.)* الحاصلية : إيثار العاديّ على البطوليّ أو الأسطوري (في الفنّ) .
verist [vĭr'ĭst] *(n.)* الحاصليّ : القائل بإيثار العادي على البطولي أو الأسطوري (في الفن) .
veritable [vĕr'ə tə bəl] *(adj.)* (١) حقيقي (٢) صحيح .
verity [vĕr'ə tĭ] *(n.)* (١) حقيقة (٢) صدق .
verjuice [vûr'jo͞os'] *(n.)* عُصارة الحِصرِم ونحوه .
vermeil [vûr'mĭl] *(F.)* (١) vermilion (٢) فضة مذهّبة ؛ برونز مذهّب ؛ نحاس مذهّب .

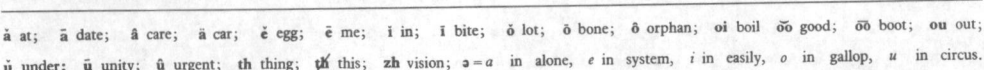

ă at; ā date; â care; ä car; ĕ egg; ē me; ĭ in; ī bite; ŏ lot; ō bone; ô orphan; oi boil o͝o good; o͞o boot; ou out; ŭ under; ū unity; û urgent; th thing; *th* this; zh vision; ə = *a* in alone, *e* in system, *i* in easily, *o* in gallop, *u* in circus.

vermi- • (*vermiform*) بادئة معناها : دودة

vermicelli [vûr'mə sĕl'ĭ] *(It.)* الشُّعَيْرِيّة : فتائل من عجين تشبه المعكرونة لكنها أرفع منها .

vermicide [vûr'mə sīd'] *(n.)* مُبِيد الدِّيدان .

vermicular [vər mĭk'yə lər] *(adj.)* (١) دوديّ ؛ ديدانيّ (٢) vermiculate .

vermiculate; -d [vər mĭk'yə-] *(adj.)* (١) دوديّ الشكل . (٢) متمعّج (٣) كثير الديدان .

vermiform [vûr'mə fôrm'] *(adj.)* دُوَيْدِيّ ؛ دُوديّ الشكل .

vermiform appendix *(n.)* الزائدة الدودية (ت) .

vermifuge [vûr'mə fūj'] *(adj.; n.)* = anthelmintic.

vermilion *or* **vermillion** [vər mĭl'yən] *(n.)* (١) الزُّنْجُفْر : صِبغ كبريتور الزئبقيك (٢) اللون القِرْمِزيّ .

vermin [vûr'mĭn] *(n.)* (١) هوامّ ؛ حشرات طفيلية الخ . (٢) طيور أو حيوانات ضارة بالحيوانات الأخرى (٣) شخص مؤذٍ .

verminous [vûr'mĭn əs] *(adj.)* (١) مؤذٍ (٢) قذِر (٣) دوديّ ؛ هواميّ المنشأ .

vermivorous [vûr mĭv'ə rəs] *(adj.)* مقتاتٌ أو مغتذٍ بالديدان .

vermouth [vûr'mōōth] *(F.)* الفيرموت : ضرب من الخمر .

vernacular [vər năk'yə lər] *(adj.; n.)* (١) عاميّ (٢) بلديّ ؛ وطنيّ §(٣) اللغة العاميّة (٤) لغة إقليم أو جماعة أو مهنة ما (٥) الاسم الدارج (غير العلمي) لنبات أو حيوان .

vernal [vûr'nəl] *(adj.)* (١) ربيعيّ (٢) جديد ؛ نَضْر ؛ شابّ .

vernal equinox *(n.)* الاعتدال الربيعيّ (فل) .

vernalize [vûr'nə līz'] *(vt.)* يعجّل إثمار (أو إزهار) النباتات بمعالجة بزورها الخ .

vernation [vər nā'shən] *(n.)* الترتيب البرعميّ : ترتيب الأوراق في البرعم (نب) .

vernier [vûr'nĭ ər] *(n.)* الوَرْنِية : مقياس صغير منزلق على أداة مدرجة لتبيان كُسور تقسيماتها .

vernier caliper *(n.)* المِسماك المُوَرَّن : مِسماك ذو وَرْنية .

vernier micrometer *(n.)* المِصْغَر المورَّن : مِصْغَر ذو وَرْنية .

Veronal [vĕr'ə nəl] *(n.)* = barbital.

veronica [və rŏn'ə kə] *(L.)* (١) الويرونيكة : زهرة الحواشي (نب) . (٢) الوَرْنيقة : منديل عليه صورة المسيح .

verruca [vĕ rōō'kə] *(L.)* pl. **-e** [-'kē; -'kī; -'sī] ثُؤلول .

verrucose [vĕr'ə kōs] *(adj.)* مُثَألَل : مكسوّ بالثآليل .

versant [vûr'sənt] *(F.)* سَفْح ؛ منحدَر .

versatile [vûr'sə tĭl] *(adj.)* (١) متقلّب (٢) متعدّد الجوانب أو البراعات (٣) طليق الحركة ؛ قابل لأن يُقلَب أو يُعكس (٤) متعدّد الاستعمالات . **—versatility** *(n.)*

vers de société [vĕr də sô syĕ tĕ'] *(F.)* = society verse.

verse [vûrs] *(n.; vi; t)* (١) بيت من الشعر (٢) «أ» نَظْم «ب» شِعر . «ج» قصيدة (٣) مقطع شِعري (٤) آية §(٥) ينظِم ×(٦) يروي بِقالب شعري . **—versicular** *(adj.)*

versed [vûrst] *(adj)* متمكّن ؛ متضلّع (من موضوع ما) .

versed sine *(n)* فَرْق جيب التمام عن الواحد (ر) .

verseman ; verser [vûr'-] *(n)* = versifier.

versicle [vûr'sə kəl] *(n.)* (١) جملة أو آية يقولها الكاهن أو ينشدها فيردّدها المؤمنون بعدَه (٢) «أ» بيت من الشعر . «ب» قصيدة قصيرة . **—versicular** *(adj.)*

versicolor [vûr'sə kŭl'ər] *or* **versicolored** [-ərd] *(adj.)* (١) متعدّد الألوان (٢) متغيّر الألوان .

versification [vûr'sə fə kā'shən] *(n.)* النَّظم : نَظم الشعر .

versifier [vûr'sə fī ər] *(n.)* (١) الناظم ، وبخاصة : النَّظّام . (٢) ناقل النثر إلى شعر .

versify [vûr'sə fī] *(vi.; t.)* (١) ينظم شعراً ×(٢) يروي أو يصف بقالب شعري (٣) يحوّل إلى شعر .

versine *or* **versin** [vûr'sĭn] *(n.)* = versed sine.

version [vûr'zhən] *(n.)* (١) ترجمة ؛ وبخاصة ترجمةٌ للكتاب المقدس (٢) رواية (contradictory ~ s of what happened) (٣) نسخة معدّلة من أثر أدبي (a stage ~ of his novel) (٤) «أ» مَيَلان الرَّحِم (مض) . «ب» إمالة ؛ قَلْب ؛ تحويل (للرَّحم) .

vers libre [vĕr lē'br] *(F.)* الشِّعر الحُرّ ؛ الشِّعر المُرْسَل .

vers-librist [vĕr lē'brĭst] *(F.)* الناظم للشعر الحر أو المرسل .

verso [vûr'sō] *(L.)* (١) الصفحة اليسرى (٢) قفا (الكتاب أو العملة) .

verst [vûrst] *(Russ.)* الفَرْسْت : مقياس روسي للطول يعادل ٣٥٠٠ قدم تقريباً .

versus [vûr'səs] *(prep.)* (١) ضدّ (٢) مقابل ؛ إزاء .

vert [vûrt] *(n.)* (١) «أ» كلّ نبات أخضر الورق (في غابة) «ب» حقّ قطع هذه النباتات أو حق رعي القطعان في غابة (٢) اللون الأخضر .

vertebra [vûr'tə brə] *(L.)* pl. **-e** *or* **-s** فَقَارة ؛ فَقْرَة (ت) .

vertebral [vûr'tə brəl] *(adj.)* فَقاريّ ؛ فَقْريّ (ت) .

vertebral column *(n.)* الصُّلْب (مج) ؛ العمود الفَقْري (ت) .

vertebrate [vûr'tə brāt; -brĭt] *(n.; adj.)* (١) الفَقاري : حيوان من الفقاريات **Vertebrata** وهي الحيوانات ذات العمود الفقري كالأسماك والزحافات والطيور والثدييات §(٢) فَقاريّ (٣) منظَّم ؛ حَسَن الترابط (a ~ composition) .

vertebration [vûr'tə brā'shən] *(n.)* تماسك ؛ ترابط الخ .

vertex [vûr'tĕks] *(L.)* pl. **-es** *or* **-tices** [-tə sēz'] (١) «أ» رأس ؛ قمة ؛ قنّة . «ب» سَمْتُ (فل) (٢) قمة الرأس (٣) ذروة .

vertical [vûr'tə kəl] *(adj.; n.)* (١) واقع فوق سَمْت الرأس (٢) عموديّ ؛ رأسي ؛ شاقوليّ §(٣) خطّ أو وضع عمودي .

vertical circle *(n.)* الدائرة الرأسية (فل) .

verticality [vûr tə kəl'-] *(n.)* العمودية ؛ الرأسية ؛ الشاقولية .

vertically [vûr'tə kəl ĭ] *(adv.)* عمودياً ؛ رأسياً ؛ شاقولياً .

vertices [vûr'tə sēz'] *pl. of* vertex.

verticil [vûr'tə sĭl] *(n.)* الكوكب ؛ الدَّوّارة ؛ السِّوار : عدد من الأوراق أو الزهرات أو الأعضاء المتشابهة متحلّق حول نقطة واحدة من المحور .

verticillate [vər tĭs'ə lĭt] *(adj.)* مُكَوْكَب (را. المادة السابقة) .

vertiginous [vər tĭj'ə nəs] *(adj.)* (١) متقلّب (٢) «أ» دُواريّ «ب» مصاب بدُوار (٣) مدوِّخ (٤) دَوَرانيّ (~ motion) .

vertigo [vûr'tə gō] *(L.)* pl. **-es** *or* **-gines** دُوار ؛ دَوْخة .

vertu [vər tōō'] *(n.)* = virtu.

vervain [vûr'vān] *(n.)* = verbena.

verve [vûrv] *(F.)* نشاط ؛ حيويّة .

vervet [vûr'vĭt] *(F.)* الفِرْفِت : قرد افريقيّ صغير

very [vĕr'ĭ] *(adj.; adv.)* (١) حقيقيّ ؛ فعليّ (the ~ truth) (٢) مطلق (my ~ son) (٣) بالذات (the ~ essence of truth)

vervet

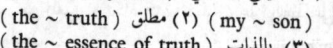

(٤)عين ؛ نفس(the ~ man I saw) (٥) مجرّد (The ~ thought terrified her.) §(٦)جداً ؛ إلى حدّ بعيد (٧)فعلاً (the ~ best school in town) (٨) تماماً (She expected the ~ opposite result.).

very high frequency *(n.)* تردّد عالٍ جداً (كب) .

Very light[věr'ī] *(n.)* ضوء فيري : ضوء للإشارة يُطلَق من مسدس .

very low frequency *(n.)* تردّد منخفض جداً (كب) .

Very pistol *(n.)* مسدّس فيري : مسدس لإطلاق أضواء فيري .

vesica [vĭ sē'kə] *(L.)* pl. -e (١) مثانة (٢) المثانة البولية .

vesical [věs'ə kəl] *(adj.)* مثانيّ ، وبخاصة : متعلق بالمثانة البولية .

vesicant [věs'ə kənt] *(adj.; n.)* (١)مُنفِّط : مُحدِث تنفّطاً أو تبثّراً §(٢) المنفِّط : عقّار منفِّط .

vesicate [věs'ə kāt] *(vt.; i.)* = blister.

vesicatory [věs'ə kə tōr'ĭ] *(adj; n.)* = vesicant.

vesicle[věs'ə kəl] *(n.)* (١)«أ» حُوَيصلة. «ب» كُييس (٢) بثرة .

vesicular [və sĭk'yə lər] *(adj.)* (١) حُوَيصليّ (٢)«أ» مُبثِّر . «ب» بَثْريّ .

vesiculate[*adj.*və sĭk'yə lĭt;*v.*-lāt'] *(adj.; vt.; i.)* (١)مُبثَّر . (٢) حُوَيصليّ §(٣) يبثّر أو يتبثّر .

vesper [věs'pər] *(n.; adj.)* (١) *cap.* : نجمة المساء (٢) ناقوس أو صلاة المساء (٣) المساء (ا.ق) . §(٤) مسائيّ .

vesperal [věs'pər əl] *(adj.; n.)* (١) مسائيّ §(٢) كتاب صلوات المساء (٣) غطاء للمذبح .

vespers [věs'pərz] *(n. pl.)* صلاة الغروب أو المساء (نص) .

vespertinal [věs'pər tī'nəl] *(adj.)* = vespertine.

vespertine [věs'pər tĭn; -tīn'] *(adj.)* مسائيّ .

vespiary [věs'pĭ ĕr'ĭ] *(n.)* وكر الزُنبور أو الزنابير التي فيه .

vespid [věs'pĭd] *(n.; adj.)* (١) الزُنبور (حش) §(٢) زُنبوري . زُنْبوريّ .

vespine [věs'pīn; -pĭn] *(adj.)*

vessel [věs'əl] *(n.)* (١) إناء ، وعاء (٢)«أ» مَركب . «ب» طائرة . (٣) الوعاء الدموي : شريان ، وريد (ت) (٤) الوعاء النُسْغيّ : أنبوبٌ حاملٌ أو ناقل للنُسغ (نب) .

vest [věst] *(vt.; i.; n.)* (١)«أ» يقلّد ، يخوِّل . «ب» يعهد به إلى ؛ يُنيطه به (٢)يُلبِس ، وبخاصة : يُلبس أردية كهنوتية ×(٣)يصبح مِلكاً لفلان أو حقاً من حقوقه (٤)يلبس §(٥)ثوب (٦) صُدْرة .

vesta [věs'tə] *(L.) (n.)* (١). *cap.*: فيستا : ربّة نار الموقد عند الرومان . (٢) عود كبريت شمعي (أو خشبي) قصير .

vestal [věs'təl] *(n.; adj.)* (١) عذراء فيستا : عذراء مكرّسة لخدمة فيستا ، ربّة نار الموقد عند الرومان (٢)«أ» عذراء . «ب» راهبة §(٣) فيستاويّ : ذو علاقة بـ «فيستا» (٤) طاهر ، بتوليّ .

vested [věs'tĭd] *(adj.)* (١)«أ» منوط بـ . «ب» راسخ ، ثابت . (٢)مكتسَب ، مكتسَب كحق (٣) مكسوّ (بثياب اكليركية) .

vestee [věs tē'] *(n.)* صُدْرة نسائية زينية .

vestiary [věs'tĭ ĕr'ĭ] *(n.)* (١) حجرة الثياب (في دير) . (٢) ملابس ، وبخاصة : أردية اكليركية .

vestibular [věs tĭb'yə-] *(adj.)* (١)مجازي ، رَدْهي (٢)دِهليزي .

vestibule [věs'tə būl'] *(n.. vt.)* (١) مجاز أو رَدْهة (٢) مدخل مسقوف (في طرف حافلة من حافلات الركاب في السكة الحديدية) (٣) دِهليز (ت) §(٤) يجعله ذا مجاز أو رَدْهة الخ .

vestibule school *(n.)* مدرسة المصنع (يُدرَّب فيها العمال الجدد) .

vestige [věs'tĭj] *(n.)* (١)«أ» أثر . «ب» أثر القدم . «ج» ذرّة ؛ بقيّة ضئيلة (٢) عضوٌ أثاريّ ، عضوٌ لا وظيفيّ (أح) .

vestigial [věs tĭj'ĭ əl] *(adj.)* (١)أثري (٢)أثاريّ ، لاوظيفيّ (أح) .

vestment [věst'mənt] *(n.)* (١) ثوب ، رداء (٢) رداء كهنوتي .

vest-pocket [věst'pŏk'ĭt] *(adj.)* (١) جيبيّ : مُعَدّ للحمل في جيب الصُدرة (٢) صغير جداً (~ political parties) .

vestry [věs'trĭ] *(n.)* (١) sacristy (٢) حجرة للاجتماعات والصفوف الكنسية (٣) مجلس الكنيسة .

vestryman [věs'trĭ mən] *(n.)* عضوٌ في مجلس الكنيسة .

vesture [věs'chər] *(n.; vt.)* (١)«أ» ثوب . «ب» ثياب (٢)غطاء . §(٣) يكسو .

vesuvian [və sōō'vĭ ən] *(adj.; n.)* (١) *cap.* : «أ» فيزوفيّ : منسوب إلى بركان فيزوف بإيطاليا . «ب» بركاني §(٢) عود كبريت لإشعال السيجار .

vet [vĕt] *(n.)* (١) veteran (٢) طبيب بيطري .

vet [vĕt] *(vt.)* (١)يطبّب (حيواناً أو إنساناً) (٢)«أ» يفحص . «ب» يدقق .

vetch [vĕch] *(n.)* البِيقيّة ، البِيقة : نبات علَفيّ .

vetchling [vĕch'lĭng] *(n.)* الجُلبان : نباتٌ عشبيّ .

veteran [vĕt'ər ən] *(n.; adj.)* (١) «أ» جنديّ أو بحار محنّك أو عريق . «ب» محارب قديم . «ج» شخص ممرّس في السياسة أو في مهنة ما (٢) شجرة معمّرة §(٣) محنّك ، ممرّس ، عريق .

Veterans Day *(n.)* = Remembrance Day.

veterinarian [vĕt'ər ə nâr'ĭ ən] *(n.)* طبيب بيطريّ .

veterinary [vĕt'ər ə-] *(adj.; n.)* (١)بيطري §(٢)طبيب بيطري .

veterinary surgeon *(n.)* طبيب بيطري (بر) .

vetiver [vĕt'ə vər] *(F.)* (١) نَجيل الهند : عشب عطريّ (٢) جذور نجيل الهند .

veto [vē'tō] *(n.; vt.)* (١)منع ، تحريم (٢)الفيتو : حق النقض أو الرفض . (٣) بيان (يصدره الملك أو رئيس الجمهورية) بالأسباب الداعية إلى رفضه مشروعَ قرار ما §(٤) يأبى الموافقة على (٥) يرفض (مستخدماً حقّ الفيتو) .

vex [vĕks] *(vt.)* (١) يَغيظ ، يناكد ، يثير (٢) يحيّر ، يُربك . (٣) يناقش (المسألة) مطوّلاً (٤) يَهيج ، يتقاذف .

vexation [vĕks ā'shən] *(n.)* (١) إغاظة الخ . (٢) مصدر إغاظة .

vexatious [vĕks ā'shəs] *(adj.)* (١)«أ» مُغيظ . «ب» مقصود به الاغاظة (٢) مضطرب (a ~ period in her life) .

vexed [vĕkst] *(adj.)* (١) مَغيظ (٢) مناقَش مطوّلاً . (٣) مُهاج ، متقاذَف .

vexillary [vĕk'sə lĕr'ĭ] *(n.; adj.)* (١) مقاتل روماني (تحت لواء معيّن) (٢) حامل اللواء §(٣) لوائيّ (٤) بَنْديّ («نب» و«ح») .

vexillate [vĕk'sə lāt; -lĭt] *(adj.)* مُبنَّد : ذو بند («نب» و«ح») .

vexillum [vĕk sĭl'əm] *(L.)* pl. **vexilla** (١)لواء أو عَلَم مربّع . (٢)البَنْد : «أ» البتلة الكبيرة العليا في بعض الزهرات . «ب» الجزء العريض الليّن من ريشة الطائر (٣) اللواء : كتيبة رومانيّة .

via [vī'ə] *(prep.)* (١) من طريق كذا (٢) بواسطة كذا .

viable [vī'ə bəl] *(adj.)* (١)قابل للحياة أو للنموّ (٢)قابل للتطبيق .

viaduct [vī'ə dŭkt'] *(n.)* جِسر .

vial[vī'əl] *(n.)* قنّينة ، زجاجة ، قارورة .

via media [vī ə mē'dĭ ə] *(L.)* طريق وسط ، نقطة متوسطة .

viand [vī'ənd] *(n.)* (١) طعام . (٢) *pl.* : مؤن ، أطعمة .

viaduct

viaticum [vī ăt'ə kəm] *(L.)* pl. **-cums** *or* **-ca** (١) «أ» تعويض نفقات السفر . «ب» زاد المسافر (٢) قربان الموت (نص) .

viator [vī ā'tôr] *(L.)* المسافر

vibraculum [vī brăk'yə ləm] *(n.)* pl. **-la** السَّوْط : زائدة في بعض الحيوانات شبيهة بالسوط .

vibracula

vibrancy [vī'brən sĭ] *(n.)* = vibration.

vibrant [vī'brənt] *(adj.)* (١) «أ» مهتزّ ؛ مرتجّ ؛ متذبذب . «ب» نابض بالحياة أو النشاط (~ her personality) . «ج» شديد الحساسية (٢) مُدوٍّ ؛ رنّان .

vibraphone [vī'brə fōn] *(L.)* الفيبرافون (من آلات النقر الموسيقية) .

vibrate [vī'brāt] *(vt.; i.)* (١) يهزّ ؛ يذبذب (٢) يقيس بالتذبذب أو النوسان (a pendulum *vibrating* seconds) ×(٣) يهتزّ ؛ يتذبذب ؛ ينوس (٤) يتردّد (٥) يستجيب لـ .

vibratile [vī'brə tĭl] *(adj.)* (١) مهتزّ (٢) اهتزازيّ .

vibration [vī brā'shən] *(n.)* (١) اهتزاز ؛ ذبذبة ؛ نوسان (٢) تردّد .

vibrative [vī'brə tĭv] *(adj.)* = vibratory.

vibrator [vī'brā tər] *(n.)* (١) فا vibrate (٢) الهزّازة : أداة تحدث الاهتزاز .

vibratory [vī'brə tōr'ĭ] *(adj.)* (١) اهتزازيّ (٢) مهتزّ .

vibrio [vĭb'rĭ ō'] *(L.)* الضمّة ؛ الذبّ : بكتير شبيه الشكل بالفاصلة أو بحرف s (كح) .

vibriosis [vĭb rĭ ō'sĭs] *(L.)* الضمّي : داء ناشىء عن ضمّات (را . المادّة السابقة) .

vibrissa [vī brĭs'ə] *(L.)* pl. **-e** [-'ē] شعرة من شعرات الأنف .

vibrograph [vī'brə grăf] *(n.)* مِرسمة الاهتزاز : أداة لمراقبة الاهتزازات وتسجيلها .

vibrometer [vī brŏm'ə tər] *(n.)* = vibrograph.

viburnum [vī bûr'nəm] *(L.)* (١) الويبرنوم : شجيرة يستخدم لحاؤها المجفّف طبيّاً (٢) لحاء الويبرنوم المجفّف .

vicar [vĭk'ər] *(n.)* (١) وكيل ؛ نائب ؛ ممثّل (٢) قسّ ؛ كاهن .

vicarage [vĭk'ər ĭj] *(n.)* مقرّ القسّ أو وظيفته أو راتبه .

vicarate [vĭk'ər ĭt; -āt'] *(n.)* = vicariate.

vicar forane [fō rān'] *(n.)* النائب الأسقفيّ (كث) .

vicar-general [vĭk'ər jĕn'ər-] *(n.)* النائب الأسقفيّ العام (كث) .

vicarial [vī kâr'ĭ əl] *(adj.)* وكيليّ ؛ نائبيّ (~ duties) .

vicariate [vī kâr'ĭ ĭt] *(n.)* منصب القسّ أو منطقته .

vicarious [vī kâr'ĭ əs] *(adj.)* (١) منجز أو متحمَّل نيابةً عن الآخرين أو لمصلحتهم (~ sacrifice) (٢) بديليّ ؛ نائبٌ منابَ .

Vicar of Christ البابا ؛ الحبر الأعظم .

vice [vīs] *(n.)* (١) رذيلة (٢) عيب ؛ شائبة ؛ نقيصة .

vice [vīs] *(n.; vt.)* = vise.

vice [vī'sĭ] *(prep.)* بدلاً من ؛ خلفاً لـ .

vice- بادئة معناها : نائب (*vice*-president) .

vice admiral [vīs] *(n.)* لواء بحريّ ؛ نائب أميرال .

vice-consul [vīs'kŏn'səl] *(n.)* نائب قنصل .

vicegerent [vīs jĭr'ənt] *(n.)* نائب ؛ وكيل ؛ ممثّل .

vicennial [vī sĕn'ĭ əl] *(adj.)* حادثٌ مرةً كل ٢٠ عاماً .

vice-presidency [vīs'prĕz'ə dən sĭ] *(n.)* نيابة الرئاسة .

vice-president [vīs'prĕz'ə dənt] *(n.)* نائب رئيس .

viceregal [vīs rē'gəl] *(adj.)* ذو علاقة بنائب الملك .

vice-regent [vīs'rē'jənt] *(n.)* نائب الوصيّ (على العرش) .

vicereine [vīs'rān'] *(F.)* (١) زوجة نائب الملك (٢) نائبة الملك .

viceroy [vīs'roi] *(n.)* (١) نائب ملك (٢) نائب الملك : فراشة أميركية .

viceroyalty [vīs roi'əl tĭ] *(n.)* نيابة الملك : منصب نائب الملك .

viceroyship [vīs'roi shĭp] *(n.)* = viceroyalty.

vice squad *(n.)* فرقة الأخلاق : فرقة من الشرطة مكلّفة بمكافحة الرذيلة .

vice versa [vī'sĭ vûr'sə] *(L.)* والعكس بالعكس .

vichy water [vĭsh'ĭ] *(n.)* مياه فيشي (المعدنية) .

vicinage [vĭs'ə nĭj] *(n.)* = vicinity.

vicinal [vĭs'ə nəl] *(adj.)* (١) مجاور (٢) محلّيّ .

vicinity [vĭ sĭn'ə tĭ] *(n.)* (١) قرب (٢) جوار ؛ منطقة مجاورة .

vicious [vĭsh'əs] *(adj.)* (١) فاسد (أخلاقياً) ؛ شرير ؛ أثيم . (٢) «أ» رديء . «ب» باطل (a ~ bill) . «ج» فاسد (~ reasoning) (٣) ضارٍ ؛ وحشيّ (٤) شديد ؛ قاسٍ (a ~ headache) .

vicious circle *(n.)* الدور : حلقة مفرغة .

vicissitude [vĭ sĭs'ə tūd] *(n.)* (١) تقلّب ؛ تغيّر (٢) تعاقب .

vicissitudinous [vĭ sĭs'ə tū'də nəs] *(adj.)* متقلّب ؛ متغيّر .

victim [vĭk'tĭm] *(n.)* ضحيّة .

victimize [vĭk'tə mīz'] *(vt.)* (١) «أ» يضحّي بـ . «ب» يذبح كضحية (٢) يخدع ؛ يحتال على .

victor [vĭk'tər] *(n.)* المنتصر ؛ المتغلّب ؛ الظافر ؛ الفائز .

victoria [vĭk tōr'ĭ ə] *(n.)* الفيكتورية : «أ» مركبة أو سيارة مكشوفة . «ب» نبات أميركيّ مائيّ .

victoria *a.*

Victoria Cross *(n.)* صليب فيكتوريا : وسام بريطاني لأبطال الحرب .

victoria *b.*

Victorian [vĭk tōr'ĭ-] *(adj.; n.)* (١) فيكتوريّ : منسوب إلى الملكة فيكتوريا الانكليزيّة §(٢) الفيكتوري : أحد أبناء عصر الملكة فيكتوريا (١٨٣٧–١٩٠١) .

Victorianism [-tōr'ĭ ə nĭz'əm] *(n.)* الفيكتوريانيّة : خصائص العصر الفيكتوري أو الاتجاهات الفكرية والأخلاقيّة التي سادت فيه .

victorious [vĭk tōr'ĭ əs] *(adj.)* (١) منتصر ؛ ظافر (٢) انتصاريّ .

victory [vĭk'tə rĭ] *(n.)* نصر ؛ انتصار ؛ ظفر .

victress [vĭk'trĭs] *(n.)* المنتصرة ؛ الظافرة .

victual [vĭt'əl] *(n.; vt.; i.)* (١) طعام (٢) *pl.* مؤن §(٣) يزوّد بالطعام ×(٤) يأكل (٥) ترعى (الماشية) (٦) يتزوّد بالمؤن .

victualler *or* **victualer** [vĭt'əl ər] *(n.)* (١) صاحب مطعم أو نُزُل (٢) مزوّد الجيش أو الأسطول بالطعام (٣) سفينة تموين .

vicuña [vĭ kōōn'yə] *(Sp.)* (١) الفيكونة : حيوان جنوب أميركي شبيه بالجمل (٢) وبر الفيكونة أو نسيج مصنوع منه .

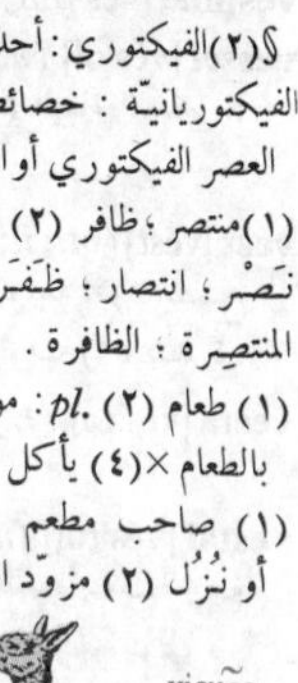

vicuña

vide [vī'dĭ] *(L.)* أنظر ؛ راجع .

videlicet [vĭ dĕl'ə sĭt] *(L.)* أي ؛ يعني .

video [vĭd'ĭ ō'] *(adj.; n.)* (١) تلفزيونيّ §(٢) تلفزيون (٣) ڤيديو ؛ جهاز ڤيديو (تلفزيوني) .

video game *(n.)* لعبة الفيديو : لعبة إلكترونية على شاشة الفيديو .

video tape *(n.)* الشريط التلفزيوني : شريط لتسجيل برنامج تلفزيوني .

videogenic [vĭd'ĭ ō jĕn'ĭk] *(adj.)* صالح للعرض على شاشة التلفزيون .

vidette [vĭ dĕt'] *(n.)* = vedette.

vie [vī] *(vi.)* يتنافس

ă at; ā date; â care; ä car; ĕ egg; ē me; ĭ in; ī bite; ŏ lot; ō bone; ô orphan; oi boil ŏŏ good; ōō boot; ou out; ŭ under; ū unity; û urgent; th thing; th this; zh vision; ə = *a* in alone, *e* in system, *i* in easily, *o* in gallop, *u* in circus.

Vietminh [vē'ĕt mĭn'] *(n.)* الفِياتمِينْه : أحد أنصار الحركة الشيوعيّة الفياتناميّة .

Vietnamese [vĭ ĕt'nä mēz'; -mēs'] *(n.; adj.)* (١) الفياتنامي : أحد أبناء فياتنام (٢) الفياتنامية : لغة فياتنام الرسمية §(٣) فياتناميّ .

view [vū] *(n.; vt.)* (١) «أ» رؤية ؛ معاينة (٢) «أ» تمحيص . «ب» دراسة ؛ بحث (٣) فكرة ؛ رأي (٤) ملخّص (٥) مشهد ؛ منظر (٦) «أ» مرأى . «ب» العِيان (The ship came into ~.) (٧) هدف (with no ~ in mind) (٨) شيء متوقَّع (٩) صورة §(١٠) يشاهد (١١) يفحص (١٢) يدرس (مشكلة أو طلباً) .
- in ~ of نظراً لِـ ؛ بالنظر إلى ؛ بسبب .
- on ~, معروض (على الأنظار) .
- with a ~ to بقصد كذا ؛ لكيْ ؛ رجاءَ أن .

viewer [vū'ər] *(n.)* (١) فا view (٢) مِنظار (٣) مُشاهد التلفزيون .

viewless [vū'-] *(adj.)* (١) غير منظور (٢) غير مُبْدٍ رأياً .

viewpoint [vū'point'] *(n.)* وجهة نظر .

viewy [vū'ĭ] *(adj.)* (١) خياليّ ؛ غير عمليّ (٢) «أ» مُبَهْرَج ؛ مزوَّق . «ب» spectacular .

vigesimal [vī jĕs'ə məl] *(adj.)* عِشروني : مبنيّ على الرقم ٢٠ .

vigil [vĭj'əl] *(n.)* (١) عشية العيد (وبخاصة حين تقضى بالصلاة والصيام) (٢) *pl.* عد : صلوات المساء (٣) سَهَر ؛ يقظة (٤) مراقبة .

vigilance [vĭj'ə ləns] *(n.)* يَقَظَة ؛ حَذَر ؛ احتراس .

vigilance committee *(n.)* لجنة الأمن الأهلية : لجنة من المواطنين تأخذ على عاتقها مهمة توطيد النظام ومعاقبة المجرمين (وبخاصة حين يعجز القانون عن ذلك) .

vigilant [vĭj'ə lənt] *(adj.)* يقِظ ؛ حذِر ؛ محترِس .

vigilante [vĭj'ə lăn'tĭ] *(Sp.)* عضو في لجنة أمن أهلية .

vignette [vĭn yĕt'] *(F.)* (١) نقش صغير (في مطلع الفصل أو ختامه) (٢) صورة قلمية موجزة .

vignette [vĭn yĕt'] *(vt.)* يصف أو يصوّر بإيجاز .

vigor *or* **vigour** [vĭg'ər] *(n.)* (١) نشاط (٢) قوة (٣) سَرَيان مفعول (That law is still in ~.) .

vigorous [vĭg'ər əs] *(adj.)* (١) نشيط (٢) قويّ .

vigorously [vĭg'ər əs lĭ] *(adv.)* (١) بنشاط (٢) بقوّة .

Viking [vī'kĭng] *(n.)* (١) «أ» الفايكنغ : قرصان اسكندينافيّ «ب» *not cap.* : قرصان (٢) الاسكندينافي : شخص اسكندينافيّ .

vile [vīl] *(adj.)* (١) تافه ؛ حقير (٢) «أ» رديء ؛ كريه . «ب» فاسد ؛ قذِر (٣) خسيس ؛ وضيع (٤) جدير بالازدراء .

vilification [vĭl ə fə kā'shən] *(n.)* (١) حطّ (من القَدْر) . (٢) ذمّ ؛ تشويه للسمعة .

vilifier [vĭl'ə fī ər] *(n.)* (١) الحاطّ (من القَدْر) (٢) الذامّ ؛ المشوِّه للسمعة .

vilify [vĭl'ə fī] *(vt.)* (١) يحطّ من قدره (٢) يذمّ ؛ يشوّه السمعة .

vilipend [vĭl'ə pĕnd'] *(vt.)* (١) يزدري (٢) يستخفّ بـ .

villa [vĭl'ə] *(It.)* دارة ؛ مَغْنَى ؛ فيلاّ (في الريف أو الضواحي) .

villadom [vĭl'ə dəm] *(n.)* دُنيا الدارات ونزلائها .

village [vĭl'ĭj] *(n.; adj.)* (١) قرية (٢) أهل القرية §(٣) قرَويّ .

villager [vĭl'ĭj ər] *(n.)* القرَويّ : أحد أبناء القرية .

villain [vĭl'ən] *(n.)* (١) villein (٢) الساذج ؛ الجلف (٣) النذل ؛ الوغد .

villainous [vĭl'ən əs] *(adj.)* (١) نَذْل ؛ خسيس (٢) حقير ؛ رديء ؛ بغيض .

villainy [vĭl'ən ĭ] *(n.)* (١) نَذالة ؛ خِسّة (٢) جريمة .

villanella [vĭl'ə nĕl'ə] *(It.)* الفيلانيلّة : أغنية إيطالية ريفية .

villanelle [vĭl'ə nĕl'] *(F.)* الفيلانيليّة : قصيدة ثنائية القافية .

villatic [vĭ lăt'ĭk] *(adj.)* قرَويّ ؛ ريفي .

villein [vĭl'ən] *(n.)* فلاّح نِصف حرّ (في النظام الاقطاعي) .

villiform [vĭl'ə fôrm'] *(adj.)* (١) زغبيّ (٢) زِئْبِريّ : شبيه بزئبر المخمل .

villosity [vĭ lŏs'ə tĭ] *(n.)* (١) الزَغَبيّة : كون الشيء زَغِباً . (٢) زَغَبة (٣) سَطحٌ أو إهابٌ زَغِب .

villous [vĭl'əs] *(adj.)* (١) أزغب : مكسوّ بالزَغَب (٢) زَغَبيّ .

villus [vĭl'əs] *(L.)* pl. **villi** [-'ī] الزَغْبة : واحدة الزَغَب .

vim [vĭm] *(L.)* حيوية ؛ هِمّة ؛ نشاط .

vimineous [vĭ mĭn'ĭ əs] *(adj.)* (١) أُمْلوديّ (٢) مُطلِعٌ أماليدَ أو غُصَيْنات (نب) .

vina [vē'nä] *(Skt.)* الفِينة : آلة موسيقية هنديّة .

vina

vinaceous [vī nā'shəs] *(adj.)* (١) خمريّ ؛ عِنَبيّ (٢) خمري اللون .

vinaigrette [vĭn'ə grĕt'] *(F.)* المثقّبة : قارورة مثقّبة (لأملاح الشمّ وما إليها) .

vinaigrette sauce *(n.)* صلصة الخلّ : صلصةٌ قِوامُها خلّ وزيت وبصل وأعشاب .

Vincent's angina [vĭn'sənts; văn sänz'] *(n.)* خُناق فَنسان الغِشائي المتقرح (مض) .

Vincent's infection *(n.)* = Vincent's angina.

vincible [vĭn'sə bəl] *(adj.)* ممكنٌ قهرُهُ أو التغلّب عليه .

vinculum [vĭng'kyə ləm] *(L.)* pl. **-s** *or* **-la** (١) رابطة ؛ صلة . (٢) المعلاّة : خطّ يرسم فوق كميّة رياضيّة متعدِّدة الأجزاء لربطها معاً .

vindicate [vĭn'də kāt'] *(vt.)* (١) يبرّئ (٢) يُثْبِت (٣) يبرِّر (٤) يصون ؛ يحمي ؛ يدافع عن (٥) يدّعي لنفسه حقاً في كذا .

vindication [vĭn'də kā'-] *(n.)* مص vindicate وبخاصة : تبرئة ؛ إثبات ؛ تبرير ؛ دفاع .

vindicator [vĭn'də kāt'ər] *(n.)* المبرئ ؛ المثبِت ؛ المبرِّر ؛ المُدافع .

vindicatory [vĭn'də kə tōr'ĭ] *(adj.)* (١) تبريري ؛ دفاعي . (٢) قِصاصي ؛ انتقامي .

vindictive [vĭn dĭk'-] *(adj.)* (١) حقود ؛ محبٌّ للانتقام (٢) انتقاميّ .

vine [vīn] *(n.)* (١) الكَرْمَة (نب) (٢) نبات مُعْتَرِش أو ساقُهُ .

vineal [vĭn'ĭ əl] *(adj.)* خمري : منسوب إلى الخمرة أو ذو علاقة بها .

vinedresser [vīn'drĕs'ər] *(n.)* الكَرّامِيّ : مَن يشذّب الكرمة أو يتعهّدها بالعناية .

vinegar [vĭn'ə gər] *(n.)* (١) خلّ (٢) نَكَد ؛ مرارة (٣) حيوية .

vinegar eel *(n.)* دودة الخلّ .

vinegarish [vĭn'ə gər ĭsh] *(adj.)* (١) خلّيّ أو حامضٌ بعض الشيء (٢) شكِس ؛ نَكِد ؛ لاذع الملاحظة .

vinegarroon [vĭn'ə gə rōōn'] *(n.)* العقرب الخليّ : عقربٌ سَوْطِيّ (را whip scorpion) يُطلِق حين يُستثار رائحةً كرائحة الخلّ .

vinegary [vĭn'ə gə rĭ] *(adj.)* (١) خلّيّ (٢) نَكِد ؛ شكِس .

vinery [vīn'ə rĭ] *(n.)* (١) كَرْم (٢) المَعْنَبَة : دفيئة لاستنبات الكرمة بالحرارة .

vineyard [vĭn'yərd] *(n.)* (١) كَرْم (٢) حقلُ نشاط المرء .

vingt-et-un [văn tē œn'] *(F.)* = twenty-one 2.

ă at; ā date; â care; ä car; ĕ egg; ē me; ĭ in; ī bite; ŏ lot; ō bone; ô orphan; oi boil ŏŏ good; ōō boot; ou out; ŭ under; ū unity; û urgent; th thing; *th* this; zh vision; ə = *a* in alone, *e* in system, *i* in easily, *o* in gallop, *u* in circus.

vinic [vīʹnĭk] *(adj.)* خمريّ ؛ كحوليّ (ether ~) .

viniculture [vĭnʹə kŭlʹchər] *(n.)* الكِرامة : زراعة الكَرْمة .

vinosity [vī nŏsʹə tĭ] *(n.)* الخمرية: قوام الخمر أو نكهتها أو لونها.

vinous [vīʹnəs] *(adj.)* (١) خمريّ (٢) سُكْريّ : ناشىء عن السُّكْر (٣) خمريّ اللون .

vintage [vĭnʹtĭj] *(n.; adj.)* (١) «أ» غَلَّة الكَرْم . «ب» خمر ؛ وبخاصة : خمر معتّقة . «ج» جماعة ؛ زمرة (٢) قَطف العنب ؛ صنع الخمر (أو موسمهما) (٣)«أ» عهد نشوء شيء أو صنعه. «ب» عُمْر §(٤)«أ» كلاسيكيّ . «ب» عتيق . «ج» عتيق الزيّ (٥) ممتاز .

vintager [vĭnʹtĭj ər] *(n.)* قاطف العنب (لصنع الخمر) .

vintage year *(n.)* (١)سنة صُنع الخمرة المعتّقة (٢) سنة ممتازة .

vintner [vĭntʹnər] *(n.)* تاجر الخمر .

viny [vīʹnĭ] *(adj.)* (١) كَرْميّ ؛شبيهبالكَرْمة (٢)مكسوّ بالعرائش.

vinyl [vīʹnĭl; vĭnʹĭl] *(n.)* الفينيل (ك) .

vinyl resin *(n.)* الراتينج الفينيلي (ك) .

viol [vīʹəl] *(n.)* الفِيول : ضرب من الكمان (مو) .

viola [vĭ ōʹlə] *(It.)* الكمان الأوسط أو عازفهُ (مو) .

viola [vīʹə lə] *(L.)* البنفسج(نب) .

violable [vīʹə lə bəl] *(adj.)* ممكنٌ انتهاكهُ أو الاعتداء عليه .

violaceous [vīʹə lāʹshəs] *(adj.)* بَنَفْسَجيّ اللون .

viola da braccio [vyôʹlä dä brätʹchô] *(It.)* كمان الذراع (مو).

viola d'amore [vyôʹlä dä môʹrĕ] *(It.)* كمانُ الحب (مو) .

violate [vīʹə lātʹ] *(vt.)* (١) ينتهك (حرمةً كذا) (٢) «أ» يعتدي على . «ب» يغتصب (فتاةً) (٣) يدنّس (المقدّسات) .

violation [vīʹə lāʹshən] *(n.)* (١)انتهاك(٢)تدنيس(للمقدّسات). (٣) اعتداء ؛ اغتصابٌ (لفتاة) .

violence [vīʹə ləns] *(n.)* (١) عُنْف (٢) أذىً (٣) اغتصاب (لفتاة) (٤)«أ» اتّقاد (في الشعور) . «ب» شدة ؛ قسوة (٥) التحريف : تعديل لا مبرر له لألفاظ نصٍّ ما أو لمعانيه .

violent [vīʹə lənt] *(adj.)* (١)عنيف (٢)شديد؛قاسٍ (٣)صارخ (colors ~) (٤) متّقد ؛ شديد الانفعال (٥) غير طبيعي : ناشئ عن عمل من أعمال العنف (a ~ death) (٦) مشوَّه ؛ محرَّف (a ~ interpretation) .

violet [vīʹə lĭt] *(n.; adj.)* (١) «أ» البنفسج . «ب» بنفسجة . (٢) اللون البنفسجي §(٣) بنفسجيّ .

violet ray *(n.)* الشُّعاعة الفَوْبَنَفسجية أو فوق البنفسجية .

violin [vīʹə lĭnʹ] *(It.)* (١) الكمان (مو) (٢) عازف الكمان .

violinist [vīʹə lĭnʹĭst] *(n.)* الكَمانيّ : عازف الكمان .

violist [vīʹəl ĭst] *(n.)* عازف الكمان الأوسط .

violoncellist [vēʹə lən chĕlʹĭst] *(n.)* عازف الفيولونسيل .

violoncello [vēʹə lən chĕlʹō] *(It.)* الفيولونسيل .

violoncello

viosterol [vī ŏsʹtə rōlʹ] *(n.)* الفيوستيرول : فيتامين د٢ مذاباً في زيت نباتيّ يُؤكَل (صي) .

VIP [vē ī pēʹ] *(n.)* [very important person] شخص عظيم الشأن .

viper [vīʹpər] *(n.)* (١) الأفعى الخبيثة : أفعى سامة . (٢) الخبيث ، الغادر .

viperine [vīʹpər ĭn; -pə rīn] *(adj.)* (١)أَفْعَويّ. (٢) سامّ ؛ خبيث .

viperish [vīʹpər ĭsh] *(adj.)* (١) أَفْعَويّ (٢) خبيث ؛ غادر .

viperous [vīʹpər əs] *(adj.)* = viperish.

virago [vĭ räʹgō] *(L.)* امرأة سليطة أو مشاكسة .

viral [vīʹrəl] *(adj.)* فِيروسيّ : متعلق بفيروس أو ناشىء عنه (ط) .

virelay [vĭrʹə lā] *(F.)* شكل قديم من أشكال القصيدة الفرنسيّة .

vireo [vĭrʹĭ ō] *(L.)* الأُخَيْضر : عصفور أميركي زيتوني اللون آكلٌ للحشرات .

vireo

virescence [vī rĕsʹəns] *(n.)* اخضِيرار ؛ اخضرار .

virescent [vī rĕsʹ-] *(adj.)* مخضوضِر ؛ مُخضر .

virgate [vûrʹgāt; -gĭt] *(n.; adj.)* (١) الفَرْجيت : مقياس انكليزي قديم للمساحة §(٢) عَصَويّ : طويل نحيلٌ مستقيم كالعصا (٣) مُمَلَّد : كثير الأماليد أو الغُصَيْنات .

virgin [vûrʹjĭn] *(n.; adj.)* (١) cap. مريم العذراء (٢)«أ»العذراء. «ب» البتول : شخصٌ لم يعرف الاتّصال الجنسي §(٣) عُذْريّ ؛ بتوليّ (٤) طاهر ؛ عفيف (٥) بكر (forests ; ~ iron ~) (٦) أوّل ؛ أَوْلَيّ (my ~ steps) .

virginal [vûrʹjə nəl] *(adj.; n.)* (١)عذريّ؛بتوليّ (٢) بريء؛ طاهر §(٣)العذْراوية :آلة موسيقية شبيهةٌ ببيانٍ صغير عديم القوائم.

virgin birth *(n.)* الولادة البتوليّة : عقيدة الحَبَل بلا دَنَس(نص).

virginity [vər jĭnʹə tĭ] *(n.)* (١) بتولة (٢) عزوبة .

virginium [vər jĭnʹĭ əm] *(L.)* الفَرجينيوم : عنصرٌ فلزيٌ نادر(ك).

Virgo [vûrʹgō] *(L.)* بُرْج العذراء أو السنبلة (فل) .

virgulate [vûrʹgyə lĭt; -lāt] *(adj.)* عَصَويّ الشكل .

virgule [vûrʹgūl] *(F.)* الفاصلة المائلة (را. diagonal 4) .

viricidal [vī rə sīdʹəl] *(adj.)* مُبيدٌ للفيروسات .

viricide [vīʹrə sīd] *(L.)* مبيد الفيروسات : عاملٌ مُبيدٌ للفيروسات أو مُعطّلٌ لفعاليتها .

viridescent [vĭrʹə dĕsʹənt] *(adj.)* ضاربٌ إلى الخضرة .

viridian [və rĭdʹĭ ən] *(L.)* الأخضر الزبرجدي (لون) .

viridity [və rĭdʹə tĭ] *(n.)* (١) خضرة ؛ اخضرار (٢)«أ» نَضارة. «ب» براءة ؛ سذاجة .

virile [vĭrʹəl] *(adj.)* (١) «أ» رجوليّ . «ب» مكتمل الرجولة . (٢) نشيط (٣) ذُكوريّ : خاصٌ بالذكور (٤) حاسم ؛ قويّ .

virilism [vĭrʹə lĭzʹəm] *(n.)* الاسترجالية : ظهور بعض صفات الرجال الثانوية عند المرأة .

virility [və rĭlʹə tĭ] *(n.)* (١)رجولة ؛ رجولية (٢)نشاط ؛ قوة .

virologist [vī rŏlʹə-] *(n.)* العالم الفيروسيّ : الاختصاصي بالفيروسات.

virology [vī rŏlʹə jĭ] *(n.)* مَبْحَث الفيروسات (ط) .

virosis [vī rōʹsĭs] *(n.)* الداء الفيروسيّ : داء ناشيء عن فيروس .

virtu [vər tōōʹ] *(It.)* (١) حبّ الطرف الفنيّة (٢) طُرَف فنية .

virtual [vûrʹchōō əl] *(adj.)* عمليّ ؛ فعليّ ؛ واقعيّ .

virtual image *(n.)* الصورة التقديرية (ض) .

virtually [vûrʹchōō ə lĭ] *(adv.)* عملياً ؛ فعلياً ؛ واقعياً .

virtual value *(n.)* القيمة الافتراضيّة (كب) .

virtue [vûrʹchōō] *(n.)* (١)فضيلة (٢) مَنْقَبَة ؛مَزيّة (٣) قوّة ؛ فعالية ؛ تأثير (٤) طهارة ؛ عفّة .

by *or* in ~ of (١) بفضل (٢) بمقتضى ؛ استناداً إلى .

virtueless [vûrʹchōō lĭs] *(adj.)* (١) تافه ؛ عديم القيمة . (٢) عديم الأخلاق .

ă at; ā date; â care; ä car; ĕ egg; ē me; ĭ in; ī bite; ŏ lot; ō bone; ô orphan; oi boil ŏŏ good; ōō boot; ou out; ŭ under; ū unity; û urgent; th thing; th this; zh vision; ə = *a* in alone, *e* in system, *i* in easily, *o* in gallop, *u* in circus.

virtuosity [vûr'cho͞o ŏs'ə tĭ] *(n.)* (١) الولوع بالتحف الفنية . (٢) براعة فنيّة فائقة .

virtuoso [vûr'cho͞o ō'sō] *(It.)* pl. **-s** *or* **-osi** (١) الباحث ؛ العالم (٢) «أ» الفنّان . «ب» متذوّق الفنّ (٣) عازف الكمان الخ .

virtuous [vûr'cho͞o əs] *(adj.)* (١) قوي ؛ فعال (٢) فاضل . (٣) مستقيم (أخلاقياً) (٤) طاهر ؛ عفيف .

virucide [vī'rə sīd] *(n.)* مبيد الفيروسات : عامل مبيد للفيروسات .

virulence *or* **virulency** [vĭr'yə-] *(n.)* (١) خُبْث (٢) الفَوْعة : مقدار حدّة الجرثوم أو الفيروس .

virulent [vĭr'yə-] *(adj.)* (١) خبيث (٢) سامّ جداً (٣) قاسٍ .

virus [vī'rəs] *(L.)* (١) سمّ (٢) «أ» الفيروس ؛ الحُمَة : عامِل مُحْدِث للمرض . «ب» داء فيروسي (٣) لِقاح (٤) سمّ أخلاقيّ أو عقلي .

virustatic [vī rə stăt'ĭk] *(adj.)* عائق لنموّ الفيروسات .

vis [vĭs] *(L.)* pl. **vires** [vī'rēz] قوّة .

visa [vē'zə] *(F.)* تأشيرة ؛ سِمَة .

visa [vē'zə] *(vt.)* يؤشّر (على جواز السفر) .

visage [vĭz'ĭj] *(n.)* (١) سِيماء ؛ طَلْعَة ؛ مُحَيّا (٢) مَظْهَر .

vis-à-vis [vē'zə vē'] *(F.)* (١) المُواجِه ، وبخاصة : شخص مواجه لشخص آخر في الرقص أو اللعب (٢) رفيق ؛ مرافق (في حفلة) (٣) النظير المقابل (را. **opposite number**) (٤) المُسارّة الخ . (را. **tête-à-tête**) .

vis-à-vis [vē'zə vē'] *(prep.; adv.)* (١) قِبالة (٢) تجاه ؛ إزاء . (٣) بالمقارنة مع §(٤) وجهاً لوجه .

viscacha [vĭs kä'chə] *(Sp.)* الفِسْكاش : حيوان جنوبأمركي من القواضم .

viscera [vĭs'ər ə] *(L.)* (١) أحشاء (٢) أمعاء .

visceral [vĭs'ər-] *(adj.)* (١) عميق (٢) غَرَزيّ (٣) أحشائيّ ؛ أمعائيّ .

viscid [vĭs'ĭd] *(adj.)* (١) لَزِج ؛ دَبِق (٢) مكسوّ بمادة لزجة .

viscidity [vĭs ĭd'-] *(n.)* لزوجة ؛ تَلَزُّج ؛ تَدَبُّق .

viscometer [vĭs kŏm'ə tər] *(n.)* المِلْزاج : مقياس اللزوجة .

viscose [vĭs'kōs] *(n.; adj.)* (١) الفِسْكُوز : مادّة لدائنيّة تستخدم في صنع الحرير الصناعي الخ . §(٢) فِسْكوزيّ (٣) لزج ؛ دبِق .

viscosimeter [vĭs'kō sĭm'ə tər] *(n.)* = viscometer.

viscosity [vĭs kŏs'ə tĭ] *(n.)* لزوجة ؛ تلزّج ؛ تدبّق .

viscount [vī'kount] *(n.)* الفيكونت : نبيل دون الكونت وفوق البارون .

viscountcy [vī'kount sĭ] ; **viscountship** [-shĭp] *(n.)* الفيكونتيّة : رتبة الفيكونت .

viscountess [vī'koun tĭs] *(n.)* الفيكونتيسّة : «أ» زوجة الفيكونت أو أرملتُه . «ب» امرأة كالفيكونت رتبةً .

viscounty [vī'koun tĭ] *(n.)* الفيكونتيّة : «أ» رتبة الفيكونت . «ب» مقاطعة خاضعة لفيكونت .

viscous [vĭs'kəs] *(adj.)* لَزِج ؛ دَبِق .

viscus [vĭs'kəs] *(L.)* pl. **-cera** الحَشا : واحد الأحشاء .

vise [vīs] *(n.; vt.)* (١) مِلْزمة §(٢) يُمَلْزِم : يشدّ بملزمة .

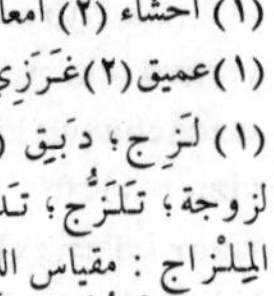

vise

visé [vē'zā; vē zā'] *(n.; vt.)* = visa.

Vishnu [vĭsh'no͞o] *(Skt.)* فيشنو : ثاني أقانيم الثالوث الهندوسي .

visibility [vĭz'ə bĭl'ə tĭ] *(n.)* (١) رؤية . (٢) وضوح ؛ جلاء .

visible [vĭz'ə bəl] *(adj.)* (١) مرئيّ ؛ منظور (٢) واضح . (٣) مدرَك ؛ متصوَّر .

Visigoth [vĭz'ĭ gŏth] *(L.)* القوطيّ الغربيّ : واحد القوط الغربيين .

vision [vĭzh'ən] *(n.; vt.)* (١) «أ» طَيْف ؛ خيال . «ب» رؤيا . (٢) تخيُّل (٣) بصيرة (٤) الكَشْف : تجلّي الذات الإلهية (للصوفي الخ.) (٥) رؤية (٦) حاسّة البصر (٧) «أ» شيء مَرْئيّ . «ب» شخص أو مشهد فاتن §(٨) يتخيّل ؛ يتصوّر .

visionary [vĭzh'ə nĕr'ĭ] *(adj.; n.)* (١) «أ» كثير الرُّؤى . «ب» حالم (٢) «أ» وهميّ . «ب» خيالي . «ج» مثاليّ ؛ غير عمليّ §(٣) شخص كثير الرؤى (٤) الحالم : شخص تغلب الصفة غير العملية على فكراته ومشاريعه .

visioned [vĭzh'ənd] *(adj.)* (١) مرئيّ في رؤيا (٢) حافل بالرُّؤى (~ sleep) (٣) مُلْهَم .

visionless [vĭzh'ən-] *(adj.)* (١) أعمى (٢) غير مُلْهَم .

visit [vĭz'ĭt] *(vt.; i.; n.)* (١) يعود (مريضاً) (٢) يزور (٣) يتفقد ؛ يفتّش (٤) يُصيب (ببلاءٍ ما) ×(٥) يتحدث (**Let's sit and ~ together.**) §(٦) زيارة .

visitant [vĭz'ə tənt] *(n.; adj.)* (١) الزائر (٢) الطير الزائر أو المهاجر §(٣) زائر .

visitation [vĭz'ə tā'shən] *(n.)* (١) زيارة (٢) تفقّد ؛ تفتيش . (٣) عقاب (أو ثواب) إلهيّ (٤) *cap.* : عيد زيارة العذراء (٢ يوليو) .

visiting card *(n.)* بطاقة الزيارة .

visiting nurse *(n.)* الممرضة الزائرة .

visiting professor *(n.* الأستاذ الزائر .

visitor [vĭz'ə tər] *(n.)* (١) الزائر (٢) المتفقّد ؛ القائم بزيارة تفتيشية .

visor [vī'zər] *(n.)* (١) مقدّم الخوذة : جزؤها الأمامي المتحرّك المغطّي للوجه (٢) قناع (٣) حافة القبعة (الناتئة في مقدمتها) (٤) حافة زجاج السيّارة الأمامي .

vista [vĭs'tə] *(It.)* (١) «أ» مَشْهَد (من خلال مجاز ضيّق أو صَفّيّ أشجار) . «ب» المجاز الضيّق الذي يُرى المشهد من خلاله (٢) «أ» صورة ذهنية (للماضي أو المستقبل) . «ب» أفق . **—vistaed** *(adj.)*

visual [vĭzh'o͞o əl] *(adj.)* (١) بَصَريّ (٢) مرئيّ (٣) مفعَم بالحيوية ؛ مثير للصور الذهنية (~ **narratives**) .

visual acuity *(n.)* حِدّة الإبصار (النسبيّة) .

visual aids *(n. pl.)* المُعِينات أو المُساعِدات البصرية (تر) .

visualize [vĭzh'o͞o ə līz'] *(vt.; i.)* (١) يتصوّر ؛ يتخيّل . (٢) يُبدي (للعيان) . **—visualization** *(n.)*

vita [vī'tä] *(L.)* pl. **-e** [-tē] لمحة عن سيرة المؤلّف مكتوبة بقلمه (في رسالة للدكتوراه الخ.) .

vital [vī'təl] *(adj.)* (١) حيويّ (٢) مفعَم بالحيوية والنشاط . (٣) «أ» مُحْيِي (the ~ rays of heaven's sun) . «ب» قاتل ؛ مُهلِك (~ **wounds**) (٤) أساسيّ (~ **points to the argument**) (٥) مدوّن المعلومات الأساسيّة المتصلة بحَيَوات الأشخاص (**the ~ records**) .

vitalism [vī'tə lĭz'əm] *(n.)* الحيوية ؛ المذهب الحيوي : مذهب يقول بأن الحياة مستمدّة من مبدأ حيوي وانها لا تعتمد اعتماداً كلياً على العمليات الفيزيائيّة الكيميائية .

vitalist [vī'-] *(n.)* الحيويّ : القائل بالمذهب الحيويّ (را. المادة السابقة) .

vitality [vī tăl'ə tĭ] *(n.)* الحيوية : «أ» القدرة على الحياة والنماء . «ب» النشاط .

vitalize [vī'tə līz'] *(vt.)* يُحْيِي أو ينفخ الحيوية والنشاط في ..

vitals[vī'təlz]*(n. pl.)* (١) الأعضاء الحيوية (كالدماغ والقلب). (٢) مُقَوِّمات ؛ أجزاء أساسية .

vital statistics *(n.)* الاحصاءات الحيوية : إحصائيّة متعلقة بالمواليد والوفيات وبالزواج والصحة والمرض وما إليها .

vitamin [vī'tə mĭn] *(n.)* الفيتامين ؛ الحَيَمين : مادة عضوية أساسيّة في تغذية معظم الحيوانات وبعض النباتات .

vitamin A *(n.)* فيتامين — أ ؛ حَيَمين — أ .

vitamin B *(n.)* فيتامين — ب ؛ حَيَمين — ب .

vitamin B complex *(n.)* فيتامين — ب المركّب .

vitamin B 2 *(n.)* فيتامين — ب٢ ؛ حَيَمين — ب٢ .

vitamin B 6 *(n.)* فيتامين — ب٦ ؛ حَيَمين — ب٦ .

vitamin B 12 *(n.)* فيتامين — ب١٢ ؛ حَيَمين — ب١٢ .

vitamin C *(n.)* فيتامين — ج ؛ حَيَمين — ج .

vitamin D *(n.)* فيتامين — د ؛ حَيَمين — د .

vitamin D 2 *(n.)* فيتامين — د٢ ؛ حَيَمين — د٢ .

vitamin D 3 *(n.)* فيتامين — د٣ ؛ حَيَمين — د٣ .

vitamin D 4 *(n.)* فيتامين — د٤ ؛ حَيَمين — د٤ .

vitamin E *(n.)* فيتامين — هـ ؛ حَيَمين — هـ .

vitamin G *(n.)* فيتامين — ز ؛ حَيَمين — ز .

vitamin H *(n.)* فيتامين — ح ؛ حَيَمين — ح .

vitaminize [vī'tə mə nīz] *(vt.)* (١) يُفَتْمِن ؛ يُحَيْمِن : يزوِّد بالفيتامين (٢) يقوّي ؛ ينشّط .

vitamin K *(n.)* فيتامين — ك ؛ حَيَمين — ك .

vitamin P *(n.)* فيتامين — پ ؛ حَيَمين — پ .

vitamin PP *(n.)* فيتامين — پ پ ؛ حَيَمين پ پ .

vitascope[vī'tə skōp']*(n.)* الفيتاسكوب : مِسْلاط (بروجكتور) سينمائي قديم .

vitellin [vĭ tĕl'ĭn; vī-]*(n.)* الفيتالين : بروتين في صَفار البيض (كح)

vitelline [vĭ tĕl'ĭn; vī-] *(adj.)* (١) مُحِّيّ : خاصّ بصفار البيض (٢) أصفر .

vitellus [vĭ tĕl'əs; vī-] *(L.)* المُحّ : صَفار البيض .

vitiate [vĭsh'ĭ āt] *(vt.)* (١) يُفْسِد (٢) يُبْطِل .

vitiation[vĭsh ĭ ā'shən]*(n.)* (١)إفساد؛ فساد(٢)إبطال؛ بُطلان .

viticulture [vĭt'ə kŭl'chər; vī'-] *(n.)* الكِرامة : زراعة الكروم .

vitiligo [vĭt'ə lī'gō] *(L.)* الوَضَح : مرض جلدي يتميّز بظهور بقع بيضاء على البشَرة .

vitreous [vĭt'rĭ əs] *(adj.)* زجاجيّ : مصنوع من زجاج أو متعلّق أو شبيه به .

vitreous enamel *(n.)* الطلاء الزجاجي .

vitreous humor *(n.)* الرطوبة الزجاجية (في العين) .

vitrescent [vĭ trĕs'ənt] *(n.)* (١) قابل للتزجيج أو للتحويل إلى زجاج (٢)نزّاع للتزجّج أو للتحول إلى زجاج .

vitrifiable [vĭt'rə fī ə bəl] *(adj.)* قابل للتزجيج .

vitrification [vĭt'rə fə kā'shən] *(n.)* (١)تزجيج (٢)تزجّج .

vitrify[vĭt'rə fī]*(vt.; i.)* (١)يزجِّج : يحوِّل إلى زجاج ×(٢)يتزجّج .

vitriol [vĭt'rĭ əl] *(n.)* (١) الزاج (ك) (٢) نقد لاذع أو قاسٍ .

vitta [vĭt'ə] *(L.)* pl. **-e** [-'ē] (١) أنبوب الزيت (في ثمار بعض النباتات) (٢) قَلَم ؛ خَطّ .

vittate[vĭt'āt] *(adj.)* (١) ذو أنابيب زيتية (نب) (٢) مقلَّم ؛ مخطَّط طولياً .

vituperate [vī tū'pə rāt']*(vt.)* (١)يقدح ؛ يذمّ (٢)يوبّخ بقسوة .

vituperation[vī tū pə rā'shən] *(n.)* (١)قدْح ؛ ذمّ (٢)توبيخ قاسٍ .

vituperative; vituperatory[vī tū'-]*(adj.)* قَدْحِيّ ؛ ذَمّيّ .

viva [vē'vä]*(interj.; n.)* (١)فليَعِش ! فليحيَ ! §(٢)هتاف تعييش .

vivacious [vĭ vā'shəs] *(adj.)* مرِح ؛ نشيط ؛ مفعم بالحيوية .

vivaciousness [vĭ vā'shəs-] *(n.)* مرَح ؛ نشاط ؛ حيوية .

vivacity [vĭ văs'ə tĭ] *(n.)* = vivaciousness.

vivandière[vē vän dyĕr']*(F.)* المُيَمِيرة : بائعة الخمر والمؤن للجند .

vivarium [vī vâr'ĭ əm] *(L.)* pl. **-varia** *or* **-variums** المَرْبَى اليابس (را. terrarium) .

viva voce[vī'və vō'sĭ]*(adv.; adj.; n.)* (١)شفهياً §(٢)شفهيّ . §(٣) امتحان شفهي .

vive [vēv] *(F.)* فَلْيَحْيَ ! فَلْيَعِش !

viverrine [vī vĕr'īn] *(adj.)* زباديّ : متعلّق بالزّباديات **Viverridae** وهي فصيلة من الثدييات الصغيرة اللاحمة .

vivid [vĭv'ĭd] *(adj.)* (١) حي ؛ مفعَم بالحيويّة (٢) مشرق ؛ زاهٍ (٣) قوي ؛ شديد (٤) ناشط . **—vividly** *(adv.)*

vivify [vĭv'ə fī] *(vt.)* يُحْيِي ؛ ينشّط ؛ يفعم بالحيوية والنشاط .

viviparity [vĭv'ə păr'ə tĭ]*(n.)* الوَلُوْدِية : كونُ الحيوان ولوداً لا بيُوضاً .

viviparous [vī vĭp'ə rəs] *(adj.)* وَلود : ولود للأحياء (تمييزاً له عن البَيُوض) .

vivisect [vĭv'ə sĕkt'] *(vt.; i.)* يشرّح الأحياءَ (لأغراض علمية) .

vivisection [vĭv'ə sĕk'-] *(n.)* تشريح الأحياء (لأغراض علمية) .

vixen [vĭk'sən] *(n.)* (١) الثّعلبة : أنثى الثعلب (٢) امرأة مشاكسة .

viz. (*usually read* "namely") = videlicet.

vizard [vĭz'ərd] *(n.)* (١) visor (٢) قناع .

vizcacha [vĭs kä'chə] *(Sp.)* = viscacha.

vizier [vĭ zĭr'; vĭz'yər] *(Ar.)* وزير .

vizor [vī'zər; vĭz'ər] *(n.)* = visor.

VJ *(video jockey) (n.)* مقدّم أشرطة الفيديو على التلفزيون .

vocable [vō'kə bəl] *(n.; adj.)* (١) لفظة (٢) اللفظة بوصفها مجموعة أصوات أو حروف بصرف النظر عن معناها §(٣) يُلْفَظ .

vocabulary [vō kăb'yə lĕr'ĭ]*(n.)* (١) المعجَم (٢) المعجميّة «أ» مجموع مفردات اللغة . «ب» مجموع المفردات التي يستخدمها شخص أو طبقة ما .

vocal [vō'kəl] *(adj.; n.)* (١) «أ» ملفوظ . «ب» صوتي (٢) vocalic (٣) «أ» مصوِّت . «ب» ذو صوت . «ج» معبِّر . «د» ضاجّ بالأصوات . «هـ» صريح . «و» معبِّر عنه بالألفاظ §(٤) صوتٌ ملفوظ (٥) أغنية .

vocal cords *(n. pl.)* الأوتار الصوتيّة (ت) .

vocalic [vō kăl'ĭk]*(adj.)* (١)عِلّيّ (ل) (٢)مؤلف من أحرف عِلّة .

vocalism [vō'kə lĭz əm] *(n.)* (١) vocalization (٢) غِناء (٣) حروف العلّة (في لغة) .

vocalist [vō'kəl ĭst] *(n.)* المغنّي ؛ المُنشِد ؛ المُطرب .

vocalization [vō kə lə zā'shən] *(n.)* (١) لَفظ ؛ نطق ؛ تعبير عن (٢) غناء (٣) الإعلال : القَلْبُ إلى حرف علّة .

vocalize [vō'kə līz]*(vt.)* (١)يلفظ ؛ ينطق ؛ يعبّر عن (٢) يغنّي (٣) يُعِلّ : يقلب إلى حرف عِلّة .

vocation[vō kā'shən]*(n.)* (١)«أ»النداء الباطني : شعور المرء بأنّه

مدعوّ للقيام بعمل (اجتماعي أو دينيّ بخاصة). «ب» مهمة؛ وظيفة (٢)«أ» مهنة. «ب» أهل المهنة الواحدة (٣) كفاءة؛ موهبة.

vocational [-əl] *(adj.)* مِهَنِيّ (a ~ school).

vocative [vŏk'ə tĭv] *(adj.; n.)* (١) ندائيّ §(٢) صيغة المنادى (ل).

vociferance [vō sĭf'ər əns] *(n.)* صَخَب؛ صياح.

vociferant [vō sĭf'ər ənt] *(adj.; n.)* (١) صَخّاب؛ صيّاح. §(٢) الصخّاب؛ الصيّاح.

vociferate [vō sĭf'ə rāt'] *(vi.; t.)* (١) يَصْخَب؛ يصيح. ×(٢) يقول أو ينطق صائحاً.

vociferous [vō sĭf'ər əs] *(adj.)* (١) صَخّاب (٢) صاخب.

vodka [vŏd'kə] *(Russ.)* الفودكا: شراب روسي مُسْكِر.

vogue [vōg] *(F.)* (١) زيّ؛ موضة (٢) شعبيّة؛ رواج.

in ~, دارج؛ رائج.

voguish [vō'gĭsh] *(adj.)* (١) أنيق (a ~ suit) (٢) دارج فجأةً أو موقّتاً (~ meanings).

voice [vois] *(n.; vt.)* (١) صوت (٢) مُغَنٍّ (٣) مقدرة غنائيّة. (٤) جزء من قطعة موسيقيّة لنوع من المغنين أو الآلات (٥) صيغة الفعل (ل) (٦) تعبير (His students gave ~ to their joy.) §(٧) يعبّر عن (٨) يُدَوْزِن (آلةً موسيقية) (٩) يلفظ (حرفاً) بصوت.

in ~, في حالة ملائمة لحُسن الغناء أو الكلام.

with one ~, بالاجماع

voice box *(n.)* الحَنْجَرة؛ صندوق الصوت.

voiced [voist] *(adj.)* (١) ذو صوت (low-*voiced*) (٢) معبَّر عنه صوتياً (~ opinions) (٣) مجهور (~ consonants).

voiceful [vois'fəl] *(adj.)* (١) ذو صوت (٢)«أ» عالي الصوت. «ب» كثير الأصوات.

voiceless [vois'lĭs] *(adj.)* (١) أبكم (٢) مهموس (ل).

voice part *(n.)* الجزء الصوتي: جزء من لحنٍ صوتي أو آلي.

void [void] *(adj.; n.; vt.)* (١) خالٍ (٢) فارغ: غير مُنْفَق في العمل (~ hours) (٣) شاغر (٤) خِلْوٌ من؛ يعوزه كذا (is ~ of common sense) (٥) عقيم؛ لا طائل تحته (٦) باطل؛ لاغٍ (ق) §(٧) فراغ (٨) فجوة (٩) فقدان §(١٠) يُفرِغ؛ يُخْلي (١١) يُخرِج؛ يطرد (١٢) يُبطِل (عقداً الخ.).

voidable *(adj.)* ممكن إبطاله أو الغاؤه (كعقد من العقود).

voidance [voi'dəns] *(n.)* (١) إفراغ؛ إخلاء (٢) إخراج. (٣) إبطال؛ إلغاء (٤) خُلُوّ؛ شُغور.

voidness [void'-] *(n.)* (١) فراغ؛ خُلُوّ (٢) بُطْلان.

voile [voil; vwäl] *(F.)* الفوال: نسيج رقيق.

voir dire [vwär dēr'] *(F.)* اليمين: يمين يؤديها الشاهد أو المحلّف.

volant [vō'lənt] *(adj.)* (١) طائر أو قادر على الطيران (٢) سريع؛ رشيق.

Volapük [vō'lə pyk'] *(n.)* اللغة العالمية: لغة دوليّة وضعيّة مبنيّة في الدرجة الأولى على اللغة الانكليزيّة.

volar [vō'lər] *(adj.)* (١) راحيّ: متعلق براحة اليد (٢) أخمَصيّ: متعلّق بأخمص القدم.

volatile [vŏl'ə tĭl] *(adj.; n.)* (١) طائر أو قادر على الطيران (٢) متطاير؛ طيّار (a ~ oil) (٣) خَلِيّ؛ جَذِل؛ خالٍ من الهموم (٤)«أ» سريع الاستثارة أو التأثر. «ب» متفجّر (٥) متقلّب (٦) سريع الزّوال §(٧) طائر؛ حشرة (٨) مادّة متطايرة.

volatileness [-nĭs] *(n.)* = volatility.

volatility [vŏl ə tĭl'ə tĭ] *(n.)* التطايرية: قابلية التطاير.

volatilization [vŏl ə tĭl ə zā'shən] *(n.)* (١) تطيير؛ تصعيد. (٢) تطاير؛ تصعّد.

volatilize [vŏl'ə tə līz'] *(vt.; i.)* (١) يطيّر؛ يصعّد. ×(٢) يتطاير؛ يتصعّد.

volatize [vŏl'ə tīz] *(vt.; i.)* = volatilize.

volcanic [vŏl kăn'ĭk] *(adj.; n.)* (١) بركاني (٢) عنيف؛ متفجر. §(٣) صخر بركاني.

volcanic glass *(n.)* الزجاج البركاني: زجاج طبيعي ينشأ عندما تبرد الحِمَم البركانيّة بسرعة فائقة.

volcanicity [vŏl'kə nĭs'ə tĭ] *(n.)* = volcanism.

volcanism [vŏl'kə nĭz'əm] *(n.)* البركانيّة: القوة البركانيّة؛ الفعل البركاني.

volcanist [vŏl'kə nĭst] *(n.)* البراكينيّ: العالم المتخصّص في دراسة الظواهر البركانيّة.

volcanize [vŏl'kə nīz] *(vt.)* يُبَرْكِن: يُخضِع أو يعرّض لحرارة البراكين أو فعلها.

volcano [vŏl kā'nō] *(It.)* pl. **-es** *or* **-s** بركان.

volcanologic; -al [vŏl'kən ə lŏj'-] *(adj.)* عِلمبيركاني: متعلق بعلم البراكين.

volcanologist [vŏl'kə nŏl'ə jĭst] *(n.)* = volcanist.

volcanology [vŏl'kə nŏl'ə jĭ] *(n.)* عِلم البراكين: علم يبحث في الظواهر البركانيّة.

vole [vōl] *(n.)* الفَوْل؛ فأر الحقل: حيوان من القوارض.

vole

volition [vō lĭsh'ən] *(n.)* (١) اختيار. (٢) إرادة.

of my own ~, بملء اختياري أو إرادتي.

volitional [vō lĭsh'ən əl] *(adj.)* (١) اختياريّ (٢) إراديّ.

volitionary [vō lĭsh'ə nĕr'ĭ] *(adj.)* = volitional.

volitive [vŏl'ə tĭv] *(adj.)* إراديّ.

volkslied [fôlks'lēt'] *(G.)* pl. **-lieder** [-lē'dər] أغنية شعبية.

volley [vŏl'ĭ] *(n.; vt.; i.)* (١) وابل من السهام أو الرصاصات أو القذائف (ينطلق في وقت واحد) (٢) وابل من الكلمات أو التهديدات (٣)«أ» طيران الكرة (في التنس الخ.) أو عودتها قبل أن تمسّ الأرض §(٤) يطلق وابلاً من القذائف دفعة واحدة (٥) يضرب أو يعيد (كرةَ التنس الخ.) قبل أن تمسّ الأرض ×(٦) تنطلق القذائف دفعةً واحدة.

volleyball [vŏl'ĭ bôl'] *(n.)* الكرة الطائرة (رب).

volplane [vŏl'plān] *(vi.; n.)* (١) ينزلق (بالطائرة نحو الأرض من غير استعانة بالقوّة المحرّكة) §(٢) الانزلاق (طي).

volt [vōlt] *(n.)* (١) حركة دائرية (يقوم بها فرس) (٢) وثبة (في المبارزة بالسيف) اجتناباً لطعنة.

volt [vōlt] *(n.)* الفُلْط: وحدة القوة المحرِّكة الكهربائية (كب).

voltage [vōl'tĭj] *(n.)* الفُلْطية؛ الجهد: القوة المحرِّكة الكهربائيّة مَقِيسةً بالفلطات (كب).

voltage divider *(n.)* مُقسِّم الفُلطيّة (كب).

voltaic [vŏl tā'-] *(adj.)* فُلْطائيّ؛ كلفانيّ (را. galvanic).

voltaism [vŏl'tə ĭz'əm] *(n.)* = galvanism.

voltameter [vŏl tăm'ə tər] *(n.)* الفلطامتر؛ مقياس التحليل الفُلطيّ؛ مقياس التيّار بالتحليل الكهربائي.

volt-ammeter[vōlt'ăm'mē'-] *(n.)* مقياس الفُلط والأمبير (كب).

volt-ampere [vōlt'ăm'pĭr] *(n.)* فُلط – أمبير (كب).

volte-face [vŏlt făs'] *(F.)* = about-face.

voltmeter [vōlt'mē'tər] *(n.)* الفُلْطمتر : مقياس الفُلطية أو فرق الجهد (كب).

voluble[vŏl'yə bəl] *(adj.)* (١) دوّار ، لفّاف (٢) ذَرِب ، مِهذار.

volume [vŏl'ūm] *(n.)* (١) كتاب ، مجلّد (٢) حجم (٣) مقدار ، كتلة (٤) الحَجْم : جهارة الصوت.

volumeter [və lōō'mə tər] *(n.)* المِحجام : أداة لقياس الأحجام.

volumetric [vŏl'yə mĕt'rĭk] *(adj.)* مِحجاميّ ، حَجْميّ : متعلّق بقياس الحجم.

volumetric analysis *(n.)* التحليل المِحجامي أو الحجميّ (ك).

voluminous[və lōō'mə nəs] *(adj.)* (١) مُلْتفّ ، كثير اللفّات. (٢) «أ» ضخم ، كبير ، فضفاض ، منتفخ (a ~ cloak). «ب» كثير ، متعدد (٣) «أ» غزير (a ~ flow of lava). «ب» يملأ مجلدات (~ notes). «ج» مُكْثِر ، وافر الانتاج (a ~ poet).

voluntarily [vŏl'ən tĕr'ə lĭ] *(adv.)* طوعاً ، اختياراً ، عن رضى ، «بطيبة خاطر».

voluntariness [vŏl'ən tĕr-] *(n.)* الطوعيّة ، الاختياريّة.

voluntarism [vŏl'ən tə rĭz'əm] *(n.)* (١) الطوعيّة ، الاختياريّة. (٢) الارادية ، مذهب الارادة. **—voluntarist** *(n.)* **—voluntaristic** *(adj.)*

voluntary [vŏl'ən tĕr'ĭ] *(adj.; n.)* (١) «أ» إرادي ، اختياريّ (~ action). «ب» طَوْعيّ (~ contributions) (٢) متعمَّد ، مقصود (~ murder) (٣) حرّ ، عاملٌ بإرادته (a ~ worker) (٤) متمتّع بحرية الاختيار (Man is a ~ agent.) (٥) مدعوم بمساعدات طوعيّة (~ societies) § (٦) كلّ ما يُفْعَل أو يقدَّم طوعاً (٧) المتطوّع (٨) قطعة موسيقية عفوية أو مرتجلة عادةً. تعزف كمقدمة لقطعة أكبر منها ، وبخاصة : قطعة من موسيقى الأرغن تعزف قبل (أو خلال أو أثناء) الصلاة في الكنيسة.

voluntaryism [vŏl'ən tĕr'ĭ ĭz'əm] *(n.)* = voluntarism.

voluntary muscle *(n.)* العضلة الإراديّة (ت).

volunteer [vŏl'ən tĭr'] *(n.; adj.; vt.; i.)* (١) المتطوّع (وبخاصة للخدمة العسكرية) (٢) النبتة التلقائيّة § (٣) «أ» مؤلف من متطوعين (a ~ fire department). «ب» طوعي ، إرادي (~ advice) (٤) نابتٌ تلقائياً § (٥) يقدّم متطوّعاً (to ~ one's services) × (٦) يتطوّع.

Volunteers of America *(n.)* متطوعو أميركة : جمعية دينية خيرية شبيهة بجيش الخلاص (را. Salvation Army) أنشأها في نيويورك بلينغتون بوث عام ١٨٩٦.

voluptuary [və lŭp'chōō ĕr ĭ] *(n.; adj.)* (١) الشهواني : المنغمس في الشهوات الحسيّة § (٢) شهواني ، حسّي.

voluptuous [-'chōō əs] *(adj.)* (١) «أ» شهواني (a ~ woman). «ب» حسّيّ (~ desires) (٢) مبهِج للحواس (~ music *or* beauty).

voluptuousness [və lŭp'chōō əs nĭs] *(n.)* (١) الشهوانيّة ، الحسيّة (٢) القدرة على إبهاج الحواسّ.

volute[və lōōt'] *(L.)* (١) شكل حلزوني أو دَرْجي (را. scroll) (٢) الحلية الحلزونيّة أو الدَّرْجية (عم) (٣) لفة غلافٍ حلزوني (ح) (٤) حلزون بحري (ح).

volute 2.

volute [və lōōt'] *or* **voluted** [-ĭd] *(adj.)* حلزونيّ ، دَرْجي ، ملتفّ.

volute spring *(n.)* النابض أو الزنبرك الحلزوني.

volva [vŏl'və] *(L.)* غشاء الفُطر : كيس أو كأس غشائي حول قاعدة السُّويقة في بعض النباتات الفطرية.

volvulus [vŏl'vyə ləs] *(L.)* الانفتال : التواء المعي (مض).

vomer [vō'mər] *(L.)* عَظْم المِيكعة (في تشريح الرأس).

vomit [vŏm'ĭt] *(n.; vi.; t.)* (١) «أ» تَقَيُّؤ. «ب» قَيْء (٢) المقيِّىء : دواء مقيِّىء § (٣) يتقيأ × (٤) يَلْفظ ، يُخرج (٥) يُقَيِّىء : يجعله يتقيأ. **—vomiter** *(n.)*

vomiting gas *(n.)* الغاز المُقيِّىء (را. chloropicrin).

vomitory [vŏm'ə tōr'ĭ] *(L.)* مَدْخل (يخترق مقاعد المسرح).

vomiturition [vŏm'ə chōō rĭsh'ən] *(n.)* التَّقَرُّث : محاولة التقيؤ عبثاً أو بلا نتيجة.

V-1 [vē'wŭn'] *(G.)* ف١ : قذيفة ألمانيّة موجّهة.

voodoo [vōō'dōō] *(n.; vt.; adj.)* (١) الوَدّونيّة (را. المادة التالية). (٢) المشعوذ ، الساحر (٣) «أ» تعويذة. «ب» شيء مسحور § (٤) يَسْحر § (٥) وَدّوني : خاصّ بالوَدّونيّة.

voodooism [vōō'dōō ĭz'əm] *(n.)* (١) الوَدّونيّة : دين زنجيّ ، افريقيّ الأصل. منتشر بين زنوج هاييتي ويقوم في الدرجة الأولى على أساس من السحر والعرافة (٢) سِحر ، شعوذة.

voodooist [-ĭst] *(n.)* الوَدّوني : المؤمن بالودونيّة أو مُمارسها.

voodooistic [vōō'dōō ĭs'tĭk] *(adj.)* وَدّوني : منسوب إلى الوَدّونيّة أو خاصّ بها.

voracious [vō rā'shəs] *(adj.)* شَرِه ، نَهِم.

voracity [vō răs'ə tĭ] *(n.)* شَرَه ، نَهَم.

voraciousness [vō rā'shəs nĭs] *(n.)* = voracity.

vorlage [fōr'lä'gə] *(G.)* *(n.)* الفَرْلَجة : وضعٌ ينحني فيه المتزلج إلى الأمام من غير أن يرفع عقِبيه عن الزحلوفة (را. ski).

-vorous لاحقة معناها : آكل لِـ (carni*vorous*).

vortex [vôr'tĕks] *(n.)* pl. **-tices** *also* **-texes** (١) دُرْدُور (٢) دُوّامة.

vortical *(adj.)* (١) دُرْدُوريّ ، دُوّاميّ (٢) دائر في دُوّامة.

vorticella[vôr'tə sĕl'ə] *(L.)* pl. **-e** *or* **-s** الدُّرْدوريّ ، اللولبيّ : حيوان من الدُّردوريّات أو اللولبيات **Vorticella** وهي حيوانات مائيّة وحيدة الخلية ذات جسم ناقوسيّ الشكل مرتكز على سُوَيْق نحيل (ح).

vortices [vôr'tə sēz'] *pl. of* vortex.

vorticism *(n.)* الحركة الدُّوّامية : حركة فنية تجريدية معاصرة.

vorticity [vôr tĭs'ə tĭ] *(n.)* الدُّرْدوريّة : كون السائل دائراً في حركة دُردوريّة.

vorticose [vôr'tə kōs] *(adj.)* = vortical.

votaress [vō'tə rĭs] *n. fem. of* votary.

votary [vō'tə rĭ] *or* **votarist** [vō'tə rĭst] *(n.)* (١) المنذور : شخص ينضم إلى سلك الرهبان وفاءً لنذر (٢) «أ» المدْمِن شيئاً. «ب» المعجَب ، المريد (٣) «أ» العابد الورع. «ب» النّصير المتحمّس.

vote [vōt] *(n.; vi.; t.)* (١) «أ» صوت (وبخاصة في انتخاب أو في تصويت على اقتراح). «ب» مجموع الأصوات في انتخاب. «ج» ورقة اقتراع (٢) «أ» تصويت ، اقتراع. «ب» طريقة في التصويت (٣) حقّ الاقتراع (٤) قرار يُتّخَذ بالتصويت (٥) «أ» المقترَع.

«ب» فئة من المقترعين ذات ميول خاصة أو مشتركة (٦) اقتراح مطروح على التصويت (بر) §(٧) يصوّت ؛ يقترع (٨) يعبّر عن رأي ×(٩)«أ» ينتخب . «ب» يقرّر (مشروعَ قرار) (١٠) يعلن ؛ يصرح بـِ (They all ~d the trip a great success.) (١١) يقترح (I ~ that we avoid her in future.) .

to ~ down يخذل أو يهزم (اقتراحاً) بالتصويت .

to ~ in ينتخب .

voteless [vōt'-] *(adj.)* غير ذي صوت ؛ وبخاصة : محروم حقّ الاقتراع أو الانتخاب .

voter[vō'tər]*(n.)* (١)المقترع (٢)الناخب : مَن يملك حق الانتخاب .

voting machine *(n.)* آلة الاقتراع : آلة تسجّل وتُحْصي أصوات المقترعين في الانتخابات .

votive [vō'tĭv] *(adj.)* (١) نَذْريّ : مقدَّم وفاءً بنَذْرٍ (a ~ offering) (٢) رَغْبيّ : معبر عن رغبة (a ~ prayer).

votive mass*(n.)* القدّاس الخاص : قداس يُقام لغرض خاص .

vouch [vouch] *(vt.; i.)* (١) يدعو للشهادة (أمام القضاء) . (٢)«أ» يؤكِّد ؛ يجزم (ا.ق) . «ب» يَسْتَشْهد ؛ يدلي بشهادة (٣) يستشهد بـ(ا.ق) (٤) يُثْبِت ؛ يُبَرْهِن ×(٥) يَضْمَن ؛ يكفل (تتبعها for) (٦) يشهد على صحة كذا .

vouchee[vou chē']*(n.)* المُسْتَشْهَد به (لتأييد واقعةٍ أو دعوى).

voucher [vou'chər]*(n.; vt.)* (١) فا أو مص vouch (٢)وَصْل ؛ إيصال ؛ مُسْتَنَد (٣) الضامن ؛ الكفيل §(٤) يُثْبت (أو يتحقّق من) صحة شيء .

vouchsafe [vouch sāf'] *(vt.)* (١) يمنح ؛ يعطي (كجواب) . (٢) يجيز (٣) يتعطّف أو يتلطّف بـِ .

voussoir [vōō swär'] *(F.)* لَبِنة «من لَبِنات عَقْد» (عم) .

vow [vou] *(n.; vt.; i.)* (١) نَذْر §(٢) يُقْسِم (٣) يَنْذُر (to ~ a pilgrimage) (٤) يأخذ على نفسه عهداً (٥) يكرّس أو يقف (لغرض خاص) (٦) يعلن ؛ يصرح بـِ . **—vower** *(n.)*

vowel [vou'əl] *(n.)* (١) صَوْت لِيْن (٢) حَرْفُ لِيْن .

vowelize [vou'ə līz'] *(vt.)* يَشْكُل (كلمة عربية) .

vowel point*(n.)* الحركة : إحدى الحركات العربية كالفتحة والكسرة .

vox populi [pŏp'yŏŏ lī'] *(L.)* صوت الشعب أو رأيُه .

vox populi, vox Dei [dē'ī] *(L.)* صوت الشعب هو صوت الله .

voyage [voi'ĭj] *(n.; vi.; t.)* (١) رحلة (٢) «أ» رحلة بحرية . «ب» رحلة جويّة أو فضائيّة (٣) رواية عن رحلة بحرية بخاصة §(٤) يقوم برحلة ×(٥) يجتاز ؛ يَقْطَع . **—voyager** *(n.)*

voyageur [vwȧ yȧ zhœr'] *(F.)* الرحّالة ؛ وبخاصة : كندي متعوّد الترحّل على قدميه أو بكَنو (canoe .را) إلى المناطق غير المأهولة.

voyeur [vwȧ yœr'] *(F.)* = peeper 2.

vrouw *or* **vrow** [vrou] *(n.)* امرأة ؛ زوجة ؛ سيّدة .

V sign*(n.)* علامة النصر (تؤدّى برفع السبّابة والوسطى على شكل V).

V-2 *(G.)* ف٢ : قنبلة ألمانية موجّهة بصاروخ .

vug *or* **vugg** *or* **vugh** [vŭg] *(n.)* الهُزَيْمَة : تجويف صغير في عِرق معدنيّ أو في صخر .

Vulcan [vŭl'kən] *(n.)* فُلْكان : إلـه النار وصنع الأدوات المعدنيّة عند الرومان (مث) .

vulcanian [vəl kā'nĭ ən] *(adj.)* (١) cap. : فُلكاني : ذو علاقة بفُلكان (را. المادة السابقة) أو بصنع الأدوات المعدنيّة (٢) بركاني.

vulcanite[vŭl'kə-]*(n.)* الفلكانيت : مطاط صَلْد مُعالَج بالكبريت (تُصنَع منه الأزرار والأمشاط الخ .) .

vulcanization [vŭl kə nə zā'shən]*(n.)* الفَلْكَنَة : «أ» تقسية المطاط بمعالجته بالكبريت . «ب» معالجة يراد بها التقسية أو غيرها بطرائق مختلفة .

vulcanize[vŭl'kə nīz']*(vt.; i.)* (١)يفَلْكِن : «أ» يقسّي المطّاط بمعالجته بالكبريت تحت درجة حرارة مرتفعة . «ب» يعالج بطرائق مختلفة بغية التقسية أو غيرها ×(٢)يتفلكَن . **—vulcanizer** *(n.)* مُفَلْكِن .

vulcanized *(adj.)* مُفَلْكَن : معالَج بغيةَ التقسية بخاصة .

vulcanologist [vŭl kə nŏl'ə jĭst] *(n.)* = volcanologist.

vulcanology [vŭl'kə nŏl'ə jĭ] *(n.)* = volcanology.

vulgar[vŭl'gər]*(adj.)* (١) مألوف ؛ دارج (٢)«أ» عاميّ ؛ سُوقيّ . «ب» شائع (~ errors) . «ج» عادي . «د» مُبْتَذَل (٣) خشن ؛ فظّ ؛ غير مصقول (٤) بذيء .

the ~ herd العامة ؛ السُّوقة ؛ الرَّعاع .

vulgar era *(n.)* = Christian era.

vulgar fraction *(n.)* = common fraction.

vulgarian [vəl gâr'ĭ ən] *(n.)* شخص سُوقيّ . وبخاصةٍ غنيّ . سوقيّ الذوق والعادات .

vulgarism [vŭl'gə rĭz əm]*(n.)* (١) كلمة أو عبارة أو تعبير من كلام السُّوقة (٢) vulgarity .

vulgarity [vəl găr'ə tĭ] *(n.)* (١) «أ» السُّوقيّة : كون الشيء سُوقياً أو مبتذَلاً . «ب» فظاظة ؛ خشونة ؛ قلة تهذيب أو ذوق (٢) عَمَلٌ أو مَسْلَكٌ أو كلامٌ سُوقيّ .

vulgarization [vŭl gə rə zā'shən] *(n.)* (١) تبسيط ؛ جَعْل الشيء في متناول مدارك الجمهور (٢) حَطّ ؛ إفساد .

vulgarize [vŭl'gə rīz] *(vt.)* (١) يبسّط ؛ ينشر ؛ يجعله مبتذلاً أو في متناول الجمهور (٢) يحطّ ؛ يفسد (to ~ taste).

Vulgar Latin *(n.)* اللاتينية العامية (غير الفصحى) .

vulgate [vŭl'gāt; -gĭt] *(n.)* (١) cap. : الترجمة اللاتينية للكتاب المقدّس المعتمدة عند الكنيسة الكاثوليكية (٢) قراءةٌ أو نصّ مقبول عند الجمهور .

vulnerability [vŭl nər ə bĭl'ə tĭ]*(n.)* قابلية الجَرْح أو الانجراح أو السقوط بيد الأعداء الخ .

vulnerable [vŭl'nər ə bəl]*(adj.)* (١) قابل للجرح أو الانجراح أو العطب (٢) معرَّضٌ للهجوم ؛ غير حصين ؛ عرضة للسقوط بيد الأعداء (٣)«أ» عرضة للانتقاد الخ. «ب» حسّاس أو سريع التأثر بالنقد أو ضروب الإغراء الخ. (Most poets are ~ to ridicule.) .

vulnerary [vŭl'nə rĕr'ĭ]*(adj.; n.)* (١) شافٍ أو لائمٌ للجراح . §(٢) دواءٌ شافٍ أو لائم للجراح .

vulpine [vŭl'pīn; -pĭn]*(adj.)* (١) ثَعْلَبيّ . (٢) ماكر .

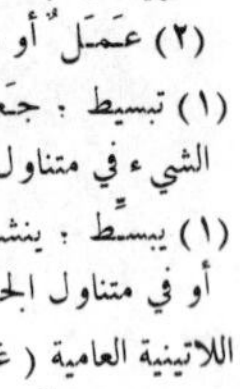
vulture

vulture [vŭl'chər]*(n.)* (١) نَسْر (٢) شخص جشِع وحشيّ .

vulturine [vŭl'chə rīn']*(adj.)* (١) نَسْريّ . (٢)«أ» جشِع . «ب» نهّاب .

vulturous [vŭl'chər əs]*(adj.)* نَسْرانيّ : شبيه بالنَّسْر . وبخاصة من حيث الجشَع أو النهب .

vulva [vŭl'və] *(L.)* الفَرْج (ت) .

vulval *or* **vulvar** [vŭl'-] *(adj.)* فَرْجِيّ : منسوب إلى الفَرْج .

vulvate [vŭl'vāt'] *(adj)* = vulval.

vulviform [vŭl'və fôrm'] *(adj.)* فَرْجيّ الشكل : ذو شكل بيضوي وشِقٍّ أوسط وحافتين ناتئتين .

vulvitis [vŭl vī'tĭs] *(L.)* التهاب الفَرْج (ط) .

vulvovaginitis [vŭl vō văj ə nī'tĭs] *(L.)* التهـاب الفَرْج والمهبِل (ط) .

vying [vī'ĭng] *pres. part. of* vie.

Westminster (England)

w [dŭb'əl yōō] *(n. often cap.)* (١) الحرف الثالث والعشرون من الأبجدية الانكليزية (٢) شيء معتَبَرٌ في المقام الثاني والعشرين أو الثالث والعشرين من حيث الترتيب أو الطبقة (٣) شيء على صورة حرف **W** .

wabble [wŏb'əl] *(vi.; t.; n.)* = wobble.

Wac [wăk] *(n.)* [*W*omen's *A*rmy *C*orps] عضوٌ في الفرقة النسائية من الجيش الأميركي (التي أنشئت خلال الحرب العالمية الثانية) .

wackily [wăk'ə lĭ] *(adv.)* على نحو أحمق أو لاعقلاني .

wacko *(adj.)* = wacky.

wacky [wăk'ĭ] *(adj.)* أحمق ؛ لاعقلاني ؛ غريب على نحو مضحك .

wad [wŏd] *(n.; vt.)* (١) حَشْوَة (من قطن ونحوه) (٢) سِطام (من لبّاد أو ورق مقوّى لتثبيت البارود أو العيار النّاري في موضعه من الخرطوشة أو البندقيّة) (٣) «أ» لفيفة أوراق مالية . «ب» مال . «ج» مقدار كبير من المال §(٤) يلفّ (٥) يَسْطِم (عياراً في بندقيّة الخ.) (٦) يحشو .

wadable *or* **wadeable** [wā'də bəl] *(adj.)* ممكنٌ التخويض فيه (كنهر أو جدول) .

wadding [wŏd'ĭng] *(n.)* (١) wad (٢) مواد للحشو أو السَّطْم .

waddle [wŏd'əl] *(vi.; n.)* (١) يتهادَى (في مشيته) §(٢) تَهادٍ .

waddy [wŏd'ĭ] *(n.; vt.)* (١) نَبُّوت (٢) راعي بقر §(٣) يضرب بالنبّوت .

wade [wād] *(vi.; t.; n.)* (١) يخوض أو يَخُوض (في الماء أو الوحل الخ.) (٢) يتقدّم بصعوبة أو جهد (٣) يهاجم (أو ينصبّ على العمل) بقوة أو عزم ×(٤) يجتاز أو يعبر مخوضاً (~*d* the stream) §(٥) تخويض (a ~ in the stream) .

wader [wā'dər] *(n.)* (١) فا wade (٢) الطائر المخوض (را. wading bird) (٣) «أ» حذاء التخويض : جزمة صامدة للماء صالحة للتخويض فيه . «ب» بِنْطال التخويض : بنطلون صامد للماء صالح للتخويض فيه .

wadi [wä'dĭ] *(Ar.)* (١) وادٍ (٢) نهر ؛ جدول .

wading bird *(n.)* الطائر المخوِّض : طائر يخوض في الماء بحثاً عن الطعام .

wading pool *(n.)* بركة التخويض : بركة ثابتة أو متنقّلة مُعَدَّة لكي يخوض الأطفال في مياهها .

wadmal *or* **wadmol** *or* **wadmel** [wŏd'məl] *(n.)* الوَدْمَل : نسيج صوفيّ غليظ .

Waf [wăf] *(n.)* [*W*omen in the *A*ir *F*orce] عضوٌ في سلاح الطيران النسائيّ الأميركي (الذي أنشىء بعد الحرب العالمية الثانية) .

wafer [wā'fər] *(n.; vt.)* (١) الرُّقاقة : «أ» بسكويتة رقيقة هشّة . «ب» رُقاقة من حلوى أو شوكولا أو دواء . «ج» رُقاقة مدوَّرة من خبز فطير تُستخدَم في العشاء الرباني (كث) (٢) الختام : قطعة من ورق دبق أو معجون مجفّف تُتّخَذ ختْماً أو مثبِتاً (٣) الحلقة الرُّقاقية : حلقة شبيهة بالرُّقاقة تستخدم لأغراض مختلفة (في صمام الخ.) §(٤) يختم أو يثبِّت أو يسدّ برقاقة أو حلقة رقاقيّة .

waffle [wŏf'əl] *(n.)* الوَفْل : كعكة تُعَدّ من دقيق وحليب وبيض وتحمّص في أداة تحميص خاصّة .

waffle iron *(n.)* مِحمصة الوَفْل : أداة لتحميص الوَفْل (را. المادة السابقة) تتألف من جزأين معدنيين ينطبق أحدهما على الآخر بحيث يُحْدِث في سطح الكعكة نتوءاتٍ مربعة أو مدوَّرة أو بيضويّة .

waft [wăft] *(vt.; i.; n.)* (١) يدْفَع ؛ يَسُوق « فوق الماء أو عبر الهواء » (The waves ~ the boat to shore.) ×(٢) ينبعث أو ينطلق (كالرائحة أو الصوت أو النغم) §(٣) رائحة خفيفة (٤) نَسْمة ؛ نسيم ؛ هبّة (٥) صوت (٦) راية (تُتّخَذ إشارةً أو تُصْطَنَع لتبيان وجهة الريح) .

waftage [wăf'tĭj] *(n.)* (١) مص waft (٢) نَقْل (بالمراكب أو نحوها) .

wafture [wăf'chər] *(n.)* (١) مص waft (٢) شيء تدفعه أو تنقله الريح أو أمواج البحر .

wag [wăg] *(vi.; t.; n.)* (١) يتحرّك (٢) يهتزّ ؛ يتأرجح (٣) يتحرّك بالقيل والقال (Her tongue ~*s* incessantly.) (٤) يتهادى (في مشيته) ×(٥) يهزّ (الرأس أو الاصبع أو الذنب) (٦) يحرّك بذرابة ، « في الحديث » (a scandal that set the villagers to ~*ging* their tongues) §(٧) المضحِك (٨) هزّ ؛ هزّة (رأسٍ الخ.) .

wage [wāj] *(vt.; i.; n.)* (١) يشنّ (حرباً) (٢) يستخدم ؛ يستأجر

عاملاً (ع) ×(٣) ينشب (The riot ~d for several days.) §(٤) pl. عد: أجر ؛ أجرة (٥) pl. عد: عاقبة (The ~s of sin is death.)

wage earner (n.) الأجير ؛ الكاسب: المشتغل مقابل أجر أو راتب.

wageless [wāj'-] (adj.) غير ذي أجر (a ~ menial).

wage level (n.) مستوى الأجور (وبخاصة في الصناعة).

wager [wā'jər] (n.; vt.; i.) (١) «أ» رهان. «ب» ما يراهَن عليه. §(٢) يراهن.

wage scale (n.) (١) سلّم الأجور (٢) مستوى الأجور.

wageworker [wāj'wûr'kər] (n.) = wage earner.

waggery [wăg'ə-] (n.) (١) مُزاح (٢) مزحة؛ وبخاصة: مداعبة سمجة.

waggish [wăg'ĭsh] (adj.) (١) مزّاح: مولع بالمزاح (٢) هزليّ.

waggle [wăg'əl] (vt.; i.; n.) (١) يهز ×(٢) يهتزّ (٣) يتهادى في مشيته §(٤) هزّة (اصبع الخ.).

Wagnerian [väg nĭr'ĭ ən] (adj.; n.) (١) فاغنري: منسوب إلى فاغنر أو موسيقاه §(٢) الفاغنري: المعجب بمذهب فاغنر الموسيقي.

wagon or **waggon** [wăg'ən] (n.; vi.; t.) (١) «أ» عربة. «ب» سيارة مقفلة (لنقل السجناء) (٢) حافلة (من حافلات نقل البضائع بالسكة الحديدية) (٣) station wagon §(٤) يسافر بعربة ×(٥) ينقل (السلع) بعربة.

off the ~, مرتدّ إلى معاقرة الخمر بعد اجتنابها.

on the ~, مجتنبٌ الخمر؛ ممتنعٌ عن معاقرتها.

wagon

wagoner [wăg'ən ər] (n.) (١) سائق عربة (٢) cap.: «أ» ذو الأعنّة؛ مُمسِك الأعنّة (فل). «ب» الدبّ الأكبر (فل).

wagonette [wăg'ə nĕt'] (n.) عربة خفيفة (للنزهة الخ.).

wagon-lit [vȧ gôn lē'] (F.) عربة نوم (في قطار).

wagon train (n.) القافلة: قافلة من عربات أو خيل وبخاصة لنقل المؤن العسكرية.

wagtail [wăg'tāl'] (n.) الذُّعَرة: طائر صغير ذو ذنب طويل جداً يرفعه ويخفضه على نحو انتفاضي (وكأنّه مذعور).

Wahhabi or **Wahabi** [wä hä'bē] (Ar.) الوهابي: واحد الوهابيين.

Wahhabism [wä hä'bĭz'əm] (n.) الوهابيّة: مذهب الوهابيين.

wahoo [wä hōō'] (n.) الواحيّة: شجيرة شمالأميركيّة (نب).

waif [wāf] (n.) (١) pl.: بضائع مسروقة «يلقي بها في الطريق لصّ هارب» (٢) اللُّقطة: شيء مجهول المالك يُعثر عليه مصادفةً (٣) شخص أو حيوان ضال أو شارد؛ وبخاصة: طفل متشرّد (٤) راية «تُتخَذ إشارة أو تُصطَنع لتبيان وجهة الريح».

wail [wāl] (vi.; t.; n.) (١) يُعْوِل؛ ينتحب (٢) يشكو ×(٣) يندب (ا.ق) §(٤) إعوال؛ عويل؛ نحيب (٥) شكوى.

wailful [wāl'fəl] (adj.) (١) حزين (٢) مُعْوِل؛ منتحب.

wailing wall (n.) حائط المبكى (عند اليهود).

wain [wān] (n.) (١) عربة ضخمة (تُستخدم في المزارع) (٢) cap.: الدب الأكبر (فل).

wainscot [wān'skət] (n.; vt.) (١) خشب سنديان فاخر (بر). (٢) «أ» كُسْوَة خشبيّة (أو غير خشبية) لجدار داخلي «ب» الأقدام الثلاثة أو الأربعة السفلى من جدار داخلي (حين تكون مزخرفةً على نحو مختلف عن سائر الجدار) §(٣) يكسو بألواح خشبية الخ.

wainscoting or **wainscotting** [wān'skət ĭng; -skŏt-] (n.) (١) مادّة تُكسَى بها الجدران الداخلية (٢) wainscot 2.

wainwright [wān'rīt] (n.) صانع العربات أو مُصلحها.

waist [wāst] (n.) (١) خَصْر؛ حَقْو (٢) وَسَط (السفينة أو جسم الطائرة) (٣) صُدْرة.

waistband [wāst'bănd] (n.) حِزام؛ نطاق (وبخاصة بوصفه جزءاً من تنورة أو بنطلون الخ.).

waistcloth [wāst'klôth] (n.) = loincloth.

waistcoat [wāst'kōt'] (n.) صُدْرة؛ «صَدْريّة».

waistline [wāst'līn'] (n.) خطّ الخَصْر: «أ» خطّ افتراضي يحيط بالخصر. «ب» جزء من الثوب يغطّي هذا الخط أو يقع فوقه أو تحته تبعاً لمقتضيات الزيّ. «ج» محيط الجسم عند الخصر.

wait [wāt] (vt.; i.; n.) (١) «أ» ينتظر. «ب» ينتظر «أملاً في تغيُّرٍ مؤاتٍ في كذا» (to ~ out the storm) (٢) يؤخّر أو يؤجّل «بانتظار حضور شخص» (Don't ~ dinner for me.) (٣) يخدم «بوصفه نادلاً» (earned a few shillings ~ing table) §(٤) «أ» عضو في فرقة من المغنّين والموسيقيّين تطوّف في الشوارع في عيد الميلاد. «ب» قطعة موسيقيّة تعزفها فرقة كهذه (٥) كمين (٦) «أ» ترقُّب؛ توقُّع (We anchored in ~ for early morning fishing.) «ب» انتظار. «ج» فترة استراحة «بين الفصول»؛ انقطاع؛ توقف (without ~s).

to lie in ~ (for) يكمن؛ يكمُن لـ.

to ~ on or upon (١) يخدم (فلاناً)؛ يقوم على خدمة فلان (٢) يزوره زيارة رسميّة (٣) يتلوه بوصفه نتيجةً.

to ~ up يطيل السهر؛ يأوي إلى فراشه متأخّراً.

wait-a-bit [wāt'ə bĭt] (n.) انتظر قليلاً: نبات شائك.

waiter [wā'tər] (n.) (١) النادِل: القائم على خدمة الزبائن في مطعم أو حانة (٢) طبق؛ صينية (وبخاصة لتقديم الطعام أو المشروبات).

waiting [wā'tĭng] (n.) انتظار؛ خدمة؛ خدمة على المائدة الخ.

waiting game (n.) لعبة الانتظار: أسلوب في اللعب الخ. يحجم بموجبه لاعبٌ أو أكثر، عن القيام بأي نشاط ارتقاباً للفرصة المؤاتية.

waiting list (n.) جدول (أو قائمة) الانتظار: جدول يشتمل على أسماء الأشخاص الذين ينتظرون دورهم في التوظيف أو في الالتحاق بمؤسّسة ما أو في السفر بالطائرة الخ.

waiting maid or **woman** (n.) (١) الخادمة (٢) الوصيفة.

waiting man (n.) (١) الخادم (٢) الوصيف.

waiting room (n.) حجرة الانتظار (في عيادة طبيب أو محطّة للسكة الحديدية الخ.).

waitperson [wāt'pûr'sən] (n.) النادل أو النادلة.

waitress [wā'trĭs] (n.) النادِلة: القائمة على خدمة الزبائن في مطعم الخ.

waive [wāv] (vt.) (١) يهجر أو يتخلّى عن (ا.ق) (٢) يطرَح (سِلَعاً مسروقة) (٣) يتجنّب «خطراً الخ.» (ا.ق) (٤) «أ» يتنازل (عن حقّ شرعي). «ب» يمسك أو يمتنع (عن المطالبة بحقّ أو تنفيذ قاعدة) (٥) يرجىء أو يؤجّل النظر في (٦) يَصْرِف شخصاً أو فكرةً الخ. «بالاشارة باليد أو بمثل الاشارة باليد» (Evils are not magically ~d out of existence.)

waiver [wā'vər] (n.) (١) تخلٍّ؛ تنازل الخ. (٢) وثيقة تنازل.

wake [wāk] *(vi.; t.; n.)* (١) يَسْهَر . «ب» يَسهر قرب فراش مريض أو جثة فقيد (٢) يستيقظ He ~*d* up at 4 o'clock in the morning.) ×(٣) يوقظ (*woke* up his son) §(٤) يقظة (between ~ and sleep) (٥)«أ» احتفال بعيد شفيع كنيسة . «ب» عطلة سنوية (بر) (٦) السهر عند جثة الميت قبل دفنها (٧) الأثر الذي تخلّفه السفينة الجارية في المياه . وتوسعاً : كل أثر يخلّفه جسم متحرك .
in the ~ of بعْدَ ، على أثر ، في أعقاب كذا .

wakeful [wāk'fəl] *(adj.)* (١) أرِق : «أ» عاجز عن النوم . «ب» مُتّسِم بالأرق (a ~ night) (٢) يَقِظ ، سهران ، محترس (a ~ foe) .

wakeless [wāk'-] *(adj.)* عميق ، غير متقطّع (~ sleep) .

waken [wā'kən] *(vi.; t.)* (١) يَنْشَط ، يتنبّه (٢) يستيقظ . ×(٣)«أ» يثير (~*ed* the reader's sympathy) . «ب» ينبّه (٤) يوقظ .
—wakener *(n.)*

wakerife [wāk'rīf] *(adj.)* يَقِظ ، مُتنبّه (اسك) .

wake-robin [wāk'rŏb'ĭn] *(n.)* (١) اللُّوف الأبقع (را. cuckoopint) (٢) السَّحْلَب الأبقع (نب) (٣) الإطْرِلِيُّون ، الزهرة الثلاثيّة (نب) (٤) الأرسيمة (نب) .

wake-up [wāk'ŭp] *(n.)* النقّار : طائر أميركي (ع) .

Waldenses [wŏl dĕn'sēz] *(n. pl.)* الولدوويون ، الوُلداوية : فرقة نصرانيّة نشأت في جنوبي فرنسة ، بعد عام ١١٧٠ ، بزعامة بيير وُلدو Waldo .

Waldorf salad [wôl'dôrf] *(n.)* سَلَطَة وُلدورف : سَلَطة تُعَدّ من تفاح مُقطّع إلى مكعّبات صغيرة ومن كرفس ومَيُونيز (را. mayonnaise) .

wale [wāl] *(n.; vt.)* (١)«أ» الحَبَار : أثر الضرب بالسياط . «ب» ضلع أو شقة مرتفعة متطاولة (٢) ضِلْعٌ رابط (في مركب) (٣)«أ» الضِّلع : واحد من سلسلة أضلاع مستوية في نسيج . «ب» طبيعة النسيج أو ضرْب حياكته (٤) اختيار (٥) صَفْوَة ، نخبة §(٦) يُحبِّر : يترك في الجسم آثار ضرب بالسياط (٧) يختار (عب) .

Waler [wā'lər] *(n.)* فَرَسٌ (مُستوْرَدٌ من أستراليا) .

Walhalla [wăl hăl'ə] *(G.)* = Valhalla.

walk [wôk] *(vi.; t.; n.)* (١) «أ» يظهرُ (الشَّبَح) . «ب» تجري (السفينةُ) (٢)«أ» يمشي ، يسير . «ب» يمشي ابتغاء النزهة أو الرياضة ×(٣) «أ» يجتاز ، يذرع (to ~ the avenue) . «ب» يؤدي (مهمة) بالسير على قدميه (to ~ guard) (٤) يسيِّر ، يمشّي ، يجْري (٥) يرافق (سيراً على الأقدام) ، يسير مع He ~*ed* them about the park.) (٦) يُكرهه على المشي أو يساعده عليه (They ~*ed* him into jail.) (٧) يقيس أو يمسح أو يتحرى بالمشي (to ~ a track) (٨) ينفق أو يسلخ الخ. بالمشي ~*ed* the entire afternoon away) (٩) يطرد الخ. بالمشي (to ~ off a headache) (١٠) يجعله — من طريق المشي — في حالة معيّنة to ~ one's companion to exhaustion) §(١١) مشي ، سَيْر ، وبخاصة : نزهة سيراً على القدمين (to take a ~) (١٢) ممشى أو مكان مُعَدّ خصيصاً للمشي ، مثل : «أ» مجاز في حديقة أو بين صفوف من الأشجار . «ب» رصيف المشاة . «ج» شارع يُتنزَّه فيه . «د» مصنع الحِبال (١٣)«أ» مَرْعَى للحيوانات . «ب» حظيرة يسرح فيها الدجاج بحريّة (١٤) مَسِيرة five minutes' ~ to the station) (١٥) موكب (بر) (١٦) سلوك ، مَسْلَك (١٧) أدنى درجات السرعة Shortage of raw materials slowed production down to a ~.) (١٨) طريق الحارس (أو الشحاذ أو موزّع البريد) المألوفة (١٩) المِشية ، طريقة خاصة في المشي (Salma's ~ is just like her mother's.) (٢٠) مرتبة اجتماعية أو اقتصادية (persons from every ~) (٢١) دنيا ، عالم ، حقل (distinguished figures in science... and in the ~ of letters) (٢٢) مهنة ، حرفة ، عمل (persons in the humbler ~*s* of life) (٢٣) بستان رُتِّبَتْ أشجاره صفوفاً تفصل بينها مجازات عريضة .
to ~ away from (١) يهزمه أو يتغلّب عليه بغير صعوبة . (٢) ينجو (من حادثة) سالماً أو من غير أن يُصاب بأذى .
to ~ away with يأخذ ما ليس له (عامداً أو غير عامد) .
to ~ into (١)«أ» يهاجم . «ب» ينتقد أو يوبّخ بقسوة . (٢) «أ» يلتهم : يأكل أو يشرب بنهم . «ب» يستهلك أو يستنفد بسرعة .
to ~ off with (١) «أ» يسرق . «ب» ينتحل (لنفسه ما ليس له) . «ج» يأخذ ما ليس له (عامداً أو غير عامد) (٢) يكسب أو يربح (وبخاصة بالتغلّب على منافسيه من غير صعوبة) .
to ~ one's chalks ينصرف أو يرحل بسرعة .
to ~ out (١) يُضرِب عن العمل (٢) ينسحب (استنكاراً أو احتجاجاً) (٣) يمشي بخطىً واسعة .
to ~ out on (١) يتخلى عنه (حين يكون في أمسّ الحاجة إلى المساعدة (٢) يهجر (مهنةً لينصرف إلى أخرى) .
to ~ out with تَعْشَقُ (الخادمةُ بخاصةٍ) شخصاً .
to ~ over يدوس عليه : يستخف بمشاعره أو رغباته ، يعامله بازدراء .
to ~ the chalk line يسير على الصراط المستقيم ، يلزم جانب الحشمة أو الفضيلة .
to ~ the plank (١) يُكرَه على السَّيْر (وبخاصة من قِبل القرصان) فوق حافة المركب حتى يسقط في البحر (٢) يتخلّى عن منصب الخ. (كرْهاً أو تحت الضغط) .
to ~ the streets تَفْجُر ، تَفْسُق ، تتعاطى الدعارة .
to ~ through يؤدّي (عملاً من الأعمال) بطريقة ميكانيكيّة أو روتينيّة .

walkaway [wôk'ə wā] *(n.)* انتصار سَهْلٌ أو يسير .

walker [wô'kər] *(n.)* (١) الماشي الخ. مثل «أ» مراقب الأحراج الخ. (ا م) «ب» المشترك في سباق في المشي . «ج» البائع المتجوّل (٢) شيء يُستخدم في المشي ، مثل : «أ» هيكل على عجلات مُعَدّ لمساعدة الطفل على المشي . «ب» حذاء خاصّ بالمشي .

walkie-lookie [wô'kĭ lōō'kĭ] *(n.)* : الكاميرا التلفزيونية النقّالة : كاميرا تلفزيونيّة قابلة للحمل أو النقل مُعَدّة لكي يستخدمها رجلٌ واحد .

walkie-talkie [wô'kĭ tô'kĭ] *(n.)* جهاز راديو المِذياع الظَّهري : مُرسِلٌ ومستقبِل ، صغيرٌ عامل بالبطارية ، مُعَدّ لكي يحمله المرء (وبخاصة الجندي) على ظهره .

walk-in [wôk'ĭn] *(adj.; n.)* (١) ضخم «إلى درجة تمكّن من السَّير فيه» (~ refrigerator) (٢) مباشر : مُعَدّ بحيث يُدْخَل إليه . مباشرةً لا من خلال رَدْهة (~ apartment) §(٣) ثلاجة ضخمة أو حجرة تبريد كبيرة (٤) انتصار سهل (في الانتخابات) .

walking [wô'king] *(n.; adj.)* (١) المشي الخ. (٢) المَسِير : حالة الطريق بالنسبة إلى السائر عليها (The ~ is slippery.) §(٣) «أ» حيّ ، بشري ؛ متجوّل (a ~ encyclopedia) . «ب» قادر على المشي « رغم المرض الخ. » (talked to ~ wounded) (٤) «أ» مَشْيِيّ : مستخدَم في المشي (~ shoes) . «ب» ملائم للمشي (a ~ town) (٥) متذبذب (a ~ beam) (٦) غير مُقْعِد : غير مُقْتَضٍ ملازمة المريض للفراش (~ pneumonia) (٧) سيّار : يوجّهه أو يديره الرّجل سيراً على قدميه (a ~ cultivator) .

walking delegate *(n.)* المندوب المتجول : ممثل لإحدى نقابات العمال مكلّف بزيارة أعضائها ومراكز عملهم للتأكّد من حسن تنفيذ الاتفاقات النقابية ، وقد يقوم بتمثيل النقابة تجاه أرباب العمل.

walking leaf *(n.)* أو **walking fern** (١) السَّرْخَس الجوال : ضرب من السَّرْخَس دعي بذلك لأنّه يبدو وكأنّه يتنقّل من مكان إلى مكان (٢) الورقة السيّارة : ضرب من الحشرات ذات أجنحة وقوائم شبيهة بأوراق النبات .

walking papers *or* **ticket** *(n.)* أوراق الصَّرْف (من الخدمة).

walking stick *(n.)* (١) عصا ؛ عصا المشي (٢) الحشرة العصوية : حشرة ذات جسم طويل مستدير شبيه بالعصا .

walk-on [wôk'ŏn] *(n.)* دَوْر ثانوي (صامتٌ عادةً) في مسرحية.

walkout [wôk'out] *(n.)* (١) إضرابٌ عماليّ (٢) انسحاب من اجتماع أو منظمة (استنكاراً أو احتجاجاً) .

walkover [wôk'ō'vər] *(n.)* انتصار هيّن أو سَهْل ؛ سباق تنعدم فيه المنافسة أو تكاد : نزهة (The race was a ~ for Salim.) .

walk-up [wôk'ŭp] *(n.; adj.)* (١) مبنى أو شقّة أو مكتب بلا مِصعد §(٢) غير مزوَّد بِمِصعد (a ~ apartment) .

walkway [wôk'wā] *(n.)* مَمْشى (في مصنع أو حديقة الخ.) .

wall [wôl] *(n.; vt.; i.; adj.)* (١) «أ» سُور. «ب» حائط ؛ جدار . (٢) وضعٌ حَرِج أو يائس : خراب ؛ إفلاس ؛ إخفاق ؛ هزيمة (was driven to the ~ financially) §(٣) يحوط ؛ يسور ؛ يحيط بجدار (٤) «أ» يفصل أو يعزل بجدار أو نحوه (~*ed* off our world from the rest of human society) . «ب» يُطوِّق ؛ يحيط بِـ (Trees ~ the avenue.) (٤) «أ» يحصر أو يحبس ضمن جدران (~*ed* the monster up) . «ب» يَسُدّ بجدار أو بمثل الجدار (He ~*ed* up the crevice.) (٥) يغطّي الجدران بشيء (His study is ~*ed* with books.) (٦) يقلّب نظراته (في اتجاه بعد آخر) بطريقة تنمّ عن الانفعال × (٧) تتقلّب العين (ناظرةً في اتجاه بعد آخر) على نحوٍ انفعالي §(٨) جِداريّ (of ~ plants) .

to run one's head against a ~, يحاول أمراً مستحيلاً .

to see through a brick ~, يتمتّع ببصيرة نافذة (تخترق الحُجُب) .

with one's back to the ~, في وضع يتعذّر فيه التراجع أو الفرار .

wallaby [wŏl'ə bĭ] *(n.)* الوَلَّب : كَنْغَر صغير يألف الغابات في أوستراليا (ح) .

wallaby

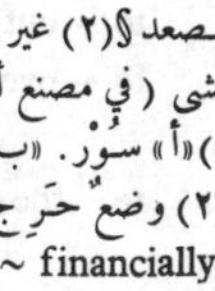

wallah [wä'lä] *(Hin.)* (١) «أ» صاحب ؛ مالك . «ب» عامل ؛ خادم (في الاصطلاح الانكليزي الهندي) (٢) شخص (ع) .

wallaroo [wŏl'ə ro͞o'] *(n.)* الوَلّر : كنغر كبير يألف سهول أوستراليا المعشوشبة (ح) .

wallboard [wôl'bōrd'] *(n.)* الألواح الجدارية : ألواح رقيقة تصنع من لب الخشب أو من اللدائن تُكْسَى بها جدران الغرف أو سقوفها.

wallet [wŏl'ĭt] *(n.)* (١) حقيبة سفر (٢) محفظة جيب .

walleye [wôl'ī] *(n.)* (١) العين البيضاء : «أ» عين (كعين الفرس) ذات حدقة ضاربٍ لونُها إلى البياض . «ب» عين ذات قَرْنيّة كثيفة بيضاء . «ج» عين جاحظة تُبْدي عن قَدْرٍ من البياض أكثر من المألوف (٢) «أ» كثافة القَرْنيّة ؛ كثافة قرنية العين . «ب» الحَوَل الجاحظ : حَوَل مصحوب بجحوظ في العين (٣) *pl.* : عينان حولاوان (٤) الجاحظ : أيّ من أسماك مختلفة تتميّز بعيونها الكبيرة الجاحظة .

walleyed [wôl'īd] *(adj.)* (١) أبيض العينين : ذو عين بيضاء (را. المادة السابقة) (٢) أحْوَل العينين (٣) جاحظ العينين (a ~ fish).

wall fern *(n.)* = polypody.

wallflower [wôl'flou ər] *(n.)* (١) المنثور ، وبخاصة : الخِيرِيّ ؛ المنثور الأصفر (نب) (٢) زهرة الجدار : شخص (رجلاً كان أو امرأة) يَقْنَع بمشاهدة الرقص إمّا حياءً وإمّا لأن أحداً لم يَدْعُه إلى الرقص معه .

wall hanging *(n.)* الستارة أو السجّادة الجدارية : ستارة أو سجّادة تعلّق على الجدار للتزيين .

Walloon [wŏ lo͞on'] *(n.; adj.)* (١) الوَلّوني : أحد أفراد شعب يقطن الأجزاء الجنوبيّة والجنوبية الشرقيّة من بلجيكا والمناطق الفرنسيّة المجاورة لها (٢) الوَلّونيّة : لغة الوَلّونيّين الفرنسيّة §(٣) وَلّوني.

wallop [wŏl'əp] *(n.; vi.; t.)* (١) «أ» لكمة ؛ ضربة عنيفة . «ب» القدرة (وبخاصة قدرة الملاكم) على الضرب بعنف (Sami had a terrific ~ in his left hand.) (٢) «أ» تأثير عاطفي أو نفسي (a movie with a dramatic ~) . «ب» إثارة §(٣) «أ» يندفع بتهوّر . «ب» يتقدّم متعثراً (٤) يئزّ (من شدّة الغليان) × (٥) «أ» يضرب بعنف . «ب» يهزمه هزيمةً حاسمةً أو نكراء .

walloping [wŏl'əp-] *(adj.; n.)* (١) كبير ؛ ضخم (٢) «أ» رائع . «ب» ساحق §(٣) ضربٌ بشدّة (٤) هزيمة منكرة .

wallow [wŏl'ō] *(vi.; n.)* (١) يتمرّغ (٢) «أ» يتقدّم متعثراً . «ب» يندفع ؛ يندفق (٣) ينغمس (في الملذات الخ.) (٤) «أ» يبزّ خرب (baby talk in which some books ~) . «ب» يتقلّب في النعمة أو الثراء أو الترف (film stars who ~ in luxury) (٥) يتخبّط §(٦) تمرّغ ؛ انغماس الخ. (٧) المَراغة ؛ المكان الذي تتمرّغ فيه الدابّة (٨) تفسّخ ؛ انحطاط .

wall painting *(n.)* = fresco.

wallpaper [wôl'pā'pər] *(n.; vt.; i.)* (١) ورقُ الجدران : ورقٌ زينيّ تُكْسَى به جدران الغُرَف §(٢) يكسو (جداراً) بورق الجدران.

wall pellitory *(n.)* حشيشة الجدران القديمة : عشب أوروبيّ مدرّ للبول ينمو بخاصةٍ على الجدران القديمة .

wall plate *(n.)* اللوح الجداريّ : عارضة أفقية في جدار أو على جدار (عم) .

wall plug *(n.)* القابس الجداري : قابس (را. plug) في جدار (كب) .

wall rocket *(n.)* الجرجير الجداري : نبتة ذات أزهار صفراء كبيرة تنمو على الجدران القديمة الخ. (نب) .

Wall Street *(n.)* وول ستريت : «أ» شارع في مدينة نيويورك يُعتبر المركز الماليّ الأوّل في الولايات المتحدة الأميركيّة . «ب» سوق المال ؛ السوق الماليّة .

walnut [wôl'nŭt] *(n.)* (١) «أ» جوز . «ب» شجر الجوز . «ج» خشب الجوز (٢) اللون الجوزيّ .

Walpurgis Night [väl po͝or'gĭs] *(n.)* ليلة القديس والبورجا :

ليلة أول مايو، عيد القديس والبورجا، التي تزعم الأسطورة الجرمانية أنّ العرافات يأخذن فيها بأسباب القصف والعربدة ويراقصن الشيطان.

walrus

walrus [wôl'rəs] *(n.)* الفَظّ : حيوان ثدييّ بحريّ شبيه بالفقمة .

waltz [wôlts] *(G.)* الفالس : رقصة الفالس أو موسيقاها .

waltz [wôlts] *(vi.; t.)* (١) يرقص الفالس. (٢) ينطلق على نحو مهتاج أو صاخب أو محاول لفتّ النظر (~*ed* out to the ladies' room) (٣) ينطلق بسرعة ويُسْر (to talk and smoke) ×(٤) يرقص الفالس مع (٥) يقوده بعجلة وتصميم ومن غير ترفّق أو مجاملة (grabbed Salma's arm and ~*ed* her upstairs) .
—**waltzer** *(n.)*

wamble [wŏm'bəl] *(vi.; n.)* (١) «أ» تجيش نفسُهُ (من الغثيان). «ب» تُقَرْقِر المعدةُ (٢) «أ» يتلوّى. «ب» يترنح. «ج» يدور؛ يلتفّ §(٣) «أ» جيَشان النفس. «ب» قَرْقَرة المعدة (٤) «أ» تلوٍّ. «ب» ترنُّح. «ج» دوران ؛ التفاف .

wampum [wŏm'pəm] *(n.)* (١) الوَمْبَم : عِقْد من أصداف يتزيّن به هنود أميركة الشمالية الحمر أو يتعاملون به بوصفه عملةً (٢) دراهم ؛ نقود (ع) .

wampumpeag [wŏm'pəm pēg'] *(n.)* = wampum 1.

wan [wŏn] *(adj.; vi.; t.)* (١) «أ» شاحب (~ face). «ب» ضعيف (a ~ personality) (٢) كامد ؛ باهت (~ stars; a ~ light) (٣) سقيم ؛ دالّ على تعاسة أو انحراف في الصحة الخ . (a ~ look; a ~ smile) (٤) غير مُجدٍ أو فعّال (our ~ efforts) §(٥) يَشْحَبُ (الوجهُ) ×(٦) يُشْحِبُ : يجعله يبدو شاحباً .

wand [wŏnd] *(n.)* (١) صولجان (٢) عصا الساحر أو المشعوذ . (٣) قطعة خشب (طولها ستة أقدام وعرضها بوصتان) تُتَّخذ هدفاً في الرماية .

wander [wŏn'dər] *(vi.; t.; n.)* (١) «أ» يتجوّل ؛ يطوف حول. «ب» يهيم ؛ يطوف في (٢) يتمعّج ؛ يتلوّى (~*ing* streams) (٣) «أ» يتيه أو يحيد عن. «ب» يَضِلّ (عن السبيل القويم) . «ج» يُخالِط في عقلِهِ ؛ يَخْرَف ×(٤) يجول في (wanted to ~ woodlands) §(٥) تجوُّل ؛ طواف .

wanderer [wŏn'-] *(n.)* المتجوِّل ، الهائم ، المتطوِّف ، التائه الخ.

wandering [wŏn'-] *(n.; adj.)* (١) *pl.* ا.ك : تجوُّل ؛ تطوُّف الخ. (٢) *pl.* ا.ك : تيه ؛ ضلال ؛ انحراف عن السبيل السويّ أو المألوف §(٣) «أ» متمعّج ؛ متلوٍّ. «ب» تائه ؛ ضالّ . «ج» مترحّل ؛ متنقّل من مكان إلى مكان (a ~ tribe). «د» متنشّر : مُنْتَشِر فوق سطح الأرض متسلّقاً ما يعترض سبيله (~ plants) . «هـ» عائم (~ kidney) .

Wandering Jew *(n.)* اليهودي التائه : «أ» يهودي تذهب الأسطورة القروسطية إلى أنّه قد حُكم عليه بالطواف حول الأرض حتى مجيء المسيح ثانيةً إلى هذا العالم جزاءً له على هُزْئِهِ به يوم صلبِهِ . «ب» *not cap. W* : نبات بعضُهُ متنشِّر (را . المادة السابقة) وبعضه معترِش .

wanderlust [wŏn'dər lŭst'] *(G.)* شهوة التَّجوال أو التَّسفار .

wanderoo [wŏn'də rōō'] *(Skt.)* الوَنْدور : قردٌ سيلانيّ أو هنديّ.

wane [wān] *(vi.; n.)* (١) يتضاءل ؛ يتناقَص ؛ مثل : «أ» ينمحق (القمرُ) : يدخل في المُحاق. «ب» يَبْهت (الضوءُ أو اللونُ) . «ج» ينحسر (المَدّ) (٢) يأخذ في الضعف (*waning* political parties) §(٣) تضاؤل ؛ تناقص (٤) المُحاق : فترة تناقص القمر بعد اكتماله .

waney *or* **wany** [wā'nĭ] *(adj.)* متضائل ، متناقص .

wangle [wăng'gəl] *(vi.; t.)* (١) يتخلص (من ورطة أو زحام). (٢) يحتال ؛ يلجأ إلى الأساليب الخادعة أو الملتوية × (٣) يهزّ (٤) يتلاعب بِـ (to ~ accounts) (٥) «أ» يحتال لِـ ؛ يحقّق أمراً بالحيلة أو نحوها . «ب» يدبّر أو ينال بالحيلة (to ~ an invitation to a party) (٦) يُقنع شخصاً بكذا (مستخدماً أساليب خادعة أو ملتوية) .
—**wangler** *(n.)*

Wankel engine *(n.)* مُحرِّك ڤانكل : مُحرِّك دَورانيّ المكبس.

wanna-be [wŏ'nə bē] *(n.)* المتمثِّل : شخص يودّ أن يكون مثل شخص آخر.

want [wŏnt] *(vt.; i.; n.)* (١) يُعوِزه كذا (٢) «أ» يريد ؛ يرغب في. «ب» يتوق توقاً شديداً إلى (٣) يتطلب ؛ يقتضي (٤) يحتاج إلى (٥) يتعيّن أو يتوجّب على (You ~ to act decently in all situations.) (٦) يطارد ؛ يلاحق (is ~*ed* for war crimes) ×(٧) يُمْلِق ؛ يصبح فريسة الفاقة أو العوز أو الحاجة (They would never allow their children to ~.) §(٨) حاجة (٩) فاقة ؛ عوز (nations living in ~) (١٠) نقيصة ؛ عيب ؛ موطن ضعف (Whatever her ~*s*, she has always been honest.)

want ad *(n.)* إعلان الطلب : إعلان عن الحاجة إلى عمل الخ .

wanting [wŏn'tĭng] *(adj.; prep.)* (١) غائب ؛ مفقود (٢) ناقص ؛ غير بالغ المستوى المطلوب أو المتوقَّع (٣) ضعيف ؛ غير كفوء §(٤) من غير ؛ بدون (a dictionary ~ a cover) (٥) إلاّ (a year ~ five days)

wanton [wŏn'tən] *(adj.; n.; vi.; t.)* (١) «أ» بهيج ؛ مفعم بالمرح (a ~ party) . «ب» لَعوب (a ~ child) (٢) «أ» خليع ؛ داعر . «ب» شهواني. «ج» مُتْرَف (~ stories) (٣) غَشوم ؛ وحشيّ ؛ لا يرحم (~ conquerors) (٤) جائر ؛ متعمَّد ؛ لا مبرّر له (~ insults) (٥) «أ» مفرط ؛ مُسْرِف ؛ لا يعرف قيداً أو حدّاً (~ imagination) . «ب» مُطلَق العِنان (~ breezes) §(٦) ولدٌ مدلّل (٧) طفل أو حيوان لَعُوب (٨) «أ» العابث ؛ المستهتر ؛ المُنغمِس في المُتع الحسيّة . «ب» الخليع ؛ الفاسق §(٩) يعبث ؛ يستهتر ؛ ينغمس في الملاذّ (١٠) يُسرف في القسوة أو الوحشية (١١) ينمو بإفراط ×(١٢) يبدّد (المال الخ.) في العبث والاستهتار .
—**wantoner** *(n.)* —**wantonly** *(adv.)*

wapiti [wŏp'ə tĭ] *(n.)* الوَبْتيت : الأيِّل الأميركي.

wappenschawing [wăp'ən shô'-] *(n.)* عَرْض أو استعراض للسلاح (كان يُقام باسكتلندة).

wapper-jawed [wŏp'ər-] *(adj.)* مُلتوي الفكّ الأسفل أو بارزُه .

wapiti

war [wôr] *(n.; vi.)* (١) «أ» حرب . «ب» حالة حرب . «ج» فنّ أو علم الحرب (٢) «أ» عِداء ؛ خصام . «ب» كِفاح ؛ صراع §(٣) يقاتل ؛ يشنّ الحرب على (٤) يتصارع .

warble [wôr'bəl] *(n.; vi.; t.)* (١) لَحْن ؛ وبخاصة : أغنية بهيجة. (٢) تغريد ؛ صُداح ؛ شَدْو (٣) الانتفاخ النَّبريّ : انتفاخ تحت جلد ظهر الحيوان (كالبقرة والفرس) ناشئ عن يرقة النَّبْر (را. botfly) أو يرقة الذبابة النَّبرية (٤) يرقة الذبابة النَّبرية §(٥) يغرِّد ؛ يصدح ؛ يشدو (٦) يغنّي ؛ ينشد .

warble fly *(n.)* الذبابة النَّبريّة : ذبابة تحيا يَرَقاتُها تحت جلد ظهور الماشية والخيل وتسبّب الانتفاخ النَّبري (را . المادة السابقة).

warbler [wôr'blər] *(n.)* (١) المغنّي : الشّادي (٢) الدخَّلة : الهازِجة : طائر مغرد .

warbler

war chest *(n.)* : صندوق الحرب : صندوق لتمويل حرب أو الانفاق عليها. وتوسعاً: مالٌ مخصّص لغرض أو عمل معيّن أو لحملة معينة.

war club *(n.)* نبّوت الحرب أو القتال : أداة نبّوتية الشكل يتّخذها هنود أميركة الحمر سلاحاً .

war crime *(n.)* جريمة الحرب: جريمة (كالإبادة الجماعيّة لفئة ما أو التنكيل بالأسرى) تُقترَف خلال الحرب (ترد بصيغة الجمع عادةً).

war cry *(n.)* صيحة الحرب: «أ» صيحة يطلقها جماعة من المقاتلين في الميدان. «ب» شعار يُستخدَم لحثّ الناس على نصرة قضيّة ما .

ward [wôrd] *(n.; vt.)* (١) «أ» حراسة ؛ حماية ؛ عناية. «ب» حرَس. (٢) «أ» اعتقال ؛ سجن . «ب» وصاية (a child in ~) (٣) جناح (من مستشفى أو سجن الخ.) (٤) حيّ ؛ دائرة (من مدينة) (٥) «أ» سِن أو شقْب (شق صغير ضيّق) في مفتاح . «ب» تسنّن أو تشقّبٌ مقابل في قفل (٦) «أ» القاصر الموضوع تحت الوصاية . «ب» شخص (وأحياناً جماعة أو اقليم) موضوع تحت وصاية القضاء او الحكومة (٧) وقاء ؛ أداة وقاية من كذا §(٨) يحرس (٩) يتفادى (to ~ off a blow) (١٠) يدفع «أذى شيء» (a magic charm to ~ off evil) (١١) يردّ ؛ يصدّ (*~ed* off all enemies).

-ward لاحقة معناها: «أ» نحو ؛ إلى (back*ward*). «ب» المواجِه ؛ المقابل؛ المتّجِه نحو (on the river*ward* side).

war dance *(n.)* رقصة الحرب: رقصة تؤدّيها الشعوب البدائيّة استعداداً لخوض المعركة أو ابتهاجاً بالنّصر.

warded [wôr'dĭd] *(adj.)* مسنّن ؛ مُشقّب (~ keys).

warden [wôr'dən] *(n.)* (١) الحافظ ؛ القيّم ؛ الأمين (٢) «أ» الوصيّ على العرش . «ب» حاكم المدينة أو المقاطعة أو القلعة. «ج» عضو في الهيئة الإدارية لنقابة من نقابات التجار والصنّاع (في القرون الوسطى) (٣) «أ» المراقب؛ المناظر . «ب» آمر السجن (٤) ناظر الكليّة . **—wardenship** *(n.)*

warder [wôr'dər] *(n.)* (١) الحارس ؛ الخفير (٢) السجّان (٣) صولجان السلطة (كعصا المارشالية). **—wardership** *(n.)*

ward heeler *(n.)* تابع لأحد رجال السياسة (يطوف في الدائرة الانتخابيّة داعياً الناس إلى تأييد صاحبه).

wardress [wôrd'rĭs] *(n.)* السجّانة: مونّث السجّان.

wardrobe [wôrd'rōb] *(n.)* (١) «أ» خزانة الثياب. «ب» حجرة الملابس. «ج» حقيبة ضخمة تعلّق فيها الملابس تعليقاً (٢) ملابس المرء أو الفرقة المسرحية (٣) دائرة الملابس أو الحلى (في بلاط الخ.).

wardroom [wôrd'rōōm'] *(n.)* (١) جناح الضبّاط (في سفينة حربيّة)؛ وبخاصة: حجرة طعام الضباط فيها (٢) الضباط المتناولون طعامهم في هذه الحجرة.

-wards لاحقة معناها: نحو ؛ إلى (up*wards*).

wardship [wôrd'shĭp] *(n.)* (١) حراسة (٢) وصاية (٣) تلمذة.

ware [wâr] *(adj.; vt.; n.)* (١) واعٍ ؛ مدرك ؛ عالم بـ . §(٢) يَحْذر ؛ يتجنّب ؛ ينتبه إلى (٣) يُنفق (اسك) §(٤) *pl.* عد: سِلَع ؛ بضاعة (peddlers selling their *~s*) (٥) نوع من السّلع أو الأدوات أو الانية معيّن (silver*ware*) (٦) خزف أو نوع معيّن منه (delft*ware*).

warehouse [*n.* wâr'hous'; *v.* -'houz', -'hous'] *(n.; vt.)* (١) مستودع (للسلع أو البضائع) §(٢) يخزن (في مستودع).

wareroom [wâr'rōōm'] *(n.)* دكّان ؛ متجر ؛ صالة عرض.

warfare [wôr'fâr'] *(n.)* (١) حرب (٢) صراع ؛ نضال .

warfarin [wôr'fə rĭn] *(n.)* الوَرْفَرين : مركّب متبلّر يُستخدم في الطبّ ويتّخذ سمّاً للقوارض.

war footing *(n.)* حالة الاستعداد للحرب (را. footing).

war game *(n.)* لعبة الحرب : مناورة عسكريّة يقوم بها ضباط الجيش فقط (لاختبار بعض النظريات الحربيّة) أو تشترك فيها عناصر من القوّات المسلّحة.

war gas *(n.)* الغاز الحربي : غاز يُستخدَم لأغراض حربيّة.

warhead [wôr'hĕd'] *(n.)* رأس النسيفة ؛ رأس الطُربيد (جن).

war-horse [wôr'hôrs] *(n.)* جواد الحرب: «أ» جواد يُستخدَم في الحرب. «ب» جنديّ أو سياسي الخ. محنّك. «ج» تمثيلية أو قطعة موسيقية الخ. كُرّر تقديمها على المسارح حتى ابتُذلت.

warily [wâr'ə lĭ] *(adv.)* بحذَر ؛ باحتراس.

wariness [wâr'ĭ nĭs] *(n.)* حذَر ؛ احتراس.

warison [wăr'ə sən] *(n.)* بُواق الهجوم: دقة بالبوق تدعو الجند إلى الهجوم.

warlike [wôr'-] *(adj.)* (١) مولع بالحرب (٢) حربيّ (~ tribes).

warlock [wôr'lŏk'] *(n.)* الساحر ؛ المشعوذ ؛ العرّاف الخ.

warlord [wôr'lôrd] *(n.)* اللواء ؛ الجنرال ؛ القائد العسكريّ.

warm [wôrm] *(adj.; vt.; i.; adv.)* (١) «أ» دافئ ؛ حارّ. «ب» مدفئ (~ clothes) (٢) «أ» رخيّ ؛ مطمئن ؛ راضٍ. «ب» غنيّ (a ~ existence in her old age) (٣) «أ» متّقد ؛ قويّ (in ~ terms). «ب» حماسيّ ؛ قلبيّ (a ~ welcome). «ج» حامٍ (a ~ debate). «د» منفعل ؛ غاضب (to become ~ when contradicted) (٤) حميم (~ friends) (٥) «أ» رقيق (a ~ heart). «ب» راشح بالمحبة أو الحنان أو السعادة أو عرفان الجميل (His eyes met hers with ~ regard.) (٦) «أ» شهوانيّ (a ~ girl). «ب» مثيرٌ جنسياً (~ passages) (٧) مصحوب بخطر أو ألم شديد (٨) قويّ أو جديد (a ~ scent) (٩) قريب من الهدف أو الحلّ المنشود . . . (indicative words... show the searcher when he is getting ~) (١٠) مُوحٍ بالدفء ؛ دافئ (~ colors) §(١١) يدفئ (١٢) «أ» يُسعِد ؛ يُبْهِج (It *~s* my soul.). «ب» يلهِب . يفعم بالغضب أو الحماسة أو الانفعال (*~ed* the words of the man). «ج» يُفعِم بالحيويّة أو النشاط (١٣) يُعيد التسخين (bitter coffee *~ed* over from the night before) (١٤) يحمّي : يهيئه للعمل بالتمرين أو الإعمال المبدئيّ (*~ing* their boat motors) ×(١٥) يدفأ ؛ يصبح دافئاً (١٦) «أ» يَعنُف ؛ يتحمّس ؛ يغضب ؛ ينفعل. «ب» يستشعر المحبة والمودة الشديدة (always *~ed* toward anyone who praised his son). «ج» يَسْعَد ؛ يبتهج (١٧) يتحمّى: يصبح مستعداً للعمل §(١٨) على نحو دافئ (*warm*-clad). **—warmly** *(adv.)* **—warmness** *(n.)*

to ~ up (١) يسخّن أو يطبخ ثانية (٢) يجعل (أو يصبح) أكثر اهتماماً أو مودّةً (٣) يتمرن بضع دقائق قبل خوض المباراة الخ. (٤) يتحمّى ؛ يَعنُف ؛ يشتدّ.

warm-blooded [wôrm'blŭd'ĭd] *(adj.)* (١) ثابت الحرارة : ذو حرارة جسمانيّة عالية نسبياً وثابتة لا تتأثر بتغيّر حرارة

البيئة (ح) (٢) شديد الحماسة ؛ سريع الانفعال الخ .

warmed-over [wôrmd'ō'vər] *(adj.)* (١) مُعاد التسخين ؛ مسخَّن ثانيةً (coffee ~) (٢) تفِهٌ ؛ بالٍ ؛ غير جديد (plays ~).

warmer [wôr'mər] *(n.)* (١) المدفئ ؛ المسخِّن (٢) أداة تدفئة أو تسخين .

warm front *(n.)* الجبهة الدافئة (أر) .

warmhearted [wôrm'här'tĭd] *(adj.)* كريم ؛ عطوف ؛ ودود .

warming pan *(n.)* مِدفأة السرر : كانون نحاسيّ ذو غطاء كانوا يستخدمونه لتدفئة السُّرُر قبل الإيواء إليها .

warmish [wôr'mĭsh] *(adj.)* دافئ قليلاً ؛ دافئ بعض الشيء .

warmonger [wôr'mŭng'gər] *(n.)* مثير الحرب .

warm spot *(n.)* (١) النقطة الدافئة : عضو حسٍّ متطرّف يستثار بارتفاع الحرارة (٢) محبّة دائمة (لشخص أو شيء معيّن) .

warmth [wôrmth] *(n.)* دِفء ؛ حرارة ؛ حماسة ؛ شدّة ؛ عنف .

warm-up [wôr'mŭp] *(n.)* (١) فترة تمرين (أو سلسلة تمرينات) تسبق خوض المباراة (٢) التحمية : إدارة المحرك فترة قصيرة قبل إعماله أو تشغيله ، بغيةَ تزويده بالحرارة التي تكفل سيره على الوجه الأفضل (٣) عملٌ أو استعدادٌ ممهِّد لحدَثٍ هامّ أو رئيسي .

warn [wôrn] *(vt.; i.)* (١) «أ» يحذِّر . «ب» يُنْذِر . «ج» ينبّه إلى ضرورة كذا (٢) يُشْعِر ؛ يُخْبِر (to ~ a person of an intended visit) (٣) يأمر ؛ يدعو (~*ed* him to appear in court) .

warning [wôr'nĭng] *(n.; adj.)* (١) تحذير ؛ إنذار ؛ تنبيه ؛ إشعار الخ . §(٢) تحذيريّ ؛ انذاريّ (a ~ signal) .

war of nerves حرب الأعصاب (لإحداث الإرتباك أو إضعاف المعنويات)

warp [wôrp] *(n.; vt.; i.)* (١) «أ» السَّداة : ما مُدّ من خيوط النسيج طولاً وهو خلاف اللّحمة . «ب» الخيوط المشكّلة للجزء الأساسي من دولاب السيّارة . «ج» أساس ؛ قاعدة (٢) حَبْل (مشدود إلى مرساة أو نحوها) يُجَرّ به المركب (٣) «أ» طَمْي ؛ راسب غرينيّ . «ب» طبقة مترسّبة (٤) «أ» انفتال ؛ التواء ؛ اعوجاج . «ب» زَيْغ ؛ ضلال §(٥) «أ» يفتل ؛ يلوي . «ب» يُزيغ ؛ يُضِلّ ؛ يُفْسِد . «ج» يحرِّف ؛ يشوّه . «د» يحرِف ؛ يعطف ؛ يحوِّل (شيئاً عن خط سيره) (٦) يُسدّي : يرتّب الخيوط بحيث تشكّل سَداة (٧) يجرّ (مركباً) بحبل مشدود إلى مرساة الخ . ×(٨) «أ» ينفتل ؛ يلتوي . «ب» يزيغ ؛ يَضِلّ . «ج» ينحرف ؛ ينعطف عن السبيل (٩) ينجر المركب (بحبل مشدود إلى مرساة الخ.) .
—warper *(n.)*

war paint *(n.)* (١) طِلاء الحرب : طلاء يكسو به هنود أميركة الحمر أجزاءً من أجسامهم (كالوجه الخ.) دلالةً على اعتزامهم خوض غمار الحرب (٢) اللباس الرسمي (٣) مستحضَرات التجميل.

warp and woof *(n.)* أساس ؛ قاعدة .

warpath [wôr'păth'] *(n.)* (١) سبيل الحرب : الطريق الذي يسلكه هنود أميركة الحمر حين يمضون إلى القتال (٢) عداء ؛ خِصام الخ.
on the ~, (١) مستعدّ للحرب (٢) غاضب ؛ توّاق إلى القتال .

warp beam *(n.)* لفّاف السَّداة (في النَّول) .

warplane [wôr'plān'] *(n.)* الطائرة الحربيّة أو العسكريّة .

war power *(n.)* القوّة العسكريّة ؛ القوّة الحربيّة .

warrant [wôr'ənt] *(n.; vt.)* (١) «أ» إجازة ؛ رخصة ؛ ترخيص . «ب» ضمانة ؛ كفالة . «ج» مُبرِّر ؛ مسوِّغ . «د» برهان ؛ بيّنة (٢) تفويض ؛ مذكّرة §(٣) يؤكّد (٤) «أ» يضمن ؛ يكفل . «ب» يتعهّد بـ (٥) يجيز ؛ يبيح ؛ يسمح بـ (٦) يُثْبِت (٧) يبرّر ؛ يسوّغ (Nothing can ~ such harshness.) .

warrantable [wôr'ənt ə bəl] *(adj.)* مبرَّرٌ ؛ ممكنٌ تبريره .

warrantee [wôr'ən tē'] *(n.)* الضَّمين : من يُعْطى ضمانةً .

warranter ; warrantor [wôr'ən-] *(n.)* الضامن ؛ الكافل .

warrant officer *(n.)* ضابط صفّ ؛ «صفّ ضابط» (جن) .

warranty [wôr'ən tĭ] *(n.)* (١) ضمانة ؛ كفالة (٢) «أ» إجازة ؛ تفويض . «ب» مبرر ؛ مسوغ . «ج» برهان ؛ دليل .

warren [wôr'ən] *(n.)* (١) «أ» المَطْرَدَة : أرضٌ تُفْرَد أو تُخصَّص لصغار الطرائد (كالأرانب الوحشية الخ.) . «ب» حقّ الصيد في مَطْرَدَة (٢) «أ» المأرَبة : أرض تتوالد فيها الأرانب . «ب» أرانب المأربة (٣) منطقة (أو حيّ) مكتظة بالسكان .

warrener [wôr'ən ər] *(n.)* (١) المَطْرَديّ : ملاحِظ المَطْرَدَة (را. المادة السابقة) (٢) المأربيّ : صاحب المأربة (را. المادة السابقة).

warrior [wôr'ĭ ər] *(n.)* المحارب ؛ المقاتل ؛ الجنديّ .

war risk insurance *(n.)* التأمين ضدّ مخاطر الحرب : تأمين تقدّمه الحكومة إلى أفراد قوّاتها المسلّحة .

warsaw [wôr'sô] *(Sp.)* الغُواسيّ : سمكٌ كبير يألف قيعان البحار الدافئة .

warship [wôr'shĭp] *(n.)* سفينة حربيّة .

warsle *or* **warstle** [wär'səl] *(vt.; i.)* يصارع ؛ يناضل .

wart [wôrt] *(n.)* (١) ثُؤْلُول (٢) نتوء صغير .

warted [wôr'tĭd] *(adj.)* مُثَأْلَل ؛ ذو ثآليل .

warthog [wôrt'hŏg] *(n.)* الخنزير الوحشي الافريقي .

wartime [wôr'tīm] *(n.)* زمنُ الحرب .

warty [wôr'tĭ] *(adj.)* (١) مُثَأْلَل : ذو ثآليل (٢) ثُؤْلوليّ .

warthog

war vessel *(n.)* سفينة حربيّة .

war whoop *(n.)* صيحة الحرب (را. **war cry**) وبخاصة عند الهنود الحمر

wary [wâr'ĭ] *(adj.)* حذِر ؛ محترِس ؛ يقِظ .

war zone *(n.)* منطقة حربيّة ؛ منطقة عسكريّة .

was [wŏz] *past 1st and 3d. sing. of* **be.**

wash [wŏsh] *(vt.; i.; n.; adj.)* (١) يَغْسِل (٢) يلعق (الحيوان) فروه أو ينظفه ببرثن مندّى بالريق (٣) ينقع (٤) يغمر (٥) يَجْرُف (Several houses were ~*ed* away in the flood.) (٦) «أ» يُخضع (الأتربة المعدنية) لفعل المياه بغية استخلاص المواد النفيسة منها . «ب» يفصل (الدقائق النفيسة كالذهب ونحوه) بهذه الطريقة . «ج» ينقّي أو يطهّر بالغاز أو بمزيج غازيّ (٧) «أ» يدهن (بطبقة رقيقة من الورنيش الخ.) . «ب» يموّه ؛ يلبّس ؛ يطلي (to ~ brass with gold) (٨) يدوّم : يجعله يدور في دوّامة أو نحوها ×(٩) يغتسل (١٠) «أ» يتحاتّ أو يتآكل بفعل المياه (تتبعها *away*) . «ب» يمّحي ؛ يبْلَى ؛ يفسد (Their identity ~*ed* away after some centuries.) (١١) «أ» ينجرف (بفعل تيّار مائيّ) . «ب» يندفع أو يجري (في تيّار أو نحوه) (١٢) ينغسل «من غير أن يتلف الخ.» (This cloth doesn't ~ well.) (١٣) يَثْبُت على محكّ النقد أو التحليل (Her story sounds good, but it won't ~.) (١٤) يترقرق أو يخرّ (الماء) §(١٥) «أ» غَسْل . «ب» انغسال . «ج» اغتسال (١٦) الغسيل:

ă at; ā date; â care; ä car; ĕ egg; ē me; ĭ in; ī bite; ŏ lot; ō bone; ô orphan; oi boil; o͝o good; o͞o boot; ou out; ŭ under; ū unity; û urgent; th thing; t͟h this; zh vision; ə = *a* in alone, *e* in system, *i* in easily, *o* in gallop, *u* in circus.

الثياب المغسولة أو التي تنتظر الغسل (١٧) «أ» اندفاع الموج أو اصطخابه . «ب» موجة (as a great ~ of fresh air) (١٨) «أ» جزء من اليابسة تغسله أمواج البحر أو النهر . «ب» مستنقع . «ج» جدول ؛ بركة صغيرة (١٩) «أ» الغُسالة : ماءٌ اغتُسِل به . «ب» ثُفْل ؛ رواسب ؛ حُثالة (٢٠) «أ» شراب مَهْوٌ أو رقيق القَوام ؛ شراب « سايط » . «ب» قول أو كلام مبتذل (٢١) «أ» طبقة رقيقة من طلاء أو دهان. «ب» طِلاء؛ دهان (٢٢) الغَسول : مستحضَر سائل يستخدم لأغراض تجميلية أو طبّية خارجية (٢٣) طَمْي ؛ راسب غِرْيَني (٢٤) «أ» الاجتراف الحلقي (را. backwash 1) . «ب» اضطراب في الهواء (ناشيء عن اندفاع الطائرة فيه) §(٢٥) يُغْسَل ؛ قابلٌ للغسل (a ~ dress) .

to ~ down ؛ (١) يدفع أو يُنْزِل بقوّة سائل ما وبخاصة : سهّل ازدراد الطعام بجرعات من شراب (٢) يغسل كاملَ الباب أو النافذة الخ .

to ~ out (١) ينظّف (٢) «أ» ينصلّ اللونَ أو يبهتُه «ب» يستنزف القوة أو الحيويّة . «ج» يعوِّض عن . «د» ينبذ ؛ يستبعد (مرشَّحاً) لعدم الكفاءة (٣) «أ» يخرِّب (جسراً الخ.) بفعل المياه أو قوتها. «ب» يحول المطرُ دون إجراء مباراة رياضية (٤) يَنْصُل ؛ يَبْهَت (٥) يَسْقط ؛ يقصِّر عن بلوغ مستوى معيّن .

to ~ up (١) يغسل وجهه ويديه (٢) يغسل الأطباق (بعد رفعها عن المائدة) (٣) يزيل بالغسل (٤) «أ» يستنزف. «ب» يقتل الموضوع بحثاً . «ج» يقضي على.

washable [wŏsh'ə bəl] *(adj.)* يُغْسَل ؛ قابل للغَسْل (من غير أن يتلَف) .

wash and wear *(adj.)* يُغْسَل ويُلْبَس : صفة للقماش أو الثوب الذي لا يحتاج بعد غسله الى كيّ .

washbasin [wŏsh'bā'sən] *(n.)* = washbowl.

washboard [wŏsh'bōrd] *(n.)* (١) «أ» لوح الموج : لوحٌ رقيق يُثبّت إلى جانب المركب الخ. لصدّ الأمواج عنه. «ب» baseboard (٢) «أ» لوح الغسيل : لوح مستطيل مموّج تُفرك عليه الملابس عند غسلها . «ب» طريق أو رصيف أبلته حركة المرور .

washbowl [wŏsh'-] *(n.)* حوض الغَسْل: حوض لغسل الوجه واليدين.

washcloth [wŏsh'klôth'] *(n.)* نسيجة الغَسْل : قماشة لغَسْل الوجه والجسد .

wash drawing *(n.)* الصورة المائية : صورة بالألوان المائيّة .

washed-out [wŏsht'out'] *(adj.)* (١) ناصل ؛ باهت (٢) مُرْهَق.

washed-up [wŏsht'ŭp'] *(adj.)* (١) مرهَق جداً ؛ هالك ؛ مقضيّ عليه (٢) قَرِف أو مشمئِز (إلى حدّ هجر كذا أو قطع صلته به).

washer [wŏsh'ər] *(n.)* (١) «أ» الغاسل الخ. «ب» المِغْسلة : الغَسّالة الآليّة (٢) الفَلْكة : حلقة رقيقة مطاطيّة أو معدنيّة لإحكام الوصل أو منع الارتشاح (ملك).

washerman [wŏsh'ər mən] *(n.)* = laundryman.

washerwoman [wŏsh'-] *(n.)* الغَسّالة : غاسلة الملابس بالأجرة.

washhouse [wŏsh'hous] *(n.)* المَغْسَل: مبنى لغسل الملابس .

washing [wŏsh'ĭng] *(n.)* (١) غَسْل ؛ اغتسال الخ. (٢) الغُسالة : ماء غُسِل أو اغتُسِل به (٣) طَلْيَة ؛ طبقة رقيقة (a ~ of gold) (٤) الغسيل: الثياب المغسولة أو التي تنتظر الغَسْل .

washing machine *(n.)* المِغْسَلة : الغَسّالة الآليّة .

washing soda *(n.)* صودا الغسيل (ك) .

Washington pie [wŏsh'ĭng tən] *(n.)* فطيرة واشنطون : كعكة محلاّة تُصنع من كريما وشوكولا ومربّى الخ .

washout [wŏsh'out'] *(n.)* (١) «أ» اجتراف التربة (بفعل المياه أو المطر). «ب» موضعٌ مُجترَف (٢) إخفاقٌ ؛ شيء أو شخص مخفق.

washroom [wŏsh'-] *(n.)* المَغْسَل : الكنيف ؛ المرحاض في مطعم الخ.

washstand [wŏsh'-] *(n.)* المغسلة : «أ» منضدة يوضع عليها حوض أو إبريق الخ. لغسل الوجه واليدين . «ب» مغسلة جدارية ذات حنفية (أو أكثر) ومياه جارية .

washstand

washtub [wŏsh'tŭb'] *(n.)* حوض الغسيل (تغسل فيه الملابس أو تُنْقَع قبل غسلها)

washwoman [wŏsh'wŏŏm'ən] *(n.)* = washerwoman.

washy [wŏsh'ĭ] *(adj.)* (١) «أ» مَهْو : رقيق أو كثير الماء ؛ « سايط » (~ coffee) . «ب» شاحب . «ج» ضعيف ؛ واهن (٢) مترهّل أو كثير التعرّق عند بذلِهِ أقلّ جهد (a ~ horse) .

wasn't [wŏz'nt] = was not.

wasp [wŏsp] *(n.)* زُنْبُور ؛ دبّور (حش) .

waspish [wŏs'pĭsh] *(adj.)* زُنبوريّ ؛ كالزنبور : «أ» لاسع ؛ نزق ؛ سريع الغضب . «ب» نحيل ؛ رقيق الخصر .

wasp waist *(n.)* الخصر الزُّنبوري : خصرٌ رقيق جداً .

wassail [wŏs'əl] *(n.; vi.; t.)* (١) نَخْبُكَ ! على صحتك ! (٢) الوسّال : شراب انكليزيّ مُسْكِر (يُحتَسَى في عيد الميلاد الخ.) (٣) حفلة سُكْر معربد §(٤) يُسْرِف في الشراب (٥) ينشد ترانيم الميلاد متنقلاً من منزل إلى آخر (بر) ×(٦) يشرب نخب فلان .

wassailer [wŏs'ə lər] *(n.)* المسترسل في السكْر والعَرْبَدة .

Wassermann reaction *or* test [wäs'ər män'] *(n.)* اختبار وازْرمان : اختبار يُجْرَى تشخيصاً للاصابة بالسفلس .

wast [wŏst] *archaic past 2d sing. of* be.

wastage [wās'tĭj] *(n.)* فقدٌ أو خسارة (بسبب الاستعمال أو البلى أو الارتشاح الخ.) .

waste [wāst] *(n.; vt.; i.; adj.)* (١) «أ» قَفْر ؛ صحراء. «ب» أرضٌ بور . «ج» رقعة مترامية الأطراف من ثلج أو ماء أو فضاء (a ~ of snow) . «د» امتداد زمني لانهائي (throughout the long ~s of time) (٢) «أ» تبديد ؛ إضاعة . «ب» تبدّد ؛ ضياع (٣) «أ» فساد أو تلف تدريجيّ (the ~ and repair of bodily tissue) . «ب» خرابٌ ؛ دمار (بسبب من حرب أو حريق) (٤) «أ» فَضْلة ؛ نُفاية . «ب» نفاية القطن . «ج» سائل (كالغاز الخ.) يضيع فلا يُستفاد منه . «د» قُمامة . «ه» *pl.* عد : غائط . «و» مياه البواليع أو اقذارها (٥) الحُتات المجترَف : فُتات الصخور تجرفه السيول الخ. §(٦) يخرِّب ؛ يدمّر (٧) يُهْزِل ؛ يُضْعِف (٨) يُبْلي أو يُفسِد تدريجياً ؛ يُنْقِص بالفقد المستمرّ ؛ يستهلك (٩) يبدِّد ؛ يبذِّر ؛ يُضيع ×(١٠) يَهْزُل ؛ يَضْعُف (تتبعها *away* عادةً) (١١) «أ» يتضاءل ؛ يبلى تدريجياً ؛ يذوب (A candle ~s in burning.) . «ب» يتبدّد ؛ يضيع . «ج» ينقضي ؛ يمرّ (Time ~s too fast.) (١٢) يبذِّر ؛ يسرف في الانفاق §(١٣) «أ» قَفْر ؛ غير عامر أو آهل. «ب» مجدب ؛ قاحل. «ج» خالٍ ؛ خاوٍ. «د» بور ؛ غير محروث (١٤) خرِب ؛ مهدَّم (١٥) مُهْمَل:

مطرّح بوصفه تافهاً أو عديم النفع (paper ~) (١٦) ضائع ؛ مضيَّع ؛ غير مستعمَل (energy ~) .
—**wasteness** *(n.)*
to go *or* run to ~, يَضيع ؛ يتبدَّد .
to lay ~, يُخرِّب ؛ يدمِّر .

wastebasket [wāst'băs'kĭt] *(n.)* سلّة المُهمَلات .

wasted [wās'tĭd] *(adj.)* (١) خرِب ؛ متهدِّم (٢) مهزول ؛ مصابٌ بالهزال (٣) مبدَّد ؛ مضيَّع سُدًى (money ~) .

wasteful [wāst'fəl] *(adj.)* (١) مخرِّب ؛ مدمِّر (war ~) . (٢) مبذِّر ، مُسرِف في الانفاق (a ~ woman) (٣) مِتْلاف ؛ مِضياع : مؤدٍّ إلى كثير من التلف والضياع (processes ~) .

wasteland [wāst'lănd] *(n.)* أرض قاحلة أو غير محروثة .

wastepaper [wāst'pā'pər] *(n.)* الأوراق المهملة أو التالفة .

waste pipe *(n.)* ماسورة الصَّرْف ؛ ماسورة المياه القذرة .

waste products *(n. pl.)* الفضَلات ؛ المُنتَجات المهمَلة .

waster [wās'tər] *(n.)* (١) «أ» المبذِّر ؛ المُسرِف في الانفاق «ب» الفاسق ؛ المنغمس في الملذات . «ج» المتبطّل ؛ المتشرِّد ؛ العالة (على الآخرين) . «د» المضيِّع (للوقت الخ.) . «هـ» المخرِّب المدمِّر (٢) سلعة من نوع رديء .

wasting [wās'tĭng] *(adj.)* (١) مخرِّب ؛ مدمِّر (٢) مُضْنٍ ؛ مُهْزِل ؛ مسبِّب للهزال (diseases ~) .

wastrel [wās'trəl] *(n.)* (١) المتبطِّل ؛ المتشرِّد ؛ مَن لا يصلح لشيء (٢) المبذِّر ؛ المبدِّد ؛ المضيِّع .

watch [wŏch] *(vi.; t.; n.)* (١) «أ» يتهجّد : يَسْهَر لأغراض دينية . «ب» يَسْهَر . «ج» يَسْهَر إلى جانب فراش المريض . (٢) «أ» ينتبه ؛ يتنبّه ؛ يكون يقظاً . «ب» يحرس ؛ يخفر (٣) يراقب (٤) يترقّب ؛ ينتظر (٥) يُعْنَى بـِ (٦) يتأكّد ؛ يتيقّن § (٧) «أ» سهَر . «ب» سهَرٌ أمام جثمان ميْت . «ج» تيقُّظ ؛ انتباه . «د» مراقبة ؛ حراسة (٨) هزيعٌ من الليل (٩) «أ» الحارس ؛ الخفير . «ب» الحَرَس (١٠) «أ» فترة مناوبة (وبخاصة على متن سفينة) . «ب» فريق مناوبة (١١) «أ» ساعة الجَيْب أو اليد . «ب» ساعة السفينة .
to ~ one's time ينتظر الفرصة المناسبة .
to ~ out يحذَر ؛ يحرس ؛ ينتبه إلى .

watchband [wŏch'bănd] *(n.)* سِوار (أو جِلْدة) ساعة اليد .

watch cap *(n.)* قَلَنسُوة البحّار : قلنسوة ضيقة يرتديها رجال الأسطول الأميركي في الجوّ العاصف أو البارد .

watchcase [wŏch'kās'] *(n.)* غطاء الساعة المعدني .

watch chain *(n.)* سلسلة الساعة : سلسلة ساعة الجيب .

watchdog [wŏch'dôg'] *(n.; vt.)* (١) كلب الحراسة § (٢) يحرس .

watcher [wŏch'ər] *(n.)* (١) «أ» الساهر . «ب» الساهر أمام جثمان ميْت . «ج» الساهر (ليلاً) على صحة مريض (٢) الحارس (٣) «أ» المراقِب . «ب» المشاهِد .

watcheye [wŏch'ī] *(n.)* = walleye I.

watch fire *(n.)* نار الحِراسة ؛ نار الحَرَس .

watchful [wŏch'fəl] *(adj.)* (١) مؤرَّق (٢) أرِق (٣) يقِظ .

watch glass *(n.)* زجاجة الساعة : غطاء الساعة الزجاجي .

watch guard *(n.)* سلسلة (أو شريط) ساعة الجيب .

watchmaker [wŏch'-] *(n.)* الساعاتي : صانع الساعات أو مصلحها .

watchman [wŏch'mən] *(n.)* الحارس ؛ الخفير .

watch night *(n.)* صلاة التهجّد : صلاة تمتدّ إلى ما بعد منتصف الليل وبخاصة عشيّةَ العام الجديد .

watchtower [wŏch'-] *(n.)* المَرْقَب : برج المراقبة .

watchtower

watchword [wŏch'-] *(n.)* (١) كلمة السر (٢) شِعار .

water [wô'tər; wŏt'ər] *(n.; vt.; i.; adj.)* (١) «أ» الماء . «ب» *pl.* عد : المياه المعدنية (٢) «أ» بحر ؛ بحيرة ؛ نهر . «ب» مقدار (أو عمق) من المياه ملائم لغرض معيّن (كالملاحة أو الصيد) . «ج» *pl.* : المياه الاقليمية (لدولة ما) (٣) السفر أو النقل بحراً (٤) المدّ (٥) ماء (rose ~) (٦) «أ» مستحضر صيدلي أو تجميلي مائي . «ب» شراب كحولي مقطَّر . «ج» دمع . «د» بول . «هـ» رُضاب . «و» نُسْغ (٧) «أ» صفاء الحجر الكريم (وبخاصة الماس) وبريقُه . «ب» درجة (a critic of the first ~) . «ج» تموّج صقيل (على الأقمشة الحريرية أو السطوح المعدنية) (٨) أسهم أو سندات مالية تُصْدَر من غير زيادة مقابِلة في رأس المال § (٩) يندّي أو ينضح أو ينقع أو يروّي بالماء (١٠) «أ» يزوِّد (جيشاً أو سفينة الخ.) بماء الشرب . «ب» يطفئ ظمأ الخيل الخ. أو يقودها الى مياه جارية لتشرب . «ج» يزوّد (مِرجلاً أو آلةً) بالماء (١١) يضفي على القماش أو السطح المعدني تموّجاً صقيلاً (١٢) «أ» يمذُق ؛ يضيف الماء إلى (to ~ soup) . «ب» يلطِّف ؛ يخفِّف (his ~*ed* radicalism down) . «ج» يصدر أسهماً أو سندات إضافيةً من غير زيادة مقابِلة في رأس المال × (١٣) «أ» تدْمع (My eyes ~ *ed.*) . «ب» يمتلئ بالرضاب (His mouth ~*ed.*) (١٤) «أ» يتزوّد بالماء (Our ship ~*ed* at Beirut.) . «ب» يشرب الماء (tigers ~*ing* at dusk) § (١٥) مائيّ (birds ~) .
above ~, في نجوة من المحنة او البلاء .
in deep ~, في ورطة أو محنة .
in low ~, في ضائقة ؛ في عسر مالي .
in smooth ~, متقدم من غير عائق .
on the ~, (١) بالمركب ؛ بالباخرة الخ. (٢) في الطريق ؛ على متن باخرة مُبحِرة (The shipment is still ~.)
to drink the ~s يقصِد إلى مُنتجَع ذي مياهٍ معدنية التماساً للشفاء .
to get into (be in) hot ~, يقع في ورطة (وبخاصة بسبب من سلوكه الأحمق) .
to go on the ~ wagon يمتنع عن معاقرة الخمرة .
to go through fire and ~, يعاني أزمةً أو محنةً شديدة .
to hold ~, تصحّ (النظريةُ) أو تثبُت على محك النقد .
to keep one's head *or* oneself above ~, يتجنّب المتاعب (وبخاصة الماليةَ منها) .

water back *(n.)* ظِهارة الماء : خزان أو مجموعة أنابيب في مؤخَّر الموقد لتزويد ربة المنزل بالماء الحار .

water ballet *(n.)* باليه الماء : سلسلة من الحركات تقوم بها في آنٍ معاً جماعةٌ من السبّاحين .

water beetle *(n.)* خنفساء الماء : ضرب من الخنافس المائية يستعين على السباحة بأرجلهِ الخلفية المهدَّبة التي تعمل عملَ المجاذيف .

water bird *(n.)* طير الماء : طيرٌ سابح أو مخوِّض .

water biscuit *(n.)* بسكويتة الماء : بسكويتة مصنوعة من دقيق وماء .

ă at; ā date; â care; ä car; ĕ egg; ē me; ĭ in; ī bite; ŏ lot; ō bone; ô orphan; oi boil; o͝o good; o͞o boot; ou out; ŭ under; ū unity; û urgent; th thing; th this; zh vision; ə = *a* in alone, *e* in system, *i* in easily, *o* in gallop, *u* in circus.

water blister *(n.)* النَّفْطَة أو البثرة المائيّة : نفطة أو بثرة مائية المحتوى خالية من الصديد أو الدم .

waterborne [wôʹtər bōrn'] *(adj.)* (١) طافٍ على سطح الماء . (٢) مائيّ : «أ» منقول بالماء ، وبخاصة بالسفن . «ب» منتقل بالماء ، وبخاصة بمياه الشَّفة (a ~ disease) .

water bottle *(n.)* (١) زجاجة ماء (٢) مِزادة (را. canteen) .

water boy *(n.)* السَّقّاء : مَن يزوّد جماعة (كلاعبي كرة القدم الخ.) بمياه الشرب .

waterbrain [wôʹtər brān'] *(n.)* الجِدّ : داء يصيب الخراف ناشيء عن يرقات دودة شريطية في الدماغ .

water brash *(n.)* = heartburn.

waterbuck [wôʹtər bŭk'] *(n.)* ظبي الماء : ظبي يألف الأنهار والمستنقعات .

waterbuck

water buffalo *(n.)* جاموس الماء (ح) .

water bug *(n.)* بقّة الماء : بقّة تألف الماء (حش) .

water chestnut *or* **water caltrop** *(n.)* كستناء الماء (نب) .

water chinquapin *(n.)* زنبق الماء الأميركي (نب) .

water clock *(n.)* الساعة المائيّة : ساعة تعمل بسقوط كمية من المياه أو جريانها .

water closet *(n.)* كنيف ؛ مِرحاض ؛ بيت خلاء .

watercolor [wôʹtər kŭl ər] *(n.)* (١) اللون المائيّ : صِبغ للرسم يُمزَج بالماء لا بالزيت (٢) الرسم المائيّ : فنّ الرسم بالألوان المائيّة (٣) اللوحة المائيّة : لوحة أو صورة بالألوان المائيّة .

watercolorist [wôʹtər kŭl ər ĭst] *(n.)* الرسّام المائيّ : رسّام بالألوان المائيّة .

water-cool [wôʹtər ko͞ol'] *(vt.)* يبرّد بالماء .

watercourse [wôʹtər-] *(n.)* (١) قناة ؛ مجرى مائيّ (٢) نهر ؛ جدول .

watercraft [wôʹtər krăft'] *(n.)* (١) البراعة المائيّة : البراعة في ركوب الزوارق وفي الرياضات المائيّة (٢) «أ» مركب ؛ زورق . «ب» مراكب ؛ زوارق .

water crake *(n.)* (١) الدُّنْقُلة ؛ الجُنْقُلة : طائر صغير يألف الماء . (٢) التُّفْلِق : طائر من طيور الماء .

watercress [wôʹtər krĕs] *(n.)* قُرّة العين ؛ الحُرف : بقلة مائيّة .

water cure *(n.)* = hydropathy ; hydrotherapy.

water cycle *(n.)* الدرّاجة المائيّة : دراجة تُركب في الماء .

water dog *(n.)* كلب الماء : «أ» كلب مدرّب على صيد الطيور المائيّة . «ب» قُضاعة (را. otter) . «ج» سَمَنْدَل الطين (را. mud puppy) . «د» ملاح بارع . «هـ» سحابة صغيرة يُزعم أنها تشير إلى هطول المطر .

waterer [wôʹtər ər] *(n.)* (١) فا water (٢) أداة لتزويد الماشية والطيور الداجنة بالماء .

waterfall [wôʹtər fôl] *(n.)* شلاّل ؛ مَسقط ماء .

water-fast [wôʹtər făst] *(adj.)* مَسِيك ؛ سَدود للماء .

waterfinder [wôʹtər fīn'dər] *(n.)* القُناقِن : الباحث عن الماء مستعيناً بعصا الاستنباء (را. divining rod) .

water flea *(n.)* بُرغوث الماء (را. cyclops 2) .

waterfowl [wôʹtər foul'] *(n.)* (١) طير الماء ؛ وبخاصة : الطائر السابح (٢) طيور الماء ؛ وبخاصة : الطيور السابحة .

waterfront [wôʹtər frŭnt] *(n.)* الواجهة المائيّة : أرضٌ (أو أرضٌ ومبانيها أو ناحية من المدينة) مواجهة لجسم مائيّ أو محاذية له .

water gap *(n.)* الفجوة المائيّة : مجاز في سلسلة جبال يجري خلاله نهر .

water gas *(n.)* الغاز المائيّ : غاز سامّ يُتَّخذ وقوداً .

Watergate *(n.)* فضيحة سياسية أدت إلى استقالة الرئيس نيكسون .

water gate *(n.)* = floodgate.

water gauge *(n.)* مقياس منسوب الماء : أداة لمعرفة ارتفاع المياه في خزّان أو مِرجل الخ .

water glass *(n.)* (١) الساعة المائية (٢) كأس أو كوب ماء . (٣) الزجاجة المائيّة : أداة زجاجية القعر لمراقبة الأشياء تحت سطح الماء (٤) الزجاج المائيّ ؛ الذَّوب الزجاجيّ (٥) water gauge .

water gum *(n.)* صَمْغيّة الماء : شجرة صَمْغيّة (كشجر الطوبال . را. tupelo) تنمو على مقربة من الماء .

water gun *(n.)* = water pistol.

water hammer *(n.)* الطَّرْق المائيّ : صوت طرق الماء على جوانب الأنبوب الذي يحتويه .

water heater *(n.)* مِسْخَن الماء : جهاز لتسخين الماء .

water hemlock *(n.)* شَوْكَران الماء ؛ الشَّوكران السّام (نب) .

water hen *(n.)* دجاجة الماء (طا) .

water hole *(n.)* الثَّقب المائيّ : «أ» ثَقبٌ طبيعيّ محتوٍ على ماء . «ب» ثَقب في سطح الجليد .

water ice *(n.)* المثلوجة المائية : حلوى منجمدة مؤلّفة من ماء وسكر وبعض المنكّهات .

water-inch [wôʹtər ĭnch'] *(n.)* الإنش المائيّ ؛ البوصة المائيّة .

wateriness [wôʹtər ĭ nĭs] *(n.)* المائيّة : كون الشيء مائياً .

watering [wôʹtər ĭng] *(n.)* (١) مص water ، مثل : نَضْح ؛ نَقْع ؛ إرواء الخ. (٢) تموّج صقيل (على الأقمشة الحريرية أو السطوح المعدنيّة) .

watering place *(n.)* (١) مَنْهَل ؛ مَوْرِد (٢) مُنتَجَع أو مَصَحّ مائيّ .

watering pot *or* **can** *(n.)* المِرَشّة : وعاء يرشّ منه الماء على النباتات .

watering pot

waterish [wôʹtər ĭsh] *(adj.)* = watery.

water jacket *(n.)* الدِّثار المائيّ : غلاف مشتمل على ماء أو يجري الماء خلاله لتبريد الأجزاء الداخلية ؛ وبخاصة : حُجَيرة الماء المحيطة بأسطوانات السيارة لتبريدها .

water jump *(n.)* المَوثِب المائيّ : عقبة مائيّة (كبركة أو خندق مائي) يتعين على الجياد الوثوب من فوقها في بعض سباقات الخيل .

waterless [wôʹtər-] *(adj.)* (١) جافّ ؛ خِلْوٌ من الماء (~ wells) (٢) غير محتاج إلى ماء (لطبخه أو تبريده) .

water level *(n.)* (١) الميزان المائيّ : أداة لتبيان المستوى بواسطة سطح الماء في حوض أو أنبوب (٢) منسوب الماء أو مستواه (٣) خطّ الماء (را. waterline) (٤) النطاق المائي (را. water table b) .

water lily *(n.)* النَّيْلوفر ؛ زنبق الماء ، وبخاصة : زنبق الماء الأبيض (نب) .

water lily

waterline [wôʹtər līn] *(n.)* خطّ الماء : واحد من عدة خطوط على جانب السفينة يُظهر العمق الذي تبلغه عندما تكون فارغة وعندما تكون محمّلة جزئياً أو كلّياً (مل) .

water-logged [wôʹtər lôgd'] *(adj.)* مُثقَل بالماء : «أ» مُثْقَل بالمياه المتسرّبة إليه إلى حدّ يجعله ثقيلاً صعب القِياد (~ ships) . «ب» مُشْبَع بالماء «حتى الإفراط» (~ ground) .

waterloo [wôʹtər lo͞o] *(n.)* (١) *cap.* : واترلو : معركة واترلو في بلجيكة ، حيث هُزم نابوليون عام ١٨١٥ (٢) هزيمة حاسمة .

ă at; ā date; â care; ä car; ĕ egg; ē me; ĭ in; ī bite; ŏ lot; ō bone; ô orphan; oi boil; o͝o good; o͞o boot; ou out; ŭ under; ū unity; û urgent; th thing; t͟h this; zh vision; ə = *a* in alone, *e* in system, *i* in easily, *o* in gallop, *u* in circus.

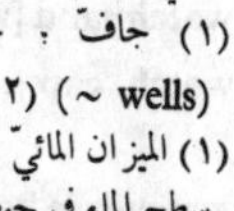

water main *(n.)* الأنبوب الرئيسي ؛ أنبوب الماء الرئيسي .

waterman [wô'tər mən] *(n.)* (١) المراكبي (٢) المجذِّف .

watermanship [wô'tər mən ship'] *(n.)* البراعة المائيّة : البراعة في السباحة أو التجذيف .

watermark [wô'tər märk'] *(n.; vt.)* (١) العلامة المائيّة : «أ» علامة تدلّ على الارتفاع الذي بلَغَتْه المياه . «ب» علامة في نسيج الورق لا تُرى إلا عند رفعه بحيث يصبح بين العين والنور . «ج» الرسم أو القالب المعدني المستخدَم في إحداث هذه العلامة §(٢) «أ» يدمغ (الورقَ) بعلامة مائية . «ب» يطبع (رسماً) كعلامة مائيّة .

watermelon [wô'tər mĕl'ən] *(n.)* البطّيخ الأحمر (نب) .

water meter *(n.)* عدّاد الماء ؛ العدّاد المائيّ .

water milfoil *(n.)* الألفيّة المائيّة (نب) .

water mill *(n.)* الطاحونة المائيّة : طاحونة تدار بالماء .

water moccasin *(n.)* مُقَسِّين الماء ؛ صِلّ الماء : ضرب من الأفاعي .

water moccasin

water nymph *(n.)* حورية الماء .

water oak *(n.)* بلوط الماء : بلوط أميركي ينمو على ضفاف الأنهار وفي المستنقعات (نب) .

water of crystallization ماء التبلّر (ك) .

water of hydration ماء الإماهة (ك) .

water ouzel *(n.)* الدُّنْقُلة ؛ الخُنْقُلة : طائر صغير يألف الماء .

water ox *(n.)* = water buffalo.

water parting *(n.)* الحاجز المائيّ : خطّ أرضيّ مرتفع يفصل بين نهرين .

water pepper *(n.)* الفلفل المائي : ضرب من عصا الراعي ينمو في الأرض الرطبة ويتميّز بعصارة فلفليّة حِرّيفة جداً (نب) .

water pimpernel *(n.)* كزبرة الثعلب المائيّة (نب) .

water pipe *(n.)* (١) أنبوب الماء (٢) نارجيلة ؛ «أركيلة» .

water pistol *(n.)* المسدّس المائيّ : «مسدّس» للأطفال ينطلق من فوّهته رشاش ماء .

water plantain *(n.)* مزمار الراعي : عشب مائيّ أو مُستنقعي (نب) .

water polo *(n.)* كُرَة الماء (رب) .

waterpower [wô'tər pou ər] *(n.)* (١) القوّة المائيّة : «أ» قوة الماء مُستَخْدَمَةً في تسيير الآلات . «ب» شلال صالحٌ لمثل هذا الاستخدام (٢) حقّ المياه (تملكه طاحونة ما) .

waterproof [wô'tər proof'] *(adj.; n.; vt.)* (١) صامدٌ للماء . §(٢) قماش صامدٌ للماء (٣) المِمْطَر : مِعطف واقٍ من المطر §(٤) يصمّد للماء : يجعله صامداً للماء .

waterproofer [wô'tər proo'fər] *(n.)* المصمِّد المائيّ : جاعل السقوف أو الأقمشة صامدةً للماء (شخصاً كان أو مادةً) .

waterproofing [-fing] *(n.)* (١) «أ» التصميد للماء . «ب» الصّمود للماء (٢) المصمّد المائيّ : شيء (كطَلْيةٍ أو طبقةٍ خارجيّة) يجعل السطح صامداً للماء .

water rat *(n.)* جُرَذ الماء : «أ» أيٌّ من قوارض مختلفة تألف الماء . «ب» متسكّع أو لصّ يألف أحياء البلد المحاذية للماء الخ .

water-repellent [wô'tər rĭ pĕl'ənt] *(adj.)* مُنْفِر للماء : معالَجٌ بمادة تخفّف من امتصاصه للماء من غير أن تجعله صامداً له .

water-resistant [wô'tər rĭ zĭs'tənt] *(adj.)* مقاومٌ للماء : مقاومٌ لمفعول الماء أو نفاذِهِ ولكنه غير صامد لهما تماماً .

water right *(n.)* حقّ المياه : حقّ الإفادة من مياه نهرٍ أو بحيرة أو قناة ري الخ .

water sapphire *(n.)* الصَّفِّير المائيّ : ضرب من الحجارة الكريمة .

waterscape [wô'tər skāp'] *(n.)* = seascape.

water scorpion *(n.)* عقرب الماء (حش) .

watershed [wô'tər-] *(n.)* (١) water parting (٢) مُستجمَع الأمطار (را. catchment area) الذي يُمِدّ نهراً ما بالمياه (٣) خطّ أو حدّ فاصل (a ~ in modern history) .

water shield *(n.)* تُرس الماء : ضرب من النباتات المائيّة .

waterside [wô'tər sīd'] *(n.; adj.)* (١) جانب الماء : أرض محاذية لجسم مائيّ §(٢) جانِبِيْمائيّ : منسوب إلى جانب الماء (~ insects) (٣) «أ» مستخدَم في جانب الماء أو عاملٌ فيه (~ workers or police) . «ب» متعلّق بالعمال المشتغلين في جانب الماء (a ~ strike) .

water ski *(n.)* الزُّحلوفة المائيّة : أداة للتزلّج على الماء مقطورةٌ إلى زورق بخاري سريع .
—**water-ski** *(vi.)*

water snake *(n.)* حيّة الماء : حيّة تألف المياه العذبة .

water snake

water-soak [wô'tər sōk'] *(vt.)* ينقع في الماء .

water spaniel *(n.)* سبَنْيَليّ الماء : كلب كثيف الشعر متجعِّدُهُ يُستعان به في صيد طيور الماء .

water spot *(n.)* الرُّقْطة المائية : مرض من أمراض الفاكهة .

waterspout [wô'tər spout'] *(n.)* (١) «أ» مِيزاب ؛ «مِزراب» . «ب» فوّهة ؛ بزباز ؛ فم خرطوم المياه (٢) عمود الماء : إعصار في الأوقيانوس الخ . يتخذ شكل كتلة هواء مدوّمة مُثْقَلَةٍ بالضباب والرَّذاذ ، ويبدو لعين الناظر أشبهَ بعمود مائيّ صلب ينطح السحاب (٣) مطرٌ غزيرٌ مفاجىء .

water sprite *(n.)* = water nymph.

water strider *(n.)* الزُّخرُف ، القَمَص ؛ الخَيْتَعُور : بقّ طويل القوائم يجري فوق الماء الراكد .

water supply *(n.)* (١) الإمداد المائي (٢) المأخذ المائيّ .

water system *(n.)* (١) النظام المائي : النهر وروافده (٢) «أ» الإمداد المائيّ . «ب» المأخذ المائي .

water table *(n.)* النِّطاق المائيّ : «أ» طوق حجريّ ناتىء يردّ أو يعطف الماءَ عن مَبْنًى . «ب» المستوى الذي تكون الأرض تحته مُشْبَعَةً بالماء .

water thrush *(n.)* دُجّ الماء : طائر مغرِّد يألف الأنهار .

watertight [wô'tər tīt'] *(adj.)* (١) مَسِيك ؛ سَدود للماء . (٢) مانع ؛ لا لَبْس فيه ؛ لا يحتمل غير تفسير واحد .

water tower *(n.)* بُرْج الماء : «أ» ماسورة قائمة أو رأسيّة . «ب» أداة لإطفاء الحريق تقذف الماء إلى الأجزاء العليا من مبنى شاهق تلتهمه النيران .

water vapor *(n.)* بُخار الماء : ماء في الحالة البُخارية وبخاصة حين يكون دون نقطة الغليان (تمييزاً له عن البخار) .

water-vascular system *(n.)* المجموع الوعائي المائي : مجموع من الأوعية المشتملة على سائل مائيّ (في قنفذيات الجلد ؛ را. echinoderm) .

water wave *(n.)* التمويج أو التموّج المائيّ (في تصفيف الشَّعر) .

water-wave [wô'tər wāv'] *(vt.)* يموّج مائيّاً : يصفّف الشَّعر بطريقة التمويج المائي .
—**water-waved** *(adj.)*

waterway [wô'tər wā'] *(n.)* المجرى المائيّ : «أ» قناة أو مجرى للماء .

«ب» مجرى الماء عند حافة سطح المركب . «ج» جسم مائيّ (نهر ؛ قناة الخ.) صالح للملاحة .

waterweed [wô'tər wēd'] *(n.)* حشيشة الماء (نب) .

waterwheel [wô'-] *(n.)* الدولاب المائيّ : ساقية ؛ سانية ؛ ناعورة .

water wings *(n. pl.)* الجناحان المائيان : أداة مطاطيّة على شكل جناحين يُنْفَخان لمساعدة المرء في تعلّم السِّباحة .

water witching *(n.)* العِرافة المائيّة : محاولة اكتشاف الماء بالاستعانة بعصا الاستنباء (را. divining rod) .

waterworks [wô'tər wûrks'] *(n.)* (١) محطّة المياه : محطّة تزوّد مدينة ما بالمياه العذبة (٢) الكُلْيَتان (ع) (٣) «أ» دموع . «ب» بكاء ؛ سفح الدموع .

waterworn [wô'tər-] *(adj.)* بالٍ أو مصقول بفعل المياه الجارية .

watery [wô'tə rĭ] *(adj.)* (١) مائيّ (٢) رطب ؛ سبخ (~ soil) (٣) مذِق ؛ رقيق ؛ غير مركَّز (a ~ soup) (٤) دامع (~ eyes) (٥) ضعيف ؛ هزيل ؛ رديء (a ~ style in writing) .

watt [wŏt] *(n.)* الواطّ : وحدة القوة الكهربائيّة (كب) .

wattage [wŏt'ĭj] *(n.)* الواطيّة : القوّة الكهربائية مَقيسةً بالواط .

watter [wŏt'ər] *(n.)* الواطيّ : شيء (كمحطة إذاعة أو مصباح كهربائيّ) ذو واطيّة معيّنة (The new station is a 250 ~.) .

watt-hour [wŏt'our'] *(n.)* الواطّ الساعيّ ؛ واط ـ ساعة (كب) .

watt-hour meter *(n.)* المقياس الواطيّ الساعيّ (كب) .

wattle [wŏt'əl] *(n.; vt.)* (١) الوَتَل : «أ» قضبان تُضفَر مع الأغصان والقصب (تُستخدَم في إنشاء الأسيجة أو الجدران أو السقوف) . «ب» القضبان التي تشكّل هيكل سقف مصنوع من قش (٢) «أ» الغَبَب ؛ اللُّغْد : زائدة لحميّة تتدلى من أعناق الدجاج أو الديكة الروميّة الخ. «ب» البَرْبَل (را. barbel 2) (٣) سَنْط ؛ أقاقيا ؛ طَلْح (نب) § (٤) يُوتِّل : «أ» ينشىء أو يبني من أوتال . «ب» يَضْفُر ؛ يَجْدِل .

wattlebird [wŏt'əl bûrd'] *(n.)* المُغبَّب : طائر استرالي من النوع المعروف بآكل العسل (را. honey eater) يتدلى من كلّ جانب من حنجرته غَبَبٌ أو زائدة لحميّة .

wattmeter [wŏt'mē'tər] *(n.)* الواطْمتر ؛ المقياس الواطيّ (كب) .

wave [wāv] *(vi.; t.; n.)* (١) يرفرف (العَلَم الخ.) (٢) يلوّح (بيديه الخ.) (٣) يَمُوج ؛ يتموج (٤) يَنُوس ؛ يتذبذب × (٥) ينوس ؛ يُذبذب (٦) يموج (٧) «أ» يشير (إلى شخص ما) بالتوقف أو بالاتجاه وجهة معيّنة . «ب» يعبّر عن كذا بالتلويح باليدين الخ. (Salwa ~d farewell from the ship's rail.) (٨) يلوح (بالسلاح) مهدّداً § (٩) موجة (١٠) ماء ؛ بحر الخ. (١١) تموّج (١٢) تلويح (باليد الخ.) (١٣) رَفْرَفَة .

Wave [wāv] *(n.)* [*W*omen *A*ccepted for *V*olunteer *E*mergency Service] المجنّدة البحرية : امرأة تقوم بالخدمة العسكريّة في الأسطول البحري الأميركي .

wave band *(n.)* الحزمة الموجيّة (رد) .

waved [wāvd] *(adj.)* (١) مموّج ؛ متموّج (٢) مشلّم ؛ مسنّن ؛ مضرَّس .

wave front *(n.)* الجبهة المَوْجية ؛ صدر الموجة (فز) .

wave guide *(n.)* الدليل المَوْجِيّ (رد)

wavelength [wāv'-] *(n.)* الطول المَوْجِيّ («فز» و «رد») .

waveless [wāv'-] *(adj.)* ساكن ؛ رائق ؛ غير مائج .

wavelet [wāv'lĭt] *(n.)* المُوَيْجَة : موجة صغيرة .

wavelike [wāv'-] *(adj.)* مَوْجِيّ : موجيّ الحركة أو الشكل

wave mechanics *(n.)* الميكانيكا الموجيّة : نظرية تقول بأن للألكترونات خصائص مَوْجيّة (فز) .

waver [wā'vər] *(vi.; n.)* (١) يتردّد (٢) «أ» يتذبذب ؛ يتمايل . «ب» يرتعش ؛ يضطرب ؛ يَخْفق . «ج» يترنّح ؛ يمشي مضطرباً (٣) يتهدّج § (٤) تردُّد ؛ تذبذُب ؛ ارتعاش ؛ اضطراب ؛ ترنُّح ؛ تهدُّج .

wavering [wā'-] *(adj.)* متردِّد ؛ متذبذب ؛ متمايل ؛ مرتعش الخ.

wavery [wā'vər ĭ] *(adj.)* = wavering.

wave theory *(n.)* النظريّة التموجيّة (ض) .

wave train *(n.)* الرَّتَل المَوْجِيّ : سلسلة من الموجات المتماثلة تتعاقب في فترات متساوية (فز) .

wavy [wā'vĭ] *(adj.)* (١) مائج (~ lakes) (٢) متذبذب ؛ مضطرب ؛ خافق (~ flames) (٣) متموج ؛ تموّجيّ (~ hair) .

—**wavily** *(adv.)* —**waviness** *(n.)*

wax [wăks] *(n.; vt.; i.)* (١) شَمْع (٢) إفراز شمعيّ ؛ وبخاصة : الصِّملاخ (را. cerumen) (٣) أسطوانة فونوغرافية (٤) ازدياد ، نموّ (٥) فترة نموّ الهلال حتى يصير بدراً (٦) غضبة ؛ نوبة غضب § (٧) يشمّع : يعالج أو يفرك بالشمع بُغيةَ الصقل أو التقسية (٨) يسجّل على أسطوانة فونوغرافيّة (a duet ~ed 17 years ago) × (٩) «أ» يزداد ؛ يتعاظم ؛ يقْوَى . «ب» يكبر ؛ يَطُول . «ج» ينمو (الهلالُ الخ.) (١٠) يصبح ؛ يصير (to ~ strong) .

wax bean *(n.)* الفول الشمعيّ (نب) .

waxberry [wăks'bĕr'ĭ] *(n.)* (١) «أ» الشَّمعية او التوت الشمعيّ (را. wax myrtle) . «ب» ثمر الشمعية (٢) snowberry .

waxbill [wăks'bĭl'] *(n.)* شمعيّ المنقار : طائر ذو منقار أبيض أو قرنفليّ أو محمرٍّ شمعيّ المظهر .

waxed paper *(n.)* الورق المشمَّع .

waxen [wăk'sən] *(adj.)* (١) «أ» شمعيّ . «ب» مشمَّع . (٢) شَمْعانيّ : شبيه بالشمع ؛ مثل : «أ» لَدْن ؛ طَوِيّ ؛ مرن . «ب» شاحب . «ج» صقيل ؛ أملسُ لامعٌ .

waxer [wăk'sər] *(n.)* المشمِّع : الفارك أو الصاقل بالشمع .

waxing [wăk'sĭng] *(n.)* (١) تشميع أو صَقْل بالشمع (٢) صُنْع الأسطوانات الفونوغرافيّة (٣) أسطوانة فونوغرافية (new orchestral ~s) .

wax insect *(n.)* حشرة الشمع : حشرة يفرز جسمها شمعاً .

wax light *(n.)* شمعة .

wax myrtle *(n.)* الشَّمعيّة : شجرة أو شجيرة عطرة الأوراق ؛ وبخاصة : الشَّمعية الأميركيّة : شجيرة ذات ثمر صغير مكسوّ بغطاء شمعيّ أبيض يستخدم في صنع الشموع .

wax palm *(n.)* النَّخْل الشمعيّ : نخلٌ يُتَّخذ منه شمع (نب) .

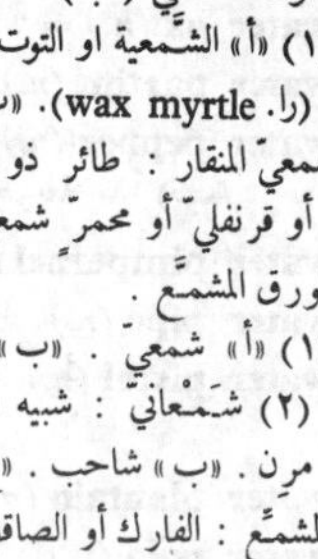

wax palm

waxwing [wăks'wĭng'] *(n.)* شمعيّ الجناح : طائر من الجواثم تتميّز رؤوس ريشاته القوادم بزوائد حمراء شبه قرنيّة شبيهة بالختام أو الشمع الأحمر .

waxwork [-'wûrk'] *(n.)* (١) التمثال الشمعيّ : تمثال من شمع لشخص عادةً (٢) *pl.* : معرض الشمع : معرض التماثيل الشمعيّة .

waxy [wăk'sĭ] *(adj.)* (١) «أ» شمعيّ . «ب» مُشمَّع (٢) شَمْعانيّ :

شبيه بالشمع ، مثل : «أ» لَدْن ، طَوِيّ ، مَرِن . «ب» ناعم أو ناصع البياض (had a ~ complexion) .

way [wā] *(n.; adj.)* (١) «أ» طريق . «ب» ممرّ (٢) سبيل . (٣) «أ» طريقة ، أسلوب ، منوال . «ب» وسيلة (٤) ناحية ، موطن ، نقطة (His plan was defective in several ~*s*.) (٥) نطاق (a field of activity which I had entered in a small ~) (٦) طريقة مميَّزة أو معتادة (That is only her ~.) (٧) حالة ، وضع (The sick man was in a bad ~.) (٨) مسافة (Let us go back a little ~.) (٩) اتجاه ، وجهة (is looking this ~) (١٠) حيّ ، محلّة (lived in Stepney *Way*) (١١) فريقٌ مشارك (a four-*way* discussion) (١٢) فرصة ، حرية (في العمل) (Let me have ~ to find this practice out.) (١٣) *pl.* : مسند بناء السفن أو إنزالها (owned a marine ~*s* and several landing fleets) (١٤) *pl.* أ.ك : عاداتٌ (I don't like her ~*s*.) (١٥) مهنة ، حرفة (in the grocery ~) (١٦) تقدّم ، سرعة ، حركة (The ship on starting gathers ~.) §(١٧) أوسط ، متوسط ، قائم في نقطة وسطى من الطريق (~ station).

by the ~, (١) أثناء الرحلة (٢) وبالمناسبة ، و«على فكرة».

by ~ of (١) بواسطة (٢) على سبيل كذا (٣) بُغْيَة بقَصْد كذا (٤) عَبْر ، من طريق .

on the ~ out على وشك أن يصبح مُبْطَلَ الزيّ .

out of the ~, (١) «أ» في غير محلّه . «ب» خطأ ، غير لائق (٢) «أ» بعيدٌ ، ناءٍ . «ب» بعيداً (٣) استثنائيّ ، غير مألوف ، لافت للنظر .

to gather *or* lose ~, تتعاظم (أو تتناقص) سرعته .

to get one's own ~, ينال ما يريد .

to get something out of the ~, يزيحه من الطريق ؛ يتخلّص منه .

to get under ~, ينطلق ، يشرع في التقدّم .

to go one's ~ *or* ~*s* ينصرف ، يمضي لسبيله .

to go *or* take one's own ~, يتصرّف بحماقة ، يركب رأسه .

to go out of one's ~ (to do something) يتعمّد كذا ، يبذل جهداً خاصاً لكي ...

to have it both ~*s* يختار أحد الأمرين ثم ثانيهما تأميناً لمصلحته أو تأييداً لحجته .

to have one's own ~, يفعل ما يريد .

to make ~, يتقدم .

to make ~ for يتنحّى مفسحاً الطريقَ لـ .

to my ~ of thinking في رأيي .

to put oneself out of the ~ (to do something) يتجشّم عناءً لكي يساعد فلاناً .

under ~, (١) مبحِراً ، ماخرةً (في الكلام على مركب أو سفينة) (٢) مرفوعَ المرساة ، غير مشدود بمرساة (٣) متقدمٌ ، ماضٍ قُدُماً ، في الطريق إلى .

waybill [wā'bĭl'] *(n.)* بيان الشّحنة : وثيقة تشتمل على تفاصيل خاصة بالسِّلَع المشحونة ونفقات شحنها والطريق التي ستُنقَل عبْرها .

wayfarer [wā'fâr'ər] *(n.)* عابر السبيل ، ابن السبيل .

wayfaring [wā'fâr'ĭng] *(n.; adj.)* (١) السفر ، وبخاصة سيراً على القدمين §(٢) مسافرٌ ، وبخاصة سيراً على القدمين

waygoing [wā'gō'ĭng] *(n.; adj.)* (١) رحيل §(٢) راحل .

waylay [wā'lā'] *(vt.)* يكمن لـ ، يهاجم من مكمن .

Way of the Cross = stations of the cross.

-ways لاحقة معناها : بطريقة معينة أو اتجاه أو وضع معيّن .

ways and means *(n. pl.)* (١) الطرائق والوسائل (لتحقيق أمرٍ ما) (٢) *cap. W; M* أ.ك : «أ» الطرائق والموارد لتأمين الأموال الضرورية لسدّ نفقات الدولة . «ب» لجنة تشريعيّة معنيّة بذلك.

wayside [wā'sīd'] *(n.; adj.)* (١) جانب الطريق §(٢) قائم على جانب الطريق (~ taverns) .

way station *(n.)* المحطة المتوسطة : محطّة متوسطة بين محطتين رئيسيتين من محطات السكة الحديدية الخ .

wayward [wā'wərd] *(adj.)* (١) «أ» عاصٍ ، متمرِّد ، مُعاند (a ~ son) . «ب» شَكِس ، صعب المراس (a ~ disposition) (٢) متقلّب (٣) معاكس (~ fate) .

wayworn [wā'wōrn'] *(adj.)* أنهكه السفر ، أضناه السفر .

we [wē] *(pron.)* نَحْنُ .

weak [wēk] *(adj.)* (١) ضعيف ، واهن (٢) «أ» ضعيف العقل . «ب» أحمق ، غير حكيم (~ indulgence) (٣) واهٍ (~ arguments) (٤) ركيك (a ~ style) (٥) مُشَعْشَع ، مَذِق ، غير مركّز ، سايط (~ tea) .

weaken [wē'kən] *(vt.; i.)* (١) يُضْعِف ×(٢) يَضْعُف .

weakfish [wēk'fĭsh'] *(n.)* الرَّاخوص : سمك بحري أميركي رخص اللحم طريّه .

weakhearted [wēk'här'tĭd] *(adj.)* جبان ، رعديد ، مخلوع الفؤاد .

weakish [wē'kĭsh] *(adj.)* (١) ضعيفٌ أو واهنٌ قليلاً أو بعضَ الشيء (٢) مُشَعْشَع أو مَذِق أو «سايط» قليلاً (~ coffee).

weak-kneed [wēk'nēd'] *(adj.)* متردد ، ضعيف الإرادة .

weakling [wēk'lĭng] *(n.; adj.)* (١) الضعيف : شخص ضعيف الجسم أو الشخصية أو العقل §(٢) ضعيف .

weakly [wēk'lĭ] *(adj.; adv.)* (١) ضعيف ، واهن §(٢) بِضَعْف ، بوَهَن .

—weakliness *(n.)*

weak-minded [wēk'mīn'-] *(adj.)* (١) أحمق (٢) ضعيف العقل .

weakness [wēk'nĭs] *(n.)* (١) ضَعْف (٢) نقيصة ، مأخذ ، موطن ضَعْف .

weal [wēl] *(n.)* (١) خير ، صالح ، سعادة ، رخاء (٢) الحَبَار : أثر الضرب في جسم المضروب .

weald [wēld] *(n.)* (١) غابة ، غاب (٢) نَجْد .

wealth [wĕlth] *(n.)* (١) غنًى ، يَسار (٢) وفرة ، غزارة (٣) ثروة .

wealthy [wĕl'thĭ] *(adj.)* غني ، مُوسِر ، ثريّ ، مُثْرٍ .

—wealthily *(adv.)* **—wealthiness** *(n.)*

wean [wēn] *(vt.)* يَفْطِم : «أ» يَقْطع الرضيعَ عن الرضاع . «ب» يقطعه عن عادةٍ أو رَغيبةٍ ما .

—weaner *(n.)*

weanling [wēn'lĭng] *(n.; adj.)* (١) الفطيم : المفطوم حديثاً §(٢) فطيم .

weapon [wĕp'ən] *(n.; vt.)* (١) سلاح §(٢) يُسلِّح .

weaponless [wĕp'ən lĭs] *(adj.)* أعزل ، غير مسلّح .

weaponry [wĕp'ən rĭ] *(n.)* (١) أسلحة (٢) صُنْع الأسلحة .

wear [wâr] *(vt.; i.; n.)* (١) يرتدي ، يلبس (٢) «أ» يتقلد . «ب» يحمل . «ج» ترفع (السفينة) علَماً (٣) يُبْلي (٤) يُحْدِث تدريجياً بالاحتكاك (Walking *wore* a hole in her shoe.) (٥) يُنْهِك ، يُرْهِق (٦) يُغيِّر اتجاه المركب مُبْعِداً مقدّمه عن الريح ×(٧) «أ» يتحمّل (طول الاستعمال)

يدوم ؛ « يضاهِن » (This coat material will ~ for years.)
«ب» يحتفظ بجودته أو حيويته (٨)ينقضي (الوقت) ببطء أو تثاقل
(His shoes are *worn* out.)(٩)يَبْلى (Autumn *wore* away.)
(١٠)يُصبح ؛يأخذ في(My patience is ~*ing* thin.)(١١)يستدير
المركبُ بحيث يبتعد مقدمه عن الريح §(١٢)«أ» ارتداء .
«ب» لُبْس (١٣) «أ» لباس ؛ ملابس (children's ~)
«ب» زي ؛ موضة (١٤) بِلىً (The carpet is showing ~.)
(١٥) قدرة على الاحتمال أو البقاء (There's not much ~ left in my shoes.)

to ~ down (١) يُبْلي ؛ يَحُتّ (٢) يُرهِق أو يُضْعِف (بالهجمات المتكررة).
to ~ off (١)يزيل أو يزول بالحك (٢)يتناقص تدريجياً.
to ~ on (١) ينقضي (الوقتُ) ببطء أو تثاقل . (٢) يُنْهِك أو يُثير (الأعصابَ) .
to ~ the breeches *or* the trousers *or* the pants تسيطر المرأة على زوجها .
to ~ out (١) يُبْلي (٢) يُرْهِق (٣) يمحو (٤)يستمرّ أو يصمد(إلى ما بعد انقضاء العاصفة الخ.) (٥) يقطع الوقت أو الأيام (٦) يَبْلَى .

wear and tear *(n.)* البلى والتمزق : البلى بالاستعمال .

weariful[wĭr'ĭ-]*(adj.)* (١)مُضْجِر ؛ مُمِل (٢)ضَجِر ؛ مُتْعَب ؛ لا يكلّ ؛ لا يتعب .

weariless [wĭr'ĭ lĭs] *(adj.)* لا يكلّ ؛ لا يتعب .

wearily [wĭr'ĭ lĭ] *(adv.)* بضجر ؛ بملل ؛ بسأم .

weariness[wĭr'ĭ-]*(n.)* (١)تعب ؛ إرهاق (٢)ضَجَر ؛ مَلَل ؛ سأم .

wearing[wâr'-]*(adj.)* (١)مُعَدّ للبْس(~ apparel)
(٢)شاق ؛ مُرْهِق(~ trips) (٣) آخِذ في البِلَى ؛ عرضة للبِلَى .

wearing apparel *(n.)* ثياب ؛ ملابس .

wearisome [wĭr'ĭ səm] *(adj.)* (١) مرهِق ؛ مُتْعِب . (٢) مُضْجِر ؛ مميل .

weary [wĭr'ĭ]*(adj.; vi.; t.)* (١)مُرْهَق (~ eyes) (٢)ضَجِر ؛ سئِم (~ of life) (٣) حزين؛ كئيب (٤) مُرهِق ؛ شاق (a ~ walk) (٥) مُضْجِر ؛ مُمِل (a ~ wait) (٦) دالّ على التعب أو الضجر (a ~ sigh)§(٧) يَتْعَب (٨) يَضْجر ؛ يملّ ؛ يسأم ×(٩) يُرْهِق ؛ يُتْعِب (١٠) يُضْجِر ؛ يُمِلّ ؛ يُسْئِم .

weasand [wē'zənd] *(n.)* (١) الحنجرة (٢) الرُغامَى ؛ القصبة الهوائية (ت) .

weasel [wē'zəl] *(n.; vi.)* (١)ابن عِرْس (ح) (٢)شخص ماكر . (٣) العِرْسِيّة : مركبة خفيفة آلية التسيير تجري على قضبان حديدية وتُستخدم برمائياً أو للانطلاق على الثلج أو الجليد أو الرمل §(٤) يروغ ؛ يراوغ ؛ يوارب ؛ يتملّص .

weasel

weasel word *(n.)* الكلمة المراوِغة : كلمة غامضة يراد بها اجتنابُ اتخاذِ موقفٍ صريح أو الانسحابُ منه .

weather [wĕth'ər]*(n.; adj.; vt.; i.)* (١) الجوّ ؛ الطقس : حالة الجوّ (٢) حالة ؛ وضع (٣) مطر ؛ عاصفة ؛ أحوال جوية سيئة (I am expecting some ~.) (٤) هواء بارد مع رطوبة (clothing to keep out the ~) (٥) مَهَبّ الريح (٦) weathering § (٧) مواجِه أو مقابل للريح §(٨) يجوّي : يعرض للهواء الطلق أو لفعل العوامل الجوية (٩) يُبْحِر في اتجاه مهب الريح من كذا (to ~ a cape) (١٠) ينجو (من عاصفة أو خطر) ×(١١) يَتَجوّى : يتفكك أو يتحلل أو يتغير لونه بتأثير الجوّ (١٢) يتحمّل أو يقاوم التعرض للجو (Some paints ~ better than others.)

under the ~ (١) متوعّك الصحة (٢) سكران , بعضَ الشيء .

weatherability [wĕth ə rə bĭl'-] *(n.)* الجوّانية : القدرة على الصمود لتأثير العوامل الجوية (~ of a paint) .

weather-beaten [wĕth'ər bē'tən] *(adj.)* (١) بالٍ نتيجة للتعرض للريح أو للعوامل الجوية الأخرى (٢) أسفع ؛ مسفوع : صائر بلون البرونز نتيجة للتعرض للشمس الخ. (a ~ face) .

weatherboard [-'ər bōrd] *(n.)* (١) clapboard (٢) جانبُ المركب المواجِه للريح .

weatherboarding [wĕth'ər bōr'dĭng]*(n.)* = clapboards.

weather-bound [wĕth'ər bound'] *(adj.)* مُوثَق بحالة الجو : مُكْرَه على البقاء في المرفأ أو على إرجاء السفر أو الاشتراك في لعبة رياضية بحكم رداءة الأحوال الجوية .

weather bureau *(n.)* مكتب الأحوال الجوية .

weathercock [wĕth'ər kŏk'] *(n.)* (١) ديك الرياح : أداة على شكل ديك لإظهار اتجاه الريح (٢) المتقلّب : شخص أو شيء يتقلب كثيراً أو بسرعة .

E
N

weathercock

weather deck *(n.)* السطح المكشوف (في سفينة) .

weathered[wĕth'ərd]*(adj.)* (١)مُجَوّى : معالَج أو مُغيَّر اللون أو التركيب أو الشكل بالتعريض للعوامل الجوية (٢) مُمال أو مُحدَّر « منعاً لتجمع المياه » (عم) .

weather eye *(n.)* العين الجوية : عين الشخص الذي يلاحظ على وجه السرعة التغيّرات المرتقبة في الأحوال الجوية .

weatherglass [wĕth'ər glăs'] *(n.)* = barometer.

weathering [wĕth'ər ĭng]*(n.)* التجْوِية : أثر العوامل الجوية في لون الأشياء المعرَّضة لها أو في تركيبها أو شكلها ، وبخاصة : تحلل التربة والصخور الطبيعيّ والكيميائيّ .

weatherly [wĕth'ər lĭ] *(adj.)* اللامنحرف ؛ اللامنحرفة : منحرف (أو منحرفة) قليلاً جداً عند الإبحار في اتجاه معاكس للريح (مل) .

weatherman [wĕth'ər măn'] *(n.)* = meteorologist.

weather map *(n.)* خريطة الجوّ : خريطة (أو رسم بياني) تبيّن الأحوال الجوية في منطقة واسعة خلال فترة معينة .

weatherproof [wĕth'-] *(adj.)* صامدٌ للجوّ (أو للعوامل الجوية) .

weather ship *(n.)* سفينة الرَّصْد : سفينة معدّة لجمع الملاحظات التي يُفيد منها علماء الأرصاد .

weather station *(n.)* محطة الرصد ؛ محطة الأرصاد الجوية .

weather strip *(n.)* سَيْر الجوّ : سَيْر من مطاط الخ. يملأ الفراغ بين الباب أو النافذة وبين إطارهما بُغْية صدّ المطر أو الثلج أو الريح .

weather-strip [wĕth'ər strĭp'] *(vt.)* يزوّد الباب او النافذة بسَيْر من سيور الجوّ (را. المادة السابقة) .

weather stripping *(n.)* = weather strip(s).

weathertight[-'ər tīt'] *(adj.)* صادّ للجوّ : صاد للريح والمطر .

weather vane *(n.)* = vane 1 *a*.

weather-wise [wĕth'ər wīz'] *(adj.)* بارع في التنبؤ بتقلبات الجوّ أو الرأي أو الشعور .

weatherworn [wĕth'ər wōrn'] *(adj.)* مُجوَّى: أبلاه التعرّض للعوامل الجوية.

weave [wēv] *(vt.; i.; n.)* (١) ينسج؛ يحوك (٢) يحبك (٣) يرسم (خطة) (٤) يفرّغ (عنصراً ما) في كلٍّ متماسك (٥) يشقّ طريقه على نحو متعرّج أو متلوٍّ (*wove* his way through the traffic) ×(٦) يتّخذ سبيلاً متعرّجاً (She *wove* in and out through the traffic.) (٧) يتمايل؛ يترنّح؛ يتذبذب §(٨) نسيج (٩) طريقة النسج.

weaver [wē'vər] *(n.)* (١) الناسج؛ الحائك؛ الحابك (٢) الحبّاك: طائر جَثوم (را. المادة التالية).

weaverbird [wē'vər bûrd'] *(n.)* الحبّاك: طائر جَثوم يحبك من الأعواد الخ. أعشاشاً بارعة الصنع.

web [wĕb] *(n.; vt.; i.)* (١) نسيج (٢) «أ» نَسْج العنكبوت. «ب» شَرَك؛ مؤامرة (٣) نسيج أو غشاء حيوانٍ أو نباتٍ؛ وبخاصة: الوتَرة: الجُلَيْدة التي بين كلّ إصبعين (سواء عند الإنسان أو عند طيور الماء) (٤) «أ» سَيْر أو صفيحة معدنية رقيقة. «ب» ذراع الكرنك (را. crank) (٥) شبكة (٦) vane 3 (٧) ملفّ ضخم من ورق الطباعة (٨) ذلك الجزء من القناطر الواقع بين أقواسها (عم) §(٩) تنسج العنكبوت خيوطها على (١٠) يغطي أو يغلّف، بشبكة أو نحوها (١١) يحتبل؛ يوقع في شرك أو أحبولة ×(١٢) يتشابك؛ يشكّل شبكةً أو نحوها. **—webby** *(adj.)*

webbed [wĕbd] *(adj.)* كفّي؛ مكفّف؛ ذو وتَرات (كأقدام الإوز).

webbing [wĕb'ĭng] *(n.)* الشريط المنسوج: شريط منسوج من قطن أو قنّب يُسمَّر تحت نوابض (او رفاصات) الاثاث المنجّد تثبيتاً لها وتدعيماً.

weber [vā'bər; wĕb'-] *(n.)* الفِبَر: الوحدة العملية للدفق المغنطيسي.

webfoot [wĕb'fo͝ot'] *(n.)* (١) القدَم الكفّيّة أو المُكفّفة: قدم ذات أصابع متصلة بوتَرات أو جُلَيْدات (٢) الكفّي القدمين: حيوان كفّي القدمين.

webfoot 1.

web-footed [wĕb'fo͝ot'ĭd] *(adj.)* كفّيّ القدَم.

web press *(n.)* الطابعة الدوّارة أو الرحويّة.

web spinner *(n.)* العنكبوتية: حشرة تنسج مثل بيت العنكبوت.

webworm [wĕb'wûrm'] *(n.)* اليُسْرُوع العنكبوتي: يُسروع (را. caterpillar) ينسج بيوتاً عنكبوتية كبيرة.

wed [wĕd] *(vt.; i.)* (١) يتزوّج (٢) يزوّج (٣) يشدّه (إلى كذا) بإحكام (She was ~*ded* to the place.).

we'd [wēd] = we had; we would; we should.

wedding [wĕd'ĭng] *(n.)* (١) عُرس؛ زفاف (٢) قِران أو اقتران (بين شيئين متناقضين عادةً) (٣) عيد الزواج، ذكرى الزواج (كقولك golden ~ أي ذكرى الزواج الخمسون).

wedding march *(n.)* مارش الزفاف: لحن يعزف في موكب العرس.

wedding ring *(n.)* خاتم الزواج.

wedge [wĕj] *(n.; vt.; i.)* (١) إسفين؛ وتِد (٢) ضرب من الأحذية أو من مضارب الغولف الحديدية §(٣) يُسفّن؛ يوتّد: يثبّت بإسفين أو وتِد (٤) يحشُر؛ يُقحم في (٥) يفلق بإسفين ×(٦) يتسفّن؛ يتوتّد؛ ينحشر.

the thin edge of the ~, شفرة الإسفين: خطوة أولى أو إجراء أو تغيير من الراجح أن تكون لها نتائج خطيرة.

wedge 1.

wedged [wĕjd] *(adj.)* (١) إسفينيّ الشكل (٢) عالق أو منحشر أو مُقحَم (بين شيئين).

Wedgwood [wĕj'-] *(n.)* الوَجْوُوْد: ضرب من الخزف النفيس.

wedgy [wĕj'ĭ] *(adj.)* إسفينيّ الشكل.

wedlock [wĕd'lŏk] *(n.)* الزواج؛ الزوجيّة.

out of ~, خارجَ نطاق الزوجية: في وضعٍ يكون فيه الأب والأم غير متزوجين شرعاً.

Wednesday [wĕnz'dĭ] *(n.)* الأربعاء؛ يوم الأربعاء.

wee [wē] *(adj.)* (١) صغير جداً (٢) مبكّر جداً (in the ~ hours of the morning).

weed [wēd] *(n.; vi.; t.)* (١) «أ» عشبة ضارّة (تعوق نموّ النباتات المفيدة). «ب» عشب ضارّ. «ج» نبتة مائية. وبخاصة: طحلب بحري. «د» تبغ. «هـ» سيجار أو سيجارة. «و» مَرْهوانة (را. marihuana) (٢) شخص أو شيء أو نماء ضارّ (٣) حيوان غير صالح للاستيلاد (٤) *pl.* أ.ك: ثوب؛ بزّة (٥) *pl.* عد: «أ» ثوب الحِداد. «ب» عصابة الحِداد (تطوّق بها القبّعة) §(٦) يزيل العشب الضارّ (أو كلّ ما هو مؤذٍ) ×(٧) «أ» يحرّر (حديقةً الخ.) من الأعشاب الضارّة. «ب» يحرّر من شيء مؤذٍ أو كريه (٨) يُغَرْبِل (٩) يتخلّص من (تتبعها *out*).

weeded [wēd'ĭd] *(adj.)* (١) محرّر من الأعشاب الضارّة (٢) كثير الأعشاب الضارّة.

weeder [wēd'ər] *(n.)* فا weed وبخاصة: أداة لإزالة الأعشاب الضارّة.

weedicide [-'ə sīd] *(n.)* مبيدة العشب: مادة مُتلِفة للأعشاب الضارّة.

weedless [wēd'lĭs] *(adj.)* خِلْوٌ من الأعشاب الضارّة.

weedy [wēd'ĭ] *(adj.)* (١) كثير الأعشاب الضارّة أو مؤلّف منها. (٢) متعلّق بالأعشاب الضارّة أو شبيه بها (وبخاصة من حيث سرعة الانتشار) (٣) شديد النحول أو الهزال (a ~ young man).

week [wēk] *(n.)* (١) أسبوع (٢) «أ» أسبوع قبل يوم معيّن (It was Sunday ~ when they came.) «ب» أسبوع بعد يوم معيّن (The game will be played on Monday ~.).

weekday [wēk'dā] *(n.)* يوم الأسبوع: كلّ يوم من أيام الأسبوع ما عدا الأحد، وأحياناً ما عدا السبت والأحد.

weekdays [wēk'dāz] *(adv.)* كلّ يوم من أيام الأسبوع.

weekend [wēk'ĕnd'] *(n.; vi.)* (١) نهاية الأسبوع §(٢) يقضي نهاية الأسبوع. **—weekender** *(n.)*

weekends [wēk'ĕndz] *(adv.)* كلّ نهاية أسبوع.

weekly [wēk'lĭ] *(adv.; adj.; n.)* (١) أسبوعياً؛ كلّ أسبوع. §(٢) أسبوعي §(٣) الأسبوعيّة: صحيفة أو مجلة أسبوعيّة.

ween [wēn] *(vt.)* يعتقد؛ يتصوّر؛ يتخيّل؛ يظنّ؛ يحسَب.

weeny [wē'nĭ] *(adj.)* شديد الصغر؛ بالغ الصِّغَر.

weep [wēp] *(vt.; i.; n.)* (١) يبكي أو يندب (فقيداً الخ.) (٢) يذرف. (٣) يُطلِق (عُصارةً أو سائلاً) بطريقة ارتشاحيّة ×(٤) يبكي (٥) ينزّ (٦) يقطُر §(٧) lapwing.

weeper [wē'pər] *(n.)* (١) الباكي؛ النادب الخ. (٢) النَّدّاب المستأجَر (في مأتم) (٣) «أ» عصابة (أو شارة) الحِداد. «ب» *pl.* عد: حِجاب الأرملة الأسود (٤) الكبّوشي: القرد المُقَلْنَس (را. capuchin 3).

weeping [-'pĭng] *(adj.)* (١) باكٍ (٢) مُمْطِر (٣) متهدّل الأغصان.

weeping willow *(n.)* الغَرَب؛ الصفصاف المُستحي أو المتهدّل.

weepy [wē'pĭ] *(adj.)* بكّاء؛ كثير البكاء.

ă at; ā date; â care; ä car; ĕ egg; ē me; ĭ in; ī bite; ŏ lot; ō bone; ô orphan; oi boil o͝o good; o͞o boot; ou out; ŭ under; ū unity; û urgent; th thing; th this; zh vision; ə = a in alone, e in system, i in easily, o in gallop, u in circus.

weever [wē'vər] *(n.)* الطَّرْخِين : سمك بحريّ صغير .

weevil [wē'vəl] *(n.)* السوسة : سوسة الفاكهة أو الحنطة أو اللوز .

weevily *or* **weevilly** [wē'və lĭ] *(adj.)* مُسَوَّس ؛ كثير السُّوس .

weeviled *or* **weevilled** [wē'vəld] *(adj.)* = weevily.

weft [wĕft] *(n.)* (١) اللُّحْمة : ما نُسِج عَرْضاً من خيوط الثوب (وهو خلاف السَّداة) (٢) «أ» نسيج ؛ قماش . «ب» ثوب الخ .

weigela [wī gē'lə] *(n.)* الوَجِيلة : شجيرة جميلة الزهر .

weigh [wā] *(vt.; i.)* (١) «أ» يزن (شيئاً) . «ب» يرجح : يفوقه وزناً أو قيمة . «ج» counterbalance (٢) يقلّب الرأيَ ؛ يفكّر ملياً (٣) يرفع المرساة (استعداداً للإبحار) ×(٤) يزن (It ~*s* thirty tons.) (٥) يكون ذا أهمية أو شأن (Wealth ~*s* little in this case.) (٦) يُرهق ؛ يُثقِل ؛ يكون ثقيل الوطأة على (Such responsibility ~*ed* upon her.) .

to ~ down (١) يُثقِل ؛ يُرهِق (٢) يوقع الكآبة في النفس .

to ~ in (١) «أ» يُوزَن (المرءُ أو أمتعتُه) قبيل إقلاع الطائرة . «ب» يُوزَن (المصارع أو الملاكم) يومَ المباراة . «ج» يُوزَن (الفارس) بعد السباق (٢) يتدخّل أو يتوسط (لحلّ نزاع) (٣) يزن (المرءَ أو المصارعَ أو الفارسَ) قبيل إقلاع الطائرة أو يوم المباراة أو بعد السباق .

to ~ out (١) يزن مقادير الدقيق والسكّر والزّبدة الخ. عند إعداد قرص الحلوى الخ. (٢) يُوزَن (الفارسُ) قبل بدْء السباق (٣) يزن (الفارس) قبل بدء السباق.

weigh [wā] *(n.)* = way.

weighable [wā'ə bəl] *(adj.)* يُوزَن ؛ قابلٌ للوزن .

weight [wāt] *(n.; vt.)* (١) «أ» ثِقْل . «ب» وزن (٢) «أ» كرة حديدية (رب) . «ب» حِمْل . «ج» وطأة (٣) ثِقَل (٤) «أ» أهمية ؛ شأن (a debate of considerable ~) . «ب» نفوذ . «ج» سلطان ؛ سيطرة (٥) الوزن الذرّي §(٦) يُثقّل (٧) يُرهق (٨) «أ» يزن . «ب» يبرز . to put on ~, يَسْمن ؛ يصبح بديناً .

weightless [wāt'-] *(adj.)* (١) عديم الوزن (٢) عديم الأهمية .

weight lifter *(n.)* رافع الأثقال (رب) .

weight lifting *(n.)* رَفْع الأثقال (رب) .

weighty [wā'tĭ] *(adj.)* (١) «أ» خطير ؛ عظيم الشأن أو الأهمية (a ~ affair) . «ب» ذو نفوذ (a ~ merchant) (٢) «أ» ثقيل . «ب» بدين (٣) وجيه (~ reasons *or* arguments) .

weimaraner [vī mə rän'ər] *(G.)* الوايمري : كلب ألماني .

weir [wĭr] *(n.)* (١) سياج قضبان (يقام في مجرى مائي لصيد السمك) . (٢) سدّ (لرفع مستوى الماء أو تحويل مجراه) .

weird [wĭrd] *(n.; adj.)* (١) حظّ ؛ قَدَر ؛ وبخاصة : حظ عاثر ؛ قَدَر مشؤوم (٢) *cap.* : إلاهات القضاء والقدر الثلاث (مث) (٣) المتكهّن ؛ العرّاف ؛ كاشف البخت §(٤) سحريّ (٥) عجيب ؛ غريب ؛ غير اعتيادي .

Weird Sisters *(n. pl.)* إلاهات القدر الثلاث (مث) .

weka

weka [wā'kä] *(n.)* : الوَيْكة : طائر نيوزيلندي مائيّ .

welch [wĕlch; wĕlsh] *(vi.)* = welsh.

Welch [wĕlch; wĕlsh] *(n.; adj.)* = Welsh.

welcome [wĕl'kəm] *(interj.; vt.; adj.; n.)* (١) أهلاً وسهلاً . §(٢) يرحّب بِ §(٣) مرحَّب به ؛ محتفًى به (٤) سارّ ؛ متقبَّل بسرور §(٥) ترحيب .

welcome wagon *(n.)* عربة الترحيب : عربة تحمل هدايا (كنماذج من سلع التجّار المحليّين) إلى وافد جديد إلى منطقة ما.

weld [wĕld] *(n.)* البُلَيْحاء : «أ» نبتة يُتّخذ منها صبغ أصفر . «ب» صِبغ البُلَيْحاء الأصفر .

weld [wĕld] *(vt.; i.; n.)* (١) يلحم ؛ يُلَحِّم (الأجزاء المعدنية) ×(٢) يلتحم §(٣) وُصْلة ملحومة (٤) «أ» لَحْم ؛ إلحام ؛ لِحام . «ب» التحام .

welder [wĕl'dər] *(n.)* (١) اللحّام : عامل اللِّحام (٢) اللحّامة : ماكينة لِحام .

welding [wĕl'dĭng] *(n.)* لَحْم ؛ إلحام ؛ لِحام .

weldment [wĕld'mənt] *(n.)* (١) لَحْم ؛ إلحام ؛ لِحام . (٢) المُلْحَمة : وحدة مؤلّفة من عدة قطع ملحومة .

weldor [wĕl'dər] *(n.)* اللحّام : عامل اللِّحام .

welfare [wĕl'fâr'] *(n.)* (١) خير ؛ صالح ؛ سعادة ؛ رفاهة . (٢) الإنعاش : الخدمة الاجتماعيّة المنظّمة لتحسين أحوال فئة أو جماعة (was engaged in child ~) .

welfare state *(n.)* دولة الرفاهة : «أ» نظام اجتماعي تكون الدولة، بموجبه ، مسؤولةً عن رفاهة مواطنيها الفردية والاجتماعية . «ب» دولة تطبّق هذا النظام .

welfare work *(n.)* الانعاش (را. welfare 2) .

welkin [wĕl'kĭn] *(n.)* (١) السّماء (٢) الجو ؛ الفضاء .

well [wĕl] *(n.; vi.; t.; adv.; interj.; adj.)* (١) ينبوع (٢) بئر . (٣) حفرة عمودية عميقة ؛ وبخاصة : «بئر» المصعد أو السلّم في مبنى (٤) وعاء لسائل (an ink*well*) (٥) حُجيرة حول مضخّات السفينة (٦) مقصورة المحامين (أمام كرسي القاضي في محكمة) (٧) الأصحّاء (the ~) §(٨) يتفجر ؛ ينبجس ؛ ينبُع ×(٩) يَدْفُق (الينبوعُ) مياهه المتفجرة §(١٠) جيداً (١١) خيراً (١٢) كثيراً ؛ إلى حد بعيد (~ ahead) (١٣) تماماً ؛ كُلّيّةً (She is ~ out of sight.) (١٤) بصدق (١٥) بحق ؛ بعَدْل ؛ على نحوٍ مبرَّر أو مُسْتَصْوَب (as the writer ~ says) (١٦) بيُسْر ؛ بسهولة (You can't ~ refuse to help her.) (nor were the refugees such as a country can ~ spare) (١٧) حقّاً ؛ في الواقع (١٨) برفاهية (١٩) برباطة جأش ؛ بصدر رحب (took the disappointment ~) (٢٠) بكثير (a population of ~ over a million) §(٢١) عجباً ! (٢٢) حسَناً ! §(٢٣) على مودّة أو علاقة حسنة (to be ~ with the German government) (٢٤) راضٍ «عن نفسه» (٢٥) حسَن ؛ سارّ ؛ مُرْضٍ ؛ جيد (All's ~ that ends well.) (٢٦) «أ» غنيّ ؛ موسِر . «ب» في حال حسنة أو مَرْضية (٢٧) مستصوَب ؛ مستحسَن ؛ مرغوب فيه (It is not ~ to anger her.) (٢٨) معافًى ؛ متمتّع بصحة جيدة (She looks ~.) (٢٩) «أ» مُندَمِل (His wound is nearly ~.) «ب» مُبْرَؤٌ منه ؛ مُشْفِيّ منه (The malaria is now near quite ~.) . Let ~ alone لا تغيّر ما هو حسَن أو مقبول .

we'll [wēl] = we will; we shall.

ă at; ā date; â care; ä car; ĕ egg; ē me; ĭ in; ī bite; ŏ lot; ō bone; ô orphan; oi boil; o͝o good; o͞o boot; ou out; ŭ under; ū unity; û urgent; th thing; t͟h this; zh vision; ə = *a* in alone, *e* in system, *i* in easily, *o* in gallop, *u* in circus.

well-advised [wĕl ăd vīzd'] *(adj.)* (١) حكيم (٢) مدروس؛ مُرَوًّى فيه (~projects).

well-appointed [wĕl'-] *(adj.)* حَسَن التجهيز؛ كامل الأثاث.

wellaway [wĕl'ə wā'] *(interj.)* واأسفاه!

well-behaved [wĕl'bĭ hāvd'] *(adj.)* حَسَن السلوك.

well-being [wĕl'bē'ĭng] *(n.)* خير؛ صالح؛ رفاهة؛ سعادة.

well-beloved [wĕl bĭ lŭvd'] *(adj.)* (١) حبيب؛ محبوب. (٢) جزيل الاحترام.

wellborn [wĕl'bôrn'] *(adj.)* حَسِيب: كريم المحتِد أو الأصل.

well-bred [-'brĕd'] *(adj.)* (١) مهذَّب (٢) أصيل؛ كريم الأصل.

well-conditioned [wĕl kən dĭsh'ənd] *(adj.)* (١) حَسَن الخُلُق أو الأخلاق أو السلوك (٢) معافًى؛ متمتّع بصحة حسنة.

well-disposed [-'dĭs pōzd'] *(adj.)* عاطف؛ مستعدّ للمساعدة.

well-doer [wĕl'dōō'ər] *(n.)* المحسن؛ الحَسَن الفعال.

well-done [wĕl'dŭn'] *(adj.)* (١) مُنجَز ببراعة (٢) مَطْهُوّ جيداً.

well-favored *or* **well-favoured** [wĕl'fā'vərd] *(adj)* جميل؛ وسيم.

well-fixed [wĕl'fĭkst'] *(adj.)* غنيّ؛ ثريّ؛ ذو سَعة.

well-found [wĕl'found'] *(adj.)* كامل العتاد أو التجهيز.

well-founded [wĕl'foun'dĭd] *(adj.)* (١) راسخ الأساس (a ~ castle) (٢) ذو أساس من الصحّة؛ مبنيّ على معلومات موثوقة (a ~ charge) (٣) له ما يبرره (~ fears).

well-groomed [wĕl'grōōmd'] *(adj.)* (١) أنيق (٢) مُهندَم.

well-grounded [wĕl'groun'dĭd] *(adj.)* = well-founded.

well-handled [wĕl'hăn'dəld] *(adj)* (١) معالَج أو مُدار أو مستخدَم ببراعة (٢) مَسَّتْهُ الأيدي، أو تعاقبت عليه كثيراً (كسلعة في متجر).

wellhead [wĕl'hĕd'] *(n.)* (١) مَنبع (نهر الخ.) (٢) المَعين؛ المصدر الرئيسي.

well-heeled [wĕl'hēld'] *(adj.)* غنيّ؛ ثريّ؛ ذو سَعة.

well-informed [wĕl'in fôrmd'] *(adj.)* حَسَنُ الاطّلاع.

Wellington [wĕl'ĭng tən] *(n.)* الوِلِنْغتونيّة: جزمة (أو حذاء طويل الساق) يتخطّى أعلاها الركبة.

well-knit [wĕl'nĭt'] *(adj.)* (١) مُحكَم؛ متماسك (٢) قويّ البنية.

well-known [wĕl'nōn'] *(adj.)* (١) معروف (٢) مشهور.

well-meaning [wĕl'mē'nĭng] *(adj.)* (١) حَسَنُ النيّة. (٢) صادر عن حُسن نيّة.

wellness [wĕl'-] *(n.)* العافية: كونُ المرء متمتّعاً بصحة جيّدة.

well-nigh [wĕl'nī'] *(adv.)* تقريباً (~ perfect).

well-off [wĕl'ôf'] *(adj.)* (١) حسَنُ الأحوال: في وضع مُرْضٍ أو ملائم أو حَسَن (٢) غنيّ؛ ثريّ؛ ذو سعة.

well-read [wĕl'rĕd'] *(adj.)* واسع الاطّلاع (من طريق المطالعة).

well-set [wĕl'sĕt'] *(adj.)* = well-knit.

well-spoken [wĕl'spō'kən] *(adj.)* (١) فصيح؛ حسَن العبارة؛ عَذْب الحديث (مع كياسة ولطف) (٢) بارع: مَقُول ببراعة أو وَفقاً لمقتضى الحال.

wellspring [wĕl'sprĭng'] *(n.)* (١) مَعين لا ينضب (٢) يَنبوع.

well-thought-of [wĕl'thôt'ŏv'] *(adj.)* حَسَنُ السمعة أو الصيت.

well-timbered [wĕl'tĭm'bərd] *(adj.)* (١) «أ» مدعَّم بالخشب جيداً (~ mines). «ب» قويّ البنية (a ~ mule) (٢) وافر الشجر.

well-timed [wĕl'tīmd'] *(adj.)* (١) حَسَنُ التوقيت؛ حادث أو مُنجَز في الوقت المناسب (~ social reforms) (٢) دقيق التوقيت: متميّز بالدقّة البالغة في قياس الوقت (a ~ watch).

well-to-do [wĕl'tə dōō'] *(adj.)* غنيّ؛ ثريّ؛ مُوسِر.

well-turned [wĕl'tûrnd'] *(adj.)* (١) جميل؛ حسن الصورة؛ حَسَن التقويم (٢) مُحْكَم.

well-wisher [wĕl'wĭsh'ər] *(adj.)* متمنّي الخير (لغيره).

well-wishing [-ĭng] *(n.; adj.)* (١) تمنّي الخير (للآخرين). §(٢) متمنٍّ الخير (للآخرين).

well-worn [wĕl'wōrn'] *(adj.)* (١) «أ» بالٍ؛ متهرّئ. «ب» مُبتذَل (٢) مُستحَقّ؛ مكسوب عن جدارة.

Welsbach [wĕlz'băk] *(n.)* مِصباح (أو مُوقِد) وِلْزباك.

welsh [wĕlsh] *(vi.)* يَخْدَع بالتهرب من دفع الرهان.

Welsh [wĕlsh] *(n.; adj.)* (١) الويلزيون: سكان ويلز بانكلترة. (٢) الويلزيّة: لغة اقليم ويلز (٣) سُلالة من الماشية أو الخنازير الويلزية §(٤) ويلزي.

Welsh corgi [kôr'gĭ] *(n.)* الكلب الويلزي.

Welshman [wĕlsh'mən] *(n.)* الويلزي: أحد أبناء ويلز.

Welsh rabbit *(n.)* جبن مذاب فوق خبز محمّص.

Welsh rarebit [râr'bĭt] *(n.)* = Welsh rabbit.

Welsh springer spaniel *(n.)* الوثّاب الويلزي: ضرب من كلاب الصيد الويلزيّة.

Welsh terrier *(n.)* التِّرْيَر الويلزي: ضرب من كلاب الصيد.

Welshwoman [wĕlsh'-] *(n.)* الويلزية: إحدى نساء ويلز.

welt [wĕlt] *(n.; vt.)* (١) النِّجاش: سير يُجعَل بين نعل الحذاء وفرعته ثم يُخرَز بينهما (٢) حاشية أو سَيْر (للتقوية أو التزيين) (٣) «أ» الحَبار: أثر الضرب في جسم المضروب. «ب» ضربة أو لكمة شديدة §(٤) يزوِّد بنِجاش أو حاشية أو سَيْر (٥) «أ» يحبِر: يُحدِث حَباراً على جسم فلان. «ب» يضرب ضرباً مبرِّحاً.

Weltanschauung [vĕlt'än'shou'ōōng] *(G.)* pl. **-s** *or* **-en** النظرة العالمية: فلسفة فرديّة أو عِرقيّة في تفسير التاريخ أو تفسير الغاية من العالم ككلّ.

welter [wĕl'tər] *(vi.; n.)* (١) يتقلّب؛ يتمرّغ؛ يتخبّط (٢) يموج؛ يطمو؛ يتلاطم (٣) ينغمس في (٤) يترنّح (ع) (٥) يصطخب: يكون في حالة اضطراب أو اهتياج عظيم §(٦) فوضى؛ اضطراب (٧) كتلة مختلطة؛ خليط مشوّش (٨) welterweight 2.

welterweight [wĕl'tər wāt'] *(n.)* (١) ثِقْل مقداره ٢٨ باونداً يفرض أحياناً على فرس السباق علاوةً على الثِقل الخاص بالسنّ (٢) ملاكم أو مصارع يتراوح وزنه ما بين ١٣٦ و١٤٧ باونداً.

Weltschmerz [vĕlt'shmĕrts] *(G.)* (١) الأسى العالمي: أسىً ناشئ عن المقارنة بين واقع العالم وصورته المثالية (٢) حزن أو تشاؤم عاطفيّ.

wen [wĕn] *(n.)* الكيس الدُّهنيّ (مض).

wench [wĕnch] *(n.; vi.)* (١) «أ» فتاة. «ب» خادمة (٢) بغيّ؛ مومس §(٣) «أ» يعاشر البغايا. «ب» يزني.

wend [wĕnd] *(vi.; t.)* (١) يمضي؛ ينطلق؛ يتّخذ سبيلَه؛ يضرب في الأرض ×(٢) يُتابع طريقَه.

Wend [wĕnd] *(G.)* الوَنْديّ: واحد الونديّين وهم شعب سلافيّ مقيم في ألمانيا الشرقية.

Wendish [wĕn'dĭsh] *(adj.; n.)* (١) وَنْدِيّ : متعلق بالونديين أو بلغتهم §(٢) الوندية : لغة الونديين السلافيّة .

went [wĕnt] *past of* go.

wentletrap [wĕn'təl trăp'] *(n.)* (١) الدَّرَج اللولبيّ : حلزون بحري أبيض الصَّدَفة لَوْلَبِيُّها (٢) صَدَفة الدَّرَج اللولبي .

wept [wĕpt] *past and past part. of* weep.

were [wûr] *(past 2d sing., past pl. or past subjunctive of* be*)* كنتَ ، كُنّا ، كانوا ، كُنَّ ، كانت ، كنتم ، كُنتُنَّ الخ .

we're [wĭr] = we are.

weren't [wûrnt] = were not.

werewolf [wĭr'wo͝olf] *(n.)* = lycanthrope 2.

wergild [wûr'gĭld] *or* **wergeld** [-'gĕld] *(n.)* الدِّيَة : دِيَةُ القتيل (في القانون الانكلوسكسوني والقانون الجرماني) .

wert [wûrt] *(archaic past 2d sing. of* be.*)* كنتَ ، كنتِ .

Wesleyan [wĕs'lĭ ən] *(adj.; n.)* (١) ويزلي : منسوب إلى تشارلز أو جون ويزلي قائِدَيْ الحركة الميثوديّة (را. methodist 2) (٢) ميثوديّ §(٣) الويزلياني ؛ الميثوديّ : أحد أتباع الويزليانيّة أو الميثوديّة .

Wesleyanism [wĕs'lĭ ə nĭz əm] *(n.)* الويزليانيّة ؛ الميثودية : الحركة الإصلاحيّة الميثوديّة (را. methodist 2) .

west [wĕst] *(adv.; adj.; n.)* (١) غَرْباً §(٢) غربي §(٣) الغرب .

westbound [wĕst'bound] *(adj.)* متّجه (كقطار الخ.) نحو الغرب .

wester [wĕs'tər] *(vi.; n.)* (١) يغرُب : ينطلق أو ينعطف غرباً §(٢) الريح الغربيّة : الريح الهابّة من الغرب ، وبخاصة : العاصفة الغربيّة ، العاصفة الهابّة من الغرب .

westerly [wĕs'tər lĭ] *(adj.; adv.; n.)* (١) غَرْبي §(٢) غرباً ؛ نحو الغرب (٣) من الغرب §(٤) الريح الغربيّة : الريح الهابّة من الغرب .

western [wĕs'tərn] *(adj.; n.)* (١) غَرْبِيّ §(٢) الغربيّ : المقيم في منطقة أو بلاد غربية *cap.*(٣) ا.ك : «أ» الغَرْبيّة : رواية تصور الحياة في الأقاليم الغربيّة من الولايات المتحدة الأميركيّة خلال النصف الثاني من القرن التاسع عشر «ب» الغربيّ : فيلم سينمائيّ أو تلفزيونيّ يصور هذه الحياة .

Westerner [wĕs'tər nər] *(n.)* (١) الغربيّ : أحد أبناء الغرب ؛ وبخاصة : أحد سكان الجزء الغربي من الولايات الأميركية المتحدة (٢) المستغرب : المنادي بضرورة الأخذ بالثقافة الأوروبية الغربيّة ، وبخاصة في الروسيا خلال القرن التاسع عشر .

western hemisphere *(n.)* نصف الكرة الغربيّ .

westernize [wĕs'tər nīz'] *(vt.; i.)* (١) يغرِّب : يجعله غربيَّ السِّمة أو الثقافة ×(٢) يتغرَّب : يصبح غربيَّ السِّمَة أو الثقافة .

—**westernization** *(n.)*

westernmost [wĕs'tərn mōst'] *(adj.)* واقع في أقصى الغرب .

West Germanic *(n.)* اللغات الجرمانيّة الغربيّة : فرع من اللغات الجرمانيّة يشمل الانكليزية والهولندية والألمانيّة .

westing [wĕs'tĭng] *(n.)* (١) المسافة المجتازة غرباً (٢) الانطلاق غرباً .

westward [wĕst'wərd] *(adj.; adv.; n.)* (١) غربي §(٢) غرباً ؛ نحو الغرب §(٣) الغرب .

westwards [wĕst'wərdz] *(adv.)* غرباً ؛ نحو الغرب .

wet [wĕt] *(adj.; n.; vt.; i.)* (١) بليل ؛ مُبتَلّ ؛ مُخْضَلّ ؛ مُخْضَلّ (٢) مَطير ؛ مثل : «أ» كثير الأمطار (the ~ season) . «ب» مبشِّر بالمطر (the ~ sky) . «ج» مُثْقَل بالرطوبة أو البخار (~ winds) . «د» مصحوب بالمطر (a ~ welcome) (٣) رَطْب ؛ نديّ ؛ غير جافّ (~ ink *or* paint) (٤) طازج (~ fish) (٥) «أ» مخمور : مكرِّس لمعاقرة الخمر (a ~ night) . «ب» مدمن الخمر . «ج» ثَمِل ؛ سكران . «د» مؤلَّف من خمور (~ cargo) . «ﻫ» مُتَّجِر بالخمور (~ canteens) . «و» مُبيح صنع الخمور أو بيعها (~ states) . «ز» مؤيِّد لإباحة صنع الخمور أو بيعها (~ candidates) (٦) محفوظ في سائل (٧) سائلي ؛ كحولي : «أ» منجَز بواسطة الماء أو أي سائل غيره (~ extraction of copper) . «ب» مستخدِم للماء أو أيّ سائل آخر (a ~ process) (٨) مخطىء ، بعيد عن الصواب (She is all ~.) §(٩) «أ» ماء . «ب» بَلَل ؛ رطوبة ؛ نداوة (١٠) مطر ؛ جوّ ماطر (Salma stayed all night in the ~.) (١١) المؤيِّد لإباحة صنع الخمور وبيعها §(١٢) يبلِّل ؛ يُخضِّل ؛ يرطِّب ؛ ينَدِّي (١٣) يبول في كذا أو عليه ×(١٤) يبتلّ ؛ يخضلّ ؛ يتندّى (١٥) يَبُول . —**wetter** *(n.)*

to ~ down يرطِّب (بالنَّضح أو الرش بالماء) .

to ~ one's whistle يأخذ جرعة (من الخمر بخاصة) .

wetback [wĕt'băk'] *(n.)* مكسيكيّ يدخل الولايات المتحدة خلسةً .

wet blanket *(n.)* المثبِّط للهمّة ؛ المفسِد للبهجة .

wet-blanket [wĕt'blăng'kĭt] *(vt.)* يثبِّط الهمّة ؛ يفسد البهجة .

wet dock *(n.)* الحوض المائي ؛ حوض السُّفن المائي .

wet goods *(n. pl.)* السِّلَع السائلة (كالدهانات والزيوت والخمور) .

wether [wĕ*th*'ər] *(n.)* كَبْش مَخْصيّ .

wetness [wĕt'nĭs] *(n.)* (١) بَلَل ؛ رطوبة ؛ نداوة (٢) شيء بَليل أو رطْب أو نديّ .

wet nurse *(n.)* الظِّئْر : المُرضِعة لولد غيرها .

wet-nurse [wĕt'nûrs'] *(vt.)* (١) تُظائر : تُرْضِع وَلَدَ غيرها . (٢) يخُصّ (شيئاً) بعناية بالغة .

wet steam *(n.)* البخار الرطب أو المُبْتَلّ .

wettable [wĕt'ə bəl] *(adj.)* قابل للتبليل أو الابتلال .

wetting agent *(n.)* العامِل المبلِّل ؛ المادة المبلِّلة .

wettish [wĕt'ĭsh] *(adj.)* مبتلّ أو مخضلّ قليلاً ؛ رَطْب .

we've [wēv] = we have.

whack [hwăk] *(vt.; i.; n.)* (١) يَضرِب بشدّة (٢) يقَطِّع ؛ يحتزّ (٣) يهزم ؛ يتغلّب على ×(٤) يسدِّد ضربةً شديدة إلى §(٥) «أ» ضربة شديدة أو مدوِّية . «ب» دويّ هذه الضربة (٦) حصة ؛ نصيب (٧) حالة (is in fine ~) (٨) فرصة أو محاولة لعمل شيء (٩) «أ» ضربةٌ أو عملٌ مفرد (She made several style changes with one ~.) . «ب» دفعة (all at one ~) .

to ~ up يُقسِّم ؛ يوزِّع ؛ يُحصِّص .

whacked out [(h) wăkt' out] *(adj.)* مخبول (عا) .

whacking [hwăk'ĭng; wăk'-] *(adj.; adv.)* (١) ضخم ؛ كبير (a ~ big pearl) §(٢) جداً ؛ إلى حد بعيد .

whacky [hwăk'ĭ; wăk'ĭ] *(adj.)* = wacky.

whale [hwāl; wāl] *(n.; vi.; t.)* (١) حوت (٢) شخص أو شيء ضخم أو ممتاز (a ~ of a novel) §(٣) يصيد الحيتان ×(٤) يجلد ؛ يسُوط (٥) يضرب بعنف (٦) يهزم هزيمةً ساحقةً .

whale

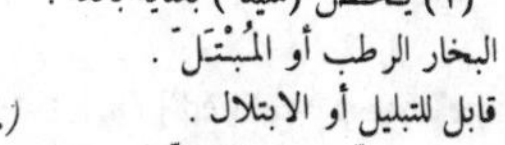

whaleback [hwāl'băk'] *(n.)* مُحَوَّت الظَّهر : شيء على شكل ظهر الحوت ، وبخاصة : باخرة شحن سطحها الأعلى محدَّب .

whaleboat [hwāl'bōt'] *(n.)* الحوتي: «أ» مركب صيد الحيتان . «ب» مركب طويل ضيّق كثيراً ما تحمله السفن الحربية والتجارية .

whalebone [hwāl'bōn'] *(n.)* البَلَين: عظم فك الحوت .

whalebone whale *(n.)* الحوت البَلَيني: حوت ضخم يحل البلين (را. المادة السابقة) عنده محل الأسنان .

whaler[hwā'lər ;wā'-] *(n.)* (١) الحوّات: صائد الحيتان (٢) الحوتي: مركب طويل ضيق كثيراً ما تحمله السفن الحربية والتجارية .

whaling [hwā'lĭng] *(n.)* الحِواتة: حِرفة صيد الحيتان .

wham[hwăm ; wăm] *(n.; vt.; i.)* (١) دويّ اصطدام أو انفجار (٢) ضربة أو لكمة عنيفة §(٣) يضرب بقوة مُحدثاً دوياً ×(٤) يصطدم أو ينفجر بِدوي .

whammy [hwăm'ĭ; wăm'ĭ] *(n.)* الجالب للنّحس أو الحظّ العاثر .

whang[hwăng] *(n.; vt.; i.)* (١) «أ» سَيْر جلديّ . «ب» سَيْر السَّوط . «ج» سَوْط (٢) ضربة مدوّية §(٣) يضرب، يجلد (٤) يقذف أو يضرب بقوة ×(٥) يهاجم بعنف (٦) يُحدِث دَوِياً .

whangee [hwăng ē'] *(Chin.)* (١) الوَنْج: خيزران صيني . (٢) الونجيّة: خيزرانة ونْجيّة .

whap [hwŏp] *(vt.; n.)* = whop.

wharf [hwôrf] *(n.; vt.; i.)* (١) رصيف (لتحميل السفن أو تفريغها) . §(٢) يرصِّف: يضع على (أو يقود إلى) رصيف المرفأ ×(٣) ترْصِف: تمضي السفينة إلى الرصيف .

wharfage [hwôr'fĭj] *(n.)* (١) الإرصاف: استعمال الرصيف البحري (٢) الترصيف: خزْن السلع في الرّصيف البحري (٣) الرَّصيفيّة: رسم استخدام الرصيف (٤) أرصفة بحرية .

wharfinger [hwôr'fĭn jər] *(n.)* مدير (أو ناظر) الرصيف .

wharfmaster [hwôrf'măs tər] *(n.)* = wharfinger.

wharve [hwôrv] *(n.)* فَلْكة المِغزَل .

wharves [hwôrvz] *pl. of* wharf *or* wharve.

what [hwŏt; hwŭt] *(pron.; adv.; adj.; conj.; interj.)* (١) ما (~ is her name?) (٢) ماذا (~ did she say?) (٣) كم (~ does supper cost?) (٤) ما؛ الذي (This is ~ she says.) §(٥) جزئياً (~ with the wind and ~ with the rain, our picnic was spoilt.) §(٦) أيّ (of ~ person do you speak?) (٧) يا له من! يا لها من! (~ a suggestion!; ~ folly!) §(٨) قَدْرَ ما؛ بقَدْر ما (He helped me ~ he could.) §(٩) ماذا!: هتاف يفيد معنى التعجّب والاستغراب .

and ~ not وهلمّ جرّاً، وما شاكل

but ~, إلاّ و... (There wasn't a day but ~ it rained.)

to know *what's* ~, يعرف الصالح من الطالح أو الغثّ من السمين .

~ does it matter? وماذا يهمّ؟

~ for (١) لماذا؛ لأيّ سبب أو غرض (٢) تعنيف؛ توبيخ؛ قِصاص؛ ضَرْب (gave them ~ in violent German).

~ if? (١) وما يحدث إذا..؟ (٢) وماذا يهم إذا؟

~ though? وماذا يهمّ؟

whatever [-ĕv'ər] *(pron.; adj.)* (١) كلّ ما؛ أيّ شيء (Take ~ you like.) (٢) «أ» مهما (Don't change your plans, ~ happens.) «ب» مهما يكن، أيّاً كان (~ the cause, this hatred grew deeper and deeper.) (٣) وغير ذلك؛ وما شاكل (They constantly walk in... arguing, complaining, or ~.) (٤) ماذا؟ (~ were you saying?) §(٥) أيّما (Put it in ~ place you like.) (٦) «أ» البتّة (no damage ~) «ب» على الإطلاق (the most charming girl ~).

what -if *(n.)* سؤال افتراضي .

whatman [hwŏt'mən] *(n.)* الهوتْمَن: ورق رسم ممتاز؛ كرتون رسم ممتاز .

whatnot [hwŏt'nŏt'] *(n.)* (١) أيما شيء آخر (washing machines, radios, television sets, or ~) (٢) مزيج؛ خليط (an army of human ~) (٣) الرّفوفيّة: مجموعة رفوف خفيفة مكشوفة، بعضها فوق بعض، توضع عليها الكتب أو التحف .

whatsoever[hwŏt'sō ĕv'ər] *(pron.; adj.)* = whatever.

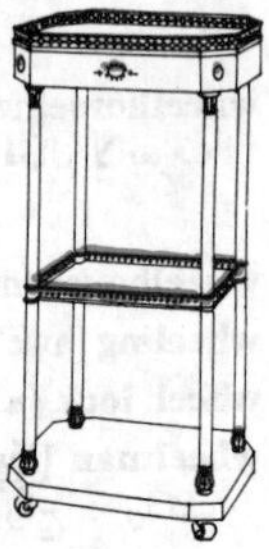

whatnot 3.

whaup [hwäp; hwôp] *(n.)* = curlew.

wheal [hwēl] *(n.)* (١) بَثْرة؛ نَفْطة (٢) welt 3 *a.*

wheat [hwēt] *(n.)* قمح: حِنْطة .

wheatear [hwēt'ĭr'] *(n.)* الأبلق؛ أبو بُلَيْق (طا) .

wheaten [hwē'tən] *(adj.)* قَمْحِيّ؛ حِنْطيّ .

wheat rust *(n.)* صدأ الحنطة: «أ» مرض من أمراض القمح تسبّبه بعض الفطور . «ب» فُطر طفيليّ يسبّب هذا المرض .

wheatear

Wheatstone bridge[hwēt'stōn'] *(n.)* قنطرة هويتستون (كب) .

wheatworm[hwēt'wûrm'] *(n.)* أُنيقليس القمح؛ دودة القمح .

whee [hwē; wē] *(interj.)* هتاف معبّر عن الابتهاج والمرح .

wheedle [hwē'dəl] *(vt.; i.)* (١) يتملق (٢) ينال أو يكسب بالتملّق .

wheel [hwēl] *(n.; vi.; t.)* (١) عَجَلَة؛ دولاب (٢) «أ» دولاب التعذيب (في القرون الوسطى بخاصة) . «ب» درّاجة هوائية (٣) دولاب النّار: ضرب من الألعاب النارية يدور وهو يحترق (٤) دَوَران (٥) «أ» قوة موجِّهة أو مُسيطِرة . «ب» شخص ذو شأن . «ج» زعيم سياسي (٦) قرار الأغنية (٧) عدد من المسارح أو الملاهي يديره شخص واحد أو تتعاقب عليه مجموعة واحدة من الممثلين الخ . §(٨) «أ» يدوِّر . «ب» ينعطِف (٩) يندفع في درّاجة أو عربة او نحوهما ×(١٠) يدور: يجعله يدور (١١) «أ» ينقل بعربة الخ . «ب» يسوق بسرعة فائقة (Taxicab drivers ~ their vehicles through the streets.) (١٢) يُنجز على نحو دائري أو لولبي (where the beetle ~s his flight) (١٣) يجعله ينعطف (في اتجاه مختلف) .

wheel and axle *(n.)* المِلْفاف (مك) .

wheel animal *or* **wheel animalcule** *(n.)* = rotifer.

wheelbarrow [hwēl'băr'ō] *(n.; vt.)* (١) عجلة اليد: عَرَبَة يد ذات دولاب واحد (أو أكثر) §(٢) ينقل بعجلة يد .

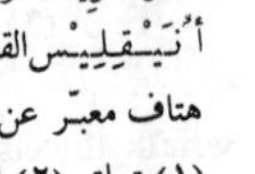

wheelbarrow

wheelbase [hwēl'bās] *(n.)* قاعدة اللفّ: المسافة بالإنشات بين محوري العجلة الأماميّة والخلفيّة في السيّارة .

ă at; ā date; â care; ä car; ĕ egg; ē me; ĭ in; ī bite; ŏ lot; ō bone; ô orphan; oi boil; o͝o good; o͞o boot; ou out; ŭ under; ū unity; û urgent; th thing; th this; zh vision; ə = *a* in alone, *e* in system, *i* in easily, *o* in gallop, *u* in circus.

wheelchair [hwēl'-](*n.*) : الكرسيّ المُدَوْلَب : كُرسيّ المُقْعَدين.

wheelchair

wheeled [hwēld] (*adj.*) : (١) مُدَوْلَب : ذو دواليب أو عجلات (٢) دواليبيّ : عَجَلانيّ : متحرّك أو عامل بواسطة العجلات أو الدواليب.

wheeler [hwē'lər] (*n.*) (١) فا wheel (٢) حصان الدولاب (را. wheelhorse *a*) (٣) ذات الدولاب : سفينة أو عربة مزوّدة بدواليب أو عجلات (a four-*wheeler*).

wheelhorse[hwēl'hôrs'](*n.*) حصان الدولاب : «أ» حصان العربة الأشدّ قرباً إلى العجلات الأماميّة . «ب» عضوٌ فعّال لا يعرف الكَلَل (وبخاصة في حزب سياسي).

wheelhouse [hwēl'hous'] (*n.*) = pilothouse.

wheeling [hwē'lĭng] (*n.*) (١) مص wheel (٢) حالة الطريق.

wheel lock (*n.*) زَنْد البندقيّة (را. gunlock) الدولابي.

wheelman [hwēl'mən] (*n.*) (١) مدير الدفّة (في مركب أو سفينة) (٢) السائق : سائق السيّارة (٣) الدرّاج : راكب الدرّاجة الهوائيّة.

wheelsman [hwēlz'-](*n.*) مدير الدفّة (في مركب أو سفينة).

wheelwork [hwēl'-] (*n.*) مجموعة الدواليب أو التروس (ملك).

wheelwright [hwēl'-](*n.*) صانع العجلات أو العربات أو مُصلحها.

wheen [hwēn] (*adj.*; *n.*) (١) قليل §(٢) عدد أو مقدار كبير.

wheeze [hwēz] (*vi.*; *n.*) (١) يَصْفِر : يتنفّس بجهد محدثاً صوتاً كالصفير (٢) يئزّ (The bullets ~*d.*) §(٣) «أ» صفير (عند التنفس). «ب» أزيز (٤)«أ» نكتة مسرحيّة مبتذلة . «ب» قولٌ أو مثَل مبتذل.

wheezy [hwē'zĭ] (*adj.*) (١) «أ» صافر (عند التنفّس). «ب» مصفور : مصاب بعسر التنفس مع صفير (٢) آزّ ؛ ذو أزيز (a ~ old car).

whelk 1.

whelk [hwĕlk; wĕlk] (*n.*) (١) الوِلْك : حلزون بحري كبير (٢) بَثْرة ؛ نَفْطة (٣) الحَبَار : أثر الضرب في جسم المضروب.

whelm [hwĕlm] (*vt.*; *i.*) (١) «أ» يقلب رأساً على عقب ليغطي شيئاً. «ب» يضع «بحيث يغطّي شيئاً» (٢) يَغْمر (٣) يسحق × (٤) يفيض (The river ~*ed.*).

whelp[hwĕlp] (*n.*; *vt.*; *i.*) (١)«أ» صغير الحيوان : جَرو ؛ شِبْل الخ. «ب» صبيّ ؛ فتاة (٢)شخص حقير (٣) *pl.* «أ» عد : الطولانيّ : أحد الأضلاع الطولانيّة في الرّحَويّة (را. capstan) وما إليها . «ب» الضِّرس : سن العجلة المسنّنة (ملك) §(٤) تلِد (الكلبةُ وغيرها).

when [hwĕn] (*adv.*; *conj.*; *n.*) (١) متى ؟ (٢) وإذ ذاك ؛ ومن ثمّ (The tree will die of old age ~ the problem solves itself.) (٣) سابقاً ، وبخاصة في أيام العُسْر (Her old friends brag fondly of having known her ~.) §(٤) عندما (٥) مع أن ؛ برغم أنّ ؛ في حين (My brother gave up politics ~ he might have made a great career in it.) §(٦) زمان «حدوثِ الشيء أو صنعِهِ» (the ~ and the where of an act).

whenas [hwĕn ăz'] (*conj.*) = when.

whence [hwĕns] (*adv.*; *conj.*) (١) من أين §(٢) من حيث ؛ الذي منه ؛ التي منها (Let her return to that land ~ she came.) (٣) لذلك ؛ من أجل ذلك.

whencesoever [hwĕns'sō ĕv'ər] (*conj.*) من أيّ مكانٍ كان.

whenever [hwĕn ĕv'ər] (*conj.*; *adv.*) (١) كلّما ؛ متى . §(٢) متى ؟

whensoever [hwĕn'sō ĕv'ər] (*conj.*) = whenever.

where [hwâr] (*adv.*; *conj.*; *n.*) (١) أين ؟ إلى أين ؟ §(٢) أين . (٣) أينما ، حيثما (٤) حَيْثُ §(٥) مكان ، مكان حدوث (They discussed the ~ and how of the accident.)

whereabouts *also* **whereabout**[hwâr'-] (*adv.*; *conj.*; *n.*) (١) أين ؛ قرب أيّ مكان §(٢) مكان ؛ مكان وجود.

whereas [hwâr ăz'] (*conj.*; *n.*) (١) حيث أن ؛ لمّا كان (ق). (٢)في حين (Some people hate fat meat, ~ others like it.) §(٣) مقدمة (وثيقةٍ قانونيّة) (٤) حَيْثِيّة «والجمع حيثيّات» (read the ~*es* in the will).

whereat [hwâr ăt'] (*conj.*; *adv.*) (١) حَيْثُ (٢)من أجل ذلك. §(٣) علامَ ؛ ممّ (~ are you angry ?).

whereby [hwâr bī'] (*conj.*; *adv.*) (١) الذي به أو بواسطته أو وفقاً له §(٢) كيف (ا.ق).

where'er [hwâr âr'] (*adv.*; *conj.*) = wherever.

wherefore [hwâr'fōr'] (*adv.*; *n.*) (١) لماذا ؟ (٢) لذلك ؛ ومن اجل ذلك ، وهكذا §(٣) سببٌ.

wherefrom [hwâr frŏm'] (*conj.*) (١) حيث ؛ من حيث . (٢) من أين ؟

wherein [hwâr ĭn'] (*adv.*; *conj.*) (١) أين ؛ في ماذا ؛ في أيّ شيء أو ناحية §(٢) «أ» حيثُ ؛ الذي به أو فيه . «ب» الذي خلاله ؛ التي خِلالَها (٣) كيف.

whereinto [hwâr ĭn'to͞o] (*conj.*) إلى حيث.

whereof [hwâr ŏv'] (*conj.*) (١) عمّ ؛ عن أيّ شيء (٢) ممّ ؛ من أيّ شيء (٣) الذي منه أو عنه.

whereon [hwâr ŏn'] (*conj.*) (١)علامَ ، على أيّ شيء (٢)الذي عليه.

wheresoever [hwâr'sō ĕv'ər] (*conj.*) = wherever.

wherethrough [hwâr thro͞o'] (*conj.*) الذي خلاله ، التي خلالها.

whereto [hwâr to͞o'] (*adv.*; *conj.*) (١) إلامَ ، إلى أين (٢) لماذا. §(٣) حيث ، إلى حيث.

whereunto [hwâr ŭn'to͞o] (*adv.*; *conj.*) = whereto.

whereupon [hwâr'ə pŏn'] (*conj.*) (١) الذي عليه أو فوقه ؛ التي عليها أو فوقها (٢) وإذ ذاك ، وعندئذ ، ومن ثمّ ، وهكذا.

wherever [hwâr ĕv'ər] (*adv.*; *conj.*) (١) أين ؛ من أين . (٢)«أ» حيثما ، أينما . «ب» في أيّ مكان (٣) كلّما.

wherewith [hwâr wĭth'] (*conj.*; *pron.*; *adv.*) (١) الذي به أو بواسطته §(٢) الشيء الذي به أو بواسطته §(٣) بماذا ؟

wherewithal [hwâr'wĭth ôl'] (*conj.*; *pron.*) = wherewith.

wherewithal [hwâr'-] (*n.*) المال ؛ المال الكافي أو الضروري.

wherry [hwĕr'ĭ] (*n.*) الوِهْرِيّ : مركب أو زورق خفيف.

whet [hwĕt] (*vt.*; *n.*) (١)يَشْحَذ (مدية) (٢) يحرّك ، ينبّه ، يثير. §(٣)«أ» مرّة (.~ I'll bear it this). «ب» فترة (Dina stood talking a long ~.) (٤) كلّ ما يشحذ أو يحرّك أو ينبّه (٥)«أ» المشهّي (را. appetizer). «ب»جرعة من شراب مُسْكِر.

whether [hwĕth'ər] (*pron.*; *conj.*) (١) أيّ الاثنين (ا.ق) . §(٢) ما إذا (٣) سواء (٤) أ .... أم ....

whether or no *also* **whether or not** (*adv.*) على أية حال.

whetstone [hwĕt'stōn'] (*n.*) (١) حَجَر الشَّحْذ (٢) مِشْحَذ.

ă at; ā date; â care; ä car; ĕ egg; ē me; ĭ in; ī bite; ŏ lot; ō bone; ô orphan; oi boil o͝o good; o͞o boot; ou out; ŭ under; ū unity; û urgent; th thing; th this; zh vision; ə = *a* in alone, *e* in system, *i* in easily, *o* in gallop, *u* in circus.

Left column

whew [hwū] (*n.; interj.*) (١) صفرة تعجّب §(٢) يا سلام !

whey [hwā] (*n.*) مَصْل اللبَن (يُفْصَل عند صنع الجبن) .

wheyey [hwā'ĭ] (*adj.*) مَصْليلِيّتيّ : متعلق بمصل اللبن أو شبيه به .

whey-face [hwā'fās'] (*n.*) المذعور ؛ الشاحب الوجه (من خوف) .

whey-faced [hwā'fāst'] (*adj.*) مذعور ؛ شاحب الوجه .

which [hwĭch] (*adj.; pron.*) (١) أيّ ؛ أيّة §(٢) أيّهما أيّ الأمرين أو الشخصين (٣) الذي ؛ التي ؛ ما (٤) ذاك ؛ ذلك .

whichever [-ĕv'ər] (*pron.; adj.*) أيّ ؛ أيّا ؛ أيّ الاثنين ؛ أيّما شيء .

whichsoever [hwĭch'sō ĕv'ər] (*pron.; adj.*) =whichever.

whidah [hwĭd'ə] (*n.*) الهَوْدَد : طائر افريقيّ نسّاج يتميّز ذَكَرُه بذيله الطويل .

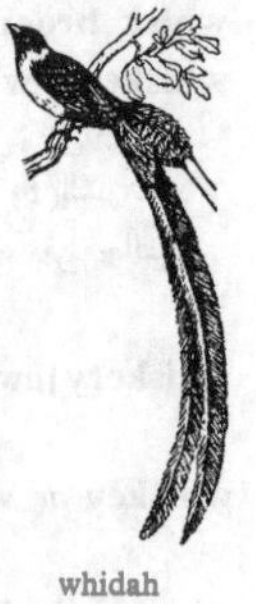

whidah

whiff [hwĭf] (*n., vi.; t.*) (١) هبّة ، نَفْحَة (٢) نَشْقة (من هواء أو تبغ) (٣) حفيف (٤) أثَرٌ ضئيل §(٥) يهبّ (٦) يُدَخّن (التبغ) (٧) يستنشق (الرائحة) (٨) ينفخ على (٩) ينتشر أو يرتفع كالدخان ×(١٠) يُطيّر (١١) يزفر ، ينفث .

whiffet [hwĭf'ĭt] (*n.*) شخص صغير أو حَدَث أو غير ذي شأن .

whiffle [hwĭf'əl] (*vi.; t.*) (١) يهبّ (على) نحو متقطّع (٢) يتذبذب ؛ يترجّح ؛ يتردّد ×(٣) يطيّر ؛ يشتّت (بنفخة أو نحوها) .

whiffler [hwĭf'lər] (*n.*) (١) مَن يُخْلي الطريق (من السابقة الخ) أمام الموكب (٢) المتردّد (٣) المراوغ .

whiffletree [hwĭf'əl trē'] (*n.*) =swingletree.

Whig [hwĭg] (*n.; adj.*) (١) الهُوَيْني :«أ» عضو في حزب بريطانيّ مؤيّد للإصلاح عُرف في ما بعد بحزب الأحرار . «ب» أميركيّ مؤيّد للثورة على انكلترة . «ج» عضو في حزب أميركيّ أنشئ عام ١٨٣٤ لمقاومة الحزب الديموقراطيّ ، ثم خلَفَه الحزب الجمهوريّ حوالى عام ١٨٥٤ §(٢) هُوَيْنيّ .

Whiggery [hwĭg'ə rĭ] (*n.*) الهُوَيْنيّة : مبادئ الهُوَيْنيّين (را . المادة السابقة) .

while [hwīl] (*n.; conj.; prep.; vt.*) (١) فترة ، برهة ؛ مدة قصيرة . §(٢)«أ» بينا ؛ بينما . «ب» ما دام (٣)«أ» في حين . «ب» على الرغم من (٤) حتى ؛ حتى ذلك الحين (ا.ق.) §(٥) يقطع أو يقتل الوقت (may ~ away the time)

between ~s, أحياناً ؛ بين حين وآخر .

once in a ~, بين فترة وأخرى ، بين حين وآخر .

worth one's ~, جدير بأن ينفق المرء من أجله وقتَه أو جهدَه أو مالَه .

whiles [hwīlz] (*adv.*) أحياناً (اسك) .

whilom [hwī'ləm] (*adv.; adj.*) (١)سابقاً ؛ في ما مضى §(٢)سابق .

whilst [hwīlst] (*conj.*) = while.

whim [hwĭm] (*n.*) (١) نزْوة ؛ هوىً (٢) رَحَوية المناجم : رَحَوِيّة (را . capstan) ضخمة ذات ذراع أو أكثر يُشَدّ إليها فرَس أو أفراس وتستخدم في المناجم لرفع الماء أو المعدن الخام .

whim 2.

whimbrel [hwĭm'brəl] (*n.*) الفَيْوب : كروان صغير .

whimper [hwĭm'pər] (*vi.; n.*) (١) يَنْشِج ؛ يئِنّ (٢) يتذمّر ؛ يشكو (٣) نشيج ؛ أنين (٤) تذمّر ؛ شكوى .

Right column

whimsical [hwĭm'zə kəl] (*adj.*) (١) نزْويّ ؛ كثير النزوات (٢) حَوّل ؛ قُلّب (٣) غريب ؛ غريب الأطوار .

—whimsicality (*n.*) نزْوانيّ ؛ كثير النزوات .

whimsied [hwĭm'zĭd] (*adj.*) نزْوانيّ ؛ كثير النزوات .

whimsy or **whimsey** [-'zĭ] (*n.*) (١) نزْوة (٢) غرابة .

whim-wham [hwĭm'hwăm'] (*n.*) (١) حلية صغيرة (٢) نزْوة (٣) *pl.* : نرفزة شديدة ؛ اهتياج عصبيّ .

whin [hwĭn] (*n.*) (١) الطُّراب : صخر بركانيّ (٢) الرّتَم الوزّال (نب) .

whinchat [hwĭn'chăt'] (*n.*) القُلَيْعِيّ الأحمر : طائر مغرّد .

whinchat

whine [hwīn] (*vi.; t.; n.*) (١) يَعْوي (٢)«أ» ينتحب (٣) يئِنّ (٣) يطِنّ (البعوض) ×(٤) يعبّر عن كذا بالانتحاب والأنين (The prisoner ~d his innocence.) §(٥) عُواء (٦)«أ» انتحاب . «ب» أنين .

—whiny or **whiney** (*adj.*)

whing-ding [hwĭng'dĭng] (*n.*) = wingding.

whinny [hwĭn'ĭ] (*vi.; t.; n.*) (١) يَصْهَل ×(٢) يعبّر عن كذا بالصهيل (The horses ~ their greeting.) §(٣) صهيل .

whinstone [hwĭn'stōn] (*n.*) الطُّراب : صخر بركانيّ .

whip [hwĭp] (*vt.; i.; n.*) (١) يتناول أو ينزع أو يسلّ بسرعة وقوة (٢)«أ» سوط ، يضرب بالسياط . «ب» يستحثّ بالسياط أو بمثلها (٣)«أ» يعتمّ الحبل الخ . «ب» يَقيه بخيوط تُلَفّ عليه . «ب» يلفّ (حول شيء) (٤) يوبّخ ؛ يعنّف (٥) يضرب : يخيط بإمرار الدرزات تكراراً فوق الحاشية (٦) يهزم (٧)يحرّك ؛ يثير (تتبهها up عادة) (٨) يصنع أو ينجز بعجَلة (٩) يحاول الصيد في (a ~ stream) (١٠) يخفق البيضَ أو الكريما ×(١١) ينطلق أو ينعطف برشاقة أو بسرعة (١٢) تخفق (الراية) §(١٣) سَوْط (١٤) جَلدة بالسَّوط (١٥) المخفوقة : حلوى تُعَدّ بخفق بعض العناصر المكوّنة لها (كالبيض أو الكريما) (١٦) الخفّاقة : أداة لخفق البيض أو الكريما (١٧) أحد أذرع الطاحونة الهوائية (١٨) رافعة (مؤلّفة من حبل وبكرة) (١٩) السائط : الضارب بالسوط ، مثل «أ» الحوذي ، سائق العربة . «ب» السَّوّاط : مساعد للصياد يجلد كلاب القنص بسوطه (٢٠)«أ» حامل السَّوط : عضو في البرلمان يَعْهد إليه حزبه بتطبيق الأنظمة الحزبية ويحمل نواب الحزب على حضور الجلسات الهامّة . «ب» المذكّرة السَّوْطيّة : شبه جدول بالأعمال القادمة يرسل أسبوعيّاً إلى كلّ عضو من أعضاء حزب سياسيّ في مجلس العموم البريطاني (٢١) خفقان ؛ تذبذُب الخ . (٢٢) مرونة (٢٣) الخفّاق : جزء نابض من ماكينة (٢٤) السَّوْطيّ : هوائيّ صغير شبيه بالسَّوط لجهاز راديو مستقبِل نقّال .

—whipper (*n.*)

to ~ in بجلدها بالسَّوط (١) يحول بين كلاب القنص وبين التشتت (٢) يجمع أعضاء الحزب السياسي الخ . أو يبقيهم مجتمعين (لأداء مهمّة تشريعية) .

~ and spur بأقصى السرعة أو العجَلة .

whipcord [hwĭp'kôrd'] (*n.*) (١)«أ» المُبْرَم : حبل رفيع محكَم الجَدْل . «ب» وَتَر (٢) المُضَلّع : قماش مضلّع (٣) السِّياطيّة : ضرب من الأشنة أو الطحالب البحرية ذات أوراق مسرفة في الطول والنحول والمرونة .

whip hand *(n.)* (١) اليد التي يُمْسِك بها السَّوط عند قيادة العربة : اليد اليمنى (٢) سيطرة ؛ هيمنة ؛ وضع يمنح صاحبَهُ ميزةً أو أفضليّة على منافسيه .

whiplash [hwĭp'lăsh'] *(n.)* الجلاز : السَّيْر المشدود في طَرَف السَّوط .

whipper-in [hwĭp'ər ĭn'] *(n.)* (١) السَّوّاط : مساعد للصياد يجلد كلاب القنص بسوطه (٢) حامل السَّوط (را. whip 20 *a*) .

whippersnapper [hwĭp'ər snăp'-] *(n.)* الصغير ؛ التافه ؛ المدَّعي .

whippet [hwĭp'ĭt] *(n.)* (١) الوِبْت : كلب صغير نحيل سريع العدو (٢) الوِبْتة : دبابة صغيرة استخدمها الحلفاء في الحرب العالميّة الأولى .

whippet 1.

whipping [hwĭp'ĭng] *(n.)* (١) مص **whip** ، مثل : «أ» جَلْد ؛ ضَرْب بالسّياط . «ب» تَضْريب . «ج» صَيْد بالصنّارة (٢) اللفيفة : خيوط تُلَفّ على طرف الحبل تمتيناً له .

whipping boy *(n.)* (١) كَبش الفداء : غلام جرت العادة قديماً بأن يُلَقَّن العلم مع أحد الأمراء ويعاقَب بدلاً عنه (٢) كبش فداء .

whipping post *(n.)* سارية الجَلْد : سارية يُشَدّ إليها المذنِب ثم يُجْلَد .

whippletree [hwĭp'əl trē'] *(n.)* = swingletree.

whippoorwill [hwĭp'ər wĭl'] *(n.)* السُّبَد الأميركي : طائر يطير في الغسق أو الليل ذو ريش مختلف الألوان .

whippy [-'ĭ] *(adj.)* (١) سوطيّ أو شبيه بالسَّوط (٢) مرِن ؛ لَدْن .

whipsaw [hwĭp'sô'] *(n.; vt.)* (١) المنشار السَّوطي : منشار طويل ضيّق الشفرة يكتنف طَرَفَيه إطار §(٢) ينشر بمنشار سَوْطيّ (٣) «أ» يوقعه في خسارة مزدوجة . «ب» يهزمه هزيمة مزدوجة .

whip scorpion *(n.)* العقرب السَّوطي : عقربٌ كاذب لا حُمَة له ولكن بطنه ينتهي بجزء رفيع شبيهٍ بالسَّوط .

whipstitch [hwĭp'-] *(vt.; n.)* (١) يضرِب : يخيط بإمرار الدَّرزات تكراراً فوق الحاشية §(٢) دَرْزَة (من درزات التضريب) (٣) لحظة ؛ فترة قصيرة .

whipstock [hwĭp'stŏk] *(n.)* مَقْبِض السَّوط .

whipworm [hwĭp'wûrm'] *(n.)* الدودة السَّوطيّة : دودة سلكيّة أو خيطيّة طفيليّة في مقدَّمها زائدةٌ شبيهةٌ بالسَّوط .

whir *or* **whirr** [hwûr] *(vi.; t.; n.)* (١) يئزّ ؛ يطنّ ×(٢) يحرِّك أو ينْتَقِل مُحْدِثاً أزيزاً أو طنيناً §(٣) أزيز ؛ طنين .

whirl [hwûrl] *(vi.; t.; n.)* (١) يدوِّم ؛ يلتفّ ؛ يدُور (٢) ينعطف فجأةً (٣) يندفع ؛ ينطلق مسرعاً (٤) يُصاب بدُوار ×(٥) يسوق أو ينقل بحركة دائرية أو شبهها (٦) يدور ؛ يجعله يدور (٧) يَعْطف (يجعله ينعطف) فجأةً §(٨) تدويم ؛ دورانٌ سريع (٩) دُرْدور (١٠) دوّامة (١١) اندفاع (١٢) محاولة ؛ تجربة .

—whirler *(n.)*

whirligig [hwûr'lĭ gĭg] *(n.)* (١) المدوِّمة : لعبة أطفال ذات حركة دُوّاميّة (٢) دُوّامة الخيل (را. merry-go-round) (٣) شيء أو شخص دائم الحركة أو التغيّر أو التقلّب (٤) دوران .

whirligig beetle *(n.)* الخُنفساء المدوِّمة : خنفساء مائيّة تدور بحركة دُوّاميّة فوق سطح الماء .

whirlpool [hwûrl'pōōl'] *(n.)* (١) دُرْدُور (٢) دُوّامة .

whirlwind [hwûrl'wĭnd'] *(n.)* زوبعة ؛ ريحٌ دُوّاميّة .

whirly [whûr'lĭ] *(adj.; n.)* (١) دُوّاميّ §(٢) زوبعة صغيرة .

whirlybird [hwûr'lĭ bûrd'] *(n.)* = helicopter.

whish [hwĭsh] *(vt.; i.; n.)* (١) يسوقه أو يدفعه مُحْدِثاً حفيفاً أو هفيفاً أو هَسْهَسَةً ×(٢) يحِفّ ؛ يهِفّ ؛ يُهَسْهِس (٣) ينطلق مسرعاً §(٤) حفيف ؛ هفيف ؛ هسهسة .

whisk [hwĭsk] *(n.; vi.; t.)* (١) «أ» مَسْحَة سريعة خفيفة . «ب» ضربة لطيفة خاطفة . «ج» انطلاق سريع ؛ حركة سريعة رشيقة (٢) المِخْفَقَة : خفّاقة البيض والكريما الخ. (٣) مِقَشّة §(٤) يتحرّك أو ينطلق بخفّة ورشاقة ×(٥) يحرّك أو ينقل برشاقة (٦) يخفق (البيضَ الخ.) (٧) يقشّ ؛ يكنس .

whisk 2.

whisk broom *(n.)* مِقشّة صغيرة (تستخدم كفرشاة للثياب) .

whisker [hwĭs'kər] *(n.)* (١) شعرة من شعرات اللحية *pl.* (٢) السَّبَلَة : ذلك الجزء من اللحية النامي على جانبي الوجه أو على الذقن (٣) شعرة من شاربَيْ الهرّة الخ. (٤) الشارب : أحد قضيبين خشبيين أو حديديين ممتدَّين على كلّ من جانبي الدَّقَل المائل (مل) .

—whiskered *(adj.)* مُسبَّل : ذو سَبَلَة

whiskery [hwĭs'kə rĭ] *(adj.)* (را. المادة السابقة) أو شبيهٌ بها .

whiskey *or* **whisky** [hwĭs'kĭ; wĭs'-] *(n.)* (١) الوسكي : شراب مُسْكِر (٢) جرعة وسكي .

whisper [hwĭs'pər] *(vi.; t.; n.)* (١) يَهْمِس ×(٢) يخاطب هامساً ؛ يهمس في أذنه (٣) يقول أو ينطق بكذا هامساً §(٤) هَمْس ؛ همسة (٥) أثر أو قَدْر ضئيل : ذرّة .

whisperer [hwĭs'pər ər] *(n.)* الهامس ؛ وبخاصة : مروِّج الاشاعات .

whispering [hwĭs'pər-] *(n.; adj.)* (١) «أ» هَمْس . «ب» إشاعة . (٢) همسة §(٣) «أ» هامس . «ب» مروِّج للاشاعات .

whispering campaign *(n.)* حملة الهمس : حملة إشاعات ضدّ مرشّح لمنصب الخ.

whispery [hwĭs'-] *(adj.)* (١) شبيه بالهمس (٢) حافل بالهمسات .

whist [hwĭst] *(vi.; interj.; adj.; n.)* (١) يصمت §(٢) صَهْ ! أسكت ! §(٣) صامت ؛ ساكن §(٤) الهويست : ضرب من لَعِب الوَرَق أو «الشَّدّة» .

whistle [hwĭs'əl] *(n.; vi.; t.)* (١) صَفّارة (٢) «أ» صَفير . «ب» صَفْرَة (٣) الفم والحنجرة (to wet one's ~) §(٤) يَصْفِر (٥) يَطْلُب على غير طائل ؛ يَطْلُب فلا يُجاب ×(٦) يدعو أو يطرد أو يعبّر عن كذا الخ. بالصفير .

whistler [hwĭs'lər] *(n.)* الصافر : «أ» من يَصْفِر . «ب» ضرب من البط أصفر العينين يُعرَف بذهبيّ العين . «ج» مرموط (را. marmot) أميركيّ ضخم . «د» فَرَس مصاب بالربو .

whistle-stop [hwĭs'əl stŏp'] *(n.; vi.)* (١) «أ» محطة الاشارة : محطة لا يتوقف فيها القطار إلا إذا أعطيت له الاشارة بذلك . «ب» بلدة صغيرة (٢) مواجهة المرشّح لجمهور من الناخبين (من على متن القطار عادة) خلال جولة انتخابيّة §(٣) يقوم بجولة انتخابيّة متوقّفاً فترات قصيرة في مختلف المدن الصغيرة .

whistling [hwĭs'lĭng] *(n.; adj.)* (١) صفير §(٢) صافر .

whit [hwĭt] *(n.)* ذرّة ؛ مثقال ذرّة ؛ مقدار ضئيل .

white [hwīt] *(adj.; n.; vt.)* (١) «أ» أبيض . «ب» أشيب . «ج» شاحب . «د» فضّيّ (٢) طاهر ؛ بريء (٣) أبيض : غير مؤذٍ (~ magic) (٤) «أ» متّشح بالبياض (~ knights) . «ب» مُثلِج ؛ مصحوب بالثلج (a ~ winter) . «ج» مكسوّ بالثلج (~ hills) (٥) «أ» مُحمّى حتى الابيضاض . «ب» متّقد ؛ هائج (~ fury) (٦) محافظ أو رجعي §(٧) «أ» البياض ؛

اللون الأبيض . «ب» زلال البيض . «ج» بياض العين (٨) «أ» ملابس بيضاء . «ب» فرس أو خنزير أبيض . «ج» pl. عد: شيء أبيض: طحين ؛ سُكّر الخ. (٩) pl. : السيلان الأبيض أو المَهْبِليّ (١٠) الأبيض : أحد أفراد العرق الأبيض (١١) عضو في حزب محافظ أو رجعي (١٢) يُبَيِّض (ا.ق) .

white ant *(n.)* الأَرَضَة : حشرة تقرض الخشب .

whitebait [hwīt'bāt'] *(n.)* البَلَم : كلّ صغير من الأسماك .

whitebeard [hwīt'bĭrd'] *(n.)* العجوز ؛ الشيخ ؛ المُسِنّ .

white blood cell *(n.)* = leukocyte

white book *(n.)* الكتاب الأبيض : تقرير أبيض الغلاف تصدره الدولة حول قضيّة ما .

whitecap [hwīt'kăp'] *(n.)* (١) الموجة المزبدة (٢) ذو القلنسوة البيضاء : عضو في لجنة غير شرعيّة تهدف إلى اضطهاد أو طرد مَن تعتبرهم خصوماً لها (كالزنوج الخ.) .

white-collar [hwīt'kŏl'ər] *(adj.)* مُنَشّى : أبيض الياقة أو القبّة : دالّ على (أو متعلق بـ) فئة من ذوي الرواتب (كالمدرسين والموظفين الخ.) الذين تقتضيهم وظائفهم الظهور أمام الناس بمظهر أنيق (jobs ~) .

white corpuscle *(n.)* = leukocyte.

whited [hwīt'əd] *(adj.)* (١) مكلّس : مكسوّ بالكلس (٢) مبيَّض .

whited sepulcher *(n.)* القبر المبيَّض : المرائي ؛ المنافق .

white elephant *(n.)* الفيل الأبيض : «أ» فيل هندي أبيض . «ب» مِلْك يحتاج إلى كبير عناية ونفقة ولكن مردوده ضئيل . «ج» شيء لم تعد له في نظر صاحبه قيمة ما وإن لم يكن عديم القيمة بالنسبة إلى أشخاص آخرين .

white-faced [hwīt'fāst'] *(adj.)* (١) شاحب الوجه (٢) أغرّ : أبيض الوجه .

white feather *(n.)* علامة الجبن ؛ رمز الجبن .

whitefish [hwīt'fĭsh] *(n.)* (١) السمك الأبيض أو لحمه (٢) الدلّفين الأبيض (را. beluga) .

white flag *(n.)* الراية البيضاء : راية الهدنة أو الاستسلام .

White Friar *(n.)* الراهب الأبيض : الراهب الكرْمِليّ .

white gold *(n.)* الذهب الأبيض : ذهب ممزوج بـ ٢٥٪ من النيكل والزنك يشبه البلاتين من حيث المظهر .

white goods *(n. pl.)* السِّلَع البيضاء : «أ» منسوجات بيضاء قطنيّة أو كتانيّة . «ب» شراشف ؛ مناشف . «ج» ثلاّجات ؛ أفران طبخ الخ.

white grease *(n.)* الدهن الأبيض : دهن خنزير غير صالح للأكل .

Whitehall [hwīt'hôl'] *(n.)* الحكومة البريطانيّة .

whitehead [hwīt'hĕd'] *(n.)* (١) ذو الرأس الأبيض : واحد من عدة طيور بيضاء الرأس كثيراً أو قليلاً (٢) milium .

white-headed [hwīt'hĕd'ĭd] *(adj.)* (١) «أ» أبيض الرأس . «ب» أشيب . «ج» أشقر الشعر (٢) أثير ؛ مفضّل (her ~ boy) .

white heat *(n.)* (١) الحرارة البيضاء : حرارة عالية جداً تجعل الشيء يُطلق ضوءاً أبيض (٢) نشاط أو اهتياج أو انفعال شديد .

white-hot [hwīt'hŏt'] *(adj.)* (١) شديد الاتّقاد (حتى الابيضاض) (٢) متحمّس ؛ مهتاج ؛ عنيف .

White House *(n.)* البيت الأبيض : مقرّ الرئيس الأميركي .

white lead *(n.)* مركّب الرصاص الأبيض (ك) .

white line *(n.)* الخط الأبيض ؛ وبخاصة : خطّ أبيض يُرسَم على الطريق تنظيماً للسير .

white-livered [hwīt'lĭv'ərd] *(adj.)* جبان ؛ رِعديد .

white man's burden *(n.)* عبء الرَّجُل الأبيض : ادعاء يزعم بأن من واجب الشعوب البيضاء أن تتولى تثقيف الملوّنين وتمدينهم .

white matter *(n.)* المادة البيضاء : نسيج عصبي أبيض مؤلف كلّه من ألياف (في الدماغ والحبل الشوكي بخاصة) .

white metal *(n.)* المعدن الأبيض .

whiten [hwīt'ən] *(vt.; i.)* (١) يبيِّض ×(٢) يَبْيَضّ .

whitener [hwīt'nər] *(n.)* (١) المبيِّض (٢) مادّة مبيِّضة .

whiteness [hwīt'nĭs] *(n.)* (١) «أ» بياض . «ب» شحوب . «ج» نقاء ؛ صفاء (٢) مادة بيضاء .

whitening [hwīt'ən ing] *(n.)* (١) «أ» تبييض . «ب» ابيضاض . (٢) مستحضر مبيِّض .

white oak *(n.)* البلّوط الأبيض (نب) .

white oil *(n.)* الزيت الأبيض : زيت معدني عديم الطعم واللون يُستخدم في الطبّ وفي إعداد المستحضرات الصيدلية والتجميلية .

white paper *(n.)* البيان الأبيض : تقرير حكومي رسمي .

white perch *(n.)* الفرخ الأبيض : سمك فضيّ صغير .

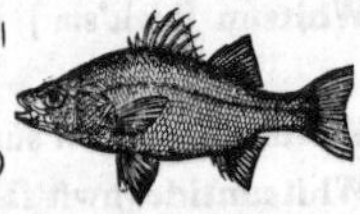

white perch

white pine *(n.)* (١) الصَّنوبر الأبيض . (٢) خشب الصنوبر الأبيض (نب) .

white plague *(n.)* الطاعون الأبيض : داء السُّل .

white primary *(n.)* الانتخابات الأوليّة البيضاء : انتخاباتٌ أوليّة (را. primary 10) في ولاية أميركيّة جنوبيّة مقصورةٌ على الناخبين البيض فحسب .

white sauce *(n.)* الصَّلصة البيضاء : صلصة مؤلّفة من طحين وحليب وزبدة الخ .

white slave *(n.)* الرَّقيقة البيضاء : امرأةٌ أو فتاة تُحتجَز بالرغم منها للاتجار بجسدها .

white slaver *(n.)* نخّاس الرقيق الأبيض ؛ المُتّجر بالرقيق الأبيض .

white slavery *(n.)* الرِّقّ الأبيض : البغاء الإكراهي .

whitesmith [hwīt'smĭth'] *(n.)* الصفّاح ؛ السَّمكري .

white supremacist *(n.)* القائل بتفوّق البيض على الملوّنين .

white supremacy *(n.)* تفوّق البيض (المزعوم ، على الملوّنين) .

whitetail [hwīt'tāl'] *(n.)* أبيض الذيل : أيّل شمالأميركيّ ذو ذيل طويل أبيض القفا .

white-tailed deer [hwīt'tāld'] *(n.)* = whitetail.

whitethroat [hwīt'thrōt'] *(n.)* أبيض الحنجرة : كلّ طائر أبيض الحنجرة .

white tie *(n.)* (١) أُرْبة فَراشيّة (را. bow tie) بيضاء (٢) لباس سهرة رسميّ للرجال .

white vitriol *(n.)* الزاج الأبيض : التوتيا .

whitewash [hwīt'wŏsh'] *(vt.; n.)* (١) يبيِّض (بماء الكلس أو بأيّة مادّة مبيِّضة) (٢) «أ» يموّه (الرذائل أو الجرائم) . «ب» يبرّئ (بإجراء تحقيق شكليّ أو بتقديم بيانات محرّفة أو كاذبة) (٣) يهزمُه هزيمةً منكرة (لا يسجّل فيها الخصم أية إصابة) (٤) «أ» محلول مبيِّض . «ب» ماء الكلس (لطلاء الجدران) (٥) «أ» تمويه . «ب» تبرئة (بإجراء تحقيق شكليّ أو بتقديم بيانات محرّفة أو كاذبة) (٦) هزيمة منكرة . —**whitewasher** *(n.)*

white way *(n.)* المَبْهَرَة ؛ الطريق الباهر : شارع يبهر العيون بأضوائه الساطعة (في حيّ من أحياء المدينة التجارية أو المسرحية) .

white whale *(n.)* = beluga.

whitewing [hwīt'wĭng] *(n.)* : ذو البِزّة البيضاء ؛ وبخاصة : كنّاس الشوارع .

whitewood [hwīt'-] *(n.)* (١) الخشب الأبيض (٢) خشب الخشب الأبيض .

whither [hwĭth'ər] *(adv.; conj.)* (١) إلى أين (٢) حيث ؛ إلى حيث (٣) حيثما .

whithersoever [hwĭth'ər sō ĕv'ər] *(conj.)* حيثما ؛ إلى حيثما .

whitherward [hwĭth'ər wərd] *(adv.)* إلى أين ؛ الى أيّ مكان أو جهة .

whiting [hwī'tĭng] *(n.)* (١) الأبيض : سمك من فصيلة القُدّ (٢) ذرور الطباشير الأبيض .

whitish [hwī'tĭsh] *(adj.)* ضاربٌ إلى البياض .

whitlow [hwĭt'lō] *(n.)* داحس ؛ داحوس (مض) .

Whitmonday [hwĭt'mŭn'dĭ] *(n.)* اثنين السَّجْدة : يوم الاثنين التالي لأحد العنْصَرة (نص) .

Whitsun [hwĭt'sən] *(adj.)* عنْصَريّ : متعلّق بأحد (أو بأسبوع) العنْصَرة .

Whitsunday [hwĭt'sŭn'dĭ] *(n.)* أحد(أو عيد)العنْصَرة(نص) .

Whitsuntide [hwĭt'sən tīd'] *(n.)* أسبوع العنْصَرة : الأسبوع البادىء بأحد العنصرة (نص) .

whittle [hwĭt'əl] *(n.; vt.; i.)* (١)مدية؛سكين§(٢)يبري؛ينجُر (٣)يخفّض(النفقات)تدريجياً(٤)يَضْوَى أويُضوي بالهمّ والقلق.

whittling [hwĭt'-] *(n.)* (١) بَرْي ؛ نَجْر (٢) *pl.* عد : نُجارة .

whity *or* **whitey** [hwī'tĭ] *(adj.)* = whitish.

whiz *or* **whizz** [hwĭz] *(vi.; t.; n.)* (١) يئِزّ ؛ يطِنّ (٢) ينطلق أو يطير مُحدِثاً أزيزاً أو طنيناً ×(٣) يجعله يئِنّ أو يطِنّ (٤) يُدير بسرعة فائقة §(٥) أزيز ؛ طنين (٦) انطلاق أو طيران مصحوب بأزيز أو طنين (٧) رحلة خاطفة (٨) صفقة رابحة .

whiz [hwĭz] *(n.)* pl. **whizzes** شخص عظيم البراعة .

whizbang [hwĭz'băng'] *(n.; adj.)* (١)القنبلة أو المفرقعة الأزّة . §(٢) ممتاز بارع (a ~ engineer) .

whizzer [hwĭz'ər] *(n.)* (١) فا **whiz** (٢) الأزّة : آلة عاملة بالطرد المركزيّ تستخدم لتجفيف السكّر أو الحنطة أو الثياب الخ.

who [hōō] *(pron.)* (١)من؟(٢)الذي ؛ التي ؛ الذين ؛ اللواتي ؛ اللذان الخ .

whoa [hwō] *(interj.)* قِف ! (تقال للخيل بخاصة) .

whodunit [hōō dŭn'ĭt] *(n.)* من المجرم ؟ : «أ» رواية أو تمثيلية بوليسية . «ب» شريط سينمائي بوليسي .

whoever [hōō ĕv'ər] *(pron.)* (١) كلّ مَن ؛ أيما امرىء . (٢) أيّاً كان (٣) مَن ؟

whole [hōl] *(adj.; n.)* (١) «أ» سالم ؛ لم يُمَسّ ؛ لم يُصَبْ بأذى . «ب» صحيح ؛ سليم . «ج» معافى (٢) كامل : مشتملٌ على جميع العناصر المقوِّمة (~ milk) (٣) تامّ ؛ كامل ؛ برمّتِهِ (٤) غير مقسوم أو مكسور (٥) شقيق : من نفس الأب والأم (~ brother) §(٦) كلّ ؛ جميع (٧) كلٌّ تامّ ؛ وحدة كاملة .

as a ~, كَكُل ؛ جملةً .

on *or* upon the ~, على الجملة ؛ إجمالاً .

wholehearted [hōl'här'tĭd] *(adj.)* صادق ؛ مخلص ؛ قلبيّ .

—**wholeheartedness** *(n.)*

wholeheartedly [-lĭ] *(adv.)* بصدق ؛ بإخلاص ؛ من القلب .

whole meal *(n.)* الدقيق أو الطحين الكامل أو الأسمر .

wholeness [hōl'nĭs] *(n.)* تمام ؛ كمال .

whole number *(n.)* العدد الصحيح (ر) .

wholesale [hōl'sāl'] *(n.; adj.; adv.; vt.; i.)* (١) البيع بالجملة. §(٢) جُمْليّ §(٣) بالجملة §(٤) يبيع أو يباع بالجملة .

wholesaler [hōl'sā lər] *(n.)* تاجر الجملة ؛ البائع بالجملة .

wholesome [hōl'səm] *(adj.)* (١) صحيّ : «أ» نافع للصحة . «ب» دالّ على الصحة (a ~ appearance) (٢) مفيد (~ advice; ~ books) (٣)حذِر ؛ حكيم: مبنيّ على خوف له ما يبرّره (٤)مأمون: غير منطوٍ على مخاطرة .

whole-souled [hōl'sōld'] *(adj.)* = wholehearted.

whole wheat *(adj.)* مُعَدّ من الدقيق الكامل أو الأسمر .

whole wheat flour *(n.)* دقيق القمح الكامل أو الأسمر .

wholly [hō'lĭ] *(adv.)* (١) كلّه ؛ برمّتِهِ (٢) تماماً ؛ كُلّيّةً .

whom [hōōm] *(pron.)* (١)مَن (٢)الذي ؛ التي ؛ الذين ؛ اللواتي الخ.

whomever [hōōm ĕv'ər] *(pron.)* أيّاً كان ؛ أيما شخص كان .

whomp [hwämp] *(n.; vi.; t.)* (١) ضجّةٌ داوية . §(٢) يُحدث ضجّةً (٣) يَهزم (٤) يشُرِ (٥) يَضَعُ ؛ يلفّق.

whomsoever [hōōm'sō ĕv'ər] *(pron.)* أيّاً كان، أيما شخص كان

whoop [hōōp; hwōōp] *(vi.; t.; n.)* (١)يهتف (٢)ينعق(البومُ) (٣) يَشْهق (٤) ينطلق هادراً ×(٥) ينطق بكذا أو يعبّر عنه هاتفاً (She ~*ed* a welcome.) (٦) يحثّ أو يسوق أو يشجع (أثناء اللعب) بالهتاف (٧) يروّج لقضيّة الخ. (٨) يزيد ؛ يرفع (الأسعار الخ.) §(٩) هتاف (١٠) نعيق (١١) شهقة (١٢) فتيل ؛ ذرّة ؛ مثقال ذرّة .

to ~ it up (١) يحتفل بصخب (٢) يثير الحماسة .

whoopee [hwōō'pē] *(interj.; n.)* (١) هُووبي ! : هتاف ابتهاج شديد §(٢) قصف ؛ مرحٌ صاخب .

whooping cough [hōō'pĭng] *(n.)* الشّهقة ؛ السعال الديكيّ .

whoopla [hōō'plä] *(n.)* (١)ضجّة (٢)قصف ؛ مرح صاخب .

whoosh [hwōōsh] *(vi.; n.)* (١) يندفع (محدثاً صوتاً انفجارياً) §(٢)«أ» هبّة . «ب» اندفاع سريع أو انفجاريّ .

whop [hwŏp] *(vt.; n.)* (١) يسحب ؛ ينزع ؛ يستلّ (٢) يضرب (٣) يهزم هزيمة منكَرة §(٤) ضربة عنيفة .

whopper [hwŏp'ər] *(n.)* (١) شيء ضخم (٢) كذبة كبيرة .

whopping [hwŏp'ĭng] *(adj.)* ضخم ؛ هائل .

whore [hōr] *(n.; vi.)* (١) بغيّ ؛ مومس ؛ بنت هوى §(٢) يزني ؛ يعاشر البغايا (٣) تَفْجُر ؛ تحيا حياة البغايا .

whoredom [hōr'dəm] *(n.)* (١)بغاء ؛ دعارة (٢)عبادة الأوثان .

whorehouse [hōr'hous] *(n.)* مَبْغىً ؛ ماخور ؛ بيت دعارة .

whoremaster [hōr'măs'-] *(n.)* إلف البغايا : الداعر ؛ معاشر البغايا .

whoremonger [hōr'mŭng'gər] *(n.)* = whoremaster.

whoreson [hōr'sən] *(n.)* ابن زِنا ؛ ابن سِفاح ؛ ابن حرام .

whorish [hōr'ĭsh] *(adj.)* داعر ؛ فاسق .

whorl [hwûrl] *(n.)* (١) فَلْكَةُ المِغزَل (٢) الكوكب ؛ الدُّوّارة ؛ السّوار (را. verticil) (٣) كلّ شيء ملتفّ أو حلزونيّ (٤) الثنية : إحدى ثنيّات الصّدَفة الحلزونية أو قوقعةِ الأذن .

—**whorled** *(adj.)*

whort [hwûrt] *or* **whortle** [-'əl] *(n.)* = whortleberry.

whortleberry [hwûrt'əl bĕr'ĭ] *(n.)* (١) العِنَبيّة : نبات ذو ثمرة تشبه العِنَبة الصغيرة (٢) ثمرة العِنَبيّة .

whose [hōōz] *(pron.)* (١) لِمَنْ (٢) الذي ؛ التي ؛ الذين الخ.

whoso [hōō'sō]; **whosoever** [-'sō ĕv'-] *(pron.)* = whoever.

why [hwī] *(adv.; conj.; n.; interj.)* (١) لماذا؟ §(٢) لِمَ؟ . §(٣) سبب (٤) لغز؛ أحجية (the great ~ s of life) §(٥) هتاف يعبّر عن الدهش أو التردّد أو الموافقة أو الاعتراض أو نفاد الصبر .

whydah [hwĭd'ə] *(n.)* = whidah.

wick [wĭk] *(n.)* فتيلة؛ فتيل؛ ذُبالة .

wicked [wĭk'ĭd] *(adj.)* (١) شرير (٢) حَرُون (٣) مؤذٍ؛ مولَع بالأذى (٤) كريه (odors ~) (٥) خطِر (storms ~) (٦) مزعج (٧) فظيع؛ هائل (a ~ fire loss) (٨) باهظ (prices ~) (٩) بارع؛ ممتاز (danced a ~ Charleston) (١٠) لا يجارى أو يُبارَى .
—**wickedness** *(n.)*

wicked [wĭk'ĭd] *(adv.)* جداً؛ بإفراط (fast ~) .

wicker [wĭk'ər] *(n.; adj.)* (١) الأملود : غصن صغير لَدْن . (٢) «أ» أماليد مجدولة (لصنع السلال الخ.) . «ب» سلّة أو شيء مصنوع من أماليد مجدولة §(٣) مُمَلَّد : مؤلَّف أو مصنوع من أماليد مجدولة أو مكسوّ بها .

wickerwork [wĭk'ər wûrk'] *(n.)* المُمَلَّد : كل ما صُنع من أماليد مجدولة .

wicket [wĭk'ĭt] *(n.)* (١) البُوَيْب : بابٌ صغير؛ وبخاصة الخَوْخَة : الباب الصغير في الباب الكبير أو قُرْبَه (٢) شُبّاك (لبيع التذاكر الخ.) (٣) الوَكْت : «أ» إحدى مجموعتين من العصيّ يحاول فريق الكريكيت إصابتهما بالكرة . «ب» رقعة مستوية بين وَكْتَين .

wicketkeeper [wĭk'ĭt kē'-] *(n.)* حارس الوَكْت (را. المادة السابقة) .

wicking [wĭk'ĭng] *(n.)* الفُتالة : خيط قطنيّ مجدول لصُنع الفتائل .

wickiup [wĭk'ĭ ŭp'] *(n.)* الوَقْب : كوخ اهليلجيّ الشكل يصنعه هنود أميركة الحُمْر .

wickiup

wicopy *or* **wickape** [wĭk'ə pĭ] *(n.)* الوَقُّوب (نب) .

wide [wīd] *(adj.; adv.)* (١) «أ» واسع . «ب» عريض . «ج» رحيب . «د» شامل (٢) ذو عَرْضٍ معيّن (8 meters ~) (٣) مفتوح على مداه (Sami stared with ~ eyes.) (٤) كبير؛ هائل (a ~ drop in prices) (٥) بعيد عن (a guess ~ of the truth) §(٦) بعيداً؛ إلى مدى بعيد (٧) تماماً؛ على مصراعيه (The door was ~ open.) (٨) بعيداً عن الهدف (The bullet went ~.)
—**wideness** *(n.)*

wide-angle [wīd'ăng'gəl] *(adj.)* متسعة الزاوية (صفة للعدسة) .

wide-awake [wīd'ə wāk'] *(adj.)* (١) يقظان (٢) يقِظ؛ حذِر .

wide-awakeness [-nĭs] *(n.)* يَقَظَة .

wide-eyed [wīd'īd'] *(adj.)* (١) فاغر العينين (٢) مشدوه (٣) ساذَج .

widely [wīd'lĭ] *(adv.)* (١) كثيراً؛ جداً؛ إلى حدٍّ بعيد (٢) على نحو واسع أو عريض الخ .

widemouthed [wīd'mouthd'] *(adj.)* (١) واسع الفم أو الفتحة . (٢) فاغر الفم (٣) مُدَوٍّ؛ ملفوظ بملء الفم (٤) نَهِم؛ جشِع .

widen [wī'dən] *(vt.; i.)* (١) يوسّع؛ يعرِّض ×(٢) يتّسع؛ يَعْرُض .

widespread [wīd'sprĕd'] *(adj.)* (١) ممتدّ؛ منتشر . (٢) واسع الانتشار .

wide-spreading [wīd'sprĕd'ĭng] *(adj.)* (١) واسع؛ فسيح . (٢) واسع الانتشار .

widgeon [wĭj'ən] *(n.)* الوَدْجُون؛ الصَّوّاي : بطّ نهريّ .

widish [wīd'ĭsh] *(adj.)* واسعٌ أو عَريضٌ بعضَ الشيء .

widow [wĭd'ō] *(n.; vt.)* (١) الأرملة : «أ» امرأة مات عنها زوجها . «ب» «توزيعة» إضافيّة من أوراق اللعب (كالتي تُطرَح على المائدة) . «ج» كلمة مفردة أو أكثر تُختتَم بها الفقرة وتبرز في أعلى الصفحة المطبوعة أو أدناها على صورة سطر ناقص §(٢) يرمّل (٣) تبقى المرأة على قيد الحياة بعد وفاة زوجها (Let me be married to three kings and ~ them all.) (٤) يحرِمُه شيئاً عزيزاً عليه أو مُضطراً إليه .

widow bird *(n.)* = whidah.

widower [wĭd'ō ər] *(n.)* الأرمل : رجلٌ ماتت عنه زوجته .

widowhood [wĭd'ō hŏŏd'] *(n.)* (١) الترمّل (٢) مدة الترمّل .

widow lady *(n.)* الأرملة : امرأة مات عنها زوجها (ع) .

widow's cruse *(n.)* مَعِين لا ينضَب .

widow's mite *(n.)* فَلْس الأرملة : مبلغ زهيد يتبرّع به المرء ويكون كلَّ ما يملكه من مال .

widow's walk *(n.)* ممشى الأرملة : مَرْقَب تستخدمه زوجات البحارة محاط بدرابزون فوق سطح بيت ساحليّ .

width [wĭdth] *(n.)* (١) عَرْض (٢) «أ» نطاق . «ب» سعة؛ اتّساع . «ج» رحابة؛ شمول؛ تحرّر (٣) قطعة (من قماش أو خشب) .

widthways [wĭdth'wāz'] *(adv.)* بالعَرْض .

widthwise [wĭdth'wīz'] *(adv.)* = widthways.

wield [wēld] *(vt.)* (١) يدبّر الأمر (أو يسوسه أو يعالجه) بنجاح . (٢) يستخدم (أداة الخ.) ببراعة (٣) يسيطر على (٤) يستخدم (نفوذه) .

wieldy [wēl'dĭ] *(adj.)* (١) قويّ (hands ~) (٢) طيّع؛ سهل القِياد .

wiener [wē'nər] *(G.)* = frankfurter.

wienerwurst [wē'nər wûrst] *(G.)* = frankfurter.

wife [wīf] *(n.)* زوجة؛ عقيلة؛ قرينة؛ حَرَم .

wifehood [wīf'hŏŏd] *(n.)* الزوجيّة : كونُ المرأة زوجةً .

wifeless [wīf'-] *(adj.)* أعزب؛ غير متزوج؛ غير ذي زوجة .

wifelike [wīf'līk] *(adv.; adj.)* (١) على طريقة الزوجات §(٢) لائق بزوجة .

wifely [wīf'lĭ] *(adj.)* خاصّ بالزوجة أو شبيهٌ أو لائقٌ بها .

wig [wĭg] *(n.; vt.)* (١) اللِمّة؛ الجُمّة : الشَعر المُستعار . (٢) توبيخ؛ تعنيف §(٣) يزوِّد بلِمّة (٤) يوبخ؛ يعنف .

wigan [wĭg'ən] *(n.)* الوِيغان : قماش شبيه بالخيش يُبطَّن به .

wigged [wĭgd] *(adj.)* مُلَمَّم : لابسٌ لِمّةً أو شعراً مستعاراً .

wiggle [wĭg'əl] *(vi.; t.; n.)* (١) يتذبذب؛ يتهزهز (٢) يتلوّى؛ يتمعّج ×(٣) يذبذِب؛ يهزهِز §(٤) ذبذبة الخ. (٥) سمك مطهوّ بالصلصة الخ.
to get a ~ on يُعجِّل؛ يُسرِع .

wiggler [wĭg'lər] *(n.)* (١) فا wiggle (٢) يَرَقَة الحشَرة .

wight [wīt] *(n.; adj.)* (١) مخلوق؛ كائنٌ حيّ §(٢) شجاع (ا.ق) .

wigmaker [wĭg'mā kər] *(n.)* اللِمَمِيّ : صانع اللِمَم (را. wig) أو بائعها .

wigwag [wĭg'wăg'] *(vi.; t.; n.)* (١) يُلاوِح : يخاطب من طريق التلويح بعلَم أو ضوءٍ وفقاً لنظام خاص (٢) يلوِّح (بيده أو ذراعه) ×(٣) يحرِّك (العلَم الخ.) ملوِّحاً (٤) الملاوَحة : مخاطبة بالتلويح بعلَم الخ. (٥) الملوَّحة : رسالة منقولة بالتلويح أو الملاوحة .

wigwam [wĭg'wŏm] *(n.)* الوَغْم : كوخ بيضَويّ أو مستدير الشكل (عند هنود أميركة الحمر) .

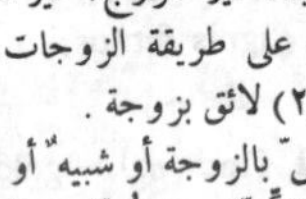

wigwam

wild [wīld] *(adj.; n.; adv.)* (١) برّيّ ، وحشيّ (٢) بُور ؛ قَفْر ؛ غير محروث أو مأهول (٣) جامح ؛ هائج (٤) «أ» مستسلم (للحزن الخ.). «ب» شديد التوق أو الحماسة أو الغضب . «ج» حَرُون. «د» متهوّر ؛ طائش . «هـ» عاصف . «و» متطرف ، مفرط . «ز» مَسْعُور ؛ ضارٍ (٥) همجيّ (٦) جافٍ ؛ غليظ (٧) شاذّ §(٨) برّيّة ؛ قَفْر (٩) الحالة البرّيّة أو الوحشية أو الطبيعية §(١٠) على نحوٍ جامح أو متهور أو مفرط الخ.

wild boar *(n.)* الرَّتّ ، العِفْر ، الخنزير البرّيّ (ح) .

wild carrot *(n.)* الجزر البري (نب) .

wildcat [wīld'kăt'] *(n.; adj.; vi.)* (١) السِّنَّور أو الهر البرّيّ . (٢) «أ» الهمجيّ . «ب» السريع الغضب §(٣) «أ» غير جدير بالثقة والاعتماد « ماليّاً » (a ~ bank) . «ب» مغامِر متهوّر (~ companies) . «ج» جامح (a ~ locomotive) . «د» جِزافيّ : محفور في منطقة غير معروفة بإنتاج البترول الخ. (~ wells) . «هـ» غير مشروع : منفَّذ من غير موافقة رسمية من النقابة أو على نحو يشكّل خرقاً لاتفاق أو عقد (a ~ strike) §(٤) ينقّب عن البترول الخ. في منطقة غير معروفة بإنتاجه . **—wildcatter** *(n.)*

wildcat

wildebeest [wĭl'də bēst'] *(n.)* = gnu.

wilder [wĭl'dər] *(vt.; i.)* (١) يُضِلّ (ا.ق) (٢) يُربِك (ا.ق) . ×(٣) يَضِلّ (ا.ق) .

wilderness [wĭl'dər nĭs] *(n.)* (١) قَفْر ، برّيّة (٢) عدد أو مقدار ضخم (من كذا) .

wild-eyed [wīld'īd] *(adj.)* (١) هائج ؛ مسعور (٢) متطرف ؛ راديكالي .

wild fig *(n.)* = caprifig.

wildfire [wīld'fīr'] *(n.)* (١) حريق هائل (٢) النار الاغريقية : نار تشتعل في الماء (٣) الوَهْج المستنقعيّ (را. ignis fatuus) . like ~, كالنار في الهشيم .

wild flax *(n.)* = gold of pleasure.

wild flower *(n.)* (١) الزهرة البريّة (٢) النبتة البريّة .

wildfowl [wīld'foul] *(n.)* الطريدة ؛ وبخاصة : بطة أو اوزة بريّة .

wild-goose chase *(n.)* محاولة عقيمة ؛ مشروع أحمق لا طائل تحته .

wilding [wīl'dĭng] *(n.; adj.)* (١) «أ» نبتة بريّة ، وبخاصة : تفاح بري. «ب» ثمرة بريّة (٢) حيوان بري أو وحشي §(٣) بري ؛ وحشي .

wild land *(n.)* قَفْر ؛ صحراء .

wildling [wīld'lĭng] *(n.)* (١) نبتة برية (٢) حيوان بري .

wild madder *(n.)* = madder ɪ, 2*a*.

wild mustard *(n.)* الخردل البرّي (نب) .

wild pansy *(n.)* البَنَفْسَة البريّة ، زهرة الثالوث (نب) .

wild pink *(n.)* السِّلينوس : نبات أميركي يفرز مادة دبقة تعلق بها الحشرات الصغيرة .

wild West *(n.)* الغرب الضاري : غرب الولايات المتحدة الأميركيّة قبل خضوعه لسلطان القانون .

wildwood [wīld'wŏŏd] *(n.)* الغابة الوحشية : غابة لم تطأها قدما الانسان ولم تمسَسْها يداه بتعديل ما .

wile [wīl] *(n.; vt.)* (١) خدعة (٢) خِداع §(٣) يخدع أو يُغْوي (٤) يقطع أو يقتل الوقت .

wilful [wĭl'fəl] *(adj.)* = willful.

wilily [wī'lĭ lĭ] *(adv.)* بمكر ، بطريقة ماكرة .

wiliness [wī'lĭ nĭs] *(n.)* مَكْر .

will [wĭl] *(v. aux.)* فعل مساعد يفيد معنى الرغبة أو العادة أو التسويف (الاستقبال) أو الحتمية أو الأمر الخ.

will [wĭl] *(vt.; i.)* يشاء ؛ يرغب ؛ يريد .

will [wĭl] *(vt.)* يوصي (أو يمنح) بوصية .

will [wĭl] *(n.)* (١) «أ» مَيْل ، رغبة . «ب» شهوة (إلى الطعام) ؛ هوىً . «ج» عزم ؛ تصميم (٢) إرادة ؛ مشيئة (٣) الإرادة (نف) (٤) الوصية (ق) .
at ~, ساعة يشاء المرء .
with a ~, بعزم وتصميم .

willed [wĭld] *(adj.)* ذو إرادة (من نوع معيّن) .

willemite [wĭl'ə mīt'] *(G.)* الوِلِيميت (مع) .

willet [wĭl'ĭt] *(n.)* الوِلّيت : طائر أميركي من طيور السواحل .

willful [wĭl'fəl] *(adj.)* (١) عنيد ؛ متصلّب (٢) متعمَّد ؛ مقصود .

willies [wĭl'ĭz] *(n. pl.)* نرفزة شديدة ، اهتياج عصبي بالغ .

willing [wĭl'ĭng] *(adj.)* (١) مستعدّ (٢) «أ» راغب ؛ مريد . «ب» راغب في العمل أو الاستجابة (~ workers) . «ج» صاغٍ ؛ واعٍ (turned a ~ ear to...) (٣) تلقائيّ ؛ طوعيّ (٤) إراديّ (a ~ sacrifice) . **—willingness** *(n.)*

willingly [wĭl'ĭng lĭ] *(adv.)* تلقائياً ؛ طوعياً ؛ برغبة ؛ عن طيب خاطر .

williwaw [wĭl'ĭ wô] *(n.)* عاصفة .

will-less [wĭl'lĕs] *(adj.)* (١) لا إراديّ (٢) مسلوب الارادة .

will-o'-the-wisp [wĭl'ə *th*ə wĭsp'] *(n.)* (١) الوَهْج المستنقعي (را. ignis fatuus) (٢) سراب ؛ أملٌ خادع . **—will-o'-the-wispish** *(adj.)*

willow [wĭl'ō] *(n.; vi.)* (١) الصفصاف (نب) (٢) شيء مصنوع من خشب الصفصاف ؛ وبخاصة : مِضرب الكريكيت (٣) مِندف (للقطن أو الصوف) §(٤) يندف (القطن أو الصوف) .
to wear the ~, يأسى على ؛ يلبس ثوب الحِداد على .

willower [wĭl'ō ər] *(n.)* (١) النَدّاف : العامل بالمندف (٢) مِندف .

willow herb *(n.)* السَّنْفيّة ، الأبيلوبيون : نباتٌ أرجوانيّ الزهر .

willow oak *(n.)* بلوط صفصافيّ الورق (نب) .

willow pattern *(n.)* الرسم أو النقش الصَّفصافيّ : رسم أو نقش يُصْطَنَع في زخرفة الآنية الصفصافيّة (را. المادّة التالية) .

willow pattern

willowware [wĭl'ō wâr'] *(n.)* الآنية الصَّفصافيّة : آنية مائدة من الخزف الصينيّ المزيّن برسم يمثّل صفصافة ضخمة قربَ جسر صغير .

willowy [wĭl'ō ĭ] *(adj.)* (١) كثير الصَّفصاف ؛ زاخرٌ بالصَّفصاف (٢) طَوِيّ ؛ مَرِن ؛ سهل الانثناء (٣) رشيق ؛ ممشوق القوام .

willpower [wĭl'pou ər] *(n.)* قوة الارادة .

willy [wĭl'ĭ] *(n.; vt.)* (١) مِندف (للقطن) §(٢) يندف (القطن) .

willy-nilly [wĭl'ĭ nĭl'ĭ] *(adv.; adj.)* (١) طَوعاً أو كَرْهاً ؛ شاء المرء أم أبى §(٢) متردّد ؛ يعوزه العزم والتقرير .

wilt [wĭlt] = *archaic pres. 2d sing. of* will.

wilt [wĭlt] *(vi.; t.; n.)* (١) يَذْبُل ، يَذْوي ×(٢) يُذْبِل ؛ يُذْوي §(٣) ذبول ؛ ذَوِيّ (٤) داء الذَّوِيّ : «أ» مرض يصيب بعض النباتات . «ب» مرض يصيب اليساريع (را. caterpillar) .

ă at; ā date; â care; ä car; ĕ egg; ē me; ĭ in; ī bite; ŏ lot; ō bone; ô orphan; oi boil ŏŏ good; ōō boot; ou out; ŭ under; ū unity; û urgent; th thing; *th* this; zh vision; ə = *a* in alone, *e* in system, *i* in easily, *o* in gallop, *u* in circus.

Wilton [wĭl'tən] *(n.)* الولتُن : ضرب من السجّاد .

Wiltshire [wĭlt'shĭr] *(n.)* الولْتشيريّ : خروف من سلالة أغنام انكليزيّة بيضاء ذات قرون طويلة لولبيّة .

wily [wī'li] *(adj.)* ماكِر ؛ مُخادع ؛ مراوِغ .

wimble [wĭm'bəl] *(n.; vt.; i.)* (١) مِثْقَب §(٢) يثقب (ا.ق).

wimple [wĭm'pəl] *(n.; vt.; i.)* (١) خِمار ؛ وبخاصة : خِمارِ الراهبة §(٢) يغطي بخمار (٣) يجعّد ؛ يموج ×(٤) يتجعّد ؛ يتموّج .

wimple

win [wĭn] *(vi.; t.; n.)* (١) يفوز ؛ يَظْفَر . (٢) يوفّق إلى بلوغ موضع ما أو حالة ما ×(٣) يكسب ؛ يربح ؛ ينال (٤) يستهوي ؛ يستميل (٥) يجمع ؛ يحصد (ع) (٦) يستخرج الخاماتِ أو الفحم الحجري (٧) يستخلص (المعدَن) من رِكاز أو خامة (٨) يجفّف (التبن الخ.) بتعريضه للهواء أو الحرارة (عب) §(٩) فوز ؛ وبخاصة : فوز الفرس بالمقام الأول في سباق .

to ~ hands down ينجح بسهولة فائقة .

to ~ out ينجح ؛ يفوز ؛ ينتصر .

to ~ through يتغلب على المصاعب .

wince [wĭns] *(vi.; n.)* (١) يَجْفِل §(٢) إجفال .

winch [wĭnch] *(n.; vt.)* (١) وِنْش ؛ رافعة ؛ مِرفاع (٢) ذراع إدارة أو كَرَنْك ذو مقبض (لتشغيل آلةٍ ما) §(٣) يرفع بِونْش .

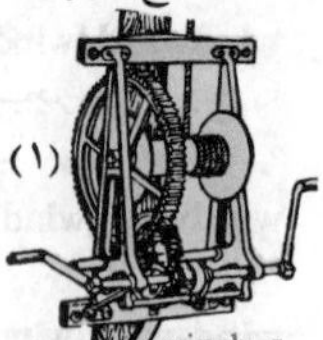

winch 1.

wind [wĭnd *for* 1-9; 15-18; wīnd *for* 10-14; 19-29] *(n.; vt.; i.)* (١) ريح (٢) نزعة ؛ اتجاه (٣) «أ» نَفَس . «ب» تنفّس . «ج» فم المعدة (٤) ريح البطن (٥) هواء أو غاز مضغوط (٦) «أ» هراء ؛ كلام فارغ . «ب» لا شيء ؛ عَدَم (theories based on ~) . «ج» غرور (٧) «أ» رائحة الصياد أو الطريدة . «ب» معلومات طفيفة (عن شيء يراد إبقاؤه طيّ الكتمان) (٨) «أ» آلات النفخ الموسيقيّة (music for strings and for ~) . «ب» *pl.* : العازفون على هذه الآلات وبخاصة في أوركسترا (٩) «أ» إحدى الجهات الأربع . «ب» مَهَبّ الريح (١٠) مِرفاع ؛ وِنْش (١١) التواء (١٢) رَفْع (بمِرْفاع أو ونْش) (١٣) تعبئة الساعة أو مَلْؤها أو تدويرها (١٤) لفّة ؛ دَوْرة §(١٥) يستروح : يجد ريحَ كذا أو رائحته (١٦) يهوّي ؛ يعرض للهواء ؛ يجفّف بالتعريض للهواء (١٧) يُريح (الفرسَ الخ.) حتى يستردّ أنفاسَه (١٨) ينفخ (في بوق) (١٩) يورّط (٢٠) يدَسّ (نفسَه) ؛ يتسلّل إلى (٢١) يلفّ (٢٢) يرفع (بمرفاع أو ونْش الخ.) (٢٣) «أ» يملأ ؛ يعبّئ ؛ يدور (to ~ a clock) . «ب» يُدير (بكرَنْك أو ذراع إدارة) (٢٤) يغيّر اتجاه السفينة (٢٥) «أ» يخترق متمعّجاً (A river ~*s* that valley.) . «ب» يشقّ (طريقه) متلوّياً أو متمعّجاً ×(٢٦) يلتفّ ؛ يلتوي (٢٧) يتمعّج (الطريق) (٢٨) ينعطف المركب (وهو مشدود الى مراسيه) (٢٩) يتمهّل «كي يستردّ أنفاسَه» (ع) .

before the ~, نحو اتّجاه الريح .

in the ~, في الجوّ ؛ على وشك الحدوث .

near the ~, (١) قريباً من نقطة الخطر (٢) مقاربٌ الحدَّ المسموح به .

off the ~, بعيداً عن مَهَبّ الرّيح .

sound in ~ and limb في صحّة ممتازة .

to get ~ of (١) تسترْوِحُ (الطريدةُ) رائحةَ الصيّاد الخ. (٢) يَعْلَم بـ ؛ يكتشف (مؤامَرةً الخ.) .

to get the ~ up (١) يهتاج ؛ يثور (٢) يرتاع .

to put the ~ up someone يروعه أو يُخيفه .

to raise the ~, يحصل على المال المطلوب (ع) .

to take the ~ out of somebody's sails يحول بينه وبين قول شيء أو عملِه وذلك بأن يسبقه إلى قول ذلك الشيء أو عملِه . . .

to ~ off يحل أو «يكرّ» الخيوط (من وشيعة أو بكرة).

to ~ up (١) «أ» ينهي ؛ يختم . «ب» يصفّي عملاً تجارياً (٢) ينتهي (٣) ينتهي إلى (موضع أو وضع ما) (٤) يستعدّ .

windage [wĭn'dij] *(n.)* (١) الفسحة التي بين المقذوف وبين سطح الماسورة (جن) (٢) «أ» مقدار الانحراف البصري الضروري للتعويض عن انحراف المقذوف بسبب الريح . «ب» انحراف (المقذوف) الناشيء عن الريح (٣) اضطراب الهواء (الناشيء عن مرور شيء فيه ، كقذيفة أو نحوها) (٤) سطح السفينة المعرَّض للريح (مل) .

windbag [wĭnd'băg'] *(n.)* المتبجح ؛ المدَّعي ؛ الثرثار المتبطّل .

windblown [wĭnd'blōn'] *(adj.)* (١) تَذْروه أو تعصِف به الريح (~ sands) (٢) نامٍ على شكل معيّن بسبب من الرياح القويّة السائدة (trees along the coast ~) (٣) مقصوص قصّاً قصيراً بحيث تتّجه أطرافه نحو الجبين (~ hair) .

windbound [wĭnd'bound] *(adj.)* مُوثَق بالريح : صفة للمركب الذي تحول الريح المعاكسة دون إبحاره .

windbreak [wĭnd'brāk'] *(n.)* وِقاء من الريح ؛ وبخاصة : أشجار تُتّخذ وقاءً من الريح .

windbreaker [wĭnd'brā'kər] *(n.)* سِترة قصيرة (من الجلد) .

wind-broken [wĭnd'brō'kən] *(adj.)* مَرْبُوٌّ : مصابٌ بالرَّبْو (صفةٌ لفَرَس) .

wind cone *(n.)* مخروط الريح : كُمّ مخروطيّ الشكل يُنْصَب (على سارية الخ.) لتبيين اتجاه الريح («طي» و «أر») .

wind cone

winder [wīn'dər] *(n.)* (١) اللافّ ؛ اللفّاف . (٢) لفّافة الخيوط (مك) (٣) المالىء ؛ المعبّيء : مفتاح لِملء الساعة أو تعبئتها أو تدويرها (٤) درجة (في سلّم لولبيّة) .

windfall [wĭnd'fôl'] *(n.)* (١) السُّقاطة ؛ طَرْح الريح : ما تُسقِطه أو تَطْرَحُه الريحُ من شجر أو ثَمَر (٢) حظٌّ غير مُرْتَقَب ؛ كسبٌ مفاجيء أو غير متوقّع .

windflaw [wĭnd'flô] *(n.)* هبّة ريح .

windflower [wĭnd'flou'ər] *(n.)* = anemone.

windgall [wĭnd'gôl'] *(n.)* ورم أو انتفاخ (في رسغ الفَرَس) .

wind gap *(n.)* فجوة الريح : ثلمٌ في قمّة الجبل .

wind harp *(n.)* = aeolian harp.

windhover [wĭnd'hŭv'ər] *(n.)* العَوْسَق : ضرب من الصقور .

windily [wĭn'-] *(adv.)* على نحو عاصف أو فارغ (را. windy).

winding [wīn'dĭng] *(n.; adj.)* (١) «أ» لفيفة (من أسلاك أو حبال). «ب» لفّة مفردة (من المادة الملفوفة) (٢) لَفّ (٣) مُنعطَف (٤) رَفْع (بمرفاع أو ونش) (٥) مَلء الساعة أو تدويرها (٦) التواء §(٧) لولبيّ (٨) متمعّج (~ roads) .

winding-sheet [wīn'dĭng shēt] *(n.)* كَفَن .

wind instrument *(n.)* آلة من آلات النفخ الموسيقية .

windjammer [wĭnd'jăm'ər] *(n.)* (١) سفينة مُبحِرة أو أحد ملاّحيها (٢) الثرثار (ع) (٣) العازف على آلة نفخ موسيقية (ع) .

windlass [wĭnd'ləs] *(n.; vt.)* (١) «أ» مِرفاع . «ب» مِرفاع للمرساة §(٢) يرفع بمرفاع أو ونش .

windlass

windlestraw [wĭn'dəl strô'] *(n.)* سُوَيقة عشب جافّة (نب) .

windmill [wĭnd'mĭl] *(n.; vt.; i.)* (١)«أ» الطاحونة الهوائيّة . «ب» دولاب الطاحونة الهوائية (٢) دولاب الهواء (را. pinwheel). «ب» الهيليكوبتر؛ الحوّامة او الطائرة العمودية (ع) (٣) عدوّ أو شرّ وهميّ (to fight ~ *s*) §(٤) يُدير أو يدور مثل طاحونة هوائيّة.

windmill I.

window [wĭn'dō] *(n.; vt.)* (١) نافذة ؛ شُبّاك (٢) لَوح زجاجيّ (في نافذة) (٣) مِيصراع ؛ صِمام ؛ شَقّ (شِقّ صغير ضيّق) (٤) النافذة : الجزء الشفاف الكاشف عن العنوان (في بعض ظروف الرسائل) §(٥) ينفّذ : يزوّد بنوافذ أو نحوها .

window box *(n.)* أُصيص النافذة : وعاء تزرع فيه الرياحين ويوضع على عتبة النافذة .

window-dress [wĭn'dō drĕs'] *(vt.)* يجمّل ؛ يهندم ؛ يزخرف .

window dresser *(n.)* مزخرف الواجهة : «أ» مَن يزخرف واجهات المتاجر ويرتّب معروضاتها ترتيباً جذاباً . «ب» مَن يحرّف الحقائق الخ. أو يُقيم «الواجهات» الخادعة بغية إعطاء الجمهور صورةً غير صحيحة عن واقع المؤسسة أو المشروع أو الحزب الخ.

window dressing *(n.)* (١) زخرفة الواجهات : تجميل واجهة المتجر وعرض السلع فيها على نحو جذّاب (٢) تحريف الحقائق (لإعطاء صورة خادعة عن وضع ماليّ بخاصة) .

window envelope *(n.)* الظرف المُنفّذ : ظرف ذو جانب شفاف يكشف عن العنوان المدوّن على الرسالة .

windowpane [wĭn'dō pān'] *(n.)* لوح زجاجيّ (في نافذة) .

window sash *(n.)* إطار الألواح الزجاجيّة (في نافذة) .

window seat *(n.)* مقعد النافذة : مقعد تحت عتبة نافذة متراجعة .

window shade *(n.)* حجاب (أو ستارة) النافذة .

window-shop [wĭn'dō shŏp'] *(vt.)* يستعرض معروضات الواجهة (من غير أن يدخل إلى المتجر ويشتري منه شيئاً) .
—window-shopper *(n.)*

windowsill [wĭn'dō sĭl'] *(n.)* عتبة النافذة .

windpipe [wĭnd'pīp'] *(n.)* الرُّغامى : القصبة الهوائيّة (ت) .

windproof [wĭnd'pro͞of'] *(adj.)* كتيم أو صامدٌ للريح .

wind rose *(n.)* وردة الرياح : رسم بيانيّ يظهر تواتر الرياح وشدّتها من مختلف الجهات (أر) .

windrow [wĭnd'rō] *(n.; vt.)* (١) صَفّ من التبن أو الذرة الخ. (يُعرَض للريح حتى يجفّ) (٢) كلّ ما تَركه الرياح من أتربة أو أوراق نبات جافة (٣) ركام من الحصى الخ. مطروحٌ في جانب الطريق (٤) كومة ؛ ركام §(٥) يصفّ ؛ يركم .

windscreen [wĭnd'skrēn'] *(n.)* = windshield.

wind shake *(n.)* صَدْع الرياح : صَدْع في الخشب يُعزَى إلى أثر الرياح القويّة في جذع الشجرة .
—wind-shaken *(adj.)*

windshield [wĭnd'shēld'] *(n.)* حاجب الريح : الحاجب الزجاجيّ الذي يقي سائق السيارة من الريح (سي) .

wind sleeve ; wind sock *(n.)* = wind cone.

Windsor chair *(n.)* كرسي وندسور : كرسيّ خشبيّ ذو ظهر مِيغزليّ الشكل وقوائم مائلة نحو الخارج .

Windsor chair

Windsor tie *(n.)* أُربة وندسور : رباط رقبة حريري يُعقَد على نحوٍ فَراشيّ الشكل .

windstorm [wĭnd'stôrm] *(n.)* العاصفة الريحيّة : عاصفة تصحبها رياح شديدة ولكنها عديمة المطر أو ضئيلته .

windswept [wĭnd'-] *(adj.)* مذرُوٌّ بالريح ؛ تذروه الرياح .

wind tee *(n.)* تاء الريح : دليلٌ لاتجاه الريح ، على شكل حرف T أفقيّ ، يُنصب في مهبط الطائرات أو قربه (طي) .

wind tunnel *(n.)* النَّفَق الهوائيّ : مَجاز نَفَقيّ الشكل يُنفَخ فيه الهواء لتقرير أثر ضغط الرياح على طائرة أو قذيفة موجّهة الخ.

windup [wĭnd'ŭp'] *(n.; adj.)* (١) «أ» إنهاء . «ب» نهاية ؛ خاتمة §(٢) ذو نابض أو زنبرك يدار باليد (toys ~) .

windward [wĭnd'-] *(adv.; adj.; n.)* (١) نحو الريح ؛ مواجهاً للريح §(٢) متّجه أو واقع نحو مهبّ الريح ؛ مُبحِر ضدّ الريح §(٣) مَهبّ الريح : الناحية او الجهة التي تهبّ منها الريح .

windway [wĭnd'wā'] *(n.)* المجاز الهوائيّ : مَسلَك للهواء (وبخاصة في منجم) .

wind-wing [wĭnd'wĭng] *(n.)* الجناح الهوائيّ : لوح زجاجيّ صغير في نافذة من نوافذ السيارة يُمكِن إدارته إلى الخارج للتهوية.

windy [wĭn'dĭ] *(adj.)* (١) مذرُوٌّ بالرياح : تذروه أو تعصف به الرياح (hills ~) (٢)«أ» عاصف (a ~ day) . «ب» عنيف (٣)«أ» متطبّل (من أثر الغازات في الامعاء أو المعدة) . «ب» مطبّل للبطن (cakes ~) (٤)«أ» طنّان ؛ فارغ (talk ~) . «ب» متبجّح ؛ مِهذار (politicians ~) .

wine [wīn] *(n.; vt.; i.)* (١) خَمْر ؛ راحٌ ؛ نبيذ (٢) عصير ؛ شراب (٣) الخمريّ : لون أحمر داكن §(٤) يقدّم الخمر إلى ×(٥) يعاقر الخمر ؛ يشرب الخمر .

winebibber [wīn'bĭb'ər] *(n.)* السِّكّير : مُدمِن الخمر .

wine cellar *(n.)* (١) قَبْو الخمر (٢) مخزون من الخمر .

wineglass [wīn'glăs'] *(n.)* كأس الخمر ؛ قدح الخمر .

winegrower [wīn'grō'ər] *(n.)* زارع الكَرْمة : مَن يزرع الكَرْمة ويصنع منها خمراً .

wine palm *(n.)* النخيل الخمري : نخلٌ يُصنَع من نُسْغِهِ أو عصارته ضرب من الخمر .

winepress [wīn'prĕs] *(n.)* مِعصَرة العِنب أو الخمر .

winery [wī'nə rĭ] *(n.)* المَخمَرة : مَصنَع الخمر .

wineshop [wīn'shŏp'] *(n.)* خمّارة ؛ حانة .

wineskin [wīn'skĭn'] *(n.)* الزِّقّ : وعاء جلديّ توضع فيه الخمر .

wine taster *(n.)* (١) ذائق الخمر : مَن يختبر الخمر بتذوّقها . (٢) طاس صغير مسطّح توضع فيه عيّنة من الخمر بغية تذوّقها.

winey [wī'nĭ] *(adj.)* = winy.

wing [wĭng] *(n.; vt.; i.)* (١) جَناح (٢) شيء كالجناح شكلاً أو مظهراً أو موضعاً ، مثل : «أ» دولاب الطاحونة الهوائيّة . «ب» شراع (٣) طيران (٤) ذراع الانسان (٥) منطقة قصيّة أو نائية (٦) الجَناح : «أ» جناحٌ من مستشفى الخ. «ب» أحد الجدران المدهونة المشكّلة لمنظر ما في جانب من خشبة المسرح . «ج» *pl.* : جزء جانبيّ من خشبة المسرح لا يراه النظّارة .

«د» جناحُ الجيشِ أو الأسطولِ الأيمنُ أو الأيسرُ . «هـ» أحد المواقع أو اللاعبين في كلّ من جانبي الملعب الرياضي . «و» إحدى جماعتين تمثّل كلّ منهما اتجاهاً متعارضاً (في حزب أو هيئة الخ.) «ز» وحدة من وحدات سلاح الطيران §(٧) يجنّح : يزوّد بأجنحة (٨) يساعده على الطيران أو الاسراع (Fear ~ed her feet.) (٩) «أ» يَهِيض الجناحَ . «ب» يُسقِط طائرةً (١٠) يجرحه (برصاصة الخ.) من غير أن يقتله (١١) يخترق أو يجتاز مستعيناً بأجنحة (١٢) يشقّ طريقَهُ (بالطيران) (١٣) يوجّه (أو يسدّد الضربات) على جناح السرعة ×(١٤)«أ» يطير . «ب» يُبحر .

on the ~, (١)طائراً، أثناء الطيران (٢)مرتحلاً، مسافراً .

on the ~s of the wind على جناح الريح، بسرعة بالغة.

to take to itself ~s يتبدّد أو يتلاشى بسرعة .

to take ~, (١) يطير (٢) ينصرف مسرعاً (٣) يفرّ .

under the ~ of في كنفِهِ ، في حمايتِهِ أو رعايتِهِ .

wing and wing *(adv.)* منشورُ الأشرعة على الجانبين (مل) .

wing case *(n.)* الجُنَيِّح الغِمْدِيّ (حش) .

wing chair *(n.)* الكرسي المجنّح : كرسيّ ذو ذراعين يتميّز ظَهْرُهُ بجانبين ناتئين يُريح عليهما الجالس رأسَهُ .

wing commander *(n.)* قائد الجناح (في سلاح الطيران) .

wing coverts *(n. pl.)* كواسي الجَناح (را. coverts) .

wingding [wĭng'dĭng] *(n.)* سهرة أو حفلة اجتماعيّة صاخبة .

winged [wĭngd] *(adj.)* (١) مجنّح ، ذو جناحين (٢) سائر ، ذائع «وكأنّ له جناحين» (words ~) (٣) سام ، رفيع (love ~) (٤) سريع (days ~) (٥) مَهيض الجناح، وبالتالي : «أ» جريح . «ب» قتيل .

wing-footed [wĭng'fo͝ot'ĭd] *(adj.)* مُجنَّحُ القَدَمَين : سريع .

wingless[wĭng'lĭs] *(adj.)* لاجَناحِيّ، غيرمجنّح، غير ذي جَناحين.

winglet [wĭng'lĭt] *(n.)* الجُنَيْح : جناح صغير .

winglike [wĭng'līk] *(adj.)* شبيه بالجناح (من حيث الشكل أو الوضع الجانبيّ) .

wing loading *or* **load** *(n.)* حمولة الجناح (طي) .

wing nut *(n.)* الصَّمولة أو الحَزَقَة أو العزقة المجنّحة.

wingover [wĭng'ō'vər] *(n.)* انقلاب على الجناح (طي) .

wings [wĭngz] *(n.)* الشارة الجناحيّة : شارة على شكل جناح مرفرف تُمنح للطيار بعد إتمامه قدراً معيّناً من التدريب .

wing shooting *(n.)* رَمْيُ الجناح : «أ» إطلاق النار على الطير أثناء طيرانها . «ب» إطلاق النار على الأهداف الطائرة .

wingspan [wĭng'spăn'] *(n.)* باعُ الجناح : المسافة بين أقصى جناح الطائرة الأيمن وأقصى جناحها الأيسر (طي) .

wingspread [wĭng'sprĕd] *(n.)* بَسْطَةُ الجناح : المسافة بين أقصى جناح الطائر الأيمن وأقصى جناحه الأيسر حين يَنْشَران أو يُبْسَطانِ على مداهما .

wingy[wĭng'ĭ] *(adj.)* (١)«أ» مجنّح، ذو جناحين . «ب» سريع . (٢) سام، رفيع (٣)شبيه بالجناح شكلاً أو موضعاً (sleeves ~).

wink [wĭngk] *(vi.; t.; n.)* (١) يغمِزُ (بعينه) (٢) تَطْرِف (عينُهُ لاإرادياً) (٣) يتغاضى عن (تتبعها *at* عادةً) (٤)يومض (٥) ينتهي أو ينطفىء (تتبعها *out* عادةً) (٦) يوجّه رسالةً «بواسطة الضوء» (The destroyer was ~*ing* urgently.) §(٧) سِنة ، نومٌ قصير (٨) «أ» غمزة . «ب» غَمْزٌ (٩) لحظة (١٠) طرفة عين .

forty ~s إغفاءة، سِنَة، نومٌ قصير .

to tip a person the ~, يغمزه (تنبيهاً أو تحذيراً) .

winker [wĭngk'ər] *(n.)* (١) فا wink (٢) «أ» الغِمامَة : جزء من اللجام يحول بين الفرس وبين النظر جانبياً . «ب» عين . «ج» هدب العين .

winkle [wĭng'kəl] *(n.; vt.; i.)* (١) البَرَوْنَق : ضربٌ من الحلازين البحرية §(٢)يُخرِج (من مكانٍ معين)×(٣) twinkle .

winnable [wĭn'ə-] *(adj.)* ممكنٌ كسبُهُ أو ربحُهُ (كالحرب الخ.) .

winner [wĭn'ər] *(n.)* فا win وبخاصة : الفائز، الظافر، الرابح .

winner's circle *(n.)* حَلْقة المجلّي : حظيرة قرب حلبة السباق يقاد اليها الفرس الفائز وفارسُهُ لكي تؤخذ لهما صورة فوتوغرافية .

winning [wĭn'ĭng] *(n.; adj.)* (١) كَسْب، فوز (٢) *pl.* عد : مَكسَب، ربح (٣) «أ» مَهْوَى منجم الفحم الحجري أو مَدخلُهُ . «ب» جزء منعزل (من منجم) §(٤) فاتن، ساحر .

winnow [wĭn'ō] *(vt.; i.; n.)* (١)يُذَرّي(الحنطة) (٢)«أ»يغربل. «ب» يتنخّل (٣)تهبّ (الريح) على ×(٤) يطير (مرفرفاً بجناحيه) (٥) تهبّ الريح §(٦) مِذْراة (٣)مص winnow .

winnower[wĭn'ə wər] *(n.)* (١)المُذَرّي، المغربِل الخ. (٢)مِذراة.

wino [wī'nō] *(n.)* pl. **winos** السكّير ، مُدْمِن الشراب .

winsome [wĭn'səm] *(adj.)* (١) فاتن، ساحر (٢) مرِح ، مبتهج.

winter [wĭn'tər] *(n.; adj.; vi.; t.)* (١) الشتاء ، فصل الشتاء . (٢) سنة (a woman of forty ~s) §(٣) شتوي §(٤) يُشتّي ، يقضي فصل الشتاء (٥) يحيا على كذا «أثناء الشتاء» (birds ~*ing* on the seeds of weeds) ×(٦) يُقيِّت «أثناء الشتاء» (~*ing* young cattle on straw) .

winterberry [wĭn'tər bĕr'ĭ] *(n.)* عُلَّيق الشتاء : عُلَّيق ذو ثمار حمراء تستمرّ طوالَ الشتاء .

winterbourne [wĭn'tər bōrn] *(n.)* الغدير الشَّتَويّ: غدير يجفّ ماؤه صيفاً ويجري شتاء .

winterer [wĭn'tər ər] *(n.)* (١) المُشتّي : شخص يقضي الشتاء في مكان ما (٢) النزيل أو الزائر الشتوي .

wintergreen [wĭn'tər grēn'] *(n.)* (١) الغُلْطيرة المسطّحة ، شاي كندا : شجيرة شمالأميركيّة بيضاء الزهر حمراء الثمر (نب) (٢) زيت الغلطيرة المسطّحة .

winterize [wĭn'tə rīz'] *(vt.)* يهيىء (المنزلَ أو السيارة الخ.) لفصل الشتاء . **—winterization** *(n.)*

winter-kill [wĭn'tər kĭl'] *(vt.; i.; n.)* (١) يقضي على (النباتاتِ الخ.) بالتعريض للبرد الشديد ×(٢) يموت من شدّة البرد §(٣) الموت من شدّة البرد .

winterly [wĭn'tər lĭ] *(adj.)* (١) شتويّ (٢) كئيب.

winter melon *(n.)* الشَّمّام الشتوي ، البطيخ الأصفر الشتوي .

winter solstice *(n.)* الانقلاب الشتائيّ (فل) .

wintertide; wintertime [wĭn'tər-] *(n.)* فصل الشتاء .

wintry [wĭn'trĭ] *(adj.)* (١) شتوي (٢) بارد ، عاصف . (٣)«أ» عجوز. «ب» أبيض. «ج» كئيب. **—wintrily** *(adv.)* **—wintriness** *(n.)*

win-win *(adj.)* في صالح كلا الطّرفين.

winy [wī'nĭ] *(adj.)* (١)خمريّ (٢) منعش (air ~) (٣) سكران .

winze [wĭnz] *(n.)* (١) المَهْبِط المنجمي : ممرّ يصل بين طبقة من طبقات منجم وأخرى أدنى منها (٢) لعنة (اسك) .

wipe [wīp] *(vt.; n.)* (١) «أ» يَمْسَح . «ب» ينظّف أو ينشّف بالمَسْح . «ج» يُمِرّ أو يحرّك «بغيةَ المسح» (~ *d* her hand across her forehead) (٢) «أ» يزيل بالمسح . «ب» يكفكف (~ *d* her tears off) (٣) «أ» يَطْمِس ؛ يمحو ؛ يزيل . «ب» «يدك» ؛ يُبيد (تتبعها *out*) (٤) يَبْسُط أو ينشر (طبقةً من دهان) بالمَسْح أو نحوه §(٥) ضَرْبَة (٦) هزء ؛ ملاحظة ساخرة (٧) «أ» مَسْح . «ب» مَسْحَة (٨) «أ» منديل . «ب» مِمسحة .

to ~ up يمحو ؛ يهزم ؛ يدكّ ؛ يدمر .

wiper [wī'pər] *(n.)* (١) فا wipe (٢) «أ» منديل . «ب» مِمْسحة ؛ كلّ ما يُمْسَح به .

wire [wī(ə)r] *(n.; vt.; i.)* (١) سِلْك ؛ سِلك معدني (٢) ساق رفيع (نب) (٣) *pl.* عد : نظام من الأسلاك لإعمال الدمى المتحركة (٤) «أ» سلك كهربائيّ أو تلفوني أو تلغرافي . «ب» الهاتف ؛ التلفون . «ج» البرق ؛ التلغراف (sent the message by ~) . «د» برقيّة (٥) سياج من أسلاك شائكة (٦) شَرَك من أسلاك (للأرانب الخ.) (٧) خطّ النهاية (في سباق للخيل) §(٨) يزوِّد أو يربط الخ. بسلك أو أسلاك (٩) يصيد (أرنباً الخ.) بشَرَكٍ معدني (١٠) يرسل تلغرافياً ×(١١) يُبْرِق (She ~ *d* home for money.) .

by ~, بالبرق ؛ بالتلغراف ؛ برقياً ؛ تلغرافياً .

to pull (the) ~s (١) يُعْمِل الدّمى المتحرّكة . (٢) يستخدم نفوذاً سرياً أو غير مباشر (توجيهاً للأحداث وفقَ ما يشتهي أو طمعاً في الفوز بما يتمنّى) .

to ~ in يعمل بعَجَلَة وهمّة كبيرتين .

under the ~, (١) عند خط النهاية (في سباق للخيل) (٢) في اللحظة الأخيرة .

wire cloth *(n.)* النسيج السّلكي : نسيج من أسلاك معدنيّة .

wire coat *(n.)* الفروة السلكيّة : شعر كثّ (كشعر بعض الكلاب) .

wire cutter *(n.)* مِقْراض الأسلاك : أداة لقطع الأسلاك .

wired [wī(ə)rd] *(adj.)* مُسلَّك : «أ» مقوّى بالأسلاك . «ب» مزوَّد بأسلاك كهربائيّة أو تلفونيّة . «ج» مطوَّق بأسلاك «د» محاطٌ بسياج سلكيّ .

wiredraw [wīr'drô'] *(vt.)* (١) يحرّف (المعنى) (٢) «أ» يطيل حتى الإفراط . «ب» يُنْحِل ؛ يُهْزِل (٣) يَسْحَب المعدنَ أسلاكاً .

—wiredrawer *(n.)*

wiredrawing [wīr'-] *(n.)* سحبُ الأسلاك : سحب المعدن أسلاكاً .

wiredrawn [wīr'-] *(adj.)* بالغ الدقّة (~ comparisons) .

wire gauge *(n.)* مِعيار الأسلاك : أداة يقاس بها قطر السلك أو ثخانة الصفيحة المعدنيّة .

wire gauge

wire gauze *(n.)* الشّاش السِّلكي : نسيج سلكيّ ناعم .

wire glass *(n.)* الزجاج المسلَّك : زجاج مُدَّت فيه سبيكةٌ من أسلاك رفيعة .

wire grass *(n.)* النَّجيل ؛ عِرق النَّجيل ؛ النَّجير (عُشْب) .

wirehair [wīr'hâr'] *(n.)* ذو الفروة السلكية : كلب صغير من كلاب الصيد ذو شعر سلكيّ كثّ .

wirehaired [-'hârd'] *(adj.)* سلكيّ الشَّعر : ذو شعر سلكيّ كثّ .

wireless [wīr'lĭs] *(adj.; n.; vt.; i.)* (١) لاسلكيّ §(٢) اللاسلكيّ : الارسال التلغرافي اللاسلكي (٣) radiotelephony (٤) راديو (heard on the ~) §(٥) يُبْرِق أو يُتلفن لاسلكياً .

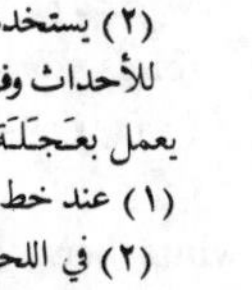

wireless telegraphy *(n.)* الارسال التلغرافي اللاسلكي .

wireless telephone *(n.)* التلفون أو الهاتف اللاسلكي .

wireman [wīr'mən] *(n.)* = lineman 1.

wire netting *(n.)* الشَّبَك السلكي : نسيج من أسلاك شبيهٌ بالشاش السلكيّ (را. wire gauze) ولكن عيونه أوسع .

wirephoto [wīr'fō'tō] *(n.)* الصورة السلكيّة : صورة فوتوغرافيّة مرسلة بالاشارات الكهربائية عبر أسلاك التلفون .

wire-puller [wīr'pŏŏl'ər] *(n.)* المحرِّك المحتجب : «أ» مَنْ يحرّك خيوط الدمى المتحرّكة . «ب» من يستخدم مختلف الوسائل السريّة للتأثير في أفعال امرىء أو منظمة الخ.

wire-pulling [wīr'pŏŏl'ĭng] *(n.)* التحريك من وراء حِجاب (را. المادة السابقة) .

wirer [wīr'ər] *(n.)* فا wire ؛ وبخاصة : الصائد بشَرَك مَعدني .

wire-record [wīr rĭ kôrd'] *(vt.)* يسجّل سلكياً : يسجّل على سلكٍ مغنطيسي .

wire recorder *(n.)* المسجِّلة السلكيّة : آلة التسجيل السلكيّة .

wire recording *(n.)* التسجيل السِّلكيّ : «أ» التسجيل المغنطيسي على سلك مغنطيسي . «ب» تسجيل منجَز على هذا النحو .

wire rope *(n.)* الحبل السلكيّ : حبل مصنوع من أسلاك .

wiretap [wīr'tăp'] *(vi.; n.)* (١) يَسْتَرِق الأسلاك : يقيم اتّصالاً غير مشروع مع أسلاك البرق أو الهاتف بغية الاطلاع على المخابرات الجارية بواسطتها §(٢) استراق الأسلاك (٣) توصيلة كهربائيّة لاستراق الأسلاك .

—wiretapping *(n.)*

wiretapper [wīr'tăp'ər] *(n.)* مُسْتَرِق الأسلاك (را. المادة السابقة) .

wirework [wīr'wûrk'] *(n.)* (١) السِّلكيات : أدوات أو أنسجة مؤلفة من أسلاك (٢) السّير على الأسلاك (وبخاصة بهلوانياً) .

wireworm [wīr'wûrm'] *(n.)* (١) الدودة السلكيّة : يرقة نحيلة لبعض الخنافس تحيا تحت الثرى عادةً وتقتات بجذور النباتات فتتلفها (٢) millipede .

wiring [wīr'-] *(n.)* (١) مص wire (٢) شبكة أسلاك («كب» و«رد») .

wiry [wīr'ĭ] *(adj.)* (١) سِلكيّ (٢) سِلكانيّ : «أ» شبيه بالسلك شكلاً ومرونةً . «ب» ناشىء عن تذبذب الأسلاك أو شبيهٌ به (٣) وَتَريّ : نحيل ولكنه قويّ .

—wirily *(adv.)*

—wiriness *(n.)*

wisdom [wĭz'dəm] *(n.)* (١) معرفة (٢) حكمة .

wisdom tooth *(n.)* ضرس العقل .

wise [wīz] *(n.; adj.; vt.; i.)* (١) طريقة (in any ~) §(٢) حكيم ؛ عاقل (٣) واسع الثقافة أو الاطلاع (٤) واعٍ ؛ منتبه لِـ (٥) ذكيّ أو ماكر §(٦) يُعْلِم ؛ يُطْلِع على ×(٧) يَعْلَم ؛ يَطّلع على .

-wise لاحقة معناها : «أ» مثلَ كذا ؛ على طريقة كذا . «ب» في اتجاه كذا . «ج» في ما يتعلق أو يتصل بكذا .

wiseacre [wīz'ā'kər] *(n.)* المتعالم ؛ المغرور (إلى حدّ بغيض) .

wisecrack [wīz'krăk'] *(n.; vi.)* (١) ملاحظةٌ بارعةٌ ؛ جواب بارع §(٢) يدلي بملاحظة بارعة ؛ يعطي جواباً بارعاً .

wise guy *(n.)* المغرور ؛ المتعالم ؛ مدّعي العلم بكلّ شيء .

wiseness [wīz'nĭs] *(n.)* حِكْمة .

wisenheimer [wīz'ən hī'mər] *(n.)* = wiseacre.

wisent [vē'zənt] *(G.)* = aurochs.

wisewoman [wīz'wŏŏm'ən] *(n.)* (١) الساحرة ؛ العرّافة . (٢) القابلة ؛ المولّدة .

wish [wĭsh] *(vt.; i.; n.)* (١) يروم ؛ يبتغي ؛ يريد ؛ يرغب في .

(٢)يتمنّى (٣) يريده أو يطلب إليه (أن يفعل كذا) (٤)يفرض عليه « قبولَ شيء غير مرغوب فيه » (The job of secretary was ~ *ed* on me.) ×(٥) يشتهي ؛ يتوق إلى (٦) يتمنّى له (الخيرَ أو الشرَّ) §(٧) أُمنيّة (٨) رغبة ؛ مَرام ؛ مُبتغى (٩) إرادة (١٠) تمَنٍّ . **—wisher** *(n.)*

wishbone [wĭsh'bōn'] *(n.)* عظم الترقُوة (في الطيور).

wishbone

wishful [wĭsh'fəl] *(adj.)* (١) دالّ على رغبة. (٢) تائق ؛ توّاق (٣) رَغْبيّ : مبنيّ على الرغبة لا على الحقيقة والواقع (was indulged in ~ dreams of an easy peace).

wishful thinking *(n.)* التفكير الرَّغْبيّ : اعتقاد المرء بصحة شيء ما ، لمجرد رغبته في أن يكون ذلك الشيء صحيحاً.

wishing [wĭsh'ĭng] *(n.; adj.)* (١) تمَنٍّ ؛ توق ؛ رغبة §(٢)مُعتقَد بقدرته على تحقيق الأُمنيات (~ cap).

wishing cap *(n.)* قُبّعة لَبّيْك : قبعة سحرية خرافية تلبّي رغبات لابسِها وتحقق أمنياتِه مهما تكن.

wish-wash [wĭsh'wŏsh'] *(n.)* كلّ شراب مَذِق رقيق القوام.

wishy-washy [wĭsh'ĭ wŏsh'ĭ] *(adj.)* (١) مذِق ؛ رقيق القَوام ؛ غير مركّز (~ soup) (٢)ضعيف ؛ ضعيف الشخصية ؛ واهن العزم.

wisp [wĭsp] *(n.; vt.; i.)* (١)حفنة ؛ حزمة صغيرة (من قش الخ.). (٢) خصلة ؛ كتلة صغيرة (a ~ of hair) (٣) «أ» شقّة أو قطعة رفيعة من شيء. «ب» «خيط» رفيع (a ~ of smoke). «ج» شيء هزيل أو ضعيف (a mere ~ of a smile) (٤) لفافة ورقيّة (لإضرام المشعل الخ.) (٥) مِقَشّة (٦) ignis fatuus §(٧) يلُفّ ؛ يفتل ×(٨) ينبعث (الدخان الخ.) ملتفاً.

wispish [wĭs'pĭsh]; **wispy** [wĭs'pĭ] *(adj.)* (١) قَشّي. (٢) هشّ ؛ ضعيف.

wistaria [wĭs târ'ĭ ə] *(L.)* = wisteria.

wisteria [wĭs tĭr'ĭ ə] *(L.)* الوِستارية ، الحَلْوَة : نبات معترش ذو زهر عنقودي أزرق أو أبيض أو أرجواني.

wistful [wĭst'fəl] *(adj.)* (١)حزين ؛ كئيب (٢)توّاق (مع كآبة).

wit [wĭt] *(vt.; i.; n.)* (١) يعلم ؛ يدرك (ا.ق) §(٢) «أ» عقل ؛ ذاكرة. «ب» ذكاء (٣) «أ» *pl.* عد : حاسّة . «ب» *pl.* عد : حصافة ، سلامة عقل . «ج» فطنة ؛ دهاء (٤)«أ» ظَرْف ؛ خفّة دم . «ب» سخرية (٥)«أ» المفكّر ؛ الموهوب ؛ ذو المقدرة العقلية الفائقة . «ب» الظريف ؛ شخص ذو ظَرْف فاقِدٌ صوابَه (من غضب أو خوف). out of one's ~ *s* . to live by one's ~ *s* يكسب رزقه بأساليب بارعة ولكنها ليست دائماً شريفة.

witan [wĭt'ən] *(n.)* مجلس شورى الملك (تا انكليزي).

witch [wĭch] *(n.; vt.; i.)* (١) «أ» الساحر ؛ العرّاف (عب). «ب» الساحرة ؛ العرّافة . «ج» الحَيْزَبون : عجوز قبيحة . «د» الباحث عن الماء (مستعيناً بعصا الاستنباء) (٢) الفاتنة : امرأة فاتنة الجمال §(٣) يَسْحر ؛ يفتن.

witchcraft [wĭch'krăft'] *(n.)* (١) سِحر ؛ عِرافة (٢) سحر ؛ فتنة ؛ تأثير لا يُقاوَم (the ~ of music).

witch doctor *(n.)* العرّاف ؛ الطبيب المشعوذ أو الدجال.

witchery [wĭch'ə rĭ] *(n.)* = witchcraft.

witches'-broom [wĭch'ĭz brōōm'] *(n.)* مِقشّة العرّافات : كتلة من غُصَيْنات رفيعة تنمو على غصن شجرة نتيجةً لبعض الفطور أو الفيروسات.

witchgrass [wĭch'grăs'] *(n.)* = couch grass.

witch hazel *(n.)* (١) المشترِكة ؛ الهاماميلس : شجيرة صفراء الزهر ؛ وبخاصة : المشترِكة الفرجينية (٢) محلول كحولي يستخرج من لحاء المشترِكة الفرجينية.

witch-hunt [wĭch'hŭnt] *(n.)* (١)مطاردة الساحرات (وتعذيبهن). (٢) حملة ضد الخوارج والمنشقّين. **—witch-hunter** *(n.)*

witching [wĭch'ĭng] *(n.; adj.)* (١) سِحر §(٢) سِحري . (٣) ساحر ؛ فاتن.

witch moth *(n.)* الأربوس : فَراش ضخم مختلف الألوان.

witchy [wĭch'ĭ] *(adj.)* (١) كالساحرات : حاقد ؛ مضطغِن ؛ متمنٍّ الشرَّ للآخرين (٢) سحري.

witenagemot; -e [wĭt'ə nə gə mōt'] *(n.)* = witan.

with [wĭth] *(prep.)* (١) ضِدّ (The British fought ~ the Germans.) (٢)مع (٣)عن (parting ~ friends) (٤) على (had great influence ~ her) (٥) «أ» بـ (stuffed ~ straw). «ب» بـ ؛ في (worked ~ zeal). «ج» بِـ ؛ بواسطة (cut it ~ a knife) (٦) من ؛ بسبب ؛ من جراء (to die ~ thirst) (٧) و ... (She stood there ~ her hat on.) (٨)لدى ؛ عند (left her dog ~ me) (٩) ذو (a man ~ a hot temper) (١٠) عند ؛ بُعَيْد (~ that she paused.) (١١) بنسبة كذا ؛ تبعاً لِـ (Pressure varies ~ the depth.) (١٢)مِن ؛ في ما يتصل بِـ (to be pleased ~ someone) (١٣) على الرغم (~ all her cleverness, she failed.) (١٤) لولا.

withal [wĭth ôl'] *(adv.)* (١) كذلك ؛ أيضاً ؛ فوق ذلك ؛ بالاضافة إلى ذلك (٢) مع ذلك ؛ برغم ذلك ؛ من ناحية ثانية.

withdraw [wĭth drô'] *(vt.; i.)* (١) «أ» يستردّ ؛ يسترجع . «ب» يسحب (٢) يشيح (بناظريه) عن (٣) يَصْرِف ؛ يحوِّل ؛ يُلْهِي (عن شيء) ×(٤) ينسحب ؛ يتراجع ؛ يرتد.

withdrawal [wĭth drô'əl] *(n.)* (١) انسحاب ؛ ارتداد (٢)«أ» سَحْب . «ب» استرجاع ؛ استرداد (٣) انقطاع (عن تعاطي مخدِّر).

withdrawing room *(n.)* قاعة استقبال.

withdrawn [wĭth drôn'] *(adj.)* (١) منعزل (٢)منطوٍ على نفسه.

withe [wĭth; wĭth; wĭth] *(n.)* الأملود : غُصين طريّ (وبخاصة حين يُتخذ عصابةً أو حبلاً).

wither [wĭth'ər] *(vi.; t.)* (١) يَذْبُل ؛ يَذْوي ×(٢) يُذْبِل ؛ يُذوي (٣)يَشُلّ ؛ يَشْدَه ؛ يَصْعَق (~ *ed* her with a look).

withered [wĭth'ərd] *(adj.)* ذابل ؛ ذاوٍ.

withering *(adj.)* مدمِّر ؛ مهلِك (opened a ~ fire).

witherite [wĭth'ə rīt'] *(G.)* الوِذْرِيت (مع).

withe rod *(n.)* الوِيبِرْنوم : شجر من الفصيلة الخَمانية (نب).

withers [wĭth'ərz] *(n. pl.)* الحارك : أعلى كاهل الفَرَس وغيره.

withershins [wĭth'ər shĭnz] *(adv.)* = contraclockwise.

withhold [wĭth hōld'] *(vt.; i.)* (١) يكبح (٢) يحتبس : يُبقي أو يحتفظ لنفسه بـ (٣) يُمسك أو يمتنع عن.

withholding tax *(n.)* الضريبة المُحتَبَسَة : ضريبة على دخل الموظفين أو المساهمين تقتطعها المؤسّسة من رواتبهم أو أرباحهم وتدفعها إلى الدولة مباشرةً.

within [wĭth ĭn'] *(adv.; prep.; n.; adj.)* (١) «أ» داخلاً ؛ من الداخل. «ب» داخلَ الجسم (٢) الداخل (from ~) (٣) «أ» داخلَ المبنى. «ب» في حجرة داخليّة. «ج» من

وراء الستار . «د» في البيت (٤) باطنياً §(٥) ضمنَ ؛ داخلَ ؛ في باطن كذا (٦) ضمن حدود أو نطاق أو مدى كذا (~ sight) (٧) إلى (fled ~ the German lines) §(٨) الجزء الداخليّ أو المُقْفَل مِن كذا §(٩) مضمَّن؛ موجودٌ طيّه(the ~ complain).
~ an hour في أقلّ من ساعة .
~ reach في المتناوَل ؛ في متناول اليد .

withindoors [wĭ*th* in'dōrz'] *(adv.)* = indoors.

without[wĭ*th* out'] *(prep.; adv.; conj.; n.)* (١) «أ» خارجَ كذا (stood ~ the door) . «ب» خارج نطاق أو حدود كذا (not ~ our grasp). «ج» وراء (just ~ the trees) (٢) من غير ؛ بدون §(٣) خارجياً (The house was clean ~ and within.) (٤) خارجاً ؛ خارجَ المنزل §(٥) مالم ؛ إلا (ع) §(٦) الخارج (came from ~) .
to do *or* go ~, يستغني عن .

withoutdoors[wĭ*th* out'dōrz'] *(adv.)* في الخارج؛ خارج المنزل.

withstand [wĭ*th* stănd'] *(vt.; i.)* يقاوم ؛ يَصْمُد (أمامَ) .

withy [wĭ*th*'ĭ] *(n.; adj.)* (١) الصفصاف ؛ وبخاصة : صَفصاف السلاّلين (را. osier ı) (٢) الأملود : غُصَيْن طريّ §(٣) لَدْن؛ مرِن كالأملود .

witless [wĭt'lĭs] *(adj.)* أحمق ؛ مُخْتَبل ؛ معتوه .

witling [wĭt'lĭng] *(n.)* الغبيّ ؛ القليل الفهم ؛ مدعي الفهم .

witness [wĭt'nĭs] *(n.; vt.; i.)* (١) شهادة (وبخاصة أمام القضاء) (٢) «أ» الشاهد . «ب» شاهد العِيان (٣) علامة ؛ شاهد (والجمع : شواهد) §(٤) «أ» يشْهَد على . «ب» يوقع بوصفه شاهداً (٥) يَشْهَد (حفلةً أو حدثاً) .

witness box *or* **stand** *(n.)* موقف الشاهد : مكان وقوف الشاهد في المحكمة .

witted [-'ĭd] *(adj.)* ذو عقل أو فهم (slow-*witted*) .

witticism [wĭt'ə sĭz'əm] *(n.)* مُلْحَة ؛ لطيفة ؛ نكتة .

wittily [wĭt'ĭ lĭ] *(adv.)* ببراعة أو ذكاء أو ظَرْف الخ.

wittiness [wĭt'ĭ nĭs] *(n.)* براعة ؛ ذكاء ؛ ظَرْف الخ.

witting[wĭt'ĭng] *(n.; adj.)* (١) علم ؛ اطّلاع ؛ دراية (٢) نبأ ؛ أنباء §(٣) عالِم ؛ مطّلع ؛ دارٍ (٤) متعمَّد (~ lies) .

witty [wĭt'ĭ] *(adj.)* (١) بارع ؛ ذكيّ (٢) ظريف ؛ فَكِه . (٣) سريع الخاطر .

wive [wīv] *(vi.; t.)* (١)يتزوج ×(٢)يزوّجه امرأةً (٣)يتخذها زوجة.

wivern [wī'vərn] *(n.)* = wyvern.

wives [wīvz] *pl. of* wife.

wizard [wĭz'ərd] *(n.; adj.)* (١) الساحر؛ العرّاف (٢) شخص عظيم البراعة §(٣) «أ» سِحريّ . «ب» ساحر . «ج» مسحور (٤) ممتاز (The cake was ~.) .

wizardly [wĭz'ərd lĭ] *(adj.)* سِحْريّ ؛ ساحر .

wizardry [wĭz'ər drĭ] *(n.)* (١) سِحْر ؛ عِرافة (٢)قوة سِحرية .

wizen [wĭz'ən] *(vi.; t.)* (١) يَذْبُل ؛ يَذْوي ×(٢) يُذبِل ؛ يُذوي §(٣) ذابل ؛ ذاوٍ .

wizened [wĭz'ənd] *(adj.)* ذابل ؛ ذاوٍ .

woad [wōd] *(n.)* الوَسْمَة : «أ» نبات عشبيّ أوروبيّ يُستخرَج من أوراقه صِبْغ أزرق . «ب» هذا الصِّبغ نفسه .

wobble [wŏb'əl] *(vi.; t.; n.)* (١) «أ» يتذبذب ؛ يتمايل ؛ يتهادى ؛ يتراوح . «ب» يرتعش ؛ يرتعد ؛ يرتجف . «ج» يتردّد ×(٢) يُذَبْذِب الخ. §(٣) تذبذُب ؛ تمايُل ؛ تهادٍ ؛ تراوُحٌ ؛ ارتعاش الخ .

wobble pump *(n.)* المِضَخّة الرّاوحيّة : مِضخة يدوية إضافيّة يُستعان بها على تزويد مُكَرْبِن (كاربوراتور) الطائرة بالوقود عند تعطّل المضخّة الميكانيكيّة (طي) .

woe [wō] *(interj.; n.)* (١) وأسَفاه ! واويلتاه الخ. §(٢) وَيْل ؛ بلاء ؛ كَرْب (٣) كارثة ؛ بليّة ؛ مِحْنَة .
in weal and ~, في السرّاء والضرّاء .
~ be to... الويل لِـ...
~ is me! وا أسفاه !

woebegone [wō'bĭ gôn'] *(adj.)* (١) مكروب ؛ مُثْقَل بالهموم (ا.ق) (٢) كئيب (~ faces) (٣) مهجور؛ خَرِب ؛ كئيب المظهر (~ villages) .

woeful *also* **woful** [wō'fəl] *(adj.)* (١) حزين ؛ بائس ؛ تعيس (٢) فاجع ؛ محزن ؛ يُرثَى له ؛ مثير للشفقة .

woke [wōk] *past of* wake.

woken [wō'kən] *past part. of* wake.

wold [wōld] *(n.)* سهل مرتفع ؛ أرضٌ لا غاباتٍ فيها .

wold [wōld] *(vt.; i.; n.)* = weld.

wolf

wolf[wo͝olf] *(n.; vt.)* (١) «أ» الذئب (ح) «ب» جلد الذئب (٢) شخص ضارٍ أو مخرِّب أو ماكر (٣) زير نساء (ع) (٤) مجاعة ؛ فقرٌ مدقِع (to keep the ~ from the door) (٥) سوس الحَبّ أو الحنطة (٦) نَشاز (مو) §(٧) يلتهم ؛ يأكل بنهَم .
a ~ in sheep's clothing ذئب في ثوب حَمَل .
to cry ~, يُطلق استغاثة كاذبة .

wolfberry [wo͝olf'bĕr'ĭ] *(n.)* السَّنفورينة الغربيّة : شجيرة شمالأميركيّة بيضاء الثمار (نب) .

wolf dog *(n.)* الكلب الذئبيّ : «أ» كلبٌ ضخمٌ كانوا يستعينون به على صيد الذئاب . «ب» كلب يشبه الذئب .

Wolffian [wo͝ol'fĭ ən] *(adj.)* وُلفيّ : مكتشَف من قِبل عالِم التشريح الألماني كاسبار فريدريك وُلف (١٧٣٣ – ١٧٩٤) .

Wolffian body *(n.)* الجسم الوُلفي ؛ الكُلْية الوسطى (أج) .

wolffish [wo͝olf'fĭsh] *(n.)* السمك الذئبي: سمكٌ بحريّ كبير يتميز بضراوته وبأسنانه القويّة.

wolffish

wolfhound [wo͝olf'hound'] *(n.)* الكلب الذئبيّ: كلب يستخدم في صيد كبار الطرائد كالذئاب ونحوها .

wolfish [wo͝ol'fĭsh] *(adj.)* (١) ذئبيّ (٢) ضارٍ ؛ مفترس .

wolf pack *(n.)* (١) الزمرة الذئبيّة : مجموعة من الغواصات تشنّ هجوماً منظماً على قافلة بحريّة (٢) السِّرب الذئبيّ : طائرتان مقاتلتان أو أكثر تقوم بهجوم منظّم .

wolfram [wo͝ol'frəm] *(G.)* = tungsten.

wolframite [wo͝ol'frə mīt'] *(G.)* الوُلفراميت (مع) .

wolfsbane [wo͝olfs'bān] *(n.)* خانق الذئب : نبات أصفر الزهر .

wollastonite [wo͝ol'əs tə nīt'] *(n.)* الوِلَسْتونيت (مع) .

wolverine [wo͝ol'və rēn'] *(n.)* الشَّرِه : حيوان شمالأميركي ثدييّ لاحِم .

wolves [wo͝olvz] *pl. of* wolf.

woman [wo͝om'ən] *(n.)* pl. **women** (١) امرأة (٢) المرأة ؛

الجنس اللطيف (٣) الأنوثة ؛ الطبيعة النّسوية (٤) زوجة (٥) خادمة (٦) خليلة .

woman *(adj.)* (١) أنثى (doctor ~) (٢) نِسوِيّ ؛ نسائيّ .

womanhood [wo͝om'ən ho͝od'] *(n.)* (١) النِّسْويّة ؛ الصفة النِّسوِيّة (٢) الأنوثة : خصائص المرأة المميِّزة (٣) النساء (the ~ of France) .

womanish[wo͝om'ən-] *(adj.)* (١)نيسوي،أنثوي (٢)مُخنَّث.

womanizer [wo͝om'ə nī zər] *(n.)* الفاسق : مَنْ يطارد النساء أو يعاشرهن على نحو غير شرعيّ .

womankind [wo͝om'ən kīnd'] *(n.)* النساء ؛ الجنس اللطيف .

womanlike [wo͝om'ən-] *(adj.)* (١)نيسوِيّ؛أنثوي (٢)مخنّث.

womanly[wo͝om'ən lĭ]*(adj.)* (١) نِسوِيّ ؛ أنثويّ (٢) لائق بامرأة ؛ ملائم لامرأة (wearing a ~ sort of bonnet) .

womb [wo͞om] *(n.)* الرَّحِم (ت) .

wombat

wombat [wŏm'băt] *(n.)* الوُمْبَتُ : حيوان استراليّ من ذوات الجراب شبيه بدبّ صغير .

women [wĭm'ĭn] *pl. of* woman.

womenfolk[wĭm'ĭn fōk'] *or* **womenfolks**[-fōks] *(n. pl.)* النّساء ؛ جماعة النّساء .

womp [wŏmp] *(n.)* السُّطوع : ازدياد مفاجىء في إضاءة الشاشة التلفزيونيّة ناشىء عن تعاظم مفاجىء في قوة الإرسال (تلفز) .

won [wŭn] *past and past part.* of win.

wonder [wŭn'dər] *(n.; adj.; vi.; t.)* (١)«أ»العَجَب : شيء يثير الدَّهَش . «ب» معجزة ؛ أعجوبة . «ج» عجيبة (والجمع : عجائب) (٢) تعجُّب ؛ دَهَش ؛ انشداه (٣) شكّ ؛ حَيْرَة §(٤) عجيب ؛ رائع (٥) عجائبيّ ؛ سِحريّ : فعّال إلى حد يوقع الدَّهَش في النفس (drugs ~) §(٦) يذْهل ؛ ينشده (٧) يَعْجَب ؛ يتعجّب (٨) يتساءل ؛ يشكّ ×(٩) يتمنّى لو يعرف . **—wonderer** *(n.)*

for a ~, من العجيب ؛ ومن عجبٍ .

I ~, تُرَى ؛ إنني لأتساءل ، إني توّاق إلى أن أعلم .

no ~, لا عَجَب .

signs and ~*s* معجزات ؛ أعاجيب .

to work ~*s* يجترح المعجزات ؛ يصنع الأعاجيب .

what a ~ (it is) ! يا للعجب ! يا له من شيء عجيب !

wonderful [wŭn'-] *(adj.)* (١) عجيب ؛ مدهش (٢) رائع .

wonderland [wŭn'dər lănd'] *(n.)* أرض العجائب : «أ» عالم خياليّ شبيه بالعوالم التي تصوّرها حكايات الجنّيّات . «ب» مكان مثير للإعجاب أو الدَّهَش .

wonderment [wŭn'dər mənt] *(n.)* (١) دَهَش ؛ عَجَب . (٢) شيء مثير للدهش أو الاعجاب (٣) روعة (٤) تساؤل .

wonderwork [wŭn'dər wûrk'] *(n.)* (١) مُعْجِزَة ؛ عجيبة . (٢) شيء مثير للدَّهَش .

wonder-worker [wŭn'dər wûr'kər] *(n.)* مجترح المعجزات ؛ صانع المعجزات .

wondrous [wŭn'drəs] *(adj.)* رائع ؛ مدهش ؛ عجيب .

wonky [wŏng'kĭ] *(adj.)* (١) مترعزع ؛ مُتقلقِل (٢) معتل ؛ أصابه خلل .

wont [wŭnt; wōnt] *(adj.; n.; vt.; i.)* (١) مُتَعَوِّد (٢) نزّاع ؛ ميّال §(٣) عادة §(٤) يعوِّد ×(٥) يتعوَّد .

won't [wōnt; wŭnt] = will not.

wonted [wŭn'tĭd; wōn'-] *(adj.)* (١) معتاد ؛ مألوف (٢) متعوِّد .

woo [wo͞o] *(vt.)* (١) يتودّد إلى ؛ يخطب وُدّ المرأة (٢) يتوسّل إلى ؛ يحاول إقناعه بكذا (٣) يلتمس ؛ يسعى وراء (to ~ wealth) (٤) يجلب على نفسه (to ~ one's own destruction) .

wood [wo͝od] *(n.; adj.; vt.; i.)* (١) *pl.* أ.ك : «أ» أيكة ؛ خميلة . «ب» غابة (٢)«أ» خشبٌ . «ب» حطبٌ (٣) شيء مصنوع من خشب ؛ وبخاصة : «أ» مضرب غولف خشبيّ الرأس . «ب» مقبض خشبيّ . «ج» برميل خشبيّ §(٤) خشبيّ (٥) أو **woods** : عائش أو نام في الغابات (birds ~) §(٦) يزوِّد بالحطب (٧) يشجّر ؛ يحرِّج ×(٨) يحتطب أو يتزوّد بالحطب .

in the ~, في برميل خشبيّ (تقال في الخمر) .

out of the ~ *or* ~*s* ناجٍ من خطر أو بلاء .

to be unable to see the ~ for the trees يعجز عن تكوين فكرة واضحة عن كامل الشيء بسبب من كثرة التفاصيل .

wood alcohol *(n.)* كحول الخشب ؛ الميثانول (را. methanol) .

wood anemone *(n.)* شقائق النعمان الشُّقّار الحَرَجيّ ؛ الحَرَجيّة (نب) .

woodbin ; woodbox [wo͝od'-] *(n.)* صندوق الحطب .

woodbine[-'bīn'] *(n.)* صَريمة الجدي (را. honeysuckle) وبخاصة : صريمة الجدي الحَرَجية (نب) .

wood block *(n.)* (١) الرَّوْسم الخشبيّ ؛ الكليشيه الخشبية (طع) . (٢) طبعة عن روسم خشبيّ .

wood-block [wo͝od'-] *(adj.)* مطبوع من كليشيهات خشبيّة .

wood-carver [wo͝od'kär'vər] *(n.)* حفّار الخشب (فج) .

wood carving *(n.)* (١) حفر الخشب : فن الحفر على الخشب . (٢) المحفور : شيء خشبيّ محفور حفراً فنياً .

woodchat [wo͝od'chăt'] *(n.)* الدَّقناش الشامي أو القبطي (طا) .

woodchopper [wo͝od'chŏp'ər] *(n.)* الحطّاب : قاطع الأشجار .

woodchuck [wo͝od'-] *(n.)* مرموط (را. marmot) الخمائل .

woodchuck

wood coal *(n.)* (١) الفحم ؛ الفحم النباتي (٢) lignite .

woodcock [wo͝od'-] *(n.)* دجاجة الأرض (طا) .

woodcraft [wo͝od'-] *(n.)* (١) الغِوابة : البراعة في كلّ ما يتصل بالغابات وبخاصة في اختراقها أو الصيد فيها الخ. (٢) الخِشابة : فنّ صنع أو حفر الأشياء الخشبية .

woodcock

woodcut [wo͝od'kŭt'] *(n.)* = wood block.

woodcutter [wo͝od'kŭt'ər] *(n.)* الحطّاب ؛ قاطع الأخشاب .

woodcutting [wo͝od'-] *(n.)* (١) woodcut (٢) الحِطابة ؛ قطع الخشب .

wooded [wo͝od'ĭd] *(adj.)* (١) مشجَّر ؛ محرَّج (٢) ذو خشب (من نوع معيّن) .

wooden[wo͝od'ən] *(adj.)* (١) خشبيّ (٢) متخشِّب ؛ متيبِّس . (٣) أخرق ؛ جافّ ؛ عديم الحيوية (٤) غبيّ ؛ متبلّد .

wood engraver *(n.)* حفّار الخشب ؛ وبخاصة : حفار الكليشيهات الخشبيّة .

wood engraving *(n.)* (١) «أ» حفر الرواسم أو الكليشيهات الخشبية. «ب» روسم خشبيّ ؛ كليشيه خشبيّة (٢) صورة مطبوعة عن روسم خشبيّ.

woodenhead [wŏŏd'ən hĕd'] *(n.)* الأحمق ؛ الأبله.

wooden-headed [wŏŏd'ən hĕd'ĭd] *(adj.)* أحمق ؛ أبله.

wooden horse *(n.)* = Trojan horse.

woodenware [wŏŏd'ən wâr'] *(n.)* الآنية الخشبيّة.

wood hyacinth *(n.)* = harebell.

wood ibis [ī'bĭs] *(n.)* أبو منجل ؛ أبو قدّوم (طا).

woodiness [wŏŏd'-] *(n.)* (١) الأشجارية : كون الأرض كثيرة الأشجار (٢) الخشبية : كون الشيء خشبيّاً.

woodland [wŏŏd'lănd'] *(n.; adj.)* (١) غابة §(٢) غابيّ : «أ» ذو علاقة بغابة أو منسوبٌ إليها. «ب» نامٍ أو عائشٌ في غابة.

woodlot [wŏŏd'lŏt] *(n.)* الغابيّة : قطعة أرض مخصصة للأشجار الحَرَجية.

wood louse *(n.)* = pill bug.

woodman [wŏŏd'mən] *(n.)* (١) ساكن الغاب أو الغابات (٢) الحطّاب ؛ قاطع الأشجار (٣) حارس الغابات الملكية (بر).

woodnote [wŏŏd'nōt] *(n.)* صوت الطائر (أو تغريده) في الغابة.

wood nymph *(n.)* (١) حورية الغابات (٢) فراشة الغابات.

woodpecker [wŏŏd'pĕk'ər] *(n.)* القَرّاع ؛ النقّار، نقّار الخشب أو الشجر (طا).

woodpecker

wood pigeon *(n.)* الوَرَشان ؛ الحمامة المطوّقة.

woodpile [wŏŏd'pīl'] *(n.)* رُكام حطب ؛ كومة حطب.

woodprint [wŏŏd'prĭnt'] *(n.)* = wood block.

wood pulp *(n.)* لُباب الخشب (يُستخدم في صنع الورق والحرير الصنعي).

wood pussy *(n.)* = skunk.

wood rat *(n.)* هرّ الغاب : حيوان أميركي من القوارض.

woodruff [wŏŏd'rŭf'] *(n.)* الحُوَيْشيّة ؛ وبخاصة : الحُوَيْشيّة العطرية (نب).

woodshed [wŏŏd'-] *(n.)* سقيفة الحطب : سقيفة يُخزن فيها الحطب.

woodsman [wŏŏdz'mən] *(n.)* (١) ساكن الغابات أو المتردّد عليها (٢) البارع في اجتياز الغابات أو الصيد فيها (٣) الحطّاب.

wood sorrel *(n.)* الحُمّاض ؛ الحُمَّيْض (نب).

wood spirit *(n.)* = methanol.

woodsy [wŏŏd'zĭ] *(adj.)* غابيّ : متعلق بالغابات أو مميّزٌ لها أو شبيهٌ بها.

wood tar *(n.)* قار (أو قطران) الخشب.

woodturner [wŏŏd'-] *(n.)* خرّاط الخشب (را. المادة التالية).

wood turning *(n.)* خِراطة الخشب ؛ تشكيل الخشب : خرْط الخشب إلى أشكال مختلفة بمخرطة خاصة.

woodwaxen [wŏŏd'wăk'sən] *(n.)* جِنِستا الصبّاغين : شجيرة صفراء الزهر.

woodwind [wŏŏd'wĭnd] *(n.; adj.)* (١) آلة من آلات النفخ الموسيقية (٢) آلات النفخ (في جوقة أو أوركسترا) §(٣) خاص أو شبيه بآلة نفخ أو بعازفها أو بموسيقاها.

woodwork [wŏŏd'wûrk'] *(n.)* أشغال الخشب : «أ» أشياء أو أجزاء مصنوعة من خشب. «ب» المنجور الداخليّ (في مبنى).

woodworker [wŏŏd'wûr'kər] *(n.)* النجّار ؛ المشتغل بالنجارة.

woodworking [wŏŏd'wûr'kĭng] *(n.)* النِّجارة.

woodworm [wŏŏd'wûrm'] *(n.)* سُوسة الخشب.

woody [wŏŏd'ĭ] *(adj.)* (١) مُدْغِل ، مُلْتَفّ الأشجار (٢) خشبيّ.

woodyard [wŏŏd'yärd'] *(n.)* فِناء الخشب : فناء لخزن الخشب أو نشره.

wooer [wōō'ər] *(n.)* فا woo مثل : المتودّد ، المتوسّل الخ.

woof [wŏŏf] *(n.)* (١) لُحْمة (را. weft) (٢) نسيج (٣) نُباحٌ أجش (٤) صوت خفيض يرسله مكبّر للصوت الخ.

woofer [wŏŏf'ər] *(n.)* مكبّر للصوت (خاصّ بالأصوات ذات التردّد المنخفض).

wool [wŏŏl] *(n.)* (١) صُوف (٢) «أ» نسيج صوفيّ. «ب» ثوبٌ من صوف (٣) وَبَر ؛ زَغَب (٤) شعر الانسان (وبخاصة حين يكون قصيراً كثّاً جَعْداً) (٥) شيء يحجب الحقيقة أو يعوق التفاهم.

wool clip *(n.)* محصول الصوف السنويّ.

wooled [wŏŏld] *(adj.)* (١) ذو صوفٍ (٢) غير مجزوز الصوف.

woolen [wŏŏl'ən] *(adj.; n.)* (١) صوفيّ (٢) خاصّ بإنتاج المنسوجات الصوفيّة أو بيعها (a ~ mill; ~ workers) §(٣) نسيج صوفيّ (٤) *pl.* عد : ملابس صوفيّة.

wooler [wŏŏl'ər] *(n.)* الصوّاف : كلّ حيوانٍ يُربّى لصوفِهِ.

wool fat *(n.)* = lanolin.

woolfell [wŏŏl'fĕl'] *(n.)* = woolskin.

wool-gather [wŏŏl'-] *(vi.)* يستسلم للأوهام أو الأحلام.

woolgathering [wŏŏl'găth'ər ĭng] *(n.; adj.)* (١) الاستسلام للأوهام أو الأحلام §(٢) غافل ؛ ذاهل.

wool grease *(n.)* = wool fat; lanolin.

woollen [wŏŏl'ən] *(adj.; n.)* = woolen.

woolliness [wŏŏl'ĭ nĭs] *(n.)* الصوفيّة ؛ الصوفانيّة : كون الشيء صوفيّاً أو شبيهاً بالصوف الخ.

woolly *also* **wooly** [wŏŏl'ĭ] *(adj.)* (١) «أ» صوفيّ. «ب» صوفانيّ : شبيه بالصوف (٢) غامض ؛ غائم ؛ مشوّش (ideas ~) (٣) متّسِم بالفوضى أو بالعنف ؛ شبيه بأجواء العنف التي سادت الغرب الأميركي في أيامه الأولى.

woolly *also* **woolie** *or* **wooly** [wŏŏl'ĭ] *(n.)* *pl.* (١) عد : ثوب صوفي ؛ وبخاصة : ملابس صوفيّة تحتيّة (٢) خروف.

woolly bear *(n.)* الدب الصوفيّ : يرَقة كثيرة الوَبَر.

woolly-headed [wŏŏl'ĭ hĕd'ĭd] *(adj.)* (١) أصوَف الشعر : ذو شعر شبيه بالصوف (٢) غامض أو مشوّش التفكير.

woolpack [wŏŏl'păk'] *(n.)* (١) كيس الصوف : كيس ضخم (من قماش) لنقل الصوف (٢) بالة صوف (تزن ٢٤٠ باوندا) (٣) سحاب مدوّر رقيق (شبيه بالصوف).

woolsack [wŏŏl'-] *(n.)* (١) «أ» كيس صوف. «ب» كيس للصوف. (٢) «أ» الحشيّة التي يجلس عليها الرئيس في مجلس اللوردات. «ب» مكتب رئيس مجلس اللوردات.

woolshed [wŏŏl'shĕd] *(n.)* سقيفة الصوف : مبنى (أو عدد من المباني) يُجزّ فيه صُوف الخراف ويُحضّر للبيع في السّوق.

woolskin [wŏŏl'skĭn'] *(n.)* الجلد الأصْوَف : جلد الخروف مدبوغاً من غير أن يُنْزَع عنه الصوف.

woolsorter's disease *(n.)* داء فرّازي الصوف : داء صدريّ ينشأ عن الاشتغال بفرْز الصوف الملوّث.

wool sponge *(n.)* الاسفنج الصوفي : اسفنج متين ناعم الألياف.

ă at; ā date; â care; ä car; ĕ egg; ē me; ĭ in; ī bite; ŏ lot; ō bone; ô orphan; oi boil ŏŏ good; ōō boot; ou out; ŭ under; ū unity; û urgent; th thing; th this; zh vision; ə = *a* in alone, *e* in system, *i* in easily, *o* in gallop, *u* in circus.

wool stapler *(n.)* تاجر الصوف .

woozy [wōō'zĭ[*(adj.)* (١) مخبَّل أو مشوَّش الذهن أو فاقد الرشد (من أثرِ المخدِّرات الخ.) (٢)مريض ؛ مصاب بدوار أو بغثيان خفيف.

Worcester china [wōōs'tər] *(n.)* خزَف وُوسْتر: خزَف صُنع في وُوسْتر بإنكلترة منذ عام ١٧٥١ .

Worcestershire sauce[-shĭr'] *(n.)* صلصة وُوسْترشير: صلصة حِرِّيفة تشتمل على خلّ وتوابل الخ. منسوبة إلى وُوسْتر بإنكلترة .

word [wûrd] *(n.; vt.)* (١) «أ» كلمة. «ب» لفظة. «ج» *pl.* : كلام، لغة. «د» *pl.*: نصّ الأغنية أو كلماتها. «ه» حديث قصير (٢)أمر (Don't move till I give the ~.) (٣) *cap.* عد : الانجيل ؛ التوراة؛ كلمة الله (٤)«أ» نبأ ؛ رسالة (Word came that we had won the match.) · «ب» إشاعة (٥)القول (is loyal in ~ and deed) (٦) مَثَل ؛ قولٌ مأثور (٧) وعد ؛ عَهْد (Never break your ~.) (٨) *pl.* عد : مُشادَّة ؛ نزاع كلامي (some ~s between him and his mother.) (٩) كلمةالسرّ ؛ كلمة المرور ؛ كلمة التعارف §(١٠) يعبّر أو يصوغ في كلمات (a strongly ~*ed* letter) ·

a ~ in season نصيحة في محلها (أو وقتِها المناسب) ·

big ~*s* تبجح ؛ ادّعاء فارغ .

by ~ of mouth شفهياً ؛ مشافهةً .

in a ~; in one ~, وبكلمة ؛ وبالاختصار ؛ وخلاصة القول .

in so many ~*s* حرفياً ؛ بالحرف الواحد .

man of his ~, رجلٌ صادق العهد أو الوعد .

my *word* ! عجباً ! يا إلهي !

My ~ upon it ! شَرفاً ؛ قسماً بشرفي .

the last ~ in أحدث المبتكرات (في حقل ما) .

the last ~ on القول الفَصْل (في موضوع ما) .

to have a ~ with يتحدث إليه حديثاً قصيراً .

to have ~*s* (with) يتشاجر ؛ يتشاحن .

to keep one's ~, يفي بعهده أو وعدِه .

to take a person at his ~, يعمل على أساس الاعتقاد بأن فلاناً صادقٌ في ما يقول .

Upon my *word* ! (١) شرفاً؛ قسماً بشرفي (٢)عجَباً؛ يا إلهي !

~ for ~, حرفياً ؛ بالحرف الواحد .

wordage [wûr'dĭj] *(n.)* (١)«أ» كلمات . «ب» حشوٌ في الكلام. (٢)«أ» عدد الكلمات . «ب» الصياغة : طريقة التعبير في كلمات ؛ اختيار الكلمات واستخدامها .

word blindness *(n.)* العمى القِرائيّ (را. alexia) .

wordbook [wûrd'bōōk'] *(n.)* معجم ؛ قاموس .

word class *(n.)* = part of speech.

wordily [wûr'dĭ lĭ] *(adv.)* على نحوٍ مُطنِبٍ أو كلامِيّ .

wordiness [wûr'-] *(n.)* الإطناب ؛ الإسهاب ؛ كثرة الكلام .

wording [-'dĭng] *(n.)* (١)التعبير (بواسطة الألفاظ) (٢)الصياغة : طريقة التعبير في كلمات ؛ اختيار الكلمات واستخدامها .

wordless [wûrd'lĭs] *(adj.)* صامت : غير معبَّر عنه بكلمات ؛ غير مصحوب بكلماتٍ.

word order *(n.)* النَّسَق اللفظيّ: ترتيب الكلمات في عبارة أو جملة.

H E A R T
E M B E R
A B U S E
R E S I N
T R E N D

word square

word square *(n.)* المربَّع اللفظيّ : عدة كلمات متساوية الطول مرتبةٌ في مربّع بحيث تكون قراءتها عمودياً مطابقة لقراءتها أفقياً .

wordy [wûr'dĭ] *(adj.)* (١) «أ» مُطْنِب . «ب» كثير الكلام . (٢) كلاميّ .

wore [wōr] *past of* wear.

work [wûrk] *(n.; adj.; vt.; i.)* (١)«أ» عمل ؛ شغل. «ب» مهمّة. (٢)«أ» حِصْن ؛ معَقِل ؛ خندق الخ. «ب» *pl.* : أشغال هندسيّة (كالمباني والجسور والأحواض (٣) *pl.* : مصنع ؛ معمل (iron ~*s*) (٤) الأجزاء العاملة أو المتحركة من آلة (cleaning the ~*s* of a watch) (٥) رغوة ؛ زَبَد (ناشىء عن تخمّر) (٦)أثرٌ أدبيّ أو فني (كمؤلَّف أو لوحة زيتية) (٧) *pl.* : العمل الصالح : القيام بصالح الأعمال بموجب التعاليم الدينية بخاصة (٨) «أ» أثر ؛ مفعول ؛ نتيجة . «ب» الأداء : طريقة العمل (٩) «أ» قطعة الشغل : القطعة التي تكون قيد الإعداد في أية مرحلة من مراحل الصنع . «ب» خامة ؛ معدن خام (١٠) *pl.* : كلّ ما في يد المرء أو في متناوله (١١) اضطهاد ؛ تعذيب ؛ قَتْل (gave her the ~*s*) §(١٢) خاصّ بالعمل (~ shoes) (١٣) مستخدَم في العمل (~ elephant) §(١٤) «أ» يُحدِث (to ~ a change) · «ب» يجترح (to ~ miracles) (١٥) «أ» يحوِّل (to ~ flint into tools) · «ب» يعمل أو يزخرف بالابرة ؛ وبخاصة : يطرِّز (١٦) «أ» يُعِيدّ من طريق التحريك أو العجن (~*ed* the putty) · «ب» يشكِّل : يجعله في الشكل المطلوب من طريق التطريق أو الضغط أو السحب (They ~*ed* cold steel.) (١٧)«أ»يُدير . «ب»يُعمِل (١٨)يحلّ (مسألةً) (١٩)«أ» يشغِّل. «ب» يستخدم؛ يستغلّ (Salma ~*ed* her charm to get her way.) (٢٠) «أ» يسدّد « من طريق العمل أو الخدمة » (~*ed* off his debt) · «ب» يدفع نفقات كذا من طريق العمل أو الخدمة (My brother ~*ed* his way through college.) (٢١) «أ» يُحرِز (مكانة الخ.) أو يُخرِج (شيئاً) من موضع أو يتحرَّر (من قيوده الخ.) تدريجياً . «ب» يدبّر طريقة ؛ يوجِد وسيلة ؛ يحتال للأمر (We can ~ it so that you can take your vacation.) (٢٢)يحتال على «تحقيقاً لغرض» (Adib ~*ed* the management for a free ticket.) (٢٣)يثير×(٢٤)يعمل ؛ يشتغل (٢٥)يَعْمَل على ؛ يساعد على (٢٦) ينجح (They hoped the plan would ~ out.) (٢٧)يشقّ طريقه أو يتقدّم بجهد (He ~*ed* up from office boy to president.) (٢٨) يُبْحِر نحو مَهَبّ الريح (٢٩) «أ» يهتاج ؛ يضطرب (The sea ~*s* high.) · «ب» يتخمّر ؛ يختمر . «ج» يصبح « تدريجياً أو بحركاتٍ غير ملحوظة » (The knots ~*ed* loose.) ·

at ~, (١)مشغول ؛ منهمك في العمل (٢)فعّال ؛ ذو أثر .

in ~, (١) قَيْد الصنع أو الإعداد (٢) قيد التدريب .

out of ~, عاطلٌ عن العمل .

to ~ away يواصل العمل .

to ~ in (١)يُقحِم أو يُدخِل بجهد متكرِّر أو موصول. (٢) يدسّ (شيئاً) بلباقة (٣)يمزج .

to ~ in with يتلاءم ؛ يتوافق ، ينسجم مع .

to ~ off يتخلص من .

to ~ on (١) يؤثّر في (٢) يحاول إقناعه أو التأثير فيه .

to ~ one's will (upon) يفرض إرادته (على) .

to ~ out (١) يُحْدِث ؛ يحقق ؛ يَصْنَع (٢) يحل (مسألةً) (٣) يوجِد ؛ يستنبط ؛ يرسم (خطةً) (٤) يتخلص (من دَين) بالعمل أو بالخدمة بدلاً من دفع المال (٥) يستنفد (منجماً) (٦) يعمل بنجاح (٧) يبلغ مقدارُهُ كذا (٨) يتدرب .

to ~ up (١) ينشِئ أو يؤسّس تدريجياً وبجهد . (٢) يُحْدِث (٣) يثير المشاعر الخ . (٤) يمزج (٥) يتقدَّم تدريجياً .

to ~ upon (١) يؤثّر في (٢) يحاول إقناعه .

workable [wûr'kə bəl] *(adj.)* (١) يُشَغَّل ؛ يُشكَّل : ممكنٌ تشغيله أو جعله في الشكل المطلوب (~ plastic) (٢) عمليّ (~ plan) .

workaday [wûr'kə dā'] *(adj.)* (١) خاصّ بأيام العمل أو ملائم لها (~ clothes) (٢) يوميّ ؛ عاديّ ؛ مبتذل (~ things) .

workbag [wûrk'băg'] *(n.)* كيس الشّغل : «أ» كيس عُدّة العمل أو أدواتِهِ أو موادّه . «ب» كيس شغلِ الإبرة .

workbank [wûrk'băngk] *(n.)* منضدة التصحيح أو التركيب : منضدة تصحّح عليها المادّة الطباعيّة المنضّدة وتُقطَّع إلى أعمدة أو صفحات .

workbasket [wûrk'băs'kĭt] *(n.)* سلّة شُغْل الابرة .

workbench [wûrk'bĕnch'] *(n.)* نَضَد العَمل ؛ طاولة الحِرَفيّ .

workbook [wûrk'bo͝ok'] *(n.)* دفتر العمل : «أ» كتيّبٌ يشتمل على موجز في حقل من حقول المعرفة . «ب» كتاب يرسم القواعد للقيام بعمل معيّن . «ج» دفتر تدوّن فيه ملاحظات خاصة بعمل منجَزٍ أو بعمل يُعْتَزَمُ القيام به . «د» دفتر مدرسيّ يشتمل على مجموعة من التمارين والأسئلة يجب أن تحلّ أو يجاب عنها على صفحاته نفسها .

workbox [wûrk'bŏks'] *(n.)* علبة الشّغل : علبة لأدوات الشغل أو موادّه .

work camp *(n.)* معسكر العمل أو العمّال ؛ وبخاصة : معسكر السجناء : معسكر خاص بالسجناء الذين تثق بهم السلطة والذين تستخدمهم في بعض مشروعاتها .

workday [wûrk'dā] *(n.; adj.)* (١) يوم العمل : «أ» يومٌ يَفْرغ فيه المرء للعمل (تمييزاً له عن يوم الأحد أو يوم العطلة) . «ب» ساعات العمل في مثل هذا اليوم § (٢) **workaday** .

worked [wûrkt] *(adj.)* مشغول ؛ مُشَغَّل : صفة للقطعة التي أخضِعت لعملية ما من عمليات التطوير أو المعالجة أو الصّنْع .

worked up *(adj.)* مهتاج ؛ ثائر ؛ غاضب .

worker [wûr'kər] *(n.)* (١) العامل ؛ الشّغّيل (٢) العاملة : «أ» نحلة أو نملة الخ . تعمل من أجلِ مجتمعها . «ب» مُرَسَّبة كهربائيّة (را. electrotype) يُطبَع عنها شيء ما (طع) .

work farm *(n.)* مزرعة التشغيل : مزرعة يُحجَز فيها الجانحون أو صغار المجرمين ويُشَغَّلُون .

workfolk [wûrk'fōk'] *or* **workfolks** [-'fōks] *(n. pl.)* العمال ؛ طبقة العمال ؛ الطبقة العاملة .

work force *(n.)* القوة العاملة : «أ» جماعة العمال في مصنع . «ب» قوّةُ الأمة العاملةُ (additions to the nation's ~) .

workhorse [wûrk'hôrs'] *(n.)* (١) حصان الشغل : حصان يُستخدَم في العمل تمييزاً له عن حصان الجرّ أو جواد الركوب أو السباق (٢) حمار الشغل : «أ» شخص ينهض بالشاقّ من الأعمال . «ب» مَرْكَبة أو آلة تتميّز بالمتانة البالغة والنفع العظيم .

workhouse [wûrk'-] *(n.)* (١) poorhouse (٢) إصلاحيّة للأحداث .

working [wûr'kĭng] *(adj.; n.)* (١) عامل ؛ وبخاصة : «أ» مساعِد على العمل ؛ كافٍ من حيث القوّة أو العدد لإحداث النتائج المرجوّة (Our party has a ~ majority.) . «ب» مصطَنَعٌ أو مُتَبَنّى بغية إفساح المجال لعملٍ أو نشاط إضافي أو بغية تسهيل ذلك العمل (a ~ draft of a peace treaty) § (٢) عَمَل ؛ شُغْل (٣) تشغيل ؛ تشكيل ؛ جَعْل الشيء في الشكل المطلوب (٤) حلّ (لمسألة) (٥) تخمّر (٦) *pl.* : حفريات (في منجم الخ.) .

working capital *(n.)* رأس المال العامل (اد) .

working class *(n.)* الطبقة العاملة ؛ طبقة العمال .

working-class *(adj.)* عُمّاليّ : خاصّ بطبقة العمال أو بالطبقة العاملة

working day *(n.)* = workday.

working drawing *(n.)* الرسم التشغيليّ : رسمٌ لشيء يراد صنعه أو تشييده يُوضع بين يدَيِ العامل كي يستهدي به في عمله .

workingman [wûr'kĭng măn'] *(n.)* العامل ؛ الشغّيل .

working papers *(n. pl.)* أوراق التشغيل : وثائق رسميّة تشتمل على مختلف المعلومات التي يتعيّن على طالبي العمل تقديمُها عادةً .

working substance *(n.)* المشغِّلة ؛ المادّةُ المشغِّلة : مادة سائلة عادةً تُستخدَم في تشغيل المِكْبس أو البِسْتُون (ملك) .

workless [wûrk'lĭs] *(adj.)* عاطلٌ عن العمل .

workman [wûrk'-] *(n.)* (١) العامل ؛ الشغيل (٢) الصانع ؛ الحِرَفيّ .

workmanlike *or* **workmanly** [wûrk'mən-] *(adj.)* بارع .

workmanship [-shĭp] *(n.)* (١) صَنْعة ؛ براعة في العمل (٢) عمل

work of art *(n.)* الأثر الفني ؛ وبخاصة : لوحة زيتية رائعة

workout [wûrk'out'] *(n.)* التجريب ؛ التدريب : تجربة أو تمرينات يقوم بها اللاعب الرياضي اختباراً لأهليته للاشتراك في مباراة ما ، أو استعداداً لهذا الاشتراك .

workpeople [wûrk'pē'pəl] *(n. pl.)* العُمّال ؛ جماعة العمال .

workroom [wûrk'ro͞om'] *(n.)* حجرة العمل ؛ حجرة الشّغل .

workshop [wûrk'shŏp'] *(n.)* (١) مَشْغَل ؛ وَرْشَة ؛ معمل . (٢) الحلقة الدراسيّة الحرّة : حلقة دراسيّة لا يشارك فيها عادةً غير البالغين الذين سبق لهم العمل في الموضوع المدروس وتتميز بحرية المناقشة وتبادل وجهات النظر وبالتطبيق العملي لمختلف الطرائق والبراعات (summer ~ in short-story writing) .

work stoppage *(n.)* وَقْف العمل : توقف عن العمل يقوم به جماعة من العمال ويكون عادة أكثر عفويةً وأقلّ خطورةً من الاضراب .

worktable [wûrk'tā'bəl] *(n.)* طاولة العمل أو الشّغل : طاولة يجلس إليها العامل وتكون في أحيان كثيرة ذات أدراج توضع فيها أدوات العمل (كأدوات الخياطة الخ.) .

work-up [wûrk'ŭp'] *(n.)* الفَرَق الصاعد : لطخة غير مقصودة بين كلمات الصفحة المطبوعة ناشئة عن ارتفاع إحدى الرّقاقات المَعْدنيّة المستخدمة للمباعدة بين هذه الكلمات (طع) .

workweek [wûrk'wēk'] *(n.)* أسبوع العمل : ساعات أو أيام العمل في الأسبوع (48-hour ~ ; a 6-day ~) .

workwoman [wûrk'wo͝om'ən] *(n.)* العاملة ؛ الشّغّيلة .

world [wûrld] *(n.)* (١) الدنيا ؛ الحياة الدنيا (٢) العالم (٣) الناس ؛ البشر (٤) الشؤون الدنيوية (٥) الكون (٦) عالَم ؛ دُنْيا (the ~ of art) (٧) المجتمع البشري (She withdrew from the ~.) (٨) مقدار كبير (a ~ of trouble) (٩) كوكب ؛ جِرم سماوي .

a ~ of difference فرق عظيم ؛ فرق شاسع .

all the ~ and his wife كل الناس ؛ جميع أفراد الطبقة الراقية .
for the (whole) ~, لأيما سبب ؛ لأي سبب كان .
for ~s لأيما سبب ؛ ولو أعطِيتُ ثروة العالم كلّه .
in the ~, (١) في العالم أو الوجود (٢) تُرى ؛ يا تُرى .
out of this ~, رائع ؛ باهر ؛ ممتاز .
the other *or* next ~ ; the ~ to come الآخرة ؛ العالم الآخر .
to carry the ~ before one يحرز نجاحاً سريعاً كاملاً .
to make a noise in the ~, يُحْدِث أو يترك في الدنيا دَوِيّاً ؛ يشتهر ؛ يصبح حديث الناس .
to the ~, تماماً ؛ كليّةً ؛ بكل معنى الكلمة .
~ without end إلى الأبد .

world-beater [wûrld'bē'tər] *(n.)* البطل ؛ المتفوّق على غيره .
World Court *(n.)* محكمة العالم : محكمة العدل الدولية في لاهاي .
World Federalism *(n.)* الفدرالية العالمية : حركة نشأت بعد الحرب العالميّة الثانية ودعت إلى إقامة اتحاد فدرالي بين دول العالم .
World Federalist *(n.)* الفدرالي العالمي : القائل بالفدرالية العالميّة .
World Island *(n.)* جزيرة العالَم : كتلة اليابسة المؤلّفة من أوروبة وآسيا وافريقيا .
worldliness [wûrld'lĭ nĭs] *(n.)* الدنيوية : «أ» كون الشيء دنيوياً . «ب» الانهماك بالشؤون الدنيوية (على حساب الشؤون الروحية) .
worldling [wûrld'lĭng] *(n.)* مُحِبّ الدنيا : المنغمس في شؤون الدنيا ومباهجها الخ .
worldly [wûrld'lĭ] *(adj.)* (١) دنيوي (٢) خبير بالحياة والناس .
worldly-minded [wûrld'lĭ mīn'dĭd] *(adj.)* دنيويّ التفكير ؛ منصرفٌ إلى شؤون الدنيا أو منهمكٌ فيها .
—worldly-mindedness *(n.)*
worldly-wise [wûrld'lĭ wīz'] *(adj.)* خبير بالحياة والنّاس .
world power *(n.)* الدولة الكبرى ؛ القوة العالميّة : دولة (أو منظّمة الخ .) قوية إلى درجة تمكّنها من التأثير في مجرى الأحداث العالميّة .
world-shaking [wûrld'shā'kĭng] *(adj.)* مزلزِل ؛ هازّ للعالم : هامّ بحيث يترك أثراً في طول العالم وعرضه .
world war *(n.)* الحرب العالميّة .
world-weary [wûrld'wĭr'ĭ] *(adj.)* ضَجِر من الحياة أو الوجود ؛ وبخاصة : سَئِم من شدّة الانغماس في الملذات (this ~ generation) .
worldwide [wûrld'wīd'] *(adj.)* عالميّ الانتشار ؛ عالميّ النطاق .
worm [wûrm] *(n.; vi.; t.)* (١) دودة (٢) شخص جدير بالازدراء أو الرثاء (٣) أفعى (ا.ق) (٤) *pl.* عد : الدَّوَد : داء الديدان الطُّفيلية (٥) شيء لولبيّ أو دوديّ الشكل ، مثل : «أ» سِن اللولب . «ب» مسننة دودية ؛ تُرْس دوديّ . «ج» لولب أرخميدس (را. Archimedean screw) §(٦) يتمعّج : يمشي مشية الديدان (٧) يتسلّل (٨) يتملّص (تتبعها *out of*) ×(٩) يحرر كلباً من الديدان (١٠) يمعّج : يجعله يتحرّك أو يتقدّم كالديدان (١١) يفتل الحيوط فتلاً لولبياً حول الحبل بحيث يملأ الفجوات بين طاقاته (١٢) «أ» ينتزع بالحيلة (determined not to let her ~ the secret from him) . «ب» ينال بالتوسل أو السؤال أو الاقناع (was trying to ~ a pension from the government) .
worm-eaten [wûrm'ē'tən] *(adj.)* (١) نَخِر ؛ متسوّس . (٢) منقّر ؛ مليء بالحُفَر (٣) بالٍ ؛ عتيق (~ methods) .

worm gear
a worm
b worm wheel

worm gear *(n.)* عجلة وتُرْس دوديّ (ملك) .
wormhole [wûrm'hōl'] *(n.)* الثقب الدودي ؛ المسلك الدودي : ثقب تحفره الدودة أو مسلكٌ تسلكه .
wormroot [wûrm'rōōt'] *(n.)* = pinkroot.
wormseed [wûrm'sēd] *(n.)* (١) الشِّيح الخراساني (نب) (٢) شاي المكسيك (نب) .
worm snake *(n.)* الأفعى الدودية : أفعى صغيرة غير مؤذية تحفر نفقاً في التربة مثل ديدان الأرض .
worm wheel *(n.)* العجلة الدودية ؛ الدولاب الدودي : عَجَلَة مُعشّقة مع ترس دودي (را. الصورة تحت worm gear) .
wormwood [wûrm'wŏŏd'] *(n.)* (١) الأفسَنتين (نب) . (٢) مرارة ؛ شيء مرير (It was ~ for Sami to accept charity.) .
wormy [wûr'mĭ] *(adj.)* (١) «أ» كثير الديدان . «ب» مدوِّد . (٢) نخِر ؛ متسوِّس (٣) دودانيّ : شبيه بالدّود ، وبالتالي : زاحف ؛ متذلّل ؛ وضيع .
worn [wōrn] *past part. of* wear.
worn [wōrn] *(adj.)* (١) بالٍ ؛ رثّ (٢) مُرْهَق ؛ متعَب .
worn-out [wōrn'out'] *(adj.)* (١) «أ» بالٍ ؛ رثّ . «ب» متهرّئ ؛ تالف (٢) مُرْهَق (٣) مبتذَل (~ figures of speech) .
worried [wûr'ĭd] *(adj.)* قلِق ؛ مهموم ؛ مضطرب البال .
worriment [wûr'ĭ mənt] *(n.)* (١) مص worry (٢) قلَق .
worrisome [wûr'ĭ səm] *(adj.)* (١) مقلِق ؛ مزعِج . (٢) نزّاع إلى القلق .
worry [wûr'ĭ] *(vt.; i.; n.)* (١) يخنق (عب) (٢) «أ» ينهش . «ب» يعض . «ج» يهزّ أو يسحب بأسنانه . «د» يمس أو يحرك باستمرار . «هـ» يغيّر وضع شيء أو يركّزه في مكان معيّن بدفعه أو بتحريكه يمنةً ويسرةً على نحو موصول (٣) يعذّب ؛ يزعج (٤) يُجْهِد ؛ يرهق (٥) يُبْرِم : يزعج بكثرة الأسئلة أو المطالب (٦) يُقلِق ×(٧) يتقدّم بجهد (The old car *worries* up the hill.) (٨) يكافح ؛ يناضل ؛ يتدبّر الأمر بطريقة ما (تتبعها *along* أو *through*) (٩) يقلَق §(١٠) قلَق (١١) بلاء ؛ مشكلة ؛ همّ (His biggest ~ is transportation.) (١٢) سحبُ الحيوان بالاسنان وهزّه حتى يموت أو يكاد .
—worrier *(n.)*
worrywart [wûr'ĭ wôrt] *(n.)* المتشائم ؛ النزّاع إلى القلق .
worse [wûrs] *(adj.; n.; adv.)* (١) أسوأ ؛ أردأ §(٢) الأسوأ ؛ الأردأ §(٣) على نحو أسوأ أو أردأ ؛ إلى درجة أسوأ أو أردأ
none the ~, أكثر ؛ إلى حدّ أبعد .
the ~ for wear في حال أسوأ نتيجةً للبلى أو كثرة الاستعمال .
to put to the ~, يهزم ؛ يقهر .
~ and ~, أسوأ فأسوأ .
~ off في حال أسوأ أو أشدّ فقراً .
worsen [wûr'sən] *(vt.; i.)* (١) يجعله أسوأ ×(٢) يصبح أسوأ .
worship [wûr'-] *(n.; vt.; i.)* (١) «أ» مقام رفيع (a man of ~) . «ب» فضيلة ؛ سيادة (his *Worship* the Judge; his *Worship* the Sheriff) (٢) عبادة (٣) ديانة (٤) تأليه §(٥) يعبد (٦) يُبجِّل ؛ يؤلّه ×(٧) يتعبّد .
worshipful [wûr'shĭp fəl] *(adj.)* (١) مُبجَّل (٢) مبجِّل .
worst [wûrst] *(adj.; n.; adv.; vt.)* (١) الأسوأ ، الأردأ §(٢) إلى

أسوإ حدّ أو درجة ؛ على النحو الأسوأ §(٣) يَهزِم ؛ يَقْهَر ؛ يتغلّب على .

at ~, في أسوإ الأحوال .

to give one the ~ of it يهزمه ؛ يتغلب عليه .

worsted [wo͝os'tĭd; wûr'-] *(n.; adj.)* (١) الغزْل الصوفي (يستخدم في الحياكة) (٢) نسيج من الغزل الصوفي §(٣) صوفي (socks ~) .

wort [wûrt] *(n.)* (١) نبتة ، وبخاصة : عشبة أو حشيشة (٢) الورْت : نقيع المَلْت (را. malt) الذي يصبح بعد تخمّره جعةً أو بيرة الخ.

worth [wûrth] *(adj.; prep.; n.)* (١) ذو قيمة مالية أو مادية (ا.ق). (٢) جدير بالاحترام أو الاجلال (ا.ق) §(٣) يساوي كذا (The house is ~ $ 70,000.) (٤) ذو دخل أو ممتلكات تساوي كذا (He is ~ at least $ 300,000.) (٥) يستحق ؛ يستأهل ؛ جدير بِـ (a city ~ visiting) (٦) في طوقه أو قدرته (ran for all she was ~) §(٧) قيمة مالية (٨) ما يساوي كذا ($ 650 ~ of sugar) (٩) «أ» قيمة . «ب» قيمة أخلاقيّة أو شخصيّة أو عقلية (١٠) استحقاق ؛ كفاءة (١١) ثروة .

woe ~ the day! لعنَ اللهُ اليوم !

~ it. يستحق ذلك الجهد أو العناء الخ.

worthful [wûrth'-] *(adj.)* (١) شريف ؛ نبيل (٢) قيِّم .

worthily [wûr'thĭ lĭ] *(adv.)* بجدارة ؛ باستحقاق ؛ بكفاءة الخ.

worthiness [wûr'thĭ-] *(n.)* جدارة ؛ استحقاق ؛ كفاءة الخ.

worthless [wûrth'lĭs] *(adj.)* (١) «أ» عديم القيمة . «ب» باطل ؛ عديم الجدوى (٢) حقير ؛ تافه .

worthwhile [wûrth'hwīl'] *(adj.)* (١) ذو شأن (٢) جدير بالاهتمام ؛ مستحق العناءَ المبذول في سبيله .

worthy [wûr'thĭ] *(adj.; n.)* (١) حسن ؛ قيِّم (٢) وجيه ؛ هامّ (٣) فاضل ؛ شريف ؛ نبيل (٤) «أ» جدير ؛ مستحق . «ب» كفوء §(٥) شخص بارز أو مشهور .

wot [wŏt] *(vt.; i.)* يعلم ؛ يعرف (عب) .

would [wo͝od] *(past of will)* (١) يتمنّى (I ~ I were young again.) (٢) يريد ؛ يرغب (What ~ you?) (٣) فعل مساعد معناه : «أ» سوف (said she ~ come) . «ب» من عادته أن (He ~ stand blows without shedding a tear.) . «ج» لو ؛ لو أنّه (I wish that she ~ go.) . «د» يستطيع (No stone ~ break that glass.) . «هـ» ليت (~ I were dead!) . «و» هل لك أن . . . (~ you help me, please?) .

would-be [wo͝od'bē'] *(adj.; n.)* (١) مدّعٍ كذا ؛ راغب في أن يكون كذا (a ~ poet) §(٢) المدّعي ؛ شخص مدّعٍ .

wouldn't [wo͝od'nt] = would not.

wound [wo͞ond] *(n.; vt.; i.)* (١) جُرْح §(٢) يَجْرَح .

wound [wound] *past and past part. of* wind.

wounded [wo͞on'-] *(adj.; n. pl.)* (١) مجروح ؛ جريح §(٢) الجرحى .

woundwort [wo͞on'dwûrt'] *(n.)* حشيشة الجراح : إحدى نباتات مختلفة استُخدمت أوراقها الزغِبة في تضميد الجراح .

wove [wōv] *past and occasional past part. of* weave.

woven [wō'vən] *past part. of* weave.

wow [wou] *(interj.; n.; vt.)* (١) هتاف يُعبَّر به عن الابتهاج أو التعجّب أو الانفعال §(٢) نجاح باهر ؛ شيء ناجح نجاحاً باهراً (٣) تفاوت بطيء في طبقة الصوت ناشيء عن تفاوت في سرعة التسجيل (مو) §(٤) يثير إعجاب السامعين أو المشاهدين الخ. الحماسيّ .

wrack [răk] *(n.; vt.)* (١) خراب ؛ دمار (٢) بقيّة باقية (من خراب) (٣) «أ» سفينة غارقة . «ب» حطام . «ج» تحطّم السفينة أو غرقها . «د» إخفاق . «هـ» انهيار ؛ تحطّم (٤) «أ» نباتات بحرية . «ب» حشائش بحريّة مجففة (٥) المِخْلَعَة : أداة تعذيب قديمة يُمَطّ عليها الجسد (٦) القَزَع : سحابٌ عالٍ متفرق تسوقه الريح §(٧) يحطّم ؛ يدمّر (٨) rack 11-13 .

wrackful [răk'fəl] *(adj.)* مخرِّب ؛ مُدَمِّر .

wraith [rāth] *(n.)* (١) «أ» الطَّيْف النذير : طيف إنسان حي يرى في المنام ويُفترض أن يكون نذيراً بوفاة صاحبه . «ب» شبح (٢) خيال (٣) عمود من دخان أو بخار الخ.

wrangle [răng'gəl] *(vi.; t.; n.)* (١) «أ» يتشاحن ؛ يتخاصم . «ب» يتجادل ×(٢) ينال أو ينتزع بالجدل المتواصل (٣) يرعى الماشية ، وبخاصة : يُعْنَى بالخيل §(٤) مشاحنة ؛ خصام ؛ نزاع (٥) مجادَلة ؛ جدَل .

wrangler [răng'glər] *(n.)* (١) المشاحِن ؛ المُخاصِم الخ (٢) راعي البقر .

wrap [răp] *(vt.; i.; n.)* (١) «أ» يغطّي . «ب» يلفّ ؛ يغلّف ؛ يرزم (٢) «أ» يطوّق ؛ يقيّد (~*ped* in chains) . «ب» يحيط بـ . «ج» يستغرق في (I walked along ~*ped* in my own thoughts.) (٣) «أ» يُخفي . «ب» يحجب (Clouds ~*ped* the minaret from view.) ×(٤) يلتفّ (A vine ~*s* round the pillar.) (٥) يرتدي (ملابسه) ؛ يتدثّر (تتبعها *up*) (٦) يُغطّي ؛ يُغلّف ؛ يُرْزَم §(٧) «أ» غلاف . «ب» مادّة تغليف . «ج» دِثار ؛ معطف الخ. «د» بطانية ؛ حِرام (٨) لفّة ؛ طيّة (٩) *pl.*: «أ» قيد ؛ قيود . «ب» سريّة ؛ كتمان .

to ~ up يُنْهي ؛ يَخْتِم .

wraparound [răp'ə round'] *(n.)* دِثار ؛ إزار ؛ عباءة .

wrapper [răp'ər] *(n.)* (١) الغلاف : «أ» ورقة تبغ يغلّف بها السيكار . «ب» قميص ورقي (للكتاب المجلّد) . «ج» غلاف ورقي (لكتاب غير مجلد) . «د» ورقة تُلَفّ حول الصحيفة أو المجلة المبرَدة (٢) المغطّي ؛ المغلّف ؛ اللافّ الخ. (٣) دِثار ؛ إزار .

wrapping [răp'ĭng] *(n.)* غلاف ؛ غطاء (ترد بالجمع عادةً) .

wrasse [răs] *(n.)* الراس ؛ اللَّبْرُوس : سمك بحري شائك الزعانف .

wrath [răth; räth; rôth] *(n.)* (١) حَنَق ؛ غَيْظ ؛ غَضَب شديد (٢) عقاب إلهي .

wrathful [răth'fəl] *(adj.)* مُحْنَق ؛ مَغِيظ ؛ غاضب جداً .

wrathy [răth'ĭ] *(adj.)* = wrathful.

wreak [rēk] *(vt.)* (١) ينتقم لـ (ا.ق) (٢) يُنزِل به عقوبةً أو أذى : (~*ed* havoc among...) (٣) يشفي غليل غضبه (٤) يُحْدِث .

wreakful [rēk'fəl] *(adj.)* = revengeful.

wreath [rēth] *(n.)* إكليل ؛ وبخاصة : إكليل من الزهر .

wreathe [rēth] *(vt.; i.)* (١) يَلْوي ؛ يجعّد (٢) يَجْدُل ؛ يَضْفُر (٣) يلفّ ؛ يطوي (بحيث يطوّق شيئاً) (٤) يكلّل : يزيّن بإكليل أو نحوه ×(٥) يلتفّ (٦) ينجدل ؛ ينضفر (٧) يتحرّك أو يمتد على نحو دائري أو لولبي .

wreathy [rē'thĭ] *(adj.)* (١) إكليليّ الشكل (٢) ملتفّ ؛ متجعّد ؛ لولبيّ .

wreck [rĕk] *(n.; vt.; i.)* (١) حُطام السفينة الغارقة (يقذفه البحر إلى الشاطىء) (٢) «أ» تحطّم السفينة أو غرقها . «ب» سفينة غارقة (٣) «أ» تحطيم ؛ تدمير . «ب» تحطّم ؛ دمار (٤) خراب ؛ مبنى خرِبٌ الخ. (٥) شخص أو حيوان مريض الخ. (Such work left them tubercular ~*s*.) §(٦) يَطْرَح (البحر) حُطامَ

السفينة إلى الشاطىء (٧) «أ» يحطّم . «ب» يُتْلِف . «ج» يؤدي به إلى الافلاس . «د» يُحْبِط (خطةً) (٨) «أ» يحطّم سفينةً أو يغرقها . «ب» يُتْلِف أو يؤذي أو يعرِّض للخطر (نتيجةً لغرق السفينة) (٩) يُحدِث (to ~ havoc) ×(١٠) يَغرقُ (المركبُ) ؛ يتحطّم (١١) يحاول إنقاذ السفينة الغارقة أو ترميمها أو نهبها الخ .

wreckage [rĕk'ĭj] *(n.)* (١) مص wreck (٢) حُطام السفينة الغارقة (يقذفه البحر إلى الشاطىء) (٣) منبوذو المجتمع .

wrecker [rĕk'ər] *(n.)* (١) فا wreck (٢) هادم المباني : مَن يحترف هدم المباني تمهيداً لشقّ شوارع جديدة أو توسيعها (٣) الباحث عن السفن الغارقة (لإنقاذها أو نهبها) (٤) «أ» مركب يعمل على إنقاذ المراكب الغارقة أو حمولتها . «ب» سيّارة القَطْر أو السَّحْب (لجرّ السيارات المحطمة أو الغائصة في الثلج أو الطين) . «ج» من يشتري حطام السيارات الخ.

wren [rĕn] *(n.)* الصَّعْو ؛ النِّمْنِمة : طائر صغير جداً .

wren

wrench [rĕnch] *(vi.; t.; n.)* (١) يلوي أو يلتوي ×(٢) «أ» يلوي . «ب» يشوّه ؛ يُحرِّف ؛ يَعْدِل به عن غرضه الأصلي (٣) «أ» يسحب أو يَنْتِر أو يخلع أو ينزع بقوّة . «ب» ينتزع (٤) يُوْجِع ؛ يعذِّب §(٥) «أ» ليّ ؛ لَوْي ؛ خَلْع (لمفصِل الخ.) . «ب» تشويه ؛ تحريف (٦) أسىً شديد ؛ انقلاب أو تغيُّر نفسانيّ عنيف مفاجىء (٧) مِلْوَى ؛ مفتاح رَبْط (مك) .

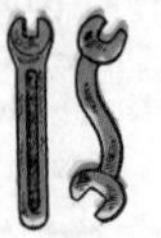

wrenches

wrest [rĕst] *(vt.; n.)* (١) «أ» يسحب أو يحرك أو يدفع بحركات التوائيّة عنيفة . «ب» يلوي أو ينزع بقوّة . «ج» ينتزع . «د» يغتصب (٢) «أ» يَعْدِل به عن غرضه الأصلي أو الطبيعي . «ب» يتعمّد إساءة تفسير (أو تطبيق) قانون ما . «ج» يحرِّف §(٣) ليّ ؛ لَوْي الخ. (٤) مِلْوَى أو مفتاح الدَّوْزَنَة (في آلة موسيقيّة وتَرِيّة) .

wrestle [rĕs'əl] *(vi.; t.; n.)* (١) «أ» يتصارع . «ب» يكافح ؛ يناضل ×(٢) «أ» يصارع . «ب» يحرك أو يدفع شيئاً (وكأنّه في صراع معه) §(٣) كِفاح ؛ صِراع ؛ وبخاصة : مصارعة. —**wrestler** *(n.)*

wrestling [rĕs'lĭng] *(n.)* كِفاح ؛ صِراع ؛ وبخاصة : مصارعة .

wrest pin [rĕst] *(n.)* = wrest 4.

wretch [rĕch] *(n.)* (١) البائس ؛ التعيس (٢) الحقير ؛ الخسيس .

wretched [rĕch'ĭd] *(adj.)* (١) بائس (٢) قَذِر ؛ حقير ؛ جدير بالازدراء (٣) «أ» هزيل ؛ ضئيل . «ب» رثّ ؛ بالٍ . «ج» مهزول ؛ مرهَق (٤) «أ» فاجع . «ب» رهيب ؛ مفرط (٥) «أ» رديء النوع . «ب» تافه . —**wretchedly** *(adv.)* —**wretchedness** *(n.)*

wriggle [rĭg'əl] *(vi.; t.; n.)* (١) يتلوّى (٢) يتمعّج (٣) «أ» يتملص أو يتخلّص من كذا بالحيلة والمكر . «ب» يتسلّل أو يشقّ طريقه إلى كذا بأساليب ملتوية ×(٤) يُلْوِي ؛ يُمعِّج (٥) يشقّ (طريقه) متمعّجاً §(٦) تَلَوٍّ ؛ تَمَعُّج الخ.

wriggler [rĭg'lər] *(n.)* المتلوي ؛ المتمعّج ؛ وبخاصة : يرقَة الحشرة.

wright [rīt] *(n.)* (١) صانع كذا (٢) واضع أو كاتب كذا .

wring [rĭng] *(vt.; i.; n.)* (١) يَعْصُر (٢) ينتزع ؛ يغتصب ؛ يبتزّ ؛ يستنزف (٣) «أ» يلوي . «ب» يلوي يديه المتشابكتين (توجعاً الخ.) (٤) يُميل (٥) يضع أو يُقحِم بحركة التوائية (٦) يعذِّب ؛ يوجع (٧) يهزّ اليد بقوة وحرارة (ترحيباً بشخص الخ.) (٨) يَلْتَفّ ×(٩) يتلوّى §(١٠) عَصْر ؛ انتزاع ؛ اغتصاب الخ .

wringer [rĭng'ər] *(n.)* العَصّارة : آلة عَصْر .

wrinkle [rĭng'kəl] *(n.; vi.; t.)* (١) «أ» جَعْدَة ؛ غَضَن (في قماش الخ.) . «ب» تَجعُّد ؛ تغضّن (في البشرة) (٢) طريقة أو معلومات عن طريقة ما (learned countless little ~s on how to care for clothes in summer) (٣) تجديد (في الطريقة أو التقنية أو التجهيزات) ؛ طريقة جديدة (٤) شائبة ؛ نقيصة (٥) يتجعّد ؛ يتغضّن ×(٦) يجعّد ؛ يُغضّن .

wrinkly [rĭng'klĭ] *(adj.)* متجعّد ؛ كثير التجاعيد .

wrist [rĭst] *(n.)* (١) المِعصَم ؛ الرُّسغ (٢) مِعصَم السّترة أو القفّاز .

wristband [rĭst'bănd'] *(n.)* (١) سِوار القميص : طرَف رُدْن القميص أو كُمّه المطوِّق للمِعصم (٢) عصابة المِعصَم : شيء على شكل عصابة تطوِّق المِعصم .

wristlet [rĭst'lĭt] *(n.)* (١) سوار (٢) عصابة المِعصم ؛ وبخاصة : عصابة يُطوَّق بها المِعصَم التماساً للدِفء (٣) قَيْد ؛ غُلّ .

wristlock [rĭst'lŏk'] *(n.)* مَسْكَة المِعصَم : مَسْكَة في المصارعة يُلْوَى بها مِعصَم الخصم على نحو يفقده القدرة على الدفاع .

wrist pin *(n.)* = gudgeon pin.

wristwatch [rĭst'wŏch] *(n.)* ساعة المِعصم ؛ ساعة اليد .

wristwatch

writ [rĭt] *(n.)* (١) «أ» شيء مكتوب : كتابة ؛ كتاب ؛ وبخاصة في قولهم Holy *Writ* أي الكتاب المقدس (نص) (٢) وثيقة رسمية ، وبخاصة : «أ» أمرٌ ملكيّ ؛ إرادة ملكية . «ب» أمر قضائيّ .

writable [rīt'-] *(adj.)* ممكن إفراغه في قالب كتابيّ .

write [rīt] *(vt.; i.)* (١) يكتب (٢) يؤلّف (كتاباً) (٣) ينظم (قصيدة) (٤) يلحّن أو يضع الألحان الموسيقية (٥) يكتب رسالة.

to ~ down (١) يدوّن ؛ يسجّل (٢) يُظهِر (نفسَه) بمظهر معيّن (٣) يسيء إلى سمعته أو ينتقص من قدره بالكتابة (٤) «أ» يخفض قيمته أو منزلته . «ب» يخفض قيمة الموجودات (تج) (٥) ينزل (في الكتابة) إلى مستوى الجمهور الخ. يبسِّط موضوعاً الخ .

to ~ in (١) يُقحِم في وثيقة أو نصّ (٢) «أ» يضيف إلى ورقة الاقتراع اسماً غير مدوّن عليها . «ب» يقترع بهذه الطريقة (٣) يكتب إلى الإدارة أو المركز .

to ~ off (١) يخفض القيمة المقدَّرة (٢) يشطب ؛ يحذف. (٣) يقضي على (٤) يكتب بسرعة أو من غير تردّد.

to ~ out (١) يكتب ؛ يدوّن (٢) يستنزف طاقته أو مقدرته الأدبيّة بالاسراف في الانتاج .

to ~ up (١) يصف بتفصيل (٢) يصوغ في قالب كتابيّ أخير (٣) يجعله عصريّ الأسلوب الخ . (٤) يقرِّظ (٥) يبالغ في تقدير قيمة الموجودات (تج) (٦) يستدعي للمثول أمام القضاء ؛ يحرّر بحقّه مخالفةً قانونيّة الخ .

write-down [rīt'doun'] *(n.)* تخفيض قيمة الموجودات (تج) .

write-off [rīt'ôf'] *(n.)* (١) حَذْف (٢) خفض قيمة الموجودات (تج) .

writer [rī'tər] *(n.)* (١) الكاتب (٢) المؤلّف .

writer's cramp *(n.)* عُقّال الكاتب : تشنّج مؤلم في عضلات

اليد أو الأصابع ناشىء عن الإفراط في الكتابة .

write-up [rīt'ŭp'] *(n.)* (١) مقال ؛ وبخاصة : تقريظ ؛ مقالٌ تقريظيّ (٢) مبالغة في تقدير قيمة الموجودات (تج) .

writhe [rītℏ] *(vt.; i.; n.)* (١) «أ» يلفّ ؛ يطوي . «ب» يلوي . (٢) يَضْفِر ؛ يَجْدل ×(٣) يتمعّج (٤)«أ» يتلوى (ألماً) «ب» يتضوّر (جوعاً) §(٥) تَلَوٍّ الخ .

writing [rī'tĭng] *(n.)* (١) كتابة (٢) خطّ (٣) رسالة ؛ مذكّرة . (٤) كتاب ؛ مؤلَّف (٥) قطعة موسيقية (٦) صكّ ؛ عَقْد (٧) أسلوب أدبيّ أو موسيقيّ (٨) صناعة الكتابة أو التأليف .

writing desk *(n.)* المكتب ؛ طاولة الكتابة .

writing paper *(n.)* ورق الكتابة .

writ of assistance مذكّرة العَوْن: أمرٌ قضائيّ بتنفيذ حكم صادر عن محكمة أو بضرورة المساعدة على البحث عن السلَع المهرَّبة الخ.

writ of certiorari = certiorari.

writ of election الدعوة الانتخابيّة : دعوة إلى الانتخابات تصدرها السلطة وبخاصة حين يَشْغر مقعد أو منصب يُنْتَخَب صاحبه انتخاباً.

writ of prohibition أمر الكفّ : أمرٌ تصدره محكمة عليا إلى محكمة دنيا بضرورة الكفّ عن النظر في دعوى معيّنة (ق) .

written [rĭt'ən] *past part. of* write.

wrong [rông] *(n.; adj.; adv.; vt.)* (١)حَيْف ؛ جَوْر ؛ ضَيْم ؛ ظلم ؛ بَغْي (٢) الباطل (to know right from ~) (٣)أذىً ؛ ضرر (٤)«أ» الخطأ : شيء خاطىء . «ب» الضلال : كونُ المرء على خطأ (٥) المُذْنِبيّة : كونُ المرء مُذنباً أو مرتكباً جريمةً (٦) اعتداء على حقوق الآخرين الشرعيّة §(٧) «أ» من الاثم أو اللاأخلاق (It is ~ to steal.) «ب» لاأخلاقيّ (Cheating is ~.) (٨) طالح ؛ غير صالح أو لائق (٩) غير مناسب (said the ~ thing) (١٠)«أ» خاطىء . «ب» مغلوطٌ فيه . «ج» غير صحيح (١١) غير مُرْضٍ ؛ فيه خللٌ أو علّة (١٢) مخالف للمألوف أو الشرعي أو المرغوب فيه (١٣)مخطىء ؛ على خطأ (١٤)مخبَّل ؛ مضطرب العقل §(١٥) خطأً ؛ على نحو خاطىء (to answer ~) (١٦) على نحو غير مناسب أو لائق §(١٧) «أ» يَظْلِم ؛ يؤذي ؛ يسيء إلى. «ب» يعامل بازدراء الخ. (١٨) يسلبه (مالَهُ أو حقّه) بالاحتيال.

in the ~, مخطىء ؛ مَلُوم ؛ مسؤول .

in the ~ box في ورطة الخ .

on the ~ side of fifty فوق الخمسين (من العمر) .

to do ~ to somebody, يَظْلِمُ فلاناً .

to go ~, (١)يَضِلّ السبيلَ (٢) يُخفِق ؛ يُمْنَى بالاخفاق.

to put a person in the ~, يجعله يبدو وكأنّه هو المخطىء أو الملوم أو المسؤول .

to take the ~ turning *or* path يحيد عن جادّة الفضيلة أو الصلاح ؛ يسلك سبيلَ الرذيلة .

wrongdoer[rông'dōō'ər] *(n.)* الآثم ؛ المعتدي ؛ الحائف ؛ المرتكب.

wrongdoing [rông'dōō'ĭng] *(n.)* إثم ؛ اعتداء ؛ إيذاء ؛ شرّ .

wronged [rôngd] *(adj.)* مظلوم ؛ مُعْتَدى عليه ؛ مُنزَلٌ به أذىً.

wrong font *(n.)* الحرف النابي : حرف من نوع أو حجم غير النوع أو الحجم المستخدَم في تنضيد مادّة طباعيّة ما (وهو تعبير يُصْطَنَع في تصحيح التجارب أو البروفات المطبعية) .

wrongful [rông'fəl] *(adj.)* (١) ظالم ؛ جائر (٢) غير شرعيّ .

wrongfully [rông'-] *(adv.)* (١) ظلماً وعُدواناً (٢) على نحو غير شرعي ؛ بصورة غير شرعيّة .

wrongheaded [rông'hĕd'ĭd] *(adj.)* عنيد ؛ متشبّثٌ برأيه الخاطىء.

wrongly[rŏng'lĭ] *(adv.)* (١)خطأً (٢)ظلماً (٣)بطريقة غير مناسبة.

wrote [rōt] *past of* write.

wroth [rôth] *(adj.)* مُحْنَق ؛ مَغِيْظ ؛ غاضب جداً .

wrought [rôt] *past and past part. of* work.

wrought [rôt] *(adj.)* (١) معمول ؛ مشكَّل ؛ مخلوق (٢) مزخرَف ؛ منمّق ؛ مطرَّز (٣) مشغول ؛ مصنوع ؛ غير خام (a garment of ~ silk) (٤) مطرّق (a tray of ~ copper) (٥) منفعل ؛ مهتاج (was highly ~) .

wrought iron *(n.)* الحديد المُطاوِع أو المُليف .

wrung [rŭng] *past and past part. of* wring.

wry [rī] *(vi.; t.; adj.)* (١) يلتوي ×(٢) يلوي (٣) «أ» يصعّر (خدّه) . «ب» يُعَجّي (وجهه أو فَمَهُ) : يُزوِّيه ويُميله تعبيراً عن اشمئزاز أو استياء §(٤)«أ» مصعّر ؛ ملتوٍ (~ neck). «ب» مُعَجّى (~ face) (٥) ساخر (with a ~ smile) (٦)عنيد ؛ متشبّث برأيه أو بمبدإه الخاطىء (٧)ظريف (مع تجهّم ومرارة وسخرية عادةً) . —**wryly** *(adv.)* —**wryness** *(n.)*.

to make a ~ face يُعجّي وجهه: يزوّيه ويُميله تعبيراً عن اشمئزاز أو استياء .

wryneck [rī'nĕk'] *(n.)* (١) اللّوّاء : طائر صغير طويل العنق يلوي رأسه بطريقة خاصة (٢)«أ» الصَّعَر (را. torticollis). «ب» المصعور : المصاب بالصَّعَر .

wryneck

wud [wŏŏd] *(adj.)* مخبَّل ؛ معتوه ؛ مجنون (اسك) .

wulfenite [wŏŏl'fə nīt'] *(G.)* الوُلفنيت (مع) .

wunderkind[vŏŏn'dər kĭnt] *(G.)* طفلٌ عبقريّ.

wyandotte [wī'ən dŏt'] *(n.)* الوايَنْدوتية : دجاجة من سلالة دجاج أميركي متوسّطة الحجم مشهورة ببيضها .

Wycliffite [wĭk'lĭf īt'] *(n.; adj.)* (١)الويكلفيّ : أحد أتباع المصلح الديني ويكلف (المتوفى عام ١٣٨٤) §(٢) ويكلفيّ .

wye [wī] *(n.)* حرف *y* .

wyliecoat [wī'lĭ kōt'] *(n.)* تنّورة ؛ وبخاصة : تنّورة تحتانية (اسك) .

wyvern wī'vərn] *(n.)* التنّين المجنّح : حيوان خرافيّ يُمثَّل عادةً على شكل مخلوق مجنّح شبيه بالتنّين .

ă at; ā date; â care; ä car; ĕ egg; ē me; ĭ in; ī bite; ŏ lot; ō bone; ô orphan; oi boil ŏŏ good; ōō boot; ou out; ŭ under; ū unity; û urgent; th thing; tℏ this; zh vision; ə = *a* in alone, *e* in system, *i* in easily, *o* in gallop, *u* in circus.

X

xebec

x [ĕks] *(n. often cap.)* (١) الحرف الرابع والعشرون من الأبجدية الانكليزية (٢) عشرة (٣) شيء معتبر في المقام الرابع والعشرين أو الثالث والعشرين من حيث الترتيب أو الطبقة (٤) سين: كميّة مجهولة (ر) (٥) شيء على صورة حرف **X**.

x [ĕks] *(vt.)* يوكّس: «أ» يعلّم بـ *x* ؛ يضع علامة *x* أمام كذا. «ب» يلغي بسلسلة من العلامات الشبيهة بحرف *x* (تتبعها *out* عادةً).

xanth- بادئة معناها: «أ» أصفر. «ب» حامض صفراويك (ك).

xanthate [zăn'thāt] *(n.)* الزنتات: ملح الحامض الصفراويك (ك).

xanthene [zăn'thēn] *(n.)* الزنتين: مركّب أبيض متبلّر (ك).

xanthene dye *(n.)* الصبغ الزنتيني (ك).

xanthic [zăn'thĭk] *(adj.)* (١) أصفر ؛ صفراويّ (٢) صفراويك (ك).

xanthic acid *(n.)* حامض صفراويك (ك).

xanthin [zăn'thĭn] *(n.)* الزانتين: مادة صفراء ملوّنة غير قابلة للذوبان تُستخلص من الزهور الصفراء (ك).

xanthine [zăn'thēn] *(n.)* الزنتاين: مركّب نيتروجيني متبلّر، وثيق الصلة بالحامض البولي، يكون في البول والدم وبعض الأنسجة الحيوانيّة والنباتيّة (ك).

Xanthippe *or* **Xantippe** [zăn tĭp'ĭ] *(Gk.)* (١) زنتيب: زوجة سقراط المضروب بها المثل في السلاطة (٢) امرأة شكسة رديئة الطبع.

xantho- = xanth-.

xanthochroid [-'thə kroid'] *(adj.; n.)* (١) أشقر § (٢) الأشقر.

xanthophyll [zăn'thə fĭl] *(F.)* اليصفور: صِبغٌ نباتيّ أصفر يكون في الحبوب أو في الأوراق (كح).

xanthophyllic; xanthophyllous [zăn thə fĭl'-] *(adj.)* يصفوريّ: منسوب الى اليصفور (را. المادة السابقة).

xanthous [zăn'thəs] *(adj.)* (١) أصفر (٢) منغوليّ.

x-axis [ĕk'săk sĭs] *(n.)* المحور السينيّ (ر).

X chromosome *(n.)* الصبغيّة السينيّة: صبغية من صبغيات الجنس (را. sex chromosome) ذات أثر رئيسيّ في تقرير جنس الجنين (أح).

x-coordinate *(n.)* الإحداثيّ السينيّ (ر).

X-disease [ĕks'dĭ zēz] *(n.)* الداء السينيّ: واحد من أمراض فيروسيّة متعددة مجهولة الأصل والسبب؛ وبخاصة. التهاب دماغٍ فيروسيّ يصيب الانسان اكتُشف في أستراليا.

xebec [zē'bĕk] *(F.)* القرصانيّة: سفينة صغيرة ثلاثية الصواري استخدمت قديماً لأغراض القرصنة.

xebec

x-ed *also* **x'd** *or* **xed** [ĕkst] *past of* **x**.

xen- *or* **xeno-** بادئة معناها: «أ» ضيف؛ نزيل. «ب» غريب؛ دخيل؛ أجنبيّ.

xenia [zē'nĭ ə] *(L.)* التلقاح: الأثر المباشر الذي يحدثه اللقح في الثمرة أو البزرة عند الإلقاح التهجيني (نب).

xenogamy [zĕ nŏg'ə-] *(n.)* الإخصاب التهجيني («أح» و«نب»).

xenogenesis [zĕn'ə jĕn'ə sĭs] *(L.)* التخلاق: خلقٌ مفترض لمتعضٍّ مختلفٍ عن نتوجه (را. parent) اختلافاً كلياً وسرمدياً (أح).

xenolith [zĕn'ə lĭth] *(n.)* الصخر الدخيل: فِلذةٌ من صخر متضمّنةٌ في صخر آخر (صخ).

xenon [zē'nŏn] *(Gk.)* الزينون: عنصر غازي ثقيل خاملٌ عديم اللون يكون في الهواء ويستعمل في بعض المصابيح الكهربائية (ك).

xenophobe [zĕn'ə fōb] *(n.)* المُصاب برُهاب الأجانب.

xenophobia [zĕn'ə fō'bĭ ə] *(L.)* رُهاب الأجانب: الخوف من الأجانب وكرههم (أو الخوف من كل ما هو غريب أو أجنبيّ).

xenoplastic [zĕn'ə plăs'tĭk] *(adj.)* أباعديّ أو حادث بين الأباعد (a successful ~ graft between plants).

xer- *or* **xero-** بادئة معناها: جافّ (*xero*derma).

xerarch [zĭr'ärk] *(adj.)* ناشيءٌ في مكان جافّ.

xeroderma [zĭr'ō dûr'mə] *(n.)* الصومّلة؛ جفاف الجلد: داء يسبب جفاف البشرة وتصلّبها وتقشّرها (مض).

xerodes [zĭr'ō'dēz] *(n.)* الورم الجافّ (مض).

xerography [zə rŏg'-] *(n.)* التصوير الجافّ: طريقة في التصوير تشبه الفوتوغرافيا ولكنها لا تتطلب أوراقاً أو رقائق ذات حساسية

للضوء . مستخدمةٌ بدلاً من ذلك رُقاقةٌ خاصةٌ مشحونةٌ كهربائياً ومتميّزة بالموَصِّليّة الضوئيّة .

xerophile [zĭr'ə fīl] *(adj.)* = xerophilous.

xerophilous [zĭ rŏf'ə ləs] *(adj.)* نامٍ في الجفاف .

xerophthalmia [zĭr'ŏf thăl'mĭ ə] *(n.)* جفاف العين (مض) .

xerophyte [zĭr'ə fīt'] *(n.)* الجافوف ؛ النبات الصحراوي .

xerophytic [zĭr'ə fĭt'ĭk] *(adj.)* جافوفيّ ؛ صحراويّ .

xerothermic [zĭr'ə thûr'mĭk] *(adj.)* حَرْجَفِيّ : «أ» مُتَسِمٌ بالحرارة والجفاف . «ب» نامٍ في المناطق الحارة الجافة .

xi [zī; ksī; ksē] *(Gk.)* إكْسِيّ : الحرف الـ ١٤ من الأبجديّة اليونانيّة .

xiph-; xiphi-; xipho- بادئة معناها : سَيْف .

xiphisternum [zĭf'ə stûr'-] *(L.)* pl. **-sterna** مؤخّر القَصّ .

xiphoid [zĭf'oid] *(adj., n.)* (١) سيفيّ ؛ سيفيّ الشكل («ت»و«ح») . §(٢) مؤخّر القَصّ (ت) .

xiphosuran [zĭf'ə sōōr'ən] *(n.; adj.)* (١) سيفيّ الذيل : واحد من سَيفيات الذيل **Xiphosura** وهي طائفة من المفصليات تشمل ملك السراطين وبعض الأشكال الشقيقة المنقرضة (ح) §(٢) سيفيّ الذيل .
—**xiphosurous** *(adj.)*

xiphosure [zĭf'ə sōōr] *(n.)* = xiphosuran.

Xmas [krĭs'məs; ĕk sməs] *(n.)* = Christmas.

X-radiation *(n.)* أو **X-irradiation** (١) التعرّض أو التعريض لأشعّة اكس (بُغْيَةَ المعالجة) (٢) الاشعاع السينيّ : إشعاع مؤلّف من أشعّة اكس .

X ray [ĕks'rā'] *(n.; vt.)* (١) *pl.* : الأشعة السينيّة ؛ أشعّة اكس ؛ أشعّة رونتجن (٢) شعاع من الأشعة السينيّة (٣) صورة بالأشعة السينية §(٤) يفحص أو يعالج أو يصوّر بالأشعة السينيّة .

X-ray photograph *(n.)* صورة بالأشعة السينيّة .

X-ray therapy *(n.)* المعالجة بالأشعّة السينيّة (ط) .

X-ray tube *(n.)* أنبوب الأشعّة السينيّة .

xyl- بادئة معناها : «أ» خشب . «ب» زيلين (را. xylene) .

xylan [zī'lăn] *(n.)* الزِّيلان : بنتوزان أصفر صَمغيّ يكون في جُدُر الخلية النباتية وفي أنسجة الخشب (ك) .

xylem [zī'lĕm] *(G.)* الزِّيليم : الجزء الخشبيّ من النباتات .

xylene [zī'lēn] *(n.)* الزِّيلين : واحدٌ من ثلاثة مركّبات هيدروكربونيّة متجازئة (إيسومرية) تُستخرَج من قطران الفحم وتُستخدَم في صنع الأصباغ (ك) .

xylic acid [zī'lĭk] *(n.)* الحامض الزِّيليّ (ك) .

xylidine [zī'lə dēn] *(n.)* الزِّيليدين : مركب متجازىء (إيسوميّ) مشتقّ من الزّيلين (ك) .

xylo- = xyl-.

xylograph [zī'lə grăf'] *(n.)* نقش على الخشب (أو طبعةٌ مأخوذة عن هذا النقش) .

xylography [zī lŏg'rə fĭ] *(F.)* فنّ النقش على الخشب (أو الطبعُ عن الخشب المنقوش) .

xyloid [zī'loid] *(adj.)* خَشَبانيّ : شبيهٌ بالخشب .

xylol [zī'lōl; -lŏl] *(n.)* = xylene.

xylophagous [zī lŏf'ə gəs] *(adj.)* (١) آكلٌ للخشب (كبعض الحشرات) (٢) ثاقب أو ناخر للخشب (كبعض الرَّخويات والقِشريات) .

xylophilous [zī lŏf'ə ləs] *(adj.)* نامٍ أو عائش في الخشب أو عليه .

xylophone [zī'lə fōn'] *(n.)* الخَشَبية : آلة موسيقيّة مؤلفة من صف من القضبان الخشبية يُعزَف عليها بالضرب على هذه القضبان بمطرقتين خشبيّتين صغيرتين .

xylophone

xylose [zī'lōs; -lōz] *(n.)* الزِّيلوز ؛ الخَشَبوز ؛ سكّر الخشب .

xylotomous [zī lŏt'ə məs] *(adj.)* ثاقبٌ أو قاطعٌ للخشب .

xylotomy [zī lŏt'ə mĭ] *(n.)* قَطْعُ الخَشَبِ (لأغراضِ الفحص المجهري) .
—**xylotomic** *(adj.)*

Y

Yokohama (Japan)

y[wī] *(n. often cap.)* (١) الحرف الخامس والعشرون من الأبجدية الانكليزية (٢) شيء معتَبَرٌ في المقام الخامس والعشرين أو الرابع والعشرين من حيث التّرتيب أو الطبقة (٣) صاد : كمية مجهولة (ر) (٤) شيء على صورة حرف **Y** .

-y *also* **-ey** لاحقة معناها : «أ» مؤلف من ؛ ذو صفة معيّنة (ston*y*; water*y*) . «ب» شبيه بكذا (home*y*) . «ج» مولع بـ ؛ مدمنٌ على (hors*y*) . «د» ميال أو نزّاع إلى (sleep*y*) . «هـ» قليلاً ؛ بعضَ الشيء (purpl*y*) .

-y لاحقة معناها : «أ» حالة ؛ صفة (jealous*y*) . «ب» عمل ؛ عملية (deliver*y*) . «ج» موضع عمل أو نشاط معيّن (laundr*y*) «د» جماعة كاملةٌ (soldier*y*) .

-y لاحقة تفيد معنى التصغير أو التحبّب (aunt*y*) .

yacht[yŏt] *(n.; vi.)* (١) اليَخْت : سفينة شراعيّة أو بخارية صغيرة مخصصة للمتعة والسباق وما إلى ذلك من الأغراض غير التجارية §(٢)يُبَخّت: «أ» يُبْحِر بيَخْت . «ب» يشترك في سباق لليخوت .

yachting [yŏt'ĭng] *(n.)* التّيَخُّت: الإبحار أو التسابق باليخوت.

yacht rope *(n.)* الحَبْل اليَخْتي : حبل من نوع ممتاز يصنع عادة من قِنّب مانيلاّ الأبيض الفاخر.

yachtsman [yŏts'mən] *(n.)* اليَخْتي : صاحب اليَخْت أو قائدُه .

yack [yăk] *(n.; vi.)* (١) ثرثرة (ع) §(٢) يثرثر (ع) .

yagi [yăg'ĭ] *(n.)* هوائيّ « ياغي » (رد) .

yahoo [yä'hōō] *(n.)* (١) *cap.* : ألياه : واحد من جنس من البهائم له شكل الانسان وجميع رذائله (في كتاب رحلات جيليفر لمؤلفه جوناتان سويفت) (٢) الجِلف ؛ الفظّ .

Yahweh [yä'wĕ] *also* **Yahveh** *or* **Yahvè**[-'vĕ] *(n.)* : يَهْوَه : ربّ العبرانيين.

Yahwism[yä'wĭz əm] *(n.)* اليَهْوِية : عبادة يَهْوَة عند العبرانيين.

yak

yak [yăk] *(n.; vi.)* (١) الياك ؛ القَوتاش؛ الخَشْقاء : ثور التيبت الضخم الطويل الصوف (٢) ثرثرة (٣) ضحكة (٤) نكتة §(٥) يثرثر.

yam [yăm] *(Pg.)* اليام : ضرب من البطاطا بعضُهُ حُلْو (نب) .

yamen [yä'mən] *(Chin.)* السّراي : مقرّ الحكومة أو الحاكم في الصين (في ظلّ النظام الامبراطوري) .

yammer [yăm'ər] *(vi.; n.)* (١) يُعْوِل ؛ ينتحب (٢) يتذمّر . (٣) يثرثر §(٤) إعوال ؛ تذمّر ؛ ثرثرة .

yank[yăngk] *(vt.; i.; n.)* (١) يَنْتُر ؛ يخلع ؛ ينتزع ؛ يجذب أو يسوق بعنف §(٢) نَتْر ؛ خَلْع ؛ انتزاع ؛ جذبٌ بعنف .

Yank [yăngk] *(n.)* = Yankee.

Yankee [yăng'kĭ] *(n.)* اليانكي : «أ» أحد أبناء نيو إنجلند بالولايات المتحدة الأميركيّة . «ب» أحد أبناء ولاية من ولايات الشمال الأميركية . «ج» الأميركي: أحد أبناء الولايات المتحدة الأميركيّة.

Yankee-Doodle [dōō'dəl] *(n.)* (١) يانكي دودل : أغنية شعبية راجت أثناء الثورة الأميركيّة (٢) اليانكيّ (را . المادة السابقة) .

Yanqui [yăng'kĭ] *(Sp.)* الأميركي اليانكيّ: أميركي من أبناء الولايات المتحدة الأميركيّة (تمييزاً له عن أبناء أميركة اللاتينية) .

yap [yăp] *(vi.; n.)* (١) يَنْبَح (٢)«أ» يلغو ؛ يثرثر. «ب» يلوم؛ يعنف §(٣) نُباح (٤) ثرثرة (٥) شخص ريفيّ جاهلٌ أو أخرق (٦) فم (told Sami to shut his ~) .

yapock *or* **yapok** [yə pŏk'] *(n.)* اليابوق ؛ اليابوك : أوبوسوم (را. **opossum**) مائيّ جنوبأميركي ذو قائمتين خلفيّتين مكفّفتين (كأقدام الإوزّ) .

yard [yärd] *(n.; vt.; i.)* (١)«أ» الياردة : وحدة لقياس الطول تعادل ٣ أقدام أو ٣٦ إنشاً أو ٩١،٤٤ سنتمتراً . «ب» ياردة مكعّبة (٢) عارضة الشراع : خشبة أسطوانيّة مستعرضة تشدّ إلى الصاري بغية تثبيت الأشرعة (مل) (٣) فِناء ؛ ساحة (٤) زريبة (٥)«أ» حوض (لصنع السفن أو إصلاحها) . «ب» فِناء مخصص لصناعة ما (brick*yard*) . «ج» الفِناء المقضّب : فِناء في محطة للسكة الحديدية مدّت في أرضه قضبان حديدية

(يُستخدم لإيواء الحافلات أو لتحويلها من خط إلى خط)
(٦) مرعى الظباء الشتوي (في غابة) §(٧) يزرب (في زريبة أو فِناء) ×(٨) يجتمع ؛ يحتشد .

yardage [yär'dĭj] *(n.)* (١)«أ» مقدار من الياردات. «ب» الطول أو المساحة أو الحجم مقدراً بالياردات (٢)«أ» الزرابة : استخدام زرائب الحيوانات التابعة لسكة من سكك الحديد (بانتظار نقل هذه الحيوانات بالقطار أو بُعَيْد وصولها به إلى محطة ما) . «ب» رسم الزرابة .

yardarm [yärd'-] *(n.)* طرف عارضة الشراع (را. yard 2) .

yardbird [yärd'bûrd] *(n.)* (١) جندي مكلّف بمهمة حقيرة أو وضيعة (٢) المجنّد الغرّ : مجنّد تعوزه الخبرة .

yard goods *(n. pl.)* السِّلَع اليارديّة : سِلَع (كالأقمشة) تباع باليارده.

yard grass *(n.)* حشيشة الأفنية : عشب شائك يكثر في الأفنية والحقول.

yardman [yärd'mən] *(n.)* الفِنائيّ ؛ الزَّريبيّ : المستخدم في فناء أو زريبة ؛ وبخاصة : رجل يُستخدم لجزّ المروج ، أو جرف الثلوج ، أو غسل السيارات .

yardmaster [yärd'-] *(n.)* ناظر الفِناء المقضّب : موظف في السكة الحديدية مكلّف بالاشراف على الفِناء المقضّب (را. yard 5c) .

yardstick [yärd'stĭk'] *(n.)* (١)العصا اليارديّة : عصاً للقياس مدرّجة طولها يارده واحدة (٢)مقياس مُعتمَد أو مِعياريّ (٣)محكّ .

yare [yâr] *(adj.)* (١) مستعدّ (ا.ق) (٢) أو **yar** : سريع ؛ رشيق .

yarmulke *or* **yarmelke** [yär'məl kə] *(n.)* اليَرْمُلْك : قلنسوة يعتمر بها متدينو اليهود في الكُنُس والمنازل .

yarn [yärn] *(n.; vi.)* (١) «أ» غَزْل (قطني أو صوفي) . «ب» غَزْل معدني أو زجاجيّ أو لدائنيّ الخ. «ج» خيط (٢)«أ» حكاية ؛ قصة . «ب» حديث ؛ محادثة §(٣) يروي حكاية (٤) يتحدّث .

yarn-dye [yärn'dī] *(vt.)* يَصْبِغ قبل النسج أو الحبك .

yarrow [yăr'ō] *(n.)* = milfoil.

yashmak [yäsh mäk'] *(Turk.)* اليَشْمَق : حجاب المرأة .

yataghan [yăt'ə găn'] *(Turk.)* اليَطَقان: سيف تركي محدّب

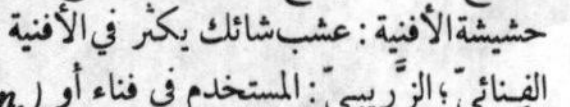

yataghan

yauld [yôd; yäd; yäld] *(adj.)* نشيط ، مُفعَم بالنشاط .

yaupon [yô'pən] *(n.)* البَهْشِيّة المُقَيِّئة (نب) .

yaw [yô] *(vi.; t.; n.)* (١) ينعرج : ينحرف عن الخط المستقيم . («مل» و«طي» و«جن») ×(٢) يجعله ينعرج §(٣) الانعراج (٤) زاوية الانعراج .

yawl [yôl] *(n.)* اليَوْل : مركب شراعي أو ذو مجاذيف .

yawl [yôl] *(vi.; n.)* (١) يَنْبَح (ع) . §(٢) نُباح (ع) .

yawl

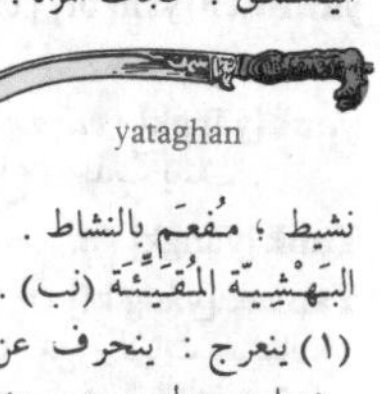

yawn [yôn] *(vi.; t.; n.)* (١) «أ» يَنْفَغِر : ينفتح كالفم . «ب» ينشق (٢)يتثاءب ×(٣) يقول متثائباً (to ~ a reply) §(٤) فجوة؛ ثغرة؛ حفرة (leaning over the ~ of a grave) (٥) تثاؤب .

yawning [yôn'ĭng] *(n.; adj.)* (١)تثاؤب §(٢) منفغر ؛ غائر ؛ واسع (at a ~ hole) (٣) متثائب « سأماً أو ضجراً » (the ~ congregation) .

yawp *also* **yaup** [yôp; yäp] *(vi.; n.)* (١) يصرخ أو يطلق صوتاً عالياً حاداً (٢) يشكو ؛ يتذمّر (٣) يحدّق (فاغراً فمه) §(٤) صرخة ؛ صراخ (٥) حديث ، وبخاصة : كلام أحمق مفعم بالشكوى (٦) لغة فظة أو عنيفة .

yaws [yôz] *(n.)* المَضَع : داء مُعْدٍ شبيه بالسفلس كثير الانتشار في بعض الأصقاع الاستوائية (مض) .

y-axis [wī'ăk'sĭs] *(n.)* المحور الصاديّ (ر) .

Y chromosome *(n.)* الصِّبغيّة الصاديّة : صِبْغية من صِبغيات الجنس (را. sex chromosome) .

ye [yē] *(pron.)* (١) أنتم ؛ أنتنّ (ا.ق) (٢) أنتَ ؛ أنتِ (ع) .

ye [yē; thē] *(def. art.)* = the.

yea [yā] *(adv.; n.)* (١) نعَم ؛ بلى (٢) ليس هذا فحسب ، بل ... §(٣) موافقة (٤) صوت إيجابيّ (في اقتراع أو انتخاب) (٥) المدلي بصوت إيجابي (في اقتراع أو انتخاب) .

yean [yēn] *(vi.; t.)* تلِد ؛ تُنْتِج (النعجة أو الشاة) .

yeanling [yēn'lĭng] *(n.; adj.)* (١) حَمَل §(٢) وليد ؛ رضيع .

year [yĭr] *(n.)* (١) عام ؛ سنة ؛ حَوْل (٢) *pl.* : كهولة ؛ شيخوخة ؛ سنّ عالية (a man of ~*s*) .

yearbook [yĭr'bŏŏk'] *(n.)* الحَوْليّة : كتاب يُنشر سنوياً حاملاً معلومات أو إحصاءات عن عام معيّن .

yearling [yĭr'lĭng] *(n.; adj.)* (١) الحَوليّ : حيوان عمره سنة أو في السنة الثانية من العمر §(٢) حَوليّ ؛ عمره سنة (a ~ colt) .

yearlong [yĭr'lông'] *(adj.)* دائم سنةً .

yearly [yĭr'lĭ] *(adj.; adv.; n.)* (١) سنويّ §(٢) سنوياً ؛ كلّ سنة §(٣) نشرة سنوية .

yearn [yûrn] *(vi.)* (١) يتوق ؛ يشتاق ؛ يحنّ إلى (٢) يشفق على ؛ يرثي لِ (Her heart ~*ed* for the starving child.) .

year of grace السنة الميلادية : إحدى سنوات التقويم المسيحي (to the present ~ ; the ~ 1967) .

year-round [yĭr'round'] *(adj.)* عامل او متاح أو مُشْرَع الأبواب طوال السنة : غير موسمي (a ~ theater ; ~ enjoyments).

yeast [yēst] *(n.; vi.)* (١) خميرة (٢) رغوة ؛ زَبَد §(٣) يختمر (٤) يُرْغي ؛ يُزْبِد : يكتسي بالرغوة أو الزبد .

yeasty [yēs'tĭ] *(adj.)* (١)خَميريّ : منسوب إلى الخميرة أو شبيه بها (٢) فِجّ ؛ غير ناضج (٣) متقلب ؛ متغيّر ؛ مثقل بالأمارات الدالة على أحداث أو تطوّرات مقبلة (٤) مفعَم بالحيوية أو الحماسة (٥)«أ» مُرْغٍ ؛ مُزْبِد . «ب» تافه ؛ فارغ (~ chatter) .

yegg [yĕg] ; **yeggman** [yĕg'-] *(n.)* لصّ (ع) .

yell [yĕl] *(vi.; t.; n.)* (١) يصرخ ؛ يصيح (٢) يهتف ، وبخاصة جماعياً ، في مباراة رياضية (٣) يضجّ ؛ يَهْدِر (٤) يشكو ؛ يحتجّ ×(٥) يقول أو يعلن بصوت عالٍ §(٦) صَرْخة ؛ صيحة (٧) هتاف (في مباراة رياضية) .

yellow [yĕl'ō] *(adj.; n.; vt.; i.)* (١)«أ» أصفر . «ب» شاحب . «ج» أصفر البشرة (٢)«أ» صفراء : معنيّة بالفضائح أو الأخبار المثيرة أو الأنباء المحرّفة على نحو مثير (~ journalism) . «ب» حقير ؛ وَغْد ؛ جبان §(٣)«أ» الأصفر ؛ اللون الأصفر . «ب» صِبْغ أصفر (٤) شيء أصفر ؛ مثل : «أ» شخص أصفر البشرة . «ب» مُحّ البيضة أو صَفارها (٥) *pl.* : الصُّفْر ؛ اليرقان (مض) (٦) *pl.* : الصُّفار : واحد من أمراض عدة تصيب النبات فتصفرّ أوراقه §(٧) يصفّر ×(٨) يَصْفَرّ .

yellow bile *(n.)* الصَّفْراء : خِلْط من أخلاط الجسد كان القدماء يعتقدون أن الكبِد يفرزه وأنه يسبّب سرعة الغضب .

yellowbird [yĕl'ō bûrd'] *(n.)* الطائر الأصفر : «أ» الحسّون الأميركي الطائر (طا) . «ب» الدُّخَلَة الأميركيّة (طا) .

yellow book *(n.)* الكتاب الأصفر : تقرير رسمي أصفر الغلاف تصدره الحكومة عن قضيّة سياسيّة ما .

yellow daisy *(n.)* الرُّدْبكية : عشبة من المركبات (نب) .

yellow-dog [yĕl ō dôg'] *(adj.)* (١) حقير ؛ جدير بالازدراء . (٢) مُقاوِم لنقابات العمال .

yellow-dog contract *(n.)* العقد التنصُّلي : عقْد استخدام يتنصَّل فيه العامل من أيما صلة بنقابة العمال ويتعهّد بعدم الانتساب إليها طوال مدة استخدامه .

yellow fever *or* **jack** *(n.)* الحُمّى الصفراء : حمّى من حُمّيات المناطق الحارة تتميز بالبول الزلالي وباليرقان والنزْف (مض) .

yellow-fever mosquito *(n.)* بعوضة الحمّى الصفراء .

yellow grease *(n.)* الشّحم الأصفر : دهن خنزير غير صالح للأكل يستخدم في التشحيم .

yellow-green [yĕl'ō grēn'] *(n.; adj.)* الأصفَرَخْضَر : لون وسَطٌ بين الأصفر والأخضر .§(٢) أصفرَخْضَر .

yellow-green alga *(n.)* الأشنة الصفْرَخْضَريّة (نب) .

yellowhammer [yĕl'ō hăm'ər] *(n.)* اليَلْمر : «أ» الدُّرْسَة الأوروبية العادية الصفراء (طا) . «ب» النقّار ؛ نقّار الخشب أو الشجر (طا) .

yellowish [yĕl'ō wĭsh] *(adj.)* مُصفرّ ؛ ضارب إلى الصّفرة .

yellow jack *(n.)* (١) yellow fever (٢) الراية الصفراء : «أ» راية ترفعها السفينة في المَحْجَر الصحيّ . «ب» سمك فضي وذهبي من أسماك فلوريدا وجزائر الهند الغربيّة .

yellow jacket *(n.)* السّترة الصّفراء : زُنْبور معلَّم الجسم بلون أصفر فاقع .

yellow jacket

yellowlegs [yĕl'ō lĕgz'] *(n.)* أصفر القدمين : طائر شطآني أميركي ذو قائمتين طويلتين صفراوَين .

yellowlegs

yellow metal *(n.)* المعدِن الأصفر : «أ» الذهب . «ب» أشابة (را. alloy) مؤلّفة من نحاس وزنك .

yellowness [yĕl'ō-] *(n.)* الصُّفرة : كون الشيء أصفر .

yellow ocher *(n.)* المُغْرة الصفراء .

yellow peril *(n.)* الخطر الأصفر : «أ» خطر على العِرق الأبيض والحضارة الغربية يُزعم أنّه ناشىء عن تعاظم قوة العِرق الأصفر بملايينه التي تفوق الحصر . «ب» العِرق الأصفر بوصفه مصدر هذا الخطر .

yellow pine *(n.)* الصنوبر الأصفر أو خشبُه .

yellow race *(n.)* العِرق الأصفر (ويشمل المنغوليين والصينيين والكوريين واليابانيين والسياميين والبورمانيين وأهل التيبت الخ) .

yellows [yĕl'ōz] *(n. pl.)* اليرَقان (وبخاصة في الحيوانات الداجنة) .

yellow-shafted flicker *(n.)* = yellowhammer *b.*

yellow spot *(n.)* البقعة الصفراء : الجزء الأكثر حساسية في شبكية العين (ت) .

yellowtail [yĕl'ō tāl'] *(n.)* أصفر الذّيل : أيّ من أسماك مختلفة تتميّز بأذيالها الصفراء أو الضاربة إلى الصفرة .

yellowthroat [yĕl'ō thrōt'] *(n.)* أصفر النّحر : دُخَلَةٌ صفراء النحر أو الصدر (طا) .

yellowweed [yĕl'ō wēd'] *(n.)* (١) عصا الذهب : نبتة ذات زُهيرات صفراء على سوقٍ طويلة متفرعة (٢) الشّيْخة : زهرة الشيخ (نب) .

yellowwood [yĕl'ō wŏŏd'] *(n.)* (١) صفراء الخشب : أيّ من أشجار مختلفة ذات خشب ضارب إلى الصفرة أو ذات عُصارات يُتّخذ منها صبغٌ أصفر (٢) الخشبُ الأصفر : خشب هذه الأشجار .

yellowy [yĕl'ō ĭ] *(adj.)* مُصْفَرّ ؛ ضاربٌ إلى الصفرة .

yelp [yĕlp] *(vi.; t.; n.)* (١) يعوي ؛ ينبح ×(٢) يقول بصوتٍ أشبه بالعواء §(٣) عُواء ؛ نُباح .

yelper [yĕl'pər] *(n.)* (١) العاوي ؛ النابح وبخاصة : كلب نابح (٢) المُوَقْوِقة : أداة يستخدمها الصيادون لإحداث صوت شبيه بصوت إناث الديكة الروميّة .

yen [yĕn] *(n.; vi.)* (١) اليَن : وحدة العملة اليابانيّة (٢) «أ» توقٌ شديد ، رغبة ملحّة . «ب» دافعٌ §(٣) يتوق توقاً شديداً .

yeoman [yō'mən] *(n.)* (١) اليَوْمَن : «أ» خادم أو تابع أو موظف صغير في قصر ملك أو نبيل . «ب» المساعد ، المعاون . «ج» أحد أفراد الحرس الملكي البريطاني . «د» ضابط صغير (في البحرية) يقوم بأعمال مكتبيّة عادةً . «هـ» فلاح صغير يملك أرضاً يزرعها ؛ وبخاصة : أحد أفراد طائفة من صغار مالكي الأرض الأحرار في انكلترة (٢) كلّ من (أو ما) يؤدي خدمات جليلة أو شاقة .

yeomanly [yō'mən lĭ] *(adj.; adv.)* (١) يَوْمَنيّ : منسوب إلى اليَوْمَن (را. المادة السابقة) أو ملائم له أو لائق به §(٢) على طريقة اليَوْمن أو على نحو لائق به : بشجاعة ؛ ببسالة .

yeoman of the guard يَوْمَنُ الحرس : أحد أفراد الحرس الملكي البريطاني .

yeomanry [yō'mən rĭ] *(n.)* اليوامنة : «أ» جماعة اليوامنة ، وبخاصة : صغار مالكي الأرض من أبناء الطبقة الوسطى . «ب» حرَس وطنيّ من الفرسان الانكليز انشىء عام ١٧٦١ من اليوامنة .

yeoman's service *or* **yeoman service** *(n.)* خدمة جُلّى ؛ عوْن أو تأييد صادق أو عظيم .

yerba maté [yĕr bə mä'tā] *(Sp.)* = maté.

yerk [yûrk] *(vt.; n.)* (١) يجلد أو يضرب بعنف (٢) «أ» يهاجم بقوة . «ب» ينخس بمهماز §(٣) «أ» جلْد . «ب» رفسة ؛ طعنة (٤) نخعة أو حركة سريعة .

yes [yĕs] *(adv.; n.)* (١) نعم ؛ بلى ؛ أجل §(٢) «أ» موافقة . «ب» صوت أو قرار أو رأي إيجابيّ .

yes-man [yĕs'-] *(n.)* الإمّعة : مَن يُقِرّ أو يؤيّد ، من غير انتقاد ، كلّ رأي أو اقتراح يُبْديه زميل له أو رئيس .

yester [yĕs'tər] *(adj.)* أمسيّ : ذو علاقة بالأمس (ا.ق) .

yesterday [yĕs'tər dĭ; -dā'] *(adv.; n.; adj.)* (١) أمسِ ؛ البارحة (٢) منذ عهد قريب §(٣) الأمس (٤) عد *pl.* : الماضي ؛ الزمن الماضي §(٥) ماضٍ ؛ منصرم (morning ~) .

yestereve [yĕs'tər ēv'] *(adv.; n.)* الليلة البارحة ؛ ليلة أمس .

yesterevening [yĕs'tər ēv'nĭng] *(adv.; n.)* = yestereve.

yestermorn [yĕs'tər môrn'] *(adv.; n.)* صباح أمس .

yestern [yĕs'tərn] *(adj.)* = yester.

yesternight [yĕs'tər nīt'] *(adv.; n.)* الليلة البارحة .

yesteryear [yĕs'tər yĭr'] *(adv.; n.)* العام الماضي .

yestreen [yĕs trēn'] *(adv.; n.)* الليلة البارحة .

yet [yĕt] *(adv.; conj.)* (١) فوق ذلك ؛ علاوةً على ذلك (gives ~ another reason) (٢) أيضاً ؛ حتى ؛ بل و ... (at a ~ faster speed) (٣) بَعْدُ ؛ حتى الآن (The guests

(Can't you tell me ~ ?) الآن (٤) (have not ~ arrived.)
(٥) لا يزال (Be thankful you are ~ alive.) (٦) يوماً ؛ ذاتَ يوم ؛ في النهاية (The murderer will be caught ~.)
(٧) مع ذلك ؛ على الرغم من ذلك (strange and ~ true)
§(٨) ومع ذلك (She worked well, ~ she failed.) .

yeti [yĕt'ĭ] *(n.)* = abominable snowman.

yew [ū] *(n.)* (١) الطَّقْسُوس : شجر دائم الخضرة من الفصيلة الصنوبرية (٢) خشب الطَّقسوس (٣) قَوْس للرماية من خشب الطَّقسوس .

yew

Yggdrasil [ĭg'drə sĭl'] *(n.)* الاغدراصيلة : شجرة دردار يزعم الأساطير الاسكندينافيّة أن جذورها وأغصانها تصل ما بين الأرض والجنة والجحيم .

Yiddish [yĭd'ĭsh] *(n.)* اليِيدِية : لهجة من لهجات اللغة الألمانيّة تكثُر فيها الكلمات العبرية والسلافية وينطق بها اليهود في الاتحاد السوفياتي وبلدان أوروبة الوسطى ؛ وهي تُكتَب بأحرف عبريّة .

yield [yēld] *(vt.; i.; n.)* (١) يمنح ؛ يَهَب ؛ يقدّم إلى (٢) يُسْلِم الروح (٣) «أ» يتخلّى عن . «ب» يستسلم لِ . «ج» يتنازل عن (٤) «أ» يُغِل ؛ يعطي غلّة أو محصولاً أو عائداتٍ مالية . «ب» يثمر ؛ ينتيج . «ج» يحدِث ؛ يسبب ×(٥) يخضع ؛ يُذْعِن ؛ يرقّ أو يلين (٦) يكون دون غيره جودةً الخ. (٧) يُخْلي مكانه لِ . . §(٨) غلّة ؛ محصول ؛ حصيلة (٩) الانتاجيّة : مدى القدرة على الانتاج .

yielder [yēl'dər] *(n.)* (١) فا yield (٢) مورد ؛ مصدر غلة الخ.

yielding [yēl'dĭng] *(adj.)* (١) مثمر (٢) لَدْن ؛ لَيِّن (٣) مِطواع ؛ مِذعان ؛ مائع .

yield point *(n.)* نقطة الخضوع : النقطة الممثّلة لنهاية حدّ المرونة.

yill [yĭl] *(n.)* = ale.

yip [yĭp] *(vi.; n.)* (١) يعوي ؛ ينبح §(٢) عُواء ؛ نُباح .

yippie *(n.)* = hippie.

yird [yûrd] *(n.; vt.; i.)* = earth.

ylang-ylang [ē'läng ē'läng] *(n.)* = ilang-ilang.

Ymir [ē'mĭr] *(n.)* يمير : عملاق تزعم الأساطير الاسكندينافيّة أن الآلهة خلقت العالم من جسده .

yodel [yō'dəl] *(vi.; t.; n.)* (١) يُيَوْدِل : «أ» يُغنّي مكثراً من الانتقال من الصوت العادي إلى صوت عالي الطبقة . «ب» يصيح أو ينادي بهذه الطريقة §(٢) أغنية أو صيحة مُيَوْدَلة .

yoga [yō'gə] *(Skt.)* اليوغا : «أ» *.cap* : فلسفة دينية هندية قِوامها التأمل وضبط النفس توصلاً إلى اتحاد الروح بالذات الإلهيّة . «ب» نظام من التمرينات غايته تمتّع المرء بجسم وعقل سليمَين وتعزيز سيطرته عليهما .

yogi [yō'gē] *or* **yogin** [yō'gən] *(Skt.)* اليوغاني : «أ» مزاوِل أو ممارس تمرينات اليوغا . «ب» *.cap* : أحد أتباع فلسفة اليوغا .

yogurt *or* **yoghurt** [yō'gŏŏrt] *(Turk.)* اللَّبْنة : لبن مُصفّى .

yoke [yōk] *(n.; vt.; i.)* (١) نِير (٢) مِقْرَن (مك) (٣) الفدان : ثوران يُقْرَن بينهما بِنِير (٤) «أ» عبودية . «ب» رباط ؛ صلة ؛ وبخاصة : زواج (٥) النِّير : «أ» جزء من الثوب يطوّق العنق والكتفين . «ب» أعلى التنّورة §(٦) يشدّ إلى نير (٧) يشدّ حيواناً إلى عربة (٨) يربط ؛ يَجْمَع (٩) يستعبد ؛ يُخضِع (ا.ق) (١٠) يُعْمِل ؛ يشغّل ×(١٠) يرتبط ؛ يتصل ؛ يزدوج .

yokefellow [yōk'fĕl'ō] *(n.)* (١) رفيق ؛ قرين ؛ خَدين . (٢) زوج ؛ زوجة .

yokel [yō'kəl] *(n.)* الفلاّح ؛ الريفي ؛ الجِلف .

yolk [yōk; yōlk] *or* **yoke** [yōk] *(n.)* المحّ : «أ» الجزء الأصفر من البيضة . «ب» شحم طبيعي يستخرج من جلود الخراف .
—yolked; yolky *(adj.)*

yolk gland *(n.)* الغُدّة المُحّيّة (مج) .

Yom Kippur [yŏm kĭp'ər] *(n.)* يوم التكفير (عند اليهود) .

yon [yŏn] *(adv.; adj.)* = yonder.

yond [yŏnd] *(adv.; adj.)* = yonder.

yonder [yŏn'dər] *(adv.; adj.)* (١) هناك ؛ هنالك (Look ~ !) . §(٢) قائم هناك : مَرْئِيّ (~ trees are maples.) (٣) أبعد ؛ أشدّ بُعْداً (on the ~ side) .

yoo-hoo [yōō'hōō] *(interj.)* ياهُو : هتاف لِلَفت النظر .

yore [yōr] *(n.)* الماضي ؛ الأيام الخالية (men of ~) .

Yorkist [yôr'kĭst] *(n.; adj.)* (١) اليوركي : أحد أفراد (أو مناصري) أسرة يورك الملكية الانكليزية (١٤٦١ – ١٤٨٥) §(٢) يوركيّ .

Yorkshire [yôrk'shĭr] *(n.)* اليوركشيري : خنزير أبيض منسوب إلى يوركشير بانكلترة .

Yorkshire pudding *(n.)* كعكة يوركشير : كعكة تُعَدّ من لحم ودقيق وحليب وبيض مخفوق .

Yorkshire terrier *(n.)* تِرْيَر يوركشير : كلب انكليزي قصير القوائم ، طويل الجسم ، حريريّ الشعر .

Yoruba [yō'rōō bä'] *(n.)* (١) اليَوْروبيّ : واحد اليوروبيين وهم شعب زنجي يقيم في ساحل افريقية الغربي وبخاصةٍ بين داهومي والنيجر (٢) اليَوْروبية : لغة اليَوْروبيين .
—Yoruban *(adj.)*

you [ū] *(pron.)* ضمير المخاطب : أنتَ ؛ أنتِ ؛ أنتما ؛ أنتم ؛ أنتنّ ؛ لكَ ؛ لكِ ؛ كما ؛ كم ؛ كنّ .

you'd [ūd] = you had; you would.

you'll [ūl] = you will; you shall.

young [yŭng] *(adj.; n.)* (١) صغير ؛ حدث ؛ ناشىء (٢) الابن (تستعمل لتمييز ابنٍ يحمل نفس اسم أبيه كقولك the ~ Mr. Smith) (٣) غِرّ ؛ قليل الخبرة (٤) جديد (a ~ ship) (٥) شابّ أو خاصّ بالشباب (٦) *.cap* : الفتاة : مشكِّل أو ممثِّل جماعةً أو حركة سياسيّة جديدة أو مجدّدة الشباب (*Young* Italy) §(٧) «أ» الأحداث ، الناشئة ، الشباب. «ب» صغار الانسان أو الحيوان (٨) الجرو : الصغير من أولاد الحيوان .
with ~, حامل ؛ حُبْلَى .

youngberry [yŭng'bĕr'ĭ] *(n.)* توت يونغ : ضرب من التوت الأميركي منسوب إلى ب. م. يونغ .

younger [yŭng'gər] *(adj.; n.)* (١) أصغر §(٢) شخص أصغر من غيره .

youngest [yŭng'gəst] *(adj.; n.)* (١) الأصغر §(٢) أصغر الأبناء.

youngish [yŭng'ĭsh] *(adj.)* صغير أو حدَث بعضَ الشيء .

youngling [yŭng'lĭng] *(n.; adj.)* (١) الصغير ، وبخاصة من الانسان أو الحيوان §(٢) صغير ؛ حدث ؛ ناشىء .

youngster [yŭng'stər] *(n.)* (١) «أ» شابّ. «ب» طفل (٢) طالب في السنة الثانية بالاكاديمية البحرية الأميركيّة (٣) صغير الحيوان الثديي أو الطائر أو النبات .

Young Turk *(n.)* (١) أحد أفراد حزب تركيا الفتاة، وهو حزب ثوريّ حكم تركيا، من ١٩٠٨ إلى ١٩١٨ (٢) الثوري؛ المتطرف؛ الراديكالي.

younker [yŭng'kər] *(n.)* (١) فتىً؛ شابّ (٢) طفل.

your [yo͝or] *(pron.; adj.)* كافُ المِلْك: صيغة المِلكية من *you* (كقولك *your* room ونحو ذلك).

you're [yo͝or] = you are.

yours [yo͝orz] *(pron.)* (١) لكَ؛ لكِ؛ لكما؛ لكم؛ لكنّ (٢) ما هو لكَ أو لكِ الخ. (That car is ~.) (She likes ours better than ~.) (٣) تحت تصرفك؛ في خدمتك. (I remain ~ to command.)

yourself [yo͝or sĕlf'] *(pron.)* نفسك؛ بنفسك.

yourselves [yo͝or sĕlvz'] *pl. of* yourself.

yours truly (١) لك بإخلاص: صيغة تختم بها الرسالة (٢) نفسي؛ ذاتي. (I can take care of *yours truly*.)

youth [ūth] *(n.)* (١) الشَّباب؛ الصِّبا (٢) «أ» فتى؛ شاب. «ب» الشبان؛ الشبيبة؛ الشباب.

youthful [ūth'fəl] *(adj.)* (١) شابّ؛ فتيّ (٢) غضّ؛ نضير (~ plants) (٣) قوي؛ نشيط (٤) غضّ الإهاب: لم يُحدِث كثيراً (أو لم يخضع لكثير) من التعرية (~ rivers; ~ islands).

youth hostel *(n.)* بيت الشباب (را. hostel 2).

you've [ūv] = you have.

yowl [youl] *(vi.; t.; n.)* (١) يعوي؛ يموء (٢) يُعْوِل (٣) يصرخ محتجاً × (٤) يعبّر عن كذا بالعواء أو نحوه § (٥) عُواء؛ مُواء الخ.

Yo-Yo [yō'yō] *(n.)* اليويو: لعبة مؤلفة من قرص مزدوج محزوز مزوَّد بسلكٍ أحدُ طرَفيه ملفوف حول الحزّ والآخر مشدود إلى يد المرء أو إصبعه على نحو يمكّنه من قذف القرص في اتجاهٍ ما وإعادته من ثم إلى اليد وهكذا.

yperite [ī'pĕr īt] *(F.)* غاز الخردل.

Y potential *or* **Y - potential** *(n.)* الجهد الصاديّ (كب).

ytterbia [ĭ tûr'bĭ ə] *(L.)* أكسيد الإيتَرْبيوم (ك).

ytterbic [ĭ tûr'bĭk] *(adj.)* إيتربيومي: منسوب إلى الايتربيوم (ك).

ytterbium [ĭ tûr'bĭ əm] *(n.)* الإيتَرْبيوم: عنصر فلزي نادر (ك).

ytterbous [ĭ tûr'bəs] *(adj.)* إيتَرْبيومي: منسوب إلى الايتربيوم (ك).

yttric [ĭt'rĭk] *(adj.)* إيتْريومي: منسوب إلى الإيتْريوم (ك).

yttrium [ĭt'rĭ əm] *(L.)* الإيتْريوم: عنصر فلزي نادر (ك).

yttrium metals *(n. pl.)* المعادن الإيتْريوميّة.

yucca

yuan [ū än'] *(Chin.)* اليُوان: وحدة النقد في الصين.

yucca *(Sp.)* اليُكّة: نبات من الفصيلة الزنبقية.

yuga [yo͞og'ə] *(Skt.)* الحِقبة؛ العصر: أحد الأحقاب الأربعة في دورة من دورات وجود العالم (في الفلسفة الهنديّة).

Yugoslav [ū'gō släv'] *(n.; adj.)* (١) اليوغوسلافي: أحد أبناء يوغوسلافيا § (٢) يوغوسلافي.

Yugoslavian [ū'gō släv'ĭ ən] *(adj.; n.)* = Yugoslav.

Yugoslavic [ū'gō släv'ĭk] *(adj.)* يوغوسلافي.

yule [ūl] *(n.)* عيد الميلاد: عيد ميلاد المسيح (نص).

yule log *or* **block** *or* **clog** حَطبة الميلاد: حطبة ضخمة كانت تُتّخذ أساساً لنار الموقد في عيد الميلاد (نص).

yuletide [ūl'tīd'] موسم الميلاد (نص).

Yuman [ū'mən] *(n.; adj.)* (١) اليومانية: أسرة من اللغات الهندية الأميركيّة (في جنوب غربيّ الولايات المتحدة الأميركيّة وشمالي المكسيك) § (٢) يومانيّ.

yummy [yŭm'ĭ] *(adj.)* مُبْهِج؛ لذيذ؛ جذابٌ جداً.

yurt [yo͞ort] *(Russ.)* اليُورْتة: خيمة جلدية أو لبّادية من خيام بدو سيبيريا المنغوليين.

Z

Zebras

z [zē; zĕd] *(n. often cap.)* (١) الحرف السادس والعشرون من الأبجدية الانكليزية (٢) شيء مُعتبَرٌ في المقام السادس والعشرين أو الخامس والعشرين أو الرابع والعشرين من حيث الترتيب أو الطبقة (٣) شيء على صورة حرف **Z** .

zabaglione [zăb'əl yō'nĭ] *(It.)* الزابليونيّة : مزيجٌ من البيض والسكّر والخمر أو عصير الفاكهة يخفق بالماء الحار ويقدَّم ساخناً أو بارداً في كأس .

zaffer *or* **zaffre** [zăf'ər] *(Ar.)* الزَّعْفَر : مزيج من أكسيد الكوبالت وسِيلِيكا يستخدم لتلوين الزجاج والخزف باللون الأزرق.

zamia [zā'mĭ ə] *(L.)* الزامية : شجر من الفصيلة السيكاسية نخليّ الأوراق مستطيل الأكواز (نب) .

zamindar [zə mēn'där'] *(Hin.)* الزَّمِينْدار (والجمع : زمادرة) : «أ» جابي الرسوم المفروضة على الأرض خلال الحكم الاسلامي للهند . «ب» إقطاعي في الهند البريطانيّة أو في أوائل عهد الهند بالاستقلال يدفع إلى الحكومة ضريبة محدَّدة .

zamindari [zə mēn'där'ĭ] *(Hin.)* الزَّمندارية : «أ» نظام جباية الرسوم أو امتلاك الأرض مِن قبل الزمادرة . «ب» أرض خاضعة لسلطة الزَّمِيندار .

zander [zăn'dər] *(G.)* الزَّنْدَر : سمك نهري أوروبي من فصيلة الفَرْخ الرامح (را. pike perch) .

zany [zā'nĭ] *(n.; adj.)* (١) المتملّق ؛ المتزلّف (٢) المهرج ؛ المضحِّك (٣)الأحمق ؛ المغفّل ؛ الساذج (٤) مُضحِك ؛ هزلي ؛ تهريجي (٥) أحمق ؛ مغفّل ؛ ساذج .
—zanily *(adv.)*
—zaniness *(n.)*

zareba *or* **zariba** [zə rē'bə] *(Ar.)* الزَّريبة : حظيرة مرتجلة تُقام من بعض النباتات الشائكة في السودان وغيره من البلدان الافريقية .

zarzuela [zärz (ə) wā'lə] *(Sp.)* الزَّرْزُويلة : أوبرا اسبانيّة هزليّة عادةً ، مشتملة على حوار ملفوظ .

z-axis [zē'ăk'sĭs] *(n.)* المِحْوَر العَيْنِيّ («ر»و«بلو») .

zeal [zēl] *(n.)* حماسة .

zealot [zĕl'ət] *(n.; adj.)* (١) الزِّيلوت : واحد من طائفة يهودية قديمة عرفت بمقاومتها الشديدة للسيطرة الرومانيّة على فلسطين (٢)المتحمس ؛ وبخاصة : الوطني المتعصّب §(٣)متحمس ؛ متعصّب .

zealotry [zĕl'ət rĭ] *(n.)* (١) حماسة مفرطة (٢) تعصب .

zealous [zĕl'əs] *(adj.)* متحمّس ؛ حماسيّ .

zealously [zĕl'əs lĭ] *(adv.)* بحماسة .

zealousness [zĕl'əs nĭs] *(n.)* حماسة ؛ تحمّس .

zebra

zebra [zē'brə] *(It.)* العَتّابي ؛ حمار الزَّرَد : حماروحشي مخطّط .
—zebrine; —zebroid *(adj.)*

zebra fish *(n.)* سمك الزَّرَد : سمك صغير مخطّط .

zebrawood [zē'brə wo͝od'] *(n.)* (١) شجر الزَّرَد : أيّ من ضروب مختلفة من الشجر تتميّز بخشبها المخطّط (٢) الخشب المزرَّد : خشب هذا الشجر .

zebu

zebu [zē'bū] *(F.)* الدَّرْباني : حيوان ثدييٌّ من الفصيلةالبقرية على غاربهِ سَنامٌ .

zecchino [tsĕk kē'nô] *(It.)* pl. **-ni** *or* **-nos** = sequin I.

zechin [zĕk'ĭn] *(It.)* = sequin I.

zed [zĕd]; **zee** [zē] *(n.)* الحرف z .

zedoary [zĕd'ō ĕr'ĭ] *(Per.)* الجَدْوار : «أ» عشب هندي يُستخدم في الطب وفي صنع العطور ومستحضرات التجميل . «ب» عقّار منبّه مستخرج من الجَدوار .

zein [zē'ĭn] *(L.)* الزِّين : بروتين يُستخرَج من الذُّرَة ويستخدم في صنع اللدائن والورنيش وخيوط النسيج وحبر الطباعة .

zeitgeist [tsīt'gīst'] *(G.)* روح العصر : طابعُ العصرِ العقليّ والأخلاقيّ والثقافيّ .

zemindar [zə mēn'där'] *(Hin.)* = zamindar.

zemindary [zə mēn'där'ĭ] *(Hin.)* = zamindari.

Zen *(n.)* الزِّنِّيَّة: فرقة بوذية تؤمن بأن في ميسور المرء أن ينفذ إلى طبيعة الحقيقة من طريق التأمل .

zenaida [zə nā'əd ə] *(L.)* الزِّنَيْدي : ضرب من الحمام البرّي .

zenana [zə nä'nə] *(Hin.)* = harem.

Zend-Avesta [zĕnd'ə vĕs'tə] *(n.)* = Avesta.

zenith [zē'nĭth; zĕn'ĭth] *(Ar.)* (١) السَّمْت ؛ سَمْت الرأس (فل). (٢) أَوْج ؛ ذروة (at the ~ of her fame).

zenithal [-əl] *(adj.)* سَمْتِيّ : منسوب إلى السَّمْت (فل).

zeolite [zē'ə līt'] *(n.)* الزِيوليت : أيّ من مجموعة من السِّليكات (را. silicate) المائية تُعرف بالزيوليتات.

Zephiran [zĕf'ĭ răn] *(n.)* الزِفيران : مادة مطهرة.

zephyr [zĕf'ər] *(L.)* (١) «أ» الدَّبور : الريح الغربيّة. «ب» نسيم عليل (٢) «أ» الزِّفير : قماش رشيق. «ب» قبّعة خفيفة ؛ شال أو مئزر رقيق.

Zephyrus [zĕf'ə rəs] *(L.)* الدَّبور : الريح الغربيّة.

zeppelin [zĕp'ə lĭn] *(G.)* مُنْطاد ؛ منطاد زِبْلِين.

zero [zē'rō] *(Ar.)* (١) صِفْر (٢) النكِرة : شخصٌ عديم الشأن.

zero hour *(n.)* ساعة الصفر : «أ» الساعة المحدَّدة لتنفيذ عملية عسكرية مرسومة. «ب» الزمن المحدَّد للبدء بعمل ما (كإطلاق صاروخ الخ.).

zest [zĕst] *(F.)* (١) «أ» المنكِّه : كل ما يضاف إلى الشيء لإعطائه نكهة ما. «ب» نكهة سائغة (٢) فتنة ؛ سحر ؛ متعة ؛ حيوية (٣) تلذّذ أو استمتاع شديد.
—zestful *(adj.)*

zesty [zĕs'tĭ] *(adj.)* = piquant.

zeta [zā'tə; zē'tə] *(Gk.)* زيتا : الحرف السادس من الأبجدية اليونانيّة.

Zeus [zōōs] *(n.)* زِيوس : كبير آلهة اليونان.

zibeline *or* **zibelline** [zĭb'ə līn; -lĭn] *(F.)* السابلين : نسيج صوفيّ ناعم صقيل.

zibet *or* **zibeth** [zĭb'ĭt] *(Ar.)* زَباد الهند : سِنّور الزباد (را. civet cat) الهندي.

ziggurat [zĭg'ōō răt] *(n.)* الزِّكّورة : هيكل بابليّ أو أشوري هرميّ الشكل مؤلف من عدة أدوار أو طوابق.

ziggurat

zigzag [zĭg'zăg'] *(n.; adv.; adj.; vt.; i.)* (١) «أ» خطّ متعرّج. «ب» أحد أقسام هذا الخطّ § (٢) بتعرّج § (٣) متعرج § (٤) يعرّج : يجعله متعرّجاً × (٥) يتعرّج ؛ ينطلق في خطّ متعرج (train ~ *ged* through the mountains).

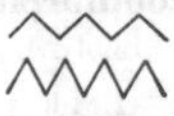

zigzags

zillion [zĭl'yən] *(n.)* الزِيليون : عدد ضخم غير محدود.

zinc [zĭngk] *(G.)* الزِّنك ؛ الخارصين : عنصرٌ فلزيّ أبيض مزرقّ.

zinc [zĭngk] *(vt.)* يزنّك ؛ يُخَرْصِن : يعالج أو يكسو بالزنك أو الخارصين.

zincate [zĭngk'āt] *(n.)* الزِّنكات : مركّب يتشكّل من تفاعل الزنك أو أكسيد الزنك مع محاليل المواد القلوية (ك).

zinc blende *(n.)* الزِّنكبلِنْد : كبريتيد الزنك.

zincic [zĭngk'ĭk] *(adj.)* زِنكيّ ؛ خارصِينيّ.

zincite [zĭngk'īt] *(G.)* الزِّنكيت : أكسيد الزنك الأحمر.

zincky *or* **zinky** *or* **zincy** [zĭngk'ĭ] *(adj.)* = zincic.

zincography [zĭng kŏg'rə fĭ] *(n.)* الحفر الزنكي ؛ الحفر بالزنكوغراف (طع).

zincoid [zĭngk'oid] *(adj.)* (١) زِنكيّ ؛ خارصِينيّ : منسوب إلى الزنك أو الخارصين (٢) زنكانيّ ؛ خارصانيّ : شبيه بالزنك أو الخارصين.

zinc ointment *(n.)* مرهم الزنك (لمعالجة الأمراض الجلدية).

zincous [zĭngk'əs] *(adj.)* زِنكيّ ؛ خارصِينيّ.

zinc oxide *(n.)* أكسيد الزنك : مركّب من زنك وأكسجين يستخدم في إعداد المستحضرات الصيدليّة والتجميلية.

zinc white *(n.)* أبيض الزنك : صِبغ أبيض مؤلف من أكسيد الزنك يستخدم في صنع ضروب الدهان.

zinfandel [zĭn'fən dəl] *(n.)* الزِّنْفَنْدَليّة : خمر تُعتَصَر من عنب كاليفورنيا الصغير الأسود.

zing [zĭng] *(n.; vi.)* (١) أزيز (٢) حيوية ؛ نشاط § (٣) يئزّ.

zinkenite [zĭng'kə nīt'] *(G.)* الزِّنكنيت (مع).

zinnia [zĭn'ĭ ə] *(n.)* الزينيّة : نبات من الفصيلة المركبة.

Zion [zī'ən] *(n.)* (١) جبل صهيون بالقدس (٢) بيت المقدس (٣) الشعب اليهودي (٤) كنيسة الله.

Zionism [zī'ə nĭz'əm] *(n.)* الصهيونيّة ؛ الحركة الصهيونيّة.

Zionist [zī'ə nĭst] *(n.; adj.)* (١) الصهيوني § (٢) صهيونيّ.

Zionistic [zī'ə nĭs'tĭk] *(adj.)* صهيونيّ.

zip [zĭp] *(vi.; t.; n.)* (١) يندفع أو يعمل بسرعة ونشاط (٢) ينطلق محدثاً أزيزاً (٣) ينفتح أو ينغلق بزمام منزلق × (٤) يزيده سرعةً أو قوةً (٥) يمدّه بالحيوية ؛ يجعله ممتعاً (٦) يفتحه أو يغلقه بزمام منزلق (٧) يفتح زماماً منزلقاً أو يغلقه § (٨) أزيز (٩) حيويّة ؛ نشاط.

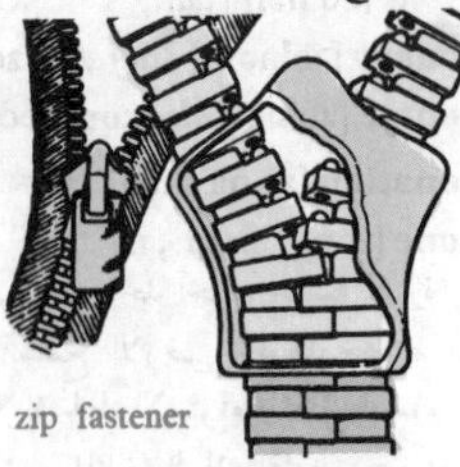

zip fastener

zip code [*z*one *i*mprovement *p*lan] *(n.)* رقم المنطقة : رقم خماسي يعيّن منطقة التوزيع البريدي في الولايات المتحدة الاميركية.

zip fastener *(n.)* الزِّمام المنزلق.

zipper [zĭp'ər] *(n.)* = zip fastener.

zippered [-'ərd] *(adj.)* مُزَمْلَق : مزوّد بزمام منزلق.

zippy [zĭp'ĭ] *(adj.)* رشيق ؛ مفعم بالحيوية والنشاط.

zircon [zûr'kŏn] *(n.)* الزِّركون : سِليكات الزركونيوم (مع).

zirconate [zûr'kə nāt'] *(n.)* الزِّركونات : ملح الحامض الزِّركوني.

zirconia [zər kō'nĭ ə] *(n.)* أكسيد الزِّركونيوم (ك).

zirconic [zər kŏn'ĭk] *(adj.)* زَرْكونيّ : منسوب إلى الزِّركون.

zirconic acid *(n.)* الحامض الزِّركوني (ك).

zirconium [zər kō'nĭ əm] *(n.)* الزِّركونيوم : عنصر فلزيّ نادر (ك).

zirconium oxide *(n.)* أكسيد الزِّركونيوم (ك).

zither [zĭth'ər] *(n.)* القانون : آلة موسيقية.

zloty [zlô'tĭ] *(n.)* الزلوتي : وحدة النقد البولندية.

zo- *or* **zoo-** بادئة معناها : «أ» حيوان (*zoo*logy). «ب» متحرّك.

-zoa لاحقة معناها : حيوانات (Proto*zoa*).

Zoantharia [zō ən thâr'ĭ ə] *(n. pl.)* المرجان الزهري (ح).

zodiac [zō'dĭ-] *(n.)* دائرة البروج أو رسمٌ يمثّلها (فل).

zodiacal [-dī'ə kəl] *(adj.)* بروجيّ : خاصّ بدائرة البروج (فل).

zodiacal light *(n.)* الضوء البروجيّ : وهج منتشر في السماء يُرى في الغرب بعد المغيب ويُرى في الشرق قبل الشروق.

zodiac

ă at; ā date; â care; ä car; ĕ egg; ē me; ĭ in; ī bite; ŏ lot; ō bone; ô orphan; oi boil; ŏŏ good; ōō boot; ou out; ŭ under; ū unity; û urgent; th thing; th this; zh vision; ə = *a* in alone, *e* in system, *i* in easily, *o* in gallop, *u* in circus.

-zoic لاحقة معناها : «أ» ذو طراز معيّن من الوجود الحيواني (endo*zoic*) . «ب» خاص بحقبة جيولوجيّة معيّنة(Meso*zoic*) .

zoisite [zoi'sīt] *(G.)* الزّوسيت : سليكات الكلسيوم والألمنيوم (مع) .

Zollverein [tsôl'fĕr īn'] *(G.)* الزولفراين : اتحاد جمركي ؛ وبخاصة : أحد الاتحادات الجمركيّة التي أنشئت (عام ١٨٣٤ وعام ١٨٦٧ مثلاً) بين بعض الولايات الألمانية بزعامة بروسيا .

zombi *or* **zombie** [zŏm'bĭ] *(n.)* (١) زومبي : «أ» الأفعى المؤلّهة في الديانة الودّونية (را. voodooism) . «ب» القوة الفوقطبيعيّة التي يزعم المعتقد الودّوني أنها تدخل أجساد الموتى فتحييها . «ج» ميّت أعيد إلى الحياة بهذه الطريقة من غير أن يستعيد القدرة على الكلام وحرية الارادة (٢) الزومبيّة : شراب مسكر يتألف من عصير الفاكهة ومزيج من الخمور المختلفة .

zonal [zō'nəl] *(adj.)* (١) مِنْطَقِيّ (٢) نطاقيّ .

zonary [zō'nə rĭ] *(adj.)* = zonal.

zonate [zō'nāt] *also* **zonated** [-ĭd] *(adj.)* مُمَنْطَق .

zonation [zō nā'shən] *(n.)* تمنطُق أو توزّع إلى مناطق .

zone [zōn] *(n.; vt.; i.)* (١) المِنطقة الكروية : أحد أجزاء خمسة كبيرة من سطح الأرض تحدّها خطوط موازية لخط الاستواء وتحمل أسماء تتفق والمناخ السائد فيها (جغ) (٢) نِطاق ؛ طوق ؛ حزام ؛ زُنّار (ا.ق) (٣) النِّطاق : طبقة أو مجموعة صغيرة من الطبقات تتميّز بنوع خاص من الأحافير (جي) (٤) مِنطقة §(٥) يطوّق (بحزام) (٦) يُمَنْطِق : يقسم إلى مناطق ×(٧) يتمنطق : يتوزّع إلى مناطق .

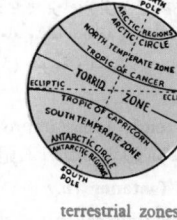

terrestrial zones

zoned [zōnd] *(adj.)* (١) مُمَنْطَق : مقسّم إلى مناطق (٢) مُتَنَطِّق ؛ مُتَمَنْطِق : شادّ على وسطه نطاقاً أو حزاماً (٣) عذراء ؛ طاهرة ؛ لابسة حزام العفّة (fair ~ damsels) .

zonule [zōn'ūl] *(n.)* (١) مِنْطَقَة صغيرة (٢) نطاق أو طوق أو حزام صغير .

— zonular *(adj.)*

zoo [zōō] *(n.)* حديقة الحيوان ؛ حديقة الحيوانات .

zoo- = zo-.

zoochemistry [zō'ə kĕm'ĭs trĭ] *(n.)* الكيمياء الحيوانيّة .

zoo-ecology [zō ə wĭ kŏl'ə jĭ] *(n.)* عِلم التبيّؤ الحيواني : فرع من عِلم التبيّؤ (را. ecology) يبحث في علاقة الحيوانات ببيئتها وبالحيوانات الأخرى .

zoogamete [zō ə gə mēt'] *(n.)* المَشيج المتحرك : مشيج متحرّك ؛ وبخاصة : مشيج الأشنة أو الطحالب المتحرك (أح) .

zoogenic [zō ə jĕn'ĭk] *(adj.)* حيواني (a ~ virus) .

zoogenous [zō ŏj'ə nəs] *(adj.)* = zoogenic.

zoogeographer [zō'ə jĭ ŏg' rə fər] *(n.)* الجغرافي الحيواني : العالم بالجغرافيا الحيوانيّة (را. المادة بعد التالية) .

zoogeographic; -al [zō'ə jē'ə grăf'-] *(adj.)* جغرافيحيَواني : ذو علاقة بالجغرافية الحيوانية (را. المادة التالية) .

zoogeography [zō'ə jĭ ŏg'rə fĭ] *(n.)* الجغرافيا الحيوانية : فرع من الجغرافيا الحيوية (را. biogeography) يبحث في توزع الحيوانات الجغرافي .

zooglea [zō'ə glē'ə] *(L.)* pl. **-s** *or* **-e** [-'ē] المُهلّمة : كتلة هلاميّة من البكتيريا تتشكّل عند انتفاخ جدران الخليّة نتيجةً لامتصاص الماء (بك) .

—zoogleal *(adj.)*

zoography [zō ŏg'rə fĭ] *(n.)* (١) علم الحيوان الوصفي : فرع من علم الحيوان يبحث في وصف الحيوانات (٢) الجغرافية الحيوانية (را. zoogeography) .

—zoographic; -al *(adj.)*

zooid [zō'oid] *(n.; adj.)* (١) الشِّبْحَيَوان ؛ شبه الحيوان : خليةٌ أو جسم عُضوي قادر على الحركة المستقلّة أو الذاتية (أح) . (٢) polyp §(٣)شِبْحَيَواني : شبيه بالحيوان .

—zooidal *(adj.)*

zoolatry [zō ŏl'ə trĭ] *(n.)* عبادة الحيوان أو الحيوانات .

zoological [zō'ə lŏj'ə kəl] *(adj.)* حيوانيّ : «أ» ذو علاقة بعلم الحيوان . «ب» ذو علاقة بالحيوان .

zoologically [zō'ə lŏj'ə kə lĭ] *(adv.)* حيوانياً ؛ من الوجهة الحيوانية .

zoological garden *(n.)* حديقة الحيوان أو الحيوانات .

zoologist [zō ŏl'ə jĭst] *(n.)* العالِم الحيواني ؛ العالم بالحيوان .

zoology [zō ŏl'ə jĭ] *(n.)* (١) عِلم الحيوان (٢) رسالة في عِلم الحيوان (٣)«أ» حيوانات منطقة ما . «ب» الخصائص والظواهر الحيوية التي يتكشف عنها حيوان ما أو طائفة من الحيوان معيّنة .

zoom [zōōm] *(vi.; t.; n.)* (١) يئِزّ أزيزاً متواصلاً (٢) تَزَوُّم : «أ» تَصْعَدُ الطائرة صعوداً شمعدانياً ؛ تصعد الطائرة فجأةً وبسرعة كبيرة مسافةً قصيرة . «ب» تقترب الكاميرا السينمائيّة أو التلفزيونيّة من الشيء أو تبتعد عنه بسرعة بحيث تبدو الصورة وكأنها تزداد قرباً من المُشاهد أو تزداد بُعداً عنه (٣) تتضخّم الأسعار أو ترتفع على نحو غير طبيعي §(٤) يزوّم : يجعل الطائرة أو الكاميرا تزوم §(٥) أزيز (٦) ارتفاع مفاجىء ؛ وبخاصة : زَوَمان .

zoometry [zō ŏm'ə trĭ] *(n.)* قياس الحيوانات أو أعضائها .

zoom lens *(n.)* عدسة التزويم (في كاميرا سينمائيّة أو تلفزيونية) .

zoomorphic [zō'ə môr'fĭk] *(adj.)* (١)حيوانيّ الشكل ؛ ذو شكل حيواني (٢) تَشْخِيصِيحَيَواني : ذو علاقة بالتشخيص الحيواني (را. المادة التالية) .

zoomorphism [zō'ə môr'fĭz əm] *(n.)* التشخيص الحيواني : «أ» تصوير الآلهة في شكل حيوانات أو خَلْعُ صِفات الحيوانات الدنيا عليها . «ب» استخدام الأشكال الحيوانيّة في الفنّ أو في الرمزية .

zoon [zō'ŏn] *(L.)* pl. **zoa** [zō'ə] (١) «أ» حُيَيّ ؛ حُيَيْوين . «ب» نِتاج البُيَيضة الملقّحة (واحداً كان أو أكثر) (٢) zooid .

-zoon لاحقة معناها : حيوان أو شبه حيوان (hemato*zoon*) .

zoonal [zō'ən əl] *(adj.)* حُيَيّيّ ؛ حُيَيْوِينيّ .

zooparasite [zō ə păr'ə sīt'] *(n.)* حيوان طُفَيْليّ .

zoophagous [zō ŏf'ə gəs] *(adj.)* لاحِم : آكل لحم الحيوانات .

zoophilous [zō ŏf'ə ləs] *(adj.)* محبّ أو مفضِّل للحيوان ؛ وبخاصة : حيوانيّ التلقح : مُعَدّ للتلقح من قِبل الحيوانات لا من قبل الحشرات (نب) .

zoophyte [zō'ə fīt'] *(n.)* المَرْيجيّ ؛ الحيوان النباتي : واحد من حيوانات لافقاريّة متعدّدة (كالمرجان وشقيق البحر والاسفنج) تبدو أشبه بالنبات من حيث الشكل وطريقة النموّ .

zooplasty [zō'ə plăs'tĭ] *(n.)* الجراحة التعويضيّة الحيوانيّة : جراحة تعويضيّة تجرى بنقْل النسيج الحيّ من أحد الحيوانات الدنيا إلى الجسم البشري (جر) .

zoosperm [zō'ə spûrm'] *(n.)* (١) «أ» الحُيَيّ الذكَري (نب) . «ب»الحُيَيّ المَنَوي(أح) (٢)البَوْغ الحيواني (را. المادةبعد التالية) .

zoosporangium [zō'ə spə răn'jĭ əm] *(L.)* pl. **-gia** حاملة البوغ الحيواني : كيس بوغيّ حامل للبوغ الحيواني (نب) .

ă at; ā date; â care; ä car; ĕ egg; ē me; ĭ in; ī bite; ŏ lot; ō bone; ô orphan; oi boil; ŏŏ good; ōō boot; ou out; ŭ under; ū unity; û urgent; th thing; *th* this; zh vision; ə = *a* in alone, *e* in system, *i* in easily, *o* in gallop, *u* in circus.

zoospore [zō'ə spōr'] *(n.)* البَوْغ الحيواني : بَوْغٌ قادرٌ على الحركة يكون في بعض الأشنة والفطور (نب) .

zoosterol [zō ŏs'tə rōl] *(n.)* الأستيرول الحيواني : أيّ من استيرولات (را. sterol) عديدة (كالكولستيرول) ذات منشأ حيواني (كح) .

zootechnical [zō'ə tĕk'nə kəl] *(adj.)* تَرْبِيْدَواجنيّ : ذو علاقة بتربية الدواجن .

zootechnician [zō'ə tĕk nĭsh'ən] *(n.)* الدّواجنيّ : العالم بتربية الدواجن .

zootechnics [zō'ə tĕk'nĭks] *(n.)* = zootechny.

zootechny [zō'ə tĕk nĭ] *(n.)* تربية الدواجن أو الحيوان .

zootomy [zō ŏt'ə mĭ] *(n.)* علم تشريح الحيوان .

zoot suit [zōōt] *(n.)* بذلة زوت : بذلة رجاليّة تتألف من صُدْرَة ضيّقة ، وسترة طويلة تبلغ الركبتين ، وبنطلون ضيّق (عب) .

Zoroastrian [zōr'ō ăs'trĭ-] *(adj.; n.)* (١) زرادَشتيّ : منسوب إلى النبي الفارسي زرادَشت أو إلى تعاليمه §(٢) الزّرادَشتيّ : أحد أتباع زرادَشت .

Zoroastrianism [zōr'ō ăs'trĭ ə nĭz'əm] *(n.)* الزَّرادَشتيّة : ديانة فارسيّة قديمة منسوبة إلى النبيّ زرادَشْت . وهي تقول بوجود إلَهين ، واحد يمثل الخير والآخر يمثّل الشرّ . وان الصراع بينهما لا ينقطع .

zoster [zŏs'tər] *(L.)* داء المِنْطَقة ؛ القوباء المِنْطِقِيّة : مرض جلديّ .

Zouave [zōō äv'; zwäv] *(F.)* الزّواويّ : «أ» جندي من فرقة مشاة فرنسيّة كانت تتألف في الأصل من جنود جزائريّين يرتدون ملابس شرقيّة مزركشة . «ب» جندي من جنود فرقة شبيهة بهذه .

zucchetto [tsōōk kĕt'ô] *(It.)* السُّكَيْتَة : قلنسوة خاصة برجال الدّين الكاثوليك .

zucchini [zōō kē'nĭ] *(It.)* القَرْع الصيفي (نب) .

Zulu [zōō'lōō] *(n.; adj.)* (١) الزُّولوويّ : واحد الزُّولو وهم شعب ناطق بلغة البانتو في ناتال بجنوب افريقية (٢) الزّولُوويّة : لغة الزُّولو §(٣) زُولُوويّ .

Zuñi [zōō'nyē] *(n.)* (١) الزُّون : قبيلة من هنود أميركة الحمر تقيم في الجزء الغربي من ولاية نيو مكسيكو (٢) الزُّونيّ : واحد الزّون (٣) الزُّونيّة : لغة الزون .
—Zuñian *(adj.)*

zwieback [tswē'băk] *(G.)* البُقْسماط : ضرب من الخبز يقطّع إلى شرائح ثمّ يحمّص في الفرن .

Zwinglian [zwĭng'glĭ ən] *(adj.; n.)* (١) إتْزْونغليّ : منسوب إلى المصلح البروتستانتي السويسري «إتْزْونغلي» أو إلى مذهبه §(٢) الإتْزْونْغليّ : أحد أتباع إتْزْونغلي .

zwitterion [tsvĭt'ər ī ən] *(G.)* الأيون الهجين : أيونٌ ذو شحنتين موجبة وسالبة (كف) .

zyg- *or* **zygo-** بادئة معناها : «أ» نِير ؛ مِقْرَن . «ب» زوجيّ ؛ مزدوج . «ج» اتحاد ؛ اقتران .

zygapophysis [zĭg'ə pŏf'ə sĭs] *(n.)* النامية المِقْرنية : إحدى نوامٍ مفصليّة أربع (ناميتان منها أماميّتان وناميتان خلفيتان) في قوس الفقارة الظهريّ . وهي تشدّ كل فقارة بتلك التي فوقها وتلك التي تحتها (ت) .

zygodactyl [zī'gə dăk'tĭl] *(adj.; n.)* (١) زوجيّ البراثن : ذو أو ذات براثن زوجية اثنان منها أمام القائمة واثنان خلفها (صفةٌ لطائرٍ أو قائمتهِ) §(٢) الزوجيّ البراثن : طائر زوجيّ البراثن .

zygodactylous [zī'gə dăk'tə ləs] *(adj.)* = zygodactyl.

zygoid [zī'goid] *(adj.)* = zygotic.

zygoma [zī gō'mə] *(L.)* pl. **-ta** *or* **-s**. (١) العظمُ الوَجْنيّ (ت) (٢) القوس الوَجْنيّ (ت) .

zygomatic [zī'gə măt'ĭk] *(adj.)* وَجْنيّ (ت) .

zygomatic arch *(n.)* القوس الوَجْنيّ (ت) .

zygomatic bone *(n.)* العَظْم الوَجْنيّ (ت) .

zygomatic process *(n.)* النامية أو الناشزة الوَجْنيّة (ت) .

zygomatic suture *(n.)* الدَّرْز الوَجْنيّ (ت) .

zygomorphic ; zygomorphous [zī'gə môr'-] *(adj.)* (١) مِقْرَنيّ أو نِيريّ الشكل : على شكل مِقرَنٍ أو نِيرٍ (٢) ثنائيّ التجانس (نب) .

zygophyllaceous [zī gō fə lā'shəs] *(adj.)* قِدِّيسيّ ؛ رُطْرَيطيّ : خاصّ بالقِدّيسيات أو الرُّطْريطيات **Zygophyllaceae** وهي فصيلة نباتيّة تشمل خشب القديسين وعود الأنبياء الخ .

zygophyte [zī'gə fīt'] *(n.)* اللاقِحيّ : نبات يتكاثر بواسطة الأبواغ اللاقحية (را. المادة التالية) .

zygose [zī'gōs] *(adj.)* اقترانيّ : متعلق بالاقتران (را. المادة التالية) .

zygosis [zī gō'sĭs] *(L.)* pl. **zygoses** [-'sēz] الاقتران : تكوّن اللواقح نتيجةً لاتحاد الأمشاج (أح) .

zygospore [zī'gə spōr'] *(n.)* البَوغ اللاقحيّ : بوغ ينشأ من اقتران خليّتين جنسيّتين متماثلتين (نب) .
—zygosporic *(adj.)*

zygote [zī'gōt] *(n.)* اللاقحة : خلية تنشأ من اندغام مشيجَيْن (أح) .

zygotic [zī'gŏt ĭk] *(n.)* لاقحيّ : منسوب إلى اللاقحة (أح) .

zym- *or* **zymo-** بادئة معناها : «أ» اختمار . «ب» خميرة .

zymase [zī'mās] *(n.)* الزِّيماز ؛ الكحولاز : خميرة تحوّل السكّر إلى كحول وثاني أكسيد الكربون (كح) .

-zyme لاحقة معناها : خميرة ؛ أنزيمة .

zymogen [zī'mə jən] *(n.)* الزِّيموجين ؛ مولِّدة الخمائر (كح) .

zymogenic [zī mə jĕn'ĭk] *(adj.)* (١) مخمِّر (٢) زيموجيني : متعلّق بمولّدات الخمائر (كح) .

zymology [zī mŏl'ə jĭ] *(n.)* الزيمولوجيا ؛ علم الخمائر : علم يبحث في التخمّر وفي فِعل الخمائر .

zymologic [zī'mə lŏj'ĭk] *(adj.)* زيمولوجيّ : متعلّق أو خاصّ بالزيمولوجيا أو عِلم الخمائر .

zymologist [zī mŏl'ə jĭst] *(n.)* الزيمولوجيّ : العالم بالزيمولوجيا أو عِلم الخمائر .

zymolysis [zī mŏl'ə sĭs] *(n.)* (١) الأنزيمية : فِعل الخمائر الهضمي والتخميري (٢) تخمّر ؛ اختمار .
—zymolytic *(adj.)*

zymometer [zī mŏm'ə tər] *(n.)* الزيمومتر ؛ المِخمار : أداة تبيّن مدى التخمّر أو الاختمار .

zymoplastic [zī mə plăs'tĭk] *(n.)* مُخمِّر ؛ مولّد للخمائر .

zymoscope [zī'mə skōp] *(n.)* الزّيموسكوب ؛ مقياس التخميرية : جهاز لقياس قدرة الخميرة على التخمير .

zymosis [zī mō'sĭs] *(L.)* (١) مرض مُعْدٍ (ا.ق) (٢) تخمّر ؛ اختمار .

ă at; ā date; â care; ä car; ĕ egg; ē me; ĭ in; ī bite; ŏ lot; ō bone; ô orphan; oi boil ŏŏ good; ōō boot; ou out; ŭ under; ū unity; û urgent; th thing; th this; zh vision; ə = *a* in alone, *e* in system, *i* in easily, *o* in gallop, *u* in circus.

zymosthenic [zī mŏs thĕn'ĭk] *(adj.)* منشِّط لفعل الخمائر .

zymotic [zī mŏt'ĭk] *(adj.)* (١) «أ» تخمُّريّ ؛ اختماريّ . «ب» مخمِّر (٢) مُعْدٍ .

zymurgy [zī'mûr jĭ] *(n.)* الكيمياء الاختماريّة : فرع من الكيمياء يبحث في العمليات الاختماريّة وبخاصة ما اتصل منها بإعداد الخمرة والجعة .

zythum [zī'thəm] *(L.)* الزِّيتوم : «أ» جعة مصر القديمة . «ب» جعة شعوب الشمال القديمة .

ملاحق

APPENDIXES

CUSTOMARY ABBREVIATIONS

USED IN MODERN WRITING AND PRINTING

مختصرات معتمدة في الكتابة والطباعة العصريتين

A

a., 1. about. 2. acre; acres. 3. adjective.

A, 1. *Chem.* argon. 2. *Physics.* angstrom unit.

AA, 1. antiaircraft. 2. Automobile Association. جمعية السيارات .

AAA, 1. antiaircraft artillery. 2. American Automobile Association الجمعية الاميركية للسيارات .

A.A.A.L., American Academy of Arts and Letters. المجمع الاميركي للفنون والآداب

A.A.A.S., American Association for the Advancement of Science الجمعية الاميركية لتقدم العلوم

A.A.R., against all risks. ضدّ جميع الاخطار

A.A.U.P., American Association of University Professors الجمعية الاميركية لاساتذة الجامعات

A.A.U.W., American Association of University Women الجمعية الاميركية للجامعيات .

A.B., 1. (L. *Artium Baccalaureus*) Bachelor of Arts . بكالوريوس في الفنون أو الآداب 2. able-bodied (seaman).

abbr., abbreviation.

abn., airborne.

abp., archbishop.

abr., 1. abridged. 2. abridgment.

abs., absolute.

abstr., abstract.

ac., account.

Ac, *Chem.* actinium.

A.C., 1. *Elect.* alternating current. 2. (L. *ante Christum*) before Christ. 3. athletic club.

acad., 1. academic. 2. academy.

acc., 1. account. 2. accusative.

A.C.E., American Council on Education المجلس الاميركي للتربية .

ack., 1. acknowledge. 2. acknowledgment.

acpt., acceptance.

A.C.S., American Chemical Society. الجمعية الكيميائية الاميركية .

act., 1. active. 2. actual.

actg., acting.

A.D., 1. active duty. 2. air-dried. 3. anno Domini . (را . صفحة ٥٠)

A.D.C., aide-de-camp.

addn., addition.

addnl., additional.

ad int., ad interim . (را . صفحة ٢٨)

adj., 1. adjective. 2. adjourned. 3. adjunct. 4. adjustment. 5. adjutant.

adjt., adjutant.

ad loc., (L. *ad locum*) at or to the place في (او الى) المكان .

adm., 1. administration. 2. administrative. 3. admiral.

admin., administration.

adv., 1. adverb. 2. adverbial. 3. adverbially. 4. advertisement. 5. ad valorem.

ad val., ad valorem . (را . صفحة ٢٩)

advt., advertisement.

A.E.C., Atomic Energy Commission. لجنة الطاقة الذرية .

AF, 1. air force. 2. Anglo-French. 3. audio frequency.

A.F.B., air force base . قاعدة جوية

A.F.C., automatic frequency control.

aff., affirmative.

afft., affidavit.

A.F.L., or **A.F. of L.,** American Federation of Labor . اتحاد العمل الاميركي

Afr., 1. Africa. 2. African.

aft., afternoon.

Ag, *Chem.* (L. *argentum*) silver.

agcy., agency.

agr., or **agric.,** 1. agricultural. 2. agriculture.

Agt. *or* **agt.,** agent.

a.h., ampere-hour . (را . صفحة ٣٥) anno Hegirae . (را . صفحة ٥٠)

A.H.A., American Historical Association الجمعية التاريخية الاميركية .

a.i., ad interim . (را . صفحة ٢٨)

A.I.A., American Institute of Architects المعهد الاميركي للمهندسين المعماريين .

A.I.E.E., American Institute of Electrical Engineers المعهد الاميركي للمهندسين الكهربائيين .

Al, *Chem.* aluminum.

Ala., Alabama (احدى الولايات المتحدة الاميركية) .

A.L.A., American Library Association جمعية المكتبات الاميركية

Alb., 1. Albania. 2. Albanian.

alc., alcohol.

ald., alderman.

alg., algebra.

alk., 1. alkaline. 2. alkali.

alt., 1. alternate. 2. altitude.

a.m. *or* **A.M.,** ante meridiem (را . صفحة ٥١) .

Am., 1. America. 2. American.

A.M. *or* **M.A.,** (L. *Artium Magister*) Master of Arts . ماجستير في الفنون او الآداب

A.M.A., American Medical Association. الجمعية الطبية الاميركية .

amb., ambassador.

amdt., amendment.

Amer., 1. America. 2. American.

amp., ampere.

amp. hr., ampere-hour . (را . صفحة ٤٤)

amt., amount.

A.M.U., atomic mass unit وحدة الكتلة الذرية (فز) .

anal., 1. analogous. 2. analogy. 3. analysis.

anat., 1. anatomical. 2. anatomy.

anc., ancient.

ann., 1. annals. 2. annual.

anon., anonymous.

ans., answer.

ant., 1. antenna. 2. antonym.

anthrop., 1. anthropological. 2. anthropology.

a/o account of.

ap., apostle.

Ap., April.

A.P., 1. additional premium. 2. arithmetic progression. 3. Associated Press. 4. author's proof.

A.P.O., army post office.

app., 1. apparatus. 2. apparent. 3. appendix. 4. appointed.

approx., 1. approximate. 2. approximately.

appt., 1. appoint 2. appointed.

apptd., appointed.

Apr., April.

apt., apartment.

aq., 1. (L. *aqua*) water. 2. aqueous.

AQ, 1. accomplishment quotient. 2. achievement quotient.

ar., 1. arrival. 2. arrive ; arrives.

Ar, *Chem.* argon.

Ar., 1. Arabic. 2. Aramaic.

A.R., 1. acknowledgment of receipt. 2. all risks. 3. annual return. 4. army regulation. 5. autonomous republic.

Arab., 1. Arabia. 2. Arabian. 3. Arabic.

ARC or A.R.C., American Red Cross الصليب الاحمر الاميركي

arch., 1.archaic. 2. archaism. 3. archery. 4. archipelago. 5. architect. 6. architectural. 7. architecture.

Arch., Archbishop.

archeol., archeology.

arg., argent.

arith., 1. arithmetic. 2. arithmetical.

Ariz., Arizona (احدى الولايات المتحدة الاميركية)

Ark., Arkansas (احدى الولايات المتحدة الاميركية)

arr., 1. arranged. 2. arrival. 3. arrive(d).

art., 1. article. 2. artificial. 3. artillery.

arty., artillery.

As, *Chem.* arsenic.

AS., 1. airspeed. 2. Anglo-Saxon. 3. antisubmarine.

A.S.C.A.P., American Society of Composers, Authors and Publishers. الجمعية الاميركية للملحنين والمؤلفين والناشرين.

A.S.C.E., American Society of Civil Engineers الجمعية الاميركية للمهندسين المدنيين .

asg., 1. assigned. 2. assignment.

asgmt., assignment.

A.S.M.E., American Society of Mechanical Engineers الجمعية الاميركية للمهندسين الميكانيكيين .

assn., association.

asso., or assoc., 1. associate. 2. association.

A.S.S.R., Autonomous Soviet Socialist Republic.

asst., assistant.

assy., assembly.

Assyr., Assyrian.

astrol., 1. astrologer. 2. astrological. 3. astrology.

astron., 1. astronomer. 2. astronomical. 3. astronomy.

at., 1. airtight. 2. atomic.

AT., antitank.

Atl, Atlantic.

atm., 1. atmosphere. 2. atmospheric.

at. no., atomic number.

att., 1.attached. 2.attention. 3.attorney.

attn., attention.

attrib., 1. attribute. 2. attributive(ly).

atty., attorney.

atty. gen., attorney general.

at. wt., atomic weight.

Au, *Chem.* (L. *aurum*) gold.

A.U., angstrom unit.

aug., augmentative.

Aug., August.

A.U.S., Army of the United States.

Austral., 1. Australia. 2. Australian.

auth., 1. authentic. 2.author. 3.authorized.

aux., auxiliary.

av., 1.avenue. 2.average. 3.avoirdupois.

A/V ad valorem (را. صفحة ٢٩)

A.V., Authorized Version(of the Bible).

avdp., avoirdupois.

ave., avenue.

avg., average.

avn., aviation.

A.W., 1. actual weight. 2. aircraft warning. 3. articles of war. 4. automatic weapon.

A.W.O.L. *Mil.* absent without leave.

ax., axiom.

az., 1. azimuth. 2. azure.

B

b., 1. bacillus. 2. black. 3. blue. 4. book. 5. born. 6. breadth. 7. brother.

B, *Chem.* boron.

B., 1.bay. 2.Bible. 3.British. 4.Brotherhood. 5. bachelor.

Ba, *Chem.* barium.

B.A., (L. *Baccalaureus Artium*)Bachelor of Arts بكالوريوس في الفنون أو الآداب .

bact., bacterial. 2. bacteriology. 3. bacterium.

bal., balance.

bar., 1. barometer. 2. barometric.

B. Arch. or BArch., Bachelor of Architecture بكالوريوس في فن العمارة

Bart. or Bt., baronet.

Bav., Bavarian.

B.B.A., Bachelor of Business Administration بكالوريوس في ادارة الاعمال .

B.B.C., British Broadcasting Corporation هيئة الاذاعة البريطانية .

bbl., 1. barrel. 2. barrels.

B.C., 1. before Christ. 2. Bachelor of Chemistry بكالوريوس في الكيمياء . 3. British Columbia كولومبيا البريطانية

B.C.E., Bachelor of Civil Engineering. بكالوريوس في الهندسة المدنية .

B.Ch.E., Bachelor of Chemical Engineering. بكالوريوس في الهندسة الكيميائية .

B.C.L., 1. Bachelor of Canon Law. بكالوريوس في القانون الكنسي . 2. Bachelor of Civil Law بكالوريوس في القانون المدني .

B.C.S., Bachelor of Commercial Science بكالوريوس في علم التجارة .

bd., 1. board. 2. bond. 3. bound.

B.D., Bachelor of Divinity بكالوريوس في اللاهوت .

B/D, bank draft.

bd., ft., 1. board foot. 2. board feet.

bdl., bundle.

B.D.S., Bachelor of Dental Surgery. بكالوريوس في جراحة الاسنان .

Be, *Chem.* beryllium.

B.E., 1. Bachelor of Education بكالوريوس في التربية
2. Bachelor of Engineering بكالوريوس في الهندسة
3. bill of exchange.

B/E, bill of exchange.

B.Ed., Bachelor of Education بكالوريوس في التربية

bef., before.

B.E.F., British Expeditionary Force(s).

Belg., 1. Belgian. 2. Belgium بلجيكة.

B.E.M., British Empire Medal مدالية الامبراطورية البريطانية

bet., between.

BEV, billion electron volts.

b.f. *or* **bf.,** boldface.

B.F.A., Bachelor of Fine Arts بكالوريوس في الفنون الجميلة

bg., bag.

bhd., bulkhead.

BHP., brake horsepower.

Bi, *Chem.* bismuth.

bib., 1. Bible. 2. biblical.

bibliog., 1. bibliographer. 2. bibliography.

biochem., biochemistry.

biog., 1. biographical. 2. biography.

biol., 1. biological. 2. biology.

B. J., Bachelor of Journalism بكالوريوس في الصحافة

bk., 1. bank. 2. book.

Bk., *Chem.* berkelium.

bkg., banking.

bkgd., background.

bks., 1. barracks. 2. books.

bkt., 1. basket. 2. bracket.

bl., 1. bale ; bales. 2. barrel ; barrels.

B.L., Bachelor of Laws. بكالوريوس في القانون

B/L, bill of lading.

bldg., building.

B.Lit., Bachelor of Literature بكالوريوس في الادب

B. Litt., Bachelor of Letters بكالوريوس في الآداب

blk., 1. black. 2. block.

B. LL., Bachelor of Laws بكالوريوس في القانون .

bls., bales.

B.L.S., Bachelor of Library Science بكالوريوس في علم المكتبات

blvd., boulevard.

B.M., 1. Bachelor of Medicine بكالوريوس في الطب .
2. British Museum المُتْحَف البريطاني

B.M.E., 1. Bachelor of Mechanical Engineering. بكالوريوس في الهندسة الميكانيكية
2. Bachelor of Mining Engineering بكالوريوس في هندسة المناجم .

B.Mus., Bachelor of Music بكالوريوس في الموسيقى

bn., battalion.

bor., 1. borough. 2. *Chem.* boron.

bot., 1. botanical. 2. botanist. 3. botany.

botan., botanical.

bp., 1. baptized. 2. birthplace. 3. bishop.

b.p., 1. bills payable. 2. boiling point.

B.P.E., Bachelor of Physical Education بكالوريوس في التربية البدنية .

B.P.H., Bachelor of Public Health بكالوريوس في الصحة العامة

B.Ph. *or* **B. Phil.,** Bachelor of Philosophy. بكالوريوس في الفلسفة

br., 1. branch. 2. bronze. 3. brother.

Br, *Chem.* bromine.

Br., 1. Britain. 2. British.

b.r. *or* **B/R.** bills receivable.

Braz., 1. Brazil. 2. Brazilian.

brig., 1. brigade. 2. brigadier.

brig. gen., brigadier general.

Brit., 1. Britain. 2. British.

brl., barrel.

bro., 1. brother. 2. brothers.

bros., brothers.

b.s., 1. balance sheet. 2. bill of sale.

B.S., 1. Bachelor of Science بكالوريوس في العلم
2. Bachelor of Surgery بكالوريوس في الجراحة

B.S.A., 1. Bachelor of Scientific Agriculture بكالوريوس في الزراعة العلمية
2. Boy Scouts of America كشافة اميركا

B.Sc., (L. *Baccalaureus Scientiae*) Bachelor of Science. بكالوريوس في العلم

bskt., basket.

B.T. *or* **B.Th.,** (L. *Baccalaureus Theologia*) bachelor of Theology بكالوريوس في اللاهوت .

btry. battery.

bu., 1. bureau. 2. bushel. 3. bushels.

Bulg., 1. Bulgaria. 2. Bulgarian.

bull., bulletin.

bur., bureau.

bus., 1. business. 2. bushel. 3. bushels.

B.V., Blessed Virgin.

bvt., 1. brevet. 2. brevetted.

B.W.I., British West Indies.

bx., box.

C

c., 1. (L. *circa, circiter, circum*) about. 2. capacity. 3. cent.; cents. 4. center. 5. centigrade. 6. centime. 7. centimeter. 8. century. 9. chapter. 10. copyright. 11. cubic. 12. cup. 13. cycle.

C, 1. carbon. 2. a hundred-dollar bill.

C., 1. Cape. 2. Catholic. 3. Celtic. 4. Centigrade. 5. Conservative.

ca., (L. *circa*) about. حوالى (عام كذا)

Ca, *Chem.* calcium.

C.A., 1. Central America. 2. chief accountant. 3. Coast Artillery. 4. commercial agent. 5. controller of accounts. 6. current account.

CAA, Civil Aeronautics Administration ادارة الطيران المدني

CAB, Civil Aeronautics Board مجلس الطيران المدني .

C.A.F., cost and freight.

cal., 1. calendar. 2. caliber. 3. calorie. 4. calories.

Cal. *or* **Calif.,** California (احدى الولايات المتحدة الاميركية)

calc., 1. calculate. 2. calculated.

Can. *or* **Canad.,** 1. Canada. 2. Canadian.

canc. *or* **can.,** canceled.

C. and F., cost and freight.

C. and LC., capitals and lower case.

Cantab., (L. *Cantabrigiensis*) of Cambridge.

cap., 1. capacity. 2. capital. 3. capitalize. 4. capitalized.

caps., 1. capitals. 2. capsule.

capt., captain.

C.A.R., civil air regulations.

card., cardinal.

cat., 1. catalog. 2. catechism.

cath., cathedral.

Cath., Catholic.

cav., cavalry.

Cb., 1. *Chem.* columbium. 2. cumulonimbus.

C.B., (L. *Chirurgiae Baccalaureus*) Bachelor of Surgery بكالوريوس في الجراحة .
C.B.C., Canadian Broadcasting Corporation. هيئة الاذاعة الكندية .
C.B.D., cash before delivery.
cc., 1. cubic centimeter 2. cubic centimeters.
Cc., cirrocumulus.
C.C., 1. carbon copy. 2. chief clerk.
C.C.F., 1. Chinese communist forces. 2. Cooperative Commonwealth Federation (of Canada).
ccw., counterclockwise.
cd., 1. cord. 2. cords.
Cd, *Chem.* cadmium.
C.D., 1. civil defense. 2. (F. *corps diplomatique*) diplomatic corps. 3. current density.
cdr., commander.
Ce, *Chem.* cerium.
C.E., 1. Chemical Engineer. 2. Civil Engineer.
cem., cement.
cen., central.
cent., 1. centigrade. 2. central. 3. century.
cert., 1. certificate. 2. certified. 3. certify.
cf., (L. *confer*) compare.
Cf, *Chem.* californium.
C.F., 1. centrifugal force. 2. cost and freight.
C.F.I., cost, freight, and insurance.
C.F.M., cubic feet per minute.
C.F.S., cubic feet per second.
cg. *or* **cgm.,** 1. centigram. 2. centigrams
C.G., 1. center of gravity. 2. coast guard.
cgs, centimeter-gram-second (system).
ch., 1. chain. 2. chains. 3. champion. 4. chaplain. 5. chapter. 6. chief. 7. child. 8. children. 9. church.
C.H., 1. clearing house. 2. courthouse. 3. customhouse.
chan., channel.
chap. 1. chaplain. 2. chapter.
chem., 1. chemical. 2. chemist. 3. chemistry.
chg., charge.
Chin., Chinese.
chm., chairman.
chron., 1. chronicle. 2. chronology.
Ci., cirrus.

C.I., 1. cast iron. 2. certificate of insurance. 3. cost and insurance.
cia., (Sp. *compañia*) company.
C. I. A., Central Intelligence Agency وكالة الاستخبارات المركزية (الاميركية)
C.I.D., Criminal Investigation Department (Scotland Yard) دائرة المباحث الجنائية « سكوتلاند يارد » .
C.I.F., cost, insurance, and freight (included in the price quoted) الثمن والتأمين واجر الشحن متضمَّنة في السعر المحدَّد .
C. in C., commander in chief.
cir. *or* **circ.,** circular.
cit., 1. citation. 2. cited. 3. citizen.
civ., 1. civil. 2. civilian.
C.J., Chief Justice.
ck., 1. cask. 2. check.
cl., 1. carload. 2. centiliter. 3. class. classification. 5. clause. 6. close. 7. closet. 8. cloth.
Cl, *Chem.* chlorine.
cld., 1. called. 2. cleared.
clin., clinical.
clk., clerk.
clo., clothing.
clr., clear.
cm., 1. centimeter. 2. centimeters.
Cm, *Chem.* curium.
cmd., *or* **comd.,** command.
cml., commercial.
C.N., credit note.
C.N.S., central nervous system.
co., 1. company. 2. county.
c/o care of. (ر . صفحة ١٥٣) .
Co, *Chem.* cobalt.
C.O., 1. commanding officer. 2. conscientious objector.
cod., codex.
C.O.D., cash on delivery.
coeff. *or* **coef.,** coefficient.
C. of C., Chamber of Commerce غرفة التجارة
C. of S., Chief of Staff رئيس الأركان.
cog., cognate.
col., 1. college. 2. colonel. 3. colonial. 4. colony. 5. color. 6. colored. 7. column.
coll., 1. collection. 2. collector. 3. college. 4. collegiate. 5. collective. 6. colloquial.
colloq., 1. colloquial. 2. colloquialism.
Colo., Colorado (احدى الولايات المتحدة الاميركية) .

com., 1. comedy. 2. command. 3. commandant. 4. commander. 5. commerce. 6. commission. 7. commissioner. 8. committee. 9. common. 10. commonly.
comb., 1. combination. 2. combining.
comdg., commanding.
comdr. *or* **cmdr.,** commander.
comdt., commandant.
coml., commercial.
comm., 1. commander. 2. commerce. 3. commission. 4. committee. 5. commonwealth.
commo., commodore.
comp., 1. comparative. 2. compare. 3. compiled. 4. compiler. 5. composition. 6. compound.
compar., comparative.
compd., compound.
comr., commissioner.
con., 1. conclusion. 2. (L. *conjunx*) wife. 3. consolidated. 4. consul. 5. continued. 6. (L. *contra*) against.
conc., 1. concentrate. 2. concentrated. 3. concentration. 4. concrete.
concn., concentration.
cond., conductivity.
conf., 1. conference. 2. (L. *confer*) compare.
Confed., Confederate.
cong., 1. congress. 2. (L. *congius*) gallon.
conj., 1. conjugation. 2. conjunction. 3. conjunctive.
Conn., Connecticut (احدى الولايات المتحدة الاميركية)
cons., consonant.
consol., consolidated.
const., 1. constant. 2. constitution. 3. constitutional.
constr., construction.
cont., 1. containing. 2. contents. 3. continent. 4. continental. 5. continued. 6. control.
contd., continued.
contg., containing.
contr., 1. contract. 2. contracted. 3. contraction.
contrib., 1. contribution. 2. contributor.
conv., 1. convention. 2. convertible.
Cop. *or* **Copt.,** Coptic.
cor., 1. corner. 2. corrected. 3. correction. 4. corresponding.

corp., 1. corporal. 2. corporation.
corr., 1. corrected. 2. correction. 3. correspondence. 4. corresponding. 5. corrugated.
cos., 1. companies. 2. cosine. 3. counties.
C.O.S., 1. cash on shipment. 2. chief of staff.
cosec., cosecant.
cot., cotangent.
cp., 1. compare. 2. coupon.
CP., candlepower.
C.P., 1. center of pressure. 2. chemically pure. 3. communist party. 4. custom of port.
C.P.A., certified public accountant.
cpd., compound.
C.P.F.F., cost plus fixed fee.
cpl., corporal.
C.P.M., cycles per minute.
C.P.S., cycles per second.
cr., 1. credit. 2. creditor. 3. crown.
Cr, *Chem.* chromium.
C.R., 1. conditioned reflex. 2. conditioned response.
cresc., crescendo.
crim., criminal.
crit., 1. critical. 2. criticism.
C.R.T., cathode-ray tube.
cryst., 1. crystalline. 2. crystallized.
cs., 1. case. 2. cases.
c/s cycles per second.
Cs, *Chem.* cesium.
C.S., 1. chief of staff. 2. civil service. 3. conditioned stimulus.
csc., cosecant
C.S.T., central standard time.
ct., 1. carat. 2. cent. 3. certificate. 4. count. 5. court.
Ct., Connecticut (احدى الولايات المتحدة الاميركية)
ctn., 1. carton. 2. cotangent.
ctr., center.
cts., 1. cents. 2. certificates.
cu., cubic.
Cu, (L. *cuprum*) copper.
cur., 1. currency. 2. current.
cv. *or* cvt., convertible.
cw., clockwise.
C.W., chemical warfare.
C.W.O., 1. cash with order. 2. chief warrant officer.
cwt., hundredweight.
cyc. *or* cycl., cyclopedia.
cyl., cylinder.
C.Y.O., Catholic Youth Organization. منظمة الشباب الكاثوليكي .
C.Z., Canal Zone. منطقة القناة .

D

d., 1. date. 2. daughter. 3. day. 4. days. 5. degree. 6. delete. 7. (L. *denarius*) penny. 8. (L. *denarii*) pence. 9. density. 10. dialect. 11. dialectal. 12. diameter. 13. died. 14. dime. 15. dividend. 16. dollar. 17. dose.
D., 1. December. 2. Democrat. 3. Democratic. 4. doctor. 5. dollar. 6. dose. 7. drachma.
D.A., 1. delayed action. 2. deposit account. 3. district attorney. 4. Don't answer.
Dan., 1. Daniel. 2. Danish.
dat., dative.
db., 1. debenture 2. decibel 3. decibels.
D.B., day book.
dbl., double.
D.C., 1. da capo (را. صفحة ٢٤٦) 2. decimal classification. 3. direct current. 4. District of Columbia.
D.C.L., Doctor of Civil Law دكتور في القانون المدني
D.C.M., Distinguished Conduct Medal مدالية السلوك الممتاز
dd., delivered.
D.D., 1. days after date 2. demand draft. 3. Doctor of Divinity دكتور في اللاهوت .
D.D.S., 1. Doctor of Dental Science دكتور في طب الاسنان . 2. Doctor of Dental Surgery دكتور في جراحة الاسنان .
deb., debenture.
DDT, (را . صفحة ٢٥٠) .
dec., 1. deceased. 2. decimeter. 3. declaration. 4. declared. 5. declination. 6. decorated. 7. decorative. 8. decrease. 9. decrescendo.
Dec., December.
decd., deceased.
def., 1. defective. 2. defendant. 3. defense. 4. deferred. 5. defined. 6. definite. 7. definition.
deg., 1. degree. 2. degrees.
del., 1. delegate. 2. delegation.
Del., Delaware (احدى الولايات المتحدة الاميركية) .
dely., delivery.
dem., demurrage.
Dem., 1. Democrat. 2. Democratic.
Den., Denmark . الدانمرك؛ بلاد الدانمرك
dent., 1. dental 2. dentist. 3. dentistry.
dep., 1. depart. 2. department. 3. departure. 4. deposed. 5. deposit. 6. depot. 7. deputy.
depr., depreciation.
dept., department.
der., 1. derivation. 2. derivative. 3. derived.
deriv., 1. derivation. 2. derivative.
Derby., Derbyshire (اقليم في اواسط انكلترة)
det., 1. detached. 2. detachment. 3. detail.
detd., determined.
detn., determination.
dev., deviation.
Devon., Devonshire (اقليم في انكلترة) .
D.F., 1. damage free. 2. Defender of the Faith. 3. direction finder.
D.F.A., Doctor of Fine Arts دكتور في الفنون الجميلة
dft., 1. defendant. 2. draft.
dg., 1. decigram. 2. decigrams.
D.G., 1. (L. *Dei gratia*) by the grace of God بنعمة الله 2. director general.
dia. *or* diam., diameter.
diag., 1. diagonal. 2. diagram.
dial., 1. dialect. 2. dialectical.
dict., 1. dictation. 2. dictator. 3. dictionary.
dif. *or* diff., 1. difference. 2. different.
dig., digest.
dil., dilute.
dim., 1. dimension. 2. diminished. 3. diminuendo. 4. diminutive.
din., dinar.
dir., director.
dis., 1. discharge. 2. discount.
disc., 1. discount. 2. discovered.
disp., dispensary.
diss., dissertation.

dist., 1. distance. 2. distinguish. 3. distinguished. 4. district.
distn., distillation.
distr., 1. distribute. 2. distribution.
div., 1. divided. 2. dividend. 3. division. 4. divisor. 5. divorced.
dj., dust jacket.
D.J., disk jockey.
dk., 1. dark. 2. deck. 3. dock.
dkg. decagram.
dkl., decaliter.
dkm., decameter.
dks., decastere.
dl., deciliter.
D. Lit., (L. *Doctor Literarum*) Doctor of Literature. دكتور في الادب .
D. Litt., (L. *Doctor Litterarum*) Doctor of Letters. دكتور في الآداب .
D.L.S., Doctor of Library Science دكتور في علم المكتبات .
dm., decimeter.
D.M., Deutsche mark. (را . صفحة ٢٦٧)
D. Mus., Doctor of Music دكتور في الموسيقى .
dn., down.
do., ditto.
doc., document.
dol., dollar.
dom., 1. domain. 2. domestic. 3. dominant. 4. dominion.
doz., 1. dozen. 2. dozens.
D.P., 1. degree of polymerization. 2. direct port. 3. displaced person. 4. documents against payment. 5. documents for payment.
D.P.H., Diploma in Public Health دبلوم في الصحة العامة .
D.Ph. *or* **D. Phil.,** Doctor of Philosophy. دكتور في الفلسفة .
dpt., 1. department. 2. deponent.
dr., 1. debit. 2. debtor. 3. drachma. 4. drachmas. 5. dram. 6. drams. 7. drive. 8. drum.
Dr., doctor.
D.R., 1. dead reckoning. 2. dining room.
dram., 1. dramatic. 2. dramatist.
Ds, *Chem.* dysprosium.
D.S. *or* **D. Sc.,** Doctor of Science دكتور في العلم
D.S.M., distinguished service medal.
D.S.T., daylight saving time.
D. Th (eol)., Doctor of Theology دكتور في اللاهوت
Du., 1. duke. 2. Dutch.
dup., duplicate.
D.V., Deo volente . (را . صفحة ٢٦٢)
D.V.M., Doctor of Veterinary Medicine. دكتور في الطب البيطري .
D.V.M.S., Doctor of Veterinary Medicine and Surgery دكتور في الطبابة والجراحة البيطريتين
dw., deadweight.
dwt., pennyweight.
DX, *Radio.* distance.
dy., 1. delivery. 2. deputy. 3. duty.
Dy, *Chem.* dysprosium.
dynam. *or* **dyn.,** dynamics.
dz., 1. dozen. 2. dozens.

E

e, erg.
e., 1. eldest. 2. entrance.
E., 1. east. 2. eastern. 3. edge. 4. *Chem.* einsteinium. 5. engineer. 6. English. 7. excellent.
ea., each.
E. and O.E., errors and omissions excepted. ما عدا الخطأ والسّهو .
E.B., Encyclopaedia Britannica دائرة المعارف البريطانية .
eccl., 1. ecclesiastic. 2. ecclesiastical.
ECG, electrocardiogram.
ech., echelon.
ecol., 1. ecological. 2. ecology.
econ., 1. economics. 2. economist. 3. economy.
Ecua., Ecuador. الاكوادور ؛ بلاد الاكوادور
ed., 1. edited. 2. edition. 3. editor. 4. education.
E.D., extra duty.
Ed. B., Bachelor of Education بكالوريوس في التربية .
Ed. D., Doctor of Education دكتور في التربية .
Edin., Edinburgh. (أدنبره عاصمة اسكتلندة)
edit., 1. edited. 2. edition. 3. editor.
Ed. M., Master of Education ماجستير في التربية .
eds., 1. editions. 2. editors.
educ., 1. educated. 2. education. 3. educational.
E.E., 1. electrical engineer. 2. errors excepted. ما عدا الخطأ
E.E.N.T., eye, ear, nose and throat.
eff., efficiency.
e.g., (L. *exempli gratia*) for example.
Eg., 1. Egypt. مِصْر 2. Egyptian.
Egypt., Egyptian.
E.I., 1. East Indian. 2. East Indies.
EKG, electrocardiogram.
el. *or* **elev.,** elevation.
elec., 1. electric. 2. electrical. 3. electricity.
elem., 1. elementary. 2. elements.
embryol., embryology.
emer., emeritus.
E.M.F., electromotive force.
emp., 1. emperor. 2. empress.
enc. *or* **encl.,** enclosure.
ency. *or* **encyc.** encyclopedia.
eng., 1. engine 2. engineer. 3. engineering.
Eng., 1. England. 2. English.
engr., 1. engineer. 2. engraved. 3. engraving.
engrs., engineers.
enl., 1. enlarged. 2. enlisted.
ens., ensign.
entom. *or* **entomol.,** 1. entomological. 2. entomology.
env., envelope.
E.O.M., end of month. نهاية الشهر .
E.P., 1. estimated position. 2. extended play.
eq., 1. equal 2. equation. 3. equivalent.
equip., equipment.
equiv., equivalent.
Er, *Chem.* erbium.
Es, *Chem.* einsteinium.
Esk., Eskimo.
esp., especially.
esq. *or* **esqr.,** esquire.
est., 1. established. 2. estimate. 3. estimated.
EST, eastern standard time.
Et, *Chem.* ethyl.
ET, eastern time.
E.T.A., estimated time of arrival وقت الوصول المقدّر
et al., (L. *et alii*) and other things وأشياء اخرى
etc., et cetera. (را . صفحة ٣٢١)
E.T.D., estimated time of departure وقت المغادرة المقدّر .

ethnol., ethnology.

et seq., *pl.* **et seqq.** *or* **et sqq.** (L. *et sequens*) and what follows. وما يلي .

Eu, *Chem.* europium.

Eur., 1. Europe. 2. European.

E.V., electron volt.

evap., evaporate.

eve. *or* **evg.,** evening.

E.W., enlisted woman.

ex., 1. examination. 2. examined. 3. example. 4. except. 5. exception. 6. exchange. 7. excursion. 8. executed. 9. executive. 10. express. 11. extra.

exc., 1. excellent. 2. except. 3. exception. 4. excursion.

Exc., Excellency.

exch., 1. exchange. 2. exchanged. 3. exchequer.

ex. div., without dividend.

exec., 1. executive. 2. executor.

exhbn., exhibition.

exor., executor.

exp., 1. expense(s). 2. experiment. 3. experimental. 4. expired. 5. export. 6. exportation. 7. exported. 8. exporter. 9. express.

expt., experiment.

exptl., experimental.

exs., examples.

ext., 1. extension. 2. exterior. 3. external. 4. externally. 5. extinct. 6. extra. 7. extract.

exx., examples.

F

f., 1. farad. 2. farthing. 3. female. 4. feminine. 5. fine. 6. following. 7. force. 8. forte. 9. franc. 10. frequency.

F., 1. Fahrenheit. 2. false. 3. February. 4. fellow. 5. fluorine. 6. French. 7. Friday.

F.A., field artillery.

F.A.A., Federal Aviation Agency وكالة الطيران الاتحادية .

fac., 1. facsimile. 2. factor. 3. factory. 4. faculty.

F. Adm., fleet admiral.

Fahr., Fahrenheit.

fam., 1. familiar. 2. family.

F.A.O., Food and Agricultural Organization of the United Nations منظمة الأغذية والزراعة التابعة لهيئة الامم المتحدة .

far., farthing.

fasc., fascicle.

F.B., freight bill فاتورة الشّحن .

F.B.I., Federal Bureau of Investigation مكتب المباحث الاتحادي ؛ وكالة الاستخبارات الاميركية .

fcp., foolscap.

F.D., 1. fire department. 2. free dock.

Fe, *Chem.* (L. *ferrum*) iron.

Feb., February.

fec., (L. *fecit.*) He *or* She made.

fed., 1. federal. 2. federation.

fedn., federation.

fem., feminine.

ff., 1. folios. 2. and the following (pages, verses, etc.). 3. fortissimo.

F.I.C., Fellow of the Institute of Chemistry زميل في معهد الكيمياء .

fict., fiction.

fig, 1. figurative. 2. figuratively. 3. figure.

figs., figures.

fin., 1. finance. 2. financial. 3. finish.

Finn., Finnish.

fin. sec., financial secretary.

fl., 1. floor. 2. florin. 3. flourished. 4. fluid.

Fla., Florida. (احدى الولايات المتحدة الاميركية) .

fl. dr., fluidram.

Flem., Flemish.

fl. oz., fluid ounce.

fm., 1. fathom. 2. from.

Fm, *Chem.* fermium.

FM., frequency modulation.

fn., footnote.

fo. *or* **fol.,** folio.

F.O., 1. field officer. 2. Foreign Office.

f.o.b. *or* **F.O.B.,** free on board . (را صفحة ٣٥٩ و ٣٦٩) .

for., 1. foreign. 2. forestry.

f.p., freezing point.

f.p.m., feet per minute.

F.P.O., fleet post office.

f.p.s., 1. feet per second. 2. foot-pound-second.

fr., 1. father. 2. franc. 3. friar. 4. from.

Fr, *Chem.* francium.

Fr., 1. France. 2. French. 3. Friday.

F.R.C.M., Fellow of the Royal College of Music زميل في الكلية الملكية للموسيقى .

freq., 1. frequent. 2. frequentative. 3. frequently.

F.R.G.S., Fellow of the Royal Geographical Society. زميل في الجمعية الملكية الجغرافية .

Fri., Friday.

front., frontispiece.

F.R.S., Fellow of the Royal Society زميل في الجمعية الملكية

frt., freight.

FS., filmstrip.

ft., 1. feet. 2. foot. 3. fort. 4. fortification.

FTC Federal Trade Commission لجنة التجارة الاتحادية .

fth. *or* **fath.** fathom.

ft-lb., foot-pound.

fund., fundamental.

fur., furlong.

furl., furlough.

fut., future.

f.v., (L. *folio verso*) on the back of the page. على قفا الصفحة .

fwd., forward.

F.Z.S., Fellow of the Zoological Society زميل في جمعية علم الحيوان .

G

g., 1. (acceleration of) gravity. 2. gender. 3. genitive. 4. gram. 5. grams. 6. guinea.

G., 1. German. 2. good. 3. (specific) gravity. 4. guilder. 5. gulf.

ga., gauge.

Ga, *Chem.* gallium.

Ga., Georgia (احدى الولايات المتحدة الاميركية) .

G.A., 1. general agent. 2. general assembly. 3. general average.

gal., 1. gallon. 2. gallons.

galv., galvanized.

gar., garage.

G.A.R., Grand Army of the Republic جيش الجمهورية العظيم .

G.A.W., guaranteed annual wage الأجر السنوي المضمون .

gaz., 1. gazette. 2. gazetteer.

G.B., Great Britain بريطانية العظمى .

gd., good.

Gd, *Chem.* gadolinium.

gds., goods.

Ge, *Chem.* germanium.

geb., (G. *geboren*) born.

gen., **1.** gender. **2.** general. **3.** genitive. **4.** genus.

Gen., 1.General. **2.** Genesis. **3.** Geneva.

genl., general.

Geo., George.

geog., **1.** geographer. **2.** geographic. **3.** geographical. **4.** geography.

geol., **1.** geologic(al). **2.** geologist. **3.** geology.

geom., **1.** geometric(al). **2.** geometry.

geophys., 1.geophysical. 2.geophysics.

ger., gerund.

Ger., **1.** German. **2.** Germany.

G.F.W.C., General Federation of Women's Clubs . الاتحاد العام لنوادي السيدات

G.H.Q., general headquarters.

G.I., galvanized iron.

Gib., Gibraltar جبل طارق .

Gk., Greek.

Gl, *Chem.* glucinum.

gloss., glossary.

gm., **1.** gram. **2.** grams.

G.M., **1.** general manager. **2.** guided missile.

G.M.T., Greenwich mean time.

G.O.P., Grand Old Party (the Republican Party) الحزب الجمهوري الاميركي

Goth., Gothic.

gov., **1.** government. **2.** governor.

govt., government.

gp., group.

G.P., **1.** general practitioner. **2.** geometric progression.

g.p.d., gallons per day.

g.p.m., gallons per minute.

GPO, Government Printing Office مكتب الطباعة الحكومي .

G.P.O., General Post Office مكتب البريد العام .

g.p.s., gallons per second.

G.Q., general quarters.

gr., **1.** grade. **2.**grain. **3.**grains. **4.** gram. **5.** grams. **6.** gravity. **7.** gross.

Gr., **1.** Grecian. **2.** Greece. **3.** Greek.

grad., **1.** graduate. **2.** graduated.

gram., **1.** grammar. **2.** grammatical.

Gr. Br. *or* Gr. Brit., Great Britain بريطانية العظمى .

gro., gross.

gr. wt., gross weight.

gs., guineas.

G.S., general staff.

G.S.A., Girl Scouts of America مرشدات اميركة .

gt., **1.** great. **2.** (L. *gutta*) drop.

Gt. Br. *or* Gt. Brit., Great Britain بريطانية العظمى .

gtd., guaranteed.

gyn. *or* gynecol., gynecology.

H

h., **1.** harbor. **2.** hard. **3.** hardness. **4.** height. **5.** henry. **6.** heroin. **7.** high. **8.** hour. **9.** hours. **10.** house. **11.** hundred. **12.** husband.

H, *Chem.* hydrogen.

ha., hectare.

h.a., (L. *hoc anno*) in this year. في هذا العام

handbk., handbook.

Hb., hemoglobin.

H.B.M., His(*or* Her)Britannic Majesty.

H.C., **1.** Holy Communion. **2.** House of Commons.

H.C.L., high cost of living.

hd., **1.** hand. **2.** head.

H.D., heavy-duty.

hdbk., handbook.

hdkf., handkerchief.

hdqrs., headquarters.

hdwe., hardware.

He, *Chem.* helium.

H.E., 1.high explosive. 2.His Eminence. **3.** His Excellency.

Heb., **1.** Hebrew. **2.** Hebrews.

her., heraldry.

hex., **1.** hexagon. **2.** hexagonal.

hf., **1.** half. **2.** high frequency.

Hf, *Chem.* hafnium.

hg., **1.** hectogram. **2.** hectograms. **3.** hemoglobin.

Hg, (L. *hydrargyrum*) mercury.

hgt., height.

H.H., 1.Her Highness. 2.His Highness. **3.** His Holiness.

hhd., **1.** hogshead. **2.** hogsheads.

H.I.H., **1.** Her Imperial Highness. **2.** His Imperial Highness.

H.I.M., **1.** Her Imperial Majesty. **2.** His Imperial Majesty.

hist., 1.historical. 2.historian. 3.history.

H.J., (L. *hic jacet*) here lies . هنا يَرْقُدُ

H.J.S., (L. *hic jacet sepultus*) here lies buried . هنا يَرْقُدُ دفيناً .

hl., hectoliter.

H.L., House of Lords . مجلس اللوردات

hm., hectometer.

H.M., **1.** Her Majesty. **2.** His Majesty.

H.M.S., **1.** Her Majesty's Ship. **2.** His Majesty's Ship.

hon., 1.honor. 2.honorable. 3.honorary.

Hond., Honduras هندوراس (جمهورية في اميركا الوسطى) .

hor., 1.horizon. 2.horizontal. 3.horology.

hort., **1.** horticultural. **2.** horticulture.

hosp., hospital.

hp., horsepower.

H.P., **1.** high pressure.

H.Q., headquarters.

hr., **1.** hour. **2.** hours.

Hr., (G. *Herr*) Mr. هرّ ؛ سيّد ؛ مستر .

H.R., House of Representatives مجلس النواب .

H.R.H., **1.** Her Royal Highness. 2.His Royal Highness.

hrs., hours.

h.s., (L. *hoc sensu*) in this sense. بهذا المعنى .

H.S., high school.

H.S.E., (L. *Hic sepultus est*) Here is buried . هنا يَرْقُدُ

ht., height.

H.T., high-tension.

Hung., **1.** Hungarian. **2.** Hungary. هنغاريا .

hvy., heavy.

hwy., highway.

hy., henry.

hyd., **1.** hydraulics. **2.** hydrostatics.

hydraul., hydraulics.

hyp. *or* hypoth., 1.hypothesis. 2.hypothetical.

I

I, *Chem.* iodine.

I., **1.** island. **2.** isle. **3.** inclination. **4.** intensity. **5.** moment of inertia.

Ia., Iowa (احدى الولايات المتحدة الاميركية)
ib. *or* **ibid.,** ibidem. (را . صفحة ٤٤٥)
I.B., incendiary bomb.
I.C.A., 1. International Cooperation Administration إدارة التعاون الدولي.
2. International Cooperative Alliance اتحاد التعاون الدولي .
I.C.A.O., International Civil Aviation Organization منظمة الطيران المدني الدولية.
ICBM., intercontinental ballistic missile قذيفة بالِسْتيّة بَيْقاريّة .
I.C.C., 1. International Chamber of Commerce. غرفة التجارة الدولية .
2. Interstate Commerce Commission لجنة التجارة بين الولايات .
I.C.J., International Court of Justice محكمة العدل الدولية (في لاهاي) .
id., (L. *idem*) same. مثلُهُ ؛ « شَرْحُهُ » .
i.e., (L. *id est*) that is. يعني ؛ أعني .
I.F.S., Irish Free State دولة ايرلندة الحرة.
I.G., 1. Indo-Germanic. 2. inspector general.
I.G.Y., International Geophysical Year السنة الجيوفيزيائية الدولية .
IHS, (L.*Iesus Hominum Salvator*) Jesus, Saviour of Men. يسوع مخلص البشر .
Il, *Chem.* illinium.
ill. 1. illustrated. 2. illustration.
Ill., Illinois.(احدى الولايات المتحدة الاميركية)
illus., 1. illustrated. 2. illustration.
I.L.O., International Labor Organization منظمة العمل الدولية .
I.M.F., International Monetary Fund صندوق النقد الدولي .
imit., 1. imitation. 2. imitative.
imp., 1. imperative. 2. imperfect. 3. imperial. 4. import. 5. imported. 6. importer. 7. imprimatur.
Imp., 1. (L. *Imperator*) Emperor. 2. (L. *Imperatrix*) Empress.
imper., imperative.
imperf., imperfect.
in., 1. inch. 2. inches.
In, *Chem.* indium.
inc., 1. inclosure. 2. included. 3. including. 4. inclusive. 5. incorporated. 6. increase.
incl., 1. inclosure. 2. including. 3. inclusive.
incog., 1. incognita. 2. incognito.
incor., 1. incorporated. 2. incorrect.
incr., 1. increase. 2. increased. 3. increasing.
ind., 1. independent. 2. index. 3. indicative. 4. industrial. 5. industry.
Ind., 1. India. 2. Indian. 3. Indiana (احدى الولايات المتحدة الاميركية)
indef., indefinite.
indic., 1. indicating. 2. indicative.
individ., individual.
indus., 1. industrial. 2. industry.
inf., 1. infantry. 2. infinitive. 3. information. 4. (L. *infra*) below;after.
infin., infinitive.
infl., influenced.
init., initial.
inorg., inorganic.
I.N.R.I., (L. *Iesus Nazarenus, Rex Iudaeorum*) Jesus of Nazareth, King of the Jews. يسوع الناصري ملك اليهود .
ins., 1. inches. 2.inspector. 3.insulated. 4. insurance.
insol., insoluble.
insp., inspector.
inst., 1. instant. 2. institute. 3. institution. 4. institutional. 5. instrumental.
instr., 1. instructor. 2. instrument. 3. instrumental.
int., 1.interest. 2.interior. 3.interjection. 4. internal. 5. international. 6. interpreter. 7. intransitive.
intens., intensive.
interj., interjection.
internat., international.
interrog., 1. interrogation. 2. interrogative.
intl., international.
intr. *or* **intrans.,** intransitive.
intro. *or* **introd.,** 1. introduction. 2. introductory.
inv., 1. invented. 2. inventor. 3.invoice.
Io, *Chem.* ionium.
IOU, I owe you. (را . صفحة ٤٨١) .
IPA, International Phonetic Alphabet الابجدية الصوتية الدولية .
i.p.m., inches per minute.
i.p.s., inches per second.
i.q., (L. *idem quod*) the same as.
IQ. *or* **I.Q.,** (را . صفحة ٤٨١) .
Ir, *Chem.* iridium.
Ir., 1. Ireland. 2. Irish.
Ire., Ireland. ايرلندة .
irreg., 1. irregular. 2. irregularly.
is., *or* **isl.,** 1. island. 2. isle.
isls., islands.
I.S.V., International Scientific Vocabulary. المعجمية العلمية الدولية .
It. *or* **Ital.,** 1. Italian. 2. Italy . إيطاليا
ital., 1. italic. 2. italicized.
I.T.O., International Trade Organization منظمة التجارة الدولية .
I.U., 1. international unit. 2. international units. (را . صفحة ٤٧٦) .
IV., 1. intravenous. 2. intravenously.
I.W.W., Industrial Workers of the World. عمال العالم الصناعيون .

J

J, joule. (را . صفحة ٤٩٤) .
J., 1. journal. 2. judge. 3. justice.
Ja., January.
J.A., 1. joint account. 2.judge advocate.
Jam., Jamaica. جزيرة جامايكا .
Jan., January.
Jap., 1. Japan. 2. Japanese.
Jav., Javanese.
J.C., Jesus Christ يسوع الناصري .
J.C.B., (L. *Juris Civilis Baccalaureus*) Bachelor of Civil Law بكالوريوس في القانون المدني .
J.C.D., (L. *Juris Civilis Doctor*) Doctor of Civil Law دكتور في القانون المدني .
jct. *or* **jctn.,** junction.
J.D., (L. *Juris Doctor*) Doctor of Law دكتور في الحقوق .
Je., June.
jour., 1. journal. 2. journeyman.
JP, jet propulsion.
J.P., justice of the peace.
jr., junior.
J.S.D., Doctor of Juristic Science دكتور في علم التشريع .
jt. *or* **jnt.,** joint.
Jul., July.
jun., junior.
Jun., June.
junc. junction.
Jur.D., (L. *Juris Doctor*) Doctor of Law. دكتور في الحقوق

juv., juvenile.
J.V., junior varsity.
Jy., July.

K

k., **1.** *Elect.* capacity. **2.** karat *or* carat. **3.** kilo. **4.** *Chess.* king. **5.** kitchen. **6.** knight. **7.** knot. **8.** koruna.
K, *Chem.* potassium.
K., **1.** kopeck. **2.** krone. **3.** kroner.
ka., cathode.
Kan. *or* **Kans.,** Kansas (احدى الولايات المتحدة الاميركية) .
kc., **1.** kilocycle. **2.** kilocycles.
K.C., **1.** Kansas City. **2.** King's Counsel.
kcal., kilocalorie.
kc/s., kilocycles per second.
Ken., Kentucky. (احدى الولايات المتحدة الاميركية) .
kg., **1.** keg. **2.** kegs. **3.** kilogram. **4.** kilograms.
kgps., **1.** kilogram per second. **2.** kilograms per second.
K.I.A., killed in action (را. صفحة ٢٦)
kil., **1.** kilometer. **2.** kilometers.
K.K.K., Ku Klux Klan.
kl., kiloliter.
km., **1.** kilometer. **2.** kilometers. **3.** kingdom.
kmps., *or* **km sec,** kilometers per second.
kn., knot.
K.O., knockout.
kop., kopeck.
kr., krone.
Kr, *Chem.* krypton.
kt., **1.** karat. **2.** knight. **3.** knot.
kv., kilovolt.
kva., kilovolt-ampere.
kw., kilowatt.
kwhr. *or* **kwh.,** kilowatt-hour.
Ky., Kentucky (احدى الولايات المتحدة الاميركية) .

L

l., **1.** latitude. **2.** law. **3.** left. **4.** length. **5.** line. **6.** liter. **7.** lumen.
L., **1.** lake. **2.** lambert. **3.** large. **4.** Latin. **5.** (L. *libra*) pound. **6.** lira. **7.** lire.
La, *Chem.* lanthanum.
La., Louisiana (احدى الولايات المتحدة الاميركية) .
L.A., Los Angeles (مدينة في كاليفورنيا بالولايات المتحدة الاميركية) .
lam., laminated.
lang., **1.** language. **2.** languages.
lat., latitude.
Lat., Latin.
lav., lavatory.
lb., (L. *libra*) **1.** pound. **2.** pounds.
lbs., pounds.
lc., lowercase.
L.C., **1.** letter of credit **2.** Library of Congress (مكتبة الكونغرس (الاميركية .
L.C.M., least common multiple.
ld., **1.** load. **2.** lord.
ldg., **1.** landing. **2.** loading.
ldr., leader.
lea., leather.
lect., **1.** lecture. **2.** lecturer.
leg., **1.** legal. **2.** legate. **3.** legato. **4.** legislative. **5.** legislature.
legis., **1.** legislative. **2.** legislature.
lf., lightface.
L.F., low frequency.
lg., large.
L.H.D., (L. *Litterarum Humaniorum Doctor*) Doctor of Humanities دكتور في العلوم او الدراسات الثقافية أو الانسانية .
li., **1.** link. **2.** links.
Li, *Chem.* lithium.
lib., **1.** (L. *liber*) book. **2.** liberal. **3.** librarian. **4.** library.
lieut, lieutenant.
lin., **1.** lineal. **2.** linear.
Lincs., Lincolnshire (اقليم في انكلترة) .
ling., linguistics.
liq., **1.** liquid. **2.** liquor.
lit., **1.** liter. **2.** literal. **3.** literally. **4.** literary. **5.** literature.
Lit. B., (L. *Litterarum Baccalaureus*) **1.** Bachelor of Letters بكالوريوس في الآداب .
2. Bachelor of Literature بكالوريوس في الأدب .
Lit. D., (L. *Litterarum Doctor*) **1.** Doctor of Letters. دكتور في الآداب .
2. Doctor of Literature . دكتور في الادب .
lith. *or* **litho.** *or* **lithog.,** **1.** lithograph. 2. lithography.
Litt. B., (L. *Litterarum Baccalaureus*) **1.** Bachelor of Letters بكالوريوس في الآداب .
2. Bachelor of Literature بكالوريوس في الادب .
Litt. D., (L. *Litterarum Doctor*) **1.** Doctor of Letters دكتور في الآداب .
2. Doctor of Literature. دكتور في الادب
ll., lines.
LL., Late Latin.
LL. B., (L. *Legum Baccalaureus*) Bachelor of Laws بكالوريوس في الحقوق .
LL. D., (L. *Legum Doctor*) Doctor of Laws دكتور في الحقوق .
LL. M., (L. *Legum Magister*) Master of Laws ماجستير في الحقوق
loc. cit., (L. *loco citato*) in the place, *or* passage, already mentioned في الموضع او المقطع المشار اليه آنفاً .
log., logarithm.
Lond., London.
long., longitude.
L.P., low pressure.
L.R., living room.
L.S.S., **1.** lifesaving service. **2.** lifesaving station.
lt., **1.** lieutenant. **2.** light.
L.T., **1.** local time **2.** long ton. **3.** low-tension.
lt. col., lieutenant colonel.
lt. comdr., lieutenant commander.
ltd. *or* **Ltd.,** limited . المحدود ، المحدودة
lt. gen., lieutenant general.
lt. gov., lieutenant governor.
ltr., **1.** letter. **2.** lighter.
Lu, *Chem.* lutetium.
lub., **1.** lubricant. **2.** lubricating.
lv., leave.
Lux., Luxembourg . إمارة لوكسمبورغ
L.Z., landing zone.

M

m., **1.** male. **2.** mark. **3.** married. **4.** masculine. **5.** medium. **6.** (L. *meridies*) noon. **7.** meter. **8.** meters. **9.** mile. **10.** miles. **11.** mill. **12.** minim. **13.** minute. **14.** minutes. **15.** month. **16.** moon. **17.** morning.

M., 1. majesty. 2. master. 3. metal. 4. (L. *mille*) thousand. 5. molecular weight. 6. Monday. 7. monsieur. 8. mountain.

ma., milliampere.

Ma, *Chem.* masurium.

M.A., 1.(L. *Magister Artium*) Master of Arts ماجستير في الفنون 2. mental age. 3. military academy.

mach., 1. machine. 2. machinery. 3. machinist.

Madag., Madagascar.

mag., 1. magazine. 2. magnetism. 3. magneto. 4. magnitude.

M. Agr., Master of Agriculture ماجستير في الزراعة .

maj., major.

maj. gen., major general.

man., manual.

Man., Manitoba · (اقليم في اواسط كندا)

manuf., 1. manufacture. 2. manufacturer. 3. manufacturing.

mar., 1. maritime. 2. married.

Mar., March.

masc., masculine.

Mass., Massachusetts احدى الولايات المتحدة الاميركية) . (

M.A.T., Master of Arts in Teaching ماجستير في التعليم .

math., 1. mathematical. 2. mathematician. 3. mathematics.

max., maximum.

mb., millibar.

M.B., (L. *Medicinae Baccalaureus*) Bachelor of Medicine.بكالوريوس في الطب

M.B.A, Master of Business Administration ماجستير في ادارة الاعمال .

mc., 1. megacycle. 2. millicurie.

M.C., 1. master of ceremonies. 2. member of congress.

Md., 1. Maryland احدى الولايات المتحدة الاميركية). (2. *Chem* mendelevium.

M.D., 1. (L. *Medicinae Doctor*) Doctor of Medicine· دكتور في الطب 2. medical department.

Mdme., madame.

mdnt., midnight.

M.D.S., Master of Dental Surgery ماجستير في جراحة الاسنان .

mdse., merchandise.

Me, *Chem.* methyl.

Me., Maine احدى الولايات المتحدة الاميركية) . (

ME, Middle English.

M.E., 1.mechanical engineer. 2.medical examiner. 3. Middle English 4. mining engineer.

meas., measure.

mech., 1. mechanical. 2. mechanics. 3. mechanism.

med., 1. medical . 2. medicine. 3. medieval. 4. medium.

M.Ed., Master of Education ماجستير في التربية .

meg., megohm.

mem., 1. member. 2. memoir. 3. memorandum. 4. memorial.

mer., meridian.

Messrs., messieurs.

met., 1. meteorological. 2. meteorology. 3. metropolitan.

metal., 1. metallurgical. 2. metallurgy.

metall., metallurgy.

metaph., 1. metaphysical. 2. metaphysics.

metaphys., metaphysics.

meteor. *or* **meteorol.,** 1.meteorological. 2. meteorology.

M.E.V., million electron volts.

Mex., 1. Mexican. 2. Mexico. المكسيك

mf., 1. medium frequency. 2. mezzo forte. 3. millifarad.

M.F.A., Master of Fine Arts ماجستير في الفنون الجميلة

mfd., manufactured.

mfg., manufacturing.

M.F.N., most favored nation الدولة الاكثر رعاية .

mfr., 1. manufacture. 2. manufacturer.

mg., 1. milligram. 2. milligrams.

Mg, *Chem.* magnesium.

M.G. 1. machine gun. 2. military government.

mgr., 1. manager. 2. monseigneur. 3. monsignor.

mgt., management.

mh., millihenry.

M.H., medal of honor مدالية الشرف .

M.H.R., member of the house of representatives. عضو مجلس النواب .

mi., 1. mile. 2. miles. 3. mill. 4. mills.

Mich., Michigan احدى الولايات المتحدة الاميركية) . (

mid., middle.

mil., 1. military. 2. militia.

min., 1. mineralogical. 2. mineralogy. 3. minim. 4. minimum. 5. mining. 6. minister. 7. minor. 8. minute. 9. minutes.

mineral., 1. mineralogical. 2. mineralogy.

Minn., Minnesota احدى الولايات المتحدة الاميركية) . (

misc., 1. miscellaneous. 2. miscellany.

Miss., Mississippi ١. احدى الولايات المتحدة الاميركية ٢. نهر المسيسبي في الولايات المتحدة الاميركية

mixt., mixture.

mk., 1. mark. 2. markka.

MKS system meter-kilogram-second system (را . صفحة ٥٧٤)

ml., 1. mail. 2. milliliter. 3. milliliters.

mL., millilambert.

Mlle., mademoiselle.

Mlles., mesdemoiselles.

MM., messieurs.

mm., 1. (L. *millia*) thousands. 2. millimeter. 3. millimeters.

Mme., madame.

Mmes., mesdames.

m.m.f., magnetomotive force.

Mn, *Chem.* manganese.

M.N., magnetic north.

mo., 1. month. 2. months.

Mo, *Chem.* molybdenum.

Mo., 1. Missouri احدى الولايات المتحدة الاميركية) . (2. Monday.

M.O., 1. mail order. 2. money order.

mod., 1. moderate. 2. modern. 3. modification. 4. modified.

modif., modification.

mol., 1. molecular. 2. molecule.

mol. wt., molecular weight.

mon., 1. monastery. 2. monetary.

Mon., Monday.

mor., morocco.

morph. *or* **morphol.,** morphology.

mos., months.

m.p., melting point.

M.P., 1. melting point. 2. member of parliament. 3. metropolitan police. 4. military police. 5.military policeman.

m.p.g., miles per gallon.
m.p.h., miles per hour.
m.p.s., meters per second.
mr., milliroentgen.
Mr., mister السيّد
Mrs. mistress السيّدة .
MS., manuscript.
M.S., **1.** Master of science ماجستير في العلوم **2.** Master in surgery ماجستير في الجراحة.
M.Sc., master of science ماجستير في العلوم.
msec., millisecond.
msg., message.
msgr., **1.** monseigneur. **2.** monsignor.
MSS., manuscripts.
mt., **1.** mount. **2.** mountain.
M.T., metric ton.
mtg. *or* **mtge.,** mortgage.
mtn., mountain.
mts., mountains.
mun. *or* **munic.,** municipal.
mus., **1.** museum. **2.** music. **3.** musical. **4.** musician.
Mus. B., (L. *Musicae Baccalaureus*) Bachelor of Music. بكالوريوس في الموسيقى
Mus. D., (L. *Musicae Doctor*) Doctor of Music دكتور في الموسيقى
mv., millivolt.
Mv, *Chem.* mendelevium.
mxd., mixed.
myc. *or* **mycol.** mycology.
mym., myriameter.
mythol., **1.** mythological. **2.** mythology.

N

n., **1.** (L. *natus*) born. **2.** name. **3.** nephew. **4.** net. **5.** neuter. **6.** new. **7.** nominative. **8.** noon. **9.** north. **10.** northern. **11.** note. **12.** noun. **13.** number.
N, **1.** *Chem.* nitrogen. **2.** normal. **3.** north. **4.** northern.
N., **1.** nationalist. **2.** navy. **3.** new. **4.** noon. **5.** Norse. **6.** north. **7.** northern. **8.** November.
Na, *Chem.* (L. *natrium*) sodium.
N.A., **1.** national army. **2.** North America.
NAACP, National Association for the Advancement of Colored People الجمعية الوطنية لتقدم الملوّنين
NAM, National Association of Manufacturers. الجمعية الوطنية للصناعيين
NAS, National Academy of Sciences الاكاديمية الوطنية للعلوم .
nat., **1.** national. **2.** native. **3.** natural. **4.** naturalist.
natl., national.
NATO North Atlantic Treaty Organization. حلف شمال الاطلسي
naut., nautical.
nav., **1.** naval. **2.** navigable. **3.** navigation.
Nb, *Chem.* niobium.
N.B., nota bene ملحوظة ؛ حاشية .
N.B.A., **1.** National Basketball Association الجمعية الوطنية لكرة السلة **2.** National Boxing Association الجمعية الوطنية للملاكمة .
N.B.C., National Broadcasting Company شركة الاذاعة الوطنية
N.C., North Carolina (احدى الولايات المتحدة الاميركية)
N.C.O., noncommissioned officer.
N.C.T.E., National Council of Teachers of English المجلس الوطني لمدرّسي اللغة الانكليزية .
Nd, *Chem.* neodymium.
N.D., no date لا تاريخ
N. Dak. *or* **N.D.** North Dakota (احدى الولايات المتحدة الاميركية)
Ne, *Chem.* neon.
N.E., **1.** New England. **2.** northeast. **3.** northeastern.
N.E.A., National Education Association جمعية التربية الوطنية
Nebr *or* **Neb.,** Nebraska (احدى الولايات المتحدة الاميركية) .
neg., **1.** negative. **2.** negatively.
Neth., Netherlands هولندة .
neurol., **1.** neurological. **2.** neurology.
neut., neuter.
Nev., Nevada (احدى الولايات المتحدة الاميركية) .
New Eng., New England.
N.G., National Guard.
N.H., New Hampshire (احدى الولايات المتحدة الاميركية) .
Ni, *Chem.* nickel.
N.I., Northern Ireland.
N.J., New Jersey (احدى الولايات المتحدة الاميركية) .
N.Mex *or* **N.M.,** New Mexico (احدى الولايات المتحدة الاميركية) .
no., **1.** north. **2.** northern. **3.** number.
No, *Chem.* nobelium.
nom., nominative.
norm., normal.
Norw., **1.** Norway النروج ؛ بلاد النروج **2.** Norwegian.
nos., numbers.
nov., novelist.
Nov., November.
Np, *Chem.* neptunium.
N.P., **1.** no place. **2.** no protest. **3.** notary public.
n.pl., noun plural.
nr., **1.** near. **2.** number.
N.R.C., National Research Council المجلس الوطني للبحوث .
N.S., **1.** new series. **2.** new style. **3.** not specified. **4.** not sufficient.
N.S.C., National Security Council مجلس الامن الوطني .
N.T., New Testament.
ntp., normal temperature and pressure.
nt.wt. *or* **n.wt.,** net weight.
num., **1.** numeral. **2.** numerals.
NW, **1.** northwest. **2.** northwestern.
N.Y., New York.
N.Y.C., New York City.
N.Z. *or* **N.Zeal.** New Zealand نيوزيلندة

O

o, ohm.
o., **1.** (L. *octavus*) pint. **2.** octavo. **3.** off. **4.** old. **5.** only. **6.** order.
O, *Chem.* oxygen.
O., **1.** Ocean. **2.** octavo. **3.** Ohio (احدى الولايات المتحدة الاميركية) .
o/a on account على الحساب .
O.A.S., Organization of American States منظمة الدول الاميركية .
ob., **1.** (L. *obiit*) He *or* She died. **2.** (L. *obiter*) incidentally. **3.** obstetric. **4.** obstetrics.
obdt., obedient.
obj., **1.** object. **2.** objection. **3.** objective.
obl., **1.** oblique. **2.** oblong.
obs., **1.** observation. **2.** observatory. **3.** obsolete. **4.** obstetric. **5.** obstetrics.

obstet., 1. obstetric. 2. obstetrics.
oc., ocean.
occas., 1. occasional. 2. occasionally.
oceanog., oceanography.
oct., octavo.
Oct., October.
O.D., 1. olive drab. 2. overdraft. 3. overdrawn.
OE. or **O.E.,** Old English.
O.E.D., Oxford English Dictionary.
O.E.E.C., Organization for European Economic Cooperation منظمة التعاون الاقتصادي الاوروبي .
off., 1. offered. 2. office. 3. officer. 4. official.
offic., official.
O.H.M.S., 1. On Her Majesty's Service في خدمة صاحبة الجلالة 2. On His Majesty's Service في خدمة صاحب الجلالة .
O.I.T., Office of International Trade مكتب التجارة الدولية .
Okla., Oklahoma (احدى الولايات المتحدة الاميركية) .
O.M., order of merit وسام الاستحقاق .
O.N.I., Office of Naval Intelligence مكتب الاستخبارات البحرية .
O.N.R., Office of Naval Research مكتب الابحاث البحرية .
Ont., Ontario (اقليم في الجزء الجنوبي من كندا) .
op., 1. opera. 2. operation. 3. opposite. 4. out of print نافد .
O.P., observation post مركز مراقبة .
op. cit., (L. *opere citato*) in the work cited. في المرجع المشار اليه ، المصدر نفسه .
opp., 1. opposed. 2. opposite.
opt., 1. optical. 2. optician. 3. optics. 4. optional.
orch., orchestra.
ord., 1. order. 2. ordinal. 3. ordinary.
Oreg. or **Ore.,** Oregon (احدى الولايات المتحدة الاميركية) .
org., 1. organic. 2. organization. 3. organized.
orig., 1. origin. 2. original. 3. originally.
ornith., ornithology.
o/s out of stock نافد .
Os, *Chem.* osmium.
O.T., 1. occupational therapy. 2. Old Testament. 3. overtime.
Oxon., (L. *Oxonia*) Oxford.
oz., 1. ounce. 2. ounces.

P

p., 1. page. 2. part. 3. participle. 4. past. 5. penny. 6. per. 7. peseta. 8. peso. 9. piano. 10. pint. 11. pipe. 12. pitch. 13. pole. 14. population. 15. post. 16. port. 17. power. 18. pro.
P, 1. pawn. 2. *Chem.* phosphorus. 3. pressure.
p.a., (L. *per annum*) annually سنوياً .
Pa, *Chem.* protactinium.
Pa., Pennsylvania (احدى الولايات المتحدة الاميركية) .
Pac., Pacific.
pam., pamphlet.
Pan., Panama باناما ، جمهورية باناما .
P. and L., profit and loss. الربح والخسارة
par., 1. paragraph. 2. parallel. 3. parenthesis. 4. parish.
part., 1. participle. 2. particular.
pass., 1. passenger. 2. passive.
pat., patent.
path. or **pathol.,** 1. pathological. 2. pathology.
P.A.U., Pan American Union منظمة اتحاد الدول الاميركية .
payt., payment.
Pb, *Chem.* (L. *plumbum*) lead.
pc., 1. piece. 2. prices.
p.c., 1. percent. 2. petty cash. 3. postal card.
P.C., 1. petty cash. 2. police constable. 3. privy council.
pcs., pieces.
pct., percent.
pd., paid.
Pd, *Chem.* palladium.
P.D., 1. (L. *per diem*) by the day مياومة ، باليوم الخ . (را . ص ٦٧٣) . 2. police department. 3. postal district.
P.E., probable error خطأ مُحتَمَل .
pen., peninsula.
P.E.N., International Association of Poets, Playwrights, Editors, Essayists and Novelists الجمعية الدولية للشعراء وكتّاب المسرحية والمحررين وكتّاب المقالة والروائيين .
Penn or **Penna.,** Pennsylvania (احدى الولايات المتحدة الاميركية) .
per., 1. period. 2. person.
perf., 1. perfect. 2. perforated.
perh., perhaps.
perm., permanent.
perp., perpendicular.
pers., 1. person. 2. personal.
Pers., 1. Persia. 2. Persian.
pet., petroleum.
petrol., petrology.
pf., 1. pfennig. 2. preferred.
pfd., preferred.
pg., page.
Pg., 1. Portugal. البرتغال 2. Portuguese.
P.G., postgraduate.
P.G.A., Professional Golfers' Association جمعية لاعبي الغولف المحترفين .
ph., phase.
Ph, *Chem.* phenyl.
P.H., 1. public health. 2. Purple Heart.
phar., 1. pharmacopoeia. 2. pharmacy.
pharm., 1. pharmaceutical. 2. pharmacist. 3. pharmacy.
Pharm. D., Doctor of Pharmacy دكتور في الصيدلة .
Pharm. M., Master of Pharmacy ماجستير في الصيدلة .
Ph.B., (L. *Philosophiae Baccalaureus*) Bachelor of Philosophy بكالوريوس في الفلسفة .
Ph.C., Pharmaceutical Chemist صيدليّ كيميائي .
Ph.D., (L. *Philosophiae Doctor*) Doctor of Philosophy دكتور في الفلسفة .
phil., 1. philosophical. 2. philosophy.
phil. or **philol.,** 1. philological. 2. philology.
Phila., Philadelphia (مدينة في ولاية بنسلفانيا بالولايات المتحدة الاميركية) .
philos., 1. philosopher. 2. philosophical. 3. philosophy.
phon., phonetics.
photog., 1. photographic. 2. photography.
phr., phrase.
PHS., Public Health Service ادارة الصحة العامة .
phys., 1. physical. 2. physician. 3. physics.

physiol., 1. physiologist. 2. physiology.
pi. *or* **pias.,** piaster.
pizz., pizzicato.
pj., pajama.
pk., 1. pack. 2. park. 3. peak. 4. peck.
pkg., *or* **pkge** package.
pkt., packet.
pkwy., parkway.
pl., 1. place. 2. plate. 3. plural.
P.L., 1. partial loss. 2. private line.
PL and R., postal laws and regulations قوانين البريد وانظمته .
plat., 1. plateau. 2. platoon.
plf., plaintiff.
plu., plural.
pm., premium.
p.m., post meridiem.
Pm., *Chem.* promethium.
P.M., 1. paymaster. 2. permanent magnet. 3. postmaster. 4. postmortem. 5. prime minister. 6. provost marshal.
pmk., postmark.
pmt., payment.
P.N., promissory note.
Po, *Chem.* polonium.
P.O., 1. petty officer. 2. postal order. 3. post office.
P.O.B., *or* **POB.,** post office box.
P.O.D., 1. pay on delivery. الدفع عند التسليم 2. post office department ادارة البريد .
pol., political.
Pol., 1. Poland بولندة 2. Polish.
polit., 1. political. 2. politician.
poly. *or* **polytech.,** polytechnic.
pon., pontoon.
pop., 1. popular. 2. popularly. 3. population.
por., portrait.
Port., 1. Portugal البرتغال 2. Portuguese.
pos., 1. position. 2. positive.
poss., possessive.
pot., potential.
POW., prisoner of war أسير حرب .
pp., 1. pages. 2. past participle.
P.P., 1. parcel post. 2. past participle. 3. postpaid. 4. prepaid.
ppd., 1. postpaid. 2. prepaid.
ppt., precipitate.
pptn., precipitation.
p.q., previous question السؤال السابق .

P.Q., Province of Quebec اقليم كـوِيـبَـك (في كندا) .
pr., 1. pair. 2. pairs. 3. paper. 4. power. 5. preference. 6. prefered. 7. present. 8. price. 9. priest. 10. printed. 11. printing. 12. pronoun.
Pr, 1. *Chem.* praseodymium. 2. *Chem.* propyl.
Pr., Prince.
P.R., 1. proportional representation. 2. public relations. 3. Puerto Rico. بورتو ريكو ؛ جزيرة بورتو ريكو .
prec., preceding.
pred., predicate.
pref., 1. preface. 2. preference. 3. preferred. 4. prefix.
prelim., preliminary.
prem., premium.
prep., 1. preparatory. 2. prepare. 3. preposition.
prepd., prepared.
prepg., preparing.
prepn., preparation.
pres., 1. present. 2. president.
prev., previous.
prf., proof.
prim., 1. primary. 2. primitive.
prin., principal.
priv., privative.
P.R.O., public relations officer ضابط العلاقات العامة .
prob., 1. probable. 2. probably. 3. problem.
proc. proceedings.
prod., production.
prof., professor.
pron., 1. pronoun. 2. pronounced. 3. pronunciation.
prop., 1. propeller. 2. property. 3. proposition.
pros., prosody.
Prot., Protestant.
prov., 1. province. 2. provincial. 3. provisional.
prox., proximo.
prs., pairs.
ps., pieces.
P.S., 1. postscript. 2. public school.
pseud., 1. pseudonym. 2. pseudonymous.
p.s.f., pounds per square foot.
p.s.i., pounds per square inch.

psych., 1. psychological. 2. psychology.
psychol., 1. psychologist. 2. psychology.
pt., 1. part. 2. payment. 3. pint. 4. pints. 5. point. 6. port.
Pt, *Chem.* platinum.
pta., peseta.
pte., private.
ptg., printing.
P.T.O., please turn over اقلب (الصفحة) من فضلك .
pts., 1. parts. 2. payments. 3. pints. 4. points. 5. ports.
pty., proprietary.
Pu., *Chem.* plutonium.
pub., 1. public. 2. publication. 3. published. 4. publisher. 5. publishing.
publ., 1. publication. 2. published.
pvt., private.
P.W., prisoner of war أسير حرب .
P.W.A., Public Works Administration. إدارة الاشغال العامة .
pwr., power.
pwt., pennyweight.

Q

q., 1. quart. 2. quarto. 3. query. 4. question. 5. quetzal. 6. quintal. 7. quire.
Q., 1. queen. 2. question.
Q.E.D., (را . صفحة ٧٤٦) .
Q.E.F., (را . صفحة ٧٤٦) .
Q.F., quick-firing سريع الطَّلَقات .
q. pl., (L. *quantum placet*) as much as you please قَدْرَ ما تحبّ أو تريد .
qq., questions.
qq.v., (L. *quae vide*) which see فلتُراجَع (هذه الكلمات الخ ..) .
qr., 1. quarter. 2. quire.
qs., (L. *quantum sufficit*) as much as suffices. بما فيه الكفاية ؛ بالقَدْر الكافي .
qt., 1. quantity. 2. quart.
q.t., quiet.
qtd., quartered.
qto., quarto.
qts., quarts.
qty., quantity.
qu., 1. quart. 2. quarter. 3. quarterly. 4. queen. 5. question.
quad., 1. quadrangle. 2. quadrant.
qual., qualitative.

quant., quantitative.
quar., quarterly.
Que., Quebec اقليم كُوِيْبَك (في كندا) .
ques., question.
quot., quotation.
q.v., (L. *quod vide*) which see فلتُراجَع (هذه الكلمة الخ ..) .
qy., query.

R

r., **1.** rain. **2.** range. **3.** rare. **4.** red. **5.** right. **6.** river. **7.** roentgen. **8.** run.
R., **1.** rabbi. **2.** radical. **3.** radius. **4.** railroad. **5.** railway. **6.** real. **7.** Reaumur. **8.** Republican. **9.** resistance. **10.** response. **11.** rex. **12.** road. **13.** rook. **14.** rough. **15.** royal. **16.** ruble. **17.** rupee.
Ra, *Chem.* radium.
RA, **1.** regular army. **2.** royal academy.
R.A.A.F., Royal Australian Air Force سلاح الجوّ الملكي الاسترالي .
rad., **1.** radical. **2.** radio. **3.** radius. **4.** radix.
R.Adm., rear admiral.
R.A.F., Royal Air Force. سلاح الجوّ الملكيّ.
R.A.M., Royal Academy of Music الاكاديمية الملكية للموسيقى .
rap., rapid.
Rb, *Chem.* rubidium.
R.B.A., Royal Society of British Artists الجمعية الملكية للفنانين البريطانيين .
R.B.C., **1.** red blood cells. **2.** red blood count.
R.B.S., Royal Society of British Sculptors الجمعية الملكية للنحّاتين (أو المثّالين) البريطانيين .
R.C., **1.** Red Cross. **2.** Roman Catholic.
R.C.A.F., Royal Canadian Air Force سلاح الجو الملكي الكَنَدي .
rct., recruit.
rd., **1.** road. **2.** rod. **3.** rods. **4.** round.
re., **1.** reference. **2.** regarding.
Re, *Chem.* rhenium.
Re., rupee.
Reaum., Reaumur (thermometer).
rec., **1.** receipt. **2.** recipe. **3.** record. **4.** recorder. **5.** recording. **6.** recreation.
recd , received.
recip., **1.** reciprocal. **2.** reciprocity.
rect., **1.** receipt. **2.** rectangle. **3.** rectangular. **4.** rector.
red., **1.** reduce. **2.** reduction.
ref., **1.** referee. **2.** reference. **3.** referred. **4.** reformation. **5.** reformed.
refl., **1.** reflection. **2.** reflective. **3.** reflex. **4.** reflexive.
refr. refraction.
reg., **1.** regiment. **2.** region. **3.** register. **4.** registered. **5.** registrar. **6.** regular. **7.** regularly. **8.** regulation.
regd., registered.
regt., **1.** regent. **2.** regiment.
rel., **1.** relating. **2.** relative. **3.** relatively. **4.** released. **5.** religion. **6.** religious.
relig., religion.
rep., **1.** repair. **2.** report. **3.** reported. **4.** reporter. **5.** representative. **6.** republic.
Rep., Republican.
repl., **1.** replace. **2.** replacement.
rept., report.
req., **1.** require. **2.** required. **3.** requisition.
reqd., required.
res., **1.** research. **2.** reserve. **3.** residence. **4.** resigned. **5.** resolution.
resp., **1.** respective. **2.** respectively.
ret., **1.** retain. **2.** retired. **3.** return. **4.** returned.
retd., **1.** retained. **2.** retired. **3.** returned.
rev., **1.** revenue. **2.** reverend. **3.** reverse. **4.** review. **5.** reviewed. **6.** revise. **7.** revised. **8.** revision. **9.** revolution. **10.** revolving.
r.f., **1.** radio frequency. **2.** rapid-fire.
R.G.S., Royal Geographical Society الجمعية الجغرافية الملكية .
Rh, *Chem.* rhodium.
R.H., **1.** relative humidity. **2.** right hand. **3.** Royal Highness.
rhet., rhetoric.
R.I., Rhode Island (احدى الولايات المتحدة الاميركية) .
R.I.P., (L. *requiescat in pace*) may he *or* she *or* they rest in peace فليَرْقد (أو فَلْيَرْقُدْ أو فَلْيَرْقدوا) بسلام .
riv., river.
rm., **1.** ream. **2.** room.
RM, reichsmark.
R.M.A., Royal Military Academy الاكاديمية العسكرية الملكية
R.M.S., **1.** Royal Mail Service مصلحة البريد الملكيّ . **2.** royal mail steamer . باخرة البريد الملكي **3.** royal mail steamship. باخرة البريد الملكي
Rn, *Chem.* radon.
R.N., **1.** registered nurse . ممرضة مسجَّلة **2.** Royal Navy. الاسطول الملكيّ
rnd., round.
R.N.Z.A.F. Royal New Zealand Air Force سلاح الجو الملكي النيوزيلندي .
Rom., **1.** Roman. **2.** Romance. **3.** Romanian.
rot., **1.** rotating. **2.** rotation.
r.p.m., revolutions per minute.
r.p.s., revolutions per second.
rpt., **1.** repeat. **2.** report.
R.R., **1.** railroad. **2.** rural route.
Rs., **1.** reis. **2.** rupees.
R.S., **1.** right side. **2.** Royal Society.
R.S.A., Royal Scottish Academy الاكاديمية الملكية الاسكتلندية
RSFSR, Russian Socialist Federated Soviet Republic الجمهورية الروسية الاشتراكية الاتحادية السوفياتية .
R.S.V.P., (F. *répondez s'il vous plait*) تفضَّلْ بالجواب ، أجِبْ من فضلك .
rt., right.
RT, radiotelephone.
rte., route.
Ru, *Chem.* ruthenium.
Rum., **1.** Rumania. **2.** Rumanian.
Russ., **1.** Russia. **2.** Russian.
RV, Revised Version (of the Bible) النسخة المنقّحة (من الكتاب المقدّس)
rwy. *or* **ry.,** railway.

S

s., **1.** second. **2.** section. **3.** semi. **4.** series. **5.** shilling. **6.** shillings. **7.** sine. **8.** singular. **9.** snow. **10.** son. **11.** sou. **12.** south. **13.** southern. **14.** stem. **15.** stem of. **16.** substantive.
S., **1.** Sabbath. **2.** Saint. **3.** Saturday. **4.** senate. **5.** signor. **6.** small. **7.** smooth. **8.** society. **9.** south. **10.** southern. **11.** subject. **12.** sulfur.

S.A., 1. Salvation Army . جيش الانقاذ 2. sex appeal. 3. (L. *sine anno*) without date من غير تاريخ 4. (F. *société anonyme*) . شركة مُغْفَلَة 5. South Africa. 6. South America. 7. South Australia.
Sab., Sabbath.
sanit., 1. sanitary. 2. sanitation.
sat., 1. saturate. 2. saturated. 3. saturation.
Sat., 1. Saturday. 2. Saturn.
satd., saturated.
S. Aust. South Australia.
sb., substantive.
Sb, (L. *stibium*) antimony.
S.B., 1. (L. *Scientiae Baccalaureus*) Bachelor of Science بكالوريوس في العلوم 2. South Britain (England and Wales).
sc., 1. scale. 2.scene. 3.science. 4. scientific. 5. (L. *scilicet*) namely يعني ؛ وبكلمة أخرى . 6. screw. 7. (L. *sculpsit*) He carved *or* engraved it; She carved *or* engraved it نحتهُ أو نقشهُ ؛ نحتتهُ أو نقشتهُ . 8. small capitals.
Sc, *Chem.* scandium.
Sc., 1. Scotch. 2. Scotland . اسكتلندة 3. Scots. 4. Scottish.
S.C., 1. South Carolina (احدى الولايات المتحدة الاميركية) . 2. supreme court.
Scan., Scandinavia . اسكندينافيا
Scand., 1. Scandinavia. 2. Scandinavian.
s. caps., small capitals.
Sc. B., (L. *Scientiae Baccalaureus*)Bachelor of Science بكالوريوس في العلوم
Sc. D., (L. *Scientiae Doctor*) Doctor of Science . دكتور في العلوم
sch., school.
sci., 1. science. 2. scientific.
scil., (L. *scilicet*) namely يعني ؛ وبكلمة أخرى .
Sc. M., (L. *Scientiae Magister*) Master of Science ماجستير في العلوم
Scot., 1. Scotch. 2. Scotland اسكتلندة 3. Scottish.
scr., scruple.
Script., Scripture.
sctd., scattered.
sd., 1. sewed. 2. sound.
s.d., sine die (*without day*) (را . صفحة ٨٥٧) .
S. Dak. *or* **S.D.,** South Dakota (احدى الولايات المتحدة الاميركية) .
Se, *Chem.* selenium.
SE, 1. southeast. 2. southeastern.
SEATO Southeast Asia Treaty Organization . منظمة حلف جنوب شرق آسية
sec., 1. secant. 2. second. 3. secondary. 4. seconds. 5. secretary. 6. section. 7. sector. 8. (L. *secundum*) according to . وفقاً ل
secs., 1. seconds. 2. sections.
sect., section.
secy *or* **sec'y.,** secretary.
sed., 1. sediment. 2. sedimentation.
sel., 1. select. 2. selected. 3. selection.
Sem., 1. seminary. 2. Semitic.
sen., 1. senate. 2. senator. 3. senior.
sep., 1. separate. 2. separated.
Sep., September.
sepd., separated.
sepg., separating.
sepn., separation.
Sept., September.
seq., (L. *sequens*) the following (one) والصفحة التي بعدها
seqq., (L. *sequentia*) the following (ones) . والصفحات التي بعدها
ser., 1. serial. 2. series.
serg. *or* **sergt.,** sergeant.
serv., service.
sf, science fiction . القصة أو الرواية العلمية
sf. *or* **sfz.,** sforzando.
s.g., specific gravity.
S.G., surgeon general.
sgd., signed.
sgt., sergeant.
sh., 1. share. 2. sheep. 3. sheet. 4. shilling.
Shak., Shakespeare . شيكسبير
shf., superhigh frequency.
shpt. *or* **shipt.,** shipment.
sht., sheet.
shtg., shortage.
Si, *Chem.* silicon.
sig., 1. signal. 2. signature. 3. signor.
sing., singular.
S. J., Society of Jesus جمعية يسوع ؛ الجمعية اليسوعية أو الجزويتية (را . مادة Jesuit صفحة ٤٩١) .
S.J.D., (L. *Scientiae Juridicae Doctor*) Doctor of Juridical Science دكتور في العلم العدْلي .
sk., sack.
Skt., Sanskrit.
sl., slightly.
S.L., sea level.
s.l.a.n., (L. *sine loco, anno, vel nomine*) without place, year, or name خِلْوٌ من ذكر المكان أو السنة أو الاسم .
sld., 1. sailed. 2. sealed.
sm., small.
Sm. *Chem.* samarium.
S.M., (L. *Scientiae Magister*) Master of Science ماجستير في العلوم
Sn, (L. *stannum*) tin.
so., south.
soc., 1. social. 2. societies. 3. society.
sociol. 1. sociologist. 2. sociology.
sol., 1. solicitor. 2. soluble. 3. solution.
soln., solution.
sop., soprano.
soph., sophomore.
SOS (را . صفحة ٨٨٠) .
sp., 1. special. 2. specialist. 3. species. 4. specific. 5. specimen. 6. spelling. 7. spirit.
Sp., 1. Spain اسبانيا 2. Spaniard. 3. Spanish.
S.P., 1. self-propelled. 2. shore patrol. 3. shore police.
Span., Spanish.
S.P.C.A., Society for the Prevention of Cruelty to Animals جمعية الرفق بالحيوان .
S.P.C.C., Society for the Prevention of Cruelty to Children جمعية الرفق بالاطفال .
spec., 1. special. 2. specially. 3. specifically.
specif., 1. specific. 2. specifically.
sp. gr., specific gravity.
sp. ht., specific heat.
spp., species (*pl. of specie*).
sq., 1. squadron. 2. square.
sq. ft., 1. square foot. 2. square feet.
sq. in., 1. square inch. 2. square inches.
sq. mi., 1. square mile 2. square miles.
sqq., = seqq.
sq. yd., 1. square yard. 2. square yards.
sr., senior.

Sr, *Chem.* strontium

Sr., 1. senor. 2. Sir. 3. sister.

S.R. 1. sedimentation rate. 2. shipping receipt.

Sra., senora.

Srta., senorita.

ss., 1. (L. *scilicet*) namely يعني ، وبكلمة أخرى . 2. sections 3. (L. *semis*) one half. نِصْف

SS., Saints.

S.S., 1. same size. 2. steamship. 3. Sunday school.

SSgt., staff sergeant.

ssp., subspecies.

SSR. *or* **S.S.R.,** Soviet Socialist Republic جمهورية سوفياتية اشتراكية

S.S.S., selective service system.

st., 1. saint. 2. stanza. 3. state. 4. stitch. 5. stone. 6. strait. 7. street.

sta., 1. station. 2. stationary.

stat. 1. (L. *statim*) immediately توّاً . 2. statuary. 3. statue. 4. statute (miles).

S.T.B., 1. (L. *Sacrae Theologiae Baccalaureus*) Bachelor of Sacred Theology بكالوريوس في اللاهوت المقدّس . 2. (L. *Scientiae Theologicae Baccalaureus*) Bachelor of Theology بكالوريوس في اللاهوت .

std., standard.

S.T.D., (L. *Sacrae Theologiae Doctor*) Doctor of Sacred Theology دكتور في اللاهوت المقدس .

stg. *or* **ster.,** sterling.

stge., storage.

stk., stock.

stor., storage.

str., 1. steamer. 2. strait. 3. string 4. strings. 5. strophe.

stud., student.

sub., 1. subaltern. 2. subscription 3. substitute. 4. suburb. 5. suburban. 6. subway.

subg., subgenus.

subj., 1. subject. 2. subjective. 3. subjunctive.

subsec., subsection.

suff., 1. sufficient. 2. suffix.

suffr., suffragan.

Sun., Sunday.

sup., 1. superior. 2. superlative. 3. supplement. 4. supplementary. 5. supply. 6. (L. *supra*) above.

super., superfine.

superl., superlative.

supp. *or* **suppl.,** 1. supplement. 2. supplementary.

supr., supreme.

supt., superintendent.

supvr., supervisor.

sur., surface.

surg., 1. surgeon. 2. surgery. 3. surgical.

surv., 1. survey. 2. surveying. 3. surveyor.

Suss., Sussex. (اقليم في جنوب شرقي انكلترة)

svc. *or* **svce.,** service.

svgs., savings.

sw., switch.

Sw. *or* **Swed.,** 1. Sweden السُّوَيد 2. Swedish.

S.W., 1. shortwave. 2. South Wales. 3. southwest. 4. southwestern.

S.W.A., South West Africa جنوب غرب افريقية .

swbd., switchboard.

Switz., Switzerland سويسرة .

syll., syllable.

sym., 1. symbol. 2. symmetrical. 3. symphony. 4. symptom.

syn., 1. synonym. 2. synonymous. 3. synonymy.

syst., system.

T

t., 1. taken from. 2. teaspoon. 3. temperature. 4. (L. *tempore*) in the time of. 5. tenor. 6. *Gram.* tense. 7. territory. 8. time. 9. tome. 10. ton. 11. town. 12. township. 13. transitive. 14. troy.

T., 1. tablespoon. 2. tension. 3. territory. 4. township. 5. true. 6. Tuesday.

Ta, *Chem.* tantalum.

tan., tangent.

taxon., 1. taxonomic. 2. taxonomy.

Tb, *Chem.* terbium.

TB., 1. trial balance. 2. tubercle bacillus. 3. tuberculosis.

tbs. *or* **tbsp.,** 1. tablespoon. 2. tablespoonful.

tc., tierce.

Tc, *Chem.* technetium.

T.C., 1. teachers college. 2. terra-cotta.

tchr., teacher.

TD. 1. tank destroyer. 2. touchdown.

TDY, temporary duty.

Te, *Chem.* tellurium.

tec., technical.

tech., 1. technical. 2. technically. 3. technician. 4. technological. 5. technology.

technol., 1. technological. 2. technology.

tel., 1. telegram. 2. telegraph. 3. telephone.

TEL., tetraethyl lead.

teleg., 1. telegram. 2. telegraph. 3. telegraphy.

temp., 1. temperature. 2. temporary. 3. (L. *tempore*) in the time of.

Tenn., Tennessee (احدى الولايات المتحدة الاميركية) .

ter., 1. terrace. 2. territory.

term., 1. terminal. 2. termination.

terr., territory.

Tex., Texas (احدى الولايات المتحدة الاميركية) .

tfr., transfer.

tgt., target.

Th, *Chem.* thorium.

Th., Thursday.

Th.D., (L. *Theologiae Doctor*) Doctor of Theology دكتور في اللاهوت .

theat., 1. theater. 2. theatrical.

theol., 1. theologian. 2. theological. 3. theology.

theor., theorem.

theoret., 1. theoretical. 2. theoretically.

therap., therapeutics.

therm., thermometer.

thou., thousand.

Thurs. *or* **Thu.,** Thursday.

Ti, *Chem.* titanium.

TID, (L. *ter in die*) three times a day ثلاث مرات يومياً (في الوصفات الطبية)

tinct., tincture.

tit., title.

tk., 1. tank. 2. truck.

tkt., ticket.

Tl, *Chem.* thallium.

Tm, *Chem.* thulium.

TM, trademark.
TMO, telegraph money order.
tn., 1. ton. 2. town. 3. train.
tng., training.
TNT, (را . صفحة ٩٧٤) .
TO, 1. telegraph office. 2. turn over.
tonn., tonnage.
topog. *or* **topo.,** topography.
tot., total.
tp., 1. title page. 2. township.
tps., townships.
tr., 1. transitive. 2. translated. 3. translation. 4. translator. 5. transpose. 6. troop. 7. trustee.
Tr, *Chem.* terbium.
trag., 1. tragedy. 2. tragic.
trans., 1. transactions. 2. transferred. 3. transitive. 4. translated. 5. translation. 6. translator. 7. transportation. 8. transverse.
transf., transferred.
transl., 1. translated. 2. translation.
transp., transportation.
trav., travels.
treas., 1. treasurer. 2. treasury.
treasr., treasurer.
trib., tributary.
trig., 1. trigonometric. 2. trigonometry.
trop., 1. tropic. 2. tropical.
tsp., 1. teaspoon. 2. teaspoonful.
Tu, *Chem.* thulium.
Tu., Tuesday.
TU, trade union.
Tues. *or* **Tue.,** Tuesday.
Turk., 1. Turkey. تركيّا 2. Turkish.
TV, 1. television. 2. terminal velocity.
twp., township.
typo. *or* **typ.,** typographical.
typog., 1. typographer. 2. typography.

U

u., 1. uncle. 2. unit. 3. university. 4. upper.
U, *Chem.* uranium.
U., university.
U.A.R., United Arab Republic الجمهورية العربية المتحدة .
u.c., *Print.* upper case (capital letter *or* letters).
UGT, urgent.
uhf, ultrahigh frequency.
U.K., United Kingdom المملكة المتحدة (بريطانيا) .
ult., 1. ultimate. 2. ultimately 3. ultimo.
ulto., ultimo.
U.N., United Nations . هيئة الامم المتحدة
unan., unanimous.
UNESCO, United Nations Educational, Scientific, and Cultural Organization الاونيسكو : منظمة التربية والعلم والثقافة التابعة لهيئة الامم المتحدة .
UNICEF, United Nations Children's Fund صندوق رعاية الطفولة التابع لهيئة الامم المتحدة .
univ., 1. universal. 2. university.
UNRWA, United Nations Relief and Works Agency الاونروا : وكالة الاغاثة والتشغيل التابعة لهيئة الامم المتحدة .
uns., unsymmetrical.
up., upper.
UP, underproof.
UPI, United Press International وكالة الصحافة الدولية المتحدة .
UPU, Universal Postal Union اتحاد البريد العالمي .
Ur, *Chem.* uranium.
U.S., United States الولايات المتحدة (الاميركية) .
U.S.A., 1. United States Army. 2. United States of America. الولايات المتحدة الاميركية 3. Union of South Africa . اتحاد جنوبي افريقية
U.S.A.F., United States Air Force سلاح الجو الاميركي .
U.S.C.G., United States Coast Guard حرس خفر السواحل الاميركي .
U.S.I.A., United States Information Agency . وكالة الإعلام الاميركية
U.S.M., United States mail بريد الولايات المتحدة الاميركية .
U.S.M.A., United States Military Academy الاكاديمية العسكرية الاميركية .
USN, United States Navy الاسطول الاميركي ؛ اسطول الولايات المتحدة الاميركية .
U.S.N.A., 1. United States National Army. جيش الولايات المتحدة الاميركية الوطني 2. United States Naval Academy الاكاديمية البحرية الاميركية .
U.S.N.G., United States National Guard الحرس الوطني الاميركي .
U.S.S.R., Union of Soviet Socialist Republics اتحاد الجمهوريات السوفياتية الاشتراكية .
usu., 1. usual. 2. usually.
usw, (G. *und so weiter*) et cetera وهلم جرّاً ؛ الى آخره ؛ الخ ..
Ut., Utah. (احدى الولايات المتحدة الاميركية)
UV, ultraviolet.
UW, underwriter.
ux., (L. *uxor*) wife.

V

v., 1. valve. 2. vector. 3. verb. 4. verse. 5. version. 6. versus. 7. very. 8. vice. 9. (L. *vide*) see انظُرْ ؛ راجِعْ 10. voice. 11. volume. 12. vowel.
V, 1. *Chem.* vanadium. 2. velocity. 3. victory. 4. volt. 5. voltage.
V., 1. Venerable. 2. Viscount.
Va., Virginia (احدى الولايات المتحدة الاميركية) .
V.A., 1. vice admiral. 2. volt-ampere.
VAdm., vice admiral.
val., value.
var., 1. variable. 2. variant. 3. variation. 4. variety. 5. various.
vb., verb.
V.C., 1. vice-chairman. 2. vice-chancellor. 3. vice-consul. 4. Victoria Cross.
v.d., various dates تواريخ مختلفة .
Vd, *Chem.* vanadium.
V.D., venereal disease.
veg., vegetable.
vel., 1. vellum. 2. velocity.
ven., venerable.
Ven., Venice فينيسيا ؛ مدينة البندقية .
ver., verse.
vers., versed sine.
vert., 1. vertebrate. 2. vertical.
Vert., Vertebrata.
ves., vessel.
vet., 1. veterinarian. 2. veterinary.
V.F., 1. very fair. 2. very fine.
v.g., (L. *verbi gratia*) for example . مثلاً
V.G., 1. very good. 2. vicar-general.
vhf, very high frequency.
v.i., 1. verb intransitive. 2. (L. *vide infra*) see below انظر أدناه .

Vi, *Chem.* virginium.
vic., vicinity.
vil., village.
VIP, very important person (را . صفحة ١٠٣٢) .
vis., 1. visibility. 2. visual.
viz., (L. *videlicet*) namely أي ، يعني .
vlf., very low frequency.
v.n., verb neuter.
vo., verso.
voc., vocative.
vocab., vocabulary.
vol., 1. volcano. 2. volume. 3. volunteer.
vols., volumes.
vou., voucher.
v.p., verb passive.
V.P., 1. various places أماكن مختلفة . 2. vice-president.
vs., 1. verse. 2. versus.
v.s., (L. *vide supra*) see above أنظر أعلاه .
V.S., veterinary surgeon.
vss., 1. verses. 2. versions.
vt., verb transitive.
Vt., Vermont (احدى الولايات المتحدة الاميركية) .
VT., vacuum tube.
vulg., vulgar.
vv., 1. verses. 2. violins.
v.v., vice versa.

W

w., 1. warden. 2. water. 3. watt. 4. week. 5. weight. 6. west. 7. western. 8. white. 9. wicket. 10. wide. 11. width. 12. wife. 13. with. 14. won. 15. work.
W., 1. Wales. 2. Wednesday. 3. Welsh. 4. west. 5. western. 6. wolfram.
war., warrant.
Wash., Washington.
W.B., 1. waybill. 2. weather bureau. 3. westbound.
W.B.C., 1. white blood cells. 2. white blood count.
W.C., 1. water closet. 2. without charge.
wd., 1. wood. 2. word. 3. would.
Wed., Wednesday.
W.F.T.U., World Federation of Trade Unions الاتحاد العالمي لنقابات العمال .
wg., 1. wing. 2. wire gauge.
wh., 1. watt-hour. 2. which. 3. white.
whf., wharf.
W.H.O., World Health Organization منظمة الصحة العالمية .
whr., watt-hour.
whs *or* whse., warehouse.
whsle., wholesale.
W.I. 1. West Indian. 2. West Indies.
wid., 1. widow. 2. widower.
Wis. *or* Wisc. Wisconsin (احدى الولايات المتحدة الاميركية) .
wk., 1. week. 2. work.
wkly., weekly.
WL., 1. waterline. 2. wavelength.
wm., wattmeter.
wmk., watermark.
W.M.O., World Meteorological Organization منظمة الارصاد العالمية .
W.O., warrant officer.
WOC., without compensation من غير تعويض .
WPB., wastepaper basket سلة المهملات .
wpm., words per minute كلمة في الدقيقة .
wpn., weapon.
wrnt., warrant.
wt., weight.
WT., 1. watertight. 2. wireless telegraphy.
W.Va., West Virginia.
W.W. world war.
Wyo., Wyoming (احدى الولايات المتحدة الاميركية) .

X

X, experimental.
xd. *or* x-div., without dividend.
Xe, *Chem.* xenon.
x-in. *or* x-int., without interest.
Xn., Christian.
Xnty., Christianity.
xr., without rights.
Xt., Christ.

Y

y., 1. yard. 2. yards. 3. year. 4. years.
Y., 1. yen. 2. yeoman. 3. Young Men's Christian Association جمعية الشبان المسيحيين . 4. *Chem.* yttrium.
Yb, *Chem.* ytterbium.
Y.B. yearbook.
yd., 1. yard. 2. yards.
yds., yards.
yeo., yeomanry.
Y.M.C.A., Young Men's Christian Association جمعية الشبان المسيحيين .
Y.M.H.A., Young Men's Hebrew Association جمعية الشبان اليهود .
yr., 1. year. 2. younger. 3. your.
yrbk., yearbook.
yrs., 1. years. 2. yours.
Yt, *Chem.* yttrium.
Y.W.C.A. *or* Y.W., Young Women's Christian Association جمعية الشابات المسيحيات .
Y.W.H.A., Young Women's Hebrew Association جمعية الشابات اليهوديات .

Z

z., 1. zero. 2. zone. *Chem.* atomic number.
Zl., zloty.
Zn, 1. azimuth. 2. *Chem.* zinc.
zoochem., zoochemistry.
zoogeog., zoogeography.
zool., 1. zoological. 2. zoologist. 3. zoology.
Zr, *Chem.* zirconium.

IRREGULAR VERBS *

أفعال غير قياسية

Infinitive	Past Tense	Past Participle
abide	abode; abided	abode; abided.
arise	arose	arisen.
awake	awoke.	awaked; awoke.
backbite	backbit	backbitten; backbit.
backslide	backslid	backslid; backslidden.
be (am; *art*; is; are)	was; *wast*; *wert*; were	been.
bear	bore; *bare*	borne; born.
beat	beat	beaten.
become	became	become.
befall	befell	befallen.
beget	begot ; *begat*	begotten.
begin	began	begun.
behold	beheld	beheld.
bend	bent	bent; bended.
bereave	bereaved; bereft	bereaved; bereft.
beseech	besought	besought.
beset	beset	beset.
bespeak	bespoke	bespoken; bespoke.
bestride	bestrode	bestridden; bestrid; bestrode.

Infinitive	_Past Tense_	_Past Participle_
bet	bet; betted	bet; betted.
betake	betook	betaken.
bethink	bethought	bethought.
bid	bade; bid	bidden; bid.
bide	bode; bided	bided.
bind	bound	bound.
bite	bit	bitten; bit.
bleed	bled	bled.
blend	blended; blent	blended; blent.
bless	blessed; blest	blessed; blest.
blow	blew	blown.
break	broke	broken; _broke_.
breed	bred	bred.
bring	brought	brought.
broadcast	broadcast; broadcasted.	broadcast; broadcasted.
browbeat	browbeat	browbeaten.
build	built	built.
burn	burnt; burned	burnt; burned.
burst	burst	burst.
buy	bought	bought.
cast	cast	cast.
catch	caught	caught.
chide	chid	chidden; chid.
choose	chose	chosen.
cleave	clove; cleft	cloven; cleft.
cling	clung	clung.
clothe	clothed; _clad_	clothed; _clad_.
come	came	come.
cost	cost	cost.
creep	crept	crept.
crow	crowed; _crew_	crowed.
cut	cut	cut.
dare	dared; durst	dared.
deal	dealt	dealt.
dig	dug; _digged_	dug; _digged_.
do	did	done.
draw	drew	drawn.
dream	dreamed; dreamt	dreamed; dreamt.
drink	drank	drunk.
drive	drove	driven.
dwell	dwelt	dwelt.
eat	ate	eaten.

Infinitive	*Past Tense*	*Past Participle*
fall	fell	fallen.
feed	fed	fed.
feel	felt	felt.
fight	fought	fought.
find	found	found.
flee	fled	fled.
fling	flung	flung.
fly	flew	flown.
forbear	forbore	forborne.
forbid	forbade; forbad	forbidden.
forecast	forecast;forecasted	forecast;forecasted.
forego	forewent	foregone.
foreknow	foreknew	foreknown.
foresee	foresaw	foreseen.
foretell	foretold	foretold.
forget	forgot	forgotten.
forgive	forgave	forgiven.
forsake	forsook	forsaken.
forswear	forswore	forsworn.
freeze	froze	frozen.
gainsay	gainsaid	gainsaid.
get	got	got; gotten.
gild	gilded; gilt	gilded.
gird	girded; girt	girded; girt.
give	gave	given
go	went	gone.
grave	graved	graven; graved.
grind	ground	ground.
grow	grew	grown.
hamstring	hamstringed; hamstrung	hamstringed; hamstrung.
hang	hung; hanged	hung; hanged.
have (*hast*; has)	had; *hadst*	had.
hear	heard	heard.
heave	heaved; hove	heaved; hove.
hew	hewed	hewed; hewn.
hide	hid	hidden; hid.
hit	hit	hit.
hold	held	held.
hurt	hurt	hurt.
inlay	inlaid	inlaid.
keep	kept	kept.
kneel	knelt	knelt.

Infinitive	Past Tense	Past Participle
knit	knitted; knit	knitted; knit.
know	knew	known.
lade	laded	laden.
lay	laid	laid.
lead	led	led.
lean	leant; leaned	leant; leaned.
leap	leapt; leaped	leapt; leaped.
learn	learnt; learned	learnt; learned.
leave	left	left.
lend	lent	lent.
let	let	let.
lie	lay	lain.
light	lighted; lit	lighted; lit.
lose	lost	lost.
make	made	made.
mean	meant	meant.
meet	met	met.
melt	melted	melted; molten.
misdeal	misdealt	misdealt.
misgive	misgave	misgiven.
mislay	mislaid	mislaid.
mislead	misled	misled.
mistake	mistook	mistaken.
misunderstand	misunderstood	misunderstood.
mow	mowed	mown.
outbid	outbade; outbid	outbidden; outbid.
outdo	outdid	outdone.
outgo	outwent	outgone.
outgrow	outgrew	outgrown.
outride	outrode	outridden.
outrun	outran	outrun.
outshine	outshone	outshone.
outspread	outspread	outspread.
outwear	outwore	outworn.
overbear	overbore	overborne.
overcast	overcast	overcast.
overcome	overcame	overcome.
overdo	overdid	overdone.
overdraw	overdrew	overdrawn.
overeat	overate	overeaten
overfeed	overfed	overfed.
overgrow	overgrew	overgrown.
overhang	overhung	overhung.
overhear	overheard	overheard.

Infinitive	Past Tense	Past Participle
overlay	overlaid	overlaid.
overleap	overleapt;	overleapt;
	overleaped	overleaped.
overlie	overlay	overlain.
override	overrode	overridden.
overrun	overran	overrun.
oversee	oversaw	overseen.
overset	overset	overset.
overshoot	overshot	overshot.
oversleep	overslept	overslept.
overspread	overspread	overspread.
overtake	overtook	overtaken.
overthrow	overthrew	overthrown.
overwork	overworked	overworked;
		overwrought.
partake	partook	partaken.
pay	paid	paid.
put	put	put.
read	read	read.
rebuild	rebuilt	rebuilt.
recast	recast	recast.
relay	relaid	relaid.
rend	rent	rent.
repay	repaid	repaid.
retell	retold	retold.
rid	ridded; rid	rid; ridded.
ride	rode	ridden.
ring	rang; rung	rung.
rise	rose	risen.
rive	rived	riven; rived
run	ran	run.
saw	sawed	sawn; sawed.
say	said	said.
see	saw	seen.
seek	sought	sought.
sell	sold	sold.
send	sent	sent.
set	set	set.
sew	sewed	sewn; sewed.
shake	shook	shaken.
shear	sheared; *shore*	shorn; sheared.
shed	shed	shed.
shine	shone	shone.
shoe	shod	shod.

Infinitive	Past Tense	Past Participle
shoot	shot	shot.
show	showed	shown; showed.
shred	shredded; *shred*	shredded; *shred*.
shrink	shrank; shrunk	shrunk; shrunken.
shrive	shrove; shrived	shriven; shrived.
shut	shut	shut.
sing	sang; *sung*	sung.
sink	sank; *sunk*	sunk; sunken.
sit	sat	sat.
slay	slew	slain.
sleep	slept	slept.
slide	slid	slid; slidden.
sling	slung	slung.
slink	slunk	slunk.
slit	slit	slit.
smell	smelt; smelled	smelt; smelled.
smite	smote; *smit*	smitten; *smit*.
sow	sowed	sown; sowed.
speak	spoke; *spake*	spoken.
speed	sped; speeded	sped; speeded.
spell	spelt; spelled	spelt; spelled.
spend	spent	spent.
spill	spilt; spilled	spilt; spilled.
spin	spun; span	spun.
spit	spat; *spit*	spat; *spit*.
split	split	split.
spoil	spoilt; spoiled	spoilt; spoiled.
spread	spread	spread.
spring	sprang	sprung.
stand	stood	stood.
stave	staved; stove	staved; stove.
steal	stole	stolen.
stick	stuck	stuck.
sting	stung	stung.
stink	stank; stunk	stunk.
strew	strewed	strewn; strewed.
stride	strode	stridden; strid.
strike	struck	struck; stricken.
string	strung	strung.
strive	strove	striven.
sunburn	sunburned; sunburnt	sunburned; sunburnt.
swear	swore; *sware*	sworn.
sweep	swept	swept.
swell	swelled	swollen; swelled.
swim	swam	swum.
swing	swung	swung.
take	took	taken.

Infinitive	*Past Tense*	*Past Participle*
teach	taught	taught.
tear	tore	torn.
tell	told	told.
think	thought	thought.
thrive	throve; thrived	thriven; thrived.
throw	threw	thrown.
thrust	thrust	thrust.
tread	trod	trodden; trod.
unbend	unbent	unbent.
underbid	underbid	underbidden; underbid.
undergo	underwent	undergone.
undersell	undersold	undersold.
understand	understood	understood.
undertake	undertook	undertaken.
underwrite	underwrote	underwritten.
undo	undid	undone.
upset	upset	upset.
wake	woke; waked	waked; woken; woke.
waylay	waylaid	waylaid.
wear	wore	worn.
weave	wove	woven; wove.
wed	wedded	wedded; wed.
weep	wept	wept.
win	won	won.
wind	winded; wound	winded; wound.
withdraw	withdrew	withdrawn.
withhold	withheld	withheld.
withstand	withstood	withstood.
work	worked; *wrought*	worked; *wrought*.
wring	wrung	wrung.
write	wrote; *writ*	written; *writ*.

MUNIR BA'ALBAKI

The LAMPS OF EXPERIENCE

A COLLECTION OF ENGLISH PROVERBS WITH ORIGINS AND ARABIC EQUIVALENTS

مصابيح التجربة

دراسة تحليلية مقارنة لمجموعة من الأمثال الإنكليزية
تبحث في أصولها وتتتبع مسار تطورها
وتنص على مقابلاتها العربية

تأليف
منير البعلبكي

تصدير

الحمد لله وحده.

وبعد فهذه إضافة جديدة إلى «المورد» أردتها، هذه المرة، دراسةً تحليلية مقارنةً لمجموعة من الأمثالِ التي تتردَّد على أقلام كتّاب الإنكليزية وعلى ألسنة الناطقين بها. وقد نَهَجتُ في هذه الدراسة الموسّعة، التي تشكّل - أو تكادُ - كتاباً كاملاً، نهجاً جديداً لا أظنّ أن أَحداً سبَقَني إليه، فترجَمتُ الأَمثالَ الإنكليزيةَ أولاً ترجمةً حرفيةً أو شِبْهَ حرفيةٍ دقيقةً حتى يتمثّلَ القارىء الصُّوَرَ البلاغية التي أفرغها فيْها أصحابُها أنفسُهم، ثم شَرَحْت ما خفيَ أو غمضَ من مدلولاتها، ونَصَصْت على أصولها وأَوَّليّة استخدامها في اللغة الإنكليزية، ومن ثَمّ تَتَبَّعْتُ خطَّ سَيْرها التطوّري حتى تَبَلْوُرِها في صِيَغِها النهائية الشائعة في يوم الناس هذا. حتى إذا تَمَّ لي ذلك عَمَدْت إلى تدوين بعض ما يقابلها أو يُشابِهها من أمثال العرب، وأقوالهم المأثورة، وحِكَمِهم السائرة.

وإذْ كانت أمثال الأمم ثمرة تجاربها، وإذْ كان كثير منها منائر يهتدي بها الناس في حياتهم اليومية فإني لم أجد اسماً أطلقه على هذه المجموعة خيراً من «مصابيح التجربة»... والله أسأل أن يوفقني، عمّا قريب، إلى دراسة مزيد من الأمثال الإنكليزية التي لا يستغني عن فهمها والإحاطة بتاريخها ومقابلاتها العربية طلابُ الأدب الانكليزيّ وأساتذته على حدٍّ سواء.

أول يناير (كانون الثاني) ١٩٨٠

منير البعلبكي

A

1 – A bad (or **an ill**) **workman quarrels** (or **blames) his tools.**

١ - الصّانع المُهْمِل (أو الرديء) يتشاجَرُ مَعَ (أو يُلقي باللاّئمَةِ على) أدواته.

★ وبكلمة أخرى: إنّ مَنْ يُخفق في أداء مهمة أو عملٍ كثيراً ما يحاول أن يُلقي تبعةَ ذلك على الزمان أو الدّهر، أو الظروف، أو الأعوان، أو عُدّة الشغل الخ. وهذا المثل وَرَدَ في كتاب «راي» Ray «مجموعة من الأمثال الإنكليزية» *A Collection of English Proverbs* (عام ١٦٧٠).

وهو يذكّر بقول أكثم بن صَيْفي، وقد ذَهَبَ مَثَلاً: «مَنْ عَتَبَ على الدّهر طالَتْ مَعْتَبَتُهُ» أي عَتَبُهُ.

2 – A bird in the hand is worth two in the bush.

٢ - عصفورٌ في آليَد يُساوي اثنَيْن في آلأجَمَة.

★ يرقى هذا المثل إلى العام ١٤٧٠ للميلاد. وقد وَرَدَ في بعض المراجع التي ترقى إلى العام ١٥٣٠ «يساوي ثلاثةً في الأَجَمَة». وفي كتاب «هايْوود» Heywood «حوار يشتمل على الأمثال الإنكليزية» *A Dialogue Containing the Proverbs in the English Language* (عام ١٥٤٦): «يساوي عشرةً في الأجمة». أما «راي» Ray في «مجموعة من الأمثال الإنكليزية» *A Collection of English Proverbs* (عام ١٦٧٠) فلم يَقْنع بأقلّ من مئة!

ويقابله في العربية قولنا نحن اليوم: « عصفور في اليد خير من عشرة على الشجرة ».

وهو يَنْظُرُ إلى قول العرب في أمثالهم: « بيضةُ اليومِ خيرٌ من دجاجة الغد ».

ولجبران خليل جبران رأيٌ في هذا الموضوع طريف ومختلفٌ. فقد قال في كتابه « رمل وزَبَد »: « يقولون لي: عصفور في اليد ولا عشرة على الشجرة. أما أنا فأقول لهم: إن عصفوراً واحداً على الشجرة خيرٌ من عشرة في اليد ».

3 – A burnt child dreads the fire.

٣ - الطفل المكتوي بالنار يخاف النار.

★ يرقى هذا المثل إلى العام ١٣٠٠ للميلاد، وقد وَرَدَ في بعض المدَّونات على الشكل التالي: *Brend* [burned] *child fur dredeth* أما المثل بلفظه الحاليّ فتنصّ المصادر على أنه يرقى إلى العام ١٥٨٠.

ويقابله في العربية قولهم: « من نَهَشَتْهُ الحيّة حَذِرَ الرَّسَنَ الأبلق ».

وقول الشاعر:

إنَّ ٱللَّسِيْعَ لحاذرٌ مُتَوَجِّسٌ   يَخشى ويَرْهبُ كلَّ حَبْلٍ أبلقِ

وقول بعضهم: « الملدوغ يخاف جرَّة الحبل ».

4 – A cat has nine lives.

٤ - لِلهرّة تسعُ أرواح.

★ وَرَدَ هذا المثل في كتاب « هايْوُوْد » Heywood « حوار يشتمل على الأمثال الإنكليزية » *A Dialogue.Containing the Proverbs in the English Language* (عام ١٥٤٦) على الشكل التالي: « للمرأة، كالهرّة، تسعُ أرواح » *A woman hath nyne lyues like a cat.*

وهو قريبٌ من قول العرب: « أعْمَرُ من حيّةٍ » لزعمهم أنها لا تموت حتى تُقْتَل، وقولهم: « أعمَرُ من نَسْر » لزعمهم أنه يعمَّر خمسمئة سنة.

5 – A cock crows on his own dunghill.

٥ - على دِمْنَتِهِ يَصيحُ آلدِّيك.

★ هذا المثل عريق في القِدَم. وقد ورد عام ١٥٤٦ للميلاد بالصيغة التالية: « كل ديك ينتصب على دِمْنَتِهِ (أي على مزبلته) مفتخراً » ***Euery cocke is proude on his owne dunghill.***

ويقابله في العربية المثل القائل: « كلُّ كَلْبٍ ببابِهِ نبَّاح »، وقول بعضهم: « على مزبلته يصيح الديك ». وقول آخرين: « كلُّ ديك على مزبلته صيّاح ».

6 – A drowning man will clutch (or **catch**) **at a straw.**

٦ - الغريقُ يَتعلَّقُ بِقَشّة.

★ وردت الصورة المجازية التي ينطوي عليها هذا المثل في اللغة اللاتينية في رسالة للخطيب والزعيم الروماني سنيكا Seneca نُشِرت ترجمةٌ لها إنكليزيةٌ عام ١٦٥٠ للميلاد. وفي عام ١٦١٢ ورد المثل في بعض مصنَّفات الأسقف البريطاني جوزيف هول Hall على الشكل التالي: « الغريق يتعلّق بأيّ أُملود » (أيْ بأيّ غُصْن صغير) The drowning man snatches at every twig. أما المثل في صيغته الحالية فقد استُخدم، أولَ ما استُخدم، عام ١٧٤٨.

ويقابله قولُ العرب اليوم: « الغريقُ يتعلّقُ بحبال الهواء ».

7 – A fox is not taken twice in the same snare.

٧ - لا يُوْقَعُ الثَّعْلبُ في الشَّرَكِ نفسِهِ مرَّتين.

★ وَرَدَ هذا المثل في عدد من المراجع المعتمدة في دراسة الأمثال الإنكليزية ولكن أياً منها لم يتحدث عن نشأتِهِ وأوّليّتِهِ وتطوّره.

وهو يذكِّر بقول الرسول عليه السلام: « لا يُلْدَغُ آلمؤمنُ من جُحْرٍ مَرَّتين »، وبقول العرب في أمثالهم: « ليس لرَجُلٍ لُدِغ من جُحرٍ مرّتين عُذْرٌ ».

8 – A friend in need is a friend indeed.

٨ - صَديقُكَ ٱلحقُّ هو الصَّديقُ الذي يَقِفُ إلى جانبِكَ في ٱلشَّدائد.

★ وردت أقدم صُوَر هذا المثل عام ١٢٧٠ للميلاد على الشكل التالي: « الرفيق الأمين هو مَنْ يُسْعفك عند الحاجة ». وقد جاء في بعض آثار الشاعر الإنكليزي ريتشارد بارنفيلد Barnfield (١٥٧٤ - ١٦٢٧) قوله: « صديقك الحقّ هو من يُهْرَع إلى معونتك إذا أَلَمَّتْ بك شِدَّة » He that is thy friend indeed, he will help thee in thy need. أما المثل في صيغته الدارجة اليوم فيرقى إلى العام ١٦٧٨.

ويقابله في العربية قولهم: « الصديق عند الضيّق »،
وقولهم: « عند الشدائد تُعرَف الإخوان »،
وقول بشّار بن بُرد:

خيرُ إخوانكَ ٱلْمُشارِكُ في ٱلضُّرِّ ... وأين الشريـكُ في ٱلضُّرّ أَيْنـا؟!
ٱلّذي إنْ شَهدْتَ سَرَّكَ في ٱلْحَيِّ ... وإنْ غِبْتَ كان أُذناً وَعَيْناً
مِثْلُ حُرِّ ٱلياقوتِ إن مَسَّهُ ٱلنّارُ ... جَلاهُ ٱلبَلاءُ فَٱزْدادَ زَيْنا!..

9 – A guilty conscience needs no accuser.

٩ - الضَّميرُ الشاعرُ بالإثم في غير ما حاجةٍ إلى مُتَّهِم.

★ ترقى فكرة هذا المثل إلى العام ١٥٤٥ للميلاد. وفي العام ١٥٩٧ وَرَدَ بالصيغة التالية: « الضمير الشاعر بالإثم لا يَعرف الطمأنينة البتَّة » *A guiltie conscience is never without feare*. أما المثل بصيغته الحالية فقد تبلور عام ١٨٨١.

وهو يذكِّر بقول العرب: « كادَ ٱلْمُرِيبُ أن يَقولَ خُذوني ».

10 – A hungry man is an angry man.

١٠ - الرَّجلُ الجَوْعانُ رَجُلٌ غَضْبان.

★ وردت فكرة هذا المثل، أول ما وردت، في مسرحية شكسبير « سيّدان من فيرونا » *Two Gentlemen of Verona.* (عام ١٥٩٤). وقد ورد المثل، عام ١٦٤١، بالصيغة التالية: « الجَوْعى سريعو الغضب » Hungry men are

angry. أما الصيغة المتداولة اليوم فقد اصطُنِعَتْ، أولَ ما اصطُنِعت، في صَحيفة «اسبَكْتايتر» Spectator (٢٢ مايو ١٩٠٩).

وهو ينظر إلى قول العرب: «الجوعُ كافر»،

وقولهم: «كاد الفقْرُ أن يكونَ كُفْراً».

11 – A jack-of-all-trades is master of none.

١١ - صاحبُ الصَّنائعِ السَّبعِ لا يُتقِنُ أيَّةَ صَنْعَة.

★ يُراد بهذا المثل أن من يتعاطى حِرَفاً أو أعمالاً كثيرة يتعذّرُ عليه إتقان أيّ منها على نحوٍ يَبُزّ به الأقران. وهو يرقى إلى العام ١٨٠٠ للميلاد.

وأقرب مُقابلاته العربية المثل العاميّ القائل: «كثير الكارات قليل البارات». والكارات هي الصنائع، والبارات الدراهم.

12 – A little learning (or **knowledge) is a dangerous thing.**

١٢ - العِلمُ القليلُ (أو المعرفةُ القليلةُ) شَيْءٌ خَطِر.

★يُقصد بهذا المثل أن العلم الناقص قد يضلّل المرء وقد يورده موارد التَّهلُكة. وهو في الأصل، بيتٌ من قصيدة «مقالة في النقد» *Essay on Criticism* للشاعر الإنكليزي ألكْسَنْدَر بوب Pope (١٦٨٨ - ١٧٤٤).

ويقابله في العربية: «نصف العلم أخطر من الجَهْل».

13 – A living dog is better than a dead lion.

١٣ - الكَلبُ الحيُّ خيرٌ من الأَسَدِ المَيْت.

★ يقصد بهذا المثل التأكيد على أفضلية الحياة، مهما تكن متواضعة، على الموت وَسطَ مظاهر الإجلال والتكريم. وهو مأخوذ من «سِفر الجامعة» من «العهد القديم» من الكتاب المقدّس (الأصحاح التاسع، الآية ٤ - ٥) حيث جاء: «الكلب الحيّ خيرٌ من الأسد الميت. لأن الأحياء يعلمون أنهم سيموتون؛ أما

الموتى فلا يعلمون شيئاً وليس لهم أجرٌ بعدُ لأن ذكرهم نُسيَ ».

وهو يذكّر بقول العامة عندنا: « ألفُ نومة في كَدَر، ولا رَقْدة تحت الحجر! ».

14 – A man can do no more than he can.

١٤ - المَرْءُ أعْجَزُ مِنْ أنْ يَفعَلَ ما لا يُطيق.

★ يرقى هذا المثل إلى العام ١٥٣٠ وقد وَرَدَ آنذاك بالصيغة التالية: « ليس في مُستطاع أيّما امرىء أن يفعل فوقَ ما يُطيق » No man can do above his power ثم ورد، عام ١٥٩٤، بالصيغة التالية: « الناس لا يستطيعون أن يفعلوا أكثر مما يُطيقون » *Men can do no more than they can do.* وأخيراً تَبَلْوَرَ في صيغته المعروفة اليوم، عامَ ١٦٧٠.

وهو قريبٌ جداً من قوله تعالى في القرآن الكريم: « لا يُكَلِّفُ ٱللهُ نَفساً إلاّ وُسْعَها » (سورة البقرة، الآية ٢٨٦)، وقوله: « لا تُكَلَّفُ نفسٌ إلاّ وُسْعها » (سورة البقرة، الآية ٢٣٣)، وقوله: « ولا نُكَلِّفُ نَفْساً إلاّ وُسْعها » (سورة المؤمنون، الآية ٦٢).

ومن القول العربي السائر: « فاقد الشيء لا يُعطيه ».

15 – A man cannot serve two masters.

١٥ - ليسَ في مَقْدور ٱلمَرْء أَنْ يَخْدِمَ سَيِّدَيْنِ ٱثنَين.

★ المراد أن المرء لا يستطيع أن يجنّد نفسه، مُخْلصاً، لخدمة قضيّتين تتعارض أهداف إحداهما مع أهداف الأخرى. وأصله آية في سِفر مَتّى (من أسفار « العهد الجديد » من الكتاب المقدس) تقول، وفقاً للترجمة العربية الجديدة الصادرة في بيروت عام ١٩٧٨ عن « اتحاد جمعيات الكتاب المقدس »: « لا يقدر أحدٌ أن يَخْدم سيّدين، لأنه إما أن يُبغض أحدَهما ويحبّ الآخر، وإما أن يتبع أحدهما وينبذ الآخر. فأنتم لا تقدرون أن تخدموا اللهَ والمال » (الأصحاح السادس، الآية ٢٤). وفي سِفر لوقا آية مماثلة (الأصحاح السادس عشر، الآية ١٣).

وهو ينظر إلى المثل العربي الذي يقول « لا يُجْمَعُ سيفانِ في غِمْدٍ » وأصلُهُ قول أبي ذُؤَيْب:

تَزيـــدين كَيْما تَضمُديـــني وخالـــداً
وهَلْ يُجْمَعُ السَّيفانِ، وَيْحَكِ، في غِمْدِ؟!

وقريبٌ منهُ قول أحمد شوقي:

ومَنْ يَعْـــدِلْ بحُـــبِّ اللهِ شَيئـــاً
كَحُـــبِّ المـــال، ضَـــلَّ هوىً وخابـــا

16 – A man is known by the company he keeps.

١٦ - المرءُ يُعْرَفُ بِأقْرانِه.

★ ورد هذا المثل في كثير من المراجع المعنيّة بدراسة الأمثال الإنكليزية، ولكنّ أياً منها لم يتطرّق إلى أصله وتطوّره. وله في العربية نظائر كثيرة، منها قولهم: «المرء بخليلِهِ»،

وقولهم: «جليسُ المرء مثلُهُ»،

وقول الشاعر:

إذا لم تَدْرِ ما ٱلإنْسانُ فَٱنْظُرْ
مَنِ ٱلخِدْنُ المفاوِضُ والمُشِيرُ

وقول الآخر:

لا تَسْأَلَنَّ عَنِ ٱمرئٍ وَٱسأَلْ بِـــهِ،
إنْ كنتَ تَجْهَلُ أمْرَهُ، ما ٱلصّاحِـــبُ

وقول طرفة بن العبد:

عَنِ ٱلْمَرْءِ لا تَسْأَلْ وَأَبْصِرْ قَرينَـــهُ
فإنَّ ٱلقرينَ بِٱلْمُقارِنِ يَقتَـــدي

وقولنا نحن اليوم: «قُلْ لي مَنْ تُعاشِر أقُلْ لَكَ مَنْ أنتَ».

17 – A man's (or **an Englishman's**) **house is his castle.**

١٧ - بيتُ ٱلمرءِ (أو بيتُ الرَّجُلِ الإنكليزيّ) قَصْرُهُ.

★ يَرقى أقدم تدوين لهذا المثل إلى العام ١٥٨١ للميلاد. وهو يُنْسب إلى الملكة اليصابات الأولى (أليزابيث الأولى) Elizabeth I لقولها لبعض مخاطَبيها: «بيتك هو قَصْرُك» *Youre house is youre Castell.* وفي العام ١٧٧٩ قال

الدكتور جونسون Dr. Johnson: «إنّ بيت المرء هو حقاً قصرُهُ الذي يستطيع أن يكون فيه بَمْنْجىً تامّ من التطفّل» A man's own house is truly his castle, in which he can be in perfect safety from intrusion.

وهو يذكِّر بما رواه إخباريُّو العرب من أن الخليفة معاوية بن أبي سفيان أنزل زوجته مَيْسون البَحْدَليّة قصراً في الغوطة. فلبست ذات يوم أنفس ملابسها وراحت تنظر إلى الأشْجار الوارفة، وتصيخ إلى تغريد الطير على أفنانها، فحنَّت إلى نجد، وتذكّرت أتراباً لها فيه، فتنهدَت وقالت:

لَبَيْتٌ تَخْفِقُ ٱلْأَرْواحُ فيهِ
أَحَبُّ إليَّ مِنْ قصرٍ مُنيفِ
ولُبْسُ عباءةٍ وَتَقَرَّ عَيْني
أَحَبُّ إليَّ من لُبْس ٱلشُّفوفِ

وفي رواية: «الأرياح» بدلاً من «الأرواح»، والمعنى واحد.

ويلي هذين البيتين أبياتٌ منها:

وأَكْلُ كُسَيْرةٍ في كِسْرِ بيتي
أَحَبُّ إليَّ مِنْ أَكْلِ ٱلرَّغيفِ
وَأَصواتُ ٱلرِّياحِ بِكُلِّ فَجٍّ
أَحَبُّ إليَّ من نَقر الدُّفوفِ
وكَلْبٌ يَنْبَحُ ٱلطُّرّاقَ دُوْني
أَحَبُّ إليَّ من قِطٌّ أَلُوفِ

١٨ - الدِّرْهَمُ المدَّخَرُ هو وَحْدَهُ الدِّرهُمُ المكسوب.

18 – A penny saved is a penny gained.

★ يُقْصَد بهذا المثل أن المال الذي تدخِّره هو وحده المال الذي تستطيع القول إنك ربحتَهُ. أما ما تنفقه من كَسْبك فليس بربح. وقد وَرَدَ هذا المثل عام ١٦٤٠ للميلاد على الشكل التالي: «الدرّهم المدَّخَر مكسوبٌ مرتين» A penny spared is twice got أما صيغة المثل، كما يتداوله الناس اليوم، فترقى إلى العام ١٦٦٢.

وهو يذكِّر، على الرغم من تناقض المَدْلول، بالقول العربي المأثور: «لك من مالك ما أنفقت، ومن ثيابك ما أبليت».

وقول ابن دُرَيْد في « مقصورته ».

وِلِلْفَتى مِنْ مالِهِ ما قَدَّمَتْ
يَداهُ قَبْلَ مَوْتِهِ لا ما اقتنى

19 – A poet is born, not made. ١٩ - الشاعرُ يُوْلَدُ ولا يُصنَع.

★ هذا المثل لا يعدو أن يكون ترجمةً للحكمة اللاتينية التي تقول: *Poeta nascitur, non fit*. وفي عام ١٥٨١ قال الشاعر الإنكليزي السير فيليب سيدني Sidney: « إذاً هو مثل قديم يقول: الخطيب يُصْنع أما الشاعر فيُوْلد شاعراً » *Orator fit; poeta nascitur.* وفي عام ١٦٢٠ قال توماس شيلتون Shelton وهو أول إنكليزي ترجم رواية « دون كيخوتة » *Don Quixote* للشاعر الإسباني سَرْفانتس Cervantes : « الشاعر يولد من رَحِمِ أُمّهِ شاعراً ».

ومن أجمل ما وقعت عليه في مجال الكلام على أن الشعر طَبْعٌ ومَوْهبة وليس صَنْعة، ولكنْ مَعَ الدعوة إلى تنمية هذه الموهبة وصقلها وتهذيبها، قول بكر بن النطّاح: « الشعرُ مثلُ عين الماء إذا تركْتَها اَنْدفَنَتْ، وإنِ اَسْتَهْتَنْتَها هَتَنَتْ ».

وقول الأخطل الصغير:

الشِّعْرُ رُوحُ اَللهِ في شاعِرِهِ
ذَلِكَ يُوحِيْهِ وَهذا يَنشُرُ
الحِكْمَةُ اَلغرّاءُ من أسمائِهِ
وَعَدْنُ من أوطانِهِ وعَبْقَرُ
لَهُ على اَلآفاقِ فَتْحٌ زاهرٌ
وفي عُبابِ اَلماءِ فَتْحٌ أزهَرُ

20 – A prophet is not without honor save in his own country. ٢٠ - لا يَعْدَمُ النَّبِيُّ آياتِ التشريفِ إلاّ في وطنِهِ.

★ ذلك بأن ذوي القربى، والأصدقاء، والمواطنين بعامةٍ كثيراً ما يَضِنّون على العظيم بشيء من التقدير والإجلال اللذين يُغدَقان عليه في دار غُرْبتِهِ. وأصل المثل آية في سِفر متّى (من أسفار « العهد الجديد » من الكتاب المقدس) هذا

نصُّها: « وأما يَسُوع فقال لهم ليسَ نبيٌّ بلا كرامة إلا في وطنه وفي بيته » (الأصحاح الثالث عشر، الآية ٥٧).

ويقابله في العربية قولهم: « لا كرامة لنبيّ في وطنه »،

وقولهم: « مُغنِّية ٱلحيِّ لا تُطرِب »، أو « زامِرُ الحيِّ لا يُطرِب »،

وقولهم: « أزهدُ الناسِ في ٱلعالِمِ أَهلُهُ وجيرانُهُ »،

وقولهم: « مَثَلُ العالِمِ كٱلحُمَّة يأتيها البُعَداء ويزهَدُ فيها القُرَباء »، وٱلحُمَّةُ ٱلعينُ ٱلحارّةُ ٱلماء.

ومثله قول العامّة: « بنت ٱلدار عوراء ».

21 – A secret between more than two is no secret.

٢١ - السِّـرُ بين أكثَرَ من ٱثنَينِ ليس بِسِرٍ.

★ ورد هذا المثل، في الأدب الإنكليزي، أول ما ورد ، عام ١٤٠٠ للميلاد، ولم يتبلور في صورته الحالية إلا بعد انقضاء القرن السادس عشر. وعند الفرنسيين مثلٌ مُقارب يقول: « السّرّ بين اثنين سرٌّ يشارك فيه الرّب؛ أما السرّ بين ثلاثة فسِرٌّ يشارك فيه الجميع» *Secret de deux, secret de Dieu; secret de trois, secret de tous.*

ويقابله في العربية قولهم: « كُلُّ سِرٍّ جاوَزَ ٱلإثنَيْنِ شاع ».

22 – A soft answer turneth away wrath.

٢٢ - الجـواب الرقيق يُسكت الغضب.

★ هذا المثل مأخوذ من « سفر الأمثال » من « العهد القديم » من الكتاب المقدس، وأصله - وفقاً لترجمة المرسلين الأميركيين العربية - « الجواب الليِّن يَصْرِفُ الغضب والكلامُ الموجع يَهيج السُّخط » (الأصحاح الخامس عشر، الآية ١).

وشبيه به قول المثل العربي: « إن الرَّثيئة تَفثأُ ٱلغَضبَ » والرَّثيئةُ هي اللبن الحامض يُخلط بالحلو. وتَفثأُ الغضبَ أي تُسْكِتُهُ وتسكّنُهُ. ذكروا أن رجلاً

نزل بقومٍ وكان غضبان ساخطاً، ولكنه كان في الوقت نفسه جائعاً، فسَقَوْه الرَّثيئة فزايلَهُ الغضب. وهو يُضرب في الهدية تُوْرِث الوفاقَ مهما كانت ضئيلة.

وقريبٌ منه أيضاً قول أحمد شوقي:

ينـالُ بِٱللِّيْنِ ٱلْفَتَى بَعْضَ ما   يَعْجزُ بِٱلشِّدَّةِ عَنْ غَصْبِهِ

٢٣ - الدَّرْزَةُ (أو ٱلْغَرْزَةُ) في حِيْنِها تُوَفِّرُ تِسْعاً.

23 – A stitch in time saves nine.

★ أصل هذا المثل قولهم: « الدَّرزة في حينها قد توفِّر تسعاً » A stitch in time may save nine (عام ١٧٣٢). وقد استُخْدِمَ، في صيغته الحالية، أولَ ما اسْتُخْدِمَ، عام ١٨٦٩.

وهو يَنْظُرُ إلى قول العرب: « دِرْهَمُ وِقايَةٍ خَيْرٌ مِنْ قِنطارِ عِلاج »، وقولهم: « التَّدْبيرُ نصفُ ٱلمعيشَة ».

٢٤ - إنَّما تُعْرَفُ الشَّجَرَةُ مِنْ ثَمَرِها.

24 – A tree is known by its fruit.

★ هذ المثل مأخوذ من « سِفر متَّى »، أحد أسفار « العهد الجديد » من الكتاب المقدس. (راجع المثل: « من ثمارهم سوف تعرفونهم » By their fruits ye shall know them).

وهو يذكّر بقول العرب في أمثالهم: « تُخْبِرُ عَنْ مَجْهُولِهِ مِرْآتُهُ » ومعناه أن مَظْهَرَ الشيء يُخبر عن بَاطِنِهِ.

وبقول أحمد شوقي:

باطِنُ ٱلأُمَّةِ مِنْ ظَاهِرِها   إنَّما ٱلسَّائلُ مِنْ لَوْنِ الإناءْ

25 – A word to a wise man is enough.

٢٥ - حَسْبُ ٱلحَكيمِ كَلِمَةٌ واحِدَة.

★ ترقى فكرة هذا المثل إلى حوالى العام ١٢٧٥ للميلاد. وقد ورد عام ١٥٧٦ بالصيغة التالية: « حَسْبُ العاقلين كلماتٌ قليلة » *Few wordes among wise men suffiseth.* وورد عام ١٦١٤ بالصيغة التالية: « تكفي الحكيمَ كلماتٌ قليلة » Few words to the wise suffice . وأغلب الظن أنه استقرّ على صيغته المتداولة اليوم في أواسط القرن التاسع عشر.

وهو أقرب ما يكون إلى المثل العربي القائل: « إنَّ ٱللَّبيبَ مِنَ ٱلإِشارَةِ يَفْهَمُ ».

وشبيهٌ به قولُ الشاعر:

ٱلعَبْـــدُ يُقْرَعُ بِٱلْعَصا   وَٱلْحرُّ تَكْفِيْـــهِ ٱلإِشارَهْ

26 – Absence makes the heart grow fonder.

٢٦ - البُعْدُ يَزيدُ القلبَ ولوعاً.

★ يرقى هذا المثل الى العام ١٨٥٠ للميلاد. ولعله مأخوذ من قول بعضهم: « البُعد يشحَذُ الحبّ والقُرْب يقوّيه » Absence sharpens love, presence strengthens it (عام ١٧٣٢). وهو على أيةِ حال، يتعارض مع المثل الإنكليزي الآخر: « بعيدٌ عن العين، بعيدٌ عن البال » أو « من بَعُدَ عن العين بَعُدَ عن الخاطر » Out of sight, out of mind.

ويقابله المثل العربي القائل: « الهوى مِنَ ٱلنَّوى »، ومعناه أن البُعْد يُورِثُ الحُبَّ لأنَّ الإنسان يملّ ما يراه كلَّ يوم.

والقول المأثور: « زُرْ أَهْلَكَ غِبّاً تَزْدَدْ حُبّاً »، وَٱلْغِبُّ أن تزورَ يوماً وتَدَعَ يوماً.

وقد نظم ابن الورديّ هذا المعنى شعراً فقال في لاميّته المشهورة:

غِبْ وَزُرْ غِبّاً تَزِدْ حُبّاً فَمَنْ   أَكْثَرَ ٱلتَّرْدادَ أضناهُ ٱلْمَلَلْ

27 – Actions speak louder than words.

٢٧ - الأَعْمالُ أَعْلَى صَوْتاً مِنَ ٱلأَقْوال.

★ ترقى فكرة هذا المثل إلى العام ١٦٢٨ للميلاد، وقد وردَ آنذاك بالصيغة التالية: « الأعمال أنفَسُ من الأقوال » Actions are more precious than words. أما صيغة المثل السائرة، في يوم الناس هذا، فقد ذكر « معجم أوكسفورد للأمثال الإنكليزية » *Oxford Dictionary of English Proverbs* أنَّها ترقى الى العام ١٨٥٦، وهي منسوبة إلى الرئيس الأميركي أبراهام لنكولن Lincoln

ويقابله في العربية: « الأَفْعالُ أَبلغُ مِنَ ٱلْأَقْوال ».

وهو يَنْظُر إلى قول أبي تمّام في قصيدته « فتح عَمُّوريّة »:

السَّيْفُ أَصْدَقُ إنباءً مِنَ ٱلْكُتُبِ   في حَدِّهِ ٱلْحَدُّ بَيْنَ ٱلْجِدِّ وَٱللَّعِبِ

28 – All is not gold that glitters.

٢٨ - ما كلُّ ما يَلْمَعُ ذَهباً.

★ هذا المثل روماني الأصل. وقد عرفته الإنكليزية، بصيغ مختلفة، منذ العام ١٣٠٠ للميلاد. أما صيغته الحاضرة فترقى إلى العام ١٥٥٣.

ونظيرُهُ قول العرب: « ما كُلّ أَصْفَرَ ديناراً لِصُفْرتِهِ... »

وشبيه به قولهم: « ما كُلُّ بيضاءَ شَحْمَة، وَلا كُلُّ سَوْداءَ تَمْرَة » (وفي رواية: ولا كلُّ سَوْداءَ فَحْمَة).

29 – All's well that ends well.

٢٩ - كُلُّ الأُمُورِ خَيْرٌ إذا ٱنْتَهَتْ عَلى خَيْر.

★ يرقى أصل هذا المثل إلى العام ١٣٠٠ للميلاد. أما المثل في صيغته هذه فيرقى إلى العام ١٥٤٦.

ويقابله في العربية المثل القائل: « خَيْرُ ٱلْأمورِ أَحْمَدُها مَغَبَّةً » (أي عاقبةً).

وشبيهٌ به قولهم: « الأُمُورُ بِخَواتِمِها » (أَوْ بِخَواتِيمها).

30 – Any port in a storm. ٣٠ - عِنْدَ ٱلعاصِفَةِ يُفْزَعُ إلى أيِّ مَرْفأ .

★ وبكلمة أخرى، إن الأزمات الجسام تحمل المرء على التماس الخلاص أو النجاة من أيّما طريق وبأية وسيلة.

ويرقى هذا المثل إلى العام ١٧٨٠ للميلاد.

ويقابله في العربية قولنا: «الْغريقُ يَتَعلّقُ بحِبالِ ٱلْهَواء».

31 – As you sow, so will you reap. ٣١ - كما تَزْرَعُ تَحْصُدُ.

★ أصل هذا المثل قول بولس الرسول في رسالته إلى أهل غلاطية: «لا تَضِلّوا. اللهُ لا يُشْمَخُ عليه. فإنّ الذي يزرعُهُ الإنسانُ إياه يَحصُدُ أيضاً. لأنَّ مَن يزرعُ لجسده فمن الجسد يَحْصُدُ فساداً. ومَن يزرعُ للروح فمنَ الروح يَحْصُدُ حياةً أَبَديَّة» (الأصحاح السادس، الآيتان ٧ - ٨).

وقد وقعتُ على هذا المثل بحرفه (كما تَزْرَعُ تَحْصُد) في «مَجمع الأمثال» للميداني مما يدلّ على أنه ليس بجديد على العربية كما يُتَوَهَّم. وقد علّق الميداني على المثل فقال إنه شبيه بقولنا «كما تدَينُ تُدان» وهو يُضرب في الحثّ على فعل الخير.

B

32 – Barking dogs seldom bite. ٣٢ - الْكِلابُ ٱلنَّبَّاحَةُ نادِراً ما تَعَضّ.

★ ترقى فكرة هذا المثل إلى العام ١٢٧٥ للميلاد. وفي عام ١٥٩٥ ورَدَ المثل بالصيغة التالية: «الكَلْب النَّبَّاح نادراً ما يعضّ الغرباء» *A barking dog*

وأغلب الظنّ أنه تبلور في صيغته الدارجة *doth seldom strangers bite.*
اليوم بُعَيْد الثلث الأول من القرن التاسع عشر.

وأقرب الأمثال العربية إليه قولهم: «السِّنَّوْرُ الصَّيَّاحُ لا يَصْطادُ شيئاً»،
وقولهم: «مَنْ قَصُرَتْ يَدُهُ مَدَّ لسانَهُ».

٣٣ - المُتَسَوِّلون لا يَمْلِكونَ حَقَّ الاَخْتِيار.

33 – Beggars cannot be choosers.

★ يُقْصَد بهذا المثل، مجازياً، أن العاجزَ او المُسْتَضْعَفَ ليس في ميسوره أن يُملي شروطه على الآخرين. وقد استُخدم، أول ما استُخدم، عام ١٥٤٦ للميلاد.

وهو يذكّر بقول المثل العربي: «طُفَيْلِيٌّ ومُقْتَرِح؟!»

وقول العرب المعاصرين: «أشحَّاذ وتُشارط؟!» أو «شحّاذ ومُشارط؟!» مستنكرين به على المحتاج أن يستعطي ويفرض إرادته في آنٍ معاً.

٣٤ - لا تُصَدِّقْ كُلَّ ما تَراه ولا نِصْفَ ما تَسْمَعُه.

34 – Believe not all that you see nor half what you hear.

★ وَرَدَ هذا المثل، أولَ ما وردَ، عام ١٢٠٥ للميلاد، وذلك بالصيغة التالية: «إذا صدَّقْتَ كلَّ امرىء فنادراً ما تُحْسِنُ صُنْعاً» *Yif thu ileust arhcne mon, Selde thu saelt wel don* أما صيغة المثل كما نعرفها اليوم فلم ينصّ «معجم أوكسفورد للأمثال الإنكليزية» *Oxford Dictionary of English Proverbs* على التاريخ الذي ترقى إليه. ولكنه يذكر أن المثل وردَ عامَ ١٨٥٣ على الشكل التالي: «صدِّق نصف ما تراه وحَسْب، ولا تصدِّق شيئاً مما تسمعه» Believe only half of what you see, and nothing that you hear

ويقابله في العربية المثل القائل: «إسْمَعْ ولاَ تُصَدِّقْ»،

وقولهم: «كثرة الشك مِن صِدق المحاماة على اليقين» أي من شدّة الحرص على اليقين.

وهو يذكّر بقولهم: «آفةُ الحديث الكذِب»،

وقولهم: «وما آفة الأَخبار إلا رُواتها».

وبالآية الكريمة «يا أَيُّها ٱلذَّينَ آمَنُوا إِنْ جاءَكُمْ فَاسِقٌ بِنَبَأٍ فَتَبَيَّنُوا أَنْ تُصِيْبُوا قَوْماً بِجَهالَةٍ فَتُصْبِحوا عَلى ما فَعَلْتُمْ نادِمِين» (سورة الحُجُرات، الآية ٦).

35 – Better an open enemy than a false friend.

٣٥ - عَدُوٌّ يُجاهِرُكَ بِٱلْعِداء خَيْرٌ مِنْ صَدَيقٍ زائف.

★ وَرَدَ هذا المثل عام ١٢٠٠ للميلاد بهذه الصيغة: «العدوّ المتخفّي في ثياب صديق هو أكثر الخائنين غدراً» *Ueond thet thuncheo freond is swike ouer alle swike*. أما صيغته السائرة في يوم الناس هذا فترقى إلى العام ١٦٥٥.

وشبيهٌ به قول العرب: «عَدُوٌّ عَاقِلٌ خَيْرٌ مِنْ صديقٍ جاهِل»،

وقول صالح بن عبد القدوس:

عَـدُوُّكَ ذو ٱلْعَقْـلِ أبقَـى عليكَ مِنَ ٱلصَّاحـب ٱلْجاهِـلِ ٱلْأَخْرَقِ
وذو ٱلْعَقْــلِ يــأتي جميـلَ ٱلْأُمورِ وذِي خَلَّـةُ ٱلْأَرْشَدِ ٱلْأَوْفَـقِ

وقول أبي الطيب المتنبي:

ومِنَ ٱلْعَــداوَةِ مــا ينالُــكَ نَفْعُــهُ
ومِنَ ٱلصَّداقَــــةِ مـــــا يَضرُّ وَيُؤلِمُ

36 – Better a devil you know than a devil you don't know.

٣٦ - شَيْطانٌ تَعْرِفُهُ خَيْرٌ مِنْ شَيْطانٍ تجهَلُهُ.

★ يُصْطنع هذا المثل في الكلام على الأشخاص والأشياء، والأحوال والأوضاع.

ترقى فكرته العامة إلى العام ١٥٧٦ للميلاد، أما صيغته الحالية فترقى إلى العام ١٨٥٧.

وهو ينظر إلى قول العرب المعاصرين: «وَجْهٌ تَعْرِفُهُ خيرٌ من وَجهٍ تتعرَّفُ إليه».

37 – Better be sure than sorry.

٣٧ - لأَنْ تكونَ واثقاً خَيْرٌ مِنْ أَنْ تُصْبِحَ نادماً.

★ ترقى فكرة هذا المثل إلى حوالى العام ١٦٩٥ للميلاد. وقد تبلور في صيغته المتداولة اليوم عامَ ١٨٣٧.

وهو يَنْظر إلى قول العرب: «مَنْ نَظَرَ في ٱلعواقِب، سَلِمَ مِنَ ٱلنّوائب»،

وقولهم: «ليسَ للأمورِ بِصاحب، مَنْ لم يَنْظُرْ في ٱلعواقِب»،

وقولهم: «دَمِّثْ لجَنْبِكَ قبلَ النومِ مُضْطَجَعاً» (والتدميث يعني التليين).

وقول الشاعر:

قَدِّرْ لِرجلِكَ قَبْلَ الخَطْو مَوْضِعَها　　فَمَنْ عَلاَ زَلَقاً عَنْ غِرَّةٍ زَلَجا

38 – Birds of a feather flock together.

٣٨ - الطُّيورُ ذَوَاتُ ٱلرّيشِ ٱلمُتَشابِهِ يَأْلَفُ بَعْضُها بَعْضاً.

★ ورَد هذا القول في بعض آثار الخطيب والسياسي الروماني شيشرون Cicero بوصفه «مَثَلاً قديماً». وقد جاء في نصٍّ يرقى إلى العام ١٥٧٨ للميلاد على الشكل التالي: «الطيور ذوات الريش المتشابه تطير جنباً إلى جنب». أما المثل في صيغته الحاضرة فقد اصطُنع، أولَ ما اصطُنع، عام ١٨٢٨.

وخيرُ ما يقابله في العربية قولهم: «إن ٱلطُّيورَ على أَشْكالِها تَقَعُ»،

وقولهم: «الطُّيورُ على أُلاَّفِها تَقَعُ»،

وقولهم: «كُلُّ طَيْرٍ يَأْوي إلى شَكْلِهِ».

وقريبٌ من ذلك كلّه قولُ المتنبي:

وشِبْـــهُ ٱلشَّيء مُنْجَـــذِبٌ إِلَيْهِ　　وأَشْبَهُنـــا بدُنْيانـــا ٱلطَّغـــامُ

39 – Blood is thicker than water.

٣٩ - الدَّمُ أَشَدُّ كَثافَةً مِنَ ٱلماء.

★ يُقصد بهذا المثل أن رابطة الدم أقوى من أية رابطة أخرى، سواء أكانت هذه الرابطة ناشئة عن زواج، أو صداقة، أو علاقات تجارية إلخ وقد وَرَدَت

فكرةُ المثل في قصيدة للشاعر الإنكليزي جون ليدغَيْت Lydgate يرقى تاريخها إلى العام ١٤٢٢ للميلاد. أما المثل، بصيغته الحالية، فقد قيل، أولَ ما قيل، عام ١٦٧٠.

ولعل أقرب مقابلاته قول العرب اليوم: «أنا وأخي على ابن عمّي، وأنا وابنُ عمّي على ٱلغريب».

40 – By their fruits ye shall know them.

٤٠ – مِنْ ثِمارِهِمْ سَوفَ تَعْرِفونَهُمْ.

★ هذا المثل مأخوذ من «سِفر متّى» من «العهد الجديد» من الكتاب المقدّس حيث وَرَد بالصيغة التالية: «مِنْ ثمارهم تعرفونهم». (الأصحاح السابع، الآية ١٦). وفي «سفر متى» أيضاً نقع على أصل المثل الذي يقول «إنما تُعْرَفُ ٱلشَّجرة من ثمرها» A tree is known by its fruit. وقد عَربه المشرفون على الترجمة العربية الجديدة الصادرة في بيروت عن «اتحاد جمعيات الكتاب المقدس» بقولهم: «إجعلوا الشجرةَ جيدةً تحمِلْ ثمراً جيّداً. وٱجعلوا الشجرةَ رديئةً تحمِلْ ثمراً رديئاً. فالشجرةُ يَدُلُّ عليها ثمرُها» (الأصحاح الثاني عشر، الآية ٣٣).

ويقابلُهُ قول الشاعر العربي القديم:

إنَّ آثارَنا تَدُلُّ عَلَينا فَٱنْظُروا بَعْدَنا إلى ٱلآثارِ!

وهذا البيت منسوب إلى أحد ملوك اليمن القدامى المعروفين بـ «التبابعة».

C

41 – Call no man happy until he is dead (or dies).

٤١ – لا تَقُلْ في وَصْفِ أيِّما آمْرِئٍ إنّهُ سَعيدٌ إلاّ بَعْدَ أنْ يَموت.

★ لا يُقصد بهذا المثل، كما قد يتبادر إلى الذهن، أن الموتى هم وحدهم السُعداء، وإنما يُراد أننا لا نستطيع أن نَسِمَ حياةَ أيما امرىء بالسعادة إلا بعد

موته لأنه عُرْضة - ما دام على قيد الحياة، وبرغم كلّ ما يمتّع به من سعادة - لمختلف الرزايا وضروب البلاء. والواقع أن فكرة هذا المثل تواترت في الأدب الكلاسيكي وبخاصة في شعر إيسخيلوس Aeschylus وسوفوكليس Sophocles ويوريبيديز Euripides وأوفيد Ovid. أما أول إلماع لهذه الفكرة، في الأدب الإنكليزي، فيرقى إلى العام ١٦٠٣ للميلاد. ولم يتخذ المثل صيغته النهائية المتداولة اليوم إلا في أواخر القرن التاسع عشر.

وهو يُذكِّر بقول أبي العتاهية:

سُبحـانَ رَبِّـكَ كيـفَ يَلْتَـذُّ آمْرُؤٌ
بِآلعَيْشِ وَهْوَ بنفسِهِ مَطْلوبُ؟!

وقوله:

مـا آختَلَـفَ آللَّيـلُ وَآلنَّهـارُ وَلا
دَارَتْ نُجُومُ آلسَّماءِ في آلفَلَـــكِ
إلاَّ لِنَقْــلِ آلسُّلْطـانِ مِنْ مَلِـكٍ
قَـدِ آنْقَضَـى مُلْكُـهُ إلى مَلِـكِ!

٤٢ - الْهَمُّ قَتَلَ آلْهِرَّة. 42 - Care killed the cat.

★ يرقى هذا المثل الى أواخر القرن السادس عشر للميلاد. ويُرجح أنه مستمد من حكاية مجهولة من الحكايات الموضوعة على ألسنة الحيوان زعمت أن هرّةً من الهررة استبدّ بها الهمّ والقلق فقضت نحبها على الرغم من الاعتقاد الشعبي بأن الهرة تتمتع بمناعة عجيبة تجعلها في نَجْوةٍ من الموت، أو تكاد (وهو الاعتقاد الذي يجسِّده المثل الانكليزي القائل «للهرة تسع أرواح» A cat has nine lives). ولعلّ شعبية هذا المثل ناشئة عن أن ثلاثاً من كلماته الأربع يبدأ كلٌّ منها بحرفٍ يمثّل صوت «الكاف» في العربية.

★ وأياً كان فقد جاء هذا المثل، في بعض الروايات، على الصورة التالية Curiosity killed a cat ومعناه: «الفضول قَتَلَ هرّة».

والمثل، في نصّه المألوف (الهمُّ قَتَلَ آلهرّة)، يذكِّر بقول العرب: «ثُلُثا الهَرَمِ هَمٌّ» ومُحَصَّلُهُ ان الهموم تُهْرِم المرءَ اكثر مما تُهْرِمُهُ السِّنّ. ومن وجوه البلاغة العجيبة، في هذا القول المأثور، أن لفظة «هَرَم» المؤلفة من ثلاثة أحرف تشتمل على حرفَيْ الهاء والميم اللذين يؤلّفان لفظة «هَمّ»، وبذلك يكون ثُلُثا الهرم - حتّى من حيث عدد الحروف - هَمّاً.

وشبيهٌ به قول أبي الطيب المتنبي:

وَٱلْهَمُّ يَخْتَرِمُ ٱلْجَسِيمَ نَحافَـــــــــةً
وَيُشيـــــــبُ ناصِيَـــــــةَ ٱلصَّـــــبِيِّ وَيُهْرِمُ

43 – Catch not at the shadow and lose the substance.

٤٣ - لا تَتَعَلَّقْ بِٱلظِّلِّ خَشْيَةَ أن يَفُوتَكَ ٱلْجِسْم.

★ يُقصد بهذا المثل الحثّ على عدم الانشغال بالوهميّ عن الحقيقي أو بالعَرَض عن الجوهر. وفيه إلماع إلى ما جاء في حكاية الكاتب الإغريقي إيسوب Aesop يحاول فيها كلبٌ أن يفوز بعظْمٍ تبدّى له وَسْط الماء، ولم يكن في الواقع غيرَ ظلٍّ لعظمٍ كانِ يعضّ عليه بنواجذه، فلم يَفُزْ بالصّورة وخسِر الأصل! وإنما يرقى استعمال هذا المثل، بصيغة مختلفة بعض الشيء، إلى العام ١٥٧٩ للميلاد. ويُرجَّح أنه اتّخذ صيغته الحاضرة عام ١٨٥٥.

ولعلّ خير ما يقابله، عند العرب، قولهم: «ذهب ٱلحمارُ يَطلبُ قَرْنَيْن، فَعادَ مَصْلومَ ٱلأُذُنَيْن» وهو يُضرب لمن يطمع في ما لا يستطيع نيلَهُ فيخسر ما كان له.

وقولهم: «لا تُحيِ ٱلبَيْضَ وتَقْتُلِ ٱلفِراخَ» أيْ لا تحفظِ ٱلصغيرَ وتضيِّع ٱلكبير.

44 – Charity begins at home.

٤٤ - الإحسانُ يبدأُ بالأُسرةِ (أو بالْعَشِيرة).

★ مُحصَّل هذا المثل أن على المرء أن يُحْسِن إلى ذوي القُرْبى أولاً، حتى إذا فرَغَ من ذلك أَحْسَنَ إلى من عَداهم من الناس. وليس يُراد بالإحسان هنا الصَّدَقة وحَسْبُ بل المحبّة والعطف والحنان ومدّ يد العون أيضاً. ويُنْسب إلى المصلح الديني الإنكليزي جون ويكْلف Wycliffe قوله: «الإحسان يجب أن يبدأ بالذّات» *Charite schuld bigyne at hem-selfe.* (عام١٣٨٠)، يقصدُ أن على المُحْسِن أن يبدأ بالإحسان إلى نفسه. أما المثل في صيغته الحاضرة فيرقى إلى العام ١٦٤١ للميلاد.

ويقابله في العربية: «الأَقْرَبونَ أَوْلَى بِٱلمَعروف».

والحديثان النبويان الشريفان: « اليدُ ٱلْعُلْيا خيرٌ مِنَ ٱلْيَدِ ٱلسُّفلى وَٱبْدَأْ بِمَنْ تَعُوْل »، « وإذا أعْطَى اللهُ تبارَكَ وَتَعالى أحَدكُمْ خَيْراً فَلْيَبْدَأْ بِنفسِهِ وأَهْلِ بَيْتِهِ ».

45 – Cherchez la femme.

٤٥ - فَتِّشْ عَنِ ٱلْمَرْأَة.

★ يُقصد بهذا المثل أن المرأة هي مصدر البلاء كله، وأنها وراء كل أزمة أو مشكلة أو جريمة.... والواقع أن الفكرة في ذات نفسها، عريقة في القِدَم، ولعل الشاعر الروماني فرجيل Virgil كان أول مَنْ أطلقها، وذلك في ملحمته « الإنيادة » Aeneid حيث يقول « امرأةٌ كانت قائدةُ هذه المغامرة » *Dux femina facti* أما المثل بنصّه الفرنسي هذا *Cherchez la femme* فقد وَرَدَ، أول ما ورد، في مسرحية للكاتب الفرنسي ألكسندر دوما Dumas الأب (عام ١٨٦٥). ومن الفرنسيين أخذه الإنكليز وأبقَوْه على صيغته الأصلية فلم يكلّفوا أنفسهم عناء ترجمته!

وأقرب الأقوال العربية إليه قول الإمام عليٍّ: « المرأةُ شرٌّ كلُّها وشرُّ ما فيها أَنَّهُ لا بُدَّ منها ».

وقول المثل العربي: « إنَّ ٱلنِّساءَ حبائلُ ٱلشَّيطانِ ».

46 – Christmas comes but once a year.

٤٦ - عيدُ ٱلميلادِ لا يَفِدُ إلاّ مرَّةً كُلَّ عام.

★ في هذا المثل دعوةٌ إلى الاستمتاع بالحياة واغتنام الفُرَص المتاحة لهذا الاستمتاع قبل فواتها. وقد وَرَد، أولَ ما ورد، في قصيدة للشاعر الإنكليزي توماس تاسَّر Tusser، عام ١٥٧٣ للميلاد، حيث قال: « خُذْ في عيد الميلاد بأسباب المرح والابتهاج فعيدُ الميلاد لا يجيء إلا مرةً في العام » *At Christmas play and make good cheere, for Christmas comes but once a yeere.*

وهو يُذَكِّر بقول أبي الحسن عليّ بن محمد التِّهامي في مرثاته الشهيرة التي بكى فيها ابنَهُ:

حُكْمُ ٱلْمَنِيَّـــةِ في ٱلْبَرِيَّـــةِ جَــارِ
مــا هَـــذِهِ ٱلدُّنيــا بِــدارِ قَرارِ
بَيْنــا يُرى ٱلإِنْسَانُ فيهــا مُخْبِراً
حَتَّـــى يُرَىٰ خَبَراً مِنَ ٱلأَخبـــارِ
فَٱقْضُوا مآرِبَكُمْ عِجـــالاً إِنَّما
أعمارُكُمْ سَفَرٌ مِنَ ٱلأَسفـــارِ
وتراكَضُوا خَيْـلَ ٱلشَّبــاب وبــادِرُوا
أَنْ تُسْتَرَدَّ فإِنَّهُنَّ عَوارِ
فَٱلدَّهْرُ يَخْـدَعُ بِٱلْمُنَـــىٰ وَيُغِـصُّ إِنْ
هَنَّــا ويَهْدِمُ مــا بَنَــى ببوارِ

وبقول أحمد شوقي:

رَوِّحوا ٱلقلــبَ بلــذّاتِ ٱلصِّبــا
فَكَفَـــىٰ ٱلشَّيْـبُ مجــالاً لِلْكَــدَرْ

وقوله:

صَفْوٌ أُتيــحَ فَخُـــذْ لِنَفْسِكَ قِسْطَهــا
فَٱلصَّفْوُ ليسَ عــلى ٱلْمَــدَى بِمُتــاحِ

وقول إيليا ابي ماضي:

فَتَمَتَّــعْ بِٱلصُّبْــحِ مــا دُمْــتَ فيــهِ
لا تَخَـــفْ أَنْ يَزولَ حَتّـــى يَزولا!

(راجع أيضاً Gather ye rosebuds while ye may).

47 – Cleanliness is next to godliness.

٤٧ – النّظافَةُ أَقْرَبُ شيءٍ إلى ٱلتَّقوى.

★ يرقى هذا المثل إلى العام ١٦٠٥ حين قال فرنسيس بايكون Bacon: « لطالما اعتُبرت نظافة الجسد نابعةً من الإجلال الحقيقي لله » Cleanness of body was ever deemed to proceed from a due reverence to God . أمّا صيغته الحالية فلم تتبلور إلا في العام ١٧٩١ .

ويقابله في العربية الحديث النبوي الشريف: « النَّظافَةُ مِنَ ٱلإِيمان ».

48 – Constant dropping wears away a stone.

٤٨ - التَّقَطُّرُ ٱلْمُتواصِلُ يُبْلي حَجَراً.

★ ترقى فكرة هذا المثل إلى الكاتب الإغريقي كوريلوس Choerilus وهو من أهل القرن الخامس قبل الميلاد. وفي عام ١٠٥٠ للميلاد قال كاتب لاتيني مجهول نقلاً عن الشاعر الروماني أوفيد Ovid: « قطرة الماء تثقب الحجر، لا بالعُنْف، ولكنْ بتواصل السّقوط » *Gutta cavat lapidem non vi sed saepe cadendo*. وثمّة نصّ تالٍ (عام ١٢٠٠) يقول: « القطرات الصغيرة تثقب الحجر الصوانيّ الذي تسقط عليه في كثير من الأحيان » *Luttle dropen thurleth thene vlint that ofte falleth thereon*. أما المثل بنصِّهِ الحالي فيرقى إلى العام ١٨٧٤.

ويقابله في العربية قولُ الشاعر:

أَمـا تَرَى ٱلماءَ بِتَكْرارِهِ في ٱلصَّخْرَةِ ٱلصَّمّـاءِ قَـدْ أَثَّرْ

وشبيه به قول الشاعر الآخر:

فَـإِنَّ ٱلنَّـارَ بِٱلْعُودَيْنِ تُوْرَىٰ
وَإِنَّ ٱلْحَرْبَ أَوَّلُهـا ٱلْكَـلامُ

وقولهم: « ومُعْظَمُ ٱلنَّارِ مِنْ مُسْتَصْغَرِ ٱلشَّرَرِ »،

وقولهم: « إن ٱلْعَصا مِنَ ٱلْعُصَيَّة » ومعناه أن الشيء الجليل قد ينشأ عن الشيء الصغير.

49 – Corruption of the best becomes the worst.

٤٩ - أَسْوَأُ ٱلْفَسادِ فَسادُ ٱلأَفْضَل.

★ هذا المثل هو ترجمة حرفية للمثل اللاتيني *Corruptio optimi pessima* وقد ورد في بعض آثار القديس توما الأكويني Thomas Aquinas حوالى العام ١٢٧٠ للميلاد. ونحن نقع في إحدى قصائد شيكسبير الغنائية على نصٍّ مقارب يقول: « للزنابق الفاسدة رائحة أشدّ نتانةً بكثير من رائحة الأعشاب الضارة Lilies that fester smell far worse than weeds. وفي عام ١٦١٨ قال الأسقف جوزيف هول Hall: « ولكن ليس ثمّة ما هو أسوأ من فساد الأفضل » But there is nothing so ill as the corruption of the best.

وقريبٌ منه قولنا (وهو مأخوذٌ في الأصل من إنجيل مَتَّى) اليوم: «إذا فَسَدَ ٱلْمِلحُ فَبِماذا يُملَّح؟!».

50 – Cowards die often.

٥٠ - كَثيراً ما يموتُ ٱلْجُبَنَاء.

★ إن خوف الجبان من الموت لا يُنجيه منه، بل إنه ليُذيقهُ - طوال حياته - طعمَ هذا الموت. ولعلّ أول من طلع بفكرة هذا المثل الشاعر الانكليزي مايكل درايتون Drayton (عام ١٥٩٦). وبعد ثلاثة أعوام (عام ١٥٩٩) قال شيكسبير في مسرحية «يوليوس قيصر *Julius Caesar*»: «الجبناء يموتون عدّة مرات قبل أن يُدركهم الموت» Cowards die many times before their deaths.

ويقابله قول المثل العربي: «إن ٱلْجَبَانَ حَتْفُهُ مِنْ فَوْقِهِ» وهو يُضرب مثلاً للجبان ليس ينجيه حَذَرُهُ من الموت.

وقول أبي الطيب المتنبي، والضمير عائدٌ إلى الموت:

وقد يَتْرُكُ ٱلنَّفْسَ الَّتي لا تَهابُهُ وَيَخْتَرِمُ ٱلنَّفْسَ الَّتي تَتَهَيَّبُ

وقول أحمد شوقي:

وما في ٱلشَّجاعَةِ حَتْفُ ٱلشُّجاعِ
ولا مَدُّ عُمْرَ ٱلْجبانِ ٱلْجُبْنْ
وَلَكِنْ إذا حانَ حَيْنُ ٱلْفَتَى
قَضَى، ويَعيشُ إذا لَمْ يَحِنْ

وقوله أيضاً:

لا أَرى ٱلْأَيّامَ إِلاّ مَعْرَكاً
وَأَرَى ٱلصِّنْديدَ فيهِ مَنْ صَبَرْ
رُبَّ وَاهي ٱلجَأْشِ فيهِ قَصَفٌ
ماتَ بِٱلْجُبْنِ وَأَوْدَى بِٱلْحَذَرْ!

D

51 – Dead men tell no tales.

٥١ – الْمَوْتَى لا يَرْوُوْنَ ٱلْقِصَصَ .

★ يراد بهذا المثل أن من الخير قَتْل من شهد الجريمةَ وهي تُرتكب، خشيةَ أن يَشي بالمجرم إلى رجال السلطة. وقد ورد المثل، عام ١٦٦٣، على الصورة التالية: « الموتى عاجزون عن رواية القصص » The dead can tell no tales . ثم استقر على صيغته الدارجة اليوم، عام ١٦٨١. والمقصود بـ« الموتى »، على أية حال، الصَّرعى أو القتلى .

ويقابله في العربية قول بعضهم: «لَيْسَ لِلْمَيْتِ لِسَانٌ فَيَنْطِقَ» .

52 – Death is the grand

leveller.

٥٢ – الْمَوْتُ هُوَ ٱلْمُسَوِّي ٱلْعَظِيمُ بينَ ٱلنَّاس .

★ لأنه يسوِّي بين الفقير والغني، والعظيم والحقير، والعالم والجاهل، والسعيد والبائس، والصالح والشِّرِّير إلخ. وهو مثل قديم وَرَد عبر العصور في صيغٍ مختلفة ليتبلوَرَ، آخر الأمر، في صيغته هذه، عام ١٧٣٢ .

ويقابله في العربية قول طَرَفَةَ بنِ العَبْدِ:

أَرَى قَبْرَ نَحَّامٍ بَخِيـلٍ بِمالِـهِ
كَقَبْرِ غَوِيٍّ في ٱلْبَطَالَـــــــةِ مُفْسِدِ

تَرَى جُثْوَتَيْنِ مِنْ تُرابٍ عَلَيْهِما
صَفائِــحُ صُمٌّ مِن صَفِيحٍ مُنَضَّدِ

أَرَى ٱلْمَوْتَ يَعْتَــامُ ٱلْكِرامَ وَيَصْطَفِي
عَقِيلَــــةَ مــالِ ٱلْفاحِشِ ٱلْمُتَشَدِّدِ!

وقريبٌ منه قول أبي العلاء المعرّي:

رُبَّ لَحْـدٍ قَـدْ صَارَ لَحْـداً مِراراً
ضاحِـكٍ مِنْ تَزاحُمِ ٱلْأَضْـــــدادِ

وَدَفِـيـنٍ عَـلـى بَقايــا دَفِـيـنٍ
في طَويـلِ ٱلْأَزْمــانِ وَٱلْآبــادِ

وقول أحمد شوقي:

هَـــلْ تَرَى كَٱلتُّرابِ أَحْسَنَ عَـــدْلاً
وَقِيامـــاً عَـــلى حُقُوقِ ٱلعِبـــادِ
نَزَلَ ٱلْأَقْوِيـــاءُ فيـــهِ عَـــلى ٱلضَّعْفَـــى
وَحَـــلَّ ٱلْمُلوكُ بِٱلزُّهـــادِ

53 – Deeds, not words.

٥٣ - أَعْمالاً لا أَقْوالاً.

★ على تقدير « نريدُ »أو « أُريد ». ومحصَّلُهُ أن الأقوال المعسولة والوعود السخيَّة لا غَناءَ فيها إذا لم تُتَرجَم الى أفعال، وهو ترجمة حرفية للمثل اللاتيني القائل *Facta non varba*. وقدوردت إلماعة اليه في كلام الشاعر الانكليزي القديم تشوشر Chaucer . وفي عام ١٦١٦ وَرَد بصيغة مغايرة تقول « العمل خير من الكلام » Doing is better than saying . وفي أواخر القرن الثامن عشر نُشِرت قصيدة غُفْلٌ من اسم الناظم مطلعها: « رجل الأقوال غير المترجمة الى أعمال أشبه بحديقة ملأى بالأعشاب الضارّة » A man of words and not of deeds, is like a garden full of weeds. وفي عام ١٨١٢ قالت الروائية الإنكليزية ماريا أَدْجْوورث Edgeworth « الأعمال لا ٱلأقوال هي شعاري » «Deeds not words is my motto».

(قابل هذا المثل بالمثل القائل Fair words butter no parsnips) .

ويقابله في العربية قول المثل: « أَسْمَعُ صَوْتاً وَأَرَى فَوْتاً » وهو يُضْرب لمن يَعِدُ ولا يُنجز.

وقول صالح بن عبد القُدّوس:

يُعطِيـــكَ مِنْ طَرَفِ ٱللِّسانِ حَـــلاوَةً
وَيَروغُ مِنْـــكَ كَما يَرُوغُ ٱلثَّعْلَـــبُ

54 – Desperate diseases need desperate remedies.

٥٤ - الأَمْراضُ ٱلعُضالَةُ تَقْتَضِي عِلاجاتٍ يائسة.

★ وبكلمة أخرى: المحن القاسية تتطلّب تدابير جَذْرية. وهذا المثل مأخوذ عن المثل اللاتيني القائل: « للشرور المتطرفة علاجات متطرفة *Extremis malis*

extrema remedia . وقد وَرَدَ، أول ما وَرَدَ، في الانكليزية (عام ١٥٣٩)، على الوجه التالي، «المرض الشديد يتطلب دواءً قوياً» *Stronge disease requyreth a stronge medicine* . أما المثل بنصّه الحالي فيرقى الى أوائل القرن الثامن عشر.

ويقابله في العربية: «إنَّ ٱلْحَديدَ بِٱلْحَديدِ يُفْلَح» أي إنما يُسْتعان على الأمر الشديد بما يماثله شدةً أو صلابة.

55 – Diamonds cut diamonds. ٥٥ - الْماسُ يَقْطَعُ ٱلْماس.

★ أي لا سبيل إلى التغلّب على الصلابة أو القوة إلا بصلابة أو قوةٍ مماثلة. وقد وردت فكرة هذا المثل، أول ما وردت، عام ١٥٩٣ للميلاد. وفي العام ١٦٠٤ نقع عليه مَصُوغاً على الصورة التالية « لا شيء يَقْطع الماسةَ غيرُ الماسة» *None cuttes a diamond but a diamond*. ولسنا ندري على وجه اليقين متى تَبَلْوَرَ في صيغته المتداولة اليوم. وعلى أية حال، فكثيراً ما يُطلَق المَثل بصيغة أخرى هي Diamond cut diamond .

★ ويقابله في العربية قولهم: «إنَّ الحديدَ بِالحديدِ يُفْلَحُ»،

وقولهم: «لا يَفُلُّ ٱلْحَديدَ إلاَّ ٱلْحَديدُ»،

وقول الشاعر:

وِلكُـــلِّ شَيْءٍ آفَـــةٌ مِنْ جِنْسِهِ
حتّـى ٱلْحَدِيـدُ سَطـا عَلَيْـهِ ٱلْمِبْرَدُ

56 – Discretion is the better part of valor. ٥٦ - الرَّأيُ هُوَ ٱلْجانبُ ٱلأَفْضَلُ مِنَ ٱلشَّجاعَة.

★ يرقى هذا المثل إلى العام ١٤٧٧ للميلاد. وقد تبلْوَرَ في صيغته السائرة في يوم الناس هذا، عامَ ١٦١١.

ويقابله في العربية قول أبي الطيب المتنبي:

الرَّأيُ قَبْـــلَ شَجاعَـــةِ ٱلشُّجْعَـــانِ
هُوَ أَوَّلٌ وَهيَ ٱلْمَحَـــلُّ ٱلثَّـــاني

فَـــــإذا هُما ٱجْتَمَعَــــــا لِنَفْسٍ حُرَّةٍ
بَلَغَـــــتْ مِنَ ٱلْعَلْيَـــاءِ كُـــلَّ مَكَـــانِ
وَلَرُبَّما طَعَنَ ٱلْفَــــــــتى أَقْرانَـــــــهُ
بِٱلرَّأْيِ قَبْـــــــــلَ تَطاعُنِ ٱلأَقْرانِ

وشبيهٌ به قول أحمد شوقي:

إنَّ ٱلشَّجاعَـــــــةَ في ٱلقُلوبِ كثـــــيرةٌ
وَوَجَـــــدْتُ شُجْعَـــــانَ ٱلْعُقولِ قَليـــلاَ

57 – Do as you would be done by.

٥٧ - عامِلِ ٱلنَّاسَ كَمَا تُحِبُّ أَنْ يُعامِلَكَ ٱلنّاس.

★ ورَدَ هذا المثل في « سفر متّى » من « العهد الجديد » من الكتاب المقدَّس على الصورة التالية، وفقاً للترجمة العربية الجديدة الصادرة عن « اتحاد جمعيات الكتاب المقدَّس »: « عاملوا الآخرين مثلما تريدون أن يعاملوكم. هذه هي خلاصة الشريعة وتعاليم الأنبياء » (الأصحاح السابع، الآية ١٢). وورَدَ في « سفر لوقا » على الصورة التالية وفقاً للترجمة ذاتها: « وعاملوا الناس مثلما تريدون أن يعاملوكم » (الأصحاح السادس، الآية ٣١). وثمة صيغة أخرى لهذا المثل، دارجةٌ على ألسنة الناس، وهي Do unto others as you would they should do unto you.

ويقابله عند العرب المثل القائل: « كما تَدِيْنُ تُدان »، أي كما تَفْعَلُ يُفعَلُ بك. والدِّينُ الجزاء أو الحساب.

وما أروعَ قولَ الإمام عليّ في وصيّته لآبنه الحَسَن رَضِيَ الله عنهما، في هذا المعنى: « يا بُنيَّ! إجْعَلْ نَفسَكَ ميزاناً في ما بَيْنَكَ وَبَيْنَ غيرِك. فَأَحْبِبْ لِغيْرِكَ ما تُحِبُّ لِنَفْسِك، وَٱكْرَهْ لَهُ ما تَكْرَه لها. وَلا تَظْلِمْ كما لا تُحبُّ أَن تُظْلَم. وأَحْسِنْ كما تُحِبُّ أن يُحْسَنَ إليك. وٱسْتَقْبِحْ مِنْ نَفْسِكَ ما تَسْتَقْبِحُ مِنْ غَيْرِك. وَٱرْضَ مِنَ ٱلنَّاسِ بما تَرْضاهُ لَهُمْ من نَفْسِك. ولا تَقُلْ ما لا تَعْلَمُ وإنْ قلَّ ما تَعْلم. ولا تَقُلْ ما لا تُحِبُّ أن يُقالَ لك ».

أمّا آخر « نسخة » من هذا المثل العريق فقول ميخائيل نعيمة في كتابه « كرم على درب »: « كما تُغَنّي تُغَنّى ».

58 – Dog does not eat dog.

٥٨ - الكَلْبُ لا يَأْكُلُ (أو لا يَعَضُّ) كَلْباً.

★ ترقى فكرة هذا المثل إلى القرن الأول قبل الميلاد، إذْ وَرَدَ نظيرُهُ في بعض آثار الشاعر الروماني جوفينال Juvenal. وفي مسرحيتين اثنتين لشيكسبير نقع على قوله إن الدِّببة لا يَعَضُّ بعضُها بعضاً Bears do not bite one another. وقد ورد المثل، في إحدى مجموعات الأمثال الإنكليزية القديمة (عام ١٦٥١) بالصيغة التالية: «الذئب لن يشنّ الحرب على ذئب أبداً» A wolf will never make war upon another wolf. أما المثل، بصيغته الحالية، فيرقى إلى العام ١٨٦٦.

ولعل أقرب ما يقابله في العربية، قول العامة: «اللِّصُّ لا يَسْرِقُ لِصّاً».

59 – Do not count your chickens before they are hatched.

٥٩ - لا تَعُدَّ فِراخَكَ قبلَ أنْ تَفْقِس.

★ أي لا تعتبر نفسك مالكاً شيئاً إلا بعد أن يصبح ذلك الشيء حقيقةً واقعة. وللكاتب الإغريقي إيسوب Aesop حكاية على ألسنة الحيوان تفيد هذا المعنى. ولعل أقدم صيغة لهذا المثل هي تلك التي وَرَدَت، بلفظ مخالف بعض الشيء، عام ١٥٧٥. أما المثل في صيغته الحالية فيرقى إلى العام ١٦٧٠.

وشبيه به قول العامة: «لا تَقُلْ فول، حتى يُصبح في ٱلمكيول».

60 – Do not cross the bridge before you come (or get) to it.

٦٠ - لا تَعْبُرِ ٱلْجِسْرَ قَبْلَ أَنْ تَبْلُغَهُ.

★ مُحصَّل هذا المثل أنه يَحْسُن بالمرء أن لا يَشْغَلَ البال بأزمةٍ أو مشكلةٍ قبل حدوثها. ولا بُدَّ لفهمه على النحو الأفضل من أن نذكُر بأن الجسور كانت في الأيام الخوالي خشبيةً وخطِرةً إلى حدّ يجعل المسافرين يحسبون لعبورها ألف حساب. وفي «معجم أوكسفورد للأمثال الانكليزية» *Oxford Dictionary of English Proverbs* أنه دُوِّن، أوّل ما دُوِّن، عام ١٨٩٥.

وهذا المثل يذكِّر بمثل انكليزي آخر يقول: «لا تُزعجِ البلاء إلا بعد أن يزعجك البلاء Never trouble trouble till trouble troubles you

وقريبٌ منه قول العرب في أمثالها: «لا تَعْجَلْ بِٱلإِنْباضِ قَبْلَ ٱلتَّوتير». والإنباض أن تمدَّ وتر القوس ثم تُرسله فتسمع له صوتاً. والتوتير شدُّ الوتر.

E

61 – Early to bed and early to rise makes a man healthy, wealthy, and wise.

٦١ - النَّوْمُ باكِراً وَٱلنُّهوضُ باكِراً يُكْسِبانِ ٱلمَرْءَ صِحةً وَثَراءً وَحِكْمَةً.

★ ترقى فكرة هذا المثل إلى العام ١٤٩٦ للميلاد.

ويقابله في الغربية القولُ السائر: «باكِرْ تَسْعَدْ».

62 – East or west, home is best.

٦٢ - مَهْما شَرَّقْتَ أَوْ غَرَّبْتَ فَلَنْ تَجِدَ خَيْراً مِنَ ٱلْوَطَنِ.

★ يرقى هذا المثل إلى العام ١٨٥٥ للميلاد.

وهو يذكِّر بقول أبي تمام:

نَقِّلْ فُؤادَكَ حَيْثُ شِئْتَ مِنَ ٱلْهَوَى
مَا ٱلْحُبُّ إلاَّ لِلْحبيْبِ ٱلأَوَّلِ
كَمْ مَنْزِلٍ في ٱلأَرْضِ يَأْلَفُهُ ٱلفَتَى
وَحنينُهُ أبداً لأَوَّلِ مَنْزِلِ

وقول أحمد شوقي:

وَطَني لَوْ شُغِلْتُ بِٱلخُلْدِ عَنْهُ
نازَعَتْني إليهِ في ٱلخُلْدِ نَفْسي!

63 – Easy come, easy go.

٦٣ - ما يُكْسَبُ بِسُهولة، يُضيَّعُ بِسُهولة.

★ أقدم صيغة لهذا المثل قول الشاعر الانكليزي تشوسر Chaucer (حوالى عام ١٣٨٧): « بمثل ٱلسّهولة التي يجيء بها المالُ يُنْفَق » *And lightly as it comth so wol we spende*.

وفي عام ١٥٨٣ وردَ المثل بالصيغة التالية: « كُلُّ ما يَتِمُّ اكتسابُهُ بسرعة يُنْفَقُ بسرعة » *Quickly spent thats easely gotten* أماصيغتُهُ الحاليّة فهي ترقى إلى العام ١٨٦٩. وهي تردُ على الشكل التالي أيضاً: « ما يَجيء بسرعة يذهبُ بسرعة » Quickly come, quickly go.

ويقابله المثل العربي القائل: « مالٌ تَجْلِبُهُ ٱلرِّياحُ تَأْخُذُهُ ٱلزَّوابع ».

64 – Even Homer sometimes nods.

٦٤ - حتى هوميروس يُخْطِىءُ أحْياناً.

★ يُقصد بهذا المثل أن المرء مهما علت منزلتُهُ يَظَلُّ غيرَ معصوم عن الخطأ، ولا غرابة فأعظم الشعراء والكتّاب قد يرتكبون أخطاءً لغوية في بعض الأحيان. وهو من كلام الشاعر الروماني هوراس Horace في كتابه « الفن الشعري » *Ars Poetica*. وقد وَرَدت أُولى الإشارات اليه، في الأدب الإنكليزي، عام ١٥٣٠. أما اصطناعهُ بنصّه الحاليّ فيرقى إلى العام ١٦٧٤.

ويقابله، عند العرب، قولهم: « لِكُلِّ عالِمٍ هَفْوَة »،

وقولهم: « لِكُلِّ جوادٍ كَبْوَة »،

وقولهم: « لِكُلِّ صَارِمٍ نَبْوَة ».

65 – Everybody's business is nobody's business.

٦٥ - واجِبُ ٱلْجَميعِ لَيْسَ وَاجِبَ أَحَد.

★ يُقْصد بهذا المثل، خلافاً لما توهَّمَهُ بعضُ مترجميه، أن الواجبات التي يفترض المرء أن جميع الناس - ما عداه - سوف يؤدّونها، تظلُّ مهملةً لا ينبري للقيام بها أحد. وهو يرقى الى العام ١٦١١ للميلاد، وقد دوِّن آنذاك بالصيغة

التالية « عملُ الجميع ليس عمل أحد » *Every bodies work is no bodies*

work . أما المثل في صيغته الحاضرة فقد ورد، أول ما ورد، عام ١٦٥٣ .

وهو يشير، ولو من طرف خفيّ، الى قول الشاعر العربي:

مــا حَـــكَّ جِلْـــدَكَ مِثْـــلُ ظُفْرِكْ

فَتَولَّ أَنْـــــتَ جَمِيـــــعَ أَمْرِكْ

66 – Every cloud has a
silver lining.

٦٦ - لِكُلٍّ سَحابَةٍ بِطانَةٌ
مِنْ فِضَّةٍ .

★ أي أنّ كلَّ بلاء أو أزمة تنطوي على بوادر انفراج. ولقد سبق إلى هذا المعنى الشاعر الإنكليزي ملتون Milton في بعض قصائده. أما صيغة المثل، كما نعرفها اليوم، فقد وردت، أوّلَ ما وَرَدَت، في مسرحية « الميكادو » *The Mikado* (عام ١٨٨٥) للكاتب الإنكليزي السّير وليم جيلبَرْت Gilbert .

ويقابله في العربية قولُه تعالى: « فَإِنَّ مَعَ ٱلْعُسْرِ يُسْراً » (سورة الشَّرْح، الآية ٥).

67 – Every dog has his day.

٦٧ - لِكُلِّ كَلْبٍ يَوْمُهُ .

★ يراد بهذا المثل أن كل امرىء يعرف، في فترة من فترات عمره، عهدَ قوة أو ازدهار. وهو يرقى في نصّه هذا إلى العام ١٨٥١ .

ولعلّ أقرب ما يقابله في العربية قولهم: « يَوْمٌ لنَا ويَوْمٌ عَلَيْنا »، وقولهم: « الدَّهْرُ يَوْمان: يَوْمٌ لَكَ وَيَوْمٌ عَلَيْكَ ».

68 – Every man is the architect
of his own fortunes.

٦٨ - كُلُّ آمْرِىءٍ يَصْنَعُ قَدَرَهُ
(أو مَصائِرَهُ) بِنَفْسِهِ .

★ أصل هذا المثل قول روماني مأثور يرقى الى القرن الأول قبل الميلاد. وقد وردت فكرته، أول ما وردت، في الأدب الإنكليزي عام ١٥٣٣ . ومنذئذ

تَبَلْوَرَ في أشكال متقاربة ليستقر، آخر الأمر، على صيغته السائرة اليوم، عام ١٨٧٣ .

ويقابله في العربية قولهم: « المَرْءُ حَيْثُ يَضَعُ نَفْسَه ».

وقولهم:

نَفْسُ عِصامٍ سَوَّدَتْ عِصاما   وعَلَّمَتْهُ ٱلكَرَّ وَٱلإِقداما

وصَيَّرَتْهُ بَطَلاً هُماما...

وشبيهٌ بذلك قول أحمد شوقي:

شَرَفُ ٱلْعِصامِيّينَ صُنْعُ نفوسِهِمْ   مَنْ ذا يَقيسُ بِهِمْ بَني ٱلْأَشْرافِ

قُلْ للمُشيرِ إلى أبيهِ وَجَدِّهِ   أَعَلِمْتَ لِلْقَمَرَيْنِ مِن أَسْلافِ؟

69 – Every medal has its reverse.

٦٩ – لِكُلِّ مَدالِيَةٍ وَجْهُهَا ٱلْآخَر.

★ وبكلمة أخرى: لكل حالة جانب سلبيّ وجانبٌ إيجابي، ولكل وضعٍ بَديلٌ أو مظهرٌ (أو تأويلٌ) مغايرٌ أو مناقض. وقد ورد هذا المثل، أول ما ورد، في ترجمة إنكليزية لبعض آثار الكاتب الفرنسي مُونْتَيْنْي Montaigne، عام ١٦٠٣ .

وشبيه به قولنا: « لِكُلّ مَسْأَلةٍ وَجْهان »،

وقولنا: « لِكُلّ شيءٍ حَسَناتُهُ وَسَيِّئاتُهُ »،

وقولنا: « لِكُلِّ وَرْدَةٍ شَوْكُها ».

70 – Everything comes to him who waits.

٧٠ – مَنْ صَبَرَ حَصَلَ عَلَى كُلِّ شَيْءٍ.

★ ترقى أقدم صيغ هذا المثل إلى العام ١٥١٤ . وفي العام ١٦٤٢ دُوِّن، نقلاً عن الإيطالية، على الصورة التالية: « من استطاع الانتظار، فاز بالأوطار » *He who can wait hath what he desireth* . وفي العام ١٨٤٧ قال

السياسي البريطاني دزرايلي Disraeli : « في ميسور المرء أن ينال كلّ شيء شَريطةَ أن يتذرَّعَ بالصبر » Everything comes if a man will only wait.

ويقابله في العربية قولهم: « مَنْ تَأَنَّى نالَ ما تَمَنَّى »،

وقولهم: « في ٱلتَّأنّي ٱلسَّلامَة، وفي ٱلْعَجَلةِ ٱلنَّدامَة »،

وقولهم: « الخطأ زادُ العَجول »،

وقولهم: « رُبَّ حَثيثٍ مَكيْثٍ »، أي ربما عجَّلَ الإنسان في أمرٍ فكانت عجلتُهُ سببَ مَكْثِهِ.

وقول الشاعر:

قَـدْ يُـدْرِكُ ٱلْمُتأنّي بَعْـضَ حَاجَتِـهِ
وَقَـدْ يَكُونُ مَـعَ ٱلْمُستعجلِ الزَّلَـلُ

71 – Every why has a (or hath its) wherefore.

٧١ – لِكُلٍّ سُؤال جَوابٌ (أو جَوابُهُ).

★ ورد هذا المثل، عام ١٥٦٦ للميلاد بالنص الآتي: « لقد أعطيتك جواباً عن هذا السؤال مراتٍ عديدة » I have given you a wherefore for this why many times. أما نصُّهُ الدارج، اليوم، فنحن نقعُ عليه، أول ما نقعُ، في مسرحية « كوميديا الأخطاء » *Comedy of Errors* لشيكسبير (١٥٩١ – ١٥٩٢).

ويقابله، في العربية، قول جَمِيْلِ بْنِ مَعْمَر، المعروف بـ« جميل بُثَيْنَة »: « لِكُلّ كَلام يا بُثَيْنَ جوابُ »،

وهو شطرٌ من بيتين ٱثنين هما:

وَأَوَّلُ مَـا قَـادَ ٱلْمَوَدَّةَ بَيْنَنَـا
بِوادِي بَغِيْـضٍ، يَـا بُثَيْنَ، سِبَـابُ
فَقُلْنَـا لَهـا قَوْلاً فَجـاءَتْ بِمِثْلِـهِ
لِكُـلٍّ كَـلامٍ، يَـا بُثَيْنَ، جَوابُ!

72 – Evil communications corrupt good manners.

٧٢ – صُحْبَةُ ٱلسُّوء مَفْسَدَةٌ لِلأَخْلاق.

★ هذا المثل مأخوذ من « رسالة بولس الرسول الأولى إلى أهل كورنثوس » التي تؤلف جزءاً من « العهد الجديد » من الكتاب المقدس. وأصلُهُ، كما عرَّبه القائمون بالترجمة العربية الجديدة الصادرة عام ١٩٧٨ عن « اتحاد جمعيات الكتاب المقدس »: « لا تَضِلُّوا: المعاشرةُ السَّيِّئة تُفسِدُ الأخلاق الحسنة » (الأصحاح الخامس عشر، الآية ٣٣).

ويقابله في العربية قول الشاعر:

وَحْـدَةُ ٱلْإِنْسانِ خَيْرٌ مِنْ جَلِيسِ ٱلسُّوءِ عِنْـدَهْ
وَجليسُ ٱلصِّـدْقِ خَيْرٌ مِنْ جُلوسِ ٱلْمَرءِ وَحْـدَهْ

وقول الآخر:

فَـلا تَصْحَـبْ أَخـا ٱلسُّوءِ وَإِيَّـاكَ وَإِيَّـاهُ!

73 – Example is better than precept.

٧٣ – القُدْوَةُ ٱلْحَسَنَةُ خَيْرٌ مِنَ ٱلْوَصِيَّةِ (أَوِ ٱلْعِظَةِ).

★ ومُحَصَّلُهُ أن ممارستك لما تدعو إليه، بحيث تصبح مثلاً يُحتَذى في ذلك، أفعَلُ وأبعَدُ أثراً من مجرَّد تبشيرك به أو إيصائك الناسَ بعملِهِ.

وقد وردت فكرته في بعض المدوَّنات التي ترقى إلى العام ١٤٠٠ للميلاد. أما المثل بنصّه المألوف، في يوم الناس هذا، فقد دُوِّن، أوَّل ما دوِّنَ، عام ١٨٢٤.

وشبيهٌ به قول أحمد شوقي:

قَـدْ أَقاموا قُـدْوَةً صالحَـةً
وَمَضَـوْا أَمْثِلَـةً لِلْمُحْتَذِيـنْ
إِنَّما ٱلأُسْوَةُ، وَٱلدُّنيـا أُسىً،
سَبَـبُ ٱلْعُمرانِ، نَظْمُ ٱلْعالَميـنْ

وقول ميخائيل نعيمة: « عِظَةُ ٱلفمِ دُونَ ٱلفِعْل استِخْفافٌ بِٱلمَوْعوظ وشَماتَةٌ بِٱلواعظ ».

F

74 – Fair (or Fine) words butter no parsnips.

٧٤ - الْكَلَامُ ٱلْمَعْسُولُ لَا يَطْهُو ٱلْجَزَرَ ٱلْأَبْيَض.

★ محصَّل هذا المثل أن الوعود السخيّة والألفاظ المعسولة، إن لم تقترن بالأعمال، لغوٌ لا غَناء فيه ولا طائل تحته. وهو يرقى إلى العام ١٦٣٩ وشبيه به قول المثل الآخر: «أعمالاً لا أقوالاً» Deeds, not words

ولعل خير ما يقابله في العربية قول صالح بن عبد القُدُّوس:

يُعْطِيـــكَ مِنْ طَرَفِ ٱللِّسانِ حَـــلاوَةً
وَيَرُوغُ مِنْـــكَ كما يَرُوْغُ ٱلثَّعْلَـــبُ

وقول المثل القديم: «كلامٌ كَٱلْعَسَل، وفعلٌ كَٱلْأَسَلْ».

والأَسَلُ: الرِّماح. قال الميداني في «مَجْمع الأمثال» إنه يُضْرب في اختلاف القول والفعل.

وهو يذكِّر، على أية حال، بمثل عربي آخر يقول: «يَدْهَنُ مِنْ قارُوْرَةٍ فارِغَة». وقد نصَّ الميداني، في مجمع الأمثال أيضاً، على أنه يُضرَبُ لمن يَعِدُ ولا يفي.

75 – Familiarity breeds contempt.

٧٥ - الأُلْفَةُ (أَو ٱلْٱبتِذالُ) مَجْلَبَةٌ لِلْٱسْتِخْفاف.

★ نقع على فكرة هذا المثل، أول ما نقع عليها، في الأدب اللاتيني. ثم نجدها تتبلور عند الشاعر الانكليزي تشوسر Chaucer (١٣٤٠؟ - ١٤٠٠م.) بالصيغة التالية *Over-greet homlinesse engendreth dispreysinge*. أما الصيغة الحالية فترقى إلى العام ١٦٥٤.

وهو ينظر إلى المثل العربي القائل: «المُزاحَةُ تُذْهِبُ ٱلْمَهابَةَ» (أي إذا عُرِف الرَّجل بكثرة المَزْح قلَّت هيبَتُهُ).

وقريبٌ منه قولُهم: «كَثْرَةُ ٱلضَّحِكِ تُذْهِبُ ٱلْهَيْبَة».

76 – First catch your hare. ٧٦ - إقْتَنِصْ أَرْنَبَكَ ٱلْوَحْشِيَّةَ أَوَّلاً.

★ مُحَصَّل هذا المثل أنَّكَ لا تستطيع أن تَطْهُوَ أرنباً وحشيةً إلا بعد أنْ تصطادها. هذا إذا أخذنا بالمعنى الحرفي للكلام. أما إذا عَدَوْنا ذلك إلى المجاز فعندئذ يصبح المعنى أن على المرء أن يذلّل عدداً من المصاعب قبل أن يُوَفَّق إلى القيام بمشروع ما، أو إلى وَضْع خطةٍ ما موضعَ التنفيذ. ولقد كان الروائي الإنكليزي وليم كاثاري Thackeray أول من اصطَنَعَ هذا المثل، بمعناه المجازي، وذلك عامَ ١٨٥٥.

ومما يقابله في العربية المثل القائل: « قَبْلَ ٱلرِّماءِ تُمْلأُ ٱلْكنَائن » والكنائن جُعَبُ السِّهام.

ونظيرُهُ القائل: « قَبْلَ ٱلرَّمْيِ يُراشُ ٱلسَّهْم » أي يُركَّبُ عليه الرِّيش.

وقولهم: « دَمِّثْ لِجَنْبِكَ قَبْلَ ٱلنَّوْمِ مُضْطَجَعاً » والتدميث هو التليين والتذليل.

77 – Forbidden fruit is sweet. ٧٧ - الثَّمَرَةُ ٱلْمُحَرَّمَةُ حُلْوَة.

★ وَرَدَ هذا المثل في أواخر العشرينات من القرن السابع عشر على الوجه التالي: « يكون التفّاح حُلْواً عندما يُقطف في غياب الجنائيّ » Apples are sweet when they are plucked in the gardeners absence أما صيغته الحالية فترقى إلى العام ١٨٥٥، وهي تجري أحياناً على الشكل التالي: « الفاكهة المسروقة هي الأشدّ حلاوةً » Stolen fruit is sweetest

ويقابله في العربية: « كلُّ مَمْنُوعٍ مَتْبُوع »،

و« أَحَبُّ شَيْءٍ إلى ٱلإنسانِ ما مُنِعا »،

و« ٱلْمَرْءُ تَوَاقٌ إلى ما لَمْ يَنَلْ »،

وقول الشاعر:

رَأَيْتُ ٱلنَّفْسَ تَكْرَهُ ما لَدَيْها   وَتَطْلُبُ كُلَّ مُمْتَنِعٍ عَلَيْها

٧٨ - كُلُّ عِلَّةٍ تَحْتَ ٱلشَّمْس

78 – For every evil under the sun

إما أن يَكونَ لها عِلاجٌ أَوْ لا يَكون

there is a remedy or there is none

فإذا كانَ لها علاجٌ فحاول ٱلْعُثورَ عَلَيْه،

If there is one, try to find it;

وإذا لَمْ يَكُنْ لها علاجٌ فَلا تَأْسَ عَلَيْه .

if there is none, never mind it.

★ يرقى هذا المثل إلى العام ١٨٦٩ .

وهو يذكِّر بقول الشاعر العربي:

لِكُلِّ داءٍ دَواءٌ يُسْتَطَبُّ بِـهِ

إلاَّ ٱلْحَماقَةَ أَعْيَتْ مَنْ يُداويها!

٧٩ - أَرْبَعَةُ أَعْيُنٍ تَرَى أَكْثَرَ (أَو أَحسنَ)

79 – Four eyes see more (or better)

مِنْ عَيْنَيْنِ ٱثْنَتَيْنِ .

than two.

لهذا المثل أصل لاتيني يقول: « العيون الكثيرة ترى ما لا تراه العين الواحدة » *Plus vident oculi quam oculus* وقد وَرَدَ، أول ما وَرَد، في الإنكليزية، عام ١٥٩٤، بهذا النصّ « عينان اثنتان خير من واحدة » Two eyes are better than one . أما المثل بصيغته الحالية فيرقى إلى العام ١٨٩٨ (راجع أيضاً Many heads are better than one).

وهو يذكِّرنا بقول العرب المعاصرين: « رَأيانِ خَيْرٌ مِنْ رَأي ».

G

٨٠ - إِجْمَعْ بَراعِمَ ٱلْوَرْدِ ما دُمْتَ

80 – Gather ye rosebuds while

قادراً على ذلك .

ye may.

★ يراد بهذا المثل أن على المرء أن يتملَّى من مباهج الدنيا وملذّاتها قبل أن يتقضّى عَهْدُ الشباب. وهو يرقى إلى العام ١٦٤٨ .

ويقابله قول المتنبي في قصيدتِهِ التي مطلعها: «لكِ يا مَنازِلُ في ٱلْقلوبِ منازِلُ»:

إِنْعَمْ وَلَــــــذَّ فَلِلْأُمورِ أَواخِرٌ
أَبــداً إذا كانَــتْ لَهُنَّ أوائــلُ

وقوله في قصيدته التي مطلعها: «ما لَنا كُلُّنا جَوٍ يا رَسُولُ»:

زَوِّدِيْنا مِنْ حُسْنِ وَجْهِكِ ما دامَ
فَحُسْنُ ٱلْوُجُوهِ حـــالٌ تَحُوْلُ
وَصِلِيْنـا نَصِلْكِ في هَـذِهِ ٱلدُّنيا
فـإِنَّ ٱلْمُقامَ فيهـا قليـلُ!

وقريبٌ منه قولُ عبد الله بن الصِّمَّة القُشَيْري:

أَقُوْلُ لِصاحِــبي وَٱلْعِيسُ تَهْوي
بِنـا بـين ٱلْمُنِيْفَـةِ فَٱلضِّمارِ
تَمَتَّــعْ مِنْ شَمِيْمِ عَرارِ نَجْـدٍ
فما بَعْـدَ ٱلْعَشِيَّـةِ مِنْ عَرارِ!

81 – God defend (or **deliver,** or **preserve) me from my friends.**

٨١ – اللَّهُمَّ ٱحْفَظْني مِنْ أَصْدِقائي (أَوْ قِني شَرَّ أَصْدِقائي).

★ يرقى هذا المثل إلى العام ١٦٠٤ للميلاد. وقد وَرَد آنذاك بالصيغة الآتية: «اللَّهُمَّ ٱحفَظْني من أَصْدِقائي، ذلك بأنني سوف أَتَّقِي أعْدائي بنفسي» God deliver me from my friends, for from my enemies I'll deliver myself

وقد ذَكَر بعض الكتاب أن أصله إسبانيّ.

ولعل اقرب ما يقابله عند العرب قولهم: «عَدُوٌّ عاقل خيرٌ من صديق جاهل»،

وقول أبي الطيب المتنبي:

ومِنَ ٱلْعَـداوَةِ مـا يَنالُـكَ نَفْعُـهُ
وَمِنَ ٱلصَّداقَــةِ مـا يَضرُّ ويُؤْلِمُ

وقول ابن الرومي:

عَـدُوُّكَ مِنْ صَدِيقِـكَ مُسْتَفـادٌ
فَـلا تَسْتَكْثِرَنَّ من ٱلصِّحـابِ

فَإِنَّ ٱلدَّاءَ أَكْثَرَ مَا تَراهُ

يَكُونُ مِنَ ٱلطَّعَامِ أَوِ ٱلشَّرابِ

إِذا ٱنْقَلَبَ ٱلصَّدِيقُ غَدا عَدُوّاً

مُبِيناً وَٱلأُمُورُ إِلَى ٱنْقِلابِ

وهو يُذَكِّرُ بِقَول الشاعر:

إِحْـذَرْ عَـدُوَّكَ مَرَّةً

وَٱحْـذَرْ صَدِيقَكَ أَلْـفَ مَرَّهْ

فَلَرُبَّما ٱنْقَلَبَ ٱلصَّدِيـقُ

فَكَـانَ أَعْلَمَ بِٱلْمَضَرَّهْ!

82 – God (or Heaven) helps them who help themseleves.

٨٢ – إِنَّما يُساعِدُ ٱللَّهُ أُولَئِكَ ٱلَّذِينَ يُساعِدُونَ أَنْفُسَهُمْ.

★ هذا المثل مأخوذ عن المثل الروماني القائل « الآلهة تساعد العاملين » *Dii facientes adjuvant*. وقد وَرَد في الإنكليزية، عام ١٦١١ للميلاد، بالنص التالي: « إبدأ بمساعدة نفسك ومن ثَمَّ يساعدك الله » *Begin to help thy selfe, and God will help thee*. أما صيغته الحالية فترقى إلى العام ١٧٣٦ وكان العالم والسياسي الأميركي بنجامان فرانكلن Benjamin Franklin أول من اصطنعها.

ويقابله في العربية الآية القرآنية الكريمة: « إِنَّ ٱللَّهَ لا يُغَيِّرُ ما بِقَوْمٍ حَتَّى يُغَيِّروا ما بِأَنْفُسِهِمْ » (سورة الرعد، الآية ١١)،

والحديث النبوي الشريف: « إعْقِلْها وَتَوَكَّلْ »،

وقولهم: « قُمْ يا عَبْدي أَقُمْ مَعَك ».

83 – God's mill grinds (or mills grind) slow but sure.

٨٣ – طاحونةُ ٱللَّهِ (أو طَواحِينُ ٱللَّه) تَطْحَنُ وَلكِنْ بِثَبات.

★ يراد بهذا المثل أن الانتقام الإلهي من الآثِمِين لا مَحالةَ آتٍ ولو بَعْد حِين. وهو عريقٌ في القِدَم. وقد وَرَد في اليونانية الكلاسيكيّة على الصورة التالية: « إنَّ طَواحِينَ الآلِهة تَطْحَنُ رُوَيْداً رُوَيْداً ولكنّها تَطْحَنُ ناعِماً ناعِماً » The

mills of the gods grind slowly but they grind exceeding small.

ويقابله في العربية قول الله تعالى: «وَأُمْلي لَهُمْ، إنّ كَيْدِي مَتينٌ» (سورة القلم، الآية ٤٥).

والقول المأثور: «إنَّ ٱللّهَ يُمْهِلُ وَلا يُهْمِل».

84 – Grasp all, lose all.

٨٤ – مَنْ طَمِعَ في ٱلْفَوْزِ بِكُلِّ شَيْءٍ خَسِرَ كُلَّ شَيْء.

★ هذا المثل يرقى إلى العام ١٧٩٠.

ويقابله في العربية قولهم: «الطَّمَعُ غرّار، عُقباهُ خسار»،

وقولهم: «الطَّمَعُ ضَرَّ وما نَفَع»،

وهو يذكِّر بالقول المأثور: «القَناعَةُ كَنْزٌ لا يَفْنى».

H

85 – Half a loaf is better than no bread.

٨٥ – نِصْفُ رَغيف مِنَ ٱلْخُبْز خَيْرٌ مِنْ فُقْدان ٱلْخُبْز.

★ يرقى هذا المثل إلى العام ١٥٤٦.

ولعلّ أقرب الأمثال العربية المأثورة إليه قولهم: «الكُحْلُ خَيْرٌ من ٱلْعَمَى» أو «الرَّمَدُ خيْرٌ مِنَ ٱلْعَمَى».

86 – Handsome is that (or who) handsome does.

٨٦ – الْجَميلُ مَنْ يَصْنَعُ ٱلْجَمِيل.

★ في هذا المثل توكيد على أنَّ سلوك المرء، لا مظهره الخارجي، هو الأجدر

بالتقدير والإعجاب. وقد أورده « راي » Ray في كتابه « مجموعة من الأمثال الإنكليزية » *A Collection of English Proverbs* (عام ١٦٧٠) بالنصّ التالي: « جَميلٌ هو مَنْ يَصْنع الجميل » *He is handsome that handsome doth*. أما المثل في صيغته الحالية فقد وَرد، أول ما ورد في رواية للكاتب الإنكليزي أوليفر غولدسميث Goldsmith (عام ١٧٦٦):

ويقابله في العربية قول عمرو بن مَعْدي كرب الزُّبيدي:

لَيْسَ ٱلْجَمالُ بِمِئزرٍ فَٱعْلَمْ، وَإِنْ رُدِّيْتَ بُرْدا
إن ٱلْجمالَ مَعادِنٌ ومَناقِبٌ أَوْرَثْنَ مَجْدا!

والمعادن هي الأصول، والمناقبُ الأخلاق.

وقول الفرَزْدق:

وَلا خَيْرَ في حُسْنِ ٱلْجُسومِ وَطُولِها
إذا لَمْ يَزِنْ حُسْنَ ٱلْجُسومِ عُقُولُ

وقول دِعْبِل الخُزاعيّ:

وما حُسْنُ ٱلْجُسومِ لَهُمْ بِزَيْنٍ إذا كانَتْ خلائِقُهُمْ قِباحا

وقول أبي الطيّب المتنبي:

وَمَا ٱلْحُسْنُ في وَجْهِ ٱلْفَتى شَرَفاً لَهُ
إذا لَمْ يَكُنْ في فِعْلِهِ وَٱلْخَلائِقِ!

87 – He laughs best who laughs last.

٨٧ - إنّما يَضْحَكُ أكْثَرَ مَنْ يَضْحَكُ في ٱلنِّهاية.

★ ترقى فكرة هذا المثل إلى العام ١٦٥٩، أو إلى ما قبل ذلك بقليل، وقد وردت في بعض النصوص على هذا النحو: « إنما يضحك مَنْ يَنْتَصر » *He laugheth that winneth*. أما المثل، بصيغته الشائعة اليوم، فيرقى إلى العام ١٧٠٦. وكثيراً ما يستشهد الإنكليز بصيغته الفرنسية القائلة *Rira bien qui rira le dernier*. وقد راج هذا المثل بين العرب، مؤخراً، فهم يقولون « يضحك كثيراً من يضحك أخيراً ».

ولعلّ أقرب ما يقابله، عند العرب، قولهم: « الأُمُورُ بِخَواتِمِها » (أو بِخَواتِيمها).

88 – He who makes no mistakes makes nothing.

٨٨ - مَنْ لا يُخْطِىءُ لا يَفْعَلُ شيئاً.

★ مُحَصَّل هذا المثل أن جميع العاملين معرَّضون للوقوع في الخطأ. أما الذين لا يعملون شيئاً فطبيعيّ أن لا يخطئوا. وأول من قاله الأسقف وليم كونور ماجي Magee، عام ١٨٦٨.

ولم أجد في العربية ما هو أقرب إليه من قول ميخائيل نعيمة في كتابه «كَرْم على دَرْب»: «أما سَمِعْتَ أن ٱلعِصْمَةَ لله وَحْدَه؟ فعَلامَ تتردَّدُ في ما تقول وتعمل، مخافةَ الوقوعِ في الخطأ؟»

89 – He who pays the piper can call the tune.

٨٩ - مَنْ يَنْقُدُ ٱلزَّمّارَ يَستَطيعُ أن يَفرِضَ علَيْهِ ٱللَّحْن.

★ مُحصَّل هذا المثل ان لمن يَدْفع المال أو يتحمّل النفقات الحقَّ في تقرير ما ينبغي أن يُعْملَ. ويكاد الباحثون يُجمعون على أنه مَثَلٌ مُسْتَحْدَثٌ وَرَد، أول ما ورد، في صحيفة «دايلي نيوز» *Daily News* عام ١٨٩٥.

وشبيه به قولنا نحن اليوم: «مَنْ يَدْفَع يَأْمُر».

90 – History repeats itself.

٩٠ - التَّاريخُ يُعيدُ نَفسَهُ.

★ تُنسب فكرة هذا المثل إلى المؤرخ اليوناني ثوسيديديس Thucydides المتوفى حوالى العام ٤٠٠ قبل الميلاد.

أما المثل، بنصّه الدارج هذا، فيرقى إلى العام ١٨٨٥ للميلاد.

وشبيهٌ به قول العرب: «ما أشْبَهَ ٱللّيلةَ بٱلْبارحَة» الذي يُضرب في تشابُهِ اللاحق بالسابق.

وقول أبي العلاء المعري في «اللزوميّات»:

مَنْ ساءَهُ سَبَبٌ أَوْ هالَهُ عَجَبٌ
فَلِي ثَمانونَ عاماً لا أَرى عَجَبا
الدَّهْرُ كَالدَّهْرِ وَالأَيّامُ واحِدَةٌ
وَالنّاسِ كَالنّاسِ وَالدُّنيا لِمَنْ غَلَبا

91 – Hitch your wagon to a star.

٩١ - شُدَّ عَرَبَتَكَ إلى نَجْم.

★ يُراد بهذا المثل أن على المرء أن يسعى في طلب العُلَى وأن يتخذ لنفسه مثلاً أعلى يهتدي به في أعماله جميعاً. وهو من مقال للفيلسوف الأميركي أَمَرْسون Emerson (عام ١٨٧٠).

وهو يذكِّر بقول أبي الطيِّب المُتَنبي:

إذا غامَرْتَ في شَرَفٍ مَرُومِ
فَلا تَقْنَعْ بِما دُونَ النُّجومِ
فَطَعْمُ المَوتِ في أَمْرٍ صَغيرٍ
كَطَعْمِ المَوْتِ في أَمْرٍ عَظيمِ

92 – Honesty is the best policy.

٩٢ - الاسْتِقامَةُ هِيَ السِّياسَةُ الفُضْلَى.

★ يرقى هذا المثل إلى العام ١٥٩٩ للميلاد. وقد أورد « راي » Ray في كتابه « مجموعة من الأمثال الإنكليزية» *A Collection of English Proverbs* (عام ١٦٧٠) مثلاً مناقضاً له، وهو « الرَّجُل الأكثر استقامةً هو الرجل الأسوأ حظاً » The honester man the worse luck.

ويقابله في العربية قولُهم: « مَنْ صَدَقَ اللهَ نجا »،

وقولهم: « إنْ كَذِبٌ نجَّى فَصِدْقٌ أخلَقُ » أي فالصدق أجدر بالتَّنجِيَة،

وقولهم: « الأمانة خيرُ ضمانة ».

ومِنْ مُحْكَم التنزيل قولُهُ تعالى: « إنَّ الّذين قالُوا رَبُّنا اللّهُ ثُمَّ اسْتَقاموا تَتَنَزَّلُ عَلَيهِمُ الملائكة » (سورة فُصِّلت، الآية ٣٠).

وقوله تعالى: « إنّ الّذينَ قالوا رَبُّنا اللّهُ ثُمَّ اسْتَقاموا فَلا خَوْفٌ عَلَيهِمْ » (سورة الأحقاف، الآية ١٣).

93 – Hope deferred makes (or **maketh**) **the heart sick.**

٩٣ - الْأَمَلُ ٱلْمُرْجَأُ يُمْرِضُ ٱلْقَلْبَ.

★ وَرَد هذا القول المأثور في الأصحاح الثالث عشر، الآية ١٢، من « سفر الأَمثال » من العهد القديم من الكتاب المقدس. وقد آثرنا وضع لفظة « المُرْجَأ » مكانَ لفظة « المماطَل » التي جاءت في ترجمة المرسلين الأميركيين العربية للكتاب المقدس.

وخير ما يقابله في العربية قول الطُّغْرائي في قصيدته المعروفة بـ« لامية العجم »:

أُعَلِّلُ ٱلنَّفْسَ بِٱلآمَالِ أَرْقُبُها
مَا أَضْيَقَ ٱلْعَيْشَ لَوْلا فُسْحَةُ الأَمَلِ!

94 – Hope springs eternal.

٩٤ - الأَمَلُ يَنْبُعُ على نَحْوٍ سَرْمَدِيّ.

★ هذه الكلماتُ هي مَجْزوءُ بيتٍ من قصيدة حكَميّة للشاعر الإنكليزي الكْسندر بوب Pope دعاها « مقالة في الإنسان » *Essay on Man* (عام ١٧٣٣). وإنما يقول ذلك البيت: « الأمل يَنْبعُ على نحوٍ سَرْمديّ في الصدر البشريّ » Hope springs eternal in the human breast.

ولعلّ اقرب ما يقابله، في العربية، قولُ أبي الطيِّب المتنبي:

قَدْ شَغَلَ ٱلنّاسَ كَثْرَةُ ٱلْأَمَلِ
وأَنْتَ بِٱلْمَكْرُماتِ في شُغُلِ

95 – Hunger is the best sauce.

٩٥ - الجوعُ أَحْسَنُ ٱلصَّلَصات.

★ الصَّلصة مَرَقُ التوابل. والمراد بالمثل أن الجائع يستطيب الطعام ولَوْ كان

رديء الطَّهْو. وهو قديم. فقد نُسِب إلى سقراط قولُهُ « إن الجوع صَلْصةٌ يُطَيِّب بها الطعام » *cibi condimentum esse famem* . وقد عَرَفته اللغة الإنكليزية، في صُوَر مختلفة، منذ العام ١٣٦٢ للميلاد. أما المثل، بنصّه الشائع اليوم، فيرقى إلى العام ١٥٥٥.

وهو شبيه جداً بقولنا نحن اليوم: « الْجوعُ أَمْهَرُ ٱلطَّباخين ».

I

96 – If it were not for hope, the heart would break.

.(Without hope the heart would break راجع)

97 – If the blind lead the blind, both shall fall into the ditch.

٩٧ - إذا قَادَ ٱلْأعمَىٰ رَجُلاً أَعمَى سقَطَ كِلاهُما في ٱلحُفْرة.

★ هذا المثل مأخوذ من « سِفر متّى » من « العهد الجديد » من الكتاب المقدس (الأصحاح ١٥، الآية ١٤). فقد جاء في الترجمة العربية الجديدة الصادرة عام ١٩٧٨ عن « اتحاد جمعيات الكتاب المقدس » قول يسوع المسيح: « أُتْرُكوهُمْ، هُمْ عُميانٌ قادةُ عُميان. وإذا كانَ ٱلْأَعْمَىٰ يَقُودُ ٱلْأَعْمَىٰ سَقطا معاً في حُفْرة ».

ويقابله قول العرب في أمثالهم: « قَدْ ضَلَّ مَنْ كانَتِ ٱلعُمْيانُ تَهْدِيه »،

وقولنا نحن اليوم: « أعْمَىٰ يَقُوْدُ أَعْمَىٰ ».

98 – If you sing before breakfast, you'll cry before night (or dinner).

٩٨ - إذا غَنَّيْتَ قَبْلَ ٱلفطُور بكَيْتَ قَبْلَ ٱلمسَاء (أو ٱلعِشاء).

★ ترقى فكرة هذا المثل إلى العام ١٥٣٠. وقد وَرَدَ في العام ١٧٢١ على الصورة التالية: « إن اولئك الذين يضحكون في الصباح قد يبكون في المساء » (*They that laugh in the morning may greet e'er nigh* وفعل greet،

بمعنى « يبكي » يُعتبر اليوم من الأفعال المماتة) ويورد« معجم أوكسفورد للأمثال الإنكليزية » نصاً آخر لهذا المثل، وهو « اضحَك قبل الفَطور تبكِ قبل العشاء
Laugh before breakfast, you'll cry before supper ».

ويقابله في العربية المثل القائل: « يومُ ٱلسُّرُوْرِ قَصِير ».

وفي الشعر العربي كلامٌ كثير على غدر الزمان وتقلّب الأيام.

ومن ذلك قول ابي الطيب المتنبي:

رُبَّما تُحْسِنُ ٱلصَّنيعَ لَياليْهِ   وَلَكِنْ تُكَدِّرُ ٱلإحْسانـــا

وقوله (والضمير عائدٌ للّيالي):

وإنْ سَرَرْنَ بِمَحْبوبٍ فَجَعْنَ بِـــــهِ
وَقَـــدْ أَتَيْنَـــكَ في ٱلحالَيْنِ بِٱلْعَجَـــبِ
وَرُبَّما ٱحْتَسَبَ ٱلإنسانُ غايَتَهـــا
وفاجأَتْـــــــهُ بِأَمْرٍ غَيْرِ مُحْتَسَبِ

وقوله أيضاً:

أَبَداً تَسْتَرِدُّ ما تَهَبُ ٱلدُّنيا   فَيالَيْتَ جُودَها كانَ بُخْلاً

وقول أحمد شوقي:

ولا يُنْبيـــكَ عَنْ خُلُـــقِ ٱللَّيـــالي
كَمَنْ فَقَـــدَ ٱلْأَحِبَّـــةَ وَٱلصِّحابـــا
أَخـــا ٱلدُّنيـــا أَرى دُنيـــاكَ أفْعَـــى
تُبَـــدِّلُ كُـــلَّ آوِنَـــةٍ إهابـــا
وَمِنْ عَجَـــبٍ تُشَيِّـــبُ عاشِقِيهـــا
وتُفْنيهِمْ ومَـــا بَرِجَـــتْ كَعابـــا!
فَمَنْ يَغْتَرُّ بِٱلدُّنيـــــــا فَإِنِّي
لَبِسْتُ بِهـــا فَأَبْلَيْـــتُ ٱلثِّيابـــا
جَنَيْـــتُ بِرَوْضِهـــا وَرْداً وَشَوْكـــاً
وذُقْـــتُ بكَأْسِهـــا شُهْـــداً وَصَابـــا

وقوله أيضاً:

هَكَـذا ٱلدَّهْرُ: حَالَـةٌ ثُمَّ ضِدٌّ   مَـا لِحالٍ مَعَ ٱلزَّمانِ بَقاءُ

99 – If you want a thing well done, do it yourself.

٩٩ - إذا رَغِبْتَ في أن يكونَ ما تَطْلُبُه مُتْقَنَ ٱلصُّنْعِ فَٱصْنَعْهُ بِنَفْسِك.

★ ترقى فكرة هذا المثل الى العام ١٥٦٦. وقد دُوِّن منذ ذلك الحين في صُوَر وأشكالٍ مختلفة. أما المثل بصيغته السائرة اليوم فقد قاله الشاعر الأميركي هنري لونغفيلو Longfellow عام ١٨٥٨

ويقابله في العربية المثل القائل: «ما حَكَّ ظَهْري مِثْلُ يدي»،

وهو يُضرب في عدم الاتكال على الناس.

وقول الشاعر:

مـــا حَــكَّ جِلْــدَكَ مِثْــلُ ظُفْرِكْ
فَتَولَّ أنــــت جَميـــــعَ أَمْرِكْ

وشبيه بهما قول المَثَل العربي: «إقْلَعْ شَوْكَكَ بِيدِكَ»،

وقول الطُّغْرائي في «لاميّة العجم»:

فَإنَّما رَجُـــلُ ٱلدُّنيـــا وَواحِدُهـــا
مَنْ لا يُعَوِّلُ في ٱلدُّنيـــا عـــلى رَجُـــلِ

وقول أحمد شوقي:

وَمَنْ يَسْتَعِنْ في أَمْرِهِ غَيْرَ نَفْسِهِ
يَخُنْـــهُ ٱلرَّفيـــقُ ٱلْعَوْن في ٱلْمَسْلـــكِ ٱلْوَعْرِ

100 – If you want peace, be prepared for war.

١٠٠ - إذا أرَدْتَ ٱلسِّلْمَ فَكُنْ على ٱسْتِعدادٍ لِلْحَرْب.

★ هذا المثل مأخوذٌ من قول لاتيني مأثورٍ هو: «إذا أرَدْت السِّلم فاستعدَّ للحرب» *Si vis pacem, para bellum*. وقد عَرَفَتْهُ الانكليزية، أوَّل ما عَرَفَتْهُ، عام ١٨٨٥.

وقريبٌ منه قول أبي تمّام، مادحاً الخليفة المعتصم، يومَ فتح عَمُّوريّة:

بَصُرْتَ بِٱلرّاحَــــةِ ٱلْكُبْرَى فَلَمْ تَرَهـــا
تُنـــالُ إلاّ عَــلى جِسْرٍ مِنَ ٱلتَّعَـــبِ!

وقول أحمد شوقي في « الهمزية النبوية »:

كَمْ مِنْ غَزاةٍ لِلرَّسولِ كَرِيمَــــــــةٍ
فيهــا رضىً لِلْحّـــقِ أو إعـــلاءُ
كانَـــتْ لِجُنْـــدِ ٱللّـــهِ فيهـا شِدَّةٌ
في إثْرِهـــا لِلعالَمِيْنَ رَخــــاءُ
ضَرَبوا ٱلضَّلالَـةَ ضَرْبَـةً ذَهَبَـتْ بِهـا
فَعَـلى ٱلْجَهالَـــةِ وَالضَّـــلالِ عَفـاءُ
دَعَمُوا عـــــلى ٱلْحَرْبِ ٱلسَّلامَ وطَالَما
حَقَنَـــتْ دمـــاءً في ٱلزَّمـــانِ دِمـاءُ!

101 – Ill-gotten gains never prosper.

١٠١ - المَكاسِبُ غَيْرُ ٱلْمَشْروعةِ لا تُثْمِرُ أبداً.

★ ترقى فكرة هذا المثل الى عهد الإغريق. فقد رَوَوْا عن الشاعر اليوناني هَسِيود Hesiod، وهو من أهل القرن الثامن قبل الميلاد، قولَهُ: « الأرباح غير المشروعة هي خسائر » Dishonest gains are losses . وأغلب الظنّ أن الإنكليزية عرفَتْه، أولَ ما عرفَتْه، عام ١٥٣٩. أما المثل في صيغته الدارجة في يوم الناس هذا فيرقى إلى العام ١٨٢٦.

ويقابله في العربية قولهم: « المالُ ٱلحرامُ لا يَدوم ».

102 – Ill news travels fast.

١٠٢ - الخَبَرُ ٱلسَّيِّءُ يَنْتَشِرُ بِسُرْعة.

★ وَرَدَ هذا المثل في العام ١٦٠٣ بالصيغة التالية: « للخبر السّيّء جناحان وهو مع الريح يطير. » *Ill news hath wings, and with the wind doth go* وهو يرقى، في صيغته الشائعة اليوم، إلى العام ١٦٧٨.

ويقابله في العربية قولُ الشاعر:

مَقَالَـــــــةُ ٱلسُّوءِ إلى أَهْلِهـــــــا
أَسْرَعُ مِنْ مُنْحَـــــدِرٍ سَائِـــــلِ

103 – Ill weeds grow apace (or fast).

١٠٣ - الأَعْشابُ ٱلضَّارَّةُ تَنْمُو بِسُرْعَة.

٭ يرقى هذا المثل، بصيغته هذه، إلى العام ١٦١٤. وإنّما يُقصد به أن الأشياء (أو الأخبار السّيئة) تنتشر بسرعة تفوق السرعة التي تنتشر بها الأشياء (أو الأخبار) الطيِّبة. ومن هنا فبالإمكان اعتباره مرادفاً للمثل السابق.

104 – It is better to be safe than sorry.

١٠٤ - السَّلامَةُ خَيْرٌ من ٱلنَّدامة.

٭ يقول الاستاذ كولنز Collins في «كتاب الأمثال الانكليزية» *A Book of English Proverbs* إن هذا المثل هو من الأمثال القليلة التي أُضيفت إلى اللغة الإنكليزية في العقود المنصرمة. ولعله تطوير للشعار القائل «السَّلامة أولاً» Safety First الذي ظهرَ في تقرير أصدره «مجلس السلامة الصناعية» Council of Industrial Safety البريطاني عامَ ١٩١٥.

ويقابله، عند العرب، قولهم: «السَّلامَةُ غَنيمَة»،

وقولهم: «السَّلامَةُ إحْدَىٰ ٱلْغَنيمَتَيْن»،

وقولهم: «لَيْسَ ٱلْمُغامِرُ مَحْموداً وَإنْ سَلِما...»،

وقولهم: «لَيْسَ يُلامُ هَارِبٌ مِنْ حَتْفِهِ...».

105 – It is no use crying over spilt milk.

١٠٥ - لاَ جَدْوَىٰ مِنَ ٱلْبُكاءِ عَلَى ٱللَّبَنِ ٱلْمُهراق.

٭ وَرَد هذا المثل، أول ما وَرَد، عام ١٤٨٤ للميلاد، بالصيغة التالية: «لا تَذْهَبْ نفسُك حَسَراتٍ على الضائع الذي لا سبيلَ إلى ٱسترداده» *Take no sorrowe of the thynge lost whiche may not be recouered*. وفي عام ١٦٥٩ اتخذ هذه الصيغة: «لا بكاءَ على اللَّبن المُهَراق» No weeping for

shed milk. وفي عام ١٧٣٨ قال الكاتب الإنكليزي جوناثان سويفت Swift:
«من الحماقة أن تبكي على اللبن المُهَراق» Tis a folly to cry on spilt milk'.
أما المثل بصيغته السائرة بين الناس، اليوم، فيرقى إلى العام ١٨٨٤.

وهو ينظر إلى قول أبي الطيب المتنبي:

لا تَلْقَ دَهْرَكَ إلاَّ غَيْرَ مُكْتَرِثٍ
ما دامَ يَصْحَبُ فيهِ رُوحَكَ البَدَنُ
فما يَدُوْمُ سُرورٌ ما سُرِرْتَ بِهِ
ولا يَرُدُّ عَلَيْكَ ٱلفائِتَ ٱلحَزَنُ

ومن مقابلاته أيضاً قولهم: «لا يَرُدُّ ٱلمَيْتَ ٱلبُكاءُ عَلَيه».

106 – It is too late to shut (or **lock**) **the stable-door when the horse is stolen.**

١٠٦ – نادِمٌ بَعْدَ فَواتِ ٱلأوان مَنْ لَمْ يُغْلِقْ بابَ ٱلإصْطَبْل قَبْلَ سَرِقَةِ ٱلحِصان.

★ عرف الفرنسيون هذا المثل، عام ١١٩٠ للميلاد، بالصيغة التالية *A tart ferme on l'estable quand li chevaux est perduz* أما الإنكليز فعرفوه، بصيغته الدارجة لديهم، عام ١٥٧٩.

ويقابله في العربية قولهم: «سَبَقَ ٱلسَّيْفُ ٱلعَذَل».

وهو، على أية حال، يُذكِّر بقول ٱلفَرَزْدَق:

نَدِمْتُ نَدامَةَ ٱلكُسَعِيِّ لَمّا
غَدَتْ مِنِّي مُطَلَّقَةً نَوارُ

107 – It never (or **seldom**) **rains but it pours.**

١٠٧ – السَّماءُ لاَ تُمطِرُ أَلْبَتَّةَ (أو لا تُمطِرُ إلاَّ نادِراً) ولكنَّها تَجُودُ بِٱلغَيْثِ مِدْراراً.

★ يُراد بهذا المثل أن المتاعب والمصائب نادراً ما تأتي فُرادى، بل تنصبّ

دفعةً واحدة وكأنها الوابل المنهمر. وهو يرقى إلى العام ١٧٢٧ عندما جعله الكاتب الانكليزي جوناثان سويفت Swift عنواناً لإحدى مقالاته. وشبيهٌ به المثل الآخر الذي يقول: «المصائب (أو المتاعب) نادراً ما تأتي فُرادى»
Misfortunes (or troubles) seldom come singly

وهو يذكِّر بقول أبي الطيب المتنبي:

رَمــاني ٱلدَّهرُ بــاًلْأَرْزاءِ حَتَّــى
فُؤادِي في غِشاءٍ مِنْ نِبــالِ
فَصِرْتُ إذا أَصابَتْــني سِهــامٌ
تَكَسَّرَتِ ٱلنِّصــالُ عَلَــى ٱلنِّصالِ.

J

108 – Judge not, that ye be not judged.

١٠٨ - لا تَدِيْنُوا لِكَيْ لا تُدانوا.

★ ورد هذا المثل في «سفر مَتّى»، أحد أسفار «العهد الجديد» من الكتاب المقدَّس، وتتمّتُهُ، وفقاً للترجمة العربية الجديدة الصادرة في بيروت عام ١٩٧٨ عن «اتحاد جمعيات الكتاب المقدس»: «فكما تدينون تُدانون، وبما تكيلون يُكال لكم» (الأصحاح السابع، الآيتان ١ - ٢).

وقريب منه قولنا في العربية: «كَما تَدِيْنُ تُدان»،

وقولنا: «مَنْ غَرْبَلَ ٱلنّاسَ نَخَلوه» أي مَنِ انتقد الناس انتقدوه انتقاداً أشدّ وأمرّ.

K

109 – Know thyself.

١٠٩ - إعْرِفْ نَفْسَك.

★ يُنسب هذا المثل إلى الفيلسوف اليوناني طاليس Thales (٦٤٠؟ - ٥٤٦؟ ق. م.). أما في الإنكليزية فإن أقدم تدوين له يرقى إلى العام ١٥٣١ وذلك في

معرض كلام للسّير توماس ايليوت Elyot قال فيه إن العبارة اللاتينية *Nosce*
te ipsum تعني في الإنكليزية « إعرفْ نَفْسَك ».

ويقابله في العربية المثل القائل: « مَنْ عَرَفَ نَفْسَهُ عَرَفَ رَبَّه ».

ولجبران خليل جبران في كتابه « رَمل وَزَبَد » كلمة تتصل بهذا المثل
الإنكليزي وهي كلمة بارعة جديرة بالتأمل. قال: « يقولون لي: لو عرفتَ
نفسك لعرفْتَ الناس. فأقول لهم: لن أعرفَ نفسي حتى أعرف جميعَ الناس ».

110 – Knowledge is power.

١١٠ - الْمَعْرِفَةُ قُوَّة.

★ أصل هذا المثل آية في « سفر الأمثال » من « العهد القديم » من الكتاب
المقدس تقول « الرَّجُلُ الحكيم في عزٍّ، وذو المعرفة متشدِّد القوة » (الأصحاح
الرابع والعشرون الآية ٥). وفي العام ١٦٢٠ للميلاد قال فرنسيس بايكون
Bacon: « المعرفة نفسُها قوّة » *Ipsa scientia potestas est* وقال: « المعرفة
والقوة البشرية مترادفتان *Scientia et potentia humana in idem*
coincidunt .

ونظائره في العربية كثيرة نجتزىء هنا بالنص على بعض ما وقعناه عليه منها
في « الشوقيّات » وحدها:

- أَبْقَـــىٰ ٱلْمَمَالِـــكِ مَـــا ٱلْمَعَارِفُ أُسُّهُ
  وَٱلْعَــــدْلُ فِيـــهِ حَائِـــطٌ وِدِعَـــامُ
- بِٱلْعِلْمِ وَٱلْمَالِ يَبْنِـــي ٱلنَّـــاسُ مُلْكَهُمْ
  لَمْ يُبْنَ مُلْكٌ عَلَـــى جَهْـــلٍ وَإِقْـــلَالِ

- وَٱلْعِلْمُ بَنَّـــاءُ ٱلْمَآثِرِ وَٱلْمَمَالِـــكِ مِنْ قَـــدِيمِ
  كَسَروا بِـــهِ نِيْرَ ٱلْهوانِ وَحَطَّمُوا ذُلَّ ٱلشَّكِـــيمِ

L

111 – Laugh, and the world laughs with you; Weep, and you weep alone.

١١١ - إضْحَكْ يَضْحَكِ ٱلْعَالَمُ مَعَكْ
وٱبكِ تَبْكِ وَحْدَك .

★ يُرَجِّح الباحثون أن أصل هذا المثل كلمة في رسالة بولس الرسول إلى أهل

رومية (في « العهد الجديد من الكتاب المقدس) تقول: « إفْرَحُوا مع ٱلفرِحين وٱبكُوا مَعَ الباكين » (الأصحاح الثاني عشر، الآية ١٥). وقد وردت فكرته في بيتين للشاعرة الأميركية إيلاّ ويلكوكس Ella Wilcox (توفيت عام ١٩١٩). وقد جرى هذا المثل في عصرنا هذا، على ألسنة كثير من العرب ولكنْ مع شيء من التعديل جعَله أَرْوعَ، فهم يقولون: « إضحك يَضْحك لك العالم وٱبكِ تبكِ وَحْدَك ».

ولعلّ أجمل ما عرفَتْه العربية، في موضوع الضحك والابتسام، هذه الأبيات لإيليا أبي ماضي:

قَالَ ٱلسَّماءُ كئيبةٌ وَتَجهَّما
قُلتُ ٱبتَسِمْ يَكفي ٱلتَّجهُّمُ في ٱلسَّما

قالَ ٱللَّيالي جَرَّعَتْني عَلْقَماً
قلتُ ٱبتَسِمْ ولَئِنْ جَرَعْتَ ٱلعَلْقَما

أتُراكَ تَغْنَمُ بِٱلتَّبرُّمِ دِرْهَماً
أَمْ أنتَ تَخْسَرُ بِٱلبَشاشَة مَغْنَما

يا صَاحِ لا خطَرٌ على شَفَتيكَ أَنْ
تَتَثَلَّما، وٱلوَجْهِ أنْ يَتَحطَّما

فٱضحَكْ فإنَّ ٱلشُّهبَ تَضْحَكُ وَٱلدُّجى
مُتَلاطِمٌ، وكَذا نُحِبُّ ٱلأنجُما

قال ٱلبشاشَةُ ليسَ تُسْعِدُ كائناً
يَأتي إلى ٱلدُّنيا وَيَذْهَبُ مُرْغَما

قلتُ ٱبتَسِمْ ما دامَ بَيْنَكَ وَٱلرَّدَى
شِبْرٌ فإنّكَ بَعْدُ لَنْ تَتبسَّما

١١٢ - إعْتَبِرِ ٱلأَحْداثَ ٱلماضِيَةَ أَحْداثاً ماضِيَةً. — 112 – Let bygones be bygones.

★ وبكلمة أخرى، إصفَحْ وٱنسَ الماضي. وقد وردت الفكرة، أولَ ما وردت، في الإلياذة *Iliad* للشاعر اليوناني هوميروس. وفي كتاب « حوار يشتمل على الأمثال الإنكليزية» *A Dialogue Containing the Proverbs in the English Language* (عام ١٥٤٦) أورَدَ هايْوود Heywood هذا المثل على الصورة التالية: « دع جميع الأشياء الماضية تمضي » Let all things past pass. ومن المحقّق أنه اتخذ، مع الزمان، صيغاً مختلفة ليتَبلْوَر آخر الأمر، عام ١٨١٥، في صيغته السائرة اليوم.

ويقابله في العربية قولنا: « ما ماتَ فاتَ »، وأصله « من ماتَ فات » وهو من كلام قُسّ بن ساعدة.

وقولُنا: « عَفا ٱللّهُ عمَّا سَلَف ».

113 – Let sleeping dogs lie. ‏١١٣ - دَعِ ٱلْكِلابَ ٱلنَّائِمَةَ تَرْقُدُ بِسَلام.

★ ترمز الكلاب في هذا المثل إلى الشرّ أو الفتنة ونحوهما. وقد وردت صيغته الأكثر قِدَماً في بعض حكايات الشاعر الإنكليزي تشوسر Chaucer (١٣٤٠؟ - ١٤٠٠م.). أما صيغته الحالية فترقى إلى العام ١٨٢٤، وقد جاءت في بعض آثار السّير وولتر سكوت Scott.

ويقابله في العربية قولنا: « الفِتْنَةُ نائمةٌ لَعَنَ ٱللّهُ مَنْ أَيْقَظَها ».

114 – Life is not all beer and skittles. ‏١١٤ - الْحياةُ لَيْسَتْ كُلُّها جعَةً ولُعْبَةَ قواريرَ خَشَبيّة.

★ المراد أن الحياة ليست كلُّها لهواً ولَعِباً. إنها مزاجٌ من الحلو والمرّ، والصّفو والكَدَر، والنعيم والشقاء. والمثل مأخوذ من قول تشارلز ديكنز Dickens في « اوراق بيكْويك » *Pickwick Papers* (عام ١٨٣٦): « إنها بالنسبة إليهم عُطلةٌ بكل ما في الكلمة من معنى - فهيَ جَعَةٌ كلها وانهماك في لعبة القوارير الخشبية » It's a regular holiday to them–all porter and skittles. وقد تبلور في صيغته النهائية عام ١٨٥٧.

ويقابله في العربية قول أبي الطيِّب المتنبي:

صَحِبَ ٱلنّاسُ قَبْلَنا ذا ٱلزَّمانا
وعَناهُمْ مِنْ أَمْرِهِ ما عَنانا
وَتَوَلَّوْا بِغُصَّةٍ كُلُّهُمْ مِنْهُ
وإِنْ سَرَّ بَعْضَهُمْ أحيانا
رُبَّما تُحْسِنَ ٱلصَّنيعَ لَيَاليهِ
وَلكِنْ تُكَدِّرُ ٱلإِحْسانا

وقول أحمد شوقي، وليس يقلُّ عن الابيات السابقة روعةً:

وَلا يُنْبيـــكَ عَنْ خُلُـــقِ ٱللَّيـــالي
كَمَنْ فَقَـــدَ ٱلْأَحِبَّـــةَ وَٱلصِّحابـــا
أخـــا ٱلدُّنيـــا أرى دُنيَـــاكَ أفعـــى
تُبـــدِّلُ كُـــلَّ آونَـــةٍ إهابـــا
فَمَنْ يَغْتَرُّ بِٱلدُّنيـــــا فَإنِّي
لَبِسْتُ بهـــا فَأبلَيْـــتُ ٱلثِّيابـــا
جَنَيْـــتُ بِرَوْضِهـــا وَرْداً وشَوْكـــاً
وَذُقْـــتُ بِكَأسِهـــا شَهْـــداً وَصَابـــا

وقوله:

جَرَى كَـدَراً لَهُمْ صَفْوُ ٱللَّيالي   وَغايَـةُ كُـلِّ صَفْوٍ أَنْ يُشابـا

115 – Life is sweet. ١١٥ – الْحَياةُ حُلْوَة.

★ ترقى أقدم صيغ هذا المثل إلى العام ١٣٥٠ للميلاد. وهي صيغة تجري على النحو التالي: «مهما ثَقُلَ العبء الذي يحمله المرء تظلّ الحياة حلوةً دائماً» *Be monnes lode neuer so luther, the lyf is ay swete*. أما المثل بلفظه السائر اليوم فيرقى إلى العام ١٦٠١.

وهو يذكِّر بأبيات أبي الطيِّب المتنبي من قصيدة عزَّى فيها سيفَ الدولة بأخته الصغرى، وفيها من حلاوة البيان ما يَرْقَى الى مستوى حلاوة الموضوع:

وَلَذيـــذُ ٱلْحيـــاةِ أَنْفَسُ في ٱلنَّفْسِ
وَأَشْهَـــى مِنْ أن يُمَـــلَّ وأَحْلَـــى
وإذا ٱلشَّيـــخُ قـــالَ أُفٍ فما مَـــلَّ
حَيـــاةً وَإِنَّما ٱلضَّعْـــفَ مَـــلاّ
آلَـــةُ ٱلْعَيشِ صِحَّـــةٌ وَشَبـــابٌ
فَـــإذا وَلَّيـــا عَنِ ٱلْمَرْءِ وَلَّـــى!

116 – Like father, like son. ١١٦ – الولد صورةٌ عن أبيه.

★ فكرة هذا المثل عريقة في القِدَم. وهي تُنْسب إلى القديس آثاناسيوس Saint Athanasius بطريرك الإسكندرية (٢٩٣؟ - ٣٧٣ م.) ونحن

نقع عليه في الإنكليزية منذ عهد بعيد أيضاً. وفي عام ١٦١٦ ورد المثل على هذه الصورة أيضاً: « الولدُ سرّ أبيه، والبنت سرّ أُمّهَا » *Like father like sonne; like mother like daughter.*

ويقابله عند العرب قولهم: « مَنْ أَشْبَهَ أَباهُ فما ظَلَمَ » أو « مَنْ شابَهَ أَبَهُ فما ظَلَمَ ».

وقولهم: « إنّ هَذا ٱلشِّبْلَ مِنْ ذاكَ ٱلْأَسَد ».

١١٧ - قطراتُ الماء القليلة
وحبّاتُ الرِّملِ الضئيلة
تصنع الأقيانوس الجبار
واليابسة الدَّمثة.

117 – Little drops of water,
little grains of sand,
Make the mighty ocean
and the pleasant land.

★ يُراد بهذا المثل أن الأشياء البسيطة، أو الجهود المتواضعة، كثيراً ما تُحدث آثاراً عظيمة أو نتائج باهرة. وأول من قاله الشاعرة الأميركية جوليا كارني Carney (١٨٢٣ - ١٩٠٨) في قصيدة لها نظمتها عام ١٨٤٥.

ويقابله في العربية المثل القائل: « وَيَحْدُث مِنْ بَعْض ٱلْأُمور أُمورُ ».

والمثل القائل: « إنَّ ٱلْعصا مِنَ ٱلْعُصَيَّة » ومعناه أن الشيء الجليل قد ينشأ عن الشيء الصغير.

وشبيهٌ به قولهم: « مِنَ ٱلْحبَّةِ تَنْشأُ ٱلشَّجرَة ».

وقولهم: « أولِ الشجرة النواة ».

وقولهم: « إنَ ٱلقرْمَ مِنَ ٱلْأَفِيل »، والقَرْمُ هو الفحْل والأَفِيْلُ هو صغير ٱلإبل.

١١٨ - تَفَكَّرْ قَبْلَ أنْ تَثِب.

118 – Look before you leap.

★ يرقى هذا المثل إلى العام ١٥٢٨ للميلاد، وكانت صيغته آنذاك على الصورة التالية: *Look ere thou leap* أما صيغته الحالية فترقى إلى العام ١٦٢١، وقد وردت، أول ما وردت، في كتاب روبرت بورتون Burton الموسوم باسم « تشريح الكآبة» *Anatomy of Melancholy*.

ولعلّ أفضلَ ما يقابله في العربية قول الشاعر:

قَــدِّرْ لِرِجلِــكَ قَبْــلَ ٱلْخَطْوِ مَوْضِعَهــا
فَمَنْ عَــلا زَلَقـــاً عَنْ غِرَّةٍ زَلَجـــا

١١٩ - الحُبُّ أَعْمَى. — 119 – Love is blind.

★ ورد هذا المثل، أول ما ورد، في شعر تشوسر Chaucer (١٣٤٠؟ - ١٤٠٠ م.). ثم جاء شيكسبير فقال في مسرحيته « سيِّدان من فيرونا » *Two Gentlemen of Verona* (عام ١٥٩٢): « إذا أحبَبْتَها فلن تستطيعَ أن تراها. لماذا؟ لأنَّ الحب أعمى » «If you love her you cannot see her; «Why? Because love is blind» وإنما يُراد بالعمى عادةً عجز العاشق عن رؤية نقائص المحبوب. ولكن شيكسبير عَدَل عن هذا المفهوم فقال في مسرحيته « تاجر البندقية » *Merchant of Venice* (عام ١٥٩٦): « لكنّ الحبّ اعمى، والمحبّون لا يستطيعون أن يَرَوْا الحماقاتِ الصارخةَ التي يرتكِبونها هم أنفسُهم »

But love is blind, and lovers cannot see
The pretty follies that themselves commit.

وعلى أية حال فقد مثَّل اليونان والرومان الحبَّ معصوبَ ٱلعيْنين فهو يتصرَّف على نحوٍ أعمى.

ويقابله عند العرب قولهم: « الْحُبُّ أعْمَى »،

وقولهم: « حُبُّكَ ٱلشَّيْءَ يُعْمِي ويُصِمّ »،

وقولهم: « إنَّ ٱلْهَوَى شَرِيكُ ٱلْعَمَى »،

وقول الشاعر:

وعَيْنُ ٱلرِّضا عَنْ كُلِّ عَيْبٍ كَلِيْلَةٌ — وَلكِنَّ عَيْنَ ٱلسُّخْطِ تُبْدي ٱلْمَساوِيا

وقد رأى ميخائيل نعيمة في ذلك كله مبالغةً لا داعيَ لها... فقال في « كَرْم على دَرْب »: « قولُهم إن الحبّ أعمى مبالغة. والحقيقة هي أن الحبّ بعَين واحدة... »

١٢٠ - مَنْ أَحَبَّني أَحَبَّ كَلْبي مَعي. — 120 – Love me, love my dog.

★ يُقصد بهذا المثل أن على مَنْ أحبَّ شخصاً ما أن يحبّ المقرَّبين إليه، وأن

يذودَ عن ممتلكاته ويدافع عن مصالحه إلخ. وقد وردَ في إحدى عظات القديس برنارد St. Bernard. عام ١١٥٣ للميلاد قوله: «من يُحبّني يُحبّ أيضاً كلبي» *Qui me amat,amat et canem meum*. ومن ثمّ وردَ المثل عام ١٤٨٠ بالصيغة التالية، ومن غير ما تغيُّر في المعنى كما هو واضح: *He that lovythe me lovythe my hound*.

وله في العربية نظائر كثيرة، منها قولنا: «إكراماً لِلْوَرْدِ يَشْرَبُ ٱلْعُلَّيْق»،

وقول العامة: «إكراماً لعَيْنٍ نكرم مَرْجْعيون..»

وهو يَنْظُرُ، ولو من طَرَف خفيّ، إلى قول الشاعر الجاهليّ المُنَخَّل اليَشْكُريّ:

وَأُحِبُّهـــــــا وَتُحِبُّـــــــني
وَيُحِـــــــبُّ ناقتَهـــــــا بَعِيْرِي!

M

121 - Make haste slowly.

١٢١ - إسْتَعْجِلْ ببُطْء.

★ في هذا المثل دعوة إلى التأني وتنفير من العجلة. وله أصل يوناني قديم، وآخر لاتيني يُنسب إلى الأمبراطور الروماني أوغسطوس Augustus (٦٣ ق. م. - ١٤ م.)، ومعناه بالحرف الواحد «استعجلْ ببُطء» *Festina lente*. وقد وَرَدَ المثل بصيغة أخرى في بعض آثار الشاعر الإنكليزي تشوسر Chaucer (١٣٤٠؟ - ١٤٠٠ م.) أما أول من استخدمه بصيغته الحالية فكان العالم الأميركي بنجامان فرانكلن Benjamin Franklin (عام ١٧٤٤).

ويقابله عند العرب قولهم: «مَنْ تَأَنَّى نالَ ما تَمَنَّى»،

وقولهم: «في ٱلتَّأَنّي ٱلسَّلامَة، وفي ٱلْعَجَلَةِ ٱلنَّدامَة»،

وقولهم: «كَمْ مِنْ عَجَلَةٍ وَهَبَتْ رَيْثاً»،

وقولهم: «ٱلخَطَأُ زادُ ٱلعَجول»،

وقول الشاعر:

قـــد يُـــدْرِكُ ٱلْمُتأَنّي بَعْـــضَ حاجَتِـــهِ
وَقَـــدْ يكونُ مَـــعَ ٱلْمُسْتَعْجِـــلِ ٱلزَّلَـــلُ

وقول أحمد شوقي:

وَلَوْ تَأَنّـــى نـــالَ مـــا تَمَنّـــى
وعـــاشَ طُولَ عُمْرِهِ مُهَنّـــا
لِكُـــلِّ شَيْءٍ في ٱلحيـــاةِ وَقْتُـــهُ
وَغايـــةُ ٱلمُسْتَعْجِلِيْنَ فَوْتُـــهُ

122 – Make hay while the sun shines.

١٢٢ - إِصْنَع ٱلتِّبْنَ ما دامَتِ ٱلشَّمْسُ مُشْرِقَةً.

★ ههنا دعوةٌ إلى اغتنام الفُرَص المُتاحة والإفادة من الظروف المؤاتية قبل أن تُفْلت الفرصة من اليد أو ينشأ ظرفٌ مُغاير. وجديرٌ بالذكر أن الأسقف الإنكليزي تْرَنْتش Trench قال عام ١٨٥٢ إن هذا المثل إنكليزي أصيل «لأنه لا يُعْقَل أن يولد مَثَلٌ مِثلُهُ إلا تحت سماءٍ قُلَّب (أي كثيرة التقلُّب) كسمائنا نحن»... وأياً ما كان، فإنّ فكرتَهُ وَرَدت في بعض المدوَّنات التي ترقى إلى العام ١٥٠٩ للميلاد. وفي العام ١٥٤٦ أثبته هايْوود Heywood في كتابه «حوار يشتمل على الامثال الإنكليزية» *A Dialogue Containing the Proverbs in the English Language* على الصورة التالية *Whan the sunne shinth make hay*. وقد تبلْوَر في صيغته الجارية على ألسنة الناس في أيامنا هذه منذ العام ١٥٨٣.

ويقابله عند العرب قولهم: «إذا هَبَّتْ رِياحُكَ فَٱغْتَنِمْها...»، قولهم: «اختِمِ ٱلطِّينَ ما دامَ رَطْباً».

123 – Manners make the man.

١٢٣ - الأَخْلاقُ تَصنَعُ ٱلرَّجُل.

★ ورد هذا المثل على الصورة التالية *Maner makys man* في مخطوطة ترقى إلى منتصف القرن الرابع عشر للميلاد. وقد سار بين الناس عندما اتخذه وليم أوف ويكيهام Wykeham أسقف وينْتْشَسْتَر Winchester (من عام ١٣٦٧ إلى عام ١٤٠٤) شعاراً له.

ويقابله في العربية قول ٱلسَّمَوْأل:

إذا ٱلمرْءُ لَمْ يدْنَسْ مِنَ اللُّؤم عِرْضُـــــهُ
فَكُـــلُّ رداءٍ يَرْتَديــــهِ جَميْـــلُ

وقول ابي الطيِّب المتنبي:

ومــا ٱلحُسْنُ في وَجْـهِ ٱلفَتَــى شَرَفــاً لَـهُ
إذا لَمْ يَكُنْ في فِعْلِـــهِ وٱلخَلائِـــقِ

ولعلَّ أياً من شعراء العرب لم يؤكد على أثر الأخلاق في تكوين الرجال وبناء الشعوب والأوطان تأكيدَ أحمد شوقي، ومن ذلك قوله:

رَضَـعَ ٱلأَخْـلاقَ مِنْ أَلبانِهـا — إنَّ للأَخـلاقِ وَقْعـاً في الصِّغَرْ

وقوله:

صَلاحُ أُمْرِكَ لِلأَخْلاقِ مَرْجِعُهُ — فَقَوِّمِ ٱلنَّفْسَ بِالأَخلاقِ تَسْتَقِمِ

وقوله:

وَلَيْسَ بِعامِرٍ بُنْيــانُ قوم — إذا أَخْلاقُهُمْ كانَــتْ خَرابــا

وقوله:

وَإذا أُصيــبَ ٱلقَوْمُ في أَخْلاقِهِمْ — فَأَقِمْ عَلَيْهِمْ مَأْتَماً وَعَويــلا

وقوله:

وَإنما ٱلأُمَمُ ٱلأَخلاقُ ما بَقِيَتْ — فإن هُمُ ذَهَبَتْ أخلاقُهُمْ ذَهبوا

وقوله:

وَلَقَدْ يُقامُ مِنَ ٱلسُّيوفِ وَلَيْسَ مِنْ — عَثَراتِ أَخْلاقِ ٱلشُّعوبِ قِيامُ

124 – Man proposes and God disposes.

١٢٤ - يَعْتَزِمُ ٱلمَرْءُ أَمْراً وَيُقدِّرُ ٱللّهُ أَمْراً.

★ محصَّل هذا المثل أن المرء كثيراً ما يشاء أمراً، فيضع من أجل تحقيقه الخطط ويُهيِّء الأسباب، ولكن الله يشاء غيرَ ذلك ولا رادَّ لمشيئته. ولعل أقدم صيغة معروفة لهذا المثل هي التي تقول ***Man purposith and God disposith*** والتي ترقى إلى العام ١٤٥٠ للميلاد. أما المثل في صورته الحاضرة فلا يرقى إلى أبعد من العام ١٨٥٣.

ويقابلهُ عند العرب قولهم: «وَتُقَدِّرُوْنَ وَتَضحَكُ ٱلْأَقْدارُ»،

وقولهم: «الإنْسانُ في ٱلتَّفْكير، وَٱللّهُ في ٱلتَّقْدير».

125 – Many hands make light work.

١٢٥ – كَثْرَةُ ٱلْأَيْدي تُخَفِّفُ مِنْ عِبءِ ٱلْعَمَل.

★ يرقى هذا المثل إلى العام ١٣٥٠ للميلاد، وكانت صيغته آنذاك: *Many hondys makyn lyght worke*. وهو يتعارض تعارضاً كلياً مع مثل إنكليزي آخر يقول «كثرة الطهاة تُفْسِد الحساء» Too many cooks spoil the broth.

ويقابلهُ في العربية: «يَدُ ٱللّهِ مَعَ ٱلْجَماعَة».

126 – Many heads are better than one.

١٢٦ – رُؤُوسٌ كَثيرةٌ خَيْرٌ مِنْ رَأْسٍ واحِد.

★ يرقى هذا المثل إلى أوائل القرن الثامن عشر للميلاد. وهو يُروَى أيضاً بصيغة المُثَنَّى: «رأسان اثنان خيرٌ من رأس واحد» Two heads are better than one وكلاهما شبيه بالمثل الإنكليزي الذي يقول: «أربعةُ أَعْيُنٍ ترى أكثر (أو أحسن) من عينين اثنتين» Four eyes see more *or* better than two.

127 – Misfortunes (or **Troubles**) **seldom** (or **never**) **come singly** (or **alone**).

١٢٧ – المَصائِبُ (أو ٱلمَتاعِبُ) نادِراً ما تَأْتي فُرادَى (أو لاَ تأْتي فُرادَى أَلْبَتَّة).

★ يرقى هذا المثل إلى العام ١٣٠٠ للميلاد، فقد وَرَدَ في بعض المدوَّنات العائدة إلى تلك الحقبة: «الأذى لا يجيء منفرداً ألبتّة» *The qued commth nowher alone*. وبعد ذلك جاء شيكسبير فقال في مسرحيته «هملَتْ» Hamlet: «عندما تأتي البلايا لا تأتي كالجواسيس فُرادى، بَلْ كتائبَ كتائبَ» When sorrows come, they come not single spies, but in

battalions ومن ثَمَّ اتّخذ المثلُ صِيَغاً مختلفة ليستقرّ آخر الأمر، عام ١٦٨٢، على الصيغة المعروفة اليوم. وهو مرادف للمثل الإنكليزيّ الذي يقول «السماء لا تُمْطرُ ألبَتّة ولكنها تجودُ بالغيث مِدْراراً» It never rains but it pours. فراجعْهُ.

128 – Money begets money.

١٢٨ – ألمالُ يُولِّد ألمال.

★ ورد هذا المثل، أولَ ما ورد، عام ١٥٧٢ للميلاد، بالصيغة التالية: «المال يَجْلبُ المال» *Money getteth money*. وفي عام ١٥٩٣ قال شيكسبير في مسرحية «فينوس وأدونيس» *Venus and Adonis*. «الذهبُ المُسْتَثْمَرُ يولِّد مَزيداً من ألذهب» Gold that's put to use more gold begets.

ويقابله المثل العربي القائل: «الدَّراهِم بٱلدَّراهِم تُكْسَبُ» وهو، كما يقول الميداني في «مجمع الأمثال»، من كلام المولَّدين.

وقول العرب المعاصرين: «المال يجرّ المال».

129 – More haste, less speed.

١٢٩ – عَجَلَةٌ أكْثر، سُرْعةٌ أقلّ.

★ مُحَصَّل هذا المثل أن المبالغة في العجلة كثيراً ما تؤدي إلى نتيجة عكسية، فيتأخر بلوغُ المرء هدفَهُ على حين كان القَصْد استعجالَ هذا البلوغ. وهو يرقى إلى العام ١٣٥٠ للميلاد.

ويقابله في العربية: «ٱلْخَطَأُ زادُ ٱلْعَجُول»،

و«العَجَلَةُ مِنَ ٱلشَّيْطان»،

و«في ٱلتَّأَنِّي ٱلسَّلامَة، وَفي ٱلْعَجَلَةِ ٱلنَّدامَة»،

و«كَمْ مِنْ عَجَلَةٍ وَهَبَتْ رَيْثاً»،

و«رُبَّ حَثِيثٍ مَكِيثٍ» أي رُبّما عجّل المرء في أمرٍ فكانت عجلتُهُ سببَ مَكْثِهِ أو تأخّرِه.

وقول أحمد شوقي:

وَلَوْ تَأَنَّى نـــــالَ مـــا تَمَنَّـــى
وعَـــــاشَ طُوْلَ عُمرِهِ مُهَنّـــا
لِكُـــلِّ شَيْءٍ في ٱلْحَيَـــاةِ وَقْتُـــهُ
وغايـــــةُ ٱلْمُسْتَعْجلِيْنَ فَوْتُــــهُ

N

130 – Necessity has (or **knows**) **no law.**

١٣٠ - الضَّرُوْرَةُ لا قانُونَ لَها (أَوْ لا تَعْرِفُ قانُوناً).

★ ترقى هذه الفكرة إلى قدماء اليونان. وعند الرومان قاعدة شرعية تقول *Necessitas non habet legem* . وفي الإمكان القول إن المثل الإنكليزي يكاد يكون ترجمة حرفيةً لها. أما أقدم المدوَّنات التي ورد فيها هذا المثل فيرقى الى القرن الرابع عشر للميلاد.

ويقابله في العربية: « الضَّرُوْراتُ تُبِيحُ ٱلْمحَظُورات »،

و« للضَّرورَةِ أحكام ».

131 – Necessity is the mother of invention.

١٣١ - الحاجـةُ أُمُّ الاختراع.

★ يرقى هذا المثل إلى أوائل القرن السادس عشر للميلاد. وقد وَرَدَ منذئذٍ في صيغ وأشكال مختلفاتٍ، ليستقرَّ في صيغته الحالية، عام ١٧٢٦.

ويقابله، عند العرب، قولهم: « الْحاجَةُ تَفْتُقُ ٱلْحِيْلَة ».

132 – Never put off till tomorrow what can be done today.

١٣٢ - لا تُوَجِّلْ إلى غـدٍ ما يُستطاعُ عَمَلُهُ ٱلْيَوْم.

★ وَرَدَت فكرة هذا المثل، أولَ ما وردت، عند الشاعر الإنكليزي تشوسر Chaucer (١٣٤٠؟ - ١٤٠٠ م.). أما أول من قاله، بصيغته المألوفة

اليوم، فهو السياسي والمؤلف البريطاني إيرل تشيسترفيلد الرابع Fourth Earl of Chesterfield (عام ١٧٤٩).

ويقابله عند العرب قولهم: «لا تُؤجِّلْ عَمَلَ ٱلْيَوْم إلى غد.».

133 – Never too old to learn. ١٣٣ - لَيسَ لِلتَّعَلُّمِ سِنٌّ يَقِفُ عِنْدَها.

★ أصل هذا الكلام مَثَلٌ روماني يقول بأن على المرء أن يواصل طَلَبَ العلم ما دامَ فيه عِرقٌ ينبض. أما في الإنكليزية فيرقى المثل إلى العام ١٦٢٧ للميلاد، وكان المسرحيّ الإنكليزي توماس ميدلتون Middleton أولَ من قاله. وثمة رواية أخرى لهذا المثل، دارجة هي الأخرى، ومفادُها: «لا تَقُلْ أبداً إن زمان التعلّم قد انقضى» Never too late to learn.

ويقابله عند العرب قولهم: «أُطْلُبوا ٱلْعِلْمَ مِنَ ٱلْمَهْدِ إلى ٱللَّحْد».

وما أروعَ قولَ الإمام الشافعي، وهو ينظرُ من بعيد إلى هذا الموضوع:

كُلّما أَدَّبَني ٱلدَّهْرُ
أراني ضَعْفَ عقلي
وإذا ما ٱزْدَدْتُ عِلْماً
زادَني عِلْماً بجَهْلي

134 – Never trouble trouble till trouble troubles you. ١٣٤ - لا تُزْعِجِ ٱلْبَلاءَ إلاّ بَعْدَ أَنْ يُزْعِجَكَ ٱلْبَلاء.

★ هذا المثل مقتبسٌ من رباعية مُقَفّاة وَرَدَت، أولَ ما وردَتْ، في بعض المصادر التي يرقى تاريخها إلى العام ١٨٨٢ للميلاد. وهذه الرباعية تقول:

Never trouble trouble
Till trouble troubles you.
It only doubles trouble
And troubles others too.

وهذه ترجمتها:

لا تُزعج البَلاء

إلا بعدَ أن يُزعجك البَلاء،

لأن إزعاجك البَلاء قبل الأوان يضاعفُهُ

ويُزعج قوماً آخرين أيضاً.

والمثل، كما هو واضح، يذكِّر بمثل إنكليزي آخر هو: «لا تَعْبُر ٱلجِسرَ قبلَ
أن تَبْلُغَهُ » Do not cross the bridge before you come to it

وقريبٌ منه قول العرب في أمثالها: «لا تَعْجَلْ بالإنباض قبلَ ٱلتَّوتير»
والإنباض أن تَمُدَّ وترَ القوس ثم ترسله فتسمع له صوتاً. والتوتير شَدُّ ٱلوَتر.

135 – None are so blind
as those who will
not see.

١٣٥ – لَيْسَ أَحَدٌ أَشَدَّ عَمىً
مِنْ أُولَئِكَ ٱلَّذِينَ لا
يُرِيدُونَ أَنْ يُبصِرُوا.

★ وبكلمةٍ أخرى، ليس ثمة ما هو أصعب من إقناع مَن لا يريد الاقتناع، أو
مَن يتجاهل كل ما يتعارض مع معتقداته الخاصة. وقد وردت فكرة المثل في
كتاب هايوود Heywood « حوار يشتمل على الأمثال الإنكليزية »
A Dialogue Containing the Proverbs in the English Language (عام
١٥٤٦). أما صيغته الحالية فترقى إلى العام ١٨٥٢. وشبيهٌ به المثل
الإنكليزي الآخر: «ليس أحدٌ أشدَّ صَمَماً من أولئك الذي لا يريدون أن
يَسْمعوا.» None are so deaf as those who will not hear.

ويقابله في العربية قولهم: « ٱلغَرَضُ مَرَض »،

وقولهم: ٱلغَرَضُ يُعْمِي ٱلْبَصِيرَة »،

وهو يذكِّر بقوله تعالى في مُحْكَم ٱلتنزيل: «أَفَلَمْ يَسِيرُوا في ٱلْأَرْض
فَتَكُونَ لَهُمْ قُلُوبٌ يَعْقِلُونَ بها أَوْ آذانٌ يَسْمَعُونَ بها فإنَّها لا تَعْمَى ٱلْأَبْصارُ
وَلَكِنْ تَعْمَى ٱلْقُلُوبُ ٱلَّتِي في ٱلصُّدُور» (سورة الحجّ، الآية ٤٦).

136 – None are so deaf
as those who will
not hear.

١٣٦ – لَيْسَ أَحَدٌ أَشَدَّ صَمَماً
مِنْ أُولَئِكَ ٱلَّذِينَ لا
يُرِيدُونَ أَنْ يَسْمَعوا.

★ هذا المثل صِنْوُ المثل القائل «ليس أحدٌ أشدَّ عمىً من أولئك الذين لا

يُريدون أن يُبصروا » None are so blind as those who will not see.

وقد ورد، أولَ ما ورد، في كتاب هايوود Heywood « حوار يشتمل على الأمثـال الإنكليزية » *A Dialogue Containing the Proverbs in the English Language* (عام ١٥٤٦).

O

137 – Of two evils choose the less (or **the least).**

١٣٧ - إخْتَرْ أهْوَنَ ٱلشَّرَّيْن.

★ أولُ من قال هذا المثلَ الشاعر الإنكليزي تشوسر Chaucer، حوالى العام ١٣٨٠ للميلاد، وذلك بالنصّ التالي *Of harmes two the lesse is for to chese* أما أقدم تدوين لَهُ بصيغته الحالية فيرقى إلى العام ١٥٤٦.

ويقابله، عند العرب، قولُهم « بَعْضُ ٱلشَّرِّ أَهْوَنُ مِنْ بَعْضٍ »، وهو من قول طَرَفَةَ بن ٱلْعبد حين أمرَ النعمان بقتلِهِ:

أَبـا مُنْـذِرٍ أَفْنَيْـتَ فَٱسْتَبْـقِ بَعْضَنـا
حَنانَيْـكَ بَعْـضُ ٱلشَّرِّ أَهْوَنُ مِنْ بَعْـضِ

قال الميداني في مَجْمع الأمثال إنه « يُضْرَبُ عند ظهور الشَّرَّين بينهما تفاوُتٌ ».

138 – One cannot get blood (or **water) from a stone.**

١٣٨ - لَيْسَ في مَيْسور ٱلْمَرْءِ أن يَسْتَخْرجَ ٱلدَّمَ (أَو ٱلْماءَ) مِنْ حجَر.

★ وبكلمة أخرى، إنك لا تستطيع أن تنتزع العطف أو المشاركة الوجدانية من امرىء فظٍّ غليظ القلب. وإنما ترقى فكرة هذا المثل إلى العام ١٥٨٠ للميلاد. أما أول من قاله بصيغته المألوفة في يوم الناس هذا فهو الروائي الإنكليزي تشارلز ديكنز Dickens في روايته « دايفيد كوبرفيلد » *David Copperfield* (عام ١٨٥٠).

ويقابله في العربية المثل القائل: « الحَجَرُ لا يَبِضّ » (أي لا يسيل منه الماء كما يَسيلُ العَرَق)،

والمثل القائل: «لا يُثمِرُ ٱلشَّوْكُ ٱلعِنَبَ»،

والمثل القائل: «إنَّكَ لا تَجْني مِنَ ٱلشَّوْكِ ٱلْعِنَبَ» وهو - كما يقول الميداني - من كلام أكثم بن صيفي.

والمثل القائل: «مَنْ يَزْرَعِ ٱلشَّوْكَ لا يَحْصُدْ بهِ ٱلْعِنَبا».

قال الميداني: «لا يقال حَصَدْتُ العنبَ وإنما يقال قطفتُ، ولكنه وضَعَ الحَصْد بإزاء الزَّرع».

139 – One crowded hour of glorious life is worth an age without a name.

١٣٩ - إنَّ ساعةً واحِدَةً حافِلَةً بِٱلْأَمْجادِ تُساوِي عَصْراً برُمَّتِهِ عاطِلاً عَنِ ٱلْمَجد.

★ أول من قال هذا الكلام الشاعر الإنكليزي موردَنْت Mordaunt (١٧٣٠ - ١٨٠٩) في إحدى رُباعياته. وقد اقتبسه السير وولتر سكوت Scott في بعض آثاره فذاع بين الناس وأمسى مثلاً سائراً.

وهو يذكِّر بقول أبي الطيِّب المتنبي:

وَلاَ تَحْسَبَنَّ ٱلْمَجْـــدَ زِقّـــاً وَقَيْنَـــةً
فَمَـا ٱلْمَجْـدُ إلاّ ٱلسَّيْـــفُ وَٱلْفَتْكَـــةُ ٱلْبِكْرُ
وَتَرْكُـــكَ في ٱلدُّنْيـــا دَوِيّـــاً كَأَنَّما
تَـــداوَلَ سَمْـــعَ المَرْءِ أَنْمُلُـــهُ ٱلْعَشْرُ!

وشبيهٌ به قول أحمد شوقي:

وَلَيْسَ ٱلْخُلْـــدُ مَرْتَبَـــةً تُلَقَّـــى
وَتُؤخَـــذُ مِنْ شِفـــاهِ ٱلْجاهِلِيْنـــا
وَلكِنْ مُنْتَهَـــى هِمَمٍ كِبـــارٍ
إذا ذَهَبَـــتْ مَصادِرُهـــا بَقِيْنـــا
وَسِرُّ ٱلْعَبْقَرِيَّـــــةِ حِيْنَ يَسْري
فَيَنْتَظِمُ ٱلصَّنائِـــعَ وَٱلْفُنونـــا
وآثـــارُ ٱلرِّجـــالِ إذا تَناهَـــتْ
إلى ٱلتَّاريـــخِ خَيْرُ ٱلحاكِمينـــا
وَأَخْـــذُكَ مِن فَمِ ٱلدُّنْيـــا ثَنـــاءً
وَتَرْكُـــكَ في مَسامِعِهـــا طَنِيْنـــا

140 – One man's meat is another man's poison.

١٤٠ - طَعامُ زَيْدٍ قَدْ يَكُونُ سُمّاً لعَمْرٍو.

★ أصلُ هذا المثل كلمة للشاعر والفيلسوف الروماني لوكريتيوس Lucretius (٩٦؟ - ٥٥ ق. م.) قال فيها إنّ ما يُعتبر غذاءً بالنسبة إلى امرىءٍ ما، قد يكون سُمّاً زُعافاً بالنسبة إلى قومٍ آخرين *Quod cibus est alii, aliis fuat acre venenum* ونحن نقع عليه، اول ما نقع، في الادب الانكليزي، عام ١٦١٤.

وشبيهٌ به قول أبي الطيّب المتنبي:

بِذا قَضَتِ ٱلْأَيّامُ ما بَيْنَ أَهْلِها مَصائبُ قَوْمٍ عِنْدَ قَوْمٍ فَوائِدُ

141 – Out of sight, out of mind.

١٤١ - بعيدٌ عَنِ ٱلْعَيْن، بَعيدٌ عَنِ ٱلْبال.

★ ترقى فكرة هذا المثل إلى العام ١٢٧٥ للميلاد. أما صيغته الحالية فترقى إلى العام ١٥٣٩. وهو يتعارض، كما هو واضح، مع المثل الإنكليزي الاخر: «البُعْد يَزيدُ القَلْبَ ولوعاً» Absence makes the heart grow fonder

ويقابله عند العرب قولهم: «الْبُعْدُ جَفاء»،

وقولهم: «الْبُعْدُ يُنْسِي».

P

142 – People who live in glass houses should not throw stones.

(راجع Those who live in glass houses should not throw stones).

143 – Poverty is no sin. ١٤٣ - الفَقْرُ لَيْسَ إثْماً.

★ هذا المثل قديم، وقد أورده ج. هربرت G. Herbert في كتابه « الأمثال الغريبة »*Outlandish Proverbs* (عام ١٦٤٠).

وشبيه به قولنا نحن اليوم: « الفَقْرُ لَيْسَ عَيْباً ».

144 – Practice what you preach. ١٤٤ - مارِسْ ما تُبَشِّرُ بهِ.

★ ترقى أقدم صِيَغ هذا المثل إلى العام ١٣٧٧ للميلاد. ونحن نقع في مسرحية شيكسبير « تاجر البندقية » *The Merchant of Venice* (عام ١٥٩٦) على كلام مماثل. أما صيغة المثل السائرة اليوم فترقى إلى العام ١٨١٢.

ويقابله في العربية قول الشاعر:

لا تَنْهَ عَنْ خُلُقٍ وتَأْتِيَ مِثْلَهُ   عارٌ عَلَيْكَ إذا فَعَلْتَ عَظيمُ

وقول الشاعر:

إذا عِبْتَ أمراً فَلا تَأْتِهِ   فَذُو ٱللُّبِّ مُجْتَنِبٌ ما يَعيبُ

145 – Prevention is better than cure. ١٤٥ - الْوِقايَةُ خَيْرٌ مِنَ ٱلعِلاجِ.

★ يرقى تاريخ هذا المثل إلى العام ١٦٣٠ للميلاد، وكانت صيغته آنذاك تجري هكذا: « الوقاية أفضل بكثير من العلاج » Prevention is so much better than healing. وفي العام ١٦٨٥ اتَّخذ المثل صيغة جديدة تقول: « حكمة الوقاية خيرٌ من حكمة العلاج » The wisdom of prevention is better than the wisdom of remedy. ومن ثَمَّ اتَّخذ، عام ١٧٣٢، صيغة أخرى تقول « الوقاية أجدر بالتفضيل، وإلى حد بعيد، من العلاج » Prevention is much preferable to cure. أما صيغة المثل المتداولة اليوم فترقى إلى العام ١٨٥٠ وكان الروائي الإنكليزي تشارلز ديكنز Dickens أول من اصطنعها وذلك في روايته « مارتن تشوزيلويت» *Martin Chuzzlewit*

ويقابله في العربية قولنا: « دِرْهَمُ وِقايَةٍ خَيْرٌ مِنْ قِنْطارِ عِلاجٍ ».

146 – Procrastination is the thief of time.

١٤٦ - التَّأجيلُ لِصُّ ٱلزَّمان.

★ وبكلمة أخرى، التأجيل، أو التسويف، مَضْيَعةٌ للوقت. أول من قاله الشاعر الإنكليزي أَدْوَرْد يونغ Young عام ١٧٤٢، وذلك في قصيدته «الشكوى، أو خواطر الليل في الحياة والموت والخلود» *The Complaint; or Night Thoughts on Life, Death, and Immortality*

وأقرب المقابلات العربية اليه قولنا: «لا تُؤَجِّلْ عَمَلَ ٱلْيَوْمِ إلى غد».

147 – Providence is always on the side of the strongest battalions.

١٤٧ - الْعِنايَةُ ٱلإلٰهِيَّةُ هِيَ دائماً في جانبِ ٱلكَتائبِ ٱلأَقْوى.

★ في هذا المثل حثٌّ على الأخذ بأسباب القوة وتحذير من التخاذل والانهزامية.

وهو مقتبس من رسالة للفيلسوف الفرنسي فولتير Voltaire (عام ١٧٧٠) جاء فيها: «يقولون إن الله هو دائماً مع الكتائب الأكثر عدداً» *On dit que Dieu est toujours pour les gros bataillons*. وأولُ تدوين لهذا المثل، في الإنكليزية، يرقى إلى العام ١٨٤٢ للميلاد.

والتراث العربي حافلٌ بالدعوة الى التحصُّن بالقوة واطّراح الضّعف. ومن ذلك قوله تعالى: «وَأَعِدُّوا لَهُمْ ما ٱسْتَطَعْتُمْ مِنْ قُوَّةٍ ومِنْ رِباطِ الخَيْلِ تُرْهِبُونَ بِهِ عَدُوَّ ٱللهِ وَعَدُوَّكُم» (سورة الأنفال، الآية ٦٠).

وقول الرسول عليه السلام: «الْمُؤمِنُ ٱلْقَوِيُّ خَيْرٌ مِنَ ٱلْمُؤمِنِ ٱلضَّعيف».

وقول أَبي الطيِّب المتنبي:

مَنْ أطاقَ ٱلْتِماسَ شَيْءٍ غِلاباً وٱغْتِصاباً لَمْ يَلْتَمِسْهُ سُؤالا

وقول أحمد شوقي:

وما نَيْلُ ٱلمطالبِ بِٱلتَّمَنّي
ولكنْ تُؤْخَذُ ٱلدُّنيا غِلابا
وما ٱسْتَعْصَى على قَوْمٍ مَنالٌ
إذا ٱلإقْدامُ كانَ لَهُمْ رِكابا

148 – Put your trust in God, but keep your powder dry.

١٤٨ - اتَّكِلْ عَلَى ٱللَّهِ وَلَكِنْ أَبْقِ بارُودَكَ جافّاً .

★ وبكلمة أخرى، اتَّكِلْ على الله ولكنْ لا تُهْمِلِ اتخاذ مختلف الاحتياطات العملية. أول من قالهُ أوليفر كرومويل Cromwell خلال الحرب الأهلية الإنكليزية (١٦٤٢ - ١٦٥٢) عندما كان جنوده على وشك عبور أحد الأنهار. فقد خاطبَ هؤلاء الجنود طالباً إليهم أن يعتمدوا على الله وأن يحاذروا في الوقت نفسه أن يبلّل الماء ما يحملون من بارود...

ويقابله في العربية قول الرسول عليه السلام لأحد الأعراب: «إعْقِلْها وتوكَّلْ». وتفصيل الأمر أن هذا الأعرابيّ لم يَعْقِلْ (أي لم يَربطْ) ناقته، بل تركها تسرح على هواها، قائلاً «توكّلتُ على الله»... فنبَّهه الرسول صلوات الله عليه بهذا الحديث الشريف إلى وجوب رَبْطها أولاً والاتكال من ثَمَّ على الله.

Q

149 – Quickly come, quickly go.

(راجع Easy come, easy go).

R

150 – Rome was not built in a day.

١٥٠ - إنَّ رُومَةَ لَمْ تُبْنَ في يَوْمٍ واحِدٍ.

★ يُضرب هذا المثل توكيداً على أن جلائل الأعمال لا يمكن أن تُنْجَز في وقتٍ قصير. وقد عرفَتْه اللغة الفرنسية منذ القرن الثاني عشر للميلاد. أما أقدم إشارة إليه، في الأدب الإنكليزي، فترقى إلى العام ١٥٣٩.

ويقابله في العربية قول الناس لمن يستعجل إنجاز الأمور العظيمة: «خَلَقَ الله العالم في ستة ايام»، وهو مأخوذ من قوله تعالى: «وَلَقَدْ خَلَقْنا ٱلسَّمٰواتِ وَٱلْأَرْضَ وَمَا بَيْنَهما في سِتَّةِ أَيَّام» (سورة قٓ، الآية ٣٨).

S

151 – Self-preservation is the first law of nature.

١٥١ - حِفْظُ ٱلذّاتِ أَوّلُ نَوامِيس ٱلطَّبيعَةِ.

★ ورد هذا المثل عام ١٦١٤ بالصيغة التالية: «حفظ الذات من نواميس الطبيعة» *Self-preservation is of naturall law* وورد في عام ١٦٧٨ بالصيغة التالية: «حفظُ الذات، قانون الطبيعة الكبير الأوّل» self-preservation, nature's first great law.

ويقابله في العربية قوله تعالى: «قُلْ إنْ كانَتْ لَكُمُ ٱلدّارُ ٱلآخِرَةُ عِنْدَ ٱللّهِ خَالِصَةً مِنْ دُونِ ٱلنّاسِ فَتَمَنّوا ٱلْمَوْتَ إنْ كُنْتُمْ صادِقين. وَلَنْ يَتَمَنَّوْهُ أَبَداً بما قَدَّمَتْ أَيْديهِم وَٱللّهُ عَليمٌ بِٱلظّالمين. وَلَتَجِدَنَّهُمْ أَحْرَصَ ٱلنّاسِ على حياةٍ ومِنَ ٱلذينَ أَشْرَكوا يودُّ أَحدُهُمْ لَوْ يُعمَّرُ أَلْفَ سَنَةٍ وَما هُوَ بِمُزَحْزِحِهِ مِنَ ٱلْعذابِ أَنْ يُعَمَّرَ، وَٱللّهُ بَصيرٌ بما يَعْمَلُون» (سورة البقرة، الآيات ٩٣ - ٩٦).

وقول الأخطل:

وَٱلنّاسُ هَمُّهُمُ ٱلحياةُ وَلاَ أَرَى   طُولَ ٱلْحَياةِ يَزِيدُ غَيْرَ خَبالِ

وقول أبي العتاهية:

كُلُّ يَدُورُ عَلَى ٱلبقاءِ مُؤَمِّلاً
وَعَلى ٱلْفَناءِ تُديرُه ٱلأيّامُ

وقول أحمد شوقي:

وَٱلْمرءُ في طَلَبِ ٱلْحَياةِ طَويلَةً
وَخُطَى ٱلْمَنِيَّةِ مِنْ وَراءِ طِلابِهِ

152 – Short debts make long friends.

١٥٢ - الدُّيونُ ٱلْمُعَجَّلَةُ ٱلْأَداءِ تُطِيْلُ عُمْرَ ٱلصَّداقَة.

★ ترقى فكرة هذا المثل إلى العام ١٥٣٧ للميلاد، فنحن نقع في ذلك العام على النص الآتي: «يقول المثل الدارج إن المحاسبات المتكرّرة توطّد دعائم الصداقة» *The commune prouerbe is that ofte rekenings holdeth longe felawshyppe* أما المثل في صيغته الحالية فقد تبلور في أواخر القرن التاسع عشر. وشبيه به قول الفرنسيين «الحسابات الدقيقة تصنع الأصدقاء الحميمين» *Les bons comptes font les bons amis*

ويقابله عند العرب قولهم: «تَعاشَروا كَٱلْإِخْوانِ وَتَعامَلُوا كَٱلْأَجْناس»،

وقولهم: «تَعاشَروا كَٱلْإِخْوانِ وَتَحاسَبوا كَٱلْغُرَباء»،

وقولهم: «تَعاشَروا كَٱلْأَحْبابِ وتَعامَلوا كَٱلْأَجانِب».

153 – Silence gives consent.

١٥٣ - السُّكوتُ يَعْني ٱلرِّضا.

★ ترقى فكرة هذا المثل إلى العام ١٣٨٠ للميلاد، وقد وردت في بعض كلام المصلح الديني جون وِيْكْلِف Wycliffe. ومنذئذٍ وَرَد المثل في صيغ مختلفة ليستقرَّ آخر الأمر، عام ١٧٦٨، في صيغته الحالية.

ويقابله في العربية المثل القائل: «السُّكوتُ أَخُو ٱلرِّضا»،

والمثل القائل: «رُبَّما كانَ ٱلسُّكُوتُ جَواباً».

154 – Spare the rod and spoil the child.

١٥٤ - وَفِّر ٱلْعَصا تُفْسِدِ ٱلْوَلَد.

★ أصل هذا المثل ما وَرد في «سفر الأمثال» من «العهد القديم» من الكتاب المقدّس: «من مَنَعَ عصاه مَقَتَ ابنَهُ ومن أحبَّهُ طَلَبَ له التأديب» (الأصحاح الثالث عشر، الآية ٢٤). وهو يرقى، في صيغته المتداولة بين الناس، إلى العام ١٦٣٩.

ويقابله في العربية قولهم: « نِعْمَ ٱلْمُؤَدِّبُ ٱلْعَصا »،

وقولهم: « مَنْ أَدَّبَ وَلَدَهُ رَبِحَهُ »،

وقولهم: « الْعَصا لِمَنْ عَصَىٰ ».

١٥٥ - الْكَلامُ مِنْ فِضَّة، وَلَكِنَّ ٱلسُّكُوتَ مِنْ ذَهَب.

155 – Speech is silver, but silence is gold.

★ فكرة هذا المثل قديمةٌ قِدَم التّلمود. ومن أقدم صيغها في الإنكليزية ما جاء في بعض آثار الشاعر الإنكليزي تشوسر Chaucer (١٣٤٠؟ - ١٤٠٠ م.): « رأسُ الفضائل حِفْظُ اللسان » *First vertu is to kepe tonge*. أما المثل في صيغته الحاضرة فيرقى إلى ١٨٣١ عندما قال الكاتب الإنكليزي توماس كارلايل Carlyle في بعض آثاره: « كما يقول النّقش السويسري: « الكلام من فضة والسّكوت من ذهب » As the Swiss inscription says: *Sprechen ist silbern, Schweigen ist golden.*

ويقابله قول العرب في أمثالهم: « خَيْرُ ٱلخِلالِ حِفْظُ ٱللِّسان »، وهو يُضرب في الحثّ على الصّمت.

وقولهم: « الصَّمْتُ حُكْمٌ وَقَليلٌ فاعِلُهُ » والحكم هنا يعني الحكمة، ومنه قوله تعالى: « وآتَيْناهُ ٱلْحُكْمَ صَبِيّاً ».

وقولهم: « مَقْتَلُ ٱلرَّجُلِ بَيْنَ فَكَّيْه »، ومعناه أن الإنسان إذا أطلق لسانه في ما لا ينبغي قَتَلَهُ.

وقولهم: « سَلامَةُ ٱلإنْسانِ في حِفظِ ٱللِّسان »،

وقولنا نحن اليوم: « إذا كانَ ٱلْكَلامُ مِنْ فِضَّةٍ فَٱلسُّكوتُ مِنْ ذَهَبٍ ».

وطريفٌ قول ميخائيل نعيمة تعليقاً على هذا المثل: « إنْ يكُنِ ٱلصَّمتُ مِنْ ذَهَبٍ فما أَغْنَىٰ ٱلْخُرسان! ».

١٥٦ - الْمِياهُ ٱلهادِئَةُ عَميقَةُ ٱلْغَوْر.

156 – Still waters run deep.

★ في هذا المثل تحذير من الانخداع ببعض الأفراد الذين يُخْفون وراء هدوئهم أو صمتهم دهاءً أو نزوعاً إلى الخَتْل والمَكْر. وفكرة المثل نابعةٌ من أن النهر

إذا كان عميقَ الغور جرى على نحو هادىء لا صَخَبَ فيه. أما النهر الضّحْل الذي تجري مياهه فوق الصخور أو الحصى فَصَخّابٌ ذو ضجيج... وهي في الواقع فكرة قديمة ترقى إلى حوالى العام ١٤٠٠ للميلاد، أما المثل نفسه فقد قيلَ، للمرة الأولى، عام ١٨٥٨.

ويقابله في العربية قولهم: « تَحْتَ ٱلسَّواهي دَواهٍ »،

وقولهم: « مُرَّ بِٱلْبَحْرِ ٱلهائجِ وَلا تَمرَّ بِٱلْبَحْرِ ٱلهادئ ».

157 – Stolen waters (or pleasures) are sweet (or sweetest).

١٥٧ - الْمِياهُ (أَوِ ٱلْمَلَذّاتُ) ٱلْمُخْتَلَسَةُ عَذْبَةٌ (أَوْ هِيَ ٱلأَعْذَب).

★ أصل هذا المثل آية في « سِفْر الأمثال » من « العهد القديم » من الكتاب المقدَّس تقول، وَفْقاً لترجمة المُرْسلين الأميركيين، « المياه المسروقة حُلوةٌ وخبزُ ٱلخِفْية لذيذ » (الأصحاح التاسع، الآية ١٧). وهو شبيهٌ بمثل إنكليزي آخر يقول: « الثمرة المحرَّمة حُلوة » Forbidden fruit is sweet، وقد سبق أن تكلمنا عليه.

وأقرب الأقوال العربية المأثورة إليه المثل القائل: « أَحَبُّ شَيْءٍ إلى ٱلإنْسانِ ما مُنِعا ».

(راجع أيضاً Forbidden fruit is sweet).

158 – Strike while the iron is hot.

١٥٨ - إِضْرِبْ ما دامَ ٱلْحَديدُ حامِياً.

★ أي سارعْ إلى أداء ما تبتغي قبل أن تَضيع الفرصةُ المواتيةُ أو يتغيَّر الوضعُ الملائم. والمعنى قديم نقع عليه في بعض آثار الشاعر الإنكليزي تشوسر Chaucer (١٣٤٠؟ - ١٤٠٠ م.). وقد دُوِّن المثل، بصيغته الحالية، أوَّلَ ما دوِّن، عام ١٦١٤. وهو شبيهٌ بالمثل الإنكليزي الآخر الذي يقول « إِصْنَعِ ٱلتِّبْنَ ما دامتِ ٱلشمسُ مُشْرِقة » Make hay while the sun shines.

ويقابله عند العرب قولهم: « إِضْرِبْ حَدِيداً حامِياً »،

وقول شاعرهم:

إضْرِبْ حَدِيـــــداً حامِيـــــاً
لا نَفْـــــعَ مِنْـــــهُ إنْ بَرَدْ

(راجع أيضاً Make hay while the sun shines).

T

159 – Take things as they come (or as you find them).

١٥٩ - خُذِ ٱلْأَشْياءَ عَلَى واقعِها (أوْ كما تَجِدُها).

★ وبكلمة أخرى: تقبَّل الوقائع والأحداث في هدوء ورحابة صَدْر مهما تكن تلك الوقائع والأحداث قاسية أو مؤلمة. وقد ورد هذا المثل في مجموعة الأمثال التي صنّفها دايفيس Davies (عام ١٦١١) على الصورة التالية: «خُذِ الأشياءَ كلَّها على واقعها وَٱقْنَعْ بما قُسِم لك Take all things as they come and be content.

وشبيهٌ به قول لَبِيْد بن رَبيعة في مُعَلَّقته:

فَٱقْنَــــعْ بمــــا قَسَمَ ٱلْمَلِيْـــكُ فإنَّما
قسَمَ ٱلْخَلائـــــقَ بَيْنَنـــــا عَلاّمُهـــــا

وقول أبي القاسم الشّابي:

خُـــذِ ٱلْحيـــاةَ كَما جاءَتْـــكَ مُبْتَسِماً
في كَفِّهـــا ٱلْغـــارُ أَوْ في كَفِّهـــا ٱلْعَـــدَمُ
وَٱرْقُـــصْ عـــلى ٱلْوَرْدِ وَٱلْأَشْواكِ مُتَّئِداً
غَنَّـــتْ لَـــكَ ٱلطَّيْرُ أو غَنَّـــتْ لَـــكَ ٱلرُّجُمُ
وَٱعْمَـــلْ كَما تَأمُرُ ٱلدُّنيـــا عَلَـــى مَضَضٍ
وَٱلْجِمْ شُعورَكَ فيهـــــا، إنَّهـــــا صَنَمُ

160 – Talk of the devil, and he is sure to appear.

١٦٠ - تَحَدَّثْ عَنِ ٱلشَّيطان يُسارِعْ إلى إطْلاعِ رَأْسِه.

★ يُضْرَبُ كلّما حَضَر شخصٌ، على غير توقُّع، أثناء تحدُّث الناس عنه. وقد

جاء في كتاب وضعه تورّيبانو Torriano عن الأمثال الإيطالية قوله: « يقول الإنكليز: تحَدَّثْ عن الشيطان تجدْهُ للتَّوّ في متناوَل يدك » The English say, Talk of the Devil, and he is presently at your elbow

161 – The burnt child dreads the fire = A burnt child dreads the fire.

162 – The darkest hour is that before the dawn.

١٦٢ - أحْلَكُ ٱلسّاعاتِ تِلْكَ ٱلّتي تَسْبِقُ ٱلْفَجْر.

★ وبكلمة أخرى، إن الأشياء تبلغ أقصى درجات السوء قبل أن تأخذ في التحسّن؛ أو إن اشتداد الأزمة كثيراً ما يكون بشيراً بقرب انفراجها. ترقى الفكرة إلى العام ١٦٥٠ للميلاد. وفي العام ١٨٤٩ قالت الكاتبة الإنكليزية شارلوت برونتي Brontë ما نصُّهُ: « إنها لساعةٌ رهيبة، ولكنّ أحْلَكَ اللحظات كثيراً ما تَسْبِقُ ٱنبلاجَ الفجر » This is a terrible hour, but it is often the darkest point which precedes the rise of day.

ويقابله في العَربية قولهم: « تَشَدَّدي تَنْفَرِجي ». والخطابُ للداهية، أي المصيبة، والمراد: تَناهَيْ في العِظَم والشدة تنتهي.

وقول الشاعر:

اشْتَـــــدّي أَزْمَـــــةُ تَنْفَرِجي
قَـــدْ آذَنَ لَيْلُـــكِ بِٱلْبَلَـــجِ
وَظَـــلامُ ٱللَّيْـــلِ لَـــهُ سُرُجٌ
حتّـــــى يَغْشاهُ أبو ٱلسُّرُجِ

وقول إبراهيم بن العباس الصُّولي:

وَلَرُبَّ نازِلَـــةٍ يَضيـــق بهـــا ٱلفـــتى
ذَرْعـــاً وَعِنْـــدَ ٱلله مِنهـــا ٱلمَخْرَجُ
ضاقَـــتْ فَلَمّـــا ٱسْتَحْكَمَـــتْ حَلَقاتُهـــا
فُرِجَـــتْ وكُنْـــتُ أَظُنُّهـــا لا تُفْرَجُ

وقول محمد بن وُهَيْب:

أَبَـى لِيَ إغفـاءَ ٱلْجفونِ عـلى ٱلْقَـذَى
يَقيـــــنِي أَنْ لا ضِيْـــــقَ إلاّ سَيُفْرَجُ
ألا رُبَّما ضـــاقَ ٱلْفضـاءُ بأَهْلـهِ
وأَمْكَنَ مِنْ بَيْنِ ٱلْأَسِنَـــــــــةِ مَخرَجُ

163 – The early bird catches the worm.

١٦٣ – الطّائرُ ٱلْمُبَكِّرُ يَفُوزُ بالدُّودَة.

★ يرقى هذا المثل إلى العام١٦٠٥ للميلاد. وإنما يُراد به، مجازاً، أنَّ النجاح في أيما صناعة أو تجارة أو عمل مُنْطوٍ على منافسة هو دائماً حليفُ السّبّاقين.

ويقابله في العربية المثل القائل: « باكِرْ تَسْعَدْ »،

والقول السائر: « البَرَكةُ في ٱلْبُكُوْر »،

وقول العامة: « مَنْ سَبَقْ، شَمَّ ٱلحَبَق ».

164 – The leopard cannot change its spots.

١٦٤ – النَّمِرُ لا يَستطيعُ أن يُغيِّرَ رُقَطَهُ.

★ الرُّقطة سوادٌ تَشُوبُهُ نقطةُ بياضٍ أو عكسُهُ. والمراد بالمثل أنّ المرء لا يستطيع أن يغيِّر ما فُطِر عليه من طِباعَ. وهو مأخوذ من آية في « سِفر أرميا » من « العهد القديم » من الكتاب المقدس تقول: « هل يستطيعُ الحبَشيُّ ان يُغَيِّر بَشَرته والنّمِرُ أن يُغَيِّر رُقَطَهُ؟ » (الأصحاح الثالث عشر، الآية ٢٣).

ويقابله قول العرب: « الطَّبْعُ أغْلَب »،

وقولهم: « الطَّبْعُ غَلَبَ التَّطبُّع »،

وقولهم: « الْعادَةُ تَوْأَمُ ٱلطَّبيعَة »،

وقولهم: « العادَةُ طبيعةٌ خامسة »،

وقول أبي ٱلْحسن ٱلتِّهامي:

وَمُكَلِّــفُ ٱلْأَيَـام ضِـدَّ طِباعِهـا
مُتَطَلِّـــبٌ في ٱلْماءِ جُـــذْوَةَ نـــارِ

وإذا رَجَوْتَ ٱلْمُستَحِيْـــــــــــــلَ فَإنَّما
تَبْـــني ٱلرَّجـــاءَ عَلَـــى شَفيـــرٍ هـــارِ

وقول أبي الطيب المتنبّي:

لأَنَّ حِلْمَـــــــكَ حِلْمٌ لا تَكَلَّفُــــــهُ
ليسَ ٱلتَّكحُلُ في ٱلْعَيْنَيْنِ كَٱلْكَحَلِ

165 – The longest day has (or must have) an end.

١٦٥ - لأطْوَلِ ٱلْأَيَّامِ نِهايَةٌ؛ لا بُدَّ لأطْوَلِ ٱلْأَيّامِ مِنْ نِهايَةٍ.

★ يُضْرَب هذا المثل عند ٱشتداد البلاء واستحكام الضِّيْق. وفكرتُهُ قديمة ترقى إلى العام ١٣٩٠ للميلاد. وقد وَرَد عام ١٦١٤ بالصيغة التالية *The longest day hath his end* وورد عام ١٦٥٩ بصيغة هي أقرب ما تكون إلى صيغته المتداولة اليوم *The longest day hath an end*

ويقابله قول العرب في أمثالهم: «رُبَّما ٱتَّسَعَ ٱلْأَمْرُ ٱلَّذي ضاق»،

وقولهم: «لا بُدَّ لِكُلِّ لَيْلٍ مِنْ آخِرٍ»،

وقولهم: «كُلُّ هَمٍّ إلى فَرَج»،

وقولهم: «لِكُلِّ شَمْسٍ مَغْرِب»،

وقول الشاعر:

إشْتَـــــــدِّي أَزْمَـــــةُ تَنْفَرِجي
قَـــدْ آذَنَ لَيْلُـــــكِ بِٱلْبَلَـــجِ
وَظَـــلامُ ٱللَّيْـــلِ لَـــهُ سُرُجٌ
حَتَّـــــــــــى يَغْشاهُ أبو ٱلسُّرُجِ

(راجع أيضاً The darkest hour is that before the dawn)

166 – The love of money is the root of all evil.

١٦٦ - حُبُّ ٱلْمالِ أَصْلُ ٱلشُّرُوْرِ جَمِيْعاً.

★ هذا المثل مأخوذ من قول القديس بولس الرسول في رسالته الأولى إلى

تيموثاوس، في «العهد الجديد» من الكتاب المقدس وفقاً للترجمة العربية الجديدة الصادرة عن «اتحاد جمعيات الكتاب المقدس» عام ١٩٧٨: «فَحُبُّ المالِ أصلُ كلّ شرّ، وبعض الناس استسلموا إليه فَضلّوا عن الإيمان وأصابوا أنفسهم بأوجاع كثيرة» (الأصحاح السادس، الآية ١٠).

ويقابله في العربية قوله تعالى في مُحْكَم كتابه العزيز: «وَٱعْلَموا أنَّما أَمْوالُكُمْ وَأَوْلادُكُمْ فِتْنَةٌ» (سورة الانفال، الآية ٢٨). وقوله تعالى أيضاً: «إِنَّما أَمْوالُكُمْ وأولادُكُمْ فِتْنَةٌ» (سورة التّغابن، الآية ١٥) تَصُدّ الناس وتَشْغلُهم - كما يقول الإمامان المحلّي والسّيوطي في تفسير الجلالين - عن أمور الآخرة.

وقول أحمد شوقي:

وَلَمْ أَرَ مِثْـــلَ جَمْـــعِ ٱلْمالِ داءً
وَلا مِثْـلَ ٱلبخيـلِ بِـهِ مُصابـا
فـلا تَقْتُلْـكَ شَهْوَتُـهُ، وَزِنْهـا
كَمـا تَزِنُ الطَّعـامَ أوِ ٱلشَّرابـا

وقوله أيضاً:

الْمالُ حَلَّــلَ كــلَّ غَيْرِ مُحَلَّـل
حَتّـى زَواجَ ٱلشّيْـبِ بِٱلْأبكـارِ
سَحَرَ ٱلْقُلوبَ، فَرُبَّ أُمٍّ قَلْبُهـا
مِنْ سِحْرِهِ حَجَرٌ مِن ٱلْأحْجـارِ
دَفَعَـتْ بُنَيَّتَهـا لأَشْأمِ مَضْجَـعٍ
وَرَمَـتْ بهـا في غُرْبَـةٍ وإسارِ

167 – The mills of God grind slowly,
but they grind exceeding small.

(راجع God's mill grinds slow but sure)

168 – The proof of the pudding
is in the eating.

١٦٨ - بِٱلْمَذاقِ تُعْرَفُ
جَوْدَةُ ٱلْحَلْوَى.

★ وكذلك بالتجربة يُعرف صلاح الرأي أو النظريةِ أو الخِطّة. وفكرة المثل ترقى إلى العام ١٣٠٠ للميلاد. وفي العام ١٦٢٣ وَرَدَ المثل بالصيغة التالية ***All***

the proofe of a pudding is in the eating . أما صيغته الحالية فترقى إلى العام ١٧١٤ .

ويقابله عند العرب قولهم: « عِنْدَ ٱلْاَمْتِحان يُكْرَمُ ٱلْمَرْءُ أَوْ يُهان »،

وقولهم: « عِنْدَ الرِّهانِ تُعْرَفُ ٱلسَّوابق »،

وقولهم: « لاَ يُعْرَفُ ٱلسَّيْفُ إِلاّ بِٱلْقَطْع ».

169 – The spirit is willing, but the flesh is weak.

١٦٩ - الرُّوحُ توّاقةٌ، ولكنّ ٱلْجَسَدَ ضَعِيْف.

★ أصل هذا المثل كلام على لسان السيِّد المسيح وَرَد في « سفر متّى » من « العهد الجديد » من الكتاب المقدس، وهو - وفقاً للترجمة العربية الجديدة الصادرة في بيروت عام ١٩٧٨ عن « اتحاد جمعيات الكتاب المقدس »: « أهكذا لا تستطيعونَ أن تَسْهَروا ساعةً واحدةً؟ إسهَروا وصَلُّوا حَتّى لا تَقَعوا في ٱلتَّجْرِبة. الروحُ راغبة، ولكن الجسد ضعيف » (الأصحاح ٢٦، الآيتان ٤٠ - ٤١).

ونظائرُهُ في العربية كثيرة منها قول أبي الطيب المتنبي:

وَإذا كانَـتِ ٱلنُّفوسُ كِباراً ‏ ‏ تَعِبَـتْ في مُرادِهـا الأَجْسامُ

وجديرٌ بالذكر أن العُكبريّ قال في شرحه ديوانَ المتنبي إن أبا الطيب أخذ هذا البيت من كلام أرسطو: « اذا كانت الشَّهوة فوق القدرة كان هلاك الجسم دون بلوغ الشهوة ». ولكن ابن وكيع قال « لم يأخذه من الحكيم (أي أرسطو) بل من رجال صناعته » (يعني شعراء العرب).

وقول ابن ابي زُرْعة:

أهـــلُ مَجْـــدٍ لا يَحْفِلُونَ إذا نالوا
جَسِيْماً أَنْ تُنْهَـــــــــكَ الأَجْسامُ

وقول أبي تمّام:

طَلَبُ ٱلْمَجْدِ يُورِثُ ٱلنَّفْسَ خَبْلاً ‏ ‏ وَهُموماً تُقَضْقِضُ ٱلْحَيْزُوْما

170 – The voice of the people is the voice of God.

١٧٠ - صوتُ الشَّعب هو صوتُ الله.

★ يُنْسَب هذا القول المأثور إلى الشاعرِ اليوناني هَسيود Hesiod (القرن الثامن

قبلِ الميلاد). وقد عرفه الرومان أيضاً فقالوا: ***Vox populi vox Dei*** . وقد شُرع في الاستشهاد به، في اللغة الإنكليزية، منذ القرن الرابع عشر للميلاد.

ولعلَّ أقربَ شيءٍ إليه قول أحمد شوقي:

وَأَهْيَبُ ما كانَ بَأسُ ٱلشُّعوبِ
إذا سَلَّحَ ٱلْحَقُّ أَعْزالَها

وقول أبي القاسم الشّابي:

إذا ٱلشَّعْبُ يَوْماً أرادَ ٱلْحَياةَ
فَلاَ بُدَّ أَنْ يَسْتجيبَ ٱلْقَدَرْ
وَلا بُدَّ لِلَّيْلِ أَنْ يَنْجَلي
وَلا بُدَّ لِلْقَيْدِ أن يَنْكَسِرْ

171 – The way to an Englishman's heart is through his stomach.

١٧١ – الطَّريقُ إلى قَلْبِ الرَّجُل ٱلْإنكليزيّ تَمُرُّ عَبْرَ مَعِدَتِه.

★ وبكلمة أخرى، إذا رغبْتَ في كسب ودِّ رَجلٍ إنكليزي فأكرِم وفادته أو ٱدْعُهُ الى مائدة سخية. وهذا المثل يرقى إلى العام ١٨٥٧ للميلاد.

يقابله في العربية قولنا: «الْمَعِدَةُ مِفْتاحُ ٱلْقَلْب»،
وقولنا: «الْمَعِدَةُ هِيَ ٱلطَّريقُ إلى ٱلْقَلْب»،
وقول العامة: «أَطْعِمِ ٱلفم تَسْتَحِ ٱلعين».

172 – There is many a slip between the cup and the lip.

١٧٢ – إنَّ بَيْنَ ٱلْكَأسِ وَٱلشَّفَةِ مَزالِقَ كَثيرةً.

★ وبكلمة أخرى، إن عقبات كثيرة قد تنشأ في آخر لحظة، وبعد أن يصبح النجاح في متناول اليد، فتَحُوْلُ دون تنفيذ ما ٱعتزم عليه المرء. وقد نَسَبَ بعض الباحثين هذا المثل إلى الشاعر اليوناني هوميروس. ونحن نقع على المثل نفسه عند الشاعر الروماني هوراس Horace الذي قال ما معناه: «كثيرةٌ هي الأشياء التي تَحدث قبل أن تمسّ الكأسُ طَرَف الشفة» Many things

happen between the cup and the tip of the lip. أما في الأدب الإنكليزي فيرقى المثل إلى العام ١٥٣٩ للميلاد. وقد ورد، آنذاك، بالصيغة التالية: «أشياء كثيرة تَسْقط بين الكأس والفم» *Many things fall between ye cuppe and the mouth*. وقد تبلور، آخر الأمر، في صيغته المتداولة في هذه الأيام عام ١٨٢٤.

ويقابله في العربية قولهم: «القَدَرُ أقْرَبُ إليْكَ مِنْ سَوادِ ٱلْعَيْنِ إلى بَياضِها».

وشبيهٌ به قول الشاعر:

ما بَيْنَ غَمْضَةِ عَيْنٍ وٱنتباهتها ... يُبَدِّلُ ٱللَّهُ مِنْ حالٍ إلى حالِ

173 – There is no rose without a thorn.

١٧٣ - لا وردة من غير شوكة.

★ هذا المثل فكرتُهُ عريقة في القِدَم. وقد تَبَلْوَرَ في صيغته هذه عام ١٦٧٠ للميلاد.

وشبيهٌ به قول العرب في أمثالهم: «مِنَ ٱلشَّوْكَةِ تَخْرُجُ ٱلْوَرْدَة»،

وقول ابن الوردي في لاميَّتِهِ:

إنَّما ٱلْوَرْدُ مِنَ ٱلشَّوكِ ومـــا
يَنْبُـــتُ ٱلنَّرْجِسُ إلاَّ مِنْ بَصَـــلْ!

وقول أبي الطيب المتنبي:

تُريـــدينَ لُقْيـــانَ ٱلْمَعَـــالي رَخيْصَـــةً
وَلا بُـــدَّ دُوْنَ ٱلشَّهْـــدِ مِنْ إبَرِ ٱلنَّحْـــلِ

174 – There is nothing new under the sun.

١٧٤ - لَيْس تَحْتَ ٱلشَّمْس جَدِيد.

★ هذا المثل مأخوذ من آية في «سفر الجامعة» من «العهد القديم» من الكتاب المقدس تقول، وفقاً لترجمة المرسلين الأميركيين، «ما كان فهو ما يكون، والذي صُنع فهو الذي يُصْنَع، فليس تحت الشمس جديد» (الأصحاح الأول، الآية ٩).

ويقابله في العربية قول أبي العلاء المعري في اللُّزوميات، مؤكداً أنَّ الدنيا هيَ هيَ:

مَنْ سَاءَهُ سَبَبٌ أَوْ هَالَهُ عَجَبٌ
فَلِي ثَمانونَ عاماً لا أرَى عَجَبَا
الدَّهْرُ كَالدَّهْرِ وَالْأَيَّامُ واحِدَةٌ
وَالنَّاسُ كَالنَّاسِ وَالدُّنيا لِمَنْ غَلَبا

وقولنا نحن اليوم: «لا جديدَ تحت الشمس»،

وقول ميخائيل نعيمة: «فجرٌ جديد ويومٌ جديد!... وكأني سلَّمتُ عليهما من زمان».

175 – Those who live in glass houses should not throw stones.

١٧٥ - ساكِنُو اَلْبيُوتِ اَلزُّجاجِيَّةِ يَجِبُ أَنْ لا يَرْشُقُوا أَحَداً بِالْحِجارَةِ.

★ وبكلمة أخرى، يتعيَّن على المرء أن لا يتَّهم الآخرين بعيوب يشكو هُوَ مِنْ مثلها. ويميل كثيرٌ من الباحثين إلى الاعتقاد بأن فكرة المثل مَرَدُّها إلى حديث الشاعر الإنكليزي تشوسر Chaucer (١٣٤٠؟ - ١٤٠٠ م.) عن رَجُل ذي رأسٍ زجاجي كان يقذف الحجارة في بعض المعارك الحربية. وفي عام ١٦٤٠ ورد المثل بهذه الصيغة: «من كان بيتُهُ من زجاج يجب أن لا يَرْشُقَ غيرهُ بالحجارة» Whose house is of glass must not throw stones at another وعلى أية حال، فالمثل يُصطنع اليوم، بالإضافة إلى الصيغة التي اعتمدناها في هذا البحث، بصيغة أخرى تقول: الناس الذين يَحْيَوْنَ في بيوت زجاجية يجب أن لا يَرْشُقوا أحداً بالحجارة People who live in glass houses should not throw stones.

ويقابله في العربية قولنا نحن اليوم: «مَنْ كانَ بَيْتُهُ مِنْ زُجاج لا يَرْشُقُ اَلنَّاسَ بِالْحِجارَةِ».

وشبيهٌ به قولُ الشاعر العربي:

لِسانكَ لا تَذْكُرْ بِهِ عَوْرَةَ آمرِئٍ فَكُلُّكَ عَوراتٌ وَلِلنَّاسِ أَعْيُنُ

176 – Time is money. **١٧٦ - الوقت مالٌ.**

★ على اعتبار أن من يُحسن استغلالَهُ خليقٌ بِهِ أن يُصيب غنىً ويكسب ثروة. وأول من قال هذا المثل العالم الأميركي بنجامان فرانكلن Franklin عامَ ١٧٤٨.

ويقابله في العربية قولنا: «الْوَقْتُ مِنْ ذَهَب».

177 – Truth will prevail. **١٧٧ - الْحَقيْقَةُ سَوْفَ تَسُود.**

★ ترقى فكرة هذا المثل إلى العام ١٣٩٠ للميلاد. وقد وَرَدَ، عام ١٥٧٦، بالنصّ التالي: «الحقيقة سوف تَسُودُ في النهاية» ***Trueth in the end shall preuayle***.

ويقابله عند العرب قولهم: «الْحَقُّ يَعْلُو وَلا يُعْلَى عَلَيْه»،

وقولهم: «الْحَقُّ أَغْلَبُ»،

وقولهم: «الْحَقُّ أبْلَجُ، وَٱلْباطِلُ لَجْلَج» ومعناه أن الحقَّ بيّنٌ مُشْرِقٌ وأَنَّ ٱلباطلَ مُلْتَبِس.

وقول أحمد شوقي:

يـا فاتـحَ ٱلْقُـدْسِ خَـلِّ ٱلسَّيْـفَ ناحِيَـةً
لَيْسَ ٱلصَّلِيـبُ حَدِيـداً كـانَ بَـلْ خَشَبـا
إذا نَظَرْتَ إلى أَيْنَ ٱنْتَهَـتْ بَـدُهُ
وكَيْـفَ جـاوَزَ في سُلْطانِـهِ ٱلْقُطُبـا
عَلِمْـتَ أَنَّ وَراءَ ٱلضَّعْـفِ مَقْـدِرَةً
وَأَنَّ لِلْحَـقِّ، لا لِلْقُوَّةِ، الغَلَبـا

178 – Two heads are better than one.

(راجع Many heads are better than one)

U

179 – Union is strength. ‏١٧٩ - الاتحاد قُوَّة.

★ يذهب كثيرٌ من الباحثين إلى أن هذا القول المأثور مترجمٌ عن مثل يوناني قديم. ولسنا نعرف، على وجه اليقين، متى اتخذ هذا المثل سبيلَهُ إلى اللغة الإنكليزية. ولكنَّنا نعلم أن فرنسيس بايكون Bacon قال عام ١٦١٥ للميلاد: «القوة المُوَحَّدة هي العُظمى» Strength united is the greater.

ويقابله عند العرب القول المأثور: «يَدُ ٱللهِ مَعَ ٱلْجَمَاعَةِ»،

وقول الشاعر:

تَأْبَى ٱلرِّمَاحُ إذا ٱجْتَمَعْنَ تَكَسُّراً
وَإذا ٱفْتَرَقْنَ تكَسَّرَتْ آحادا

وقول أحمد شوقي:

إتَّحِدُوا ضِدَّ ٱلْعَدُوِّ ٱلْجافي فَٱلاتِّحادُ قُوَّةُ ٱلضِّعافِ

وقوله أيضاً:

إنَّ ٱلتّعاوُنَ قُوَّةٌ عُلْوِيَّةٌ تَبْني ٱلرِّجالَ وتُبدِعُ ٱلأَشياءَ

W

180 – Walls have ears. ‏١٨٠ - للْجُدْران آذان.

★ في هذا المثل دعوةٌ إلى الكتمان وتحذيرٌ من البَوْح بما لا ينبغي البوحُ به خشيةَ أن يكون ثَمةَ من يَسْتَرِقُ السَّمع من وراء حجاب. وقد وردت فكرة هذا المثل أول ما وردت، عام ١٥٩١ للميلاد في ترجمة لملحمة الشاعر الإيطالي لودوفيكو أريوسطو Lodovico Ariosto الموسومة بـ«أورلندو الحانق» *Orlando Furioso* أما المثل بصيغته المتداولة اليوم فيرقى إلى العام ١٦٣٣.

ويقابله في العربية المثل القائل: « إنَّ لِلْحيطانِ آذاناً »، وقد أثبته الميدانيّ في « مجمع الأمثال » وقال إنه « من كلام المُوَلَّدين ».

وقول ميخائيل نعيمة: « للْفَضاءِ آذانٌ وَعُيونٌ وأَلْسِنَةٌ بِغَيْرِ عَدٍّ ».

181 – What can't be cured must be endured.

١٨١ - ما لا يُمْكِنُ عِلاجُهُ يَتَعَيَّنُ ٱحْتِمالُه.

★ ترقى فكرة هذا المثل إلى العام ١٣٧٧ للميلاد. أما صيغته المتداولة اليوم فقد تبلوَرت عام ١٦٩٣.

ويقابله في العربية قولهم: « ما لا يُصْلَح، تَرْكُهُ أَصْلح ».

182 – What the eye does not see the heart does not grieve.

١٨٢ - ما لا تَراهُ ٱلْعَيْنُ لا يَأْسَى عَلَيْهِ ٱلْفُؤاد.

★ يرقى هذا المثل إلى العام ١٥٣٩ للميلاد، ونحن نقع عليه مدوّناً، في تلك السَّنة، على الصورة التالية *That the eye seeth not, ye herte rueth not*

وشبيهٌ به قول العوام: « لا عَيْن تِقْشَع ولا قَلْب يحزَن »

183 – When poverty comes in at the door, love flies (or **goes,** or **jumps,** or **leaps) out of the window.**

١٨٣ - عِنْدَما يَدْخُلُ ٱلْفَقْرُ مِنَ ٱلْباب يَفِرُّ (أَوْ يَذْهَبُ أَوْ يَقْفِزُ) ٱلْحُبُ مِنَ ٱلنَّافِذَة.

★ وَرَدَ هذا المثل، عام ١٦٣١ للميلاد، بالصيغة التالية: « فيما يَدْخل الفقر من أحد الأبواب يخرج الحبُّ من الباب الآخر » As poverty goes in at one door, loves goes out at the other وورد، عام ١٦٣٩، بالصيغة التالية: « عندما يدخل الفقر من الأبواب يَثِبُ الحبُّ من النوافذ » *When povertie*

وقد تبلور المثل، اخر *comes in at doores, love leapes out at windowes*
الأمر، في صيغته الحالية، عام ١٨٢٣.

وشبيه به في العربية المثلُ القائل: «إنَّ ٱلْحَبِيْبَ إلى ٱلْإخْوانِ ذو ٱلْمالِ»،
وقول أبي العتاهية:

إذا مالَـتِ ٱلدُّنيـا إلَـى ٱلْمَرْءِ رَغَّبَـتْ
إلَيْـهِ ومَـالَ ٱلنَّـاسُ حَيْـثُ يَمِيْـلُ

وقول عبد المحسن الحلبي وكان كاتباً ووزيراً لعزّ الدين أيبك:

مَضَـى كُـلُّ خِـلٍّ صـادِقٍ في إخائـهِ
ولَمْ يَبْـقَ إلاّ كـاذِبٌ وَمَلُوْلُ
إذا أَقْبَلَتْ دُنيـاكَ أَقْبَـلَ مِثْلَهـا
وَإنْ مالَـتِ ٱلدُّنْيـا عَلَيْـكَ يَمِيْـلُ

وقول عثمان بن منصور:

وَصاحِـبٍ كـانَ لي وكُنْـتُ لَـهُ
أشْفَـقَ مِنْ والِـدٍ عَلَـى وَلَـدِ
كُنّـا كَساقٍ تَسْعَـى بهـا قَـدَمٌ
أَوْ كَـذِراعٍ نِيْطَـتْ إلى عَضُـدِ
حتّـى إذا دانَـتِ ٱلْحَوادِثُ مِنْ
خَطْوِي وَحَـلَّ ٱلزَّمـانُ مِنْ عُقَـدِي
إحْوَلَّ عنّي وكـانَ يَنْظُرُ مِنْ
عَيْـنِي وَيَرمي بساعِـدِي وَيَـدِي

وقول بعضهم:

إذا ٱفْتَقَرْتَ نَـأى وَٱسْتَـدَّ جانِبُـهُ
وإن رآكَ غَنِيّـاً لانَ وَٱقْتَرَبـا

وقول بعضهم الآخر:

رَأَيْـتُ ٱلنَّـاسَ قَـدْ مالوا   إلى مَنْ عِنْـدَهُ مـالُ!

184 – When the cat is away the mice play.

١٨٤ – عِنْدَما تَغِيْبُ ٱلْهِرَّةُ تَلْعَبُ ٱلْفِئْران.

★ يرقى هذا المثل إلى العام ١٦٠٧ للميلاد.

ويقابله في العربية قولهم: «غابَ ٱلقطُّ فَٱلْعَبْ يا فَأر!»

١٨٥ - عِنْدَما تَكُونُ في رُومَةَ تَصرَّفْ كما يَتَصرَّفُ ٱلرُّومان.

185 – When you are at Rome do as the Romans do.

★ وردت فكرة هذا المثل في رسالة للقديس أوغُسْطين St. Augustine ترقى إلى القرن الرابع للميلاد. وفي العام ١٦٦٩ ورد المثل، في الإنكليزية، بالصيغة التالية: «عندما تكون في رومة يتعيَّن عليك أن تفعل كما تفعل رومة» *When thou art at Rome, thou must do as Rome does*

ويقابله في العربية قول المثل: «إذا كُنْتَ في قَوْمٍ فَٱحْلِبْ في إنائِهِمْ»،

وقول المثل: «نِصْفُ ٱلعَقْلِ مُداراةُ ٱلنَّاس»،

وقول بعضهم: «دَارِهِمْ ما دُمْتَ في دارِهِمْ، وجارِهِمْ ما دُمْت في جِوارِهم، وأَرْضِهِمْ ما دُمْت في أَرْضِهم».

١٨٦ - حَيْثُما تَكُونُ ٱلجهالَةُ نَعِيماً، مِنَ ٱلحَماقَةِ أَنْ تَكُونَ حَكِيماً.

186 – Where ignorance is bliss, ’tis folly to be wise.

★ وردت كلمات هذا المثل في ختام قصيدة للشاعر الإنكليزي توماس غراي Gray نظَمَها عام ١٧٤٧، وتحدث فيها عن عهد الصِّبا الذي يقضيه الفتيان والفتيات في نجوة من الهموم، جاهلين ما تخبئه لهم الأيام من مصاعب ومتاعب.

وشبيه به، في العربية، المثل القائل: «اسْتَراحَ مَنْ لا عَقْلَ لَه»،

وقول أبي الطيّب المتنبي:

ذُو ٱلْعَقْلِ يَشْقَى في ٱلنَّعِيمِ بعَقْلِهِ
وأَخُو ٱلْجَهالَةِ في ٱلشَّقاوَةِ يَنْعَمُ

وقول البحتري:

أرى ٱلْعَقْلَ بُؤساً في ٱلْمَعِيْشَةِ لِلْفَتَى
ولا عَيْشَ إلاَّ ما حَباكَ بِهِ ٱلْجَهْلُ

وقول ابن نُباتة:

مَنْ لِي بِعَيْش الأَغْبِياءِ فَإِنَّهُ   لا عَيْشَ إلاَّ عَيْشُ مَنْ لَمْ يَعْلَمِ

وقول ابن المُعْتزّ:

وَحَــلاوَة ٱلدُّنْيــا لجاهلها   وَمرارَةُ ٱلدُّنيــا لِمَنْ عَقَــلا

187 – Without hope (or if it were not for hope) the heart would break.

١٨٧ - لَوْلا ٱلأَمَلُ لاَنْفَطرَ ٱلفُؤاد.

★ يرقى هذا المثل إلى العام ١٢٢٠ للميلاد، إذ نقعُ في تلك السنة على هذا النصّ: « كما يقول الناس، لو لم يكن ثمة أمل لاَنْفَطَر القلب » *Ase me seith, zif hope nere, heorte to breke* أما المثل في صيغته الحالية فيرقى إلى العام ١٦١٤.

وخير ما يقابلُهُ في العربية قول الطُّغرائي في قصيدته المعروفة بـ« لاميّة العجم »:

أُعلِّــلُ ٱلنَّفْسَ بِٱلآمــالِ أَرْقُبُهــا
مــا أَضْيَــقَ ٱلعَيْشَ لَوْلا فُسْحَــةُ ٱلأَمَــلِ.

ENGLISH WORDS OF ARABIC ORIGIN

ألفاظ إنكليزية ذات أصل عربي

تصدير

تحفل اللغةُ الإنكليزيةُ بالألفاظ المستعارة من مختلف اللغات قديمها وحديثها . وتُعَدّ العربيةُ من أبرز اللغات التي استمدّتْ منها الإنكليزيةُ كلماتٍ كثيرةً وبخاصة في ميادين العلم على اختلافها. وقد رأيتُ أن أجمعَ في هذه الصفحات شَتاتَ الألفاظ الإنكليزية ذات الأصل العربي ، وهو عملٌ لم يُسْبَقْ إلى مثله من قبل في ما أحسب ، بغيةَ إضافة لَبِنة جديدة إلى صَرْح علم اللغة المقارن ، من ناحية ، وإبراز فضل العرب على الحضارة من ناحية أخرى . وقد حَرَصْت على تَتَبُّع أصول بعض الألفاظ العربية التي أصبحت جزءاً من اللغة الإنكليزية (والتي سبق للعرب أن اقتبسوها بدَوْرهم عن لغات أخرى) تتبُّعاً يُلْقي الضوء على أوّليتها السابقة للعرب (راجع مثلاً مادة *carat* ومادة *kantar* ومادة *orange* ومادة *sugar*) . ومَرَدّ حرصي هذا إلى أن الباحث اللغوي يفتقد ذلك حتى في معجمات اللغة العربية نفسها . وإنما اعتمدتُ في تحقيقاتي كلّها ، أكثرَ ما اعتمدتُ ، على « معجم وبستر الدولي الثالث الجديد » *Webster's Third New International Dictionary* الذي يُعتبر أضخمَ المعاجم الإنكليزية وأوثقَها . واللهُ من وراء القَصْد .

بيروت ، تموز (يوليو) ١٩٧٨

منير البعلبكي

A

aba [ä'bə] *(n.)* عَباءة .

< عن العربية « عباءة » .

abelmosk [ā'bəl mŏsk] *(n.)* حَبّ المِسْك (نبات) .

< عن اللاتينية الحديثة *abelmoschus* ، عن العربية « حَبّ المِسْك » أو « أبو المِسك » .

abutilon [ə bū'tə lŏn] *(n.)* الأبوطيلون (نبات) .

< مأخوذة عن اللاتينية الحديثة *abutilon*، عن العربية « أبوطيلون » .

Achernar [ā'khər năr] *(n.)*، آخر النَّهر ، الظَّليم (فلك) .

< عن العربية « آخر النهر » .

admiral [ăd'mə rəl] *(n.)* ؛ أمير البحر ؛ أمير ال .

< عن الإنكليزية المتوسطة *a(d)miral* ، عن اللاتينية الوسيطة *a(d)miralis* ، عن الفرنسية العتيقة *amiral* ، عن العربية « أمير الـ . . . . » أو « أمير البحر » .

adobe [ə dō'bĭ] *(n.)* . لَبِن ؛ طين .

< عن الإسبانية *adobe* ، عن العربية « الطُّوب » .

afreet *or* **afrit** [ăf'rēt; əf rēt'] *(n.)* عِفريت .

< عن العربية « عِفريت » .

albacore [ăl'bə kōr] *(n.)* البَكُورة (سمك) .

< عن البرتغالية *albacor* ، عن العربية « البَكُورة » .

alcazar [ăl'kə zär] *(n.)* . قصْر ؛ قلعة .

< عن الإسبانية *alcazar* ، عن العربية « القَصْر » .

• هذه الإشارة < معناها أن اللفظة مأخوذة عن ...

alchemy [ăl'kə mĭ] *(n.)* ؛ الخيمياء ؛ الكيمياء القديمة .

< عن الإنكليزية المتوسطة *alkamie* ، عن الفرنسية العتيقة *alquemie* ، عن اللاتينية الوسيطة *alchymia* ، عن العربية « الكيمياء » .

alcohol [ăl'kə hôl] *(n.)* ؛ الكُحول ؛ الغَوْل .

< عن اللاتينية الحديثة *alcohol* ، عن اللاتينية الوسيطة *alcohol* ، عن العربية « الكُحول » أو « الكُحْل » .

alcove [ăl'kōv] *(n.)* (١) فجوة في جدار غرفة (لوضع سرير أو مجموعة كتب) . (٢) مُختلى مُظَلّل (في حديقة) .

< عن الفرنسية *alcôve* ، عن الإسبانية *alcoba* ، عن العربية « القُبّة » .

Aldebaran [ăl dĕb'ə rən] *(n.)* الدَّبَران (فلك) .

< عن اللاتينية الوسيطة *Aldebaran* ، عن العربية « الدَّبَران » .

alembic [ə lĕm'bĭk] *(n.)* ؛ الإمبيق ؛ الإنبيق : أداة كيميائية للتقطير .

< عن الإنكليزية المتوسطة *alambic* أو *alembic* ، عن الفرنسية المتوسطة *alambic* واللاتينية الوسيطة *alembicum*، عن العربية « الإنبيق » .

alfalfa [ăl făl'fə] *(n.)* الفِصْفِصة ؛ الفِصّة (نبات) .

< عن الإسبانية *alfalfa* ، عن العربية « الفِصْفِصة » .

alforja [ăl fôr'jə] *(n.)* : عِدْل الخُرْج : أحد عِدْلَي خُرج الدابة .

< عن الإسبانية *alforja* ، عن العربية « الخُرْج » .

algebra [ăl'jə brə] *(n.)* الجَبْر ؛ علم الجبر .

< عن اللاتينية الوسيطة *algebra* ، عن الإنكليزية المتوسطة *algebra* ، عن العربية « الجَبْر » .

Algol [ăl'gŏl] *(n.)* . رأس الغول (فلك) .

< عن العربية « الغُوْل » .

algorism [ăl'gə rĭz əm] *also* **algorithm** [ăl'gə rĭth əm] *(n.)*: الحساب: نظام العدّ العربيّ أو العشري .

< عن الإنكليزية المتوسطة *augrim* و *algorisme* ، عن الفرنسية العتيقة *augorisme* واللاتينية الوسيطة *algorismus*، عن اسم الرياضي العربي « الخُوارِزْمي » .

alidade [ăl'ə dād] *(n.)* . العِضادة .

< عن الإنكليزية المتوسطة *allidatha* ، عن اللاتينية الوسيطة *alhidada* ، عن العربية « العِضادة » .

alkali [ăl'kə lī] *(n.)* قِلْيٌ ؛ قِلي (كيمياء) .

< عن الإنكليزية المتوسطة *alcaly* ، عن اللاتينية الوسيطة *alcali* أو *alkali* ، عن العربية « القِلي ».

alkanet [ăl'kə nĕt] *(n.)* الشِّنجار ؛ رِجل الحمام ؛ خسّ الحمار (نبات) .

< عن الإنكليزية المتوسطة *alkanet* ، عن الإسبانية العتيقة *alcaneta* ، عن اللاتينية الوسيطة *alchanna* ، عن العربية « الحِنّاء » .

Allah [ăl'ə ; ä'lə] *(n.)* . الله

< عن العربية « الله » .

almanac [ôl'mə năk] *(n.)* ؛ تقويم ؛ روزنامة .

< عن الإنكليزية المتوسطة *almenak* ، عن اللاتينية الوسيطة *almanach* ، عن العربية « المناخ » .

Altair [ăl tä'ĭr] *(n.)* . النَّسْر الطائر (فلك) .

< عن العربية « (النَّسْر) الطائر » .

amalgam [ə măl'gəm] *(n.)* : المَلْغَم : زئبق ممزوج بمعدن آخر أو بمعادن أخرى .

< عن الإنكليزية المتوسطة *amalgame* أو *malgame* ، عن الفرنسية المتوسطة *amalgame* ، عن اللاتينية الوسيطة *amalgama* ولعلّها تحريف عن اللفظة العربية « الجماعة » .

amber [ăm'bər] *(n.)* . الكَهْرَمان .

< عن الإنكليزية المتوسطة *ambra* أو *ambre* ، عن الفرنسية المتوسطة *ambre* واللاتينية الوسيطة *ambra* أو *ambar* ، عن العربية « عَنْبَر » .

ameer *also* **amir** [ə mĭr'] = emir.

aniline [ăn'ə lĭn] *(n.)* . الأنيلين (كيمياء) .

< عن الفرنسية *aniline* ، عن البرتغالية *anil* ، عن العربية « النِّيل » ، عن السنسكريتية *nili* أي النِّيلة (وهي صبغ أزرق) .

apricot [ā'prĭ kŏt; ăp'rĭ kŏt] *(n.)* المِشمِش (نبات) .

< في ما يبدو عن العربية « بُرْقوق » .

ardeb [är'dĕb] *(n.)* الإرْدَبّ : مكيال مصري لتقدير الحبوب .

< عن العربية « إرْدَبّ » .

argan [är'gən] *(n.)* الأرْجان : نبات مراكشي طويل ذو ثِمار كالزيتون يُستخرج منها زيت يُعرف بـ « زيت الأرْجان » .

< عن العربية « أرْجان » .

ariel *also* **ariel gazelle** [âr'ĭ əl] *(n.)* الأرْيَل : ضرب من غزلان شبه جزيرة العرب والمناطق المجاورة لها .

< عن العربية « أرْيَل » .

arrack [ăr'ək] *(n.)* العَرَق : مشروب مُسْكِر .

< عن العربية « عَرَق » .

arroba [är rô'bä] *(n.)* الرُّبع (وحدة وزن) .

< عن الإسبانية والبرتغالية *arroba* ، عن العربية « الرُّبع » أي رُبع القنطار .

arsenal [är'sə nəl] *(n.)* دار الصناعة : « أ » مؤسسة لصنع الأسلحة . « ب » مستودع أسلحة .

< عن الإيطالية *arsenale* ، عن العربية « دار الصناعة » .

artichoke [är'tə chōk] *(n.)* الخَرْشف ؛ الخُرْشوف ؛ الأرضي شَوكي (نبات) .

< عن الإيطالية *articiocco* و *arci-ciocco* ، عن الإسبانية العتيقة *alcarchofa* ، عن العربية « الخُرْشوف » .

assassin [ə săs'ĭn] *(n.)* السَّفّاك ؛ السَّفّاح .

< عن اللاتينية الوسيطة *assassinus* ، عن العربية « الحَشّاشين » وهي جمع « الحَشّاش » أي مدمن الحشيش .

atabal *or* **attabal** [ăt'ə băl] *(n.)* طبل مراكشي .

< عن الإسبانية *atabal* ، عن العربية « الطَّبْل » .

attar [ăt'ər] *(n.)* عِطْر ، وبخاصة عِطر الورد .

< عن الفارسية « عِطْر » ، عن العربية « عِطْر » .

aubergine [ō'bĕr zhēn] *(n.)* الباذنجان (نبات) .

< عن الفرنسية *aubergine* ، عن الإسبانية *alberginia* ، عن العربية « الباذنجان » ، عن الفارسية « بادنجان » ، عن السنسكريتية *vatin-ganah* .

azimuth [ăz'ə məth] *(n.)* السَّمْت ؛ زاوية السَّمْت (فلك) .

< عن الإنكليزية المتوسطة *azimut* و *azimuth* ، عن الفرنسية العتيقة *azimut* ، عن العربية « السُّموت » وهي جمع « سَمْت » أي الطريق .

azure [ăzh'ər; ā'zhər] *(n.)* اللاَّزَوَرْدي : الأزرق السماوي .

< عن الإنكليزية المتوسطة *asur* ، عن الفرنسية العتيقة *azur* ، عن الإسبانية العتيقة *azur* و *azul* ، عن العربية « لازَوَرْد » .

B

barberry [bär'bĕr ĭ] *(n.)* البَرْبريس ؛ البَرباريس (نبات) .

< عن الإنكليزية المتوسطة *barbere* ، عن الفرنسية المتوسطة *barbarin* و *berberis* و *berbere* ، عن العربية « بَرْبَريس » .

bard *or* **barde** [bärd] *(n.)* البَرْدَعة ؛ بَرْدَعة الفَرَس .

< عن الفرنسية المتوسطة *barde* ، عن الإسبانية العتيقة *barda* ، عن العربية « بَرْدَعة » .

bedouin [bĕd'ōō ĭn] *(n.; adj.)* بَدَوي .

< عن الفرنسية *bédouin* ، عن العربية « بَدَوي » .

benzoin [bĕn'zoin] *(n.)* المَيْعة ؛ اللُّبان الجاويّ : صمغ عَطِر .

< عن الفرنسية المتوسطة *benjoin* ، عن الإسبانية *benjui* ، عن العربية « اللُّبان الجاوي » .

berseem [bər sēm'] *(n.)* البِرسيم (نبات) .

< عن العربية « بَرْسيم » أو « بِرسيم » ، عن القبطية « بَرسيم » .

Betelgeuse [bē'təl jōōz] *(n.)* مَنْكِب الجوزاء (فلك) .

< عن الفرنسية *Bételgeuse* ، عن العربية « بَيْت الجوزاء » .

bint [bĭnt] *(n.)* فتاة ؛ امرأة ؛ سيدة .

< عن العربية « بِنْت » .

bonduc [bän'dək] *(n.)* البُنْدُق (نبات) .

< عن العربية « بُنْدُق » .

borax [bōr'ăks] *(n.)* البُورَق (كيمياء) .

< عن الإنكليزية المتوسطة *borax* أو *boras* ، عن الفرنسية العتيقة *boras* ، عن اللاتينية الوسيطة *borax* ، عن العربية « بُورق » ، عن الفارسية « بوره » .

bulbul [bo͝ol'bo͝ol] *(n.)* البُلبل (طائر) .

< عن الفارسية « بُلبل » ، عن العربية « بُلْبل » .

burnoose *or* **burnous** [bər nōōs'] *(n.)* البُرْنُس : رداء رأسُهُ منه .

< عن الفرنسية *burnous* ، عن العربية « بُرْنُس » ، عن اليونانية *birros* .

C

cable [kā'bəl] *(n.)* مَرَسة ؛ قَلْس ؛ حبل غليظ .

< عن العربية « حَبْل » .

cadi *or* **kadi** [kä'dĭ] *also* **qadi** [qä'dĭ] *(n.)* القاضي الشرعي (عند المسلمين) .

< عن العربية « قاضٍ » .

calabash [kăl'ə băsh] *(n.)* (١) قَرْع ؛ يقطين (٢) قرعة يابسة (تُتَّخذ زجاجةً أو طاسة) .

< عن الفرنسية *calebasse* (ومعناها قرعة) ، عن الإسبانية *calabaza* ، وربّما عن العربية « قرعة يابسة » .

caliber *or* **calibre** [kăl'ə bər] *(n.)* العيار : « أ » قُطر الرصاصة أو القذيفة . « ب » القُطر الداخلي لماسورة المدفع أو السلاح الناري .

< عن الفرنسية المتوسطة *calibre* ، عن الإيطالية القديمة *calibro* ، عن العربية « قالب » الحذّاء أو صانع الأحذية .

caliph [kā'lĭf; kăl'ĭf] *(n.)* الخليفة : خليفة المسلمين .

< عن الإنكليزية المتوسطة *caliphe* و *califfe* ، عن الفرنسية المتوسطة *calife* ، عن العربية « خليفة » .

caliphate [kăl'ə fāt; kăl'ə fĭt] *(n.)* الخلافة ؛ الخلافة الإسلامية .

< عن الفرنسية *califat* ، عن اللاتينية الوسيطية *caliphatus* ، عن العربية « خلافة » .

camel [kăm'əl] *(n.)* جَمَل .

< عن الإنكليزية المتوسطة *camel* أو *chamel* ، عن الإنكليزية العتيقة *camel* ، عن الفرنسية النورمندية *camel* ، عن الفرنسية العتيقة *chamel* وكلها مأخوذة عن اللاتينية *camelus* ، عن اليونانية *kamelos* ، عن أصل ساميّ فينيقي أو عربي « جَمَل » .

camise [kə mēs'] *(n.)* قميص .

< عن العربية « قميص » ، عن اللاتينية المتأخرة *camisia* .

camlet [kăm'lĭt] *(n.)* الخَمْلة : « أ » نسيج من وبر الجمل وغيره . « ب » ثوب مَخيط من الخَمْلة .

< عن الإنكليزية المتوسطة *cameloit* ، عن الفرنسية المتوسطة *camelot* ، عن العربية «خَمْلة» ، والخَمْلة في المعاجم العربية القطيفة والثوبُ المُخْمَل كالكساء وغيره .

camphor [kăm'fər] *(n.)* الكافور .

< عن الإنكليزية المتوسطة *caumfre* ، عن الفرنسية العتيقة *camphre* ، عن اللاتينية الوسيطية *camphora* ، عن العربية « كافور » ، عن الملاية أو لغة أبناء شبه جزيرة الملايو *kapur* ومعناها الطباشير .

candy [kăn'dĭ] *(n.)* (١) سُكّر نبات . (٢) حلوى ؛ كراميل إلخ .

مختصرة من *sugar candy* ، عن الإنكليزية المتوسطة *sugre candy* ، عن الفرنسية المتوسطة *sucre candi* ، عن الإيطالية العتيقة *zucchero candi* ، عن العربية « قَنْديّ » ، أي سُكّري ، من « القَنْد » وهو عسَل قصب السكر إذا جَمد .

cane [kān] *(n.)* (١) « أ » قصب ؛ خيزران . « ب » قصبة ؛ خيزرانة (٢) عصا ؛ عكاز .

< عن الإنكليزية المتوسطة *cane* ، عن الفرنسية المتوسطة *cane* ، عن البروفانسية العتيقة *cana* ، عن اللاتينية *canna* ، عن اليونانية *kanna* عن أصل ساميّ لعله « قناة » (قَصَبة) العربية أو الأشورية *qanu* .

Caph [kăf] *(n.)* الكفّ الخضيب(فلك) .

< عن العربية « الكفّ الخضيب » .

carafe [kə răf', kə räf'] *(n.)* الغَرّافة : إبريق زجاجي .

< عن الفرنسية *carafe* ، عن الإيطالية *caraffa* ، عن الإسبانية *garaffa* ، عن العربية « غَـرّافة » وهي اسم فاعل من « غَـرَف » .

carat [kăr'ət] *(n.)* القيراط : « أ » وحدة وزن للذهب والحجارة الكريمة . « ب » جزء من ٢٤ جزءاً .

< في ما يُظَنّ ، عن اللاتينية الوسيطة *carratus* ، عن العربية « قيراط » ، عن اليونانية *keration* التي تعني « بزرة خرنوب » .

caraway [kăr'ə wā] *(n.)* الكَرَوْيا ؛ الكَرَوْياء (نبات) .

< عن الإنكليزية المتوسطة *caraway* أو *carwy* أو *carway* ، عن اللاتينية الوسيطة *carvi* ، عن العربية «كَرَوْيا» ، عن اليونانية *karon* .

carmine [kär'mĭn] *(n.)* (١) اللون القِرمزي (٢) صِبْغٌ قِرمزي .

< عن الفرنسية *carmin* ، عن اللاتينية الوسيطة *carminium* ، عن العربية « قِرمِز » .

carob [kăr'əb] *(n.)* الخَرّوب؛ الخُرْنوب (نبات) .

< عن الفرنسية المتوسطة *carobe* أو *caroube* ، عن اللاتينية الوسيطة *carrubium* ، عن العربية « خَرّوب » .

carrack [kăr'ək] *(n.)* القُرقور : سفينة شراعية ضخمة .

< عن الإنكليزية المتوسطة *carrake* ، أو *carryk* ، عن الفرنسية المتوسطة *caraque* ، عن الإسبانية العتيقة *carraca* ، عن العربية « قراقير » وهي جمع « قُرقور» أي السفينة الطويلة .

Casbah [kăz'bä; käz'bä] *(n.)* القَصَبة : « أ » قلعة . « ب » الحيّ الوطني بمدينة شمالإفريقية .

< عن الفرنسية *Casbah* ، عن اللهجة العربية المغربية « قَصْبة » ، عن العربية « قَصَبة » .

check [chĕk] *(n.)* (١) تعريض « الشاه » للخطر (في الشطرنج) (٢) كَبْح ؛ وَقْف ؛ ضَبْط الخ .

< عن الإنكليزية المتوسطة *chek* ومعناها نزاع أو هجوم ، عن الفرنسية العتيقة *eschec* أو *eschac* ومعناها صَدّ ، عن العربية « شاه » (في الشطرنج) ، عن الفارسية « شاه » ومعناها الملك .

checkmate [chĕk'māt] *(n.)* مات الشاه : تعبير يعلن به لاعب الشطرنج أنه قد قام بحركة أماتت شاه الخصم .

< عن الإنكليزية المتوسطة *chekmate* ، عن الفرنسية المتوسطة *eschec mat* ، عن العربية « الشاه مات » ، عن الفارسية « شاه مات »ومعناها الحرفي أن الشاه أصبح في وضع يتعذر عليه فيه النجاة بنفسه .

cinnabar [sĭn'ə bär] *(n.)* الزُّنْجُفْر : كبريتيد الزئبقيك (كيمياء) .

< عن الإنكليزية المتوسطة *cynabare* أو *cynoper* ، عن الفرنسية المتوسطة *cenobre* ، واللاتينية *cinnabaris* ، عن اليونانية *kinnabari* ، عن أصل شرقي يُرجّح أنه لفظة « زنجفر» العربية .

cipher [sī'fər] *(n.)* الصِّفْر (رياضيات) .

< عن الإنكليزية المتوسطة *cifre* ، عن الفرنسية العتيقة *cifre* ، عن اللاتينية الوسيطية *cifra* ، عن العربية « صِفْر » والصِّفر ، في الأصل ، صفةٌ معناها « فارغ » .

civet [sĭv'ĭt] *(n.)* الزَّباد : طِيبٌ يخرج من بعض غدد سِنَّوْر الزَّباد .

< عن الفرنسية المتوسطة *civette* ، عن الإيطالية *zibetto* ، عن العربية « زَبَاد » ومعناها طِيبُ سِنَّوْر الزَّباد .

coffee [kôf'ĭ] *(n.)* (١) بُنّ (٢) قهوة .

< عن الإيطالية *caffè* ، عن التركية *kahve* ، عن العربية « قهوة » ومعناها في الأصل الخمر.

coffle [kŏf'əl] *(n.)* قافلة (من العبيد أو الحيوانات) .

< عن العربية « قافلة » .

colcothar [kŏl'kə thər] *(n.)* القُلْقُطار : أكسيد الحديديك الأحمر (كيمياء) .

< عن الفرنسية المتوسطة *colcotar* ، عن الإسبانية العتيقة *cólcotar* ، عن العربية « قُلْقُطار » ولعلّها تحريف للفظة *chalkanthos* اليونانية .

Copt [kŏpt] *(n.)* القِبْطي : أحد أقباط مصر .

< عن الفرنسية *Copte* ، عن اللاتينية الحديثة *Coptus* ، عن العربية « القُبْط » أو « القِبط » (أي الأقباط) ، عن القبطية *gyptios* ، و *kyptaios* ومعناهما مصريّ ، عن اليونانية *Aiguptios* عن *Aiguptos* ومعناها مصر .

cotton [kŏt'ən] *(n.)* القُطن .

< عن الإنكليزية المتوسطة *coton* ، عن الفرنسية العتيقة *coton* ، عن العربية العامية « قُطُن » ، عن العربية « قُطْن ».

crimson [krĭm'zən] *(n.)* اللون القِرمزيّ .

< عن الإنكليزية المتوسطة *cremesin* أو *crimisin* ، عن الإسبانية العتيقة *cremesin* ، عن العربية « قِرمزيّ » نسبةً إلى « القِرْمز » ، ولعلّها محرّفة عن السنسكريتية *krmi* ومعناها « دودة » .

crocus [krō'kəs] *(n.)* الزّعفران ؛ الجاديّ (نبات) .

< عن اللاتينية الحديثة *crocus* ، عن اللاتينية *crocus* ، عن اليونانية *krokos* ، عن أصل ساميّ لعلّه لفظة *kurkanu* الأشورية — البابلية، أو لفظة *karkom* العبرية ، أو لفظة *kurkema* الآرامية ، أو لفظة « الكُرْكُم » العربية .

cubeb [kū'bĕb] *(n.)* الكَبابة ؛ حَبُّ العروس (نبات) .

< عن الإنكليزية المتوسطة *cubibe* ، عن الفرنسية العتيقة *cubebe* ، عن اللاتينية الوسيطة *cubeba* ، عن العربية « كَبابة » .

cumin [kŭm'ən] *(n.)* الكَمّون (نبات).

< عن الإنكليزية المتوسطة *comin* أو *commin* ، عن الإنكليزية العتيقة *cymen* ، عن اللاتينية *cuminum* ، عن اليونانية *kyminon* ، عن أصل ساميّ لعلّه *kamunu* الأكادية ، أو *kammon* العبرية ، أو « كَمّون » العربية .

curcuma [kûr'kyŏŏ mə] *(n.)* الكُرْكُم (نبات) .

< عن اللاتينية الحديثة *curcuma* ، عن العربية « كُرْكُم » .

D

damask [dăm'əsk] *(n.)* : الدِّمَقْس : نسيج صقيل حريري أو كتّاني.

< الإنكليزية المتوسطة *damaske* ، عن اللاتينية الوسيطة *damascus* ، عن العربية « دِمشق » بوصفها المدينة التي كانت مَهْدَ هذا الضرب من النسيج .

darabukka [dä rä bŭk'ə] *(n.)* الدَّرَبُكّة : طبلة شمالإفريقية (موسيقى) .

< عن العربية « دَرَبُكّة » .

Deneb [dĕn'ĕb] *(n.)* ذَنَب الدّجاجة (فلك) .

< عن العربية « ذَنَب الدّجاجة » .

dhow [dou] *(n.)* الدَّهْو ؛ الدّاو : مركب شراعي .

< عن العربية « داوة » أو « داو » ، ولعلّ اللفظتين عاميّتان من أصل هندي .

dinar [dĭ när'] *(n.)* الدينار : وحدة النقد في العراق والأردن إلخ.

< عن العربية « دينار » ، عن اليونانية *denarion* ، عن اللاتينية *denarius* .

dirham [dĭr hĕm'] *(n.)* الدِّرْهَم : وحدة النقد في المملكة المغربية .

< عن العربية « دِرهم » ، عن اللاتينية *drachma* .

djin *or* **djinn** [jĭn'] *also* **djinni** [jĭn'ē] *(n.)* الجِنّي .

< عن العربية « جِنّي » .

dragoman [drăg'ə mən] *(n.)* التَّرجُمان : دليل السياح .

< عن الإنكليزية المتوسطة *drogman* ، عن الفرنسية المتوسطة *drogman* أو *drogoman* أو *dragoman* ، عن الإيطالية العتيقة *dragomanno* ، عن اليونانية المتوسطة *dragomanos* ، عن العربية « تَرجُمان » ، عن الآرامية *turgemana* .

drub [drŭb] *(vt., i.)* يَجْلِد؛ يَضْرِب ؛ يَقْرَع .

< في ما يُظنّ عن العربية « ضَرَبَ » .

durra [dŏŏr'ə] *(n.)* الذُّرَة (نبات) .

< عن العربية « ذُرَة » .

E

elixir [ĭ lĭk'sər] *(n.)* الإكسير ؛ حجر الفلاسفة .

< عن الإنكليزية المتوسطة *elixir* أو *elixer* ، عن اللاتينية الوسيطة *elixir* ، عن العربية « الإكسير » ، ولعلّها تحريف للفظة *xerion* اليونانية ومعناها ذرور مجفِّف .

emir [ə mĭr'] *(n.)* = ameer.

F

fakir [fə kĭr'; fā'kər] *(n.)*: (١) الدرويش: واحد من جماعة الدراويش المسلمين (٢) « فقير » أو ناسكٌ هندي .

< عن العربية « فقير » .

fedayee [fĭ dâ yē'; fĭ dä yē'] *(n.)* الفدائيّ .

< عن العربية « فدائيّ » .

fellah [fĕl'ə] *(n.)* الفلاّح .

< عن العربية « فلاّح » .

fennec [fĕn'ĕk] *(n.)* الفَنَك : ثعلب إفريقي صغير .

< عن العربية « فَنَك » .

fils [fĭls] *(n.)* الفَلْس : وحدة نقد عراقية أو أردنية أو كويتية صغيرة .

< عن العربية « فَلْس » أو « فِلْس » .

Fomalhaut [fō'məl hôt] *(n.)* فم الحوت (فلك) .

< عن العربية « فم الحوت » .

fustic [fŭs'tĭk] *(n.)* الفُسْطيط ؛ الفُسْتيق : « أ » خشب شجرة أميركية استوائية يُستخرج منه صبغ أصفر . « ب » شجرة الفُسْطيط .

< عن الإنكليزية المتوسطة *fustik* ، عن الفرنسية المتوسطة *fustoc* ، عن العربية « فُستق » ، عن اليونانية *pistake* أي شجرة الفُستق .

G

gabelle [gə bĕl'] *(n.)* ضريبة الملح (في فرنسة قبل عام ١٧٩٠) .

< عن الإنكليزية المتوسطة *gabelle* ، عن الفرنسية المتوسطة *gabelle* ، عن الإيطالية العتيقة *gabella* ، عن العربية « القبالة » وهي الضريبة ، أو ما يلتزمه المرء من عَمَل ودَيْن وغير ذلك .

galingale [găl'ĭn gāl] *(n.)* السُّعد ؛ الخَوْلَنْجان ؛ الخَلَنْجان (نبات) .

< عن الإنكليزية المتوسطة *galyngale* ، عن الفرنسية المتوسطة *galingal* أو *garingal* ، عن الفرنسية العتيقة *galingal* ، عن العربية « خَلَنْجان » .

garble [gär'bəl] *(vt.; n.)* (١) يُغَربِل . (٢) غربلة .

< عن الإنكليزية المتوسطة *garbelen* ، عن الإيطالية العتيقة *garbellare* ، ومعناها « يُغربل » ، عن العربية « غَرْبَلَ » و « غِرْبال » ، عن اللاتينية المتأخرة *cribellum* أي الغربال الصغير .

gauze [gôz] *(n.)* الغَزِّي ؛ الشّاش .

< عن الفرنسية المتوسطة *gaze* ، عن العربية « غَزَّة » ، في أغلب الظن ، وهي مدينة بفلسطين يُعْتَقَدُ أنها كانت مَهْدَ هذا النوع من النسيج .

gazelle [gə zĕl'] *(n.)* الغزال (حيوان) .

< عن الفرنسية المتوسطة *gazelle* ، عن الإسبانية *gacela* ، عن العربية « غزال » .

genet [jĕn'ĭt] *(n.)* الرَّبّاح ؛ الزُّرَيْقاء (حيوان) .

< عن الإنكليزية المتوسطة *jonet* أو *genete* ، عن الفرنسية المتوسطة *genete* ، عن العربية « جَرْنَيْط » ، والجَرْنَيْط هو الاسم الذي يُطلَق في المغرب على هذا الحيوان .

ghibli [gĭb'lē] *(n.)* القِبليّة : ريحٌ صحراوية حارة معروفة في إفريقيا الشمالية .

< عن العربية « قِبْلي » أو « قِبليّة » التي تعني الريح الجنوبية .

ghoul [gōōl] *(n.)* الغُول : كائن خرافيّ شرير ينبش القبور ويحيا على الجثث .

< عن العربية « الغُوْل » .

Gibraltar [jĭ brôl'tər] *(n.)* جبل طارق .

< مأخوذة عن العربية « جبل طارق » وهو مضيق بين إسبانيا والمغرب اجتازه طارق بن زياد عند فتحه الأندلس فنُسب إليه .

giraffe [jə răf'] *(n.)* الزَّرافة (حيوان) .

< عن الإيطالية *giraffa* ، عن العربية « زَرافة » .

grab [grăb] *(n.)* الغُرابة ؛ الغُراب : ضرب من المراكب الشراعية .

< عن العربية « غُراب » وهو مَركب قديم من مراكب البحر .

guitar [gĭ tär'] *(n.)* القيثارة ؛ الغيتار : آلة موسيقية .

< عن الفرنسية المتوسطة *guitare* ، عن الإسبانية العتيقة *guitarra* ، عن العربية « قيثار » ، عن اليونانية *kithara* .

gundi [gŭn'dē] *(n.)* القَنْديّ : حيوان من القوارض مألوف في إفريقيا الشمالية .

< عن اللهجة المغربية العربية « قَنْدي » ، ولعلها لفظة مأخوذة بدَوْرها عن البربرية « جَرْدي » ومعناها « فأر » .

gypsum [jĭp'səm] *(n.)* جِص ؛ جِبس .

< عن اللاتينية *gypsum* أو *gypsus* ، عن اليونانية *gypsos* ، عن أصل ساميّ لعله لفظة « جِبْس » العربية .

H

haik [hīk; hāk] *(n.)* الحَيْك : ثوبٌ أبيض خارجي يرتديه أبناء شمالي إفريقية .

< عن العربية « حائك » و « حَيْك » .

hajj [hăj] *(n.)* الحجّ (إلى بيت الله الحرام) .

< عن العربية « حَجّ » .

hajji [hăj'ĭ] *(n.)* الحاجّ : مَنْ أدى فريضة الحجّ من المسلمين .

< عن العربية « حاجّ » .

hakim [hä kēm'] *(n.)* الحكيم : طبيب مُسلم .

< عن العربية « حكيم » ، والحكيم هو الرجل الحصيف ذو الحكمة .

hakim [hăk'ĭm] *(n.)* الحاكم : حاكم أو قاضٍ مُسلم .

< عن العربية « حاكِم » .

halvah *also* **halva** [häl vä'] *(n.)* الحلاوة ؛ الحلاوة الطحينية .

< عن البيدية *halva* (Yiddish) ، عن الرومانية *halva* ، عن التركية *helva* ، عن العربية « حَلْوى » .

hamal *also* **hammal** [hə mäl'] *(n.)* الحَمّال ؛ العَتّال .

< عن العربية « حَمّال » .

hardim [här'dĭm] *(n.)* الحَرديم : ضرب من العظاء مألوف في بلدان حوض البحر الأبيض المتوسط الشرقي .

< عن العربية « حِرْذَوْن » .

harem [hâr'əm] *(n.)* الحريم : « أ » جناح النساء في قصر إسلامي قديم . « ب » الزوجات والسَّراري والخادمات اللواتي يشتمل عليهنّ هذا الجناح .

< عن العربية « حريم » و « حَرَم » وكلتاهما تعني ما لا يَحِلّ انتهاكُه أو ما يحميه المرء ويدافع عنه .

hashish [hăsh'ēsh; hăsh'ĭsh] *(n.)* « الحشيش » ؛ القِنَّب الهندي .

< عن العربية « حشيش » .

hazard [hăz'ərd] *(n.)* (١) الهَزَرْد ، الزَّهر : ضرب من لعب النَّرْد . (٢) مصادفة ؛ مجازفة ؛ مخاطرة ؛ مصدر خطر .

< عن الإنكليزية المتوسطة *hasard* أو *hazard* ، عن الفرنسية المتوسطة *hasard* ، عن العربية « الزَّهر » وهو النَّرْد .

hegira; hejira [hĭ jī'rə; hĕj'ə rə] *(n.)* (١) *cap.* : هجرة الرسول محمد (ص) من مكة إلى المدينة عام ٦٢٢ م . (٢) كلُّ هجرة مماثلة .

< عن اللاتينية الوسيطية *hegira* ، عن العربية « هجرة » .

henna [hĕn'ə] *(n.)* الحِنّاء (نبات) .

< عن العربية « حِنّاء » .

hookah [hŏŏk'ə] *(n.)* الحُقّة : نارجيلة ؛ شيشة .

< عن العربية « حُقّة » وهي وعاء من خشب أو عاج أو غيرهما مما يَصْلُحُ أن يُنْحَتَ منه .

houri [hōōr'ī] *(n.)* الحُورِيَّة : « أ » إحدى حُور الجنة . « ب » امرأة بارعة الجمال .

< عن الفرنسية *houri* ، عن الفارسية « حوري » ، عن العربية « حُورِيَّة » أو « حَوْراء » والحوراء هي المرأة التي بها حَوَرٌ ، والحَوَر هو اشتداد سواد المقلة في شدة بياضها مع شدّة في بياض الجسد .

howdah [hou'də] *(n.)* الهَوْدج : مَحْمِلٌ له قُبَّة كانت تركب فيه النساء على ظهر جمل أو فيل .

< عن الهندية *hauda* ، عن العربية « هَوْدج » .

I

imam [ĭ mäm'] *(n.)* الإمام : « أ » مَن يَؤُمّ المسلمين في الصلاة . « ب » أحد الأئمة الاثني عشر. « ج » حاكم متحدر من الدوحة النبوية يمارس السلطة الروحية والزمنية في بلد إسلامي .

< عن العربية « إمام » .

imamate [ĭ mä'māt] *(n.)* (١) الإمامة . (٢) الإمامية : بلدٌ يحكمه إمام.

< عن العربية « إمامة » .

imaret [ĭ mä'rĕt] *(n.)* خان ، تكيَّة (في تركيا) .

< عن التركية *imaret* ، عن العربية « عمارة » أي مبنى .

J

jar [jär] *(n.)* جرَّة ؛ مَرْطَبان .

< عن الفرنسية المتوسطة *jarre* ، عن البروفانسية العتيقة *jarra* ، عن العربية « جرَّة » .

jasmine [jăs'mĭn; jăz'mĭn] *(n.)* الياسَمين (نبات) .

< عن الفرنسية *jasmin* ، عن العربية العامية « ياسْمين »، عن العربية الفصحى « يَاسَمين » ، عن الفارسية « ياسمين » .

jerboa [jər bō'ə] *(n.)* اليَرْبوع (حيوان) .

< عن العربية « يَرْبوع » .

jessamine [jĕs'ə mĭn] *(n.)* = jasmine.

jihad [jĭ häd'] *(n.)* الجهاد : « أ » حرب مقدَّسة تُشَن لنصرة الإسلام . « ب » كلُّ حملة أو حرب في سبيل مبدإ أو عقيدة .

< عن العربية « جهاد » .

jinn [jĭn'] *(n.)* = djin.

jubba [jōōb'bâ] *also* **jubbah** [jōōb'băh] *(n.)* الجُبَّة : رداء فضفاض شبيه بالعباءة .

< العربية « جُبَّة » .

julep [jōō'lĭp] *(n.)* الجُلاَّب : شراب منعش .

< عن الإنكليزية المتوسطة *julep* ، عن الفرنسية المتوسطة *julep* ، عن العربية « جُلاَّب » ، عن الفارسية « گولاب » (گُول = زهر) + (آب = ماء) .

K

Kaaba [kä'bə; kä'ə bə] *(n.)* الكَعبة المشرَّفة (في مكة المكرَّمة) .

< عن العربية « كَعْبَة » ، ومعناها البيت المربَّع .

kabob [kə bŏb'] *(n.)* الكَباب: اللحم المشويّ.

< عن الهندية *kabab* والفارسية « كَباب » ، عن العربية « كَبَاب » ، عن التركية *kebap* .

kadi [kä'dĭ] *(n.)* = cadi.

Kabyle [kə bīl'] *(n.)* (١) القبيليّ : بربري من « القبيليين » أو « القبائل » وهم بربر المنطقة الساحلية الجبلية بشرقيّ الجزائر . (٢) القبيلية : لغة القبيليين البربرية .

< عن العربية « قبائل» وهي جمع « قبيلة» .

Kaffir *or* **Kafir** [kăf'ər; kä'fər] *(n.)* الكَفيريّ: عضوٌ في مجموعة من الشعوب الناطقة بلغة الـ « بانتو » في جنوب إفريقية .

< عن العربية « كافر » وهو غير المؤمن بالله .

Kafir [kăf'ər; kä'fər] *(n.)* الكَفَري : أحد أبناء كفَرْستان وهي منطقة جبلية في شمال شرقي أفغانستان .

< عن العربية « كافر» وهو غير المؤمن بالله .

kantar [kän tär'] *also* **qantar** [qän tär'] *(n.)* القِنطار : وحدة وزن في بعض بلدان حوض البحر الأبيض المتوسط تعادل مئة باوند (مئة رطل إنكليزي) .

< عن العربية « قِنطار » ، عن اليونانية المتأخرة *kentenarion* ، عن اللاتينية المتأخرة *centenarium (pondus)* ، أي مئة باوند ، عن اللاتينية *centenarius* ومعناها مئوي ، من *centeni* أي مئة لكلٍّ ، من *centum* أي مئة .

kat [kät] *(n.)* القات : جنبة أو شجيرة ذات أوراق مخدِّرة تُمْضغ .

< عن العربية « قات » .

kebab [kā'bäb] *(n.)* = kabob.

kef [käf] *(n.)* الكَيْف : حالة السكون الحالم الناشىء عن تعاطي المخدِّرات .

< عن العربية العامية « كَيْف » ومعناها المتعة أو النشوة .

kermes [kûr'mēz] *(n.)* القِرمِز : صِبغٌ أحمر .

< عن الفرنسية *kermès* ، عن العربية « قِرمِز » .

khamsin [kăm'sĭn; kăm sēn'] *(n.)* ريح الخمسين : ريحٌ حارة تهبّ على مصر طوال خمسين يوماً ابتداء من منتصف مارس (آذار) .

< عن العربية « ريح الخمسين » أي ريح الأيام الخمسين .

khan [kän; kăn] *(n.)* خان : نُزُل أو فندق (في بعض البلدان الآسيوية) .

< عن العربية « خان» ، عن الفارسية « خان» .

khanjar [kän'jär] *(n.)* خَنْجر ؛ خِنجر .

< عن العربية « خَنْجر » .

kismet [kĭz'mĕt ; kĭs'mĕt] *(n.)* قِسْمة ؛ نصيب .

< عن التركية *kismet* ، عن العربية « قِسمة » أي نصيب .

kohl [kōl] *(n.)* الكُحْل : ذرور تكتحل به النساء .

< عن العربية « كُحْل » .

L

lacquer [lăk′ər] *(n.; vt.)* (١) اللَّك ؛ ورنيش اللَّك (٢) يطلي بورنيش اللَّك (٣) يَصْقل .

< عن الفرنسية المماتة *laker* و *leckar* و *lacre* ، عن البرتغالية العتيقة *lacra* و *lacre* و *lácar* ، عن العربية « لَكّ » ، عن الفارسية « لَكّ » .

lake [lāk] *(n.)* اللَّيك : صبغ أحمر ضاربٌ إلى الأرجواني مُعَدّ من اللَّك .

< عن الفرنسية المتوسطة *laque* ، عن البروفانسية العتيقة *laca* ، عن العربية « لَكّ » ، عن الفارسية « لَكّ » .

lapis lazuli [lăp′ĭs lăz′yŏŏ lī; lăp′ĭs lăz′yŏŏ lī] *(n.)* اللازَوَرْد : حجر شبه كريم سماويّ الزرقة .

< عن الإنكليزية المتوسطة *lapis lazuli*، عن اللاتينية الوسيطية *lapis lazuli* ، عن اللاتينية *lapis* (ومعناها حجر) + *lazuli* (ومعناها لازوَرْد) ، عن العربية « لازوَرْد » .

latakia [lăt ə kē′ə] *(n.)* اللاذقاني : ضرب ممتاز من التبغ .

< عن « اللاذقية » وهي مدينة في سوريا شهيرة بتبغها المعروف بالتبغ اللاذقاني .

leben *also* **leban** [lĕb′ən] *(n.)* اللَّبَن : حليب متخثّر .

< عن العربية « لَبَن » .

lemon [lĕm′ən] *(n.)* الليمون ؛ الليمون الحامض (نبات) .

< عن الإنكليزية المتوسطة *lymon* ، عن الفرنسية المتوسطة *limon* ، عن اللاتينية الوسيطية *-limon* و *limo* ، عن العربية « ليمون » .

lilac [lī′lək] *(n.)* (١) اللَّيْلَج ؛ اللَّيْلَك : جنبة عطِرة الزهر (نبات) (٢) لون أرجواني فاتح .

< عن الفرنسية المماتة *lilac* ، عن العربية « لَيْلَك » ، عن الفارسية «نيلك» أي ضارب إلى الزرقة (من « نيل » أي أزرق أو صبغ أزرق) ، عن السنسكريتية *nila* ومعناها أزرق داكن .

lime [līm] *(n.)* اللَّيْم : ضرب من الليمون الحامض .

< عن الفرنسية *lime* ، عن البروفانسية *limo* ، عن العربية « لَيْم » و « لَيْمو » .

lute [lōōt] *(n.)* العُود ؛ المِزْهَر : آلة موسيقية .

< عن الإنكليزية المتوسطة *lute* ، عن الفرنسية المتوسطة *lut* و *leut* ، عن البروفانسية العتيقة *laut* ، عن العربية « العُود » .

M

magazine [măg ə zēn′] *(n.)* (١) مستودع ؛ مخزن للبضائع (٢) مخزن الذخيرة (في قلعة أو سفينة) (٣) محتويات مخزن ، مثل « أ » ذخائر حربية . « ب » مخزون من المؤن أو السلع (٤) مجلة (٥) « أ » مخزن البندقية . « ب » حجرة الأفلام (في آلة التصوير) .

< عن الفرنسية العتيقة *magazin* ومعناها مستودع ، عن الإيطالية *magazzino* ، عن العربية « مخازن » وهي جمع « مَخْزَن » .

Mahdi [mä′dē] *(n.)* المَهْديّ المنتَظر (عند الشيعة من المسلمين) .

< عن العربية « مَهْديّ » .

majoon [mə jōōn′] *(n.)* المعجون : معجون مخدِّر معروف في جزائر الهند الشرقية يُعَدّ من أوراق القنّب وبزور الخشخاش والعسل وغيرها .

< عن الهندية *ma'jun* ، عن العربية « معجون » .

marabout [măr′ə bōō;măr′ə bōōt] *(n.)* المُرابط : ناسكٌ أو وليّ مسلم .

< عن الفرنسية *marabout* ، عن البرتغالية *marabuto* ، عن العربية « مُرابط » والمُرابط واحدُ المرابطة وهي الجماعة التي تلازم الثغور دفاعاً عن الإسلام .

marcasite [mär′kə sīt] *(n.)* المَرْكَزيت (معدن) .

< عن الإنكليزية المتوسطة *marchasite* ، عن اللاتينية الوسيطية *marcasita* ، عن العربية « مَرْقَشيطة » ، عن السُّريانية *marqueshitha* ، وربما عن الأشورية *markhashitu* نسبةً إلى « مَرخاشي » *Markhashi* وهو إقليم قديم يُعتقد أنه كان يقع في الجزء الشمالي الشرقي من بلاد فارس .

marzipan [mär′zə păn] *(n.)* المَرْزَبانية ؛ المَوْثبانية : حلوى من مسحوق اللوز والسكّر وزلال البيض .

< عن الألمانية *marzipan* ، عن الإيطالية *marzapane* ، و « المَرْزَبان » قطعة نقد أو وحدة وزن أو علبة حلوى أنيقة ترقى إلى القرون الوسطى ، عن العربية « مَوْثبان » وهو الملك إذا قعَد ولم يَغزُ ، وقد حرَّف الأوروبيون هذه اللفظة وأطلقوها على بعض قطع النقد التي كانت متداولة عندهم منذ الحروب الصليبية والتي كانت تحمل صورة للمسيح وهو قاعد .

massage [mə säzh′; măs′äzh] *(n.; vt.)* (١) تدليك ؛ دَلْك (٢) يُدَلِّك .

< عن الفرنسية *masser* ومعناها يُدلِّك ، عن العربية « مَسّ » أي لَمَسَ أو لامَسَ .

mastaba [măs′tə bə] *(n.)* المَصْطَبة : قبر فرعوني مستطيل .

< عن العربية « مِصْطَبة » و « مَصْطَبة » وهي مكان ممهّد قليل الارتفاع عن الأرض يُجلس عليه .

mate [māt] *(vt.)* يُميت الشاه (في الشطرنج) .

< عن الإنكليزية المتوسطة *maten* ، عن الفرنسية المتوسطة *mater* ، عن الفرنسية العتيقة *mat* ، عن العربية « مات » في قولهم « مات الشاه » وهو تعبير يعلن به لاعب الشطرنج أنه قد قام بحركة أماتت شاه الخصم .

mattress [măt′rĭs] *(n.)* حَشيّة ؛ فِراش .

< عن الإنكليزية المتوسطة *materas* ، عن الفرنسية العتيقة *materas* ، عن الإيطالية العتيقة *materasso* ، عن العربية « مَطْرَح » والمَطْرَح هو المكان الذي يُطرَح فيه الشيء ، وهو أيضاً « المَفْرَش » أي ما يُفرش ويُنام عليه .

mecca [mĕk′ə] *(n.)* القِبلة ؛ المَحَجّة : كل مكان تهفو إليه الأفئدة، أو تَشخَصُ إليه الأنظار ، أو يحجّ إليه الناس .

< عن العربية « مكة » بوصفها المدينة المقدسة التي يحجّ إليها المسلمون .

mezereon [mĭ zĭr′ĭ ŏn] *(n.)* المازَرْيون ؛ المازَرِيون : نبتة أرجوانية الزهر .

< عن الإنكليزية المتوسطة *mizerion* ، عن اللاتينية الوسيطية *mezereon* ، عن العربية «مازَرْيون» و« ماذَرِيون » ، عن الفارسية « مازَرْيون » و« ماذَرْيون » .

minaret [mĭn ə rĕt′] *(n.)* مِئذنة .

< عن الفرنسية *minaret* ، عن الإسبانية *minarete* ، عن التركية *minarat* ، عن العربية « مَنارة » .

Mizar [mī′zär] *(n.)* الإزار ؛ المئزر (فلك) .

< عن العربية « مئزر » .

mizzen *or* **mizen** [mĭz′ən] *(n.)* المِيزَن : شراع منصوب على الصاري الأقرب إلى مؤخّر المركب .

< عن الإنكليزية المتوسطة *mesein* أو *meson* ، وربما عن الفرنسية المتوسطة *misaine* ، عن الإيطاليـة العتيقـة *mezzana* ، عن العربية « مَزّان » والمزّان هو الشراع .

mocha [mō′kə] *(n.)* المُخاويّ : « أ » بنّ يمني . « ب » بنّ ممتاز .

< عن العربية « مُخا » ، ومُخا مدينة في الجزء الجنوبي الغربي من الجمهورية العربية اليمنية (اليمن الشمالي) اشتهرت بزراعة البن ومنها بدأ تصديره ، أولَ ما بدأ ، إلى مختلف أنحاء العالم .

mohair [mō′hâr] *(n.)* المُخَيَّر ؛ الموهير : نسيج من وبر معزاة أنقرة الحريري الطويل .

< عن الإيطالية المماتة *mocaiarro* ، عن العربية « مُخَيَّر » بمعنى مُختار أو مُنْتَقى .

monsoon [mŏn so͞on′] *(n.)* (١) الريحُ الموسمية : ريحٌ موسمية تهبّ في المحيط الهندي وجنوب آسيا بخاصة (٢) الموسم الذي تهبّ فيه الريح الموسمية .

< عن الهولندية المماتة *monssoen* ، عن البرتغالية *monção* المحرّفة عـن *mouçāo* ، عن العربية « مَوْسِم » .

mosque [mŏsk] *(n.)* المَسجِد ؛ الجامع .

< الفرنسية المتوسطـــة *musquee* و *mosquee* ، عن الإيطالية العتيقـة *moschea* ، عن الإسبانيـة العتيقـة *mezquita* ، عن العربية « مَسْجِد » والمَسجِد — لغةً — هو الموضع الذي يُسْجَد فيه .

muezzin [mū ĕz′ĭn; mo͞o ĕz′ĭn] *(n.)* المؤذِّن ؛ المؤذِّن للصلاة .

< عن العربية « مؤذِّن » .

mufti [mŭf′tĭ] *(n.)* المفتي : فقيه يُعطي الفتوى ويجيب عمّا يُلْقى إليه من المسائل المتعلّقة بالشريعة .

< عن العربية « مُفْتٍ » .

mufti [mŭf′tĭ] *(n.)* اللبـاس المدني .

< في ما يُعتقد عن العربية « مُفْتٍ » ، والمفتي هو الفقيه الذي يعطي الفتوى .

mullah [mŭl′ə] *(n.)* المُلاّ ؛ الفقيه .

< عن التركية *molla* ، عن الفارسية « مُلاّ » والهندية *mulla* ، عن العربية « مَوْلى » أي سيِّد .

mummy [mŭm′ĭ] *(n.)* المومياء : جثة محنَّطة .

< عن الإنكليزية المتوسطة *mummie* ، عن الفرنسية المتوسطة *momie* ، عـن اللاتينية الوسيطية *mumia* ، عن العربية « مومياء » ، عن الفـارسية « مُوم » ومعناها شمع أو شمعة .

Muslim [mŭz′ləm; mŭs′ləm] *(n.)* المُسْلِم : واحد المسلمين .

< عن العربية « مُسلِم » .

muslin [mŭz′lĭn] *(n.)* الموصليـن ؛ المَوْصِليّ : نسيج قطني رقيق .

< عن الفرنسية *mousseline* ، عـن الإيطالية *mussolina* ، عن العربيـة « مَوْصِليّ » نسبةً إلى « المَوْصِل » (وهي مدينة في شمال العراق) حيث كان هذا النسيج يُصنَع .

Mussulman *also* **Mussalman** [mŭs′əl mən] *(n.)* واحـد المسلم : المسلمين .

< عن التركية *musluman* ، عن العربية « مسلمون » جمع مُسْلِم .

myrrh [mûr] *(n.)* المُرّ : صمغ راتينجيّ يخرج من ساق شجر المُرّ .

< عن الإنكليزية المتوسطة *myrre* أو *mirre* ، عن الإنكليزية العتيقة *myrra* أو *myrre* ، عن اللاتينية *murra* أو *murrha* أو *myrrha* ، عن اليونانيـة *myrrha* ، عن أصل ساميّ يُرجّح أنه لفظة « مُرّ » العربية .

N

nabob [nā′bŏb] *(n.)* النوّاب ؛ النائب : حاكم إقليمي من حكام الأمبراطورية المغولية في الهند .

< عن الهندية *nawwab* و *nawab* و *nabab* ، عن العربية « نوّاب » وهي جمع « نائب » بمعنى نائب الحاكم .

nacre [nā′kər] *(n.)* عِرق اللؤلؤ ؛ أمّ اللآلىء : مادة صُلبة ناعمة قُزَحية اللون تشكّل بطانة بعض الأصداف وتُستخدم في صنع الأزرار والحلى .

< عن الفرنسية المتوسطة *nacre* ، عن الإيطالية العتيقة *naccara* و *nacchera* عن العربية « نَقّارة » والنقّارة شبه الدفّ من الجلد يُضرب عليه .

nadir [nā′dər; nā′dĭr] *(n.)* النَّظير ؛ نَظير السَّمْت (فلك) .

< عن الإنكليزية المتوسطة *nadir* ، عن الفرنسية المتوسطة *nadir* ، عن العربية « نظير » و « نظير السَّمْت » .

natron [nā′trŏn] *(n.)* النَّطـرون : كربونات الصوديوم المائية .

< عن الفرنسية *natron* ، عن الإسبانية *natrón* ، عن العربية « نَطْرون» ، عن اليونانية *nitron* .

nizam [nĭ zäm′] *(n.)* (١) النِّظـام : لقب حكام حيدر آباد بالهند من عـام ١٧١٣ إلى عام ١٩٥٠ (٢) النِّظامي : جندي تركي .

< عن الهندية *nizam* ، ومعناها الحاكم ، عن العربية « نظام » .

noria [nōr′ĭ ə] *(n.)* الناعورة ؛ السّانية : آلة لرفع الماء قوامها دولاب كبير وقواديس مركّبة على دائرة .

< عن الإسبانية *noria* ، عن العربيـة « ناعورة » .

nucha [nū′kə] *(n.)* النُّخاع : الحبل الشوكي (في التشريح) .

< عن اللاتينية الوسيطية *nucha* ، عن العربية « نُخاع » (را . المادة التالية) .

nuchal [nū′kəl] *(adj.)* ذو علاقة بمؤخَّر العُنُق .

< عن اللاتينية الوسيطية *nucha* ومعناها مؤخّر العُنق ، عن العربية « نُخاع » والنُّخاع حبلٌ عصبيّ متصل بالدماغ يجري داخل العمود الفقري .

O

oke [ōk] *or* **oka** [ō′kə] *(n.)* الأُقّـة : وحدة وزن .

< عن الفرنسية *oque* ، عن اليونانيـة المُحْدَثة *oka* ، عن التركية *okka* ، عن العربية « أوقيّة » ، عن اليونانية — في أغلب الظن — *oungia* و *ounkia* ، عن اللاتينيـة *uncia* .

olibanum [ō lĭb′ə nəm] *(n.)* اللُّبان ؛ البَخُور .

< عن الإنكليزية المتوسطة *olibanum* ، عن اللاتينية الوسيطة *olibanum* ، عن العربية « اللُّبان » ، وربما عن اليونانية *libanos* ، عن أصل ساميّ شقيق للفظة العبرية *leboria* ومعناها بخور .

orange [ôr′ĭnj] *(n.)* البرتقال (نبات) .

< عن الإنكليزية المتوسطة *orange* و *orenge* ، عن الفرنسية العتيقة *orange* و *orenge* ، عن العربية « نارَنْج » ، عن الفارسية « نارَنْگ » و « نارَنج » ، عن السّنسكريتية *naranga* ومعناها البرتقال أو شجرة البرتقال .

Ottoman [ŏt′ə mən] *(n.)* العُثماني : واحد الأتراك العثمانيين .

< عن الفرنسية *ottoman* ، عن اللاتينية الوسيطة *Ottomanus* ، عن العربية « عُثماني » ، عن التركية « عثمان » الأول مؤسس الأمبراطورية العثمانية .

oud [′ōōd′] *(n.)* العود : آلة موسيقية .

< عن العربية « عُود » .

P

popinjay [pŏp′ĭn jā] *(n.)* (١) المتبجِّح ؛ المزهوّ ؛ المغرور (٢) الببَّغاء (معنى قديم مُمات) .

< عن الإنكليزية المتوسطة *papejay* أو *papengay* ، عن الفرنسية المتوسطة *papegai* و *papejai* ، عن العربية « بَبْغاء » و « بَبَّغاء » .

Q

qadi [qä′dĭ] = cadi.

qantar [qän tär′] = kantar.

qat [qät] = kat.

quintal [kwĭn′təl] *(n.)* الكِنتال ؛ القِنطار : « أ » مئة باوند (في الولايات المتحدة الأميركية) . « ب » ١١٢ باونداً (في بريطانية) . « ج » مئة كيلو غرام (في فرنسة) .

< عن الإنكليزية المتوسطة *quintal* ، عن الفرنسية المتوسطة *quintal* ، عن اللاتينية الوسيطة *quintale* ، عن العربية « قِنطار » والقِنطار مئة رطل .

R

racket [răk′ĭt] *(n.)* (١) مِضرب التّنس . (٢) مِضرب كرة الطاولة .

< عن الفرنسية المتوسطة *raquette* ، عن العربية « راحة » والراحة باطن اليد ، أو باطن الكفّ .

realgar [rĭ ăl′gər] *(n.)* رَهْج الغار ؛ رَهْج الغار : خام أحمر برتقاليّ من خامات الزِّرنيخ يُتخذ صبغاً ويُطلق عند اشتعاله لهباً ضارباً لونه إلى الزرقة .

< عن الإنكليزية المتوسطة *realgar* ، عن اللاتينية الوسيطة *realgar* ، عن العربية « رهْج الغار » أي غبار الكهف .

ream [rēm] *(n.)* ماعون ورق .

< عن الإنكليزية المتوسطة *rem* و *reme* ، عن الفرنسية المتوسطة *raime* ، عن العربية « رِزْمة » والرِّزمة من الثياب وغيرها ما جُمع وشُدّ معاً .

rebec *also* **rebeck** [rē′bĕk] *(n.)* الرَّباب ؛ الرَّبابة : آلة موسيقية .

< عن الفرنسية المتوسطة *rebec* ، عن الفرنسية العتيقة *rebebe* ، عن البروفانسية العتيقة *rebeb* ، عن العربية « رَباب » .

retem [rə tĕm′] *(n.)* الرَّتَم : جنبة من الفصيلة القَرنية (نبات) .

< عن العربية « رَتَم » .

rial [rĭ äl′] *(n.)* الرِّيال : وحدة نقد في إيران الخ .

< عن الفارسية « ريال » ، عن العربية « ريال » .

ribes [rī′bēz] *(n.)* الكِشمِش ؛ الرِّيباس : جنبة مثمرة (نبات) .

< عن اللاتينية الحديثة *ribes* ، عن اللاتينية الوسيطة *ribes* ، عن العربية « ريباس » .

Rigel [rī′jəl] *(n.)* رِجل الجبّار ؛ رِجل الجوزاء اليسرى (فلك) .

< عن العربية « رِجْل » .

riyal [rĭ yäl′] *(n.)* الرِّيال : وحدة نقد في المملكة العربية السعودية .

< عن العربية « ريال » ، عن الإسبانية *real* .

rob [rŏb] *(n.)* الرُّبّ : ما يُختَثَرُ من عصير الثمار .

< عن الفرنسية المتوسطة *rob* ، عن العربية « رُبّ » .

roc [rŏk] *(n.)* الرُّخّ : طائر خرافي ضخم شديد القوة .

< عن العربية « رُخّ » .

rook [rōōk] *(n.)* الرُّخّ (في الشّطرنج) .

< عن الإنكليزية المتوسطة *rok* و *roke* ، عن الفرنسية المتوسطة *roc* ، عن العربية « رُخّ » ، عن الفارسية « رُخّ » .

rotl [rŏt′əl] *(n.)* الرِّطْل ؛ الرَّطل : وحدة وزن .

< عن العربية « رِطْل » و « رَطْل » .

S

safari [sə fär′ĭ] *(n.)* رحلة ؛ وبخاصة رحلة قَنْص .

< عن العربية « سَفَريّ » نسبةً إلى « سَفَر » .

safflower [săf′lou ər] *(n.)* القِرْطِم ؛ القُرْطُم ؛ العُصْفُر (نبات) .

< عن الفرنسية المتوسطة *saffleur* و *safleur* ، عن الإيطالية العتيقة *saffiore* و *zaffrole* ، عن العربية « أصفر » أو « نبات أصفر » .

saffron [săf′rən] *(n.)* الزَّعفَران ؛ الجاديّ (نبات) .

< عن الإنكليزية المتوسطة *saffran* و *saffroun* ، و *saffron* ، عن الفرنسية العتيقة *safran* ، عن اللاتينية الوسيطة *safranum* ، عن العربية « زَعْفران » .

sahib [sä'(h)ĭb] *(n.)* الصاحب : لقب بمعنى « سيِّد » كان الهنود يخاطبون به شخصاً أوروبياً ذا مكانة اجتماعية أو منصب رسمي .

< عن الهندية *sahib* ، بمعنى سيِّد ، عن العربية « صاحب » ، وصاحبُ الشيء مالكُهُ .

saker [sā'kər] *(n.)* صَقْر .

< عن الإنكليزية المتوسطة *sagre* ، عن الفرنسية المتوسطة *sacre* ، عن العربية « صَقْر » .

salaam [sə läm'] *(n.)* سَلام ؛ تحيّة .

< عن العربية « سَلام » ، وهو اسم من التسليم ، كالكلام اسم من التكليم . والسلام في الأصل النّجاة والأمن أو السِّلم .

salep [săl'ĕp] *(n.)* السَّحْلب : مادة نشوية تُستخرج من بعض نباتات الفصيلة السَّحلبية ويُتخذ منها شراب ساخن يُتناول في الصباح .

< عن الفرنسية أو الإسبانية *salep* ، عن التركية *salep* ، عن العربية « سَحْلب » المُصَحَّفة « عن خُصَى الثعلب » وهو نبات من السَّحْلبيّات *Orchidaceae* .

saloop [sə lo͞op'] *(n.)* السَّحلب أو شراب ساخن يُعَدّ منه .

< عن الفرنسية أو الإسبانية *salep* ، عن العربية سَحْلب (را . أيضاً المادة السابقة) .

saluki [sə lo͞o'kĭ] *(n.)* السَّلوقي : كلب من كلاب القنص .

< عن العربية « سَلوقيّ » . والسَّلوقي (أو السَّلاقيّ) كلبٌ منسوب إلى بلدة سَلوق اليمنية القديمة .

santir [săn'tĭr] *also* **santour** [săn' to͝or] *(n.)* السِّنطير ؛ السَّنطور : آلة موسيقية شبيهة بالقانون .

< عن العربية « سِنطير » أو « سَنطير » أو « سَنطور » ، عن اليونانية *psalterion* ومعناها القيثارة .

saphena [sə fē'nə] *(n.)* الصافِن : وريدٌ ضخم في السّاق (تشريح) .

< عن الإنكليزية المتوسطة *saphena* ، عن اللاتينية الوسيطة *saphena* ، عن العربية « صافن » .

sash [săsh] *(n.)* حزام ؛ نطاق ؛ وشاح .

< عن العربية « شاش » ، والشاش نسيج قطني رقيق .

sayyid [sī'ĭd] *(n.)* السيِّد : المتحدر من العِترة النبوية الشريفة .

< عن العربية « سيِّد » .

scallion [skăl'yən] *(n.)* الكُرّاث (نبات) .

< عن الإنكليزية المتوسطة *scalone* ، أو *scaloun* ، عن الفرنسية النورماندية *scalun* ، عن اللاتينية العامية *ascalonia* ، *escalonia* ، عن اللاتينية *(caepa)* ، أي البَصَل العَسْقلاني ، عن *Ascalo* أي عَسْقلان ، وعَسْقلان ميناء في الجزء الجنوبي من فلسطين .

senna [sĕn'ə] *(n.)* السَّنا : نباتٌ يُتَّخذ من أوراقه المجفَّفة مُسْهِل .

< عن اللاتينية الحديثة *senna* و *sena* ، عن العربية « سَنا » .

sequin [sē'kwĭn] *(n.)* (١) السِّكوين : نقدٌ ذهبي إيطاليّ وتركيّ قديم . (٢) التِّرتيرة ؛ اللُّمعة : واحدة من النِّثار المعدني اللمّاع الذي تُزيَّن به بعض الملابس النِّسوية .

< عن الفرنسية *sequin* ، عن الإيطالية *zecchino* ، عن العربية « سِكّة » وهي حديدة منقوشة تُضرب عليها الدراهم .

sesame [sĕs'ə mĭ] *(n.)* السِّمْسِم (نبات) .

< عن اللاتينية *sesamum* و *sesama* ، عن اليونانية *sesamon* و *sesame* ، عن أصل ساميّ يُعتقد أنه *samassamu* الأشورية أو *shumshema* الآرامية ، أو « سِمْسِم » العربية .

shadoof [shä do͞of'] *(n.)* الشادوف : آلة بدائية لرفع المياه تُستخدم في مصر لأغراض الريّ .

< عن العربية « شادوف » .

shaitan [shī tän'] *(n.)* الشَّيطان : روح شريرة ، وبخاصة جنّيّ متمرِّد يُغري النّاسَ بسلوك سبيل الضلال .

< عن العربية « شيطان » ، والشَّيطان — على حدّ تعبير المعجميين العرب — روح متمرِّد يُضرب به المثل في الخبث والعدوان ، وهو أيضاً كلُّ عاتٍ متمرِّد من إنس أو جنّ أو دابّة .

sharif [shə rēf'] *(n.)* الشَّريف : سليل العِترة النبوية .

< عن العربية « شريف » .

sheikh *or* **sheik** [shēk; shāk] *(n.)* الشيخ : شيخ قبيلة (أو حاكم) عربي .

< عن العربية « شَيخ » .

sherbet [shûr'bət] *or* **sherbert** [shûr'bərt] *(n.)* الشَّربات : « أ » شراب مثلوج يُعَدّ من عصير الفاكهة المُحلّى . « ب » شراب مثلوج يُعَدّ من عصير الفاكهة المُحلّى واللبن أو بياض البيض .

< عن التركية *serbet* ، عن الفارسية « شَرْبَت » ، عن العربية « شَرْبة » ، والشَّربة من الماء ما يُشرب دفعةً واحدة .

sherif [shĕ rēf'] *(n.)* = sharif.

shrub [shrŭb] *(n.)* الشُّروب : « أ » شراب يتألف من كحول وعصير فاكهة وسكّر . « ب » شراب من عصير الفاكهة المثلوج .

< عن العربية « شَراب » .

simoom [sĭ mo͞om'] *or* **simoon** [sĭ mo͞on'] *(n.)* السَّموم ؛ ريح السَّموم : ريح حارّة جافة مُثْقَلَة بالغبار تَهبّ من الصحارى الآسيوية والإفريقية .

< عن العربية « سَموم » ، والسَّموم — على حدّ تعبير المعجميين العرب — الريح ذات الحرّ الشديد النافذ في المسامّ .

sinologue [sī'nə lôg; sĭn'ə lôg] *(n.)* الصِّينولوجي : الاختصاصي بدراسة اللغة والأدب والتاريخ والثقافة الصينية .

< عن الفرنسية *sinologue* ، عن اللاتينية المتأخرة *Sinae* ، عن اليونانية *Sinai* ، عن العربية « صين » + *-logue* الفرنسية وهي لاحقة معناها « الاختصاصي » .

sirocco [sə rŏk'ō] *(n.)* الشَّرقيّة : « أ » ريح جافة مُثْقَلَة بالغبار تَهبّ من شمالي إفريقية عبر المتوسط وأوروبة الجنوبية . « ب » كل ريح حارّة مزعجة .

< عن الإيطالية *sirocco* و *scirocco* عن العربية « شَرْق » .

sofa [sō'fə] *(n.)* الأريكة : مقعد طويل مُنَجَّد ذو ذراعين .

< عن العربية « صُفّة » ، والصُّفّة مقعد مُظَلَّل على مقربة من المسجد .

spinach [spĭn'ĭch] *(n.)* الإسفاناخ ؛ الإسباناخ ؛ السَّبانخ (نبات) .

< عن الفرنسية المتوسطة *espinache* و *espinage* ، عن الإسبانية العتيقة *espinaca* ، عن العربية « إسفاناخ » أو « إسباناخ » ، عن الفارسية « إسفاناخ » .

sudd [sŭd] *(n.)* السَّد ؛ السُّد : نباتات طافية تعوق الملاحة في النيل الأبيض .

< عن العربية « سَدّ » أو « سُدّ » وهو الحاجز بين الشيئين . وفي المعاجم العربية أن السُّد بالضمّ ما كان من خلق الله والسَّد بالفتح ما كان من فعل البشر .

Sufi [so͞o'fĭ] *(n.)* الصوفيّ : أحد رجال التصوّف الإسلامي (را . المادة التالية) .

Sufism [so͞o'fĭz əm] *(n.)* الصُّوفية ؛ التصوّف : حركة زهدية إسلامية قوامها إخضاع المتصوف نفسَهُ لضروب من المجاهدة والرياضة الروحية طمعاً في الوصول إلى معرفة الحقائق من طريق الكشف والمشاهدة .

< عن العربية « صُوف » ، باعتبار أن الصوفيين كانوا يرتدون الصُّوف على سبيل الزهد والورع .

sugar [sho͝og'ər] *(n.)* السُّكَّر .

< عن الإنكليزية المتوسطة *sucre* و *suger* ، عن الفرنسية المتوسطة *sucre* و *cucre* ، عن اللاتينية الوسيطة *zuccarum* و *succarum* ، عن الإيطالية العتيقة *zucchero* ، عن العربية « سُكَّر » ، عن الفارسية « شَكَر » ، عن السنسكريتية *sarkara* ومعناها حصى أو حُبَيْبات رملية خشنة ، أو سكّر .

sultan[sŭl'tən] *(n.)* السُّلطان : ملك مُسلم .

< عن الفرنسية العتيقة *sultan* ، عن اللاتينية الوسيطة *sultanus* ، عن العربية « سُلطان » ، عن الآرامية *shultana* ومعناها الحكم أو السّلطة .

sultana [sŭl tăn'ə; sŭl tä'nə] *(n.)* السُّلطانة : زوجة السّلطان .

< عن الإيطالية *sultana* ، وهي مؤنث كلمة سلطان *sultano* ، عن العربية « سُلطانة » .

sultanate [sŭl'tə nāt] *(n.)* السَّلطنة : « أ » منصب السلطان أو سُلطته . « ب » بلاد يحكمها سلطان .

< عن العربية « سَلْطنة » .

sumac *or* **sumach** [sho͞o'măk; so͞o'măk] *(n.)* السُّمّاق (نبات) .

< عن الإنكليزية المتوسطة *sumac* ، عن الفرنسية العتيقة أو اللاتينية الوسيطة *sumac* أو *sumach* ، عن العربية « سُمّاق » .

sumbul *or* **sambul** [səm bo͞ol'] *also* **sumbal** [səm băl'] *(n.)* السُّنْبُل : جذر مسكيّ الرائحة . كان يُتّخذ منه عقّار مضادّ للتشنّج .

< عن العربية « سُنْبل » . والسُّنبل ، في المعاجم العربية ، نبات طيّب الرائحة يُتداوى به ، وهو يسمّى أيضاً « سُنبل العصافير » .

sura [so͞or'ə] *(n.)* السُّورة : إحدى سُوَر القرآن الكريم .

< عن العربية « سُورة » .

Swahihi [swä hē'lē] *(n.)* السَّواحلية : لغة يتكلم بها سكان سواحل إفريقيا الشرقية .

< عن العربية « سواحل » وهي جمع ساحل .

syce [sīs] *(n.)* السائس ، الخادم ، التابع (وبخاصة في الهند) .

< عن الهندية *sa'is* ، عن العربية « سائس » و « سايس » ، والسائس مَنْ يَرُوض الدوابّ ويؤدّبها .

syrup [sĭr'əp] *(n.)* الشَّراب : عصير فاكهة أو نبات مركّز .

< عن الإنكليزية المتوسطة *sirop* و *sirup* ، عن الفرنسية المتوسطة *sirop* ، عن اللاتينية الوسيطة *syrupus* و *sirupus* ، عن العربية « شَراب » .

T

tabby [tăb'ĭ] *(n.)* العَتّابيّ : نسيج حريريّ مموَّج أو مخطَّط .

< عن الفرنسية *tabis* ، عن الفرنسية المتوسطة *atabis* ، عن اللاتينية الوسيطة *attabi* ، عن العربية « عَتّابي » نسبةً إلى « العتّابيّة » وهي محلّة في بغداد كانت مهد صناعة هذا الضرب من النسيج الحريري .

tabla [tăb'lə] *(n.)* الطَّبلة : أداة موسيقية هندية قوامها طبلتان يدويتان صغيرتان مختلفتا الحجم .

< عن الهندية *tabla* ، عن العربية « طَبْلة » .

tabor *or* **tabour** [tā'bər] *(n.)* الدُّفّ : آلة موسيقية .

عن الإنكليزية المتوسطة *tabor* ، عن الفرنسية العتيقة *tabor* ، عن الفارسية « تَبير » والعربية « طُنبور » وهو آلة طرب ذات عنق طويل وأوتار نحاسية .

talc [tălk] *(n.)* الطَّلْق : معدن طريّ يستخدم في صنع ذرور الوجه إلخ .

< عن الفرنسية المتوسطة *talc* أو اللاتينية الوسيطة *talcum* ، عن العربية « طَلْق » .

talisman[tăl'ĭs mən; tăl'ĭz mən] *(n.)* الطِّلَّسْم : تعويذة تحمل خطوطاً وأعداداً سحرية يُزعَم أنها تدفع الشرّ أو تجلب الحظ السعيد .

< عن الفرنسية *talisman* أو الإسبانية *talismán* أو الإيطالية *talismano* عن العربية « طِلَسْم » ، عن اليونانية المتوسّطة *telesma* .

tamarind [tăm'ə rĭnd] *(n.)* التمر الهندي : « أ » شجر ذو ثمار مليّنة . « ب » ثمار التمر الهندي المتّخَذة مُسْهِلاً .

< عن الإسبانية والبرتغالية *tamarindo* ، عن العربية « تمر هنديّ » .

tambour [tăm'bo͝or] *(n.)* (١) طارة ؛ دُفّ (٢) طارة التطريز .

< عن الإنكليزية المتوسطة *tambour* ، عن الفرنسية العتيقة *tambour* ، عن العربية « طَنْبور » وهي تحريف « طُنبور » — والطُّنبور آلة طرب ذات عنق طويل وأوتار نحاسية — عن الفارسية « تَبير » .

tambourine [tăm bə rēn'] *(n.)* الرِّق : دُفّ صغير .

< عن الفرنسية المتوسطة *tambourin* وهي تصغير *tambour* ، عن العربية « طَنبور » المحرّفة عن « طُنبور » .

taraxacum [tə răk'sə kəm] *(n.)* الطَّرَخْشَقُوْن : نبات تُتّخذ جذوره مُليِّناً .

< عن اللاتينية الحديثة *taraxacum* ، عن العربية « طَرَخْشَقون » .

tarboosh *or* **tarbush**[tär bo͞osh'] *(n.)* الطَّربوش : غطاء للرأس مصنوع من نسيج صوفيّ أحمر عادةً .

< عن العربية « طَربوش » و « طُربوش » .

tare [târ] *(n.)* الطَّرْح : « أ » وزن الغلاف أو الوعاء المشتمل على السّلعة . « ب » إسقاط من وزن السّلعة غير الصافي معادلٌ لوزن غلافها أو وعائها .

< عن الإنكليزية المتوسطة *tare* ، عن الفرنسية المتوسطة *tare* ، عن الإيطالية العتيقة *tara* ، عن العربية « طَرْحة » . والطَّرحة كلُّ ما يُطرح أو يُرمى .

tariff [tăr'ĭf] *(n.)* تعريفة ، تَعرفة .

< عن الفرنسية *tarif* ، عن الإيطالية *tariffa* والإسبانية *tarifa* ، عن التركية *ta'rifa* ، عن العربية « تعريف » ، والتعريف هو الإعلام .

tarragon [tăr'ə gŏn] *(n.)* الطَّرْخون (نبات).

< عن الفرنسية المتوسطة *targon* ، عن اللاتينية الوسيطة *tarcon* و *tarchon* ، عن العربية «طَرْخون».

tazza [tät'tsä] *(n.)* طاسة ؛ كوب ؛ زَهرية.

< عن الإيطالية *tazza* ، عن العربية «طاس» و «طاسة».

timbal [tĭm'bəl] *(n.)* نَقّارية ؛ طبلة (موسيقى).

< عن الفرنسية *timbale* ، عن الفرنسية المتوسطة *tamballe* ، عن الإسبانية العتيقة *atabal* ، عن العربية «الطَّبل».

tutty [tŭt'ē] *(n.)* التُّوتياء : مادة معدنية قوامُها أُكسيد الزنك.

< عن الإنكليزية المتوسطة *tutie* ، عن الفرنسية المتوسطة *tutie* ، عن العربية «توتياء» ، عن الفارسية ، عن السنسكرينية *tutaka* و *tuttha*.

tymbal [tĭm'bəl] *(n.)* = timbal.

typhoon [tī fōōn'] *(n.)* التَّيْفون: إعصار استوائي (في منطقة الفيليبين أو بحر الصين).

< عن الصينية *taai fung* ، من *taai* (شديد) + *fung* (ريح) ، عن العربية «طوفان» ، وربما عن اليونانية *typhon* ومعناها الزوبعة أو الريح الدوّامية.

U

ulama *or* **ulema** [ōō lə mä'] *(n. pl.)* العلماء : علماء الدين المسلمون.

< عن التركية والفارسية «عُلَما» ، عن العربية «عُلماء» وهي جمع عالِم.

V

Vega [vē'gə] *(n.)*. النَّسْر الواقع (فلك).

< عن اللاتينية الحديثة *Vega* ، عن العربية «(النَّسْر) الواقع».

vizier [vĭ zĭr'; vĭz'yər] *(n.)* وزير.

< عن التركية *vezir* ، عن العربية «وزير» وهو فعيل بمعنى فاعل ، من «وَزَرَ» أي حَمَلَ وبذلك يكون الوزير هو حامل أعباء الحكم.

W

wadi [wä'dĭ] *(n.)* (١) وادٍ ؛ (٢) نهر ؛ جدول.

< عن العربية «وادٍ».

X

xebec [zē'bĕk] *(n.)* القُرصانيّة ؛ الشبّاكة : سفينة صغيرة ثلاثية الصواري كان من عادة القراصنة استخدامها في البحر الأبيض المتوسط.

< عن الفرنسية *chebec* ، عن الإيطالية *sciabecco* ، عن العربية «شبّاك».

Z

zaffer *or* **zaffre** [zăf'ər] *(n.)*: الزَّعْفَر : مزيج من أُكسيد الكوبالت وسِليكا silica ، يُستخدم لتلوين الزجاج والخزف باللون الأزرق.

< عن الإيطالية *zaffera* ، عن الفرنسية العتيقة *safre* ، عن العربية «صُفر» (أي النحاس الأصفر) أو «زَعْفَران».

zareba *or* **zariba** [zə rē'bə] *(n.)* الزَّريبة : حظيرة مرتجلة تقام من بعض النباتات الشائكة في السودان وغيره من البلدان الإفريقية.

< عن العربية «زَريبة».

zenith [zē'nĭth; zĕn'ĭth] *(n.)*; السَّمْت ؛ سَمْت الرأس (فلك).

< عن الإنكليزية المتوسطة *cenit* و *senyth* ، عن الفرنسية المتوسطة *cenith* ، عن اللاتينية الوسيطة *cenit* ، عن الاسبانية العتيقة *zenit* ، عن العربية «سَمْت» من «سَمْت الرأس» (أي الطريق فوق الرأس).

zero [zē'rō] *(n.)*. صِفر (في الرياضيات).

< عن الفرنسية *zéro* أو الإيطالية *zero* ، عن اللاتينية الوسيطة *zephirum* ، عن العربية «صِفر» والصِّفر ، في الأصل ، صفةٌ معناها «فارغ».

zibet *or* **zibeth** [zĭb'ĭt] *(n.)*: زَباد الهند : سِنَّوْر الزَّباد الهندي (حيوان).

< عن الإيطالية *zibetto* ، عن اللاتينية الوسيطة *zibethum* ، عن العربية «زَباد» ، أي طِيب سِنَّور الزَّباد. وقد جاء في المعاجم العربية أن الزَّباد نوع من الطيوب يُجلب من دابة كالسِّنَّور يقال لها قِطّ الزَّباد.

BIOGRAPHICAL NAMES

معجم أعلام

A

Abbas I [ăb băs'] عباس الأول (١٥٧١ – ١٦٢٩) : شاه فارس (١٥٨٨ – ١٦٢٩) . يُعتبر أحد أعظم ملوك الأسرة الصَّفَوية . يُعرف بـ « الكبير » *the Great* .

'Abbas II ['ăb'bâs]; **'Abbas Hilmi Pasha** عباس الثاني ؛ عباس حلمي باشا (١٨٧٤ – ١٩٤٤) : خديوي مصر (١٨٩٢ – ١٩١٤). حاول مقاومة الاحتلال البريطاني . خُلع عن العرش .

'Abbas, al- [ăl 'ăb'bâs] العَبّـاس ؛ العَبّـاس بن عبد المُطّلب (٥٦٦ ؟ – ٦٥٢ م .) : عمّ الرسول محمد عليه السلام . آزره بعد وفاة أبي طالب . إليه ينتسب العباسيون .

Abbas Effendi [ăb băs' ĕ fĕn'dē] = Abdul Baha.

'Abbud ['ăb'bōōd], **Marun** عَبّود ، مارون (١٨٨٦ – ١٩٦٢) : قاصّ وناقد لبناني . اتّسم أدبه بالسُّخرية واللون المحلّي.

'Abd-el-Kader ['ăb dĕl'kä'dĭr] عبد القادر الجزائري (١٨٠٨ – ١٨٨٣) : زعيم عربي جزائري . قاد المقاومة ضد الاحتلال الفرنسي لبلاده ..

'Abd-el-Krim ['ăb dĕl'krēm] عبد الكريم الخَطّابي (١٨٨٢ – ١٩٦٣) : زعيم عربي مغربي . حارب محتلي بلاده من الإسبان والفرنسيين .

'Abdel-Nasser ['ăb dĕl'nä'sər], **Gamal** = Nasser, Gamal 'Abdul-.

Abdul-Aziz [ăb dŭl'ä zēz] عبد العزيز (١٨٣٠ – ١٨٧٦) : سلطان عثماني (١٨٦١ – ١٨٧٦) . وضع أول قانون عثماني مدني . خُلع عن العرش ثم قُتِل .

'Abdul-'Aziz IV ['ăb dōōl' 'ä zēz'] عبد العزيز الرابع (١٨٧٨ – ١٩٤٣) : سلطان المغرب (١٨٩٤ – ١٩٠٨) . حاول إصلاح الإدارة . تخلّى عن العرش .

'Abdul-'Aziz ibn-Sa'ud [ĭb'ən să'ōōd'] = Sa'ud, 'Abdul-'Aziz ibn-.

Abdul Baha [ăb dōōl'bă hä] عبد البهاء (١٨٤٤ – ١٩٢١) : زعيم ديني فارسي . ابن بهاء الله وخليفته في زعامة المذهب البهائي .

Abdul-Hamid I [ăb dŭl' hä mēd'] عبد الحميد الأول (١٧٢٥ – ١٧٨٩) : سلطان عثماني (١٧٧٤ – ١٧٨٩) . عُني بإصلاح الإدارة والجيش .

Abdul-Hamid II عبد الحميد الثاني (١٨٤٢ – ١٩١٨) : سلطان عثماني (١٨٧٦ – ١٩٠٩) . حكم البلاد حكماً استبدادياً . خُلع عن العرش .

'Abdul-Ilah ['ăb dōōl'ĭ lâh'] عبدُالإله (١٩١٣ – ١٩٥٨) : أمير عربي هاشمي . تولى الوصاية على عرش العراق (١٩٣٩ – ١٩٥٣) . قُتِل .

'Abdul-Karim Qasim ['ăb dōōl' kă rēm' qäs'ĭm] عبد الكريم قاسم (١٩١٤ – ١٩٦٣) : ضابط عراقي . أطاح بالنظام الملكي في العراق (١٤ يوليو ١٩٥٨). قُتِل .

'Abdullah ibn-'Abdil-Muttalib ['ăb dōōl'läh ĭb'ən 'ăb dĭl'mōōt' tä lĭb] عبد الله بن عبد المُطّلب (٥٤٥ ؟ – ٥٧٠ م .) : والد الرسول محمد عليه السلام . توفي والرسولُ ما يزال جنيناً في بطن أمه .

'Abdullah ibn-al-Husein ['ăb dōōl' läh ĭb nōōl'hōō sān'] عبد الله بن الحسين (١٨٨٢ – ١٩٥١) : مؤسس الأسرة الهاشمية الأردنية . اغتيل .

'Abdul-Malik ibn-Marwan ['ăb dōōl' mă lĭk' ĭb'ən măr wân'] عبد الملك بن مروان (٦٤٦ ؟ – ٧٠٥ م.) : خامس الخلفاء الأمويين (٦٨٥ – ٧٠٥م .). وطّد أركان الدولة .

Abdul-Mejid I [ăb dŭl'mĕ`jēd'] عبد المجيد الأول (١٨٢٣ – ١٨٦١) : سلطان عثماني (١٨٣٩ – ١٨٦١) . أحدث إصلاحات عُرِفت بـ « التنظيمات » .

Abdul-Mejid II عبد المجيد الثاني (١٨٦٨ – ١٩٤٤) : آخر الخلفاء العثمانيين (١٩٢٢ – ١٩٢٤) .

'Abdul Muttalib ['ăb dōōl' mōōt'tä lĭb] عبد المُطّلب (توفي عام ٥٧٨ م .) : جدّ الرسول محمد عليه السلام . كفلهُ بعد وفاة أبيه عبد الله .

'Abd-el-Kader

'Abd-ur-Rahman I ['ăb dōōr' räh' mân] عبد الرحمن الأول (٧٣١ – ٧٨٨ م .) أمير أموي . نجا من بطش العباسيين وأنشأ الدولة الأموية في الأندلس (عام ٧٥٦ م .) . يُعرف بـ « الداخل » .

'Abd-ur-Rahman III ؛ عبد الرحمن الثالث ؛ عبد الرحمن الناصر (٨٩١ – ٩٦١م.). أول خليفة أموي في الأندلس (٩٢٩ – ٩٦١ م .) . بنى قَصْر الزهراء في قرطبة .

Abélard [ăb'ə lär], **Pierre** أبيلار ، بيير (١٠٧٩ – ١١٤٤ ؟) : لاهوتي وفيلسوف أخلاقي فرنسي . اتُّهم بالهرطقة .

Abraham [ā'brə hăm] إبراهيم (القرن التاسع عشر قبل الميلاد) : إبراهيم الخليل . أبو الأنبياء . والد إسحق وإسماعيل .

abu-Bakr [ă bōō'băk'r] أبو بكر الصِّدّيق (٥٧٣ – ٦٣٤ م .) : أول الخلفاء الراشدين (٦٣٢ – ٦٣٤ م .) . صَحِبَ الرسول في الغار والهجرة إلى المدينة . قاتلَ المرتدّين .

abu-Firas [ă bōō'f ĭ'räs] أبو فِراس الحَمْداني (٩٣٢ – ٩٦٨ م .) : أمير وشاعر عربي . أسرهُ الروم فنظم قصائده المعروفة بـ « الروميات » .

abu-Hanifah [ă bōō'hă nē'făh] أبو حنيفة (٦٩٩ – ٧٦٧ م .) : فقيه وإمام مسلم . صاحب المذهب الحنفيّ أحد المذاهب السّنيّة الأربعة .

Iliya abu-Madi

Konrad Adenauer

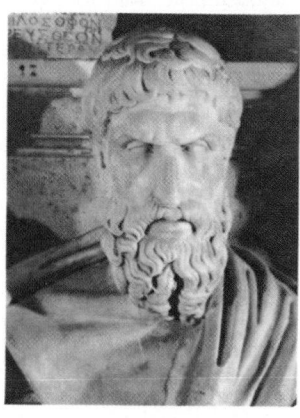

Aeschylus

abu-Hayyan al-Tawhidi [ă bōō′ hăy′yân ăt tăw hē′dē] أبو حـيّـان التوحيدي (توفي عام ١٠٢٣ م.) : كاتب وفيلسوف عربي . من آثـاره : «المقابَسات» و «الإمتاع والمؤانسة» .

abul-'Abbas al-Saffah [ă bōōl′ 'ăb′bâs ăs săf′fâh] أبو العباس السفّاح (٧٢٢ – ٧٥٤ م .) : أول الخلفـاء العباسيين (٧٥٠–٧٥٤م.) . أمر بقتل جميع أفراد الأسرة الأموية .

abul-'Ala'al-Ma'arri [ă bōōl′ă lâ′ ăl mă′ăr′rē] أبو العلاء المعري (٩٧٣– ١٠٥٧ م .) : شاعر عربي عباسي . مكفوف البصر . غلبت الفلسفة على شعره .

abul-'Atahiyah [ă bōōl′ 'ă tâ′hĭ yăh] : أبو العتاهية (٧٤٨ – ٨٢٦ ؟ م .) : شاعر عربي عباسي . غلبت النزعة الزهدية على شعره .

abul-Faraj al-Isfahani [ă bōōl′ fă răj′ ăl ĭs′fă hâ nē] أبـــو الفرج الإصفهاني (٨٩٧–٩٦٧ م.) : أديب عربي عباسي . صاحب كتاب « الأغاني » .

abul-Fida'[ă bōōl′fĭ dâ′] أبـو الفِداء (١٢٧٣ – ١٣٣١ م .) : جغرافي ومؤرخ عربي . صاحب كتاب « تقويم البلدان » .

abu-Madi [ă bōō′mä′dē], **Iliya** أبو ماضي ، إيليا (١٨٨٩ – ١٩٥٧) : شاعر عربي . يُعتبر أبرز شعراء المهجر الأميركي .

abu-Ma'shar [ă bōō′mă′shăr] أبو مَعْشَر (٧٨٧ – ٨٨٦ م .) : فلكيّ ومنجم عربي . يُعتبر أكبر المنجّمين المسلمين غيرَ منازَع .

abu-Muslim al-Khurasani [ă bōō′ mōōs′lĭm ăl khōō rä′sâ nē] أبـو مُسلم الخُراساني (توفي عام ٧٥٥م.): قائد عباسي . لعب دوراً بارزاً في إقامة الدولة العباسية .

abu-Nuwas [ă bōō′nōō wâs′] أبـــو نُواس (٧٥٦ ؟–٨١٤ م .) : شاعر عربي عباسي . يُعتبر أعظم شعراء الخمرة في تاريخ الأدب العربي .

abu-Shabakah [ă bōō′shă′bă kăh], **Ilyas** أبو شبكة ، إلياس (١٩٠٤ – ١٩٤٧) : شاعر عربي لبناني . عُرف بالنزوع إلى التجديد .

abu-Sufyan [ă bōō′sōōf′yân] أبـو سُفيان (توفي عام ٦٥٢ م .) : زعيم المكّيين المناوئين لدعوة الرسول محمد عليه السلام . أسلم بعد فتح مكة .

abu-Talib [ă bōō′tä′lĭb] أبو طـالب (توفي عام ٦٢٠ م .) : عمّ الرسول محمد عليه السلام ووالد الإمام عليّ . كفِـلَ الرسولَ وربّاه وآزره .

abu-Tammam [ă bōō′tăm mâm] أبو تـَمّام (توفي عام ٨٤٥ م .) : شاعر عربي عباسي . تميّز شعره بالغوص على المعاني الجديدة .

abu-'Ubaydah ibn-al-Jarrah [ă bōō′ 'ōō băy′dăh ĭb′ən ăl jăr′răh] أبو عُبيدة بن الجرّاح (توفي عام ٦٣٩ م.) : قائد عربي . تولى قيادة الجيوش الإسلامية المقاتلة في الشام .

Adams [ăd′əmz], **John** آدمز ، جون (١٧٣٥ – ١٨٢٦) : ثـاني رئيس للولايات المتحدة الأميركيـة (١٧٩٧ – ١٨٠١) .

Adams, John Quincy آدمز ، جون كوينسي (١٧٦٧ – ١٨٤٨) : سادس رئيس للولايات المتحدة الأميركية (١٨٢٥ – ١٨٢٩) .

Addison[ăd′ə sən], **Thomas** أديسون ، توماس (١٧٩٣ – ١٨٦٠) : طبيـب إنكليزي . كان أول من وصف « داء أديسون » Addison's disease .

Adenauer [ă′də nou ər], **Konrad** أديناور ، كونراد (١٨٧٦ – ١٩٦٧) : سياسي ألماني . مستشار ألمانيـا الغربيـة (١٩٤٩ – ١٩٦٣) .

Adler [ăd′lər], **Alfred** أدْلَر ، ألفرد (١٨٧٠ – ١٩٣٧) : طبيب نفساني نمساوي . يُعتبر مؤسس « علـم النفس الفردي» .

Adrian I [ā′drē ən] أدْريان الأول (توفي عام ٧٩٥) : بابا رومة (٧٧٢ – ٧٩٥) . عزّز النفوذ البابوي بالتحالف مع شارلمان .

Adrian IV أدريان الرابع (١١٠٠ ؟ – ١١٥٩) : بابا رومة (١١٥٤ – ١١٥٩) . يُعتبر البابا الوحيد الإنكليزي المولد .

'Adud al-Dawlah ['ă′dōōd ăd dăw′ lăh] : عَضُد الدولة (٩٣٦ – ٩٨٣ م.) : أعظم السلاطين البُوَيهيين (٩٤٩– ٩٨٣م.) .

Aeschylus [ĕs′kə ləs] إيسخيلوس (٥٢٥– ٤٥٦ ق. م.) : شاعر يوناني . يُعتبر أبا المأساة أو التراجيديا اليونانية .

Aesop [ē′sŏp] إيســوب (٦٢٠ ؟ – ٥٦٠ ؟ ق. م.) : كاتب يوناني . وضع عدداً من الحكايات على ألسنة الحيوان .

Afghani [ăf gän′ē], **Jamal-ud-din al-** الأفغاني ، جمال الدين (١٨٣٨ – ١٨٩٧) : مصلح ديني مسلم . نادى بالوحدة الإسلامية الشاملة .

Aga Khan III [ä'gə kän] آغا خان الثالث (١٨٧٧ – ١٩٥٧) : زعيم الإسماعيليين (١٨٨٥ – ١٩٥٧) . أيد قضية الحلفاء خلال الحرب العالمية الأولى .

Agamemnon [ăg ə mĕm'nŏn] آغاممنون : في الميثولوجيا اليونانية ، القائد الأعلى للحملة الإغريقية ضدّ طروادة .

Agricola [ə grĭk'ə lə], **Georgius** آغريقولا ، جيورجيوس (١٤٩٤ – ١٥٥٥) : عالم ألماني . يُعتبر مؤسس علم المعادن .

Agricola, Gnaeus Julius [nē'əs jōōl'yəs] آغريقولا ، نيياس جولياس (٤٠ – ٩٣ م.) : قائد روماني . فتح شماليّ إنكلترا واحتلّ أسكتلندا .

Agrippa [ə grĭp'ə], **Marcus Vipsanius** آغريبّا ، ماركوس فيبسانيوس (٦٣ – ١٢ ق. م.) : قائد روماني . كان رجل الأمبراطورية الثاني في عهد الأمبراطور أوغسطوس .

Ahmad Shah [ä mĕd'shä] أحمد شاه (١٧٢٢ ؟ – ١٧٧٣) : مؤسس دولة أفغانستان وأول ملوكها (عام ١٧٤٧) .

Ahmed I [ä mĕt'] أحمد الأول (١٥٩٠ – ١٦١٧) : سلطان عثماني (١٦٠٣ – ١٦١٧) . بنى الجامع المعروف باسمه في إستانبول .

Ahmed II أحمد الثاني (١٦٤٢ – ١٦٩٥) : سلطان عثماني (١٦٩١ – ١٦٩٥) . نشبت في عهده اضطرابات واسعة في سوريا والعراق والحجاز .

Ahmed III أحمد الثالث (١٦٧٣ – ١٧٣٦) : سلطان عثماني (١٧٠٣ – ١٧٣٠) . خاض الحرب ضد الروسيا (١٧١١ – ١٧١٣) فكاد يقضي على قواتها.

'A'ishah [ʻă'ĭ shăh] عائشة (٦١٤ – ٦٧٨ م.): بنت أبي بكر الصدّيق وزوجة الرسول محمد عليه السلام . حاربت الإمام علياً في معركة الجمل (عام ٦٥٦ م.).

Akbar [ăk'bär] أكبر (١٥٤٢ – ١٦٠٥): أمبراطور هندي مغولي (١٥٥٦– ١٦٠٥). عُرف بتسامحه الديني . فَتَحَ البنغال وأخضع كشمير والسِّند .

Akhenaton [ä kə nä'tən] أخناتون (توفي عام ١٣٦٢ ق. م.) : فرعون مصر (١٣٧٩–١٣٦٢ ق. م.). نادى بالوحدانية .

Akhtal, al- [ăl ăkh'täl] الأخطل (٦٤٠ ؟ – ٧١٠ م.) : شاعر عربي نصراني . يُعتبر أحد أبرز شعراء العصر الأموي .

al- ألـ .... لام التعريف في العربية . إذا لم تجد الاسم العربي الذي تطلبه تحت -al فاطلُبْهُ في موضعه مجرّداً من لام التعريف.

Alaric [ăl'ə rĭk] ألارِك (٣٧٠ ؟ – ٤١٠ م.) . ملك القوط الغربيين (٣٩٥ – ٤١٠ م.) . احتلّ رومة (عام ٤١٠ م.) .

al-Asad [ăl ă'săd], **Hafiz** الأسد ، حافظ (١٩٣٠ –) : زعيم عسكري وسياسي سوري . رئيس الجمهورية (١٩٧١ –) .

al-Asma'i [ăl äs măʻē] الأصْمَعي (٧٤٠ ؟ – ٨٢٨ م.): راوية ولغوي عربي. أشهر آثاره : « الأصمعيات » .

al-Atasi [ăl ă tâ'sē], **Hashim** الأتاسي ، هاشم (١٨٧٥ – ١٩٦٠) : سياسي سوري . ناضل من أجل تحرير بلاده . تولى رئاسة الجمهورية مرتين (عام ١٩٣٦) و (عام ١٩٥٠) .

al-Awza'i [ăl ăw zâʻē] الأوزاعي (٧٠٧ – ٧٧٤ م.) : فقيه ومحدِّث مسلم . كان صاحب مذهب انتشر فترة في بلاد الشام .

al-Bakr [ăl'băkr], **Ahmad Hasan** البَكْر ، أحمد حسن (١٩١٦ –) : زعيم عسكري وسياسي عراقي . رئيس الجمهورية (١٩٦٨ – ١٩٧٩) استقال .

al-Banna [ăl băn'nâ], **Hasan** البَنّا ، حسن (١٩٠٦ – ١٩٤٩) : مؤسس « جمعية الإخوان المسلمين » في مصر (عام ١٩٢٨) .

al-Barudi [ăl bâ'rōō dē], **Mahmud Sami** البارودي ، محمود سامي (١٨٤٠– ١٩٠٤) : شاعر وضابط مصري . يُعتبر من أبرز أركان النهضة الأدبية الحديثة .

Albertus Magnus [ăl bûr'təs măg'nəs], **Saint** ألبرت الكبير ، القديس (١٢٠٠ ؟ – ١٢٨٠) : فيلسوف ولاهوتي ألماني . حاول التوفيق بين اللاهوت وفلسفة أرسطو .

Albucasis [ăl bōō kā'sĭs] = Zahrawi, al-.

Albumazar [ăl bōō măz'ər] = abu-Maʻshar.

al-Bustani [ăl bŏŏs'tâ nē], **Butros** البُستاني ، بطرس (١٨١٩ – ١٨٨٣) : لغوي وموسوعي لبناني . صاحب « محيط المحيط » و « دائرة المعارف » .

al-Bustani, Sulayman البستاني ، سليمان (١٨٥٦ – ١٩٢٥) : سياسي وشاعر لبناني . عرّب « إلياذة » هوميروس شعراً .

Alembert [dȧ län bĕr'], **Jean Le Rond d'** دالامبير ، جان لو رون (١٧١٧– ١٧٨٣) : فيلسوف وفيزيائي ورياضي فرنسي . شارك في تحرير « الموسوعة الفرنسية » .

Alexander I [ăl ĭg zăn'dər] ألكْسَندر الأول (١٧٧٧ – ١٨٢٥) . قيصر الروسيا (١٨٠١ – ١٨٢٥) . في عهده غزا نابوليون بونابرت الروسيا (عام ١٨١٢) .

Alexander II ألكْسَندر الثاني (١٨١٨– ١٨٨١) : قيصر الروسيا (١٨٥٥ – ١٨٨١). حرّر الأقنان أو عبيد الأرض .

Alexander VI ألكْسَندر السادس (١٤٣١ – ١٥٠٣) : بابا رومة (١٤٩٢ – ١٥٠٣) . عُرف برعايته للفن والفنانين.

d'Alembert

Alexander I

Alexander Severus [sə vĭr'əs] ألكسَندر سفيروس (٢٠٨ ؟ – ٢٣٥ م.) : أمبراطور روماني (٢٢٢ – ٢٣٥ م.) . تمرّد عليه جنده فقتلوه .

Alexander the Great الإسكندرالكبير ؛ الإسكندر المقدوني (٣٥٦ – ٣٢٣ ق. م.) : ملك مقدونيا (٣٣٦ – ٣٢٣ ق. م.) . يُعتبر أحد عباقرة الحرب في كل العصور .

Alfieri [äl fyĕ'rē], **Vittorio** ألفييري ، فيتّوريو (١٧٤٩ – ١٨٠٣) : شاعر وزعيم وطني إيطالي . عبّر في آثاره عن تمجيده للحرية .

Alfonso I [äl fŏn'sō] ألفونسو الأول (١١٠٩ ؟ – ١١٨٥) : أول ملوك البرتغال (١١٣٩ – ١١٨٥) . يعتبره البرتغاليون قديساً .

Alfonso XIII ألفونسو الثالث عشر (١٨٨٦ – ١٩٤١) : ملك إسبانيا (١٨٨٦ – ١٩٣١) . نودي به ملكاً في نفس العام الذي وُلد فيه . خُلع عن العرش .

Alfred the Great[ăl'frĕd] ألفرد الكبير (٨٤٩ – ٨٩٩ م.) : ملك إنكلترا (٨٧١– ٨٩٩) . عزّز التعليم وناصر العلماء .

al-Ghafiqi [äl gä'fĭ qē], **Abd-ur-Rahman** الغافقي ، عبد الرحمن (توفي عام ٧٣٢ م.) : قائد عربي . لقي مصرعه في معركة بواتييه (عام ٧٣٢ م.) .

al-Ghazzali [äl găz zâ'lē], **abu-Hamid** الغزّالي، أبو حامد (١٠٥٨ – ١١١١ م.) : مصلح ديني مسلم . أشهر آثاره : « إحياء علوم الدين » .

al-Ghifari [äl gĭ fâ'rē], **abu-Dharr** الغِفاريّ ، أبو ذرّ (توفي عام ٦٥٢ م.): صحابيّ زاهد . نادى بأن للفقراء حقاً في مال الأغنياء .

Alhazen [äl hă zĕn'] = ibn-al-Haytham.

'Ali ['ā lĭ'] علي بن أبي طالب (٦٠٠ ؟ – ٦٦١ م.) : ابن عمّ النبي محمّد عليه السلام وزوج فاطمة ابنته . رابع الخلفاء الراشدين (٦٥٦ – ٦٦١ م.) . اشتهر بشجاعته وفصاحته وزهده .

'Ali ibn-Husain ['ā lĭ' ĭb'ən hoo săn'] علي بن الحُسَين (١٨٧٨ – ١٩٣٥) : ملك الحجاز (١٩٢٤ – ١٩٢٥). أُكرهَ على التنازل عن العرش .

al-Jahiz [ăl jâ'hĭz] الجاحظ (٧٧٣ ؟ – ٨٦٩ م.) : أديب عربي . عُرف بالظَرف والسّخرية البارعة . من آثاره : كتاب « الحيوان » و كتاب « البخلاء » .

al-Jazzar [ăl jăz'zär], **Ahmed** الجزّار ، أحمد (١٧٣٤ ؟ – ١٨٠٤) : والي سوريا العثماني (١٧٧٥ – ١٨٠٤) . اتخذ عكا مقراً له وبالغ في تحصينها.

al-Khalil ibn-Ahmad [ăl khă'lēl ĭb'ən ăh'măd] الخليل بن أحمد (٧١٨ ؟ – ٧٩١ م.) : لغوي عربي . وضع علم العروض وألّف أول معجم عربي .

al-Khansa' [ăl khăn sâ'] الخنساء (توفيت بعد عام ٦٣٠ م.) : شاعرة عربية مُخَضرمة (عاشت في عصري الجاهلية والإسلام) . اشتهرت بالرثاء .

al-Khwarizmi [ăl khwâ rĭz'mē] الخُوارزمي (٧٨٠–٨٥٠ ؟ م.) : عالم رياضي عربي . يُعتبر واضع علم الجبر . تُرجمت كتبه إلى اللاتينية .

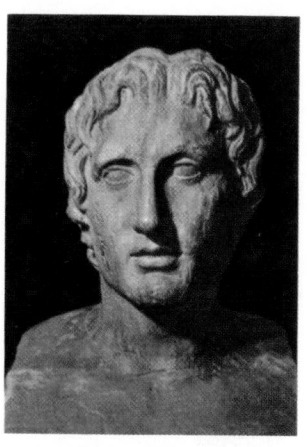

Alexander the Great

al-Kindi [ăl kĭn'dē] الكِندي (٧٩٦ ؟ – ٨٧٣ ؟ م.) : فيلسوف عربي . عُني بدراسة الطب والفلك والهندسة والموسيقى أيضاً .

Allenby [ăl'ən bē'], **Edmund** اللنبي ، أدموند (١٨٦١ – ١٩٣٦) : مارشال إنكليزي . قائد القوات البريطانية في مصر وفلسطين (١٩١٧ – ١٩١٨) .

al-Mansur [ăl măn sŏŏr'], **abu-Ja'far** المنصور ، أبو جعفر (٧١٢ ؟ – ٧٧٥ م.) : ثاني الخلفاء العباسيين (٧٥٤ – ٧٧٥ م.) . بنى بغداد وجعلها عاصمة الخلافة (عام ٧٦٢ م.) .

al-Mansur, Muhammad ibn-abi-'Amir المنصور ، محمد بن أبي عامر (٩٣٩ – ١٠٠٢ م.) : وزير عربي أندلسي . شجع العلم والعلماء .

Alma-Tadema [ăl'mə tăd'ə mə], Sir **Lawrence** آلما تاديما، السير لورنس (١٨٣٦ – ١٩١٢) : رسام إنكليزي . عُني بتصوير الحياة اليومية .

al-Mu'izz [ăl mōō'ĭz] المعزّ لدين الله (٩٣١–٩٧٥ م.): خليفة فاطمي (٩٥٢ – ٩٧٥م.) . فتح مصر وأسس القاهرة والأزهر الشريف .

al-Musta'sim [ăl mōōs tă'sĭm'] المستعصم ؛ المستعصم بالله (١٢١٢ – ١٢٥٨ م.) : آخر الخلفاء العباسيين (١٢٤٢– ١٢٥٨م.) .

al-Mutanabbi [ăl mōō tă năb'bē] المُتَنَبّي ، أبو الطيّب أحمد بن الحسين (٩١٥ – ٩٦٥ م.) : أشهر شعراء العرب . فَهِمَ أسرار النفس البشرية وصاغ تجاربه حِكَماً جرت مجرى الأمثال .

al-Mu'tasim [ăl mōō'tă sĭm] المُعْتَصِم (٧٩٤ – ٨٤٢ م.) : ثامن الخلفاء العباسيين (٨٣٣ – ٨٤٢ م.) . بنى مدينة سامرّاء وقاتل البيزنطيين .

al-Mutawakkil [ăl mōō tă wăk'kĭl] المتوكّل (٨٢٢ – ٨٦١ م.) : عاشر الخلفاء العباسيين (٨٤٧ – ٨٦١ م.) . عُرف بتعصّبه لمذهب السنّة ومحاربته للمعتزلة .

al-Mu'tazz[ăl mōō'tăz] المُعتَزّ (٨٤٦– ٨٦٩ م.) : الخليفة العباسي الثالث عشر (٨٦٦–٨٦٩ م.) . قتلَهُ الجند الأتراك .

al-Nabighah al-Dhubyani [ăn nâ' bĭ găh ăth thoob'yâ nē] النابغة الذُبياني (توفي عام ٦٠٤ ؟ م.) : شاعر جاهلي . من أصحاب المعلقات .

Alp Arslan [älp ärs'län] ألب ارسلان (١٠٢٩ – ١٠٧٢ م.) : سلطان سلجوقي . هزم القوات البيزنطية(عام ١٠٧١) .

al-Razi [ăr rä'zē] الرازي ، أبو بكر (٨٦٥ ؟ – ٩٢٥ ؟ م.) : أعظم الأطباء العرب . صاحب كتاب « الحاوي » ورسالة « الجُدَري والحصبة » .

al-Rihani [ăr rē'hâ nē], **Amin** الريحاني ، أمين (١٨٧٦ – ١٩٤٠) : كاتب لبناني . دعا إلى الإصلاح والتجديد . قام برحلات عديدة إلى مختلف البلدان العربية .

al-Rusafi [ăr rōō'sä fē], **Ma'ruf** الرُّصافي ، معروف (١٨٧٧ – ١٩٤٥) : شاعر عراقي . غلب على شعره الطابع السياسي والاجتماعي .

al-Sayyab [ăs săy'yâb], **Badr Shakir** السيّاب ، بدر شاكر (١٩٢٦ – ١٩٦٤) : شاعر عراقي . أحد أبرز رواد المدرسة الحديثة في الشعر العربي.

al-Shafi'i [ăsh'shâ fĭ'ē] الشافعي ، محمد ابن إدريس (٧٦٧ – ٨٢٠ م.) : فقيه وإمام مسلم . صاحب المذهب الشافعي ، أحد المذاهب السُّنّية الأربعة .

al-Sharif al-Radiyy [ăsh shă rēf' ăr rä dĭyy'] الشريف الرَّضيّ (٩٧٠ – ١٠١٦ م.) : شاعر عباسي . تميّز شعره بالنصاعة والشّفافية .

al-Shidyaq [ăsh shĭd'yâq], **Ahmad Faris** الشّدياق ، أحمد فارس (١٨٠٤ – ١٨٨٨) : أديب ولغوي وصحافي لبناني . اعتنق الإسلام وتسمّى بـ « أحمد » .

al-Solh [ăs'sŏlh], **Riyad** الصُّلح ، رياض (١٨٩٤ – ١٩٥١) : سياسي لبناني . لعب دوراً أساسياً في تحقيق استقلال لبنان .

al-Tahtawi [ăt täh'tä wē], **Rifa'ah** الطّهطاوي، رفاعة (١٨٠١ – ١٨٧٣) : عالم وصحافي مصري . يعتبر رائد النهضة الفكرية الحديثة في مصر .

al-Tha'alibi [ăth'thă'â'lĭ bē], **abu-Mansur** الثعالبي ، أبو منصور (٩٦١ – ١٠٣٨ م.): لغوي ومؤرخ عربي. صاحب « يتيمة الدهر في شعراء أهل العصر » .

al-Tirmidhi [ăt tĭr'mĭ t͟hē] التِّرمذي (توفي عام ٨٩٢ م.) : محدِّث مسلم . صاحب كتاب « الجامع الصحيح » في الحديث .

al-Tusi [ăt to͞o'sē] الطُّوسي ، نصير الدين (١٢٠١ – ١٢٧٤ م.) : عالم فلك ورياضيات مسلم . من آثاره : « تربيع الدائرة » .

al-Walid [ăl wă lēd'] الوليد بن عبد الملك (٦٦٨ – ٧١٥ م.) : خليفة أموي (٧٠٥ – ٧١٥ م.) . اتسعت في عهده الأمبراطورية العربية . بنى الجامع الأموي بدمشق .

Amenhotep IV [ä mən hō'tĕp] = Akhenaton.

Amin, al- [ăl ă mēn'] الأمين (٧٨٧ – ٨١٣ م.) : سادس الخلفاء العباسيين (٨٠٩ – ٨١٣ م.) . ابن هارون الرشيد . قُتل .

Amin [ă mēn'], **Ahmad** أمين، أحمد (١٨٨٦ – ١٩٥٤) : كاتب وباحث مصري . أشهر آثاره : « فجر الإسلام » و « ضحى الإسلام » .

Amin, Qasim أمين ، قاسم (١٨٦٥ – ١٩٠٨) : مصلح اجتماعي مصري . دعا إلى تحرير المرأة .

Aminah [â mĭ năh'] آمنة بنت وَهْب (توفيت عام ٥٧٦ م.) : أمّ النبيّ محمد عليه السلام .

Ammonius Saccas [ăm'ə nĭ əs săk'əs] أمونيوس سَكّاس (النصف الأول من القرن الثالث الميلادي) : فيلسوف إسكندري . مؤسس الأفلاطونية المُحْدَثة .

Ampère [än pâr'], **André Marie** أمبير ، أندريه ماري (١٧٧٥ – ١٨٣٦) : رياضي وفيزيائي فرنسي . يُعتبر أبا المغنطيسية الكهربائية .

Amundsen [ä'mən sən], **Roald** آمينْسِن ، رووالد (١٨٧٢ – ١٩٢٨ ؟) : مستكشف نروجي . أول من وصل إلى القطب الجنوبي (عام ١٩١١) .

Anaxagoras [ăn ăk săg'ə rəs] أناكْسَغوراس (٥٠٠ ؟ – ٤٢٨ ؟ ق.م.) : فيلسوف يوناني . قال بأنه لا يوجد شيء من العدم .

Anaximander [ə năk'sə măn dər] أناكْسِمَنْدَر (٦١١ – ٥٤٧ ق. م.) : فيلسوف يوناني . قال بأن الكون نشأ من مادة لامتناهية تشتمل على مختلف المتناقضات .

Anaximenes [ăn ăk sē mē'nĭs] أناكسيمينيس (توفي عام ٤٨٠ ق. م.): فيلسوف يوناني . قال بأن الهواء هو أصل الأشياء كلها .

Andersen [ăn'dər sən], **Hans Christian** أنْدَرْسن ، هانز كريستيان (١٨٠٥ – ١٨٧٥) : شاعر وروائي دانمركي . وضع حكايات خرافية للأطفال .

Anderson [ăn'dər sən], **Carl David** أندرسون ، كارل دايفيد (١٩٠٥ –) : فيزيائي أميركي . مُنح جائزة نوبل في الفيزياء (بالمشاركة) لعام ١٩٣٦ .

Anderson, Maxwell أندرسون، ماكسْويل (١٨٨٨ – ١٩٥٩) : مؤلف مسرحي أميركي . تمثّل آثاره محاولةً جادّةً لبعث المسرح الشّعري .

Anderson, Sherwood أندرسون ، شيروود (١٨٧٦ – ١٩٤١) : كاتب أميركي . يُعتبر أحد رواد الأقصوصة الأميركية الحديثة .

Andrea del Sarto [än drā'ä dĕl sär'tō] أندريا دَلْ سارتو (١٤٨٦ – ١٥٣٠) : رسام إيطالي . يُعتبر أحد أعظم الفنانين في عصر النهضة .

Andreev [än drā'yĕf], **Leonid** آندرييف ، ليونيد (١٨٧١ – ١٩١٩) : روائي وكاتب مسرحي روسي .

Andrews [ăn'dro͞oz], **Thomas** أندروز ، توماس (١٨١٣ – ١٨٨٥) : كيميائي وفيزيائي إيرلندي . أثبت أن جميع الغازات قابلة للإسالة .

Qasim Amin

Andrea del Sarto's portrait of his wife

André Marie Ampère

Andromache [ăn drŏm'ə kē] أندروماك : في الميثولوجيا اليونانية ، زوجة هكتور الوفيّة .

Angelico [ăn jĕl'ĭ kō], **Fra** [frä] آنجيليكو ، فرا (١٤٠٠ ؟ — ١٤٥٥) : راهب ورسام إيطالي . معظم أعماله دينيّ الموضوع .

Angström [ăng'strəm], **Anders Jonas** آنغسْتروم ، آنْدَرْس جونـــاس (١٨١٤ — ١٨٧٤) : فيزيائي وفلكي سُويدي . يُعتبر رائد المطيافية أو التحليل الطيفيّ .

Anne [ăn] آنّ ؛ آنّ سْتْيُوْوارت (١٦٦٥— ١٧١٤) : ملكة بريطانيا (١٧٠٢ — ١٧١٤) . في عهدهـــا اتحدت إنكلتـــرا وأسكتلندا .

Anne Boleyn [ăn bo͝ol'ĭn] آن بولـــين (١٥٠٧ — ١٥٣٦) : ثانية زوجـــات هنري الثامن ملك إنكلترا .

Anne of Cleves [klēvz] آن أوف كليفز (١٥١٥ — ١٥٥٧) : رابعة زوجات هنري الثامن ملك إنكلترا .

'Antarah ['ăn tă räh'] عَنْترة ؛ عنترة بن شَدّاد (٥٢٥ ؟ — ٦١٥ م.) : شاعر عربي جاهلي . من أصحاب المعلقات . اشتهر بالفروسية وبحبّه لابنة عمه عبلة .

Anthony of Egypt [ăn'thə nē], **Saint** أنطونيوس المصري ، القديس (٢٥٠ ؟ — ٣٥٥ ؟ م.) : ناسك مصري . يعتبر أبا الرهبانيات في التاريخ المسيحي .

Anthony of Padua, Saint أنطونيوس البَدْواني ، القديس (١١٩٥ — ١٢٣١م.) : راهب فرانسسكاني برتغالي . عُرف بنشاطه التبشيري .

Antisthenes [ăn tĭs'thə nēz] أنتيسثينيس (٤٤٤ ؟ — ٣٦٥ ق. م.) : فيلسوف يوناني . مؤسس المذهب الكلبيّ Cynicism .

Antoninus [ăn tə nī'nəs], **Marcus Aurelius** أنطونينوس، ماركوس أوريليوس (١٢١ — ١٨٠ م.) : أمبراطور روماني (١٦١ — ١٨٠ م.) . اشتهر بوصفه فيلسوفاً رواقياً .

Antoninus Pius [ăn tə nī'nəs pī'əs] أنطونينوس بيوس (٨٦ — ١٦١ م.) : أمبراطور روماني (١٣٨ — ١٦١ م.) . أخضع ثورة على الحكم الروماني في بريطانيا .

Antonius [ăn tō'nē əs], **Marcus** أنطونيوس ، ماركوس (٨٢ ؟ — ٣٠ ق.م.): قائد روماني . اشتهر بحبّه لكليوباترا .

Antony [ăn'tə nĭ], **Mark** *or* **Marc** = Antonius, Marcus.

Apollinaire [ȧ pô lē nâr'], **Guillaume** أبولينير، غليوم (١٨٨٠ — ١٩١٨) : شاعر فرنسي . بولندي المولد . مهّدت آثاره لظهور السُّريالية .

Appleton [äp'əl tən], Sir **Edward** أبلْتون ، السّير أدوَرْد (١٨٩٢ — ١٩٦٥) : فيزيائي بريطاني . درس الأيونوسفـــير أو الغلاف الأيوني .

Aquinas [ə kwī'nəs], **Saint Thomas** الأكويني ، القديس توما (١٢٢٥—١٢٧٤): راهب وفيلسوف ولاهوتي إيطالي . وضع مذهباً فلسفياً يُعرف بـــ « التومائية » .

'Arabi Pasha ['ă rä'bē pä'shä], **Ahmad** عرابي باشا ، أحمد (١٨٤١ — ١٩١١) : زعيم عسكري مصري . أعلن الثورة على الخديوي توفيق (عام ١٨٨٢) .

Arcadius [är kā'dē əs] أركاديـــوس (٣٧٧ ؟ — ٤٠٨ م.) : أول أباطرة الأمبراطورية الرومانية الشرقية (٣٩٥ — ٤٠٨م.) .

Archimedes [är kə mē'dēz] أرخميدس (٢٨٧ ؟ — ٢١٢ ق. م.) : رياضي وفيزيائي يوناني . اكتشف مبدأ الثّقل النوعي .

Arcimboldo [är sĭm'bōl dō], **Giuseppe** آرسيمبولدو ، جيوزيبي (١٥٣٠— ١٥٩٣) : رسام إيطالي . تأثر به نفرٌ من رسامي القرن العشرين .

Aretino [ä rā tē'nō] , **Pietro** آريتينو، بييترو (١٤٩٢ — ١٥٥٦) : كاتب وشاعر إيطالي . من أدباء عصر النهضة . عُرف بهجائه اللاذع .

Ariosto [ä rē ô'stō], **Lodovico** أريوسطو، لودوفيكو (١٤٧٤ — ١٥٣٣): شاعر وكاتب مسرحي إيطالي . صاحب ملحمة «أورلندو الحانق» *Orlando Furioso*.

Aristides [ăr ĭs tī'dēz] أريستيديـــس (القرن الخامس قبل الميلاد) : قائد عسكري وسياسي أثيني . يُعتبر مؤسس « حِلف ديلوس » (عام ٤٧٨ ق. م.) .

Aristippus [ăr ĭs tĭp'əs] أريستيبّـــوس (٤٣٥ — ٣٦٦ ق. م.): فيلسوف يوناني . مؤسس المذهب القوريني Cyrenaic school.

Aristophanes [ăr ĭs tŏf'ə nēz] أريستوفان (٤٥٠ ؟ — ٣٨٨ ؟ ق. م.) : مؤلف مسرحي يوناني . يُعتبر أعظم شعراء الكوميديا في الأدب الإغريقي القديم .

Aristotle [ăr'ĭs tŏt əl] أرسطو (٣٨٤ — ٣٢٢ ق. م.) : فيلسوف يوناني . يُعدّ واحداً من أعظم الفلاسفة في جميع العصور .

Antonius Pius

Aristophanes

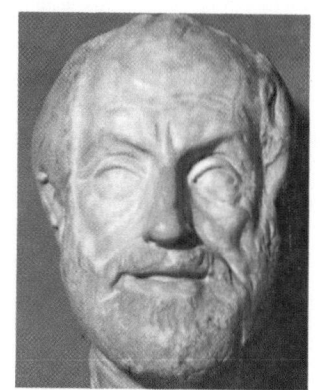

Aristotle

Arius [ə rī′əs; âr′ē əs] آريوس (٢٥٠ ؟ – ٣٣٦ ؟ م.) : لاهوتي نصراني يوناني . قال بأن المسيح مخلوق وليس إلهاً .

Arkwright [ärk′rīt], **Richard** آركرايت ، ريتشارد (١٧٣٢ – ١٧٩٢) : مخترع إنكليزي . أدخل تحسينات على المغزل الآلي .

Arnold [är′nəld], **Matthew** آرنولد ، ماثيو (١٨٢٢ – ١٨٨٨) : شاعر وناقد إنكليزي .

Arp [ärp], **Jean** آرب ، جان (١٨٨٧ – ١٩٦٦) : رسام ونحّات وشاعر فرنسي . ارتبط اسمه بالدّادية أولاً ثمّ بالسّريالية .

Arslan [ârs′lân], Amir **Shakeeb** أرْسلان ، الأمير شكيب (١٨٦٩ – ١٩٤٦) : سياسي وكاتب ومؤرخ لبناني . وقف حياته على خدمة الإسلام والعرب.

Artaud [år tō′], **Antonin** آرتـــو ، أنطونين (١٨٩٦ – ١٩٤٨) : شاعر سُريالي وممثّل وناقد مسرحي فرنسي .

Asquith[ăs′kwĭth], **Herbert Henry** آسكويث ، هربرت هنري (١٨٥٢ – ١٩٢٨) : سياسي بريطاني . رئيس الوزراء (١٩٠٨ – ١٩١٦) .

Attila [ăt′ə lə] أتيلاّ (٤٠٦ – ٤٥٣ م.) : ملك الهُوْن (٤٣٤ – ٤٥٣ م.) . اجتاح جزءاً كبيراً من الأمبراطوريتين البيزنطية والرومانية.

Attlee [ăt′lē], **Clement** أتلي، كليمنت (١٨٨٣ – ١٩٦٧) : سياسي بريطاني . رئيس الوزراء (١٩٤٥ – ١٩٥١) .

Auden [ô′dən], **Wystan** أودن، ويستان (١٩٠٧ – ١٩٧٣) : شاعر وناقد أميركي . إنكليزي المولد .

Augustine [ô′gə stēn], **Saint** أوغُسْطين ، القديس (٣٥٤ – ٤٣٠ م.) : لاهوتي وفيلسوف كاثوليكي. حاول التوفيق بين الفكر الأفلاطوني والعقيدة النصرانية.

Augustus [ô gŭs′təs] أوغسطوس (٦٣ ق. م. – ١٤ م.) : أول أباطرة الرومان (٢٧ ق. م. – ١٤ م.) . أعاد تنظيم الجيش.

Aurelian [ô rēl′yən] أوريليـــان ؛ أوريليانوس (٢١٥ ؟ – ٢٧٥ م.): أمبراطور روماني (٢٧٠ – ٢٧٥ م.) . دمّر تدمر وأسر ملكتها زنوبيا .

Auriol [ô ryôl′], **Vincent** أوريول ، فَنَسْان (١٨٨٤ – ١٩٦٦) : سياسي فرنسي . رئيس الجمهوريـــة (١٩٤٧ – ١٩٥٤) .

Austen [ôs′tən], **Jane** أوستن ، جَيْن (١٧٧٥ – ١٨١٧) : روائية إنكليزية . عُنيت بتصوير حياة الطبقة المتوسطة.

Avempace [ä vəm pä′thā] ابن باجّـــه (توفي عام ١١٣٨ م.) : فيلسوف عربي أندلسي . شرح عدداً من كتب أرسطو .

Avenzoar [ăv ən zō′ər] ابـــن زُهـــر (١٠٩٠ ؟ – ١١٦٢ م.) : طبيب عربي أندلسي . حارب الشعوذة والخرافات في الطب .

Averroës [ə vĕr′ō ēz] ابن رُشد(١١٢٦ – ١١٩٨ م.) : فيلسوف عربي أندلسي . حاول التوفيق بـــين الشريعة الإسلامية والفلسفة اليونانية .

Avicenna [ăv ə sĕn′ə] ابن سينا (٩٨٠ – ١٠٣٧ م.) : طبيب وفيلسوف عربي . تجاوزت مصنّفاته المئة ، ومن أشهرها كتاب « القانون » في الطب .

Avogadro [ä vô gä′drō], **Amedeo** آفوغادرو ، أميديو (١٧٧٦ – ١٨٥٦) : فيزيائي وكيميائي إيطالي .

Augustus

Ayub Khan [ăy′yo͞ob kän′], **Mohammad** أيّوب خان، محمد (١٩٠٧ – ١٩٧٤) : زعيم عسكري وسياسي باكستاني. رئيس الجمهورية (١٩٥٨ – ١٩٦٩) .

Jean Arp : *la Planche à œufs*

جان آرب : « صحفة البيض »

B

Baber [bä'bər] : بابَر (١٤٨٣ – ١٥٣٠) : أمبراطور الهند (١٥٢٦ – ١٥٣٠) . فتح مدينة دلهي (عام ١٥٢٦) .

Bach [bäkh], **Johann Sebastian** باخ ، جوهان سيباستيان (١٦٨٥ – ١٧٥٠): مؤلف موسيقي ألماني . عُرف بغزارة الإنتاج .

Bacon [bā'kən], **Francis** بايكـون ، فرنسيس (١٥٦١ – ١٦٢٦) : سياسي وفيلسوف إنكليزي . يُعتبر أحد رواد العلم التجريبي الحديث .

Bacon, Roger بايكون، روجر(١٢٢٠ ؟ – ١٢٩٢) : عالم وفيلسوف إنكليزي . عُني بعلم البَصَريات خاصةً .

Baden-Powell [bād'ən pō'əl], **Robert** بايدن بوويل ، روبرت (١٨٥٧ – ١٩٤١) . مؤسس الحركة الكشفية (عام ١٩٠٨) .

Baber

Badoglio [bä dô'lyô], **Pietro** بادوليو ، بييترو (١٨٧١ – ١٩٥٦) : مارشال إيطالي . تولى رئاسة الحكومة بعد سقوط موسوليني (عام ١٩٤٣) .

Baffin [băf'ĭn], **William** بافن ، وليم (١٥٨٤ ؟ – ١٦٢٢): ملاح ومستكشف إنكليزي .

Bahaullah [bä hä o͞o lä'] بهـاء الله (١٨١٧ – ١٨٩٢) : زعيم ديني فارسي . مؤسس البهائية .

Baldwin [bôld'wĭn], **Stanley** بولدوين ، ستانلي (١٨٦٧ – ١٩٤٧) : سياسي بريطاني. رئَسَ الوزارة ثلاث مرات .

Robert Baden – Powell

Balfour [băl'fo͝or], **Arthur** بلفور ، آرثر (١٨٤٨ – ١٩٣٠) : سياسي بريطاني. رئيس الوزراء (١٩٠٢ – ١٩٠٥) . وزير الخارجية (١٩١٦–١٩١٩) . صاحب وعد بلفور المشؤوم .

Balzac [bál zák'], **Honoré de** بلزاك، أونوريه دو (١٧٩٩ – ١٨٥٠) : روائي فرنسي . يُعتبر أحد أركان المدرسة الواقعية.

Banting [băn'tĭng] , **Frederick Grant** بانتنـغ ، فريدريك غرانت (١٨٩١ – ١٩٤١) : طبيب كندي . مكتشـف الإنسولين .

Banville [bán vēl'], **Théodore de** بانفيل ، تيودور دو (١٨٢٣ – ١٨٩١) : شاعر فرنسي . من أركان المدرسة البرناسية .

Johann Sebastian Bach

Barrès [bá rĕs'], **Maurice** باريس ، موريس (١٨٦٢ – ١٩٢٣) : روائي وسياسي فرنسي .

Barth [bärt], **Karl** بارت ، كـارل (١٨٨٦ – ١٩٦٨) : لاهوتي بروتستانتي سويسري . أكدّ على ضرورة العودة إلى ينابيع النصرانية ، أي إلى الكتاب المقدس .

Bartholdi [bár tôl dē'], **Frédéric** بارتولدي ، فريدريك (١٨٣٤ – ١٩٠٤) : نحّات فرنسي .

Basil I [băz'əl] باسيل الأول (٨١٢ ؟ – ٨٨٦ م.) : أمبراطور بيزنطي (٨٦٧ – ٨٨٦ م.) . قام بإصلاحات قانونية ومالية مختلفة .

Basil II باسيل الثاني (٩٥٧ ؟ – ١٠٢٥م.): أمبراطور بيزنطي (٩٦٣ – ١٠٢٥م.) . اتسعت الأمبراطورية في عهده اتساعاً كبيراً .

Honoré de Balzac

Battani, al- [ăl băt tâ'nē] البَتّـــاني (٨٥٨ ؟ – ٩٢٩ م.) : عالم فلك عربي . حدّد طول الفصول بدقة .

Baudelaire [bōd lâr'], **Charles** بودلير ، شارل (١٨٢١ – ١٨٦٧) : شاعر فرنسي . تميّز شعره بطابع إباحيّ .

Baudouin I [bō dwăn'] بُودْوان الأول (١٩٣٠ –) : ملك بلجيكا (١٩٥١ –) .

Baybars [bī bârs'] بَيْبَرْس ، الملك الظاهر (١٢٢٣ – ١٢٧٧ م.) : أعظم سلاطين المماليك والمؤسس الحقيقي لدولتهم .

Beaumarchais [bō mår shĕ'], **Pierre Augustin Caron de** بومارشيه ، بيير أوغوستين كارون دو (١٧٣٢–١٧٩٩) : كاتب مسرحي فرنسي .

Beauvoir [bō vwår'], **Simone de** بوفوار ، سيمون دو (١٩٠٨ –) : كاتبة وروائية فرنسية . زوجة جان بول سارتر .

Beckett [bĕk'ĭt], **Samuel** بيكيت ، صموئيل (١٩٠٦ –) : روائي وكاتب مسرحي إيرلندي . مُنح جائزة نوبل في الأدب لعام ١٩٦٩ .

Becquerel [bĕk rĕl'], **Antoine Henri** بيكيريل ، أنطوان هنري (١٨٥٢ – ١٩٠٨) : فيزيائي فرنسي . منح جائزة نوبل في الفيزياء (بالمشاركة) لعام ١٩٠٣ .

Beethoven [bā'tō vən], **Ludwig van** بتْهوفن ، لودفيك فان (١٧٧٠ – ١٨٢٧) : مؤلف موسيقي ألماني . يُعتبر أحد أبرز عباقرة الموسيقى في جميع العصور .

Bell [bĕl], **Alexander Graham** بل ، ألكْسَندر غراهام (١٨٤٧ – ١٩٢٢) : مخترع أميركي . أسكتلندي المولد . اخترع التلفون (عام ١٨٧٦) .

Bellini [bəl lē'nē], **Giovanni** بلّيني ، جيوفاني (١٤٣٠ ؟ – ١٥١٦) : رسام إيطالي . عرف ببراعته في استخدام الألوان .

Bellini, Jacopo بلّيـــني ، يعقـــوب (١٤٠٠ ؟ – ١٤٧٠ ؟) : رسام إيطالي . والد جيوفاني بلّيني .

Ben Bella [bĕn bĕl'ə], **Ahmad** بـــن بيلاّ ، أحمد (١٩١٨ –) : سياسي جزائري . رئيس الجمهورية (١٩٦٣ – ١٩٦٥) .

Benedict XV [bĕn'ə dĭkt] بنيديكْت الخامس عشر (١٨٥٤ – ١٩٢٢) : بابا رومة (١٩١٤ – ١٩٢٢) . شَجَب فظائع الحرب العالميّة الأولى .

Beneš [bĕ'nĕsh], **Eduard** بينيـــش ، أدوار (١٨٨٤ – ١٩٤٨) : سياسي تشيكوسلوفاكي . رئيس الجمهورية (١٩٣٥ – ١٩٣٨) و (١٩٤٦ – ١٩٤٨) .

Bennett [bĕn'ĭt], **Arnold** بينيـــت ، آرنولد (١٨٦٧ – ١٩٣١) : روائي وكاتب مسرحي إنكليزي . صوّر مصاعب الحياة في المصانع الإنكليزية .

Bentham [bĕn'thəm], **Jeremy** بنثام ، جيريمي (١٧٤٨ – ١٨٣١) : فيلسوف إنكليزي . قال بأن المتعة هي غاية الحياة الأساسية .

Berdyaev [bĕr dyä'əf], **Nikolai** بَرْدييف ، نيقولاي (١٨٧٤ – ١٩٤٨) : فيلسوف وجوديّ روسي .

Bergson [bĕrg'sən], **Henri** برغسون ، هنري (١٨٥٩ – ١٩٤١) : فيلسوف فرنسي . مُنح جائزة نوبل في الأدب لعـــام ١٩٢٧ .

Bering [bîr'ĭng], **Vitus** بيرنغ ، فيتوس (١٦٨١ – ١٧٤١) : ملاح ومستكشف دانمركي . راد البحار القطبية الشمالية .

Berkeley [bärk'lē], **George** باركلي ، جورج (١٦٨٥ – ١٧٥٣) : فيلسوف إيرلندي . قال بأن الأشياء المادية ليس لها وجود مستقلّ .

Berlioz [bĕr'lē ōz], **Hector** برليوز ، هكتور (١٨٠٣ – ١٨٦٩) : مؤلف موسيقي فرنسي . يغلب على أعماله الطابع الرومانتيكي .

Bernadotte [bûr'nə dŏt], Count **Folke** برنادوت ، الكونت فولـــك (١٨٩٥ – ١٩٤٨) : نبيل سويدي . وسيط الأمم المتحدة بين العرب واليهود (عام ١٩٤٨) . اغتاله الصهاينة .

Bernard [bĕr når'], **Claude** برنار ، كلود (١٨١٣ – ١٨٧٨) : عالم فيسيولوجي فرنسي . درس الجهازين العصبي والهضمي .

Bernardin de Saint-Pierre [bĕr når dăn'dĕ săn pyâr'], **Jacques Henri** برناردين دو سان بيير ، جاك هنري (١٧٣٧–١٨١٤) : روائي فرنسي .

Bernini [bĕr nē'nē], **Giovanni** برنيني ، جيوفاني (١٥٩٨ – ١٦٨٠) : رسام ونحات ومهندس معمار إيطالي .

Berzelius [bər zā'lē əs], Baron **Jöns Jakob** برزيليوس ، البارون جونس جاكوب (١٧٧٩ – ١٨٤٨) : كيميائي سويدي . اكتشف عدداً من العناصر .

Bevin [bĕv'ĭn], **Ernest** بيفن ، أرنست (١٨٨١ – ١٩٥١) : سياسي بريطاني . وزير الخارجية (١٩٤٥ – ١٩٥١) .

Charles Baudelaire

Ludwig van Beethoven

Jeremy Bentham

Bergson

Bierce [birs], **Ambrose** بيرس. آمبروز (١٨٤٢ – ١٩١٤ ؟) : كاتب أميركي . يُعتبر أحد رواد الأقصوصة الأميركية الحديثة.

Binet [bĭ nā'], **Alfred** بينيــه ، ألفــرد (١٨٥٧ – ١٩١١) : عالم نفس فرنسي . عمل في حقل اختبارات الذكاء .

Biruni, al- [ăl bē rōō'nē] البيرونــي (٩٧٣ – ١٠٤٨ م.) : مؤرخ ورياضي وعالم فلكي عربي . قال بأن الأرض تدور حول محورها .

Bismarck [bĭz'märk], Prince **Otto von** بسمارك ، الأمير أوتو فون (١٨١٥ – ١٨٩٨) : سياسي ألماني . أول مستشار (أو رئيس وزارة) للأمبراطورية الألمانية (١٨٧١ – ١٨٩٠) .

Otto von Bismarck

Blake [blāk], **Robert** بلايك ، روبرت (١٥٩٩ – ١٦٥٧) : أميرال إنكليزي . يُعتبر أحد أشهر أمراء البحر في تاريخ إنكلترا كله .

Blake, William بلايك ، وليم (١٧٥٧ – ١٨٢٧) : شاعر ورسام إنكليزي . تتّسم أعماله بالطابع الرمزي .

Blanc [blän], **Louis** بلان ، لــويس (١٨١١ – ١٨٨٢) : اشتراكي فرنسي .

Blum [blōōm], **Léon** بلــوم ، ليــون (١٨٧٢ – ١٩٥٠) : سياسي وزعيم اشتراكي فرنسي . رئيس الوزراء (١٩٣٦ – ١٩٣٧) و (١٩٤٦ – ١٩٤٧) .

Blumenbach [blōō'mən bäkh], **Johann** بلومَنْباخ ، جوهان (١٧٥٢ – ١٨٤٠) : عالم أنثروبولوجي ألماني .

Boccaccio [bə kä'chē ō], **Giovanni** بوكاتشيو ، جيوفاني (١٣١٣ – ١٣٧٥) : شاعر وكاتب إيطالي . يُعرف بـ « أبي النثر الإيطالي الكلاسيكي » .

Bohr [bōr], **Niels** بور ، نيلز (١٨٨٥ – ١٩٦٢) : فيزيائي دانمركي . درس تركيب الذرّة .

Boileau [bwä lō'], **Nicolas** بوالــو ، نيقولا (١٦٣٦ – ١٧١١) : شاعر وناقد فرنسي .

Bolivar [bō lē'vär], **Simón** بوليفار ، سيمون (١٧٨٣ – ١٨٣٠) : زعيم عسكري وسياسي فنزويلي . حرّر بلاده من الاستعمار الإسباني .

Bonaparte [bō'nə pärt], **Joseph** بونابرت ، جوزيف (١٧٦٨ – ١٨٤٤) : أكبر إخوة نابوليون بونابرت . ملك نابولي (١٨٠٦ – ١٨٠٨) . ملك إسبانيا (١٨٠٨ – ١٨١٣) .

Bonaparte,Napoleon = Napoleon I.

Boole [bōōl], **George** بُول ، جورج (١٨١٥ – ١٨٦٤) : عالم رياضيات ومنطق إنكليزي . يُعتبر أحد رواد المنطق الرياضي الحديث .

Borgia [bôr'jä], **Alfonso** بورجيا ، ألفونسو (١٣٧٨ – ١٤٥٨) : بابا رومــة (١٤٥٥ – ١٤٥٨) .

Borgia, Cesare بورجيا ، سيــزار (١٤٧٥ ؟ – ١٥٠٧) : كاردينال وزعيم سياسي وعسكري إيطالي .

Borgia, Lucrezia بورجيا ، لوكريزيــا (١٤٨٠ – ١٥١٩) : نبيلة إيطالية . اشتهرت برعايتها للعلم والفنون .

Borgia, Rodrigo = Alexander VI .

Jacques Bossuet

Bormann [bôr'män], **Martin Ludwig** بورمان ، مارتن لودفيغ (١٩٠٠ – ١٩٤٥ ؟) : زعيم ألماني نازي .

Bossuet [bô swě'], **Jacques** . بوسويه جاك (١٦٢٧ – ١٧٠٤) : أسقف ومؤرخ ومفكر سياسي فرنسي .

Boswell [bŏz'wĕl], **James** بوزْويل ، جيمس (١٧٤٠ – ١٧٩٥) : محامٍ وكاتب أسكتلندي .

Botticelli [bŏt ĭ chĕl'ē], **Sandro** بوتيشيلي ، ساندرو (١٤٤٥ – ١٥١٠) : رسام إيطالي . من مواليد فلورنسا .

Boumedienne [bōō mĕd'yăn], **Houari** [hōō wä'rē] بومَدْيــن ، هواري (١٩٢٥ – **١٩٧٨**) : زعيم سياسي جزائري . رئيس الجمهورية (١٩٦٥ – **١٩٧٨**) .

William Blake

Bourguiba [bōōr gē'bə], **al-Habib** بورقيْبة ، الحبيب (١٩٠٣ –) : زعيم سياسي تونسي . رئيس الجمهوريــة (١٩٥٧ –) .

Boyle [boil], **Robert** بُوْيْل ، روبرت (١٦٢٧ – ١٦٩١) : كيميائي وفيزيــائي إنكليزي .

Brahe [brä'ə], **Tycho** براهي ، تيكو (١٥٤٦ – ١٦٠١) : عالم فلك دانمركي . حدّد مواقع النجوم بدقة .

Brahms [brämz], **Johannes** . برامز جوهانس (١٨٣٣ – ١٨٩٧) : مؤلف موسيقي ألماني . يُعتبر أحد أكبر الموسيقيين في العالم .

Braille [brāl], **Louis** بْرَيْل ، لويس (١٨٠٩ – ١٨٥٢) : معلّم فرنسي ضرير . ابتكر طريقة في الكتابة خاصةً بالعميان .

Bramante [brä män'tā], **Donato** برامنْتي ، دوناتو (١٤٤٤ – ١٥١٤) : مهندس معماري إيطالي . يُعتبر من أشهر فناني عصر النهضة .

Brancusi [brăn ko͞o'sē], **Constantin** برانكوسي ، قسطنطين (١٨٧٦ — ١٩٥٧) : نحّات فرنسي . معظم أعماله من النوع التجريدي .

Brandt [bränt], **Willy** برانت ، ويلي (١٩١٣ —) : سياسي ألماني . مستشار ألمانيا الغربية (١٩٦٩ — ١٩٧٤) .

Braque [bräk], **Georges** بـــراك ، جورج (١٨٨٢ — ١٩٦٣) : رسام فرنسي . يُعتبر أحد مؤسسي المدرسة التكعيبية .

Brecht [brĕkht], **Bertolt** بْرَخْت ، برتولت (١٨٩٨ — ١٩٥٦) : شاعر وكاتب مسرحي ألماني . قال بأن المسرح وسيلة للتعليم لا للتسلية .

Breton [brə tôn'], **André** بريتون ، أندريه (١٨٩٦ — ١٩٦٦) : شاعر فرنسي . مؤسس المذهب السُّريالي .

Breughel [brœ'gəl], **Pieter** بروغل ، بيتر (١٥٢٥ ؟ — ١٥٦٩) : رسام فلمنكي . عُني بتصوير الحياة في الريف .

Brezhnev [brĕzh'nĕf], **Leonid** بريجنيف ، ليونيد (١٩٠٦ —١٩٨٢) : سياسي سوفياتي . السكرتير الأول للحزب الشيوعي السوفياتي (١٩٦٤-١٩٨٢) . رئيس مجلس السوفيات الأعلى (١٩٧٧— ١٩٨٢).

Briand [brē än'], **Aristide** بريان ، أريستيد (١٨٦٢ — ١٩٣٢) : سياسي فرنسي . تولى رئاسة الوزارة إحدى عشرة مرة .

Bright [brīt], **Richard** برايـــت ، ريتشارد (١٧٨٩ — ١٨٥٨) : طبيب بريطاني . شخّص التهاب الكُلْية المزمن .

Brontë [brŏn'tē], **Charlotte** برونتي ، شارلوت (١٨١٦ — ١٨٥٥) : روائيــة إنكليزية . مؤلفة « جين إيير » *Jane Eyre* عام ١٨٤٧) .

Brontë, Emily برونتي، إميلي (١٨١٨ — ١٨٤٨) : روائية إنكليزية . شقيقة شارلوت برونتي . مؤلفة « مرتفعات وذَرينــغ » *Wuthering Heights* (عام ١٨٤٧) .

Brown [broun], **John** براون ، جون (١٨٠٠ — ١٨٥٩) : زعيم أميركي . دعا إلى إلغاء الاسترقاق . أُعدم .

Browning [brou'nĭng], **Robert** براوننغ (١٨١٢ — ١٨٨٩) : شاعر إنكليزي . يتميز شعره بالرقة والتعاطف مع البائسين .

Bruckner [bro͝ok'nər], **Anton** بروكنر ، أنطون (١٨٢٤—١٨٩٦) : مؤلف موسيقي نمساوي .

Brunelleschi [bro͞o nə lĕs'kē], **Filippo** برونَلسكي ، فيليبّو (١٣٧٧ — ١٤٤٦) : رسام ونحات ومهندس معمار إيطالي .

Bruno [bro͞o'nō], **Giordano** برونو ، جيوردانو (١٥٤٨ — ١٦٠٠) : فيلسوف وعالم فلك إيطالي . أُعدم إحراقاً بالنار .

Brutus [bro͞o'təs], **Marcus** بروتوس ، ماركوس (٨٥ — ٤٢ ق . م .) : سياسي وقائد عسكري روماني . انتحر .

Buck [bŭk], **Pearl** باك ، بيرل (١٨٩٢— ١٩٧٣) : روائية أميركية . مؤلفة « الأرض الطيبة » *The Good Earth* (عام ١٩٣١) .

Buddha [bo͞od'də], **Gautama** بوذا ، غوتاما (٥٦٣ ؟ — ٤٨٣ ق . م .) : فيلسوف هندي . مؤسس الديانة البوذية .

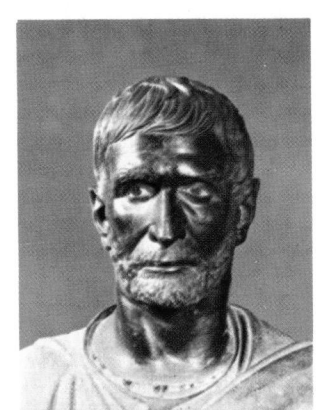

Marcus Brutus

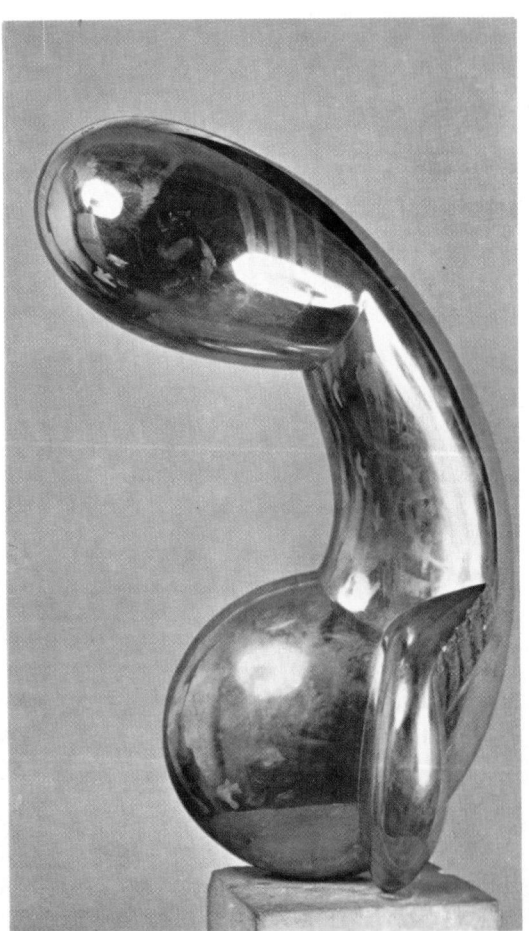

Brancusi : *Princesse X.* برانكوسي : « الأميرة المجهولة » .

Buffon [bü fôn′], Comte **Georges Louis Leclerc de** بوفون ، الكونت جورج لويس لوكليرك دو(١٧٠٧–١٧٨٨): كاتب وعالم طبيعي فرنسي .

Buhturi, al-[ăl bo͝oh′to͞o rē]البُحْتري (٨٢١ – ٨٩٧ م .) : شاعر عربي عباسي . عُرف بحُسْن الديباجة وروعة الوصف .

Bukhari, al- [ăl bo͞o khä′rē] البُخاري (٨١٠ - ٨٧٠ م .) فقيه مسلم . صاحب « صحيح البخاري » وهو أعظم كتب الحديث .

Bulganin [bo͞ol gä′nĭn], **Nikolai** بولغانين ، نيقولاي (١٨٩٥ – ١٩٧٥): سياسي ومارشال سوفياتي . رئيس مجلس الوزراء (١٩٥٥ – ١٩٥٨) .

Bunsen [bŭn′sən], **Robert Wilhelm** بَنْزن ، روبرت ولهلم (١٨١١ – ١٨٩٩) : كيميائي ألماني . مخترع « مصباح بنزن » Bunsen burner (عام ١٨٥٥) .

Bunyan [bŭn′yən], **John** بَنْيـان ، جون (١٦٢٨ – ١٦٨٨) : واعظ وكاتب إنكليزي . صاحب كتاب « رحلة الحاجّ » *The Pilgrim's Progress* (عام ١٦٧٨) .

Byron

Burke [bûrk], **Edmund** بيرك ، أدموند (١٧٢٩ – ١٧٩٧) : سياسي بريطاني . عُرف بعدائه للثورة الفرنسية .

Burns[bûrnz], **Robert** بيرنز ، روبرت (١٧٥٩ – ١٧٩٦) : شاعر أسكتلندي . نظم باللهجة الأسكتلندية .

Burton [bûr′tən], Sir **Richard** بورتون ، السير ريتشارد (١٨٢١ – ١٨٩٠) : مستشرق بريطاني . ترجم كتاب « ألف ليلة وليلة » إلى الإنكليزية .

Butler [bŭt′lər], **Samuel** بتلر، صموئيل (١٦١٢ – ١٦٨٠) : شاعر إنكليزي ساخر .

Butler, Samuel بتلر ، صموئيـل (١٨٣٥ – ١٩٠٢) : روائي إنكليزي .

Byrd [bûrd], **Richard** بيرد، ريتشارد (١٨٨٨ – ١٩٥٧) : طيار ومستكشف أميركي . أول من طار فوق القطبين الشمالي والجنوبي .

Byron [bī′rən], **George Gordon** بايرون،غوردون (١٧٨٨–١٨٢٤) : شاعر إنكليزي . قاتَلَ دفاعاً عن استقلال اليونان .

Braque : *la Carafe*

براك : « الغرّافة » أو « الإبريق الزجاجي »

C

Cabot [kăb'ət], **John** كابوت ، جون (١٤٥٠ ؟ – ١٤٩٨ ؟) : مستكشف إيطالي . اكتشف كندا (عام ١٤٩٧) .

Cabot, Sebastian كابوت ، سيباستيان (١٤٧٦ ؟ – ١٥٥٧) : مستكشف إنكليزي . ابن جون كابوت .

Cabral [kə bräl'], **Pedro Alvares** كابرال ، بيدرو آلفاريس (١٤٦٧ ؟ – ١٥٢٠) : ملاح برتغالي . اكتشف البرازيل (عام ١٥٠٠) .

Cadmus [kăd'məs] قَدْمـوس : في الأساطير ، أمير فينيقيّ نشر الأبجدية فـي الغرب .

Caesar [sē'zər], **Gaius Julius** قيصر ، غايوس يوليوس (١٠٠ – ٤٤ ق. م.) : سياسي وقائد عسكري روماني . ديكتاتور رومة (٤٩ – ٤٤ ق. م.) . قُتـِل .

Calder [kôl'dər], **Alexander** كالدر ، ألكسْندر (١٨٩٨ –) : نحات أميركي . صنع تماثيله التجريدية من معادن وأسلاك ملويـّة .

Calderón de la Barca [käl dā rôn dā lä bär'kä], **Pedro** كالديرون دي لا باركا ، بيدرو (١٦٠٠ – ١٦٨١) : شاعر وكاتب مسرحي إسباني .

Caldwell [kôl'dwĕl], **Erskine** كالدويل ، أرسكين (١٩٠٣ –) : روائي أميركي . تتّسم آثاره بالسّمة الإباحية .

Caligula [kə lĭg'yə lə] كاليغولا (١٢ – ٤١ م.) : أمبراطور روماني (٣٧ – ٤١ م.) . عُرف بسياسته الاستبدادية . اغتيل .

Callisthenes [kə lĭs'thə nēz] كاليسثينيس (٣٦٠ ؟ – ٣٢٨ ق. م.) : فيلسوف ومؤرخ يوناني . صحبَ الإسكندر الكبير في حملاته الشرقية .

Calvin [kăl'vĭn], **John** كالفِن ، جون (١٥٠٩ – ١٥٦٤) : لاهوتي فرنسي . مؤسس المذهب الكالفني . نشر راية الإصلاح البروتستانتي في فرنسا ثم في سويسرا .

Cambyses II [kăm bī'sēz] قمبيز الثاني (توفي عام ٥٢٢ ق. م.) : ملك الفرس (٥٢٩ – ٥٢٢ ق. م.) . فتـَحَ مصر .

Camoëns [kăm'ō ənz], **Luis Vaz de** كاموينز ، لويز فاز دي (١٥٢٤ – ١٥٨٠) : شاعر البرتغال القومي . عاش حياة حافلة بالمغامرة .

Campbell [kăm'bəl], **Alexander** كامبل ، ألكسْـندر (١٧٨٨ – ١٨٦٦) : قسّ أميركي . أسـّس هو وأبوه توماس فرقة « حواريي المسيح » .

Campbell, Thomas كامبل ، توماس (١٧٦٣ – ١٨٥٤) : قسّ أميركي . والد ألكسْـندر كامبل . أسس هو وابنه ألكسندر فرقة « حواريي المسيح » .

Campbell, Thomas كامبل ، توماس (١٧٧٧ – ١٨٤٤) : شاعر أسكتلندي .

Campbell-Bannerman [kăm'bəl băn'ər mən], Sir **Henry** كامبل بانرمان ، السِّير هنري (١٨٣٦ – ١٩٠٨) : سياسي بريطاني . رئيس الوزراء (١٩٠٥ – ١٩٠٨) .

Campion [kăm'pē ən], **Thomas** كامبيون ، توماس (١٥٦٧ – ١٦٢٠) : شاعر وموسيقي إنكليزي .

Camus [kȧ mü'], **Albert** كامو ، ألبير (١٩١٣ – ١٩٦٠) : روائي فرنسي . مُنح جائزة نوبل في الأدب عام ١٩٥٧ . أشهر آثاره : « الطاعون » *la Peste* (عام ١٩٤٧) .

Canaletto [kä nä lāt'tō], **Antonio** كاناليتّو ، أنطونيو (١٦٩٧ – ١٧٦٨) : رسام إيطاليّ . عُني بتصوير المدن وبخاصة مسقط رأسه البندقية .

Canning [kăn'ĭng], **George** كاننغ ، جورج (١٧٧٠ – ١٨٢٧) : سياسي بريطاني . رئيس الوزراء (عام ١٨٢٧) . ناصر قضية الاستقلال في اليونان وأميركا اللاتينية .

Canova [kä nō'vä], **Antonio** كانوفا ، أنطونيو (١٧٥٧ – ١٨٢٢) : نحات إيطالي . مؤسس المدرسة الكلاسيكية الحديثة في النحت .

Canute [kə nōōt'; kə nyōōt'] كانوت (٩٩٤ ؟ – ١٠٣٥) : أمير دانمركي . ارتقى عروش إنكلترا والدانمرك والنروج .

John Cabot

John Calvin

Antonio Canova

Catherine II

Capet [kȧ pĕ′], **Hugh** كابيــه ، هيو (٩٤٠ – ٩٩٦ م.) : ملك فرنسا (٩٨٧ – ٩٩٦). مؤسس السّلالة الكابيّة Capetian dynasty .

Capote [kə pō′tē], **Truman** كابوتي ، ترومان (١٩٢٤ –) : روائي وكاتب مسرحي أميركي .

Caprivi [kä prē′vē], Count **Leo von** كابريفي، الكونت ليو فون (١٨٣١ – ١٨٩٩) : سياسي وقائد عسكري ألماني . مستشار ألمانيا (١٨٩٠ – ١٨٩٤) .

Caracalla [kăr ə kăl′ə] كَراكَــلاّ (١٨٨ – ٢١٧ م.) : أمبراطور روماني (٢١١ – ٢١٧ م.) . اغتيل .

Caravaggio [kä rä väd′jō], **Michelangelo** كارافادجو ، ميكال آنجلو (١٥٧٣ – ١٦١٠ م.) : رسّام إيطالي .

Carlyle [kär līl′], **Thomas** كارلايل، توماس (١٧٩٥ – ١٨٨١) : كاتب ومؤرخ وفيلسوف إنكليزي .

Carnegie [kär′nā gē], **Andrew** كارنيجي ، آندرو (١٨٣٥ – ١٩١٩) : متموّل أميركي . وقف أموالاً طائلة للأغراض التربوية .

Carnot [kȧr nō′], **Nicolas Léonard Sadi** كارنو ، نيقولا ليونار ســادي (١٧٩٦ – ١٨٣٢) : فيزيائي فرنسي .

Carol II [kăr′əl] كارول الثاني (١٨٩٣ – ١٩٥٣) : ملك رومانيا (١٩٣٠ – ١٩٤٠) . تخلّى عن العرش .

Carranza [kə răn′zə], **Venustiano** كارّانزا ، فينوستيانو (١٨٥٩ – ١٩٢٠) : ثائر وسياسي مكسيكي . رئيس الجمهورية (١٩١٥ – ١٩٢٠) .

Carrel [kăr′əl], **Alexis** كاريــل ، ألكسيس (١٨٧٣ – ١٩٤٤) : جراح وعالم بيولوجي فرنسي . صاحب كتاب « الإنسان ذلك المجهول » *l'Homme, cet inconnu* (عام ١٩٣٥) .

Carter [kär′tər], **Jimmy** كارتر ، جيمي (١٩٢٤ –) : سياسي أميركي. الرئيس التاسع والثلاثون للولايات المتحدة الأميركية (١٩٧٦ – ١٩٨٠) .

Cartier [kȧr tyā′], **Jacques** كارتييه ، جاك (١٤٩١ – ١٥٥٧) : ملاح ومستكشف فرنسي .

Cartwright [kärt′rīt], **Edmund** كارترايت ، أدموند (١٧٤٣ – ١٨٢٣) : مخترع إنكليزي . صنع أول نول آلي (عام ١٧٨٥) .

Casanova [kăz ə nō′və], **Giovanni** كازانوفا ، جيوفاني (١٧٢٥ – ١٧٩٨) : مغامر وكاتب ومقامر وزير نساء إيطالي .

Cassatt [kə săt′], **Mary** كاسات ، ماري (١٨٤٤ – ١٩٢٦) : رسامة أميركية . برعت بتصوير الطفولة والأمومة .

Cassirer [kä sē′rər], **Ernst** كاسيرَر ، أرنست (١٨٧٤ – ١٩٤٥) : فيلسوف ألماني .

Cassius Longinus [kăsh′əs lŏn jī′nəs], **Gaius** كاسيوس لونجينوس ، غايوس (توفي عام ٤٢ ق. م.) : قائد روماني .

Castagno [käs tä′nyō], **Andrea del** كاستانيو ، آندريــا دَل (١٤٢١ ؟ – ١٤٥٧) : رسام إيطالي . اتجه في فنه اتجاهاً واقعياً .

Castiglione [käs tē lyō′nä], Conte **Baldassare** كاستيليوني ، الكونــت بالداسّاري (١٤٧٨ – ١٥٢٩) : سياسي وكاتب إيطالي .

Castlereagh [kăs′əl rā], **Viscount** كاسيلراي ، الفيكونت (١٧٦٩ – ١٨٢٢) : سياسي بريطاني . وزير الخارجية (١٨١٢ – ١٨٢٢) .

Castro [kăs′trō], **Fidel** كاســترو ، فيدل (١٩٢٦ –) : ثائر وسياسي اشتراكي كوبي . رئيس وزراء كوبا (١٩٥٩ –) .

Catherine I [kăth′rĭn] كاثرين الأولى (١٦٨٤ – ١٧٢٧) : أمبراطورة الروسيا (١٧٢٥ – ١٧٢٧) . زوجة بطرس الأكبر وخليفته .

Catherine II كاثرين الثانية (١٧٢٩ – ١٧٩٦) . أمبراطورة الروسيا (١٧٦٢ – ١٧٩٦) . أصلحت الادارة . وسّعت نطاق الأمبراطورية .

Thomas Carlyle

Catherine de Médicis [kăth'rĭn də mĕd'ə chē] كاثرين دي مديتشي (١٥١٩–١٥٨٩) : ملكة فرنسا (١٥٤٧ – ١٥٥٩) بوصفها زوجة هنري الثاني .

Catherine of Aragon [à rà gôn'] كاثرين أوف آراغون (١٤٨٥ – ١٥٣٦) . أولى زوجات هنري الثامن (١٥٠٩ – ١٥٣٣) .

Cato [kā'tō], **Marcus Porcius** ، كاتو، ماركوس بورسيوس (٢٣٤ – ١٤٩ ق. م.) : سياسي روماني . اشتهر بعدائه الشديد لقرطاجة . يُعرف بـ « الأرشد » *the Elder*.

Cato, Marcus Porcius كاتو ، ماركوس بورسيوس (٩٥ – ٤٦ ق. م.) : زعيم سياسي وعسكري روماني . حفيد كاتو الأرشد . يعرف بـ « الأصغر » *the Younger*.

Catullus [kə tŭl'əs], **Gaius Valerius** كاتولوس ، غايوس فاليريوس (٨٤ ؟ – ٥٤ ق. م.) : شاعر غنائي روماني .

Cavendish [kăv'ən dĭsh], **Henry** كافندش ، هنري (١٧٣١ – ١٨١٠) : كيميائي وفيزيائي بريطاني . اكتشف الهيدروجين .

Cavour [kä vo͞or'], Conte **Camillo Benso di** كافور ، الكونت كاميلّو بنسو دي (١٨١٠ – ١٨٦١) : زعيم وطني إيطالي . يعتبر الصانع الحقيقي للوحدة الإيطالية .

Cecil [sĕs'əl], **Robert Arthur** سيسيل ، روبرت آرثر (١٨٣٠ – ١٩٠٣) : سياسي بريطاني . رئيس الوزراء (١٨٨٥ – ١٩٠٢) . عرف بسياسته الاستعمارية .

Cecil, William سيسيل ، وليم (١٥٢٠ – ١٥٩٨) : سياسي بريطاني . الوزير الأول للملكة أليزابيث الأولى .

Cervantes Saavedra [sər văn'tēz sä ä vē'drä], **Miguel de** سرفانتس سافيدرا ، ميغل دي (١٥٤٧ – ١٦١٦) : روائي إسباني . مؤلف رواية « دون كيخوته » *Don Quixote*.

Cézanne [sā zăn'], **Paul** سيزان ، بول (١٨٣٩ – ١٩٠٦) : رسام فرنسي . تأثر أولاً بالانطباعيين ، ثم تحرّر من نفوذهم .

Chadwick [chăd'wĭk], Sir **James** تشادويك ، السّير جيمس (١٨٩١ –) : فيزيائي بريطاني . اكتشف النيوترون (عام ١٩٣٢) .

Chagall [shə gäl'], **Marc** شاغال ، مارك (١٨٨٧ – ١٩٨٥) : رسام فرنسي . روسيّ المولد . عرف بغنى الألوان واتساع الخيال .

Chamberlain [chām'bər lĭn], **(Arthur) Neville** تشمبرلين ، آرثر نيفل (١٨٦٩ – ١٩٤٠) : سياسي بريطاني . رئيس الوزراء (١٩٣٧ – ١٩٤٠) . اتبّع سياسة تهدئة إزاء هتلر وموسوليني .

Chamberlain, Joseph تشمبرلين ، جوزيف (١٨٣٦ – ١٩١٤) : سياسي بريطاني . وزير المستعمرات (١٨٩٥ – ١٩٠٣) . والد « نيفل » و « جوزيف أوستن » تشمبرلين .

Chamberlain, Sir **(Joseph Austen)** تشمبرلين ، السّير جوزيف أوستن (١٨٦٣ – ١٩٣٧) : سياسي بريطاني . وزير الخارجية (١٩٢٤ – ١٩٢٩) .

Champollion [shän pô lyôn'], **Jean François** شامبوليون ، جان فرانسوا (١٧٩٠ – ١٨٣٢) : عالم آثار فرنسي . حلّ طلاسم اللغة الهيروغليفية المصرية .

Channing [chăn'ĭng], **William** تشانغ ، وليم (١٧٨٠ – ١٨٤٢) : قسّ بروتستانتي أميركي . أسس فرقة دينية تُنكر القول بالتثليث .

Chaplin, [chăp'lĭn], **Charles** تشابلن ، تشارلز (١٨٨٩ – ١٩٧٧) : ممثّل هزلي بريطاني . عمل في الولايات المتحدة الأميركية (١٩١٣ – ١٩٥٢) .

Charcot [shär kō'], **Jean Baptiste** شاركو ، جان باتيست (١٨٦٧ – ١٩٣٦) : مستكشف فرنسي . راد سواحل القارة القطبية الجنوبية .

Charcot, Jean Martin شاركو ، جان مارتن (١٨٢٥ – ١٨٩٣) : طبيب أعصاب فرنسي . عُرف باستخدامه التنويم المغنطيسي .

Charlemagne [shär'lə mān] *also* **Charles I** شارلمان؛ شارل الأول (٧٤٢ – ٨١٤ م.) : ملك الفرنجة أو الفرنكيين (٧٦٨ – ٨١٤) وأمبراطور الغرب (٨٠٠ – ٨١٤) .

Charles I [chärlz] تشارلز الأول (١٦٠٠ – ١٦٤٩) : ملك إنكلترا وأسكتلندا وإيرلندا (١٦٢٥ – ١٦٤٩) . في عهده نشبت الحرب الأهلية (١٦٤٢ – ١٦٥٢) . أُعدم .

Charles II تشارلز الثاني (١٦٣٠ – ١٦٨٥) : ملك إنكلترا وأسكتلندا وإيرلندا (١٦٦٠ – ١٦٨٥) . ابن تشارلز الأول . شهد عهدُهُ توسّعاً استعمارياً .

Charles V شارل الخامس ؛ شارلكان (١٥٠٠ – ١٥٥٨) : ملك إسبانيا (١٥١٦ – ١٥٥٦) . رأس الأمبراطورية الرومانية المقدسة (١٥١٩ – ١٥٥٦) . تخلّى عن العرش .

Cavour

Champollion

Charles V

Anton Chekhov

Charles VI شارل السادس (١٦٨٥ – ١٧٤٠) : رأس الأمبراطورية الرومانية المقدّسة (١٧١١ – ١٧٤٠) . ورّط الأمبراطورية في حرب الوراثة الإسبانية .

Charles VII شارل السابع (١٤٠٣ – ١٤٦١) : ملك فرنسا (١٤٢٢ – ١٤٦١) . هزم الإنكليز وأخرجهم من معظم الأراضي الفرنسية .

Charles IX شارل التاسع (١٥٥٠ – ١٥٧٤) : ملك فرنسا (١٥٦٠ – ١٥٧٤) . في عهده انفجر الصراع بين الكاثوليك والبروتستانت .

Charles X شارل العاشر (١٧٥٧ – ١٨٣٦) : ملك فرنسا (١٨٢٤ – ١٨٣٠) . أُكره على التخلّي عن العرش .

Charles XII شارل الثاني عشر (١٦٨٢ – ١٧١٨) : ملك السّويد (١٦٩٧ – ١٧١٨) . يُعتبر أحد عباقرة الحرب في التاريخ . هزم الدانمرك (عام ١٧٠٠) وبولندا (عام ١٧٠٣) .

Chateaubriand [shä tō brē än′], Vicomte **François René de** شاتوبريان ، الفيكونت فرانسوا رينيه دو (١٧٦٨ – ١٨٤٨) : كاتب وزعيم سياسي فرنسي . اتسم أدبه بالطابع الرومانتيكي .

Chaucer [chô′sər], **Geoffrey** تشوسر ، جيفري (١٣٤٠ ؟ – ١٤٠٠) : شاعر إنكليزي . يُعتبر أبرز الشعراء الإنكليز قبل شكسبير . صاحب «حكايات كانتربري» *The Canterbury Tales*.

Chekhov [chĕk′ôf], **Anton Pavlovich** تشيكوف ، أنطون بافلوفيتش (١٨٦٠ – ١٩٠٤) : كاتب مسرحي ومؤلف أقاصيص روسيّ . يعتبر إمام القصة القصيرة في العصر الحديث .

Chénier [shā nyā′], **André** شينييه ، أندريه (١٧٦٢ – ١٧٩٤) : شاعر فرنسي . أُعدم بالمقصلة خلال الثورة الفرنسية .

Cheops [kē′ŏps] خوفو (٢٥٩٠ ؟ – ٢٥٦٨ ؟) : فرعون مصري . بنى الهرم الأكبر في الجيزة .

Chesterfield [chĕs′tər fēld], **Fourth Earl of** إيرل تشيسترفيلد الرابع (١٦٩٤ – ١٧٧٣) : سياسي ومؤلف بريطاني . احتلّ مكاناً بارزاً في أدب القرن الثامن عشر .

Chesterton [chĕs′tər tən], **Gilbert Keith** تشيسترتون ، جيلبرت كيث (١٨٧٤ – ١٩٣٦) : روائي وشاعر وناقد إنكليزي . هاجم الحضارة الصناعية .

Chiang Kai-shek [chyäng′kī′shĕk′] شيانغ كاي شيك (١٨٨٧ – ١٩٧٥) : قائد عسكري صيني . حاكم الصين (١٩٢٨ – ١٩٤٩) . رئيس جمهورية الصين الوطنية (١٩٤٩ – ١٩٧٥) .

Chopin

Christian X

Childe [chīld], **Vere Gordon** تشايلد ، فير غوردون (١٨٩٢ – ١٩٥٧) : مؤرخ بريطاني . عُني بدراسة التاريخ القديم .

Chopin [shō′păn], **Frédéric François** شوبان ، فريديريك فرانسوا (١٨١٠ – ١٨٤٩) : مؤلف موسيقي وعازف بيان بولندي . تتميز آثاره بنبرة رومانتيكية ساحرة .

Chou En-lai [jō′ĕn′lī′] تشو إن لاي (١٨٩٨ – ١٩٧٦) : زعيم شيوعي صيني . رئيس الوزراء (١٩٤٩ – ١٩٧٦) . يُعتبر أحد بُناة جمهورية الصين الشعبية .

Christian IV كريستيان الرابع (١٥٧٧ – ١٦٤٨) : ملك الدانمرك والنروج (١٥٨٨ – ١٦٤٨) . غزا ألمانيا (عام ١٦٢٥) .

Christian X كريستيان العاشر (١٨٧٠ – ١٩٤٧) : ملك الدانمرك (١٩١٢ – ١٩٤٧) وإيسلندا (١٩١٨ – ١٩٤٤) . قاوم الاحتلال النازي لبلاده .

Christie [krĭs′tē], **Agatha** كريستي ، آغاثا (١٨٩١ – ١٩٧٦) : روائية إنكليزية . اشتهرت في حقل الرواية البوليسية .

Christina [krĭs tē′nə] كريستينا (١٦٢٦ – ١٦٨٩) : ملكة السويد (١٦٣٢ – ١٦٥٤) . شجعت الفنون . تنازلت عن العرش .

Christophe [krē stôf′], **Henri** كريستوف ، هنري (١٧٦٧ – ١٨٢٠) : ملك هايتي (١٨١١ – ١٨٢٠) . عُرف بالقسوة البالغة . انتحر .

Chrysostom [krĭs′əs təm], Saint **John** فم الذهب ، القديس يوحنا (٣٤٥ ؟ – ٤٠٧ م) . بطريرك القسطنطينية (٣٩٨ – ٤٠٤) .

Churchill [chûr′chĭl], **Winston** تشرتشل ، ونستون (١٨٧١ – ١٩٤٧) : روائي أميركي . اشتهر برواياته التاريخية .

Churchill, Sir **Winston** تشرتشل ، السير ونستون (١٨٧٤ – ١٩٦٥) : سياسي بريطاني . رئيس الوزراء (١٩٤٠ – ١٩٤٥) و (١٩٥١ – ١٩٥٥) . قاد بريطانيا إلى النصر في الحرب العالمية الثانية .

Sir Winston Churchill

Cicero [sĭs'ə rō], **Marcus Tullius**
شيشرون ، ماركوس توليوس (١٠٦ – ٤٣ ق. م.) : سياسي وخطيب روماني . تُعتبر خطبه آية في البلاغة اللاتينية .

Cimabue [chē mä bōō'ā], **Giovanni**
تشيمابووي ، جيوفـاني (١٢٤٠ ؟ – ١٣٠٢ ؟) : رسام إيطالي . يُعتبر رائد المذهب الواقعي في الرسم .

Cinna [sĭn'á], **Lucius Cornelius**
سينّا ، لوسيوس كورنيليوس (توفي عام ٨٤ ق. م.) : سياسي وقائد عسكري روماني. تمردت عليه قواته فقتلته .

Clarendon [klăr'ən dən], **Earl of**
كليرندون ، إيرل أوف (١٦٠٩ – ١٦٧٤) : سياسي إنكليزي . كان رئيس الحكومة الفعلي في عهد الملك تشارلز الثاني .

Claudel [klō dĕl'], **Paul Louis Charles**
كلوديل، بول لويس شارل (١٨٦٨ – ١٩٥٥) : شاعر وكاتب مسرحي فرنسي . عُرف بتحمسه للكثلكة .

Claudius I [klô'dē əs] كلوديوس الأول (١٠ ق. م. – ٥٤ م.) : أمبراطور روماني (٤١ – ٥٤ م.) . غزا بريطانيا (عام ٤٣م.).

Clausewitz [klou'zə vĭts], **Karl von**
كلاوزيفيتس ، كارل فون (١٧٨٠ – ١٨٣١) : جنرال ومُنظِّر عسكري بروسيّ. دعا إلى الحرب الكليّة أو الشاملة .

Clay [klā] , **Cassius** = Muhammad Ali.

Clay, Henry كلاي ، هنري (١٧٧٧– ١٨٥٢) : سياسي أميركي . وزير الخارجية (١٨٢٥ – ١٨٢٩) . عُرف بنزعته إلى التهدئة .

Clemenceau [klĕ män sō'] , **Georges** كليمنصو، جورج (١٨٤١ – ١٩٢٩) : سياسي فرنسي . رئيس الوزراء (١٩٠٦ – ١٩٠٩) و(١٩١٧ – ١٩٢٠). قاد فرنسا إلى النصر في الحرب العالمية الأولى.

Clement V [klĕm'ənt] كليمنت الخامس (١٢٦٤ – ١٣١٤) : بابا رومة (١٣٠٥ – ١٣١٤) . نقل مقرّ البابوية إلى آفينيون بفرنسا .

Clement VII كليمنت السابع (١٤٧٨ – ١٥٣٤) : بابا رومة (١٥٢٣ – ١٥٣٤) . رفض الموافقة على طلاق هنري الثامن .

Cleon [klē'ŏn] كليون (توفي عام ٤٢٢ ق. م.) : قائد سياسي وعسكري أثيني . انتصر على قوات إسبارطة (عام ٤٢٥ ق.م.).

Cleopatra VII [klē ə păt'rə] كليوباترا السابعة (٦٩ – ٣٠ ق. م.) : ملكة مصر (٥١ – ٤٩ ق. م.) و (٤٨ – ٣٠ ق. م.). انتحرت .

Cleveland [klēv'lənd], **Grover**
كليفلَنْد ، غروفر (١٨٣٧ – ١٩٠٨) : سياسي أميركي . الرئيس الثاني والعشرون (١٨٨٥ – ١٨٨٩) والرابع والعشرون (١٨٩٣ – ١٨٩٧) للولايات المتحدة الأميركية .

Clinton [klĭn'tən], Sir **Henry** ، كلينتون، السير هنري (١٧٣٨ – ١٧٩٥) : جنرال بريطاني . القائد العام للقوات البريطانية خلال الثورة الاميركية .

Clive [klīv], **Robert** كلايف ، روبرت (١٧٢٥ – ١٧٧٤) : جنرال بريطاني . أسس الأمبراطورية البريطانية في الهند .

Clough [klŭf], **Arthur Hugh** ، كلاف، آرثر هيو (١٨١٩ – ١٨٦١) : شاعر إنكليزي . غلب على شعره طابع الشكّ الديني .

Clovis I [klō'vĭs] كلوفيس الأول(٤٦٦؟– ٥١١ م.) : ملك الفرنجة أو الفرنكيين (٤٨١ – ٥١١) . أسس مملكة الفرنجة .

Clytemnestra [klī təm nĕs'trə]
كليتَمْنَسْترا : في الميثولوجيا اليونانية ، زوجة آغاممنون .

Cockcroft [kŏk'krôft], Sir **John Douglas** كوككروفت ، السير جون دوغلاس (١٨٩٧ – ١٩٦٧) : فيزيائي بريطاني . منح جائزة نوبل في الفيزياء عام ١٩٥١ .

Cocteau [kôk tō'], **Jean** كوكتو ، جان (١٨٨٩ – ١٩٦٣) : شاعر وروائي وكاتب مسرحي فرنسي . عمل في حقلَيْ الرسم والزخرفة أيضاً .

Colbert [kôl bâr'], **Jean Baptiste**
كولبير ، جان باتيست (١٦١٩ – ١٦٨٣) : كبير وزراء لويس الرابع عشر . أعاد تنظيم مالية الدولة وأصلح نظام الضرائب .

Coleridge [kōl'rĭj], **Samuel Taylor**
كولريدج ، صموئيل تايلور (١٧٧٢ – ١٨٣٤) : شاعر رومانتيكي إنكليزي . يُعتبر من أعظم المنظِّرين الأدبيين في عصره .

Colette [kô lĕt'] كوليت (١٨٧٣ – ١٩٥٤) : روائية وأديبة فرنسية . تميّزت بالتحليل البارع للعواطف والمتع الحسيّة .

Coligny [kô lē nyē'], **Gaspard de**
كولينيي ، غاسبار دو (١٥١٩ – ١٥٧٢): أميرال فرنسي . زعيم البروتستانت الفرنسيين . قتل في مذبحة عيد القديس برتلماوُس .

Collins [kŏl'ənz], **Michael** ، كولنز، ميخائيل (١٨٩٠ – ١٩٢٢) : زعيم وثائر إيرلندي . اغتاله بعض الجمهوريين المتطرفين.

Claudius I

Cleopatra VII

Jean Cocteau

Colbert

Columbus

Collins, Wilkie كولنز ، ويلكي (١٨٢٤ – ١٨٨٩) : روائي إنكليزي . يُعتبر أحد رواد الرواية البوليسية .

Collins, William كولنز ، وليم (١٧٢١ – ١٧٥٩) : شاعر غنائي إنكليزي . يُعَدّ أحد أكبر الشعراء الغنائيين في القرن الثامن عشر .

Colman [kōl'mən], **George** كولمان ، جورج (١٧٣٢ – ١٧٩٤) : كاتب مسرحي إنكليزي . يُعتبر من أساطين التمثيلية الهزلية .

Columbus [kə lŭm'bəs], **Christopher** كولومبُس ، كريستوفر (١٤٥١ – ١٥٠٦) : ملاح إيطالي . اكتشف أميركا (عام ١٤٩٢) من غير أن يدري أنه فعل .

Comines [kô mēn'], **Philippe de** كومين ، فيليب دو (١٤٤٧ ؟ – ١٥١١ ؟) : سياسي ومؤرخ فرنسي . وضع مذكرات تُعدّ مرجعاً تاريخياً أساسياً .

Commodus [kŏm'ə dəs], **Lucius Aelius Aurelius** كومودوس ، لوسيوس إيليوس أوريليوس (١٦١ – ١٩٢ م .) . أمبراطور روماني (١٨٠–١٩٢م .) . عُرِف بالطغيان والاستهتار .

Compton [kŏmp'tən], **Arthur Holly** كومبتون ، آرثر هولي (١٨٩٢ – ١٩٦٢) : فيزيائي أميركي . مُنح جائزة نوبل في الفيزياء (بالمشاركة) عام ١٩٢٧ .

Comte [kônt], **Auguste** كونت ، أوغوست (١٧٩٨ – ١٨٥٧) : رياضي وفيلسوف فرنسي . مؤسس الفلسفة الوضعية positivism.

Condorcet [kŏn dŏr sā'], **Marquis de** كوندورسيه ، المركيز دو (١٧٤٣ – ١٧٩٤) : رياضي وفيلسوف فرنسي . لعب دوراً بارزاً في الثورة الفرنسية . انتحر .

Confucius [kən fyōō'shəs] كونفوشيوس (٥٥١ – ٤٧٩ ق. م.) : فيلسوف ومصلح اجتماعي صينيّ . مؤسس الكونفوشيوسية .

Congreve [kŏn'grēv], **William** كونغريف ، وليم (١٦٧٠ – ١٧٢٩) : كاتب مسرحي إنكليزي . اشتهر بكوميدياته الاجتماعية .

Conrad [kŏn'răd], **Joseph** كونراد ، جوزيف (١٨٥٧ – ١٩٢٤) : روائي إنكليزي . بولندي المولد . اتخذ من البحر موضوعاً لكثير من رواياته .

Constable [kŭn'stə bəl], **John** كونستابل ، جون (١٧٧٦ – ١٨٣٧) : رسام إنكليزي . يُعتبر أعظم رسّامي الريف الإنكليزي .

James Cook

Constant [kôn stän'], **Benjamin** كونستان ، بنجامين (١٧٦٧ – ١٨٣٠) : سياسي وكاتب فرنسي . أشهر آثاره رواية « أدولف » *Adolphe* (عام ١٨١٦) .

Constantine I [kŏn'stən tēn] قُسْطنطين الأول أو الكبير (٢٨٠ ؟ – ٣٣٧ م.) : أمبراطور روماني (٣٠٦ – ٣٣٧ م.) . أعاد بناء بيزنطة وسمّاها القسطنطينية .

Constantine II قسطنطين الثاني (١٩٤٠ –) : ملك اليونان (١٩٦٤ – ١٩٧٣) . خُلِع عن العرش .

Constantine XI قسطنطين الحادي عشر (١٤٠٤ – ١٤٥٣) : آخر الأباطرة البيزنطيين (١٤٤٩ – ١٤٥٣) . صُرِع في ميدان المعركة .

Cook [kŏŏk], **James** كوك ، جيمس (١٧٢٨ – ١٧٧٩) : ملاح ومستكشف بريطاني . قام باكتشافات هامة في أستراليا ونيوزيلندا .

Coolidge [kōō'lĭj], **Calvin** كوليدْج ، كالفن (١٨٧٢ – ١٩٣٣) : الرئيس الثلاثون للولايات المتحدة الأميركية (١٩٢٣ – ١٩٢٩) .

Cooper [kōō'pər], **Gary** كوبر ، غاري (١٩٠١ – ١٩٦١) : ممثل سينمائي أميركي .

Cooper, James Fenimore كوبر ، جيمس فينيمور (١٧٨٩ – ١٨٥١) : روائي أميركي . صوّر الصراع الدامي بين الغزاة البيض والهنود الحمر .

Copernicus [kō pûr'nə kəs], **Nicolaus** كوبرنيكوس ، نيقولاوس (١٤٧٣ – ١٥٤٣) : عالم فلك بولندي . قال بأن الأرض وسائر الكواكب السيارة تدور حول الشمس وحول نفسها .

Copley [kŏp'lē], **John Singleton** كوبلي ، جون سينغلتون (١٧٣٨ – ١٨١٥) : رسام أميركي . عُني برسم الوجوه .

Coppée [kô pā'], **François** كوبيه ، فرانسوا (١٨٤٢ – ١٩٠٨) : شاعر وكاتب مسرحي فرنسي . أشهر مسرحياته : « في سبيل التاج » *Pour la couronne* (عام ١٨٩٥) .

Copernicus

Corneille [kôr nā'y], **Pierre** ، كورنيّ ، بيير (١٦٠٦ – ١٦٨٤) : شاعر مسرحي فرنسي . يعتبر أحد أعظم المسرحيين الكلاسيكيين في تاريخ الأدب كله .

Cornwallis [kôrn wŏl'ĭs], **Charles** كورنوالس ، تشارلز (١٧٣٨ – ١٨٠٥) : جنرال إنكليزي . قائد القوات البريطانية أثناء الثورة الأميركية .

Coronado [kô rô nä'dô], **Francisco Vâsquez de** كورونادو ، فرانسيسكو فاسكيز دي (١٥١٠ – ١٥٥٤) : مستكشف إسباني .

Corot [kô rō'], **Jean Baptiste Camille** كورو ، جان باتيست كميل (١٧٩٦ – ١٨٧٥) : رسام فرنسي . يُعتبر من رواد المدرسة الانطباعية .

Correggio [kō rĕd'jō], **Antonio Allegri da** كوريدجو ، أنطونيو أليغري دا (١٤٩٤ – ١٥٣٤) : رسام إيطالي . عني بتصوير الموضوعات الأسطورية .

Cortez *also* **Cortés** [kôr tĕz'], **Hernando** كورتيز ، هيرناندو (١٤٨٥ – ١٥٤٧) : مستكشف إسباني . غزا المكسيك (عام ١٥١٩) .

Cotman [kŏt'mən], **John Sell** كوتمان ، جون سِل (١٧٨٢ – ١٨٤٢) : رسام إنكليزي . برع في استخدام الألوان المائية .

Coulomb [kōō lôn'; kōō'lŏm], **Charles Augustin de** كولوم ، شارل أوغسطين دو (١٧٣٦ – ١٨٠٦) : فيزيائي فرنسي . وضع قانوناً يُعرف باسمه .

Courbet [kōōr bĕ'], **Gustave** كوربيه ، غوستاف (١٨١٩ – ١٨٧٧) : رسام فرنسي . يعتبر أحد زعماء المدرسة الواقعية .

Cousin [kōō zăn'], **Jean** كوزان ، جان (١٤٩٠ ؟ – ١٥٦١ ؟) : رسام فرنسي .

Cousin, Victor كوزان ، فيكتور (١٧٩٢ – ١٨٦٧) : فيلسوف فرنسي . يعتبر أشهر المفكرين الفرنسيين في عصره .

Coward [kou'ərd], **Noel** كاوارد ، نوويل (١٨٩٩ – ١٩٧٣) : ممثل وكاتب مسرحي إنكليزي . تتميّز آثاره بالحركة والحيوية .

Cowley [kou'lē], **Abraham** كاولي ، أبراهام (١٦١٨ – ١٦٦٧) : شاعر إنكليزي . وضع ملحمة لم تتمّ عن حياة النبيّ داود .

Cowper [kōō'pər], **William** كوبر ، وليم (١٧٣١ – ١٨٠٠) : شاعر إنكليزي . تميّزت آثاره بالبساطة والبعد عن التكلّف .

Crabbe [krăb], **George** كراب ، جورج (١٧٥٤ – ١٨٣٢) : شاعر إنكليزي . نادى بالإصلاح الاجتماعي .

Cranach [krä'näkh], **Lucas** كراناخ ، لوقا (١٤٧٢ – ١٥٥٣) : رسام ألماني . عُني برسم الوجوه ، وصوّر موضوعات دينية وأسطورية .

Crane [krān], **(Harold) Hart** كراين ، هارولد هارت (١٨٩٩ – ١٩٣٢) : شاعر أميركي .

Crane, Stephen كراين ، ستيفان (١٨٧١ – ١٩٠٠) : كاتب أميركي . يُعتبر أحد رواد الأقصوصة الحديثة .

Cranmer [krăn'mər], **Thomas** كرانمَر ، توماس (١٤٨٩ – ١٥٥٦) : مصلح ديني إنكليزي . أول قسّ بروتستانتيّ تولى منصب كبير أساقفة كانتربري .

Crashaw [krăsh'ô], **Richard** ، كراشو ، ريتشارد (١٦١٣ ؟ – ١٦٤٩) : شاعر ميتافيزيقي إنكليزي . عبّر في قصائده عن الشعور الديني بلغة الحبّ الأرضي .

Crawford [krô'fərd], **Francis Marion** كروفورد ، فرانسيس ماريون (١٨٥٤ – ١٩٠٩) : روائي أميركي .

Crawford, Thomas كروفورد ، توماس (١٨١٤ – ١٨٥٧) : نحّات أميركي . قضى معظم أيام حياته في رومة .

Crazy Horse [krā'zē hôrs] كرايزي هوس (١٨٤٢ ؟ – ١٨٧٧) : زعيم هندي أميركي أحمر . قاوم البيض وقاتلهم فقُتل .

Cripps [krĭps], Sir **Stafford** ، كريبس ، السير ستافورد (١٨٨٩ – ١٩٥٢) : سياسي بريطاني . وزير المال (١٩٤٧ – ١٩٥٠) . اتخذ إجراءات اقتصادية صارمة .

Croce [krō'chā], **Benedetto** ، كروتشي ، بنيديتّو (١٨٦٦ – ١٩٥٢) : فيلسوف ومؤرخ وسياسي إيطالي . قاوم الفاشيّة وعمل على تحرير إيطاليا منها .

Croesus [krē'səs] كريسوس (توفي عام ٥٤٦ ق. م.) : آخر ملوك ليديا (٥٦٠ – ٥٤٦ ق. م.) . وسّع حدود المملكة . هزمه الفرس (عام ٥٤٦ ق. م.) .

Crome [krōm], **John** كروم ، جون (١٧٦٨ – ١٨٢١) : رسام إنكليزي . عُني بتصوير الريف الإنكليزي .

Cromwell [krŏm'wĕl], **Oliver** كرومويل ، أوليفر (١٥٩٩ – ١٦٥٨) : زعيم سياسي وعسكري إنكليزي . هزم الملكيين وأعلن الجمهورية (عام ١٦٥٣) .

Cromwell, Richard كرومويل ، ريتشارد (١٦٢٦ – ١٧١٢) : زعيم سياسي وعسكري إنكليزي . ابن أوليفر كرومويل وخليفته (١٦٥٨ – ١٦٥٩) . خُلع .

Pierre Corneille

Charles Cornwallis

Lucas Cranach

Paul Cézanne : *les Joueurs de cartes*

بول سيزان : « لاعبا الورق »

Cromwell, Thomas كرومويل، توماس (١٤٨٥ ؟ – ١٥٤٠) : زعيم سياسي إنكليزي . مستشار الملك هنري الثامن . لعب دوراً بارزاً في إخراج إنكلترا من الحظيرة الكاثوليكية .

Crookes [kroo͝oks], Sir **William** كروكس ، السير وليم (١٨٣٢ – ١٩١٩) : كيميائي وفيزيائي إنكليزي . اخترع أنبوب كروكس .

Cugnot [kü nyō′], **Nicolas Joseph** كونيو ، نيقولا جوزيف (١٧٢٥ – ١٨٠٤) : مهندس ميكانيكي فرنسي . يُعتبر رائد صناعة السيارات .

Cullen [kŭl′ən], **Countee** كالِن ، كاونتي (١٩٠٣ – ١٩٤٦) : شاعر زنجي أميركي .

Cummings [kŭm′ĭngz], **Edward Estlin** كامِنْغز ، أدْوَرْد أستلين (١٨٩٤ – ١٩٦٢) : شاعر أميركي . غلبت النزعة الغنائية على شعره .

Curie [kyoo͝r′ē], **Irène** = Joliot-Curie, Irène.

Curie, Marie كوري ، ماري (١٨٦٧ – ١٩٣٤) : كيميائية فرنسية . بولندية المولد . مُنحت جائزة نوبل في الكيمياء ، عام ١٩١١ ، لاكتشافها الراديوم والبولونيوم .

Curie, Pierre كوري ، بيير (١٨٥٩ – ١٩٠٦) : كيميائي فرنسي . مُنح جائزة نوبل في الفيزياء (بالمشاركة) ، عام ١٩٠٣ ، تقديراً لعمله في حقل النشاط الإشعاعي .

Curry [kûr′ē], **John** كاري ، جون ستيوارت (١٨٩٧ – ١٩٤٦) : رسام أميركي . برع في رسم اللوحات الجدارية الزيتية .

Curtis [kûr′tĭs], **Charles** كورتس تشارلز (١٨٦٠ – ١٩٣٦) : سياسي أميركي . نائب رئيس الجمهورية في عهد هربرت هوفر (١٩٢٩ – ١٩٣٣) .

Curzon [kûr′zən], **George Nathaniel** كورزون ، جورج ناثانيال (١٨٥٩ – ١٩٢٥) : سياسي بريطاني . نائب الملك في الهند (١٨٩٩ – ١٩٠٥) . وزير الخارجية (١٩١٩ – ١٩٢٤) .

Cushing [koo͝sh′ĭng], **Harvey** كوشنغ ، هارفي (١٨٦٩ – ١٩٣٩) : طبيب أعصاب أميركي . يُعتبر رائداً في جراحة الدماغ .

Cuvier [koo͞′vē ā], **Georges Léopold** كوفييه، جورج ليوبولد (١٧٦٩ – ١٨٣٢) : عالم حيوان فرنسي . يُعَدّ رائد علم التشريح المقارن .

Cyrano de Bergerac [sē rȧ nō′də bĕr zhə rȧk′] سيرانو دو بيرجيراك (١٦١٩ – ١٦٥٥) : جندي وروائي وكاتب مسرحي فرنسي .

Cyril [sĭr′əl], **Saint** سيريل ، القديس (٨٢٧ – ٨٦٩ م.) : لاهوتي مسيحي يوناني . عمل مع أخيه القديس ميثوديوس Methodius (٨٢٥ – ٨٨٤) على تنصير سلافيي الدانوب .

Cyrus [sī′rəs] كورُش؛ قورُش (توفي عام ٥٢٩ ق. م.) : ملك فارس (٥٥٠ – ٥٢٩ ق.م.) . مؤسس الأمبراطورية الفارسية . قضى على مملكة الميديين (عام ٥٥٠ ق. م.) .

D

Daguerre [də gâr'], **Louis Jacques Mandé**
داغير ، لويس جاك مانديه (١٧٨٩ – ١٨٥١) : رسام فرنسي . يُعتبر أبا التصوير الفوتوغرافي .

Daimler [dīm'lər], **Gottlieb** ، دايملر
غوتليب (١٨٣٤ – ١٩٠٠) : مهندس ميكانيكي ألماني . صنع أول سيارة تعمل بمحرّك داخلي الاحتراق (عام ١٨٨٩) .

Dakiki [dä kē'kē], **abu-Mansur**
دَقيقي ، أبو منصور (توفي حوالى عام ٩٨٠ م.) : شاعر فارسي . نظم ملحمة تغنّى فيها بمآثر أبطال الفرس الأسطوريين .

Daladier [då lå dyā'], **Edouard**
دالاديه ، أدوار (١٨٨٤ – ١٩٧٠) : سياسي فرنسي . رئّس الوزارة عدة مرات . اعتُقل بعد هزيمة فرنسا (يونيو ١٩٤٠) .

Dale [dāl], Sir **Henry Hallet** ، دايل
السّير هنري هاليت (١٨٧٥ – ١٩٦٨) : عالم فيسيولوجي بريطاني . مُنح جائزة نوبل في الفيسيولوجيا والطب عام ١٩٣٦ .

d'Alembert [då län bâr'] = Alembert, Jean Le Rond d'.

Dali [dä'lē], **Salvador** دالي، سَلفادور
(١٩٠٤ –) : رسام إسباني . يعتبر من أبرز ممثلي المذهب السُّريالي .

Dante Alighieri

Dalton [dôl'tən], **John** دالتون، جون
(١٧٦٦ – ١٨٤٤) : فيزيائي وكيميائي بريطاني . وضع أول نظرية ذرية عملية ، وكان أول من وصف عمى الألوان .

Damiri, al- [ăd dă mē'rē] الدَّميري ،
كمال الدين محمد بن موسى (١٣٤١ – ١٤٠٥) : فقيه عربي . عالم بالحيوان . صاحب كتاب « حياة الحيوان » .

Dampier [dăm'pē ər], **William**
دامبيير ، وليم (١٦٥٢ – ١٧١٥) : قرصان ومستكشف إنكليزي . استكشف سواحل أستراليا وغينيا الجديدة .

Daniel [dăn'yəl] دانيال : نبي يهودي من
أهل القرن السادس قبل الميلاد .

D'Annunzio [dän nōōn'tsyō], **Gabriele**
دانونزيو ، غابرييل (١٨٦٣ – ١٩٣٨) : شاعر وروائي وكاتب مسرحي إيطالي .

Dante Alighieri [dän'tā ä lē gyä'rē]
دانتي آليغييري (١٢٦٥ – ١٣٢١) : كبير شعراء إيطاليا . صاحب ملحمة « الكوميديا الإلهية » *Divina Commedia* (١٣٠٨ – ١٣٢٠) .

Danton [dän tôn'], **Georges Jacques**
دانتون ، جورج جاك (١٧٥٩ – ١٧٩٤) : أحد زعماء الثورة الفرنسية . أُعدم بالمقصلة .

Darius I [də rī'əs] داريوس الأول ؛ دارا
الأول (٥٥٠ ؟ – ٤٨٦ ق. م.) : ملك الفرس (٥٢٢ – ٤٨٦ ق. م.) . أعاد تنظيم الأمبراطورية ووسّع رقعتها . يُعرف بـ « الكبير » .

Darius III داريوس الثالث ؛ دارا الثالث
(٣٨٠ ؟ – ٣٣٠ ق. م.) : ملك الفرس (٣٣٦ – ٣٣٠ ق. م.) . هزمه الإسكندر في معركة إيسّوس Issus (عام ٣٣٣ ق.م.) .

Darlan [där län'], **François** ، دارلان
فرانسوا (١٨٨١ – ١٩٤٢) : أميرال فرنسي . نادى بالتعاون مع ألمانيا بعد هزيمة فرنسا عام ١٩٤٠ . اغتيل .

Darwin [där'wĭn], **Charles Robert**
داروين ، تشارلز روبرت (١٨٠٩ – ١٨٨٢) : عالم طبيعة بريطاني . صاحب النظرية الداروينية . أشهر آثاره « في أصل الأنواع » *On the Origin of Species* (عام ١٨٥٩) .

Daubigny [dō bē nyē'], **Charles François**
دوبينيي، شارل فرانسوا (١٨١٧ – ١٨٧٨) : رسام فرنسي . يعتبر أحد الطلائع الذين مهّدوا لظهور المدرسة الانطباعية .

Daudet [dō dā'], **Alphonse** ، دوديه
ألفونس (١٨٤٠ – ١٨٩٧) : قاصّ وروائي فرنسي .

Daumier [dō myā'], **Honoré** ، دومييه
أونوريه (١٨٠٨ – ١٨٧٩) : رسام ونحّات فرنسي . اشتهر برسومه الكاريكاتورية البارعة .

Danton

Charles Darwin

Claude Debussy

Thomas De Quincey

David [dā'vĭd] داود ؛ النبي داود (توفي عام ٩٦٢ ق. م.) : أبو سليمان الحكيم . نُسِب إليه عددٌ كبير من المزامير .

David [dȧ vēd'], **Jacques Louis** دافيد ، جاك لويس (١٧٤٨ — ١٨٢٥) : رسام فرنسي . حظيت رسومه التاريخية بشعبية واسعة في عصره .

Davis [dā'vĭs] = Davys.

Davisson [dā'vĭ sən], **Clinton Joseph** دايفيسّون ، كلينتون جوزيف (١٨٨١ — ١٩٥٨) : فيزيائي أميركي . مُنح جائزة نوبل في الفيزياء (بالمشاركة) عام ١٩٣٧ .

Davy [dā'vē], Sir **Humphry** دايفي ، السّير هَمفري (١٧٧٨ — ١٨٢٩) : كيميائي بريطاني. اكتشف عدداً من العناصر الكيميائية.

Davys [dā'vĭs], **John** دايفيس ، جون (١٥٥٠ ؟ — ١٦٠٥) : ملاح إنكليزي . اكتشف جزر فوكلند (عام ١٥٩٢) .

Dawes [dôz], **Charles Gates** دوز ، تشارلز غايتس (١٨٦٥ — ١٩٥١) : سياسي أميركي . نائب رئيس الجمهورية (١٩٢٥ — ١٩٢٩) . وضع مشروعاً لإمداد ألمانيا بالقروض .

de Beauvoir, Simone = Beauvoir, Simone de.

Debierne [dĕ'byĕrn], **André Louis** دوبيرن ، أندريه لويس (١٨٧٤ — ١٩٤٩) : كيميائي فرنسي .

Debussy [də bü sē'], **Claude** دوبوسّي ، كلود (١٨٦٢ — ١٩١٨) : مؤلف موسيقي فرنسي . أحد أبرز ممثلي المدرسة الرمزية في الموسيقى .

Debye [də bī'], **Peter Joseph Wilhelm** ديباي ، بيتر جوزيف ولهلم (١٨٨٤ — ١٩٦٦) : فيزيائي أميركي . مُنح جائزة نوبل في الكيمياء عام ١٩٣٦ .

Defoe [dĭ fō'], **Daniel** ديفو ، دانيال (١٦٦٠ — ١٧٣١) : كاتب إنكليزي . مؤلف رواية « روبنسون كروزو » *Robinson Crusoe* (عام ١٧١٩) .

De Forest [dĭ fôr'ĭst], **Lee** ديفوريست ، لي (١٨٧٣ — ١٩٦١) : مخترع أميركي . أحد رواد التلغراف اللاسلكي والسينما الناطقة .

Degas [də gä'], **Edgar** ديغا ، أدغار (١٨٣٤ — ١٩١٧) : رسام فرنسي . من أركان المدرسة الانطباعية .

de Gaulle [də gōl'], **Charles** ديغول ، شارل (١٨٩٠ — ١٩٧٠) : جنرال فرنسي . تزعّم قوات فرنسا الحرة خلال الحرب العالمية الثانية . رئيس الجمهورية (١٩٥٩ — ١٩٦٩) .

Delacroix [də lȧ krwä'], **Eugène** دولاكروا ، أوجين (١٧٩٨ — ١٨٦٣) : رسام فرنسي . يُعتبر زعيم المدرسة الرومانتيكية في الرسم .

De la Mare [də lə mâr'], **Walter John** ديلامار ، وولتر جون (١٨٧٣ — ١٩٥٦) : شاعر إنكليزي . حفل شعره بصُوَر الليل والسِّحر والزَّهر .

Democritus [dĭ mŏk'rə təs] ديمُقْريطُس (٤٦٠ ؟ — ٣٧٠ ق. م.) : فيلسوف يوناني . قال بأن العالم يتألف من ذرّات مختلفة شكلاً وحجماً ووزناً .

Demosthenes [dĭ mŏs'thə nēz] ديموسثينيس ؛ ديموستين (٣٨٤ ؟ — ٣٢٢ ق. م.) : خطيب وزعيم سياسي يوناني . ألقى خطباً ضد الملك فيليب المقدوني عُرِفت بـ « الخطب الفيليبينية » .

De Quincey [dĭ kwĭn'sē], **Thomas** دي كوينسي ، توماس (١٧٨٥ — ١٨٥٩) : كاتب وناقد إنكليزي. عُرِف بإدمانه الأفيون.

Derain [də răn'], **André** ديران ، أندريه (١٨٨٠ — ١٩٥٤) : رسام فرنسي . ارتبط اسمه بالمدرسة الفوفية Fauvism أولاً ثم بالمدرسة التكعيبية cubism .

Descartes [dā kärt'], **René** ديكارت ، رينيه (١٥٩٦ — ١٦٥٠) : فيلسوف وفيزيائي ورياضي فرنسي . يُعتبر مؤسس الفلسفة الحديثة .

Desmoulins [dā mōō lăn'], **Camille** ديمولان ، كميل (١٧٦٠ — ١٧٩٤) : أحد زعماء الثورة الفرنسية . عُرِف باعتداله ومقاومته للتطرف . أُعدم .

Descartes

J. L. David

d'Estaing [děs'tân], **Valéry Giscard**[vá lə rē' jĭs'kär] ديستان، فاليري جيسكار (١٩٢٧ –) : سياسي فرنسي . رئيس الجمهورية (١٩٧٤ – ١٩٨١) .

de Valera [děv ə lâr'ə], **Eamon** ديفاليرا ، إيمون (١٨٨٢ – ١٩٧٥) : سياسي إيرلندي . تزعّم حركة الاستقلال عن بريطانيا . رئَس الوزارة الإيرلندية عدة مرات .

Dewar [dyōō'ər], Sir **James** ، ديوار ، السّير جيمس (١٨٤٢– ١٩٢٣) : كيميائي وفيزيائي أسكتلندي . اخترع « إناء ديوار » Dewar flask .

Dewey [dyōō'ē], **John** دْيُوْوي، جون (١٨٥٩ – ١٩٥٢) : فيلسوف أميركي . طوّر الفلسفة الذرائعية أو البراغماتية .

Dewey, Melvil دْيُوْوي ، ملفيـــل (١٨٥١ – ١٩٣١) : أمين مكتبة أميركي . وضع « التصنيف العَشْري » المنسوب إليه .

Dias [dē'əs], **Bartholomeu** *also* **Diaz** [dē'əs] دياز ، بارتولوميو (١٤٥٠ ؟ – ١٥٠٠) : ملاح برتغالي . اكتشف رأس الرجاء الصالح (عام ١٤٨٧) .

Dick [dĭk], **George** دك ، جورج (١٨٨١ – ١٩٦٧) : طبيب أميركي . أعدّ لقاحاً واقياً من الحمّى القرمزية (عام ١٩٢٣).

Dickens [dĭk'ənz], **Charles** ، ديكنز ، تشارلز (١٨١٢ – ١٨٧٠) : روائـي إنكليزي . تميّز أسلوبه بالدُّعابة البارعـة والسخرية اللاذعة .

Diderot [dēd rō'], **Denis** ، ديـدرو ، دونيس (١٧١٣ – ١٧٨٤) : فيلسوف وموسوعي فرنسي . شارك في تحرير « الموسوعة الفرنسية » .

Diesel [dē'zəl], **Rudolf** ديزل، رودولف (١٨٥٨ – ١٩١٣) : مخترع ألماني . اخترع محرِّك ديزل diesel engine .

Diocletian [dī ə klē'shən] ديوقليتانُس (٢٤٥ – ٣١٦ م.) : أمبراطور روماني (٢٨٤ – ٣٠٥ م.) . أصلح الإدارة المالية والجيش .

Diogenes [dī ŏj'ə nēz] ، ديوجينُس ، ديوجين (٤١٢ ؟ – ٣٢٣ ق. م.) : فيلسوف يوناني . دعا إلى التقشّف وعاش في برميل .

Dionysius [dī ə nĭsh'ē əs] ديونيسيوس (٤٣٠ ؟ – ٣٦٧ ق. م.) : طاغية سيراقوسة في صقلية (٤٠٥ – ٣٦٧ ق. م.) . قاتـلَ القرطاجيين .

Dirac [dĭ răk'], **Paul Adrien Maurice** ديراك ، بول أدريان موريـس (١٩٠٢ –) : فيزيائي بريطاني . مُنح جائزة نوبل في الفيزياء (بالمشاركة) عام ١٩٣٣ .

Disney [dĭz'nē], **Walt** ديزني ، وولت (١٩٠١ – ١٩٦٦) : مُخرج صور متحركة أميركي . مخترع شخصية « ميكي ماوس » .

Disraeli [dĭz rā'lē], **Benjamin** دزرايلي ، بنجامين (١٨٠٤ – ١٨٨١) : سياسي بريطاني . رئيس الوزراء (عـام ١٨٦٨) و (١٨٧٤ – ١٨٨٠) . اشترى حصة مصر من أسهم قناة السويس (عام ١٨٧٥) .

Djemal Pasha [jĕ mäl'pä shä], **Ahmed** جمال باشا ، أحمد (١٨٧٢ ؟ – ١٩٢٢) : قائد عسكري تركي . أصدر الحكم بالإعدام على عدد من أحرار سوريا ولبنان ، خلال الحرب العالمية الأولى .

Dollfuss [dôl'fōōs], **Engelbert** دولفوس ، أنغلبرت (١٨٩٢ – ١٩٣٤) : سياسي نمساوي . رئيس الوزراء (١٩٣٢ – ١٩٣٤) . اغتاله بعض النازيين النمساويين .

Domagk [dō'mäk],**Gerhard** ، دوماك ، جيرهارد (١٨٩٥ – ١٩٦٤) : كيميائي ألماني . مُنح جائزة نوبل في الفيسيولوجيا والطب عام ١٩٣٩ لدراساته الخاصة بعقاقير السّلفا .

Dominic [dŏm'ə nĭk], **Saint** دومينيك ، القديس (١١٧٠ ؟ – ١٢٢١) : راهب كاثوليكي . مؤسس الرهبانيـــة الدومينيكانية (عام ١٢١٥) .

Domitian [də mĭsh'ən] دوميتيان(٥١ – ٩٦ م.) : أمبراطور روماني (٨١ – ٩٦م.) . نظّم الإدارة . اتّسم حكمه بالقسوة والوحشية.

Donatello [dŏn ə tĕl'ō] دوناتــللو (١٣٨٦ ؟ – ١٤٦٦) : نحات إيطالي . يُعتبر مؤسس فن النحت الحديث .

Dönitz [də'nəts], **Karl** دونتز، كارل (١٨٩١ –) : أميرال ألماني . تولى رئاسة الدولة ، طوال بضعة أيام ، بعد انتحار هتلر (عام ١٩٤٥) .

Donizetti [dŏn ə zĕt'ē], **Gaetano** دونيزيتي ، غايتانو (١٧٩٧ – ١٨٤٨) : مؤلف موسيقي إيطالي . وضع أكثر من ثلاثين أوبرا .

Diderot

Diocletian

Benjamin Disraeli

Gaetano Donizetti

Don Juan [dôn hwän'] : دون خُوان : شخصية خيالية اخترعها المسرحي الإسباني دي مولينا de Molina في مسرحيته« خدّاع إشبيلية » *El Burlador de Sevilla* .

Donne [dŭn], **John** دَنّ ، جـون (١٥٧٢ – ١٦٣١) : شاعر ولاهوتـي إنكليزي . تميّز شعره باتقاد العاطفة .

Doppler [dŏp'lər], **Christian Johann** دوبلر ، كريستيان جوهان (١٨٠٣ – ١٨٥٣) : فيزيائي نمساوي . اكتشف ما يُعرف بـ « ظاهرة دوبلر » (عام ١٨٤٢) .

Doré [dô rā'], **Paul Gustave** دوريه ، بول غوستاف (١٨٣٢ – ١٨٨٣) : رسام فرنسي . وضع رسوماً للكتاب المقدس و « جحيم » دانتي وغيرهما .

Dos Passos [dəs păs'əs], **John** دوسباسوس ، جون (١٨٩٦ – ١٩٧٠) : روائي أميركي . يُعتبر من أبرز ممثلي « الجيل الضائع » .

Dostoevski [dôs tô yĕf'skē], **Feodor Mikhailovich** دوستويفسكي ، فيودور ميخايلوفيتش (١٨٢١ – ١٨٨١) : روائي روسي . أشهر آثاره « الإخوة كرامازوف » *The Brothers Karamazov* (عام ١٨٨٠).

Dou *also* **Dow** [dou], **Gerard** داو ، جيرارد (١٦١٣ – ١٦٧٥) : رسام هولندي. اشتهر بلوحاته التي تصوّر مشاهد من الحياة اليومية .

Doughty [dou'tĭ], **Charles Montagu** داوتي ، تشارلز مونتاغو (١٨٤٣ – ١٩٢٦) : مستكشف إنكليزي . قام برحلة إلى شبه الجزيرة العربية (١٨٧٦ – ١٨٧٨) .

Dostoevski

Douglas-Home [dŭg'ləs hyōōm'], Sir **Alec** دوغلاس هيوم ، السّير ألك (١٩٠٣ –) : سياسي بريطاني . رئيس الوزراء (١٩٦٣ – ١٩٦٤) .

Dowson [dou'sən], **Ernest Christopher** داوسون ، أرنست كريستوفر (١٨٦٧ – ١٩٠٠) : شاعر إنكليزي . يُعتبر من أبرز القائلين بنظرية « الفن للفن » .

Dozy [dō'zē], **Reinhart** دوزي ، راينهارت (١٨٢٠ – ١٨٨٣) : مستشرق هولندي . عُني بالدراسات الأندلسية بخاصة .

Drake [drāk], Sir **Francis** دْرايك ، السّير فرانسيس (١٥٤٠ ؟ – ١٥٩٦) : ملاح وأميرال إنكليزي . يُعتبر أشهر رجال البحر في عصر الملكة أليزابيث .

Drayton [drā'tən], **Michael** درايتون ، مايكل (١٥٦٣ – ١٦٣١) : شاعر إنكليزي . نظم قصيدة طويلة تحدّث فيها عن طبيعة إنكلترا وتاريخها ومعالمها .

Dreiser [drī'sər; drī'zər], **Theodore** درايزر ، ثيودور (١٨٧١ – ١٩٤٥) : روائي أميركي . يعتبر أحد أركان المذهب الطبيعي في الأدب الأميركي .

Dreyfus [drā'fəs], **Alfred** دْريفوس ، ألفْرِد (١٨٥٩ – ١٩٣٥) : ضابط فرنسي يهودي . اتّهم بالخيانة العظمى . شغلت قضيته فرنسا كلها (١٨٩٤ – ١٩٠٦) .

Drinkwater [drĭngk'wô tər], **John** دْرِنكووتر ، جون (١٨٨٢ – ١٩٣٧) : شاعر ومؤلف مسرحي إنكليزي .

Dryden [drī'dən], **John** درايدن، جون (١٦٣١ – ١٧٠٠) : شاعر وناقد وكاتب مسرحي إنكليزي . يُعتبر أبا النقد الإنكليزي.

Dubos [dü bôs'], **René Jules** دوبوس ، رينيه جول (١٩٠١ –) : عالم بكتيريولوجي أميركي . فرنسي المولد . اكتشف الغراميسيدين gramicidin (عام ١٩٣٩) .

Dubuffet [dü bü fĕ'], **Jean** دوبوفيه، جان (١٩٠١ –) : رسام فرنسي . عُرف بلوحاته التي تمثّل الحياة المعاصرة على نحو هزلي ساخر .

Duchamp [dü shän'], **Marcel** دوشان ، مارسيل (١٨٨٧ – ١٩٦٨) : رسام فرنسي . أحد مؤسسي المدرسة الداديّة والمدرسة السّريالية .

Dufy [dü fē'], **Raoul** دوفي ، راوول (١٨٧٧ – ١٩٥٣) : رسام فرنسي . برع في التصوير بالألوان المائية .

Sir Francis Drake

Duhamel [dü hä'mĕl], **Georges** دوهاميل ، جورج (١٨٨٤ – ١٩٦٦) : كاتب فرنسي . بدأ حياته طبيباً ثم خاض غمار الأدب . لمع نجمه في سماء الرواية بخاصة .

Dulles [dŭl'əs], **John Foster** داليس، جون فوستر (١٨٨٨ – ١٩٥٩) : سياسي أميركي. وزير الخارجية (١٩٥٣ – ١٩٥٩). عرف بعدائه الشديد للشيوعية .

Duluth [də lōōth'], **Daniel Greysolon** دولوث ، دانيال غرايسولون (١٦٣٦ – ١٧١٠) : مستكشف فرنسي . رادَ كندا ومنطقة البحيرات العظمى .

Dumas [dü mä'], **Alexandre** دوما، ألكْسَنْدر (١٨٠٢ – ١٨٧٠) : روائي فرنسي . وضع عدداً كبيراً من الروايات التاريخية . يُعرف بـ « دوما الأب » .

Dumas, Alexandre دوما ، ألكْسَنْدر (١٨٢٤ – ١٨٩٥) : روائي وكاتب مسرحي فرنسي . الابن غير الشرعي لألكسندر دوما الأب . يُعرف بـ « دوما الابن » .

Dumas, Jean-Baptiste دوما ، جان باتيست (١٨٠٠ – ١٨٨٤) : كيميائي فرنسي . أسهم إسهاماً بارزاً في تطوير الكيمياء العضوية .

du Maurier [dōō môr'ē ā], **Daphne** دو مورييه ، دافني (١٩٠٧ –) : روائية بريطانية . أشهر آثارها « ربيكا » *Rebecca* (عام ١٩٣٨) .

Dunant [dü nän'], **Jean Henri** دونان، جان هنري (١٨٢٨ – ١٩١٠) : مُحسن سويسري . مؤسس الصليب الأحمر .

Dunbar [dŭn'bär], **William** دانبار، وليم (١٤٦٠ ؟ – ١٥٣٠): شاعر أسكتلندي. يعتبر أعظم شعراء أسكتلندا في جميع العصور.

Duncan I [dŭng′kən] دانكــان الأول (توفي عام ١٠٤٠) : ملك أسكتلندا (١٠٣٤ – ١٠٤٠) . ثار عليه ابن عمه الأمير مكبث Macbeth .

Duns Scotus [dŭnz skō′təs], **John** دانز سكوطَس ، جون (١٢٦٥ ؟ – ١٣٠٨) : لاهوتي أسكتلندي . أكّد أن الإيمان عمل من أعمال الإرادة .

Dupleix [dü plĕks′], Marquis **Joseph François** دوبلكس ، المركيــز جوزيف فرانسوا (١٦٩٧ – ١٧٦٣) : مدير شركة الهند الشرقية الفرنسية والحاكم العام لجميع الممتلكات الفرنسية في الهند (١٧٤٢ – ١٧٥٤) .

Durant [dyōō rănt′], **Will** دْيُورانت ، ويل (١٨٨٥ – ١٩٨١) : مؤلف أميركي . استهدف في آثاره تبسيط التاريخ والفلسفة .

Durkheim [dür kĕm′], **Emile** دوركايم ، أميل (١٨٥٨ – ١٩١٧) : فيلسوف فرنسي . أحد مؤسسي علم الاجتماع الحديث .

Raoul Dufy : *Henley Regatta*

راوول دوفي : « هنلي ريغاتا »

E

Eakins [ā'kĭnz], **Thomas** ، آيكنز ، توماس (١٨٤٤ — ١٩١٦) : رسام أميركي . يُعتبر أحد أعظم الرسامين الواقعيين الأميركيين .

Eastman [ēst'mən], **George** ، إيستمان ، جورج (١٨٥٤ — ١٩٣٢) : مخترع أميركي. أنتج آلة تصوير يدوية صغيرة دعاها « كوداك » .

Eck [ĕk], **Johann** إيك ، جوهان (١٤٨٦ — ١٥٤٣) : لاهوتي ألماني . يُعتبر الخصم الرئيسي لحركة الإصلاح الديني .

Eckhart [ĕk'härt], **Johannes** إيكهارت ، جوهانس (١٢٦٠ ؟ — ١٣٢٧ ؟): لاهوتي ألماني . يُعتبر مؤسس التصوّف الألماني .

Eddington [ĕd'ĭng tən], Sir **Arthur Stanley** أدّينغتون ، السير آرثر ستانلي (١٨٨٢ — ١٩٤٤) : عالم فلك بريطاني . عُرف بدراساته في نشوء النجوم وتطوّرها .

Eddy [ĕd'ē], **Mary Baker** أدّي، ماري بَيْكر (١٨٢١ — ١٩١٠) : زعيمة دينية أميركية . أسست فرقة « العِلم النصراني » Christian Science.

Eden [ē'dən], Sir **Anthony** ، إيدن ، السير أنطوني (١٨٩٧ — ١٩٧٧) : سياسي بريطاني . رئيس الوزراء (١٩٥٥ — ١٩٥٧). اعتزل العمل السياسي (عام ١٩٥٧) بعد إخفاق العدوان الثلاثي على مصر .

Edinburgh [ĕd'ən bûr'ə], **Prince Philip, duke of** الأمير فيليب، دوق أدنبره (١٩٢١ —) : أمير يوناني الأصل . تزوج عام ١٩٤٧ من الأميرة أليزابيث البريطانية (الملكة أليزابيث الثانية في ما بعد) .

Edison [ĕd'ə sən], **Thomas Alva** أديسون ، توماس آلفا (١٨٤٧ — ١٩٣١) : مخترع أميركي . اخترع الفونوغراف وأسهم في تطوير التلغراف والتلفون والإضاءة الكهربائية وغيرها .

Edward I [ĕd'wərd] أدْوَرْد الأول (١٢٣٩ — ١٣٠٧) : ملك إنكلترا (١٢٧٢ — ١٣٠٧) . فتح ويلز (١٢٨٢ — ١٢٨٣) .

Edward II — أدْوَرْد الثاني (١٢٨٤ — ١٣٢٧) : ملك إنكلترا (١٣٠٧ — ١٣٢٧) . استفحلت في عهده الاضطرابات الداخلية .

Edward III — أدْوَرْد الثالث (١٣١٢ — ١٣٧٧) : ملك إنكلترا (١٣٢٧ — ١٣٧٧) . انتصر على الفرنسيين في معركة كريسي Crécy (عام ١٣٤٦) .

Edward IV — أدْوَرْد الرابع (١٤٤٢ — ١٤٨٣) : ملك إنكلترا (١٤٦١ — ١٤٧٠) و (١٤٧١ — ١٤٨٣) . أول ملوك أسرة يورك York .

Edward VII — أدْوَرْد السابع (١٨٤١ — ١٩١٠) : ملك بريطانيا وإيرلندا (١٩٠١ — ١٩١٠) : ابن الملكة فيكتوريا وخليفتها . تولى العرش وهو في الستين من العمر .

Edward VIII — أدْوَرْد الثامن (١٨٩٤ — ١٩٧٢) : ملك بريطانيا وإيرلندا (٢٠ يناير — ١٠ ديسمبر ١٩٣٦) . أُكرِهَ على التنازل عن العرش بعد أن أعلن اعتزامه الزواج من سيدة أميركية مطلّقة .

Edward « *the Confessor* » أدْوَرْد « المعترِف » (١٠٠٣ ؟ — ١٠٦٦) : ملك إنكلترا (١٠٤٢ — ١٠٦٦) . أهمل شؤون الحكم ووقف نفسه لخدمة الدين .

Ehrenburg [ā'rən bŏŏrg], **Ilya Grigorievich** أهرنبورغ ، إيليا غريغوريفيتش (١٨٩١ — ١٩٦٧) : روائي سوفياتي . لعب دوراً بارزاً في تطوّر الفكر السوفياتي بعد ستالين .

Ehrlich [âr'lĭkh], **Paul** إيرليخ، بول (١٨٥٤ — ١٩١٥) : بكتيريولوجي ألماني . مُنح جائزة نوبل في الفيسيولوجيا والطب عام ١٩٠٨ .

Eichmann [īkh'män], **Adolf** آيخمان ، أدولف (١٩٠٦ — ١٩٦٢) : زعيم نازي . اختطفه الصهاينة ثم أعدموه .

Eiffel [ā fĕl'], **Alexandre Gustave** إيفل ، الكسَنْدْر غوستاف (١٨٣٢ — ١٩٢٣) : مهندس فرنسي . بنى برج إيفل في باريس (عام ١٨٨٩) .

Eijkman [īk'män], **Christiaan** آيكمان ، كريستيان (١٨٥٨ — ١٩٣٠) : طبيب هولندي . اكتشف أن مرض البري بري beriberi ينشأ عن تناول الأرزّ المقشور .

Einstein [īn'stīn; īn'shtīn], **Albert** آينشتاين ، ألبرت (١٨٧٩ — ١٩٥٥) : فيزيائي أميركي . ألماني المولد . صاحب نظرية النسبية . مُنح جائزة نوبل في الفيزياء عام ١٩٢١ .

Edward VII

Einstein

Eisenhower [ī'zən hou ər], **Dwight David** آيزنهاور ، دوايت دايفيد (١٨٩٠ — ١٩٦٩) : جنرال أميركي . الرئيس الرابع والثلاثون للولايات المتحدة الأميركية (١٩٥٣ — ١٩٦١) .

Electra [ĭ lĕk'trə] إلكترا : في الميثولوجيا اليونانية ، بنت آغاممنون . قتلت أمها كليتمنسترا وعشيق أمها إيجسثوس .

Elgar [ĕl'gär], Sir **Edward William** ألغار ، السِّير أدْوَرْد وليم (١٨٥٧ — ١٩٣٤) : مؤلف موسيقي بريطاني . اتسمت أعماله بطابع إنكليزي متميِّز .

Elijah [ĭ lī'jə] إيليا : نبيٌّ يهودي من أهل القرن التاسع قبل الميلاد .

Eliot [ĕl'ē ət], **George** إيليوت ، جورج (١٨١٩ — ١٨٨٠) : روائية إنكليزية . من أشهر آثارها « سايلاس مارنر » *Silas Marner* (عام ١٨٦١) .

Eliot, T.S. إيليوت ، ت. س. (١٨٨٨ — ١٩٦٥) : شاعر وناقد إنكليزي. يُعتبر أحد أبرز ممثلي الشعر الحرّ .

Elizabeth [ĭ lĭz'ə bəth] ؛ أليزابيث أليصابات (١٧٠٩ — ١٧٦٢) : أمبراطورة الروسيا (١٧٤١ — ١٧٦٢) . شغلتها حياة البلاط الباذخة عن الاهتمام بشؤون الدولة .

Elizabeth I أليزابيث الأولى ؛ أليصابات الأولى (١٥٣٣ — ١٦٠٣) : ملكة إنكلترا وإيرلندا (١٥٥٨ — ١٦٠٣) . يُعتبر عصرها من أزهى العصور في التاريخ الإنكليزي .

Elizabeth II أليزابيث الثانية ؛ أليصابات الثانية (١٩٢٦ —) : ملكة بريطانيا وإيرلندا الشمالية (١٩٥٢ —) .

Dwight Eisenhower

Ellis [ĕl'ĭs], **(Henry) Havelock** أليِس، هنري هافلوك (١٨٥٩—١٩٣٩) : عالم نفس بريطاني . عُني بدراسة السلوك الجنسي .

Eluard [ā lü är'], **Paul** ، أيلُوْوار بول (١٨٩٥ — ١٩٥٢) : شاعر فرنسي . يُعتبر أحد أبرز شعراء حركة المقاومة الفرنسية ضد الاحتلال النازي .

Emerson [ĕm'ər sən], **Ralph Waldo** أمرسون ، رالف والْدو (١٨٠٣ — ١٨٨٢) : فيلسوف وشاعر أميركي. يُعرف مذهبه بـ « مذهب التعالي » .

Emmet [ĕm'ĭt] , **Robert** إيميت، روبرت (١٧٧٨ — ١٨٠٣) : وطني وثائر إيرلندي . عمل من أجل استقلال بلاده .

Emmet, Thomas إيميت ، توماس (١٧٦٤ — ١٨٢٧) : محامٍ إيرلندي . أحد زعماء الحركة الاستقلالية في بلاده .

Engels [ĕng'əls], **Friedrich** ، أنجلز فريدريك (١٨٢٠ — ١٨٩٥) : فيلسوف اشتراكي ألماني . أسهم مع كارل ماركس في وضع « البيان الشيوعي » .

Enver Pasha [ĕn'vĕr pä' shä] أنور باشا (١٨٨١ — ١٩٢٢) : قائد عسكري تركي . يُعتبر أحد أبرز زعماء حزب تركيا الفتاة .

Epictetus [ĕp ĭk tē'təs] أبيقطيتس (٥٥ ؟ — ١٣٥م ؟ .) : فيلسوف يوناني رواقيّ . كان عبداً رقيقاً أعتقه سيّده .

Epicurus [ĕp ĭ kyŏŏr'əs] أبيقور(٣٤١— ٢٧٠ ق. م.) . فيلسوف يوناني . قال بأن المتعة هي الخير الأسمى .

Epstein [ĕp'stīn] , Sir **Jacob** ، أبستاين السِّير جاكوب (١٨٨٠ — ١٩٥٩) : نحات بريطاني . أميركي المولد . تأثر بالمدرسة التكعيبية .

Erasistratus [ĕr ə sĭs'trə təs] إيراسيسترا توس : طبيب وعالم تشريح يوناني من أهل القرن الثالث قبل الميلاد . يُعتبر أبا الفيسيولوجيا .

Erasmus [ĭ răz'məs] إيرازموس (١٤٦٦ ؟ — ١٥٣٦) : لاهوتي وفيلسوف هولندي . يُعتبر أبرز وجوه « الحركة الإنسانية » في عصره .

Erastus [ĭ răs'təs], **Thomas** ، إيراستوس توماس (١٥٢٤ — ١٥٨٣) : لاهوتي سويسري . قال بسيادة الدولة في الشؤون الكنسيّة .

Eratosthenes of Cyrene [ĕr ə tŏs' thə nēz ŏv sī rē'nē] إيراتوسثينيز القُوريني (٢٧٦ ؟ — ١٩٤ ؟ ق. م.) : رياضي وجغرافي وفلكي يوناني . كان أول من حسب محيط الأرض .

George Eliot

T. S. Eliot

Elizabeth I

Ralph Emerson

Ludwig Erhard

Euripides

Erhard [ĕr'härt], **Ludwig** ، إيرهارت ، لودفيغ (١٨٩٧ – ١٩٧٧) : سياسي ألماني غربي . وزير المالية (١٩٤٩ – ١٩٦٣) . مستشار ألمانيا الغربية (١٩٦٣ – ١٩٦٦) .

Eric «*the Red*» [ĕr'ĭk] أريك الأحمـــر (ازدهر في أواخر القرن العاشر للميلاد) : ملاح نروجيّ . رادَ سواحل غرينلندا الجنوبية الغربية (٩٨٢ – ٩٨٥) .

Eric IX : أريك التاسع (توفي عام ١١٦٠) : ملك السُّويد (١١٥٠ – ١١٦٠) . شنّ حملة صليبية على فنلندا .

Eric XIV أريك الرابع عشر (١٥٣٣ – ١٥٧٧) : ملك السّويد (١٥٦٠ – ١٥٦٨). عزّز سلطة العرش .

Ericson [ĕr'ĭk sən], **Leif** ، أريكسون ، ليف (ازدهر في القـــرن الحـــادي عشر للميلاد) : ملاح نروجي . ابن « أريك الأحمر » .

Ericsson [ĕr'ĭk sən], **John** ، أريكسون ، جون (١٨٠٣ – ١٨٨٩) : مخترع أميركي. أدخل تحسينات على الآلات البخارية .

Erigena [ĕ rĭj'ə nə], **Johannes Scotus** أريجينا ، جوهانس سكوتـــس (٨١٠ – ٨٧٧ م.) : لاهوتي إيرلندي . حاول التوفيق بين العقل والإيمان .

Ernst [ĕrnst], **Max** أَرْنْسْت ، ماكس (١٨٩١ – ١٩٧٦) . رسام فرنسي . ألماني المولد . يُعتبر أحد مؤسسي المدرستين الدادية والسُّرياليّة .

Esarhaddon [ē sär hăd'ən] أسَرْحَدّون (توفي عام ٦٦٩ ق.م.) : ملك أشور (٦٨١ – ٦٦٩ ق. م.) . أعـــاد بنـــاء بابل وأخضع الكلدانيين .

Esau [ē'sō] عيسو : ابن اسحق بن إبراهيم . والشقيق التوأم ليعقوب .

Etherege [ĕth'ər ĭj], Sir **George** أثيريج ، جورج (١٦٣٥ ؟ – ١٦٩٢ ؟) : كاتب مسرحي إنكليزي . وضع عدداً من الكوميديات صوّر فيها الحياة اليومية .

Eucken [oi'kən], **Rudolf Christoph** أوْيكن ، رودولف كريستوف (١٨٤٦ – ١٩٢٦) : فيلسوف ألماني . مُنح جائزة نوبل في الآداب عام ١٩٠٨ .

Euclid [yōō'klĭd] أُقليدُس (٣٣٠ ؟ – ٢٧٥ ؟ ق. م.) : عالم رياضيات يوناني . وضع مبادىء الهندسة المستوية .

Eugénie [œ zhā nē'] أوجيني (١٨٢٦ – ١٩٢٠) : أمبراطورة فرنسا (١٨٥٣ – ١٨٧٠) بوصفها زوجة نابوليون الثالث .

Euhemerus [yōō hē'mər əs] أوهيميروس (القرن الرابع قبل الميلاد) : فيلسوف يوناني . قال إن الآلهة ليست غير أبطال حقيقيين ألّهتهم الأساطير .

Euler-Chelpin [oi'lər kĕl'pĭn], **Hans von** أويلركَلْبِن ، هانس فون (١٨٧٣ – ١٩٦٤) : كيميائي سويدي . مُنح جائزة نوبل في الكيمياء (بالمشاركة) عام ١٩٢٩ .

Eunus [yōō'nŭs] يونوس (ازدهر في النصف الثاني من القرن الثاني قبل الميلاد) : عبدٌ من أرقاء صقلية . أعلن الثورة على الرومان .

Euripides [yōō rĭp'ə dēz] يوريبيديز (٤٨٤ ؟ – ٤٠٦ ق. م.) : كاتب مسرحي يوناني . يُعتبر أحد أعظم شعراء التراجيديا اليونان . وضع نحواً من ٩٢ مسرحية .

Eutyches [yōō tĭ'kēz] ، أوطيخـــا ، يوتيخيس (٣٧٨ ؟ – ٤٥٠ م.) : لاهوتي من رجال الكنيسة الشرقية . قال بأن للمسيح طبيعة واحدة هي الطبيعة الإلهية .

Evans [ĕv'ənz], Sir **Arthur John** إيفانز ، السير آرثر جـــون (١٨٥١ – ١٩٤١) : عالم آثار بريطاني . كشف عن آثار الحضارة المينوية في كريت .

Ewald *also* **Evald** [ĭ'väl], **Johannes** إيفال ، جوهانس (١٧٤٣ – ١٧٨١) : شاعر دانمركي . يُعتبر أعظم شعراء الدانمرك الغنائيين .

Ezekiel [ĭ zē'kē əl] حزَقيال : نــبي يهودي من أهل القرن السادس قبل الميلاد .

Eugénie

F

Fabius Maximus [fā'bĭ əs măk'sə məs] فابيوس مكسيموس (توفي عـام ٢٠٣ق.م.) . قائد روماني . حاول أن يعوق زحف هنيبعل .

Fadeyev [fə dyā'yĕf], **Aleksandr Aleksandrovich** فيدييف، ألكسَندر ألكسَندروفيتش (١٩٠١ – ١٩٥٦) : روائي سوفياتي . صوّر أعمال المقاومة السرية ضد الاحتلال النازي لأوكرانيا .

Fahd [făhd] فَهْد بن عبد العزيز (١٩٢٢ -): ملـك المملكة العربية السعودية (١٩٨٢ -) خلفاً لأخيه الملك خالد .

Fahrenheit [fä'rən hīt], **Gabriel Daniel** فارنهايت ، غابرييل دانيـال (١٦٨٦ – ١٧٣٦) : فيزيائي ألماني . ابتكر مقياس الحرارة الفارنهايتي .

Faisal [fī'säl; făy'säl] فيصل؛ فيصل ابن عبد العزيز آل سعود (١٩٠٦–١٩٧٥): ملك المملكة العربية السعودية (١٩٦٤ – ١٩٧٥) : عمل من أجل تحقيق الوحدة الإسلامية .

Faisal I فيصل الأول ؛ فيصل بن الحسين (١٨٨٥ – ١٩٣٣) : ملك العراق (١٩٢١– ١٩٣٣) : لعب دوراً بارزاً في الثورة العربية.

Faisal II فيصل الثاني (١٩٣٥ – ١٩٥٨) : ملك العراق (١٩٣٩ – ١٩٥٨) . لقي مصرعه في انقلاب ١٤ يوليو ١٩٥٨ .

Fakhr-ud-din II [făkh'ro͞od'dēn] فخر الدين الثاني (١٥٧٢ – ١٦٣٥) : أمير لبناني . عُرف بنزوعه إلى الاستقلال عن الدولة العثمانية .

Fakhr-ud-din al-Razi [ăr rä'zē] فخر الدين الرازي (١١٤٩ – ١٢٠٩) : فقيه مسلم . دافع عن آراء أهل السُّنة .

Fakhuri [fâ kho͞o'rē], **'Umar** فاخوري، عُمر (١٨٩٦ – ١٩٤٦) : كاتب لبناني . دعا إلى التحرر في الفكر والحياة .

Falla [fä'lyä], **Manuel de** فاليـا ، مانيوويل دي (١٨٧٦ – ١٩٤٦) : مؤلف موسيقي إسباني . يُعتبر أبرز الموسيقيين الإسبان في صدر القرن العشرين .

Farabi, al- [ăl fâ rä'bē] الفـارابي (٨٧٨ ؟ – ٩٥٠ م.) : فيلسوف عربي . حاول التوفيق بـين الشريعة الإسلامية والفلسفة اليونانية .

Faraday [făr'ə dā], **Michael** فاراداي، مايكل (١٧٩١ – ١٨٦٧) : كيميائي وفيزيائي بريطاني . اكتشف بعض الظواهر الكهربائية والمغنطيسية .

Farazdaq, al- [ăl fă răz'dăq] الفَرَزْدَق (٦٤٠ ؟ – ٧٣٠ م .) : شاعر عربي أموي . اشتهر بنقائضه مع جرير والأخطل .

Farghani, al- [ăl făr gä'nē] الفَرْغاني (القرن التاسع للميلاد) : عالم فلك عربي . أشهر آثاره « المدخل إلى علم هيئة الأفلاك » .

Farouk I [fə ro͞ok'] فـاروق الأول (١٩٢٠ – ١٩٦٥) : ملك مصر (١٩٣٦ – ١٩٥٢) : اتسم حُكمه بالصّراع الطويل مع حزب الوفد .

Farquhar [fär'kwər; fär'kər], **George** فاركُوَر ، جورج (١٦٧٨ – ١٧٠٧) : كاتب مسرحي إنكليزي . يُعتبر أبرز كتّاب الكوميديا الإنكليزية في مطلع القرن الثامن عشر .

Fatimah [fä'tĭ măh] فاطمة ؛ فاطمة الزهراء (٦٠٦ ؟ – ٦٣٣ م .) : بنت الرسول محمد عليه السلام . زوجة الإمام عليّ ووالدة الحسن والحسين .

Faulkner [fôk'nər], **William** فوكنر، وليم (١٨٩٧ – ١٩٦٢) : روائي أميركي . مُنح جائزة نوبل في الآداب عام ١٩٤٩ .

Faure [fōr], **Edgar** فور ، أدغـار (١٩٠٨ –) : سياسي فرنسي . رئيس الوزراء (عام ١٩٥٢) و (١٩٥٥ – ١٩٥٦).

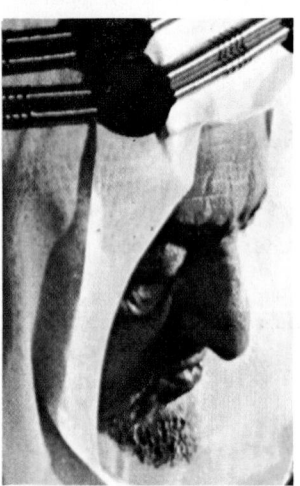

Faisal

Manuel de Falla

Faraday

Faure, Félix فور ، فيليكس (١٨٤١ – ١٨٩٩) : سياسي فرنسي . رئيس الجمهورية (١٨٩٥ – ١٨٩٩) .

Fauré [fō rā′], **Gabriel** فوريه ، غابرييل (١٨٤٥ – ١٩٢٤) : مؤلف موسيقي فرنسي . عمل على تحرير الموسيقى الفرنسية من نفوذ الموسيقى الألمانية .

Faust [foust] فاوسْت : في الأساطير الألمانية ، منجّم باع روحه للشيطان لقاء حصوله على الشباب والمعرفة .

Fayruzabadi, al- [ăl făy rōō′ză bâ dē] الفَيْروزابادي (١٣٢٩ – ١٤١٤ م.) : معجميّ عربي . صاحب « القاموس المحيط » .

Fechner [fĕkh′nər], **Gustav Theodor** فَخْنَر ، غوستاف ثيودور (١٨٠١ – ١٨٨٧) : فيزيائي وعالم نفس ألماني . درس العلاقة بين الفيسيولوجيا وعلم النفس .

Feininger [fī′nĭng ər], **Lyonel** فايننغر ، ليونيل (١٨٧١ – ١٩٥٦) : رسام أميركي . قضى شطراً من حياته في ألمانيا . تأثر بالمدرسة التكعيبية .

Fénelon [fān lôn′], **François** فينيلون ، فرانسوا (١٦٥١ – ١٧١٥) : أسقف وكاتب فرنسي . أشهر آثاره « مغـامرات تليماك » *les Aventures de Télémaque* (عام ١٦٩٩) .

Ferdinand I [fûr′dĭ nănd] فرديناند الأول (١٠١٨ ؟ – ١٠٦٥) : ملك قشتالة (١٠٣٥ – ١٠٦٥) . اتخذ لقب « أمبراطور إسبانيا » (عام ١٠٥٦) .

Ferdinand I فرديناند الأول (١٥٠٣ – ١٥٦٤) : رأس الأمبراطورية الرومانيـة المقدّسة (١٥٥٨ – ١٥٦٤) .

Ferdinand I فرديناند الأول (١٧٩٣ – ١٨٧٥) : أمبراطور النمسا (١٨٣٥ – ١٨٤٨) . استبدّ بأمر الدولة في عهـده المستشار مِتَرْنيخ .

Ferdinand I فرديناند الأول (١٨٦٥ – ١٩٢٧) : ملك رومانيا (١٩١٤ – ١٩٢٧) . انضمّ إلى معسكر الحلفاء (عام ١٩١٦) .

Ferdinand II فرديناند الثاني (١٥٧٨ – ١٦٣٧) : رأس الأمبراطورية الرومانية المقدّسة (١٦١٩ – ١٦٣٧) . صرفَ همّته لمقاتلة البروتستانت .

Ferdinand III فرديناند الثالث (١٦٠٨ – ١٦٥٧) : رأس الأمبراطورية الرومانية المقدّسة (١٦٣٧ – ١٦٥٧) . قاد القوات الأمبراطورية في حرب السنوات الثلاثين .

Ferdinand V فرديناند الخامس (١٤٥٢ – ١٥١٦) : ملك آراغون . تزوج إيزابيلا ملكة قشتالة (عام ١٤٦٩) وبذلك توحدت إسبانيا كلها تقريباً .

Ferdinand VI فرديناند السادس (١٧١٣ – ١٧٥٩) : ملك إسبانيا (١٧٤٦ – ١٧٥٩) . رعى الثقافة والفنون .

Ferdinand VII فرديناند السابع (١٧٨٤ – ١٨٣٣) : ملك إسبانيا (عام ١٨٠٨) و (١٨١٤ – ١٨٣٣) . في عهده فقدت إسبانيا أمبراطوريتها في العالم الجديد .

Fermat [fĕr mà′], **Pierre de** فيرما ، بيير دو (١٦٠١ – ١٦٦٥) : عالم رياضيات فرنسي . يُعتبر أحد أعظم الرياضيين في القرن التاسع عشر .

Fermi [fĕr′mē], **Enrico** فيرمي ، أنريكو (١٩٠١ – ١٩٥٤) : فيزيائي أميركي . إيطالي المولد . ساعدت دراساته على صنع القنبلة الذرية .

Fénelon

Fernandel [fər nàn′dəl] فيرنانديـل (١٩٠٣ – ١٩٧١) : ممثل سينمائي فرنسي . يعتبر نجم الكوميديا الفرنسية في عصره .

Fernández [fər năn′dĕz], **Juan** فيرنانديز ، خُوان (١٥٣٦ ؟ – ١٦٠٤ ؟) : ملاح إسباني . راد السواحل الغربية من أميركا الجنوبية .

Ferry [fĕr′ē], **Jules** فيرّي ، جـول (١٨٣٢ – ١٨٩٣) : سياسي فرنسي . رئيس الوزراء (١٨٨٠ – ١٨٨١) و (١٨٨٣ – ١٨٨٥) . عُرف بسياستـه الاستعمارية .

Fetti [fĕt′tē], **Domenico** فَتّـي ، دومينيكو (١٥٨٩ – ١٦٢٣) : رسام إيطالي . تميّزت أعماله بطابع واقعي .

Feuerbach [foi′ər bäkh], **Ludwig** فويَرْباخ ، لودفيغ (١٨٠٤ – ١٨٧٢) : فيلسوف ألماني . تتلمذ على هيغل ثم انتقد فلسفته بقسوة .

Feydeau [fā′dō], **Georges** فَيْـدو ، جورج (١٨٦٢ – ١٩٢١) : كاتب مسرحي فرنسي . عُرف بكوميدياته الخفيفة .

Fichte [fĭkh′tə], **Johann Gottlieb** فيخته ، جوهان غوتليب (١٧٦٢ – ١٨١٤) : فيلسوف ألماني . طوّر مثالية كَنْت Kant .

Fielding [fēl′dĭng], **Henry** فيلدنغ ، هنري (١٧٠٧ – ١٧٥٤) : روائي إنكليزي . يُعتبر أحد مؤسسي الرواية الإنكليزية .

Fillmore [fĭl′môr], **Millard** فيلمور ، ميلارد (١٨٠٠ – ١٨٧٤) : سياسي أميركي . الرئيس الثالث عشر للولايات المتحدة الأميركية (١٨٥٠ – ١٨٥٣) .

Firdausi [fĭr dou′sē] الفِرْدَوْسي (٩٣٥ ؟ – ١٠٢٠ ؟ م.) : شاعر فارسي . صاحب ملحمة « الشاهنامه » (كتاب الملوك) .

Fischer [fĭsh′ər], **Emil Hermann** فيشر ، أميل هيرمان (١٨٥٢ – ١٩١٩) : كيميائي عضوي ألماني . مُنح جائزة نوبل في الكيمياء عام ١٩٠٢ .

Fischer, Hans فيشر ، هانز (١٨٨١ – ١٩٤٥) : كيميائي ألماني . مُنح جائزة نوبل في الكيمياء عام ١٩٣٠ .

Fisher, Herbert Albert Laurens فيشر ، هربرت ألبرت لورنس (١٨٦٥ – ١٩٤٠) : مؤرخ إنكليزي . وضع تاريخاً لأوروبا في ثلاثة مجلدات .

Fisher, Irving فيشر ، إيرفينغ (١٨٦٧ – ١٩٤٧) : عالم اقتصاد أميركي . عُني بدراسة المسائل المالية .

Ferdinand VII

Fisher, Saint **John** فيشر ، القديس جون (١٤٦٩ – ١٥٣٥) : أسقف كاثوليكي إنكليزي . أعدم لرفضه الاعتراف بهنري الثامن رئيساً لكنيسة إنكلترا .

Fiske [fĭsk], **John** فيسك ، جون (١٨٤٢ – ١٩٠١) : فيلسوف ومؤرخ أميركي . عُرف بتأييده للداروينية .

Fitzgerald [fĭts jĕr'əld], **Edward** فيتسجيرالد ، أدوَرْد (١٨٠٩ – ١٨٨٣) : شاعر إنكليزي . نقل « رباعيات الخيام » إلى الإنكليزية (عام ١٨٥٩) .

Fitzgerald, Francis Scott فيتسجيرالد ، فرانسيس سكوت (١٨٩٦ – ١٩٤٠) : كاتب أقصوصة أميركي . يُعتبر من أبرز ممثلي « الجيل الضائع » .

Fitzgerald, Lord **Thomas** فيتسجيرالد ، اللورد توماس (١٥١٣ – ١٥٣٧) : زعيم إيرلندي . قاد ثورة مخفقة ضدّ الإنكليز (عام ١٥٣٤) .

Fizeau [fē zō'], **Armand** فيزو ، آرمان (١٨١٩ – ١٨٩٦) : فيزيائي فرنسي . قاس سرعة الضوء .

Flammarion [flȧ mȧ ryôn'], **Camille** فلاماريون ، كميل (١٨٤٢ – ١٩٢٥) : عالم فلك فرنسي . حاول في آثاره تبسيط علم الفلك .

Flaubert [flô bâr'], **Gustave** فلوبير ، غوستاف (١٨٢١ – ١٨٨٠) : روائي فرنسي . اعتبره بعض النقاد رائد الواقعية في الأدب الحديث .

Fleming [flĕm'ĭng], **Alexander** فليمينغ ، ألكسَنْدَر (١٨٨١ – ١٩٥٥) : بكتيريولوجي بريطاني . مكتشف البنيسيلين (عام ١٩٢٨) .

Fleming, Ian Lancaster فليمينغ ، إيان لانكاستر (١٩٠٨ - ١٩٦٤) : روائي إنكليزي . مبتدع شخصية « جيمس بوند » .

Fleury [flœ rē'], **André Hercule de** فليري ، أندريه هركول دو (١٦٥٣ – ١٧٤٣) : كاردينال فرنسي . الوزير الأول (١٧٢٦ – ١٧٤٣) للويس الخامس عشر .

Flinders [flĭn'dərz], **Matthew** فليندَرْز ، ماتيو (١٧٧٤ – ١٨١٤) : ملاح إنكليزي . رادَ المحيط الهادىء الجنوبي .

Florey [flôr'ē], Sir **Howard Walter** فلوري ، السّير هاوارد وولتر (١٨٩٨ – ١٩٦٨) : طبيب بريطاني . مُنح جائزة نوبل في الفيسيولوجيا والطب عام ١٩٤٥ (بالمشاركة) .

Flügel [flōō'gəl], **Gustav** فلوغِل ، غوستاف (١٨٠٢ – ١٨٧٠) : مستعرب ألماني . وضعَ فهرساً لألفاظ القرآن الكريم .

Foch [fôsh], **Ferdinand** فوش ، فردينان (١٨٥١ – ١٩٢٩) : مارشال فرنسي . لمع نجمه في معركة المارن Marne (عام ١٩١٤) .

Ford [fôrd], **Gerald** فورد ، جيرالد (١٩١٣ –) : سياسي أميركي . الرئيس الثامن والثلاثون للولايات المتحدة الأميركية (١٩٧٤ – ١٩٧٦) . تولى الرئاسة بعد استقالة الرئيس نيكسون .

Ford, Henry فورد ، هنري (١٨٦٣ – ١٩٤٧) : صناعيّ أميركي . أحد رواد صناعة السيارات .

Forster [fôr'stər], **Edward Morgan** فورسْتر ، أدْوَرْد مورغان (١٨٧٩ – ١٩٧٠) : روائي وناقد إنكليزي . تحفل كتاباته بالنقد الاجتماعي والسياسي .

Fort [fōr], **Paul** فور ، بول (١٨٧٢ – ١٩٦٠) : شاعر فرنسي . ارتبط اسمه بالمدرسة الرمزية .

Foucault [fōō kō'], **Jean Bernard Léon** فوكو ، جان برنار ليون (١٨١٩ – ١٨٦٨) : فيزيائي فرنسي . صنع بندولاً عُرف بـ « بندول فوكو » .

Fourier [fōō ryā'], **Charles** فورييه ، شارل (١٧٧٢ – ١٨٣٧) : عالم اقتصاد فرنسي . رائد من رواد الاشتراكية .

Fourier, Jean Baptiste Joseph فورييه ، جان باتيست جوزيف (١٧٦٨ – ١٨٣٠) : فيزيائي فرنسي . قام بتجارب هامة في موضوع الحرارة .

Fox [fŏks], **Charles James** فوكس ، تشارلز جيمس (١٧٤٩ – ١٨٠٦) : سياسي بريطاني . عارض سياسة جورج الثالث وأيّدَ المستعمرات الأميركية .

Fox, George فوكس ، جورج (١٦٢٤ – ١٦٩١) : زعيم ديني إنكليزي . مؤسس « جماعة الأصدقاء » أو « الفرندز » . أكد على التجربة الروحية النابعة من أعماق الذات .

Fracastoro [frȧ kȧs'tō rō], **Girolamo** فراكاستورو ، جيرولامو (١٤٧٨ ؟ – ١٥٥٣) : طبيب وعالم فلك إيطالي . سبق باستور وروبرت كوخ إلى التحدّث عن الجراثيم المُحْدثة للأمراض .

Fragonard [frȧ gō nȧr'], **Jean Honoré** فراغونار ، جان أونوريه (١٧٣٢ – ١٨٠٦) : رسام فرنسي . تميّزت ريشته بالرشاقة والحيوية .

Edward Fitzgerald

Flaubert

Anatole France

François I

Franco

France [fräns], **Anatole** فرانس، أناتول (١٨٤٤ – ١٩٢٤) : كاتب وروائي فرنسي . مُنح جائزة نوبل في الآداب عام ١٩٢١ .

Francis I [frăn'sĭs] فرنسيس الأول (١٧٠٨ – ١٧٦٥) : رأس الأمبراطورية الرومانية المقدّسة (١٧٤٥ – ١٧٦٥) . تزوّج ماريا تيريزا عام ١٧٣٦ .

Francis II فرنسيس الثاني (١٧٦٨ – ١٨٣٥) : آخر أباطرة الأمبراطورية الرومانية المقدّسة (١٧٩٢ – ١٨٠٦) . في عهده حُلّت هذه الأمبراطورية .

Francis of Assisi [ə sē'zē], **Saint** فرنسيس الأسيزي ، القديس (١١٨٢ – ١٢٢٦) : راهب إيطالي . مؤسس الرهبانية الفرنسيسكانية .

Francis of Sales [sālz], **Saint** فرنسيس السالِيزي ، القديس (١٥٦٧ – ١٦٢٢) : واعظ فرنسي. مؤسس رهبانية « أخوات الزيارة » .

Franck [frängk], **James** فرانك ، جيمس (١٨٨٢ – ١٩٦٤) : فيزيائي نووي أميركي. مُنح جائزة نوبل في الفيزياء (بالمشاركة) عام ١٩٢٥ .

Franco [fräng'kō], **Francisco** فرانكو، فرانسيسكو (١٨٩٢ – ١٩٧٥) : جنرال إسباني . ديكتاتور إسبانيا (١٩٣٩ – ١٩٧٥).

François I [frän'swä'] فرانسوا الأول (١٤٩٤ – ١٥٤٧) : ملك فرنسا (١٥١٥ – ١٥٤٧) : بلغت « النهضة الفرنسية » في عهده أوج ازدهارها .

Franjiyyah [frăn jĭy'yăh], **Sulayman** فرنجية ، سليمان (١٩١٠ –) : سياسي لبناني . رئيس الجمهورية (١٩٧٠ – ١٩٧٦) .

Frank [frăngk], **Ilya Mikhaylovich** فرانك ، إيليا ميخايلوفيتش (١٩٠٨ –) : فيزيائي سوفياتي . مُنح جائزة نوبل في الفيزياء (بالمشاركة) عام ١٩٥٨ .

Franklin [frăngk'lĭn], **Benjamin** فرانكلين ، بنجامان (١٧٠٦ – ١٧٩٠) : سياسي وعالم أميركي . قام بتجارب متعددة في حقل الكهرباء .

Franklin, Sir **John** فرانكلن ، السِّير جون (١٧٨٦ – ١٨٤٧) : مستكشف بريطاني . قام بعدة رحلات إلى المحيط القطبي الشمالي .

Franz Ferdinand [fränts fûr'dĭ nănd] فرانز فيرديناند (١٨٦٣ – ١٩١٤): أرشيدوق النمسا ووليّ عهدها . اغتيل في سيراجيفو (٢٨ يونيو ١٩١٤) .

Franz Joseph [fränts jō'zĕf] فرانز جوزيف (١٨٣٠ – ١٩١٦) : أمبراطور النمسا (١٨٤٨ – ١٩١٦) وملك المجر (١٨٦٧ – ١٩١٦) . في عهده أنشئت أمبراطورية « النمسا – المجر » (عام ١٨٦٧).

Frazer [frā'zər], Sir **James George** فرايزر ، السِّير جيمس جورج (١٨٥٤ – ١٩٤١) : عالم أنثروبولوجي بريطاني . صاحب كتاب « الغصن الذهبي » *The Golden Bough* (عام ١٨٩٠ – ١٩١٥) .

Frederick I [frĕd'rĭk] فريدريك الأول؛ فريدريك برباروسّا (١١٢٣ ؟ – ١١٩٠) : رأس الأمبراطورية الرومانية المقدسة (١١٥٥ – ١١٩٠) . شجّع الثقافة ووسّع الأمبراطورية.

Frederick I فريدريك الأول (١٦٥٧ – ١٧١٣) : أول ملوك بروسيا (١٧٠١ – ١٧١٣) . شجع العلوم والفنون .

Frederick II فريدريك الثاني (١١٩٤ – ١٢٥٠) : رأس الأمبراطور الرومانية المقدّسة (١٢٢٠ – ١٢٥٠) . قاد الحملة الصليبية السادسة وتوّج نفسه ملكاً على القدس (عام ١٢٢٩) .

Frederick II فريدريك الثاني، فريدريك الكبير (١٧١٢ – ١٧٨٦) : ملك بروسيا (١٧٤٠ – ١٧٨٦) . هزم النمسا وعزّز الجيش .

Frederick III فريدريك الثالث (١٦٠٩ – ١٦٧٠) : ملك الدانمرك والنروج (١٦٤٨ – ١٦٧٠). قام باصلاحات واسعة في الإدارة.

Frederick IX فريدريك التاسع (١٨٩٩ – ١٩٧٢) : ملك الدانمرك (١٩٤٧ – ١٩٧٢) .

Franz Joseph

Frederick William I فريدريك وليم الأول (١٦٨٨ – ١٧٤٠) : ملك بروسيا (١٧١٣ – ١٧٤٠) . عُني بتعزيز الجيش البروسي .

Frederick William II فريدريك وليم الثاني (١٧٤٤ – ١٧٩٧) : ملك بروسيا (١٧٨٦ – ١٧٩٧) . قاوم الثورة الفرنسية وخاض الحرب ضدّها (١٧٩٢ – ١٧٩٥).

Frederick William III فريدريك وليم الثالث (١٧٧٠ – ١٨٤٠) : ملك بروسيا (١٧٩٧ – ١٨٤٠) . هزمه نابوليون بونابرت في معركة يينا (عام ١٨٠٦) .

Frederick William IV فريدريك وليم الرابع (١٧٩٥ – ١٨٦١) : ملك بروسيا (١٨٤٠ – ١٨٦١) . عُرف بكرهه للأنظمة الدستورية .

Freeman [frē'măn], **Mary Eleanor** فريمان ، ماري إيليانور (١٨٥٢ – ١٩٣٠): روائية أميركية . أشهر آثارها رواية «بمبروك» (*Pembroke* (عام ١٨٩٤) .

Frémy [frā'mē], **Edmond** فريمـي ، أدمون (١٨١٤ – ١٨٩٤) : كيميائي فرنسي . اكتشف عدداً من أملاح الفلور .

Frescobaldi [frĕs kō bäl'dē], **Girolamo** فريسكوبالـدي ، جيرولامـو (١٥٨٣ – ١٦٤٣) : مؤلـف موسيقي إيطالي .

Fresnel [frā nĕl'], **Augustin Jean** فرينل ، أوغسطين جان (١٧٨٨ – ١٨٢٧) : فيزيائي فرنسي .

Freud [froid], **Sigmund** فْرُويْـد ، سيغموند (١٨٥٦ – ١٩٣٩) : طبيب أمراض عصبية نمساوي . مؤسس طريقة التحليل النفسي psychoanalysis .

Freycinet [frā cē'nā], **Charles Louis de** فريسينيه ، شارل لويس دو (١٨٢٨ – ١٩٢٣) : سياسي فرنسي . تولى رئاسة الوزارة عدة مرات .

Frobisher [frō'bĭ shər], Sir **Martin** فروبيشر ، السِّير مارتن (١٥٣٥ ؟ – ١٥٩٤) : ملاح إنكليزي .

Froebel [frœ'bəl], **Friedrich Wilhelm August** فروبل، فريدريتش ولهلم أوغست (١٧٨٢ – ١٨٥٢) : مربٍّ ألماني . مبتدع نظام رياض الأطفال .

Sigmund Freud

Fuad I [fü äd'] فؤاد الأول (١٨٦٨ – ١٩٣٦) : سلطان مصر (١٩١٧ – ١٩٢٢) . ملك مصر (١٩٢٢ – ١٩٣٦) . تميّز عهده بالصراع مع حزب الوفد .

Funk [fŭngk], **Casimir** فانك ، كازيمير (١٨٨٤ – ١٩٦٧) : كيميائي أميركي . اكتشف عدداً من الفيتامينات .

Furneaux [fûr'nō], **Tobias** فيرنو ، توبياس (١٧٣٥ – ١٧٨١) : ملاح بريطاني . اكتشف جُزُر فيرنو الأسترالية .

Fragonard : *l'Escarpolette*

فراغونار : « الأرجوحة » .

Vasco da Gama

Galileo

Gandhi

G

Gabo [gä'bō], **Naum** غابو ، ناحـوم (١٨٩٠ –١٩٧٧) : نحات أميركي . روسي المولد . يُعتبر مؤسس المدرسة « التشييدية » أو « البنائية » constructivism .

Gaboriau [gȧ bô ryō'], **Emile** غابوريو ، أميل (١٨٣٢ – ١٨٧٣) : كاتب فرنسي . يُعتبر مبتكر فن الرواية البوليسية .

Gabriel [gā'brē əl] *also* **Gabriel Prosser** [prŏs'ər] غابرييل ؛ غابرييل بروسّر (١٧٧٦ ؟ – ١٨٠٠) : زعيم زنجي أميركي . قام بأول ثورة زنجية رئيسية في التاريخ الأميركي (عام ١٨٠٠) .

Gabrieli [gä brē ə'lē], **Giovanni** غابرييلي ، جيوفاني (١٥٥٧ – ١٦١٢) : مؤلف موسيقي إيطالي .

Gaddafi [gȧd'dȧ fē] = **Kazzafi.**

Gagarin [gä gä'rin], **Yuri** غاغارين ، يوري (١٩٣٤ – ١٩٦٨) : رائد فضاء سوفياتي . أول من قام برحلة فضائية حول الأرض (عام ١٩٦١) .

Gainsborough [gānz'bûr ō], **Thomas** غاينزبورو ، توماس (١٧٢٧ – ١٧٨٨) : رسام إنكليزي . اشتهر بلوحاته الريفية .

Gale [gāl], **Zona** غايل ، زونا (١٨٧٤ – ١٩٣٨) : روائية أميركية . تُعتبر من رواد المدرسة الواقعية .

Galen [gā'lən] جالـينوس (١٢٩ – ١٩٩ ؟ م .) : طبيب يوناني . يُعَدّ أحد أكبر الأطباء في العصور القديمة .

Galerius [gə lēr'ē əs] غاليريوس (توفي عام ٣١١ م .) : أمبراطور روماني (٣٠٥ – ٣١١ م .) . اضطهد النصارى .

Galileo [găl ə lā'ō]. *full name* **Galileo Galilei** غاليليو ؛ غاليليو غاليلي (١٥٦٤ – ١٦٤٢) : عالم فلك إيطالي . أيّد نظرية كوبرنيكوس بأن الأرض تـدور حول الشمس .

Galland [gȧ län'], **Antoine** غالاّن ، أنطوان (١٦٤٦ – ١٧١٥) : مستشرق فرنسي . ترجم « ألف ليلة وليلة » إلى الفرنسية .

Galle [gäl'ə], **Johann Gottfried** غالي ، جوهان غوتفريد (١٨١٢ – ١٩١٠) : عالم فلك ألماني . اكتشف الكوكب السيار نبتون (عام ١٨٤٦) .

Gallup [găl'əp], **George Horace** غالوب ، جورج هوراس (١٩٠١ –) : عالم إحصاء أميركي .

Galsworthy [gôlz'wûr thē], **John** غولزْوورذي ، جون (١٨٦٧ – ١٩٣٣) : روائي وكاتب مسرحي إنكليزي . أحد أبرز ممثلي المدرسة الواقعية .

Galton [gôl'tən], Sir **Francis** ، غولتون ، السير فرنسيس (١٨٢٢ – ١٩١١) : عالم إنكليزي . يُعتبر مؤسس اليوجينيا أو علم النسل .

Galvani [gäl vä'nē], **Luigi** ، غالفاني ، لْويجي (١٧٣٧ – ١٧٩٨) : فيسيولوجي إيطالي .

Gama [gä'mə], **Vasco da** ، غامـا ، فاسكو دا (١٤٦٩ ؟ – ١٥٢٤) : ملاح ومستكشف برتغالي . قام بأول رحلة بحرية إلى الهند من طريق رأس الرجاء الصالح (١٤٩٧ – ١٤٩٨) .

Gamal Abdel-Nasser = Nasser, Gamal Abdel- .

Gambetta [găm bĕt'ə], **Léon** ، غامبيتا ، ليون (١٨٣٨ – ١٨٨٢) : سياسي فرنسي . أعلن الجمهورية الفرنسية الثالثة (عام ١٨٧٠) .

Gandhi [gän'dē], **Indira Nehru** غاندي ، إنديرا نهرو (١٩١٧ – ١٩٨٤) : سياسية هندية . رئيسة الوزراء (١٩٦٦ – ١٩٧٧) و (١٩٨٠ – ١٩٨٤) . عُرفت بسياستها التقدمية في الحقلين الاقتصادي والاجتماعي .

Gandhi, Mohandas Karamchand غاندي ، موهانداس كَرَمْشَنْد (١٨٦٩ – ١٩٤٨) : زعيم سياسي وروحي هندي . نادى باللاعنف ، وبالمقاومة السلبية ، وعمل لاستقلال الهند .

Gardner [gärd'nər], **Erle Stanley** غاردنر ، إيرل ستانلي (١٨٨٩ – ١٩٧٠) : روائي أميركي . كتب نحواً من مئة رواية بوليسية .

Garfield[gär'fēld], **James Abram** غارفيلد ، جيمس أبرام (١٨٣١–١٨٨١): سياسي أميركي. الرئيس العشرون للولايات المتحدة الأميركية (عام ١٨٨١) . اغتيل .

Garibaldi[gä rē bäl'dē], **Giuseppe** غاريبالدي ، جوزيبي (١٨٠٧–١٨٨٢) : قائد وزعيم قومي إيطالي . يُعتبر أحد صانعي الوحدة الإيطالية .

Garrison [găr'ĭ sən] , **William Lloyd** غاريسون ، وليم لويد (١٨٠٥ – ١٨٧٩) : زعيم أميركي . دعا إلى إبطال الاسترقاق .

Gaskell [găs'kəl], **Elizabeth** غاسكل، أليزابيث (١٨١٠ – ١٨٦٥) : روائية إنكليزية . عُنيت بوصف حياة العمال .

Gaudi [gō'dē], **Antonio** غـودي ، أنطونيو (١٨٥٢ – ١٩٢٦) : مهندس معماري إسباني . يُعتبر أحد أركان « الفنّ الجديد » art nouveau .

Gauguin [gō găn'], **Paul** غوغـان ، بول (١٨٤٨ – ١٩٠٣) : رسام فرنسي. بدأ حياته الفنية انطباعياً ثم آثر البساطة في الشكل .

Gautier [gō tyā'], **Théophile** غوتييه، تيوفيل (١٨١١ – ١٨٧٢) : شاعر وروائيّ فرنسي . يعتبر من أركان المدرسة البرناسية .

Gay [gā], **John** غاي ، جون (١٦٨٥ – ١٧٣٢) : شاعر وكاتب مسرحي إنكليزي .

Gay-Lussac [gā lü sák'], **Joseph Louis** غاي لوساك ، جوزيف لويس (١٧٧٨ – ١٨٥٠) : كيميائي وفيزيائي فرنسي . اكتشف عنصر البورون (عام ١٨٠٩) .

Geber[jē'bĕr] = Jabir ibn-Hayyan.

Genghis Khan [jĕn'gĭz kän'] جنكيز خان (١١٦٢ – ١٢٢٧) : فاتح وأمبراطور مغولي . فتح شمالي الصين واحتل مناطق واسعة في آسيا الوسطى والجنوبية .

Gentile [jĕn tē'lā], **Giovanni** جنتيلي، جيوفاني (١٨٧٥ – ١٩٤٤) : فيلسوف وسياسي إيطالي . يُعرف أحياناً بـ « فيلسوف الفاشيّة » .

George I [jôrj] جورج الأول (١٦٦٠ – ١٧٢٧) : ملك بريطانيا العظمى وإيرلندا (١٧١٤ – ١٧٢٧) . أول ملوك أسرة هانوفر .

George I : جورج الأول (١٨٤٥ – ١٩١٣): ملك اليونان (١٨٦٣ – ١٩١٣) . اغتيل في سالونيك .

George II : جورج الثاني (١٦٨٣ – ١٧٦٠) : ملك بريطانيا العظمى وإيرلنـدا (١٧٢٧ – ١٧٦٠) . تورّط في عدة حروب في القارة الأوروبية .

George III جورج الثالث (١٧٣٨ – ١٨٢٠) : ملك بريطانيا العظمى وإيرلندا (١٧٦٠ – ١٨٢٠) : في عهده نشبت الثورة الأميركية (١٧٧٥ – ١٧٨٣) .

George IV جورج الرابع (١٧٦٢ – ١٨٣٠) : ملك بريطانيا العظمى وإيرلندا (١٨٢٠ – ١٨٣٠) . عُرف بانغماسه في الملذات .

George V جورج الخامس (١٨٦٥ – ١٩٣٦) : ملك بريطانيا العظمى وأمبراطور الهند (١٩١٠ – ١٩٣٦) . في عهده نشبت الحرب العالمية الأولى (١٩١٤ – ١٩١٨) .

George VI جورج السادس (١٨٩٥ – ١٩٥٢) : ملك بريطانيا وإيرلندا الشمالية (١٩٣٦ – ١٩٥٢) . رقي العرش بعد تنازل اخيه أدْوَرْد الثامن عنه .

George [gĕ ôr 'gə], **Stefan** جيورجي ، ستيفان (١٨٦٨ – ١٩٣٣) : شاعر ألماني . يُعتبر من زعماء المدرسة القائلة بالفن من أجل الفن .

Gerard of Cremona[jĭ rärd'] جيرارد الكريموني (١١١٤ ؟ – ١١٨٧) : أحد أكبر علماء القرون الوسطى . نقل إلى اللاتينية كتباً كثيرة من تراث اليونان المترجم إلى العربية .

Géricault [zhā rē kō'], **Jean Louis André Théodore** جيريكو، جان لويس أندريه تيودور (١٧٩١ – ١٨٢٤) : رسام فرنسي . برع في رسم الوجوه والجياد .

Gérome [zhā rōm'], **Jean Léon** جيروم ، جان ليون (١٨٢٤ – ١٩٠٤) : رسام فرنسي . عرف بعدائه الشديد للمدرسة الانطباعية .

Gershwin [gûrsh'wĭn], **George** غيرشْوين جورج (١٨٩٨ – ١٩٣٧) : مؤلف موسيقي أميركي . وضع عدداً من ألحان « الجاز » السيمفونية .

Ghazi I [gä'zē] غازي الأول (١٩١٢ – ١٩٣٩) : ملك العراق (١٩٣٣ – ١٩٣٩) . لقي مصرعه في حادث سيارة .

Ghazzali, al- [ăl găz zâ'lē] = al-Ghazzali.

Ghiberti [gē bĕr'tē], **Lorenzo** غيبَرْتي ، لورانزو (١٣٧٨ – ١٤٥٥) : رسام ونحات إيطالي . أبدع عدة لوحات جصّية جدارية .

Ghirlandajo [gîr län dä'yō], **Domenico** غيرلَنْدايو ، دومينيكو (١٤٤٩ – ١٤٩٤) : رسام إيطـالي . تميّز أسلوبه بالواقعية .

Gauguin

George V

John Gay

Gibran Khalil Gibran

André Gide

Jean Giraudoux

Mikhail Glinka

Giacometti [jä kō mĕt'tē], **Alberto** جاكومتّي ، ألبرتو (١٩٠١ – ١٩٦٦) : نحّات سويسري . ارتبط اسمه بالحركة السُّريالية .

Giauque [jē ōk'], **William Francis** جيبوك ، وليم فرنسيس (١٨٩٥ –) : كيميائي أميركي . مُنح جائزة نوبل في الكيمياء عام ١٩٤٩ .

Gibb [gĭb], **Hamilton Alexander** غِبّ (أو جبّ) ، هاملتون ألكسندر (١٨٩٥ –) : مستشرق إنكليزي . عُني بتعريف الغربيين بالتراث الإسلامي .

Gibbon [gĭb'ən], **Edward** غيبون ، أدْوَرْد (١٧٣٧ – ١٧٩٤) : مؤرِّخ إنكليزي . يعتبر أعظم المؤرخين الإنكليز في عصره .

Gibran [jo͝ob rän'], **Gibran Khalil** جُبران ، جُبران خليل (١٨٨٣ – ١٩٣١) : كاتب وشاعر ورسام لبناني . تميّزت أعماله بسعة الخيال وبالثورة على التقاليد .

Gide [zhēd], **André** جيد ، أندريه (١٨٦٩ – ١٩٥١) : كاتب وناقد فرنسي . مُنح جائزة نوبل في الآداب عام ١٩٤٧ .

Gilbert [gĭl'bərt], **William** جيلبرت ، وليم (١٥٤٠ – ١٦٠٣) : طبيب وفيزيائي إنكليزي . يُلقّب بأبي الكهرباء .

Giolitti [jō lĕt'tē] , **Giovanni** جيوليتّي ، جيوفاني (١٨٤٢ – ١٩٢٨) : سياسي إيطالي . تولى رئاسة الوزارة عدة مرات .

Giordano[jōr dä'nō], **Luca** جيوردانو ، لوقا (١٦٣٢ – ١٧٠٥) : رسام إيطالي . يعتبر أبرز رسامي نابولي في عصره .

Giorgione [jôr jō'nā] جيورجيوني ، (١٤٧٨ ؟ – ١٥١٠) : رسام إيطالي . مزج في لوحاته بين الوجوه والمشاهد .

Giotto [jôt'tō] جيوتّو (١٢٦٦ – ١٣٣٧) : رسام ونحات إيطالي . يُعَدّ أحد مبدعي فنّ الرسم الحديث .

Giraudoux [zhē rō do͞o'], **Jean** جيرودو ، جان (١٨٨٢ – ١٩٤٤) : روائي وكاتب مسرحي فرنسي . تتميز آثاره بالشاعرية وبُعد الخيال .

Girtin [gûr'tĭn], **Thomas** غورتن ، (١٧٧٥ – ١٨٠٢) : رسام إنكليزي . مؤسس فن الرسم المائي الحديث .

Giulio Romano [jo͞o'lyō rō mä'nō] جوليو رومانو (١٤٩٩ – ١٥٤٦) : رسام إيطالي . تلميذ رافاييل ومساعده .

Glackens [glăk'ənz], **William James** غلاكنز ، وليم جيمس (١٨٧٠ – ١٩٣٨) : رسّام أميركي . صوّر في رسومه حياة أبناء المدن اليومية .

Gladstone [glăd'stōn], **William Ewart** غلادْستون ، وليم إيوارت (١٨٠٩ – ١٨٩٨) . سياسي بريطانيا . تولى رئاسة الوزارة عدة مرات .

Glaser [glā'sər], **Donald Arthur** غلايزر ، دونالد آرثر (١٩٢٦ –) : فيزيائي نووي أميركي . مُنح جائزة نوبل في الفيزياء عام ١٩٦٠ .

Glauber [glou'bər], **Johann Rudolf** غلاوبر ، جوهان رودولف (١٦٠٤ – ١٦٦٨) : كيميائي ألماني . يُلقّب بأبي الكيمياء الألمانية .

Glenn [glĕn], **John** غلين ، جون (١٩٢١ –) : أول أميركي قام برحلة فضائية (٢٠ فبراير ١٩٦٢) .

Glinka [glĭng'kə], **Mikhail Ivanovich** غلينكا ، ميخائيل إيفانوفيتش (١٨٠٤ – ١٨٥٧) : مؤلف موسيقي روسي .

Goddard [gŏd'ĕrd], **Robert Hutchings** غودّارد ، روبرت هاتشينغز (١٨٨٢ – ١٩٤٥) : فيزيائي أميركي . يُعتبر أبا علم الصواريخ الحديث .

Godunov [gə də nôf'], **Boris Fedorovich** غودونوف ، بوريس فيدوروفيتش (١٥٥١ ؟ – ١٦٠٥) : قيصر الروسيا (١٥٩٨ – ١٦٠٥) . وسّع الأمبراطورية .

Godwin[gŏd'wĭn],**William** غودْوين ، وليم (١٧٥٦ – ١٨٣٦) : فيلسوف اجتماعي بريطاني . مهّد السبيل لظهور الحركة الأدبية الرومانتيكية في إنكلترا .

Goebbels [gœb'əls], **Joseph** غوبلز ، جوزيف (١٨٩٧ – ١٩٤٥) : زعيم نازي ألماني . وزير الدعاية (ابتداء من عام ١٩٣٣) .

Goering [gœ'rĭng], **Hermann** غورنغ، هرمان (١٨٩٣ – ١٩٤٦) : زعيم نازي ألماني . قائد سلاح الطيران (ابتداء من عام ١٩٣٣) .

Goethe [gœ'tə], **Johann Wolfgang von** غوته ، جوهان فلفغانغ فون (١٧٤٩ – ١٨٣٢) : شاعر ألماني . يعتبر أعظم الشعراء الألمان في جميع العصور .

Gogol [gō'gəl], **Nikolai Vasilievich** غوغول ، نيقولاي فاسيلييفيتش (١٨٠٩ – ١٨٥٢) : روائي وكاتب مسرحي روسي . يعتبر أحد أبرز الأدباء الروس في القرن التاسع عشر .

Goldoni [gōl dō'nē], **Carlo** غولدوني، كارلو (١٧٠٧ – ١٧٩٣) : كاتب مسرحي إيطالي . يُعتبر أبا الكوميديا الإيطالية الواقعية .

Goldsmith [gōld'smĭth], **Oliver** غولد سمِث ، أوليفر (١٧٣٠ – ١٧٧٤) : شاعر وروائي وكاتب مسرحي بريطاني .

Goldziher [gōld'tsē ər], **Ignaz** غولدزير ، إيغناتس (١٨٥٠ – ١٩٢١) : مستشرق هنغاري .

Golgi [gôl'jē], **Camillo** غولجي، كميلّو (١٨٤٣ – ١٩٢٦) : طبيب إيطالي . مُنح جائزة نوبل في الطب والفيسيولوجيا عام ١٩٠٦ (بالمشاركة) .

Goncourt [gôn kōōr'], **Edmond Louis Antoine de** غونكور ، أدمون لويس أنطوان دو (١٨٢٢ – ١٨٩٦) : كاتب فرنسي . وضع هو وأخوه « جول » Jules مذكرات شهيرة .

Gorki [gôr'kē], **Maxim** غوركي ، مكسيم (١٨٦٨ – ١٩٣٦) : روائي وكاتب مسرحي سوفياتي . عُني بتصوير حياة الكادحين .

Gounod [gōō nō'], **Charles François** غونو ، شارل فرانسوا (١٨١٨ – ١٨٩٣) : مؤلف موسيقي فرنسي . أحد أبرز المؤلفين الموسيقيين الفرنسيين في القرن التاسع عشر .

Goya [gō'yä], **Francisco de** غويا ، فرانسيسكو دي (١٧٤٦ – ١٨٢٨) : رسام إسباني . شجبَ في آثاره الحربَ والتعصّب .

Graham [grā'əm], **Thomas** غراهام، توماس (١٨٠٥ – ١٨٦٩) : كيميائي أسكتلندي . وضع قانوناً خاصاً بانتشار الغازات .

Gramme [gräm], **Zénobe Théophile** غرام ، زينوب تيوفيل (١٨٢٦ – ١٩٠١) : مخترع بلجيكي . عمل في حقل الكهرباء .

Granados [grä'nä dōs], **Enrique** غرانادوس ، أنريك (١٨٦٧ – ١٩١٦) : مؤلف موسيقي إسباني . حاول أن يُضفي على الموسيقى الإسبانية طابعاً قومياً .

Grant [grănt], **Ulysses Simpson** غرانت ، يوليسيس سيمبسون (١٨٢٢ – ١٨٨٥) : الرئيس الثامن عشر للولايات المتحدة الأميركية (١٨٦٩ – ١٨٧٧) .

Granville [grăn'vĭl], **John** غرانفيل ، جون (١٦٩٠ – ١٧٦٣) : سياسي إنكليزي. رئيس الوزراء (١٧٤٢ – ١٧٤٤) .

Gray [grā], **Thomas** غراي ، توماس (١٧١٦ – ١٧٧١) : شاعر إنكليزي . يُعتبر أحد رواد الحركة الرومانتيكية .

Greco [grĕk'ō; grā'kō], **El** غريكو ، أل (١٥٤٨ ؟ – ١٦١٤ ؟) : رسام إسباني . في أعماله نبرة صوفية واتقاد روحيّ .

Greene [grēn], **Graham** غرين، غراهام (١٩٠٤ –) : روائي وكاتب مسرحي إنكليزي . من آثاره : « الأميركي الهادىء » *Quiet American* (عام ١٩٥٥) .

Gregory I [grĕg'ə rē], **Saint** غريغوريوس الأول ، القديس (٥٤٠ ؟ – ٦٠٤) : بابا رومة (٥٩٠ – ٦٠٤) . قوّى البابوية وأعاد تنظيمها .

Gregory IX غريغوريوس التاسع (١١٧٠ ؟ – ١٢٤١) : بابا رومة (١٢٢٧ – ١٢٤١) . أنشأ ديوان التفتيش Inquisition (عام ١٢٣١) .

Gregory XIII غريغوريوس الثالث عشر (١٥٠٢ – ١٥٨٥) : بابا رومة (١٥٧٢ – ١٥٨٥) . يُنسب اليه التقويم الغريغوري .

Grenville [grĕn'vĭl], **George** غرينفيل ، جورج (١٧١٢ – ١٧٧٠) : سياسي إنكليزي . رئيس الوزراء (١٧٦٣ – ١٧٦٥) .

Goethe

Goya

Maxim Gorki

Thomas Gray

Greuze [grœz], **Jean Baptiste** غروز، جان باتيست (١٧٢٥ — ١٨٠٥) : رسام فرنسي . عُرف بلوحاته ذات الموضوعات العاطفية والأخلاقية .

Grey [grā], **Charles** غراي ، تشارلز (١٧٦٤ — ١٨٤٥) : سياسي إنكليزي . رئيس الوزراء (١٨٣٠ — ١٨٣٤) . ألغى الاسترقاق (عام ١٨٣٣) .

Gris [grēs], **Juan** غريس، خوان (١٨٨٧— ١٩٢٧) : رسام إسباني . يُعتبر أحد رواد المدرسة التكعيبية .

Gromyko [grō mē'kō], **Andrei** غروميكو ، أندراي (١٩٠٩ —) : سياسي سوفياتي . وزير الخارجية (١٩٥٧ —) .

Grosz [grōs], **George** غروس ، جورج (١٨٩٣ — ١٩٥٩) : رسام أميركي . ألماني المولد. تنطق آثاره بعداء للبورجوازية والحرب .

Grotius [grō'shē əs], **Hugo** غروشيوس، هوغو (١٥٨٣ — ١٦٤٥) : فقيه وسياسي هولندي . يُعتبر أبا القانون الدولي العام .

Guevara [gā vär'ə], **Ernesto** («Che») غيفارا ، أرنستو « تشي » (١٩٢٨— ١٩٦٧): ثائر كوبي. قاد حرب العصابات في بوليفيا حتى أسره عام ١٩٦٧ .

Guillaume [gē yōm'], **Charles Edouard** غييوم ، شارل أدوار (١٨٦١ — ١٩٣٨) : فيزيائي فرنسي . مُنح جائزة نوبل في الفيزياء عام ١٩٢٠ .

Gustavus Adolphus

Guitry [gē'trĭ], **Sacha** غيتري ، ساشا (١٨٨٥ — ١٩٥٧) : كاتب وممثل مسرحيّ فرنسي . ألّف مئة وثلاثين مسرحية .

Guizot [gē zō'], **François Pierre Guillaume** غيزو، فرانسوا بيير غييوم (١٧٨٧ — ١٨٧٤) : مؤرخ وسياسي فرنسي . رئيس الوزراء (١٨٤٧ — ١٨٤٨).

Gustavus II *also* **Gustavus Adolphus** غوستاف الثاني ؛ غوستاف أدولفوس (١٥٩٤ — ١٦٣٢) : ملك السويد (١٦١١ — ١٦٣٢) . جعل من السويد دولة كبرى .

Gustavus III غوستاف الثالث (١٧٤٦— ١٧٩٢) : ملك السويد (١٧٧١ — ١٧٩٢) . رعى الفنون وعزّز حرية التجارة .

Gutenberg [gōōt'ən bûrg], **Johann** غوتنبرغ ، جوهان (١٤٠٠ ؟ — ١٤٦٨؟): طابع ألماني . اخترع الطباعة بالحروف المعدنية المنفصلة (١٤٣٦ — ١٤٣٨) .

Gutzkow [gōōts'kō], **Karl** غوتسكو ، كارل (١٨١١— ١٨٧٨) : روائي وكاتب مسرحي ألماني . يُعتبر أحد رواد الرواية الاجتماعية الحديثة في ألمانيا .

Gainsborough : *The Morning Walk*

غاينزبورو : « نزهة الصباح »

H

Haakon I [hô'kōōn] هوكون الأول (٩١٤ ؟ –٩٦١) : ملك النروج (٩٤٦ ؟ – ٩٦١) . عمل على نشر المسيحية في بلاده .

Haakon IV هوكون الرابع (١٢٠٤ – ١٢٦٣) : ملك النروج (١٢١٧ – ١٢٦٣) . بسط السيادة النروجية على غرينلندا وإيسلندا .

Haakon VII هوكون السابع (١٨٧٢ – ١٩٥٧) : ملك النروج (١٩٠٥ – ١٩٥٧). لجأ إلى إنكلترا إثر الغزو النازي لبلاده (عام ١٩٤٠) ، ثم عاد اليها بعد انقضاء الحرب .

Haber [hä'bər], **Fritz** هابر ، فريتـز (١٨٦٨ – ١٩٣٤) : كيميائي ألماني . مُنح جائزة نوبل في الكيمياء عام ١٩١٨ .

Hadrian [hā'drē ən] هادْريـان ، هادْريانوس (٧٦ – ١٣٨ م .) : أمبراطور روماني (١١٧ – ١٣٨ م .) . شجّع الثقافة وفنّ العمارة .

Haeckel [hĕk'əl], **Ernst Heinrich** هِيكل ، أرنسْت هاينريتش (١٨٣٤ – ١٩١٩) : بيولوجي ألماني . كان من أكبر أنصار الداروينية في عصره .

Hafiz [hä fĭz'], **Shams-ud-din Mohammed** حافظ ، شمس الدين محمد (١٣٢٥ – ١٣٩٠) : شاعر فارسي . يُعدّ أكبر شعراء الفرس الغنائيين .

Hafiz Ibrahim [hä fĭz' ĭb rä hēm'] حافظ إبراهيم (١٨٧٢ – ١٩٣٢) : شاعر مصري . يُعتبر أحد أبرز شعراء العربية في العصر الحديث .

Hafsah [hăf'säh] حَفْصة بنت عمر بن الخطاب (توفيت عام ٦٦٥ م .) : إحدى زوجات الرسول محمد عليه السلام .

Hahn [hän], **Otto** هان، أوتو (١٨٧٩– ١٩٦٨) : كيميائي نووي ألماني. مُنح جائزة نوبل في الكيمياء (بالمشاركة) لعام ١٩٤٤ .

Haile Selassie [hī'lē sə lăs'ē] هيلا سيلاسي (١٨٩٢ – ١٩٧٥) : أمبراطور إثيوبيا (١٩٣٠ – ١٩٧٤) . خُلع عن العرش .

Hajjaj, al-[ăl hăj'jâj] الحجاج بن يوسف الثّقفي (٦٦١ – ٧١٤ م.) : عاملٌ أموي . وطّد دعائم الدولة الأموية بكثير من القسوة .

Hakam II, al- [ăl hă kăm'] الحَكَم الثاني (٩١٣ ؟ – ٩٧٦ م.) : خليفة أموي في الأندلس (٩٦١ – ٩٧٦ م.) . شجّع العلم والثقافة .

Hakeem [hă kēm'], **Tawfiq al-** الحكيم ، توفيق (١٨٩٨ –) : روائي وكاتب مسرحي مصري . من أشهر آثاره رواية « عودة الروح » ومسرحية « شهرزاد » .

Hakim, al- [ăl hâ'kĭm] الحاكم بأمر الله (٩٨٥ – ١٠٢١ م.) :خليفة فاطميّ (٩٩٦ – ١٠٢١ م.) . يؤمن الدروز بإمامته .

Haldane [hôl'dān], **John Scott** هولداين ، جون سكوت (١٨٦٠ – ١٩٣٦) : فيسيولوجي بريطاني . درس فيسيولوجيا التنفّس والدم .

Hales [hālz], **Stephen** هيْلز، ستيفان (١٦٧٧ – ١٧٦١) : فيسيولوجي وعالم نبات بريطاني . لاحظ ان ثمّة علاقة بين عملية التمثّل وضوء الشمس .

Halifax [hăl'ə făks], **Edward** هاليفاكس ، أدْوَرْد (١٨٨١ – ١٩٥٩) : سياسي بريطاني . وزير الخارجية (١٩٣٨ – ١٩٤٠) .

Hallaj, al- [ăl hăl'lâj] الحلاّج، الحسين ابن منصور (٨٥٨ ؟ – ٩٢٢ م.) : صوفيّ مسلم . قال بالحلول . اتُّهم بالزندقة فقتـل .

Halley [hăl'ē], **Edmund** هالي، أدموند (١٦٥٦ – ١٧٤٢) : عالم فلك بريطاني . كان أول من تنبأ بعودة المُذَنّبات comets .

Hals [häls], **Frans** هالس ، فرانـس (١٥٨٠ ؟ – ١٦٦٦) : رسام هولندي . يُعدّ أحد أبرز رسامي الوجوه في القرن السابع عشر .

Ham [hăm] حام : ثاني أبناء نوح الثلاثة .

Hamadhani, al- [ăl hă mă thâ'nē] الهَمَذاني ، بديع الزمان (٩٦٩ – ١٠٠٨م.): كاتب عربي . مؤسس فن « المقامة » في الأدب العربي .

Hamdani, al- [ăl hăm'dâ nē] الهَمْداني (٨٩٣ ؟ – ٩٤٥ ؟ م.) :جغرافي ومؤرخ عربي . صاحب كتابَي « الإكليل» و« صفة جزيرة العرب » .

Hafiz Ibrahim

Haile Selassie

Knut Hamsun

Hannibal

Thomas Hardy

Hamdani [hăm'dâ nē], **Sayf al-Dawlah al-** الحَمْداني ، سيف الدولة (٩١٦ – ٩٦٧ م.) : أمير عربي . أسس الدولة الحمدانية في حلب . قاتل الروم البيزنطيين .

Hamid-ud-din [hă mē dōōd'dēn], **Yahya** حَمِيْد الدين ، يحيى (١٨٦٩ – ١٩٤٨) : ملك اليمن وإمام الزيدية (١٩٠٤–١٩٤٨) . عُرِف بالاستبداد والرجعية .

Hamilcar Barca[hä mĭl'kär bär'kə] هَمِلْقار بَرْقة (٢٧٠ ؟ – ٢٢٨ ق.م.) : قائد قرطاجي . فتـحَ إسبانيا (٢٣٧ – ٢٢٨ ق. م.) . والد هنيبعل .

Hamilton[hăm'əl tən], **Alexander** هاملتون ، ألكْسَندر (١٧٥٧ – ١٨٠٤) : سياسي أميركي . شارك في حرب الاستقلال .

Hammad al-Rawiyah [hăm'mâd ăr rä'wĭ yăh] حَمّاد الراوية (٦٩٤ ؟ – ٧٧٢ ؟ م.) : لغوي عربي . اشتهر بحفظه الشعر الجاهلي وبروايته له .

Hammarskjöld [häm'är shœld], **Dag** هامَرْشولد ، داغ (١٩٠٥ – ١٩٦١) : سياسي سُويدي . الأمين العام للأمم المتحدة (١٩٥٣ – ١٩٦١) . توفي بحادث طائرة .

Hammurabi[hä mōō rä'bē] حَمورابي (توفي عام ١٧٥٠ ق. م.) : ملك بابل . اشتهر بمجموعة القوانين المنسوبة اليه .

Hampden [hăm(p)'dən], **John** هامبدن ، جون (١٥٩٤ – ١٦٤٣) : سياسي إنكليزي . تزعّم المعارضة البرلمانية للملك تشارلز الأول .

Hamsun[häm'sōōn], **Knut** هَمْسون، كنوت (١٨٥٩ – ١٩٥٢) : روائي وكاتب مسرحي وشاعر نروجي . يُعتبر أبرز زعماء الثورة الرومانتيكية المُحْدَثة في الأدب النروجي .

Hamzah [hăm'zäh] حَمزة بن عبد المُطّلب (توفي عام ٦٢٥ م.) : عمّ الرسول محمد عليه السلام . أبلى في موقعة بدر بلاءً حسناً . استُشهد في معركة أحد .

Handel [hăn'dəl], **George Frederick** هاندل ، جورج فريدريك (١٦٨٥ – ١٧٥٩) : مؤلف موسيقي إنكليزي . وضع أكثر من أربعين أوبرا .

Hannibal [hăn'ə bəl] هَنِّيبعل (٢٤٧ – ١٨٣ ق. م.) : قائد قرطاجيّ . عبر جبال الألب في محاولة للاستيلاء على رومة (عام ٢١٨ ق. م.) .

Hanno [hăn'ō] هانّو (القرن السادس – القرن الخامس ق. م.) : ملاح قرطاجي . ارتاد ساحل إفريقيا الغربي .

Hanno *«the Great»* هانو «الكبير» (القرن الثالث ق. م.) : سياسي قرطاجي . دعا إلى الصلح مع رومة .

Harding [här'dĭng], **Warren** هاردينغ ، وارن (١٨٦٥ – ١٩٢٣) : سياسي أميركي . الرئيس التاسع والعشرون للولايات المتحدة الأميركية(١٩٢١–١٩٢٣). مات قبل أن يتُمّ ولايته .

Hardy [här'dē], **Thomas** هـاردي ، توماس (١٨٤٠ – ١٩٢٨) : روائي وشاعر إنكليزي . يُعتبر أحد أبرز روائيي العصر الفيكتوري وشعرائه .

Hariri, al- [ăl hă rē'rē] الحريـري (١٠٥٤ – ١١٢٢ م.) : كاتب عربي . صاحب «مقامات الحريري» .

Harold II [hăr'əld] هارولد الثاني (١٠٢٠؟–١٠٦٦):ملك إنكلترا (٥ يناير – ١٤ أكتوبر ١٠٦٦) . صُرِع في معركة هيستينغز Hastings .

Harrison [hăr'ĭ sən], **Benjamin** هاريسون ، بنجامان (١٨٣٣ – ١٩٠١) : سياسي أميركي . الرئيس الثالث والعشرون للولايات المتحدة الأميركية (١٨٨٩ – ١٨٩٣) .

Harrison, William Henry هاريسون، وليم هنْري (١٧٧٣ – ١٨٤١) : الرئيس التاسع للولايات المتحدة الأميركية (عام ١٨٤١) . مات بعد تنصيبه بشهر واحد .

Hartung [här'tōōng], **Hans** هارتونغ، هانس (١٩٠٤ –) : رسام فرنسي . ألماني المولد . أحد أبرز ممثلي الفن التجريدي .

Harun al-Rashid [hâ rōōn' ăr'ră shēd] هارون الرشيد (٧٦٤ ؟ – ٨٠٩ م.): خليفة عباسي . حكم أمبراطورية امتدّت من سواحل البحر الأبيض المتوسط إلى الهند .

Harvey[här'vē], **William** هارفي ،وليم (١٥٧٨ – ١٦٥٧) : طبيب وعالم تشريح إنكليزي . اكتشف الدورة الدموية .

Hasan, al- [ăl hă săn'] الحَسَـن ؛ الحَسَن بن عليّ (٦٢٤ ؟ – ٦٦٩ ؟ م.) : حفيد الرسول محمد عليه السلام . تخلّى عن الخلافة لمعاوية بن أبي سُفيان .

Hasan II, al- الحسن الثاني (١٩٢٩ –) : ملك المملكة المغربية (١٩٦١ –) .

Hasan al-Basri, al- [ăl bŭs'rē] الحَسَن البَصْري (٦٤٢ – ٧٢٨ م.) : فقيه مسلم . دعا إلى العزوف عن عَرَض الحياة الدنيا .

Hasan al-Sabbah, al- [ăl hăs săn' ăs säb bâh'] الحسن الصَّبّاح (توفي عام ١١٢٤ م.) : داعية فاطمي . تزعّم فرقة سرية متطرّفة تعرف بفرقة «الحشّاشين» .

Hasdrubal[hăz'drōō bəl] هَسْدروبعل (توفي عام ٢٠٧ ق. م.) : قائد قرطاجي . أخو هنيبعل .

Hassam [hăs'əm], **Childe** هسّام ، تشايلد (١٨٥٩ — ١٩٣٥) : رسام أميركي . يُعَدّ أحد رواد المدرسة الانطباعية الأميركية .

Hassan ibn-Thabit [hăs'sân ĭb'ən thâ'bĭt] حسّان بن ثابت (توفي عام ٦٧٤ م.) : شاعر عربي مُخضرم . يُعتبر شاعر الرسول محمد عليه السلام .

Hatim al-Ta'i [hâ'tĭm ăt'tä ē] حاتم الطائي (توفي عام ٦٠٥ م.) : شاعر عربي جاهلي . عُرف بالفروسية والجود .

Haworth [hou'ərth], Sir **Walter Norman** هاوورث ، السِّير وولتر نورمان (١٨٨٣ — ١٩٥٠) : كيميائي إنكليزي . مُنح جائزة نوبل في الكيمياء (بالمشاركة) عام ١٩٣٧ .

Hawthorne [hô'thôrn], **Nathaniel** هوثورن ، ناثانيال (١٨٠٤ — ١٨٦٤) : روائي أميركي . أشهر آثاره « الحرف القرمزي » *The Scarlet Letter* (عام ١٨٥٠) .

Haydn [hā'dən; hī'dən], **Franz Joseph** هايْدن ، فرانز جوزيف (١٧٣٢ — ١٨٠٩) : مؤلف موسيقي نمساوي . وضع مئة وأربع سيمفونيات .

Hayes[hāz],**Rutherford Birchard** هايز ، روذَرْ فورد بيرتشارد (١٨٢٢— ١٨٩٣) : سياسي أميركي . الرئيس التاسع عشر للولايات المتحدة الأميركية (١٨٧٧ — ١٨٨١) .

Hazlitt [hăz'lĭt], **William** هازْلت ، وليم (١٧٧٨ — ١٨٣٠) : كاتب إنكليزي . اتّسم أسلوبه بالبساطة والبعد عن التكلّف الفني .

Heath [hēth], **Edward** هيث ، أدْوَرْد (١٩١٦ —) : سياسي بريطاني . رئيس الوزراء (١٩٧٠ — ١٩٧٤) . في عهده انضمت بريطانيا إلى السوق الأوروبية المشتركة .

Hébert [ā bâr'], **Jacques René** إيبير ، جاك رينيه (١٧٥٧ — ١٧٩٤) : صحافي وثوري فرنسي . أحد أكثر رجال الثورة الفرنسية تطرّفاً . أُعدم .

Hector [hĕk'tər] هكتور : في الميثولوجيا اليونانية ، أشجع أبطال طروادة . قتله أخيل Achilles.

Hegel [hā'gəl], **Georg Wilhelm Friedrich** هيغل ، جورج ولهلم فريدريك (١٧٧٠ — ١٨٣١) : فيلسوف ألماني . صاحب « المنطق الجدلي الهيغلي » .

Heidegger [hī'dĕg ər], **Martin** هايديجر ، مارتن (١٨٨٩ — ١٩٧٦) : فيلسوف ألماني . يُعتبر مؤسس الفلسفة الوجودية .

Heine [hī'nə], **Heinrich** هايني ، هاينريتش (١٧٩٧ — ١٨٥٦) : شاعر ألماني . أحد أعظم الشعراء الألمان الغنائيين .

Heliogabalus [hē lē ə găb'ə ləs] هليوغابالوس (٢٠٤ — ٢٢٢ م.) : أمبراطور روماني (٢١٨ — ٢٢٢ م.). عُرف بالاستهتار والخلاعة .

Helmholtz [hĕlm'hōlts], **Hermann Ludwig Ferdinand von** هَلْمْهولْتْس ، هرمان لودفيغ فرديناند فون (١٨٢١ — ١٨٩٤) : فيزيائي وفيسيولوجي ألماني .

Helvétius [hĕl vē'shəs], **Claude Adrien** هَلْفيتيوس ، كلود آدريان (١٧١٥ — ١٧٧١) : فيلسوف فرنسي . قال بأن النشاط البشري قائم على المصلحة الشخصية .

Hemingway [hĕm'ĭng wā], **Ernest Miller** همنْغواي ، أرنست ميلر (١٨٩٩ — ١٩٦١) : روائي أميركي . مُنح جائزة نوبل في الآداب عام ١٩٥٤ . انتحر .

Henry III [hĕn'rē] هنري الثالث (١٢٠٧ — ١٢٧٢) : ملك إنكلترا (١٢١٦ — ١٢٧٢) . كان بعيد المطامح ولكنه أخفق في الميدانين السياسي والعسكري .

Henry IV هنري الرابع (١٠٥٠ — ١١٠٦) : رأس الأمبراطورية الرومانية المقدسة (١٠٥٦ — ١١٠٦) . نشب صراع بينه وبين البابا غريغوريوس السابع .

Henry IV هنري الرابع (١٣٦٧ — ١٤١٣) : ملك إنكلترا (١٣٩٩ — ١٤١٣) . أول ملوك أسرة لانكاستر .

Henry IV هنري الرابع (١٥٥٣ — ١٦١٠) : ملك فرنسا (١٥٨٩ — ١٦١٠) . أول ملوك آل بوربون .

Henry V هنري الخامس (١٣٨٧ — ١٤٢٢) : ملك إنكلترا (١٤١٣ — ١٤٢٢) . جعل من إنكلترا أقوى مملكة في أوروبا .

Henry VII هنري السابع (١٤٥٧ — ١٥٠٩) : ملك إنكلترا (١٤٨٥ — ١٥٠٩) . أول ملوك أسرة تيُودر .

Henry VIII هنري الثامن (١٤٩١ — ١٥٤٧) : ملك إنكلترا (١٥٠٩ — ١٥٤٧) . في عهده انفصلت الكنيسة الإنكليزية عن رومة (عام ١٥٣٤) .

Henry, O. هنري ، أو (١٨٦٢—١٩١٠) : قاصّ أميركي . صوّر في أقاصيصه حياة الناس العاديين بمدينة نيويورك .

Heine

Nathaniel Hawthorne

Ernest Hemingway

Henry VIII

Thomas Hobbes

Homer

Henry the Navigator هنري الملاّح (١٣٩٤ – ١٤٦٠) : أمير برتغالي . رعى رحلات الاستكشاف البرتغالية .

Heraclitus [hər ə klī'təs] هِرَقليط ، هِرَقليطُس (٥٤٠ ؟ – ٤٨٠ ق. م.) : فيلسوف يوناني . قال بأن النار هي الجوهر الأول .

Heraclius [kər ə klī'əs] هِرَقْــل (٥٧٥ ؟ – ٦٤١ م.) : أمبراطور بيزنطي (٦١٠ – ٦٤١ م.) . هَزَمَ العربُ قواتِه في معركة اليرموك (عام ٦٣٦ م.) .

Herbert [hûr'bərt], **George** هربرت ، جورج (١٥٩٣ – ١٦٣٣) : شاعر ورجل دين إنكليزي . في آثاره صراع بين حبّ الله وبين الإغراءات الدنيوية .

Heredia [ā rā dyä'], **José Maria de** هيريديا ، خوسيه ماريا دو (١٨٤٢ – ١٩٠٥) : شاعر فرنسي . كوبيّ المولد . يُعتبر من أركان المدرسة البرناسية .

Hero [hē'rō] *also* **Heron** [hē'rən] هيرو ؛ هيرون الإسكندري (القرن الأول للميلاد) : عالم يوناني . كان أول من طوّع البُخار .

Herodotus [hĭ rŏd'ə təs] هيرودوتس (٤٨٥ ؟ – ٤٢٥ ؟ ق.م.) : مؤرخ يوناني . يُعرف بـ « أبي التاريخ » .

Herophilus [hĭ rŏf'ə ləs] هيروفيلوس (٣٣٥ ؟ – ٢٨٠ ؟ ق. م.) : جراح وعالم تشريح يوناني . يُعرف بـ « أبي علم التشريح » .

Herriot [ĕ ryō'], **Edouard** هريو ، أدوار (١٨٧٢ – ١٩٥٧) : سياسي فرنسي . رئيس الوزراء (١٩٢٤ – ١٩٢٥) و (عام ١٩٣٢) .

Hertz, Heinrich Rudolf هيرتز ، هاينريتش رودولف (١٨٥٧ – ١٨٩٤) : فيزيائي ألماني . ساعدت دراساته على ظهور الراديو .

Herzl [hĕr'tsəl], **Theodor** هَرْتْزل ، ثيودور (١٨٦٠ – ١٩٠٤) : كاتب نمساوي . هنغاري المولد . مؤسس الحركة الصهيونية .

Hesiod [hē'sē əd] هَسِيُوْد (القرن الثامن قبل الميلاد) : شاعر يوناني . يعرف بـ « أبي الشعر اليوناني التعليمي » .

Hess, Rudolf هس ، رودولف (١٨٩٤–) : زعيم ألماني نازي . حُكم عليه بالسجن مدى الحياة (عام ١٩٤٦) .

Hess [hĕs], **Victor Franz** هس ، فيكتور فرانتز (١٨٨٣ – ١٩٦٤) : فيزيائي أميركي . نمساوي المولد . اكتشف الأشعة الكونية .

Himmler [hĭm'lər], **Heinrich** هِملر ، هاينريتش (١٩٠٠ – ١٩٤٥) : زعيم ألماني نازي . انتحر متجرّعاً السُّمّ .

Hindenburg [hĭn'dən bûrg], **Paul von** هندنبورغ ، بول فون (١٨٤٧ – ١٩٣٤) : مارشال ألماني . رئيس الجمهورية الألمانية (١٩٢٥ – ١٩٣٤) .

Hipparchus [hĭ pär'kəs] هيبارخوس (القرن الثاني قبل الميلاد) : عالم فلك يوناني . وضع أول خريطة للسّماء .

Hippocrates [hĭ pŏk'rə tēz] أبُقْراط (٤٦٠ ؟ – ٣٧٧ ؟ ق. م.) : طبيب يوناني . يُعتبر أبا الطبّ .

Hiram [hī'răm] حيرام (٩٨٩ ؟ – ٩٣٦ ق. م.) : ملك صور الفينيقي (٩٦٩ – ٩٣٦ ق. م.) .

Hirohito [hĭr ō hē'tō] هيروهيتو (١٩٠١ –) : أمبراطور اليابان (١٩٢٦–) . في عهده هُزمت اليابان في الحرب العالمية الثانية .

Hisham ibn-ʻAbd-al-Malik [hĭ shâm' ĭb'ən ʻăbdĭl'mă lĭk] هشام بن عبد الملك (٦٩١ – ٧٤٣ م.) : خليفة أموي (٧٢٤ – ٧٤٣) . أصلح نظام الزراعة .

Hitler [hĭt'lər], **Adolf** هتلر ، أدولف (١٨٨٩ – ١٩٤٥) : زعيم ألمانيا النازية . أدت سياسته التوسعية إلى نشوب الحرب العالمية الثانية . انتحر .

Hobbes [hŏbz], **Thomas** هوبز ، توماس (١٥٨٨ – ١٦٧٩) : فيلسوف إنكليزي . أيّد الحكم الملكيّ المطلق .

Ho Chi Minh [hō' chē' mĭn'] هو تشي منّه (١٨٩٠ – ١٩٦٩) : زعيم فيتنامي . رئيس جمهورية فيتنام الشمالية (١٩٥٤ – ١٩٦٩) . قاتل الفرنسيين والأميركيين .

Hofmann [hŏf'män], **Hans** هوفمان ، هانس (١٨٨٠ – ١٩٦٦) : رسام أميركي . ألماني المولد . يُعتبر أحد أبرز رسامي القرن العشرين .

Hogarth [hō'gärth], **William** هوغارث ، وليم (١٦٩٧ – ١٧٦٤) : رسّام إنكليزي . تغلب على أعماله روح النقد اللاذع .

Holst [hŏlst], **Gustav Theodore** هولْسْت ، غوستاف ثيودور (١٨٧٤ – ١٩٣٤) : مؤلف موسيقي إنكليزي . طعّم موسيقاه بعناصر أوروبية وهندية .

Home [hyōōm], Sir **Alec Douglas-** = Douglas-Home, Sir Alec.

Homer [hō'mər] هوميروس (القرن التاسع أو الثامن قبل الميلاد) : شاعر يوناني . صاحب ملحمتيّ « الإلياذة » *Iliad* و « الأوذيسّة » *Odyssey* .

Honorius [hō nōr'ĭ əs], **Flavius** هونوريوس، فلافيوس (٣٨٤ – ٤٢٣ م.): أمبراطور روماني (٣٩٥ – ٤٢٣ م.) . رقي عرش الأمبراطورية الغربية بعد تقسيم الأمبراطورية الرومانية إلى شرقية وغربية .

Hoover [hōō'vər], **Herbert Clark** هوفر، هربرت كلارك (١٨٧٤ – ١٩٦٤) : سياسي أميركي . الرئيس الحادي والثلاثون للولايات المتحدة الأميركية (١٩٢٩ – ١٩٣٣) .

Hopkins [hŏp'kĭnz], Sir **Frederick Gowland** هوبكنز ، السِّير فريدريك غاولند (١٨٦١ – ١٩٤٧) : كيميائي حيوي بريطاني . مُنح جائزة نوبـل في الفيسيولوجيا والطب عام ١٩٢٩ (بالمشاركة) .

Hopper [hŏp'ər], **Edward** هوبّر، أدْوَرْد (١٨٨٢ – ١٩٦٧) : رسّام أميركي . تميَّزت أعماله بأساوبها الواقعي .

Horace [hôr'ĭs]: هوراس (٦٥ – ٨ ق.م.): شاعر روماني . تدور قصائده على محور الحب والصداقة والفلسفة .

Hugo [hyōō'gō; *French* ü gō'], **Victor Marie** هوغو، فيكتور ماري (١٨٠٢ – ١٨٨٥): شاعر وروائي وكاتب مسرحي فرنسي . أشهر آثاره روايـة «البؤساء» *les Misérables* (عام ١٨٦٢) .

Hulagu [hōō lä'gōō] هولاغو (١٢١٧– ١٢٦٥) : أمبراطور مغولي . حفيد جنكيز خان . دمّر بغداد وأطاح بالخلافة العباسية (عام ١٢٥٨) .

Hume [hyōōm], **David** هْيوم، دايفيد (١٧١١ – ١٧٧٦) : فيلسوف أسكتلندي . قال بأن الاختبار مصدر المعرفة كلها .

Husain, al- [ăl hōō sän'] الحُسَين ، الحُسين بن علي (٦٢٩ ؟ – ٦٨٠ م.) : حفيد الرسول محمد عليه السلام . قاتل قوات يزيد بن معاوية في كربلاء فاستُشهد ودُفن فيها .

Husain ibn-ʿAli [hōō sän'ĭb ən'ă lĭ'] الحسين بن عليّ (١٨٥٦ – ١٩٣١) : شريف مكة (١٩٠٨ – ١٩١٦) . ملك الحجاز (١٩١٦ – ١٩٢٤) . أعلن الثورة العربية (عام ١٩١٦) . تخلّى عن العرش .

Husain ibn-Talal [hōō sän' ĭb'ən tä'lâl] الحسَين بن طـلال (١٩٣٥ –) : ملك المملكة الأردنية الهاشمية (١٩٥٢ –) .

Husain, Taha [tä'hâ] حُسَين ، طـه (١٨٨٩ – ١٩٧٣) : كاتب مصري . عُرف بآرائه الجريئة في الأدب والحياة . أشهر آثاره : « الأيام » .

Huss [hŭs], **John** هَس ، جـون (١٣٧٣ ؟ – ١٤١٥) : مصلح ديني تشيكي . اتُّهم بالهرطقة فأُعدم إحراقاً .

Huxley [hŭk'slē], **Aldous** هَكْسْلي ، أولدوس (١٨٩٤ – ١٩٦٣) : روائي وناقد إنكليزي .

Huxley, Julian هَكْسْلي ، جوليان (١٨٨٧ –) : بيولوجي ومؤلـف إنكليزي . أول مدير لمنظمة اليونسكو (١٩٤٦ – ١٩٤٨) .

Huxley, Thomas Henry هَكْسْلي ، توماس هنري (١٨٢٥ – ١٨٩٥) : بيولوجي إنكليزي . كان من أشدّ المتحمسين لنظرية داروين .

Huygens [hī'gənz], **Christiaan** هايجنز ، كريستيان (١٦٢٩ – ١٦٩٥) : فيزيائي وعالم فلك هولندي . اخترع أول ساعة مزوّدة برقّاص أو بندول (عام ١٦٥٦).

Victor Hugo

Taha Husain

I

ibn-'Abbad [ĭb'ən 'ăb'bâd] ابن عبّاد ، أبو القاسم (توفي عام ١٠٤٢ م.) : مؤسس دولة بني عبّاد في الأندلس .

ibn-'Abbad, al-Sahib ابن عبّاد ، الصاحب (٩٣٨ – ٩٩٥ م.) : كاتب ووزير مسلم . كان أحد أئمّة البيان العربي .

ibn-'Abbas [ĭb'ən 'ăb'bâs], **'Abdullah** ابن عبّاس ، عبد الله (٦١٩ – ٦٨٧ م.) : صحابي جليل . كان عالماً بالفقه والتفسير والشعر.

ibn-'Abd-Rabbih [ĭb'ən 'ăbd răb' bĭh] ابن عبد ربّه ، أحمد بن محمد (٨٦٠ – ٩٤٠ م.) : أديب عربي أندلسي . أشهر آثاره كتاب « العقد الفريد » .

ibn-al-Aftas [ĭb nŏŏl'ăf'tăs] ابن الأفطس ، عبد الله بن محمد (توفي عام ١٠٤٥ م.) : مؤسس دولة بني الأفطس في الأندلس .

ibn-al-Aghlab [ĭb nŏŏl' ăg'lăb], **Ibrahim** ابن الأغلب ، إبراهيم (٧٥٧ – ٨١٢ م.) : مؤسس دولة الأغالبة في الأندلس .

ibn-al-'Amid [ĭb nŏŏl' 'ă mēd'] ابن العميد ، أبو الفضل (توفي عام ٩٧٠م.) : كاتب ووزير مسلم . يُعتبر من أئمة البيان العربي .

ibn-al-'As [ĭb nŏŏl' 'ăs], **'Amr** ابن العاص ، عمرو (٥٩٤ ؟ – ٦٦٣ م.) : قائد عربي . فتح مصر (٦٤٠ – ٦٤٢ م.) .

ibn-al-Athir [ĭb nŏŏl' ă thēr'], **Diya'-ud-din** ابن الأثير ، ضياء الدين (١١٦٣ – ١٢٣٩ م.) : أديب عربي . صاحب « المثل السائر في أدب الكاتب والشاعر » .

ibn-al-Athir, 'Izz-ud-din ابن الأثير ، عزّ الدين (١١٦٠ – ١٢٣٣ م.) : مؤرخ عربي . صاحب « الكامل في التاريخ » .

ibn-al-Baytar [ĭb nŏŏl'bāy'tär] ابن البَيْطار ، عبد الله بن أحمد (توفي عام ١٢٤٨ م.) : عالم نبات عربي . أشهر مصنّفاته : « الأدوية المُفْرَدة » .

ibn-al-Farid [ĭb nŏŏl'fä'rĭd], **'Umar** ابن الفارض ، عُمر (١١٨١ – ١٢٣٥ م.) : شاعر عربي صوفيّ . تغزّل بالذّات الإلهية .

ibn-al-Haytham [ĭb nŏŏl'hāy'thăm] ابن الهَيْثم ، أبو عليّ الحسن (٩٦٥ ؟ – ١٠٣٩ م.) : عالم فلك وبَصَريات عربي . صاحب « كتاب المناظر » .

ibn-al-'Ibri [ĭb nŏŏl' 'ĭb'rē] ابنُ العبري ، أبو الفرج (١٢٢٦ – ١٢٨٦م.) : مؤرخ سرياني مستعرب. أشهر آثاره : «مختصر الدوَل» .

ibn-al-Jawzi [ĭb nŏŏl'jăw'zē] ابن الجوزي ، أبو الفرج (١١٢٠ ؟ – ١٢٠٠م.) : فقيه ومؤرخ عربي . من آثاره : « مناقب عمر بن عبد العزيز » .

ibn-al-Jawzi ابن الجوزي ، سِبْط (١١٨٥ – ١٢٥٦ م.) : مؤرّخ عربي . صاحب « مرآة الزمان في تاريخ الأعيان » .

ibn-al-Khatib [ĭb nŏŏl'khă tēb'] ابن الخطيب ، لسان الدين (١٣١٣ – ١٣٧٤ م.) : وزير وشاعر ومؤرخ أندلسي. صاحب « الإحاطة في أخبار غرناطة » .

ibn-al-Muqaffa' [ĭb nŏŏl' mŏŏ qăf'fă'] ابن المُقَفَّع ، عبد الله (٧٢٤ – ٧٥٩ م.) : أديب عربي. عُرف ببيانه السّهل الممتنع . ترجم « كليلة ودمنة » عن الفارسية.

ibn-al-Mu'tazz [ĭb nŏŏl'mŏŏ'tăz] ابن المُعْتَزّ ، عبد الله (٨٦١ – ٩٠٨ م.) : شاعر وخليفة عباسي . تولى الخلافة يوماً وليلة ، ثم خُلع وقُتل .

ibn-al-Nadim [ĭb nŏŏn' nă dēm'] ابن النّديم ، أبو الفرج (توفي حوالى ١٠٠٠ م.) : ورّاق (كتبيّ) عربي . أشهر آثاره كتاب : « الفهرست » .

ibn-al-Nafis [ĭb nŏŏn'nă fēs'] ابن النّفيس ، علاء الدين (توفي عام ١٢٨٨ م.) : طبيب عربي . اكتشف الدورة الدموية الصغرى .

ibn-al-Qasim [ĭb nŏŏl' qä'sĭm] ابن القاسم (الثّقفي) ، محمد (٦٨١ – ٧١٧م.) : قائد عربي . فتح بلاد السِّند (عام ٧١٢ م.) . مات قتلاً أو انتحاراً .

ibn-al-Rumi [ĭb nŏŏr'rōō'mē] ابن الرومي ، علي بن العباس (٨٣٦ – ٨٩٦م.) : شاعر عربي عباسي . عُرف بالوصف البارع والهجاء اللاذع .

ibn-'Arabi [ĭb'ən 'ă rä bē'] ابن عرَبي ، محيي الدين (١١٦٥ – ١٢٤٠م.) : متصوف وشاعر مسلم . قال بوحدة الوجود .

ibn-'Asakir [ĭb'ən 'ă sâ'kĭr] ابن عساكر ، علي بن الحسن (١١٠٥ – ١١٧٥ م.) : مؤرخ عربي . صاحب « تاريخ دمشق الكبير » .

ibn-Bajjah [ĭb'ən bâj'jăh] = Avempace.

ibn-Batutah [ĭb'ən bă tōō'tăh] ابن بَطّوطة (١٣٠٤ – ١٣٧٧ م.) : رحالة مسلم . صاحب « تحفة النُّظار في غرائب الأمصار وعجائب الأسفار » .

ibn-Burd [ĭb'ən bōōrd'], **Bashshar** ابن بُرْد ، بشّار (٧١٠ – ٧٨٢ م.) : شاعر عربي عباسي . مكفوف البصر . اتُّهم بالزندقة .

ibn-Firnas [ĭb'ən fĭr'nâs] ابن فِرناس ، عبّاس (توفي عام ٨٨٧ م.) : مخترع عربي أندلسي . قام بمحاولة للطيران .

ibn-Hanbal [ĭb'ən hăn'băl], ابن حَنْبل ، الإمام أحمد (٧٨٠ – ٨٥٥ م.) : فقيه ومحدّث عربي. مؤسس المذهب الحنبلي، أحد المذاهب السُّنّية الأربعة.

ibn-Hani' [ĭb'ən hâ'nĭ'] ابن هانىء الأندلسي (٩٣٨ – ٩٧٣ م.) : شاعر عربي أندلسي . لُقِّب بـ « متنبي المغرب » .

ibn-Hawqal [ĭb'ən hăw'qăl] ابن حَوْقَل ، محمد (توفي عام ٩٧٧ م.) : جغرافي ورحالة عربي . صاحب « المسالك والممالك » .

ibn-Hayyan [ĭb'ən hăy'yân], **Jabir** = Jabir ibn-Hayyan.

ibn-Hazm [ĭb'ən hăzm] ابن حَزْم ، علي بن أحمد (٩٩٤ – ١٠٦٤ م.) : فقيه مسلم أندلسي . صاحب : « الفِصَل في الملل والأهواء والنِّحَل » .

ibn-Hisham [ĭb'ən hĭ shâm'] ابن هشام ، عبد الملك (توفي عام ٨٣٠ م.) : مؤرخ عربي . صاحب كتاب « السيرة النبوية » المعروف بـ « سيرة ابن هشام » .

ibn-Ishaq [ĭb'ən ĭs'hâq], **Hunayn** ابن إسحق ، حُنَيْن (٨٠٨ – ٨٧٣ م.) : طبيب عربي . نقل إلى العربية عدداً من مؤلفات أفلاطون وأرسطو وجالينوس .

ibn-Ishaq, Muhammad ابن إسحق، محمد (توفي عام ٧٦٨ م.) : مؤرخ عربي. صاحب كتاب «السيرة النبوية» المعروف بـ «سيرة ابن اسحق».

ibn-Jinni [ĭb′ən jĭn′nē] ابن جِنّي، عثمان (٩٤٢ — ١٠٠٢ م.) : لغوي عربي. صاحب كتاب «الخصائص».

ibn-Jubayr [ĭb′ən jŏŏ bāyr′] ابن جُبَيْر، محمد (١١٤٥ — ١٢١٧ م.) : رحالة عربي أندلسي. صاحب «رحلة ابن جُبير».

ibn-Khafajah [ĭb′ən khă fâ′jăh] ابن خَفَاجة، إبراهيم (١٠٥٨ — ١١٣٨ م.) : شاعر عربي أندلسي. عُرِف بوصف مشاهد الطبيعة.

ibn-Khaldun [ĭb′ən khăl′dōōn] ابن خَلْدون، عبد الرحمن (١٣٣٢ — ١٤٠٦ م.) : مؤرخ وفيلسوف عربي. يعتبر مؤسس فلسفة التاريخ وعلم الاجتماع.

ibn-Khallikan [ĭb′ən khăl′lĭ kân] ابن خَلّكان، شمس الدين (١٢١١ — ١٢٨٢ م.) : كاتب سِيَر عربي. اشتهر بكتابه «وفيات الأعيان وأنباء أبناء الزمان».

ibn-Kulthum [ĭb′ən kŏŏl thōōm′], **'Amr** ابن كُلْثوم، عَمْرو (توفي عام ٥٨٤ م.) : شاعر عربي جاهلي. من أصحاب المعلّقات.

ibn-Majah [ĭb′ən mâ′jăh] ابن ماجَه، محمد بن يزيد (٨٢٤—٨٨٧ م.) : محدِّث ومفسِّر مسلم. صاحب كتاب «السُّنَن».

ibn-Majid [ĭb′ən mâ′jĭd] ابن ماجد، شهاب الدين (توفي عام ١٤٩٨ م.) : ملاح عربي. قاد فاسكو دا غاما من سواحل إفريقيا الشرقية إلى سواحل الهند (عام ١٤٩٨).

ibn-Manzur [ĭb′ən măn′zōōr] ابن منظور، محمّد بن مكرَّم (١٢٣٢ — ١٣١١ م.) : لغوي عربي. وضع معجماً ضخماً دعاه «لسان العرب».

ibn-Maymun [ĭb′ən măy′mōōn] = Maimonides.

ibn-Munqiz [ĭb′ən mōōn′qĭz], **Usamah** ابن مُنْقِذ، أسامة (١٠٩٥ — ١١٨٨ م.) : أمير وشاعر عربي. قاد عدة حملات على الصليبيين. صاحب كتاب «الاعتبار».

ibn-Qurrah [ĭb′ən qōōr′răh], **Thabit** ابن قُرّة، ثابت (٨٣٦ — ٩٠١م.) : طبيب ورياضي وعالم فلك عربي. من آثاره كتاب «الذخيرة في علم الطب».

ibn-Qutaybah [ĭb′ən qōō tăy′băh] ابن قُتَيْبة، عبد الله (٨٢٨ — ٨٨٩ م.) : أديب ومؤرخ عربي. صاحب «الشعر والشعراء».

ibn-Rushd [ĭb′ən rōōshd] = Averroës.

ibn-Sa'd [ĭb′ən să′d] ابن سَعْد، محمد (٧٨٤ — ٨٤٥ م.) : محدِّث ومؤرخ مسلم. صاحب «كتاب الطبقات الكبير».

ibn-Sa'ud [ĭb′ən să′ōōd′] = Sa'ud, 'Abdul-'Aziz ibn-.

ibn-Sidah [ĭb′ən sē′dăh] ابن سِيْده، علي بن اسماعيل (١٠٠٧ — ١٠٦٦ م.) : لغوي عربي أندلسي. صاحب كتاب «المخصَّص».

ibn-Sina [ĭb′ən sē′nâ] = Avicenna.

ibn-Tashfin [ĭb′ən tâsh′fēn], **Yusuf** ابن تاشفين، يوسف (١٠١٩ — ١١٠٦م.) : أبرز ملوك دولة المرابطين في الأندلس (امتدّ حكمه من عام ١٠٦١ إلى عام ١١٠٦م.).

ibn-Taymiyyah [ĭb′ən tăy mĭy′yăh] ابن تَيْمِيَّة، تقي الدين (١٢٦٣—١٣٢٨م.) : فقيه عربي حنبلي. يُلقَّب بـ «مُحيي السُّنَّة وإمام المجتهدين».

ibn-Tufayl [ĭb′ən tōō făyl′] ابن طُفَيل، أبو بكر محمد (١١٠٠ — ١١٨٥م.) : طبيب وفيلسوف عربي أندلسي. صاحب «حيّ بن يقظان».

ibn-Tulun [ĭb′ən tōō′lōōn], **Ahmad** ابن طولون، أحمد (٨٣٥ — ٨٨٤ م.) : مؤسس الدولة الطولونية في مصر. امتدّ حكمه من عام ٨٦٨ إلى عام ٨٨٤ م.

ibn-Tumart [ĭb′ən tōō′mărt] ابن تومَرْت، أبو عبد الله محمد (١٠٨٠ ؟ — ١١٣٠ م.) : مصلح ديني مراكشي. على أساس تعاليمه قامت دولة الموحدين في شمال إفريقيا والأندلس.

ibn-Yunus [ĭb′ən yōō′nōōs] ابن يُونُس، علي بن عبد الرحمن (توفي عام ١٠٠٩ م.) : عالم فلك عربي. من آثاره : «جداول السَّمت».

ibn-Yunus ابن يُونُس، أبو الفتح موسى (١١٥٦ — ١٢٤٢ م.) : فيلسوف ورياضي عربي. من آثاره : «شرح الأعمال الهندسية».

ibn-Zaydun [ĭb′ən zăy′dōōn] ابن زَيْدون، أحمد بن عبد الله (١٠٠٣ — ١٠٧١ م.) : وزير وشاعر أندلسي. لقِّب بـ «بُحتريّ المغرب».

ibn-Zuhr [ĭb′ən zōōhr] = Avenzoar.

Ibrahim Pasha [ĭb′rä hēm pä′shä] إبراهيم باشا (١٧٨٩ — ١٨٤٨) : قائد عسكري مصري. ابن محمد علي باشا. قاد الحملة المصرية على اليونان (عام ١٨٢٤).

Henrik Ibsen

Jean Ingres

Ibsen [ĭb′sən], **Henrik** إبْسِن، هنريك (١٨٢٨ — ١٩٠٦) : شاعر وكاتب مسرحي نروجي. يُعتبر أحد أعظم الكتاب المسرحيين في كل العصور.

Iddeh [ĭd′dĕh], **Emile** إدّه، إميل (١٨٨١ — ١٩٤٩) : سياسي لبناني. رئيس الجمهورية (١٩٣٦ — ١٩٤١).

Idrisi, al- [ăl ĭd rē′sē] الإدريسي، أبو عبد الله محمد (١١٠٠ — ١١٦٦ م.) : جغرافي ورحالة عربي أندلسي. صاحب «نزهة المشتاق في اختراق الآفاق».

Ignatius Loyola [ĭg nā′shəs loi ō′lə], **Saint** أغناطيوس لُويُولا، القديس (١٤٩١ — ١٥٥٦) : كاهن إسباني. مؤسس الرهبانية اليسوعية.

Ikhshidi [ĭkh′shē dē], **Kafur al-** الإخشيدي، كافور (توفي عام ٩٦٨ م.) : عبدٌ أسود. بسط سلطانه على مصر في عهد الدولة الإخشيدية.

Ingres [ăn′gr], **Jean Auguste Dominique** أَنْغْر، جان أوغوست دومينيك (١٧٨٠ — ١٨٦٧) : رسام فرنسي. يُعتبر أحد زعماء المدرسة الكلاسيكية الفرنسية في الرسم.

Inness [ĭn'ĭs], **George** إنّس ، جورج (١٨٢٥ – ١٨٩٤) : رسام أميركي . صوّر المشاهد الطبيعية بأسلوب رومانتيكي .

Innocent II [ĭn'ə sənt] إينوسنت الثاني (توفي عام ١١٤٣) : بابا رومة (١١٣٠ – ١١٤٣) : اضطُرّ إلى اللجوء إلى فرنسة فترةً من الزمن .

Innocent III إينوسنت الثالث (١١٦١ ؟ – ١٢١٦) : بابا رومة (١١٩٨ – ١٢١٦) : قال بأن السلطة الروحية يجب أن تكون فوق السلطة الزمنية .

Innocent IV إينوسنت الرابع (١١٩٠ ؟ – ١٢٥٤) : بابا رومة (١٢٤٣ – ١٢٥٤) . يُعتبر أحد أعظم الباباوات في العصر الوسيط .

Innocent XI إينوسنت الحادي عشر (١٦١١ – ١٦٨٩) : بابا رومة (١٦٧٦ – ١٦٨٩) . يُعَدّ أبرز الباباوات في القرن السابع عشر .

Innocent XII إينوسنت الثاني عشر (١٦١٥ – ١٧٠٠) : بابا رومة (١٦٩١ – ١٧٠٠) . حسّن العلاقات بين الكرسي البابوي وفرنسا .

Inönü [ē nœ'nü], **Ismet** إينونو ، عصمت (١٨٨٤ – ١٩٧٣) : سياسي تركي . رفيق كمال أتاتورك وخليفته . رئيس الجمهورية (١٩٣٨ – ١٩٥٠) .

Ionesco [yə nĕs'kō; ē ə nĕs'kō], **Eugène** يونسكو ، يوجين (١٩١٢ –) : كاتب مسرحي فرنسي . يُعتبر من أبرز أركان مسرح اللامعقول .

Iqbal [ĭq'bâl], **Mohammad** إقبال ، محمّد (١٨٧٥ – ١٩٣٨) : شاعر وفيلسوف هندي مسلم . كان أول من دعا إلى إنشاء دولة باكستان .

Irving [ûr'vĭng], **Washington** إيرفنغ ، واشنطن (١٧٨٣ – ١٨٥٩) : كاتب قصصي أميركي . عدّه بعضهم « أبا الأدب الأميركي » وعدّه آخرون « مخترع الأقصوصة » .

Isaac [ī'zək] إسحق : ابن إبراهيم أبي الأنبياء . والد عيسو ويعقوب .

Isabella I [ĭz ə bĕl'ə] إيزابيلاّ الأولى (١٤٥١ – ١٥٠٤) : ملكة قشتالة (١٤٧٤ – ١٥٠٤) . تزوجت فرديناند ملك أراغون (عام ١٤٦٩) وبذلك توحدت إسبانيا كلّها تقريباً .

Isabella II ايزابيلاّ الثانية (١٨٣٠ – ١٩٠٤) : ملكة إسبانيا (١٨٣٣ – ١٨٦٨) . اتسم عهدها بالاضطراب وعدم الاستقرار . خُلعت عن العرش .

Isaiah [ī zā'ə; ī zī'ə] أشْعيا : نبي يهودي من أهل القرن الثامن قبل الميلاد .

Ishmael [ĭsh'mē əl] إسماعيل : ابن إبراهيم أبي الأنبياء من زوجته « هاجر » .

Ismail I [ĭs mâ'ēl] إسماعيل الأول (١٤٨٧ – ١٥٢٤ م.) : شاه إيران (١٥٠١ – ١٥٢٤ م.) . أسس السلالة الصَّفوية .

Ismail Pasha [ĭs mâ'ēl pä'shä] إسماعيل باشا (١٨٣٠ – ١٨٩٥) : خديوي مصر (١٨٦٣ – ١٨٧٩) . تمّ في عهده فتحُ قناة السويس . خُلع عن العرش عام ١٨٧٩ .

Istakhri, al- [ăl ĭs tăkh'rē] الإصْطَخْري ، أبو إسحق (توفي عام ٩٥٧ م.) : جغرافي ورحالة عربي . طاف بلاد العرب وبعض بلاد الهند .

Ives [īvz], **Charles Edward** آيفز ، تشارلز أدْوَرْد (١٨٧٤ – ١٩٥٤) : مؤلف موسيقي أميركي . عُرف بنزعته إلى التجديد .

George Inness : *Two Sisters in the Garden* جورج إنّس : « شقيقتان في الحديقة »

J

Jabir ibn-Hayyan [jâ'bĭr ĭb'ən hăy'yân] جابر بن حَيّان (توفي عام ٨١٥ م .) : كيميائي عربي . يُعتبر « أبا الكيمياء العربية » .

Jackson [jăk'sən], **Andrew** جاكسون ، آندرو (١٧٦٧ — ١٨٤٥) : جنرال وسياسي أميركي . الرئيس السابع للولايات المتحدة الأميركية (١٨٢٩ — ١٨٣٧) .

Jacob [jā'kəb] يَعقوب : ابن إسحــق والشقيق التوأم لـ « عيسو » Esau .

Jacquard [zhȧ kȧr'], **Joseph Marie** جاكار ، جوزيف مـاري (١٧٥٢ — ١٨٣٤) : مخترع فرنسي . اخترع النّول الآليّ الكامل (عام ١٨٠١) .

Ja'far al-Sadiq [jă'făr ăs sä'dĭq] جَعْفر الصادق (٦٩٩ — ٧٦٥ م .) : سادس الأئمة الشيعة . صاحب المذهب الجعفري .

Jalal-ud-din al-Rumi [jă lâ lōōd' dēn ăr rōō'mē] جلال الدين الرومي (١٢٠٧ — ١٢٧٣ م .) : شاعر فارسي . يُعتبر أعظم شعراء الحب الإلٓهي عند الفرس .

Jamal Abdel-Nasser = Nasser, Gamal Abdel-.

Jamal Pasha = Djemal Pasha, Ahmed.

James I [jāmz] جَيْمس الأول (١٥٦٦ — ١٦٢٥) : ملك إنكلترا (١٦٠٣—١٦٢٥) وملك أسكتلندا (١٥٦٧— ١٦٢٥) . أول ملوك أسرة ستيوْوارت .

James II جَيمس الثاني (١٦٣٣ — ١٧٠١) : ملك إنكلترا وأسكتلندا وإيرلندا (١٦٨٥ — ١٦٨٨) . عُرف بتعصّبه للكثلكة .

James, Henry جَيمس ، هنري (١٨٤٣— ١٩١٦) : روائي وناقد أميركي . أخو وليم جيمس .

James, William جَيمس وليــم (١٨٤٢ — ١٩١٠) : فيلسوف وعـالم نفس أميركي . طوّر الفلسفة الذرائعيــة أو البراغماتية .

Jami [jä'mē] جامي ، نور الدين عبد الرحمن (١٤١٤ — ١٤٩٢) : شاعر فارسي . يُعتبر آخر الشعراء المتصوّفين الكبار عند الفرس .

Jamil Buthaynah [jă mēl' bōō thăy'năh] جميل بُثَينة : (توفي عام ٧٠١ م .) : شاعر عربي أموي . عُرف بغزله العُذريّ العفيف .

Janet [zhȧ'nā], **Pierre Marie Félix** جانيه ، بيير ماري فيليكس (١٨٥٩ — ١٩٤٧) : عالم نفس فرنسي . عُني بدراسة الهستيريا والعُصابات .

Jansen [jăn'sən; yän'sən], **Cornelius** يانسين ، كورنيليوس (١٥٨٥ — ١٦٣٨) : لاهوتي هولندي . اعتبرته الكنيسة الكاثوليكية مُهَرْطقاً .

Jarir [jă rēr'] جَريــر (؟ ٦٥٣ — ٧٢٩ م .) : شاعر عربي أموي . اشتهر بنقائضه مع الفرزدق والأخطل .

Jaspers [yäs'pərs], **Karl** ياسبرز ، كارل (١٨٨٣ — ١٩٦٩) : فيلسوف وجودي ألماني .

Jaurès [zhô rĕs'], **Jean** جوريــس ، جان (١٨٥٩ — ١٩١٤) : زعيم اشتراكي فرنسي . اغتاله وطنيّ فرنسيّ متطرف .

Jay [jā], **John** جاي ، جون (١٧٤٥ — ١٨٢٩) : سياسي أميركي . يُعتبر أحد « آباء » الولايات المتحدة الأميركية .

Jeanne d'Arc [zhȧn dȧrk'] = Joan of Arc, Saint.

Jeans [jēnz], **Sir James** جينز ، السِّير جَيمس (١٨٧٧ — ١٩٤٦) : فيزيـائي ورياضي وعالم فلك بريطاني . قال بأن المادة تُخلق على نحو موصول في الكون .

Jeffers [jĕf'ərz], **John Robinson** جَفَرْز ، جون روبنسون (١٨٨٧ — ١٩٦٢) : شاعر أميركي . عُرف بتشاؤمه وازدرائه للحضارة .

Jefferson [jĕf'ər sən], **Thomas** جَفَرسون ، توماس (١٧٤٣ — ١٨٢٦) : سياسي أميركي . الرئيس الثالث للولايات المتحدة الأميركية (١٨٠١ — ١٨٠٩) . يُعتبر الواضع الرئيسي لوثيقة إعلان الاستقلال .

Jenner [jĕn'ər], **Edward** جَنَرْ ، أدْوَرْد (١٧٤٩ — ١٨٢٣) : طبيب بريطاني . ابتكر لقاحاً ضدّ الجدري .

Jensen [jĕn'sən], **Johannes** جَنْسين ، جوهانس (١٨٧٣ — ١٩٥٠) : روائي وشاعر دانمركي . حاول أن يصوّر تطوّر الإنسان في ضوء نظرية داروين .

Jeremiah [jĕr ə mī'ə] إرميا (؟ ٦٥٠ — ؟ ٥٧٠ ق. م.) : نبيّ يهودي . تنبأ بسقوط أورشليم .

Jerome [jə rōm'], **Saint** جيــروم ، القديس (؟ ٣٤٧ — ٤٢٠ م.) : لاهوتي نصراني . يُعتبر أحد أكبر لاهوتيي الكنيسة في عهودها الأولى .

Henry James

Jervis [jär'vĭs; jûr'vĭs], **John** جيرفس ، جون (١٧٣٥ — ١٨٢٣) : أميرال بريطاني . انتصر على الأسطول الإسبـاني (عام ١٧٩٧) .

Jespersen [yĕs'pər sən], **Otto** يَسْبَرسِن ، أوتو (١٨٦٠ — ١٩٤٣) : لغوي دانمركي . وضع لغةً دولية صُنعية تعرف بلغة « النوفيال » Novial .

Jesus [jē'zəs] *also* **Jesus Christ** [krīst] يسوع ؛ يسوع المسيح (؟ ٦ ق.م. — ؟ ٣٠ م .) : عيسى بن مريم عليه السّلام . نبيّ النصارى . ولد ببيت لحم وعاش في الناصرة . يعتقد المسيحيون أنه مات على الصليب .

Jiménez [hē mĕ'nĕs], **Juan Ramón** خيمينيز ، خوان رامون (١٨٨١ — ١٩٥٨) : شاعر إسباني . تميّزت آثاره بتحرّرها من قيود الشكل .

Joséphine de Beauharnais

Ben Jonson

Jinnah [jĭn′ə], **Mohammad Ali**
جناح ، محمد علي (١٨٧٦ – ١٩٤٨) : سياسي هندي مسلم . مؤسس دولة باكستان وأول رئيس لها (١٩٤٧ – ١٩٤٨) .

Joan of Arc [jōn′ŏv ärk′], **Saint**
جان دارك ، القديسة (١٤١٢ – ١٤٣١) : بطلة قومية فرنسية . قاتلت الإنكليز في حرب الأعوام المئة . حُكم عليها بالموت إحراقاً .

Joffre [zhôf′r], **Joseph** ، جوفـــــر
جوزيف (١٨٥٢ – ١٩٣١) : مارشال فرنسي . قائد القوات الحليفة في الجبهة الغربية خلال السنتين الأوليين من الحرب العالمية الأولى .

John [jŏn] ، يُوْحَنّا (توفي حوالى عام ١٠٠ م .) : أحد رُسُل المسيح الاثني عشر . يُعرف بـ « الحبيب » .

John : يُوْحَنّا ، جون (١١٦٧ ؟ – ١٢١٦) : ملك إنكلترا (١١٩٩ – ١٢١٦) . أُكرِهَ على إقرار « الوثيقة العظمى » *Magna Charta* (عام ١٢١٥) .

John II : يوحنّا الثاني (١٣١٩ – ١٣٦٤) : ملك فرنسا (١٣٥٠ – ١٣٦٤) . أسره الإنكليز في معركة « بواتييه » (عام ١٣٥٦) .

John XXIII يوحنا الثالث والعشرون (١٨٨١ – ١٩٦٣) : بابا رومة (١٩٥٨ – ١٩٦٣) . دشّن عهد الانفتاح الكاثوليكي على التغيّر .

John the Baptist, Saint ، يوحنا المعْمدان القديس (توفي حوالى عام ٣٠ م .) : نبيّ يهودي . بشّر بمجيء المسيح وعمّده في نهر الأردن .

Johnson [jŏn′sən], **Andrew** ، جونسون آندرو (١٨٠٨ – ١٨٧٥) : سياسي أميركي . الرئيس السابع عشر للولايات المتحدة الأميركية (١٨٦٥–١٨٦٩) . اتّهمه مجلس النواب بالتقصير والفساد .

Johnson, Lyndon جونسون ، لِنْدون (١٩٠٨ – ١٩٧٣) : سياسي أميركي . الرئيس السادس والثلاثون للولايات المتحدة الأميركية (١٩٦٣ – ١٩٦٩) . تولى الرئاسة بعد مصرع جون كندي .

Johnson, Samuel جونسون ، صموئيل (١٧٠٩ – ١٧٨٤) : كاتب وناقد ومعجميّ إنكليزي . يعرف عادةً بـ « الدكتور جونسون » .

Joliot-Curie [zhô lyō′kü rē], **Frédéric** جوليو - كوري ، فريـدريك (١٩٠٠ – ١٩٥٨) : فيزيائي فرنسي . زوج إيرين كوري . مُنح هو وزوجته جائزة نوبل في الكيمياء لعام ١٩٣٥ .

Joliot-Curie, Irène ، جوليو - كوري
إيرين (١٨٩٧ – ١٩٥٦) : فيزيائية فرنسية . زوجة فريدريك جوليو - كوري . مُنحت هي وزوجها جائزة نوبل في الكيمياء لعام ١٩٣٥ .

Jonson [jŏn′sən], **Ben** ، جونسون ، بن (١٥٧٢ ؟ – ١٦٣٧) : شاعر وكاتب مسرحي إنكليزي . يُعتبر أعظم مسرحيي عصره بعد شكسبير .

Jorn [jôrn], **Asger** جورن ، آسْغـر (١٩١٤ – ١٩٧٣) : رسام دانمركي . يُعتبر أحد أبرز ممثلي المدرسة التعبيرية .

Joseph [jō′zəf] . يوسف : ابن يعقوب . كان أحبَّ أولاد يعقوب إلى قلبه فحسدهُ إخوته وتآمروا عليه .

Joseph I جوزيف الأول (١٦٧٨ – ١٧١١) : ملك ألمانيا (١٦٩٠ – ١٧١١) ورأس الأمبراطورية الرومانية المقدسة (١٧٠٥ – ١٧١١) .

Joseph II جوزيف الثاني (١٧٤١ – ١٧٩٠) : ملك ألمانيا (١٧٦٤ – ١٧٩٠) ورأس الأمبراطورية الرومانيـة المقدسة (١٧٦٥ – ١٧٩٠) .

Joséphine de Beauharnais [zhō zā fēn′ də bō är nĕ′] جوزفين دو بو آرنيه (١٧٦٣ – ١٨١٤) : أمبراطورة فرنسا بوصفها زوجة نابوليون بونابرت (١٨٠٤ – ١٨٠٩) .

Joule [joul; jo͞ol], **James Prescott**
جول ، جَيمس بريسكوت (١٨١٨ – ١٨٨٩) : فيزيائي بريطاني . اكتشف القانون المنسوب إليه (قانون جول) .

Joyce [jois], **James** جُويْس ، جَيْمس (١٨٨٢ – ١٩٤١) : روائي إيرلندي . يُعتبر أحد أبرز ممثلي الرواية النفسية .

Juan Carlos [hwän′ kär′lōs] خُوان كارلوس (١٩٣٨ –   ) : أمير إسباني . اختاره فرانكو خليفة له ، عام ١٩٥٤ . ملك إسبانيا (١٩٧٥ –   ) .

Juárez [hwä′rās], **Benito Pablo**
خواريز ، بنيتو بابلو (١٨٠٦ – ١٨٧٢) : سياسي مكسيكي . يُعتبر بطل المكسيك القومي . تولى رئاسة الجمهورية غير مرة .

Jubran [jo͞ob rän′] = Gibran, Gibran Khalil.

Judas [jo͞o′dəs] *also* **Judas Iscariot** [ĭs kâr′ĭ ət] يَهُوْذا ؛ يهوذا الإسخريوطي ؛ يوداس (توفي حوالى ٣٠ م .) : أحد تلاميذ المسيح الاثني عشر . خانَ معلّمه .

Julian [jo͞ol′yən] جوليان ؛ جوليانـــوس (٣٣١ – ٣٦٣ م .) : أمبراطور روماني (٣٦١ – ٣٦٣ م .) . اضطهد النصارى .

Julius II [jo͞ol′yəs] يوليـــوس الثـــاني (١٤٤٣ – ١٥١٣) : بابا رومة (١٥٠٣ – ١٥١٣) : يُعتبر أكبر نصير للفنّ بين الباباوات .

Julius Caesar [jo͞ol′yəs sē′zər] = Caesar, Gaius Julius.

Jung [yo͝ong], **Carl Gustav** ، يونغ
كارل غوستاف (١٨٧٥ – ١٩٦١) : عالم نفس سويسري . يُعتبر أحد أعظم علماء النفس في العصر الحديث .

Jurjani, al- [ăl jo͞or′jâ nē] ، الجُرْجاني عبد القاهر (توفي عام ١٠٧٨ م .) : بلاغيّ عربي . صاحب « أسرار البلاغة » و « دلائل الإعجاز » .

Justinian I [jŭ stĭn′ē ən] يوستنيانوس الأول ؛ جوستنيان الأول (٤٨٣ – ٥٦٥ م.) : أمبراطور بيزنطي (٥٢٧ – ٥٦٥ م .) . جمع الشرائع الرومانية ودوّنها .

Juvenal [jo͞o′vĕ nəl] جوفينال (٦٠ ؟ – ١٣٥ ؟ م .) : شاعر روماني . يُعتبر أكبر شعراء الهجاء عند الرومان .

K

Kabir [kä'bēr] كبير (١٤٤٠ — ١٥١٨) : شاعر ومتصوّف هندي . حاول التوفيق بين الفكر الهندوسي والفكر الإسلامي.

Kafka [käf'kä], **Franz** كافكا، فرانز (١٨٨٣ — ١٩٢٤) : روائي نمساوي . تميّزت آثاره بتصوير قلق الإنسان الحديث .

Kaiser [kī'zər], **Georg** كايزر ، جورج (١٨٧٨ — ١٩٤٥) : كاتب مسرحي ألماني يُعَدّ أحد أركان المذهب التعبيري .

Kandinski [kăn dĭn'skē], **Vasili** كاندينسكي ، فاسيلي (١٨٦٦ — ١٩٤٤) : رسام سوفياتي . يُعتبر ، أحياناً ، رائد الرسم التجريدي .

Kant [kănt; känt], **Immanuel** كَنْت ، عمانوئيل (١٧٢٤ — ١٨٠٤) : فيلسوف ألماني . يُعتبر أحد أعظم الفلاسفة في جميع العصور .

Karrer [kär'ər], **Paul** كارِر ، بول (١٨٨٩ — ١٩٧١) : كيميائي سويسري . مُنح جائزة نوبل في الكيمياء (بالمشاركة) لعام ١٩٣٧ .

Kasavubu [kä zä vōō'bōō], **Joseph** كازافوبو ، جوزيف (١٩١٠ — ١٩٦٩) : أول رئيس لجمهورية الكونغو (١٩٦٠ — ١٩٦٥) .

Kashi, al- [äl kä'shē] الكاشي ، غياث الدين (القرن الخامس عشر للميلاد) : رياضي وعالم فلك عربي . قدّر نسبة محيط الدائرة إلى قطرها .

Kawakibi, al- [äl kä wä'kĭ bē] الكواكبي ، عبد الرحمن (١٨٥٤ — ١٩٠٢) : مفكر عربي سوري . انصرف إلى العمل من أجل قضية التحرير والإصلاح .

Kazzafi [käz'zä fē], **Mu'ammar al-** القذّافي ، مُعَمَّر (١٩٤٣ —) : زعيم ليبي . مفجّر ثورة الفاتح من سبتمبر ١٩٦٩ في ليبيا . قاد حركة الضباط الوحدويين الأحرار التي أطاحت بالنظام الملكي .

Keats [kēts], **John** كيتس ، جون (١٧٩٥ — ١٨٢١) : شاعر إنكليزي . يُعتبر أحد زعماء المدرسة الرومانتيكية .

Keitel [kī'təl], **Wilhelm** كايتل، ولهلم (١٨٨٢ — ١٩٤٦) : مارشال ألماني . اعتُبر مجرم حرب ونفِّذ فيه حكم الإعدام (عام ١٩٤٦) .

Keller [kĕl'ər], **Helen** كيلر ، هيلين (١٨٨٠ — ١٩٦٨) : مؤلفة أميركية . أُصيبت بالعمى والصمم وهي في الثانية من عمرها .

Kemal Atatürk [kə mäl' ä tä türk'] كمال أتاتورك (١٨٨١ — ١٩٣٨) : قائد وزعيم تركي . مؤسس تركيا الحديثة . رئيس الجمهورية (١٩٢٣ — ١٩٣٨) . ألغى الخلافة الإسلامية (عام ١٩٢٤) .

Kendall [kĕn'dəl], **Edward** كَنْدال، أدْوَرْد (١٨٨٦ — ١٩٧٢) : كيميائي حيوي أميركي . مُنح (بالمشاركة) جائزة نوبل في الفيسيولوجيا والطب لعام ١٩٥٠ .

Kennedy [kĕn'ə dē], **John** كنيدي ، جون (١٩١٧ — ١٩٦٣) : سياسي أميركي . الرئيس الخامس والثلاثون للولايات المتحدة الأميركية (١٩٦١ — ١٩٦٣) . اغتيل .

Kennedy, Robert كنيدي ، روبرت (١٩٢٥ — ١٩٦٨) : سياسي أميركي . أخو جون كنيدي . اغتيل .

Kennelly [kĕn'əl ē], **Arthur Edwin** كينيلي ، آرثر أدوين (١٨٦١ — ١٩٣٩) : مهندس كهربائي أميركي . تنبأ بوجود الأيونوسفير (عام ١٩٠٢) .

Kent [kĕnt], **Rockwell** كَنْت ، روكْويل (١٨٨٢ — ١٩٧١) : رسام أميركي . عُني بتصوير المشاهد الطبيعية .

Kenyatta [kĕn yä'tə], **Jomo** كينياتا ، جومو (١٨٩٤ ؟ —) : زعيم كينيا الحديثة . قاد الثورة على البريطانيين . رئيس الجمهورية (١٩٦٤ —) .

Kepler [kĕp'lər], **Johannes** كَبْلر ، جوهانِس (١٥٧١ — ١٦٣٠) : عالم ألماني . يُعتبر أحد مؤسسي علم الفلك الحديث .

Kerensky [kə rĕn'skē], **Aleksandr** كيرينسكي ، ألكسَندر (١٨٨١ — ١٩٧٠) : سياسي روسي . رئيس الحكومة الروسية المؤقتة من يوليو إلى أكتوبر ١٩١٧ . أطاحت به ثورة أكتوبر الاشتراكية .

Kesselring [kĕs'əl rĭng], **Albert** كيسلرينغ ، ألبرت (١٨٨٥ — ١٩٦٠) : مارشال ألماني . اعتُبر مجرم حرب وحكم عليه بالسجن مدى الحياة . أطلق سراحه عام ١٩٥٢ .

Immanuel Kant

John Keats

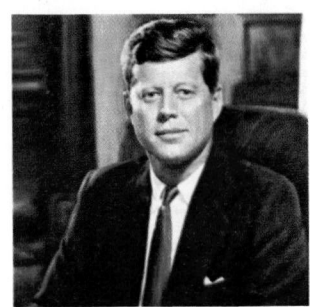

John Kennedy

Keynes [kānz], **John Maynard** كَيْنز ، جون مايناردْ (١٨٨٣ – ١٩٤٦) : عالم اقتصادي بريطاني . نادى بضرورة توسُّع الدولة في الإنفاق على المشاريع العامة بغية القضاء على البطالة .

Keyserling [kīʹzər lĭng], Count **Hermann Alexander** كايزرلينغ ، الكونت هرمان ألكسَندر (١٨٨٠ – ١٩٤٦) : فيلسوف اجتماعي ألماني .

Khadijah [khă dēʹjăh] خَدِيجة بنت خُوَيْلِد (توفيت عام ٦١٩ م .) : زوجة الرسول محمد عليه السلام . تُعتبر أول المسلمين بلا استثناء .

Khalid ibn-al-Walid [khäʹlĭd ĭb no͞olʹ wäʹlēd] خالد بن الوليد (توفي عام ٦٤٢ م .) : قائد عربي . هزم الروم البيزنطيين في معركة اليرموك (عام ٦٣٦م .) .

Khalid ibn-ʻAbdil-ʻAziz [khäʹlĭd ĭbʹən ʻăb dĭlʹ ʻă zēzʹ] خالد بن عبد العزيز (١٩١٣ – ١٩٨٢) : ملك المملكة العربية السعودية (١٩٧٥ – ١٩٨٢) خلفاً لأخيه الملك فيصل .

Khayyam [kī yämʹ], **Omar** = Omar Khayyam.

Kheraskov [kə räsʹkôf], **Mikhail** خيراسكوف ، ميخائيل (١٧٣٣ – ١٨٠٧). شاعر روسي . يُلقَّب بـ « هوميروس الروسيا » .

Khlebnikov [khlĕbʹnē kôf], **Velemir** خْليبنيكوف ، فيليمير (١٨٨٥ – ١٩٢٢) : شاعر روسي . نادى بضرورة إنزال الشعر إلى مستوى لغة الشارع .

Khrushchev [kro͞osh chôfʹ], **Nikita** خروشّوف ، نيكيتا (١٨٩٤ – ١٩٧١) : زعيم سوفياتي . رئيس الوزراء (١٩٥٨ – ١٩٦٤) . شنّ الحرب على الستالينيّة .

Khuri [kho͞oʹrē], **Bisharah al-** الخوري ، بشارة (١٨٨٥ – ١٩٦٨) : شاعر لبناني . عُرف بغزله الرقيق . تلقّب بـ « الأخطل الصغير » .

Khuri, Sheikh Bisharah al- الخوري ، الشيخ بشارة (١٨٩٠ – ١٩٦٤) : سياسي لبناني . رئيس الجمهورية (١٩٤٣ – ١٩٥٢) . يُعتبر « أبا الاستقلال » .

Kierkegaard [kĭrʹkə gärd], **Soren** كيركغارد ، سورين (١٨١٣ – ١٨٥٥) : فيلسوف ولاهوتي دانمركي . يُعتبر مؤسس الفلسفة الوجودية .

Kim Il Sung [kĭmʹ ēlʹ so͞ong] كيم إيل سونغ (١٩١٢ –) : زعيم كوري . رئيس جمهورية كوريا الشمالية (١٩٤٨ –) .

King [kĭng], **Martin Luther** كينغ ، مارتن لوثر (١٩٢٩ – ١٩٦٨) : زعيم زنجي أميركي . مُنح جائزة نوبل للسلام لعام ١٩٦٤ . اغتيل .

Kingsley [kĭngzʹlē], **Charles** كينغزلي ، تشارلز (١٨١٩ – ١٨٧٥) : روائي وقسّ إنكليزي . حاول التوفيق بين العلم الحديث والعقيدة النصرانية .

Kinsey [kĭnʹzē], **Alfred** كينزي ، ألفرد (١٨٩٤ – ١٩٥٦) : بيولوجي وعالم اجتماع أميركي . عُني بدراسة السلوك الجنسي البشري .

Kipling [kĭpʹlĭng], **Rudyard** كِبْلنغ ، رُدْيارد (١٨٦٥ – ١٩٣٦) : شاعر وروائي إنكليزي . عُرف بتمجيده للاستعمار البريطاني .

Kissinger [kĭsʹən jər], **Henry** كيسنجر ، هنري (١٩٢٣ –) : سياسي أميركي . وزير خارجية الولايات المتحدة الأميركية (١٩٧٣ – ١٩٧٦) .

Nikita Khrushchev

Oscar Kokoschka

Kitchener [kĭchʹə nər], **Horatio Herbert** كِتْشِنَر ، هوراشيو هربرت (١٨٥٠ – ١٩١٦) : مارشال بريطاني . وزير الحربية (١٩١٤ – ١٩١٦).

Klee [klā; klē], **Paul** كلي ، بــول (١٨٧٩ – ١٩٤٠) : رسام سويسري . في لوحاته حنين إلى عفوية الطفولة .

Knox [nŏks], **John** نوكــس ، جون (١٥١٤ ؟ – ١٥٧٢) : مصلح بروتستانتي أسكتلندي . أسس الكنيسة المشيخية الأسكتلندية .

Koch [kōkh], **Robert** كوخ ، روبرت (١٨٤٣ – ١٩١٠) : عالم بكتيريولوجي ألماني . اكتشف الجراثيم التي تسبّب التيفوئيد والسلّ والكوليرا .

Kokoschka [kə kŏshʹkə], **Oscar** كوكوشكا ، أوسكار (١٨٨٦ –) : رسام بريطاني . نمساوي المولد . يُعتبر أحد أركان المدرسة التعبيرية .

Kooning [ko͞oʹnĭng], **Willem de** كوننغ ، وليم دو (١٩٠٤ –) : رسام أميركي . هولندي المولد . أحد أبرز ممثلي المدرسة الانطباعية التجريدية .

Kornberg [kôrnʹbûrg], **Arthur** كورنبرغ ، آرثر (١٩١٨ –) : طبيب وكيميائي حيوي أميركي . عُني بدراسة الأنزيمات أو الخمائر .

Korolenko [kôr ə lĕngʹkō], **Vladimir** كورولنكو ، فلاديمير (١٨٥٣ – ١٩٢١) : روائي روسي . عُرف بتصويره لحياة المعذبين في الأرض .

Kosygin [kə sēʹgĭn], **Aleksei** كوسيغين ، ألكسي (١٩٠٤ –) : سياسي سوفياتي . رئيس الوزراء (١٩٦٤ –) خلفاً لنيكيتا خروشّوف .

Krebs [krĕbz], Sir **Hans Adolf** كريبْز ، السّير هانس أدولف (١٩٠٠ –) : كيميائي حيوي بريطاني . منح جائزة نوبل (بالمشاركة) في الفيسيولوجيا والطب لعام ١٩٥٣ .

Kublai Khan [ko͞oʹblī känʹ] قبلاي خان (١٢١٥ – ١٢٩٤) : أمبراطور مغولي (١٢٦٠ – ١٢٩٤) . حفيد جنكيز خان. فتح الصين وأخضع كوريا وبورما .

Kurchatov [ko͝or chäʹtôf], **Igor** كورتشاتوف ، إيغور (١٩٠٣ – ١٩٦٠) : فيزيائي نووي سوفياتي . يُعتبر رائداً في صنع القنابل الذرية والهيدروجينية .

Kuthayyir ʻAzzah [ko͞o thăyʹyĭr ʻăzʹzăh] كُثَيِّر عَزّة (توفي عام ٧٢٣ م.) : شاعر عربي أموي . أحبّ فتاةً اسمها عَزّة فعُرف بهــا .

ibn-Ishaq, Muhammad ابن إسحق ، محمد (توفي عام ٧٦٨ م.) : مؤرخ عربي . صاحب كتاب « السيرة النبوية » المعروف بـ « سيرة ابن اسحق » .

ibn-Jinni [ĭb'ən jĭn'nē] ابن جِنّي ، عثمان (٩٤٢ – ١٠٠٢ م.) : لغوي عربي . صاحب كتاب « الخصائص » .

ibn-Jubayr [ĭb'ən jo͞o bāyr'] ابن جُبَيْر ، محمد (١١٤٥ – ١٢١٧ م.) : رحالة عربي أندلسي . صاحب « رحلة ابن جُبير » .

ibn-Khafajah [ĭb'ən khă fâ'jăh] ابن خَفَاجة ، إبراهيم (١٠٥٨ – ١١٣٨ م.) : شاعر عربي أندلسي . عُرِف بوصف مشاهد الطبيعة .

ibn-Khaldun [ĭb'ən khăl'do͞on] ابن خَلْدون ، عبد الرحمن (١٣٣٢ – ١٤٠٦ م.) : مؤرخ وفيلسوف عربي . يعتبر مؤسس فلسفة التاريخ وعلم الاجتماع .

ibn-Khallikan [ĭb'ən khăl'lĭ kân] ابن خَلِّكان ، شمس الدين (١٢١١ – ١٢٨٢ م.) : كاتب سِيَر عربي . اشتهر بكتابه « وفيات الأعيان وأنباء أبناء الزمان » .

ibn-Kulthum [ĭb'ən ko͞ol tho͞om'], **'Amr** ابن كُلْثوم ، عَمْرو (توفي عام ٥٨٤ م.) : شاعر عربي جاهلي . من أصحاب المعلّقات .

ibn-Majah [ĭb'ən mâ'jăh] ابن ماجَه ، محمد بن يزيد (٨٢٤ – ٨٨٧ م.) : محدِّث ومفسِّر مسلم . صاحب كتاب « السُّنَن » .

ibn-Majid [ĭb'ən mâ'jĭd] ابن ماجد ، شهاب الدين (توفي عام ١٤٩٨ م.) : ملاح عربي . قاد فاسكو دا غاما من سواحل إفريقيا الشرقية إلى سواحل الهند (عام ١٤٩٨) .

ibn-Manzur [ĭb'ən măn'zo͞or] ابن منظور ، محمّد بن مكرّم (١٢٣٢ – ١٣١١ م.) : لغوي عربي . وضع معجماً ضخماً دعاه « لسان العرب » .

ibn-Maymun [ĭb'ən măy'mo͞on] = Maimonides.

ibn-Munqiz [ĭb'ən mo͞on'qĭz], **Usamah** ابن مُنْقِذ ، أُسامة (١٠٩٥ – ١١٨٨ م.) : أمير وشاعر عربي . قاد عدة حملات على الصليبيين . صاحب كتاب « الاعتبار » .

ibn-Qurrah [ĭb'ən qo͞or'răh], **Thabit** ابن قُرَّة ، ثابت (٨٣٦ – ٩٠١ م.) : طبيب ورياضي وعالم فلك عربي . من آثاره كتاب « الذخيرة في علم الطب » .

ibn-Qutaybah [ĭb'ən qo͞o tăy'băh] ابن قُتَيْبَة ، عبد الله (٨٢٨ – ٨٨٩ م.) : أديب ومؤرخ عربي . صاحب « الشعر والشعراء » .

ibn-Rushd [ĭb'ən ro͞oshd] = Averroës.

ibn-Sa'd [ĭb'ən să'd] ابن سَعْد ، محمد (٧٨٤ – ٨٤٥ م.) : محدِّث ومؤرخ مسلم . صاحب « كتاب الطبقات الكبير » .

ibn-Sa'ud [ĭb'ən să'o͞od'] = Sa'ud, 'Abdul-'Aziz ibn-.

ibn-Sidah [ĭb'ən sē'dăh] ابن سِيْده ، علي بن اسماعيل (١٠٠٧ – ١٠٦٦ م.) : لغوي عربي أندلسي . صاحب كتاب « المخصَّص » .

ibn-Sina [ĭb'ən sē'nâ] = Avicenna.

ibn-Tashfin [ĭb'ən tâsh'fēn], **Yusuf** ابن تاشفين ، يوسف (١٠١٩ – ١١٠٦ م.) : أبرز ملوك دولة المرابطين في الأندلس (امتدّ حكمه من عام ١٠٦١ إلى عام ١١٠٦ م.) .

ibn-Taymiyyah [ĭb'ən tăy mĭy'yăh] ابن تَيْمِيَّة ، تقي الدين (١٢٦٣ – ١٣٢٨ م.) : فقيه عربي حنبلي . يُلقّب بـ « مُحيي السُّنّة وإمام المجتهدين » .

ibn-Tufayl [ĭb'ən to͞o făyl'] ابن طُفَيل ، أبو بكر محمد (١١٠٠ – ١١٨٥ م.) : طبيب وفيلسوف عربي أندلسي . صاحب « حيّ بن يقظان » .

ibn-Tulun [ĭb'ən to͞o'lo͞on], **Ahmad** ابن طولون ، أحمد (٨٣٥ – ٨٨٤ م.) : مؤسس الدولة الطولونية في مصر . امتدّ حكمه من عام ٨٦٨ إلى عام ٨٨٤ م.

ibn-Tumart [ĭb'ən to͞o'mărt] ابن تومَرْت ، أبو عبد الله محمد (١٠٨٠ ؟ – ١١٣٠ م.) : مصلح ديني مراكشي . على أساس تعاليمه قامت دولة الموحدين في شمال إفريقيا والأندلس .

ibn-Yunus [ĭb'ən yo͞o'no͞os] ابن يُونُس ، علي بن عبد الرحمن (توفي عام ١٠٠٩ م.) : عالم فلك عربي . من آثاره : « جداول السمت » .

ibn-Yunus ابن يُونُس ، أبو الفتح موسى (١١٥٦ – ١٢٤٢ م.) : فيلسوف ورياضي عربي . من آثاره : « شرح الأعمال الهندسية » .

ibn-Zaydun [ĭb'ən zăy'do͞on] ابن زَيْدون ، أحمد بن عبد الله (١٠٠٣ – ١٠٧١ م.) : وزير وشاعر أندلسي . لقِّب بـ « بُحتريّ المغرب » .

ibn-Zuhr [ĭb'ən zo͞ohr] = Avenzoar.

Ibrahim Pasha [ĭb'rä hēm pä'shä] إبراهيم باشا (١٧٨٩ – ١٨٤٨) : قائد عسكري مصري . ابن محمد علي باشا . قاد الحملة المصرية على اليونان (عام ١٨٢٤) .

Henrik Ibsen

Jean Ingres

Ibsen [ĭb'sən], **Henrik** إبْسِن ، هنريك (١٨٢٨ – ١٩٠٦) : شاعر وكاتب مسرحي نروجي . يُعتبر أحد أعظم الكتاب المسرحيين في كل العصور .

Iddeh [ĭd'dĕh], **Emile** إدّه ، إميل (١٨٨١ – ١٩٤٩) : سياسي لبناني . رئيس الجمهورية (١٩٣٦ – ١٩٤١) .

Idrisi, al- [ăl ĭd rē'sē] الإدريسي ، أبو عبد الله محمد (١١٠٠ – ١١٦٦ م.) : جغرافي ورحالة عربي أندلسي . صاحب « نزهة المشتاق في اختراق الآفاق » .

Ignatius Loyola [ĭg nā'shəs loi ō'lə], **Saint** أغناطيوس لُويُولا ، القديس (١٤٩١ – ١٥٥٦) : كاهن إسباني . مؤسس الرهبانية اليسوعية .

Ikhshidi [ĭkh'shē dē], **Kafur al-** الإخشيدي ، كافور (توفي عام ٩٦٨ م.) : عبدٌ أسود . بسط سلطانه على مصر في عهد الدولة الإخشيدية .

Ingres [ăn'gr], **Jean Auguste Dominique** أَنْغْر ، جان أوغوست دومينيك (١٧٨٠ – ١٨٦٧) : رسام فرنسي . يُعتبر أحد زعماء المدرسة الكلاسيكية الفرنسية في الرسم .

Keynes [kānz], **John Maynard**
كِيْنْز ، جرن ماينارد (١٨٨٣ – ١٩٤٦) :
عالم اقتصادي بريطاني . نادى بضرورة توسّع
الدولة في الإنفاق على المشاريع العامة بغية
القضاء على البطالة .

Keyserling [kĭ'zər lĭng], **Count**
Hermann Alexander كايزرلينغ ،
الكونت هرمان ألكْسَنْدر (١٨٨٠ –
١٩٤٦) : فيلسوف اجتماعي ألماني .

Khadijah [khă dē'jäh] خَدِيجة بنت
خُوَيْلِد (توفيت عام ٦١٩ م) : زوجة
الرسول محمد عليه السلام . تُعتبر أول
المسلمين بلا استثناء .

Khalid ibn-al-Walid [khä'lĭd ĭb
nŏol' wä'lēd] خالد بن الوليد (توفي
عام ٦٤٢ م) : قائد عربي . هزم الروم
البيزنطيين في معركة اليرموك (عام ٦٣٦م.) .

Khalid ibn-'Abdil-'Aziz [khä'lĭd
ĭb'ən 'äb dĭl' 'ă zēz'] خالد بن عبد
العزيز (١٩١٣ – ١٩٨٢) : ملك المملكة
العربية السعودية (١٩٧٥ – ١٩٨٢) خلفاً
لأخيه الملك فيصل .

Khayyam [kī yäm'], **Omar** =
Omar Khayyam.

Kheraskov [kə räs'kôf], **Mikhail**
خيراسكوف ، ميخائيل (١٧٣٣ –١٨٠٧).
شاعر روسي . يُلقّب بـ « هوميروس
الروسيا » .

Khlebnikov [khlĕb'nē kôf], **Vele-
mir** خْلِبنيكوف ، فيليمير (١٨٨٥ –
١٩٢٢) : شاعر روسي . نادى بضرورة
إنزال الشعر إلى مستوى لغة الشارع .

Khrushchev [krŏosh chôf'], **Nikita**
خروشوَف ، نيكيتا (١٨٩٤ – ١٩٧١) :
زعيم سوفياتي . رئيس الوزراء (١٩٥٨ –
١٩٦٤) . شنّ الحرب على الستالينيّة .

Khuri [khŏo'rē], **Bisharah al-**
الخوري ، بشارة (١٨٨٥ – ١٩٦٨) :
شاعر لبناني . عُرف بغزله الرقيق . تلقّب
بـ « الأخطل الصغير » .

Khuri, Sheikh Bisharah al-
الخوري ، الشيخ بشارة (١٨٩٠ – ١٩٦٤) :
سياسي لبناني . رئيس الجمهورية (١٩٤٣ –
١٩٥٢) . يُعتبر « أبا الاستقلال » .

Kierkegaard [kĭr'kə gärd], **Soren**
كيركغارد ، سورين (١٨١٣ – ١٨٥٥) :
فيلسوف ولاهوتي دانمركي . يُعتبر مؤسس
الفلسفة الوجودية .

Kim Il Sung [kĭm' ēl' sŏong] كيم
إيل سونغ (١٩١٢ –) : زعيم
كوري . رئيس جمهورية كوريا الشمالية
(١٩٤٨ –) .

King [kĭng], **Martin Luther,** كينغ ،
مارتن لوثر (١٩٢٩ – ١٩٦٨) : زعيم
زنجي أميركي . مُنح جائزة نوبل للسلام
لعام ١٩٦٤ . اغتيل .

Kingsley [kĭngz'lē], **Charles,** كينغزلي ،
تشارلز (١٨١٩ – ١٨٧٥) : روائي وقسّ
إنكليزي . حاول التوفيق بين العلم الحديث
والعقيدة النصرانية .

Kinsey [kĭn'zē], **Alfred** كينزي ، ألفرد
(١٨٩٤ – ١٩٥٦) : بيولوجي وعالم
اجتماع أميركي . عُني بدراسة السلوك
الجنسي البشري .

Kipling [kĭp'lĭng], **Rudyard**
كِبْلنغ ، رُدْيارد (١٨٦٥ – ١٩٣٦) :
شاعر وروائي إنكليزي . عُرف بتمجيده
للاستعمار البريطاني .

Kissinger [kĭs'ən jər], **Henry**
كيسنجر ، هنري (١٩٢٣ –
سياسي أميركي . وزير خارجية الولايات
المتحدة الأميركية (١٩٧٣ – ١٩٧٦) .

Nikita Khrushchev

Oscar Kokoschka

Kitchener [kĭch'ə nər], **Horatio**
Herbert كِتْشْنَر ، هوراشيو هربرت
(١٨٥٠ – ١٩١٦) : مارشال بريطاني .
وزير الحربية (١٩١٤ – ١٩١٦) .

Klee [klā; klē], **Paul** كلي ، بـــول
(١٨٧٩ – ١٩٤٠) : رسام سويسري .
في لوحاته حنين إلى عفوية الطفولة .

Knox [nŏks], **John** نوكس ، جون
(١٥١٤؟ – ١٥٧٢) : مصلح بروتستانتي
أسكتلندي . أسس الكنيسة المشيخيّة
الأسكتلندية .

Koch [kōkh], **Robert** كوخ ، روبرت
(١٨٤٣ – ١٩١٠) : عالم بكتيريولوجي
ألماني . اكتشف الجراثيم التي تسبّب التيفوئيد
والسلّ والكوليرا .

Kokoschka [kə kôsh'kə], **Oscar**
كوكوشكا ، أوسكار (١٨٨٦ –) :
رسام بريطاني . نمساوي المولد . يُعتبر أحد
أركان المدرسة التعبيرية .

Kooning [kŏo'nĭng], **Willem de**
كونِنغ ، وِليم دو (١٩٠٤ –) :
رسام أميركي . هولندي المولد . أحد أبرز
ممثلي المدرسة الانطباعية التجريدية .

Kornberg [kôrn'bûrg], **Arthur**
كورنبرغ ، آرثر (١٩١٨ –) :
طبيب وكيميائي حيوي أميركي . عُني
بدراسة الأنزيمات أو الخمائر .

Korolenko [kôr ə lĕng'kō], **Vladi-
mir** كورولنكو ، فلاديمير (١٨٥٣ –
١٩٢١) : روائي روسي . عُرف بتصويره
لحياة المعذبين في الأرض .

Kosygin [kə sē'gĭn], **Aleksei**
كوسيغين ، ألكْسي (١٩٠٤ –) :
سياسي سوفياتي . رئيس الوزراء (١٩٦٤ –
) خلفاً لنيكيتا خروشوَف .

Krebs [krĕbz], **Sir Hans Adolf**
كريبْز ، السّير هانس أدولف (١٩٠٠ –
) : كيميائي حيوي بريطاني . منح
جائزة نوبل (بالمشاركة) في الفيسيولوجيا
والطب لعام ١٩٥٣ .

Kublai Khan [kŏo'blī kän'] قبلاي
خان (١٢١٥ – ١٢٩٤) : أمبراطور مغولي
(١٢٦٠ – ١٢٩٤) . حفيد جنكيز خان .
فتح الصين وأخضع كوريا وبورما .

Kurchatov [kŏor chä'tôf], **Igor**
كورتشاتوف ، إيغور (١٩٠٣ – ١٩٦٠) :
فيزيائي نووي سوفياتي . يُعتبر رائداً في صنع
القنابل الذرية والهيدروجينية .

Kuthayyir 'Azzah [kŏo thăy'yĭr
'äz'zäh] كُثَيِّر عَزَّة (توفي عام ٧٢٣ م.) :
شاعر عربي أموي . أحبّ فتاة اسمها عَزَّة
فعُرف بها .

Louis XIV

Martin Luther

Louis XIV لويس الرابع عشر (١٦٣٨ – ١٧١٥) : ملك فرنسا (١٦٤٣ – ١٧١٥) : وسّع رقعة الدولة . شيّد قصر فرساي (١٦٦١ – ١٦٨٦) .

Louis XV لويس الخامس عشر (١٧١٠ – ١٧٧٤) : ملك فرنسا (١٧١٥–١٧٧٤) . خسر الفرنسيون في عهده معظم ممتلكاتهم وراء البحار .

Louis XVI لويس السادس عشر (١٧٥٤– ١٧٩٣) : ملك فرنسا (١٧٧٤ – ١٧٩٢) . في عهده نشبت الثورة الفرنسية (عام ١٧٨٩). أُعدم (عام ١٧٩٣) .

Louis XVIII لويس الثامن عشر (١٧٥٥– ١٨٢٤) : ملك فرنسا (١٨١٤ – ١٨١٥) و (١٨١٥ – ١٨٢٤) .

Louis Napoléon [lōō'ē nȧ pô lĕ ôn'] = Napoleon III.

Louis Philippe [lōō'ē fĭ lēp'] لويس فيليب (١٧٧٣ – ١٨٥٠) : ملك فرنسا (١٨٣٠ – ١٨٤٨) . تخلّى عن العرش إثر ثورة ١٨٤٨ .

Lowell [lō'əl], **Percival** لوويـــــل ، برسيفال (١٨٥٥ – ١٩١٦) : عالم فلك أميركي . عُني بدراسة قَنَوات المرّيخ .

Lucretius [lōō krē'shəs] لوكريتيوس (٩٦ ؟ – ٥٥ ق. م.) : شاعر وفيلسوف روماني .

Ludendorff [lōō'dən dôrf], **Erich** لودَنْدورف ، أيريخ (١٨٦٥ – ١٩٣٧) : جنرال ألماني . لمع نجمه في الحرب العالميـــة الأولى .

Ludwig [lōōd'vĭkh], **Emil** لودفيخ ، أميل (١٨٨١ – ١٩٤٨) : كاتب ألماني . اشتهر بما وضع من سِيَر لعظماء الرجال والنساء .

Luke [lōōk], **Saint** لوقا ، القديس : رفيق بولس الرسول في رحلاته . يُنسب إليه « إنجيل لوقا » .

Lumière [lü myâr'], **Auguste** لوميير ، أوغوست (١٨٦٢ – ١٩٥٤) : كيميائي فرنسي . ابتكر هو وأخوه لويس (١٨٦٤ – ١٩٤٨) آلة تصوير سينمائية دُعيت بـ « السينماتوغراف » .

Lumumba [lŏŏ mŏŏm'bə], **Patrice** لومومبا ، باتريس (١٩٢٥ – ١٩٦١) : سياسي كونغولي . ناضل مِن أجل تحرير الكونغو من الاستعمار البلجيكي .

Luther [lōō'thər], **Martin** لوثر ، مارتن (١٤٨٣ – ١٥٤٦) : راهب ألماني . تزعّم حركة الإصلاح البروتستانتي في ألمانيا .

Lyautey [lyō tĕ'], **Louis** لْيــوتي ، لويس (١٨٥٤ – ١٩٣٤) : مارشـــال فرنسي . شغل منصب المقيم الفرنسي العام في مراكش (١٩١٢ – ١٩٢٥) .

Lysias [lĭs'ĭ əs] ليسيـــاس (٤٤٥ ؟ – ٣٨٠ ؟ ق. م.): خطيب أثيني . تميّزت خطبه بالبساطة والبعد عن التأنّق البلاغي .

Lysippus [lī sĭp'əs] ليسيبّوس (القــرن الرابع قبل الميلاد) : نحات يوناني . لمع نجمه في عهد الإسكندر المقدوني .

Lytton [lĭt'ən], **Edward George** ليتّون، أدْوَرْد جورج (١٨٠٣ – ١٨٧٣): روائي وكاتب مسرحي إنكليزي .

Lytton, Edward Robert ليتّــون ، أدْوَرْد روبرت (١٨٣١ – ١٨٩١): سياسي وشاعر إنكليزي . ابن أدورد جورج ليتون .

Leonardo da Vinci : *La Gioconda*

ليوناردو دا فينشي : « لا جوكوندا »

Lewis [lōō'ĭs], **Sinclair** لُويس، سنكلير (١٨٨٥ – ١٩٥١) : روائي أميركي . مُنح جائزة نوبل في الآداب لعام ١٩٣٠ .

Lie [lē], **Trygve** [trĭg'və] لي ، تريغفي (١٨٩٦ – ١٩٦٨) : سياسي نروجي . أول أمين عام للأمم المتحدة (١٩٤٦ – ١٩٥٢) .

Lincoln [lĭng'kən], **Abraham** لنكولن ، أبراهام (١٨٠٩ – ١٨٦٥) : سياسي أميركي . الرئيس السادس عشر للولايات المتحدة الأميركية (١٨٦١ – ١٨٦٥) . شنّ الحرب على الولايات الجنوبية الثائرة وألغى الاسترقاق .

Lindbergh [lĭnd'bûrg], **Charles** ليندبَرْغ ، تشارلز (١٩٠٢ – ١٩٧٤) : طيار أميركي . أول من قام بالطيران منفرداً عبر المحيط الأطلسي (عام ١٩٢٧) .

Lippi [lĭp'ē], **Filippino** ليبّي ، فيليبّينو (١٤٥٧ ؟ – ١٥٠٤) : رسام إيطالي . ابن فرا فيليبّو ليبّي (را . المادة التالية) .

Lippi, Fra Filippo ليبّي ، فرافيليبّو (١٤٠٦ ؟ – ١٤٦٩) : رسام إيطالي . أحد أبرز فناني عصر النهضة في منتصف القرن الخامس عشر .

Lister [lĭs'tər], **Joseph** ليسْتَـر ، جوزيف (١٨٢٧ – ١٩١٢) : جراح بريطاني . أول من استخدم مضادّات العفونة في الجراحة .

Liszt [lĭst], **Franz** ليسْـت ، فرانز (١٨١١ – ١٨٨٦) : مؤلف موسيقي هنغاري . يُعتبر أحد أشهر الموسيقيين الرومانتيكيين في عصره .

Livingstone [lĭv'ĭng stən], **David** ليفنغسْتون ، دايفيد (١٨١٣ – ١٨٧٣) : مبشّر ومستكشف أسكتلندي . عمل في إفريقيا الوسطى . اكتشف شلالات فيكتوريا (عام ١٨٥٥) .

Lloyd George [loid jôrj'], **David** لُويْد جورج ، دايفيد (١٨٦٣ – ١٩٤٥) : سياسي بريطاني . رئيس الوزراء (١٩١٦ – ١٩٢٢) . قاد بلاده إلى الانتصار في الحرب العالمية الأولى .

Locke [lŏk], **John** لـوك ، جـون (١٦٣٢ – ١٧٠٤) : فيلسوف إنكليزي . عارض نظرية الحق الإلهي وقال بأن الاختبار أساس المعرفة .

Lockyer [lŏk'yər], Sir **Joseph Norman** لوكْيَر ، السّير جوزيف نورمان (١٨٣٦ – ١٩٢٠) : عالم فلك بريطاني . اكتشف عنصر الهِلْيوم (عام ١٨٦٨) .

Lombroso [lôm brō'sō], **Cesare** لومبروزو ، تشيزاريه (١٨٣٥ – ١٩٠٩) : طبيب إيطالي . يُعتبر مؤسس علم الجريمة .

London [lŭn'dən], **Jack** لَنْدن ، جاك (١٨٧٦ – ١٩١٦) : روائي أميركي . عُرف بنزعته الاشتراكية .

Longfellow [lông'fĕl ō], **Henry Wadsworth** لونغفيلـو ، هنـري وادْسْوُورْث (١٨٠٧ – ١٨٨٢): شاعر أميركي . اشتهر بقصائده القصصية ذات الموضوع التاريخي .

Lorca [lôr'kä], **Federico Garcia** لوركا ، فيديريكو غارسيا (١٨٩٨ – ١٩٣٦) : شاعر وكاتب مسرحي إسباني . يُعتبر أحد أشهر الأدباء في العصر الحديث .

Lorentz [lō'rĕnts], **Hendrik** لورنْتْس ، هندريك (١٨٥٣ – ١٩٢٨) : فيزيائي هولندي . مُنح جائزة نوبل في الفيزياء (بالمشاركة) لعام ١٩٠٢ .

Loti [lō tē'], **Pierre** لـوتي ، بيـير (١٨٥٠ – ١٩٢٣) : روائي فرنسي . من أشهر آثاره : « صياد إيسلندا » *Pêcheur d'Islande* (عام ١٨٨٦) .

Lotto [lôt'tō], **Lorenzo** لوتّو ، لورنزو (١٤٨٠ ؟ – ١٥٥٦) : رسام إيطالي . اشتهر بلوحاته ذات الموضوع الديني .

Louis I [lōō'ĭs] لويس الأول (٧٧٨ – ٨٤٠) : ملك فرنسا (٨١٤ – ٨٤٠) . ورث عن أبيه ، شارلمان ، أمبراطورية واسعة تفكّكت في عهده .

Louis IX لويس التاسع (١٢١٤ – ١٢٧٠) : ملك فرنسا (١٢٢٦ – ١٢٧٠) . تزعّم الحملة الصليبية السابعة فأُسر في المنصورة بمصر (عام ١٢٥٠) .

Lloyd George

Louis XI لويس الحادي عشر (١٤٢٣ – ١٤٨٣) : ملك فرنسا (١٤٦١ – ١٤٨٣) . عمل على تقوية فرنسا وتوحيدها بعد حرب الأعوام المئة .

Louis XII لويس الثاني عشر (١٤٦٢ – ١٥١٥) : ملك فرنسا (١٤٩٨ – ١٥١٥) . تمتّع بشعبية واسعة فعُرف بـ « أبي الشعب » .

Louis XIII لويس الثالث عشر (١٦٠١ – ١٦٤٣) : ملك فرنسا (١٦١٠ – ١٦٤٣) . استبدّ بالأمر في عهده كبير وزرائه الكاردينال ريشيليو .

Abraham Lincoln

Lavoisier and his wife

Lavoisier [lȧ vwȧ zyā′], **Antoine** لافوازييه ، أنطوان (١٧٤٣ — ١٧٩٤) : كيميائي فرنسي . يُعتبر مؤسس الكيمياء الحديثة .

Lawrence [lôr′əns], **David Herbert** لورنس ، دايفيد هربرت (١٨٨٥ — ١٩٣٠) : روائي إنكليزي . تغلب السّمة الإباحية على آثاره .

Lawrence, Ernest Orlando، لورنس، أرنست أورلندو (١٩٠١ — ١٩٥٨) : فيزيائي أميركي . اخترع السيكلوترون (عام ١٩٣٢) .

Lawrence, Sir **Thomas** لورنس ، السّير توماس (١٧٦٩ — ١٨٣٠) : رسام إنكليزي . عُني بتصوير الوجوه .

Lawrence, Thomas Edward لورنس ، توماس أدْوَرْد (١٨٨٨ — ١٩٣٥) : ضابط بريطاني . قاتل في صفوف العرب ضد الأتراك في الحرب العالمية الأولى .

Lebrun [lə brœn′], **Albert** لوبران، ألبير (١٨٧١ — ١٩٥٠) : سياسي فرنسي . رئيس الجمهورية (١٩٣٢ — ١٩٤٠) .

Lebrun, Charles لوبران ، شارل (١٦١٩ — ١٦٩٠) : رسام فرنسي . زيّن قصر فرساي بعدد من الرسوم الخالدة .

Le Chatelier [lə shä tə lyā′], **Henry Louis** لو شاتيلييه ، هنري لويس (١٨٥٠ — ١٩٣٦) : كيميائي فرنسي . وضع مبدأً كيميائياً يحمل اسمه .

Le Corbusier [lə kôr′bü zyā] لو كوربوزيه (١٨٨٧ — ١٩٦٥) : مهندس معماري ورسام فرنسي .

Lee[lē], **Robert Edward** لي ، روبرت أدْوَرْد (١٨٠٧ — ١٨٧٠) : قائد عسكري أميركي . تولى خلال الحرب الأهلية (١٨٦١ — ١٨٦٥) منصب القائد العام للقوات الجنوبية .

Léger [lā zhā′], **Fernand** ليجيه ، فرنان (١٨٨١ — ١٩٥٥) : رسام فرنسي . غلب على فنّه « الطابع الميكانيكي » .

Lehár [lā′här], **Franz** ليهار ، فرانز (١٨٧٠ — ١٩٤٨) : مؤلف موسيقى هنغاري . من أشهر آثاره: « الأرملة المرحة » *The Merry Widow* (عام ١٩٠٥) .

Lehmbruck [lām′bro͝ok], **Wilhelm** ليَمْبروك ، ولهلم (١٨٨١ — ١٩١٩) : رسام ألماني . أحد أركان المدرسة التعبيرية .

Leibnitz [līb′nĭts], Baron **Gottfried Wilhelm von** لايبنتز ، البارون غوتفريد ولهلم فون (١٦٤٦ — ١٧١٦) : فيلسوف ورياضي ألماني . قال بعدم التعارض بين الإيمان والعقل .

Lenard [lā′närt], **Philipp** لينارد ، فيليب (١٨٦٢ — ١٩٤٧): فيزيائي ألماني . مُنح جائزة نوبل في الفيزياء لعام ١٩٠٥ .

Lenin [lĕn′ĭn], **Nikolai** لينين، نيقولاي (١٨٧٠ — ١٩٢٤) : زعيم الثورة الشيوعية في روسيا ومؤسس الاتحاد السوفياتي . طوّر الماركسية لتواجه مشكلات القرن العشرين .

Leo III [lē′ō], **Saint** ليو الثالث، القديس (٧٥٠ ؟ — ٨١٦) : بابا رومة (٧٩٥ — ٨١٦) . توّج شارلمان أمبراطوراً على الغرب .

Leo X ليو العاشر (١٤٧٥ — ١٥٢١) : بابا رومة (١٥١٣ — ١٥٢١) . عُرف بمناصرته الفنّ والأدب .

Leo XIII ليو الثالث عشر (١٨١٠ — ١٩٠٣) : بابا رومة (١٨٧٨ — ١٩٠٣) . جعل البابوية أكثر استجابة لمطالب العصر .

Leonardo da Vinci [lē ə när′dō də vĭn′chē] ليوناردو دا فينشي (١٤٥٢ — ١٥١٩) : رسام ونحات وموسيقي ومهندس إيطالي . يُعتبر أحد أعظم العباقرة في جميع العصور .

Leopardi [lĕ ô pär′dē], Count **Giacomo** ليوباردي، الكونت جاكومو (١٧٩٨ — ١٨٣٧) : فيلسوف وشاعر إيطالي . غلب التشاؤم على آثاره كلها .

Leopold I [lē′ə pōld] ليوبولد الأول (١٦٤٠ — ١٧٠٥) : رأس الأمبراطورية الرومانية المقدسة (١٦٥٨ — ١٧٠٥) . حرّر معظم الأراضي الهنغارية الخاضعة للحكم التركي .

Leopold I ليوبولد الأول (١٧٩٠ — ١٨٦٥) : أول ملوك بلجيكا المستقلة (١٨٣١ — ١٨٦٥) .

Leopold II ليوبولد الثاني (١٧٤٧ — ١٧٩٢) : رأس الأمبراطورية الرومانية المقدسة (١٧٩٠ — ١٧٩٢) . يُعتبر أحد أبرز « الطغاة المستنيرين » في عصره .

Leopold II ليوبولد الثاني (١٨٣٥ — ١٩٠٩) : ملك بلجيكا (١٨٦٥ — ١٩٠٩) . جعل من بلاده دولة صناعية واستعمارية .

Lermontov [lĕr′mŏn tôf], **Mikhail** ليرمونتوف ، ميخائيل (١٨١٤ — ١٨٤١) : شاعر وروائي روسي . أحد ألمع الشعراء الرومانتيكيين الروس .

Lesseps [lĕs′əps], **Ferdinand Marie de** ليسبْس ، فردينان ماري دو (١٨٠٥ — ١٨٩٤) : مهندس فرنسي . وضع مشروع قناة السويس ونفّذه (١٨٥٤ — ١٨٦٩) .

Lessing [lĕs′ĭng], **Gotthold Ephraim** ليسنغ ، غوتهولد أفرايم (١٧٢٩ — ١٧٨١) : ناقد وكاتب مسرحي ألماني . يُعدّ أول مسرحي ذي شأن في تاريخ الأدب الألماني .

Le Verrier [lə vĕ ryā′], **Urbain Jean Joseph** لوفيرييه ، أوربان جان جوزيف (١٨١١ — ١٨٧٧) : عالم فلك فرنسي . تنبأ بوجود الكوكب السيار « نبتون » .

Leonardo da Vinci

L

Labiche [là bēsh′], **Eugène Marin**
لابيش ، أوجين مارين (١٨١٥ – ١٨٨٨) : كاتب مسرحي فرنسي . اشتهر بكوميدياته الخفيفة .

Labid [lă bēd′]
لَبِيْد بن ربيعة (٥٦٠ ؟ – ٦٦١ ؟ م.): شاعر عربي مُخَضرم . أحد أصحاب المعلقات . تميّزت قصائده بنفحة دينية .

La Bruyère [là brü yâr′], **Jean de**
لا برويير ، جان دو (١٦٤٥ – ١٦٩٦) : كاتب فرنسي . عُرف برسمه للشخصيات والنماذج البشرية .

Lachaise [là shâz′], **Gaston**
لاشيز ، غاستون (١٨٨٢ – ١٩٣٥) : نحّات أميركي . فرنسي المولد . ارتبط اسمه فترةً بحركة « الفن الجديد » art nouveau .

La Farge [là färzh′], **John**
لا فارج ، جون (١٨٣٥ – ١٩١٠) : رسام أميركي . عُني برسم الأزهار والمشاهد الطبيعية .

La Fayette [là fà yĕt′], **Marquis de**
لا فاييت ، المركيز دو (١٧٥٧ – ١٨٣٤) : جنرال وسياسي فرنسي . قاتلَ في صفوف الأميركيين أثناء حرب الاستقلال (١٧٧٧ – ١٧٨٢) .

La Fontaine [là fôn tĕn′], **Jean de**
لا فونتين ، جان دو (١٦٢١ – ١٦٩٥) : شاعر فرنسي . اشتهر بحكاياته الرمزية الموضوعة على ألسنة الحيوانات .

Lagerlöf [lä′gər lœf], **Selma**
لاغَرْلوف ، سلمى (١٨٥٨ – ١٩٤٠) : روائية سويدية . مُنحت جائزة نوبل في الآداب لعام ١٩٠٩ .

Lamarck [là märk′], **Jean Baptiste**
لامارك ، جان باتيست (١٧٤٤ – ١٨٢٩) : بيولوجي فرنسي . وضع مذهباً في التطوّر العضوي يُعرف بـ « اللاماركيّة » .

Lamartine [là mär tēn′], **Alphonse de**
لامارتين ، ألفونس دو (١٧٩٠ – ١٨٦٩) : شاعر وسياسي فرنسي . يُعتبر أحد أكبر شعراء المدرسة الرومانتيكية الفرنسية .

Lamb [lăm], **Charles**
لام ، تشارلز (١٧٧٥ – ١٨٣٤) : كاتب وناقد إنكليزي . يُعدّ أحد أبرز كتاب المقالة في الأدب الإنكليزي .

Lamb, William
لام ، وليم (١٧٧٩ – ١٨٤٨) : سياسي إنكليزي . رئيس الوزراء (عام ١٨٣٤) و (١٨٣٥ – ١٨٤١) .

Lambert [lăm′bərt], **Johann Heinrich**
لامبرت ، جوهان هاينريتش (١٧٢٨ – ١٧٧٧) : فيزيائي وعالم رياضيات وفلك ألماني . عُني بدراسة الحرارة والضوء .

Landau[län dou′],**Lev Davidovich**
لانداو ، ليف دافيدوفيتش (١٩٠٨ – ١٩٦٨) : فيزيائي نوويّ سوفياتي . مُنح جائزة نوبل في الفيزياء لعام ١٩٦٢ .

Landseer [lănd′sîr], Sir **Edwin Henry**
لاندسير ، السير أدوين هنري (١٨٠٢–١٨٧٣) : رسام إنكليزي . اشتهر بتصوير الحيوانات .

Landsteiner [lănd′stī nər], **Karl**
لاندشتاينر ، كارل (١٨٦٨ – ١٩٤٣) : طبيب أميركي . اكتشف زُمر الدم البشري .

Lao-tse *also* **Lao-tzu** [lou′dzŭ′]
لاوتسي ؛ لاوتزو (٦٠٤ ؟ – ٥٣١ ق.م.): فيلسوف صيني . مؤسس الطاويّة .

Laplace [là plàs′], **Marquis de**
لا بلاس ، المركيز دو (١٧٤٩ – ١٨٢٧) : عالم فلك ورياضيات فرنسي . درس حركة القمر ، والمشتري ، وزُحل .

La Salle [là sàl′], Saint **Jean Baptiste de**
لا سال ، القديس جان باتيست دو (١٦٥١ – ١٧١٩) : كاهن فرنسي . أنشأ رهبانية « الإخوة المسيحيين » .

Latimer [lăt′ə mər], **Hugh**
لاتيمر ، هيو (١٤٨٥ ؟ – ١٥٥٥) : مصلح بروتستانتي إنكليزي . حُكم عليه بالموت حَرْقاً بتهمة الهَرْطقة .

La Tour [là′tōōr], **Georges de**
لا تور ، جورج دو (١٥٩٣ – ١٦٥٢): رسام فرنسي . اشتهر بلوحاته التي تبرز فيها الشموع أو المصابيح المضاءة .

Laurent [lô rän′], **Auguste**
لوران ، أوغوست (١٨٠٧ – ١٨٥٣) : كيميائي فرنسي . اكتشف عدداً من المركّبات العضوية .

Laval [là vàl′], **Pierre**
لافال ، بيير (١٨٨٣ – ١٩٤٥) : سياسي فرنسي . رئيس حكومة فيشي (١٩٤٢ – ١٩٤٤) . أُعدم بتهمة الخيانة العظمى .

La Fontaine

Lamartine

Charles Lamb

M

Ma'bad [mă'băd] مَعْبَد (توفي عام ٧٤٣ م .) : مُغَنٍّ عربي . سطع نجمه في عهد بني أميّة .

MacArthur [mək är'thər], **Douglas** ماك آرثر ، دوغلاس (١٨٨٠ – ١٩٦٤) : جنرال أميركي . القائد الأعلى لقوات الأمم المتحدة في كوريا (١٩٥٠ – ١٩٥١) .

Macaulay [mə kô'lĭ], **Thomas** ماكولي ، توماس (١٨٠٠ – ١٨٥٩) : سياسي وكاتب ومؤرخ بريطاني .

Macbeth [măk bĕth'] مَكْبَث (توفي عام ١٠٥٧) : ملك أسكتلندا (١٠٤٠ – ١٠٥٧) . انتزع العرش من ابن عمه دانكان الأول Duncan I .

MacDonald [mək dŏn'əld], **Ramsay** ماكدونالد ، رمزي (١٨٦٦ – ١٩٣٧) : سياسي بريطاني . رئيس الوزراء (عام ١٩٢٤) و (١٩٢٩ – ١٩٣٥) .

Mach [mäkh], **Ernst** ماخ ، أرنست (١٨٣٨ – ١٩١٦) : فيزيائي وفيلسوف نمساوي . أنكر وجود الزمن المطلق والفضاء المطلق .

Machiavelli [măk ē ə vĕl'ē], **Niccolò** مَكْيافلّي ، نيقولو (١٤٦٩ – ١٥٢٧) : فيلسوف إيطالي . قال بأن الوسائل كلّها مبرَّرة من أجل تحقيق السلطان السياسي .

Mackensen [mäk'ən zən], **August von** ماكينزن ، أوغوست فون (١٨٤٩ – ١٩٤٥) : مارشال ألماني . لمع نجمه في الحرب العالمية الأولى .

Mackenzie [mə kĕn'zē], Sir **Alexander** ماكينزي ، السير ألكسندر (١٧٥٥ ؟ – ١٨٢٠) : مستكشف أسكتلندي . رادَ سواحل كندا الشمالية الغربية .

MacLeish [mək lēsh'], **Archibald** ماكليش ، آرتشيبالد (١٨٩٢ –) : شاعر أميركي . يُعتبر من أبرز ممثلي « الجيل الضائع » .

Macleod [mə kloud'], **John James Rickard** ماكلاوْد ، جون جيمس ريكارد (١٨٧٦ – ١٩٣٥) : فيسيولوجي أسكتلندي . مُنح جائزة نوبل في الفيسيولوجيا والطب لعام ١٩٢٣ (بالمشاركة) .

Macmillan [mək mĭl'ən], **Harold** ماكميلان ، هارولد (١٨٩٤ –) : سياسي بريطاني . رئيس الوزراء (١٩٥٧ – ١٩٦٣) .

Madero [mä dĕ'rō], **Francisco** ماديرو ، فرانسيسكو (١٨٧٣ – ١٩١٣) : سياسي وزعيم ثوري مكسيكي . رئيس الجمهورية (١٩١١ – ١٩١٣) . اغتيل .

Madison [măd'ĭ sən], **James** ماديسون ، جيمس (١٧٥١ – ١٨٣٦) : سياسي أميركي . الرئيس الرابع للولايات المتحدة الأميركية (١٨٠٩ – ١٨١٧) .

Maeterlinck [mā'tər lĭngk], **Maurice** ماترلينك ، موريس (١٨٦٢ – ١٩٤٩) : شاعر وكاتب مسرحي بلجيكي . مُنح جائزة نوبل في الآداب لعام ١٩١١ .

Magellan [mə jĕl'ən], **Ferdinand** ماجلاّن ، فرديناند (١٤٨٠ – ١٥٢١) : ملاح برتغالي . يُعتبر أول من قام برحلة بحرية حول العالم .

Maginot [măzh'ĭ nō], **André** ماجينو ، أندريه (١٨٧٧ – ١٩٣٢) : سياسي فرنسي . تولى وزارة الحرب غير مرة . صاحب فكرة إنشاء « خط ماجينو » .

Mahdi, al- [ăl măh'dē] المَهْدي (٧٤٤–٧٨٥ م .) : الخليفة العباسي الثالث (٧٧٥–٧٨٥ م .). قاتل الروم فبلغت قواته مضيق البوسفور .

Macaulay

Mahdi, the المَهْدي ، محمّد أحمد (١٨٤٤ – ١٨٨٥) : زعيم ديني سوداني . بسط سلطانه على معظم الأراضي السودانية .

Mahmud I [mä mōōd'] محمود الأول (١٦٩٦–١٧٥٤) : سلطان عثماني (١٧٣٠–١٧٥٤) . استولت قواته على بلغراد (عام ١٧٣٩) .

Mahmud II محمود الثاني (١٧٨٥ – ١٨٣٩) : سلطان عثماني (١٨٠٨ – ١٨٣٩) . قضى على الإنكشارية (عام ١٨٢٦) .

Mahmud of Ghazna [gäz'nə] محمود الغَزْنوي (٩٧١ – ١٠٣٠ م .) : أعظم السّلاطين الغَزْنويين (٩٩٧ – ١٠٣٠ م .) . غزا الهند سبع عشرة مرة .

Maillol [mä yôl'], **Aristide** مايول ، آريستيد (١٨٦١ – ١٩٤٤) : نحات فرنسي . يُعتبر أحد أبرز النحاتين في القرن العشرين .

Maimonides [mī mŏn'ə dēz], **Moses** ابن ميمون ؛ موسى (١١٣٥ – ١٢٠٤) : فيلسوف وطبيب يهودي . أندلسي المولد . يُعتبر أكبر مفكر يهودي في القرون الوسطى .

Malherbe [mäl ĕrb'], **François de** ماليرب ، فرانسوا دو (١٥٥٥ – ١٦٢٨) : شاعر فرنسي . أكّد على جمال الشكل وصفاء اللغة .

Maeterlinck

Mallarmé

Marie Antoinette

Marconi

Malik ibn-Anas[mâ'lĭk ĭb'ən ă'năs] مالك بن أنَس (٧١٥ – ٧٩٥ م .) : إمام وفقيه مسلم . صاحب المذهب المالكي ، أحد المذاهب السّنية الأربعة .

Mallarmé [mà lár mā'], **Stéphane** مالارميه ، إسطفان (١٨٤٢ – ١٨٩٨) : شاعر فرنسي . يُعتبر مؤسس المدرسة الرمزية وزعيمها .

Malory [măl'ə rē], Sir **Thomas** مالوري ، السّير توماس (توفي عام ١٤٧١) : كاتب إنكليزي . اشتهر بملحمته النثرية « موت آرثر » *Morte d'Arthur* (نُشرت عام ١٤٨٥) .

Malraux [mál rō'], **André** ، مالرو ، أندريه (١٩٠١ – ١٩٧٦) : روائي وكاتب وسياسي فرنسي . أشهر آثاره رواية « المصير البشري » *la Condition humaine* (عام ١٩٣٣) .

Malthus [măl'thəs], **Thomas Robert** مالثوس ، توماس روبرت (١٧٦٦ – ١٨٣٤) : عالم اقتصاد إنكليزي . دعا إلى كبح التزايد المتعاظم في عدد سكان العالم من طريق ضبط النسل .

Ma'mun, al- [ăl mä'mōōn] ، المأمون ، عبد الله (٧٨٦ – ٨٣٣ م .) : سابع الخلفاء العباسيين (٨١٣ – ٨٣٣ م .) . شجّع العلم والعلماء . نشطت في عهده حركة الترجمة .

Manet [mà nĕ'], **Edouard** ، مانيه ، أدوار (١٨٣٢ – ١٨٨٣) : رسام فرنسي . يُعتبر أحد رواد المدرسة الانطباعية .

Mani [mä'nē] : ماني (٢١٦ ؟ – ٢٧٤؟م.) : نبيّ فارسي . مؤسس الديانة المانوية .

Mann [män], **Heinrich** مانّ ، هاينرخ (١٨٧١ – ١٩٥٠) : كاتب وروائي ألماني . عُرف بنزعته الاشتراكية .

Mann, Thomas – مانّ ، توماس (١٨٧٥ – ١٩٥٥) : كاتب وروائي ألماني . عُرف بعدائه للفاشيّة .

Mansfield [măns'fēld], **Katherine** مانسفيلد ، كاثرين (١٨٨٨ – ١٩٢٣) : كاتبة إنكليزية . تميّزت قصصها بالتركيز على الصراعات النفسية الباطنية .

Mao Tse-tung [mou'tsĭ tōōng'] ماو تسي تونغ (١٨٩٣ – ١٩٧٦) : زعيم صيني . انتصر على قوات شيانغ كاي شيك وأسّس جمهورية الصين الشعبية (عام ١٩٤٩) .

Marc [märk], **Franz** مارك فرانز (١٨٨٠ – ١٩١٦) : رسام ألماني . يُعَدّ من أبرز ممثلي المدرسة التعبيرية .

Marconi [mär kō'nē], **Guglielmo** ماركوني ، غولْيَلْمو (١٨٧٤ – ١٩٣٧) : مهندس كهربائي إيطالي . وُفّق إلى نقل الإشارات اللاسلكية عبرَ الأثير (عام ١٨٩٦).

Marcuse [mär'kōō zə], **Herbert** ماركوزي ، هربرت (١٨٩٨ – ١٩٧٩) : فيلسوف أميركي . ألماني المولد . دعا إلى إحداث تغييرات ثورية في المؤسسات الاجتماعية .

Maria Theresa [mə rē'ə tə rā'zə] ماريا تيريزا (١٧١٧ – ١٧٨٠) : أرشيدوقة النمسا وملكة هنغاريا وبوهيميا (١٧٤٠ – ١٧٨٠) .

Marie Antoinette [mə rē' ăn twə nĕt'] : ماري أنطوانيت (١٧٥٥ – ١٧٩٣) : ملكة فرنسا (١٧٧٤ – ١٧٩٣) بوصفها زوجة لويس السادس عشر . أُعدمت .

Marie Louis [mə rē'lōō ēz'] ماري لويز (١٧٩١ – ١٨٤٧) : ملكة فرنسا بوصفها زوجة نابوليون بونابرت الثانية (١٨١٠ – ١٨١٥) .

Marie Thérèse [mə rē'tā râz'] ماري تيريز (١٦٣٨ – ١٦٨٣) : ملكة فرنسا بوصفها زوجة لويس الرابع عشر (١٦٦٠ – ١٦٨٣) .

Marin [mär'ĭn], **John** ماران، جون (١٨٧٠ – ١٩٥٣) : رسام أميركي . اشتهر بلوحاته المائية التعبيرية .

Marinetti [mär ə nĕt'tē], **Philippo** مارينيتّي ، فيليبّو (١٨٧٦ – ١٩٤٤) : شاعر وروائي وكاتب مسرحي إيطالي . يُعتبر مؤسس المدرسة المستقبليّة futurism .

Marivaux [mà'rē vō'], **Pierre** ماريفو ، بيير (١٦٨٨ – ١٧٦٣) : كاتب مسرحي فرنسي . حظيت كوميدياتهُ بشعبية واسعة .

Mark [märk], **Saint** مُرقُس، القديس (القرن الأول للميلاد) : صاحب إنجيل مُرقُس .

Mark Antony [märk ăn'tə nĭ] = Antonius, Marcus.

Marlowe [mär'lō], **Christopher** مارلو ، كريستوفر (١٥٦٤ – ١٥٩٣) : شاعر وكاتب مسرحي إنكليزي .

Marshall [mär'shəl], **George** مارشال ، جورج (١٨٨٠ – ١٩٥٩) : جنرال أميركي . وزير الخارجية (١٩٤٧– ١٩٤٩) . وزير الدفاع (١٩٥٠ – ١٩٥١) . صاحب « مشروع مارشال » .

Martini [mär tē'nē], **Simone** مارتيني ، سيمون (١٢٨٤ ؟ – ١٣٤٤) : رسام إيطالي . تميزت أعماله بالتناغم والرّشاقة .

Marwan II [măr'wân] ؛ مَرْوان الثاني مروان بن محمد (توفي عام ٧٥٠ م .) : آخر الخلفاء الأمويين (٧٤٤ – ٧٥٠ م.) .

Marx [märks], **Karl** ماركس ، كارل (١٨١٨ – ١٨٨٣) : فيلسوف اجتماعي ألماني . أشهر آثاره : « رأس المال » *Das Kapital* (١٨٦٧ – ١٨٩٥) .

Mary I [mâr'ē] *also* **Mary Tudor** ماري الأولى ؛ ماري تيبودور (١٥١٦ – ١٥٥٨) . ملكة إنكلترا وإيرلندا (١٥٥٣ – ١٥٥٨) . اضطهدت البروتستانت .

Mary II ماري الثانية (١٦٦٢ – ١٦٩٤) : ملكة إنكلترا وأسكتلندا وإيرلندا (١٦٨٩ – ١٦٩٤) . ابنة الملك جيمس الثاني .

Mary Stuart [styōō'ərt] ماري ستيُوارت (١٥٤٢ – ١٥٨٧) : ملكة أسكتلندا (١٥٤٢ – ١٥٦٧) . اضطرت إلى التنازل عن العرش . أعدمتها الملكة أليزابيث الأولى .

Masaryk [măs'ə rĭk], **Tomas** مازاريك ، توماس (١٨٥٠ – ١٩٣٧) : أول رئيس لجمهورية تشيكوسلوفاكيا (١٩١٨ – ١٩٣٥) .

Mas'udi, al- [ăl măs'ōō'dē] المَسْعودي ، (توفي عام ٩٥٦ م .) : مؤرخ وجغرافي عربي . صاحب « مروج الذهب ومعادن الجوهر » .

Matisse [mȧ tēs'], **Henri** ماتيس ، هنري (١٨٦٩ – ١٩٥٤) : رسام ونحات فرنسي . يعتبر زعيم المدرسة الفوفيّة .

Matthew [măth'yōō], **Saint** مَتّى ، القديس : أحد رُسُل المسيح الاثني عشر . صاحب « إنجيل متّى » .

Maugham [môm], **William Somerset** موم ، وليم سومرسِت (١٨٧٤ – ١٩٦٥) : روائي وكاتب مسرحي إنكليزي .

Maupassant [mō pȧ sän'], **Guy de** موباسّان ، غي دو (١٨٥٠ – ١٨٩٣) : كاتب أقصوصة فرنسي . يُعتبر رائد الأقصوصة الفرنسية الأول .

Mauriac [mô ryȧk'], **François** مورياك ، فرانسوا (١٨٨٥ – ١٩٧٠) : روائي فرنسي . مُنح جائزة نوبل في الآداب لعام ١٩٥٢ .

Maurois [mô rwȧ'], **André** موروا ، أندريه (١٨٨٥ – ١٩٦٧) : كاتب فرنسي . اشتهر بكتابة سيَر الأعلام .

Maximilian I [măk sə mĭl'yən] مكسيميليان الأول (١٤٥٩ – ١٥١٩) : ملك ألمانيا (١٤٨٦ – ١٥١٩) ورأس الأمبراطورية الرومانية المقدسة (١٤٩٣ – ١٥١٩) .

Maxwell [măks'wĕl], **James Clerk** ماكسْويل ، جيمس كلارك (١٨٣١ – ١٨٧٩) : فيزيائي أسكتلندي . يُعتبر ، أحياناً ، أعظم الفيزيائيين بعد نيوتن .

Mayakovski [mȧ yȧ kôf'skē], **Vladimir** ماياكوفسكي ، فلاديمير (١٨٩٣ – ١٩٣٠) : شاعر روسي . يُعتبر أعظم شعراء الثورة الاشتراكية السوفياتية .

Mayy Ziadah [măyy zĭ â'dăh] مَيّ زيادة (١٨٨٦ – ١٩٤١) : كاتبة لبنانية . مصرية النشأة . عُرفت بأدبها الوجداني المتميز بالرقة والشفافية .

Mazarin [mȧ zȧ răn'], **Jules** مازاران ، جول (١٦٠٢ – ١٦٦١) : كردينال فرنسي . كبير وزراء الملك لويس الرابع عشر .

Mazdak [măz'dăk] مَزْدَك (القرن الخامس للميلاد) : زعيم ديني فارسي . مؤسس الديانة المَزْدكيّة .

Mazzini [mät tsē'nē], **Giuseppe** ماتزيني ، جوزيبّي (١٨٠٥ – ١٨٧٢) : ثائر وبطل قومي إيطالي . عمل من أجل إيطاليا موحدة جمهورية النظام .

McCarthy [mə kär'thē], **Joseph** مَكارثي ، جوزيف (١٩٠٨ – ١٩٥٧) : شيخ أميركي جمهوري . قاد حملة ضد العناصر اليسارية الأميركية (١٩٥٠ – ١٩٥٤) .

McDougall [mək dōō'gəl], **William** ماكدوغل ، وليم (١٨٧١ – ١٩٣٨) : عالم نفس بريطاني .

McKinley [mə kĭn'lē], **William** ماكينلي ، وليم (١٨٤٣ – ١٩٠١) : سياسي أميركي . الرئيس الخامس والعشرون للولايات المتحدة الأميركية (١٨٩٧ – ١٩٠١) .

Medici [mĕ'dē chē], **Cosimo de'** [kô zē mô dĕ] مديتشي ، كوزيمو دي (١٣٨٩ – ١٤٦٤) : مصرفي إيطالي فلورنسي . حاكم جمهورية البندقية .

Medici, Lorenzo de' مديتشي ، لورانزو دي (١٤٤٩ – ١٤٩٢) : سياسي إيطالي فلورنسي . حاكم جمهورية البندقية .

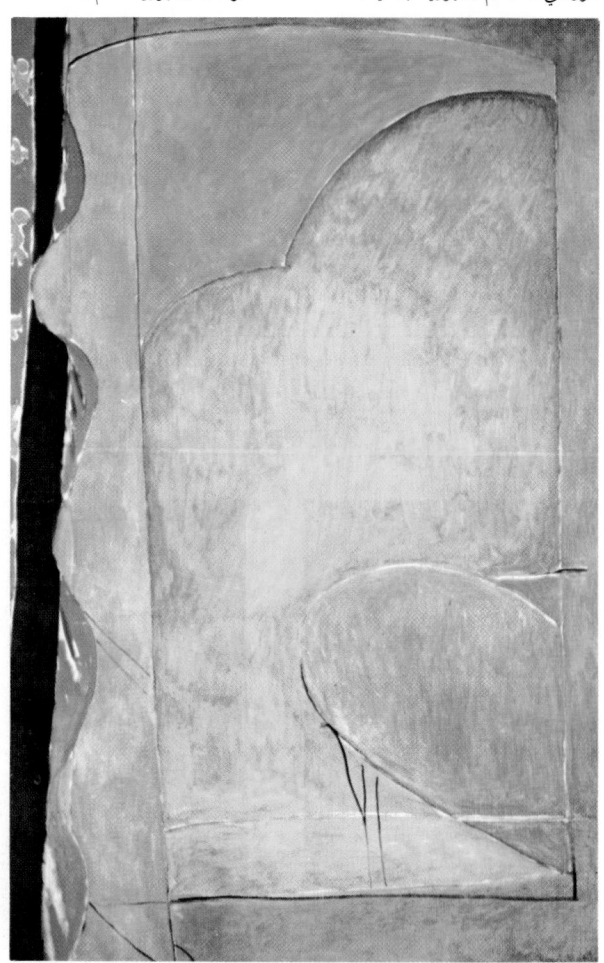

Matisse : *le Rideau jaune*

ماتيس : « الستارة الصفراء »

Melchers [mĕl'chĕrz], **Gari**
مَلْتْشَرْز ، غاري (١٨٦٠ – ١٩٣٢) : رسام أميركي . اتخذ من الحياة اليومية مادةً لرسومه .

Melville [mĕl'vĭl], **Herman** ، مَلْفيل هرمان (١٨١٩ – ١٨٩١) : روائي أميركي . عُني بتصوير حياة البحر .

Menander [mə măn'dər] مينانْـدَر (٣٤٢ – ٢٩٢ ق. م.) : مؤلف مسرحي يوناني . يُعتبر أحد أبرز شعراء الكوميديا الإغريقية .

Mendel [mĕn'dəl], **Gregor Johann**
مَنْدَل ، غريغور جوهان (١٨٢٢ – ١٨٨٤) : راهب نمساوي . يُعتبر مؤسس علم الوراثة .

Mendeleev [mĕn də lā'əf], **Dmitri**
مَنْدَلْييف ، دمتري (١٨٣٤ – ١٩٠٧) : كيميائي روسي . وضع أول جدول دَوْريّ للعناصر الكيميائية (عام ١٨٦٩) .

Mendelssohn [mĕn'dəl sən], **Felix**
مَنْدَلسون ، فيليكس (١٨٠٩ – ١٨٤٧) : مؤلف موسيقي ألماني . تتميز أعماله بغنائية مُفعَمة بالحيوية .

Menes [mē'nēz] مينا (ازدهر حوالى ٣١٠٠ ق. م.) : فرعون مصري . وحّد مملكتَي الشمال والجنوب .

Mercator [mər kā'tər], **Gerhardus**
مركاتور ، جرهاردوس (١٥١٢ – ١٥٩٤) : جغرافي وواضع خرائط فلمنكي . مبتكر طريقة « الإسقاط المركاتوري » .

Meredith [mĕr'ə dĭth], **George**
مريديث ، جورج (١٨٢٨ – ١٩٠٩) : روائي وشاعر إنكليزي . تتميز آثاره الروائية ببراعة الحوار .

Mérimée [mā rē mā'], **Prosper**
ميريميه ، بروسبر (١٨٠٣ – ١٨٧٠) : روائي وكاتب مسرحي فرنسي .

Messier [mās'yā], **Charles** ، ميسييه شارل (١٧٣٠ – ١٨١٧) : عالم فلك فرنسي . اكتشف واحداً وعشرين مُذَنَّباً .

Metchnikoff [mĕch'nē kôf], **Elie**
مَتْشْنيكوف ، إيليا (١٨٤٥ – ١٩١٦) : بكتيريولوجي وعالم حيوان روسي . مُنح جائزة نوبل (بالمشاركة) في الفيسيولوجيا والطب لعام ١٩٠٨ .

Metternich [mĕt'ər nĭkh], Prince **Klemens von** مَتَرنيخ ، الأمير كليمنس فون (١٧٧٣ – ١٨٥٩) : سياسي نمساوي . مستشار النمسا (١٨٠٩ – ١٨٤٨) . قاوم الحركات التحررية .

Meyer [mī'ər], **Adolf** ماير ، أدولف (١٨٦٦ – ١٩٥٠) : طبيب نفساني أميركي . سويسري المولد . يُعتبر رائد « علم الأحياء النفسي » .

Michelangelo [mī kəl ăn'jə lō] ميكال آنجلو (١٤٧٥ – ١٥٦٤) : نحّات ورسام ومهندسُ معمار إيطالي . يُعَدّ أحد أعظم الفنانين في جميع العصور .

Michelson [mī'kəl sən], **Albert Abraham** مايكلْسون ، ألبرت أبراهام (١٨٥٢ – ١٩٣١) : فيزيائي أميركي . ألماني المولد . مُنح جائزة نوبل في الفيزياء لعام ١٩٠٧ .

Michurin [mĭ cho͞o'rēn], **Ivan**
ميتشورين ، إيفان (١٨٥٥ – ١٩٣٥) : عالم بيولوجي روسي . وضع مذهباً في التطور العضوي يُعرف بـ « الميتشورينية » .

Middleton [mĭd'əl tən], **Thomas**
ميدلتون ، توماس (١٥٧٠ ؟ – ١٦٢٧) : كاتب مسرحي إنكليزي . تميّزت أعماله بالسخرية اللاذعة .

Midhat Pasha [mĭd'hăt pä'shä]
مِدحت باشا (١٨٢٢ – ١٨٨٣) : سياسي عثماني . يُعتبر أعظم رجال الإصلاح العثمانيين في القرن التاسع عشر .

Mignard [mē nyȧr'], **Pierre** ، مينيار بيير (١٦١٠ – ١٦٩٥) : رسام فرنسي . عُرف برسم الوجوه .

Mill [mĭl], **John Stuart** مِلْ ، جون ستيوارت (١٨٠٦ – ١٨٧٣) : عالم اقتصاد إنكليزي . نادى بالحرية الفردية ودعا إلى الأخذ بمذهب المنفعة .

Millikan [mĭl'ĭ kən], **Robert Andrews** ميليكان ، روبرت آندروز (١٨٦٨ – ١٩٥٣) : فيزيائي أميركي . درس الأشعة الكونية وأشعة أكس .

Milton [mĭl'tən], **John** ملتون ، جون (١٦٠٨ – ١٦٧٤) : شاعر إنكليزي . يعتبر أعظم شعراء الإنكليز بعد شكسبير . أشهر آثاره ملحمة « الفردوس المفقود » (*Paradise Lost* (عام ١٦٦٧) .

Minot [mī'nət], **George Richards**
ماينوت ، جورج ريتشاردز (١٨٨٥ – ١٩٥٠) : طبيب أميركي . عُني بدراسة فقر الدم الخبيث .

Mirabeau [mē rȧ bō'], **Comte de**
ميرابو ، الكونت دو (١٧٤٩ – ١٧٩١) : سياسي وثائر فرنسي . يُعْرف بـ « خطيب الثورة الفرنسية » .

Metternich

Michelangelo

John Stuart Mill

Mohammad II

Mohammad Ali

Monteverdi

Mistral [mēs trăl′], **Gabriela** ميسترال ، غابرييلا (١٨٨٩ – ١٩٥٧) : شاعرة تشيلية . مُنحت جائزة نوبل في الآداب لعام ١٩٤٥ .

Mitchell [mĭch′əl], **Margaret** ميتشيل ، مَرْغريت (١٩٠٠ – ١٩٤٩) : روائية أميركية . صاحبة « ذهبَ مع الريح » *Gone with the Wind* (عام ١٩٣٦) .

Modigliani[mō dē lyä′nē],**Amedeo** موديلياني ، أميديو (١٨٨٤ – ١٩٢٠) : رسام ونحات إيطالي . تتميّز لوحاته بالميل إلى إطالة الشكل .

Mohammad [mō hăm′ăd] *also* **Muhammad** [mŏŏ hăm′əd] محمد ابن عبد الله (٥٧٠ – ٦٣٢ م.):رسول الله صلى الله عليه وسلّم . وُلد في مكة المكرّمة . بُعث ، وهو في الأربعين من عمره ، لهداية الناس إلى الإسلام . اضطهدته قريش فهاجر مع أصحابه إلى يثرب (عام ٦٢٢ م .) . نصره الله على المشركين في معركة بدر . فتح مكة وحطّم أصنام الكعبة (عام ٦٣٠ م.) معجزته الكبرى القرآن الكريم .

Mohammad II محمد الثاني ؛ محمد الفاتح (١٤٣٢ – ١٤٨١) : سلطان عثماني (١٤٤٤ – ١٤٤٦) و (١٤٥١ – ١٤٨١) . فتح القسطنطينية (عام ١٤٥٣) .

Mohammad V مُحَمّد الخامس، محمّد رشاد (١٨٤٤ – ١٩١٨) : سلطان عثماني (١٩٠٩ – ١٩١٨) : في عهده دخلت الدولة العثمانية الحرب العالمية الأولى .

Mohammad V مُحمّد الخامس (١٩٠٩–١٩٦١): سلطان المغرب (١٩٢٧– ١٩٦١) : نَفَتْهُ سلطات الاحتلال الفرنسي (عام ١٩٥٣) ثم سمحت له بالعودة إلى الوطن (عام ١٩٥٥) .

Mohammad VI محمّد السادس(١٨٦١– ١٩٢٦) : آخر السلاطين العثمانيين (١٩١٨– ١٩٢٢) . خُلع عن العرش .

Mohammad ʻAbduh مُحمد عَبْدُه ، الشيخ (١٨٤٩ – ١٩٠٥) : مصلح ديني مسلم . تولّى الإفتاء في الديار المصرية . من أشهر آثاره « رسالة التوحيد » .

Mohammad ʻAli [ʻä lī′] محمّد علي (١٧٦٩ – ١٨٤٩) : والي مصر (١٨٠٥ – ١٨٤٨) . مؤسس الأسرة العلوية التي حكمت مصر حتى عام ١٩٥٢ .

Mohammad ibn-ʻAbdil-Wahhab [ib′ən ʻăb dĭl′wăh′hâb] محمّد بن عبد الوهاب (١٧٠٣ – ١٧٩٢) : مصلح ديني مسلم . أسّس الوهابية . دعا إلى الأخذ بصريح الكتاب والسنّة .

Molière [mŏ lyâr′] مولبير (١٦٢٢ – ١٦٧٣) : كاتب مسرحي وممثّل فرنسي . يُعتبر أحد أعظم الكوميديين في جميع العصور .

Molotov [mŏl′ə tôf], **Vyacheslav** مولوتوف ، فييتْشيسْلاف (١٨٩٠ –) : سياسي سوفياتي . وزير الخارجية (١٩٣٩ – ١٩٤٩) و (١٩٥٣ – ١٩٥٦) .

Moltke [môlt′kə], Count **Helmuth von** مولْتْكه ، الكونت هلموث فون (١٨٠٠ – ١٨٩١) : مارشال بروسي . بطل معركة سادوفا (عام ١٨٦٦) .

Mondrian [môn′drē än], **Piet**[pēt] موندريان ، بيت (١٨٧٢ – ١٩٤٤) : رسام تجريدي هولندي . عُرف برسومه اللاموضوعية المؤلفة من مجرد خطوط ومساحات لونية .

Monet [mō nā′], **Claude** مونيه ، كلود (١٨٤٠ – ١٩٢٦) : رسام فرنسي . يُعتبر أحد مؤسسي المدرسة الانطباعية .

Monroe [mən rō′], **James** مونرو ، جيمس (١٧٥٨ – ١٨٣١) : سياسي أميركي . الرئيس الخامس للولايات المتحدة الأميركية (١٨١٧ – ١٨٢٥) . وضع « مبدأ مونرو » .

Montaigne [môn tĕn′y], **Michel Eyquem de** مونتينْيْ ، ميشال إيكيم دو (١٥٣٣ – ١٥٩٢) : أديب ومُرَبٍّ فرنسي . اشتهر بكتابه « مقالات » *Essais* .

Montesquieu [môn tĕs kyœ′] مونتيسكيو (١٦٨٩ – ١٧٥٥) : كاتب وفيلسوف سياسي فرنسي . أشهر آثاره : « روح القوانين » *l'Esprit des lois* (عام ١٧٤٨) .

Montessori [mŏn tə sôr′ē], **Maria** مونتيسّوري ، ماريا (١٨٧٠ – ١٩٥٢) : مربية إيطالية . عُنيت بدراسة مشكلات الأطفال المتخلّفين عقلياً .

Monteverdi [mŏn tə vâr′dē], **Claudio** مونتيفيردي، كلوديو (١٥٦٧–١٦٤٣): مؤلف موسيقي إيطالي . أسهمَ في الثورة الموسيقية الإيطالية في مطلع القرن السابع عشر .

Montgolfier[môn gôl fyā′], **Joseph** مونغولفييه ، جوزيف (١٧٤٠ – ١٨١٠) : مخترع فرنسي . صنع هو وأخوه جاك أول منطاد عملي وأطلقاه في الجوّ (عام ١٧٨٣) .

Montgomery [mənt gŭm′rē], **Bernard Law** مونتغمري ، برنارد لو (١٨٨٧ – ١٩٧٦) : مارشال بريطاني . انتصر على رومل في معركة العلمين (عام ١٩٤٢) .

Moore [mo͝or], **George Edward** مور ، جورج أدْوَرْد (١٨٧٣ – ١٩٥٨): فيلسوف إنكليزي واقعي . يُعتبر أحد أبرز المفكرين البريطانيين في العصر الحديث .

Morandi [mə rän′dē], **Giorgio** موراندي ، جورجيو (١٨٩٠ – ١٩٦٤) : رسام إيطالي . عُرِف بـ « رسومه الساكنة » التي تمثّل الطبيعة الصامتة .

More [môr; mōr], Sir **Thomas** مور ، السير توماس (١٤٧٧ – ١٥٣٥) : سياسي وكاتب إنكليزي . صاحب كتاب « المدينة الفاضلة » *Utopia* (عام ١٥١٦) .

Morgan [môr′gən], **Thomas Hunt** مورغان ، توماس هانت (١٨٦٦ – ١٩٤٥) : عالم بيولوجي أميركي . مُنح جائزة نوبل في الفيسيولوجيا والطبّ لعام ١٩٣٣ .

Morse [môrs], **Samuel** مورس ، صموئيل (١٧٩١–١٨٧٢): مخترع أميركي . اخترع التلغراف (عام ١٨٣٦) .

Mosaddeq [mō säd′dĕq], **Mohammad** مُصَدّق ، محمّد (١٨٨٠ – ١٩٦٧) : زعيم سياسي إيراني . رئيس الوزراء (١٩٥١ – ١٩٥٣) . أمّم شركة البترول البريطانية الإيرانية (عام ١٩٥١) .

Moses [mō′zĭz] موسى (القرن الثالث عشر قبل الميلاد) : موسى النبيّ . كليمُ الله . مؤسس الديانة اليهودية .

Mozart [mōt′särt], **Wolfgang** موتسارت ، فولفغانغ (١٧٥٦ – ١٧٩١) : مؤلف موسيقي نمساوي . يُعتبر أحد أعظم عباقرة الموسيقى في كل العصور .

Mu‘awiyah I [mo͞o′â′wĭ yăh] مُعاوية الأول ؛ معاوية بن أبي سفيان (٦٠٢ ؟ – ٦٨٠ م .) : مؤسس الدولة الأموية (عام ٦٦١) . اشتهر بالدهاء والحلم .

Muhammad Ali [mo͞o hăm′əd ä′lē] محمد علي (١٩٤٢ –) : رياضي أميركي . من المسلمين السّود . بطل العالم في الملاكمة للوزن الثقيل . اسمه الأصلي : كاسيوس كلاي Cassius Clay .

Mujib-ur-Rahman [mo͞o jēb′ûr räh′mân] مُجيب الرحمن ، الشيخ (١٩٢٠ – ١٩٧٥): زعيم باكستاني. أول رئيس وزراء لدولة بنغلاديش (١٩٧٢ – ١٩٧٥) . قُتل .

Müller [mül′ər], **Georg Elias** مولر ، جورج إلياس (١٨٥٠ – ١٩٣٤) : عالم نفس ألماني . يُعتبر أحد رواد علم النفس التجريبي .

Müller, Otto مولر ، أوتو (١٨٧٤ – ١٩٣٠) : رسام ألماني . يُعَدّ أحد أركان المدرسة التعبيرية الألمانية .

Murad I [mo͞o räd′] مُراد الأول (١٣٢٦ ؟ –١٣٨٩) : سلطان عثماني (١٣٦٠ – ١٣٨٩) . شهد عهده توسع الدولة في الأناضول والبلقان .

Murad II : مراد الثاني (١٤٠٤ – ١٤٥١) : سلطان عثماني (١٤٢١ – ١٤٥١) : انتصر على القوات الهنغارية في معركة فارنا (عام ١٤٤٤) .

Murad IV : مُراد الرابع (١٦١٢ – ١٦٤٠) : سلطان عثماني (١٦٢٣ – ١٦٤٠) : خاض الحرب ضد الفرس واستردّ منهم مدينة بغداد (عام ١٦٣٨) .

Musa ibn-Nusayr [mo͞o′sâ ĭb′ən no͞o′sâyr] موسى بن نُصَيْر (توفي عام ٧١٤ ؟ م .) : قائد عربي . وجّه طارق بن زياد لفتح الأندلس (عام ٧١١ م .) ثم واصلَ هذا الفتحَ بنفسه .

Musaddaq [mo͞o säd′däq], **Mohammad** = Mosaddeq, Mohammad.

Musset [mü sĕ′], **Alfred de** موسيه ، ألفرد دو (١٨١٠ – ١٨٥٧): شاعر وكاتب فرنسي . يُعتبر أحد أبرز وجوه الحركة الرومانتيكية الفرنسية .

Mussolini [mo͞os sō lē′nē], **Benito** موسوليني ، بنيتو (١٨٨٣ – ١٩٤٥) : زعيم إيطاليا الفاشيّة (١٩٢٢ – ١٩٤٣) . هُزِمت قواته في الحرب العالمية الثانية . قُتل .

Mustafa II [mo͞os tä′fâ] مُصطفى الثاني (١٦٦٤ – ١٧٠٣) : سلطان عثماني (١٦٩٥ – ١٧٠٣) . قاتل النمساويين . خُلِع عن العرش .

Mustafa III مُصطفى الثالث (١٧١٧ – ١٧٧٤) : سلطان عثماني (١٧٥٧ – ١٧٧٤) . قام بعدة إصلاحات إدارية وعسكرية .

Mustafa IV مُصطفى الرابع (١٧٧٩ – ١٨٠٨) : سلطان عثماني (١٨٠٧ – ١٨٠٨) . عُرِف برجعيّته . خُلع عن العرش .

Mustafa Kamil [mo͞os tä′fâ kâ mĭl′] مصطفى كامل (١٨٧٤ – ١٩٠٨) : زعيم وطني مصري . عمل من أجل تحرير مصر من الاحتلال البريطاني .

Mustansir, al- [ăl mo͞os tăn′sĭr] المُستنصر ؛ المُستنصر بالله (١١٩٢ – ١٢٤٢ م .) : خليفة عباسي (١٢٢٦ – ١٢٤٢ م .) . أنشأ المدرسة المستنصرية .

Mutran [mo͞ot′rän], **Khalil** مُطران، خليل (١٨٧١ – ١٩٤٩) : شاعر عربي . عُرف بطول النَّفَس وبراعة التصوير .

Manet : *le Balcon* مانيه : « الشُّرفة »

Orlando [ôr län'dō], **Vittorio Emanuele** أورلاندو، فيتّوريو عمانويل (١٨٦٠ – ١٩٥٢) : سياسي إيطالي . رئيس الوزراء (١٩١٧ – ١٩١٩) . رئَس وفد بلاده إلى مؤتمر الصلح في فرساي .

Orozco [ō rōs'kō], **José Clemente** أوروزكو ، خوسيه كليمانتي (١٨٨٣ – ١٩٤٩) : رسام مكسيكي . يُعتبر أحد أعظم مبدعي الرسوم الجدارية في العصر الحديث .

Orwell [ôr'wĕl], **George** أورويل ، جورج (١٩٠٣ – ١٩٥٠) : روائي إنكليزي . أشهر رواياته : «مزرعة الحيوان» (*Animal Farm*) (عام ١٩٤٥) .

Oscar I [ŏs'kər] أوسكار الأول (١٧٩٩ – ١٨٥٩) : ملك السُّويد ونروج (١٨٤٤ – ١٨٥٩) . عُرِف بآرائه التقدمية .

Oscar II أوسكار الثاني (١٨٢٩ – ١٩٠٧) : ملك السُّويد (١٨٧٢ – ١٩٠٧) ونروج (١٨٧٢ – ١٩٠٥) . عُرِف بنزعته المحافظة .

Osman I [ŏs män'] عثمان الأول (١٢٥٨ – ١٣٢٦ ؟) : أمير تركي . أسس الأمبراطورية العثمانية (حوالى عام ١٢٨٨م.)

Ostwald [ôst'vält], **Wilhelm** أوستوالد ، ولهلم (١٨٥٣ – ١٩٣٢) : كيميائي ألماني . يُعتبر مؤسس الكيمياء الطبيعية .

Othman ibn-'Affan [ŏth mân' ĭb'ən 'ăf'fân] عُثمان بن عفّان (٥٧٥ ؟ – ٦٥٦ م.) : ثالث الخلفاء الراشدين (٦٤٤ – ٦٥٦ م.) . اتُّهم بمحاباة أقربائه فقُتل .

Otto I [ŏt'ō] أوتو الأول (٩١٢ – ٩٧٣) : ملك ألمانيا (٩٣٦ – ٩٧٣) . أول أباطرة الأمبراطورية الرومانية المقدسة (٩٦٢ – ٩٧٣) .

Otto I أوتو الأول (١٨١٥ – ١٨٦٧) : أمير بافاري . أول ملك ارتقى عرش اليونان (١٨٣٢ – ١٨٦٢) بعد استقلالها .

Otto II أوتو الثاني (٩٥٥ – ٩٨٣) : ملك ألمانيا (٩٦١ – ٩٨٣) . رأس الأمبراطورية الرومانية المقدّسة (٩٧٣ – ٩٨٣) . قمع عدداً من الثورات .

Otto III أوتو الثالث (٩٨٠ – ١٠٠٢) : ملك ألمانيا (٩٨٣ – ١٠٠٢) . رأس الأمبراطورية الرومانية المقدّسة (٩٩٦ – ١٠٠٢) . اتخذ لقب «أمبراطور العالم» .

Otto IV أوتو الرابع (١١٧٥ ؟ – ١٢١٨ ؟) : ملك ألمانيا . (١٢٠٨ – ١٢١٥) . رأس الأمبراطورية الرومانية المقدسة (١٢٠٩ – ١٢١٥) . خُلع عن العرش .

Otto, Nikolaus August أوتو، نيقولاوس أوغست (١٨٣٢ – ١٨٩١) : مهندس ميكانيكي ألماني . اخترع المحرِّك ذا الاحتراق الداخلي (عام ١٨٧٦) .

Otway [ŏt'wā], **Thomas** أوتواي ، توماس (١٦٥٢ – ١٦٨٥) : كاتب مسرحي وشاعر إنكليزي . برع في تصوير الانفعالات الإنسانية .

Ovid [ŏv'ĭd] أوفيد (٤٣ ق. م. – ١٧ م.) : شاعر روماني. يُعتبر أحد أعظم الشعراء في العصور القديمة .

Owen [ō'ĭn], **Robert** أووين، روبرت (١٧٧١ – ١٨٥٨) : اشتراكي ومصلح اجتماعي بريطاني . كان رائداً في تأسيس الجمعيات التعاونية .

Ozenfant [ō zän fän'], **Amédée** أوزانفان ، آميديه (١٨٨٦ – ١٩٦٦) : رسام فرنسي . تمثّل آثاره ردّ فعل ضدّ المذهب التكعيبي .

Orozco : *The Soldiers*　　أوروزكو : «الجنود»

O

O'Casey [ō kä'sē], **Sean** [shôn]
أوكايسي ، شون (١٨٨٠ – ١٩٦٤) : كاتب مسرحي إيرلندي . اشتهر بتصويره لحياة الكادحين والمُعْوزين .

Ockham [ŏk'əm], **William of** ، أوكام ، وليم أوف (١٢٨٥ ؟ – ١٣٤٩ ؟) : فيلسوف إنكليزي . هاجم المبدأ القائل بأن سلطة البابا تعلو كل سلطة دنيوية أخرى .

O'Connor [ō kŏn'ər], **Frank** ، أوكونر ، فرانك (١٩٠٣ – ١٩٦٦) : كاتب أقصوصة إيرلندي . عُرِف بتصويره الرائع للحياة الإيرلندية .

Octavian [ŏk tā'vĭ ən] = Augustus.

Odoacer [ō dō ā'sər] أودوفاسر (٤٣٣ – ٤٩٣ م.) : زعيم جرماني . أطاح بالأمبراطورية الرومانية الغربية (عام ٤٧٦م.) .

Offenbach [ô'fən bäk], **Jacques**
أوفنباك ، جاك (١٨١٩ – ١٨٨٠) : مؤلف موسيقي فرنسي . ألماني المولد . يُعتبر مبتدع « الأوبريت » .

O'Hara [ō hăr'ə], **John Henry** ، أوهارا ، جون هنري (١٩٠٥ – ١٩٧٠) : روائي وكاتب أقصوصة أميركي . عُني بتصوير حياة الطبقة الاجتماعية « الراقية » .

O. Henry [ō hĕn'rē] = Henry, O.

Ohm [ōm], **Georg Simon** أوم ، جورج سايمون (١٧٨٧ – ١٨٥٤) : فيزيائي ألماني . وضع القانون المعروف بـ « قانون أوم » Ohm's law (عام ١٨٢٧) .

Olaf II [ō'ləf] *also* **Olav II** [ō'läv]
أولاف الثاني (٩٩٥ ؟ – ١٠٣٠ م.) : ملك النروج (١٠١٦ – ١٠٢٨ م .) . يُعرف بـ « القديس أولاف » .

Olaf III : أولاف الثالث (توفي عام ١٠٩٣) : ملك النروج (١٠٦٦ – ١٠٩٣) . يُعرف بـ « أولاف الهادىء » .

Olbers [ôl'bərs], **Heinrich** ، أولبرز ، هنريتش (١٧٥٨ – ١٨٤٠) : عالم فلك ألماني . اكتشف خمسةً من المُذَنّبات comets .

Omar ibn-'Abd-al-'Aziz [ō'mär ĭb'ən 'ăbdil' 'ă zēz'] عمر بن عبد العزيز (٦٨٢ – ٧٢٠ م .) : الخليفة الأموي الثامن (٧١٧ – ٧٢٠ م.) . عُرِف بالتقوى والزهد . عُني بالإصلاح الداخلي .

Omar ibn-abi-Rabi'ah [ō'mär ĭb'ən ă bē rä bē'äh] عمر بن أبي ربيعة (٦٤٤ – ٧١٢ م.) : شاعر أموي . وقفَ شعره كله تقريباً على الغزل .

Omar ibn-al-Khattab [ō'mär ĭb nōōl'khät'täb] عمر بن الخطّاب (٥٨٦ ؟ – ٦٤٤ م.) : ثاني الخلفاء الراشدين (٦٣٤ – ٦٤٤ م.) . أسّس الأمبراطورية الإسلامية . اغتيل .

Omar Khayyam [ō'mär kī yäm'] عُمَر الخيّام (١٠٤٨ ؟ – ١١٢٢ م.) : شاعر ورياضي وعالم فلك فارسي . اشتهر بمجموعته الشعرية المعروفة بـ « الرباعيّات » .

O'Neill [ō nēl'], **Eugene** ، أونيل ، يوجين (١٨٨٨ – ١٩٥٣) : كاتب مسرحي أميركي . يُعتبر من أبرز أركان المذهب التعبيري في المسرح .

Oppenheimer [ŏp'ən hī mər], **Julius Robert** أوبنهايمر ، يوليوس روبرت (١٩٠٤ – ١٩٦٧) : فيزيائي نووي أميركي . أسهم في إنتاج القنبلة الذرية .

Oppenheimer

آنکه که نهال عمر من کنده شود — واجرام زیکدگر پراکنده شود
گر زانکه صراحی کنند از گل من — حالی که پر از میش کنی زنده شود

Ruba'iyyat of Omar Khayyam

Florence Nightingale

Nicholas I

Nelson [nĕl′sən], **Horatio**
نلسون ، هوراشيو (١٧٥٨ – ١٨٠٥) : أميرال بريطاني . لمع نجمه في الحروب ضدّ فرنسا الثورية والنابوليونية .

Nero [nĭr′ō] نيرون (٣٧ – ٦٨ م.) : أمبراطور روماني (٥٤ – ٦٨ م .) . تميَّز عهده بالطغيان والوحشية . أحرق رومة (عام ٦٤ م .) .

Neruda [nā rōō′də], **Pablo** نيرودا، بابلو (١٩٠٤ – ١٩٧٣) : شاعر تشيليّ . عُرِف بنزعته اليسارية . مُنح جائزة نوبل في الآداب لعام ١٩٧١ .

Nestorius [nĕs tōr′ĭ əs] نَسْطوريوس (٣٨٠ ؟ – ٤٥١ ؟ م.): بطريرك القسطنطينية (٤٢٨ – ٤٣١ م .) . اعتبره مَجمع أفسُس مُهَرْطقاً .

Newcomen [nyōō′kô mən], **Thomas** نيوكومن ، توماس (١٦٦٣ – ١٧٢٩) : مهندس إنكليزي . اخترع الآلة البخارية.

Newton [nyōō′tən], Sir **Isaac** نيوتن، السّير إسحق (١٦٤٣ – ١٧٢٧) : رياضي وفيزيائي إنكليزي . وضع قانون الجاذبية العام وقوانين الحركة .

Ney [nā], **Michel** نـاي ، ميشـال (١٧٦٩ – ١٨١٥) : مارشال فرنسي . قاتل تحت لواء نابوليون بونابرت في النمسا وألمانيا وإسبانيا والروسيا .

Nezami [nē zä′mē] نظامي (١١٤١ ؟ – ١٢١٧ ؟ م.) : شاعر إيراني . يُعتبر أعظم الشعراء الرومانتيكيين في الأدب الفارسي .

Nicholas I [nĭk′ə ləs] نقولا الأول (١٧٩٦ – ١٨٥٥) : قيصر الروسيا (١٨٢٥–١٨٥٥) . عُرِف برجعيته الشديدة. سحق ثورة الديسمبريين (عام ١٨٢٥) .

Nicholas II نقولا الثاني (١٨٦٨–١٩١٨): آخر قياصرة الروسيا (١٨٩٥ – ١٩١٧) . خُلِع عن العرش (عام ١٩١٧) . أعدمه البلاشفة (عام ١٩١٨) .

Nicolle [nē kôl′], **Charles** نيكول ، شارل (١٨٦٦ – ١٩٣٦) : طبيب وعالم بكتيريولوجي فرنسي . اكتشف أن القمل ينقل حمّى التيفوس (عام ١٩٠٩) .

Niebuhr [nē′bōōr], **Barthold Georg** نيبور ، بارتولد جورج (١٧٧٦ – ١٨٣١) : مؤرخ ألماني . عُرِف بمنهجه القائم على نَقْد المصادر .

Nietzsche [nē′chə], **Friedrich** نيتشه ، فريدريك (١٨٤٤ – ١٩٠٠) : فيلسوف ألماني . بشّر بالإنسان الأعلى أو « السوبرمان » .

Nightingale [nī′tən gāl], **Florence** نايتنغيل ، فلورنس (١٨٢٠ – ١٩١٠) : ممرضة إنكليزية . تُعتبر مؤسسة علم التمريض .

Nixon [nĭk′sən], **Richard** نكسون ، ريتشارد (١٩١٣ – ١٩٩٤) : سياسي أميركي . الرئيس السابع والثلاثون للولايات المتحدة الأميركية (١٩٦٩ – ١٩٧٤) . اضطُرّ إلى الاستقالة بسبب من فضيحة ووترغيت .

Nobel [nō bĕl′], **Alfred** نوبل، ألفرد (١٨٣٣ – ١٨٩٦) : كيميائي سويدي . اخترع الديناميت (عام ١٨٦٧) . أوصى بثروته لإنشاء جوائز عالمية عُرِفت باسمه .

Noguchi [nō gōō′chē], **Hideyo** نيغوتشي ، هايديو (١٨٧٦ – ١٩٢٨) : بكتيريولوجي أميركي . ياباني المولد . عُني بدراسة التراخوما وشلل الأطفال .

Nolde [nōl′də], **Emil** نولدي، أميل (١٨٦٧– ١٩٥٦): رسام ألماني. يُعتبر من أركان المدرسة التعبيرية .

Nu‘aymah [nōō′ăy măh], **Mikhail** نُعَيمة ، ميخائيل (١٨٨٩ –) : أديب لبناني . تمتاز آثاره بنبرتها الفلسفية وشفافيتها الصوفية .

Numayri [nōō măy′rē], **Ja‘far** النُّميري ، جعفر (١٩٣٠ –) : ضابط سوداني . استولى على الحكم ، في السودان ، عام ١٩٦٩ . رئيس الجمهورية (١٩٧١ – ١٩٨٥) .

Newton

N

Nabokov [nä bô′kôf], **Vladimir** نابوكوف ، فلاديمير (١٨٩٩ – ١٩٧٧) : روائي وشاعر أميركي . روسيّ المولد . أشهر آثاره رواية « لوليتا » *Lolita* (عام ١٩٥٥) .

Nabopolasser [năb ō pō lăs′ər] نبوبولاسَّر (توفي عام ٦٠٥ ق. م.) : ملك بابل (٦٢٥ – ٦٠٥ ق. م.) . أسس الأمبراطورية الكلدانية (عام ٦٢٥ ق. م.) .

Nadir Shah [nä′dĭr shä′] نادر شـاه (١٦٨٨ – ١٧٤٧) : ملك فارس (١٧٣٦ – ١٧٤٧) . استولى على دلهي (عام ١٧٣٩) . اغتيل .

Naguib [nə gēb′], **Muhammad** نجيب ، محمد (١٩٠١ –) : ضابط مصري . رئَسَ حركة الضباط الأحرار التي أطاحت بالملك فاروق (٢٣ يوليو ١٩٥٢) . رئيس الجمهورية (١٩٥٣ – ١٩٥٤) .

Nahhas[năh′häs], **Mustafa** النَّحاس ، مصطفى (١٨٧٦ – ١٩٦٥) : سياسي وزعيم وطني مصري . تزعّم حزب الوفد (عام ١٩٢٧) . تولى رئاسة الوزارة خمس مرات .

Nanak [nä′nək] ناناك (١٤٦٩ – ١٥٣٩) : زعيم ديني هندي . أسس الديانة السِّيخية .

Napier [nā′pē ər], Sir **Charles James** نَيْبير ، السير تشارلز جيمس (١٧٨٢ – ١٨٥٣) : جنرال بريطاني . يُلقب بـ « فاتح السِّند » .

Napier, John نَيْبير ، جون (١٥٥٠ – ١٦١٧) : عالم رياضيات أسكتلندي . وضع أول جدول للّوغارتمات (عام ١٦١٤) .

Napoleon I [nə pō′lē ən] *also* **Napoleon Bonaparte** [bō′nə pärt] نابوليون الأول ؛ نابوليـون بونابرت (١٧٦٩ – ١٨٢١) : أمبراطور فرنسا (١٨٠٤ – ١٨١٥) . دوَّخ بفتوحاته أوروبا . هُزِم هزيمة حاسمة في واترلو (عام ١٨١٥) فنُفي إلى جزيرة سانت هيلانة .

Napoleon III نابوليون الثالث (١٨٠٨ – ١٨٧٣) : رئيس الجمهورية الفرنسية الثانية (١٨٤٨ – ١٨٥٢) . أمبراطور فرنسا (١٨٥٢ – ١٨٧٠) . هُزِم في الحرب الفرنسية البروسية فخُلع عن العرش (عام ١٨٧٠) .

Nasser [nä′sər], **Gamal ‘Abdul-** عبد الناصر ، جمال (١٩١٨ – ١٩٧٠) : زعيمٌ عسكري وسياسي مصري . يُعتبر مُفجِّر ثورة ٢٣ يوليو ١٩٥٢ . رئيس الجمهورية (١٩٥٦ – ١٩٧٠) .

Nebuchadnezzar I [nĕb ə kəd nĕz′ər] نَبُوخَذْنَصَّر الأول (توفي عام ١١٠٣ ق. م.) : ملك بابل (١١٢٤ ؟ – ١١٠٣ ؟ ق. م.) .

Nebuchadnezzar II نبوخَذْنصَّر الثاني (٦٣٠ ؟ – ٥٦٢ ق. م.) : ملك بابـل (٦٠٥ – ٥٦٢ ق. م.) . يُعتبر أعظم ملوك الأمبراطورية الكلدانية .

Necker [nĕ kâr′], **Jacques** نيكَر ، جاك (١٧٣٢ – ١٨٠٤) : سياسي فرنسي . تولى وزارة المالية في عهد الملك لويس السادس عشر .

Nehru [nā′ro͞o], **Jawaharlal** نَهرو ، جواهر لال (١٨٨٩ – ١٩٦٤) : زعيم وطني هندي . يُعتبر أحد بُناة الهند الحديثة . رئيس الوزارة (١٩٤٧ – ١٩٦٤) .

Nasser, Gamal ‘Abdul-

Napoleon I

Jawaharlal Nehru

P

Paganini [pä̆g ə nē'nē], **Nicolò**
باغانيني ، نيقولو (١٧٨٢ – ١٨٤٠) : مؤلف موسيقي إيطالي . عُرف بشخصيته الرومانتيكية المغامرة وبراعته في العزف على الكمان .

Paget [păj'ət], Sir **James** ، باجيت السّير جيمس (١٨١٤ – ١٨٩٩) : فيسيولوجي وجرّاح إنكليزي . شخّص سرطان الثدي .

Pahlavi [pä'lə vē], **Mohammed Riza**
بَهْلوي ، محمد رضا (١٩١٩ – ١٩٨٠) : شاه إيران (١٩٤١ – ١٩٧٩).

Pahlavi, Riza Shah بَهْلوي ، رضا شاه (١٨٧٨ – ١٩٤٤) : شاه ايران (١٩٢٥ – ١٩٤١) . أكرهته بريطانيا والاتحاد السوفياتي على التخلّي عن العرش .

Paine [pān], **Thomas** بَيْن، توماس (١٧٣٧ – ١٨٠٩) : زعيم سياسي من زعماء الثورة الأميركية . بريطاني المولد . من آثاره : كتاب « حقوق الإنسان » *Rights of Man* (عام ١٧٩١) .

Palmerston [pä'mər stən], **Lord**
بلمرستون ، اللورد (١٧٨٤– ١٨٦٥) : سياسي بريطاني . رئيس الوزراء (١٨٥٥ – ١٨٥٨) و (١٨٥٩ – ١٨٦٥) . لعب دوراً بارزاً في الشؤون الأوروبية .

Papen [päp'ən], **Franz von** ، بابن فرانز فون (١٨٧٩ – ١٩٦٩) : سياسي ألماني . مستشار ألمانيا (يونيو – ديسمبر ١٩٣٢) . ساعد هتلر على الوصول إلى مركز السلطة .

Paré [pȧ rā'], **Ambroise** [än brwȧz'] باريه ، آنبرواز (١٥١٠ – ١٥٩٠) : جراح فرنسي . يُعتبر أحد أبرز الجراحين في عصر النهضة .

Pareto [pä rā'tō], **Vilfredo** ، باريتو فليفريدو (١٨٤٨ – ١٩٢٣) : عالم اقتصاد واجتماع إيطالي . حاول أن يجعل من علم الاقتصاد ضرباً من الميكانيكا .

Parker [pär'kər], **Dorothy** ، باركر دوروثي (١٨٩٣ – ١٩٦٧) : شاعرة وقاصّة أميركية . صوّرت حماقات المجتمع المديني وبخاصة في نيويورك .

Parker, Theodore باركر ، ثيودور (١٨١٠ – ١٨٦٠) : قسّ ومصلح أميركي . رفض كثيراً من المعتقدات النصرانية التقليدية .

Parry [păr'ē], **William Edward**
بارّي ، وليم أدْوَرْد (١٧٩٠ – ١٨٥٥) : مستكشف إنكليزي . رادَ المحيط القطبي الشمالي .

Pascal [pȧs'kȧl], **Blaise** باسكال، بليز (١٦٢٣ – ١٦٦٢) : رياضي وفيلسوف وكاتب فرنسي . وضع قانون تعادل السوائل المعروف بـ « مبدأ باسكال » Pascal's principle .

Pasternak [păs'tər năk], **Boris**
باسترناك ، بوريس (١٨٩٠ – ١٩٦٠) : روائي وشاعر ومترجم سوفياتي . مُنح جائزة نوبل في الأدب لعام ١٩٥٨ .

Pasteur [pȧ stûr'], **Louis** ، باستور لويس (١٨٢٢ – ١٨٩٥) : كيميائي وبيولوجي فرنسي . كشف دور الجراثيم في الإصابة بمختلف الأمراض .

Paul [pôl], **Saint** بولس ، القديس(٥؟– ٦٧ ؟ م) : أحد دعائم الكنيسة المسيحية القدامى . يُعرف بـ « بولس الرسول » .

Paul I : بولس الأول (١٧٥٤–١٨٠١) قيصر الروسيا (١٧٩٦ – ١٨٠١) . اتخذ إجراءات مختلفة لصالح الفلاحين والأقنان (أو عبيد الأرض) .

Paul III : بولس الثالث(١٤٦٨ – ١٥٤٩) بابا رومة (١٥٣٤ – ١٥٤٩) . أنشأ « ديوان التفتيش الروماني » (عام ١٥٤٢) .

Paul VI بولس السادس (١٨٩٧ – ١٩٧٨) : بابا رومة (١٩٦٣ – ١٩٧٨) . عمل من أجل إعادة اللُّحمة بين الكنيستين الغربية والشرقية .

Pavlov [päv'lôf], **Ivan Petrovich**
بافلوف ، إيفان بيتروفيتش (١٨٤٩ – ١٩٣٦) : فيسيولوجي روسي . منح جائزة نوبل في الفيسيولوجيا والطب لعام ١٩٠٤ .

Peale [pēl], **Charles** بيل ، تشارلز (١٧٤١ – ١٨٢٧): رسام أميركي . عُرف برسومه التي خلّد بها زعماء الثورة الأميركية .

Paganini

Pascal

Pasteur

Robert Peel

Peary [pĭr'ē], **Robert Edwin**، بيري، روبرت أدوين (١٨٥٦ – ١٩٢٠) : مستكشف أميركي . كان أول من وصل إلى القطب الشمالي (عام ١٩٠٩) .

Pedro I [pā' thrōō] بيدرو الأول ؛ بيدرو الأول (١٧٩٨ – ١٨٣٤) : أمبراطور البرازيل (١٨٢٢ – ١٨٣١) . أعلن استقلال البلاد عام ١٨٢٢ وتوّج أمبراطوراً عليها في العام نفسه .

Pedro II بيدرو الثاني ؛ بيدرو الثاني (١٨٢٥ – ١٨٩١) : أمبراطور البرازيل (١٨٣١ – ١٨٨٩) . تخلّى عن العرش .

Peel [pēl], Sir **Robert** بيل، السّير روبرت (١٧٨٨ – ١٨٥٠) : سياسي بريطاني . رئيس الوزراء (١٨٣٤ – ١٨٣٥) و (١٨٤١ – ١٨٤٦) . أحدث عدداً من الإصلاحات .

Peirce [pûrs], **Charles Sanders** بيرس ، تشارلز ساندرز (١٨٣٩ – ١٩١٤): فيلسوف وفيزيائي وعالم منطق أميركي . مؤسس الفلسفة الذرائعية أو البراغماتية .

Pelagius [pə lā'jē əs] بيلاجيوس (٣٥٤ ؟ – ٤١٨ ؟ م) : راهب ولاهوتي بريطاني . حرمته الكنيسة من شركة المؤمنين واعتبرته مُهَرْطقاً (عام ٤١٧) .

Pelletier [pĕl tyā'], **Pierre Joseph** بَلْتييه ، بيير جوزيف (١٧٨٨ – ١٨٤٢) : كيميائي فرنسي ، عزل الكلوروفيل (عام ١٨١٧) واكتشف الكينين (عام ١٨٢٠) .

Pepin the Short [pĕp'ĭn] بيبين القصير (٧١٤ ؟ – ٧٦٨ م.) : ملك الفرنجة أو الفرنكيين (٧٥١ – ٧٦٨ م.) . مؤسس أسرة الكارولنجيين .

Pergolesi [pĕr gō lā'zē], **Giovanni** برغوليزي ، جيوفاني (١٧١٠ – ١٧٣٦) : مؤلف موسيقي إيطالي . لمع في حقل الأوبرا . أصيب بالسّل فمات في ريعان الشباب .

Pericles [pĕr'ə klēz] بيريكليس (٤٩٥ ؟ – ٤٢٩ ق. م.) : سياسي أثيني . بلغت أثينا في عهده أوج ازدهارها السياسي والثقافي .

Perkin [pûr'kĭn], Sir **William Henry,** بيركِن ، السّير وليم هنري (١٨٣٨ – ١٩٠٧) : كيميائي إنكليزي . وضع الأساس لصناعة الأصباغ الصُّنعية .

Perón [pā rōn'], **Juan Domingo** بيرون ، خوان دومينغو (١٨٩٥ – ١٩٧٤) : جنرال وسياسي أرجنتيني . رئيس الجمهورية (١٩٤٦ – ١٩٥٥) و (١٩٧٣ – ١٩٧٤) . اتّسم عهده الأول بالإصلاح .

Perrin [pĕ răn'], **Jean Baptiste** بيرّين ، جان باتيست (١٨٧٠ – ١٩٤٢) : فيزيائي فرنسي . أقام الدليل على الطبيعة الذرية للمادة .

Perry [pĕr'ē], **Ralph Barton** بيري ، رالف بارتون (١٨٧٦ – ١٩٥٧) : فيلسوف ومربٍّ أميركي . طوّر الفلسفة الذرائعية أو البراغماتية .

Peter the Great

Perugino [pā rōō jē'nō] بيروجينو (١٤٥٠ ؟ – ١٥٢٣) : رسام إيطالي . أستاذ رافاييل . يُعتبر واحداً من أشهر فناني عصر النهضة .

Peruzzi [pā rōōt'tsē], **Baldassare** بيروتزي ، بَلْداسار (١٤٨١ – ١٥٣٦) : رسام ومهندس معمار إيطالي . عاصر رافاييل .

Pétain [pā tăn'], **Henri Philippe** بيتان ، هنري فيليب (١٨٥٦ – ١٩٥١) : مارشال فرنسي . تولى رئاسة الدولة بعد هزيمة عام ١٩٤٠ . اتُّهم بالخيانة وسُجن (عام ١٩٤٥) .

Peter [pē'tər], **Saint** بطرس، القديس (توفي حوالى ٦٤ م.) : كبير رُسُل المسيح الاثني عشر . تولى زعامة الكنيسة بعد المسيح. يُعرف بـ « بطرس الرسول » .

Peter I *also* **Peter the Great** بطرس الأول ؛ بطرس الأكبر (١٦٧٢ – ١٧٢٥) : قيصر الروسيا (١٦٨٢ – ١٧٢٥) . جعل من الروسيا دولةً أوروبية ذات شأن .

Peter the Hermit بطرس الناسك (١٠٥٠ ؟ – ١١١٥) : راهب فرنسي . حرّض الجماهير على الاشتراك في الحملة الصليبية الأولى (١٠٩٦ – ١٠٩٩) .

Petrarch [pē'trärk] بترارك (١٣٠٤ – ١٣٧٤) : عالم وشاعر إيطالي . يعتبر أحد أبرز روّاد عصر النهضة الأوروبية .

Phaedrus [fē'drəs] فيدروس (القرن الاول للميلاد) : شاعر روماني . نظم عدداً من الحكايات الموضوعة على ألسنة الحيوان .

Phidias [fĭd'ē əs] فيدياس (٥٠٠ ؟ – ٤٣١ ؟ ق. م.) : نحات يوناني . عهد اليه بيريكليس بتجميل أثينا .

Philip II [fĭl'ĭp] فيليب الثاني (٣٨٢ – ٣٣٦ ق. م.) : ملك مقدونيا (٣٥٩ – ٣٣٦ ق. م.) . جعل مقدونيا الدولة العظمى في بلاد اليونان . والد الإسكندر الكبير .

Philip II : فيليب الثاني (١٥٢٧ – ١٥٩٨) : ملك إسبانيا (١٥٥٦ – ١٥٩٨) . عملَ على تعزيز مكانة إسبانيا السياسية والعسكرية .

Philip II : فيليب الثاني (١١٦٥ – ١٢٢٣) : ملك فرنسا (١١٧٩ – ١٢٢٣) . حرّر أجزاء كبيرة من التراب الفرنسي من سلطان الإنكليز .

Philip IV : فيليب الرابع (١٢٦٨ – ١٣١٤) : ملك فرنسا (١٢٨٥ – ١٣١٤) . عزّز السلطة الملكية على حساب سلطة رجال الإقطاع .

Philip VI فيليب السادس (١٢٩٣ – ١٣٥٠) : ملك فرنسا (١٣٢٨ – ١٣٥٠) : في عهده نشبت حرب السنوات المئة .

Philip the Arabian فيليب العربي (توفي عام ٢٤٩ م.) : أمبراطور روماني (٢٤٤ – ٢٤٩ م.) . تحدّر من أسرة عربية عريقة .

Philip II of Spain

Herbert Spencer

Sisley [sēs lē′], **Alfred** سيسلي، ألفرد (١٨٣٩ – ١٨٩٩) : رسام فرنسي . يُعتبر أحد منشئي المدرسة الانطباعية الفرنسية .

Sloan [slōn], **John French** سلون ، جون فرنش (١٨٧١ – ١٩٥١) : رسام أميركي . عُرف بنزعته الواقعية وبميله إلى الإصلاح الاجتماعي .

Smith [smĭth], **Adam** سميث ، آدم (١٧٢٣ – ١٧٩٠): فيلسوف اجتماعي وعالم اقتصاد أسكتلندي . يُعتبر مؤسس علم الاقتصاد الكلاسيكي .

Smollett [smŏl′ĭt], **Tobias George** سموليت ، توبياس جورج (١٧٢١ – ١٧٧١) : روائي إنكليزي . عُرف بالظَرف والنقد اللاذع .

Smuts [smüts], **Jan** [yän] سَمَطْس ، يان (١٨٧٠ – ١٩٥٠) : مارشال وسياسي جنوبإفريقي . رئيس وزراء اتحاد جنوب إفريقيا (١٩١٩ – ١٩٢٤) و (١٩٣٩ – ١٩٤٨) .

Socrates [sŏk′rə tēz] سُقراط (٤٧٠ – ٣٩٩ ق . م .) : فيلسوف يوناني. يعتبر ، هو وأفلاطون وأرسطو ، واضعي أسس الثقافة الغربية .

Sodoma [sŏd′ə mə] *also* **Il Sodoma** [ēl] سودوما ؛ إيل سودوما (١٤٧٧ – ١٥٤٩) : رسام إيطالي . تأثّر بليوناردو دا فنشي ثمّ برافاييل .

Solomon [sŏl′ə mən] سليمان (حوالى ٩٨٦ – حوالى ٩٣٢ ق . م .) : ابن الملك داود وخليفتُه . يُعرف بـ « سليمان الحكيم ».

Solon [sō′lən] صولون (٦٣٠ ؟ – ٥٦٠ ؟ ق . م .) : سياسي ومتشرّع أثيني . عُرف بنزعته إلى الإصلاح .

Solvay [sŏl′vā], **Ernest** سولفاي ، أرنست (١٨٣٨ – ١٩٢٢) : كيميائي بلجيكي . استحدث طريقة لإنتاج الصودا عُرفت باسمه .

Solzhenitsyn [sōl zhə nēt′sən], **Aleksandr** سولجنيتسِن ، ألكسَنْدر (١٩١٨ –) : روائي سوفياتي . مُنح جائزة نوبل في الأدب لعام ١٩٧٠ .

Sophocles [sŏf′ə klēz] سوفوكليس ؛ سوفوكل (٤٩٦ ؟ – ٤٠٦ ق . م .) : مؤلف مسرحي يوناني . يُعتبر أحد أعظم المسرحيين التراجيديين في الأدب اليوناني القديم .

Sorel [sô rĕl′], **Georges** سوريل ، جورج (١٨٤٧ – ١٩٢٢) : مفكّر فرنسي . تأثرت الفاشيّة والنازية ببعض آرائه .

Southey [sŭth′ē], **Robert** ساذي ، روبرت (١٧٧٤ – ١٨٤٣): شاعر إنكليزي. ارتبط اسمه بالحركة الرومانتيكية في الشعر الإنكليزي .

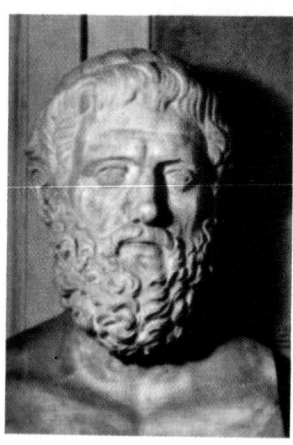

Sophocles

Soutine [sōō tēn′], **Chaim** سوتين ، حاييم (١٨٩٣– ١٩٤٣) : رسام فرنسي . تميّزت لوحاته بالوجوه الملتوية والأوصال المشوّهة .

Spartacus [spär′tə kəs] سبارتاكوس (توفي عام ٧١ ق. م.): عبد روماني تزعّم ثورة قام بها العبيد ضد رومة (٧٣ – ٧١ ق . م .) . صُرع في ميدان المعركة .

Spencer [spĕn′sər], **Herbert** سبَنْسَر ، هربرت (١٨٢٠ – ١٩٠٣) : فيلسوف إنكليزي . آمن ، قبل داروين ، بتطوّر الأنواع .

Spencer, Sir **Stanley** سبَنْسَر ، السير ستانلي (١٨٩١ – ١٩٥٩) : رسام إنكليزي . تتميّز أعماله بطابع سُريالي .

Spengler [shpĕng′glĕr], **Oswald** شبنْغلَر ، أوزوولد (١٨٨٠– ١٩٣٦) : فيلسوف ألماني . قال بأن الحضارة الغربية المعاصرة هي في طريقها إلى الموت .

Spenser [spĕn′sər], **Edmund** سبَنْسَر ، أدموند (١٥٥٢ ؟ – ١٥٩٩): شاعر إنكليزي .

Spinoza [spĭ nō′zə], **Baruch** سبينوزا ، باروخ (١٦٣٢ – ١٦٧٧) : فيلسوف هولندي . كان من أكبر القائلين بـ « وحدة الوجود » .

Stalin [stä′lĭn], **Joseph** ستالين ، جوزيف (١٨٧٩ – ١٩٥٣) : الأمين العام للحزب الشيوعي في الاتحاد السوفياتي (١٩٢٢–١٩٥٣) . رئيس الوزراء (١٩٤١– ١٩٥٣) . قاد بلاده إلى النصر في الحرب العالمية الثانية .

Stanley [stăn′lē], **Henry Morton** ستانلي ، هنري مورتون (١٨٤١ – ١٩٠٤) : مستكشف بريطاني . رادَ إفريقيا الاستوائية (١٨٧٤ – ١٨٧٧) .

Staudinger [shtou′dĭng ər], **Hermann** شتاودينغر ، هيرمان (١٨٨١ – ١٩٦٥) : كيميائي ألماني. أسهم في تطوير المواد اللدائنية أو البلاستيكية .

Steen [stēn], **Jan** [yän] ستين ، يان (١٦٢٦ ؟ – ١٦٧٩) : رسام هولندي . استمدّ موضوعاته من الحياة اليومية .

Stein [stīn], **Gertrude** شتاين ، جيرترود (١٨٧٤ – ١٩٤٦) : كاتبة أميركية . تميّز أسلوبها بالتكرار والإيغال في التبسيط .

Gertrude Stein

(a portrait by Picasso)

Seneca [sĕn'ə kə], **Lucius Annaeus**
سنيكا ، لوسيوس آنايوس (٤ ؟ ق . م . — ٦٥ م .) : خطيب وزعيم سياسي روماني . وضع عدداً من المؤلفات الفلسفية والمسرحيات التراجيدية .

Sennacherib [sĭ năk'ər ĭb] سنحاريب (توفي عام ٦٨١ ق . م .) : ملك أشور (٧٠٤ — ٦٨١ ق . م .) . أعاد بناء نينوى ، ودمّر مدينة بابل .

Seurat [sœ rá'], **Georges** ، سورا جورج (١٨٥٩ — ١٨٩١) : رسام فرنسي . يُعتبر زعيم المدرسة الانطباعية المُحْدَثة neoimpressionism .

Sévigné [sā vē nyā'], **Marquise de**
سيفينيه ، المركيزة دو (١٦٢٦ — ١٦٩٦) : أديبة فرنسية . صورت في رسائلها إلى ابنتها أحداث العصر وأخلاق أبنائه .

Shadwell [shăd'wəl], **Thomas**
شادْويل ، توماس (١٦٤٢ ؟ — ١٦٩٢) : شاعر ومؤلف مسرحي إنكليزي .

Shah Jahan [shä jə hän'] شاه جَهان (١٥٩٢ — ١٦٦٦) : أمبراطور مغولي من أباطرة الهند (١٦٢٨ — ١٦٥٨) . بنى « تاج محلّ » .

Shakespeare [shāk'spîr], **William**
شكسبير (١٥٦٤—١٦١٦) : شاعر إنكليزي. يُعتبر أعظم الشعراء الإنكليز بلا استثناء . وضع عدداً من المسرحيات الشعرية الخالدة .

Shalmaneser III [shăl mȧ nē'zẽr]
شَلما نصّر الثالث (توفي عام ٨٢٤ ق . م .): ملك أشور (٨٥٨ — ٨٢٤ ق . م .) : غزا دمشق وهزم الحيثيين .

Shapley [shăp'lē], **Harlow** ، شابلي
هارلو(١٨٨٥ — ١٩٧٢): عالم فلك أميركي. درس المجرّات وأظهر أنها تنزع إلى التجمّع على شكل عناقيد .

Shaw [shô], **George Bernard** ، شو
جورج برنارد (١٨٥٦ — ١٩٥٠) : كاتب مسرحي إنكليزي . إيرلندي المولد . تَزْخر آثاره بالظّرف والسّخرية .

Shawqi [shou'qē], **Ahmad** ، شوقي
أحمد (١٨٦٨— ١٩٣٢) : شاعر مصري . يُعتبر أحد أعظم شعراء العربية في جميع العصور .

Shelley [shĕl'ē], **Percy Bysshe**
شلي ، بيرس بيش (١٧٩٢ — ١٨٢٢) : شاعر إنكليزي . يُعتبر أحد كبار الشعراء الرومانتيكيين الإنكليز . مات غرقاً .

Sheridan [shĕr'ə dən], **Richard**
شريدان ، ريتشارد (١٧٥١ — ١٨١٦) : كاتب مسرحي إنكليزي . برع في تأليف الكوميديا الاجتماعية .

Sherrington [shĕr'ĭng tən], Sir **Charles Scott** شيرينغتون ، السّير تشارلز سكوت (١٨٥٧ — ١٩٥٢) : فيسيولوجي إنكليزي . عُني بدراسة الجهاز العصبي .

Shihab [shĭ hâb'], **Amir Basheer**
شهاب ، الأمير بشير (١٧٦٧ — ١٨٥٠) : أمير لبناني . اتّسم حُكْمه بالقسوة البالغة . بنى قصر بيت الدين .

Sibawayh [sē bă wăyh'] سِيبَوَيه (٧٦٠؟— ٧٩٣ ؟ م .) : عالم نحوي عربي . فارسيّ الأصل . يُعَدّ أوسع النّحاة العرب شهرةً .

Sidney [sĭd'nē], Sir **Philip** ، سيدني
السير فيليب (١٥٥٤ — ١٥٨٦) : جندي وشاعر وكاتب ورَجُل بلاط إنكليزي .

Sieyès [sē ā yĕs'], **Emmanuel Joseph** سِيْيَيْس ، عمانوئيل جوزيف (١٧٤٨ — ١٨٣٦) : كاهن وثوريّ فرنسي .

Signorelli [sē nyō rĕl'lē], **Luca**
سينيوريلّي ، لوقا (١٤٤٥ ؟ — ١٥٢٣) : رسام إيطالي . اشتهر برسم الصور الجصّيّة الجدارية .

Simenon [sēm nôn'], **Georges**
سيمنون، جورج (١٩٠٣ —) : كاتب فرنسي . عُني بتأليف الروايات البوليسية .

Simonides [sī mən'ə dēz] سيمونيديز (٥٥٦ ؟ — ٤٦٨ ق . م .) : شاعر غنائي يوناني .

Siqueiros [sē kyâr'ōs], **David**
سيكيروس ، دايفيد (١٨٩٦ — ١٩٧٤): رسام مكسيكي ، اشتهر بتصوير الجداريات التي تمتزج فيها الواقعية بالخيال .

Shakespeare

Bernard Shaw

Shelley

Ahmad Shawqi

Abdul-'Aziz ibn-Sa'ud

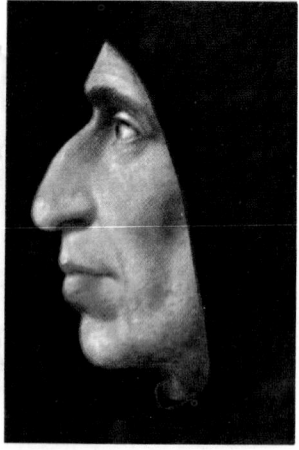

Savonarola

Schopenhauer

Sa'ud [sä'ood'], **'Abdul-'Aziz ibn-** سَعود ، عبدالعزيز بن (١٨٨٠ – ١٩٥٣) : ملك المملكة العربية السعودية ومؤسسها (١٩٣٢ – ١٩٥٣) . خطت البلاد في عهده خطوات واسعة في ميداني العمران والثقافة .

Sa'ud ibn-'Abdil-'Aziz [sä'ood' ĭb'ən 'ăbdĭl''ä zēz'] سَعود بن عبد العزيز (١٩٠٢ – ١٩٦٩) : ملك المملكة العربية السعودية (١٩٥٣ – ١٩٦٤) . تنازل عن العرش .

Savonarola [săv ə nə rō'lə], **Girolamo** سافونارولا ، جيرولامو (١٤٥٢– ١٤٩٨) : راهب ومصلح ديني إيطالي . شنّ حملة على الفساد الأخلاقي الذي عرفته الكنيسة في عصره .

Sayyid Darwish [săy'yĭd dăr'wēsh] سيِّد درويش (١٨٩٣ – ١٩٢٣) : موسيقي ومغنٍّ مصريّ . يُعتبر رائد النهضة الموسيقية العربية الحديثة .

Scarlatti [skär lät'ē], **Alessandro** سكارلاتّي ، ألسَّندرو (١٦٦٠ – ١٧٢٥) : مؤلف موسيقي إيطاليّ . وضع أكثر من مئة أوبرا .

Scarlatti, Domenico ، سكارلاتّي ، دومينيقو (١٦٨٥ – ١٧٥٧) : مؤلف موسيقي إيطالي . ابن ألسَّندرو سكارلاتّي .

Scheele [shā'lə], **Karl Wilhelm** شابلي ، كارل ولهلم (١٧٤٢ – ١٧٨٦) : كيميائي سويدي . اكتشف عدداً من الأحماض والغازات والعناصر .

Schelling [shĕl'ĭng], **Friedrich** شَلّينغ ، فريدريتش (١٧٧٥–١٨٥٤) : فيلسوف ألماني . ارتبط اسمه بالحركة الرومانتيكية .

Schiller [shĭl'ər], **Johann** ، شيلّر جوهان (١٧٥٩ – ١٨٠٥) : شاعر وكاتب مسرحي ألماني . من أشهر آثاره مسرحية « وليم تلّ » *Wilhelm Tell* (عام ١٨٠٤).

Schlegel [shlā'gəl], **August Wilhelm von** شليغل ،أوغوست ولهلم فون (١٧٦٧ – ١٨٤٥) : شاعر وناقد ألماني . يُعتبر أحد طلائع الحركة الرومانتيكية.

Schleiden [shlī'dən], **Matthias Jakob** شلايدن ، ماتياس جاكوب (١٨٠٤– ١٨٨١) : عالم نبات ألماني . أسهم إسهاماً بارزاً في إنشاء علم الخلايا .

Schliemann [shlē'män], **Heinrich** شليمان ، هاينريتش (١٨٢٢ – ١٨٩٠) : عالم آثار ألماني . قام بحفريات في طروادة وميسيني .

Schmidt [shmĭt], **Bernhard** ، شميت برنهارد (١٨٧٩ – ١٩٣٥) : عالم فلك وبصريات ألماني . أدخل بعض التحسينات على التلسكوب .

Schönberg [shœn'bûrg], **Arnold** شونبورغ ، آرنولد (١٨٧٤ – ١٩٥١) : مؤلف موسيقي أميركي . عُرِف بتحرره من قيود الشكل الموسيقية التقليدية .

Schopenhauer [shō'pən hou ər], **Arthur** شوبنهاور ، آرثر (١٧٨٨ – ١٨٦٠) : فيلسوف ألماني . أهم آثاره : « العالم كإرادة وفكرة » *The World as Will and Idea* (عام ١٨١٩) .

Schubert[shoo'bərt], **Franz** ، شوبرت فرانز (١٧٩٧ – ١٨٢٨) : مؤلف موسيقي نمساوي . يُعتبر أحد أعظم الموسيقيين الرومانتيكيين .

Schumann [shoo'män], **Robert** شومان ، روبرت (١٨١٠–١٨٥٦): مؤلف موسيقي ألماني . تأثر ببيتهوفن وشوبرت .

Schwann [shvän], **Theodor** ، شفان ثيودور (١٨١٠–١٨٨٢) : عالم فيسيولوجي ألماني . يُعتبر أحد مؤسسي علم الخلايا .

Schweitzer [shvīt'sər], **Albert** شفايتزر ، ألبرت (١٨٧٥ – ١٩٦٥) : طبيب ولاهوتي فرنسي . مُنح جائزة نوبل للسلام لعام ١٩٥٢ .

Scipio Aemilianus [sĭp'ē ō ē mĭl ē ā'nŭs] سيبيو إيميليانوس (١٨٥ – ١٢٩ ق. م.): جنرال وقنصل روماني. حفيد سيبيو الأرشد . يُعرف بـ « سيبيو الأصغر » Scipio the Younger .

Scipio Africanus [sĭp'ē ō ăf rĭ kā'nŭs] سيبيو أفريقانوس (٢٣٦ – ١٨٣ ق . م .) : جنرال روماني . يُعرف بـ « سيبيو الأرشد » Scipio the Elder .

Scott [skŏt], Sir **Walter** ، سكوت السِّير وولتر (١٧٧١ – ١٨٣٢) : روائي أسكتلندي . من أشهر آثاره : « آيفنهو » *Ivanhoe* (عام ١٨٢٠) .

Scriabin [skryä'bĭn], **Alexander** سْكرابين ، ألكسَندر (١٨٧٢ – ١٩١٥) : مؤلف موسيقي روسي . عُرف بألحانه المُعَدّة للعزف على البيان .

Scribe [skrēb], **Augustin Eugène** سْكريب ، أوغوستين أوجين (١٧٩١ – ١٨٦١) : كاتب مسرحي فرنسي . اشتهر بتمثيلياته الخفيفة .

Seleucus I [sĭ loo'kəs] سَلوقس الأول (توفي عام ٢٨١ ق. م.): أحد قواد الإسكندر المقدوني . مؤسس السّلالة السّلوقية (عام ٣١٢ ق. م.) .

Selim I [sĕ lēm'] سليم الأول (١٤٧٠– ١٥٢٠) : سلطان عثماني (١٥١٢–١٥٢٠) . فتح فارس وسوريا ومصر. يُعتبر أول الخلفاء العثمانيين (عام ١٥١٧) .

S

Sabbah [säb'bâh], **Hasan Kamil al-** الصَّبَّاح ، حسن كامل (١٨٩٤ — ١٩٣٥) : عالمٌ لبناني . سجّل عدداً من المخترعات في حقل الكهرباء .

Sabin [sā'bin], **Albert Bruce** سابن ، ألبرت بروس (١٩٠٦ —) : طبيب أميركي . ابتكر لقاحاً ضدّ شلل الأطفال .

Sachs [zăks], **Hans** زاكس ، هانس (١٤٩٤ — ١٥٧٦) : شاعر ألماني . عُرف بغزارة الإنتاج .

Sadat [sâ'dât], **Muhammad Anwar** السادات ، محمد أنور (١٩١٨ — ١٩٨١) : زعيم عسكري وسياسي مصريّ . رئيس الجمهورية (١٩٧٠ — ١٩٨١) خلفاً للرئيس جمال عبد الناصر .

Sade [sàd], **Marquis de** ساد، المركيز دو (١٧٤٠ — ١٨١٤) : روائي فرنسي . عُني بتصوير حالات الانحراف الجنسي .

Sa'di [sä'dē] سَعدي (١٢١٣ ؟ — ١٢٩٢ م .) : شاعر فارسي . يُعتبر أحد أكثر الشعراء الفرس شعبيةً .

Saint [sānt] إذا لم تجد طلبتك بين المواد المبدوءة بلفظة Saint فراجع الاسم الذي يلي هذه اللفظة . مثلاً : أطلب Saint Paul تحت مادة Paul.

Sainte-Beuve [sănt bœv'], **Charles Augustin** سانت بوف ، شارل أوغسطين (١٨٠٤ —١٨٦٩) : ناقد أدبي فرنسي .

Saint-Exupéry [săn tĕg zü pā rē'] **Antoine de** سان أكزوبيري، أنطوان دو (١٩٠٠ — ١٩٤٤) : طيار وكاتب فرنسي . أشهر آثاره : « طيران الليل » *Vol de nuit* (عام ١٩٣١) .

Saint-Just [săn zhüst'], **Louis Antoine Léon de** سان جوست ، لويس أنطوان ليون دو (١٧٦٧—١٧٩٤): أحد زعماء الثورة الفرنسية . أعدم بالمقصلة .

Saint-Saëns [săn säns'], **Camille** سان سانس ، كميل (١٨٣٥ — ١٩٢١) : مؤلف موسيقي فرنسي . من أشهر آثاره : « شمشون ودليلة » *Samson et Dalila* (عام ١٨٧٧) .

Saint-Simon [săn sē môn'], **Comte de** سان سيمون، الكونت دو (١٧٦٠— ١٨٢٥) : فيلسوف اشتراكي فرنسي . دعا إلى إلغاء السلطة السياسية .

Saladin [săl'ə dĭn] صلاح الدين ؛ صلاح الدين الأيوبي (١١٣٨ ؟ — ١١٩٣): أحد أعظم أبطال الإسلام . مؤسس الدولة الأيوبية (عام ١١٧١) . هزم الصليبيين في معركة حِطّين الفاصلة (عام ١١٨٧) .

Salazar [sä lə zär'], **Antonio de Oliveira** سالازار، أنطونيو دي أوليفيرا (١٨٨٩ — ١٩٧٠) : ديكتاتور البرتغال (١٩٣٢ — ١٩٦٨) .

Salk [sôlk], **Jonas Edward** سولك ، جوناس أدْوَرْد (١٩١٤ —) : بيولوجي أميركي . صنع أول لقاح ضد شلل الأطفال (عام ١٩٥٤) .

Sand [sänd], **George** ساند ، جورج (١٨٠٤ — ١٨٧٦) : روائية فرنسية . برعت في تصوير الحياة الريفية .

Sanger [săng'ər], **Margaret** سانغر ، مارغريت (١٨٨٣ — ١٩٦٦) : مصلحة اجتماعية أميركية . تعتبر رائدة في الدعوة إلى تحديد النسل .

San Martin [săn mär tēn'], **José de** سان مارتين، خوسيه دي(١٧٧٨—١٨٥٠): جنرال وسياسي أرجنتيني . ناضل من أجل استقلال بلاده .

Santayana [săn tə yä'nä], **George** سانتيانا ، جورج (١٨٦٣ — ١٩٥٢) : شاعر وفيلسوف أميركي . إسباني المولد . صاحب كتاب « حياة العقل » *The Life of Reason* (عام ١٩٠٥) .

Sapir [sə pĭr'], **Edward** سـابير ، أدْوَرْد (١٨٨٤ — ١٩٣٩) : عـالم أنثروبولوجي ولغوي أميركي . درس هنود أميركا الحمر ولغاتهم .

Sappho [săf'ō] سافو (أواخر القرن السابع — أوائل القرن السادس قبل الميلاد) : شاعرة غنائية يونانية . لم يبق لنا من آثارها غير شذرات قليلة .

Sargent [sär'jənt], **John Singer** سارجَنْت ، جون سينغر (١٨٥٦ — ١٩٢٥) : رسام أميركي . عُني برسم اللوحات المائية .

Sargon II [sär'gŏn] سَرجون الثاني (توفي عام ٧٠٥ ق . م .) : ملك أشور (٧٢١ — ٧٠٥ ق . م .) .

Saroyan [sə roi'ən], **William** سارويان ، وليم (١٩٠٨ — ١٩٨١) : روائي وكاتب مسرحي أميركي . من أشهر آثاره رواية « الكوميديا الإنسانية » *The Human Comedy* (عام ١٩٤٣) .

Sartre [sär'tr], **Jean Paul** سارتر ، جان بول (١٩٠٥ — ١٩٨٠) : روائي وكاتب مسرحي وفيلسوف فرنسي . يُعتبر زعيم المدرسة الوجودية الفرنسية .

Saint-Saëns

Sartre

Ross, Sir **John** رُس ، السّير جون (١٧٧٧ – ١٨٥٦) : مستكشف أسكتلندي. اكتشف شبه جزيرة بوثيا Boothia (عام ١٨٣٣) .

Ross, Sir **Ronald** رُس ، السّير رونالد (١٨٥٧ – ١٩٣٢) : طبيب بريطاني . اكتشف أن البعوض ينقل الملاريا (عام ١٨٩٨) .

Rossetti [rō zĕt'ē], **Dante Gabriel** روزيتّي ، دانتي غابرييل (١٨٢٨ – ١٨٨٢) : شاعر ورسام إنكليزي . إيطاليّ الأصل .

Rossini [rô sē'nē], **Gioacchino Antonio** روسّيني ، جيبواتشينو أنطونيو (١٧٩٢ – ١٨٦٨) : مؤلف موسيقي إيطالي . وضع أربعين أوبرا في أربعين عاماً .

Rostand [rō stän'], **Edmond** روستان ، أدمون (١٨٦٨ – ١٩١٨): كاتب مسرحي فرنسي . أشهر آثاره « سيرانو دو بيرجيراك » *Cyrano de Bergerac* (عام ١٨٩٧) .

Rousseau [rōō sō'], **Henri** روسّو ، هنري (١٨٤٤ – ١٩١٠) : رسام فرنسي . عُني برسم الأدغال والوحوش والغجر .

Rousseau, Jean Jacques روسّو ، جان جاك (١٧١٢ – ١٧٧٨) : كاتب فرنسي . كان لآرائه السياسية أثرٌ كبير في تطور الديموقراطية الحديثة .

Rousseau, Théodore روسّو ، تيودور (١٨١٢ – ١٨٦٧): رسام فرنسي . عُرف ببراعته في استخدام الألوان .

Royce [rois], **Josiah** رويس ، جوسيا (١٨٥٥ – ١٩١٦) : فيلسوف أميركي . كان من أبرز القائلين بـ « المثالية المُطْلقة » .

Rubens [rōō'bənz], **Peter Paul** روبنز ، بيتر بول (١٥٧٧ – ١٦٤٠) : رسام فلمنكي . عُني برسم الوجوه وتصوير الموضوعات الدينية والميثولوجية .

Rumi, al- [ăr rōō'mē] = Jalal-ud-din al-Rumi.

Jean Jacques Rousseau

Rusk [rŭsk], **Dean** راسْك ، دين (١٩٠٩ –) : سياسي أميركي . وزير الخارجية (١٩٦١ – ١٩٦٩) في عهدَيْ جون كندي ولِنْدون جونسون .

Ruskin[rŭs'kĭn], **John** راسْكِن ، جون (١٨١٩ – ١٩٠٠) : كاتب وناقد فنيّ إنكليزي . أكّدَ على مساوىء المجتمع الصناعي الجديد .

Russell [rŭs'əl], Lord **Bertrand** راسِل ، اللورد برتراند (١٨٧٢ – ١٩٧٠) : رياضي وفيلسوف إنكليزي . من آثاره : « تحليل المادة » *The Analysis of Matter* (عام ١٩٢٧) .

Russell, Lord **John** راسِل ، اللورد جون (١٧٩٢ – ١٨٧٨) : سياسي بريطاني . رئيس الوزراء (١٨٤٦ – ١٨٥٢) و (١٨٦٥ – ١٨٦٦) .

Rutherford [rŭth'ər fərd], **Daniel** رَذَرْفورد ، دانيال (١٧٤٩ – ١٨١٩) : كيميائي أسكتلندي . اكتشف النيتروجين (عام ١٧٧٢) .

Rutherford, Ernest رَذَرْفورد ، أرنَسْت (١٨٧١ – ١٩٣٧) : فيزيائي بريطاني . مُنح جائزة نوبل في الكيمياء لعام ١٩٠٨ .

Ruysdael [rois'däl], **Jacob van** رُوَيْسْدال ، جاكوب فان (١٦٢٨ ؟ – ١٦٨٢) : رسّام هولندي . برع في تصوير الأشجار بخاصة .

Ryder [rī'dər], **Albert** رايدر ، ألبرت (١٨٤٧ – ١٩١٧) : رسّام أميركي . عُني بتصوير المشاهد الطبيعية .

Renoir : *le Moulin de la Galette*

رينوار : « ملهى لو مولين دو لا غاليت »

Riemann [rē män′], **Georg** ، ريمان
جورج (١٨٢٦ – ١٨٦٦) : عالم رياضي ألماني . وضع نوعاً من الهندسة اللاّإقليدية .

Rilke [rĭl′kə], **Rainer Maria**
ريلكه ،رَيْنَر ماريا (١٨٧٥–١٩٢٦) : شاعر نمساوي ـ ألماني . يُعتبر أحد عمالقة الأدب الحديث .

Rimbaud [răn bō′], **Arthur** ، رينبو
آرتُور (١٨٥٤ – ١٨٩١) . شاعر فرنسي . تأثر به شعراء المدرسة الرمزية . هجر الشعر وهو بعدُ شابّ وعاش عيش المغامرين .

Rimsky-Korsakov [rím′skē kôr′sə kôf], **Nikolai** ، ريمسكي كورساكوف
نيقولاي (١٨٤٤ – ١٩٠٨) : مؤلف موسيقي روسي . حاول إبداع موسيقى وطنية مستمدّة من التراث الشعبي .

Rivera [rē vĕ′rá], **Diego** [dyĕ′gô]
ريفيرا ، دييغو (١٨٨٦ – ١٩٥٧) : رسام مكسيكي . عُني بتصوير حياة الطبقات الكادحة .

Robert II [rŏb′ərt] روبرت الثـاني
(١٣١٦ – ١٣٩٠) : ملك أسكتلندا (١٣٧١ – ١٣٩٠) . مؤسس أسرة ستيووارت المالكة .

Robespierre [rô bəs pyâr′], **Maximilien de** روبسبيير ، مكسيميليان دو
(١٧٥٨ – ١٧٩٤) : أحد أبرز رجال الثورة الفرنسية . بدأ عهدَ الإرهاب فقضى على معظم خصومه السياسيين .

Rockefeller [rŏk′əfĕl ər], **John**
روكفلر ، جون (١٨٣٩ – ١٩٣٧) : رجل مال وأعمال أميركي . سيطر على صناعة تكرير النفط في الولايات المتحدة الأميركية . يُعرف بـ « جون روكفلر الأب » .

Rockefeller, John روكفلر ، جون
(١٨٧٤ – ١٩٦٠): أحد ملوك النفط في الولايات المتحدة الأميركية. يُعرف بـ « جون روكفلر الابن » .

Rodin [rō dăn′], **Auguste** ، رودان
أوغوست (١٨٤٠ – ١٩١٧) : نحـات فرنسي . تنزع آثاره إلى التعبير عن « فكر » تجريدي الطابع .

Roentgen [rĕnt′gən], **Wilhelm Konrad** رونتجـن ، ولهلم كونراد
(١٨٤٥ – ١٩٢٣) : فيزيائي ألماني . اكتشف أشعة أكس (عام ١٨٩٥) .

Rolland [rô län′], **Romain** ،رولان
رومان (١٨٦٦ – ١٩٤٤) : روائي وكاتب مسرحي فرنسي . يُعتبر أحد أبرز الأدباء الفرنسيين في النصف الأول من القرن العشرين .

Romains [rô măn′], **Jules** ، رومان
جول (١٨٨٥ – ١٩٧٢) : روائي وكاتب مسرحي وشاعر فرنسي .

Rommel [rŏm′əl], **Erwin** ، رومـل
أرفين (١٨٩١ – ١٩٤٤) : مارشال ألماني . لمع نجمه خلال الحرب العالمية الثانية بوصفه قائداً للقوات الألمانية في إفريقيا الشمالية . انتحر .

Romney [rŏm′nē], **George** ، رومني
جورج (١٧٣٤ – ١٨٠٢) : رسام إنكليزي . برع في رسم الوجوه .

Ronsard [rôn sár′], **Pierre de**
رونسار ، بيير دو (١٥٢٤ – ١٥٨٥) : شاعر فرنسي . يُعتبر أحد أعظم شعراء عصر النهضة الفرنسية وأغزرهم إنتاجاً .

Roosevelt [rō′zə vĕlt], **Franklin**
روزفلت ، فرانكلن (١٨٨٢ – ١٩٤٥) : سياسي أميركي . الرئيس الثاني والثلاثون للولايات المتحدة الأميركية (١٩٣٣ – ١٩٤٥) . في عهده دخلت الولايات المتحدة الأميركية الحرب العالمية الثانية .

Roosevelt, Theodore ، روزفلـت
ثيودور (١٨٥٨ – ١٩١٩) : سياسي أميركي . الرئيس السادس والعشرون للولايات المتحدة الأميركية (١٩٠١–١٩٠٩).

Roscelin [rôs lăn′]–؟ ١٠٥٠) روسلان (
١١٢٠ ؟) : فيلسوف فرنسي . أسس فلسفة عُرفت بـ « الاسمانية » nominalism.

Rosenberg [rōz′ən bûrg], **Alfred**
روزنبرغ ، ألفرد (١٨٩٣ – ١٩٤٦) : زعيم وكاتب ألماني . وضع النظرية النازيّة في الأعراق . أُعدم .

Ross [rôs], Sir **James Clark** ،رُسّ
السّير جيمس كلارك (١٨٠٠ – ١٨٦٢) : مستكشف أسكتلندي . اكتشف بحر رُسّ Ross Sea (عام ١٨٤١) .

Rilke

Rimbaud

Franklin Roosevelt

Robespierre

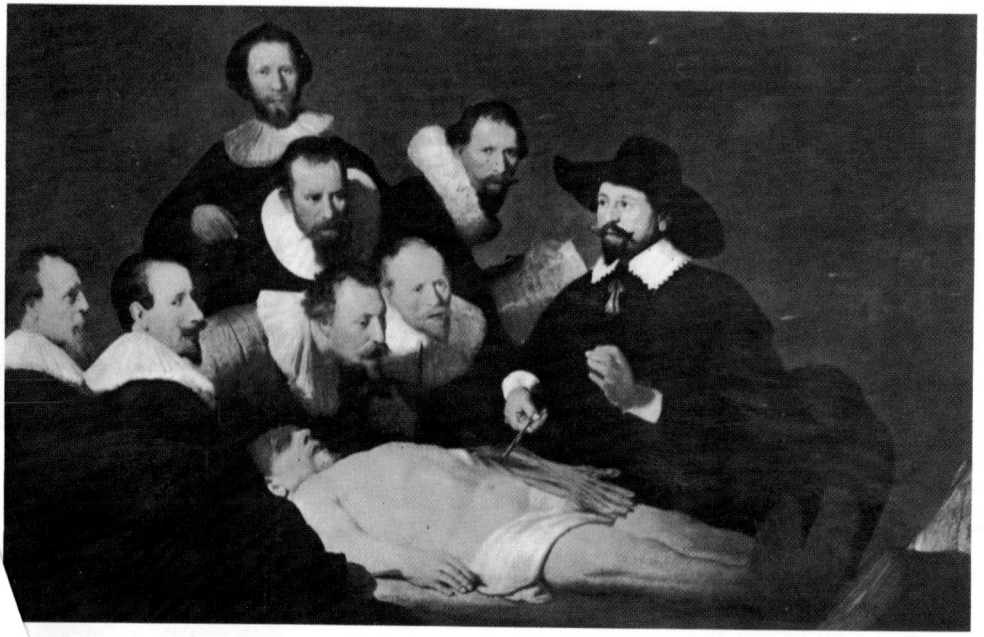

ıembrandt : *The Anatomy Lesson*

رامبرانت : « درس التشريح »

Reade [rēd], **Charles** ريد ، تشارلز (١٨١٤ ـ ١٨٨٤) : روائي ومؤلف مسرحي إنكليزي . كتب أربعين مسرحية وأربع عشرة رواية .

Réaumur [rā ō mür'], **René** رومير ، رينيه (١٦٨٣ ـ ١٧٥٧) : عالم فرنسي . اخترع المِحرّ أو الترمومتر المنسوب إليه (عام ١٧٣٠) .

Récamier [rā kȧ myā'], **Madame** ريكاميه ، مدام (١٧٧٧ ـ ١٨٤٩) : سيدة فرنسية . اشتهرت بصالونها الأدبي الذي كان ملتقى رجال الفكر والأدب والسياسة .

Redon [rĕ'dôn], **Odilon** ريدون ، أوديلون (١٨٤٠ ـ ١٩١٦) : رسام فرنسي . من المدرسة الرمزية . تأثر به أصحاب المدرستين الدادية والسُّريالية .

Reed [rēd], **Walter** ريد ، وولتر (١٨٥١ ـ ١٩٠٢) : طبيب وبكتيريولوجي أميركي . عُني بدراسة الحمّى الصفراء .

Regiomontanus [rē jē ō mŏn tā' nəs] ريجيومونتانوس (١٤٣٦-١٤٧٦) : رياضي وعالم فلك ألماني . أسهم إسهاماً ذا شأن في إحياء علم المثلّثات وتطويره .

Remarque [rə märk'], **Erich Maria** ريمارك ، إيريخ ماريا (١٨٩٨ ـ ١٩٧٠) : روائي أميركي . أشهر آثاره : « كلّ شيء هادىء في الجبهة الغربية » *All Quiet on the Western Front* (عام ١٩٢٩) .

Rembrandt [rĕm'brănt] رامبرانت (١٦٠٦ ـ ١٦٦٩) : رسام هولندي . يُعتبر واحداً من أساتذة الفن الكبار في العالم كله .

Renan [rə nän'], **Ernest** رينان ، أرنست (١٨٢٣ ـ ١٨٩٢) : مؤرخ وفيلسوف فرنسي . أشهر آثاره : « حياة المسيح » *Vie de Jésus* (عام ١٨٦٣) .

Reni [rā'nē], **Guido** [gwē'dô] ريني ، غويدو (١٥٧٥ ـ ١٦٤٢) : رسام إيطالي . عُني بتصوير الموضوعات الدينية والأسطورية .

Renoir [rĕn'wär], **Pierre Auguste** رينوار ، بيير أوغوست (١٨٤١ ـ ١٩١٩) : رسام فرنسي . يُعتبر أحد أبرز ممثلي المدرسة الانطباعية .

Retz [rĕts], **Cardinal de** ريتز ، الكاردينال دو (١٦١٤ ـ ١٦٧٩) : كاردينال وزعيم سياسي فرنسي . عُرف بخصومته للكاردينال مازاران .

Reynolds [rĕn'əldz], Sir **Joshua** رينولدز ، السِّير يشوع (١٧٢٣ ـ ١٧٩٢) : رسّام إنكليزي . يُعتبر ، أحياناً ، أعظم الرسّامين الإنكليز في كل العصور .

Ribbentrop [rĭb'ən trôp], **Joachim von** ريبنتروب ، جواتشيم فون (١٨٩٣ ـ ١٩٤٦) : سياسي ألماني . وزير الخارجية (١٩٣٨ ـ ١٩٤٥) . اعتُبر مجرم حرب فأعدم (عام ١٩٤٦) .

Ribera [rē vĕ'rä], **José de** ريفيرا ، خوسيه دي (١٥٩١ ـ ١٦٥٢) : رسام إسباني . تميّز أسلوبه بموضوعية صارمة .

Ricardo [rĭ kär'dō], **David** ريكاردو ، دايفيد (١٧٧٢ ـ ١٨٢٣) : عالم اقتصاد إنكليزي . يُعتبر مؤسس المدرسة الكلاسيكية في علم الاقتصاد .

Richard I [rĭch'ərd] ريتشارد الأول ؛ ريكاردوس الأول (١١٥٧ ـ ١١٩٩) : ملك انكلترا (١١٨٩ ـ ١١٩٩) . شارك في الحروب الصليبية . يلقّب بـ « قلب الأسد » .

Richard II ريتشارد الثاني (١٣٦٧ ـ ١٤٠٠) : ملك إنكلترا (١٣٧٧ ـ ١٣٩٩) . في عهده نشبت ثورة الفلاحين (عام ١٣٨١) .

Richards [rĭch'ərdz], **Theodore William** ريتشاردز ، ثيودور وليم (١٨٦٨ ـ ١٩٢٨) : كيميائي أميركي . حدّد الوزن الذري للأكسجين . مُنح جائزة نوبل في الكيمياء لعام ١٩١٤ .

Richardson [rĭch'ərd sən], Sir **Owen** ريتشاردسون ، السِّير أووين (١٨٧٩ ـ ١٩٥٩) : فيزيائي إنكليزي . وضع « قانون ريتشاردسون » . مُنح جائزة نوبل في الفيزياء لعام ١٩٢٨ .

Richelieu [rē shə lyœ'], **Armand Jean du Plessis** ريشيليو ، آرمان جان دو بليسيس (١٥٨٥ ـ ١٦٤٢) : كاردينال وسياسي فرنسي . كبير وزراء لويس الثالث عشر والحاكم الفعلي لفرنسا (١٦٢٤ ـ ١٦٤٢) .

R

Rabelais [răb'ə lā], **François**
رابليه ، فرانسوا (١٤٩٣ ؟ – ١٥٥٣) :
كاتب فرنسي . بدأ حياته راهباً ثم انصرف
إلى الطب والتربية والأدب .

Rabi'ah al-'Adawiyyah [rä'bĭ 'äh ăl 'ă dă wĭy'yăh] رابعة العدَوية
(٧١٣ ؟ – ٨٠١ م.) : زاهدة وشاعرة
عربية. عبّرت في شعرها عن حبّ لله نابع
من الشوق إليه والتطلّع إلى استجلاء جماله
الأزلي .

Rachmaninoff [răkh mä'nĭ nôf], **Sergei** رخمانينوف ، سيرجي (١٨٧٣–
١٩٤٣) : مؤلف موسيقي روسي . اتّسمت
آثاره بطابع قومي رومانتيكي تغلب عليه
الكآبة .

Racine [rä sēn'], **Jean Baptiste**
راسين ، جان باتيست (١٦٣٩–١٦٩٩) :
شاعر مسرحي فرنسي . يُعتبر أحد أعظم
المسرحيين الكلاسيكيين في تاريخ الأدب
كله .

Radcliffe [răd'klĭf], **Ann** رادكليف ،
آنّ (١٧٦٤ – ١٨٢٣) : روائية
إنكليزية . يكتنف آثارها جوّ من
الغُموض والرعب حابسٌ للأنفاس .

Raeburn [rā'bərn], Sir **Henry**
رايبورن ، السِّير هنري (١٧٥٦ – ١٨٢٣) :
رسام أسكتلندي . عُرف برسم الوجوه .

Raleigh [räl'ē], Sir **Walter** ، رالي ،
السِّير وولتر (١٥٥٤ – ١٦١٨) : ملاح
ومستكشف إنكليزي . تمتّع بحظوة كبيرة
في بلاط الملكة أليزابيث الأولى . أُعدم .

Ramakrishna [rä mə krĭsh'nə]
راماكريشنا (١٨٣٦ – ١٨٨٦) : صوفيّ
ومصلح ديني هندوسي . نادى بأن جميع
الأديان تقود إلى الذات المطلقة .

Rambouillet [rän bōō yā'], **Marquise de** رامبوييه، المركيزة دو ١٥٨٨–
١٦٦٥) : نبيلة فرنسية . اشتهرت
بصالونها الأدبي الذي كان يختلف إليه نخبة
من رجال الأدب والثقافة .

Rameses II [răm'ə sēz] رمسيس الثاني
(توفي عام ١٢٣٧ ق. م.) : فرعون مصر
(١٣٠٤ – ١٢٣٧ ق. م) . يُعتبر أعظم
فراعنة مصر قاطبةً .

Rameses III رمسيس الثالث (توفي عام
١١٦٦ ق. م.) : فرعون مصري (١١٩٨ –
١١٦٦ ق. م.) . فتح ليبيا وقبرص ، وعزّز
التجارة والصناعة .

Ramsay [răm'zē], **Allan** ، رمزي ،
آلان (١٧١٣ – ١٧٨٤) : رسام أسكتلندي.
يُعَدّ أحد أعظم الرسامين الأسكتلنديين في
مختلف العصور .

Ramsay, Sir **William** رمزي ، السير
وليم (١٨٥٢ – ١٩١٦) : كيميائي بريطاني .
اكتشف « الغازات الخاملة » inert gases.

Ram Singh [räm sĭng] رام سينغ
(١٨١٦ – ١٨٨٥) : فيلسوف ومصلح
هندي سيخي . اتخذ من اللاتعاون ومقاطعة
السّلع البريطانية سلاحاً سياسياً .

Ranke [räng'kə], **Leopold von**
رانكه ، ليوبولد فون (١٧٩٥ – ١٨٨٦) :
مؤرخ ألماني . يُعتبر في رأي كثير من الباحثين
أبا علم التاريخ الحديث .

Raoult [rä'ōōl], **François Marie**
راوول ، فرانسوا ماري (١٨٣٠–١٩٠١) :
كيميائي فرنسي . وضع قانوناً كيميائياً
يُعْرف باسمه .

Raphael [răf'ē əl] رافاييل (١٤٨٣ –
١٥٢٠) : رسام ومهندس معمار إيطالي.
يُعتبر أحد أعظم الفنانين العالميين في مختلف
العصور .

Rasputin [răs pyōō'tĭn], **Grigori**
راسبوتين ، غريغوري (١٨٧٢ – ١٩١٦) :
راهب روسي . تمتّع بنفوذ كبير في بلاط
القيصر نيقولا الثاني . عُرف بفسقه وتهتّكه .

Ravel [rä vĕl'], **Maurice Joseph**
رافيل ، موريس جوزيف (١٨٧٥ –
١٩٣٧) : مؤلف موسيقي فرنسي . يُعتبر
أحد أكثر المؤلفين الموسيقيين أصالةً في
عصره .

Rawlinson [rô'lĭn sən], Sir **Henry**
رولنسون ، السِّير هنري (١٨١٠ – ١٨٩٥) :
مستشرق إنكليزي . وُفّق إلى حلّ رموز
الكتابة المسمارية .

Rayleigh [rā'lē], **Lord** رايلي ، اللورد
(١٨٤٢ – ١٩١٩) : فيزيائي بريطاني . قام
باكتشافات هامة في علم الصوت وعلم
البَصَريات .

Rabelais

Raphael

Racine

Q

Qaddafi [qäd′dâ fē], **Mu‘ammar**= Kazzafi, Mu‘ammar.

Qalawun [qä lâ′wo͞on] قَــلاوون، المنصور سيف الدين (توفي عام ١٢٩٠ م.) : سلطان مصر المملوكي (١٢٨٠ – ١٢٩٠م.) . قضى على الخطر المغولي الذي كان يتهدّد بلاده .

Quasimodo [kwä′s ə mōd ō], **Salvatore** كواسيمودو ، سالفاتور (١٩٠١– ١٩٦٨) : شاعر وناقد ومترجم إيطالي . مُنح جائزة نوبل في الآداب لعام ١٩٥٩ .

Quesnay [kā nā′], **François** كينيه ، فرانسوا (١٦٩٤ - ١٧٧٤) عالم اقتصاد فرنسي . يُعتبر مؤسس المدرسة الفيزيوقراطية .

Quiller-Couch [kwĭl′ĕr ko͞och′], Sir **Arthur Thomas** كْويلر كوتش ، السّير آرثر توماس (١٨٦٣ – ١٩٤٤) : كاتب ومؤلف إنكليزي . اشتهر باسمه القلمي «ك» « Q ».

Quintilian [kwĭn tĭl′yən] كوينتليانُس (٣٥ ؟ م . – ٩٦ ؟ م.) : خطيب وبلاغيّ روماني . أنشأ في رومة معهداً لتعليم الخطابة .

Quirino [kĭ rē′nō], **Elpidio** كيرينو ، ألبيديو (١٨٩٠ – ١٩٥٦) : سياسي فيليبيني . رئيس الجمهورية (١٩٤٨ – ١٩٥٣) . استشرى الفسادُ في عهده .

Quisling [kwĭz′lĭng], **Vidkun** كْويزلنغ ، فيدكُن (١٨٨٧ – ١٩٤٥) : سياسي نروجي . ألف حكومة موالية للنازيين (١٩٤٠ – ١٩٤٥) خلال الاحتلال الألماني للنروج . أُعدم .

Quwatli [qo͝ow′wăt lē], **Shukri al-** القُوَّتلي ، شكري (١٨٩١ – ١٩٦٧) : سياسي سوري . عُرف بنضاله من أجل الاستقلال . رئيس الجمهورية (١٩٤٣ – ١٩٤٩) و (١٩٥٥ – ١٩٥٨) .

Proust, Marcel بروست ، مارسيل (١٨٧١ – ١٩٢٢) : روائي فرنسي . يُعتبر أحد أبرز ممثلي الرواية النفسية .

Prout [prout], **William** براوت، وليم (١٧٨٥ – ١٨٥٠) : كيميائي إنكليزي . درسَ كيمياء الدم والبول .

Ptolemy [tŏl'ə mē] بَطْلَمْيوس (القرن الثاني للميلاد) : رياضي وجغرافي وعالم فلك يوناني . قال بأن الأرض ثابتة في وسط الكون وأن الشمس والقمر والكواكب تدور حولها.

Ptolemy I بَطْلَمْيوس الأول (٣٦٧ – ٢٨٣ ق. م.) : ملك مصر (٣٢٣ – ٢٨٥ ق. م.) . كان أحد قواد الإسكندر المقدوني وبعد وفاته أسس دولة البطالمة في مصر .

Ptolemy II بَطْلَمْيوس الثاني (٣٠٨– ٢٤٦ ق. م.) : ملك مصر (٢٨٥ – ٢٤٦ ق. م.): جعل من مدينة الإسكندرية مركزاً للثقافة الهلّينية .

Ptolemy III بَطْلَمْيوس الثالث (٢٨٢؟– ٢٢١ ق. م.) : ملك مصر (٢٤٦ – ٢٢١ ق. م.) . بسط سلطانه على البحر الأبيض المتوسط الشرقي .

Puccini [pōōt chē'nē], **Giacomo** بوتشيني ، جيياكومو (١٨٥٨ – ١٩٢٤) : مؤلف موسيقي إيطالي . حظيت أوبراتُـهُ بنجاح شعبي منقطع النظير .

Pushkin

Pushkin [pōōsh'kĭn], **Aleksandr** بوشكين ، ألكسَندر (١٧٩٩ – ١٨٣٧) : شاعر وروائي وكاتب مسرحي روسي . يُعتبر أبا الأدب الروسي الحديث .

Puvis de Chavannes [pü'vē də shá vȧn'], **Pierre** بوفي دو شافان ، بيير (١٨٢٤ – ١٨٩٨) : رسام فرنسي . عُرف برسم الجداريات (أو اللوحات الزيتيّة الجدارية) .

Pyrrho [pĭr'ō] بيرّو (٣٦٥ ؟ – ٢٧٥ ؟ ق. م.) : فيلسوف يوناني . دعا إلى الشك في كل شيء ، وحتى في الإدراك الحسيّ .

Pythagoras [pĭ thăg'ər əs] فيثاغورَس (٥٨٠ ؟ – ٥٠٠ ؟ ق. م.) : رياضي وفيلسوف يوناني . قال بأن الحقيقة هي في أعمق أعماقها رياضيّة ، وبأن العدد أساس كل شيء .

Pytheas [pĭth'ē əs] بيثياس (القرن الرابع قبل الميلاد) : ملاح وجغرافي وعالم فلك يوناني . ارتاد شواطىء أوروبا الأطلسية .

Picasso : *Portrait de J. Sarbatès*

بيكاسو : « وجه ج. سارباتيس » .

Steinbeck [stīn'bĕk], **John** ، شتانبيك جون (١٩٠٢ – ١٩٦٨) : روائي أميركي . اتّسمت آثاره بطابع واقعي . مُنح جائزة نوبل في الأدب لعام ١٩٦٢ .

Stendhal [stän dál'] ستَنْدال (١٧٨٣ – ١٨٤٢) : روائي فرنسي . أشهر آثاره « الأحمر والأسود » *le Rouge et le noir* (عام ١٨٣٠) .

Stephenson [stē'vən sən], **George** ستيفنسون ، جورج (١٧٨١ – ١٨٤٨) : مهندس ومخترع بريطاني . يُعتبر رائداً في صناعة القاطرات البخارية .

Sterne [stûrn], **Laurence** ، ستيرن لورنس (١٧١٣ – ١٧٦٨) : روائي بريطاني. تأثّر بأعماله عدد من كتاب الرواية السيكولوجية .

Stevenson [stē'vən sən], **Robert Louis** ستيفنسون، روبرت لويس(١٨٥٠ – ١٨٩٤) : شاعر وروائي أسكتلندي . يُعتبر أحد أعلام أدب المغامرات .

Stowe [stō], **Harriet Beecher** ، سْتو هارييت بيتشر (١٨١١ – ١٨٩٦) : روائية أميركية . أشهر آثارها : « كوخ العم توم » *Uncle Tom's Cabin* (عام ١٨٥٢) .

Strabo [strā'bō] سترابو (٦٤ ق . م . – ٢٣ ؟ م .) : جغرافي ومؤرخ يوناني . تُعدّ آثاره مرجعاً معتمداً في دراسة التاريخ القديم .

Strafford [străf'ərd], **First Earl of** إيرل سترافورد الأوّل (١٥٩٣ – ١٦٤١) : سياسي إنكليزي . كبير وزراء الملك تشارلز الأول .

Strauss [strous; shtrous], **Johann** شتراوس ، جوهان (١٨٢٥ – ١٨٩٩) : مؤلف موسيقي نمساوي . وضع عدداً من الأوبريتات وأكثر من مئة وخمسين فالساً .

Strauss, Richard شتراوس، ريتشارد (١٨٦٤ – ١٩٤٩) : مؤلف موسيقي ألماني. يُعتبر أحد أركان المذهب التعبيري في الموسيقى .

Stravinsky [strə vĭn'skē], **Igor** سترافنسكي ، إيغور (١٨٨٢ – ١٩٧١) : مؤلف موسيقي روسي . يُعدّ أحد أعظم الموسيقيين في القرن العشرين .

Strindberg [strĭnd'bûrg], **August** ستريندبيرغ ، أوغوست (١٨٤٩ – ١٩١٢) : روائي وكاتب مسرحي سُويدي . كان ذا أثر كبير في تطور المسرحية الأوروبية والأميركية.

Sucre [sōō'krā], **Antonio** ، سوكريه أنطونيو (١٧٩٥ – ١٨٣٠) : زعيم ثوري جنوبأميركي . ساعد بوليفار على تحرير المستعمرات الإسبانية في أميركا الجنوبية .

Suhrawardi, al- [ăs sōōh'rá wăr dē] السُّهرَوَرْدي (١١٥٥ ؟ – ١١٩١ م.) : متصوف وفيلسوف مسلم. حاول التوفيق بين الفلسفة اليونانية والتصوّف .

Suleiman I [sōō'lā män] سُليمان الأول (١٤٩٥ ؟ – ١٥٦٦) : سلطان عثماني (١٥٢٠ – ١٥٦٦) . بلغت الأمبراطورية في عهده أقصى اتساعها وازدهارها .

Sulla [sŭl'ə], **Lucius Cornelius** سولاّ ، لوسيوس كورنيليوس (١٣٨ – ٧٨ ق. م.) : جنرال روماني . ديكتاتور رومة (٨٢ – ٧٩ ق. م.) .

Sullivan [sŭl'ə vən], Sir **Arthur** ساليفان ، السّير آرثر (١٨٤٢ – ١٩٠٠) : مؤلف موسيقى إنكليزي . أعطى الأوبريت الإنكليزية شكلاً مميزاً .

Sully [sü lē'], **Duc de** سولّي، دوق دو (١٥٦٠ – ١٦٤١) : سياسي فرنسي . كبير وزراء الملك هنري الرابع .

Sully-Prudhomme[sü lē'prü dôm'], **René** سولّي برودوم ، رينيه (١٨٣٩ – ١٩٠٧) : شاعر فرنسي . يُعتبر أحد أركان المدرسة البرناسية .

Sun Yat-sen [sōōn' yät'sĕn'] سون يات سِن (١٨٦٦ – ١٩٢٥) : سياسي وزعيم ثوري صيني . مؤسس الجمهورية الصينية ورئيسها المؤقت (١٩١١ – ١٩١٢) .

Swift [swĭft], **Jonathan** ، سويفت جوناثان (١٦٦٧ – ١٧٤٥) : كاتب إنكليزي . أشهر آثاره : « رحلات غاليفر » *Gulliver's Travels* (عام ١٧٢٦) .

Swinburne [swĭn'bərn], **Algernon Charles** سْوينبَرْن ، آلجرنون تشارلز (١٨٣٧ – ١٩٠٩): شاعر وناقد إنكليزي .

Symons [sī'mənz], **Arthur** ، سَيمونز آرثر (١٨٦٥ – ١٩٤٥) : شاعر وناقد إنكليزي . عُرف بمناصرته للحركة الرمزية الفرنسية .

Synge [sĭng], **John** ، سِنْـغ ، جـون (١٨٧١–١٩٠٩): كاتب مسرحي إيرلندي. استمدّ موضوعاته من واقع حياة الشعب الإيرلندي .

Szilard [sē'lärd], **Leo** زيلارد ، ليـو (١٨٩٨ – ١٩٦٤) : فيزيائي أميركي . هنغاري المولد. شارك في صنع القنبلة الذرية .

Stendhal

Duc de Sully

Swinburne

T

Tabari, al- [ăt tä′ bă rē] الطّبري (توفي عام ٩٢٣م.) : عالمٌ عربي. وضع تفسيراً للقرآن الكريم وكتاباً ضخماً في التاريخ .

Tacitus [tăs′ə təs], **Cornelius** تاسيتوس ، كورنيليوس (٥٦ ؟ – ١٢٠م.): خطيب ومؤرخ روماني .

Taft [tăft],**William Howard** تافت، وليم هاوارد (١٨٥٧ – ١٩٣٠) : سياسي أميركي . الرئيس السابع والعشرون للولايات المتحدة الأميركية (١٩٠٩ – ١٩١٣) .

Tagore [tə gôr′], Sir **Rabindranath** طاغور ، السّير رابندرانات (١٨٦١ – ١٩٤١) : شاعر هندي . مُنح جائزة نوبل في الآداب لعام ١٩١٣ .

Taine [tān], **Hippolyte Adolphe** تين ، هيبوليت أدولف (١٨٢٨ – ١٨٩٣): ناقد فرنسي . حاول أن يطبّق المنهج العلمي في النقد الأدبي .

Tal'at Pasha [täl′ăt pä′shä] طلعت باشا (١٨٧٤ – ١٩٢١) : سياسي عثماني . يُعتبر أحد أبرز رجال حزب تركيا الفتاة .

Talleyrand-Périgord [tá lĕ rän′pā rē gôr′], **Charles Maurice de** تاليران بيريغور، شارل موريس دو (١٧٥٤– ١٨٣٨): سياسي وأسقف فرنسي . تولى وزارة الخارجية فترة طويلة .

Tamerlane [tăm′ər lān] تيمورلنك (١٣٣٦ – ١٤٠٥) : فاتح مغولي مسلم . اجتاحت جحافله المنطقة الممتدة من منغوليا إلى البحر الأبيض المتوسط .

Tariq ibn-Ziad [tä′rĭq ĭb′ən zĭ yâd′] طارق بن زياد (توفي حوالى عام ٧٢٠ م.) : قائد مسلم . اجتاز المضيق الذي عُرف بعدُ باسمه (مضيق جبل طارق) وفتح الأندلس (عام ٧١١ م.) .

Tasso [tăs′ō], **Torquato** تاسّو ، توركْواتو (١٥٤٤ – ١٥٩٥) : كبير شعراء إيطاليا في أواخر عصر النهضة . من أشهر آثاره ملحمة « رينالدو » *Rinaldo* (عام ١٥٦٢) .

Taylor [tā′lər], **Edward** تايلور ، أدْوَرْد (١٦٤٥ ؟ – ١٧٢٩) : قسّ وشاعر أميركي . ظلّت قصائده الفضلى مطويةً لم تنشر حتى عام ١٩٣٩ .

Taylor, Zachary تايلور ، زاكاري (١٧٨٤ – ١٨٥٠) : قائد عسكري وزعيم سياسي أميركي . الرئيس الثاني عشر للولايات المتحدة الأميركية (١٨٤٩ – ١٨٥٠) .

Taymur [tăy′mōōr], **Mahmud** تيمور ، محمود (١٨٩٤ – ١٩٧٣) : كاتب مصري . يُعتبر رائداً من رواد القصة القصيرة في الأدب العربي .

Tchaikovsky [chī kôf′skē], **Peter Ilich** تشايكوفسكي، بيتر إيليتش(١٨٤٠– ١٨٩٣) : مؤلف موسيقي روسي . يُعتبر زعيم مؤلفي موسيقى « الباليه » بلا استثناء .

Teasdale [tēz′dāl], **Sara** تيزدايل ، ساره (١٨٨٤ – ١٩٣٣) : شاعرة أميركية . عُرفت بقصائدها الغنائية القصيرة البسيطة .

Tennyson [tĕn′ə sən], **Alfred** تنيسون ، ألفرد (١٨٠٩ – ١٨٩٢) : شاعر إنكليزي . يُعتبر أعظم شعراء العصر الفيكتوري .

Terence [tĕr′əns] تيرينس (١٨٦ ؟ – ١٥٩؟ ق. م.) : كاتب مسرحي روماني. يُعتبر أحد أكبر الكوميديين الرومان .

Tertullian [tər tŭl′ē ən] تَرْتُلْيـان (١٦٠ ؟ – ٢٣٠ ؟ م.) : لاهوتي نصراني قرطاجيّ. قال بأن الإيمان الأعمى هو السبيل الأوحد للخلاص .

Tetzel [tĕt′səl], **Johann** تِتْزِل، جوهان (١٤٦٥ ؟ – ١٥١٩) : راهب ألماني . كان بَيْعه « صكوكَ الغفران » من العوامل التي أثارت نقمة لوثر على الكنيسة الكاثوليكية.

Tewfik Pasha[tou fēk′ pä′shä] توفيق باشا (١٨٥٢ – ١٨٩٢) : خديوي مصر (١٨٧٩ – ١٨٩٢) . في عهده بدأ الاحتلال البريطاني لمصر (عام ١٨٨٢) .

Thabit ibn-Qurrah [thâ′bĭt ĭb′ən qōōr′räh] ثابت بن قُرَّة (٨٣٦ ؟ – ٩٠١ م.): طبيب وعالم رياضيات عربي . نقل إلى العربية عدداً من كتب اليونان في الرياضة والفلك .

Thackeray [thăk′ə rē], **William** ثاكاري ، وليم (١٨١١ – ١٨٦٣): روائي إنكليزي. أشهر آثاره:« معرض الخُيَلاء » *Vanity Fair* (عام ١٨٤٨) .

Tamerlane

Mahmud Taymur

Tennyson

Thales[thā'lēz] طاليس (٦٤٠ ؟ – ٥٤٦ ؟ ق. م.) : فيلسوف يوناني . قال بأن الماء أصل الأشياء كلها .

Thant [thänt], **U** [yōō] ثانت ، يو (١٩٠٩–١٩٧٤): سياسي بورميّ . ثالث أمين عام للأمم المتحدة (١٩٦١–١٩٧١) .

Thatcher [thăch'ər], **Margaret** ثاتشر ،مارغريت (١٩٢٥–): سياسية بريطانية . انتخبت عام ١٩٧٥ زعيمة لحزب المحافظين .

Themistocles [thə mĭs'tə klēz] ثيميستوكليس (٥٢٤ ؟ – ٤٦٠ ق. م.) : سياسي وقائد عسكري أثيني . عمل على تعزيز أسطول أثينا .

Theocritus [thē ŏk'rə təs] ثيوقريطس (٣١٠ ؟ – ٢٥٠ ق. م.) : شاعر يوناني . صوّر في قصائده حياة الرعاة اليومية .

Theodoric the Great [thē ŏd'ər ĭk] ثيودوريك الكبير (٤٥٤ ؟ – ٥٢٦ م.) : ملك القوط الشرقيين (٤٧١ – ٥٢٦ م.) . سيطر على شبه الجزيرة الإيطالية كلها .

Theodosius I the Great [thē ə dō'shəs] ثيودوسيوس الأول الكبير (٣٤٧ – ٣٩٥ م.) : أمبراطور روماني (٣٧٩ – ٣٩٥ م.) . قسّم الأمبراطورية إلى جزأين شرقيّ وغربيّ .

Theophrastus [thē ə frăs'təs] ثيوفراستوس(٣٧٢ ؟ – ٢٨٧ ؟ ق. م.): فيلسوف وعالم نبات يوناني . لم يصلنا من كتبه غير أقلّها .

Thiers [tyâr], **Louis Adolphe** ، تيير لويس أدولف (١٧٩٧ – ١٨٧٧) : سياسي ومؤرخ فرنسي . رئيس الجمهورية (١٨٧١ – ١٨٧٣) .

Thompson [tŏmp'sən], Sir **Benjamin** طومبسون ، السّير بنجامان (١٧٥٣ – ١٨١٤) : فيزيائي أميركي . عُرف بدراساته الخاصة بالحرارة .

Thompson [tŏmp'sən], **Francis** طومبسون ، فرنسيس (١٨٥٩ – ١٩٠٧) : شاعر إنكليزي . قاده اعتلاله صحته إلى إدمان الأفيون .

Thomson[tŏm'sən], **James** ، طومسون جيمس (١٧٠٠ – ١٧٤٨) : شاعر أسكتلندي . يمثّل شعره اهتماماً مبكّراً بالطبيعة .

Thomson, James طومسون ، جيمس (١٨٣٤ – ١٨٨٢) : شاعر إنكليزي . غلبَ التشاؤم على شعره .

Thomson, Sir **Joseph John** ، طومسون السير جوزيف جون (١٨٥٦ – ١٩٤٠) : فيزيائي بريطاني . اكتشف الألكترون (عام ١٨٩٧) .

Thomson, Sir **William** ، طومسون السّير وليم (١٨٢٤ – ١٩٠٧) : فيزيائي بريطاني . اشتهر بدراساته الخاصة بالديناميكا الحرارية .

Thoreau [thôr'ō], **Henry David** ثورو ، هنري دايفيد (١٨١٧ – ١٨٦٢) : كاتب وشاعر أميركي . عُرف بمقاومته الشديدة للاسترقاق والاستعمار .

Thorez [tô rĕz'], **Maurice** ، توريز موريس (١٩٠٠ – ١٩٦٤) : سياسي فرنسي . الأمين العام للحزب الشيوعي الفرنسي (١٩٣٠ – ١٩٦٤) .

Thorndike [thôrn'dīk], **Edward Lee** ثورندايك ، أدْوَرْد لي (١٨٧٤ – ١٩٤٩) : عالم نفس أميركي . ابتكر طريقة لقياس الذكاء .

Theophrastus

Thucydides [thōō sĭd'ə dēz] ثوسيديديس (٤٦٠ ؟ – ٤٠٠ ؟ ق. م.) : مؤرخ أثيني . يُعتبر أعظم المؤرخين اليونان على الإطلاق .

Tiberius [tī bîr'ĭ əs] تيبيريوس (٤٢ ق. م. – ٣٧ م.) : أمبراطور روماني (١٤ – ٣٧ م.) . سلك في الحكم سبيل التعقّل ، فترةً ، ثم أطلق العنان لنزواته وشهواته .

Tiepolo [tē ä'pə lō], **Giovanni** تييابولو ، جيوفاني (١٦٩٦ – ١٧٧٠) : رسام إيطالي . اشتهر بلوحاته الجصيّة الضخمة .

Tiffany [tĭf'ə nē], **Louis Comfort** تيفاني ، لويس كومفورت (١٨٤٨ – ١٩٣٣) : رسام ومزخرف أميركي . ارتبط اسمه بحركة « الفن الجديد » .

Tiglath-pileser III [tĭg'lăth pĭ lē'zər] تيغلاث فيلاسّر (توفي عام ٧٢٧ ق. م.) : ملك أشور (٧٤٤ – ٧٢٧ ق. م.) . قام بإصلاحات إدارية متعددة .

Tinbergen [tĭn'bər gən], **Nikolaas** تينبرجن ، نيقولاس (١٩٠٧ –) : عالم حيوان هولندي . مُنح جائزة نوبل في الفيسيولوجيا والطب لعام ١٩٧٣ (بالمشاركة).

Tintoretto [tĭn tə rĕt'ō] تنتوريتّو (١٥١٨ ؟ – ١٥٩٤) : رسام إيطالي . تميّزت آثاره بتغاير شديد بين الضوء والظلّ .

Tirso de Molina [tēr'sō dā mō lē'nä] تيرسو دي مولينا (١٥٨٤ ؟ –١٦٤٨): كاتب مسرحي إسباني. أشهر آثاره « خدّاع إشبيلية » *El Burlador de Sevilla* (عام ١٦٣٥) .

Titian [tĭsh'ən] تيتيان (١٤٨٩ ؟ – ١٥٧٦) : رسام إيطالي . يُعتبر أحد أعظم فناني عصر النهضة .

Tito[tē'tō], **Josip Broz** تيتو ، جوزيب بروز (١٨٩٢ – ١٩٨٠) : مارشال وسياسي يوغوسلافي . رئيس الوزراء (١٩٤٥ – ١٩٥٣) . رئيس الجمهورية (١٩٥٣ – ١٩٨٠) .

Titus [tī'təs] تيطس (٣٩–٨١ م.) : أمبراطور روماني (٧٩ – ٨١ م.) . فتح بيت المقدس ودمّرها (عام ٧٠ م.) .

Tolstoy [tōl'stoi], **Aleksey** ، تولستوي ألكسي (١٨٨٣ – ١٩٤٥) : روائي روسي . قاوم النظام السوفياتي ثم أعلن تأييده له .

Tolstoy, Count **Leo** تولستوي ،الكونت ليو (١٨٢٨ – ١٩١٠) : روائي روسي . أشهر آثاره : « الحرب والسّلم » *War and Peace* (١٨٦٥ – ١٨٦٩) .

Torricelli [tôr rē chĕl'lē], **Evangelista** توريشيلّي ، إيفانجيليستا (١٦٠٨ – ١٦٤٧) : فيزيائي إيطالي . اخترع البارومتر الزئبقي (١٦٤٣) .

Leo Tolstoy

Tutankhamen

Mark Twain

Toulouse-Lautrec [tōō lōōz′lō trĕk′], **Henri de** هنري دو (١٨٦٤ – ١٩٠١) : رسام فرنسي . صوّر عالم اللهو الباريسي .

Touré [tōō rā′], **Sékou** [sā′kōō] توريه ، سيكو (١٩٢٢ –) : زعيم غينيّ . أول رئيس لجمهورية غينيا (١٩٥٨ –) .

Toynbee [toin′bē], **Arnold** تُوْيْنْبِي ، آرنولد (١٨٨٩ – ١٩٧٥) : مؤرخ بريطاني . فسّر التاريخ على أساس مما دعاه « نظرية التحدّي والاستجابة » .

Trajan [trā′jən] : تراجان (٥٣–١١٧م.) : أمبراطور روماني (٩٨ – ١١٧ م.) : نشّط التجارة ونظّم ماليّة الدولة .

Trollope [trŏl′əp] , **Anthony** ترولّوب ، أنطوني (١٨١٥ – ١٨٨٢) : روائي إنكليزي . صوّر الحياة الإكليركية والمجتمع الريفي .

Trotsky [trŏt′skē], **Leon** تروتسكي ، ليون (١٨٧٩ – ١٩٤٠) : زعيم ثوري سوفياتي . أصرّ على ضرورة الثورة العالمية الدائمة . اغتيل في المكسيك .

Truman [trōō′mən], **Harry** ترومان ، هاري (١٨٨٤ – ١٩٧٢) : سياسي أميركي . الرئيس الثالث والثلاثون للولايات المتحدة الأميركية (١٩٤٥ – ١٩٥٣) .

Turgenev [tōōr gā′nyəf], **Ivan** تورغنيف ، إيفان (١٨١٨ – ١٨٨٣) : روائي وكاتب مسرحي روسي . عُرِف بنزعته التحررية .

Turgot [tōōr gō′], **Anne Robert Jacques** تورغو ، آنّ روبير جـاك (١٧٢٧ – ١٧٨١) : سياسي وعالم اقتصاد فرنسي . وزير المال (١٧٧٤ – ١٧٧٦) في عهد الملك لويس السادس عشر .

Turner [tûr′nər], **Joseph Mallord William** تيرنَر ، جوزيف مالورد وليم (١٧٧٥ – ١٨٥١) : رسام بريطاني . اتّسمت آثاره بطابع رومانتيكي .

Tutankhamen [tōō täng kä mən] توت غنخ آمون : فرعون مصري . امتد حكمه من عام ١٣٦١ إلى عام ١٣٥٢ ق. م. اكتُشِفَت مومياؤه عام ١٩٢٢ .

Twain [twān], **Mark** تْوَيْن ، مـارك (١٨٣٥ – ١٩١٠) : كاتب هزلي أميركي . أشهر آثاره : « مغامرات توم سُوْيَر » (*The Adventures of Tom Sawyer* عـام ١٨٧٦) .

Tyler [tī′lər], **John** تايلـر ، جـون (١٧٩٠ – ١٨٦٢) : سياسي أميركي . الرئيس العاشر للولايات المتحدة الأميركية (١٨٤١ – ١٨٤٥) .

Tyndall [tĭn′dəl], **John** تِنْدَل ، جون (١٨٢٠ – ١٨٩٣) : فيزيائي بريطاني . عُني بدراسة الضوء .

Tzara [tzä′rä], **Tristan** تزارا ، تريستان (١٨٩٦ – ١٩٦٣) : شاعر روماني باللغة الفرنسية . مؤسس الحركة الدادية Dada (عام ١٩١٦) .

U

Uccello [o͞ot chĕl'lō], **Paolo** ، أوتشيلّو باولو (١٣٩٧ – ١٤٧٥) : رسام إيطالي . يُعتبر أحد أبرز الفنانين الفلورنسيين في عصر النهضة .

Umru'-ul-Qays [o͝om ro͞o o͝ol'qāys] امرؤ القَيْس (٥٠٠ ؟ – ٥٤٠ ؟ م .) : شاعر عربي جاهلي . من أصحاب المعلقات . عُرف بدقة الوصف وبراعة التغزّل .

Unamuno [o͞o nä mo͞o'nō], **Miguel de** أونامونو ، ميغيل دي (١٨٦٤ – ١٩٣٦) : كاتب وشاعر وفيلسوف إسباني . يُعدّ رائداً من رُوّاد الفلسفة الوجودية .

'Uqbah ibn-Nafi' ['o͝oq'băh ĭb'ən nâ'fĭ'] عُقبة بن نافع (٦٢١ – ٦٨٣ م .) : قائد عسكري عربي . فتح شمال إفريقيا وبنى مدينة القيروان .

Urban II [ûr'bən] أوربــان الثاني ؛ أوربانوس الثاني (١٠٣٥ ؟ – ١٠٩٩) : بابا رومة (١٠٨٨ – ١٠٩٩) . دعا المسيحيين إلى القيام بالحملة الصليبية الأولى .

Urban VI أوربان السادس ؛ أوربانوس السادس (١٣١٨ ؟ – ١٣٨٩) : بابا رومة (١٣٧٨–١٣٨٩) . في عهــده حــدث « الانشقاق العظيم » .

Urey [yo͝or'ē], **Harold Clayton** يوري ، هارولد كلايتون (١٨٩٣ – ١٩٨١) : كيميائي أميركي . اكتشف الهيدروجين الثقيل (عام ١٩٣١) .

Urfé [do͝or fā'], **Honoré d'** ، دورفيه أونوريه (١٥٦٨ – ١٦٢٥) : روائي فرنسي . أشهر آثاره رواية « آستريه » *Astrée* في خمسة أجزاء (١٦٠٧ – ١٦٢٧) .

U Thant [yo͞o thänt] = Thant, U.

'Uthman ['o͝oth mân'] = Othman.

Utrillo [ü trē yō'], **Maurice** ، أوتريو موريس (١٨٨٣ – ١٩٥٥) : رسام فرنسي . اشتهر برسومه لحيّ مونمارتر في باريس .

Utrillo : *Montmartre*

أوتريو : « حيّ مونمارتر »

V

Paul Verlaine

Valentinian I [văl ən tĭn′yən] فالنتينيان الأول (٣٢١ – ٣٧٥ م.) : أمبراطور روماني (٣٦٤ – ٣٧٥ م.) . حصّن حدود الأمبراطورية .

Valerian[və lĭr′ĭ ən] فاليريان (توفي عام ٢٦٠ م.) : أمبراطور روماني (٢٥٣ – ٢٦٠ م.) . اضطهد النصارى .

Valéry [vȧ lā rē′], **Paul** فاليري ، بول (١٨٧١ – ١٩٤٥) : شاعر فرنسي . يُعتبر أحد أبرز أركان المدرسة الرمزية .

Van Buren[văn byŏŏr′ən], **Martin** فان بيورين ، مارتن (١٧٨٢ – ١٨٦٢) : سياسي أميركي . الرئيس الثامن للولايات المتحدة الأميركية (١٨٣٧ – ١٨٤١) .

Van Dyck [văn dīk′], Sir **Anthony** فاندايك ، السّير أنطوني (١٥٩٩ –١٦٤١): رسام فلمنكي . عُني برسم الوجوه .

van Gogh [văn gôkh′], **Vincent** فان غوخ ، فنسانت (١٨٥٣ – ١٨٩٠) : رسام هولندي . يُعتبر أحد أعظم الرسامين في جميع العصور .

van Gogh : *The Church of Auvers-sur-Oise* فان غوخ : «كنيسة أوفير سور واز»

Varro[văr′ō], **Marcus** فارّو ، ماركوس (١١٦ – ٢٧ ق. م.) : عالم موسوعيّ روماني . ألّف في مختلف فروع المعرفة .

Vasco da Gama = Gama, Vasco da.

Vaughan Williams [vôn wĭl′yəmz], **Ralph** فون وليامز ، رالف (١٨٧٢ – ١٩٥٨) : مؤلف موسيقي بريطاني . يُعتبر أعظم الموسيقيين الإنكليز في النصف الأول من القرن العشرين .

Velâzquez [və läs′kās], **Diego** فيلازكيز ، دييغو (١٥٩٩ – ١٦٦٠) : رسام إسباني . يُعدّ أحد عباقرة الرسم في الغرب كله .

Verdi [vâr′dē], **Giuseppe** فـيردي ، جوزيبي (١٨١٣ – ١٩٠١) : مؤلف موسيقي إيطالي . يُعتبر أحد أبرز مؤلفي الأوبرا الإيطاليين في القرن التاسع عشر .

Vergil [vûr′jəl] = Virgil.

Verlaine [vĕr lĕn′], **Paul** فيرلـين ، بول (١٨٤٤ – ١٨٩٦) : شاعر فرنسي . يُعَدّ أحد رواد المدرسة الرمزية .

Vermeer[vər mâr], **Jan**[yän] فيرمير ، يان (١٦٣٢ – ١٦٧٥) : رسام هولندي . عُني بتصوير المشاهد الداخلية والمنزلية .

Verne [vĕrn], **Jules** فيرن ، جـول (١٨٢٨ – ١٩٠٥) : كاتب فرنسي . عُني بتأليف الروايات العلمية .

Veronese [vā rō nä′zē], **Paolo** فيرونيزي ، باولو (١٥٢٨ – ١٥٨٨) : رسام إيطالي . أكدّ في رسومه على اللون ورشاقة الشكل .

Verrocchio [və rō′kē ō], **Andrea del** فيرّوكيو ، آندريا دِلْ (١٤٣٥ – ١٤٨٨) : رسّام ونحات إيطالي . كان أستاذاً لليوناردو دا فينشي .

Vesalius [vĭ sā′lē əs], **Andreas** فيزيليوس ، آندرياس (١٥١٤ – ١٥٦٤) . جراح وعالم تشريح فلمنكي . يُعتبر أبا علم التشريح الحديث .

Vespasian [vəs pā′zhən] فَسْبازيان (٩ – ٧٩ م.) : أمبراطور روماني (٦٩ – ٧٩ م.) . أعاد للأمبراطورية استقرارها .

Vespucci [vĕs pōōt'chē], **Amerigo** فسبوتشي ، أميريغو (١٤٥٤ – ١٥١٢) : ملاح إيطالي . راد سواحل العالم الجديد بعد كولومبس . دُعيت أميركا على اسمه .

Victor Emmanuel I [vĭk'tər ĭ măn'yōō əl] فيكتور عمانوئيل الأول (١٧٥٩ – ١٨٢٤) : ملك سردينيا (١٨٠٢– ١٨٢١) . تخلّى عن العرش (عام ١٨٢١) .

Victor Emmanuel II فيكتور عمانوئيل الثاني (١٨٢٠ – ١٨٧٨) : آخر ملوك سردينيا (١٨٤٩ – ١٨٦١) ، وأول ملك تربّع على عرش إيطاليا المتحدة (١٨٦١ – ١٨٧٨) .

Victor Emmanuel III فيكتور عمانوئيل الثالث (١٨٦٩ – ١٩٤٧) : ملك إيطاليا (١٩٠٠ – ١٩٤٦) . في عهده دخلت إيطاليا الحرب العالمية الثانية .

Victoria [vĭk tôr'ē ə] فيكتوريا(١٨١٩– ١٩٠١) : ملكة بريطانيا العظمى (١٨٣٧ – ١٩٠١) وأمبراطورة الهند (١٨٧٦ – ١٩٠١) . اتّسعت في عهدها رقعة الأمبراطورية البريطانية .

Vigny [vē nyē'], **Alfred de** فينيي ، ألفرد دو (١٧٩٧–١٨٦٣) : شاعر فرنسي . يُعتبر أحد أبرز الأدباء الرومانتيكيين الفرنسيين .

Villon [vē yôn'], **François** فييون ، فرانسوا (١٤٣١ – ١٤٦٣ ؟) : شاعر فرنسي . في آثاره ابتهاج مُتحدٍّ وظَرْف ساخر .

Villon, Jacques فييون، جاك (١٨٧٥– ١٩٦٣) : رسام فرنسي . ارتبط اسمه أولاً بالمدرسة الانطباعية ثم بالمدرسة التكعيبية .

Virgil [vûr'jəl] فيرجيل (٧٠ – ١٩ق.م.) : كبير شعراء الرومان . صاحب ملحمة « الإنيادة » *Aeneid* .

Vivaldi [vē väl'dē], **Antonio** فيفالدي، أنطونيو (١٦٧٨ – ١٧٤١) : مؤلف موسيقي إيطالي . وضع نحواً من خمسين أوبرا .

Vlaminck [vlä mănk'] **Maurice de** فلامانك ، موريس دو (١٨٧٦ – ١٩٥٨) : رسام فرنسي . ارتبط اسمه فترة طويلة بالمدرسة الفوفية Fauvism .

Volta [vŏl'tə], Count **Alessandro** فولطا ، الكونت أليسّاندرو (١٧٤٥ – ١٨٢٧) : فيزيائي إيطالي . اخترع البطارية الكهربائية (عام ١٨٠٠) .

Voltaire [vŏl târ'] فولتير (١٦٩٤ – ١٧٧٨) : فيلسوف فرنسي . يُعتبر أحد أكبر رجال الفكر في القرن الثامن عشر .

Voltaire

Voroshilov [və rŏ shē' lôf], **Kliment** فوروشيلوف ، كليمنت (١٨٨١ – ١٩٦٩) : مارشال سوفياتي . رئيس الاتحاد السوفياتي (١٩٥٣ – ١٩٦٠) .

Vuillard [vwē yär'], **Jean Edouard** فُويار ، جان أدوار (١٨٦٨ – ١٩٤٠) : رسّام فرنسي . عُني بتصوير الحياة المنزلية .

Vyshinsky [vĭ shĭn'skē], **Andrai** فيشنسكي ، أندراي (١٨٨٣–١٩٥٤) : ديبلوماسي سوفياتي . وزير الخارجية (١٩٤٩ – ١٩٥٣) .

Vermeer : *The Cook* فيرمير : « الطاهية »

W

Wagner

George Washington

Duke of Wellington

Wagner [väg'nər], **Richard** فاغنر ، ريتشارد (١٨١٣ – ١٨٨٣) : مؤلف موسيقي ألماني . أدخلَ الدراما في الأوبرا .

Waldheim [vält'hīm], **Kurt** فالدهايم ، كورت (١٩١٨ –   ) : ديبلوماسي نمساوي . الأمين العام للأمم المتحدة (١٩٧٢ – ١٩٨١) .

Wallace [wäl'ĭs], **Alfred Russel** والاس ، ألفرد راسل (١٨٢٣ – ١٩١٣) : عالم طبيعة بريطاني .

Wallace, Henry Agard والاس ، هنري آغارد (١٨٨٨ – ١٩٦٥) : سياسي أميركي . نائب رئيس الجمهورية (١٩٤١ – ١٩٤٥) في عهد فرانكلن روزفلت .

Wallenstein [wäl'ən shtīn], **Albrecht von** والِنشتاين ، ألبرخت فون (١٥٨٣ – ١٦٣٤) : جنرال نمساوي . يُعَدّ أحد أعظم القادة العسكريين في عصره .

Wallis [wäl'ĭs], **John** واليس ، جون (١٦١٦ – ١٧٠٣) : عالم رياضيات إنكليزي . يعتبر أعظم الرياضيين الإنكليز قبل عصر نيوتن .

Walpole [wôl'pōl], Sir **Robert** وولبول ، السّير روبرت (١٦٧٦ – ١٧٤٥) : سياسي بريطاني . رئيس الوزراء (١٧٢١ – ١٧٤٢) .

Washington [wäsh'ĭng tən], **George** واشنطن ، جورج (١٧٣٢ – ١٧٩٩) : بطل حرب الاستقلال الأميركية (١٧٧٥ – ١٧٨٣) . أول رئيس للولايات المتحدة الأميركية (١٧٨٩ – ١٧٩٧) .

Watson [wät'sən], **John** واطسون ، جون (١٨٧٨ – ١٩٥٨) : عالم نفس أميركي . يُعتبر رائد المدرسة السُّلوكية .

Watt [wät], **James** واطّ ، جيمس (١٧٣٦ – ١٨١٩) : مخترع أسكتلندي . أدخل تحسينات أساسية على الآلة البخارية .

Watts [wäts], **George** واتس ، جورج (١٨١٧ – ١٩٠٤) : رسام ونحّات إنكليزي . آمن بأن الفن يجب أن يكون ذا رسالة عالمية .

Wavell [wā'vəl], **Archibald** ويفل ، آرتشيبالد (١٨٨٣ – ١٩٥٠) : قائد عسكري بريطاني . تولى القيادة العليا للقوات البريطانية في الشرق الأوسط (عام ١٩٣٩) .

Weber [vā'bər], **Ernst** فيبَرْ ، أرنست (١٧٩٥ – ١٨٧٨) : عالم نفس ألماني . يُعتبر مؤسس علم النفس التجريبي .

Weber, Max فيبَرْ ، ماكس (١٨٨١ – ١٩٦١) : رسام ونحات أميركي . تتّسم آثاره بطابع تجريدي .

Webster [wĕb'stər], **Noah** وبستر ، نوح (١٧٥٨ – ١٨٤٣) : عالم لغوي أميركي . يُعتبر رائد صناعة المعاجم في الولايات المتحدة الأميركية .

Wellington [wĕl'ĭng tən], **Duke of** ولينغتون ، دوق أوف (١٧٦٩ – ١٨٥٢) : جنرال بريطاني . هزم نابوليون بونابرت في معركة واترلو (عام ١٨١٥) .

Wells [wĕlz], **(H)erbert G(eorge)** وِلْز ، هربرت جورج (١٨٦٦ – ١٩٤٦) : روائي ومؤلف إنكليزي . يُعتبر أحد أبرز كتّاب الرواية العلمية .

West [wĕst], **Benjamin** وست ، بنجامان (١٧٣٨ – ١٨٢٠) : رسام أميركي . عُني بتصوير الموضوعات التاريخية والدينية والأسطورية .

Whitehead [hwīt'hĕd], **Alfred** هوايتْهِدْ ، ألفرد (١٨٦١ – ١٩٤٧) : رياضي وفيلسوف بريطاني .

Whitman [hwĭt'mən], **Walt** هويتمان ، وولت (١٨١٩ – ١٨٩٢) : شاعر أميركي . يُعْرف برسول الديموقراطية ونصير «الرجل العاديّ» .

Wiener [wē'nər], **Norbert** وينر ، نوربرت (١٨٩٤ – ١٩٦٤) : عالم رياضي أميركي . مؤسس السِّيبرناتية أو علم الضبط cybernetics.

Wilde [wīld], **Oscar** وايلد ، أوسكار (١٨٥٤ – ١٩٠٠) : شاعر وروائي وكاتب مسرحي إيرلندي . يُعتبر من أبرز القائلين بنظرية « الفن للفنّ » .

Wilhelm I [vĭl'hĕlm] ولْهَلْم الأول (١٧٩٧–١٨٨٨) : ملك بروسيا (١٨٦١ – ١٨٨٨) وأمبراطور ألمانيا (١٨٧١–١٨٨٨) . في عهده تحققت الوحدة الألمانية (عام ١٨٧١) .

Wilhelm II ولهلم الثاني (١٨٥٩ – ١٩٤١) : ملك بروسيا وأمبراطور ألمانيا (١٨٨٨ – ١٩١٨) . في عهده خاضت ألمانيا الحرب العالمية الأولى . تخلّى عن العرش .

Wilhelmina [vĭl hĕl mē′nə] ولْهِلْمينا (١٨٨٠ – ١٩٦٢) : ملكــة هولنــدا (١٨٩٠ – ١٩٤٨) . تخلّت عن العرش لأسباب صحية .

William I [wĭl′yəm] *also* **William the Conqueror** وليم الأول ؛ وليـــم الفاتح (١٠٢٨ – ١٠٨٧) : ملك إنكلترا (١٠٦٦ – ١٠٨٧) . قاد الحملة النورمندية على إنكلترا وفتحَها (عام ١٠٦٦) .

Williams [wĭl′yəmz], **Tennessee** ولْيَمْز ، تنيسي (١٩١١ – ١٩٨٣) : كاتب مسرحي أميركي . نفذ في آثاره إلى أعماق الروح الإنسانية .

Wilson [wĭl′sən], **Harold** ولســون ، هارولد (١٩١٦ –) : سياسي بريطاني. زعيم حزب العمال . رئيس الوزراء (١٩٦٤ – ١٩٧٠) و (١٩٧٤ – ١٩٧٦) .

Wilson, Woodrow ولســون ، وودرو (١٨٥٦ – ١٩٢٤) : سياسي أميركي . زعيم الحزب الديموقراطي . الرئيس الثامن والعشرون للولايات المتحدة الأميركية . (١٩١٣ – ١٩٢١) . في عهده دخل الأميركيون الحرب العالمية الأولى .

Woodrow Wilson

Wolfe [wo͝olf], **Thomas Clayton** وولف ، تومــاس كلايتون (١٩٠٠ – ١٩٣٨) : روائي أميركي . يغلب على رواياته طابع السيرة الذاتية .

Wolsey [wo͝ol′zē], **Thomas** وولزي ، توماس (١٤٧٥ – ١٥٣٠) : كاردينال إنكليزي . كان مستشاراً للملك هنري الثامن (من عام ١٥١٥ إلى عام ١٥٢٩) .

Wood [wo͝od], **Grant** وود ، غرانــت (١٨٩٢ – ١٩٤٢) : رسام أميركي . عُرف بواقعيته الصارمة .

Woolf [wo͝olf], **Virginia** وولف ، فيرجينيا (١٨٨٢ – ١٩٤١) : روائيــة إنكليزية . أصيبت باضطراب عقلي فانتحرت.

Wordsworth [wûrdz′wûrth], **William** وورْدْزْوورث ، وليم (١٧٧٠ – ١٨٥٠) : شاعر إنكليزي . يُعتبر كبير شعراء الحركة الرومانتيكية الإنكليزية .

Wright [rīt], **Richard** رايت ، ريتشارد (١٩٠٨ – ١٩٦٠) : روائي زنجي أميركي . من أشهر آثاره « الصبيّ الأسود » *Black Boy* (عام ١٩٤٥) .

Wright [rīt], **Wilbur** رايت ، ويلبور (١٨٦٧ – ١٩١٢) : رائد طيران أميركي . صَنَعَ هو وأخوه أورفيل Orville (١٨٧١ – ١٩٤٨) أول طائرة ذات محرّك وطارا بها (عام ١٩٠٣) .

Wundt [vo͝ont], **Wilhelm Max** فونت ، ولهلم ماكس (١٨٣٢ – ١٩٢٠) : فيسيولوجي وعالم نفس ألماني . أنشأ أول مختبر لعلم النفس (عام ١٨٧٩) .

Wycliffe [wĭk′lĭf], **John** ويكْلف ، جون (١٣٣٠ ؟ – ١٣٨٤) : لاهوتي ومصلح ديني إنكليزي . أنكر سلطة البابا إذا تعارضت مع الكتاب المقدس . اتُّهم بالهرطقة .

Wordsworth

Weber : *la Visite*
فيبر : « الزيارة »

X

Xenophon

Xenophanes [zē nŏf′ə nēz] زينوفان؛ زينوفانيس (٥٦٠ ؟ – ٤٧٨ ؟ ق. م.) : فيلسوف وشاعر يوناني . قال بوحدة الوجود.

Xenophon [zĕn′ə fən] زينوفون (٤٣١– ٣٥٥ ؟ ق. م.) : مؤرخ وقائد عسكري يوناني . قاتل في خدمة الفرس في كردستان وأرمينيا .

Xerxes I [zûrk′sēz] أَحْشورُس الأول؛ أحشَويرُش الأول (٥١٩ ؟ – ٤٦٥ ق. م.) : ملك فارس (٤٨٦ – ٤٦٥ ق. م.) . غزا بلاد اليونان (عام ٤٨٠ ق. م.) .

Y

Ya'qubi, al- [ăl yă'qōō′bē] اليَعْقوبي (توفي عام ٨٩٧ م.) : مؤرخ وجغرافي عربي . أشهر آثاره : « كتاب البلدان » .

Yaqut al-Rumi [yâ′qōōt ăr rōō′mē] ياقوت الرومي (١١٧٩ – ١٢٢٩ م.) : جغرافي وكاتب سِيَر عربي . صاحب « معجم البلدان » و « معجم الأدباء » .

Yazdegerd III [yăz dâ′jârd] يَزْدَجَرْد الثالث (توفي عام ٦٥١ م.) : آخر ملوك الفرس الساسانيين (٦٣٢ – ٦٥١ م.) . انتصر العرب على قواته في معركة القادسية (عام ٦٣٧ أو ٦٣٦ م.) .

Yazid I [yă zēd′] يزيد الأول؛ يزيد بن معاوية (٦٤٥ ؟ – ٦٨٣ م.) : الخليفة الأموي الثاني (٦٨٠ – ٦٨٣ م.) . في عهده حدثت مأساة كربلاء .

Yazigi [yă′zĭ gē], **Ibrahim al-** اليازجي ، إبراهيم (١٨٤٧ – ١٩٠٦) : صحافي ولغوي عربي . يُعتبر أحد أبرز أعلام النهضة الأدبية الحديثة .

Yazigi, Nasif al- اليازجي ، ناصيف (١٨٠٠ – ١٨٧١) : كاتب وشاعر عربي لبناني . أشهر آثاره : « مَجْمع البحرين ».

Yeats [yāts], **William Butler** ، ييتس ، وليم بتْلر (١٨٦٥ – ١٩٣٩) : شاعر وكاتب مسرحي إيرلندي . مُنح جائزة نوبل في الآداب لعام ١٩٢٣ .

Yesenin [yĕs′ə nĭn], **Sergey Alexandrovich** ييسينين ، ألكسنْدروفيتش (١٨٩٥ – ١٩٢٥) : شاعر روسي . عاش حياة بوهيمية مستهترة .

Yevtushenko [yĕv tōō shĕng′kō], **Yevgeny Alexandrovich** يفْتوشنكو ، يفْجيني ألكسندروفيتش (١٩٣٣ –) : شاعر سوفياتي . دعا إلى تغليب المقاييس الفنية على المقاييس السياسية .

Young [yŭng], **Thomas** ، يونغ ، توماس (١٧٧٣ – ١٨٢٩) : فيزيائي وطبيب بريطاني . عُني بدراسة الآثار المصرية .

William Butler Yeats

Z

Emile Zola

Zwingli

Zaghlul [zăg'lōōl], **Sa'd** زغلول، سعد (١٨٥٧ – ١٩٢٧) : زعيم وطني مصري . مؤسس حزب الوفد . عمل من أجل تحرير مصر من الاحتلال البريطاني .

Zahawi, al- [ăz ză hâ'wē], **Jameel Sidqi** الزّهاوي ، جميل صدقي (١٨٦٣– ١٩٣٦) : شاعر عراقي . يُعدّ واحداً من أبرز الشعراء في عصر النهضة الحديثة .

Zahrawi, al- [ăz zăh rä'wē[, **abul-Qasim** الزّهراوي ، أبو القاسم (٩٣٦ – ١٠١٣) : أعظم الجراحين العرب . ابتكر عدة آلات جراحية .

Zapata [sä pä'tä], **Emiliano** زاباتا ، أميليانو (١٨٧٩ – ١٩١٩) : زعيم ثوري مكسيكي . اغتيل في كمين نُصب له .

Zeeman [zā'män], **Pieter** زيمان ، بيتر (١٨٦٥ – ١٩٤٣) : فيزيائي هولندي . مُنح جائزة نوبل في الفيزياء (بالمشاركة) لعام ١٩٠٢ .

Zeno [zē'nō] زينون ؛ زينون الرّواقي (٣٣٥ – ٢٦٣ ق. م.) : فيلسوف يوناني . مؤسس الفلسفة الرواقية .

Zeno of Elea [ē lē'ə] زينون الإيلي (٤٩٥ ؟ – ٤٣٠ ق. م.) : فيلسوف يوناني . حاول أن يثبت أن الحركة وهمٌ لا حقيقة .

Zenobia [zə nō'bē ə] زنوبيا (توفيت بعد عام ٢٧٤ م.) : ملكة تدمر (٢٦٧ – ٢٧٢ م.) . أعلنت استقلالها عن رومه . أسرها الأمبراطور أوريليانوس .

Zeppelin [zĕp'ə lĭn], Count **Ferdinand von** زبلن ، الكونت فرديناند فون (١٨٣٨ – ١٩١٧) : جنرال ألماني . صنع المنطاد الذي يحمل اسمه .

Zhukov [zhü'kôf], **Georgi** جوكوف ، جيورجي (١٨٩٦ – ١٩٧٤) : مارشال سوفياتي . لعب دوراً بارزاً خلال الحرب العالمية الثانية .

Ziegler [tsē'glər], **Karl** تسيغْلَر ، كارل (١٨٩٨ – ١٩٧٣) : كيميائي ألماني . مُنح جائزة نوبل في الكيمياء لعام ١٩٦٣ (بالمشاركة) .

Ziryab [zĭr'yâb] زِرْياب ، أبو الحسن عليّ ابن نافع (توفي حوالى ٨٥٢ م.) : كبير موسيقيي العرب في الأندلس .

Zola [zō lá'], **Emile** زولا ، أميل (١٨٤٠ – ١٩٠٢) : روائي فرنسي . يُعتبر مؤسس المذهب الطبيعي في الأدب .

Zoroaster [zōr ō ăs'tər] زَرادَشْت (٦٢٨ ؟ – ٥٥١ ق . م .) : مصلح ديني فارسي . نبيّ الزّرادشتية ومؤسّسها .

Zuhayr ibn-abi-Sulma [zŏŏ hāyr' ĭb'ən ă bē' sŏŏl'mâ] زهير بن أبي سُلمى (٥٢٠ ؟ – ٦٠٩ ؟ م.) : شاعر عربي جاهلي . من أصحاب المعلقات .

Zuloaga [zōō lô ä'gä], **Ignacio** زولوواغا ، إغناسيو (١٨٧٠ – ١٩٤٥) : رسام إسباني . اتّسم فنه بالطابع القومي .

Zurbarán [zōōr bə rän'], **Francisco de** زورباران ، فرانسيسكو دي (١٥٩٨– ١٦٦٤) : رسام إسباني . عُني بتصوير الموضوعات الدينية .

Zweig [tsvīkh], **Stefan** زفايغ ، ستيفان (١٨٨١ – ١٩٤٢) : روائي وكاتب نمساوي . عُني بدراسة شخصيات المشاهير وتحليلها .

Zwingli [tsvĭng'lē], **Ulrich** زوينغلي ، أولريخ (١٤٨٤ – ١٥٣١) : مصلح بروتستانتي سويسري . تأثر بتعاليم لوثر .

Zworykin [swôr'ə kĭn], **Vladimir** زْوُوْرِيكين ، فلاديمير (١٨٩٩ –) : فيزيائي أميركي . روسي المولد . يُعتبر أبا التلفزيون (١٩٢٣ – ١٩٢٤) .

ثبت المراجع

1. ENCYCLOPAEDIA BRITANNICA; U.S.A., 1974.
2. THE NEW CAXTON ENCYCLOPEDIA; LONDON 1973.
3. ENCYCLOPAEDIA OF ISLAM; LEIDEN 1913-1938.
4. WEBSTER'S BIOGRAPHICAL DICTIONARY; SPRINGFIELD, MASS., U.S.A., 1953.
5. McGRAW-HILL DICTIONARY OF ART; VERONA, ITALY, 1969.
6. LAROUSSE ILLUSTRATED INTERNATIONAL ENCYCLOPEDIA AND DICTIONARY; PARIS, 1972.
7. LA GRANDE ENCYCLOPEDIE LAROUSSE; PARIS, 1976.
8. LAROUSSE TROIS VOLUMES; PARIS, 1976.

٩ ـ الأعلام لخير الدين الزركلي ، بيروت ١٩٦٩ .

١٠ ـ الموسوعة العربية الميسرة ، القاهرة ١٩٦٥ .

١١ ـ المنجد في الأعلام ، بيروت ١٩٧٣ .

١٢ ـ موسوعة المورد لمنير البعلبكي .

موسوعة المورد العربية

* موسوعة عربية تقع في ١٣٤٠ صفحة في مجلدين من القطع الكبير.

* بُنيت على أساس موسوعة المورد الإنكليزية العربية، ونهجت نهجها في الدقة العلمية وفي الاعتماد على أوثق المراجع.

* تشمل موضوعاتها العلوم والآداب والفلسفة والتاريخ والجغرافيا والمعتقدات الدينية والمذاهب الفلسفية والفنون الجميلة وأعلام الرجال والنساء، مع اهتمام خاص بكل ما يتصل بالإسلام والعرب.

* تزدان صفحاتها بمجموعة كبيرة من الصور واللوحات.

تأليف
منير البعلبكي

دار العلم للملايين
مؤسسة ثقافية للتأليف والترجمة والنشر

موسوعة المورد

منير البعلبكي

□ تُعتبر هذه الموسوعة أضخم مشروع ثقافي يظهر في مطلع الثمانينات من القرن العشرين.

□ تُغطّي كل ما يتوق المثقف العربي إلى معرفته في ميادين العلوم والآداب والفلسفة والتاريخ والجغرافيا والمعتقدات الدينية والمذاهب الفلسفية والفنون الجميلة بالإضافة إلى مجموعة ضخمة من أعلام الرجال الذين أطلعتهم الإنسانية منذ فجر الحضارة حتى اليوم.

□ تستند في كل سطر من سطورها إلى أوثق المراجع وأجدرها بالاعتماد وتلتزم في موادّها جميعاً منهجاً علمياً متكاملاً. تتميز بإخراج رائع غنيّ بالصور واللوحات المطبوعة بالألوان الطبيعية مما يجعل منها موسوعة فريدة بين موسوعات العالم الكبرى.

□ وللموسوعة علبة خشبية تُطلب على حدة وهي في حد ذاتها تحفة فنية فاخرة.

□ ٢٤٠٠ صفحة كبيرة.

□ ٢٠٫٠٠٠ مادة ومقالة.

□ ٣٫٠٠٠ صورة أو لوحة مطبوعة بالألوان.

شارع مار الياس - خلف شكنة الحلو
ص.ب ١٠٨٥ - تلفون : ٣٠٤٤٤٥ - ٨١٦٦٣٩
برقيا : ملايين - تلكس : ٢٣١٦٦ ملايين

دار العلم للملايين

التنفيذ الطباعي: مطابع نصر الله ـ سدّ البوشريّة ـ بيروت

التجليد الفنّي : مؤسسة عبد الحفيظ البساط للتجليد وتصنيع الكتاب

تلفون: ٨٢١٨٨٤(٠١) ـ ٨٢٢٠٩٦(٠١) ـ ٨٣٤٩٠٢(٠١)

م ٠. ب ٩٧

دار العلم للملايين

إذا وجدت خطأ بترتيب الصفحات الرجاء الاتصال بدار العلم للملايين وإعادة هذه القسيمة إليها مع تحديد موضع الخطأ في الترقيم وذلك على صندوق البريد ١٠٨٥ بيروت . وستقوم دار العلم للملايين بإرسال الصفحات الناقصة .

المدقق   ....

ـهـ

«المورد الالكتروني»

أول برنامج من نوعه يوحِّد قاموسين مشهورين عالميًّا

«المورد انكليزي - عربي» و«المورد عربي - انكليزي»

في النظام الإلكتروني للكمبيوتر

تفخر دار العلم للملايين وشركة العريس للكمبيوتر بأن تكونا السبّاقتين في إصدار أول برنامج إلكتروني في العالم يضمّ أشهر وأوثق قاموسين من نوعهما في العالم، هما «المورد إنكليزي - عربي» و«المورد عربي-إنكليزي».

يهدف برنامج «المورد الإلكتروني» إلى توسيع نطاق استعمال القاموسين في مجال الكمبيوتر وتحسينه، من أجل إعطاء القارئ أفضل خدمة وأحدث وسيلة، ونحن ندخل عصر النشر الإلكتروني بواسطة الكمبيوتر.

يمتاز برنامج المورد الإلكتروني بأنه يقدِّم لك قاموسين: المورد عربي - إنكليزي وإنكليزي - عربي على شاشة الكمبيوتر، وأمام نظرك المباشر، فيوفر عليك عناء البحث الطويل عن الكلمة، ويسمح لك بإجراء المقارنة بين المفردات والمصطلحات في أكثر من لغة، ويؤمِّن لك الحصول على المعاني المتبادلة فورًا.

ومن خصائص هذا البرنامج الباهرة أنه:

* سهل التجهيز، والتعلُّم، والاستعمال.

* مرفق بدليل للتعليمات يُقدَّم مجانًا مع كل نسخة من «المورد الإلكتروني».

* يمكِّنك من الانتقال السريع بين «المورد إنكليزي - عربي» و«المورد عربي - إنكليزي»، ويتيح لك إمكانية دمجهما معًا على الشاشة، مع المحافظة على خمس صفحات مفتوحة في وقت واحد.

* يُجسِّد أفضل تشكيل مرئيّ متقدِّم، فيظهر لك على الشاشة كل ما ستطبعه الطابعة مباشرة وتمامًا.

* يتيح لك البحث عن معاني الكلمات الإنكليزية باللغة العربية، وعن معاني الكلمات العربية باللغة الإنكليزية في سهولة قصوى.

* يحتوي على قسم خاص بالكلمات الإنكليزية ذات الأصل العربي.

* يحتوي على مجموعة كبيرة من الأعلام في مُلحق خاص.

* يتسم بسهولة النَّسْخ والقَصّ واللَّصْق والطباعة.

* يتضمّن خمسة مؤشّرات لكلمات يراد الرجوع إليها في أي وقت دون إعادة كتابتها.

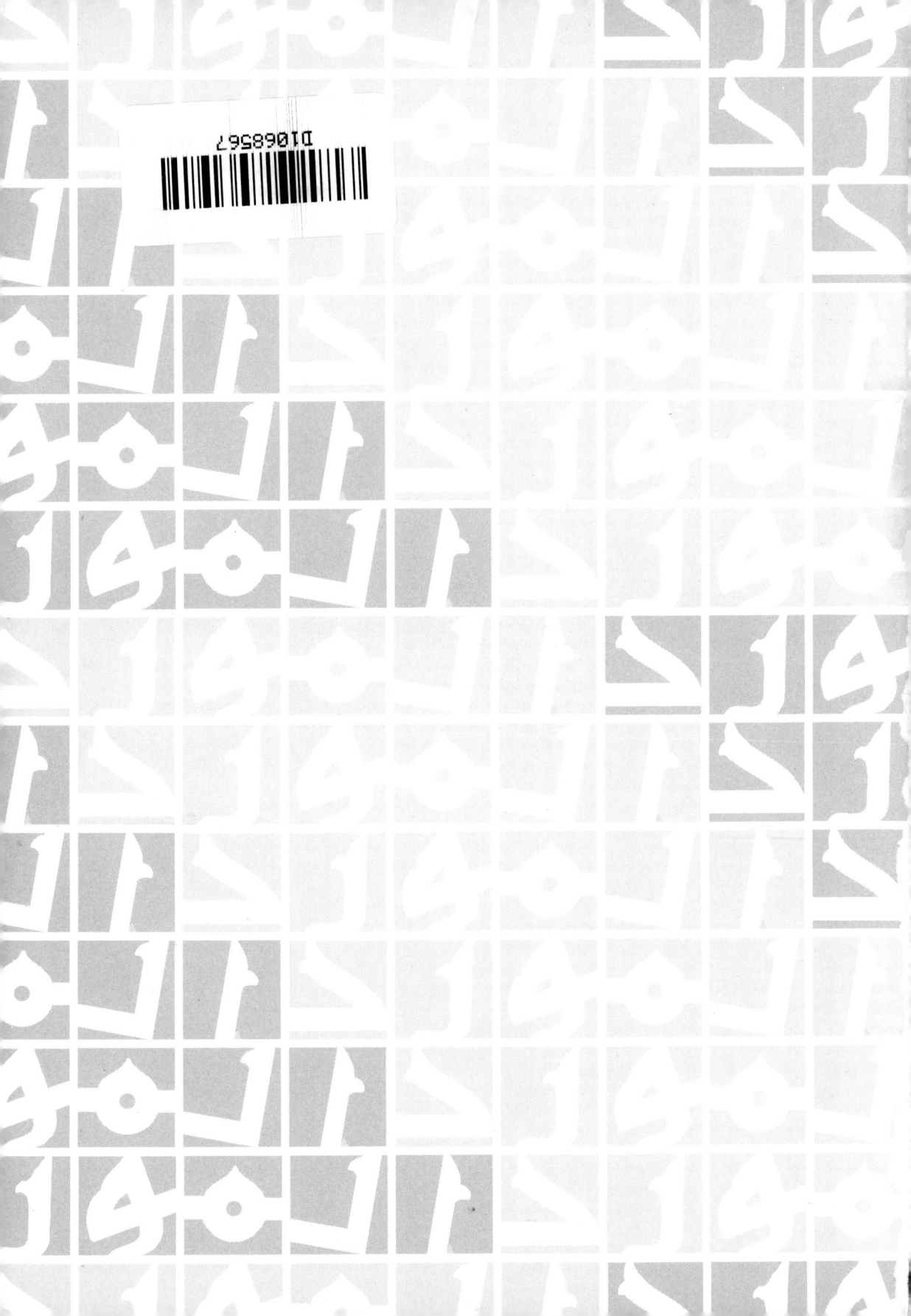